CB036985

ROBBINS & COTRAN

PATOLOGIA
BASES PATOLÓGICAS DAS DOENÇAS

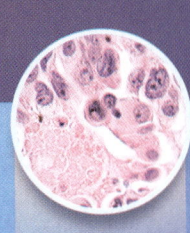

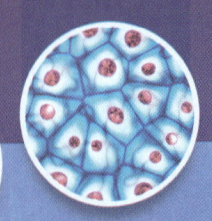

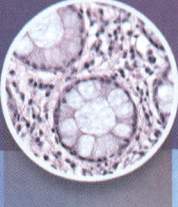

O GEN | Grupo Editorial Nacional – maior plataforma editorial brasileira no segmento científico, técnico e profissional – publica conteúdos nas áreas de ciências da saúde, exatas, humanas, jurídicas e sociais aplicadas, além de prover serviços direcionados à educação continuada e à preparação para concursos.

As editoras que integram o GEN, das mais respeitadas no mercado editorial, construíram catálogos inigualáveis, com obras decisivas para a formação acadêmica e o aperfeiçoamento de várias gerações de profissionais e estudantes, tendo se tornado sinônimo de qualidade e seriedade.

A missão do GEN e dos núcleos de conteúdo que o compõem é prover a melhor informação científica e distribuí-la de maneira flexível e conveniente, a preços justos, gerando benefícios e servindo a autores, docentes, livreiros, funcionários, colaboradores e acionistas.

Nosso comportamento ético incondicional e nossa responsabilidade social e ambiental são reforçados pela natureza educacional de nossa atividade e dão sustentabilidade ao crescimento contínuo e à rentabilidade do grupo.

ROBBINS & COTRAN
PATOLOGIA
BASES PATOLÓGICAS DAS DOENÇAS

Vinay Kumar, MBBS, MD, FRCPath
Lowell T. Coggeshall Distinguished Service Professor of Pathology, Committee on Molecular Medicine Biologic Sciences
Division, Department of Pathology, The Pritzker School of Medicine The University of Chicago
Chicago, Illinois

Abul K. Abbas, MBBS
Emeritus Professor and Chair
Department of Pathology
University of California San Francisco
San Francisco, California

Jon C. Aster, MD, PhD
Michael Gimbrone Professor of Pathology
Brigham and Women's Hospital and Harvard Medical School
Boston, Massachusetts

Editor Associado
Jerrold R. Turner, MD, PhD
Professor of Pathology and Medicine
Brigham and Women's Hospital
Harvard Medical School
Boston, Massachusetts

ILUSTRAÇÕES DE:
James A. Perkins, MS, MFA
Distinguished Professor of Medical Illustration
Rochester Institute of Technology
Rochester, New York

10ª edição

gen | GUANABARA KOOGAN

- Os autores deste livro e a editora empenharam seus melhores esforços para assegurar que as informações e os procedimentos apresentados no texto estejam em acordo com os padrões aceitos à época da publicação. Entretanto, tendo em conta a evolução das ciências, as atualizações legislativas, as mudanças regulamentares governamentais e o constante fluxo de novas informações sobre os temas que constam do livro, recomendamos enfaticamente que os leitores consultem sempre outras fontes fidedignas, de modo a se certificarem de que as informações contidas no texto estão corretas e de que não houve alterações nas recomendações ou na legislação regulamentadora.
- Data do fechamento do livro: 15/12/2022
- Os autores e a editora se empenharam para citar adequadamente e dar o devido crédito a todos os detentores de direitos autorais de qualquer material utilizado neste livro, dispondo-se a possíveis acertos posteriores caso, inadvertida e involuntariamente, a identificação de algum deles tenha sido omitida.
- **Atendimento ao cliente: (11) 5080-0751 | faleconosco@grupogen.com.br**
- Traduzido de:
  ROBBINS & COTRAN PATHOLOGIC BASIS OF DISEASE, TENTH EDITION
  Copyright © 2021 by Elsevier, Inc. All rights reserved.
  Previous editions copyrighted 2015, 2010, 2004, 1999, 1994, 1989, 1984, 1979, 1974.
  This edition of *Robbins & Cotran Pathologic Basis of Disease, 10th edition*, by Vinay Kumar, Abul K. Abbas, and Jon C. Aster, is published by arrangement with Elsevier Inc.
  ISBN: 978-0-323-53113-9
  Esta edição de *Robbins & Cotran Pathologic Basis of Disease*, 10ª edição, de Vinay Kumar, Abul K. Abbas e Jon C. Aster, é publicada por acordo com a Elsevier Inc.
- Direitos exclusivos para a língua portuguesa
  Copyright © 2023 by
  GEN | Grupo Editorial Nacional S.A.
  Publicado pelo selo Editora Guanabara Koogan Ltda.
  Travessa do Ouvidor, 11
  Rio de Janeiro – RJ – 20040-040
  www.grupogen.com.br
- Reservados todos os direitos. É proibida a duplicação ou reprodução deste volume, no todo ou em parte, em quaisquer formas ou por quaisquer meios (eletrônico, mecânico, gravação, fotocópia, distribuição pela Internet ou outros), sem permissão, por escrito, do GEN | Grupo Editorial Nacional Participações S/A.
- Capa: Bruno Gomes
- Imagens da capa: iStock (©Josep Maria Barres; ©rightdx; ©Eduard Muzhevskyi; ©selvanegra; ©Christogra4; ©Rost-9D)
- Editoração eletrônica: Know-how Desenvolvimento Editorial Ltda.

Nota

Este livro foi produzido pelo GEN | Grupo Editorial Nacional, sob sua exclusiva responsabilidade. Profissionais da área da Saúde devem fundamentar-se em sua própria experiência e em seu conhecimento para avaliar quaisquer informações, métodos, substâncias ou experimentos descritos nesta publicação antes de empregá-los. O rápido avanço nas Ciências da Saúde requer que diagnósticos e posologias de fármacos, em especial, sejam confirmados em outras fontes confiáveis. Para todos os efeitos legais, a Elsevier, os autores, os editores ou colaboradores relacionados a esta obra não podem ser responsabilizados por qualquer dano ou prejuízo causado a pessoas físicas ou jurídicas em decorrência de produtos, recomendações, instruções ou aplicações de métodos, procedimentos ou ideias contidos neste livro.

- Ficha catalográfica

CIP-BRASIL. CATALOGAÇÃO NA PUBLICAÇÃO
SINDICATO NACIONAL DOS EDITORES DE LIVROS, RJ

K98r
10. ed.

Kumar, Vinay
  Robbins & Cotran : patologia : bases patológicas das doenças / Vinay Kumar, Abul K. Abbas, Jon C. Aster ; editor associado Jerrold R. Turner ; ilustração James A. Perkins ; revisão técnica Nathalie Henriques Silva Canedo, Luiz Fernando Ferraz da Silva ; tradução Patricia Lydie Voeux, Marcella de Melo Silva, Anderson de Sá Nunes. - 10. ed. - Rio de Janeiro : Guanabara Koogan, 2023.
      : il. ; 28 cm.

  Tradução de: Robbins & Cotran pathologic basis of disease
  Inclui bibliografia e índice
  ISBN 978-85-9515-915-0

  1. Patologia. I. Abbas, Abul K. II. Aster, Jon C. III. Turner, Jerrold R. IV. Perkins, James A. V. Canedo, Nathalie Henriques Silva. VI. Silva, Luiz Fernando Ferraz da. VII. Vouex, Patricia Lydie. VIII. Silva, Marcella de. IX. Nunes, Anderson de Sá. X. Título.

22-80768
CDD: 616.07
CDU: 616

Meri Gleice Rodrigues de Souza - Bibliotecária - CRB-7/6439

Revisão Técnica e Tradução

Revisão Técnica

Luiz Fernando Ferraz da Silva (Capítulos 2 a 4, 6 a 8, 12, 16 a 21, 25, 26 e 29)
Professor Doutor do Departamento de Patologia da Faculdade de Medicina da Universidade de São Paulo (FMUSP). Visiting Researcher do Massachusetts General Hospital da Harvard Medical School, EUA.

Nathalie Henriques Silva Canedo (Capítulos 1, 5, 9 a 11, 13 a 15, 22 a 24, 27 e 28)
Graduação em Medicina pela Universidade Federal do Rio de Janeiro (UFRJ). Doutorado em Ciência pelo Instituto de Biofísica Carlos Chagas Filho da UFRJ. Residência em Patologia pela Universidade Federal Fluminense (UFF). Título de Especialista em Patologia pela Associação Médica Brasileira (AMB). Professora Associada do Departamento de Patologia da Faculdade de Medicina da UFRJ.

Tradução
Anderson de Sá Nunes
Marcella de Melo Silva
Patricia Lydie Voeux

Dedicatória

Para
Nossos professores
Por nos inspirarem

Para
Nossos alunos
Por nos desafiarem constantemente

Para nossos respectivos cônjuges
Raminder Kumar
Ann Abbas
Erin Malone
Por seu apoio incondicional

Colaboradores

Mahul B. Amin, MD
Chairman
Department of Pathology
College of Medicine
University of Tennessee Health Science Center
Memphis, Tennessee
Trato Urinário Inferior e Sistema Genital Masculino

Douglas C. Anthony, MD, PhD
Professor
Pathology, Laboratory Medicine, and Neurology
Warren Alpert Medical School of Brown University;
Chief of Pathology
Lifespan Academic Medical Center
Providence, Rhode Island
Nervos Periféricos e Músculos Esqueléticos

Anthony Chang, MD
Professor
Department of Pathology
The University of Chicago
Chicago, Illinois
Rins

Nicole A. Cipriani, MD
Associate Professor of Pathology
The University of Chicago
Chicago, Illinois
Cabeça e Pescoço

Andrew J. Connolly, MD, PhD
Professor of Pathology
University of California San Francisco
San Francisco, California
Coração

Lora Hedrick Ellenson, MD
Attending Physician and Director of Gynecologic Pathology
Department of Pathology
Memorial Sloan Kettering Cancer Center
New York, New York
Sistema Genital Feminino

Robert Folberg, MD
Departments of Ophthalmology and Pathology
Beaumont Health – Royal Oak
Royal Oak, Michigan
Olho

Karen M. Frank, MD, PhD, D (ABMM)
Chief
Department of Laboratory Medicine
Clinical Center
National Institutes of Health
Bethesda, Maryland
Doenças Infecciosas

Ryan M. Gill, MD, PhD
Professor of Pathology
University of California San Francisco School of Medicine
San Francisco, California
Fígado e Vesícula Biliar

Marc K. Halushka, MD, PhD
Deputy Director of Education
Department of Pathology
Professor of Pathology
The Johns Hopkins Hospital
Baltimore, Maryland
Vasos Sanguíneos

Andrew Horvai, MD, PhD
Professor
Department of Pathology
University of California San Francisco
Ossos, Articulações e Neoplasias de Tecidos Moles

Aliya N. Husain, MBBS
Professor
Department of Pathology
The University of Chicago
Chicago, Illinois
Doenças da Lactância e da Infância; Pulmão

Sanjay Kakar, MD
Professor of Pathology
University of California San Francisco School of Medicine
San Francisco, California
Fígado e Vesícula Biliar

Selene C. Koo, MD, PhD
Assistant Professor
Department of Pathology
The Ohio State University;
Pathologist
Department of Pathology and Laboratory Medicine
Nationwide Children's Hospital
Columbus, Ohio
Doenças da Lactância e da Infância

Zoltan G. Laszik, MD, PhD
Professor of Pathology
University of California San Francisco
San Francisco, California
Rins

Alexander J. Lazar, MD, PhD
Professor
Departments of Pathology, Genomic Medicine, Dermatology, and Translational Molecular Pathology
The University of Texas MD Anderson Cancer Center
Houston, Texas
Pele

Susan C. Lester, MD, PhD
Assistant Professor
Breast Pathology Services
Department of Pathology
Harvard Medical School
Brigham and Women's Hospital
Boston, Massachusetts
Mama

Mark W. Lingen, DDS, PhD, FRCPath
Professor of Pathology
The University of Chicago
Chicago, Illinois
Cabeça e Pescoço

Anirban Maitra, MBBS
Professor
Pathology and Translational Molecular Pathology
The University of Texas MD Anderson Cancer Center
Houston, Texas
Pâncreas; Sistema Endócrino

Marta Margeta, MD, PhD
Associate Professor of Pathology
University of California San Francisco School of Medicine
San Francisco, California
Sistema Nervoso Central

Alexander J. McAdam, MD, PhD
Associate Professor of Pathology
Department of Pathology
Harvard Medical School;
Medical Director
Clinical Microbiology Laboratory
Boston Children's Hospital
Boston, Massachusetts
Doenças Infecciosas

Richard N. Mitchell, MD, PhD
Lawrence J. Henderson Professor of Pathology
Member of the Harvard/MIT Health Sciences and
 Technology Faculty
Department of Pathology
Brigham and Women's Hospital
Harvard Medical School
Boston, Massachusetts
A Célula como Unidade de Saúde e Doença; Vasos Sanguíneos; Coração

George Jabboure Netto, MD
Chair, Department of Pathology
University of Alabama at Birmingham School of Medicine
Birmingham, Alabama
Trato Urinário Inferior e Sistema Genital Masculino

Scott A. Oakes, MD
Professor and Vice Chair of Research and Academic Affairs
Department of Pathology
University of Chicago Pritzker School of Medicine
Chicago, Illinois
Lesão e Morte das Células e Adaptações

Arie Perry, MD
Professor of Pathology and Neurological Surgery
Director of Neuropathology
University of California San Francisco
San Francisco, California
Sistema Nervoso Central

Edyta C. Pirog, MD
Associate Professor
Department of Pathology and Laboratory Medicine
Weill Cornell Medicine-New York Presbyterian Hospital
New York, New York
Sistema Genital Feminino

Peter Pytel, MD
Professor
Department of Pathology
University of Chicago
Chicago, Illinois
Nervos Periféricos e Músculos Esqueléticos

Prefácio

Ao iniciarmos a 10ª edição de *Robbins & Cotran | Patologia: Bases Patológicas das Doenças*, nossa intenção foi considerar o futuro da patologia como uma disciplina e refletir sobre o quanto este livro pode continuar sendo útil para os leitores no século XXI. É óbvio que a compreensão dos mecanismos das doenças se fundamenta, mais do que nunca, em uma base sólida de ciência básica. Inserimos a biologia celular básica e molecular relevante nas seções de fisiopatologia em vários capítulos. Na edição anterior, demos um passo além e trouxemos um novo capítulo, o primeiro do livro, intitulado *A Célula como Unidade de Saúde e Doença*. Estamos muito satisfeitos que ele tenha sido considerado útil por muitos alunos e professores. Como o progresso na biologia celular básica tem avançado em um ritmo muito acelerado, este capítulo foi, então, atualizado de maneira significativa.

No prefácio da primeira edição (1957), Stanley Robbins escreveu:

> "O patologista está interessado não apenas no reconhecimento das alterações estruturais, mas também em sua importância, ou seja, *nos efeitos dessas alterações na função celular e tecidual*, e, em última análise, no efeito dessas alterações no paciente. Não é uma disciplina isolada do paciente vivo, mas, sim, uma *abordagem básica para melhor compreensão da doença e, portanto, para uma base de medicina clínica sólida.*"

Esperamos continuar a ilustrar os princípios da patologia que Dr. Robbins enunciou com tanta elegância e clareza há mais de meio século.

Esta edição, como todas as anteriores, foi amplamente revisada, e alguns trechos foram completamente reescritos. A seguir estão alguns dos exemplos de mudanças significativas:

- O **Capítulo 2**, *Lesão e Morte das Células e Adaptações*, foi atualizado de forma a incluir novas vias de morte celular além das já estabelecidas de necrose e apoptose. Na verdade, a distinção entre esses dois processos está se tornando pouco nítida. A autofagia, que começou a ocupar o lugar central em doenças que vão do envelhecimento ao câncer e à neurodegeneração, foi revisada, assim como os possíveis mecanismos moleculares do envelhecimento
- No **Capítulo 3**, *Inflamação e Reparo*, unimos a morfologia com os mecanismos moleculares. Assim, mostramos como diferentes padrões de resposta inflamatória podem se relacionar a vias moleculares distintas
- O **Capítulo 5**, *Distúrbios Genéticos*, inclui uma discussão sobre a tecnologia de edição de genoma e uma seção revisada e atualizada sobre diagnóstico molecular
- O **Capítulo 7**, *Neoplasia*, foi extensivamente revisado, de modo a incorporar novas descobertas sobre a patogênese do câncer, a interação entre as células cancerígenas e a imunidade do hospedeiro e os diagnósticos de precisão do câncer
- O **Capítulo 10**, *Doenças da Lactância e da Infância*, que cobre doenças pediátricas, inclui a discussão de novas terapias aprovadas com foco em formas mutadas específicas do transportador CFTR (regulador da condutância transmembrana da fibrose cística)
- O **Capítulo 11**, *Vasos Sanguíneos*, que aborda doenças vasculares, inclui uma discussão sobre a hematopoese clonal, um fator de risco emergente para aterosclerose e outras doenças inflamatórias
- O **Capítulo 18**, *Fígado e Vesícula Biliar*, e o **Capítulo 28**, *Sistema Nervoso Central*, que abordam doenças do fígado e do sistema nervoso central, têm uma nova aparência, produzida por novos colaboradores
- Além da revisão e reorganização do texto, diversas fotografias e esquemas novos foram adicionados, e muitas informações preciosas mais antigas foram aprimoradas pela tecnologia digital.

Fizemos essas alterações que destacamos mantendo o foco nas mesmas metas abrangentes já consagradas, que servem como nossos princípios orientadores, a saber:

- Integrar, na discussão dos processos patológicos e doenças, as informações consolidadas mais recentes disponíveis – morfológicas e, também, moleculares
- Organizar as informações em apresentações lógicas e uniformes, facilitando a leitura, a compreensão e a aprendizagem
- Manter o livro em um tamanho razoável e, ainda assim, fornecer uma discussão adequada a respeito de lesões, processos e doenças significativos. De fato, apesar do acréscimo de novas informações, temos o prazer de declarar que a extensão total do livro não foi alterada. Uma de nossas tarefas mais desafiadoras foi decidir o que eliminar para abrir espaço a novas descobertas importantes
- Dar grande ênfase à clareza da escrita e ao uso adequado da linguagem, reconhecendo o fato de que a dificuldade para compreender consome tempo, é cansativa e atrapalha o processo de aprendizagem
- Fazer com que o texto seja útil para os alunos ao longo de toda a sua permanência na faculdade de medicina e na residência, mas, ao mesmo tempo, forneça detalhes e profundidade suficientes para atender às necessidades de leitores mais avançados.

Os leitores nos disseram repetidamente que ser atual é uma característica especial que torna este livro muito valioso. Esforçamo-nos para nos mantermos atualizados, fornecendo novas informações provenientes da literatura recente, até o ano em curso, e acrescentando a cobertura da pandemia da covid-19.

Estamos na era digital, portanto, além da versão impressa, o livro também está disponível para compra na versão digital. Esse acesso dá ao leitor a capacidade de pesquisar todo o texto, marcar trechos, adicionar anotações pessoais e explorar muitos outros recursos interessantes. Também estão disponíveis *online*, para todos os leitores cadastrados, quadros de tratamentos desenvolvidos por um de nós três (Vinay Kumar) e revisados pelo Dr. Alex Gallan, da Universidade de Chicago. Os casos foram projetados para aprimorar e reforçar o aprendizado, desafiando os alunos a aplicar seus conhecimentos para solucionar os casos clínicos. Para auxiliar em sala de aula e para fins de estudo, estão ainda disponíveis no material suplementar *online* as figuras da obra em formato de apresentação, para os docentes cadastrados.

Nós três revisamos, analisamos criticamente e editamos cada capítulo para garantir a uniformidade de estilo e fluxo, que tem sido uma característica desta obra. Juntos, esperamos ter conseguido prover os leitores com a base científica para a prática da medicina e aguçar sua vontade de aprender além do que pode ser oferecido em qualquer livro didático.

Vinay Kumar
Abul K. Abbas
Jon C. Aster

Agradecimentos

Em primeiro lugar, nós quatro agradecemos aos nossos autores colaboradores por seu compromisso com este livro. Muitos são veteranos das edições anteriores; outros são novos nesta 10ª edição. Todos são mencionados no sumário e nos respectivos capítulos de que participaram. Seus nomes conferem autoridade a este livro, por isso somos gratos a eles. Como nas edições anteriores, nós quatro optamos por não acrescentar nossos próprios nomes aos capítulos que ficaram sob nossa responsabilidade, parcial ou totalmente. Nesta edição, damos as boas-vindas ao Dr. Jerry Turner na qualidade de Editor Associado. Jerry é um veterano dos textos de Robbins, tendo escrito o capítulo sobre doenças do sistema digestório em edições anteriores. Sua atuação como editor fortaleceu vários capítulos.

Muitos colegas aprimoraram o texto depois de lerem vários capítulos de fazerem críticas úteis em sua área de especialização. Entre eles estão Dra. Celeste Thomas, da University of Chicago; Dra. Meenakshi Jolly, da Rush University, Chicago; Dr. Richard Aster, do Blood Research Institute, Milwaukee; e Dr. Suneil Koliwad, da University of California San Francisco (UCSF). Muitos colegas nos forneceram verdadeiras preciosidades fotográficas de suas coleções. Eles são individualmente mencionados no texto.

Toda a arte gráfica do livro foi criada por Sr. James Perkins, Distinguished Professor de ilustração médica do Rochester Institute of Technology. Sua capacidade de converter ideias complexas em desenhos simples e esteticamente agradáveis aprimorou consideravelmente este livro.

Muitas pessoas associadas à editora Elsevier merecem nossos agradecimentos especiais. Dentre elas, destaca-se Kristine Feeherty, especialista em gestão de conteúdo de saúde e nossa parceira na produção deste livro. Sua compreensão das necessidades dos autores, sua prontidão em responder às solicitações (tanto as possíveis quanto as impossíveis) e seu temperamento alegre contribuíram muito para reduzir nosso estresse e tornar nossas vidas menos complicadas. Jim Merritt passou o comando para Jeremy Bowes, editor. Nossos agradecimentos também à diretora de desenvolvimento de conteúdo Rebecca Gruliow e ao *designer* Brian Salisbury. Sem dúvida, há muitos outros que podem não ter sido mencionados involuntariamente – a eles dizemos "obrigado" e nos desculpamos por não os reconhecer individualmente. Também queremos agradecer os muitos leitores – alunos, residentes e docentes – espalhados pelo mundo, cujos comentários melhoraram o livro. Ficamos impressionados com sua leitura cuidadosa.

Esforços da mesma magnitude são direcionados aos familiares dos autores. Agradecemos nossos respectivos cônjuges, Raminder Kumar, Ann Abbas, Erin Malone e Judy Turner, não apenas pela paciência, mas também pelo amor e pelo apoio a esta empreitada, e, ainda, pela tolerância diante de nossa ausência.

Vinay Kumar
Abul K. Abbas
Jon C. Aster
Jerrold R. Turner

Material Suplementar

Este livro conta com o seguinte material suplementar:

- Banco de imagens (restrito a docentes cadastrados)
- Quadros de tratamentos (material livre)
- Vídeos (material livre).

O acesso ao material suplementar é gratuito. Basta que o leitor se cadastre e faça seu *login* em nosso *site* (www.grupogen.com.br) e, após, clique em Ambiente de aprendizagem. Em seguida, insira no canto superior esquerdo o código PIN de acesso localizado na primeira capa interna deste livro.

O acesso ao material suplementar online fica disponível até seis meses após a edição do livro ser retirada do mercado.

Caso haja alguma mudança no sistema ou dificuldade de acesso, entre em contato conosco (gendigital@grupogen.com.br).

Sumário

Capítulo 1   **A Célula como Unidade de Saúde e Doença** 1
Richard N. Mitchell

Capítulo 2   **Lesão e Morte das Células e Adaptações** 33
Scott A. Oakes

Capítulo 3   **Inflamação e Reparo** 71
Scott A. Oakes

Capítulo 4   **Distúrbios Hemodinâmicos, Doença Tromboembólica e Choque** 115

Capítulo 5   **Distúrbios Genéticos** 141

Capítulo 6   **Doenças do Sistema Imunológico** 191

Capítulo 7   **Neoplasia** 273

Capítulo 8   **Doenças Infecciosas** 349
Karen M. Frank • Alexander J. McAdam

Capítulo 9   **Doenças Ambientais e Nutricionais** 419

Capítulo 10   **Doenças da Lactância e da Infância** 467
Aliya N. Husain • Selene C. Koo

Capítulo 11   **Vasos Sanguíneos** 499
Richard N. Mitchell • Marc K. Halushka

Capítulo 12   **Coração** 543
Richard N. Mitchell • Andrew J. Connolly

Capítulo 13   **Doenças dos Leucócitos, Linfonodos, Baço e Timo** 601

Capítulo 14   **Distúrbios dos Eritrócitos e Distúrbios Hemorrágicos** 655

Capítulo 15   **Pulmão** 697
Aliya N. Husain

Capítulo 16   **Cabeça e Pescoço** 757
Mark W. Lingen • Nicole A. Cipriani

Capítulo 17   **Trato Gastrintestinal** 779

Os capítulos que não têm os nomes dos colaboradores listados foram escritos pelos editores.

Capítulo 18 **Fígado e Vesícula Biliar** 853
Ryan M. Gill • Sanjay Kakar

Capítulo 19 **Pâncreas** 913
Anirban Maitra

Capítulo 20 **Rins** 929
Anthony Chang • Zoltan G. Laszik

Capítulo 21 **Trato Urinário Inferior e Sistema Genital Masculino** 991
George Jabboure Netto • Mahul B. Amin

Capítulo 22 **Sistema Genital Feminino** 1025
Lora Hedrick Ellenson • Edyta C. Pirog

Capítulo 23 **Mama** 1079
Susan C. Lester

Capítulo 24 **Sistema Endócrino** 1109
Anirban Maitra

Capítulo 25 **Pele** 1181
Alexander J. Lazar

Capítulo 26 **Ossos, Articulações e Neoplasias de Tecidos Moles** 1221
Andrew Horvai

Capítulo 27 **Nervos Periféricos e Músculos Esqueléticos** 1269
Peter Pytel • Douglas C. Anthony

Capítulo 28 **Sistema Nervoso Central** 1295
Marta Margeta • Arie Perry

Capítulo 29 **Olho** 1361
Robert Folberg

Índice Alfabético 1385

ROBBINS & COTRAN

PATOLOGIA
BASES PATOLÓGICAS DAS DOENÇAS

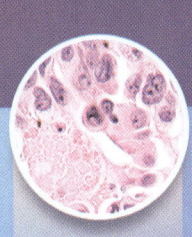

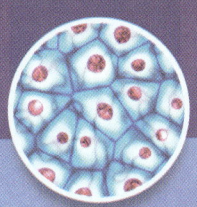

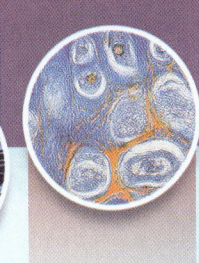

A Célula como Unidade de Saúde e Doença

CAPÍTULO 1

Richard N. Mitchell

SUMÁRIO DO CAPÍTULO

- Genoma, 1
  - DNA não codificante, 1
  - Organização das histonas, 3
  - Micro-RNA e RNA não codificante longo, 4
    - *Micro-RNA (miRNA), 4*
    - *RNA não codificante longo, 5*
  - Edição de genes, 5
- Manutenção celular, 7
  - Membrana plasmática: proteção e aquisição de nutrientes, 8
    - *Transporte através da membrana, 9*
  - Citoesqueleto, 12
- Interações célula-célula, 13
- Maquinário de biossíntese: retículo endoplasmático e aparelho de Golgi, 13
- Eliminação de produtos residuais: lisossomos e proteassomos, 14
- Metabolismo celular e função mitocondrial, 16
- Ativação celular, 17
  - Sinalização celular, 17
  - Vias de transdução de sinais, 18
  - Proteínas de sinalização modular, eixos e nós, 20
- Fatores de transcrição, 20
- Fatores de crescimento e seus receptores, 21
- Matriz extracelular, 23
  - Componentes da matriz extracelular, 23
- Manutenção das populações celulares, 27
  - Proliferação e ciclo celular, 27
  - Células-tronco, 28
  - Medicina regenerativa, 29

O termo *patologia* significa, literalmente, o *estudo do sofrimento* (do grego, *pathos* = sofrimento; *logos* = estudo). De uma forma mais simples, e quando aplicado à medicina moderna, refere-se ao *estudo das doenças*. Virchow foi presciente ao afirmar que a doença se origina em nível celular, mas agora sabemos que as patologias celulares surgem de perturbações em moléculas (genes, proteínas e metabólitos) que influenciam a sobrevivência e o comportamento das células. Por conseguinte, a base da patologia moderna é compreender as aberrações *celulares* e *moleculares* que dão origem às doenças. É esclarecedor considerar essas anormalidades no contexto da estrutura e função celulares normais, que constituem o assunto deste capítulo introdutório.

É impraticável (e até indesejável) condensar o vasto e fascinante campo da biologia celular em um único capítulo. Em consequência, em vez de tentar proceder a uma revisão abrangente, o nosso objetivo aqui é examinar os princípios básicos e destacar avanços recentes que são relevantes para os mecanismos das doenças, conforme salientado em todo o restante do livro.

Genoma

O sequenciamento do genoma humano, no início do século XXI, representou uma conquista histórica da ciência biomédica. Desde então, o rápido declínio dos custos associados ao sequenciamento, a crescente capacidade computacional de extrair os dados obtidos e o conjunto de ferramentas em expansão para analisar os resultados funcionais (genômica, proteômica e metabolômica) prometem revolucionar nossa compreensão acerca do que é saúde e do que é doença. As informações emergentes também revelaram um nível impressionante de complexidade, muito além da sequência linear do genoma. O potencial dessas poderosas inovações para explicar a patogênese e impulsionar as descobertas terapêuticas estimula e inspira igualmente cientistas e o público leigo.

DNA não codificante

O genoma humano contém cerca de 3,2 bilhões de pares de bases de DNA. Contudo, dentro do genoma existem apenas cerca de 20 mil genes que codificam proteínas, constituindo apenas 1,5% dele. Estes são os modelos que instruem a montagem das enzimas, dos elementos estruturais e das moléculas de sinalização dentro dos 50 trilhões de células que compõem o corpo humano. Embora 20 mil seja um número que subestima o verdadeiro número de proteínas codificadas (muitos genes produzem múltiplos transcritos de RNA, que efetuam a tradução de diferentes isoformas de proteínas), é, entretanto, surpreendente perceber que vermes, que são compostos de menos de mil células e têm genomas 30 vezes menores, também apresentam cerca de 20 mil genes codificadores de proteínas. Muitas dessas proteínas são homólogos reconhecíveis de moléculas expressas nos seres humanos. O que, então, separa os seres humanos dos vermes?

A resposta não é totalmente conhecida, porém as evidências sugerem que grande parte dessa diferença reside nos 98,5% do genoma humano que não codificam proteínas. A função desses longos trechos de DNA (a denominada "matéria escura" do genoma) permaneceu misteriosa por muitos anos. Entretanto, mais de 85% do genoma humano é, em última análise, transcrito; quase 80% está dedicado à regulação da expressão gênica. Assim, pode-se concluir que, enquanto as células fornecem os blocos de construção e o maquinário necessários para a montagem de células, tecidos e organismos, são as regiões não codificantes do genoma que fornecem o "planejamento arquitetônico" decisivo. Do ponto de vista prático, a diferença entre vermes e seres humanos aparentemente reside mais nos "projetos" genômicos do que nos materiais de construção.

Existem cinco classes principais de sequências não codificadoras de proteínas funcionais no genoma humano (Figura 1.1):

- As regiões *promotoras* e *amplificadoras* (*enhancer*), que fornecem sítios de ligação para os fatores de transcrição
- Os sítios de ligação para fatores que organizam e mantêm as *estruturas de cromatina* de ordem maior
- Os *RNA regulatórios não codificantes*. Mais de 60% do genoma é transcrito em RNA que nunca são traduzidos, mas que regulam a expressão gênica por meio de uma variedade de mecanismos. As duas variedades mais estudadas – os micro-RNA (miRNA) e os RNA não codificantes longos (lncRNA) – são descritas mais adiante
- Os *elementos genéticos móveis* (p. ex., *transpósons*) compõem mais de um terço do genoma humano. Esses "genes saltadores" podem mover-se em torno do genoma durante a evolução, resultando em um número variável de cópias e posicionamento, até mesmo entre espécies estreitamente relacionadas (p. ex., seres humanos e outros primatas). Apesar de sua implicação na regulação gênica e na organização da cromatina, a função dos elementos genéticos móveis não está bem estabelecida
- Regiões estruturais especiais do DNA, em particular os *telômeros* (extremidades dos cromossomos) e os *centrômeros* ("fixadores" dos cromossomos). Um importante componente dos centrômeros é o denominado *DNA satélite*, que consiste em grandes arranjos – até megabases de comprimento – de sequências repetidas (de 5 pb até 5 kb). Embora esteja classicamente associado à fixação ao fuso mitótico, o DNA satélite também é importante para a manutenção da organização densa e firmemente acondicionada da heterocromatina (discutida mais adiante).

Muitas variações genéticas (polimorfismos) associadas a doenças estão localizadas em regiões não codificadoras de proteínas do genoma. Assim, a variação na regulação gênica pode demonstrar ser mais importante na causa da doença do que as alterações estruturais em proteínas específicas. Outra revelação que surgiu do sequenciamento genômico é o fato de que dois seres humanos quaisquer normalmente têm mais de 99,5% de seus DNA idênticos (e, em suas sequências, 99% idênticos ao dos chimpanzés). Por conseguinte, a variação individual, incluindo a suscetibilidade diferencial a doenças e a estímulos ambientais, é codificada em menos de 0,5% de nosso DNA (representando cerca de 15 milhões de pb).

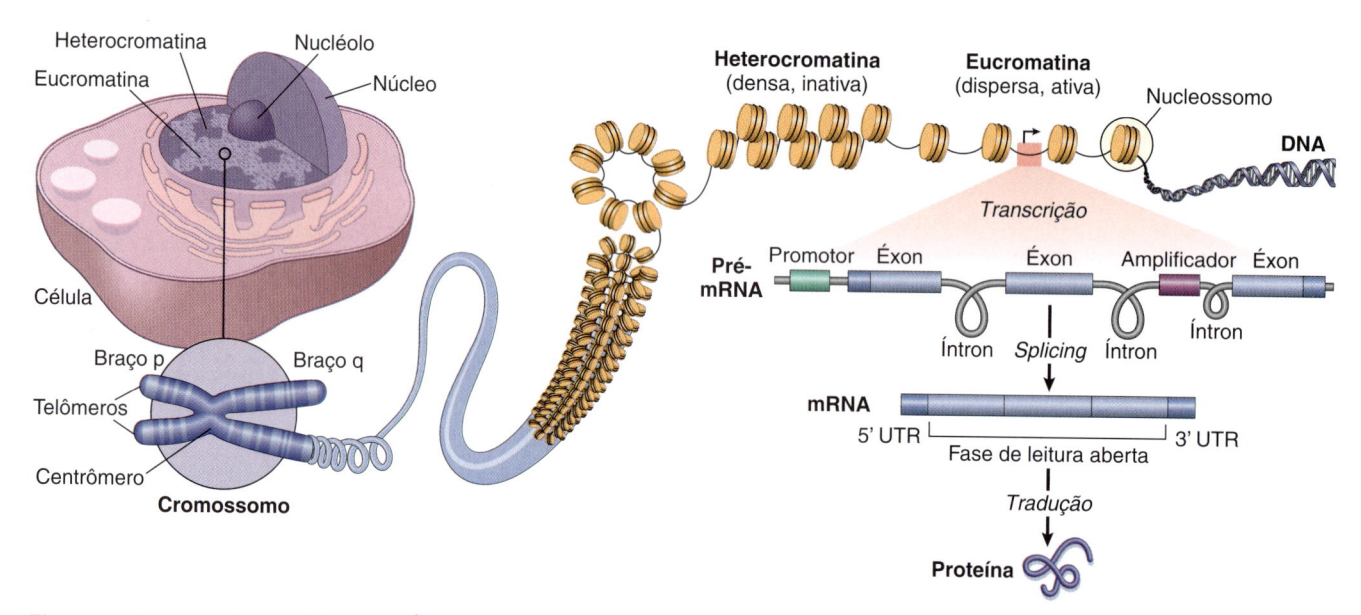

Figura 1.1 A organização do DNA nuclear. À microscopia óptica, o material genético nuclear está organizado em eucromatina dispersa, de transcrição ativa, e em heterocromatina densamente acondicionada, de transcrição inativa; a cromatina também pode estar ligada mecanicamente à membrana nuclear, de modo que a ocorrência de uma perturbação na membrana pode influenciar a transcrição. Os cromossomos (conforme ilustrados) só podem ser visualizados durante a mitose. Durante a mitose, os cromossomos organizam-se em pares de cromátides conectadas nos centrômeros; estes últimos atuam no local para a formação de um complexo proteico denominado cinetocoro, que regula a separação dos cromossomos na metáfase. Os telômeros são sequências repetidas de nucleotídios, que recobrem as extremidades das cromátides e possibilitam a replicação repetida dos cromossomos sem deterioração dos genes próximos às extremidades. As cromátides estão organizadas em braços curtos "P" (*petite*, pequeno) e em braços longos "Q" ("próxima letra do alfabeto"). O padrão de bandas característico das cromátides foi atribuído ao conteúdo relativo de GC (menor conteúdo de GC nas bandas em relação às interbandas), em que os genes tendem a se localizar nas regiões de interbandas. As fibras de cromatina individuais são compostas por um cordão de nucleossomos – DNA enrolado em torno de núcleos de histona octamérica – com os nucleossomos conectados por ligantes de DNA. Os promotores são regiões de DNA não codificantes, que iniciam a transcrição dos genes; estão na mesma fita e a montante de seu gene associado. Os amplificadores podem modular a expressão gênica em distâncias de 100 kb ou mais por meio de alças sobre os promotores e recrutamento de fatores adicionais, que impulsionam a expressão de espécies de pré-RNA mensageiro (mRNA). As sequências intrônicas são retiradas do pré-mRNA para produzir a mensagem final, que é traduzida em proteína – sem a região 3'-não traduzida (UTR) e 5'-UTR. Além das sequências de amplificador, promotor e UTR, elementos não codificantes, incluindo repetições curtas, regiões de ligação de fatores regulatórios, RNA reguladores não codificantes e transpósons, estão distribuídos por todo o genoma.

As duas formas mais comuns de variação do DNA no genoma humano são os polimorfismos de nucleotídio único (SNP, *single nucleotide polymorphisms*) e as variações no número de cópias (CNV, *copy number variations*):

- Os *SNP* são variantes em posições de um nucleotídio único e quase sempre são bialélicos (existem apenas duas opções em determinado sítio dentro da população, como A ou T). Foram identificados mais de 6 milhões de SNP humanos, muitos dos quais exibem uma ampla variação na frequência em diferentes populações:
  - Os SNP ocorrem em todo o genoma – dentro de éxons, íntrons, regiões intergênicas e regiões codificantes
  - Cerca de 1% dos SNP ocorre em regiões codificantes, o que seria esperado pela probabilidade, visto que as regiões codificantes compreendem aproximadamente 1,5% do genoma
  - Os SNP localizados em regiões não codificantes podem ocorrer dentro de elementos reguladores do genoma, alterando, assim, a expressão gênica; nesses casos, os SNP influenciam diretamente a suscetibilidade às doenças
  - Acredita-se que alguns SNP, denominados variantes "neutras", não tenham nenhum efeito sobre a função gênica ou o fenótipo individual
  - Mesmo os SNP "neutros" podem ser marcadores úteis, se forem coerdados com um polimorfismo associado a doença, em consequência de proximidade física. Em outras palavras, o SNP e o fator genético causador estão em *desequilíbrio de ligação*
  - O efeito da maioria dos SNP sobre a suscetibilidade às doenças é fraco, e é necessário investigar se a identificação dessas variantes, isoladamente ou em combinação, pode ser utilizada para o desenvolvimento de estratégias efetivas para identificar indivíduos com risco e, em última análise, prevenir a ocorrência de doença
- As *CNV* representam uma forma de variação genética, que consiste em diferentes números de grandes trechos contíguos de DNA; podem variar desde mil até milhões de pares de bases. As CNV podem ser bialélicas ou simplesmente duplicadas ou, como alternativa, deletadas em alguns indivíduos. Em outros sítios, são observados complexos rearranjos de material genômico, com múltiplas variantes na população humana:
  - As CNV são responsáveis por 5 a 24 milhões de pares de bases de diferença sequencial entre dois indivíduos quaisquer
  - Cerca de 50% das CNV envolvem sequências codificantes de genes; por conseguinte, as CNV podem estar na base de uma grande parte da diversidade fenotípica humana.

É importante assinalar que as alterações na sequência do DNA não podem, por si sós, explicar a diversidade de fenótipos nas populações humanas; além disso, a herança genética clássica não consegue explicar diferentes genótipos em gêmeos monozigóticos. As respostas a esses enigmas provavelmente se encontram na *epigenética* – as alterações hereditárias na expressão gênica que não são causadas por variações na sequência do DNA (ver seção a seguir).

Organização das histonas

Embora praticamente todas as células do corpo tenham a mesma composição genética, as células diferenciadas apresentam estruturas e funções distintas, que surgem em consequência de programas de expressão gênica específicos de linhagem. Essas diferenças específicas dos tipos celulares na transcrição e na tradução dependem de *fatores epigenéticos* (literalmente, fatores que estão "acima da genética"), que são conceituados da seguinte maneira (**Figura 1.2**):

- *Histonas e fatores modificadores das histonas.* Os *nucleossomos* consistem em segmentos de DNA de 147 pb de comprimento, que são enrolados em torno de uma estrutura nuclear central de proteínas altamente conservadas, de baixo peso molecular, denominadas *histonas*. O complexo DNA-histona resultante assemelha-se a uma série de esferas unidas por curtos ligantes de DNA. O DNA desnudo de uma célula humana mede aproximadamente 1,8 m de comprimento. Ao girar em torno das histonas, como um carretel de fio, todo o genoma pode ser acondicionado em um núcleo tão pequeno quanto 7 a 8 µm de diâmetro. Na maioria dos casos, esse DNA estruturado, denominado cromatina, não é enrolado de maneira uniforme. Por conseguinte, à microscopia óptica, a cromatina nuclear é reconhecível como heterocromatina citoquimicamente densa e de transcrição inativa e como eucromatina dispersa e de transcrição ativa (ver **Figura 1.1**). Em geral, apenas as regiões "desenroladas" estão disponíveis para transcrição. Por conseguinte, a estrutura da cromatina pode regular a transcrição, independentemente de promotores tradicionais e elementos de ligação do DNA e, em virtude de variações entre tipos de células, ajuda a definir a identidade e a atividade da célula.

  As histonas não são estruturas estáticas, mas são altamente dinâmicas e reguladas por uma série de proteínas nucleares. Assim, os complexos de remodelagem da cromatina podem reposicionar nucleossomos no DNA, expondo (ou ocultando) elementos reguladores de genes, como os promotores. Por outro lado, os complexos de "escritores de cromatina" realizam mais de 70 modificações diferentes das histonas, genericamente designadas como "marcas". Essas alterações covalentes incluem metilação, acetilação ou fosforilação de aminoácidos específicos nas histonas.

  Os genes ativamente transcritos na eucromatina estão associados a tipos de histonas que tornam o DNA acessível às RNA-polimerases. Por outro lado, os genes inativos apresentam tipos de histonas que possibilitam a compactação do DNA em heterocromatina. Os tipos de histonas são reversíveis por meio da atividade de "apagadores de cromatina". Outras proteínas ainda atuam como "leitores de cromatina", ligando-se às histonas que apresentam marcas particulares e, dessa maneira, regulando a expressão gênica
- *Metilação das histonas.* Tanto as lisinas quanto as argininas podem ser metiladas por enzimas específicas; a metilação de resíduos de lisina das histonas pode levar à ativação ou à repressão transcricional, dependendo do resíduo de histona marcado
- *Acetilação das histonas.* Os resíduos de lisina são acetilados por histona acetiltransferases (HAT), cujas modificações tendem a abrir a cromatina e a aumentar a transcrição. Por sua vez, essas alterações podem ser revertidas por histona desacetilase (HDAC), levando à condensação da cromatina
- *Fosforilação das histonas.* Os resíduos de serina podem ser modificados por fosforilação; dependendo do resíduo específico, o DNA pode ser aberto para transcrição ou condensado e inativo

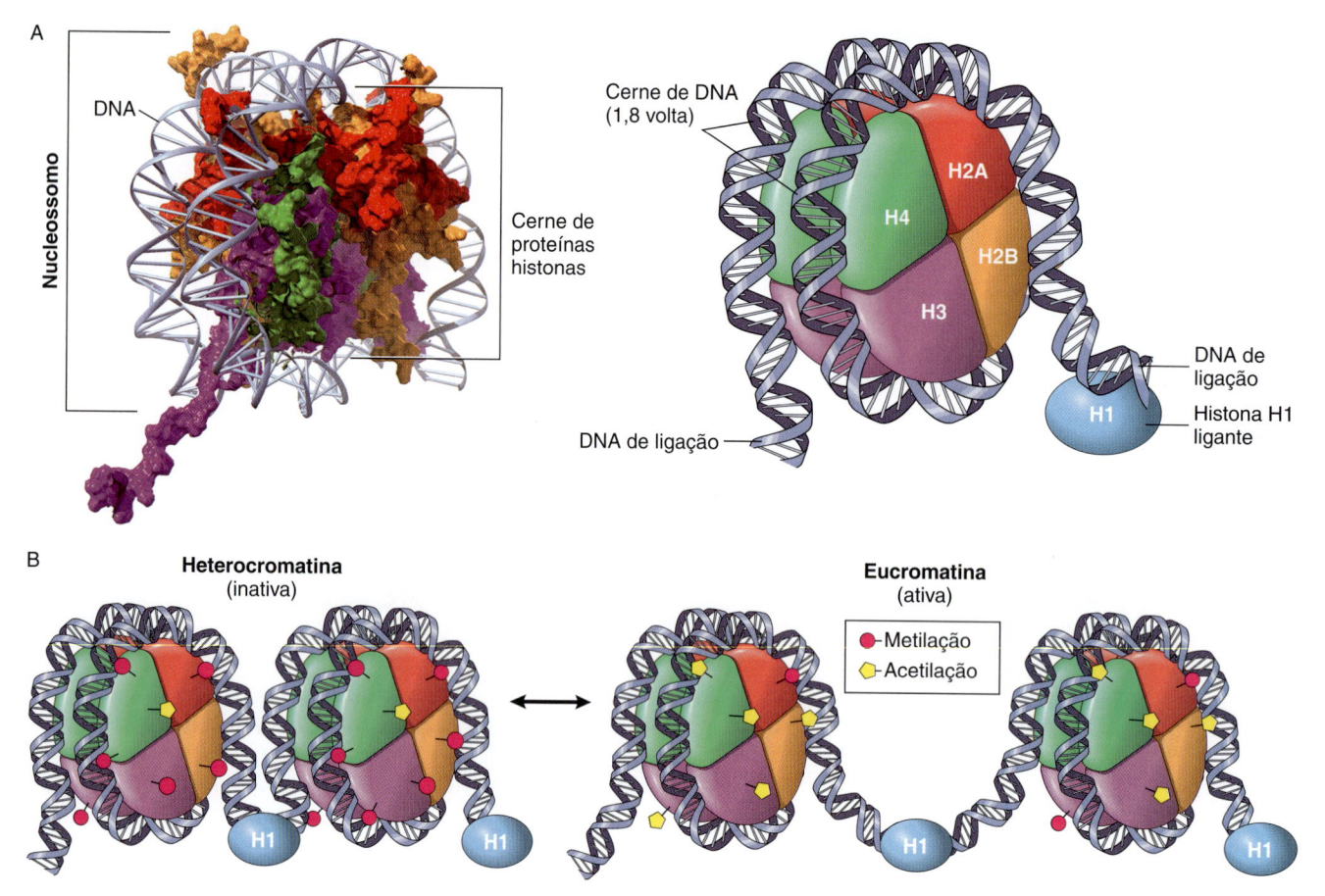

Figura 1.2 Organização das histonas. **A.** Os nucleossomos são compostos por octâmeros de proteínas histonas (duas para cada subunidade de histona H2A, H2B, H3 e H4) rodeadas por 1,8 volta de 147 pb de DNA. As histonas situam-se sobre segmentos de 20 a 80 nucleotídios de DNA de ligação, entre os nucleossomos. As subunidades de histona têm carga positiva, possibilitando, assim, a compactação do DNA de carga negativa. **B.** O estado relativo de desenovelamento do DNA (e, portanto, de acesso para fatores de transcrição) é regulado pela modificação das histonas, incluindo acetilação, metilação e/ou fosforilação; essas "marcas" são dinamicamente escritas e apagadas. Certas marcas, como a acetilação das histonas, "abrem" a estrutura da cromatina, enquanto outras, como a metilação de resíduos específicos das histonas, condensam o DNA para silenciar gentes. O DNA também pode ser metilado, levando à inativação da transcrição.

- *Metilação do DNA*. Normalmente, a ocorrência de altos níveis de metilação do DNA em elementos reguladores de genes resulta em um silenciamento transcricional. À semelhança das modificações das histonas, a metilação do DNA está estreitamente regulada por metiltransferases, enzimas de desmetilação e proteínas de ligação do DNA metilado
- *Fatores de organização da cromatina*. Sabe-se muito menos acerca dessas proteínas, e acredita-se que elas se liguem a regiões não codificantes e controlem as alças de DNA de longa extensão, revelando, assim, as relações espaciais entre amplificadores e promotores que controlam a expressão gênica.

Decifrar os mecanismos que permitem aos fatores epigenéticos controlar a organização genômica e a expressão gênica de maneira específica em relação ao tipo celular é uma proposta extraordinariamente complexa. Apesar das dificuldades, já existem evidências amplas de que a desregulação do "epigenoma" desempenha um papel central na neoplasia maligna (ver **Capítulo 7**), e dados emergentes indicam que muitas outras doenças estão associadas a alterações epigenéticas hereditárias ou adquiridas. Diferentemente das mudanças genéticas, muitas alterações epigenéticas (p. ex., acetilação de histonas e metilação do DNA) são reversíveis e passíveis de intervenção terapêutica; os inibidores da HDAC e da metilação do DNA já estão sendo testados no tratamento de várias formas de câncer.

Micro-RNA e RNA não codificante longo

Os genes também são regulados por RNA não codificante. Essas sequências genômicas são transcritas, mas não traduzidas. Embora existam muitas famílias distintas de RNA não codificante, discutiremos apenas dois exemplos aqui: pequenas moléculas de RNA, denominadas *micro-RNA (miRNA)* e *RNA não codificante longo (lncRNA)* (> 200 nucleotídios de comprimento).

Micro-RNA (miRNA)

Os miRNA não codificam proteínas; eles modulam a tradução de RNA mensageiros (mRNA)-alvo. O silenciamento pós-transcricional da expressão gênica pelo miRNA constitui um mecanismo fundamental e bem conservado da regulação gênica presente em eucariontes (plantas, animais e fungos). Até mesmo as bactérias apresentam uma versão primitiva do mesmo maquinário que eles utilizam para se proteger contra o DNA estranho (p. ex., DNA de fagos e vírus). Em virtude da profunda influência dos miRNA sobre a expressão de proteínas, esses RNA relativamente curtos (com 22 nucleotídios, em média) atuam como reguladores essenciais das vias de desenvolvimento, bem como em condições patológicas (p. ex., câncer).

O genoma humano codifica quase 6 mil genes de miRNAs, cerca de 30% do número total de genes codificadores de proteínas. Os miRNAs individuais são capazes de regular múltiplos genes codificadores de proteínas, permitindo que cada miRNA corregule programas inteiros de expressão gênica. A transcrição de genes de miRNA produz um transcrito primário (pri-miRNA), que é processado em segmentos progressivamente menores, incluindo clivagem pela enzima *Dicer*. Isso gera miRNAs de fita simples maduros, de 21 a 30 nucleotídios, que se associam a um agregado multiproteico, denominado *complexo de silenciamento induzido por RNA* (RISC, *RNA-induced silencing complex*) (**Figura 1.3**). O pareamento de bases subsequente entre a fita de miRNA e seu mRNA-alvo direciona o RISC para induzir a clivagem do mRNA ou reprimir a sua tradução. Dessa maneira, o mRNA-alvo é *silenciado pós-transcricionalmente*.

Os RNA de interferência pequenos (siRNA) consistem em sequências curtas de RNA que podem ser experimentalmente introduzidas em células, onde atuam como substratos da enzima *Dicer* e interagem com o RISC, reproduzindo, assim, a função dos miRNA endógenos. Os siRNA sintéticos direcionados para espécies de mRNA específicas constituem poderosas ferramentas de laboratório para estudar a função dos genes (a denominada tecnologia *knockdown*) e também estão sendo estudados como possíveis agentes terapêuticos para silenciar genes patogênicos (p. ex., oncogenes que acionam a transformação neoplásica).

RNA não codificante longo

Estudos recentes também identificaram um universo inexplorado de lncRNA – com base em alguns cálculos, o número de lncRNA pode exceder os mRNA codificantes em 10 a 20 vezes. Os lncRNA modulam a expressão gênica por vários mecanismos (**Figura 1.4**). Como exemplo, os lncRNA podem se ligar à cromatina e restringir o acesso da RNA polimerase aos genes codificantes dentro daquela região. O exemplo mais bem conhecido é XIST, que é transcrito a partir do cromossomo X e que desempenha um papel essencial na inativação fisiológica do cromossomo X, que ocorre em indivíduos do sexo feminino. O próprio XIST escapa da inativação do X, porém forma um "manto" repressivo sobre o cromossomo X a partir do qual é transcrito, resultando em um silenciamento gênico. Por outro lado, muitos amplificadores são, na verdade, locais de síntese de lncRNA. Nesse caso, estes expandem a transcrição a partir de promotores de genes por uma variedade de mecanismos (ver **Figura 1.4**).

Edição de genes

Um novo avanço empolgante, que possibilita a edição do genoma com alta fidelidade, pode conduzir à próxima era da revolução molecular. Esse avanço provém de uma fonte totalmente inesperada: a descoberta das *repetições palindrômicas curtas agrupadas e regularmente interespaçadas* (CRISPR) e de genes associados às CRISPR (Cas), como a Cas9 nuclease. Trata-se de elementos genéticos ligados que conferem aos procariontes uma forma de imunidade adquirida a fagos e a plasmídios. As bactérias utilizam o sistema para testar o DNA de agentes infecciosos e integrar porções em seus genomas como CRISPR. Esses segmentos de CRISPR são subsequentemente transcritos e processados em sequências de RNA guia, que se ligam à Cas9 nuclease e a direciona para sítios específicos (p. ex., uma sequência de fagos), de modo que possam ser clivados para desativar o agente infectante.

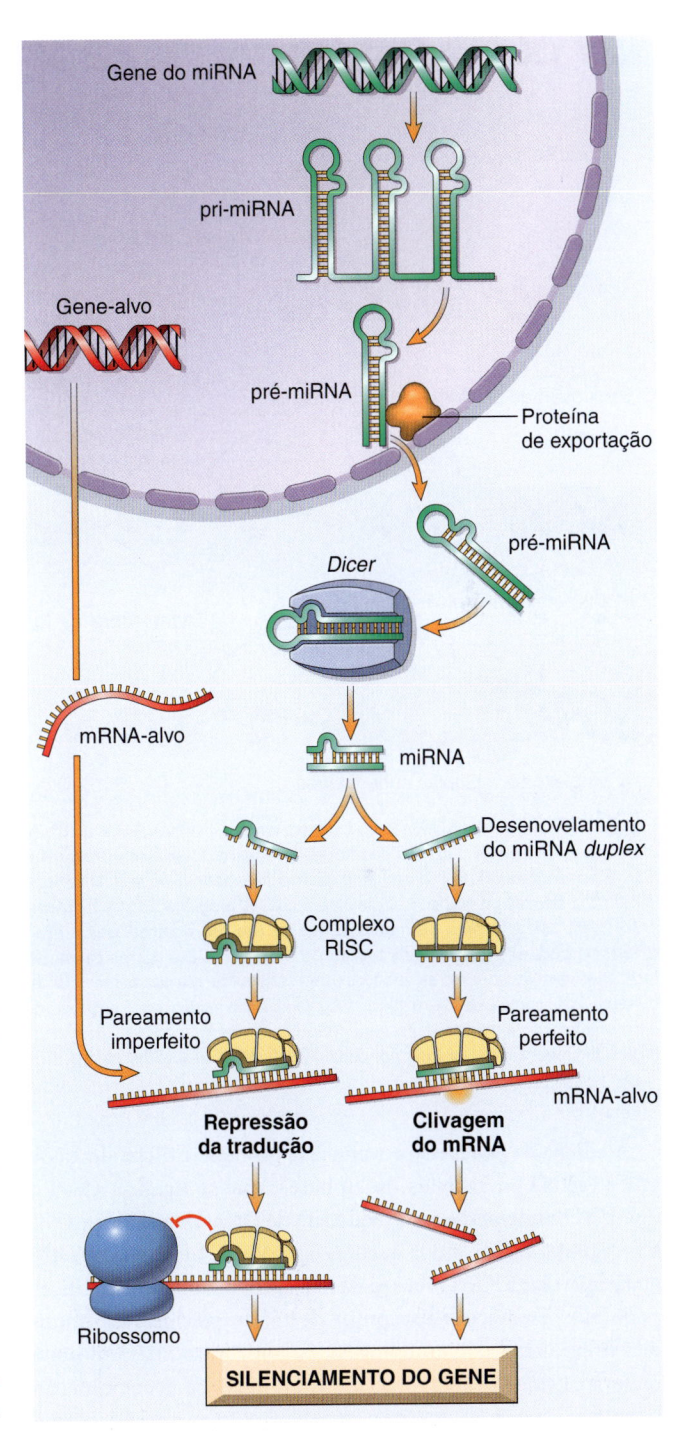

Figura 1.3 Geração de micro-RNA (miRNA) e seu modo de ação na regulação da função gênica. A transcrição de um miRNA produz um miRNA primário (pri-miRNA), que é processado dentro do núcleo para formar o *pré-miRNA*, composto de uma única fita de RNA com estruturas secundárias em forma de "U" e segmentos de RNA de fita dupla. Após a exportação a partir do núcleo por meio de proteínas exportadoras específicas, o pré-miRNA é "aparado" pela *enzima* citoplasmática *Dicer*, gerando miRNA maduros de fita dupla, de 21 a 30 nucleotídios. Subsequentemente, ocorre um desenovelamento do miRNA, e as fitas simples são incorporadas ao complexo de silenciamento induzido por RNA (RISC, *RNA-induced silencing complex*) multiproteico. O pareamento de bases entre o miRNA de fita simples e o RNA mensageiro (mRNA)-alvo direciona o RISC para clivar o mRNA ou reprimir a sua tradução, resultando em um silenciamento pós-transcricional.

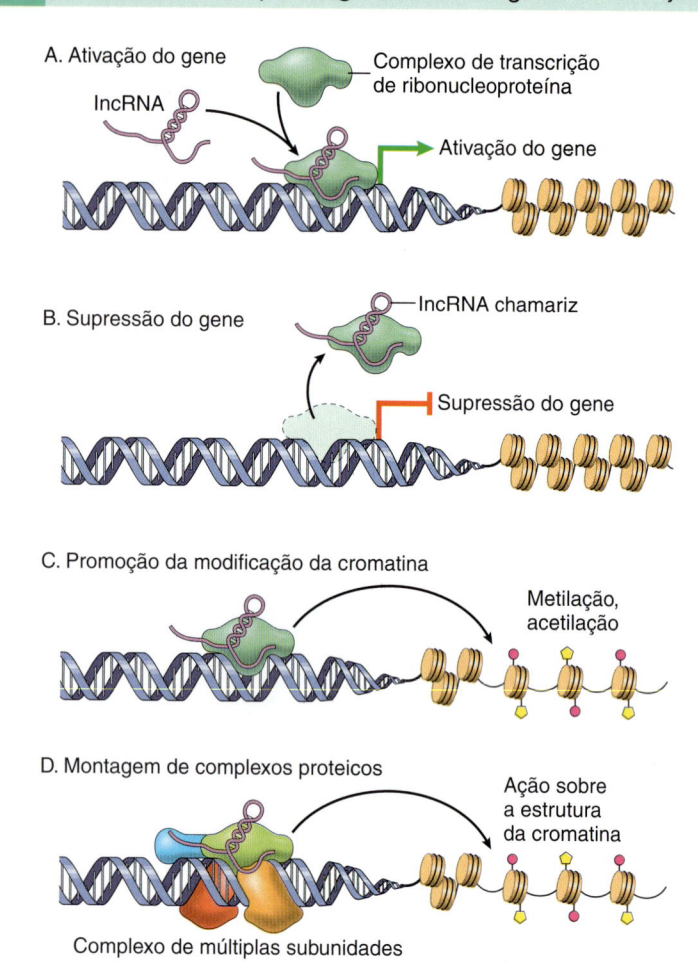

Figura 1.4 Funções dos RNA não codificantes longos (lncRNAs). **A.** Os lncRNA são capazes de facilitar a ligação de fatores de transcrição e, assim, promover a ativação do gene. **B.** Por outro lado, os lncRNA podem se ligar antecipadamente a fatores de transcrição, inibindo-a. **C.** A modificação das histonas e do DNA por acetilases ou metiltransferases (ou por desacetilases e desmetilases) pode ser dirigida pela ligação do lncRNA. **D.** Em outros casos, os lncRNA podem atuar como arcabouços para estabilizar as estruturas secundárias ou terciárias e complexos de múltiplas subunidades que influenciam a arquitetura da cromatina ou a atividade do gene. (Modificada de Wang KC, Chang HY: Molecular mechanisms of long noncoding RNA. *Mol Cell* 43:904, 2011.)

A edição de genes reaproveita esse processo utilizando RNA guias (gRNA) artificiais de 20 bases, que se ligam à Cas9 e que são complementares à sequência de DNA-alvo (Figura 1.5). Em seguida, a Cas9 induz quebras do DNA de fita dupla no sítio de ligação do gRNA. O reparo das clivagens altamente específicas pode levar a mutações disruptivas aleatórias (por meio da junção de extremidades não homólogas), ou pode introduzir um novo material genético com precisão (por meio da recombinação homóloga). Tanto as sequências guias quanto a enzima Cas, como DNA codificante (cDNA) ou como proteína, podem ser facilmente introduzidas em células. A aplicação potencial à engenharia genética, em virtude da especificidade impressionante do sistema Cas9 (até 10 mil vezes melhor do que outros sistemas de edição anteriores), levou a um grande interesse. As aplicações incluem a inserção de mutações específicas em células e tecidos para modelar cânceres e outras doenças e a rápida geração de modelos de animais transgênicos a partir de células-tronco embrionárias editadas. A CRISPR também possibilita a edição seletiva de

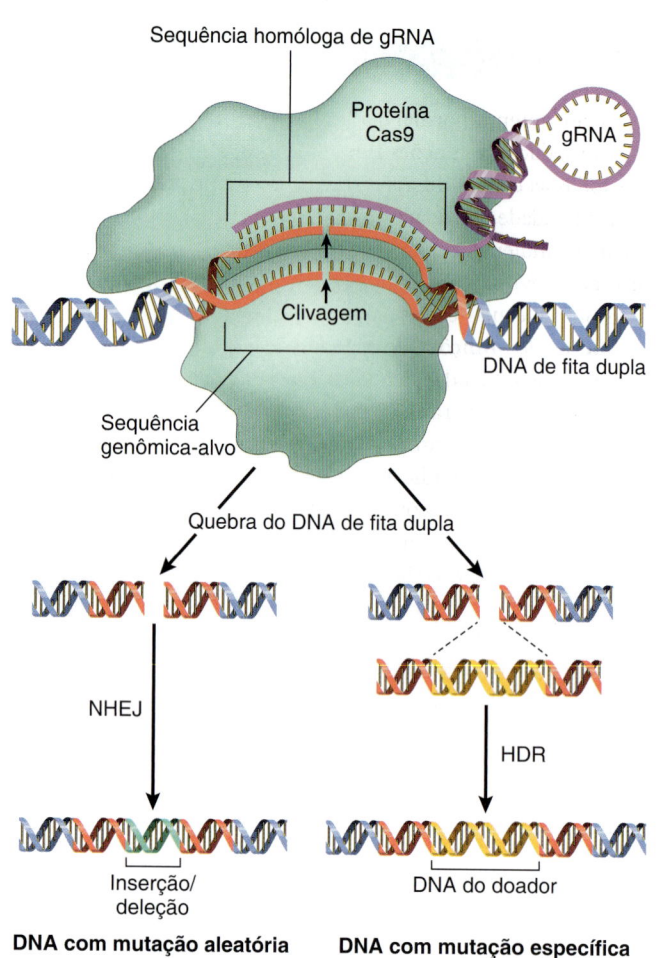

Figura 1.5 Edição de genes com repetições palindrômicas curtas, interespaçadas e regularmente agrupadas (CRISPR, *clustered regularly interspersed short palindromic repeats*) e a nuclease Cas9. Nas bactérias, as sequências de DNA que consistem em CRISPR são transcritas em RNA guias (*gRNA*), com uma região constante e uma sequência variável de aproximadamente 20 bases. As regiões constantes do gRNA ligam-se à Cas9, enquanto as regiões variáveis formam heteroduplex com sequências de DNA homólogas de interesse; em seguida, a Cas9 nuclease cliva o DNA ligado para produzir uma quebra de DNA de fita dupla. Na natureza, as bactérias utilizam o sistema CRISPR/Cas9 para se proteger de fagos e plasmídios; as sequências de CRISPR de ataques anteriores são transcritas em gRNA a partir do genoma bacteriano. Ligam-se a sequências nucleotídicas do patógeno e formam um complexo com a Cas9 nuclease, levando à clivagem e, por fim, à destruição do DNA do invasor. Para executar a *edição de genes*, são produzidos gRNA com regiões variáveis homólogas a uma sequência de DNA específica de interesse; em seguida, a coexpressão do gRNA e da Cas9 leva à clivagem eficiente e altamente específica da sequência-alvo. Na ausência de DNA homólogo, a quebra de fita dupla é submetida a reparo por junção de extremidades não homólogas (*NHEJ, nonhomologous end-joining*), um mecanismo sujeito a erro, que normalmente introduz inserções ou deleções (indels) inativadoras. Por outro lado, na presença de DNA "doador" homólogo, que abrange a região-alvo pelo complexo CRISPR/Cas9, as células podem então utilizar a recombinação de DNA homólogo (*HDR, homologous DNA recombination*) para proceder ao reparo da quebra. A HDR é menos eficiente do que a NHEJ, porém tem a capacidade de introduzir mudanças precisas na sequência do DNA. As possíveis aplicações do complexo CRISPR/Cas9 acoplado à HDR incluem o reparo de doenças genéticas hereditárias e a criação de mutações patogênicas em células-tronco pluripotentes.

mutações que causam doença hereditária, ou – talvez mais preocupante – apenas elimina traços menos desejáveis. De maneira previsível, essa tecnologia inspirou um vigoroso debate a respeito da ética de seu uso.

Manutenção celular

O funcionamento normal e a homeostasia celular dependem de uma variedade de funções fundamentais de manutenção celular que todas as células diferenciadas precisam realizar para manter a sua viabilidade e atividade normal. Essas funções incluem proteção do meio ambiente, aquisição de nutrientes, metabolismo, comunicação, movimento, renovação de moléculas senescentes, catabolismo molecular e geração de energia.

Muitas das funções de manutenção normais da célula são compartimentalizadas dentro de organelas intracelulares delimitadas por membrana (Figura 1.6). Ao isolar certas funções celulares em compartimentos distintos, as enzimas de degradação potencialmente prejudiciais, ou os metabólitos tóxicos, podem ser mantidas em altas concentrações úteis, sem o risco de causar dano aos constituintes intracelulares mais delicados. Além disso, a compartimentalização também possibilita a criação de ambientes intracelulares únicos (p. ex., pH baixo ou alto teor de cálcio), que permitem um funcionamento mais eficiente de certas enzimas ou vias metabólicas.

No *retículo endoplasmático rugoso* (*RER*) e no *complexo de Golgi*, ocorre montagem física de novas proteínas destinadas à membrana plasmática ou à secreção; as proteínas destinadas ao citosol são sintetizadas em ribossomos livres. O *retículo endoplasmático liso* (*REL*) é utilizado para a síntese de hormônios esteroides e de lipoproteínas, bem como para a modificação de compostos hidrofóbicos em moléculas hidrossolúveis para exportação.

As células catabolizam a ampla variedade de moléculas que elas captam por endocitose, bem como todo o repertório de suas próprias proteínas e organelas – que são constantemente degradadas e renovadas. A degradação desses constituintes ocorre em três locais diferentes, os quais, em última análise, desempenham funções distintas:

- Os *proteossomos* são complexos para "eliminação", que degradam proteínas citosólicas desnaturadas ou "marcadas". Nas células

Volumes relativos das organelas intracelulares (hepatócito)

Compartimento	% do volume total	Número/célula	Função na célula
Citosol	54%	1	metabolismo, transporte, tradução de proteínas
Mitocôndrias	22%	1.700	geração de energia, apoptose
RE rugoso	9%	1	síntese de proteínas de membrana e de exportação
RE liso, Golgi	6%	1	modificação, seleção e catabolismo de proteínas
Núcleo	6%	1	regulação celular, proliferação, transcrição do DNA
Endossomos	1%	200	transporte intracelular e exportação
Lisossomos	1%	300	catabolismo celular
Peroxissomos	1%	400	metabolismo de ácidos graxos de cadeia muito longa

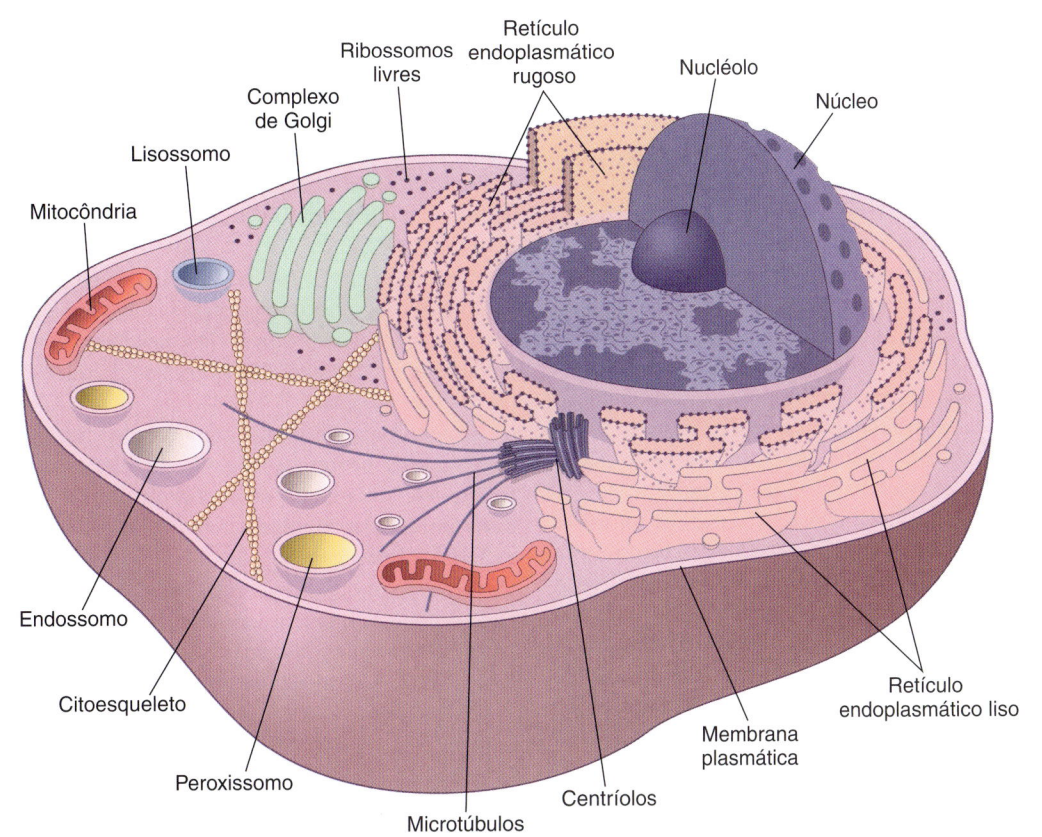

Figura 1.6 Componentes subcelulares básicos das células. A tabela apresenta o número das várias organelas encontradas dentro de um hepatócito típico, bem como o seu volume dentro da célula. A figura mostra as relações geográficas, porém não é acurada como escala. *RE*, retículo endoplasmático. (Modificada de Weibel ER, Stäubli W, Gnägi HR, et al: Correlated morphometric and biochemical studies on the liver cell. I. Morphometric model, stereologic methods, and normal morphometric data for rat liver. *J Cell Biol* 42:68, 1969.)

apresentadoras de antígenos, os peptídeos curtos resultantes são apresentados no contexto de moléculas do complexo principal de histocompatibilidade da classe I ou da classe II para ajudar a impulsionar a resposta imune adaptativa (ver **Capítulo 6**). Em outros casos, a degradação de proteínas ou fatores de transcrição pelos proteassomos pode desencadear a iniciação ou a supressão de vias de sinalização

- Os *lisossomos* são organelas intracelulares que contêm enzimas degradativas, que possibilitam a digestão de uma ampla variedade de macromoléculas, incluindo proteínas, polissacarídeos, lipídios e ácidos nucleicos. Os lisossomos constituem o local de degradação de organelas intracelulares senescentes (um processo denominado *autofagia*) e o local em que os micróbios fagocitados são destruídos e catabolizados
- Os *peroxissomos* contêm catalase, peroxidase e outras enzimas oxidativas; eles desempenham um papel especializado na degradação de ácidos graxos de cadeia muito longa, gerando peróxido de hidrogênio nesse processo.

O conteúdo e a localização das organelas celulares também são altamente regulados. As *vesículas endossômicas* transferem materiais internalizados para os locais intracelulares apropriados, enquanto outras vesículas delimitadas por membrana direcionam materiais recém-sintetizados para a superfície da célula ou para organelas específicas. O movimento – tanto de organelas e proteínas no interior da célula quanto da célula como um todo em seu meio ambiente – é realizado por meio do *citoesqueleto*, que é composto de actina filamentosa (microfilamentos), queratinas (filamentos intermediários) e microtúbulos. Essas proteínas estruturais também mantêm o formato da célula e a sua organização intracelular, que são essenciais para a geração e a manutenção da *polaridade celular*. Isso é particularmente importante no epitélio, onde a parte superior da célula (*apical*) e as partes inferior e laterais (*basolaterais*) ficam expostas a diferentes ambientes e desempenham funções distintas. Por exemplo, a perda de polaridade poderia perturbar o transporte transcelular vetorial no intestino ou nos túbulos renais.

O crescimento e a manutenção das células exigem um suprimento constante de energia e de blocos de construção, que são necessários para a síntese de macromoléculas. A maior parte do trifosfato de adenosina (ATP), que energiza as células, é produzida pela *fosforilação oxidativa mitocondrial*. As mitocôndrias também constituem uma importante fonte de intermediários metabólicos necessários para o metabolismo anabólico; além disso, constituem os locais de síntese de determinadas macromoléculas (p. ex., heme) e contêm importantes sensores de dano celular, que são capazes de iniciar e regular a morte celular programada (p. ex., apoptose).

Nas células em crescimento e divisão, todas essas organelas precisam ser replicadas (*biogênese de organelas*) e corretamente repartidas entre as células-filhas após a mitose. Além disso, como as macromoléculas e as organelas têm um tempo de vida limitado (p. ex., as mitocôndrias duram apenas cerca de 10 dias), é também necessária a existência de mecanismos que possibilitem o reconhecimento e a degradação de componentes celulares "desgastados".

Com essa introdução, passaremos agora a discutir os componentes celulares e suas funções com mais detalhes.

Membrana plasmática: proteção e aquisição de nutrientes

As membranas plasmáticas (e todas as outras membranas das organelas) são mais do que simples revestimentos lipídicos estáticos.

Na verdade, são bicamadas líquidas de fosfolipídios anfipáticos – grupos hidrofílicos na cabeça, voltados para o ambiente aquoso, e caldas lipídicas hidrofóbicas, que interagem entre si para formar uma barreira à difusão passiva de moléculas grandes ou com cargas (**Figura 1.7**). A bicamada apresenta uma composição heterogênea de diferentes fosfolipídios, que variam quanto à sua localização e que também são assimétricos – isto é, os lipídios de membrana associam-se, de preferência, às faces extracelular ou citosólica. A localização apropriada dessas moléculas é importante para a saúde das células. Por exemplo, fosfolipídios específicos interagem com determinadas proteínas da membrana e modificam as suas distribuições e funções:

- O *fosfatidilinositol* no folheto interno da membrana pode ser fosforilado, atuando como suporte eletrostático para proteínas intracelulares; como alternativa, os polifosfoinositídeos podem ser improvisados pela fosfolipase C, gerando segundos sinais intracelulares, como o diacilglicerol e o inositol trifosfato
- A *fosfatidilserina* é normalmente restrita à face interna, onde confere uma carga negativa envolvida nas interações eletrostáticas com proteínas; entretanto, quando rebatida para o folheto extracelular, torna-se um poderoso sinal de "coma-me" durante a morte celular programada (apoptose). Nas plaquetas, a fosfatidilserina também é um cofator na coagulação do sangue
- Os *glicolipídios* e a *esfingomielina* estão localizados preferencialmente na face extracelular; os glicolipídios, incluindo os glicosídeos com complexas ligações de açúcar e ácidos siálicos terminais, que conferem cargas negativas, sustentam as interações baseadas em cargas, que contribuem para incluir o recrutamento de células inflamatórias e a fusão espermatozoide-óvulo.

Apesar da existência de fluidez lateral substancial, alguns componentes da membrana concentram-se em domínios especializados (p. ex., *balsas lipídicas*), enriquecidos de glicoesfingolipídios e colesterol. Como as proteínas inseridas na membrana apresentam diferentes solubilidades intrínsecas em domínios com composição lipídica distinta, essa organização da membrana também tem impacto na distribuição das proteínas. Essa organização geográfica dos componentes da membrana plasmática exerce impacto sobre as interações célula-célula e célula-matriz, sobre a sinalização intracelular e os sítios especializados de brotamento ou fusão de vesículas.

A membrana plasmática é generosamente cravejada de uma variedade de proteínas e de glicoproteínas envolvidas (1) no transporte de íons e de metabólitos; (2) na captação de macromoléculas mediada pela fase líquida e por receptores e (3) nas interações célula-ligante, célula-matriz e célula-célula. Os meios pelos quais essas proteínas se associam às membranas frequentemente refletem a sua função. Por exemplo, as múltiplas proteínas transmembranares são, com frequência, poros ou transportadores moleculares, enquanto as proteínas ligadas superficialmente à membrana por meio de ligações lábeis têm mais tendência a participar na sinalização. Em geral, as proteínas associam-se à bicamada lipídica por meio de um de quatro mecanismos:

- A maioria das proteínas consiste em proteínas integrais ou transmembranares, que apresentam um ou mais segmentos em α-hélice relativamente hidrofóbicos, que atravessam a bicamada lipídica

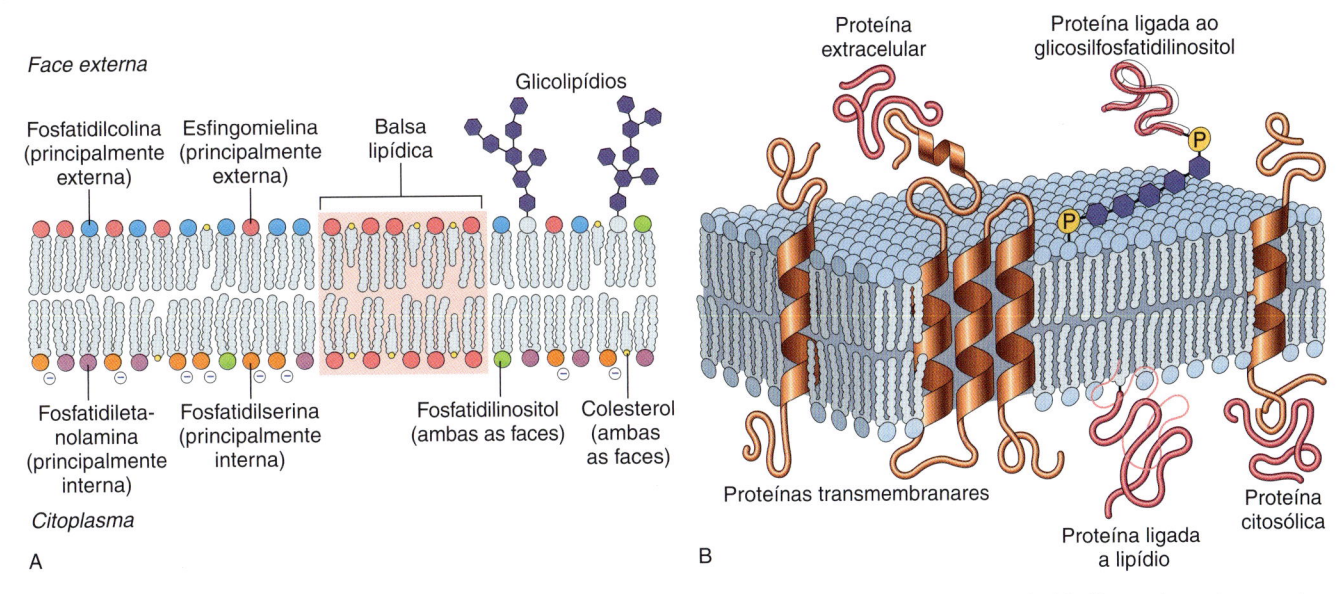

Capítulo 1   A Célula como Unidade de Saúde e Doença

Figura 1.7 Organização e assimetria da membrana plasmática. **A.** A membrana plasmática é uma bicamada de fosfolipídios, colesterol e proteínas associadas. A distribuição dos fosfolipídios no interior da membrana é assimétrica, devido à atividade das flipases; a fosfatidilcolina e a esfingomielina estão presentes predominantemente no folheto externo, enquanto a fosfatidilserina (de carga negativa) e a fosfatidiletanolamina são encontradas de modo predominante no folheto interno; os glicolipídios só ocorrem na face externa, onde contribuem para o glicocálice extracelular. Embora a membrana seja lateralmente líquida, e os vários constituintes possam sofrer difusão aleatória, pode também haver formação de domínios específicos, como balsas lipídicas ricas em colesterol e glicoesfingolipídios. **B.** Proteínas associadas à membrana podem atravessar a membrana (uma ou várias vezes) por meio de sequências α-helicoidais de aminoácidos hidrofóbicos; dependendo do conteúdo lipídico da membrana e da hidrofobicidade relativa dos domínios proteicos, essas proteínas podem ter distribuições não aleatórias dentro da membrana. As proteínas na face citosólica podem estar associadas à membrana plasmática por meio de modificações pós-traducionais (p. ex., farnesilação) ou acréscimo de ácido palmítico. As proteínas na face extracitoplasmática podem associar-se à membrana por meio de ligações de glicosilfosfatidilinositol (*GPI*). Além das interações proteína-proteína no interior da membrana, as proteínas de membrana também podem associar-se a proteínas extracelulares e/ou intracitoplasmáticas para gerar domínios distintos (p. ex., *complexo de adesão focal*). As proteínas transmembranares podem transmitir forças mecânicas (p. ex., a partir do citoesqueleto ou da matriz extracelular), bem como sinais químicos através da membrana.

- As proteínas sintetizadas em ribossomos livres no citosol podem ser modificadas após a tradução pelo acréscimo de grupos prenil (p. ex., farnesil, relacionado com o colesterol) ou ácidos graxos (p. ex., ácido palmítico ou mirístico), que se inserem no lado citosólico da membrana plasmática
- As proteínas na face extracelular da membrana podem ser ancoradas por caudas de glicosilfosfatidilinositol (GPI), que são acrescentadas após a tradução
- As proteínas periféricas da membrana podem estar associadas de forma não covalente a proteínas transmembranares verdadeiras.

Muitas proteínas da membrana plasmática funcionam como grandes complexos; esses complexos podem ser agregados sob o controle de moléculas chaperonas no RER ou por meio de difusão lateral na membrana plasmática, seguidos de formação de complexo *in situ*. Por exemplo, muitos receptores de proteínas (p. ex., receptores de citocinas) sofrem dimerização ou trimerização na presença de ligante, formando unidades de sinalização funcionais. Embora as bicamadas lipídicas sejam líquidas dentro do plano da membrana, os componentes podem estar confinados em domínios isolados. Isso pode ocorrer por meio de localização das balsas lipídicas (discutidas anteriormente) ou por meio de interações intercelulares proteína-proteína (p. ex., *zônulas de oclusão*), que estabelecem limites distintos e que também apresentam composição lipídica singular. Essa última estratégia é adotada para manter a *polaridade celular* (p. ex., superior/apical/livre *versus* inferior/basolateral/ligada à matriz extracelular [MEC]) nas células epiteliais.

As interações de outras proteínas de membrana e citosólicas umas com as outras e com o citoesqueleto também contribuem para a polaridade celular.

A face extracelular da membrana plasmática é difusamente decorada por carboidratos, não apenas na forma de oligossacarídeos complexos em glicoproteínas e glicolipídios, mas também como cadeias de polissacarídeos ligadas a proteoglicanos integrais da membrana. Esse *glicocálice* pode formar uma barreira química e mecânica.

Transporte através da membrana

Embora a barreira proporcionada pelas membranas plasmáticas seja de importância crítica, é essencial que ocorra o transporte de moléculas selecionadas através da bicamada lipídica ou até locais intracelulares por meio de transporte vesicular. Vários mecanismos contribuem para esse transporte.

Difusão passiva. As pequenas moléculas apolares, como o O_2 e o CO_2, dissolvem-se rapidamente nas bicamadas lipídicas e, portanto, sofrem rápida difusão através delas. As moléculas hidrofóbicas maiores (p. ex., moléculas à base de esteroides, como o estradiol ou a vitamina D) também podem atravessar as bicamadas lipídicas com relativa impunidade. Enquanto as pequenas moléculas polares, como a água (18 Da), também podem sofrer difusão através das membranas em baixa velocidade, nos tecidos responsáveis por um movimento significativo de água (p. ex., epitélio tubular renal), existem proteínas integrais especiais de membrana, denominadas aquaporinas, que formam canais transmembranares para a água,

H$_2$O$_2$ e outras moléculas pequenas. Em contrapartida, a bicamada lipídica é uma barreira efetiva contra a passagem de moléculas polares maiores (> 75 Da); com 180 Da, por exemplo, a glicose é efetivamente excluída. As bicamadas lipídicas também são impermeáveis a íons, em virtude de sua carga e hidratação.

***Carreadores e canais* (Figura 1.8).** As proteínas de transporte da membrana plasmática são necessárias parar a captação e a secreção de íons e moléculas maiores, cuja presença é necessária para a função celular (p. ex., captação de nutrientes e eliminação de resíduos). Os íons e as pequenas moléculas podem ser transportados por proteínas de canal e proteínas carreadoras. Poros e canais semelhantes também mediam o transporte através das membranas das organelas. Esses transportadores que movimentam íons, açúcares, nucleotídios etc. frequentemente apresentam altas especificidades e podem ser ativos ou passivos (ver adiante). Por exemplo, alguns transportadores acomodam a glicose, porém rejeitam a galactose:

- As *proteínas de canal* criam poros hidrofílicos, que, quando abertos, possibilitam o rápido movimento de solutos (habitualmente restritos pelo seu tamanho e carga)
- As *proteínas carreadoras* ligam-se a seu soluto específico e sofrem uma série de mudanças conformacionais para transferir o ligante através da membrana; seu transporte é relativamente lento.

O transporte de solutos através da membrana é frequentemente impulsionado por um gradiente de concentração e/ou elétrico entre o interior e o exterior da célula por meio de *transporte passivo* (praticamente todas as membranas plasmáticas

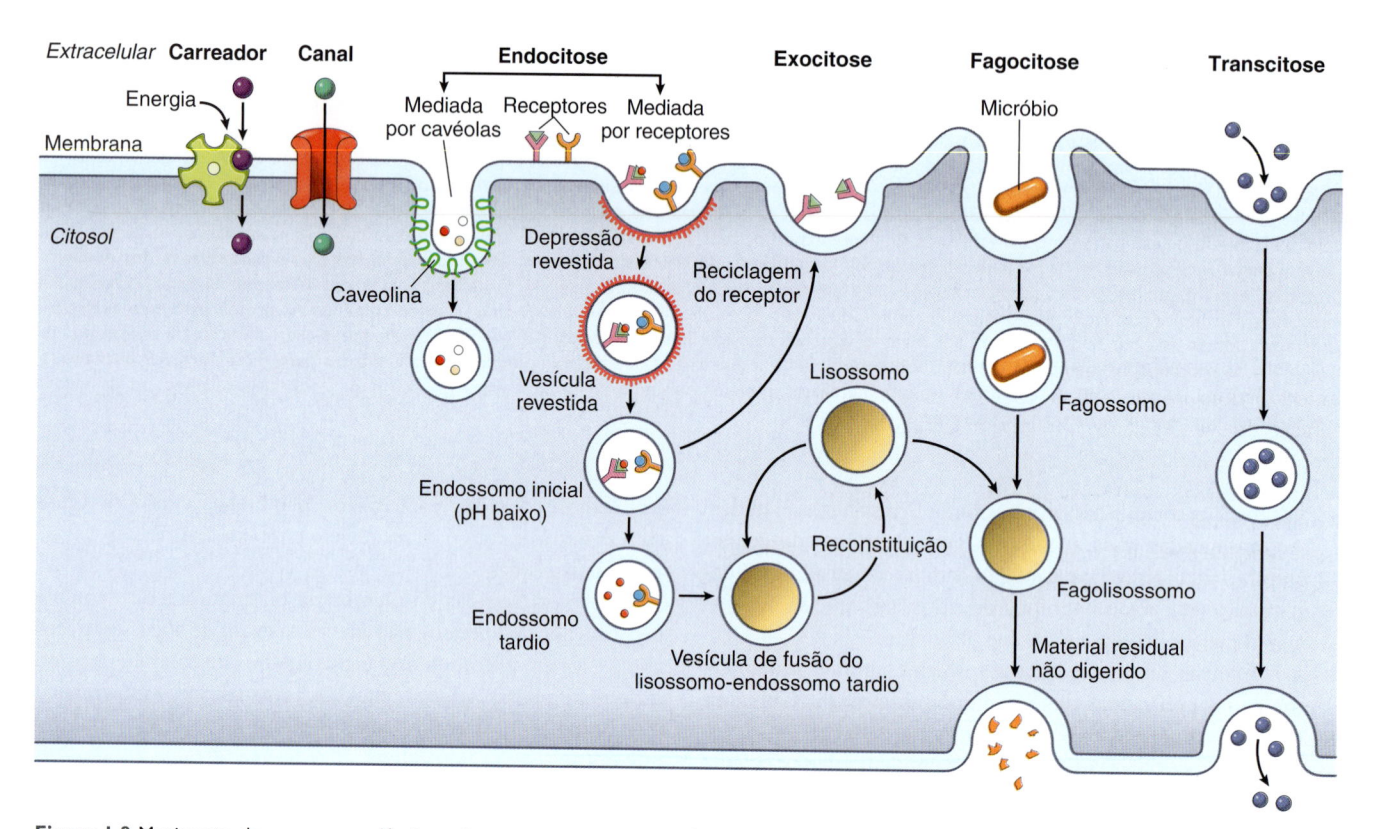

Figura 1.8 Movimento de pequenas moléculas e de estruturas maiores através das membranas. A bicamada lipídica é relativamente impermeável a todas as moléculas, exceto às menores e/ou às mais hidrofóbicas. Por conseguinte, a importação ou a exportação de moléculas com cargas exige proteínas transportadoras transmembranares específicas, tráfego vesicular ou deformações da membrana. Da esquerda para a direita na figura: pequenos solutos com carga podem mover-se através da membrana utilizando canais ou carreadores; em geral, cada molécula necessita de um transportador específico. Os canais são utilizados quando os gradientes de concentração podem conduzir o movimento de solutos; a ativação do canal abre um poro hidrofílico, que possibilita um fluxo restrito pelo tamanho e pela carga. Os carreadores são necessários quando o soluto é movido contra um gradiente de concentração; normalmente, isso exige o consumo de energia para impulsionar uma mudança conformacional no carreador, de modo a facilitar o fornecimento transmembranar de moléculas específicas. A captação de materiais mediada por receptores e de fase líquida envolve vesículas ligadas à membrana. As cavéolas realizam a endocitose do líquido extracelular, de proteínas da membrana e de algumas moléculas ligadas a receptores (p. ex., folato), em um processo conduzido por proteínas caveolinas, que estão concentradas em balsas lipídicas. Subsequentemente, fundem-se com endossomos ou sofrem reciclagem para a membrana. A endocitose de pares de receptor-ligante frequentemente envolve depressões e vesículas revestidas por clatrina. Após a internalização, ocorre a dissociação da clatrina, e os componentes individuais podem ser reutilizados. A vesícula resultante torna-se parte da via endocítica, em que os compartimentos são progressivamente mais ácidos. Após a liberação do ligante, o receptor pode ser reciclado até a membrana plasmática para repetir o processo (p. ex., o ferro dissocia-se da transferrina em pH de cerca de 5,5; a apotransferrina e o receptor de transferrina retornam então até a superfície). Como alternativa, complexos de receptor e ligante podem ser finalmente degradados dentro dos lisossomos (p. ex., o fator de crescimento epidérmico e seu receptor são degradados, o que impede a ocorrência de sinalização excessiva). A exocitose é o processo pelo qual vesículas ligadas à membrana fundem-se com a membrana plasmática e descarregam seu conteúdo no espaço extracelular. Isso inclui a reciclagem do endossomo (mostrada), a liberação de material residual não digerido dos lisossomos, o fornecimento transcitótico de vesículas e a exportação do conteúdo dos vacúolos secretores (não mostrados). A fagocitose envolve a invaginação da membrana para incorporar grandes partículas e é mais comum nos fagócitos especializados (p. ex., macrófagos e neutrófilos). Os fagossomos resultantes fundem-se finalmente com os lisossomos para facilitar a degradação do material internalizado. A transcitose pode mediar o transporte transcelular nas direções apical-basal ou basal-apical, dependendo do receptor e do ligante.

apresentam uma diferença de potencial elétrico através delas, com o interior negativo em relação ao exterior). Em outros casos, o *transporte ativo* de determinados solutos (contra um gradiente de concentração) é realizado por moléculas carreadoras (e nunca por canais) à custa da hidrólise do ATP ou por um gradiente iônico acoplado. Por exemplo, a maioria dos transportadores de nutrientes apicais no intestino e nos túbulos renais explora o gradiente de Na^+ extracelular para intracelular para possibilitar a absorção, mesmo quando as concentrações intracelulares de nutrientes ultrapassam as concentrações extracelulares. Essa forma de transporte ativo não utiliza diretamente o ATP, porém depende do gradiente de Na^+ gerado pela Na^+-K^+ ATPase. Outros transportadores são ATPases. Um exemplo é a *proteína de resistência a multidrogas* (*MDR, multidrug resistance*), que bombeia componentes polares (p. ex., fármacos quimioterápicos) para fora das células, podendo tornar as células cancerosas resistentes ao tratamento.

O movimento da água para dentro e para fora das células é passivo e dirigido pelas concentrações de solutos. Assim, o sal extracelular em excesso em relação ao citoplasma (*hipertonicidade*) resulta em movimento efetivo de água para fora das células, enquanto a *hipotonicidade* é responsável pelo movimento efetivo de água para dentro das células. Em contrapartida, os metabólitos e as proteínas com carga dentro do citoplasma atraem contraíons com carga, que aumentam a osmolaridade intracelular. Por conseguinte, para evitar a hiperidratação, as células precisam constantemente bombear pequenos íons inorgânicos (p. ex., Na^+) para fora – normalmente por meio da atividade da ATPase trocadora de íons da membrana. Assim, a perda da capacidade de geração de energia (p. ex., em uma célula lesionada por toxinas ou por isquemia) resulta em tumefação osmótica e ruptura final da célula. As concentrações de outros íons (p. ex., Ca^{2+} e H^+) também são reguladas por mecanismos de transporte semelhantes. Isso é fundamental para muitos processos. Por exemplo, as enzimas citosólicas são mais ativas em pH 7,4 e, com frequência, são reguladas pelo Ca^{2+}, enquanto as enzimas lisossômicas funcionam melhor em pH 5 ou menor.

A captação de líquidos ou de macromoléculas pela célula é denominada *endocitose*. Dependendo do tamanho da vesícula, a endocitose pode ser denominada pinocitose ("célula que bebe") ou fagocitose ("célula que come"). Em geral, a fagocitose é restrita a certos tipos de células (p. ex., macrófagos e neutrófilos), cujo papel é ingerir especificamente organismos invasores ou fragmentos celulares mortos.

Captação mediada por receptores e de fase líquida (ver **Figura 1.8**)

Algumas moléculas pequenas – incluindo algumas vitaminas – ligam-se a receptores de superfície celular e são captadas por meio de invaginações da membrana plasmática, denominadas cavéolas. A captação também pode ocorrer por meio de invaginações da membrana revestidas por uma matriz intracelular de proteínas denominadas clatrinas, que se organizam espontaneamente em uma trama semelhante a um cesto, que ajuda a conduzir o processo de endocitose (discutido mais adiante). Em ambos os casos, a atividade da dinamina é necessária para a liberação da vesícula.

As macromoléculas também podem ser exportadas das células por *exocitose*. Nesse processo, as proteínas sintetizadas e acondicionadas dentro do RER e do aparelho de Golgi são concentradas em vesículas secretoras, que, em seguida, fundem-se com a membrana plasmática para expelir seu conteúdo. Exemplos comuns incluem hormônios peptídicos (p. ex., insulina) e citocinas.

A transcitose refere-se ao movimento das vesículas endocíticas entre os compartimentos apical e basolateral das células. Trata-se de um mecanismo para a transferência de grandes quantidades de proteínas intactas através das barreiras epiteliais (p. ex., anticorpos ingeridos no leite materno) ou para o rápido movimento de grandes volumes de soluto.

Agora, voltaremos aos aspectos específicos da endocitose (ver **Figura 1.8**):

- *Endocitose mediada por cavéolas*. As *cavéolas* ("pequenas cavernas") são invaginações da membrana plasmática não revestidas, associadas a moléculas ligadas a GPI, proteínas de ligação do monofosfato de adenosina cíclico (cAMP), quinases da família SRC e o receptor de folato. A *caveolina* é a principal proteína estrutural das cavéolas que, à semelhança das balsas de membrana (ver anteriormente), são enriquecidas de glicoesfingolipídios e colesterol. A internalização das cavéolas, acompanhadas por moléculas ligadas e líquido extracelular associado, é denominada *potocitose* – literalmente "célula bebericando". Além de sustentar o fornecimento transmembranar de algumas moléculas (p. ex., folato), as cavéolas regulam a sinalização transmembranar e a adesão celular por meio de internalização de receptores e integrinas

- *Endocitose mediada por receptores*. As macromoléculas ligadas a receptores de membrana (como receptores de transferrina ou de lipoproteínas de baixa densidade [LDL]) são captadas em regiões especializadas da membrana plasmática, denominadas *depressões revestidas por clatrina*. Esses receptores são eficientemente internalizados por invaginações da membrana impulsionadas pela matriz de clatrina associada, que são finalmente destacadas para formar *vesículas revestidas por clatrina*. No interior dessas vesículas, também é capturado um "gole" do meio extracelular (*pinocitose de fase líquida*). Em seguida, as vesículas perdem rapidamente o seu revestimento de clatrina e fundem-se com uma estrutura intracelular ácida, denominada *endossomo inicial*; as vesículas endossômicas sofrem maturação progressiva em endossomos tardios, que finalmente se fundem com lisossomos. No ambiente ácido dos endossomos, os receptores de LDL e transferrina liberam a sua carga (colesterol e ferro, respectivamente), que é então transportada no citosol.

Após a liberação do ligante ligado, alguns receptores são reciclados para a membrana plasmática e reutilizados (p. ex., receptores de transferrina e de LDL), enquanto outros são degradados no interior dos lisossomos (p. ex., receptor do fator de crescimento epidérmico). Nesse último caso, a degradação após internalização resulta em infrarregulação do receptor, o que limita a sinalização mediada por receptores. Defeitos no transporte mediado por receptores das LDL estão na base da hipercolesterolemia familiar, conforme descrito no **Capítulo 5**.

A endocitose exige a reciclagem das vesículas internalizadas de volta à membrana plasmática (exocitose) para outro ciclo de ingestão. Esse processo é de importância crítica, visto que uma célula normalmente ingere do espaço extracelular o equivalente a 10 a 20% de seu próprio volume celular a cada hora – equivalendo a 1 a 2% de sua membrana plasmática a cada minuto! Sem reciclagem, ocorreria rápida depleção da membrana plasmática. Por conseguinte, a endocitose e a exocitose precisam estar estreitamente acopladas para evitar grandes alterações na área da membrana plasmática.

Citoesqueleto

A capacidade das células de adotar um formato particular, de manter a polaridade, organizar as organelas intracelulares e migrar depende de um arcabouço intracelular de proteínas estruturais que formam o citoesqueleto (Figura 1.9). Embora o citoesqueleto possa ter uma aparência semelhante às vigas e aos reforços de uma construção, as estruturas do citoesqueleto estão constantemente se alongando e contraindo; os microfilamentos e os microtúbulos são mais ativos, e a sua montagem e dissociação podem impulsionar a migração da célula.

Nas células eucarióticas, existem três classes principais de proteínas do citoesqueleto:

- Os *microfilamentos de actina* são fibrilas de 5 a 9 nm de diâmetro formados a partir da proteína globular, a actina (actina G), a proteína citosólica mais abundante nas células. Os monômeros de actina G sofrem polimerização não covalente, produzindo longos filamentos (actina F), que se entrelaçam para formar hélices de dupla fita com polaridade definida. Embora os detalhes sejam (como sempre) mais sutis, novas subunidades normalmente são acrescentadas na extremidade "positiva" da fita e removidas da extremidade "negativa" – um processo designado como *esteira de actina*. As proteínas de nucleação, ligação e reguladoras de actina organizam a polimerização, o agrupamento e a ramificação para formar redes que controlam a forma e o movimento das células. Esse complexo e a sua associação a proteínas motoras (p. ex., miosina) são dispostos tão precisamente no músculo esquelético e no músculo cardíaco que estabelecem um padrão de bandas aparente ao microscópio óptico. A hidrólise do ATP pela miosina desliza os filamentos de actina um em relação ao outro, produzindo contração muscular. Apesar de serem menos coordenadas, as miosinas, que são numerosas, são responsáveis por outras funções que dependem da contração da actina, incluindo transporte vesicular, regulação da barreira epitelial e migração celular
- Os *filamentos intermediários* são fibrilas de 10 nm de diâmetro, que compreendem uma família grande e heterogênea, que inclui proteínas queratinas e lâminas nucleares. Os filamentos intermediários formam predominantemente polímeros semelhantes a cordas e, em geral, não se reorganizam ativamente como a actina e os microtúbulos. Em consequência, os filamentos intermediários proporcionam força tênsil, de modo que as células suportam o estresse mecânico, como nos epitélios onde os filamentos intermediários ligam *desmossomos* e *hemidesmossomos* (ver **Figura 1.9**). As proteínas individuais dos filamentos intermediários apresentam padrões de expressão característicos e específicos nos tecidos, que podem ser úteis para definir a origem de uma célula nas neoplasias pouco diferenciadas. Os exemplos incluem:
  - A *vimentina,* nas células mesenquimais (fibroblastos, endotélio)
  - A *desmina* nas células musculares forma o arcabouço sobre o qual a actina e a miosina se contraem
  - Os *neurofilamentos* são fundamentais na estrutura dos axônios dos neurônios e conferem tanto força quanto rigidez

- A *proteína ácida fibrilar glial* é expressa nas células gliais
- As *citoqueratinas* são expressas nas células epiteliais. Existem pelo menos 30 diferentes, que são expressas em diferentes linhagens celulares (p. ex., pulmão *versus* epitélio gastrintestinal)
- As *lâminas* são proteínas de filamentos intermediários que formam a lâmina nuclear, definem o formato do núcleo e podem regular a transcrição

- Os *microtúbulos* são fibrilas de 25 nm de espessura, compostas por dímeros polimerizados de modo não covalente de α e β-tubulina, organizados em tubos ocos. Essas fibrilas são extremamente dinâmicas e polarizadas, com extremidades "+" e "–". A extremidade "–" está normalmente alojada em um *centro organizador de microtúbulos* (*MTOC* ou *centrossomo*) próximo ao núcleo, onde está associado a centríolos pareados; a extremidade "+" alonga-se ou retrocede em resposta a diversos estímulos pelo acréscimo ou retirada de dímeros de tubulina. Os microtúbulos:
  - Servem como cabos de amarração para as proteínas motoras moleculares, que utilizam o ATP para a translocação de vesículas, organelas ou outras moléculas ao redor das células. Existem duas variedades dessas proteínas motoras, as cinesinas e as dineínas, que normalmente (mas não de maneira exclusiva) transportam carga em direção anterógrada (– para +) ou retrógrada (+ para –), respectivamente
  - Medeiam a separação das cromátides irmãs durante a mitose
  - Formam o cerne dos *cílios primários*, que são projeções imóveis isoladas encontradas em muitas células nucleadas,

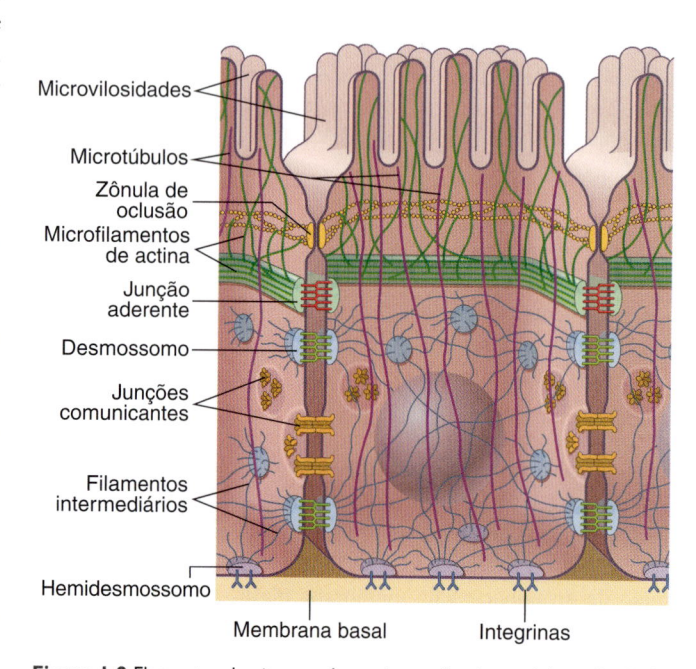

Figura 1.9 Elementos do citoesqueleto e interações intercelulares. A adesão intraepitelial envolve diversas interações de proteínas de superfície diferentes nas zônulas de oclusão, junções aderentes e desmossomos. A adesão à matriz extracelular envolve integrinas celulares (e proteínas associadas) dentro dos hemidesmossomos. As várias proteínas de adesão no interior da membrana plasmática associam-se com microfilamentos de actina e filamentos intermediários, fornecendo uma matriz mecânica para a estrutura celular e a sinalização. As junções comunicantes não conferem integridade estrutural, mas possibilitam a comunicação entre as células por meio do movimento de moléculas de pequeno peso molecular e/ou com carga. Ver texto para mais detalhes.

que contribuem para a regulação da proliferação e diferenciação celulares (as mutações nas proteínas do complexo de cílios primários levam a formas de doença renal policística; ver **Capítulo 20**)
- Podem ser adaptados para formar o cerne dos cílios móveis (p. ex., no epitélio brônquico) ou dos flagelos (nos espermatozoides).

Interações célula-célula

As células conectam-se e comunicam-se entre si por meio de complexos juncionais que formam ligações mecânicas e facilitam as interações entre receptor e ligante. Complexos semelhantes também medeiam a interação com a MEC. As junções intercelulares são organizadas em três tipos básicos (ver **Figura 1.9**):

- As *zônulas de oclusão* (*junções firmes*) selam células epiteliais adjacentes, criando uma barreira contínua que restringe o movimento paracelular (entre células) de íons e outras moléculas. As zônulas de oclusão formam uma rede firme semelhante a uma malha (quando vista de frente por microscopia eletrônica de criofratura) de contatos moleculares entre células vizinhas. Os complexos que medeiam as interações entre células são compostos de proteínas transmembranares, incluindo as famílias da *claudina* e *proteínas MARVEL associada à zônula de oclusão* (*TAMP*) que atravessam quatro vezes a membrana. Essas junções conectam uma grande quantidade de proteínas adaptadoras e de suporte intracelulares, incluindo os três membros da *família de proteínas da zônula de oclusão* (ZO-1, ZO-2, ZO-3) e cingulina. Além de formar uma barreira seletivamente permeável para selar o espaço entre as células (*i. e.*; o espaço paracelular), essa zona também representa o limite que separa os domínios apical e basolateral da membrana e ajuda manter a polaridade celular. Todavia, essas junções são estruturas dinâmicas que podem ser modificadas para facilitar a cicatrização epitelial e a migração de células inflamatórias através das superfícies mucosas de revestimento epitelial
- As *junções de ancoragem* (*junções aderentes* e *desmossomos*) ligam mecanicamente as células – e seus citoesqueletos – a outras células ou à MEC. Com frequência, as junções aderentes estão estreitamente associadas às zônulas de oclusão e abaixo delas. Os desmossomos são mais basais e formam vários tipos de junções. Quando os desmossomos ligam a célula à matriz extracelular (MEC), são designados como hemidesmossomos (metade de um desmossomo), visto que a outra metade do desmossomo não está presente na MEC. Tanto as junções aderentes quanto os desmossomos são formados por interações extracelulares homotípicas entre glicoproteínas transmembranares, denominadas caderinas, em células adjacentes:
  - Nas junções aderentes, as moléculas de adesão transmembranares estão associadas a microfilamentos intracelulares de actina intracelulares por meio dos quais podem influenciar também a forma e a motilidade da célula. A perda da proteína caderina-E da junção aderente epitelial explica o padrão de invasão descoesivo de alguns cânceres gástricos e carcinomas lobulares de mama (ver **Capítulos 17 e 23**)
  - Nos desmossomos, as caderinas estão ligadas a filamentos intermediários intracelulares, permitindo que as forças extracelulares sejam mecanicamente comunicadas (e dissipadas) em múltiplas células
  - Nos hemidesmossomos, as proteínas conectoras transmembranares são denominadas *integrinas*; à semelhança das caderinas desmossômicas, elas se ligam aos filamentos intermediários e ligam o citoesqueleto à MEC. Os *complexos de adesão focais* são compostos de > 100 proteínas e estão localizados em hemidesmossomos. Suas proteínas constituintes podem gerar sinais intracelulares quando as células são submetidas ao estresse de cisalhamento (p. ex., o endotélio na corrente sanguínea ou os miócitos cardíacos na insuficiência cardíaca)
- As *junções comunicantes* (*gap junctions*) permitem a difusão de sinais químicos e elétricos de uma célula para outra. A junção consiste em um conjunto plano denso de poros de 1,5 a 2 nm (denominados *conexons*), formados por um par de hexâmeros (um de cada célula) de proteínas transmembranares, denominadas conexinas. Essas proteínas formam poros que possibilitam a passagem de íons, nucleotídios, açúcares, aminoácidos, vitaminas e outras moléculas pequenas; a permeabilidade da junção é rapidamente diminuída pela redução do pH intracelular ou pelo aumento do cálcio intracelular. As junções comunicantes desempenham um papel fundamental na comunicação intercelular. Por exemplo, as junções comunicantes nos miócitos cardíacos possibilitam o fluxo de cálcio de uma célula para outra, permitindo que as numerosas células do miocárdio se comportem como um sincício funcional, com ondas coordenadas de contração.

Maquinário de biossíntese: retículo endoplasmático e aparelho de Golgi

Todos os constituintes celulares – incluindo as proteínas estruturais, enzimas, fatores de transcrição e até mesmo membranas fosfolipídicas – são constantemente renovados em um processo contínuo que equilibra a síntese e a degradação. O retículo endoplasmático (RE) constitui o local de síntese de todas as proteínas e lipídios transmembranares para a membrana plasmática e as organelas celulares, incluindo o próprio RE. Trata-se também do local inicial para a síntese de proteínas secretadas. O RE é organizado em um labirinto interconectado de tubos ramificados e lamelas achatadas, semelhante a uma rede, formando uma lâmina contínua ao redor de uma única luz que, do ponto de vista topológico, é equivalente ao ambiente extracelular. O RE é composto por domínios contíguos, porém distintos, que são diferenciados pela presença (RER) ou pela ausência (REL) de ribossomos (ver **Figura 1.6**):

- *Retículo endoplasmático rugoso* (*RER*): os ribossomos ligados à membrana na face citosólica do RER traduzem o mRNA em proteínas, que são liberadas na luz do RE ou que se tornam integradas à membrana do RE. Esse processo é dirigido por sequências de sinais específicas na extremidade N-terminal das proteínas nascentes; a síntese de proteínas com peptídios sinalizadores é iniciada em ribossomos livres, porém o complexo torna-se, em seguida, ligado à membrana do RE, e a proteína é inserida na membrana do RE ou passada através dela à medida que é traduzida. Para as proteínas que carecem de uma sequência de sinal, a tradução continua nos ribossomos livres presentes no citosol, formando polirribossomos à medida que múltiplos ribossomos ligam-se ao mRNA; essas proteínas transcritas permanecem no citoplasma.

As proteínas inseridas no RE enovelam-se em sua conformação ativa e podem formar complexos polipeptídicos (oligomerização); além disso, são formadas pontes de dissulfeto, e são acrescentados oligossacarídeos N-ligados (açúcares ligados a resíduos de asparagina). As moléculas chaperonas auxiliam no enovelamento e na retenção das proteínas no RE até que as modificações sejam completas e até que seja alcançada a conformação correta. Se uma proteína não conseguir sofrer enovelamento ou oligomerização adequados, ela é retida e degradada no interior do RE. Um bom exemplo disso é a mutação mais comum da proteína CFTR na fibrose cística. No CFTR mutante, uma deleção de códon leva à ausência de um único aminoácido (Phe508), que resulta em enovelamento incorreto, retenção no RE e catabolismo, com consequente redução da expressão de superfície. Além disso, o acúmulo excessivo de proteínas mal enoveladas – que ultrapassa a capacidade do RE de editá-las de degradá-las – leva à *resposta de estresse do RE* (também denominada *resposta a proteínas mal enoveladas* [*UPR, unfolded protein response*]) (**Figura 1.10B**). A detecção de um excesso de proteínas anormalmente enoveladas leva a uma redução na síntese global de proteínas, com aumento concomitante das proteínas chaperonas; a incapacidade de corrigir a sobrecarga pode deflagrar a morte da célula por meio de *apoptose* (ver **Capítulo 2**)

- *Aparelho de Golgi (complexo de Golgi)*: a partir do RER, as proteínas e os lipídios destinados a outras organelas ou à exportação extracelular são transferidos para o complexo de Golgi. O complexo de Golgi consiste em cisternas empilhadas, que modificam progressivamente as proteínas de maneira ordenada, de *cis* (próximo ao RE) para *trans* (próximo à membrana plasmática). A progressão das cisternas, isto é, o movimento de cisternas de face *cis* para a face *trans* do Golgi, à semelhança dos degraus de uma escada rolante, possibilita o processamento sequencial de proteínas recém-sintetizadas e pode ser facilitado por pequenas vesículas ligadas à membrana. Vesículas semelhantes transferem enzimas residentes no complexo de Golgi de *trans* para *cis*, de modo a manter os diferentes conteúdos das cisternas ao longo dessa linha de montagem. À medida que as cisternas amadurecem, os oligossacarídeos N-ligados originalmente acrescentados no RE são podados e estendidos de maneira sequencial; oligossacarídeos O-ligados (açúcares ligados à serina ou treonina) também são anexados. Parte dessa glicosilação é importante na seleção de moléculas para os lisossomos (por meio do receptor de manose-6-fosfato); outros aductos de glicosilação são importantes para as interações entre células ou entre células e matriz ou para a eliminação de células senescentes (p. ex., plaquetas e eritrócitos). Na *rede de Golgi trans*, as proteínas e os lipídios são selecionados e distribuídos para outras organelas, para membrana plasmática ou para vesículas secretoras. O complexo de Golgi é particularmente proeminente em células especializadas na secreção, incluindo células caliciformes do epitélio intestinal ou brônquico, que secretam grandes quantidades de muco rico em polissacarídeos. Nos plasmócitos que secretam anticorpos, o complexo de Golgi pode ser reconhecido como um halo perinuclear em colorações simples pela hematoxilina e eosina (ver **Capítulo 6**)
- *Retículo endoplasmático liso (REL)*: na maioria das células, o REL é relativamente escasso e existe principalmente como zona de transição que se estende do RER para gerar vesículas de transporte, que se estende a partir do RER para gerar vesículas de transporte que carregam vesículas recém-sintetizadas para o aparelho de Golgi. Entretanto, o REL pode ser particularmente conspícuo em células que sintetizam hormônios esteroides (p. ex., nas gônadas ou nas glândulas suprarrenais) ou que catabolizam moléculas lipossolúveis (p. ex., hepatócitos). Com efeito, a exposição repetida a compostos que são metabolizados pelo REL (p. ex., fenobarbital, que é catabolizado pelo sistema do citocromo P-450) pode levar à hiperplasia do REL. O REL também é responsável pelo sequestro de cálcio intracelular, que, quando liberado no citosol, pode mediar diversas respostas a sinais extracelulares (incluindo morte celular apoptótica). Nas células musculares, o REL especializado, denominado retículo sarcoplasmático, é responsável pela liberação e sequestro cíclicos de íons cálcio, que regulam a contração e o relaxamento musculares, respectivamente.

Eliminação de produtos residuais: lisossomos e proteassomos

Embora as células dependam principalmente dos lisossomos para digerir o material internalizado e os produtos residuais internos acumulados, existem várias outras vias para a degradação de macromoléculas intracelulares (ver **Figura 1.10**), que incluem os proteassomos e os peroxissomos. Esses últimos são responsáveis pelo catabolismo de ácidos graxos de cadeia longa:

- Os *lisossomos* são organelas delimitadas por membrana, que contêm cerca de 40 hidrolases ácidas diferentes (*i. e.*, que funcionam melhor em pH ≤ 5); essas enzimas incluem proteases, nucleases, lipases, glicosidases, fosfatases e sulfatases. As enzimas lisossômicas são inicialmente sintetizadas na luz do RE e, em seguida, são marcadas com manose-6-fosfato (M6P) dentro do complexo de Golgi. Essas proteínas modificadas por M6P são subsequentemente fornecidas aos lisossomos por meio de vesículas *trans* Golgi que expressam receptores de M6P. As outras macromoléculas destinadas ao catabolismo nos lisossomos chegam por uma das três vias seguintes (ver **Figura 1.10**):
- O material internalizado por *endocitose de fase líquida* ou *mediada por receptores* passa da membrana plasmática para o endossomo inicial e, em seguida, para o endossomo tardio, alcançando finalmente o lisossomo. Esses compartimentos são acidificados de modo progressivo, de modo que as enzimas proteolíticas se tornam ativas no endossomo tardio e nos lisossomos
- As organelas senescentes e/ou os grandes complexos de proteínas desnaturadas podem ser transportados para dentro dos lisossomos por um processo denominado *autofagia* (ver **Capítulo 2**). Por meio de um mecanismo que envolve os produtos de vários genes relacionados com a autofagia (*Atg*), as organelas obsoletas são encurraladas por uma dupla membrana derivada do RE. A membrana se expande progressivamente para envolver um conjunto de organelas e constituintes citosólicos, formando o *autofagossomo* definitivo; essas estruturas são marcadas para destruição posterior por meio de fusão com lisossomos. Além de facilitar a renovação de estruturas velhas e/ou mortas, a autofagia pode ser utilizada para preservar a viabilidade durante a depleção de nutrientes; ela está envolvida em respostas protetoras a infecções intracelulares; participa no reparo

A DEGRADAÇÃO LISOSSÔMICA

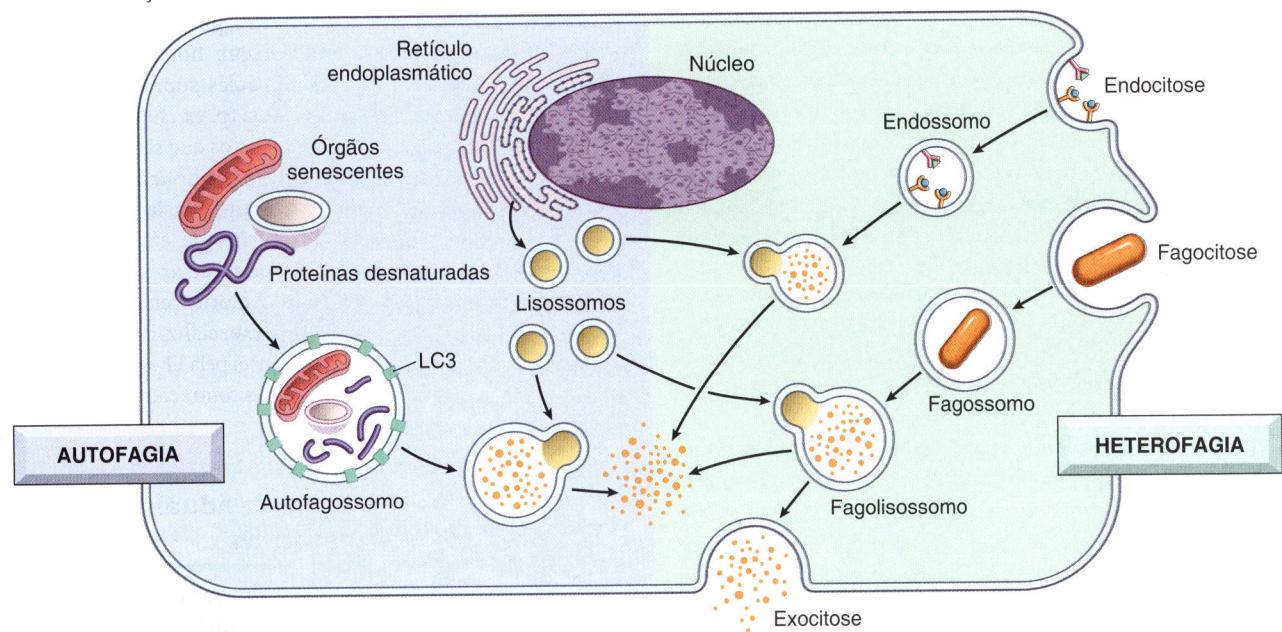

B DEGRADAÇÃO PROTEOSSÔMICA

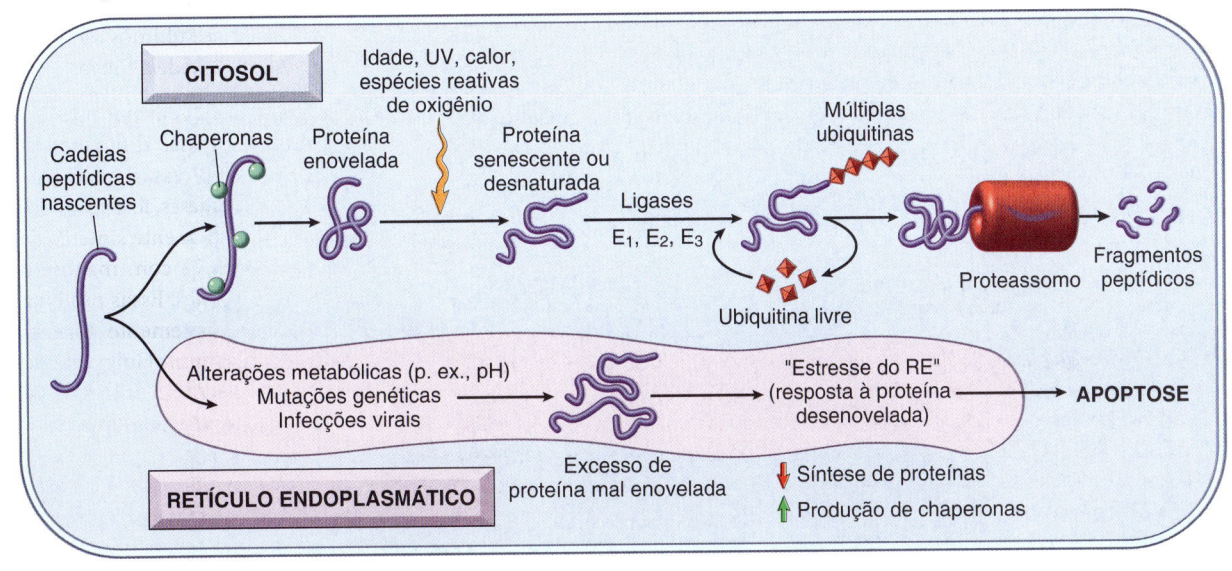

Figura 1.10 Catabolismo intracelular. **A.** Degradação lisossômica. Na heterofagia (lado direito do painel **A**), os lisossomos fundem-se com os endossomos ou fagossomos para facilitar a degradação de seu conteúdo internalizado (ver **Figura 1.8**). Os produtos finais podem ser liberados no citosol para nutrição ou podem ser descarregados no espaço extracelular (exocitose). Na autofagia (lado esquerdo do painel **A**), as organelas senescentes ou as proteínas desnaturadas são alvo de degradação conduzida pelos lisossomos, à medida que são envolvidas dentro de um vacúolo de dupla membrana derivado do retículo endoplasmático e marcadas pela proteína LC3 (proteína associada aos microtúbulos IA/IB-cadeia leve 3). O estresse celular, como a depleção de nutrientes ou algumas infecções intracelulares, também pode ativar a via autofagocítica. **B.** Degradação proteossômica. As proteínas do citosol destinadas à renovação (p. ex., fatores de transcrição ou proteínas reguladoras), proteínas senescentes ou proteínas que sofreram desnaturação em consequência de estresses mecânicos ou químicos extrínsecos podem constituir alvos de múltiplas moléculas de ubiquitina (por meio da atividade de ubiquitina ligases E_1, E_2 e E_3). Isso marca as proteínas para degradação pelos proteassomos, que consistem em complexos citosólicos de múltiplas subunidades que degradam proteínas em pequenos fragmentos peptídicos. A presença de altos níveis de proteínas mal enoveladas no retículo endoplasmático (RE) desencadeia uma resposta protetora às proteínas desenoveladas – promovendo uma ampla redução na síntese de proteínas e aumento específico das proteínas chaperonas que podem facilitar o enovelamento das proteínas. Se isso não for adequado para lidar com os níveis de proteínas mal enoveladas, o processo pode levar à apoptose.

intracelular e, em algumas circunstâncias, desencadeia a morte celular programada (*apoptose*). A autofagia é discutida de modo mais detalhado no **Capítulo 2**

- A *fagocitose* de microrganismos ou de grandes fragmentos de matriz ou restos ocorre principalmente em fagócitos profissionais (macrófagos ou neutrófilos). O material é englobado para formar um *fagossomo*, que se funde subsequentemente com lisossomos

- Os *proteassomos* desempenham um importante papel na degradação das proteínas citosólicas (ver **Figura 1.10**), que incluem proteínas desnaturadas ou mal enoveladas, bem como qualquer outra macromolécula cujo tempo de vida precisa ser regulado (p. ex., moléculas de sinalização). Muitas proteínas destinadas à destruição são identificadas pela ligação covalente a uma pequena proteína denominada *ubiquitina*. As moléculas poliubiquitinadas são desenoveladas e canalizadas para o complexo do proteassoma polimérico – um cilindro que contém atividades de múltiplas proteases, cada uma delas com o seu sítio ativo apontado para o cerne oco. Os proteassomos digerem as proteínas em pequenos fragmentos (de 6 a 12 aminoácidos), que subsequentemente podem ser degradados a seus aminoácidos constituintes e reciclados.

Metabolismo celular e função mitocondrial

As mitocôndrias evoluíram a partir de ancestrais procariontes, que foram englobados por eucariontes primitivos há cerca de 1,5 bilhão de anos. A origem delas explica por que contêm seu próprio DNA, que codifica cerca de 1% da proteína celular total e aproximadamente 20% das proteínas envolvidas na fosforilação oxidativa. Embora seus genomas sejam pequenos, as mitocôndrias podem realizar todas as etapas de replicação do DNA, transcrição e tradução utilizando um maquinário semelhante ao das bactérias atuais. Por exemplo, as mitocôndrias iniciam a síntese de proteínas com N-formilmetionina e são sensíveis a alguns antibióticos antibacterianos. Como a biogênese das mitocôndrias exige uma contribuição genética de mitocôndrias preexistentes, e o óvulo contribui com a grande maioria das organelas citoplasmáticas no zigoto fertilizado, o DNA mitocondrial é quase totalmente herdado da mãe. Entretanto, como as proteínas constituintes das mitocôndrias são codificadas por DNA tanto nuclear quanto mitocondrial, os distúrbios mitocondriais podem ser ligados ao X, autossômicos ou de herança materna.

As mitocôndrias são impressionantemente dinâmicas e sofrem constante fissão e fusão com outras mitocôndrias recém-sintetizadas. Isso sustenta a sua renovação e as defende contra alterações degenerativas que ocorrem por meio de dano contínuo por radicais livres de oxigênio. Mesmo assim, as mitocôndrias são de vida curta – sofrem degradação por autofagia (um processo denominado mitofagia) –, com meia-vida estimada de 1 a 10 dias, dependendo do tecido, do estado nutricional, das demandas metabólicas e de lesões intercorrentes.

Além de fornecer o maquinário enzimático para a fosforilação oxidativa (e, portanto, a geração relativamente eficiente de energia a partir de substratos de glicose e ácidos graxos), as mitocôndrias desempenham um papel fundamental na regulação da apoptose (**Figura 1.11**). Os detalhes das funções das mitocôndrias são os seguintes:

- *Geração de energia.* Cada mitocôndria apresenta duas membranas separadas com funções distintas. A membrana interna contém as enzimas da cadeia respiratória enovelada em cristas. Ela envolve um espaço de matriz central, que abriga a maior parte das enzimas dos ciclos glicolítico e do tricarboxílico, constituindo

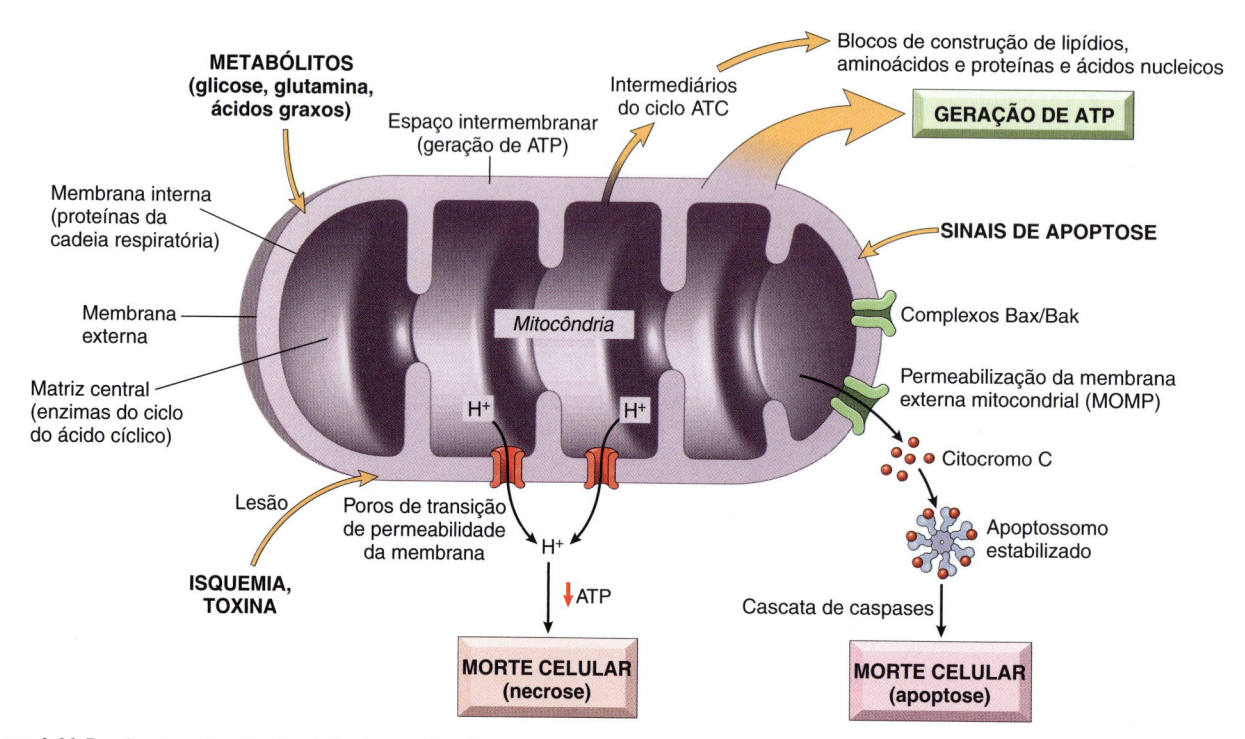

Figura 1.11 Funções das mitocôndrias. Além da geração eficiente de trifosfato de adenosina (ATP) a partir de substratos de carboidratos e ácidos graxos, as mitocôndrias também desempenham um importante papel no metabolismo intermediário – atuando como fonte de substratos utilizados na síntese de lipídios, proteínas e nucleotídios. De forma relevante, as mitocôndrias estão centralmente envolvidas em decisões de vida e morte das células: (1) a lesão tóxica ou isquêmica induz uma transição de permeabilidade da membrana que dissipa o gradiente de prótons intermembranar, levando à morte celular por meio da perda de geração de ATP; (2) a sinalização intracelular de fontes intrínsecas e extrínsecas também pode resultar na formação de poros de proteínas Bax e Bak oligomerizadas na permeabilização da membrana externa mitocondrial (MOMP), facilitando a liberação do citocromo C das proteínas da cadeia de transporte de elétrons. O citocromo C citosólico estabiliza o apoptossomo de múltiplas subunidades, promovendo a ativação de caspases e, por fim, a morte celular apoptótica. ATC, ácido tricarboxílico.

a principal parte atuante da organela. Fora da membrana interna, encontra-se o espaço intermembranar, que é o local de fosforilação de nucleotídios, que, por sua vez, é envolvido pela membrana externa. A membrana externa é cravejada de proteínas porinas, que formam canais aniônicos dependentes de voltagem, permeáveis a pequenas moléculas (< 5.000 Da). À semelhança de outras membranas celulares, as moléculas maiores (e até mesmo algumas espécies polares menores) precisam de transportadores específicos.

A principal fonte de energia para facilitar todas as funções celulares provém do metabolismo oxidativo. As mitocôndrias oxidam substratos a CO_2, transferindo os elétrons de alta energia da molécula original (p. ex., açúcar) para o oxigênio molecular. A oxidação de vários metabólitos aciona bombas de prótons que transferem o H^+ da matriz central para o espaço intermembranar. À medida que os íons H^+ fluem ao longo de seu gradiente eletroquímico e fora do espaço intermembranar, a energia liberada é utilizada na geração de ATP.

É importante ressaltar que a cadeia de transporte de elétrons não precisa ser acoplada necessariamente à geração de ATP. Uma proteína da membrana interna presente na gordura marrom, denominada *termogenina* (também denominada proteína desacopladora-1 [UCP-1]), é um transportador de íons hidrogênio que pode dissipar o gradiente de prótons, desacoplando-o da fosforilação oxidativa. Por meio desse mecanismo, ocorre rápida oxidação de substrato sem a síntese de ATP, de modo que os tecidos com altos níveis de UCP-1 possam gerar calor (termogênese sem tremor). Como subproduto natural (embora habitualmente em baixos níveis) da oxidação de substratos e do transporte de elétrons, as mitocôndrias também constituem uma importante fonte de espécies reativas de oxigênio (radicais livres de oxigênio, peróxido de hidrogênio etc.); além disso, é importante ressaltar que a hipoxia, a lesão tóxica ou até mesmo o envelhecimento mitocondrial podem levar ao estresse oxidativo, que se caracteriza por aumento intracelular das espécies reativas de oxigênio

- *Metabolismo intermediário*. A fosforilação oxidativa gera com eficiência 36 a 38 moléculas de ATP por molécula de glicose, mas também "queima" substratos até CO_2 e H_2O, sem deixar nenhum resíduo de carbono para uso na construção de lipídios e proteínas. Em consequência, para assegurar os blocos de construção necessários ao crescimento, as células que sofrem rápida divisão (tanto benignas quanto malignas) aumentam a captação de glicose e glutamina e passam para a glicólise aeróbica, um fenômeno denominado *efeito Warburg*. Nessa situação, cada molécula de glicose é catabolizada a ácido láctico (mesmo na presença de oxigênio adequado), gerando apenas duas moléculas finais de ATP, porém "desviando" os intermediários que podem ser convertidos em novos lipídios, aminoácidos e proteínas e ácidos nucleicos. Assim, o metabolismo mitocondrial pode ser modulado para sustentar a manutenção da energia celular ou a proliferação celular
- *Morte celular*. Além de fornecer o ATP que possibilita a maior parte da atividade celular, as mitocôndrias são fundamentais para a sobrevivência das células. O papel das mitocôndrias na morte celular é descrito de modo detalhado no **Capítulo 2** e mencionado aqui de maneira sucinta

- *Necrose*: a lesão celular de causa externa (causada por toxina, isquemia, trauma) pode provocar dano às mitocôndrias, induzindo a formação de poros de transição de permeabilidade mitocondrial na sua membrana externa. Esses canais possibilitam a dissipação do gradiente de prótons, de modo que a geração subsequente de ATP mitocondrial se torna impossível, e a célula morre
- *Apoptose*: a morte celular programada é uma característica central do desenvolvimento e renovação normais dos tecidos e pode ser desencadeada por sinais extrínsecos (incluindo células T citotóxicas ou citocinas inflamatórias) ou por vias intrínsecas (incluindo dano ao DNA ou estresse intracelular). As mitocôndrias integram sinais efetores pró apoptóticos e antiapoptóticos intracelulares, gerando um sinal final de "partida" ou "não partida" para a apoptose. Um sinal pró-apoptótico final resulta na permeabilização da membrana externa mitocondrial (MOMP, *mitocondrial outer membrana permeabilization*) – distinta da transição de permeabilidade mitocondrial –, que libera citocromo C (e outras proteínas) no citoplasma. Por sua vez, essas proteínas ativam vias intracelulares de morte celular programada. De modo notável, uma falha da sinalização pró-apoptótica normal (ou um excesso de efetores antiapoptóticos) pode estar na base da neoplasia maligna – mesmo na presença de mutações que, de outro modo, iriam desencadear um suicídio celular. Em contrapartida, um sinal apoptótico excessivamente forte (ou a falta de efetores antiapoptóticos) pode conduzir à morte celular prematura, conforme observado em distúrbios neurodegenerativos (ver **Capítulo 28**).

Ativação celular

A comunicação intercelular é essencial para os organismos multicelulares. No nível mais básico, os sinais extracelulares podem determinar se uma célula vive ou morre, se permanece quiescente ou se ela se torna ativa para desempenhar suas funções específicas. A sinalização intercelular é fundamental no desenvolvimento do embrião e na manutenção da organização dos tecidos; é também importante nos organismos adultos, nos quais a sinalização intercelular assegura a atuação de todos os tecidos de maneira apropriada (p. ex., em resposta a trauma tecidual local ou a uma infecção sistêmica). A perda da comunicação intercelular e os "controles sociais" também podem resultar em crescimento desregulado (p. ex., câncer) ou em respostas deletérias ao estresse extrínseco (p. ex., choque).

Sinalização celular

As células individuais sofrem exposição crônica a uma notável cacofonia de sinais, que precisam ser integrados em um resultado racional. Alguns sinais podem induzir a diferenciação de determinado tipo de célula, enquanto outros sinalizam a proliferação ou direcionam a célula para executar funções especializadas. Múltiplos sinais que ocorrem de uma só vez, em determinada proporção, podem desencadear outra resposta totalmente única. Muitas células precisam de certos estímulos para continuar vivendo; na ausência de sinais exógenos apropriados, elas morrem por apoptose.

Os sinais aos quais a maioria das células respondem podem ser classificados em vários grupos:

- *Perigo e patógenos*. Muitas células têm a capacidade inata de reconhecer e responder a células danificadas (sinais de perigo), bem como a invasores estranhos, como os micróbios. Os receptores envolvidos são discutidos nos **Capítulos 3 e 6**
- *Contatos intercelulares*, mediados por moléculas de adesão e/ou junções comunicantes. Conforme assinalado anteriormente, a sinalização por junções comunicantes é realizada entre células adjacentes por meio de canais de conexons hidrofílicos, que possibilitam o movimento de pequenos íons (p. ex., cálcio), metabólitos e moléculas de segundos mensageiros (p. ex., cAMP)
- *Contatos entre célula e MEC*, mediados por integrinas. Voltaremos a considerar as integrinas no contexto da ligação dos leucócitos a outras células durante a inflamação no **Capítulo 3**
- *Moléculas secretadas*. As moléculas secretadas mais importantes incluem fatores de crescimento (discutidos mais adiante); citocinas, um termo reservado para mediadores da inflamação e respostas imunes (também discutidas nos **Capítulos 3 e 6**); e hormônios, que são secretados por órgãos endócrinos (ver **Capítulo 24**).

As vias de sinalização também podem ser classificadas com base nas relações espaciais entre as células emissoras e receptoras:

- *Sinalização parácrina*. Apenas as células na vizinhança imediata são afetadas. Para que essa sinalização ocorra, pode haver apenas difusão mínima, seguida de rápida degradação do sinal secretado, de sua captação por outras células ou retenção na MEC
- A *sinalização autócrina* ocorre quando moléculas secretadas por uma célula afetam a própria célula. Isso pode ser uma maneira de convocar grupos de células que sofrem diferenciação sincrônica durante o desenvolvimento, ou pode ser utilizado para amplificar (retroalimentação positiva) ou amortecer (retroalimentação negativa) uma determinada resposta
- *Sinalização sináptica*. Os neurônios ativados secretam neurotransmissores em junções celulares especializadas (i. e., sinapses) em células-alvo
- *Sinalização endócrina*. Ocorre liberação de um mediador na corrente sanguínea, que atua sobre células-alvo a distância.

Independentemente da natureza do estímulo extracelular (parácrino, autócrino, sináptico ou endócrino), o sinal conduzido é transmitido para a célula por meio de proteínas receptoras específicas. As moléculas de sinalização (ligantes) ligam-se a seus respectivos receptores e iniciam uma cascata de eventos intracelulares que culminam na resposta celular desejada. Em geral, os ligantes apresentam alta afinidade pelos seus receptores ($\leq 10^{-8}$ M) e, em concentrações fisiológicas, ligam-se aos receptores com notável especificidade. Os receptores podem estar presentes na superfície celular ou no interior da célula (**Figura 1.12**):

- Os *receptores intracelulares* incluem fatores de transcrição, que são ativados por ligantes lipossolúveis capazes de atravessar facilmente a membrana plasmática. A vitamina D e os hormônios esteroides, que ativam receptores hormonais nucleares, são bons exemplos. Em outros casos, um ligante de sinalização pequeno e/ou apolar produzido por um tipo de célula pode influenciar a atividade de células adjacentes. Assim, o óxido nítrico produzido pelas células endoteliais difunde-se nas células musculares lisas subjacentes, ativando a enzima guanilil ciclase para gerar o monofosfato de guanosina cíclico (cGMP), que produz relaxamento do músculo liso; assim, o endotélio é capaz de regular o tônus motor
- Os *receptores de superfície celular* são, em geral, proteínas transmembranares com domínios extracelulares, que se ligam a ligantes ativadores. Dependendo do receptor, a ligação do ligante pode:
    1. Abrir canais iônicos, normalmente na sinapse entre células eletricamente excitáveis.
    2. Ativar uma proteína associada reguladora de ligação do GTP (proteína G).
    3. Ativar uma enzima endógena ou associada (com frequência, uma tirosinoquinase).
    4. Desencadear um evento proteolítico ou modificar a ligação ou estabilidade de proteínas, ativando um fator de transcrição latente.

Os receptores acoplados à proteína G e os receptores associados à tirosinoquinase normalmente estão envolvidos na sinalização que impulsiona a proliferação celular; as mudanças proteolíticas ou conformacionais constituem características comuns de múltiplas vias (p. ex., *Notch*, Wnt e *Hedgehog*) que influenciam o desenvolvimento normal. Os eventos intracelulares secundários a jusante com frequência envolvem a fosforilação ou a desfosforilação de moléculas-alvo, com mudanças conformacionais subsequentes que têm impacto no acesso nuclear ou na atividade enzimática (ver adiante). De forma compreensível, os sinais transduzidos por receptores de superfície celular com frequência estão alterados nos distúrbios do desenvolvimento e em neoplasias malignas.

Vias de transdução de sinais

A interação de um receptor de superfície celular com o seu ligante pode ativar a sinalização por meio de agrupamento do receptor induzido pelo ligante (ligação cruzada de receptores) ou por meio da indução de uma alteração física na estrutura do receptor (ver **Figura 1.12**). Ambos os mecanismos resultam em mudança conformacional na cauda citosólica do receptor, que medeia eventos bioquímicos intracelulares adicionais.

Os receptores celulares são agrupados em vários tipos, com base nos mecanismos de sinalização que eles utilizam e nas vias bioquímicas intracelulares que ativam (ver **Figura 1.12**). A sinalização dos receptores leva mais comumente à formação ou modificação de intermediários bioquímicos e/ou à ativação de enzimas que, em última análise, levam à geração de fatores de transcrição ativos que entram no núcleo e alteram o padrão de expressão gênica:

- *Receptores associados à atividade de quinase*. A fosforilação a jusante é uma via comum de transdução de sinais. Mudanças na geometria do receptor podem estimular a atividade intrínseca de proteinoquinase do receptor ou promover a atividade enzimática de quinases intracelulares recrutadas; essas quinases acrescentam resíduos de fosfato com carga às moléculas-alvo. As tirosinoquinases fosforilam resíduos de tirosina específicos, enquanto as serina-treonina quinases acrescentam fosfatos a resíduos de serina ou treonina, e as lipídio quinases fosforilam substratos lipídicos. Para cada evento de fosforilação, existe também uma fosfatase que remove resíduos de fosfato para modular a sinalização; em geral, as fosfatases inibem a transdução de sinal

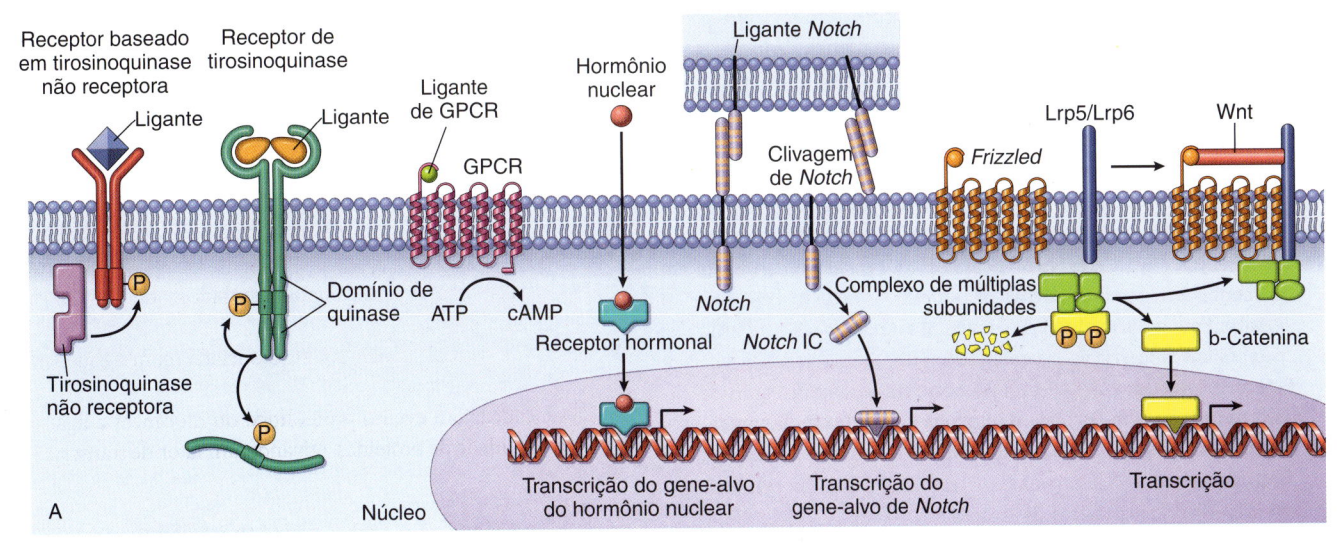

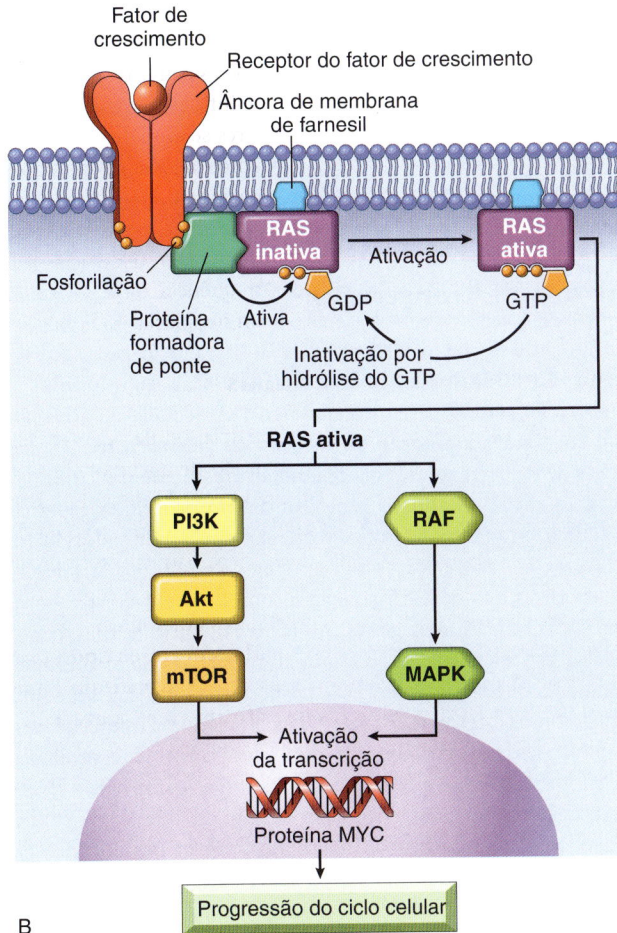

Figura 1.12 Sinalização mediada por receptores. A. Categorias de receptores de sinalização, incluindo (da esquerda para a direita) receptores que utilizam uma tirosinoquinase não receptora; uma tirosinoquinase de receptor; uma proteína receptora que atravessa sete vezes a membrana acoplada à proteína G (GPCR), ligada a proteínas G heterotriméricas; um receptor nuclear que se liga a seu ligante e, em seguida, pode influenciar a transcrição; Notch, que reconhece um ligante em uma célula distinta e é clivado, produzindo um fragmento Notch intracelular (Notch IC), que pode entrar no núcleo e influenciar a transcrição de genes-alvo específicos; e a via Wnt/*Frizzled*, onde a ativação libera β-catenina intracelular de um complexo proteico que habitualmente impulsiona a sua degradação constitutiva. Em seguida, a β-catenina liberada pode migrar para o núcleo e atuar como fator de transcrição. **B.** Sinalização de um receptor de fator de crescimento à base de tirosinoquinase. A ligação do fator de crescimento (ligante) resulta em dimerização do receptor e autofosforilação de resíduos de tirosina. A ligação de proteínas adaptadoras (ou formadoras de ponte) acopla o receptor à RAS inativa ligada ao difosfato de guanosina (GDP), permitindo o deslocamento do GDP em favor do trifosfato de guanosina (GTP) e produzindo RAS ativada. A RAS ativada interage com RAF (também conhecida como MAP quinase) e a ativa. Em seguida, essa quinase fosforila a proteinoquinase ativada por mitógeno (*MAPK*), que, por sua vez, fosforila outras proteínas citoplasmáticas e fatores de transcrição nuclear, que culminam em respostas celulares. O receptor de tirosinoquinase fosforilado também pode se ligar a outras proteínas, como fosfatidilinositol 3-quinase (PI3K), que ativa outras vias de sinalização. A cascata é inativada quando a RAS ativada finalmente hidrolisa o GTP a GDP – convertendo RAS em sua forma inativa. As mutações em RAS, que causam hidrólise tardia do GTP, podem levar, assim, a um aumento da sinalização proliferativa. *ATP*, trifosfato de adenosina; *cAMP*, monofosfato de adenosina cíclico; Lrp5/Lrp6, proteínas 5 e 6 relacionadas ao receptor de lipoproteínas de baixa densidade; mTOR, alvo da rapamicina em mamíferos.

- As *tirosinoquinases receptoras* (*RTK*) são proteínas integrais de membrana (p. ex., receptores de insulina, fator de crescimento epidérmico e fator de crescimento derivado das plaquetas); a ligação cruzada induzida por ligante ativa os domínios intrínsecos de tirosinoquinase localizados em suas caudas citoplasmáticas
- Vários tipos de receptores não têm nenhuma atividade catalítica intrínseca (p. ex., receptores imunes, alguns receptores de citocinas e integrinas). Para esses receptores, uma proteína intracelular separada – conhecida como *tirosinoquinase não receptora* – interage com receptores após a ligação do ligante e fosforila sítios específicos no receptor ou em outras proteínas. O homólogo celular da proteína transformadora do vírus do sarcoma de Rous, denominado Src, é o protótipo de uma importante família dessas tirosinoquinases não receptoras (*quinases da família Src*). O Src contém regiões funcionais únicas, denominadas domínios de homologia do Src (SH); normalmente, os domínios SH2 ligam-se a receptores fosforilados por outra quinase, possibilitando a agregação de múltiplas enzimas, enquanto os domínios SH3 mediam outras interações proteína-proteína, envolvendo, com frequência, sequências ricas em prolina

- Os *receptores acoplados à proteína G* (*GPCR*) caracterizam-se por atravessar sete vezes a membrana plasmática (daí a sua designação como receptores sete-transmembranares ou em serpentina); foram identificados mais de 1.500 desses receptores. Após a ligação do ligante, o GPCR associa-se a uma proteína intracelular de ligação de trifosfato de guanosina (GTP) (proteína G), que contém difosfato de guanosina (GDP). A interação da proteína G com um complexo de GPCR-ligante resulta em ativação por meio da troca de GDP por GTP. As vias de sinalização subsequentes mediadas por GPCR incluem a geração de cAMP e de inositol-1,4,5-trifosfato (IP_3), e este último desencadeia a liberação de cálcio do RE
- *Receptores nucleares*. Ligantes lipossolúveis podem difundir-se para dentro das células, onde interagem com proteínas intracelulares, formando um complexo ligante-receptor, que se liga diretamente ao DNA nuclear; os resultados podem consistir em ativação ou repressão da transcrição gênica
- *Outras classes de receptores*. Outros receptores – originalmente reconhecidos como importantes no desenvolvimento embrionário e na determinação do destino da célula – são atualmente reconhecidos pela sua participação no funcionamento das células maduras, em particular no sistema imunológico. Em lugar da atividade enzimática, essas vias dependem de interações proteína-proteína para a transdução de sinais:
  - As proteínas receptoras da família *Notch* são incluídas nessa categoria; a ligação dos ligantes aos receptores *Notch* leva à clivagem proteolítica do receptor e translocação nuclear subsequente do segmento citoplasmático (*Notch* intracelular) para formar um complexo de transcrição
  - As proteínas *Wnt* ligantes também podem influenciar o desenvolvimento celular por meio de uma via canônica, que envolve receptores da família *Frizzled* transmembranares, um conjunto distinto de GPCR que regulam os níveis intracelulares de β-*catenina*. Normalmente, a β-catenina é continuamente alvo de degradação proteassômica dirigida pela ubiquitina. Entretanto, a ligação de Wnt ao receptor *frizzled* (e outros correceptores) recruta ainda outra proteína intracelular (*Dishevelled*), que leva à ruptura do complexo de degradação-alvo. Isso estabiliza a β-catenina, possibilitando a sua translocação para o núcleo e a formação de um complexo de transcrição.

Proteínas de sinalização modular, eixos e nós

A visão linear tradicional da sinalização – de que a ativação dos receptores deflagra uma sequência ordenada de intermediários bioquímicos que, em última análise, levam a alterações da expressão gênica e à resposta biológica desejada – é uma excessiva simplificação. Na verdade, é cada vez mais evidente que qualquer sinal inicial tem impacto em múltiplos processos, contribuindo, cada um deles, para o desfecho final. Isso é particularmente válido nas vias de sinalização que dependem da atividade enzimática. Por exemplo, a fosforilação específica de qualquer proteína pode permitir a sua associação a um grande número de outras moléculas, resultando em (entre outros efeitos):

- Ativação (ou inativação) das enzimas
- Localização nuclear (ou citoplasmática) de fatores de transcrição (ver adiante)
- Ativação (ou inativação) de fatores da transcrição
- Polimerização (ou despolimerização) da actina
- Degradação (ou estabilização) de proteínas
- Ativação de alças inibidoras (ou estimuladoras) de retroalimentação.

As proteínas adaptadoras desempenham um papel fundamental na organização das vias de sinalização intracelulares. Essas proteínas atuam como conectores moleculares, que se ligam fisicamente a diferentes enzimas e promovem a montagem de complexos; as proteínas adaptadoras podem ser proteínas integrais da membrana ou proteínas citosólicas. Uma proteína adaptadora típica contém domínios específicos (p. ex., SH2 ou SH3), que mediam as interações proteína-proteína. Ao influenciar quais as proteínas que são recrutadas para complexos de sinalização, os adaptadores podem determinar eventos de sinalização a jusante.

Fazendo uma analogia com as redes de computadores, os complexos de proteína-proteína podem ser considerados como nós, enquanto os eventos bioquímicos que alimentam os nós ou que deles emanam podem ser considerados como eixos. Por conseguinte, a transdução de sinais pode ser visualizada como um tipo de fenômeno em rede; compreender essa complexidade de ordem superior pertence à esfera da *biologia dos sistemas*, que envolve a união da biologia e da ciência da computação, isto é, a biologia computacional.

Fatores de transcrição

A maioria das vias de transdução induz, em última análise, efeitos duradouros sobre a função celular ao modular a transcrição gênica; esse processo ocorre por meio da ativação e/ou localização nuclear de fatores de transcrição. Alguns fatores de transcrição impulsionam a expressão de um conjunto relativamente limitado de genes ou de um programa genético específico, enquanto outros exercem efeitos disseminados. Entre os fatores de transcrição que regulam a divisão celular, destacam-se produtos de vários genes promotores do crescimento, como *MYC* e *JUN*, e de genes inibidores do ciclo celular, como *TP53*. Com frequência, os fatores de transcrição contêm domínios modulares que se ligam ao DNA, a pequenas moléculas, como os hormônios esteroides, e a proteínas reguladoras intracelulares. As interações mediadas por esses domínios podem ser controladas por modificações pós-traducionais, como a fosforilação. Essas alterações podem resultar em translocação do citoplasma para o núcleo, podem modificar a meia-vida da proteína do fator de transcrição, expor sítios específicos de ligação ao DNA ou promover a ligação a componentes do complexo da RNA-polimerase aumentando a atividade do fator de transcrição:

- Os *domínios de ligação ao DNA* possibilitam a ligação específica a sequências curtas de DNA. Enquanto alguns sítios de ligação dos fatores de transcrição são encontrados em promotores, próximo ao local de iniciação da transcrição, outros sítios de ligação de fatores de transcrição podem ser encontrados em todo genoma; nesse último caso, a ativação dos fatores de transcrição pode levar à transmissão simultânea de um cassete de genes (presumivelmente inter-relacionados e de interação entre eles). Os fatores de transcrição também podem se ligar a elementos reguladores de longo alcance, como amplificadores que atuam ao trazer promotores de genes em proximidade

geográfica com os genes que eles regulam. O fato de que esses sítios podem estar distantes uns dos outros, em virtude da sequência genética linear, destaca a importância da organização da cromatina na regulação da expressão gênica
- Os *domínios de interação proteína-proteína* dentro dos fatores de transcrição recrutam, direta ou indiretamente, proteínas adicionais, incluindo coativadores, enzimas modificadoras de histona e complexos de remodelagem da cromatina, que se desenrolam e/ou expõem de outro modo os sítios de iniciação. Mais importante é o fato de que recrutam a RNA polimerase – o grande complexo enzimático multiproteico que é responsável pela síntese de RNA.

Fatores de crescimento e seus receptores

Os fatores de crescimento estimulam a atividade de vias de sinalização e genes que aumentam a sobrevida, o crescimento e a divisão das células. Os fatores de crescimento ligam-se a receptores específicos e, por fim, influenciam a expressão de genes que:

- Promovem a entrada no ciclo celular
- Aliviam bloqueios à progressão do ciclo celular (promovendo, assim, a replicação)
- Impedem a apoptose
- Aumentam a síntese de componentes (ácidos nucleicos, proteínas, lipídios, carboidratos) necessários para a divisão celular.

Embora os fatores de crescimento sejam caracteristicamente considerados como proteínas que "apenas" estimulam a proliferação e/ou a sobrevida das células, é importante lembrar que eles também podem regular um grande número de atividades não relacionadas com o crescimento, incluindo migração, diferenciação e capacidade de síntese. Alguns fatores de crescimento relevantes no reparo e na regeneração dos tecidos estão listados na **Tabela 1.1** e são descritos com mais detalhes no **Capítulo 3**.

Os fatores de crescimento regulam a proliferação celular em estado de equilíbrio dinâmico e em resposta à lesão, quando células irreversivelmente danificadas precisam ser substituídas. Pode ocorrer proliferação descontrolada quando a atividade dos fatores de crescimento está desregulada, ou quando as vias de sinalização desses fatores estão alteradas para se tornarem constitutivamente ativas. Por conseguinte, muitos genes das vias dos fatores de crescimento são *proto-oncogenes*; em virtude de seus efeitos proliferativos, as mutações de ganho de função os convertem em *oncogenes*, que levam à divisão celular descontrolada, podendo ser precursores de neoplasia maligna. Embora todos os fatores de crescimento descritos aqui envolvam receptores com atividade de quinase intrínseca, os fatores de crescimento podem sinalizar por meio de cada uma das vias mostradas na **Figura 1.12**.

Fator de crescimento epidérmico (EGF) e fator de crescimento transformante α. Ambos os fatores pertencem à família do EGF, ligam-se a grupos sobrepostos de receptores e compartilham muitas atividades biológicas. O EGF e o TGF-α, que são produzidos por macrófagos e por algumas células epiteliais, são mitogênicos para os hepatócitos, os fibroblastos e um grande número de tipos de células epiteliais. A "família do receptor do EGF" inclui quatro receptores de membrana, com atividade intrínseca de tirosino-quinase; o receptor mais bem caracterizado é o EGFR1, também conhecido como ERB-B1 ou, simplesmente, EGFR. Com frequência, ocorrem mutações e/ou amplificação do EGFR1 em vários tipos de câncer, incluindo os de pulmão, cabeça e pescoço, mama e cérebro. O receptor do ERB-B2 (também conhecido como *HER-2*) é hiperexpresso em um subgrupo de cânceres de mama. Os anticorpos e as pequenas moléculas antagonistas que têm como alvo muitos desses receptores demonstraram ser efetivos em alguns tipos de câncer.

Tabela 1.1 Fatores de crescimento envolvidos na regeneração e no reparo.

Fator de crescimento	Fontes	Funções
Fator de crescimento epidérmico (EGF)	Macrófagos ativados, glândulas salivares, queratinócitos, muitas outras células	Mitogênico para muitos tipos de células; estimula a migração de células epiteliais; estimula a formação do tecido de granulação
Fator de crescimento transformante α (TGF-α)	Macrófagos ativados, queratinócitos, muitas outras células	Estimula a proliferação de hepatócitos e de muitas outras células epiteliais
Fator de crescimento dos hepatócitos (HGF) (fator de dispersão)	Fibroblastos, células estromais do fígado, células endoteliais	Aumenta a proliferação dos hepatócitos e de outras células epiteliais; aumenta a motilidade celular
Fator de crescimento do endotélio vascular (VEGF)	Células mesenquimais	Estimula a proliferação das células endoteliais; aumenta a permeabilidade vascular
Fator de crescimento derivado das plaquetas (PDGF)	Plaquetas, macrófagos, células endoteliais, células musculares lisas, queratinócitos	Quimiotático para os neutrófilos, macrófagos, fibroblastos e células musculares lisas; ativa e estimula a proliferação dos fibroblastos, das células endoteliais e de outras células; estimula a síntese de proteínas da MEC
Fatores de crescimento dos fibroblastos (FGF), incluindo o ácido (FGF-1) e o básico (FGF-2)	Macrófagos, mastócitos, células endoteliais e muitos outros tipos de células	Quimiotático e mitogênico para os fibroblastos; estimula a angiogênese e a síntese de proteínas da MEC
Fator de crescimento transformante β (TGF-β)	Plaquetas, linfócitos T, macrófagos, células endoteliais, células epiteliais, células musculares lisas, fibroblastos	Quimiotático para os leucócitos e os fibroblastos; estimula a síntese de proteínas da MEC; suprime a inflamação aguda
Fator de crescimento do queratinócitos (KGF) (i. e., FGF-7)	Fibroblastos	Estimula a migração, a proliferação e a diferenciação dos queratinócitos

MEC, matriz extracelular.

Fator de crescimento do hepatócito (HGF). O HGF (também conhecido como fator de dispersão) tem efeitos mitogênicos sobre os hepatócitos e a maior parte dos epitélios, incluindo biliar, pulmonar, renal, da mama e da pele. O HGF atua como *morfogênio* no desenvolvimento embrionário (influencia o padrão de diferenciação dos tecidos), promove a migração das células (explicando a designação de fator de dispersão) e aumenta a sobrevida dos hepatócitos. O HGF é produzido por fibroblastos e pela maioria das células mesenquimais, células endoteliais e células do fígado não hepatócitos. O HGF é sintetizado como precursor inativo (pró-HGF), que é proteoliticamente ativado por serina proteases liberadas nos sítios de lesão. O receptor do HGF é MET, que apresenta atividade intrínseca de tirosinoquinase. O MET é frequentemente hiperexpresso ou mutado em neoplasias, particularmente nos carcinomas renais e carcinomas papilares de tireoide. Em consequência, os inibidores de MET estão sendo avaliados na terapia do câncer.

Fator de crescimento derivado das plaquetas (PDGF). O PDGF é uma família de várias proteínas estreitamente relacionadas, constituídas, cada uma delas, por duas cadeias (designadas por pares de letras). Três isoformas de PDGF (AA, AB e BB) são diretamente ativas do ponto de vista biológico; o PDGF-CC e o PDGF-DD precisam ser ativados por clivagem proteolítica. O PDGF é armazenado em grânulos citoplasmáticos e liberado pelas plaquetas ativadas. Embora originalmente isolados de plaquetas (explicando o seu nome), os PDGF são produzidos por muitas células, incluindo macrófagos ativados, endotélio, células musculares lisas e neoplasias. Todas as isoformas de PDGF exercem seus efeitos por meio de sua ligação a dois receptores de superfície (PDGRF α e β), ambos os quais apresentam atividade de tirosinoquinase intrínseca. O PDGF induz a proliferação dos fibroblastos, das células endoteliais e das células musculares lisas e também é quimiotático para essas células (e para células inflamatórias), promovendo, assim, o seu recrutamento para locais de inflamação e lesão tecidual.

Fator de crescimento do endotélio vascular (VEGF). Os VEGF formam uma família de proteínas homodiméricas: o VEGF-A, o VDGF-B, o VEGF-C, o VEGF-D e o fator de crescimento placentário (PlGF). Em geral, o VEGF-A é designado simplesmente como VEGF; trata-se do principal fator *angiogênico* (que induz o desenvolvimento de vasos sanguíneos) após lesões e em neoplasia. Em comparação, o VEGF-B e o PlGF estão envolvidos no desenvolvimento dos vasos embrionários, enquanto o VEGF-C e o VEGF-D estimulam tanto a angiogênese quanto o desenvolvimento linfático (*linfangiogênese*). Diferentemente de suas funções na angiogênese, os VEGF também estão envolvidos na manutenção do endotélio normal, com maior expressão nas células epiteliais adjacentes ao epitélio fenestrado (p. ex., podócitos nos rins, epitélio pigmentado da retina e plexo coroide). O VEGF induz todas as atividades necessárias para a angiogênese, incluindo migração e proliferação das células endoteliais (brotamento capilar), e promove a formação da luz vascular. O VEGF também afeta a dilatação vascular e aumenta a permeabilidade vascular (o VEGF era originalmente denominado fator de permeabilidade vascular para refletir essa atividade). Como seria de esperar, a hipoxia constitui o indutor mais importante da produção de VEGF por meio de vias que envolvem a ativação do fator de transcrição, o *fator induzível por hipoxia 1* (HIF-1). Outros indutores do VEGF – produzidos em locais de inflamação ou cicatrização de feridas – incluem o PDGF e o TGF-α.

Os VEGF ligam-se a uma família de receptores de tirosinoquinase (VEGFR-1, VEGFR-2 e VEGFR-3). O VEGFR-2 é altamente expresso no endotélio e é o mais importante para a angiogênese. Anticorpos dirigidos contra o VEGF foram aprovados para o tratamento de neoplasias, como câncer renal e câncer de cólon, que necessitam de angiogênese para a sua disseminação e crescimento. A terapia com anti-VEGF teve sucesso em distúrbios oftalmológicos, incluindo degeneração macular "úmida" relacionada com a idade (um distúrbio de angiogênese inapropriada e permeabilidade vascular, que provoca cegueira de início na idade adulta), angiogênese associada à retinopatia da prematuridade e extravasamento vascular, que leva ao edema macular do diabetes. Por fim, os níveis elevados de VEGFR-1 solúvel (também conhecido como s-FLT-1) em mulheres grávidas podem provocar pré-eclâmpsia (hipertensão e proteinúria) ao sequestrar o VEGF livre necessário para a manutenção do endotélio normal.

Fator de crescimento do fibroblasto (FGF). O FGF refere-se a uma família de fatores de crescimento com mais de 20 membros. O FGF ácido (aFGF) (também conhecido como FGF-1) e o FGF básico (bFGF) (também conhecido como FGF-2) são os mais bem caracterizados; o FGF-7 é também designado como fator de crescimento dos queratinócitos (KGF). Os FGF liberados associam-se ao heparan sulfato na MEC, que atua como reservatório para fatores inativos que podem ser liberados subsequentemente por proteólise (p. ex., em locais de cicatrização de feridas). Os FGF sinalizam por meio de quatro receptores de tirosinoquinase (FGFR1 a FGFR4) para promover a cicatrização de feridas, a hematopoese e o desenvolvimento; o bFGF apresenta todas as atividades necessárias para a angiogênese.

Fator de crescimento transformante β (TGF-β). O TGF-β tem três isoformas (TGF-β1, TGF-β2 e TGF-β3), que pertencem a uma família maior de cerca de 30 membros, incluindo proteínas morfogenéticas do osso (BMP), ativinas, inibinas e substância inibidora mülleriana. O TGF-β1 é o que apresenta distribuição mais ampla e, em geral, é designado simplesmente como TGF-β. Trata-se de uma proteína homodimérica, que é produzida por uma variedade de tipos celulares, incluindo plaquetas, endotélio, células epiteliais e células inflamatórias. O TGF-β é secretado como precursor, que precisa de proteólise para produzir a proteína biologicamente ativa. Existem dois receptores de TGF-β (tipos I e II), ambos com atividade de serina/treonina quinase, que induzem a fosforilação de uma variedade de fatores de transcrição a jusante, denominados *Smads*. Os *Smads* fosforilados formam heterodímeros, possibilitando a translocação nuclear e a sua associação a outras proteínas de ligação do DNA para ativar ou inibir a transcrição gênica. A sinalização do TGF-β apresenta diversos efeitos, que frequentemente são opostos, dependendo do tipo de tecido e de quaisquer sinais concomitantes. Os agentes com essa multiplicidade de efeitos são denominados *pleiotrópicos*, e o TGF-β é "excessivamente pleiotrópico". Entretanto, basicamente, o TGF-β pode ser considerado como um fator que impulsiona a formação de cicatrizes e freia a inflamação que acompanha a cicatrização de feridas:

- O TGF-β estimula a produção de colágeno, fibronectina e proteoglicanos e inibe a degradação do colágeno ao diminuir a atividade da metaloproteinase da matriz (MMP) e ao aumentar a atividade dos inibidores teciduais das proteinases (TIMP) (discutidos mais adiante). O TGF-β está envolvido não apenas na formação de cicatrizes após lesão, mas também na fibrose do pulmão, fígado, intestino e rins em situações de inflamação crônica

- O TGF-β também é uma citocina anti-inflamatória, que serve para limitar e interromper as respostas inflamatórias. Esse fator atua dessa maneira ao inibir a proliferação dos linfócitos e a atividade de outros leucócitos. Os animais que carecem de TGF-β apresentam inflamação disseminada e persistente.

Matriz extracelular

A MEC é uma rede de proteínas que representa uma porção significativa de qualquer tecido. As interações celulares com a MEC são fundamentais para o desenvolvimento, a cicatrização e a manutenção da arquitetura normal dos tecidos (Figura 1.13). Muito mais do que um simples "preenchedor de espaço" ao redor das células, a MEC atua como:

- *Suporte mecânico* para a ancoragem das células, a sua migração e a manutenção da polaridade celular

- *Regulador da proliferação celular* por meio de ligação dos fatores de crescimento e sua apresentação, bem como sinalização por meio dos receptores celulares da família das integrinas. A MEC proporciona um depósito para fatores de crescimento latentes, que podem ser ativados dentro de focos de lesão ou inflamação

- *Arcabouço para a renovação tecidual.* Como a manutenção da estrutura normal dos tecidos requer uma membrana basal ou arcabouço de estroma, a integridade da membrana basal ou do estroma das células parenquimatosas é fundamental para a regeneração organizada dos tecidos. Por conseguinte, a ruptura da MEC impede a regeneração e o reparo efetivos dos tecidos

- *Base para o estabelecimento de microambientes teciduais.* A membrana basal atua como uma delimitação entre o epitélio e o tecido conjuntivo subjacente; entretanto, com frequência, ela faz muito mais do que apenas fornecer um suporte estrutural; por exemplo, no rim, forma parte do aparelho de filtração.

A MEC sofre constante remodelagem; a sua síntese e degradação acompanham a morfogênese, a regeneração e o reparo dos tecidos, a fibrose crônica e a invasão e metástase tumorais.

A MEC ocorre em duas formas básicas: a matriz intersticial e a membrana basal (Figura 1.14):

- *Matriz intersticial.* A matriz intersticial ocupa os espaços entre as células do estroma no tecido conjuntivo e entre o epitélio parenquimatoso e as estruturas subjacentes de suporte vascular e do músculo liso em alguns órgãos. A matriz intersticial é sintetizada pelas células mesenquimais (p. ex., fibroblastos), formando um gel semilíquido relativamente amorfo e tridimensional. Em alguns tecidos, como o trato gastrintestinal, a bexiga e os tecidos moles periarteriais, o líquido dentro da matriz amortece a compressão dos tecidos associada ao peristaltismo, à micção e ao fluxo sanguíneo arterial pulsátil. Os principais componentes não líquidos da matriz intersticial consistem em colágenos fibrilares e não fibrilares, bem como *fibronectina, elastina, proteoglicanos, hialuronato* e outros constituintes (ver adiante)

- *Membrana basal.* A matriz intersticial nos tecidos conjuntivos torna-se altamente organizada ao redor das células epiteliais, células endoteliais e células musculares lisas, onde forma membranas basais, que são superfícies especializadas para o crescimento celular. Os componentes da membrana basal, que são sintetizados pelo epitélio sobrejacente e pelas células mesenquimais subjacentes, formam uma rede lamelar plana (embora designada como membrana, ela é muito porosa). Os principais componentes consistem em *colágeno tipo IV* não fibrilar e *laminina*.

Componentes da matriz extracelular

Os componentes da MEC (**Figura 1.15**) pertencem a três famílias:

- *Proteínas estruturais fibrosas*, como os colágenos e a elastina, que conferem força tênsil e elasticidade
- *Géis hidratados*, como os proteoglicanos e hialuronano, que proporcionam resistência à compressão e lubrificação
- *Glicoproteínas adesivas*, que conectam elementos da MEC entre si e com as células.

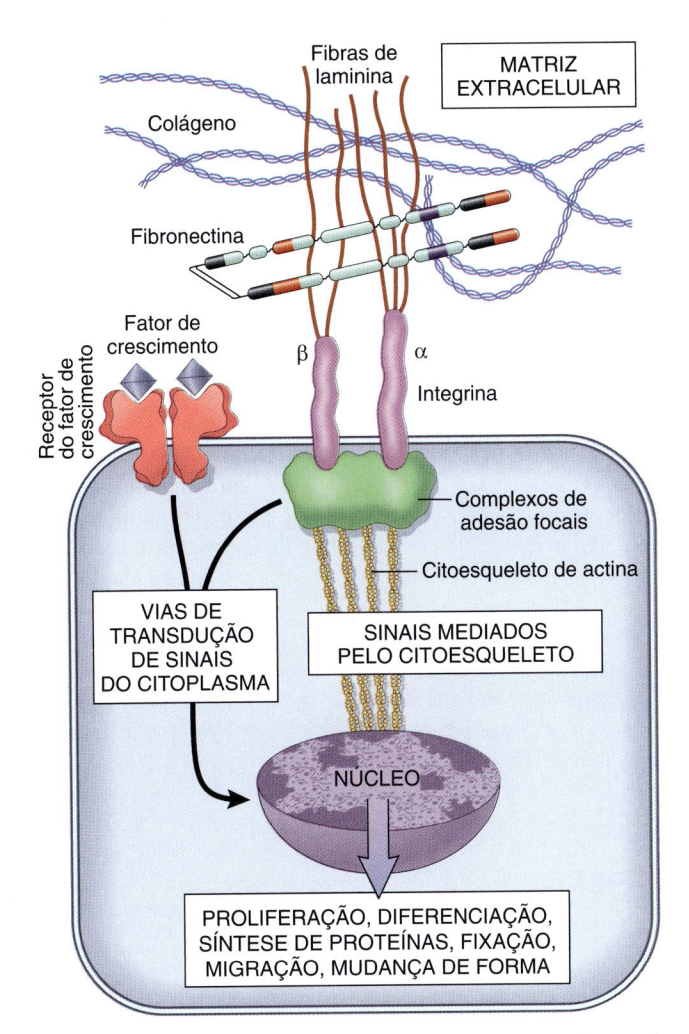

Figura 1.13 Interações da matriz extracelular (MEC) e dos fatores de crescimento para mediar a sinalização celular. As integrinas da superfície celular interagem com o citoesqueleto em complexos de adesão focais (agregados de proteínas que incluem a vinculina, a α-actinina e a talina; ver **Figura 1.17C**). Isso pode iniciar a produção de mensageiros intracelulares ou pode transduzir diretamente sinais para o núcleo. Os receptores de superfície celular para fatores do crescimento podem ativar vias de transdução de sinais, que se sobrepõem àquelas mediadas por integrinas. Os sinais das interações da MEC e dos fatores de crescimento podem ser integrados pelas células para produzir respostas específicas, incluindo alterações na proliferação, locomoção ou diferenciação.

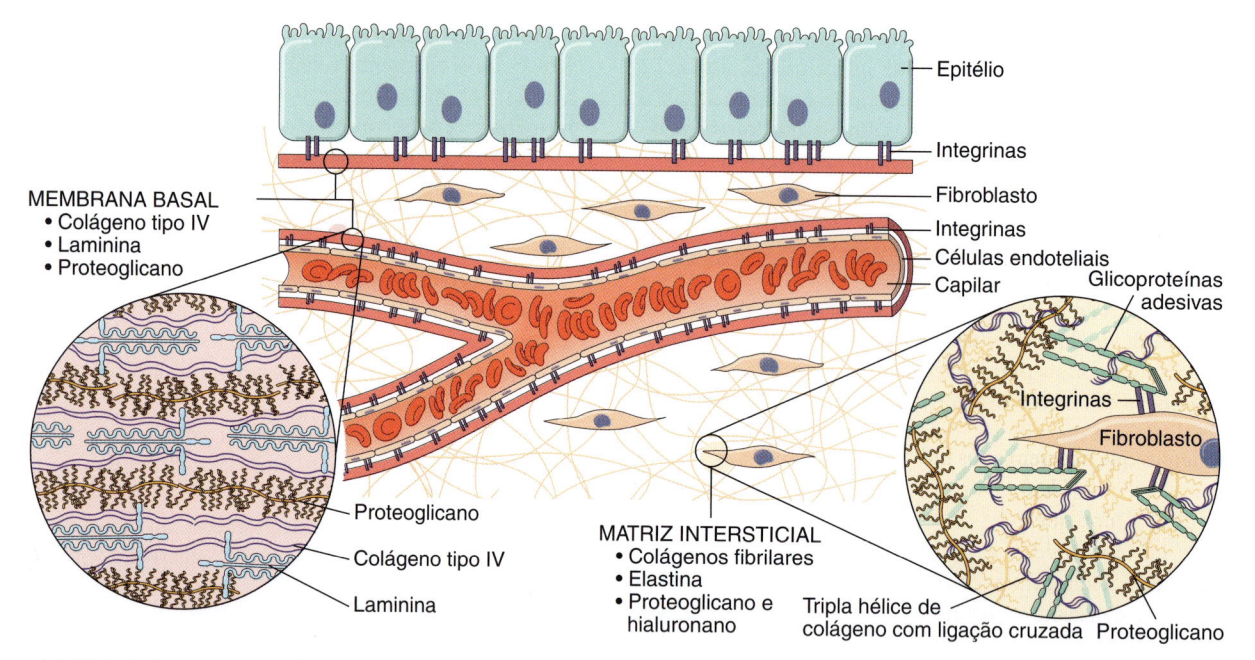

Figura 1.14 Principais componentes da matriz extracelular (MEC), incluindo colágenos, proteoglicanos e glicoproteínas adesivas. Tanto as células epiteliais quanto mesenquimais (p. ex., fibroblastos) interagem com a MEC por meio de integrinas. As membranas basais e a MEC intersticial têm uma arquitetura e composição geral diferentes, embora certos componentes estejam presentes em ambas. Para maior clareza, muitos componentes da MEC (p. ex., elastina, fibrilina, hialuronano e sindecano) não são mostrados.

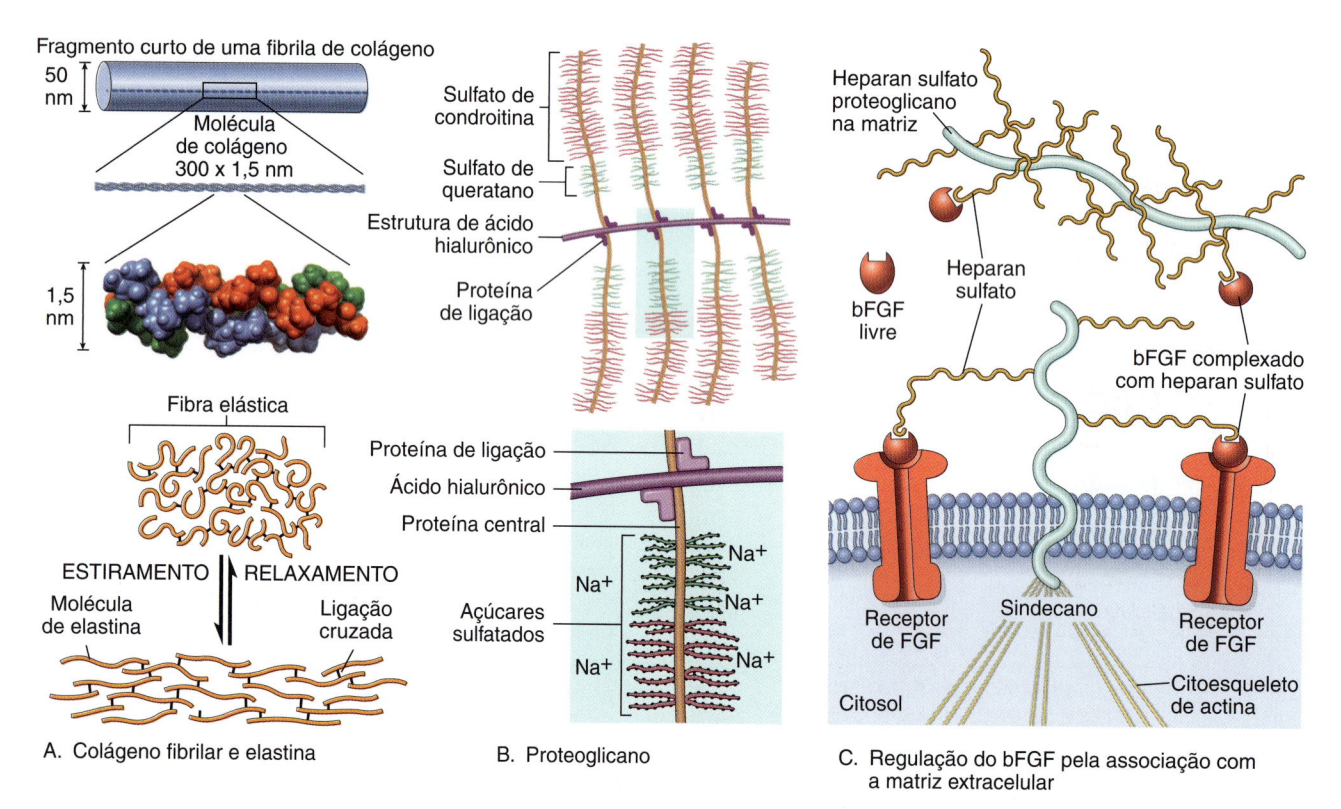

Figura 1.15 Componentes da matriz extracelular (MEC). **A.** Colágeno fibrilar e estruturas do tecido elástico. Devido ao empilhamento de fibrilas semelhantes a bastões e às ligações cruzadas laterais extensas, as fibras de colágeno apresentam uma acentuada força tênsil, porém sem muita elasticidade. A elastina também apresenta ligações cruzadas, porém difere pela presença de grandes segmentos hidrofóbicos que formam uma densa configuração globular em repouso. À medida que ocorre estiramento, os domínios hidrofóbicos são tracionados e abertos, porém as ligações cruzadas mantêm o tecido intacto; a interrupção da força de estiramento permite que os domínios hidrofóbicos das proteínas voltem a se dobrar. **B.** Estrutura do proteoglicano. Os açúcares sulfatados com alta carga negativa sobre as "cerdas" do proteoglicano atraem o sódio e a água, gerando uma matriz viscosa, porém compressível. **C.** Regulação da atividade do fator de crescimento do fibroblasto básico (bFGF, também conhecido como FGF-2) pela MEC e pelos proteoglicanos celulares. O heparan sulfato liga-se ao bFGF secretado na MEC. O sindecano é um proteoglicano de superfície celular, com uma proteína central transmembrana e cadeias laterais extracelulares de glicosaminoglicano, que podem se ligar ao bFGF, e uma cauda citoplasmática que interage com o citoesqueleto de actina intracelular. As cadeias laterais de sindecano ligam-se ao bFGF liberado pela MEC danificada, facilitando, assim, a interação do bFGF com receptores de superfície celular. FGF, fator de crescimento do fibroblasto.

Colágenos. Os colágenos são compostos por três cadeias polipeptídicas separadas, entrelaçadas em uma tripla hélice semelhante a uma corda (**Figura 1.16**). Foram identificados cerca de 30 tipos de colágeno, alguns dos quais exclusivos de determinadas células e tecidos:

- *Colágenos fibrilares*: alguns tipos de colágeno (p. ex., tipos I, II, III e V) formam fibrilas lineares estabilizadas por pontes de hidrogênio entre cadeias; esses colágenos fibrilares representam uma importante proporção do tecido conjuntivo nos ossos, nos tendões, nas cartilagens, nos vasos sanguíneos e na pele, e também são encontrados nas feridas em cicatrização, bem como nas cicatrizes. A força tênsil dos colágenos fibrilares provém da ligação cruzada da tripla hélice por meio de ligações covalentes que ocorrem após hidroxilação da lisina. A enzima responsável, a *lisil hidroxilase*, é dependente de vitamina C, o que explica por que crianças com deficiência de ascorbato apresentam deformidades esqueléticas e por que os indivíduos de qualquer idade com deficiência de vitamina C apresentam cicatrização deficiente e sangramento fácil. Os defeitos genéticos, incluindo mutações do colágeno e da lisil hidroxilase, provocam doenças, como a *osteogênese imperfeita* e certas formas de *síndrome de Ehlers-Danlos* (ver **Capítulo 5**)

- Os *colágenos não fibrilares* (p. ex., colágeno tipo IV) contribuem para as estruturas das membranas basais planares; ajudam a regular os diâmetros das fibrilas de colágeno e as interações colágeno-colágeno por meio do denominado colágeno associado a fibrilas com tripla hélice interrompida (FACIT, *fibril-associated collagen with interrupted triple helices*) (p. ex., colágeno tipo IX na cartilagem); ou proporcionam fibrilas de ancoragem que mantêm a estrutura do epitélio escamoso estratificado (p. ex., colágeno tipo VII; mutações que levam a doenças cutâneas bolhosas).

Elastina. A capacidade dos tecidos de sofrer retração elástica e de recuperar uma estrutura basal após estresse físico é conferida pela elastina (ver **Figura 1.15A**), que é particularmente importante nas valvas cardíacas e nos grandes vasos sanguíneos, que precisam acomodar o fluxo pulsátil recorrente, bem como no útero, na pele e nos ligamentos. Do ponto de vista morfológico, as fibras elásticas consistem em um cerne central de elastina com uma rede semelhante a malha composta da glicoproteína *fibrilina*. Essa última relação explica, em parte, por que defeitos na síntese de fibrilina levam a anormalidades esqueléticas e enfraquecimento das paredes da aorta, como em pacientes com síndrome de Marfan; a fibrilina também controla a disponibilidade de TGF-β livre, e essa função desempenha um papel na patogênese da síndrome de Marfan (ver **Capítulo 5**).

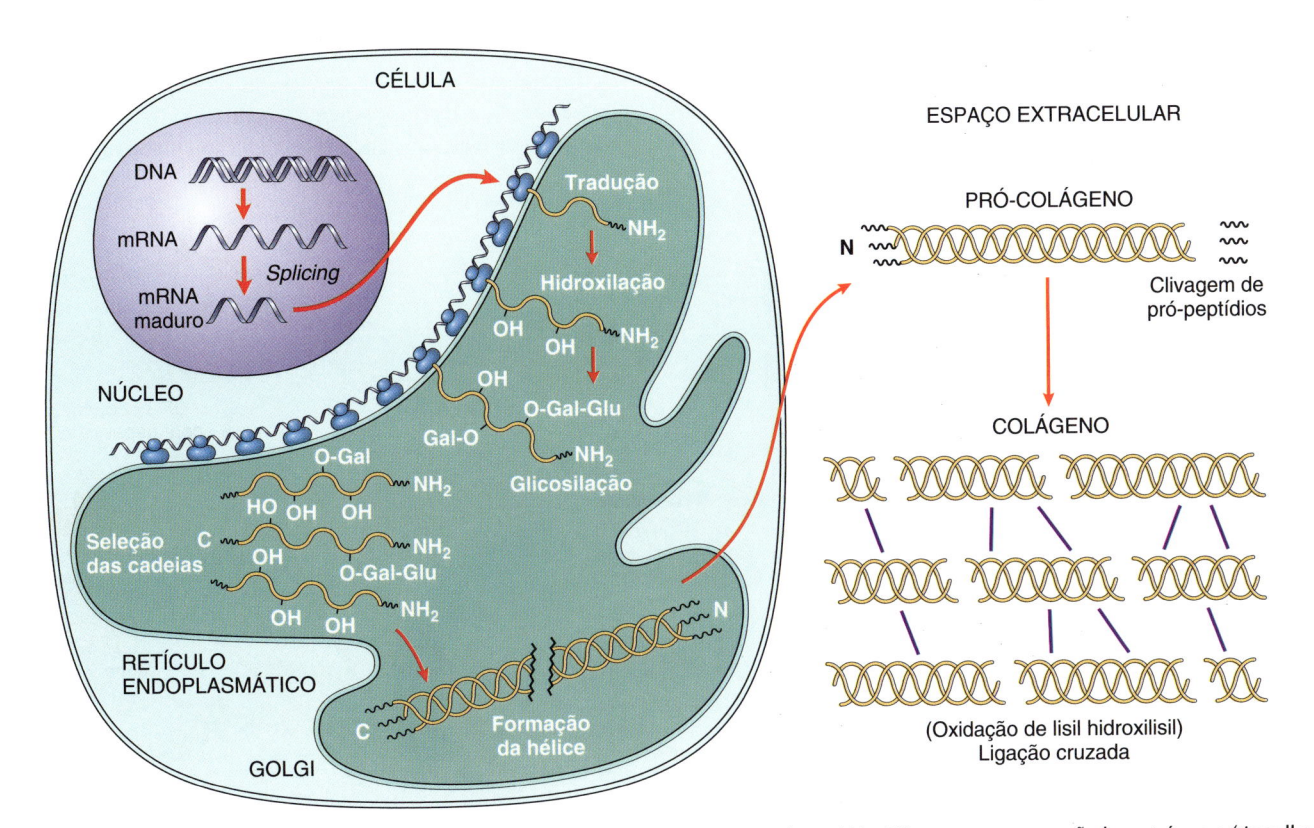

Figura 1.16 Via de biossíntese do colágeno. Alguns tipos de colágeno são heterotrímeros (tipos I, V e XI), enquanto outros são homotrímeros (tipos II e III). As cadeias α que compõem as moléculas de colágeno fibrilar são sintetizadas como pró-cadeias α precursoras, com grandes regiões polipeptídicas globulares que flanqueiam o domínio de tripla hélice central. Após a hidroxilação da prolina e da lisina e a glicosilação da lisina dentro do retículo endoplasmático, três cadeias de pró-colágeno alinham-se para formar uma tripla hélice. Em todos os colágenos fibrilares, a extremidade carboxila do pró-peptídio é totalmente removida pela atividade de endoproteinases após a secreção, e os domínios resultantes semelhantes a bastões de tripla hélice sofrem polimerização em um arranjo escalonado para formar fibrilas. O pró-peptídio N-terminal sofre processamento variável, dependendo da cadeia de colágeno. Nos colágenos tipos I e II, o processamento do N-pró-peptídio é completo, ao passo que, nos colágenos V e XI, uma grande proporção dos N-pró-peptídios permanece fixada; esse processamento "incompleto" pode regular o tamanho das fibrilas. Após a sua secreção, o colágeno alcança estabilidade lateral por meio de ligações cruzadas envolvendo a lisil oxidase e os resíduos anteriormente hidroxilados. mRNA, RNA mensageiro. A ocorrência de defeitos na sequência primária, no processamento do pró-colágeno por endopeptidases, na hidroxilação ou na ligação cruzada pode levar à frouxidão dos tecidos conjuntivos. As estruturas específicas (p. ex., vasos sanguíneos, pele, osso, ligamentos) afetadas por esses distúrbios são previsíveis, com base no colágeno que predomina no tecido específico.

Proteoglicanos e hialuronano (**ver Figura 1.15B**). Os proteoglicanos formam géis compressíveis e altamente hidratados, que oferecem resistência às forças compressivas; na cartilagem articular, os proteoglicanos também proporcionam uma camada de lubrificação entre superfícies ósseas adjacentes. Os proteoglicanos consistem em polissacarídeos longos, denominados *glicosaminoglicanos* (os exemplos incluem o sulfato de queratana e o sulfato de condroitina) fixados a uma proteína do cerne; em seguida, são ligados a um longo polímero de ácido hialurônico, denominado *hialuronano*, de uma maneira que lembra as cerdas de uma escova redonda. A carga altamente negativa dos açúcares sulfatados densamente acondicionados atrai os cátions (principalmente o sódio) e, com eles, água osmoticamente atraída em quantidades abundantes – produzindo uma matriz gelatinosa e viscosa. Além de proporcionar compressibilidade aos tecidos, os proteoglicanos também atuam como reservatórios para fatores de crescimento secretados na MEC (p. ex., FGF e HGF). Alguns proteoglicanos são proteínas integrais da membrana celular, que desempenham funções na proliferação, migração e adesão das células (p. ex., pela ligação e concentração de fatores de crescimento e quimiocinas) (ver **Figura 1.15C**).

Glicoproteínas adesivas e receptores de adesão. As glicoproteínas adesivas e os receptores de adesão são moléculas estruturalmente diversas, envolvidas de maneira variável em interações célula-célula, célula-MEC e MEC-MEC (**Figura 1.17**). Os protótipos das glicoproteínas adesivas incluem a fibronectina (um importante componente da MEC interticial e a *laminina* um importante constituinte da membrana basal). As *integrinas* são representantes dos receptores de adesão, também conhecidos como moléculas de adesão celular (CAM, *cell adhesion molecules*); as CAM também incluem membros da família das imunoglobulinas, caderinas e selectinas:

- A *fibronectina* é um grande heterodímero (450 kDa) ligado por dissulfeto, que existe nas formas tecidual e plasmática. A fibronectina é sintetizada por uma variedade de células, incluindo fibroblastos, monócitos e endotélio. Apresenta domínios específicos, que podem se ligar a componentes distintos da MEC (p. ex., colágeno, fibrina, heparina e proteoglicanos), bem como às integrinas celulares (ver **Figura 1.17A**). Na cicatrização de feridas, as fibronectinas tecidual e plasmática proporcionam o arcabouço para a deposição subsequente de MEC, a angiogênese e a reepitelização

- A *laminina* é a glicoproteína mais abundante da membrana basal. Trata-se de um heterotrímero cruciforme de 820 kDa, que conecta as células aos componentes da MEC subjacente, como colágeno tipo IV e heparan sulfato (ver **Figura 1.17B**). Além de mediar a fixação das células à membrana basal, a laminina também modula a proliferação, a diferenciação e a motilidade das células

- As *integrinas* formam uma grande família de glicoproteínas heterodiméricas transmembranares, compostas de subunidades α e β, que possibilitam a fixação das células aos constituintes da MEC, como a laminina e a fibronectina, ligando estrutural e funcionalmente o citoesqueleto intracelular com o mundo exterior. As integrinas também facilitam interações adesivas entre as células; nos leucócitos, mediam a adesão firme e a

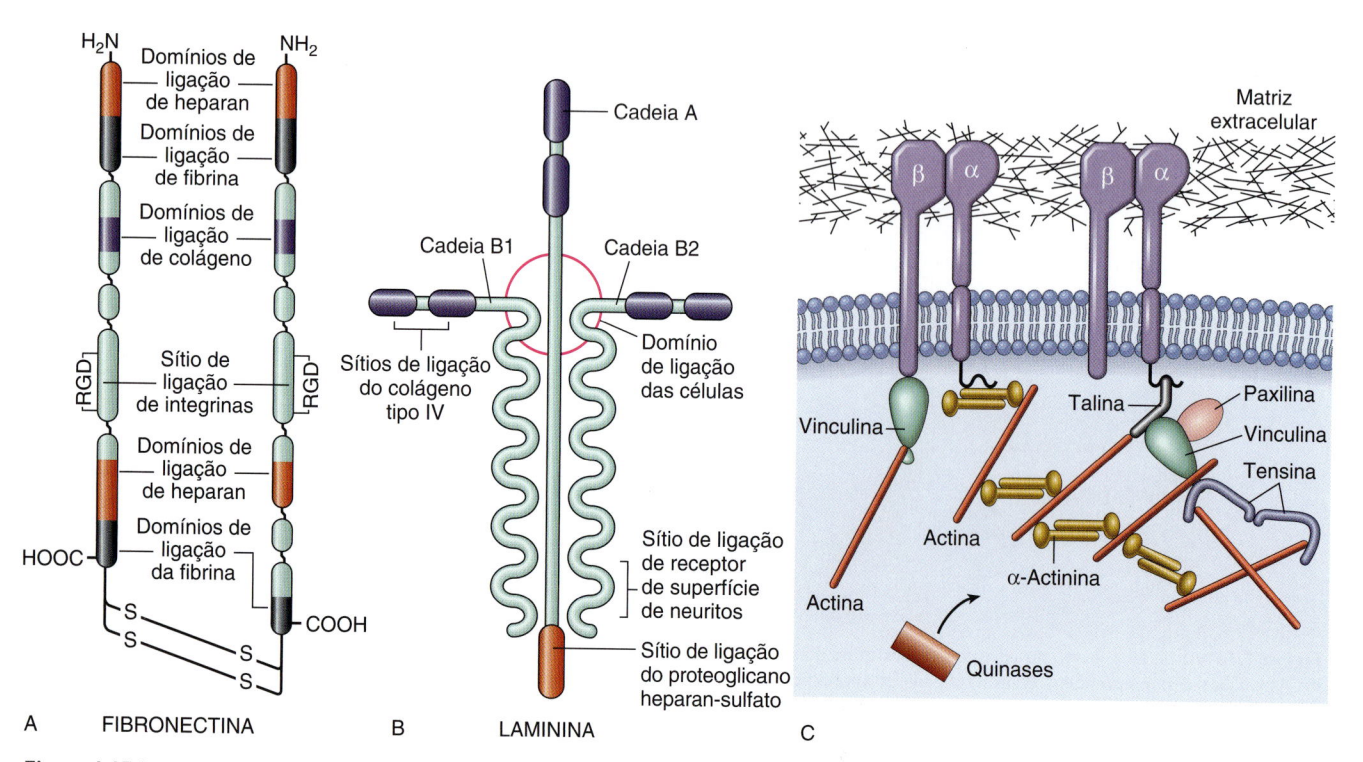

Figura 1.17 Interações entre células e matriz extracelular (MEC): glicoproteínas adesivas e sinalização de integrinas. **A.** A fibronectina consiste em um dímero ligado por dissulfeto, com vários domínios distintos que possibilitam a ligação à MEC e às integrinas, essas últimas por meio de sítios de arginina-glicina-ácido aspártico (RGD). **B.** A molécula de laminina cruciforme é um dos principais componentes das membranas basais; sua estrutura em múltiplos domínios possibilita a ocorrência de interações com o colágeno tipo IV, outros componentes da MEC e receptores de superfície celular. **C.** Integrinas e eventos de sinalização mediados por integrinas em complexos de adesão focais. Cada receptor de integrina heterodimérico α-β é um dímero transmembranar que se liga à MEC e ao citoesqueleto intracelular. Os complexos de adesão focal incluem moléculas de ligação (p. ex., vinculina e talina) que podem recrutar e ativar quinases e, por fim, desencadear cascatas de sinalização a jusante.

migração através do endotélio e do epitélio em locais de inflamação (ver **Capítulo 3**); além disso, desempenham um papel de importância crítica na agregação plaquetária (ver **Capítulo 4**). As integrinas aderem aos componentes da MEC por meio de um sítio tripeptídico de arginina-glicina-ácido aspártico (cuja abreviatura é RGD). Além de proporcionar uma fixação focal aos substratos subjacentes, a ligação através dos receptores de integrina pode desencadear cascatas de sinalização que regulam a locomoção, a proliferação, o formato e a diferenciação das células (ver **Figura 1.17C**).

Manutenção das populações celulares

Proliferação e ciclo celular

A proliferação celular é fundamental para o desenvolvimento dos organismos, a manutenção da homeostasia dos tecidos no estado de equilíbrio dinâmico e a reposição das células mortas ou danificadas. Os elementos fundamentais da proliferação celular incluem a replicação acurada do DNA, a síntese coordenada de outros componentes celulares e uma distribuição igual de DNA e de organelas para as células-filhas por meio dos processos de mitose e citocinese.

A sequência de eventos que leva à proliferação celular é denominada *ciclo celular*. Consiste nas fases G_1 (intervalo 1), S (síntese de DNA), G_2 (intervalo 2) e M (mitótica); as células quiescentes que não estão ativamente no ciclo encontram-se no estado G_0 (intervalo 0) (**Figura 1.18**). As células podem entrar na fase G_1 a partir do reservatório de células quiescentes G_0 ou após completar um ciclo de mitose. Cada fase exige a conclusão da etapa anterior, bem como a ativação dos fatores necessários (ver adiante); a não fidelidade da replicação do DNA ou a deficiência de cofatores resultam em parada do ciclo em vários pontos de transição.

O ciclo celular é regulado por ativadores e inibidores. A progressão do ciclo celular é auxiliada por proteínas denominadas *ciclinas* – assim designadas devido à natureza cíclica de sua produção e degradação – e enzimas associadas às ciclinas, denominadas *quinases dependentes de ciclina* (CDK) (**Figura 1.19**). As CDK sintetizadas de modo constitutivo adquirem a atividade de quinase – isto é, a capacidade de fosforilar substratos proteicos – pela formação de complexos com as ciclinas relevantes. O aumento transitório na síntese de determinada ciclina leva, portanto, a um aumento da atividade de quinase da CDK parceira de ligação apropriada; quando a CDK completa o seu ciclo de fosforilação, a ciclina associada é degradada, e a atividade da CDK diminui. Em consequência, à medida que os níveis de ciclina aumentam e diminuem, a atividade das CDK associadas também aumenta e diminui.

Foram identificadas mais de 15 ciclinas. As ciclinas D, E, A e B aparecem de modo sequencial durante o ciclo celular e ligam-se a uma ou mais CDK. Por conseguinte, o ciclo celular assemelha-se a uma corrida de revezamento, em que cada etapa é regulada por um conjunto distinto de ciclinas: assim que um conjunto de ciclinas deixa a pista, o próximo conjunto assume a tarefa.

Os mecanismos de vigilância preparados para detectar danos ao DNA ou aos cromossomos estão integrados no ciclo celular. Esses *pontos de checagem* de controle de qualidade asseguram que as células com imperfeições genéticas não completem a replicação. Assim, o ponto de checagem G_1-S monitora a integridade do DNA antes do comprometimento irreversível dos recursos celulares para a replicação do DNA. Posteriormente, no ciclo celular, o ponto de restrição G_2-M garante que houve replicação genética acurada

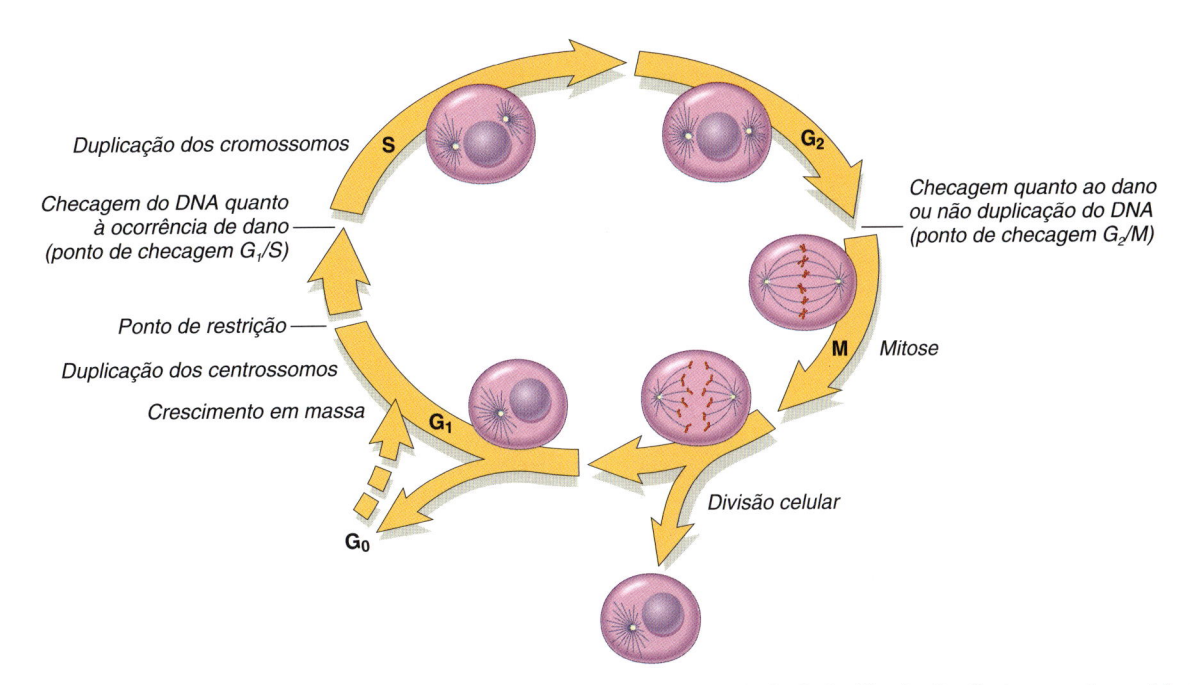

Figura 1.18 Pontos de referência do ciclo celular. A figura mostra as fases do ciclo celular (G_0, G_1, G_2, S e M), a localização do ponto de restrição G_1 e os pontos de checagem (*checkpoints*) G_1/S e G_2/M do ciclo celular. O *ponto de restrição* G_1 refere-se à fase em G_1 em que a célula está comprometida em prosseguir no ciclo celular sem mais necessitar do sinal de crescimento que iniciou a divisão celular. As células de tecidos lábeis, como a epiderme e o trato gastrintestinal, podem ciclar continuamente; as células estáveis, como os hepatócitos, são quiescentes, mas podem entrar no ciclo celular; as células permanentes, como os neurônios e os miócitos cardíacos, perderam a sua capacidade de proliferar. (Modificada de Pollard TD, Earnshaw WC: *Cell Biology*, Philadelphia, 2002, Saunders.)

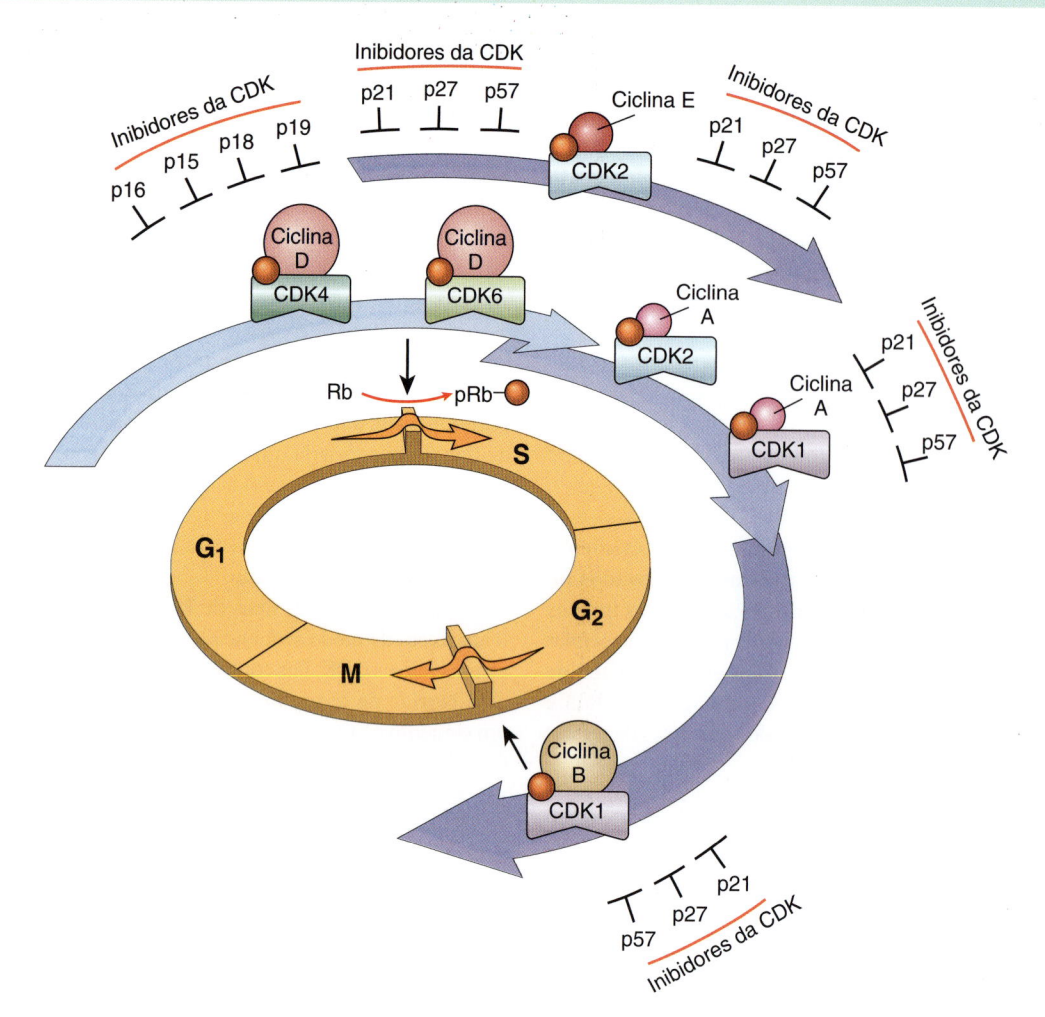

Figura 1.19 Função das ciclinas, das quinases dependentes de ciclinas (CDK) e inibidores de CDK (CDKI) na regulação do ciclo celular. As setas sombreadas representam as fases do ciclo celular durante as quais os complexos específicos de ciclina-CDK estão ativos. Conforme ilustrado, a ciclina D-CDK4, a ciclina D-CDK6 e a ciclina E-CDK2 regulam a transição de G_1 para S por meio de fosforilação da proteína Rb (pRb). A ciclina A-CDK2 e a ciclina A-CDK1 são ativas na fase S. A ciclina B-CDK1 é essencial para a transição de G_2 para M. Duas famílias de inibidores a CDK podem bloquear a atividade das CDK e a progressão pelo ciclo celular. Os denominados inibidores INK4, compostos de p15, p16, p18 e p19, atuam sobre a ciclina D-CDK4 e D-CDK6. A outra família de três inibidores, p21, p27 e p57, pode inibir todas as CDK.

antes de a célula realmente se dividir. Quando as células detectam irregularidades no DNA, a ativação dos pontos de checagem retarda a progressão do ciclo celular e desencadeia os mecanismos de reparo do DNA. Se o distúrbio genético for demasiado grave para ser reparado, as células sofrem apoptose ou entram em um estado não replicativo, denominado *senescência* – principalmente por meio de mecanismos dependentes de p53 (ver adiante).

A atuação dos pontos de checagem no ciclo celular é uma função dos *inibidores de CDK* (CDKI); eles desempenham esse papel ao modular a atividade do complexo CDK-ciclina. Existem vários CDKI diferentes:

- Uma família de CDKI – composta por três proteínas, denominadas p21 (CDKN1A), p27 (CDKN1B) e p57 (CDKN1C) – inibe amplamente diversas CDK
- Outra família de CDKI apresenta efeitos seletivos sobre a ciclina CDK4 e a ciclina CDK6; essas proteínas são denominadas p15 (CDKN2B), p16 (CDKN2A), p18 (CDKN2C) e p19 (CDKN2D)
- As proteínas de CDKI de pontos de checagem defeituosas permitem que células com DNA danificado possam se dividir, resultando em células-filhas mutadas com risco de transformação maligna.

Um aspecto igualmente importante do crescimento e da divisão celulares é a biossíntese das membranas, das proteínas citosólicas e das organelas necessárias para produzir duas células-filhas. Por conseguinte, ao mesmo tempo que a sinalização do receptor do fator de crescimento estimula a progressão do ciclo celular, ela também ativa eventos que promovem as mudanças metabólicas que sustentam o crescimento. O principal deles é a mudança para a glicólise aeróbica (com redução contraintuitiva da fosforilação oxidativa), também denominada *efeito Warburg*. Essas alterações no metabolismo celular constituem um importante elemento no crescimento das células cancerosas e são discutidas de modo mais detalhado no **Capítulo 7**.

Células-tronco

As células-tronco têm a dupla propriedade de serem capazes de se autorrenovar e de dar origem a células e tecidos diferenciados. Durante o desenvolvimento, as *células-tronco totipotentes* dão origem a todos os diversos tecidos diferenciados; no organismo maduro, as *células-tronco adultas* só têm a capacidade de repor as células danificadas e de manter as populações celulares dentro dos tecidos onde residem. Existem também populações de células-tronco entre esses extremos, com capacidade variável de se diferenciar em linhagens celulares múltiplas (porém limitadas). Por conseguinte, dependendo da origem e do estágio de desenvolvimento, existem limites para os tipos de células que uma "célula-tronco" pode gerar.

Nos tecidos normais – sem processo de cicatrização, degeneração nem neoplasia –, existe um equilíbrio homeostático entre replicação, autorrenovação e diferenciação das células-tronco e morte das células maduras totalmente diferenciadas (**Figura 1.20**). A relação dinâmica entre as células-tronco e o parênquima de diferenciação terminal é particularmente evidente no epitélio da pele em contínua divisão; as células-tronco no estrato basal do epitélio dividem-se, e as células-filhas diferenciam-se progressivamente à medida que migram para os estratos superiores do epitélio, antes de morrer ou de serem descamadas.

Em condições de homeostasia, as células-tronco são mantidas por autorrenovação, o que envolve dois tipos de divisão celular:

- A *divisão assimétrica* refere-se à replicação da célula, em que uma célula-filha entra na via de diferenciação, dando origem a células maduras, enquanto a outra permanece indiferenciada e mantém a sua capacidade de autorrenovação
- A *divisão simétrica* ocorre quando ambas as células-filhas mantêm a sua capacidade de autorrenovação. Essa replicação ocorre no início da embriogênese – quando as populações de células-tronco estão se expandindo – e em condições de estresse, como no repovoamento da medula óssea após quimioterapia ablativa.

Embora alguns pesquisadores classifiquem as células-tronco em diversos subgrupos diferentes, existem fundamentalmente apenas duas variedades:

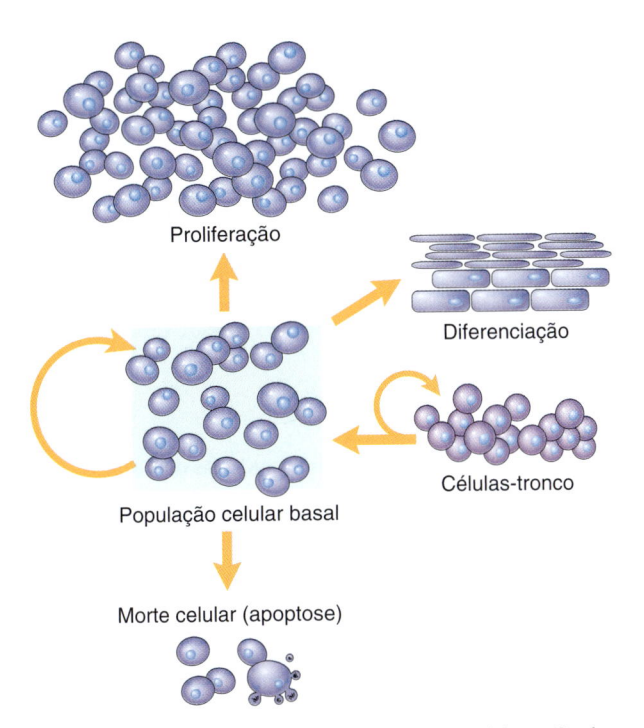

Figura 1.20 Mecanismos que regulam as populações celulares. O número de células pode ser alterado por taxas aumentadas ou diminuídas de entrada de células-tronco, morte celular por apoptose ou mudanças nas taxas de proliferação ou diferenciação. (Modificada de McCarthy NJ, et al: Apoptosis in the development of the immune system: growth factors, clonal selection and bcl-2, *Cancer Metastasis* Rev 11:157, 1992.)

- As *células-tronco embrionárias* (*ES*) são as mais indiferenciadas. São encontradas na massa celular interna do blastocisto, têm capacidade de renovação celular praticamente ilimitada e podem dar origem a todos os tipos de células do corpo; por essa razão, são denominadas *totipotentes* (**Figura 1.21**). Embora as células ES possam ser mantidas por longos períodos sem sofrer diferenciação, elas podem ser induzidas, em condições apropriadas de cultura, a formar células especializadas de todas as três camadas germinativas
- As *células-tronco teciduais* (também denominadas *células-tronco adultas*) são encontradas em íntima associação com as células diferenciadas de determinado tecido. Normalmente, são protegidas dentro de microambientes de tecido especializados, denominados *nichos de células-tronco*. Esses nichos foram demonstrados em muitos órgãos, mais notavelmente na medula óssea, em que as células-tronco hematopoéticas se reúnem caracteristicamente em nichos perivasculares, e no intestino, onde as células-tronco epiteliais ficam confinadas nas criptas. Outros nichos de células-tronco incluem a região bulbar dos folículos pilosos, o limbo da córnea e a zona subventricular do cérebro. Fatores solúveis e outras células presentes nos nichos regulam o equilíbrio entre quiescência e expansão e diferenciação das células-tronco (**Figura 1.22**).

As células-tronco adultas têm um repertório limitado (*linhagem potencial*) de células diferenciadas que podem ser geradas. Assim, embora as células-tronco adultas possam manter os tecidos com renovação celular alta (p. ex., pele e trato gastrintestinal) ou baixa (p. ex., endotélio), as células-tronco adultas em qualquer tecido em geral podem produzir apenas as células que normalmente são encontradas nesse tecido específico.

As células-tronco hematopoéticas fazem uma reposição contínua de todos os elementos celulares do sangue: à medida que eles saem da circulação, tornam-se senescentes ou são consumidos. As células-tronco hematopoéticas podem ser isoladas diretamente da medula óssea, bem como do sangue periférico após a administração de certos fatores de estimulação de colônias, que induzem a sua liberação dos nichos da medula óssea. Embora sejam geralmente raras, as células-tronco hematopoéticas podem ser purificadas até uma pureza virtual com base nos marcadores de superfície celular. Do ponto de vista clínico, essas células-tronco podem ser utilizadas para repovoar a medula que sofreu depleção após quimioterapia (p. ex., para leucemia) ou para fornecer precursores normais com o objetivo de corrigir vários defeitos das células sanguíneas (p. ex., doença falciforme; ver **Capítulo 14**).

Além das células-tronco hematopoéticas, a medula óssea (e, notavelmente, outros tecidos, como o tecido adiposo) também contém uma população de *células-tronco mesenquimais*. Trata-se de células multipotentes, que podem sofrer diferenciação em uma variedade de células do estroma, incluindo condrócitos (cartilagem), osteócitos (osso), adipócitos (tecido adiposo) e miócitos (músculo). Como essas células podem se expandir enormemente e podem gerar um microambiente imunossupressor local (evitando, assim, potencialmente a rejeição), elas representam uma possível maneira de produzir um arcabouço celular estromal para a regeneração tecidual.

Medicina regenerativa

O crescente campo da medicina regenerativa tornou-se possível como resultado da capacidade de identificar, isolar, expandir e transplantar células-tronco. Teoricamente, a progênie diferenciada de células ES ou de células-tronco adultas

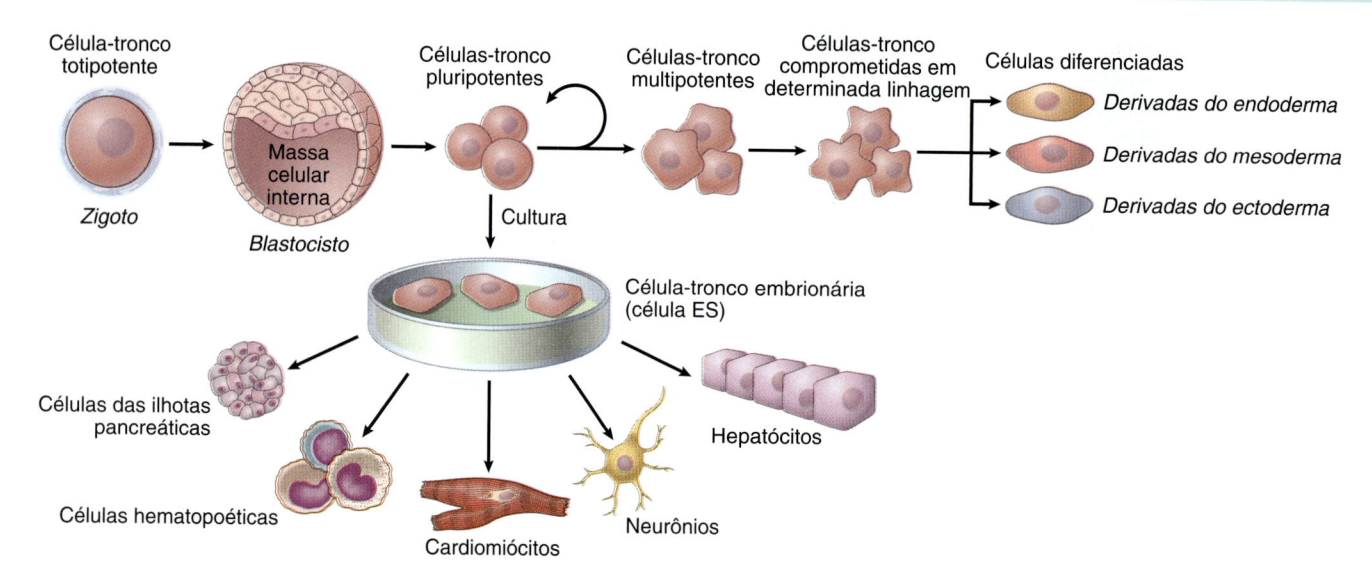

Figura 1.21 Células-tronco embrionárias (ES). O zigoto, formado pela união do espermatozoide e do óvulo, divide-se para formar o blastocisto, e a massa celular interna do blastocisto gera o embrião. As células pluripotentes da massa celular interna, conhecidas como células ES, podem ser induzidas a sofrer diferenciação em células de múltiplas linhagens. No embrião, as células-tronco pluripotentes podem sofrer divisão assimétrica, produzindo um reservatório estável residual de células ES, além de gerar populações que têm uma capacidade de desenvolvimento progressivamente mais restrita, gerando, por fim, células-tronco que estão comprometidas para linhagens apenas específicas. As células ES podem ser cultivadas *in vitro* e induzidas a se diferenciar em células características de todas as três camadas germinativas.

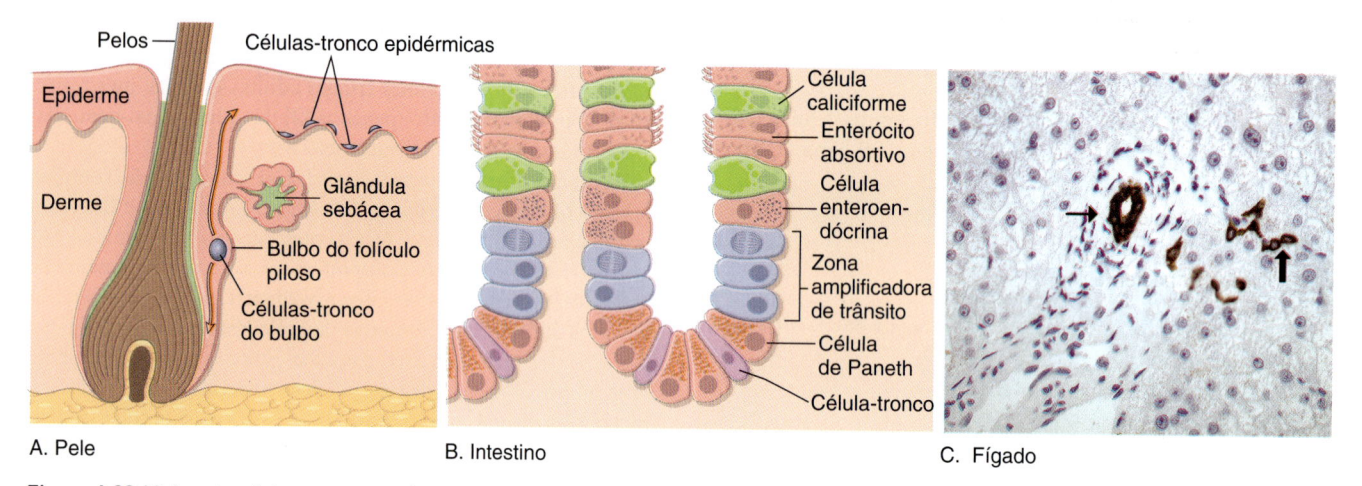

Figura 1.22 Nichos de células-tronco em vários tecidos. **A.** As células-tronco da pele estão localizadas na área bulbar do folículo piloso, nas glândulas sebáceas e na camada inferior da epiderme. **B.** As células-tronco da base da cripta colunar (CBC) do intestino delgado estão localizadas na base da cripta, intercaladas com células de Paneth. **C.** As células-tronco do fígado (*células ovais*) estão localizadas nos canais de Hering (*seta espessa*), estruturas que ligam os dúctulos biliares (*seta fina*) com hepatócitos parenquimatosos. As células dos ductos biliares e canais de Hering estão marcadas aqui por coloração imuno-histoquímica para citoqueratina 7. (**C**, Cortesia de Roskams, MD, University of Leuven, Bélgica.)

pode ser utilizada para repovoar tecidos danificados ou até mesmo para construir órgãos inteiros para substituição. Por conseguinte, há considerável interesse nas oportunidades terapêuticas de restauração de tecidos que têm baixa capacidade de regeneração intrínseca, como o miocárdio ou os neurônios, de modo a promover a cicatrização após infarto do miocárdio ou acidente vascular encefálico, respectivamente. Apesar dos avanços na capacidade de purificar e expandir as células-tronco, o sucesso tem sido, até o momento, limitado por dificuldades encontradas na introdução e na integração funcional de células de reposição nos locais de dano.

Outro problema surge com a reatividade imunológica da maioria das células-tronco. Embora as células-tronco mesenquimais sejam relativamente privilegiadas do ponto de vista imunológico, a maioria das outras células-tronco adultas e as células ES (obtidas de blastocistos fertilizados) expressam moléculas de histocompatibilidade – o antígeno leucocitário humano (HLA) nos seres humanos (ver **Capítulos 3** e **6**) –, que provocam rejeição imunológica quando transplantadas. Por conseguinte, esforços consideráveis têm sido despendidos na geração de células com as características totipotenciais das células ES a partir de células passíveis de serem coletadas de um paciente. Em princípio, isso permitiria que novos tecidos sejam gerados e transplantados sem o medo de rejeição imunológica do enxerto. Para realizar isso, foram identificados alguns genes cujos produtos podem – notavelmente – reprogramar células somáticas para obter a "potencialidade" das células ES. Quando esses genes são introduzidos em células totalmente diferenciadas (p. ex., fibroblastos), ocorre produção de *células-tronco pluripotentes induzidas* (*iPS*) (**Figura 1.23**). Embora ainda não esteja em fase

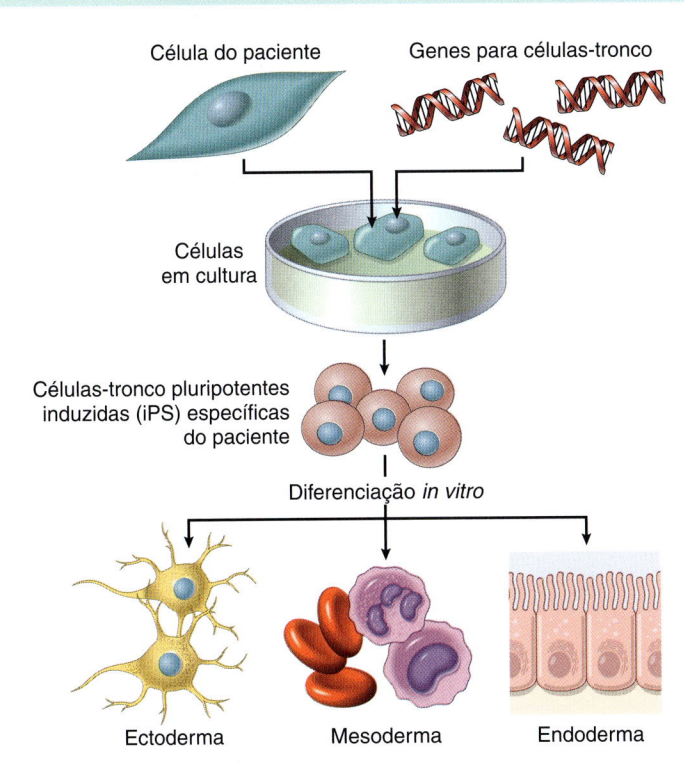

Figura 1.23 Células-tronco pluripotentes induzidas (*iPS*). Os genes que conferem as propriedades das células-tronco são introduzidos em células diferenciadas do paciente, dando origem a células-tronco que podem ser induzidas a sofrer diferenciação em várias linhagens. (Modificada de Hochedlinger K, Jaenisch R: Nuclear transplantation, embryonic stem cells, and the potential for cell therapy, *N Engl J Med* 349:275, 2003.)

de prática, a progênie diferenciada poderia constituir ser um notável agente terapêutico, por exemplo, ao gerar células β secretoras de insulina em um paciente com diabetes melito.

Considerações finais. Esse estudo de tópicos selecionados em biologia celular servirá como base para nossas discussões posteriores sobre patologia e será citado ao longo deste livro. Entretanto, os alunos devem lembrar que esse resumo é intencionalmente breve, e que mais informações sobre alguns dos tópicos fascinantes analisados aqui podem ser facilmente encontrados em livros dedicados à biologia celular e à molecular.

LEITURA SUGERIDA

Genética e epigenética

Batista PJ, Chang HY: Long noncoding RNAs: cellular address codes in development and disease, Cell 152:1298, 2013. [*Boa revisão sobre a biologia de RNA não codificadores longos*].

Cech TR, Steitz JA: The noncoding RNA revolution—trashing old rules to forge new ones, Cell 157:77, 2014. [*Excelente revisão dos papéis desempenhados pelos RNA não codificadores*].

Meller VH, Joshi SS, Deshpande N: Modulation of chromatin by noncoding RNA, Annu Rev Genet 49:673, 2015. [*Excelente visão geral dos papéis desempenhados pelos RNA não codificadores na organização nuclear*].

Minarovits J, Banati F, Szenthe K et al: Epigenetic regulation, Adv Exp Med Biol 879:1, 2016. [*Breve guia sobre as vias que regulam a estrutura e acessibilidade da cromatina*].

Rowley MJ, Corces VG: The three-dimensional genome: principles and roles of long-distance interactions, Curr Opin Cell Biol 40:8, 2016. [*Discussão interessante a respeito dos mecanismos pelos quais conformações tridimensionais podem influenciar a transcrição nuclear*].

Sun Q, Hao Q, Prasanth KV: Nuclear long noncoding RNAs: key regulators of gene expression, Trends Genet 2017. [*Revisão atualizada sobre o papel de RNA não codificadores na organização da cromatina, bem como expressão gênica transcricional e pós-transcricional*].

Wright AV, Nuñez JK, Doudna JA: Biology and applications of CRISPR systems: harnessing nature's toolbox for genome engineering, Cell 164:29, 2016. [*Excelente revisão sobre CRISPR/Cas produzida por alguns dos pesquisadores que descobriram e desenvolveram suas possíveis aplicações*].

Manutenção celular

Andersson ER: The role of endocytosis in activating and regulating signal transduction, Cell Mol Life Sci 69:1755, 2011. [*Visão geral da endocitose com ênfase específica em seu papel na modulação da sinalização intracelular*].

Choi AM, Ryter SW, Levine B: Autophagy in human health and disease, N Engl J Med 368:651, 2013. [*Excelente revisão sobre os aspectos fisiológicos e fisiopatológicos da autofagia*].

English AR, Zurek N, Voeltz GK: Peripheral ER structure and function, Curr Opin Cell Biol 21:596, 2009. [*Visão geral da organização estrutural e funcional do retículo endoplasmático e sua relação com outras organelas celulares*].

Guillot C, Lecuit T: Mechanics of epithelial tissue homeostasis and morphogenesis, Science 340:1185, 2013. [*Discussão tópica sobre interações celulares e a base mecânica da manutenção tecidual*].

Hetz C, Chevet E, Oakes SA: Proteostasis control by the unfolded protein response, Nat Cell Biol 17:829, 2015. [*Mecanismos subjacentes à edição do retículo endoplasmático e homeostase celular*].

Kaur J, Debnath J: Autophagy at the crossroads of catabolism and anabolism, Nat Rev Mol Cell Biol 16:461, 2015. [*Excelente revisão dos mecanismos e consequências da autofagia celular*].

Johnson DS: Establishing and transducing cell polarity: common themes and variations, Curr Opin Cell Biol 51:33, 2017. [*Visão geral bem escrita da arquitetura intracelular que direciona e mantém a polaridade*].

Simons K, Sampaio JL: Membrane organization and lipid rafts, Cold Spring Harb Perspect Biol 3:1, 2013. [*Boa revisão dos princípios gerais da arquitetura de membrana com ênfase na organização de domínios*].

Wong E, Cuervo AM: Integration of clearance mechanisms: the proteasome and autophagy, Cold Spring Harb Perspect Biol 2:1, 2010. [*Visão geral das vias de degradação intracelular, focando especificamente na eliminação dos constituintes aberrantes ou anormais*].

Metabolismo celular e função mitocondrial

Andersen JL, Kornbluth S: The tangled circuitry of metabolism and apoptosis, Mol Cell 49:399, 2013. [*Revisão sólida da interação entre metabolismo celular, proliferação celular e morte celular*].

Burke PJ: Mitochondria, bioenergetics and apoptosis in cancer, Trends Cancer 3:857, 2017. [*Discussão bem escrita ligando a geração de energia mitocondrial e funções de morte celular, com foco em possíveis terapias para o câncer*].

Friedman JR, Nunnari J: Mitochondrial form and function, Nature 505:335, 2014. [*Boa visão geral da replicação mitocondrial e resposta a lesão celular*].

Tait SW, Green DR: Mitochondria and cell death: outer membrane permeabilization and beyond, Nat Rev Mol Cell Biol 11:621, 2010. [*Revisão do papel da mitocôndria nas vias de morte celular*].

Ativação celular

Duronio RJ, Xiong Y: Signaling pathways that control cell proliferation, Cold Spring Harb Perspect Biol 5:1, 2013. [*Excelente revisão geral da sinalização e proliferação celular*].

Morrison DK: MAP kinase pathways, Cold Spring Harb Perspect Biol 4:1, 2012. [*Revisão das vias de sinalização da quinase ativada por mitógeno*].

Nusse R, Clevers H: Wnt/β-catenin signaling, disease, and emerging therapeutic modalities, Cell 169:985, 2017. [*Boa visão geral das vias de sinalização Wnt/β-catenina, focando particularmente em seu papel na biologia de células-tronco e malignidade*].

Perona R: Cell signalling: growth factors and tyrosine kinase receptors, Clin Transl Oncol 8:77, 2011. [*Visão geral das vias de sinalização com ênfase em como elas se tornam desreguladas na malignidade*].

Manutenção de populações celulares

Alvarado AS, Yamanaka S: Rethinking differentiation: stem cells, regeneration, and plasticity, Cell 157:110, 2014. [*Revisão muito boa dos conceitos fundamentais em biologia das células-tronco*].

Blau HM, Daley GQ: Stem cells in the treatment of disease, N Engl J Med 380:1748, 2019. [*Excelente revisão sobre a biologia das células-tronco e seu potencial terapêutico*].

De Los Angeles A, Ferrari F, Xi R et al: Hallmarks of pluripotency, Nature 525:469, 2015. [*Excelente visão geral das células-tronco pluripotentes, incluindo as vias moleculares das suas capacidades de renovação e diferenciação*].

Fuchs E, Chen T: A matter of life and death: self-renewal in stem cells, EMBO Rep 14:39, 2013. [*Revisão acadêmica sobre o arcabouço conceitual e os fundamentos experimentais do nosso entendimento sobre a renovação das células-tronco, usando células-tronco cutâneas como um paradigma*].

Jang S, Collin del Hortet A, Soto-Gutierrezy A: Induced pluripotent stem cell-derived endothelial cells: overview, current advances, applications, and future directions, Am J Pathol 189:502, 2019. [*Revisão focada das aplicações de células endoteliais derivadas de células-tronco induzidas*].

Martello G, Smith A: The nature of embryonic stem cells, Annu Rev Cell Dev Biol 30:647, 2014. [*Revisão geral boa e abrangente da plasticidade celular e capacidade de perpetuação*].

Scadden DT: Nice neighborhood: emerging concepts of the stem cell niche, Cell 157:41, 2014. [*Artigo bem escrito descrevendo o papel do nicho na biologia das células-tronco*].

Wu J, Izpisua Belmonte JC: Stem cells: a renaissance in human biology research, Cell 165:1572, 2016. [*Revisão de alto nível das oportunidades oferecidas pelas novas tecnologias e compreensão da biologia de células-tronco para entender o desenvolvimento humano e de doenças*].

Lesão e Morte das Células e Adaptações

CAPÍTULO 2

Scott A. Oakes

SUMÁRIO DO CAPÍTULO

Introdução à patologia, 33
Visão geral das respostas celulares ao estresse e a estímulos nocivos, 34
- Causas de lesão celular, 35
  - *Privação de oxigênio, 36*
  - *Agentes físicos, 36*
  - *Agentes químicos e fármacos, 36*
  - *Agentes infecciosos, 36*
  - *Reações imunológicas, 36*
  - *Anormalidades genéticas, 36*
  - *Desequilíbrios nutricionais, 36*
- Progressão da lesão e morte celulares, 36

Lesão celular reversível, 37
Morte celular, 37
- Necrose, 39
  - *Padrões de necrose tecidual, 40*
- Apoptose, 42
  - *Causas da apoptose, 42*
  - *Alterações morfológicas e bioquímicas na apoptose, 43*
  - *Mecanismos da apoptose, 44*
- Outros mecanismos de morte celular, 47
- Autofagia, 48

Mecanismos de lesão celular, 49
- Mecanismos gerais de lesão celular e alvos intracelulares de estímulos nocivos, 49
- Dano mitocondrial, 49
- Dano às membranas, 51
- Dano ao DNA, 52
- Estresse oxidativo: acúmulo de radicais livres derivados do oxigênio, 52
  - *Geração de radicais livres, 52*
  - *Remoção dos radicais livres, 53*
  - *Efeitos patológicos dos radicais livres, 53*
- Distúrbio na homeostasia do cálcio, 54
- Estresse do retículo endoplasmático: a resposta às proteínas não enoveladas, 54

Correlações clínico-patológicas: exemplos selecionados de lesão e morte celulares, 56
- Hipoxia e isquemia, 56
  - *Mecanismos de lesão celular isquêmica, 56*
- Lesão por isquemia-reperfusão, 56
- Lesão química (tóxica), 57

Adaptações do crescimento e da diferenciação das células, 57
- Hipertrofia, 57
  - *Mecanismos da hipertrofia, 58*
- Hiperplasia, 59
  - *Mecanismos da hiperplasia, 60*
- Atrofia, 60
  - *Mecanismos da atrofia, 61*
- Metaplasia, 61
  - *Mecanismos da metaplasia, 62*

Acúmulos intracelulares, 62
- Lipídios, 62
  - *Esteatose (degeneração gordurosa), 62*
  - *Colesterol e ésteres de colesterol, 63*
- Proteínas, 64
- Degeneração hialina, 64
- Glicogênio, 65
- Pigmentos, 65
  - *Pigmentos exógenos, 65*
  - *Pigmentos endógenos, 65*

Calcificação patológica, 66
- Calcificação distrófica, 66
- Calcificação metastática, 67

Envelhecimento celular, 67

Introdução à patologia

A patologia é o estudo das alterações estruturais, bioquímicas e funcionais das células, dos tecidos e dos órgãos que constituem a base das doenças. Com o uso de técnicas morfológicas, microbiológicas, imunológicas e moleculares, a patologia procura explicar as causas e os mecanismos dos sinais e sintomas manifestados pelos pacientes, enquanto fornece uma base racional para os cuidados clínicos e a terapia. Dessa maneira, serve como ponte entre as ciências básicas e a medicina clínica e constitui a base científica para toda a medicina. No **Capítulo 1**, examinamos as propriedades celulares e moleculares das células saudáveis. Neste capítulo, utilizaremos esse conhecimento como base para discutir os mecanismos fundamentais subjacentes a várias formas de lesão e morte celulares.

Tradicionalmente, o estudo da patologia é dividido em patologia geral e patologia sistêmica. A patologia geral trata das reações comuns das células e dos tecidos a estímulos nocivos. Com frequência, essas reações não são específicas de determinado tecido: assim, a inflamação aguda em resposta às infecções bacterianas produz uma reação muito semelhante na maioria dos tecidos. Por outro lado, a patologia sistêmica examina as particularidades das alterações e dos mecanismos subjacentes das doenças de um determinado sistema orgânico. Neste livro, abordaremos em primeiro lugar os princípios de patologia geral e, em seguida, consideraremos os processos específicos de doenças que afetam os diferentes órgãos.

Os quatro aspectos de uma doença que formam o cerne da patologia são: a causa (*etiologia*), os mecanismos bioquímicos e moleculares (*patogênese*), as alterações estruturais (*alterações morfológicas*) e as alterações funcionais associadas nas células e nos órgãos e as suas consequências clínicas (*manifestações clínicas*):

- *A etiologia refere-se à causa que inicia uma doença.* Embora existam inúmeros fatores que causam uma doença, todos eles podem ser agrupados em duas grandes classes: os genéticos (p. ex., mutações hereditárias ou adquiridas e variantes gênicas associadas a doenças ou polimorfismos) e os ambientais (p. ex., infecciosos, nutricionais, químicos, físicos). A ideia de que um agente etiológico constitui a causa de uma doença surgiu com o estudo das infecções e das doenças hereditárias causadas por anomalias de um único gene, porém as doenças não são, em sua maioria, simples assim. De fato, as afecções mais comuns, como aterosclerose e câncer, surgem dos efeitos de várias agressões ambientais em um indivíduo geneticamente suscetível e, por isso, são designadas como multifatoriais. A contribuição relativa da suscetibilidade hereditária e das influências ambientais varia em diferentes doenças, e é um desafio definir os papéis individuais com precisão na maioria das doenças multifatoriais

- *A patogênese refere-se à sequência de eventos moleculares, bioquímicos e celulares que levam ao desenvolvimento de uma doença.* Por conseguinte, a patogênese explica como as etiologias subjacentes produzem as manifestações morfológicas e clínicas da doença. O estudo da patogênese constitui um foco central da patologia. Mesmo quando a causa inicial é conhecida (p. ex., infecção ou mutação), ela está muito distante da expressão da doença. Por exemplo, para compreender verdadeiramente a fibrose cística, é essencial conhecer não apenas o gene defeituoso e o respectivo produto gênico, mas também os eventos bioquímicos e morfológicos que levam a doenças clinicamente significativas nos pulmões, no pâncreas e em outros órgãos. Os novos avanços tecnológicos, sobretudo o uso das denominadas tecnologias "ômicas" (genômica, proteômica, metabolômica) para investigar as doenças, são muito promissores para elucidar os mecanismos patogênicos envolvidos. Esperamos que a aplicação desses métodos e a análise das quantidades de *big data* assim gerada levem não apenas a uma melhor compreensão da patogênese, mas também à identificação de *biomarcadores* capazes de prever a progressão da doença e as respostas terapêuticas. Esse é, naturalmente, o objetivo da *medicina de precisão*
- *As alterações morfológicas referem-se às alterações estruturais nas células ou nos tecidos que são características de uma doença e, consequentemente, a um processo etiológico.* Tradicionalmente, a patologia diagnóstica tem utilizado a morfologia para determinar a natureza da doença e acompanhar sua evolução. Embora a morfologia continue sendo um dos pilares do diagnóstico, ela hoje é rotineiramente complementada pela análise da expressão das proteínas e alterações genéticas. Em nenhuma outra área esse aspecto é mais notável do que no estudo das neoplasias; os cânceres de mama que são morfologicamente indistinguíveis podem surgir a partir de diferentes anormalidades genéticas, que resultam em evolução, respostas terapêuticas e prognóstico completamente diferentes entre si. A análise molecular por técnicas como o sequenciamento de última geração (ver **Capítulo 7**) revelou diferenças genéticas capazes de prever o comportamento das neoplasias, bem como a sua resposta às terapias, das quais um número cada vez maior é agora selecionado com base na presença (ou ausência) de alterações moleculares específicas
- *Manifestações clínicas.* Os resultados finais das alterações genéticas, bioquímicas e estruturais nas células e nos tecidos consistem em anormalidades funcionais, que levam às manifestações clínicas (sinais e sintomas) da doença, bem como a sua progressão (evolução e desfecho clínico). Por conseguinte, as correlações clínico-patológicas são fundamentais no estudo das doenças.

Praticamente todas as doenças começam com alterações moleculares ou estruturais nas células. Esse conceito da base molecular das doenças foi originalmente proposto no século 19 por Rudolf Virchow, conhecido como o pai da patologia moderna, que ressaltou a ideia de que os indivíduos ficam doentes porque as suas células estão doentes. Iniciaremos, portanto, nossas considerações sobre patologia com o estudo das causas, dos mecanismos e das correlações morfológicas e bioquímicas da *lesão celular*. A lesão das células e da matriz extracelular leva, em última análise, *à lesão dos tecidos e dos órgãos*, que determina os padrões morfológicos e clínicos das doenças.

Visão geral das respostas celulares ao estresse e a estímulos nocivos

A célula normal está limitada a uma variedade bastante estreita do ponto de vista estrutural e funcional, determinada por seu estado de metabolismo, diferenciação e especialização; por restrições impostas pelas células adjacentes; e pela disponibilidade de substratos metabólicos. Entretanto, ela é capaz de lidar com as demandas fisiológicas e manter um estado de equilíbrio saudável denominado *homeostasia*. As *adaptações* são respostas estruturais e funcionais reversíveis a mudanças no estado fisiológico (p. ex., gravidez) e a alguns estímulos patológicos, durante as quais são alcançados novos estados de equilíbrio, diferentes do original, mas possibilitando a sobrevivência e a função contínua da célula (**Figura 2.1**). A resposta adaptativa pode envolver aumento no tamanho (hipertrofia) e no número de células (hiperplasia) e na sua atividade funcional, diminuição no tamanho e na atividade metabólica das células (atrofia) ou uma mudança do fenótipo das células (metaplasia). Se o estresse for eliminado, a célula pode retornar a seu estado de equilíbrio original, sem ter sofrido qualquer consequência prejudicial.

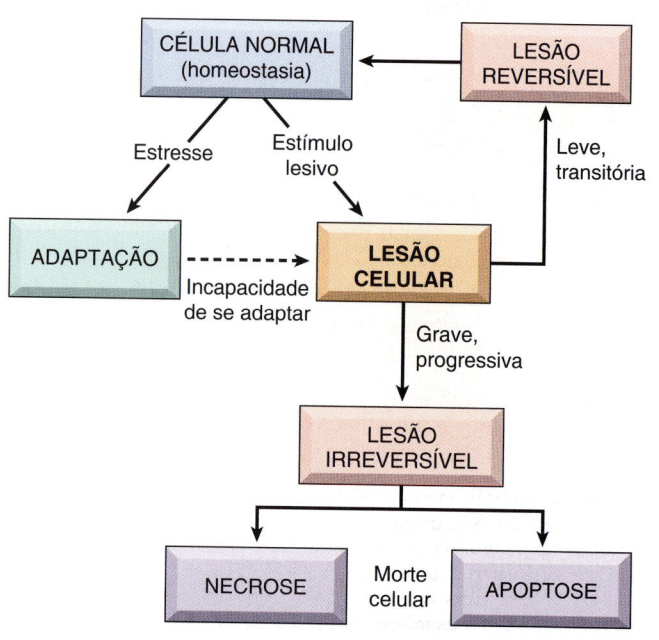

Figura 2.1 Estágios da resposta celular ao estresse e aos estímulos lesivos.

Se os limites das respostas adaptativas forem excedidos ou se as células forem expostas a estímulos lesivos, privadas de nutrientes essenciais ou comprometidas por mutações que afetem funções celulares essenciais, ocorre uma sequência de eventos denominada *lesão celular* (ver **Figura 2.1**). A lesão celular é *reversível* até certo ponto; entretanto, se o estímulo lesivo for persistente ou intenso, a célula sofre *lesão irreversível* e, por fim, *morte celular*. A *adaptação*, a *lesão reversível* e a *morte celular* podem ser estágios de comprometimento progressivo após diferentes tipos de agressões. Por exemplo, em resposta a um aumento da carga hemodinâmica, o músculo cardíaco aumenta como forma de adaptação, que, devido às demandas metabólicas aumentadas, torna-se mais suscetível à lesão. Se o suprimento sanguíneo para o miocárdio estiver comprometido ou inadequado, o músculo inicialmente sofre lesão reversível, que se manifesta por certas alterações citoplasmáticas (descritas adiante). A não ser que o suprimento sanguíneo seja rapidamente restaurado, as células sofrem lesão irreversível e morrem (**Figura 2.2**).

A remoção de células danificadas, desnecessárias e envelhecidas por meio de *morte celular* constitui um processo normal e essencial na embriogênese, no desenvolvimento dos órgãos e na manutenção da homeostasia no adulto. Por outro lado, a morte celular excessiva em consequência de lesão progressiva constitui um dos eventos mais cruciais no desenvolvimento de doença em qualquer tecido ou órgão. Resulta de diversas causas, como isquemia (redução do fluxo sanguíneo), infecção e toxinas. Existem duas vias principais de morte celular: a *necrose* e a *apoptose*. A privação de nutrientes desencadeia uma resposta celular adaptativa, denominada *autofagia*, que também pode culminar em morte celular. Posteriormente, neste capítulo, será apresentada uma discussão detalhada dessas vias e de algumas outras vias menos comuns de morte celular.

Diversos tipos de estresse podem induzir outras alterações nas células e nos tecidos, além das adaptações típicas, lesões celulares e mortes celulares. Os distúrbios metabólicos e a lesão crônica podem estar associados a *acúmulos intracelulares* de diversas substâncias, como proteínas, lipídios e carboidratos. O cálcio pode ser depositado em locais de morte celular, resultando em *calcificação patológica*. Por fim, o processo normal de *envelhecimento* é acompanhado de alterações morfológicas e funcionais características nas células.

Este capítulo aborda os mecanismos e as consequências das várias formas de dano celular, como lesão celular reversível e morte celular. Concluímos com as adaptações das células ao estresse e com três outros processos que afetam as células e os tecidos: acúmulos intracelulares, calcificação patológica e envelhecimento celular.

Causas de lesão celular

As causas de lesão celular variam desde o trauma mecânico de um acidente automobilístico até anormalidades celulares sutis, como mutação causadora de perda de uma enzima vital, que compromete a função metabólica normal. Os estímulos nocivos podem ser agrupados, em sua maioria, nas seguintes categorias gerais.

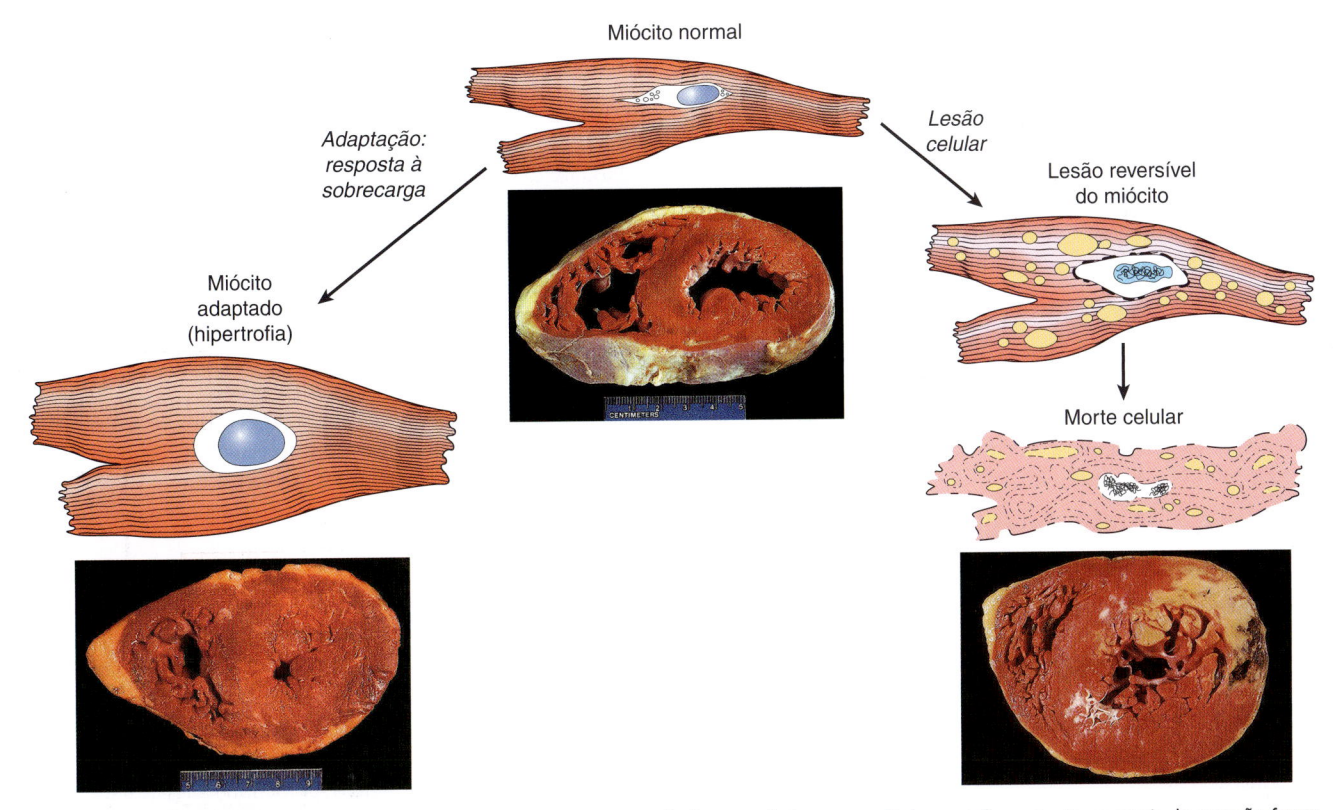

Figura 2.2 A relação entre as células miocárdicas normais, adaptadas, com lesão reversível e mortas. Todos os três cortes transversais do coração foram corados com cloreto de trifeniltetrazólio, um substrato enzimático que cora de magenta o miocárdio viável. A adaptação celular mostrada aqui é a hipertrofia do miocárdio (*parte inferior, à esquerda*), causada pelo aumento da pressão arterial, exigindo maior esforço mecânico pelas células miocárdicas. Essa adaptação leva ao espessamento da parede ventricular esquerda (compare com o coração normal). No miocárdio com lesão reversível (ilustrado de modo esquemático, *à direita*), são observadas alterações funcionais, normalmente sem quaisquer alterações macroscópicas ou microscópicas, porém algumas vezes com alterações citoplasmáticas, como tumefação celular e acúmulo de gordura. No espécime que apresenta necrose, uma forma de morte celular (*parte inferior, à direita*), a área clara no ventrículo esquerdo posterolateral representa um infarto agudo do miocárdio causado por redução do fluxo sanguíneo (isquemia).

Privação de oxigênio

A *hipoxia* é uma deficiência de oxigênio, que provoca lesão celular ao reduzir a respiração celular aeróbica e constitui uma causa extremamente significativa e comum de lesão e morte celulares. As causas de hipoxia incluem redução do fluxo sanguíneo (*isquemia*); oxigenação inadequada do sangue devido à insuficiência cardiorrespiratória; e diminuição da capacidade de transporte de oxigênio do sangue, como na anemia, no envenenamento por monóxido de carbono e na perda sanguínea grave. Dependendo da gravidade do estado hipóxico, as células podem se adaptar, sofrer lesão ou morrer. Por exemplo, se houver estreitamento de uma artéria, o tecido nutrido por esse vaso pode inicialmente diminuir de tamanho (atrofia), enquanto a hipoxia mais grave ou súbita provoca lesão e morte celulares.

Agentes físicos

Os agentes físicos capazes de causar lesão celular incluem trauma mecânico, extremos de temperatura (queimaduras e frio intenso), mudanças súbitas da pressão atmosférica, radiação e choque elétrico (ver **Capítulo 9**).

Agentes químicos e fármacos

A lista de substâncias químicas passíveis de causar lesão celular é imensurável. Substâncias simples, como a glicose ou o sal em concentrações hipertônicas, podem causar lesão celular diretamente ou por meio de perturbação do equilíbrio hidreletrolítico das células. Até mesmo o oxigênio em altas concentrações é tóxico. Quantidades mínimas de *venenos*, como arsênico, cianeto ou mercúrio, podem causar dano a um número considerável de células em questão de minutos ou horas, suficiente para causar a morte. Outras substâncias lesivas são nossas companheiras diárias: poluentes ambientais, inseticidas e herbicidas; exposições industriais e ocupacionais, como monóxido de carbono e asbesto; substâncias recreativas, como o álcool; e a variedade sempre crescente de substâncias terapêuticas, muitas das quais apresentam efeitos colaterais tóxicos. Essas substâncias são discutidas com mais detalhes no **Capítulo 9**.

Agentes infecciosos

Esses agentes variam desde vírus submicroscópicos até tênias de vários metros de comprimento. Entre esses dois extremos, há as riquétsias, as bactérias, os fungos e as formas superiores de parasitas. Esses agentes biológicos podem causar lesão por diferentes mecanismos (ver **Capítulo 8**).

Reações imunológicas

O sistema imune desempenha uma função essencial na defesa contra patógenos infecciosos, porém as reações imunes também podem causar lesão celular. As reações lesivas a autoantígenos endógenos são responsáveis pelas doenças autoimunes (ver **Capítulo 6**). As reações imunes a muitos agentes externos, como vírus e substâncias ambientais, também constituem causas importantes de lesão celular e tecidual (ver **Capítulos 3 e 6**).

Anormalidades genéticas

Conforme descrito no **Capítulo 5**, as alterações genéticas podem ser tão extremas como um cromossomo extra, como na síndrome de Down, ou tão sutis como a substituição de um único par de bases levando à substituição de um aminoácido, como na anemia falciforme. Essas alterações podem produzir fenótipos clínicos bastante característicos, que incluem desde malformações congênitas até anemias. Os defeitos genéticos podem causar lesão celular devido à função deficiente de proteínas, como os defeitos enzimáticos dos erros inatos do metabolismo; ou acúmulo de DNA danificado ou proteínas mal enoveladas, ambos os quais desencadeiam a morte celular quando ultrapassaram a possibilidade de reparo. Variantes na sequência do DNA que são comuns nas populações humanas (polimorfismos) também podem influenciar a suscetibilidade das células à lesão por substâncias químicas e outras agressões ambientais.

Desequilíbrios nutricionais

Os desequilíbrios nutricionais continuam sendo importantes causas de lesão celular. As deficiências proteico-calóricas provocam um número impressionante de mortes, sobretudo entre populações de menor renda. São encontradas deficiências de vitaminas específicas em todo o mundo (ver **Capítulo 9**). A escassez nutricional pode ser autoinfligida, como na anorexia nervosa (um transtorno psicológico de consumo inadequado de alimentos), ou resultar de escassez de alimentos ou dieta deficiente. Ironicamente, os excessos nutricionais também constituem uma causa importante de lesão celular. A obesidade é desenfreada nos EUA e está associada a um aumento na incidência de várias doenças importantes, como o diabetes melito e o câncer. Além dos problemas de sub e sobrenutrição, a composição da dieta contribui de maneira significativa para uma série de doenças. Por exemplo, aquelas ricas em certos lipídios levam a uma elevação dos níveis séricos de colesterol e predispõem à aterosclerose, um importante fator de risco para a doença cardiovascular, que é a maior causa de mortes em adultos nos EUA.

Progressão da lesão e morte celulares

É importante descrever as alterações básicas que ocorrem nas células danificadas antes de discutirmos os mecanismos que levam a essas alterações. Todos os estresses e as influências nocivas exercem seus efeitos inicialmente em nível molecular ou bioquímico. Há um intervalo entre o estresse e as alterações morfológicas da lesão ou morte celular; de maneira compreensível, as primeiras alterações são sutis e são apenas detectadas por métodos de exame altamente sensíveis (**Figura 2.3**). Com o uso de técnicas histoquímicas, ultraestruturais ou bioquímicas, as alterações podem ser observadas nos primeiros minutos a horas após a lesão, enquanto as lesões visíveis à microscopia óptica ou ao exame macroscópico podem levar mais tempo (de horas a dias) para aparecer. Como era de esperar, as manifestações morfológicas da necrose levam mais tempo para se desenvolver do que as do dano reversível. Por exemplo, na isquemia do miocárdio, a tumefação das células constitui uma alteração morfológica reversível, que pode ocorrer em poucos minutos e constitui um indicador de dano celular em curso, que pode progredir para uma condição irreversível nas primeiras 1 ou 2 horas. Entretanto, as evidências incontestáveis de morte celular à microscopia óptica podem não ser identificadas até 4 a 12 horas após o início da isquemia.

As alterações estruturais sequenciais na lesão celular que progridem até a morte celular estão ilustradas na **Figura 2.4** e descritas posteriormente. Dentro de certos limites, a célula é capaz de reparar as alterações observadas na lesão reversível e, se o estímulo nocivo cessar, ela pode retornar à normalidade. Entretanto,

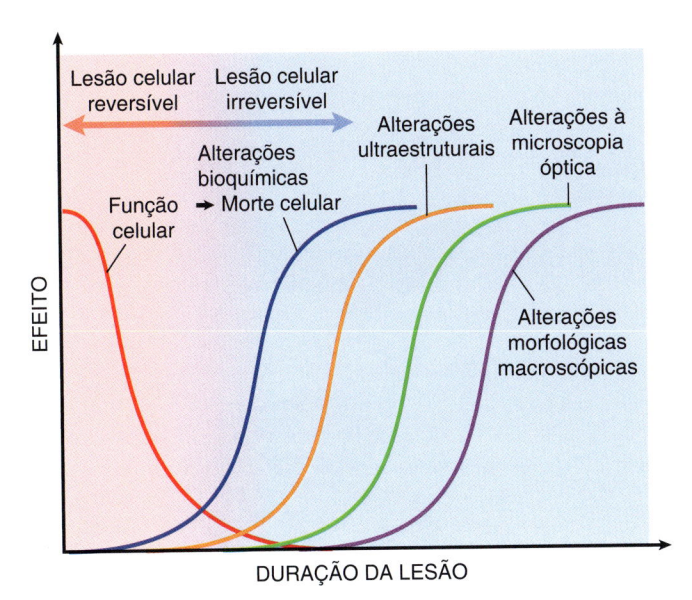

Figura 2.3 Desenvolvimento sequencial das alterações bioquímicas e morfológicas na lesão celular. As células podem se tornar rapidamente disfuncionais após o início da lesão, embora possam permanecer viáveis, com dano potencialmente reversível; a lesão de maior duração pode levar ao dano irreversível e à morte celular. Observe que as alterações bioquímicas irreversíveis podem causar morte celular e, em geral, isso precede as alterações morfológicas ultraestruturais, microscópicas e visíveis ao exame macroscópico.

Tabela 2.1 Características da necrose e da apoptose.

Característica	Necrose	Apoptose
Tamanho da célula	Aumentado (tumefação)	Reduzido (retração)
Núcleo	Picnose, cariorrexe, cariólise	Fragmentação em fragmentos do tamanho de nucleossomos
Membrana plasmática	Rompida	Intacta; estrutura alterada, particularmente a orientação dos lipídios
Conteúdo celular	Digestão enzimática; pode haver extravasamento da célula	Intacto; pode ser liberado em corpos apoptóticos
Inflamação adjacente	Frequente	Nenhuma
Papel fisiológico ou patológico	Normalmente patológica (resultado da lesão celular irreversível)	Em geral fisiológica, forma de eliminação de células indesejáveis; pode ser patológica após alguns tipos de lesão celular, principalmente as danosas ao DNA

com uma lesão persistente ou excessiva, a célula ultrapassa o bastante variável "ponto sem retorno", progredindo para a lesão irreversível e a morte celular. Diferentes estímulos nocivos induzem a morte, sobretudo por necrose e/ou apoptose (ver **Figura 2.4** e **Tabela 2.1**).

Lesão celular reversível

A lesão celular reversível caracteriza-se por alterações funcionais e estruturais nos estágios iniciais ou nas formas leves de lesão, que são passíveis de correção se o estímulo nocivo for removido. São observadas duas características consistentes nas células com lesão reversível:

- As alterações iniciais na lesão reversível incluem *tumefação generalizada da célula* e suas organelas, formação de bolha (vesículas) da membrana plasmática, separação dos ribossomos do retículo endoplasmático (RE) e condensação da cromatina nuclear. A tumefação das células resulta da entrada de água. Esse influxo é, em geral, causado por uma falha da bomba de Na^+-K^+ dependente de adenosina trifosfato (ATP) presente na membrana plasmática, devido à depleção do ATP em consequência da deficiência de oxigênio, que interfere na fosforilação oxidativa mitocondrial, ou devido ao dano mitocondrial por radiação ou toxinas (discutidas posteriormente).
- A *degeneração gordurosa* ocorre em órgãos que atuam de maneira ativa no metabolismo dos lipídios (p. ex., fígado). Surge quando a lesão tóxica interfere nas vias metabólicas e leva ao rápido acúmulo de vacúolos lipídicos repletos de triglicerídeos. Esse mecanismo é discutido no **Capítulo 18**
- Outras alterações são descritas nas seções seguintes.

Morfologia

A **tumefação celular** constitui a primeira manifestação de quase todas as formas de lesão celular (**Figura 2.5B**). Quando afeta muitas células, provoca palidez, aumento do turgor e aumento do peso do órgão afetado. Ao exame microscópico, pode-se observar a presença de pequenos vacúolos claros no interior do citoplasma. Esses vacúolos representam segmentos distendidos e separados do RE. Esse padrão de lesão não letal é algumas vezes denominado **alteração hidrópica** ou **degeneração vacuolar**. O citoplasma das células lesionadas aparece vermelho (eosinofílico) quando corado pela hematoxilina e eosina (H&E), devido à perda do RNA, que fixa o azul do corante hematoxilina. A eosinofilia torna-se mais pronunciada com a progressão para a necrose.

As alterações ultraestruturais da lesão celular reversível, que são visíveis à microscopia eletrônica (**Figura 2.6B**), incluem as seguintes:
1. Alterações da membrana plasmática, como formação de bolhas, apagamento e perda das microvilosidades.
2. Alterações mitocondriais, como tumefação e aparecimento de pequenas densidades amorfas.
3. Acúmulo de "figuras de mielina" no citosol, compostas de fosfolipídios provenientes das membranas celulares danificadas.
4. Dilatação do RE, com desacoplamento dos polissomos.
5. Alterações nucleares, com desagregação dos elementos granulares e fibrilares.

Morte celular

Existem dois tipos principais de morte celular: a necrose e a apoptose, que diferem nos seus mecanismos, na morfologia e nos papéis exercidos na fisiologia e na doença (ver **Tabela 2.1**). O dano mitocondrial grave com depleção de ATP e a ruptura das membranas lisossômicas e plasmáticas normalmente estão associados à necrose. A necrose ocorre em muitas lesões comuns, como aquelas observadas após isquemia, exposição a toxinas, diversas infecções e trauma. A apoptose apresenta muitas características singulares (ver adiante).

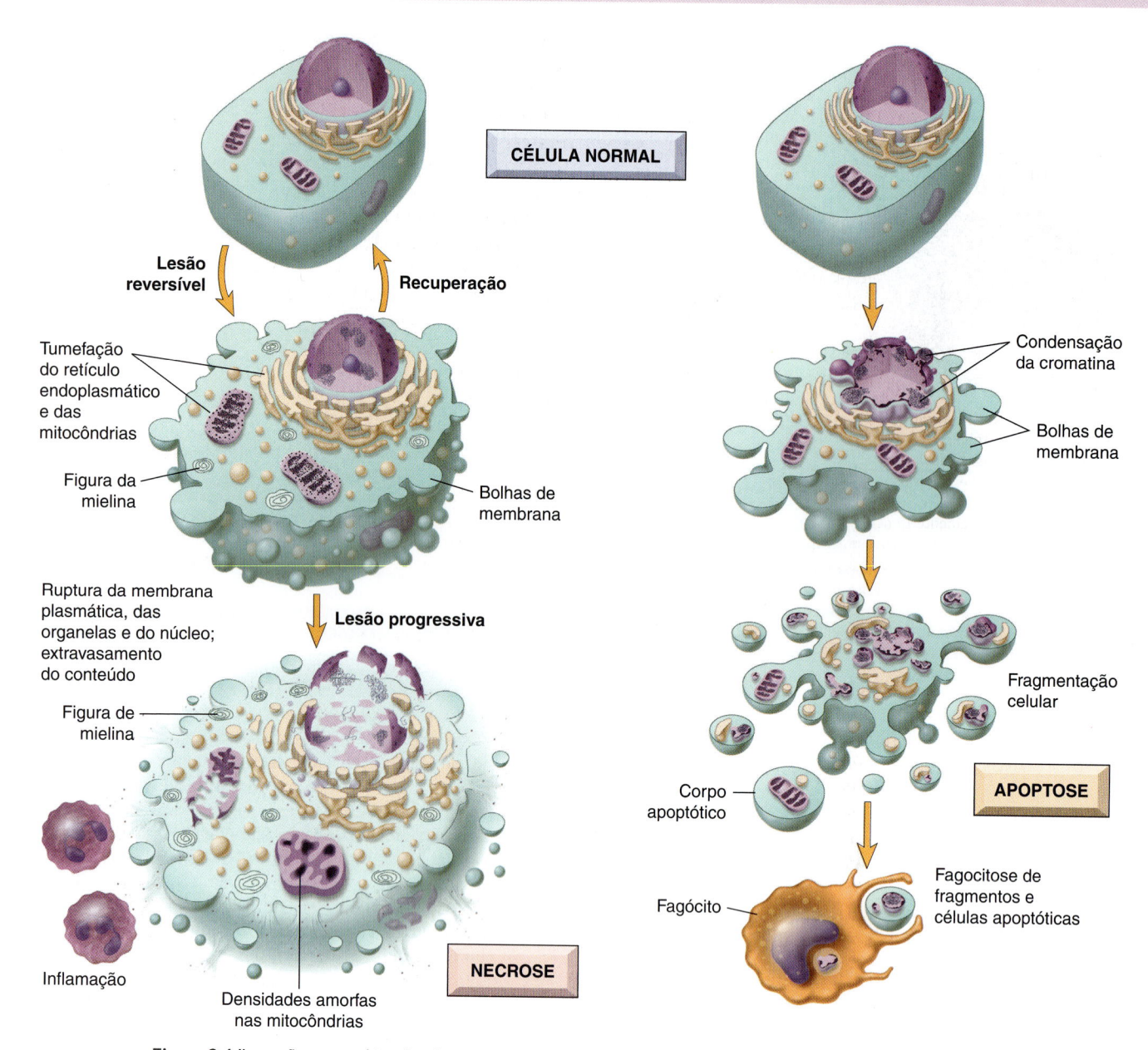

Figura 2.4 Ilustração esquemática das alterações morfológicas da lesão celular, que culminam em necrose ou apoptose.

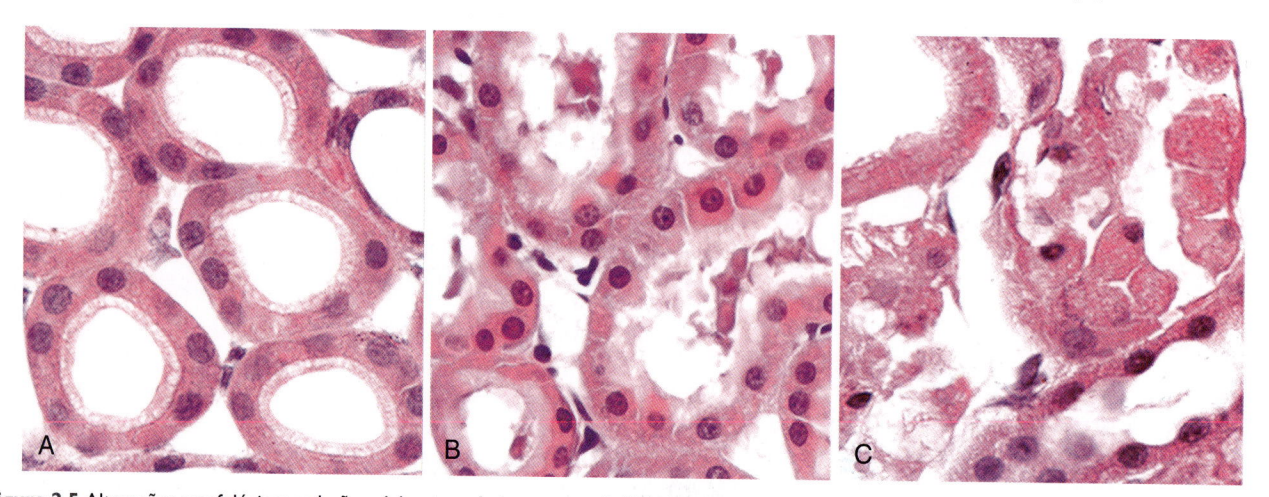

Figura 2.5 Alterações morfológicas na lesão celular reversível e necrose. **A.** Túbulos renais normais com células epiteliais viáveis. **B.** Lesão isquêmica inicial (reversível) mostrando bolhas na superfície, aumento da eosinofilia do citoplasma e tumefação de algumas células. **C.** Necrose (lesão irreversível) de células epiteliais, com perda dos núcleos, fragmentação das células e extravasamento do conteúdo. As características ultraestruturais desse estágio da lesão celular são mostradas na **Figura 2.6**. (Cortesia dos Drs. Neal Pinckard and M.A. Venkatachalam, University of Texas Health Sciences Center, San Antonio, Tex.)

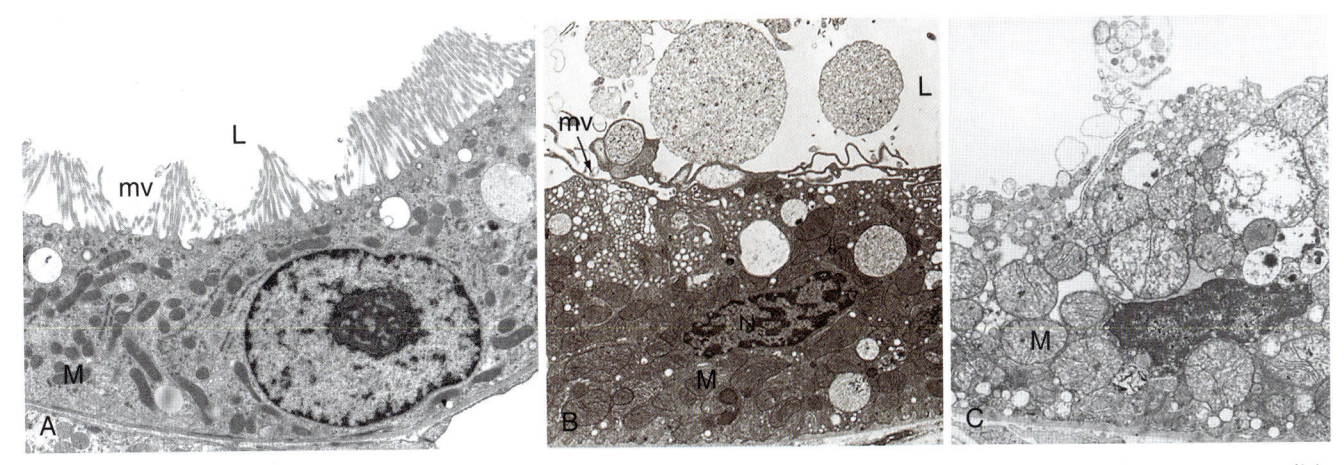

Figura 2.6 Características ultraestruturais de lesão celular reversível e irreversível (necrose) em rim de coelho. **A.** Micrografia eletrônica de uma célula epitelial normal do túbulo renal proximal. Observe o revestimento da superfície luminal (*L*) com microvilosidades (*mv*) abundantes. **B.** Célula epitelial do túbulo proximal mostrando lesão celular inicial em consequência de reperfusão após isquemia. As microvilosidades foram perdidas e incorporadas no citoplasma apical; houve formação de bolhas, que se pronunciam na luz. As mitocôndrias (*M*) ficaram tumefeitas durante a isquemia; com a reperfusão, elas sofrem rápida condensação e tornam-se eletrodensas. **C.** Célula tubular proximal mostrando uma lesão tardia, que se considera irreversível. Observe as mitocôndrias acentuadamente tumefeitas que contêm depósitos eletrodensos, que se acredita contenham cálcio e proteínas precipitados. Micrografias com maior aumento da célula mostrariam uma ruptura da membrana plasmática e a tumefação e fragmentação das organelas. (**A**, Cortesia da Dr. Brigitte Kaisslin, Institute of Anatomy, University of Zurich, Switzerland. **B, C**, Cortesia do Dr. M. A. Venkatachalam, University of Texas Health Sciences Center, San Antonio, Tex.)

Historicamente, a necrose era considerada uma morte celular "acidental", refletindo uma lesão grave que danifica de modo irreversível uma quantidade tão grande de componentes celulares que a célula simplesmente se "desintegra". Se a lesão inicial (reversível) progredir, devido à persistência do estímulo lesivo, o resultado final é a morte por necrose. Quando as células morrem por necrose, há uma resposta inflamatória local, que limpa a "cena do acidente". Em contrapartida, a apoptose descreve uma morte celular "regulada", mediada por vias moleculares definidas, que são ativadas em circunstâncias específicas e que matam as células com precisão cirúrgica, sem inflamação nem dano colateral associado. Entretanto, a distinção entre necrose e apoptose nem sempre é tão clara, e algumas formas de necrose são geneticamente controladas por meio de uma via molecular definida, denominada "necroptose" (discutida posteriormente). Além disso, em algumas situações, a morte celular pode exibir características morfológicas da apoptose e da necrose, ou pode progredir de uma forma para a outra, de modo que a distinção pode não ser absoluta. Entretanto, é conveniente considerá-las como vias de morte celular em grande parte não sobrepostas, visto que seus principais mecanismos, características morfológicas e consequências funcionais costumam ser diferentes.

Necrose

A necrose é um processo patológico, que representa a consequência de lesão grave. As principais causas de necrose incluem perda do suprimento de oxigênio (isquemia), exposição a toxinas microbianas, queimaduras e outras formas de lesão química e física e situações incomuns em que ocorre extravasamento de proteases ativas das células, que provocam dano aos tecidos adjacentes (como na pancreatite). Todos esses fatores desencadeantes levam ao dano irreparável de numerosos componentes celulares.

A necrose caracteriza-se por desnaturação das proteínas celulares, extravasamento do conteúdo celular através das membranas danificadas, inflamação local e digestão enzimática da célula que sofreu lesão letal. Quando o dano às membranas é grave, as enzimas lisossômicas entram no citoplasma e digerem a célula. O conteúdo celular também extravasa pela membrana plasmática danificada e entra no espaço extracelular, onde desencadeia uma reação do hospedeiro (inflamação). Algumas substâncias específicas liberadas das células lesionadas foram denominadas *padrões moleculares associados a danos* (*DAMP, damage-associated molecular patterns*). Incluem ATP (liberado das mitocôndrias danificadas), ácido úrico (um produto de degradação do DNA) e numerosas outras moléculas que costumam estar confinadas dentro das células saudáveis e cuja liberação constitui um indicador de lesão celular grave. Essas moléculas são reconhecidas por receptores presentes nos macrófagos e na maioria dos outros tipos de células e deflagram a fagocitose dos resíduos, bem como a produção de citocinas que induzem inflamação (ver **Capítulo 3**). As células inflamatórias produzem mais enzimas proteolíticas, e a combinação de fagocitose e digestão enzimática pode levar à remoção das células necróticas.

O extravasamento das proteínas intracelulares através das membranas plasmáticas danificadas observado no processo de necrose e que, por fim, atingem a circulação constitui a base de exames de sangue para a detecção de lesão celular de tecidos específicos. Por exemplo, as células musculares cardíacas expressam variantes cardíacas específicas da troponina, uma proteína contrátil, enquanto o epitélio dos ductos biliares expressa uma isoforma específica da enzima fosfatase alcalina e os hepatócitos, transaminases. A necrose desses tipos celulares e a perda associada da integridade da membrana refletem na elevação dos níveis séricos dessas proteínas, que servem como biomarcadores utilizados clinicamente na avaliação e quantificação de lesão tecidual. As troponinas cardíacas específicas podem ser detectadas no sangue em apenas 2 horas após a necrose das células miocárdicas, bem antes da observação de evidências histológicas de infarto do miocárdio. Em virtude de sua sensibilidade e especificidade, a medição seriada das troponinas cardíacas no soro desempenha um papel central no diagnóstico e tratamento de pacientes com infarto do miocárdio (ver **Capítulo 12**).

Morfologia

As células necróticas exibem **eosinofilia aumentada** na coloração por H&E, atribuível, em parte, à perda do RNA citoplasmático e, por outra, ao acúmulo de proteínas citoplasmáticas desnaturadas (que se ligam ao corante vermelho eosina). A célula necrótica apresenta uma aparência homogênea e vítrea em relação às células normais, sobretudo devido à perda das partículas de glicogênio (ver **Figura 2.5C**). Quando as enzimas já digeriram as organelas da célula, o citoplasma torna-se vacuolado e parece roído por traças. As células mortas podem ser substituídas por grandes precipitados de fosfolipídios espiralados, denominados **figuras de mielina**, que são fagocitados por outras células ou ainda degradados em ácidos graxos; a calcificação desses resíduos de ácidos graxos resulta em deposição de precipitados ricos em cálcio. À microscopia eletrônica, as células necróticas caracterizam-se por descontinuidades nas membranas plasmáticas e das organelas, acentuada dilatação das mitocôndrias com aparecimento de grandes densidades amorfas, figuras de mielina intracitoplasmáticas e restos amorfos e agregados de material aveludado, que representa proteínas desnaturadas (ver **Figura 2.6C**).

As **alterações nucleares** aparecem em um de três padrões, todos os quais resultam da degradação do DNA. A basofilia da cromatina pode desaparecer (**cariólise**), uma alteração que presume perda de DNA, em consequência de degradação enzimática por endonucleases. Um segundo padrão (também observado na morte celular apoptótica) é a **picnose**, que se caracteriza por retração nuclear e aumento da basofilia. Nele, a cromatina condensa-se em uma massa basofílica densa e contraída. No terceiro padrão, conhecido como **cariorrexe**, o núcleo picnótico sofre fragmentação. Com o passar do tempo (1 ou 2 dias), o núcleo da célula necrótica desaparece por completo.

É importante considerar os possíveis eventos que determinam o momento em que a lesão reversível se torna irreversível e progride para necrose. A relevância clínica dessa questão é óbvia – se for possível responder a ela, podemos planejar estratégias para evitar que a lesão celular tenha consequências deletérias e permanentes. Embora o "ponto sem retorno", em que o dano se torna irreversível, ainda não seja, em grande parte, definido, *dois fenômenos caracterizam de maneira consistente a irreversibilidade – a incapacidade de reverter a disfunção mitocondrial* (ausência de fosforilação oxidativa e geração de ATP), mesmo após resolução da lesão original, e *alterações funcionais significativas da membrana*. Conforme assinalado anteriormente, a lesão das membranas lisossômicas resulta em dissolução enzimática da célula lesionada, que é uma característica da necrose.

Padrões de necrose tecidual

A discussão da necrose concentrou-se, até agora, nas alterações observadas em células individuais. Quando um grande número de células morre, o tecido ou órgão é considerado necrótico; assim, o infarto do miocárdio é a necrose de uma parte do coração causada pela morte de muitas células miocárdicas. A necrose dos tecidos apresenta vários padrões morfológicos distintos, cujo reconhecimento é importante, uma vez que eles fornecem indícios sobre a causa subjacente. Embora os termos que descrevem esses padrões sejam um tanto antiquados, eles costumam ser empregados, e suas implicações são bem compreendidas por patologistas e médicos.

Morfologia

A **necrose coagulativa** é uma forma de necrose em que a arquitetura do tecido morto é preservada por um período de pelo menos alguns dias (**Figura 2.7**). O tecido afetado apresenta uma textura firme. Presumivelmente, a lesão provoca desnaturação não apenas das proteínas estruturais, mas também das enzimas e, assim, bloqueia a proteólise das células mortas; em consequência, células muito eosinofílicas com núcleos indistintos ou avermelhados podem persistir por vários dias ou semanas. Por fim, as células necróticas são degradadas pela ação das enzimas lisossômicas provenientes dos leucócitos infiltrados, que também removem os restos das células mortas por fagocitose. A isquemia causada pela obstrução de um vaso pode levar à necrose coagulativa do tecido suprido em todos os órgãos, com exceção do encéfalo (ver parágrafo seguinte para uma explicação). Uma área localizada de necrose coagulativa é denominada **infarto**.

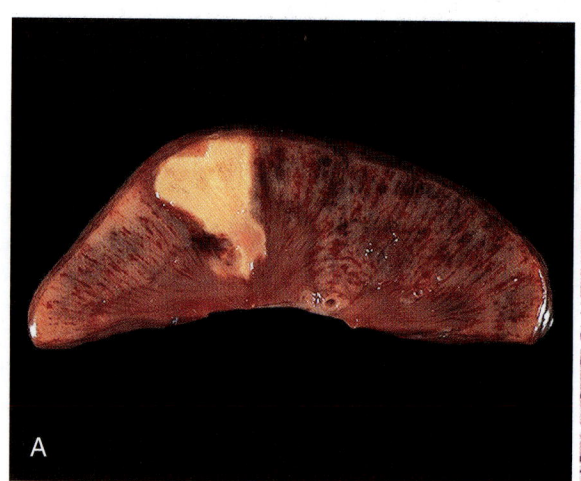

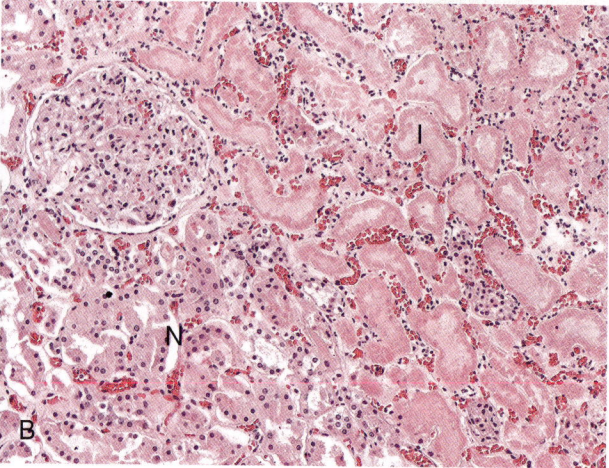

Figura 2.7 Necrose coagulativa. **A.** Infarto renal em forma de cunha (*amarelado*). **B.** Vista microscópica da borda do infarto, com células renais normais (*N*) e células necróticas no infarto (*I*), mostrando os contornos celulares preservados, com perda dos núcleos e infiltrado inflamatório (observado como núcleos das células inflamatórias entre os túbulos necróticos).

Diferentemente da necrose de coagulação, a **necrose liquefativa** caracteriza-se pela digestão das células mortas, resultando na transformação do tecido em um líquido viscoso. É observada em infecções bacterianas focais ou em alguns casos de infecções fúngicas, visto que os microrganismos estimulam o acúmulo de leucócitos e a liberação de enzimas dessas células. Com frequência, o material necrótico é amarelo cremoso, devido à presença de leucócitos, e é denominado **pus**. Por motivos desconhecidos, a morte das células por hipoxia dentro do sistema nervoso central manifesta-se frequentemente como necrose liquefativa (**Figura 2.8**).

A **necrose gangrenosa** não é um padrão específico de morte celular; entretanto, o termo costuma ser empregado na prática clínica. Aplica-se comumente a um membro, em geral a perna, que perdeu seu suprimento sanguíneo e sofreu necrose (normalmente necrose coagulativa), envolvendo diversos planos teciduais. Quando há infecção bacteriana superposta, ocorre mais necrose liquefativa, devido à ação das enzimas de degradação das bactérias e dos leucócitos recrutados (originando a denominada **gangrena úmida**).

A **necrose caseosa** é observada, com mais frequência, em focos de infecção pela tuberculose (ver **Capítulo 8**). O termo *caseoso* (semelhante a queijo) deriva da aparência esbranquiçada e friável da área de necrose (**Figura 2.9**). Ao exame microscópico, a área necrótica aparece como uma coleção amorfa contendo células fragmentadas ou lisadas e restos granulares delimitados por uma borda inflamatória característica; essa aparência é típica de um foco de inflamação conhecido como **granuloma** (ver **Capítulo 3**).

A **necrose gordurosa** refere-se a áreas focais de destruição da gordura, que costuma se originar da liberação de lipases pancreáticas ativadas no interior do pâncreas e na cavidade peritoneal. Isso ocorre na pancreatite aguda, um quadro de emergência abdominal calamitoso (ver **Capítulo 19**). Nesse distúrbio, as enzimas pancreáticas extravasam das células acinares danificadas e liquefazem as membranas dos adipócitos no peritônio, liberando ésteres de triglicerídeos que são clivados pelas lipases pancreáticas. São formados ácidos graxos que se combinam com o cálcio, produzindo áreas brancas calcárias macroscopicamente visíveis (saponificação da gordura), que permitem ao cirurgião e ao patologista identificar o distúrbio subjacente (**Figura 2.10**). Ao exame histológico, as áreas necróticas contêm contornos indistintos de adipócitos necróticos, depósitos basófilos de cálcio e reação inflamatória.

A **necrose fibrinoide** é uma forma especial de dano vascular, que costuma ser observada em reações imunes que envolvem os vasos sanguíneos. Normalmente ocorre quando complexos antígeno-anticorpo são depositados nas paredes das artérias. Os depósitos desses imunocomplexos, assim como os das proteínas plasmáticas que extravasaram dos vasos, resultam em uma aparência rosa brilhante e amorfa na coloração pela H&E, denominada "fibrinoide" (semelhante à fibrina) pelos patologistas (**Figura 2.11**). As síndromes das vasculites imunomediadas nas quais esse tipo de lesão vascular é observado são descritas no **Capítulo 11**.

Por fim, no paciente vivo, a maioria das células necróticas e o seu conteúdo desaparecem em consequência da digestão enzimática e fagocitose dos restos pelos leucócitos. Se as células necróticas e os restos celulares não forem destruídos e reabsorvidos logo, proporcionam um nicho para a deposição de sais de cálcio e outros minerais e, assim, tendem a se tornar calcificados. Esse fenômeno, denominado *calcificação distrófica*, é discutido adiante neste capítulo.

Figura 2.8 Necrose liquefativa. Infarto cerebral mostrando a dissolução do tecido.

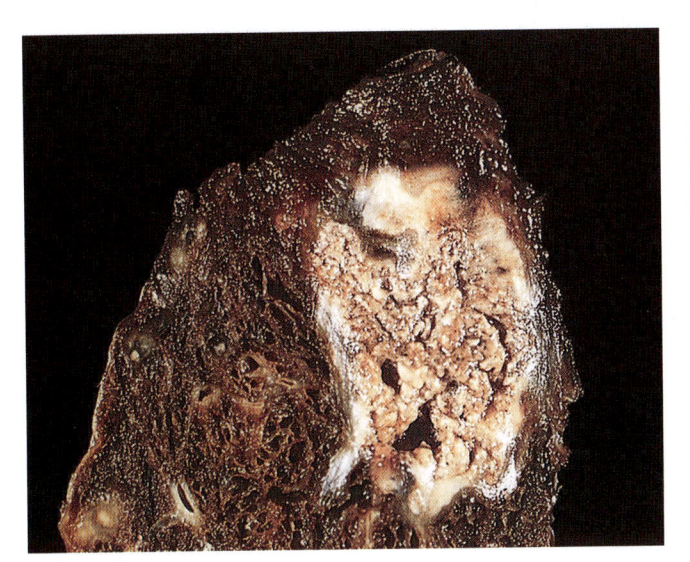

Figura 2.9 Necrose caseosa. Tuberculose do pulmão, com uma grande área de necrose caseosa contendo restos amarelo-esbranquiçados de aparência "semelhante a queijo".

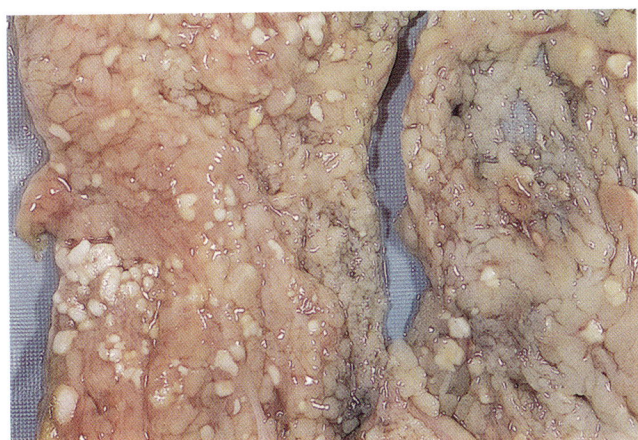

Figura 2.10 Necrose gordurosa. As áreas de depósitos esbranquiçados representam focos de necrose gordurosa, com deposição de cálcio e saponificação em locais de degradação dos lipídios no mesentério.

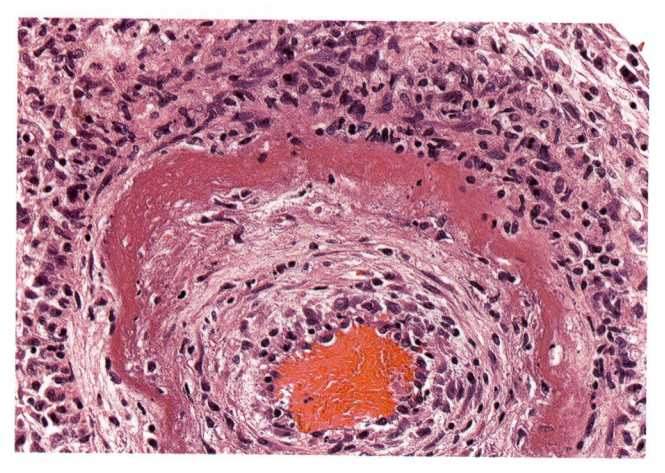

Figura 2.11 Necrose fibrinoide em uma artéria. A parede da artéria mostra uma área circunferencial rosa brilhante de necrose com inflamação (neutrófilos com núcleos escuros).

> ### Conceitos-chave
> #### Lesão e necrose celulares
>
> - A exposição das células ao estresse ou a agentes nocivos provoca lesão celular, que é reversível até certo ponto, mas que pode progredir para a morte celular, sobretudo por necrose
> - Lesão celular reversível: caracteriza-se por tumefação celular, degeneração gordurosa, formação de bolhas na membrana plasmática e perda das microvilosidades, tumefação mitocondrial, dilatação do RE e eosinofilia (devido à diminuição do RNA citoplasmático)
> - Necrose: processo patológico em que as membranas celulares são destruídas, as enzimas e outros constituintes extravasam e a inflamação local é induzida para eliminar as células danificadas. As características morfológicas incluem: eosinofilia, retração, fragmentação e dissolução nucleares; ruptura da membrana plasmática e das membranas das organelas; figuras de mielina abundantes; e extravasamento e digestão enzimática do conteúdo celular
> - Padrões de necrose tecidual: em condições diferentes, a necrose nos tecidos pode assumir padrões específicos: coagulativa, liquefativa, gangrenosa, caseosa, gordurosa e fibrinoide.

Apoptose

A apoptose é uma forma de morte celular induzida por um programa de suicídio minuciosamente regulado, em que as células destinadas a morrer ativam enzimas intrínsecas que degradam o seu próprio DNA genômico e suas proteínas nucleares e citoplasmáticas. As células apoptóticas sofrem ruptura, produzindo fragmentos delimitados por membrana plasmática, denominados *corpos apoptóticos*, que contêm porções do citoplasma e do núcleo. Embora a membrana plasmática permaneça intacta, os componentes de superfície são alterados, de modo a produzir sinais de "me encontre" e "me coma" para os fagócitos, conforme discutido adiante. Em consequência, a célula morta e seus fragmentos são logo devorados, antes que ocorra extravasamento do conteúdo, de modo que a apoptose não desencadeia uma reação inflamatória. Reconhecida pela primeira vez em 1972 pela aparência morfológica distinta de fragmentos delimitados por membrana derivados de células, a apoptose recebeu esse nome a partir da designação grega para "desprender-se". Posteriormente, foi descoberto, em modelos animais como os vermes, que certas células sofrem apoptose em momentos específicos durante o desenvolvimento. Esse fenômeno, denominado *morte celular programada*, é controlado pela ação de um pequeno número de genes e é necessário para a embriogênese normal. Por conseguinte, a apoptose é um mecanismo singular de morte celular, distinto, em muitos aspectos, da necrose (ver **Figura 2.4** e **Tabela 2.1**).

Causas da apoptose

A apoptose ocorre em dois grandes contextos: como parte de processos fisiológicos normais e como mecanismo fisiopatológico de perda celular em muitas doenças diferentes.

Apoptose em situações fisiológicas

A morte por apoptose é um fenômeno normal, com o objetivo de eliminar células que não são mais necessárias, ou manter um número constante das diversas populações de células nos tecidos. Estima-se que, nos seres humanos, a renovação seja de quase 1 milhão de células por segundo. Nesse processo, a morte das células por apoptose e a sua remoção por fagócitos são fundamentais. A apoptose é importante nas seguintes situações fisiológicas:

- *Remoção de células supranumerárias* (em excesso em relação ao número necessário) *durante o desenvolvimento*. A morte celular é fundamental para a involução de estruturas primordiais e a remodelagem de tecidos que amadurecem. A apoptose é um termo genérico para esse padrão de morte celular, independentemente do contexto, enquanto a morte celular programada refere-se apenas à apoptose durante o desenvolvimento
- *Involução de tecidos dependentes de hormônios com a privação do hormônio*, como degradação das células endometriais durante o ciclo menstrual, a atresia folicular ovariana na menopausa e a regressão da mama lactante após o desmame
- *Renovação celular em populações de células proliferativas*, como os linfócitos imaturos na medula óssea e no timo, os linfócitos B nos centros germinativos que não expressam os receptores de antígenos adequados (ver **Capítulo 6**) e as células epiteliais das criptas intestinais, de modo a manter um número constante de células (*homeostasia*)
- *Eliminação de linfócitos autorreativos potencialmente nocivos*, de modo a impedir reações imunes contra os próprios tecidos do indivíduo (ver **Capítulo 6**)
- Morte das células do hospedeiro que desempenharam o seu propósito específico, como os neutrófilos na *resposta inflamatória aguda* e os linfócitos ao término de uma *resposta imune*.

Em todas essas situações, as células sofrem apoptose, visto que ficam privadas dos sinais necessários de sobrevivência, como fatores de crescimento e interações com a matriz extracelular, ou recebem sinais pró-apoptóticos de outras células ou do meio ambiente.

Apoptose em condições patológicas

A apoptose elimina as células que sofrem lesões irreparáveis, sem desencadear uma reação do hospedeiro, limitando, assim, o dano tecidual colateral. A morte por apoptose é responsável pela perda de células em uma variedade de estados patológicos:

- *Dano ao DNA.* A radiação e os agentes antineoplásicos citotóxicos podem causar dano ao DNA, diretamente ou por meio da produção de radicais livres. Se os mecanismos de reparo não conseguirem corrigir o dano, a célula deflagra mecanismos

intrínsecos que induzem a apoptose. Nessas situações, a apoptose apresenta um efeito protetor ao impedir a sobrevivência de células com mutações do DNA, que podem levar à transformação maligna
- *Acúmulo de proteínas mal enoveladas.* A morte celular desencadeada por proteínas intracelulares enoveladas de maneira inadequada e a resposta subsequente ao estresse do retículo endoplasmático (RE) são discutidas adiante
- A apoptose pode ser induzida em certas *infecções*, sobretudo as virais, como consequência do próprio vírus (como nas infecções por adenovírus e HIV) ou da resposta imune do hospedeiro (como na hepatite viral). Uma resposta importante do hospedeiro aos vírus consiste nos linfócitos T citotóxicos (CTL) específicos para as proteínas virais, que induzem apoptose das células infectadas na tentativa de eliminar os reservatórios de infecção. Durante esse processo, pode ocorrer dano significativo aos tecidos. O mesmo mecanismo mediado por CTL é responsável pela eliminação de *células tumorais*, rejeição celular de *transplantes* e dano tecidual na doença do enxerto-*versus*-hospedeiro
- A apoptose também pode contribuir para a *atrofia patológica de órgãos parenquimatosos após a obstrução de ductos*, como ocorre no pâncreas, nas glândulas parótidas e nos rins.

Alterações morfológicas e bioquímicas na apoptose

Antes de discutir os mecanismos subjacentes, são descritas as características morfológicas e bioquímicas da apoptose.

> ### Morfologia
>
> Os seguintes aspectos morfológicos caracterizam as células que sofrem apoptose, alguns dos quais são mais bem observados à microscopia eletrônica (**Figura 2.12**; ver **Figura 2.4**).
>
> **Retração celular.** A célula tem seu tamanho reduzido, o citoplasma é denso e eosinofílico (ver **Figura 2.12A**) e as organelas, embora estejam relativamente normais, estão mais densamente agrupadas. Isso contrasta com a necrose, em que uma característica essencial consiste em tumefação celular, e não em retração.
>
> **Condensação da cromatina.** Essa é a característica mais marcante da apoptose. A cromatina sofre agregação periférica, abaixo da membrana nuclear, formando massas densas de vários formatos e tamanhos (ver **Figura 2.12B**). O próprio núcleo pode se fragmentar, produzindo dois ou mais fragmentos.
>
> **Formação de bolhas citoplasmáticas e corpos apoptóticos.** A célula apoptótica exibe inicialmente uma extensa formação de bolhas na superfície da membrana, seguida de fragmentação das células mortas em corpos apoptóticos circundados por membrana e compostos de citoplasma e organelas densamente agrupadas, com ou sem fragmentos nucleares (ver **Figura 2.12C**).
>
> **Fagocitose das células ou corpos celulares apoptóticos, geralmente por macrófagos.** Os corpos apoptóticos costumam logo ser ingeridos pelos fagócitos e degradados por suas enzimas lisossômicas.

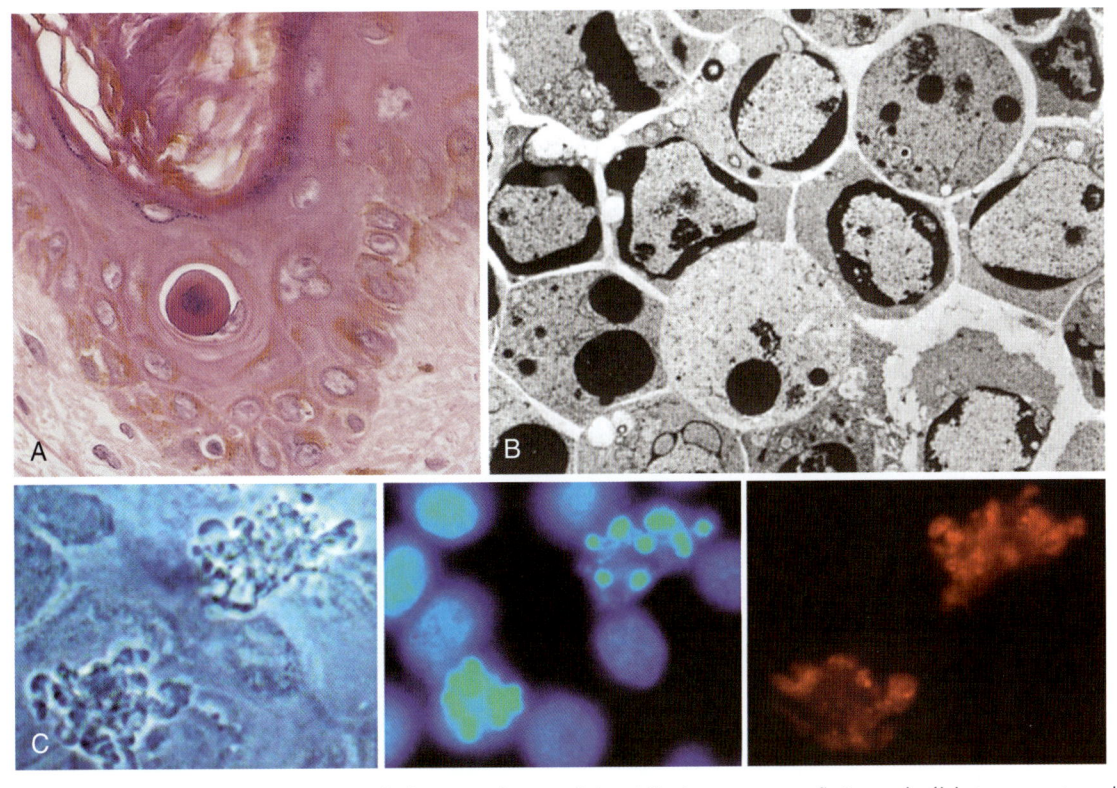

Figura 2.12 Características morfológicas da apoptose. **A.** Apoptose de uma célula epidérmica em uma reação imune. A célula tem o seu tamanho reduzido e contém citoplasma eosinofílico brilhante e um núcleo condensado. **B.** A micrografia eletrônica de células em cultura sofrendo apoptose mostra alguns núcleos com crescentes periféricos de cromatina compactada, enquanto outros são uniformemente densos e fragmentados. **C.** Essas imagens de células em cultura sofrendo apoptose mostram a formação de bolhas e corpos apoptóticos (*painel da esquerda*, microscopia de contraste de fase), uma coloração para DNA, mostrando a fragmentação nuclear (*painel do meio*) e a ativação da caspase 3 (*painel da direita*, coloração por imunofluorescência com anticorpo específico para a forma ativa da caspase 3, que aparece na cor vermelha). (**B,** De Kerr JFR, Harmon BV: Definition and incidence of apoptosis: a historical perspective. In Tomei LD, Cope FO, editors: Apoptosis: The Molecular Basis of Cell Death. Cold Spring Harbor, NY, 1991, Cold Spring Harbor Laboratory Press, p. 5-29; **C,** Cortesia do Dr. Zheng Dong, Medical College of Georgia, Augusta, Ga.)

No tecido corado pela H&E, a célula apoptótica aparece como uma massa redonda ou oval de citoplasma intensamente eosinofílico, com fragmentos de cromatina nuclear densa (ver **Figura 2.12A**). Como a retração celular e a formação de corpos apoptóticos são rápidas, e os fragmentos também são logo eliminados pelos fagócitos, pode ocorrer apoptose considerável nos tecidos antes que ela seja aparente em cortes histológicos. A ausência de uma resposta inflamatória também pode dificultar a detecção da apoptose à microscopia óptica.

Mecanismos da apoptose

A apoptose resulta da ativação de enzimas denominadas *caspases* (assim designadas pelo fato de serem proteases que contêm uma cisteína no sítio ativo e que clivam proteínas após resíduos de *asp*artato). À semelhança de muitas proteases, as caspases existem como proenzimas inativas e precisam sofrer clivagem enzimática para se tornarem ativas. Por conseguinte, a presença de caspases ativas funciona como um marcador de células que estão sofrendo apoptose (ver **Figura 2.12C**). O processo de apoptose pode ser dividido em uma *fase de iniciação*, durante a qual algumas caspases (iniciadoras) tornam-se cataliticamente ativas e desencadeiam uma cascata de outras caspases, e em uma *fase de execução*, durante a qual as caspases terminais (executoras) deflagram os mecanismos de fragmentação celular. A regulação dessas enzimas depende de um equilíbrio delicado entre a quantidade e a atividade de proteínas pró-apoptóticas e antiapoptóticas.

Duas vias distintas convergem para a ativação das caspases: a via mitocondrial e a via do receptor de morte (Figura 2.13). Embora essas vias se cruzem, elas costumam ser induzidas em condições específicas, envolvem diferentes moléculas iniciadoras e desempenham funções distintas na fisiologia e na doença.

Via mitocondrial (intrínseca) da apoptose

A via mitocondrial é responsável pela apoptose na maioria das situações fisiológicas e patológicas. Ela resulta do aumento da permeabilidade da membrana mitocondrial externa, com consequente liberação de moléculas indutoras de morte (pró-apoptóticas) do espaço intermembrana mitocondrial para o citoplasma (**Figura 2.14**). As mitocôndrias são organelas que contêm proteínas-chave, como o citocromo c, com vantagens e desvantagens, já que é essencial para a produção da energia (p. ex., ATP) que sustenta a viabilidade das células, mas que, quando liberado no citoplasma (uma indicação de que a célula não está saudável), inicia o programa de morte celular por apoptose. A liberação de proteínas pró-apoptóticas, como o citocromo c, é determinada pela integridade da membrana mitocondrial externa, que é rigorosamente controlada pela família BCL2 de proteínas. O nome dessa família provém do gene *BCL2*, que costuma ser hiperexpresso, devido a translocações cromossômicas e outras aberrações observadas em certos linfomas de células B (ver **Capítulo 13**). Existem mais de vinte membros da família BCL, que podem ser divididos em três grupos, com base na sua função pró-apoptótica ou antiapoptótica e nos domínios de homologia BCL2 (BH) que eles apresentam:

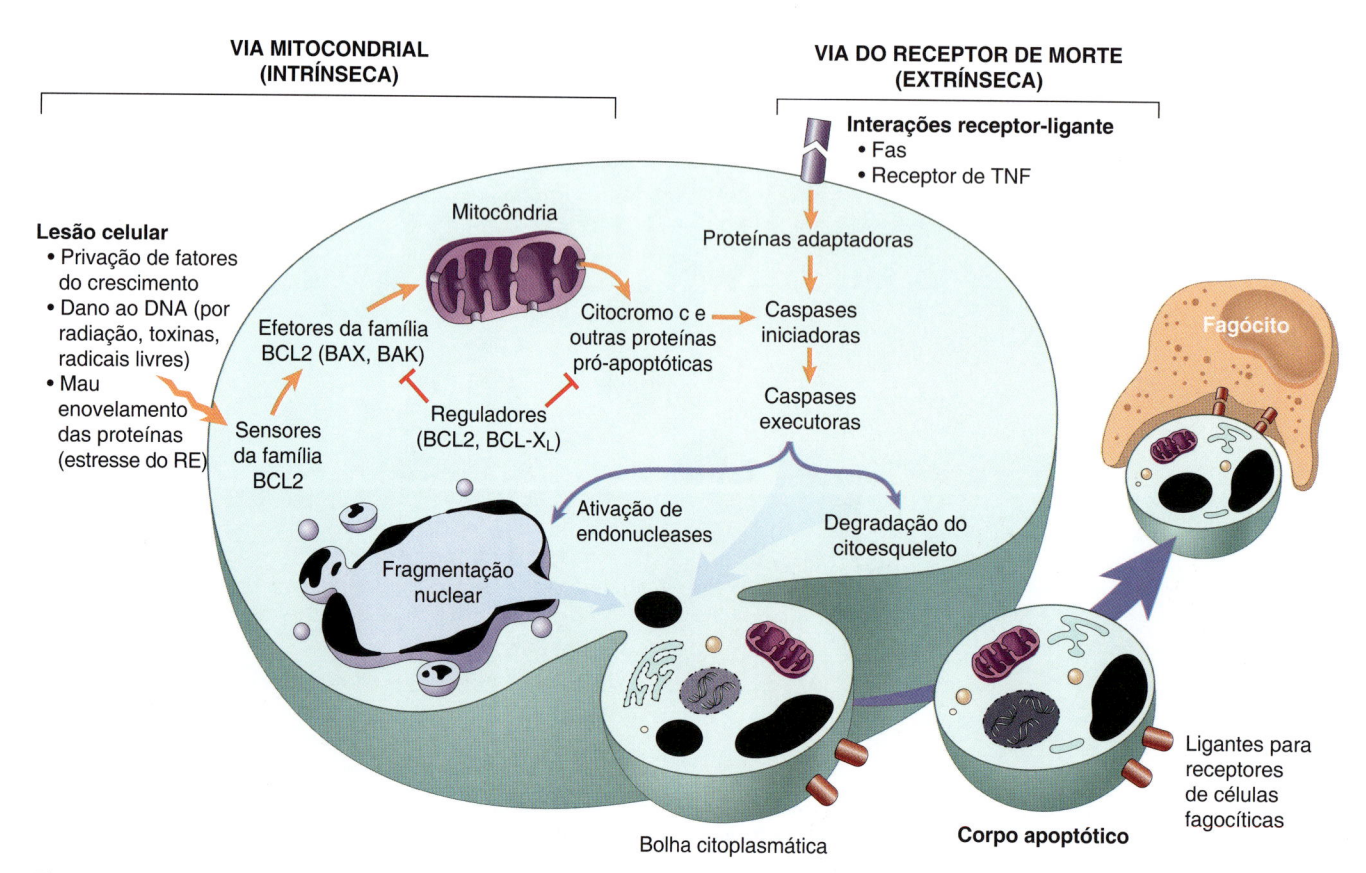

Figura 2.13 Mecanismos de apoptose. Embora as duas vias da apoptose sejam diferentes no processo de indução e regulação, ambas culminam na ativação de caspases. Na via mitocondrial, há desequilíbrio das proteínas da família BCL2, que regulam a permeabilidade mitocondrial, de modo que a relação entre proteínas pró-apoptóticas e antiapoptóticas resulta no extravasamento de várias substâncias das mitocôndrias, que levam à ativação das caspases. Na via do receptor de morte, sinais provenientes de receptores da membrana plasmática levam à montagem de proteínas adaptadoras em um "complexo de sinalização indutor de morte", que ativa as caspases, com resultado final idêntico.

- *Antiapoptóticos.* BCL2, BCL-X$_L$ e MCL1 são os principais membros desse grupo; apresentam quatro domínios BH (denominados BH1-4). Essas proteínas localizam-se na membrana mitocondrial externa, bem como no citosol e nas membranas do RE. Ao manter a membrana mitocondrial externa impermeável, essas proteínas impedem a saída do citocromo c e de outras proteínas indutoras de morte no citosol (ver **Figura 2.14A**)
- *Pró-apoptóticos.* BAX e BAK são os dois membros prototípicos desse grupo; contêm os primeiros três domínios BH (BH1-3). Com o processo de ativação, o BAX e/ou o BAK oligomerizam dentro da membrana mitocondrial externa e aumentam a sua permeabilidade. O mecanismo preciso pelo qual os oligômeros BAX-BAK permeabilizam as membranas ainda não está definido. De acordo com uma possibilidade ilustrada na **Figura 2.14B**, eles formam um canal na membrana mitocondrial externa que possibilita a saída do citocromo c do espaço intermembranar
- *Iniciadores regulados da apoptose.* Os membros desse grupo, como BAD, BIM, BID, Puma e Noxa, contêm apenas um domínio BH, o terceiro dos quatro domínios BH, e, portanto, são algumas vezes denominados proteínas BH3 exclusivas. A atividade das proteínas BH3 é modulada apenas por sensores do estresse e dano celulares; quando positivamente regulados e ativados, podem iniciar a apoptose.

Os fatores de crescimento e outros sinais de sobrevivência estimulam a produção de proteínas antiapoptóticas, como a BCL2, protegendo, assim, as células da apoptose. Quando as células ficam privadas de sinais de sobrevivência, sofrem dano em seu DNA ou desenvolvem estresse do RE devido ao acúmulo de proteínas inadequadamente enoveladas, as proteínas BH3 exclusivas são reguladas positivamente por meio de aumento da transcrição e/ou modificações pós-traducionais (p. ex., fosforilação). Por sua vez, essas proteínas BH3 exclusivas ativam diretamente os dois membros fundamentais da família pró-apoptótica, BAX e BAK, que formam oligômeros que se inserem na membrana mitocondrial e possibilitam o extravasamento de proteínas da membrana mitocondrial interna para dentro do citoplasma. As proteínas BH3 exclusivas também podem se ligar a BCL2 e a BCL-X$_L$ e bloquear a sua função. Ao mesmo tempo, a síntese de BCL2 e de BCL-X$_L$ pode diminuir, visto que a sua transcrição depende de sinais de sobrevivência. O processo final da ativação de BAX-BAK, assim como a perda das funções protetoras dos membros antiapoptóticos da família BCL2, resulta na liberação de várias proteínas mitocondriais no citoplasma, como o citocromo c, que podem ativar a cascata das caspases (ver **Figura 2.14**).

Uma vez liberado no citosol, o citocromo c liga-se a uma proteína denominada APAF-1 (fator ativador da apoptose 1), formando uma estrutura multimérica denominada *apoptossomo*. Esse complexo liga-se à caspase-9, a caspase iniciadora chave da via mitocondrial, e promove a sua clivagem autocatalítica, gerando formas da enzima cataliticamente ativas. Em seguida, a caspase-9 ativa desencadeia uma cascata de ativação das caspases por clivagem, com consequente ativação de outras pró-caspases (como a caspase-3), que mediam a fase de execução da apoptose (discutida mais adiante). Outras proteínas mitocondriais com nomes exóticos, como Smac/DIABLO, entram no citoplasma, onde se ligam a proteínas citoplasmáticas que funcionam como inibidores fisiológicos da apoptose (IAP), neutralizando-as. A função normal dos IAP consiste em bloquear a ativação inapropriada das caspases, incluindo as caspases executoras, como a caspase-3, e em manter as células vivas. Por conseguinte, a inibição das IAP possibilita a iniciação da cascata de caspases.

Via extrínseca (iniciada pelo receptor de morte) da apoptose

Essa via é iniciada pela ativação dos receptores de morte da membrana plasmática. Os receptores de morte são membros da família do receptor do fator de necrose tumoral (TNF) que contêm um domínio citoplasmático envolvido nas interações proteína-proteína. Esse *domínio de morte* é essencial para o fornecimento de sinais apoptóticos. (Alguns membros da família de receptores do TNF não contêm domínios de morte citoplasmáticos; sua função consiste em ativar cascatas inflamatórias [ver **Capítulo 3**], e o seu papel no processo de desencadeamento da apoptose está muito menos estabelecido.) Os receptores de morte mais bem conhecidos são o receptor de TNF tipo 1 (TNFR1) e uma proteína relacionada denominada Fas (CD95), porém vários outros foram descritos. O mecanismo da apoptose induzida por esses receptores é bem ilustrado pelo Fas, um receptor de morte expresso em muitos tipos de células (**Figura 2.15**). O ligante de Fas é denominado

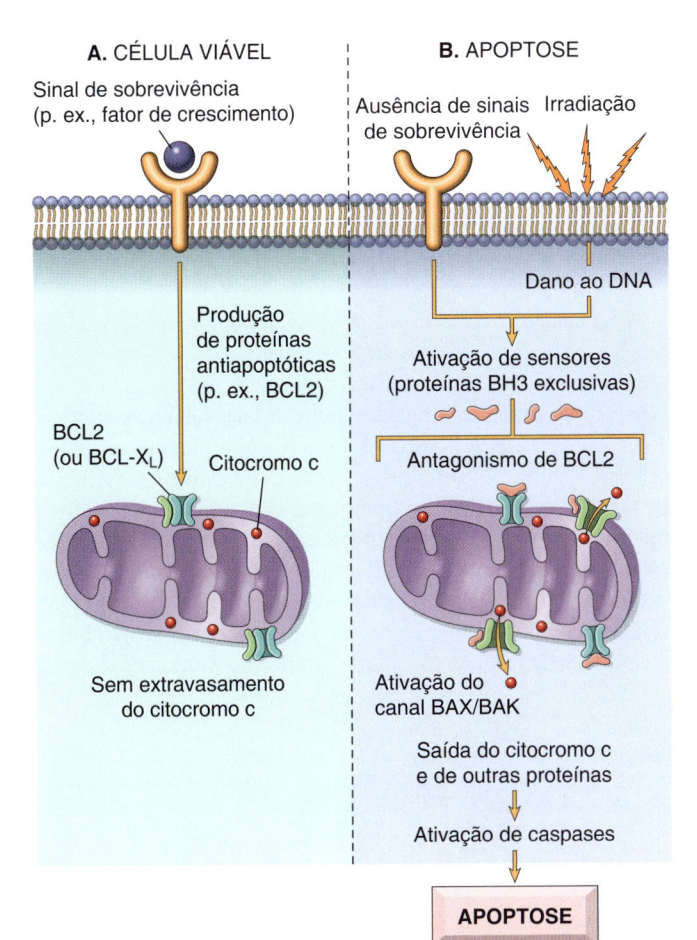

Figura 2.14 A via intrínseca (mitocondrial) da apoptose. **A.** A viabilidade da célula é mantida pela indução de proteínas antiapoptóticas, como BCL2, por sinais de sobrevivência. Essas proteínas mantêm a integridade das membranas da mitocôndria e impedem o extravasamento de proteínas mitocondriais. **B.** A perda de sinais de sobrevivência, o dano ao DNA e outras agressões ativam sensores que antagonizam as proteínas antiapoptóticas e ativam as proteínas pró-apoptóticas BAX e BAK, que formam canais na membrana mitocondrial. A saída subsequente do citocromo c (e de outras proteínas, *não mostradas*) leva à ativação das caspases e à apoptose.

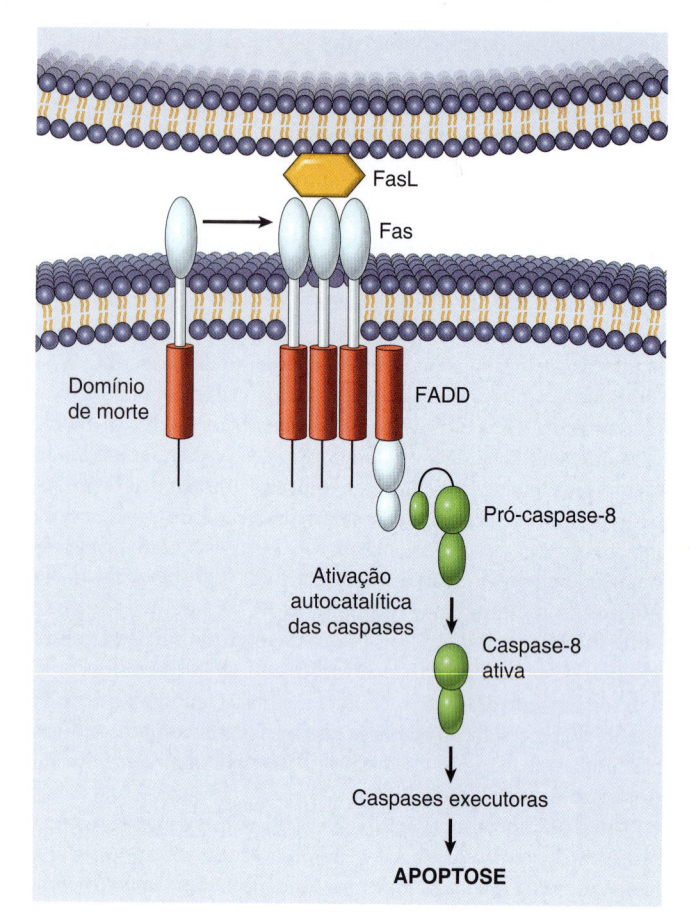

Figura 2.15 A via extrínseca (iniciada pelo receptor de morte) da apoptose, ilustrada pelos eventos após a ligação de Fas. *FADD*, domínio de morte associado ao Fas; *FasL*, Fas-ligante.

A fase de execução da apoptose

As vias intrínseca e extrínseca convergem para ativar uma cascata de caspases que medeia a fase final da apoptose. A via mitocondrial intrínseca ativa a caspase-9 iniciadora, enquanto a via extrínseca do receptor de morte ativa a caspase-8 e a caspase-10. As formas ativas dessas caspases desencadeiam a ativação rápida e sequencial das caspases executoras, como a caspase-3 e a caspase-6, que então atuam sobre diversos componentes celulares. Por exemplo, uma vez ativadas, essas caspases clivam um inibidor de uma DNAase, tornando-a enzimaticamente ativa e possibilitando o início da degradação do DNA. As caspases também causam proteólise dos componentes estruturais da matriz nuclear e, assim, promovem a fragmentação dos núcleos. Outras etapas da apoptose ainda não estão bem definidas. Por exemplo, não sabemos como são formadas as bolhas da membrana, nem os corpos apoptóticos.

Remoção das células mortas

A formação de corpos apoptóticos quebra as células em "diminutos" fragmentos, que são identificados e digeridos pelos fagócitos. As células apoptóticas e seus fragmentos também sofrem várias alterações nas suas membranas, que promovem ativamente a sua fagocitose, de modo que elas são mais frequentemente eliminadas antes de perder a integridade de sua membrana e liberar o seu conteúdo celular. Nas células saudáveis, a fosfatidilserina está presente no folheto interno da membrana plasmática; entretanto, nas células apoptóticas, esse fosfolipídio é **deslocado** para fora e é expresso na camada externa da membrana, sendo então reconhecido por vários receptores dos macrófagos. As células que estão morrendo por apoptose também secretam fatores solúveis que recrutam os fagócitos, e os próprios macrófagos podem produzir proteínas que se ligam às células apoptóticas (mas não às células vivas), levando à sua fagocitose. Os corpos apoptóticos também podem ser recobertos por anticorpos naturais e proteínas do sistema complemento, sobretudo C1q, que são reconhecidos pelos fagócitos. Por conseguinte, numerosos ligantes induzidos nas células apoptóticas atuam como sinais de "me coma" e são reconhecidos por receptores nos fagócitos, que se ligam a essas células e as ingerem. Esse processo de fagocitose das células apoptóticas é denominado *eferocitose*; é tão eficiente que as células mortas desapareçam, geralmente em minutos, sem deixar traços. Além disso, a produção de citocinas pró-inflamatórias está reduzida nos macrófagos que ingeriram células apoptóticas. Assim como a rápida depuração, isso limita as reações inflamatórias, até mesmo na presença de apoptose extensa.

Fas-ligante (FasL). O FasL é expresso nas células T que reconhecem autoantígenos (e que funciona para eliminar linfócitos autorreativos que também expressam o receptor Fas com o reconhecimento de autoantígenos) e em alguns CTL que eliminam células infectadas por vírus e células tumorais. Quando o FasL se liga ao Fas, três ou mais moléculas de Fas são reunidas, e seus domínios de morte citoplasmáticos formam um sítio de ligação para uma proteína adaptadora, denominada FADD (domínio de morte associado a FAS, *Fas-associated death domain*). Uma vez ligado a esse complexo, o FADD liga-se à caspase-8 (ou caspase-10) inativa, reunindo múltiplas moléculas de caspases e levando à clivagem autocatalítica e à geração de caspase-8 ativa. Por sua vez, a caspase-8 ativa inicia a mesma sequência de caspases executoras, como ocorre na via mitocondrial. Essa via de apoptose extrínseca pode ser inibida por uma proteína denominada FLIP, que se liga à pró-caspase-8, bloqueando, assim, a ligação do FADD e consequentemente impedindo-o de ativar a caspase. Alguns vírus e células normais produzem FLIP como mecanismo de proteção contra a apoptose mediada pelo Fas.

As vias intrínseca e extrínseca da apoptose são iniciadas de maneiras diferentes por moléculas distintas, porém pode haver interconexões entre elas. Por exemplo, nos hepatócitos e nas células β do pâncreas, a caspase-8 produzida pela sinalização do Fas cliva e ativa a proteína BH3 exclusiva BID, que então atua na via mitocondrial. A ativação combinada de ambas as vias desfere um golpe fatal nas células.

> ### Conceitos-chave
> #### Apoptose
> - Mecanismo regulado de morte celular, cujo propósito é eliminar células indesejáveis e danificadas de forma irreversível, com a menor reação possível do hospedeiro
> - Caracteriza-se pela degradação enzimática de proteínas e do DNA, iniciada por caspases, e pelo reconhecimento e remoção das células mortas por fagócitos
> - Iniciada por duas vias principais:
>   - A via mitocondrial (intrínseca) é desencadeada pela perda de sinais de sobrevivência, dano ao DNA e acúmulo de proteínas mal enoveladas (estresse do RE), levando ao extravasamento de proteínas pró-apoptóticas da membrana mitocondrial para o citoplasma e à ativação subsequente das caspases; pode ser

inibida por membros antiapoptóticos da família BCL2, que são induzidos por sinais de sobrevivência, incluindo fatores de crescimento
- A via do receptor de morte (extrínseca) elimina os linfócitos autorreativos e constitui um mecanismo de morte celular por linfócitos T citotóxicos; é iniciada pela ocupação dos receptores de morte (membros da família do receptor de TNF). Os ligantes responsáveis podem ser solúveis ou expressos na superfície de células adjacentes.

Outros mecanismos de morte celular

Embora a necrose e a apoptose sejam os mecanismos de morte celular mais bem definidos, foram descritas várias outras maneiras pelas quais as células morrem. Sua importância nas doenças humanas continua sendo objeto de investigação, porém os estudantes devem estar atentos para seus nomes e suas características singulares:

- *Necroptose*. Como o próprio nome indica, essa forma de morte celular consiste em um híbrido que compartilha aspectos da necrose e da apoptose. Do ponto de vista morfológico e, em certa medida, bioquimicamente, a necroptose assemelha-se à necrose, visto que ambas são caracterizadas pela perda de ATP, tumefação das células e das organelas, geração de espécies reativas de oxigênio (ROS), liberação de enzimas lisossômicas e, por fim, ruptura da membrana plasmática. Quanto ao mecanismo envolvido, ela é desencadeada por vias de transdução de sinais que culminam em morte celular, uma característica semelhante à apoptose. Devido a essas características sobrepostas, a necroptose é algumas vezes denominada *necrose programada* para distingui-la das formas de necrose induzida passivamente por lesão tóxica ou isquêmica da célula. Em nítido contraste com a apoptose, os sinais que levam à necroptose não resultam em ativação das caspases, portanto também é algumas vezes designada como morte celular programada "independentemente de caspase". O processo da necroptose começa de modo semelhante ao da forma extrínseca da apoptose, isto é, pela ligação de um receptor a seu ligante. A ligação do TNFR1 constitui o modelo mais estudado de necroptose, porém muitos outros sinais, como ligação de Fas e sensores ainda não identificados de DNA e RNA virais, também podem desencadear a necroptose. Como o TNF pode causar tanto apoptose quanto necroptose, os mecanismos subjacentes a esses efeitos do TNF são, sobretudo, ilustrativos (**Figura 2.16**).

Embora todo o conjunto de moléculas de sinalização e suas interações não seja conhecido, a necroptose envolve duas quinases, denominadas *proteinoquinase de interação com o receptor 1 e 3* (*RIPK1* e *RIPK3*). Conforme indicado na **Figura 2.16**, a ligação do TNFR1 recruta essas quinases em um complexo multiproteico, e RIPK3 fosforila uma proteína citoplasmática, denominada MLKL. Em resposta à sua fosforilação, os monômeros de MLKL reúnem-se em oligômeros, sofrem translocação do citosol para a membrana plasmática e provocam ruptura da membrana plasmática, que é característica da necrose. Isso explica a semelhança morfológica da necroptose com a necrose iniciada por outras lesões.

Foi postulado que a necroptose é uma importante via de morte celular em condições tanto fisiológicas quanto patológicas. Por exemplo, ocorre necroptose fisiológica durante a formação da placa de crescimento do osso de mamíferos.

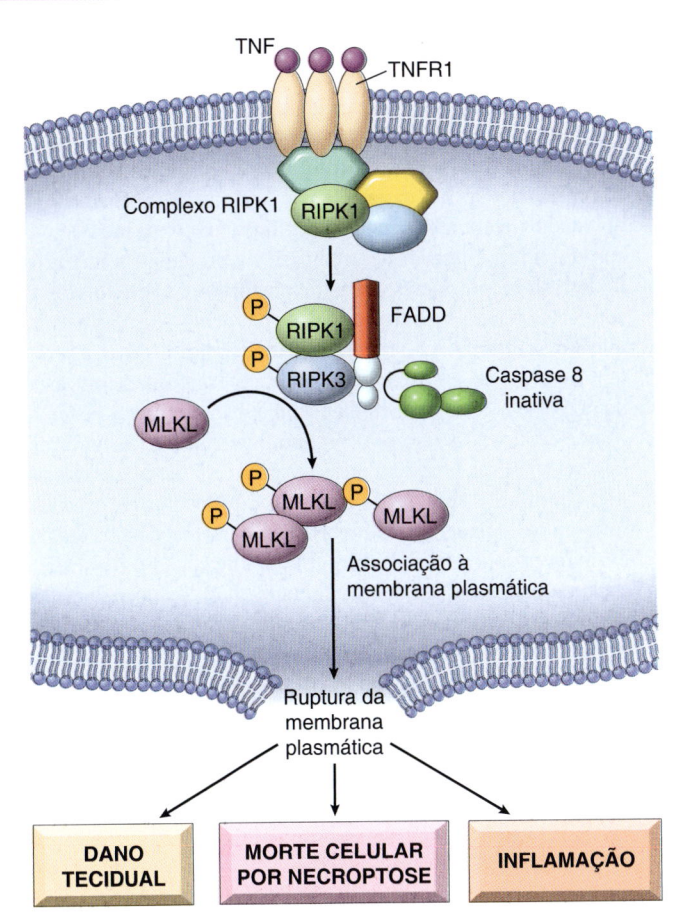

Figura 2.16 Mecanismo molecular da necroptose mediada pelo TNF. A ligação cruzada do TNFRI pelo NTF inicia a série ilustrada de eventos a jusante, que levam, por fim, à ruptura da membrana plasmática, morte celular e inflamação. Ver texto para mais detalhes. (Modificada de Galluzi L, et al: Programmed necrosis from molecules to health and disease, *Int Rev Cell Molec Biol* 289:1, 2011.)

Em estados patológicos, a necroptose está associada à morte celular na esteato-hepatite, pancreatite aguda, lesão por isquemia-reperfusão e doenças neurodegenerativas, como a doença de Parkinson. A necroptose também atua como mecanismo alternativo que pode ser disparado na defesa do hospedeiro contra determinados vírus que codificam inibidores das caspases (p. ex., citomegalovírus)

- A *piroptose* é uma forma de apoptose, que é acompanhada da liberação da citocina indutora de febre, a IL-1 (*piro* refere-se a febre). Os produtos microbianos que entram nas células infectadas são reconhecidos por receptores citoplasmáticos da resposta inata e podem ativar o complexo multiproteico, denominado *inflamassomo* (ver **Capítulo 6**). A função do inflamassomo consiste em ativar a caspase-1 (também conhecida como enzima conversora de interleucina-1β), que cliva uma forma precursora da interleucina-1 (IL-1) e libera sua forma biologicamente ativa. A IL-1 é um mediador de muitos eventos da inflamação, como o recrutamento de leucócitos e a febre (ver **Capítulo 3**). A caspase-1 e outras caspases diretamente relacionadas a ela, como as caspases-4 e 5, também induzem a morte das células. Diferentemente da apoptose clássica, essa via de morte celular caracteriza-se pela liberação de mediadores inflamatórios. Acredita-se que a piropoptose seja o mecanismo pelo qual alguns microrganismos provocam a morte de algumas células infectadas e, ao mesmo tempo, desencadeiam a inflamação local

- *Ferropoptose.* A ferropoptose, que só foi descoberta em 2012, é uma forma distinta de morte celular, que é desencadeada quando níveis intracelulares excessivos de ferro ou de espécies reativas de oxigênio sobrecarregam as defesas antioxidantes dependentes de glutationa (discutidas adiante), causando peroxidação descontrolada dos lipídios da membrana. A peroxidação generalizada dos lipídios interfere em muitos aspectos da função da membrana, como fluidez, interações entre lipídios e proteínas, transporte de ferro e de nutrientes e vias de sinalização. O efeito global consiste em perda da permeabilidade da membrana plasmática, que leva, por fim, à morte celular semelhante à necrose. Entretanto, o processo é regulado por sinais específicos (ao contrário da necrose) e pode ser evitado pela redução dos níveis de ferro (o que explica o seu nome). Do ponto de vista ultraestrutural, as características proeminentes consistem em perda das cristas mitocondriais e ruptura da membrana mitocondrial externa. Embora o seu papel no desenvolvimento normal e na fisiologia permaneça controverso, a ferroptose foi ligada à morte celular em uma variedade de doenças humanas, como câncer, doenças neurodegenerativas e acidente vascular encefálico.

Conceitos-chave

Necroptose e piroptose

- A necroptose assemelha-se morfologicamente à necrose; entretanto, à semelhança da apoptose, trata-se de uma forma de morte celular geneticamente controlada
- A necroptose é desencadeada pela ligação do TNFR1 e por proteínas encontradas em vírus de RNA e de DNA
- A necroptose é independente das caspases, porém depende do complexo RIPK1 e RIPK3. A sinalização de RIPK1–RIPK3 leva à fosforilação de MLKL, que em seguida forma poros na membrana plasmática
- A liberação do conteúdo celular provoca reação inflamatória, como na necrose
- A piroptose ocorre em células infectadas por microrganismos. Envolve a ativação da caspase-1, que cliva a forma precursora da IL-1 para gerar IL-1 biologicamente ativa. A caspase-1, em conjunto com outras caspases a ela relacionadas, também provoca morte da célula infectada
- A ferroptose é uma via de morte celular dependente de ferro, que é induzida pela peroxidação dos lipídios.

Autofagia

A autofagia é um processo pelo qual a célula digere o seu próprio conteúdo (do grego: *auto*, próprio; *fagia*, comer). Envolve o direcionamento de materiais citoplasmáticos ao lisossomo para degradação. A autofagia é um mecanismo de sobrevivência evolutivamente conservado por meio do qual, em estados de privação nutricional, as células com necessidade de se nutrir sobrevivem, canibalizando a si próprias e reciclando o conteúdo digerido. A autofagia está implicada em muitos estados fisiológicos (p. ex., envelhecimento e exercício) e processos patológicos. Ela ocorre por meio de várias etapas (**Figura 2.17**):

- Nucleação e formação de uma membrana de isolamento, também denominada *fagóforo*; acredita-se que a membrana de isolamento seja derivada do RE, embora possa haver a contribuição de outras fontes, como a membrana plasmática e as mitocôndrias
- Formação de uma vesícula, denominada *autofagossomo*, a partir da membrana de isolamento, no interior da qual são sequestradas as organelas intracelulares e estruturas citosólicas
- Maturação do autofagossomo por meio de sua fusão com lisossomo, fornecendo as enzimas digestivas que degradam o conteúdo do autofagossomo.

Nesses últimos anos, foi identificada mais de uma dúzia de "genes relacionados com a autofagia", denominados *Atgs*, cujos produtos são necessários para a criação do autofagossomo. Sinais ambientais, como privação de nutrientes ou depleção de fatores de crescimento, ativam um complexo de iniciação de quatro proteínas, que promove o recrutamento hierárquico dos *Atgs* para formar o complexo de nucleação da membrana de iniciação. A membrana de iniciação alonga-se, circunda e captura a sua carga citosólica e fecha-se para formar o autofagossomo. O alongamento e o fechamento da membrana de iniciação exigem a ação coordenada de dois sistemas de conjugação semelhantes à ubiquitina, que resultam na ligação covalente da fosfatidiletanolamina (PE), um lipídio, à cadeia leve 3 (LC3) da proteína associada aos microtúbulos. A LC3 lipidada pela PE aumenta durante a autofagia e, portanto, constitui um marcador útil para a identificação das células nas quais está ocorrendo autofagia. O autofagossomo recém-formado funde-se com lisossomos para formar um autofagolisossomo. Na etapa final, a membrana interna e a carga citosólica englobada são

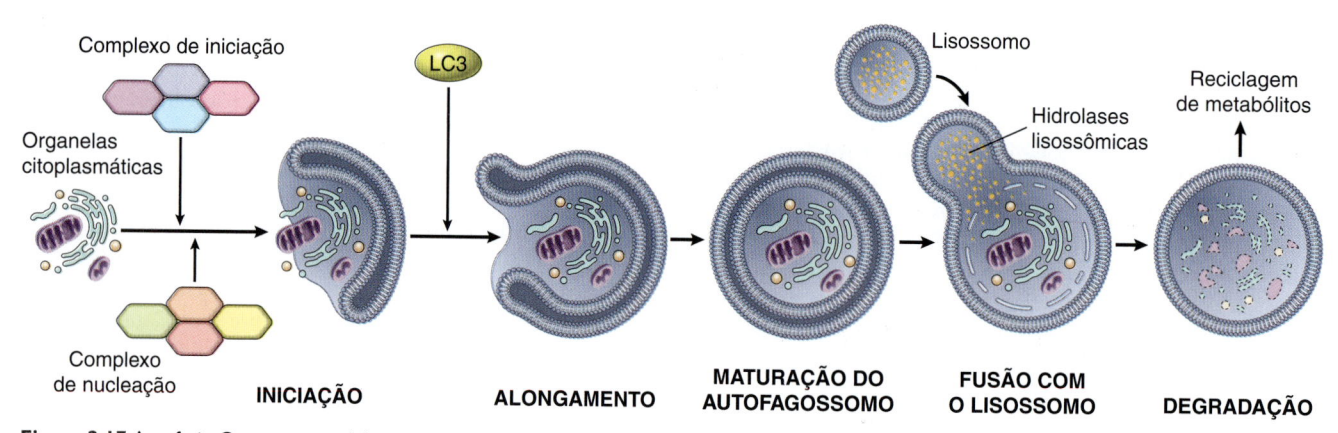

Figura 2.17 Autofagia. Os estresses celulares, como a privação de nutrientes, ativam uma via de autofagia, que prossegue por meio de várias fases (iniciação, nucleação e alongamento da membrana de isolamento) e, por fim, cria vacúolos envolvidos por uma dupla membrana (autofagossomos) no interior dos quais são sequestrados os materiais citoplasmáticos, como as organelas, que são então degradados após a fusão das vesículas com lisossomos. No estágio final, os materiais digeridos são liberados para reciclagem dos metabólitos. Ver texto para mais detalhes. LC3, cadeia leve 3. (Modificada de Choi, AMK, Ryter S, Levine B: Autophagy in human health and disease, *N Engl J Med* 368:651, 2013.)

degradadas por enzimas lisossômicas. Há evidências cada vez mais numerosas de que a autofagia não é um processo aleatório que engloba de maneira indiscriminada o conteúdo citosólico. Na verdade, o carregamento do conteúdo para dentro do autofagossomo é seletivo, e uma das funções da LC3 lipidada consiste em marcar os agregados de proteína e as organelas esgotadas.

A autofagia atua como mecanismo de sobrevivência em várias condições de estresse, mantendo a integridade das células por meio de reciclagem de metabólitos essenciais e remoção de restos intracelulares. Por conseguinte, é proeminente em células atróficas expostas à privação grave de nutrientes. A autofagia também está envolvida na renovação de organelas como o RE, as mitocôndrias e os lisossomos e na remoção de agregados intracelulares que se acumulam durante o envelhecimento, o estresse e vários estados patológicos. A autofagia pode desencadear a morte celular se ela não conseguir lidar com o estressor. Essa via de morte celular é distinta da necrose e da apoptose, porém o mecanismo envolvido é desconhecido. Além disso, não foi esclarecido se a morte celular é causada pela autofagia ou pelo estresse que a desencadeou. Todavia, a vacuolização autofágica costuma preceder ou acompanhar a morte celular.

Há evidências crescentes de que a autofagia desempenha um papel em doenças humanas, como as seguintes:

- *Câncer:* a autofagia pode promover o crescimento do câncer e também atuar como defesa contra cânceres. Trata-se de uma área de investigação ativa, conforme discutido no **Capítulo 7**
- *Doenças neurodegenerativas:* muitas doenças neurodegenerativas estão associadas à desregulação da autofagia. A doença de Alzheimer caracteriza-se pelo comprometimento da maturação dos autofagossomos, e, em modelos murinos da doença, os defeitos genéticos na autofagia aceleram a neurodegeneração. Na doença de Huntington, a huntingtina mutante prejudica a autofagia
- *Doenças infecciosas:* muitos patógenos são degradados por autofagia; incluem micobactérias, *Shigella* spp. e HSV-1. Essa é uma maneira pela qual as proteínas microbianas são digeridas e fornecidas às vias de apresentação de antígenos. A deleção de Atg5 específica de macrófagos aumenta a suscetibilidade à tuberculose
- *Doenças inflamatórias intestinais:* os estudos de associação genômica ampla relacionaram tanto a doença de Crohn quanto a colite ulcerativa com polimorfismos de nucleotídio único (SNP) no gene relacionado com autofagia *ATG16 L1*. Não se sabe como esses polimorfismos promovem a inflamação intestinal.

> **Conceitos-chave**
>
> **Autofagia**
>
> - A autofagia envolve o sequestro de organelas celulares em vacúolos autofágicos citoplasmáticos (autofagossomos), que se fundem com os lisossomos e digerem o material englobado
> - A autofagia é uma resposta adaptativa, que é intensificada durante a privação de nutrientes, permitindo que a célula se canibalize para sobreviver
> - A formação do autofagossomo é regulada por mais de uma dúzia de proteínas que atuam de maneira coordenada e sequencial
> - Ocorre desregulação da autofagia em muitos estados patológicos, como câncer, doenças inflamatórias intestinais e distúrbios neurodegenerativos. A autofagia desempenha um papel na defesa do hospedeiro contra certos microrganismos.

Mecanismos de lesão celular

A discussão das vias de lesão e morte celulares abre caminho para considerar os mecanismos bioquímicos subjacentes da lesão celular. As alterações moleculares que levam à lesão celular são complexas, porém vários princípios são relevantes na maioria das formas de lesão celular:

- **A resposta celular a estímulos nocivos depende da natureza da lesão, de sua duração e de sua gravidade.** Pequenas doses de uma toxina ou um breve período de isquemia podem induzir lesão reversível, enquanto altas doses da mesma toxina e a ocorrência de isquemia mais prolongada podem resultar em rápida morte celular ou em lesão lentamente progressiva que, com o tempo, torne-se irreversível e leve à morte celular
- **As consequências da lesão celular dependem do tipo, do estado e da adaptabilidade da célula lesionada.** O estado nutricional e hormonal, as demandas metabólicas e as funções da célula determinam a sua resposta à lesão. Por exemplo, qual é o grau de vulnerabilidade de uma célula à perda de suprimento sanguíneo e hipoxia? Quando uma célula do músculo esquelético na perna fica privada de seu suprimento sanguíneo, ela pode entrar em repouso e ser preservada; as células do músculo cardíaco não têm essa opção. A exposição de dois indivíduos a concentrações idênticas de uma toxina, como tetracloreto de carbono, pode não produzir nenhum efeito em um deles e pode causar morte celular no outro. Isso pode acontecer devido a polimorfismos nos genes que codificam as enzimas hepáticas que metabolizam o tetracloreto de carbono (CCl_4) a subprodutos tóxicos (ver **Capítulo 9**). Com o mapeamento completo do genoma humano, existe um grande interesse na identificação dos polimorfismos genéticos que afetam as respostas de diferentes indivíduos a vários agentes nocivos
- **Qualquer estímulo nocivo pode desencadear simultaneamente múltiplos mecanismos interconectados que provocam dano às células.** Essa é uma razão pela qual pode ser difícil atribuir a lesão celular em determinada situação a uma única alteração bioquímica ou até mesmo a uma alteração dominante.

Iniciaremos essa seção com uma discussão dos mecanismos gerais que estão envolvidos na lesão reversível e necrose causadas por diversos estímulos e concluiremos com uma discussão sobre as vias de lesão em situações clínicas específicas que ilustram princípios gerais.

Mecanismos gerais de lesão celular e alvos intracelulares de estímulos nocivos

A lesão celular resulta de anormalidades em um ou mais componentes celulares essenciais (**Figura 2.18**). Os principais alvos de estímulos nocivos são as mitocôndrias, as membranas celulares, a maquinaria de síntese e secreção de proteínas e o DNA. As consequências da lesão de cada um desses componentes celulares são distintas, porém se sobrepõem.

Dano mitocondrial

As mitocôndrias são componentes de importância crítica em todas as vias que levam à lesão e morte celular. Isso deve ser esperado, visto que as mitocôndrias fornecem a energia que sustenta

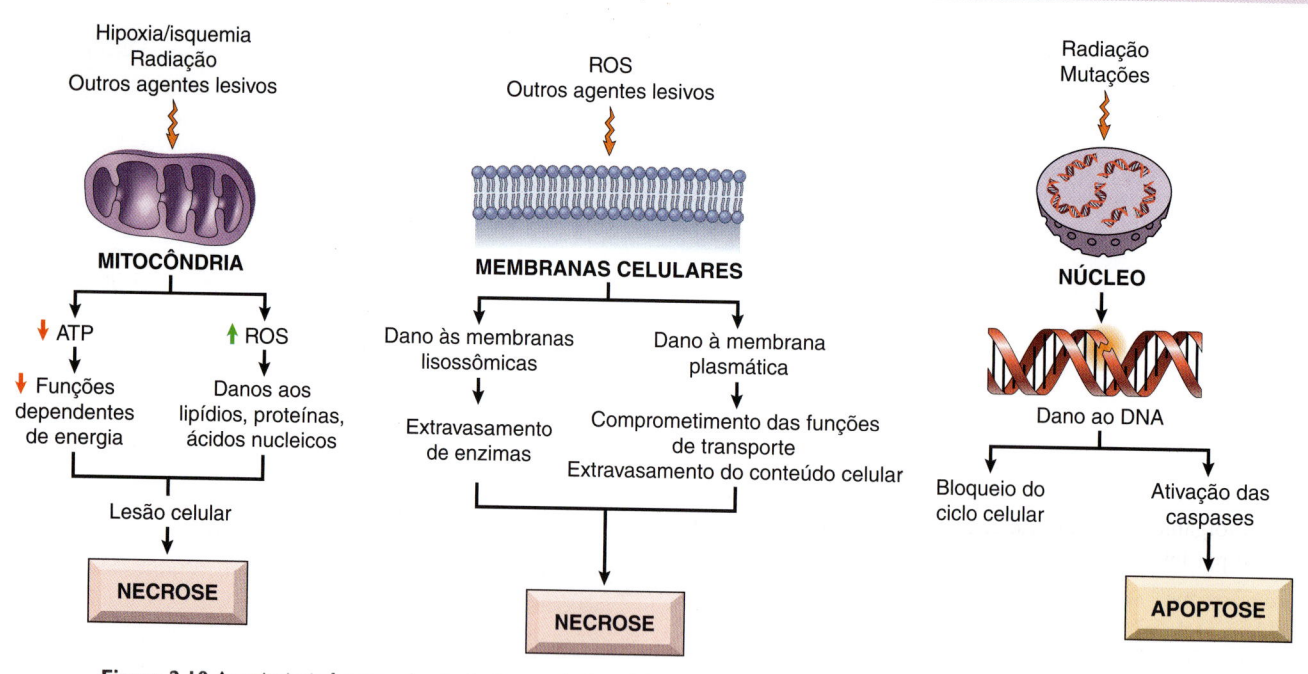

Figura 2.18 As principais formas e locais de dano na lesão celular. *ATP*, trifosfato de adenosina; *ROS*, espécies reativas de oxigênio.

a vida por meio da produção de ATP; todavia, elas também constituem alvos de muitos estímulos nocivos. Por conseguinte, em muitos aspectos, elas são os árbitros da vida e da morte das células. As mitocôndrias podem ser danificadas por aumentos do Ca^{2+} citosólico, ROS (ver adiante) e privação de oxigênio, tornando-as sensíveis a praticamente todos os tipos de estímulos nocivos, como hipoxia e toxinas. Além disso, as mutações nos genes mitocondriais constituem a causa de algumas doenças hereditárias (ver **Capítulo 5**).

Existem três consequências principais do dano às mitocôndrias:

- *Depleção de ATP.* A diminuição da síntese e a depleção do ATP estão, com frequência, associadas à lesão tanto hipóxica quanto química (tóxica) (**Figura 2.19**). O ATP é produzido de duas maneiras. A principal via observada nas células de mamíferos, sobretudo as que não se dividem (p. ex., encéfalo e fígado), é a fosforilação oxidativa do difosfato de adenosina, em uma reação que resulta em redução de oxigênio pelo sistema de transporte de elétrons das mitocôndrias. A segunda é a via glicolítica, que pode gerar ATP, embora em quantidades muito menores, na ausência de oxigênio, utilizando a glicose proveniente dos fluidos corporais ou da hidrólise do glicogênio. Além do dano às mitocôndrias, *as principais causas de depleção do ATP consistem em redução do suprimento de oxigênio e nutrientes (em consequência de isquemia e hipoxia) e ações de algumas toxinas (p. ex., cianeto).* O dano mitocondrial costuma resultar na formação de um canal de alta condutância na membrana mitocondrial, denominado *poro de transição de permeabilidade mitocondrial* (ver **Figura 2.19**). A abertura desse canal de condutância leva à perda do potencial de membrana mitocondrial, resultando em falha da fosforilação oxidativa e em depleção progressiva do ATP, que culmina em necrose.

O fosfato de alta energia na forma de ATP é necessário para praticamente todos os processos de síntese e de degradação dentro da célula. Incluem o transporte nas membranas, a síntese de proteínas, a lipogênese e as reações de desacilação-reacilação

necessárias para a renovação dos fosfolipídios. *Por conseguinte, a depleção de ATP para 5 a 10% dos níveis normais apresenta efeitos generalizados sobre muitos sistemas celulares de importância crítica:*

- Há redução da atividade da *bomba de sódio dependente de energia da membrana plasmática* (Na^+, K^+-ATPase) (ver **Capítulo 1**). A falha desse sistema de transporte ativo leva à entrada de sódio e o seu acúmulo dentro das células, com

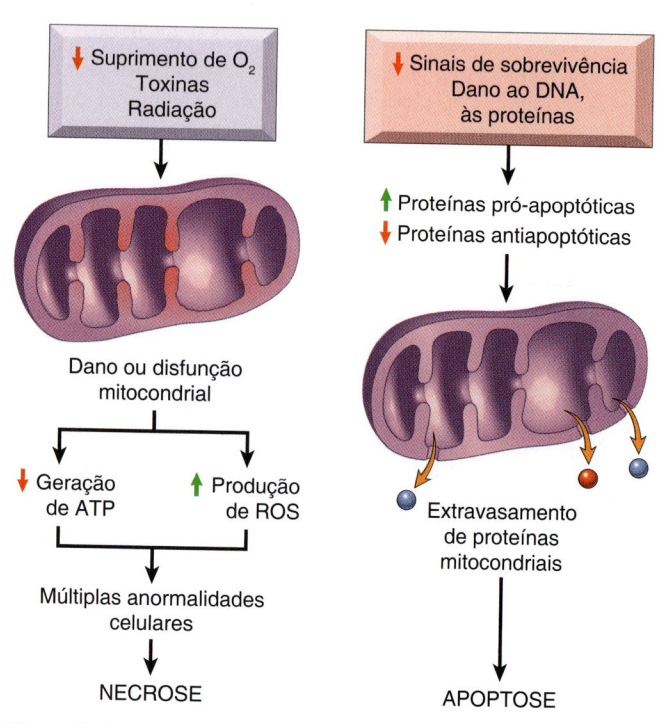

Figura 2.19 Papel das mitocôndrias na lesão e morte celulares. As mitocôndrias são afetadas por uma variedade de estímulos lesivos, e suas anormalidades levam à necrose ou à apoptose. *ATP*, trifosfato de adenosina; *ROS*, espécies reativas de oxigênio.

queda nas concentrações de potássio. O ganho final de solutos resulta em acúmulo de água osmoticamente conduzida, levando a *tumefação celular* e dilatação do RE
- *Ocorre alteração do metabolismo energético da célula.* Se o suprimento de oxigênio para as células for reduzido, como na isquemia, a fosforilação oxidativa cessa, resultando em diminuição do ATP celular e aumento associado do monofosfato de adenosina. Essas alterações estimulam as atividades da fosforilase e da fosfofrutoquinase, levando a um aumento nas taxas de glicogenólise e glicólise, respectivamente, com o propósito de manter os suprimentos de energia por meio da geração de ATP por meio do metabolismo da glicose derivada do glicogênio. Em consequência, *ocorre rápida depleção das reservas de glicogênio*. A glicólise em condições anaeróbicas resulta em acúmulo de *ácido láctico* e de fosfatos inorgânicos da hidrólise de ésteres de fosfato. Isso diminui o pH intracelular, resultando em diminuição da atividade de muitas enzimas citosólicas
- Com o prolongamento ou o aumento da depleção de ATP, ocorre ruptura estrutural da maquinaria de síntese de proteínas, que se manifesta como separação dos ribossomos do RE rugoso e dissociação dos polissomos, com consequente *redução da síntese de proteínas*. Além disso, pode haver aumento do enovelamento inadequado das proteínas, com efeitos lesivos que serão discutidos adiante
- Por fim, ocorre dano irreversível às membranas mitocondriais e lisossômicas, e a célula sofre *necrose*
- A fosforilação oxidativa incompleta também leva à formação de ROS, que podem ter muitos efeitos deletérios, descritos adiante
- Conforme discutido anteriormente, o extravasamento das proteínas mitocondriais em consequência da formação de canais pelas proteínas pró-apoptóticas BAX e BAK constitui a etapa inicial da apoptose pela via intrínseca. Essa ação de BAX e BAK é específica para as membranas mitocondriais apenas e leva à lesão de outras organelas indiretamente.

Dano às membranas

A perda precoce da permeabilidade seletiva da membrana, que leva ao um dano evidente, constitui uma característica consistente da maioria das formas de lesão celular (com exceção da apoptose). O dano à membrana pode afetar a integridade e as funções de todas as membranas celulares. Nas células isquêmicas, os defeitos da membrana podem resultar da depleção de ATP e da ativação de fosfolipases mediada pelo cálcio. A membrana plasmática também pode ser danificada diretamente por toxinas bacterianas, proteínas virais, componentes líticos do complemento e diversos agentes físicos e químicos. Vários mecanismos bioquímicos podem contribuir para o dano à membrana (**Figura 2.20**):

- *ROS*. Os radicais livres de oxigênio causam lesão das membranas celulares por meio de peroxidação lipídica, discutida adiante
- *Diminuição da síntese de fosfolipídios*. A produção de fosfolipídios nas células pode estar reduzida em consequência de função mitocondrial defeituosa ou hipoxia, ambas as quais diminuem a produção de ATP e, assim, afetam as vias de biossíntese dependentes de energia. A redução da síntese de fosfolipídios pode afetar todas as membranas celulares, incluindo as das mitocôndrias

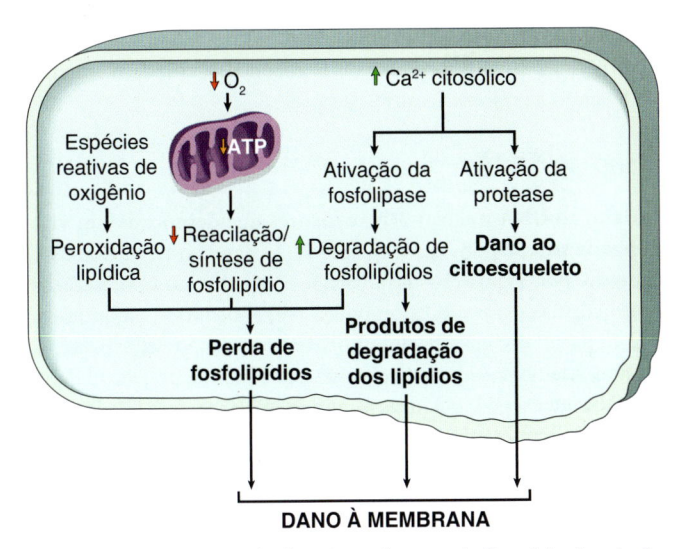

Figura 2.20 Mecanismos de dano à membrana na lesão celular. A redução do O_2 e o aumento do Ca^{2+} citosólico costumam ser observados na isquemia, mas podem acompanhar outras formas de lesão celular. As espécies reativas de oxigênio, que com frequência são produzidas na reperfusão de tecidos isquêmicos, também provocam dano à membrana (*não mostrado*).

- *Aumento da degradação dos fosfolipídios*. A lesão celular grave está associada a um aumento da degradação dos fosfolipídios da membrana, provavelmente devido à ativação das fosfolipases dependentes de cálcio pelos níveis elevados de Ca^{2+} citosólico e mitocondrial. A degradação dos fosfolipídios leva ao acúmulo de *produtos de degradação dos lipídios*, como ácidos graxos livres não esterificados, acil carnitina e lisofosfolipídios, que exercem um efeito detergente sobre as membranas. Além disso, podem se inserir na bicamada lipídica da membrana ou substituir os fosfolipídios da membrana, podendo causar mudanças na permeabilidade e alterações eletrofisiológicas
- *Anormalidades do citoesqueleto*. Os filamentos do citoesqueleto atuam como âncoras que conectam a membrana plasmática ao interior da célula, e as proteases ativadas pelo Ca^{2+} citosólico podem danificar essas conexões. Quando exacerbado por tumefação celular, sobretudo nas células miocárdicas, esse dano leva à separação da membrana celular do citoesqueleto, tornando-a suscetível ao estiramento e à ruptura.

O dano às diferentes membranas celulares apresenta diversos efeitos sobre as células:

- *Dano à membrana mitocondrial*. Conforme já discutido, o dano às membranas mitocondriais resulta em abertura dos poros de transição de permeabilidade mitocondriais, levando à redução da produção de ATP e à liberação de proteínas, que desencadeiam a morte por apoptose
- *Dano à membrana plasmática*. O dano à membrana plasmática resulta na perda do equilíbrio osmótico e no influxo de líquidos e íons, bem como na perda do conteúdo celular. As células também podem perder metabólitos (p. ex., intermediários glicolíticos), que são vitais para a reconstituição do ATP, resultando em maior depleção das reservas de energia
- A *lesão das membranas lisossômicas* resulta em extravasamento de suas enzimas no citoplasma e ativação das hidrolases ácidas no pH intracelular ácido observado na célula lesionada. Essas hidrolases lisossômicas incluem RNases, DNases, proteases,

fosfatases e glicosidases, que degradam o RNA, o DNA, as proteínas, as fosfoproteínas e o glicogênio, respectivamente, levando as células a sofrer necrose.

Dano ao DNA

O dano ao DNA nuclear ativa sensores que desencadeiam vias dependentes de p53 (ver **Capítulo 7**). O dano ao DNA pode ser causado por exposição à radiação, a agentes quimioterápicos (antineoplásicos) e a ROS, ou pode ocorrer de modo espontâneo, como parte do envelhecimento, devido, em grande parte, à desaminação de resíduos de citosina a resíduos de uracila. O dano ao DNA ativa a p53, que interrompe as células na fase G1 do ciclo celular e ativa mecanismos de reparo do DNA. Se esses mecanismos não conseguirem corrigir o dano ao DNA, a p53 desencadeia a apoptose pela via mitocondrial. Por conseguinte, a célula escolhe morrer em vez de sobreviver com um DNA anormal que tem o potencial de induzir transformação maligna. De modo previsível, as mutações em p53 que interferem na sua capacidade de interromper o ciclo celular ou de induzir apoptose estão associadas a numerosos tipos de câncer (ver **Capítulo 7**).

Além do dano a várias organelas, algumas alterações bioquímicas estão envolvidas em muitas situações que levam à lesão celular. Duas dessas vias gerais são discutidas a seguir.

Estresse oxidativo: acúmulo de radicais livres derivados do oxigênio

A lesão celular induzida por radicais livres, sobretudo por ROS, constitui um importante mecanismo de dano celular em muitas condições patológicas, como lesão química e por radiação, lesão por isquemia-reperfusão (induzida pela restauração do fluxo sanguíneo no tecido isquêmico), envelhecimento celular e morte de microrganismos por fagócitos. Os *radicais livres* são espécies químicas que apresentam um único elétron não emparelhado em um orbital externo. Os elétrons não emparelhados são altamente reativos e "atacam" e modificam moléculas adjacentes, como substâncias químicas inorgânicas ou orgânicas – proteínas, lipídios, carboidratos, ácidos nucleicos –, muitas das quais constituem componentes essenciais das membranas e núcleos das células. Algumas dessas reações são autocatalíticas, em que as moléculas que reagem com radicais livres são elas próprias convertidas em radicais livres, propagando, assim, a cadeia de danos.

As ROS constituem um tipo de radical livre derivado do oxigênio, cujo papel na lesão celular está bem estabelecido. Normalmente as ROS são produzidas nas células durante a respiração mitocondrial e a geração de energia, porém são degradadas e removidas pelos sistemas de depuração intracelular de ROS. Esses sistemas de defesa permitem que as células possam manter um estado de equilíbrio dinâmico, no qual os radicais livres podem estar presentes em baixas concentrações, porém sem causar dano. O aumento da produção ou a diminuição da eliminação das ROS podem levar a um excesso de radicais livres, uma condição denominada *estresse oxidativo*, que tem sido implicado em uma ampla variedade de processos patológicos, como lesão celular, câncer, envelhecimento e algumas doenças degenerativas, como a doença de Alzheimer. As ROS também são produzidas em grandes quantidades por leucócitos ativados, sobretudo neutrófilos e macrófagos, durante as reações inflamatórias destinadas a destruir os microrganismos e remover as células mortas e outras substâncias indesejáveis (ver **Capítulo 3**).

A seção seguinte discute a geração e a remoção das ROS e como elas contribuem para a lesão celular. As propriedades de alguns dos radicais livres mais importantes estão resumidas na **Tabela 2.2**.

Geração de radicais livres

Os radicais livres podem ser gerados dentro das células de várias maneiras (**Figura 2.21**):

- *Reações de redução-oxidação que ocorrem durante os processos metabólicos normais.* Como parte da respiração normal, o O_2 molecular é reduzido pela transferência de quatro elétrons ao H_2, gerando duas moléculas de água. Essa conversão é catalisada por enzimas oxidativas no RE, no citosol, nas mitocôndrias, nos peroxissomos e nos lisossomos. Durante esse processo, são produzidas pequenas quantidades de intermediários parcialmente reduzidos, nos quais diferentes números de elétrons foram transferidos do O_2; incluem o ânion superóxido (O_2^-, um elétron), o peróxido de hidrogênio (H_2O_2, dois elétrons) e radicais hidroxila ($^\cdot OH$, três elétrons)

Tabela 2.2 Propriedades dos principais radicais livres envolvidos na lesão celular.

Propriedades	O_2^-	H_2O_2	$^\cdot OH$	$ONOO^-$
Mecanismos de produção	Redução incompleta do O_2 durante a fosforilação oxidativa; pela fagócito oxidase nos leucócitos	Gerado pela SOD a partir do O_2^- e por oxidases nos peroxissomos	Gerado a partir da H_2O por hidrólise (p. ex., por radiação); a partir do H_2O_2 pela reação de Fenton; a partir do O_2^-	Produzido pela interação do O_2^- e NO gerado pela NO sintase em muitos tipos de células (células endoteliais, leucócitos, neurônios, outras células)
Mecanismos de inativação	Conversão em H_2O_2 e O_2 pela SOD	Conversão em H_2O e O_2 pela catalase (peroxissomos), glutationa peroxidase (citosol, mitocôndrias)	Conversão em H_2O pela glutationa peroxidase	Conversão em HNO_2 por peroxirredoxinas (citosol, mitocôndrias)
Efeitos patológicos	Estimula a produção de enzimas de degradação nos leucócitos e em outras células; pode danificar diretamente os lipídios, as proteínas e o DNA; atua próximo ao local de produção	Pode ser convertida em OH e OCl^-, que destroem os micróbios e as células; pode atuar a distância do local de produção	Radical livre derivado do oxigênio mais reativo; principal ROS responsável pelo dano aos lipídios, proteínas e DNA	Danifica lipídios, proteínas e DNA

HNO_2, nitrito; H_2O_2, peróxido de hidrogênio; *NO*, óxido nítrico; O_2^-, ânion superóxido; OCl^-, hipoclorito; *OH*, radical hidroxila; $ONOO^-$, peroxinitrito; *ROS*, espécies reativas de oxigênio; *SOD*, superóxido dismutase.

- *Absorção de energia radiante* (p. ex., luz ultravioleta, raios X). Por exemplo, radiação ionizante pode hidrolisar a água em radicais livres ˙OH e hidrogênio (H)
- São produzidos surtos rápidos de ROS nos leucócitos ativados durante a *inflamação*. Isso ocorre em uma reação precisamente controlada, realizada por um complexo multiproteico da membrana plasmática, que utiliza a NADPH oxidase para a reação redox (ver **Capítulo 3**). Além disso, algumas oxidases intracelulares (p. ex., xantina oxidase) geram O_2^-. Os defeitos na produção de superóxido dos leucócitos levam à doença granulomatosa crônica (ver **Capítulo 6**)
- *O metabolismo enzimático de substâncias químicas exógenas ou de fármacos* pode gerar radicais livres que não são ROS, mas que apresentam efeitos semelhantes (p. ex., o CCl_4 pode gerar ˙CCl_3, descrito adiante neste capítulo)
- Os *metais de transição*, como o ferro e o cobre, doam ou aceitam elétrons livres durante as reações intracelulares e catalisam a formação de radicais livres, como na reação de Fenton (H_2O_2 + Fe^{2+} → Fe^{3+} + ˙OH + OH^-). Como a maior parte do ferro livre intracelular encontra-se no estado férrico (Fe^{3+}), ele precisa ser reduzido à forma ferrosa (Fe^{2+}) para participar da reação de Fenton. Essa redução pode ser intensificada pelo O_2^-, e, assim, fontes de ferro e de O_2^- podem cooperar no dano celular oxidativo
- O *óxido nítrico (NO)*, um importante mediador químico gerado pelas células endoteliais, macrófagos, neurônios e outros tipos de células (ver **Capítulo 3**), pode atuar como radical livre e também pode ser convertido em ânion peroxinitrito altamente reativo ($ONOO^-$), bem como em NO_2 e NO_3^-.

Remoção dos radicais livres

Os radicais livres são inerentemente instáveis e, em geral, decompõem-se de modo espontâneo. Por exemplo, o O_2^- é instável e decompõe-se (sofre dismutação) espontaneamente em O_2 e H_2O_2 na presença de água. Além disso, as células desenvolveram múltiplos mecanismos enzimáticos e não enzimáticos para remover os radicais livres e, dessa maneira, minimizar a lesão (ver **Figura 2.21**). Esses mecanismos incluem os seguintes:

- Os *antioxidantes* bloqueiam a formação de radicais livres ou os inativam (p. ex., depuração). Os exemplos incluem as vitaminas lipossolúveis E e A, bem como o ácido ascórbico e a glutationa no citosol
- Conforme já assinalado, o *ferro* livre e o *cobre* podem catalisar a formação de ROS. Em circunstâncias normais, a reatividade desses metais é minimizada pela sua ligação a proteínas de armazenamento e de transporte (p. ex., transferrina, ferritina, lactoferrina e ceruloplasmina), o que impede a participação desses metais em reações que geram ROS
- Várias *enzimas* atuam como sistemas de depuração de radicais livres e decomposição de H_2O_2 e O_2^-. Essas enzimas encontram-se próximas aos locais de geração dos oxidantes e incluem:
  1. A *catalase*, presente nos peroxissomos, decompõe o H_2O_2 ($2H_2O_2 \to O_2 + 2H_2O$).
  2. As *superóxido dismutases* (SOD) são encontradas em muitos tipos de células e convertem o O_2^- em H_2O_2 ($2O_2^- + 2H \to H_2O_2 + O_2$). Esse grupo de enzimas inclui a manganês-SOD, que está localizada nas mitocôndrias, e a cobre-zinco-SOD, que é encontrada no citoplasma.
  3. A *glutationa peroxidase* também protege contra a lesão ao catalisar a degradação de radicais livres (H_2O_2 + 2 GSH → GSSG [homodímero de glutationa] + 2 H_2O ou 2˙OH + 2 GSH → GSSG + 2 H_2O). A razão intracelular entre glutationa oxidada (GSSG) e glutationa reduzida (GSH) reflete o estado oxidativo da célula e fornece um importante indicador da capacidade da célula de destoxificar as ROS.

Efeitos patológicos dos radicais livres

Os efeitos das ROS e de outros radicais livres são amplos, porém três reações são particularmente relevantes para a lesão celular (ver **Figura 2.21**):

- *Peroxidação lipídica nas membranas*. Na presença de O_2, os radicais livres podem causar peroxidação dos lipídios das membranas plasmáticas e das organelas. O dano oxidativo é iniciado quando as duplas ligações nos ácidos graxos insaturados dos lipídios das membranas são atacadas por radicais livres derivados do O_2, sobretudo pela ˙OH. As interações entre lipídios e radicais livres produzem peróxidos, que são eles próprios instáveis e reativos, e ocorre então uma reação em cadeia autocatalítica (denominada *propagação*), que pode resultar em extenso dano às membranas

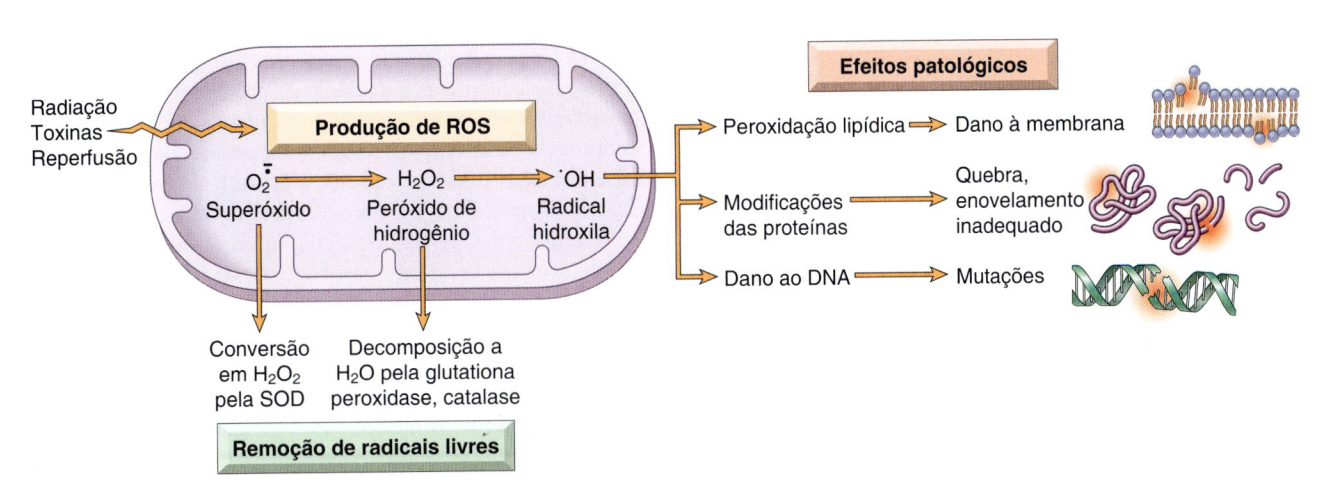

Figura 2.21 Geração, remoção e papel das espécies reativas de oxigênio (*ROS*) na lesão celular. A produção de ROS é aumentada por muitos estímulos lesivos. Esses radicais livres são removidos por decomposição espontânea e por sistemas enzimáticos especializados. A produção excessiva ou a remoção inadequada levam ao acúmulo de radicais livres nas células, que podem danificar os lipídios (por peroxidação), as proteínas e o ácido desoxirribonucleico (*DNA*), resultando em lesão celular.

- *Modificação oxidativa das proteínas.* Os radicais livres promovem a oxidação das cadeias laterais dos aminoácidos, a formação de ligações cruzadas covalentes proteína-proteína (p. ex., pontes dissulfeto) e a oxidação do arcabouço da proteína. As modificações oxidativas também podem danificar os sítios ativos das enzimas, romper a conformação das proteínas estruturais e aumentar a degradação pelos proteassomos das proteínas não enoveladas ou mal enoveladas, aumentando assim os danos em toda a célula
- *Lesões no DNA.* Os radicais livres são capazes de causar quebras de fita simples e de fita dupla no DNA, ligação cruzada de fitas do DNA e formação de adutos. O dano oxidativo ao DNA tem sido implicado no envelhecimento celular (discutido adiante neste capítulo) e na transformação maligna das células (ver **Capítulo 7**).

O conceito tradicional sobre radicais livres era o de que eles causavam lesão e morte celulares por necrose, e, de fato, a produção de ROS costuma ser um prelúdio à necrose. Todavia, hoje está claro que os radicais livres também podem desencadear a apoptose. É também possível que essas moléculas potencialmente letais, quando produzidas em condições controladas na dose "certa", desempenhem importantes funções fisiológicas na sinalização por receptores celulares e outras vias.

Distúrbio na homeostasia do cálcio

Normalmente, os íons cálcio atuam como segundos mensageiros em diversas vias de sinalização; entretanto, se forem liberados no citoplasma das células em quantidades excessivas, eles também constituem uma importante fonte de lesão celular. Em conformidade com esses efeitos, a depleção de cálcio protege as células cultivadas de lesões induzidas por uma variedade de estímulos nocivos. O Ca^{2+} livre no citosol costuma ser mantido em concentrações muito baixas (aproximadamente 0,1 µmol), em comparação com os níveis extracelulares de 1,3 mmol, e a maior parte do Ca^{2+} intracelular é sequestrada nas mitocôndrias e no RE. A isquemia e certas toxinas causam um aumento excessivo do Ca^{2+} citosólico, inicialmente devido à liberação das reservas intracelulares e, posteriormente, devido ao fluxo aumentado através da membrana plasmática (**Figura 2.22**). O Ca^{2+} intracelular em excesso pode provocar lesão celular por vários mecanismos, embora a importância desses mecanismos na lesão celular *in vivo* não esteja estabelecida:

- O acúmulo de Ca^{2+} nas mitocôndrias resulta em abertura dos poros de transição de permeabilidade mitocondriais e, conforme já descrito, em falha da geração de ATP
- O aumento do Ca^{2+} citosólico ativa diversas enzimas, com efeitos de potencial deletério sobre as células. Essas enzimas incluem *fosfolipases* (que causam dano às membranas), *proteases* (que degradam as proteínas tanto da membrana quanto do citoesqueleto), *endonucleases* (que são responsáveis pela fragmentação do DNA e da cromatina) e *ATPases* (acelerando, assim, a depleção de ATP).

Estresse do retículo endoplasmático: a resposta às proteínas não enoveladas

O acúmulo de proteínas mal enoveladas no RE pode sobrecarregar os mecanismos adaptativos e desencadear a apoptose. As chaperonas no RE controlam o enovelamento correto das proteínas recém-sintetizadas, e os polipeptídeos mal enovelados são lançados no citoplasma, onde sofrem ubiquitinação e são marcados para proteólise nos proteassomos (ver **Capítulo 1**). Entretanto, se houver acúmulo de proteínas não enoveladas ou mal enoveladas no RE, elas desencadeiam diversas alterações, que são coletivamente denominadas *resposta às proteínas não enoveladas*. A resposta às proteínas não enoveladas ativa vias de sinalização que aumentam a produção de chaperonas, intensificam a degradação de proteínas anormais nos proteassomos e diminuem a velocidade de tradução das proteínas, reduzindo, assim, a carga de proteínas mal enoveladas na célula (**Figura 2.23**). Entretanto, se essa resposta citoprotetora for incapaz de lidar com o acúmulo de proteínas mal enoveladas, a célula ativa as caspases e induz a apoptose. Esse processo é denominado *estresse do RE*. O acúmulo intracelular de proteínas mal enoveladas pode ser causado por uma taxa aumentada de mau enovelamento ou por uma redução na capacidade da célula de proceder a seu reparo ou eliminação. O aumento do mau enovelamento pode ser uma consequência de mutações deletérias ou da redução da capacidade de corrigir as proteínas inadequadamente enoveladas conforme observado no envelhecimento. O mau enovelamento das proteínas também pode estar aumentado nas infecções virais, quando proteínas codificadas pelo genoma viral são sintetizadas em quantidades tão grandes que elas sobrecarregam o sistema de controle de qualidade que costuma assegurar o enovelamento adequado das proteínas. O aumento da demanda de proteínas secretoras, como a insulina nos estados de resistência à insulina, e as alterações do pH intracelular e estado redox, são outros estressores que resultam no acúmulo de proteínas mal

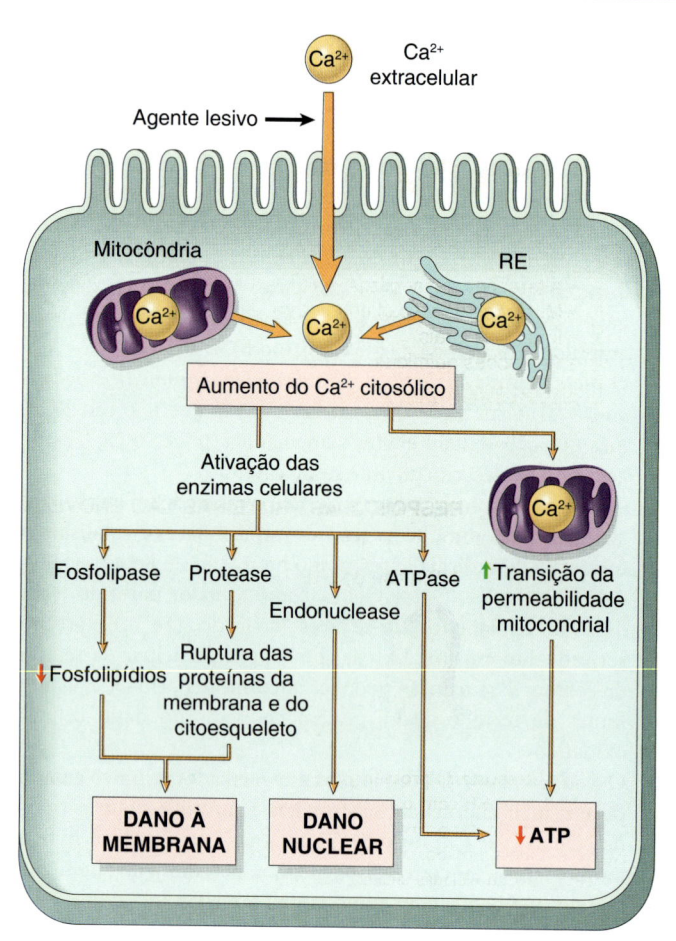

Figura 2.22 Papel do aumento do cálcio citosólico na lesão celular. *RE*, retículo endoplasmático.

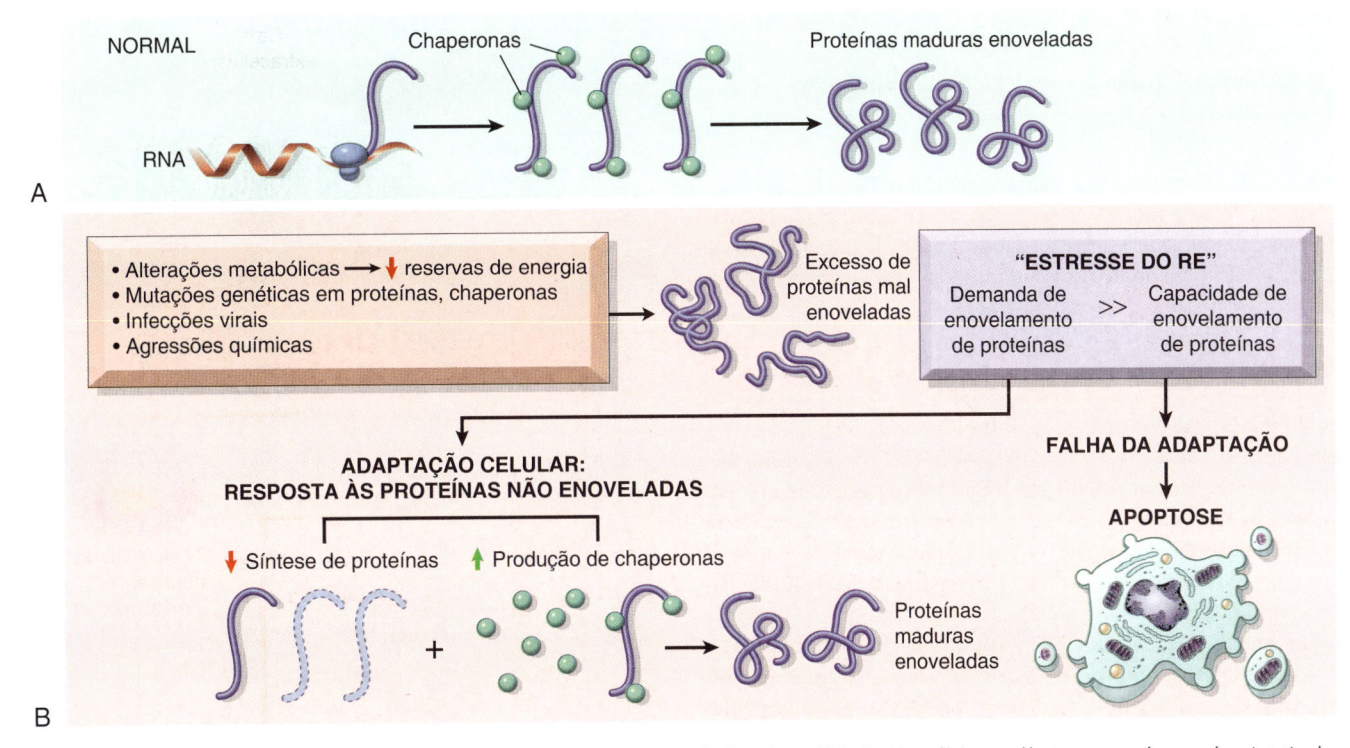

Figura 2.23 Resposta às proteínas não enoveladas e estresse do retículo endoplasmático (RE). **A.** Nas células saudáveis, as proteínas recém-sintetizadas são enoveladas no RE com o auxílio de chaperonas e, em seguida, são incorporadas na célula ou secretadas. **B.** Vários estresses externos ou mutações induzem um estado denominado *estresse do RE*, em que a célula é incapaz de lidar com a carga de proteínas mal enoveladas. O acúmulo dessas proteínas no RE desencadeia a resposta às proteínas não enoveladas, que procura restaurar a homeostasia das proteínas; se essa resposta for inadequada, a resposta às proteínas não enoveladas sinaliza ativamente a apoptose.

enoveladas. Acredita-se que o enovelamento inadequado das proteínas seja a anormalidade celular responsável em várias doenças neurodegenerativas (ver **Capítulo 28**). Tendo em vista que muitas "foldases" necessitam de ATP para funcionar, a privação de glicose e de oxigênio, como na isquemia e na hipoxia, também pode aumentar a carga de proteínas mal enoveladas. As doenças causadas por proteínas mal enoveladas estão listadas na **Tabela 2.3**.

Conceitos-chave

Mecanismos de lesão celular

- Depleção de ATP: falha das funções dependentes de energia → lesão reversível → necrose
- Dano mitocondrial: depleção de ATP → falha das funções celulares dependentes de energia → por fim, necrose; em algumas condições, extravasamento de proteínas mitocondriais que causam apoptose
- Aumento da permeabilidade das membranas celulares: pode afetar a membrana plasmática, as membranas lisossômicas e as membranas mitocondriais; costuma culminar em necrose
- Acúmulo de DNA danificado e proteínas mal enoveladas: desencadeia a apoptose
- Acúmulo de ROS: modificação covalente das proteínas, lipídios e ácidos nucleicos celulares
- Influxo de cálcio: ativação de enzimas que provocam dano aos componentes celulares e que também podem desencadear a apoptose
- Resposta às proteínas não enoveladas e estresse do RE: o acúmulo de proteínas mal enoveladas no RE ativa mecanismos adaptativos que ajudam a célula a sobreviver; entretanto, se a sua capacidade de reparo for ultrapassada, eles desencadeiam a apoptose.

Tabela 2.3 Exemplos selecionados de doenças causadas por mau enovelamento de proteínas.

Doença	Proteína afetada	Patogênese
Fibrose cística	Regulador da condutância transmembrana da fibrose cística (CFTR)	A perda do CFTR leva a defeitos no transporte de cloreto
Hipercolesterolemia familiar	Receptor de LDL	A perda do receptor de LDL leva à hipercolesterolemia
Doença de Tay-Sachs	Subunidade β da hexosaminidase	A falta da enzima lisossômica leva ao armazenamento de gangliosídios GM_2 nos neurônios
Deficiência de α_1-antitripsina	α_1-antitripsina	O armazenamento de proteína não funcional nos hepatócitos provoca apoptose; a ausência da atividade enzimática nos pulmões causa destruição do tecido elástico, resultando em enfisema
Doença de Creutzfeldt-Jacob	Príons	O enovelamento anormal de PrPsc provoca morte das células neuronais
Doença de Alzheimer	Peptídeo Aβ	O enovelamento anormal de peptídeos Aβ provoca agregação dentro dos neurônios e apoptose

Correlações clínico-patológicas: exemplos selecionados de lesão e morte celulares

Após analisar brevemente as causas, a morfologia e os mecanismos gerais de lesão e morte celulares, descreveremos agora algumas formas comuns e clinicamente significativas de lesão celular. Esses exemplos ilustram muitos dos mecanismos e sequências de eventos da lesão celular descritos anteriormente.

Hipoxia e isquemia

A isquemia, que constitui a causa mais comum de lesão celular em clínica médica, resulta da hipoxia resultante do fluxo sanguíneo diminuído, frequentemente devido a uma obstrução arterial mecânica. A isquemia também pode ocorrer como consequência da obstrução da drenagem venosa. Diferentemente da hipoxia, em que o fluxo sanguíneo é mantido, e durante a qual a produção de energia pela glicólise anaeróbica pode prosseguir, a isquemia compromete o fornecimento de substratos para a glicólise. Por conseguinte, nos tecidos isquêmicos, não apenas o metabolismo aeróbico cessa, mas também a geração de energia anaeróbica falha após a exaustão dos substratos glicolíticos ou a inibição da glicólise pelo acúmulo de metabólitos, que de outro modo seriam removidos pelo fluxo sanguíneo. Por essa razão, *a isquemia provoca lesão celular e tecidual mais rápida e grave do que a hipoxia.*

Mecanismos de lesão celular isquêmica

A sequência de eventos que ocorrem após a hipoxia ou a isquemia reflete muitas das alterações bioquímicas da lesão celular, que estão resumidas na **Figura 2.24** e mostradas nas **Figuras 2.5** e **2.6**. À medida que a pressão de oxigênio intracelular cai, a fosforilação oxidativa falha, e a geração de ATP diminui. As consequências da depleção de ATP foram descritas na seção sobre dano mitocondrial. Em resumo, a perda de ATP leva inicialmente à lesão celular reversível (tumefação da célula e das organelas) e, mais tarde, à morte celular por necrose.

As células dos mamíferos desenvolveram respostas protetoras para lidar com o estresse hipóxico. A mais bem definida dessas respostas é a indução de um fator de transcrição, denominado *fator induzível por hipoxia 1* (HIF-1), que promove a formação de novos vasos sanguíneos, estimula vias de sobrevivência da célula e intensifica a glicólise. Vários compostos promissores em fase de investigação estão sendo desenvolvidos para promover a sinalização do HIF-1. Todavia, não há ainda nenhuma abordagem terapêutica viável para reduzir as consequências nocivas da isquemia em situações clínicas. A estratégia que talvez seja a mais útil nas lesões isquêmicas (e traumáticas) do encéfalo e da medula espinal consiste na indução transitória de hipotermia (redução da temperatura corporal interna para 33,3°C). Esse tratamento diminui as demandas metabólicas das células em lesão reversível, reduz a tumefação celular, suprime a formação de radicais livres e inibe a resposta inflamatória do hospedeiro.

Lesão por isquemia-reperfusão

A restauração do fluxo sanguíneo nos tecidos isquêmicos pode promover a recuperação das células que estiverem reversivelmente lesionadas, mas também pode exacerbar, em contrapartida,

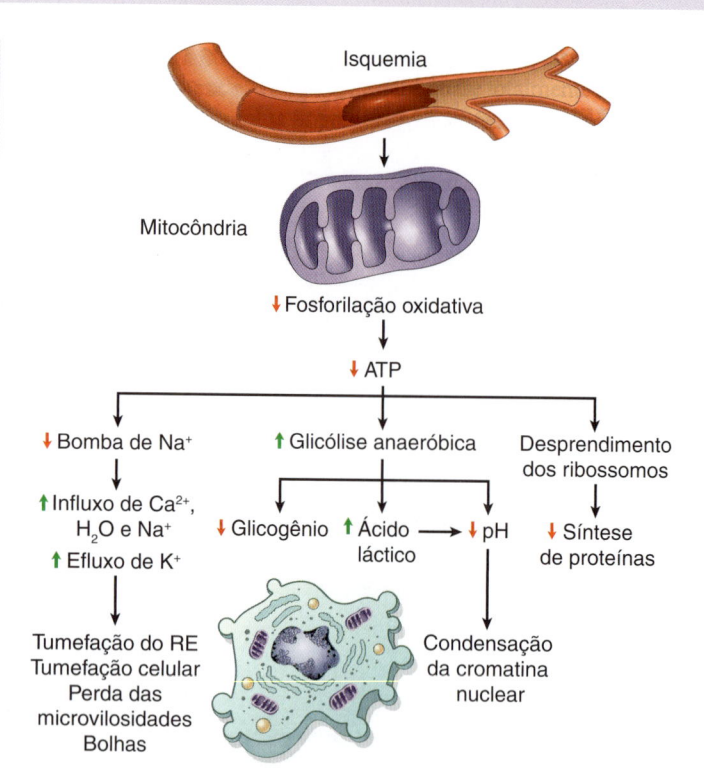

Figura 2.24 Consequências funcionais e morfológicas da diminuição do trifosfato de adenosina (ATP) intracelular na lesão celular isquêmica. As alterações morfológicas mostradas aqui indicam lesão celular reversível. A depleção adicional de ATP leva à morte celular, normalmente por necrose. RE, retículo endoplasmático.

a lesão celular e causar a morte da célula. Em consequência, os tecidos reperfundidos podem sustentar a perda de células viáveis, além daquelas irreversivelmente danificadas pela isquemia. Esse processo, denominado *lesão por isquemia-reperfusão*, é clinicamente importante, visto que contribui para o dano tecidual no infarto do miocárdio e cerebral após terapias para restaurar o fluxo sanguíneo (ver **Capítulos 12** e **28**).

Como ocorre a lesão por reperfusão? A resposta provável é que são desencadeados novos processos causadores de dano durante a reperfusão, levando à morte das células que, de outro modo, poderiam ter se recuperado. Foram propostos diversos mecanismos:

- *Estresse oxidativo.* O aumento da geração de *espécies reativas de oxigênio e de nitrogênio* pode provocar novo dano durante a reoxigenação. Esses radicais livres podem ser produzidos no tecido reperfundido em consequência da redução incompleta do oxigênio nos leucócitos ou nas células endoteliais ou parenquimatosas danificadas. O comprometimento dos mecanismos de defesa antioxidante celulares durante a isquemia pode deixar as células mais suscetíveis ao dano pelos radicais livres.
- *Sobrecarga de cálcio intracelular.* Conforme assinalado anteriormente, a sobrecarga de cálcio intracelular e mitocondrial começa durante a isquemia aguda; ela é exacerbada durante a reperfusão, devido ao influxo de cálcio em consequência do dano à membrana celular e da lesão do retículo sarcoplasmático mediada pelo ROS. A sobrecarga de cálcio favorece a abertura do poro de transição de permeabilidade mitocondrial, com consequente depleção de ATP. Isso, por sua vez, provoca mais lesão celular

- *Inflamação*. A lesão isquêmica está associada à inflamação em consequência de "sinais de perigo" liberados das células mortas, citocinas secretadas pelas células imunes residentes, como os macrófagos, e aumento da expressão de moléculas de adesão por células endoteliais e parenquimatosas hipóxicas, todas as quais atuam para recrutar neutrófilos circulantes para o tecido reperfundido. A inflamação provoca lesão tecidual adicional (ver **Capítulo 3**). A importância do influxo de neutrófilos na lesão de reperfusão foi demonstrada pelos efeitos benéficos do tratamento com anticorpos que bloqueiam citocinas ou moléculas de adesão e, portanto, reduzem o extravasamento de neutrófilos
- A ativação do *sistema complemento* pode contribuir para a lesão por isquemia-reperfusão. Por motivos desconhecidos, alguns anticorpos IgM têm propensão a se depositar nos tecidos isquêmicos. Quando o fluxo sanguíneo é restaurado, as proteínas do complemento ligam-se aos anticorpos depositados, são ativadas e exacerbam a lesão celular e a inflamação.

Lesão química (tóxica)

A lesão química continua sendo um problema frequente na clínica médica e é uma importante limitação à terapia farmacológica. Como muitos fármacos são metabolizados no fígado, esse órgão é um importante alvo de toxicidade farmacológica. De fato, a lesão hepática tóxica constitui, com frequência, a razão para interromper o uso terapêutico ou o desenvolvimento de um fármaco. Os mecanismos pelos quais as substâncias químicas, determinados fármacos e toxinas provocam lesão são descritos com mais detalhes no **Capítulo 9**, na discussão sobre doenças ambientais. Aqui, são descritas as principais vias de lesão quimicamente induzida, com exemplos selecionados.

As substâncias químicas induzem lesão celular por um dos dois mecanismos gerais:

- *Toxicidade direta*. Algumas substâncias químicas provocam lesão direta das células pela sua combinação com componentes moleculares críticos. Por exemplo, no envenenamento por cloreto de mercúrio, o *mercúrio* liga-se aos grupos sulfidrila das proteínas da membrana celular, causando aumento da permeabilidade da membrana e inibição do transporte de íons. Nesses casos, o maior dano costuma ocorrer nas células que utilizam, absorvem, excretam ou concentram as substâncias químicas – no caso do cloreto de mercúrio, as células do trato gastrintestinal e do rim (ver **Capítulo 9**). O *cianeto* envenena a citocromo oxidase mitocondrial e, portanto, inibe a fosforilação oxidativa. Muitos agentes quimioterápicos antineoplásicos e antibióticos também induzem dano celular por meio de efeitos citotóxicos diretos
- *Conversão em metabólitos tóxicos*. As substâncias químicas em sua maioria não são biologicamente ativas na sua forma nativa, portanto precisam ser convertidas em metabólitos tóxicos reativos que, em seguida, atuam sobre moléculas-alvo. Essa modificação costuma ser realizada pelas oxidases de função mista do citocromo P-450 no RE liso do fígado e de outros órgãos. Os metabólitos tóxicos causam dano à membrana e lesão celular, sobretudo pela formação de radicais livres e peroxidação lipídica subsequente; a ligação covalente direta a proteínas e lipídios da membrana também pode contribuir. Por exemplo, o CCl_4, que outrora era amplamente utilizado na indústria de limpeza a seco, é convertido pelo citocromo P-450 no radical livre altamente reativo CCl_3, que causa peroxidação lipídica e dano a muitas estruturas celulares. O analgésico paracetamol também é convertido em produto tóxico durante a destoxificação no fígado, levando à lesão celular. Esses e outros exemplos de lesão química são descritos no **Capítulo 9**.

Conceitos-chave
Exemplos de lesão celular

- Isquemia leve: fosforilação oxidativa reduzida → depleção de ATP → falência da bomba de Na → influxo de sódio e de água → tumefação das organelas e da célula (reversível)
- Isquemia grave/prolongada: tumefação intensa das mitocôndrias, influxo de cálcio nas mitocôndrias e na célula, com ruptura dos lisossomos e da membrana plasmática. Morte por necrose e apoptose, devido à liberação de citocromo c pelas mitocôndrias
- Lesão por reperfusão ocorre nos tecidos isquêmicos após a restauração do fluxo sanguíneo; é causada pelo estresse oxidativo, devido à liberação de radicais livres dos leucócitos e das células endoteliais. O sangue transporta cálcio (que sobrecarrega as células com lesão reversível, resultando em lesão mitocondrial), bem como oxigênio e leucócitos, que geram radicais livres e citocinas. O complemento pode ser ativado em local específico por anticorpos IgM depositados nos tecidos isquêmicos
- As substâncias químicas podem causar lesão direta ou por conversão em metabólitos tóxicos. Os principais órgãos afetados são aqueles envolvidos na absorção ou excreção de substâncias químicas ou outros compostos, como o fígado, onde as substâncias químicas são convertidas em metabólitos tóxicos. A lesão direta de organelas fundamentais, como as mitocôndrias, ou a lesão indireta por radicais livres gerados a partir das substâncias químicas/toxinas, estão envolvidas nesse processo.

Adaptações do crescimento e da diferenciação das células

As adaptações consistem em mudanças reversíveis no tamanho, no número, no fenótipo, na atividade metabólica ou nas funções das células em resposta a alterações em seu meio ambiente. Essas adaptações podem assumir várias formas distintas.

Hipertrofia

A hipertrofia refere-se a um aumento do tamanho das células, que resulta em aumento de tamanho do órgão afetado. O órgão hipertrofiado não apresenta novas células, apenas células maiores. O aumento de tamanho das células é resultado da síntese e montagem de componentes estruturais intracelulares adicionais. As células com capacidade de divisão podem responder ao estresse por meio de hiperplasia (descrita adiante) e hipertrofia, enquanto as células que não se dividem (p. ex., fibras miocárdicas) aumentam a massa tecidual em consequência de hipertrofia. Em muitos locais, pode-se observar a coexistência de hipertrofia e hiperplasia, contribuindo para o aumento de tamanho do órgão.

A hipertrofia pode ser *fisiológica* ou *patológica*; a primeira é causada por um aumento da demanda funcional ou pela estimulação de hormônios e fatores de crescimento:

- *Hipertrofia patológica.* As células musculares estriadas do músculo esquelético e do músculo cardíaco apresentam apenas uma capacidade limitada de sofrer divisão e respondem a um aumento das demandas metabólicas, sobretudo por meio de hipertrofia. *O estímulo mais comum para a hipertrofia do músculo esquelético e cardíaco consiste em aumento da carga de trabalho.* Em ambos os tipos de tecidos, as células musculares respondem por meio da síntese de mais proteína e aumento no número de miofilamentos por célula. Isso, por sua vez, aumenta a quantidade de força que cada miócito pode gerar e, portanto, a força e a capacidade de trabalho do músculo como um todo. Um exemplo clássico de hipertrofia patológica é o aumento do coração em resposta à sobrecarga de pressão, normalmente em consequência de hipertensão arterial ou doença valvar (ver **Figura 2.2**). Inicialmente, a hipertrofia cardíaca melhora a função; entretanto, com o passar do tempo, essa adaptação costuma falhar, dando início à insuficiência cardíaca e a outras formas significativas de doença cardíaca (ver **Capítulo 12**)
- *Hipertrofia fisiológica.* O crescimento fisiológico maciço do útero durante a gravidez é um bom exemplo de aumento de um órgão induzido por hormônio, que resulta, sobretudo, da hipertrofia das fibras musculares lisas (**Figura 2.25**). A hipertrofia uterina durante a gravidez é estimulada por hormônios estrogênicos que sinalizam por meio dos receptores desse hormônio, resultando, por fim, em aumento da síntese de proteínas do músculo liso e aumento do tamanho das células. Os músculos desenvolvidos dos fisiculturistas que praticam musculação resultam do aumento de tamanho das fibras musculares esqueléticas em resposta ao aumento das demandas.

Mecanismos da hipertrofia

A hipertrofia é o resultado do aumento na produção de proteínas celulares. Grande parte de nosso conhecimento sobre a hipertrofia baseia-se em estudos do coração. Há grande interesse em definir a base molecular da hipertrofia do miocárdio, visto que, além de certo ponto, ela se torna disfuncional. A hipertrofia resulta da ação de fatores do crescimento e de efeitos diretos sobre as proteínas celulares (**Figura 2.26**):

- Os sensores mecânicos na célula detectam o aumento da carga
- Esses sensores ativam uma complexa rede a jusante de vias de sinalização, como a via da fosfoinositídio 3 quinase (PI3K)/AKT (considerada a mais importante na hipertrofia fisiológica, como a hipertrofia induzida por exercício) e vias iniciadas por receptores acoplados à proteína G (ativadas por muitos fatores de crescimento e agentes vasoativos e consideradas as mais importantes na hipertrofia patológica)
- Algumas das vias de sinalização estimulam a produção aumentada de fatores de crescimento (p. ex., TGF-β, fator de crescimento semelhante à insulina-1 [IGF-1], fator de crescimento dos fibroblastos) e agentes vasoativos (p. ex., agonistas alfa-adrenérgicos, endotelina-1 e angiotensina II)
- Estas e outras vias ativam fatores de crescimento, como GATA4, o fator nuclear de células T ativadas (NFAT) e o fator intensificador de miócito 2 (MEF2), que aumentam a expressão de genes que codificam as proteínas musculares.

A hipertrofia cardíaca também está associada a uma mudança da expressão gênica, de genes que codificam proteínas contráteis do tipo adultas para genes que codificam isoformas fetais com funções distintas das mesmas proteínas. Por exemplo, a isoforma α da cadeia pesada da miosina é substituída pela isoforma β, que apresenta uma contração mais lenta e energeticamente econômica. Outras proteínas que estão alteradas nas células miocárdicas hipertróficas incluem os produtos de genes que participam da resposta celular ao estresse. Por exemplo, a hipertrofia cardíaca está associada a um aumento na expressão do gene para o fator natriurético atrial. O fator natriurético atrial é um hormônio peptídico, que induz a secreção de sal pelo rim, diminui o volume sanguíneo e a pressão arterial e, portanto, atua para reduzir a carga hemodinâmica.

Seja qual for a causa e o mecanismo exatos da hipertrofia cardíaca, ela, por fim, alcança um limite além do qual o aumento da massa muscular não é mais capaz de lidar com a carga aumentada. Nesse estágio, ocorrem várias alterações regressivas nas fibras miocárdicas, das quais as mais importantes são a degradação e a perda dos elementos contráteis miofibrilares. Em

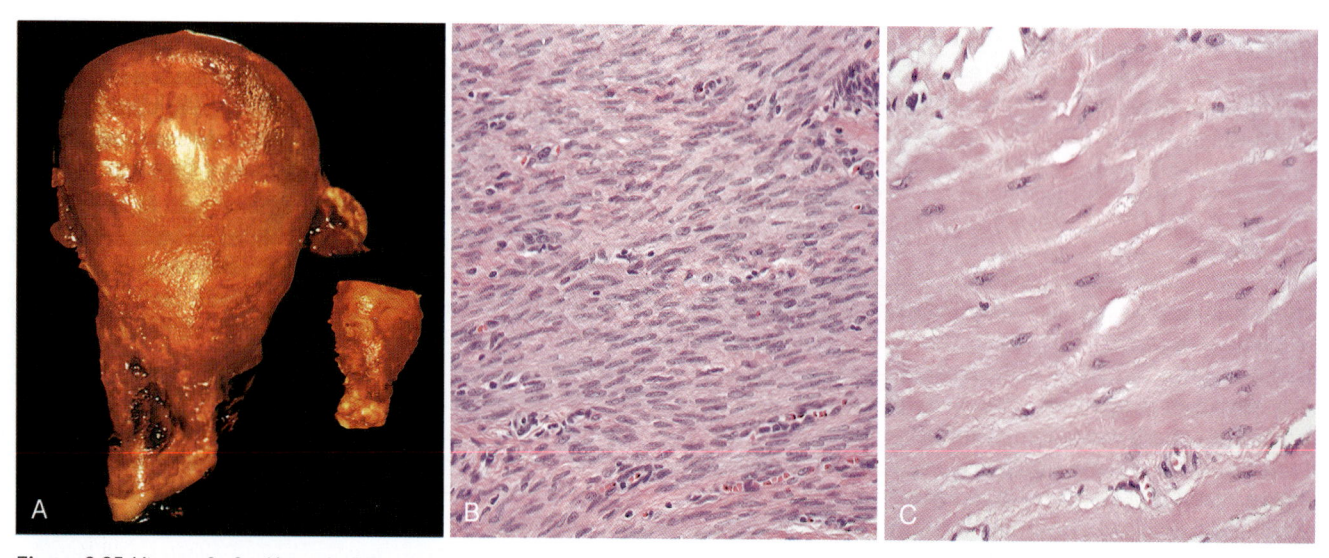

Figura 2.25 Hipertrofia fisiológica do útero durante a gravidez. **A.** Aparência macroscópica do útero normal (*à direita*) e do útero gravídico (removido devido a sangramento pós-parto) (*à esquerda*). **B.** Pequenas células fusiformes do músculo liso uterino de um útero normal, em comparação com (**C**) grandes células arredondadas do útero gravídico, com mesmo aumento.

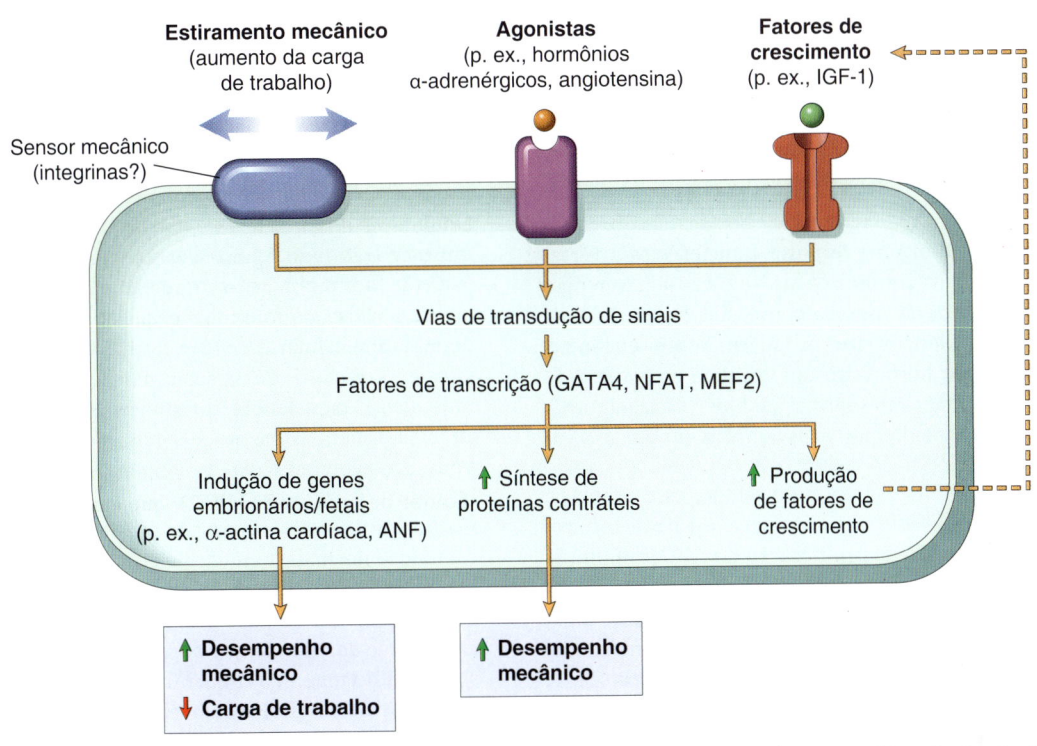

Figura 2.26 Mecanismos bioquímicos de hipertrofia miocárdica. As principais vias de sinalização conhecidas e seus efeitos funcionais são mostrados. Os sensores mecânicos parecem ser os principais fatores desencadeantes da hipertrofia fisiológica, enquanto os agonistas e os fatores de crescimento podem ser mais importantes nos estados patológicos. *ANF*, fator natriurético atrial; *GATA4*, fator de transcrição que se liga à sequência GATA do DNA; *IGF-1*, fator de crescimento semelhante à insulina; *NFAT*, fator nuclear de células T ativadas; *MEF2*, fator intensificador do miocárdio 2.

casos extremos, pode ocorrer morte dos miócitos. O resultado final dessas alterações consiste em insuficiência cardíaca, uma sequência de eventos que ilustra como uma adaptação ao estresse pode progredir para uma lesão celular funcionalmente significativa se o estresse não for aliviado.

Hiperplasia

A hiperplasia refere-se a um aumento no número de células em um órgão ou tecido em resposta a determinado estímulo. Embora a hiperplasia e a hipertrofia sejam processos distintos, elas costumam ocorrer juntas e podem ser desencadeadas pelos mesmos estímulos externos. A hiperplasia só pode ocorrer quando o tecido contém células capazes de sofrer divisão, aumentando, assim, o número de células. Pode ser fisiológica ou patológica:

- *Hiperplasia fisiológica.* **A hiperplasia fisiológica devido à ação de hormônios ou de fatores de crescimento ocorre quando há necessidade de aumentar a capacidade funcional de órgãos sensíveis a hormônios, ou quando há necessidade de um aumento compensatório após dano ou ressecção.** A hiperplasia hormonal é bem ilustrada pela proliferação do epitélio glandular da mama feminina na puberdade e durante a gravidez, geralmente acompanhada de aumento (hipertrofia) das células epiteliais glandulares. A ilustração clássica da hiperplasia compensatória provém do estudo da regeneração hepática. Em indivíduos que doam um lobo do fígado para transplante, as células que permanecem proliferam, de modo que o órgão cresce e readquire em pouco tempo o seu tamanho original. Os modelos experimentais de hepatectomia parcial têm sido muito úteis para definir os mecanismos que estimulam a regeneração do fígado (ver **Capítulo 3**). A medula óssea também é notável pela sua capacidade de sofrer rápida hiperplasia em resposta a uma deficiência de células sanguíneas maduras. Por exemplo, na presença de sangramento agudo ou destruição prematura dos eritrócitos (hemólise) as alças de retroalimentação que envolvem o fator de crescimento eritropoetina são ativadas, estimulando o crescimento de progenitores dos eritrócitos e possibilitando um aumento de até oito vezes na produção de eritrócitos. A regulação da hematopoese é discutida com mais detalhes no **Capítulo 13**

- *Hiperplasia patológica.* **As formas de hiperplasia patológica são causadas, em sua maioria, pelas ações excessivas ou inapropriadas de hormônios ou de fatores de crescimento que atuam sobre as células-alvo.** A hiperplasia endometrial é um exemplo de hiperplasia anormal induzida por hormônio. Normalmente, depois de um período menstrual, há um rápido surto de atividade proliferativa no endométrio, que é estimulado por hormônios hipofisários e estrogênio ovariano. Ela é interrompida pelos níveis crescentes de progesterona, geralmente cerca de 10 a 14 dias antes do final do ciclo menstrual. Todavia, em alguns casos, o equilíbrio entre estrogênio e progesterona é perturbado, resultando em aumentos absolutos ou relativos na quantidade de estrogênio, com consequente hiperplasia das glândulas endometriais. Essa forma de hiperplasia patológica constitui uma causa comum de sangramento uterino anormal. A hiperplasia prostática benigna é outro exemplo comum de hiperplasia patológica, neste caso como resposta ao estímulo hormonal dos androgênios. Embora essas formas de hiperplasia patológica sejam anormais, o processo continua sendo controlado, e a hiperplasia pode regredir ou se estabilizar se a estimulação hormonal for eliminada. Conforme discutido no **Capítulo 7**, o aumento da divisão celular associado à hiperplasia aumenta o risco de aberrações genéticas que desencadeiam uma proliferação descontrolada e desenvolvimento de câncer. Assim, *embora a hiperplasia seja distinta do câncer, a hiperplasia patológica constitui um solo fértil no qual podem surgir proliferações cancerosas.* Por exemplo, as pacientes com hiperplasia do endométrio correm risco aumentado de desenvolver câncer endometrial (ver **Capítulo 22**).

A hiperplasia constitui uma resposta característica a certas *infecções virais*, como os papilomavírus, que causam verrugas cutâneas e várias lesões da mucosa compostas por massas de epitélio hiperplásico. Aqui, os vírus produzem fatores que interferem nas proteínas do hospedeiro que regulam a proliferação celular. À semelhança de outras formas de hiperplasia, algumas dessas proliferações induzidas por vírus também são precursoras de câncer (ver **Capítulo 7**).

Mecanismos da hiperplasia

A hiperplasia é o resultado da proliferação de células maduras induzida por fatores de crescimento e, em alguns casos, pela produção aumentada de novas células a partir de células-tronco teciduais. Por exemplo, após hepatectomia parcial, são produzidos fatores de crescimento no fígado, que ocupam receptores nas células remanescentes e ativam vias de sinalização, que estimulam a proliferação celular. Entretanto, se a capacidade proliferativa das células hepáticas estiver comprometida, como em algumas formas de hepatite que causam lesão celular, os hepatócitos podem se regenerar a partir de células-tronco intra-hepáticas. Os papéis dos fatores de crescimento e das células-tronco na replicação celular e na regeneração tecidual são discutidos com mais detalhes no **Capítulo 3**.

Atrofia

A atrofia refere-se a uma redução do tamanho de um órgão ou tecido, devido a uma diminuição no tamanho ou no número de células. A atrofia pode ser fisiológica ou patológica. A *atrofia fisiológica* é comum durante o desenvolvimento normal. Algumas estruturas embrionárias, como a notocorda e o ducto tireoglosso, sofrem atrofia durante o desenvolvimento fetal. A diminuição do tamanho do útero que ocorre logo após o parto constitui outra forma de atrofia fisiológica.

A *atrofia patológica* tem várias causas e pode ser local ou generalizada. As causas comuns de atrofia incluem as seguintes:

- *Diminuição da carga de trabalho (atrofia por desuso).* Quando um osso fraturado é imobilizado com gesso ou quando um paciente fica imobilizado em repouso completo no leito, logo ocorre atrofia dos músculos esqueléticos. A redução inicial do tamanho celular é reversível uma vez restabelecida a atividade. Em caso de desuso mais prolongado, as fibras musculares esqueléticas diminuem em número (devido à apoptose), bem como no seu tamanho; a atrofia muscular pode ser acompanhada de aumento da reabsorção óssea, levando à osteoporose por desuso
- *Perda da inervação (atrofia por desnervação).* O metabolismo e a função normais do músculo esquelético dependem de sua inervação. O dano aos nervos leva à atrofia das fibras musculares supridas por esses nervos (ver **Capítulo 27**)
- *Diminuição do suprimento sanguíneo.* Uma redução gradual do suprimento sanguíneo (isquemia crônica) para um tecido, em consequência de desenvolvimento lento de doença oclusiva arterial, resulta em atrofia do tecido. Na vida adulta avançada, o encéfalo pode sofrer atrofia progressiva, sobretudo devido à redução do suprimento sanguíneo em consequência de aterosclerose (**Figura 2.27**). Essa condição é denominada *atrofia senil*
- *Nutrição inadequada.* A desnutrição proteico-calórica profunda (marasmo) está associada ao uso das proteínas do músculo esquelético como fonte de energia após a depleção de outras reservas, como as do tecido adiposo. Isso resulta em acentuada emaciação muscular (*caquexia*; ver **Capítulo 9**). A caquexia também é observada em pacientes com doenças inflamatórias crônicas e câncer. Em alguns estados caquéticos, acredita-se que a produção excessiva crônica da citocina inflamatória TNF seja responsável pela supressão do apetite e depleção lipídica, culminando em atrofia muscular

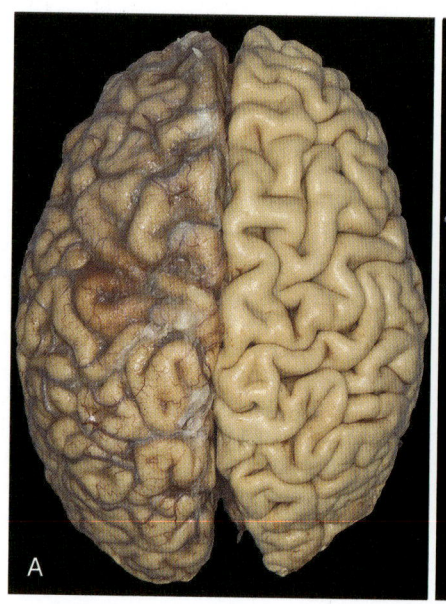

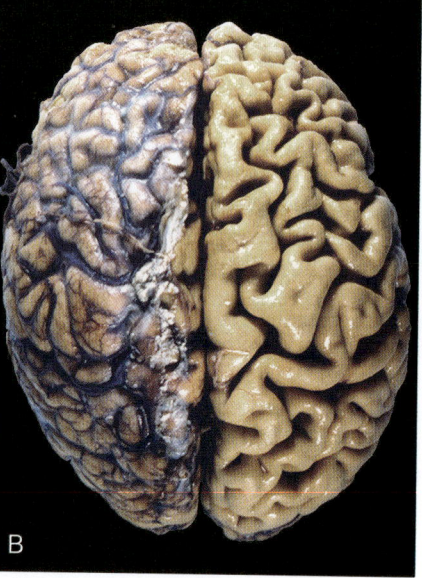

Figura 2.27 Atrofia. **A.** Cérebro normal de um adulto jovem. **B.** Atrofia do cérebro de um homem de 82 anos com doença vascular encefálica aterosclerótica, resultando em redução do suprimento sanguíneo. Observe que a perda de substância cerebral estreita os giros e alarga os sulcos. As meninges foram retiradas da metade direita de cada espécime para revelar a superfície do cérebro.

- *Perda da estimulação endócrina.* Muitos tecidos que respondem a hormônios, como a mama e os órgãos reprodutores, dependem da estimulação endócrina para o seu metabolismo e função normais. A perda da estimulação estrogênica após a menopausa resulta em atrofia do endométrio, do epitélio vaginal e da mama. De modo semelhante, a próstata sofre atrofia após castração química ou cirúrgica (p. ex., no tratamento do câncer de próstata)
- *Compressão.* A compressão tecidual por qualquer período de tempo pode causar atrofia. Uma neoplasia benigna em crescimento pode causar atrofia dos tecidos circundantes não afetados. Nesse contexto, a atrofia costuma resultar de alterações isquêmicas causadas pela compressão do suprimento sanguíneo, devido à pressão exercida pela massa em expansão.

As alterações celulares fundamentais associadas à atrofia são semelhantes em todas essas situações. A resposta inicial consiste em diminuição do tamanho das células e das organelas, o que pode reduzir as necessidades metabólicas da célula o suficiente para possibilitar a sua sobrevivência. No músculo atrófico, as células contêm menos mitocôndrias e miofilamentos e uma quantidade reduzida de RE rugoso. Ao procurar estabelecer um equilíbrio entre as demandas metabólicas da célula e os níveis mais baixos de suprimento sanguíneo, nutrição ou estimulação trófica, um novo equilíbrio é então alcançado. *No início do processo, as células e os tecidos atróficos apresentam uma diminuição de suas funções, porém a morte celular é mínima.* Entretanto, a atrofia causada por uma redução gradual do suprimento sanguíneo pode progredir até o ponto em que as células sofrem lesão irreversível e morrem, geralmente por apoptose. A morte celular por apoptose também contribui para a atrofia dos órgãos endócrinos após privação hormonal.

Mecanismos da atrofia

A atrofia resulta da diminuição da síntese de proteínas e do aumento da degradação de proteínas nas células. A síntese de proteínas diminui, devido a uma redução dos sinais tróficos (p. ex., aqueles produzidos por receptores de crescimento), que aumentam a captação de nutrientes e a tradução do mRNA.

A degradação das proteínas celulares ocorre sobretudo pela *via da ubiquitina-proteassomo*. A deficiência de nutrientes e o desuso podem ativar as ubiquitina ligases, que ligam a ubiquitina, um pequeno peptídeo, às proteínas celulares e marcam essas proteínas para degradação nos proteassomos. Acredita-se também que essa via seja responsável pela proteólise acelerada observada em uma variedade de condições catabólicas, como a caquexia do câncer. Em muitas situações, a atrofia também é acompanhada de aumento da *autofagia*, caracterizada pelo aparecimento de um número aumentado de vacúolos autofágicos. Parte dos restos celulares dentro dos vacúolos autofágicos pode resistir à digestão e persistir no citoplasma, na forma de *corpos residuais* delimitados por membrana. Um exemplo desses corpos residuais são os *grânulos de lipofuscina*, discutidos mais adiante neste capítulo. Quando presentes em quantidades suficientes, conferem ao tecido uma coloração marrom (*atrofia parda*). A autofagia está associada a vários tipos de lesão celular, conforme já discutido.

Metaplasia

A metaplasia refere-se a uma alteração reversível, em que um tipo celular diferenciado (epitelial ou mesenquimal) é substituído por outro tipo celular. Com frequência, representa uma resposta adaptativa, em que um tipo de célula sensível a determinado estresse é substituído por outro tipo de célula com maior capacidade de resistir ao ambiente adverso.

A metaplasia epitelial mais comum é a colunar para escamosa (**Figura 2.28**), como a que ocorre no sistema respiratório em resposta à irritação crônica. No tabagista habitual, as células epiteliais colunares ciliadas normais da traqueia e dos brônquios são frequentemente substituídas por células epiteliais escamosas estratificadas. A deficiência de vitamina A (ácido retinoico) também pode induzir metaplasia escamosa no epitélio respiratório e na córnea, esta última com efeitos altamente deletérios sobre a visão (ver **Capítulo 9**). A presença de cálculos nos ductos excretores das glândulas salivares, do pâncreas ou dos ductos biliares, que normalmente são revestidos por epitélio colunar secretor, também pode levar à metaplasia escamosa. Em todos esses casos, o epitélio escamoso estratificado mais resistente é capaz de sobreviver em condições nas quais o epitélio colunar especializado e mais frágil poderia ter sucumbido. Entretanto, a mudança para células escamosas metaplásicas tem o seu preço. Por exemplo, no sistema respiratório, embora o revestimento epitelial se torne mais durável, há uma perda de importantes mecanismos de proteção contra a infecção – a secreção de muco e a ação ciliar do epitélio colunar. Por conseguinte, na maioria das circunstâncias, a metaplasia epitelial representa uma alteração indesejável. Além disso, *as influências que predispõem à metaplasia, se forem persistentes, podem iniciar a transformação maligna no epitélio metaplásico.* Um exemplo é o desenvolvimento do carcinoma de células escamosas em áreas dos pulmões em que o epitélio colunar normal foi substituído por epitélio escamoso.

A metaplasia do tipo escamoso para colunar também pode ocorrer, como no *esôfago de Barrett*, em que o epitélio escamoso

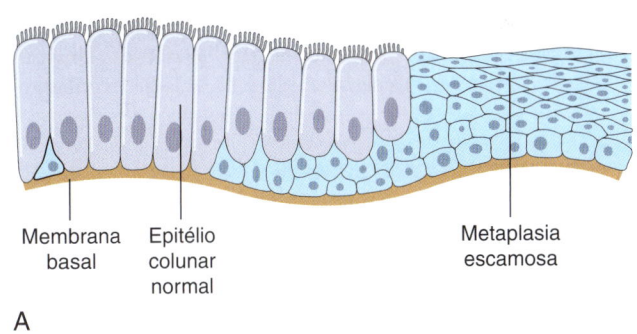

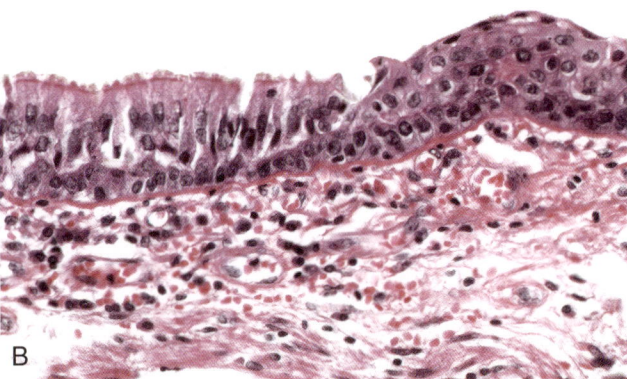

Figura 2.28 Metaplasia do epitélio coluna para epitélio escamoso. **A.** Diagrama esquemático. **B.** Metaplasia do epitélio colunar (*à esquerda*), para epitélio escamoso (*à direita*) em um brônquio (conforme observado no tabagismo).

do esôfago é substituído por células colunares do tipo intestinal sob a influência do refluxo de ácido gástrico. Como seria de esperar, os cânceres que surgem nessas áreas costumam ser glandulares (adenocarcinomas) (ver **Capítulo 17**).

A *metaplasia do tecido conjuntivo* consiste na formação de cartilagem, osso ou tecido adiposo (tecidos mesenquimais) em tecidos que normalmente não contêm esses elementos. Por exemplo, formação de osso no músculo, designada como *miosite ossificante*, ocorre em certas ocasiões após hemorragia intramuscular. Esse tipo de metaplasia é menos claramente considerado uma resposta adaptativa e pode resultar de lesão celular ou tecidual. Diferentemente da metaplasia epitelial, esse tipo de metaplasia não está associado a um aumento no risco de câncer.

Mecanismos da metaplasia

A metaplasia não resulta de uma alteração no fenótipo de um tipo celular já diferenciado; na verdade, é o resultado de uma reprogramação das células-tronco locais do tecido ou, alternativamente, da colonização por populações celulares diferenciados de áreas adjacentes. Em ambos os casos, a alteração metaplásica é estimulada por sinais gerados por citocinas, fatores de crescimento e componentes da matriz extracelular existentes no ambiente celular. No caso da reprogramação das células-tronco, esses estímulos externos promovem a expressão de genes que direcionam as células para uma via de diferenciação específica. Observa-se uma relação direta entre a desregulação de um fator de transcrição e a metaplasia na deficiência ou no excesso de vitamina A (ácido retinoico), ambos os quais podem causar metaplasia. O ácido retinoico regula a transcrição gênica por meio de receptores retinoides nucleares (ver **Capítulo 9**), que podem influenciar a diferenciação de células genitoras derivadas de células-tronco teciduais.

> ### Conceitos-chave
> #### Adaptações celulares ao estresse
> - **Hipertrofia:** aumento do tamanho das células e dos órgãos, frequentemente em resposta a um aumento da carga de trabalho; induzida por fatores de crescimento produzidos em resposta ao estresse mecânico ou a outros estímulos; ocorre em tecidos incapazes de sofrer divisão. Pode ser fisiológica (p. ex., aumento do útero na gravidez) ou patológica (p. ex., aumento do coração na hipertensão da doença valvar)
> - **Hiperplasia:** aumento do número de células em resposta a hormônios e outros fatores de crescimento; ocorre em tecidos cujas células são capazes de sofrer divisão ou que contêm uma quantidade abundante de células-tronco teciduais. Pode ser fisiológica em resposta a um aumento das necessidades (p. ex., ácinos da mama durante a lactação) ou patológica, em resposta à secreção inapropriada de hormônios (p. ex., hiperplasia endometrial devido à estimulação estrogênica excessiva)
> - **Atrofia:** diminuição do tamanho das células e dos órgãos, em consequência de uma redução do fornecimento de nutrientes ou desuso; associada a uma diminuição da síntese dos componentes estruturais das células e aumento da degradação das organelas celulares por autofagia aumentada
> - **Metaplasia:** mudança no fenótipo das células diferenciadas, geralmente em resposta à irritação crônica, tornando as células mais capazes de resistir ao estresse; geralmente induzida por uma alteração na via de diferenciação das células-tronco do tecido; pode resultar em diminuição das funções ou aumento da propensão à transformação maligna.

Acúmulos intracelulares

Uma das manifestações das alterações metabólicas nas células consiste no acúmulo intracelular de substâncias que podem ser inócuas ou que podem provocar maior lesão. Esses acúmulos podem se localizar no citoplasma, no interior das organelas (geralmente nos lisossomos) ou no núcleo e podem ser constituídos por substâncias sintetizadas pelas células afetadas ou produzidas em outros locais.

Existem quatro mecanismos principais que levam a acúmulos intracelulares anormais (**Figura 2.29**):

- *Remoção inadequada* de uma substância normal secundária a defeitos no acondicionamento e transporte, conforme observado na degeneração gordurosa (esteatose) no fígado (ver **Capítulo 18**)
- Acúmulo de uma substância endógena em consequência de *defeitos genéticos* ou adquiridos *no enovelamento, acondicionamento, transporte ou secreção*, conforme observado em certas formas mutadas de α_1-antitripsina (ver **Capítulo 15**)
- *Incapacidade de degradar* um metabólito, devido a deficiências enzimáticas hereditárias, que costumam ser enzimas lisossômicas. Os distúrbios resultantes são denominados *doenças de depósito lisossômico* (ver **Capítulo 5**)
- O depósito e o acúmulo de uma *substância exógena anormal* quando a célula não apresenta a maquinaria enzimática necessária para degradar a substância e não tem a capacidade de transportá-la para outros locais. O acúmulo de partículas de carbono ou de sílica é um exemplo desse tipo de alteração (ver **Capítulo 15**).

Em muitos casos, se for possível controlar ou interromper a sobrecarga, o acúmulo é reversível. Nas doenças de depósito hereditárias, o acúmulo é progressivo e pode causar lesão celular, levando, em alguns casos, à morte do tecido e do paciente.

Lipídios

Todas as principais classes de lipídios podem se acumular nas células: triglicerídeos, colesterol/ésteres de colesterol e fosfolipídios. Os fosfolipídios são os constituintes das figuras de mielina observadas nas células necróticas. Além disso, ocorre acúmulo de complexos anormais de lipídios e carboidratos nas doenças de depósito lisossômico (ver **Capítulo 5**). Os acúmulos de triglicerídeos e colesterol são discutidos aqui.

Esteatose (degeneração gordurosa)

Os termos *esteatose* e *degeneração gordurosa* descrevem acúmulos anormais de triglicerídeos dentro das células parenquimatosas. A degeneração gordurosa é observada, com frequência, no fígado, visto que ele é o principal órgão envolvido no metabolismo dos lipídios (**Figura 2.30**); entretanto, ocorre também no coração, nos músculos e nos rins. As causas da esteatose incluem toxinas, desnutrição proteica, diabetes melito, obesidade e anoxia. Nos países de maior renda, as causas mais comuns de degeneração gordurosa significativa no fígado (fígado gorduroso) consistem em abuso de álcool e doença hepática gordurosa não alcoólica, que costuma estar associada ao diabetes melito e à obesidade. O fígado gorduroso é discutido com mais detalhes no **Capítulo 18**.

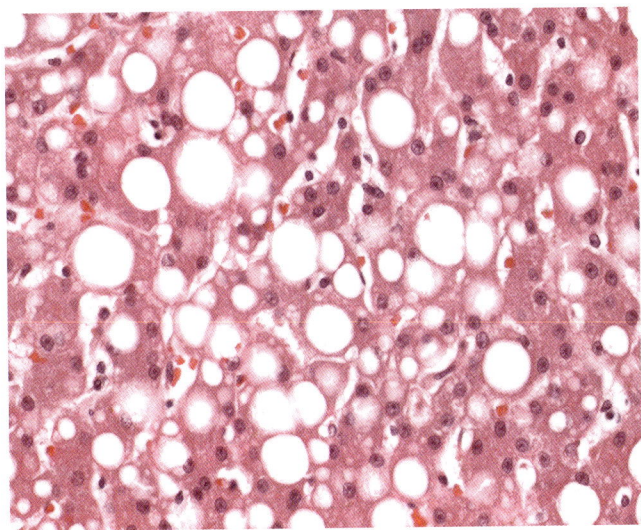

Figura 2.30 Fígado gorduroso. Detalhe em grande aumento da esteatose hepática. Na maioria das células, o núcleo bem preservado é comprimido na faixa deslocada de citoplasma ao redor do vacúolo de gordura. (Cortesia do Dr. James Crawford, Department of Pathology, Hofstra Northwell School of Medicine, NY.)

intracelular de colesterol ou de ésteres de colesterol. Em vários processos patológicos, são observados acúmulos, manifestados histologicamente por vacúolos intracelulares

- *Aterosclerose.* Nas placas ateroscleróticas, as células musculares lisas e os macrófagos, dentro da túnica íntima da aorta e das grandes artérias, estão repletos de vacúolos lipídicos, que contêm, em sua maioria, colesterol e ésteres de colesterol. Essas células apresentam aparência espumosa (células espumosas), e os agregados dessas células na túnica íntima produzem os ateromas amarelos carregados de colesterol que caracterizam esse distúrbio grave. Algumas dessas células repletas de gordura podem sofrer ruptura, liberando colesterol e ésteres de colesterol no espaço extracelular, onde podem formar cristais. Alguns formam longas espículas que produzem fendas características nos cortes histológicos, enquanto outros cristais pequenos são fagocitados pelos macrófagos e ativam o inflamassomo, contribuindo para a inflamação local. Os mecanismos de acúmulo do colesterol e suas consequências patogênicas na aterosclerose são discutidos de modo detalhado no **Capítulo 11**
- *Xantomas.* O acúmulo intracelular de colesterol dentro dos macrófagos também constitui uma característica dos estados hiperlipidêmicos hereditários e adquiridos. São observados agrupamentos de células espumosas no tecido conjuntivo subepitelial da pele e nos tendões, produzindo massas tumorais conhecidas como *xantomas*
- *Colesterolose.* A colesterolose refere-se aos acúmulos focais de macrófagos carregados de colesterol na lâmina própria da vesícula biliar (**Figura 2.31**). O mecanismo de acúmulo é desconhecido
- *Doença de Niemann-Pick tipo C.* Essa doença de depósito lisossômico é causada por mutações que afetam uma enzima envolvida na distribuição intracelular do colesterol, resultando em acúmulo de colesterol em múltiplos órgãos (ver **Capítulo 5**).

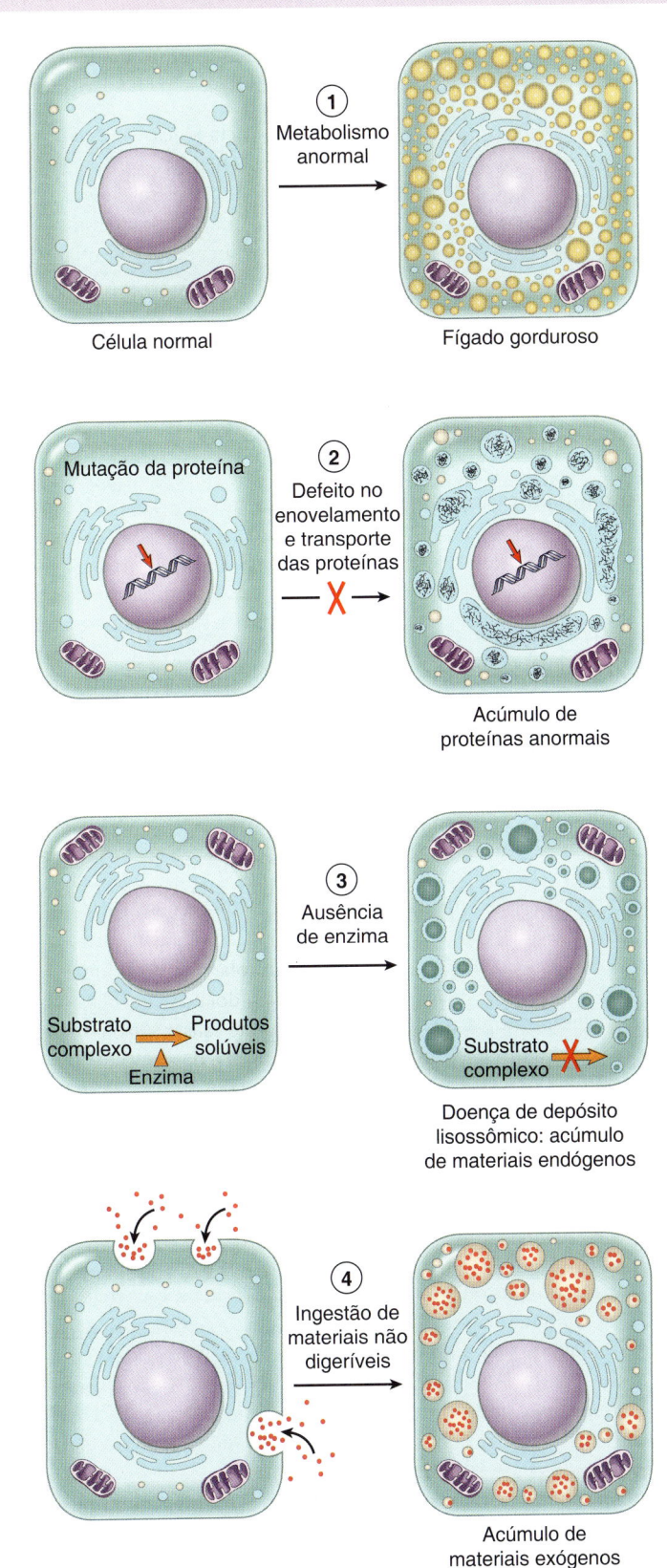

Figura 2.29 Mecanismos de acúmulos intracelulares discutidos no texto.

Colesterol e ésteres de colesterol

O metabolismo celular do colesterol (ver **Capítulo 5**) é rigorosamente regulado, de modo que a maioria das células utiliza o colesterol para a síntese das membranas celulares, sem acúmulo

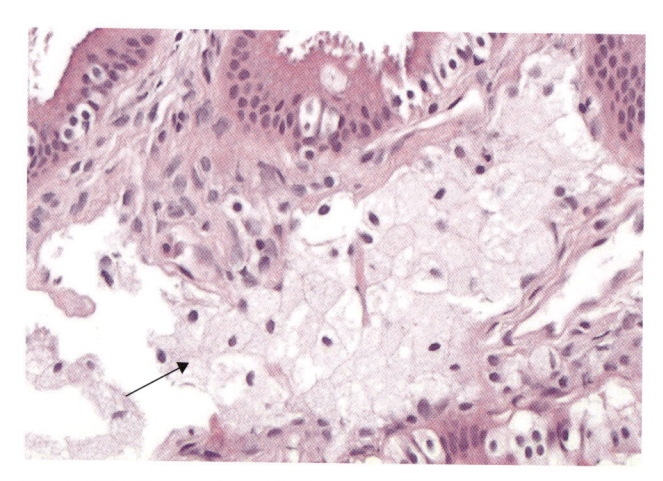

Figura 2.31 Colesterolose. Macrófagos carregados de colesterol (células espumosas, *seta*) em um foco de colesterolose da vesícula biliar. (Cortesia do Dr. Matthew Yeh, Department of Pathology, University of Washington, Seattle, Wash.)

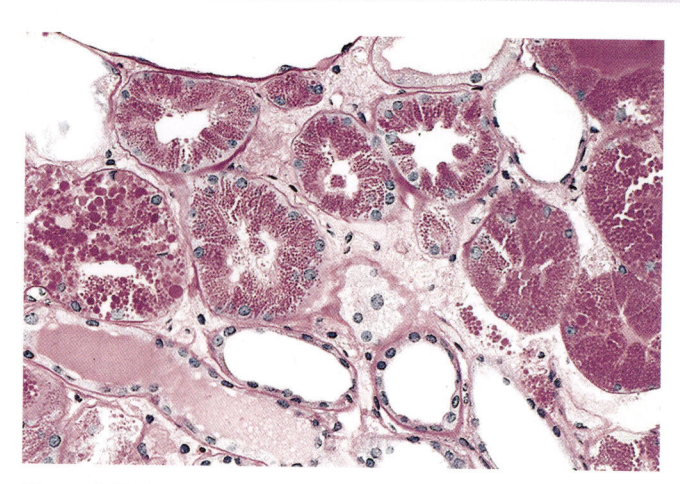

Figura 2.32 Gotículas de reabsorção de proteína no epitélio tubular renal. (Cortesia do Dr. Helmut Rennke, Department of Pathology, Brigham and Women's Hospital, Boston, Mass.)

Proteínas

Os acúmulos intracelulares de proteínas costumam aparecer como gotículas, vacúolos ou agregados eosinofílicos e arredondados no citoplasma. À microscopia eletrônica, podem ter uma aparência amorfa, fibrilar ou cristalina. Em alguns distúrbios, como em certas formas de amiloidose, ocorre depósito de proteínas anormais, sobretudo nos espaços extracelulares (ver **Capítulo 6**).

Os excessos de proteínas dentro das células suficientes para causar acúmulo morfologicamente visível apresentam diversas causas:

- São observadas *gotículas de absorção em túbulos renais proximais* em doenças renais associadas à perda de proteína na urina (proteinúria). Nos rins, pequenas quantidades de proteínas filtradas pelo glomérulo costumam ser reabsorvidas por pinocitose no túbulo proximal. Em distúrbios com extravasamento maciço de proteínas através da membrana glomerular, ocorre aumento da reabsorção de proteínas dentro de vesículas, que aparecem como gotículas hialinas de coloração rosa dentro do citoplasma da célula tubular (**Figura 2.32**). O processo é reversível; se a proteinúria diminuir, as gotículas de proteína são metabolizadas e desaparecem
- As proteínas que se acumulam podem ser proteínas normais secretadas, que são produzidas em quantidades excessivas e que se acumulam no RE, conforme observado em certos plasmócitos envolvidos na síntese ativa de imunoglobulinas. O RE sofre enorme distensão, produzindo grandes inclusões eosinofílicas homogêneas, denominadas *corpúsculos de Russell*
- *Defeitos no transporte intracelular e secreção de proteínas fundamentais*. Na deficiência de α_1-antitripsina, a ocorrência de mutações na proteína torna seu enovelamento lento, resultando em acúmulo de intermediários parcialmente enovelados, que se agregam no RE dos hepatócitos e não são secretados. A consequente deficiência da enzima circulante nos locais em que ela é necessária no pulmão provoca enfisema (ver **Capítulo 15**). Em muitas dessas doenças de enovelamento das proteínas, a patologia resulta não apenas da perda da função da proteína, mas também do estresse do RE causado pelas proteínas mal enoveladas, que desencadeia a resposta às proteínas não enoveladas e culmina em morte celular por apoptose (discutida anteriormente)
- *Acúmulo de proteínas do citoesqueleto*. Existem vários tipos de proteínas do citoesqueleto, como microtúbulos (20 a 25 nm de diâmetro), filamentos finos de actina (6 a 8 nm), filamentos grossos de miosina (15 nm) e filamentos intermediários (10 nm). Os filamentos intermediários, que fornecem uma estrutura intracelular flexível que organiza o citoplasma e resiste às forças aplicadas à célula, são divididos em cinco classes: filamentos de queratina (característicos das células epiteliais), neurofilamentos (neurônios), filamentos de desmina (células musculares), filamentos de vimentina (células do tecido conjuntivo) e filamentos gliais (astrócitos). Os acúmulos de filamentos de queratina e neurofilamentos estão associados a certos tipos de lesão celular. O corpúsculo *hialino alcoólico* corresponde a uma inclusão citoplasmática eosinofílica nos hepatócitos, que é característica da doença hepática alcoólica e constituída predominantemente de filamentos intermediários de queratina (ver **Capítulo 18**). Os *emaranhados neurofibrilares* encontrados no cérebro de pacientes com doença de Alzheimer contêm neurofilamentos e outras proteínas (ver **Capítulo 28**)
- *Agregação de proteínas anormais*. Proteínas anormais ou mal enoveladas podem se depositar nos tecidos e interferir nas suas funções normais. Os depósitos podem ser intracelulares, extracelulares ou ambos, e os agregados podem causar, direta ou indiretamente, alterações patológicas. Certas formas de *amiloidose* (ver **Capítulo 6**) são classificadas nessa categoria de doenças. Algumas vezes, esses distúrbios são denominados *proteinopatias* ou *doenças de agregação de proteínas*.

Degeneração hialina

O termo *hialina* refere-se normalmente a uma alteração dentro das células ou no espaço extracelular, que confere uma aparência homogênea, vítrea e rosada a cortes histológicos de rotina corados pela H&E. É amplamente utilizado como termo histológico descritivo, e não como marcador específico de lesão celular. Essa alteração morfológica é produzida por uma variedade de alterações e não representa um padrão específico de acúmulo.

Os acúmulos de *hialina intracelular* de proteínas incluem gotículas de reabsorção, corpúsculos de Russell e corpúsculo hialino alcoólico (descritos anteriormente). A *hialina extracelular* tem sido mais difícil de analisar. As fibras colágenas em cicatrizes antigas podem ter aparência hialinizada, porém a base bioquímica dessa alteração ainda não foi esclarecida. Na hipertensão de longa duração e no diabetes melito, as paredes das arteríolas, sobretudo no rim, tornam-se hialinizadas, em consequência da proteína plasmática extravasada e do depósito de material na membrana basal.

Glicogênio

São observados depósitos intracelulares excessivos de glicogênio em pacientes com anormalidade no metabolismo da glicose ou do glicogênio. O glicogênio constitui uma fonte prontamente disponível de glicose armazenada no citoplasma das células saudáveis. Independentemente do contexto clínico, as massas de glicogênio aparecem como vacúolos claros no interior do citoplasma, visto que o glicogênio se dissolve em fixadores aquosos; por conseguinte, é identificado com mais facilidade quando os tecidos são fixados em álcool absoluto. A coloração pelo carmim de Best ou a reação de ácido periódico de Schiff (PAS, *periodic acid-Schiff*) confere ao glicogênio uma cor rosa a violeta, porém ele também pode corar carboidratos ligados a proteínas. A digestão com diástase de um corte seriado subsequente, que demonstra perda da coloração devido à hidrólise do glicogênio, constitui, portanto, uma importante validação.

O diabetes melito é o principal exemplo de distúrbio do metabolismo da glicose. Nessa doença, o glicogênio é encontrado nas células epiteliais dos túbulos renais, bem como no interior dos hepatócitos, das células β das ilhotas de Langerhans no pâncreas e nas células musculares cardíacas.

O glicogênio acumula-se dentro de determinadas células em um grupo de distúrbios genéticos relacionados, coletivamente designados como *doenças de depósito do glicogênio* ou *glicogenoses* (ver **Capítulo 5**). Nessas doenças, defeitos enzimáticos na síntese ou na degradação do glicogênio resultam em acúmulo maciço, causando lesão e morte celulares.

Pigmentos

Os pigmentos são substâncias coloridas, algumas das quais são constituintes normais das células (p. ex., melanina), enquanto outros são anormais e acumulam-se nas células em circunstâncias especiais. Os pigmentos podem ser exógenos, isto é, que provêm de fora do corpo, ou endógenos, quando sintetizados dentro do próprio corpo.

Pigmentos exógenos

O pigmento exógeno mais comum é o carbono (poeira de carvão), um poluente do ar onipresente em áreas urbanas. Quando inalado, é capturado pelos macrófagos dentro dos alvéolos e, em seguida, transportado por meio dos vasos linfáticos até os linfonodos na região traqueobrônquica. Os acúmulos desse pigmento tornam os tecidos dos pulmões negros (*antracose*), assim como os linfonodos envolvidos. Nos mineiros de carvão, os agregados de poeira de carvão podem induzir uma reação fibroblástica ou até mesmo enfisema, causando, assim, uma doença pulmonar grave conhecida como *pneumoconiose dos carvoeiros* (ver **Capítulo 15**). A *tatuagem* é uma forma de pigmentação exógena localizada da pele. Os pigmentos inoculados são fagocitados por macrófagos da derme, no interior dos quais se acumulam pelo resto da vida do indivíduo tatuado. Os pigmentos costumam não desencadear resposta inflamatória.

Pigmentos endógenos

A lipofuscina é um pigmento insolúvel, também conhecido como lipocromo ou pigmento do desgaste. A lipofuscina é composta de polímeros de lipídios e fosfolipídios em complexo com proteínas, sugerindo que provém da peroxidação lipídica de lipídios poli-insaturados de membranas intracelulares. A lipofuscina não é nociva para a célula ou suas funções. Sua importância reside no fato de ela constituir um sinal indicador de lesão por radicais livres ou peroxidação lipídica. O termo é derivado do latim (*fuscus*, marrom) para se referir ao lipídio marrom. Nos cortes histológicos, a lipofuscina aparece como pigmento citoplasmático, geralmente perinuclear, castanho-amarelado e finamente granular (**Figura 2.33**). É observada em células que sofrem alterações regressivas lentas, proeminente no fígado e no coração de pacientes idosos ou com desnutrição grave e caquexia do câncer.

A melanina, um termo derivado do grego (*melas*, preto), é um pigmento endógeno marrom-negro, formado quando a enzima tirosinase catalisa a oxidação da tirosina a di-hidroxifenilalanina nos melanócitos. É discutida com mais detalhes no **Capítulo 25**. Para fins práticos, a melanina é o *único pigmento*

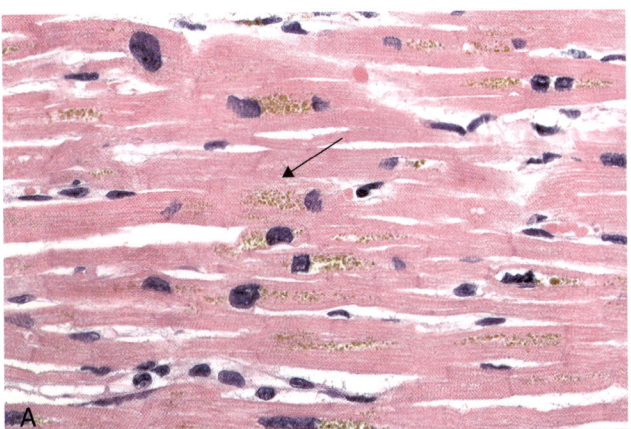

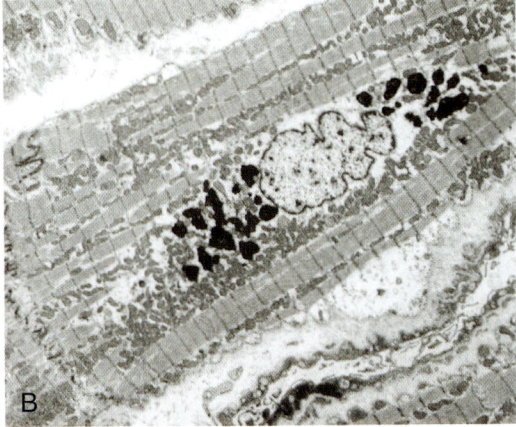

Figura 2.33 Grânulos de lipofuscina em miócitos cardíacos mostrados na (**A**) microscopia óptica (depósitos indicados pela *seta*) e na (**B**) microscopia eletrônica (observar a localização perinuclear intralisossômica).

endógeno marrom-negro. O único outro pigmento que poderia ser considerado nessa categoria é o ácido homogentísico, um pigmento negro que ocorre em pacientes com *alcaptonúria*, uma doença metabólica rara. Nesse caso, o pigmento é depositado na pele, nos tecidos conjuntivos e na cartilagem, e a pigmentação é conhecida como *ocronose*.

A hemossiderina, um pigmento derivado da hemoglobina, granular ou cristalino, amarelo-ouro a castanho, constitui uma das principais formas de armazenamento do ferro. O metabolismo de ferro e a hemossiderina são considerados de modo detalhado nos **Capítulos 14** e **18**. O ferro costuma ser carreado por uma proteína de transporte específica, denominada transferrina. Nas células, é armazenado em associação a uma proteína, a apoferritina, para formar micelas de ferritina, que é um constituinte da maioria dos tipos celulares. Quando há um excesso de ferro local ou sistêmico, a ferritina forma *grânulos de hemossiderina*, que são facilmente visualizados ao microscópio óptico. O pigmento hemossiderina representa agregados de micelas de ferritina. Em condições normais, pequenas quantidades de hemossiderina podem ser observadas nos fagócitos mononucleares da medula óssea, do baço e do fígado, que são responsáveis pela reciclagem do ferro derivado da hemoglobina durante a degradação dos eritrócitos envelhecidos.

Os excessos locais ou sistêmicos de ferro causam acúmulo de hemossiderina no interior das células. Os *excessos locais* resultam de hemorragia nos tecidos. O melhor exemplo de hemossiderose localizada é a equimose comum. No local de lesão, os eritrócitos extravasados são fagocitados durante vários dias pelos macrófagos, que degradam a hemoglobina e recuperam o ferro. Após a remoção do ferro, o heme é convertido inicialmente em biliverdina ("bile verde") e, em seguida, em bilirrubina ("bile vermelha"). Paralelamente, o ferro liberado do heme é incorporado na ferritina e, por fim, na hemossiderina. Essas conversões são responsáveis pela mudança característica de cores frequentemente observada durante a reabsorção da equimose, que costuma passar do vermelho-arroxeado para o azul-esverdeado e o amarelo-ouro antes de sua resolução.

Quando ocorre *sobrecarga sistêmica de ferro*, a hemossiderina pode ser depositada em muitos órgãos e tecidos, uma condição denominada *hemossiderose*, cujas principais causas consistem em (1) aumento da absorção do ferro da dieta, devido a um erro inato do metabolismo, denominado *hemocromatose* (ver **Capítulo 18**), (2) anemias hemolíticas, em que a lise excessiva dos eritrócitos leva à liberação de quantidades anormais de ferro (ver **Capítulo 14**), e (3) transfusões sanguíneas repetidas, visto que os eritrócitos transfundidos representam uma carga de ferro exógena.

Calcificação patológica

A calcificação patológica refere-se ao depósito tecidual anormal de sais de cálcio, assim como com quantidades menores de ferro, magnésio e outros sais minerais. Existem duas formas de calcificação patológica. Quando ocorre deposição local em tecidos mortos, o processo é conhecido como *calcificação distrófica*; ela ocorre apesar de níveis séricos normais de cálcio e na ausência de alterações no metabolismo do cálcio. Em contrapartida, a deposição de sais de cálcio em tecidos normais sob os demais aspectos é conhecida como *calcificação metastática* e quase sempre resulta de hipercalcemia secundária a algum distúrbio do metabolismo do cálcio.

Calcificação distrófica

A calcificação distrófica é encontrada em áreas de necrose, dos tipos coagulativa, caseosa ou liquefativa, bem como em focos de necrose enzimática de gordura. A calcificação quase sempre está presente nos ateromas da aterosclerose avançada. Além disso, desenvolve-se comumente nas valvas cardíacas envelhecidas ou danificadas, dificultando ainda mais a sua função (**Figura 2.34**). Qualquer que seja o local de deposição, os sais de cálcio aparecem macroscopicamente como delicados grânulos ou aglomerados brancos, geralmente com textura de depósitos arenosos. Algumas vezes, um linfonodo tuberculoso é praticamente transformado em pedra.

> **Morfologia**
>
> Ao exame histológico, com a coloração de rotina pela H&E, os sais de cálcio apresentam uma aparência granular amorfa e basofílica, formando algumas vezes agregados. Podem ser intracelulares, extracelulares ou ter ambas as localizações. Com o passar do tempo, pode haver formação de **osso heterotópico** no foco da calcificação. Em certas ocasiões, células necróticas isoladas podem atuar como sementes de cristais, que se tornam incrustadas pelos depósitos minerais. A aquisição progressiva de camadas externas pode criar configurações lamelares, denominadas **corpos de psamoma**, em virtude de sua semelhança com grãos de areia. Alguns tipos de cânceres papilíferos (p. ex., da tireoide) são capazes de formar corpos de psamoma. Na asbestose, os sais de cálcio e de ferro reúnem-se em longas espículas delgadas de asbesto no pulmão, criando formas exóticas em contas de rosário e halteres, conhecidas como **corpos de asbesto** (ver **Capítulo 15**).

Embora a calcificação distrófica possa simplesmente constituir um sinal indicador de lesão celular prévia, ela costuma ser causa de disfunção orgânica. Esse é o caso na doença valvar calcificada e na aterosclerose, como ficará claro na discussão posterior dessas doenças (ver **Capítulos 11** e **12**). O nível sérico de cálcio encontra-se normal na calcificação distrófica.

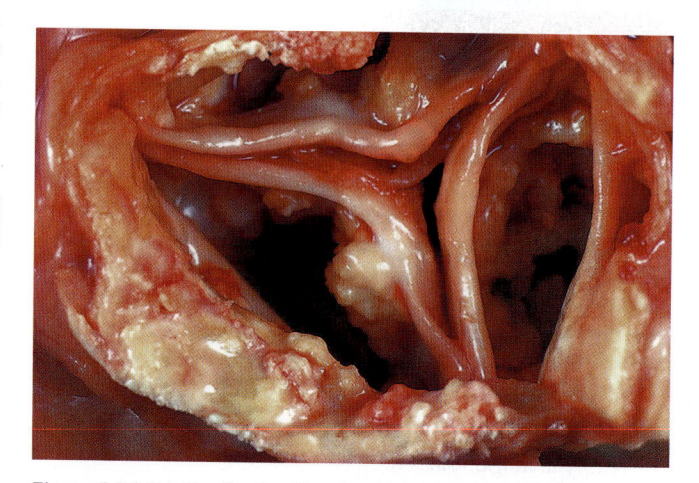

Figura 2.34 Calcificação distrófica da valva da aorta. Vista superior da valva da aorta fechada em um coração com estenose aórtica calcificada. Observa-se um acentuado estreitamento (estenose). As cúspides semilunares estão espessas e fibróticas, e, atrás de cada uma, são observadas massas irregulares de calcificação distróficas empilhadas.

Calcificação metastática

Pode ocorrer calcificação metastática nos tecidos normais sempre que houver hipercalcemia. A hipercalcemia também acentua a calcificação distrófica. Existem quatro causas principais de hipercalcemia: (1) *aumento da secreção de paratormônio (PTH)*, com reabsorção óssea subsequente, como no hiperparatireoidismo devido a neoplasias das paratireoides e secreção ectópica de proteína relacionada ao PTH por neoplasias malignas (ver **Capítulo 7**); (2) *reabsorção de tecido ósseo*, em consequência de neoplasias primárias da medula óssea (p. ex., mieloma múltiplo, leucemia) ou metástases esqueléticas disseminadas (p. ex., câncer de mama), renovação óssea acelerada (p. ex., doença de Paget) ou imobilização; (3) *distúrbios relacionados com a vitamina D*, como intoxicação por vitamina D, sarcoidose (em que os macrófagos ativam um precursor da vitamina D) e hipercalcemia idiopática da lactância (síndrome de Williams), caracterizada por uma sensibilidade anormal à vitamina D; e (4) *insuficiência renal*, que causa retenção de fosfato, levando ao hiperparatireoidismo secundário. As causas menos comuns incluem intoxicação por alumínio, que ocorre em pacientes submetidos a diálise renal crônica, e síndrome leite-álcali, que resulta da ingestão excessiva de cálcio e antiácidos absorvíveis, como leite ou carbonato de cálcio.

A calcificação metastática pode ocorrer amplamente por todo o corpo, porém afeta sobretudo os tecidos intersticiais da mucosa gástrica, rins, pulmões, artérias sistêmicas e veias pulmonares. Embora a sua localização seja muito diferente, todos esses tecidos excretam ácido e, portanto, apresentam um compartimento alcalino interno que os predispõe à calcificação metastática. Em todos esses locais, os sais de cálcio assemelham-se morfologicamente aos descritos na calcificação distrófica. Por conseguinte, podem ocorrer na forma de depósitos amorfos não cristalinos ou, em outras circunstâncias, como cristais de hidroxiapatita.

Em geral, os sais minerais não provocam disfunção clínica; todavia, em certas ocasiões, o comprometimento maciço dos pulmões produz imagens radiológicas e comprometimento respiratório notáveis. Os depósitos maciços no rim (nefrocalcinose) podem, com o tempo, causar dano renal (ver **Capítulo 20**).

> **Conceitos-chave**
>
> **Depósitos e calcificações intracelulares anormais**
>
> Os depósitos anormais de materiais nas células e nos tecidos resultam de um aporte excessivo ou de transporte ou catabolismo deficientes
> - Deposição de lipídios
>   - Degeneração gordurosa: acúmulo de triglicerídeos livres nas células, em consequência de aporte excessivo ou transporte deficiente (frequentemente devido a defeitos na síntese de proteínas de transporte); manifestação de lesão celular reversível
>   - Depósito de colesterol: resulta do catabolismo defeituoso e do aporte excessivo; nos macrófagos e nas células musculares lisas das paredes dos vasos na aterosclerose
> - Deposição de proteínas: proteínas reabsorvidas nos túbulos renais; imunoglobulinas nos plasmócitos
> - Deposição de glicogênio: nos macrófagos de pacientes com defeitos das enzimas lisossômicas que degradam o glicogênio (doenças de depósito do glicogênio) e em certos distúrbios do metabolismo do glicogênio
> - Deposição de pigmentos: pigmentos normalmente indigeríveis, como carbono, lipofuscina (produto de degradação da peroxidação lipídica) ou ferro (geralmente devido à sobrecarga, como na hemossiderose)
> - Calcificações patológicas
>   - Calcificação distrófica: deposição de cálcio em locais de lesão celular e necrose
>   - Calcificação metastática: deposição de cálcio em tecidos normais, causada por hipercalcemia (geralmente em consequência do excesso de paratormônio).

Envelhecimento celular

A humanidade procura alcançar a imortalidade desde tempos imemoriais. Dizem que Toth e Hermes, divindades egípcia e grega, descobriram o elixir da juventude e tornaram-se imortais. Infelizmente, como eles não foram encontrados em lugar nenhum, o elixir continua sendo um segredo. Shakespeare foi quem melhor caracterizou o envelhecimento em sua primorosa descrição das sete idades do homem. Começa no momento da concepção, envolve a diferenciação e a maturação do organismo e suas células, em algum ponto variável do tempo levam à perda progressiva da capacidade funcional característica da senescência e termina com a morte.

Os indivíduos envelhecem porque suas células envelhecem. Embora a atenção pública no processo de envelhecimento tradicionalmente tenha sido concentrada nas manifestações estéticas, o envelhecimento apresenta importantes consequências para a saúde, visto que a idade constitui um dos mais fortes fatores de risco independentes para muitas doenças crônicas, como câncer, doença de Alzheimer e doença cardíaca isquêmica. Talvez uma das descobertas mais impressionantes sobre o envelhecimento celular é a de que ele não é simplesmente uma consequência de uma "perda da energia", mas, na verdade, é regulado por genes que são evolutivamente conservados, desde as leveduras, passando pelos vermes, até os mamíferos.

O envelhecimento celular resulta de um declínio progressivo da função e viabilidade celulares, causado por anormalidades genéticas e acúmulo de danos celulares e moleculares, devido aos efeitos da exposição a influências exógenas (Figura 2.35). Estudos realizados em modelos experimentais estabeleceram que o envelhecimento é influenciado por um número limitado de genes, e anormalidades genéticas também estão na base de síndromes que se assemelham ao envelhecimento precoce nos seres humanos. Esses achados sugerem que o envelhecimento está associado a alterações mecanísticas definidas. Acredita-se que vários mecanismos desempenhem um papel no envelhecimento, alguns dos quais são intrínsecos das células e outros induzidos pelo ambiente.

Dano ao DNA. Diversos agentes exógenos (físicos, químicos e biológicos) e fatores endógenos, como as ROS, ameaçam a integridade do DNA nuclear e mitocondrial. Embora a maior parte do dano ao DNA seja reparada por meio de enzimas de reparo do DNA, alguns persistem e acumulam-se à medida que as células envelhecem. Várias linhas de evidências apontam para a importância do reparo do DNA no processo de envelhecimento. Estudos de sequenciamento do DNA de última geração mostraram que, em média, as células-tronco hematopoéticas sofrem 14 novas mutações por ano, e é provável que esse dano cumulativo possa explicar por

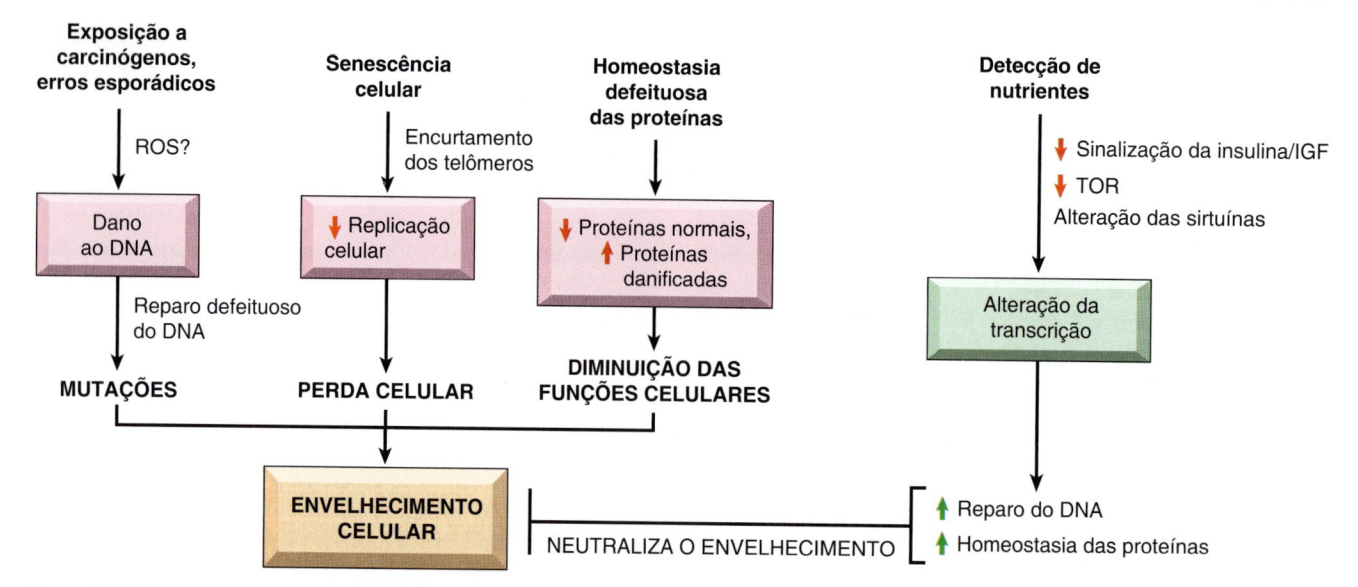

Figura 2.35 Mecanismos que causam e neutralizam o envelhecimento celular. O dano ao DNA, a senescência replicativa, a redução e o mau enovelamento das proteínas estão entre os mecanismos mais bem descritos do envelhecimento celular. A detecção de nutrientes, exemplificada pela restrição calórica, neutraliza o envelhecimento por meio da ativação de diversas vias de sinalização e fatores de crescimento. *IGF*, fator de crescimento semelhante à insulina; *ROS*, espécies reativas de oxigênio; *TOR*, alvo da rapamicina.

que, tal qual a maioria dos outros cânceres, as neoplasias malignas hematológicas são doenças que ocorrem mais comumente nos idosos. Os pacientes com *síndrome de Werner* exibem envelhecimento prematuro, e o produto gênico defeituoso é uma DNA helicase, uma proteína envolvida na replicação e reparo do DNA e em outras funções que exigem o desenrolamento do DNA. A ocorrência de um defeito nessa enzima provoca o rápido acúmulo de danos cromossômicos, que podem simular alguns aspectos da lesão que normalmente se acumula durante o envelhecimento celular. A instabilidade genética nas células somáticas também constitui uma característica de outros distúrbios, em que os pacientes apresentam algumas das manifestações do envelhecimento em uma taxa elevada, como a *síndrome de Bloom* e a *ataxia-telangiectasia*, em que os genes mutados codificam proteínas envolvidas no reparo de quebras de dupla fita do DNA (ver **Capítulo 7**).

Senescência celular. Todas as células normais apresentam uma capacidade limitada de replicação, e, depois de um número fixo de divisões, as células permanecem paradas em um estado terminal sem divisão, conhecido como *senescência replicativa*. O envelhecimento está associado a uma senescência replicativa progressiva das células. As células de crianças têm a capacidade de sofrer mais ciclos de replicação do que as células de indivíduos idosos. Acredita-se que dois mecanismos estejam na base da senescência celular:

- *Desgaste dos telômeros.* Um mecanismo de senescência replicativa envolve o encurtamento progressivo dos telômeros, que resulta, por fim, em parada do ciclo celular. Os *telômeros* são sequências curtas e repetidas de DNA presentes nas extremidades dos cromossomos, que são importantes para garantir a replicação completa das extremidades dos cromossomos e para proteger as extremidades de fusão e degradação. Quando as células somáticas se replicam um pequeno segmento do telômero não sofre duplicação, e os telômeros tornam-se progressivamente encurtados. À medida que os telômeros tornam-se mais curtos, as extremidades dos cromossomos não podem ser protegidas e são vistas como DNA danificado, sinalizando a interrupção do ciclo celular. O comprimento dos telômeros é mantido pela adição de nucleotídios mediada por uma enzima denominada *telomerase*. A telomerase é um complexo de RNA-proteína especializado, que utiliza o seu próprio RNA como molde para acrescentar nucleotídios nas extremidades dos cromossomos. A telomerase é expressa nas células germinativas e está presente em baixos níveis nas células-tronco, porém está ausente na maioria dos tecidos somáticos (**Figura 2.36**). Por conseguinte, à medida que a maioria das células somáticas envelhece, seus telômeros tornam-se mais curtos, e elas saem do ciclo celular, resultando na incapacidade de gerar novas células para substituir as danificadas. Por outro lado, nas células cancerosas imortalizadas, a telomerase costuma ser reativada, e o comprimento dos telômeros é estabilizado, possibilitando a proliferação das células indefinidamente. Esse assunto é discutido de modo mais detalhado no **Capítulo 7**. As ligações causais entre o comprimento dos telômeros e a senescência celular foram estabelecidas em modelos de camundongos. Os camundongos submetidos a engenharia genética com telômeros encurtados apresentam uma redução da sobrevida, que pode ser restaurada para o normal pela ativação da telomerase. Conforme discutido em outros capítulos, o encurtamento dos telômeros também está associado ao desenvolvimento prematuro de doenças, como fibrose pulmonar (ver **Capítulo 15**) e anemia aplásica (ver **Capítulo 14**).

- *Ativação de genes supressores de tumor.* Além do desgaste dos telômeros, a ativação de determinados genes supressores de tumor, sobretudo aqueles codificados pelo *locus CDKN2A*, também parece estar envolvida no controle da senescência replicativa. O *locus CDKN2A* codifica duas proteínas supressoras de tumor, e a expressão de uma delas, conhecida como p16 ou INK4a, está correlacionada com a idade cronológica em praticamente todos os tecidos humanos e tecidos murinos examinados. Ao controlar a progressão das fases G1 para S durante o ciclo celular (ver **Capítulo 1**), a p16 protege as células de sinais mitogênicos descontrolados e empurra as células ao longo da via da senescência. Isso é discutido com mais detalhes no **Capítulo 7**.

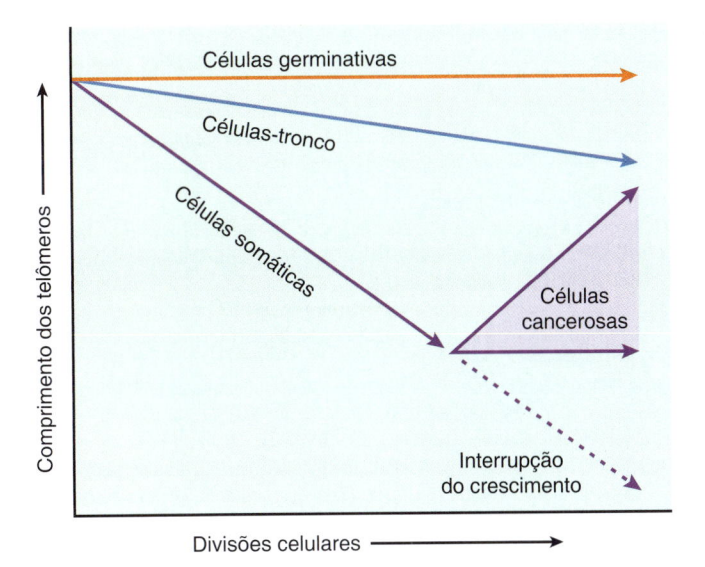

Figura 2.36 Papel dos telômeros e da telomerase na senescência replicativa das células. O gráfico mostra a relação entre o comprimento dos telômeros e o número de divisões celulares. Na maioria das células somáticas, não há atividade da telomerase, e os telômeros sofrem encurtamento progressivo com a evolução do número das divisões celulares até a interrupção do crescimento ou até a ocorrência de senescência. Tanto as células germinativas quanto as células-tronco contêm telomerase, porém apenas as células germinativas apresentam níveis suficientes da enzima para estabilizar por completo o comprimento dos telômeros. Nas células cancerosas, a telomerase é frequentemente reativada. (Dados de Holt SE, Shay JW, Wright WE: Refining the telomere-telomerase hypothesis of aging and cancer, *Nat Biotechnol* 14:836, 1996.)

Homeostasia defeituosa das proteínas. A homeostasia das proteínas envolve dois mecanismos: a manutenção das proteínas em sua conformação corretamente enovelada (mediada por chaperonas) e a degradação de proteínas mal enoveladas, danificadas ou desnecessárias pelo sistema de autofagia-lisossomo e sistema da ubiquitina-proteassomo. Há evidências de que tanto o enovelamento normal quanto a degradação de proteínas mal enoveladas estão comprometidos com o envelhecimento. Camundongos mutantes com deficiência de chaperonas da família de proteínas do choque térmico envelhecem rapidamente; em contrapartida, aqueles que hiperexpressam essas chaperonas têm vida longa. Existem dados semelhantes sobre o papel da autofagia e degradação proteassômica das proteínas. É interessante assinalar que a administração de rapamicina, que inibe a via mTOR (alvo molecular da rapamicina), aumenta o tempo de vida de camundongos de meia-idade. A rapamicina apresenta múltiplos efeitos, como a promoção da autofagia. A homeostasia anormal das proteínas pode ter muitos efeitos sobre a sobrevivência, replicação e funções das células. Além disso, pode levar ao acúmulo de proteínas mal enoveladas, podendo desencadear a apoptose.

Detecção desregulada de nutrientes. Por mais paradoxal que pareça, comer menos aumenta a longevidade. A restrição calórica aumenta o tempo de vida em todas as espécies eucarióticas em que foi testada, com resultados alentadores até mesmo em primatas não humanos e em algumas pessoas inusitadamente disciplinadas que são alvo da inveja de outras. Com base nessas observações, há muito interesse em decifrar o papel da sensibilidade aos nutrientes no envelhecimento. Embora não estejam totalmente elucidados, existem dois circuitos neuro-hormonais principais que regulam o metabolismo:

- *Via de sinalização da insulina e do fator de crescimento semelhante à insulina-1 (IGF-1).* O IGF-1 é produzido em muitos tipos de células em resposta à secreção de hormônio do crescimento pela hipófise. Conforme indicado pelo próprio nome, o IGF-1 imita a sinalização intracelular pela insulina e, portanto, fornece informações às células sobre a disponibilidade de glicose, promovendo um estado anabólico, bem como o crescimento e a replicação das células. A sinalização do IGF-1 apresenta muitos alvos a jusante; nessa discussão, duas quinases são relevantes: a AKT e seu alvo a jusante, mTOR, que, como o próprio nome indica, é inibido pela rapamicina
- *Sirtuínas.* As sirtuínas são uma família de proteína desacetilases dependentes de NAD. Existem pelo menos sete tipos de sirtuínas nos mamíferos, que estão distribuídos em diferentes compartimentos celulares e desempenham funções não redundantes destinadas a adaptar as funções corporais a vários estresses ambientais, como privação de alimento e dano ao DNA. Acredita-se que as sirtuínas promovam a expressão de vários genes, cujos produtos aumentam a longevidade. Incluem proteínas que inibem a atividade metabólica, reduzem a apoptose, estimulam o enovelamento das proteínas e neutralizam os efeitos nocivos dos radicais livres de oxigênio. As sirtuínas também aumentam a sensibilidade à insulina e o metabolismo da glicose e podem constituir alvos para o tratamento do diabetes melito.

Acredita-se que a restrição calórica aumente a longevidade ao reduzir a intensidade de sinalização da via do IGF-1 e ao aumentar as sirtuínas. A atenuação da sinalização do IGF-1 leva a menores taxas de crescimento celular e metabolismo e, possivelmente, a uma redução do dano celular. Esse efeito pode ser simulado pela rapamicina. Um aumento das sirtuínas, sobretudo da sirtuína-6, desempenha duas funções: as sirtuínas (1) contribuem para adaptações metabólicas à restrição calórica e (2) promovem a integridade genômica ao ativar as enzimas de reparo do DNA por desacilação. Embora os efeitos de antienvelhecimento das sirtuínas tenham sido amplamente divulgados, muitos aspectos ainda precisam ser desvendados para que pílulas ativadoras de sirtuínas se tornem disponíveis para aumentar a longevidade. Entretanto, os amantes do vinho otimistas deleitaram-se ao ouvir que um constituinte do vinho tinto pode ativar as sirtuínas e, portanto, aumentar o tempo de vida.

> **Conceitos-chave**
>
> **Envelhecimento celular**
>
> - O envelhecimento celular resulta de uma combinação de dano celular cumulativo (p. ex., por radicais livres), redução da capacidade de sofrer divisão (senescência replicativa), redução da capacidade de reparo do DNA danificado e homeostasia defeituosa das proteínas
>   - Acúmulo de dano ao DNA: mecanismos defeituosos e reparo do DNA; em contrapartida, a restrição calórica pode ativar o reparo do DNA e diminuir a velocidade do envelhecimento em modelos experimentais
>   - Senescência replicativa: redução da capacidade das células de sofrer divisão em consequência do encurtamento progressivo das extremidades dos cromossomos (telômeros)
>   - Homeostasia defeituosa das proteínas: em consequência do comprometimento das funções das chaperonas e dos proteassomos

- Sistema de detecção de nutrientes: a restrição calórica aumenta a longevidade. Os mediadores podem incluir redução da sinalização do IGF-1 e aumento das sirtuínas.

As várias formas de disfunções e adaptações celulares descritas neste capítulo abrangem um amplo espectro, que inclui adaptações no tamanho, crescimento e função das células; formas reversíveis e irreversíveis de lesão celular aguda; morte celular regulada (p. ex., na apoptose); alterações patológicas nas organelas celulares; e formas menos graves de acúmulos intracelulares, como pigmentações. São feitas referências a essas alterações ao longo de todo o livro, visto que toda lesão orgânica e, em última análise, toda doença clínica surgem de disfunções na estrutura e função das células.

LEITURA SUGERIDA

Mecanismos de lesão celular

Galluzzi L, Kepp O, Kroemer G: Mitochondrial control of cell death: a phylogenetically conserved control, *Microb Cell* 3:101–108, 2016. [Papel da mitocôndria na resposta celular ao estresse].

Hausenloy DJ, Yellon DM: Myocardial ischemia-reperfusion injury: a neglected therapeutic target, *J Clin Invest* 123:92–100, 2013. [Base molecular da lesão por reperfusão e possíveis alvos terapêuticos].

Lambeth JD, Neish AS: Nox enzymes and new thinking on reactive oxygen: a double-edged sword revisited, *Annu Rev Pathol* 9:119–145, 2014. [Revisão interessante que discute os papéis das espécies reativas de oxigênio na fisiologia normal e na doença].

Oakes SA, Papa FR: The role of endoplasmic reticulum stress in human pathology, *Annu Rev Pathol* 10:173–194, 2015. [Revisão atualizada da resposta à proteína desenovelada e a importância patogênica da lesão celular causada por proteínas mal enoveladas].

Morte celular

Green DR: The coming decade of cell death research: five riddles, *Cell* 177:1094–1107, 2019. [Artigo prospectivo de "Perspectivas" destacando as principais perguntas não respondidas sobre diferentes vias de morte celular].

Hotchkiss RS, Strasser A, McDunn JE, et al: Cell death, *N Engl J Med* 361:1570–1583, 2009. [Excelente revisão das principais vias de morte celular (necrose, apoptose e morte celular associada a autofagia) e suas implicações clínicas e de alvos terapêuticos].

Apoptose

Schenk RL, Strasser A, Dewson G: BCL-2. Long and winding road from discovery to therapeutic target, *Biochem Biophys Res Commun* 482:459–469, 2017. [Revisão atualizada da bioquímica e das funções dos membros da família BCL-2 de reguladores da apoptose].

Nagata S: Apoptosis and clearance of apoptotic cells, *Annu Rev Immunol* 36:489–517, 2018. [Revisão excelente dos mecanismos pelos quais células apoptóticas e seus fragmentos são removidos].

Van Opdenbosch N, Lamkanfi M: Caspases in cell death, inflammation, and disease, *Immunity* 50:1352–1364, 2019. [Resumo das funções desta família de enzimas envolvidas na apoptose e outros processos patológicos].

Necroptose e piroptose

Galluzzi L, Kepp O, Chan FK, et al: Necroptosis. Mechanisms and relevance to disease, *Annu Rev Pathol* 12:103–130, 2017. [Revisão atual da necroptose e seu significado patofisiológico].

Shi J, Gao W, Shao F: Pyroptosis: gasdermin-mediated programmed necrotic cell death, *Trends Biochem Sci* 42:245–254, 2017. [Revisão dos mecanismos e consequências da piroptose].

Tang D, Kang R, Berghe TV, et al: The molecular machinery of regulated cell death, *Cell Res* 29:347–364, 2019. [Revisão das vias de morte celular recém-descobertas e possíveis intervenções terapêuticas].

Tonnus W, Meyer C, Paliege A, et al: The pathologic features of regulated necrosis, *J Pathol* 247:697–707, 2019. [Descrição da patologia das várias vias de morte celular].

Weinlich R, Oberst A, Beere HM, et al: Necroptosis in development, inflammation, and disease, *Nat Rev Mol Cell Biol* 18:127–136, 2017. [Excelente visão geral da bioquímica e significado da necroptose].

Autofagia

Choi AMK, Ryter S, Levine B: Autophagy in human health and disease, *N Engl J Med* 368:651–662, 2013. [Excelente discussão dos mecanismos e significado da autofagia].

Doherty J, Baehrecke EH: Life, death and autophagy, *Nat Cell Biol* 20:1110–1117, 2018. [Revisão da ligação entre autofagia e morte celular].

Levine B, Kroemer G: Biological functions of autophagy genes: a disease perspective, *Cell* 176:11–42, 2019. [Excelente revisão da biologia celular e genética da autofagia].

Adaptações

Bonaldo P, Sandri M: Cellular and molecular mechanisms of muscle atrophy, *Dis Model Mech* 6:25–39, 2013. [Revisão do controle da rotatividade proteica e seu papel na atrofia do músculo].

Giroux V, Rustgi AK: Metaplasia: tissue injury adaptation and a precursor to the dysplasia-cancer sequence, *Nat Rev Cancer* 17:594–604, 2017. [Excelente revisão dos mecanismos de metaplasia, com foco no trato gastrintestinal e porque ela predispõe ao câncer].

Nakamura M, Sadoshima J: Mechanisms of physiological and pathological cardiac hypertrophy, *Nat Rev Cardiol* 15:387–407, 2018. [Revisão dos mecanismos de hipertrofia, com ênfase no coração].

Envelhecimento

Lopez-Otin C, Blasco MA, Partridge L, et al: The hallmarks of aging, *Cell* 153:1194–1217, 2013. [Revisão histórica que sugere nove marcas registradas do envelhecimento e direções para pesquisas futuras].

Marques FC, Volovik Y, Cohen E: The roles of cellular and organismal aging in the development of late-onset maladies, *Annu Rev Pathol* 10:1–23, 2015. [Revisão das muitas maneiras pelas quais o envelhecimento celular contribui para o desenvolvimento de doenças crônicas].

Inflamação e Reparo

CAPÍTULO 3

Scott A. Oakes

SUMÁRIO DO CAPÍTULO

Visão geral da inflamação: definições e características gerais, 71
  Destaques históricos, 73
  Causas da inflamação, 73
  Reconhecimento de microrganismos e células danificadas, 74
Inflamação aguda, 75
  Reações dos vasos sanguíneos na inflamação aguda, 75
  Alterações no fluxo vascular e no calibre dos vasos, 75
  Aumento da permeabilidade vascular (extravasamento vascular), 76
  Respostas dos vasos linfáticos e dos linfonodos, 76
  Recrutamento dos leucócitos para os locais de inflamação, 77
  Adesão dos leucócitos ao endotélio, 78
  Migração dos leucócitos através do endotélio, 79
  Quimiotaxia dos leucócitos, 79
  Fagocitose e eliminação do agente agressor, 80
  Fagocitose, 80
  Destruição intracelular de microrganismos e resíduos, 82
  Armadilhas extracelulares de neutrófilos, 84
  Lesão tecidual mediada por leucócitos, 84
  Outras respostas funcionais dos leucócitos ativados, 85
  Término da resposta inflamatória aguda, 85
  Mediadores da inflamação, 85
  Aminas vasoativas: histamina e serotonina, 86
  Metabólitos do ácido araquidônico, 87
  Citocinas e quimiocinas, 89
  Sistema complemento, 91
  Outros mediadores da inflamação, 92
  Padrões morfológicos da inflamação aguda, 93
  Inflamação serosa, 93
  Inflamação fibrinosa, 93
  Inflamação purulenta (supurativa) e abscesso, 94
  Úlceras, 94
  Resultados da inflamação aguda, 94
  Resumo da inflamação aguda, 95
Inflamação crônica, 96
  Causas da inflamação crônica, 96
  Características morfológicas, 97
  Células e mediadores da inflamação crônica, 97
  Função dos macrófagos, 97
  Função dos linfócitos, 99
  Outras células na inflamação crônica, 100
  Inflamação granulomatosa, 101
Efeitos sistêmicos da inflamação, 102
Reparo tecidual, 103
  Visão geral do reparo tecidual, 103
  Regeneração das células e dos tecidos, 104
  Proliferação celular: sinais e mecanismos de controle, 104
  Mecanismos de regeneração dos tecidos, 105
  Reparo pela deposição de tecido conjuntivo, 106
  Etapas na formação de cicatriz, 106
  Angiogênese, 107
  Deposição de tecido conjuntivo, 108
  Remodelamento do tecido conjuntivo, 108
  Fatores que influenciam o reparo dos tecidos, 109
  Exemplos de reparo tecidual e fibrose, 109
  Cicatrização de feridas cutâneas, 109
  Fibrose em órgãos parenquimatosos, 111
  Anormalidades no reparo dos tecidos, 111
  Defeitos na cicatrização: feridas crônicas, 111
  Cicatrização excessiva, 111

Visão geral da inflamação: definições e características gerais

A inflamação é uma resposta dos tecidos vascularizados, que consiste no recrutamento de leucócitos e de moléculas de defesa do hospedeiro da circulação para os locais de infecção e de lesão celular, com o objetivo de eliminar os agentes agressores. Embora a inflamação, na linguagem médica comum e leiga, sugira uma reação prejudicial, trata-se, na verdade, de uma resposta protetora que é essencial para a sobrevivência. Sua função consiste em livrar o hospedeiro tanto da causa inicial da lesão celular (p. ex., microrganismos, toxinas) quanto das consequências dessa lesão (p. ex., células e tecidos necróticos). Os mediadores da defesa incluem leucócitos fagocíticos, anticorpos e proteínas do complemento. A maior parte desses mediadores circula em um estado de repouso no sangue, a partir do qual são logo recrutados para qualquer local do corpo. Algumas das células envolvidas em respostas inflamatórias também residem em tecidos, atuando como sentinelas à procura de ameaças. O processo de inflamação fornece células circulantes e proteínas aos tecidos e ativa as células recrutadas e residentes, bem como moléculas solúveis, que então agem para eliminar as substâncias indesejadas ou nocivas. Sem inflamação, as infecções não seriam detectadas, as feridas nunca cicatrizariam e os tecidos lesionados poderiam permanecer com feridas purulentas permanentes. O sufixo *-ite* acrescentado a um órgão denota a presença de inflamação nesse local, como apendicite, conjuntivite ou meningite.

A reação inflamatória típica desenvolve-se por meio de uma série de etapas sequenciais (Figura 3.1):

- *Reconhecimento* do agente nocivo que constitui o estímulo desencadeante da inflamação. As células envolvidas na inflamação (células sentinelas residentes em tecidos, fagócitos e outros tipos de células) dispõem de receptores, que reconhecem produtos microbianos e substâncias liberadas de células danificadas. Esses receptores são descritos de modo mais detalhado adiante. A ocupação dos receptores leva à produção de mediadores da inflamação, que em seguida desencadeiam as etapas subsequentes da resposta inflamatória

- *Recrutamento* de leucócitos e proteínas plasmáticas nos tecidos. Como o sangue perfunde todos os tecidos, os leucócitos e as proteínas, como o complemento, podem ser fornecidos em qualquer local de invasão microbiana ou lesão tecidual. Quando microrganismos patogênicos invadem os tecidos, ou quando células teciduais morrem, os leucócitos (sobretudo neutrófilos no início e, posteriormente, monócitos e linfócitos) e as proteínas plasmáticas são logo recrutadas da circulação para o interstício em que se localiza o agente agressor. O extravasamento de células e proteínas plasmáticas a partir do sangue exige alterações coordenadas nos vasos sanguíneos e na secreção de mediadores, que são mais bem descritas adiante
- A *remoção* do estímulo para a inflamação é efetuada, sobretudo, por células fagocitárias, que ingerem e destroem microrganismos e células mortas
- A *regulação* da resposta é importante para a conclusão da reação quando foi alcançado o seu propósito
- O *reparo* consiste em uma série de eventos que possibilitam a cicatrização do tecido danificado. Nesse processo, o tecido lesionado é reparado por meio de regeneração das células sobreviventes e preenchimento com tecido conjuntivo dos defeitos residuais (cicatrização).

Antes de discutir os mecanismos, as funções e a patologia da resposta inflamatória, é conveniente rever algumas de suas propriedades fundamentais:

- *Componentes da resposta inflamatória.* Os vasos sanguíneos e os leucócitos constituem os principais participantes da reação inflamatória nos tecidos (ver a **Figura 3.1**). Conforme discutido com mais detalhes adiante, os vasos sanguíneos respondem a estímulos inflamatórios por meio de sua dilatação e aumento da permeabilidade, possibilitando o extravasamento de proteínas circulantes selecionadas para o local de infecção ou de dano tecidual. Além disso, o endotélio que reveste os vasos sanguíneos também é modificado, de modo que os leucócitos circulantes possam aderir e, em seguida, migrar para os tecidos. Uma vez recrutados, os leucócitos são ativados e adquirem a capacidade de ingerir e destruir os microrganismos e as células mortas, bem como corpos estranhos e outros materiais indesejados nos tecidos
- *Consequências prejudiciais da inflamação.* Com frequência, as reações inflamatórias protetoras contra infecções são acompanhadas de lesão tecidual local e seus sinais e sintomas associados (p. ex., dor e comprometimento funcional). Todavia, com frequência, essas consequências nocivas são autolimitadas e desaparecem à medida que a inflamação regride, deixando pouco ou nenhum dano. Em contrapartida, existem muitas doenças nas quais a reação inflamatória é direcionada incorretamente (p. ex., contra os próprios tecidos nas doenças autoimunes), ocorre contra substâncias ambientais normalmente inofensivas (p. ex., nas alergias) ou é controlada de maneira inadequada. Nesses casos, a reação inflamatória, que objetiva proteger, torna-se a causa da doença, e o dano que provoca constitui a característica dominante. Na clínica médica, uma atenção especial é dispensada às consequências lesivas da inflamação (**Tabela 3.1**). As reações inflamatórias representam a base de doenças crônicas comuns, como artrite reumatoide, aterosclerose e fibrose pulmonar, bem como reações de hipersensibilidade com potencial fatal a picadas de insetos, alimentos, medicamentos e toxinas. Por essa razão, nossas farmácias estão repletas de medicamentos anti-inflamatórios, que, de modo ideal, deveriam controlar as sequelas nocivas da inflamação sem, contudo, interferir nos seus efeitos benéficos. A inflamação também pode contribuir para uma variedade de doenças que acreditamos ser, sobretudo, metabólicas, degenerativas ou genéticas, como diabetes melito tipo 2, doença de Alzheimer e câncer. Em reconhecimento às consequências prejudiciais amplas da inflamação, ela tem sido designada de modo bastante melodramático pela imprensa leiga como "o assassino silencioso"
- *Inflamação local e sistêmica.* Grande parte dessa discussão concentra-se na resposta inflamatória a uma infecção ou dano tecidual localizados. Embora até mesmo as reações locais possam ter manifestações sistêmicas (p. ex., febre em caso de faringite bacteriana ou viral), a inflamação é, em grande parte, confinada ao local de infecção ou dano. Em situações raras, como algumas infecções bacterianas disseminadas, a reação inflamatória é sistêmica e provoca alterações patológicas generalizadas. Essa reação foi denominada sepse, que é uma forma da *síndrome da resposta inflamatória sistêmica*. Esse distúrbio grave é discutido no **Capítulo 4**
- *Mediadores da inflamação.* As reações vasculares e celulares da inflamação, que são desencadeadas por fatores solúveis, que

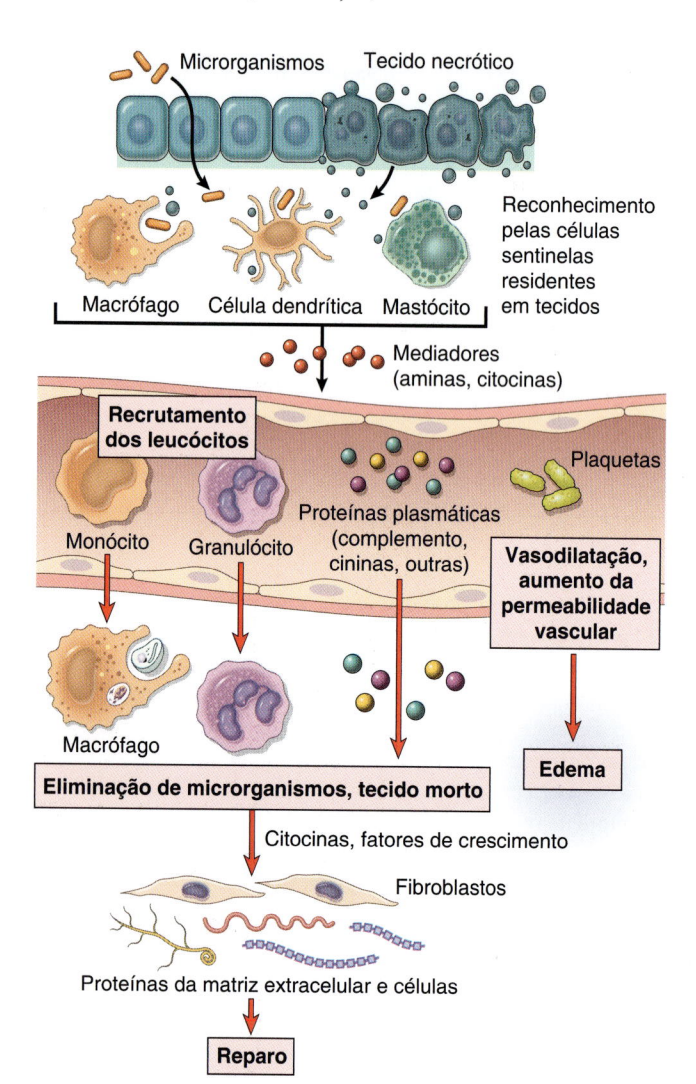

Figura 3.1 Sequência de eventos em uma reação inflamatória. As células sentinelas nos tecidos (macrófagos, células dendríticas e outros tipos de células) reconhecem os microrganismos e as células danificadas e liberam mediadores, que desencadeiam as respostas vasculares e celulares da inflamação.

Tabela 3.1 Doenças causadas por reações inflamatórias.

Doenças	Células e moléculas envolvidas na lesão
Agudas	
Síndrome de desconforto respiratório agudo	Neutrófilos
Asma	Eosinófilos; anticorpos IgE
Glomerulonefrite	Anticorpos e complemento; neutrófilos, monócitos
Choque séptico	Citocinas
Crônicas	
Artrite	Linfócitos, macrófagos; anticorpos?
Asma	Eosinófilos; anticorpos IgE
Aterosclerose	Macrófagos; linfócitos
Fibrose pulmonar	Macrófagos; fibroblastos

IgE, imunoglobulina E.
São apresentados exemplos selecionados de doenças em que a resposta inflamatória desempenha um papel significativo na lesão tecidual. Algumas, como a asma, podem se apresentar como inflamação aguda ou como um quadro crônico com episódios repetidos de exacerbação aguda. Essas doenças e a sua patogênese são discutidas em Capítulos posteriores específicos.

são produzidos por várias células ou derivados de proteínas plasmáticas, e são geradas ou ativadas em resposta ao estímulo inflamatório. Os microrganismos, as células necróticas (qualquer que seja a causa da morte celular) e até mesmo a hipoxia podem desencadear a produção de mediadores inflamatórios e, assim, provocar inflamação. Esses mediadores iniciam e amplificam a resposta inflamatória e determinam o seu padrão, gravidade e manifestações clínicas e patológicas

- *Inflamação aguda e crônica*. A distinção entre inflamação aguda e crônica foi originalmente baseada na duração da reação, porém sabemos agora que elas diferem em vários aspectos (**Tabela 3.2**). A inflamação aguda é uma resposta rápida e, com frequência, autolimitada a agentes agressores que são facilmente eliminados, como muitas bactérias, fungos e células mortas. Normalmente, desenvolve-se em poucos minutos ou horas e é de curta duração (várias horas a alguns dias). Caracteriza-se pela exsudação de líquido e proteínas plasmáticas (edema) e pela migração de leucócitos, sobretudo neutrófilos. Se o estímulo agressor for eliminado, a reação diminui, e ocorre reparo da lesão residual.
A inflamação crônica pode ocorrer após a inflamação aguda ou pode surgir *de novo*. Trata-se de uma resposta a agentes de difícil eliminação, como algumas bactérias (p. ex., bacilos da tuberculose) e outros patógenos (como vírus e fungos), bem como autoantígenos e antígenos ambientais. A inflamação crônica é de duração mais longa e está associada a maior destruição tecidual e cicatrização (fibrose). Algumas vezes, a inflamação crônica pode coexistir com inflamação aguda não resolvida, como pode ocorrer nas úlceras pépticas.

Destaques históricos

Embora as características clínicas da inflamação tenham sido descritas em um papiro egípcio datado em torno de 3.000 a.C., Celsus, um escritor romano do primeiro século d.C., foi o primeiro a listar os quatro sinais cardinais da inflamação: *rubor* (vermelhidão), *tumor* (edema), *calor* (calor) e *dolor* (dor). Esses sinais constituem as características fundamentais da inflamação aguda. Um quinto sinal clínico, a perda de função (*functio laesa*), foi acrescentado por Rudolf Virchow no século 19. Em 1793, o cirurgião escocês John Hunter observou o que agora é considerado um fato óbvio: a inflamação não é uma doença, porém uma resposta estereotipada que oferece um efeito salutar para o hospedeiro. Na década de 1880, o biólogo russo Elie Metchnikoff descobriu o processo da *fagocitose* ao observar a ingestão de espinhos de rosas por amebócitos de larvas de estrela-do-mar e de bactérias por leucócitos de mamíferos. Ele concluiu que o propósito da inflamação era enviar células fagocíticas até a área lesionada para ingerir as bactérias invasoras. Esse conceito foi satirizado por George Bernard Shaw em sua peça *O Dilema do Médico*, em que a panaceia do médico consiste em "estimular os fagócitos". Sir Thomas Lewis, ao estudar a resposta inflamatória na pele, estabeleceu o conceito de que substâncias químicas, como a histamina (produzida no local em resposta à lesão), medeiam as alterações vasculares da inflamação. Esse conceito fundamental está na base das importantes descobertas dos mediadores químicos da inflamação e do uso de medicamentos anti-inflamatórios na medicina.

Causas da inflamação

As reações inflamatórias podem ser desencadeadas por uma variedade de estímulos:

- As *infecções* (bacterianas, virais, fúngicas, parasitárias) e as toxinas microbianas estão entre as causas mais comuns e clinicamente importantes da inflamação. Os diferentes patógenos infecciosos provocam respostas inflamatórias variadas, desde inflamação aguda leve, que causa pouco ou nenhum dano duradouro e erradica com sucesso a infecção, até reações sistêmicas graves, que podem ser fatais, e reações crônicas prolongadas que causam lesão tecidual extensa. Os resultados são determinados, em grande parte, pelo tipo de patógeno e pela resposta do hospedeiro e, em certo grau, por outras características pouco definidas do hospedeiro
- A *necrose tecidual* provoca inflamação, independentemente da causa da morte celular. As células podem morrer em consequência de isquemia (fluxo sanguíneo reduzido, que constitui a causa do infarto do miocárdio), trauma e lesões físicas e químicas (lesão térmica, como a que ocorre nas queimaduras ou no congelamento; irradiação; exposição a algumas substâncias químicas ambientais). Sabe-se que várias moléculas liberadas das células necróticas desencadeiam inflamação; algumas delas são descritas mais adiante

Tabela 3.2 Características da inflamação aguda e crônica.

Característica	Aguda	Crônica
Início	Rápido: minutos ou horas	Lento: dias
Infiltrado celular	Sobretudo neutrófilos	Monócitos/macrófagos e linfócitos
Lesão tecidual, fibrose	Geralmente leve e autolimitada	Geralmente grave e progressiva
Sinais locais e sistêmicos	Proeminentes	Menores

- Os *corpos estranhos* (farpas, sujeira, suturas) podem provocar inflamação por eles próprios ou porque causam lesão traumática do tecido ou transportam microrganismos. Até mesmo substâncias endógenas podem ser prejudiciais se forem depositadas nos tecidos; essas substâncias incluem cristais de urato (na gota), cristais de colesterol (na aterosclerose) e lipídios (na síndrome metabólica associada à obesidade).
- As *reações imunes* (também denominadas reações de *hipersensibilidade*) são reações nas quais o sistema imune, cujo objetivo é proteger, provoca dano aos próprios tecidos do indivíduo. As respostas imunes lesivas podem ser direcionadas contra antígenos próprios, causando doenças autoimunes, ou podem consistir em reações contra substâncias ambientais exógenas, como nas alergias, ou contra microrganismos. A inflamação constitui uma importante causa de lesão tecidual nessas doenças (ver **Capítulo 6**). Como os estímulos para as respostas inflamatórias (p. ex., autoantígenos e antígenos ambientais) não podem ser eliminados, as reações autoimunes e alérgicas tendem a ser persistentes e difíceis de curar, costumam estar associadas à inflamação crônica e constituem causas importantes de morbidade e mortalidade. A inflamação é induzida, em grande parte, por citocinas produzidas pelos linfócitos T e por outras células do sistema imune (ver **Capítulo 6**).

Reconhecimento de microrganismos e células danificadas

O reconhecimento de componentes microbianos ou de substâncias liberadas por células danificadas constitui a etapa inicial nas reações inflamatórias. As células e os receptores que realizam essa função evoluíram para proteger os organismos multicelulares de microrganismos no ambiente, e as respostas que desencadeiam são de importância crítica para a sobrevivência dos organismos. Vários receptores celulares e proteínas circulantes são capazes de reconhecer microrganismos e produtos de dano celular e provocar inflamação:

- *Receptores celulares para microrganismos.* As células expressam receptores na membrana plasmática (para microrganismos extracelulares), endossomos (para microrganismos ingeridos) e citosol (para microrganismos intracelulares), que permitem que as células detectem a presença de invasores estranhos em qualquer compartimento celular. Os mais bem definidos desses receptores pertencem à família dos *receptores do tipo Toll* (*Toll-like*) (*TLR*); esses receptores e outros receptores celulares da imunidade inata são descritos no **Capítulo 6**. Os receptores são expressos em muitos tipos de células, como células epiteliais (por meio das quais os microrganismos entram a partir do ambiente externo), células dendríticas, macrófagos e outros leucócitos (que podem encontrar microrganismos em vários tecidos). A ocupação desses receptores desencadeia a produção de moléculas envolvidas na inflamação, como moléculas de adesão nas células endoteliais, citocinas e outros mediadores.
- *Sensores de dano celular.* Todas as células dispõem de receptores citosólicos, como os *receptores do tipo NOD* (*NOD-like*) (*NLR*), que reconhecem moléculas diversificadas que são liberadas ou alteradas em consequência do dano celular. Essas moléculas incluem o ácido úrico (um produto da degradação do DNA), trifosfato de adenosina (ATP) (liberado das mitocôndrias danificadas), concentrações intracelulares reduzidas de K^+ (refletindo a perda de íons, devido à lesão da membrana plasmática), e até mesmo o DNA quando liberado no citoplasma e não sequestrado em núcleos, como ocorre normalmente, além de muitas outras. Esses receptores ativam um complexo citosólico multiproteico, denominado *inflamassoma* (ver **Capítulo 6**), que induz a produção de uma citocina, a interleucina-1 (IL-1), que recruta leucócitos e, assim, induz a inflamação (ver adiante). As mutações de ganho de função nos genes que codificam alguns dos receptores constituem a causa de doenças raras agrupadas como síndromes autoinflamatórias, que se caracterizam pela produção de IL-1 e inflamação espontâneas; os antagonistas da IL-1 proporcionam tratamentos efetivos para esses distúrbios. O inflamassoma também foi implicado nas reações inflamatórias a cristais de urato (a causa da gota) a lipídios (na síndrome metabólica e no diabetes melito tipo 2 associada à obesidade), a cristais de colesterol (na aterosclerose) e até mesmo a depósitos amiloides no cérebro (na doença de Alzheimer). Esses distúrbios são discutidos adiante, bem como em outros capítulos.
- *Outros receptores celulares envolvidos na inflamação.* Além de reconhecer diretamente os microrganismos, muitos leucócitos expressam receptores para as porções Fc dos anticorpos e para proteínas do complemento. Esses receptores reconhecem microrganismos recobertos por anticorpos e complemento (o processo de revestimento é denominado opsonização) e promovem a ingestão e a destruição dos microrganismos, bem como a inflamação.
- *Proteínas circulantes.* O *sistema complemento* reage contra microrganismos e produz mediadores da inflamação (discutidos adiante). Uma proteína circulante, denominada lectina de ligação da manose, reconhece açúcares microbianos e promove a ingestão dos microrganismos e a ativação do sistema complemento. Outras proteínas, denominadas colectinas, também se ligam a microrganismos e os combatem.

> **Conceitos-chave**
>
> **Características gerais e causas da inflamação**
>
> - A inflamação é uma resposta benéfica do hospedeiro a invasores estranhos e à presença de tecido necrótico, mas também pode causar dano aos tecidos
> - Os principais componentes da inflamação consistem em uma reação vascular e em uma resposta celular, ambas ativadas por mediadores, que derivam de proteínas plasmáticas e de várias células
> - As etapas da resposta inflamatória podem ser lembradas como os cinco R: (1) reconhecimento do agente lesivo, (2) recrutamento de leucócitos, (3) remoção do agente, (4) regulação (controle) da resposta e (5) reparo (resolução)
> - A inflamação aguda e a inflamação crônica diferem na cinética da reação, nas principais células envolvidas e no grau de lesão. O resultado da inflamação aguda consiste na eliminação do estímulo nocivo, seguida de declínio da reação e reparo do tecido danificado ou lesão persistente, levando à inflamação crônica
> - As causas da inflamação incluem infecções, necrose tecidual, corpos estranhos, trauma e respostas imunes
> - As células epiteliais, os macrófagos e as células dendríticas teciduais, os leucócitos e outros tipos de células expressam receptores que detectam a presença de microrganismos e de substâncias liberadas das células danificadas. As proteínas circulantes reconhecem os microrganismos que entraram no sangue.

Inflamação aguda

A inflamação aguda caracteriza-se por três componentes principais: (1) dilatação dos pequenos vasos, resultando em aumento do fluxo sanguíneo; (2) aumento da permeabilidade da microvasculatura, permitindo o extravasamento de proteínas plasmáticas e de leucócitos da circulação; e (3) migração de leucócitos da microcirculação, seu acúmulo no foco de lesão e sua ativação para eliminar o agente agressor (ver **Figura 3.1**). Quando um indivíduo encontra um agente nocivo, um microrganismo ou células mortas, os fagócitos que residem nos tecidos procuram eliminar esses agentes. Ao mesmo tempo, os fagócitos e outras células sentinelas nos tecidos reconhecem a presença da substância estranha ou anormal e reagem por meio da liberação de citocinas, mensageiros lipídicos e outros mediadores da inflamação. Alguns desses mediadores atuam nos pequenos vasos sanguíneos na vizinhança e promovem o efluxo de plasma e o recrutamento de leucócitos circulantes para o local em que se encontra o agente agressor.

Reações dos vasos sanguíneos na inflamação aguda

As reações vasculares da inflamação aguda consistem em alterações do fluxo sanguíneo e da permeabilidade dos vasos, ambas as quais são destinadas a maximizar o movimento de proteínas plasmáticas e leucócitos para fora da circulação, em direção ao local de infecção ou de lesão. O extravasamento de líquido, proteínas e células sanguíneas do sistema vascular para dentro do tecido intersticial ou das cavidades corporais é conhecido como exsudação (**Figura 3.2**). O *exsudato* é um líquido extravascular que apresenta uma elevada concentração de proteína e que contém restos celulares. A sua presença indica a existência de um processo inflamatório que aumentou a permeabilidade dos pequenos vasos sanguíneos. Em contrapartida, o *transudato* é um líquido com baixo conteúdo de proteína (cuja maior parte consiste em albumina), pouco ou nenhum material celular e baixa densidade específica. Trata-se, essencialmente, de um ultrafiltrado de plasma sanguíneo, que é produzido em consequência de desequilíbrio osmótico ou hidrostático por meio da parede do vaso, sem aumento na permeabilidade vascular (ver **Capítulo 4**). O edema denota um excesso de líquido no tecido intersticial ou nas cavidades serosas; pode ser um exsudato ou um transudato. O pus, um exsudato purulento, é um exsudato inflamatório rico em leucócitos (sobretudo neutrófilos), restos de células mortas e, em muitos casos, microrganismos.

Alterações no fluxo vascular e no calibre dos vasos

As alterações no fluxo e no calibre vasculares começam logo após a ocorrência de lesão e apresentam as seguintes características:

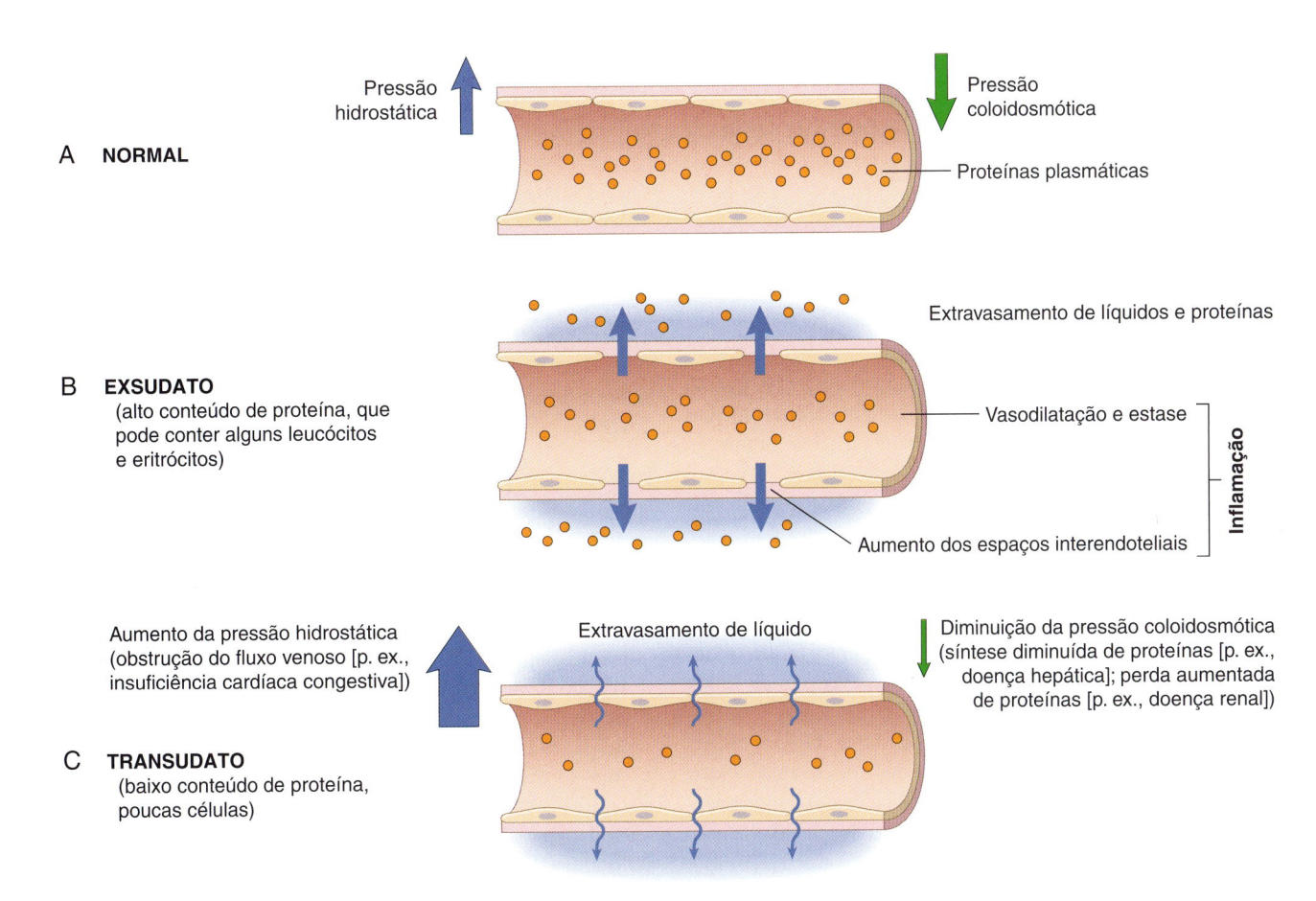

Figura 3.2 Formação de exsudatos e transudatos. **A.** A pressão hidrostática normal (*seta azul*) é de aproximadamente 32 mmHg na extremidade arterial de um leito capilar e de 12 mmHg na extremidade venosa; a pressão coloidosmótica média dos tecidos é de aproximadamente 25 mmHg (*seta verde*), que é igual à pressão capilar média. Desse modo, o fluxo efetivo de líquido através do leito vascular é quase nulo. **B.** Ocorre formação de um exsudato na inflamação, devido ao aumento da permeabilidade vascular em consequência do aumento dos espaços interendoteliais. **C.** Ocorre formação de transudato quando o líquido extravasa, devido a um aumento da pressão hidrostática ou a uma redução da pressão osmótica.

- A *vasodilatação* é induzida pela ação de vários mediadores, sobretudo a histamina, no músculo liso vascular. Trata-se de uma das primeiras manifestações da inflamação aguda. A vasodilatação envolve inicialmente as arteríolas e, em seguida, leva à abertura de novos leitos capilares na área. O resultado consiste em aumento do fluxo sanguíneo, que constitui a causa do calor e da vermelhidão (eritema) no local da inflamação
- A vasodilatação é logo seguida de *aumento da permeabilidade da microvasculatura*, com extravasamento de líquido rico em proteína no interstício tecidual. Esse processo é descrito de modo detalhado mais adiante
- A perda de líquido e o aumento do diâmetro dos vasos levam a um fluxo sanguíneo mais lento, concentração de eritrócitos nos pequenos vasos e aumento da viscosidade do sangue. Essas alterações resultam em ingurgitação dos pequenos vasos com eritrócitos que se movimentam devagar, uma condição denominada *estase*, que é observada como congestão vascular e eritema localizado do tecido acometido
- À medida que a estase se desenvolve, os leucócitos do sangue, sobretudo os neutrófilos, acumulam-se ao longo do endotélio vascular. Ao mesmo tempo, as células endoteliais são ativadas por mediadores produzidos nos locais de infecção e de dano tecidual e expressam níveis aumentados de moléculas de adesão. Em seguida, os leucócitos aderem ao endotélio e, logo depois, migram através da parede vascular para dentro do interstício tecidual, em uma sequência descrita adiante.

Aumento da permeabilidade vascular (extravasamento vascular)

Vários mecanismos são responsáveis pelo aumento da permeabilidade das vênulas pós-capilares, uma característica essencial da inflamação aguda (**Figura 3.3**):

- A *contração das células endoteliais*, que resulta em aumento dos espaços interendoteliais, constitui o mecanismo mais comum do extravasamento vascular. É desencadeada pela histamina, pela bradicinina, por leucotrienos e por outros mediadores químicos. É denominada resposta transitória imediata, visto que ela ocorre logo após exposição ao mediador e, em geral, é de curta duração (de 15 a 30 minutos). Em algumas formas de lesão leve (p. ex., após queimadura, irradiação ou radiação ultravioleta e exposição a determinadas toxinas bacterianas), o extravasamento vascular começa mais tardiamente, depois de 2 a 12 horas e perdura por horas ou mesmo dias. Esse extravasamento prolongado tardio pode ser causado pela contração das células endoteliais ou por dano endotelial leve. A queimadura solar é um exemplo clássico de dano que resulta em extravasamento vascular de aparecimento tardio. Com frequência, as respostas imediata e tardia ocorrem ao longo de um *continuum*
- *Lesão endotelial*, resultando em necrose e separação das células endoteliais. Observa-se a ocorrência de dano direto ao endotélio em lesões físicas graves, como em queimaduras, ou em consequência das ações diretas de microrganismos ou de suas toxinas, que provocam dano às células endoteliais. Os neutrófilos que aderem ao endotélio durante a inflamação também podem lesionar as células endoteliais e, desse modo, amplificar a reação. Na maioria dos casos, o extravasamento começa logo após a lesão e prossegue por várias horas até que os vasos danificados sejam trombosados ou reparados.

A NORMAL
- Leucócitos
- Proteínas plasmáticas
- Endotélio
- Luz do vaso
- Tecido

B RETRAÇÃO DAS CÉLULAS ENDOTELIAIS
- Induzida por histamina, outros mediadores
- Rápida e de curta duração (minutos)

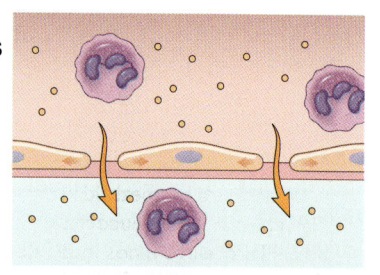

C LESÃO ENDOTELIAL
- Causada por queimaduras, algumas toxinas microbianas
- Rápida; pode ser de longa duração (horas a dias)

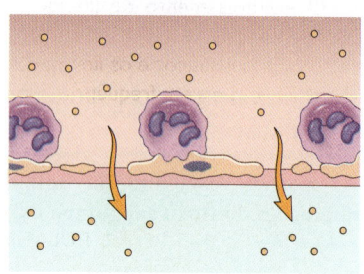

Figura 3.3 Principais mecanismos do aumento da permeabilidade vascular na inflamação, suas características e causas subjacentes.

Embora esses mecanismos de aumento da permeabilidade vascular sejam descritos separadamente, é provável que todos contribuam, em vários graus, para as respostas à maioria dos estímulos. Por exemplo, em diferentes estágios de uma queimadura térmica, o extravasamento resulta da contração endotelial quimicamente mediada e de lesão endotelial direta e dependente dos leucócitos. O extravasamento vascular induzido por esses mecanismos pode causar perda de líquido com potencial fatal em pacientes com queimaduras graves.

Respostas dos vasos linfáticos e dos linfonodos

Além dos vasos sanguíneos, os vasos linfáticos também participam da inflamação aguda. O sistema de vasos linfáticos e linfonodos filtra e regula os líquidos extravasculares. Os vasos linfáticos drenam a pequena quantidade de líquido extravascular que sai dos capilares em condições normais de saúde. Na inflamação, o fluxo linfático aumenta e ajuda a drenar o líquido do edema que se acumula, devido ao aumento da permeabilidade vascular. Além do líquido, os leucócitos e restos celulares, bem como microrganismos, podem seguir o seu trajeto na linfa. À semelhança dos vasos sanguíneos, os vasos linfáticos proliferam durante as reações inflamatórias para lidar com o aumento da carga e também podem se tornar secundariamente inflamados (linfangite), assim como os respectivos linfonodos de drenagem (linfadenite). Com frequência, os linfonodos inflamados estão aumentados, devido à hiperplasia dos folículos linfoides e número aumentado de linfócitos e macrófagos. Essa constelação de alterações patológicas é denominada linfadenite reativa ou inflamatória (ver **Capítulo 13**). A presença de estrias vermelhas próximo a uma ferida na pele constitui um sinal indicador de infecção bacteriana. As estrias representam os canais linfáticos inflamados e são diagnósticas de linfangite; podem ser acompanhadas de aumento doloroso dos linfonodos de drenagem, indicando linfadenite.

> **Conceitos-chave**
>
> **Reações vasculares na inflamação aguda**
>
> - A vasodilatação é induzida por mediadores químicos, como a histamina (descrita adiante), e constitui a causa de eritema e aumento do fluxo sanguíneo
> - O aumento da permeabilidade vascular é induzido pela histamina, pelas cininas e por outros mediadores, que produzem espaços entre as células endoteliais, e por meio de lesão endotelial direta ou induzida por leucócitos
> - O aumento da permeabilidade vascular permite que as proteínas plasmáticas e os leucócitos, os mediadores da defesa do hospedeiro, entrem nos locais de infecção ou de dano tecidual. O extravasamento de líquido dos vasos sanguíneos resulta em edema
> - Os vasos linfáticos e os linfonodos também estão envolvidos na inflamação e, com frequência, apresentam vermelhidão e edema.

Recrutamento dos leucócitos para os locais de inflamação

As alterações que ocorrem no fluxo sanguíneo e na permeabilidade vascular são logo seguidas de influxo de leucócitos no tecido. Esses leucócitos desempenham a função essencial de eliminar os agentes agressores. Os leucócitos mais importantes nas reações inflamatórias típicas são aqueles capazes de realizar a fagocitose, isto é, os neutrófilos e os macrófagos. Esses leucócitos ingerem e destroem bactérias e outros microrganismos, bem como tecido necrótico e substâncias estranhas. Os macrófagos também produzem fatores de crescimento que ajudam no reparo. O preço pago pela potência defensiva dos leucócitos é que, quando ativados, podem induzir dano aos tecidos e prolongar a reação inflamatória, visto que os produtos dos leucócitos que destroem os microrganismos e ajudam a "limpar" os tecidos necróticos também podem causar lesão dos tecidos normais do hospedeiro não envolvidos no processo.

A jornada dos leucócitos da luz do vaso até o tecido é um processo em múltiplas etapas, que é mediado e controlado por moléculas de adesão e citocinas, denominadas quimiocinas. Esse processo pode ser dividido em fases sequenciais (**Figura 3.4**).

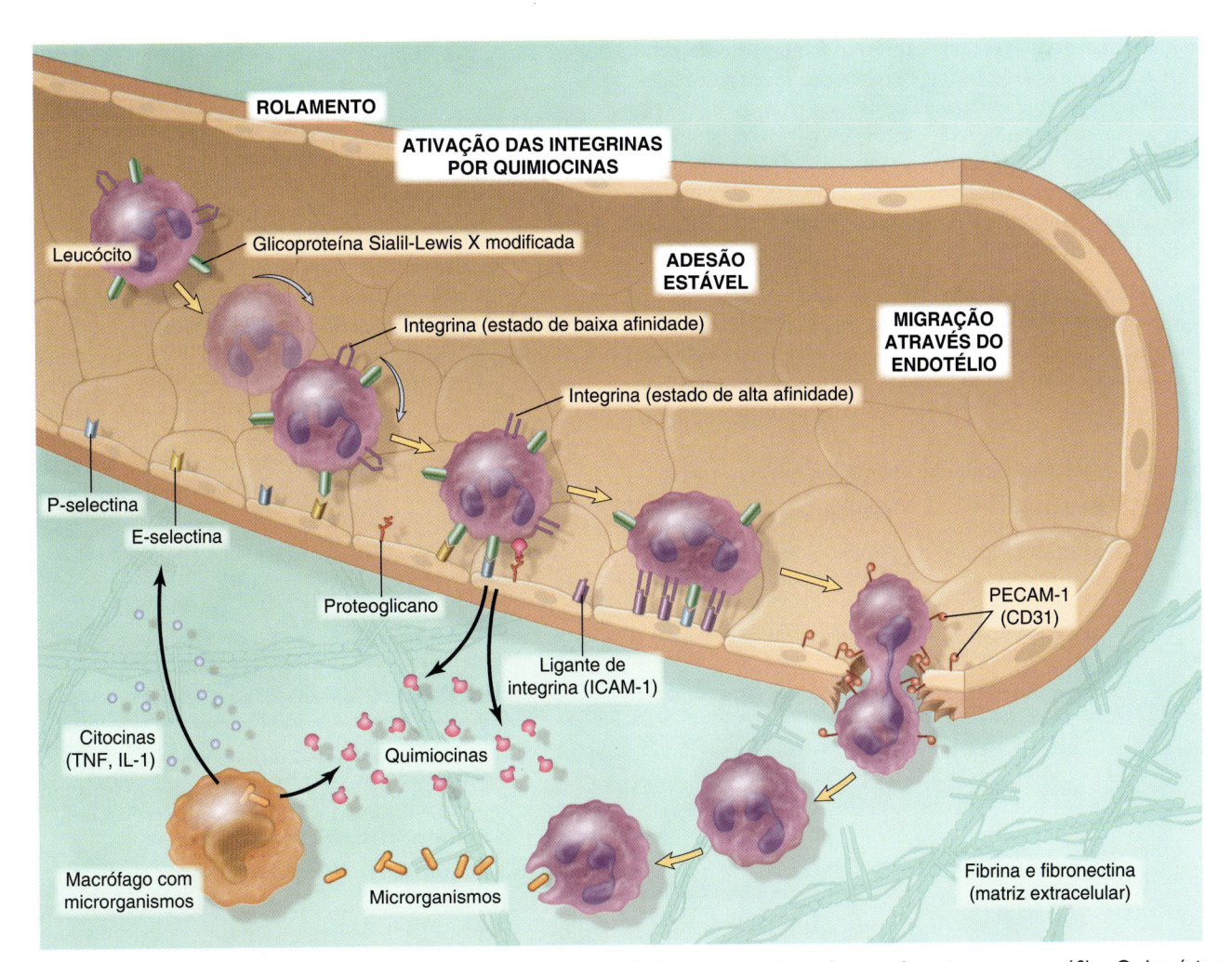

Figura 3.4 O processo em múltiplas etapas de migração dos leucócitos através dos vasos sanguíneos é mostrado aqui para os neutrófilos. Os leucócitos rolam de início; em seguida, tornam-se ativados e aderem de forma estável ao endotélio, transmigram através do endotélio, perfuram a membrana basal e migram em direção aos quimioatraentes provenientes da fonte da lesão. Diferentes moléculas desempenham funções predominantes nas diferentes etapas desse processo: as selectinas, no rolamento; as quimiocinas (que costumam ligar-se a proteoglicanos), na ativação dos neutrófilos para aumentar a avidez das integrinas; as integrinas, na adesão estável; e o CD31 (PECAM-1), na transmigração. *ICAM-1*, molécula de adesão intercelular 1; *IL-1*, interleucina-1; *PECAM-1*, molécula plaquetária de adesão à célula endotelial (também conhecida como CD31); *TNF*, fator de necrose tumoral.

1. Na luz: *marginação, rolamento e adesão ao endotélio*. O endotélio vascular em seu estado normal não é ligado por células circulantes nem permite que elas o atravessem. Na inflamação, o endotélio é ativado e pode expressar moléculas que permitem a ligação dos leucócitos, como primeiro passo na sua saída dos vasos sanguíneos.
2. *Migração através do endotélio* e da parede vascular.
3. *Migração nos tecidos* em direção a um estímulo quimiotático.

Adesão dos leucócitos ao endotélio

No sangue com fluxo normal nas vênulas, os eritrócitos ficam confinados a uma coluna axial central, deslocando os leucócitos para a parede do vaso. Devido à dilatação das vênulas pós-capilares na inflamação, o fluxo sanguíneo torna-se lento (estase), e um maior número de leucócitos passa a assumir uma posição periférica ao longo da superfície endotelial. Esse processo de redistribuição dos leucócitos é denominado marginação. Os leucócitos que fluem devagar identificam sinais do endotélio, resultando, no começo, no rolamento das células na parede do vaso e, em seguida, reconhecimento de moléculas de adesão expressas no endotélio, que levam as células a aderir firmemente (o que lembra seixos sobre os quais flui a corrente sem perturbá-los).

A fixação dos leucócitos às células endoteliais é mediada por moléculas de adesão, cuja expressão é intensificada pelas citocinas, as quais são secretadas por células sentinelas nos tecidos, em resposta a microrganismos e outros agentes nocivos, assegurando, assim, o recrutamento dos leucócitos para os tecidos onde esses estímulos estão presentes. As duas principais famílias de proteínas envolvidas na adesão e na migração dos leucócitos são as selectinas e integrinas e seus ligantes (**Tabela 3.3**). Elas são expressas nos leucócitos e nas células endoteliais:

- *Selectinas*. As interações iniciais no rolamento são mediadas pelas selectinas, que são classificadas em três tipos: uma expressa nos leucócitos (L-selectina), uma no endotélio (E-selectina) e uma nas plaquetas e no endotélio (P-selectina) (ver **Tabela 3.3**).

Os ligantes das selectinas são oligossacarídeos sialilados, ligados a glicoproteínas do tipo mucina. A expressão das selectinas e seus ligantes é regulada por citocinas produzidas em resposta à infecção e à lesão. Os macrófagos teciduais, os mastócitos e as células endoteliais que encontram microrganismos ou tecidos mortos respondem por meio da secreção de várias citocinas, como o fator de necrose tumoral (TNF), a IL-1 e quimiocinas (cito*cinas quimio*atraentes). (As citocinas são descritas de modo mais detalhado adiante e no **Capítulo 6**.) O TNF e a IL-1 atuam sobre as células endoteliais das vênulas pós-capilares adjacentes à infecção e induzem a expressão coordenada de numerosas moléculas de adesão. Nas primeiras 1 a 2 horas, as células endoteliais começam a expressar a E-selectina e os ligantes da L-selectina. Outros mediadores, como a histamina e a trombina, descritos mais adiante, estimulam a redistribuição da P-selectina de suas reservas intracelulares normais nos grânulos das células endoteliais (denominados *corpos de Weibel-Palade*) para a superfície celular. Os leucócitos expressam a L-selectina nas extremidades de seus microvilos e também expressam ligantes para a E-selectina e a P-selectina, todos os quais se ligam às moléculas complementares nas células endoteliais. Trata-se de interações de baixa afinidade com rápida separação, de modo que são facilmente rompidas pelo fluxo do sangue. Em consequência, os leucócitos ligados ligam-se, separam-se e ligam-se outra vez e, dessa maneira, começam a rolar ao longo da superfície endotelial

- *Integrinas*. As interações fracas do rolamento reduzem a velocidade dos leucócitos e lhes dão a oportunidade de se ligar mais firmemente ao endotélio. A adesão firme é mediada por uma família de proteínas heterodiméricas da superfície dos leucócitos, denominada integrinas (ver **Tabela 3.3**). O TNF e a IL-1 induzem a expressão endotelial de ligantes para as integrinas, sobretudo a molécula de adesão das células vasculares 1 (VCAM-1), o ligante da β1 integrina VLA-4 e a molécula de adesão intercelular 1 (ICAM-1), o ligante para as integrinas β2,

Tabela 3.3 Moléculas de adesão endoteliais e leucocitárias.

Família	Molécula	Distribuição	Ligante
Selectina	L-selectina (CD62 ℓ)	Neutrófilos, monócitos Células T (*naive* e de memória central) Células B (*naive*)	Sialil-Lewis vezes/PNAd em GlyCAM-1, CD34, MAdCAM-1, outros; expressos no endotélio (HEV)
	E-selectina (CD62E)	Endotélio ativado por citocinas (TNF, IL-1)	Sialil-Lewis X (p. ex., CLA) nas glicoproteínas; expressos nos neutrófilos, monócitos, células T (efetores, de memória)
	P-selectina (CD62 P)	Endotélio ativado por citocinas (TNF, IL-1), histamina ou trombina	Sialil-Lewis X em PSGL-1 e outras glicoproteínas; expressas nos neutrófilos, monócitos, células T (efetoras, de memória)
Integrina	LFA-1 (CD11aCD18)	Neutrófilos, monócitos, células T (*naive*, efetoras, de memória)	ICAM-1 (CD54), ICAM-2 (CD102); expressos no endotélio (suprarregulados no endotélio ativado)
	MAC-1 (CD11bCD18)	Monócitos, células dendríticas	ICAM-1 (CD54), ICAM-2 (CD102); expressos no endotélio (suprarregulados no endotélio ativado)
	VLA-4 (CD49aCD29)	Monócitos Células T (*naive*, efetoras, de memória)	VCAM-1 (CD106); expressos no endotélio (suprarregulados no endotélio ativado)
	α4β7 (CD49 dCD29)	Monócitos Células T (de endereçamento intestinal, *naive*, efetoras, de memória)	VCAM-1 (CD106), MAdCAM-1; expressos no endotélio, no intestino e tecidos linfoides associados ao intestino
Ig	CD31	Células endoteliais, leucócitos	CD31 (interação homotípica)

CLA, antígeno de linfócitos cutâneos 1; *GlyCAM-1*, molécula de adesão celular portadora de glicana 1; *HEV*, vênula endotelial alta; *Ig*, imunoglobulina; *IL-1*, interleucina-1; *ICAM*, molécula de adesão intercelular; *MAdCAM-1*, molécula de adesão à célula de adesão mucosa 1; *PSGL-1*, ligante de glicoproteína da P-selectina-1; *TNF*, fator de necrose tumoral; *VCAM*, molécula de adesão das células vasculares.

LFA-1 e MAC-1. Normalmente, os leucócitos expressam integrinas em um estado de baixa afinidade. As quimiocinas que foram produzidas no local de lesão ligam-se aos proteoglicanos das células endoteliais e são apresentadas em altas concentrações na superfície endotelial. Essas quimiocinas ligam-se aos leucócitos em processo de rolamento e os ativam. Uma das consequências da ativação é a conversão das integrinas VLA-4 e LFA-1 nos leucócitos em um estado de alta afinidade. A combinação da expressão de ligantes de integrinas induzida por citocinas no endotélio e do aumento de afinidade das integrinas nos leucócitos resulta em adesão firme, mediada pelas integrinas, dos leucócitos ao endotélio no local da inflamação. Os leucócitos interrompem o seu processo de rolamento, o seu citoesqueleto é reorganizado, e eles se espalham pela superfície endotelial.

Migração dos leucócitos através do endotélio

A etapa seguinte no processo de recrutamento dos leucócitos é a sua migração através do endotélio intacto, denominada *transmigração* ou *diapedese*. A transmigração dos leucócitos ocorre sobretudo nas vênulas pós-capilares. As quimiocinas atuam sobre os leucócitos que aderem e estimulam as células a migrar através dos espaços interendoteliais em direção ao gradiente de concentração química, isto é, em direção ao local de lesão ou da infecção, onde as quimiocinas são produzidas. Várias moléculas de adesão presentes nas junções intercelulares entre as células endoteliais estão envolvidas na migração dos leucócitos. Essas moléculas incluem um membro da superfamília de imunoglobulinas, denominado *CD31* ou *PECAM-1* (molécula plaquetária de adesão à célula endotelial). Após atravessar o endotélio, os leucócitos perfuram a membrana basal, provavelmente ao secretar colagenases, e entram no espaço extracelular. Após a passagem dos leucócitos, as membranas basais voltam a ser contínuas. Em seguida, as células que saíram do vaso migram em direção ao gradiente quimiotático criado pelas quimiocinas e por outros quimioatraentes e acumulam-se no local extravascular.

A prova mais reveladora da importância das moléculas de adesão dos leucócitos na resposta inflamatória do hospedeiro é a existência de deficiências genéticas nessas moléculas, que resultam em aumento da suscetibilidade às infecções bacterianas. Essas deficiências de adesão leucocitária são descritas no **Capítulo 6**.

Quimiotaxia dos leucócitos

Após a sua saída da circulação, os leucócitos movem-se nos tecidos em direção ao local da lesão por um processo denominado *quimiotaxia*, que é definido como locomoção ao longo de um gradiente químico. Substâncias tanto exógenas quanto endógenas atuam como quimioatraentes. Os fatores exógenos mais comuns consistem em produtos bacterianos, como peptídeos com os aminoácidos terminais N-formilmetionina e alguns lipídios. Os quimioatraentes endógenos incluem vários mediadores químicos (descritos adiante): (1) citocinas, sobretudo as da família de quimiocinas (p. ex., IL-8); (2) componentes do sistema complemento, particularmente C5a; e (3) metabólitos do ácido araquidônico (AA), sobretudo o leucotrieno B_4 (LTB_4). Todos esses agentes quimiotáticos ligam-se a receptores transmembrana específicos ligados à proteína G, que atravessam sete vezes a membrana, na superfície dos leucócitos. Os sinais iniciados a partir desses receptores resultam na ativação de segundos mensageiros, que induzem a polimerização da actina na borda condutora da célula e localização de filamentos de miosina na parte posterior. Essa reorganização do citoesqueleto permite que a borda condutora do leucócito estenda filopódios que tracionam a parte posterior da célula na direção da extensão, de modo semelhante a um automóvel de tração dianteira, que é puxado pelas rodas dianteiras (**Figura 3.5**). O resultado final consiste na migração dos leucócitos em direção aos quimioatraentes produzidos no local, que provêm do local do estímulo inflamatório.

A natureza do infiltrado leucocitário varia de acordo com o tempo da resposta inflamatória e com o tipo de estímulo. Na maioria das formas de inflamação aguda, os neutrófilos predominam no infiltrado inflamatório durante as primeiras 6 a 24 horas e são substituídos pelos monócitos em 24 a 48 horas (**Figura 3.6**). Existem vários motivos para a preponderância inicial dos neutrófilos: eles são mais numerosos do que outros leucócitos, respondem mais rápido às quimiocinas e podem ligar-se mais firmemente às moléculas de adesão que são logo induzidas nas células endoteliais, como a P-selectina e a E-selectina. Após a sua entrada nos tecidos, os neutrófilos têm vida curta; a maioria dos neutrófilos nos interstício tecidual sofre apoptose em poucos dias. Os monócitos não apenas sobrevivem por mais tempo, mas também podem proliferar nos tecidos, de modo que passam a constituir a população dominante nas reações inflamatórias prolongadas. Entretanto, existem exceções a esse padrão estereotípico de infiltração celular. Em certas infecções – por exemplo, aquelas produzidas por bactérias *Pseudomonas* –, o infiltrado celular é dominado por neutrófilos constantemente recrutados durante vários dias; nas infecções virais,

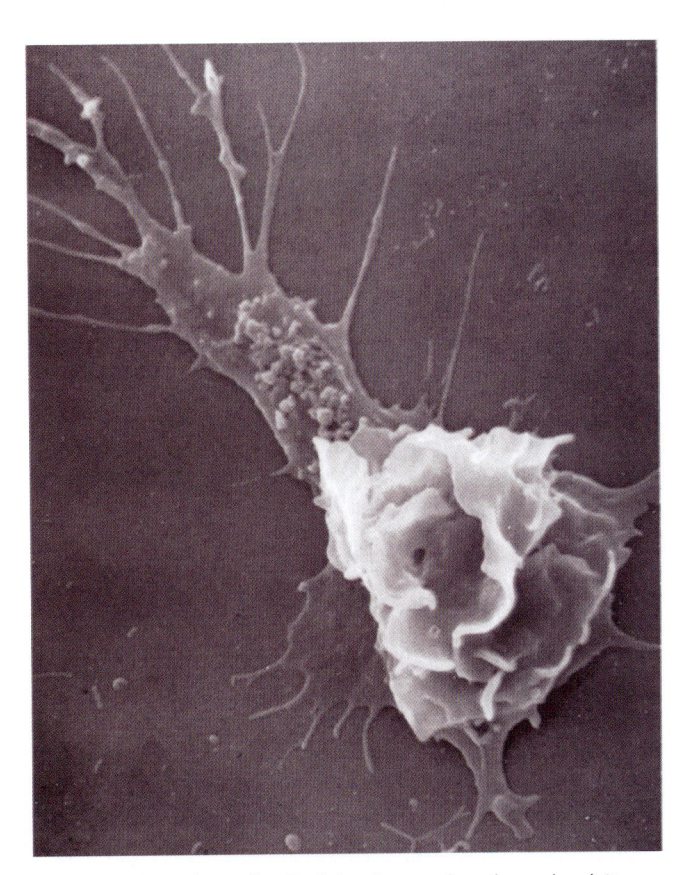

Figura 3.5 Microfotografia eletrônica de varredura de um leucócito em movimento em cultura, mostrando um filopódio (*parte superior à esquerda*) e uma cauda que se arrasta. (Cortesia do Dr. Morris J. Karnovsky, Harvard Medical School, Boston, Mass.)

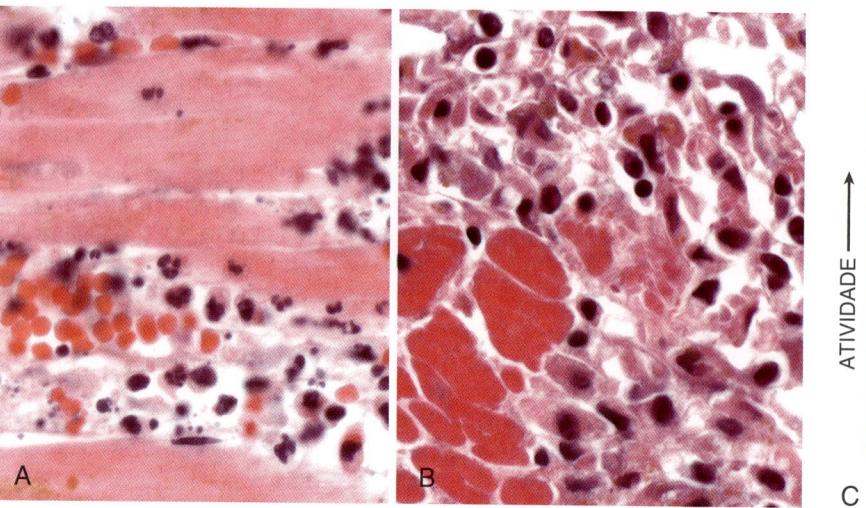

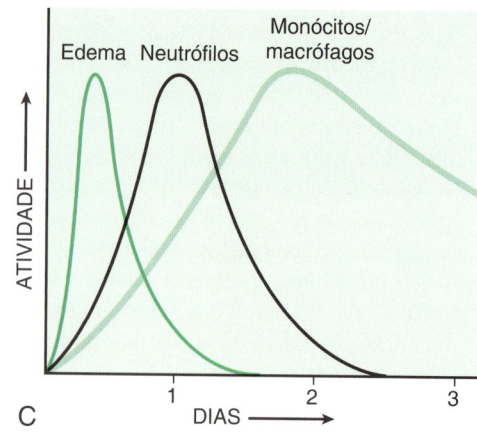

Figura 3.6 Natureza dos infiltrados leucocitários nas reações inflamatórias. As fotomicrografias mostram uma reação inflamatória no miocárdio após necrose isquêmica (infarto). **A.** Infiltrados iniciais (neutrofílicos) e vasos sanguíneos congestos. **B.** Infiltrados celulares tardios (mononucleares). **C.** Cinética aproximada do edema e da infiltração celular. Para simplificar, o edema é mostrado como uma resposta transitória aguda, embora também possam ocorrer ondas secundárias tardias de edema e infiltração de neutrófilos.

os linfócitos podem ser as primeiras células a chegar; algumas reações de hipersensibilidade são dominadas por linfócitos ativados, macrófagos e plasmócitos (refletindo a resposta imune); e, nas infecções por helmintos e nas reações alérgicas, os eosinófilos podem constituir o principal tipo de célula.

A compreensão molecular do recrutamento e da migração dos leucócitos levou ao desenvolvimento de um grande número de medicamentos para controlar aspectos nocivos da inflamação, incluindo agentes que bloqueiam o TNF (discutidos mais adiante) e antagonistas das integrinas dos leucócitos, que são aprovados para doenças inflamatórias ou avaliados em ensaios clínicos. De maneira previsível, esses antagonistas não apenas têm o efeito desejado de controlar a inflamação, como também podem comprometer a capacidade dos pacientes tratados de se defenderem contra microrganismos, que é, naturalmente, a função fisiológica da resposta inflamatória.

Conceitos-chave
Recrutamento dos leucócitos para locais de inflamação

- Os leucócitos são recrutados a partir do sangue para dentro do interstício tecidual, onde pode haver patógenos infecciosos ou tecidos danificados; migram para o local de infecção ou de lesão tecidual e são ativados para desempenhar suas funções
- O recrutamento dos leucócitos é um processo em múltiplas etapas, que consiste em ligação frouxa e rolamento no endotélio (mediado por selectinas), ligação firme ao endotélio (mediada pelas integrinas) e migração através dos espaços interendoteliais
- Várias citocinas promovem a expressão de selectinas e ligantes de integrina no endotélio (p. ex., TNF, IL-1), aumentam a avidez das integrinas pelos seus ligantes (p. ex., quimiocinas) e promovem a migração direcional dos leucócitos (também quimiocinas); muitas dessas citocinas são produzidas por macrófagos teciduais e outras células que respondem aos patógenos ou tecidos danificados
- Os neutrófilos predominam no infiltrado inflamatório inicial e, posteriormente, são substituídos por monócitos e macrófagos.

Uma vez recrutados para o local de infecção ou morte celular, os leucócitos (sobretudo neutrófilos e monócitos) precisam ser ativados para desempenhar suas funções. As respostas desses leucócitos consistem no reconhecimento dos agentes agressores por TLR e outros receptores, descritos anteriormente, que emitem sinais que ativam os leucócitos a fagocitar e destruir os agentes agressores.

Fagocitose e eliminação do agente agressor

Os neutrófilos e os macrófagos constituem os dois principais fagócitos. Embora esses tipos de células compartilhem muitas propriedades funcionais, também diferem em aspectos significativos (**Tabela 3.4**).

O reconhecimento dos microrganismos ou de células mortas induz várias respostas nos leucócitos, que são denominadas *ativação dos leucócitos* (**Figura 3.7**). A ativação resulta de vias de sinalização que são desencadeadas nos leucócitos, resultando em aumento do Ca^{2+} citosólico e ativação de enzimas, como a proteinoquinase C e a fosfolipase A_2. As respostas funcionais mais importantes para a destruição dos microrganismos e de outros agentes agressores são a fagocitose e a morte intracelular. Várias outras respostas ajudam nas funções de defesa da inflamação e podem contribuir para suas consequências nocivas.

Fagocitose

A fagocitose envolve etapas sequenciais (**Figura 3.8**):

- Reconhecimento e ligação da partícula a ser ingerida pelo leucócito
- Ingestão, com formação subsequente de um vacúolo fagocítico
- Morte do microrganismo e degradação do material ingerido.

Receptores fagocíticos. Os receptores de manose, os receptores de depuração e os receptores para várias opsoninas possibilitam a ligação e a ingestão de microrganismos pelos fagócitos. O receptor de manose dos macrófagos é uma lectina que se liga aos resíduos terminais de manose e fucose de glicoproteínas e glicolipídios.

Tabela 3.4 Propriedades dos neutrófilos e dos macrófagos.

	Neutrófilos	Macrófagos
Origem	HSC na medula óssea	HCS na medula óssea (nas reações inflamatórias) Muitos macrófagos residentes em tecidos: células-tronco no saco vitelino ou no fígado fetal (no início do desenvolvimento)
Tempo de vida nos tecidos	Vários dias	Macrófagos inflamatórios: dias ou semanas Macrófagos residentes em tecidos: anos
Respostas a estímulos ativadores	Rápidas, de curta duração, sobretudo degranulação e atividade enzimática	Mais prolongadas, mais lentas e, com frequência, dependentes de nova transcrição gênica
Espécies reativas de oxigênio	Rapidamente induzidas pela montagem da oxidase dos fagócitos (explosão respiratória)	Menos proeminente
Óxido nítrico	Baixos níveis ou ausente	Induzido após ativação transcricional da iNOS
Degranulação	Principal resposta; induzida por rearranjo do citoesqueleto	Não proeminente
Produção de citocinas	Baixos níveis ou ausentes	Principal atividade funcional; exige ativação transcricional dos genes das cininas
Formação de NET	Rapidamente induzida, por extrusão do conteúdo nuclear	Ausente
Secreção de enzimas lisossômicas	Proeminente	Menor

HSC, células-tronco hematopoéticas; *iNOS*, óxido nítrico sintase induzível; *NET*, armadilha extracelular de neutrófilos.
Essa tabela fornece as principais diferenças entre neutrófilos e macrófagos. As reações resumidas aqui são descritas no texto. Observe que os dois tipos de células compartilham muitas características, como fagocitose, capacidade de transmigração dos vasos sanguíneos para os tecidos e quimiotaxia.

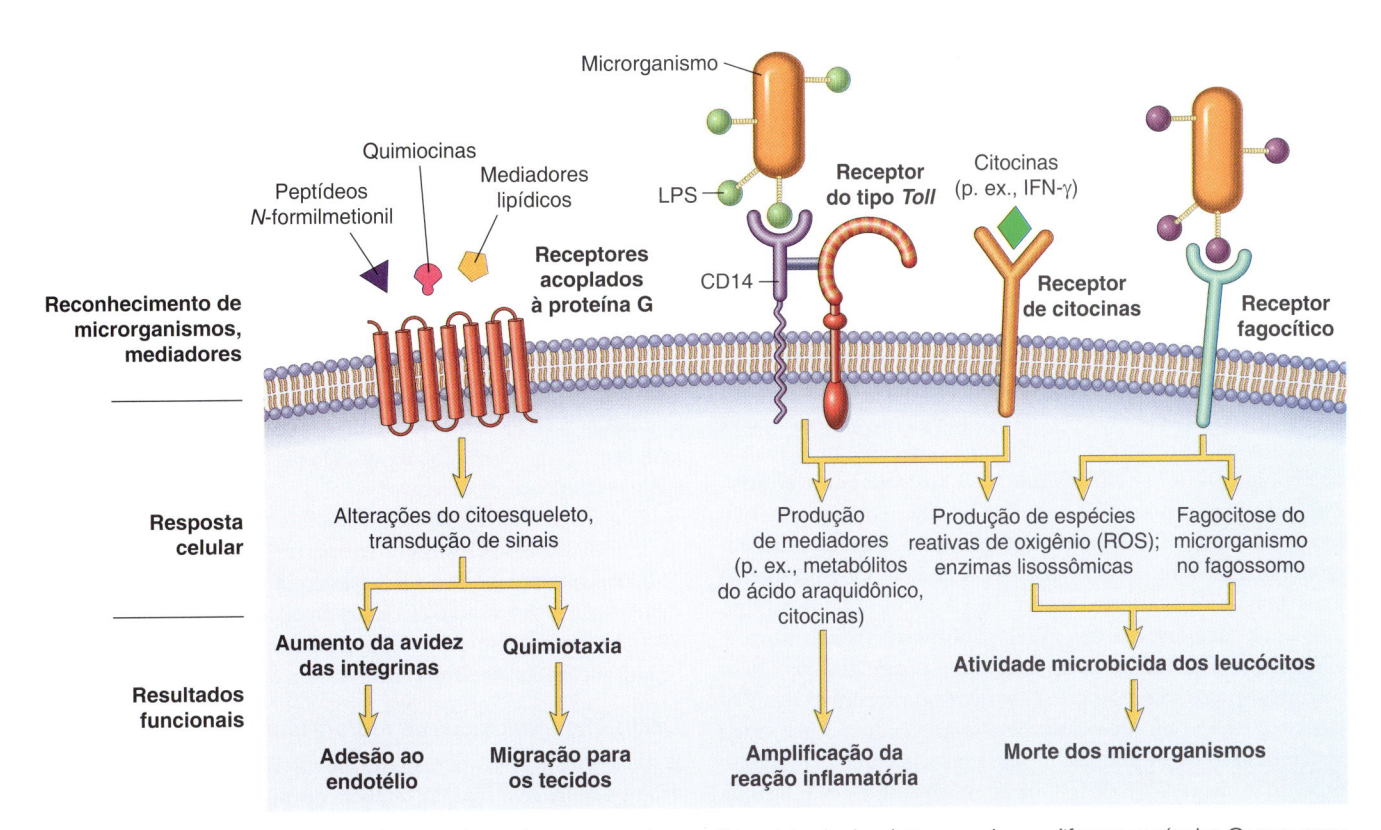

Figura 3.7 Ativação dos leucócitos. Diferentes classes de receptores de superfície celular dos leucócitos reconhecem diferentes estímulos. Os receptores iniciam respostas que medeiam as funções dos leucócitos. Apenas alguns receptores são mostrados (consulte o texto para mais detalhes). O lipopolissacarídeo (*LPS*) liga-se em primeiro lugar a uma proteína circulante de ligação do LPS (não mostrada). *IFN-γ*, interferona-γ.

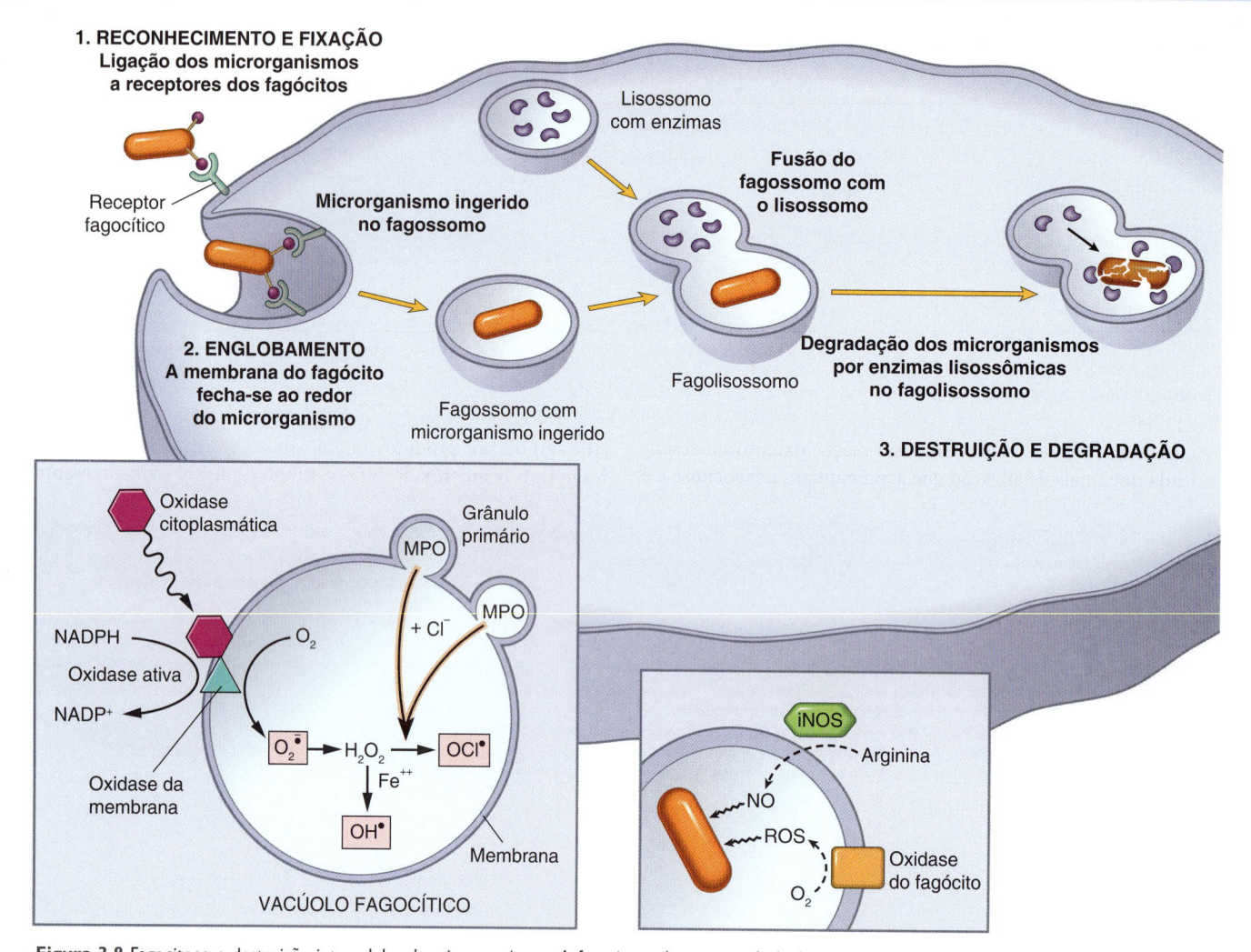

Figura 3.8 Fagocitose e destruição intracelular de microrganismos. A fagocitose de uma partícula (p. ex., uma bactéria) envolve a ligação a receptores na membrana do leucócito, englobamento e fusão dos vacúolos fagocíticos com os lisossomos. Esse processo é seguido da destruição das partículas ingeridas dentro dos fagolisossomos por enzimas lisossômicas e por espécies reativas de oxigênio e de nitrogênio. O hipoclorito (HOCl⁻) e o radical hidroxila (˙OH) são produtos microbicidas gerados a partir do superóxido (O_2^{-}), e ocorre geração de peroxinitrito (OONO˙) a partir do óxido nítrico (NO). Durante a fagocitose, o conteúdo dos grânulos pode ser liberado nos tecidos extracelulares (não mostrados). *iNOS*, óxido nítrico sintase induzível; *MPO*, mieloperoxidase; *ROS*, espécie reativa de oxigênio.

Normalmente, esses açúcares fazem parte de moléculas encontradas nas paredes celulares dos microrganismos, enquanto as glicoproteínas e os glicolipídios de mamíferos contêm ácido siálico terminal ou N-acetilgalactosamina. Por conseguinte, o receptor de manose reconhece os microrganismos, mas não as células do hospedeiro. Os receptores de depuração foram originalmente definidos como moléculas que se ligam e que mediam a endocitose de partículas de lipoproteína de baixa densidade (LDL) oxidadas ou acetiladas, que não interagem com o receptor de LDL convencional. Os receptores de depuração dos macrófagos ligam-se a uma variedade de microrganismos, além de partículas de LDL modificadas. As integrinas dos macrófagos, sobretudo a MAC-1 (CD11b/CD18), também podem ligar-se aos microrganismos para fagocitose. A eficiência da fagocitose é acentuadamente aumentada quando os microrganismos são recobertos com opsoninas para as quais os fagócitos expressam receptores de alta afinidade. As principais opsoninas são os anticorpos do tipo imunoglobulina G (IgG), o produto de degradação de C3b do complemento e certas lectinas plasmáticas, em particular a lectina de ligação da manose e as colectinas, todas as quais são reconhecidas por receptores específicos nos leucócitos.

Englobamento. Após a ligação de uma partícula a receptores do fagócito, extensões do citoplasma fluem ao redor dela, e a membrana plasmática separa-se para formar uma vesícula intracelular (fagossomo) que engloba a partícula. Em seguida, o fagossomo funde-se com um grânulo lisossômico, que libera seu conteúdo no fagolisossomo (ver a **Figura 3.8**). Durante esse processo, o fagócito também pode liberar o conteúdo lisossômico dentro do espaço extracelular.

O processo de fagocitose é complexo e envolve a integração de muitos sinais iniciados por receptores, que levam ao remodelamento da membrana e a alterações do citoesqueleto. A fagocitose depende da polimerização dos filamentos de actina; por conseguinte, não é surpreendente que os sinais que desencadeiam a fagocitose sejam muitos dos mesmos envolvidos na quimiotaxia.

Destruição intracelular de microrganismos e resíduos

A destruição dos microrganismos é realizada por espécies reativas de oxigênio (ROS), também denominadas intermediários reativos do oxigênio, e espécies reativas de nitrogênio, sobretudo derivadas do óxido nítrico (NO), que, assim como as enzimas lisossômicas, destroem os materiais fagocitados (ver **Figura 3.8**).

Esse é o passo final na eliminação de agentes infecciosos e células necróticas. A morte e a degradação dos microrganismos e resíduos de células mortas dentro dos neutrófilos e macrófagos ocorrem de modo mais eficiente após a ativação dos fagócitos. Todos esses elementos que promovem a eliminação estão normalmente localizados nos lisossomos, para os quais os materiais fagocitados são transportados. Assim, as substâncias com potencial nocivo são segregadas do citoplasma e do núcleo da célula para evitar o dano ao fagócito enquanto ele desempenha a sua função normal.

Espécies reativas de oxigênio. As ROS são produzidas pela rápida montagem e ativação de uma oxidase de múltiplos componentes, a NADPH oxidase (também denominada oxidase dos fagócitos), que oxida a nicotinamida adenina dinucleotídio fosfato (NADPH) reduzida e, no processo, reduz o oxigênio a ânion superóxido (O_2^-). Nos neutrófilos, essa reação oxidativa é desencadeada por sinais de ativação que acompanham a fagocitose e é denominada *explosão respiratória*. A oxidase dos fagócitos é um complexo enzimático, que consiste em pelo menos sete proteínas. Nos neutrófilos em repouso, diferentes componentes da enzima estão localizados na membrana plasmática e no citoplasma. Em resposta a estímulos ativadores, os componentes proteicos citosólicos são translocados para a membrana do fagossomo, onde ocorre a sua montagem para formar o complexo enzimático funcional. Dessa maneira, as ROS são produzidas dentro do fagolisossomo, podendo atuar sobre as partículas ingeridas sem causar dano à célula hospedeira. O O_2^- é convertido em peróxido de hidrogênio (H_2O_2), em grande parte por dismutação espontânea. O H_2O_2 por si só não tem a capacidade de destruir com eficiência os microrganismos. Entretanto, os grânulos azurófilos dos neutrófilos contém a enzima mieloperoxidase (MPO), que, na presença de um haleto, como o Cl^-, converte o H_2O_2 em hipoclorito ($HOCl \cdot$), o ingrediente ativo do alvejante doméstico. Esse último é um poderoso agente antimicrobiano, que destrói os microrganismos por halogenação (em que o haleto é ligado de modo covalente aos constituintes celulares) ou por oxidação das proteínas e dos lipídios (peroxidação lipídica). O sistema H_2O_2-MPO-haleto é o sistema bactericida mais potente dos neutrófilos. Entretanto, a deficiência hereditária de MPO por si só leva a um aumento mínimo na suscetibilidade a infecções, ressaltando a redundância dos mecanismos microbicidas nos leucócitos. O H_2O_2 também é convertido em radical hidroxila ($\cdot OH$), outro poderoso agente destrutivo. Conforme discutido no **Capítulo 2**, esses radicais livres derivados do oxigênio ligam-se e modificam os lipídios, as proteínas e os ácidos nucleicos celulares, com consequente destruição de células, como os microrganismos.

Os radicais derivados do oxigênio podem ser liberados dos leucócitos após exposição a microrganismos de maneira extracelular, quimiocinas e complexos antígeno-anticorpo, ou após um estímulo fagocítico. Essas ROS estão implicadas no dano tecidual que acompanha a inflamação.

O plasma, o líquido intersticial e as células do hospedeiro contam com mecanismos antioxidantes que protegem as células saudáveis desses radicais derivados do oxigênio potencialmente nocivos. Esses antioxidantes, que são discutidos no **Capítulo 2**, incluem (1) a enzima superóxido dismutase, que é encontrada ou que pode ser ativada em uma variedade de tipos de células; (2) a enzima catalase, que destoxifica o H_2O_2; (3) a glutationa peroxidase, outro poderoso destoxificador do H_2O_2; (4) a ceruloplasmina, a proteína plasmática que contém cobre; e (5) a fração da transferrina plasmática livre de ferro.

As deficiências hereditárias dos componentes da oxidase dos fagócitos causam uma doença por imunodeficiência, denominada doença granulomatosa crônica (DGC), que é discutida no **Capítulo 6**.

Óxido nítrico. O NO, um gás solúvel produzido a partir da arginina pela ação da óxido nítrico sintase (NOS), também participa da destruição dos microrganismos. Existem três tipos diferentes de NOS: a endotelial (eNOS), a neuronal (nNOS) e a induzível (iNOS). A eNOS e a nNOS são expressas de modo constitutivo em baixos níveis, e o NO que elas geram funciona para manter o tônus vascular e como neurotransmissor, respectivamente. A iNOS, que está envolvida na destruição dos microrganismos, é induzida quando os macrófagos (e, em menor grau, os neutrófilos) são ativados pelas citocinas (p. ex., interferona-γ [IFN-γ]) ou por produtos microbianos. Nos macrófagos, o NO reage com o superóxido (O_2^-), gerando o radical livre altamente reativo, o peroxinitrito ($ONOO^-$). Esses radicais livres derivados do nitrogênio, à semelhança das ROS, atacam e danificam os lipídios, as proteínas e os ácidos nucleicos dos microrganismos (ver **Capítulo 2**). As espécies reativas de oxigênio e de nitrogênio contam com ações que se sobrepõem, como mostra a observação de que os camundongos *knockout*, que carecem da oxidase do fagócito ou da iNOS, são apenas parcialmente suscetíveis a infecções, enquanto os camundongos que carecem de ambas logo sucumbem às infecções disseminadas por bactérias comensais que costumam ser inofensivas.

Além de seu papel com substância microbicida, o NO relaxa o músculo liso vascular e promove vasodilatação. Ainda não foi esclarecido se essa ação do NO desempenha um papel relevante nas reações vasculares da inflamação aguda.

Enzimas lisossômicas e outras proteínas lisossômicas. Os neutrófilos e os macrófagos contêm grânulos lisossômicos, que contribuem para a eliminação dos microrganismos; quando liberados, podem causar dano aos tecidos. Os neutrófilos dispõem de dois tipos principais de grânulos. Os grânulos específicos (ou secundários) menores contêm lisozima, colagenase, gelatinase, lactoferrina, ativador do plasminogênio, histaminase e fosfatase alcalina. Os grânulos azurófilos (ou primários) maiores contêm MPO, proteínas bactericidas (lisozima, defensinas), hidrolases ácidas e uma variedade de protease neutras (elastase, catepsina G, colagenases inespecíficas, proteinase 3). Os dois tipos de grânulos podem se fundir com vacúolos fagocíticos que contêm material ingerido, ou o conteúdo dos grânulos pode ser liberado no espaço extracelular durante uma "fagocitose frustrada" (discutidas mais adiante).

As enzimas dos grânulos desempenham funções distintas. As proteases ácidas degradam as bactérias e resíduos dentro dos fagolisossomos, que são acidificados por bombas de prótons ligadas à membrana. As proteases neutras são capazes de degradar vários componentes extracelulares, como colágeno, membrana basal, fibrina, elastina e cartilagem, o que resulta em destruição tecidual que acompanha os processos inflamatórios. As proteases neutras também podem clivar as proteínas do complemento C3 e C5 e liberar um peptídeo semelhante à cinina a partir do cininogênio. Os componentes liberados do complemento e as cininas atuam como mediadores da inflamação aguda (discutida mais adiante). Foi constatado que a elastase dos neutrófilos degrada fatores de virulência das bactérias, combatendo, assim, as infecções bacterianas. Os macrófagos também contêm hidrolases ácidas, colagenase, elastase, fosfolipase e ativador do plasminogênio.

Em virtude dos efeitos destrutivos das enzimas lisossômicas, a infiltração inicial dos leucócitos, se não for controlada, pode potencializar ainda mais a inflamação ao provocar dano aos tecidos. Entretanto, essas proteases nocivas são normalmente controladas por um sistema de antiproteases no soro e nos líquidos teciduais. Entre essas enzimas, a mais importante é a α_1-antitripsina, que é o principal inibidor da elastase dos neutrófilos. A deficiência desses inibidores pode levar à ação sustentada das proteases leucocitárias, como no caso de pacientes com deficiência de α_1-antitripsina, que correm risco de enfisema, devido à destruição das fibras de suporte elástico nos pulmões, em consequência da atividade descontrolada da elastase (ver **Capítulo 15**). A α_2-macroglobulina é outra antiprotease encontrada no soro e em várias secreções.

Outros constituintes microbicidas encontrados nos grânulos incluem defensinas, peptídeos dos grânulos ricos em arginina catiônica, que são tóxicos para os microrganismos; catelicidinas, que são proteínas antimicrobianas encontradas nos neutrófilos e em outras células; lisozima, que hidrolisa a ligação do ácido murâmico-*N*-acetilglicosamina encontrada no revestimento glicopeptídico de todas as bactérias; lactoferrina, uma proteína de ligação do ferro presente em grânulos específicos; e a proteína básica principal, uma proteína catiônica dos eosinófilos, que conta com atividade bactericida limitada, mas que é citotóxica para muitos parasitas.

Armadilhas extracelulares de neutrófilos

As armadilhas extracelulares de neutrófilos (NETs, *neutrophil extracelular traps*), **são redes fibrilares extracelulares, que concentram substâncias antimicrobianas em locais de inflamação e que capturam os microrganismos, ajudando a impedir sua disseminação.** São produzidas pelos neutrófilos em resposta a patógenos infecciosos (sobretudo bactérias e fungos) e mediadores inflamatórios (p. ex., quimiocinas, citocinas [principalmente interferons], proteínas do complemento e ROS). As armadilhas extracelulares consistem em uma rede viscosa de cromatina nuclear, que se liga a proteínas dos grânulos, como peptídeos e enzimas antimicrobianas, concentrando-as (**Figura 3.9**). A formação das NET começa com a ativação dependente de ROS de uma arginina desaminase, que converte a arginina em citrulina, o que leva à descondensação da cromatina. Outras enzimas que são produzidas nos neutrófilos ativados, como a MPO e a elastase, entram no núcleo e ampliam essa descondensação da cromatina, culminando na ruptura do membrana nuclear e na liberação de cromatina. Nesse processo, os núcleos dos neutrófilos são perdidos, levando à morte das células. As NET também foram detectadas no sangue durante a sepse. Foi postulado que a cromatina nuclear nas NET, que inclui histonas e o DNA a elas associado, constitui uma fonte de antígenos nucleares nas doenças autoimunes sistêmicas, em particular o lúpus, no qual os indivíduos reagem contra o seu próprio DNA e nucleoproteínas (ver **Capítulo 6**).

Lesão tecidual mediada por leucócitos

Os leucócitos constituem causas importantes de lesão de células e tecidos normais em várias circunstâncias:

- Como parte de uma reação de defesa normal contra microrganismos infecciosos, quando os tecidos adjacentes sofrem dano colateral. Em algumas infecções de erradicação difícil, como a tuberculose e em certas doenças virais, a resposta prolongada do hospedeiro contribui mais para a doença do que o próprio microrganismo

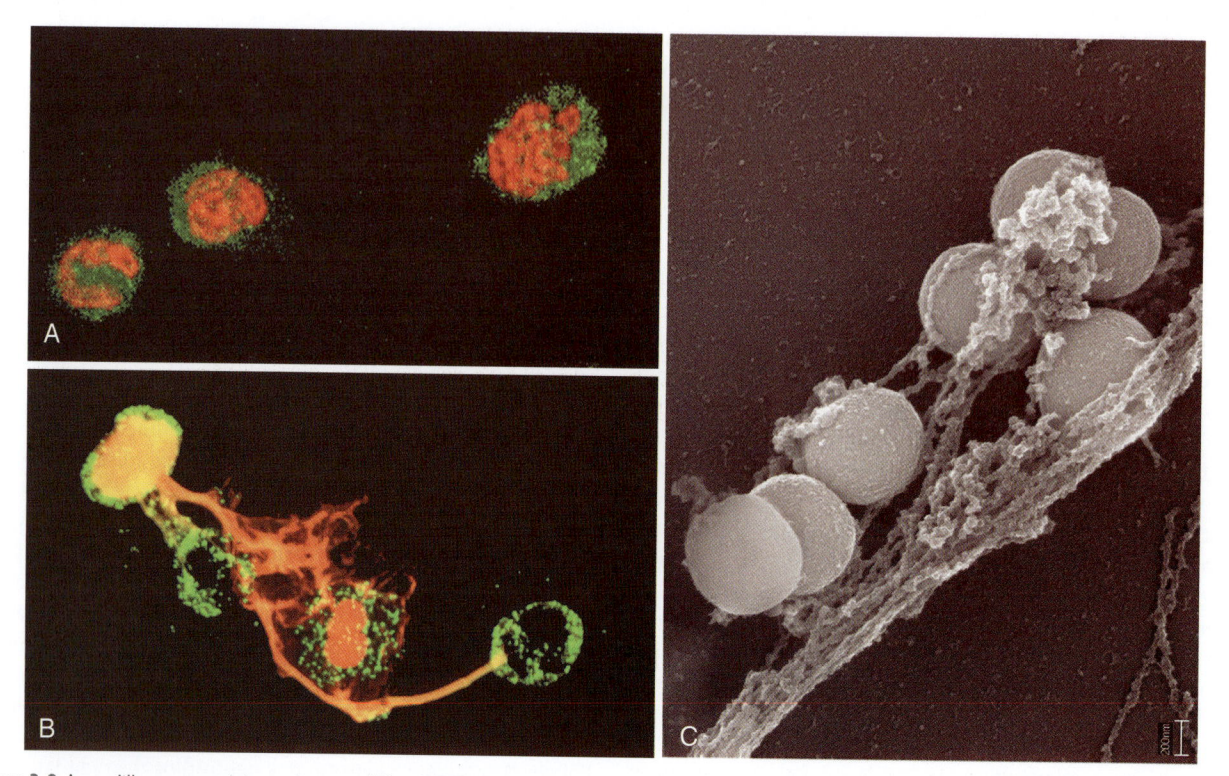

Figura 3.9 Armadilhas extracelulares de neutrófilos (NET). **A.** Neutrófilos saudáveis com núcleos corados de vermelho e citoplasma corado de verde. **B.** Liberação de material nuclear dos neutrófilos (observe que dois deles perderam os núcleos), formando armadilhas extracelulares. **C.** Micrografia eletrônica de bactérias (estafilococos) capturadas nas NET. (De Brinkmann V, Zychlinsky A: Beneficial suicide: why neutrophils die to make NETs, Nat Rev Microbiol 5:577, 2007, com autorização.)

- Quando a resposta inflamatória é inapropriadamente dirigida contra tecidos do hospedeiro, como em certas doenças autoimunes
- Quando o hospedeiro reage excessivamente contra substâncias do ambiente que costumam ser inofensivas, conforme observado em doenças alérgicas, como a asma.

Em todas essas situações, **os mecanismos pelos quais os leucócitos provocam dano aos tecidos normais são os mesmos envolvidos na defesa antimicrobiana**, visto que uma vez os leucócitos ativados, seus mecanismos efetores não distinguem entre agressor e hospedeiro. Durante a ativação e a fagocitose, os neutrófilos e os macrófagos produzem substâncias microbicidas (ROS, NO e enzimas lisossômicas) dentro do fagolisossomo; em algumas circunstâncias, essas substâncias também são liberadas no espaço extracelular. Essas substâncias liberadas são capazes de provocar dano às células do hospedeiro, como o endotélio vascular, podendo, assim, amplificar os efeitos do agente lesivo inicial. Se não for controlado ou se for inadequadamente direcionado contra tecidos do hospedeiro, o próprio infiltrado leucocitário torna-se o agressor, e, de fato, a inflamação e a lesão tecidual dependentes de leucócitos representam a base fisiopatológica de muitas doenças humanas agudas e crônicas (ver **Tabela 3.1**). Esse fato torna-se evidente na discussão dos distúrbios específicos ao longo deste livro.

O conteúdo dos grânulos lisossômicos é secretado pelos leucócitos no meio extracelular por meio de vários mecanismos. A secreção controlada do conteúdo dos grânulos é uma resposta normal dos leucócitos ativados. Se os fagócitos encontrarem materiais que não são facilmente ingeridos, como imunocomplexos depositados em grandes superfícies (p. ex., membrana basal glomerular), a incapacidade dos leucócitos de envolver e ingerir essas substâncias (fagocitose frustrada) desencadeia uma acentuada ativação e liberação de enzimas lisossômicas no meio extracelular. Algumas substâncias fagocitadas, como cristais de urato, podem danificar a membrana do fagolisossomo, o que leva também à liberação do conteúdo dos grânulos lisossômicos.

Outras respostas funcionais dos leucócitos ativados

Além da eliminação dos microrganismos e das células mortas, os leucócitos ativados desempenham várias outras funções na defesa do hospedeiro. Essas células, em particular os macrófagos, produzem citocinas capazes de amplificar ou de limitar as reações inflamatórias, fatores de crescimento que estimulam a proliferação das células endoteliais e dos fibroblastos e a síntese de colágeno, bem como enzimas que remodelam os tecidos conjuntivos. Devido a essas atividades, os macrófagos também são células de importância crítica na inflamação crônica e no reparo dos tecidos após a diminuição da inflamação. Essas funções dos macrófagos são discutidas adiante neste capítulo.

Nessa discussão da inflamação aguda, ressaltamos a importância dos neutrófilos e dos macrófagos. Entretanto, recentemente, tornou-se claro que alguns linfócitos T, que são células da imunidade adaptativa, também contribuem para a inflamação aguda. As mais importantes dessas células são as que produzem a citocina IL-17 (as denominadas células Th17), discutidas com mais detalhes no **Capítulo 6**. A IL-17 induz a secreção de quimiocinas que recrutam outros leucócitos. Na ausência de respostas efetivas das células Th17, os indivíduos mostram-se suscetíveis a infecções fúngicas e bacterianas e tendem a desenvolver "abscessos frios" (particularmente na pele) que carecem das características clássicas da inflamação aguda, como calor e vermelhidão.

Término da resposta inflamatória aguda

Esse poderoso sistema de defesa do hospedeiro, com sua capacidade inerente de causar lesão tecidual, necessita de um controle rigoroso para minimizar os danos. Em parte, a inflamação declina após a remoção dos agentes agressores, simplesmente pelo fato de que os mediadores da inflamação são apenas produzidos enquanto persistir o estímulo, têm meia-vida curta e são degradados após a sua liberação. Os neutrófilos também apresentam meia-vida curta nos tecidos e morrem por apoptose nas primeiras horas após deixar o sangue. Além disso, à medida que a inflamação se desenvolve, o próprio processo desencadeia uma variedade de sinais de terminação, que interrompem ativamente a reação. Esses mecanismos ativos de terminação incluem uma mudança no tipo de metabólito do ácido araquidônico produzido, de leucotrienos pró-inflamatórios para lipoxinas anti-inflamatórias (descritas adiante), e a liberação de citocinas anti-inflamatórias, como o fator de crescimento transformador β (TGF-β) e a IL-10, por macrófagos e outras células. Outros mecanismos de controle que foram demonstrados experimentalmente incluem impulsos neurais (descarga colinérgica) que inibem a produção de TNF nos macrófagos.

> ### Conceitos-chave
> #### Ativação dos leucócitos e remoção dos agentes agressores
> - Os leucócitos podem eliminar microrganismos e células mortas por fagocitose, seguido de sua destruição nos fagolisossomos
> - A destruição é causada por radicais livres (ROS, NO) gerados nos leucócitos ativados e enzimas lisossômicas
> - Os neutrófilos podem expulsar o seu conteúdo nuclear para formar armadilhas extracelulares (NET) que capturam e destroem os microrganismos
> - As enzimas e as ROS podem ser liberadas no meio extracelular
> - Os mecanismos que atuam para eliminar microrganismos e células mortas (i. e., a função imunológica da inflamação) também são capazes de causar dano aos tecidos normais (as consequências patológicas da inflamação)
> - Os mediadores anti-inflamatórios encerram a reação inflamatória aguda quando ela não é mais necessária.

Mediadores da inflamação

Os mediadores da inflamação são as substâncias que iniciam e que regulam as reações inflamatórias. Muitos mediadores foram identificados e utilizados como alvos de terapia destinada a limitar a inflamação. Nessa discussão, analisaremos suas propriedades compartilhadas e os princípios gerais que governam a sua produção e ações:

- Os mediadores mais importantes da inflamação aguda são aminas vasoativas, produtos lipídicos (prostaglandinas e leucotrienos), citocinas (incluindo quimiocinas) e produtos da ativação do complemento (**Tabela 3.5**). Esses mediadores induzem vários componentes da resposta inflamatória, normalmente por mecanismos distintos, o que constitui a razão pela qual a inibição de cada um deles tem sido terapeuticamente benéfico. Entretanto, observa-se também alguma sobreposição (redundância) nas ações desses mediadores

Tabela 3.5 Principais mediadores da inflamação.

Mediador	Fonte	Ação
Histamina	Mastócitos, basófilos, plaquetas	Vasodilatação, aumento da permeabilidade vascular, ativação endotelial
Prostaglandinas	Mastócitos, leucócitos	Vasodilatação, dor, febre
Leucotrienos	Mastócitos, leucócitos	Aumento da permeabilidade vascular, quimiotaxia, adesão e ativação dos leucócitos
Citocinas (TNF, IL-1, IL-6)	Macrófagos, células endoteliais, mastócitos	Local: ativação endotelial (expressão de moléculas de adesão) Sistêmica: febre, anormalidades metabólicas, hipotensão (choque)
Quimiocinas	Leucócitos, macrófagos ativados	Quimiotaxia, ativação dos leucócitos
Fator de ativação das plaquetas	Leucócitos, mastócitos	Vasodilatação, aumento da permeabilidade vascular, adesão dos leucócitos, quimiotaxia, degranulação, estresse oxidativo
Complemento	Plasma (produzido no fígado)	Quimiotaxia e ativação dos leucócitos, eliminação direta do alvo (complexo de ataque à membrana), vasodilatação (estimulação dos mastócitos)
Cininas	Plasma (produzido no fígado)	Aumento da permeabilidade vascular, contração do músculo liso, vasodilatação, dor

IL, interleucina; *TNF*, fator de necrose tumoral.

- Os mediadores são secretados por células ou são gerados a partir de proteínas plasmáticas. Os *mediadores derivados de células* são normalmente sequestrados em grânulos intracelulares e podem ser rapidamente secretados por exocitose dos grânulos (p. ex., a histamina nos grânulos dos mastócitos), ou são sintetizados *de novo* (p. ex., prostaglandinas e leucotrienos, citocinas) em resposta a um estímulo. Os principais tipos de células que produzem mediadores da inflamação aguda são as sentinelas que detectam invasores e dano tecidual, isto é, os macrófagos, as células dendríticas e os mastócitos; todavia, as plaquetas, os neutrófilos, as células endoteliais e a maioria dos epitélios também podem ser induzidos a produzir alguns dos mediadores. Os *mediadores derivados do plasma* (p. ex., proteínas do complemento) são produzidos, sobretudo, no fígado e estão presentes na circulação como precursores inativos, que precisam ser ativados, geralmente por uma série de clivagens proteolíticas, para adquirir suas propriedades funcionais
- Os mediadores ativos são apenas produzidos em resposta a estímulos agressores. Esses estímulos incluem produtos microbianos e substâncias liberadas de células necróticas. Alguns dos estímulos ativam receptores bem definidos e vias de sinalização, descritos anteriormente, porém ainda não sabemos como outros estímulos são capazes de induzir a secreção de mediadores (p. ex., a partir dos mastócitos em resposta à lesão celular ou irritação mecânica). O fato de que a presença de microrganismos ou tecidos mortos é necessária como estímulo inicial assegura que a inflamação normalmente seja apenas desencadeada quando e onde for necessária
- Os mediadores apresentam, em sua maioria, vida curta. Eles logo diminuem ou são inativados por enzimas, ou depurados ou inibidos. Por conseguinte, existe um sistema de checagens e balanços que regula as ações dos mediadores. Esses mecanismos de controle integrados são discutidos em cada classe de mediador
- Um mediador pode estimular a liberação de outros mediadores. Por exemplo, os produtos da ativação do complemento estimulam a liberação de histamina, e a citocina TNF atua nas células endoteliais, estimulando a produção de outra citocina, a IL-1, e de muitas quimiocinas. Os mediadores secundários podem ter as mesmas ações dos mediadores iniciais, mas também podem exercer atividades diferentes e até mesmo opostas. Essas cascatas proporcionam mecanismos para amplificar – ou, em certos casos, neutralizar – a ação inicial de um mediador.

A seguir, discutiremos os mediadores mais importantes da inflamação aguda, com foco nos seus mecanismos de ação e suas funções na inflamação aguda.

Aminas vasoativas: histamina e serotonina

As duas principais aminas vasoativas, assim denominadas pelas suas importantes ações sobre os vasos sanguíneos, são a *histamina* e a *serotonina*. Essas aminas são armazenadas como moléculas pré-formadas nas células e, portanto, estão entre os primeiros mediadores a serem liberados durante a inflamação.

As fontes mais abundantes de histamina são os mastócitos, que costumam estar presentes no tecido conjuntivo adjacente aos vasos sanguíneos. A histamina também é encontrada nos basófilos e nas plaquetas. A histamina é armazenada nos grânulos dos mastócitos e liberada por degranulação em resposta a uma variedade de estímulos, como (1) lesão física (como trauma), frio e calor, todos eles por mecanismos desconhecidos; (2) ligação do antígeno a anticorpos IgE expostos na superfície dos mastócitos, constituindo a base das reações de hipersensibilidade imediata (alérgicas) (ver **Capítulo 6**); e (3) produtos do complemento, denominados anafilatoxinas (C3a e C5a), descritas mais adiante. Os anticorpos e os produtos do complemento ligam-se a receptores específicos nos mastócitos e desencadeiam vias de sinalização, que induzem a rápida degranulação. Os neuropeptídeos (p. ex., a substância P) e as citocinas (IL-1, IL-8) também podem desencadear a liberação de histamina.

A histamina provoca dilatação das arteríolas e aumenta a permeabilidade das vênulas. A histamina é considerada o principal mediador da fase imediata transitória do aumento da permeabilidade vascular, produzindo espaços interendoteliais nas vênulas, conforme discutido anteriormente. Seus efeitos vasoativos são mediados, sobretudo, pela ligação a receptores presentes nas células endoteliais microvasculares. Os anti-histamínicos, que costumam ser utilizados no tratamento de algumas reações inflamatórias, como as alergias, são antagonistas do receptor de histamina, que, ao se ligarem ao receptor, bloqueiam-no. A histamina também causa contração de alguns músculos lisos.

A serotonina (5-hidroxitriptamina) é um mediador vasoativo pré-formado presente nas plaquetas e em certas células neuroendócrinas, como no trato gastrintestinal. Sua principal função consiste em atuar como neurotransmissor no trato gastrintestinal e no sistema nervoso central. Trata-se também de um vasoconstritor, porém a importância dessa ação na inflamação não está bem esclarecida.

Metabólitos do ácido araquidônico

Os mediadores lipídicos, as *prostaglandinas* e os *leucotrienos*, são produzidos a partir do ácido araquidônico (AA), presente nos fosfolipídios da membrana; eles estimulam as reações vasculares e celulares na inflamação aguda. O AA é um ácido graxo poli-insaturado de vinte carbonos (ácido 5,8,11,14-eicosatetraenoico), que deriva de fontes dietéticas ou é sintetizado a partir de uma molécula precursora, o ácido graxo essencial, ácido linoleico. O AA ativo deriva de um precursor esterificado encontrado nos fosfolipídios da membrana. Os estímulos mecânicos, químicos e físicos ou outros mediadores (p. ex., C5a) liberam o AA dos fosfolipídios da membrana por meio da ação de fosfolipases celulares, sobretudo a fosfolipase A_2. Os mediadores derivados do AA, também denominados eicosanoides (visto que derivam dos ácidos graxos de vinte carbonos; do grego *eicosa* = 20), são sintetizados por duas classes principais de enzimas: as ciclo-oxigenases (que geram prostaglandinas) e as lipo-oxigenases (que produzem leucotrienos e lipoxinas) (**Figura 3.10**). Os eicosanoides ligam-se a receptores acoplados à proteína G em muitos tipos celulares e podem mediar praticamente qualquer etapa da inflamação (**Tabela 3.6**).

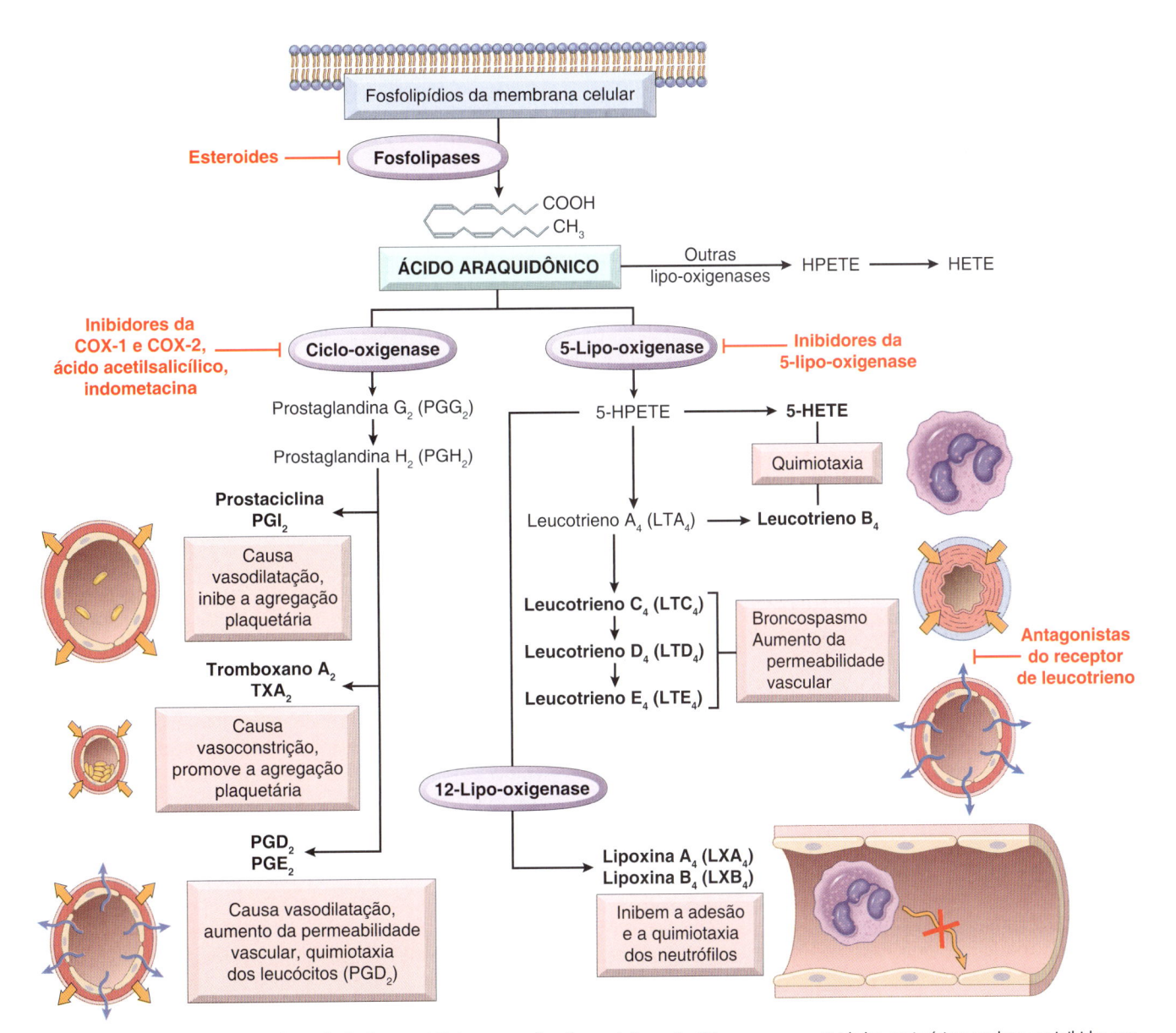

Figura 3.10 Produção de metabólitos do ácido araquidônico e suas funções na inflamação. Observe que as atividades enzimáticas podem ser inibidas por meio de intervenção farmacológica, bloqueando as principais vias inflamatórias e suas consequências (indicadas por um X vermelho). *COX-1*, *COX-2*, ciclo-oxigenase 1 e 2; *HETE*, ácido hidroxieicosatetraenoico; *HPETE*, ácido hidroperoxieicosatetraenoico.

Tabela 3.6 Principais ações dos metabólitos do ácido araquidônico na inflamação.

Ação	Eicosanoide
Vasodilatação	Prostaglandinas PGI$_2$ (prostaciclina), PGE$_1$, PGE$_2$, PGD$_2$
Vasoconstrição	Tromboxano A$_2$, leucotrienos C$_4$, D$_4$, E$_4$
Aumento da permeabilidade vascular	Leucotrienos C$_4$, D$_4$, E$_4$
Quimiotaxia, adesão dos leucócitos	Leucotrienos B$_4$, HETE

HETE, ácido hidroxieicosatetraenoico.

Prostaglandinas

As prostaglandinas (PG) são produzidas pelos mastócitos, macrófagos, células endoteliais e muitos outros tipos celulares e estão envolvidas nas reações vasculares e sistêmicas da inflamação. São geradas pelas ações de duas ciclo-oxigenases, denominadas COX-1 e COX-2. A COX-1 é expressa de forma constitutiva na maioria dos tecidos, podendo desempenhar várias funções homeostáticas (p. ex., equilíbrio hidreletrolítico nos rins, citoproteção no trato gastrintestinal), e também é induzida por estímulos inflamatórios. Em contrapartida, a expressão da COX-2 é geralmente limitada a células que participam das reações inflamatórias.

As prostaglandinas recebem o seu nome com base em características estruturais comuns codificadas por uma letra (PGD, PGE, PGF, PGG e PGH) e por um número subscrito (p. ex., 1, 2), que indica o número de duplas ligações existente no composto. As mais importantes na inflamação são a PGE$_2$, PGD$_2$, PGF$_2$, PGI$_2$ (prostaciclina) e tromboxano A$_2$ (TxA$_2$), cada uma das quais é sintetizada por uma enzima específica que atua sobre um intermediário da via. Algumas dessas enzimas têm uma distribuição tecidual restrita. Assim, por exemplo, as plaquetas contêm a enzima tromboxano sintase, de modo que o TxA$_2$ é o principal produto dessas células. O TxA$_2$, um potente agente agregador de plaquetas e vasoconstritor, é instável e sofre rápida conversão em sua forma inativa. O endotélio vascular não dispõe de tromboxano sintase, porém expressa a prostaciclina sintase, que é responsável pela formação da prostaciclina (PGI$_2$) e seu produto final estável, a PGF$_{1a}$. A prostaciclina é um vasodilatador e potente inibidor da agregação plaquetária e também potencializa significativamente os efeitos quimiotaxia e aumento da permeabilidade promovidos por outros mediadores. Um desequilíbrio entre tromboxano e prostaciclina foi implicado como evento inicial na formação de trombos nos vasos coronarianos e vasos sanguíneos cerebrais. A PGD$_2$ é a principal prostaglandina produzida pelos mastócitos; com a PGE$_2$ (que apresenta uma distribuição mais ampla), provoca vasodilatação e aumenta a permeabilidade das vênulas pós-capilares, potencializando, assim, a formação de edema. A PGD$_2$ também é quimioatraente para os neutrófilos.

Além de seus efeitos locais, as prostaglandinas estão envolvidas na patogênese da dor e da febre na inflamação. A PGE$_2$ é hiperalgésica, tornando a pele hipersensível a estímulos dolorosos, como injeção intradérmica de concentrações subótimas de histamina e bradicinina. A PGE$_2$ está envolvida também na febre induzida por citocinas durante infecções (descritas adiante).

Leucotrienos

Os leucotrienos são produzidos nos leucócitos e nos mastócitos pela ação da lipo-oxigenase e estão envolvidos nas reações vasculares e do músculo liso, bem como no recrutamento de leucócitos. Existem três lipo-oxigenases diferentes, das quais a 5-lipo-oxigenase é a predominante nos neutrófilos. Essa enzima converte o AA em ácido 5-hidroxieicosatetraenoico, que é quimiotático para os neutrófilos e é o precursor dos leucotrienos. O LTB$_4$ é um potente agente quimiotático e ativador dos neutrófilos, causando agregação e adesão celular ao endotélio das vênulas, além de gerar ROS e liberar enzimas lisossômicas. Os leucotrienos que contêm cisteinil (LTC$_4$, LTD$_4$ e LTE$_4$) causam vasoconstrição intensa, broncospasmo (importante na asma) e aumento da permeabilidade das vênulas. Os leucotrienos são mais potentes do que a histamina no aumento da permeabilidade vascular e na geração de broncospasmo.

Lipoxinas

As lipoxinas também são geradas a partir do AA pela via da lipo-oxigenase; todavia, diferentemente das prostaglandinas e dos leucotrienos, elas suprimem a inflamação ao inibir a quimiotaxia dos neutrófilos e a adesão ao endotélio. Elas também são incomuns, visto que são necessárias duas populações de células para a biossíntese transcelular desses mediadores. Os neutrófilos sintetizam precursores das lipoxinas ativas e os transferem para as plaquetas, nas quais são convertidos em lipoxinas maduras.

Inibidores farmacológicos das prostaglandinas e dos leucotrienos

A importância dos eicosanoides na inflamação impulsionou os esforços para o desenvolvimento de fármacos capazes de inibir a sua produção ou suas ações, com consequente supressão da inflamação. Esses fármacos anti-inflamatórios incluem os seguintes:

- Os *inibidores da ciclo-oxigenase* incluem o ácido acetilsalicílico e outros fármacos anti-inflamatórios não esteroides (AINE), como o ibuprofeno. Esses medicamentos inativam tanto a COX-1 quanto a COX-2 e, portanto, inibem a síntese de prostaglandinas (o que explica a sua eficácia no tratamento da dor e da febre); o ácido acetilsalicílico exerce essa ação por meio de acetilação irreversível e inativação das ciclo-oxigenases. Os inibidores seletivos da COX-2 são de duzentas a trezentas vezes mais potentes na sua ação de bloquear a COX-2, em comparação com a COX-1. Houve grande interesse na COX-2 como alvo terapêutico, devido à possibilidade de que a COX-1 seja responsável pela produção de prostaglandinas que estão envolvidas tanto na inflamação quanto em funções protetoras fisiológicas, enquanto a COX-2 gera prostaglandinas que estão apenas envolvidas nas reações inflamatórias. Se essa ideia estiver correta, os inibidores seletivos da COX-2 devem ser anti-inflamatórios sem apresentar as toxicidades dos inibidores não seletivos, como ulceração gástrica. Entretanto, essas distinções não são absolutas, visto que a COX-2 também parece desempenhar um papel na homeostasia normal. Além disso, os inibidores seletivos da COX-2 podem aumentar o risco de eventos cardiovasculares e cerebrovasculares, possivelmente como resultado de sua capacidade de comprometer a produção de PGI$_2$ (prostaciclina) pelas células endoteliais, um vasodilatador e inibidor da agregação plaquetária, enquanto mantém intacta a produção plaquetária mediada pela COX-1 de TxA$_2$, um importante mediador da agregação plaquetária e vasoconstrição. Por conseguinte, a inibição seletiva de COX-2 pode desviar o equilíbrio para o tromboxano e promover trombose vascular, sobretudo em indivíduos com outros fatores que aumentam o risco de trombose. Todavia, esses medicamentos ainda são utilizados em indivíduos que não apresentam fatores de risco para doença cardiovascular, quando seus benefícios superam os riscos

- *Inibidores da lipo-oxigenase*. A 5-lipo-oxigenase não é afetada pelos AINE, e foram desenvolvidos muitos inibidores novos dessa via enzimática. Os agentes farmacológicos que inibem a produção de leucotrienos são úteis no tratamento da asma
- Os *corticosteroides* são agentes anti-inflamatórios de amplo espectro, que reduzem a transcrição de genes que codificam muitas proteínas envolvidas na inflamação, como COX-2, fosfolipase A_2, citocinas pró-inflamatórias (p. ex., IL-1 e TNF) e iNOS
- Os *antagonistas do receptor de leucotrienos* bloqueiam os receptores de leucotrienos e impedem suas ações. Esses fármacos são úteis no tratamento da asma
- Outra abordagem na manipulação das respostas inflamatórias tem sido a modificação da ingestão e do conteúdo dos lipídios da dieta, aumentando o consumo de óleo de peixe. A explicação proposta para a efetividade dessa abordagem é a de que os ácidos graxos poli-insaturados presentes no óleo de peixe são substratos fracos para conversão em metabólitos ativos pelas vias da ciclo-oxigenase e da lipo-oxigenase, porém são substratos melhores para a produção de produtos lipídicos anti-inflamatórios, incluindo lipídios denominados resolvinas.

Citocinas e quimiocinas

As citocinas são proteínas produzidas por muitos tipos de células (sobretudo linfócitos, macrófagos e células dendríticas ativados, mas também células endoteliais, epiteliais e do tecido conjuntivo), que medeiam e regulam as reações imunes e inflamatórias. Por convenção, os fatores de crescimento que atuam sobre as células epiteliais e mesenquimais não são incluídos no grupo das citocinas. As propriedades e as funções gerais das citocinas são discutidas no **Capítulo 6**. Aqui, são analisadas as citocinas envolvidas na inflamação aguda (**Tabela 3.7**).

Fator de necrose tumoral e interleucina-1

O TNF e a IL-1 desempenham funções fundamentais no recrutamento dos leucócitos ao promover a adesão dos leucócitos ao endotélio e a sua migração através dos vasos sanguíneos. Essas citocinas são produzidas sobretudo por células dendríticas e macrófagos ativados. O TNF também é produzido pelos linfócitos T e mastócitos, enquanto a IL-1 também é produzida por algumas células epiteliais. A secreção do TNF e da IL-1 pode ser estimulada por produtos microbianos, células mortas, imunocomplexos, corpos estranhos, lesão física e por uma variedade de outros estímulos inflamatórios. A produção de TNF é induzida por sinais desencadeados a partir da ativação dos TLR e outros sensores microbianos. A síntese de IL-1 é estimulada pelos mesmos sinais, porém a geração da forma biologicamente ativa dessa citocina depende do inflamassoma (descrito anteriormente).

As ações do TNF e da IL-1 contribuem para as reações locais e sistêmicas da inflamação (**Figura 3.11**). As funções mais importantes dessas citocinas na inflamação são as seguintes:

- *Ativação endotelial.* Tanto o TNF quanto a IL-1 atuam sobre o endotélio para induzir uma variedade de alterações, designadas como ativação endotelial. Essas alterações incluem aumento da expressão de moléculas de adesão endotelial, principalmente E-selectina, P-selectina e ligantes para as integrinas dos leucócitos; aumento na produção de vários mediadores, como outras citocinas e quimiocinas; fatores de crescimento e eicosanoides; e aumento da atividade pró-coagulante do endotélio
- *Ativação dos leucócitos e de outras células.* O TNF aumenta as respostas dos neutrófilos a outros estímulos, como a endotoxina bacteriana, e estimula a atividade microbicida dos macrófagos, em parte ao induzir a produção de NO. A IL-1 ativa a síntese de colágeno pelos fibroblastos e estimula a proliferação de células sinoviais e outras células mesenquimais. A IL-1 também estimula as respostas das células Th17, que, por sua vez, induzem inflamação aguda

Tabela 3.7 Citocinas na inflamação.

Citocinas	Principais fontes	Principais ações na inflamação
Na inflamação aguda		
TNF	Macrófagos, mastócitos, linfócitos T	Estimula a expressão de moléculas de adesão endotelial e a secreção de outras citocinas; efeitos sistêmicos
IL-1	Macrófagos, células endoteliais, algumas células epiteliais	Semelhantes às do TNF; papel mais importante na febre
IL-6	Macrófagos, outras células	Efeitos sistêmicos (resposta da fase aguda)
Quimiocinas	Macrófagos, células endoteliais, linfócitos T, mastócitos, outros tipos de células	Recrutamento dos leucócitos para os locais de inflamação; migração de células nos tecidos normais
IL-17	Linfócitos T	Recrutamento dos linfócitos e monócitos
Na inflamação crônica		
IL-12	Células dendríticas, macrófagos	Aumento na produção de IFN-γ
IFN-γ	Linfócitos T, células NK	Ativação dos macrófagos (aumento da capacidade de matar microrganismos e células tumorais)
IL-17	Linfócitos T	Recrutamento de neutrófilos e monócitos

IFN-γ, interferona-γ; IL, interleucina; NK, *natural killer*; TNF, fator de necrose tumoral.
Esta tabela lista as citocinas mais importantes envolvidas nas reações inflamatórias. Muitas outras citocinas podem desempenhar papéis menos relevantes na inflamação. Há também uma considerável sobreposição entre as citocinas envolvidas na inflamação aguda e crônica. Todas as citocinas listadas na inflamação aguda também podem contribuir nas reações inflamatórias crônicas.

- *Resposta de fase aguda sistêmica.* A IL-1 e o TNF (bem como a IL-6) induzem as respostas de fase aguda sistêmicas associadas à infecção ou lesão, discutidas adiante. O TNF regula o equilíbrio energético ao promover a mobilização de lipídios e proteínas e ao suprimir o apetite. Por essa razão, a produção sustentada de TNF contribui para a caquexia, um estado patológico caracterizado por perda de peso e anorexia, que é observado em algumas infecções crônicas e doenças neoplásicas.

Os antagonistas do TNF têm sido efetivos no tratamento das doenças inflamatórias crônicas, em particular a artrite reumatoide, a psoríase e alguns tipos de doença inflamatória intestinal. Uma das complicações dessa terapia é que os pacientes se tornam suscetíveis a infecções micobacterianas, refletindo a redução da capacidade dos macrófagos de eliminar microrganismos intracelulares. Embora muitas das ações do TNF e da IL-1 pareçam se sobrepor, os antagonistas da IL-1 não são tão efetivos por motivos que ainda não foram elucidados. Além disso, o bloqueio de qualquer citocina não tem nenhum efeito sobre o resultado da sepse, talvez devido à contribuição de outras citocinas nessa reação inflamatória sistêmica.

Quimiocinas

As quimiocinas formam uma família de pequenas proteínas (8 a 10 kDa), que atuam sobretudo como quimioatraentes para tipos específicos de leucócitos. Foram identificadas cerca de quarenta quimiocinas diferentes e vinte receptores diferentes para as quimiocinas, que são classificadas em quatro grupos principais, de acordo com o arranjo dos resíduos de cisteína (C) nas proteínas:

- As *quimiocinas C-X-C* dispõem de um resíduo de aminoácido que separa os primeiros dois dos quatro resíduos de cisteína conservados. Um subgrupo dessas quimiocinas atua principalmente nos neutrófilos. A IL-8 (agora denominada CXCL8) é típica desse grupo. É secretada por macrófagos, células endoteliais e outros tipos celulares ativados e provoca ativação e quimiotaxia dos neutrófilos, com atividade limitada sobre os monócitos e os eosinófilos. Seus indutores mais importantes consistem em produtos microbianos e outras citocinas, sobretudo IL-1 e TNF
- As *quimiocinas C-C* apresentam os primeiros dois resíduos de cisteína conservados adjacentes. As quimiocinas C-C, que incluem a proteína quimioatraente dos monócitos (MCP-1, CCL2), a eotaxina (CCL11) a proteína inflamatória dos macrófagos 1α (MIP-1α, CCL3) e outras, geralmente atraem os monócitos, os eosinófilos, os basófilos e os linfócitos, porém são quimioatraentes menos potentes para os neutrófilos. Embora a maioria das quimiocinas dessa classe tenha ações sobrepostas, a eotaxina recruta seletivamente os eosinófilos
- As *quimiocinas C* carecem da primeira e terceira das quatro cisteínas conservadas. As quimiocinas C (p. ex., linfotactina, XCL1) são relativamente específicas para os linfócitos
- As *quimiocinas CX$_3$C* contêm três aminoácidos entre as duas cisteínas. O único membro conhecido dessa classe é denominado fractalcina (CX3CL1). Essa quimiocina existe em duas formas: uma proteína ligada à superfície celular, induzida nas células endoteliais por citocinas inflamatórias, que promove uma forte adesão dos monócitos e das células T, e uma forma solúvel derivada por proteólise da proteína ligada à membrana, que apresenta atividade quimioatraente potente para as mesmas células.

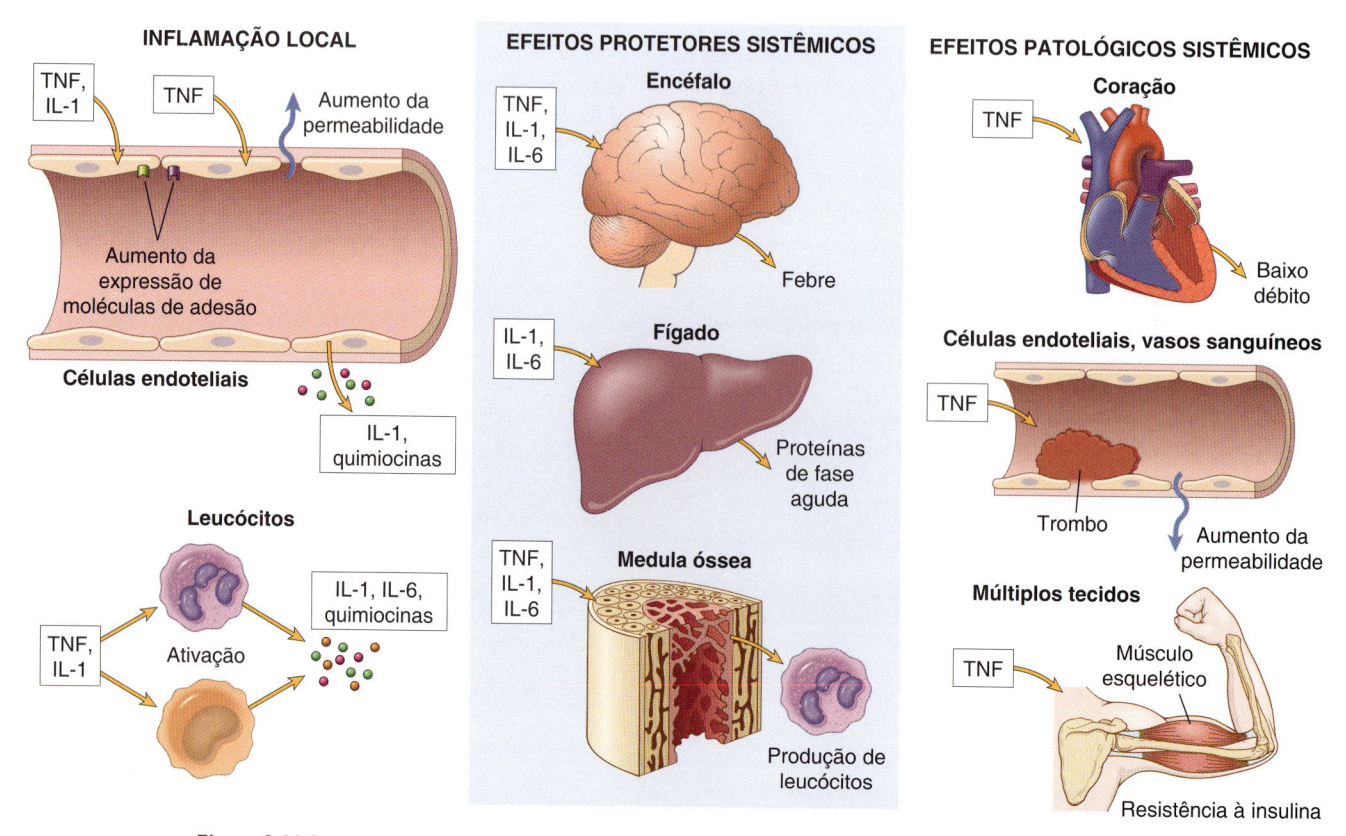

Figura 3.11 Principais funções das citocinas na inflamação aguda. *IL*, interleucina; *TNF*, fator de necrose tumoral.

As quimiocinas medeiam suas atividades por meio de sua ligação a receptores acoplados à proteína G com sete domínios transmembrana. Em geral, esses receptores exibem uma sobreposição de especificidades de ligantes, e os leucócitos costumam expressar mais de um tipo de receptor. Conforme discutido no **Capítulo 6**, certos receptores de quimiocinas (CXCR4, CCR5) atuam como correceptores para uma glicoproteína do envelope viral do vírus da imunodeficiência humana (HIV), a causa da AIDS, e, portanto, estão envolvidos na ligação e na entrada do vírus nas células.

As quimiocinas podem ser encontradas em altas concentrações ligadas aos proteoglicanos da superfície das células endoteliais e na matriz extracelular (MEC). Desempenham duas funções principais:

- *Na inflamação aguda.* As quimiocinas inflamatórias são aquelas cuja produção é induzida por microrganismos e outros estímulos. Essas quimiocinas atuam sobre os leucócitos para aumentar a afinidade das integrinas e assim, estimulam a fixação dos leucócitos ao endotélio. Elas também estimulam a migração (quimiotaxia) dos leucócitos nos tecidos até o local de infecção ou de dano tecidual
- *Manutenção da arquitetura dos tecidos.* Algumas quimiocinas são produzidas de modo constitutivo nos tecidos e, algumas vezes, são denominadas quimiocinas homeostáticas. Elas promovem o arranjo de vários tipos de células em diferentes regiões anatômicas/arquiteturais dos tecidos, como os linfócitos T e B em áreas específicas do baço e dos linfonodos (ver **Capítulo 6**).

Embora o papel das quimiocinas na inflamação esteja bem estabelecido, tem sido difícil desenvolver antagonistas que sejam agentes terapêuticos efetivos.

Outras citocinas na inflamação aguda

A lista de citocinas implicadas na inflamação é enorme e cresce constantemente. Além daquelas descritas anteriormente, duas que receberam recentemente atenção considerável são a IL-6, produzida por macrófagos e outras células, que está envolvida em reações locais e sistêmicas, e a IL-17, produzida sobretudo por linfócitos T, que promove o recrutamento dos neutrófilos. Os antagonistas contra essas duas citocinas são efetivos para o tratamento de doenças inflamatórias, como a artrite juvenil (antirreceptor de IL-6) e a psoríase (anti-IL-17). As citocinas também desempenham funções essenciais na inflamação crônica, que são descritas posteriormente.

Sistema complemento

O sistema complemento refere-se a uma coleção de proteínas plasmáticas que atuam principalmente na defesa do hospedeiro contra microrganismos e nas reações inflamatórias patológicas. O sistema consiste em mais de vinte proteínas, algumas das quais são numeradas de C1 a C9. As proteínas do complemento atuam na imunidade tanto inata quanto adaptativa para defesa contra microrganismos. No processo de ativação do sistema complemento, são elaborados vários produtos de clivagem de proteínas do complemento, que provocam aumento da permeabilidade vascular, quimiotaxia e opsonização. A ativação e as funções do complemento estão delineadas na **Figura 3.12**.

As proteínas do complemento estão presentes em suas formas inativas no plasma, e muitas delas são ativadas, transformando-se em enzimas proteolíticas que degradam outras proteínas do complemento, com consequente formação de uma cascata enzimática capaz de enorme amplificação. A etapa fundamental na ativação do complemento é a proteólise do terceiro componente (o mais abundante), C3. **A clivagem do C3 pode ocorrer por um das três vias seguintes:**

- A *via clássica*, que é desencadeada pela ligação do C1 ao anticorpo (IgM ou IgG) que se combinou com o antígeno
- A *via alternativa*, que pode ser desencadeada por moléculas de superfície dos microrganismos (p. ex., endotoxina ou

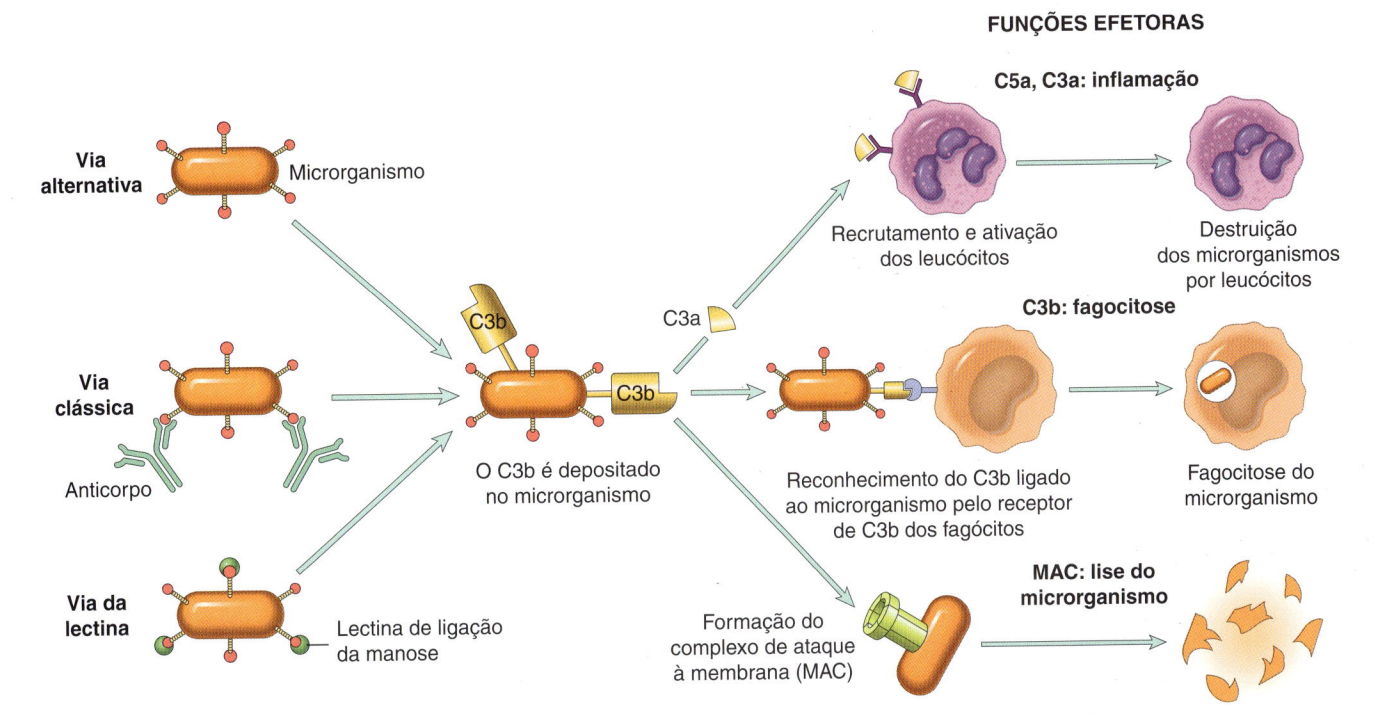

Figura 3.12 Ativação e funções do sistema complemento. A ativação do complemento por diferentes vias leva à clivagem de C3. As funções do sistema complemento são mediadas pelos produtos de degradação do C3 e outras proteínas do complemento e pelo complexo de ataque à membrana (*MAC*).

lipopolissacarídeo [LPS]), por polissacarídeos complexos, veneno de cobra e outras substâncias, na ausência de anticorpo
- A *via da lectina*, em que a lectina de ligação da manose presente no plasma liga-se a carboidratos presentes nos microrganismos e ativa diretamente o C1.

Todas as três vias de ativação do complemento levam à formação de uma enzima ativa, denominada *C3 convertase*, que cliva o C3 em dois fragmentos funcionalmente distintos, o C3a e o C3b. O C3a é liberado, e o C3b liga-se de modo covalente à célula ou à molécula onde o complemento está sendo ativado. Em seguida, um maior número de C3b liga-se aos fragmentos previamente gerados para formar a C5 convertase, que cliva o C5 para liberar o C5a e deixar o C5b ligado à superfície celular. O C5b liga-se aos componentes tardios (C6–C9), culminando na formação do complexo de ataque à membrana (composto de múltiplas moléculas de C9).

O sistema complemento desempenha três funções principais (ver **Figura 3.12**):

- *Inflamação.* O C5a, o C3a e, em menor grau, o C4a são produtos de clivagem dos componentes correspondentes do complemento, que estimulam a liberação de histamina dos mastócitos e, portanto, aumentam a permeabilidade vascular e causam vasodilatação. São denominados anafilatoxinas, visto que apresentam efeitos semelhantes aos dos mediadores dos mastócitos que estão envolvidos na reação denominada anafilaxia (ver **Capítulo 6**). O C5a também é um agente quimiotático para os neutrófilos, os monócitos, os eosinófilos e os basófilos. Além disso, o C5a ativa a via da lipo-oxigenase do metabolismo do AA nos neutrófilos e monócitos, causando maior liberação de mediadores inflamatórios
- *Opsonização e fagocitose.* O C3b e o seu produto de clivagem, o C3b inativo (iC3b), quando fixados à parede celular de um microrganismo, atuam como opsoninas e promovem a fagocitose pelos neutrófilos e macrófagos, que dispõem de receptores de superfície celular para os fragmentos do complemento
- *Lise celular.* A deposição do complexo de ataque à membrana sobre as células as torna permeáveis à água e aos íons, resultando em lise osmótica das células. Esse papel do complemento é importante, sobretudo na eliminação de microrganismos com paredes celulares finas, como as bactérias do gênero *Neisseria*, e a deficiência dos componentes terminais do complemento predispõe a infecções por *Neisseria*.

A ativação do complemento é rigorosamente controlada por proteínas reguladoras circulantes e associadas às células. Diferentes proteínas reguladoras inibem a produção de fragmentos ativos do complemento ou removem fragmentos que se depositam nas células. Esses reguladores são expressos nas células normais do hospedeiro e, portanto, destinam-se a impedir a lesão de tecidos saudáveis nos locais de ativação do complemento. As proteínas reguladoras podem ser sobrecarregadas quando grandes quantidades de complemento são depositadas nas células e nos tecidos do hospedeiro, como ocorre nas doenças autoimunes, em que os indivíduos produzem anticorpos fixadores do complemento contra seus próprios antígenos celulares e teciduais (ver **Capítulo 6**). As mais importantes dessas proteínas reguladoras são as seguintes:

- O *inibidor de C1* (*C1 INH*) bloqueia a ativação de C1, a primeira proteína da via clássica do complemento. A deficiência herdada desse inibidor é a causa do angioedema hereditário
- O *fator acelerador de decaimento* (*DAF*, *decay accelerating factor*) e a *CD59* são duas proteínas ligadas às membranas plasmáticas por uma âncora de glicofosfatidilinositol (GPI). O DAF impede a formação de C3 convertases, enquanto a CD59 inibe a formação do complexo de ataque à membrana. A deficiência adquirida da enzima que forma âncoras de GPI leva à deficiência desses reguladores e à ativação excessiva do complemento e lise dos eritrócitos (que são sensíveis à lise celular mediada pelo complemento) na doença denominada hemoglobinúria paroxística noturna (HPN) (ver **Capítulo 14**)
- O *fator H do complemento* é uma glicoproteína circulante que inibe a via alternativa de ativação do complemento ao promover a clivagem e a destruição de C3b e a renovação das C3 convertases. Os defeitos herdados do fator H e de várias outras proteínas reguladoras que interagem com o fator H causam uma forma atípica de síndrome hemolítico-urêmica (ver **Capítulo 20**), em que o complemento se deposita nos vasos glomerulares, levando ao dano endotelial e à formação de trombos ricos em plaquetas. Polimorfismos no gene do *fator H* também foram ligados à degeneração macular relacionada com a idade (ver **Capítulo 29**), uma importante causa de perda de visão em adultos de idade mais avançada.

O sistema complemento contribui para o desenvolvimento de doenças de várias maneiras. A ativação do complemento por anticorpos ou por complexos antígeno-anticorpo depositados nas células e nos tecidos do hospedeiro constitui um importante mecanismo de lesão celular e tecidual (ver **Capítulo 6**). As deficiências herdadas das proteínas do complemento provocam aumento da suscetibilidade às infecções (ver **Capítulo 6**), e, conforme assinalado anteriormente, as deficiências de proteínas reguladoras causam uma variedade de distúrbios que resultam da ativação excessiva do complemento.

Outros mediadores da inflamação

Fator de ativação plaquetária

O fator de ativação plaquetária (PAF) é um mediador derivado de fosfolipídios que foi descoberto como fator que causa agregação plaquetária, mas que hoje é conhecido por ter múltiplos efeitos inflamatórios. Diversos tipos de células, como plaquetas, basófilos, mastócitos, neutrófilos, macrófagos e células endoteliais, são capazes de produzir o PAF nas formas tanto secretada quanto ligada às células. Além da agregação plaquetária, o PAF provoca vasoconstrição e broncoconstrição e, em concentrações baixas, induz vasodilatação e aumento da permeabilidade venular. Apesar dessas ações, o uso de antagonistas do PAF não demonstrou ser útil em várias doenças inflamatórias.

Produtos da coagulação

A existência de uma ligação entre a via da coagulação e a inflamação é sustentada pela presença de receptores ativados pela protease (PARs, *protease-activated receptors*) nos leucócitos, que são ativados pela trombina (a protease que cliva o fibrinogênio para produzir fibrina, que forma o coágulo). Entretanto, é provável que a principal função dos PAR seja a ativação das plaquetas durante a coagulação (ver **Capítulo 4**). Há também algumas evidências de que os produtos de degradação da fibrina (fibrinopeptídeos) possam estimular a inflamação. Entretanto, muitas formas de lesão tecidual estão associadas à coagulação e inflamação, e é difícil estabelecer uma relação de causa e efeito.

Cininas

As cininas são peptídeos vasoativos derivados de proteínas plasmáticas, denominadas cininogênios, a partir da ativação de proteases específicas, denominadas calicreínas. A enzima calicreína cliva um precursor glicoproteico plasmático, o cininogênio de alto peso molecular, produzindo bradicinina. **A bradicinina aumenta a permeabilidade vascular e causa contração do músculo liso, dilatação dos vasos sanguíneos e dor quando injetada na pele.** Esses efeitos assemelham-se aos da histamina. A ação da bradicinina é de curta duração, visto que ela é logo inativada por uma enzima denominada cininase. A bradicinina tem sido implicada como mediador em algumas formas de reação alérgica, como a anafilaxia (ver **Capítulo 6**).

Neuropeptídeos

Os neuropeptídeos são secretados por nervos sensitivos e por vários leucócitos, e podem desempenhar papel na iniciação e na regulação das respostas inflamatórias. Esses pequenos peptídeos, como a substância P e a neurocinina A, são produzidos no sistema nervoso central e no sistema nervoso periférico. As fibras nervosas que contêm substância P são frequentes nos pulmões e no trato gastrintestinal. A substância P apresenta diversas atividades que podem ser importantes na inflamação, como a transmissão de sinais de dor e o aumento da permeabilidade vascular. Os leucócitos expressam receptores para muitos neuropeptíeos, de modo que esses produtos neurais podem proporcionar um mecanismo para a "interação cruzada" entre o sistema nervoso e as reações imunes e inflamatórias. Por exemplo, a ativação do nervo vago eferente inibe a produção de citocinas pró-inflamatórias, como o TNF, proporcionando um mecanismo para suprimir a inflamação. Essa observação levou a ensaios clínicos de estimulação do nervo vago em pacientes com artrite reumatoide.

Quando Lewis descobriu o papel da histamina na inflamação, acreditava-se que um mediador fosse suficiente. Agora, estamos nadando neles. Contudo, a partir desse grande compêndio de mediadores, é provável que alguns sejam mais importantes para as reações da inflamação aguda *in vivo*, os quais estão resumidos na **Tabela 3.8**. A redundância dos mediadores e suas ações assegura que essa resposta protetora seja robusta e não seja facilmente subvertida.

> **Conceitos-chave**
> **Ações dos principais mediadores da inflamação**
> - Aminas vasoativas, sobretudo histamina: vasodilatação e aumento da permeabilidade vascular
> - Metabólitos do ácido araquidônico (prostaglandinas e leucotrienos): existem várias formas e estão envolvidas nas reações vasculares, quimiotaxia dos leucócitos e outras reações da inflamação; antagonizados pelas lipoxinas
> - Citocinas: proteínas produzidas por muitos tipos de células; costumam atuar dentro de um curto alcance; medeiam diversos efeitos, sobretudo no recrutamento e na migração dos leucócitos; as principais citocinas na inflamação aguda são o TNF, a IL-1 e as quimiocinas
> - Proteínas do complemento: a ativação do sistema complemento por microrganismos ou anticorpos leva à geração de múltiplos produtos de degradação, que são responsáveis pela quimiotaxia dos leucócitos, opsonização, fagocitose dos microrganismos e de outras partículas e morte celular
> - Cininas: produzidas pela clivagem proteolítica de precursores; medeiam a reação vascular e a dor.

Tabela 3.8 Papel dos mediadores em diferentes reações da inflamação.

Reação da inflamação	Principais mediadores
Vasodilatação	Histamina Prostaglandinas
Aumento da permeabilidade vascular	Histamina e serotonina C3a e C5a (ao liberar aminas vasoativas dos mastócitos, outras células) Leucotrienos C_4, D_4, E_4
Quimiotaxia, recrutamento e ativação dos leucócitos	TNF, IL-1 Quimiocinas C3a, C5a Leucotrieno B_4
Febre	IL-1, TNF Prostaglandinas
Dor	Prostaglandinas Bradicinina Substância P
Lesão tecidual	Enzimas lisossômicas dos leucócitos Espécies reativas de oxigênio

IL-1, interleucina-1; *TNF*, fator de necrose tumoral.

Padrões morfológicos da inflamação aguda

As características morfológicas essenciais das reações inflamatórias agudas consistem em dilatação dos pequenos vasos sanguíneos e acúmulo de leucócitos e líquido no tecido extravascular. Entretanto, observa-se, com frequência, além dessas características gerais, uma sobreposição de padrões morfológicos especiais, dependendo da gravidade da reação, de sua causa específica e do tecido e região particulares envolvidos. A importância de reconhecer os padrões macroscópicos e microscópicos reside no fato de que eles costumam fornecer indícios valiosos sobre a causa subjacente.

Inflamação serosa

A inflamação serosa caracteriza-se pela exsudação de líquido pobre em células nos espaços criados pela lesão celular ou em cavidades corporais revestidas pelo peritônio, pela pleura ou pelo pericárdio. Normalmente, o líquido na inflamação serosa não contém microrganismos nem grandes números de leucócitos (que tendem a produzir inflamação purulenta, descrita adiante). Nas cavidades corporais, o líquido pode ser proveniente do plasma (em consequência do aumento da permeabilidade vascular) ou das secreções das células mesoteliais (como resultado de irritação local); o acúmulo de líquido nessas cavidades é denominado efusão. (Ocorrem também efusões em condições não inflamatórias, como redução do débito cardíaco na insuficiência cardíaca ou diminuição dos níveis plasmáticos de proteínas em algumas doenças renais e hepáticas.) A bolha na pele, que resulta de queimadura ou de infecção viral, representa o acúmulo de líquido seroso no interior ou logo abaixo da epiderme danificada (**Figura 3.13**).

Inflamação fibrinosa

Com o aumento mais significativo da permeabilidade vascular, grandes moléculas, como o fibrinogênio, saem do sangue, ocorrendo a formação e a deposição de fibrina no espaço extracelular. **Um exsudato fibrinoso se desenvolve quando**

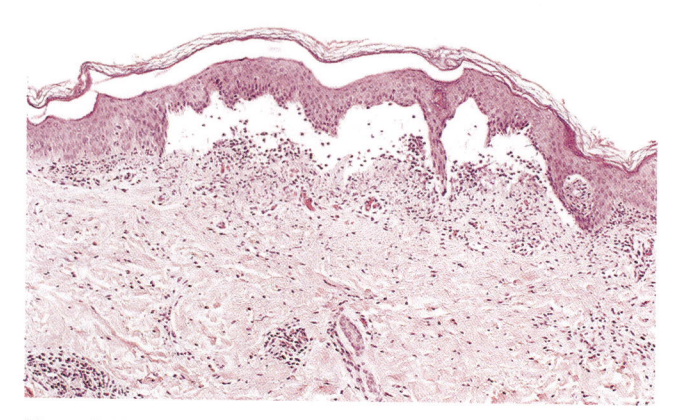

Figura 3.13 Inflamação serosa. Imagem em pequeno aumento de um corte transversal de uma bolha cutânea, mostrando a epiderme separada da derme por uma coleção focal de efusão serosa.

ocorrem extravasamentos vasculares grandes ou quando há um estímulo pró-coagulante local (p. ex., causado por células neoplásicas). O exsudato fibrinoso é característico da inflamação do revestimento das cavidades corporais, como as meninges, o pericárdio (**Figura 3.14A**) e a pleura. Ao exame histológico, a fibrina aparece como uma rede de fios e conexões eosinofílicas ou, algumas vezes, como coágulo amorfo (**Figura 3.14B**). Os exsudatos fibrinosos podem ser dissolvidos por fibrinólise e removidos pelos macrófagos. Se a fibrina não for removida, ela pode estimular, com o passar do tempo, o crescimento de fibroblastos e vasos sanguíneos, com consequente formação de cicatriz. A conversão do exsudato fibrinoso em tecido cicatricial (organização) dentro do saco pericárdico leva a um espessamento fibroso opaco do pericárdio e epicárdio na área de exsudação e, se a fibrose for extensa, ocorrem aderência e obliteração do espaço pericárdico.

Inflamação purulenta (supurativa) e abscesso

A inflamação purulenta caracteriza-se pela produção de pus, um exsudato que contém neutrófilos, restos liquefeitos de células necróticas e líquido de edema. A causa mais frequente de inflamação purulenta (também denominada supurativa) consiste na infecção por bactérias que provocam necrose tecidual liquefativa, como os estafilococos; esses patógenos são conhecidos como bactérias piogênicas (produtoras de pus). Um exemplo comum de inflamação supurativa aguda é a apendicite aguda.

Os *abscessos* são coleções localizadas de pus, causados por supuração dentro de um tecido, de um órgão ou de um espaço confinado. São produzidos pela inoculação de bactérias piogênicas dentro de um tecido (**Figura 3.15**). Os abscessos dispõem de uma região central liquefeita, composta de leucócitos e células teciduais necróticos. Em geral, há uma zona de neutrófilos preservados ao redor desse foco necrótico, e, externamente a essa região, pode haver dilatação vascular e proliferação de células parenquimatosas e fibroblastos, indicando inflamação crônica e reparo. No devido tempo, o abscesso pode tornar-se encapsulado e, por fim, pode ser substituído por tecido conjuntivo.

Úlceras

Uma úlcera é um defeito local ou escavação da superfície de um órgão ou tecido, que é produzida por descamação (desprendimento) do tecido necrótico inflamado (Figura 3.16). A ulceração só pode ocorrer quando a necrose tecidual e a inflamação associada acontecem na superfície do órgão ou em sua proximidade. A sua ocorrência é mais comum (1) na mucosa da boca, estômago, intestino ou trato geniturinário e (2) na pele e no tecido subcutâneo dos membros inferiores em indivíduos com doenças que predispõem à insuficiência vascular, como diabetes melito, anemia falciforme e doença vascular periférica.

As ulcerações são mais bem exemplificadas pela úlcera péptica do estômago ou do duodeno, na qual há coexistência de inflamação aguda e crônica. Durante o estágio agudo, ocorrem infiltração polimorfonuclear intensa e dilatação vascular nas margens da lesão. Com a cronicidade, as margens e a base da úlcera desenvolvem proliferação fibroblástica, cicatriz e acúmulo de linfócitos, macrófagos e plasmócitos.

Resultados da inflamação aguda

Embora, como seria de esperar, muitas variáveis possam modificar o processo básico da inflamação, como a natureza e a intensidade da lesão, o local e o tecido afetado e a resposta do hospedeiro, **as reações inflamatórias agudas costumam apresentar um dos três resultados seguintes (Figura 3.17):**

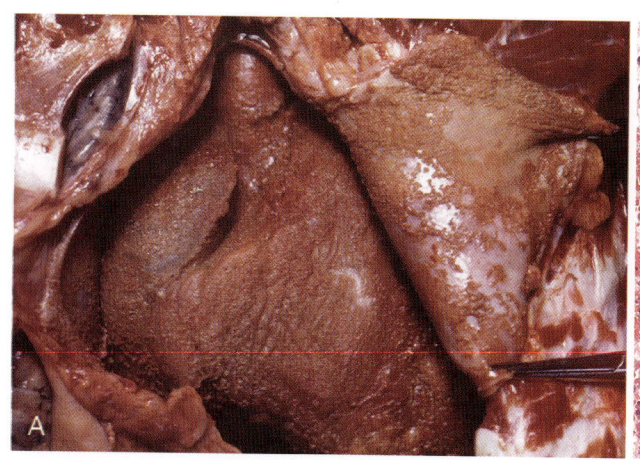

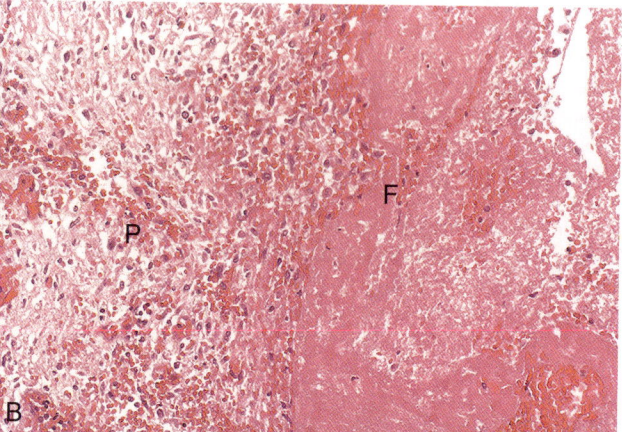

Figura 3.14 Pericardite fibrinosa. **A.** Depósito de fibrina no pericárdio. **B.** Uma rede de cor rosa de exsudato de fibrina (*F*) recobre a superfície pericárdica (*P*).

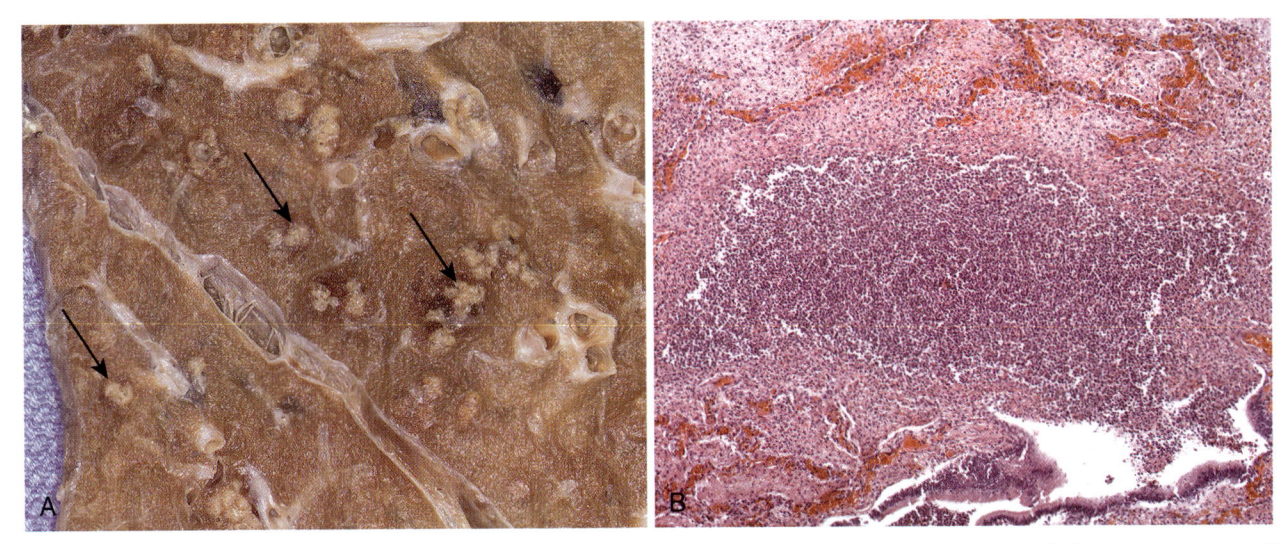

Figura 3.15 Inflamação purulenta. **A.** Múltiplos abscessos bacterianos (*setas*) no pulmão em um caso de broncopneumonia. **B.** O abscesso contém neutrófilos e restos celulares e é circundado por vasos sanguíneos congestos.

- *Resolução completa*. Em um mundo perfeito, todas as reações inflamatórias, após terem eliminado com sucesso o agente agressor, terminariam com a restauração do local de inflamação aguda para o seu estado normal. Esse processo é denominado resolução e constitui o resultado habitual quando a lesão é limitada ou de curta duração, ou quando houve pouca destruição tecidual, e as células parenquimatosas danificadas têm a capacidade de regeneração. A resolução envolve a remoção dos restos celulares e microrganismos pelos macrófagos e a reabsorção do edema pelos vasos linfáticos, seguida de regeneração do tecido danificado
- *Cicatrização por deposição de tecido conjuntivo* (*cicatriz ou fibrose*). Isso ocorre após destruição tecidual substancial, quando a lesão inflamatória acomete tecidos que são incapazes de regenerar, ou quando há exsudação abundante de fibrina no tecido ou em cavidades serosas (pleura, peritônio), que não pode ser removida de maneira adequada. Em todas essas situações, o tecido conjuntivo cresce dentro da área de lesão ou exsudato, convertendo-a em uma massa de tecido fibroso, um processo também denominado organização
- Progressão da resposta para a *inflamação crônica* (discutida adiante). Ocorre transição da inflamação aguda para crônica quando não é possível haver resolução da resposta inflamatória aguda, em virtude da persistência do agente lesivo ou devido a alguma interferência no processo normal de cicatrização.

Resumo da inflamação aguda

Agora que descrevemos os componentes, os mediadores e as manifestações patológicas das respostas inflamatórias agudas, é pertinente resumir as principais características de uma resposta típica desse tipo. Quando um hospedeiro encontra um agente lesivo, como microrganismos ou células mortas, os fagócitos residentes e os fagócitos recrutados do sangue procuram eliminar esses agentes. Ao mesmo tempo, os fagócitos e outras células do hospedeiro reagem à presença da substância estranha ou anormal por meio da liberação de citocinas, mensageiros lipídicos e outros mediadores da inflamação. Alguns desses mediadores atuam sobre os pequenos vasos sanguíneos na vizinhança e promovem o efluxo de proteínas plasmáticas e o recrutamento de leucócitos circulantes para o local em que se encontra o agente agressor. Os leucócitos recrutados são ativados por moléculas derivadas dos microrganismos e células lesionadas e por mediadores produzidos no local, e os leucócitos então ativados procuram remover o agente agressor por fagocitose. À medida que o agente lesivo é eliminado, e os mecanismos anti-inflamatórios tornam-se ativos, o processo

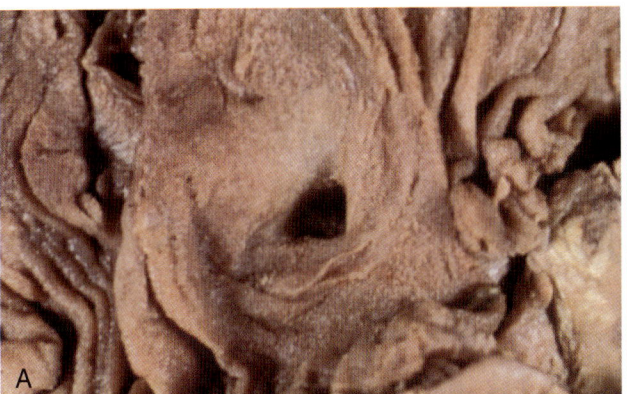

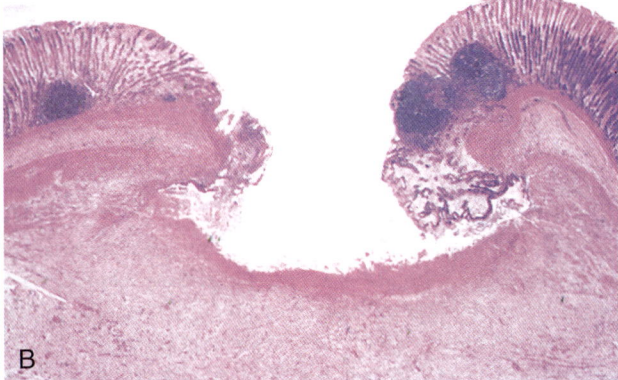

Figura 3.16 Morfologia de uma úlcera. **A.** Úlcera duodenal crônica. **B.** Imagem em pequeno aumento de um corte transversal da lesão escavada de uma úlcera duodenal com exsudato inflamatório agudo na base.

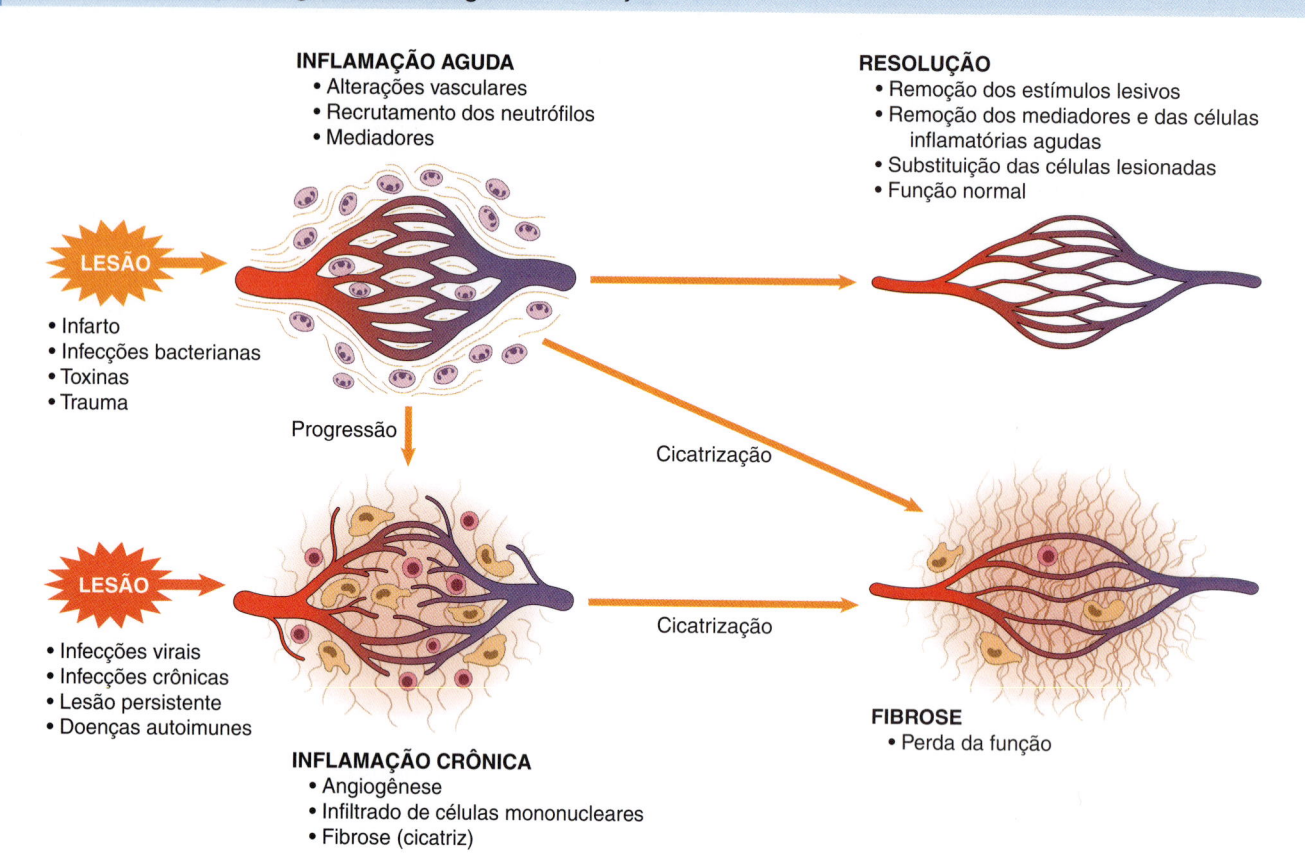

Figura 3.17 Resultados da inflamação aguda: resolução, cicatrização por fibrose ou inflamação crônica. Os componentes das várias reações e seus resultados funcionais estão listados.

diminui, e o hospedeiro retorna a um estado normal de saúde. Quando o agente lesivo não é logo eliminado, o resultado pode ser o desenvolvimento de inflamação crônica.

As reações vasculares e celulares são responsáveis pelos sinais cardinais da inflamação: rubor, calor, tumor (edema), dor e perda da função. O aumento do fluxo sanguíneo para a área lesionada e da permeabilidade vascular leva ao acúmulo de líquido extracelular rico em proteínas plasmáticas, conhecido como *edema*. A vermelhidão (*rubor*), o calor e a tumefação (*tumor*) são causados pelo aumento do fluxo sanguíneo e edema. Os leucócitos circulantes, que no início são representados predominantemente por neutrófilos, se aderem ao endotélio por meio de moléculas de adesão, atravessam o endotélio e migram até o local de lesão, sob a influência de agentes quimiotáticos. Os leucócitos que são ativados pelo agente agressor e por mediadores endógenos podem liberar para o espaço extracelular metabólitos tóxicos e proteases, causando dano tecidual. Devido ao dano e à liberação de prostaglandinas, neuropeptídeos e citocinas, um dos sintomas locais característicos é a dor. A perda da função (*functio laesa*) resulta da dor e da lesão dos tecidos.

Inflamação crônica

A inflamação crônica é uma resposta de duração prolongada (semanas ou meses), em que a inflamação, a lesão tecidual e a tentativa de reparo coexistem em combinações variáveis. A inflamação crônica pode ocorrer após a inflamação aguda, conforme descrito anteriormente, ou pode iniciar de modo insidioso, como uma resposta indolente de baixo grau, sem nenhuma manifestação de reação aguda precedente.

Causas da inflamação crônica

A inflamação crônica surge nas seguintes situações:

- *Infecções persistentes* por microrganismos de erradicação difícil, como micobactérias e certos vírus, fungos e parasitas. Com frequência, esses organismos desencadeiam uma reação imune, denominada hipersensibilidade de tipo tardio (ver **Capítulo 6**). Algumas vezes, as respostas inflamatórias crônicas desenvolvem um padrão específico, denominado reação granulomatosa (discutida adiante). Em outros casos, uma inflamação aguda não resolvida pode evoluir para uma inflamação crônica, como a que pode ocorrer na infecção bacteriana aguda pulmonar, que evolui para um abscesso pulmonar crônico. A inflamação aguda e a inflamação crônica podem coexistir, como em uma úlcera péptica
- *Doenças de hipersensibilidade.* A inflamação crônica desempenha um importante papel em um grupo de doenças causadas pela ativação excessiva e inapropriada do sistema imune. Em determinadas condições, surgem reações imunes contra os tecidos do próprio indivíduo, resultando em doenças autoimunes (ver **Capítulo 6**). Nessas doenças, os autoantígenos desencadeiam uma reação imune autoperpetuante, que resulta em lesão tecidual e inflamação crônicas; exemplos dessas doenças incluem artrite reumatoide e esclerose múltipla. Em outros casos, a inflamação crônica resulta de respostas imunes desreguladas contra microrganismos, como na doença inflamatória intestinal. As respostas imunes contra substâncias ambientais comuns são a causa de doenças alérgicas, como a asma brônquica (ver **Capítulo 6**). Como essas reações autoimunes e alérgicas são deflagradas contra antígenos que normalmente são inócuos, as reações não têm nenhum propósito útil e só causam doença.

Essas doenças podem exibir padrões morfológicos mistos de inflamação aguda e crônica, visto que se caracterizam por episódios repetidos de inflamação. A fibrose pode predominar nos estágios avançados

- Exposição prolongada a *agentes* potencialmente *tóxicos*, tanto exógenos quanto endógenos. Um exemplo de agente exógeno é a partícula de sílica, um material inanimado não degradável que, quando inalado por períodos prolongados, resulta em uma doença inflamatória do pulmão, denominada silicose (ver **Capítulo 15**). A aterosclerose (ver **Capítulo 11**) é um processo inflamatório crônico da parede arterial induzido, pelo menos em parte, pela produção excessiva e deposição tecidual de colesterol e outros lipídios endógenos.

Características morfológicas

Diferentemente da inflamação aguda, que se manifesta por alterações vasculares, edema e infiltração predominantemente neutrofílica, **a inflamação crônica caracteriza-se por:**

- *Infiltração por células mononucleares*, que incluem macrófagos, linfócitos e plasmócitos (**Figura 3.18**)
- *Destruição tecidual*, induzida pelo agente agressor persistente ou pelas células inflamatórias
- *Tentativas de cicatrização* por meio de substituição do tecido danificado por tecido conjuntivo, possibilitadas pela *angiogênese* (proliferação de pequenos vasos sanguíneos) e, em particular, *fibrose*.

Como a angiogênese e a fibrose constituem componentes da cicatrização de feridas e do reparo, elas são discutidas adiante, no contexto do reparo dos tecidos.

Células e mediadores da inflamação crônica

A combinação de infiltração leucocitária, dano aos tecidos e fibrose, que caracterizam a inflamação crônica, é o resultado da ativação local de vários tipos de células e da produção de mediadores.

Função dos macrófagos

As células dominantes na maioria das reações inflamatórias crônicas são os macrófagos, que contribuem como processo por meio de secreção de citocinas e fatores de crescimento que atuam em várias células, destruindo os invasores estranhos e os tecidos e ativando outras células, em particular os linfócitos T. Os macrófagos são fagócitos profissionais, que eliminam os microrganismos e os tecidos danificados. Além disso, desempenham funções importantes no reparo dos tecidos lesionados. Aqui, analisaremos o desenvolvimento e as funções dos macrófagos.

Os macrófagos são células teciduais derivadas de células-tronco hematopoéticas da medula óssea durante a vida pós-natal, bem como de células progenitoras do saco vitelino embrionário e do fígado fetal durante o desenvolvimento inicial (Figura 3.19). As células circulantes dessa linhagem são conhecidas como monócitos. Em condições normais, os macrófagos estão difusamente distribuídos na maioria dos tecidos conjuntivos. Além disso, são encontrados em locais específicos, em órgãos como fígado (no caso, denominados células Kupffer), baço e linfonodos (denominados histiócitos sinusais), sistema nervoso central (células da micróglia) e pulmões (macrófagos alveolares). Em conjunto, essas células compõem o sistema fagocítico mononuclear, também conhecido pelo nome mais antigo (e incorreto) de sistema reticuloendotelial.

Os progenitores específicos na medula óssea dão origem aos monócitos, que entram no sangue, migram para vários tecidos e diferenciam-se em macrófagos. Esse processo é característico dos macrófagos nos sítios inflamatórios e em alguns tecidos, como a pele e o trato intestinal. A meia-vida dos monócitos no sangue é de cerca de 1 dia, enquanto o tempo de vida dos macrófagos teciduais pode ser de vários meses ou anos. Outros tipos especializados de macrófagos, como a micróglia, as células de Kupffer e os macrófagos alveolares, originam-se de células progenitoras do saco vitelino e do fígado fetal em um estágio muito inicial da embriogênese; em seguida, migram para o encéfalo, o fígado e o pulmão em desenvolvimento, onde persistem durante toda a vida como população estável de células residentes. Conforme discutido antes, nas reações inflamatórias, os monócitos começam a extravasar com bastante rapidez dos vasos para os tecidos extravasculares e, dentro de 48 horas, podem se tornar o tipo celular predominante. O extravasamento de monócitos é governado pelos mesmos fatores envolvidos no extravasamento dos neutrófilos, isto é, moléculas de adesão e fatores quimiotáticos.

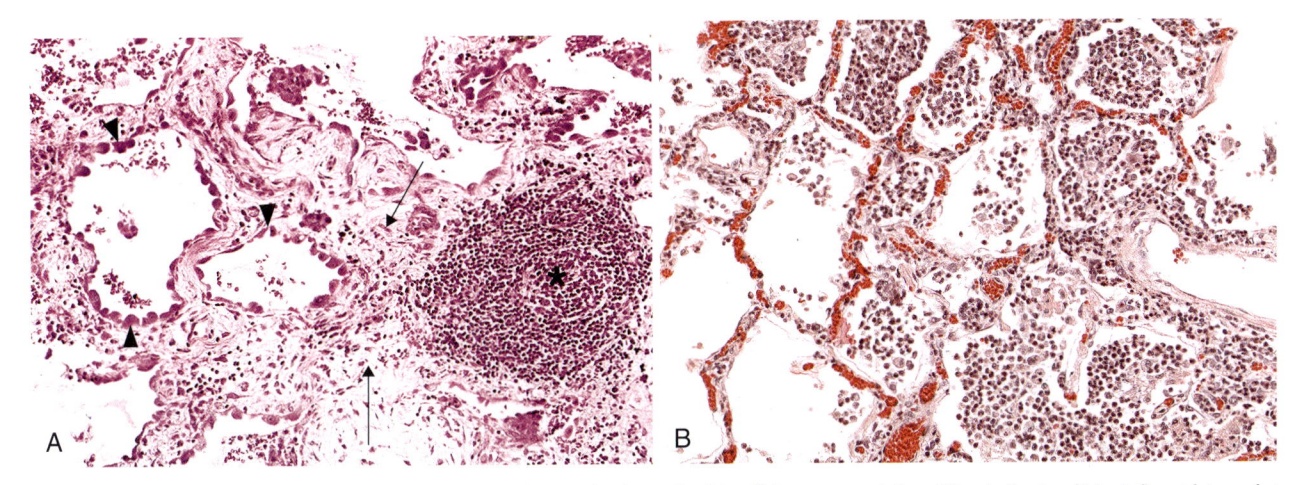

Figura 3.18 A. Inflamação crônica do pulmão mostrando todas as três alterações histológicas características: (1) coleção de células inflamatórias crônicas (*asterisco*), (2) destruição do parênquima (os alvéolos normais são substituídos por espaços revestidos por epitélio cuboide) (*pontas de seta*) e (3) substituição por tecido conjuntivo (fibrose) (*setas*). **B.** Em contrapartida, na inflamação aguda do pulmão (broncopneumonia aguda), os neutrófilos preenchem os espaços alveolares, e os vasos sanguíneos estão congestos.

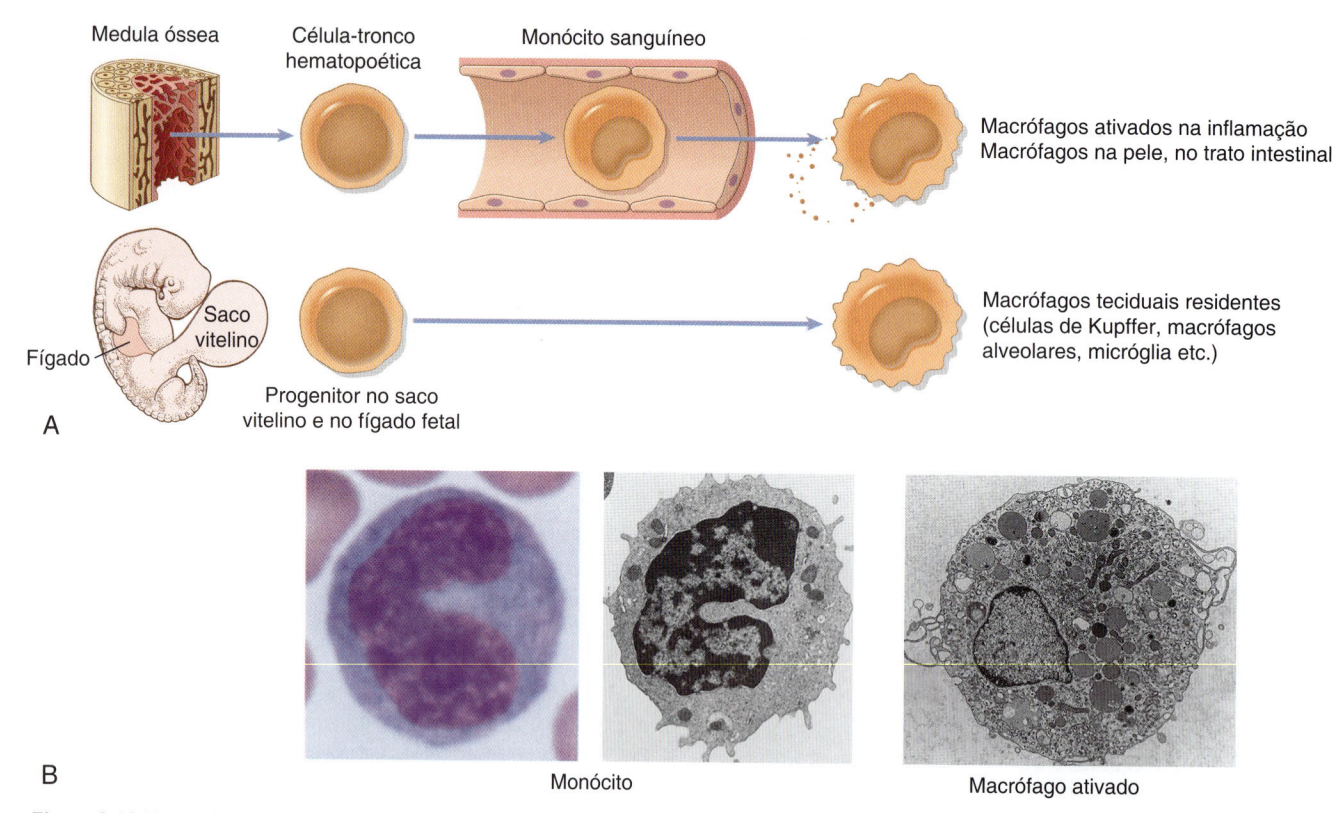

Figura 3.19 Maturação dos fagócitos mononucleares. **A.** Na vida pós-natal, os macrófagos originam-se sobretudo de células progenitoras da medula óssea e monócitos do sangue. Essas células originam a maior parte dos macrófagos residentes em alguns tecidos e tornam-se mais proeminentes após a ocorrência de lesão e durante a inflamação. Alguns macrófagos teciduais, como micróglia e macrófagos alveolares, originam-se de precursores embrionários e migram para os respectivos tecidos, onde persistem durante toda vida. **B.** Morfologia de um monócito e de um macrófago ativado.

Os produtos dos macrófagos ativados eliminam os agentes lesivos, como os microrganismos, e iniciam o processo de reparo, porém também são responsáveis por grande parte da lesão tecidual na inflamação crônica. Várias funções dos macrófagos são de importância fundamental no desenvolvimento e na persistência da inflamação crônica e na lesão tecidual associada:

- Os macrófagos, à semelhança do outro tipo de fagócito, os neutrófilos, ingerem e eliminam microrganismos e tecidos mortos
- Os macrófagos iniciam o processo de reparo tecidual e estão envolvidos na formação de cicatriz e fibrose. Esses processos são discutidos adiante neste capítulo
- Os macrófagos secretam mediadores da inflamação, como citocinas (TNF, IL-1, quimiocinas e outras) e eicosanoides. Por conseguinte, os macrófagos contribuem para a iniciação e a propagação das reações inflamatórias
- Os macrófagos apresentam antígenos aos linfócitos T e respondem a sinais provenientes das células T, estabelecendo, assim, uma alça de retroalimentação que é essencial para a defesa contra muitos microrganismos por meio de respostas imunes mediadas por células. Essas interações são descritas ainda na discussão subsequente sobre o papel dos linfócitos na inflamação crônica e de modo mais detalhado no **Capítulo 6**, em que a imunidade mediada por células é discutida.

Existem duas vias principais de ativação dos macrófagos, denominadas *clássica* e *alternativa*, que conferem aos macrófagos diferentes atividades funcionais (Figura 3.20):

- A *ativação clássica dos macrófagos* pode ser induzida por produtos microbianos, como a endotoxina, que se ligam aos TLR e outros sensores; por sinais derivados das células T, sobretudo a citocina IFN-γ, nas respostas imunes; ou por substâncias estranhas, como cristais e partículas. Os macrófagos classicamente ativados (também denominados M1) produzem NO e enzimas lisossômicas, que aumentam a sua capacidade de destruir os microrganismos ingeridos, e secretam citocinas que estimulam a inflamação. O principal papel desses macrófagos na defesa do hospedeiro é destruir os microrganismos e promover a resposta inflamatória
- A *ativação da via alternativa dos macrófagos* é induzida por citocinas diferentes do IFN-γ, como IL-4 e IL-13, que são produzidas pelos linfócitos T e por outras células. Esses macrófagos (M2) não são ativamente microbicidas; na verdade, as suas principais funções consistem em interromper a inflamação e promover o reparo tecidual.

Parece plausível que, em resposta à maioria dos estímulos lesivos, a primeira via de ativação seja a clássica, destinada a destruir os agentes agressores, seguida, então, da ativação alternativa, que inicia o processo de reparo dos tecidos. Entretanto, essa sequência precisa não é observada na maioria das reações inflamatórias, e a maioria das reações contém números variáveis de ambos os tipos. Além disso, os fenótipos M1 e M2 constituem as formas extremas, e pode haver muitos tipos intermediários, que são difíceis de caracterizar como M1 ou M2 típicos.

O impressionante arsenal de mediadores faz com que os macrófagos sejam poderosos aliados na defesa do organismo contra

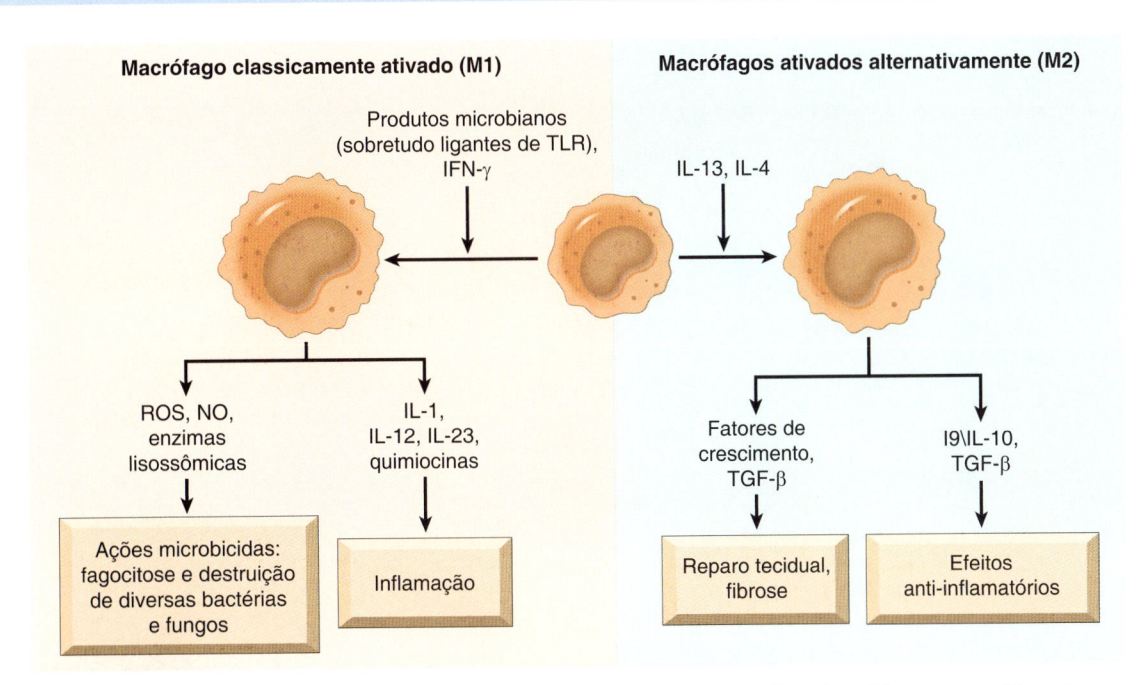

Figura 3.20 Ativação clássica e alternativa dos macrófagos. Diferentes estímulos ativam os monócitos/macrófagos, que se diferenciam em populações funcionalmente distintas. Os macrófagos classicamente ativados são induzidos por produtos microbianos e citocinas, sobretudo a interferona-γ (IFN-γ). Eles fagocitam e destroem os microrganismos e tecidos mortos e podem potencializar as reações inflamatórias. Os macrófagos ativados alternativamente são induzidos por outras citocinas e são importantes no reparo tecidual e na resolução da inflamação. *IL*, interleucina; *NO*, óxido nítrico; *ROS*, espécies reativas de oxigênio; *TGF-β*, fator de crescimento transformador β; *TLR*, receptor do tipo Toll.

invasores indesejados; entretanto, esse mesmo arsenal é capaz de induzir uma considerável destruição tecidual quando os macrófagos são ativados de maneira inapropriada ou excessiva. Em grande parte, devido a essas atividades dos macrófagos, é que a destruição tecidual constitui uma das características marcantes da inflamação crônica.

Em alguns casos, se o agente lesivo for eliminado, os macrófagos desaparecem (morrendo ou seguindo o seu trajeto nos vasos linfáticos e linfonodos). Em outros casos, o acúmulo de macrófagos persiste, em consequência do recrutamento contínuo a partir da circulação e da proliferação no local de inflamação.

Função dos linfócitos

Os microrganismos e outros antígenos ambientais ativam os linfócitos T e B, que amplificam e propagam a inflamação crônica. A ativação dessas células costuma ser relevante nas reações inflamatórias crônicas e, quando presentes, a inflamação tende a ser persistente e grave, em parte pelo fato de que a ativação dos linfócitos leva à geração de células de memória de vida longa. Algumas das reações inflamatórias crônicas persistentes, como a inflamação granulomatosa, descrita adiante, dependem da geração de respostas de linfócitos de memória. Os linfócitos podem representar a população celular dominante na inflamação crônica observada em várias doenças autoimunes.

Em virtude de sua capacidade de secretar citocinas, os linfócitos T CD4+ promovem a inflamação e influenciam o perfil da reação inflamatória. Existem três subgrupos de células T CD4+ que secretam diferentes tipos de citocinas e disparam perfis distintos de inflamação:

- As células Th1 produzem a citocina IFN-γ, que ativa os macrófagos pela via clássica

- As células Th2 secretam IL-4, IL-5 e IL-13, que recrutam e ativam os eosinófilos e que são responsáveis pela via alternativa de ativação dos macrófagos
- As células Th17 secretam a IL-17 e outras citocinas, que induzem a secreção de quimiocinas responsáveis pelo recrutamento de neutrófilos (e monócitos) para o sítio inflamatório.

Tanto as células Th1 quanto as células Th17 estão envolvidas na defesa contra muitos tipos de bactérias e vírus, bem como em doenças autoimunes nas quais a lesão tecidual é causada por inflamação crônica. As células Th2 são importantes na defesa contra parasitas helmínticos e na inflamação alérgica. Esses subtipos de células T e suas funções são descritos com mais detalhes no **Capítulo 6**.

Os linfócitos e os macrófagos interagem de forma bidirecional, e essas interações desempenham um importante papel na propagação da inflamação crônica (**Figura 3.21**). Os macrófagos apresentam antígenos às células T, expressam moléculas de membrana, denominadas coestimuladores, e produzem citocinas (IL-12 e outras), que estimulam as respostas das células T (ver **Capítulo 6**). Por sua vez, os linfócitos T ativados produzem citocinas, descritas anteriormente, que recrutam e ativam os macrófagos, promovendo mais apresentação de antígenos e secreção de citocinas. O resultado consiste em um ciclo de reações celulares que alimentam e sustentam a inflamação crônica. Uma consequência típica dessa interação de células T e macrófagos cronicamente é a formação de granulomas descritos adiante.

Os linfócitos B ativados e os plasmócitos produtores de anticorpos também costumam estar presentes nas áreas de inflamação crônica. Os anticorpos produzidos podem ser específicos contra antígenos estranhos persistentes ou autoantígenos no local da inflamação ou ainda contra componentes teciduais

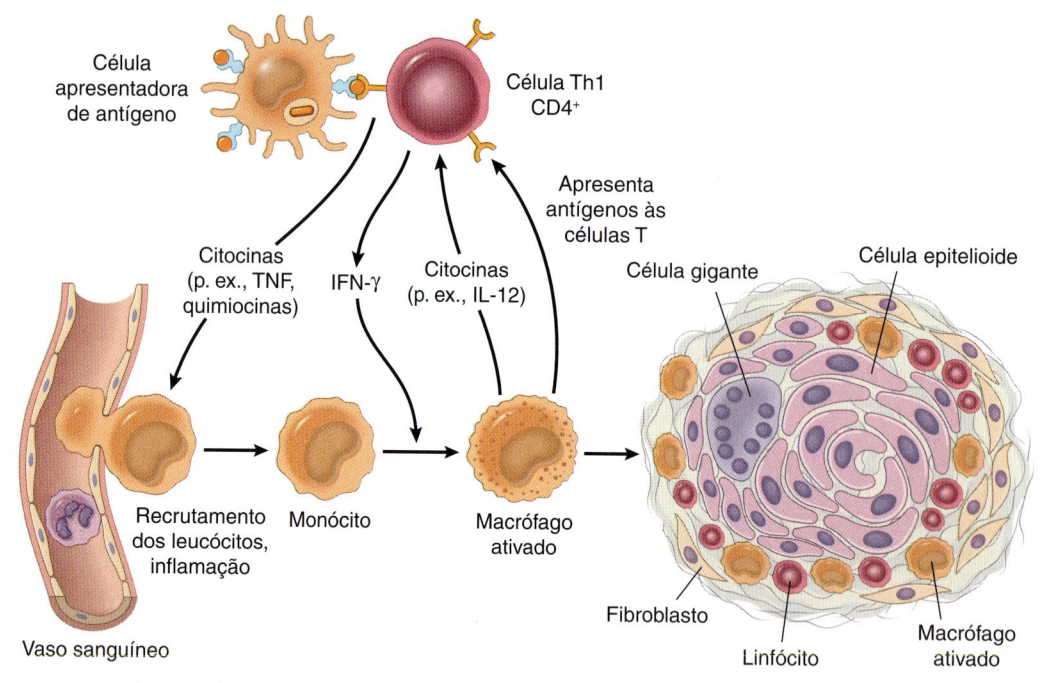

Figura 3.21 Interações macrófago-linfócito na inflamação crônica. As células T ativadas produzem citocinas, que recrutam os macrófagos (fator de necrose tumoral [*TNF*], interleucina-17 [*IL-17*], quimiocinas) e outras que ativam os macrófagos (interferona-γ [*IFN-γ*]). Por sua vez, os macrófagos ativados estimulam as células T ao apresentar antígenos e ao produzir citocinas, como a IL-12. As reações prolongadas que envolvem células T e macrófagos podem resultar na formação de granulomas.

alterados. Entretanto, a contribuição dos anticorpos na maioria dos processos inflamatórios crônicos não está bem esclarecida.

Em algumas reações inflamatórias crônicas, os linfócitos acumulados, as células apresentadoras de antígenos e os plasmócitos reúnem-se para formar folículos linfoides organizados, que se assemelham àqueles observados nos linfonodos. Esses agrupamentos são denominados órgãos linfoides terciários; esse tipo de organogênese linfoide é observado, com frequência, na sinóvia de pacientes com artrite reumatoide de longa duração e na tireoide de pacientes com tireoidite de Hashimoto. Foi postulado que a formação local de folículos linfoides pode perpetuar a reação imune, porém a importância dessas estruturas ainda não está estabelecida.

Outras células na inflamação crônica

Outros tipos de células podem ser proeminentes na inflamação crônica induzida por estímulos específicos:

- Os *eosinófilos* são abundantes nas reações imunes mediadas por IgE e nas infecções parasitárias (**Figura 3.22**). Seu recrutamento é acionado por moléculas de adesão semelhantes àquelas utilizadas por neutrófilos e por quimiocinas específicas (p. ex., eotaxina) derivadas de leucócitos e células epiteliais. Os eosinófilos contam com grânulos que contêm a proteína básica principal, uma proteína altamente catiônica que é tóxica para os helmintos, mas que também pode provocar lesão das células epiteliais do hospedeiro. Essa é a maneira pela qual os eosinófilos são benéficos no controle das infecções por helmintos, embora também contribuam para o dano tecidual em reações imunes como as alergias (ver **Capítulo 6**).
- Os *mastócitos* estão amplamente distribuídos nos tecidos conjuntivos e participam das reações inflamatórias tanto agudas quanto crônicas. Além disso, expressam em sua superfície o receptor (FcεRI) que se liga à porção Fc do anticorpo IgE. Nas reações de hipersensibilidade imediata, os anticorpos IgE ligados aos receptores Fc das células reconhecem especificamente o antígeno, e as células sofrem degranulação e liberam mediadores, como histamina e prostaglandinas (ver **Capítulo 6**). Esse tipo de resposta é observado durante reações alérgicas a alimentos, veneno de insetos ou fármacos, algumas vezes com resultados catastróficos (p. ex., choque anafilático). Os mastócitos também são encontrados nas reações inflamatórias crônicas e, como eles secretam um grande número de citocinas, podem promover reações inflamatórias em diferentes situações
- Embora os *neutrófilos* sejam característicos da inflamação aguda, muitas formas de inflamação crônica continuam apresentando grandes números de neutrófilos, que são induzidos por microrganismos persistentes ou por mediadores produzidos pelos macrófagos ativados e pelos linfócitos T. Na infecção bacteriana

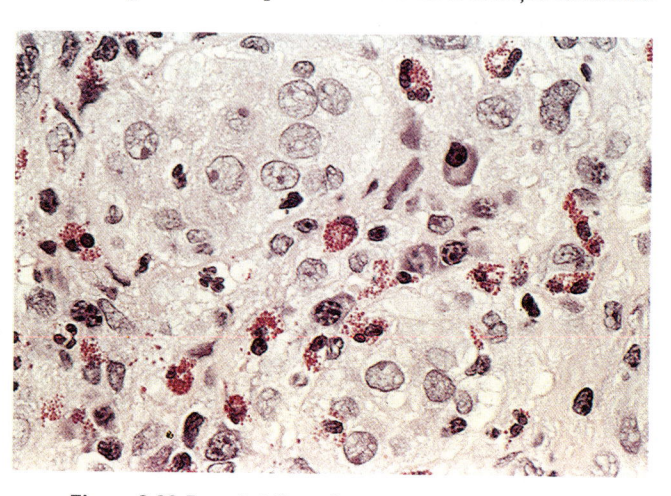

Figura 3.22 Foco de inflamação com numerosos eosinófilos.

crônica do osso (osteomielite), pode haver persistência de um exsudato neutrofílico durante muitos meses. Os neutrófilos também são importantes no dano crônico induzido nos pulmões pelo tabagismo e por outros estímulos irritantes (ver **Capítulo 15**). Esse padrão de inflamação foi denominado agudo sobre crônico.

Inflamação granulomatosa

A inflamação granulomatosa é uma forma de inflamação crônica que se caracteriza por coleções de macrófagos ativados, frequentemente com linfócitos T e, algumas vezes, associada a necrose. A formação de granulomas é uma tentativa celular de conter um agente agressor de difícil erradicação. Nessa tentativa, costuma ocorrer ativação intensa dos linfócitos T, levando à ativação dos macrófagos, que pode causar lesão dos tecidos normais. Os macrófagos ativados podem desenvolver um citoplasma abundante e começam a se parecer com células epiteliais, sendo assim denominados células epitelioides. Alguns macrófagos ativados podem fundir-se, formando células gigantes multinucleadas.

Existem dois tipos de granulomas, que diferem na sua patogênese:

- Os *granulomas de corpos estranhos* são produzidos por corpos estranhos inertes, que induzem inflamação na ausência de respostas imunes mediadas por células T. Normalmente, os granulomas de corpos estranhos formam-se ao redor de materiais como talco (associado ao abuso de substâncias intravenosas) (ver **Capítulo 9**), fios de sutura ou outras fibras que são grandes o suficiente para impedir a sua fagocitose por um macrófago e que não são imunogênicas, de modo que não desencadeiam qualquer resposta imune específica. As células epitelioides e as células gigantes se depositam na superfície do corpo estranho. Em geral, o material estranho pode ser identificado no centro do granuloma, algumas vezes no interior de células gigantes, sobretudo quando examinado com luz polarizada, sob a qual pode exibir refração
- Os *granulomas imunes* são causados por uma variedade de agentes capazes de induzir uma resposta imune persistente mediada por células T. Em geral, esse tipo de resposta imune produz granulomas quando o agente desencadeante é de difícil erradicação, como no caso de um microrganismo persistente. Nessas respostas, as células Th1 ativadas produzem citocinas, como o IFN-γ, que ativa os macrófagos (ver **Figura 3.21**). Em algumas infecções parasitárias, como a esquistossomose, os granulomas estão associados a intensas respostas das células Th2 e a eosinófilos.

Morfologia

Nas preparações habituais de hematoxilina e eosina, os macrófagos ativados nos granulomas apresentam citoplasma granular róseo com limites celulares indistintos e são denominados **células epitelioides**, em virtude de sua semelhança com os epitélios (**Figura 3.23**). Os agregados de macrófagos epitelioides são circundados por um halo de linfócitos. Os granulomas mais antigos podem apresentar também uma borda de fibroblastos e tecido conjuntivo. Com frequência, mas nem sempre, são encontradas **células gigantes** multinucleadas de 40 a 50 μm de diâmetro nos granulomas, e essas células são denominadas células gigantes de Langhans. Consistem em uma grande massa de citoplasma e muitos núcleos e originam-se da fusão de múltiplos macrófagos ativados. Nos granulomas associados a certos microrganismos infecciosos (mais classicamente, *Mycobacterium tuberculosis*), uma combinação de hipoxia e lesão mediada por radicais livres resulta em uma zona central de necrose. Ao exame macroscópico, essa zona tem aparência granular e similar a queijo amolecido, razão pela qual é denominada **necrose caseosa**. Microscopicamente, esse material necrótico aparece como restos amorfos, sem estrutura, eosinofílicos e granulares, com perda completa dos detalhes celulares (diferentemente da necrose coagulativa, em que os contornos celulares são preservados). Os granulomas na doença de Crohn, na sarcoidose e nas reações de corpos estranhos tendem a não apresentar centros necróticos e são descritos como não caseosos. A resolução dos granulomas é acompanhada de fibrose, que pode ser extensa nos órgãos envolvidos.

O reconhecimento da inflamação granulomatosa é importante, devido ao número limitado de condições (algumas potencialmente fatais) que a causam (**Tabela 3.9**). **A tuberculose é o protótipo de uma doença granulomatosa infecciosa e sempre deve ser excluída como causa quando se identificam granulomas.** Nessa doença, o granuloma é designado como tubérculo. Os granulomas também podem surgir em algumas doenças inflamatórias imunomediadas. Entre essas doenças, destacam-se a doença de Crohn, um tipo de doença inflamatória intestinal e uma importante causa de inflamação granulomatosa nos EUA; e a sarcoidose, um distúrbio de etiologia desconhecida. Os padrões morfológicos das diversas doenças granulomatosas podem ser suficientemente distintos entre si para possibilitar um diagnóstico razoavelmente acurado por um patologista experiente (ver **Tabela 3.9**). Entretanto, existem tantas apresentações atípicas, que é sempre necessário identificar o agente etiológico específico por meio de colorações especiais para microrganismos (p. ex., coloração álcool-ácido resistente para bacilos da tuberculose), métodos de cultura (p. ex., na tuberculose e nas doenças fúngicas), técnicas moleculares (p. ex., a reação em cadeia da polimerase na tuberculose) e por sorologia (p. ex., na sífilis).

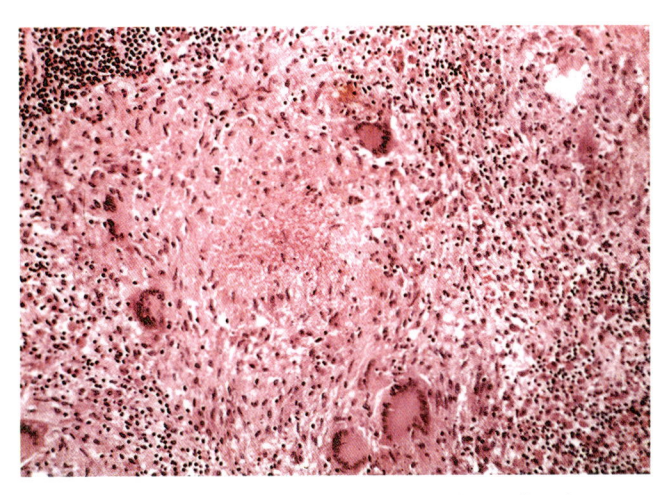

Figura 3.23 Granuloma tuberculoso típico mostrando uma área de necrose central circundada por diversas células gigantes de Langhans, células epitelioides e linfócitos.

Tabela 3.9 Exemplos de doenças com inflamação granulomatosa.

Doença	Causa	Reação tecidual
Tuberculose	*Mycobacterium tuberculosis*	Granuloma caseoso (tubérculo): foco de macrófagos ativados (células epitelioides), circundados por fibroblastos, linfócitos, histiócitos, células gigantes de Langhans ocasionais; necrose central com restos granulares amorfos; bacilos álcool-ácido resistentes
Hanseníase	*Mycobacterium leprae*	Bacilos álcool-ácido resistentes em macrófagos; granulomas não caseosos
Sífilis	*Treponema pallidum*	Goma: lesão visível microscópica ou macroscopicamente, parede circundante de histiócitos; infiltrado de plasmócitos; as células centrais são necróticas, sem perda do contorno celular
Doença da arranhadura do gato	Bacilos gram-negativos	Granuloma arredondado ou estrelado com restos granulares centrais e neutrófilos; células gigantes são incomuns
Sarcoidose	Etiologia desconhecida	Granulomas não caseosos com macrófagos ativados abundantes
Doença de Crohn (doença inflamatória intestinal)	Reação imune contra bactérias intestinais, possivelmente autoantígenos	Granulomas não caseosos ocasionais na parede do intestino, com denso infiltrado inflamatório crônico

Conceitos-chave

Inflamação crônica

- A inflamação crônica é uma resposta prolongada do hospedeiro a estímulos persistentes
- É causada por microrganismos que resistem à eliminação, por respostas imunes contra autoantígenos e antígenos ambientais e algumas substâncias tóxicas (p. ex., sílica); constitui a base fisiopatológica de muitas doenças clinicamente relevantes
- Caracteriza-se pela coexistência de inflamação, lesão tecidual e tentativa de reparo por meio de cicatrização
- O infiltrado celular é composto de macrófagos, linfócitos, plasmócitos e outros leucócitos
- É mediada por citocinas produzidas por macrófagos e linfócitos (notavelmente linfócitos T); as interações bidirecionais entre essas células tendem a amplificar e a prolongar a reação inflamatória
- A inflamação granulomatosa é um padrão de inflamação crônica induzido pela ativação de células T e de macrófagos em resposta a um agente resistente à erradicação.

Efeitos sistêmicos da inflamação

A inflamação, mesmo quando localizada, está associada a reações sistêmicas induzidas por citocinas, que em seu conjunto são denominadas *resposta de fase aguda*. Qualquer pessoa que tenha sido acometida de um episódio grave de doença viral (p. ex., gripe) apresentou as manifestações sistêmicas da inflamação aguda. Essas alterações consistem em reações às citocinas, cuja síntese é estimulada por produtos bacterianos e por outros estímulos inflamatórios. As citocinas TNF, IL-1 e IL-6 são mediadores importantes da reação de fase aguda; outras citocinas, em particular os interferons, também contribuem nesse processo.

A resposta de fase aguda consiste em várias alterações clínicas e patológicas:

- A *febre*, caracterizada por uma elevação da temperatura corporal, normalmente de 1 a 4°C, constitui uma das manifestações mais proeminentes da resposta de fase aguda, sobretudo quando a inflamação está associada a uma infecção. As substâncias que induzem a febre são denominadas pirógenos e incluem produtos bacterianos (pirógenos exógenos, por exemplo, LPS) e citocinas, principalmente IL-1 e TNF (denominadas pirógenos endógenos). Os pirógenos exógenos atuam ao estimular as células imunes a liberar IL-1 e TNF, que suprarregulam as ciclo-oxigenases, as enzimas que sintetizam as prostaglandinas. Entre as células que respondem à IL-1 e ao TNF, estão as células vasculares e perivasculares do hipotálamo. As prostaglandinas liberadas por essas células, em particular a PGE_2, estimulam a produção de neurotransmissores pelo hipotálamo, que restauram a temperatura corporal no estado de equilíbrio dinâmico em um nível mais alto, reduzindo a perda de calor (por vasoconstrição) e aumentando a produção de calor (por meio de efeitos sobre a gordura marrom e o músculo esquelético). Os AINE, incluindo o ácido acetilsalicílico, reduzem a febre ao inibir a síntese de prostaglandinas. Foi demonstrado que uma temperatura corporal elevada ajuda os anfíbios a eliminar infecções microbianas, e, embora os detalhes não estejam elucidados, pressupõe-se que a febre também seja uma resposta protetora do hospedeiro nos mamíferos

- Níveis elevados de *proteínas da fase aguda* são proteínas plasmáticas, em sua maior parte sintetizadas no fígado, cujas concentrações plasmáticas podem aumentar várias centenas de vezes como parte da resposta a estímulos inflamatórios. Três dessas proteínas mais bem conhecidas são a proteína C reativa (CRP), o fibrinogênio e a proteína amiloide sérica A (SAA). A síntese dessas moléculas nos hepatócitos é estimulada por citocinas, sobretudo IL-6 (para a CRP e o fibrinogênio) e IL-1 ou TNF (para a SAA). Muitas proteínas de fase aguda, como a CRP e a SAA, ligam-se às paredes celulares dos microrganismos e podem atuar como opsoninas e fixar o complemento. Ligam-se também à cromatina, ajudando possivelmente na eliminação de núcleos de células necróticas. O fibrinogênio liga-se aos eritrócitos, e provoca a formação de pilhas (*rouleaux*), que sedimentam mais rápido por unidade de gravidade do que os eritrócitos o fazem de maneira individual. Essa é a base para utilizar a medida da *velocidade de hemossedimentação* como teste simples para uma resposta inflamatória causada por qualquer estímulo. As proteínas de fase aguda apresentam efeitos benéficos durante a inflamação aguda, porém sua produção prolongada (sobretudo a SAA) nos estados de inflamação crônica provoca amiloidose secundária (ver **Capítulo 6**). Os níveis séricos elevados de CRP foram propostos como marcador de risco aumentado de infarto do miocárdio em pacientes com doença arterial coronariana. Foi postulado que a inflamação que acomete as placas ateroscleróticas nas artérias coronárias pode predispor à trombose e infarto subsequente. Duas outras proteínas hepáticas que são liberadas em quantidades aumentadas como parte da resposta de fase aguda levam frequentemente a uma alteração das contagens hematológicas. A *hepcidina* é uma pequena proteína que reduz a disponibilidade de ferro para os progenitores eritroides na medula óssea. Com o passar do tempo, esse efeito pode levar à anemia da inflamação crônica (ver **Capítulo 14**). A *trombopoetina*, o principal fator de crescimento dos megacariócitos (precursores das plaquetas) na medula óssea, também é suprarregulada e, em consequência de inflamação sistêmica, pode estar associada a uma elevação da contagem de plaquetas (trombocitose)

- A *leucocitose* constitui uma característica comum das reações inflamatórias, sobretudo aquelas induzidas por infecções bacterianas. Em geral, a contagem de leucócitos aumenta para 15.000 a 20.000 células/mℓ; entretanto, pode alcançar níveis extraordinariamente altos, em torno de 40.000 a 100.000 células/mℓ. Essas elevações extremas são algumas vezes denominadas reações leucemoides, visto que se assemelham às contagens de leucócitos observadas na leucemia, da qual precisam ser diferenciadas. A leucocitose ocorre inicialmente em virtude da liberação acelerada de granulócitos da medula óssea (causada por citocinas, incluindo TNF e IL-1) e, portanto, está associada a um aumento no número de neutrófilos tanto maduros quanto imaturos no sangue, designado como desvio para a esquerda (por motivos misteriosos relacionados com a maneira pela qual essas células eram contadas manualmente por técnicos no passado). A infecção prolongada também induz a proliferação de precursores na medula óssea, causada pela produção aumentada de fatores de estimulação de colônias (CSF), principalmente de macrófagos ativados e células do estroma medular. O aumento na produção de leucócitos pela medula óssea compensa a perda dessas células na reação inflamatória. (Ver também a discussão de leucocitose no **Capítulo 13**.) A maioria das infecções bacterianas induz um aumento na contagem de neutrófilos do sangue, denominado neutrofilia. As infecções virais, como a mononucleose infecciosa, a caxumba e o sarampo, causam um aumento absoluto no número de linfócitos (linfocitose). Em algumas alergias e infestações helmínticas, observa-se um aumento no número absoluto de eosinófilos, produzindo eosinofilia. Certas infecções (febre tifoide e infecções causadas por alguns vírus, riquétsias e certos protozoários) estão associadas a um número diminuído de leucócitos circulantes (leucopenia), em parte devido ao sequestro dos leucócitos ativados em espaços vasculares e nos tecidos

- Outras manifestações da resposta de fase aguda incluem aumento do pulso e da pressão arterial; diminuição da sudorese, principalmente devido ao redirecionamento do fluxo sanguíneo do leito cutâneo para os leitos vasculares profundos, de modo a minimizar a perda de calor pela pele; calafrios (tremores), frio (procura de calor), anorexia, sonolência e mal-estar, provavelmente devido às ações das citocinas nas células cerebrais

- Nas infecções bacterianas graves (sepse), as grandes quantidades de bactérias e seus produtos no sangue estimulam a produção de enormes quantidades de várias citocinas, notavelmente TNF e IL-1. Os níveis sanguíneos elevados de citocinas provocam várias manifestações clínicas, como coagulação intravascular disseminada, choque distributivo com hipotensão arterial e distúrbios metabólicos, como resistência à insulina e hiperglicemia. Essa tríade clínica é conhecida como *choque séptico* e constitui a forma grave, frequentemente fatal, de um distúrbio designado como síndrome da resposta inflamatória sistêmica, que é discutida com mais detalhes no **Capítulo 4**.

Conceitos-chave
Efeitos sistêmicos da inflamação

- Febre: as citocinas (TNF, IL-1) estimulam a produção de prostaglandinas no hipotálamo
- Produção de proteínas de fase aguda: CRP e outras; síntese estimulada por citocinas (IL-6, outras) que atuam sobre as células hepáticas
- Leucocitose: as citocinas (CSF) estimulam a produção de leucócitos a partir de precursores da medula óssea
- Em algumas infecções graves, choque séptico: queda da pressão arterial, coagulação intravascular disseminada, anormalidades metabólicas; induzidas por níveis elevados de TNF e outras citocinas

Enquanto a inflamação excessiva constitui a causa subjacente de muitas doenças humanas, a deficiente resulta principalmente em aumento da suscetibilidade às infecções. A causa mais comum de uma inflamação deficitária é a deficiência de leucócitos, devido à substituição das células normais da medula óssea por leucemias e tumores metastáticos e na supressão da medula por terapias para o câncer e a rejeição de enxertos. As doenças genéticas herdadas que causam anormalidades da adesão dos leucócitos e da função microbicida são raras, porém características; são descritas no **Capítulo 6**, no contexto das doenças por imunodeficiência. As deficiências do sistema complemento são mencionadas anteriormente e descritas com mais detalhes no **Capítulo 6**.

Reparo tecidual

Visão geral do reparo tecidual

O reparo, também denominado cicatrização, refere-se à restauração da arquitetura e da função dos tecidos após uma lesão. Por convenção, o termo *reparo* é utilizado para os tecidos parenquimatosos e conjuntivos, enquanto o termo *cicatrização* é empregado para os epitélios de superfície, porém essas distinções não se baseiam em características biológicas, e aqui utilizaremos os termos como sinônimos. A capacidade de reparo do dano causado por agressões tóxicas e por inflamação é fundamental para a sobrevivência de um organismo. Por conseguinte, a resposta inflamatória aos microrganismos e tecidos lesionados não apenas serve para eliminar esses riscos, mas também para dar início ao processo de reparo.

O reparo dos tecidos danificados ocorre por meio de dois processos: a regeneração, que restaura as células normais; e a cicatrização, que consiste na deposição de tecido conjuntivo (Figura 3.24):

- *Regeneração.* Alguns tecidos são capazes de substituir os componentes danificados e retornar essencialmente a seu estado normal; esse processo é denominado regeneração, que pode ocorrer por meio da proliferação de células diferenciadas que sobrevivem à lesão e conservam a capacidade de proliferar, notavelmente os hepatócitos no fígado. Em outros tecidos, sobretudo os epitélios da pele e do intestino, as células-tronco teciduais e suas progenitoras contribuem para a restauração dos tecidos danificados. Entretanto, os mamíferos apresentam capacidade limitada de regenerar a maioria dos tecidos e órgãos danificados, e apenas alguns componentes desses tecidos são capazes de se restaurar por completo
- *Deposição de tecido conjuntivo (formação de cicatriz).* Se os tecidos lesionados forem incapazes de sofrer regeneração, ou se as estruturas de sustentação do tecido estiverem excessivamente danificadas para haver regeneração das células teciduais, o reparo ocorre por meio da deposição de tecido conjuntivo (fibroso), um processo que pode resultar na formação de cicatriz. Embora a cicatriz fibrosa não seja normal, ela costuma fornecer uma estabilidade estrutural suficiente, de modo que o tecido lesionado possa funcionar. O termo *fibrose* é utilizado, com frequência, para descrever a deposição de colágeno que ocorre nos pulmões, no fígado, nos rins e em outros órgãos, como consequência da inflamação crônica, ou no miocárdio, após extensa necrose isquêmica (infarto). Se houver formação de fibrose em um espaço tecidual ocupado por um exsudato inflamatório, ela é denominada *organização* (como no caso da pneumonia em organização).

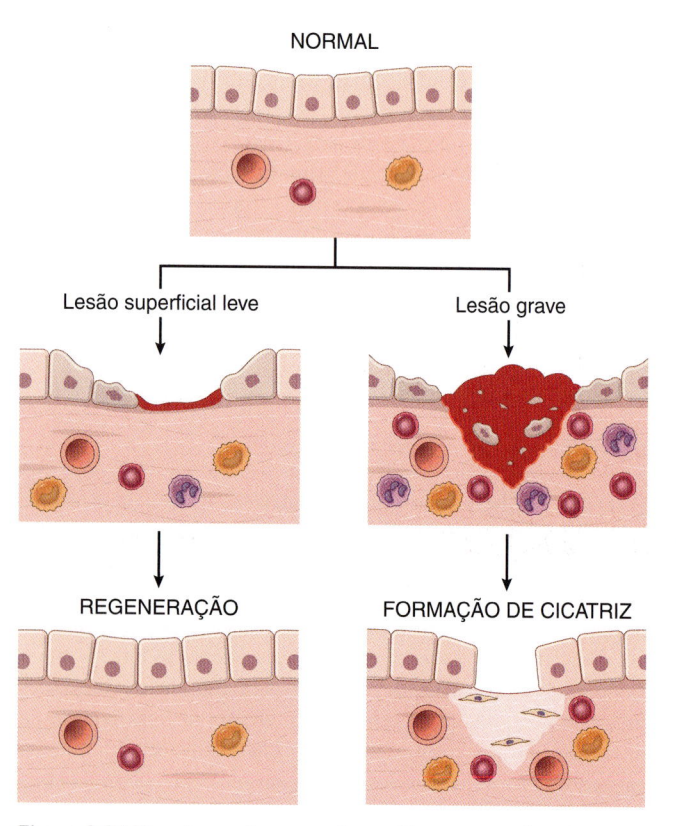

Figura 3.24 Mecanismos de reparo dos tecidos: regeneração e formação de cicatriz. Após a ocorrência de lesão leve, que causa dano ao epitélio, mas não ao tecido subjacente, ocorre resolução por regeneração; entretanto, após uma lesão mais grave com dano ao tecido conjuntivo, o reparo é feito pela formação de cicatriz.

Após a ocorrência de diversos tipos comuns de lesão, tanto a regeneração quanto a formação de cicatriz contribuem, em graus variáveis, para o reparo final dos tecidos envolvidos. Ambos os processos envolvem a proliferação de células e interações estreitas entre as células e a MEC. Em primeiro lugar, discutiremos os mecanismos gerais de proliferação e regeneração celulares e, em seguida, as principais características da cicatrização por meio de formação de cicatriz, concluindo com uma descrição da cicatrização de feridas cutâneas e fibrose (tecido cicatricial) em órgãos parenquimatosos, como ilustrações do processo de reparo.

Regeneração das células e dos tecidos

A regeneração de células e tecidos lesionados envolve a proliferação celular, que é impulsionada por fatores de crescimento e que depende fundamentalmente da integridade da MEC, e pelo desenvolvimento de células maduras a partir das células-tronco teciduais. Antes de descrever exemplos de reparo por meio de regeneração, são discutidos os princípios gerais da proliferação celular.

Proliferação celular: sinais e mecanismos de controle

Vários tipos de células proliferam durante o reparo dos tecidos, como as remanescentes do tecido lesionado (que procuram restaurar a estrutura normal), células endoteliais vasculares (para criar novos vasos que forneçam os nutrientes necessários para o processo de reparo) e fibroblastos (a fonte do tecido fibroso que forma a cicatriz para preencher defeitos que não podem ser corrigidos por meio da regeneração).

A capacidade dos tecidos de sofrer reparo é determinada, em parte, pela sua capacidade intrínseca de proliferação e pela presença de células-tronco teciduais. Com base nesses critérios, os tecidos do organismo são divididos em três grupos:

- *Tecidos lábeis (em contínua divisão).* As células desses tecidos são continuamente perdidas e substituídas pela maturação de células originadas pelas células-tronco teciduais e pela proliferação de células maduras. As células lábeis incluem as células hematopoéticas na medula óssea e a maioria dos epitélios de superfície, como os epitélios escamosos estratificados da pele, cavidade oral, vagina e colo do útero; os epitélios cuboides dos ductos que drenam os órgãos exócrinos (p. ex., glândulas salivares, pâncreas, trato biliar); o epitélio colunar do trato gastrintestinal, útero e tubas uterinas; e o epitélio de transição do trato urinário. Esses tecidos são capazes de se regenerar prontamente após a ocorrência de lesão, contanto que o reservatório de células-tronco seja preservado
- *Tecidos estáveis.* As células desses tecidos são quiescentes (encontram-se no estágio G_0 do ciclo celular) e apresentam atividade proliferativa apenas mínima no seu estado normal. Entretanto, essas células são capazes de sofrer divisão em resposta à lesão ou à perda de massa tecidual. As células estáveis compõem o parênquima da maioria dos tecidos sólidos, como o fígado, o rim e o pâncreas. Incluem também as células endoteliais, os fibroblastos e as células musculares lisas; a proliferação dessas células é particularmente importante na cicatrização de feridas. Com a exceção do fígado, os tecidos estáveis apresentam capacidade limitada de regeneração após a ocorrência de lesão
- *Tecidos permanentes.* As células desses tecidos são consideradas de diferenciação terminal e não proliferativas na vida pós-natal.

A maioria dos neurônios e das células do músculo cardíaco pertence a essa categoria. Assim, a ocorrência de lesão no cérebro ou no coração é irreversível e resulta em cicatriz, visto que os neurônios e os miócitos cardíacos não têm capacidade de regenerar. Ocorrem replicação e diferenciação limitadas das células-tronco em algumas áreas do encéfalo adulto, e há algumas evidências de que as células musculares cardíacas podem proliferar após necrose do miocárdio. Entretanto, qualquer capacidade proliferativa que possa existir nesses tecidos é insuficiente para produzir regeneração tecidual após uma lesão. Em geral, o músculo esquelético é classificado como tecido permanente, porém as células satélites fixadas à bainha endomisial proporcionam alguma capacidade regenerativa para o músculo. Nos tecidos permanentes, o reparo normalmente é dominado pela formação de cicatriz.

A proliferação celular é estimulada por sinais proporcionados por fatores de crescimento e pela MEC. Foram descritos muitos fatores de crescimento diferentes; alguns atuam sobre múltiplos tipos de células, enquanto outros são específicos para determinados tipos celulares (ver **Tabela 1.1** no **Capítulo 1**). Normalmente, os fatores de crescimento são produzidos por células situadas próximas ao local de dano. As fontes mais importantes desses fatores de crescimento são macrófagos, que são ativados pela lesão tecidual; entretanto, as células epiteliais e estromais também produzem alguns desses fatores. Vários fatores de crescimento são encontrados em altas concentrações, ligados às proteínas da MEC. Todos os fatores de crescimento ativam vias de sinalização que estimulam a replicação do DNA (ver **Capítulo 1**), enquanto também induzem alterações no metabolismo, que promovem a biossíntese de outros componentes celulares (membranas, organelas, proteínas), que são necessários para que uma célula "mãe" produza duas células-filhas. Além de responder aos fatores de crescimento, as células utilizam integrinas para se ligar às proteínas da MEC, e os sinais provenientes das integrinas também podem estimular a proliferação celular.

Mecanismos de regeneração dos tecidos

Consideraremos a regeneração do fígado como modelo de regeneração tecidual, visto que ele foi estudado extensamente e ilustra os mecanismos subjacentes a esse processo.

Regeneração hepática

O fígado humano tem uma notável capacidade de se regenerar, conforme demonstrado pelo seu crescimento após hepatectomia parcial, que pode ser realizada para ressecção de tumor ou para transplante hepático de doador vivo. A imagem mitológica da regeneração hepática é a da restauração do fígado de Prometeus, que, diariamente, era devorado por uma águia enviada por Zeus como castigo por ter roubado o segredo do fogo, e que crescia novamente durante a noite. A realidade, embora menos dramática, mesmo assim é bastante impressionante.

A regeneração do fígado ocorre por meio de dois mecanismos principais: a proliferação dos hepatócitos remanescentes e o repovoamento a partir de células progenitoras. A natureza da lesão é que determina qual desses dois mecanismos desempenha o papel dominante:

- *Proliferação dos hepatócitos após hepatectomia parcial.* Nos seres humanos, a ressecção de até 90% do fígado pode ser corrigida pela proliferação dos hepatócitos residuais. Esse modelo clássico de regeneração tecidual tem sido utilizado experimentalmente para estudar a iniciação e o controle do processo.

A proliferação dos hepatócitos no fígado em regeneração é desencadeada pelas ações combinadas de citocinas e fatores de crescimento polipeptídicos. O processo ocorre em estágios distintos (**Figura 3.25**). Na primeira fase, ou fase de preparo (*priming*), determinadas citocinas como a IL-6, produzidas sobretudo pelas células de Kupffer, atuam sobre os hepatócitos, de modo que as células parenquimatosas adquiram a competência de receber sinais de fatores de crescimento e responder a eles. Na segunda fase, ou fase de crescimento, fatores de crescimento como o fator de crescimento dos hepatócitos (HGF) e o TGF-α, produzidos por muitos tipos de células, atuam sobre os hepatócitos preparados para estimular o metabolismo celular e a entrada das células no ciclo celular. Como os hepatócitos são células quiescentes, são necessárias várias horas para entrar no ciclo celular, progredir de G_0 para G_1 e alcançar a fase S de replicação do DNA. Quase todos os hepatócitos sofrem replicação durante a regeneração do fígado após hepatectomia parcial. Durante a fase de replicação dos hepatócitos, numerosos genes são ativados, incluindo genes que codificam fatores de transcrição, reguladores do ciclo celular, reguladores do metabolismo energético e outros. A onda de proliferação dos hepatócitos é seguida de replicação de células não parenquimatosas (células de Kupffer, células endoteliais e células estreladas). Na fase final (terminação), os hepatócitos retornam ao seu estado quiescente. A natureza dos sinais de terminação é pouco compreendida; é provável que citocinas antiproliferativas da família do TGF-β estejam envolvidas

- *Regeneração do fígado a partir de células progenitoras.* Em situações nas quais a capacidade de proliferação dos hepatócitos está prejudicada, conforme observado após lesão ou inflamação hepáticas crônicas, as células progenitoras do fígado contribuem para o repovoamento. Em roedores, essas células progenitoras formam denominadas células ovais, devido ao formato de seus

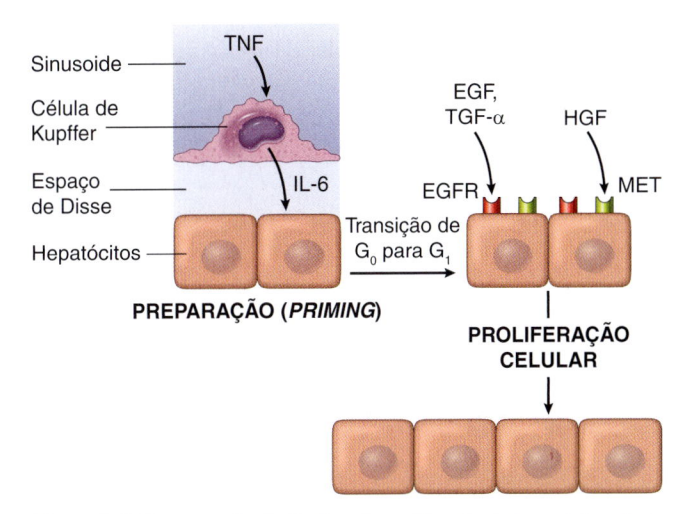

Figura 3.25 Regeneração do fígado pela proliferação de hepatócitos. Após hepatectomia parcial, o fígado regenera-se por meio da proliferação das células sobreviventes. O processo ocorre em estágios, incluindo a preparação (*priming*), seguida de proliferação induzida por fatores de crescimento. As principais sinalizações envolvidas nessas etapas são mostradas na figura. Uma vez restaurada a massa hepática, a proliferação cessa (não mostrada). *EGF*, fator de crescimento epidérmico; *EGFR*, receptor do fator de crescimento epidérmico; *HGF*, fator de crescimento dos hepatócitos; *IL-6*, interleucina-6; *TGF-α*, fator de crescimento transformador α; *TNF*, fator de necrose tumoral.

núcleos. Algumas dessas células progenitoras localizam-se em nichos especializados, denominados canais de Hering, onde os canalículos biliares se conectam com ductos biliares maiores. Os sinais que acionam a proliferação das células progenitoras e a sua diferenciação em hepatócitos maduros são assuntos de investigação ativa.

A restauração da estrutura normal do tecido só pode ocorrer se o tecido remanescente estiver estruturalmente intacto, como no caso de ressecção cirúrgica parcial. Por outro lado, se o tecido for danificado por infecção ou inflamação, a regeneração não é completa e é acompanhada de cicatrização. Por exemplo, a extensa destruição do fígado com colapso da estrutura de reticulina, como a que ocorre no abscesso hepático, leva à formação de cicatriz, embora as células hepáticas remanescentes tenham a capacidade de regenerar.

> **Conceitos-chave**
>
> **Reparo por regeneração**
>
> - Os tecidos são classificados como lábeis, estáveis e permanentes, de acordo com a capacidade proliferativa de suas células
> - Os tecidos que sofrem divisão contínua (tecidos lábeis) contêm células-tronco que se diferenciam de modo a substituir as células perdidas e a manter a homeostase do tecido
> - A proliferação celular é controlada pelo ciclo celular e estimulada por fatores de crescimento e interações das células com a MEC
> - A regeneração do fígado é um exemplo clássico de reparo por meio de regeneração. O processo é desencadeado por citocinas e por fatores de crescimento produzidos em resposta à perda de massa e inflamação hepáticas. Em diferentes situações, a regeneração pode ocorrer por meio de proliferação dos hepatócitos sobreviventes ou repovoamento a partir de células progenitoras.

Reparo pela deposição de tecido conjuntivo

Quando o reparo não pode ser realizado apenas por regeneração, ele ocorre por meio da substituição das células lesionadas por tecido conjuntivo, levando à formação de uma cicatriz, ou por uma combinação de regeneração de algumas células residuais e formação de cicatriz. Diferentemente da regeneração, que envolve a restituição dos componentes teciduais, a formação de cicatriz é uma resposta que "remenda" em vez de restaurar o tecido. O termo cicatriz é empregado, com mais frequência, em associação à cicatrização de feridas na pele, mas também pode ser utilizado para descrever a substituição de células parenquimatosas em qualquer tecido por colágeno, como ocorre no coração após infarto do miocárdio.

Etapas na formação de cicatriz

O reparo por meio da deposição de tecido conjuntivo consiste em processos sequenciais que ocorrem após lesão tecidual. Alguns minutos após a ocorrência de lesão, forma-se um tampão hemostático composto de plaquetas (ver **Capítulo 4**), que interrompe o sangramento e fornece uma base para deposição de fibrina. As etapas subsequentes são resumidas a seguir (**Figura 3.26**):

- *Inflamação.* Os produtos de degradação da ativação do complemento, as quimiocinas liberadas das plaquetas ativadas e outros mediadores produzidos no local de lesão atuam como agentes quimiotáticos para recrutar neutrófilos e, em seguida, monócitos no decorrer das próximas 6 a 48 horas. Essas células inflamatórias eliminam os agentes agressores, como microrganismos que penetraram a ferida, e removem os resíduos. Com a remoção dos agentes lesivos e das células necróticas, ocorre resolução da inflamação
- *Proliferação celular.* No estágio seguinte, que leva até dez dias, vários tipos de células, como epiteliais, endoteliais e outras vasculares e fibroblastos, proliferam e migram para fechar a ferida que agora está limpa. Cada tipo celular desempenha funções específicas e exclusivas:
    - As *células epiteliais* respondem aos fatores de crescimento produzidos no local e migram sobre a ferida para cobri-la
    - As *células endoteliais e pericitos* proliferam para formar novos vasos sanguíneos, um processo conhecido como *angiogênese*. Devido à importância desse processo nas respostas fisiológicas do hospedeiro e em muitas condições patológicas, ele é descrito posteriormente com mais detalhes

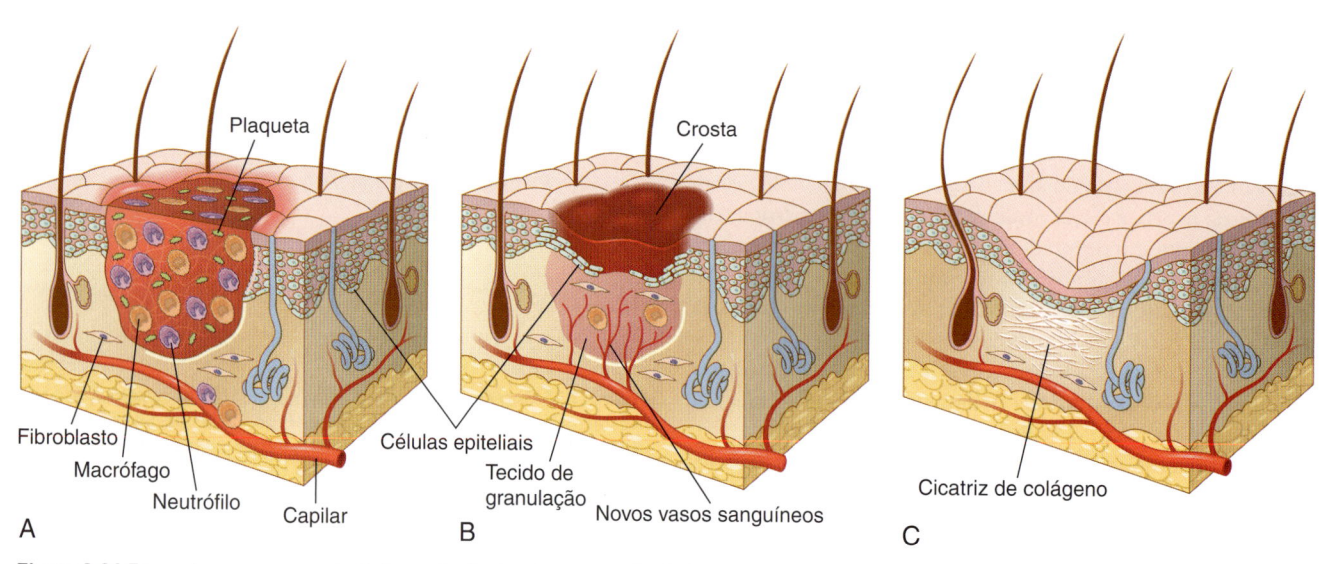

Figura 3.26 Etapas do reparo por meio da formação de cicatriz: cicatrização de ferida na pele. **A.** Inflamação. **B.** Proliferação das células epiteliais; formação do tecido de granulação pelo crescimento de vasos e proliferação de fibroblastos. **C.** Remodelamento para produzir a cicatriz fibrosa.

- Os *fibroblastos* proliferam e migram até o local de lesão e depositam fibras colágenas para formar a cicatriz
- *Formação de tecido de granulação.* A migração e a proliferação de fibroblastos e a deposição de tecido conjuntivo frouxo, assim com os vasos e os leucócitos mononucleares entremeados, formam o tecido de granulação, cujo termo se origina de sua aparência macroscópica granular, macia e de coloração rosa, como aquele observado sob a crosta de uma ferida cutânea. Sua aparência histológica caracteriza-se pela proliferação de fibroblastos e novos capilares delicados e de paredes finas (angiogênese) em uma MEC frouxa, frequentemente com uma mistura de células inflamatórias, que consistem sobretudo em macrófagos (**Figura 3.27A**). O tecido de granulação preenche de modo progressivo o local da lesão; a quantidade de tecido de granulação formado depende do tamanho da destruição do tecido produzido pela ferida e da intensidade da inflamação
- *Deposição de tecido conjuntivo.* O tecido de granulação é progressivamente substituído pela deposição de colágeno. A quantidade de tecido conjuntivo aumenta no tecido de granulação, resultando, por fim, na formação de uma *cicatriz* fibrosa estável (**Figura 3.27B**).

Os macrófagos desempenham um papel central no reparo, visto que removem os agentes agressores e o tecido morto, fornecem fatores de crescimento para proliferação de várias células e secretam citocinas que estimulam a proliferação dos fibroblastos e a síntese e deposição de tecido conjuntivo. Os macrófagos envolvidos no reparo são, em sua maior parte, alternativamente ativados (M2). Ainda não foi esclarecido como os macrófagos classicamente ativados, que predominam durante a inflamação e estão envolvidos na eliminação dos microrganismos e tecidos mortos, são substituídos de modo gradual por macrófagos ativados alternativamente, cuja função consiste em terminar a inflamação e induzir o reparo.

A seguir são descritas as etapas na formação do tecido de granulação e da cicatriz.

Angiogênese

A angiogênese refere-se ao processo de desenvolvimento de novos vasos sanguíneos a partir de vasos existentes. A angiogênese é fundamental no processo de reparo em locais de lesão, no desenvolvimento de circulação colateral nos locais de isquemia e na promoção do aumento de tamanho dos tumores além das restrições impostas pelo suprimento sanguíneo original. Foram realizadas muitas pesquisas para compreender os mecanismos subjacentes à angiogênese, e foram desenvolvidas terapias para aumentar o processo (p. ex., melhorar o fluxo sanguíneo para um coração acometido de aterosclerose coronariana) ou para inibi-lo (para impedir o crescimento de tumores ou bloquear o crescimento patológico de vasos, como na retinopatia diabética).

A angiogênese envolve o brotamento de novos vasos a partir daqueles já existentes e consiste nas seguintes etapas (**Figura 3.28**):

- *Vasodilatação* em resposta ao óxido nítrico e aumento da permeabilidade induzida pelo fator de crescimento do endotélio vascular (VEGF)
- *Separação dos pericitos* da superfície abluminal e degradação da membrana basal para possibilitar a formação de um broto vascular
- *Migração de células endoteliais* até a área de lesão tecidual
- *Proliferação de células endoteliais* imediatamente atrás da frente condutora ("de ponta") das células migratórias
- Remodelamento para formar tubos capilares
- *Recrutamento de células periendoteliais* (pericitos para os pequenos capilares e células musculares lisas para os vasos de maior calibre) para a formação do vaso maduro
- *Supressão da proliferação endotelial* e migração e deposição da membrana basal.

Mecanismos da angiogênese. O processo de angiogênese envolve diversas vias de sinalização, interações entre células, proteínas da MEC e enzimas teciduais. Os *VEGF*, sobretudo o VEGF-A (ver **Capítulo 1**), estimulam tanto a migração quanto a proliferação das células endoteliais, iniciando, assim, o processo de brotamento capilar na angiogênese. O VEGF promove a vasodilatação ao estimular a produção de NO e contribui para a formação da luz vascular. Os fatores de crescimento dos fibroblastos (FGF), principalmente o FGF-2, estimulam a proliferação de células endoteliais. Promovem também a migração macrófagos e de fibroblastos até a área danificada e estimulam a migração de células epiteliais para recobrir as feridas da epiderme. As angiopoietinas 1 e 2 (Ang 1 e Ang 2) são fatores de crescimento que desempenham

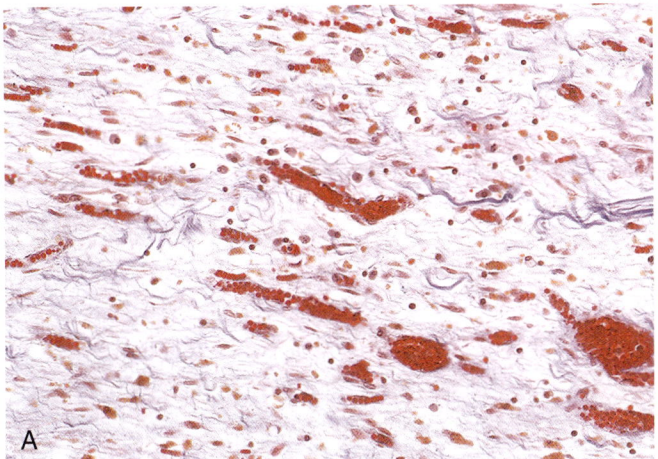

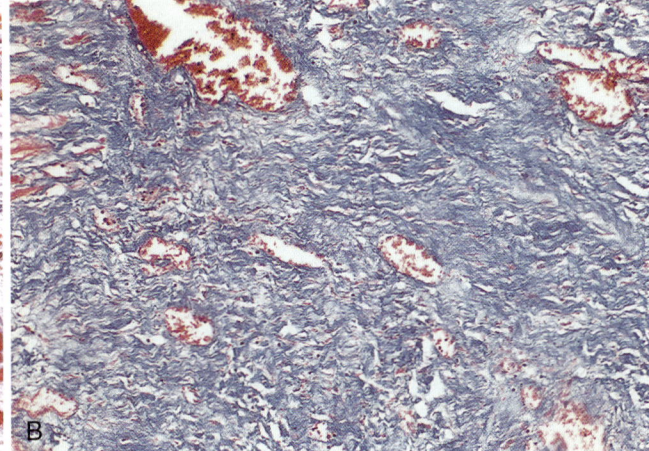

Figura 3.27 A. Tecido de granulação mostrando numerosos vasos sanguíneos, edema e uma matriz extracelular frouxa com algumas células inflamatórias. O colágeno cora-se em azul pela coloração tricrômica; pode-se observar uma quantidade mínima de colágeno maduro nesse ponto. **B.** Coloração tricrômica de cicatriz madura mostrando o colágeno denso com apenas canais vasculares dispersos.

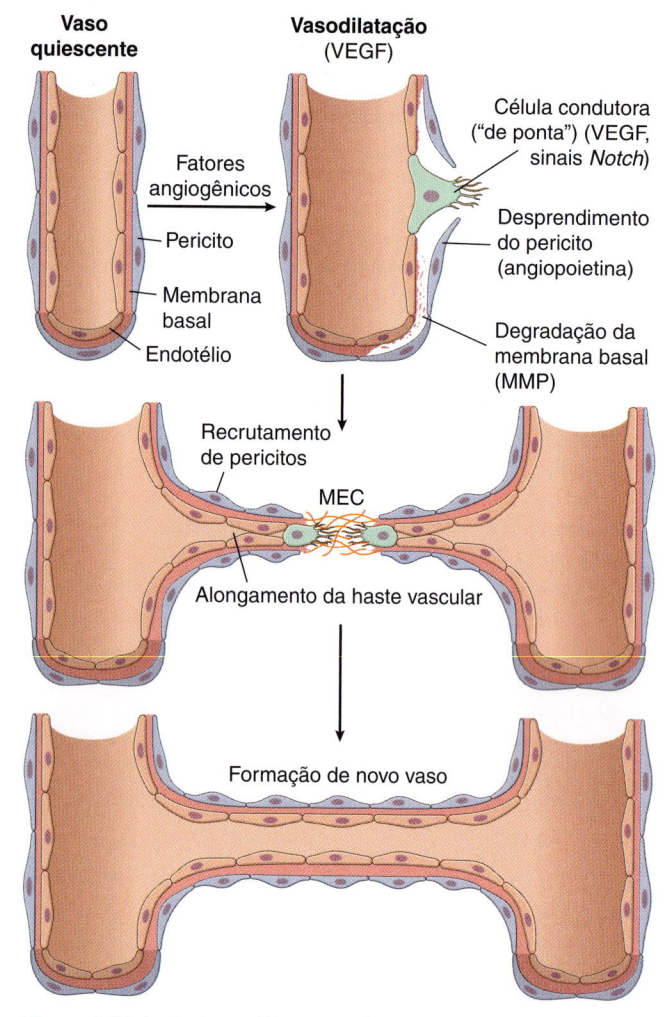

Figura 3.28 Angiogênese. No reparo dos tecidos, a angiogênese ocorre sobretudo pelo brotamento de novos vasos. A figura ilustra as etapas do processo e os principais sinais envolvidos. O vaso recém-formado une-se a outros vasos (não mostrados) para formar um novo leito vascular. *MEC*, matriz extracelular; *MMP*, metaloproteinases da matriz; *VEGF*, fator de crescimento do endotélio vascular.

um papel na angiogênese e na maturação estrutura de novos vasos. Os vasos recém-formados precisam ser estabilizados por pericitos e células musculares lisas, bem como pela deposição de tecido conjuntivo. O fator de crescimento derivado das plaquetas (PDGF) e o TGF-β também participam do processo de estabilização: O PDGF recruta as células musculares lisas, enquanto o TGF-β suprime a proliferação e a migração endoteliais e também aumenta a produção de proteínas da MEC.

A via de sinalização *Notch* regula o brotamento e a ramificação de novos vasos e, assim, assegura que os novos vasos que são formados tenham o espaço adequado para fornecer efetivamente sangue ao tecido de reparo. O VEGF estimula a expressão de ligantes *Notch*, que se ligam ao receptor *Notch* nas células endoteliais e regulam o padrão de ramificação dos vasos.

As proteínas da MEC participam do processo de brotamento de vasos na angiogênese, em grande parte por meio de interações com receptores de integrina nas células endoteliais e ao proporcionar a base para o crescimento dos vasos. As enzimas na MEC, em particular as metaloproteinases da matriz (MMP), degradam a MEC para possibilitar o remodelamento e a extensão do tubo vascular.

Deposição de tecido conjuntivo

A deposição de tecido conjuntivo ocorre em duas etapas: a migração e proliferação dos fibroblastos no local de lesão e a deposição de proteínas da MEC produzidas por essas células. Esses processos são coordenados por citocinas e fatores de crescimento de produção local, como PDGF, FGF-2 e TGF-β. As principais fontes desses fatores são as células inflamatórias, em particular os macrófagos alternativamente ativados (M2), que estão presentes nas áreas de lesão e no tecido de granulação. As áreas inflamadas também são ricas em mastócitos, e, no ambiente quimiotático apropriado, pode-se observar também a presença de linfócitos. Cada uma dessas células pode secretar citocinas e fatores de crescimento, que contribuem para a proliferação e a ativação dos fibroblastos.

O *TGF-β* é a citocina mais importante para a síntese e a deposição de proteínas do tecido conjuntivo. O TGF-β é produzido pela maioria das células no tecido de granulação, incluindo macrófagos alternativamente ativados. Os níveis de TGF-β nos tecidos não são primariamente regulados pela transcrição do gene, mas sim pela ativação pós-transcricional do TGF-β latente, pela taxa de secreção da molécula ativa e por moléculas que compõem ou que interagem com a MEC, notavelmente as integrinas e microfibrilas, que aumentam ou diminuem a atividade do TGF-β. O TGF-β estimula a migração e a proliferação dos fibroblastos, aumenta a síntese de colágeno e de fibronectina e diminui a degradação da MEC ao inibir as metaloproteinases. O TGF-β está envolvido não apenas na formação de cicatriz após a ocorrência de lesão, mas também no desenvolvimento de fibrose pulmonar, hepática e renal em resposta à inflamação crônica. O TGF-β também é uma citocina anti-inflamatória, que serve para limitar e terminar as respostas inflamatórias. Esse fator desempenha essa função ao inibir a proliferação dos linfócitos e a atividade de outros leucócitos.

Com a progressão do reparo, o número de fibroblastos e novos vasos que proliferam diminui; todavia, os fibroblastos assumem progressivamente um fenótipo mais voltado à síntese proteica, e, em consequência, observa-se um aumento na deposição de MEC. A deposição de colágeno é fundamental para o desenvolvimento de resistência no local de cicatrização da ferida. À medida que a cicatriz amadurece, há regressão vascular progressiva, que por fim transforma o tecido de granulação altamente vascularizado em uma cicatriz pálida e, em grande parte, avascular. Alguns dos fibroblastos também adquirem características de células musculares lisas, incluindo a presença de filamentos de actina, e são denominados *miofibroblastos*. Essas células contribuem para a contração da cicatriz com o passar do tempo.

Remodelamento do tecido conjuntivo

O resultado do processo de reparo é influenciado por um equilíbrio entre a síntese e a degradação de proteínas da MEC. Após ser depositado, o tecido conjuntivo na cicatriz continua sendo modificado e remodelado. A degradação dos colágenos e de outros componentes da MEC é realizada por uma família de metaloproteinases da matriz (MMP), assim denominadas pelo fato de que elas dependem de íons metais (p. ex., zinco) para a sua atividade. As MMP incluem colagenases intersticiais (MMP-1, MMP-2 e MMP-3), que clivam o colágeno fibrilar; gelatinases, que degradam o colágeno amorfo e a fibronectina; e estromelisinas, que degradam uma variedade de constituintes da MEC, como proteoglicanos, laminina, fibronectina e colágeno amorfo.

As MMP são produzidas por uma variedade de tipos de células (fibroblastos, macrófagos, neutrófilos, células sinoviais e algumas células epiteliais), e a sua síntese e secreção são reguladas por fatores de crescimento, citocinas e outros agentes. A atividade das MMP é rigorosamente controlada. São produzidas na forma de precursores inativos (zimogênios), que precisam ser ativados em primeiro lugar; essa ativação é realizada por proteases (p. ex., plasmina) que provavelmente só estão presentes nos locais de lesão. Além disso, as colagenases ativadas podem ser logo inibidas por inibidores teciduais específicos das metaloproteinases (TIMP), que são produzidos pela maioria das células mesenquimais. Por conseguinte, durante a formação de cicatriz, as MMP são ativadas para remodelar a MEC depositada, e sua atividade é então interrompida pelos TIMP.

> **Conceitos-chave**
>
> **Reparo por meio da formação de cicatriz**
>
> - Ocorre reparo dos tecidos por meio de substituição com tecido conjuntivo e formação de cicatriz quando o tecido lesionado não é capaz de proliferar, ou quando o arcabouço estrutural do tecido está danificado e não pode sustentar a regeneração
> - Os principais componentes do reparo do tecido conjuntivo são a angiogênese, a migração e proliferação de fibroblastos, a síntese de colágeno e o remodelamento do tecido conjuntivo
> - O reparo por meio de tecido conjuntivo começa com a formação do tecido de granulação e culmina na deposição de tecido fibroso
> - Múltiplos fatores de crescimento estimulam a proliferação dos tipos de células envolvidos no reparo
> - O TGF-β é um potente agente fibrogênico; a deposição de MEC depende do equilíbrio entre agentes fibrogênicos, metaloproteinases (MMP) que digerem a MEC e os TIMP.

Fatores que influenciam o reparo dos tecidos

O reparo dos tecidos pode ser alterado por diversos fatores, que têm impacto na qualidade ou na adequação do processo de reparo. As variáveis que modificam o reparo podem ser extrínsecas (p. ex., infecção) ou intrínsecas ao tecido lesionado e sistêmicas ou locais:

- A *infecção* é, do ponto de vista clínico, uma das causas mais importantes de atraso no processo de reparo; ela prolonga a inflamação e aumenta potencialmente a lesão tecidual local
- O *diabetes melito* é uma doença metabólica que compromete o reparo dos tecidos por muitas razões (ver **Capítulo 24**) e constitui uma das causas sistêmicas mais importantes de cicatrização anormal de feridas
- O *estado nutricional* apresenta efeitos profundos sobre o reparo; as deficiências de proteínas e de vitamina C inibem a síntese de colágeno e retardam o processo de reparo
- Os *glicocorticoides* (esteroides) apresentam efeitos anti-inflamatórios bem documentados, e a sua administração pode resultar em fraqueza da cicatriz, devido à inibição da produção de TGF-β e diminuição da fibrose. Todavia, em alguns casos, esses efeitos dos glicocorticoides são desejáveis. Por exemplo, nas infecções da córnea, os glicocorticoides são algumas vezes prescritos (com antibióticos) para reduzir a probabilidade de opacidade que podem resultar da formação de tecido cicatricial
- Os *fatores mecânicos*, como aumento da pressão local ou torção, podem provocar separação ou deiscência das feridas
- A *perfusão deficiente*, em consequência de doença vascular periférica, arteriosclerose e diabetes melito, ou devido à obstrução da drenagem venosa (p. ex., veias varicosas), também afeta o reparo
- Os *corpos estranhos*, como fragmentos de aço, vidro ou até mesmo osso, impedem a cicatrização ao perpetuar a inflamação crônica
- O *tipo e a extensão da lesão tecidual* e o caráter do tecido no qual ocorre a lesão afetam o reparo subsequente. A restauração completa só pode ocorrer em tecidos compostos de células estáveis e lábeis. A lesão de tecidos compostos de células permanentes resulta inevitavelmente em cicatrização e em alguma perda de função
- A *localização da lesão* também é importante. Por exemplo, a inflamação que surge em espaços teciduais (p. ex., cavidades pleural, peritoneal, sinovial) cursa com exsudatos extensos. Pode ocorrer reparo subsequente por meio de digestão do exsudato, iniciada pelas enzimas proteolíticas dos leucócitos e pela reabsorção do exsudato liquefeito. Esse processo é denominado resolução, e, na ausência de necrose celular, a arquitetura normal do tecido costuma ser restaurada. Entretanto, em casos de acúmulos maiores, o tecido de granulação cresce dentro do exsudato, e forma-se finalmente uma cicatriz fibrosa. Esse processo é denominado organização.

Exemplos de reparo tecidual e fibrose

Até o momento, discutimos os princípios gerais e os mecanismos de reparo por meio da regeneração e formação de cicatriz. Nesta seção, descrevemos dois tipos clinicamente significativos de reparo: a cicatrização de feridas cutâneas e a fibrose em órgãos parenquimatosos lesionados.

Cicatrização de feridas cutâneas

Com base na natureza e no tamanho da ferida, diz-se que a cicatrização de feridas da pele ocorre por primeira ou por segunda intenção.

Cicatrização por primeira intenção

Quando a lesão afeta apenas a camada epitelial, o principal mecanismo de reparo consiste em regeneração epitelial, também denominada união primária ou cicatrização por primeira intenção. Um dos exemplos mais simples desse tipo de reparo de feridas é a cicatrização de uma incisão cirúrgica limpa e não infectada, aproximada por suturas cirúrgicas (**Figura 3.29**). A incisão causa apenas a ruptura focal da continuidade da membrana basal epitelial e morte de um número relativamente pequeno de células epiteliais e células do tecido conjuntivo. O reparo consiste nos mesmos três processos conectados descritos anteriormente: inflamação, proliferação de células epiteliais e de outras células e maturação da cicatriz de tecido conjuntivo:

- A ferida provoca rápida ativação das vias da coagulação, resultando na formação de um coágulo sanguíneo na superfície da ferida (ver **Capítulo 4**). O coágulo serve para interromper o sangramento e sustenta as células em migração, que são atraídas por fatores de crescimento, citocinas e quimiocinas liberadas na área

- Nas primeiras 24 horas, são observados neutrófilos na margem da incisão, que migram para o coágulo de fibrina. As células basais na borda da incisão começam a apresentar um aumento da atividade mitótica. Nas primeiras 24 a 48 horas, as células epiteliais de ambos os lados já começaram a migrar e a proliferar ao longo da derme, produzindo uma camada epitelial fina, porém contínua, que fecha a ferida
- No terceiro dia, os neutrófilos foram substituídos, em grande parte, por macrófagos, e o tecido de granulação invade progressivamente o espaço da incisão. Os macrófagos removem os resíduos extracelulares, a fibrina e outros materiais estranhos e promovem a angiogênese e a deposição de MEC
- Em torno do quinto dia, a neovascularização alcança o seu pico, à medida que o tecido de granulação preenche o espaço incisional. Os novos vasos são permeáveis, o que possibilita a passagem de proteínas plasmáticas e líquido para o espaço extravascular. Por conseguinte, o novo tecido de granulação é, com frequência, edematoso. Os fibroblastos migram progressivamente para o tecido de granulação, proliferando e depositando colágeno e MEC
- Durante a segunda semana, há acúmulo contínuo de colágeno e proliferação de fibroblastos. O infiltrado de leucócitos, o edema e o aumento de vascularidade estão substancialmente diminuídos
- No final do primeiro mês, a cicatriz consiste em tecido conjuntivo celular desprovido, em grande parte, de células inflamatórias e coberto por uma epiderme normal. A força de tensão da ferida aumenta com o passar do tempo, conforme descrito adiante.

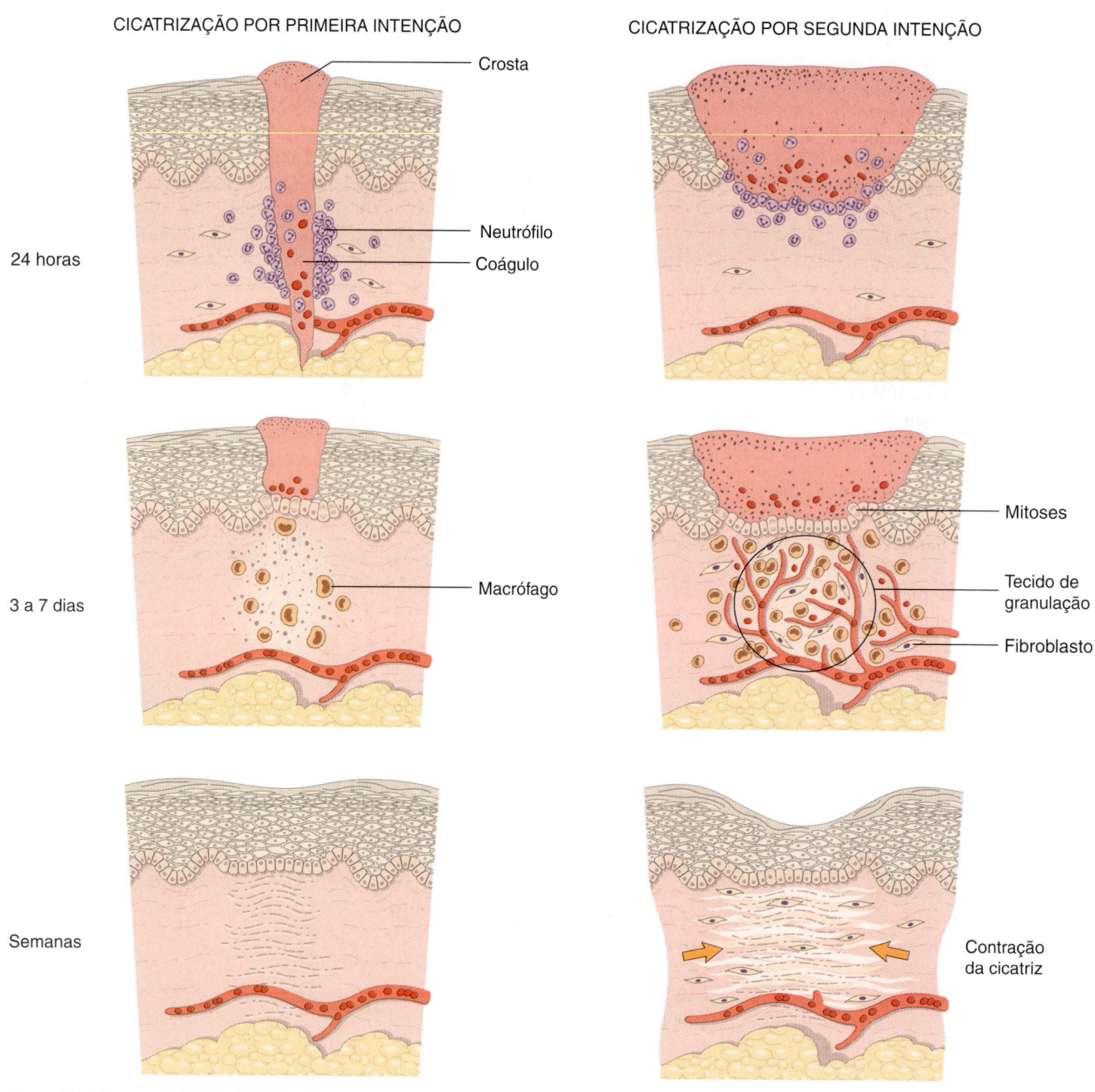

Figura 3.29 Etapas na cicatrização de feridas por primeira intenção (*à esquerda*) e segunda intenção (*à direita*). Nessa última, observe a grande quantidade de tecido de granulação e a contração da ferida.

Cicatrização por segunda intenção

A cicatrização por segunda intenção, também denominada união secundária, difere em vários aspectos da cicatrização primária:

- Em feridas que causam grandes déficits de tecido, o coágulo de fibrina é maior, e verifica-se a presença de mais exsudato e restos necróticos na área ferida. A inflamação é mais intensa, visto que os grandes defeitos teciduais apresentam um maior volume de restos necróticos, exsudato e fibrina, que precisam ser removidos. Em consequência, os grandes defeitos têm maior potencial de lesão secundária mediada por inflamação
- São formadas quantidades muito maiores de tecido de granulação para preencher o maior espaço produzido pela maior área de perda. Em geral, um maior volume de tecido de granulação resulta em massa maior de tecido cicatricial
- Em primeiro lugar, forma-se uma matriz provisória que contém fibrina, fibronectina plasmática e colágeno tipo III; todavia, em cerca de 2 semanas ela é substituída por uma matriz composta sobretudo de colágeno tipo I. Por fim, o arcabouço de tecido de granulação original é convertido em uma cicatriz avascular pálida. Os anexos da pele que foram destruídos na linha de incisão são perdidos para sempre. No final do primeiro mês, a cicatriz consiste em tecido conjuntivo acelular desprovido de infiltrado inflamatório e recoberta por epiderme intacta
- A contração da ferida ajuda a fechá-la ao diminuir o espaço entre suas margens dérmicas e a reduzir a área de superfície da ferida. Por conseguinte, trata-se de uma característica importante na cicatrização por segunda intenção. A contração da ferida envolve a formação de uma rede de *miofibroblastos* (fibroblastos modificados que apresentam propriedades contráteis). Em 6 semanas, os grandes defeitos cutâneos podem ser reduzidos a 5 a 10% de seu tamanho original, em grande parte por contração.

Resistência da ferida

As feridas cuidadosamente suturadas apresentam cerca de 70% da resistência da pele normal, devido, em grande parte, à colocação de suturas. A recuperação da força de tensão resulta da síntese de colágeno superior à sua degradação durante os primeiros 2 meses de cicatrização, por meio de ligação cruzada das fibras colágenas e aumento de tamanho das fibras. A resistência da ferida alcança aproximadamente 70 a 80% do normal em 3 meses, mas, em geral, não melhora de maneira substancial além desse ponto.

Fibrose em órgãos parenquimatosos

Utiliza-se o termo fibrose para denotar a deposição excessiva de colágeno e outros componentes da MEC em um tecido. Conforme já assinalado, os termos cicatriz e fibrose são empregados como sinônimos. Os mecanismos básicos da fibrose são os mesmos da formação de cicatriz na pele durante o reparo tecidual. A fibrose pode ser responsável por uma disfunção substancial dos órgãos e até mesmo pela sua insuficiência.

Os distúrbios fibróticos estão presentes em diversas doenças crônicas e debilitantes, como cirrose hepática, esclerose sistêmica (esclerodermia), doenças fibrosantes do pulmão (fibrose pulmonar idiopática, pneumoconioses e fibrose pulmonar induzida por fármacos e radiação), doença renal terminal e pericardite constritiva. Essas condições são discutidas nos capítulos apropriados em todo o livro. Devido ao enorme prejuízo funcional causado pela fibrose nessas condições, há um grande interesse no desenvolvimento de fármacos antifibróticos.

Anormalidades no reparo dos tecidos

Podem surgir complicações no reparo tecidual em consequência de anormalidades em qualquer um dos componentes básicos do processo, como formação deficiente de cicatriz, formação excessiva de componentes do reparo e formação de contraturas.

Defeitos na cicatrização: feridas crônicas

Esses defeitos são observados em numerosas situações, em decorrência de fatores locais e sistêmicos. Seguem-se alguns exemplos comuns:

- As *úlceras venosas da perna* (**Figura 3.30A**) desenvolvem-se, com mais frequência, em indivíduos idosos em consequência de hipertensão venosa crônica, que pode ser causada por veias varicosas graves ou insuficiência cardíaca congestiva. É comum haver depósitos de pigmento de ferro (hemossiderina), devido à degradação dos eritrócitos, e pode haver inflamação crônica associada. Essas úlceras não cicatrizam, devido ao fornecimento deficiente de oxigênio no local da úlcera
- As *úlceras arteriais* (**Figura 3.30B**) desenvolvem-se em indivíduos com aterosclerose de artérias periféricas, particularmente em associação ao diabetes melito. A isquemia resulta em atrofia e, a seguir, em necrose da pele e dos tecidos subjacentes. Essas lesões podem ser muito dolorosas
- As *úlceras diabéticas* (**Figura 3.30C**) afetam os membros inferiores, principalmente os pés. Há necrose tecidual e falha da cicatrização em consequência de doença vascular, que provoca isquemia, neuropatia, anormalidades metabólicas sistêmicas e infecções secundárias. Histologicamente, essas lesões caracterizam-se por ulceração epitelial (**Figura 3.30E**) e tecido de granulação extenso na derme subjacente (**Figura 3.30F**)
- As *lesões por pressão* (**Figura 3.30D**) são áreas de ulceração da pele e necrose dos tecidos subjacentes, causadas pela compressão prolongada dos tecidos contra um osso, por exemplo, em pacientes idosos com múltiplas comorbidades que permanecem no leito sem se mover. Essas lesões são causadas pela pressão mecânica e isquemia local.

Quando uma incisão cirúrgica se reabre interna ou externamente, é denominada deiscência da ferida. Os fatores de risco para essa ocorrência consistem em obesidade, desnutrição, infecções e insuficiência vascular. Nas feridas abdominais, pode ser precipitada por vômitos e tosse.

Cicatrização excessiva

A formação excessiva dos componentes do processo de reparo pode dar origem a cicatrizes hipertróficas e queloides. O acúmulo de quantidades excessivas de colágeno pode dar origem a uma cicatriz elevada, conhecida como cicatriz hipertrófica. Com frequência, essas cicatrizes crescem rápido e contêm miofibroblastos abundantes, porém tendem a regredir no decorrer de vários meses (**Figura 3.31A**). Se o tecido cicatricial crescer além das margens da ferida original, sem regredir, é denominado *queloide* (**Figura 3.31B** e **C**). A formação de queloides parece ser uma predisposição individual, e, por motivos desconhecidos, é ligeiramente mais comum na raça negra. Em geral, ocorre desenvolvimento de cicatrizes hipertróficas após lesões térmicas ou traumáticas que afetam as camadas profundas da derme.

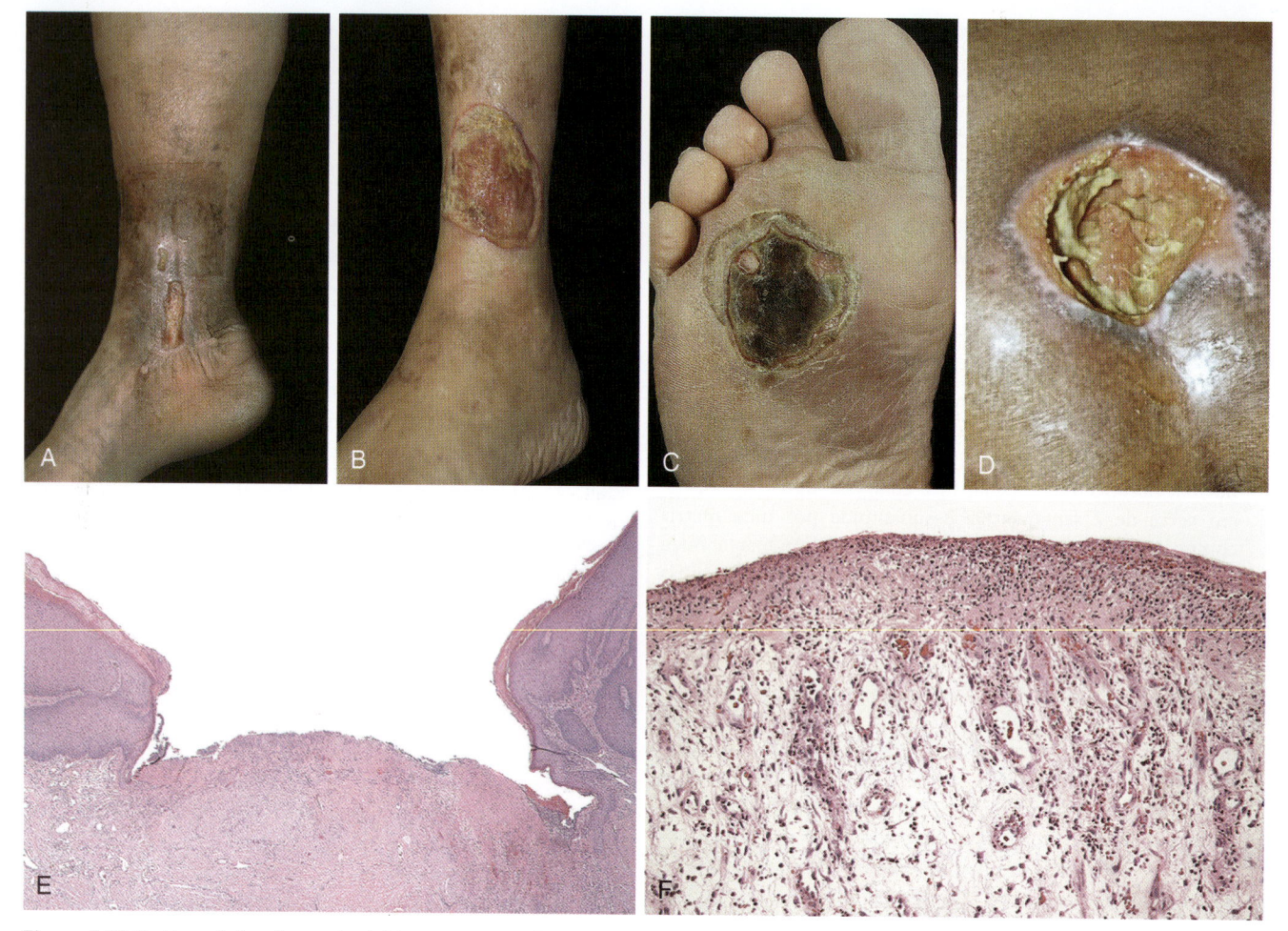

Figura 3.30 Feridas crônicas ilustrando defeitos na cicatrização de feridas. (**A** a **D**) Aparência externa de úlcera de pele. **A.** Úlcera venosa da perna. **B.** Úlcera arterial, com necrose tecidual mais extensa. **C.** Úlcera diabética. **D.** Lesão por pressão. (**E** e **F**) Aspecto histológico de uma úlcera diabética. **E.** Cratera da úlcera. **F.** Inflamação crônica e tecido de granulação. (**A** a **D**, De Eming SA, Margin P, Tomic-Canic M: Wound repair and regeneration: mechanisms, signaling, and translation, *Sci Transl Med* 6:265, 2014.)

A granulação exuberante é outra anormalidade da cicatrização de feridas, que consiste na formação de quantidades excessivas de tecido de granulação, que faz protrusão acima do nível da pele circundante e bloqueia a reepitelização (esse processo tem sido denominado *proud flesh*). A granulação excessiva precisa ser removida por cauterização ou por excisão cirúrgica para possibilitar a restauração da continuidade do epitélio. Raramente, as cicatrizes incisionais ou as lesões traumáticas podem ser seguidas de proliferação exuberante de fibroblastos e outros elementos do tecido conjuntivo, que podem recorrer após a excisão. Essas neoplasias, denominadas desmoides ou fibromatoses agressivas, situam-se na interface entre tumores benignos e malignos (porém de baixo grau).

A contração no tamanho de uma ferida constitui uma importante parte do processo normal de cicatrização. Um exagero desse processo dá origem à *contratura* e resulta em deformidades da ferida e dos tecidos circundantes. As contraturas são particularmente propensas a ocorrer nas palmas das mãos, nas plantas dos pés e na face anterior do tórax. As contraturas são comumente observadas após queimaduras graves e podem comprometer o movimento das articulações.

Conceitos-chave

Cicatrização de feridas cutâneas e aspectos patológicos do reparo

- As principais fases da cicatrização de feridas cutâneas consistem em inflamação, formação de tecido de granulação e remodelamento da MEC
- As feridas cutâneas podem cicatrizar por união primária (primeira intenção) ou união secundária (segunda intenção); a cicatrização secundária envolve uma cicatrização mais extensa e contração da ferida
- A cicatrização de feridas pode ser alterada por muitas condições, sobretudo infecção e diabetes melito; o tipo, o volume e a localização da lesão constituem fatores importantes que influenciam o processo de cicatrização
- A produção excessiva de MEC pode causar queloides na pele
- A estimulação persistente da síntese de colágeno em doenças inflamatórias crônicas leva à fibrose do tecido, frequentemente com perda extensa do tecido e prejuízo funcional.

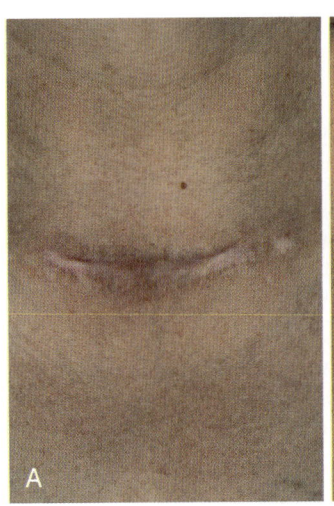

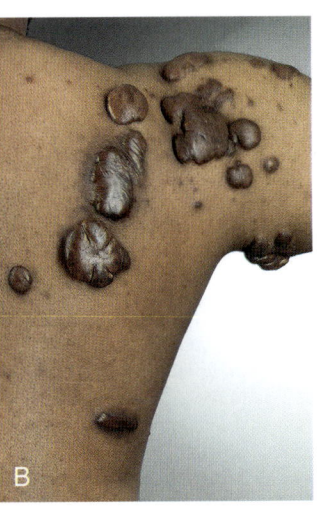

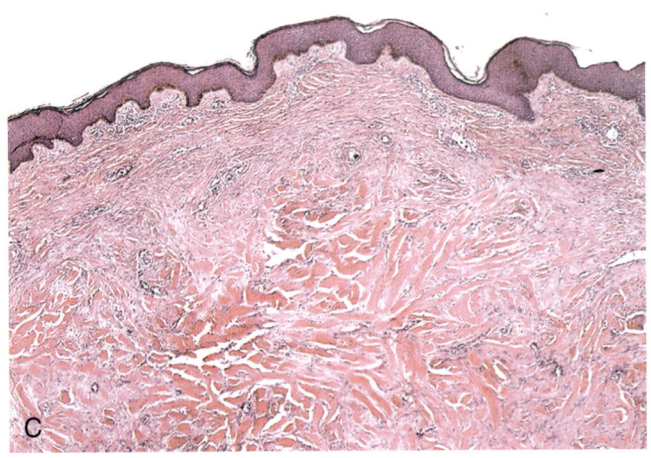

Figura 3.31 Exemplos clínicos de cicatrização excessiva e deposição de colágeno. **A.** Cicatriz hipertrófica. **B.** Queloide. **C.** Aspecto microscópico de um queloide. Observe a deposição de tecido conjuntivo espesso na derme. (**A e B**, De Eming SA, Margin P, Tomic-Canic M: Wound repair and regeneration: mechanisms, signaling, and translation, *Sci Transl Med* 6:265, 2014; **C**, Cortesia de Z. Argenyi, MD, University of Washington, Seattle, Wash.)

LEITURA SUGERIDA

Mecanismos gerais da inflamação
Kotas ME, Medzhitov R: Homeostasis, inflammation, and disease susceptibility, *Cell* 160:816-827, 2015. [*Discussão conceitual da homeostase fisiológica e como ela pode ser perturbada, explicando a associação entre inflamação e muitas doenças do mundo moderno*].

Rock KL, Latz E, Ontiveros F, et al: The sterile inflammatory response, *Annu Rev Immunol* 28:321-342, 2010. [*Excelente discussão de como o sistema imunológico reconhece e responde a células necróticas e outros agentes nocivos não infecciosos*].

Sensores dos estímulos inflamatórios
Manthiram K, Zhou Q, Aksentijevich I, et al: The monogenic autoinflammatory diseases define new pathways in human innate immunity and inflammation, *Nat Immunol* 18:832-842, 2017. [*Revisão abrangente das doenças causadas por mutações em vias relacionadas ao inflamassomo*].

Rathinam VA, Fitzgerald KA: Inflammasome complexes: emerging mechanisms and effector functions, *Cell* 165:792-800, 2016. [*Revisão atualizada dos inflamassomos e seus papéis na inflamação*].

Takeuchi O, Akira S: Pattern recognition receptors and inflammation, *Cell* 140:805, 2010. [*Excelente visão geral dos receptores do tipo Toll e outras famílias de receptores de reconhecimento de padrões, bem como seus papéis na inflamação e defesa do hospedeiro*].

Inflamação aguda: reações vasculares
Alitalo K: The lymphatic vasculature in disease, *Nat Med* 17:1371-1380, 2011. [*Excelente revisão da biologia celular dos vasos linfáticos; suas funções em reações imunes e inflamatórias; e seus papéis em doenças inflamatórias, neoplásicas e outras*].

Vestweber D: Relevance of endothelial junctions in leukocyte extravasation and vascular permeability, *Ann N Y Acad Sci* 1257:184-192, 2012. [*Boa revisão dos processos básicos da permeabilidade vascular e como as junções interendoteliais são reguladas*].

Inflamação aguda: papel dos neutrófilos
Castanheira FVS, Kubes P: Neutrophils and NETs in modulating acute and chronic inflammation, *Blood* 133:2178-2185, 2019. [*Discussão do papel das armadilhas extracelulares de neutrófilos na lesão do tecido e sua resolução*].

Flannagan RS, Jaumouillé V, Grinstein S: The cell biology of phagocytosis, *Annu Rev Pathol* 7:61-98, 2012. [*Discussão moderna dos receptores envolvidos na fagocitose, do controle molecular do processo e da biologia e funções dos fagossomos*].

Kolaczkowska E, Kubes P: Neutrophil recruitment and function in health and inflammation, *Nat Rev Immunol* 13:159-175, 2013. [*Excelente revisão da geração, recrutamento, funções e destinos dos neutrófilos, bem como seus papéis em diferentes tipos de reações inflamatórias*].

Kourtzelis I, Mitroulis I, von Renesse J, et al: From leukocyte recruitment to resolution of inflammation: the cardinal role of integrins, *J Leukoc Biol* 102:677-683, 2017. [*Discussão das diversas funções das integrinas*].

Mayadas TN, Cullere X, Lowell CA: The multifaceted functions of neutrophils, *Annu Rev Pathol* 9:181, 2014. [*Excelente revisão da biologia dos neutrófilos*].

McEver RP: Selectins: initiators of leukocyte adhesion and signaling at the vascular wall, *Cardiovasc Res* 107:331-339, 2015. [*Visão geral dos papéis das selectinas no recrutamento de leucócitos*].

Muller WA: Mechanisms of leukocyte transendothelial migration, *Annu Rev Pathol* 6:323, 2011. [*Revisão cuidadosa dos mecanismos pelos quais os leucócitos atravessam o endotélio*].

Schmidt S, Moser M, Sperandio M: The molecular basis of leukocyte recruitment and its deficiencies, *Mol Immunol* 55:49-58, 2013. [*Revisão dos mecanismos de recrutamento de leucócitos e deficiências de adesão leucocitária*].

Sollberger G, Tilley DO, Zychlinsky A: Neutrophil extracellular traps: the biology of chromatin externalization, *Dev Cell* 44:542-553, 2018. [*Revisão dos mecanismos de formação das armadilhas extracelulares dos neutrófilos*].

Mediadores da inflamação
Chavan SS, Pavlov VA, Tracey KJ: Mechanisms and therapeutic relevance of neuro-immune communication, *Immunity* 46:927-942, 2017. [*Revisão cuidadosa que explora os mecanismos pelos quais os reflexos neurais podem influenciar as reações inflamatórias*].

Dennis EA, Norris PC: Eicosanoid storm in infection and inflammation, *Nat Rev Immunol* 15:511, 2015. [*Revisão das atividades pró-inflamatórias e anti-inflamatórias dos eicosanoides*].

Di Gennaro A, Haeggström JZ: The leukotrienes: immune-modulating lipid mediators of disease, *Adv Immunol* 116:51-92, 2012. [*Revisão abrangente da bioquímica dos leucotrienos e seus receptores, bem como os papéis desses mediadores em várias doenças*].

Griffith JW, Sokol CL, Luster AD: Chemokines and chemokine receptors: positioning cells for host defense and immunity, *Annu Rev Immunol* 32:659-702, 2014. [*Visão geral das funções das quimiocinas na inflamação e defesa do hospedeiro*].

Holers VM: Complement and its receptors: new insights into human disease, *Annu Rev Immunol* 32:433-459, 2015.

Nathan C, Cunningham-Bussel A: Beyond oxidative stress: an immunologist's guide to reactive oxygen species, *Nat Rev Immunol* 13:349-361, 2013. [*Revisão excelente e moderna da produção, catabolismo, alvos e ações das espécies reativas do oxigênio, bem como seus papéis na inflamação*].

Ricklin D, Lambris JD: Complement in immune and inflammatory disorders, *J Immunol* 190:3831-3839, 2013. [*Dois artigos complementares sobre a bioquímica e biologia do sistema complemento e o desenvolvimento de agentes terapêuticos para alterar a atividade do complemento na doença*].

Zlotnik A, Yoshie O: The chemokine superfamily revisited, *Immunity* 36:705-716, 2012. [*Excelente atualização da classificação, funções e relevância clínica das quimiocinas e seus receptores*].

Inflamação crônica: papel dos macrófagos e de outras células

Nagy JA, Dvorak AM, Dvorak HF: VEGF-A and the induction of pathological angiogenesis, *Annu Rev Pathol* 2:251–275, 2007. [*Revisão da família do fator de crescimento endotelial vascular dos fatores de crescimento e seu papel na angiogênese no câncer, inflamação e vários estados de doença*].

Nathan C, Ding A: Nonresolving inflammation, *Cell* 140:871–882, 2010. [*Discussão das anormalidades que levam a inflamação crônica*].

Sica A, Mantovani A: Macrophage plasticity and polarization: in vivo veritas, *J Clin Invest* 122:787–795, 2012. [*Excelente revisão das subpopulações de macrófagos; sua geração; e seus papéis na inflamação, infecções, câncer e distúrbios metabólicos*].

Sepse

Aziz M, Jacob A, Yang WL, et al: Current trends in inflammatory and immunomodulatory mediators in sepsis, *J Leukoc Biol* 93:329–342, 2013. [*Revisão abrangente dos papéis das citocinas e outros mediadores no desenvolvimento e resolução da síndrome da resposta inflamatória sistêmica*].

Stearns-Kurosawa DJ, Osuchowski MF, Valentine C, et al: The pathogenesis of sepsis, *Annu Rev Pathol* 6:19–48, 2011. [*Excelente revisão da patogênese da sepse, com foco nas células envolvidas, a importância da morte celular, as ligações entre inflamação e coagulação, a utilidade de biomarcadores e abordagens terapêuticas*].

Reparo tecidual: regeneração e fibrose

Duffield JS, Lupher M, Thannickal VJ, et al: Host responses in tissue repair and fibrosis, *Annu Rev Pathol* 8:241–276, 2013. [*Visão geral dos mecanismos celulares da fibrose, com ênfase no papel do sistema imunológico nas reações fibróticas a infecções crônicas*].

Eming SA, Martin P, Tomic-Canic M: Wound repair and regeneration: mechanisms, signaling, and translation, *Sci Transl Med* 6:265r6, 2014. [*Revisão moderna das respostas do hospedeiro que contribuem para o reparo tecidual*].

Friedman SL, Sheppard D, Duffield JS, et al: Therapy for fibrotic diseases: nearing the starting line, *Sci Transl Med* 5:167sr1, 2013. [*Excelente revisão dos conceitos atuais da patogênese da fibrose, enfatizando os papéis de diferentes populações celulares e da matriz extracelular, bem como o potencial para a tradução do conhecimento básico para o desenvolvimento de novas terapias*].

Klingberg F, Hinz B, White ES: The myofibroblast matrix: implications for tissue repair and fibrosis, *J Pathol* 229:298–309, 2013. [*Excelente revisão das propriedades dos miofibroblastos e proteínas da matriz extracelular, bem como seus papéis na fibrose e reparo tecidual*].

Mantovani A, Biswas SK, Galdiero MR, et al: Macrophage plasticity and polarization in tissue repair and remodelling, *J Pathol* 229:176–185, 2013. [*Excelente revisão comparando as subpopulações de macrófagos e o papel dessas células na resolução da inflamação e reparo tecidual*].

Preziosi ME, Monga SP: Update on the mechanisms of liver regeneration, *Semin Liver Dis* 37:141–151, 2017. [*Discussão moderna dos mecanismos bioquímicos da regeneração hepática*].

Murawala P, Tanaka EM, Currie JD: Regeneration: the ultimate example of wound healing, *Semin Cell Dev Biol* 23:954–962, 2012. [*Discussão cuidadosa do processo de regeneração em anfíbios e como ela ocorre em diferentes mamíferos*].

Novak ML, Koh TJ: Macrophage phenotypes during tissue repair, *J Leukoc Biol* 93:875–881, 2013. [*Revisão dos fenótipos de macrófagos e como eles se alteram durante a inflamação e reparo tecidual, enfatizando o conceito de que esses fenótipos são plásticos e dinâmicos e podem não representar linhagens comprometidas*].

Wick G, Grundtman C, Mayerl C, et al: The immunology of fibrosis, *Annu Rev Immunol* 31:107–135, 2013. [*Excelente revisão do papel do sistema imunológico na fibrose durante o reparo tecidual e em doenças crônicas, incluindo distúrbios autoimunes, aterosclerose, distúrbios fibróticos de diferentes órgãos e câncer*].

Wynn TA, Ramalingam TR: Mechanisms of fibrosis: therapeutic translation for fibrotic disease, *Nat Med* 18:1028–1040, 2012. [*Excelente revisão dos mecanismos de fibrose tecidual e estratégias terapêuticas antifibróticas em desenvolvimento*].

Wynn TA, Vannella KM: Macrophages in tissue repair, regeneration, and fibrosis, *Immunity* 44:450–462, 2016. [*Excelente revisão dos papéis multifacetados das subpopulações de macrófagos na inflamação e reparo*].

Distúrbios Hemodinâmicos, Doença Tromboembólica e Choque

CAPÍTULO 4

SUMÁRIO DO CAPÍTULO

Edema e efusões, 115
   Aumento da pressão hidrostática, 116
   Redução da pressão osmótica do plasma, 116
   Retenção de sódio e de água, 117
   Obstrução linfática, 117
Hiperemia e congestão, 117
Hemostasia, distúrbios hemorrágicos e trombose, 118
   Hemostasia normal, 118
   Plaquetas, 120

   Cascata da coagulação, 121
   Endotélio, 124
Distúrbios hemorrágicos, 125
Trombose, 126
   Lesão endotelial, 126
   Alterações no fluxo sanguíneo normal, 126
   Hipercoagulabilidade, 127
   Destino do trombo, 130
Coagulação intravascular disseminada, 131

Embolia, 131
   Embolia pulmonar, 131
   Tromboembolismo sistêmico, 132
   Embolia gordurosa, 132
   Embolia gasosa, 133
   Embolia por líquido amniótico, 133
Infarto, 134
Choque, 135
   Patogênese do choque séptico, 136
   Estágios do choque, 138

A saúde das células e dos tecidos depende da circulação do sangue, que fornece oxigênio e nutrientes e remove resíduos gerados pelo metabolismo celular. Em condições normais, à medida que o sangue passa pelos leitos capilares, as proteínas presentes no plasma são retidas dentro da rede vascular, e ocorre pouco movimento efetivo de água e de eletrólitos para dentro dos tecidos. Esse equilíbrio é, com frequência, perturbado por condições patológicas que alteram a função endotelial, aumentam a pressão hidrostática vascular ou diminuem o conteúdo de proteínas do plasma, promovendo, assim, a formação de edema – o acúmulo de líquido em tecidos, que resulta de um movimento efetivo de água para os espaços extravasculares. Dependendo de sua gravidade e localização, o edema pode ter efeitos mínimos ou significativos. Nos membros inferiores, pode levar apenas à sensação de que os sapatos ficaram mais apertados depois de um longo dia sedentário; entretanto, nos pulmões, o líquido do edema pode preencher os alvéolos, o que causa hipoxia potencialmente fatal.

A integridade estrutural dos vasos sanguíneos é, com frequência, comprometida por trauma. A *hemostasia* refere-se ao processo de coagulação do sangue, que impede a ocorrência de sangramento excessivo após dano ao vaso sanguíneo. A hemostasia inadequada pode resultar em hemorragia, que pode comprometer a perfusão tecidual regional e, se for maciça e rápida, levar a hipotensão, choque e morte. Por outro lado, a coagulação inadequada (*trombose*) ou a migração de coágulos (*embolia*) pode obstruir os vasos sanguíneos, o que pode causar morte celular isquêmica (*infarto*). De fato, o tromboembolismo encontra-se no cerne das três principais causas de morbidade e mortalidade nos países de alta renda: o infarto do miocárdio, a embolia pulmonar (EP) e o acidente vascular encefálico (AVE).

Aqui, vamos dar ênfase aos distúrbios da hemodinâmica (edema, efusões, congestão e choque), fornecer uma visão geral dos distúrbios de sangramento e coagulação anormais (trombose) e discutir as várias formas de embolia.

Edema e efusões

Os distúrbios que afetam as funções cardiovascular, renal ou hepática caracterizam-se, com frequência, pelo acúmulo de líquido nos tecidos (edema) ou nas cavidades corporais (efusões). Em circunstâncias normais, a tendência da pressão hidrostática vascular a forçar a água e os sais presentes nos capilares para o espaço intersticial é equilibrada quase totalmente pela tendência da pressão osmótica do plasma a puxar a água e os sais de volta para dentro dos vasos. Normalmente há um leve movimento efetivo de líquido no interstício, mas que é drenado para os vasos linfáticos, retornando, enfim, para a corrente sanguínea por meio do ducto torácico, mantendo os tecidos "secos" (**Figura 4.1**). **A elevação da pressão hidrostática ou a diminuição da pressão osmótica interferem nesse equilíbrio e resultam em aumento do movimento de líquido para fora dos vasos.** Se a taxa efetiva de saída de líquido ultrapassar a taxa de drenagem linfática, ocorrerá acúmulo de líquido no espaço extravascular. Nos tecidos, isso resulta em edema, e, se uma superfície serosa estiver envolvida, o líquido pode acumular-se dentro da cavidade corporal adjacente na forma de efusão.

Os líquidos de edema e as efusões podem ser *inflamatórios* ou *não inflamatórios* (**Tabela 4.1**). O edema e as efusões relacionados com inflamação são discutidos de modo detalhado no **Capítulo 3**. Esses *exsudatos* ricos em proteína acumulam-se, devido a um aumento da permeabilidade vascular causado por mediadores inflamatórios. Em contrapartida, o edema e as efusões não inflamatórios são líquidos pobres em proteínas, denominados *transudatos*.

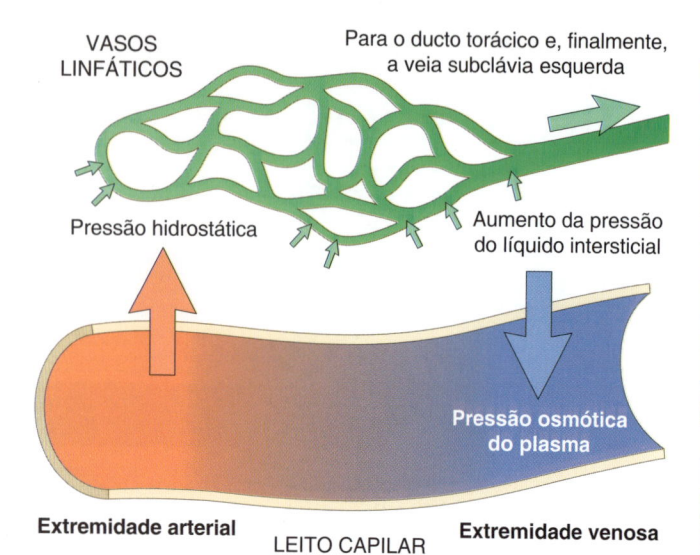

Figura 4.1 Fatores que influenciam o movimento de líquidos através das paredes capilares. Normalmente, as forças hidrostática e osmótica estão quase totalmente equilibradas, de modo que ocorre pouco movimento efetivo de líquido para fora dos vasos. Muitos distúrbios patológicos (ver **Tabela 4.1**) estão associados a aumentos da pressão hidrostática capilar ou a reduções da pressão osmótica do plasma, levando ao extravasamento de líquido nos tecidos. Os vasos linfáticos removem grande parte do líquido em excesso; entretanto, se a capacidade da drenagem linfática for excedida, ocorrerá edema tecidual.

Tabela 4.1 Categorias fisiopatológicas do edema.

Aumento da pressão hidrostática
Comprometimento do retorno venoso
Insuficiência cardíaca congestiva
Pericardite constritiva
Ascite (cirrose hepática)
Obstrução venosa ou compressão
Trombose
Pressão externa (p. ex., massa)
Inatividade dos membros inferiores com posição pendente prolongada
Dilatação arteriolar
Calor
Desregulação neuro-humoral
Redução da pressão osmótica plasmática (hipoproteinemia)
Glomerulopatias perdedoras de proteína (síndrome nefrótica)
Cirrose hepática
Desnutrição
Gastroenteropatia perdedora de proteína
Obstrução linfática
Inflamatória
Neoplásica
Pós-cirúrgica
Pós-irradiação
Retenção de sódio
Ingestão excessiva de sal na presença de insuficiência renal
Aumento da reabsorção tubular de sódio
Hipoperfusão renal
Aumento da secreção pelo eixo renina-angiotensina-aldosterona
Inflamação
Inflamação aguda
Inflamação crônica
Angiogênese

Modificada de Leaf A, Cotran RS: *Renal Pathophysiology*, ed. 3, New York, 1985, Oxford University Press, p. 146.

O edema e os derrames não inflamatórios são comuns em muitos processos patológicos, como insuficiência cardíaca, insuficiência hepática, doença renal e desnutrição (**Figura 4.2**). Discutiremos agora as várias causas do edema.

Aumento da pressão hidrostática

Os aumentos da pressão hidrostática são causados, sobretudo, por distúrbios que interferem no retorno venoso. Se a interferência for localizada (p. ex., trombose venosa profunda [TVP] em um membro inferior), o edema resultante ficará limitado à parte afetada. As condições que levam a um aumento sistêmico da pressão venosa (p. ex., insuficiência cardíaca congestiva, **Capítulo 12**) estão associadas a um edema mais generalizado.

Redução da pressão osmótica do plasma

Em circunstâncias normais, a albumina é responsável por quase metade da proteína total do plasma; por conseguinte, as condições que levam à síntese inadequada ou a um aumento da perda de albumina da circulação constituem causas comuns de redução da pressão osmótica do plasma. Ocorre redução da síntese de albumina, sobretudo nas doenças hepáticas graves (p. ex., cirrose em fase terminal; ver **Capítulo 18**) e na desnutrição proteica (ver **Capítulo 9**). Uma importante causa de perda de albumina é a *síndrome nefrótica* (ver **Capítulo 20**), em que ocorre perda de albumina na urina em consequência da permeabilidade anormal dos capilares glomerulares. Independentemente da causa, a redução da pressão osmótica do plasma leva gradualmente ao edema, a uma redução do volume intravascular, hipoperfusão renal e hiperaldosteronismo secundário. A consequente retenção de sal e de água pelos rins não apenas é incapaz de corrigir o déficit de volume plasmático como também exacerba o edema, visto que o defeito primário persiste, qual seja, o baixo nível de proteína plasmática.

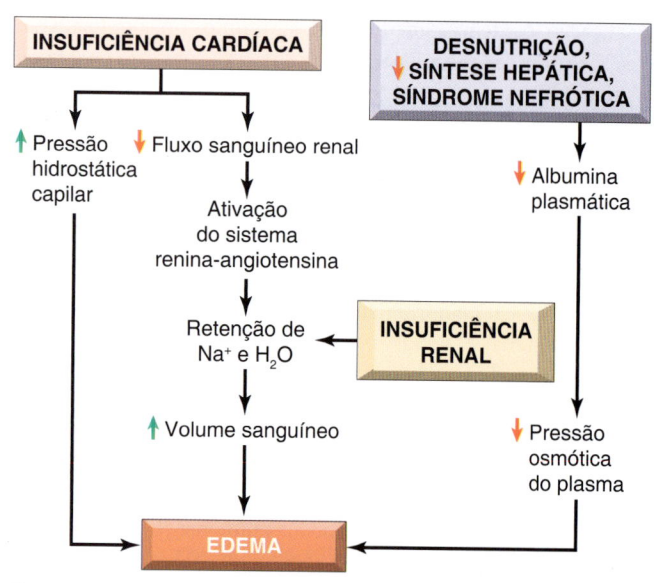

Figura 4.2 Mecanismos do edema sistêmico na insuficiência cardíaca, insuficiência renal, desnutrição, insuficiência hepática e síndrome nefrótica.

Retenção de sódio e de água

O aumento da retenção de sal – com retenção obrigatória de água associada – provoca tanto aumento da pressão hidrostática (devido à expansão do volume de líquido intravascular) quanto redução da pressão osmótica vascular (devido à diluição). Ocorre retenção de sal sempre que a função renal estiver comprometida, como nos distúrbios renais primários e nos distúrbios cardiovasculares, que diminuem a perfusão renal. Uma das causas mais importantes de hipoperfusão renal é a insuficiência cardíaca congestiva, que (como a hipoproteinemia) resulta em ativação do eixo renina-angiotensina-aldosterona. No início da insuficiência cardíaca, essa resposta é benéfica, visto que a retenção de sódio e de água e outras adaptações, incluindo aumento do tônus vascular e níveis elevados de hormônio antidiurético, melhoram o débito cardíaco e restauram a perfusão renal normal. Entretanto, com o agravamento da insuficiência cardíaca e a diminuição do débito cardíaco, o líquido retido apenas aumenta a pressão hidrostática, o que resulta em edema e efusões.

Obstrução linfática

O trauma, a fibrose, os tumores invasivos e os agentes infecciosos podem interferir nos vasos linfáticos e impedir a eliminação de líquido intersticial, tendo como resultado linfedema na região afetada do corpo. Um exemplo dramático é observado na *filariose*, em que a resposta ao parasita induz fibrose obstrutiva dos canais linfáticos e linfonodos. Isso pode resultar em edema dos órgãos genitais externos e dos membros inferiores, que é tão maciço a ponto de receber a denominação de *elefantíase*. O edema grave dos membros superiores também pode ser complicação da remoção cirúrgica e/ou irradiação da mama e dos linfonodos axilares associados em pacientes com câncer de mama.

Morfologia

O edema é facilmente reconhecido à macroscopia; microscopicamente, aparece como um clareamento e separação da matriz extracelular (MEC) e discreta tumefação celular. O edema é mais comumente observado nos tecidos subcutâneos, nos pulmões e no encéfalo. O **edema subcutâneo** pode ser difuso ou mais evidente em regiões com pressão hidrostática elevada. Sua distribuição é frequentemente influenciada pelo efeito gravitacional (p. ex., aparece nas pernas na posição ortostática e no sacro na posição deitada), uma característica denominada **edema postural ou de declive.** A pressão exercida pelos dedos sobre o tecido subcutâneo acentuadamente edematoso desloca o líquido intersticial e deixa uma depressão, um sinal denominado **edema depressível (com cacifo).**

O edema que resulta de **disfunção renal** com frequência aparece inicialmente nas partes do corpo que contêm tecido conjuntivo frouxo, como as pálpebras; por conseguinte, o **edema periorbital** é um achado característico na doença renal grave. No **edema pulmonar,** os pulmões com frequência apresentam duas a três vezes seu peso normal, e a realização de um corte no órgão revela um líquido espumoso, tingido de sangue – uma mistura de ar, edema e eritrócitos extravasados. O **edema cerebral** pode ser localizado ou generalizado, dependendo da natureza e da extensão da lesão ou processo patológico. O cérebro edemaciado exibe sulcos estreitados e giros distendidos, que são comprimidos pelo crânio inflexível (ver **Capítulo 28**).

As efusões que envolvem a cavidade pleural (**hidrotórax**), a cavidade pericárdica (**hidropericárdio**) ou a cavidade peritoneal (**hidroperitônio** ou **ascite**) são comuns em uma ampla variedade de contextos clínicos. Normalmente, as efusões transudativas são pobres em proteína, translúcidas e de cor amarelo-clara (citrino); uma exceção é representada pelas efusões peritoneais causadas por bloqueio linfático (efusão quilosa), que podem ser leitosas, devido à presença de lipídios absorvidos do intestino. Em contrapartida, as efusões exsudativas são ricas em proteína e, com frequência, turvas devido à presença de leucócitos.

Características clínicas

As consequências do edema variam desde uma condição meramente desagradável até um processo rapidamente fatal. O edema subcutâneo é importante, sobretudo pelo fato de que ele sinaliza uma possível doença cardíaca ou renal subjacente; entretanto, quando significativo, pode também comprometer a cicatrização de feridas ou a eliminação de infecções. O edema pulmonar é um problema clínico comum, que é observado com mais frequência no contexto da insuficiência ventricular esquerda; pode ocorrer também na insuficiência renal, na síndrome de desconforto respiratório agudo (ver **Capítulo 15**) e na inflamação ou infecção pulmonares. O edema no interstício pulmonar e nos espaços alveolares impede a troca gasosa (levando à hipoxemia) e também cria um ambiente favorável para a infecção bacteriana. Com frequência, o edema pulmonar é exacerbado por derrames pleurais, que podem comprometer ainda mais a troca de gases ao comprimir o parênquima pulmonar subjacente. As efusões peritoneais (ascite), que resultam mais comumente de hipertensão portal, são propensas à invasão por bactérias, o que leva a infecções graves e, por vezes, fatais. O edema cerebral é potencialmente fatal e, quando grave, pode sofrer herniação (extrusão) através do forame magno, ou o suprimento vascular do tronco encefálico pode ser comprimido. Qualquer uma dessas condições pode provocar lesão dos centros bulbares e levar à morte (ver **Capítulo 28**).

Conceitos-chave

Edema

O edema é o resultado do movimento de líquido da rede vascular para dentro dos espaços intersticiais; o líquido pode ser pobre em proteína (transudato) ou rico em proteína (exsudato).

O edema pode ser causado por:
- Aumento da pressão hidrostática (p. ex., insuficiência cardíaca)
- Diminuição da pressão osmótica causada pela redução da albumina plasmática, devido à diminuição de síntese (p. ex., doença hepática, desnutrição proteica) ou a um aumento da perda (p. ex., síndrome nefrótica)
- Aumento da permeabilidade vascular (p. ex., inflamação)
- Obstrução linfática (p. ex., infecção ou neoplasia)
- Retenção de sódio e de água (p. ex., insuficiência renal).

Hiperemia e congestão

A hiperemia e a congestão decorrem do aumento do volume sanguíneo predominantemente dentro dos vasos nos tecidos, porém apresentam mecanismos subjacentes e consequências

diferentes. A hiperemia é um processo ativo, em que a dilatação arteriolar (p. ex., em locais de inflamação ou no músculo esquelético durante o exercício) leva a um aumento do fluxo sanguíneo. Os tecidos afetados tornam-se vermelhos (*eritema*), devido ao fornecimento aumentado de sangue oxigenado. A congestão é um processo passivo, que resulta de uma redução do fluxo de sangue venoso de um tecido. Pode ser sistêmica, como na insuficiência cardíaca, ou localizada, como na obstrução venosa isolada. Os tecidos congestos apresentam uma cor azul avermelhada anormal (*cianose*), que provém do acúmulo de hemoglobina desoxigenada na área afetada. Na *congestão passiva crônica* de longa duração, a hipoxia crônica associada pode resultar em lesão tecidual isquêmica e cicatrização. Nos tecidos com congestão crônica, a ruptura dos capilares também pode produzir pequenos focos hemorrágicos; o catabolismo subsequente dos eritrócitos extravasados pode resultar em agrupamentos residuais indicadores de macrófagos carregados de hemossiderina. Em consequência do aumento da pressão hidrostática, a congestão leva comumente ao edema.

> ### Morfologia
>
> Os tecidos congestos adquirem uma cor azul-avermelhada escura (*cianose*), devido à estase dos eritrócitos e à presença de hemoglobina desoxigenada. Microscopicamente, a **congestão pulmonar aguda** caracteriza-se por capilares alveolares dilatados, edema dos septos alveolares e hemorragia intra-alveolar focal. Na **congestão pulmonar crônica**, que frequentemente é causada por insuficiência cardíaca congestiva, ocorrem espessamento e fibrose dos septos, e, com frequência, os alvéolos contêm numerosos macrófagos repletos de hemossiderina (**células da insuficiência cardíaca**) derivada dos eritrócitos fagocitados. Na **congestão hepática aguda**, a veia central e os sinusoides estão distendidos. Como a área centrolobular encontra-se na extremidade distal do suprimento sanguíneo hepático, os hepatócitos centrolobulares podem sofrer necrose isquêmica, e os hepatócitos periportais — mais bem oxigenados, devido à proximidade das arteríolas hepáticas — podem desenvolver apenas alteração gordurosa. Na **congestão hepática passiva crônica**, as regiões centrolobulares exibem macroscopicamente uma cor vermelho-acastanhada e estão ligeiramente deprimidas (devido à morte celular), destacando-se das zonas adjacentes do fígado não congesto de cor acastanhada (**fígado em noz-moscada**) (**Figura 4.3A**). Ao exame microscópico, observa-se a presença de congestão e hemorragia centrolobulares, macrófagos carregados de hemossiderina e graus variáveis de perda de hepatócitos e necrose (ver **Figura 4.3B**).

Hemostasia, distúrbios hemorrágicos e trombose

A hemostasia pode ser definida simplesmente como o processo pelo qual ocorre formação de coágulos sanguíneos em locais de lesão vascular. Além disso, é essencial para a vida e encontra-se alterada em graus variáveis em uma ampla gama de distúrbios, que podem ser divididos em dois grupos. Nos distúrbios hemorrágicos, que se caracterizam por sangramento excessivo, os mecanismos hemostáticos estão bloqueados ou insuficientes para prevenir a perda de sangue. Por outro lado, nos distúrbios trombóticos, há formação de coágulos sanguíneos no interior dos vasos sanguíneos intactos ou dentro das câmaras cardíacas (frequentemente denominados trombos). Conforme discutido nos **Capítulos 11** e **12**, a trombose desempenha um papel central nas formas mais comuns e clinicamente importantes de doença cardiovascular.

Apesar de sua utilidade, é preciso reconhecer que essa divisão entre distúrbios hemorrágicos e trombóticos algumas vezes deixa de ser válida, visto que a ativação generalizada da coagulação algumas vezes produz paradoxalmente sangramento, devido ao consumo de fatores da coagulação, como na *coagulação intravascular disseminada (CID)*. Para contextualizar a compreensão dos distúrbios hemorrágicos e da coagulação, essa discussão começa com a hemostasia normal, focando a contribuição das plaquetas, dos fatores da coagulação e do endotélio.

Hemostasia normal

A hemostasia é um processo precisamente coordenado que envolve plaquetas, fatores da coagulação e endotélio, ocorrendo no local de lesão vascular e culminando na formação de um coágulo sanguíneo, que serve para prevenir ou limitar a extensão do sangramento. A sequência geral de eventos que levam à hemostasia no local de lesão vascular é mostrada na **Figura 4.4**.

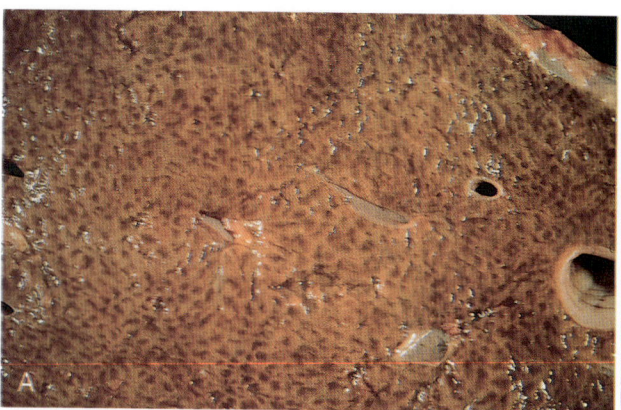

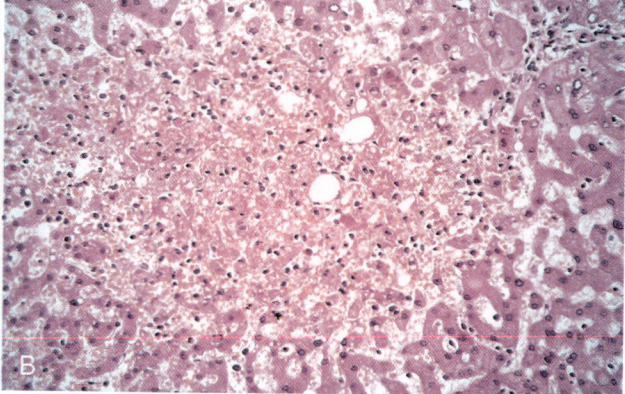

Figura 4.3 Fígado com congestão passiva crônica e necrose hemorrágica. **A.** As áreas centrais são avermelhadas e ligeiramente deprimidas, em comparação com o parênquima viável circundante de cor acastanhada, formando o padrão de "fígado em noz-moscada" (assim denominado pela sua semelhança à superfície de corte de uma noz-moscada). **B.** Necrose centrolobular com hepatócitos em degeneração e hemorragia. (Cortesia do Dr. James Crawford, Department of Pathology, University of Florida, Gainesville, Fla.)

Figura 4.4 Hemostasia normal. A. Após a ocorrência de lesão vascular, fatores neuro-humorais induzem vasoconstrição transitória. **B.** As plaquetas ligam-se por meio dos receptores de glicoproteína Ib (*GpIb*) ao fator de von Willebrand (*FvW*) na matriz extracelular (*MEC*) exposta e são ativadas, sofrendo uma mudança de forma e liberação dos grânulos. O difosfato de adenosina (*ADP*) e o tromboxano A_2 (*TxA_2*) induzem uma agregação plaquetária adicional por meio da ligação do receptor GpIIb-IIIa plaquetário ao fibrinogênio, formando o tampão hemostático primário. **C.** A ativação local da cascata da coagulação (que envolve o fator tecidual e fosfolipídios plaquetários) resulta em polimerização da fibrina, "cimentando" as plaquetas em um tampão hemostático secundário definitivo. **D.** Os mecanismos contrarreguladores, mediados pelo ativador do plasminogênio tecidual (*t-PA*, um produto fibrinolítico) e pela trombomodulina, restringem o processo hemostático ao local da lesão.

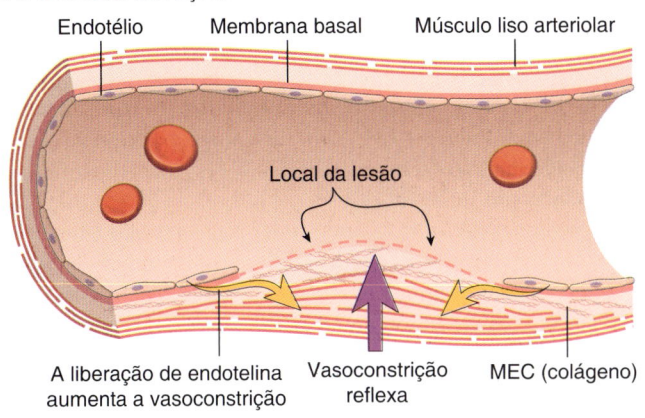

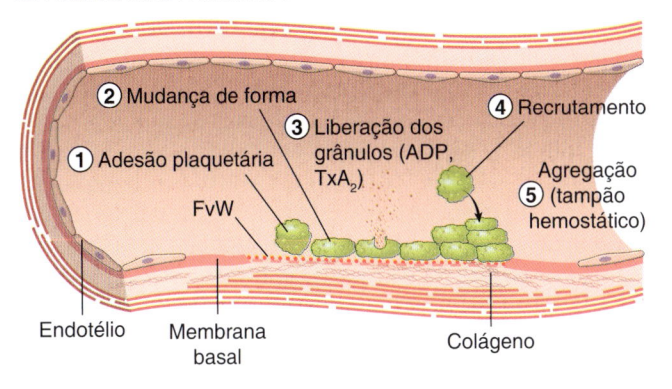

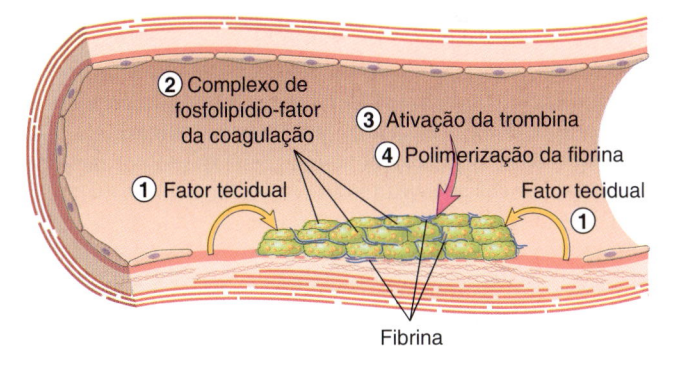

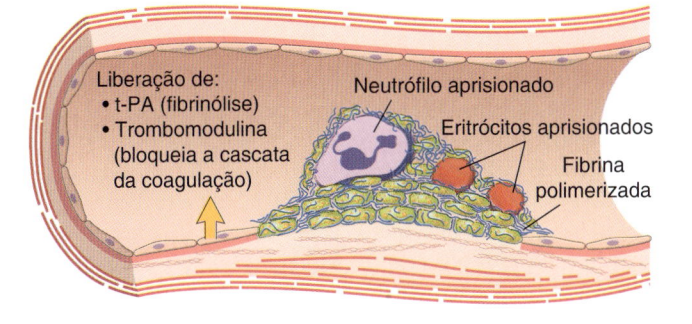

- A *vasoconstrição arteriolar* ocorre imediatamente e reduz o fluxo sanguíneo de modo acentuado para a área lesionada (ver **Figura 4.4A**). É mediada por mecanismos neurogênicos reflexos e pode ser intensificada pela secreção local de determinados fatores, como a *endotelina*, um potente vasoconstritor derivado do endotélio. Entretanto, esse efeito é transitório, e o sangramento voltaria a ocorrer se não houvesse ativação das plaquetas e dos fatores da coagulação
- *Hemostasia primária: a formação do tampão plaquetário.* A ruptura do endotélio expõe o fator de von Willebrand (FvW) e o colágeno subendoteliais, que promovem a aderência e a ativação das plaquetas. A ativação das plaquetas resulta em acentuada alteração de sua forma (de pequenos discos arredondados para placas achatadas com prolongamentos espiculados que aumentam acentuadamente sua área de superfície), bem como na liberação de grânulos secretores. Em poucos minutos, os produtos secretados recrutam plaquetas adicionais, que sofrem agregação para formar um tampão hemostático primário (ver **Figura 4.4B**)
- *Hemostasia secundária: deposição de fibrina.* A lesão vascular expõe o *fator tecidual* no local da lesão. O fator tecidual é uma glicoproteína pró-coagulante ligada à membrana, que normalmente é expressa pelas células subendoteliais na parede do vaso, como as células musculares lisas e os fibroblastos. O fator tecidual liga-se ao fator VII e o ativa (ver adiante), o que desencadeia uma cascata de reações que culmina na formação de *trombina*. Esta cliva o fibrinogênio plasmático em *fibrina* insolúvel, criando uma rede de fibrina, e também é um potente ativador das plaquetas, o que leva à agregação adicional de plaqueta no local de lesão. Essa sequência, denominada *hemostasia secundária*, consolida o tampão plaquetário inicial (ver **Figura 4.4C**)
- *Estabilização e reabsorção do coágulo.* A fibrina polimerizada e os agregados de plaquetas sofrem contração para formar um tampão sólido e permanente, que impede a ocorrência de hemorragia posterior. Nesse estágio, mecanismos contrarreguladores (p. ex., ativador do plasminogênio tecidual [t-PA] produzido pelas células endoteliais) são desencadeados para limitar a coagulação no local de lesão (ver **Figura 4.4D**), levando, finalmente, à reabsorção do coágulo e reparo do tecido.

Deve-se ressaltar que as células endoteliais são reguladores centrais da hemostasia; o equilíbrio entre as atividades antitrombótica e protrombótica do endotélio determina se ocorrem formação, propagação ou dissolução do trombo. As células endoteliais normais expressam uma variedade de fatores *anticoagulantes*, que inibem a agregação plaquetária e a coagulação e que promovem a fibrinólise; entretanto, após a ocorrência de lesão ou ativação, esse equilíbrio é desviado, e as células endoteliais adquirem numerosas atividades *pró-coagulantes* (ativação das plaquetas e fator da coagulação, conforme descrito anteriormente; ver também a **Figura 4.10**). Além do trauma, o endotélio pode ser ativado por patógenos microbianos, forças hemodinâmicas e mediadores pró-inflamatórios.

Descreveremos agora as funções das plaquetas, dos fatores da coagulação e do endotélio na hemostasia com maiores detalhes, seguindo o esquema ilustrado na **Figura 4.4**.

Plaquetas

As plaquetas desempenham um papel fundamental na hemostasia ao formar o tampão primário, que inicialmente oblitera os defeitos vasculares, e ao proporcionar uma superfície, que possibilita a ligação e a concentração dos fatores da coagulação ativados. As plaquetas são fragmentos celulares anucleados em formato de disco, que são liberados dos megacariócitos na medula óssea para a corrente sanguínea. Sua função depende de vários receptores de glicoproteína, de um citoesqueleto contrátil e de dois tipos de grânulos citoplasmáticos. Os *grânulos-α* dispõem de uma molécula de adesão em suas membranas, a selectina-P (ver **Capítulo 3**), e contêm proteínas envolvidas na coagulação, como fibrinogênio, fator V da coagulação e FvW, bem como fatores proteicos que podem estar envolvidos na cicatrização de feridas, como fibronectina, fator plaquetário 4 (PF4, uma quimiocina de ligação à heparina), fator de crescimento derivado das plaquetas (PDGF) e fator de crescimento transformador β (TGF-β). Os *grânulos densos* (ou δ) contêm difosfato de adenosina (ADP), trifosfato de adenosina, cálcio ionizado, serotonina e epinefrina.

Após a ocorrência de lesão vascular traumática, as plaquetas encontram constituintes do tecido conjuntivo subendotelial, como FvW e colágeno. Em contato com essas proteínas, as plaquetas passam por uma sequência de reações que culminam na formação de um tampão plaquetário (ver **Figura 4.4B**):

- A *adesão plaquetária* é mediada, em grande parte, por interações entre o receptor de superfície das plaquetas, a glicoproteína Ib (GpIb), e o FvW na matriz subendotelial (**Figura 4.5**). As plaquetas também aderem ao colágeno exposto por meio do receptor de colágeno plaquetário Gp1a/IIa. Evidentemente, as deficiências genéticas do FvW (doença de von Willebrand, **Capítulo 14**) ou de GpIb (síndrome de Bernard-Soulier) resultam em distúrbios hemorrágicos, atestando a importância desses fatores

- As *plaquetas rapidamente mudam de formato* após a adesão, passando de discos lisos para "ouriços do mar" espiculados, com acentuado aumento da área de superfície. Essa mudança é acompanhada de alterações conformacionais da *glicoproteína IIb/IIIa* de superfície celular, que aumentam a sua afinidade pelo fibrinogênio, bem como pela translocação de *fosfolipídios de carga negativa* (particularmente fosfatidilserina) para a superfície das plaquetas. Esses fosfolipídios ligam-se ao cálcio e atuam como sítios de nucleação para a montagem de complexos de fatores da coagulação

- A *secreção (reação de liberação) do conteúdo dos grânulos* ocorre com as mudanças de formato; com frequência, esses dois eventos são designados em conjunto como ativação plaquetária. Esta é desencadeada por diversos fatores, incluindo o fator da coagulação trombina e ADP. A trombina ativa as plaquetas por meio de um receptor especial acoplado à proteína G, denominado *receptor ativado por protease-1* (PAR-1), que é ativado por uma clivagem proteolítica realizada pela trombina. O ADP é um componente dos grânulos densos; assim, a ativação das plaquetas e a liberação de ADP geram ciclos adicionais de ativação plaquetária, um fenômeno referido como *recrutamento*. O ADP atua por meio de sua ligação a dois receptores acoplados à proteína G, $P2Y_1$ e $P2Y_{12}$. As plaquetas ativadas também produzem a prostaglandina *tromboxano A_2* (TxA_2), um potente indutor da agregação plaquetária. Uma compreensão das vias bioquímicas envolvidas na ativação das plaquetas levou ao desenvolvimento de fármacos com atividade antiplaquetária. O ácido acetilsalicílico, o mais antigo de todos, inibe a agregação plaquetária e produz efeitos hemorrágicos leves ao inibir a ciclo-oxigenase, uma enzima plaquetária necessária para a síntese de TxA_2. Mais recentemente, foram desenvolvidos fármacos que inibem a função das plaquetas ao antagonizar o PAR-1 ou o $P2Y_{12}$. Todos esses fármacos antiplaquetários são utilizados no tratamento da doença arterial coronariana

- A ativação das plaquetas é seguida de *agregação plaquetária*. A mudança conformacional da glicoproteína IIb/IIIa, que ocorre com a ativação das plaquetas, possibilita a ligação do fibrinogênio, um grande polipeptídeo plasmático bivalente que forma pontes entre plaquetas adjacentes, levando à sua agregação. Previsivelmente, a deficiência hereditária de GpIIb-IIIa resulta em um distúrbio hemorrágico, denominado *trombastenia de Glanzmann*. A onda inicial de agregação é reversível, porém a ativação concomitante da trombina estabiliza o tampão plaquetário, causando ainda mais ativação e agregação plaquetárias e promovendo a contração irreversível das plaquetas. A contração plaquetária depende do citoesqueleto e consolida as plaquetas agregadas. Paralelamente, a trombina também converte

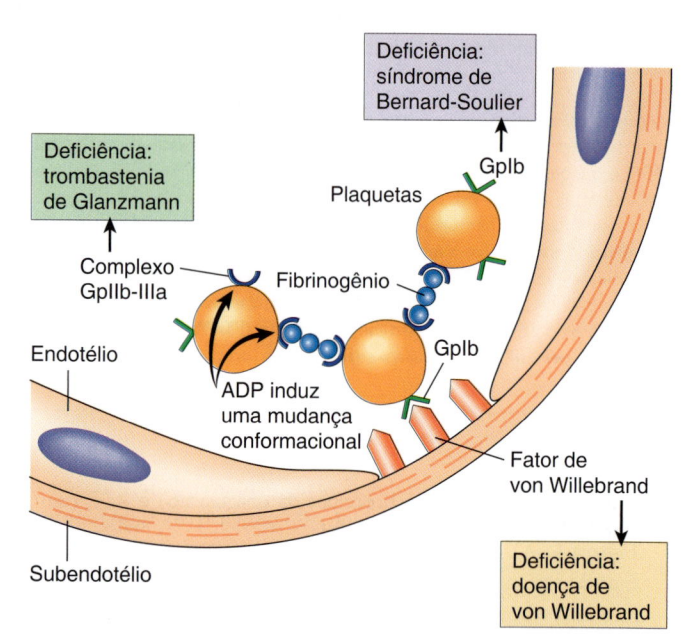

Figura 4.5 Adesão e agregação plaquetárias. O fator de von Willebrand funciona como uma ponte de adesão entre o colágeno subendotelial e o receptor plaquetário de glicoproteína Ib (*GpIb*). A agregação ocorre por meio de pontes de glicogênio entre receptores de GpIIb-IIIa em diferentes plaquetas. As deficiências congênitas em vários receptores ou nas moléculas que formam pontes levam às doenças indicadas nos retângulos coloridos. *ADP*, difosfato de adenosina.

o fibrinogênio em *fibrina* insolúvel, cimentando as plaquetas no local e criando o *tampão hemostático secundário* definitivo. Os eritrócitos e os leucócitos aprisionados também são encontrados nos tampões hemostáticos, em parte devido à aderência dos leucócitos à selectina-P expressa nas plaquetas ativadas.

Conceitos-chave
Adesão, ativação e agregação das plaquetas

- A lesão endotelial expõe a MEC da membrana basal subjacente; as plaquetas aderem à MEC, sobretudo por meio da ligação dos receptores GpIb plaquetários ao FvW
- A adesão leva à ativação das plaquetas, um evento associado à secreção do conteúdo dos grânulos plaquetários, como cálcio (um cofator para várias proteínas da coagulação) e ADP (um mediador de ativação plaquetária adicional); a mudanças dramáticas na forma e na composição da membrana; e à ativação dos receptores GIIb/IIIa
- Os receptores GIIb/IIIa nas plaquetas ativadas formam pontes de ligações cruzadas com o fibrinogênio, resultando em agregação plaquetária
- A ativação concomitante da trombina promove a deposição de fibrina, cimentando o tampão plaquetário no local.

Cascata da coagulação

A cascata da coagulação refere-se a uma série de reações enzimáticas amplificadoras que leva à deposição de um coágulo de fibrina insolúvel. Conforme discutido adiante, a formação do coágulo, que depende de vários fatores, difere no tubo de ensaio do laboratório e nos vasos sanguíneos *in vivo* (**Figura 4.6**). Todavia, a coagulação tanto *in vitro* quanto *in vivo* segue os mesmos princípios gerais, que serão vistos a seguir.

A cascata de reações na via pode ser comparada a uma "dança", em que os fatores da coagulação são passados de um parceiro para o próximo (**Figura 4.7**). Cada etapa da reação envolve uma enzima (um fator da coagulação ativado), um substrato (uma forma pró-enzimática inativa de outro fator da coagulação) e um cofator (um acelerador da reação). Esses componentes são montados em uma superfície de fosfolipídios de carga negativa, que é fornecida pelas plaquetas ativadas. A montagem dos complexos da reação também depende do cálcio, que se liga a resíduos γ-carboxilados do ácido glutâmico presentes nos fatores II, VII, IX e X. As reações enzimáticas que produzem o ácido glutâmico γ-carboxilado utilizam a vitamina K como cofator e são antagonizadas por determinados fármacos, como a varfarina, utilizados como anticoagulantes.

Com base em ensaios realizados em laboratórios clínicos, a cascata da coagulação pode ser dividida nas vias *intrínseca* e *extrínseca* (ver **Figura 4.6A**):

- O *tempo de protrombina* (TP) avalia a função das proteínas na via extrínseca (fatores VII, X, V, II [protrombina] e fibrinogênio). Em resumo, o fator tecidual, os fosfolipídios e o cálcio são acrescentados ao plasma, e registra-se o tempo para a formação de um coágulo de fibrina
- O *tempo de tromboplastina parcial* (TTP) avalia a função das proteínas da via intrínseca (fatores XII, XI, IX, VIII, X, V, II e fibrinogênio). Nesse ensaio, a coagulação do plasma é iniciada pela adição de partículas de carga negativa (p. ex., vidro fosco), que ativam o fator XII (fator de Hageman) com fosfolipídios e cálcio, e registra-se o tempo para a formação do coágulo de fibrina.

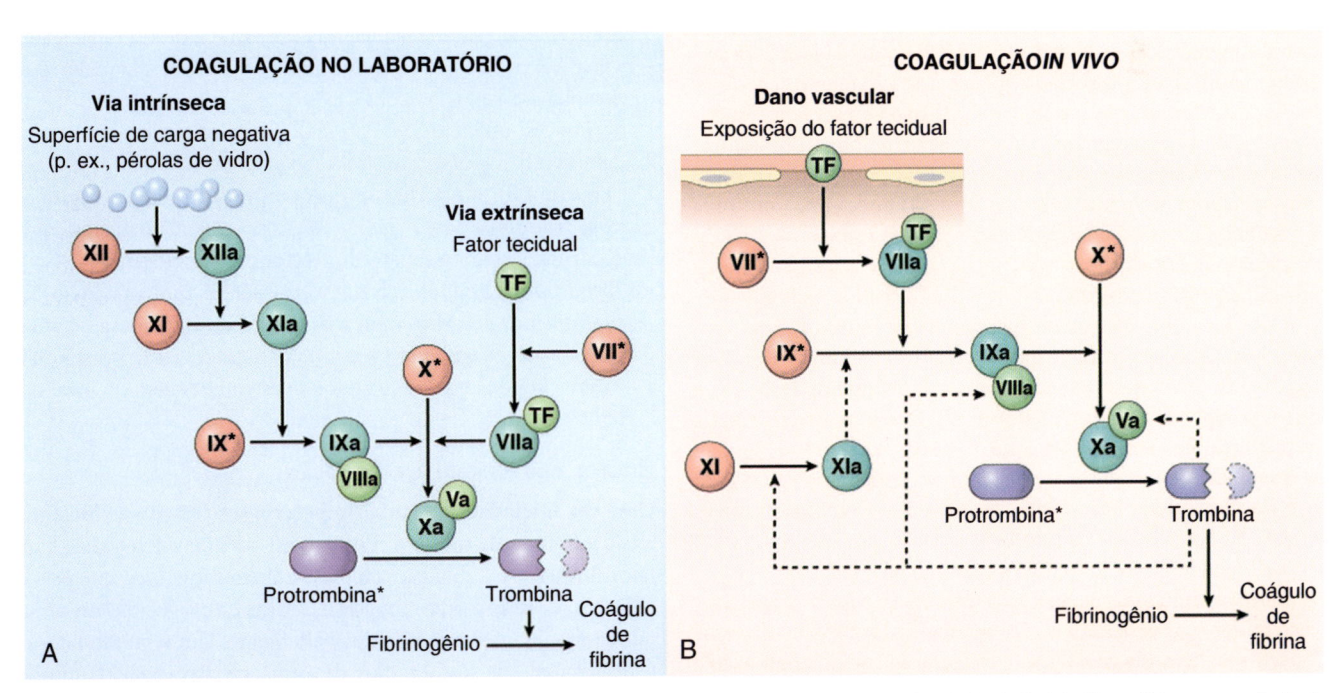

Figura 4.6 A cascata da coagulação no laboratório e *in vivo*. **A.** No laboratório, a coagulação começa pela adição de fosfolipídios, cálcio e uma substância de carga negativa, como pérolas de vidro (via intrínseca) ou uma fonte de fator tecidual (via extrínseca). **B.** *In vivo*, o fator tecidual é o principal iniciador da coagulação, que é amplificada por alças de retroalimentação envolvendo a trombina (linhas tracejadas). Os polipeptídeos em vermelho são fatores inativos, os em verde-escuro são fatores ativos e os em verde-claro correspondem aos cofatores (aceleradores da reação). Os fatores marcados com um asterisco (*) são dependentes de vitamina K, assim como as proteínas C e S (não mostradas). A varfarina atua como anticoagulante ao inibir a γ-carboxilação dos fatores da coagulação dependentes de vitamina K, que é um cofator essencial na síntese de todos esses fatores da coagulação dependentes dessa vitamina.

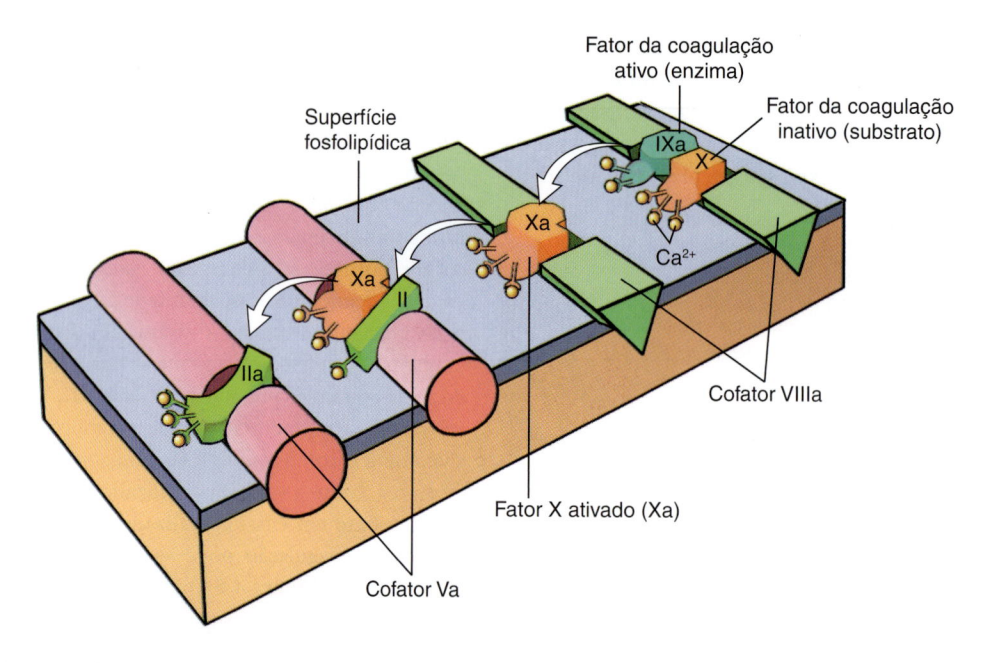

Figura 4.7 Ilustração esquemática da conversão do fator X em fator Xa, que, por sua vez, converte o fator II (protrombina) em fator IIa (trombina) (ver **Figura 4.6B**). O complexo inicial da reação consiste em uma enzima proteolítica (fator IXa), um substrato (fator X) e um acelerador da reação (fator VIIIa), todos montados na superfície fosfolipídica da plaqueta. Os íons cálcio mantêm os componentes reunidos e são essenciais para a reação. O fator Xa ativado torna-se a protease para o segundo complexo adjacente na cascata da coagulação, convertendo o substrato protrombina (II) em trombina (IIa) utilizando o fator Va como acelerador da reação.

Embora o TP e TTP sejam de grande utilidade na avaliação da função dos fatores da coagulação em pacientes, eles não incluem todos os eventos que levam à coagulação *in vivo*. Esse aspecto é mais claramente verificado ao considerar os efeitos clínicos das deficiências de vários fatores da coagulação. As deficiências dos fatores V, VII, VIII, IX e X estão associadas a distúrbios hemorrágicos moderados a graves, e a deficiência de protrombina é provavelmente incompatível com a vida. Por outro lado, a deficiência de fator XI está associada apenas a sangramento leve, e os indivíduos com deficiência de fator XII não apresentam sangramento e, de fato, podem ser suscetíveis à trombose. Em contrapartida, há evidências a partir de modelos experimentais sugerindo que, em algumas circunstâncias, o fator XII pode contribuir para a trombose. Esses achados paradoxais podem resultar da atuação do fator XII em diversas vias, incluindo a via da bradicinina pró-inflamatória, bem como a fibrinólise (discutida mais adiante).

Com base nos efeitos da deficiência de vários fatores nos seres humanos, acredita-se que o complexo de fator VIIa/fator tecidual *in vivo* seja o ativador mais importante do fator IX, e que o complexo do fator IXa/fator VIIIa seja o ativador mais importante do fator X (ver **Figura 4.6B**). A leve tendência ao sangramento observada em pacientes com deficiência de fator XI é provavelmente explicada pela capacidade da trombina de ativar o fator XI (bem como os fatores V e VIII), um mecanismo de retroalimentação que amplifica a cascata da coagulação.

Entre os fatores da coagulação, a trombina é o mais importante, visto que as suas várias atividades enzimáticas controlam diversos aspectos da hemostasia e ligam a coagulação com a inflamação e o reparo. Entre as atividades mais importantes da trombina, destacam-se as seguintes:

- *Conversão do fibrinogênio em uma rede de ligação cruzada de fibrina.* A trombina converte diretamente o fibrinogênio solúvel em monômeros de fibrina, que se polimerizam em uma fibrila insolúvel, e também amplifica o processo da coagulação, não apenas ao ativar o fator XI, mas também ao ativar dois cofatores de importância crítica, os fatores V e VIII. A trombina também estabiliza o tampão hemostático secundário ao ativar o fator XIII, que estabelece ligações cruzadas covalentes com a fibrina
- *Ativação plaquetária.* A trombina é um potente indutor da ativação e agregação plaquetárias, em virtude de sua capacidade de ativar o PAR-1, ligando, assim, a função plaquetária à coagulação
- *Efeitos pró-inflamatórios.* Os PAR também são expressos nas células inflamatórias, no endotélio e em outros tipos de células (**Figura 4.8**), e acredita-se que a ativação desses receptores pela trombina possa mediar efeitos pró-inflamatórios, que contribuem para o reparo dos tecidos e a angiogênese
- *Efeitos anticoagulantes.* É notável observar que, por meio de mecanismos descritos mais adiante, a trombina passa de uma função pró-coagulante para anticoagulante; essa reversão de função impede que os coágulos se estendam além do local de lesão vascular.

Fatores que limitam a coagulação

Uma vez iniciada, a coagulação precisa ser restrita ao local de lesão vascular, de modo a evitar consequências deletérias. Um fator limitante é a diluição simples; o fluxo sanguíneo que passa pelo local de lesão carrega com ele os fatores da coagulação ativados, que são rapidamente removidos pelo fígado. Um segundo fator é a necessidade de fosfolipídios de carga negativa, que, como já mencionado, são fornecidos, sobretudo, pelas plaquetas que foram ativadas por contato com a matriz subendotelial nos locais de lesão vascular. Entretanto, os mecanismos contrarreguladores mais importantes envolvem fatores que são expressos pelo endotélio intacto adjacente ao local de lesão (descritos mais adiante).

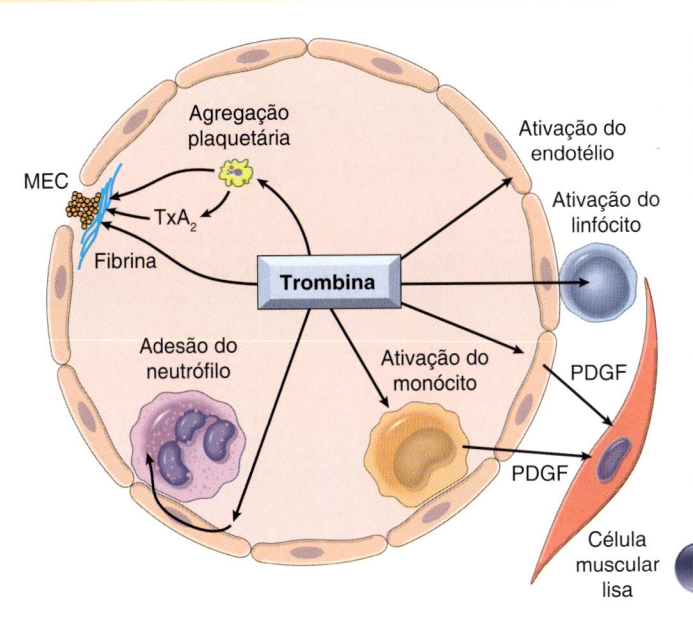

Figura 4.8 Papel da trombina na hemostasia e na ativação celular. A trombina desempenha um papel fundamental na *rede de ligação cruzada de* fibrina de ligação cruzada (ao clivar o fibrinogênio em fibrina e ao ativar o fator XIII), bem como na ativação de vários outros fatores da coagulação (ver **Figura 4.6B**). Por meio de receptores ativados por protease (PAR, ver texto), a trombina também modula várias atividades celulares. Ela induz diretamente a agregação plaquetária e a produção de TxA$_2$, além de ativar as células endoteliais, que respondem por meio da expressão de moléculas de adesão e mediadores das citocinas (p. ex., *PDGF*). A trombina também ativa diretamente os leucócitos. *MEC*, matriz extracelular; *PDGF*, fator de crescimento derivado das plaquetas (ver **Figura 4.10** para outras atividades anticoagulantes mediadas pela trombina). (Cortesia de Shaun Coughlin, MD, PhD, Cardiovascular Research Institute, University of California at San Francisco; modificada com autorização.)

A ativação da cascata da coagulação também desencadeia a cascata fibrinolítica, que limita o tamanho do coágulo e contribui para sua dissolução posterior (**Figura 4.9**). A fibrinólise é realizada, em grande parte, pela atividade enzimática da *plasmina*, que degrada a fibrina e interfere na sua polimerização. Níveis elevados de produtos de degradação do fibrinogênio (frequentemente denominados produtos de degradação da fibrina), mais notavelmente os *dímeros D*, derivados da fibrina, constituem um marcador clínico útil de vários estados trombóticos (descritos mais adiante). A plasmina é gerada pelo catabolismo enzimático do *plasminogênio*, o precursor circulante inativo, por uma via dependente de fator XII (explicando, possivelmente, a associação da deficiência de fator XII com a trombose) ou por ativadores do plasminogênio. O ativador do plasminogênio mais importante é o t-PA, que é sintetizado, sobretudo, pelo endotélio e que é mais ativo quando ligado à fibrina. Essa característica faz com que o t-PA seja um agente terapêutico útil, visto que sua atividade fibrinolítica está confinada, em grande parte, a locais de trombose recente. Uma vez ativada, a plasmina é, por sua vez, rigorosamente controlada por fatores contrarreguladores, como o inibidor da α_2-plasmina, uma proteína plasmática que se liga à plasmina livre e a inibe rapidamente.

> **Conceitos-chave**
> **Fatores da coagulação**
>
> - A coagulação ocorre por meio da conversão enzimática sequencial de uma cascata de proteínas circulantes e localmente sintetizadas
> - O fator tecidual elaborado nos locais de lesão constitui o iniciador mais importante da cascata da coagulação *in vivo*
> - No estágio final da coagulação, a trombina converte o fibrinogênio em fibrina insolúvel, que contribui para a formação do tampão hemostático definitivo.
> - Normalmente, a coagulação é restrita aos locais de lesão vascular pelos seguintes fatores:
>   - A limitação da ativação enzimática às superfícies fosfolipídicas proporcionada pelas plaquetas ativadas ou endotélio
>   - Inibidores circulantes dos fatores da coagulação, como a antitrombina III, cuja atividade é aumentada por moléculas semelhantes à heparina expressas nas células endoteliais
>   - Expressão da trombomodulina nas células endoteliais normais, que se liga à trombina e a converte em um anticoagulante
>   - Ativação das vias fibrinolíticas (p. ex., pela associação do t-PA com a fibrina).

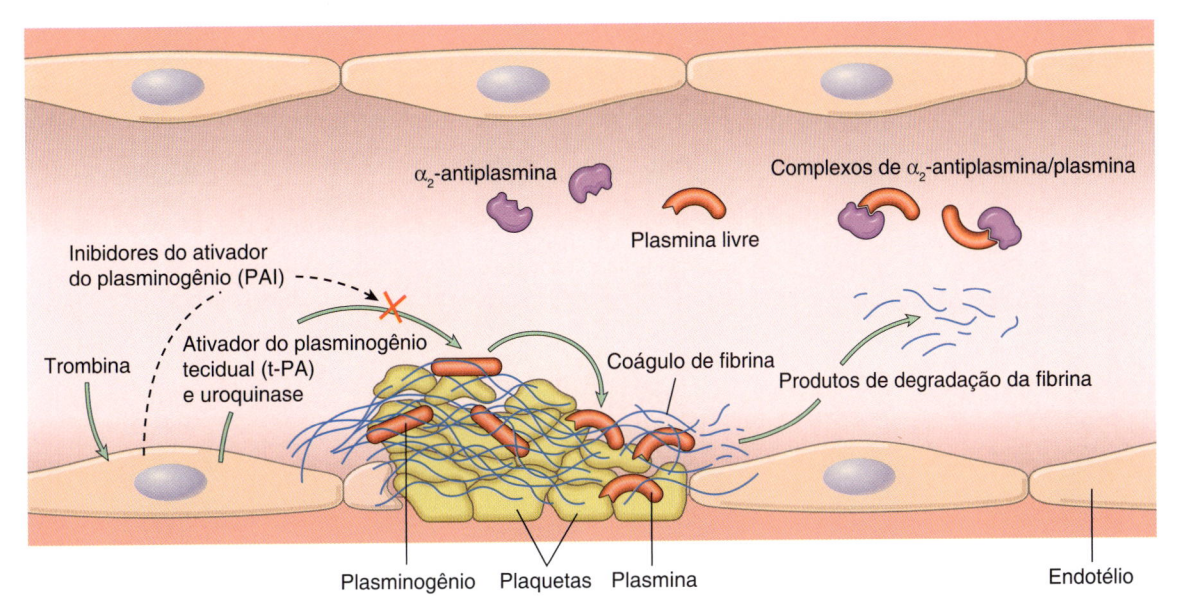

Figura 4.9 O sistema fibrinolítico ilustrando vários ativadores e inibidores do plasminogênio (ver texto).

Endotélio

O equilíbrio entre as atividades anticoagulante e pró-coagulante do endotélio frequentemente determina se ocorrerão formação, propagação ou dissolução de coágulos (Figura 4.10). As células endoteliais normais expressam uma variedade de fatores que inibem as atividades pró-coagulantes das plaquetas e dos fatores da coagulação e que aumentam a fibrinólise. Esses fatores atuam em conjunto para impedir a trombose e limitar a coagulação aos locais de dano vascular. Entretanto, se forem lesionadas ou expostas a fatores pró-inflamatórios, as células endoteliais perdem muitas de suas propriedades antitrombóticas. Aqui, completamos a discussão da hemostasia enfocando as atividades antitrombóticas do endotélio normal; voltaremos ao "lado sombrio" das células endoteliais posteriormente, ao discutir a trombose.

As propriedades antitrombóticas do endotélio podem ser divididas em atividades direcionadas para as plaquetas, os fatores da coagulação e a fibrinólise.

- *Efeitos inibitórios sobre as plaquetas.* Um efeito óbvio do endotélio intacto é atuar como barreira para proteger as plaquetas do FvW e do colágeno subendoteliais. Entretanto, o endotélio normal também libera diversos fatores que inibem a ativação e a agregação plaquetárias. Entre os mais importantes, destacam-se a *prostaciclina* (PGI_2), o *óxido nítrico (NO)* e a *adenosina difosfatase*; essa última degrada o ADP, que já foi discutido como potente ativador da agregação plaquetária. O principal regulador da produção de NO e de PGI_2 parece ser o fluxo; não se sabe exatamente ao certo o que o fluxo detecta, embora as alterações na forma da célula e no citoesqueleto tenham uma correlação. A PGI_2 é produzida pela COX-1, que é expressa de modo constitutivo pelo endotélio "saudável" em condições de fluxo normal. O NO é o produto da óxido nítrico sintase endotelial, eNOS

- *Efeitos anticoagulantes.* O endotélio normal protege os fatores da coagulação do fator tecidual presente nas paredes dos vasos e expressa diversos fatores que se opõem ativamente à coagulação,

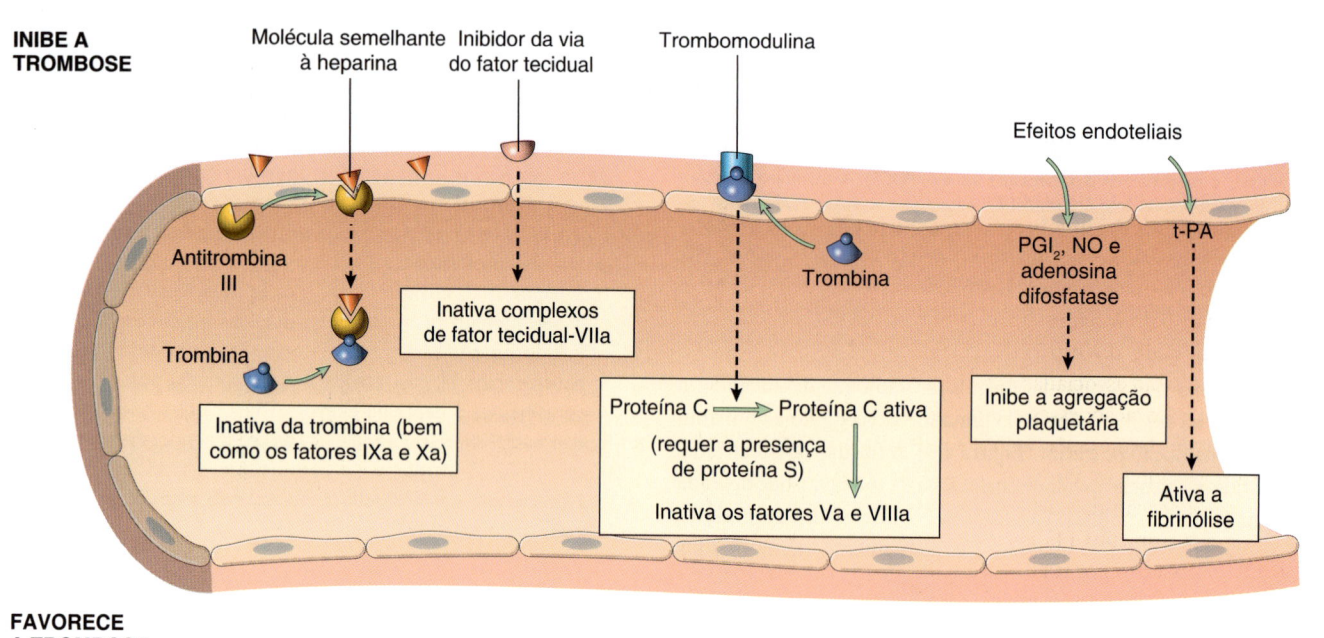

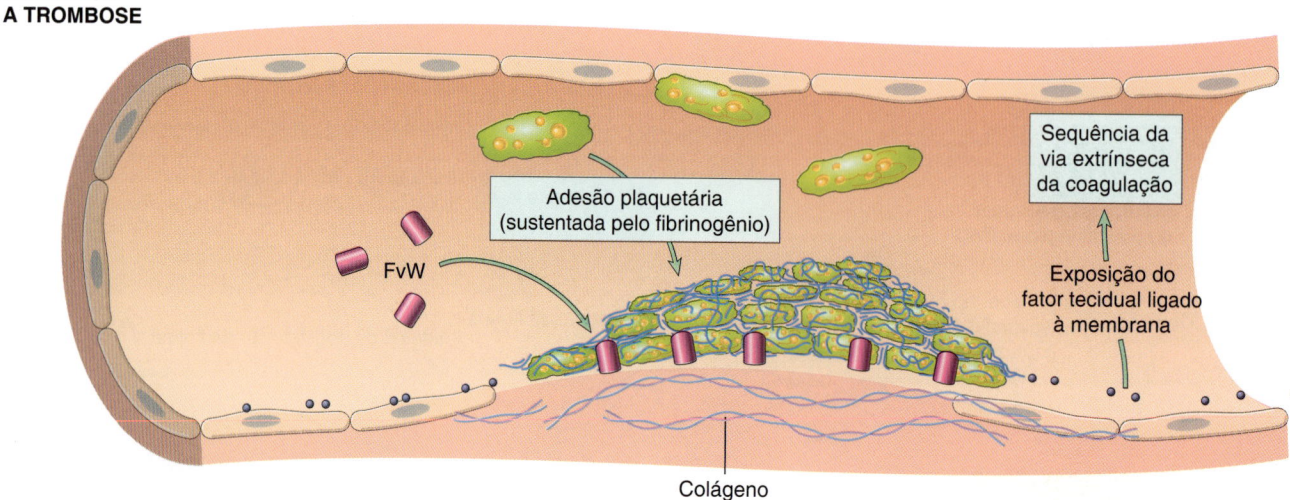

Figura 4.10 Atividades anticoagulantes do endotélio normal (*parte superior*) e propriedades pró-coagulantes do endotélio lesionado ou ativado (*parte inferior*). NO, óxido nítrico; PGI_2, prostaciclina; t-PA, ativador do plasminogênio tecidual; FvW, fator de von Willebrand. O receptor de trombina é um dos receptores ativados por protease (PAR).

em particular a trombomodulina, o receptor de proteína C endotelial, moléculas semelhantes à heparina e inibidor da via do fator tecidual. A trombomodulina e o receptor de proteína C endotelial ligam-se à trombina e à proteína C, respectivamente, em um complexo na superfície da célula endotelial. Quando ligada nesse complexo, a trombina perde sua capacidade de ativar os fatores da coagulação e as plaquetas, e, em vez disso, cliva e ativa a proteína C, uma protease dependente de vitamina K, que exige a presença de um cofator, a proteína S. O complexo proteína C/proteína S ativado é um potente inibidor dos fatores da coagulação Va e VIIIa. As *moléculas semelhantes à heparina* na superfície do endotélio ligam-se à antitrombina III e a ativam; em seguida, a antitrombina III inibe a trombina e os fatores IXa, Xa, XIa e XIIa. A utilidade clínica da heparina e de fármacos relacionados baseia-se na sua capacidade de estimular a atividade da antitrombina III. À semelhança da proteína C, o inibidor da via do fator tecidual (TFPI, *tissue factor pathway inhibitor*), necessita da proteína S como cofator e, como o próprio nome sugere, liga-se a complexos de fator tecidual/fator VIIa e os inibe
- *Efeitos fibrinolíticos.* As células endoteliais normais sintetizam t-PA, conforme discutido anteriormente, um componente-chave da via fibrinolítica.

Distúrbios hemorrágicos

Os distúrbios associados a sangramento anormal originam-se inevitavelmente de defeitos primários ou secundários das paredes dos vasos, das plaquetas ou dos fatores da coagulação, que precisam funcionar adequadamente para garantir a hemostasia. A manifestação do sangramento anormal varia amplamente. Em uma extremidade do espectro, encontram-se as hemorragias maciças, que estão associadas a rupturas de grandes vasos, como a aorta, ou do coração; esses eventos catastróficos simplesmente sobrecarregam os mecanismos hemostáticos e, com frequência, são fatais. As doenças associadas a hemorragia súbita e maciça incluem a dissecção da aorta, o aneurisma da parte abdominal da aorta (ver **Capítulo 11**) e o infarto do miocárdio (ver **Capítulo 12**) complicado por ruptura da aorta ou do coração. Na outra extremidade do espectro estão defeitos sutis na coagulação, que só se tornam evidentes em condições de estresse hemostático, como cirurgia, parto, procedimentos odontológicos, menstruação ou trauma. Entre as causas mais comuns de tendências ao sangramento leve, destacam-se os defeitos hereditários do FvW (ver **Capítulo 14**), o uso de ácido acetilsalicílico e a uremia (insuficiência renal); essa última altera a função plaquetária por meio de mecanismos incertos. Entre esses extremos estão as deficiências dos fatores da coagulação (hemofilias; ver **Capítulo 14**), que costumam ser hereditárias e levam a distúrbios hemorrágicos graves se não forem tratadas.

Outros exemplos específicos de distúrbios associados a sangramento anormal são discutidos ao longo do livro. A seguir são apresentados princípios gerais relacionados com o sangramento anormal e suas consequências.

- *Os defeitos da hemostasia primária (defeitos plaquetários ou doença de von Willebrand)* frequentemente apresentam pequenos sangramentos na pele ou nas membranas mucosas. Normalmente, esses sangramentos assumem a forma de petéquias, isto é, hemorragias minúsculas de 1 a 2 mm (**Figura 4.11A**), ou *púrpuras*, que são ligeiramente maiores (≥ 3 mm) do que as petéquias. Acredita-se que os capilares da mucosa e da pele sejam particularmente propensos à ruptura após trauma discreto e que, em circunstâncias normais, as plaquetas vedam esses defeitos quase imediatamente. O sangramento da mucosa, que está associado a defeitos na hemostasia primária, também pode assumir a forma de epistaxe (sangramento pelo nariz), hemorragia gastrintestinal ou menstruação excessiva (menorragia). Uma complicação temida das contagens muito baixas de plaquetas (*trombocitopenia*) é a hemorragia intracerebral, que pode ser fatal
- *Os defeitos da hemostasia secundária (defeitos dos fatores da coagulação)* frequentemente apresentam sangramentos nos tecidos moles (p. ex., músculos) ou nas articulações. O sangramento nas articulações *(hemartrose)* após trauma mínimo constitui particularmente uma característica da hemofilia (ver **Capítulo 14**). Não se sabe por que defeitos graves na hemostasia secundária apresentam esse padrão peculiar de hemorragia; como no caso dos defeitos plaquetários graves, pode ocorrer também hemorragia intracraniana, que algumas vezes é fatal
- *Os defeitos generalizados que afetam pequenos vasos* manifestam-se, com frequência, na forma de "púrpura palpável" e *equimoses* (algumas vezes denominadas simplesmente *contusões*), que são hemorragias de 1 a 2 cm de tamanho. Tanto na púrpura quanto nas equimoses, o volume de sangue extravasado pode ser grande

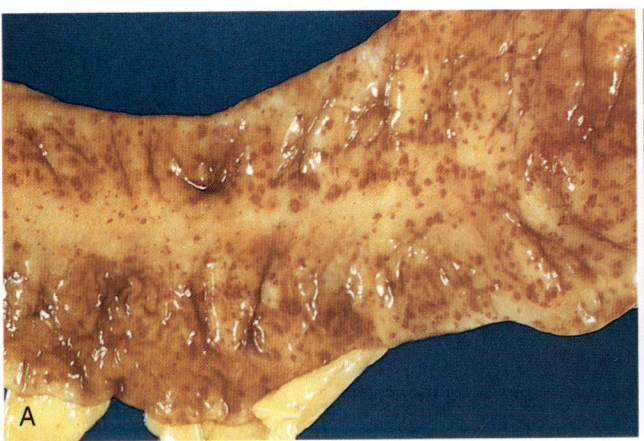

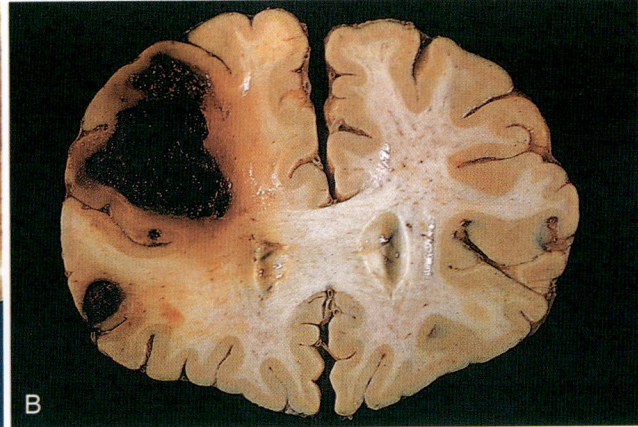

Figura 4.11 A. Hemorragias petequiais puntiformes da mucosa colônica, uma consequência da trombocitopenia. **B.** Sangramento intracerebral fatal.

o suficiente para produzir uma massa palpável de sangue, conhecida como *hematoma*. A púrpura e as equimoses são particularmente características de distúrbios sistêmicos que causam ruptura dos pequenos vasos sanguíneos (p. ex., vasculite; ver **Capítulo 11**) ou que levam à fragilidade dos vasos sanguíneos (p. ex., amiloidose, ver **Capítulo 6**; escorbuto, ver **Capítulo 9**).

A importância clínica da hemorragia depende do volume do sangramento, da velocidade com que ocorre e de sua localização. Uma perda rápida de até 20% do volume sanguíneo pode ter pouco impacto em adultos saudáveis; entretanto, perdas maiores podem causar *choque hemorrágico (hipovolêmico)* (discutido mais adiante). O sangramento que é relativamente trivial nos tecidos subcutâneos pode causar morte se for localizado no encéfalo (ver **Figura 4.11B**); como o crânio não é flexível, a hemorragia intracraniana pode aumentar a pressão intracraniana até um nível capaz de comprometer o suprimento sanguíneo ou causar herniação do tronco encefálico (ver **Capítulo 28**). Por fim, a perda de sangue crônica ou recorrente para o meio externo (p. ex., úlcera péptica ou sangramento menstrual) provoca perda de ferro e pode levar à anemia ferropriva. Em contrapartida, quando os eritrócitos são retidos (p. ex., hemorragia em cavidades corporais ou em tecidos), o ferro é recuperado e reciclado para uso na síntese de hemoglobina.

Trombose

As principais anormalidades que levam à trombose são: (1) lesão endotelial; (2) estase ou fluxo sanguíneo turbulento; e (3) hipercoagulabilidade do sangue (a denominada *tríade de Virchow*) (Figura 4.12). A trombose é um dos flagelos da atualidade, visto que está na base das formas mais graves e mais comuns de doença cardiovascular. Aqui, o foco está em suas causas e consequências. Seu papel nos distúrbios cardiovasculares é discutido de modo detalhado nos **Capítulos 11** e **12**.

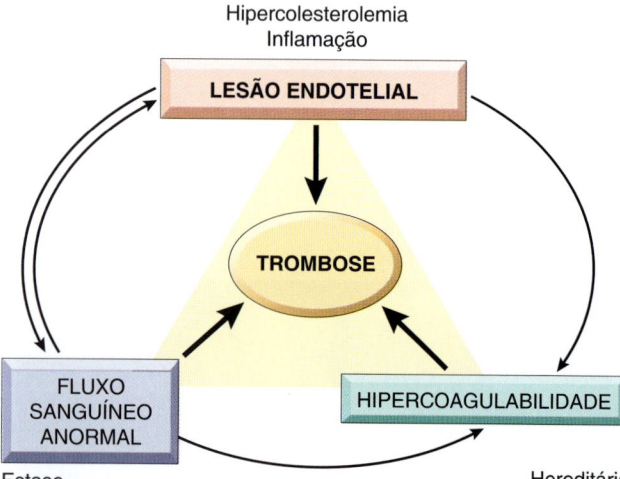

Figura 4.12 A tríade de Virchow da trombose. A integridade do endotélio constitui o fator mais importante. A lesão das células endoteliais pode alterar o fluxo sanguíneo local e afetar a coagulabilidade. Por sua vez, o fluxo sanguíneo anormal (estase ou turbulência) pode causar lesão endotelial. Esses fatores podem promover a trombose, independentemente ou em combinação.

Lesão endotelial

A lesão endotelial que leva à ativação das plaquetas quase inevitavelmente constitui a base da formação de trombo no coração e na circulação arterial, onde a alta velocidade do fluxo sanguíneo impede a formação de coágulos. Em particular, os coágulos cardíacos e arteriais normalmente são ricos em plaquetas, e acredita-se que a aderência e a ativação das plaquetas sejam um prerrequisito necessário para a formação de trombo sob intensa força de cisalhamento, como a que existe nas artérias. Essa observação explica parcialmente a razão do uso do ácido acetilsalicílico e de outros inibidores plaquetários na doença arterial coronariana e no infarto agudo do miocárdio.

Evidentemente, a lesão endotelial grave pode desencadear a trombose por meio de exposição do FvW e do fator tecidual. Entretanto, a inflamação e outros estímulos nocivos também possibilitam a ocorrência de trombose ao modificar o padrão de expressão gênica no endotélio para um padrão "protrombótico". Essa mudança é algumas vezes designada como *ativação* ou *disfunção endotelial* e pode ser produzida na presença de diversos elementos, como lesão física, agentes infecciosos, fluxo sanguíneo anormal, mediadores inflamatórios, anormalidades metabólicas, tais como a hipercolesterolemia ou a homocisteinemia, e toxinas absorvidas da fumaça do cigarro. Acredita-se que a ativação endotelial desempenhe um importante papel na deflagração dos eventos trombóticos arteriais.

O papel da ativação e disfunção das células endoteliais na trombose arterial é discutido de modo detalhado nos **Capítulos 11** e **12**. Aqui, cabe mencionar várias das principais alterações trombóticas:

- *Alterações pró-coagulantes.* As células endoteliais ativadas por citocinas inflamatórias infrarregulam a expressão da *trombomodulina*, já descrita como modulador fundamental da atividade da trombina, aumentando as ações pró-coagulantes e pró-inflamatórias da trombina. Além disso, o endotélio inflamado também infrarregula a expressão de outros anticoagulantes, como a proteína C e o inibidor proteico do fator tecidual, alterações que podem promover ainda mais um estado pró-coagulante
- *Efeitos antifibrinolíticos.* As células endoteliais ativadas secretam *inibidores do ativador do plasminogênio* (PAI), que limitam a fibrinólise e infrarregulam a expressão do t-PA, alterações que também favorecem o desenvolvimento de trombos.

Alterações no fluxo sanguíneo normal

A turbulência contribui para a trombose arterial e cardíaca, provocando lesão ou disfunção endotelial, além de formar contracorrentes, que contribuem para o aparecimento de bolsas locais de estase, enquanto a estase é o principal fator que contribui para o desenvolvimento de trombos venosos. O fluxo sanguíneo normal é laminar, de modo que as plaquetas (e outros elementos celulares do sangue) seguem um fluxo central na luz dos vasos, separados do endotélio por uma camada de plasma em movimento mais lento. Por conseguinte, a turbulência e a estase:

- *Promovem a ativação endotelial*, aumentando a atividade pró-coagulante e a adesão dos leucócitos, em parte por meio de alterações induzidas pelo fluxo na expressão de moléculas de adesão e fatores pró-inflamatórios
- *Interferem no fluxo laminar* e fazem com que as plaquetas entrem em contato com o endotélio

- *Impedem a remoção e a diluição dos fatores da coagulação* pelo fluxo de sangue fresco e o influxo de inibidores dos fatores da coagulação.

O fluxo sanguíneo alterado contribui para a trombose em vários contextos clínicos. As placas ateroscleróticas ulceradas não apenas expõem o FvW e o fator tecidual subendoteliais, como também causam turbulência. As dilatações aórtica e arterial, denominadas *aneurismas*, resultam em estase local e, portanto, constituem locais favoráveis para a trombose (ver **Capítulo 11**). O infarto agudo do miocárdio resulta em áreas de miocárdio não contrátil e, algumas vezes, em aneurisma cardíaco; ambos estão associados à estase e a anormalidades do fluxo, que promovem a formação de trombos murais cardíacos (ver **Capítulo 12**). A estenose da valva mitral reumática resulta em dilatação atrial esquerda; com a fibrilação atrial, o átrio dilatado torna-se um local de estase pronunciada e um local favorável para a trombose (ver **Capítulo 12**). A hiperviscosidade (como aquela observada na policitemia vera; ver **Capítulo 13**) aumenta a resistência ao fluxo sanguíneo e provoca estase nos pequenos vasos; os eritrócitos deformados na *anemia falciforme* (ver **Capítulo 14**) impedem o fluxo de sangue através dos pequenos vasos, com consequente estase que predispõe à trombose.

Hipercoagulabilidade

A hipercoagulabilidade refere-se a uma tendência anormalmente alta do sangue a coagular e normalmente é causada por alterações em fatores da coagulação. Além disso, também desempenha um papel particularmente importante na trombose venosa e pode ser dividida em distúrbios primários (genéticos) e secundários (adquiridos) (**Tabela 4.2**). Entre as causas hereditárias de hipercoagulabilidade, as mutações pontuais no gene do fator V e no gene da protrombina são as mais comuns. Essas causas estão listadas a seguir:

- *Fator V de Leiden.* Cerca de 2 a 15% dos indivíduos brancos são portadores de uma mutação de nucleotídio único no fator V, denominado fator V de Leiden, em referência à cidade na Holanda onde foi descoberto. Entre os indivíduos com TVP recorrente, a frequência dessa mutação é consideravelmente mais alta e aproxima-se de 60%. Essa mutação torna o fator V resistente à clivagem e inativação pela proteína C. Em consequência, há perda de uma importante via contrarreguladora antitrombótica (ver **Figura 4.10**). O padrão de herança do fator V de Leiden é autossômico dominante. Os heterozigotos apresentam um risco relativo de trombose venosa cinco vezes maior, enquanto os homozigotos apresentam um aumento de 50 vezes
- *Mutação do gene da protrombina.* A alteração de um único nucleotídio (G20210A) na região 3′ não traduzida do gene da protrombina é outra mutação comum (1 a 2% da população) associada à hipercoagulabilidade. Essa mutação resulta em níveis elevados de protrombina e aumento de quase três vezes no risco de trombose venosa
- *Outras causas hereditárias.* As causas hereditárias raras de hipercoagulabilidade primária incluem deficiências de anticoagulantes, como antitrombina III, proteína C ou proteína S; normalmente, os indivíduos afetados apresentam trombose venosa e tromboembolismo recorrente, que começam na adolescência ou no início da vida adulta

- *Homocisteinemia.* Os níveis elevados de homocisteína podem ser herdados ou adquiridos. Elevações pronunciadas da homocisteína podem ser causadas por uma deficiência hereditária da cistationa β-sintetase. As causas adquiridas incluem deficiência de vitamina B_6, vitamina B_{12} e ácido fólico. Os efeitos protrombóticos da homocisteína podem resultar de ligações tioéster formadas entre metabólitos da homocisteína e uma variedade de proteínas, incluindo fibrinogênio.

Os genótipos trombofílicos mais comuns encontrados em várias populações (heterozigosidade para o fator de V de Leiden e heterozigosidade para a variante G20210A da protrombina) conferem um aumento apenas moderado no risco de trombose; os indivíduos com esses genótipos, quando saudáveis, estão, em sua maioria, livres de complicações trombóticas. Entretanto, as mutações do fator V e da protrombina são frequentes o suficiente

Tabela 4.2 Estados de hipercoagulabilidade.

Primários (genéticos)
Comuns
Mutação do fator V: fator V de Leiden (substituição de Arg por Gln no resíduo de aminoácido 506, resultando em resistência à proteína C ativada)
Mutação da protrombina (variante de sequência não codificante G20210A, levando a um aumento dos níveis de protrombina)
Níveis elevados dos fatores VIII, IX, XI ou do fibrinogênio (genética desconhecida)
Raros
Deficiência de antitrombina III
Deficiência de proteína C
Deficiência de proteína S
Muito raros
Defeitos da fibrinólise
Homocistinúria homozigótica (deficiência de cistationa β-sintetase)
Secundários (adquiridos)
Principais fatores de risco para trombose
Restrição ao leito ou imobilização prolongados
Infarto do miocárdio
Fibrilação atrial
Lesão tecidual (cirurgia, fratura, queimadura)
Câncer
Próteses de valvas cardíacas
Coagulação intravascular disseminada
Trombocitopenia induzida pela heparina
Síndrome do anticorpo antifosfolipídio
Outros fatores de risco para trombose
Miocardiopatia
Síndrome nefrótica
Estados hiperestrogênicos (gravidez e pós-parto)
Uso de contraceptivos orais
Anemia falciforme
Tabagismo

para que a homozigosidade e a heterozigosidade composta não sejam raras, de modo que esses genótipos estão associados a um maior risco. Além disso, os indivíduos com essas mutações apresentam um aumento significativo na frequência de trombose venosa no contexto de outros fatores de risco adquiridos (p. ex., gravidez ou restrição prolongada ao leito). Assim, a heterozigosidade para o V de Leiden pode desencadear TVP quando combinada com inatividade forçada, como aquela observada durante uma longa viagem de avião. Em consequência, **é preciso considerar as causas hereditárias de hipercoagulabilidade em pacientes com menos de 50 anos que apresentam trombose – até mesmo quando há fatores de risco adquiridos.**

Diferentemente dos distúrbios hereditários, a patogenia da *trombofilia adquirida* é, com frequência, multifatorial (ver **Tabela 4.2**). Em alguns casos (p. ex., insuficiência cardíaca ou trauma), a estase ou a lesão vascular podem ser mais importantes. A hipercoagulabilidade em decorrência do uso de contraceptivos orais ou do estado hiperestrogênico da gravidez é provavelmente causada pelo aumento da síntese hepática de fatores da coagulação e redução da síntese de anticoagulantes. No câncer disseminado, a liberação de vários pró-coagulantes pelos tumores predispõe à trombose. A hipercoagulabilidade observada com o avanço da idade pode resultar de uma diminuição na produção endotelial de PGI_2. O tabagismo e a obesidade promovem a hipercoagulabilidade por mecanismos desconhecidos.

Entre os estados trombofílicos adquiridos, a trombocitopenia induzida por heparina e a síndrome do anticorpo antifosfolipídio representam problemas clínicos particularmente importantes, que merecem atenção especial.

Síndrome da trombocitopenia induzida por heparina

A síndrome da trombocitopenia induzida por heparina (TIH) é um distúrbio grave e potencialmente fatal, que ocorre após a administração de *heparina não fracionada*. Resulta da formação de anticorpos, que reconhecem complexos de heparina e PF4 na superfície das plaquetas (ver **Capítulo 14**), bem como complexos de moléculas semelhantes à heparina e proteínas semelhantes ao PF4 nas células endoteliais. O PF4 é uma proteína normalmente encontrada nos grânulos alfa das plaquetas, que é liberada com a ativação plaquetária. O PF4 liberado liga-se à heparina e sofre uma mudança conformacional, que resulta na formação de um neoantígeno contra o qual são produzidos anticorpos IgG. O imunocomplexo PF4-IgG (**Figura 4.13**) liga-se aos receptores Fc e forma ligações cruzadas na superfície da plaqueta, levando à ativação e agregação plaquetárias. A ativação das plaquetas resulta na liberação de mais PF4, com consequente produção de mais antígeno-alvo para os anticorpos da TIH. O estado protrombótico também pode ser intensificado pela ativação do endotélio por meio de ligação dos anticorpos da TIH a proteínas semelhantes ao PF4 em sua superfície. A ligação de anticorpos da TIH às plaquetas resulta em sua remoção pelos macrófagos (daí o termo trombocitopenia incluído no nome da síndrome). Embora a trombocitopenia seja a manifestação mais comum, a trombose é a complicação mais grave. Ocorre em cerca de 50% dos casos e afeta tanto as veias quanto as artérias. Algumas das consequências incluem necrose da pele, gangrena dos membros, acidente vascular encefálico e infarto do miocárdio. O diagnóstico exige a demonstração de anticorpos anti-PF4-heparina. As preparações de heparina com baixo peso molecular induzem TIH com menos frequência, e outras classes de anticoagulantes, como inibidores diretos do fator X e da trombina, também podem evitar o risco.

Síndrome do anticorpo antifosfolipídio (SAF)

A SAF é um distúrbio autoimune, que se caracteriza por:

- *Presença de um ou mais autoanticorpos antifosfolipídio (aPL)*
- *Tromboses venosas ou arteriais ou complicações da gravidez, como abortos recorrentes, morte fetal inexplicada e parto prematuro.*

A SAF pode ser primária ou secundária. Os indivíduos com doença autoimune bem definida, como lúpus eritematoso sistêmico (ver **Capítulo 6**), são considerados como portadores da síndrome do anticorpo antifosfolipídio secundária (daí o termo mais antigo *síndrome do anticoagulante lúpico*). Na síndrome do anticorpo antifosfolipídio primária, os pacientes apresentam apenas as manifestações de um estado de hipercoagulabilidade e carecem de evidências de outros distúrbios autoimunes bem definidos. Cerca de 50% dos pacientes com SAF apresentam a forma primária, e o restante ocorre em associação a uma doença autoimune bem definida, mais comumente LES. Nosso foco aqui será na forma primária.

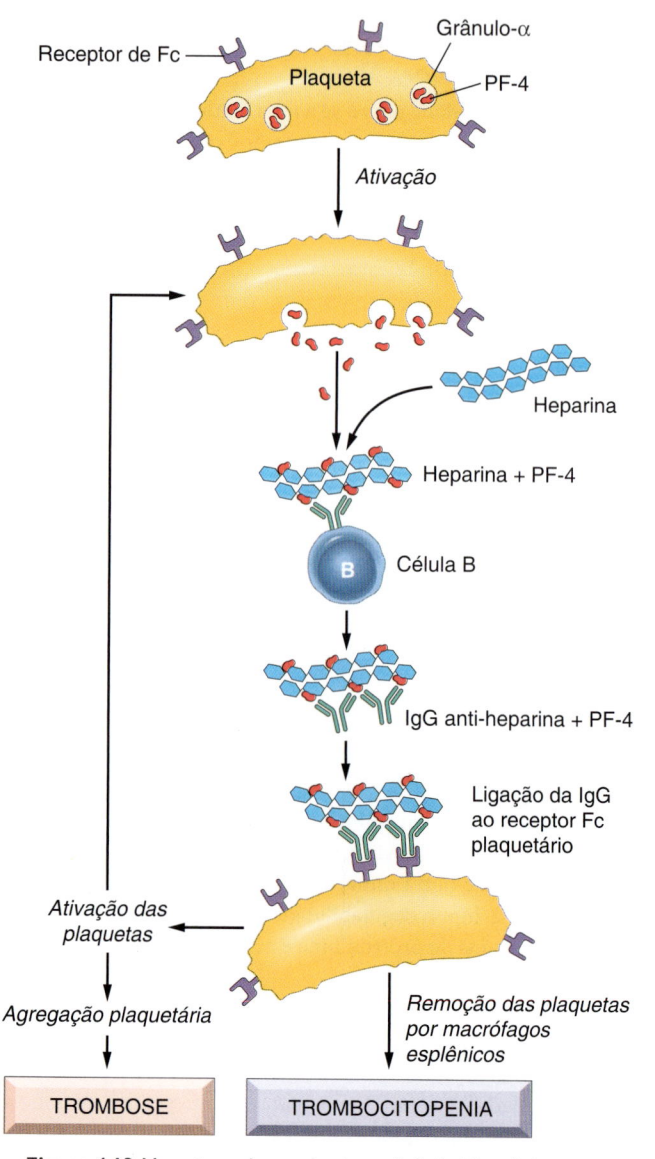

Figura 4.13 Mecanismo da trombocitopenia induzida pela heparina.

As manifestações clínicas da SAF são variadas e incluem tromboses recorrentes, abortos repetidos, vegetações em valvas cardíacas e trombocitopenia. Dependendo do leito vascular acometido, as apresentações clínicas podem incluir embolia pulmonar (após trombose venosa dos membros inferiores), hipertensão pulmonar (em consequência de embolia pulmonar subclínica recorrente), doença cardíaca valvar, acidente vascular encefálico, infarto intestinal ou hipertensão renovascular.

A patogenia da síndrome do anticorpo antifosfolipídio é complexa e não totalmente elucidada. Os anticorpos aPL são dirigidos contra fosfolipídios de membrana aniônicos ou proteínas associadas a fosfolipídios. As proteínas que são reconhecidas por esses anticorpos incluem a cardiolipina e a β_2-glicoproteína I. Essa glicoproteína é encontrada no plasma, porém tem forte avidez por fosfolipídios expressos na superfície de células endoteliais, monócitos, plaquetas, trombina e trofoblastos. Suspeita-se que os anticorpos anti-β_2-glicoproteína possam desempenhar um importante papel na SAF ao ativar as células endoteliais, os monócitos e as plaquetas. Sua patogenicidade é sustentada pela observação de que a transferência desses anticorpos em roedores pode induzir trombose. Os pacientes com SAF também exibem evidências de ativação do complemento e inibição dos processos fibrinolíticos, ambas as quais favorecem o estado protrombótico. Conforme assinalado anteriormente, a morbidade gestacional é uma manifestação definidora da SAF. Entretanto, diferentemente da maioria das outras características clínicas, a perda fetal não parece ser causada pela trombose, mas parece resultar da interferência mediada por anticorpos no crescimento e na diferenciação dos trofoblastos, levando a uma falha da placentação.

Embora os anticorpos antifosfolipídios estejam claramente associados a diáteses trombóticas, eles também foram identificados em 5 a 15% dos indivíduos aparentemente normais, implicando que sua presença não é suficiente para causar a síndrome totalmente desenvolvida. Foi postulada a necessidade de um "segundo evento", que pode consistir em infecção, tabagismo ou gravidez, entre outros. Embora esses anticorpos induzam um estado hipercoagulável *in vivo*, eles interferem nos fosfolipídios e, portanto, inibem a coagulação *in vitro*, prolongando, assim, o TTP. Os anticorpos também resultam, com frequência, em teste sorológico falso-positivo para sífilis, visto que o antígeno no ensaio padrão é incorporado em cardiolipina, que apresenta reação cruzada com fosfolipídios do *Treponema pallidum*. O diagnóstico de SAF baseia-se nas manifestações clínicas e na demonstração de anticorpos aPL no soro. A terapia para a SAF envolve várias formas de anticoagulação.

Morfologia

Os trombos podem se desenvolver em qualquer parte do sistema cardiovascular, e seu tamanho e forma variam, dependendo do local envolvido e da causa subjacente. Em geral, os trombos arteriais ou cardíacos começam em locais de turbulência ou lesão endotelial, enquanto os trombos venosos ocorrem caracteristicamente em locais de estase. Os trombos estão focalmente fixados à superfície vascular subjacente, particularmente no ponto de iniciação. A partir desse ponto, os trombos arteriais tendem a crescer de modo retrógrado, enquanto os trombos venosos estendem-se na direção do fluxo sanguíneo; assim, ambos se propagam em direção ao coração. A parte de um trombo em propagação com frequência está frouxamente fixada e, portanto, está propensa à fragmentação e embolização.

Com frequência, os trombos apresentam laminações macroscópica e microscopicamente aparentes, denominadas **linhas de Zahn,** que consistem em depósitos pálidos de plaquetas e fibrina alternando com camadas mais escuras ricas em eritrócitos. Essas laminações significam que o trombo foi formado em local com fluxo sanguíneo; por conseguinte, sua presença permite distinguir coágulos que ocorrem antes da morte dos coágulos não laminados frágeis que ocorrem após a morte (ver adiante).

Os trombos que se formam nas câmaras cardíacas ou na luz da aorta são denominados **trombos murais**. A contração anormal do miocárdio (arritmias, miocardiopatia dilatada ou infarto do miocárdio) ou a lesão endomiocárdica (miocardite ou trauma por cateter) promovem a formação de trombos murais cardíacos (**Figura 4.14A**), enquanto a placa aterosclerótica ulcerada e a dilatação aneurismática estão na base dos trombos aórticos (ver **Figura 4.14B**).

Os **trombos arteriais** são frequentemente **oclusivos**; os locais mais comuns, por ordem decrescente de frequência, são as artérias coronárias, cerebrais e femorais. Normalmente, consistem em uma rede friável de plaquetas, fibrina, eritrócitos e leucócitos em degeneração. Embora estejam habitualmente sobrepostos a uma placa aterosclerótica rota, outras lesões vasculares (vasculite, trauma) podem constituir a causa subjacente.

A **trombose venosa (flebotrombose)** é quase invariavelmente oclusiva, em que o trombo forma um molde luminal alongado. Como esses trombos se desenvolvem na circulação venosa lenta, eles tendem a conter mais eritrócitos aprisionados (e relativamente poucas plaquetas) e, portanto, são conhecidos como **trombos vermelhos** ou **trombos de estase**. Os trombos venosos são firmes, estão fixados focalmente às paredes dos vasos e contêm linhas de Zahn, uma característica que ajuda a distingui-los dos coágulos *post mortem* (ver adiante). As veias dos membros inferiores são mais comumente acometidas (90% dos casos); entretanto, os membros superiores, o plexo periprostático ou as veias ováricas e periuterinas também podem desenvolver trombos venosos. Em circunstâncias especiais, os trombos também podem ocorrer nos seios da dura-máter, na veia porta do fígado ou na veia hepática.

Os **coágulos** *post mortem* algumas vezes podem ser confundidos com trombos venosos que se formam antes da morte. Entretanto, os coágulos que se formam depois da morte são gelatinosos e apresentam uma porção vermelho-escura em declive, onde os eritrócitos se depositaram por gravidade, e uma porção superior amarela, semelhante à "gordura de galinha", e habitualmente não estão fixados à parede subjacente do vaso.

Os trombos nas valvas cardíacas são denominados **vegetações**, que podem ser infectadas ou estéreis. As bactérias ou os fungos transportados pelo sangue podem aderir a valvas anteriormente danificadas (p. ex., em consequência de doença cardíaca reumática) ou causar diretamente dano à valva. Em ambos os casos, a lesão endotelial e a alteração do fluxo sanguíneo podem induzir a formação de grandes massas trombóticas (**endocardite infecciosa; Capítulo 12**). Além disso, pode haver desenvolvimento de vegetações estéreis em valvas não infectadas de indivíduos com estados de hipercoagulabilidade, constituindo a denominada **endocardite trombótica não bacteriana** (ver **Capítulo 12**). Com menos frequência, pode ocorrer endocardite verrucosa estéril **(endocardite de Libman-Sacks)** no contexto do lúpus eritematoso sistêmico (ver **Capítulo 6**).

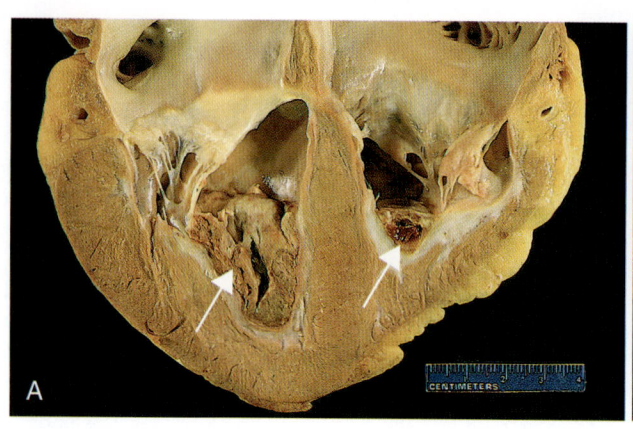

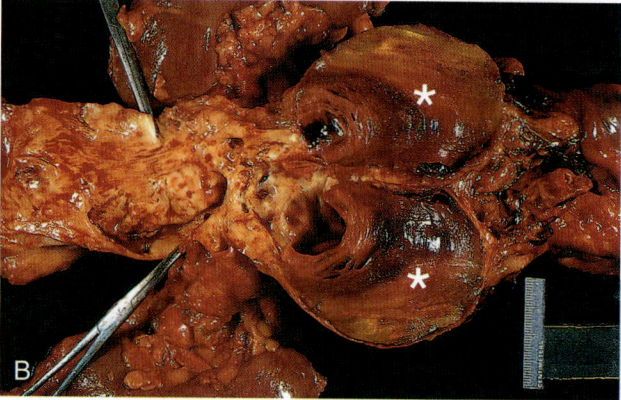

Figura 4.14 Trombos murais. **A.** Trombo nos ápices dos ventrículos esquerdo e direito (*setas*), sobre uma cicatriz fibrosa branca. **B.** Trombo laminado dentro de um aneurisma dilatado da parte abdominal da aorta (*asteriscos*). Numerosos trombos murais friáveis também estão sobrepostos em lesões ateroscleróticas avançadas da parte mais proximal da aorta (*lado esquerdo da figura*).

Destino do trombo

Caso o paciente sobreviva à trombose inicial, os trombos, nos dias a semanas subsequentes, sofrem alguma combinação dos quatro eventos seguintes:

- *Propagação.* Os trombos acumulam plaquetas e fibrina adicionais (discutido anteriormente)
- *Embolização.* Os trombos (ou parte deles) se desprendem e seguem seu trajeto até outros locais na rede vascular (discutido mais adiante)
- *Dissolução.* A dissolução é o resultado da fibrinólise, que pode levar à rápida retração e ao total desaparecimento dos trombos recentes. Em contrapartida, a extensa deposição de fibrina e a ligação cruzada em trombos mais antigos os tornam mais resistentes à lise. Essa distinção explica por que a administração terapêutica de agentes fibrinolíticos, como t-PA (p. ex., na presença de trombose coronariana aguda), geralmente só é efetiva quando realizada nas primeiras horas após o evento trombótico
- *Organização e recanalização.* Os trombos mais antigos tornam-se organizados pela incorporação de células endoteliais, células musculares e fibroblastos (**Figura 4.15**). Por fim, formam-se canais capilares que restabelecem a continuidade da luz original, embora em grau variável. A recanalização continuada pode transformar um trombo em uma massa menor de tecido conjuntivo, que se incorpora à parede vascular. Por fim, com a remodelação e a contração dos elementos mesenquimais, pode permanecer apenas uma massa fibrosa, marcando a existência do trombo original (ver **Capítulo 11**).

Em certas ocasiões, os centros dos trombos sofrem digestão enzimática, presumivelmente em consequência da liberação de enzimas lisossômicas dos leucócitos e das plaquetas aprisionados. Na presença de bacteriemia, esses trombos podem se tornar infectados, produzindo uma massa inflamatória que causa erosão e enfraquecimento da parede do vaso. Se esse processo não for controlado, pode resultar em aneurisma micótico (ver **Capítulo 11**).

Características clínicas

Os trombos despertam a atenção clínica quando provocam obstrução de artérias ou veias ou quando dão origem a êmbolos. A apresentação clínica depende da região afetada. Os trombos venosos podem causar, distalmente a uma obstrução, congestão e edema dolorosos, porém constituem, sobretudo, uma preocupação em virtude de sua tendência a embolizar para os pulmões (ver adiante). Por outro lado, embora os trombos arteriais também possam embolizar e causar infartos a jusante, o principal problema clínico está mais frequentemente relacionado com a oclusão de um vaso importante (p. ex., uma artéria coronária ou cerebral), que pode ter consequências graves ou fatais.

Trombose venosa (flebotrombose). A maioria dos trombos venosos ocorre nas veias superficiais ou profundas da perna. Normalmente, a trombose venosa superficial ocorre nas veias safenas na presença de varicosidades. Esses trombos podem causar congestão local, edema, dor e hipersensibilidade, porém raramente embolizam. Entretanto, o edema associado e a drenagem venosa reduzida predispõem a pele sobrejacente ao desenvolvimento de infecções e úlceras (*úlceras varicosas*). A TVP que acomete uma das grandes veias da perna – no joelho ou acima dele (p. ex., as veias poplíteas, femorais e ilíacas) – é considerada grave, visto que esses trombos embolizam, com mais frequência, para os pulmões e podem resultar em infarto pulmonar (ver adiante e **Capítulo 15**). Embora a TVP possa causar dor e edema locais, devido à obstrução venosa, esses sintomas frequentemente estão

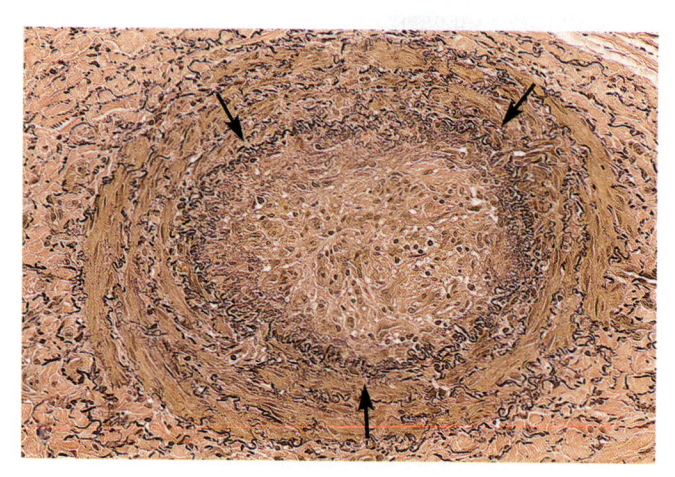

Figura 4.15 Fotomicrografia em pequeno aumento de uma artéria trombosada corada para fibras elásticas. A luz original é delineada pela lâmina elástica interna (*setas*) e está totalmente preenchida por um trombo organizado, agora perfurado por vários canais de recanalização revestidos por endotélio (*espaços brancos*).

ausentes, devido à abertura de canais colaterais venosos. Em consequência, as TVP são assintomáticas em cerca de 50% dos indivíduos afetados e são apenas reconhecidas de modo retrospectivo após embolização.

As TVP dos membros inferiores frequentemente estão associadas a estados de hipercoagulabilidade, conforme descrito anteriormente (ver **Tabela 4.2**). Os fatores predisponentes comuns restrição no leito e imobilização (visto que reduzem a ação de ordenha dos músculos da perna, resultando em estase) e insuficiência cardíaca congestiva (que também é uma causa de comprometimento do retorno venoso). O trauma, a cirurgia e as queimaduras não apenas imobilizam o indivíduo, mas também estão associados a agressões vasculares, liberação de elementos pró-coagulantes dos tecidos lesionados, aumento da síntese hepática de fatores da coagulação e diminuição da produção de t-PA. Muitos elementos contribuem para a diátese trombótica da gestação, como diminuição do retorno venoso das veias das pernas e hipercoagulabilidade sistêmica associadas às alterações hormonais que ocorrem no final da gravidez e no período pós-parto. A inflamação e os fatores da coagulação (fator tecidual, fator VIII) associados a tumores, bem como pró-coagulantes (p. ex., mucina) liberados pelas células tumorais, contribuem para o aumento do risco de tromboembolismo nos cânceres disseminados, constituindo a denominada *tromboflebite migratória* ou *síndrome de Trousseau*. Independentemente do contexto clínico específico, a idade avançada também aumenta o risco de TVP.

Trombose arterial e cardíaca. A aterosclerose constitui uma importante causa de trombose arterial, visto que está associada à perda da integridade endotelial e a um fluxo sanguíneo anormal (ver **Figura 4.14B**). O infarto do miocárdio pode predispor a trombos murais cardíacos ao causar contração discinética do miocárdio e lesão endocárdica (ver **Figura 4.14A**), enquanto a doença cardíaca reumática pode levar à produção de trombos murais atriais ao causar dilatação e fibrilação atriais. Os trombos murais tanto no coração quanto na aorta são propensos a embolização. Embora qualquer tecido possa ser afetado, o cérebro, os rins e o baço constituem alvos particularmente prováveis, em virtude de seu rico suprimento sanguíneo.

> ### Conceitos-chave
> #### Trombose
> - O desenvolvimento de trombos geralmente está relacionado com um ou mais componentes da tríade de Virchow:
>   - Lesão endotelial (p. ex., por toxinas, hipertensão, inflamação ou produtos metabólicos) associada à ativação endotelial e a alterações na expressão gênica das células endoteliais que favoreçam a coagulação
>   - Fluxo sanguíneo anormal – estase ou turbulência (p. ex., devido a aneurismas, placas ateroscleróticas)
>   - Hipercoagulabilidade primária (p. ex., fator V de Leiden, aumento da síntese de protrombina, deficiência de antitrombina III) ou secundária (p. ex., restrição ao leito, dano tecidual, neoplasia maligna ou desenvolvimento de anticorpos aPL [síndrome do anticorpo antifosfolipídio]) ou anticorpos contra complexos de PF4/heparina [trombocitopenia induzida por heparina])
> - Os trombos podem sofrer propagação, resolução, organização ou embolização
> - A trombose provoca lesão tecidual por meio de oclusão vascular local ou embolização distal.

Coagulação intravascular disseminada

A **coagulação intravascular disseminada (CID) consiste em trombose disseminada dentro da microcirculação, que pode ser de início súbito ou insidioso. Não se trata de uma doença específica, mas de uma complicação de um grande número de condições associadas à ativação sistêmica da trombina.** Certos distúrbios, que incluem desde complicações obstétricas até neoplasia maligna avançada, podem ser complicados por CID, que leva à formação disseminada de trombos na microcirculação. Esses trombos microvasculares podem causar insuficiência circulatória difusa e disfunção orgânica, particularmente do cérebro, dos pulmões, do coração e dos rins. Para complicar a situação, a trombose descontrolada "consome" as plaquetas e os fatores da coagulação (o que explica o sinônimo *coagulopatia de consumo*) e, com frequência, ativa mecanismos fibrinolíticos. Por conseguinte, os sintomas inicialmente relacionados com a trombose podem evoluir para uma catástrofe hemorrágica, como acidente vascular encefálico hemorrágico ou choque hipovolêmico. A CID é discutida com mais detalhes com outras diáteses hemorrágicas no **Capítulo 14**.

Embolia

Um êmbolo refere-se a uma massa sólida desprendida, líquida ou gasosa intravascular, que é transportada pelo sangue do seu ponto de origem até um local distante, onde, com frequência, provoca disfunção tecidual ou infarto. A grande maioria dos êmbolos consiste em trombos desprendidos, daí o termo *tromboembolismo*. Outros êmbolos raros são compostos de gotículas de gordura, bolhas de nitrogênio, restos ateroscleróticos (*êmbolos de colesterol*), fragmentos de tumor, medula óssea ou até mesmo corpos estranhos. Os êmbolos seguem seu trajeto pelo sangue até encontrar vasos pequenos demais para permitir sua passagem, causando oclusão vascular parcial ou completa. Dependendo de seu ponto de origem, o êmbolo pode alojar-se em qualquer local da árvore vascular; conforme discutido adiante, as consequências clínicas variam amplamente, dependendo do tamanho e da posição do êmbolo alojado, bem como do leito vascular afetado.

Embolia pulmonar

Os êmbolos pulmonares originam-se de TVP e constituem a forma mais comum de doença tromboembólica. A embolia pulmonar (EP) é um distúrbio comum e grave, com incidência estimada de 100 a 200 casos a cada 100 mil indivíduos nos EUA. É ligeiramente mais comum em homens do que em mulheres. Nesse país, a EP causa cerca de 100 mil mortes por ano. Foi estimado que 20% dos indivíduos com EP morrem antes ou pouco depois do estabelecimento do diagnóstico. Em mais de 95% dos casos, a EP origina-se de TVP nas pernas. Por conseguinte, os fatores de risco para EP são os mesmos que para a TVP (ver **Tabela 4.2**).

Fragmentos de trombos provenientes de TVP são transportados através de veias progressivamente maiores, atingem as câmaras direitas do coração e a partir daí entram subitamente no leito vascular arterial dos pulmões. Dependendo do tamanho do êmbolo, ele pode causar oclusão do tronco pulmonar, alojar-se na bifurcação da artéria pulmonar (*êmbolo em sela ou a cavaleiro*) ou entrar nos ramos arteriais menores (**Figura 4.16**). Com frequência, existem múltiplos êmbolos, que ocorrem de modo sequencial ou

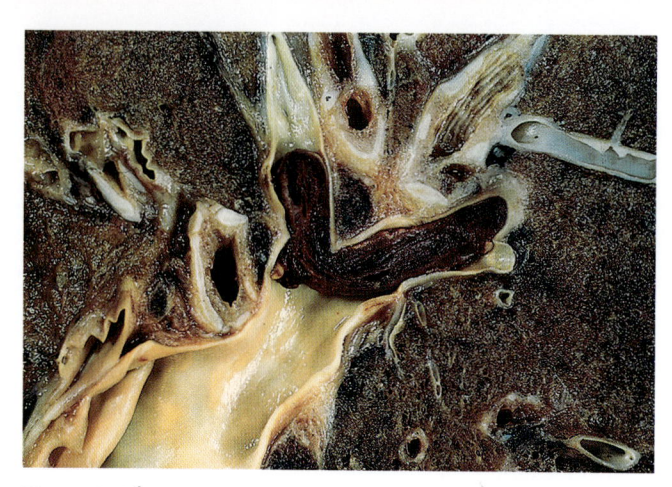

Figura 4.16 Êmbolo proveniente de trombose venosa profunda do membro inferior, alojado em um ponto de ramificação da artéria pulmonar.

simultaneamente como uma "chuva" de êmbolos menores a partir de uma única massa grande; em geral, **o paciente que sofreu EP corre alto risco de apresentar outro episódio.** Raramente um êmbolo venoso atravessa uma comunicação interatrial ou interventricular e tem acesso à circulação arterial sistêmica (*embolia paradoxal*). Uma discussão mais completa das EP é apresentada no **Capítulo 15**; segue-se uma visão geral das principais consequências funcionais da embolia pulmonar:

- *Os êmbolos pulmonares, em sua maioria (60 a 80%), são clinicamente silenciosos,* visto que são pequenos. Com o passar do tempo, tornam-se organizados e incorporados na parede vascular; em alguns casos, a organização do tromboêmbolo deixa como consequência uma delicada rede de pontes de fibrose
- *Ocorrem morte súbita, insuficiência cardíaca direita aguda (cor pulmonale)* ou colapso cardiovascular quando os êmbolos causam obstrução de 60% ou mais da circulação pulmonar
- *A obstrução embólica das artérias de calibre médio, com ruptura vascular subsequente, pode resultar em hemorragia pulmonar,* porém habitualmente não causa infarto pulmonar. Isso se deve ao fato de que o pulmão é suprido tanto pelas artérias pulmonares quanto pelos ramos brônquicos, e a circulação brônquica intacta é habitualmente suficiente para perfundir a área afetada. De forma compreensível, se o fluxo arterial brônquico estiver comprometido (p. ex., por insuficiência cardíaca esquerda), poderá ocorrer infarto
- *A obstrução embólica dos pequenos ramos arteriolares terminais pulmonares frequentemente produz hemorragia ou infarto*
- *Múltiplos êmbolos com o decorrer do tempo podem causar hipertensão pulmonar* e insuficiência ventricular direita.

Tromboembolismo sistêmico

A maioria dos êmbolos sistêmicos (80%) origina-se de trombos murais intracardíacos, dos quais dois terços estão associados a infartos da parede ventricular esquerda, e outro quarto, à dilatação e fibrilação atriais esquerdas. O restante origina-se de aneurismas aórticos, placas ateroscleróticas, vegetações valvares ou trombos venosos (embolia paradoxal); 10 a 15% são de origem desconhecida. Diferentemente dos êmbolos venosos, cuja maioria se aloja no pulmão, os êmbolos arteriais podem alcançar uma ampla variedade de locais; o ponto de parada depende da origem e da quantidade relativa de fluxo sanguíneo que os tecidos a jusante recebem. A maioria passa a se alojar nos membros inferiores (75%) ou no cérebro (10%), porém outros tecidos podem ser afetados, como intestino, rins, baço e membros superiores. As consequências da embolia sistêmica dependem da vulnerabilidade dos tecidos afetados à isquemia, do calibre do vaso ocluído e da existência de suprimento sanguíneo colateral; todavia, em geral, o resultado é o infarto tecidual.

Embolia gordurosa

A embolia gordurosa refere-se à presença de glóbulos de gordura microscópicos – algumas vezes com medula óssea hematopoética associada – na rede vascular após fraturas de ossos longos ou, raramente, em situações de trauma dos tecidos moles e queimaduras. É bastante comum e ocorre em cerca de 90% dos indivíduos com lesões esqueléticas graves (**Figura 4.17**). Essas lesões presumivelmente rompem os sinusoides vasculares na medula óssea ou pequenas vênulas, possibilitando o deslocamento de medula óssea ou de tecido adiposo para dentro do espaço vascular e seu trajeto até o pulmão. A síndrome da embolia gordurosa é o termo aplicado para referir-se à minoria de pacientes que se tornam sintomáticos.

A síndrome da embolia gordurosa caracteriza-se por insuficiência pulmonar, sintomas neurológicos, anemia e trombocitopenia e é fatal em 5 a 15% dos casos. Normalmente, observa-se, de 1 a 3 dias após a ocorrência de lesão, o início súbito de taquipneia, dispneia e taquicardia; irritabilidade; e inquietação que pode progredir para o delírio ou coma. A trombocitopenia é atribuída à adesão das plaquetas aos glóbulos de gordura, com agregação subsequente ou sequestro esplênico; a anemia pode resultar de agregação semelhante dos eritrócitos e/ou hemólise. Um exantema petequial difuso (observado em 20 a 50% dos casos) está relacionado com o início rápido da trombocitopenia e pode constituir uma pista diagnóstica útil.

A patogênese da síndrome da embolia gordurosa envolve obstrução mecânica e lesão bioquímica. Os microêmbolos de gordura e os agregados associados de eritrócitos e plaquetas podem causar oclusão da microvasculatura pulmonar e cerebral. A liberação

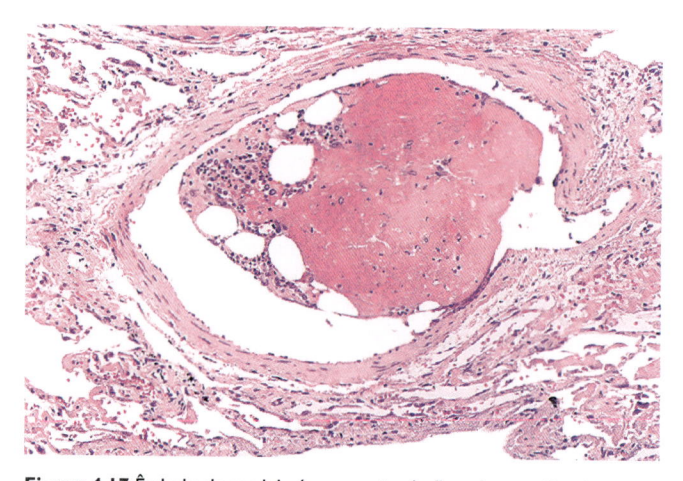

Figura 4.17 Êmbolo de medula óssea na circulação pulmonar. Os elementos celulares do lado esquerdo do êmbolo são células hematopoéticas, enquanto os vacúolos claros representam a gordura medular. A área vermelha relativamente uniforme do lado direito do êmbolo é um trombo em início de organização.

de ácidos graxos livres dos glóbulos de gordura exacerba a situação, visto que provoca lesão tóxica local do endotélio, e a ativação plaquetária e o recrutamento de granulócitos (com liberação de radicais livres, proteases e eicosanoides) completam o ataque vascular. Como os lipídios são dissolvidos dos tecidos por solventes rotineiramente utilizados na preparação dos blocos de parafina, a demonstração microscópica de microglóbulos de gordura exige o uso de técnicas específicas, como cortes congelados e corantes para gordura.

Embolia gasosa

Bolhas gasosas dentro da circulação podem coalescer, formando massas espumosas que provocam obstrução do fluxo vascular e lesão isquêmica distal. Ocorre embolia gasosa quando há uma comunicação entre o leito vascular e o ar externo e um gradiente de pressão negativa que "suga" o ar. Por exemplo, o ar pode ser introduzido na circulação cerebral por neurocirurgia na "posição sentada", criando um gradiente gravitacional. O ar também pode ser introduzido durante procedimentos endovasculares e intervencionistas, bem como durante a ventilação mecânica. É necessário um grande volume de ar, geralmente de mais de 100 mℓ, pra produzir um efeito clínico na circulação pulmonar; a não ser que seja tomado o devido cuidado, esse volume de ar pode ser introduzido inadvertidamente durante procedimentos obstétricos ou laparoscópicos, ou em consequência de lesão da parede torácica. A introdução de 300 a 500 mℓ de ar em uma velocidade de 100 mℓ/s pode ser fatal. A entrada de ar na rede vascular pulmonar não apenas bloqueia a perfusão da região a jusante. Os microêmbolos de ar capturado nos capilares pulmonares induzem uma intensa resposta inflamatória, com liberação de citocinas que podem causar lesão dos alvéolos. As bolhas no sistema nervoso central podem provocar confusão mental e até mesmo início súbito de coma.

Uma forma particular de embolia gasosa, denominada *doença da descompressão*, ocorre quando o indivíduo experimenta uma súbita redução da pressão atmosférica. Os mergulhadores que utilizam cilindro de ar comprimido, os que mergulham em profundidade e os que trabalham na construção submarina correm esse risco. Quando o ar é inspirado em alta pressão (p. ex., durante um mergulho em mar profundo), quantidades aumentadas de gás (particularmente nitrogênio) são dissolvidas no sangue e nos tecidos. Se o mergulhador subir (despressurizar) com excessiva rapidez, o nitrogênio sai da solução nos tecidos e no sangue.

A rápida formação de bolhas de gás dentro dos músculos esqueléticos e tecidos de sustentação nas articulações e ao seu redor é responsável pela condição dolorosa denominada *the bends* (curvatura, assim denominada na década de 1880, com a observação de que os indivíduos afetados arqueavam de forma característica as costas, lembrando uma postura então na moda nas mulheres, denominada *Grecian bend* [curvatura grega]). Nos pulmões, as bolhas de gás no leito vascular provocam edema, hemorragia e atelectasia ou enfisema focais, levando a uma forma de desconforto respiratório, denominado *sufocação*. Uma forma mais crônica da doença da descompressão é denominada *mal dos caixotes* (nome usado para se referir aos recipientes pressurizados empregados na construção de pontes (caixotes); os trabalhadores dentro desses recipientes sofriam formas tanto agudas quanto crônicas de doença da descompressão). No mal dos caixotes, a persistência de êmbolos de gás no sistema esquelético leva a múltiplos focos de necrose isquêmica; os locais mais comuns incluem a cabeça do fêmur, a tíbia e o úmero.

Os indivíduos afetados pela doença da descompressão aguda são colocados dentro de uma câmara hiperbárica sob pressão alta o suficiente para forçar as bolhas de gás de volta a uma solução. A descompressão subsequente lenta possibilita a reabsorção gradual e a exalação dos gases, impedindo a nova formação de bolhas obstrutivas.

Embolia por líquido amniótico

A embolia por líquido amniótico constitui a quinta causa mais comum de mortalidade materna no mundo; nos EUA, responde por aproximadamente 10% delas e resulta em déficit neurológico permanente em até 85% das sobreviventes. A embolia por líquido amniótico é uma grave complicação do trabalho de parto e do período pós-parto imediato. Embora a incidência seja de apenas cerca de 2 a 6 a cada 100 mil partos, a taxa de mortalidade alcança 80%. O início caracteriza-se por dispneia súbita e intensa, cianose e choque, seguidos de comprometimento neurológico, que inclui desde cefaleia até convulsões e coma, e por CID. Observe que essas características diferem daquelas que ocorrem na embolia pulmonar por TVP; de fato, grande parte da morbidade e da mortalidade na embolia por líquido amniótico decorre da ativação bioquímica de fatores da coagulação, de componentes do sistema imune inato e da liberação de substâncias vasoativas, em vez de obstrução mecânica dos vasos pulmonares por restos amnióticos. As substâncias vasoativas causam hipertensão pulmonar aguda e insuficiência cardíaca direita (que provoca hipoxia), insuficiência cardíaca esquerda, edema pulmonar e lesão alveolar difusa.

A causa subjacente consiste na infusão de líquido amniótico ou de tecido fetal na circulação materna em consequência de laceração das membranas placentárias ou ruptura de veias uterinas. Os achados clássicos na necropsia incluem a presença de células escamosas que se desprendem da pele fetal, lanugem, gordura do verniz caseoso e mucina derivada do sistema respiratório ou do trato gastrintestinal fetais na microvasculatura pulmonar materna (**Figura 4.18**).

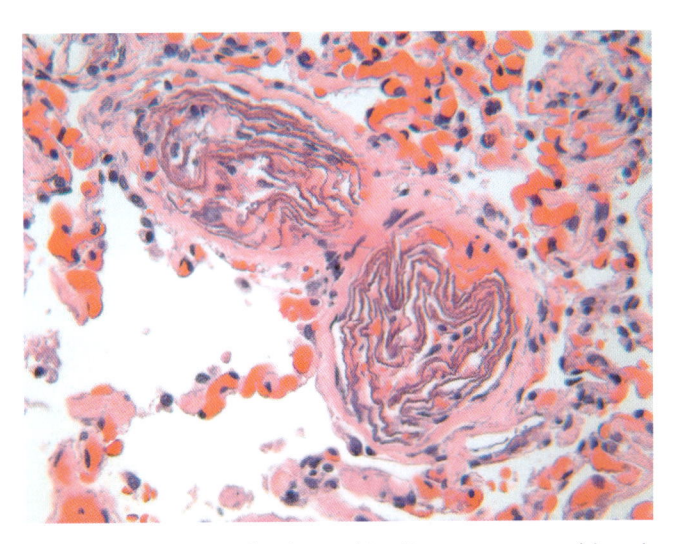

Figura 4.18 Embolia por líquido amniótico. Duas pequenas arteríolas pulmonares estão preenchidas por espirais laminadas de células escamosas fetais. Há acentuado edema e congestão. Em outras áreas, o pulmão continha pequenos trombos em organização, compatíveis com coagulação intravascular disseminada. (Cortesia da Dra. Beth Schwartz, Baltimore, Md.)

> **Conceitos-chave**
>
> **Embolia**
>
> - Um êmbolo é uma massa sólida, líquida ou gasosa transportada pelo sangue até um local distinto de sua origem; a maioria consiste em trombos (ou seus fragmentos) desprendidos
> - Os êmbolos pulmonares derivam, sobretudo, de TVP dos membros inferiores; seus efeitos dependem do tamanho do êmbolo e do local onde se alojam. As consequências podem incluir insuficiência cardíaca direita, hemorragia pulmonar, infarto pulmonar ou morte súbita
> - Os êmbolos sistêmicos originam-se de trombos cardíacos murais ou valvares, aneurismas aórticos ou placas ateroscleróticas; a possibilidade de um êmbolo de causar ou não infarto tecidual depende do local de embolização e da presença ou ausência de circulação colateral.

Infarto

Um infarto é uma área de necrose isquêmica causada por obstrução do suprimento arterial ou da drenagem venosa. O infarto tecidual constitui uma causa comum e muito significativa de doença com manifestações clínicas. Nos EUA, cerca de 40% de todas as mortes são causadas por doença cardiovascular, e a maioria é atribuída ao infarto do miocárdio ou ao infarto cerebral. O infarto pulmonar também constitui uma complicação comum em muitas condições clínicas, o infarto intestinal é, com frequência, fatal e a necrose isquêmica das extremidades (*gangrena*) representa um grave problema na população diabética.

A trombose arterial ou embolia arterial está na base da grande maioria dos infartos. As causas menos comuns de obstrução arterial que levam à ocorrência de infarto incluem vasospasmo local, hemorragia em uma placa ateromatosa ou compressão extrínseca do vaso (p. ex., por tumor). Outras causas incomuns de infarto tecidual incluem torção de um vaso (p. ex., na torção testicular ou no vólvulo intestinal), ruptura vascular traumática ou compressão vascular por edema (p. ex., *síndrome compartimental anterior* da perna) ou por encarceramento em um saco herniário. Embora a trombose venosa possa causar infarto, o desfecho mais comum consiste apenas em congestão; nessa situação, os canais colaterais abrem-se rapidamente e possibilitam o fluxo vascular, o que melhora então o fluxo arterial. Por conseguinte, os infartos causados por trombose venosa têm mais probabilidade de ocorrer em órgãos com uma única veia eferente (p. ex., testículo e ovário).

> **Morfologia**
>
> Os infartos são classificados de acordo com sua cor e a presença ou ausência de infecção; podem ser vermelhos (hemorrágicos) ou brancos (anêmicos) e podem ser sépticos ou assépticos.
>
> - Os **infartos vermelhos** (**Figura 4.19A**) ocorrem (1) na presença de oclusões venosas (p. ex., torção testicular, **Capítulo 19**), (2) em tecidos frouxos e esponjosos (p. ex., pulmão), onde o sangue pode se acumular na zona infartada, (3) em tecidos com circulação dupla (p. ex., pulmão e intestino delgado), que possibilitam o fluxo de sangue de um suprimento paralelo desobstruído para a zona necrótica, (4) em tecidos já congestos pelo fluxo venoso lento, e (5) quando o fluxo é restabelecido para um local de oclusão arterial ou necrose prévias (p. ex., após angioplastia de uma obstrução arterial)
> - Os **infartos brancos** (ver **Figura 4.19B**) ocorrem na presença de oclusões arteriais em órgãos sólidos com circulação arterial terminal (p. ex., coração, baço e rim) e onde a densidade do tecido limita a infiltração de sangue de leitos capilares adjacentes na área necrótica.
>
> Os infartos tendem a ter um formato em cunha, com o vaso ocluído no ápice, e a periferia do órgão formando a base (ver **Figura 4.19**). Quando a base é uma superfície serosa, pode haver exsudato fibrinoso sobrejacente, em consequência de uma resposta inflamatória aguda à liberação de mediadores por células lesionadas e necróticas. Os infartos recentes são pouco definidos e ligeiramente hemorrágicos; entretanto, no decorrer de alguns dias, as margens tendem a se tornar mais bem definidas por uma estreita faixa de congestão atribuída à inflamação. Com o passar do tempo, os infartos que resultam de oclusões arteriais em órgãos sem duplo suprimento sanguíneo costumam se tornar progressivamente mais pálidos e mais bem definidos (ver **Figura 4.19B**). Em comparação, no pulmão, os infartos hemorrágicos são a regra (ver **Figura 4.19A**). Os eritrócitos extravasados nos infartos hemorrágicos são fagocitados por macrófagos, que convertem o ferro do heme em hemossiderina; a presença de pequenas quantidades não confere macroscopicamente nenhuma cor característica ao tecido, porém a hemorragia extensa pode deixar um resíduo firme, rico em hemossiderina, de coloração castanha.
>
> A característica histológica dominante do infarto é a **necrose coagulativa isquêmica** (ver **Capítulo 2**). É importante ressaltar que, se a oclusão vascular tiver ocorrido pouco antes (minutos a horas) da morte do indivíduo, as alterações histológicas podem estar ausentes; são necessárias de 4 a 12 horas para que o tecido morto exiba evidências microscópicas de necrose. A inflamação aguda está presente ao longo das margens dos infartos nas primeiras horas e, em geral, está bem definida de 1 a 2 dias. Por fim, surge uma resposta reparadora nas margens preservadas (ver **Capítulo 3**). Se o tecido abrigar células-tronco teciduais, pode ocorrer regeneração parenquimatosa na periferia onde a arquitetura do estroma subjacente está preservada. Entretanto, a maioria dos infartos é, em última análise, substituída por uma cicatriz (**Figura 4.20**). O cérebro é uma exceção a essas generalizações, visto que o infarto do sistema nervoso central resulta em **necrose liquefativa** (ver **Capítulo 2**).
>
> Os **infartos sépticos** ocorrem quando há embolização de vegetações infectadas de valvas cardíacas ou quando microrganismos se estabelecem no tecido necrótico. Nesses casos, o infarto é convertido em um abscesso, com resposta inflamatória correspondentemente maior (ver **Capítulo 3**). Entretanto, a sequência final de organização segue o padrão já descrito.

Fatores que influenciam o desenvolvimento de um infarto. A ocorrência de oclusão vascular pode provocar efeitos que variam desde quase nada até disfunção e necrose teciduais suficientes para resultar em morte. As variáveis que influenciam o desfecho da oclusão vascular são as seguintes:

- *Anatomia do suprimento vascular.* A disponibilidade de um suprimento sanguíneo alternativo constitui o fator mais importante que determinará se a oclusão vascular causará dano ao tecido. Conforme assinalado anteriormente, os pulmões dispõem de duplo suprimento sanguíneo arterial pulmonar e brônquico, que protege contra o infarto induzido por tromboembolismo. De modo semelhante, o fígado, com sua dupla

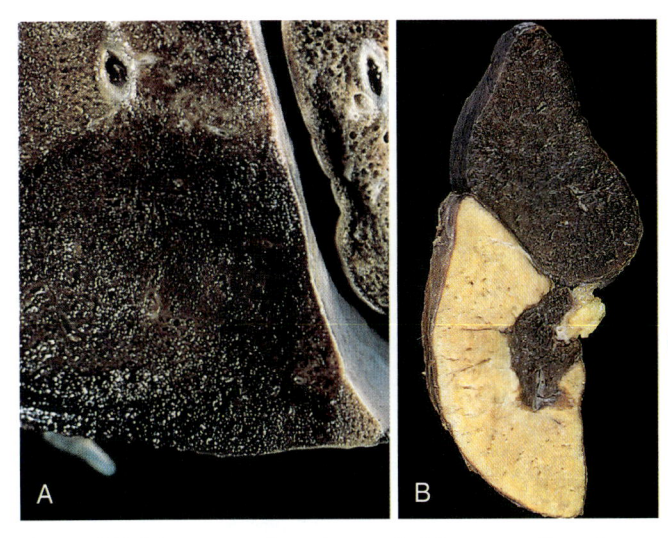

Figura 4.19 Infartos vermelho e branco. **A**. Infarto vermelho pulmonar, hemorrágico e em formato aproximado de cunha. **B**. Infarto branco nitidamente demarcado no baço.

isquemia (embora, conforme já assinalado, as alterações na aparência das células mortas levem de 4 a 12 horas para se desenvolver). Em contrapartida, os fibroblastos dentro do miocárdio permanecem viáveis mesmo depois de muitas horas de isquemia (ver **Capítulo 12**)
- *Hipoxemia*. De modo compreensível, a concentração de oxigênio do sangue anormalmente baixa (independentemente da causa) aumenta tanto a probabilidade quanto a extensão do infarto.

> **Conceitos-chave**
> **Infarto**
> - Os infartos são áreas de necrose isquêmica mais comumente causadas por oclusão arterial (geralmente devido à trombose ou embolização); a obstrução do efluxo venoso é uma causa menos frequente
> - Os infartos provocados por oclusão venosa, que ocorrem em tecidos esponjosos com duplo suprimento sanguíneo ou em outros lugares em que o sangue possa se acumular, costumam ser hemorrágicos (vermelhos); aqueles causados por oclusão arterial em tecidos compactos costumam ser pálidos (brancos)
> - A possibilidade de uma oclusão vascular provocar ou não infarto tecidual é influenciada pelo suprimento sanguíneo colateral, pela velocidade de desenvolvimento da obstrução, pela suscetibilidade intrínseca do tecido à lesão isquêmica e pela oxigenação do sangue.

circulação constituída pela artéria hepática e pela veia porta, e a mão e o antebraço, com seu duplo suprimento arterial radial e ulnar, são relativamente resistentes ao infarto. Em contrapartida, as circulações renal e esplênica são arteriais terminais, de modo que a obstrução vascular costuma provocar morte tecidual
- *Velocidade da oclusão*. As oclusões de desenvolvimento lento têm menos tendência a causar infarto, visto que proporcionam tempo suficiente para o desenvolvimento de vias colaterais de perfusão. Por exemplo, pequenas anastomoses interarteriolares – geralmente com fluxo funcional mínimo – interconectam as três principais artérias coronárias no coração. Se uma das artérias coronárias sofrer oclusão lenta (*i. e.*, por invasão de uma placa aterosclerótica), o fluxo nessa circulação colateral pode aumentar o suficiente para impedir o infarto, mesmo quando a artéria coronária maior estiver finalmente ocluída
- *Vulnerabilidade do tecido à hipoxia*. Os neurônios sofrem dano irreversível quando privados de seu suprimento sanguíneo por apenas de 3 a 4 minutos. As células do miocárdio, embora sejam mais resistentes do que os neurônios, também são muito sensíveis e morrem depois de apenas 20 a 30 minutos de

Choque

O choque é um estado de falência circulatória que compromete a perfusão tecidual e leva à hipoxia celular. No início, a lesão celular é reversível; entretanto, o choque prolongado leva, por fim, à lesão tecidual irreversível, pode ser fatal e complicar hemorragia grave, traumas ou queimaduras extensos, infarto do miocárdio, EP e sepse microbiana. Suas causas podem ser classificadas em três categorias gerais (**Tabela 4.3**):

- O *choque cardiogênico* resulta de um baixo débito cardíaco, devido à falência da bomba miocárdica. Isso pode resultar de dano intrínseco ao miocárdio (infarto), arritmias ventriculares, compressão extrínseca (tamponamento cardíaco; **Capítulo 11**) ou obstrução ao fluxo (p. ex., embolia pulmonar)
- O *choque hipovolêmico* resulta de um baixo débito cardíaco, devido a um baixo volume sanguíneo, como ocorre na hemorragia maciça ou na perda de líquido em consequência de queimaduras graves
- A *sepse, o choque séptico e a síndrome da resposta inflamatória sistêmica* são condições inter-relacionadas e ligeiramente sobrepostas. As definições seguintes baseiam-se no *The Third International Consensus Definitions for Sepsis and Septic Shock* (2016):
  - A *sepse* é definida como uma disfunção orgânica com potencial fatal, causada por uma resposta desregulada do hospedeiro à infecção
  - O *choque séptico* é definido como um subgrupo da sepse, em que anormalidades circulatórias, celulares e metabólicas intensas estão associadas a um risco de mortalidade maior do que na sepse isoladamente

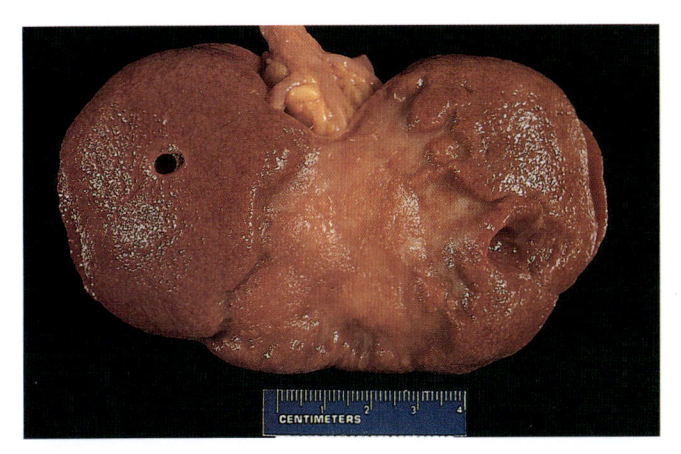

Figura 4.20 Infarto renal antigo substituído por uma grande cicatriz fibrótica.

Tabela 4.3 Os três principais tipos de choque.

Tipo de choque	Exemplo clínico	Principais mecanismos
Cardiogênico	Infarto do miocárdio Ruptura ventricular Arritmia Tamponamento cardíaco Embolia pulmonar	Falência da bomba miocárdica, devido a dano intrínseco do miocárdio, compressão extrínseca ou obstrução ao fluxo
Hipovolêmico	Perda de líquido (p. ex., hemorragia, vômitos, diarreia, queimaduras ou trauma)	Volume sanguíneo ou plasmático inadequado
Choque associado à inflamação sistêmica	Infecções microbianas maciças (bacterianas e fúngicas) Superantígenos (p. ex., síndrome do choque tóxico) Trauma, queimaduras, pancreatite	Ativação das cascatas de citocinas; vasodilatação periférica e acúmulo de sangue; ativação/lesão endoteliais; dano induzido por leucócitos, coagulação intravascular disseminada

- A *síndrome da resposta inflamatória sistêmica (SIRS)* é uma condição semelhante à sepse associada à inflamação sistêmica, que pode ser desencadeada por uma variedade de agressões não microbianas, como queimaduras, trauma e/ou pancreatite. A característica patogênica comum à SIRS e ao choque séptico consiste na liberação maciça de mediadores inflamatórios das células imunes inatas e adaptativas, que produzem vasodilatação arterial, extravasamento vascular e acúmulo de sangue venoso. Como advento da terapia com receptor de antígeno quimérico de células T (CAR-T), foi observada uma síndrome iatrogênica semelhante, denominada *síndrome da liberação de citocinas*, em pacientes com câncer. As anormalidades cardiovasculares associadas à SIRS resultam em hipoperfusão tecidual, hipoxia celular e desarranjos metabólicos que levam à disfunção orgânica e, quando graves e persistentes, à falência de órgãos e morte
- Com menos frequência, pode ocorrer choque na presença de lesão da medula espinal (*choque neurogênico*) ou reação de hipersensibilidade mediada por IgE (*choque anafilático*, **Capítulo 6**). Em ambas essas formas de choque, a vasodilatação aguda leva à hipotensão e hipoperfusão tecidual.

Patogênese do choque séptico

O choque séptico é responsável por 2% de todas as internações hospitalares nos EUA. Desses casos, 50% necessitam de tratamento em unidades de terapia intensiva. Nos EUA, o número de casos ultrapassa 750 mil por ano, e a incidência está aumentando, o que ocorre, ironicamente, em função dos avanços no suporte de vida para pacientes em estado crítico[1], bem como ao número crescente de pacientes com variados graus de imunocomprometimento (em consequência de quimioterapia, imunossupressão, idade avançada ou infecção pelo vírus da imunodeficiência humana) e à prevalência crescente de microrganismos multidrogarresistentes no ambiente hospitalar. Apesar das melhorias no atendimento, a taxa de mortalidade permanece em cerca de 50%. O choque séptico é desencadeado, com mais frequência, por infecções causadas por bactérias gram-positivas, seguidas de bactérias gram-negativas e fungos.

A capacidade de diversos microrganismos de causar choque séptico é compatível com a ideia de que o processo pode ser desencadeado por uma variedade de constituintes microbianos. Conforme assinalado no **Capítulo 3**, os macrófagos, os neutrófilos, as células dendríticas, as células endoteliais e os componentes solúveis do sistema imune inato (p. ex., complemento) reconhecem e são ativados por diversas substâncias provenientes de microrganismos. Após a ativação, essas células e fatores iniciam várias respostas inflamatórias e contrainflamatórias, que interagem de maneira complexa, porém ainda não totalmente elucidadas, para produzir choque séptico e falência de órgãos (**Figura 4.21**).

Os fatores que podem desempenhar papéis importantes na fisiopatologia do choque séptico incluem os seguintes:

- *Respostas inflamatórias e contrainflamatórias.* Na sepse, vários constituintes da parede celular dos microrganismos ocupam receptores nas células do sistema imune inato, desencadeando respostas pró-inflamatórias. Provavelmente, iniciadores da inflamação na sepse constituem vias de sinalização situadas a jusante dos receptores do tipo *Toll* (TLR) (ver **Capítulo 5**), que reconhecem inúmeras substâncias derivadas de microrganismos que contêm *padrões moleculares associados a patógenos* (PAMP, *pathogen-associated molecular patterns*) e *padrões moleculares associados à lesão* (DAMP, *damage-associated molecular patterns*), bem como receptores acoplados à proteína G que detectam peptídeos bacterianos e receptores de lectina do tipo C, como dectinas. A ligação desses receptores leva a um aumento da expressão dos genes que codificam mediadores inflamatórios por meio de ativação e translocação nuclear do fator de transcrição, o fator nuclear κB (NF-κB). Os mediadores suprarregulados incluem numerosas citocinas, como o fator de necrose tumoral (TNF), a interleucina 1 (IL-1), IL-12, IL-18 e interferona-γ (IFN-γ), bem como outros mediadores inflamatórios, como a proteína do grupo 1 de alta mobilidade (HMGB1, *high-mobility group box 1 protein*). Os marcadores da inflamação aguda, como a proteína C reativa e a *procalcitonina*, também estão elevados. Espécies reativas de oxigênio e mediadores lipídicos, como as prostaglandinas e o fator de ativação das plaquetas (PAF), também são produzidos e liberados. Essas moléculas efetoras induzem as células endoteliais (e outros tipos de células) a suprarregular a expressão de moléculas de adesão e a estimular ainda mais a produção de citocinas e quimiocinas. A cascata do complemento também é ativada por componentes microbianos, tanto diretamente quanto por meio da atividade proteolítica da plasmina (ver **Capítulo 3**), resultando na produção de anafilatoxinas (C3a, C5a), fragmentos quimiotáticos (C5a), e opsoninas (C3b), todos os quais contribuem para o estado pró-inflamatório. Além disso, os componentes microbianos

---

[1] N.R.T.: Devido ao aumento de complicações infecciosas hospitalares.

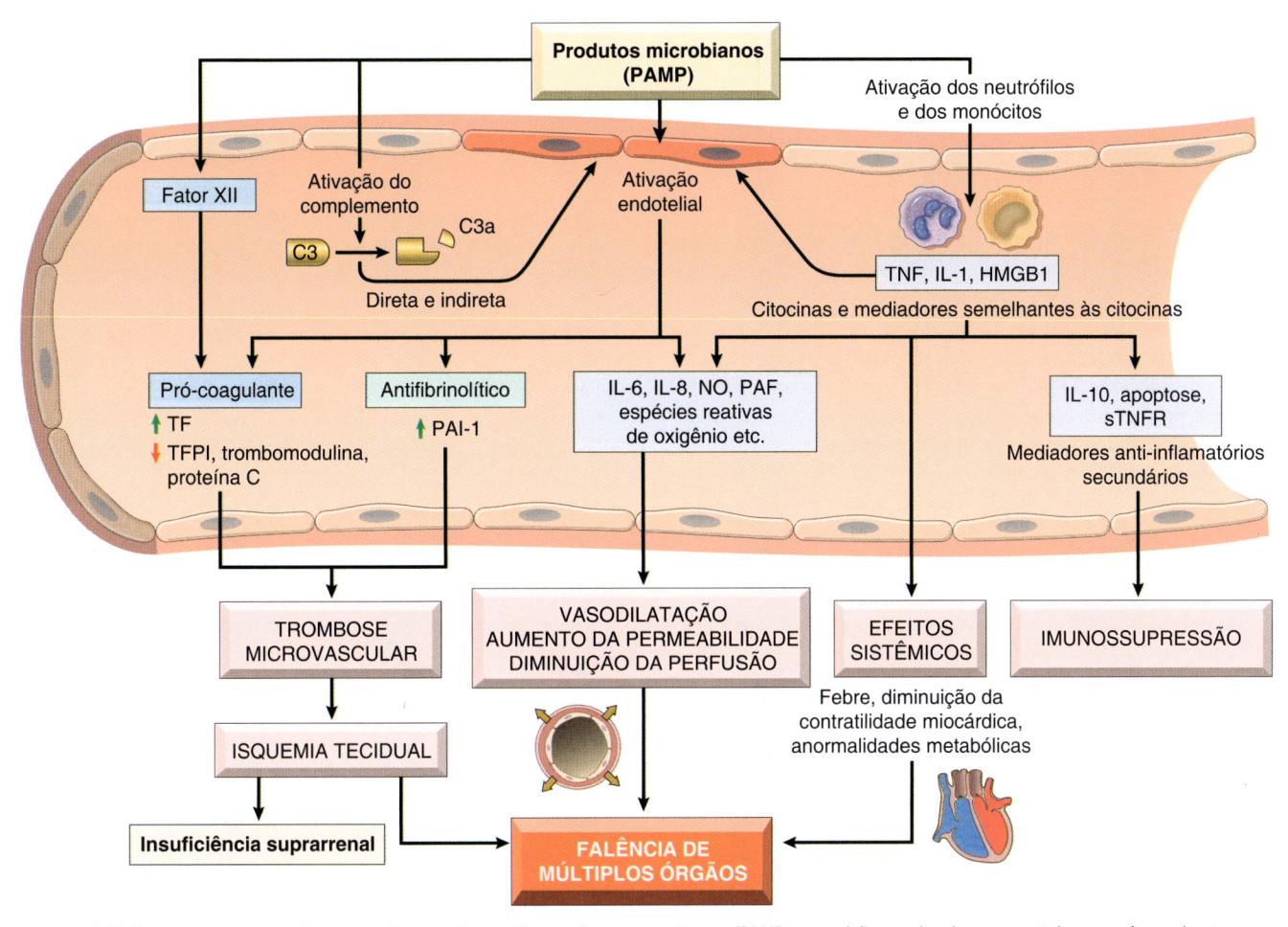

Figura 4.21 Principais vias patogênicas no choque séptico. Os produtos microbianos (*PAMP*, ou padrões moleculares associados a patógenos) ativam as células endoteliais e os elementos celulares e humorais do sistema imune inato, dando início a uma cascata de eventos que leva à falência de múltiplos órgãos. Detalhes adicionais são fornecidos no texto. *C3*, Componente 3 do complemento; *C3a*, componente 3ª do complemento; *CID*, coagulação intravascular disseminada; *HMGB1*, proteína do grupo I de alta mobilidade; *IL*, interleucina; *NO*, óxido nítrico; *PAF*, fator de ativação das plaquetas; *PAI-I*, inibidor do ativador do plasminogênio 1; *sTNFR*, receptor do fator de necrose tumoral solúvel; *TF*, fator tecidual; *TFPI*, inibidor da via do fator tecidual.

podem ativar diretamente a coagulação por meio do fator XII e indiretamente por meio de alteração da função endotelial (discutida mais adiante). A ativação disseminada da trombina pode aumentar ainda mais a inflamação ao ativar receptores de proteases nas células inflamatórias.

O estado hiperinflamatório, que é iniciado pela sepse, desencadeia mecanismos imunossupressores contrarreguladores, que podem envolver células imunes tanto inatas quanto adaptativas. Em consequência, os pacientes com sepse podem oscilar entre estados de hiperinflamação e imunossupressão durante a evolução clínica. Os mecanismos propostos para a supressão imune incluem um desvio das citocinas pró-inflamatórias (Th1) para anti-inflamatórias (Th2) (ver **Capítulo 5**), produção de mediadores anti-inflamatórios (p. ex., receptor do TNF solúvel, antagonista do receptor de IL-1 e IL-10), apoptose de linfócitos, efeitos imunossupressores das células apoptóticas e indução de anergia celular.

As evidências atuais sugerem que ambos são deflagrados simultaneamente. A intensidade de cada uma dessas reações depende de múltiplos fatores, tanto intrínsecos do hospedeiro (p. ex., genética e doenças subjacentes) quanto do patógeno (p. ex., virulência e carga).

- *Ativação e lesão endoteliais.* O estado pró-inflamatório e a ativação das células endoteliais associados à sepse levam a um extravasamento vascular disseminado e edema tecidual, que exercem efeitos deletérios tanto no fornecimento de nutrientes quanto na remoção de produtos de degradação. Um efeito das citocinas inflamatórias consiste em afrouxar as zônulas de oclusão das células endoteliais, tornando os vasos permeáveis e resultando em acúmulo de edema rico em proteínas por todo o corpo. Essa alteração impede a perfusão tecidual e pode ser exacerbada por tentativas de sustentar o paciente com líquidos intravenosos. O endotélio ativado também suprarregula a produção de NO e de outros mediadores inflamatórios vasoativos (p. ex., C3a, C5a e PAF), podendo contribuir para o relaxamento do músculo liso vascular e a hipotensão sistêmica. Outra característica da sepse é a disfunção microvascular. Ocorre aumento nos capilares com fluxo intermitente e heterogeneidade do fluxo em vários leitos capilares, e há perda da autorregulação normal do fluxo associada ao ambiente metabólico tecidual. Essas alterações provocam um desequilíbrio entre as necessidades e o suprimento de oxigênio
- *Indução de um estado pró-coagulante.* O distúrbio na coagulação é suficiente para produzir *CID*, complicação grave que acontece em até metade dos pacientes sépticos. A sepse altera a expressão

de muitos fatores de modo a favorecer a coagulação. As citocinas pró-inflamatórias aumentam a produção de fator tecidual pelos monócitos e, possivelmente, também pelas células endoteliais e diminuem a produção de fatores anticoagulantes endoteliais, como o inibidor da via do fator tecidual, a trombomodulina e a proteína C (ver **Figura 4.10**). Elas também reduzem a fibrinólise por meio de um aumento na expressão do PAI-1 (ver **Figura 4.10**). Alguns estudos sugerem que as armadilhas extracelulares dos neutrófilos (NET, *neutrophil extracellular traps*, **Capítulo 3**) desempenham um papel na promoção do estado pró-coagulante ao estimular as vias tanto intrínseca quanto extrínseca da coagulação. O extravasamento vascular e o edema tecidual diminuem o fluxo sanguíneo nos pequenos vasos, provocando estase e diminuição da eliminação dos fatores da coagulação ativados. Esses efeitos, atuando em conjunto, levam à ativação sistêmica da trombina e à deposição de trombos ricos em fibrina nos pequenos vasos, por todo o corpo, comprometendo ainda mais a perfusão tecidual. Na CID totalmente desenvolvida, o consumo dos fatores da coagulação e das plaquetas é tão grande que surgem deficiências desses fatores, levando à ocorrência concomitante de sangramento e hemorragia (ver **Capítulo 14**)

- *Anormalidades metabólicas.* Os pacientes sépticos apresentam resistência à insulina e hiperglicemia. As citocinas, como o TNF e a IL-1, os hormônios induzidos pelo estresse (como glucagon, hormônio do crescimento e glicocorticoides) e as catecolaminas, impulsionam a gliconeogênese. Ao mesmo tempo, as citocinas pró-inflamatórias suprimem a liberação de insulina e promovem a resistência à insulina no fígado e em outros tecidos, provavelmente ao impedir a expressão na membrana do transportador 4 da glicose (GLUT-4). A hiperglicemia diminui a função dos neutrófilos – com consequente supressão da atividade bactericida – e provoca aumento da expressão de moléculas de adesão nas células endoteliais. Embora a sepse esteja inicialmente associada a um surto agudo de produção de glicocorticoides, essa fase pode ser seguida de insuficiência suprarrenal e déficit funcional de glicocorticoides. Isso pode resultar da redução da capacidade de síntese das glândulas suprarrenais intactas ou da ocorrência de necrose suprarrenal franca em consequência da CID (*síndrome de Waterhouse-Friderichsen*) (ver **Capítulo 20**). Por fim, a hipoxia celular e a diminuição da fosforilação oxidativa levam a um aumento da produção de lactato e acidose láctica
- *Disfunção orgânica.* A hipotensão sistêmica, o edema intersticial, a disfunção microvascular e a trombose de pequenos vasos diminuem o fornecimento de oxigênio e nutrientes aos tecidos que, devido à hipoxia celular, não conseguem utilizar os nutrientes fornecidos de forma adequada. O dano mitocondrial que ocorre em consequência do estresse oxidativo compromete o uso de oxigênio. Os altos níveis de citocinas e de mediadores secundários diminuem a contratilidade miocárdica e o débito cardíaco; o aumento da permeabilidade vascular e a lesão endotelial podem levar à *síndrome de desconforto respiratório agudo* (ver **Capítulo 15**). Por fim, esses fatores podem se associar e causar falência de múltiplos órgãos, sobretudo dos rins, fígado, pulmões e coração, culminando em morte.

A gravidade e o desfecho do choque séptico costumam estar relacionados à extensão e à virulência da infecção; ao estado imune do hospedeiro; à presença de outras comorbidades; e ao padrão e ao nível de produção de mediadores. A multiplicidade de fatores e a complexidade das interações subjacentes à sepse explicam por que a maioria das tentativas de intervenção terapêutica com antagonistas de mediadores específicos não tem sido efetiva e até mesmo teve efeitos deletérios em alguns casos. Conforme assinalado anteriormente, outro fator na incapacidade de neutralização das citocinas pró-inflamatórias está associado à ativação concomitante de mediadores pró-inflamatórios e anti-inflamatórios. O padrão de cuidados continua sendo a administração de antibióticos para tratamento da infecção subjacente e líquidos intravenosos, vasopressores e oxigênio suplementar para manter a pressão arterial e limitar a hipoxia tecidual. É suficiente dizer que, até mesmo nos melhores centros clínicos, o choque séptico continua sendo um enorme desafio clínico.

Outro grupo de proteínas bacterianas secretadas, denominadas *superantígenos*, também causam uma síndrome semelhante ao choque séptico (p. ex., *síndrome do choque tóxico*). Os superantígenos são ativadores de linfócitos T policlonais, que induzem a liberação de altos níveis de citocinas, resultando em uma variedade de manifestações clínicas, que variam desde um exantema difuso até vasodilatação, hipotensão, choque e morte.

Estágios do choque

O choque é um distúrbio progressivo que leva à morte se os problemas subjacentes não forem corrigidos. Os mecanismos exatos da morte por sepse ainda não estão bem esclarecidos; com exceção de um aumento na apoptose dos linfócitos e enterócitos, a necrose celular é mínima. Normalmente, ocorre morte após falência de múltiplos órgãos, cuja disfunção não costuma exibir indícios morfológicos passíveis de explicação. Entretanto, no choque hipovolêmico e no choque cardiogênico, as vias que levam à morte do paciente são razoavelmente bem compreendidas. A não ser que a agressão seja maciça e brevemente fatal (p. ex., exsanguinação por ruptura de aneurisma da aorta), o choque tende a evoluir em três estágios gerais (embora um tanto artificiais). Esses estágios foram documentados mais claramente no choque hipovolêmico, porém são comuns às outras formas:

- *Estágio não progressivo inicial*, durante o qual são ativados mecanismos compensatórios reflexos, e a perfusão de órgãos vitais é mantida
- *Um estágio progressivo*, caracterizado por hipoperfusão tecidual e início de agravamento do distúrbio circulatório e metabólico, incluindo acidose
- *Um estágio irreversível*, em que a lesão celular e tecidual é tão grave que a sobrevida não é possível, mesmo se os defeitos forem corrigidos.

No início da fase não progressiva do choque, vários mecanismos neuro-humorais ajudam a manter o débito cardíaco e a pressão arterial. Esses mecanismos incluem reflexos mediados por barorreceptores, liberação de catecolaminas e de hormônio antidiurético, ativação do eixo renina-angiotensina-aldosterona e estimulação simpática generalizada. O efeito final consiste em taquicardia, vasoconstrição periférica e conservação renal de líquido; a vasoconstrição cutânea provoca o resfriamento e a palidez característicos da pele "em choque" (de maneira característica, o choque séptico pode inicialmente causar vasodilatação cutânea, de modo que o paciente pode apresentar pele quente e ruborizada). Os vasos coronarianos e cerebrais são menos sensíveis aos sinais simpáticos e mantêm um calibre, fluxo sanguíneo e fornecimento de oxigênio relativamente normais. Assim, o sangue é desviado da pele para os órgãos vitais, como o coração e o cérebro.

Se as causas subjacentes não forem corrigidas, o choque passa imperceptivelmente para a fase progressiva, que, conforme assinalado, caracteriza-se por hipoxia tecidual generalizada. Na situação de déficit persistente de oxigênio, a respiração aeróbica intracelular é substituída pela glicólise anaeróbica, com produção excessiva de ácido láctico. A acidose láctica metabólica resultante diminui o pH tecidual, que atenua a resposta vasomotora; as arteríolas sofrem dilatação, e o sangue começa a se acumular na microcirculação. O acúmulo periférico não apenas agrava o débito cardíaco, mas também coloca as células endoteliais em risco para desenvolvimento de lesão anóxica, com CID subsequente. Com a hipoxia tecidual generalizada, os órgãos vitais são afetados e entram em falência.

Na ausência de intervenção apropriada ou nos casos graves, o processo finalmente entra em um estágio irreversível. A lesão celular generalizada reflete-se pelo extravasamento de enzimas lisossômicas, agravando ainda mais o estado de choque. A função contrátil do miocárdio agrava-se, em parte devido ao aumento da síntese de NO. O intestino isquêmico pode permitir a translocação da flora intestinal para a circulação, podendo ocorrer sobreposição de choque séptico. Em geral, ocorre progressão para a insuficiência renal em consequência da lesão isquêmica dos rins (ver **Capítulo 14**), e, apesar das melhores intervenções terapêuticas, a espiral descendente culmina na morte.

Morfologia

Os efeitos celulares e teciduais do choque são basicamente os da lesão hipóxica (ver **Capítulo 2**) e são causados por uma combinação de **hipoperfusão** e **trombose microvascular**. Embora qualquer órgão possa ser afetado, o cérebro, o coração, os rins, as glândulas suprarrenais e o trato gastrintestinal são mais comumente acometidos. Pode haver formação de **trombos de fibrina** em qualquer tecido, porém sua presença costuma ser visualizada com mais facilidade nos glomérulos renais. A **depleção de lipídios das células do córtex suprarrenal** é semelhante àquela observada em todas as formas de estresse e reflete o uso aumentado de lipídios armazenados para a síntese de esteroides. Embora os pulmões sejam resistentes à lesão hipóxica no choque hipovolêmico que ocorre após hemorragia, a sepse ou o trauma podem precipitar lesão alveolar difusa (ver **Capítulo 13**), levando ao denominado **"pulmão de choque"**. Com exceção da perda de neurônios e cardiomiócitos, os tecidos afetados podem se recuperar por completo se o paciente sobreviver.

Características clínicas

As manifestações clínicas do choque dependem do estímulo agressor desencadeante. No choque hipovolêmico e no choque cardiogênico, os pacientes apresentam hipotensão, pulso fraco e rápido, taquipneia e pele fria, cianótica e pegajosa. Conforme assinalado anteriormente, no choque séptico, a pele pode estar quente e ruborizada, devido à vasodilatação periférica. A principal ameaça à vida é o evento desencadeante subjacente (p. ex., infarto do miocárdio, hemorragia grave, infecção bacteriana). Entretanto, as alterações cardíacas, cerebrais e pulmonares logo agravam a situação. Se o paciente sobreviver à agressão inicial, o agravamento da função renal pode provocar uma fase dominada por oligúria progressiva, acidose e desequilíbrio eletrolítico.

O prognóstico varia de acordo com a origem do choque e sua duração. Assim, mais de 90% dos pacientes jovens e saudáveis nos demais aspectos com choque hipovolêmico sobrevivem com tratamento adequado; por outro lado, o choque séptico ou o choque cardiogênico estão associados a desfechos substancialmente mais sombrios, mesmo com os cuidados de última geração.

Conceitos-chave
Choque

- O choque é definido como um estado de hipoperfusão tecidual sistêmica, devido à redução do débito cardíaco e/ou redução do volume sanguíneo circulante efetivo
- Os principais tipos de choque são os choques cardiogênico (p. ex., infarto do miocárdio), hipovolêmico (p. ex., perda de sangue) e séptico (p. ex., infecções)
- O choque de qualquer tipo pode levar à lesão tecidual hipóxica se não for corrigido
- O choque séptico é causado por uma resposta desregulada do hospedeiro a infecções bacterianas ou fúngicas; caracteriza-se por ativação das células endoteliais, vasodilatação, edema, CID e distúrbios metabólicos.

LEITURA SUGERIDA

Dinâmica dos líquidos

Chen H, Schrier R: Pathophysiology of volume overload in acute heart failure syndromes, *Am J Med* 119:S11, 2006. [*Revisão mais antiga, mas ainda útil, sobre insuficiência cardíaca e sobrecarga de fluídos*].

Hemostasia e sangramento

Chapman JC, Hajjar KA: Fibrinolysis and the control of blood coagulation, *Blood Rev* 29:17, 2015. [*Discussão atualizada sobre fibrinólise e seu papel na regulação da coagulação*].

Ellery PE, Adams MJ: Tissue factor pathway inhibitor: then and now, *Semin Thromb Hemost* 40:881, 2014. [*Avanços no entendimento do papel do fator tecidual na coagulação*].

Rao LVM, Pendurthi UR, Rao LVM: Endothelial cell protein C receptor dependent signaling, *Curr Opin Hematol* 25:219, 2018. [*Excelente revisão das múltiplas funções da proteína C*].

Rudinga GR et al: Protease-activated receptor 4 (PAR4): a promising target for antiplatelet therapy, *Int J Mol Sci* 19:572, 2018. [*Discussão do papel dos receptores ativados por protease na hemostasia e para o desenvolvimento de fármacos direcionados aos PARs*].

Versteeg HH, Heemskerk JWM, Levi M et al: New fundamentals in hemostasis, *Physiol Rev* 93:327, 2013. [*Atualização de várias questões na hemostasia*].

Vojacek JF: Should we replace the terms intrinsic and extrinsic coagulation pathways with tissue factor pathway? *Clin Appl Thromb Hemost* 23:922, 2017. [*Breve revisão sobre o papel central do fator tecidual na coagulação*].

Trombose e tromboembolismo

Coleman DM, Obi A, Henke PK: Update in venous thromboembolism: pathophysiology, diagnosis, and treatment for surgical patients, *Curr Probl Surg* 52:233, 2015. [*Revisão completa desta condição clínica comum*].

Hotoleanu C: Genetic risk factors in venous thromboembolism, *Adv Exp Med Biol—Adv In Internal Med* 906(253):2017. [*Excelente discussão clínica e molecular dos estados trombofílicos genéticos*].

Montagnana M, Lippi G, Danese: An overview of thrombophilia and associated laboratory testing. In Favaloro EJ, Lippi G, editors: *Hemostasis and thrombosis: methods and protocols, methods in molecular biology*, 1646, 2017, p 113. [*Revisão orientada para laboratórios dos fatores genéticos e adquiridos subjacentes à trombose*].

Prince M, Wenham T: Heparin-induced thrombocytopenia, *Postgrad Med J* 94:453, 2018. [*Revisão concisa e atualizada deste grave distúrbio clínico*].

Nisio MD, van Es N, Buller H: Deep Vein thrombosis and pulmonary embolism, *Lancet* 388, 2016. [*Excelente revisão desta importante condição clínica*].

Sciascia S, Amigo M-C, Roccatello M et al: Diagnosing antiphospholipid syndrome: 'extra-criteria' manifestations and technical advances, *Nat Rev Rheumatol* 13:549, 2017. [*Excelente discussão da patogênese e características clínicas da síndrome antifosfolípide*].

Formas incomuns de doença embólica

Brull SJ, Prielipp RC: Vascular air embolism: a silent hazard to patient safety, *J Crit Care* 42:255, 2017. [*Revisão completa de um distúrbio incomum, mas grave*].

Fukumoto LE, Fukomoto KD: Fat embolism syndrome, *Nurs Clin North Am* 335, 2018. [*Excelente discussão da fisiopatologia e características clínicas deste distúrbio*].

Tamura N, Farhana M, Oda T et al: Amniotic fluid embolism: pathophysiology from the perspective of pathology, *J Obstet Gynaecol Res* 43:627, 2017. [*Discussão de uma síndrome rara com alta mortalidade*].

Choque séptico

Cecconi M, Evans L, Levy M et al: Sepsis and septic shock, *Lancet* 392:75, 2018. [*Revisão lúcida e abrangente sobre o choque séptico*].

Levi M, Poll TVD: Coagulation and sepsis, *Thromb Res* 149:38, 2017. [*Discussão da coagulação na sepse*].

Moskovitz JB, Levy ZD, Todd LS: Cardiogenic shock, *Emerg Med Clin North Am* 645, 2015. [*Discussão da fisiopatologia do choque cardiogênico*].

Pfeiler S, Stark K, Massberg F et al: Propagation of thrombosis by neutrophils and extracellular nucleosome networks, *Hematologica* 102:206, 2017. [*Papel emergente das NETs no choque séptico*].

Pool R, Gomez H, Kellum JA: Mechanism of organ dysfunction in sepsis, *Crit Care Clin* 34:63, 2018. [*Discussão aprofundada dos múltiplos mecanismos que contribuem para a disfunções de órgãos na sepse*].

Russell JA, Rush B, Boyd J: Pathophysiology of septic shock, *Crit Care Clin* 34:43, 2017. [*Excelente discussão da patogênese do choque séptico*].

CAPÍTULO 5

Distúrbios Genéticos

SUMÁRIO DO CAPÍTULO

Genes e doenças humanas, 141
  Mutações, 142
Distúrbios mendelianos, 144
  Padrões de transmissão de distúrbios monogênicos, 144
  Doenças autossômicas dominantes, 144
  Distúrbios autossômicos recessivos, 145
  Distúrbios ligados ao X, 146
  Bases bioquímicas e moleculares de distúrbios monogênicos (mendelianos), 147
  Defeitos enzimáticos e suas consequências, 147
  Defeitos em receptores e sistemas de transporte, 148
  Alterações na estrutura, função ou quantidade de proteínas não enzimáticas, 148
  Reações adversas a fármacos geneticamente determinadas, 148
  Distúrbios associados a defeitos em proteínas estruturais, 148
  Síndrome de Marfan, 149
  Síndromes de Ehlers-Danlos, 150
  Distúrbios associados a defeitos nas proteínas receptoras, 151
  Hipercolesterolemia familiar, 151
  Distúrbios associados a defeitos enzimáticos, 154
  Doenças de armazenamento lisossômico, 154
  Doenças de armazenamento de glicogênio (glicogenoses), 161

Distúrbios associados a defeitos em proteínas que regulam o crescimento celular, 163
Distúrbios multigênicos complexos, 163
Distúrbios cromossômicos, 164
  Cariótipo normal, 164
  Terminologia citogenética comumente usada, 165
  Anormalidades estruturais dos cromossomos, 165
  Distúrbios citogenéticos envolvendo autossomos, 167
  Trissomia do 21 (síndrome de Down), 167
  Outras trissomias, 168
  Síndrome de deleção do cromossomo 22q11.2, 168
  Distúrbios citogenéticos envolvendo cromossomos sexuais, 170
  Síndrome de Klinefelter, 171
  Síndrome de Turner, 172
  Hermafroditismo e pseudo-hermafroditismo, 174
Distúrbios monogênicos com herança não clássica, 174
  Doenças causadas por mutações por repetição de trinucleotídios, 174
  Síndrome do X frágil, 176
  Síndrome de tremor/ataxia associada ao X frágil e insuficiência ovariana primária associada ao X frágil, 178

Mutações em genes mitocondriais – neuropatia óptica hereditária de Leber, 178
  Imprinting genômico, 179
  Síndromes de Prader-Willi e de Angelman, 179
  Mosaicismo gonadal, 181
Diagnóstico genético molecular, 181
  Métodos de diagnóstico e indicações para testes, 181
  Considerações laboratoriais, 181
  Indicações para análise de alterações genéticas hereditárias, 182
  Indicações para análise de alterações genéticas adquiridas, 182
  PCR e detecção de alterações na sequência de DNA, 182
  Análise molecular de alterações genômicas, 183
  Hibridização in situ fluorescente, 184
  Tecnologia de arranjo citogenômico, 184
  Marcadores polimórficos e diagnóstico molecular, 185
  Alterações epigenéticas, 186
  Análise de RNA, 186
  Sequenciamento de nova geração, 186
  Bioinformática, 187
  Aplicações clínicas do sequenciamento de DNA de nova geração, 188
  Aplicações futuras, 188
Reconhecimento, 188

Genes e doenças humanas

No **Capítulo 1**, discutimos a arquitetura do genoma humano normal. Aqui, elaboraremos esse conhecimento para discutir a base genética das doenças humanas.

Os distúrbios genéticos são muito mais comuns do que se pensa. Estima-se que a frequência das doenças genéticas ao longo da vida seja de 670 por 1.000. Além disso, as doenças genéticas encontradas na prática médica representam apenas a ponta do *iceberg*, ou seja, aquelas com erros genotípicos menos extremos, que permitem o desenvolvimento embrionário completo e o nascimento com vida. Estima-se que 50% dos abortos espontâneos durante os primeiros meses de gestação apresentam uma anormalidade cromossômica demonstrável; além disso, existem inúmeros pequenos erros detectáveis e muitas outras lesões genéticas que só agora estão sendo reconhecidas graças aos avanços no sequenciamento de DNA. Cerca de 1% de todos os recém-nascidos apresentam uma anormalidade cromossômica macroscópica, e aproximadamente 5% dos indivíduos com menos de 25 anos desenvolvem uma doença grave com um componente genético significativo. Quantas outras mutações permanecem ocultas?

Antes de discutirmos aberrações específicas que podem causar doenças genéticas, é útil observar que as **doenças genéticas humanas podem ser amplamente classificadas em três categorias:**

- *Distúrbios relacionados a mutações em genes únicos com grandes efeitos.* Essas mutações causam a doença ou predispõem à doença e, com algumas exceções como hemoglobinopatias, normalmente não estão presentes na população normal. Essas mutações e seus distúrbios associados são altamente penetrantes, o que significa que a presença da mutação está associada à doença em uma grande proporção de indivíduos. Como essas doenças são causadas por mutações de gene único, geralmente seguem o padrão mendeliano clássico de herança e também são chamadas de distúrbios mendelianos. Algumas exceções importantes a essa regra serão discutidas adiante.

O estudo de genes únicos e mutações com grandes efeitos tem sido extremamente informativo na medicina, já que muito do que se sabe sobre várias vias fisiológicas (p. ex., transporte de colesterol, secreção de cloreto) foi aprendido a partir da análise de distúrbios de gene único. Embora proporcionem muitas informações, esses distúrbios geralmente são raros, a menos que sejam mantidos em uma população por poderosas forças seletivas (p. ex., anemia falciforme em áreas em que a malária é endêmica; ver **Capítulo 14**)

- *Distúrbios cromossômicos*. Eles surgem de alterações estruturais ou numéricas nos autossomos e cromossomos sexuais. Como as doenças monogênicas, eles são incomuns, mas estão associados a uma alta penetrância
- *Distúrbios multigênicos complexos*. São muito mais comuns do que as doenças das duas categorias anteriores. Eles são causados por interações entre múltiplas formas variantes de genes e fatores ambientais. Essas variações nos genes são comuns na população e também são chamadas de *polimorfismos*. Cada um desses genes variantes confere um pequeno aumento no risco de doença, e não há um gene de suscetibilidade único que seja necessário ou suficiente para produzir a doença. É apenas quando vários desses polimorfismos estão presentes em um indivíduo que a doença ocorre – daí o termo *multigênico* ou *poligênico*. Assim, ao contrário dos genes mutantes com grandes efeitos que são altamente penetrantes e dão origem a distúrbios mendelianos, cada polimorfismo tem um pequeno efeito e baixa penetrância. Uma vez que as interações ambientais são importantes na patogênese dessas doenças, elas também são chamadas de distúrbios multifatoriais. Nesta categoria estão algumas das doenças mais comuns que afligem os humanos, como aterosclerose, diabetes melito, hipertensão e doenças autoimunes. Mesmo características normais, como altura e peso, são determinadas por polimorfismos em vários genes.

A discussão a seguir descreve as mutações que afetam genes únicos, as quais estão subjacentes aos distúrbios mendelianos; logo após, discutiremos os padrões de transmissão e amostras selecionadas de distúrbios de gene único.

Mutações

Uma *mutação* é definida como uma mudança permanente no DNA. As mutações que afetam as células germinativas são transmitidas à progênie e podem dar origem a doenças hereditárias. As mutações que surgem nas células somáticas, compreensivelmente, não causam doenças hereditárias, mas são importantes na gênese dos cânceres e de algumas malformações congênitas.

A seguir estão os princípios gerais relacionados aos efeitos das mutações genéticas:

- *Mutações pontuais dentro de sequências de codificação*. Uma mutação pontual é uma mudança em que uma única base é substituída por uma base diferente. Pode alterar o código em um trio de bases e levar à substituição de um aminoácido por outro no produto gênico. Como essas mutações alteram o significado da sequência da proteína codificada, elas costumam ser chamadas de *mutações de perda de sentido (missense)*. Se o aminoácido substituído for bioquimicamente semelhante ao original, normalmente ele causa pouca mudança na função da proteína, e a mutação é chamada de mutação *missense* "conservadora". Por outro lado, uma mutação *missense* "não conservadora" substitui o aminoácido normal por um bioquimicamente diferente. Um excelente exemplo desse tipo é a mutação falciforme que afeta a cadeia β-globina da hemoglobina (ver **Capítulo 14**). Aqui, o tripleto de nucleotídios CTC (ou GAG no mRNA), que codifica o ácido glutâmico, é alterado para CAC (ou GUG no mRNA), que codifica a valina. Essa substituição de um único aminoácido altera as propriedades físico-químicas da hemoglobina, causando anemia falciforme. Além de produzir uma substituição de aminoácido, uma mutação pontual pode alterar um códon de aminoácido em um terminador de cadeia ou códon de parada (*mutação sem sentido [nonsense]*). Tomando novamente o exemplo da β-globina, uma mutação pontual que afeta o códon da glutamina (CAG) cria um códon de parada (UAG) se U for substituído por C (**Figura 5.1**). Essa mudança leva ao término prematuro da tradução do gene da β-globina, e o peptídeo curto que é produzido é rapidamente degradado. A deficiência resultante das cadeias de β-globina pode dar origem a uma forma grave de anemia chamada talassemia β maior ou $β^0$ (ver **Capítulo 14**)
- *Mutações em sequências não codificantes*. Efeitos deletérios também podem resultar de mutações que não envolvem os éxons. Lembre-se de que a transcrição do DNA é iniciada e regulada por sequências promotoras e potencializadoras (ver **Capítulo 1**). Mutações pontuais ou deleções envolvendo essas sequências regulatórias podem interferir na ligação de fatores de transcrição e, assim, levar a uma redução acentuada ou à total falta de transcrição. Esse é o caso de certas formas de anemias hereditárias chamadas talassemias (ver **Capítulo 14**). Além disso, as mutações pontuais em íntrons podem levar ao *splicing* defeituoso das sequências intervenientes. Isso, por sua vez, interfere no processamento normal dos transcritos de mRNA iniciais e resulta em uma falha na formação de mRNA maduro. Portanto, a tradução não pode ocorrer e o produto gênico não é sintetizado
- *Deleções e inserções*. Pequenas deleções ou inserções que envolvem a sequência de codificação podem ter dois efeitos possíveis na proteína codificada. Se o número de pares de bases envolvidos for três ou um múltiplo de três, o quadro de leitura permanecerá intacto, e uma proteína com falta ou ganho de um ou mais aminoácidos será sintetizada (**Figura 5.2**). Se o número de bases codificadoras afetadas não for um múltiplo de três, o resultado será uma alteração do quadro de leitura da fita de DNA, produzindo o que é chamado de mutação de quadros de leitura (*frameshift*) (**Figuras 5.3** e **5.4**). Normalmente, o resultado é a incorporação de um número variável de aminoácidos incorretos seguida por truncamento resultante de um códon de parada prematuro
- *Alterações, exceto mutações, em genes codificadores de proteínas*. Além das alterações na sequência do DNA, os genes codificadores também podem sofrer variações estruturais, como alterações no número de cópias – *amplificações* ou *deleções* – ou *translocações* que resultam em ganho ou perda aberrante da função da proteína. Tal como acontece com as mutações, as alterações estruturais ocorrem na linhagem germinativa ou

são adquiridas nos tecidos somáticos. Em muitos casos, as alterações patogênicas na linhagem germinativa envolvem uma porção contígua de um cromossomo, em vez de um único gene, como na síndrome de microdeleção 22q, discutida posteriormente. Com a ampla disponibilidade de tecnologia de sequenciamento de última geração (NGS) para avaliar a variação do número de cópias de DNA em todo o genoma em resolução muito alta, recentemente foram descobertas alterações estruturais potencialmente patogênicas em distúrbios comuns, como o autismo. Os cânceres geralmente contêm alterações estruturais adquiridas somaticamente, como amplificações, deleções e translocações. O chamado cromossomo Filadélfia – translocação t(9;22) entre os genes *BCR* e *ABL* na leucemia mieloide crônica (ver **Capítulo 13**) – é um exemplo clássico

- *Alterações em RNA não codificantes.* É importante notar que, no passado, o foco principal da pesquisa genética era a descoberta de genes que codificam proteínas. Agora sabemos que um grande número de genes não codifica proteínas, mas produz transcritos – os chamados RNA não codificantes (ncRNAs) – que desempenham importantes funções regulatórias. Embora existam muitas famílias distintas de ncRNAs, os dois exemplos mais importantes – pequenas moléculas de RNA chamadas microRNAs (miRNAs) e longos RNA não codificantes (lncRNAs) – são discutidos no **Capítulo 1**

- *Mutações por repetição de trinucleotídios.* As mutações por repetição de trinucleotídios pertencem a uma categoria especial de anomalia genética. Essas mutações se caracterizam pela amplificação de uma sequência de três nucleotídios. Embora a sequência de nucleotídios específica que sofre amplificação varie em diferentes distúrbios, quase todas as sequências afetadas compartilham os nucleotídios guanina (G) e citosina (C). Por exemplo, na síndrome do X frágil (SXF), prototípica desta categoria de distúrbios, existem 250 a 4 mil repetições em tandem da sequência CGG dentro da região reguladora de um gene denominado *retardo mental familiar 1* (FMR1). Em populações normais, o número de repetições é pequeno, em média 29. Essas expansões das sequências de trinucleotídios impedem a expressão normal do gene *FMR1*, originando, então, a deficiência intelectual. Outra *característica distintiva das mutações por repetição de trinucleotídios é que elas são dinâmicas* (i. e., o grau de amplificação aumenta durante a gametogênese). Essas características, discutidas em maiores detalhes posteriormente, influenciam o padrão de hereditariedade e as manifestações fenotípicas das doenças causadas por essa classe de mutações.

Figura 5.2 A deleção de três bases no alelo comum da fibrose cística (FC) resulta na síntese de uma proteína que carece do aminoácido 508 (fenilalanina). Como a deleção é um múltiplo de três, essa não é uma mutação por deslocamento de quadro. (De Thompson MW, et al: *Thompson and Thompson Genetics in Medicine*, ed. 5, Philadelphia, 1991, WB Saunders, p. 135.)

Resumindo, as mutações podem interferir na expressão do gene em vários níveis. A transcrição pode ser suprimida por deleções de genes e mutações pontuais envolvendo sequências promotoras. O processamento anormal do mRNA pode resultar de mutações que afetam os íntrons ou junções de *splice* ou ambos. A tradução é afetada se uma mutação *nonsense* criar um códon de parada (mutação de terminação de cadeia) dentro de um éxon. Por fim, algumas mutações pontuais patogênicas podem levar à expressão de quantidades normais de uma proteína disfuncional.

Considerando essas informações, focamos nossa atenção agora nas três categorias principais de distúrbios genéticos: (1) distúrbios relacionados a genes mutantes de grande efeito; (2) doenças com herança multifatorial; e (3) distúrbios cromossômicos. A essas três categorias amplamente conhecidas deve-se adicionar um grupo heterogêneo de *distúrbios de gene único com padrões de hereditariedade não clássicos*. Este grupo inclui distúrbios resultantes de mutações de repetição de tripletos, aqueles decorrentes de mutações no DNA mitocondrial (mtDNA) e aqueles em que a transmissão é influenciada por *imprinting* genômico ou mosaicismo germinativo. As doenças dentro desse grupo são causadas por mutações em genes únicos, mas não seguem o padrão mendeliano de hereditariedade. Estes serão discutidos posteriormente neste capítulo.

Está além do escopo deste livro revisar a genética humana normal. Alguns fundamentos da estrutura do DNA e da regulação das expressões gênicas foram descritos no **Capítulo 1**. É importante esclarecer aqui alguns termos comumente usados – *hereditário*, *familiar* e *congênito*. Os distúrbios hereditários, por definição, são derivados dos progenitores e são transmitidos na linhagem germinativa ao longo das gerações e, portanto, são familiares. O termo *congênito* simplesmente implica "presente ao nascimento". Algumas

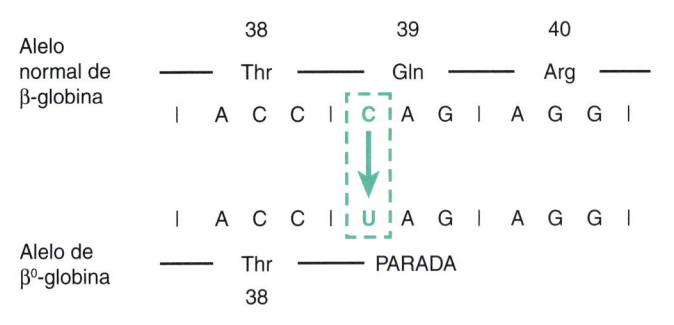

Figura 5.1 Mutação *nonsense* levando ao término prematuro da cadeia. Sequência parcial de mRNA da cadeia β-globina da hemoglobina mostrando códons para os aminoácidos 38 a 40. Uma mutação pontual (C → U) no códon 39 muda um códon de glutamina (Gln) para um códon de parada e, portanto, a síntese de proteínas para no aminoácido 38.

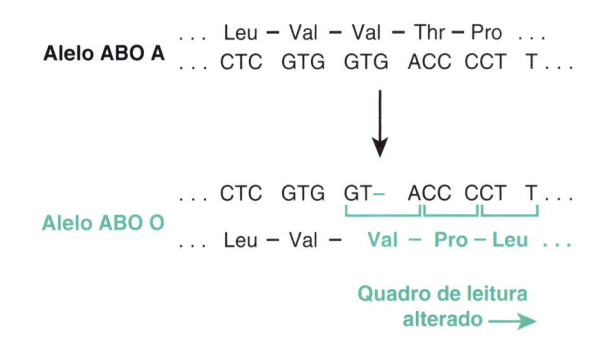

Figura 5.3 Deleção de base única no *locus* ABO (glicosiltransferase) levando a uma mutação por deslocamento de quadro responsável pelo alelo O. (De Thompson MW, et al: *Thompson and Thompson Genetics in Medicine*, ed. 5, Philadelphia, 1991, WB Saunders, p. 134.)

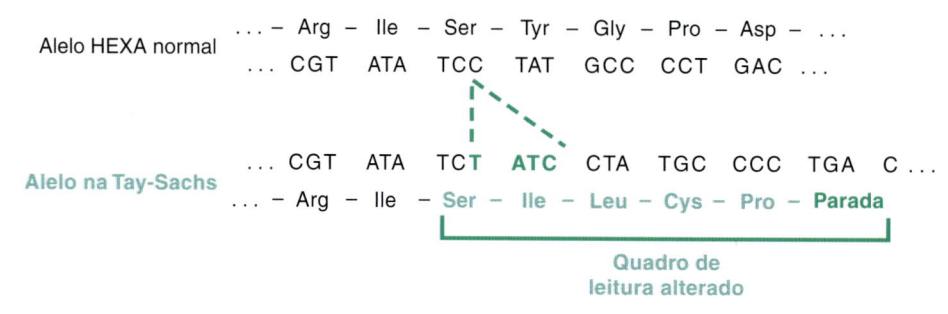

```
Alelo HEXA normal      ... – Arg – Ile – Ser – Tyr – Gly – Pro – Asp – ...
                       ... CGT   ATA   TCC   TAT   GCC   CCT   GAC ...

Alelo na Tay-Sachs     ... CGT   ATA   TCT  ATC   CTA   TGC   CCC   TGA   C ...
                       ... – Arg – Ile – Ser – Ile – Leu – Cys – Pro – Parada
                                             └──────── Quadro de ────────┘
                                                     leitura alterado
```

Figura 5.4 Inserção de quatro bases no gene da hexosaminidase A levando a uma mutação por deslocamento de quadro. Essa mutação é a principal causa da doença de Tay-Sachs em judeus asquenazes. (De Nussbaum RL, et al: *Thompson and Thompson Genetics in Medicine*, ed. 6, Philadelphia, 2001, WB Saunders, p. 212.)

doenças congênitas não são genéticas (p. ex., a sífilis congênita). Nem todas as doenças genéticas são congênitas; indivíduos com doença de Huntington, por exemplo, começam a manifestar sua condição somente após os 20 ou 30 anos.

Distúrbios mendelianos

Praticamente todos os distúrbios mendelianos são o resultado de mutações em genes únicos que têm grandes efeitos. Não é necessário detalhar as leis de Mendel aqui, uma vez que todo estudante de biologia, e talvez toda ervilha da horta, já aprendeu sobre elas desde tenra idade. Faremos apenas alguns comentários de relevância médica.

Estima-se que todo indivíduo seja portador de vários genes deletérios; a maioria desses genes é recessiva e, portanto, não tem efeitos fenotípicos graves. Cerca de 80 a 85% dessas mutações são familiares. O restante representa novas mutações adquiridas *de novo* por um indivíduo afetado.

A maioria das mutações em genes autossômicos produz expressão parcial no heterozigoto e expressão total no homozigoto. A anemia falciforme é causada pela substituição da hemoglobina normal (HbA) pela hemoglobina S (HbS). Quando um indivíduo é homozigoto para o gene mutante, toda a hemoglobina é do tipo anormal HbS, e, mesmo com saturação normal de oxigênio, o distúrbio é totalmente expresso (*i. e.*, deformidade falciforme de todos os eritrócitos e anemia hemolítica). No indivíduo heterozigoto, apenas uma proporção da hemoglobina é HbS (o restante é HbA), e, portanto, a falcização dos eritrócitos ocorre apenas em circunstâncias incomuns, como exposição à redução da tensão de oxigênio. Isso é conhecido como *traço falciforme* para diferenciá-lo da anemia falciforme completamente expressa.

Embora os traços mendelianos sejam geralmente descritos como dominantes ou recessivos, em alguns casos, ambos os alelos de um par de genes contribuem para o fenótipo – uma condição chamada *codominância*. A histocompatibilidade e os antígenos do grupo sanguíneo são bons exemplos de herança codominante.

Um único gene mutante pode levar a muitos efeitos finais, denominados *pleiotropia*; inversamente, mutações em vários *loci* genéticos podem produzir o mesmo traço (*heterogeneidade genética*). A anemia falciforme é um exemplo de pleiotropia. Nesse distúrbio hereditário, não apenas a mutação pontual no gene dá origem à HbS, que predispõe os eritrócitos à hemólise, mas também aqueles anormais tendem a causar um bloqueio em pequenos vasos, induzindo, por exemplo, fibrose esplênica, infartos em órgãos e alterações ósseas. Os numerosos distúrbios em órgãos-alvo distintos estão todos relacionados ao defeito primário na síntese de hemoglobina. Por outro lado, a surdez infantil profunda, uma entidade clínica aparentemente homogênea, resulta de muitos tipos diferentes de mutações autossômicas recessivas. O reconhecimento da heterogeneidade genética não é importante apenas no aconselhamento genético, mas é relevante também na compreensão da patogênese de alguns distúrbios comuns, como o diabetes melito.

Padrões de transmissão de distúrbios monogênicos

As mutações que envolvem genes únicos normalmente seguem um dos três padrões de herança: autossômica dominante, autossômica recessiva e ligada ao X. As regras gerais que determinam a transmissão de distúrbios de gene único são amplamente conhecidas; apenas algumas características salientes são resumidas. Os distúrbios de gene único com padrões de hereditariedade não clássicos serão descritos posteriormente.

Doenças autossômicas dominantes

Os distúrbios autossômicos dominantes se manifestam no estado heterozigoto, portanto, pelo menos um dos pais de um caso índice geralmente é afetado; homens e mulheres são afetados e ambos podem transmitir a doença. Quando uma pessoa afetada se casa com outra não afetada, todas as crianças têm uma chance em duas de ter a doença. Além dessas regras básicas, as condições autossômicas dominantes são caracterizadas pelo seguinte:

- *Com todo transtorno autossômico dominante, alguma proporção de pacientes não tem progenitores afetados.* Esses pacientes devem seu distúrbio a novas mutações envolvendo o óvulo ou o espermatozoide do qual se originam. Seus irmãos não são afetados nem apresentam risco aumentado para o desenvolvimento de doenças. A proporção de pacientes que desenvolvem a doença em decorrência de uma nova mutação está relacionada ao efeito da doença na capacidade reprodutiva. Se uma doença reduz significativamente a aptidão reprodutiva, deve-se esperar que a maioria dos casos resulte de novas mutações. Muitas novas mutações parecem ocorrer em células germinativas de pais relativamente mais velhos

- *As características clínicas podem ser modificadas por variações na penetrância e na expressividade.* Alguns indivíduos herdam o gene mutante, mas são fenotipicamente normais. Isso é conhecido como *penetrância incompleta*. A penetrância é expressa em termos matemáticos. Assim, 50% de penetrância indica que 50% dos portadores do gene expressam o traço. Ao contrário da penetrância, se um traço é visto em todos os indivíduos portadores do gene mutante, mas é expresso de forma diferente entre estes indivíduos, o fenômeno é chamado de *expressividade variável*. Por exemplo, as manifestações da neurofibromatose tipo 1 vão desde manchas acastanhadas a múltiplas neoplasias de pele e deformidades esqueléticas. Os mecanismos subjacentes à penetrância incompleta e expressividade variável não são totalmente compreendidos, mas muito provavelmente resultam de efeitos de outros genes ou fatores ambientais que modificam a expressão fenotípica do alelo mutante. Por exemplo, o fenótipo de um paciente com anemia falciforme (resultante da mutação no *locus* β-globina) é influenciado pelo genótipo no *locus* α-globina porque esse último influencia a quantidade total de hemoglobina produzida (ver **Capítulo 14**). A influência de fatores ambientais é exemplificada por indivíduos heterozigotos para hipercolesterolemia familiar (HF). A expressão da doença na forma de aterosclerose é condicionada pela ingestão alimentar de ideolipídios

- Em muitas condições, a idade de início é mais avançada; os sinais e sintomas podem não aparecer até a idade adulta (como na doença de Huntington).

Os mecanismos moleculares dos distúrbios autossômicos dominantes dependem da natureza da mutação e do tipo de proteína afetada. A maioria das mutações leva à redução da produção de um produto gênico ou dá origem a uma proteína disfuncional ou inativa. Se tal mutação dá origem a doença dominante ou recessiva, depende de se a cópia restante do gene é capaz de compensar a perda. Assim, entender as razões pelas quais mutações de perda de função específicas dão origem a padrões de doença dominante *versus* recessiva requer uma compreensão da biologia. Muitas doenças autossômicas dominantes decorrentes de mutações deletérias se enquadram em um de alguns padrões familiares:

1. *Doenças envolvidas na regulação de vias metabólicas complexas que estão sujeitas à inibição por* feedback. Os receptores de membrana, tais como o receptor de lipoproteína de baixa densidade (LDL), são um exemplo disso; na HF, discutida posteriormente, uma perda de 50% dos receptores de LDL resulta em uma elevação secundária do colesterol, que, por sua vez, predispõe à aterosclerose em heterozigotos afetados.
2. *Proteínas estruturais essenciais, como colágeno e elementos do citoesqueleto da membrana dos eritrócitos* (p. ex., a espectrina). Os mecanismos bioquímicos pelos quais uma redução de 50% nas quantidades dessas proteínas resulta em um fenótipo anormal não são totalmente compreendidos. Em alguns casos, principalmente quando o gene codifica uma subunidade de uma proteína multimérica, o produto do alelo mutante pode interferir na montagem de um multímero funcionalmente normal. Por exemplo, a molécula de colágeno é um trímero no qual as três cadeias de colágeno estão dispostas em uma configuração helicoidal. Cada uma das três cadeias de colágeno na hélice deve ser normal para a montagem e estabilidade da molécula de colágeno. Mesmo com uma única cadeia de colágeno mutante, os trímeros normais de colágeno não são formados e, portanto, há uma deficiência acentuada de colágeno. Nesse caso, o alelo mutante é denominado *dominante negativo* porque prejudica a função de um alelo normal. Esse efeito é ilustrado por algumas formas de osteogênese imperfeita,

caracterizada por deficiência acentuada de colágeno e graves anormalidades esqueléticas (ver **Capítulo 26**).

Menos comuns do que as mutações de perda de função são as mutações de *ganho de função*, que podem assumir duas formas. Algumas mutações resultam em um aumento na função normal de uma proteína, por exemplo, atividade enzimática excessiva. Em outros casos, as mutações conferem uma atividade totalmente nova, completamente não relacionada à função normal da proteína afetada. A transmissão de distúrbios produzidos por mutações de ganho de função é quase sempre autossômica dominante, conforme ilustrado pela doença de Huntington (ver **Capítulo 28**). Nessa doença, a mutação por repetição de trinucleotídios que afeta o gene de Huntington (ver adiante) dá origem a uma proteína anormal, chamada de *huntingtina*, que é tóxica para os neurônios, e, portanto, até mesmo os heterozigotos desenvolvem um déficit neurológico.

A **Tabela 5.1** lista os distúrbios autossômicos dominantes mais comuns. Muitos serão discutidos de forma mais lógica em outros capítulos. Algumas condições não consideradas em outra seção do livro são discutidas posteriormente neste capítulo para ilustrar princípios importantes.

Distúrbios autossômicos recessivos

Os traços autossômicos recessivos constituem a maior categoria de distúrbios mendelianos. Eles ocorrem quando ambos os alelos em um determinado *locus* gênico sofrem mutação. Esses distúrbios são caracterizados pelos seguintes aspectos: (1) o traço geralmente não afeta os progenitores do indivíduo afetado, mas os irmãos podem apresentar a doença; (2) os irmãos têm uma chance em quatro de ter o traço (*i. e.*, o risco de recorrência é de 25% para cada nascimento); e (3) se o gene mutante ocorre com uma frequência baixa na população, há uma forte probabilidade de que o indivíduo afetado (probando) seja o produto de um casamento consanguíneo. As seguintes características costumam se aplicar à maioria dos distúrbios autossômicos recessivos e os distinguem de doenças autossômicas dominantes:

- A expressão do defeito tende a ser mais uniforme do que nos distúrbios autossômicos dominantes
- A penetrância completa é comum

Tabela 5.1 Distúrbios autossômicos dominantes.

Sistema	Distúrbio
Nervoso	Doença de Huntington Neurofibromatose Distrofia miotônica Esclerose tuberosa
Urinário	Doença renal policística
Digestório	Polipose familiar do cólon
Hematopoético	Esferocitose hereditária Doença de von Willebrand
Esquelético	Síndrome de Marfan[a] Síndrome de Ehlers-Danlos (algumas variantes)[a] Osteogênese imperfeita Acondroplasia
Metabólico	Hipercolesterolemia familiar[a] Porfiria aguda intermitente

[a]Discutidos neste capítulo. Outros distúrbios listados são discutidos em capítulos apropriados do livro.

- A doença costuma se manifestar no início da vida
- Embora novas mutações associadas a distúrbios recessivos ocorram, é raro que sejam detectadas clinicamente. Uma vez que o indivíduo com uma nova mutação é um heterozigoto assintomático, várias gerações podem se passar antes que os descendentes dessa pessoa se casem com outros heterozigotos e gerem uma prole afetada
- Muitos dos genes mutantes codificam enzimas. Em heterozigotos, quantidades iguais de enzima normal e defeituosa são sintetizadas. Normalmente, a "margem de segurança" natural garante que as células com metade do complemento usual da enzima funcionem normalmente.

Os distúrbios autossômicos recessivos incluem quase todos os erros inatos do metabolismo. As várias consequências das deficiências enzimáticas são discutidas posteriormente. As mais comuns dessas condições estão listadas na **Tabela 5.2**. A maior parte delas será apresentada em outras partes do livro; alguns protótipos serão discutidos posteriormente neste capítulo.

Distúrbios ligados ao X

Todos os distúrbios ligados ao sexo são ligados ao cromossomo X e quase todos são recessivos. Vários genes estão localizados na região específica masculina de Y; todos eles estão relacionados à espermatogênese. *Os homens com mutações que afetam os genes ligados ao Y geralmente são inférteis e, portanto, não há herança ligada ao Y.* Como discutido mais adiante, alguns genes adicionais com homólogos no cromossomo X foram mapeados no cromossomo Y, mas apenas alguns distúrbios raros resultantes de mutações em tais genes foram descritos.

A herança recessiva ligada ao X é responsável por um pequeno número de condições clínicas bem definidas. O cromossomo Y, em sua maior parte, não é homólogo ao cromossomo X, e, portanto, os genes mutantes no cromossomo X não têm alelos correspondentes no cromossomo Y. Assim, diz-se que os homens são *hemizigotos* para genes mutantes ligados ao X, portanto, esses distúrbios são expressos em homens. Outros aspectos que caracterizam esses distúrbios são os seguintes:

- Um homem afetado não transmite o distúrbio aos filhos, mas todas as filhas são portadoras. Filhos de mulheres heterozigotas têm, é claro, uma chance em duas de receber o gene mutante
- Uma mulher heterozigota geralmente não expressa a mudança fenotípica completa por causa do alelo pareado normal. Por causa da inativação aleatória de um dos cromossomos X na mulher, entretanto, as mulheres têm uma proporção variável de células nas quais o cromossomo X mutante está ativo. Assim, é remotamente possível que o alelo normal esteja inativado na maioria das células, permitindo a expressão completa de condições heterozigotas ligadas ao X em mulheres. Muito mais comumente, o alelo normal está inativado em apenas algumas das células, e, portanto, uma mulher heterozigota expressa o distúrbio parcialmente. Uma condição ilustrativa é a *deficiência de glicose-6-fosfato desidrogenase (G6 PD)*. Transmitida no cromossomo X, essa deficiência enzimática, que predispõe à hemólise dos eritrócitos em pacientes que recebem certos tipos de fármacos (ver **Capítulo 14**), se expressa principalmente no sexo masculino. Nas mulheres, uma proporção dos eritrócitos pode ser derivada de precursores com inativação do alelo normal. Esses eritrócitos correm o mesmo risco de hemólise que os eritrócitos em homens hemizigotos. Assim, as mulheres não são apenas portadoras desse traço, mas também estão suscetíveis a reações hemolíticas induzidas por fármacos. Como a proporção de eritrócitos defeituosas em mulheres heterozigotas depende da inativação aleatória de um dos cromossomos X, no entanto, a gravidade da reação hemolítica é quase sempre menor em mulheres heterozigotas do que em homens hemizigotos. A maioria das condições ligadas ao X listadas na **Tabela 5.3** é abordada em outra parte do texto.

Existem apenas algumas *condições dominantes ligadas ao X*. Elas são causadas por alelos associados à doença dominante no cromossomo X. Esses distúrbios são transmitidos por uma mulher heterozigota afetada para metade de seus filhos e metade de suas filhas e por um homem afetado para todas as suas filhas, mas para nenhum de seus filhos, se a mãe não for afetada. O raquitismo resistente à vitamina D e a síndrome de Alport são exemplos desse tipo de herança.

Tabela 5.2 Doenças recessivas autossômicas.

Sistema	Distúrbio
Metabólico	Fibrose cística
	Fenilcetonúria
	Galactosemia
	Homocistinúria
	Doenças de armazenamento lisossômico[a]
	Deficiência de α_1-antitripsina
	Doença de Wilson
	Hemocromatose
	Doenças de armazenamento de glicogênio[a]
Hematopoético	Anemia falciforme
	Talassemias
Endócrino	Hiperplasia adrenal congênita
Esquelético	Síndrome de Ehlers-Danlos (algumas variantes)[a]
	Alcaptonúria
Nervoso	Atrofias musculares neurogênicas
	Ataxia de Friedreich
	Atrofia muscular espinal

[a]Discutidos neste capítulo. Muitos outros são discutidos em outros pontos do livro.

> ### Conceitos-chave
> **Padrões de transmissão de distúrbios monogênicos**
> - Os distúrbios autossômicos dominantes são caracterizados pela expressão em estado heterozigoto; eles afetam homens e mulheres igualmente, e ambos os sexos podem transmitir o distúrbio
> - As proteínas enzimáticas não são afetadas nos distúrbios autossômicos dominantes; em vez disso, receptores e proteínas estruturais estão envolvidos
> - As doenças autossômicas recessivas ocorrem quando ambas as cópias de um gene sofrem mutação; as proteínas enzimáticas frequentemente estão envolvidas. Homens e mulheres são afetados igualmente
> - Os distúrbios ligados ao X são transmitidos por mulheres heterozigotas a seus filhos, que manifestam a doença. As portadoras do sexo feminino geralmente estão protegidas devido à inativação aleatória de um cromossomo X.

Tabela 5.3 Distúrbios recessivos ligados ao X.

Sistema	Doença
Musculoesquelético	Distrofia muscular de Duchenne
Sanguíneo	Hemofilia A e B Doença granulomatosa crônica Deficiência de glicose-6-fosfato desidrogenase
Imunológico	Agamaglobulinemia Síndrome de Wiskott-Aldrich
Metabólico	Diabetes insípido Síndrome de Lesch-Nyhan
Nervoso	Síndrome do X frágil[a]

[a]Discutidos neste capítulo. Outros distúrbios são discutidos em capítulos apropriados do livro.

Bases bioquímicas e moleculares de distúrbios monogênicos (mendelianos)

Os distúrbios mendelianos resultam de alterações envolvendo genes únicos. O defeito genético pode levar à formação de uma proteína anormal ou a uma redução na quantidade do produto gênico. Praticamente qualquer tipo de proteína pode ser afetado nos distúrbios de gene único e por meio de uma variedade de mecanismos (**Tabela 5.4**). Até certo ponto, o padrão de hereditariedade da doença relaciona-se com o tipo de proteína afetada pela mutação. Para essa discussão, os mecanismos envolvidos nos distúrbios monogênicos podem ser classificados em quatro categorias: (1) defeitos enzimáticos e suas consequências; (2) defeitos nos receptores de membrana e sistemas de transporte; (3) alterações na estrutura, função ou quantidade de proteínas não enzimáticas; e (4) mutações que resultam em reações incomuns a fármacos.

Defeitos enzimáticos e suas consequências

As mutações podem resultar na síntese de uma enzima com atividade reduzida ou na quantidade reduzida de uma enzima normal. Em ambos os casos, a consequência é um bloqueio metabólico. A **Figura 5.5** fornece um exemplo de uma reação enzimática na qual o substrato é convertido por enzimas intracelulares, denotadas como 1, 2 e 3, em um produto final por meio dos intermediários 1 e 2. Nesse modelo, o produto final exerce controle por *feedback* sobre a enzima 1. Também existe uma via secundária produzindo pequenas quantidades de M1 e M2. As consequências bioquímicas de um defeito enzimático em tal reação podem levar a três consequências principais:

Tabela 5.4 Bases bioquímicas e moleculares de alguns distúrbios mendelianos.

Tipo/Função da proteína	Exemplo	Lesão molecular	Doença
Enzima	Fenilalanina hidroxilase	Mutação no local de *splice*: quantidade reduzida	Fenilcetonúria
	Hexosaminidase A	Mutação no local de *splice* ou mutação por deslocamento de quadro com códon de parada: quantidade reduzida	Doença de Tay-Sachs
	Adenosina desaminase	Mutações pontuais: proteína anormal com atividade reduzida	Imunodeficiência combinada grave
Inibidor de enzima	α1-antitripsina	Mutações *missense*: secreção prejudicada do fígado para o soro	Enfisema e doença hepática
Receptor	Receptor de lipoproteína de baixa densidade	Deleções, mutações pontuais: redução da síntese, transporte para a superfície celular ou ligação à lipoproteína de baixa densidade	Hipercolesterolemia familiar
	Receptor de vitamina D	Mutações pontuais: falha da sinalização normal	Raquitismo resistente à vitamina D
Transporte			
Oxigênio	Hemoglobina	Deleções: quantidade reduzida	α-talassemia
		Processamento defeituoso de mRNA: quantidade reduzida	β-talassemia
		Mutações pontuais: estrutura anormal	Anemia falciforme
Canais iônicos	Regulador de condutância transmembranar de fibrose cística	Deleções e outras mutações: proteínas não funcionais ou mal enoveladas	Fibrose cística
Estrutural			
Extracelular	Colágeno	Deleções ou mutações pontuais causam quantidade reduzida de colágeno normal ou quantidades normais de colágeno defeituoso	Osteogênese imperfeita Síndromes de Ehlers-Danlos
	Fibrilina	Mutações *missense*	Síndrome de Marfan
Membrana celular	Distrofina	Deleção com síntese reduzida	Distrofia muscular de Duchenne/Becker
	Espectrina, anquirina ou proteína 4.1	Heterogênea	Esferocitose hereditária
Hemostasia	Fator VIII	Deleções, inserções, mutações *nonsense* e outros: síntese reduzida ou fator VIII anormal	Hemofilia A
Regulação de crescimento	Proteína Rb	Deleções	Retinoblastoma hereditário
	Neurofibromina	Heterogênea	Neurofibromatose tipo 1

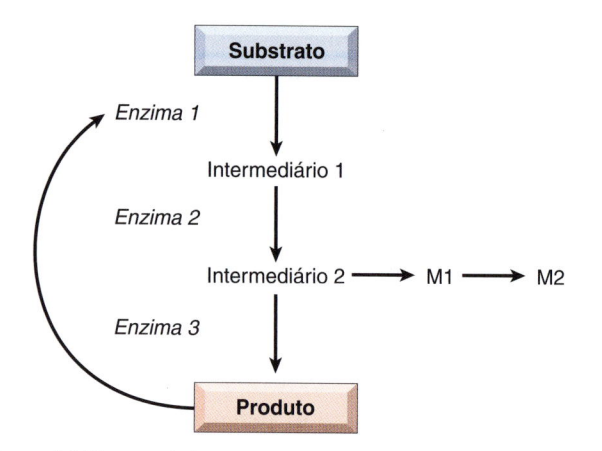

Figura 5.5 Uma possível via metabólica na qual um substrato é convertido em um produto final por uma série de reações enzimáticas. M_1, M_2, produtos de uma via secundária.

- *O acúmulo do substrato*, dependendo do local do bloqueio, pode ser acompanhado pelo acúmulo de um ou de ambos os intermediários. Além disso, uma concentração aumentada do intermediário 2 pode estimular a via secundária e, assim, levar a um excesso de M1 e M2. Sob essas condições, pode ocorrer lesão do tecido se o precursor, os intermediários ou os produtos de vias secundárias alternativas forem tóxicos em altas concentrações. Por exemplo, na galactosemia, a deficiência de galactose-1-fosfato uridiltransferase (ver **Capítulo 10**) leva ao acúmulo de galactose e consequente dano ao tecido. O acúmulo excessivo de substratos complexos nos lisossomos como resultado da deficiência de enzimas degradativas é responsável por um grupo de doenças geralmente chamadas de *doenças de armazenamento lisossômico*
- *Um defeito enzimático pode levar a um bloqueio metabólico e a uma diminuição da quantidade do produto final* que pode ser necessário para o funcionamento normal. Por exemplo, uma deficiência de melanina pode resultar da falta de tirosinase, que é necessária para a biossíntese da melanina a partir de seu precursor, a tirosina, resultando na condição clínica chamada *albinismo*. Se o produto final for um inibidor de *feedback* das enzimas envolvidas nas reações iniciais (na **Figura 5.5**, é mostrado que o produto inibe a enzima 1), a deficiência do produto final pode permitir a superprodução de intermediários e seus produtos catabólicos, alguns dos quais podem ser prejudiciais em altas concentrações. Um excelente exemplo de doença com esse mecanismo subjacente é a síndrome de Lesch-Nyhan (ver **Capítulo 26**)
- *A incapacidade de inativar um substrato que danifica o tecido* é mais bem exemplificada pela deficiência de α_1-antitripsina. Os indivíduos com deficiência hereditária de α_1-antitripsina sérica são incapazes de inativar a elastase neutrofílica em seus pulmões. A atividade não controlada dessa protease leva à destruição da elastina nas paredes dos alvéolos pulmonares, levando, por fim, ao enfisema pulmonar (ver **Capítulo 15**).

Defeitos em receptores e sistemas de transporte

Como discutimos no **Capítulo 1**, as substâncias biologicamente ativas precisam ser ativamente transportadas através da membrana celular. Em alguns casos, o transporte é obtido por endocitose mediada por receptor. Um defeito genético em um sistema de transporte mediado por receptor é exemplificado pela hipercolesterolemia familiar (HF), em que a síntese ou a função reduzida dos receptores de LDL leva ao transporte defeituoso de LDL para as células e, secundariamente, à síntese excessiva de colesterol por mecanismos intermediários complexos. Na fibrose cística, o sistema de transporte de íons cloreto e bicarbonato nas glândulas exócrinas, ductos de suor, pulmões e pâncreas é defeituoso. Por meio de mecanismos complexos não totalmente compreendidos, o transporte aniônico prejudicado leva a lesões graves nos pulmões e no pâncreas (ver **Capítulo 10**).

Alterações na estrutura, função ou quantidade de proteínas não enzimáticas

Defeitos genéticos que resultam em alterações de proteínas não enzimáticas frequentemente têm efeitos secundários generalizados, como exemplificado pela doença falciforme. As hemoglobinopatias, sendo a doença falciforme uma delas, todas caracterizadas por defeitos na estrutura da molécula da globina, são os que melhor exemplificam essa categoria. Ao contrário das hemoglobinopatias, as talassemias resultam de mutações nos genes da globina que afetam a quantidade de cadeias de globina sintetizadas. As talassemias estão associadas a quantidades reduzidas de cadeias de α-globina ou β-globina estruturalmente normais (ver **Capítulo 14**). Outros exemplos de distúrbios genéticos que envolvem proteínas estruturais defeituosas incluem a osteogênese imperfeita (defeitos no colágeno, ver **Capítulo 26**), esferocitose hereditária (espectrina, ver **Capítulo 14**) e distrofias musculares (distrofina, ver **Capítulo 27**).

Reações adversas a fármacos geneticamente determinadas

Certas deficiências enzimáticas geneticamente determinadas são reveladas somente após a exposição do indivíduo afetado a certos medicamentos. Essa área especial da genética, chamada *farmacogenética*, tem importância clínica considerável. O exemplo clássico de lesão induzida por fármacos no indivíduo geneticamente suscetível está associado à deficiência da enzima G6 PD. Em condições normais, a deficiência de G6 PD não resulta em doença, mas, com a administração do medicamento antimalárico primaquina, por exemplo, ocorre uma anemia hemolítica grave (ver **Capítulo 14**). Nos últimos anos, identificou-se um número crescente de polimorfismos de genes que codificam enzimas, transportadores e receptores que metabolizam fármacos. Em alguns casos, esses fatores genéticos têm um grande impacto na sensibilidade a medicamentos e nas reações adversas. Espera-se que os avanços na farmacogenética levem a uma terapia feita sob medida para o paciente, um exemplo de medicina personalizada.

Com essa visão geral da base bioquímica dos distúrbios monogênicos, consideraremos agora exemplos selecionados agrupados de acordo com o defeito subjacente.

Distúrbios associados a defeitos em proteínas estruturais

Várias doenças causadas por mutações em genes que codificam proteínas estruturais estão listadas na **Tabela 5.4**. Muitos são discutidos em outras partes do texto. Apenas a síndrome de Marfan e as síndromes de Ehlers-Danlos (SEDs) são discutidas aqui porque afetam o tecido conjuntivo e, portanto, envolvem vários sistemas de órgãos.

Síndrome de Marfan

A síndrome de Marfan é um distúrbio dos tecidos conjuntivos que se manifesta, principalmente, por alterações no esqueleto, olhos e sistema cardiovascular. Estima-se que sua prevalência seja de 1 em 5 mil. Aproximadamente 70 a 85% dos casos são familiares e transmitidos por herança autossômica dominante. O restante é esporádico e surge de novas mutações.

Patogênese

A síndrome de Marfan resulta de um defeito hereditário em uma glicoproteína extracelular chamada *fibrilina-1*. Existem dois mecanismos fundamentais pelos quais a perda de fibrilina leva às manifestações clínicas da síndrome de Marfan: perda de suporte estrutural no tecido conjuntivo rico em microfibrilas e ativação excessiva da sinalização do fator de crescimento transformador (TGF)-β. Cada um desses mecanismos é discutido a seguir:

- *A fibrilina é o principal componente das microfibrilas encontradas na matriz extracelular* (ver **Capítulo 1**). Essas fibrilas fornecem um suporte sobre o qual a tropoelastina é depositada para formar fibras elásticas. Embora as microfibrilas estejam amplamente distribuídas no corpo, elas são particularmente abundantes na aorta, nos ligamentos e nas zônulas ciliares que sustentam o cristalino; esses tecidos são afetados de forma proeminente na síndrome de Marfan. A fibrilina ocorre em duas formas homólogas, a fibrilina-1 e a fibrilina-2, codificadas por dois genes separados, *FBN1* e *FBN2*, mapeados nos cromossomos 15q21.1 e 5q23.31, respectivamente. Mutações de *FBN1* são a base da síndrome de Marfan; mutações no gene *FBN2* relacionado são menos comuns e dão origem à *aracnodactilia contratural congênita*, um distúrbio autossômico dominante caracterizado por anormalidades esqueléticas. A análise mutacional revelou cerca de mil mutações distintas do gene *FBN1* em indivíduos com síndrome de Marfan. A maioria delas é formada por mutações *missense* que dão origem à fibrilina-1 anormal. Estas mutações podem inibir a polimerização das fibras de fibrilina (efeito dominante negativo). Por outro lado, a redução no teor de fibrilina abaixo de certo limiar enfraquece o tecido conjuntivo (haploinsuficiência)
- *Biodisponibilidade de TGF-β.* Embora muitas manifestações clínicas da síndrome de Marfan possam ser explicadas por alterações nas propriedades mecânicas da matriz extracelular resultantes de anormalidades da fibrilina, várias outras, como o crescimento ósseo excessivo e as alterações mixoides nas válvulas mitrais, não podem ser atribuídas a alterações na elasticidade do tecido. Estabeleceu-se que a fibrilina-1 controla a biodisponibilidade do TGF-β. Formas reduzidas ou alteradas de fibrilina-1 dão origem a uma ativação anormal e excessiva de TGF-β, uma vez que microfibrilas normais sequestram o TGF-β. A sinalização excessiva de TGF-β, por sua vez, leva à inflamação, tem efeitos nocivos no desenvolvimento da musculatura lisa vascular, e aumenta a atividade das metaloproteases, causando perda da matriz extracelular. Esse esquema é corroborado por dois grupos de observações:
  - Primeiro, as mutações de ganho de função no receptor tipo II de TGF-β dão origem a uma síndrome relacionada, chamada síndrome de Marfan tipo 2 (MFS2). Além disso, os pacientes com mutações na linhagem germinativa em uma isoforma do TGF-β, chamada TGF-β3, apresentam predisposição hereditária a aneurisma aórtico e outras manifestações cardiovasculares semelhantes às encontradas em pacientes com síndrome de Marfan clássica
  - Segundo, os bloqueadores do receptor da angiotensina II, que inibem a atividade do TGF-β, reduzem significativamente o diâmetro da raiz aórtica em modelos de camundongos com síndrome de Marfan. Ensaios clínicos estão em andamento para avaliar a eficácia do bloqueio do receptor da angiotensina em pacientes com síndrome de Marfan.

> ### Morfologia
>
> **As anormalidades esqueléticas são a característica mais marcante da síndrome de Marfan.** Em geral, o paciente é surpreendentemente alto, com extremidades muito longas e dedos das mãos e pés longos e estreitos. Os ligamentos articulares das mãos e dos pés são frouxos, sugerindo que o paciente tenha articulações hipermóveis; normalmente, o polegar pode ser hiperestendido para trás, até o pulso. A cabeça costuma ser dolicocefálica (cabeça longa), com saliências nas eminências frontais e cristas supraorbitais proeminentes. Podem surgir diversas deformidades da coluna vertebral, como cifose, escoliose ou rotação ou deslizamento das vértebras dorsais ou lombares. O tórax é classicamente deformado, apresentando *pectus excavatum* (esterno com depressão profunda) ou uma deformidade em peito de pombo.
>
> As **alterações oculares** assumem muitas formas. A mais característica é a subluxação ou deslocamento bilateral (geralmente para fora e para cima) do cristalino, conhecido como *ectopia lentis*. Essa anormalidade, resultante do enfraquecimento das zônulas ciliares, é tão incomum em pessoas que não têm essa doença que o achado de *ectopia lentis* bilateral deve levantar a suspeita de síndrome de Marfan.
>
> As **lesões cardiovasculares** são as características desse distúrbio que mais trazem risco de morte. As duas lesões mais comuns são o prolapso da válvula mitral, que ocorre em 40 a 50% dos casos e, de maior importância, a dilatação da aorta ascendente por necrose cística da média. Histologicamente, as alterações na camada média são praticamente idênticas às encontradas na necrose cística da média não relacionada à síndrome de Marfan (ver **Capítulo 12**). A perda do suporte da média resulta em dilatação progressiva do anel da valva aórtica e da raiz da aorta, dando origem a grave incompetência aórtica. O enfraquecimento da média predispõe a uma ruptura da íntima, que pode iniciar um hematoma intramural que cliva as camadas da média de forma a produzir **dissecção aórtica**. Depois de clivar as camadas da aorta por distâncias consideráveis, às vezes até chegar à raiz da aorta ou às artérias ilíacas, a hemorragia frequentemente rompe a parede da aorta.

Características clínicas

Embora as lesões da válvula mitral sejam mais frequentes, elas são clinicamente menos importantes do que as lesões aórticas. A perda de suporte do tecido conjuntivo nos folhetos da valva mitral torna-os moles e encrespados, criando a chamada valva flácida (ver **Capítulo 12**). Lesões valvares, com o alongamento das cordas tendíneas, costumam causar regurgitação mitral. Alterações semelhantes podem afetar as valvas tricúspides e, raramente, as válvulas aórticas. A ecocardiografia aumenta muito a capacidade de detectar as anormalidades cardiovasculares e, portanto, é extremamente valiosa no diagnóstico da síndrome de Marfan. A maioria das mortes é causada por ruptura de dissecções aórticas, seguidas em importância pela insuficiência cardíaca.

Embora as lesões que acabamos de descrever tipifiquem a síndrome de Marfan, deve-se enfatizar que há grande variação na expressão clínica dessa doença genética. Pacientes com alterações oculares ou cardiovasculares proeminentes podem ter poucas anormalidades esqueléticas, enquanto outros com alterações marcantes na constituição física não apresentam alterações oculares. Embora seja possível observar variabilidade na expressão clínica dentro de uma família, a variabilidade interfamiliar é muito mais comum e extensa. Por causa dessas variações, o diagnóstico clínico da síndrome de Marfan atualmente se baseia nos chamados critérios de Ghent revisados. Eles levam em consideração a história familiar, os sinais clínicos cardinais na ausência de história familiar e a presença ou ausência de mutação da fibrilina. Em geral, o envolvimento primário de dois dos quatro sistemas de órgãos (esquelético, cardiovascular, ocular e cutâneo) e o envolvimento secundário de outro órgão são necessários para o diagnóstico.

A expressão variável do defeito de Marfan é mais bem explicado com base nas muitas mutações diferentes que afetam o *locus* da fibrilina, que chega a cerca de mil. Essa heterogeneidade genética também apresenta desafios tremendos no diagnóstico da síndrome de Marfan. As tecnologias de sequenciamento de alto rendimento em evolução discutidas posteriormente neste capítulo podem superar esse problema no futuro.

Síndromes de Ehlers-Danlos

As síndromes de Ehlers-Danlos (SEDs) compreendem um grupo clínica e geneticamente heterogêneo de distúrbios que resultam de algumas mutações em genes que codificam o colágeno, enzimas que modificam o colágeno e, menos comumente, outras proteínas presentes na matriz extracelular. Outros distúrbios resultantes de mutações que afetam a síntese de colágeno incluem a osteogênese imperfeita (ver **Capítulo 26**), a síndrome de Alport (ver **Capítulo 20**) e a epidermólise bolhosa (ver **Capítulo 25**).

A biossíntese do colágeno é um processo complexo (ver **Capítulo 1**) que pode ser perturbado por erros genéticos que podem afetar qualquer um dos numerosos genes ou enzimas estruturais do colágeno necessários para as modificações pós-transcricionais do colágeno. Portanto, o modo de hereditariedade das SEDs abrange todos os três padrões mendelianos. Com base nas características clínicas e moleculares, seis variantes da SED foram reconhecidas. Elas estão listadas na **Tabela 5.5**. Mais recentemente, o sequenciamento de última geração revelou outros subgrupos, elevando o total para 11 tipos moleculares. Embora individualmente rara, a frequência coletiva das SEDs é de 1 em 5 mil nascimentos. Está além do escopo deste livro discutir cada variante de forma individual; em vez disso, as características clínicas importantes comuns à maioria das variantes estão resumidas e as manifestações clínicas estão correlacionadas com os defeitos moleculares subjacentes na síntese ou estrutura do colágeno.

Como esperado, os tecidos ricos em colágeno, como pele, ligamentos e articulações, estão frequentemente envolvidos na maioria das variantes da SED. Como as fibras de colágeno anormais não têm resistência adequada à tração, *a pele é hiperextensível e as articulações são hipermóveis*. Essas características permitem contorções grotescas, como dobrar o polegar para trás até tocar o antebraço e dobrar o joelho para cima, criando um ângulo quase reto. Acredita-se que a maioria dos contorcionistas tenha uma das SEDs. A predisposição ao deslocamento articular, porém, é um dos preços pagos por essa virtuosidade. *A pele é extraordinariamente elástica, extremamente frágil e vulnerável a ferimentos*. Lesões menores produzem defeitos abertos e o reparo ou intervenção cirúrgica é realizado com grande dificuldade por causa da falta de resistência normal à tração. *O defeito básico no tecido conjuntivo pode levar a graves complicações internas*. Isso inclui a ruptura do cólon e de grandes artérias (SED vascular), fragilidade ocular com ruptura da córnea e descolamento da retina (SED cifoescoliótica) e hérnia diafragmática (SED clássica).

As bases bioquímicas e moleculares dessas anormalidades são conhecidas em todas as formas de SED, exceto em uma – o chamado tipo hipermóvel. Alguns dos tipos de SED serão descritos brevemente pois oferecem algumas informações sobre a desconcertante heterogeneidade clínica desses distúrbios. Talvez o mais bem caracterizado seja o *tipo cifoescoliótico*, a forma autossômica recessiva mais comum de SED. Ele resulta de mutações no gene *PLOD1* que codifica a lisil hidroxilase, uma enzima necessária para a hidroxilação de resíduos de lisina durante a síntese do colágeno. Os pacientes afetados apresentam níveis acentuadamente reduzidos dessa enzima. Como a hidroxilisina é essencial para a reticulação intermolecular e intramolecular das fibras de colágeno, uma deficiência de lisil hidroxilase resulta na síntese de um colágeno que carece de estabilidade estrutural normal.

O *tipo vascular da SED* resulta de anormalidades do colágeno tipo III. Essa forma é geneticamente heterogênea porque pelo menos três tipos distintos de mutações que afetam o gene *COL3A1* que codifica o colágeno tipo III podem dar origem a

Tabela 5.5 Classificação das síndromes de Ehlers-Danlos.

Tipo de SED[a]	Achados clínicos	Herança	Defeitos genéticos
Clássico (I/II)	Hipermobilidade da pele e articulações, cicatrizes atróficas, vulnerabilidade para hematomas	Autossômica dominante	COL5A1, COL5A2
Hipermobilidade (III)	Hipermobilidade articular, dor, luxações	Autossômica dominante	Desconhecido
Vascular (IV)	Pele fina, ruptura arterial ou uterina, hematomas, hiperextensibilidade das articulações pequenas	Autossômica dominante	COL3A1
Cifoescoliose (VI)	Hipotonia, frouxidão articular, escoliose congênita, fragilidade ocular	Autossômica recessiva	Lisil hidroxilase
Artrocalásia (VIIa, VIIb)	Hipermobilidade articular grave, alterações na pele (brandas), escoliose, hematomas	Autossômica dominante	COL1A1, COL1A2
Dermatosparaxia (VIIc)	Grave fragilidade da pele, *cutis laxa*, hematomas	Autossômica recessiva	Pró-colágeno N-peptidase

[a]Os tipos de SED eram anteriormente classificados por algarismos romanos. Os parênteses mostram os equivalentes numéricos anteriores.

essa variante. Algumas afetam a taxa de síntese das cadeias pró-α1 (III), outras afetam a secreção do pró-colágeno do tipo III e ainda outras mutações levam à síntese do colágeno do tipo III estruturalmente anormal. Alguns alelos mutantes se comportam como dominantes negativos (ver discussão em "Distúrbios autossômicos dominantes") e, portanto, produzem efeitos fenotípicos graves. Esses estudos moleculares proporcionam uma base racional para o padrão de transmissão e características clínicas que são típicas dessa variante. Em primeiro lugar, como a SED do tipo vascular é provocada por mutações que envolvem uma proteína estrutural (e não uma proteína enzimática), um padrão autossômico dominante de hereditariedade seria esperado. Em segundo lugar, como os vasos sanguíneos e intestinos são conhecidos por serem ricos em colágeno tipo III, uma anormalidade desse colágeno é consistente com os defeitos estruturais graves (p. ex., vulnerabilidade a rupturas espontâneas) nesses órgãos. Ao contrário de muitos outros subtipos de SED, a pele não costuma ser hiperextensível.

Em duas formas da SED – tipo artrocalásia e tipo dermatosparaxia – o defeito fundamental está na conversão do pró-colágeno tipo I em colágeno. Essa etapa da síntese de colágeno envolve a clivagem de peptídeos não colágenos no terminal N e terminal C da molécula de pró-colágeno. Isso é realizado por peptidases específicas do terminal N e específicas do terminal C. O defeito na conversão de pró-colágeno em colágeno no tipo artrocalásia foi relacionado com mutações que afetam um dos dois genes do colágeno tipo I, *COL1A1* e *COL1A2*. Como resultado, são formadas cadeias pro-α1 (I) ou pro-α2 (I) estruturalmente anormais resistentes à clivagem de peptídeos N-terminais. Em pacientes com um único alelo mutante, apenas 50% das cadeias de colágeno do tipo I são anormais, mas, como essas cadeias interferem na formação de hélices de colágeno normais, os heterozigotos manifestam a doença. Por outro lado, o tipo dermatosparaxia relacionado é causado por mutações no gene *ADAMTS2*, que codifica pró-colágeno-N-peptidase, essencial para a clivagem de pró-colágenos. Como, nesse caso, a doença é causada por uma deficiência enzimática, ela segue uma forma de herança autossômica recessiva.

Por fim, no *tipo clássico de SED*, a análise molecular sugere que outros genes além daqueles que codificam o colágeno também podem estar envolvidos. Em cerca de 90% dos casos, foram detectadas mutações nos genes do colágeno tipo V (*COL5A1* e *COL5A2*). Surpreendentemente, nos casos restantes, não se encontrou nenhuma outra anormalidade no gene do colágeno, apesar da semelhança clínica com o tipo clássico de SED. Suspeita-se que, em alguns casos, defeitos genéticos que afetam a biossíntese de outras moléculas da matriz extracelular que influenciam indiretamente a síntese de colágeno podem estar envolvidos. Um exemplo é uma condição semelhante à SED clássica causada por mutação no gene *TNXB*, que codifica a tenascina-X, uma grande proteína multimérica que interage com colágenos fibrilares dos tipos I, III e V.

Para resumir, o traço comum nas SEDs é alguma anormalidade do colágeno. Esses distúrbios, no entanto, são extremamente heterogêneos. No nível molecular, foi detectada uma variedade de defeitos, que vão desde mutações envolvendo genes estruturais para o colágeno até aqueles envolvendo enzimas que são responsáveis por modificações pós-transcricionais do mRNA. Essa heterogeneidade molecular tem como consequência a expressão de SEDs na forma de distúrbios clinicamente variáveis com vários padrões de hereditariedade.

> **Conceitos-chave**
>
> **Síndrome de Marfan e síndromes de Ehlers-Danlos**
>
> **Síndrome de Marfan**
> - A síndrome de Marfan é causada por uma mutação no gene *FBN1* que codifica a fibrilina, que é necessária para a integridade estrutural dos tecidos conjuntivos e a regulação da sinalização de TGF-β
> - Os principais tecidos afetados são o esqueleto, os olhos e o sistema cardiovascular
> - As características clínicas podem incluir estatura alta, dedos longos, subluxação bilateral do cristalino, prolapso da válvula mitral, aneurisma aórtico e dissecção aórtica.
>
> **Síndromes de Ehlers-Danlos**
> - Existem diversas variantes de SED, todas caracterizadas por defeitos na síntese ou na montagem do colágeno. Cada uma das variantes é causada por uma mutação distinta que envolve um dos vários genes do colágeno ou genes que codificam outras proteínas da MEC, como a tenascina-X
> - As características clínicas podem incluir pele frágil e hiperextensível que é vulnerável a traumas; articulações hipermóveis; e rupturas envolvendo o cólon, córnea ou grandes artérias. A cicatrização de feridas é deficiente.

Distúrbios associados a defeitos nas proteínas receptoras

Hipercolesterolemia familiar

A hipercolesterolemia familiar (HF) é causada, mais comumente, por mutações no gene que codifica o receptor de LDL, resultando na remoção inadequada do LDL plasmático pelo fígado. Mutações no gene do receptor de LDL (*LDLR*) são responsáveis por 80 a 85% dos casos de HF. Muito menos comumente, a HF é causada por mutações em dois outros genes envolvidos na depuração do LDL plasmático. Eles codificam (1) a apolipoproteína B-100 (ApoB), o ligante para o receptor de LDL na partícula de LDL (5 a 10% dos casos) e (2) a pró-proteína convertase subtilisina/kexina tipo 9 (1 a 2% dos casos). Essa enzima, mais conhecida por sua abreviatura *PCSK9*, reduz a expressão dos receptores de LDL ao diminuir sua reciclagem e consequente degradação nos lisossomos. Cada um desses três tipos de mutações prejudica a depuração hepática de LDL e aumenta os níveis séricos de colesterol, dando origem a aterosclerose prematura e a um risco muito aumentado de infarto do miocárdio. As funções desses genes no metabolismo do colesterol serão discutidas a seguir.

A HF causada por mutações no receptor de LDL é um dos distúrbios mendelianos de ocorrência mais frequente. Heterozigotos com um gene mutante, representando cerca de 1 em 200 indivíduos, têm, desde o nascimento, uma elevação de duas a três vezes no nível de colesterol plasmático, levando a xantomas tendinosos e aterosclerose prematura na vida adulta (ver **Capítulo 11**). Os homozigotos, tendo uma dose dupla do gene mutante, são muito mais gravemente afetados e podem apresentar elevações de cinco a seis vezes nos níveis de colesterol plasmático. Xantomas cutâneos e aterosclerose coronária, cerebral e vascular periférica podem se desenvolver nesses indivíduos em idade precoce. O infarto do miocárdio pode ocorrer antes dos 20 anos. Estudos em grande escala descobriram que a HF está presente em 3 a 6% dos sobreviventes de infarto do miocárdio.

Metabolismo e transporte normais do colesterol

O colesterol pode ser derivado da dieta ou da síntese endógena. Os triglicerídeos e o colesterol alimentares são incorporados aos quilomícrons na mucosa intestinal e passando pelos vasos linfáticos do intestino para o sangue. Esses quilomícrons são hidrolisados por uma lipoproteína lipase endotelial nos capilares do músculo e da gordura. Os remanescentes de quilomícrons, ricos em colesterol, são então levados ao fígado. Parte do colesterol entra no reservatório (*pool*) metabólico (a ser descrito) e parte é excretada como colesterol livre ou como ácidos biliares no trato biliar. A síntese endógena de colesterol e do LDL começa no fígado (**Figura 5.6**). A primeira etapa desse processo é a secreção de lipoproteína de densidade muito baixa (VLDL) do fígado para o sangue.

As partículas de VLDL são ricas em triglicerídeos, mas contêm menores quantidades de ésteres de colesteril. Além disso, eles carregam apolipoproteínas ApoB, ApoC e ApoE em sua superfície. Nos capilares do tecido adiposo e dos músculos, a partícula VLDL sofre lipólise e é convertida em remanescente de VLDL, também chamada de lipoproteína de densidade intermediária (IDL). Em comparação com o VLDL, as partículas de IDL têm teor reduzido de triglicerídeos e um aumento de ésteres de colesteril. A ApoC se perde, mas ApoB e ApoE são mantidas. Após a liberação do endotélio capilar, as partículas de IDL têm um de dois destinos.

Aproximadamente 50% do IDL recém-formado é rapidamente absorvido pelo fígado por transporte mediado por receptor. O receptor responsável pela ligação de IDL à membrana da célula hepática reconhece tanto a ApoB quanto a ApoE. Chama-se ApoB/E, ou mais comumente receptor de LDL, porque também está envolvido na depuração hepática de LDL (descrita mais adiante). Nas células do fígado, o IDL é reciclado para gerar VLDL. As partículas de IDL não captadas pelo fígado são submetidas a um processamento metabólico posterior que remove a maior parte dos triglicerídeos remanescentes e ApoE, produzindo ApoB, que carrega partículas de LDL ricas em colesterol.

Embora muitos tipos de células, como fibroblastos, linfócitos, células musculares lisas, hepatócitos e células adrenocorticais, possuam receptores de LDL de alta afinidade, aproximadamente 70% do LDL plasmático é eliminado pelo fígado, usando um processo de transporte bastante sofisticado (**Figura 5.7**). A primeira etapa envolve a ligação de LDL aos receptores da superfície celular, que estão agrupados em regiões especializadas da membrana plasmática chamadas de *fossas revestidas* (ver **Capítulo 1**). Após a ligação, as fossas revestidas contendo o LDL ligado ao receptor são internalizadas por invaginação para formar vesículas revestidas que, depois disso, migram para dentro da célula para se fundir com os lisossomos. Aqui, o LDL se dissocia do receptor, que é reciclado para a superfície. A reciclagem dos receptores de LDL é regulada pela PCSK9, que se liga aos receptores de LDL na superfície dos hepatócitos e causa sua degradação após a endocitose. Nos lisossomos, a molécula de LDL é degradada enzimaticamente; a parte da apoproteína é hidrolisada em aminoácidos, enquanto os ésteres de colesteril são decompostos em colesterol livre. Esse colesterol livre, por sua vez, atravessa a membrana lisossômica para entrar no citoplasma, onde é utilizado para a síntese da membrana e como regulador da homeostase do colesterol. A saída do colesterol dos lisossomos requer a ação de duas proteínas, chamadas NPC1 e NPC2 (ver "Doença de Niemann-Pick tipo C"). Quatro processos separados são afetados pelo colesterol intracelular liberado, como explicado a seguir (ver **Figura 5.7**):

- O colesterol *suprime* a síntese de colesterol dentro da célula ao inibir a atividade da enzima 3-hidroxi-3-metilglutaril coenzima A (HMG CoA) redutase, que é a enzima limitante de taxa na via sintética
- O colesterol *ativa* a enzima acil-coenzima A:colesterol acil-transferase, favorecendo a esterificação e o armazenamento do excesso de colesterol
- O colesterol *suprime* a síntese dos receptores de LDL, protegendo as células do acúmulo excessivo de colesterol
- O colesterol *regula positivamente* a expressão de PCSK9, o que reduz a reciclagem dos receptores de LDL e causa a degradação dos receptores de LDL endocitados. Isso fornece um mecanismo adicional de proteção das células contra o acúmulo excessivo de colesterol.

Como mencionado anteriormente, a HF resulta de mutações no gene que codifica o receptor de LDL ou nos dois genes que comprometem sua função. O impacto das mutações nesses genes é o seguinte:

- *Mutações no gene* LDLR. Os heterozigotos com HF devido a mutação no gene *LDLR* apresentam apenas 50% do número normal de receptores de LDL de alta afinidade porque têm apenas um gene normal. Como resultado desse defeito no transporte, o catabolismo do LDL pelas vias dependentes do

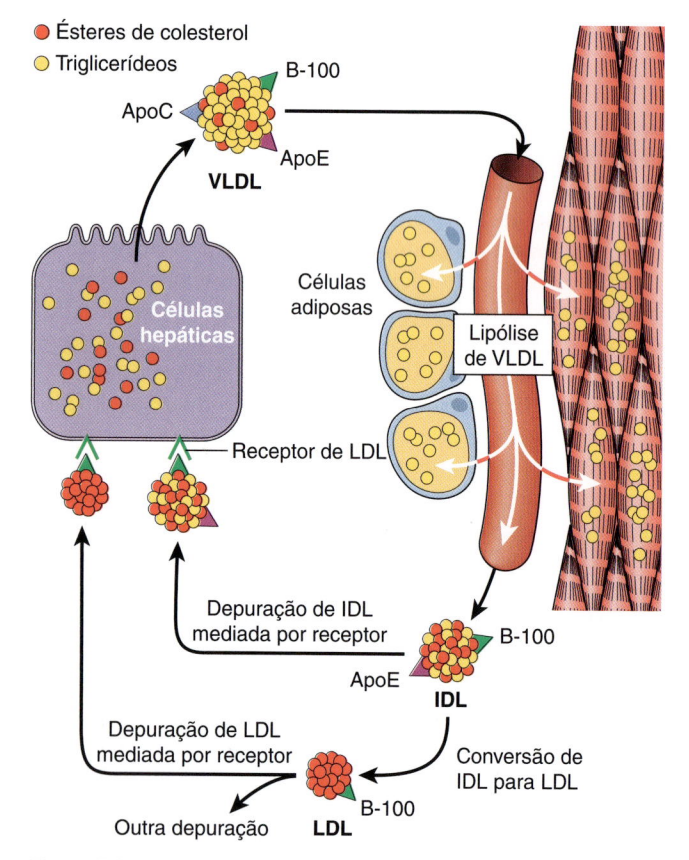

Figura 5.6 Metabolismo da lipoproteína de baixa densidade (*LDL*) e o papel do fígado em sua síntese e depuração. A lipólise da lipoproteína de densidade muito baixa (*VLDL*) pela lipoproteína lipase nos capilares libera triglicerídeos, que são então armazenados nas células adiposas e usados como fonte de energia nos músculos esqueléticos. *ApoC*, Apolipoproteína C; *ApoE*, apolipoproteína E; *B-100*, apolipoproteína B-100 (ApoB); *IDL*, lipoproteína de densidade intermediária.

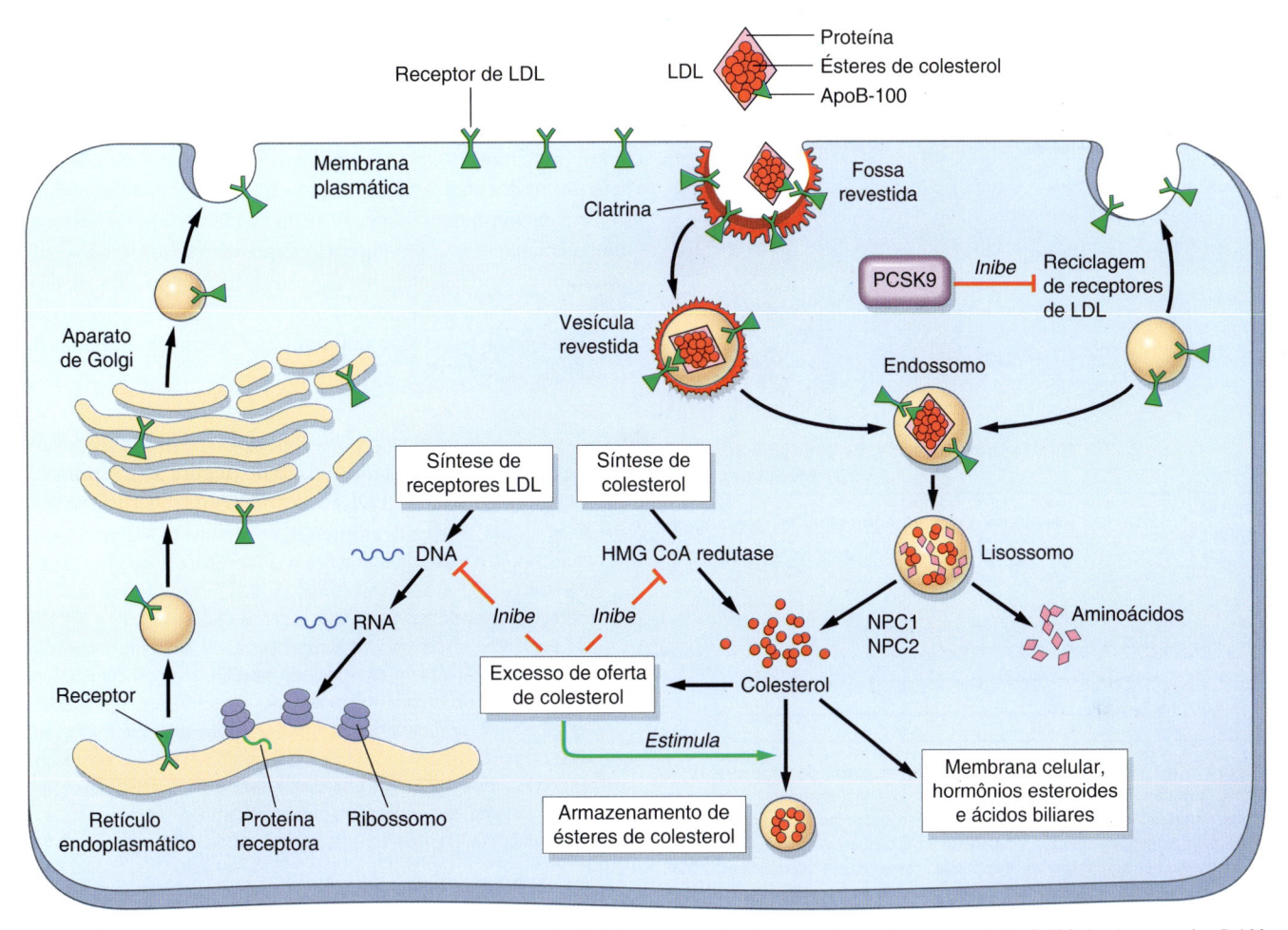

Figura 5.7 A via do receptor da lipoproteína de baixa densidade (LDL) e a regulação do metabolismo do colesterol. *ApoB-100*, Apolipoproteína B-100 (ApoB); *HMG CoA*, 3-hidroxi-3-metilglutaril coenzima A.

receptor é prejudicado e o nível plasmático de LDL aumenta de duas a três vezes. Os homozigotos praticamente não têm receptores normais de LDL em suas células e têm níveis muito mais altos de LDL circulante. Além da depuração defeituosa de LDL, tanto os homozigotos quanto os heterozigotos têm síntese aumentada de LDL. A síntese aumentada, que contribui para a hipercolesterolemia, também resulta da falta de receptores de LDL (ver **Figura 5.6**). Como mencionado anteriormente, o IDL, o precursor imediato do LDL plasmático, também usa receptores de LDL hepáticos (receptores apoB/E) para o seu transporte para o fígado. Na HF, o transporte prejudicado de IDL para o fígado desvia secundariamente uma proporção maior de IDL plasmático para o *pool* de precursores de LDL plasmático

- *Mutações no gene que codifica ApoB.* Uma vez que a ApoB na superfície das partículas de LDL é o ligante para os receptores de LDL, a ApoB mutante reduz a ligação de moléculas de LDL com os receptores de LDL. Esse comprometimento na ligação das partículas de LDL aos seus receptores aumenta o LDL-colesterol sérico
- *Mutação ativadora no gene PCSK9.* Essa mutação reduz muito o número de receptores de LDL na superfície celular por causa de sua degradação aumentada durante o processo de reciclagem.

O transporte de LDL através do receptor de varredura (*scavenger*) parece ocorrer, pelo menos em parte, nas células do sistema fagocítico mononuclear. Monócitos e macrófagos têm receptores para LDL quimicamente alterado (p. ex., acetilado ou oxidado). Normalmente, a quantidade de LDL transportada ao longo dessa via do receptor *scavenger* é menor do que a mediada pelos mecanismos dependentes do receptor de LDL. No caso da hipercolesterolemia, entretanto, há um aumento acentuado no tráfego mediado pelo receptor *scavenger* de colesterol LDL para as células do sistema fagocítico mononuclear e, possivelmente, para as paredes vasculares (ver **Capítulo 11**). Esse aumento é responsável pelo aparecimento de xantomas e contribui para a patogênese da aterosclerose prematura.

A genética molecular da HF é extremamente complexa. Foram identificadas mais de 2 mil mutações envolvendo o gene do receptor de LDL, incluindo variações no número de cópias do DNA, inserções, deleções e mutações *missense* e *nonsense*.

Elas podem ser classificadas em seis grupos (**Figura 5.8**). As *mutações de classe I* são relativamente incomuns e levam a uma falha completa da síntese da proteína receptora de LDL (alelo nulo). As *mutações de classe II* são bastante comuns; elas codificam proteínas receptoras de LDL que se acumulam no retículo endoplasmático, pois seus defeitos de enovelamento tornam impossível seu transporte para o complexo de Golgi. As *mutações de classe III* afetam o local de ligação ApoB do receptor; os receptores

a ação de refreamento do colesterol na síntese de receptores de LDL. Em outra estratégia, os anticorpos que inibem a função da PCSK9 reduzem a degradação dos receptores LDL, aumentando sua abundância na membrana celular e consequentemente aumentando a depuração do LDL-colesterol do sangue. Esses agentes têm profundos efeitos na redução do colesterol, e grandes ensaios clínicos demonstraram os benefícios do uso dessa classe de fármacos no tratamento de pacientes que não respondem de forma adequada às estatinas usadas isoladamente. Curiosamente, PCSK9 foi descoberto de modo acidental em indivíduos com colesterol sérico excessivamente baixo que apresentavam variantes de perda de função do gene *PCSK9*.

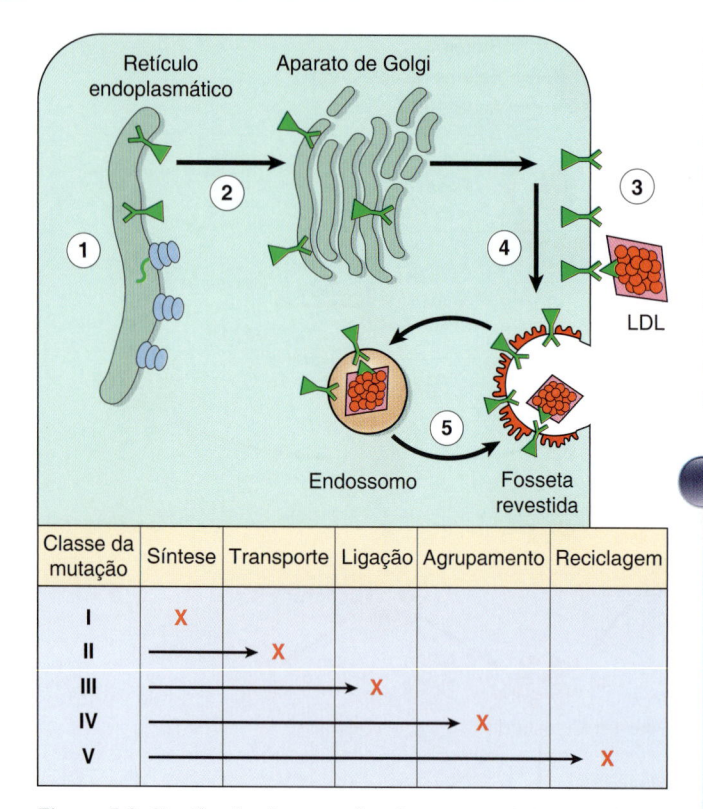

Classe da mutação	Síntese	Transporte	Ligação	Agrupamento	Reciclagem
I	X				
II		X			
III			X		
IV				X	
V					X

Figura 5.8 Classificação das mutações do receptor da lipoproteína de baixa densidade (*LDL*) com base na função anormal da proteína mutante. Essas mutações interrompem a síntese do receptor no retículo endoplasmático, o transporte para o complexo de Golgi, a ligação de ligantes de apoproteína, o agrupamento em fossas revestidas e a reciclagem nos endossomos. Não é mostrada a mutação de classe VI, na qual não ocorre o direcionamento inicial do receptor para a membrana basolateral. Cada classe é heterogênea no nível do DNA. (Modificada com permissão de Hobbs HH, et al: The LDL receptor *locus* in familial hypercholesterolemia: mutational analysis of a membrane protein, *Annu Ver Genet* 24:133-170, 1990. © 1990 by Annual Reviews.)

Conceitos-chave

Hipercolesterolemia familiar

- A HF é um distúrbio autossômico dominante causado por mutações nos genes que codificam o (1) receptor de LDL (85% dos casos), (2) a proteína ApoB (5 a 10% dos casos) ou (3) mutações ativadoras de *PCSK9* (1 a 2% casos)
- Os pacientes desenvolvem hipercolesterolemia como consequência do transporte prejudicado de LDL para as células
- Em heterozigotos para mutações no gene *LDLR*, o colesterol sérico elevado aumenta muito o risco de aterosclerose e doença arterial coronariana resultante; os homozigotos apresentam aumento ainda maior do colesterol sérico e maior frequência de cardiopatia isquêmica. O colesterol também se deposita ao longo das bainhas dos tendões, produzindo xantomas.

Distúrbios associados a defeitos enzimáticos

Doenças de armazenamento lisossômico

Os lisossomos são componentes essenciais do sistema digestivo intracelular. Eles contêm uma bateria de enzimas hidrolíticas que têm duas propriedades especiais. Primeiro, elas funcionam no meio ácido dos lisossomos. Segundo, essas enzimas constituem uma categoria especial de proteínas secretoras que se destinam não aos fluidos extracelulares, mas às organelas intracelulares. Esta última característica requer um processamento especial dentro do aparato de Golgi, que merece uma breve discussão.

Semelhantemente a todas as outras proteínas secretoras, as enzimas lisossômicas (ou *hidrolases ácidas*, como às vezes são chamadas) são sintetizadas no retículo endoplasmático e transportadas para o aparato de Golgi. Dentro do complexo de Golgi, elas sofrem uma série de modificações pós-tradução, como a ligação de grupos terminais de manose-6-fosfato a algumas das cadeias laterais de oligossacarídeos. Os resíduos de manose fosforilados servem como uma "etiqueta de endereço" que é reconhecida por receptores específicos encontrados na superfície interna da membrana de Golgi. As enzimas lisossômicas ligam-se a esses receptores e, dessa forma, são segregadas das numerosas outras proteínas secretoras dentro do complexo de Golgi. Em seguida, pequenas vesículas de transporte contendo as enzimas ligadas ao receptor são removidas do Golgi e continuam a se fundir com os lisossomos. Assim, as enzimas são direcionadas para sua morada intracelular e as vesículas são transportadas de volta para o complexo de Golgi (**Figura 5.9**).

mutantes de LDL alcançam a superfície da célula, mas não conseguem se ligar ao LDL ou o fazem de maneira inadequada. As *mutações de classe IV* codificam os receptores de LDL, que são sintetizados e transportados para a superfície da célula de forma eficiente. Eles se ligam ao LDL normalmente, mas não conseguem se localizar nas fossas revestidas, e, portanto, o LDL ligado não é internalizado. As *mutações de classe V* codificam os receptores de LDL que são expressos na superfície celular, conseguem se ligar ao LDL e podem ser internalizados; no entanto, a dissociação dependente do pH do receptor e do LDL ligado não ocorre. Esses receptores ficam retidos no endossomo, onde são degradados e, portanto, não conseguem se reciclar para a superfície da célula. As *mutações de classe VI* resultam na falha do direcionamento inicial do receptor de LDL para a membrana basolateral.

A descoberta do papel crítico dos receptores de LDL na homeostase do colesterol permitiu a criação, de forma racional, de fármacos que reduzem o colesterol plasmático, aumentando o número de receptores de LDL (ver **Figura 5.8**). Uma das estratégias baseia-se na capacidade de certos medicamentos (estatinas) de suprimir a síntese de colesterol intracelular por meio da inibição da enzima HMG CoA redutase. A redução do colesterol intracelular permite maior síntese de receptores de LDL ao remover

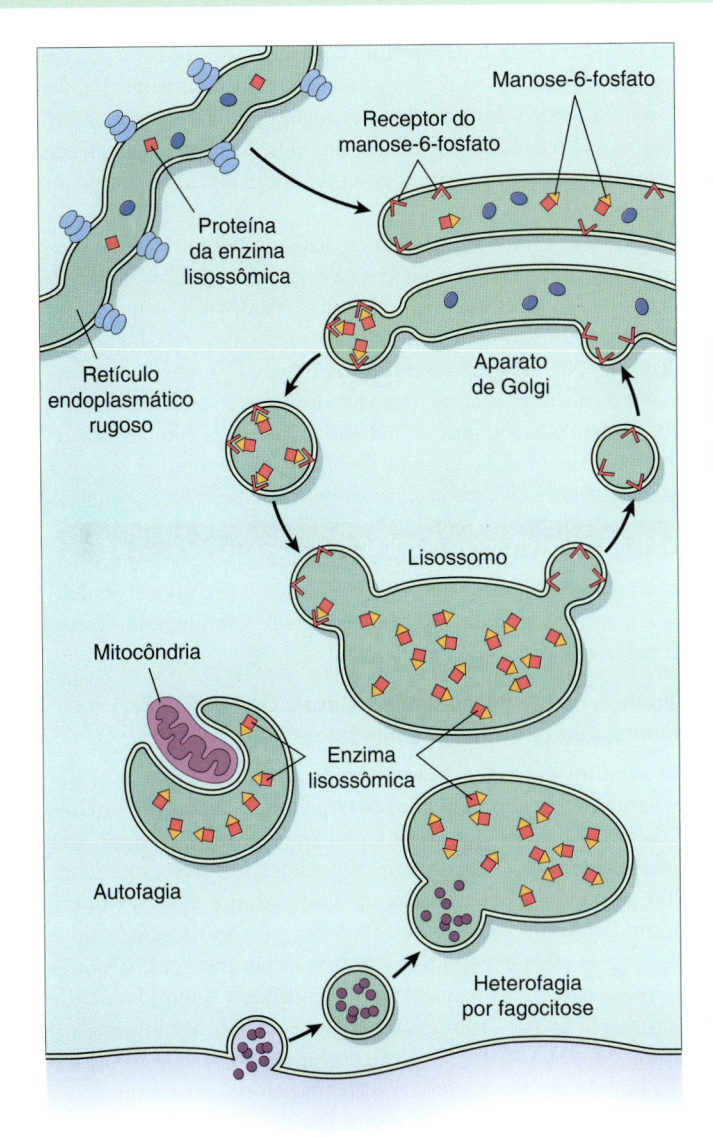

Figura 5.9 Síntese e transporte intracelular de enzimas lisossômicas.

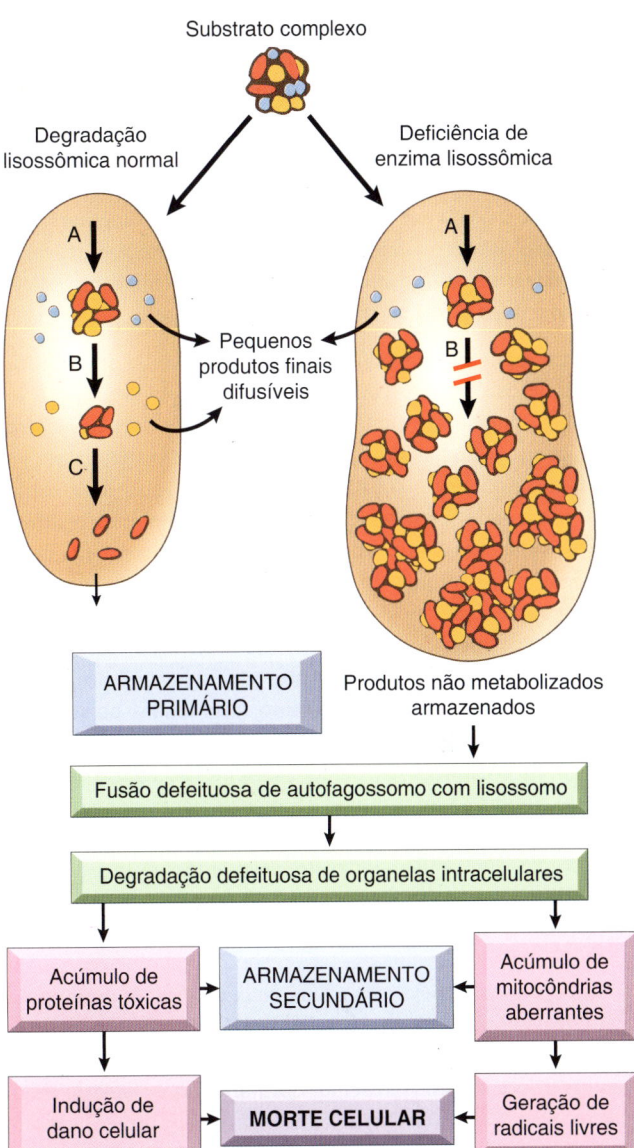

Figura 5.10 Patogênese das doenças de armazenamento lisossômico. No exemplo mostrado, um substrato complexo é normalmente degradado por uma série de enzimas lisossômicas (A, B e C) em produtos finais solúveis. Se houver uma deficiência ou mau funcionamento de uma das enzimas (p. ex., B), o catabolismo é incompleto e intermediários insolúveis se acumulam nos lisossomos. Além desse armazenamento primário, o armazenamento secundário e efeitos tóxicos surgem como resultados da autofagia defeituosa.

Conforme indicado posteriormente, erros geneticamente determinados nesse notável mecanismo de classificação podem originar uma forma de doença de armazenamento lisossômico. Estudos recentes estabeleceram uma ligação estreita entre doenças de armazenamento lisossômico e vários distúrbios neurodegenerativos. Os mecanismos celulares e moleculares dessa ligação serão discutidos mais adiante.

As enzimas lisossômicas catalisam a quebra de uma série de macromoléculas complexas. Essas grandes moléculas podem proceder do *turnover* metabólico de organelas intracelulares (autofagia) ou podem ser adquiridas de fora das células por fagocitose (heterofagia). Uma deficiência hereditária de uma enzima lisossômica funcional origina duas consequências patológicas (**Figura 5.10**):

- *O catabolismo do substrato da enzima ausente permanece incompleto*, levando ao acúmulo do metabólito insolúvel parcialmente degradado nos lisossomos. Isso se chama "acumulação primária". Repleto de macromoléculas incompletamente digeridas, os lisossomos tornam-se grandes e numerosos o suficiente para interferir nas funções normais das células.

- *Existe uma ligação estreita entre autofagia, funções mitocondriais e lisossomos*. Conforme discutido no **Capítulo 2**, uma ampla gama de organelas e moléculas celulares é degradada pela autofagia, como lipídios complexos, proteínas poliubiquitinadas, mitocôndrias e fragmentos do retículo endoplasmático. Em especial, a autofagia é essencial para a renovação das mitocôndrias por um processo denominado *mitofagia*. Ele serve como um sistema de controle de qualidade pelo qual as mitocôndrias disfuncionais são degradadas. Devido ao acúmulo de macromoléculas não digeridas nos lisossomos, a taxa com a qual os lisossomos processam organelas liberadas por vacúolos autofagocíticos está significativamente reduzida. Isso leva à persistência de mitocôndrias disfuncionais e com vazamentos, com baixa capacidade de tamponamento de cálcio e potenciais de membrana alterados nos lisossomos. As mitocôndrias danificadas geram radicais livres e liberam moléculas que desencadeiam a via intrínseca da apoptose. A autofagia prejudicada leva ao acúmulo secundário de substratos autofágicos, como polipeptídeos ubiquitinados e propensos à formação de agregados, como a α-sinucleína e proteína huntingtina. Esse processo fornece uma ligação molecular entre distúrbios neurodegenerativos e doenças de armazenamento lisossômico, como a doença de Gaucher (discutida adiante).

Há três abordagens gerais para o tratamento de doenças de depósito lisossômico. A mais óbvia é a terapia de reposição enzimática, atualmente em uso para várias dessas doenças. Outra abordagem, a terapia de redução de substrato, baseia-se na premissa de que, se o substrato a ser degradado pela enzima lisossômica pode ser reduzido, a atividade enzimática residual pode ser suficiente para catabolizá-lo e prevenir o acúmulo. Uma estratégia mais recente baseia-se na compreensão da base molecular da deficiência enzimática. Em muitos distúrbios, exemplificados pela doença de Gaucher, a atividade enzimática é baixa porque as proteínas mutantes são instáveis e propensas a enovelamento incorreto e, portanto, degradadas no retículo endoplasmático. Em tais doenças, um inibidor competitivo exógeno da enzima pode, paradoxalmente, se ligar à enzima mutante e atuar como o molde de enovelamento que auxilia o enovelamento adequado da enzima e, assim, evita sua degradação. Essa *terapia com chaperonas moleculares* está sob investigação ativa. Além do exposto, o transplante de células-tronco hematopoéticas e a terapia gênica também estão sendo avaliados em casos específicos.

Embora a frequência combinada de distúrbios de armazenamento lisossômico seja de cerca de 1 em 5 mil nascidos vivos, a disfunção lisossômica pode estar envolvida na etiologia de várias doenças mais comuns. Por exemplo, um importante fator de risco genético para o desenvolvimento da doença de Parkinson é o estado de portador da doença de Gaucher, e praticamente todos os pacientes com doença de Gaucher desenvolvem a doença de Parkinson. A doença de Niemann-Pick tipo C é outra doença de armazenamento lisossômico que aumenta o risco de doença de Alzheimer. Essa interconexão decorre da multifuncionalidade do lisossomo. Por exemplo, os lisossomos desempenham papéis críticos (1) na autofagia, resultante da fusão com o autofagossomo; (2) na imunidade, porque se fundem com os fagossomos; e (3) no reparo da membrana, por meio da fusão com a membrana plasmática.

Aproximadamente 70 doenças de armazenamento lisossômico já foram identificadas. Isso pode resultar de anormalidades de enzimas ou proteínas lisossômicas envolvidas na degradação do substrato, da seleção endossômica ou da integridade da membrana lisossômica. Os distúrbios de armazenamento lisossômico são divididos em categorias com base na natureza bioquímica dos substratos e dos metabólitos acumulados (**Tabela 5.6**). Dentro de cada grupo existem várias entidades, cada uma delas resultante da deficiência de uma enzima específica.

Em geral, a distribuição do material armazenado e, portanto, dos órgãos afetados é determinada por dois fatores inter-relacionados: (1) o tecido onde se encontra a maior parte do material a ser degradado e (2) o local onde normalmente ocorre a maior parte da degradação. Por exemplo, o cérebro é rico em gangliosídeos e, portanto, a hidrólise defeituosa dos gangliosídeos, como ocorre nas gangliosidoses G_{M1} e G_{M2}, resulta, principalmente, no seu acúmulo dentro dos neurônios e consequentes sintomas neurológicos. Os defeitos na degradação dos mucopolissacarídeos afetam praticamente todos os órgãos, pois essas moléculas são amplamente distribuídas pelo corpo.

Como as células do sistema fagocítico mononuclear são ricas em lisossomos e estão envolvidas na degradação de uma variedade de substratos, os órgãos ricos em células fagocíticas, como o baço e o fígado, costumam estar aumentados em várias formas de distúrbios de armazenamento lisossômico. O número cada vez maior de doenças de armazenamento lisossômico pode ser dividido em categorias racionais com base na natureza bioquímica do metabólito acumulado, criando, assim, subgrupos como *glicogenoses, esfingolipidoses (lipidoses), mucopolissacaridoses (MPSs) e mucolipidoses* (ver **Tabela 5.6**).

A maioria dessas condições é muito rara, e é melhor que sua descrição detalhada seja feita em textos e revisões especializadas. Apenas algumas das condições mais comuns serão consideradas aqui.

Doença de Tay-Sachs (gangliosidose G_{M2}: deficiência da subunidade α de hexosaminidase)

As gangliosidoses G_{M2} são um grupo de três doenças de armazenamento lisossômico causadas pela deficiência da enzima β-hexosaminidase que resulta na incapacidade de catabolizar gangliosídeos G_{M2}. Existem duas isoenzimas de β-hexosaminidase: Hex A, que consiste em duas subunidades, α e β, e Hex B, um homodímero de subunidades β. A degradação de gangliósidos G_{M2} requer três polipeptídeos codificados por três genes distintos – *HEXA* (no cromossomo 15), que codifica a subunidade α de Hex A; *HEXB* (no cromossomo 5), que codifica a subunidade β de Hex A e Hex B; e *GM2A* (no cromossomo 5), que codifica o ativador da hexosaminidase. Os efeitos fenotípicos das mutações que afetam esses genes são bastante semelhantes porque resultam do acúmulo de gangliosídeos G_{M2}. O defeito enzimático subjacente, no entanto, é diferente para cada um. A doença de Tay-Sachs, a forma mais comum de gangliosidose G_{M2}, é consequência de mutações no *locus* da subunidade α no cromossomo 15, que causa uma deficiência grave de hexosaminidase A. Essa doença é comum principalmente entre judeus, sobretudo entre aqueles provenientes da Europa Oriental (os asquenazes), nos quais se relatou uma frequência de portadores de 1 em 30.

A base molecular da lesão neuronal resultante da deficiência de hexosaminidase não é totalmente compreendida. Já foram descritas mais de cem mutações no gene *HEXA* da subunidade α; a maioria afeta o enovelamento de proteínas. Como a proteína mutante está erroneamente enovelada, ela induz a chamada resposta à proteína não enovelada (ver **Capítulo 2**). Se essas enzimas mal enoveladas não forem estabilizadas pelas chaperonas, elas sofrem degradação proteossomal, levando ao acúmulo de substratos tóxicos e intermediários dentro dos neurônios. Essas descobertas estimularam ensaios clínicos de terapia com chaperonas moleculares para algumas variantes de Tay-Sachs de início tardio e outras doenças de armazenamento lisossômico selecionadas. Essa terapia envolve o uso de chaperonas sintéticas que podem cruzar a barreira hematencefálica, ligar-se à proteína mutada e permitir seu enovelamento adequado. É possível, então, resgatar enzima funcional para amenizar os efeitos do erro inato.

Tabela 5.6 Doenças de armazenamento lisossômico.

Doença	Deficiência enzimática	Principais metabólitos acumulados
Glicogenose		
Tipo 2 – Doença de Pompe	α-1,4-glicosidase (glicosidase lisossômica)	Glicogênio
Esfingolipidoses		
Gangliosidose G_{M1} Tipo 1 – infantil, generalizada Tipo 2 – juvenil	Gangliosídeo G_{M1} β-galactosidase	Gangliosídeo G_{M1}, oligossacarídeos contendo galactose
Gangliosidose G_{M2} Doença de Tay-Sachs Doença de Sandhoff Variante AB da gangliosidose G_{M2}	Hexosaminidase A Hexosaminidase A e B Proteína ativadora de gangliosídeo	Gangliosídeo G_{M2} Gangliosídeo G_{M2}, globosídeo Gangliosídeo G_{M2}
Sulfatidoses		
Leucodistrofia metacromática	Arilsulfatase A	Sulfatídeo
Deficiência múltipla de sulfatase	Arilsulfatase A, B, C; esteroide sulfatase; iduronato sulfatase; heparan N-sulfatase	Sulfatídeo, sulfato de esteroide, sulfato de heparan, sulfato de dermatan
Doença de Krabbe	Galactosilceramidase	Galactocerebrosídeo
Doença de Fabry	α-Galactosidase A	Ceramida tri-hexosídeo
Doença de Gaucher	Glicocerebrosidase	Glicocerebrosídeo
Doença de Niemann-Pick: tipos A e B	Esfingomielinase	Esfingomielina
Mucopolissacaridoses (MPSs)		
MPS I-H (Hurler) MPS II (Hunter)	α-L-iduronidase Iduronato 2-sulfatase	Sulfato de dermatan, sulfato de heparan
Mucolipidoses (MLs)		
Doença das células I (ML II) e polidistrofia pseudo-Hurler	Deficiência de enzimas fosforilantes essenciais para a formação do marcador de reconhecimento de manose-6-fosfato; hidrolases ácidas sem o marcador de reconhecimento não podem ser direcionadas aos lisossomos, mas são secretadas extracelularmente	Mucopolissacarídeo, glicolipídio
Outras doenças de carboidratos complexos		
Fucosidose	α-fucosidase	Esfingolipídios contendo fucose e fragmentos de glicoproteína
Manosidose	α-manosidase	Oligossacarídeos contendo manose
Aspartilglicosaminúria	Aspartilglicosamina amido hidrolase	Aspartil-2-desoxi-2-acetamido-glicosilamina
Outras doenças de armazenamento lisossômico		
Doença de Wolman	Lipase ácida	Ésteres de colesterol, triglicerídeos

Morfologia

A hexosaminidase A está ausente de quase todos os tecidos, de modo que o gangliosídeo G_{M2} se acumula em muitos tecidos (p. ex., coração, fígado, baço, sistema nervoso), mas o **envolvimento de neurônios nos sistemas nervosos central e autônomo e na retina domina o quadro clínico**. No exame histológico, os neurônios estão cheios de vacúolos citoplasmáticos, cada um representando um lisossomo marcadamente distendido, repleto de gangliosídeos (**Figura 5.11A**). Com o microscópio eletrônico, é possível visualizar vários tipos de **inclusões citoplasmáticas**, sendo as mais proeminentes configurações espiraladas dentro dos lisossomos, compostas de camadas de membrana semelhantes a casca de cebola (**Figura 5.11B**). Com o tempo, ocorre destruição progressiva de neurônios, proliferação de micróglia e acúmulo de lipídios complexos em fagócitos dentro da substância cerebral. As células ganglionares na retina estão igualmente inchadas com gangliosídeo G_{M2}, em especial nas margens da mácula. Assim, **uma mancha vermelho-cereja aparece na mácula**, representando a acentuação da cor normal da coroide macular em contraste com a palidez produzida pelas células ganglionares inchadas no restante da retina (ver **Capítulo 29**). Esse achado é característico da doença de Tay-Sachs e de outros distúrbios de armazenamento que afetam os neurônios.

Características clínicas

Os recém-nascidos afetados parecem normais ao nascimento, mas começam a manifestar sinais e sintomas por volta dos 6 meses. Há uma deterioração motora e mental implacável, que resulta em falta de coordenação motora e deficiência intelectual e que levam, com o tempo, à flacidez muscular, cegueira e demência progressiva. Em algum momento durante o curso inicial da doença, a mancha vermelho-cereja característica, mas não patognomônica, aparece na mácula do olho em quase todos os pacientes. Ao longo do período de 1 ou 2 anos, o paciente chega a um estado vegetativo completo; o óbito ocorre por volta dos 2 a 3 anos. O diagnóstico pré-natal e a detecção de portador são possíveis por meio de ensaios enzimáticos e análises baseadas em DNA.

Doença de Niemann-Pick tipos A e B

A doença de Niemann-Pick dos tipos A e B são duas doenças relacionadas que se caracterizam pelo acúmulo lisossômico de esfingomielina devido a uma deficiência hereditária de esfingomielinase. O tipo A é uma forma infantil grave com extenso envolvimento neurológico, acúmulos viscerais acentuados de esfingomielina e atrofia progressiva e morte precoce nos primeiros 3 anos de vida. Por outro lado, os pacientes com o tipo B da doença têm organomegalia, mas geralmente não há envolvimento

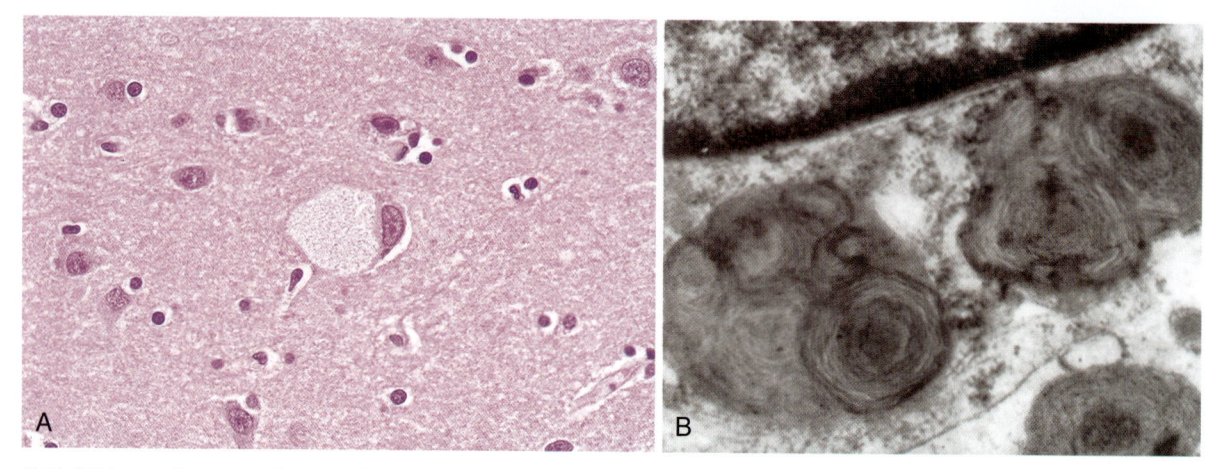

Figura 5.11 Células ganglionares na doença de Tay-Sachs. **A.** Sob o microscópio óptico, um grande neurônio apresenta vacuolização lipídica óbvia. **B.** Uma porção de um neurônio sob o microscópio eletrônico mostra lisossomos proeminentes com configurações espiraladas. Parte do núcleo é mostrada acima. (**A**, Cortesia do Dr. Arthur Weinberg, Departamento de Patologia, University of Texas Southwestern Medical Center, Dallas, Tex.; B, Cortesia do Dr. Joe Rutledge, University of Texas Southwestern Medical Center, Dallas, Tex.)

do sistema nervoso central. Os pacientes costumam sobreviver até a idade adulta. Tal como acontece com a doença de Tay-Sachs, a doença de Niemann-Pick tipos A e B são comuns em judeus asquenazes. O gene da esfingomielinase ácida se localiza no cromossomo 11p15.4 e é um dos genes impressos que é expresso preferencialmente no cromossomo materno como resultado do silenciamento epigenético do gene paterno (discutido posteriormente). Embora essa doença seja tipicamente herdada como autossômica recessiva, os heterozigotos que herdam o alelo mutante da mãe podem desenvolver a doença de Niemann-Pick. Foram encontradas mais de 180 mutações no gene da esfingomielinase ácida e parece haver uma correlação entre o tipo de mutação, a gravidade da deficiência enzimática e o fenótipo.

Morfologia

Na variante clássica infantil do tipo A, uma mutação *missense* causa deficiência quase completa de esfingomielinase. A esfingomielina é um componente onipresente das membranas celulares (incluindo as organelares) e, portanto, a deficiência da enzima bloqueia a degradação do lipídio, resultando em seu acúmulo progressivo nos lisossomos, em especial nas células do sistema fagocítico mononuclear. **As células afetadas aumentam de tamanho, às vezes até 90 μm de diâmetro, devido à distensão dos lisossomos com esfingomielina e colesterol.** Inúmeros pequenos vacúolos de tamanho relativamente uniforme são criados, conferindo um aspecto espumoso ao citoplasma (**Figura 5.12**). A microscopia eletrônica confirma que os vacúolos são lisossomos secundários ingurgitados que, com frequência, contêm corpos citoplasmáticos membranosos que se assemelham a figuras de mielina lameladas concêntricas, às vezes chamadas de "corpos de zebra".

As células espumosas fagocíticas repletas de lipídios estão amplamente distribuídas no baço, fígado, linfonodos, medula óssea, amígdalas, trato gastrintestinal e pulmões. **O acometimento do baço costuma produzir um aumento maciço**, chegando a até dez vezes seu peso normal, mas a hepatomegalia geralmente não é tão notável. Os linfonodos apresentam, em geral, um aumento de tamanho moderado a acentuado em todo o corpo.

O envolvimento neuronal é difuso, afetando todas as partes do sistema nervoso. A **vacuolização e a balonização dos neurônios** constituem a alteração histológica dominante, que com o tempo levam à morte celular e à perda de substância cerebral. Uma **mancha vermelho-cereja na retina** semelhante à observada na doença de Tay-Sachs está presente em cerca de um terço a metade dos indivíduos afetados.

As manifestações clínicas na doença do tipo A podem estar presentes no momento do nascimento e quase invariavelmente se tornam evidentes por volta dos 6 meses. Os lactentes costumam apresentar abdome protuberante devido à hepatoesplenomegalia. Uma vez que as manifestações aparecem, elas são seguidas por deficiência progressiva de crescimento, vômitos, febre e linfadenopatia generalizada, bem como deterioração progressiva da função psicomotora. A morte ocorre, em geral, no primeiro ou segundo ano de vida.

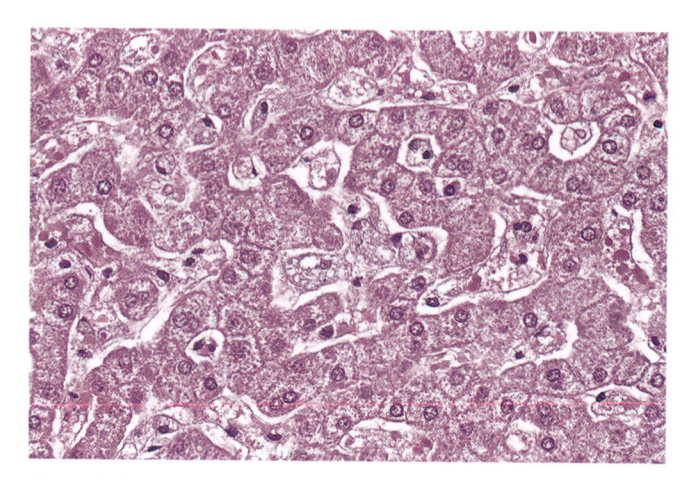

Figura 5.12 Doença de Niemann-Pick no fígado. Os hepatócitos e as células de Kupffer têm uma aparência espumosa e vacuolada devido à deposição de lipídios. (Cortesia do Dr. Arthur Weinberg, Departamento de Patologia, University of Texas Southwestern Medical Center, Dallas, Tex.)

O diagnóstico é estabelecido por ensaios bioquímicos para a atividade da esfingomielinase em leucócitos ou por biópsia da medula óssea. Os indivíduos afetados com os tipos A e B, bem como os portadores, podem ser detectados por análise de DNA.

Doença de Niemann-Pick tipo C

Embora anteriormente fosse considerada relacionada aos tipos A e B, a doença de Niemann-Pick tipo C é distinta nos níveis bioquímico e genético e é mais comum do que os tipos A e B combinados. Mutações em dois genes relacionados, *NPC1* e *NPC2*, podem dar origem à doença de Niemann-Pick tipo C, sendo *NPC1* responsável por 95% dos casos. Ao contrário da maioria das outras doenças de armazenamento, a doença de Niemann-Pick tipo C se deve a um defeito primário no transporte não enzimático de lipídios. *NPC1* é ligado à membrana, enquanto *NPC2* é solúvel. Ambos estão envolvidos no transporte de colesterol livre dos lisossomos para o citoplasma. A doença de Niemann-Pick tipo C é clinicamente heterogênea. Pode se apresentar como hidropisia fetal e morte fetal, como hepatite neonatal ou, mais comumente, como uma forma crônica caracterizada por dano neurológico progressivo. O curso clínico é marcado por ataxia, paralisia supranuclear do olhar vertical, distonia, disartria e regressão psicomotora.

Doença de Gaucher

A doença de Gaucher se refere a um grupo de distúrbios autossômicos recessivos resultantes de mutações no gene que codifica a glicocerebrosidase. É o distúrbio de armazenamento lisossômico mais comum. O gene afetado codifica a glicocerebrosidase, uma enzima que normalmente cliva o resíduo de glicose da ceramida. Como resultado do defeito enzimático, os glicocerebrosídeos se acumulam principalmente nos fagócitos, mas em alguns subtipos também no sistema nervoso central. Os glicocerebrosídeos são continuamente formados a partir do catabolismo dos glicolipídios derivados, principalmente, das membranas celulares dos leucócitos e eritrócitos senescentes. Está claro agora que as alterações patológicas na doença de Gaucher são causadas não apenas pela carga de material armazenado, mas também pela ativação de macrófagos e a consequente secreção de citocinas, como interleucina (IL)-1, IL-6 e fator de necrose tumoral (TNF).

Foram distinguidos três subtipos clínicos da doença de Gaucher:

- O mais comum, responsável por 99% dos casos, é o tipo I ou a forma crônica não neuropática. Nesse tipo, o armazenamento de glicocerebrosídeos limita-se aos fagócitos mononucleares por todo o corpo, mas não envolve o cérebro. Os acometimentos esplênico e esquelético dominam esse padrão da doença. É encontrada principalmente em judeus de origem europeia. Os indivíduos com esse distúrbio apresentam níveis reduzidos, mas detectáveis, de atividade da glicocerebrosidase. A longevidade é reduzida, mas não de modo acentuado
- O tipo II, ou doença de Gaucher neuronopática aguda, é o padrão cerebral infantil agudo. Essa forma não tem predileção por judeus. Nesses pacientes, praticamente não há atividade de glicocerebrosidase detectável nos tecidos. Também se observa hepatoesplenomegalia nessa forma de doença de Gaucher, mas o quadro clínico é dominado por envolvimento progressivo do sistema nervoso central, levando à morte em idade precoce
- Um terceiro padrão, o tipo III, é intermediário entre os tipos I e II. Esses pacientes têm o envolvimento sistêmico característico do tipo I, mas têm doença progressiva do sistema nervoso central, que, em geral, começa na adolescência ou no início da idade adulta.

> ### Morfologia
>
> Os glicocerebrosídeos se acumulam em grandes quantidades nas células fagocíticas por todo o corpo em todas as formas da doença de Gaucher. **As células fagocíticas distendidas, conhecidas como células de Gaucher, são encontradas no baço, fígado, medula óssea, linfonodos, amígdalas, timo e placas de Peyer**. É possível encontrar células semelhantes nos septos alveolares e nos espaços aéreos do pulmão. Ao contrário de outras doenças de armazenamento lipídico, as células de Gaucher raramente aparecem vacuoladas; em vez disso, têm um tipo fibrilar de citoplasma semelhante a "papel de seda amassado" (**Figura 5.13**). As células de Gaucher costumam ser aumentadas, às vezes com até 100 µm de diâmetro, e têm um ou mais núcleos escuros e excentricamente localizados. A coloração com ácido periódico de Schiff costuma ser intensamente positiva. Com a microscopia eletrônica, **o citoplasma fibrilar pode ser discernido como lisossomos alongados e distendidos**, contendo o lipídio armazenado em pilhas de camadas duplas.
>
> Na doença do tipo I, **o baço está aumentado, chegando a pesar até 10 kg em alguns casos**. A linfadenopatia é leve a moderada e ocorre em todo o corpo. O acúmulo de células de Gaucher na medula óssea ocorre em 70 a 100% dos casos de doença de Gaucher tipo I. A doença produz áreas de **erosão óssea** que, por vezes, são pequenas, mas em outros casos são suficientemente grandes para dar origem a fraturas patológicas. A destruição óssea ocorre devido à secreção de citocinas por macrófagos ativados. Em pacientes com envolvimento cerebral, as células de Gaucher são vistas nos espaços de Virchow-Robin e as arteríolas estão circundadas por células adventícias inchadas. Não há armazenamento de lipídios nos neurônios, embora os neurônios pareçam enrugados e sejam destruídos progressivamente. Suspeita-se que os lipídios que se acumulam nas células fagocíticas ao redor dos vasos sanguíneos secretem citocinas que danificam os neurônios próximos.

A mutação do gene da glicocerebrosidase é o fator de risco genético conhecido mais comum para o desenvolvimento da doença de Parkinson. Os pacientes com doença de Gaucher têm um risco vinte vezes maior de desenvolver doença de Parkinson (em comparação com os controles), e 5 a 10% dos pacientes com doença de Parkinson têm mutações no gene que codifica a glicocerebrosidase. Há uma relação recíproca entre o nível dessa enzima e a agregação de α-sinucleína, a proteína envolvida na patogênese da doença de Parkinson (ver **Capítulo 24**). Conforme discutido anteriormente, os pacientes com doenças lisossômicas apresentam comprometimento da autofagia, o que permite a agregação e persistência de proteínas como a α-sinucleína.

O nível de glicocerebrosídeos em leucócitos ou fibroblastos cultivados é útil no diagnóstico e na detecção de portadores heterozigotos. O exame de DNA também está disponível em populações selecionadas.

Características clínicas

O curso da doença de Gaucher depende do subtipo clínico. No tipo I, os sintomas e sinais aparecem pela primeira vez na vida adulta e estão relacionados à esplenomegalia ou envolvimento ósseo. Mais comumente, há pancitopenia ou trombocitopenia secundária ao hiperesplenismo. Ocorrem fraturas patológicas e dor óssea se houver expansão extensa do espaço medular. Embora a doença seja progressiva em adultos, ela é compatível com uma vida longa. Nos tipos II e III, disfunção do sistema nervoso central,

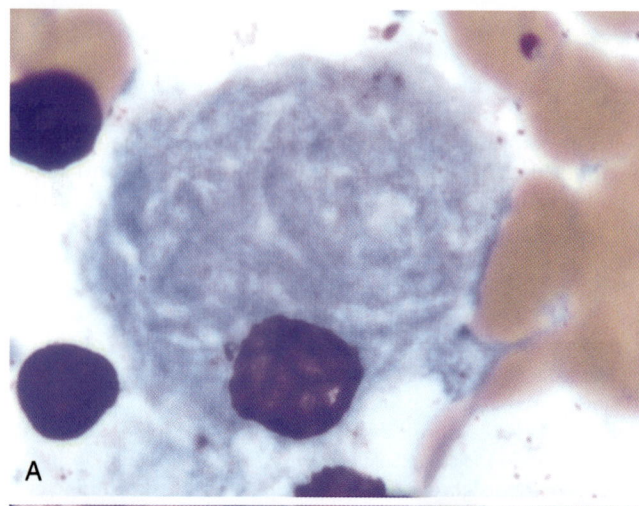

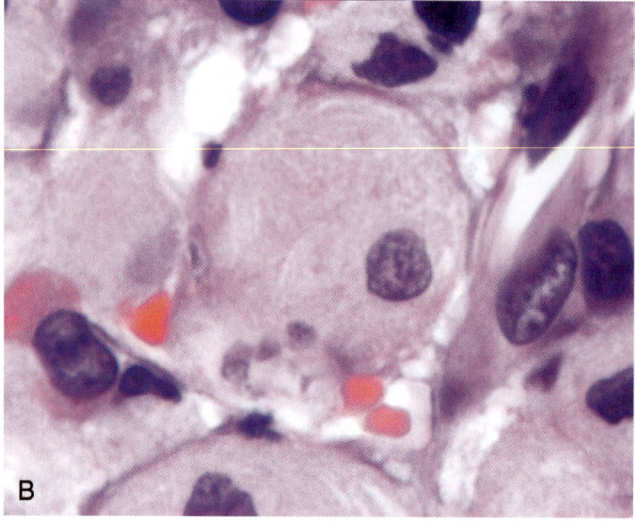

Figura 5.13 Doença de Gaucher envolvendo a medula óssea. **A** e **B**. As células de Gaucher são macrófagos roliços que caracteristicamente têm a aparência no citoplasma de papel de seda amassado devido ao acúmulo de glicocerebrosídeo. **A.** Coloração de Wright. **B.** Hematoxilina e eosina. (Cortesia do Dr. John Anastasi, Departamento de Patologia, University of Chicago, Chicago, Ill.)

convulsões e deterioração mental progressiva dominam, embora órgãos como fígado, baço e linfonodos também sejam acometidos. O diagnóstico em homozigotos pode ser feito pela medição da atividade da glicocerebrosidase em leucócitos do sangue periférico ou em extratos de fibroblastos cutâneos cultivados. O ensaio enzimático não consegue identificar os heterozigotos porque os níveis de glicocerebrosidase são difíceis de distinguir daqueles nas células normais. Em princípio, é possível identificar os heterozigotos pela detecção de mutações. No entanto, como mais de 150 mutações no gene da glicocerebrosidase podem causar a doença de Gaucher, atualmente não é possível usar um único teste genético. Entretanto, quando a mutação causadora em um paciente é conhecida, um heterozigoto pode ser identificado com testes moleculares. O panorama dos testes genéticos está mudando rapidamente com a aplicação do sequenciamento de nova geração.

A terapia de reposição com enzimas recombinantes é a base para o tratamento da doença de Gaucher; ela é eficaz, e aqueles com doença do tipo I podem ter uma expectativa de vida normal. No entanto, essa terapia é extremamente cara. Como o defeito fundamental reside nas células fagocíticas mononucleares originadas das células-tronco da medula, o transplante alogênico de células-tronco hematopoéticas pode proporcionar a cura. Uma outra abordagem se direciona à correção do defeito da enzima pela transferência do gene normal da glicocerebrosidase para as células-tronco hematopoéticas do paciente. A terapia de redução de substrato com inibidores da glicosilceramida sintetase também está sendo avaliada.

Mucopolissacaridoses

As MPSs são um grupo de síndromes intimamente relacionadas que resultam de deficiências geneticamente determinadas de enzimas envolvidas na degradação de mucopolissacarídeos (glicosaminoglicanos). Quimicamente, os mucopolissacarídeos são carboidratos complexos de cadeia longa que estão ligados a proteínas de modo a formar proteoglicanos. Eles são abundantes na matriz extracelular, fluido articular e tecido conjuntivo. Os glicosaminoglicanos que se acumulam nas MPSs são sulfato de dermatan, sulfato de heparan, sulfato de queratan e sulfato de condroitina. Onze enzimas envolvidas na degradação dessas moléculas clivam os açúcares terminais das cadeias polissacarídicas dispostas ao longo de um polipeptídeo ou proteína central. Na ausência de enzimas, essas cadeias se acumulam nos lisossomos em vários tecidos e órgãos do corpo.

Existem onze variantes clínicas de MPS, cada uma resultante da deficiência de uma enzima específica (algumas variantes têm subvariantes). Todos as MPSs, exceto uma, são herdadas como traços autossômicos recessivos; a exceção, a *síndrome de Hunter*, é um traço recessivo ligado ao X. Dentro de um determinado grupo (p. ex., a MPS I, caracterizada por uma deficiência de α-L-iduronidase), existem subgrupos que resultam de diferentes alelos mutantes no mesmo *locus* genético. Assim, a gravidade da deficiência enzimática e o quadro clínico, mesmo dentro dos subgrupos, costumam ser diferentes.

Em geral, as MPSs são distúrbios progressivos, que se caracterizam por *feições grosseiras, opacificação da córnea, rigidez articular e deficiência intelectual*. A excreção urinária dos mucopolissacarídeos acumulados com frequência encontra-se aumentada e é usada como ferramenta diagnóstica.

> ### Morfologia
>
> Os **mucopolissacarídeos acumulados geralmente são encontrados em células fagocíticas mononucleares, células endoteliais, células do músculo liso da íntima e fibroblastos** por todo o corpo. Os locais comuns de envolvimento são, portanto, o baço, o fígado, a medula óssea, os linfonodos, os vasos sanguíneos e o coração.
>
> Microscopicamente, as células afetadas estão distendidas e apresentam citoplasma aparentemente mais claro, criando as chamadas células-balão. Sob o microscópio eletrônico, o citoplasma claro pode ser visto como numerosos vacúolos minúsculos. Estes são lisossomos inchados, que contêm um material finamente granular positivo para a coloração com ácido periódico de Schiff que pode ser identificado bioquimicamente como mucopolissacarídeo. Alterações lisossômicas semelhantes são encontradas nos neurônios dessas síndromes caracterizadas pelo acometimento do sistema nervoso central. Além disso, no entanto, alguns dos lisossomos nos neurônios são substituídos por corpos zebrados lamelados semelhantes aos observados na doença de Niemann-Pick. **Hepatoesplenomegalia, deformidades esqueléticas, lesões**

valvares e depósitos subendoteliais em artérias, sobretudo nas artérias coronárias, e lesões no cérebro são aspectos comuns presentes em todas as MPSs. Em muitas das síndromes de evolução mais prolongada, as lesões coronárias subendoteliais levam à isquemia miocárdica. Desta forma, o infarto do miocárdio e a descompensação cardíaca são importantes causas de óbito.

Características clínicas

Das onze variantes reconhecidas, apenas duas síndromes bem caracterizadas são descritas de forma resumida aqui. A *síndrome de Hurler*, também chamada de MPS I-H, se deve a uma deficiência de α-L-iduronidase. É uma das formas mais graves de MPS. As crianças afetadas parecem normais ao nascimento, mas desenvolvem hepatoesplenomegalia por volta dos 6 aos 24 meses de vida. O crescimento delas é retardado e, como em outras formas de MPS, desenvolvem feições grosseiras e deformidades esqueléticas. A morte ocorre por volta dos 6 a 10 anos e, em geral, é causada por complicações cardiovasculares. A *síndrome de Hunter*, também chamada de MPS II, difere da síndrome de Hurler em seu modo de hereditariedade (ligada ao X), ausência de opacificação da córnea e curso clínico mais brando.

> **Conceitos-chave**
>
> **Doenças de armazenamento lisossômico**
>
> Mutações herdadas que levam a funções enzimáticas lisossômicas defeituosas dão origem ao acúmulo e armazenamento de substratos complexos nos lisossomos e defeitos na autofagia, resultando em lesão celular:
> - A doença de Tay-Sachs é causada por uma incapacidade de metabolizar gangliosídeos G_{M2} devido à falta da subunidade α da hexosaminidase lisossômica. Os gangliosídeos G_{M2} se acumulam no sistema nervoso central e causam deficiência intelectual grave, cegueira, fraqueza motora e morte por volta dos 2 a 3 anos
> - A doença de Niemann-Pick tipos A e B é causada por uma deficiência de esfingomielinase. Na variante mais grave, o tipo A, o acúmulo de esfingomielina no sistema nervoso resulta em dano neuronal. Os lipídios também são armazenados em fagócitos no fígado, baço, medula óssea e linfonodos, causando seu aumento. No tipo B, não há dano neuronal
> - A doença de Niemann-Pick tipo C é causada por um defeito no transporte de colesterol e do resultante acúmulo de colesterol e gangliosídeos no sistema nervoso. As crianças afetadas apresentam, mais comumente, ataxia, disartria e regressão psicomotora
> - A doença de Gaucher se deve à falta da enzima lisossômica glicocerebrosidase e do acúmulo de glicocerebrosídeo nas células fagocíticas mononucleares. Na variante mais comum, o tipo I, os fagócitos afetados aumentam de tamanho (células de Gaucher) e se acumulam no fígado, baço e medula óssea, causando hepatoesplenomegalia e erosão óssea. Os tipos II e III se caracterizam por envolvimento neuronal variável. A doença de Gaucher tem forte associação com a doença de Parkinson
> - As MPSs resultam no acúmulo de mucopolissacarídeos em diversos tecidos, como fígado, baço, coração, vasos sanguíneos, cérebro, córnea e articulações. Os pacientes afetados em todas as formas apresentam feições grosseiras. As manifestações da síndrome de Hurler incluem opacificação da córnea, depósitos coronários arteriais e valvares e morte na infância. A síndrome de Hunter está associada a um curso clínico mais brando.

Doenças de armazenamento de glicogênio (glicogenoses)

As doenças de armazenamento de glicogênio são a consequência de uma deficiência hereditária de uma das enzimas envolvidas na síntese ou degradação sequencial do glicogênio. Dependendo da distribuição normal no tecido ou órgão da enzima específica, o armazenamento de glicogênio nesses distúrbios pode se limitar a alguns tecidos, pode ser mais disseminado sem afetar todos os tecidos ou pode ser sistêmico.

A importância de determinada deficiência enzimática é mais bem compreendida do ponto de vista do metabolismo normal do glicogênio (**Figura 5.14**). O glicogênio é uma forma de armazenamento de glicose. A síntese de glicogênio começa com a conversão da glicose em glicose-6-fosfato pela ação de uma hexoquinase (glicoquinase). A fosfoglicomutase então transforma a glicose-6-fosfato em glicose-1-fosfato, que, por sua vez, é convertida em uridina-difosfato-glicose. Um grande polímero, altamente ramificado, é então construído (peso molecular de até 100 milhões), contendo até 10 mil moléculas de glicose unidas por ligações α-1,4-glicosídicas. A cadeia de glicogênio e suas ramificações continuam a ser alongadas pela adição de moléculas de glicose mediadas pelas glicogênio sintetases. Durante a degradação, fosforilases distintas no fígado e nos músculos separam a glicose-1-fosfato do glicogênio até que cerca de quatro resíduos de glicose permaneçam em cada ramificação, deixando um oligossacarídeo ramificado denominado dextrina-limite. Essa molécula só pode sofrer mais degradação pela enzima de desramificação. Além dessas vias principais, o glicogênio também é degradado nos lisossomos pela alfaglicosidase ácida. Se os lisossomos forem deficientes dessa enzima, o glicogênio contido neles não estará acessível para degradação por enzimas citoplasmáticas, como as fosforilases.

Com base nas deficiências enzimáticas específicas e nos quadros clínicos resultantes, as glicogenoses têm sido tradicionalmente divididas em cerca de uma dúzia de síndromes designadas por algarismos romanos, e a lista continua a crescer. Com base na fisiopatologia, as glicogenoses podem ser divididas em três subgrupos principais (**Tabela 5.7**):

- *Formas hepáticas.* O fígado é um elemento-chave no metabolismo do glicogênio. Ele contém enzimas que sintetizam glicogênio para armazenamento e, por fim, decompõem-no em glicose livre, que é então liberada no sangue. Uma deficiência hereditária de enzimas hepáticas que estão envolvidas na degradação do glicogênio leva, portanto, não apenas ao acúmulo de glicogênio no fígado, mas também a uma redução nas concentrações de glicose no sangue (hipoglicemia) (**Figura 5.15**). A deficiência da enzima glicose-6-fosfatase (doença de von Gierke ou glicogenose tipo I) é um excelente exemplo da forma hepática-hipoglicêmica da doença de armazenamento de glicogênio (ver **Tabela 5.7**). Outros exemplos incluem as deficiências de fosforilase hepática e de enzima de desramificação, ambas envolvidas na degradação do glicogênio (ver **Figura 5.15**). Em todos esses distúrbios, o glicogênio é armazenado em muitos órgãos, mas o aumento hepático e a hipoglicemia dominam o quadro clínico

- *Formas miopáticas.* Nos músculos esqueléticos, ao contrário do fígado, o glicogênio é usado predominantemente como fonte de energia durante a atividade física. O trifosfato de adenosina (ATP) é gerado pela glicólise, que leva à formação de lactato (**Figura 5.16**). Se as enzimas que alimentam a via glicolítica são deficientes, ocorre armazenamento de glicogênio nos músculos, que está associado à fraqueza muscular devido à

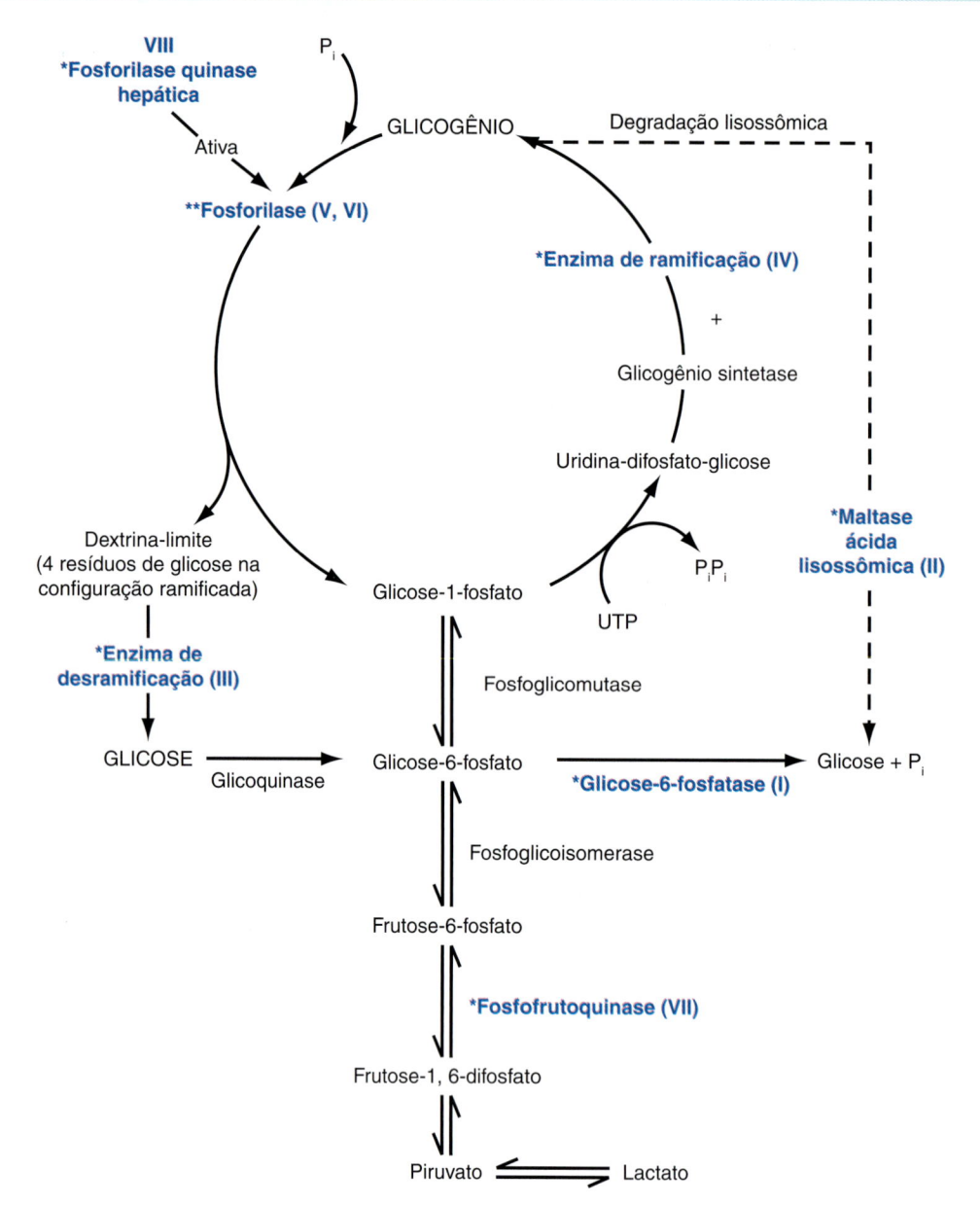

Figura 5.14 Vias do metabolismo do glicogênio. Os *asteriscos* marcam as deficiências enzimáticas associadas às doenças de armazenamento de glicogênio. Os algarismos romanos indicam o tipo de doença de armazenamento de glicogênio associada a determinada deficiência enzimática. Os tipos V e VI resultam de deficiências de fosforilases musculares e hepáticas, respectivamente. (Modificada de Hers H, et al: Glycogen storage disease. In Scriver CR, et al, editors: *The Metabolic Basis of Inherited Disease*, ed. 6, New York, 1989, McGraw-Hill, p. 425.)

produção de energia prejudicada. Os exemplos nessa categoria incluem deficiências de fosforilase muscular (doença de McArdle ou glicogenose tipo V), fosfofrutoquinase muscular (doença de armazenamento de glicogênio tipo VII) e várias outras. Normalmente, os indivíduos com as formas miopáticas apresentam cãibras musculares após o exercício físico e os níveis de lactato no sangue não aumentam após o exercício devido a um bloqueio na glicólise

- As doenças do armazenamento de glicogênio associadas a (1) deficiência de alfaglicosidase ácida (maltase ácida) e (2) falta de enzima de ramificação não se enquadram nas categorias hepática ou miopática. Elas estão associadas ao armazenamento de glicogênio em muitos órgãos e à morte precoce. A alfaglicosidase ácida é uma enzima lisossômica e, portanto, sua deficiência leva ao armazenamento lisossômico de glicogênio (glicogenose tipo II ou *doença de Pompe*) em todos os órgãos, mas *a cardiomegalia é a característica mais proeminente* (ver **Figura 5.16**).

Conceitos-chave

Doenças de armazenamento de glicogênio

- A deficiência hereditária de enzimas envolvidas no metabolismo do glicogênio pode resultar no armazenamento de formas normais ou anormais de glicogênio, predominantemente no fígado ou músculos, mas também em outros tecidos
- Na forma hepática mais comum (doença de von Gierke), as células hepáticas armazenam glicogênio devido à falta de glicose-6-fosfatase hepática. O fígado está aumentado e os pacientes apresentam hipoglicemia
- Existem várias formas miopáticas, como a doença de McArdle, em que a falta de fosforilase muscular causa armazenamento nos músculos esqueléticos e cãibras após o exercício
- Na doença de Pompe, há falta alfaglicosidase ácida lisossômica e todos os órgãos são afetados, mas o acometimento do coração é predominante.

Tabela 5.7 Principais subgrupos de glicogenoses.

Categoria clínico-patológica	Tipo específico	Deficiência enzimática	Alterações morfológicas	Características clínicas
Tipo hepático	Hepatorrenal – doença de von Gierke (tipo I)	Glicose-6-fosfatase	Hepatomegalia – acúmulos intracitoplasmáticos de glicogênio e pequenas quantidades de lipídios; glicogênio intranuclear Renomegalia – acúmulos intracitoplasmáticos de glicogênio nas células epiteliais tubulares corticais	Em pacientes não tratados: falha no crescimento, baixa estatura, hepatomegalia e renomegalia Hipoglicemia devido à falha na mobilização de glicose, muitas vezes levando a convulsões Hiperlipidemia e hiperuricemia resultante do metabolismo desordenado da glicose; muitos pacientes desenvolvem gota e xantomas de pele Tendência de sangramento devido à disfunção plaquetária Com tratamento: a maioria sobrevive e desenvolve complicações tardias (p. ex., adenomas hepáticos)
Tipo miopático	Doença de McArdle (tipo V)	Fosforilase muscular	Apenas músculo esquelético – acúmulos de glicogênio predominante em áreas subsarcolemais	Cãibras dolorosas associadas a exercícios extenuantes; a mioglobinúria ocorre em 50% dos casos; início na idade adulta (> 20 anos); o exercício muscular não consegue aumentar o nível de lactato no sangue venoso; creatinoquinase sérica sempre elevada; compatível com longevidade normal
Tipos diversos	Glicogenose generalizada – doença de Pompe (tipo II)	Alfaglicosidase ácida lisossômica	Hepatomegalia leve – inchaço dos lisossomos com glicogênio, criando um padrão citoplasmático rendado Cardiomegalia – glicogênio dentro do sarcoplasma, bem como ligado à membrana Músculo esquelético – semelhante às mudanças no coração	Cardiomegalia maciça, hipotonia muscular e insuficiência cardiorrespiratória em 2 anos; uma forma adulta mais branda com envolvimento apenas do músculo esquelético, apresentando miopatia crônica; terapia de reposição enzimática disponível

Distúrbios associados a defeitos em proteínas que regulam o crescimento celular

O crescimento e a diferenciação normais das células são regulados por duas classes de genes: proto-oncogenes e genes supressores de tumor, cujos produtos promovem ou restringem o crescimento celular (ver **Capítulo 7**). É um fato bem estabelecido que mutações nessas duas classes de genes são importantes na patogênese das neoplasias. Na maioria dos casos, as mutações causadoras de câncer afetam as células somáticas e, portanto, não são transmitidas na linhagem germinativa. Em aproximadamente 5% de todos os cânceres, no entanto, as mutações transmitidas pela linhagem germinativa contribuem para o desenvolvimento do câncer. A maioria dos cânceres familiares é herdada de forma autossômica dominante, mas alguns distúrbios recessivos também foram descritos. Este assunto é discutido no **Capítulo 7**. Formas específicas de neoplasias familiares são descritas em vários capítulos.

Distúrbios multigênicos complexos

Conforme discutido anteriormente, esses distúrbios são causados por interações entre formas variantes de genes e fatores ambientais. Um gene que tem pelo menos dois alelos, cada um dos quais ocorrendo a uma frequência de pelo menos 1% da população, é polimórfico e cada alelo variante é chamado de polimorfismo. De acordo com a hipótese da doença comum/variante comum, distúrbios genéticos complexos ocorrem quando muitos polimorfismos, cada um com um efeito modesto e baixa penetrância, são coerdados. Dois fatos adicionais surgiram de estudos de distúrbios complexos comuns, como o diabetes tipo 1:

- Embora distúrbios complexos resultem da herança coletiva de muitos polimorfismos, diferentes polimorfismos variam em significância. Por exemplo, dos 20 a 30 genes implicados no diabetes tipo 1, 6 ou 7 são os mais importantes, e alguns alelos HLA contribuem com mais de 50% do risco (ver **Capítulo 24**)
- Alguns polimorfismos são comuns a várias doenças do mesmo tipo, enquanto outros são específicos a uma doença. Esse processo é mais bem ilustrado nas doenças autoimunes (ver **Capítulo 6**).

Várias características fenotípicas normais são determinadas por herança multifatorial, como cor do cabelo, cor dos olhos, cor da pele, altura e inteligência. Essas características mostram uma variação contínua nos grupos populacionais, produzindo a curva de distribuição padrão em forma de sino. Influências ambientais, no entanto, modificam significativamente a expressão fenotípica

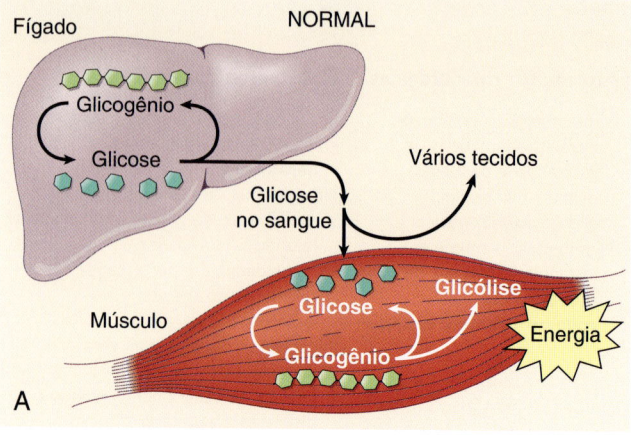

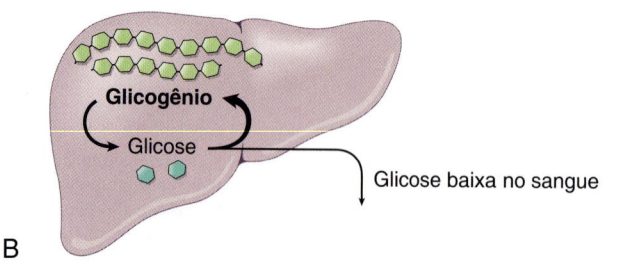

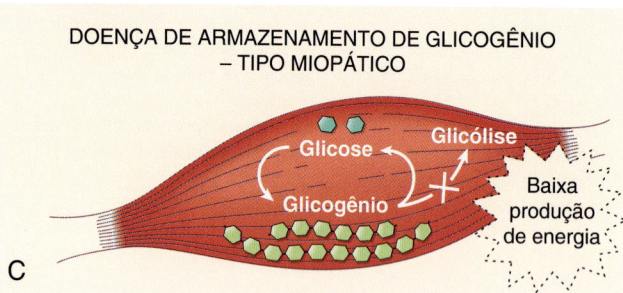

Figura 5.15 A. Metabolismo normal do glicogênio no fígado e nos músculos esqueléticos. **B.** Efeitos de uma deficiência hereditária das enzimas hepáticas envolvidas no metabolismo do glicogênio. **C.** Consequências de uma deficiência genética nas enzimas que metabolizam o glicogênio nos músculos esqueléticos.

de traços complexos. Por exemplo, o diabetes tipo 2 tem muitas das características de um distúrbio multifatorial. É um fato bem conhecido que os indivíduos costumam manifestar essa doença pela primeira vez após o ganho de peso. Assim, a obesidade, bem como outras influências ambientais, revela o traço genético diabético. Influências nutricionais podem fazer com que até gêmeos monozigotos atinjam alturas diferentes. Uma criança culturalmente privada não consegue atingir sua capacidade intelectual plena.

Deve-se ter cautela ao atribuir uma doença a esse modo de herança. Essa atribuição depende de muitos fatores, mas primeiro da agregação familiar e da exclusão dos modos mendelianos e cromossômicos de transmissão. Uma gama de níveis de gravidade de uma doença é sugestiva de um distúrbio multigênico complexo, mas, como apontado anteriormente, a expressividade variável e a penetrância reduzida de genes mutantes únicos também podem ser responsáveis por esse fenômeno. Por causa desses problemas, às vezes é difícil distinguir entre uma doença mendeliana e uma doença multifatorial.

Distúrbios cromossômicos

Cariótipo normal

Como você deve se lembrar, as células somáticas humanas contêm 46 cromossomos – 22 pares homólogos de autossomos e dois cromossomos sexuais, XX na mulher e XY no homem. O estudo dos cromossomos – a *cariotipagem* – é a ferramenta básica do citogeneticista. O procedimento usual para examinar os cromossomos é interromper as células em divisão na metáfase com inibidores do fuso mitótico (p. ex., *N*-diacetil-*N*-metil colchicina [colcemida]) e, em seguida, corar os cromossomos. Em um espalhamento de metáfases, os cromossomos individuais assumem a forma de duas cromátides conectadas no centrômero. Obtém-se um cariótipo organizando cada par de autossomos de acordo com o comprimento, e depois os cromossomos sexuais.

Foi desenvolvida uma variedade de métodos de coloração que permitem a identificação de cromossomos individuais com base em padrões distintos e confiáveis de bandas claras e escuras

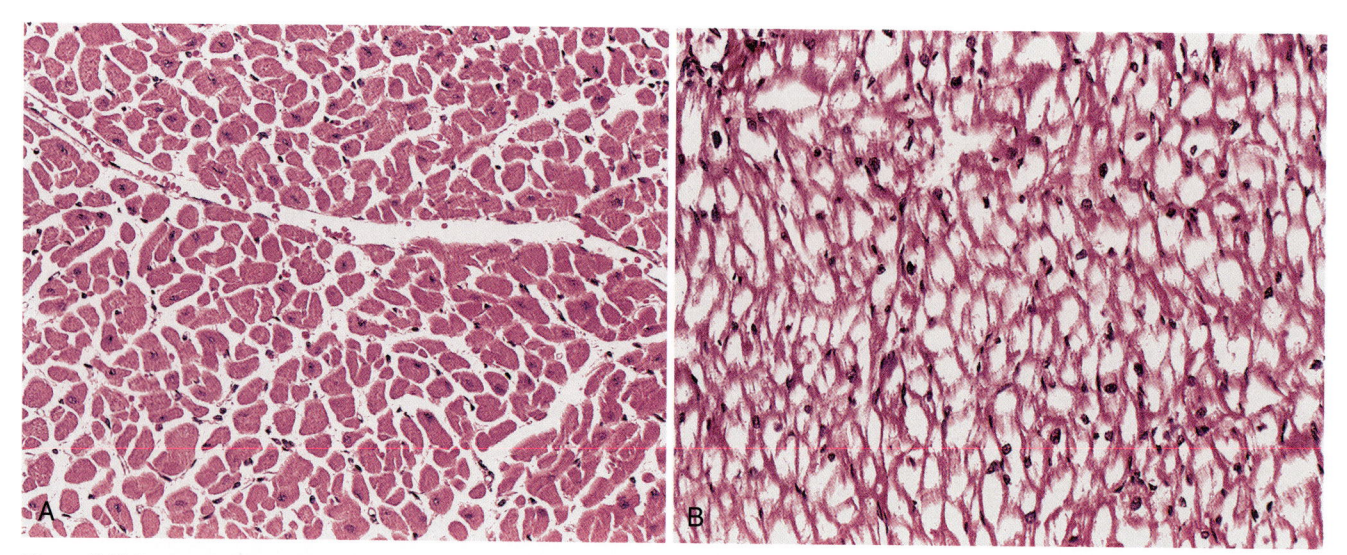

Figura 5.16 Doença de Pompe (doença de armazenamento de glicogênio tipo II). **A.** Miocárdio normal com citoplasma eosinofílico abundante. **B.** Paciente com doença de Pompe (mesmo aumento) mostrando as fibras miocárdicas cheias de glicogênio vistas como espaços transparentes. (Cortesia do Dr. Trace Worrell, Departamento de Patologia, University of Texas Southwestern Medical Center, Dallas, Tex.)

alternadas. O mais comumente usado envolve um corante de Giemsa e, portanto, é chamado de *bandeamento G*. Um cariótipo masculino normal com bandeamento G está ilustrado na **Figura 5.17**. Com o bandeamento G padrão, é possível detectar aproximadamente 400 a 800 bandas por conjunto haploide. A resolução obtida por bandeamento pode melhorar de forma notável pela obtenção das células em prófase. Os cromossomos individuais aparecem muito alongados, e é possível reconhecer até 1.500 bandas por cariótipo. O uso dessas técnicas de bandeamento permite certa identificação de cada cromossomo e delineia aproximadamente os pontos de quebra e outras alterações macroscópicas (descritas mais adiante).

Terminologia citogenética comumente usada

Os cariótipos são geralmente descritos por meio de um sistema taquigráfico de notações na seguinte ordem: o número total de cromossomos é dado primeiro, seguido pelo complemento dos cromossomos sexuais e, por fim, a descrição das anormalidades em ordem numérica crescente. Por exemplo, um homem com trissomia do cromossomo 21 é designado por *47,XY,+21*. Notações que indicam alterações estruturais dos cromossomos e suas anormalidades correspondentes são descritas posteriormente.

O braço curto de um cromossomo é designado por *p* (para *petit*) e o braço longo é denominado *q* (a letra seguinte do alfabeto). Em um cariótipo por bandeamento, cada braço do cromossomo é dividido em duas ou mais regiões delimitadas por bandas proeminentes. As regiões são numeradas (p. ex., 1, 2, 3) a partir do centrômero para fora. Cada região é subdividida em bandas e sub-bandas, que também são ordenadas numericamente (ver **Figura 5.17**). Assim, a notação *Xp21.2* se refere a um segmento cromossômico localizado no braço curto do cromossomo X, na região 2, banda 1 e sub-banda 2.

Anormalidades estruturais dos cromossomos

As aberrações subjacentes aos distúrbios citogenéticos podem assumir a forma de um número anormal de cromossomos ou de alterações na estrutura de um ou mais cromossomos. O complemento cromossômico normal é expresso como 46, XX para mulheres e 46, XY para homens. Qualquer múltiplo exato do número haploide de cromossomos (23) é chamado de *euploide*. Se ocorrer um erro na meiose ou mitose e uma célula adquirir um complemento cromossômico que não seja um múltiplo exato de 23, isso é denominado *aneuploidia*. As causas usuais de aneuploidia são a *não disjunção* e o *retardo da anáfase*. Quando ocorre não disjunção durante a gametogênese, os gametas formados têm um cromossomo extra (n + 1) ou um cromossomo a menos (n – 1). A fertilização de tais gametas por gametas normais resulta em dois tipos de zigotos – trissômicos (2n + 1) ou monossômicos (2n – 1). No retardo da anáfase, um cromossomo homólogo na meiose ou uma cromátide na mitose fica para trás e é deixado de fora do núcleo da célula. O resultado é uma célula normal e uma célula com monossomia. Conforme discutido posteriormente, monossomias ou trissomias envolvendo os cromossomos sexuais, ou mesmo aberrações mais bizarras, são compatíveis com a vida e, em geral, estão associadas a graus variáveis de anormalidades fenotípicas. A monossomia envolvendo um autossomo costuma causar perda de muita informação genética para permitir o nascimento vivo ou mesmo a embriogênese, mas várias trissomias

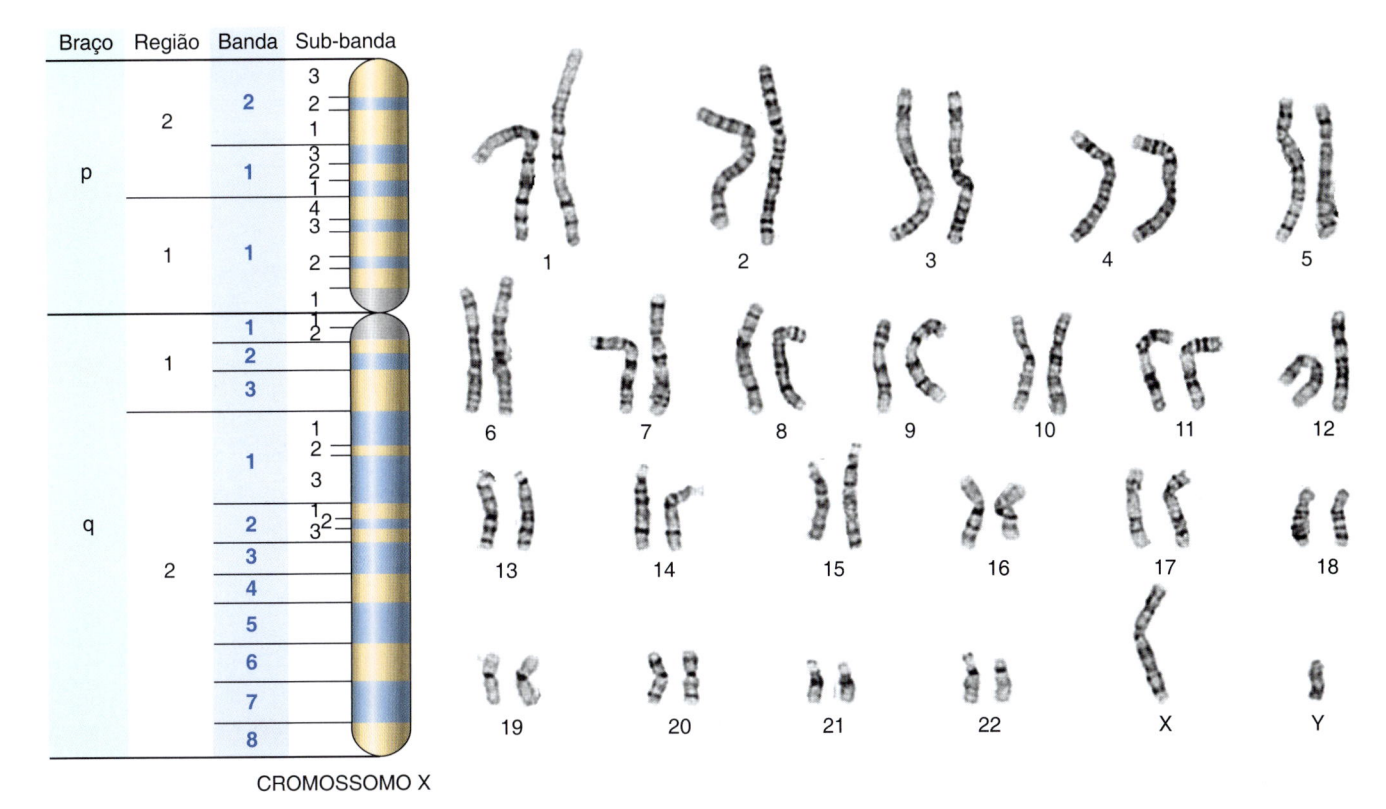

Figura 5.17 Cariótipo com bandas G de um homem normal (46, XY). Também é mostrado o padrão de bandas do cromossomo X com a nomenclatura de braços, regiões, bandas e sub-bandas. (Cortesia do Dr. Stuart Schwartz, Departamento de Patologia, University of Chicago, Chicago, Ill.)

autossômicas permitem a sobrevivência. Com exceção da trissomia do 21, todos exibem malformações graves e quase invariavelmente morrem em idade precoce.

Ocasionalmente, erros mitóticos no início do desenvolvimento dão origem a duas ou mais populações de células com complemento cromossômico diferente no mesmo indivíduo, uma condição conhecida como *mosaicismo*. Este pode resultar de erros mitóticos durante a clivagem do óvulo fertilizado ou em células somáticas, sendo o que afeta os cromossomos sexuais relativamente comum. Na divisão do óvulo fecundado, um erro pode fazer com que uma das células-filhas receba três cromossomos sexuais, enquanto a outra recebe apenas um, resultando, por exemplo, em um mosaico 45,X/47,XXX. Todas as células descendentes derivadas de cada um desses precursores, portanto, têm um complemento 47,XXX ou um complemento 45,X. Tal paciente é uma variante em mosaico da síndrome de Turner, com a extensão da expressão fenotípica dependendo do número e distribuição das células 45,X.

O mosaicismo autossômico parece ser muito menos comum do que o que envolve os cromossomos sexuais. Um erro em uma divisão mitótica precoce que afete os autossomos geralmente leva a um mosaico não viável devido à monossomia autossômica. Raramente, a população de células não viáveis se perde durante a embriogênese, produzindo um mosaico viável (p. ex., 46,XY/47,XY,+21). Tal paciente é um mosaico da trissomia 21 com expressão variável de síndrome de Down, dependendo da proporção de células que contêm a trissomia.

Uma segunda categoria de aberrações cromossômicas está associada a mudanças na estrutura dos cromossomos. Para ser visível por técnicas de bandeamento de rotina, uma quantidade razoavelmente grande de DNA (aproximadamente 2 a 4 milhões de pb), contendo muitos genes, deve estar envolvida. A resolução é muito maior com a hibridização *in situ* fluorescente (FISH), que pode detectar mudanças de apenas quilobases. Mudanças estruturais nos cromossomos geralmente resultam da quebra do cromossomo, seguida pela perda ou rearranjo do material. Na próxima seção serão revisadas as formas mais comuns de alterações na estrutura cromossômica e as notações usadas para representá-las.

Deleção se refere à perda de uma parte de um cromossomo (**Figura 5.18**). A maioria das deleções é intersticial, mas, raramente, deleções terminais podem ocorrer. As deleções intersticiais ocorrem quando há duas quebras em um braço do cromossomo, seguidas pela perda do material cromossômico entre as quebras e a fusão das extremidades quebradas. Pode-se especificar em quais regiões e em quais bandas ocorreram as rupturas. Por exemplo, *46,XY,del(16) (p11.2 p13.1)* descreve pontos de quebra no braço curto do cromossomo 16 em 16p11.2 e 16p13.1 com perda de material entre as quebras. As deleções terminais resultam de uma única quebra em um braço do cromossomo, produzindo um fragmento sem centrômero, que é então perdido na próxima divisão celular. A extremidade deletada do cromossomo retido é protegida pela aquisição de sequências teloméricas.

Um *cromossomo em anel* é uma forma especial de deleção. É produzida quando ocorre uma quebra em ambas as extremidades de um cromossomo com a fusão das extremidades danificadas (ver **Figura 5.18**). Se um material genético significativo for perdido, ocorrerão anormalidades fenotípicas. Essa alteração pode ser expressa como *46,XY,r(14)*. Os cromossomos em anel não se comportam normalmente na meiose ou mitose e, em geral, resultam em consequências graves.

Inversão se refere a um rearranjo que envolve duas quebras dentro de um único cromossomo com reincorporação do segmento intermediário invertido (ver **Figura 5.18**). Uma inversão envolvendo apenas um braço do cromossomo é conhecida como *paracêntrica*. Se as quebras estão em lados opostos do centrômero, é conhecida como *pericêntrica*. As inversões costumam ser totalmente compatíveis com o desenvolvimento normal.

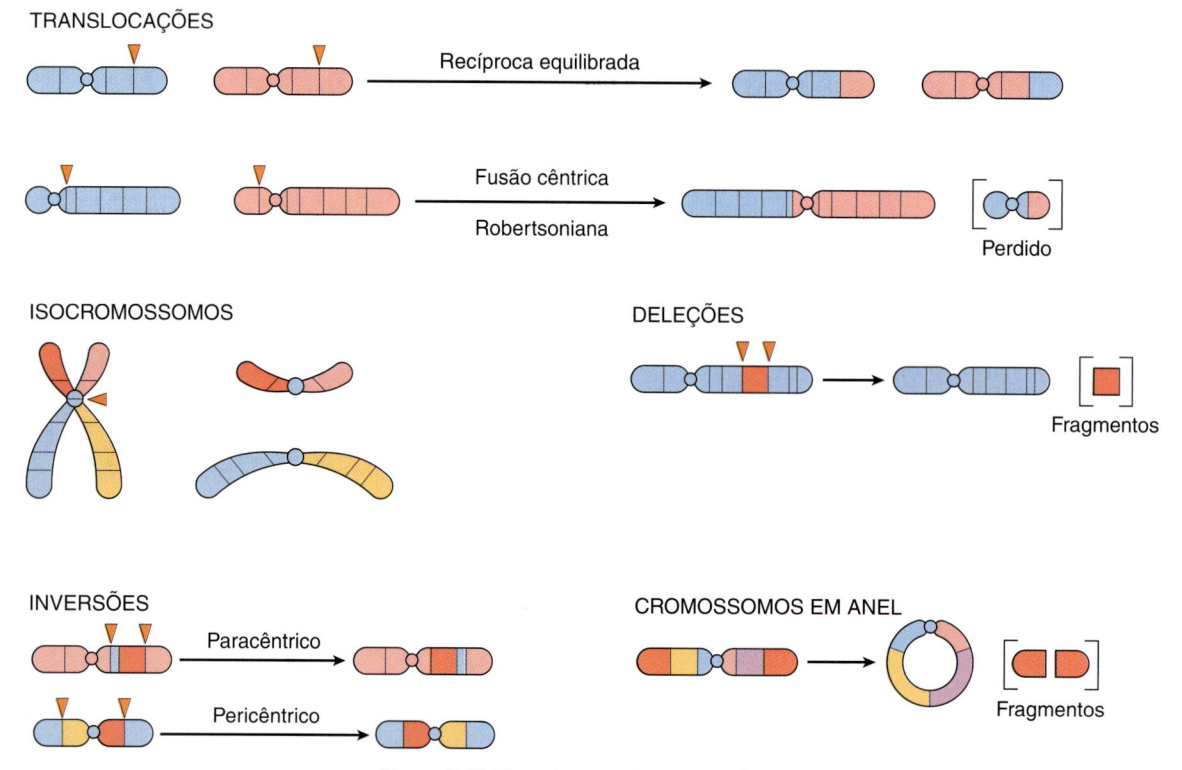

Figura 5.18 Tipos de rearranjos cromossômicos.

A formação de *isocromossomos* ocorre quando um braço de um cromossomo é perdido e o braço restante é duplicado, o que acarreta um cromossomo que consiste em apenas dois braços curtos ou dois braços longos (ver **Figura 5.18**). Um isocromossomo tem informações genéticas morfologicamente idênticas em ambos os braços. O isocromossomo mais comum presente em nascidos vivos envolve o braço longo do cromossomo X e é designado como *i(X)(q10)*. O isocromossomo Xq está associado à monossomia para genes no braço curto de X e à trissomia para genes no braço longo de X.

Em uma *translocação*, um segmento de um cromossomo é transferido para outro (ver **Figura 5.18**). Em uma forma, chamada de *translocação recíproca balanceada*, há quebras simples em cada um dos dois cromossomos, com troca de material. Uma translocação recíproca balanceada entre o braço longo do cromossomo 2 e o braço curto do cromossomo 5 seria escrita como *46,XX,t(2;5) (q31;p14)*. Este indivíduo tem 46 cromossomos com morfologia alterada de um dos cromossomos 2 e de um dos cromossomos 5. Como houve pouca ou nenhuma perda de material genético, é provável que o indivíduo seja fenotipicamente normal. Um portador de translocação balanceada, entretanto, tem maior risco de produzir gametas anormais. Por exemplo, no caso citado anteriormente, pode haver a formação de um gameta contendo um cromossomo normal 2 e um cromossomo 5 translocado. Esse gameta seria não balanceado porque não conteria o complemento normal de material genético. A fertilização subsequente por um gameta normal levaria à formação de um zigoto anormal (não balanceado), resultando em aborto espontâneo ou nascimento de uma criança malformada. O outro padrão importante de translocação chama-se *translocação robertsoniana* (ou fusão cêntrica), uma translocação entre dois cromossomos acrocêntricos. Normalmente, as quebras ocorrem perto dos centrômeros de cada cromossomo. A transferência dos segmentos leva a um cromossomo muito grande e outro extremamente pequeno. Em geral, o produto pequeno é perdido (ver **Figura 5.18**); no entanto, como ele carrega apenas genes altamente redundantes (p. ex., genes de RNA ribossômico), essa perda é compatível com um fenótipo normal. A translocação robertsoniana entre dois cromossomos é encontrada em um a cada mil indivíduos aparentemente normais. A importância desta forma de translocação também reside na produção de progênie anormal, como discutido adiante com a síndrome de Down.

Como apontado anteriormente, os distúrbios cromossômicos detectados clinicamente representam apenas a "ponta do *iceberg*". Estima-se que aproximadamente 7,5% de todas as concepções tenham uma anomalia cromossômica, a maioria das quais não é compatível com a sobrevivência ou com o nascimento com vida. Mesmo em recém-nascidos vivos, a frequência é de aproximadamente 0,5 a 1%. Está além do objetivo deste livro discutir a maioria dos distúrbios cromossômicos clinicamente reconhecíveis. Portanto, focaremos a atenção naqueles poucos que são mais comuns.

Distúrbios citogenéticos envolvendo autossomos

Trissomia do 21 (síndrome de Down)

A síndrome de Down é o mais comum dos distúrbios cromossômicos e uma das principais causas de deficiência intelectual. Nos EUA, a incidência em recém-nascidos é de cerca de 1 em 700. Aproximadamente 95% dos indivíduos afetados têm trissomia do 21, então sua contagem de cromossomos é de 47. O método FISH com sondas específicas para o cromossomo 21 revela a cópia extra desse cromossomo nesses casos (**Figura 5.19**). Como mencionado anteriormente, a causa mais comum de trissomia e, portanto, de síndrome de Down é a não disjunção meiótica. Os progenitores dessas crianças têm um cariótipo normal e são normais em todos os aspectos.

A idade materna tem uma forte influência na incidência de trissomia do 21. Ela ocorre uma vez em 1.550 nascimentos com vida em mulheres com menos de 20 anos, enquanto em mães com mais de 45 a incidência é de 1 em cada 25 nascimentos com vida. A correlação com a idade materna sugere que, na maioria dos casos, a não disjunção meiótica do cromossomo 21 ocorre no óvulo. De fato, estudos nos quais polimorfismos de DNA foram usados para rastrear a origem parental do cromossomo 21 revelaram que em 95% dos casos com trissomia do 21 o cromossomo extra é de origem materna. Embora muitas hipóteses tenham sido levantadas, a razão para o aumento da suscetibilidade do óvulo à não disjunção permanece desconhecida.

Em cerca de 4% dos casos de síndrome de Down, o material cromossômico extra deriva da presença de uma translocação robertsoniana do braço longo do cromossomo 21 para outro cromossomo acrocêntrico (p. ex., 22 ou 14). Como o óvulo fertilizado já tem dois autossomos normais 21, o material translocado fornece a mesma dosagem gênica tripla que na trissomia do 21. Esses casos são frequentemente (mas nem sempre) familiares, e o cromossomo translocado é herdado de um dos progenitores (geralmente a mãe), que é portador de uma translocação robertsoniana; por exemplo, uma mãe com cariótipo 45,XX,der(14;21) (q10;q10). Em células com translocações robertsonianas, o material genético normalmente encontrado em braços longos de dois pares de cromossomos é distribuído entre apenas três deles. Isso afeta o pareamento de cromossomos durante a meiose e, como resultado, os gametas têm uma alta probabilidade de serem aneuploides.

Cerca de 1% dos pacientes com síndrome de Down é mosaico, tendo uma mistura de células com 46 ou 47 cromossomos. Esse mosaicismo tem origem na não disjunção mitótica do cromossomo 21 durante um estágio inicial da embriogênese. Os

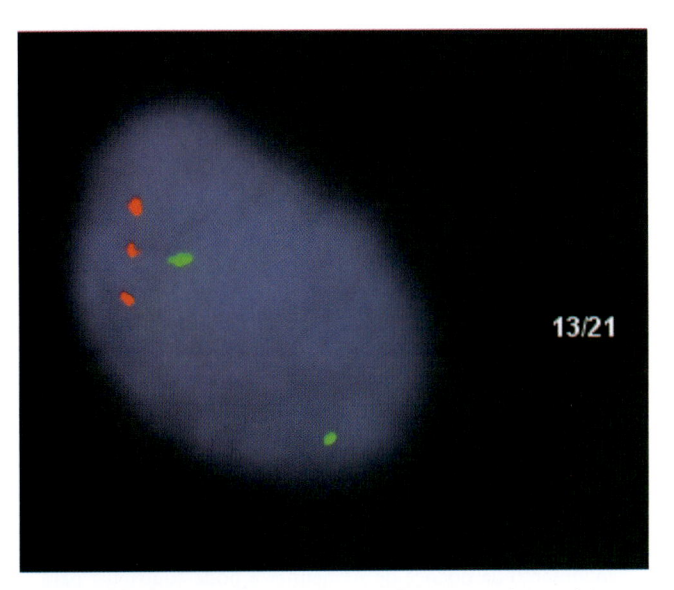

Figura 5.19 Análise com hibridização *in situ* fluorescente de um núcleo em interfase usando sondas específicas de *locus* para o cromossomo 13 (*verde*) e cromossomo 21 (*vermelho*), revelando três sinais vermelhos consistentes com a trissomia do 21 (Cortesia do Dr. Stuart Schwartz, Departamento de Patologia, University of Chicago, Chicago, IL.)

sintomas nesses casos são variáveis e mais leves, dependendo da proporção de células anormais. Claramente, em casos de translocação ou de síndrome de Down em mosaico, a idade materna não tem importância.

As características clínicas diagnósticas dessa condição – perfil facial plano, fissuras palpebrais oblíquas e pregas epicânticas (Figura 5.20) – costumam ser facilmente evidentes, mesmo ao nascimento. A síndrome de Down é uma das principais causas de deficiência intelectual grave. É importante ressaltar que alguns mosaicos com síndrome de Down apresentam alterações fenotípicas leves e podem até ter inteligência normal ou quase normal. Além das anormalidades fenotípicas e da deficiência intelectual já observada, algumas outras características clínicas merecem destaque:

- *Aproximadamente 40% dos pacientes têm cardiopatia congênita.* As formas mais frequentes de cardiopatias congênitas na síndrome de Down são os defeitos do septo atrioventricular, constituindo 43% dos casos, enquanto os defeitos do septo ventricular, os defeitos do septo atrial e a tetralogia de Fallot constituem 32, 19 e 6%, respectivamente. Os problemas cardíacos são responsáveis pela maioria das mortes no período de lactância e da primeira infância. Várias outras malformações congênitas, como atresias do esôfago e do intestino delgado, também são comuns
- *Crianças com trissomia do 21 têm alto risco de desenvolver leucemia;* existe um risco vinte vezes maior de desenvolver leucemias linfoblásticas B agudas e um risco quinhentas vezes maior de leucemias mieloides agudas. A última, mais comumente, é a leucemia megacarioblástica aguda
- Praticamente todos os pacientes com trissomia do 21 com mais de 40 anos desenvolvem *alterações neuropatológicas* características da doença de Alzheimer, um distúrbio degenerativo do cérebro
- Pacientes com síndrome de Down *apresentam respostas imunológicas anormais* que os predispõem a infecções graves, principalmente nos pulmões, e à autoimunidade da tireoide. Embora várias anormalidades, afetando principalmente as funções das células T, tenham sido relatadas, a base dos distúrbios imunológicos não está clara.

Apesar de todos esses problemas, a melhora na assistência médica aumentou a longevidade dos indivíduos com trissomia do 21. Atualmente, a idade mediana na morte é de 47 anos (em 1983, essa média era de 25 anos).

Embora o braço longo do cromossomo 21 tenha sido totalmente sequenciado em 2000, os avanços na elucidação da base molecular da síndrome de Down têm sido bastante lentos. Isso decorre, em parte, do fato de que a síndrome de Down resulta do desequilíbrio na dosagem gênica, e não da ação de alguns genes. A seguir está uma amostra de algumas das observações:

- *Dosagem gênica.* A maioria dos genes codificadores de proteínas mapeados no cromossomo 21 está com expressão elevada. Entre eles está o gene para a proteína precursora de beta-amiloide (APP). Conforme discutido no **Capítulo 28**, a agregação de proteínas beta-amiloides é o evento inicial crítico no desenvolvimento da doença de Alzheimer e pode contribuir para o início precoce da doença de Alzheimer que ocorre em indivíduos com síndrome de Down
- *Disfunção mitocondrial.* Aproximadamente 10% dos genes superexpressos na síndrome de Down estão direta ou indiretamente envolvidos na regulação das funções mitocondriais. Em consonância com isso, as mitocôndrias são anormais tanto morfológica quanto funcionalmente em vários tecidos. Por exemplo, as cristas estão quebradas ou inchadas; há evidências de estresse mitocondrial com geração de espécies reativas de oxigênio e ativação de apoptose
- *RNA não codificantes.* O cromossomo 21 tem a maior densidade de lncRNAs cujas sequências-alvo são amplamente expressas em outros cromossomos, tornando a tarefa de identificação de genes cujos produtos ditam o fenótipo da trissomia do 21 extremamente difícil.

Muito progresso está sendo feito no diagnóstico molecular da síndrome de Down no período pré-natal. Aproximadamente 5 a 10% do DNA total livre de células no sangue materno é derivado do feto e pode ser identificado por marcadores genéticos polimórficos. Por meio do sequenciamento de última geração, a dosagem gênica dos genes ligados ao cromossomo 21 no DNA fetal pode ser determinada com grande precisão. Esse é um poderoso teste de triagem não invasivo para diagnóstico pré-natal de trissomia do 21, bem como de outras trissomias. A maioria dos laboratórios exige a confirmação de um teste de triagem positivo com a cariotipagem convencional.

Outras trissomias

Foi descrita uma variedade de outras trissomias envolvendo os cromossomos 8, 9, 13, 18 e 22. Apenas a trissomia do 18 (síndrome de Edwards) e a trissomia do 13 (síndrome de Patau) são comuns o suficiente para merecer uma breve menção aqui. Conforme observado na **Figura 5.20**, elas compartilham várias características cariotípicas e clínicas com a trissomia do 21. Assim, a maioria dos casos resulta de não disjunção meiótica e, portanto, carrega uma cópia extra completa do cromossomo 13 ou 18. Como na síndrome de Down, também se observa uma associação com a idade materna mais elevada. Ao contrário da trissomia do 21, no entanto, as malformações são muito mais graves e diversificadas. Como resultado disso, os bebês raramente sobrevivem além do primeiro ano de vida. A maioria sucumbe em algumas semanas a meses.

Síndrome de deleção do cromossomo 22q11.2

A síndrome de deleção do cromossomo 22q11.2 abrange um espectro de distúrbios que derivam de uma pequena deleção da banda q11.2 no braço longo do cromossomo 22. A síndrome é bastante comum, ocorrendo em até 1 em cada 4 mil nascimentos, mas com frequência não é diagnosticada devido a características clínicas variáveis. Esses atributos incluem defeitos cardíacos congênitos, anormalidades do palato, dismorfismo facial, atraso no desenvolvimento e graus variáveis de imunodeficiência de células T e hipocalcemia. Anteriormente, considerava-se que essas características clínicas representavam dois distúrbios diferentes – a *síndrome de DiGeorge* e a *síndrome velocardiofacial*. Em um número muito pequeno de casos, há uma deleção de 10p13-14.

Os pacientes com síndrome de DiGeorge têm hipoplasia tímica, resultando em imunodeficiência de células T (ver **Capítulo 6**), hipoplasia das paratireoides causando hipocalcemia, diversas malformações cardíacas que afetam o trato de saída e anomalias faciais brandas. Distúrbios atópicos (p. ex., rinite alérgica) e autoimunes (p. ex., trombocitopenia) também podem ser observados. As características clínicas da chamada síndrome velocardiofacial incluem dismorfismo facial (nariz proeminente,

TRISSOMIA DO 21: SÍNDROME DE DOWN

Incidência: 1 em 700 nascimentos
Cariótipos:
    Tipo trissomia do 21:   47, XX, +21
    Tipo translocação: 46, XX, der(14;21)(q10;q10), +21
    Tipo mosaico: 46, XX/47, XX, +21

Características do paciente com síndrome de Down:
- Deficiência intelectual
- Pele abundante no pescoço
- Pregas epicânticas e perfil facial plano
- Prega palmar única
- Defeitos cardíacos congênitos
- Estenose intestinal
- Hérnia umbilical
- Predisposição para leucemia
- Hipotonia
- Espaço entre o primeiro e o segundo dedo do pé

TRISSOMIA DO 18: SÍNDROME DE EDWARDS

Incidência: 1 em 8.000 nascimentos
Cariótipos:
    Tipo trissomia 18:   47, XX, +18
    Tipo mosaico: 46, XX/47, XX, +18

Características do paciente com síndrome de Edwards:
- Occipício proeminente
- Deficiência intelectual
- Micrognatia
- Baixa inserção das orelhas
- Pescoço curto
- Dedos sobrepostos
- Defeitos cardíacos congênitos
- Malformações renais
- Abdução limitada do quadril
- Pés em "mata-borrão"

TRISSOMIA DO 13: SÍNDROME DE PATAU

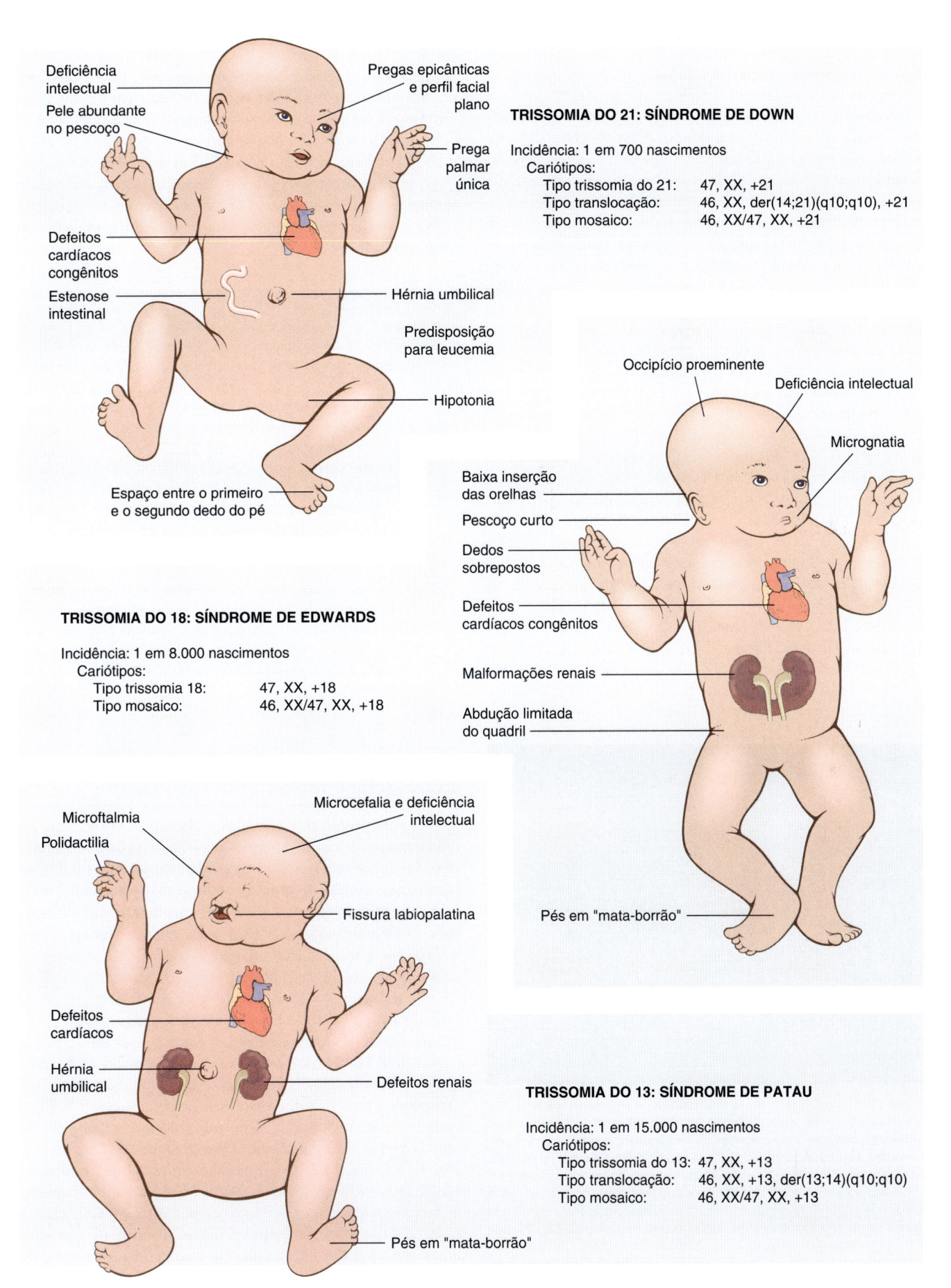

Incidência: 1 em 15.000 nascimentos
Cariótipos:
    Tipo trissomia do 13:   47, XX, +13
    Tipo translocação: 46, XX, +13, der(13;14)(q10;q10)
    Tipo mosaico: 46, XX/47, XX, +13

Características do paciente com síndrome de Patau:
- Microftalmia
- Polidactilia
- Microcefalia e deficiência intelectual
- Fissura labiopalatina
- Defeitos cardíacos
- Hérnia umbilical
- Defeitos renais
- Pés em "mata-borrão"

Figura 5.20 Características clínicas e cariótipos de trissomias autossômicas selecionadas.

retrognatia), fenda palatina, anomalias cardiovasculares e dificuldades de aprendizagem. Com menos frequência, esses pacientes também apresentam imunodeficiência.

Apesar das características clínicas sobrepostas dessas duas condições (p. ex., malformações cardíacas, dismorfologia facial), foi somente após essas duas síndromes aparentemente não relacionadas estarem associadas a uma anormalidade citogenética semelhante que a sobreposição clínica entrou em foco. Estudos recentes indicam que, além das numerosas malformações estruturais, os indivíduos com a síndrome da deleção de 22q11.2 correm um risco particularmente alto de doenças psicóticas, como *esquizofrenia e transtornos bipolares*. Na verdade, estima-se que a esquizofrenia se desenvolva em aproximadamente 25% dos adultos com essa síndrome. Por outro lado, é possível encontrar deleções da região em 2 a 3% dos indivíduos com esquizofrenia de início na infância. Além disso, observa-se transtorno de déficit de atenção/hiperatividade em 30 a 35% das crianças afetadas.

O diagnóstico dessa condição pode ser suspeitado com base em aspectos clínicos, mas pode ser estabelecido apenas pela detecção da deleção por meio de FISH (**Figura 5.21**). Por esse teste, cerca de 90% dos indivíduos previamente diagnosticados como tendo a síndrome de DiGeorge e 80% daqueles com a síndrome velocardiofacial têm uma deleção de 22q11.2. Trinta por cento dos indivíduos com defeitos cardíacos conotruncais, mas nenhuma outra característica dessa síndrome, também apresentam deleções da mesma região cromossômica.

A base molecular dessa síndrome ainda não foi totalmente compreendida. A região deletada é grande (aproximadamente 1,5 Mb) e inclui 30 a 40 genes. A heterogeneidade clínica, com imunodeficiência predominante em alguns casos (síndrome de DiGeorge) e dismorfologia e malformações cardíacas predominantes em outros casos, provavelmente reflete a posição e o tamanho variáveis do segmento deletado dessa região genética. Aproximadamente 30 genes candidatos foram mapeados para a região deletada. Entre eles, *TBX1*, um fator de transcrição T-box, está mais intimamente associado às características fenotípicas dessa síndrome. Esse gene é expresso no mesênquima da faringe e na bolsa endodérmica, de onde se derivam as estruturas faciais, o timo e as paratireoides. Os alvos de *TBX1* incluem *PAX9*, um gene que controla o desenvolvimento do palato, das paratireoides e do timo. É evidente que existem outros genes que contribuem para os transtornos comportamentais e psiquiátricos que ainda precisam ser identificados.

> **Conceitos-chave**
> **Distúrbios citogenéticos envolvendo autossomos**
>
> - A síndrome de Down está associada a uma cópia extra de genes no cromossomo 21, mais comumente devido à trissomia do 21 e menos frequentemente devido à translocação de material cromossômico extra do cromossomo 21 para outros cromossomos ou a mosaicismo.
> - Os pacientes com síndrome de Down apresentam deficiência intelectual grave, perfil facial plano, pregas epicânticas, malformações cardíacas, risco mais elevado de leucemia e infecções e desenvolvimento prematuro de doença de Alzheimer.
> - A exclusão de genes no *locus* cromossômico 22q11.2 dá origem a malformações que afetam a face, o coração, o timo e as paratireoides. Os distúrbios resultantes são reconhecidos como síndrome de DiGeorge (hipoplasia tímica com imunidade de células T diminuída e hipoplasia paratireoidiana com hipocalcemia) e síndrome velocardiofacial (cardiopatia congênita envolvendo os tratos de saída, dismorfismo facial e atraso no desenvolvimento).

Distúrbios citogenéticos envolvendo cromossomos sexuais

As doenças genéticas associadas a alterações envolvendo os cromossomos sexuais são muito mais comuns do que as relacionadas a aberrações autossômicas. Além disso, os desequilíbrios (excesso ou perda) de cromossomos sexuais são muito mais bem tolerados do que desequilíbrios semelhantes nos autossomos. Em grande parte, essa diferença se relaciona a dois fatores que são peculiares aos cromossomos sexuais: (1) a lionização ou inativação de um dos cromossomos X e (2) a quantidade modesta de material genético transportado pelo cromossomo Y. Esses aspectos serão discutidos brevemente para melhor compreensão dos distúrbios dos cromossomos sexuais.

Em 1961, Mary Lyon esboçou a ideia da inativação do X, agora comumente conhecida como a hipótese de Lyon. Ela afirma que: (1) *apenas um dos cromossomos X é geneticamente ativo*; (2) *o outro cromossomo X, seja de origem materna ou de origem paterna, sofre heteropicnose e é inativado*; (3) *o cromossomo X materno ou paterno é inativado de forma aleatória entre todas as células do blastocisto por volta do dia 5,5 de vida embrionária*; e (4) *a inativação do mesmo cromossomo X persiste em todas as células derivadas de cada célula precursora*. Assim, a imensa maioria de mulheres normais é, na realidade, mosaico e apresenta duas populações de células, uma com um cromossomo X materno inativado e outra com um cromossomo X paterno inativado. Isso explica por que

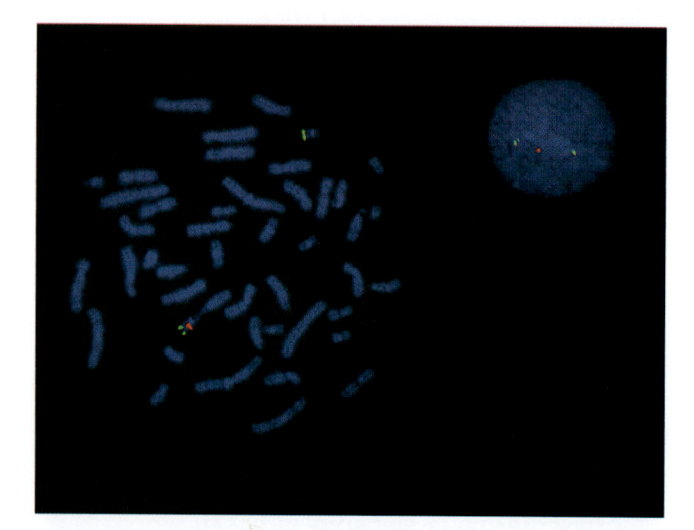

Figura 5.21 Hibridização *in situ* fluorescente de ambos os cromossomos em metáfase e uma célula em interfase de um paciente com síndrome de DiGeorge, demonstrando a deleção de uma sonda que mapeia para o cromossomo 22q11.2. A sonda 22q11.2 está em vermelho e a sonda de controle, localizada em 22q, está em verde. O espalhamento da metáfase mostra um cromossomo 22 com um sinal verde (sonda de controle) e um sinal vermelho (da sonda 22q11.2). O outro cromossomo 22 mostra apenas hibridização com a sonda de controle (verde), mas sem sinal vermelho de 22q11.2, pois há uma deleção neste cromossomo. A célula em interfase também exibe um padrão de hibridização consistente com uma deleção do cromossomo 22q11.2. (Cortesia do Dr. Stuart Schwartz, Departamento de Patologia, University of Chicago, Chicago, Ill.)

as mulheres têm a mesma dosagem de genes ativos ligados ao X que os homens. O cromossomo X inativo pode ser visto no núcleo interfásico como uma pequena massa de coloração escura em contato com a membrana nuclear conhecida como *corpúsculo de Barr*, ou cromatina X. A base molecular da inativação do X envolve um gene único chamado *XIST*, cujo produto é um lncRNA (ver **Capítulo 1**) que fica retido no núcleo, onde "recobre" o cromossomo X do qual é transcrito e inicia um processo de silenciamento de genes por meio de modificação da cromatina e metilação do DNA. O alelo *XIST* está desligado no cromossomo X ativo.

Embora inicialmente se tenha pensado que todos os genes do cromossomo X inativo estivessem "desligados", estabeleceu-se recentemente que muitos genes escapam da inativação do X. Estudos moleculares sugerem que 30% dos genes em Xp e um número menor (3%) em Xq escapam da inativação X. Pelo menos alguns dos genes que são expressos de ambos os cromossomos X são importantes para o crescimento e desenvolvimento normais. Essa noção é corroborada pelo fato de que os pacientes com monossomia do cromossomo X (síndrome de Turner: 45,X) têm anormalidades somáticas e gonadais graves. Se uma única dose de genes ligados ao X fosse suficiente, não se esperaria nenhum efeito prejudicial em tais casos. Além disso, embora um cromossomo X seja inativado em todas as células durante a embriogênese, ele é reativado seletivamente na ovogônia antes da primeira divisão meiótica. Assim, parece que ambos os cromossomos X são necessários para o crescimento normal e também para a ovogênese. As pontas dos braços curtos e longos dos cromossomos X e Y têm regiões de homologia que se recombinam durante a meiose e, portanto, são herdadas como *loci* autossômicos. Por esse motivo, são chamadas de regiões pseudoautossômicas. Esses genes também escapam da inativação do X. Esses mecanismos garantem que homens e mulheres tenham doses equivalentes de genes que são mapeados nos cromossomos X e Y.

Com relação ao cromossomo Y, é sabido que esse cromossomo é necessário e suficiente para o desenvolvimento masculino. **Independentemente do número de cromossomos X, a presença de um único cromossomo Y determina o sexo masculino.** O gene que dita o desenvolvimento testicular (*SRY* [gene da região determinante do sexo em Y]) está localizado na porção distal de seu braço curto. Por algum tempo se pensava que esse era o único gene significativo no cromossomo Y. Estudos recentes, no entanto, produziram várias famílias de genes na chamada região específica masculina de Y, ou região MSY, abrigando 75 genes codificadores de proteínas. Acredita-se que todos eles sejam específicos para o testículo e estejam envolvidos na espermatogênese. De acordo com isso, todas as deleções do cromossomo Y estão associadas à azoospermia. Por comparação, o cromossomo X tem 840 genes codificadores. As seguintes características são comuns a todos os distúrbios dos cromossomos sexuais:

- Em geral, os distúrbios dos cromossomos sexuais causam problemas sutis e crônicos relacionados ao desenvolvimento sexual e à fertilidade
- Os distúrbios dos cromossomos sexuais costumam ser difíceis de diagnosticar no nascimento e muitos são identificados pela primeira vez na puberdade
- Em geral, quanto maior o número de cromossomos X, tanto em homens quanto em mulheres, maior a probabilidade de deficiência intelectual.

Os dois distúrbios mais importantes causados por aberrações dos cromossomos sexuais estão descritos resumidamente aqui.

Síndrome de Klinefelter

A síndrome de Klinefelter é mais bem definida como hipogonadismo masculino que ocorre quando há dois ou mais cromossomos X e um ou mais cromossomos Y. É uma das formas mais frequentes de doenças genéticas que envolvem os cromossomos sexuais e também uma das causas mais comuns de hipogonadismo no sexo masculino. A incidência dessa condição é de aproximadamente 1 em cada 660 nascidos vivos do sexo masculino. Essa é uma subestimativa, uma vez que a síndrome de Klinefelter tem uma gama de manifestações fenotípicas e aqueles com características brandas nunca são vistos pelos profissionais de saúde. As características clínicas da síndrome de Klinefelter podem ser atribuídas a dois fatores principais: (1) aneuploidia e o impacto do aumento da dosagem gênica pelo X supranumerário e (2) a presença de hipogonadismo. A síndrome de Klinefelter raramente é diagnosticada antes da puberdade, principalmente porque as manifestações de hipogonadismo não se desenvolvem antes do início da puberdade.

A maioria dos pacientes tem uma constituição corporal distinta, com um aumento do comprimento entre as solas dos pés e o osso púbico, o que cria a aparência de um corpo alongado. Também são característicos a constituição corporal eunucoide com pernas anormalmente longas; testículos atróficos pequenos, frequentemente associados a um pênis pequeno; e falta de características masculinas secundárias, como voz grave, barba e distribuição masculina dos pelos pubianos. Pode haver ginecomastia. As habilidades cognitivas variam de média a abaixo da média, com déficit modesto nas habilidades verbais, particularmente aquelas que são usadas na leitura e compreensão da linguagem. Pacientes com síndrome de Klinefelter desenvolvem várias comorbidades. Há um aumento da incidência de diabetes tipo 2 e de síndrome metabólica que leva à resistência à insulina. Os pacientes apresentam maior risco de doença cardíaca congênita, sobretudo prolapso da valva mitral, que é observado em cerca de 50% dos adultos. Além disso, há maior prevalência de defeitos do septo atrial e ventricular. Há também um aumento na incidência de osteoporose e fraturas devido ao desequilíbrio de hormônios sexuais. Os pacientes com síndrome de Klinefelter apresentam risco 20 a 30 vezes maior de desenvolver tumores extragonadais de células germinativas, principalmente teratomas do mediastino. Além disso, câncer de mama e doenças autoimunes, como o lúpus eritematoso sistêmico, ocorrem com mais frequência. Deve-se notar que os atributos físicos descritos aqui são bastante variáveis, sendo o hipogonadismo o único achado consistente.

A síndrome de Klinefelter é uma importante causa genética de espermatogênese reduzida e infertilidade masculina. Em alguns pacientes, os túbulos testiculares estão totalmente atrofiados e substituídos por fibras colágenas, hialinas e rosadas. Em outros, túbulos aparentemente normais estão intercalados com túbulos atróficos. Em alguns pacientes, todos os túbulos são primitivos e parecem embrionários, consistindo em cordões de células que nunca desenvolveram um lúmen ou progrediram para a espermatogênese madura. As células de Leydig aparecem proeminentes, como resultado da atrofia e aglomeração dos túbulos e elevação das concentrações de gonadotrofina. As concentrações plasmáticas de gonadotrofina, em especial do hormônio folículo-estimulante (FSH), são consistentemente elevadas, enquanto os níveis de testosterona são reduzidos de forma variável. Os níveis plasmáticos médios de estradiol são elevados devido a um mecanismo ainda desconhecido. A proporção de estrogênios e testosterona determina o grau de feminização em casos individuais.

A síndrome de Klinefelter clássica está associada a um cariótipo 47,XXY (90% dos casos). Esse complemento de cromossomos resulta da não disjunção durante as divisões meióticas nas células germinativas de um dos genitores. A não disjunção materna e paterna na primeira divisão meiótica está mais ou menos igualmente envolvida. Não há diferença fenotípica entre aqueles que recebem o cromossomo X extra do pai e aqueles que o recebem da mãe. A idade materna avançada (> 40 anos) é um fator de risco. Além desse cariótipo clássico, aproximadamente 15% dos pacientes com síndrome de Klinefelter apresentam uma variedade de padrões de mosaico, a maioria deles 46,XY/47,XXY; em alguns, há uma linhagem celular com cromossomo X estruturalmente anormal (p. ex., 47,iXq,Y). Como no caso de mulheres normais, todos os cromossomos X, exceto um, estão inativados em pacientes com síndrome de Klinefelter. Por que, então, os pacientes com esse distúrbio apresentam hipogonadismo e características associadas? A explicação para isso está nos genes do cromossomo X que escapam da lionização e no padrão de inativação do X:

- Um mecanismo patogênico está relacionado à compensação desigual da dosagem durante a inativação do X. Sabe-se agora que aproximadamente 35% dos genes ligados ao X escapam da inativação. Portanto, há uma dose extra desses genes em comparação com homens normais nos quais apenas uma cópia do cromossomo X está ativa; parece que a "superexpressão" de um ou mais desses genes leva ao hipogonadismo. Um mecanismo semelhante também pode ditar algumas características somáticas. O gene *Short-stature HomeobOX* (SHOX) que está localizado na região pseudoautossômica de Xp é um dos genes que não está sujeito à inativação de X. Uma cópia extra desse gene relacionado ao crescimento provavelmente é responsável pela alta estatura e pernas longas típicas da síndrome de Klinefelter. Deve-se notar que a maioria dos genes cuja expressão é regulada positivamente na síndrome de Klinefelter está fora do cromossomo X. Isso implica que o cromossomo X supranumerário pode regular a expressão gênica em autossomos
- Um segundo mecanismo envolve o gene que codifica o receptor de andrógeno, por meio do qual a testosterona medeia seus efeitos. O gene do receptor de andrógeno é mapeado no cromossomo X e contém repetições CAG (trinucleotídio) altamente polimórficas. A resposta funcional do receptor a qualquer dose de andrógeno é ditada, em parte, pelo número de repetições CAG, pois os receptores com repetições CAG mais curtas são mais sensíveis aos andrógenos do que aqueles com repetições CAG longas. Em pessoas com síndrome de Klinefelter, o cromossomo X que carrega o alelo do receptor de andrógeno com a repetição CAG mais curta é preferencialmente inativado. Em homens XXY com níveis baixos de testosterona, a expressão de receptores de andrógenos com repetições CAG longas exacerba o hipogonadismo e parece ser responsável por certos aspectos do fenótipo, como o tamanho pequeno do pênis.

Síndrome de Turner

A síndrome de Turner resulta da monossomia total ou parcial do cromossomo X e é caracterizada por hipogonadismo em mulheres fenotípicas. É a anormalidade cromossômica sexual mais comum em mulheres, afetando cerca de 1 a cada 2 mil mulheres nascidas vivas.

Com os métodos citogenéticos de rotina, três tipos de anormalidades cariotípicas são observados em indivíduos com síndrome de Turner:

- *Aproximadamente 57% apresentam ausência de um cromossomo X inteiro, resultando em um cariótipo 45,X. Dos 43% restantes, cerca de um terço (14%) têm anormalidades estruturais dos cromossomos X e dois terços (29%) são mosaicos*
- *A característica comum das anormalidades estruturais é a produção de monossomia parcial do cromossomo X.* Em ordem de frequência, as anormalidades estruturais do cromossomo X incluem (1) um isocromossomo do braço longo, 46,X,i(X)(q10), resultando na perda do braço curto; (2) deleção de partes tanto do braço longo quanto do braço curto, o que leva à formação de um cromossomo em anel, 46,X,r(X); e (3) deleção de porções do braço curto ou do braço longo, 46X,del(Xq) ou 46X,del(Xp)
- *As pacientes com mosaico têm uma população de células 45,X com um ou mais tipos de células com cariótipo normal ou anormal.* Os exemplos de cariótipos que as mulheres com Turner de tipo mosaico podem ter são os seguintes: (1) 45,X/46,XX, (2) 45,X/46,XY, (3) 45,X/47,XXX ou (4) 45,X/46,X,i (X)(q10). Estudos sugerem que a prevalência de mosaicismo na síndrome de Turner pode ser muito maior do que os 30% detectados por meio de estudos citogenéticos convencionais. Com o uso de técnicas mais sensíveis, a prevalência da síndrome de Turner em mosaico aumenta para 75%. Como 99% dos fetos com cariótipo aparente de 45,X não são viáveis, muitas autoridades acreditam que não existem pacientes com síndrome de Turner verdadeiramente não mosaico. Embora essa questão permaneça controversa, é importante avaliar a heterogeneidade cariotípica associada à síndrome de Turner porque ela é responsável por variações significativas no fenótipo. Em pacientes nas quais a proporção de células 45,X é alta, as alterações fenotípicas são mais graves do que naquelas que apresentam mosaicismo facilmente detectável. Este último fenótipo pode ter uma aparência quase normal e apresentar apenas amenorreia primária. Um número muito pequeno de pacientes é capaz de conceber.

De 5 a 10% das pacientes com síndrome de Turner têm sequências do cromossomo Y tanto como um cromossomo Y completo (p. ex., cariótipo 45,X/46,XY) ou como fragmentos de cromossomos Y translocados em outros cromossomos. Essas pacientes apresentam maior risco de desenvolvimento de um tumor gonadal (gonadoblastoma).

As pacientes mais gravemente afetadas costumam apresentar, durante a infância, edema do dorso da mão e do pé devido à estase linfática e, às vezes, *inchaço da nuca*. Este último sinal está relacionado aos canais linfáticos acentuadamente distendidos, produzindo o chamado higroma cístico (ver **Capítulo 10**). À medida que essas lactentes se desenvolvem, os inchaços diminuem, mas geralmente deixam um *pescoço alado bilateral* e uma pele flácida persistente na parte de trás do pescoço. A *cardiopatia congênita* também é comum, afetando 25 a 50% das pacientes. Anormalidades cardiovasculares do lado esquerdo, sobretudo coarctação pré-ductal da aorta e valva aórtica bicúspide, são vistas com mais frequência. Aproximadamente 5% das mulheres jovens com diagnóstico inicial de coarctação da aorta têm síndrome de Turner. A dilatação da raiz da aorta está presente em 30% dos casos e há um risco cem vezes maior de dissecção da aorta. As anormalidades cardiovasculares são a causa mais importante de aumento da mortalidade em crianças com síndrome de Turner.

Os principais aspectos clínicos em adolescentes e adultos estão ilustrados na **Figura 5.22**. Na puberdade, ocorre falha no desenvolvimento das características sexuais secundárias normais. A genitália permanece infantil, o desenvolvimento das mamas é inadequado e há poucos pelos púbicos. O estado mental das pacientes costuma ser normal, mas defeitos sutis no processamento de informações visuais-espaciais e não verbais já foram observados. Em mulheres adultas, a baixa estatura (raramente ultrapassando 1,50 cm de altura) e a amenorreia são de particular importância no estabelecimento do diagnóstico. A síndrome de Turner é a causa isolada mais importante de amenorreia primária, sendo responsável por aproximadamente um terço dos casos.

Por motivos que não estão claros, cerca de 50% das pacientes desenvolvem autoanticorpos que reagem com a glândula tireoide, e até metade destas desenvolve hipotireoidismo manifesto clinicamente. Igualmente misteriosa é a presença de intolerância à glicose, obesidade, doença hepática gordurosa não alcoólica e resistência à insulina em um subconjunto de pacientes. Algumas têm síndrome metabólica desenvolvida. A ocorrência de resistência à insulina é significativa porque a terapia com hormônio do crescimento, comumente usada nessas pacientes, piora a resistência à insulina.

A patogênese molecular da síndrome de Turner ainda não foi completamente compreendida, mas estudos começaram a elucidar a questão. Em cerca de 80% dos casos, o cromossomo X é de origem materna, sugerindo que há uma anormalidade na gametogênese paterna. Como mencionado antes, ambos os cromossomos X estão ativos durante a ovogênese e são essenciais para o desenvolvimento normal dos ovários. Durante o desenvolvimento fetal normal, os ovários contêm até 7 milhões de ovócitos. Estes desaparecem gradualmente de modo que, na menarca, seu número diminui para meros 400 mil e, quando ocorre a menopausa, restam menos de 10 mil. Na síndrome de Turner, os ovários fetais se desenvolvem de forma normal durante as primeiras 18 semanas de gestação, mas a ausência do segundo cromossomo X leva a uma perda acelerada de ovócitos, que se completa aos 2 anos de vida. Em certo sentido, portanto, "a menopausa ocorre antes da menarca" e os ovários são reduzidos a filamentos fibrosos atróficos, desprovidos de óvulos e folículos (*ovários estriados*). Estudos de pacientes com síndrome de Turner com deleções que afetam o braço curto ou o braço longo revelaram que muitas das características somáticas são determinadas por genes no braço curto, enquanto os genes no braço longo afetam a fertilidade e a menstruação. Entre os genes envolvidos no fenótipo de Turner está o gene *SHOX* em Xp22.33. Como mencionado anteriormente, *SHOX* mapeia na região pseudoautossômica dos cromossomos X e Y e escapa da inativação do X. Assim, tanto os homens normais quanto as mulheres normais apresentam duas cópias desse gene. Acredita-se que a haploinsuficiência de *SHOX* na síndrome de Turner dê origem à baixa estatura. De fato, são observadas deleções do gene *SHOX* em 2 a 5% das crianças normais com baixa estatura. De acordo com seu papel de regulador crítico do crescimento, *SHOX*

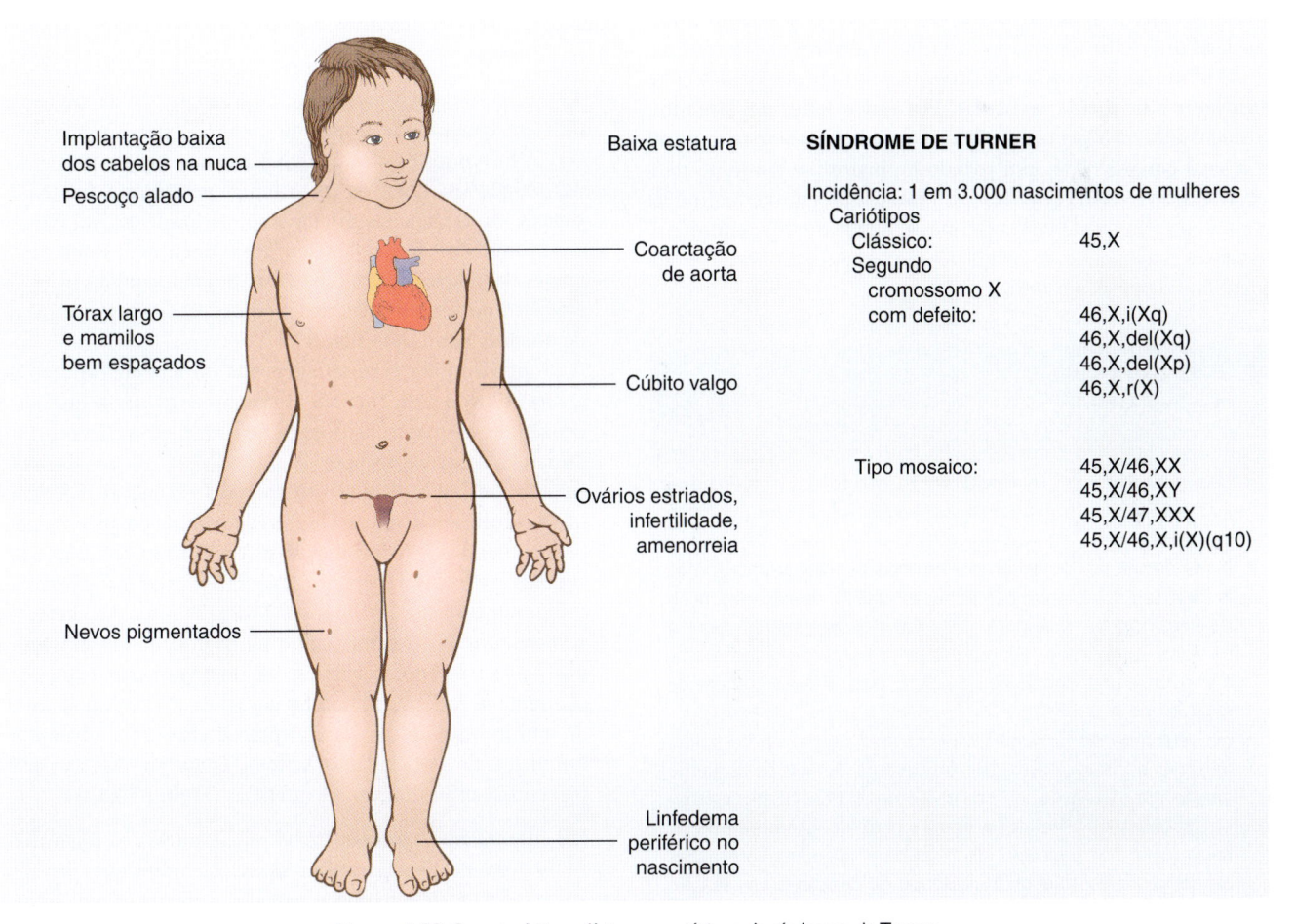

Figura 5.22 Características clínicas e cariótipos da síndrome de Turner.

é expresso durante a vida fetal nas placas de crescimento de vários ossos longos, como rádio, ulna, tíbia e fíbula. Ele também é expresso no primeiro e segundo arcos faríngeos. Assim como a perda de *SHOX* está sempre associada à baixa estatura, o excesso de cópias desse gene (na síndrome de Klinefelter) está associado à alta estatura. Enquanto a haploinsuficiência de *SHOX* pode explicar o déficit de crescimento na síndrome de Turner, ela não pode explicar outras características clínicas, como malformações cardíacas e anormalidades metabólicas. É evidente que vários outros genes localizados no braço curto do cromossomo X estão envolvidos. O hormônio do crescimento e o estradiol são usados para tratar a síndrome de Turner com um grau razoável de sucesso.

Hermafroditismo e pseudo-hermafroditismo

O problema da ambiguidade sexual é extremamente complexo, e aqui só é possível fazer observações limitadas; para mais detalhes, o leitor deve consultar fontes especializadas. Não será surpresa nenhuma para os estudantes de medicina que o sexo de um indivíduo possa ser definido em vários níveis. O *sexo genético* é determinado pela presença ou ausência de um cromossomo Y. Não importa quantos cromossomos X estejam presentes, um único cromossomo Y determina o desenvolvimento testicular e o sexo masculino genético. As gônadas inicialmente indiferenciadas de embriões masculinos e femininos têm uma tendência inerente de se feminilizar, a menos que sejam influenciadas por fatores masculinizantes dependentes do cromossomo Y. O *sexo gonadal* baseia-se nas características histológicas das gônadas. O *sexo ductal* depende da presença de derivados dos ductos de Müller ou dos ductos de Wolff. O *sexo fenotípico*, ou *genital*, baseia-se na aparência da genitália externa. A ambiguidade sexual está presente sempre que há desacordo entre esses vários critérios de determinação do sexo.

O termo *hermafrodita verdadeiro* implica a presença de tecido ovariano e de tecido testicular. Por outro lado, um pseudo-hermafrodita representa uma discordância entre o sexo fenotípico e o sexo gonadal (*i. e.*, um pseudo-hermafrodita feminino tem ovários, mas genitália externa masculina; um pseudo-hermafrodita masculino tem tecido testicular, mas genitália do tipo feminino). As bases genéticas dessas condições são bastante variáveis e estão além do escopo de nossa discussão aqui.

> **Conceitos-chave**
>
> **Distúrbios citogenéticos envolvendo cromossomos sexuais**
>
> - Nas mulheres, um cromossomo X, materno ou paterno, é inativado aleatoriamente durante o desenvolvimento (hipótese de Lyon)
> - Na síndrome de Klinefelter, existem dois ou mais cromossomos X com um cromossomo Y como resultado da não disjunção dos cromossomos sexuais. Os pacientes apresentam atrofia testicular, esterilidade, redução dos pelos corporais, ginecomastia e constituição corporal eunucoide. É a causa mais comum de esterilidade masculina
> - Na síndrome de Turner, há monossomia parcial ou completa de genes no braço curto do cromossomo X, mais comumente devido à ausência de um cromossomo X (45,X), mosaicismo ou deleções envolvendo o braço curto do cromossomo X. Baixa estatura, pescoço alado, cúbito valgo, malformações cardiovasculares, amenorreia, ausência de características sexuais secundárias e ovários fibróticos são características clínicas típicas.

Distúrbios monogênicos com herança não clássica

Tornou-se cada vez mais evidente que a transmissão de certos distúrbios de gene único não segue os princípios mendelianos clássicos. Esse grupo de distúrbios pode ser classificado em quatro categorias:

- Doenças causadas por mutações por repetição de trinucleotídios
- Distúrbios causados por mutações em genes mitocondriais
- Distúrbios associados ao *imprinting* genômico
- Distúrbios associados ao mosaicismo gonadal.

As características clínicas e moleculares de algumas doenças monogênicas que exemplificam padrões não clássicos de herança serão descritas a seguir.

Doenças causadas por mutações por repetição de trinucleotídios

A expansão das repetições de trinucleotídios é uma importante causa genética de doenças humanas, particularmente distúrbios neurodegenerativos. A descoberta em 1991 da expansão de repetições de trinucleotídios como causa da síndrome do X frágil (SXF) foi um marco na genética humana. Desde então, as origens de cerca de 40 doenças humanas (**Tabela 5.8**) foram atribuídas a repetições de nucleotídios instáveis, e o número continua a crescer. Todos os distúrbios descobertos até agora estão associados a alterações neurodegenerativas. Alguns princípios gerais se aplicam a essas doenças:

- As mutações causais estão associadas à expansão de um trecho de trinucleotídios que geralmente compartilham os nucleotídios G e C. Em todos os casos, o DNA é instável, e uma expansão das repetições acima de certo limiar prejudica a função do gene de várias maneiras, discutidas posteriormente. Nos últimos anos, também foram encontradas doenças associadas a tetranucleotídios, pentanucleotídios e hexanucleotídios instáveis, estabelecendo essa instabilidade como mecanismo fundamental de doenças neuromusculares
- A propensão para expandir depende fortemente do sexo do genitor transmissor. Na SXF, as expansões ocorrem durante a ovogênese, enquanto na doença de Huntington elas ocorrem durante a espermatogênese
- Existem três mecanismos principais pelos quais as repetições instáveis causam doenças. (1) *Perda da função* do gene afetado, normalmente por silenciamento da transcrição, como na SXF; em tais casos, as repetições costumam estar na parte não codificante do gene. (2) *Um ganho tóxico de função* por alterações na estrutura da proteína, como na doença de Huntington e nas ataxias espinocerebelares; em tais casos, as expansões ocorrem nas regiões codificantes dos genes. (3) Um *ganho tóxico de função mediado por RNA*, como é visto na síndrome de tremor/ataxia associada ao X frágil; como na SXF, as partes não codificantes do gene são afetadas (**Figura 5.23**).

Os mecanismos patogenéticos subjacentes aos distúrbios causados por mutações que afetam as regiões codificantes parecem ser distintos daqueles em que as expansões afetam as regiões não codificantes. Os primeiros geralmente envolvem repetições de

Tabela 5.8 Exemplos de distúrbios por repetição de trinucleotídios.

Doença	Gene	Locus	Proteína	Repetição	N° de repetições Normal	N° de repetições Doença
Expansões que afetam regiões não codificantes						
Síndrome do X Frágil	FMRI (FRAXA)	Xq27.3	Proteína FMR-1 (FMRP)	CGG	6 a 55	55 a 200 (pré); > 230 (cheio)
Ataxia de Friedreich	FXN	9q21.1	Frataxina	GAA	7 a 34	34 a 80 (pré); > 100 (completo)
Distrofia miotônica	DMPK	19q13.3	Proteinoquinase da distrofia miotônica (DMPK)	CTG	5 a 37	34 a 80 (pré); > 100 (completo)
Expansões que afetam regiões codificantes						
Atrofia muscular espinobulbar (doença de Kennedy)	AR	Xq12	Receptor de andrógeno (AR)	CAG	5 a 34	37 a 70
Doença de Huntington	HTT	4p16.3	Huntingtina	CAG	6 a 35	39 a 250
Atrofia dentatorubro-palidoluisiana (síndrome de Haw River)	ATNL	12p13.31	Atrofina-1	CAG	7 a 35	49 a 88
Ataxia espinocerebelar tipo 1	ATXN1	6p23	Ataxina-1	CAG	6 a 44	> 39
Ataxia espinocerebelar tipo 2	ATXN2	12q24.1	Ataxina-2	CAG	13 a 33	> 31
Ataxia espinocerebelar tipo 3 (doença de Machado-Joseph)	ATXN3	14q21	Ataxina-3	CAG	12 a 40	55 a 84
Ataxia espinocerebelar tipo 6	Ataxina-6	19p13.3	Subunidade α_{1A} do canal de cálcio dependente de voltagem	CAG	4 a 18	21 a 33
Ataxia espinocerebelar tipo 7	Ataxina-7	3p14.1	Ataxina-7	CAG	4 a 35	37 a 306

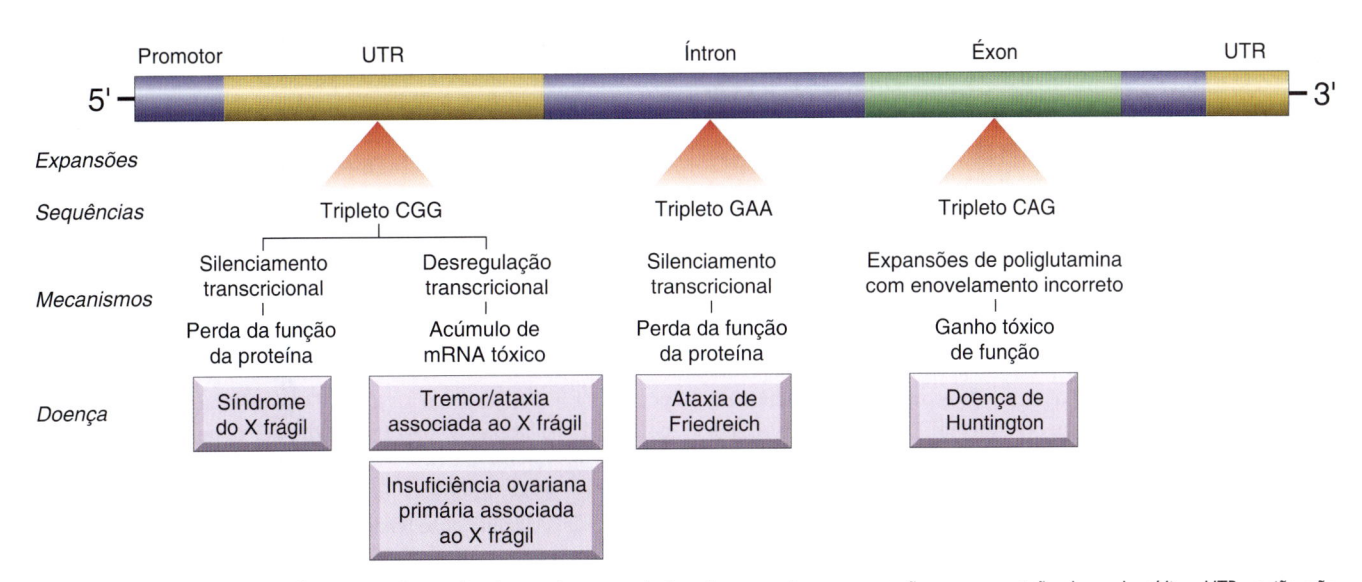

Figura 5.23 Locais de expansão e a sequência afetada em doenças selecionadas causadas por mutações por repetição de nucleotídios. UTR, região não traduzida.

CAG que codificam tratos de poliglutamina nas proteínas correspondentes. Essas doenças poliglutamínicas são caracterizadas por neurodegeneração progressiva, que ocorrem, em geral, na meia-idade. As expansões de poliglutamina levam a um ganho tóxico de função, pelo qual a proteína anormal pode interferir na função da proteína normal (uma atividade dominante negativa) ou adquirir uma nova atividade fisiopatológica tóxica. Os mecanismos precisos pelos quais as proteínas poliglutaminas expandidas causam doenças ainda não foram totalmente compreendidos. Na maioria dos casos, as proteínas estão mal enoveladas e tendem a se agregar; os agregados podem suprimir a transcrição de outros genes, causar disfunção mitocondrial ou desencadear a resposta ao estresse da proteína não enovelada e apoptose (ver **Capítulos 1** e **2**). *Uma marca morfológica dessas doenças é o acúmulo de proteínas mutantes agregadas em grandes inclusões intranucleares.* Embora a formação de agregados seja comum a muitas doenças poliglutamínicas, as evidências de um papel tóxico direto dos agregados não são universais. Na verdade, alguns observadores acreditam que a agregação pode ser protetora por sequestro da proteína mal enovelada. Outros modelos de patogenicidade implicam efeitos *downstream* mediados por fragmentos proteolíticos do fragmento de poliglutamina. É preciso aprender muito mais antes que estratégias terapêuticas possam ser desenvolvidas.

Síndrome do X frágil

A síndrome do X frágil (SXF) é a causa genética mais comum de deficiência intelectual em homens e, em geral, a segunda causa mais comum depois da síndrome de Down. Ela resulta de uma mutação por expansão de trinucleotídios no *gene do retardo mental familiar 1 (FMR1)*. Embora descobertas inicialmente como a causa da SXF, as mutações por expansão que afetam o gene *FMR1* são agora conhecidas por estarem presentes em dois outros distúrbios bem definidos – a síndrome de tremor/ataxia associada ao X frágil e a insuficiência ovariana primária associada ao X frágil. Começaremos nossa discussão sobre esses distúrbios levando em consideração a SXF.

A SXF tem uma frequência de 1 em 1.550 para homens afetados e um em 8 mil para mulheres afetadas. Seu nome deriva de uma anormalidade citogenética induzível no cromossomo X dentro do qual o gene *FMR1* está localizado. A alteração citogenética foi descoberta como uma descontinuidade da coloração ou como uma constrição no braço longo do cromossomo X quando as células são cultivadas em um meio deficiente em folato. Como parece que o cromossomo está "quebrado" nesse local, ele foi denominado *local frágil* (**Figura 5.24**). Esse método de detecção foi agora suplantado pela análise baseada em DNA do tamanho da repetição do tripleto, como discutido mais tarde.

Homens com SXF apresentam *deficiência intelectual* acentuada. Eles têm um fenótipo físico típico que inclui uma face longa com uma mandíbula grande, orelhas grandes e em abano e testículos aumentados (macro-orquidismo). Articulações hiperextensíveis, palato alto e arqueado e prolapso da válvula mitral observados em alguns pacientes mimetizam um distúrbio do tecido conjuntivo. Essas e outras anormalidades físicas descritas nessa condição, entretanto, nem sempre estão presentes e, em alguns casos, são bastante sutis. A característica mais distintiva é o macro-orquidismo, que é observado em pelo menos 90% dos homens pós-púberes afetados.

Além da deficiência intelectual, várias manifestações neurológicas e neuropsiquiátricas foram reconhecidas em pacientes com SXF. Isso inclui epilepsia em 30% dos casos, comportamento agressivo em 90% dos casos, transtorno do espectro autista (inclui várias condições como autismo e síndrome de Asperger) e transtorno de ansiedade/transtorno de hiperatividade. Os dois últimos afetam 50 a 75% dos homens com SXF; 2 a 5% dos pacientes primeiramente diagnosticados com autismo não sindrômico têm uma mutação no gene *FMR1*.

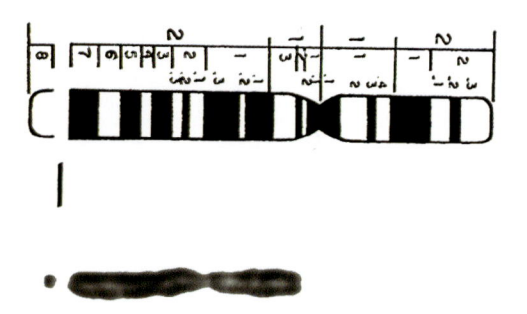

Figura 5.24 X frágil visto como descontinuidade da coloração. (Cortesia da Dra. Patricia Howard-Peebles, University of Texas Southwestern Medical Center, Dallas, Tex.)

Tal como acontece com outras doenças ligadas ao X, a SXF afeta predominantemente os homens. A análise de vários heredogramas, entretanto, revela alguns padrões de transmissão que não costumam estar associados a outros distúrbios recessivos ligados ao X (**Figura 5.25**):

- *Homens portadores*: aproximadamente 20% dos homens que, por análise de heredograma e por exames moleculares, são portadores de uma mutação de X frágil são clinicamente normais. Como os homens portadores transmitem o traço aos netos afetados por meio de todas as suas filhas fenotipicamente normais, eles são chamados de *homens transmissores normais*
- *Mulheres afetadas*: 30 a 50% das mulheres portadoras são afetadas (i. e., têm deficiência intelectual, bem como outras características descritas aqui), um número muito mais alto do que em outros distúrbios recessivos ligados ao X
- *Risco de efeitos fenotípicos*: o risco depende da posição do indivíduo no heredograma. Por exemplo, irmãos de homens transmissores correm um risco de 9% de ter deficiência intelectual, enquanto os netos de homens transmissores correm um risco de 40%
- *Antecipação*: esse termo refere-se à observação de que as características clínicas da SXF pioram a cada geração sucessiva, como se a mutação se tornasse cada vez mais deletéria à medida que é transmitida de um homem para seus netos e bisnetos (por meio das filhas).

O primeiro avanço na resolução dessas observações desconcertantes veio quando os estudos de ligação localizaram a mutação responsável por essa doença em Xq27.3, dentro da região citogeneticamente anormal. Nesse local está o gene *FMR1*, caracterizado por várias repetições em tandem da sequência de nucleotídios CGG em sua região 5' não traduzida. Na população normal, o número de repetições de CGG é pequeno, variando de 6 a 55 (média de 29). A presença e gravidade dos sintomas clínicos está relacionada à amplificação das repetições de CGG. Assim, homens transmissores normais e mulheres portadoras carregam de 55 a 200 repetições de CGG. As expansões desse tamanho são chamadas de *pré-mutações*. Por outro lado, os pacientes com SXF apresentam

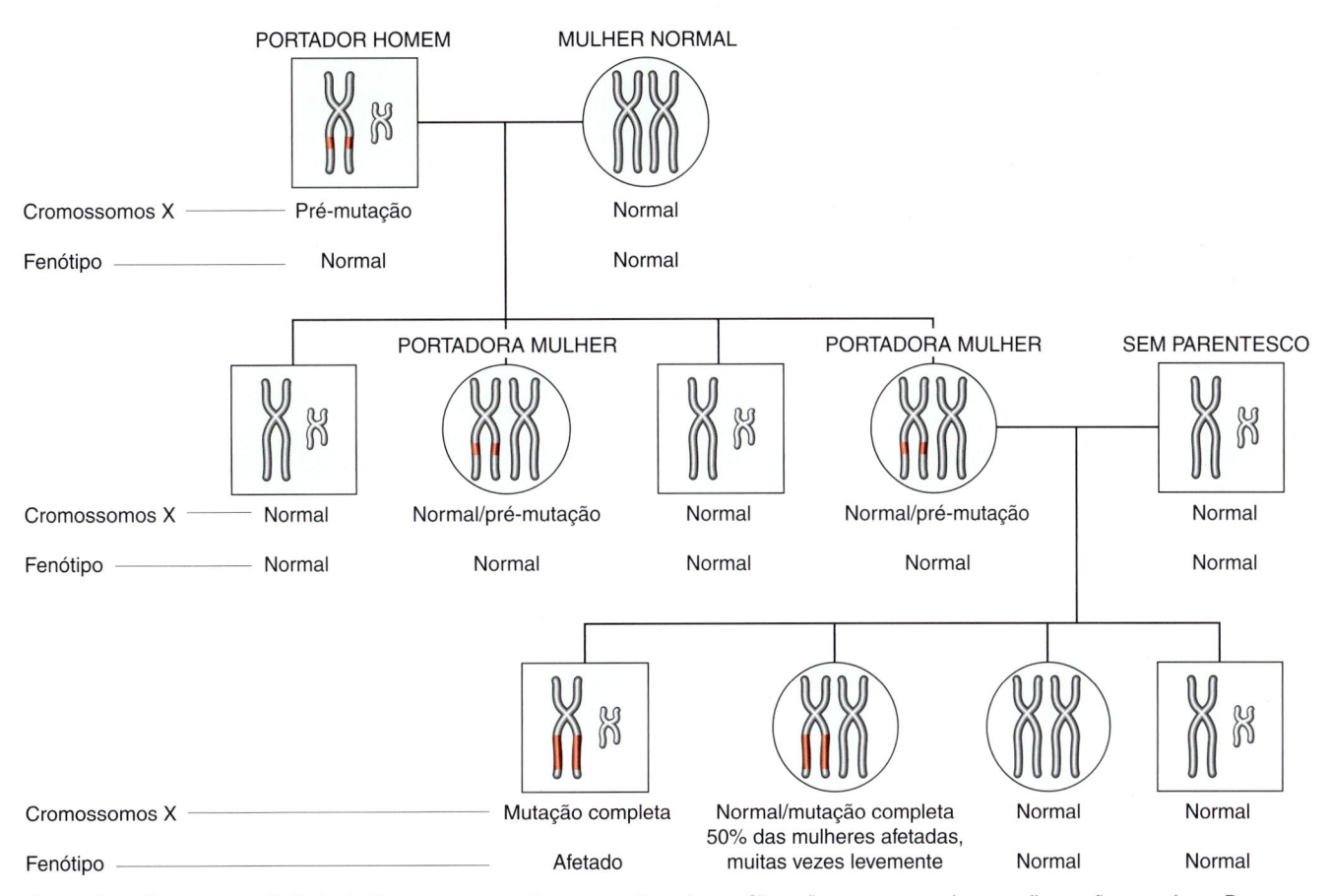

Figura 5.25 Heredograma do X frágil. Observe que na primeira geração todos os filhos são normais e todas as mulheres são portadoras. Durante a ovogênese na mulher portadora, a pré-mutação se expande, tornando-se uma mutação completa; portanto, na próxima geração, todos os homens que herdam o X com mutação completa são afetados. No entanto, apenas 50% das mulheres que herdam a mutação completa são afetadas, e apenas levemente. Aqui, não estão exibidos o tremor/ataxia associada ao X frágil e a insuficiência ovariana primária associada ao X frágil, que podem ocorrer em portadores de pré-mutação. (Cortesia da Dra. Nancy Schneider, Departamento de Patologia, University of Texas Southwestern Medical Center, Dallas, Tex.)

uma expansão extremamente grande da região de repetição (200 a 4 mil repetições ou *mutações completas*). Acredita-se que as mutações completas surjam por amplificação adicional das repetições de CGG vistas em pré-mutações. A forma como esse processo ocorre é bastante peculiar. Os homens portadores transmitem as repetições para sua progênie com pequenas mudanças no número de repetições. Quando a pré-mutação é transmitida por uma mulher portadora, entretanto, há uma grande probabilidade de haver uma amplificação drástica das repetições de CGG, levando à deficiência intelectual na maioria da prole de sexo masculino e em 50% da prole de sexo feminino. Assim, *parece que durante o processo de ovogênese, mas não na espermatogênese, as pré-mutações podem ser convertidas em mutações por amplificação das repetições de tripletos*. Isso explica o padrão incomum de hereditariedade; ou seja, a probabilidade de deficiência intelectual é muito maior em netos do que em irmãos de homens transmissores, porque os netos correm o risco de herdar uma pré-mutação de seu avô que é amplificada para uma mutação completa nos óvulos de suas mães. Em comparação, irmãos de homens transmissores, estando em posição mais alta no heredograma, têm menos probabilidade de ter uma mutação completa. Esses detalhes moleculares também fornecem uma explicação satisfatória para a antecipação – um fenômeno que permaneceu inexplicado até que as mutações por repetição de tripletos fossem identificadas. O motivo pelo qual apenas 50% das mulheres com a mutação completa são clinicamente afetadas não está claro. Supõe-se que, naqueles que são clinicamente afetados, há lionização desfavorável (*i. e.*, há uma frequência maior de células nas quais o cromossomo X portador da mutação está ativo).

A base molecular da deficiência intelectual e outras alterações somáticas está relacionada à perda da função da proteína do retardo mental do X frágil (FMRP), o produto do gene *FMR1*. Como mencionado anteriormente, o gene *FMR1* normal contém até 55 repetições de CGG em sua região 5' não traduzida. Quando as repetições do trinucleotídio no gene *FMR1* excedem aproximadamente 230, o DNA de toda a região 5' do gene torna-se anormalmente metilado. A metilação também se estende *usptream* para a região promotora do gene, resultando na supressão da transcrição de *FMR1*. Acredita-se que a consequente ausência de FMRP cause as alterações fenotípicas.

FMRP é uma proteína citoplasmática amplamente expressa, mais abundante no cérebro e testículos, os dois órgãos mais afetados nesta doença. Suas funções propostas no cérebro são as seguintes:

• *A FMRP se liga seletivamente aos mRNAs associados aos polissomos e regula seu transporte intracelular para os dendritos.* Ao contrário de outras células, a síntese de proteínas nos neurônios ocorre tanto no citoplasma perinuclear quanto nas espinhas dendríticas. A FMRP recém-feita se transloca para o núcleo, onde se reúne em um complexo contendo transcritos de mRNA que codificam proteínas pré-sinápticas e pós-sinápticas. Os complexos FRMP-mRNA são então exportados para o citoplasma, de onde são transportados para dendritos próximos às sinapses neuronais (**Figura 5.26**)

- *A FRMP é um regulador de tradução*. Nas junções sinápticas, a FMRP suprime a síntese de proteínas dos mRNAs ligados em resposta à sinalização por meio de receptores metabotrópicos de glutamato do grupo I (mGlu-R). Assim, uma redução da FMRP na SXF resulta no aumento da tradução dos mRNAs ligados nas sinapses. Isso leva a um desequilíbrio na produção de proteínas nas sinapses, resultando na perda de plasticidade sináptica – a capacidade das sinapses de mudar e se adaptar em resposta a sinais específicos. A plasticidade sináptica é essencial para o aprendizado e a memória.

Embora a demonstração de um cariótipo anormal tenha levado à identificação desse distúrbio, a detecção das repetições com base na reação da cadeia de polimerase (PCR) é agora o método de escolha para o diagnóstico.

Síndrome de tremor/ataxia associada ao X frágil e insuficiência ovariana primária associada ao X frágil

Embora inicialmente pensadas como inócuas, as pré-mutações de CGG no gene *FMR1* podem causar dois distúrbios que são fenotipicamente diferentes da SXF e que ocorrem por meio de um mecanismo distinto que envolve um ganho de função tóxico. Uma década após a descoberta de que expansões repetidas de CGG causam a SXF, ficou claro que aproximadamente 20% das mulheres portadoras da pré-mutação (mulheres portadoras) têm insuficiência ovariana prematura (antes dos 40 anos). Essa condição é chamada de *insuficiência ovariana primária associada ao X frágil*. As mulheres afetadas apresentam irregularidades menstruais e diminuição da fertilidade. Os níveis de FSH estão elevados e os níveis do hormônio antimülleriano estão diminuídos – ambos marcadores da função ovariana em declínio. Elas desenvolvem a menopausa aproximadamente 5 anos antes do que os controles. Aproximadamente 50% dos homens que carregam a pré-mutação (homens transmissores) exibem uma síndrome neurodegenerativa progressiva que começa na sexta década. Essa síndrome, conhecida como tremor/ataxia associada ao X frágil, caracteriza-se por tremores de intenção e ataxia cerebelar e pode progredir para parkinsonismo.

Como as pré-mutações causam doenças? Nesses pacientes, o gene *FMR1*, em vez de ser metilado e silenciado, continua a ser transcrito. Os mRNAs do *FMR1* que contêm CGG, assim formados, são "tóxicos". Eles recrutam proteínas de ligação ao RNA e prejudicam sua função por sequestro de seus locais normais. O mRNA do *FMR1* expandido e as proteínas de ligação a RNA sequestradas agregam-se no núcleo e formam inclusões intranucleares nos sistemas nervosos central e periférico. Como na SXF, os homens são afetados com muito mais frequência e gravidade do que as mulheres portadoras de pré-mutação. A patogênese da insuficiência ovariana primária associada ao X frágil ainda não é tão bem compreendida. Agregados contendo mRNA do *FMR1* foram detectados em células da granulosa e células do estroma ovariano. Talvez esses agregados causem a morte prematura dos folículos ovarianos.

> **Conceitos-chave**
>
> **Síndrome do X frágil (SXF)**
>
> - A amplificação patológica de repetições de trinucleotídios causa perda de função (SXF) ou mutações de ganho de função (doença de Huntington). A maioria dessas mutações produz distúrbios neurodegenerativos
> - A SXF resulta da perda da função do gene *FMR1* e se caracteriza por deficiência intelectual grave e uma variedade de condições neuropsiquiátricas, como transtornos do espectro do autismo
> - Na população normal, existem aproximadamente 29 a 55 repetições CGG no gene *FMR1*. Os genomas de homens e mulheres portadores contêm pré-mutações com 55 a 200 repetições CGG que podem se expandir para 4 mil repetições (mutações completas) durante a ovogênese. Quando mutações completas são transmitidas à progênie, ocorre a SXF
> - Os portadores de pré-mutações desenvolvem tremor/ataxia associada ao X frágil e insuficiência ovariana primária associada ao X frágil devido ao ganho tóxico de função pelo mRNA anormal de *FMR1*.

Mutações em genes mitocondriais – neuropatia óptica hereditária de Leber

A maioria dos genes está localizada em cromossomos no núcleo da célula e é herdada da maneira mendeliana clássica. Existem vários genes mitocondriais, no entanto, que são herdados de uma forma bastante diferente. *Uma característica exclusiva do mtDNA é a hereditariedade materna*. Essa peculiaridade existe porque os óvulos contêm numerosas mitocôndrias em seu citoplasma abundante, enquanto os espermatozoides contêm poucas, se houver. Portanto, o complemento do mtDNA do zigoto é inteiramente derivado do óvulo. Assim, as mães transmitem o mtDNA a todos os seus filhos, homens e mulheres; as filhas, mas não os filhos,

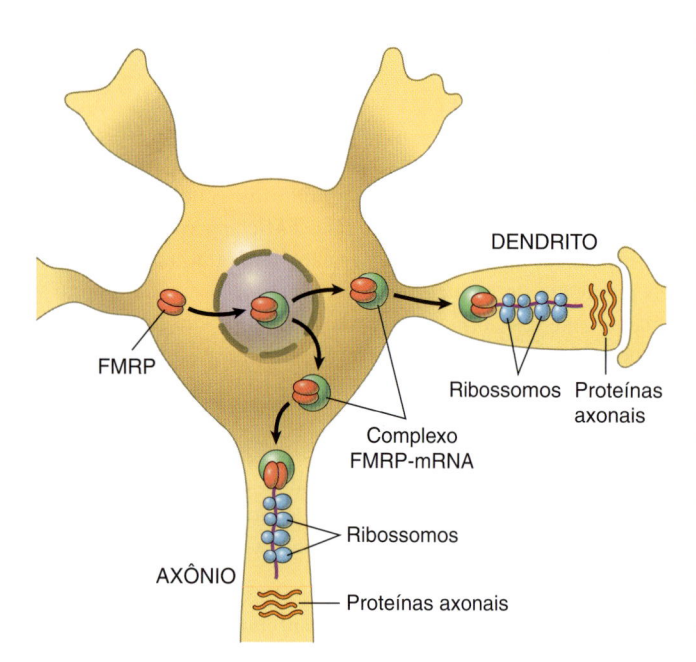

Figura 5.26 Um modelo para a ação da proteína do retardo mental familiar (*FMRP*) nos neurônios. (Modificada de Hin P, Warren ST: New insights into fragile X syndrome: from molecules to neurobehavior, Trends Biochem Sci 28:152, 2003.)

transmitem o DNA posteriormente para sua prole (**Figura 5.27**). Existem vários outros aspectos relacionados com a herança mitocondrial:

- *O mtDNA humano contém 37 genes,* dos quais 22 são transcritos em RNA de transferência e 2 em RNA ribossômicos. Os 13 genes restantes codificam subunidades das enzimas da cadeia respiratória. Como o mtDNA codifica enzimas envolvidas na fosforilação oxidativa, as mutações que afetam esses genes exercem seus efeitos deletérios principalmente nos órgãos mais dependentes da fosforilação oxidativa, como sistema nervoso central, musculatura esquelética, músculo cardíaco, fígado e rins
- *Cada mitocôndria contém milhares de cópias de mtDNA* e, normalmente, mutações deletérias do mtDNA afetam algumas dessas cópias, mas não todas. Assim, os tecidos e, na verdade, os indivíduos podem abrigar tanto o mtDNA do tipo selvagem quanto o mutante, uma situação chamada *heteroplasmia.* Um número mínimo de mtDNA mutantes deve estar presente em uma célula ou tecido antes que a disfunção oxidativa dê origem à doença; a isso se dá o nome de "efeito de limiar". Não é surpresa que o limiar seja alcançado de forma mais fácil nos tecidos metabolicamente ativos listados anteriormente
- *Durante a divisão celular, as mitocôndrias e seu DNA são distribuídos aleatoriamente* para as células filhas. Assim, quando uma célula contendo mtDNA normal e mtDNA mutante se divide, a proporção do mtDNA normal e mutante nas células-filhas é extremamente variável. Portanto, a expressão de distúrbios resultantes de mutações no mtDNA é bastante variável.

As doenças associadas à herança mitocondrial são raras, e, como mencionado antes, muitas delas afetam o sistema neuromuscular. A *neuropatia óptica hereditária de Leber* é um protótipo desse tipo de doença. É uma doença neurodegenerativa que se manifesta como perda bilateral progressiva da visão central. A deficiência visual é observada pela primeira vez entre os 15 e 35 anos e, como o tempo, leva à cegueira. Defeitos de condução cardíaca e pequenas manifestações neurológicas também foram observados em algumas famílias.

Imprinting genômico

Todos nós herdamos duas cópias de cada gene autossômico, transportado em cromossomos homólogos maternos e paternos. No passado, presumia-se que não havia diferença funcional entre os alelos derivados da mãe ou do pai. Estudos já forneceram evidências definitivas de que, pelo menos no que diz respeito a alguns genes, existem diferenças funcionais importantes entre o alelo paterno e o alelo materno. Essas diferenças têm origem em um processo epigenético denominado *imprinting* (ou impressão). Na maioria dos casos, o *imprinting* inativa seletivamente o alelo materno ou o paterno. Assim, *imprinting materno* refere-se ao silenciamento transcricional do alelo materno, enquanto *imprinting paterno* implica que o alelo paterno está inativado.

O *imprinting* ocorre no óvulo ou no espermatozoide, antes da fertilização, e então é transmitido de forma estável a todas as células somáticas por meio da mitose. Tal como acontece com outros casos de regulação epigenética, o *imprinting* está associado a padrões diferenciais de metilação do DNA nos nucleotídios CG. Outros mecanismos incluem desacetilação e metilação de histona H4 (ver **Capítulo 1**). Seja qual for o mecanismo, acredita-se que essa marcação dos cromossomos paternos e maternos ocorra durante a gametogênese, e, assim, parece que desde o momento da concepção alguns cromossomos se lembram de onde vieram. O número exato de genes que sofreram *imprint* não é conhecido; as estimativas variam de 200 a 600. Embora os genes impressos possam ocorrer isoladamente, é mais comum que sejam encontrados em grupos que são regulados por elementos de ação cis comuns chamados regiões de controle de *imprinting.* O *imprinting* genômico é mais bem ilustrado por dois distúrbios genéticos incomuns: a síndrome de Prader-Willi e a síndrome de Angelman. Originalmente, acreditava-se que as duas síndromes não tinham relação entre si, até que as lesões genéticas responsáveis por elas fossem mapeadas no mesmo local. Elas serão descritas a seguir.

Síndromes de Prader-Willi e de Angelman

A síndrome de Prader-Willi caracteriza-se por deficiência intelectual, baixa estatura, hipotonia, hiperfagia profunda, obesidade, mãos e pés pequenos e hipogonadismo. Em 65 a 70% dos casos, pode-se detectar uma deleção intersticial da banda q12 no braço longo do cromossomo 15, del(15)(q11.2q13). Na maioria dos casos, os pontos de interrupção são os mesmos, causando uma deleção de 5 Mb. *É surpreendente que em todos os casos a deleção afeta o cromossomo 15 de herança paterna.* Diferentemente da síndrome de Prader-Willi, os pacientes com a síndrome de Angelman, que é fenotipicamente distinta, *nascem com uma deleção da mesma região cromossômica derivada de suas mães.*

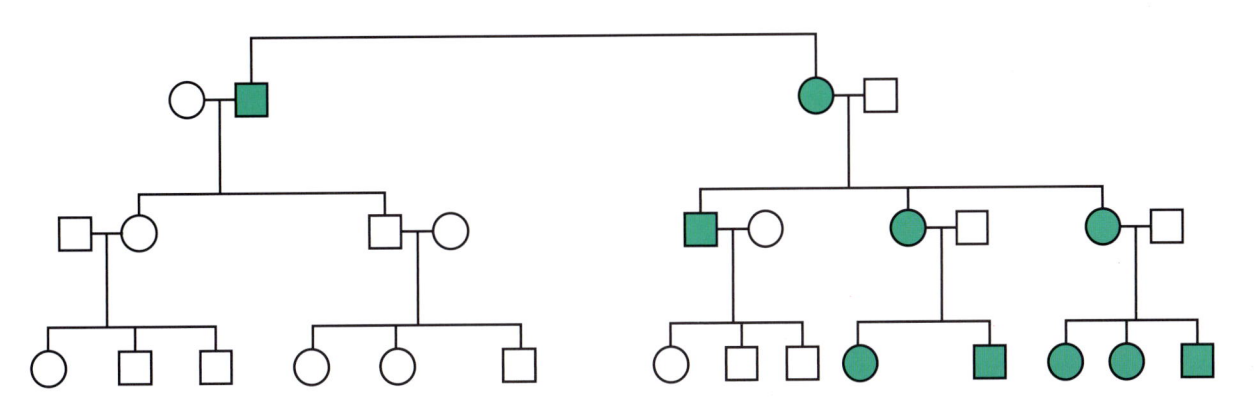

Figura 5.27 Heredograma da neuropatia óptica hereditária de Leber, um distúrbio causado por mutação no DNA mitocondrial. Observe que todos os descendentes de um homem afetado (*quadrados sombreados*) são normais, mas todos os filhos, homens e mulheres, da mulher afetada (*círculos sombreados*) manifestam a doença em um grau variável, conforme discutido no texto.

Os pacientes com síndrome de Angelman também têm deficiência intelectual, mas, além disso, apresentam microcefalia, marcha atáxica, convulsões e riso inadequado. Por causa de suas risadas e ataxia, eles são chamados de "marionetes felizes". Uma comparação entre essas duas síndromes demonstra claramente os efeitos da *origem parental* na função do gene.

A base molecular dessas duas síndromes está no processo de *imprinting* genômico (**Figura 5.28**). Três mecanismos estão envolvidos:

- *Deleções.* Sabe-se que um gene ou conjunto de genes no cromossomo materno 15q12 sofre *imprint* (e, portanto, silenciado) e, assim, os únicos alelos funcionais são fornecidos pelo cromossomo paterno. Quando estes estão perdidos como resultado de uma deleção, a pessoa desenvolve a síndrome de Prader-Willi. Por outro lado, um gene distinto que também mapeia para a mesma região do cromossomo 15 sofre *imprint* no cromossomo paterno. Apenas o alelo derivado da mãe desse gene está normalmente ativo. A deleção desse gene materno no cromossomo 15 dá origem à síndrome de Angelman. As deleções são responsáveis por cerca de 70% dos casos
- *Dissomia uniparental.* Estudos moleculares de indivíduos citogeneticamente normais com síndrome de Prader-Willi (*i. e.*, aqueles sem a deleção) revelaram que eles têm duas cópias maternas do cromossomo 15. A herança de ambos os cromossomos de um par de um dos genitores é chamada de *dissomia uniparental*. O efeito final é o mesmo (*i. e.*, a pessoa não tem um conjunto funcional de genes dos cromossomos 15 paternos [que não sofreram *imprint*]). A síndrome de Angelman, como era de esperar, também pode ser decorrente da dissomia uniparental do cromossomo 15 paterno. Esse é o segundo mecanismo mais comum, responsável por 20 a 25% dos casos
- *Imprinting defeituoso.* Em uma pequena minoria de pacientes (1 a 4%), há um defeito de *imprinting*. Em alguns pacientes com síndrome de Prader-Willi, o cromossomo paterno carrega o *imprinting* materno, e, inversamente, na síndrome de Angelman, o cromossomo materno carrega o *imprinting* paterno (portanto, não há alelos funcionais).

A base genética desses dois distúrbios de impressão vem sendo desvendada recentemente:

- Na síndrome de Angelman, o gene afetado é uma ubiquitina ligase que está envolvida na catalisação da transferência de ubiquitina ativada para substratos proteicos alvo. O gene, denominado *UBE3A*, é mapeado na região 15q12, sofreu *imprint* no cromossomo paterno e é expresso a partir do alelo materno principalmente em regiões específicas do cérebro. A ausência de *UBE3A* inibe a formação de sinapses e a plasticidade sináptica. O *imprinting* é específico do tecido, visto que o *UBE3A* é expresso a partir de ambos os alelos na maioria dos tecidos
- Diferentemente da síndrome de Angelman, nenhum gene único foi implicado na síndrome de Prader-Willi. Pelo contrário, acredita-se que uma série de genes localizados no intervalo 15q11.2-q13 (que sofrem *imprint* no cromossomo materno e são expressos no cromossomo paterno) esteja envolvida. Estes incluem a família SNORP de genes que codificam pequenos RNA nucleolares. Esses RNA são moléculas não codificantes que estão envolvidas nas modificações pós-transcricionais de RNA ribossômicos e outros pequenos RNA nucleares. Acredita-se que a perda das funções de SNORP contribua para a síndrome de Prader-Willi, mas os mecanismos precisos não estão claros.

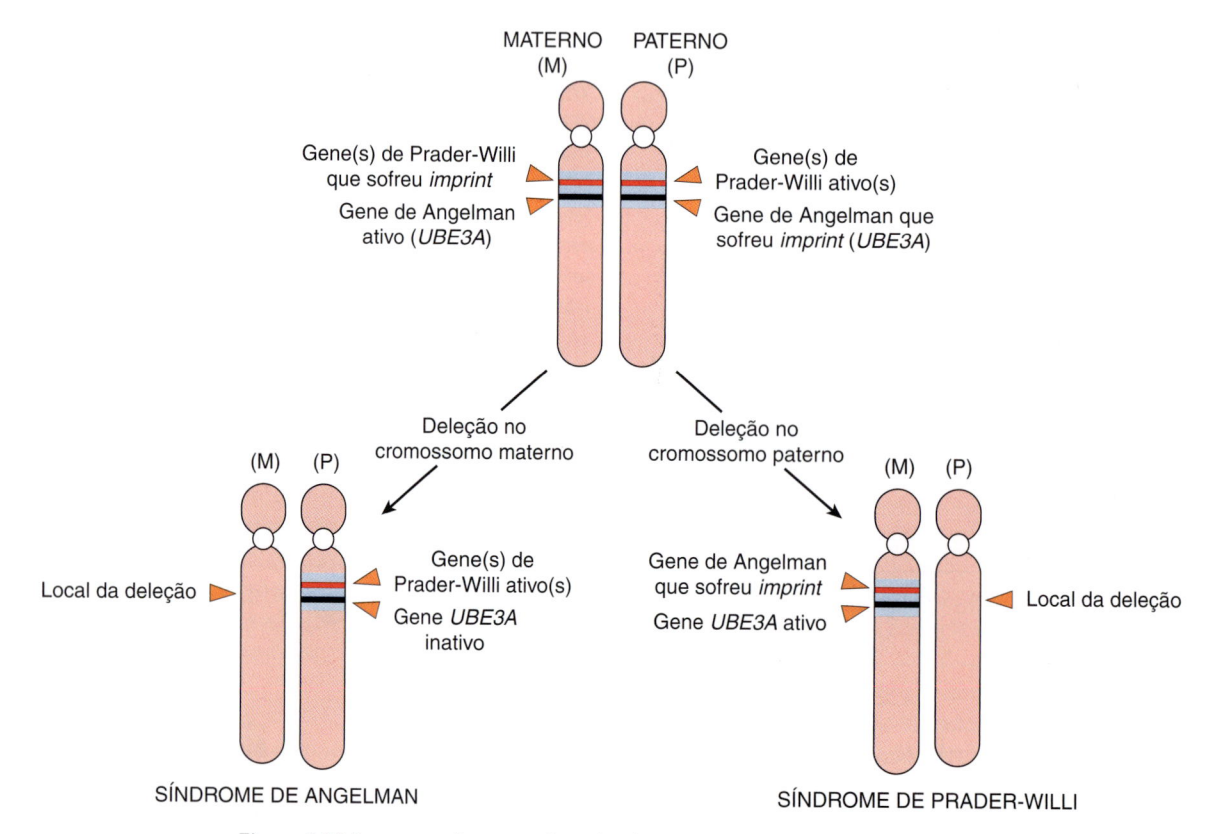

Figura 5.28 Representação esquemática das síndromes de Prader-Willi e de Angelman.

O diagnóstico molecular dessas síndromes baseia-se na avaliação do estado de metilação de genes marcadores e em FISH. A importância do *imprinting* não se restringe a distúrbios cromossômicos raros. Efeitos de origem parental foram identificados em uma variedade de doenças hereditárias, como a doença de Huntington e a distrofia miotônica e na oncogênese.

> **Conceitos-chave**
>
> *Imprinting* genômico
>
> - O *imprinting* envolve o silenciamento transcricional das cópias paternas ou maternas de certos genes durante a gametogênese. Para tais genes, existe apenas uma cópia funcional no indivíduo. A perda do alelo funcional (que não sofreu *imprint*) por deleção dá origem a doenças
> - Na síndrome de Prader-Willi, há deleção da banda q12 no braço longo do cromossomo 15 paterno. Os genes nessa região do cromossomo 15 materno sofrem *imprint*, portanto há perda completa de suas funções. Os pacientes apresentam deficiência intelectual, baixa estatura, hipotonia, hiperfagia, mãos e pés pequenos e hipogonadismo
> - Na síndrome de Angelman, há deleção da mesma região do cromossomo materno, e os genes na região correspondente do cromossomo 15 paterno sofrem *imprint*. Esses pacientes têm deficiência intelectual, ataxia, convulsões e risos inadequados.

Mosaicismo gonadal

Foi mencionado anteriormente que, em todos os distúrbios autossômicos dominantes, alguns dos pacientes não têm pais afetados. Em tais pacientes, o distúrbio resulta de uma nova mutação no óvulo ou no espermatozoide de onde foram derivados; nesse caso, seus irmãos não são afetados nem apresentam risco aumentado para o desenvolvimento da doença. No entanto, nem sempre é esse o caso. *Em alguns distúrbios autossômicos dominantes, exemplificados pela osteogênese imperfeita, pais fenotipicamente normais têm mais de um filho afetado.* Isso viola claramente as leis da herança mendeliana. Estudos indicam que o mosaicismo gonadal pode ser responsável por esses heredogramas incomuns. Esse mosaicismo resulta de uma mutação que ocorre pós-zigoticamente durante o início do desenvolvimento (embrionário). Se a mutação afetar apenas células destinadas a formar as gônadas, os gametas carregam a mutação, mas as células somáticas do indivíduo são completamente normais. Um pai fenotipicamente normal com mosaicismo gonadal pode transmitir a mutação causadora de doença à prole por meio de seus gametas mutados. Como as células progenitoras dos gametas carregam a mutação, existe a possibilidade de que mais de um filho desse pai seja afetado. Obviamente, a probabilidade de tal ocorrência depende da proporção de células germinativas que carregam a mutação.

Diagnóstico genético molecular

O campo do diagnóstico genético molecular surgiu na segunda metade do século 20 na forma de métodos de baixo rendimento e trabalhosos, como a cariotipagem convencional para o diagnóstico de distúrbios citogenéticos (p. ex., síndrome de Down) e ensaios baseados em DNA, como o *Southern blot* para o diagnóstico da doença de Huntington. Com o tempo, um fluxo constante de avanços tecnológicos levou a capacidades cada vez maiores, sobretudo na área de sequenciamento do ácido nucleico. Esses avanços começaram com o desenvolvimento do método de Sanger para sequenciamento de DNA em 1977 e da PCR em 1983 e aceleraram rapidamente com o advento de estratégias de sequenciamento maciçamente paralelas de alto rendimento (frequentemente agrupadas sob a rubrica de sequenciamento de nova geração [NGS]) no final dos anos 1990. O NGS continuou a melhorar em termos de velocidade e custo, e agora é possível sequenciar um genoma inteiro por menos de mil dólares em poucos dias. Como resultado, os testes baseados em ácido nucleico estão assumindo um papel central no diagnóstico e manejo de muitas doenças e, atualmente, estamos em um período de transição durante o qual muitos exames simples de gene único que usam tecnologias "antigas" estão sendo suplantados de forma lenta, mas firme, por abordagens mais completas baseadas em NGS. Dito isso, certos tipos de lesões genéticas são difíceis de detectar por NGS e, no futuro próximo, algumas tecnologias mais antigas continuarão a ter um papel importante na análise de doenças genéticas. Uma discussão completa do diagnóstico molecular está além do escopo deste livro; aqui, destacamos algumas das abordagens mais úteis e amplamente utilizadas.

Ao considerar o teste genético molecular, é importante lembrar que os marcadores genéticos podem ser constitucionais (i. e., presentes em todas as células da pessoa afetada, como com uma mutação em *CFTR* em um paciente com fibrose cística) ou somáticos (i. e., restritos a tipos específicos de tecido ou lesões, como ocorre com as mutações em *RAS* em uma série de cânceres humanos). Da mesma forma, em infecções suspeitas, os ácidos nucleicos que são específicos para o agente infeccioso podem ser confinados a células ou locais do corpo específicos. Estas considerações determinam a natureza da amostra usada para o ensaio (p. ex., células do sangue periférico, tecido neoplásico, *swab* nasofaríngeo).

Métodos de diagnóstico e indicações para testes

Há um número assombroso de técnicas e indicações para a realização de testes de diagnóstico genético molecular em amostras provenientes de pacientes. O peso da escolha costuma ser problemático, tanto para os patologistas moleculares que elaboram os testes quanto para os médicos que precisam escolher o teste ideal para seus pacientes.

Considerações laboratoriais

Os patologistas que desenvolvem testes se concentram na sensibilidade, especificidade, precisão e reprodutibilidade de diferentes métodos, bem como em fatores práticos como custo, mão de obra, confiabilidade e tempo de resposta. Para escolher a técnica diagnóstica mais adequada, deve-se ter um conhecimento profundo do espectro de anomalias genéticas responsáveis pela doença na população de pacientes sendo estudada. As anomalias genéticas causadoras de doenças variam em tamanho, desde substituições de base única a ganhos ou perdas de cromossomos inteiros e, muitas vezes, variam amplamente em frequência entre grupos étnicos. O *design* de teste adequado requer uma consideração cuidadosa desses fatores. Por exemplo, o teste padrão de fibrose cística para mutações patogênicas em *CFTR* tem uma sensibilidade de 94% em judeus asquenazes, mas identifica menos de 50% dos pacientes afetados em populações asiáticas. Em casos com resultados de teste padrão negativos e alta suspeita clínica, indicam-se testes adicionais. No entanto, mesmo com o sequenciamento extensivo de *CFTR*, não se identifica nenhuma mutação patogênica em aproximadamente 10% dos pacientes com fibrose cística clássica; isso acontece provavelmente porque os ensaios NGS não detectam certas lesões genéticas (p. ex., deleções na escala de quilobases e rearranjos de genes) que são mais bem detectadas com outros métodos. É comum que problemas como esse surjam no campo dos testes genéticos, e por isso é necessária uma estreita comunicação entre médicos da atenção primária, especialistas em genética médica e diagnosticadores para selecionar a estratégia ideal de teste em casos difíceis.

Indicações para análise de alterações genéticas hereditárias

Embora não seja incomum que doenças genéticas hereditárias se manifestem na idade adulta, a maioria dos testes é realizada durante os períodos pré-natal ou pós-natal/infância. Os distúrbios mendelianos causados por mutações em genes específicos chegam a milhares, e o diagnóstico definitivo da maioria deles é possível por meio de testes de sequenciamento de DNA.

Outros distúrbios hereditários são o resultado de aberrações cromossômicas que geralmente se manifestam no período pré-natal ou no nascimento. O teste pré-natal deve ser oferecido a todos os fetos com risco de uma anormalidade citogenética. As possíveis indicações incluem as seguintes:

- Idade materna avançada
- Confirmação de que um dos genitores é portador de um rearranjo cromossômico balanceado, o que aumenta muito a frequência da segregação cromossômica anormal durante a meiose e o risco de aneuploidia no óvulo fertilizado
- Anomalias fetais observadas na ultrassonografia
- Triagem de rotina de sangue materno indicando um risco aumentado de síndrome de Down (trissomia do 21) ou outra trissomia.

O teste pré-natal também pode ser considerado para fetos com risco conhecido de distúrbios mendelianos (p. ex., fibrose cística, atrofia muscular espinal) com base na história familiar. Atualmente, o teste costuma ser realizado em células obtidas por amniocentese, biopsia de vilosidades coriônicas ou de sangue do cordão umbilical. No entanto, até 10% do DNA livre no sangue de uma mãe grávida é de origem fetal, e novas tecnologias de sequenciamento abriram as portas para uma era de diagnósticos pré-natais não invasivos que utilizam essa fonte de DNA.

Após o nascimento, o ideal é que o teste seja feito assim que surge a possibilidade de doença genética constitucional. É mais comum que seja realizado no DNA do sangue periférico e é direcionado com base na suspeita clínica. Em recém-nascidos ou crianças, as indicações são as seguintes:

- Múltiplas anomalias congênitas
- Suspeita de síndrome metabólica
- Deficiência intelectual inexplicável e/ou atraso de desenvolvimento
- Suspeita de aneuploidia (p. ex., traços de síndrome de Down) ou outra anormalidade cromossômica sindrômica (p. ex., deleções, inversões)
- Suspeita de doença monogênica, seja ela previamente descrita na família, seja ela nova.

Em pacientes mais velhos, o teste logicamente torna-se mais focado em doenças genéticas que se manifestam em fases posteriores da vida. Novamente, as possibilidades são vastas, mas as indicações mais comuns incluem as seguintes:

- Síndromes de câncer hereditário (indicação ocasionada pela história familiar ou por uma apresentação incomum de câncer, tal como vários tipos de câncer ou paciente incomumente jovem no momento do diagnóstico)
- Doença monogênica atipicamente branda (p. ex., fibrose cística atenuada)
- Distúrbios neurodegenerativos (p. ex., doença de Alzheimer familiar, doença de Huntington).

Indicações para análise de alterações genéticas adquiridas

Nesta era de terapias-alvo moleculares, é cada vez mais importante identificar sequências de ácido nucleico ou aberrações que são específicas de doenças adquiridas (p. ex., câncer e doenças infecciosas). As abordagens técnicas são as mesmas usadas para doenças mendelianas da linhagem germinativa. As indicações comuns incluem:

- *Diagnóstico e tratamento do câncer* (ver **Capítulo 7**)
    - Detecção de mutações específicas de neoplasias e alterações citogenéticas que são as marcas de neoplasias específicas (p. ex., os genes de fusão BCR-ABL na leucemia mieloide crônica [LMC])
    - Determinação da clonalidade como indicador de uma condição neoplásica
    - Identificação de alterações genéticas específicas que podem direcionar as escolhas terapêuticas (p. ex., amplificação de *HER2* [nome oficial do gene *ERBB2*] no câncer de mama ou mutação de *EGFR* [nome oficial do gene *ERBB1*] no câncer de pulmão)
    - Determinação da eficácia do tratamento (p. ex., detecção de doença residual mínima em pacientes com LMC por PCR quantitativo para BCR-ABL)
    - Detecção de mutações secundárias resistentes a medicamentos em malignidades tratadas com terapias que visam a proteínas específicas (p. ex., EGFR mutado)
- *Diagnóstico e tratamento de doenças infecciosas* (ver **Capítulo 8**)
    - Detecção de material genético específico de microrganismos para diagnóstico definitivo (p. ex., vírus da imunodeficiência humana [HIV], micobactérias, papilomavírus humano, herpes-vírus no sistema nervoso central)
    - Identificação de alterações genéticas nos genomas de microrganismos que estão associadas à resistência a medicamentos
    - Determinação da eficácia do tratamento (p. ex., avaliação das cargas virais no HIV, vírus Epstein-Barr e infecção pelo vírus da hepatite C).

PCR e detecção de alterações na sequência de DNA

A análise de PCR, que envolve a síntese de fragmentos de DNA relativamente curtos a partir de um DNA molde, tem sido um dos pilares do diagnóstico molecular nas últimas décadas. Usando polimerases de DNA estáveis ao calor e ciclos de temperatura apropriados, o DNA-alvo (geralmente < 1000 pb) situado entre os locais desenhados do *primer* é amplificado exponencialmente a partir de apenas uma cópia original, simplificando muito a análise da sequência secundária. Existem muitas opções para a análise subsequente, cada uma com diferentes pontos fortes e fracos. Algumas das opções mais comuns são descritas a seguir:

- *Sequenciamento de Sanger*. Um único produto de PCR é misturado com uma DNA polimerase, um *primer* (iniciador) específico, nucleotídios e quatro nucleotídios (A, T, G e C) terminadores de cadeia (terminador didesoxi) marcados com diferentes corantes fluorescentes. A reação que se segue produz uma escada de moléculas de DNA de todos os comprimentos possíveis, cada uma marcada com uma etiqueta correspondente à base na qual a reação parou devido à incorporação de um nucleotídio terminador. Após a separação de tamanho por eletroforese, a sequência é "lida" e comparada com a sequência normal para detectar mutações
- *Sequenciamento de última geração (NGS)*. A PCR que usa *primers* para muitas regiões genômicas diferentes é realizada simultaneamente, e a mistura resultante de produtos de PCR enriquecidos para regiões de interesse é submetida ao NGS (descrito em mais detalhes posteriormente). O NGS é mais sensível do que o sequenciamento de Sanger, pois pode identificar com segurança a presença de mutações em apenas uma pequena porcentagem das leituras individuais de sequenciamento. Essa situação é encontrada com frequência em cânceres, seja porque a mutação em questão está presente apenas em uma pequena fração das células neoplásicas ou porque as células neoplásicas estão fortemente contaminadas com células estromais geneticamente normais
- *Extensão de base única*. Essa é uma abordagem útil para identificar mutações em uma posição de nucleotídio específica (p. ex., uma mutação oncogênica no códon 600 do gene *BRAF*). Adiciona-se um *primer* ao produto de PCR que hibridiza uma base *upstream* ao alvo, adicionam-se nucleotídios terminadores fluorescentes de cores diferentes (correspondendo a bases normais e variantes) e uma extensão de polimerase de base única é realizada. As quantidades relativas de fluorescência normal/variante são então detectadas (**Figura 5.29**). Essa técnica é muito sensível, mas tem a desvantagem óbvia de produzir apenas 1 pb de dados de sequência
- *Análise do comprimento do fragmento de restrição*. Essa abordagem simples aproveita a digestão do DNA com endonucleases conhecidas como enzimas de restrição que reconhecem e cortam o DNA em sequências específicas. Se a mutação específica é conhecida por afetar um local de restrição, o produto de PCR amplificado pode ser digerido, e os produtos de PCR normal e mutante produzirão fragmentos de tamanhos diferentes que são facilmente distinguidos. Desnecessário dizer que essa abordagem é consideravelmente menos completa do que o sequenciamento direto, mas permanece útil para o diagnóstico molecular quando a mutação causal sempre ocorre em uma posição invariável de nucleotídio
- *Análise do comprimento do amplicon*. As mutações que afetam o comprimento do DNA (p. ex., deleções ou expansões) podem ser facilmente detectadas por PCR. Como discutido anteriormente, várias doenças, como a SXF, estão associadas a alterações nas repetições de trinucleotídios. A **Figura 5.30** revela como a análise de PCR pode ser usada para detectar essa mutação. Dois *primers* que flanqueiam a região contendo as repetições de trinucleotídios na extremidade 5' do gene *FMR1* são usados para amplificar as sequências intervenientes. Como há grandes diferenças no número de repetições, o tamanho dos produtos de PCR obtidos do DNA de indivíduos normais, ou daqueles com pré-mutação, é bastante diferente e pode ser facilmente distinguido por eletroforese em gel. Uma advertência importante é que, se a expansão do trinucleotídio for tão grande que não possa ser amplificada por PCR convencional, é possível que a análise com *Southern blot* do DNA genômico precise ser realizada. Conforme discutido antes, grandes expansões não são incomuns na SXF
- *PCR em tempo real*. Uma série de tecnologias baseadas em PCR que usam indicadores fluoróforos pode detectar e quantificar a presença de sequências específicas de ácido nucleico em tempo real (i. e., durante a fase exponencial de amplificação de DNA, em vez de pós-PCR). É mais frequentemente usado para monitorar a frequência de células cancerosas com lesões genéticas características no sangue ou nos tecidos (p. ex., o nível de sequências de genes de fusão *BCR-ABL* em pacientes com LMC) ou a carga infecciosa de certos vírus (p. ex., HIV, vírus Epstein-Barr).

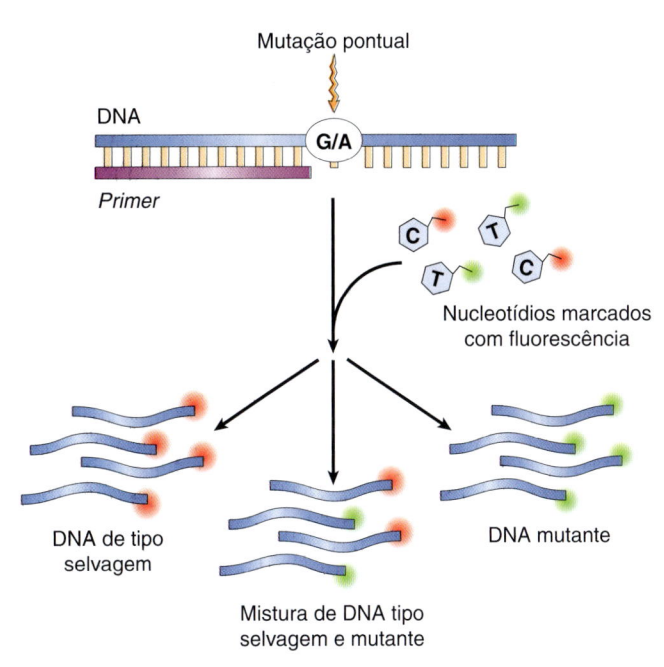

Figura 5.29 Análise de extensão de base única de um produto da reação da cadeia de polimerase usando um *primer* para interrogar uma posição de base única. Os nucleotídios complementares às bases mutantes e às de tipo selvagem na posição pesquisada são marcados com diferentes fluoróforos, de modo que a incorporação fornece sinais fluorescentes de intensidade variável com base na proporção entre DNA mutante e DNA do tipo selvagem presente.

Análise molecular de alterações genômicas

Um número significativo de lesões genéticas envolve grandes deleções, duplicações ou rearranjos mais complexos que não são facilmente passíveis de detecção por meio de PCR ou abordagens de sequenciamento de DNA. Essas alterações em escala genômica podem ser estudadas usando-se uma variedade de técnicas baseadas em hibridização.

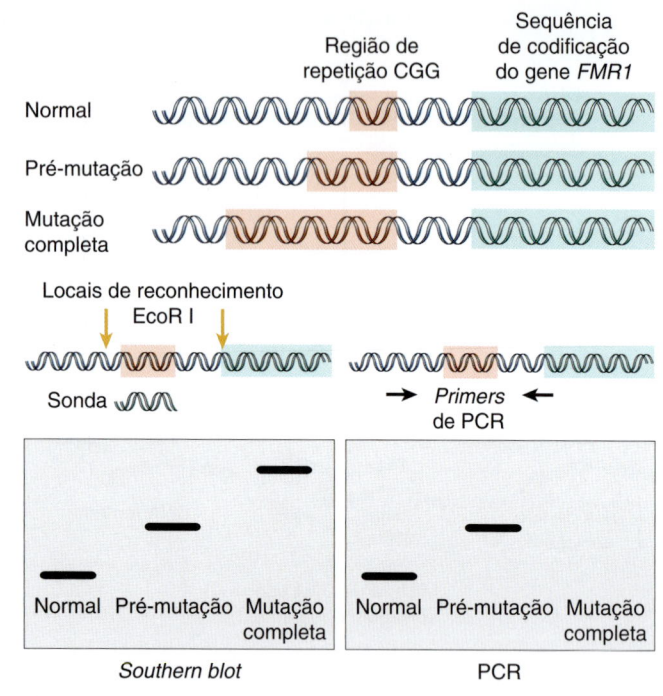

Figura 5.30 Aplicação diagnóstica da reação da cadeia de polimerase (PCR) e análise com *Southern blot* na síndrome do X frágil. Com a PCR, as diferenças no tamanho das repetições CGG entre o normal e a pré-mutação dão origem a produtos de diferentes tamanhos e mobilidade. Com uma mutação completa, a região entre os *primers* é muito grande para ser amplificada por PCR convencional. Na análise com *Southern blot*, o DNA é cortado por enzimas que flanqueiam a região da repetição CGG e, em seguida, é sondado com DNA complementar que se liga à parte afetada do gene. Uma única banda pequena é vista em homens normais, uma banda de peso molecular maior é vista em homens com a pré-mutação e uma banda muito grande (geralmente difusa) é vista em homens com a mutação completa.

Hibridização in situ fluorescente

A hibridização *in situ* fluorescente (FISH) usa sondas de DNA que reconhecem sequências específicas de determinadas regiões cromossômicas. Para realizar a FISH, grandes fragmentos de DNA genômico clonado medindo até 200 kb são marcados com corantes fluorescentes e aplicados a preparações de cromossomos metafásicos ou núcleos interfásicos que são pré-tratados de modo a "derreter" (desnaturar) o DNA genômico. A sonda hibridiza com sua sequência genômica homóloga e marca, assim, uma região cromossômica específica que pode ser visualizada sob microscopia de fluorescência. A FISH pode ser realizada em amostras pré-natais, células do sangue periférico, biopsias de câncer por impressão em lâmina e até mesmo cortes de tecido fixados e arquivados. É usada para detectar anormalidades numéricas de cromossomos (aneuploidia) (ver **Figura 5.19**), microdeleções sutis (ver **Figura 5.21**) e translocações complexas que não são demonstráveis por cariotipagem de rotina e amplificação de genes (p. ex., *HER2* no câncer de mama ou amplificação de *NMYC* em neuroblastomas). Também é usada em algumas circunstâncias quando o diagnóstico rápido é essencial (p. ex., ao decidir tratar um paciente com suspeita de leucemia promielocítica aguda com ácido retinoico, que é eficaz apenas quando uma translocação cromossômica específica envolvendo o gene do receptor de ácido retinoico está presente nas células neoplásicas; ver **Capítulo 13**).

Tecnologia de arranjo citogenômico

A FISH requer conhecimento prévio de uma ou algumas regiões cromossômicas específicas suspeitas estarem alteradas na amostra testada. No entanto, **as anormalidades genômicas também podem ser detectadas sem conhecimento prévio, por meio da tecnologia de *microarray* (microarranjos) para realizar uma pesquisa genômica global.** As plataformas de primeira geração foram projetadas para hibridização genômica comparativa (CGH), enquanto as plataformas mais recentes incorporam técnicas de genotipagem por polimorfismo de nucleotídio único (SNP), oferecendo vários benefícios:

- *Hibridização genômica comparativa baseada em* array. Na CGH-*array*, o DNA de teste e um DNA de referência (normal) são marcados com dois corantes fluorescentes diferentes. As amostras são então misturadas e hibridizadas a um arranjo "marcado" com sondas de DNA que abrangem o genoma humano em intervalos regularmente espaçados. Em cada localização da sonda cromossômica, a ligação do DNA marcado das duas amostras é comparada. Se as duas amostras forem iguais (*i. e.*, a amostra de teste é diploide), todos os pontos no arranjo ficarão amarelos devido à mistura igual de corantes verdes e vermelhos. Por outro lado, se a amostra de teste tiver uma deleção ou duplicação, os pontos da sonda correspondentes a ela mostrarão distorção em direção ao vermelho ou verde (dependendo do ganho ou perda de material), permitindo a determinação altamente precisa do ganho ou perda do número de cópias focais em qualquer lugar do genoma
- *Arranjos de genotipagem de polimorfismo de nucleotídio único*. Os tipos mais recentes de *arrays* genômicos baseiam-se em um conceito semelhante, mas algumas ou todas as sondas são projetadas para identificar locais de SNP em todo o genoma, o que oferece uma série de vantagens. Conforme discutido no **Capítulo 1**, os SNPs são o tipo mais comum de polimorfismo de DNA, ocorrendo em média a cada mil nucleotídios em todo o genoma, aproximadamente. Eles servem como um marco físico dentro do genoma e como um marcador genético cuja transmissão pode ser acompanhada de pai para filho.

Existem várias plataformas de testes usando diferentes metodologias que permitem que SNPs sejam analisados em arranjos que abrangem todo o genoma; os detalhes desses métodos estão além do objetivo desta discussão. Como as sondas de CGH, esses métodos envolvendo SNPs podem ser usados para fazer detecção de variação no número de cópias (CNV), mas, ao discriminar entre alelos com SNP em cada local específico, eles também fornecem dados sobre zigosidade (**Figura 5.31**). A geração atual de arranjos de SNP é bastante abrangente, com a maior delas contendo mais de 4 milhões de sondas de SNP.

No laboratório clínico, os arranjos de SNP são usados de forma rotineira para descobrir anormalidades no número de cópias em pacientes pediátricos quando o cariótipo é normal, mas ainda há suspeita de anormalidade cromossômica estrutural. As indicações comuns incluem anormalidades congênitas, aspectos dismórficos, atraso no desenvolvimento e autismo. Notavelmente, ao contrário dos arranjos de CGH, os arranjos de SNP podem identificar a perda de heterozigosidade. Essa capacidade é importante no diagnóstico de distúrbios causados por dissomia uniparental (p. ex., nas síndromes de Prader-Willi e de Angelman), em que, apesar do número de cópias genômicas diploides, as detecções de SNP nas regiões cromossômicas afetadas mostraram redução

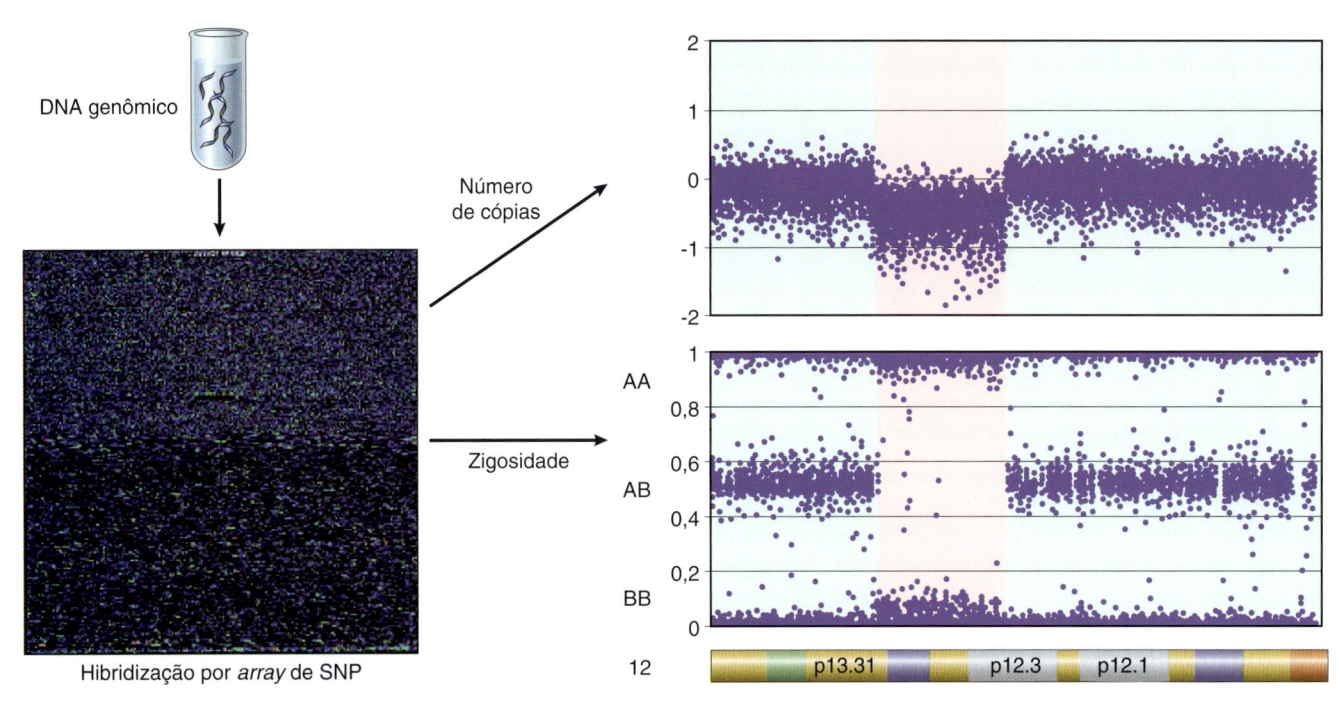

Figura 5.31 Análise da variação do número de cópias via *array* citogenômico de polimorfismo de nucleotídio único (*SNP*). O DNA genômico é marcado e hibridizado em um arranjo contendo potencialmente milhões de pontos de sondagem. O número de cópias é determinado pela intensidade geral e o genótipo é determinado pela proporção alélica. O exemplo mostrado é o braço p do cromossomo 12 em um paciente com leucemia pediátrica. As áreas normais (*em verde*) mostram conteúdo de DNA neutro (diploide), e o gráfico de zigosidade mostra a proporção esperada de genótipos SNP AA, AB e BB. A área anômala (*em vermelho*) mostra diminuição da intensidade geral, e o gráfico de zigosidade mostra a ausência do genótipo misto AB, indicando uma deleção heterozigota completa. (Modificada de Paulsson K, et al: Genetic landscape of high hyperdiploid childhood acute lymphoblastic leukemia, *Proc Natl Acad Sci U S A* 107:21719-21724, 2010.)

para homozigosidade. Os dados do SNP também podem ajudar a descobrir outras anomalias, como o mosaicismo, que produz distorções complexas, mas distintas, nos gráficos de zigosidade.

Marcadores polimórficos e diagnóstico molecular

A detecção clínica de mutações específicas de doença só é possível se o gene responsável pelo distúrbio for conhecido e sua sequência identificada. Se a natureza exata da aberração genética não for conhecida, ou se a análise do defeito primário for tecnicamente complexa ou inviável, os laboratórios de diagnóstico podem tirar proveito do fenômeno da *ligação*. Em seres humanos, é quase certo que dois *loci* de DNA, mesmo que separados por 100.000 pb, no mesmo cromossomo, se cossegreguem durante a meiose devido à chance extremamente baixa de um evento de *crossover* acontecer entre eles. Assim, quanto mais próximos dois *loci* estiverem, maior será a probabilidade de eles circularem juntos em genealogias familiares. No caso de um alelo patogênico desconhecido ou complexo, um laboratório de diagnóstico pode, em vez disso, escolher, como uma técnica substituta, examinar os *loci* marcadores próximos no contexto da genealogia familiar.

Os dois tipos de polimorfismos genéticos mais úteis para a análise de ligação são os SNPs (descritos anteriormente) e os polimorfismos de comprimento de repetição conhecidos como repetições de mini e de microssatélites. O DNA humano contém curtas sequências repetitivas de DNA que dão origem aos chamados polimorfismos de comprimento de repetição. Esses polimorfismos são frequentemente subdivididos com base em seu comprimento em repetições de microssatélites e repetições de minissatélites. Os microssatélites geralmente têm menos de 1 kb e são caracterizados por um tamanho de repetição de 2 a 6 pb. As repetições de minissatélites, em comparação, são maiores (de 1 a 3 kb) e o motivo da repetição costuma ser de 15 a 70 bp. O número de repetições, tanto nos microssatélites quanto nos minissatélites, é extremamente variável dentro de uma determinada população, e, portanto, esses trechos de DNA podem ser usados para estabelecer identidade genética para análise de ligação. Diferentes microssatélites e minissatélites são facilmente distinguíveis com base no tamanho, que pode ser medido fazendo amplificação por PCR usando *primers* que flanqueiam a região de repetição. A **Figura 5.32** mostra a aplicação da análise de ligação de microssatélites ao gene *PKD1* (historicamente muito difícil de sequenciar) para o diagnóstico familiar de doença renal policística do adulto. É possível observar que o microssatélite mais longo está ligado na família ao alelo da doença e pode ser usado para rastrear sua transmissão.

Os ensaios para detectar polimorfismos genéticos também são importantes em muitas outras áreas da medicina, como determinação de parentesco e identidade em transplantes, genética do câncer, testes de paternidade e medicina legal. Uma vez que os marcadores microssatélites estão espalhados por todo o genoma humano e têm um alto nível de polimorfismo, eles são ideais para a diferenciação entre dois indivíduos e para acompanhar a transmissão do marcador de um dos genitores para o filho. Os ensaios que empregam a amplificação por PCR de marcadores microssatélites informativos são agora usados de forma rotineira para determinar a paternidade e para investigações criminais. O PCR pode ser realizado mesmo com amostras biológicas altamente degradadas, permitindo que o teste de DNA desempenhe um papel central nas identificações forenses. Os mesmos ensaios são usados em pacientes após transplante alogênico de células-tronco hematopoéticas para detectar e quantificar o quimerismo, que é estimado por meio de avaliação das quantidades relativas de marcadores microssatélites específicos do doador e do hospedeiro nas células do sangue do paciente.

Alterações epigenéticas

A epigenética é definida como o estudo da modificação química hereditária do DNA ou da cromatina que não altera necessariamente a sequência de DNA que codifica a proteína. Exemplos de tais modificações incluem a metilação de DNA e a metilação e acetilação de histonas (ver **Capítulo 1**). Nossa compreensão da importância desses tipos de alterações moleculares está crescendo rapidamente, e está claro que as modificações epigenéticas são cruciais para o desenvolvimento humano normal – como a regulação da expressão gênica tecido-específica, a inativação do cromossomo X e a impressão – bem como para a compreensão das perturbações celulares no envelhecimento e no câncer.

A expressão gênica com frequência se correlaciona negativamente com o nível de metilação do DNA, particularmente de resíduos de citosina em regiões promotoras ricas em dinucleotídios CG conhecidas como ilhas CpG. Conforme discutido anteriormente na seção sobre *imprinting* genômico, o aumento da metilação das ilhas CpG está associado à diminuição da expressão gênica e é acompanhado por alterações concomitantes de metilação e acetilação de histonas. O diagnóstico de um número crescente de doenças envolve a análise da metilação do promotor; um exemplo é a SXF, em que a hipermetilação resulta no silenciamento de FMIR1. A análise da metilação também é essencial no diagnóstico das síndromes de Prader-Willi e de Angelman.

São necessárias técnicas especiais para detectar a metilação do DNA. Uma abordagem é tratar o DNA genômico com bissulfito de sódio, uma substância química que converte a citosina não metilada em uracila, que atua como a timina nas reações em *downstream*. As citosinas metiladas são protegidas de modificações e permanecem inalteradas. Após o tratamento, é simples discriminar o DNA não metilado (modificado) do DNA metilado (não modificado) por sequenciamento de DNA.

Análise de RNA

Como o DNA exerce seus efeitos na célula por meio da expressão de RNA e o mRNA maduro contém as sequências de codificação de todos os genes expressos, o RNA pode, em princípio, substituir o DNA em uma ampla gama de aplicações diagnósticas. Do ponto de vista prático, geralmente se dá preferência ao diagnóstico baseado em DNA, uma vez que o DNA é muito mais estável. No entanto, a análise de RNA é crucial em várias áreas do diagnóstico molecular. As aplicações mais importantes são a detecção e a quantificação de vírus RNA, como HIV e vírus da hepatite C, porém cada vez mais a análise de RNA também está sendo usada para avaliar o câncer. O perfil de expressão de mRNA (descrito para câncer de mama no **Capítulo 23**) tornou-se uma ferramenta importante para a estratificação molecular de certas neoplasias. Em alguns casos, as células cancerígenas com translocações cromossômicas específicas são detectadas com maior sensibilidade analisando-se o mRNA (p. ex., o transcrito da fusão *BCR-ABL* na LMC). A principal razão para isso é que a maioria das translocações ocorre em locais dispersos dentro de íntrons específicos, que podem ser muito grandes, complicando a detecção por amplificação por PCR do DNA. Uma vez que os íntrons são removidos por *splicing* durante a formação do mRNA, a análise de PCR é possível se o RNA for primeiro convertido em DNA complementar (cDNA) pela transcriptase reversa. A PCR em tempo real realizada no cDNA é o método de escolha para monitorar a doença residual em pacientes com LMC e algumas outras doenças hematológicas (ver **Capítulo 13**).

Sequenciamento de nova geração

Sequenciamento de nova geração **(NGS) é um termo usado para descrever várias tecnologias de sequenciamento de DNA mais recentes que produzem grandes quantidades de dados de sequência de maneira massivamente paralela.** Essas tecnologias revolucionaram a pesquisa biomédica e estão impactando cada vez mais o diagnóstico molecular. Os fatores que impulsionam a rápida adoção do NGS são o preço e o desempenho: o NGS nos permite realizar análises antes impossíveis a um custo relativo extremamente baixo.

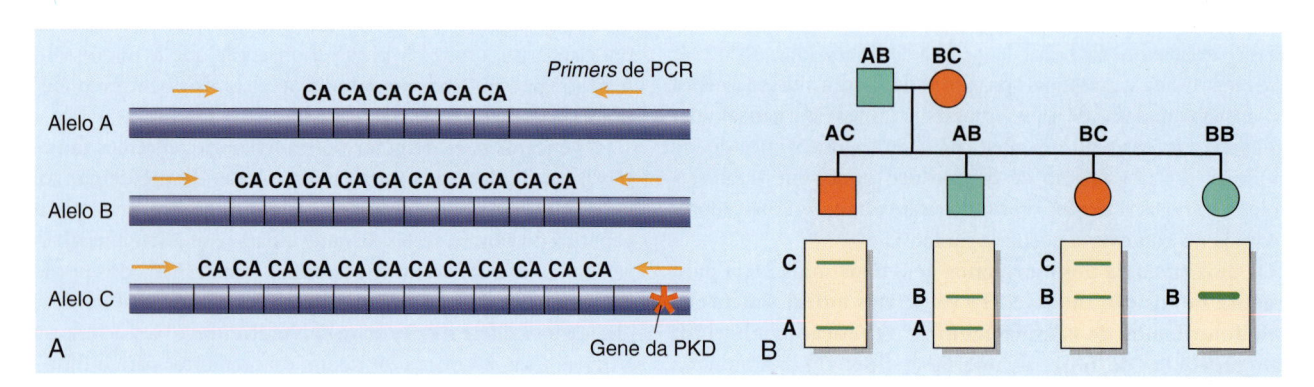

Figura 5.32 Polimorfismos de DNA resultantes de um número variável de repetições de CA. Os três alelos (**A**) geram produtos da reação da cadeia de polimerase (PCR) de diferentes tamanhos (**B**), identificando, assim, suas origens em cromossomos específicos. No exemplo representado, o alelo C está ligado a uma mutação responsável pela doença renal policística (*PKD*) autossômica dominante. A aplicação dessa técnica para detectar a progênie portadora do gene relacionado à doença (*símbolos vermelhos*) está ilustrada em um heredograma hipotético. Homens (*quadrados*); mulheres (*círculos*).

Um recurso que torna o NGS muito mais clinicamente aplicável do que o sequenciamento pelo método de Sanger é o requisito de amostra de entrada. Enquanto o sequenciamento de Sanger requer um único DNA molde homogêneo (geralmente um produto de PCR específico), o NGS não tem tal requisito: qualquer DNA de quase qualquer origem pode ser usado. Como o sequenciamento de Sanger fornece essencialmente um resultado "médio" para uma determinada região de DNA em uma amostra, as amostras com heterogeneidade substancial na sequência entre as moléculas de DNA de entrada produzem resultados não interpretáveis. O NGS, ao contrário, é adequado para análise de amostras heterogêneas de DNA devido à aplicação de três princípios básicos comuns (**Figura 5.33**):

- *Separação espacial*. No início do procedimento, as moléculas individuais de DNA são fisicamente isoladas umas das outras no espaço. Os detalhes desse processo dependem da plataforma
- *Amplificação local*. Após a separação, as moléculas individuais de DNA são amplificadas no local usando um número limitado de ciclos de PCR. A amplificação é necessária para que um sinal suficiente possa ser gerado para garantir a detecção e a precisão
- *Sequenciamento paralelo*. As moléculas de DNA amplificadas são, então, sequenciadas simultaneamente pela adição de polimerases e outros reagentes, com cada molécula original espacialmente separada e amplificada produzindo uma "leitura"

correspondente à sua sequência. As leituras de sequência de instrumentos de NGS costumam ser curtas, menos de 500 bp.

Bioinformática

Cada análise de NGS gera uma quantidade impressionante de dados de sequência; nos instrumentos de sequenciamento de alto rendimento, isso equivale a 400 bilhões de pb ou mais de sequências por dia, o suficiente para produzir uma sequência de alta qualidade abrangendo todo o genoma humano. A análise em *downstream* necessária para dar sentido a esses enormes conjuntos de dados é suficientemente complexa para que seja necessário treinamento especializado em bioinformática para garantir sua interpretação adequada. Os *pipelines* computacionais de bioinformática variam amplamente entre as aplicações e tipos de amostra, e uma discussão detalhada está além do escopo deste texto. Porém, vale a pena descrever as etapas básicas necessárias para processar esse tipo de dados:

- *Alinhamento*. Alinhamento é o processo pelo qual as leituras sequenciais de uma amostra são mapeadas em um genoma de referência, permitindo que sejam visualizadas e interpretadas no contexto
- *Chamada de variantes*. Esse processo envolve uma comparação sistemática de todos os dados da sequência de uma amostra com a sequência de referência. Quanto mais leituras cobrem um local específico (profundidade de sequenciamento), maior a probabilidade de uma variante ser detectada, se presente.

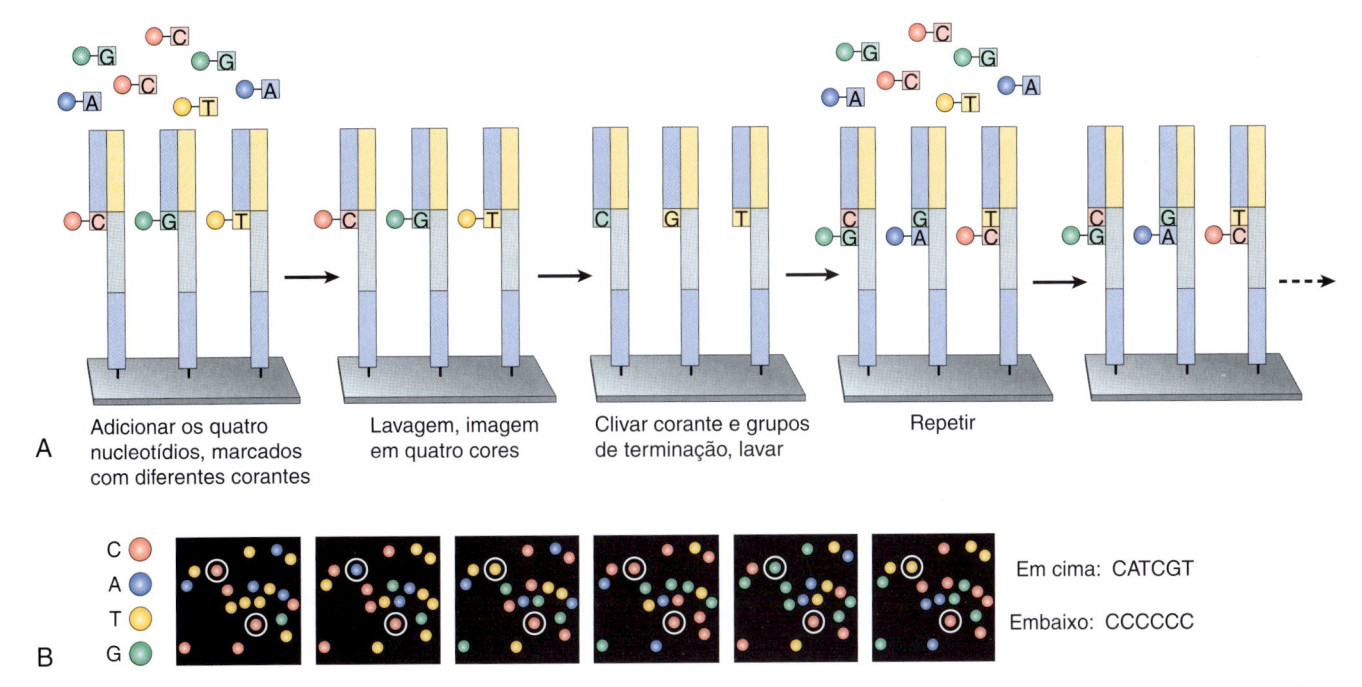

Figura 5.33 Princípio do sequenciamento de última geração. Atualmente estão disponíveis várias abordagens alternativas para o sequenciamento de última geração, e ilustramos uma das plataformas mais comumente usadas. **A.** Fragmentos curtos de DNA genômico (molde) de 100 a 500 pb de comprimento são imobilizados em uma plataforma de fase sólida, como uma lâmina de vidro, usando *primers* de captura universal que são complementares aos adaptadores previamente adicionados às extremidades dos fragmentos do molde. A adição de nucleotídios complementares marcados com fluorescência, um por DNA molde por ciclo, ocorre de uma forma "maciçamente paralela", em milhões de moldes imobilizados na fase sólida ao mesmo tempo. Uma câmera com imagens de quatro cores captura a fluorescência que emana de cada local do molde (correspondendo ao nucleotídio incorporado específico), após o que o corante fluorescente é clivado e lavado, e todo o ciclo é repetido. **B.** Poderosos programas computacionais conseguem decifrar as imagens para gerar sequências complementares ao DNA molde no final de uma "corrida", e essas sequências são então mapeadas de volta para a sequência genômica de referência para identificar alterações. (Reproduzida, com autorização, de Metzker M: Sequencing technologies – the next generation, *Nat Rev Genet* 11:31-46, 2010, © Nature Publishing Group.)

Se um *locus* mostra evidência suficiente de uma diferença da sequência de referência, faz-se uma chamada de variante
- *Anotação e interpretação de variantes*. As variantes chamadas podem ser anotadas com vários recursos (p. ex., nome do gene, alterações de codificação e previsões de efeito da proteína, informações de bancos de dados que listam variantes benignas e patogênicas, informações clínicas). Depois de preenchidos pelo laboratório clínico, os dados anotados estão prontos para o laudo. Como o ritmo dos avanços em genética e genômica ultrapassou em muito o conhecimento do médico clínico típico, uma parte importante desse laudo é uma breve descrição do significado biológico e clínico de cada variante patogênica, que pode ser numeroso no caso de alguns cânceres.
- *Chamada de assinatura mutacional*. Além de somar as mutações individuais, foram desenvolvidos algoritmos de informática que detectam padrões de mutações que apontam para exposições ambientais específicas (p. ex., luz ultravioleta) ou defeitos subjacentes no reparo de DNA. Esse último tornou-se clinicamente relevante com a descoberta de que os cânceres com defeitos adquiridos em genes de reparo de *mismatch* (pareamento errado) que levam à instabilidade de microssatélites (MSI) são altamente responsivos aos inibidores de *checkpoint* imunológico (ver **Capítulo 7**). Com base nessa observação, muitos laboratórios clínicos estão agora "chamando" o *status* de MSI dos cânceres com base nos resultados do NGS.

Aplicações clínicas do sequenciamento de DNA de nova geração

Conforme discutido, qualquer amostra de DNA pode ser analisada por NGS. No entanto, o DNA precisa primeiro ser preparado para o sequenciamento por meio da preparação de uma *biblioteca* de sequências de DNA curtas que são enriquecidas para regiões genômicas de interesse (p. ex., éxons específicos). Existem vários métodos para a preparação da biblioteca para NGS a partir do DNA genômico, dependendo da pergunta e do resultado desejado. Nos laboratórios clínicos, a maioria das aplicações para o NGS é direcionada para doenças genéticas constitucionais e diagnósticos de câncer, usando algumas abordagens básicas diferentes:

- *Sequenciamento direcionado*. A maioria dos testes atuais de NGS em laboratórios clínicos se enquadra nesta categoria. O sequenciamento direcionado concentra-se em um painel de genes cuidadosamente selecionado, o que maximiza a profundidade do sequenciamento ao mesmo tempo que minimiza os custos, o tempo e as despesas necessários para interpretação e laudos clínicos. A preparação da amostra para o sequenciamento direcionado pode ser realizada pelo enriquecimento de sequências de interesse mediante um método denominado captura híbrida por meio de sondas complementares personalizadas ou por PCR multiplex. Os ensaios de gene único por NGS para doenças hereditárias também estão se tornando mais comuns, e muitos laboratórios que antes realizavam o sequenciamento de Sanger, mais dispendioso, de múltiplos produtos de PCR (*i. e.*, para permitir o sequenciamento completo de *CFTR*) estão agora passando esses ensaios para plataformas de NGS, que, direcionado com painéis de genes, também se tornou comum na avaliação de indivíduos com doenças genéticas, como cardiomiopatia e surdez congênita. Em testes de câncer, os painéis de genes são amplamente usados para realizar perfis neoplásicos detalhados. Cada neoplasia tem um conjunto exclusivo de mutações somáticas, e esses ensaios visam detectar o maior número possível de mutações tratáveis ou prognósticas para oferecer atendimento personalizado ao paciente. Cada vez mais, também se realiza a repetição do teste no momento da recorrência da doença para compreender os mecanismos de resistência a medicamentos, que podem servir para orientar a seleção de terapias de segunda linha
- *Sequenciamento completo do exoma* (WES). O WES é um tipo mais expansivo de sequenciamento direcionado, no qual centenas de milhares de sondas personalizadas são usadas para enriquecer os aproximadamente 1,5% do genoma que consiste em éxons que codificam proteínas antes do NGS. Não é usado rotineiramente na avaliação de suspeitas de distúrbios germinativos, mas tem levado a algumas histórias de sucesso maravilhosas, permitindo que os médicos forneçam respostas e até mesmo terapias para crianças com doenças órfãs que sofreram ao passar por odisseias diagnósticas prolongadas e malsucedidas. O WES também é usado em oncologia para realizar uma análise bem ampla, principalmente no contexto de pesquisa
- *Sequenciamento do genoma completo (WGS)*. O WGS é o tipo mais abrangente de análise de DNA que pode ser realizada em um indivíduo. As indicações atuais para uso em genética médica limitam-se, principalmente, aos casos em que o sequenciamento do exoma não forneceu uma resposta, mas a suspeita clínica de uma doença genética permanece alta. Para aplicações relativas a câncer, o WGS é a única forma de NGS que pode detectar novos rearranjos estruturais (p. ex., inserções, deleções, translocações) que podem ser clinicamente relevantes, mas custos relativamente altos, tempos de resposta lentos e significativos desafios de informática ainda impedem seu uso rotineiro na prática clínica.

Aplicações futuras

Como o NGS pode ser usado para detectar anomalias genéticas de essencialmente qualquer escala de tamanho, desde SNPs a rearranjos muito grandes e até mesmo aneuploidia, quase todas as modalidades de teste de diagnóstico genético de hoje poderiam, em princípio, ser suplantadas pelo NGS. Isso inclui a análise de RNA, pois a análise baseada em NGS do transcriptoma (RNA-seq) é simples. Conforme os custos continuam a diminuir, é razoável esperar que o NGS ocupe um lugar cada vez mais proeminente nos laboratórios de diagnóstico. Além disso, o NGS tem grande potencial para aplicações clínicas em uma série de outras áreas como análise de microbioma, triagem de sangue para busca de marcadores precoces de doenças (p. ex., câncer) e métodos muito mais sensíveis de medir a resposta de cânceres à terapia (*i. e.*, usando DNA "livre" circulante liberado de células neoplásicas que é coletado do sangue). Os contínuos avanços tecnológicos talvez possam estender ainda mais as aplicações. Por exemplo, estão emergindo tecnologias de terceira geração ("molécula única" ou "última geração") que podem sequenciar rapidamente moléculas únicas em paralelo, sem a necessidade de amplificação focal, e isso pode, em breve, ter um impacto no laboratório clínico.

Reconhecimento

Gostaríamos de agradecer imensamente pela assistência de Jeremy Segal, MD, PhD, Diretor da Divisão de Patologia Genômica e Molecular da University of Chicago, na revisão da seção sobre diagnóstico molecular.

LEITURA SUGERIDA

Base molecular de distúrbios monogênicos – geral
Dietz HC: New therapeutic approaches to mendelian disorders, *N Engl J Med* 363:852, 2010. [Excelente discussão sobre o tratamento de distúrbios genéticos baseado na patogênese molecular].

Distúrbios associados a defeitos em proteínas estruturais
Cortini F, Villa C, Marinelli B et al: Understanding the basis of Ehlers-Danlos syndrome in the era of the next-generation sequencing, *Arch Dermatol Res* 311:265, 2019. [Esta revisão descreve o poder do sequenciamento de próxima geração no entendimento da base molecular das síndromes de Ehlers-Danlos].
Pyeritz RE: Etiology and pathogenesis of the Marfan syndrome: current understanding, *Ann Cardiothorac Surg* 6(6):595, 2017. [Boa revisão sobre a síndrome de Marfan escrita por um pioneiro na área].
Salik I, Rawla P: Marfan syndrome. [Atualizada em 28 de fevereiro de 2019]. *In StatPearls* [internet], Treasure Island, FL, 2019, StatPearls Publishing. Disponível em: https://www.ncbi.nlm.nih.gov/books/NBK537339/?report=classic. [Artigo atualizado e bem escrito sobre as características clínicas e moleculares da síndrome de Marfan].
Tinkle B, Castori M, Berglund B et al: Hypermobile Ehlers-Danlos syndrome (a.k.a. Ehlers-Danlos syndrome Type III and Ehlers-Danlos syndrome hypermobility type): clinical description and natural history, *Am J Med Genet Part C Semin Med Genet* 175C:48, 2017. [Revisão clinicamente orientada da forma mais comum da síndrome de Ehlers-Danlos].

Distúrbios associados a defeitos nas proteínas receptoras
Benito-Vicente A, Uribe KB, Jebari S et al: Familial hypercholesterolemia: the most frequent cholesterol metabolism disorder caused disease, *Int J Mol Sci* 19(11):3426, 2018. [Boa contabilidade do metabolismo de lipoproteínas de baixa densidade na hipercolesterolemia familiar].
Berberich AJ, Hegele RA: The complex molecular genetics of familial hypercholesterolaemia, *Nat Rev Cardiol* 16:9, 2019. [As várias causas genéticas menos conhecidas da hipercolesterolemia familiar são discutidas].
Defesche JC, Gidding SS, Harada-Shiba M et al: Familial hypercholesterolaemia, *Nat Rev Dis Primers* 3(17093):1, 2017. [Visão geral boa e fácil de seguir sobre a hipercolesterolemia familiar].
Sabatine MS: PCSK9 inhibitors: clinical evidence and implementation, *Nat Rev Cardiol* 16:155, 2019. [Descoberta da regulação do receptor de lipoproteína de baixa densidade por PCSK9 e sua aplicação clínica].

Distúrbios de armazenamento lisossômico
Aflaki E, Westbroek W, Sidransky E: The complicated relationship between Gaucher disease and Parkinsonism: insights from a rare disease, *Neuron* 93:737, 2017. [Discussão de distúrbios de armazenamento lisossômico e doenças neurodegenerativas].
Breiden B, Sandhoff K: Ganglioside metabolism and its inherited diseases, *Methods Mol Biol* 1804:97, 2018. [Revisão sobre metabolismo de gangliosídeos e patogênese da doença de Tay-Sachs].
Ferreiraa CR, Gahlc WA: Lysosomal storage diseases, *Transl Sci Rare Dis* 2(1):2017. [Descrição completa de todos os distúrbios de armazenamento lisossômico].
Filocamo M, Tomanin R, Bertola F et al: Biochemical and molecular analysis in mucopolysaccharidoses: what a paediatrician must know, *Ital J Pediatr* 44(2):129, 2018. [Discussão detalhada destes distúrbios na população pediátrica].
Kohler L, Puertollano R, Raben N: Pompe disease: from basic science to therapy, *Neurother* 15:928, 2018. [Este artigo discute detalhes da doença de Pompe].
Ohashi T: Gene therapy for lysosomal storage diseases and peroxisomal diseases, *J Hum Genet* 64:139, 2019. [Abordagens atuais para o tratamento dos distúrbios de armazenamento lisossômico].
Plotegher N, Duchen MR: Mitochondrial dysfunction and neurodegeneration in lysosomal storage disorders, *Trends Mol Med* 23(2):116, 2017. [Esta revisão explica o papel da lesão e disfunção mitocondrial na patogênese dos distúrbios de armazenamento lisossômico].
Schuchman EH, Desnick RJ: Types A and B Niemann-Pick disease, *Mol Genet Metab* 120(1–2):27, 2017. [Este artigo discute detalhes dos tipos A e B da doença de Niemann-Pick].
Seranova E, Connolly KJ, Zatyka M et al: Dysregulation of autophagy as a common mechanism in lysosomal storage diseases, *Essays Biochem* 61:733, 2017. [Discussão do papel crítico da desregulação da autofagia no desenvolvimento dos distúrbios de armazenamento lisossômico].
Stirnemann J, Belmatoug N, Camou F et al: A review of Gaucher disease pathophysiology, clinical presentation and treatments, *Int J Mol Sci* 18(441):1, 2017. [Este artigo discute detalhes da doença de Gaucher].
Weinstein DA, Steuerwald U, De Souza CFM et al: Inborn errors of metabolism with hypoglycemia: glycogen storage diseases and inherited disorders of gluconeogenesis, *Pediatr Clin North Am* 65(2):247, 2018. [Este artigo discute detalhes das doenças de armazenamento de glicogênio e distúrbios hereditários da gliconeogênese].

Distúrbios citogenéticos que afetam autossomos
Antonarakis SE: Down syndrome and the complexity of genome dosage imbalance, *Nat Rev Genet* 18:147, 2017. [Discussão sobre as causas da síndrome de Down devido ao desequilíbrio na expressão gênica].
Iwarsson E, Jacobsson B, Dagerhamn J et al: Analysis of cell-free fetal DNA in maternal blood for detection of trisomy 21, 18 and 13 in a general pregnant population and in a high risk population—a systematic review and meta-analysis, *Acta Obstet Gynecol Scand* 96:7, 2017. [Utilidade da testagem pré-natal não invasiva das trissomias].
Morsheimer M, Whitehorn TFB, Heimall J et al: The immune deficiency of chromosome 22q11.2 deletion syndrome, *Am J Med Genet* 173A:2366, 2017. [Discussão das evidências emergentes de que a imunodeficiência nesta síndrome é mais ampla do que normalmente se supõe].
Zamponi Z, Helguera PR: The shape of mitochondrial dysfunction in Down syndrome. *Dev Neurobiol Epub 2019*. [Discussão das evidências emergentes para o papel da disfunção mitocondrial na síndrome de Down].

Distúrbios citogenéticos que afetam cromossomos sexuais
Kanakis GA, Nieschlag E: Klinefelter syndrome: more than hypogonadism, *Metab Clin Exp* 86:135, 2018. [Revisão completa e atualizada da patogênese da síndrome de Klinefelter].
Levitsky LL, O'Donnell Luria AH, Hayes FJ et al: Turner syndrome: update on biology and management across the life span, *Curr Opin Endocrinol Diabetes Obes* 22(1):65, 2015. [Revisão sucinta um pouco mais antiga, porém excelente, das características clínicas da patogênese da síndrome de Turner].
Skuse D, Printzlau F, Wolstencroft J: Sex chromosomal aneuploidies. In Geschwind DH, Paulson HL, Klein C, editors: *Handbook of clinical neurology*, 2018, p 147. (3rd series) Neurogenetics, Part 1 355, [Excelente visão geral dos distúrbios do cromossomo sexual].

Doenças causadas por mutações de trinucleotídios
Bagni C, Zukin RS: A synaptic perspective of fragile X syndrome and autism spectrum disorders, *Neuron* 101:1070, 2019. [Discussão da perda de plasticidade sináptica na patogênese da síndrome do X frágil].
Hall DA, Berry-Kravis E: Fragile X syndrome and fragile X-associated tremor ataxia syndrome, *Handb Clin Neurol* 147:377, 2018. [Discussão bem balanceada da base genética da síndrome do X frágil e distúrbios relacionados].
Man L, Lekovich J, Rosenwaks Z et al: Fragile X-associated diminished ovarian reserve and primary ovarian insufficiency from molecular mechanisms to clinical manifestations, *Front Mol Neurosci* 12:1, 2017. [Discussão detalhada do mecanismo de falha ovariana na insuficiência ovariana primária associada ao X frágil].
Mila M, Alvarez-Mora MI, Madrigal I et al: Fragile X syndrome: an overview and update of the FMR1 gene, *Clin Genet* 93:197, 2018. [Atualização sucinta sobre a base molecular da síndrome do X frágil e condições relacionadas].
Salcedo-Arellano MJ, Dufour B, McLennan Y et al: Fragile X syndrome and associated disorders: clinical aspects and pathology, *Neurobiol Dis* 136:1, 2020. [Excelente revisão atualizada].

Doenças causadas por imprinting genômico
Angulo MA, Butler MG: Cataletto ME: Prader-Willi syndrome: a review of clinical, genetic, and endocrine findings, *J Endocrinol Invest* 38:1249, 2015. [Revisão bem escrita sobre a síndrome de Prader-Willi].
Buiting K, Williams C, Horsthemke B: Angelman syndrome–insights into a rare neurogenetic disorder, *Nat Rev Neurol* 12:584, 2016. [Revisão com foco em distúrbios neurológicos].

Doenças do Sistema Imunológico

CAPÍTULO 6

SUMÁRIO DO CAPÍTULO

Resposta imune normal, 192
  Imunidade inata, 192
  Componentes da imunidade inata, 192
  Receptores celulares para microrganismos, produtos de células danificadas e substâncias estranhas, 193
  Células natural killer, 194
  Respostas da imunidade inata, 195
  Imunidade adaptativa, 195
  Células do sistema imune adaptativo, 195
  Tecidos do sistema imunológico, 199
  Moléculas do complexo principal de histocompatibilidade: o sistema de apresentação de peptídeos da imunidade adaptativa, 200
  Citocinas: moléculas mensageiras do sistema imune, 202
  Visão geral da ativação dos linfócitos e das respostas imunes, 202
  Apresentação e reconhecimento dos antígenos, 202
  Imunidade mediada por células: ativação dos linfócitos T e eliminação dos microrganismos intracelulares, 204
  Imunidade humoral: ativação dos linfócitos B e eliminação dos microrganismos extracelulares, 204
  Declínio das respostas imunes e memória imunológica, 206

Hipersensibilidade: lesão tecidual imunologicamente mediada, 206
  Classificação das reações de hipersensibilidade, 207
  Hipersensibilidade imediata (tipo I), 207
  Ativação das células Th2 e produção de anticorpos IgE, 208
  Sensibilização e ativação dos mastócitos, 208
  Mediadores da hipersensibilidade imediata, 209
  Reação de fase tardia, 210
  Desenvolvimento de alergias, 210
  Anafilaxia sistêmica, 211
  Reações de hipersensibilidade imediata localizadas, 211
  Hipersensibilidade mediada por anticorpos (tipo II), 212
  Opsonização e fagocitose, 212
  Inflamação, 213
  Disfunção celular, 213
  Hipersensibilidade mediada por imunocomplexos (tipo III), 214
  Doença sistêmica por imunocomplexos, 214
  Doença por imunocomplexos localizada, 215
  Hipersensibilidade mediada por células T (tipo IV), 215
  Inflamação mediada por células T CD4+, 215
  Citotoxicidade mediada por células T CD8+, 218

Doenças autoimunes, 218
  Tolerância imunológica, 219
  Tolerância central, 219
  Tolerância periférica, 220
  Mecanismos de autoimunidade: princípios gerais, 221
  Papel dos genes de suscetibilidade, 222
  Papel das infecções e de outros fatores ambientais, 223
  Características gerais das doenças autoimunes, 224
  Lúpus eritematoso sistêmico, 225
  Espectro de autoanticorpos no lúpus eritematoso sistêmico, 226
  Lúpus eritematoso discoide crônico, 231
  Lúpus eritematoso cutâneo subagudo, 233
  Lúpus eritematoso induzido por fármacos, 233
  Artrite reumatoide, 234
  Síndrome de Sjögren, 234
  Esclerose sistêmica (esclerodermia), 235
  Miopatias inflamatórias, 237
  Doença mista do tecido conjuntivo, 237
  Poliarterite nodosa e outras vasculites, 238
  Doença relacionada com a IgG4, 239

Rejeição de transplantes de tecidos, 239
  Mecanismos de reconhecimento e rejeição de aloenxertos, 240
  Reconhecimento de aloantígenos do enxerto por linfócitos T e B, 240
  Padrões e mecanismos de rejeição de enxertos, 240
  Métodos para aumentar a sobrevida do enxerto, 243
  Transplante de células-tronco hematopoéticas, 244

Doenças por imunodeficiência, 245
  Imunodeficiências primárias, 245
  Defeitos da imunidade inata, 245
  Defeitos da imunidade adaptativa, 247
  Imunodeficiências associadas a doenças sistêmicas, 251
  Imunodeficiências secundárias, 251
  Síndrome da imunodeficiência adquirida, 252
  Epidemiologia, 252
  Etiologia: as propriedades do HIV, 253
  Patogênese da infecção pelo HIV e da AIDS, 254
  Histórico da infecção pelo HIV, 258
  Características clínicas da AIDS, 261

Amiloidose, 265
  Propriedades das proteínas amiloides, 265
  Patogênese e classificação da amiloidose, 266

O sistema imunológico ou sistema imune é fundamental para a sobrevivência, visto que ele nos protege de patógenos infecciosos que existem em abundância no meio ambiente, bem como do desenvolvimento de câncer. De maneira previsível, as imunodeficiências tornam os indivíduos vítimas fáceis de infecções e aumento da incidência de certos tipos de câncer. Entretanto, o próprio sistema imunológico é capaz de causar lesão tecidual e doença. Exemplos de distúrbios causados por respostas imunes incluem reações a substâncias ambientais que provocam *alergias* e reações contra os tecidos e as células do próprio do indivíduo (*autoimunidade*).

O presente capítulo dedica-se às doenças causadas por reatividade imunológica deficiente ou excessiva. Consideramos também a amiloidose, uma doença em que uma proteína anormal, derivada de imunoglobulinas, em muitos casos, é depositada nos tecidos. Em primeiro lugar, analisaremos algumas das características importantes das respostas imunes normais, de modo a fornecer uma base para compreender as anormalidades que dão origem às doenças imunológicas.

Resposta imune normal

A definição clássica de imunidade consiste em proteção contra patógenos infecciosos, e a resposta imune normal é mais bem compreendida nesse contexto. Entretanto, a imunidade em seu sentido mais amplo abrange reações do hospedeiro contra neoplasias (imunidade tumoral), transplantes de tecidos e órgãos e até mesmo antígenos próprios (autoimunidade). Os mecanismos da imunidade são divididos em duas grandes categorias (**Figura 6.1**). A *imunidade inata* (também denominada imunidade natural ou nativa) refere-se a mecanismos intrínsecos que estão preparados para reagir imediatamente, constituindo, portanto, a primeira linha de defesa. A imunidade inata é mediada por células e moléculas que reconhecem produtos de microrganismos e células mortas e que induzem reações protetoras rápidas do hospedeiro. A *imunidade adaptativa* (também denominada imunidade adquirida ou específica) consiste em mecanismos que são estimulados ("adaptados") pela exposição a microrganismos e outras substâncias estranhas. Desenvolve-se mais lentamente do que a imunidade inata, porém é ainda mais poderosa no combate às infecções. Por convenção, o termo resposta imune costuma se referir à imunidade adaptativa.

Imunidade inata

A imunidade inata está sempre presente, pronta para fornecer uma defesa imediata contra microrganismos e para eliminar células danificadas. Os receptores e os componentes da imunidade inata evoluíram para servir a esses propósitos.

Componentes da imunidade inata

Os principais componentes da imunidade inata incluem as barreiras epiteliais, que bloqueiam a entrada de microrganismos, as células fagocíticas (sobretudo neutrófilos e macrófagos), as células dendríticas, as células *natural killer* e outras células linfoides inatas, bem como várias proteínas plasmáticas, incluindo as proteínas do sistema complemento:

- Os *epitélios* da pele e dos sistemas gastrintestinal e respiratório atuam como barreiras mecânicas à entrada de microrganismos provenientes do ambiente externo. As células epiteliais também produzem moléculas antimicrobianas, como as defensinas, e os linfócitos localizados nos epitélios combatem os microrganismos nesses locais. Se os microrganismos transpassarem ou violarem as barreiras epiteliais, outros mecanismos de defesa passam a atuar

- Os *monócitos* e os *neutrófilos* são fagócitos do sangue que podem ser rapidamente recrutados para qualquer local de infecção; os monócitos que entram nos tecidos e amadurecem são denominados *macrófagos*. Alguns macrófagos residentes em tecidos (células de Kupffer no fígado, micróglia no encéfalo e macrófagos alveolares nos pulmões) desenvolvem-se a partir do saco vitelino ou do fígado fetal no início da vida e formam populações em vários tecidos. Os fagócitos detectam a presença de microrganismos e de outros agentes agressores, ingerem (fagocitam) esses invasores e os destroem. Como os macrófagos são as células dominantes da inflamação crônica, eles são descritos com mais detalhes no **Capítulo 3**, na discussão sobre inflamação crônica:

- As *células dendríticas (CD)* são células especializadas encontradas nos epitélios, em órgãos linfoides e na maior parte dos tecidos. Capturam antígenos proteicos e apresentam peptídeos para reconhecimento pelos linfócitos T. Além de sua função de apresentação de antígenos, as CD são dotadas de uma rica coleção de receptores que detectam a presença de microrganismos e de dano celular e que estimulam a secreção de citocinas, mediadores que desempenham funções essenciais na inflamação e na defesa contra vírus. Por conseguinte, as CD atuam como sentinelas que detectam o perigo e iniciam respostas imunes

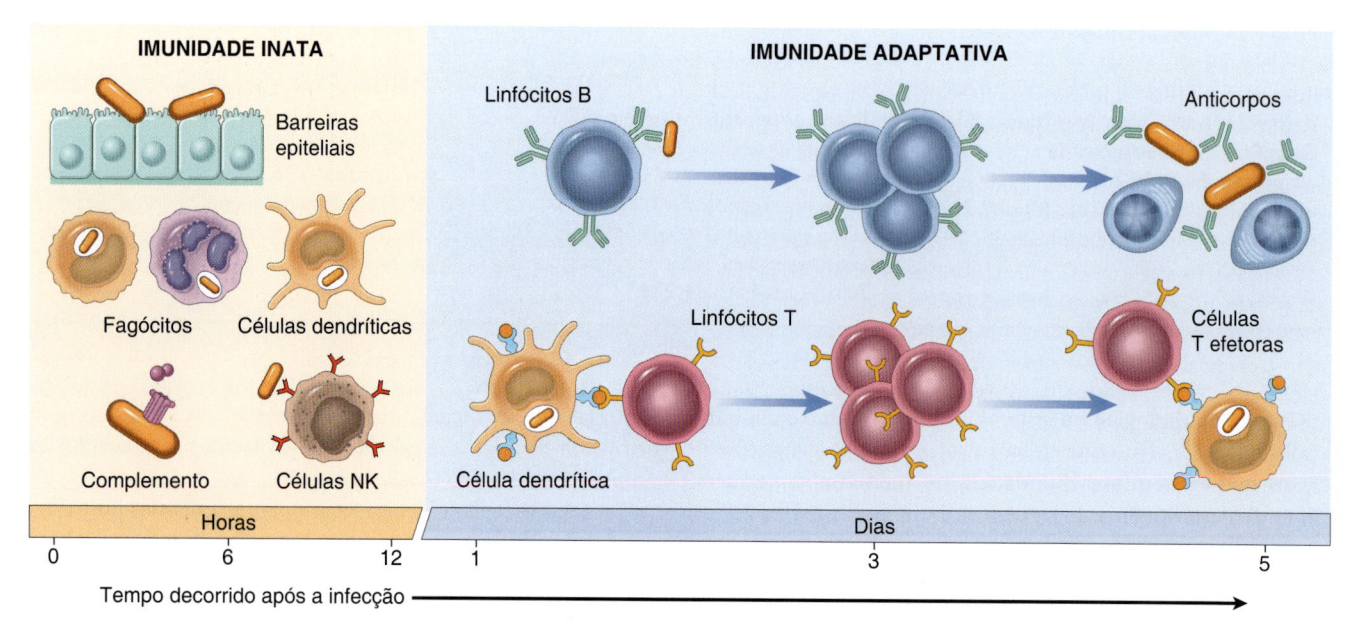

Figura 6.1 Os principais componentes da imunidade inata e imunidade adaptativa. *NK, natural killer.*

inatas; entretanto, diferentemente dos macrófagos, não têm uma participação fundamental na destruição de microrganismos e outros agentes agressores
- As *células linfoides inatas (ILC)* são linfócitos residentes em tecidos, que carecem de receptores de antígenos de células T e são incapazes de responder a antígenos; todavia, são ativadas por citocinas e outros mediadores produzidos em locais de dano tecidual. Acredita-se que sejam a fonte de citocinas inflamatórias durante as fases iniciais das reações imunes. As ILC são classificadas em grupos, com base nas citocinas dominantes que elas produzem: as ILC dos grupos 1, 2 e 3 produzem muitas das mesmas citocinas que os subgrupos Th1, Th2 e Th17 das células T CD4+ descritas posteriormente. As *células natural killer (NK)* constituem um tipo de ILC, que fornecem proteção inicial contra muitos vírus e bactérias intracelulares; suas propriedades e funções são descritas mais adiante
- *Outros tipos de células.* Vários outros tipos de células podem detectar microrganismos e reagir contra eles. Incluem os *mastócitos,* que são capazes de produzir muitos mediadores da inflamação (discutidos posteriormente), e até mesmo células epiteliais e endoteliais
- *Proteínas plasmáticas.* Além dessas células, várias proteínas solúveis desempenham funções importantes na imunidade inata. O *sistema complemento* (descrito no **Capítulo 3**) consiste em proteínas plasmáticas, que são ativadas por microrganismos. A ativação do complemento pode ocorrer por meio das vias alternativa e da lectina como parte das respostas imunes inatas, ou por meio da via clássica, que envolve complexos de antígeno-anticorpo, como parte das respostas imunes adaptativas (ver **Capítulo 3**). Outras proteínas circulantes da imunidade inata são a lectina de ligação da manose e a proteína C reativa, ambas as quais recobrem os microrganismos e promovem a fagocitose. O surfactante pulmonar também é um componente da imunidade inata, que fornece proteção contra microrganismos inalados.

Receptores celulares para microrganismos, produtos de células danificadas e substâncias estranhas

As células que participam da imunidade inata são capazes de reconhecer determinados componentes que são compartilhados entre microrganismos relacionados e que, com frequência, são essenciais para a infectividade (e, portanto, não podem sofrer mutação para permitir a evasão dos microrganismos dos mecanismos de defesa). Essas estruturas microbianas são denominadas padrões moleculares associados a patógenos (PAMP, *pathogen associated mollecular pattern*). Os leucócitos também reconhecem moléculas liberadas por células lesionadas e necróticas, que constituem os denominados padrões moleculares associados a danos (DAMP, *damage associated mollecular pattern*). Coletivamente, os receptores celulares que reconhecem essas moléculas são denominados receptores de reconhecimento de padrões (PRR, *pattern recognition receptor*).

Os receptores de reconhecimento de padrões estão localizados em todos os compartimentos celulares em que microrganismos podem estar presentes: os receptores da membrana plasmática detectam microrganismos extracelulares, os receptores endossomais, microrganismos ingeridos e os receptores citosólicos, microrganismos no citoplasma (Figura 6.2). Foram identificadas várias classes desses receptores.

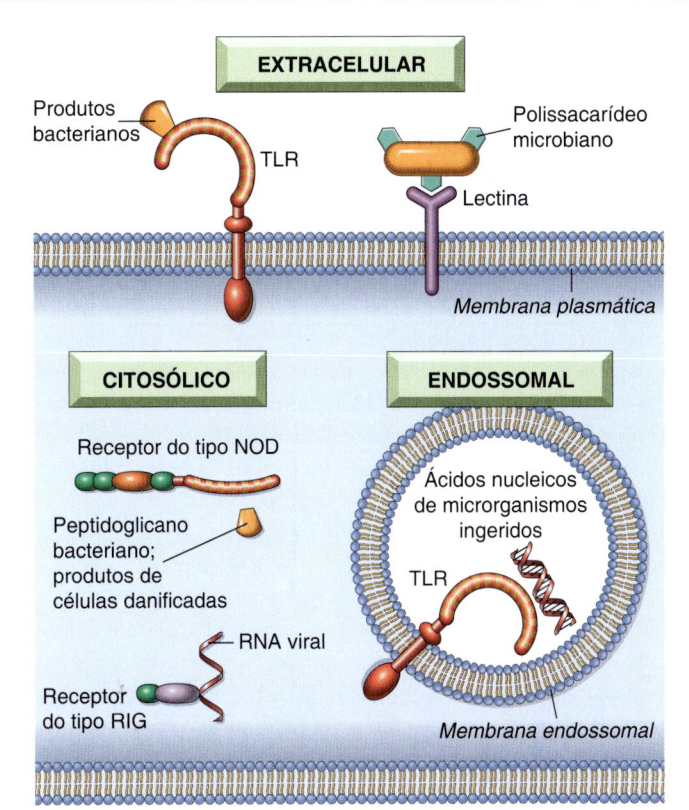

Figura 6.2 Receptores celulares para microrganismos e produtos de lesão celular. Os fagócitos, as células dendríticas e muitos tipos de células epiteliais expressam diferentes classes de receptores, que detectam a presença de microrganismos e de células mortas. Os receptores do tipo *Toll* (TLR) localizados em diferentes compartimentos celulares, bem como outros receptores citoplasmáticos e da membrana plasmática, reconhecem produtos de diferentes classes de microrganismos. As principais classes de receptores imunes inatos são os TLR, os receptores do tipo NOD (NLR) no citosol, os receptores de lectina tipo C (CLR), os receptores do tipo RIG (RLR) para ácidos nucleicos virais e os receptores citosólicos para DNA (não mostrados). *RIG,* gene induzível por ácido retinoico.

Receptores do tipo Toll (Toll-like). Os receptores de reconhecimento de padrões mais bem conhecidos são os receptores do tipo *Toll* (TLR, *Toll-like receptors*), cujo membro fundador, *Toll,* foi descoberto nas moscas *Drosophila,* como gene envolvido no seu desenvolvimento. Posteriormente, uma família de proteínas relacionadas a essa proteína demonstrou ser essencial para a defesa do hospedeiro contra microrganismos. Os mamíferos apresentam dez TLR, e cada um deles reconhece um conjunto diferente de moléculas microbianas. Os TLR são encontrados na membrana plasmática e nas vesículas endossomais (ver **Figura 6.2**). Todos os TLR sinalizam por meio de uma via comum, que culmina na ativação de dois conjuntos de fatores de transcrição: (1) o NF-κB, que estimula a síntese e a secreção de citocinas e a expressão de moléculas de adesão, ambas as quais são de importância fundamental no recrutamento e na ativação dos leucócitos (ver **Capítulo 3**); e (2) fatores reguladores de interferona (IRF, *interferon regulatory factors*), que estimulam a produção das citocinas antivirais, os interferons tipo I. As mutações hereditárias de perda de função que afetam os TLR e suas vias de sinalização estão associadas a síndromes de imunodeficiências raras, porém graves, descritas mais adiante neste capítulo.

Receptores do tipo NOD e o inflamassoma. Os receptores do tipo NOD (NLR, *NOD-like receptors*) são receptores citosólicos, cujo nome deriva do membro fundador, NOD-2. Eles reconhecem uma ampla variedade de substâncias, como produtos liberados de células necróticas ou danificadas (p. ex., ácido úrico e trifosfato de adenosina [ATP]), perda de íons K⁺ intracelulares e alguns produtos microbianos. Não se sabe como essa família de sensores é capaz de detectar sinais tão diversos de perigo ou de dano. Vários dos NLR sinalizam por meio de um complexo multiproteico citosólico, denominado *inflamassoma,* que ativa uma enzima (caspase-1), que cliva uma forma precursora da interleucina-1 (IL-1), para gerar a forma biologicamente ativa da citocina (**Figura 6.3**). Conforme discutido adiante, a IL-1 é um mediador da inflamação, que recruta leucócitos e induz febre. As mutações com ganho de função nos NLR e proteínas relacionadas e as mutações com perda de função nos reguladores do inflamassoma resultam em síndromes febris recorrentes, denominadas *síndromes autoinflamatórias* (que devem ser diferenciadas das doenças autoimunes, que resultam de reações dos linfócitos T e B contra autoantígenos). As síndromes autoinflamatórias respondem muito bem ao tratamento com antagonistas da IL-1. A via do inflamassoma também pode desempenhar um papel em distúrbios muito comuns.

Por exemplo, o reconhecimento de cristais de urato por uma classe de NLR constitui a base da inflamação associada à gota. Esses receptores também são capazes de detectar lipídios e cristais de colesterol que são depositados em quantidades anormalmente grandes nos tecidos, e a consequente inflamação parece contribuir para o diabetes melito tipo 2 associado à obesidade e a aterosclerose, respectivamente.

Outros receptores celulares para produtos microbianos. Os receptores de lectina tipo-C (CLR, *C-type lectin receptors*) expressos na membrana plasmática dos macrófagos e CD detectam glicanos fúngicos e desencadeiam reações inflamatórias contra os fungos. Os receptores do tipo RIG (RLR, *RIG-like receptors*), cujo nome deriva do membro fundador RIG-1 (gene induzível por ácido retinoico I), estão localizados no citosol da maioria dos tipos de células e detectam ácidos nucleicos de vírus, que se replicam no citoplasma das células infectadas. Esses receptores estimulam a produção de citocinas antivirais. Os receptores citosólicos para DNA microbiano, frequentemente derivado de vírus na célula, ativam uma via denominada STING (estimulador de genes de interferona), que leva à produção da citocina antiviral interferona-α. A ativação excessiva da via STING provoca distúrbios inflamatórios sistêmicos, coletivamente denominados *interferonopatias.* Os receptores acoplados à proteína G da membrana plasmática nos neutrófilos, macrófagos e na maioria dos outros tipos de leucócitos reconhecem peptídeos bacterianos curtos que contêm resíduos de *N*-formilmetionil. Como todas as proteínas bacterianas e algumas proteínas de mamíferos (apenas aquelas sintetizadas no interior das mitocôndrias) são iniciadas com *N*-formilmetionina, esse receptor permite aos neutrófilos detectar proteínas bacterianas e migrar para sua fonte (quimiotaxia). Os receptores de manose reconhecem açúcares microbianos (que frequentemente contêm resíduos de manose terminais, diferentemente das glicoproteínas dos mamíferos) e induzem a fagocitose dos microrganismos.

Células natural killer

A função das células NK é reconhecer e destruir células sob intensa lesão ou anormais, bem como células infectadas por vírus e células tumorais. As células NK constituem cerca de 5 a 10% dos linfócitos do sangue periférico. As células NK expressam CD16, um receptor das porções Fc da IgG, que confere às células NK a capacidade de lisar células-alvo recobertas por IgG. Esse fenômeno é conhecido como citotoxicidade celular dependente de anticorpos (ADCC, *antibody-dependent cellular cytotoxicity*).

A eliminação de células-alvo pelas células NK é regulada por sinais de receptores ativadores e inibidores (Figura 6.4). Existem muitos tipos de receptores ativadores nas células NK, os quais reconhecem moléculas de superfície que são induzidas por vários tipos de estresse, como infecção e dano ao DNA. Por conseguinte, esses receptores permitem que as células NK reconheçam células danificadas ou infectadas. Os receptores inibitórios das células NK reconhecem moléculas próprias do MHC de classe I, que são expressas em todas as células saudáveis. Os receptores inibitórios impedem que as células NK matem as células normais. A infecção por vírus ou a transformação neoplásica frequentemente intensificam a expressão de ligantes para receptores de ativação e, ao mesmo tempo, reduzem a expressão de moléculas do MHC de classe I. Em consequência, quando as células NK encontram essas células anormais, o equilíbrio é desviado para a ativação, e a célula infectada ou a célula tumoral são eliminadas.

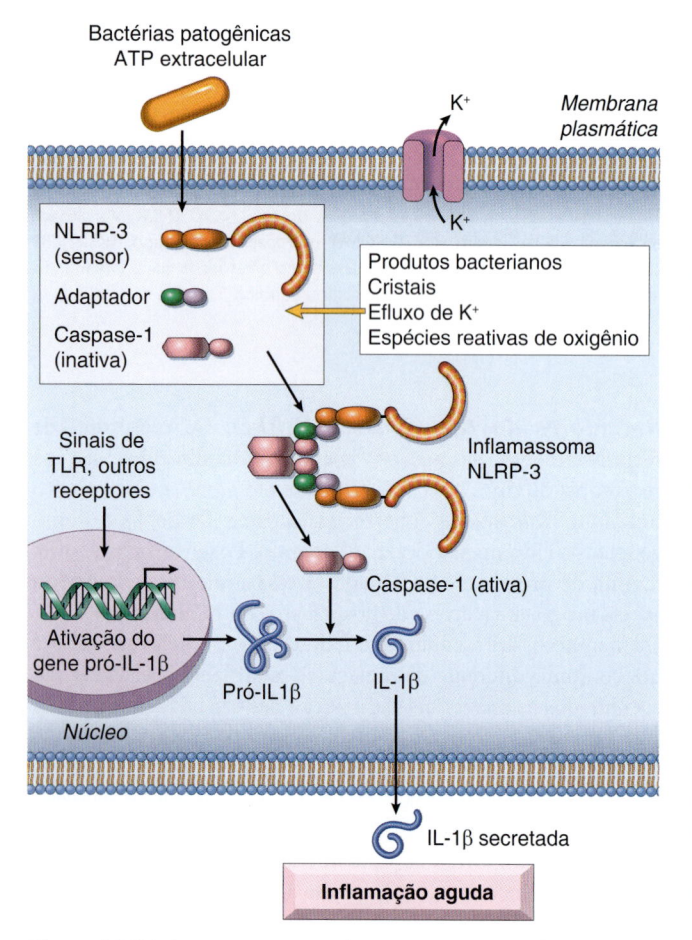

Figura 6.3 O inflamassoma, um complexo proteico que reconhece produtos de células mortas e alguns microrganismos e que induz a secreção da interleucina-1 biologicamente ativa, é constituído por uma proteína sensora (um exemplo é a proteína rica em leucina, NLRP3), um adaptador e a enzima caspase-1, que é convertida de uma forma inativa em uma forma ativa. *ATP,* trifosfato de adenosina; *IL,* interleucina; *TLR,* receptor do tipo *Toll.*

A. Receptor inibitório ocupado

Célula NK

Receptor ativador — Receptor inibitório

Célula normal — Complexo MHC de classe I-peptídeo próprio

A célula NK não é ativada; não há eliminação celular

B. O receptor inibitório não é ocupado, o receptor ativador é ocupado

Célula NK

Ligante ativador para a célula NK

Célula infectada por vírus (MHC de classe I negativa)

O vírus inibe a expressão do MHC de classe I, aumenta a expressão de ligantes ativadores para as células NK

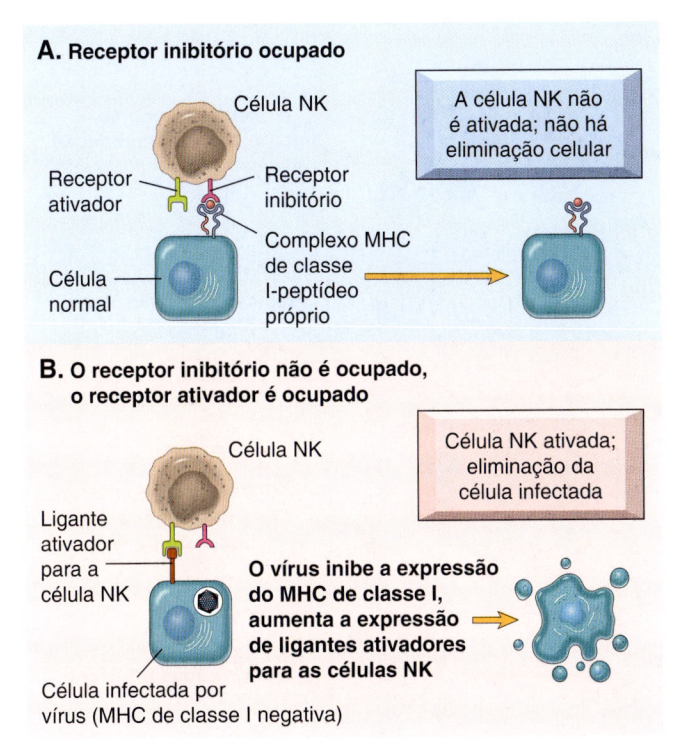

Célula NK ativada; eliminação da célula infectada

Figura 6.4 Receptores ativadores e inibitórios das células *natural killer (NK)*. **A.** As células saudáveis expressam moléculas próprias do complexo principal de histocompatibilidade *(MHC)* de classe I, que são reconhecidas pelos receptores inibitórios, assegurando, assim, que as células NK não ataquem as células normais. Observe que as células saudáveis podem expressar ligantes para os receptores ativadores *(não mostrados)* ou podem não expressar esses ligantes *(como mostrado)*, porém eles não ativam as células NK, visto que se ligam aos receptores inibitórios. **B.** Nas células infectadas e sob estímulo agressivo, a expressão do MHC de classe I é reduzida, de modo que os receptores inibitórios não são ocupados, e ocorre expressão dos ligantes para os receptores ativadores. O resultado é que as células NK são ativadas, e as células infectadas são eliminadas.

Respostas da imunidade inata

O sistema imune inato proporciona uma defesa ao hospedeiro por meio de duas respostas principais:

- *Inflamação.* As citocinas e produtos de ativação do complemento, bem como outros mediadores, são produzidos durante as respostas imunes inatas e estimulam os componentes vasculares e celulares da inflamação. Os leucócitos recrutados destroem os microrganismos e ingerem e eliminam as células danificadas. A resposta imune inata também desencadeia o reparo dos tecidos lesionados. Esses processos são descritos no **Capítulo 3**
- *Defesa antiviral.* Os interferons do tipo I, produzidos em resposta a vírus, atuam sobre células infectadas e não infectadas e ativam enzimas que degradam os ácidos nucleicos virais e que inibem a replicação viral, induzindo o denominado estado antiviral. As células NK reconhecem células infectadas por vírus, conforme descrito anteriormente.

Além dessas funções de defesa diretas, a imunidade inata produz os sinais de perigo, que estimulam a resposta imune adaptativa subsequente e mais poderosa. A natureza de alguns desses sinais é descrita mais adiante.

Diferentemente da imunidade adaptativa, a imunidade inata não dispõe de memória nem boa especificidade antigênica. De acordo com as estimativas, a imunidade inata utiliza cerca de cem receptores diferentes para reconhecer mil padrões moleculares. Em contrapartida, a imunidade adaptativa utiliza dois tipos de receptores (anticorpos e receptores de células T [TCR], descritos posteriormente), cada um com milhões de variações para o reconhecimento de milhões de antígenos.

Imunidade adaptativa

O sistema imune adaptativo consiste em linfócitos e seus produtos, incluindo anticorpos. Os linfócitos da imunidade adaptativa utilizam receptores de alta diversidade para reconhecer uma ampla variedade de substâncias estranhas. No restante dessa seção introdutória, o foco será dirigido para os linfócitos e as reações do sistema imune adaptativo.

Existem dois tipos de imunidade adaptativa: a imunidade humoral, que protege contra microrganismos extracelulares e suas toxinas; e a imunidade mediada por células (ou celular), que é responsável pela defesa contra microrganismos intracelulares e contra neoplasias. A imunidade humoral é mediada pelos linfócitos B (derivados da medula óssea) e seus produtos secretados, os *anticorpos* (também denominados *imunoglobulinas*, Ig), enquanto a imunidade celular é mediada pelos linfócitos T (derivados do timo). Ambas as classes de linfócitos expressam receptores altamente específicos para uma ampla variedade de substâncias, que são denominadas *antígenos*.

Células do sistema imune adaptativo

Embora os linfócitos T e B e seus subgrupos não sejam muito impressionantes do ponto de vista morfológico e tenham uma aparência muito semelhante entre si, eles na realidade são notavelmente heterogêneos e especializados nas suas propriedades moleculares e funções. As principais classes de linfócitos e suas funções na imunidade adaptativa estão ilustradas na **Figura 6.5**. Os linfócitos e outras células envolvidas nas respostas imunes não ficam fixos em determinados tecidos (como as células na maioria dos órgãos do corpo), eles circulam constantemente entre os tecidos linfoides e outros tecidos por meio do sangue e do sistema linfático. Essa característica promove uma vigilância imune em todo o corpo e permite que os linfócitos sejam transferidos para qualquer local de infecção. Nos órgãos linfoides, diferentes classes de linfócitos são anatomicamente segregadas, de modo que possam interagir entre si apenas quando estimuladas a fazê-lo por meio de encontros com antígenos e outros estímulos. Os linfócitos maduros que não encontraram o antígeno para o qual são específicos são designados como *naive* (imunologicamente inexperientes). Após serem ativados pelo reconhecimento de antígenos e outros sinais descritos mais adiante, os linfócitos diferenciam-se em *células efetoras,* que desempenham a função de eliminar os microrganismos, e em *células de memória,* que vivem em um estado de elevada vigilância e que são capazes de reagir de maneira rápida e vigorosa para combater o microrganismo caso ele retorne. O processo de diferenciação dos linfócitos em células efetoras e células de memória é resumido posteriormente. Começaremos com uma consideração sobre a diversidade dos linfócitos T e B.

Diversidade dos linfócitos

Existem linfócitos específicos para um grande número de antígenos antes mesmo da exposição ao antígeno, e, quando surge um antígeno, ele ativa seletivamente as células

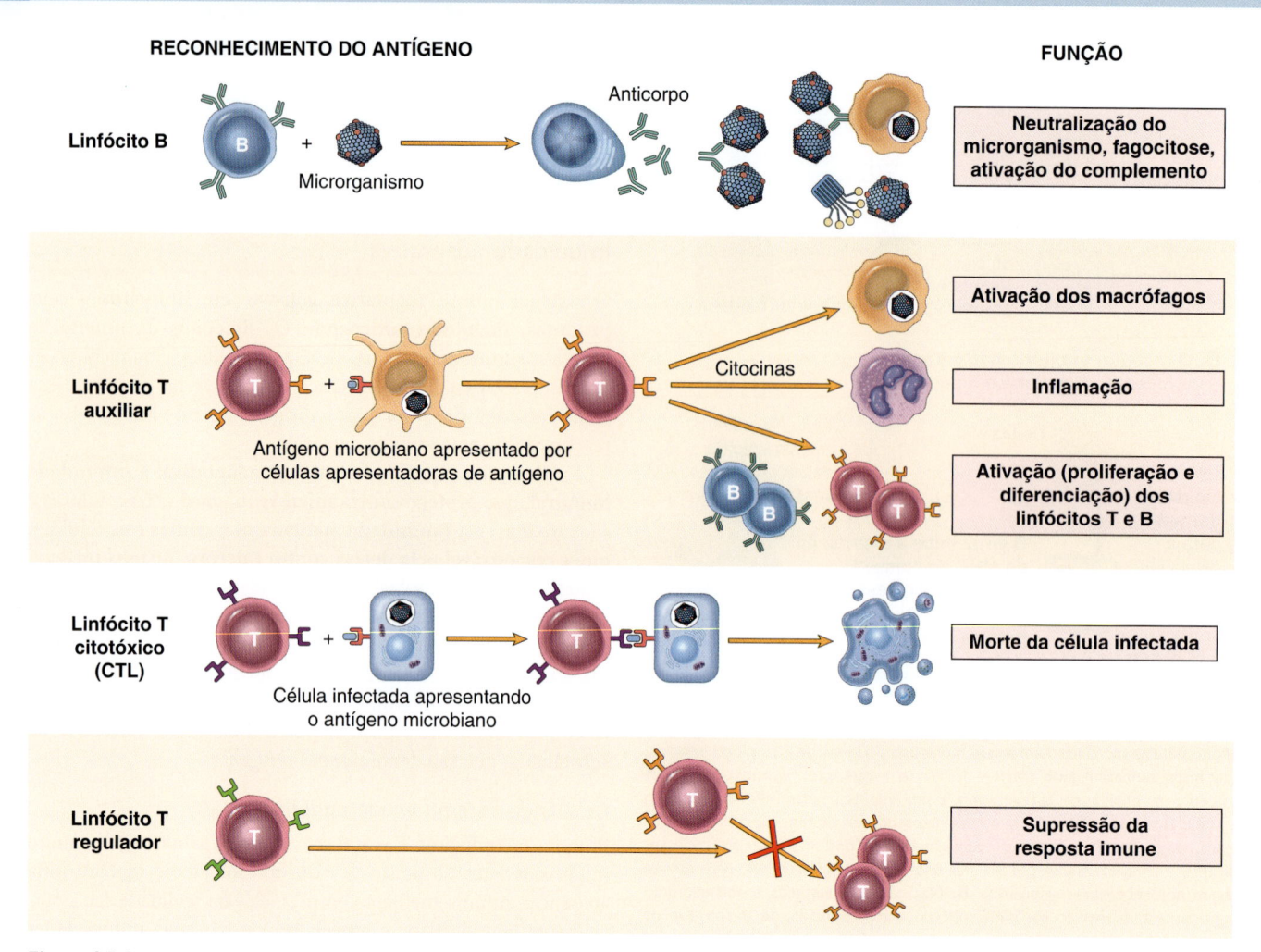

Figura 6.5 As principais classes de linfócitos e suas funções. As células B e T são as células da imunidade adaptativa. Foram definidas várias outras classes de linfócitos, incluindo as células NK-T e as denominadas células linfoides inatas (ILC); as funções dessas células não estão tão bem estabelecidas quanto às dos linfócitos B e T. As células NK foram discutidas anteriormente.

antígeno-específicas. Esse conceito fundamental é denominado *seleção clonal*. Os linfócitos da mesma especificidade constituem um clone; todos os membros de um clone expressam receptores de antígenos idênticos, que são diferentes dos receptores em todos os outros clones. Existem cerca de 10^{12} linfócitos em um adulto saudável, e estima-se que existam 10^7 a 10^9 clones, expressando, cada um deles, receptores específicos para um antígeno diferente. Em consequência, o número de células específicas para determinado antígeno é muito baixo, provavelmente inferior a 1 a cada 100 mil linfócitos. É impressionante que um número tão pequeno de células com determinada especificidade possa executar a difícil tarefa de reconhecer e combater vários microrganismos; conforme discutido mais adiante, o sistema imunológico desenvolveu numerosos mecanismos para otimizar as reações aos antígenos microbianos. É também surpreendente que o sistema seja capaz de produzir tantos receptores, muito mais do que a quantidade que poderia ser individualmente codificada no genoma. Os mecanismos pelos quais isso ocorre estão agora bem compreendidos e apresentam diversas implicações clínicas significativas.

A diversidade dos receptores de antígenos é gerada pela recombinação somática dos genes que codificam esses receptores de antígenos. Todas as células do corpo, incluindo os progenitores dos linfócitos, contêm genes para receptores de antígenos em sua configuração de linhagem germinativa (herdada), em que os genes que codificam esses receptores são constituídos por segmentos separados espacialmente, que não podem ser expressos como mRNA. Durante a maturação dos linfócitos (no timo para as células T e medula óssea para as células B), ocorre montagem desses segmentos gênicos por recombinação, e a variação na sequência do DNA é introduzida nos sítios de união dos segmentos gênicos. Isso cria muitos genes diferentes, que podem ser transcritos e traduzidos em receptores de antígenos com diversas sequências de aminoácidos, particularmente nas regiões dos receptores que reconhecem o antígeno e se ligam a ele. A enzima nos linfócitos em desenvolvimento que medeia a recombinação desses segmentos gênicos é o produto do *RAG-1* e do *RAG-2* (genes ativadores de recombinação); a presença de defeitos hereditários nas proteínas RAG resulta em uma incapacidade de gerar linfócitos maduros. É importante assinalar que os genes dos receptores de antígenos de linhagem germinativa estão presentes em todas as células do corpo, porém apenas as células T e B contêm genes dos receptores de antígenos recombinados (também denominados rearranjados) (o TCR nas células T e a Ig nas células B). Por conseguinte, a presença de genes do TCR ou da Ig recombinados, que podem ser demonstrados por análise molecular, constitui um marcador de células da linhagem T ou B. Além disso, como cada uma das células T ou B e sua progênie local apresentam um rearranjo de DNA único (e, portanto, um receptor de antígeno único), é possível distinguir as proliferações de linfócitos policlonais (não neoplásicas) dos tumores linfoides monoclonais (neoplásicos) por meio da avaliação da diversidade dos rearranjos dos receptores de antígenos em uma população de linfócitos. Assim, **os ensaios que avaliam a clonalidade dos rearranjos de genes para receptores de antígenos são úteis no diagnóstico das neoplasias linfoides (ver Capítulo 13)**.

Linfócitos T

Existem três populações principais de células, que desempenham funções distintas. **Os linfócitos T auxiliares estimulam a produção de anticorpos pelos linfócitos B e ativam outros linfócitos (p. ex., fagócitos) para destruir os microrganismos; os linfócitos T citotóxicos (*killer*) (CTL) matam as células infectadas; e os linfócitos T reguladores limitam as respostas imunes e impedem reações contra autoantígenos.**

Os linfócitos T desenvolvem-se no timo a partir de precursores que se originam das células-tronco hematopoéticas (HSC). As células T maduras são encontradas no sangue, constituindo de 60 a 70% dos linfócitos, bem como em zonas de células T dos órgãos linfoides secundários (descritos posteriormente). Cada célula T reconhece um antígeno específico ligado à célula por meio de um TCR antígeno-específico. Em aproximadamente 95% das células T, o TCR consiste em um heterodímero ligado por dissulfeto, composto de uma cadeia polipeptídica α e uma cadeia β (**Figura 6.6**), tendo, cada uma, uma região variável (de ligação ao antígeno) e uma região constante. **O TCR αβ reconhece antígenos peptídicos que estão ligados e são apresentados por moléculas do complexo principal de histocompatibilidade (MHC) na superfície das células apresentadoras de antígenos (APC).** Ao limitar a especificidade das células T para peptídeos exibidos por moléculas do MHC de superfície celular, a denominada restrição do MHC, o sistema imune assegura que as células T identifiquem apenas antígenos associados a células (p. ex., aqueles derivados de microrganismos nas células ou de proteínas ingeridas pelas células).

Cada TCR está ligado de modo não covalente a seis cadeias polipeptídicas, que formam o complexo CD3 e o dímero de cadeias ζ (ver **Figura 6.6**). As proteínas CD3 e ζ são invariáveis (*i. e.*, idênticas) em todas as células T. Estão envolvidas na transdução de sinais na célula T, que são deflagrados pela ligação do antígeno ao TCR. Com este, essas proteínas formam o complexo TCR.

Uma pequena população de células T maduras expressa outro tipo de TCR, composto por cadeias polipeptídicas γ e δ. O TCR γδ reconhece peptídeos, lipídios e moléculas pequenas, sem a necessidade de apresentação pelas proteínas do MHC. As células T γδ tendem a sofrer agregação nas superfícies epiteliais, como a pele e a mucosa dos tratos gastrintestinal e urogenital, sugerindo que essas células sejam sentinelas que protegem contra microrganismos que tentam entrar através dos epitélios. Todavia, as funções das células T γδ não estão estabelecidas. Outro pequeno subgrupo de células T expressa marcadores que também são encontrados nas células NK; essas células são denominadas células T-NK. As células T-NK expressam uma diversidade muito limitada de TCR e reconhecem glicolipídios apresentados pela molécula CD1 semelhante ao MHC. As funções das células T-NK também não estão bem definidas.

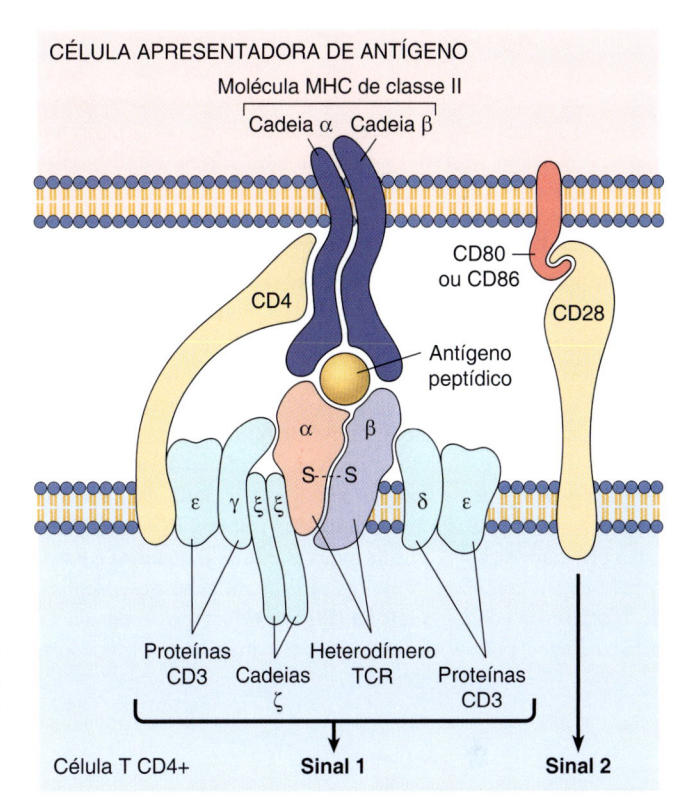

Figura 6.6 O complexo do receptor de células T (*TCR*) e outras moléculas envolvidas na ativação das células T. O heterodímero TCR, que consiste em uma cadeia α e uma cadeia β, reconhece o antígeno (na forma de complexos de peptídeo-MHC expressos nas células apresentadoras de antígenos ou APC), e o complexo CD3 ligado e as cadeias ζ iniciam os sinais de ativação. O CD4 e o CD28 também estão envolvidos na ativação das células T. (Observe que algumas células T expressam CD8, mas não CD4; essas moléculas desempenham funções análogas.) Os tamanhos das moléculas não estão desenhados em escala. *MHC*, complexo principal de histocompatibilidade.

Além das proteínas CD3 e ζ, as células T expressam várias outras proteínas que auxiliam o complexo TCR nas respostas funcionais. Incluem CD4, CD8, CD28 e integrinas. As proteínas CD4 e CD8 são expressas em dois subgrupos de células T αβ mutuamente excludentes. Normalmente, cerca de 60% das células T maduras são CD4+, enquanto cerca de 30% são CD8+. A maioria das células T CD4+ funciona como células auxiliares secretoras de citocinas, que auxiliam os macrófagos e os linfócitos B a combater as infecções. As células CD8+ funcionam, em sua maioria, como CTL, que destroem as células hospedeiras que abrigam microrganismos intracelulares. As proteínas CD4 e CD8 atuam como correceptores na ativação das células T. Durante o reconhecimento do antígeno, as moléculas CD4 ligam-se a moléculas do MHC de classe II que estão apresentando o antígeno (ver **Figura 6.6**); as moléculas CD8 ligam-se a moléculas do MHC de classe I; e os correceptores CD4 ou CD8 iniciam a sinalização necessária para a ativação das células T. Devido a essa necessidade de correceptores, as células T auxiliares CD4+ podem reconhecer e responder ao antígeno apresentado apenas por moléculas do MHC de classe II, enquanto as células T citotóxicas CD8+ reconhecem antígenos ligados a células apenas em associação a moléculas do MHC de classe I: essa segregação é descrita mais adiante. As integrinas são moléculas de adesão que promovem a ligação das células T às APC.

Para responder, as células T precisam não apenas reconhecer os complexos antígeno-MHC, mas também devem receber sinais adicionais fornecidos pelas células apresentadoras de antígenos. Esse processo, em que a proteína CD28 desempenha um importante papel, é descrito posteriormente, quando forem resumidos os passos necessários para as respostas imunomediadas por células.

Linfócitos B

Os linfócitos B são as únicas células do corpo que têm a capacidade de produzir anticorpos, os mediadores da imunidade humoral. Os linfócitos B desenvolvem-se a partir de precursores na medula óssea. As células B maduras constituem 10 a 20% dos linfócitos no sangue e também estão presentes nos tecidos linfoides periféricos, como os linfonodos, o baço e os tecidos linfoides associados à mucosa. As células B reconhecem o antígeno por meio do complexo antígeno-receptor das células B. Os anticorpos ligados à membrana dos isótipos IgM e IgD, que estão presentes na superfície de todas as células B maduras e *naive*, constituem o componente de ligação do antígeno do complexo do receptor de células B (BCR) (**Figura 6.7**). Após estimulação pelo antígeno e por outros sinais (descritos mais adiante), as células B transformam-se em *plasmócitos*, que são verdadeiras fábricas de proteínas para a produção de anticorpos, bem como em células de memória de vida longa. Estima-se que um único plasmócito seja capaz de secretar centenas a milhares de moléculas de anticorpos por segundo, uma medida impressionante do poder da resposta imunológica no combate a patógenos.

Além da Ig de membrana, o complexo do receptor de antígenos da célula B contém um heterodímero de duas proteínas invariáveis, denominadas Igα e Igβ. À semelhança das proteínas CD3 e ζ do complexo TCR, a Igα (CD79a) e a Igβ (CD79b) são essenciais na transdução de sinais em resposta ao reconhecimento do antígeno. As células B também expressam várias outras moléculas, que são essenciais para suas respostas. Incluem o receptor de complemento tipo 2 (CR2 ou CD21) que reconhece produtos do complemento gerados durante as respostas imunes inatas aos microrganismos, e CD40, que recebe sinais das células T auxiliares. O CR2 também é utilizado pelo vírus Epstein-Barr (EBV) como receptor para entrar e infectar as células B.

Células dendríticas

As **células dendríticas (CD)** (algumas vezes denominadas CD interdigitantes) **são as células apresentadoras de antígeno mais importantes para iniciar as respostas das células T contra antígenos proteicos.** Essas células dispõem de numerosos prolongamentos citoplasmáticos finos que se assemelham a dendritos, dos quais deriva seu nome. Várias características das CD são responsáveis pelo seu papel essencial na apresentação de antígenos. Em primeiro lugar, essas células estão localizadas no lugar certo para capturar antígenos – sob os epitélios, que constituem o local comum de entrada dos microrganismos e antígenos estranhos, e nos interstícios de todos os tecidos, onde os antígenos podem ser produzidos. As CD imaturas no interior da epiderme são denominadas *células de Langerhans*. Em segundo lugar, as CD expressam muitos receptores para capturar microrganismos (e outros antígenos) e responder a eles, como TLR e lectinas. Em terceiro lugar, em resposta aos microrganismos, as CD são recrutadas para as zonas de células T dos órgãos linfoides, onde ficam estrategicamente localizadas para apresentar os antígenos às células T *naive*. Em quarto lugar, as CD expressam altos níveis de MHC e de outras moléculas necessárias para a apresentação de antígenos e a ativação das células T.

Um segundo tipo de célula com morfologia dendrítica é encontrado nos centros germinativos dos folículos linfoides no baço e nos linfonodos, denominado *célula dendrítica folicular (CDF)*. Essas células têm receptores Fc para a IgG e receptores para C3b e são capazes de capturar antígenos ligados a anticorpos ou proteínas do complemento. Essas células desempenham um papel nas respostas imunes humorais por meio da apresentação de antígenos às células B no centro germinativo, parte de um processo pelo qual apenas as células B que expressam anticorpos com alta afinidade pelo antígeno sobrevivem e amadurecem em plasmócitos ou em células de memória.

Macrófagos

Os macrófagos constituem uma parte do sistema fagocítico mononuclear, cuja origem, diferenciação e papel na inflamação são discutidos no **Capítulo 3**. Aqui, serão analisadas as suas importantes funções nas fases indutoras e efetoras das respostas imunes adaptativas:

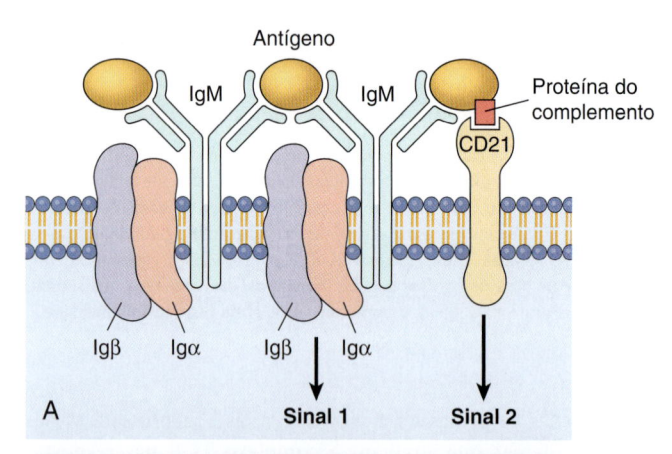

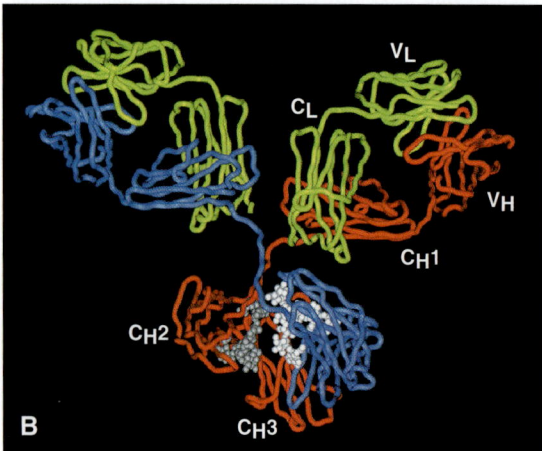

Figura 6.7 Estrutura dos anticorpos e receptor de antígenos das células B. **A.** O complexo do receptor de antígenos das células B é composto pela imunoglobulina M (IgM; ou IgD, *não mostrada*) da membrana, que reconhece antígenos, e pelas proteínas de sinalização associadas, Igα e Igβ. O CD21 é um receptor para um componente do complemento, que também promove a ativação das células B. **B.** Estrutura cristalina de uma molécula de IgG secretada, mostrando a disposição das regiões variáveis (*V*) e constantes (*C*) das cadeias pesadas (*H*) e leves (*L*). (Cortesia do Dr. Alex McPherson, University of California, Irvine, Calif.)

- *Os macrófagos que contêm microrganismos fagocitados e antígenos proteicos processam os antígenos e apresentam fragmentos peptídicos às células T.* Por conseguinte, os macrófagos atuam como células apresentadoras de antígenos na ativação das células T
- *Os macrófagos são células efetoras fundamentais em determinadas formas de imunidade celular, a reação que serve para eliminar microrganismos intracelulares.* Nesse tipo de resposta, as células T ativam os macrófagos e potencializam sua capacidade de destruir os microrganismos ingeridos (ver mais adiante)
- *Os macrófagos também participam da fase efetora da imunidade humoral.* Os macrófagos fagocitam e destroem eficientemente os microrganismos opsonizados (recobertos) por IgG ou C3b.

Tecidos do sistema imunológico

Os tecidos do sistema imunológico são representados pelos órgãos linfoides *primários* (também denominados *geradores* ou *centrais*), nos quais os linfócitos T e B amadurecem e tornam-se competentes para responder aos antígenos, e nos órgãos linfoides *secundários* (ou *periféricos*), onde são iniciadas as respostas imunes adaptativas.

Órgãos linfoides primários. **Os principais órgãos linfoides primários são o timo, onde as células T se desenvolvem, e a medula óssea, o local de produção de todas as outras células do sangue, incluindo células B *naive*.** Esses órgãos são descritos no **Capítulo 13**.

Órgãos linfoides secundários. **Os órgãos linfoides secundários – linfonodos, baço e os tecidos linfoides da mucosa e cutâneos – são os tecidos em que ocorrem as respostas imunes adaptativas.** Várias características desses órgãos promovem a geração de imunidade adaptativa – os antígenos estão concentrados nesses órgãos, os linfócitos *naive* circulam neles em busca dos antígenos, e diferentes populações de linfócitos (como as células T e B) são reunidas quando precisam interagir:

- Os *linfonodos* são agregados nodulares de tecidos linfoides localizados ao longo dos canais linfáticos por todo o corpo (**Figura 6.8**). À medida que a linfa passa lentamente pelos linfonodos, as células apresentadoras de antígenos posicionam-se para reconhecer os antígenos (p. ex., derivados de microrganismos que podem entrar através dos epitélios nos tecidos e são transportados na linfa). Além disso, as CD capturam e transportam antígenos de microrganismos dos epitélios e dos tecidos até os linfonodos por meio dos vasos linfáticos. Assim, os antígenos dos microrganismos que entram através dos epitélios ou que colonizam os tecidos concentram-se nos linfonodos de drenagem. Como os antígenos estranhos entram, em sua maioria, através dos epitélios ou são produzidos em tecidos, os linfonodos constituem o local de geração da maioria das respostas imunes adaptativas
- O *baço* é um órgão abdominal que desempenha, nas respostas imunes a antígenos transportados pelo sangue, a mesma função desempenhada pelos linfonodos em resposta a antígenos transportados pela linfa. O sangue que entra no baço circula por uma rede de sinusoides revestidos por macrófagos e CD. Os antígenos transportados pelo sangue são capturados no baço por essas células, que então podem iniciar respostas imunes adaptativas a esses antígenos

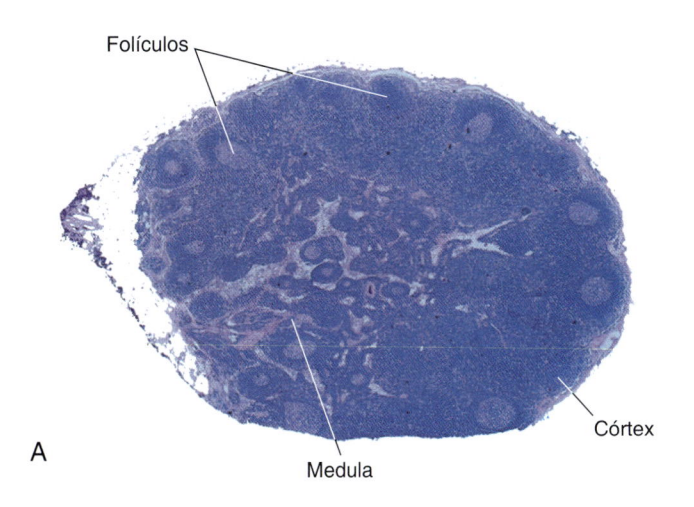

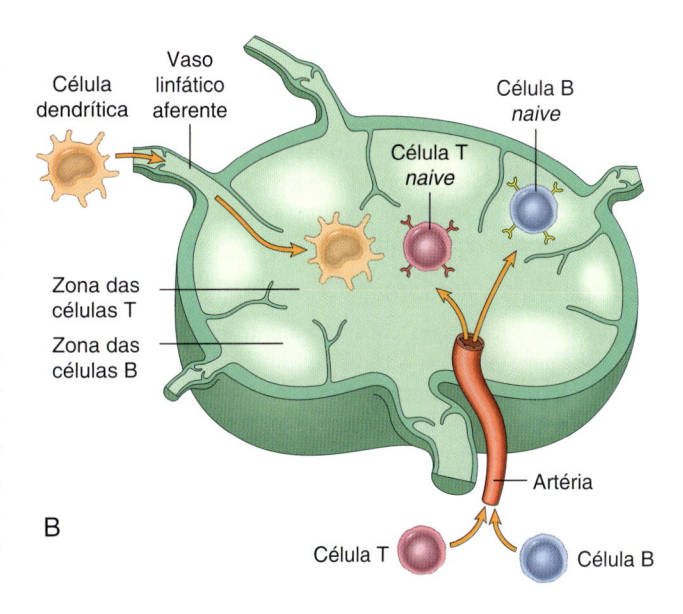

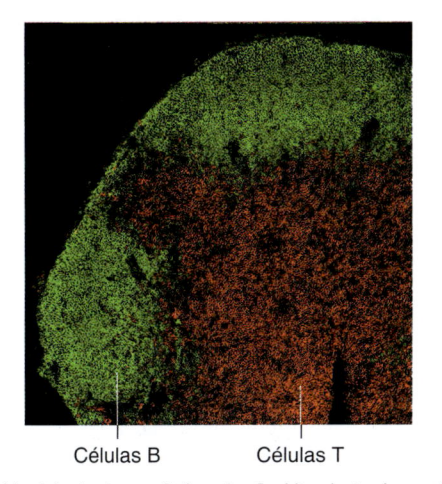

Figura 6.8 Morfologia de um linfonodo. **A.** Histologia de um linfonodo, com um córtex externo contendo folículos e uma medula interna. **B.** A segregação das células B e das células T em diferentes regiões do linfonodo, ilustrada de modo esquemático. **C.** Localização das células B (*coradas em verde*, com o uso da técnica de imunofluorescência) e das células T (*coradas em vermelho*) em um linfonodo. (Cortesia dos Drs. Kathryn Pape and Jennifer Walter, University of Minnesota School of Medicine, Minneapolis, Minn.)

- Os *sistemas linfoides cutâneo e da mucosa* estão localizados sob os epitélios da pele e dos tratos gastrintestinal e respiratório, respectivamente. Respondem a antígenos que entram por meio de lesões ou soluções de continuidade no epitélio. As tonsilas faríngeas e as placas de Peyer do intestino são dois tecidos linfoides da mucosa anatomicamente definidos. Durante todo o tempo, uma grande proporção dos linfócitos do corpo encontra-se nos tecidos mucosos (refletindo o grande tamanho desses tecidos), e muitos deles correspondem a células de memória.

Dentro dos órgãos linfoides secundários, os linfócitos T e B *naive* são segregados em diferentes regiões (ver **Figura 6.8**). Nos linfonodos, as células B concentram-se em estruturas distintas, denominadas folículos, que estão localizadas em torno da periferia, ou córtex de cada linfonodo. Se as células B em um folículo tiverem respondido recentemente a um antígeno, esse folículo pode conter uma região central, denominada centro germinativo. Os linfócitos T concentram-se na região paracortical, adjacente aos folículos. Os folículos contêm as CDF, que estão envolvidas na ativação das células B, enquanto a região paracortical contém as CD que apresentam antígenos aos linfócitos T. No baço, os linfócitos T concentram-se nas bainhas linfoides periarteriolares que circundam as pequenas arteríolas, enquanto as células B localizam-se em folículos semelhantes aos encontrados nos linfonodos (a denominada polpa branca esplênica).

Recirculação dos linfócitos

Os linfócitos recirculam constantemente entre os tecidos e dirigem-se para locais específicos; os linfócitos *naive* atravessam os órgãos linfoides secundários, onde são iniciadas as respostas imunes, e os linfócitos efetores migram para os locais de infecção e inflamação. Esse processo de recirculação dos linfócitos é mais importante no caso das células T, visto que as células T *naive* precisam circular através dos órgãos linfoides secundários, onde os antígenos estão concentrados, enquanto as células T efetoras precisam migrar para os locais de infecção, a fim de eliminar os microrganismos. Em contrapartida, os plasmócitos permanecem nos órgãos linfoides e na medula óssea e não precisam alcançar os locais de infecção, visto que eles secretam anticorpos que são transportados pelo sangue até tecidos distantes.

Moléculas do complexo principal de histocompatibilidade: o sistema de apresentação de peptídeos da imunidade adaptativa

A função das moléculas do MHC consiste em apresentar fragmentos peptídicos de antígenos proteicos para seu reconhecimento por células T específicas para estes antígenos. Como as moléculas do MHC são fundamentais para o reconhecimento de antígenos pelas células T e estão ligadas a muitas doenças autoimunes, é importante proceder a uma breve revisão de sua estrutura e função. As moléculas do MHC foram descobertas como produtos de genes que provocam a rejeição de órgãos transplantados, e seu nome provém de seu papel na determinação da compatibilidade tecidual entre indivíduos. Nos seres humanos, as moléculas do MHC são denominadas *antígenos leucocitários humanos* (HLA), visto que foram inicialmente detectadas nos leucócitos. Os genes que codificam as moléculas do HLA estão agrupados em um pequeno segmento do cromossomo 6 (**Figura 6.9**). O sistema HLA é altamente polimórfico; existem milhares de alelos distintos dos genes do MHC nos seres humanos, e, em consequência, os alelos HLA de cada indivíduo diferem daqueles herdados pela maioria dos outros indivíduos na população. Como veremos posteriormente, isso representa uma enorme barreira para o transplante de órgãos.

Com base na sua estrutura, distribuição celular e função, os produtos dos genes do MHC são divididos em duas grandes classes:

- As *moléculas do MHC de classe I* são expressas em todas as células nucleadas e plaquetas. Trata-se de heterodímeros, constituídos por uma cadeia α polimórfica ou pesada (44-kD), ligada de modo não covalente a uma proteína não polimórfica menor (12-kD), denominada β_2-microglobulina. As cadeias α são codificadas por três genes, designados como *HLA-A, HLA-B* e *HLA-C*, situados próximos uns dos outros no *locus* do MHC (ver **Figura 6.9**). A região extracelular da cadeia α é dividida em três domínios: α_1, α_2 e α_3. Os domínios α_1 e α_2 formam uma fenda ou sulco, na qual os peptídeos se ligam. Os resíduos de aminoácidos polimórficos revestem as partes laterais e a base do sulco de ligação dos peptídeos, explicando a razão pela qual diferentes alelos da classe se ligam a diferentes peptídeos.

  As moléculas do MHC de classe I apresentam peptídeos derivados de proteínas citoplasmáticas, incluindo proteínas normais e antígenos específicos de vírus e tumores, que, quando ligados a moléculas do MHC de classe I, são reconhecidos por células T CD8+. As proteínas citoplasmáticas são degradadas em proteassomos, e os peptídeos são transportados para o interior do retículo endoplasmático (RE), ligando-se a moléculas do MHC de classe I recém-sintetizadas. Em seguida, as moléculas do MHC carregadas de peptídeo associam-se com a β_2-microglobulina para formar um complexo estável, que é transportado até a superfície celular. O domínio α_3 não polimórfico das moléculas do MHC de classe I tem um sítio de ligação para CD8, de modo que os complexos peptídeo-classe I são reconhecidos por células T CD8+, que funcionam como CTL. Nessa interação, o TCR reconhece o complexo MHC-peptídeo, e a molécula CD8, que atua como correceptor, liga-se à cadeia pesada da molécula de classe I. Como as células T CD8+ só reconhecem peptídeos se forem apresentados como um complexo com moléculas do MHC de classe I, as células T CD8+ são consideradas como restritas pelo MHC de classe I. Como as funções importantes dos CTL CD8+ consistem na eliminação de vírus, que podem infectar qualquer célula nucleada, e destruição das células tumorais, que podem se originar a partir de qualquer célula nucleada, faz sentido que todas as células nucleadas expressem moléculas do MHC de classe I e possam ser reconhecidas por células T CD8+.

- As *moléculas MHC* de classe II são codificadas em uma região denominada *HLA-D*, que apresentam três sub-regiões: *HLA-DP, HLA-DQ* e *HLA-DR*. Cada molécula do MHC de classe II é um heterodímero, constituído por uma cadeia α e uma cadeia β associadas de forma não covalente, ambas as quais são polimórficas. As porções extracelulares das cadeias α e β dispõem de dois domínios, designados como α_1 e α_2 e β_1 e β_2. A estrutura cristalina das moléculas de classe II revelou que, à semelhança das moléculas de classe I, elas têm fendas de ligação de peptídeos voltadas para fora (ver **Figura 6.9**). Essa fenda é formada por uma interação dos domínios α_1 e β_1, e é nesta porção que a maioria dos alelos de classe II diferem. Por

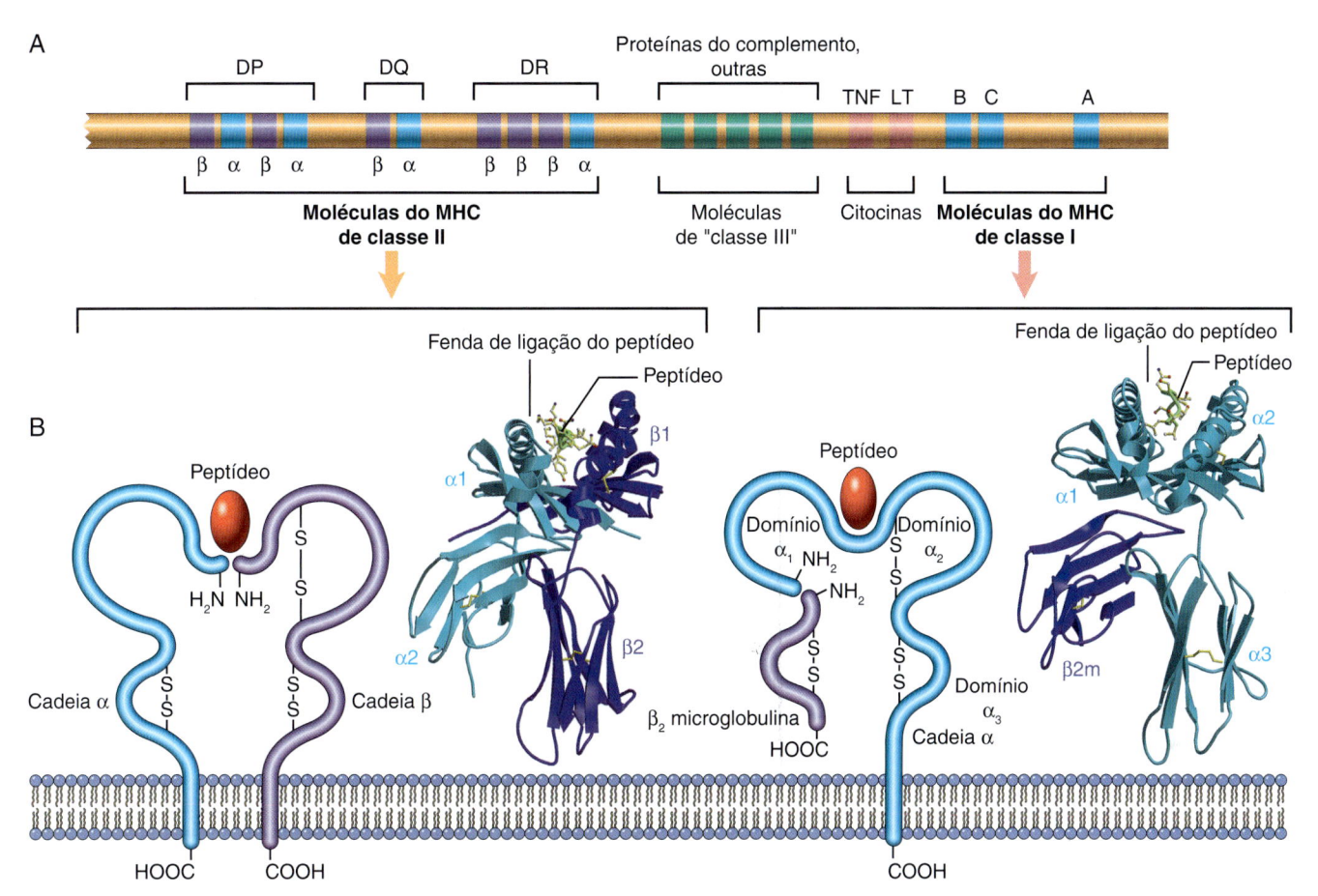

Figura 6.9 O complexo do antígeno leucocitário humano (HLA) e a estrutura das moléculas do HLA. **A.** Localização dos genes no complexo HLA. As localizações, os tamanhos e as distâncias relativas entre os genes não estão em escala. Os genes que codificam várias proteínas envolvidas no processamento dos antígenos (o transportador TAP, componentes do proteassoma e HLA-DM) estão localizados na região de classe II (*não mostrada*). **B.** Diagramas esquemáticos e estruturas cristalinas das moléculas do HLA das classes I e II. (As estruturas cristalinas são cortesia do Dr. P. Bjorkman, California Institute of Technology, Pasadena, Calif.)

conseguinte, à semelhança das moléculas de classe I, o polimorfismo das moléculas de classe II está associado à ligação diferencial de peptídeos antigênicos.
As moléculas do MHC de classe II apresentam antígenos derivados de microrganismos extracelulares e proteínas após sua internalização em endossomos ou lisossomos. Aqui, as proteínas internalizadas sofrem digestão proteolítica, produzindo peptídeos, que, em seguida, se associam a heterodímeros da classe II nas vesículas, a partir das quais são transportados até a superfície celular na forma de complexos de peptídeo-MHC estáveis. O domínio β_2 de classe II apresenta um sítio de ligação para CD4, de modo que o complexo classe II-peptídeo é reconhecido por células T CD4+, que atuam como células auxiliares. Como as células T CD4+ só podem reconhecer antígenos no contexto de moléculas de classe II próprias, são designadas como restritas pelo MHC de classe II. Diferentemente das moléculas de classe I, as moléculas de classe II são expressas, sobretudo, em células que apresentam antígenos ingeridos e respondem ao auxílio das células T (macrófagos, linfócitos B e CD).

A combinação de alelos HLA em cada indivíduo é denominada haplótipo HLA. Qualquer indivíduo herda um conjunto de genes HLA de cada genitor e (pressupondo que os genitores não sejam consanguíneos) normalmente expressa duas moléculas diferentes para cada *locus*. Devido ao polimorfismo dos genes HLA, existem praticamente inumeráveis combinações de moléculas na população, e cada indivíduo expressa um perfil do MHC em sua superfície celular, que é diferente dos haplótipos da maioria dos outros indivíduos. Acredita-se que esse grau de polimorfismo tenha evoluído para assegurar que pelo menos alguns indivíduos em uma espécie sejam capazes de exibir qualquer peptídeo microbiano e, assim, fornecer proteção contra qualquer infecção. Esse polimorfismo também significa que não existem dois indivíduos (a não ser gêmeos idênticos) que possam expressar as mesmas moléculas do MHC, de modo que os enxertos trocados entre esses indivíduos são reconhecidos como estranhos e atacados pelo sistema imune. Como cada haplótipo é herdado como bloco, e existem dois conjuntos de genes de cada genitor, a probabilidade de que irmãos tenham o mesmo MHC é de 1 em 4. Essa é a razão pela qual os irmãos são os primeiros a serem submetidos a rastreamento como doadores potenciais para pacientes que necessitam de transplante de rim ou de células-tronco hematopoéticas.

As moléculas do MHC desempenham várias funções fundamentais na regulação das respostas imunes mediadas por células T. Em primeiro lugar, como diferentes peptídeos antigênicos se ligam a diferentes moléculas do MHC, pode-se deduzir que um indivíduo só desenvolve uma resposta imune contra um antígeno proteico se ele herdar variante do MHC que possa se ligar a peptídeos derivados do antígeno e apresentá-los às células T. As consequências da herança de determinada variante do MHC (p. ex., classe II) dependem da natureza do antígeno que se liga a essa molécula de classe II. Por exemplo, se o antígeno for um peptídeo do pólen da *Ambrosia*, o indivíduo que expressa moléculas de classe II capazes de se ligar ao antígeno seria geneticamente predisposto a reações alérgicas contra a *Ambrosia*. Por outro lado, uma capacidade herdada de ligar-se a um peptídeo bacteriano pode proporcionar resistência à infecção ao desencadear uma resposta protetora de anticorpos. Em segundo lugar, ao segregar antígenos citoplasmáticos e internalizados, as moléculas do MHC asseguram que a resposta imune correta seja desencadeada contra diferentes microrganismos – a eliminação mediada por CTL de células que abrigam microrganismos citoplasmáticos e antígenos tumorais e estímulo à produção de anticorpos mediado por células T auxiliares e ativação de macrófagos para combater microrganismos extracelulares e fagocitados.

O interesse nas moléculas do HLA foi estimulado pelo reconhecimento, nas décadas de 1960 e 1970, de que várias doenças autoimunes e outras doenças estão associadas à herança de determinados alelos do HLA. Essas associações são discutidas quando a patogênese das doenças autoimunes for considerada posteriormente neste capítulo.

Citocinas: moléculas mensageiras do sistema imune

A indução e a regulação das respostas imunes envolvem múltiplas interações entre linfócitos, CD, macrófagos, outras células inflamatórias (p. ex., neutrófilos) e células endoteliais. Algumas dessas interações dependem do contato entre células; todavia, **muitas funções dos leucócitos são estimuladas e reguladas por proteínas secretadas, denominadas citocinas.** Quando definidas molecularmente, as citocinas são denominadas interleucinas, em virtude de sua capacidade de mediar a comunicação entre leucócitos (embora muitas delas também atuem em outras células, além dos leucócitos). As citocinas apresentam, em sua maioria, um amplo espectro de efeitos, e algumas são produzidas por vários tipos de células. A maioria dessas citocinas atua sobre células que as produzem (ação autócrina) ou sobre células adjacentes (ação parácrina) e, raramente, a distância (ação endócrina).

As citocinas contribuem para diferentes tipos de respostas imunes:

- Nas respostas imunes inatas, as citocinas são produzidas rapidamente após o encontro com microrganismos e outros estímulos e atuam para induzir a inflamação e inibir a replicação viral. Essas citocinas incluem o TNF, a IL-1, a IL-12, as IFN tipo I, a IFN-γ e as quimiocinas (ver **Capítulo 3**). Suas principais fontes são macrófagos, CD, ILC e células NK, porém as células endoteliais e epiteliais também podem produzi-las.
- Nas respostas imunes adaptativas, as citocinas são produzidas, sobretudo, por linfócitos T CD4+ ativados pelo antígeno e por outros sinais, e promovem a proliferação e a diferenciação dos linfócitos e a ativação de células efetoras. As principais citocinas desse grupo são IL-2, IL-4, IL-5, IL-17 e IFN-γ; suas funções nas respostas imunes são descritas posteriormente. Algumas citocinas, como o TGF-β e a IL-10, atuam sobretudo para limitar e finalizar respostas imunes
- Algumas citocinas estimulam a hematopoese e são denominadas fatores de estimulação de colônias (CSF, *colony-stimulating factors*), dada a sua capacidade de estimular a formação de colônias de células sanguíneas a partir de progenitores da medula óssea (ver **Capítulo 13**). Suas funções consistem em aumentar a produção de leucócitos durante respostas imunes e inflamatórias, aumentando seu número e substituindo os leucócitos que morrem durante essas respostas. São produzidas por células do estroma medular, por linfócitos T, macrófagos e outras células. Entre os exemplos, destacam-se o GM-CSF e outros CSF e IL-3.

O conhecimento adquirido sobre as citocinas tem numerosas aplicações terapêuticas práticas. A inibição da produção ou das ações das citocinas constitui uma abordagem para controlar os efeitos nocivos da inflamação e das reações imunes que provocam dano aos tecidos. Pacientes com artrite reumatoide frequentemente apresentam respostas significativas a antagonistas do TNF, constituindo um exemplo primoroso de terapia planejada racionalmente e direcionada para alvos moleculares. Muitos outros antagonistas das citocinas estão agora aprovados para o tratamento de várias doenças inflamatórias. Por outro lado, a administração de citocinas pode ser utilizada para impulsionar reações que normalmente dependem dessas proteínas, como a hematopoese e a defesa contra alguns vírus. Uma aplicação terapêutica importante das citocinas consiste na mobilização das células-tronco hematopoéticas da medula óssea para o sangue periférico, a partir do qual podem ser coletadas para transplante de células-tronco.

Visão geral da ativação dos linfócitos e das respostas imunes

Todas as respostas imunes adaptativas desenvolvem-se em etapas, que consistem no reconhecimento do antígeno; ativação de linfócitos específicos que proliferam e se diferenciam em células efetoras e células de memória; eliminação do antígeno; e declínio da resposta, em que as células de memória representam os sobreviventes de vida longa. Os principais eventos em cada etapa estão resumidos em seguida. Esses princípios gerais aplicam-se às respostas protetoras contra os microrganismos, bem como às respostas patológicas que provocam lesão do hospedeiro.

Apresentação e reconhecimento dos antígenos

Os microrganismos e outros antígenos estranhos podem entrar em qualquer parte do corpo. É obviamente impossível que os linfócitos consigam patrulhar efetivamente todas as possíveis portas de entrada de antígenos, visto que não há linfócitos antígeno específicos suficientes para cobrir constantemente todo esse "terreno". Para superar esse problema, os antígenos são capturados e concentrados em órgãos linfoides secundários através dos quais os linfócitos *naive* circulam, aumentando, assim, a probabilidade de um linfócito encontrar antígenos que ele possa reconhecer. Os microrganismos e seus antígenos proteicos são capturados pelas CD que residem nos epitélios e tecidos. Essas células transportam seu carregamento antigênico para os linfonodos de drenagem (**Figura 6.10**). Nesse local, os antígenos são processados e apresentados em complexos com moléculas do MHC na superfície celular, onde os antígenos são reconhecidos pelas células T.

Os linfócitos B utilizam seus receptores de antígenos (moléculas de anticorpo ligadas à membrana) para reconhecer antígenos de diferentes composições químicas, como proteínas, polissacarídeos e lipídios.

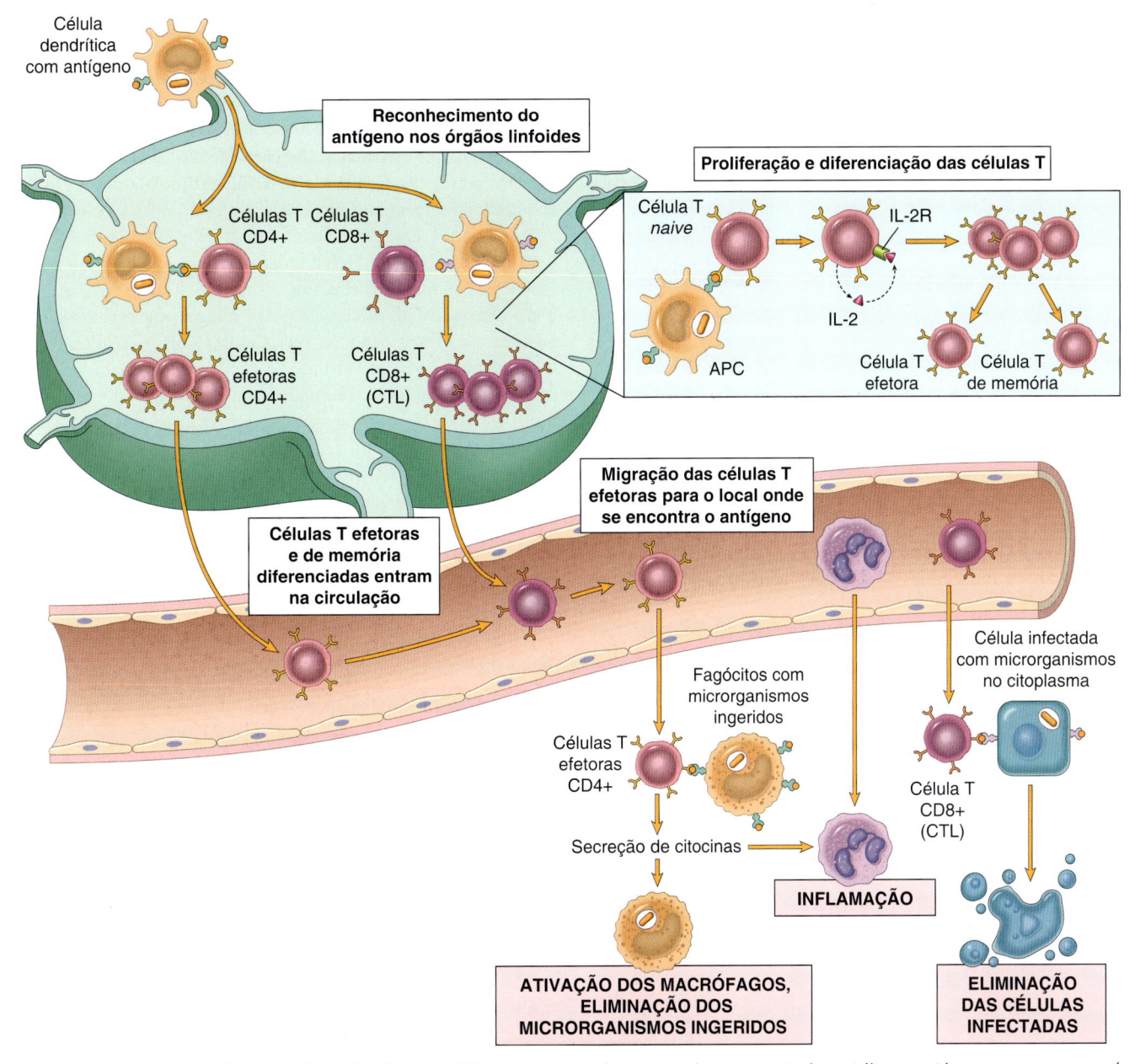

Figura 6.10 Imunidade mediada por células. As células dendríticas capturam antígenos microbianos a partir dos epitélios e tecidos e os transportam até os linfonodos. Durante esse processo, as células dendríticas amadurecem e expressam altos níveis de moléculas do MHC e coestimuladores. As células T *naive* reconhecem antígenos peptídicos associados ao MHC apresentados nas células dendríticas. As células T são ativadas para proliferar e se diferenciar em células efetoras e células de memória, que migram para locais de infecção e desempenham diversas funções na imunidade celular. As células T efetoras CD4+ do subgrupo Th1 reconhecem os antígenos de microrganismos ingeridos pelos fagócitos e os ativam para eliminar esses microrganismos. Outros subgrupos de células efetoras aumentam o recrutamento dos leucócitos e estimulam diferentes tipos de respostas imunes. Os linfócitos T citotóxicos (*CTL*) CD8+ destroem as células infectadas que abrigam microrganismos no citoplasma. Algumas células T ativadas permanecem nos órgãos linfoides e ajudam as células B a produzir anticorpos, e algumas células T diferenciam-se em células de memória de vida longa (*não mostradas*). APC, células apresentadoras de antígenos.

Mesmo antes do reconhecimento dos antígenos de um microrganismo pelos linfócitos T e B, o microrganismo desencadeia uma resposta imune por meio dos receptores de reconhecimento de padrões expressos nas células imunes inatas; esta é a primeira linha de defesa, que também serve para ativar a imunidade adaptativa. No caso da imunização com um antígeno proteico, simuladores microbianos, denominados adjuvantes, são administrados com o antígeno, e eles estimulam as respostas imunes inatas. Durante a resposta inata, o microrganismo ou o adjuvante ativam células apresentadoras de antígeno para expressar moléculas denominadas *coestimuladores* e secretar citocinas que estimulam a proliferação e a diferenciação dos linfócitos T. os principais coestimuladores das células T são as proteínas B7 (CD80 e CD86), que são expressas em células apresentadoras de antígenos e que são reconhecidas pelo receptor de CD28 nas células T *naive*. Por conseguinte, o antígeno ("sinal 1") e as moléculas coestimuladoras produzidas durante as respostas imunes inatas contra os microrganismos ("sinal 2") atuam de modo cooperativo para ativar os linfócitos antígeno específicos (ver **Figura 6.6**). A necessidade do sinal 2 desencadeado pelos microrganismos assegura que a resposta imune adaptativa seja induzida pelos microrganismos, e não por substâncias inofensivas. Nas respostas imunes a tumores e a transplantes, o "sinal 2" pode ser fornecido por substâncias liberadas das células necróticas (os "padrões moleculares associados ao dano" mencionados anteriormente).

As reações e as funções dos linfócitos T e B diferem de maneira importante, de modo que é melhor considerá-los separadamente, embora ambos possam ser ativados concomitantemente em uma resposta imune.

Imunidade mediada por células: ativação dos linfócitos T e eliminação dos microrganismos intracelulares

Os linfócitos T *naive* são ativados por antígenos e coestimuladores nos órgãos linfoides secundários, proliferam e se diferenciam em células efetoras, que migram para qualquer local onde houver antígenos microbianos (ver **Figura 6.10**). Uma das primeiras respostas das células T auxiliares CD4+ consiste na secreção da citocina IL-2 e na expressão de receptores de alta afinidade para a IL-2. Isso cria uma alça autócrina, em que a IL-2 atua como fator de crescimento que estimula a proliferação das células T, o que resulta em aumento do número de linfócitos antígeno-específicos. As funções das células T auxiliares são mediadas pelas ações combinadas do CD40-ligante (CD40L) e das citocinas. Quando as células T auxiliares CD4+ reconhecem antígenos que são apresentados por macrófagos ou por linfócitos B, as células T expressam o CD40L, que se liga ao CD40 nos macrófagos ou nas células B, ativando essas células.

Algumas das células T CD4+ ativadas diferenciam-se em células efetoras, que secretam conjuntos distintos de citocinas e desempenham diferentes funções (Figura 6.11). As células do subgrupo Th1 secretam a citocina IFN-γ, que é um potente ativador dos macrófagos. A combinação da ativação mediada por CD40 e IFN-γ resulta na ativação "clássica" dos macrófagos (ver **Capítulo 3**), o que leva à produção de substâncias microbicidas nos macrófagos e à destruição dos microrganismos ingeridos. As células Th2 produzem IL-4, que estimula a diferenciação das células B em plasmócitos secretores de IgE, e a IL-5, que estimula a produção de eosinófilos na medula óssea e ativa os eosinófilos em locais de resposta imune. Os eosinófilos e os mastócitos ligam-se a microrganismos recobertos por IgE, como os parasitas helmínticos, e atuam para eliminar os helmintos. As células Th2 também induzem a via "alternativa" de ativação dos macrófagos, que está associada ao reparo e fibrose teciduais (ver **Capítulo 3**). As células Th17, assim denominadas em virtude da citocina de assinatura dessas células, que é a IL-17, recrutam neutrófilos e monócitos, que destroem as bactérias e fungos extracelulares e que estão envolvidas em algumas doenças inflamatórias.

Os linfócitos T CD8+ ativados diferenciam-se em CTL, que destroem as células que abrigam microrganismos no citoplasma. Com a destruição das células infectadas, os CTL eliminam os reservatórios de infecção. Os CTL também eliminam células tumorais por meio do reconhecimento de antígenos tumorais específicos derivados de proteínas citoplasmáticas mutadas ou anormais.

Imunidade humoral: ativação dos linfócitos B e eliminação dos microrganismos extracelulares

Uma vez ativados, os linfócitos B proliferam e, em seguida, diferenciam-se em plasmócitos que secretam diferentes classes de anticorpos com funções distintas (Figura 6.12). As respostas

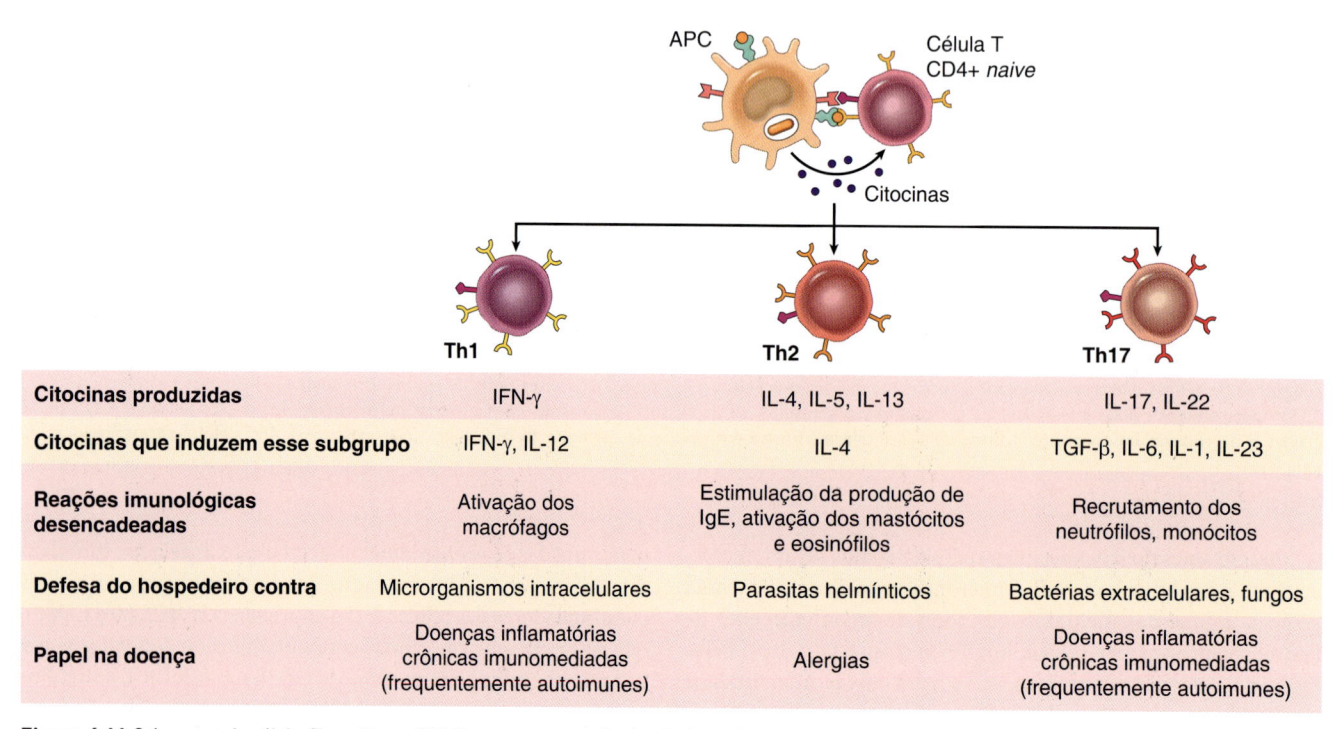

	Th1	Th2	Th17
Citocinas produzidas	IFN-γ	IL-4, IL-5, IL-13	IL-17, IL-22
Citocinas que induzem esse subgrupo	IFN-γ, IL-12	IL-4	TGF-β, IL-6, IL-1, IL-23
Reações imunológicas desencadeadas	Ativação dos macrófagos	Estimulação da produção de IgE, ativação dos mastócitos e eosinófilos	Recrutamento dos neutrófilos, monócitos
Defesa do hospedeiro contra	Microrganismos intracelulares	Parasitas helmínticos	Bactérias extracelulares, fungos
Papel na doença	Doenças inflamatórias crônicas imunomediadas (frequentemente autoimunes)	Alergias	Doenças inflamatórias crônicas imunomediadas (frequentemente autoimunes)

Figura 6.11 Subgrupos de células T auxiliares (*Th*). Em resposta a estímulos (sobretudo citocinas) presentes no momento de reconhecimento do antígeno, as células T CD4+ *naive* podem se diferenciar em populações de células efetoras que produzem conjuntos distintos de citocinas e que desempenham funções diferentes. As reações imunes dominantes desencadeadas por cada subgrupo e seus papéis na defesa do hospedeiro e em doenças imunológicas estão resumidos. Essas populações são capazes de sofrer conversões de uma à outra. Algumas células T ativadas produzem múltiplas citocinas e não se encaixam em um subgrupo distinto.

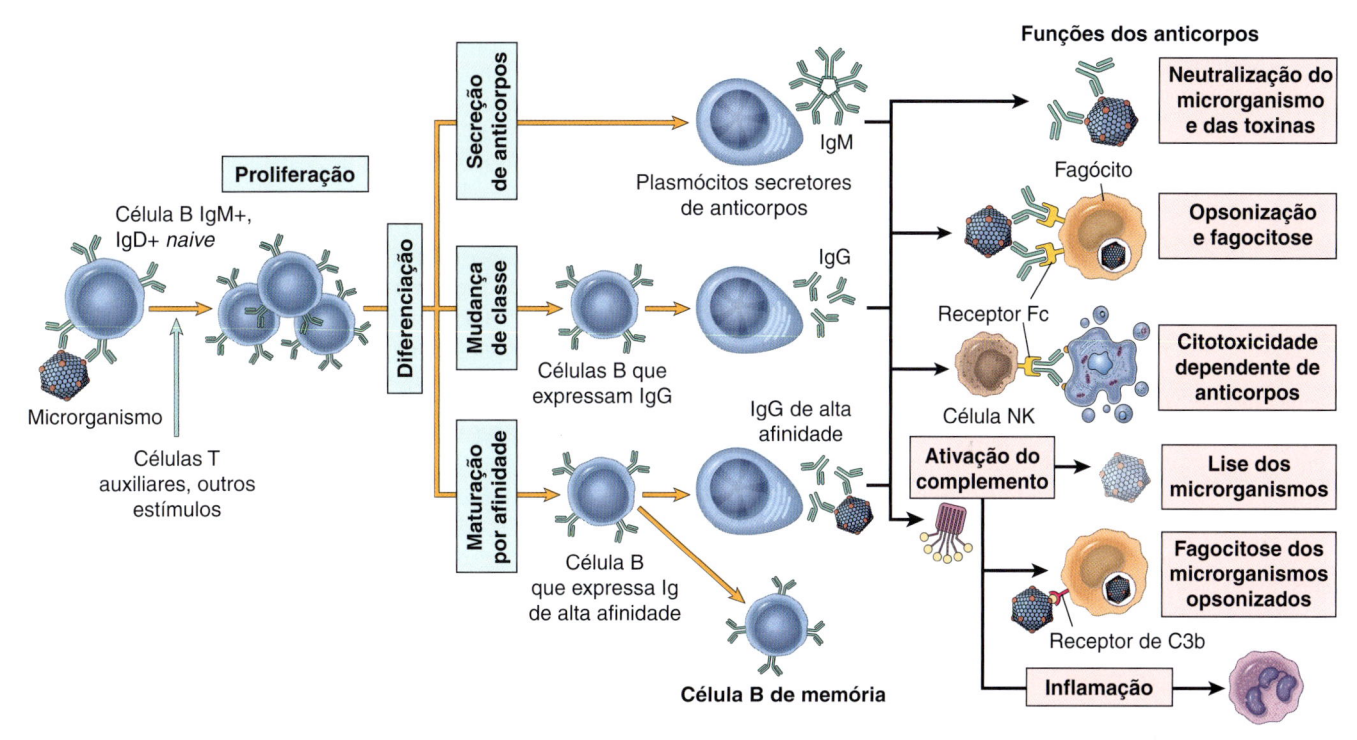

Figura 6.12 Imunidade humoral. Os linfócitos B *naive* reconhecem antígenos, e, sob a influência das células T auxiliares e de outros estímulos (*não mostrados*), as células B são ativadas para proliferar e se diferenciar em plasmócitos secretores de anticorpos. Algumas das células B ativadas sofrem mudança de classe das cadeias pesadas e maturação por afinidade, e algumas transformam-se em células de memória de vida longa. Os anticorpos e diferentes classes de cadeias pesadas (isótipos) desempenham diferentes funções efetoras, mostradas à direita. Observe que os anticorpos mostrados são IgG e IgM (identificadas na figura). A IgG e a IgM ativam o complemento. As funções especializadas da IgA (imunidade da mucosa) e da IgE (ativação dos mastócitos e eosinófilos) não são mostradas.

dos anticorpos à maioria dos antígenos proteicos exigem o auxílio das células T e são designadas como dependentes de T (ou T-dependentes). Nessas respostas, as células B que reconhecem antígenos proteicos por meio de seus receptores Ig capturam esses antígenos por endocitose em vesículas, os degradam e apresentam peptídeos ligados a moléculas do MHC de classe II para reconhecimento por células T auxiliares. As células T auxiliares são ativadas, expressam CD40L e secretam citocinas, que atuam em conjunto para estimular as células B. Muitos antígenos polissacarídicos e lipídicos não podem ser reconhecidos pelas células T (visto que não são capazes de se ligar a moléculas do MHC), porém dispõem de múltiplos determinantes antigênicos idênticos (epítopos) capazes de ocupar muitas moléculas receptoras de antígeno em cada célula B e iniciar o processo de ativação das células B; essas respostas são descritas como independentes de T (T-independentes). As respostas independentes de T são relativamente simples, enquanto as respostas dependentes de T exibem características mais complexas, como mudança do isótipo de Ig e maturação da afinidade (descritas mais adiante), que exigem o auxílio das células T e levam a respostas mais variadas e efetivas.

Cada plasmócito origina-se de uma célula B estimulada por antígeno e secreta anticorpos que reconhecem o mesmo antígeno que estava ligado ao BCR para iniciar a resposta. Os polissacarídeos e os lipídios estimulam a secreção principalmente do anticorpo IgM. Os antígenos proteicos, em virtude das ações das células T auxiliares mediadas por CD40L e por citocinas, induzem a produção de anticorpos de diferentes classes ou isótipos (IgG, IgA, IgE), um processo denominado *mudança de isótipo*. As células T auxiliares também estimulam a produção de anticorpos com grande afinidade pelo antígeno. Esse processo, denominado *maturação da afinidade*, melhora a qualidade da resposta imune humoral. Esses dois processos são iniciados quando as células B ativadas, que recebem sinais provenientes das células T auxiliares durante respostas a antígenos proteicos, migram para o interior dos folículos e começam a proliferar para formar centros germinativos, que constituem os principais locais de mudança de isótipo e maturação da afinidade. As células T auxiliares que estimulam esses processos nos linfócitos B também migram para os centros germinativos, onde passam a residir, e são denominadas células T auxiliares foliculares (TFH).

A resposta imune humoral combate os microrganismos de muitas maneiras (ver **Figura 6.12**). Os anticorpos ligam-se aos microrganismos e os impedem de infectar as células, neutralizando-os. Os anticorpos IgG recobrem (opsonizam) os microrganismos e os marcam como alvos para a fagocitose, visto que os fagócitos (neutrófilos e macrófagos) expressam receptores para as caudas Fc da IgG. A IgG e a IgM ativam o sistema complemento pela via clássica, e os produtos do complemento promovem a fagocitose e a destruição dos microrganismos. Alguns anticorpos desempenham papéis especiais em determinadas regiões anatômicas. A IgA é secretada pelos epitélios das mucosas e neutraliza os microrganismos na luz dos tratos respiratório e gastrintestinal (e outros tecidos mucosos). A IgG é ativamente transportada através da placenta e protege o recém-nascido até que seu sistema imune se torne maduro. A IgE e os eosinófilos cooperam para destruir os parasitas, sobretudo por meio da liberação do conteúdo dos grânulos dos eosinófilos, que é tóxico para os vermes. Conforme assinalado anteriormente, as citocinas Th2 estimulam a produção de IgE e ativam os eosinófilos, de modo que a resposta aos helmintos é coordenada pelas células Th2.

A maioria dos anticorpos IgG circulantes apresenta uma meia-vida de cerca de 3 semanas. Alguns plasmócitos secretores de anticorpos, particularmente aqueles gerados nos centros germinativos, migram para a medula óssea e estabelecem residência por vários meses ou até anos, produzindo anticorpos durante esse período de maneira contínua.

Declínio das respostas imunes e memória imunológica

Os linfócitos efetores induzidos por um patógeno infeccioso morrem, em sua maioria, por apoptose após a eliminação do microrganismo, de modo que o sistema imune retorna a seu estado de repouso. A ativação inicial dos linfócitos também gera células de memória de vida longa, que podem sobreviver durante muitos anos após a infecção. As células de memória consistem em um reservatório expandido de linfócitos antígeno-específicos (mais numerosos do que as células *naive* específicas para qualquer antígeno, que estão presentes antes do encontro com aquele antígeno) e respondem mais rapidamente e de maneira mais efetiva quando são novamente expostas ao antígeno, em comparação com as células *naive*. A geração de células de memória constitui a base da eficácia da vacinação.

> **Conceitos-chave**
>
> **A resposta imune normal: visão geral das células, dos tecidos, dos receptores e dos mediadores**
>
> - O sistema imune inato utiliza várias famílias de receptores (p. ex., receptores do tipo *Toll*) para reconhecer moléculas presentes e compartilhadas em vários tipos de microrganismos e produzidas por células lesadas
> - Os linfócitos são os mediadores da imunidade adaptativa e as únicas células que produzem receptores específicos e diversos para antígenos
> - Os linfócitos T (derivados do timo) expressam receptores de antígenos, denominados TRC, que reconhecem fragmentos peptídicos de antígenos proteicos, que são apresentados por moléculas do MHC na superfície das células apresentadoras de antígenos
> - Os linfócitos B (derivados da medula óssea) expressam anticorpos ligados à membrana, que reconhecem uma ampla variedade de antígenos. As células B são ativadas e transformam-se em plasmócitos, que secretam anticorpos
> - As células NK destroem células que são infectadas por alguns microrganismos ou que estão sob estresse metabólico ou lesadas, sem possibilidade de reparo. As células NK expressam receptores inibitórios, que reconhecem moléculas do MHC que normalmente são expressas em células saudáveis, de modo que elas são impedidas de matar células normais
> - As células apresentadoras de antígenos (APC) capturam microrganismos e outros antígenos, os transportam até os órgãos linfoides secundários e os apresentam para reconhecimento pelos linfócitos. As APC mais eficientes são as células dendríticas (CD), que são encontradas nos epitélios e na maioria dos outros tecidos
> - As células do sistema imune estão organizadas em tecidos, alguns dos quais constituem os locais de produção de linfócitos maduros (os órgãos linfoides primários ou geradores: a medula óssea ou o timo), enquanto outros constituem os locais das respostas imunes (os órgãos linfoides secundários ou periféricos, como linfonodos, baço e tecidos linfoides da mucosa)
> - A reação inicial aos microrganismos é mediada pelos mecanismos da imunidade inata, que sempre estão prontos para responder a esses agentes. Esses mecanismos incluem barreiras epiteliais, fagócitos, células linfoides inatas (ILC), células NK e certas proteínas plasmáticas (p. ex., o sistema complemento). As reações imunes inatas manifestam-se frequentemente como inflamação. A imunidade inata, diferentemente da imunidade adaptativa, não conta com especificidade antigênica nem memória
> - As reações de defesa da imunidade adaptativa desenvolvem-se ao longo de vários dias, porém são mais potentes e especializadas
> - Os microrganismos e outros antígenos estranhos são capturados pelas CD e transportados até os linfonodos, onde os antígenos são reconhecidos por linfócitos *naive*. Os linfócitos são ativados para proliferar e se diferenciar em células efetoras e células de memória
> - A imunidade mediada por células refere-se à reação dos linfócitos T, destinada a combater microrganismos associados a células (p. ex., microrganismos fagocitados e aqueles presentes no citoplasma das células infectadas). A imunidade humoral é mediada por anticorpos e é efetiva contra microrganismos extracelulares (na circulação e na luz das mucosas)
> - As células T auxiliares CD4+ ajudam as células B a produzir anticorpos, ativam os macrófagos para destruir os microrganismos ingeridos, estimulam o recrutamento dos leucócitos e regulam todas as respostas imunes a antígenos proteicos. As funções das células T CD4+ são mediadas por proteínas secretadas, denominadas citocinas. Os linfócitos T citotóxicos CD8+ matam as células que expressam antígenos no citoplasma, que são considerados como estranhos (p. ex., células infectadas por vírus e células tumorais) e também podem produzir citocinas
> - Os anticorpos secretados pelos plasmócitos neutralizam os microrganismos e bloqueiam sua infectividade; além disso, promovem a fagocitose e a destruição dos patógenos. Os anticorpos também conferem imunidade passiva aos recém-nascidos.

A breve descrição da imunologia básica apresentada aqui fornece uma base para o estudo das doenças do sistema imune. Inicialmente, discutiremos as reações imunes que causam lesão, denominadas reações de hipersensibilidade; em seguida, serão descritos os distúrbios causados pela falta de tolerância a autoantígenos, denominados doenças autoimunes, bem como a rejeição dos transplantes. Essa discussão é seguida das doenças causadas pela deficiência do sistema imune, denominadas doenças por imunodeficiência. Concluímos o capítulo com uma discussão da amiloidose, uma doença frequentemente associada a doenças imunes e inflamatórias.

Hipersensibilidade: lesão tecidual imunologicamente mediada

As reações imunes lesivas, denominadas hipersensibilidade, são responsáveis pela patologia associada às doenças imunológicas. Esse termo surgiu da ideia de que os indivíduos que foram previamente expostos a determinado antígeno manifestam reações detectáveis a esse antígeno e, portanto, são considerados sensibilizados. A hipersensibilidade implica uma reação excessiva ou prejudicial a determinado antígeno. Existem várias características gerais importantes das doenças por hipersensibilidade:

- As reações de hipersensibilidade podem ser desencadeadas por antígenos ambientais exógenos (microbianos e não microbianos) ou por antígenos próprios endógenos. Os antígenos exógenos incluem aqueles encontrados na poeira, no pólen, nos alimentos, medicamentos, microrganismos e várias substâncias químicas. As respostas imunes contra esses antígenos exógenos podem assumir várias formas, desde um desconforto desagradável, porém insignificante, como prurido da pele, até doenças potencialmente fatais, como a anafilaxia. Algumas das reações mais comuns aos antígenos ambientais formam o grupo de doenças conhecido como alergia. As respostas imunes contra antígenos próprios ou autólogos causam doenças autoimunes
- Em geral, a hipersensibilidade resulta de um desequilíbrio entre os mecanismos efetores das respostas imunes e os mecanismos de controle que servem para limitar essas respostas. De fato, em muitas doenças por hipersensibilidade, suspeita-se que causa subjacente consista em falha da regulação normal. Retornaremos a esse conceito quando consideraremos a autoimunidade
- O desenvolvimento de doenças por hipersensibilidade (tanto alérgicas quanto autoimunes) frequentemente está associado à herança de determinados genes de suscetibilidade. Os genes HLA e muitos genes não HLA foram implicados em diferentes doenças; exemplos específicos serão fornecidos no contexto das doenças
- Os mecanismos de lesão tecidual nas reações de hipersensibilidade são os mesmos que os mecanismos efetores de defesa contra patógenos infecciosos. O problema na hipersensibilidade é o fato de que essas reações são insuficientemente controladas, excessivas ou mal direcionadas (p. ex., contra antígenos ambientais e autoantígenos normalmente inofensivos).

Classificação das reações de hipersensibilidade

As reações de hipersensibilidade podem ser classificadas com base no mecanismo imunológico subjacente (**Tabela 6.1**). Essa classificação é valiosa para distinguir a maneira pela qual uma resposta imune provoca lesão tecidual e doença, assim como as manifestações patológicas e clínicas que as acompanham. Entretanto, há um reconhecimento cada vez maior de que múltiplos mecanismos podem ser operantes em qualquer doença. Os principais tipos de reações de hipersensibilidade são os seguintes:

- Na *hipersensibilidade imediata (hipersensibilidade de tipo I)*, a lesão é causada por células Th2, anticorpos IgE e mastócitos e outros leucócitos. Os mastócitos liberam mediadores que atuam sobre os vasos sanguíneos e músculo liso e citocinas pró-inflamatórias que recrutam células inflamatórias
- Nos *distúrbios mediados por anticorpos (hipersensibilidade de tipo II)*, os anticorpos IgG e IgM secretados provocam lesão às células, promovendo sua fagocitose ou lise, bem como lesão dos tecidos, o que induz inflamação. Os anticorpos também podem interferir nas funções celulares e causar doença sem lesão tecidual
- Nos *distúrbios mediados por imunocomplexos (hipersensibilidade de tipo III)*, os anticorpos IgM e IgG costumam se ligar a antígenos na circulação, e os complexos antígeno-anticorpo depositam-se nos tecidos e induzem inflamação. Os leucócitos que são recrutados (neutrófilos e monócitos) produzem dano tecidual por meio da liberação de enzimas lisossômicas e geração de radicais livres tóxicos
- Nos *distúrbios imunes mediados por células (hipersensibilidade de tipo IV)*, os linfócitos T (células Th1, Th17 e CTL CD8+) constituem a causa da lesão tecidual.

Hipersensibilidade imediata (tipo I)

A hipersensibilidade imediata ou de tipo I refere-se a uma rápida reação imunológica que ocorre em um indivíduo previamente sensibilizado, que é desencadeada pela ligação de um antígeno ao anticorpo IgE na superfície dos mastócitos. Essas reações são frequentemente denominadas *alergia*, e os antígenos que as desencadeiam são alergênios. A hipersensibilidade imediata pode ocorrer como distúrbio sistêmico ou como reação local. Com

Tabela 6.1 Mecanismos das reações de hipersensibilidade.

Tipo	Mecanismos imunes	Lesões histopatológicas	Distúrbios prototípicos
Hipersensibilidade imediata (tipo I)	Produção de anticorpo IgE → liberação imediata de aminas vasoativas e outros mediadores pelos mastócitos; recrutamento posterior de células inflamatórias	Dilatação vascular, edema, contração do músculo liso, produção de muco, lesão tecidual, inflamação	Anafilaxia; alergias; asma brônquica (formas atópicas)
Hipersensibilidade mediada por anticorpos (tipo II)	Produção de IgG e IgM → ligam-se ao antígeno na célula ou tecido-alvo → fagocitose ou lise da célula-alvo pelo complemento ativado ou receptores Fc; recrutamento de leucócitos	Fagocitose e lise das células; inflamação; em algumas doenças, alterações funcionais sem lesão celular ou tecidual	Anemia hemolítica autoimune; síndrome de Goodpasture
Hipersensibilidade mediada por imunocomplexos (tipo III)	Deposição de complexos antígeno-anticorpo → ativação do complemento → recrutamento de leucócitos por produtos do complemento e receptores Fc → liberação de enzimas e outras moléculas tóxicas	Inflamação, vasculite necrosante (necrose fibrinoide)	Lúpus eritematoso sistêmico; algumas formas de glomerulonefrite; doença do soro; reação de Arthus
Hipersensibilidade mediada por células (tipo IV)	Linfócitos T ativados → (1) liberação de citocinas, inflamação e ativação dos macrófagos; (2) citotoxicidade mediada por células T	Infiltrados celulares perivasculares; edema; formação de granulomas; destruição celular	Dermatite de contato; esclerose múltipla; diabetes melito tipo I; tuberculose

Ig, imunoglobulina.

mais frequência, a reação sistêmica ocorre após injeção de um antígeno em um indivíduo sensibilizado (p. ex., por picada de abelha), mas também pode ocorrer após a ingestão de antígenos (p. ex., alergênios do amendoim). Algumas vezes, em questão de minutos, o paciente entra em estado de choque, que pode ser fatal. As reações locais são diversas e variam, dependendo da porta de entrada do alergênio. Podem assumir a forma de exantema cutâneo ou bolhas localizadas (alergia cutânea, urticária), secreção nasal e conjuntival (rinite e conjuntivite alérgicas), febre do feno, asma brônquica ou gastrenterite alérgica (alergia alimentar).

Muitas reações locais de hipersensibilidade de tipo I apresentam duas fases bem definidas (**Figura 6.13**). A reação imediata caracteriza-se por vasodilatação, extravasamento vascular e, dependendo do tecido, espasmo dos músculos lisos ou secreções glandulares. Em geral, essas alterações tornam-se evidentes nos primeiros minutos após a exposição a determinado alergênio e tendem a diminuir em algumas horas. Em muitos casos (p. ex., rinite alérgica e asma brônquica), surge uma reação de fase tardia 2 a 24 horas depois, sem qualquer exposição adicional ao antígeno, que pode durar vários dias. Essa reação de fase tardia caracteriza-se por infiltração dos tecidos com eosinófilos, neutrófilos, basófilos, monócitos e células T CD4+, bem como por destruição tecidual, normalmente na forma de lesão celular epitelial da mucosa.

Os distúrbios por hipersensibilidade imediata são causados, em sua maioria, por respostas Th2 excessivas, e essas células desempenham um papel central ao estimular a produção de IgE e promover a inflamação. Esses distúrbios mediados por células Th2 exibem uma sequência característica de eventos (**Figura 6.14**), descrita em seguida.

Ativação das células Th2 e produção de anticorpos IgE

A primeira etapa na geração de células Th2 é a apresentação do antígeno a células T auxiliares CD4+ *naive*, provavelmente por CD que capturam o antígeno a partir de seu local de entrada. Por motivos que ainda não foram elucidados, apenas alguns antígenos ambientais desencadeiam respostas intensas das células Th2 e, portanto, atuam como alergênios. Em resposta ao antígeno e a outros estímulos, incluindo citocinas, como a IL-4 produzida no local, as células T diferenciam-se em células Th2. As células Th2 recém-formadas produzem diversas citocinas ao encontrarem novamente o antígeno; conforme assinalado anteriormente, as citocinas de assinatura nesse subgrupo são a IL-4, a IL-5 e a IL-13. A IL-4 atua nas células B ao estimular a mudança de classe para a IgE e ao promover o desenvolvimento de mais células Th2. A IL-5 está envolvida no desenvolvimento e na ativação dos eosinófilos, que constituem importantes efetores da hipersensibilidade de tipo I (discutidos adiante). A IL-13 intensifica a produção de IgE e atua sobre as células epiteliais, estimulando a secreção de muco. Além disso, as células Th2, bem como os mastócitos e as células epiteliais, produzem quimiocinas que atraem mais células Th2, bem como outros leucócitos, para o local da reação. Os pacientes com doenças atópicas crônicas, como asma e dermatite atópica, são algumas vezes classificados na categoria de Th2 altos ou Th2 baixos, com base em biomarcadores que refletem a intensidade da resposta patológica das células T nesses pacientes. Essa classificação pode servir como guia para a terapia, visto que os antagonistas das citocinas das células Th2 (IL-4, IL-5) são previsivelmente mais efetivos no grupo Th2 alto.

Antes do desenvolvimento das respostas das células Th2, as ILC de tipo 2 nos tecidos podem responder às citocinas produzidas pelos epitélios danificados. Essas ILC secretam IL-5 e IL-13 e, portanto, são capazes de induzir as mesmas reações teciduais do que as células Th2 clássicas. Com o passar do tempo, as células Th2 tornam-se as células dominantes que contribuem para a resposta local das citocinas.

Sensibilização e ativação dos mastócitos

Como os mastócitos são fundamentais para o desenvolvimento da hipersensibilidade imediata, analisaremos em primeiro lugar algumas de suas características relevantes. Os mastócitos são células derivadas da medula óssea, que estão amplamente distribuídas nos tecidos. São abundantes próximo aos pequenos vasos sanguíneos e nervos, bem como nos tecidos epiteliais, o que explica por que as reações de hipersensibilidade imediata locais frequentemente ocorrem nessas áreas. Os mastócitos têm grânulos citoplasmáticos delimitados por membrana, que contêm uma variedade de

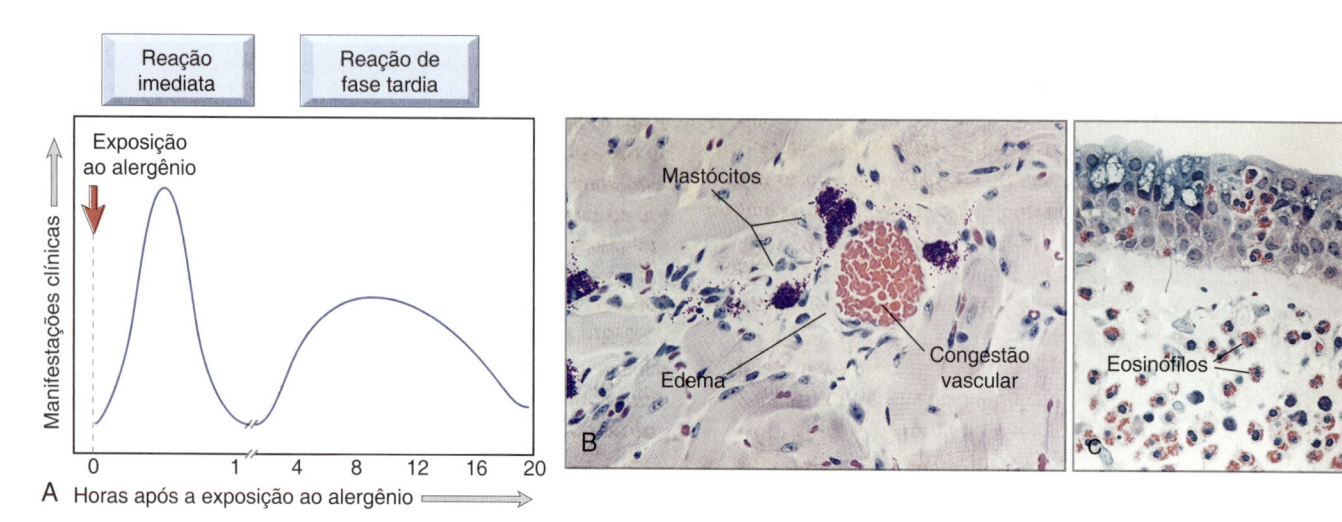

Figura 6.13 Fases das reações de hipersensibilidade imediata. **A.** Cinética das reações imediata e de fase tardia. A reação imediata vascular e do músculo liso ao alergênio desenvolve-se em questão de minutos após o estímulo (exposição ao alergênio em um indivíduo previamente sensibilizado), enquanto a reação de fase tardia desenvolve-se 2 a 24 horas depois. A reação imediata (**B**) caracteriza-se por vasodilatação, congestão e edema, enquanto a reação de fase tardia (**C**), por um infiltrado inflamatório rico em eosinófilos, neutrófilos e células T. (Cortesia do Dr. Daniel Friend, Department of Pathology, Brigham and Women's Hospital, Boston, Mass.)

essas células estavam localizadas.) Conforme descrito de modo detalhado, a seguir, os mastócitos (e seus correspondentes circulantes, os basófilos) são ativados pela ligação cruzada dos receptores de alta afinidade da Fc da IgE; além disso, os mastócitos também podem ser ativados por vários outros estímulos, como os componentes do complemento C5a e C3a (denominados anafilatoxinas, visto que desencadeiam reações que simulam a anafilaxia), ambos os quais atuam por meio de sua ligação a receptores na membrana dos mastócitos. Outros secretagogos dos mastócitos incluem algumas quimiocinas (p. ex., IL-8), medicamentos como a codeína e a morfina, adenosina, melitina (presente no veneno das abelhas) e estímulos físicos (p. ex., calor, frio, luz solar). Os basófilos assemelham-se aos mastócitos em muitos aspectos, como a presença de receptores Fc de IgE de superfície celular, bem como grânulos citoplasmáticos. Entretanto, diferentemente dos mastócitos, os basófilos não estão normalmente presentes nos tecidos, porém são encontrados circulando no sangue em pequeno número. À semelhança de outros granulócitos, os basófilos podem ser recrutados para os locais de inflamação.

Quando um mastócito carregado de anticorpos IgE anteriormente produzidos em resposta a determinado antígeno é exposto ao mesmo antígeno, a célula é ativada, levando à liberação de um arsenal de poderosos mediadores, que são responsáveis pelas reações de hipersensibilidade imediata. Os mastócitos e os basófilos expressam um receptor de alta afinidade, denominado FcεRI, que é específico para a porção Fc da IgE e que se liga avidamente aos anticorpos IgE. Os mastócitos recobertos por IgE são designados sensibilizados, visto que são ativados por encontros subsequentes com o antígeno. Na primeira etapa da ativação, o antígeno liga-se aos anticorpos IgE na superfície dos mastócitos. Os antígenos multivalentes ligam-se a anticorpos IgE adjacentes e estabelecem ligações cruzadas, unindo os receptores FcεRI subjacentes. Isso desencadeia vias de transdução de sinais a partir da porção citoplasmática dos receptores, levando à liberação de mediadores pré-formadas e à produção *de novo* de mediadores, que são responsáveis pelos sintomas iniciais e algumas vezes explosivos da hipersensibilidade imediata e que também desencadeiam os eventos que levam à reação de fase tardia.

Mediadores da hipersensibilidade imediata

A ativação dos mastócitos leva à degranulação, com descarga de mediadores pré-formados que estão armazenados nos grânulos, e à síntese *de novo* e liberação de mediadores adicionais, como produtos lipídicos e citocinas (**Figura 6.15**).

Conteúdo dos grânulos. Os mediadores contidos nos grânulos dos mastócitos são os primeiros a serem liberados e podem ser divididos em três categorias:

- *Aminas vasoativas.* A *histamina* é a amina mais importante derivada dos mastócitos (ver **Capítulo 3**). A histamina provoca intensa contração do músculo liso, aumenta a permeabilidade vascular e estimula a secreção de muco pelas glândulas nasais, brônquicas e gástricas
- *Enzimas.* As enzimas estão contidas na matriz dos grânulos e incluem proteases neutras (quimase, triptase) e várias hidrolases ácidas. As enzimas causam lesão tecidual e levam à geração de citocinas e componentes ativados do complemento (p. ex., C3a) por meio de sua atuação sobre proteínas precursoras
- *Proteoglicanos.* Incluem a heparina, um anticoagulante bem conhecido, e o sulfato de condroitina. Os proteoglicanos servem para acondicionar e armazenar as aminas nos grânulos.

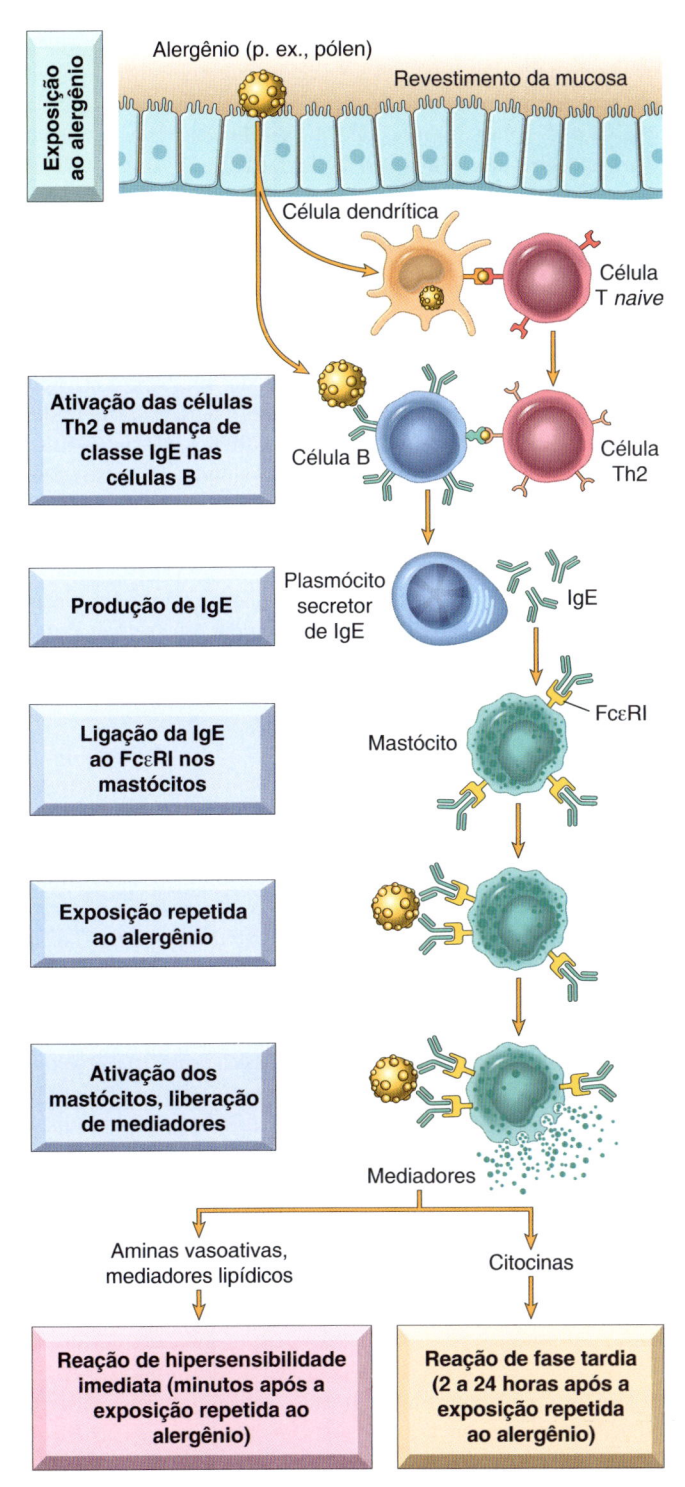

Figura 6.14 Sequência de eventos na hipersensibilidade imediata (tipo I). As reações de hipersensibilidade imediata são iniciadas pela introdução de um alergênio, que estimula as respostas das células Th2 e a produção de IgE em indivíduos geneticamente suscetíveis. A IgE liga-se aos receptores Fc (FcεRI) nos mastócitos, e a exposição subsequente ao alergênio ativa os mastócitos que então secretam os mediadores responsáveis pelas manifestações patológicas da hipersensibilidade imediata.

mediadores biologicamente ativos, descritos mais adiante. Os grânulos também contêm proteoglicanos ácidos, que se ligam a corantes básicos, como o azul de toluidina. (*Mast*, termo em alemão que se refere à engorda de animais, e o nome dessas células provém da crença errônea de que seus grânulos nutriam o tecido onde

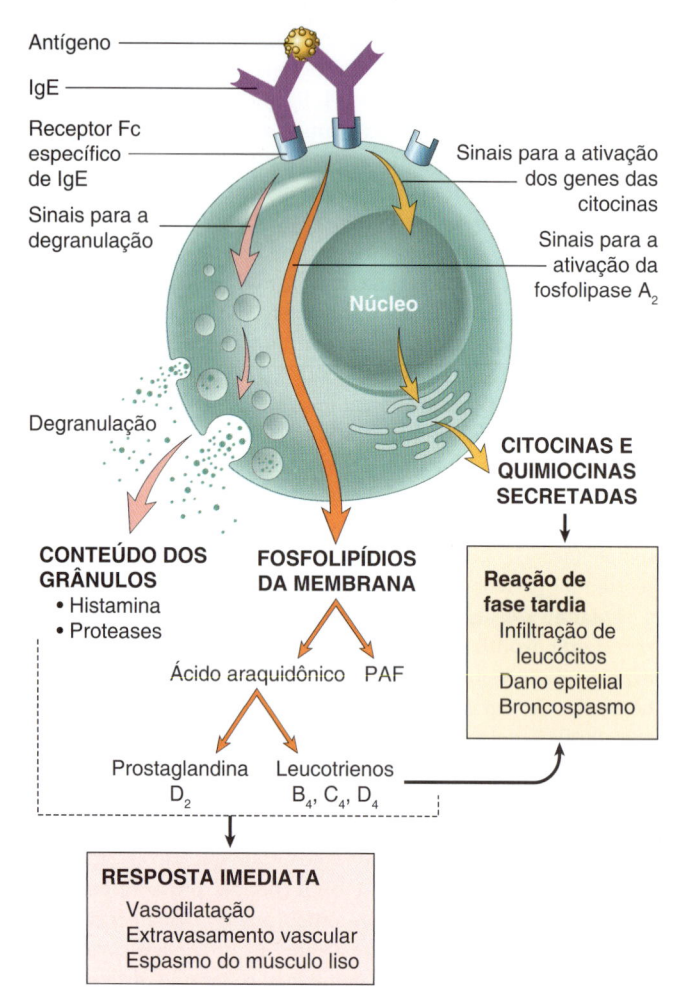

Figura 6.15 Mediadores dos mastócitos. Em consequência de sua ativação, os mastócitos liberam várias classes de mediadores, que são responsáveis pelas reações imediata e de fase tardia. PAF, fator de ativação das plaquetas.

Citocinas. Os mastócitos constituem a fonte de muitas citocinas, que podem desempenhar um importante papel em vários estágios das reações de hipersensibilidade imediata. As citocinas incluem: o TNF, a IL-1 e as quimiocinas, que promovem o recrutamento dos leucócitos (típico da reação de fase tardia); a IL-4 que amplifica a resposta das células Th2; e muitas outras. As células inflamatórias que são recrutadas pelo TNF e pelas quimiocinas derivadas dos mastócitos constituem fontes adicionais de citocinas.

Os mediadores produzidos pelos mastócitos são responsáveis pela maioria das manifestações das reações de hipersensibilidade imediata. Alguns desses mediadores, como a histamina e os leucotrienos, são liberados rapidamente dos mastócitos sensibilizados e desencadeiam as reações imediatas intensas caracterizadas por edema, secreção de muco e espasmo do músculo liso; outros, exemplificados pelas citocinas, incluindo as quimiocinas, dão início à resposta de fase tardia, recrutando leucócitos adicionais. Essas células inflamatórias não apenas liberam ondas adicionais de mediadores (incluindo citocinas), mas também causam lesão às células epiteliais. As próprias células epiteliais não são espectadoras passivas nessa reação; elas também podem produzir mediadores solúveis, como as quimiocinas.

Reação de fase tardia

Na reação de fase tardia, os leucócitos são recrutados para amplificar e sustentar a resposta inflamatória sem exposição adicional ao antígeno desencadeante. Os *eosinófilos* constituem, com frequência, uma população abundante de leucócitos nessas reações (ver **Figura 6.13C**). São recrutados para locais de hipersensibilidade imediata por quimiocinas, como a eotaxina, e outras, que podem ser produzidas pelas células epiteliais, células Th2 e mastócitos. A IL-5, uma citocina das células Th2, é a citocina ativadora de eosinófilos mais potente conhecida. Ao serem ativados, os eosinófilos liberam enzimas proteolíticas, bem como duas proteínas únicas, denominadas proteína básica principal e proteína catiônica do eosinófilo, que provocam dano aos tecidos. Os eosinófilos contêm cristais, denominados cristais de Charcot-Leyden, compostos da proteína galectina 10, que algumas vezes são liberados no espaço extracelular e podem ser detectados no escarro de pacientes com asma. Esses cristais promovem inflamação e intensificam as respostas das células Th2, o que pode contribuir para as reações alérgicas. Acredita-se agora que a reação de fase tardia constitua uma importante causa dos sintomas observados em algumas doenças associadas à hipersensibilidade de tipo I, como a asma alérgica. Por conseguinte, o tratamento dessas doenças exige o uso de medicamentos anti-inflamatórios de amplo espectro, como os esteroides, em vez de anti-histamínicos, que são benéficos apenas na reação imediata, como a que ocorre na rinite alérgica (febre do feno).

Desenvolvimento de alergias

A suscetibilidade às reações de hipersensibilidade imediata é geneticamente determinada. A propensão ao desenvolvimento de reações de hipersensibilidade imediata é denominada *atopia*. Os indivíduos atópicos tendem a apresentar níveis séricos de IgE mais elevados e mais células Th2 produtoras de IL-4 do que a população geral. Um histórico familiar de alergia é observado em 50% dos indivíduos atópicos. A base da predisposição familiar não está bem esclarecida, porém estudos realizados em pacientes com asma revelam uma ligação a polimorfismos em vários genes que codificam citocinas com papéis importantes na reação alérgica,

Mediadores lipídicos. Os principais mediadores lipídicos são produtos derivados do ácido araquidônico (ver **Capítulo 3**). A ativação dos mastócitos está associada à ativação da fosfolipase A_2, uma enzima que converte os fosfolipídios de membrana em ácido araquidônico. Trata-se do composto original a partir do qual são produzidos os leucotrienos e as prostaglandinas pelas vias da 5-lipo-oxigenase e da ciclo-oxigenase, respectivamente:

- *Leucotrienos.* Os leucotrienos C_4 e D_4 são os agentes vasoativos e espasmogênicos mais potentes conhecidos. Em base molar, são vários milhares de vezes mais ativos do que a histamina no aumento da permeabilidade vascular e na indução da contração do músculo liso brônquico. O leucotrieno B_4 é altamente quimiotático para os neutrófilos, os eosinófilos e os monócitos.
- *Prostaglandina D_2.* Trata-se do mediador mais abundante produzido nos mastócitos pela via de ciclo-oxigenase. Provoca broncospasmo intenso e aumenta a secreção de muco.
- *Fator ativador das plaquetas (PAF).* O PAF (ver **Capítulo 3**) é um mediador lipídico produzido por algumas populações de mastócitos, que não deriva do ácido araquidônico. Provoca agregação plaquetária, liberação de histamina, broncospasmo, aumento da permeabilidade vascular e vasodilatação. Seu papel nas reações de hipersensibilidade imediata não está bem estabelecido.

incluindo os genes das citocinas IL-3, IL-4, IL-5, IL-9, IL-13 e GM-CSF. Não se sabe como os polimorfismos associados à doença influenciam o desenvolvimento de alergias. Foi também observado uma ligação com polimorfismos nos genes HLA localizados no cromossomo 6, sugerindo que a herança de certos alelos do HLA permite uma reatividade a certos alergênios.

Os **fatores ambientais** também são importantes no desenvolvimento nas doenças alérgicas. A exposição a poluentes ambientais, que é comum nas sociedades industrializadas, constitui um importante fator predisponente para a alergia. Por exemplo, os cães e os gatos divergiram dos seres humanos há cerca de 95 milhões de anos e são geneticamente distintos destes. Em comparação, os chimpanzés, que divergiram há apenas cerca de 4 a 5 milhões de anos, são > 95% geneticamente idênticos aos seres humanos; contudo, os cães e os gatos, que vivem no mesmo ambiente que os seres humanos, desenvolvem alergias, o que não ocorre com os chimpanzés. Essa observação sugere que os fatores ambientais podem ser mais importantes no desenvolvimento de doenças alérgicas do que a genética. As infecções virais das vias respiratórias constituem gatilhos para a asma brônquica, uma doença alérgica que afeta os pulmões (ver **Capítulo 15**).

Estima-se que 20 a 30% das reações de hipersensibilidade imediata sejam desencadeados por estímulos não antigênicos, como extremos de temperatura e exercício, e não envolvam as células Th2 nem a IgE; essas reações são algumas vezes denominadas *alergia não atópica*. Nesses casos, acredita-se que os mastócitos sejam anormalmente sensíveis à ativação por vários estímulos não imunes.

A incidência de muitas doenças alérgicas aumentou nos países de alta renda, com a urbanização das populações e a diminuição da exposição ao ambiente natural. Essas observações levaram a uma ideia, algumas vezes denominada *teoria da higiene*, de que o início da infância e até mesmo a exposição pré-natal a antígenos microbianos "educa" o sistema imune, de modo a impedir a ocorrência subsequente de respostas patológicas contra alergênios ambientais comuns. Dessa maneira, paradoxalmente, o aumento da higiene no início da infância pode aumentar as alergias em uma fase posterior da vida. Entretanto, é difícil comprovar essa hipótese, e os mecanismos subjacentes não foram definidos.

Após considerar os mecanismos básicos da hipersensibilidade de tipo I, apresentamos alguns exemplos clinicamente importantes de doenças mediadas por IgE. Essas reações podem levar a um amplo espectro de lesões e manifestações clínicas (**Tabela 6.2**).

Anafilaxia sistêmica

A anafilaxia sistêmica caracteriza-se por choque vascular, edema generalizado e dificuldade na respiração. Pode ocorrer em indivíduos sensibilizados no ambiente hospitalar após a administração de proteínas estranhas (p. ex., antissoro), hormônios, enzimas, polissacarídeos e medicamentos (p. ex., o antibiótico penicilina), ou na comunidade, após exposição a alergênios alimentares (p. ex., amendoins, frutos do mar) ou a toxinas de insetos (p. ex., aquelas encontradas no veneno das abelhas). Doses muito pequenas de antígenos podem desencadear a anafilaxia, como, as minúsculas quantidades utilizadas no teste cutâneo para alergias. Dado o risco de reações alérgicas graves a quantidades muito pequenas de amendoim em acomodações confinadas, as companhias aéreas comerciais deixaram, em sua maioria, de oferecer essa oleaginosa ou alimentos que o contenham. Poucos minutos após a exposição a alergênios, aparecem prurido, urticária e eritema cutâneo, seguidos, pouco depois, de acentuada contração dos

Tabela 6.2 Exemplos de distúrbios causados por hipersensibilidade imediata.

Síndrome clínica	Manifestações clínicas e patológicas
Anafilaxia (pode ser causada por fármacos, picada de abelha, alimentos)	Queda da pressão arterial (choque) causada por dilatação vascular; obstrução das vias respiratórias devido ao edema de laringe
Asma brônquica	Obstrução das vias respiratórias causadas pela hiperatividade do músculo liso brônquico; inflamação e lesão tecidual causadas pela reação de fase tardia
Rinite alérgica, sinusite (febre do feno)	Aumento da secreção de muco; inflamação das vias respiratórias superiores, seios paranasais
Alergias alimentares	Aumento do peristaltismo, devido à contração dos músculos intestinais

bronquíolos pulmonares e desconforto respiratório. O edema laríngeo resulta em rouquidão e compromete ainda a respiração. Em seguida, ocorrem vômitos, cólicas abdominais, diarreia e obstrução da laringe, e o paciente pode evoluir para o choque até mesmo para a morte dentro de uma hora. O risco de anafilaxia precisa ser considerado quando são administrados certos agentes terapêuticos. Embora seja comum que pacientes com risco apresentem histórico de alergia, a ausência dele não descarta a possibilidade de reação anafilática.

Reações de hipersensibilidade imediata localizadas

Cerca de 10 a 20% da população sofre de alergias que envolvem reações localizadas a alergênios ambientais comuns, como pólen, pelos de animais, poeira doméstica, alimentos e outros. As doenças específicas incluem urticária, rinite alérgica (febre do feno), asma brônquica, dermatite atópica e alergias alimentares, que serão discutidas em outra parte desse texto.

Conceitos-chave

Hipersensibilidade imediata (tipo I)

- Essas reações são também denominadas reações alérgicas ou alergias
- São induzidas por antígenos ambientais (alergênios), que estimulam uma acentuada resposta das células Th2 e a produção de IgE em indivíduos geneticamente suscetíveis
- A IgE adere aos mastócitos por meio de sua ligação aos receptores FcεRI; a reexposição ao alergênio leva à ligação cruzada da IgE e FcεRI, ativação dos mastócitos e liberação de mediadores
- Os principais mediadores são a histamina, as proteases e outros conteúdos dos grânulos; prostaglandinas e leucotrienos; e citocinas
- Os mediadores são responsáveis pelas reações vasculares e do músculo liso imediatas e pela reação de fase tardia (inflamação)
- As manifestações clínicas podem ser localizadas ou sistêmicas e variam desde rinite levemente incômoda até anafilaxia fatal.

Hipersensibilidade mediada por anticorpos (tipo II)

Os anticorpos que reagem com antígenos presentes nas superfícies celulares ou na matriz extracelular provocam doença ao destruir essas células, desencadear a inflamação ou interferir nas funções normais. Os anticorpos podem ser específicos para antígenos celulares ou teciduais normais (autoanticorpos) ou para antígenos exógenos, como substâncias químicas ou proteínas microbianas, que se ligam a uma superfície celular ou matriz tecidual. Os mecanismos dependentes de anticorpos que provocam lesão tecidual e doença estão ilustrados na **Figura 6.16** e descritos a seguir. Essas reações constituem a causa de várias doenças importantes (**Tabela 6.3**).

Opsonização e fagocitose

A fagocitose é, em grande parte, responsável pela eliminação de células recobertas por anticorpos. As células opsonizadas por anticorpos IgG são reconhecidas por receptores Fc dos fagócitos, que são específicos para as porções Fc de algumas subclasses de IgG. Além disso, quando anticorpos IgM ou IgG são depositados na superfície das células, eles podem ativar o sistema complemento pela via clássica. A ativação do complemento gera produtos de clivagem de C3, sobretudo C3b e C4b, que são depositados na superfície das células e reconhecidos por fagócitos que expressam receptores para essas proteínas. O resultado final é a fagocitose das células opsonizadas e sua destruição dentro dos fagócitos (ver **Figura 6.16A**). A ativação do complemento nas células também leva à formação do complexo de ataque à membrana, que rompe a integridade da membrana por meio da criação de "perfurações" na bicamada lipídica, com consequente lise osmótica das células. É provável que esse mecanismo seja efetivo para destruir apenas as células e os microrganismos com paredes celulares finas.

A destruição de células mediada por anticorpos também pode ocorrer por outro processo, denominado citotoxicidade celular

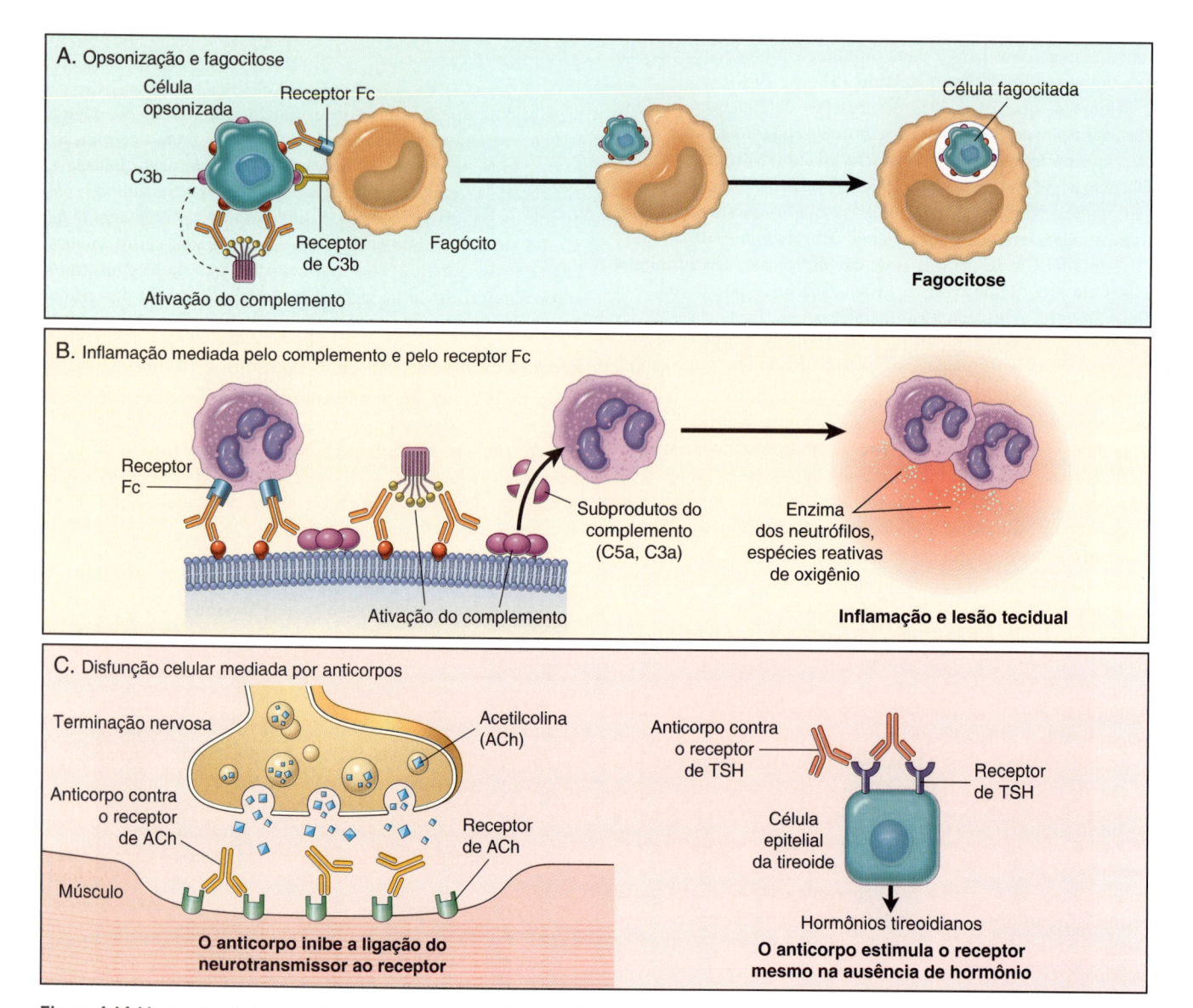

Figura 6.16 Mecanismos da lesão mediada por anticorpos. **A.** Opsonização das células por anticorpos e por componentes do complemento e ingestão pelos fagócitos. **B.** Inflamação induzida pela ligação dos anticorpos a receptores Fc dos leucócitos e por produtos de degradação do complemento. **C.** Os anticorpos antirreceptor alteram a função normal dos receptores. Nesses exemplos, anticorpos contra o receptor de acetilcolina (*ACh*) prejudicam a transmissão neuromuscular na miastenia *gravis*, e os anticorpos contra o receptor do hormônio tireoestimulante (*TSH*) ativam as células da tireoide na doença de Graves.

Capítulo 6 Doenças do Sistema Imunológico | 213

Tabela 6.3 Exemplos de doenças mediadas por anticorpos (hipersensibilidade de tipo II).

Doença	Antígeno-alvo	Mecanismos da doença	Manifestações clínico-patológicas
Anemia hemolítica autoimune	Proteínas da membrana dos eritrócitos (antígenos do grupo sanguíneo Rh, antígeno I)	Opsonização e fagocitose dos eritrócitos	Hemólise, anemia
Púrpura trombocitopênica autoimune	Proteínas da membrana das plaquetas (integrina GpIIb-IIIa)	Opsonização e fagocitose das plaquetas	Sangramento
Pênfigo vulgar	Proteínas nas junções intercelulares das células epidérmicas (desmogleínas)	Ativação das proteases mediada por anticorpos, ruptura das adesões intercelulares	Vesículas (bolhas) cutâneas
Vasculite causada por ANCA	Proteínas dos grânulos dos neutrófilos, presumivelmente liberadas dos neutrófilos ativados	Degranulação dos neutrófilos e inflamação	Vasculite
Síndrome de Goodpasture	Proteína não colagênica nas membranas basais dos glomérulos renais e dos alvéolos pulmonares	Inflamação mediada pelo complemento e por receptor Fc	Nefrite, hemorragia pulmonar
Febre reumática aguda	Antígeno da parede celular dos estreptococos; reação cruzada dos anticorpos com antígeno do miocárdio	Inflamação, ativação dos macrófagos	Miocardite, artrite
Miastenia *gravis*	Receptor de acetilcolina	O anticorpo inibe a ligação da acetilcolina, inframodula os receptores	Fraqueza muscular, paralisia
Doença de Graves (hipertireoidismo)	Receptor de TSH	Estimulação dos receptores de TSH mediada por anticorpos	Hipertireoidismo
Anemia perniciosa	Fator intrínseco das células parietais gástricas	Neutralização do fator intrínseco, diminuição da absorção de vitamina B_{12}	Eritropoese anormal, anemia

ANCA, anticorpos anticitoplasma de neutrófilos; TSH, hormônio tireoestimulante.

dependente de anticorpos (ADCC, *antibody-dependent cellular cytotoxicity*). As células que são recobertas por anticorpos IgG são eliminadas por células efetoras, sobretudo células NK e macrófagos, que se ligam ao alvo por meio de seus receptores para o fragmento Fc da IgG, e a lise celular prossegue sem fagocitose. A contribuição da ADCC para as doenças por hipersensibilidade mais comuns é incerta.

Do ponto de vista clínico, a destruição celular mediada por anticorpos e a fagocitose ocorrem nas seguintes situações: (1) reações transfusionais, em que as células de um doador de grupo sanguíneo incompatível interagem com anticorpos pré-formados do hospedeiro e são opsonizadas por eles (ver **Capítulo 14**); (2) doença hemolítica do feto e do recém-nascido (eritroblastose fetal), em que há uma diferença antigênica entre a mãe e o feto, e em que os anticorpos antieritrocitários IgG da mãe atravessam a placenta e causam destruição dos eritrócitos fetais (ver **Capítulo 10**); (3) anemia hemolítica autoimune, agranulocitose e trombocitopenia, em que os indivíduos produzem anticorpos contra suas próprias células sanguíneas, que são então destruídas (ver **Capítulo 14**); e (4) certas reações a medicamentos. Em alguns casos de destruição das células sanguíneas mediada por anticorpos e induzida por fármacos, o fármaco liga-se às proteínas da membrana plasmática nas células do hospedeiro, e são produzidos anticorpos contra o complexo fármaco-proteína. Em outros casos, o fármaco agressor modifica a conformação de um antígeno, gerando novos epítopos antigênicos contra os quais o indivíduo reage.

Inflamação

Quando ocorre deposição de anticorpos em tecidos fixos, como as membranas basais e a matriz extracelular, a lesão resultante deve-se à inflamação. Os anticorpos depositados ativam o complemento, gerando produtos de clivagem, como agentes quimiotáticos (sobretudo C5a), que direcionam a migração dos granulócitos e monócitos, e anafilatoxinas (C3a e C5a), que aumentam a permeabilidade vascular (ver **Figura 6.16B**). Os leucócitos são ativados a partir da ligação de seus receptores C3b e Fc. Isso resulta na liberação de mediadores e substâncias dos leucócitos que provocam dano aos tecidos, como enzimas lisossômicas, incluindo proteases capazes de digerir a membrana basal, colágeno, elastina, cartilagem e geração de espécies reativas de oxigênio.

A inflamação mediada por anticorpos é o mecanismo responsável pela ocorrência de lesão tecidual em algumas formas de glomerulonefrite, rejeição vascular em enxertos de órgãos e numerosos outros distúrbios (ver **Tabela 6.3**).

Disfunção celular

Em alguns casos, os anticorpos dirigidos contra receptores de superfície celular comprometem ou desregulam a função, sem causar lesão celular ou inflamação (ver **Figura 6.16C**). Por exemplo, na miastenia *gravis*, anticorpos que reagem com receptores de acetilcolina nas placas motoras dos músculos esqueléticos bloqueiam a transmissão neuromuscular e, assim, provocam fraqueza muscular. O oposto (*i. e.*, a estimulação da função celular mediada por anticorpos) constitui a base da doença de Graves. Nesta doença, anticorpos dirigidos contra o receptor do hormônio tireoestimulante nas células epiteliais da tireoide estimulam as células, resultando em hipertireoidismo.

Hipersensibilidade mediada por imunocomplexos (tipo III)

Os complexos antígeno-anticorpo produzem dano tecidual principalmente ao desencadear a inflamação nos locais de deposição. Em geral, a reação patológica é iniciada quando o antígeno se combina com o anticorpo na circulação, produzindo imunocomplexos que costumam se depositar nas paredes dos vasos. Com menos frequência, pode haver formação de complexos em locais onde o antígeno foi previamente "plantado" (denominados imunocomplexos *in situ*). Os antígenos que formam imunocomplexos podem ser exógenos, como uma proteína estranha injetada ou produzida por um microrganismo infeccioso, ou endógenos, quando o indivíduo produz anticorpos dirigidos contra autoantígenos (autoimunidade). A **Tabela 6.4** fornece exemplos de distúrbios por imunocomplexos e os antígenos envolvidos. As doenças mediadas por imunocomplexos tendem a ser sistêmicas; entretanto, com frequência, elas acometem sobretudo os rins (glomerulonefrite), as articulações (artrite) e os pequenos vasos sanguíneos (vasculite), que são locais comuns de depósito de imunocomplexos por motivos mencionados adiante.

Doença sistêmica por imunocomplexos

A *doença do soro* é o protótipo de uma doença sistêmica por imunocomplexos; outrora, era uma sequela frequente da administração de grandes quantidades de soro estranho (p. ex., soro de cavalos imunizados, utilizado para proteção contra a difteria). Atualmente, a doença é rara e, em geral, é observada em indivíduos que recebem anticorpos de outros indivíduos ou de outras espécies. Todavia, trata-se de um modelo informativo que nos proporcionou muitos conhecimentos acerca dos distúrbios sistêmicos por imunocomplexos.

A patogênese da doença sistêmica por imunocomplexos pode ser dividida em três fases (**Figura 6.17**):

1. *Formação de imunocomplexos.* A introdução de um antígeno proteico desencadeia uma resposta imune, que resulta na formação de anticorpos, normalmente cerca de 1 semana após a injeção da proteína. Esses anticorpos são secretados no sangue, reagindo com o antígeno ainda presente na circulação e formando complexos antígeno-anticorpo.

Tabela 6.4 Exemplos de doenças mediadas por imunocomplexos.

Doença	Antígeno envolvido	Manifestações clínico-patológicas
Lúpus eritematoso sistêmico	Antígenos nucleares	Nefrite, lesões cutâneas, artrite, outras
Glomerulonefrite pós-estreptocócica	Antígeno(s) da parede celular dos estreptococos; podem ser "plantados" na membrana basal glomerular	Nefrite
Poliarterite nodosa	Antígenos do vírus da hepatite B em alguns casos	Vasculite sistêmica
Artrite reativa	Antígenos bacterianos (p. ex., *Yersinia*)	Artrite aguda
Doença do soro	Várias proteínas, por exemplo, proteína sérica estranha (globulina antitimócito equina)	Artrite, vasculite, nefrite
Reação de Arthus (experimental)	Várias proteínas estranhas	Vasculite cutânea

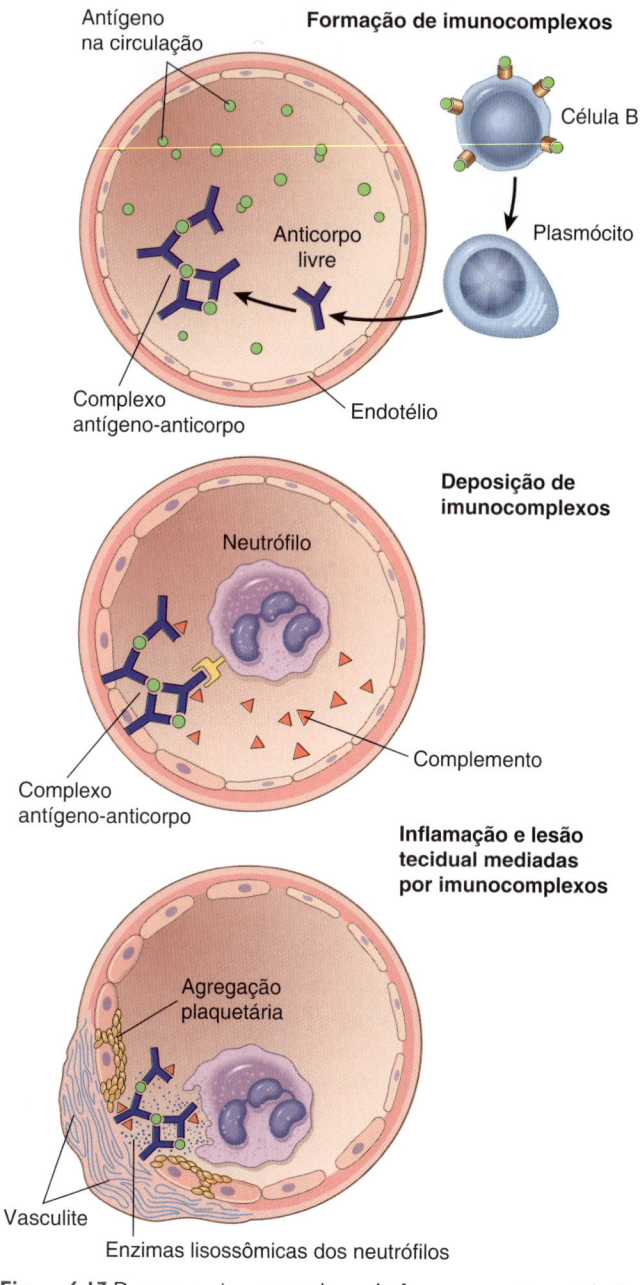

Figura 6.17 Doença por imunocomplexos. As fases sequenciais na indução das doenças sistêmicas mediada por imunocomplexos (hipersensibilidade de tipo III).

2. *Deposição de imunocomplexos.* Na fase seguinte, os complexos antígeno-anticorpo circulantes são depositados nos vasos. Os fatores que determinam se a formação de imunocomplexos levará à deposição nos tecidos e ao desenvolvimento de doença não estão totalmente compreendidos, porém as principais influências parecem ser as características dos complexos e as alterações vasculares locais. Em geral, os complexos de tamanho médio, formados em condições de leve excesso de antígenos, são os mais patogênicos. Os órgãos onde o sangue é filtrado em alta pressão para formar outros líquidos, como a urina e o líquido sinovial, constituem ambientes em que os imunocomplexos tornam-se concentrados e tendem a se depositar; em consequência, a doença por imunocomplexos frequentemente afeta os glomérulos e as articulações.
3. *Inflamação e lesão tecidual.* Uma vez depositados nos tecidos, os imunocomplexos iniciam uma reação inflamatória aguda. Durante essa fase (cerca de dez dias após a administração do antígeno), aparecem as características clínicas, como febre, urticária, dor articular, aumento dos linfonodos e proteinúria. Toda vez que ocorre deposição de complexos, ocorrem inflamação e lesão tecidual por meio de mecanismos mediados por anticorpos que já foram discutidos anteriormente. O importante papel do complemento na patogênese da lesão tecidual é sustentado pelas observações de que é possível detectar proteínas do complemento no local de lesão, e, durante a fase ativa da doença, o consumo do complemento leva a uma diminuição dos níveis séricos de C3. De fato, os níveis séricos de C3 podem, em alguns casos, ser utilizados para monitorar a atividade da doença.

Morfologia

A principal manifestação morfológica da lesão por imunocomplexos é a vasculite aguda, que está associada à necrose da parede dos vasos e à intensa infiltração dos neutrófilos. O tecido necrótico e os depósitos de imunocomplexos, complemento e proteínas aparecem como uma área eosinofílica borrada de destruição tecidual, um aspecto denominado **necrose fibrinoide** (ver **Figura 2.15**). Quando depositados no rim, os complexos podem ser observados na microscopia de imunofluorescência como depósitos irregulares granulares de imunoglobulina e complemento e, na microscopia eletrônica, como depósitos eletrodensos ao longo da membrana basal glomerular (ver **Figuras 6.31** e **6.32**).

Na *doença do soro aguda,* causada por uma única exposição a uma grande quantidade de antígeno, as lesões tendem a desaparecer em consequência do catabolismo dos imunocomplexos. Uma forma de *doença do soro crônica* resulta da exposição repetida ou prolongada a determinado antígeno. Isso ocorre em várias doenças, como o lúpus eritematoso sistêmico (LES), que está associado a respostas persistentes dos anticorpos a autoantígenos. Em muitas doenças, as alterações morfológicas e outros achados sugerem a deposição de imunocomplexos, porém os antígenos desencadeantes não são conhecidos. Nessa categoria estão incluídas a glomerulonefrite membranosa e diversas vasculites.

Doença por imunocomplexos localizada

A *reação de Arthus* consiste em uma área localizada de necrose tecidual em consequência de vasculite aguda por imunocomplexos, geralmente desencadeada na pele. A reação pode ser produzida experimentalmente pela injeção intracutânea de antígeno em um animal previamente imunizado que dispõe de anticorpos circulantes contra o antígeno. À medida que o antígeno se difunde na parede vascular, ele se liga ao anticorpo pré-formado, e são produzidos grandes imunocomplexos localmente. Esses complexos precipitam nas paredes dos vasos e causam necrose fibrinoide, e a trombose superposta agrava a lesão isquêmica.

Conceitos-chave

Patogênese das doenças causadas por anticorpos e por imunocomplexos

- Os anticorpos podem recobrir (opsonizar) as células, com ou sem proteínas do complemento, e fazer com que essas células sejam alvos para a fagocitose por fagócitos (macrófagos), que expressam receptores para as caudas Fc da IgG e para proteínas do complemento. O resultado consiste em eliminação das células opsonizadas
- Os anticorpos e os imunocomplexos podem se depositar em tecidos e vasos sanguíneos e desencadear uma reação inflamatória aguda por meio da ativação do complemento, com liberação de produtos de degradação, ou pela ocupação dos receptores Fc dos leucócitos. A reação inflamatória provoca lesão tecidual
- Os anticorpos podem ligar-se a receptores de superfície celular ou a outras moléculas essenciais e causar alterações funcionais (inibição ou ativação desregulada) sem lesão celular.

Hipersensibilidade mediada por células T (tipo IV)

A hipersensibilidade mediada por células é causada, sobretudo, por inflamação, que resulta de citocinas produzidas pelas células T CD4+ (**Figura 6.18**). A hipersensibilidade mediada por células T CD4+ induzida por antígenos ambientais e por autoantígenos constitui a causa de muitas doenças autoimunes e outras doenças inflamatórias crônicas (**Tabela 6.5**). A destruição de células por células CD8+ pode estar envolvida em algumas doenças autoimunes e pode constituir o mecanismo dominante de lesão tecidual em certas reações, sobretudo as que ocorrem após infecções virais.

Inflamação mediada por células T CD4+

Nas reações de hipersensibilidade mediadas por células T CD4+, as citocinas produzidas pelas células T induzem inflamação, que pode ser crônica e destrutiva. O protótipo da inflamação mediada por células T é a *hipersensibilidade de tipo tardio (DTH, delayed-type hypersensitivity)*, uma reação tecidual a antígenos administrados a indivíduos imunes. Nessa reação, um antígeno administrado na pele de um indivíduo previamente imunizado resulta em uma reação cutânea detectáveis nas primeiras 24 a 48 horas (daí o termo tardio, em contraste com a hipersensibilidade imediata). Tanto as células Th1 quanto as células Th17 contribuem para doenças específicas de órgãos, em que a inflamação constitui um aspecto proeminente da patologia. A reação inflamatória associada às células Th1 é dominada por macrófagos ativados, enquanto aquela desencadeada por células Th17 apresenta um maior componente de neutrófilos.

As reações inflamatórias estimuladas pelas células T CD4+ podem ser divididas em estágios sequenciais.

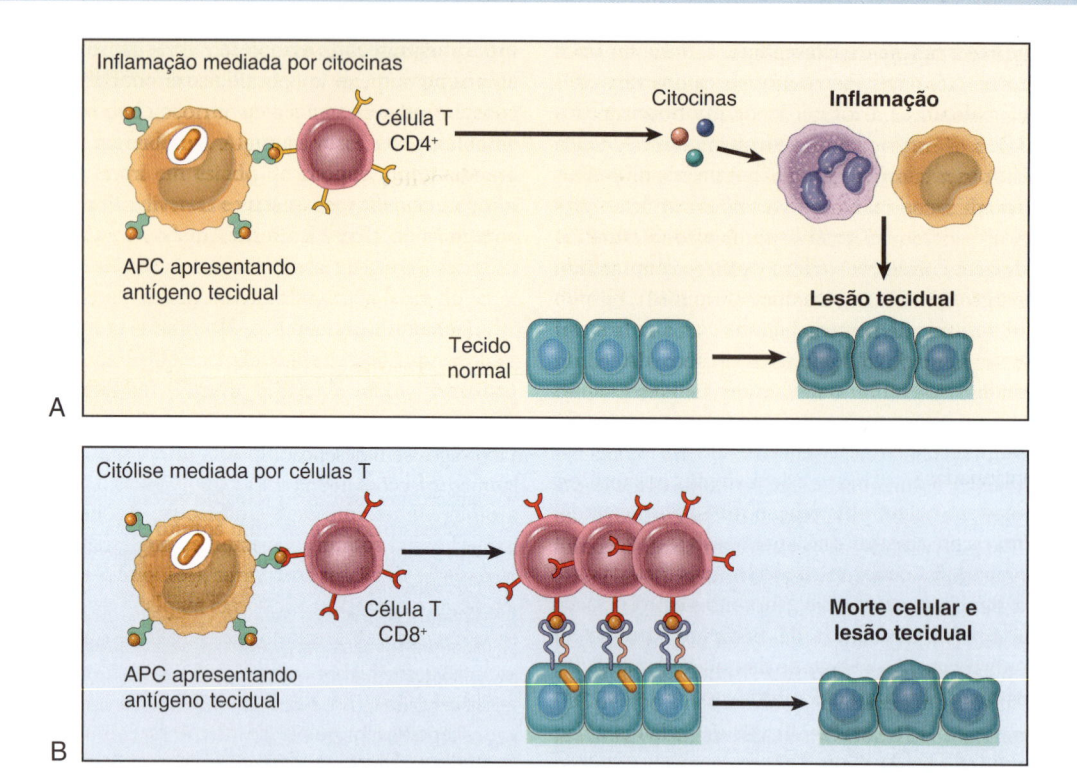

Figura 6.18 Mecanismos das reações de hipersensibilidade mediadas por células T (tipo IV). **A.** As células Th1 CD4+ (e, algumas vezes, as células T CD8+, *não ilustradas*) respondem a antígenos teciduais pela secreção de citocinas, que estimulam a inflamação e ativam os fagócitos, resultando em lesão tecidual. As células Th17 CD4+ contribuem para a inflamação ao recrutar neutrófilos (e, em menor grau, monócitos). **B.** Em algumas doenças, os linfócitos T citotóxicos CD8+ destroem diretamente as células teciduais. *APC,* células apresentadoras de antígenos.

Ativação das células T CD4+

Conforme descrito anteriormente, as células T CD4+ *naive* reconhecem peptídeos apresentados por CD e secretam IL-2, que atua como fator de crescimento autócrino, estimulando a proliferação das células T responsivas ao antígeno. A diferenciação subsequente das células T estimuladas por antígenos em células Th1 ou Th17 é impulsionada pelas citocinas produzidas pelas APC no momento de ativação das células T. Em algumas situações, as APC (CD e macrófagos) produzem IL-12, que induz a diferenciação das células T CD4+ no subgrupo de células Th1. O IFN-γ produzido por essas células efetoras promove o desenvolvimento adicional das células Th1, amplificando, assim, a reação. Se as APC produzirem as citocinas inflamatórias IL-1, IL-6 e uma citocina similar à IL-12, denominada IL-23, as células T são induzidas a sofrer diferenciação no subgrupo de células Th17. Algumas das células efetoras diferenciadas entram na circulação e unem-se ao reservatório de células T de memória, onde persistem por longos períodos, algumas vezes por anos.

Tabela 6.5 Doenças mediadas por células T.

Doença	Especificidade das células T patogênicas	Principais mecanismos de lesão tecidual	Manifestações clínico-patológicas
Artrite reumatoide	Colágeno? Proteínas próprias citrulinadas?	Inflamação mediada por citocinas de células Th17 (e Th1?); papel dos anticorpos e dos imunocomplexos?	Artrite crônica com inflamação, destruição da cartilagem articular
Esclerose múltipla	Antígenos proteicos da mielina (p. ex., proteína básica da mielina)	Inflamação mediada por citocinas das células Th1 e Th17; destruição da mielina por macrófagos ativados	Desmielinização no SNC com inflamação; paralisia, neurite óptica
Diabetes melito tipo I	Antígenos das células β das ilhotas pancreáticas (insulina, ácido glutâmico descarboxilase, outros)	Inflamação mediada por células T, destruição das células das ilhotas por CTL	Insulite (inflamação crônica das ilhotas), destruição das células β, diabetes melito
Doença inflamatória intestinal	Bactérias entéricas; autoantígenos?	Inflamação mediada por citocinas das células Th1 e Th17	Inflamação intestinal crônica, obstrução
Psoríase	Desconhecida	Inflamação mediada sobretudo por citocinas das células Th17	Placas destrutivas na pele
Dermatite de contato	Várias substâncias químicas ambientais (p. ex., urushiol da hera venenosa ou do carvalho venenoso)	Inflamação mediada por citocinas das células Th1 (e Th17?)	Necrose epidérmica, inflamação dérmica, causando exantema cutâneo e bolhas

São listados exemplos de doenças mediadas por células T em seres humanos. Em muitos casos, a especificidade das células T e os mecanismos de lesão tecidual são deduzidos com base na semelhança com modelos animais experimentais das doenças. *CTL,* linfócitos T citotóxicos.

Respostas das células T efetoras diferenciadas

Com a exposição repetida a determinado antígeno, as células Th1 secretam citocinas, principalmente IFN-γ, que são responsáveis por muitas das manifestações da hipersensibilidade de tipo tardio. Os macrófagos ativados pelo IFN-γ ("comumente ativados") são alterados de várias maneiras: sua capacidade de fagocitose e de destruição de microrganismos é significativamente aumentada; eles expressam mais moléculas do MHC de classe II na superfície, intensificando a apresentação de antígenos; secretam TNF, IL-1 e quimiocinas, que promovem inflamação (ver **Capítulo 3**); e produzem mais IL-12, amplificando a resposta das células Th1. Por conseguinte, os macrófagos ativados servem para eliminar o antígeno agressor; se a ativação for sustentada, ocorrem inflamação e lesão tecidual continuadas.

As células Th17 ativadas secretam IL-17, IL-22, quimiocinas e várias outras citocinas. Em conjunto, essas citocinas recrutam neutrófilos e monócitos para a reação, promovendo, assim, a inflamação.

Exemplos clínicos de reações inflamatórias mediadas por células T CD4+

O exemplo clássico de hipersensibilidade do tipo tardio é a reação tuberculínica, que é produzida pela injeção intracutânea de derivado proteico purificado (PPD, também denominado tuberculina), um antígeno proteico do bacilo da tuberculose. Em um indivíduo previamente sensibilizado, aparecem eritema e endurecimento do local em 8 a 12 horas, alcançando um pico em 24 a 72 horas para, em seguida, diminuir lentamente. Do ponto de vista morfológico, a hipersensibilidade do tipo tardio caracteriza-se pelo acúmulo de células mononucleares, sobretudo células T CD4+ e macrófagos, ao redor das vênulas, produzindo um "manguito" perivascular (**Figura 6.19**). Nas lesões totalmente desenvolvidas, as vênulas exibem acentuada hipertrofia endotelial, refletindo a ativação endotelial mediada por citocinas.

No caso de certos antígenos persistentes ou não degradáveis, como bacilos da tuberculose que colonizam os pulmões ou outros tecidos, o infiltrado é dominado por macrófagos no decorrer de um período de 2 ou 3 semanas. Com ativação sustentada, os macrófagos frequentemente sofrem uma transformação morfológica em células epitelioides, células grandes com citoplasma abundante. Os agregados de células epitelioides, geralmente circundados por linfócitos, formam pequenos nódulos visíveis macroscopicamente, denominados *granulomas* (**Figura 6.20**). Esse padrão de inflamação crônica, denominado inflamação granulomatosa (ver **Capítulo 3**), costuma estar associado a uma intensa ativação das células Th1 e produção de citocinas, como o IFN-γ. Esse padrão também pode ser causado por corpos estranhos indigeríveis, que ativam os macrófagos sem desencadear uma resposta imune adaptativa. Em algumas infecções helmínticas, como a esquistossomose, os vermes depositam ovos que desencadeiam reações granulomatosas. Em geral, essas reações são ricas em eosinófilos e são desencadeadas por respostas intensas das células Th2, que são típicas de muitas infecções helmínticas.

A *dermatite de contato* é um exemplo comum de lesão tecidual que resulta de reações de hipersensibilidade de tipo tardio. Pode ser provocada por contato com urushiol, o componente antigênico da hera venenosa ou do carvalho venenoso, e manifesta-se como dermatite pruriginosa e vesicular (bolhosa). Acredita-se que, nessas reações, o composto químico ambiental liga-se a autoproteínas e as modifica estruturalmente, e os peptídeos derivados dessas proteínas modificadas são reconhecidos pelas células T e induzem a reação. As substâncias químicas também podem modificar moléculas do HLA, fazendo com que pareçam ser estranhas às células T. O mesmo mecanismo é responsável pela maioria das *reações a medicamentos*, que estão entre as reações imunológicas mais comuns em seres humanos. Essas reações costumam se manifestar como exantemas cutâneos.

A inflamação mediada por células T CD4+ constitui a base da lesão tecidual em muitas doenças autoimunes sistêmicas ou órgão-específicas, como a artrite reumatoide e a esclerose múltipla, bem como em doenças ligadas a reações descontroladas contra bactérias comensais, como a doença inflamatória intestinal (ver **Tabela 6.5**).

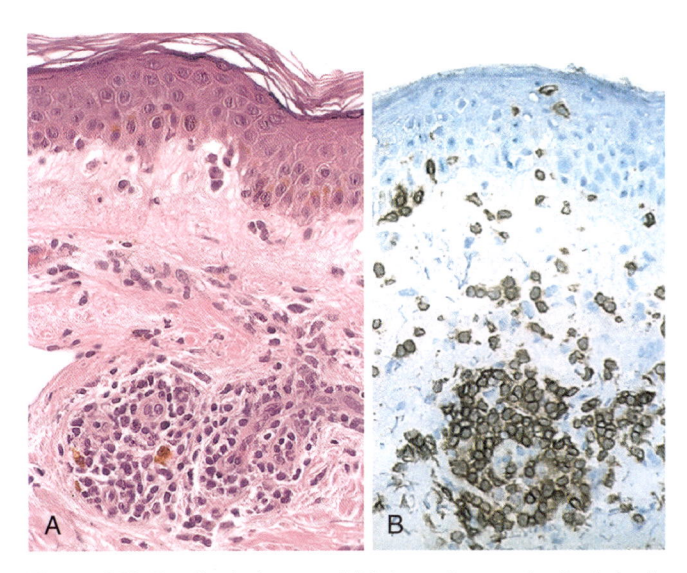

Figura 6.19 Reação de hipersensibilidade tardia na pele. **A.** Acúmulo perivascular ("manguito") de células inflamatórias mononucleares (linfócitos e macrófagos), com edema associado da derme e deposição de fibrina. **B.** A coloração pela imunoperoxidase revela um infiltrado celular predominantemente perivascular, que marca positivamente com anticorpos anti-CD4. (Cortesia do Dr. Louis Picker, Department of Pathology, University of Texas Southwestern Medical School, Dallas, Tex.)

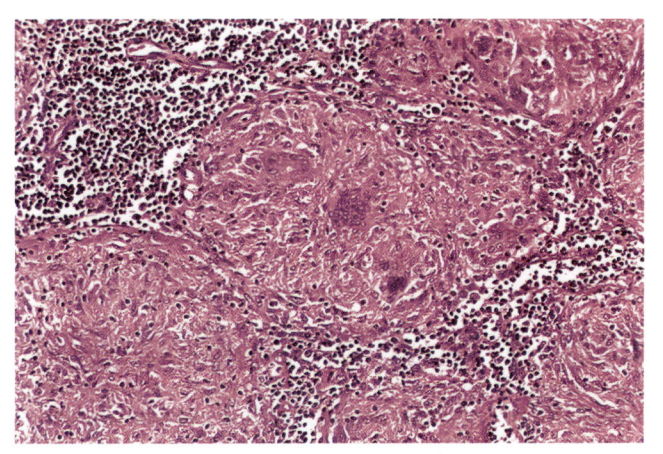

Figura 6.20 Inflamação granulomatosa. Um corte de linfonodo mostra vários granulomas, cada um dos quais constituído por um agregado de células epitelioides circundado por linfócitos. O granuloma no centro apresenta várias células gigantes multinucleadas. (Cortesia do Dr. Trace Worrell, Department of Pathology, University of Texas Southwestern Medical School, Dallas, Tex.)

Citotoxicidade mediada por células T CD8+

Nesse tipo de reação mediada por células T, os CTL CD8+ destroem as células-alvo que expressam antígenos. A destruição tecidual pelos CTL pode constituir um componente de algumas doenças mediadas por células T, como o diabetes melito tipo 1. Os CTL dirigidos contra antígenos de histocompatibilidade de superfície celular desempenham um importante papel na rejeição de enxertos, que será discutido posteriormente. Esses também desempenham um papel nas reações contra vírus. Em uma célula infectada por vírus, os peptídeos virais são apresentados por moléculas do MHC de classe I, e o complexo é reconhecido pelo TCR dos linfócitos T CD8+. A destruição das células infectadas leva à eliminação da infecção; todavia, em alguns casos, é responsável pelo dano celular que acompanha a infecção (p. ex., na hepatite viral). Os antígenos tumorais também são apresentados na superfície das células tumorais, e os CTL estão envolvidos na resposta do hospedeiro às células transformadas (ver **Capítulo 7**).

O principal mecanismo de destruição de alvos mediada por células T envolve as perforinas e as granzimas, que são mediadores pré-formados contidos nos grânulos similares a lisossomos dos CTL. Os CTL que reconhecem as células-alvo secretam um complexo que consiste em perforina, granzimas e outras proteínas que entram nas células-alvo por endocitose. No citoplasma da célula-alvo, a perforina facilita a liberação das granzimas do complexo. As granzimas são proteases que clivam e ativam as caspases, que então induzem a apoptose das células-alvo (ver **Capítulo 2**). Os CTL ativados também expressam o ligante Fas, uma molécula com homologia ao TNF, que também pode desencadear a apoptose pela sua ligação ao receptor de Fas expresso nas células-alvo, ativando-o.

As células T CD8+ também produzem citocinas, sobretudo o IFN-γ, e estão envolvidas em reações inflamatórias semelhantes à hipersensibilidade tardia, sobretudo após infecções virais e exposição a alguns agentes sensibilizantes de contato.

Conceitos-chave

Mecanismos das reações de hipersensibilidade mediadas por células T

- Inflamação mediada por citocinas: As células T CD4+ são ativadas pela exposição a um antígeno proteico e diferenciam-se em células efetoras Th1 e Th17. A exposição subsequente ao antígeno resulta na secreção de citocinas. O IFN-γ ativa os macrófagos para produzir substâncias que provocam dano tecidual e promovem a fibrose, enquanto a IL-17 e outras citocinas recrutam os leucócitos, promovendo, assim, a inflamação. A reação inflamatória mediada por células T clássica é a hipersensibilidade de tipo tardio
- Citotoxicidade mediada por células T: Os linfócitos T citotóxicos (CTL) CD8+ específicos para determinado antígeno reconhecem as células que expressam o antígeno-alvo e as destroem. As células T CD8+ também secretam IFN-γ.

Após termos descrito como o sistema imune pode causar dano tecidual, descreveremos as doenças nas quais os mecanismos normais de regulação imune falham. Os protótipos dessas doenças são os distúrbios autoimunes, que resultam da ausência de tolerância a autoantígenos.

Doenças autoimunes

As reações imunes contra autoantígenos – autoimunidade – constituem importante causa de doenças nos seres humanos. Estima-se que afetem de 5 a 10% da população dos EUA, e sua incidência está aumentando, sobretudo em países de alta renda. Um número cada vez maior de doenças tem sido atribuído à autoimunidade (**Tabela 6.6**). Entretanto, deve-se assinalar que a simples presença de autoanticorpos não indica a existência de uma doença autoimune. Autoanticorpos podem ser encontrados no soro de indivíduos aparentemente normais, sobretudo em grupos de idade mais avançada. Além disso, autoanticorpos inócuos são algumas vezes produzidos após dano aos tecidos, e esses anticorpos podem desempenhar uma função fisiológica na remoção de produtos de degradação dos tecidos. Como, então, definimos a autoimunidade patológica? Idealmente, pelo menos três requisitos devem ser preenchidos para que um distúrbio seja categorizado como verdadeiramente causado por autoimunidade: (1) a presença de uma reação imune específica contra algum autoantígeno ou tecido próprio; (2) evidência de que essa reação não seja secundária ao dano tecidual, ou seja, tenha significado patogênico primário; e (3) ausência de outra causa bem definida para a doença. Com frequência, utiliza-se também a semelhança com modelos experimentais de autoimunidade comprovada para sustentar esse mecanismo nas doenças humanas. Os distúrbios nos quais a inflamação crônica constitui um componente proeminente são algumas vezes reunidos como doenças inflamatórias imunomediadas; essas doenças podem ser autoimunes, ou a resposta imune pode ser dirigida contra microrganismos normalmente inofensivos, como as bactérias comensais do intestino.

Tabela 6.6 Doenças autoimunes.

Específicas de órgãos	Sistêmicas
Doenças mediadas por anticorpos	
Anemia hemolítica autoimune	Lúpus eritematoso sistêmico
Trombocitopenia autoimune	
Gastrite atrófica autoimune da anemia perniciosa	
Miastenia *gravis*	
Doença de Graves	
Síndrome de Goodpasture	
Doenças mediadas por células T[a]	
Diabetes melito tipo I	Artrite reumatoide
Esclerose múltipla	Esclerose sistêmica (esclerodermia)[b]
	Síndrome de Sjögren[b]
Doenças postuladas como autoimunes	
Doenças inflamatórias intestinais (doença de Crohn, colite ulcerativa)[c]	Poliarterite nodosa[b]
	Miopatias inflamatórias[b]
Cirrose biliar primária[b]	
Hepatite autoimune (ativa crônica)	

[a]Foi demonstrado que as células T desempenham um papel nesses distúrbios, porém os anticorpos também podem estar envolvidos na lesão tecidual.
[b]Há suspeita de uma base autoimune nesses distúrbios, porém as evidências que sustentam essa hipótese não são fortes.
[c]Esses distúrbios podem resultar de respostas imunes excessivas contra microrganismos entéricos comensais, autoimunidade ou uma combinação das duas.

As manifestações clínicas das doenças autoimunes são extremamente variadas. Em uma das extremidades, encontram-se condições nas quais as respostas imunes são dirigidas contra um único órgão ou tecido, resultando em *doença específica de órgãos*, ao passo que, na outra extremidade, estão doenças nas quais as reações autoimunes são dirigidas contra antígenos disseminados, resultando em *doença sistêmica*. Exemplos de doenças autoimunes específicas de órgãos são o diabetes melito tipo 1, em que as células T autorreativas e os anticorpos são específicos contra as células β das ilhotas pancreáticas, e a esclerose múltipla, em que as células T autorreativas reagem contra a mielina do sistema nervoso central (SNC). O melhor exemplo de doença autoimune sistêmica é o LES, em que uma diversidade de anticorpos dirigidos contra o DNA, as plaquetas, os eritrócitos e os complexos de proteína-fosfolipídio resultam em lesões disseminadas por todo o corpo. No meio do espectro encontra-se a síndrome de Goodpasture, em que os anticorpos dirigidos contra as membranas basais dos pulmões e dos rins induzem lesões nesses órgãos.

É óbvio que a autoimunidade resulta da perda de autotolerância, e surge então a pergunta de como isso ocorre. Antes de procurarmos respostas a essa pergunta, analisaremos os mecanismos de tolerância imunológica aos autoantígenos.

Tolerância imunológica

A tolerância imunológica é o fenômeno de ausência de responsividade a um antígeno induzida pela exposição dos linfócitos a esse antígeno. A *autotolerância* refere-se à falta de responsividade aos próprios antígenos do indivíduo e constitui a base de nossa capacidade de viver em harmonia com nossas células e tecidos.

Os mecanismos de autotolerância podem ser, de forma mais geral, classificados em dois grupos: tolerância central e tolerância periférica (**Figura 6.21**). Cada uma delas é considerada brevemente.

Tolerância central

Nesse processo, os clones de linfócitos T e B autorreativos imaturos, que reconhecem autoantígenos durante sua maturação nos órgãos linfoides centrais (primários ou geradores) (o timo para as células T e a medula óssea para as células B) são destruídos ou tornam-se inofensivos. Nos linfócitos em desenvolvimento, rearranjos aleatórios dos genes de receptores de antígenos somáticos geram receptores de antígenos diversos, muitos dos quais podem, por acaso, apresentar alta afinidade por autoantígenos. Os mecanismos de tolerância central eliminam esses linfócitos potencialmente perigosos:

- Quando células T imaturas que expressam TCR específicos para autoantígenos encontram esses antígenos no timo, são produzidos sinais que resultam em morte das células por apoptose. Esse processo é denominado *seleção negativa* ou *deleção clonal*. Uma ampla variedade de antígenos proteicos autólogos, incluindo antígenos que se acredita sejam restritos aos tecidos periféricos, é processada e apresentada por células apresentadoras de antígenos do timo em associação a moléculas do MHC próprias e pode, por conseguinte, ser reconhecida por células T potencialmente autorreativas. Uma proteína denominada AIRE (regulador autoimune, *autoimmune regulator*) estimula a expressão de alguns autoantígenos restritos aos tecidos periféricos no timo e, portanto, é fundamental para a

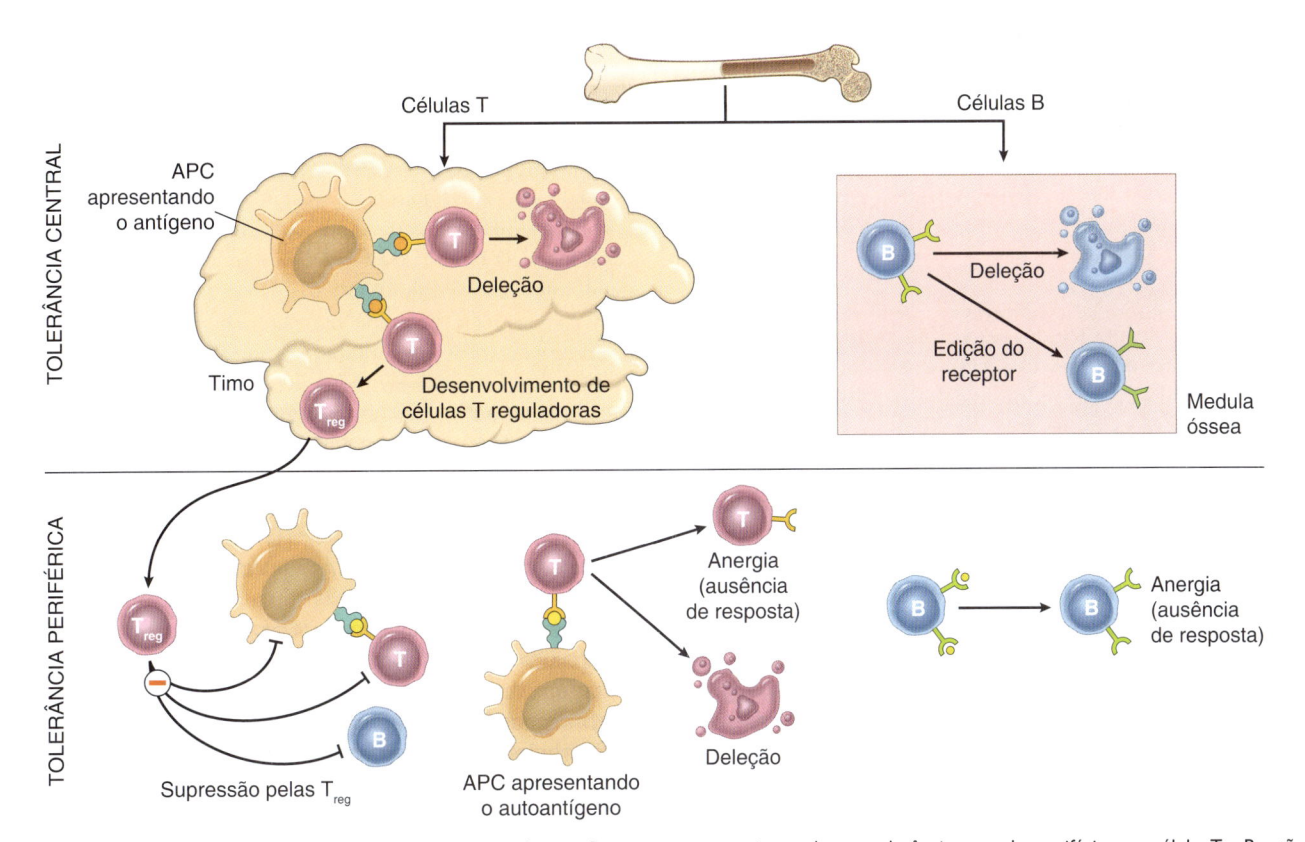

Figura 6.21 Mecanismos de tolerância imunológica a autoantígenos. Os principais mecanismos de autotolerância central e periférica nas células T e B estão ilustrados. *APC*, células apresentadoras de antígenos.

deleção das células T imaturas específicas para esses antígenos. A importância desse mecanismo é destacada por raros pacientes com mutações com perda de função de linhagem germinativa no gene *AIRE*, que desenvolvem um distúrbio autoimune denominado *síndrome poliendócrina autoimune*, que leva à destruição de múltiplos órgãos endócrinos (ver **Capítulo 24**). Na linhagem de células T CD4+, algumas das células que reconhecem autoantígenos no timo não morrem, porém se transformam em células T reguladoras (descritas mais adiante). Ainda não foi estabelecido o que determina a escolha entre deleção e desenvolvimento de células T reguladoras no timo; isso pode estar em parte relacionado com a afinidade do receptor de antígenos nas células T imaturas para antígenos presentes no timo

- Quando células B em desenvolvimento reconhecem fortemente os autoantígenos na medula óssea, muitas das células reativam a maquinaria do rearranjo gênico de receptores de antígenos e começam a expressar novos receptores de antígenos não específicos para autoantígenos. Esse processo é denominado *edição de receptores;* estima-se que entre um quarto e metade de todas as células B do corpo pode ter sofrido uma edição dos receptores durante seu processo de maturação. Se a edição do receptor não ocorrer, as células autorreativas sofrem apoptose, eliminando, assim, os linfócitos potencialmente perigosos do reservatório maduro.

Entretanto, a tolerância central não é perfeita. Nem todos os autoantígenos podem estar presentes no timo e na medula óssea, de modo que os linfócitos que apresentam receptores para esses autoantígenos escapam na periferia. Os linfócitos autorreativos que escapam à seleção negativa podem provocar lesão tecidual, a não ser que sejam eliminados ou silenciados nos tecidos periféricos.

Tolerância periférica

Vários mecanismos silenciam as células T e B potencialmente autorreativas nos tecidos periféricos; esses mecanismos são mais definidos para as células T. Incluem os seguintes:

- *Anergia.* Os linfócitos que reconhecem autoantígenos podem se tornar funcionalmente não responsivos, um fenômeno denominado anergia. Anteriormente, discutimos que a ativação das células T específicas exige dois sinais: o reconhecimento do antígeno peptídico em associação a moléculas do MHC próprias na superfície das APC e um conjunto de sinais coestimuladores ("segundos sinais") das APC. Esses segundos sinais são fornecidos por certas moléculas associadas às células T, como CD28, que se ligam a seus ligantes (os coestimuladores B7-1 e B7-2) nas APC. Se o antígeno for apresentado às células T sem níveis adequados de coestimuladores, as células tornam-se anérgicas. Como as moléculas coestimuladoras não são expressas ou são fracamente expressas nas CD em repouso nos tecidos normais, o encontro entre células T autorreativas e seus autoantígenos específicos apresentados por essas CD podem levar à anergia. Foram demonstrados diversos mecanismos de anergia das células T em vários modelos experimentais. Em um deles, que apresenta implicações clínicas, as células T que reconhecem autoantígenos acabam por receber um sinal inibidor de receptores que são estruturalmente homólogos a CD8, mas que desempenham as funções opostas. Dois desses receptores inibitórios, algumas vezes denominado coinibidores (para diferenciá-los dos coestimuladores mencionados anteriormente), são o CTLA-4 que (à semelhança do CD28) liga-se a moléculas B7, e PD-1, que se liga a dois ligantes, PD-L1 e PD-L2, que são expressos em uma ampla variedade de células. A importância desses mecanismos inibidores foi estabelecida com o estudo de camundongos "nocaute" para CTLA-4 e PD-1 e seres humanos com mutações herdadas do *CTLA4*, todos os quais levam a doenças inflamatórias sistêmicas. É interessante assinalar alguns tumores e vírus utilizam as mesmas vias de regulação imune para escapar do ataque imune. Esse reconhecimento levou ao desenvolvimento de anticorpos que bloqueiam CTLA4, PD-1 e seu ligante PD-L1 para imunoterapia de tumores; ao remover os freios da resposta imune, esses anticorpos promovem respostas contra os tumores.

A anergia também afeta as células B maduras nos tecidos periféricos. Acredita-se que, se as células B entrarem em contato com um autoantígeno nos tecidos periféricos, sobretudo na ausência de células T auxiliares específicas, as células B se tornarão incapazes de responder a uma estimulação antigênica subsequente e podem ser excluídas dos folículos linfoides, resultando em sua morte

- *Supressão por células T reguladoras.* Uma população de células T, denominadas células T reguladoras, atua para evitar reações imunes contra autoantígenos. As células T reguladoras desenvolvem-se sobretudo no timo, em consequência do reconhecimento de autoantígenos (ver **Figura 6.21**); entretanto, elas também podem ser induzidas nos tecidos linfoides periféricos. As células T reguladoras mais bem definidas são as células CD4+, que expressam altos níveis de CD25, a cadeia α do receptor de IL-2 e FOXP3, um fator de transcrição da família *forkhead*. Tanto a IL-2 quanto o FOXP3 são necessários para o desenvolvimento e a manutenção das células T reguladoras CD4+ funcionais. Mutações no *FOXP3* resultam em autoimunidade grave em seres humanos e camundongos; nos seres humanos, essas mutações constituem a causa de uma doença autoimune sistêmica, denominada **IPEX** (um acrônimo em inglês para desregulação imune, poliendocrinopatia, enteropatia, ligada ao X [*immune dysregulation, polyendocrinopathy, enteropathy, X-linked*]). A mutação do gene que codifica a IL-2 ou a cadeia α ou β do receptor de IL-2 também resulta em uma doença autoimune rara de múltiplos órgãos, visto que a IL-2 é essencial para a manutenção das células T reguladoras. Estudos recentes de associação genômica ampla revelaram que os polimorfismos no promotor do gene *CD25* estão associados ao diabetes melito tipo 1, à esclerose múltipla e a outras doenças autoimunes, levantando a possibilidade de que um defeito das células T reguladoras poderia contribuir para essas doenças. As células T reguladoras podem suprimir as respostas imunes por diversos mecanismos. Sua atividade inibidora pode ser mediada, em parte, pela secreção de citocinas imunossupressoras, como a IL-10 e o TGF-β, que inibem a ativação dos linfócitos e as suas funções efetoras.

As células T reguladoras impedem as respostas imunes não apenas contra autoantígenos, mas também contra o feto e microrganismos comensais. Os mamíferos placentários deparam com um desafio único, visto que o feto em desenvolvimento expressa antígenos paternos que são estranhos para a mãe, mas que precisam ser tolerados. Há evidências emergentes de que as células T reguladoras previnem a ocorrência de reações imunes contra antígenos fetais que são herdados do pai e, portanto, que são estranhos para a mãe. De acordo com essa ideia, durante a evolução, a placentação apareceu simultaneamente com a capacidade de expressar de maneira estável o fator de transcrição FOXP3. Experimentos realizados em camundongos mostraram que os antígenos fetais induzem células T reguladoras FOXP3+ de longa vida, e que a depleção dessas células resulta em perda fetal. Existe grande interesse em determinar a contribuição das células T reguladoras na gravidez humana e a ocorrência de possíveis defeitos dessas células como base para abortos espontâneos recorrentes

- *Deleção por apoptose*. As células T que reconhecem autoantígenos podem receber sinais que promovem sua morte por apoptose. A deleção de células T ocorre não apenas no timo, conforme já discutido, mas também na periferia. Dois mecanismos de deleção das células T maduras na periferia foram propostos, com base em estudos realizados em camundongos. Postula-se que, se as células T reconhecem autoantígenos, elas podem expressar um membro pró-apoptótico da família Bcl, denominado Bim, sem membros antiapoptóticos da família, como Bcl-2 e Bcl-x (cuja indução exige o conjunto completo de sinais para a ativação dos linfócitos). O Bim sem oposição desencadeia a apoptose pela via mitocondrial (ver **Capítulo 2**). Um segundo mecanismo envolve o sistema Fas-FasL. Com o reconhecimento de autoantígenos, os linfócitos expressam o receptor da morte Fas (CD95), um membro da família do receptor de TNF. O ligante Fas (FasL), uma proteína de membrana estruturalmente homóloga à citocina TNF, é expresso sobretudo nos linfócitos T ativados. A ocupação do Fas pelo FasL induz a apoptose pela via do receptor da morte (ver **Capítulo 2**). Se autoantígenos ocuparem os receptores de antígenos de células T autorreativas, ocorre coexpressão de Fas e FasL, levando à eliminação das células por meio de apoptose mediada por Fas. As células B autorreativas também podem sofrer deleção por esse processo, onde o FasL nas células T se liga ao Fas expresso nas células B. As mutações em Fas ou FasL em camundongos e seres humanos resultam em uma doença autoimune que lembra o LES nos seres humanos, denominada *síndrome linfoproliferativa autoimune (SLPA)*.

Alguns antígenos estão escondidos (sequestrados) do sistema imune, visto que os tecidos nos quais estão localizados não se comunicam com o sangue e a linfa. Em consequência, os autoantígenos nesses tecidos são incapazes de desencadear respostas imunes e são essencialmente ignorados pelo sistema imune. Acredita-se que este seja o caso do testículo, do olho e do cérebro, todos os quais são denominados *sítios imunoprivilegiados*, visto que antígenos introduzidos nesses locais tendem a desencadear respostas imunes fracas ou nenhuma resposta. Se os antígenos desses tecidos forem liberados, por exemplo, em consequência de trauma ou de infecção, o resultado pode ser uma resposta imune que leva à inflamação e lesão tecidual prolongadas. Esse é o mecanismo postulado para a orquite e a uveíte pós-traumáticas.

Mecanismos de autoimunidade: princípios gerais

Normalmente, o sistema imunológico encontra-se em equilíbrio, ou seja, a ativação dos linfócitos, que é necessária para a defesa contra patógenos, é equilibrada pelos mecanismos de tolerância, que impedem a ocorrência de reações contra autoantígenos. A causa subjacente das doenças autoimunes consiste em falha da tolerância, que permite o desenvolvimento de respostas contra antígenos próprios. Um importante objetivo dos imunologistas é entender o motivo pelo qual a tolerância falha nessas doenças.

A autoimunidade surge de uma combinação da herança de genes de suscetibilidade, que podem contribuir para a falha da autotolerância, e fatores desencadeantes ambientais, como infecções e dano tecidual, que promovem a ativação de linfócitos autorreativos (Figura 6.22). Embora muitos aspectos sobre o enigma da autoimunidade permaneçam desconhecidos, as seguintes anormalidades parecem contribuir para seu desenvolvimento:

- *Tolerância ou regulação defeituosas*. Algumas pistas sobre como os mecanismos de tolerância estão desestabilizados surgiram da análise de pacientes com doenças autoimunes hereditárias (mendelianas) raras e de camundongos nocaute para certos genes, que desenvolvem lesões autoimunes, mencionadas anteriormente e discutidas de modo mais detalhado adiante. Entretanto, apesar desses avanços, ainda não sabemos por que a autotolerância falha na maioria das doenças autoimunes
- *Apresentação anormal de autoantígenos*. As anormalidades podem incluir aumento da expressão e persistência de autoantígenos que normalmente são eliminados, ou alterações estruturais nesses antígenos, em consequência de modificações

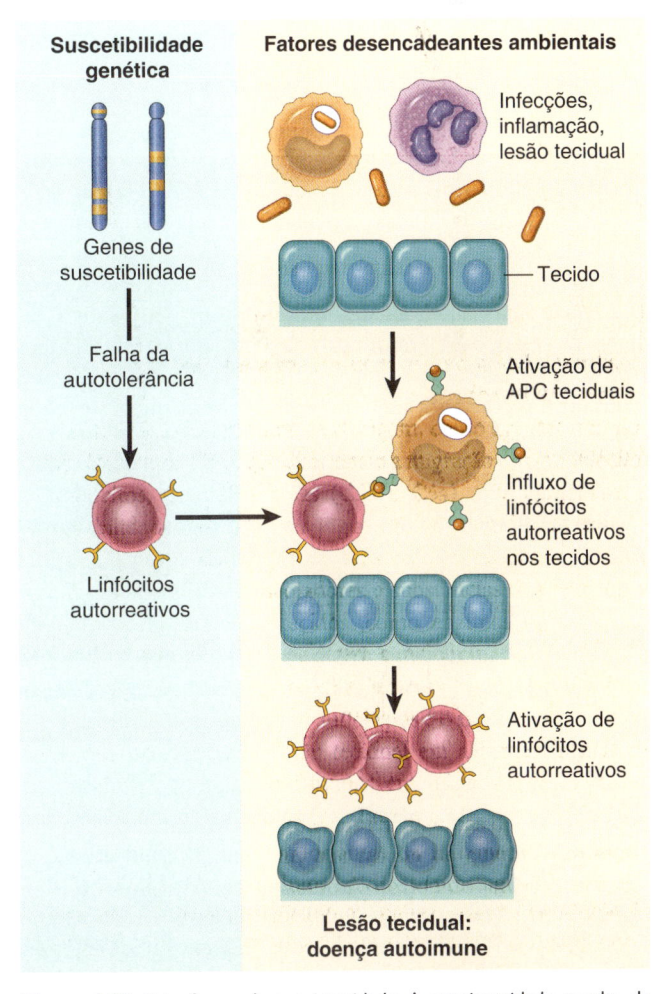

Figura 6.22 Patogênese da autoimunidade. A autoimunidade resulta de múltiplos fatores, incluindo genes de suscetibilidade, que podem interferir na autotolerância, e fatores desencadeantes ambientais (como infecções, lesão tecidual e inflamação), que promovem a entrada dos linfócitos nos tecidos, a ativação dos linfócitos autorreativos e lesão tecidual.

enzimáticas pós-tradução ou de estresse ou lesão celular. Se essas alterações levarem à apresentação de "neoantígenos" (novos epítopos que normalmente não são expressos), o sistema imune pode não ser tolerante a esses epítopos, podendo haver desenvolvimento de respostas contra os tecidos próprios do indivíduo
- *Inflamação ou resposta imune inata inicial.* Conforme discutido anteriormente, a resposta imune inata constitui um forte estímulo para a ativação subsequente de linfócitos e a geração de respostas imunes adaptativas. Os microrganismos ou a ocorrência de lesão celular podem desencadear reações inflamatórias locais, que por sua vez, podem constituir fatores desencadeantes para a autoimunidade.

Embora essas hipóteses sejam atrativas, definir qual dessas anormalidades realmente desempenha está envolvida em doenças autoimunes específicas nos seres humanos continua sendo, em grande parte, um assunto de especulação.

Papel dos genes de suscetibilidade

As doenças autoimunes são, em sua maioria, distúrbios multigênicos complexos. Sabe-se, há décadas, que a autoimunidade apresenta um componente genético. A incidência de muitas doenças autoimunes é maior em gêmeos de indivíduos afetados do que na população geral e maior em gêmeos monozigóticos do que nos dizigóticos, fornecendo uma prova de que a genética contribui para o desenvolvimento desses distúrbios.

Associação dos alelos HLA com a doença

Entre os genes conhecidos pela sua associação com a autoimunidade, a maior contribuição é a dos genes HLA (Tabela 6.7). A mais significativa dessas associações é observada entre a espondilite anquilosante e o *HLA-B27*; os indivíduos que herdam esse alelo HLA de classe I apresentam uma probabilidade de cem a duzentas vezes maior (razão de chances ou risco relativo) de desenvolver a doença, em comparação com aqueles que não tem *HLA-B27*. Muitas doenças autoimunes estão associadas a diferentes alelos HLA de classe II. Embora seja razoável postular que essas associações refletem a capacidade de algumas moléculas de HLA de apresentar preferencialmente autopeptídeos naturais ou modificados, tem sido difícil provar que este é o caso. É também importante compreender que, embora diferentes alelos do HLA possam contribuir para uma doença, sua presença não é, por si só, a causa de qualquer doença. Por conseguinte, no exemplo do HLA-B27, a grande maioria dos indivíduos que herdam esse alelo nunca desenvolverá espondilite anquilosante.

Associação dos genes não MHC com doenças autoimunes

Estudos de associação genômica ampla e estudos familiares mostraram que múltiplos genes não MHC estão associados a diversas doenças autoimunes (**Tabela 6.8**). Alguns desses genes são específicos para a doença, porém muitas das associações são observadas em múltiplos distúrbios, sugerindo que os produtos desses genes afetam mecanismos gerais de regulação imune e de autotolerância. Três associações genéticas recém-descritas são interessantes:

- Os polimorfismos em um gene denominado *PTPN22*, que codifica uma proteína tirosina fosfatase, estão associados à artrite reumatoide, ao diabetes melito tipo 1 e a várias outras doenças autoimunes. Como esses distúrbios apresentam uma prevalência bastante alta (em particular a artrite reumatoide), diz-se que o *PTPN22* é o gene não HLA mais frequentemente implicado na autoimunidade. Postula-se que as variantes associadas a doenças codifiquem formas da fosfatase que são funcionalmente defeituosas e, portanto, incapazes de reduzir a atividade de tirosinoquinases que estão envolvidas em muitas respostas dos linfócitos. O resultado final consiste em ativação excessiva dos linfócitos
- Os polimorfismos no gene para NOD2 estão associados à doença de Crohn, uma forma de doença inflamatória intestinal, sobretudo em certas populações étnicas. O NOD2, um membro da família do receptor de tipo NOD (NLR) (discutido anteriormente), é um sensor citoplasmático de microrganismos, que é expresso nas células epiteliais intestinais e em outras

Tabela 6.7 Associação dos alelos do HLA e doenças inflamatórias.

Doença	Alelo do HLA	Razão de chances[a]
Artrite reumatoide (anticorpo anti-CCP positivo)[b]	Alelo[c] DRBI, 1 SE	4
	Alelos DRBI, 2 SE	12
Diabetes melito tipo 1	Haplótipo DRBI*0301-DQAI*0501- DQBI*0201	4
	Haplótipo DRBI*0401-DQAI*0301- DQBI*0302	8
	Heterozigotos do haplótipo DRBI*0301/0401	35
Esclerose múltipla	DRBI*1501	3
Lúpus eritematoso sistêmico	DRBI*0301 2	2
	DRBI*1501	1,3
Espondilite anquilosante	B*27 (principalmente B*2705 e B*2702)	100 a 200
Doença celíaca	Haplótipo DQAI*0501-DQBI*0201	7

[a]A razão de chances reflete valores aproximados de aumento do risco de doença associada à herança de alelos HLA específicos. Os dados foram obtidos de populações europeias.
[b]Anticorpos anti-CCP = anticorpos dirigidos contra peptídeos citrulinados cíclicos. Os dados foram obtidos de pacientes com teste positivo para esses anticorpos no soro.
[c]SE refere-se a *epítopo compartilhado*, assim denominado devido ao mapa de alelos de suscetibilidade em uma região da proteína DRBI (posições 70 a 74).
Cortesia da Dra. Michelle Fernando, Imperial College London.

Tabela 6.8 Genes não HLA selecionados associados a doenças autoimunes.

Suposto gene envolvido	Doenças	Função postulada da proteína codificada e papel da mutação/polimorfismo na doença
Genes envolvidos na regulação imune		
PTPN22	AR, DTI, DII	Proteína tirosina fosfatase, pode afetar a sinalização nos linfócitos e pode alterar a seleção negativa ou a ativação de células T autorreativas
IL23R	DII, PS, EA	Receptor da citocina IL-23 indutora de Th17; pode alterar a diferenciação das células T CD4+ em células efetoras Th17 patogênicas
CTLA4	DTI, AR	Inibe as respostas das células T ao interromper a ativação e promover a atividade das células T reguladoras; pode interferir na autotolerância
IL2RA	EM, DTI	Cadeia α do receptor de IL-2, que é um fator de crescimento e sobrevivência para as células T ativadas e reguladoras; pode afetar o desenvolvimento das células efetoras e/ou a regulação das respostas imunes
Genes envolvidos nas respostas imunes contra micróbios		
NOD2	DII	Sensor citoplasmático de bactérias expresso em células de Paneth e outras células epiteliais intestinais; pode controlar a resistência a bactérias comensais do intestino
ATG16	DII	Envolvido na autofagia; possível papel na defesa contra microrganismos e manutenção da função da barreira epitelial
IRF5, IFIHI	LES	Papel na produção de interferona tipo I; a interferona tipo I está envolvido na patogênese do LES (ver texto)

AR, artrite reumatoide; DII, doença inflamatória intestinal; DTI, diabetes melito tipo 1; EA, espondilite anquilosante; EM, esclerose múltipla; LES, lúpus eritematoso sistêmico; PS, psoríase.
A provável ligação desses genes com várias doenças autoimunes tem sido definida por estudos de associação genômica ampla e outros métodos para o estudo de polimorfismos associados a doenças.
Modificada de Zenewicz LA, Abraham C, Flavell RA, Cho JH: Unraveling the genetics of autoimmunity. Cell 140:791, 2010.

células. De acordo com uma hipótese, a variante associada à doença é ineficaz na detecção de microrganismos intestinais, incluindo bactérias comensais, resultando na entrada destas e em respostas inflamatórias crônicas contra esses microrganismos normalmente bem tolerados
- Os polimorfismos no gene que codifica o receptor de IL-2 (CD25) estão associados à esclerose múltipla e a outras doenças autoimunes. Essas variantes podem influenciar a expressão e a atividade desse receptor fundamental e, por conseguinte, afetar o equilíbrio entre células T reguladoras e efetoras.

Muitos outros polimorfismos foram descritos em diferentes doenças autoimunes, e alguns deles serão mencionados quando descrevermos os distúrbios específicos. Anteriormente, assinalamos que, em camundongos e seres humanos, os nocautes gênicos e as mutações esporádicas que afetam vários genes individuais resultam em autoimunidade. Esses genes incluem *AIRE, CTLA4, PD1, FAS, FASL* e *IL2* e seu receptor *CD25*. Além disso, as células B expressam um receptor Fc, que reconhece anticorpos IgG ligados a antígenos e que desativa a produção adicional de anticorpos (um mecanismo normal de retroalimentação negativa). O nocaute desse receptor resulta em autoimunidade, presumivelmente porque as células B não podem ser mais controladas. Esses exemplos fornecem informações valiosas sobre vias de autotolerância e regulação imune, porém as doenças causadas por essas mutações de um único gene são raras, e as mutações nesses genes não constituem a causa dos distúrbios autoimunes mais comuns.

Papel das infecções e de outros fatores ambientais

As reações autoimunes podem ser desencadeadas por infecções. Foram postulados dois mecanismos para explicar a ligação entre as infecções e a autoimunidade (**Figura 6.23**). Em primeiro lugar, as infecções podem suprarregular a expressão de coestimuladores nas APC. Se essas células estiverem apresentando autoantígenos, o resultado pode consistir em quebra da anergia e ativação de células T específicas para os autoantígenos. Em segundo lugar, alguns microrganismos podem expressar antígenos que compartilham sequências de aminoácidos com os autoantígenos. As respostas imunes contra os antígenos microbianos podem resultar na ativação de linfócitos autorreativos. Esse fenômeno é denominado *mimetismo molecular*. Um exemplo claro desse mimetismo é a doença cardíaca reumática, em que anticorpos dirigidos contra proteínas estreptocócicas reagem de modo cruzado com proteínas do miocárdio, causando miocardite (ver **Capítulo 12**). Um mimetismo molecular mais sutil também pode estar envolvido em doenças autoimunes clássicas.

Os microrganismos podem induzir outras anormalidades que promovem reações autoimunes. Alguns vírus, como o EBV e o HIV, causam ativação de células B policlonais, que pode resultar na produção de autoanticorpos. A lesão tecidual, que é comum nas infecções, pode liberar autoantígenos e modificá-los estruturalmente, criando neoantígenos capazes de ativar as células T. As infecções podem induzir a produção de citocinas que recrutam linfócitos, incluindo linfócitos potencialmente autorreativos, para os locais dos autoantígenos.

As infecções podem proteger contra algumas doenças autoimunes. Embora o papel das infecções no desencadeamento da autoimunidade tenha recebido muita atenção, os estudos epidemiológicos realizados sugerem que a incidência de doenças autoimunes está aumentando nos países de alta renda, paralelamente com o melhor controle das infecções. Em alguns modelos animais (p. ex., de diabetes melito tipo 1), as infecções reduzem acentuadamente a incidência da doença. Os mecanismos subjacentes não estão esclarecidos; uma possibilidade é a de que as infecções possam promover um baixo nível de produção de IL-2, o que é essencial para manter as células T reguladoras.

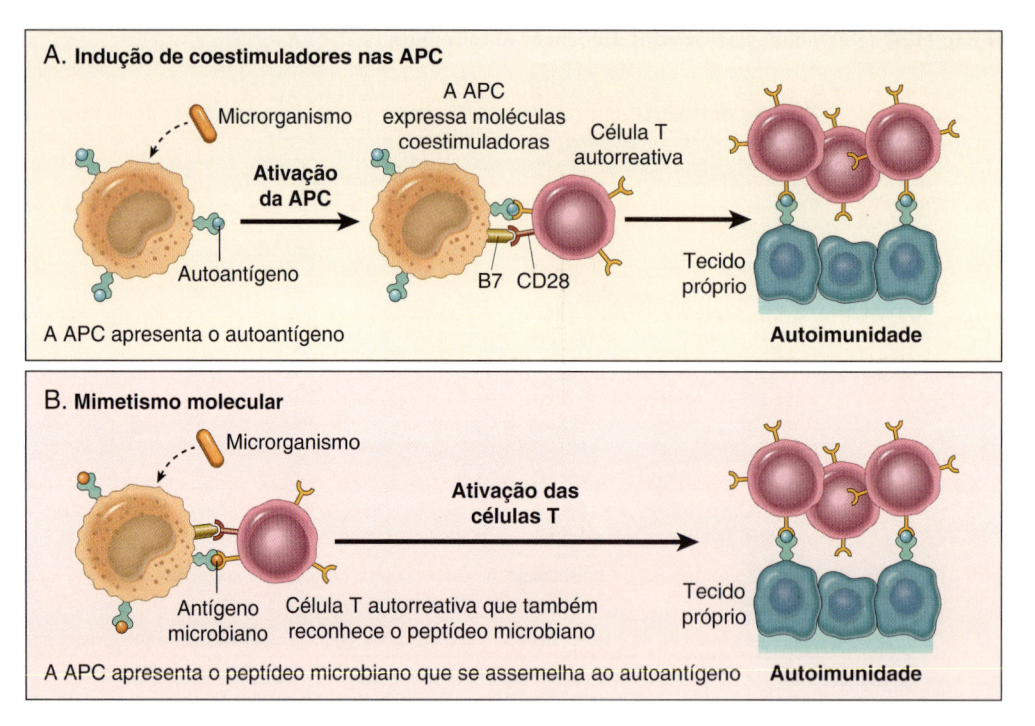

Figura 6.23 Papel postulado das infecções na autoimunidade. As infecções podem promover a ativação de linfócitos autorreativos por meio de indução da expressão de coestimuladores (**A**), ou os antígenos microbianos podem simular autoantígenos e ativar linfócitos autorreativos como reação cruzada (**B**).

Recentemente, houve grande interesse na ideia de que o microbioma do intestino normal e da pele possa influenciar o desenvolvimento da autoimunidade. É possível que diferentes microrganismos não patogênicos afetem as proporções relativas de células T efetoras e reguladoras e determinem a resposta do hospedeiro na direção de uma ativação aberrante ou para longe dela. Entretanto, ainda não foi esclarecido quais os microrganismos que realmente contribuem para doenças específicas nos seres humanos, ou se o microbioma pode ser manipulado para prevenir ou tratar esses distúrbios.

Além das infecções, a apresentação dos antígenos teciduais também pode ser alterada por uma variedade de agressões ambientais. Conforme discutido adiante, a radiação ultravioleta (UV) provoca morte celular e pode levar à exposição de antígenos nucleares, que desencadeiam respostas imunes patológicas no lúpus; esse mecanismo é a explicação proposta para a associação das exacerbações do lúpus com a exposição à luz solar. O tabagismo é um fator de risco para a artrite reumatoide, talvez pelo fato de levar à modificação química de autoantígenos. A lesão tecidual local por qualquer razão pode levar à liberação de autoantígenos e respostas autoimunes.

Por fim, a autoimunidade apresenta um forte viés de gênero, e muitas dessas doenças são mais comuns em mulheres do que em homens. Os mecanismos subjacentes não estão elucidados, mas podem envolver os efeitos de hormônios e genes atualmente desconhecidos no cromossomo X.

Características gerais das doenças autoimunes

As doenças causadas por autoimunidade apontam características gerais importantes:

- As doenças autoimunes tendem a ser crônicas, algumas vezes com recidivas e remissões, e o dano é, com frequência, progressivo. Uma razão para a cronicidade é o fato de que o sistema imune dispõe de diversas alças de amplificação intrínsecas, que permitem que pequenos números de linfócitos específicos para antígenos executem a tarefa de erradicar as infecções complexas. Quando a resposta é inapropriadamente dirigida contra os próprios tecidos, os mesmos mecanismos de amplificação exacerbam e prolongam a lesão. Outra razão para a persistência e a progressão da doença autoimune é o fenômeno de *disseminação do epítopo,* em que uma resposta imune contra um autoantígeno provoca lesão tecidual, liberando outros antígenos e resultando na ativação de linfócitos que reconhecem esses epítopos recém-encontrados

- As manifestações clínicas e patológicas de uma doença autoimune são determinadas pela natureza da resposta imune subjacente. Algumas dessas doenças são causadas por autoanticorpos, cuja formação pode estar associada a reações desreguladas nos centros germinativos. As doenças inflamatórias são causadas, em sua maioria, por respostas anormais e excessivas das células Th1 e Th17; exemplos dessas doenças incluem a psoríase, a esclerose múltipla e alguns tipos de doença inflamatória intestinal. Em algumas doenças autoimunes, como a artrite reumatoide, tanto os anticorpos quanto a inflamação mediada por células T podem estar envolvidos.

Com essa base de dados, podemos prosseguir para uma discussão das doenças autoimunes específicas. A **Tabela 6.6** fornece uma lista de doenças autoimunes tanto sistêmicas quanto específicas de órgãos. As doenças sistêmicas tendem a acometer os vasos sanguíneos e os tecidos conjuntivos, razão pela qual são frequentemente denominadas *doenças vasculares do colágeno* ou *doenças do tecido conjuntivo.* Nosso foco aqui está em doenças autoimunes sistêmicas selecionadas; os distúrbios específicos de alguns órgãos são descritos nos capítulos correspondentes.

Conceitos-chave

Tolerância imunológica e autoimunidade

- A tolerância (ausência de responsividade) a autoantígenos é uma propriedade fundamental do sistema imune, e a quebra da tolerância é a base das doenças autoimunes
- Tolerância central: os linfócitos imaturos que reconhecem autoantígenos nos órgãos linfoides centrais (geradores) são eliminados por apoptose; na linhagem de células B, alguns dos linfócitos autorreativos passam a ter novos receptores de antígenos que não são autorreativos
- Autotolerância periférica: os linfócitos maduros que reconhecem autoantígenos nos tecidos periféricos tornam-se funcionalmente inativos (anérgicos) ou são suprimidos pelos linfócitos T reguladores ou morrem por apoptose
- Os fatores que levam a uma falha da autotolerância e ao desenvolvimento da autoimunidade incluem (1) herança de genes de suscetibilidade, que podem afetar diferentes vias de tolerância e (2) infecções e lesão tecidual, que podem expor autoantígenos e ativar as APC e os linfócitos nos tecidos
- As doenças autoimunes costumam ser crônicas e progressivas, e o tipo de lesão tecidual é determinado pela natureza da resposta imune dominante.

Lúpus eritematoso sistêmico

O lúpus eritematoso sistêmico (LES) é uma doença autoimune que acomete múltiplos órgãos, caracterizada por uma grande variedade de autoanticorpos, sobretudo anticorpos antinucleares (ANA), em que a lesão é causada sobretudo pela deposição de imunocomplexos e ligação dos anticorpos a várias células e tecidos. A doença pode ser aguda ou de início insidioso e, normalmente, é uma doença crônica, com remissões e recidivas, frequentemente febril. As lesões da pele, das articulações, dos rins e das membranas serosas são mais proeminentes, porém praticamente qualquer órgão do corpo pode ser afetado. Em consequência, a doença é muito heterogênea, e qualquer paciente pode apresentar um número variado de características clínicas. Ao reconhecer esse aspecto, o American College of Rheumatology estabeleceu um conjunto complexo de critérios para essa doença, que é útil para os médicos e para a avaliação de pacientes em ensaios clínicos (**Tabela 6.9**).

O LES é uma doença bastante comum, com prevalência que pode alcançar de 1 a cada 2.500 pessoas em certas populações. À semelhança de muitas doenças autoimunes, o LES afeta predominantemente as mulheres, com uma frequência de 1 a cada

Tabela 6.9 Critérios revisados de 1997 para a classificação do lúpus eritematoso sistêmico.[a]

Critério	Definição
Critérios clínicos	
Lúpus cutâneo agudo	Exantema malar (eritema fixo, plano ou elevado, sobre as eminências malares), fotossensibilidade
Lúpus cutâneo crônico	Exantema discoide: placas eritematosas elevadas com descamação ceratótica aderente e tamponamento folicular
Alopecia não cicatricial	Adelgaçamento difuso ou fragilidade dos cabelos na ausência de outras causas
Úlceras orais ou nasais	Ulceração oral ou nasofaríngea, geralmente sem dor
Doença articular	Sinovite não erosiva que acomete duas ou mais articulações periféricas, caracterizada por hipersensibilidade dolorosa, edema ou efusão articular
Serosite	Pleurite (dor pleurítica ou ruído (atrito) ou evidência de efusão pleural), pericardite
Distúrbio renal	Proteinúria persistente > 0,5 g/24 h ou cilindros hemáticos
Distúrbio neurológico	Convulsões, psicose, mielite ou neuropatia na ausência de medicamentos que tenham efeitos lesivos ou outras causas conhecidas
Anemia hemolítica	Anemia hemolítica
Leucopenia ou linfopenia	Leucopenia: total de < 4×10^9 células/ℓ (4.000 células/mm^3) em duas ou mais ocasiões *ou* Linfopenia: < $1,5 \times 10^9$ células/ℓ (1.500 células/mm^3) em duas ou mais ocasiões
Trombocitopenia	Trombocitopenia: < 100×10^9 células/ℓ (100×10^3 células/mm^3) na ausência de medicamentos que a causem e outras condições
Critérios imunológicos	
Anticorpo antinuclear (ANA)	Título anormal de anticorpo antinuclear por imunofluorescência
Anticorpo anti-dsDNA	Título anormal
Anticorpo anti-Sm	Presença de anticorpo contra o antígeno nuclear Sm
Anticorpo antifosfolipídio	Achado positivo de anticorpos antifosfolipídios com base em (1) nível sérico anormal de anticorpos anticardiolipina IgG ou IgM, (2) teste positivo para o anticoagulante lúpico utilizando um teste padrão, ou (3) teste sorológico falso-positivo para sífilis com resultado sabidamente positivo por pelo menos 6 meses e confirmado com um resultado negativo do teste de imobilização do *Treponema pallidum* (TPI) ou do teste de absorção de anticorpo antitreponêmico fluorescente (FTA-ABS)
Complemento baixo	Baixos níveis de C3, C4 ou CH50
Teste de Coombs direto	Ensaio para anticorpo antieritrocitário, na ausência de anemia hemolítica clinicamente evidente

[a]Essa classificação foi inicialmente proposta em 1997 pelo American College of Rheumatology com a finalidade de identificar pacientes em estudos clínicos. Foi atualizada em 2012 pela Systemic Lupus International Collaborating Clinics. Um paciente é classificado como portador de LES na presença de quatro dos critérios clínicos e imunológicos em qualquer momento (não necessariamente de modo concomitante), incluindo pelo menos um critério clínico e um critério imunológico. Alguns detalhes foram omitidos da tabela. Modificada de Petri M, Orbai AM, Alarcón GS, et al: Derivation and validation of the Systemic Lupus International Collaborating Clinics classification criteria for systemic lupus erythematosus, *Arthritis Rheum* 64:2677, 2012.

700 mulheres de idade fértil e uma razão entre mulheres e homens de 9:1 na faixa etária reprodutiva de 17 a 55 anos. Em comparação, a razão entre mulheres e homens é de apenas 2:1 para a doença que se desenvolve na infância ou depois dos 65 anos. A prevalência da doença é duas a três vezes maior em indivíduos negros e hispânicos do que em brancos. Embora o LES se manifeste com mais frequência na segunda e na terceira décadas de vida, pode ocorrer em qualquer idade, até mesmo no início da infância.

Espectro de autoanticorpos no lúpus eritematoso sistêmico

A característica fundamental do LES é a produção de autoanticorpos, vários dos quais (anticorpos contra o DNA de fita dupla e o denominado antígeno Smith [Sm]) são praticamente diagnósticos. Estes e outros autoanticorpos são patogênicos, formando imunocomplexos ou atacando suas células-alvo. Os níveis desses autoanticorpos no sangue também são úteis no estabelecimento do diagnóstico e no manejo de pacientes com LES. Os autoanticorpos são encontrados em muitas doenças além do LES, e anticorpos de diferentes especificidades tendem a estar associados a diferentes distúrbios autoimunes (**Tabela 6.10**).

ANA. Esses anticorpos são dirigidos contra antígenos nucleares e podem ser agrupados em quatro categorias, com base na sua especificidade para: (1) DNA; (2) histonas; (3) proteínas não histonas ligadas ao RNA; e (4) antígenos nucleolares. A **Tabela 6.10** fornece uma lista de vários ANA e sua associação ao LES, bem como a outras doenças autoimunes discutidas posteriormente. O método mais amplamente utilizado para detectar ANA é a imunofluorescência indireta, que consegue identificar anticorpos ligados a uma variedade de antígenos nucleares, como DNA, RNA e proteínas (coletivamente denominados ANA genéricos). O padrão de fluorescência nuclear sugere o tipo de anticorpo presente no soro do paciente. São reconhecidos quatro padrões básicos (**Figura 6.24**):

- *A coloração nuclear homogênea ou difusa costuma* refletir anticorpos dirigidos contra a cromatina, as histonas e, em certas ocasiões, o DNA de fita dupla
- Os padrões de *coloração periférica ou na borda* indicam, com mais frequência, anticorpos dirigidos contra o DNA de fita dupla e, algumas vezes, contra proteínas do envelope nuclear
- O *padrão pontilhado* refere-se à presença de pontilhados uniformes ou de tamanho variável. Trata-se de um dos padrões de fluorescência mais comumente observados e, portanto, o menos específico. Reflete a presença de anticorpos contra constituintes nucleares diferentes do DNA, como o antígeno Sm, a ribonucleoproteína e antígenos reativos SS-A e SS-B
- O *padrão nucleolar* refere-se à presença de alguns pontos distintos de fluorescência dentro do núcleo e representa anticorpos contra o RNA. Esse padrão é relatado com mais frequência em pacientes com esclerose sistêmica
- *Padrão centromérico.* Os pacientes com esclerose sistêmica frequentemente contêm anticorpos específicos contra os centrômeros, dando origem a esse padrão.

Os padrões de fluorescência não são absolutamente específicos para o tipo de anticorpo, e, tendo em vista que muitos autoanticorpos podem estar presentes, as combinações de padrões são frequentes. Surgiram preocupações quanto à sensibilidade e

Tabela 6.10 Autoanticorpos nas doenças autoimunes sistêmicas.

Doença	Especificidade do autoanticorpo	% positiva	Associação a características específicas da doença
Lúpus eritematoso sistêmico (LES)	DNA de fita dupla	40 a 60	Nefrite; específico do LES
	U1-RNP	30 a 40	
	Antígeno Smith (Sm) (proteína do cerne de pequenas partículas de RNP)	20 a 30	Específico do LES
	Nucleoproteínas Ro (SS-A)/La (SS-B)	30 a 50	Bloqueio cardíaco congênito; lúpus neonatal
	Complexos fosfolipídio-proteína (anti-PL)	30 a 40	Síndrome antifosfolipídio (em cerca de 10% dos pacientes com LES)
	Múltiplos antígenos nucleares ("ANA genéricos")	95 a 100	Encontrados em outras doenças autoimunes, não específicos
Esclerose sistêmica	DNA topoisomerase I	30 a 70	Doença cutânea difusa, doença pulmonar; específica para esclerose sistêmica
	Proteínas centroméricas (CENP) A, B, C	20 a 40	Doença cutânea limitada, perda de dedos por isquemia, hipertensão pulmonar
	RNA polimerase III	15 a 20	Início agudo, crise renal da esclerodermia, câncer
Síndrome de Sjögren	Ro/SS-A	70 a 95	
	La/SS-B		
Miosite autoimune	Histidil aminoacil-tRNA sintetase, Jo1	25	Doença pulmonar intersticial, fenômeno de Raynaud
	Antígeno nuclear Mi-2	5 a 10	Dermatomiosite, exantema cutâneo
	MDA5 (receptor citoplasmático para RNA viral)	20 a 35 (japonês)	Lesões cutâneas vasculares, doença pulmonar intersticial
	Proteína nuclear TIF1-γ	15 a 20	Dermatomiosite, câncer
Artrite reumatoide	CCP (peptídeos citrulinados cíclicos); várias proteínas citrulinadas	60 a 80	Específicos da artrite reumatoide
	Fator reumatoide (não específico)	60 a 70	

Os anticorpos antinucleares (ANA) "genéricos", que podem reagir contra muitos antígenos nucleares, são positivos em uma grande proporção de pacientes com LES, mas também são positivos em outras doenças autoimunes. % positiva refere-se à % aproximada de pacientes que apresentam teste positivo para cada anticorpo.
A tabela foi compilada com a ajuda do Dr. Antony Rosen, Johns Hopkins University, Baltimore, Md.

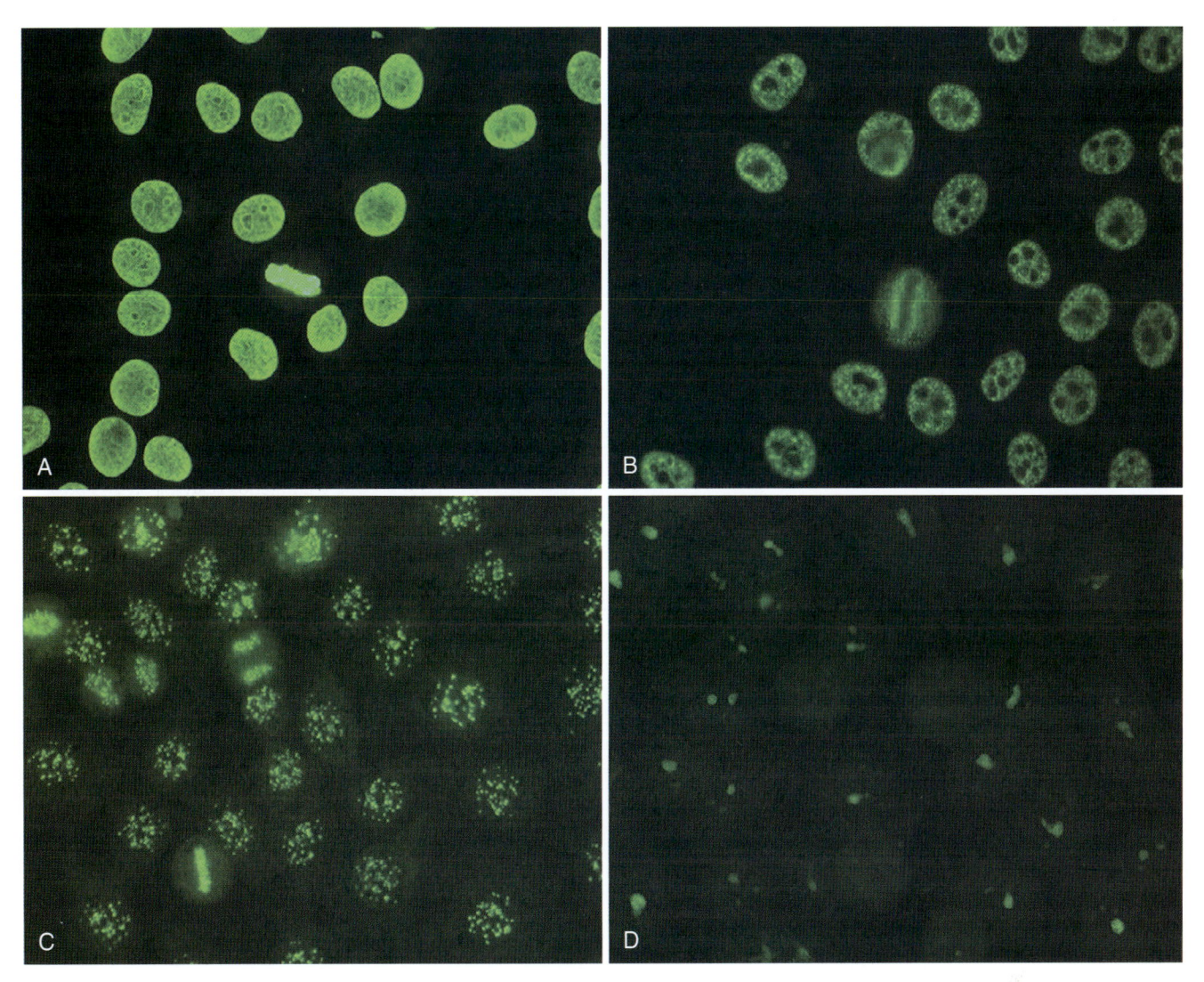

Figura 6.24 Padrões de coloração dos anticorpos antinucleares. **A.** A coloração homogênea ou difusa dos núcleos é típica de anticorpos reativos contra o dsDNA, os nucleossomos e as histonas, e sua ocorrência é comum no lúpus eritematoso sistêmico. **B.** O padrão pontilhado é observado com anticorpos dirigidos contra vários antígenos nucleares, incluindo Sm e RNP. **C.** O padrão de coloração de anticorpos anticentrômeros é observado em alguns casos de esclerose sistêmica, síndrome de Sjögren e outras doenças. **D.** O padrão nucleolar é típico de anticorpos contra proteínas nucleolares. (Imagens reproduzidas com autorização de Wiik AS, Høier-Madsen M, Forslid J, et al: Antinuclear antibodies: a contemporary nomenclature using Hep-2 cells, *J Autoimm* 35:276-290, 2010.)

natureza subjetiva desse ensaio, e esforços estão sendo realizados para substituí-lo pelo ELISA (ensaio imunoabsorvente ligado a enzimas) para antígenos nucleares específicos e outros antígenos. Todavia, o padrão de coloração é considerado de valor diagnóstico, e o teste continua sendo utilizado.

Além dos ANA, os pacientes com lúpus apresentam uma grande quantidade de outros autoanticorpos. Alguns são dirigidos contra células do sangue, como os eritrócitos, as plaquetas e os linfócitos; outros reagem com proteínas em complexo com fosfolipídios. Observa-se a presença de *anticorpos antifosfolipídios* em 30 a 40% dos pacientes com lúpus. Na verdade, são específicos para epítopos de proteínas plasmáticas que são revelados quando as proteínas formam complexos com fosfolipídios. Entre essas proteínas, estão incluídas a protrombina, a anexina V, a β_2-glicoproteína I, a proteína S e a proteína C. Os anticorpos dirigidos contra o complexo fosfolipídio-β_2-glicoproteína também se ligam ao antígeno cardiolipina, utilizado na sorologia para sífilis, razão pela qual os pacientes com lúpus podem apresentar um resultado falso-positivo para sífilis. Alguns desses anticorpos interferem nos testes de coagulação *in vitro*, como o tempo de tromboplastina parcial. Por conseguinte, esses anticorpos são algumas vezes designados como *anticoagulante lúpico*. Apesar dos atrasos observados na coagulação *in vitro*, entretanto, os pacientes com anticorpos antifosfolipídios apresentam complicações relacionadas com o excesso de coagulação (estado de hipercoagulabilidade), como trombose (ver **Capítulo 4**).

Patogênese

O defeito fundamental no LES consiste em falha dos mecanismos que mantêm a autotolerância. Embora as causas dessa falha da autotolerância permaneçam desconhecidas, como ocorre com a maioria das doenças autoimunes, fatores tanto genéticos quanto ambientais estão envolvidos.

Fatores genéticos. O LES é uma doença geneticamente complexa, com contribuições dos genes do MHC e de múltiplos genes não MHC. Muitas linhas de evidências sustentam uma predisposição genética:

- Os familiares de pacientes apresentam um risco aumentado de desenvolver LES. Além disso, os exames laboratoriais revelaram que até 20% dos parentes de primeiro grau clinicamente não afetados de pacientes com LES têm autoanticorpos e outras anormalidades imunes
- Existe maior taxa de concordância (> 20%) em gêmeos monozigóticos, quando comparados com gêmeos dizigóticos (1 a 3%)
- Estudos de associações de HLA sustentam o conceito de que os genes do MHC regulam a produção de determinados autoanticorpos. Alelos específicos do *locus HLA-DQ* têm sido ligados à produção de anticorpos anti-DNA de fita dupla, anti-Sm e antifosfolipídios, embora o risco relativo seja pequeno
- Alguns pacientes com lúpus apresentam deficiências hereditárias de componentes iniciais do complemento, como C2, C4 ou C1q. A ausência de complemento pode prejudicar a remoção de imunocomplexos circulantes pelo sistema mononuclear fagocitário, favorecendo, assim, a deposição nos tecidos. Os camundongos nocaute (inativação de genes específicos), que carecem de C4 ou de certos receptores do complemento, também têm propensão ao desenvolvimento de autoimunidade similares ao lúpus. Foram sugeridos vários mecanismos, incluindo a incapacidade de remoção dos imunocomplexos e a perda de autotolerância das células B. Foi também proposto que a deficiência de C1q resulta em eliminação fagocítica defeituosa das células apoptóticas. Muitas células normalmente sofrem apoptose, e, se elas não forem removidas, seus componentes nucleares podem desencadear respostas imunes.
- Os estudos de associação genômica ampla identificaram vários *loci* genéticos que podem estar associados à doença. Muitos desses *loci* codificam proteínas envolvidas na sinalização dos linfócitos e respostas dos interferons, ambas as quais podem desempenhar um papel na patogênese do lúpus, conforme discutido posteriormente. O risco relativo para cada *locus* é pequeno, e, mesmo quando considerados em conjunto, esses *loci* são responsáveis por 20% ou menos da predisposição à doença, sugerindo um importante papel dos fatores ambientais, discutidos posteriormente.

Fatores imunológicos. Estudos recentes em modelos animais e pacientes revelaram várias alterações imunológicas, que coletivamente podem resultar na persistência e ativação descontrolada de linfócitos autorreativos:

- A falha da autotolerância nas células B resulta da eliminação defeituosa das células B autorreativas na medula óssea ou de defeitos nos mecanismos de tolerância periféricos
- Ativação das células T auxiliares CD4+ específicas para antígenos nucleossomais, que escapam da tolerância e ajudam as células B a produzir autoanticorpos patogênicos de alta afinidade
- A ocupação dos TLR pelo DNA e RNA nucleares contidos em imunocomplexos pode ativar os linfócitos B. Esses TLR atuam normalmente na detecção de produtos microbianos, incluindo ácidos nucleicos. Por conseguinte, as células B específicas para antígenos nucleares podem receber segundos sinais provenientes dos TLR e podem ser ativadas, resultando em aumento na produção de autoanticorpos antinucleares
- Os interferons do tipo I estão envolvidos na ativação dos linfócitos no LES. Foram relatados altos níveis de interferons de tipo I circulantes e uma assinatura molecular nas células sanguíneas, sugerindo exposição a essas citocinas em pacientes com LES, havendo uma correlação com a gravidade da doença. Os interferons de tipo I são citocinas antivirais que normalmente são produzidas durante as respostas imunes inatas contra vírus. É possível que os ácidos nucleicos ocupem os TLR nas CD e estimulem a produção de interferons. Em outras palavras, os ácidos nucleicos próprios simulam seus correspondentes microbianos. Não foi esclarecido como os interferons contribuem para o desenvolvimento do LES; essas citocinas podem ativar as CD e as células B e podem promover respostas das células Th1, que, por sua vez, estimulam a produção de autoanticorpos patogênicos e induzem inflamação.

Fatores ambientais. Há muitas indicações de que os fatores ambientais também devem estar envolvidos na patogênese do LES:

- A exposição à luz ultravioleta (UV) exacerba a doença em muitos indivíduos. A irradiação UV pode induzir apoptose nas células e pode alterar o DNA, de modo que seu reconhecimento pelos TLR seja aumentado. Além disso, a luz UV pode modular a resposta imune, por exemplo, ao estimular os queratinócitos a produzir a IL-1, uma citocina conhecida pela sua capacidade de promover a inflamação
- O viés de gênero do LES é atribuído, em parte, às ações dos hormônios sexuais e, em parte, a genes desconhecidos no cromossomo X, independentemente dos efeitos hormonais
- Medicamentos como a hidralazina, a procainamida e a D-penicilamina podem induzir uma resposta similar à observada no LES em seres humanos.

Modelo para a patogênese do LES. Com base nessa discussão, fica evidente que as anormalidades imunológicas no LES – tanto documentadas quanto postuladas – são variadas e complexas. Entretanto, pode-se tentar fazer uma síntese dos resultados dos estudos realizados em pacientes e animais em um modelo de patogênese do LES (**Figura 6.25**). A irradiação UV e outras agressões ambientais levam à apoptose das células. A remoção inadequada dos núcleos dessas células resulta em uma grande carga de antígenos nucleares. Anormalidades subjacentes dos linfócitos B e T são responsáveis pela tolerância defeituosa, devido ao fato de que os linfócitos autorreativos sobrevivem e permanecem funcionais. Esses linfócitos são estimulados por autoantígenos nucleares, e são produzidos anticorpos contra esses antígenos. Os complexos de antígenos e anticorpos ligam-se a receptores Fc nas células B e nas CD e podem ser internalizados. Os componentes de ácido nucleico ocupam os TLR e estimulam as células B a produzir mais autoanticorpos. Os estímulos dos TLR também ativam as CD para produzir interferona e outras citocinas, que intensificam ainda mais a resposta imune e causam mais apoptose. O resultado final consiste em um ciclo de liberação de antígenos e ativação imune, resultando na produção de autoanticorpos de alta afinidade.

Mecanismos de lesão tecidual. Diferentes autoanticorpos são a causa da maioria das lesões do LES:

- As lesões sistêmicas são causadas, em sua maioria, por *imunocomplexos (hipersensibilidade de tipo III)*. Podem ser detectados complexos de DNA-anti-DNA nos glomérulos e nos pequenos vasos sanguíneos de modelos animais. Os baixos níveis de complemento sérico (secundários ao consumo de proteínas do complemento) e os depósitos granulares de complemento e de imunoglobulinas nos glomérulos sustentam ainda mais

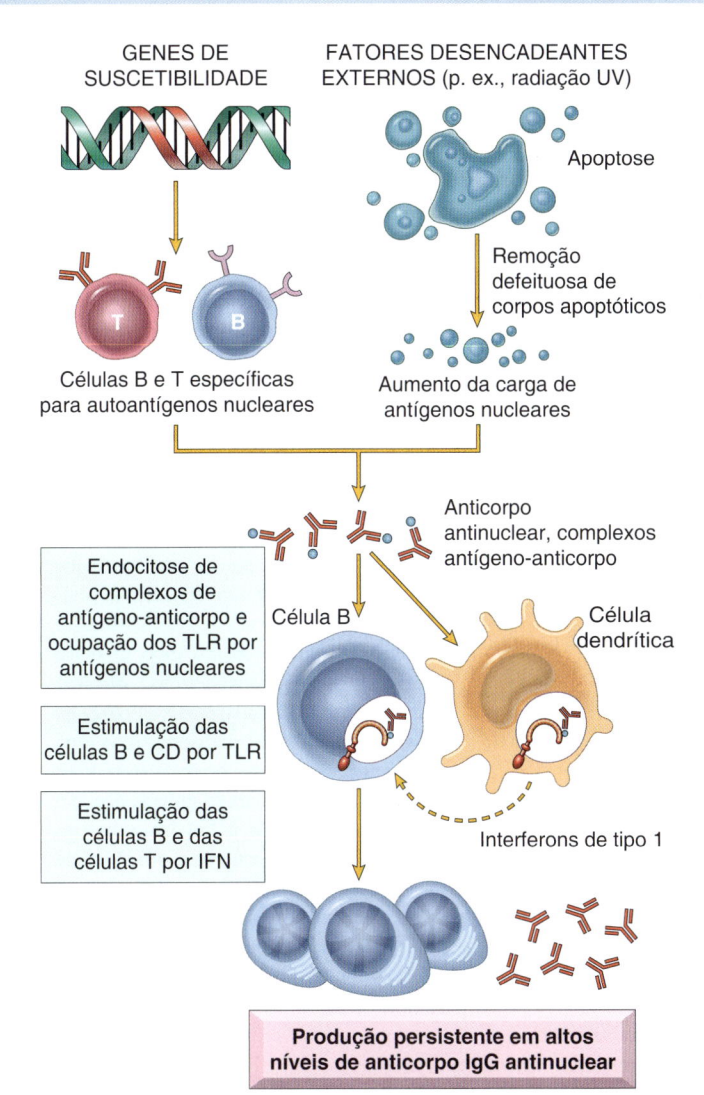

Figura 6.25 Modelo para a patogênese do lúpus eritematoso sistêmico. Nesse modelo hipotético, os genes de suscetibilidade interferem na manutenção da autotolerância, e fatores desencadeantes externos levam à persistência dos antígenos nucleares. O resultado consiste em uma resposta de anticorpos contra autoantígenos nucleares, que é amplificada pela ação dos ácidos nucleicos sobre as células dendríticas (*CD*) e as células B, e produção de interferons tipo I. *IFN*, interferona; *TLR*, receptores do tipo *Toll*.

o papel dos depósitos de imunocomplexos no dano tecidual no lúpus. Com frequência, infiltrados de células T também são observados nos rins e podem estar envolvidos no dano tecidual. Não há evidências de que os ANA, que estão presentes em imunocomplexos, possam penetrar em células intactas. Todavia, se os núcleos das células forem expostos, os ANA podem ligar-se a eles. Nos tecidos, os núcleos das células danificadas reagem com ANA, perdem seu padrão de cromatina e tornam-se homogêneos, produzindo os denominados corpúsculos do LE ou corpos de hematoxilina. A *célula LE*, que está relacionada com esse fenômeno, é facilmente identificada quando o sangue é agitado *in vitro*. A célula LE refere-se a qualquer leucócito fagocítico (neutrófilo ou macrófago do sangue) que tenha englobado o núcleo desnaturado de uma célula lesionada. A demonstração de células LE *in vitro* foi usada no passado como teste para o LES. Entretanto, com a disponibilidade de novas técnicas para a detecção de ANA, esse teste agora é, em grande parte, de interesse apenas histórico. Algumas vezes, são encontradas células LE em efusões pericárdicas ou pleurais em pacientes

- Autoanticorpos específicos contra eritrócitos, leucócitos e plaquetas opsonizam essas células e promovem sua fagocitose e destruição, resultando em citopenias. Trata-se de exemplos de hipersensibilidade mediada por anticorpos (tipo II). O distúrbio mais comum causado por esse tipo de autoanticorpo é a púrpura trombocitopênica imune (PTI; ver **Capítulo 14**), que ocorre em até 10% dos pacientes com LES. A PTI é mais comumente causada por autoanticorpos que se ligam às glicoproteínas das membranas plaquetárias, levando à remoção das plaquetas por macrófagos, sobretudo nos sinusoides esplênicos

- *Síndrome do anticorpo antifosfolipídio.* Os pacientes com anticorpos antifosfolipídio podem desenvolver tromboses venosas e arteriais, que podem estar associadas a abortos espontâneos recorrentes e isquemia ocular ou cerebral focal. Essa constelação de características clínicas, em associação com lúpus, é designada como síndrome do anticorpo antifosfolipídio secundária. Os mecanismos de trombose não estão definidos, e os anticorpos dirigidos contra fatores da coagulação, plaquetas e células endoteliais foram propostos como responsáveis pela trombose (ver **Capítulo 4**). Alguns pacientes desenvolvem esses autoanticorpos e a síndrome clínica, sem LES associado. São considerados como portadores da síndrome do anticorpo antifosfolipídio primária (ver **Capítulo 4**)

- As *manifestações neuropsiquiátricas* do LES têm sido atribuídas a anticorpos que atravessam a barreira hematencefálica e reagem com neurônios ou receptores para vários neurotransmissores. Outros fatores imunes, como citocinas, também podem estar envolvidos na disfunção cognitiva e nas anormalidades do SNC que estão associadas ao LES.

Morfologia

As alterações morfológicas no LES são extremamente variáveis. A frequência do comprometimento individual dos órgãos é apresentada na **Tabela 6.11**. As lesões mais características resultam da deposição de imunocomplexos nos vasos sanguíneos, nos rins, no tecido conjuntivo e na pele.

Vasos sanguíneos. Pode-se observar a presença de vasculite necrosante aguda, que acomete capilares, pequenas artérias e arteríolas, em qualquer tecido. A arterite caracteriza-se por necrose fibrinoide das paredes dos vasos. Nos estágios crônicos, os vasos sofrem espessamento fibroso, com estreitamento da luz.

Rim. Até 50% dos pacientes com LES apresentam comprometimento renal clinicamente significativo, em grande parte na forma de glomerulonefrite e nefrite tubulointersticial. As lesões glomerulares resultam da deposição de imunocomplexos na membrana basal glomerular, no mesângio e, algumas vezes, em todo o glomérulo. De acordo com a classificação atualmente aceita, são observados seis padrões de doença glomerular no LES. Deve-se assinalar que ocorre alguma sobreposição entre essas classes, e, com o passar do tempo, as lesões podem evoluir de uma classe para outra. Por conseguinte, é difícil determinar a porcentagem exata de pacientes com cada uma das seis classes de lesões. É suficiente dizer que a classe I é o padrão menos comum, e a classe IV, o mais comum:

- A *nefrite lúpica mesangial mínima* (classe I) é muito rara e caracteriza-se pela deposição de imunocomplexos no mesângio, identificada por imunofluorescência e microscopia eletrônica, porém sem alterações estruturais na microscopia óptica
- A *nefrite lúpica mesangial proliferativa* (classe II) caracteriza-se pela proliferação de células mesangiais, frequentemente acompanhada de acúmulo de matriz mesangial e depósitos mesangiais granulares de imunoglobulina e complemento, sem comprometimento dos capilares glomerulares
- A *nefrite lúpica focal* (classe III) é definida pelo comprometimento de menos de 50% dos glomérulos. As lesões podem ser segmentares (afetando apenas uma parte do glomérulo) ou globais (envolvendo todo o glomérulo). Os glomérulos afetados podem exibir edema e proliferação de células endoteliais e mesangiais, acúmulo de leucócitos, necrose capilar e trombos hialinos. Com frequência, há também proliferação extracapilar associada a necrose focal e formação de crescentes (**Figura 6.26A**). A apresentação clínica varia desde hematúria e proteinúria leves até insuficiência renal aguda. É comum a presença de cilindros hemáticos na urina quando a doença é ativa. Alguns pacientes progridem para a glomerulonefrite difusa. As lesões inflamatórias ativas (ou proliferativas) podem cicatrizar por completo ou podem resultar em cicatriz glomerular segmentar ou global crônica
- A *nefrite lúpica difusa* (classe IV) constitui a forma mais comum e mais grave de nefrite lúpica. As lesões assemelham-se às de classe III, porém diferem na sua extensão; normalmente, na nefrite de classe IV, metade ou mais dos glomérulos estão afetados. Conforme observado na classe III, as lesões podem ser segmentares ou globais e, com base nesse aspecto, podem ser subclassificadas como Classe IV segmentar (IV-S) ou Classe IV global (IV-G). Os glomérulos acometidos exibem proliferação de células endoteliais, mesangiais e epiteliais (**Figura 6.26B**), e essas últimas produzem crescentes celulares que preenchem o espaço de Bowman (ver **Capítulo 20**). Os depósitos subendoteliais de imunocomplexos podem provocar espessamento circunferencial da parede capilar, formando estruturas em "alça de arame" na microscopia óptica (**Figura 6.26C**). Os imunocomplexos podem ser facilmente detectados na microscopia eletrônica (**Figura 6.26D**) e imunofluorescência (**Figura 6.26E**). As lesões podem progredir até cicatrização dos glomérulos. Os pacientes com glomerulonefrite difusa costumam ser sintomáticos e apresentam hematúria, bem como proteinúria. É também comum a ocorrência de hipertensão e insuficiência renal leve a grave
- A *nefrite lúpica membranosa* (classe V) caracteriza-se pelo espessamento difuso das paredes dos capilares, devido ao depósito de imunocomplexos subepiteliais, de maneira semelhante à nefropatia membranosa idiopática descrita no **Capítulo 20**. Em geral, os imunocomplexos são acompanhados de aumento na produção de material similar à membrana basal. Normalmente, essa lesão provoca proteinúria grave ou síndrome nefrótica e pode ocorrer concomitantemente com a nefrite lúpica focal ou difusa
- A *nefrite lúpica* com esclerose avançada (classe VI) caracteriza-se pela esclerose de mais de 90% dos glomérulos e representa uma doença renal terminal.

Com frequência, observa-se a presença de alterações do interstício e dos túbulos na nefrite lúpica. Raramente, as **lesões tubulointersticiais** podem representar a anormalidade dominante. Em muitos pacientes com nefrite lúpica, são observados imunocomplexos semelhantes aos dos glomérulos nas membranas basais dos capilares tubulares ou peritubulares. Em certas ocasiões, há folículos de células B bem organizados no interstício, com plasmócitos que podem constituir uma fonte de autoanticorpos.

Pele. Em cerca de 50% dos pacientes, ocorre eritema característico que afeta a face ao longo da ponte do nariz e bochechas (erupção "em asa de borboleta") e, pode-se observar um exantema semelhante nos membros e no tronco. Ocorre também urticária, bolhas, lesões maculopapulares e ulcerações. A exposição à luz solar estimula ou acentua o eritema. Ao exame histológico, as áreas acometidas mostram degeneração vacuolar do estrato basal da epiderme (**Figura 6.27A**). Na derme, ocorrem edema variável e inflamação perivascular. A vasculite com necrose fibrinoide pode ser proeminente. A microscopia por imunofluorescência revela a deposição de imunoglobulina e complemento ao longo da junção dermoepidérmica (**Figura 6.27B**), que também pode estar presente na pele não afetada. Esse achado não é específico do LES e, algumas vezes, é observado na esclerodermia ou na dermatomiosite.

Articulações. Normalmente, o comprometimento articular consiste em sinovite não erosiva com pouca deformidade, o que contrasta com a artrite reumatoide.

SNC. Nenhuma anormalidade morfológica bem definida responde pelos sintomas neuropsiquiátricos do LES. Algumas vezes, observa-se a ocorrência de oclusão não inflamatória de pequenos vasos pela proliferação da íntima, que pode ser devido ao dano endotelial por autoanticorpos ou imunocomplexos.

Pericardite e outras cavidades serosas. A inflamação das membranas serosas de revestimento pode ser aguda, subaguda ou crônica. Durante as fases agudas, as superfícies mesoteliais algumas vezes são recobertas por exsudato fibrinoso. Posteriormente, tornam-se espessas, opacas e revestidas por um tecido fibroso emaranhado, que pode levar à obliteração parcial ou total da cavidade serosa. Pode haver efusões pleurais e pericárdicas.

Sistema cardiovascular. O comprometimento pode se manifestar como dano a qualquer camada do coração. Observa-se a presença de comprometimento pericárdico sintomático ou assintomático em até 50% dos pacientes. A miocardite ou infiltração de células mononucleares é menos comum e pode causar taquicardia de repouso e anormalidades eletrocardiográficas. As anormalidades valvares, sobretudo das valvas mitral e aórtica, manifestam-se como espessamento difuso das cúspides, que pode estar associado a disfunção (estenose e/ou regurgitação). A endocardite valvar (denominada endocardite de Libman-Sacks) era mais comum antes do uso generalizado dos esteroides. Essa endocardite verrucosa não bacteriana assume a forma de depósitos verrucosos solitários ou múltiplos de 1 a 3 mm em qualquer valva cardíaca, de maneira distinta em ambas as superfícies das cúspides (**Figura 6.28**). Em comparação, as vegetações da endocardite infecciosa são consideravelmente maiores, enquanto as da doença cardíaca reumática (ver **Capítulo 12**) são menores e confinadas às linhas de fechamento das cúspides valvares.

Um número cada vez maior de pacientes com LES apresenta evidências de doença arterial coronariana (angina, infarto do miocárdio), em consequência de aterosclerose coronariana. Essa complicação é particularmente significativa em pacientes jovens com doença de longa duração e é prevalente em indivíduos que foram tratados com corticosteroides. A patogênese da aterosclerose coronariana acelerada não está bem esclarecida, porém é provavelmente multifatorial. Os fatores de risco para aterosclerose, como hipertensão, obesidade e hiperlipidemia, estão mais comumente presentes em pacientes com LES do que na população em geral. Além disso, os imunocomplexos e os anticorpos antifosfolipídios podem causar dano endotelial e promover a aterosclerose.

Baço. A esplenomegalia, o espessamento capsular e a hiperplasia folicular constituem características comuns. As artérias peniciliares centrais podem exibir hiperplasia concêntrica da íntima e das células musculares lisas, produzindo as denominadas lesões em casca de cebola.

Pulmões. Além da pleurite e das efusões pleurais, que estão presentes em quase 50% dos pacientes, em alguns casos, ocorrem fibrose intersticial crônica e hipertensão pulmonar secundária. Nenhuma dessas alterações é específica do LES.

Outros órgãos e tecidos. Os corpúsculos de LE ou de hematoxilina na medula óssea ou em outros órgãos são fortemente indicativos de LES. Os linfonodos podem estar aumentados, devido à presença de centros germinativos hiperplásicos, ou podem até mesmo demonstrar linfadenite necrosante, geralmente associada à presença de CTL ativados e macrófagos. As células T ativadas podem ser tão proeminentes nesses casos a ponto de simular certas características do linfoma de células T, porém são de natureza policlonal e reativa.

Tabela 6.11 Manifestações clínicas e patológicas do lúpus eritematoso sistêmico.

Manifestação clínica	Prevalência em pacientes (%)[a]
Hematológica	100
Artrite, artralgia ou mialgia	80 a 90
Pele	85
Febre	55 a 85
Fadiga	80 a 100
Perda de peso	60
Nefrite	50 a 70
Neuropsiquiátrica	25 a 35
Pleurite	45
Pericardite	25
Gastrintestinal	20
Fenômeno de Raynaud	15 a 40
Ocular	5 a 15
Neuropatia periférica	15

[a]As porcentagens são aproximadas e podem variar de acordo com a idade, a etnia e outros fatores.
Tabela compilada com a ajuda do Dr. Meenakshi Jolly, Rush Medical Center, Chicago, Ill.

Características clínicas

O LES é uma doença multissistêmica, cuja apresentação é altamente variável e cujo diagnóstico depende de uma constelação de alterações clínicas, sorológicas e morfológicas (ver **Tabela 6.9**). Pode ser de início agudo ou insidioso. Com frequência, o paciente é uma mulher jovem com algumas das seguintes características, mas não necessariamente todas: exantema em asa de borboleta na face, febre, dor, porém sem deformidade em uma ou mais articulações periféricas (pés, tornozelos, joelhos, quadris, dedos das mãos, punhos, cotovelos e ombros), dor torácica pleurítica e fotossensibilidade. Entretanto, em muitos pacientes, a apresentação do LES é sutil e intrigante, assumindo formas variáveis como doença febril de origem indeterminada, achados urinários anormais ou doença articular disfarçando-se como artrite reumatoide ou febre reumática. Os ANA "genéricos", que são detectados por ensaios de imunofluorescência, são observados em praticamente 100% dos pacientes, porém não são específicos do LES. Vários achados clínicos podem apontar para a presença de comprometimento renal, como hematúria, cilindros hemáticos, proteinúria e, em alguns casos, a síndrome nefrótica clássica (ver **Capítulo 20**). São observadas evidências laboratoriais de algum distúrbio hematológico em praticamente todos os casos; todavia, em alguns pacientes, a anemia ou a trombocitopenia podem aparecer como a manifestação inicial, bem como o problema clínico dominante. Em outros pacientes, transtornos mentais, como psicose, convulsões ou doença arterial coronariana, podem representar problemas clínicos proeminentes. Os pacientes com LES também têm propensão a infecções, presumivelmente devido à disfunção imune subjacente e ao tratamento com agentes imunossupressores.

A evolução da doença é variável e imprevisível. Raramente, ocorre morte dentro de um período de semanas a meses. Com mais frequência, com terapia adequada, a doença segue uma evolução de recidivas e remissões que se estende por um período de anos ou até mesmo décadas. Durante as exacerbações agudas, a formação aumentada de imunocomplexos resulta em ativação do complemento, levando frequentemente à hipocomplementemia. As exacerbações da doença costumam ser tratadas com corticosteroides ou outros medicamentos imunossupressores. Mesmo sem terapia, a doença em alguns pacientes segue uma evolução indolente durante anos, com manifestações relativamente leves, como alterações cutâneas e hematúria leve. O desfecho tem melhorado de maneira significativa, e pode-se esperar uma sobrevida em 5 anos de cerca de 90% e em 10 anos de 80%. As causas mais comuns de morte são insuficiência renal e infecções intercorrentes. A doença arterial coronariana também está se tornando uma causa importante de morte. Os pacientes tratados com esteroides e com agentes imunossupressores correm os riscos habituais associados a esse tipo de terapia.

Conforme assinalado anteriormente, o comprometimento cutâneo, assim como a doença multissistêmica, é bastante comum no LES. As seções seguintes descrevem duas síndromes nas quais o comprometimento cutâneo constitui a característica exclusiva ou mais proeminente.

Lúpus eritematoso discoide crônico

O lúpus eritematoso discoide crônico é uma doença em que as manifestações cutâneas podem simular o LES, enquanto as manifestações sistêmicas são raras. Caracteriza-se pela presença de placas cutâneas que exibem graus variáveis de edema, eritema, descamação, tamponamento folicular e atrofia da pele, circundadas por uma borda eritematosa elevada. Em geral, a doença permanece confinada à pele, porém 5 a 10% dos pacientes desenvolvem manifestações multissistêmicas depois de muitos anos. Aproximadamente 35% dos pacientes apresentam teste positivo para ANA genéricos, porém raramente observa-se a presença de anticorpos contra o DNA de fita dupla. Os exames de amostras de biopsia de pele por imunofluorescência mostram a deposição de imunoglobulina e C3 na junção dermoepidérmica, de modo semelhante ao observado no LES.

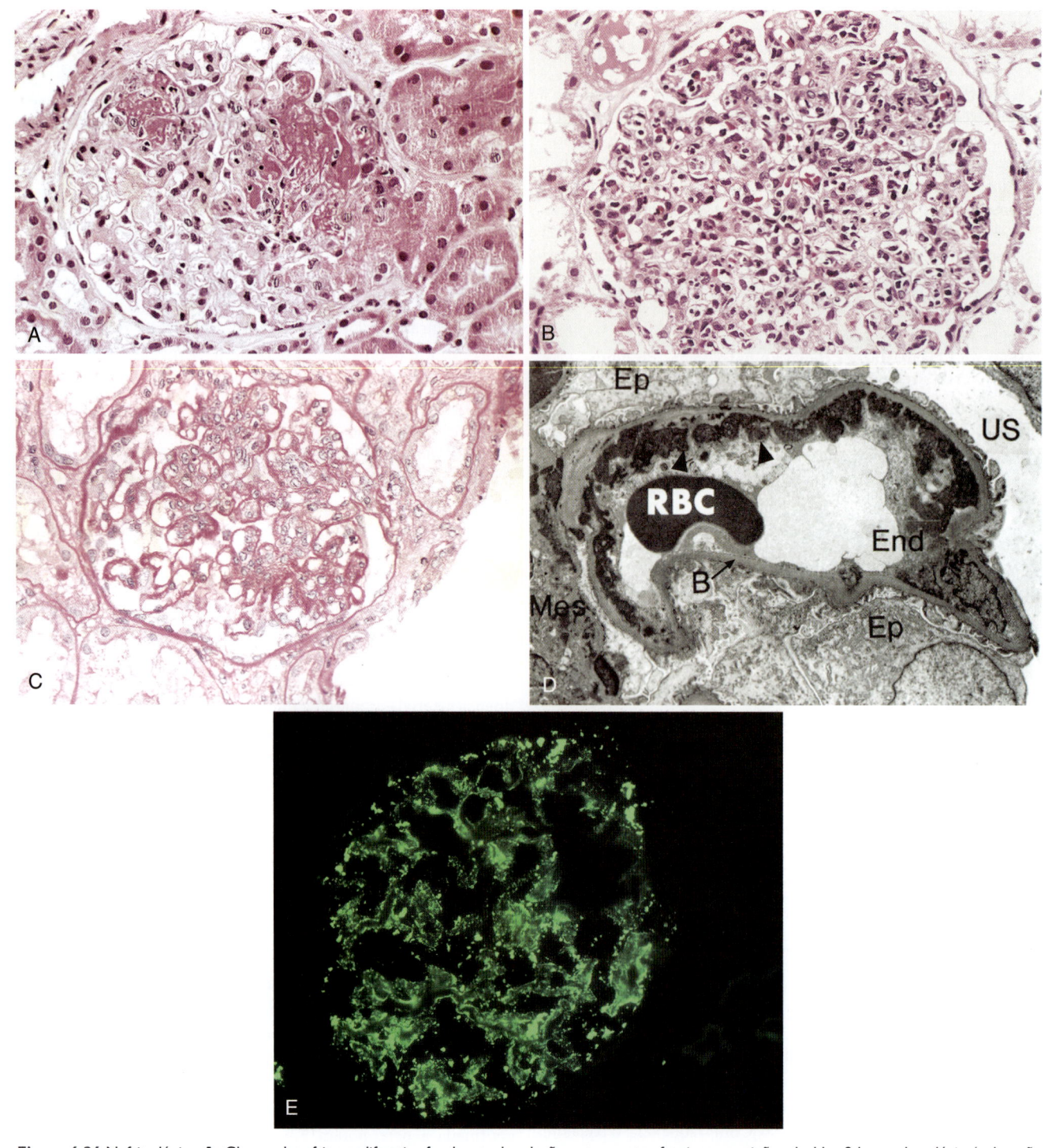

Figura 6.26 Nefrite lúpica. **A.** Glomerulonefrite proliferativa focal, com duas lesões necrosantes focais nas posições de 11 e 2 horas do relógio (coloração pela H&E). A proliferação extracapilar não é proeminente nesse caso. **B.** Glomerulonefrite proliferativa difusa. Observe o acentuado aumento da celularidade em todo o glomérulo (coloração pela H&E). **C.** Nefrite lúpica mostrando um glomérulo com várias lesões em "alça de arame", representando extensos depósitos subendoteliais de imunocomplexos (coloração pelo ácido periódico de Schiff). **D** Micrografia eletrônica de uma alça capilar glomerular renal de um paciente com nefrite lúpica. Os depósitos subendoteliais densos (*pontas de seta*) correspondem às "alças de arame" observadas na microscopia óptica. O **B** (*com seta*) refere-se à membrana basal. **E.** Depósito de anticorpo IgG em padrão granular, detectado por imunofluorescência. *B*, membrana basal; *End*, endotélio; *Ep*, célula epitelial com pedicelos; *Mes*, mesângio; *RBC*, eritrócitos na luz capilar; *US*, espaço urinário. (**A** a **C**, Cortesia do Dr. Helmut Rennke, Department of Pathology, Brigham and Women's Hospital, Boston, Mass. **D**, Cortesia do Dr. Edwin Eigenbrodt, Department of Pathology, University of Texas, Southwestern Medical School, Dallas, Tex. **E**, Cortesia da Dra. Jean Olson, Department of Pathology, University of California, San Francisco, Calif.)

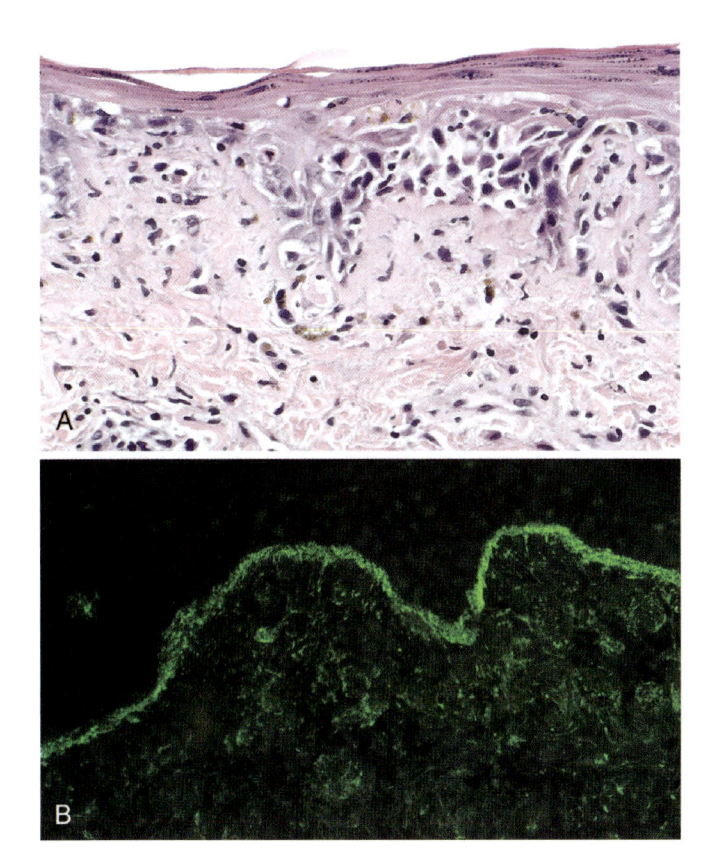

Figura 6.27 Lúpus eritematoso sistêmico com acometimento da pele. **A.** Micrografia de corte corado pela H&E mostrando a degeneração liquefativa do extrato basal da epiderme e o edema na junção dermoepidérmica. **B.** Micrografia de imunofluorescência corada para IgG revelando depósitos de Ig ao longo da junção dermoepidérmica. (**A**, Cortesia do Dr. Jag Bhawan, Boston University School of Medicine, Boston, Mass. **B**, Cortesia do Dr. Richard Sontheimer, Department of Dermatology, University of Texas Southwestern Medical School, Dallas, Tex.)

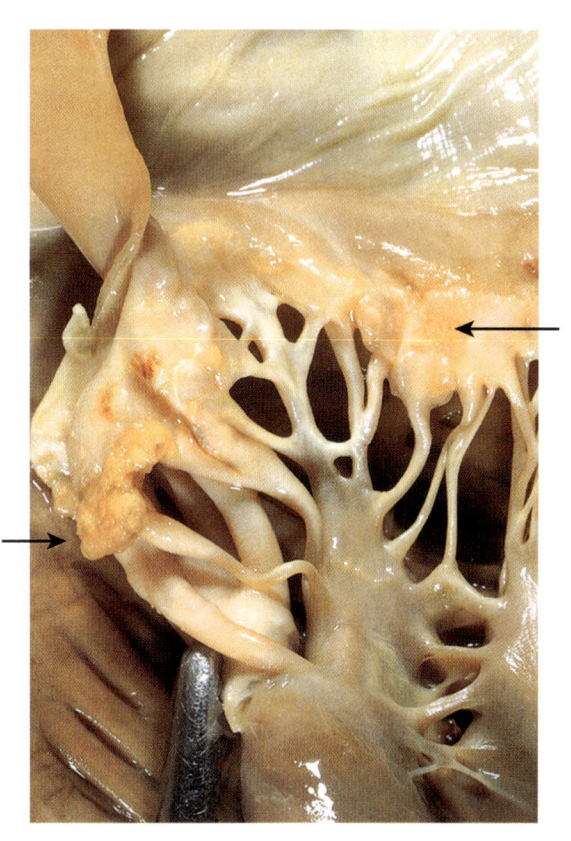

Figura 6.28 Endocardite de Libman-Sacks da valva mitral no lúpus eritematoso. As vegetações fixadas na margem da cúspide espessada da valva estão indicadas por *setas*. (Cortesia do Dr. Fred Schoen, Department of Pathology, Brigham and Women's Hospital, Boston, Mass.)

Lúpus eritematoso cutâneo subagudo

O lúpus eritematoso cutâneo subagudo parece definir um grupo de pacientes com características intermediárias entre o LES e o lúpus eritematoso discoide crônico. A condição manifesta-se com comprometimento cutâneo predominante e diferencia-se do lúpus eritematoso discoide crônico por vários critérios. Em primeiro lugar, o exantema tende a ser generalizado, superficial e não cicatricial (embora haja exceções). Em segundo lugar, a maioria dos pacientes apresenta sintomas sistêmicos leves compatíveis com o LES. Existe uma forte associação com anticorpos contra o antígeno SS-A e com o genótipo *HLA-DR3*.

Lúpus eritematoso induzido por fármacos

Pode-se observar o desenvolvimento de uma síndrome semelhante ao LES em pacientes que recebem uma variedade de medicamentos, como hidralazina, procainamida, isoniazida e D-penicilamina, para citar apenas alguns. De maneira um tanto surpreendente, a terapia anti-TNF, que é efetiva na artrite reumatoide e em outras doenças autoimunes, também pode causar lúpus induzido por fármacos. Muitos desses medicamentos estão associados ao desenvolvimento de ANA, porém a maioria dos pacientes não apresenta sintomas de LES. Por exemplo, 80% dos pacientes que recebem procainamida apresentam resultado positivo para ANA, porém apenas um terço deles manifesta sintomas clínicos, como artralgias, febre e serosite. Embora múltiplos órgãos sejam afetados, o comprometimento renal e do SNC é notoriamente incomum. Existem também diferenças sorológicas e genéticas do LES clássico. Os anticorpos específicos contra o DNA de fita dupla são raros, porém observa-se uma frequência extremamente alta de anticorpos específicos contra histonas.

> ### Conceitos-chave
>
> #### Lúpus eritematoso sistêmico
>
> - O LES é uma doença autoimune sistêmica, causada por autoanticorpos produzidos contra numerosos autoantígenos e pela formação de imunocomplexos
> - Os principais autoanticorpos e os responsáveis pela formação de imunocomplexos circulantes são dirigidos contra antígenos nucleares. Outros autoanticorpos reagem contra eritrócitos, plaquetas e vários complexos de fosfolipídios com proteínas
> - As manifestações da doença consistem em nefrite, lesões cutâneas, artrite (todas causadas pela deposição de imunocomplexos) e anormalidades hematológicas e neurológicas.
>
> A causa subjacente da quebra da autotolerância no LES é desconhecida; pode incluir o excesso ou a persistência de antígenos nucleares, múltiplos genes de suscetibilidade herdados e fatores desencadeantes ambientais (p. ex., irradiação UV, que resulta em apoptose celular e liberação de proteínas nucleares).

Artrite reumatoide

A artrite reumatoide é uma doença inflamatória crônica, que afeta principalmente as articulações, mas que também pode acometer tecidos extra-articulares, como a pele, os vasos sanguíneos, os pulmões e o coração. Numerosas evidências sustentam a natureza autoimune da doença. Como as principais manifestações da doença são observadas nas articulações, esta é discutida no **Capítulo 26**.

Síndrome de Sjögren

A síndrome de Sjögren é uma doença crônica caracterizada por olhos secos (ceratoconjuntivite seca) e boca seca (xerostomia), em consequência da destruição imunologicamente mediada das glândulas lacrimais e salivares. Ocorre como distúrbio isolado (forma primária), também conhecido como *síndrome seca,* ou, com mais frequência, em associação a outra doença autoimune (forma secundária). Entre os distúrbios associados, a artrite reumatoide é mais comum, porém alguns pacientes apresentam LES, polimiosite, esclerodermia, vasculite, doença mista do tecido conjuntivo ou tireoidite.

Patogênese

A diminuição característica das lágrimas e da saliva (síndrome seca) resulta da infiltração linfocítica e fibrose das glândulas lacrimais e salivares. O infiltrado contém predominantemente células T auxiliares CD4+ ativadas e algumas células B, incluindo plasmócitos. Aproximadamente 75% dos pacientes apresentam o fator reumatoide (um anticorpo reativo contra a IgG própria), independente da coexistência ou não de artrite reumatoide. Detecta-se a presença de ANA em 50 a 80% dos pacientes por ensaio de imunofluorescência. Foram também identificados numerosos outros anticorpos não específicos e também de órgãos específicos. Entretanto, o aspecto mais importante é a presença de anticorpos dirigidos contra dois antígenos de ribonucleoproteínas, SS-A (Ro) e SS-B (La) (ver **Tabela 6.10**), que podem ser detectados em até 90% dos pacientes por meio de técnicas de alta sensibilidade. Por conseguinte, esses anticorpos são considerados marcadores sorológicos da doença. Esses autoanticorpos também estão presentes em uma porcentagem menor de pacientes com LES e, portanto, não são totalmente específicos da síndrome de Sjögren.

À semelhança de outras doenças autoimunes, a síndrome de Sjögren exibe alguma associação, apesar de fraca, com certos alelos do HLA. A importância dessas associações na etiologia ou nas manifestações da doença não está bem esclarecida.

Embora a patogênese da síndrome de Sjögren continue obscura, há implicação da ativação aberrante de células T e de células B. O gatilho inicial pode ser uma infecção viral das glândulas salivares, que provoca morte celular local e liberação de autoantígenos teciduais. Em indivíduos geneticamente suscetíveis, as células T CD4+ e as células B específicas para esses autoantígenos podem ter escapado da tolerância, sendo assim capazes de reagir. O resultado é o desenvolvimento de inflamação, dano tecidual e, por fim, fibrose. Entretanto, o papel de determinadas citocinas ou de subgrupos de células T no desenvolvimento das lesões não está estabelecido. A natureza dos autoantígenos reconhecidos por esses linfócitos também é misteriosa. Observa-se uma doença semelhante à síndrome de Sjögren em alguns pacientes com infecções pelo vírus linfotrópico T humano (HTLV), pelo vírus da imunodeficiência humana (HIV) e pelo vírus da hepatite C; todavia, a ligação entre esses vírus e a doença autoimune permanece desconhecida.

> ### Morfologia
>
> **As glândulas lacrimais e salivares constituem os principais alvos da doença,** porém outras glândulas exócrinas, como as que revestem os sistemas respiratório e gastrintestinal e a vagina, também podem estar acometidas. O achado histológico mais precoce nas glândulas salivares acometidas é a infiltração linfocítica periductal e perivascular. Por fim, o infiltrado linfocítico torna-se extenso (**Figura 6.29B**), e podem aparecer folículos linfoides com centros germinativos. As células epiteliais que revestem os ductos podem apresentar hiperplasia, com consequente obstrução dos ductos. Posteriormente, há atrofia dos ácinos, fibrose e hialinização; mais tarde ainda na evolução da doença, observa-se a ocorrência de atrofia e substituição do parênquima por gordura. Em alguns casos, o infiltrado linfoide pode ser tão intenso a ponto de conferir a aparência de linfoma. Na verdade, esses pacientes correm alto risco de desenvolvimento de linfomas de células B.
>
> A falta de lágrimas leva ao ressecamento do epitélio da córnea, que se torna inflamado, erodido e ulcerado; a mucosa oral pode sofrer atrofia, com fissuras e ulceração inflamatórias; e o ressecamento e a formação de crostas no nariz podem levar a ulcerações e até mesmo à perfuração do septo nasal.

Características clínicas

A síndrome de Sjögren ocorre mais comumente em mulheres entre 50 e 60 anos. Conforme esperado, os sintomas resultam da destruição inflamatória das glândulas exócrinas. A ceratoconjuntivite produz visão turva, ardência e prurido, e ocorre acúmulo de secreções espessas no saco conjuntival. A xerostomia resulta em dificuldade na deglutição de alimentos sólidos, diminuição do paladar, fendas e fissuras na boca e ressecamento da mucosa oral. Ocorre aumento das glândulas parótidas em metade dos pacientes; outros sintomas incluem ressecamento da mucosa nasal, epistaxe, bronquite recorrente e pneumonite. Em um terço dos pacientes, são observadas manifestações extraglandulares da doença, que incluem sinovite, fibrose pulmonar difusa e neuropatia periférica. Essas manifestações são mais comuns em pacientes com títulos elevados de anticorpos específicos contra SS-A. Diferentemente do LES, as lesões glomerulares são extremamente raras na síndrome de Sjögren. Entretanto, defeitos da função tubular, como acidose tubular renal, uricosúria e fosfatúria, são frequentemente observados e estão associados à nefrite tubulointersticial (ver **Capítulo 20**). Cerca de 60% dos pacientes apresentam outro distúrbio autoimune associado, como artrite reumatoide, e também os sinais e sintomas desse distúrbio.

A combinação de inflamação das glândulas lacrimais e salivares era antigamente denominada doença de Mikulicz. Esse nome foi agora substituído por *síndrome de Mikulicz,* ampliado para incluir o aumento das glândulas lacrimais e salivares de qualquer causa, como sarcoidose, doença relacionada com IgG4 (descrita posteriormente), linfoma e outros tumores.

Conforme assinalado anteriormente, as glândulas afetadas apresentam infiltrados inflamatórios intensos. Nos estágios iniciais da doença, esse infiltrado imune consiste em uma mistura de

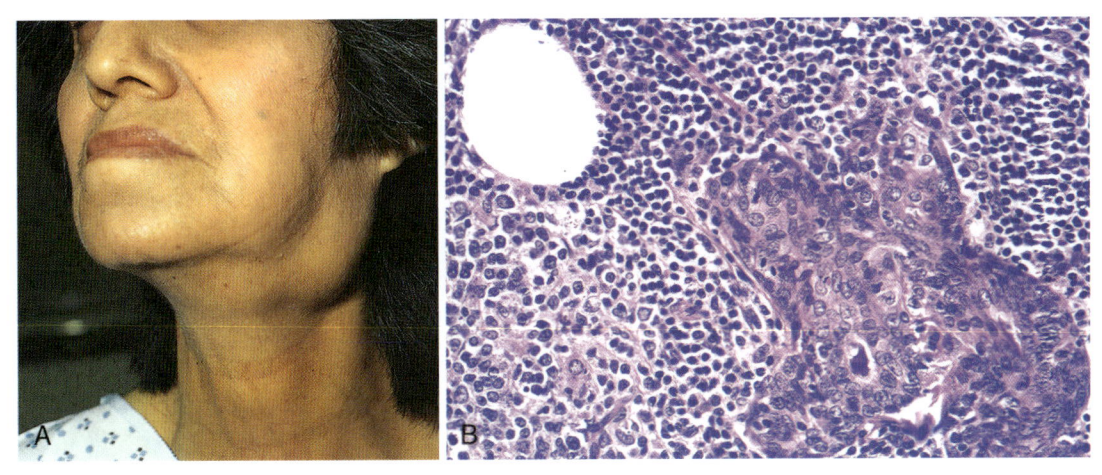

Figura 6.29 Síndrome de Sjögren. **A.** Aumento da glândula salivar. **B.** Infiltração intensa por linfócitos e plasmócitos com hiperplasia do epitélio ductal em uma glândula salivar. (**A,** Cortesia do Dr. Richard Sontheimer, Department of Dermatology, University of Texas Southwestern Medical School, Dallas, Tex. **B,** Cortesia do Dr. Dennis Burns, Department of Pathology, University of Texas Southwestern Medical School, Dallas, Tex.)

células T e B policlonais. Entretanto, se a reação permanecer inalterada, há uma forte tendência, com o passar do tempo, que clones individuais da população de células B adquiram uma vantagem quanto a seu crescimento, provavelmente devido à aquisição de mutações somáticas. O surgimento de um clone dominante de células B costuma indicar o desenvolvimento de linfoma de zona marginal, um tipo específico de neoplasia maligna de células B, que frequentemente surge no contexto de inflamação linfocítica crônica. Cerca de 5% dos pacientes com síndrome de Sjögren desenvolvem linfoma, uma incidência que é 40 vezes maior do que o normal. Outras doenças autoimunes (p. ex., tireoidite de Hashimoto) também estão associadas a um elevado risco de linfoma de zona marginal (ver **Capítulo 13**), que normalmente se origina no órgão ou no tecido que é alvo da inflamação autoimune.

> **Conceitos-chave**
>
> **Síndrome de Sjögren**
>
> - A síndrome de Sjögren é uma doença inflamatória, que afeta sobretudo as glândulas salivares e lacrimais, causando ressecamento da boca e dos olhos
> - Acredita-se que a doença seja causada por uma reação autoimune das células T contra um autoantígeno desconhecido expresso nessas glândulas, ou por reações imunes contra os antígenos de um vírus que infecta os tecidos.

Esclerose sistêmica (esclerodermia)

A esclerose sistêmica caracteriza-se por: (1) inflamação crônica, que se acredita seja o resultado de autoimunidade; (2) dano generalizado aos pequenos vasos sanguíneos; e (3) fibrose intersticial e perivascular progressiva na pele e em múltiplos órgãos. Embora o termo *esclerodermia* esteja arraigado na clínica médica, essa doença é mais bem denominada *esclerose sistêmica*, visto que ela se caracteriza por fibrose excessiva em todo o corpo. A pele é mais comumente afetada, porém o trato gastrintestinal, os rins, o coração, os músculos e os pulmões também estão frequentemente acometidos. Em alguns pacientes, a doença parece permanecer limitada à pele durante muitos anos; entretanto, na maioria dos casos, ela progride para o comprometimento visceral, com morte por insuficiência renal, insuficiência cardíaca, insuficiência respiratória ou má absorção intestinal. A heterogeneidade clínica da esclerose sistêmica tem sido reconhecida ao classificar a doença em duas grandes categorias: a *esclerodermia difusa*, caracterizada por comprometimento generalizado da pele no início, com rápida progressão e comprometimento visceral precoce; e a *esclerodermia limitada*, em que o comprometimento cutâneo limita-se, com frequência, aos dedos das mãos, antebraços e face. O comprometimento visceral é tardio; em consequência, a evolução clínica é relativamente benigna. Alguns pacientes com doença limitada desenvolvem uma combinação de calcinose, fenômenos de Raynaud, dismotilidade esofágica, esclerodactilia e telangiectasia, constituindo a denominada *síndrome CREST*. Várias outras variantes e condições relacionadas, como a fasciíte eosinofílica, ocorrem com muito menos frequência e não são descritas aqui.

Patogênese

A causa da esclerose sistêmica não é conhecida, porém **a doença provavelmente resulta de três processos inter-relacionados – respostas autoimunes, dano vascular e deposição de colágeno** (**Figura 6.30**):

- *Autoimunidade.* Foi proposto que as células T CD4+ que respondem a um antígeno ainda não identificado acumulam-se na pele e liberam citocinas que ativam as células inflamatórias e os fibroblastos. Embora os infiltrados inflamatórios normalmente sejam esparsos na pele de pacientes com esclerose sistêmica, as células T CD4+ ativadas podem ser encontradas em muitos pacientes, e foram isoladas células Th2 da pele. Várias citocinas produzidas por essas células T, incluindo o TGF-β e a IL-13, podem estimular a transcrição de genes que codificam o colágeno e outras proteínas da matriz extracelular (p. ex., fibronectina) nos fibroblastos. Outras citocinas recrutam leucócitos e propagam a inflamação crônica. Há também evidências de ativação inapropriada da imunidade humoral, e a presença de vários autoanticorpos, em particular ANA, fornece

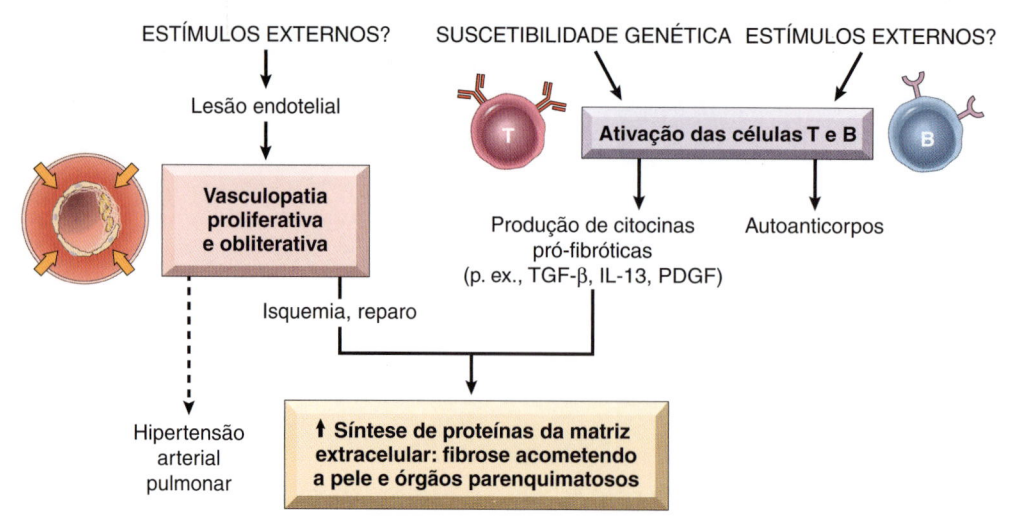

Figura 6.30 Modelo para a patogênese da esclerose sistêmica. Estímulos externos desconhecidos causam anormalidades vasculares e ativação imune em indivíduos geneticamente suscetíveis, e ambos contribuem para a fibrose excessiva.

informações para o diagnóstico e o prognóstico. O papel desses ANA na patogênese da doença não está bem esclarecido; foi postulado que alguns desses anticorpos podem estimular a fibrose, porém as evidências que sustentam essa ideia não são convincentes

- *Dano vascular.* A doença microvascular é consistentemente observada no início da evolução da esclerose sistêmica e pode constituir a lesão inicial. A proliferação da íntima é evidente nas artérias digitais de pacientes com esclerose sistêmica. A dilatação capilar com extravasamento, bem como destruição, também é comum. As alças capilares nas pregas ungueais estão distorcidas no início da doença e, posteriormente, desaparecem. Foram também observados sinais indicadores de ativação e lesão endoteliais (p. ex., aumento dos níveis do fator de von Willebrand) e aumento da ativação das plaquetas (aumento de agregados plaquetários circulantes). Entretanto, não se sabe o que provoca a lesão vascular; poderia ser o evento iniciador ou o resultado de inflamação crônica, em que os mediadores liberados pelas células inflamatórias provocam dano ao endotélio microvascular. Ciclos repetidos de lesão endotelial, seguidos de agregação plaquetária, levam à liberação de fatores plaquetários e endoteliais (p. ex., PDGF, TGF-β), que desencadeiam fibrose perivascular. As células do músculo liso vascular também apresentam anormalidades, como aumento na expressão de receptores adrenérgicos. Por fim, o estreitamento generalizado da microvasculatura leva à lesão isquêmica e a cicatrizes

- *Fibrose.* A fibrose progressiva característica da doença pode constituir o resultado de múltiplas anormalidades, como acúmulo de macrófagos ativados de modo alternativo, ações de citocinas fibrogênicas produzidas por leucócitos do infiltrado, hiper-responsividade dos fibroblastos a essas citocinas e formação de cicatrizes após dano isquêmico causado pelas lesões vasculares. Há algumas evidências de que os fibroblastos de pacientes com esclerose sistêmica têm uma anormalidade intrínseca, que os leva a produzir quantidades excessivas de colágeno. Essa ideia baseia-se em estudos com fibroblastos cultivados, porém não se sabe se ou como essa anormalidade está relacionada com a patogênese *in vivo*.

Morfologia

Praticamente todos os órgãos podem ser acometidos na esclerose sistêmica. Ocorrem alterações proeminentes na pele, no trato alimentar, no sistema musculoesquelético e nos rins, porém as lesões também são observadas com frequência nos vasos sanguíneos, no coração, nos pulmões e nos nervos periféricos.

Pele. A maioria dos pacientes apresenta atrofia esclerótica difusa da pele, que geralmente começa nos dedos das mãos e regiões distais dos membros superiores e estende-se em direção proximal para acometer os braços, os ombros, o pescoço e a face. Ao exame histológico, há infiltrados perivasculares que contêm células T CD4+ e edema, assim como degeneração das fibras colágenas, que se tornam eosinofílicas. Os capilares e as pequenas artérias (150 a 500 μm de diâmetro) podem demonstrar espessamento da lâmina basal, lesão às células endoteliais e oclusão parcial. Com a progressão da doença, há fibrose cada vez maior da derme, que se torna firmemente ligada às estruturas subcutâneas. Observa-se um acentuado aumento de colágeno compacto na derme, normalmente com adelgaçamento da epiderme, perda das cristas interpapilares, atrofia dos anexos dérmicos e espessamento hialino das paredes das arteríolas e capilares da derme (**Figura 6.31B**). Pode haver desenvolvimento de calcificações subcutâneas focais e algumas vezes difusas, particularmente em pacientes com a síndrome CREST. Nos estágios avançados, os dedos das mãos assumem uma aparência afilada semelhante a garras, com limitação do movimento articular, e a face assume a aparência de máscara. A perda do suprimento sanguíneo pode levar à formação de ulcerações cutâneas e alterações atróficas das falanges terminais (**Figura 6.31C**). Algumas vezes, as pontas dos dedos das mãos sofrem autoamputação.

Sistema digestório. O sistema digestório é afetado em cerca de 90% dos pacientes. Pode haver desenvolvimento de atrofia progressiva e substituição da túnica muscular por tecido fibroso rico em colágeno em qualquer nível do intestino, porém com maior gravidade no esôfago. Os dois terços inferiores do esôfago frequentemente desenvolvem inflexibilidade semelhante a uma mangueira de borracha. A disfunção associada do esfíncter esofágico inferior produz refluxo gastresofágico e suas complicações, incluindo esôfago de Barrett (ver **Capítulo 17**) e estenoses. A mucosa apresenta-se fina e pode ulcerar, e ocorre colagenização excessiva da lâmina própria e da submucosa. A perda das vilosidades e das microvilosidades no intestino delgado algumas vezes produz síndrome de má absorção.

Sistema musculoesquelético. A inflamação sinovial associada à hipertrofia e à hiperplasia da sinóvia é comum nos estágios iniciais; ocorre formação de fibrose posteriormente. Essas alterações lembram a artrite reumatoide, porém a destruição articular não é comum na esclerose sistêmica. Em um pequeno subgrupo de pacientes (cerca de 10%), pode haver desenvolvimento de miosite inflamatória.

Rins. Ocorrem anormalidades renais em dois terços dos pacientes com esclerose sistêmica, mais proeminentemente lesões vasculares. As artérias interlobulares exibem espessamento da túnica íntima em consequência da deposição de material mucinoso ou finamente colagenoso, que se cora histoquimicamente para glicoproteínas e mucopolissacarídeos ácidos. Há também proliferação concêntrica das células da íntima. Essas alterações podem assemelhar-se àquelas observadas na hipertensão maligna; todavia, na esclerodermia, as alterações ficam restritas aos vasos com 150 a 500 μm de diâmetro e nem sempre estão associadas à hipertensão. Entretanto, ocorre hipertensão em 30% dos pacientes com esclerodermia e, em 20%, a hipertensão segue uma evolução de agravamento e perigosamente rápida (hipertensão maligna). Nos pacientes hipertensos, as alterações vasculares são mais pronunciadas e com frequência estão associadas à necrose fibrinoide das arteríolas, trombose e infarto. Esses pacientes frequentemente morrem de insuficiência renal, que é responsável por cerca de 50% das mortes por esclerose sistêmica. Não há alterações glomerulares específicas.

Pulmões. O comprometimento pulmonar, que é observado em mais de 50% dos indivíduos com esclerose sistêmica, pode se manifestar na forma de fibrose intersticial e hipertensão pulmonar. O vasospasmo pulmonar, secundário à disfunção do endotélio vascular pulmonar, é considerado importante na patogênese da hipertensão pulmonar. A fibrose pulmonar, quando presente, é indistinguível daquela observada na fibrose pulmonar idiopática (ver **Capítulo 15**).

Coração. Em um terço dos pacientes, ocorrem pericardite com efusão, fibrose miocárdica e espessamento das arteríolas intramiocárdicas. Entretanto, o comprometimento clínico em decorrência do acometimento do miocárdio é menos comum.

Características clínicas

A esclerose sistêmica apresenta uma razão entre mulheres e homens de 3:1, com pico de incidência na faixa etária dos 50 aos 60 anos. Embora a esclerose sistêmica compartilhe muitas características com o LES, a artrite reumatoide (ver **Capítulo 26**) e a polimiosite (ver **Capítulo 27**), suas características marcantes consistem em alterações cutâneas pronunciadas, sobretudo fibrose da pele (**Figura 6.31C**). O *fenômeno de Raynaud,* que se manifesta como dormência e formigamento dos dedos das mãos e dos pés causados pela vasoconstrição episódica das artérias e arteríolas, é observado em praticamente todos os pacientes e precede outros sintomas em 70% dos casos. A disfagia, que é atribuível à fibrose esofágica e à consequente hipomotilidade, é observada em mais de 50% dos pacientes. Por fim, a destruição da parede do esôfago leva à atonia e à dilatação, particularmente na sua extremidade inferior. A dor abdominal, a obstrução intestinal ou a síndrome de má absorção com perda de peso e anemia, devido a deficiências nutricionais, refletem o comprometimento do intestino delgado. As dificuldades respiratórias causadas pela fibrose pulmonar podem resultar em disfunção cardíaca direita, e a fibrose do miocárdio pode provocar arritmias ou insuficiência cardíaca. A proteinúria, que é observada em até 30% dos pacientes, é raramente grave o suficiente para causar síndrome nefrótica. A manifestação mais grave é a hipertensão maligna (ver **Capítulo 11**), com desenvolvimento subsequente de insuficiência renal; entretanto, na sua ausência, a progressão da doença pode ser lenta. A doença tende a ser mais grave em indivíduos de ascendência africana, sobretudo mulheres. Com a melhora do tratamento das crises renais, a doença pulmonar tornou-se a principal causa de morte na esclerose sistêmica.

Praticamente todos os pacientes apresentam ANA que reagem contra uma variedade de antígenos nucleares. Foram descritos dois ANA fortemente associados à esclerose sistêmica. Um deles, dirigido contra a DNA topoisomerase I (anti-Scl 70), é altamente específico. Dependendo do grupo étnico e do tipo de teste realizado, sua presença é observada em 10 a 20% dos pacientes com esclerose sistêmica difusa. Os pacientes que dispõem desse anticorpo têm mais tendência a apresentar fibrose pulmonar e doença vascular periférica. O outro ANA, um anticorpo anticentrômero, é encontrado em 20 a 30% dos pacientes, os quais tendem a apresentar a síndrome CREST. Os pacientes portadores dessa síndrome apresentam comprometimento relativamente limitado da pele, restrito com frequência aos dedos das mãos, antebraços e face, com calcificação dos tecidos subcutâneos. O comprometimento das vísceras, como lesões esofágicas, hipertensão pulmonar e cirrose biliar, pode não ocorrer ou pode surgir em estágio tardio. Em geral, esses pacientes vivem por mais tempo do que aqueles com comprometimento visceral difuso desde o início.

> **Conceitos-chave**
>
> **Esclerose sistêmica**
>
> - A esclerose sistêmica (comumente denominada esclerodermia) caracteriza-se por fibrose progressiva, que acomete a pele, o trato gastrintestinal e outros tecidos
> - A fibrose pode resultar da ativação dos fibroblastos por citocinas produzidas pelas células T, porém não se sabe o que desencadeia as respostas das células T
> - A lesão endotelial e a doença microvascular estão comumente presentes nas lesões da esclerose sistêmica, causando talvez isquemia crônica; todavia, a patogênese da lesão vascular não é conhecida.

Miopatias inflamatórias

As miopatias inflamatórias compreendem um grupo heterogêneo e incomum de doenças, que se caracterizam por lesão e inflamação, sobretudo dos músculos esqueléticos, que provavelmente são imunomediadas. Essas doenças são descritas no **Capítulo 27**.

Doença mista do tecido conjuntivo

O termo doença mista do tecido conjuntivo é utilizado para descrever uma doença com características clínicas que se

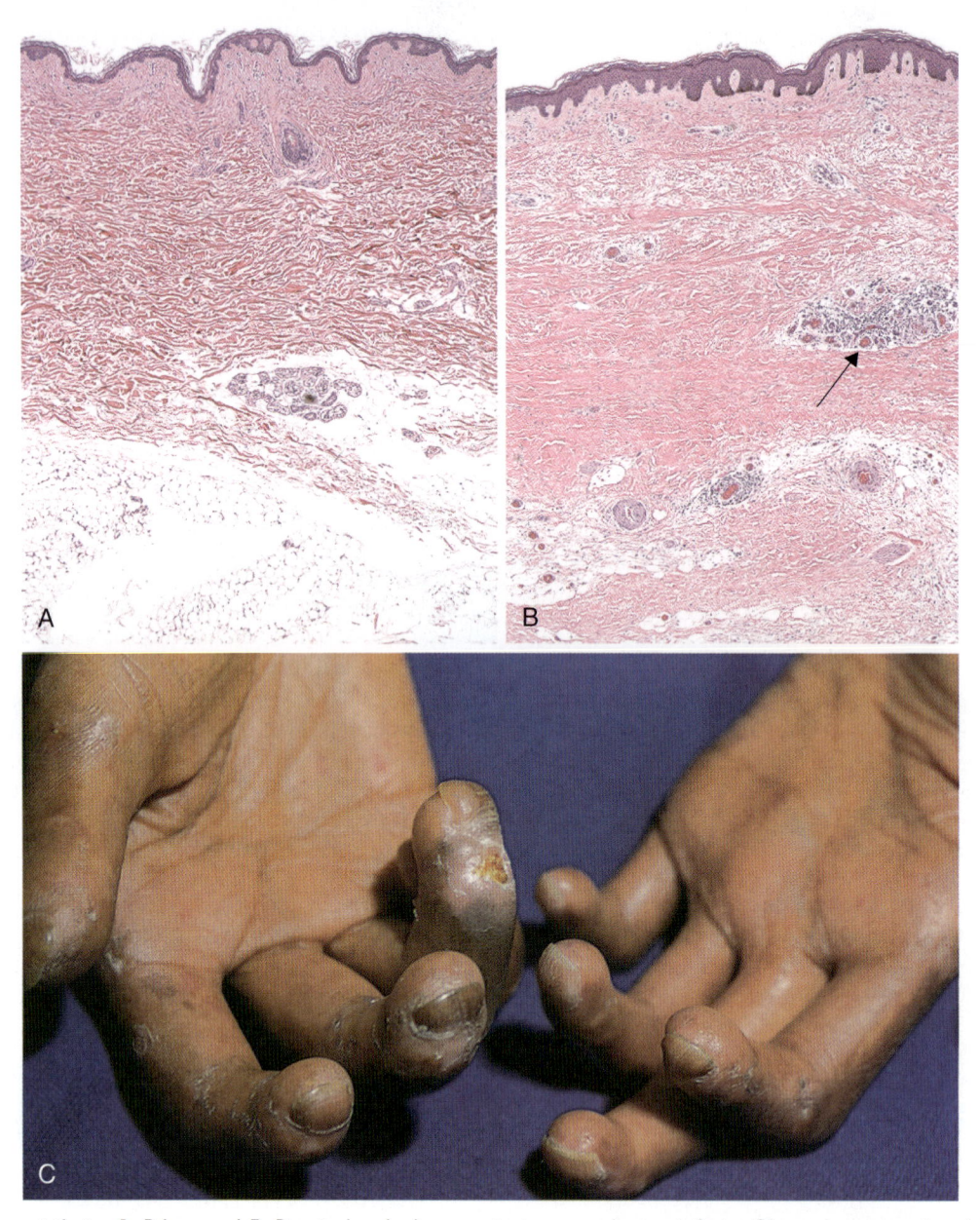

Figura 6.31 Esclerose sistêmica. **A.** Pele normal. **B.** Biopsia de pele de um paciente com esclerose sistêmica. Observe a extensa deposição de colágeno denso na derme, com ausência virtual de anexos (p. ex., folículos pilosos) e focos de inflamação (*seta*). **C.** A fibrose subcutânea extensa praticamente imobilizou os dedos da mão, produzindo uma deformidade em flexão semelhante a uma garra. A perda do suprimento sanguíneo levou à formação de ulcerações cutâneas. (**C,** Cortesia do Dr. Richard Sontheimer, Department of Dermatology, University of Texas Southwestern Medical School, Dallas, Tex.)

sobrepõem àquelas do LES, da esclerose sistêmica e da polimiosite. Quanto à sorologia, a doença caracteriza-se por títulos elevados de anticorpos dirigidos contra a ribonucleoproteína U1. Normalmente, a doença mista do tecido conjuntivo manifesta-se com sinovite dos dedos das mãos, fenômeno de Raynaud, miosite e comprometimento renal, que é modesto e responde de modo satisfatório aos corticosteroides, pelo menos a curto prazo. Há controvérsia sobre o fato de a doença mista do tecido conjuntivo ser uma entidade verdadeiramente distinta, ou se diferentes pacientes representam subgrupos de LES, esclerose sistêmica e miosite. Com o passar do tempo, a doença pode evoluir para o LES ou a esclerose sistêmica clássicos. Todavia, em outros pacientes, a mistura de características é mantida com o passar do tempo, e a resposta benéfica aos esteroides não é universal, sugerindo que existe uma forma de doença mista do tecido conjuntivo que é distinta de outras doenças autoimunes.

Poliarterite nodosa e outras vasculites

A poliarterite nodosa pertence a um grupo de doenças caracterizadas por inflamação necrosante das paredes dos vasos sanguíneos e apresenta evidências robustas de um mecanismo patogênico imunológico. O termo geral *vasculite não infecciosa* diferencia essas condições daquelas causadas pela infecção direta da parede dos vasos sanguíneos (como a que ocorre na parede um abscesso). A vasculite não infecciosa é encontrada em muitos contextos clínicos. O **Capítulo 11**, que discute também os mecanismos imunológicos, apresenta uma classificação e descrição detalhadas das vasculites.

Doença relacionada com a IgG4

A doença relacionada com a IgG4 (DR-IgG4) refere-se a um grupo de distúrbios caracterizados por infiltrados teciduais dominados por plasmócitos produtores de anticorpos IgG4 e linfócitos (particularmente células T), fibrose, flebite obliterativa e nível sérico de IgG4 geralmente aumentado. Embora tenha sido reconhecida apenas recentemente, quando foram identificadas manifestações extrapancreáticas em pacientes com pancreatite autoimune, a doença relacionada com a IgG4 tem sido agora descrita em praticamente todos os sistemas orgânicos: árvore biliar, glândulas salivares, tecidos periorbitais, rins, pulmões, linfonodos, meninges, aorta, mama, próstata, tireoide, pericárdio e pele (**Figura 6.32**). Muitas condições médicas consideradas há muito tempo como confinadas a órgãos isolados fazem parte do espectro da DR-IgG4. Incluem algumas formas de síndrome de Mikulicz, tireoidite de Riedel, fibrose retroperitoneal idiopática, pancreatite autoimune e pseudotumores inflamatórios da órbita, dos pulmões e dos rins, para citar alguns. Com mais frequência, a doença afeta homens de meia-idade e idosos.

A patogenia dessa condição não está bem elucidada, e, embora a produção de IgG4 nas lesões seja uma característica essencial da doença, não se sabe se esse tipo de anticorpo contribui para a patogênese da doença. O papel fundamental das células B é respaldado por ensaios clínicos iniciais, nos quais a depleção de células B com reagentes anticélulas B, como o rituximabe, proporcionou um benefício clínico. Não está claro se a doença é de natureza verdadeiramente autoimune, e não foi identificado nenhum autoantígeno-alvo.

Rejeição de transplantes de tecidos

A rejeição de transplantes é discutida aqui, visto que envolve várias das reações imunes que são subjacentes às doenças inflamatórias imunomediadas. Uma grande barreira ao transplante é o processo de rejeição, em que o sistema imunológico do receptor reconhece o enxerto como estranho e o ataca.

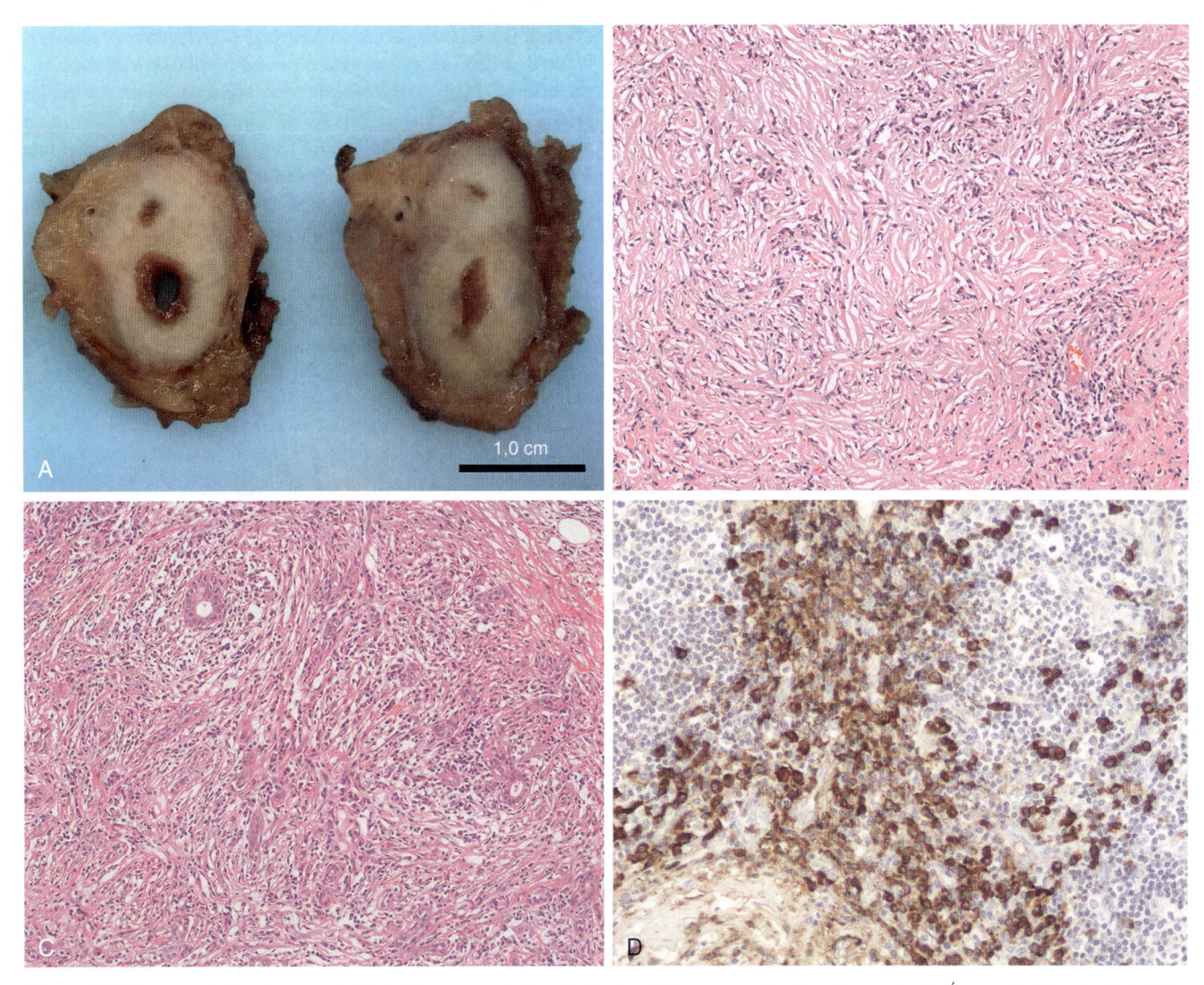

Figura 6.32 Doença relacionada com a IgG4: lesões representativas. **A.** Ductos biliares com colangite esclerosante. **B.** Área esclerótica do ducto biliar com fibrose estoriforme. **C.** Glândula submandibular com infiltrados de linfócitos e plasmócitos e espirais de fibrose. **D.** Corte de glândula lacrimal acometida corada com um anticorpo contra IgG4 mostrando grande número de plasmócitos produtores de IgG4. (De Kamisawa T, Zen Y, Pillai S, et al: IgG4-related disease, *Lancet* 385:1460, 2015.)

Mecanismos de reconhecimento e rejeição de aloenxertos

A rejeição é um processo em que linfócitos T e os anticorpos produzidos contra antígenos do enxerto reagem contra enxertos de tecidos e os destroem. Os enxertos realizados entre indivíduos da mesma espécie (que é a situação clínica habitual) são denominados *aloenxertos,* enquanto os enxertos de uma espécie para outra espécie diferente (que continua sendo um procedimento experimental) são denominados *xenoenxertos*. Como os transplantes clínicos são, em sua maioria, aloenxertos, a discussão a seguir concentra-se nesse último tipo.

Reconhecimento de aloantígenos do enxerto por linfócitos T e B

As principais diferenças antigênicas entre um doador e um receptor, que resultam na rejeição de transplante, são as diferenças nos alelos do HLA. Como os genes do HLA são altamente polimórficos, há sempre algumas diferenças entre os indivíduos (exceto, naturalmente, os gêmeos idênticos). Após o transplante, as células T do receptor reconhecem antígenos HLA do enxerto do doador (antígenos alogênicos ou aloantígenos) por duas vias. Os antígenos do enxerto são apresentados diretamente às células T do receptor por APC do enxerto, ou os antígenos do enxerto são captados por APC do hospedeiro, processados (como qualquer outro antígeno estranho) e apresentados às células T do hospedeiro. Essas vias são denominadas as vias direta e indireta de reconhecimento de aloantígenos. Ambas levam à ativação das células T CD8+, que se desenvolvem em CTL, e das células T CD4+, que se transformam em células efetoras produtoras de citocinas, principalmente células Th1. A via direta pode ser mais importante na rejeição aguda mediada por CTL, enquanto a via indireta pode desempenhar um maior papel na rejeição crônica.

A frequência de células T passíveis de reconhecer os antígenos estranhos em um enxerto é muito maior que a das células T específicas contra qualquer microrganismo. Por essa razão, as respostas imunes a aloenxertos são mais intensas do que as respostas a patógenos. De forma previsível, essas reações fortes são capazes de destruir rapidamente os enxertos, e seu controle exige o uso de agentes imunossupressores poderosos.

Os linfócitos B também reconhecem antígenos no enxerto, incluindo HLA e outros antígenos que diferem entre doador e receptor. A ativação dessas células B normalmente necessita do auxílio das células T.

Padrões e mecanismos de rejeição de enxertos

A rejeição de enxertos é classificada em hiperaguda, aguda ou crônica, com base nas características clínicas e patológicas. Essa classificação histórica foi desenvolvida por médicos, com base na rejeição de aloenxertos renais, e resistiu notavelmente bem à prova do tempo. Cada tipo de rejeição é mediado por uma forma particular de resposta imune. Na discussão seguinte, a descrição e a morfologia da rejeição limitam-se a aloenxertos renais, embora alterações semelhantes sejam observadas em transplantes de outros órgãos:

- **A rejeição hiperaguda é mediada por anticorpos pré-formados específicos contra antígenos presentes nas células endoteliais do enxerto.** Os anticorpos pré-formados podem consistir em anticorpos IgG naturais específicos para antígenos de grupos sanguíneos ou anticorpos específicos para moléculas do MHC alogênicas, que foram introduzidas pela exposição prévia do receptor do órgão a células alogênicas por meio de transfusões de sangue, gravidez ou transplante de outro órgão. Imediatamente após a implantação do enxerto e a restauração do fluxo sanguíneo, os anticorpos ligam-se aos antígenos no endotélio vascular do enxerto e ativam o sistema complemento, resultando em lesão endotelial, trombose e necrose isquêmica do enxerto (**Figura 6.33A**). A rejeição hiperaguda é rara, visto que todo doador e receptor são tipados para o grupo sanguíneo, e os receptores potenciais são testados para anticorpos contra as células do doador prospectivo, um teste denominado prova cruzada

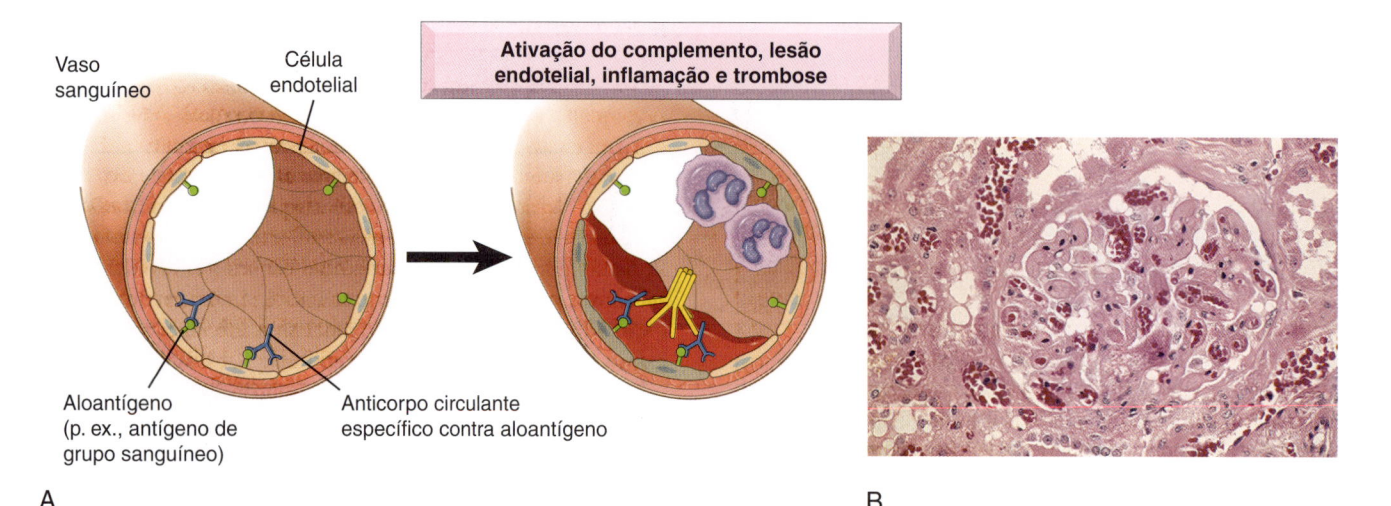

Figura 6.33 Rejeição hiperaguda. **A.** A deposição de anticorpo no endotélio e a ativação do complemento provocam trombose. **B.** Rejeição hiperaguda de um aloenxerto renal, mostrando trombos de fibrina e plaqueta e lesão isquêmica grave em um glomérulo.

> **Morfologia**
>
> Na rejeição hiperaguda, o rim afetado torna-se rapidamente cianótico, mosqueado e anúrico. Praticamente todas as arteríolas e artérias exibem necrose fibrinoide aguda de suas paredes e estreitamento ou oclusão completa da luz por trombos (**Figura 6.33B**). Os neutrófilos acumulam-se rapidamente dentro das arteríolas, glomérulos e capilares peritubulares. À medida que essas alterações são intensificadas e tornam-se difusas, os capilares glomerulares também sofrem oclusão trombótica, e, por fim, o córtex renal sofre necrose completa (infarto). Os rins afetados não são funcionais e precisam ser removidos.

- **A rejeição aguda é mediada por células T e por anticorpos que são ativados por aloantígenos no enxerto.** Ocorre nos primeiros dias ou semanas após o transplante e constitui a principal causa de falência precoce do enxerto. Pode também ocorrer subitamente muito tempo depois do transplante se a imunossupressão for reduzida ou interrompida. Com base na função das células T ou dos anticorpos, a rejeição aguda é dividida em dois tipos, embora ambos os padrões estejam presentes na maioria dos enxertos que sofrem rejeição.

Na *rejeição celular aguda*, os CTL CD8+ podem destruir diretamente as células do enxerto, ou as células CD4+ secretam citocinas e induzem inflamação, que provoca dano ao enxerto (**Figura 6.34A**). As células T também podem reagir contra os vasos do enxerto, levando ao dano vascular. A terapia imunossupressora atual destina-se sobretudo a impedir ou reduzir a rejeição aguda ao bloquear a ativação das células T alorreativas.

> **Morfologia**
>
> A rejeição celular (mediada por células T) aguda pode produzir dois padrões diferentes de lesão:
>
> - No padrão tubulointersticial (algumas vezes denominados tipo I), há inflamação intersticial extensa e inflamação tubular (tubulite) associada à lesão tubular focal (**Figura 6.34B**). Como seria de esperar, os infiltrados inflamatórios contêm linfócitos T CD4+ e CD8+ ativados
> - O padrão vascular exibe inflamação dos vasos (tipo II) (**Figura 6.34C**) e, algumas vezes, necrose das paredes vasculares (tipo III). Os vasos afetados apresentam tumefação das células endoteliais, e observa-se a presença de linfócitos entre o endotélio e a parede do vaso, um achado denominado endotelite ou arterite da íntima. O reconhecimento da rejeição celular é importante, visto que, na ausência de rejeição humoral associada, a maioria dos pacientes responde de modo satisfatório à terapia imunossupressora.

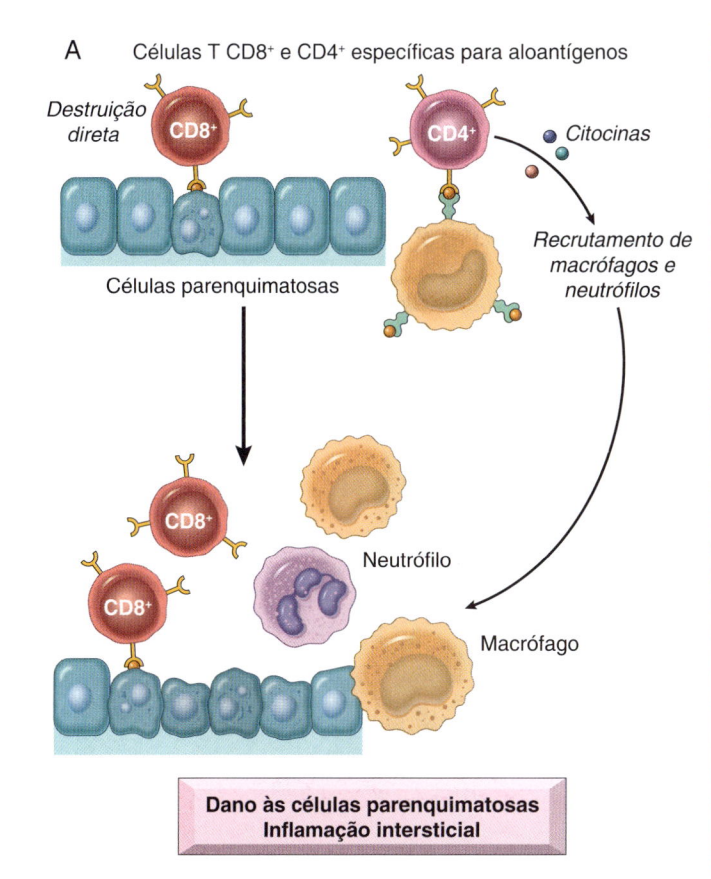

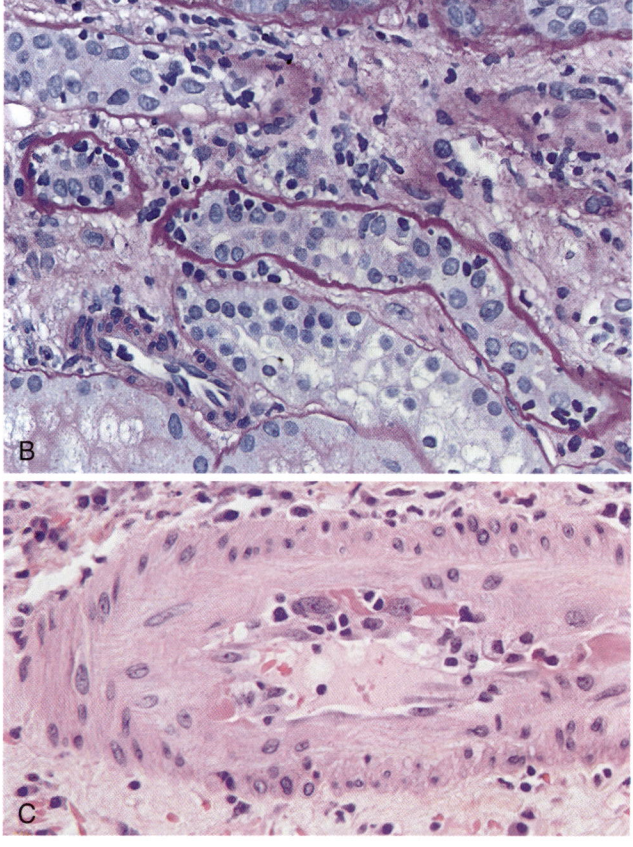

Figura 6.34 Rejeição celular aguda. **A.** Destruição das células do enxerto por células T. A rejeição aguda mediada por células T envolve a destruição direta das células do enxerto por CTL CD8+ e inflamação causada por citocinas que são produzidas por células T CD4. **B.** Rejeição celular aguda de um enxerto renal, caracterizada por células inflamatórias no interstício e entre as células epiteliais dos túbulos (tubulite). Os túbulos colapsados são caracterizados por membranas basais onduladas delineando seu contorno. **C.** Vasculite da rejeição de enxerto renal. Uma arteríola é mostrada com células inflamatórias atacando e destruindo o endotélio (endotelite) (*seta*). (Cortesia dos Drs. Zoltan Laszik and Kuang-Yu Jen, Department of Pathology, University of California, San Francisco, Calif.)

Na *rejeição aguda mediada por anticorpos (vascular ou humoral)*, os anticorpos ligam-se ao endotélio vascular e ativam o complemento pela via clássica (**Figura 6.35A**). A consequente inflamação e o dano endotelial causam falência do enxerto.

> ### Morfologia
>
> A rejeição aguda mediada por anticorpos manifesta-se sobretudo por dano aos glomérulos e aos pequenos vasos sanguíneos. Normalmente ocorre inflamação dos glomérulos e dos capilares peritubulares (**Figura 6.35B**), associada à deposição de produtos do complemento, devido à ativação do sistema complemento pela via clássica dependente de anticorpos (**Figura 6.35C**). Os pequenos vasos também podem apresentar trombose focal.

- **A rejeição crônica é uma forma indolente de dano ao enxerto, que ocorre ao longo de meses ou anos, levando à perda progressiva da função do enxerto.** A rejeição crônica manifesta-se na forma de fibrose intersticial e estreitamento gradual dos vasos sanguíneos do enxerto (*arteriosclerose do enxerto*). Em ambas as lesões, acredita-se que os responsáveis sejam células T que reagem contra aloantígenos do enxerto e que secretam citocinas, as quais estimulam a proliferação e a atividade dos fibroblastos e das células musculares lisas vasculares no enxerto (**Figura 6.36A**). Os aloanticorpos também contribuem para a rejeição crônica. Embora os tratamentos ministrados para prevenir ou reduzir a rejeição aguda tenham constantemente melhorado, levando a melhor sobrevida em 1 ano dos transplantes, a rejeição crônica é refratária à maioria das terapias e está se tornando a principal causa de falência do enxerto.

> ### Morfologia
>
> A rejeição crônica é dominada por alterações vasculares, frequentemente com espessamento da túnica íntima e oclusão vascular (**Figura 6.36B**). Os enxertos renais que sofrem rejeição crônica exibem glomerulopatia, com duplicação da membrana basal, provavelmente secundária à lesão endotelial crônica (**Figura 6.36C**), e capilarite peritubular com múltiplas camadas de membranas basais dos capilares peritubulares. Podem ocorrer fibrose intersticial e atrofia tubular com perda do parênquima renal secundariamente às lesões vasculares (**Figura 6.36D**). Normalmente o infiltrado intersticial de células mononucleares é esparso.

Além dos rins, diversos órgãos, como fígado (ver **Capítulo 18**), coração (ver **Capítulo 12**), pulmões e pâncreas, também são transplantados. A rejeição desses enxertos é descrita nos capítulos correspondentes.

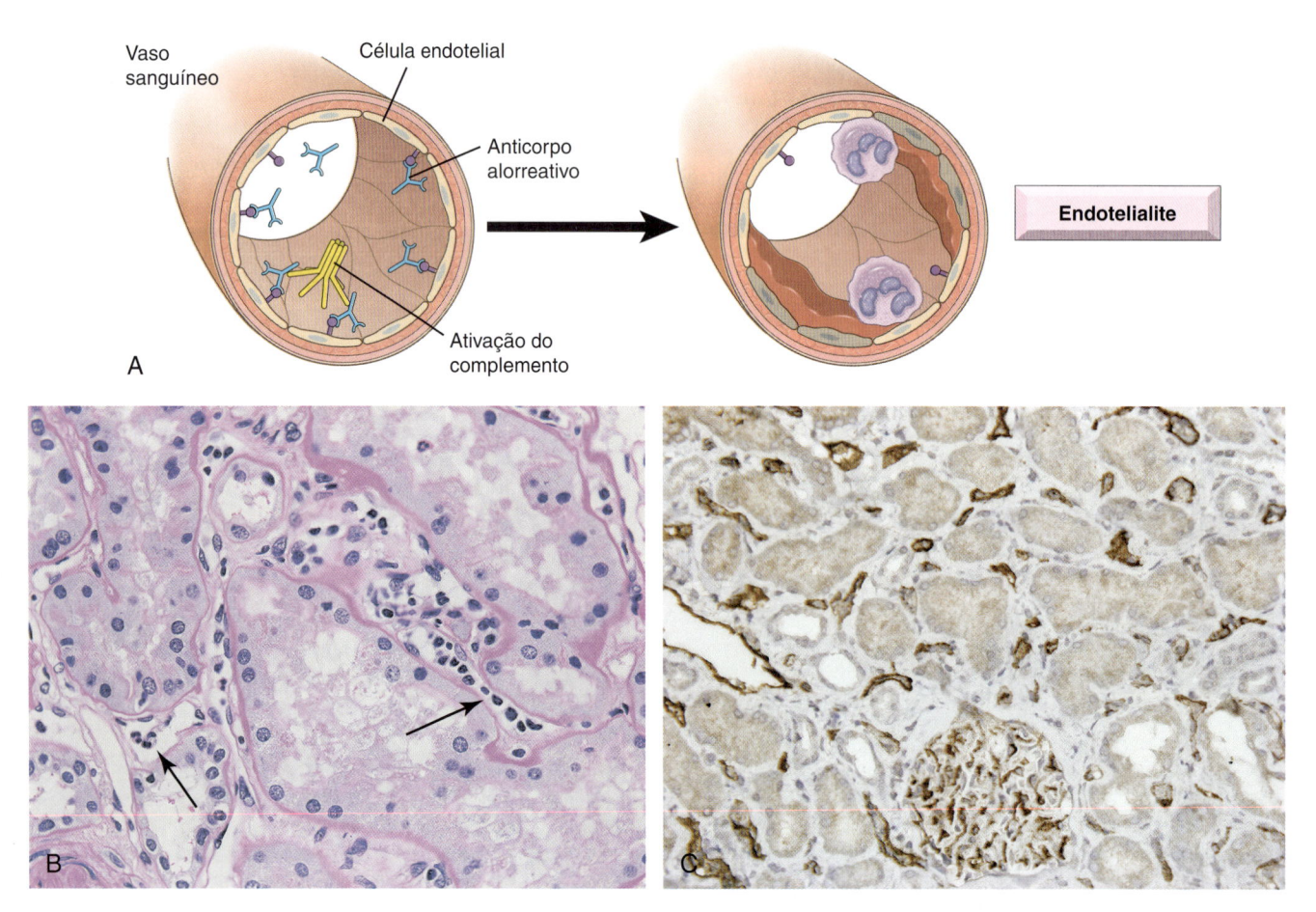

Figura 6.35 Rejeição aguda mediada por anticorpos (humoral). **A.** Dano ao enxerto causado pela deposição de anticorpos nos vasos. **B.** Micrografia óptica mostrando a inflamação (capilarite) nos capilares peritubulares (*setas*) de um enxerto renal. **C.** A coloração pela imunoperoxidase mostra a deposição de C4d nos capilares peritubulares e em um glomérulo. (Cortesia do Dr. Zoltan Laszik, Department of Pathology, University of California, San Francisco, Calif.)

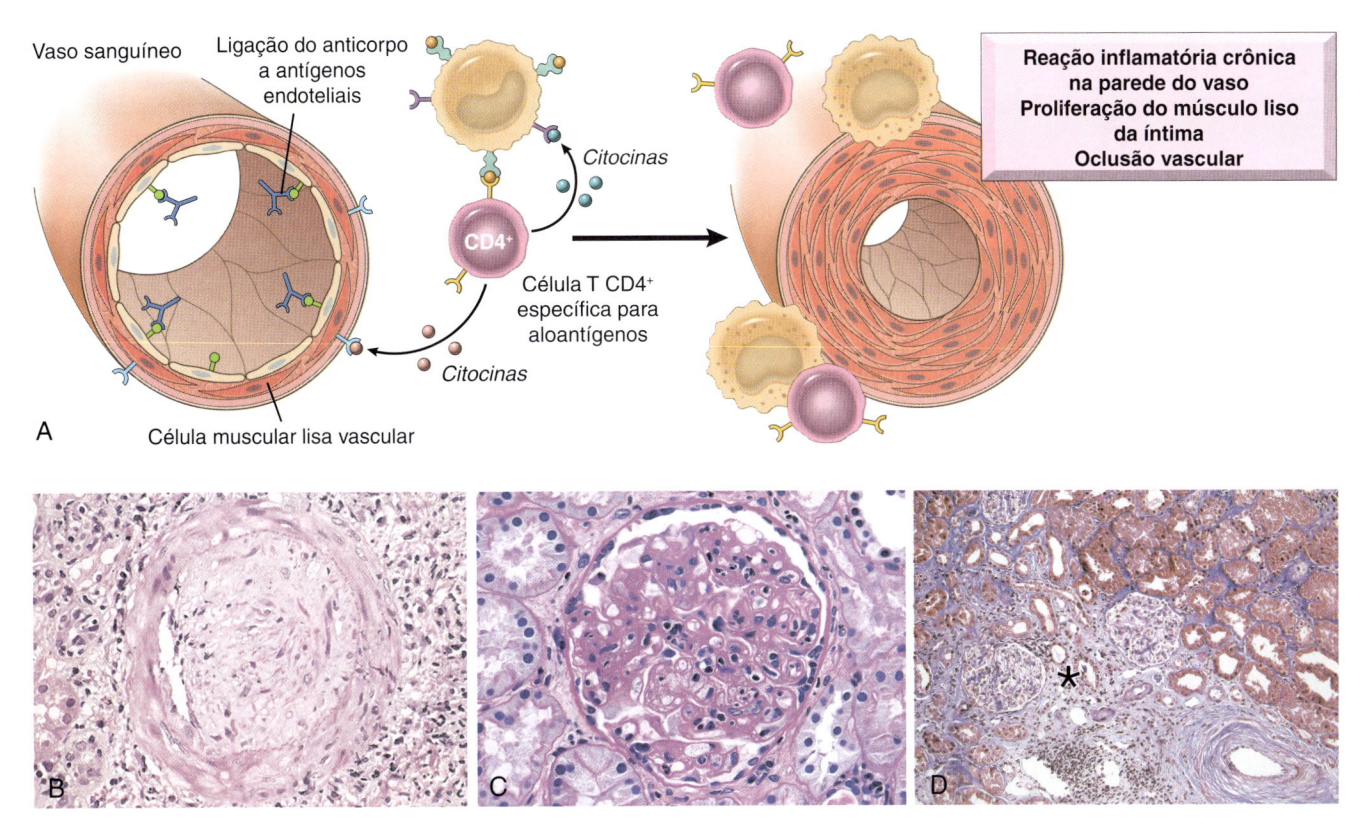

Figura 6.36 Rejeição crônica. **A.** Arteriosclerose do enxerto causada por citocinas produzidas por células T e deposição de anticorpos. **B.** Arteriosclerose do enxerto em transplante cardíaco. **C.** Glomerulopatia do transplante, a manifestação característica da rejeição crônica mediada por anticorpos no rim. O glomérulo apresenta células inflamatórias dentro das alças capilares (glomerulite), acúmulo de matriz mesangial e duplicação da membrana basal capilar. **D.** Fibrose intersticial e atrofia tubular, em consequência de arteriosclerose das artérias e arteríolas em um aloenxerto renal com rejeição crônica. Nesta coloração tricrômica, a área azul (*asterisco*) mostra a presença de fibrose, em contraste com o rim normal (*parte superior à direita*). Uma artéria com arteriosclerose proeminente é mostrada (*parte inferior à direita*). (**B,** Cortesia do Dr. Richard Mitchell, Department of Pathology, Brigham and Women's Hospital, Boston, Mass. **C** e **D,** Cortesia do Dr. Zoltan Laszik, Department of Pathology, University of California, San Francisco, Calif.)

Métodos para aumentar a sobrevida do enxerto

O valor da compatibilidade HLA entre o doador e o receptor varia nos transplantes de diferentes órgãos sólidos. Nos transplantes renais, existe um benefício substancial se todos os alelos HLA polimórficos forem compatíveis (os alelos herdados do *HLA-A, -B* e *DR*). Entretanto, a compatibilidade do HLA não costuma ser feita para transplantes de fígado, coração e pulmões, visto que outras considerações, como compatibilidade anatômica, gravidade da doença subjacente e necessidade de minimizar o tempo de armazenamento do órgão, suplantam os benefícios potenciais de compatibilidade do HLA.

Com exceção dos gêmeos idênticos, a terapia imunossupressora é essencial em todas as combinações de doadores e receptores. Os medicamentos imunossupressores atualmente utilizados incluem esteroides (que reduzem a inflamação), micofenolato de mofetila (que inibe a proliferação dos linfócitos) e tacrolimo (FK506). O tacrolimo, à semelhança de seu predecessor, a ciclosporina, é um inibidor da fosfatase calcineurina, que é necessária para a ativação de um fator de transcrição, denominado fator nuclear de células T ativadas (NFAT, *nuclear factor of activated T cells*). O NFAT estimula a transcrição dos genes das citocinas, em particular o gene que codifica o fator de transcrição IL-2. Por conseguinte, o tacrolimo inibe as respostas das células T. Outros medicamentos utilizados no tratamento da rejeição incluem anticorpos que provocam depleção das células T e B e IgG intravenosa (IGIV, *pooled*), que suprime a inflamação por meio de mecanismos desconhecidos. Utiliza-se a plasmaférese em casos de rejeição grave mediada por anticorpos. Outra estratégia mais recente para reduzir as respostas imunes antienxerto consiste em impedir que as células T do hospedeiro recebam sinais coestimuladores das CD durante a fase inicial de sensibilização. Isso pode ser realizado pela interrupção da interação entre as moléculas B7 das CD do doador do enxerto com receptores CD28 nas células T do hospedeiro, por exemplo, pela administração de proteínas que se ligam a coestimuladores B7.

Embora prolongue a sobrevida do enxerto, a imunossupressão tem seus próprios riscos. O preço pago na forma de aumento da suscetibilidade a infecções oportunistas não é pequeno. Uma das complicações infecciosas mais frequentes é a reativação do poliomavírus. O vírus estabelece uma infecção latente das células epiteliais no trato geniturinário inferior de indivíduos saudáveis e, com a imunossupressão, é reativado, infecta os túbulos renais e pode até mesmo causar falência do enxerto. Esses pacientes também correm risco aumentado de desenvolver linfomas induzidos pelo EBV, carcinomas espinocelulares induzidos pelo papilomavírus humano e sarcoma de Kaposi (SK; ver **Capítulo 11**), todos os quais constituem, provavelmente, o resultado da reativação de infecções virais latentes, devido à diminuição das defesas do hospedeiro. Para evitar os efeitos adversos da imunossupressão, muitos esforços estão sendo envidados para induzir uma tolerância específica ao doador nos receptores de enxerto. As estratégias que estão sendo testadas incluem a injeção de células T reguladoras e o bloqueio de sinais coestimuladores que são necessários para a ativação dos linfócitos, conforme assinalado anteriormente.

Transplante de células-tronco hematopoéticas

O uso de transplante de células-tronco hematopoéticas (CTH) no tratamento de neoplasias malignas hematológicas, síndromes de falência da medula óssea (como anemia aplásica) e distúrbios herdados da medula óssea (como anemia falciforme, talassemia e estados de imunodeficiência) está aumentando a cada ano. O transplante de CTH obtidas de pacientes afetados por "reengenharia" genética também pode ser útil para a terapia gênica com células somáticas e está sendo avaliado em algumas imunodeficiências e hemoglobinopatias. Historicamente, as CTH eram obtidas da medula óssea, porém agora costumar ser coletadas do sangue periférico após sua mobilização da medula óssea pela administração de fatores de crescimento hematopoéticos, ou a partir do sangue do cordão umbilical de recém-nascidos, que constitui uma fonte rica de CTH. Na maioria das condições em que o transplante de CTH está indicado, o receptor é irradiado ou tratado com altas doses de quimioterapia para destruir o sistema imune (e, algumas vezes, as células cancerosas) e para "abrir" nicho no microambiente da medula que nutre as CTH, possibilitando, assim, a implantação das CTH transplantadas. Várias características distinguem os transplantes de CTH dos transplantes de órgãos sólidos. Dois problemas que são exclusivos do transplante de CTH são a doença do enxerto-*versus*-hospedeiro (DEVH) e a imunodeficiência.

Ocorre DEVH quando células imunologicamente competentes ou suas precursoras são transplantadas em receptores imunologicamente comprometidos, e as células transferidas reconhecem aloantígenos no hospedeiro e atacam seus tecidos. A DEVH é observada mais comumente no contexto do transplante de CTH; todavia, raramente, pode ocorrer após transplante de órgãos sólidos ricos em células linfoides (p. ex., o fígado) ou após transfusão de sangue não irradiado. Quando receptores imunocomprometidos recebem preparações de CTH de doadores alogênicos, as células T imunocompetentes presentes no inóculo do doador reconhecem os antígenos HLA do receptor como estranhos e reagem contra eles. Para procurar minimizar a DEVH, os transplantes de CTH são realizados entre um doador e um receptor HLA compatíveis, utilizando métodos baseados no sequenciamento preciso do DNA para tipagem molecular dos alelos do HLA:

- A *DEVH aguda* ocorre nos primeiros dias a semanas após o transplante alogênico de CTH. Embora qualquer órgão possa ser afetado, as principais manifestações clínicas resultam do comprometimento do sistema imune e dos epitélios da pele, do fígado e do intestino. O comprometimento da pele na DEVH manifesta-se por exantema generalizado, que pode levar à descamação nos casos graves (**Figura 6.37A**). A destruição dos pequenos ductos biliares dá origem à icterícia, e a ulceração da mucosa do intestino resulta em diarreia sanguinolenta. Embora a lesão tecidual possa ser grave, os tecidos afetados em geral não estão maciçamente infiltrados por linfócitos. Acredita-se que, além da citotoxicidade direta pelas células T CD8+, as citocinas liberadas pelas células T sensibilizadas do doador provocam dano considerável

- A *DEVH crônica* pode ocorrer após a síndrome aguda ou pode surgir de modo insidioso. Esses pacientes apresentam extensa lesão cutânea, com destruição dos anexos cutâneos e fibrose da derme (**Figura 6.37B**). As alterações podem assemelhar-se à esclerose sistêmica (discutida anteriormente). A doença hepática crônica, que se manifesta por icterícia colestática, também é frequente. O dano ao trato gastrintestinal pode causar estenoses esofágicas. O sistema imune é devastado, com involução do timo e depleção dos linfócitos nos linfonodos. Não é surpreendente que os pacientes tenham infecções recorrentes e potencialmente fatais. Outros pacientes desenvolvem manifestações de autoimunidade, que se acredita resultem das células T auxiliares CD4+ enxertadas, que reagem com as células B do hospedeiro e as estimulam, algumas das quais podem ser capazes de produzir autoanticorpos.

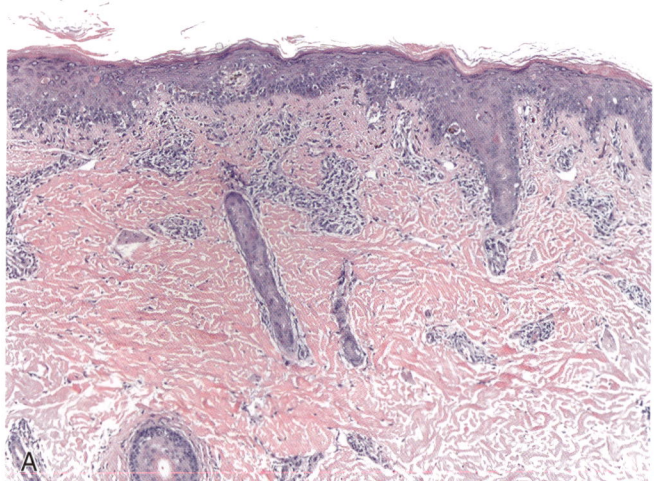

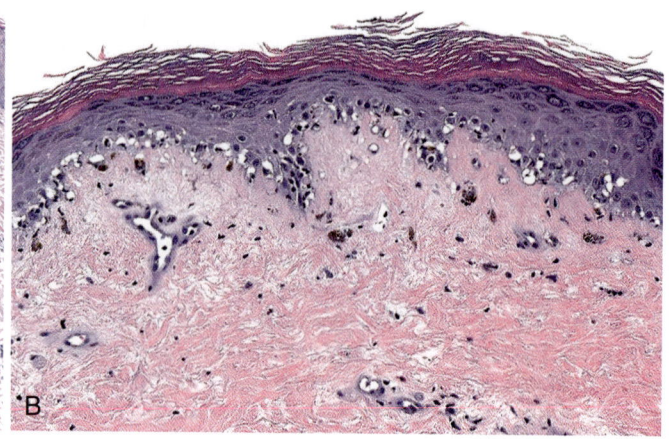

Figura 6.37 Doença do enxerto-*versus*-hospedeiro (DEVH) acometendo a pele. **A.** DEVH aguda mostrando morte das células epiteliais e infiltrados dérmicos irregulares de células mononucleares (linfócitos e macrófagos). **B.** DEVH crônica mostrando um infiltrado linfocítico esparso na junção dermoepidérmica, que resultou em uma reação de interface vacuolar e alguns queratinócitos danificados. A epiderme está adelgaçada, indicando atrofia. A derme subjacente apresenta espessamento dos feixes de colágeno, indicando esclerose. (**B**, Cortesia do Dr. Jarish Cohen, Department of Pathology, University of California, San Francisco, Calif.)

Como a DEVH é mediada por linfócitos T contidos nas células transplantadas do doador, a depleção das células T do doador antes da transfusão praticamente elimina a doença. Entretanto, esse protocolo tem decididamente dois lados: há uma melhora da DEVH, porém a recorrência do tumor em pacientes leucêmicos e a incidência de falência do enxerto e linfoma de células B relacionado ao EBV aumentam. Aparentemente, as células T multifacetadas não apenas medeiam a DEVH, mas também são necessárias para a pega do enxerto das CTH transplantadas, para a supressão dos clones de células B infectadas pelo EBV e para o controle das células leucêmicas. Este último, o efeito do enxerto-*versus*-leucemia, pode ser bastante dramático. De fato, a indução deliberada do efeito enxerto-*versus*-leucemia pela infusão de células T alogênicas é utilizada no tratamento da leucemia mieloide crônica que sofreu recidiva após transplante de CTH.

A imunodeficiência constitui uma complicação frequente do transplante de CTH. A imunodeficiência pode resultar de tratamento anterior (p. ex., para a leucemia), de mieloablação prévia para transplante de CTH, atraso no repovoamento do sistema imune do receptor e ataque das células imunes do hospedeiro pelos linfócitos transplantados. Os indivíduos afetados apresentam imunossupressão profunda e são facilmente vítimas de infecções. Embora diversos tipos de organismos possam infectar os pacientes, a infecção pelo citomegalovírus é notável. Ela costuma resultar da ativação a partir de uma infecção latente. A pneumonite induzida por citomegalovírus pode ser uma complicação fatal.

Conceitos-chave
Reconhecimento e rejeição de transplantes (aloenxertos)

- A resposta de rejeição contra transplantes de órgãos sólidos é iniciada sobretudo pelas células T do hospedeiro, que reconhecem os antígenos HLA estranhos do enxerto, direta (nas APC no enxerto) ou indiretamente (após captação e apresentação pelas APC do hospedeiro)
- Tipos e mecanismos de rejeição de enxertos de órgãos sólidos:
  - Rejeição hiperaguda. Os anticorpos antidoador pré-formados ligam-se ao endotélio do enxerto imediatamente após o transplante, levando a trombose, lesão isquêmica e rápida falência do enxerto
  - Rejeição celular aguda. As células T destroem o parênquima do enxerto (e vasos) por meio de citotoxicidade e reações inflamatórias
  - Rejeição humoral aguda. Os anticorpos danificam a vascularização do enxerto
  - Rejeição crônica. A rejeição crônica, dominada por arteriosclerose, é causada pela ativação das células T e por anticorpos. As células T podem secretar citocinas, que induzem proliferação das células musculares lisas vasculares, enquanto os anticorpos provocam lesão endotelial. As lesões vasculares e as reações das células T causam fibrose do parênquima
- O tratamento da rejeição do enxerto baseia-se em fármacos imunossupressores, que inibem as respostas imunes contra o enxerto
- O transplante de CTH exige cuidadosa tipagem do doador e do receptor e, com frequência, é complicado pela DEVH e por imunodeficiência.

Doenças por imunodeficiência

As doenças por imunodeficiência podem ser divididas em imunodeficiências primárias (ou congênitas), que são geneticamente determinadas, e imunodeficiências secundárias (ou adquiridas), que podem surgir como complicações de neoplasias, infecções, desnutrição ou efeitos colaterais de imunossupressão, irradiação ou quimioterapia para o câncer e outras doenças. Do ponto de vista clínico, as imunodeficiências manifestam-se por aumento das infecções, que podem ser recém-adquiridas ou que podem representar uma reativação de infecções latentes. As síndromes de imunodeficiência primária são acidentes da natureza, que fornecem esclarecimentos valiosos sobre algumas das moléculas essenciais do sistema imune humano. Aqui, discutiremos de forma sucinta as imunodeficiências primárias mais importantes e mais bem definidas, seguidas de uma descrição mais detalhada da síndrome da imunodeficiência adquirida (AIDS), o exemplo mais devastador de imunodeficiência secundária.

Imunodeficiências primárias

As doenças de imunodeficiência primária são causadas por defeitos genéticos (herdados), que afetam os mecanismos de defesa da imunidade inata (fagócitos, células NK ou complemento) ou os braços humoral e/ou celular da imunidade adaptativa (mediados pelos linfócitos B e T, respectivamente). Essas doenças são detectadas, em sua maioria, na lactância, entre 6 meses e 2 anos, e os sinais indicadores consistem em suscetibilidade a infecções recorrentes. Aqui, apresentamos exemplos selecionados de imunodeficiências primárias, começando com defeitos da imunidade inata e, em seguida, defeitos da maturação e ativação dos linfócitos B e T. Concluímos com defeitos imunes associados a algumas doenças sistêmicas.

Defeitos da imunidade inata

Os defeitos herdados na resposta imune inata inicial normalmente afetam as funções dos leucócitos ou o sistema complemento, e todos levam a um aumento da vulnerabilidade a infecções (Tabela 6.12). A seguir, são resumidos alguns dos defeitos cuja base molecular está definida.

Defeitos na função dos leucócitos

- *Defeitos herdados na adesão dos leucócitos.* Os indivíduos com *deficiência da adesão dos leucócitos tipo 1* apresentam um defeito na biossíntese da cadeia β_2 compartilhada pelas integrinas LFA-1 e Mac-1. A *deficiência da adesão dos leucócitos tipo 2* é causada pela ausência de sialil-Lewis X, o ligante contendo fucose das E- e P-selectinas, em consequência de um defeito da fucosiltransferase, uma enzima que liga a fucose ao esqueleto de proteína. Ambas as condições resultam na falha da adesão dos leucócitos ao endotélio, impedindo a migração dessas células nos tecidos e tornando os pacientes propensos a infecções bacterianas, que com frequência são recorrentes e potencialmente fatais
- *Defeitos herdados na função dos fagolisossomos.* Um desses distúrbios é a *síndrome de Chédiak-Higashi*, uma doença autossômica recessiva, caracterizada pela fusão defeituosa dos fagossomos e lisossomos, resultando em defeito da função dos fagócitos e suscetibilidade às infecções. As principais anormalidades dos leucócitos consistem em neutropenia (diminuição

Tabela 6.12 Defeitos da imunidade inata.

Doença	Defeito
Defeitos na função dos leucócitos	
Deficiência da adesão dos leucócitos 1	Adesão deficiente dos leucócitos, devido a mutações na cadeia β das integrinas CD11/CD18
Deficiência da adesão dos leucócitos 2	Adesão deficiente dos leucócitos, devido a mutações da flucosiltransferase necessária para a síntese de oligossacarídeos sialilados (receptores de selectinas)
Síndrome de Chédiak-Higashi	Redução das funções dos leucócitos, devido a mutações que afetam as proteínas envolvidas no tráfego da membrana lisossômica
Doença granulomatosa crônica	Diminuição da explosão oxidativa
Ligada ao X	Fagócito oxidase (componente da membrana)
Autossômica recessiva	Fagócito oxidase (componentes citoplasmáticos)
Deficiência de mieloperoxidase	Diminuição da eliminação microbiana devido ao sistema MPO-H_2O_2 defeituoso
Defeitos no sistema complemento	
Deficiência de C_2, C_4	A ativação defeituosa da via clássica resulta em diminuição da resistência à infecção e eliminação reduzida de imunocomplexos
Deficiência de C_3	Defeitos em todas as funções do complemento
Deficiência das proteínas reguladoras do complemento	Ativação excessiva do complemento; as síndromes clínicas incluem angioedema, hemoglobinúria paroxística e outras

A tabela lista algumas das imunodeficiências hereditárias mais comuns que afetam os leucócitos fagocíticos e o sistema complemento.
Modificada, em parte, de Gallin JI: Disorders of phagocytic cells. In Gallin JI, Goldstein IM, Snyderman R, editors: *Inflammation: Basic Principles and Clinical Correlates*, ed. 2, New York, 1992, Raven Press, p. 860-861.

do número de neutrófilos), desgranulação defeituosa e morte microbiana tardia. Os leucócitos contêm grânulos gigantes, que podem ser facilmente identificados em esfregaços de sangue periférico; acredita-se que sejam o resultado de fusão aberrante de fagolisossomos. Além disso, são observadas anormalidades nos melanócitos (levando ao albinismo), nas células do sistema nervoso (associadas a defeitos nervosos) e nas plaquetas (causando distúrbios hemorrágicos). O gene disfuncional subjacente a esse distúrbio codifica uma proteína citosólica, denominada LYST, que se acredita esteja envolvida na regulação do tráfego lisossômico
- *Defeitos herdados na atividade microbicida.* A importância dos mecanismos bactericidas dependentes de oxigênio é demonstrada pela existência de um grupo de distúrbios congênitos, denominado *doença granulomatosa crônica* (DGC), que se caracteriza por defeitos na capacidade bactericida, que tornam os pacientes suscetíveis a infecções bacterianas recorrentes. A DGC resulta de defeitos herdados nos genes que codificam componentes da fagócito-oxidase, a enzima fagolisossômica que gera superóxido (O_2^-). As variantes mais comuns consistem em um defeito ligado ao X em um dos componentes ligados à membrana (gp92 phox) e em defeitos autossômicos recessivos nos genes que codificam dois dos componentes citoplasmáticos (p47phox e p67phox). O nome dessa doença provém da reação inflamatória crônica rica em macrófagos, que procura controlar a infecção quando a defesa inicial dos neutrófilos é inadequada. Isso leva frequentemente a coleções de macrófagos ativados, que envolvem os microrganismos, formando granulomas
- *Defeitos na sinalização do TLR.* Foram descritos defeitos raros em vários TLR e suas moléculas de sinalização. Os defeitos no TLR3, um receptor para RNA viral, resultam em encefalite recorrente por herpes simples, enquanto os defeitos em MyD88, a proteína adaptadora a jusante de múltiplos TLR, estão associados a pneumonias bacterianas destrutivas.

Deficiências que afetam o sistema complemento

Foram descritas deficiências hereditárias de praticamente todos os componentes do sistema complemento e de vários dos reguladores. Além disso, uma doença, a hemoglobinúria paroxística noturna, é causada por uma deficiência adquirida de fatores reguladores do complemento:

- A deficiência de C2 constitui a deficiência de proteína do complemento mais comum. A deficiência de C2 ou de C4, que são componentes iniciais da via clássica, está associada a um aumento de infecções bacterianas ou virais. Entretanto, muitos pacientes não apresentam manifestações clínicas, presumivelmente pelo fato de que a via alternativa do complemento é adequada para a maioria das infecções. De modo surpreendente, em alguns desses pacientes, bem como em pacientes com deficiência de C1q, a manifestação dominante consiste em doença autoimune similar ao LES, conforme discutido anteriormente
- A deficiência de componentes da via alternativa (properdina e fator D) é rara. Está associada a infecções piogênicas recorrentes
- O componente C3 do complemento é necessário para as vias clássica e alternativa, de modo que a ocorrência de uma deficiência dessa proteína resulta em suscetibilidade a infecções piogênicas graves e recorrentes. Observa-se também um aumento da incidência de glomerulonefrite mediada por imunocomplexos. O complemento está envolvido na remoção de imunocomplexos, e, na sua ausência, a inflamação é presumivelmente causada pela ativação de leucócitos dependentes do receptor Fc
- Os componentes terminais do complemento (C5, 6, 7, 8 e 9) são necessários para a montagem do complexo de ataque à membrana envolvido na lise de microrganismos. A deficiência desses componentes de ação tardia está associada a um aumento da suscetibilidade a infecções recorrentes por *Neisseria* (gonocócicas e meningocócicas); as bactérias do gênero *Neisseria* contam com paredes celulares finas que as tornam suscetíveis às ações líticas do complemento
- Outros pacientes herdam uma forma defeituosa da lectina de ligação da manose, a proteína plasmática que inicia a via da lectina do complemento. Os indivíduos afetados também apresentam aumento da suscetibilidade a infecções

- A deficiência do inibidor de C1 (C1 INH) dá origem ao *angioedema hereditário*. Esse distúrbio autossômico dominante é mais comum do que os estados de deficiência do complemento em si. Os alvos do inibidor de C1 incluem proteases, especificamente C1r e C1s da cascata do complemento, o fator XII da via da coagulação e o sistema da calicreína. Na presença de deficiência de C1 INH, a ativação desregulada da calicreína pode levar a um aumento da produção de peptídeos vasoativos, como a bradicinina. Embora a natureza exata do composto bioativo produzido no angioedema hereditário seja incerta, esses pacientes apresentam episódios de edema que afetam a pele e diversas mucosas, como a laringe e o trato gastrintestinal. Isso pode resultar em asfixia potencialmente fatal ou em náuseas, vômitos e diarreia após trauma mínimo ou estresse emocional. As crises agudas de angioedema hereditário podem ser tratadas com concentrados de inibidor de C1 preparados a partir de plasma humano
- As deficiências de outras proteínas reguladoras do complemento constituem a causa da hemoglobinúria paroxística noturna (ver **Capítulo 14**), de formas crônicas de síndrome hemolítico-urêmica (ver **Capítulo 20**) e da degeneração macular relacionada com a idade.

Defeitos da imunidade adaptativa

Os defeitos da imunidade adaptativa são frequentemente subclassificados com base no componente primário envolvido (*i. e.*, células B ou células T ou ambas). Todavia, essas distinções não são bem definidas; assim, por exemplo, os defeitos das células T quase sempre levam a um comprometimento na síntese de anticorpos, de modo que as deficiências isoladas de células T são, com frequência, indistinguíveis do ponto de vista clínico das deficiências combinadas de células T e B. Essas imunodeficiências resultam de anormalidades na maturação ou ativação dos linfócitos. As mutações responsáveis por muitas dessas doenças foram agora identificadas (**Figura 6.38**).

Imunodeficiência combinada grave

A imunodeficiência combinada grave (IDCG) abrange uma constelação de síndromes geneticamente distintas, todas as quais têm em comum defeitos nas respostas imunes tanto humorais quanto mediadas por células. Os lactentes afetados apresentam candidíase oral (sapinho) proeminente, extenso exantema das fraldas e atraso do crescimento. Alguns pacientes desenvolvem exantema morbiliforme logo após o nascimento, visto que as células T

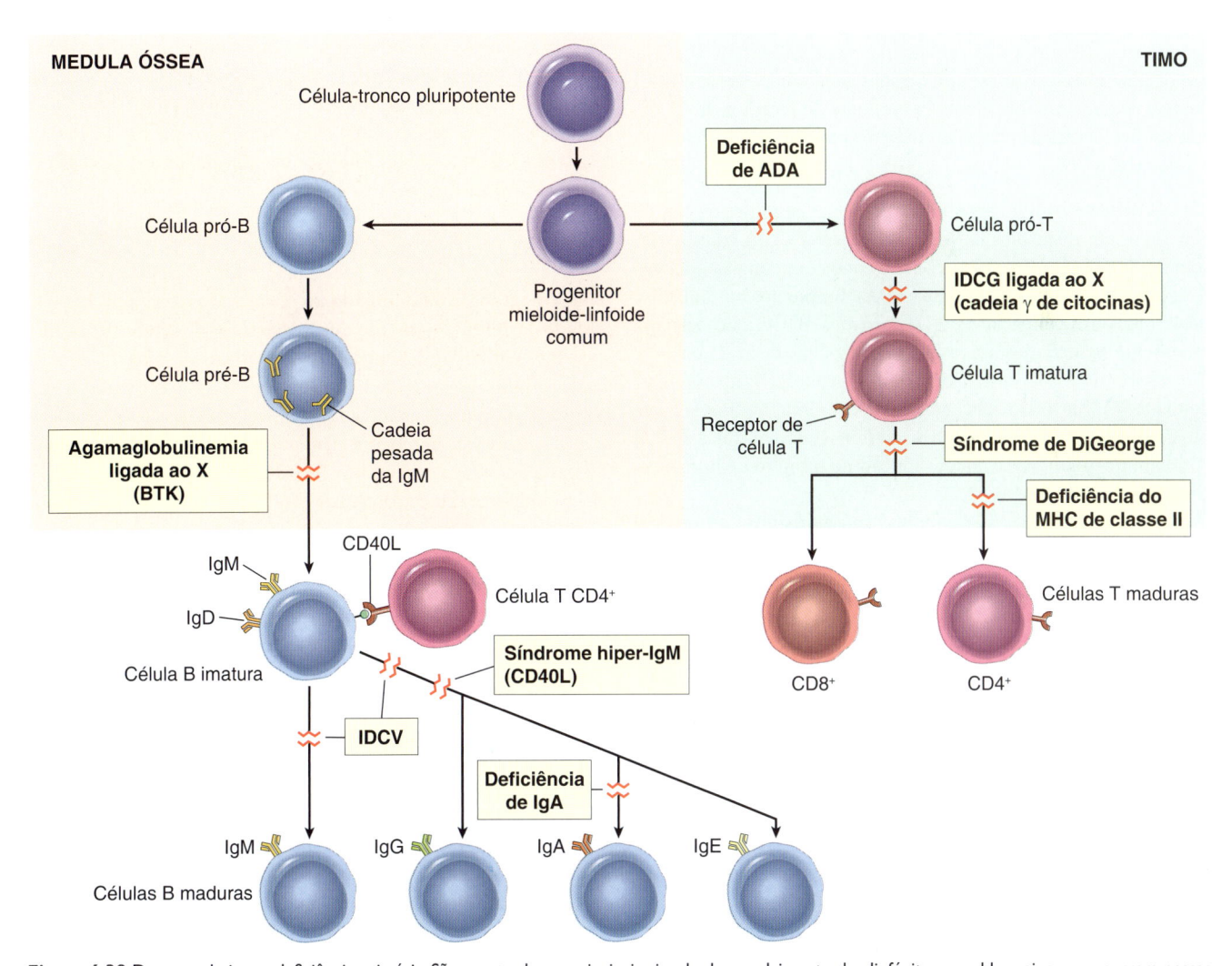

Figura 6.38 Doenças de imunodeficiência primária. São mostradas as principais vias de desenvolvimento dos linfócitos e os bloqueios que ocorrem nessas vias em doenças de imunodeficiência primária selecionadas. Os genes afetados estão indicados entre parênteses para algumas das doenças. *ADA*, adenosina desaminase; *CD40L*, ligante de CD40 (também conhecido como *CD154*); *IDCV*, imunodeficiência comum variável; *IDCG*, imunodeficiência combinada grave.

maternas atravessam a placenta e atacam o feto, causando DEVH. Os indivíduos com IDCG são extremamente suscetíveis a infecções graves recorrentes por uma ampla variedade de patógenos, incluindo *Candida albicans, Pneumocystis jirovecii, Pseudomonas,* citomegalovírus, varicela e numerosas bactérias. Sem transplante de CTH, ocorre morte no primeiro ano de vida. Apesar das manifestações clínicas comuns, os defeitos genéticos subjacentes são muito variados e, em muitos casos, são desconhecidos. Com frequência, o defeito na IDCG está mais relacionado às células T, com comprometimento secundário da imunidade humoral.

IDCG ligada ao X. A forma mais comum, que responde por 50 a 60% dos casos, é ligada ao X, de modo que a IDCG é mais comum em meninos do que em meninas. O defeito genético na forma ligada ao X consiste em uma mutação na subunidade da cadeia γ comum (γc) dos receptores de citocinas. Essa proteína transmembranar é um componente de transdução de sinais dos receptores para IL-2, IL-4, IL-7, IL-9, IL-11, IL-15 e IL-21. A IL-7 é necessária para a sobrevida e a proliferação dos progenitores linfoides, particularmente os precursores de células T. Em consequência da sinalização defeituosa do receptor de IL-7, ocorre um defeito profundo nos estágios iniciais do desenvolvimento dos linfócitos, sobretudo no desenvolvimento das células T. Há uma acentuada redução no número de células T, e embora o número de células B possa estar normal, a síntese de anticorpos está prejudicada, devido à falta de auxílio das células T. A IL-15 é importante para a maturação e a proliferação das células NK, e, como a cadeia γ comum é um componente do receptor de IL-15, esses indivíduos frequentemente também apresentam uma deficiência de células NK.

IDCG autossômica recessiva. As formas restantes de IDCG consistem em distúrbios autossômicos recessivos. A causa mais comum de IDCG autossômica recessiva consiste em uma deficiência da enzima adenosina desaminase (ADA). Embora os mecanismos pelos quais a deficiência de ADA provoca IDCG não estejam totalmente esclarecidos, foi proposto que a deficiência da enzima leva ao acúmulo de desoxiadenosina e seus derivados (p. ex., desoxi-ATP), que são tóxicos para os linfócitos imaturos que sofrem rápida divisão, particularmente os da linhagem de células T. Por conseguinte, pode haver maior redução no número de linfócitos T do que de linfócitos B.

Foram identificadas várias outras causas menos comuns de IDCG autossômica recessiva:

- As mutações nos genes ativadores da recombinase (RAG, *recombinase-activating genes*) ou de outros componentes do mecanismo de recombinação do gene do receptor de antígenos impedem os rearranjos de genes somáticos que são essenciais para a montagem dos genes do TCR e das Ig. Isso bloqueia o desenvolvimento das células T e B
- Uma quinase intracelular, denominada JAK3 é essencial para a transdução de sinais por meio de receptores de citocinas que contêm a cadeia γ comum (que está mutada na IDCG ligada ao X, conforme discutido anteriormente). Por conseguinte, as mutações de JAK3 apresentam os mesmos efeitos que as mutações na cadeia γc
- Foram descritas várias mutações em moléculas de sinalização, como quinases associadas ao receptor de antígeno das células T e componentes dos canais de cálcio, que são necessárias para a entrada de cálcio e a ativação de muitas vias de sinalização.

Os achados histológicos na IDCG dependem do defeito subjacente. Nas duas formas mais comuns (mutação de γc e deficiência de ADA), o timo é pequeno e desprovido de células linfoides. Na IDCG ligada ao X, o timo contém lóbulos de células epiteliais indiferenciadas, que se assemelham ao timo fetal, ao passo que na IDCG causada pela deficiência de ADA, podem ser encontrados remanescentes de corpúsculos de Hassall. Em ambas as doenças, outros tecidos linfoides também são hipoplásicos, com acentuada depleção das áreas de células T e, em alguns casos, das zonas de células T e de células B.

Atualmente, o transplante de CTH constitui a base do tratamento, porém a IDCG ligada ao X é a primeira doença humana em que a terapia gênica foi bem-sucedida. Nesse tipo de terapia gênica *ex vivo,* um gene γc normal é expresso com o uso de um vetor viral nas CTH obtidas de pacientes, e as células são então transplantadas de volta aos pacientes. A experiência clínica é pequena, porém alguns pacientes apresentaram uma reconstituição do sistema imune por mais de dez anos após a terapia. Infelizmente, cerca de 20% dos pacientes nos ensaios clínicos iniciais desenvolveram leucemia linfoblástica de células T, ressaltando os perigos dessa abordagem particular da terapia gênica. A proliferação descontrolada de células T foi desencadeada pela ativação de oncogenes pelo vírus integrado, um efeito que pode ter sido aumentado por uma vantagem de crescimento conferida pelo gene γc introduzido. Os ensaios clínicos atuais estão utilizando novos vetores com características de segurança incorporadas. Os pacientes com deficiência de ADA também foram tratados com transplante de CTH e, mais recentemente, com a administração da enzima ou terapia gênica, envolvendo a introdução de um gene ADA normal nos precursores das células T.

Agamaglobulinemia ligada ao X (agamaglobulinemia de Bruton)

A agamaglobulinemia ligada ao X caracteriza-se pela incapacidade de desenvolvimento dos precursores de células B (células pró-B e células pré-B) em células B maduras. É uma das formas mais comuns de imunodeficiência primária. Durante a maturação normal das células B na medula óssea, os genes das cadeias pesadas de Ig sofrem rearranjo inicial nas células pré-B. Formam um complexo com uma cadeia leve "substituta" na superfície da célula, denominado receptor de células pré-B (pré-BCR), que transmite sinais que induzem o rearranjo dos genes das cadeias leves de Ig e maturação adicional. Essa necessidade de sinais iniciados pelas Ig constitui um mecanismo de controle de qualidade, que assegura que a maturação só prosseguirá se houver expressão de proteínas de Ig funcionais. A agamaglobulinemia ligada ao X é causada por mutações em uma tirosinoquinase citoplasmática, denominada tirosinoquinase de Bruton (BTK); o gene codificador está localizado no braço longo do cromossomo X, em Xq21.22. A BTK é uma proteína tirosinoquinase, que está associada ao pré-BCR e aos complexos de receptores de células B (BCR) que são encontrados nas células B maduras. Quando ocorre mutação de BTK, o pré-BCR é incapaz de transmitir os sinais necessários para o rearranjo das cadeias leves, e a maturação é interrompida. A BTK também é um importante transdutor de sinais de BCR, que estimulam o crescimento e aumentam a sobrevivência das células nas células B maduras benignas e malignas, e os inibidores da BTK proporcionam uma terapia efetiva para várias neoplasias malignas de células B (ver **Capítulo 13**).

À semelhança da doença ligada ao X, esse distúrbio é observado quase exclusivamente em indivíduos do sexo masculino, porém foram descritos casos esporádicos em indivíduos do sexo feminino, possivelmente causados por mutações em outros genes que funcionam na mesma via. Em geral, a doença só se torna aparente com cerca de 6 meses, à medida que ocorre depleção das imunoglobulinas maternas. Na maioria dos casos, as infecções bacterianas recorrentes do sistema respiratório, como faringite aguda e crônica, sinusite, otite média, bronquite e pneumonia, chamam a atenção para o defeito imune subjacente. Os microrganismos causadores são quase sempre *Haemophilus influenzae*, *Streptococcus pneumoniae* ou *Staphylococcus aureus*. Esses microrganismos normalmente são opsonizados por anticorpos e eliminados por fagocitose. Como os anticorpos são importantes na neutralização de vírus infecciosos, os indivíduos com essa doença também são suscetíveis a determinadas infecções virais, particularmente aquelas causadas por enterovírus, como vírus ECHO, poliovírus e vírus *Coxsackie*. Esses vírus infectam o trato gastrintestinal, a partir do qual podem se disseminar para o sistema nervoso por meio do sangue. Por conseguinte, a imunização com poliovírus vivos está associada ao risco de poliomielite paralítica, e os vírus ECHO podem causar encefalite fatal. Por motivos semelhantes, *Giardia lamblia*, um protozoário intestinal que normalmente resiste à IgA secretada, provoca infecções persistentes em indivíduos com esse distúrbio. Todavia, em geral, as infecções fúngicas, por protozoários e por virais intracelulares são, em sua maioria, bem controladas pela imunidade mediada por células T que está intacta nesses pacientes.

A forma clássica dessa doença apresenta as seguintes características:

- As células B estão ausentes ou acentuadamente diminuídas na circulação, e ocorre redução dos níveis séricos de todas as classes de imunoglobulinas. As células pré-B, que expressam o marcador de linhagem B CD19, mas não a Ig de membrana, são encontradas em números normais na medula óssea
- Os centros germinativos dos linfonodos, das placas de Peyer, do apêndice e das tonsilas estão subdesenvolvidos
- Os plasmócitos estão ausentes em todo o corpo
- As reações mediadas por células T estão normais.

Paradoxalmente, ocorrem doenças autoimunes, como artrite e dermatomiosite, em até 30% dos indivíduos com essa doença. É provável que esses distúrbios autoimunes sejam causados por uma quebra da autotolerância, resultando em autoimunidade; todavia, as infecções crônicas associadas à imunodeficiência podem desempenhar um papel na indução das reações inflamatórias. O tratamento da agamaglobulinemia ligada ao X consiste em terapia de reposição com imunoglobulinas. No passado, a maioria dos pacientes sucumbia por infecções na lactância ou no início da infância. A terapia profilática com IGIV permite que a maioria dos indivíduos alcance a idade adulta.

Síndrome de DiGeorge (hipoplasia tímica)

A síndrome de DiGeorge é uma deficiência de células T, que resulta da falha no desenvolvimento do timo. As terceira e quarta bolsas faríngeas, que dão origem ao timo, às paratireoides, a algumas das células C da tireoide e ao corpo ultimobranquial, não se desenvolvem normalmente. Por conseguinte, os indivíduos com essa síndrome apresentam uma perda variável da imunidade mediada pelas células T (em consequência da hipoplasia ou da falta do timo), tetania (decorrente da falta das paratireoides) e defeitos congênitos do coração e dos grandes vasos. Além disso, a aparência da boca, das orelhas e da face pode ser anormal. A ausência da imunidade celular é causada por baixos números de linfócitos T no sangue e nos tecidos linfoides e pela defesa deficiente contra certas infecções fúngicas e virais. Ocorre depleção das zonas de células T dos órgãos linfoides – áreas paracorticais dos linfonodos e bainhas periarteriolares do baço. Os níveis de Ig podem estar normais ou reduzidos, dependendo da gravidade da deficiência de células T.

Na grande maioria dos casos (90%), a síndrome de DiGeorge é causada por uma pequena deleção de linhagem germinativa mapeada no cromossomo 22q11, e por isso é hoje considerada componente da síndrome da deleção do 22q11, que é discutida no **Capítulo 5**. Um gene da região suprimida é o *TBX1*, que é necessário para o desenvolvimento do arco branquial e dos grandes vasos. É interessante notar que ocorrem mutações de perda de função no *TBX1* em alguns casos de síndrome de DiGeorge que carecem de deleções do 22q11, sugerindo fortemente que a perda desse gene contribui para o fenótipo observado.

Outros defeitos de maturação dos linfócitos

Foram documentadas muitas outras causas raras de imunodeficiência como resultado de maturação defeituosa dos linfócitos. Uma delas, a *síndrome do linfócito nu,* costuma ser causada por mutações em fatores de transcrição que são necessários para a expressão dos genes do MHC de classe II. A falta de moléculas do MHC de classe II impede o desenvolvimento de células T CD4+, que estão envolvidas na imunidade celular e fornecem auxílio às células B; em consequência, a deficiência do MHC de classe II resulta em imunodeficiência combinada. Outros defeitos são causados por mutações em cadeias dos receptores de antígenos ou moléculas de sinalização envolvidas na maturação das células T ou B.

Síndrome da hiper-IgM

Nesse distúrbio, os pacientes afetados apresentam anticorpos IgM, porém têm deficiência de anticorpos IgG, IgA e IgE. As células B maduras estão presentes, porém são incapazes de sofrer mudança de classe de Ig e maturação por afinidade, devido a um defeito nas células T auxiliares CD4+ ou defeito intrínseco das células B. Conforme discutido anteriormente neste capítulo, muitas das funções das células T auxiliares CD4+ exigem a ocupação do CD40 nas células B, macrófagos e CD pelo CD40L (também denominado CD154) expresso nas células T ativadas por antígenos. Essa interação desencadeia a mudança de classe de Ig e a maturação por afinidade nas células B, além de estimular as funções microbicidas dos macrófagos. Cerca de 70% dos indivíduos com a síndrome de hiper-IgM apresentam a forma da doença ligada ao X, causada por mutações no gene que codifica CD40L localizado em Xq26, que interferem na função das células T auxiliares CD4+. No restante dos pacientes, a doença é herdada de acordo com um padrão autossômico recessivo. A maioria desses pacientes apresenta mutações de perda de função envolvendo CD40 ou a citidina desaminase induzida por ativação (AID), uma enzima de edição do DNA expressa nas células B, que é necessária para a mudança de classe de Ig e a maturação por afinidade.

O soro de indivíduos com essa síndrome contém níveis normais ou elevados de IgM, porém sem IgA ou IgE e com níveis extremamente baixos de IgG. Os números de células B e T estão normais. Do ponto de vista clínico, os pacientes apresentam infecções piogênicas recorrentes, visto que o nível de anticorpos IgG opsonizantes é baixo; além disso, devido à maturação por afinidade, o processo necessário para a produção de anticorpos de alta afinidade está comprometido. Além disso, os pacientes com mutações de CD40L são suscetíveis à pneumonia causada pelo microrganismo intracelular *Pneumocystis jirovecii*, visto que a ativação dos macrófagos mediada por CD40L, uma reação fundamental da imunidade celular, também está defeituosa. Em certas ocasiões, os anticorpos IgM reagem com células sanguíneas, dando origem à anemia hemolítica autoimune, trombocitopenia e neutropenia. Em pacientes de idade mais avançada, pode haver proliferação de plasmócitos produtores de IgM, que infiltram a mucosa do sistema gastrintestinal.

Imunodeficiência comum variável

Essa entidade relativamente frequente abrange um grupo heterogêneo de distúrbios, nos quais a característica comum consiste em hipogamaglobulinemia, afetando, em geral, todas as classes de anticorpos, porém algumas vezes apenas a IgG. O diagnóstico da imunodeficiência comum variável baseia-se na exclusão de outras causas bem definidas de diminuição da produção de anticorpos.

Ocorrem formas tanto esporádicas quando hereditárias da doença. Nas formas familiares, não existe um padrão único de herança. Os parentes desses pacientes apresentam uma alta incidência de deficiência seletiva de IgA (ver adiante), sugerindo que, pelo menos em alguns casos, a deficiência seletiva de IgA e a imunodeficiência comum variável representam diferentes expressões de um defeito genético comum na síntese de anticorpos. Diferentemente da agamaglobulinemia ligada ao X, a maioria dos indivíduos com imunodeficiência comum variável apresenta números normais ou quase normais de células B no sangue e nos tecidos linfoides. Entretanto, essas células B não são capazes de sofrer diferenciação em plasmócitos.

Tanto os defeitos intrínsecos das células B quanto as anormalidades na ativação das células B mediada por células T auxiliares podem ser responsáveis pela deficiência de anticorpos nessa doença. Foram relatadas famílias nas quais a anormalidade subjacente encontra-se em um receptor para uma citocina denominada *BAFF*, que promove a sobrevivência e a diferenciação das células B, ou em uma molécula denominada *ICOS* (coestimulador induzível), que é homóloga ao CD28 e que está envolvida na ativação das células T e nas interações entre as células T e B. Todavia, as mutações conhecidas explicam menos de 10% dos casos.

As manifestações clínicas da imunodeficiência comum variável são causadas pela deficiência de anticorpos e, portanto, assemelham-se àquelas da agamaglobulinemia ligada ao X. Normalmente, os pacientes apresentam infecções piogênicas sinopulmonares. Além disso, cerca de 20% dos pacientes apresentam infecções recorrentes por herpes-vírus. Adicionalmente, podem ocorrer infecções graves por enterovírus, causando meningoencefalite. Os indivíduos com esse distúrbio também têm propensão ao desenvolvimento de diarreia persistente causada por *G. lamblia*. A imunodeficiência comum variável afeta igualmente ambos os sexos, e o início dos sintomas é mais tardio do que na agamaglobulinemia ligada ao X, ocorrendo na infância ou adolescência. Ao exame histológico, os centros germinativos nos tecidos linfoides (i. e., linfonodos, baço e intestino) estão hiperplásicos, devido à presença de células que podem proliferar em resposta a antígenos, mas que, em certo aspecto, são defeituosas na maturação posterior.

À semelhança da agamaglobulinemia ligada ao X, esses pacientes apresentam uma alta frequência de doença autoimunes (cerca de 20%), incluindo artrite reumatoide. O risco de neoplasia maligna linfoide também está aumentado, e foi relatado um aumento na incidência de câncer gástrico.

Deficiência isolada de IgA

A deficiência isolada de IgA é uma imunodeficiência causada pelo comprometimento na diferenciação de linfócitos B *naive* em plasmócitos produtores de IgA. Nos EUA, ocorre em cerca de 1 a cada 600 indivíduos de ascendência europeia. É muito menos comum em indivíduos de ascendência africana e em asiáticos. Os indivíduos afetados apresentam níveis extremamente baixos de IgA sérica e IgA secretora. A base molecular desse defeito na maioria dos pacientes é desconhecida; em alguns pacientes, foram descritos defeitos em um receptor para a citocina BAFF, uma citocina ativadora de células B.

A maioria dos indivíduos com deficiência de IgA é assintomática. Como a IgA é o principal anticorpo nas secreções das mucosas, as defesas da mucosa estão enfraquecidas, e ocorrem infecções nos tratos respiratório, gastrintestinal e urogenital. Os pacientes sintomáticos apresentam comumente infecções sinopulmonares recorrentes e diarreia. Além disso, os pacientes com deficiência de IgA apresentam uma alta frequência de alergia respiratória e uma variedade de doenças autoimunes, particularmente LES e artrite reumatoide. A base da frequência aumentada de doenças autoimunes e alérgicas não é conhecida. Quando são administradas transfusões de sangue contendo IgA normal, alguns pacientes desenvolvem reações anafiláticas graves e até mesmo fatais, visto que a IgA se comporta como um antígeno estranho.

Doença linfoproliferativa ligada ao X

A doença linfoproliferativa ligada ao X caracteriza-se por uma incapacidade de eliminar o EBV, levando por fim à mononucleose infecciosa fulminante e ao desenvolvimento de tumores de células B. Em cerca de 80% dos casos, a doença deve-se a mutações no gene que codifica uma molécula adaptadora, denominada proteína associada a SLAM (SAP, *SLAM-associated protein*). A SAP liga-se a uma família de moléculas de superfície celular envolvidas na ativação das células NK e linfócitos T e B, incluindo molécula de sinalização de ativação linfocítica (SLAM, *signaling lymphocyte activation molecule*). Os defeitos na SAP atenuam a ativação das células NK e T e resultam em aumento da suscetibilidade a infecções virais. A SAP também é necessária para o desenvolvimento de células T auxiliares foliculares, e, devido a esse defeito, os pacientes com doença linfoproliferativa ligada ao X são incapazes de formar centros germinativos ou de produzir anticorpos de alta afinidade, anormalidades adicionais que também provavelmente contribuem para a suscetibilidade a infecções virais. Essa imunodeficiência manifesta-se mais comumente por infecção grave pelo EBV, incluindo mononucleose infecciosa grave e, com frequência, fatal (ver **Capítulo 8**), mas não por outras infecções virais por motivos que ainda não estão esclarecidos.

Outros defeitos na ativação dos linfócitos

Foram descritos muitos casos raros de defeitos na ativação dos linfócitos, que afetam a sinalização dos receptores de antígenos e diversas vias bioquímicas. As mutações que afetam as respostas das células Th1 estão associadas a infecções por micobactérias atípicas, e a síndrome é denominada *suscetibilidade mendeliana à doença micobacteriana*. Os defeitos hereditários nas respostas Th17 levam à candidíase mucocutânea crônica e a infecções bacterianas da pele (um distúrbio denominado *síndrome de Job*).

Imunodeficiências associadas a doenças sistêmicas

Em algumas doenças sistêmicas hereditárias, a imunodeficiência constitui um problema clínico proeminente. A seguir, são descritos dois exemplos representativos dessas doenças.

Síndrome de Wiskott-Aldrich

A síndrome de Wiskott-Aldrich é uma doença ligada ao X, que se caracteriza por trombocitopenia, eczema e acentuada vulnerabilidade a infecções recorrentes, resultando em morte precoce. O timo é morfologicamente normal, pelo menos no início do curso da doença, porém há perda progressiva dos linfócitos T no sangue periférico e nas zonas de células T (áreas paracorticais) dos linfonodos, com defeitos variáveis na imunidade celular. Os pacientes não produzem anticorpos contra antígenos polissacarídicos, e a resposta a antígenos proteicos é fraca. Os níveis séricos de IgM estão baixos, porém os níveis de IgG costumam estar normais. Paradoxalmente, os níveis de IgA e de IgE estão, com frequência, elevados. Os pacientes também têm mais propensão a desenvolver linfomas de células B. A síndrome de Wiskott-Aldrich é causada por mutações no gene localizado em Xp11.23, que codifica a proteína da síndrome de Wiskott-Aldrich (WASP). A WASP pertence a uma família de proteínas que, ao que se acredita, ligam receptores de membrana, como os receptores de antígenos, a elementos do citoesqueleto. A WASP pode estar envolvida nas respostas dependentes do citoesqueleto, como migração celular e transdução de sinais, porém as funções essenciais dessa proteína nos linfócitos e nas plaquetas ainda não estão esclarecidas. O único tratamento consiste no transplante de CTH.

Ataxia-telangiectasia

A ataxia-telangiectasia é uma doença autossômica recessiva, caracterizada por marcha anormal (ataxia), malformações vasculares (telangiectasias), déficits neurológicos, aumento da incidência de tumores e imunodeficiência. Os defeitos imunológicos são de gravidade variável e podem afetar tanto as células B quanto as células T. A anormalidade imune humoral mais proeminente é a produção defeituosa de anticorpos com mudança de isótipos, principalmente IgA e IgG$_2$. Os defeitos das células T, que geralmente são menos pronunciados, estão associados à hipoplasia tímica. Os pacientes apresentam infecções bacterianas das vias respiratórias superiores e inferiores, múltiplos fenômenos autoimunes e neoplasias de frequência cada vez maior com o avanço da idade. O gene responsável por esse distúrbio está localizado no cromossomo 11 e codifica uma proteinoquinase, denominada ATM (ataxia-telangiectasia mutada). Em resposta ao dano ao DNA (quebras de fitas duplas), a ATM ativa a p53 por meio de fosforilação, que, por sua vez, pode ativar pontos de checagem do ciclo celular e a apoptose nas células com DNA danificado. Foi também constatado que a ATM contribui para a estabilidade de complexos de quebra de fita dupla do DNA durante a recombinação V(D)J. As anormalidades no reparo do DNA em consequência da deficiência de ATM podem prejudicar a geração de receptores de antígenos. Além disso, o reparo defeituoso do DNA pode levar a anormalidades nos eventos de recombinação

que estão envolvidos na mudança de isótipo de Ig. À semelhança de várias outras síndromes de imunodeficiência, os pacientes com ataxia-telangiectasia apresentam um acentuado aumento na incidência de linfoma.

> **Conceitos-chave**
>
> **Imunodeficiências primárias (hereditárias)**
>
> - Essas doenças são causadas por mutações herdadas em genes envolvidos na maturação ou na função dos linfócitos ou na imunidade inata
> - As deficiências na imunidade inata incluem defeitos na função dos fagócitos, no complemento e nos receptores da imunidade inata
> - Alguns dos distúrbios comuns que afetam os linfócitos e a resposta imune adaptativa são os seguintes:
>   - IDCG-X: falha na maturação das células T e B; mutação na cadeia γ comum de um receptor de citocina, levando à falha da sinalização de IL-7 e em linfopoese defeituosa
>   - IDCG autossômica recessiva: falha no desenvolvimento das células T, defeito secundário nas respostas dos anticorpos; cerca de 50% dos casos produzidos por mutação no gene que codifica a ADA, levando ao acúmulo de metabólitos tóxicos durante a maturação e a proliferação dos linfócitos
>   - Agamaglobulinemia ligada ao X: falha na maturação das células B, ausência de anticorpos; causada por mutações no gene *BTK*, que codifica a tirosinoquinase das células B, necessária para os sinais de maturação dos pré-BCR e dos BCR
>   - Imunodeficiência comum variável: defeitos na produção de anticorpos; causa desconhecida na maioria dos casos
>   - Deficiência de IgA seletiva: falha na produção de IgA; causa desconhecida
>   - Síndrome da hiper-IgM ligada ao X: falha na produção de anticorpos de alta afinidade com mudança de isótipo (IgG, IgA, IgE); mutação no gene que codifica CD40 ℓ
>   - Doença linfoproliferativa ligada ao X: defeito em uma molécula de sinalização, produzindo respostas defeituosas contra o vírus Epstein-Barr e linfoproliferação
> - Essas doenças manifestam-se clinicamente com um aumento da suscetibilidade às infecções no início da vida.

Imunodeficiências secundárias

As imunodeficiências secundárias (adquiridas) podem ser encontradas em indivíduos com câncer, diabetes melito e outras doenças metabólicas, desnutrição, infecção crônica e em indivíduos submetidos à quimioterapia ou radioterapia para o câncer ou que recebem medicamentos imunossupressores para evitar a rejeição do enxerto ou para o tratamento de doenças autoimunes (Tabela 6.13). Como grupo, as imunodeficiências secundárias são mais comuns do que os distúrbios de origem genética primária. Alguns desses estados de imunodeficiência secundária podem ser causados por maturação defeituosa dos linfócitos (quando ocorre dano à medula óssea por radioterapia ou quimioterapia, ou na presença de tumores, como leucemias), síntese inadequada de Ig (como na desnutrição) ou depleção de linfócitos (por medicamentos ou infecções graves). A AIDS é a imunodeficiência secundária mais grave, descrita a seguir.

Tabela 6.13 Causas de imunodeficiências secundárias (adquiridas).

Causa	Mecanismo
Infecção pelo vírus da imunodeficiência humana	Depleção das células T auxiliares CD4+
Radioterapia e quimioterapia para o câncer	Diminuição dos precursores de todos os leucócitos na medula óssea
Comprometimento da medula óssea por câncer (metástases, leucemias)	Redução do local de desenvolvimento de leucócitos
Desnutrição proteico-calórica	Distúrbios metabólicos que inibem a maturação e a função dos linfócitos
Remoção do baço	Diminuição da fagocitose de microrganismos

Síndrome da imunodeficiência adquirida

A síndrome da imunodeficiência adquirida (AIDS) é causada pelo vírus da imunodeficiência humana (HIV), um retrovírus, e caracteriza-se por imunossupressão profunda que leva a infecções oportunistas, neoplasias secundárias e manifestações neurológicas. A magnitude desse atual flagelo é verdadeiramente impressionante. Nos EUA, a AIDS é a segunda causa principal de morte em homens entre 25 e 44 anos e a terceira causa principal de morte em mulheres nessa faixa etária. Embora tenha sido inicialmente reconhecida nos EUA, a AIDS é um problema global. Atualmente, ela já foi notificada em mais de 190 países em todo o mundo, e o número de indivíduos infectados pelo HIV na África e na Ásia é grande e está em expansão. Até 2016, o HIV tinha infectado 60 milhões de pessoas em todo o mundo, e quase 30 milhões de adultos e crianças já morreram da doença. Há cerca de 37 milhões de pessoas que vivem com o HIV (1,1 milhão nos EUA), dos quais 70% estão na África e mais de 20%, na Ásia; a taxa de prevalência da infecção em adultos na África Subsaariana é de 7% e ultrapassa 25% em alguns países. Estima-se que 1,7 milhão de indivíduos foram infectados pelo HIV em 2018, e cerca de 800 mil mortes foram causadas pela AIDS. Apenas cerca de 80% dos indivíduos infectados pelo HIV no mundo inteiro têm conhecimento de seu estado de portador.

Entretanto, existem algumas boas notícias. Como resultado das medidas de saúde pública, a taxa de infecção parece estar diminuindo, e algumas autoridades acreditam que pode ter alcançado seu pico no final da década de 1990. Além disso, os avanços na terapia antiviral resultaram em menor número de mortes pela doença. Todavia, esses novos tratamentos não estão facilmente disponíveis em muitos países de baixa renda, e os efeitos colaterais tóxicos continuam sendo um problema. O advento desses medicamentos levanta uma nova preocupação: como mais pessoas estão vivendo com o HIV, o risco de propagação da infecção aumentará se houver qualquer relaxamento na vigilância.

O enorme ônus médico e social da AIDS levou a uma explosão de pesquisas com o objetivo de compreender o HIV e sua significativa capacidade de debilitar as defesas do hospedeiro. A literatura sobre o HIV e a AIDS é vasta. Aqui, fornecemos um resumo dos dados atualmente disponíveis sobre a epidemiologia, a patogênese e as características clínicas da infecção pelo HIV.

Epidemiologia

Nos EUA, os estudos epidemiológicos identificaram cinco grupos de adultos com alto risco de desenvolver AIDS. A distribuição de casos nesses grupos é a seguinte:

- Os *homens que fazem sexo com homens* respondem por mais de 50% dos casos relatados. Isso inclui cerca de 5% daqueles que também são usuários de drogas intravenosas. Embora a transmissão do HIV nessa categoria pareça estar declinando, em 2016 continuou sendo o maior grupo afetado, constituindo cerca de 70% dos novos casos
- A *transmissão heterossexual*, sobretudo devido ao contato com membros de outros grupos de alto risco (p. ex., em usuários de drogas intravenosas), é responsável por aproximadamente 20% dos casos nos EUA. Desde 2011, a transmissão heterossexual teve um declínio modesto nesse país. Entretanto, globalmente, a transmissão heterossexual é, de longe, o modo mais comum pelo qual o HIV se propaga, e, em consequência, as mulheres são infectadas com muito mais frequência fora dos EUA. Na África Subsaariana, onde a taxa de infecção é estimada em cerca de 10 mil novos casos a cada dia, mais da metade das pessoas infectadas consistem em mulheres. A propagação heterossexual do vírus ocorre mais rapidamente em mulheres que trabalham como profissionais do sexo e naquelas em relações consideradas de longo prazo como as maritais ou de coabitação, particularmente entre adolescentes
- Os *usuários de drogas intravenosas* sem histórico de homossexualidade constituem o próximo grupo de maior prevalência, representando cerca de 20% dos indivíduos infectados
- *Infecção do recém-nascido pelo HIV.* As crianças de mulheres HIV-positivas correm risco de infecção *intra utero*, ao nascimento ou por meio do leite materno (discutido mais adiante). Quase 2% de todos os casos de AIDS ocorrem em crianças, e, no mundo inteiro, estima-se que haja 1,7 milhão de indivíduos infectados pelo HIV com menos de 15 anos
- Os pacientes com *hemofilia,* particularmente os que receberam grandes quantidades de concentrados de fator VIII ou de fator IX antes de 1985, representam aproximadamente 0,5% de todos os casos
- Os *receptores de sangue e de hemocomponentes* que não são hemofílicos, mas que receberam transfusões de sangue total ou de hemocomponentes (p. ex., plaquetas, plasma) infectados pelo HIV representam cerca de 1% dos pacientes (Os órgãos obtidos de doadores infectados pelo HIV também podem transmitir o vírus.)
- Em cerca de 5% dos casos, não é possível determinar os fatores de risco.

Com base na discussão precedente, é evidente que a transmissão do HIV ocorre em condições que facilitam a troca de sangue ou de fluidos corporais que contenham o vírus ou células infectadas pelo vírus. **As três principais vias de transmissão são o contato sexual, a inoculação parenteral e a transferência do vírus de mães infectadas para seus recém-nascidos:**

- A *transmissão sexual* constitui o modo predominante de infecção em todo o mundo, respondendo por mais de 75% de todos os casos de transmissão do HIV. Nos EUA, como a maioria dos indivíduos infectados é representada por homens que fazem sexo com homens, a maior parte da transmissão sexual ocorreu entre homens homossexuais. O vírus é transportado no sêmen e penetra no corpo do receptor através de escoriações na mucosa retal ou na mucosa oral ou por contato direto com células de revestimento da mucosa. A transmissão do vírus ocorre de duas maneiras: (1) inoculação direta nos vasos sanguíneos que foram lesionados por trauma e (2) infecção das CD ou das células CD4+ no interior da mucosa. Além da transmissão de homem para homem e de homem para mulher, ocorre também transmissão de mulher para homem

A transmissão sexual do HIV aumenta com a coexistência de doenças sexualmente transmissíveis, sobretudo aquelas associadas a ulceração genital. Nesse aspecto, a sífilis, o cancroide e o herpes são significativos. Outras doenças sexualmente transmissíveis, como gonorreia e clamídia, também são cofatores para a transmissão do HIV, talvez pelo fato de que, nesses estados inflamatórios genitais, haja maior concentração do vírus e de células contendo o vírus nos líquidos genitais, em consequência do número aumentado de células inflamatórias no sêmen

- A *transmissão parenteral* do HIV tem ocorrido em três grupos de indivíduos: usuários de drogas intravenosas, hemofílicos que receberam concentrados de fator VIII e de fator IX e receptores aleatórios de transfusão de sangue. Desses três grupos, os usuários de drogas intravenosas constituem, de longe, o maior grupo. A transmissão ocorre pelo compartilhamento de agulhas, seringas e outros objetos contaminados com sangue que contenha HIV.

A transmissão do HIV por meio de transfusão de sangue ou hemocomponentes, como concentrados liofilizados de fator VIII e de fator IX, foi praticamente eliminada. Esse resultado positivo deve-se ao uso crescente de fatores da coagulação recombinantes e de três medidas de saúde pública: triagem do sangue e plasma de doadores para anticorpos anti-HIV, critérios de pureza rigorosos para as preparações de fator VIII e fator IX e triagem de doadores com base no seu histórico. Entretanto, ainda persiste um risco extremamente pequeno de adquirir a AIDS por meio de transfusão de sangue soronegativo, visto que um indivíduo recém-infectado pode ser negativo para anticorpos anti-HIV. Atualmente, o risco é estimado em 1 em mais de 2 milhões de unidades de sangue transfundido

- Conforme assinalado anteriormente, a *transmissão da mãe para o lactente* constitui a principal causa de AIDS pediátrica. As mães infectadas podem transmitir a infecção ao filho por três vias: (1) *intra utero* por disseminação transplacentária; (2) durante o parto, através do canal do parto infectado; e (3) após o nascimento, com a ingestão de leite materno. Dessas três vias, a transmissão durante o nascimento (intraparto) e no período imediato (periparto) é considerada a mais comum nos EUA. As taxas de transmissão relatadas variam de 7 a 49% em diferentes partes do mundo. O maior risco de transmissão está associado a uma elevada carga viral materna e a baixas contagens de células T CD4+, bem como à corioamnionite. Felizmente, a terapia antirretroviral (TAR) administrada a gestantes infectadas nos EUA eliminou praticamente a transmissão de mãe para filho, porém continua sendo uma importante fonte de infecção em áreas onde esses tratamentos não estão prontamente disponíveis.

Surgiu muita preocupação entre o público leigo e os profissionais de saúde sobre a disseminação da infecção pelo HIV fora dos grupos de alto risco. Estudos extensos indicam que a infecção pelo HIV não pode ser transmitida por contato pessoal casual no domicílio, no local de trabalho ou na escola. A propagação por picadas de insetos é praticamente impossível. No que diz respeito à transmissão da infecção pelo HIV em profissionais da área de saúde, existe um risco extremamente pequeno, porém definido. Foi documentada a ocorrência de soroconversão após lesão acidental por picada de agulha ou exposição da pele não intacta a sangue infectado em acidentes de laboratório. Após os acidentes por picadas de agulha, acredita-se que o risco de soroconversão seja de aproximadamente 0,3%, e a terapia antirretroviral administrada nas primeiras 24 a 48 horas após a picada de agulha pode reduzir em oito vezes o risco de infecção. Em comparação, cerca de 30% dos indivíduos acidentalmente expostos ao sangue infectado pelo vírus da hepatite B tornam-se soropositivos.

Etiologia: as propriedades do HIV

O HIV é um retrovírus humano não transformador pertencente à família dos lentivírus. Nesse grupo estão incluídos o vírus da imunodeficiência felina, o vírus da imunodeficiência dos símios, o vírus visna de carneiros, o vírus da imunodeficiência bovina e o vírus da anemia infecciosa equina.

Foram isoladas duas formas geneticamente diferentes, porém relacionadas, de HIV, denominadas *HIV-1 e HIV-2*, de pacientes com AIDS. O HIV-1 constitui o tipo mais comum associado à AIDS nos EUA, na Europa e na África Central, enquanto o HIV-2 causa uma doença semelhante sobretudo na África Ocidental e na Índia. Existem testes específicos para o HIV-2, e o sangue coletado para transfusão é rotineiramente submetido a rastreamento para soropositividade para HIV-1 e HIV-2. A discussão a seguir trata em especial do HIV-1 e das doenças que ele causa, porém a informação geralmente é também pertinente ao HIV-2.

Estrutura do HIV

À semelhança da maioria dos retrovírus, o vírion do HIV é esférico e contém um cerne eletrodenso em formato de cone, circundado por um envelope lipídico derivado da membrana celular do hospedeiro (**Figura 6.39**). **O cerne do vírus contém (1) a proteína principal do capsídio p24; (2) a proteína do nucleocapsídio p7/p9; (3) duas cópias do RNA genômico do vírus; e (4) as três enzimas virais (protease, transcriptase reversa e integrase).** A p24 é o antígeno viral mais abundante e é detectada por um ELISA amplamente utilizado no diagnóstico da infecção pelo HIV. O cerne do vírus é circundado por uma proteína de matriz, denominada *p17*, que está localizada abaixo do envelope. O envelope do vírus é cravejado por duas glicoproteínas virais, gp120 e gp41, que são fundamentais na infecção das células pelo HIV.

O genoma de RNA do HIV-1 contém os genes *gag*, *pol* e *env*, que são típicos dos retrovírus (Figura 6.40). Os produtos dos genes *gag* e *pol* consistem em grandes proteínas precursoras, que são clivadas pela protease viral para produzir as proteínas maduras. Além desses três genes padrão dos retrovírus, o HIV contém vários outros genes acessórios, como *tat, rev, vif, nef, vpr* e *vpu* que regulam a síntese e a montagem das partículas virais infecciosas e a patogenicidade do vírus. Por exemplo, o produto do gene *tat* (transativador) produz um aumento de mil vezes na transcrição dos genes virais e é fundamental para a replicação do vírus. As funções de outras proteínas acessórias estão indicadas na **Figura 6.40**.

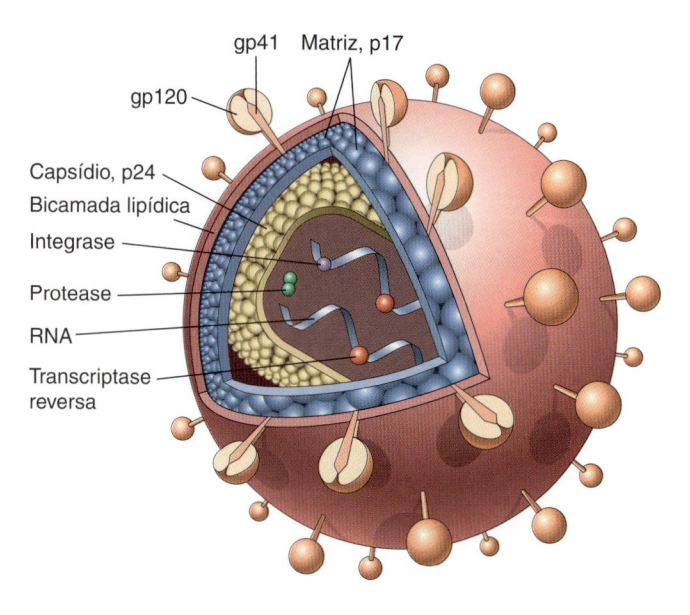

Figura 6.39 Estrutura do vírion do HIV-1. A partícula viral é recoberta por uma bicamada lipídica proveniente da célula do hospedeiro e cravejada de glicoproteínas virais gp41 e gp120.

Labels (figura 6.39): gp41; Matriz, p17; gp120; Capsídio, p24; Bicamada lipídica; Integrase; Protease; RNA; Transcriptase reversa.

Patogênese da infecção pelo HIV e da AIDS

Embora possa infectar muitos tecidos, **o principal alvo da infecção pelo HIV é o sistema imune.** O sistema nervoso central (SNC) também é afetado.

A imunodeficiência profunda, que afeta principalmente a imunidade celular, constitui a característica essencial da AIDS. Essa imunodeficiência resulta sobretudo da infecção e morte subsequente das células T CD4+, bem como do comprometimento da função das células T auxiliares que sobrevivem; todavia, a infecção dos macrófagos e das CD também contribui (discutida adiante). O HIV entra no corpo por meio das mucosas e do sangue e infecta em primeiro lugar as células T, bem como as CD e os macrófagos. A infecção torna-se estabelecida nos tecidos linfoides, onde o vírus pode permanecer latente por um longo período. A replicação ativa do vírus está associada a maior infecção das células e à progressão para a AIDS. Descreveremos em primeiro lugar os mecanismos envolvidos na entrada do vírus nas células T e nos macrófagos, bem como o ciclo de replicação do vírus no interior das células. Em seguida, faremos uma revisão mais detalhada da interação entre o HIV e seus alvos celulares.

LTR
Repetição terminal longa
- Necessária para o início da transcrição
- Contém regiões de controle, que se ligam aos fatores de transcrição do hospedeiro (NF-κB, NFAT, Sp1, TBP)
- Contém o elemento de resposta transatuante (TAR) do RNA, que se liga ao Tat

env
Proteína do envelope gp160
- Clivada no retículo endoplasmático em gp120 (SU) e gp41 TM
- A gp120 medeia a ligação ao receptor CD4 e de quimiocinas, enquanto a gp41 medeia a fusão

Genoma (esquema): LTR — gag — pol — vif — vpr — vpu — tat — rev — env — nef — LTR

gag
Pr55^gag
- **Poliproteína clivada e processada pela protease viral em:**
- **Proteína da matriz (p17)**
  Sofre miristilação que auxilia no direcionamento da poliproteína Gag para as balsas lipídicas da membrana, promovendo a montagem do vírus na superfície celular
- **Proteína do capsídio (p24)**
  Liga-se à ciclofilina A
- **Proteína do nucleocapsídio (p7)**
  Proteína de ligação do RNA
- **P6**
  Interagem com VPR; proteína do cerne, que participa das etapas terminais de construção do vírion

pol
Polimerase
- Codifica uma variedade de enzimas virais, como a protease (p10), a transcriptase reversa e a RNAse H (p66/51) e integrase (p32), todas processadas pela protease

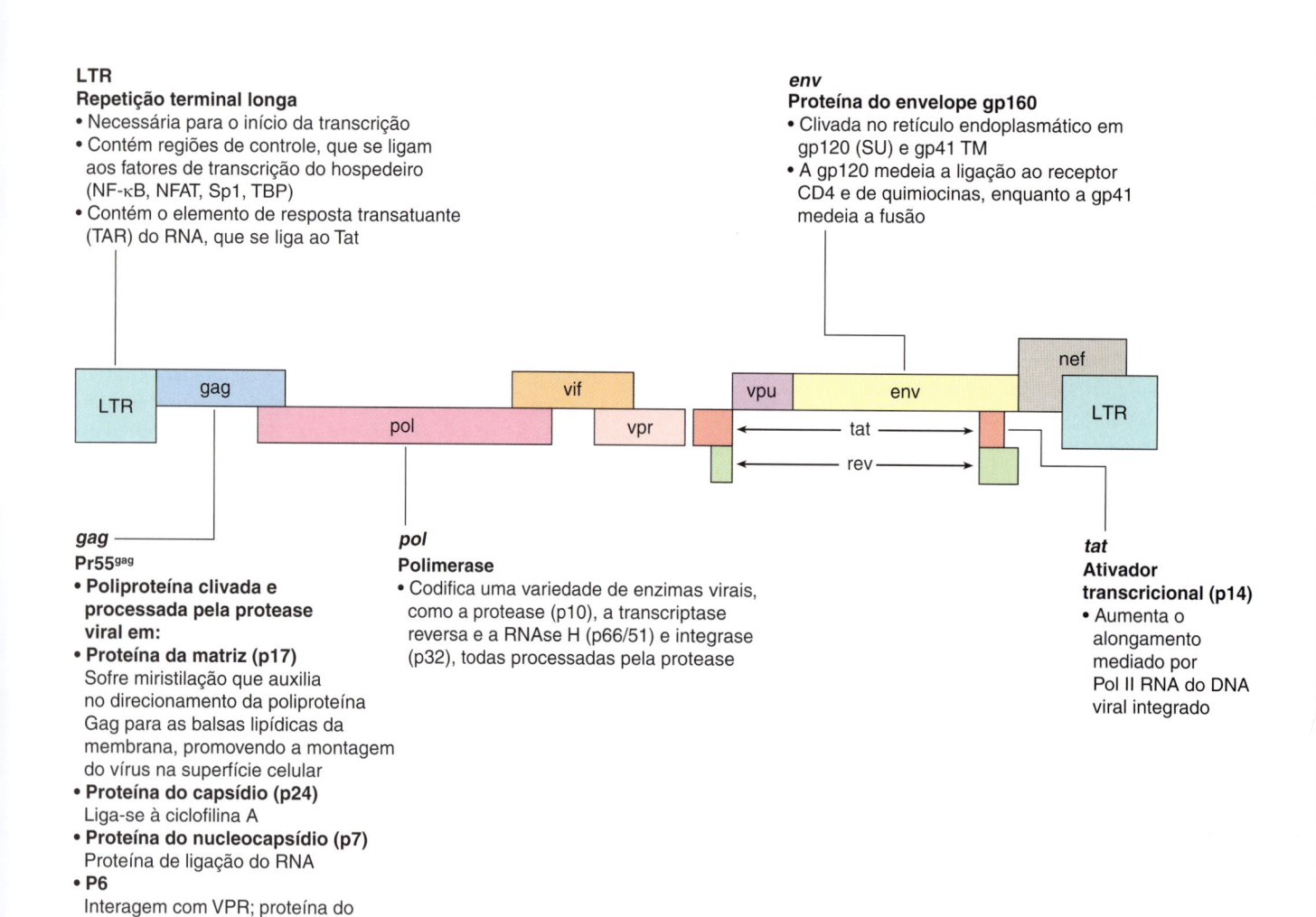

tat
Ativador transcricional (p14)
- Aumenta o alongamento mediado por Pol II RNA do DNA viral integrado

Figura 6.40 O genoma do HIV. São mostradas as funções de genes selecionados.

Ciclo de vida do HIV

O ciclo de vida do HIV consiste na infecção das células, integração do pró-vírus ao genoma da célula do hospedeiro, ativação da replicação viral e produção e liberação dos vírus infecciosos (**Figura 6.41**). As moléculas e os mecanismos de cada uma dessas etapas já são compreendidos com consideráveis detalhes.

Infecção das células pelo HIV. **O HIV infecta as células ao utilizar a molécula CD4 como receptor e vários receptores de quimiocinas como correceptores** (ver **Figura 6.41**). A necessidade de ligação ao CD4 explica o tropismo seletivo do vírus para as células T CD4+ e outras células CD4+, sobretudo monócitos/macrófagos e CD. Entretanto, a ligação ao CD4 não é suficiente para a infecção. A gp120 do HIV também precisa se ligar a outras moléculas de superfície celular (correceptores) para a entrada na célula. Os receptores de quimiocinas, particularmente CCR5 e CXCR4 desempenham essa função. Os vírus HIV isolados podem ser distinguidos pelo uso de seus receptores: as cepas R5 utilizam CCR5, as cepas X4 utilizam CXCR4 e algumas cepas (R5X4) utilizam ambos os receptores. As cepas R5 infectam de preferência as células da linhagem de monócitos/macrófagos e, portanto, são designadas como M-trópicas, enquanto as cepas X4 são T-trópicas, infectando preferencialmente as células T. Em cerca de 90% dos casos, o tipo R5 (M-trópico) do HIV constitui o vírus predominante encontrado no sangue de indivíduos com infecção aguda e no início da evolução da infecção. Durante o curso da infecção, entretanto, ocorre acúmulo gradual de vírus T-trópicos; são sobretudo virulentos, em virtude de sua capacidade de infectar muitas células T e até mesmo precursores tímicos das células T e de causar maior depleção e comprometimento das células T.

Os detalhes moleculares da ligação fatal entre as glicoproteínas do HIV e seus receptores de superfície celular foram elucidados, e é importante compreendê-los, visto que podem fornecer a base para terapias anti-HIV adicionais. O envelope do HIV contém duas glicoproteínas associadas de forma não covalente, a gp120 de superfície e a proteína transmembranar gp41. O passo inicial na

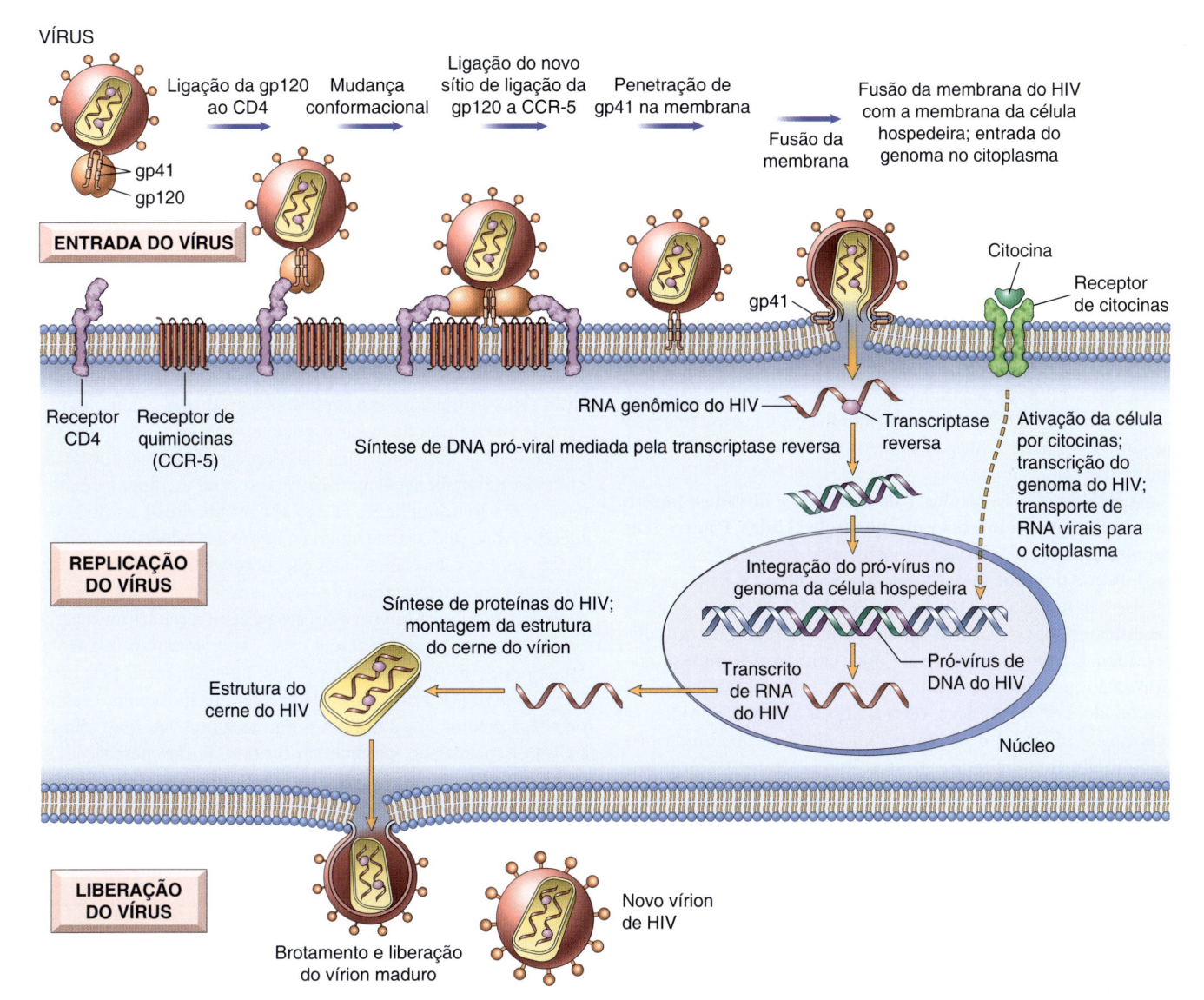

Figura 6.41 Ciclo de vida do HIV mostrando as etapas desde a entrada do vírus até a produção de vírions infecciosos. (Modificada, com autorização, de Wain-Hobson S: HIV. One on one meets two, Nature 384:117, 1996. Copyright 1996, Macmillan Magazines Limited.)

infecção consiste na ligação da glicoproteína do envelope gp120 ao CD4, que leva a uma mudança conformacional, produzindo um novo sítio de reconhecimento na gp120 para os correceptores CCR5 ou CXCR4. A ligação aos correceptores induz mudanças conformacionais na gp41, que resultam na exposição de uma região hidrofóbica, denominada peptídeo de fusão, na extremidade da gp41. Esse peptídeo insere-se na membrana celular e nas células-alvo (p. ex., células T ou macrófagos), levando à fusão do vírus com a membrana celular do hospedeiro, um evento que possibilita a entrada do cerne do vírus contendo o genoma do HIV dentro da célula. A necessidade de ligação do HIV aos correceptores pode ter importantes implicações na patogênese da AIDS. As quimiocinas impedem estericamente a infecção das células em cultura pelo HIV por meio de ocupação de seus receptores, de modo que o nível de quimiocinas nos tecidos pode influenciar a eficiência da infecção viral *in vivo*. Além disso, os polimorfismos no gene que codifica CCR5 estão associados a uma suscetibilidade diferente à infecção pelo HIV. Cerca de 1% dos norte-americanos brancos herda duas cópias mutantes do gene *CCR5*, e esses indivíduos são resistentes à infecção e ao desenvolvimento da AIDS relacionadas às cepas R5 isoladamente do HIV. Cerca de 20% dos indivíduos são heterozigotos para esse alelo CCR5 protetor; essas pessoas não são protegidas da AIDS, porém o início da doença após a infecção é ligeiramente retardado. Apenas raros homozigotos para a mutação foram encontrados em populações da África ou do Leste da Ásia.

Replicação do vírus. Uma vez internalizado, o genoma de RNA do vírus sofre transcrição reversa, levando à síntese de DNA complementar de dupla fita (cDNA; DNA pró-viral) (ver **Figura 6.41**). Nas células T em repouso, o cDNA do HIV pode permanecer no citoplasma em uma forma episomal linear. Nas células T que sofrem divisão, o cDNA torna-se circular, entra no núcleo e integra-se ao genoma do hospedeiro. Após sua integração, o pró-vírus pode permanecer silencioso por meses ou anos, constituindo uma forma de infecção latente. Como alternativa, o DNA pró-viral pode ser transcrito, com formação de partículas virais completas que brotam da membrana celular. Essa infecção produtiva, quando associada a extenso brotamento viral, leva à morte das células infectadas.

O HIV infecta as células T de memória e ativadas, porém não é eficiente na infecção produtiva de células T *naive* (em repouso). As células T *naive* contêm uma forma ativa de uma enzima que introduz mutações no genoma do HIV. Essa enzima recebeu o nome complicado de APOBEC3 G (para enzima catalítica editora de mRNA apolipoproteína B similar ao polipeptídeo 3 Gtídeo). Trata-se de uma citidina desaminase que introduz mutações de citosina para uracila no DNA viral que é produzido por transcrição reversa. Essas mutações inibem a replicação adicional de DNA por mecanismos que ainda não estão totalmente definidos. A ativação das células T converte a APOBEC3 G em um complexo inativo de alta massa molecular, o que explica por que o vírus é capaz de sofrer replicação em células T previamente ativadas (p. ex., de memória). O HIV também evoluiu para neutralizar esse mecanismo de defesa celular; a proteína viral Vif liga-se à APOBEC3 G e promove sua degradação por proteases celulares.

A conclusão do ciclo de vida do vírus em células com infecção latente só ocorre após a ativação celular, e, no caso da maioria das células T CD4+, a replicação e a eliminação do vírus resulta em lise celular. A ativação das células T por antígenos ou citocinas suprarregula vários fatores de transcrição (como o NF-κB), que estimulam a transcrição de genes que codificam citocinas (como a IL-2 e seu receptor). Nas células T em repouso, o NF-κB é mantido inativo no citoplasma em um complexo com a proteína IκB (inibidora de κB). A estimulação das células por antígenos ou citocinas ativa quinases citoplasmáticas, que fosforilam a IκB e a direcionam para degradação enzimática, liberando assim o NF-κB e possibilitando sua translocação para o núcleo. No núcleo, o NF-κB liga-se às sequências reguladoras de vários genes, incluindo os das citocinas que são expressas nas células T ativadas. As sequências de repetição terminais longas que flanqueiam o genoma do HIV também contêm sítios de ligação do NF-κB, que podem impulsionar a expressão do RNA viral. Imagine agora uma célula CD4+ com infecção latente que encontra um antígeno ambiental. A indução do NF-κB nessa célula (uma resposta fisiológica) ativa a expressão dos genes do HIV (um resultado patológico) e leva, em última análise, à produção de vírions e à lise celular. Além disso, o TNF e outras citocinas produzidas por macrófagos ativados também estimulam a atividade do NF-κB nas células T. Por conseguinte, parece que o HIV se desenvolve quando as células T e os macrófagos do hospedeiro são fisiologicamente ativados, um ato que pode ser mais descrito como "subversão interna". Essa ativação *in vivo* pode resultar da estimulação antigênica pelo próprio HIV ou por outros microrganismos infectantes. Os indivíduos infectados pelo HIV correm risco aumentado de outras infecções, levando a um aumento da ativação dos linfócitos e produção de citocinas pró-inflamatórias. Estas, por sua vez, estimulam uma maior replicação do HIV, perda adicional de células T CD4+ e mais infecção. Por conseguinte, é fácil entender como, nos indivíduos com AIDS, pode ser estabelecido um círculo vicioso que culmina na destruição inexorável do sistema imune.

Mecanismo de depleção das células T na infecção pelo HIV

A perda de células T CD4+ infectadas ocorre sobretudo em consequência dos efeitos citopáticos diretos do vírus em replicação. Nos indivíduos infectados, são produzidas diariamente cerca de 100 bilhões de novas partículas virais, e 1 a 2 bilhões de células T CD4+ morrem a cada dia. Como a frequência de células infectadas na circulação é muito baixa, suspeitou-se, durante muitos anos, que a imunodeficiência não era proporcional ao nível de infecção e não podia ser atribuída à morte das células infectadas. De fato, muitas células infectadas encontram-se nos tecidos (p. ex., em órgãos linfoides secundários e nas mucosas), e a morte dessas células constitui uma importante causa da perda celular inexorável e eventualmente profunda. Além disso, até certo ponto, o sistema imune pode substituir as células T que morrem, razão pela qual a taxa de perda de células T pode parecer enganosamente baixa; todavia, à medida que a doença progride, a renovação de células T CD4+ é incapaz de acompanhar o ritmo de suas perdas.

Além da morte direta das células causada pelo vírus, outros mecanismos podem contribuir para a perda das células T. Esses mecanismos incluem:

- A ativação crônica de células não infectadas, em resposta ao próprio HIV ou a infecções que são comuns em indivíduos com AIDS, leva à apoptose dessas células pelo processo de morte celular induzida por ativação. Por conseguinte, o número de células T CD4+ que morrem pode ser consideravelmente maior do que o número de células infectadas. O mecanismo molecular desse tipo de morte celular não é conhecido

- A infecção não citopática (abortiva) pelo HIV ativa a via do inflamassomo e leva a uma forma de morte celular, que foi denominada piroptose (ver **Capítulo 2**). Durante esse processo, as citocinas inflamatórias e o conteúdo celular são liberados, potencializando, assim, o recrutamento de novas células e aumentando o número de células que podem ser infectadas. Essa forma de morte celular pode desempenhar um papel na propagação da infecção
- O HIV infecta células nos órgãos linfoides secundários (baço, linfonodos, tonsilas) e pode causar destruição progressiva da arquitetura e da composição celular dos tecidos linfoides
- A perda de precursores imaturos das células T CD4+ também pode ocorrer por infecção direta das células progenitoras do timo ou por infecção de células acessórias que secretam citocinas essenciais para a maturação das células T CD4+
- Pode ocorrer fusão entre células infectadas e não infectadas, com formação de sincícios (células gigantes). Em cultura de tecidos, a gp120, expressa em células infectadas em fases produtivas, liga-se a moléculas de CD4 em células T não infectadas, seguida de fusão celular. As células fundidas costumam morrer em poucas horas. Essa propriedade de formação de sincícios é geralmente confinada ao tipo X4 T-trópico do HIV-1. Por essa razão, esse tipo é frequentemente designado como vírus indutor de sincícios (SI), diferentemente do vírus R5
- Embora a acentuada redução de células T CD4+ – uma característica essencial da AIDS – possa ser responsável pela maior parte da imunodeficiência tardia no curso da infecção pelo HIV, há evidências de defeitos qualitativos nas células T, até mesmo em indivíduos assintomáticos infectados pelo HIV. Incluem redução da proliferação de células T induzida por antígenos, diminuição das respostas tipo Th1, defeitos na sinalização intracelular e muito mais. A perda das respostas das células Th1 resulta em profunda deficiência da imunidade celular, levando a um aumento da suscetibilidade a infecções por vírus e por outros microrganismos intracelulares. Há também uma perda seletiva do subgrupo de memória das células T auxiliares CD4+ no início da evolução da doença, o que explica as respostas de memória precárias a antígenos previamente encontrados.

A infecção crônica ou latente de baixo nível das células T constitui uma importante característica da infecção pelo HIV. Acredita-se amplamente que o pró-vírus integrado, sem a expressão de genes virais (infecção latente), possa permanecer nas células durante meses a anos. Mesmo com terapia antiviral potente, que praticamente esteriliza o sangue periférico, o vírus latente esconde-se dentro das células CD4+ (tanto células T quanto macrófagos) nos linfonodos. De acordo com algumas estimativas, 0,05% das células T CD4+ nos linfonodos apresenta infecção latente. Como a maioria dessas células T CD4+ consiste em células de memória, elas apresentam vida longa, com tempo de vida de meses a anos, proporcionando, assim, um reservatório persistente do vírus.

As células T CD4+ desempenham um papel fundamental na regulação das respostas imunes tanto celulares quanto humorais. Por conseguinte, a perda desse "regulador-mestre" apresenta efeitos em cascata sobre praticamente todos os outros componentes do sistema imune, conforme resumido na **Tabela 6.14**.

Tabela 6.14 Principais anormalidades da função imune na AIDS.

Linfopenia
Predominantemente causada pela morte do subgrupo de células T auxiliares CD4+
Diminuição da função das células T *in vivo*
Perda preferencial de células T ativadas e de memória
Diminuição da hipersensibilidade de tipo tardio
Suscetibilidade a infecções oportunistas
Suscetibilidade a neoplasias
Alteração da função das células T *in vitro*
Diminuição da resposta proliferativa a mitógenos, aloantígenos e antígenos solúveis
Diminuição da citotoxicidade
Redução da função auxiliar para a produção de anticorpos pelas células B
Diminuição da produção de IL-2 e IFN-γ
Ativação das células B policlonais
Hipergamaglobulinemia e imunocomplexos circulantes
Incapacidade de produzir uma resposta *de novo* de anticorpos a novos antígenos
Respostas precárias a sinais de ativação normais das células B *in vitro*
Alteração das funções dos monócitos ou dos macrófagos
Diminuição da quimiotaxia e da fagocitose
Diminuição da expressão do HLA de classe II
Redução da capacidade de apresentação de antígenos às células T

HLA, antígeno leucocitário humano; IFN-γ, interferona-γ; IL2, interleucina-2; TNF, fator de necrose tumoral.

Infecção de células não T pelo HIV

Além da infecção e da perda das células T CD4+, **a infecção dos macrófagos e das CD também é importante na patogênese da infecção pelo HIV.** À semelhança das células T, o número de macrófagos infectados pelo HIV nos tecidos ultrapassa acentuadamente o número de monócitos infectados no sangue. Em certos tecidos, como os pulmões e o encéfalo, 10 a 50% dos macrófagos são infectados. É importante ressaltar vários aspectos da infecção dos macrófagos pelo HIV:

- Embora a divisão celular seja necessária para a entrada no núcleo e a replicação da maioria dos retrovírus, o HIV-1 pode infectar e multiplicar-se em macrófagos de diferenciação terminal que não sofrem divisão. Essa propriedade do HIV-1 depende do gene *vpr* viral. A proteína Vpr permite que o complexo de pré-integração do HIV seja direcionado para o núcleo por meio do poro nuclear
- Nos macrófagos infectados, ocorre brotamento de quantidades relativamente pequenas do vírus a partir da superfície celular, porém essas células contêm grandes números de partículas virais, que frequentemente estão localizadas em vesículas intracelulares. Embora os macrófagos permitam a replicação viral, eles são muito resistentes aos efeitos citopáticos do HIV, diferentemente das células T CD4+. Por conseguinte, nos estágios avançados da infecção pelo HIV, quando o número

de células T CD4+ declina acentuadamente, os macrófagos podem constituir um importante local de replicação viral continuada e reservatório para a persistência dos vírus
- Os macrófagos podem atuar como portas de infecção, visto que, em mais de 90% dos casos, a infecção aguda pelo HIV ocorre por cepas M-trópicas
- Foi relatado que até mesmo monócitos não infectados apresentam defeitos funcionais inexplicáveis que podem ter consequências importantes na defesa do hospedeiro. Esses defeitos incluem comprometimento da atividade microbicida, diminuição da quimiotaxia, redução da secreção de IL-1, secreção inapropriada de TNF e capacidade precária de apresentação de antígenos às células T. Além disso, os monócitos infectados podem transportar o HIV do sangue para várias partes do corpo, incluindo o sistema nervoso, onde os monócitos infectados infiltrados podem constituir uma fonte do vírus que infecta células da micróglia residentes (descritas mais adiante).

Os estudos realizados documentaram que, além dos macrófagos, dois tipos de CD também constituem alvos importantes para o início e a manutenção da infecção pelo HIV: as CD da mucosa e foliculares. Acredita-se que as CD da mucosa sejam infectadas pelo vírus e possam transportá-lo até os linfonodos regionais, onde o vírus é transmitido para as células T CD4+. As CD também expressam um receptor do tipo lectina, que se liga ao HIV e o apresenta em uma forma intacta e infecciosa às células T, promovendo, assim, a infecção dessas células.

As células dendríticas foliculares (CDF) nos centros germinativos dos linfonodos constituem reservatórios potenciais do HIV. Embora algumas CDF possam ser suscetíveis à infecção pelo HIV, as partículas virais são encontradas, em sua maioria, na superfície dos processos dendríticos. As CDF apresentam receptores para a porção Fc das imunoglobulinas e, portanto, capturam os vírions do HIV recobertos por anticorpos anti-HIV. Os vírions cobertos com anticorpos localizados nas CDF mantêm a capacidade de infectar células T CD4+ à medida que atravessam a rede intrincada formada pelos processos dendríticos das CDF. As células T auxiliares foliculares infectadas nos centros germinativos também são reservatórios do HIV. Como os CTL são, em grande parte, excluídos dos centros germinativos, esses reservatórios virais não podem ser prontamente eliminados pela resposta imune do hospedeiro.

Função das células B na infecção pelo HIV

Embora o HIV infecte as células T, os macrófagos e as CD, os indivíduos com AIDS também apresentam anormalidades profundas na função das células B. Paradoxalmente, no início da evolução da doença, ocorre ativação policlonal das células B, resultando em hiperplasia das células B dos centros germinativos, algumas vezes acompanhada de fenômenos autoimunes, como púrpura trombocitopênica imune. A ativação das células B pode resultar de múltiplos mecanismos: reativação ou reinfecção pelo EBV, que é um ativador policlonal de células B; a gp41 viral, que pode promover o crescimento e a diferenciação das células B; e a produção aumentada de IL-6 por macrófagos infectados pelo HIV, que estimula a proliferação das células B. O número de plasmócitos também aumenta, levando à hipergamaglobulinemia e plasmocitose da medula óssea.

Apesar da ativação aumentada das células B e do risco de autoimunidade, os pacientes com AIDS não são capazes de desencadear respostas efetivas de anticorpos contra patógenos novos encontrados. Essa incapacidade pode resultar, em parte, da falta de auxílio das células T; entretanto, as respostas dos anticorpos contra antígenos independentes de T também estão suprimidas, e, portanto, pode também haver defeitos intrínsecos nas células B. Devido ao comprometimento da imunidade humoral, esses pacientes são propensos a infecções disseminadas causadas por bactérias encapsuladas, como *S. pneumoniae* e *H. influenzae*, que precisam de anticorpos para sua opsonização e eliminação efetivas.

Patogênese do comprometimento do sistema nervoso central

A patogênese das manifestações neurológicas merece uma menção especial, visto que, além do sistema linfoide, o sistema nervoso constitui um alvo da infecção pelo HIV. A síndrome clínica das anormalidades do SNC é denominada distúrbio neurocognitivo associado ao HIV (HAND, *HIV-associated neurocognitive disorder*). A micróglia – células do SNC que pertencem à linhagem dos macrófagos – constitui o tipo celular predominante no encéfalo que é infectado pelo HIV. Acredita-se que o HIV seja transportado até o encéfalo por células T ou monócitos infectados. O mecanismo de dano do encéfalo induzido pelo HIV permanece desconhecido. Como os neurônios não são infectados pelo HIV, e a extensão das alterações neuropatológicas é menor do que a esperada pela gravidade dos sintomas neurológicos, a maioria dos pesquisadores acredita que o déficit neurológico seja causado indiretamente por produtos virais e por fatores solúveis produzidos pela micróglia infectada. Incluídos entre os fatores solúveis estão os responsáveis habituais, como IL-1, TNF e IL-6. Além disso, o óxido nítrico induzido nas células neuronais pela gp41 foi implicado. Foi também postulado um dano direto aos neurônios pela gp120 solúvel do HIV.

Histórico da infecção pelo HIV

Normalmente, o vírus entra pelos epitélios das mucosas. As manifestações patológicas e clínicas subsequentes da infecção podem ser divididas em várias fases: (1) uma síndrome retroviral aguda; (2) uma fase intermediária crônica, em que os indivíduos são, em sua maioria, assintomáticos; e (3) AIDS clínica (**Figuras 6.42** e **6.43**).

Infecção primária, disseminação do vírus e síndrome retroviral aguda

A infecção aguda (inicial) caracteriza-se pela infecção as células T CD4+ de memória (que expressam o CCR5) nos tecidos linfoides das mucosas e pela morte de muitas células infectadas. Como as mucosas constituem o maior reservatório de células T de memória do corpo, e essas células são suscetíveis à infecção pelo HIV, essa perda local resulta em considerável depleção dos linfócitos. Algumas células infectadas podem ser detectadas no sangue e em outros tecidos. Com frequência, a infecção das mucosas está associada ao dano epitelial, a defeitos nas funções de barreira das mucosas e à translocação de outros microrganismos pelo epitélio.

A infecção da mucosa é seguida de disseminação do vírus e desenvolvimento das respostas imunes do hospedeiro. As CD dos epitélios em locais de entrada do vírus capturam os vírus e, em seguida, migram para os linfonodos. Uma vez nos tecidos linfoides, as CD podem transferir o HIV para as células T CD4+ por meio de contato direto de célula com célula. Alguns dias após a primeira exposição ao HIV, a replicação viral pode ser detectada nos linfonodos. Essa replicação leva à viremia, durante a qual se observa a presença de grandes números de partículas do HIV no sangue do paciente. O vírus dissemina-se por todo o corpo e infecta as células T auxiliares, os macrófagos e as CD nos tecidos linfoides periféricos.

À medida que a infecção pelo HIV se dissemina, o indivíduo produz respostas imunes celulares e humorais antivirais. Essas respostas levam à soroconversão (geralmente nas primeiras 3 a 7 semanas após a suposta exposição) e ao desenvolvimento de células T citotóxicas CD8+ específicas contra o vírus. As células T CD8+ específicas contra o HIV são detectadas no sangue aproximadamente no momento em que os títulos virais começam a cair e são mais provavelmente responsáveis pela contenção inicial da infecção pelo HIV. Essas respostas imunes controlam, em parte, a infecção e a produção viral, conforme refletido por uma queda da viremia para níveis baixos, porém detectáveis, cerca de 12 semanas após a exposição primária.

A *síndrome retroviral aguda* é a apresentação clínica da disseminação inicial do vírus e da resposta do hospedeiro. Estima-se que a 40 a 90% dos indivíduos que adquirem uma infecção desenvolvam essa síndrome. Normalmente, ocorre de 3 a 6 semanas após a infecção e apresenta resolução espontânea entre 2 e 4 semanas. Essa fase caracteriza-se por uma doença aguda auto-limitada inespecífica, com sintomas de tipo gripal, como faringite, mialgias, febre, perda de peso e fadiga, algumas vezes acompanhados de exantema, adenopatia cervical, diarreia e vômitos.

O nível de RNA do HIV-1 no sangue (carga viral) constitui um marcador útil da progressão da doença pelo HIV e apresenta valor clínico no tratamento de indivíduos com infecção pelo HIV. A carga viral no final da fase aguda reflete o equilíbrio alcançado entre o vírus e a resposta do hospedeiro, e, em um determinado paciente, pode permanecer bastante estável durante vários anos. Esse nível de viremia no estado de equilíbrio dinâmico, denominado ponto de ajuste viral, é um preditor da taxa de declínio das células T CD4+ e, portanto, da progressão da doença pelo HIV. Em um estudo, apenas 8% dos pacientes com carga viral de menos de 4.350 cópias de RNA viral por microlitro de sangue progrediram para a AIDS clínica em 5 anos, enquanto 62% daqueles com carga viral acima de 36.270 cópias desenvolveram AIDS no mesmo período.

Como a perda da contenção imune está associada ao declínio das contagens de células T CD4+, a classificação do Centers for Disease Control and Prevention (CDC) estratifica a infecção pelo HIV em três categorias, com base nas contagens de células CD4+: número de células CD4+ igual ou superior a 500 células/µℓ, 200 a 499 células/µℓ e menos de 200 células/µℓ (**Tabela 6.15**). Para o manejo clínico, a contagem de células T CD4+ no sangue talvez seja o indicador a curto prazo mais confiável de progressão da doença. Por esse motivo, a contagem de células CD4+ (em vez da carga viral) constitui a principal medição clínica utilizada para determinar o momento em que a terapia antirretroviral (TAR) deve ser iniciada.

Infecção crônica: fase de latência clínica

Na fase crônica seguinte da doença, os linfonodos e o baço constituem locais de replicação contínua do HIV e destruição das células (ver **Figura 6.42**). Durante esse período da doença, observa-se a presença de poucas manifestações clínicas da infecção pelo HIV ou nenhuma. Por conseguinte, essa fase da doença pelo

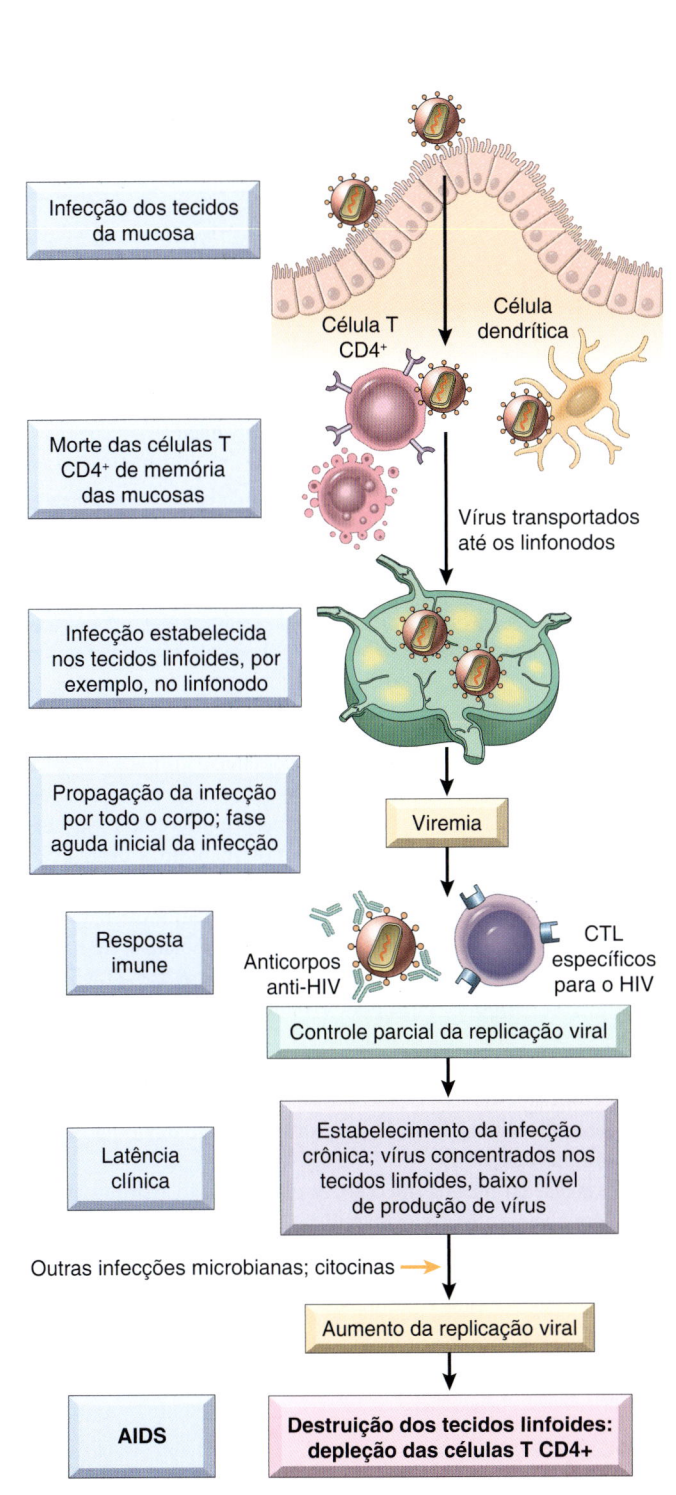

Figura 6.42 Patogênese da infecção pelo HIV-1. A infecção inicial começa nas mucosas, envolve, sobretudo, as células T CD4+ de memória e as células dendríticas e se propaga para os linfonodos. A replicação leva à viremia e à semeadura disseminada do tecido linfoide. Isso corresponde à fase aguda inicial da infecção pelo HIV. A viremia é controlada pela resposta imune do hospedeiro, e o paciente entra, em seguida, em uma fase de latência clínica. Durante essa fase, a replicação viral nas células T e nos macrófagos continua de modo ininterrupto, porém há alguma contenção imune do vírus (*não ilustrada*). Continua havendo uma destruição gradual das células CD4+ e, por fim, o número dessas células declina, e o paciente desenvolve os sintomas clínicos da AIDS totalmente desenvolvida. *CTL*, linfócito T citotóxico.

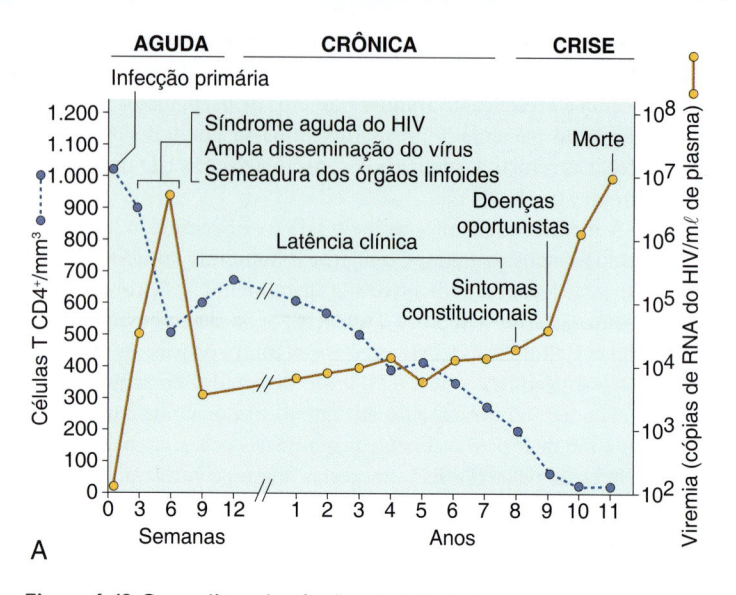

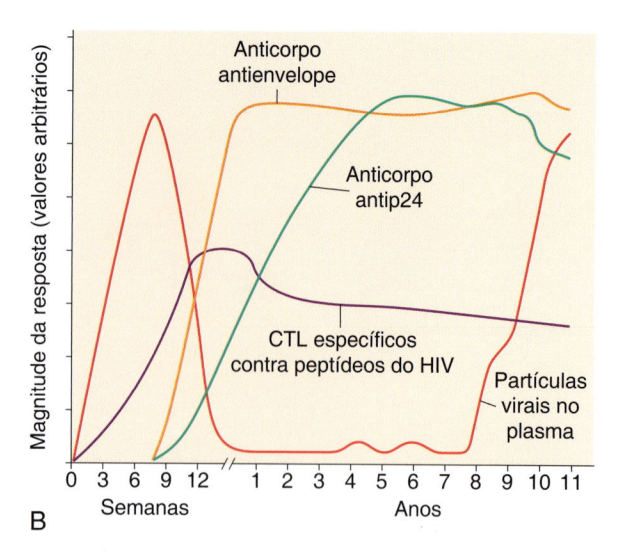

Figura 6.43 Curso clínico da infecção pelo HIV. **A.** Durante o período inicial, após a infecção primária, ocorrem disseminação do vírus, desenvolvimento de uma resposta imune ao HIV e, com frequência, uma síndrome viral aguda. Durante o período de latência clínica, a replicação viral continua, e a contagem de células T CD4+ diminui gradualmente até alcançar um nível crítico abaixo do qual há um risco substancial de doenças associadas à AIDS. **B.** Resposta imune à infecção pelo HIV. Pode-se detectar uma resposta dos linfócitos T citotóxicos (*CTL*) de 2 a 3 semanas após a infecção inicial, com pico entre 9 e 12 semanas. Ocorre uma acentuada expansão de clones de células T CD8+ específicas contra o vírus durante esse período, e até 10% dos CTL de um paciente podem ser específicos contra o HIV após 12 semanas. A resposta imune humoral contra o HIV alcança seu pico em cerca de 12 semanas. (**A,** Redesenhada de Fauci AS, Lane HC: Human immunodeficiency virus disease: AIDS and related conditions. In Fauci AS, et al., editors: *Harrison's Principles of Internal Medicine*, ed. 14, New York, 1997, McGraw-Hill, p. 1791.)

HIV é denominada período de *latência clínica*. Embora a maioria das células T do sangue periférico não abrigue o vírus, a destruição das células T CD4+ nos tecidos linfoides continua, e o número dessas células no sangue declina de maneira constante. Mais de 90% das aproximadamente 10^{11} células T do corpo são normalmente encontrados em órgãos linfoides secundários, e estima-se que o HIV destrua até 2×10^9 células T CD4+ a cada dia. No início da evolução da doença, as células T conseguem ser substituídas quase tão rapidamente quanto são destruídas. Nesse estágio, até 10% das células T CD4+ nos órgãos linfoides podem estar infectados, porém a frequência das células T CD4+ infectadas no sangue pode ser inferior a 0,1% das células T CD4+ circulantes totais. Por fim, ao longo de um período de anos, o ciclo lentamente amplificador de infecção viral, morte das células T e nova infecção leva a um declínio constante do número de células T CD4+ nos tecidos linfoides e na circulação.

Concomitantemente com essa perda de células T CD4+, as defesas do hospedeiro diminuem, e a proporção das células CD4+ sobreviventes e infectadas pelo HIV aumenta, assim como a carga viral por célula CD4+. Não é surpreendente que os níveis de RNA do HIV aumentem à medida que o hospedeiro começa a perder a batalha contra o vírus. Não está totalmente esclarecido o modo pelo qual o HIV escapa do controle imune, porém foram propostos diversos mecanismos. Esses mecanismos incluem a destruição das células T CD4+ que são de importância crítica para a imunidade efetiva, a variação antigênica e a inframodulação das moléculas do MHC de classe I nas células infectadas, de modo que os antígenos virais não são reconhecidos pelos CTL CD8+. Durante esse período, o vírus pode evoluir e mudar da dependência exclusiva do CCR5 para entrar nas células-alvo para uma dependência de CXCR4 ou de CCR5 e de CXCR4. Essa mudança de correceptores está associada a um declínio mais rápido das contagens de células T CD4+, presumivelmente devido à maior infecção das células T.

Nessa fase crônica da infecção, os pacientes são assintomáticos ou desenvolvem infecções oportunistas menores, como candidíase oral (sapinho), candidíase vaginal, herpes-zoster e, eventualmente, tuberculose (sendo essa última comum em regiões pobres em recursos, como a África Subsaariana). Pode-se observar também a ocorrência de trombocitopenia autoimune (ver **Capítulo 14**).

Tabela 6.15 Categorias de infecção pelo HIV pela classificação do CDC.

Categorias clínicas	Categorias de células T CD4+		
	1 ≥ 500 células/µl	2 200 a 499 células/µl	3 < 200 células/µl
A. Assintomática, HIV agudo (primário) ou linfadenopatia generalizada persistente	A1	A2	A3
B. Sintomática, sem as condições A ou C	B1	B2	B3
C. Condições indicadora da AIDS: infecções oportunistas, doença neurológica e tumores			

Dados do Disease Control and Prevention: 1993 revised classification system and expanded surveillance definition for AIDS among adolescents and adults, *MMWR* 41(RR-17):1, 1992.

AIDS

A fase final consiste em progressão para a AIDS, caracterizada pela desagregação das defesas do hospedeiro, aumento dramático da carga viral e doença clínica grave e potencialmente fatal. O paciente típico apresenta febre de longa duração (> 1 mês), fadiga, perda de peso, diarreia e aumento generalizado dos linfonodos. Depois de um período variável, surgem infecções oportunistas graves, neoplasias secundárias ou doença neurológica clínica (agrupadas com a designação de doenças indicadoras da AIDS, discutidas mais adiante), e diz-se que o paciente desenvolveu AIDS.

Na ausência de tratamento, a maioria dos pacientes com infecção pelo HIV evolui para a AIDS depois de uma fase crônica de 7 a 10 anos de duração. As exceções a essa evolução típica incluem progressores rápidos e não progressores em longo prazo. Nos *progressores rápidos*, a fase intermediária crônica é reduzida para 2 a 3 anos após a infecção primária. Cerca de 5 a 15% dos indivíduos infectados são *não progressores em longo prazo*, definidos como indivíduos infectados pelo HIV e não tratados, que permanecem assintomáticos por 10 anos ou mais, com contagens estáveis de células T CD4+ e baixa carga viral (geralmente < 500 cópias de RNA viral por mililitro). É notável observar que cerca de 1% dos indivíduos infectados apresenta vírus indetectável no plasma (< 50 a 75 cópias de RNA/mℓ); esses indivíduos foram denominados *controladores de elite*. Os indivíduos com esse tipo incomum de evolução clínica têm atraído grande atenção, na esperança de que o estudo deles possa esclarecer fatores virais e do hospedeiro passíveis de influenciar a evolução da doença. Os estudos realizados até o momento indicam que esse grupo é heterogêneo em relação às variáveis que influenciam a evolução da doença. Na maioria dos casos, os isolados virais não exibem anormalidades qualitativas, sugerindo que a evolução da doença não pode ser atribuída a um vírus "fracote". Em todos os casos, há evidências de uma resposta imune anti-HIV vigorosa, porém as correlações imunes de proteção ainda são desconhecidas. Alguns desses indivíduos apresentam altos níveis de resposta das células T CD4+ e CD8+ específicas contra o HIV, e esses níveis são mantidos ao longo da evolução da infecção. A herança de determinados alelos do HLA parece estar correlacionada com a resistência à progressão da doença, refletindo, talvez, a capacidade de desenvolver respostas das células T antivirais. Espera-se que outros estudos poderão fornecer as respostas a estas e outras questões críticas para compreender a progressão da doença.

Características clínicas da AIDS

As características clínicas relevantes das fases inicial aguda e intermediária crônica da infecção pelo HIV foram descritas anteriormente; aqui, apresentaremos um resumo das manifestações clínicas da fase terminal, a AIDS. Desde o início, deve-se assinalar que as manifestações clínicas e as infecções oportunistas associadas à infecção pelo HIV variam em diferentes partes do mundo. Além disso, a evolução da doença foi significativamente modificada pelas novas terapias antirretrovirais, e muitas complicações devastadoras que antes eram comuns tornaram-se agora infrequentes.

Nos EUA, o paciente adulto típico com AIDS apresenta febre, perda de peso, diarreia, linfadenopatia generalizada, múltiplas infecções oportunistas, doença neurológica e, em muitos casos, neoplasias secundárias. As infecções e as neoplasias listadas na Tabela 6.16 estão incluídas na definição de vigilância da AIDS.

Tabela 6.16 Infecções oportunistas e neoplasias definidoras da AIDS observadas em pacientes com infecção pelo HIV.

Infecções
Infecções por protozoários e helmintos
Cryptosporidium ou *Cystoisospora* (enterite)
Pneumocystis (pneumonia ou infecção disseminada)
Toxoplasma (pneumonia ou infecção do SNC)
Infecções fúngicas
Candida (do esôfago, traqueia ou pulmão)
Criptococcus (infecção do SNC)
Coccidioides (disseminada)
Histoplasma (disseminada)
Infecções bacterianas
Mycobacterium ("atípica", por exemplo, *Mycobacterium avium-intracellulare*, disseminada ou extrapulmonar; *Mycobacterium tuberculosis*, pulmonar ou extrapulmonar)
Nocardia (pneumonia, meningite, disseminada)
Infecções por *Salmonella*, disseminada
Infecções virais
Citomegalovírus (infecções pulmonares, intestinais, rinite ou do SNC)
Herpes-vírus simples (infecção localizada ou disseminada)
Vírus varicela-zoster (infecção localizada ou disseminada)
Leucoencefalopatia multifocal progressiva
Neoplasias
Sarcoma de Kaposi
Linfoma primário do cérebro
Câncer invasivo do colo do útero

SNC, sistema nervoso central.

Infecções oportunistas

As infecções oportunistas são responsáveis pela maioria das mortes em pacientes com AIDS não tratados. Muitas dessas infecções representam uma reativação de infecções latentes, que normalmente são mantidas sob controle por um sistema imune robusto, mas que não foram erradicados por completo, visto que os agentes infecciosos evoluíram para coexistir com seus hospedeiros. A frequência de infecções varia em diferentes regiões do mundo e foi acentuadamente reduzida pela TAR, que se baseia em uma combinação de três ou quatro medicamentos que bloqueiam diferentes etapas do ciclo de vida do HIV. A seguir, apresentamos um breve resumo de infecções oportunistas selecionadas:

- Aproximadamente 15 a 30% dos indivíduos infectados pelo HIV sem tratamento desenvolvem pneumonia causada pelo fungo *Pneumocystis jirovecii* (reativação de uma infecção latente prévia) durante a evolução da doença. Antes do advento da TAR, essa infecção era a característica de apresentação em cerca de 20% dos casos, porém a incidência é muito menor nos pacientes que respondem à TAR
- Muitos pacientes apresentam outras infecções oportunistas. Entre os patógenos mais comuns, destacam-se *Candida*, citomegalovírus, micobactérias atípicas e típicas, *Cryptococcus neoformans, Toxoplasma gondii, Cryptosporidium*, herpes-vírus simples, papovavírus e *Histoplasma capsulatum*

- A *candidíase* é a infecção fúngica mais comum em pacientes com AIDS, e as infecções da cavidade oral, da vagina e do esôfago são as suas manifestações clínicas mais comuns. Em indivíduos assintomáticos infectados pelo HIV, a candidíase oral constitui um sinal de descompensação imunológica e, com frequência, anuncia a transição para a AIDS. A candidíase invasiva é rara em pacientes com AIDS e costuma ocorrer quando há neutropenia induzida por fármacos ou uso de cateteres de demora
- O *citomegalovírus* (CMV) pode causar doença disseminada ou pode ser localizado, afetando o olho e o trato gastrintestinal. Antigamente, a coriorretinite por CMV era observada em aproximadamente 25% dos pacientes, porém sua incidência diminuiu acentuadamente em consequência da TAR. A retinite por citomegalovírus ocorre quase exclusivamente em pacientes com contagens de células T CD4+ inferiores a 50/µℓ. A doença gastrintestinal, que é observada em 5 a 10% dos casos, manifesta-se como esofagite e colite, estando esta última associada a múltiplas ulcerações da mucosa
- A infecção bacteriana disseminada por *micobactérias atípicas* (principalmente *Mycobacterium avium-intracellulare*) também ocorre tardiamente, no contexto da imunossupressão grave. Coincidentemente com a epidemia da AIDS, houve uma elevação dramática na incidência de tuberculose. Em todo o mundo, quase um terço de todas as mortes em pacientes com AIDS é atribuível à tuberculose, porém essa complicação continua sendo incomum nos EUA. Os pacientes com AIDS correm risco de reativação da doença pulmonar latente, bem como de infecção primária. Diferentemente da infecção causada por micobactérias atípicas, a infecção por *M. tuberculosis* manifesta-se no início da evolução da AIDS. À semelhança da tuberculose em outros contextos, a infecção pode ficar limitada aos pulmões ou pode acometer múltiplos órgãos. A extensão da infecção depende do grau de imunossupressão; a disseminação é mais comum em pacientes com contagens muito baixas de células T CD4+. Mais preocupantes são os relatos que indicam a resistência de um número cada vez maior de microrganismos isolados a múltiplos medicamentos antimicobacterianos
- Diversas infecções oportunistas têm como alvo o SNC. Ocorre *criptococose* em cerca de 10% dos pacientes com AIDS. Conforme observado em outras situações com imunossupressão, a meningite constitui a principal manifestação clínica da criptococose. O *Toxoplasma gondii*, outro invasor frequente do SNC na AIDS, provoca encefalite e é responsável por 50% de todas as lesões expansivas do SNC. O *vírus JC,* um papovavírus humano, constitui outra causa importante de infecção do SNC em pacientes infectados pelo HIV. Esse vírus causa leucoencefalopatia multifocal progressiva (ver **Capítulo 28**)
- Outras infecções acometem preferencialmente o trato gastrintestinal e os órgãos genitais. A *infecção pelo herpes-vírus simples* manifesta-se por ulcerações mucocutâneas que acometem a boca, o esôfago, os órgãos genitais externos e a região perianal. A *diarreia persistente,* que é comum em pacientes não tratados com AIDS avançada, é frequentemente causada por infecções por protozoários, como *Cryptosporidium, Isospora belli* ou microsporídeos. Esses pacientes apresentam diarreia aquosa e profusa crônica, com perda maciça de líquidos. A diarreia também pode resultar de infecção por bactérias entéricas, como *Salmonella* e *Shigella,* bem como por *M. avium-intracellulare.*

Tumores

Os pacientes com AIDS apresentam uma elevada incidência de certos tumores, sobretudo sarcoma de Kaposi (SK), linfoma de células B, câncer de colo do útero em mulheres e câncer anal em homens. Foi estimado que 25 a 40% dos indivíduos infectados pelo HIV sem tratamento acabarão desenvolvendo uma neoplasia maligna. Uma característica comum desses tumores é o fato de eles serem causados por vírus de DNA oncogênicos, especificamente o herpes-vírus humano-8 (SK), o EBV (linfoma de células B) e o papilomavírus humano (carcinoma do colo do útero e anal). Esses vírus podem estabelecer infecções latentes até mesmo em pessoas saudáveis, porém costumam ser mantidos sob controle por um sistema imunológico competente. O risco de neoplasia maligna em pacientes com AIDS está aumentado, sobretudo devido a uma incapacidade de conter as infecções e a uma diminuição da imunidade contra os tumores.

Sarcoma de Kaposi. O SK, um tumor vascular que, nos demais aspectos, é raro nos EUA, constitui a neoplasia mais comum em pacientes com AIDS. A morfologia do SK e sua ocorrência em pacientes não infectados pelo HIV são discutidas no **Capítulo 11.** No início da epidemia da AIDS, até 30% dos homens homossexuais ou bissexuais infectados tinham SK; todavia, nesses últimos anos, com o uso da TAR, houve um acentuado declínio na sua incidência. Em contrapartida, em áreas da África Subsaariana onde a infecção pelo HIV é frequente e, em grande parte, não tratada, o SK é um dos tumores mais comuns.

As lesões do SK caracterizam-se pela proliferação de células fusiformes, que expressam marcadores de células endoteliais (vasculares ou linfáticas) e de células musculares lisas. Há também uma profusão de espaços vasculares em fenda, sugerindo que as lesões podem se originar de precursores mesenquimais primitivos dos canais vasculares. Além disso, as lesões do SK exibem infiltrados crônicos de células inflamatórias. Muitas das características do SK sugerem que ele não é um tumor maligno (apesar de seu nome assustador). Por exemplo, as células fusiformes em muitas lesões do SK são policlonais ou oligoclonais, embora as lesões mais avançadas possam exibir, em certas ocasiões, monoclonalidade. O modelo atual de patogênese do SK consiste na produção pelas células fusiformes de fatores pró-inflamatórios e angiogênicos, que recrutam os componentes inflamatórios e neovasculares da lesão, e estes últimos componentes fornecem sinais que auxiliam na sobrevida e no crescimento das células fusiformes.

Há evidências convincentes de que o SK é causado pelo *herpes-vírus humano-8* (HHV8), também denominado herpes-vírus do SK (KSHV). Ainda não foi esclarecido como exatamente a infecção pelo HHV8 leva ao SK. À semelhança de outros herpes-vírus, o HHV8 estabelece uma infecção latente, durante a qual são produzidas várias proteínas com funções potenciais na estimulação da proliferação de células fusiformes e prevenção da apoptose. Incluem um homólogo viral da ciclina D e vários inibidores de p53. Entretanto, a infecção pelo HHV8, embora seja necessária para o desenvolvimento do SK, não é suficiente, e são necessários cofatores adicionais. Na forma relacionada com a AIDS, esse cofator é claramente o HIV (os cofatores relevantes para o SK HIV-negativo permanecem desconhecidos). A imunossupressão mediada pelo HIV pode ajudar na ampla disseminação do HHV8 no hospedeiro.

A infecção pelo HHV8 não é restrita às células endoteliais. O vírus está filogeneticamente relacionado com a subfamília linfotrópica de herpes-vírus (γ-herpes-vírus); de acordo com isso, seu genoma é encontrado nas células B de indivíduos infectados. Com efeito, a infecção pelo HHV8 também ligada a linfomas de células B raros em pacientes com AIDS (denominados linfoma primário de efusão) e à doença de Castleman multicêntrica, um distúrbio linfoproliferativo de células B.

Do ponto de vista clínico, o SK associado à AIDS é muito diferente da forma esporádica (ver **Capítulo 11**). Em indivíduos infectados pelo HIV, o tumor costuma ser disseminado e afeta a pele, as membranas mucosas, o trato gastrintestinal, os linfonodos e os pulmões. Esses tumores também tendem a ser mais agressivos do que o SK clássico.

Linfomas. O linfoma ocorre em indivíduos com AIDS em uma taxa acentuadamente aumentada, tornando-o uma das várias condições definidoras da AIDS. Cerca de 5% dos pacientes com AIDS apresentam linfoma, e aproximadamente outros 5% desenvolvem linfoma durante a evolução subsequente da doença, e praticamente todos se originam de células B transformadas. Com o advento da TAR efetiva, foi constatada uma queda substancial da incidência de linfoma em algumas populações infectadas pelo HIV. Entretanto, o linfoma continua ocorrendo em indivíduos infectados pelo HIV com uma incidência pelo menos 10 vezes maior do que a média da população. Esses achados epidemiológicos sugerem que a associação do linfoma com a infecção pelo HIV é apenas parcialmente explicada pela imunodeficiência de células T. De fato, com base na caracterização molecular dos linfomas associados ao HIV e nessas considerações epidemiológicas, pelo menos dois mecanismos parecem estar na base do aumento de risco de tumores de células B em indivíduos infectados pelo HIV (**Figura 6.44**):

- Proliferação descontrolada das células B infectadas por herpes-vírus oncogênicos no contexto de depleção profunda das células T (AIDS). A imunidade de células T é necessária para impedir a proliferação de células B infectadas por vírus oncogênicos, como EBV e HHV8. Com a grave depleção de células T na fase avançada da evolução da infecção pelo HIV, esse controle é perdido. Em consequência, os pacientes com AIDS correm alto risco de desenvolver linfomas de células B agressivos compostos de células tumorais infectadas por vírus oncogênicos, em particular o EBV.
Na idade adulta, os indivíduos normais são infectados, em sua maioria, pelo EBV. Uma vez estabelecida a imunidade, o EBV persiste nesses indivíduos como infecção latente em cerca de 1 a cada 100 mil células B, cuja maior parte apresenta um fenótipo de células B de memória. A ativação dessas células, seja por antígenos ou por citocinas, reativa um programa de expressão gênica codificado pelo EBV, que induz a proliferação de células B. Os pacientes com AIDS apresentam níveis elevados de várias citocinas, algumas das quais, como a IL-6, são fatores de crescimento para as células B. Esses pacientes também apresentam infecção crônica por patógenos que podem levar à estimulação de células B. Na ausência de imunidade das células T, esses clones infectados pelo EBV e ativados proliferam e, por fim, adquirem mutações somáticas adicionais, levando a seu crescimento como linfomas de células B EBV-positivos totalmente desenvolvidos. Com frequência, esses tumores surgem em locais extranodais, como o SNC, mas também ocorrem no intestino, na órbita, nos pulmões e em outros locais. Os linfomas primários de efusão mencionados anteriormente apresentam-se como efusões malignas e são caracterizados pelo fato de que as células tumorais normalmente são coinfectadas pelo EBV e pelo HHV8, um exemplo incomum de cooperatividade entre dois vírus oncogênicos

- Hiperplasia de células B dos centros germinativos no contexto da infecção pelo HIV em estágio inicial. Conforme já assinalado, mesmo com TAR efetiva, a taxa global de linfoma na população infectada pelo HIV permanece elevada, mesmo em indivíduos com contagens normais de células T CD4+. A maioria dos linfomas que surgem em pacientes com contagens de células T CD4 normais não está associada ao EBV ou ao HHV8. O que explica então o risco aumentado de linfoma? A resposta não é conhecida, mas pode estar relacionada com a profunda hiperplasia de células B dos centros germinativos que ocorre no início da infecção pelo HIV. Convém lembrar que, nos centros germinativos, as células B sofrem mudança de classe e hipermutação somática dos genes das imunoglobulinas. Ambos os processos introduzem quebras do DNA e estão sujeitos a erros, levando, algumas vezes, à translocação de oncogenes. Convém assinalar que os tumores de células B que surgem fora do contexto da AIDS totalmente desenvolvida em indivíduos infectados pelo HIV, como o linfoma de Burkitt e o linfoma difuso de grandes células B, frequentemente estão associados

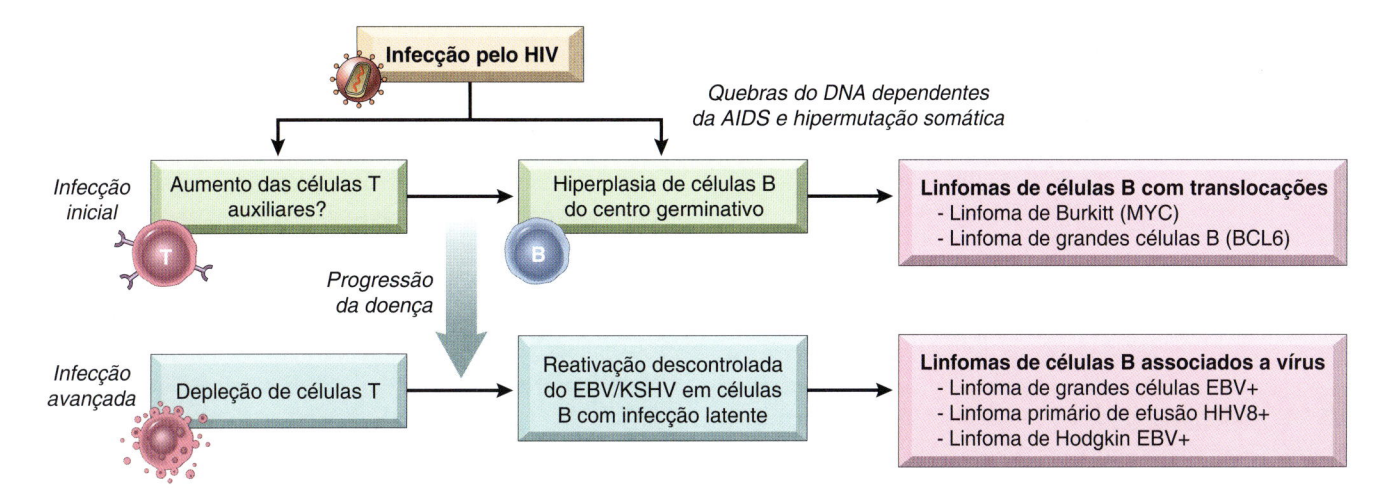

Figura 6.44 Modelo para a patogênese dos linfomas de células B na infecção pelo HIV. A infecção pelo HIV resulta em várias alterações que podem colaborar para produzir linfomas de células B. Foi postulado um aumento das células T foliculares no início da evolução da doença, porém sua base é desconhecida.

a translocações de oncogenes nos *loci* dos genes de Ig. Por conseguinte, a significativa hiperplasia de células B dos centros germinativos que ocorrem no início da infecção pelo HIV pode contribuir para a linfomagênese, em parte ao aumentar o número de células B que estão sujeitas ao risco de adquirir eventos iniciadores de linfoma.

Várias outras proliferações relacionadas com o EBV também merecem ser citadas. O linfoma de Hodgkin, um tumor de células B incomum associado a uma resposta inflamatória tecidual importante (ver **Capítulo 13**), ocorre com frequência aumentada em indivíduos infectados pelo HIV. Em praticamente todos os casos de linfoma de Hodgkin associado ao HIV, as células tumorais características (células de Reed-Sternberg) são infectadas pelo EBV. Muitos pacientes infectados pelo HIV com linfoma de Hodgkin (mas não todos) apresentam baixas contagens de células CD4 por ocasião da apresentação da doença. A infecção pelo EBV também é responsável pela leucoplasia pilosa oral (projeções brancas na língua), a qual resulta da proliferação de células escamosas da mucosa oral induzida pelo EBV (ver **Capítulo 16**).

Outros tumores. Além do SK e do linfoma, pacientes com AIDS correm risco aumentado de carcinomas do colo do útero e do ânus associados ao papilomavírus humano (HPV). O HPV está intimamente associado ao carcinoma de células escamosas do colo do útero e sua lesão intraepitelial escamosa (SIL, *squamous intraepithelial lesion*; ver **Capítulos 7 e 22**) precursora. A SIL associada ao HPV é 10 vezes mais comum em mulheres infectadas pelo HIV, em comparação com mulheres não infectadas atendidas em clínicas de planejamento familiar, e limita-se a mulheres infectadas pelo HIV com contagens de células CD4 inferiores a 500 células/µℓ, sugerindo que o risco é atribuível a uma diminuição da vigilância imune. A taxa de progressão do SIL para o carcinoma do colo do útero manifesto também parece estar acelerada em mulheres infectadas pelo HIV. Por conseguinte, o exame ginecológico constitui uma parte importante de uma avaliação de rotina de mulheres infectadas pelo HIV.

Doenças do sistema nervoso central

O comprometimento do SNC constitui uma manifestação comum e importante da AIDS. Em 90% dos pacientes, constata-se a presença de alguma forma de comprometimento neurológico na necropsia, e 40 a 60% apresentam disfunção neurológica clinicamente aparente. É importante assinalar que, em alguns pacientes, as manifestações neurológicas podem constituir a única característica de apresentação da infecção pelo HIV ou a mais precoce. Além das infecções oportunistas e das neoplasias, ocorrem várias alterações neuropatológicas relacionadas com o HIV. Essas alterações incluem meningoencefalite autolimitada, que surge por ocasião da soroconversão, meningite asséptica, mielopatia vacuolar, neuropatias periféricas e, mais comumente, encefalopatia progressiva, designada clinicamente como distúrbio neurocognitivo associado ao HIV (ver **Capítulo 28**). Acredita-se que resulte de uma combinação da infecção da micróglia pelo HIV e de uma resposta imune no SNC.

Efeito da terapia com fármacos antirretrovirais

Felizmente para os indivíduos afetados, a TAR com medicamentos direcionados contra a transcriptase reversa, a protease e a integrase virais modificou extraordinariamente a evolução clínica da infecção pelo HIV. Esses medicamentos são administrados em combinação para reduzir a emergência de mutantes resistentes a fármacos. Foram desenvolvidos mais de 25 fármacos antirretrovirais de seis classes distintas para o tratamento da infecção pelo HIV. Quando se utiliza uma combinação de pelo menos três medicamentos efetivos em um paciente motivado que adere ao tratamento, a carga viral do HIV é reduzida abaixo do nível de detecção (< 50 cópias de RNA/mℓ) e permanecem assim indefinidamente (enquanto o paciente aderir ao tratamento). Mesmo quando surge um vírus resistente aos fármacos, existem várias opções de segunda e de terceira linhas para combater o vírus. Uma vez suprimido o vírus, a perda progressiva de células T CD4+ é interrompida, e, ao longo de um período de vários anos, a contagem de células T CD4+ do sangue periférico aumenta lentamente e, com frequência, normaliza-se. Nos EUA, com o uso da TAR, a taxa de mortalidade anual pela AIDS diminuiu de seu pico de 16 a 18 a cada 100 mil indivíduos no período de 1995 a 1996 para menos de 4 a cada 100 mil. Muitas doenças associadas à AIDS, como a infecção por *P. jivorecii* e o SK, são atualmente muito raras. A TAR também reduziu a transmissão do vírus, sobretudo de mães infectadas para os recém-nascidos. Entretanto, devido à redução da mortalidade, mais pessoas estão vivendo com o HIV, e o risco de propagação do vírus na população aumentará inevitavelmente se a vigilância for relaxada. De fato, há evidências convincentes de que até mesmo os pacientes que apresentam cargas virais praticamente indetectáveis durante anos com a TAR desenvolvem infecção ativa se eles interromperem o tratamento farmacológico.

Apesar dessas melhoras notáveis, surgiram várias novas complicações associadas à infecção pelo HIV e ao seu tratamento. Alguns pacientes com doença avançada que recebem TAR sofrem deterioração paradoxal de sua condição clínica à medida que o sistema imune se recupera. Isso ocorre apesar do aumento das contagens de células T CD4+ e da diminuição da carga viral. Esse distúrbio, denominado *síndrome inflamatória da reconstituição imune*, não é totalmente esclarecido, porém postula-se que seja uma resposta inadequadamente regulada do hospedeiro à elevada carga antigênica dos microrganismos persistentes. Talvez uma complicação mais importante da TAR a longo prazo resulte dos efeitos colaterais adversos dos medicamentos. Incluem lipoatrofia (perda da gordura facial), lipoacumulação (excesso de deposição central de gordura), níveis elevados de lipídios, resistência à insulina, neuropatia periférica e efeitos potencialmente deletérios sobre a função cardiovascular, renal e hepática. Como as contagens de células T CD4+ são normalizadas, a morbidade não relacionada com a AIDS é muito mais comum do que a morbidade clássica associada à AIDS em pacientes submetidos a TAR a longo prazo. As principais causas de morbidade consistem em câncer e doenças cardiovascular, renal e hepática aceleradas. O mecanismo dessas complicações não relacionadas com a AIDS é desconhecido, porém a inflamação persistente e a disfunção imune podem desempenhar algum papel.

> ### Morfologia
>
> As alterações anatômicas nos tecidos não são específicas nem diagnósticas. As características patológicas comuns da AIDS incluem infecções oportunistas, SK e linfomas de células B. A maioria dessas lesões é discutida em outros capítulos, visto que elas também ocorrem em indivíduos que não apresentam infecção pelo HIV. As lesões do SNC são descritas no **Capítulo 28**.

As amostras de biopsia de linfonodos aumentados nos estágios iniciais da infecção pelo HIV revelam uma acentuada hiperplasia dos folículos de células B. Os folículos estão aumentados e com frequência assumem formas serpiginosas incomuns. As zonas do manto que circundam os folículos estão atenuadas, e os centros germinativos fazem contato com as áreas de células T interfoliculares. Essa hiperplasia de células B constitui o reflexo morfológico da ativação de células B policlonais que é observada em indivíduos infectados pelo HIV.

Com a progressão da doença, a velocidade de proliferação das células B diminui, dando lugar a um padrão de involução linfoide pronunciada. Ocorre depleção dos linfócitos dos linfonodos, e a rede organizada de CDF é rompida. Os centros germinativos podem se tornar hialinizados. Esses pequenos linfonodos atróficos "exauridos" podem abrigar numerosos patógenos oportunistas, frequentemente no interior dos macrófagos. Em virtude da imunossupressão profunda, a resposta inflamatória às infecções, tanto nos linfonodos quanto em locais extranodais, pode ser esparsa ou atípica. Por exemplo, as micobactérias podem não induzir a formação de granulomas, devido à deficiência das células CD4+. Nos linfonodos com aspecto vazio e em outros órgãos, a presença de agentes infecciosos pode não ser prontamente aparente sem o uso de corantes especiais. Como seria de esperar, a involução linfoide não é confinada aos linfonodos; em estágios mais avançados da AIDS, o baço e o timo também são convertidos em "desertos" praticamente desprovidos de linfócitos.

Apesar dos avanços espetaculares na nossa compreensão da infecção pelo HIV, o prognóstico a longo prazo de pacientes HIV positivos continua reservado. Com o uso da TAR, a taxa de mortalidade declinou nos EUA, porém os pacientes tratados ainda carregam o DNA viral em seus tecidos linfoides, e uma cura permanece difícil. Embora esforços consideráveis tenham sido envidados para desenvolver uma vacina, muitos obstáculos ainda precisam ser vencidos para que uma profilaxia baseada em vacina se torne realidade. As análises moleculares revelaram um grau alarmante de variação nos vírus isolados de pacientes, o que torna a tarefa de produzir uma vacina extremamente difícil. Os esforços recentes concentraram-se na produção de anticorpos amplamente neutralizantes contra partes relativamente não variáveis das proteínas do HIV. A tarefa de desenvolver uma vacina efetiva é complicada pelo fato de que os elementos da proteção imune não estão totalmente compreendidos. Por conseguinte, no momento atual, as medidas de saúde pública e o uso de medicamentos antirretrovirais continuam sendo a base na luta contra a AIDS.

Conceitos-chave
Patogênese e evolução da infecção pelo HIV e AIDS

- Entrada dos vírus nas células: exige CD4 e correceptores, que são receptores de quimiocinas; envolve a ligação da gp120 viral e a fusão com a célula mediada pela proteína viral gp41; os principais alvos celulares são as células T auxiliares CD4+, os macrófagos e as CD
- Replicação viral: o genoma do pró-vírus integra-se ao DNA da célula hospedeira; a expressão gênica viral é desencadeada por estímulos que ativam as células infectadas (p. ex., microrganismos infecciosos, citocinas produzidas durante as respostas imunes normais)
- Progressão da infecção: infecção aguda das células T da mucosa e CD; viremia com disseminação do vírus; infecção latente das células no tecido linfoide; replicação viral continuada e perda das células T CD4+
- Mecanismos da imunodeficiência:
  - Perda de células T CD4+: morte das células T durante a replicação e o brotamento do vírus (semelhante a outras infecções citopáticas); apoptose como resultado da estimulação crônica; diminuição da produção do timo; defeitos funcionais
  - Funções defeituosas dos macrófagos e das CD
  - Destruição da arquitetura dos tecidos linfoides (tardia)
- As manifestações clínicas da AIDS incluem infecções oportunistas, tumores como os linfomas de células B e anormalidades do SNC.

Amiloidose

A amiloidose é uma condição associada a vários distúrbios hereditários e inflamatórios, em que depósitos extracelulares de proteínas fibrilares são responsáveis pelo dano tecidual e comprometimento funcional. Essas fibrilas anormais são produzidas pela agregação de proteínas mal enoveladas (que são solúveis em sua configuração enovelada normal). Os depósitos fibrilares ligam-se a uma ampla variedade de proteoglicanos e glicosaminoglicanos, como sulfato de heparana e sulfato de dermatana, e proteínas plasmáticas, notavelmente o amiloide P do soro. A presença de quantidades abundantes de grupos de açúcares com carga nessas proteínas adsorvidas confere aos depósitos características de coloração consideradas semelhantes ao amido (amilose). Em consequência, os depósitos foram denominados *amiloide,* um nome que está firmemente enraizado, apesar do reconhecimento de que os depósitos não têm nenhuma relação com o amido.

O amiloide é depositado no espaço extracelular em vários tecidos e órgãos em diversos contextos clínicos. Com o acúmulo progressivo, o amiloide invade o tecido e provoca atrofia por pressão das células adjacentes. Como a deposição de amiloide aparece de modo insidioso e, algumas vezes, de forma misteriosa, seu reconhecimento clínico depende, em última análise, da identificação morfológica dessa substância distinta em amostras apropriadas de biopsia. Na microscopia óptica e com o uso da hematoxilina e eosina, o amiloide aparece como uma substância extracelular amorfa, eosinofílica e hialina. Para diferenciar o amiloide de outros materiais hialinos (p. ex., colágeno, fibrina), utiliza-se uma variedade de técnicas histoquímicas, que são descritas mais adiante. Talvez a mais utilizada seja a coloração pelo vermelho Congo que, sob a luz comum, confere uma cor rosa ou vermelha aos depósitos teciduais; todavia, mais notável e específica é a birrefringência verde do amiloide corado quando observado à microscopia de polarização (ver adiante).

Propriedades das proteínas amiloides

Embora todos os depósitos de amiloide tenham uma aparência microscópica semelhante, o amiloide não é uma única entidade química. De fato, mais de 20 proteínas diferentes podem agregar-se para formar o amiloide. Existem três formas bioquímicas principais e várias formas menores, que são depositadas por diferentes mecanismos patogênicos. Por conseguinte, a amiloidose não é uma única doença, porém um grupo de doenças que apresentam deposição de proteínas de aparência semelhante.

No centro dessa semelhança morfológica encontra-se a organização física notavelmente uniforme do amiloide, que será considerada em primeiro lugar.

Natureza física do amiloide. Na microscopia eletrônica, todos os tipos de amiloide, independentemente do contexto clínico ou da composição química, consistem em fibrilas contínuas e não ramificadas, com diâmetro de aproximadamente 7,5 a 10 nm. A cristalografia de raios X e espectroscopia infravermelha demonstram uma conformação característica em lâminas β pregueadas e cruzadas (**Figura 6.45**). Essa conformação é responsável pela coloração distinta e birrefringência do amiloide com vermelho Congo.

Natureza química do amiloide. Aproximadamente 95% do amiloide consistem em proteínas fibrilares, enquanto os 5% restantes são constituídos pelo componente P e por outras glicoproteínas. As três formas mais comuns de amiloide são as seguintes:

- A *proteína amiloide de cadeia leve (AL)* é formada por cadeias leves de imunoglobulinas completas, fragmentos aminoterminais de cadeias leves ou ambos. As proteínas AL analisadas são compostas, em sua maior parte, de cadeias leves λ ou seus fragmentos, porém observa-se a presença de cadeias κ em alguns casos. A proteína fibrilar amiloide do tipo AL é produzida a partir de cadeias leves de Ig secretadas por uma população monoclonal de plasmócitos, e seu depósito está associado a determinados tumores de plasmócitos (ver **Capítulo 13**)
- A *proteína associada ao amiloide (AA)* é uma forma de amiloide derivada de uma única proteína não Ig produzida pelo fígado. A proteína AA encontrada nas fibrilas é criada por proteólise de um precursor maior, denominado proteína SAA (associada ao amiloide sérico), que é sintetizada no fígado e circula no sangue ligada a lipoproteínas de alta densidade. A produção da proteína SAA está aumentada nos estados inflamatórios como parte da resposta de fase aguda; por conseguinte, essa forma de amiloidose está associada à inflamação crônica e, com frequência, é denominada amiloidose secundária
- A *proteína β-amiloide (Aβ)* constitui o cerne das placas cerebrais encontradas na doença de Alzheimer, bem como o amiloide depositado nas paredes dos vasos sanguíneos cerebrais de indivíduos com essa doença. A proteína Aβ é derivada por proteólise de uma glicoproteína transmembranar muito maior, denominada proteína precursora do amiloide (APP, *amyloid precursor protein*). Essa forma de amiloide é discutida no **Capítulo 28**.

Conforme já assinalado, diversas outras proteínas bioquimicamente distintas também podem ser depositadas como amiloide em uma variedade de contextos clínicos. Entre essas formas raras de amiloide, as proteínas envolvidas com mais frequência são as seguintes:

- A *transtiretina* (TTR) é uma proteína normal do soro, que se liga à tiroxina e ao retinol e os transporta. Várias formas mutantes distintas de TTR (e seus fragmentos) formam amiloide, em um grupo de distúrbios geneticamente determinados, designados como *polineuropatias amiloides familiares*. A TTR não mutada também pode se depositar como amiloide no coração de indivíduos idosos (amiloidose sistêmica senil)
- A $β_2$-*microglobulina*, um componente das moléculas do MHC de classe I e uma proteína normal do soro, foi identificada como principal componente de uma forma de amiloide (A$β_2$m), que se deposita nas articulações e ao redor delas ou nos tecidos moles de pacientes submetidos a hemodiálise prolongada
- Em uma minoria de casos de doença por príons no SNC, as proteínas priônicas mal enoveladas agregam-se no espaço extracelular e adquirem as características estruturais e de coloração do amiloide.

Patogênese e *classificação da amiloidose*

A amiloidose resulta do enovelamento anormal de proteínas, que se tornam insolúveis, formam agregados e depositam-se como fibrilas nos tecidos extracelulares. Normalmente, as proteínas mal enoveladas sofrem degradação intracelular nos proteassomos ou extracelularmente pelos macrófagos. Na amiloidose, parece que esses mecanismos de controle de qualidade falham, resultando em acúmulo de uma proteína inadequadamente enovelada fora das células. As proteínas que formam o amiloide são classificadas em duas categorias gerais (**Figura 6.46**): (1) proteínas normais que têm uma tendência inerente a sofrer enovelamento inadequado, a se associar e formar fibrilas e que o fazem quando são produzidas em quantidades aumentadas; e (2) proteínas mutantes que têm propensão ao enovelamento inadequado e à agregação subsequente. Os mecanismos de deposição dos diferentes tipos de amiloide e sua classificação são discutidos aqui.

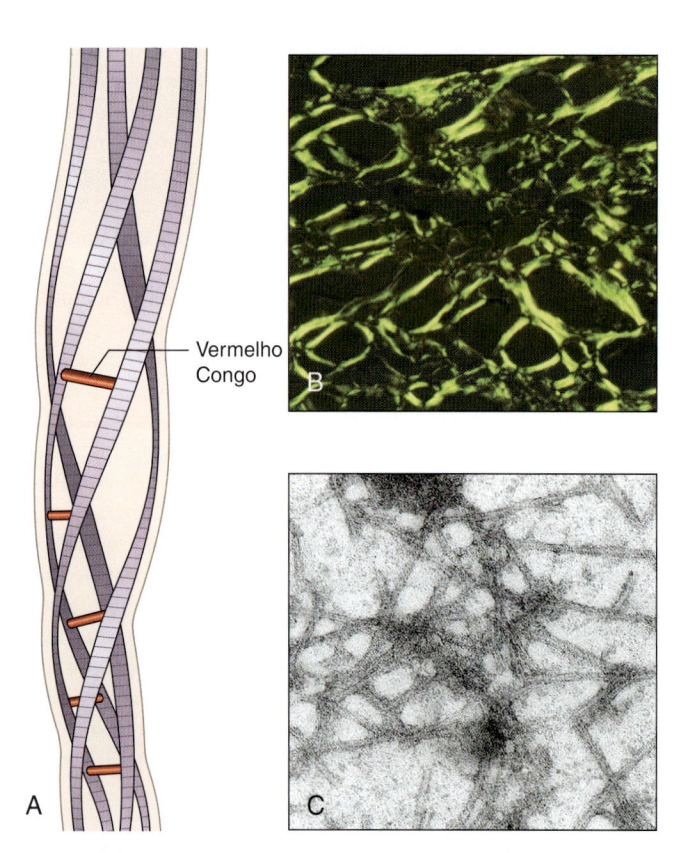

Figura 6.45 Estrutura do amiloide. **A.** Diagrama esquemático de uma fibra amiloide mostrando quatro fibrilas (pode haver até seis em cada fibra) enroladas uma ao redor da outra com ligação regularmente espaçada de coloração pelo vermelho Congo. **B.** A coloração pelo vermelho Congo revela uma birrefringência de cor verde maçã sob a luz polarizada, que constitui uma característica diagnóstica do amiloide. **C.** Micrografia eletrônica de fibrilas amiloides de 7,5 a 10 nm. (De Merlini G, Bellotti V: Molecular mechanisms of amyloidosis, *N Engl J Med* 349:583-596, 2003, com autorização do Massachusetts Medical Society.)

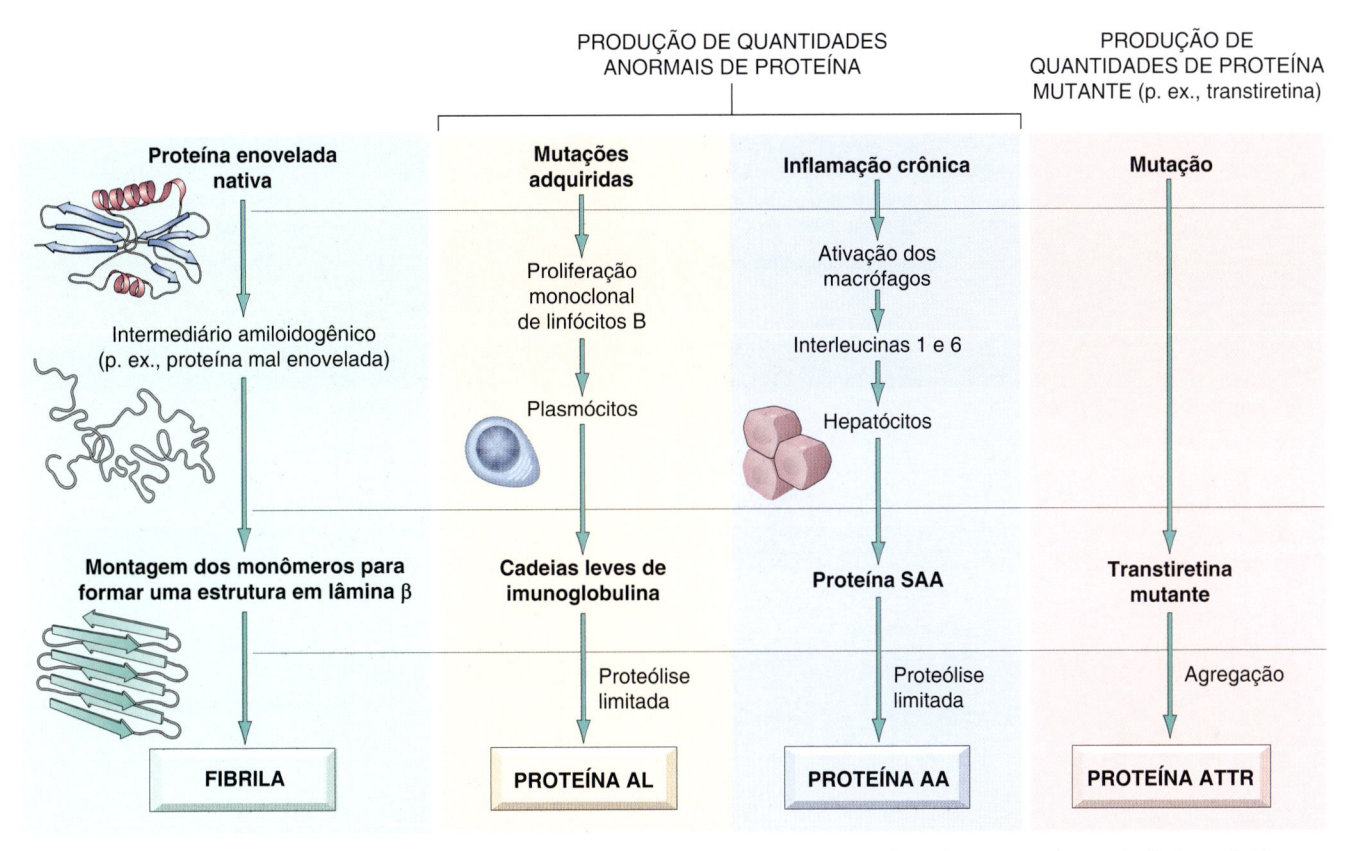

Figura 6.46 Patogênese da amiloidose mostrando os mecanismos propostos subjacentes ao depósito das principais formas de fibrilas amiloides.

Como uma determinada forma bioquímica de amiloide (p. ex., AA) pode estar associada à deposição de amiloide em diversos contextos clínicos, seguiremos uma classificação bioquímico-clínica combinada para nossa discussão (**Tabela 6.17**). O amiloide pode ser *sistêmico* (generalizada), envolvendo diversos sistemas de órgãos, ou pode ser *localizado* em um único órgão, como o coração. Do ponto de vista clínico, o padrão sistêmico ou generalizado é subclassificado em *amiloidose primária*, quando está associado a proliferações de plasmócitos clonais, ou em *amiloidose secundária*, quando ocorre como complicação de um processo inflamatório crônico subjacente. A *amiloidose hereditária* ou *familiar* constitui um grupo separado, embora heterogêneo, com vários padrões distintos de comprometimento de órgãos.

Amiloidose primária: distúrbios de plasmócitos associados à amiloidose

O amiloide nessa categoria geralmente apresenta distribuição sistêmica e é do tipo AL. Nos EUA, com cerca de 2 a 3 mil novos casos a cada ano, trata-se da forma mais comum de amiloidose. Em todos os casos, a doença é causada por uma proliferação clonal de plasmócitos, que sintetizam uma cadeia leve de Ig que tem propensão a formar amiloide, em virtude de suas propriedades fisioquímicas intrínsecas. A ocorrência de amiloidose sistêmica em 5 a 15% dos indivíduos com mieloma múltiplo, um tumor de plasmócitos caracterizado por múltiplas lesões osteolíticas em todo o sistema esquelético, está mais bem definida (ver **Capítulo 13**). Os plasmócitos malignos sintetizam quantidades anormais de uma única Ig, produzindo um "pico" de proteína M (mieloma) na eletroforese do soro. Além da síntese de moléculas completas de Ig, os plasmócitos malignos frequentemente secretam cadeias leves κ ou λ não pareadas e livres (designadas como proteínas de Bence-Jones). Com frequência, são encontradas no soro, e, em virtude de seu pequeno tamanho molecular, as proteínas de Bence-Jones são excretadas e concentradas na urina. Na amiloidose primária, as cadeias leves livres não estão apenas presentes no soro e na urina, mas também são depositadas nos tecidos, na forma de amiloide. Entretanto, deve-se assinalar que a maioria dos pacientes com mieloma que apresentam cadeias leves livres no soro e na urina não desenvolve amiloidose. Evidentemente, nem todas as cadeias leves livres têm uma tendência igual a produzir amiloide, e acredita-se que o potencial amiloidogênico de qualquer cadeia leve seja determinado, em grande parte, pela sua sequência específica de aminoácidos.

A maioria das pessoas com amiloide AL não apresenta mieloma múltiplo clássico nem qualquer outra neoplasia de células B manifesta; esses casos têm sido tradicionalmente classificados como amiloidose primária, visto que suas características clínicas provêm dos efeitos da deposição de amiloide, sem qualquer outra doença associada. Entretanto, em praticamente todos esses casos, as imunoglobulinas monoclonais ou as cadeias leves livres ou ambas podem ser encontradas no soro ou na urina. Esses pacientes também apresentam, em sua maioria, um aumento modesto do número de plasmócitos na medula óssea, que provavelmente secretam os precursores da proteína AL. Por conseguinte, esses pacientes apresentam uma proliferação monoclonal subjacente de células produtoras de Ig (*gamopatia monoclonal*), cuja manifestação dominante consiste na produção de uma proteína anormal, e não na presença de massas tumorais.

Tabela 6.17 Classificação da amiloidose.

Categoria clínico-patológica	Doenças associadas	Principal proteína fibrilar	Proteína precursora quimicamente relacionada
Amiloidose sistêmica (generalizada)			
Amiloidose de cadeias leves de imunoglobulina (amiloidose primária)	Mieloma múltiplo e outras proliferações monoclonais de plasmócitos	AL	Cadeias leves de imunoglobulina, principalmente do tipo λ
Amiloidose sistêmica reativa (amiloidose secundária)	Condições inflamatórias crônicas	AA	SAA
Amiloidose associada à hemodiálise	Insuficiência renal crônica	Aβ$_2$m	β$_2$-microglobulina
Amiloidose hereditária			
Febre familiar do Mediterrâneo		AA	SAA
Neuropatias amiloidóticas familiares (vários tipos)		ATTR	Transtiretina
Amiloidose sistêmica senil		ATTR	Transtiretina
Amiloidose localizada			
Cerebral senil	Doença de Alzheimer	Aβ	APP
Endócrino	Diabetes tipo 2		
Carcinoma medular de tireoide		A Cal	Calcitonina
Ilhotas de Langerhans		AIAPP	Peptídeo amiloide das ilhotas
Amiloidose atrial isolada		AANF	Fator natriurético atrial

Amiloidose sistêmica reativa

Nesse padrão, os depósitos de amiloide apresentam distribuição sistêmica e são compostos de proteína AA. Essa categoria era anteriormente designada como *amiloidose secundária*, visto que ela é secundária a uma condição inflamatória associada. Antigamente, a tuberculose, a bronquiectasia e a osteomielite crônica eram as condições subjacentes; entretanto, com o advento da antibioticoterapia efetiva, a importância dessas condições diminuiu. Hoje, com mais frequência, a amiloidose sistêmica ocorre como complicação da artrite reumatoide, de outras doenças do tecido conjuntivo, como a espondilite anquilosante e a doença inflamatória intestinal, incluindo tanto a doença de Crohn quanto a colite ulcerativa. Entre essas condições, a mais frequentemente associada é a artrite reumatoide. Foi relatado que a amiloidose ocorre em cerca de 3% dos pacientes com artrite reumatoide e é clinicamente significativa em metade dos pacientes afetados. Os usuários de heroína que injetam a substância por via subcutânea também apresentam uma elevada taxa de ocorrência de amiloidose AA generalizada. As infecções crônicas da pele associadas à injeção subcutânea de narcóticos parecem ser responsáveis pela amiloidose. A amiloidose sistêmica reativa também pode ocorrer em associação a tumores sólidos, dos quais os mais comuns são o carcinoma de células renais e o linfoma de Hodgkin.

Nessa forma de amiloidose, a síntese de SAA pelas células hepáticas é estimulada por citocinas, como a IL-6 e a IL-1, que são produzidas durante a inflamação; por conseguinte, a inflamação de longa duração leva a uma elevação sustentada dos níveis de SAA. Entretanto, o aumento da produção de SAA por si só não é suficiente para a deposição de amiloide. Existem duas explicações possíveis para isso. De acordo com um ponto de vista, a SAA normalmente é degradada em produtos finais solúveis pela ação de enzimas derivadas de monócitos. Dessa forma, é postulado que os indivíduos que desenvolvem amiloidose apresentam um defeito enzimático que resulta em degradação incompleta da SAA, gerando, assim, moléculas de AA insolúveis. Como alternativa, uma anormalidade estrutural geneticamente determinada na molécula de SAA pode torná-la resistente à degradação pelos macrófagos.

Amiloidose heredofamiliar

Foram descritas várias formas familiares de amiloidose. A maioria é rara e ocorre em áreas geográficas limitadas. A mais comum e mais bem estudada é uma condição autossômica recessiva, denominada *febre familiar do Mediterrâneo*. Trata-se de uma síndrome autoinflamatória associada à produção excessiva da citocina IL-1 em resposta a estímulos inflamatórios. Do ponto de vista clínico, caracteriza-se por episódios de febre, acompanhados de inflamação das superfícies serosas, como peritônio, pleura e membrana sinovial. O gene da febre familiar do Mediterrâneo codifica uma proteína denominada pirina (pela sua relação com a febre), que é parte de um complexo de proteínas que regulam as reações inflamatórias por meio da ativação do inflamassomo (ver **Capítulo 3**). Esse distúrbio é encontrado, em grande parte, em indivíduos de origem armênia, judaica sefárdica e árabe. Algumas vezes, o distúrbio está associado à amiloidose disseminada. As proteínas fibrilares amiloides são compostas de proteínas AA, refletindo a produção aumentada de SAA em resposta à secreção excessiva de IL-1.

Diferentemente da febre familiar do Mediterrâneo, um grupo de distúrbios familiares autossômicos dominantes caracteriza-se pela deposição de amiloide predominantemente nos nervos periféricos e autônomos. Essas polineuropatias amiloidóticas familiares foram descritas em diferentes partes do mundo. Conforme assinalado anteriormente, em todos esses distúrbios genéticos, as fibrilas são constituídas de TTR mutantes. Nesses distúrbios, ocorre deposição de TTR como fibrilas amiloides, visto que as alterações geneticamente determinadas de sua estrutura as tornam propensas ao mau enovelamento e agregação, bem como resistentes à proteólise.

Amiloidose associada à hemodiálise

Os pacientes submetidos a hemodiálise em longo prazo para insuficiência renal podem desenvolver amiloidose em consequência da deposição de β_2-microglobulina. Essa proteína é encontrada em altas concentrações no soro de indivíduos com doença renal e, no passado, era retida na circulação, visto que não podia ser filtrada pelas membranas de diálise. Em geral, os pacientes apresentam sintomas relacionados com a deposição de β_2-microglobulina nas articulações, nos músculos, tendões ou ligamentos; uma apresentação relativamente comum consiste na síndrome do túnel do carpo. Com os novos filtros de diálise, houve uma redução substancial na incidência dessa complicação.

Amiloidose localizada

Algumas vezes, os depósitos de amiloide limitam-se a um único órgão ou tecido, sem comprometimento de qualquer outro local do corpo. Os depósitos podem produzir massas nodulares visivelmente detectáveis ou podem ser evidentes apenas ao exame microscópico. Com mais frequência, os depósitos nodulares de amiloide são encontrados nos pulmões, na laringe, na pele, na bexiga, na língua e na região ao redor dos olhos. Frequentemente, há infiltrados de linfócitos e de plasmócitos na periferia dessas massas amiloides. Pelo menos em alguns casos, o amiloide consiste em proteína AL e, portanto, pode representar uma forma localizada de amiloide derivado de plasmócitos.

Amiloide endócrino

Pode-se observar a presença de depósitos microscópicos de amiloide localizado em certos tumores endócrinos, como carcinoma medular de tireoide, tumor das ilhotas do pâncreas e feocromocitoma, bem como nas ilhotas de Langerhans de indivíduos com diabetes melito tipo 2. Nesses contextos, as proteínas amiloidogênicas parecem originar-se de hormônios polipeptídicos (p. ex., carcinoma medular) ou de proteínas específicas (p. ex., polipeptídeo amiloide das ilhotas do pâncreas). No carcinoma medular de tireoide, a presença de amiloide constitui uma característica diagnóstica útil.

Amiloide do envelhecimento

Com o envelhecimento, ocorrem várias formas bem documentadas de deposição de amiloide. A amiloidose sistêmica senil refere-se à deposição sistêmica de amiloide em pacientes idosos (geralmente na sétima e oitava décadas de vida). Devido ao comprometimento dominante e disfunção relacionada do coração, essa forma era anteriormente denominada amiloidose cardíaca senil. Os pacientes sintomáticos apresentam miocardiopatia restritiva e arritmias (ver **Capítulo 12**). O amiloide nessa forma deriva da TTR normal. Além da amiloidose sistêmica senil esporádica, foi também reconhecida outra forma que afeta predominantemente o coração, que resulta da deposição de uma forma mutante de TTR. Nos EUA, cerca de 4% dos indivíduos de ascendência africana expressam essa forma mutante de TTR e foi identificada a ocorrência de miocardiopatia em pacientes tanto homozigotos quanto heterozigotos. A prevalência precisa de pacientes com essa mutação, que desenvolvem doença cardíaca clinicamente manifesta, não é conhecida.

Morfologia

Não há padrões consistentes nem distintos de distribuição de depósitos amiloides em órgãos ou tecidos em nenhuma das categorias citadas. Entretanto, é possível formular algumas generalizações. Na amiloidose secundária a distúrbios inflamatórios crônicos, os rins, o fígado, o baço, os linfonodos, as glândulas suprarrenais e a tireoide, bem como muitos outros tecidos, normalmente são afetados. Embora a amiloidose associada a proliferações de plasmócitos não possa ser diferenciada com certeza da forma secundária pela sua distribuição pelos órgãos, ela acomete com mais frequência o coração, o trato gastrintestinal, o sistema respiratório, os nervos periféricos, a pele e a língua. A localização dos depósitos de amiloide é variada nas síndromes hereditárias. Na febre familiar do Mediterrâneo, a amiloidose pode ser disseminada, afetando os rins, os vasos sanguíneos, o baço, o sistema respiratório e (raramente) o fígado. A localização do amiloide nas outras síndromes hereditárias pode ser deduzida a partir da designação dessas entidades.

Qualquer que seja o distúrbio clínico, o amiloide pode ou não ser aparente ao exame macroscópico. Quando o amiloide se acumula em quantidades maiores, o órgão frequentemente está aumentado, e o tecido aparece na cor cinza, com consistência firme e serosa. Histologicamente, a deposição de amiloide é sempre extracelular e começa entre as células, em geral em posição adjacente às membranas basais (**Figura 6.47A**). À medida que o amiloide se acumula, ele comprime as células e, por fim, as circunda e destrói. Na forma associada com proliferação de plasmócitos, é comum haver depósitos perivasculares e vasculares.

O diagnóstico histológico de amiloide baseia-se quase totalmente nas suas características de coloração. A técnica de coloração mais comum utiliza o corante vermelho Congo que, sob a luz comum, confere uma cor rosa ou vermelha aos depósitos de amiloide. Sob luz polarizada, o amiloide corado pelo vermelho Congo exibe a denominada birrefringência de cor verde maçã (**Figura 6.47B**). Essa reação é compartilhada por todas as formas de amiloide e é causada pela configuração β pregueada e cruzada de fibrilas de amiloide. Pode-se obter a confirmação por microscopia eletrônica, que revela fibrilas finas não orientadas e amorfas. Os tipos de amiloide AA, AL e ATTR também podem ser distinguidos por coloração imuno-histoquímica específica.

O padrão de comprometimento de órgãos é variável nas diferentes formas clínicas da amiloidose.

Rim. A amiloidose do rim constitui a forma mais comum e potencialmente mais grave de comprometimento orgânico. Ao exame macroscópico, os rins podem ser de tamanho e cor normais ou, nos casos avançados, podem estar retraídos, em virtude da isquemia causada pelo estreitamento vascular induzido pelo depósito de amiloide no interior das paredes arteriais e arteriolares.

Histologicamente, o amiloide deposita-se sobretudo nos glomérulos, porém o tecido peritubular intersticial, as artérias e as arteríolas também são afetadas. Os depósitos glomerulares aparecem inicialmente como espessamentos sutis da matriz mesangial, geralmente acompanhados de alargamento irregular das membranas basais dos capilares glomerulares. Com o passar do tempo, os depósitos mesangiais e os depósitos ao longo das membranas basais provocam estreitamento capilar e distorção do tufo vascular glomerular. Com a progressão da amiloidose glomerular, ocorre obliteração da luz capilar, e o glomérulo em fase terminal é preenchido por massas confluentes ou fitas largas entrelaçadas de amiloide (**Figura 6.47C**).

Baço. A amiloidose do baço pode não ser aparente ao exame macroscópico ou pode causar esplenomegalia moderada a acentuada (até 800 g). Por motivos misteriosos, observa-se um de dois padrões de deposição. Em um deles, os depósitos limitam-se, em grande parte, aos folículos esplênicos, produzindo grânulos semelhantes à tapioca ao exame macroscópico, uma condição designada como *baço em sagu*. No outro padrão, o amiloide acomete as paredes dos seios esplênicos e a estrutura de tecido conjuntivo na polpa vermelha. A fusão dos depósitos iniciais dá origem a grandes áreas de amiloide semelhantes a mapas, criando o denominado *baço lardáceo*.

Fígado. Os depósitos podem não ser aparentes macroscopicamente ou podem causar hepatomegalia moderada a acentuada. O amiloide aparece pela primeira vez no espaço de Disse e, em seguida, comprime progressivamente as células adjacentes do parênquima hepático e os sinusoides (ver **Figura 6.47**). Com o passar do tempo, ocorrem deformidade, atrofia por pressão e desaparecimento dos hepatócitos, causando a substituição total de grandes áreas de parênquima hepático. O comprometimento vascular é frequente. Mesmo com comprometimento extenso, a função hepática costuma ser preservada.

Coração. Pode ocorrer amiloidose do coração (ver **Capítulo 12**) em qualquer forma de amiloidose sistêmica. É também o principal órgão acometido na amiloidose sistêmica senil. O coração pode estar aumentado e firme; todavia, com mais frequência, não apresenta nenhuma alteração significativa à inspeção macroscópica. Os depósitos começam na forma de acúmulos subendocárdicos focais e no miocárdio, entre as fibras musculares. A expansão desses depósitos miocárdicos, por fim, provoca atrofia por pressão das fibras miocárdicas. Quando os depósitos de amiloide são subendocárdicos, pode ocorrer dano do sistema de condução, resultando nas anormalidades eletrocardiográficas observadas em alguns pacientes.

Outros órgãos. Os depósitos nodulares na língua podem causar macroglossia, dando origem à designação *amiloide formador de tumor da língua*. O sistema respiratório pode estar envolvido de modo focal ou difusamente, desde a laringe até os bronquíolos menores. Conforme já assinalado, verifica-se a presença de uma forma distinta de amiloide no cérebro de pacientes com doença de Alzheimer. Pode estar presente nas denominadas *placas,* bem como nos vasos sanguíneos (ver **Capítulo 28**). A amiloidose dos nervos periféricos e autônomos constitui uma característica de várias neuropatias amiloidóticas familiares. Os depósitos de amiloide em pacientes submetidos a hemodiálise prolongada são mais proeminentes no ligamento do carpo do punho, resultando em compressão do nervo mediano (síndrome do túnel do carpo). Esses pacientes também podem apresentar deposição extensa de amiloide nas articulações.

Características clínicas

A amiloidose pode ser encontrada como alteração anatômica não suspeita, sem produzir qualquer manifestação clínica, ou pode causar problemas clínicos graves e até mesmo morte. Os sintomas dependem da magnitude dos depósitos e dos locais ou órgãos afetados. A princípio, com frequência as manifestações clínicas são inespecíficas, como fraqueza, perda de peso, tontura ou síncope. Posteriormente, aparecem achados um pouco mais específicos e, com mais frequência, relacionados com o comprometimento renal, cardíaco e gastrintestinal.

O *comprometimento renal* dá origem à proteinúria, que pode ser intensa o suficiente para causar síndrome nefrótica (ver **Capítulo 20**). Nos casos avançados, a obliteração progressiva dos glomérulos leva finalmente a insuficiência renal e uremia. A insuficiência renal constitui a causa mais comum de morte. A *amiloidose cardíaca* pode se manifestar como insuficiência cardíaca congestiva insidiosa. Os aspectos mais graves da amiloidose cardíaca consistem em distúrbios da condução e arritmias, que podem ser fatais. Em certas ocasiões, a amiloidose cardíaca produz um padrão de miocardiopatia restritiva, disfarçando-se como pericardite constritiva crônica (ver **Capítulo 12**). A *amiloidose gastrintestinal* pode ser totalmente assintomática ou se manifestar de várias maneiras. A amiloidose da língua pode causar aumento considerável do órgão e falta de elasticidade a ponto de dificultar a fala e a deglutição. Os depósitos no estômago e no intestino podem levar à má absorção, diarreia e distúrbios da digestão. A *amiloidose vascular* provoca fragilidade vascular, que pode levar à hemorragia, algumas vezes maciça, e que pode ocorrer de modo espontâneo ou após trauma supostamente trivial. Além disso, em alguns casos a proteína amiloide AL, liga-se e inativa o fator X, um fator da coagulação fundamental, levando a um distúrbio hemorrágico potencialmente fatal.

O diagnóstico de amiloidose depende da demonstração histológica de depósitos de amiloide nos tecidos. Os locais mais comuns submetidos a biopsia são os rins, na presença de manifestações renais, ou tecidos retais ou gengivais em pacientes com suspeita de amiloidose sistêmica. O exame de aspirados de gordura abdominal corados pelo vermelho Congo também pode ser utilizado para o diagnóstico de amiloidose sistêmica. O exame é muito específico, porém sua sensibilidade é baixa. Nos casos com suspeita de amiloidose AL, devem-se efetuar uma eletroforese de proteínas do soro e da urina e imunoeletroforese. Nesses casos, os aspirados de medula óssea costumam revelar plasmocitose monoclonal, mesmo na ausência de mieloma múltiplo franco. A cintilografia com componente P amiloide do soro marcado radioativamente é um

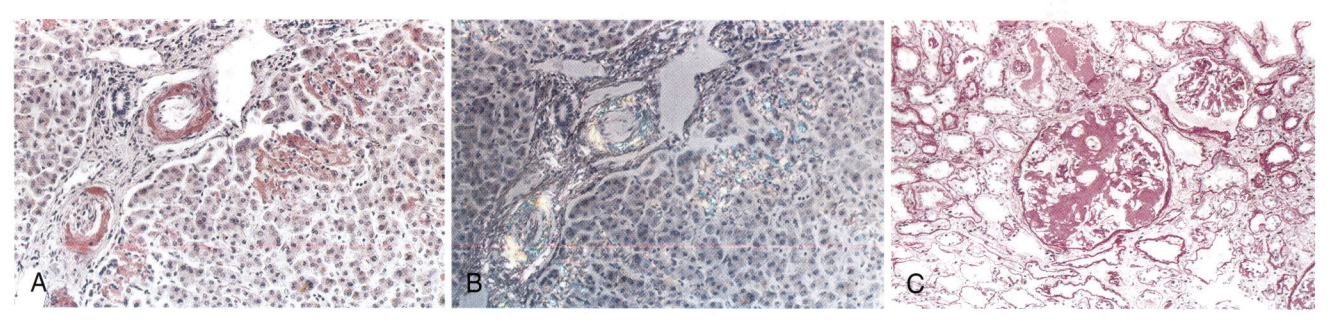

Figura 6.47 Amiloidose. **A.** Uma fotomicrografia de fígado corado pelo vermelho Congo revela depósitos rosa-avermelhados de amiloide nas paredes dos vasos sanguíneos e ao longo dos sinusoides. **B.** Observe a birrefringência de cor amarelo-esverdeada dos depósitos quando examinados ao microscópio de polarização. **C.** Amiloidose do rim. A arquitetura glomerular está quase totalmente obliterada pelo acúmulo maciço de amiloide. (**A** e **B,** Cortesia do Dr. Trace Worrell and Sandy Hinton, Department of Pathology, University of Texas Southwestern Medical School, Dallas, Tex.)

exame rápido e específico, visto que o componente se liga aos depósitos de amiloide e revela sua presença. Proporciona também uma medida da extensão da amiloidose e pode ser utilizada para acompanhar pacientes submetidos a tratamento.

O prognóstico para indivíduos com amiloidose generalizada é sombrio. Os pacientes com amiloidose AL apresentam uma sobrevida mediana global de 2 anos após o diagnóstico, e o prognóstico é ainda mais sombrio na amiloidose AL associada ao mieloma. Entretanto, muitos novos fármacos mais efetivos foram recentemente desenvolvidos para tratar tumores de plasmócitos e oferecem alguma esperança. A perspectiva para indivíduos com amiloidose sistêmica reativa é um pouco melhor e depende, em certo grau, do controle da condição subjacente. Foi relatada a reabsorção de amiloide após tratamento da condição associada, porém isso é uma ocorrência rara. Novas estratégias terapêuticas estão sendo desenvolvidas com o objetivo de corrigir o enovelamento inadequado das proteínas e inibir a fibrilogênese.

Conceitos-chave
Amiloidose

- A amiloidose é um distúrbio caracterizado por depósitos extracelulares de proteínas mal enoveladas, que se agregam para formar fibrilas insolúveis
- A deposição dessas proteínas pode resultar de: produção excessiva de proteínas com propensão ao enovelamento inadequado e agregação; mutações que produzem proteínas que são incapazes de sofrer enovelamento correto e tendem a se agregar; e degradação proteolítica defeituosa ou incompleta de proteínas extracelulares
- A amiloidose pode ser localizada ou sistêmica. É observada em associação a uma variedade de distúrbios primários, como proliferações de células B monoclonais (em que os depósitos de amiloide consistem em cadeias leves de imunoglobulina); doenças inflamatórias crônicas, como a artrite reumatoide (depósitos de proteína amiloide A, derivada de uma proteína de fase aguda produzida na inflamação); doença de Alzheimer (proteína amiloide β; condições familiares em que os depósitos de amiloide consistem em mutantes de proteínas normais (p. ex., transtiretina nas polineuropatias amiloides familiares); e amiloidose associada à diálise (depósitos de β_2-microglobulina, cuja remoção é defeituosa)
- Os depósitos de amiloide causam lesão tecidual e comprometem a função normal, exercendo pressão sobre as células e os tecidos. Não induzem uma resposta inflamatória.

LEITURA SUGERIDA

Imunidade inata
Broz P, Dixit V: Inflammasomes: mechanisms of assembly, regulation and signaling, *Nat Rev Immunol* 16:407–420, 2016. [*Excelente discussão sobre a bioquímica da ativação do inflamassomo*].

Brubaker SW, Bonham KS, Zanoni I et al: Innate immune pattern recognition: a cell biological perspective, *Ann Rev Immunol* 33:257–290, 2015. [*Excelente revisão da estrutura e biologia dos receptores da imunidade inata*].

Goubau D, Deddouche S, Reis E et al: Cytosolic sensing of viruses, *Immunity* 38:855–869, 2013. [*Excelente revisão dos numerosos mecanismos usados pelas células para reconhecer DNA e RNA virais*].

Manthiram K, Zhou Q, Aksentijevich I et al: The monogenic autoinflammatory diseases define new pathways in human innate immunity and inflammation, *Nat Immunol* 18:832–842, 2017. [*Revisão abrangente das doenças causadas por mutações em vias relacionadas ao inflamassomo e o que elas nos ensinam sobre essas vias*].

Pandey S, Kawai T, Akira S: Microbial sensing by Toll-like receptors and intracellular nucleic acid sensors. *Cold Spring Harb Persp Biol* 7:a016246, 2014. [*Excelente revisão dos receptores usados pelo sistema imune inato para detectar microrganismos*].

Imunidade mediada por células
O'Shea JJ, Paul WE: Mechanisms underlying lineage commitment and plasticity of helper CD4+ T cells, *Science* 327:1098–1102, 2010. [*Excelente revisão do desenvolvimento de funções das subpopulações de células T auxiliares e incertezas na área*].

Raphael I, Nalawade S, Eagar TN et al: T cell subsets and their signature cytokines in autoimmune and inflammatory diseases, *Cytokine* 74:5–17, 2015. [*Visão geral das subpopulações de células T auxiliares e as funções de suas citocinas*].

Imunidade humoral
Crotty S: T follicular helper cell biology: a decade of discovery and diseases, *Immunity* 50:1132–1148, 2019. [*Discussão das propriedades e geração das células T auxiliares foliculares e seus papéis na produção de anticorpos e autoimunidade*].

Goodnow CC, Vinuesa CG, Randall KL et al: Control systems and decision making for antibody production, *Nat Immunol* 11:681–688, 2010. [*Excelente discussão dos principais pontos de controle do processo de produção de anticorpos*].

Hipersensibilidade imediata, alergia
Galli SJ, Tsai M: IgE and mast cells in allergic disease, *Nat Med* 18:693–704, 2012. [*Excelente revisão dos papéis do anticorpo IgE e mastócitos em doenças alérgicas crônicas*].

Kauffmann F, Demenais F: Gene-environment interactions in asthma and allergic diseases: challenges and perspectives, *J Allergy Clin Immunol* 130:1229–1240, 2012. [*Discussão cuidadosa das complexas interações entre genes de suscetibilidade e influências ambientais que podem estar subjacentes às doenças alérgicas*].

Lambrecht BN, Hammad H: The immunology of asthma, *Nat Immunol* 16:45–56, 2015. [*Discussão abrangente dos papéis das células Th2, citocinas e outras células do sistema imunológico no desenvolvimento e resolução da asma*].

Portelli MA, Hodge E, Sayers I: Genetic risk factors for the development of allergic disease identified by genome-wide association, *Clin Exp Allergy* 45:21–31, 2015. [*Resumo das associações genéticas identificadas na asma e outras doenças alérgicas e seu significado potencial*].

Outras reações de hipersensibilidade
Jancar S, Sanchez Crespo M: Immune complex–mediated tissue injury: a multistep paradigm, *Trends Immunol* 26:48–55, 2005. [*Resumo dos mecanismos de lesão tecidual mediados por imunocomplexos*].

Sturfelt G, Truedsson L: Complement in the immunopathogenesis of rheumatic disease, *Nat Rev Rheumatol* 8:458–468, 2012. [*Revisão das deficiências do complemento e o papel do sistema complemento nas doenças autoimunes*].

Weaver CT, Elson CO, Fouser LA et al: The Th17 pathway and inflammatory diseases of the intestines, lungs, and skin, *Annu Rev Pathol Mech Dis* 8:477–512, 2013. [*Discussão detalhada da biologia das células Th17 e seu envolvimento nas doenças inflamatórias*].

Tolerância imunológica
Cheng M, Anderson MS: Thymic tolerance as a key brake on autoimmunity, *Nat Immunol* 19:659–664, 2018. [*Excelente revisão da seleção tímica como um mecanismo de autotolerância*].

Dominguez-Villar M, Hafler DA: Regulatory T cells in autoimmune disease, *Nat Immunol* 19:665–673, 2018. [*Revisão que discute as anormalidades das células T reguladoras que podem contribuir para a autoimunidade*].

Mueller DL: Mechanisms maintaining peripheral tolerance, *Nat Immunol* 11:21–27, 2010. [*Discussão sobre os mecanismos de tolerância periférica com ênfase nas células T*].

Ohkura N, Kitagawa Y, Sakaguchi S: Development and maintenance of regulatory T cells, *Immunity* 38:414–423, 2013. [*Excelente revisão dos mecanismos moleculares subjacentes à geração, manutenção e estabilidade das células T reguladoras*].

Schildberg FA, Klein SR, Freeman GJ et al: Coinhibitory pathways in the B7-CD28 ligand-receptor family, *Immunity* 44:955–972, 2016. [*Excelente revisão dos coinibidores e seus papéis em doenças autoimunes e progressão do câncer*].

Schwartz RH: Historical overview of immunological tolerance, *Cold Spring Harb Perspect Biol* 4:2012. a006908. [*Resumo cuidadoso dos mecanismos de tolerância, os estudos experimentais por trás da elucidação desses mecanismos e como eles podem sofrer disrupção para dar origem à autoimunidade*].

Mecanismos de autoimunidade: aspectos gerais

Bach J-F: The hygiene hypothesis in autoimmunity: the role of pathogens and commensals, *Nat Rev Immunol* 18:105–120, 2018. [*Atualização sobre a contribuição dos microrganismos para o desenvolvimento da autoimunidade*].

Cheng MH, Anderson MS: Monogenic autoimmunity, *Annu Rev Immunol* 30:393–427, 2012. [*Excelente revisão das síndromes de autoimunidade causadas por mutações de genes únicos e o que elas nos ensinam sobre as vias de tolerância imunológica*].

Dendrou CA, Petersen J, Rossjohn J et al: HLA variation and disease, *Nat Rev Immunol* 18:325–339, 2018. [*Excelente revisão de como os polimorfismos de HLA pode contribuir para doenças autoimunes*].

Goodnow CC: Multistep pathogenesis of autoimmune disease, *Cell* 130:25, 2007. [*Excelente discussão dos pontos de controle (checkpoints) que previnem a autoimunidade e porque eles podem falhar*].

Inshaw JRJ, Cutler AJ, Burren OS et al: Approaches and advances in the genetic causes of autoimmunity and their implications, *Nat Immunol* 19:674–684, 2018. [*Revisão das associações genéticas com doenças autoimunes e como elas podem ser analisadas*].

Lenardo M, Lo B, Lucas CL: Genomics of immune diseases and new therapies, *Ann Rev Immunol* 34:121–149, 2016. [*Excelente revisão das causas genéticas da autoimunidade*].

Marson A, Housley WJ, Hafler DA: Genetic basis of autoimmunity, *J Clin Invest* 125:2234–2241, 2015. [*Revisão dos genes associados a autoimunidade*].

Mathis D, Benoist C: Microbiota and autoimmune disease: the hosted self, *Cell Host Microbe* 10:297–301, 2011. [*Revisão sobre a evidência de que o microbioma influencia a ativação imunológica e a autoimunidade, bem como a relevância desses achados para as doenças autoimunes humanas*].

Theofilopoulos A, Kono DH, Baccala R: The multiple pathways to autoimmunity, *Nat Immunol* 18:716–724, 2017. [*Resumo das aberrações imunológicas que podem causar autoimunidade*].

Lúpus eritematoso sistêmico

Crow MK, Olferiev M, Kirou K: Type I interferons in autoimmune disease, *Ann Rev Pathol Mech Dis* 14:369–393, 2019. [*Revisão do papel recentemente descoberto dos interferons no LES e outras doenças autoimunes, bem como o potencial dessa família de citocinas como alvo para terapia*].

Kaul A, Gordon C, Crow MK et al: Systemic lupus erythematosus, *Nat Rev Dis Primers* 2:16039, 2016. [*Excelente revisão das características clínicas e patogênese do lúpus*].

Maria NI, Davidson A: Emerging areas for therapeutic discovery in SLE, *Curr Opin Immunol* 55:1–8, 2018. [*Excelente revisão dos recentes avanços na compreensão da genética do lúpus e dos papéis das respostas imunes inatas e adaptativas na doença, bem como esses avanços estão moldando o desenvolvimento de novas terapias*].

Síndrome de Sjögren, esclerose sistêmica e outras doenças autoimunes

Jennette JC, Falk RJ, Hu P et al: Pathogenesis of antineutrophil cytoplasmic autoantibody-associated small-vessel vasculitis, *Annu Rev Pathol* 8:139–160, 2013. [*Revisão abrangente das características clínicas e patológicas e da patogênese da vasculite dos pequenos vasos*].

Katsumoto TR, Whitfield ML, Connolly MK: The pathogenesis of systemic sclerosis, *Annu Rev Pathol Mech Dis* 6:509–537, 2011. [*Excelente revisão da patogênese da esclerose sistêmica e das muitas questões não respondidas*].

Mahajan VS, Mattoo H, Deshpande V et al: IgG4-related disease, *Annu Rev Pathol Mech Dis* 9:315–347, 2014. [*Excelente revisão das características clínicas e patológicas e provável patogênese autoimune de uma doença fibrótica multissistêmica recentemente identificada*].

Mavragani CP: Mechanisms and new strategies for primary Sjogren's Syndrome, *Annu Rev Med* 68:331–343, 2017. [*Revisão da patogênese e das características clínicas da síndrome de Sjögren*].

Pattanaik D, Brown M, Postlethwaite BC et al: Pathogenesis of systemic sclerosis, *Front Immunol* 6:272, 2015. [*Discussão dos conceitos atuais da patogênese da esclerose sistêmica*].

Rejeição de transplantes

Mitchell RN: Graft vascular disease: immune response meets the vessel wall, *Annu Rev Pathol Mech Dis* 4:19–47, 2009. [*Revisão dos mecanismos que levam à doença vascular na rejeição crônica ao enxerto*].

Nagy ZA: Alloreactivity: an old puzzle revisited, *Scand J Immunol* 75:463–470, 2012. [*Discussão ponderada sobre a evolução das ideias sobre alorreconhecimento e a compreensão atual do fenômeno*].

Nankivell BJ, Alexander SI: Rejection of the kidney allograft, *N Engl J Med* 363:1451, 2010. [*Boa revisão dos mecanismos de reconhecimento e rejeição dos aloenxertos e o desenvolvimento de novas estratégias para o tratamento da rejeição*].

Valenzuela NM, Reed EF: Antibody-mediated rejection across solid organ transplants: manifestations, mechanisms, and therapies, *J Clin Invest* 127:2492–2504, 2017. [*Revisão do papel dos anticorpos na rejeição de transplantes*].

Wood KJ, Goto R: Mechanisms of rejection: current perspectives, *Transplantation* 93:1–10, 2012. [*Excelente revisão das etapas do reconhecimento de aloantígenos e da ativação de linfócitos alorreativos, bem como dos mecanismos de rejeição do enxerto*].

Doenças por imunodeficiência primária

Casanova JL, Abel L: Human genetics of infectious diseases: unique insights into immunological redundancy, *Semin Immunol* 36:1–12, 2018. [*Revisão cuidadosa sobre a base genética das doenças de imunodeficiência primária, com foco nas manifestações clínicas restritas de muitos desses distúrbios*].

Durandy A, Kracker S, Fischer A: Primary antibody deficiencies, *Nat Rev Immunol* 13:519–533, 2013. [*Resumo das imunodeficiências primárias que afetam as células B*].

Fischer A, Notarangelo LD, Neven B et al: Severe combined immunodeficiencies and related disorders, *Nat Rev Dis Primers* 1:15061, 2015. [*Revisão da patogênese e características clínicas da imunodeficiência combinada grave*].

Parvaneh N, Casanova JL, Notarangelo LD et al: Primary immunodeficiencies: a rapidly evolving story, *J Allergy Clin Immunol* 131:314–323, 2013. [*Excelente revisão das síndromes de imunodeficiência primária recentemente descritas*].

HIV e AIDS

Douek DC, Roederer M, Koup RA: Emerging concepts in the immunopathogenesis of AIDS, *Annu Rev Med* 60:471, 2009. [*Discussão equilibrada sobre a patogênese da AIDS incluindo questões não resolvidas*].

Cohen MS, Shaw GM, McMichael AJ et al: 1 infection, *N Engl J Med* 364:1943–1954, 2011. [*Excelente resumo da fase inicial da infecção pelo HIV e das respostas do hospedeiro ao vírus*].

Moir S, Chun TW, Fauci AS: Pathogenic mechanisms of HIV disease, *Annu Rev Pathol Mech Dis* 6:223–248, 2011. [*Discussão dos mecanismos pelos quais o HIV causa imunodeficiência*].

Amiloidose

Buxbaum JN, Linke RP: A molecular history of the amyloidoses, *J Mol Biol* 421:142–159, 2012. [*Revisão cuidadosa sobre como nossa compreensão das proteínas amiloides e seu papel na doença evoluiu, bem como os estudos moleculares que levaram aos conceitos atuais*].

Merlini G, Dispenzieri A, Sanchorawala V et al: Systemic immunoglobulin light chain amyloidosis, *Nat Rev Dis Primers* 4:38, 2018. [*Revisão da patogênese e características clínicas da forma AL (amiloide de cadeia leve) da amiloidose*].

Westermark GT, Fandrich M, Westermark P: AA amyloidosis: pathogenesis and targeted therapies, *Ann Rev Pathol Mech Dis* 10:321, 2015. [*Excelente revisão da patogênese e características clínicas de uma das principais formas de amiloidose*].

Dogan A: Amyloidosis: insights from proteomics, *Annu Rev Pathol Mech Dis* 12:277–304, 2017. [*Visão geral da bioquímica do amiloide e a identificação de diferente formas de amiloidose*].

CAPÍTULO 7

Neoplasia

SUMÁRIO DO CAPÍTULO

Nomenclatura, 274
Tumores benignos, 274
Tumores malignos, 275
Tumores mistos, 275

Características das neoplasias benignas e malignas, 276
Diferenciação e anaplasia, 276
Metaplasia, displasia e carcinoma in situ, 278
Invasão local, 279
Metástase, 279
Vias de disseminação, 280

Epidemiologia do câncer, 283
Impacto global do câncer, 283
Fatores ambientais, 284
Idade, 286
Condições predisponentes adquiridas, 287
Predisposição genética e interações entre fatores ambientais e hereditários, 288

Base molecular do câncer: papel das alterações genéticas e epigenéticas, 288
Marcas registradas celulares e moleculares do câncer, 290
Autossuficiência nos sinais de crescimento: oncogenes, 291

Oncoproteínas e crescimento celular, 293
Insensibilidade à inibição do crescimento: genes supressores de tumor, 298
Alterações metabólicas promotoras do crescimento: o efeito Warburg, 307
Evasão da morte celular, 310
Potencial de replicação ilimitado: as propriedades similares às "células-tronco" das células cancerosas, 311
Angiogênese, 313
Invasão e metástase, 314
Invasão da matriz extracelular, 314
Disseminação vascular, endereçamento (homing) e colonização, 316
Evasão da vigilância imunológica, 317
Antígenos tumorais, 318
Mecanismos efetores antitumorais, 319
Mecanismos de evasão imune dos cânceres, 320
Instabilidade genômica, 322
Inflamação facilitadora do câncer, 324
Desregulação dos genes associado ao câncer, 325
Alterações cromossômicas, 325

Alterações epigenéticas, 327
RNA não codificantes e câncer, 329
Base molecular da carcinogênese sequencial ou em múltiplas etapas, 329

Agentes carcinogênicos e suas interações celulares, 329
Carcinogênese química, 330
Carcinógenos de ação direta, 331
Carcinógenos de ação indireta, 331
Carcinogênese por radiação, 332
Raios ultravioleta, 332
Radiação ionizante, 332
Carcinogênese microbiana, 333
Vírus oncogênicos de RNA, 333
Vírus oncogênicos de DNA, 333
Helicobacter pylori, 336

Aspectos clínicos da neoplasia, 337
Manifestações clínicas, 337
Gradação e estadiamento dos tumores, 340
Diagnóstico laboratorial do câncer, 340
Perfis moleculares dos tumores: o futuro diagnóstico do câncer, 343
Marcadores tumorais, 345

O câncer constitui a segunda causa de morte nos EUA, e apenas as doenças cardiovasculares cobram um preço mais alto. Ainda mais angustiante do que a taxa de mortalidade é o sofrimento emocional e físico infligido pelo câncer. Os pacientes e o público perguntam com frequência: "Quando haverá uma cura para essa doença?". A resposta a essa questão é difícil, visto que o câncer não é uma doença única, mas envolve distúrbios com patogêneses, históricos e respostas ao tratamento amplamente diferentes. Alguns tipos de câncer, como o linfoma de Hodgkin, são passíveis de cura, enquanto outros, como o adenocarcinoma pancreático, costumam ser fatais. A única esperança de controle do câncer está em aprender mais sobre as suas causas e sua patogênese. Felizmente, foram alcançados grandes avanços na compreensão de sua base molecular, e surgiram algumas boas notícias: nos EUA, a mortalidade por câncer, tanto em homens quanto em mulheres, diminuiu durante a última década do século 20 e continua declinando no século 21.

Neste capítulo, descreveremos o vocabulário da biologia e patologia dos tumores e, em seguida, analisaremos as características morfológicas que definem a neoplasia e permitem a identificação e diferenciação dos tumores benignos e malignos. Analisaremos também a epidemiologia do câncer, que fornece uma medida de seu impacto nas populações humanas, bem como pistas sobre suas causas ambientais, com novas percepções que levaram a campanhas de prevenção efetivas contra determinados tipos de câncer. Com base nesses fundamentos, discutiremos em seguida as propriedades biológicas dos tumores e a base molecular da carcinogênese, destacando o papel fundamental desempenhado pelas alterações genéticas no desenvolvimento da neoplasia. Por fim, discutiremos o diagnóstico do câncer, tendo como foco as novas tecnologias que ajudam a orientar o uso de fármacos antineoplásicos que são direcionados para lesões moleculares específicas. Em todo o capítulo, apresentamos exemplos de novos métodos analíticos e terapias que não apenas estão modificando nossa abordagem ao tratamento das neoplasias mas que também estão fornecendo novas percepções sobre a fisiopatologia do câncer.

Nomenclatura

O termo *neoplasia* significa "novo crescimento", e a coleção de células e estroma que compõem um novo crescimento é designada como *neoplasma*. O termo *tumor* referia-se originalmente ao edema causado pela inflamação, porém agora passou a ser usado como sinônimo de neoplasma.[1] A *oncologia* (do grego *oncos* = tumor) é o estudo dos tumores ou neoplasias. Embora os médicos saibam o que querem dizer quando empregam o termo *neoplasia*, tem sido difícil elaborar uma definição precisa. Na era moderna, uma neoplasia é definida como um distúrbio genético do crescimento celular, que é desencadeado por mutações adquiridas ou, com menos frequência, herdadas, que afetam uma única célula ou sua progênie clonal. Conforme discutido mais adiante, essas mutações causadoras alteram a função de determinados genes e proporcionam às células neoplásicas uma vantagem de sobrevivência e crescimento, resultando em proliferação excessiva, que é independente dos sinais de crescimento e controles fisiológicos.

Todos os tumores são formados por dois componentes: (1) células neoplásicas, que constituem o parênquima tumoral; e (2) estroma reativo, composto de tecido conjuntivo, vasos sanguíneos e células do sistema imune inato e adaptativo. A classificação dos tumores e seu comportamento biológico baseiam-se sobretudo no componente parenquimatoso; entretanto, seu crescimento e sua propagação dependem fundamentalmente de seu estroma. Em alguns tumores, o tecido conjuntivo é escasso, e a neoplasia é de consistência macia e carnosa. Em outros casos, as células do parênquima estimulam a formação de estroma colagenoso abundante, designado como *desmoplasia*. Alguns tumores desmoplásicos – por exemplo, alguns cânceres da mama feminina – são duros como pedra ou *cirrosos*.

---

[1] N.R.T.: Em nosso meio, os termos neoplasma e neoplasia também são utilizados como sinônimos, motivo pelo qual utilizaremos o último neste capítulo.

Tumores benignos

Os tumores benignos permanecem restritos ao seu local de origem e, em geral, são passíveis de remoção cirúrgica. De modo previsível, o paciente costuma sobreviver. Entretanto, surgem exceções quando tumores benignos ocorrem em locais vulneráveis, como o encéfalo; por conseguinte, até mesmo os tumores "benignos" podem causar morbidade significativa e, algumas vezes, são até mesmo fatais.

A designação dos tumores benignos de células mesenquimais é simples; em geral, acrescenta-se o sufixo "-oma" ao nome do tipo de célula a partir do qual se origina o tumor. Assim, um tumor benigno de células semelhantes aos fibroblastos é denominado *fibroma*, enquanto um tumor cartilaginoso benigno é denominado *condroma*, e assim por diante. A nomenclatura dos tumores epiteliais benignos é mais complexa; alguns são classificados com base em sua célula de origem, enquanto outros, com base em sua aparência microscópica, e outros, ainda, com base em sua arquitetura macroscópica. O termo *adenoma* é aplicado a neoplasias epiteliais benignas derivadas de tecidos glandulares, mesmo quando as células tumorais não formam estruturas glandulares. Assim, uma neoplasia epitelial benigna que surge a partir de células tubulares renais e forma glândulas densamente agrupadas e uma massa de células do córtex suprarrenal que cresce como lâmina sólida são ambas designadas como adenomas. As neoplasias epiteliais benignas que produzem projeções digitiformes ou verrucosas a partir da superfície epitelial são denominadas *papilomas*, enquanto as que formam grandes massas císticas, como as que ocorrem no ovário, são referidas como *cistadenomas*. Alguns tumores produzem projeções papilares que fazem protrusão nos espaços císticos e são denominados cistadenomas papilares. Quando uma neoplasia – benigna ou maligna – gera uma projeção macroscopicamente visível acima de uma superfície mucosa, por exemplo, na luz gástrica ou colônica, é denominada *pólipo*. Se o pólipo tiver tecido glandular, ele é denominado pólipo adenomatoso (**Figura 7.1**).

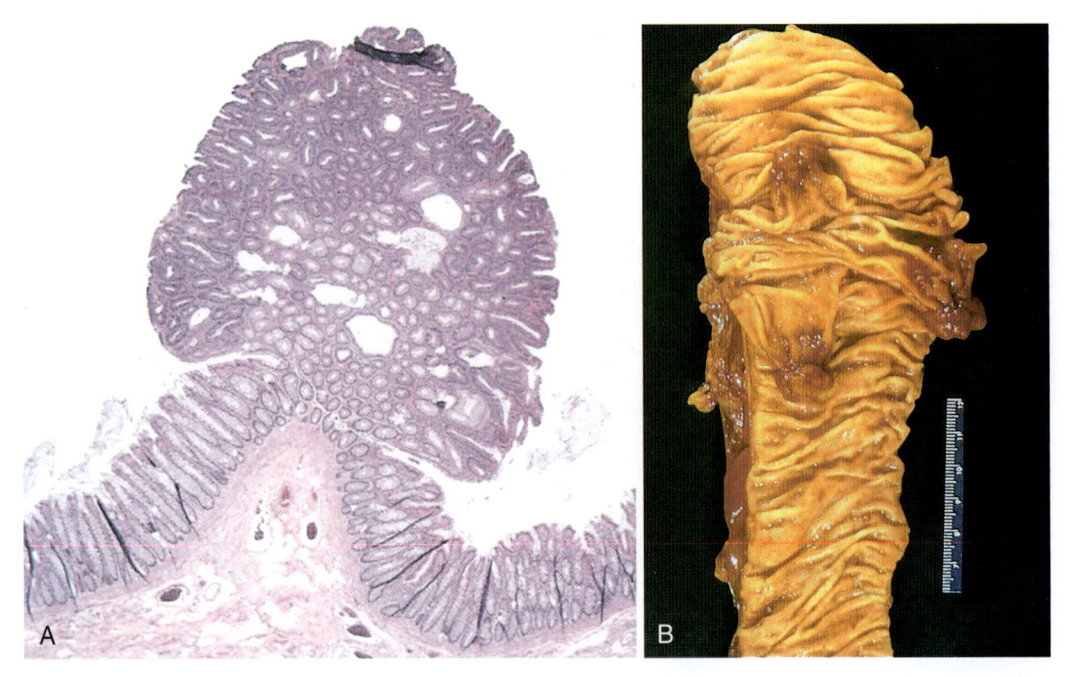

Figura 7.1 Pólipo colônico. **A.** Um pólipo adenomatoso (glandular) projeta-se na luz do cólon e está fixado à mucosa por um pedículo próprio. **B.** Aspecto macroscópico de vários pólipos colônicos.

Tumores malignos

Os tumores malignos podem invadir e destruir estruturas adjacentes e disseminar-se para áreas distantes (metastatizar). Os tumores malignos costumam ser referidos coletivamente como *cânceres*, termo derivado da palavra latina caranguejo, e tendem a aderir a diversas partes por ele apropriadas de maneira obstinada. Nem todos os cânceres seguem uma evolução fatal; alguns são descobertos em estágios iniciais que possibilitam sua excisão cirúrgica, enquanto outros são curados com a administração sistêmica de medicamentos ou anticorpos terapêuticos. Todavia, a designação "maligno" sempre levanta um sinal de alerta.

A nomenclatura dos tumores malignos obedece ao mesmo esquema utilizado para as neoplasias benignas, com alguns acréscimos. Os tumores malignos que surgem em tecidos mesenquimais sólidos costumam ser denominados *sarcomas* (do grego *sar* = carnoso; por exemplo, fibrossarcoma e condrossarcoma), enquanto os que se originam de células formadoras do sangue são designados como *leucemias* (literalmente, sangue branco) ou *linfomas* (tumores de linfócitos ou seus precursores). As neoplasias malignas que se originam de células epiteliais são denominadas *carcinomas*. Os carcinomas podem ser ainda mais qualificados. No *carcinoma de células escamosas*, as células tumorais assemelham-se ao epitélio escamoso estratificado, ao passo que, no *adenocarcinoma*, as células epiteliais neoplásicas crescem de acordo com um padrão glandular. Algumas vezes, o tecido ou órgão de origem pode ser identificado e é acrescentado como descritor, como no adenocarcinoma de células renais ou no carcinoma de células escamosas broncogênico. Em cerca de 2% dos casos, os cânceres são compostos por células de origem desconhecida e precisam ser designados meramente como tumores malignos indiferenciados.

Tumores mistos

Na maioria das neoplasias, as células parenquimatosas assemelham-se; todavia, em alguns tipos de tumores, a presença de mais de uma linhagem de diferenciação é evidente, criando subpopulações distintas de células. Um exemplo clássico é o tumor misto de glândula salivar, que contém componentes epiteliais espalhados dentro de um estroma mixoide que pode conter ilhas de cartilagem ou de osso (**Figura 7.2**). Todos esses elementos originam-se de um único clone neoplásico capaz de produzir células tanto epiteliais quanto mesenquimais; por conseguinte, a designação preferida para essa neoplasia é *adenoma pleomórfico*. A grande maioria das neoplasias, como os tumores mistos, é composta de células de uma única camada germinativa (mesoderma, endoderma ou ectoderma). Uma exceção é o tumor denominado *teratoma*, que contém células maduras ou imaturas reconhecíveis ou tecidos que pertencem a mais de uma camada de células germinativas (e, algumas vezes, todas as três). O teratoma origina-se de células germinativas totipotentes, que costumam estar presentes no ovário e no testículo e, algumas vezes, também são encontradas em restos embrionários anormais da linha média. Essas células podem se diferenciar em qualquer um dos tipos celulares encontrados no corpo, e, portanto, não é surpreendente que possam dar origem a neoplasias que contêm, de forma desorganizada, osso, epitélio, músculo, gordura, nervo e outros tecidos. Observa-se um padrão comum no *teratoma cístico de ovário (cisto dermoide)*, que se diferencia sobretudo ao longo de linhagens ectodérmicas para produzir um tumor cístico revestido de epitélio escamoso repleto de pelos, glândulas sebáceas e estruturas dentárias (**Figura 7.3**).

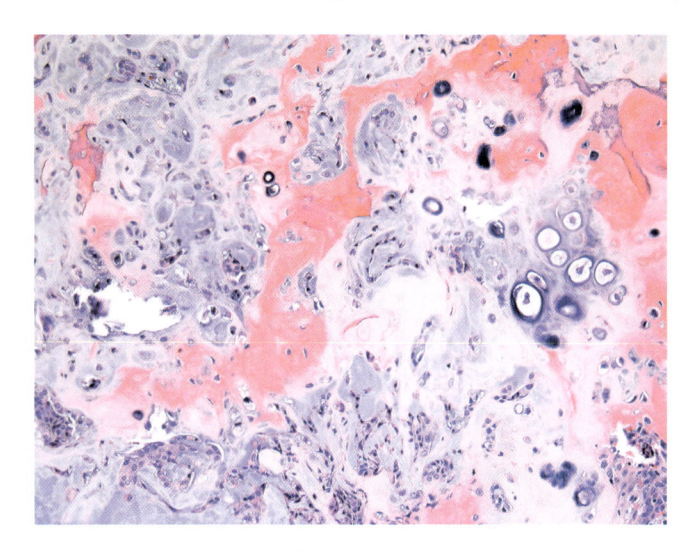

Figura 7.2 Tumor misto da glândula parótida. Nesse campo, observa-se a presença de pequenos ninhos de células epiteliais e estroma mixoide formando cartilagem e osso (uma característica incomum). (Cortesia da Dra. Vicky Jo, Department of Pathology, Brigham and Women's Hospital, Boston, Mass.)

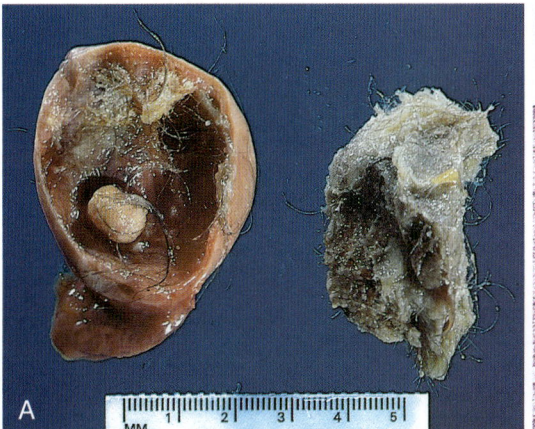

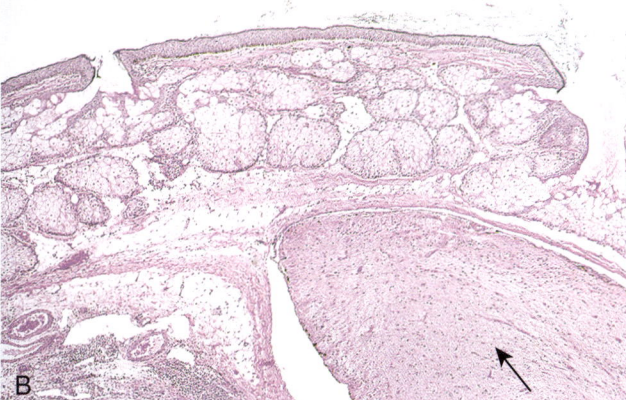

Figura 7.3 A. Aspecto macroscópico de um teratoma cístico aberto do ovário. Observe a presença de pelos, material sebáceo e um dente. **B.** Fotomicrografia de um tumor semelhante mostrando a presença de pele, glândulas sebáceas, células adiposas e um feixe de tecido neural (*seta*).

A nomenclatura dos tipos mais comuns de tumores é apresentada na **Tabela 7.1**. Nessa lista estão incluídos alguns termos inapropriados, porém já enraizados. Por exemplo, as designações que soam benignas, como linfoma, melanoma, mesotelioma e seminoma, são utilizadas para descrever neoplasias malignas. Por outro lado, termos que soam ameaçadores são aplicados a algumas lesões triviais. Os *hamartomas* são massas desorganizadas, compostas por células endógenas do tecido acometido. Outrora considerados uma malformação do desenvolvimento que não merecia a designação "-oma", os hamartomas apresentam, em sua maioria, aberrações cromossômicas clonais, que são adquiridas por meio de mutações somáticas; com base nesse aspecto, são atualmente considerados como neoplasias benignas. O *coristoma* é o termo aplicado a um resto heterotópico (de localização incorreta) de células. Por exemplo, um pequeno nódulo de tecido pancreático bem desenvolvido e organizado pode ser encontrado na submucosa do estômago ou do intestino delgado. O termo *coristoma*, que sugere uma neoplasia, confere a essas lesões uma natureza grave, que ultrapassa de longe seu real significado.

Características das neoplasias benignas e malignas

A diferenciação entre tumores benignos e malignos é uma das distinções mais importantes feitas por um patologista, visto que nada é mais importante para o indivíduo do que saber que um tumor "é benigno". Embora um rosto inocente possa esconder uma natureza horrenda, os tumores benignos e malignos costumam ser distinguidos com base em várias características histológicas e anatômicas (descritas mais adiante). Os tumores malignos também tendem a crescer mais rápido do que os benignos, porém existem tantas exceções que a velocidade de crescimento não representa um discriminador confiável entre natureza benigna e maligna. Na verdade, até mesmo os cânceres apresentam taxas de crescimento bastante variadas, desde tumores de crescimento lento associados a uma sobrevida de muitos anos, geralmente sem tratamento, até tumores de crescimento rápido, que podem ser letais em meses ou semanas.

Diferenciação e anaplasia

A diferenciação refere-se ao grau com que as células parenquimatosas neoplásicas se assemelham às células normais correspondentes do parênquima, tanto do ponto de vista morfológico quanto do funcional; a ausência de diferenciação é denominada *anaplasia*. Em geral, os tumores benignos são bem diferenciados (**Figuras 7.4 e 7.5**). As células neoplásicas de um lipoma, uma proliferação benigna de adipócitos, podem assemelhar-se tanto aos adipócitos normais que são irreconhecíveis como a um tumor ao exame microscópico. Apenas o crescimento dessas células em uma massa distinta revela sua natureza neoplásica. Pode-se chegar tão perto da árvore a ponto de perder de vista a floresta. Nos tumores benignos bem diferenciados, as mitoses são raras e de configuração normal.

Em contrapartida, **as neoplasias malignas exibem, em sua maioria, alterações morfológicas que revelam seu potencial de comportamento agressivo**. Nos tumores diferenciados, essas características podem ser muito sutis. Os adenocarcinomas de tireoide bem diferenciados, por exemplo, formam folículos de

Tabela 7.1 Nomenclatura dos tumores.

Tecido de origem	Benigno	Maligno
Composto por um tipo celular parenquimatoso		
Tumores de origem mesenquimal		
Tecido conjuntivo e derivados	Fibroma Lipoma Condroma Osteoma	Fibrossarcoma Lipossarcoma Condrossarcoma Sarcoma osteogênico ou osteossarcoma
Vasos e revestimentos de superfície		
Vasos sanguíneos	Hemangioma	Angiossarcoma
Vasos linfáticos	Linfangioma	Linfangiossarcoma
Mesotélio	Tumor fibroso benigno	Mesotelioma
Revestimentos do encéfalo	Meningioma	Meningioma invasivo
Células do sangue e tipos celulares relacionados		
Células hematopoéticas		Leucemias
Tecido linfoide		Linfomas
Músculo		
Liso	Leiomioma	Leiomiossarcoma
Estriado	Rabdomioma	Rabdomiossarcoma
Tumores de origem epitelial		
Escamoso estratificado	Papiloma de células escamosas	Carcinoma de células escamosas
Células basais da pele ou anexos		Carcinoma basocelular
Melanócitos	Nevo	Melanoma maligno
Revestimento epitelial das glândulas e ductos	Adenoma Papiloma Cistadenoma	Adenocarcinoma Carcinomas papilares Cistadenocarcinoma
Vias respiratórias	Adenoma brônquico	Carcinoma broncogênico
Epitélio renal	Adenoma tubular renal	Carcinoma de células renais
Células hepáticas	Adenoma hepático	Carcinoma hepatocelular
Epitélio do trato urinário (epitélio transicional)	Papiloma de células transicionais	Carcinoma de células transicionais
Epitélio placentário	Mola hidatiforme	Coriocarcinoma
Epitélio testicular (células germinativas)		Seminoma Carcinoma embrionário
Tumores mistos – mais de um tipo de células neoplásicas, normalmente derivados de uma camada de células germinativas		
Glândulas salivares	Adenoma pleomórfico (tumor misto de origem salivar)	Tumor misto maligno de origem na glândula salivar
Broto renal		Tumor de Wilms
Derivado de mais de um tipo de células neoplásicas de mais de uma camada de células germinativas – teratogênico		
Células totipotentes nas gônadas ou em restos embrionários	Teratoma maduro, cisto dermoide	Teratoma imaturo, teratocarcinoma

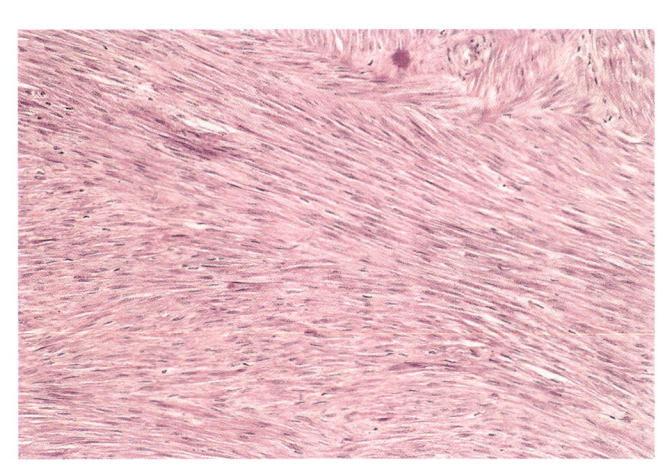

Figura 7.4 Leiomioma do útero. Esse tumor benigno bem diferenciado contém feixes entrelaçados de células musculares lisas neoplásicas, que têm aparência idêntica às células musculares lisas normais do miométrio.

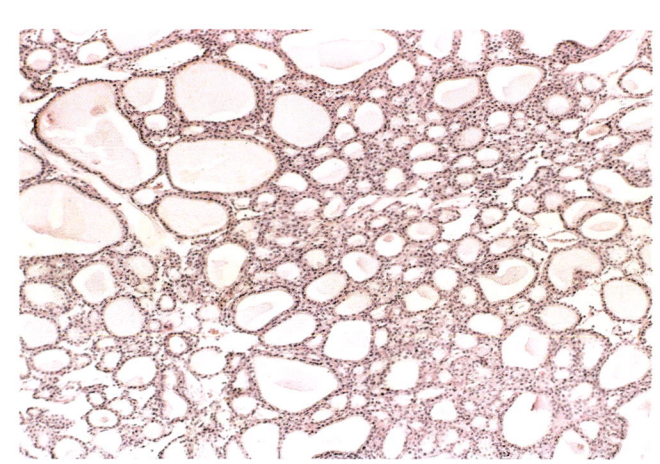

Figura 7.5 Tumor benigno (adenoma) da tireoide. Observe os folículos da tireoide repletos de coloide e de aparência normal (bem diferenciados). (Cortesia do Dr. Trace Worrell, University of Texas Southwestern Medical School, Dallas, Tex.)

aspecto normal, e alguns carcinomas de células escamosas contêm células que parecem idênticas às células epiteliais escamosas normais (**Figura 7.6**). A natureza maligna desses tumores é revelada pela invasão dos tecidos adjacentes e por sua capacidade de metastatizar. Na outra extremidade do espectro encontram-se os tumores pouco diferenciados e altamente anaplásicos, que exibem pouca ou nenhuma evidência de diferenciação (**Figura 7.7**), uma característica morfológica altamente preditiva de comportamento maligno. Entre os dois extremos encontram-se tumores genericamente referidos como moderadamente diferenciados (**Figura 7.8**).

Além da anaplasia, as células cancerosas costumam exibir outras alterações morfológicas indicadoras:

- *Pleomorfismo.* O pleomorfismo refere-se a uma variação no tamanho e no formato das células. Assim, as células dentro do mesmo tumor não são uniformes, porém variam desde pequenas células com aspecto indiferenciado até *células gigantes tumorais*, muitas vezes maiores do que as células vizinhas. Algumas células gigantes tumorais apresentam um único núcleo polimórfico enorme, enquanto outras podem apresentar dois ou mais núcleos hipercromáticos grandes (**Figura 7.9**). Essas células gigantes não devem ser confundidas com as células de Langerhans ou as células gigantes de corpo estranho inflamatórias, que se originam de macrófagos e contêm muitos núcleos pequenos de aspecto normal
- *Morfologia nuclear anormal.* Caracteristicamente, as células cancerosas apresentam núcleos desproporcionalmente grandes, com uma razão núcleo:citoplasma que pode se aproximar de 1:1, em vez da razão normal de 1:4 a 1:6. A forma do núcleo é variável e, com frequência, irregular, e a cromatina muitas vezes está grosseiramente condensada e distribuída ao longo da membrana nuclear ou apresenta coloração mais escura do que o normal (*hipercromática*). Além disso, é comum a observação de nucléolos anormalmente grandes
- *Mitoses.* Diferentemente dos tumores benignos e de algumas neoplasias malignas bem diferenciadas, os cânceres indiferenciados com frequência apresentam muitas células em mitose, refletindo sua elevada taxa de proliferação. Entretanto, a presença de mitoses não indica um processo maligno. Por exemplo, células que sofrem mitose costumam ser observadas em tecidos

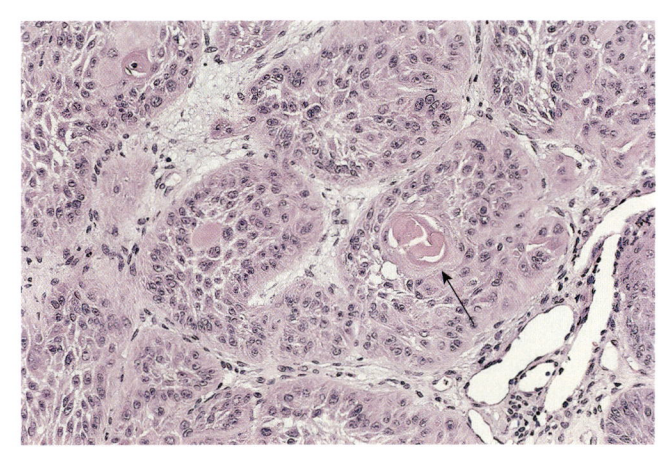

Figura 7.6 Carcinoma espinocelular bem diferenciado da pele. As células tumorais são muito semelhantes às células epiteliais escamosas normais, com pontes intercelulares e ninhos de pérolas de queratina (*seta*). (Cortesia do Dr. Trace Worrell, University of Texas Southwestern Medical School, Dallas, Tex.)

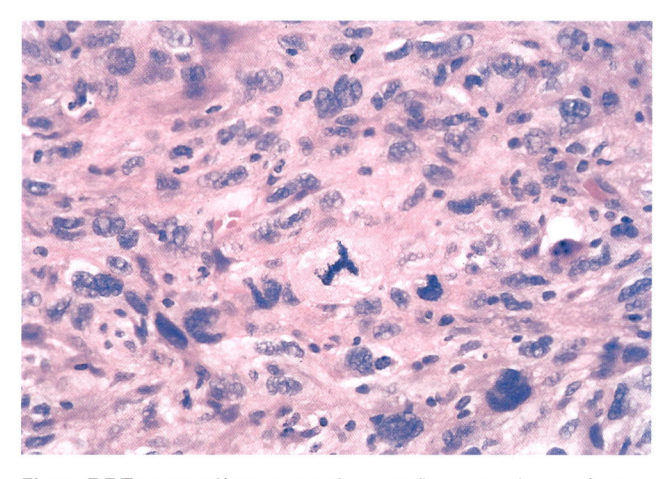

Figura 7.7 Tumor anaplásico mostrando a variação no tamanho e no formato (pleomorfismo) das células e do núcleo. A célula mais proeminente na parte central do campo apresenta um fuso tripolar anormal.

normais que apresentam rápida renovação, como o revestimento epitelial do intestino e as proliferações não neoplásicas, como as hiperplasias. Mais importantes como característica morfológica de neoplasia maligna são as *figuras mitóticas atípicas e bizarras* (ver **Figura 7.8**)

- *Perda da polaridade.* Além das anormalidades citológicas, há uma acentuada alteração na orientação das células anaplásicas entre elas ou com as estruturas de sustentação do tecido, como as membranas basais. Lâminas ou grandes massas de células tumorais crescem de maneira desorganizada
- *Outras alterações.* Enquanto as células tumorais em crescimento precisam ter um suprimento sanguíneo, o estroma vascular é, com frequência, insuficiente; em consequência, muitos cânceres de crescimento rápido desenvolvem áreas de necrose isquêmica.

Como podemos depreender, as células transformadas bem diferenciadas têm maior probabilidade de conservar as capacidades funcionais de suas equivalentes normais. Os tumores benignos quase sempre são bem diferenciados e, com frequência, retêm as funções normais, assim como muitos cânceres bem diferenciados. Por conseguinte, os tumores bem diferenciados de glândulas endócrinas costumam secretar hormônios característicos de sua origem no sangue, onde podem ser detectados e quantificados para diagnosticar e monitorar sua resposta ao tratamento. De modo semelhante, os carcinomas de células escamosas bem diferenciados sintetizam queratina, enquanto os carcinomas hepatocelulares bem diferenciados produzem bile. Por outro lado, os tumores indiferenciados e altamente anaplásicos costumam perder as atividades funcionais especializadas de seu tecido de origem, porém algumas vezes adquirem funções novas e inesperadas. Assim, alguns tumores malignos expressam proteínas fetais que não são produzidas pelas células correspondentes normais do adulto, enquanto outros expressam proteínas que normalmente são encontradas apenas em outros tipos de células. Por exemplo, os carcinomas broncogênicos podem produzir corticotropina, um hormônio semelhante ao paratormônio, insulina, glucagon e outros hormônios, dando origem a síndromes paraneoplásicas (descritas mais adiante).

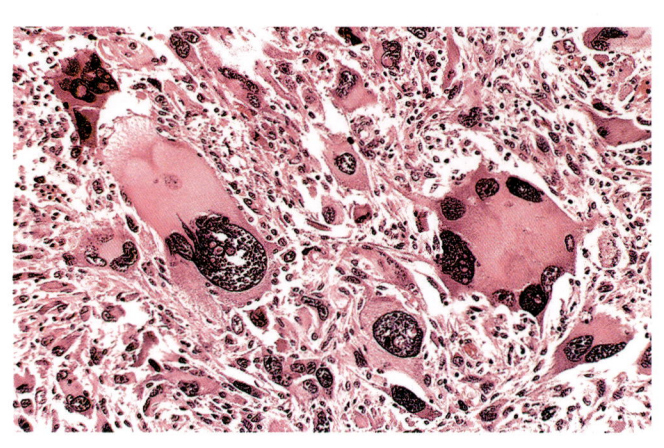

Figura 7.9 Tumor pleomórfico do músculo esquelético (rabdomiossarcoma). Observe o acentuado pleomorfismo celular e nuclear, os núcleos hipercromáticos e as células gigantes tumorais. (Cortesia do Dr. Trace Worrell, University of Texas Southwestern Medical School, Dallas, Tex.)

Metaplasia, displasia e carcinoma in situ

Esses termos descrevem alterações morfológicas reconhecíveis na diferenciação, que representam de maneira variada uma adaptação à lesão crônica (metaplasia), uma alteração pré-maligna (displasia) ou uma neoplasia que ainda não causou invasão (carcinoma *in situ*):

- A *metaplasia* é definida como a substituição de um tipo de célula por outro (ver **Capítulo 2**). A metaplasia quase sempre é encontrada em associação ao dano, reparo e regeneração de tecidos. Com frequência, o tipo celular responsável pela substituição está mais bem adaptado para fazer frente a alguma alteração do ambiente local. Por exemplo, no esôfago de Barrett, o refluxo gastresofágico provoca dano ao epitélio escamoso do esôfago, levando à sua substituição por epitélio glandular (gástrico ou intestinal), mais bem adaptado a um ambiente ácido. Infelizmente, o epitélio metaplásico tem tendência a sofrer transformação maligna. O mesmo é válido para a metaplasia escamosa do epitélio brônquico em tabagistas crônicos, constituindo frequentemente um prelúdio para o desenvolvimento de câncer de pulmão
- *Displasia* significa literalmente "crescimento desordenado". É encontrada sobretudo nas células epiteliais e reconhecida com base em várias alterações morfológicas. As células displásicas podem exibir um considerável pleomorfismo e, com frequência, contêm grandes núcleos hipercromáticos, com alta razão núcleo:citoplasma. Normalmente, as superfícies epiteliais displásicas também exibem uma desorganização da arquitetura e perda da diferenciação ordenada e polaridade tecidual. Por exemplo, no epitélio escamoso displásico, a maturação progressiva normal das células altas na camada basal em células escamosas planas na superfície pode falhar em parte ou por completo, levando à substituição do epitélio por células de aspecto basal, com núcleos hipercromáticos. Além disso, as figuras mitóticas são mais abundantes do que no epitélio escamoso normal e podem ser observadas em toda a espessura do epitélio displásico, em vez de estarem confinadas à camada basal, como normalmente é o caso

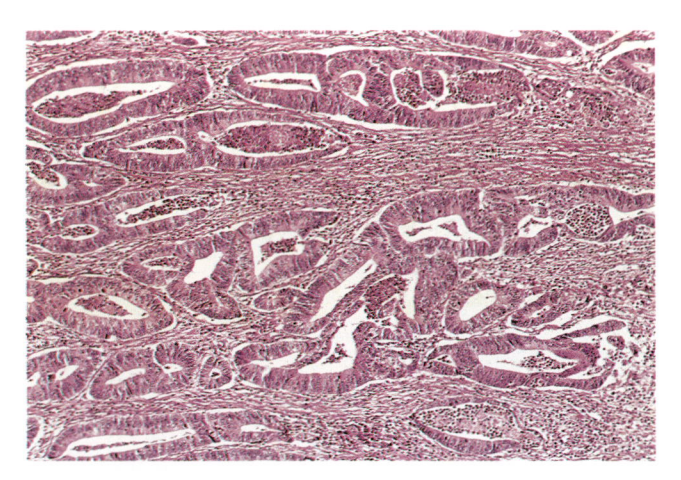

Figura 7.8 Tumor maligno (adenocarcinoma) do cólon. Observe que, em comparação com as glândulas bem formadas e de aspecto normal características de um tumor benigno, as glândulas cancerosas apresentam um formato e tamanho irregulares e não se assemelham às glândulas colônicas normais. Esse tumor é considerado moderadamente diferenciado, visto que é possível observar a formação de glândula. As glândulas malignas invadiram a túnica muscular do cólon. (Cortesia do Dr. Trace Worrell, University of Texas Southwestern Medical School, Dallas, Tex.)

- *Carcinoma* in situ. Quando a displasia é grave e acomete toda a espessura do epitélio, porém a lesão não penetra na membrana basal, é designada como *carcinoma in situ* (**Figura 7.10**). O carcinoma *in situ* é observado com frequência na pele, nas mamas, na bexiga e no colo do útero. Os carcinomas *in situ* exibem todas as características citológicas de um processo maligno e, a não ser que sejam tratados, têm alta probabilidade de progressão para cânceres invasivos.

As alterações displásicas costumam ser encontradas adjacentes a focos de carcinoma invasivo, e, em algumas situações, como no colo do útero, a displasia epitelial grave ou carcinoma *in situ* muitas vezes antecede o aparecimento de câncer. Além disso, algumas mutações associadas ao câncer totalmente desenvolvido (descrito adiante) podem ocorrer em displasia até mesmo "leves". Entretanto, **embora a displasia possa ser um precursor da transformação maligna, ela nem sempre progride para o câncer**. Com a remoção das causas desencadeantes, até mesmo as displasias moderadamente graves podem ser completamente reversíveis. Mesmo o carcinoma *in situ* pode persistir por vários anos antes de se tornar invasivo. Conforme discutido adiante, os cânceres surgem em consequência do acúmulo de mutações, e o período para a evolução de um câncer totalmente desenvolvido a partir de lesões *in situ* costuma estar mais relacionado com o tempo necessário para o acúmulo de todas as mutações envolvidas na indução de um fenótipo totalmente maligno. Por fim, convém assinalar que, enquanto a displasia costuma ocorrer no epitélio metaplásico, nem todo epitélio metaplásico é displásico.

Invasão local

O crescimento dos cânceres é acompanhado de invasão progressiva, destruição do tecido circundante e, por fim, disseminação sistêmica, ao passo que quase todos os tumores benignos crescem como massas expansivas e coesas, que permanecem em seu local de origem e que não possuem capacidade de invadir ou formar metástases a distância. Como os tumores benignos crescem e sofrem expansão lenta, eles costumam desenvolver uma faixa de tecido fibroso comprimido na periferia, denominada cápsula, que os separa do tecido normal circundante. A cápsula do tumor consiste em matriz extracelular (MEC) depositada pelas células do estroma, como fibroblastos, que são ativados por dano hipóxico, em consequência da pressão do tumor em expansão. Essa encapsulação cria um plano tecidual de clivagem, que torna o tumor distinto, prontamente palpável, móvel (não fixo) e de fácil excisão por enucleação cirúrgica (**Figura 7.11**). Entretanto, existem algumas exceções a essa regra. Por exemplo, os hemangiomas (neoplasias benignas compostas por vasos sanguíneos emaranhados) com frequência não são encapsulados e permeiam a região em que surgem (p. ex., a derme da pele e o fígado); quando essas lesões são extensas, podem não ser ressecáveis.

Em contrapartida, os tumores malignos em geral são pouco demarcados em relação ao tecido normal circundante e carecem de planos de clivagem bem definidos (**Figura 7.12**). Os tumores malignos de crescimento lento podem desenvolver uma cápsula fibrosa que aparentemente envolve o tumor e também empurra estruturas normais adjacentes. Todavia, o exame histológico dessas massas "pseudoencapsuladas" quase sempre revela fileiras de células tumorais que penetram na margem e infiltram as estruturas adjacentes, constituindo um padrão de crescimento semelhante a um caranguejo, que corresponde à imagem popular do câncer.

Além do desenvolvimento de metástases, a capacidade de invasão representa a característica mais confiável para distinguir tumores malignos de benignos. A maioria dos tumores malignos não reconhece os limites anatômicos normais. Com o passar do tempo, eles penetram na parede do cólon ou do útero, por exemplo, ou se espalham pela superfície da pele. Essa capacidade de invasão dificulta ou mesmo impossibilita sua ressecção cirúrgica completa e, mesmo que o tumor seja bem circunscrito, é necessário remover uma ampla margem de tecido adjacente aparentemente normal para assegurar uma excisão local completa.

Metástase

A metástase é definida como a disseminação de um tumor para áreas que são fisicamente descontínuas do tumor primário, um evento que marca de maneira inequívoca um tumor como maligno. A capacidade de invasão dos cânceres permite que eles penetrem nos vasos sanguíneos, vasos linfáticos e cavidades

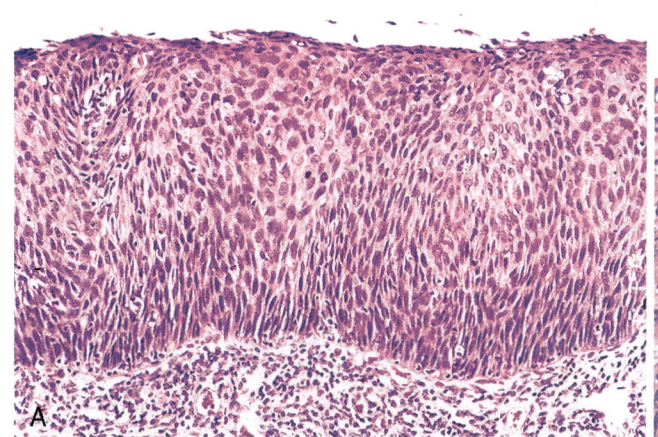

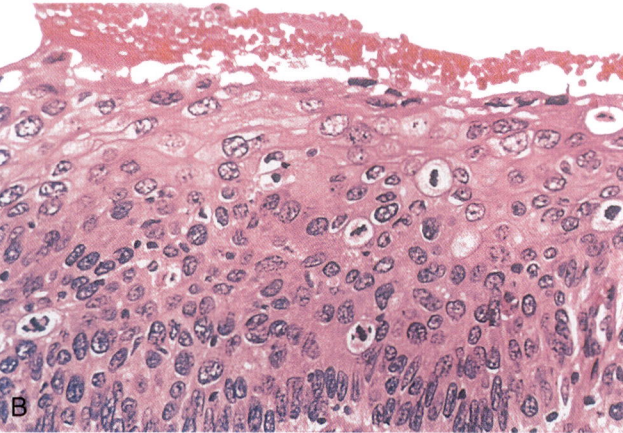

Figura 7.10 A. Carcinoma *in situ*. Essa fotomicrografia em pequeno aumento mostra a substituição total do epitélio por células displásicas atípicas. Não há diferenciação ordenada das células escamosas. A membrana basal está intacta, e não há nenhum tumor no estroma subepitelial. **B.** Essa fotomicrografia em grande aumento de outra região mostra a falha de diferenciação normal, o pleomorfismo nuclear e celular acentuado e numerosas figuras mitóticas que se estendem para a superfície.

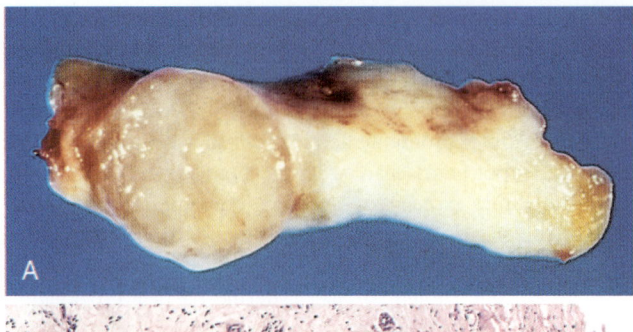

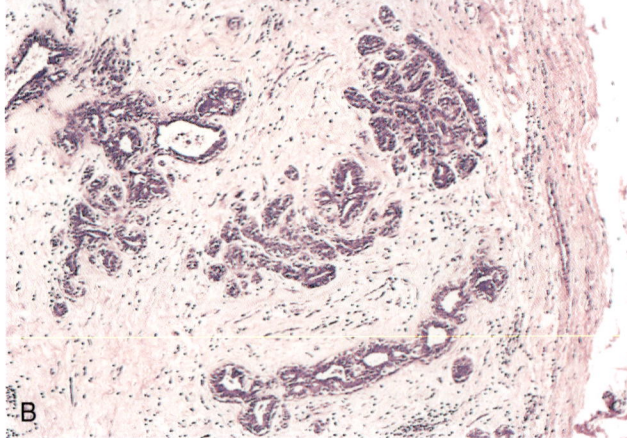

Figura 7.11 Fibroadenoma da mama. **A.** O pequeno tumor encapsulado, de cor castanho-amarelada, é nitidamente demarcado em relação ao tecido mamário mais branco. **B.** Fotomicrografia mostrando que a cápsula fibrosa (*à direita*) delimita o tumor do tecido circundante. (**B,** Cortesia do Dr. Trace Worrell, University of Texas Southwestern Medical School, Dallas, Tex.)

um caso especial. Esses tumores originam-se de células que normalmente têm a capacidade de entrar na corrente sanguínea e alcançar locais distantes. Em consequência, as leucemias e os linfomas (algumas vezes designados como "tumores líquidos") frequentemente estão disseminados por ocasião do diagnóstico e são sempre considerados malignos, diferentemente de todos os outros tumores (os denominados tumores "sólidos"), que derivam de células que normalmente não circulam na corrente sanguínea.

De modo global, cerca de 30% dos tumores sólidos (excluindo os cânceres de pele que não os melanomas) manifestam-se como doença metastática. Em geral, a probabilidade de metástase de um tumor sólido correlaciona-se com outras características de malignidade, como falta de diferenciação, invasão local agressiva, crescimento rápido e tamanho grande. Entretanto, existem inúmeras exceções. As pequenas lesões bem diferenciadas e de crescimento lento algumas vezes metastatizam significativamente; por outro lado, algumas lesões grandes e de crescimento rápido permanecem localizadas durante anos. Por conseguinte, a metástase é um processo complexo e imprevisível, que envolve muitos fatores relacionados tanto com a neoplasia quanto com o hospedeiro (discutidos adiante). A disseminação metastática reduz acentuadamente a possibilidade de cura; por conseguinte, na ausência de prevenção do câncer, nada seria de maior benefício para os pacientes do que uma maneira efetiva de bloquear as metástases, com a importante ressalva de que muitos tumores que matam os pacientes já se disseminaram por ocasião do diagnóstico inicial.

Vias de disseminação

A disseminação dos cânceres ocorre por meio de três vias: (1) implante direto nas cavidades ou superfícies corporais; (2) disseminação linfática; e (3) disseminação hematogênica. Embora possa ocorrer disseminação iatrogênica de células tumorais em instrumentos cirúrgicos – razão pela qual, por exemplo, as biopsias de massas testiculares nunca são realizadas –, é rara e não será discutida com mais detalhes.

Implante em cavidades e superfícies corporais. Ocorre implante em cavidades e superfícies corporais quando uma neoplasia maligna penetra em um "campo aberto" natural que carece

corporais, possibilitando sua disseminação. Todos os tumores malignos podem metastatizar, porém alguns o fazem muito raramente. Os exemplos incluem neoplasias malignas das células gliais do sistema nervoso central, denominadas *gliomas* e carcinomas basocelulares da pele, ambos os quais apresentam invasão precoce em sua evolução, porém raramente metastatizam. É evidente, assim, que as propriedades de invasão e metástases são distintas. Os cânceres do sangue (leucemias e linfomas) representam

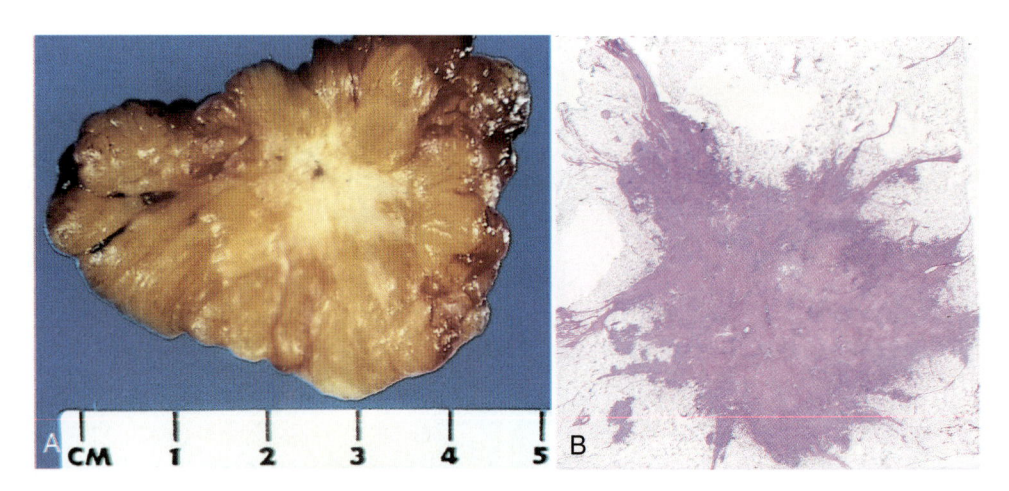

Figura 7.12 Carcinoma ductal invasivo da mama. **A.** Em corte, a lesão está retraída e infiltra o tecido mamário circundante e teria uma consistência endurecida à palpação. **B.** Fotomicrografia de pequeno aumento mostrando as bordas infiltrativas irregulares sem cápsula bem definida e intensa reação estromal (**A,** Cortesia do Dr. Trace Worrell, University of Texas Southwestern Medical School, Dallas, Tex.; **B,** Cortesia da Dra. Susan Lester, Brigham and Women's Hospital, Boston, Mass.)

de barreiras físicas. A cavidade peritoneal é o local acometido com mais frequência (**Figura 7.13**), porém qualquer cavidade corporal – espaços pleural, pericárdico, subaracnóideo e articular – pode ser afetada. Essa semeadura é particularmente característica de carcinomas que se originam nos ovários e que, com frequência, se espalham para as superfícies peritoneais, produzindo um revestimento canceroso denso. É importante ressaltar que as células tumorais podem permanecer confinadas à superfície das vísceras abdominais, sem penetrar em sua substância. Algumas vezes, carcinomas do apêndice secretores de muco ou carcinomas de ovário preenchem a cavidade peritoneal com uma massa neoplásica gelatinosa, designada *pseudomixoma peritoneal*.

Disseminação linfática. **O transporte através dos vasos linfáticos constitui a via mais comum para a disseminação inicial dos carcinomas (Figura 7.14).** Algumas vezes, os sarcomas também utilizam essa via. Os tumores não contêm vasos linfáticos funcionais, porém os vasos linfáticos localizados nas margens dos cânceres invasores são aparentemente suficientes para a disseminação linfática das células tumorais. O padrão de disseminação segue as vias naturais de drenagem linfática. Por exemplo, como os carcinomas de mama costumam surgir nos quadrantes superiores externos, eles em geral se disseminam inicialmente para os linfonodos axilares e, em seguida, para os linfonodos infra e supraclaviculares. Os carcinomas de pulmão que surgem nas vias respiratórias principais metastatizam inicialmente para os linfonodos peri-hilares traqueobrônquicos e mediastinais. Todavia, os linfonodos locais podem não ser acometidos – a denominada metástase saltada – possivelmente pelo fato de que as metástases microscópicas são omitidas ou devido a uma variação nos padrões normais de drenagem linfática.

No câncer de mama, efetua-se um exame dos linfonodos axilares para determinar o prognóstico e selecionar as opções terapêuticas mais apropriadas. Para evitar a morbidade cirúrgica associada a uma dissecção completa dos linfonodos axilares, utiliza-se com frequência uma biopsia dos linfonodos sentinelas para avaliar a presença ou ausência de lesões metastáticas. **Um linfonodo sentinela é definido como "o primeiro linfonodo de uma cadeia linfática regional que recebe o fluxo linfático proveniente do tumor primário".** Pode-se efetuar o mapeamento dos linfonodos sentinelas por meio da injeção de marcadores radioativos ou corantes, e o exame de cortes congelados do linfonodo sentinela realizado durante a cirurgia pode guiar o cirurgião para a terapia apropriada. O exame do linfonodo sentinela também tem sido utilizado para avaliar a disseminação de melanomas, cânceres de cólon e outros tumores.

Em muitos casos, os linfonodos regionais atuam como barreiras efetivas contra a disseminação adicional do tumor, pelo menos durante certo tempo. É concebível que as células, após sua parada dentro do linfonodo, possam ser destruídas por uma resposta imune específica contra o tumor. A resposta imune às células ou antígenos tumorais nos linfonodos de drenagem pode levar a um aumento (hiperplasia) dos linfonodos. Por conseguinte, os linfonodos aumentados nem sempre abrigam metástases, o que pode ser avaliado definitivamente apenas por exame microscópico.

Disseminação hematogênica. **A disseminação hematogênica é típica dos sarcomas, mas também é observada nos carcinomas.** Em geral, as evidências histológicas de invasão de pequenos vasos no local da neoplasia primária constituem uma característica ameaçadora associada à metástase hematogênica. Os vasos acometidos costumam ser pequenas veias, visto que as artérias, com suas paredes mais espessas, são mais resistentes à penetração. Entretanto, pode ocorrer disseminação arterial quando as células tumorais atravessam os leitos capilares pulmonares ou as derivações arteriovenosas pulmonares, ou quando o câncer no pulmão (primário ou metastático) dá origem a êmbolos tumorais.

Diversos fatores influenciam os padrões de metástases vasculares. Com a invasão venosa, as células tumorais transportadas pelo sangue frequentemente se detêm no primeiro leito capilar que elas encontram. É compreensível que o fígado e os pulmões (**Figura 7.15**) sejam afetados com mais frequência por disseminação hematogênica, visto que toda a drenagem da área portal flui para o fígado e todo o sangue da veia cava flui para os pulmões.

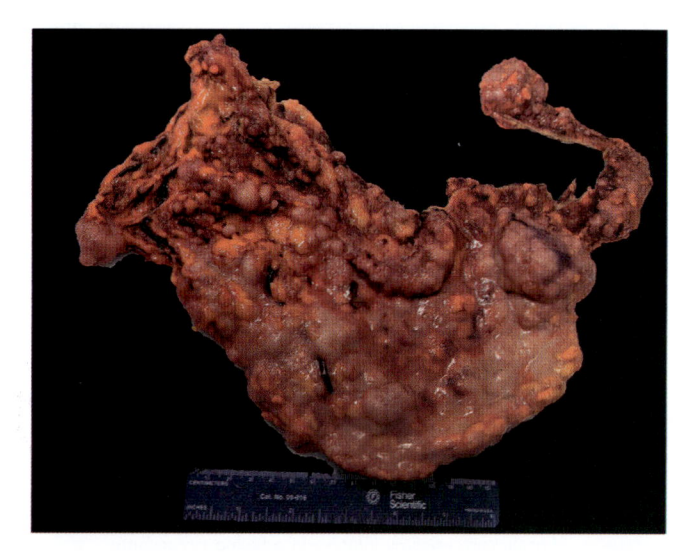

Figura 7.13 Comprometimento do omento por carcinoma de ovário metastático. Inúmeros módulos e um revestimento "vítreo" mais sutil são evidentes, devido à implantação de células do carcinoma no revestimento da cavidade peritoneal. (Cortesia da Dra. Sarah Hill, Brigham and Women's Hospital, Boston, Mass.)

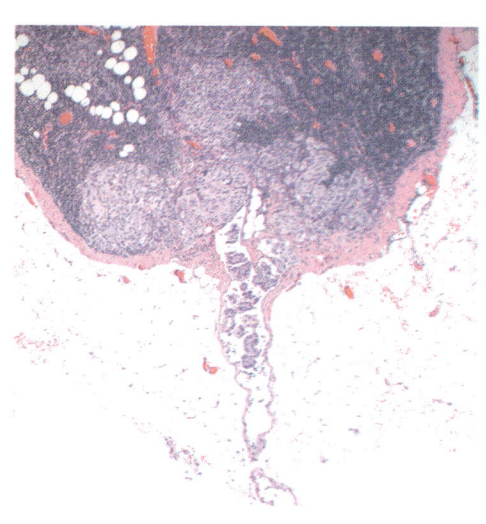

Figura 7.14 Linfonodo axilar com carcinoma de mama metastático. Observe os agregados de células tumorais no tecido linfonodal e o vaso linfático dilatado. (Cortesia da Dra. Susan Lester, Brigham and Women's Hospital, Boston, Mass.)

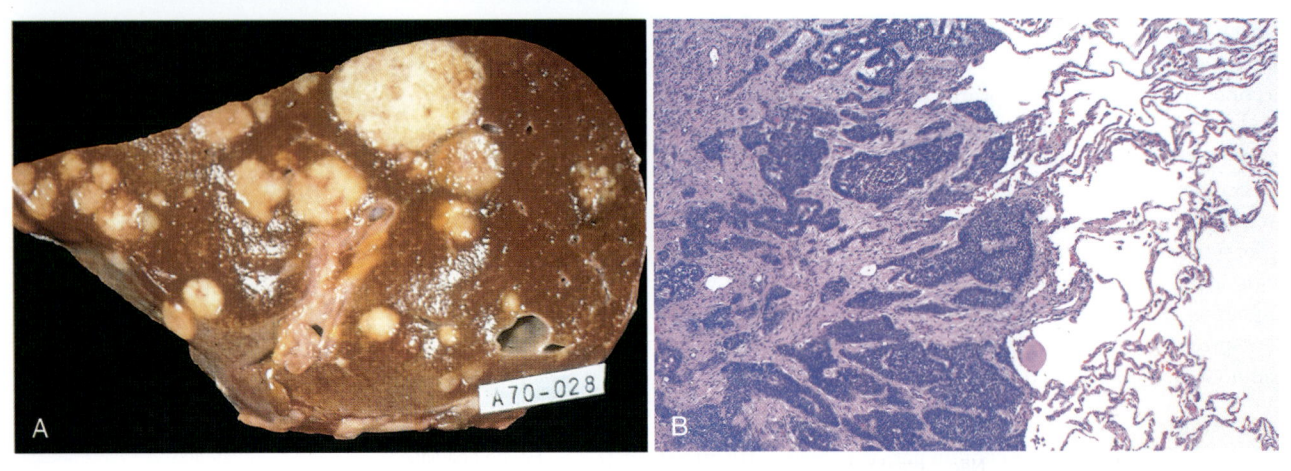

Figura 7.15 Metástase de câncer. **A.** Fígado cravejado com câncer metastático. **B.** Fotomicrografia de metástase pulmonar. Um adenocarcinoma de cólon formou um nódulo metastático no pulmão. (**B,** Cortesia do Dr. Shuji Ogino, Dana Farber Cancer Institute, Boston, Mass.)

Os cânceres que surgem em estreita proximidade com a coluna vertebral costumam embolizar através do plexo paravertebral; essa via produz metástases vertebrais frequentes de carcinomas de tireoide e de próstata. Entretanto, muitas observações sugerem que a localização do tumor primário e suas vias naturais de drenagem venosa não explicam por completo os padrões observados de disseminação metastática, que frequentemente são específicos de cada câncer. Infelizmente, a maioria dos cânceres ainda não leu livros de patologia! A base dos padrões teciduais específicos das metástases é discutida adiante.

Alguns cânceres têm uma curiosa propensão a crescer dentro de grandes veias. Com frequência, o carcinoma de células renais invade os ramos da veia renal e, em seguida, a própria veia renal, crescendo de forma alongada, semelhante a uma cobra, pela veia cava inferior até alcançar, algumas vezes, o lado direito do coração. De modo semelhante, os carcinomas hepatocelulares com frequência penetram em radículas portais e hepáticas e, em seguida, crescem dentro dos canais venosos principais. De maneira notável, esse crescimento intravenoso pode não ser acompanhado de metástase disseminada.

As características que distinguem os tumores benignos dos malignos estão resumidas na **Tabela 7.2** e na **Figura 7.16**. Uma vez concluída a nossa visão geral da morfologia e do comportamento das neoplasias, discutiremos agora sua patogênese, começando com dados coletados de estudos sobre a epidemiologia do câncer.

Conceitos-chave

Características das neoplasias benignas e malignas

- Os tumores benignos e malignos podem ser distinguidos entre si com base no grau de diferenciação, na capacidade de invasão local e disseminação a distância
- Os tumores benignos assemelham-se ao tecido de origem e são bem diferenciados; os tumores malignos são bem menos diferenciados ou totalmente indiferenciados (anaplásicos)
- Os tumores benignos têm mais tendência a conservar as funções das células de origem, enquanto os tumores malignos algumas vezes adquirem funções inesperadas, devido a distúrbios na diferenciação
- Os tumores benignos são de crescimento lento, enquanto os tumores malignos geralmente crescem a uma velocidade maior
- Os tumores benignos são circunscritos e apresentam uma cápsula; os tumores malignos são pouco circunscritos e invadem os tecidos normais adjacentes
- Os tumores benignos permanecem restritos no local de origem; os tumores malignos metastatizam para locais distantes. Os carcinomas tendem a se disseminar pelos vasos linfáticos, enquanto os sarcomas preferem a via hematogênica.

Tabela 7.2 Comparação entre tumores benignos e malignos.

Características	Benigno	Maligno
Diferenciação/anaplasia	Bem diferenciado; estrutura algumas vezes típica do tecido de origem	Alguns carecem de diferenciação (anaplasia); estrutura frequentemente atípica
Velocidade de crescimento	Normalmente progressivo e lento; pode estagnar (parar em sua progressão) ou regredir; figuras mitóticas raras e normais	Irregular, pode ser lento a rápido; as figuras mitóticas podem ser numerosas e anormais
Invasão local	Em geral, massas coesas, em expansão e bem delimitadas, que não invadem nem infiltram os tecidos normais circundantes	Localmente invasivo, infiltrando o tecido circundante; algumas vezes, pode ser enganosamente coeso e expansivo
Metástase	Ausente	Frequente; mais provavelmente com grandes tumores primários indiferenciados

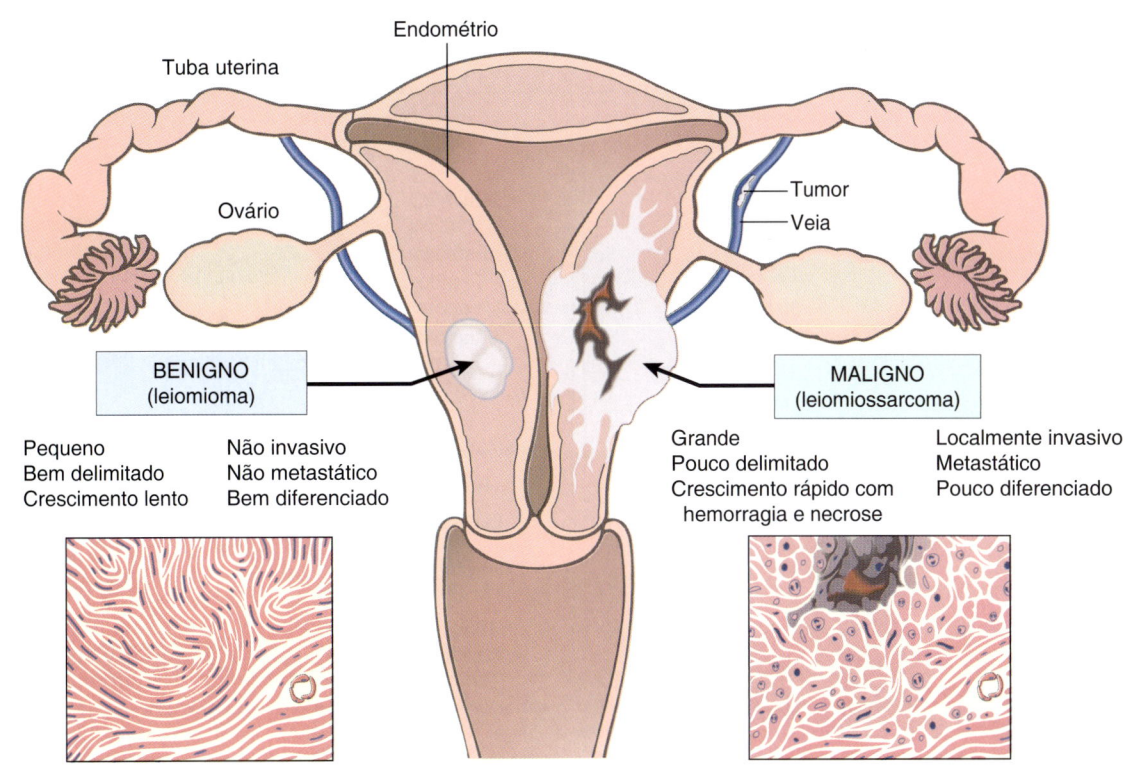

Figura 7.16 Comparação entre um tumor benigno do miométrio (leiomioma) e um tumor maligno da mesma origem (leiomiossarcoma).

Epidemiologia do câncer

O estudo do câncer em populações definidas contribuiu de modo substancial para o conhecimento adquirido sobre sua origem. Os estudos epidemiológicos estabeleceram a relação de causalidade entre o tabagismo e o câncer de pulmão, e a comparação da dieta e das taxas de câncer em diferentes regiões do mundo associou as dietas ricas em gordura e com baixo teor de fibras ao desenvolvimento do câncer de cólon. Espera-se que sejam adquiridos conhecimentos adicionais sobre as causas do câncer por meio de estudos que relacionam influências ambientais, raciais (possivelmente hereditárias) e culturais particulares com o desenvolvimento de neoplasias específicas. A forte associação de determinadas doenças inflamatórias e outras doenças com o câncer também fornece pistas para sua patogênese. Nas seções seguintes, discutiremos a incidência global do câncer e, em seguida, analisaremos os fatores ambientais e do hospedeiro que influenciam a predisposição ao câncer.

Impacto global do câncer

As estimativas em 2018 foram de mais de 9,5 milhões de mortes causadas por câncer em todo o mundo, representando praticamente 1 a cada 6 de todas elas. Além disso, devido ao tamanho e à idade crescentes da população, projeta-se que o número de casos de câncer e o número de mortes relacionadas ao câncer em todo o mundo aumentem para 21,4 milhões e 13,2 milhões, respectivamente, em 2030. A **Figura 7.17** mostra os principais órgãos afetados e a frequência estimada de mortes por câncer nos EUA. Os tumores mais comuns em homens surgem na próstata, nos pulmões e no cólon/reto. Nas mulheres, os cânceres de mama, de pulmão e de cólon/reto são os mais frequentes. Nos EUA, os cânceres de pulmão, de mama em mulheres, de próstata e de cólon/reto constituem mais de 50% dos diagnósticos e de mortes por câncer.

Os dados longitudinais relativos à incidência do câncer provêm, em sua maioria, de países de maior renda, onde as taxas de mortalidade ajustadas por idade (mortes a cada 100 mil indivíduos) para muitos tipos de câncer mudaram de maneira significativa ao longo dos anos. Nos últimos 50 anos do século 20, a taxa de mortalidade por câncer ajustada por idade aumentou significativamente tanto em homens quanto em mulheres. Entretanto, desde 1995, a taxa de incidência de câncer em homens permaneceu estável, e, desde 1990, a taxa de morte por câncer diminuiu em cerca de 20%. De modo semelhante, a taxa de incidência de câncer também se estabilizou nas mulheres em 1995, e a taxa de morte por câncer caiu em cerca de 10% desde 1991. Entre os homens, quase 80% da queda observada é explicada por menores taxas de mortalidade por cânceres de pulmão, de próstata e colorretal; entre as mulheres, quase 60% da queda deve-se a reduções nas taxas de mortalidade por câncer de mama e câncer colorretal. A redução do uso de produtos que contêm tabaco é responsável pela diminuição no número de mortes por câncer de pulmão, enquanto os avanços na detecção e no tratamento são responsáveis por uma diminuição das taxas de mortalidade por câncer colorretal, de mama em mulheres e de próstata.

Os últimos 50 anos também testemunharam um acentuado declínio no número de mortes causadas pelo câncer do colo do útero nos EUA. Essa redução é atribuída, em grande parte, ao exame de esfregaço de Papanicolaou (Pap), que possibilita a detecção de "lesões precursoras" (discutidas adiante) e de cânceres iniciais passíveis de cura. Por outro lado, entre 1990-1991 e 2004,

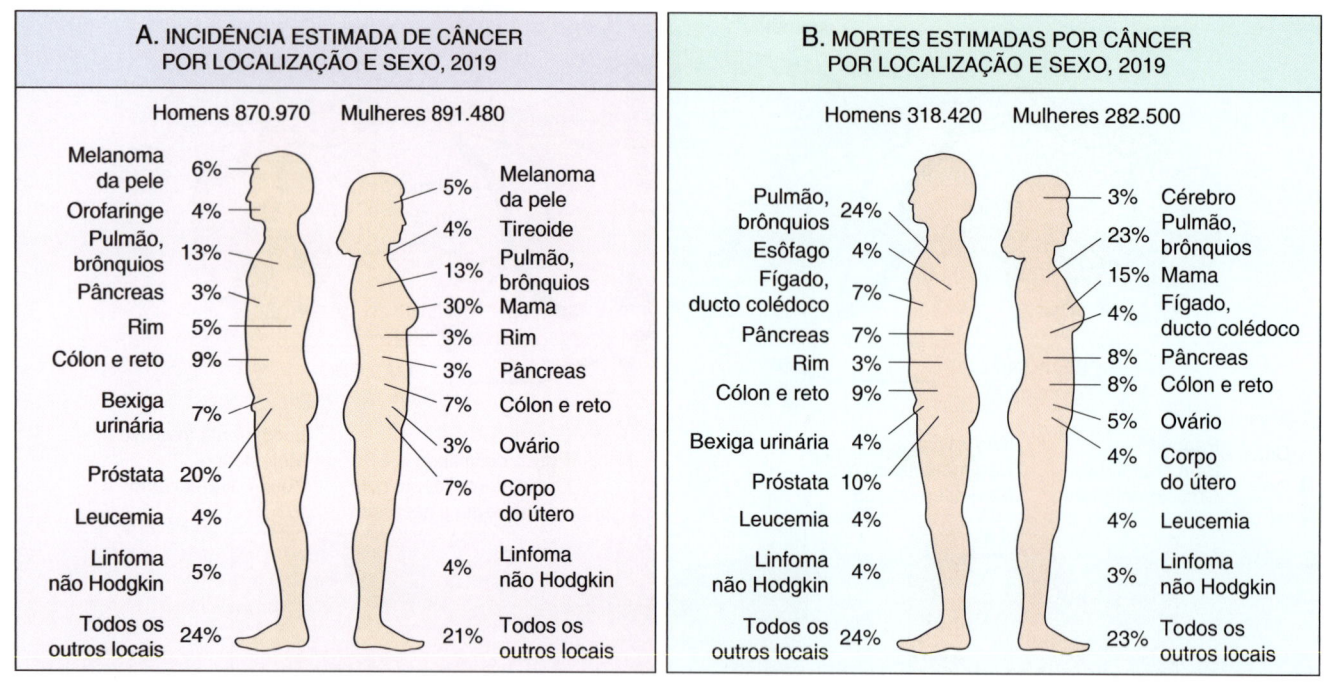

Figura 7.17 Incidência (**A**) e mortalidade (**B**) do câncer por local e sexo. Estão excluídos os carcinomas basocelulares e os cânceres de células escamosas da pele, bem como carcinomas *in situ*, com exceção da bexiga. (Modificada de Siegel RL, Miller KD, Jemal A: Cancer statistics, 2017, CA *Cancer J Clin* 67:7-30, 2017.)

as taxas de mortalidade por câncer de pulmão em mulheres e as taxas de mortalidade por câncer de fígado e dos ductos biliares intra-hepáticos em homens aumentaram de modo substancial, contrabalançando parte da melhora na sobrevida de outros tipos de câncer. Com efeito, embora os carcinomas de mama ocorram aproximadamente 2,5 vezes mais frequentemente do que os de pulmão em mulheres, o câncer de pulmão é responsável agora por mais mortes em mulheres.

A raça não é uma variável biológica distinta, mas pode definir grupos de risco para determinados tipos de câncer. A disparidade nas taxas de mortalidade por câncer entre norte-americanos brancos ou de ascendência africana persiste, porém os afro-americanos apresentaram o maior declínio na taxa de mortalidade por câncer durante a última década. Nos EUA, os indivíduos que se identificam como hispânicos apresentam menor frequência dos cânceres mais comuns que afetam a população branca não hispânica e, por outro lado, maior incidência de cânceres de estômago, fígado, colo do útero e vesícula, bem como de certas leucemias.

Fatores ambientais

Apesar da contribuição dos fatores genéticos e ambientais para o desenvolvimento de câncer, as influências ambientais constituem os fatores de risco dominantes na maioria dos tipos de câncer. As evidências que respaldam essa ideia provêm de mudanças longitudinais observadas na incidência de câncer nos EUA. Os exemplos incluem o rigoroso rastreamento da incidência do câncer de pulmão de acordo com as mudanças nos hábitos de fumar com o decorrer do tempo; a acentuada queda na incidência de câncer de estômago no século 20, que se acredita seja devido a uma redução da exposição a carcinógenos ambientais desconhecidos; e o recente aumento na incidência do câncer de fígado, que resulta provavelmente de uma taxa crescente de infecção crônica pelos vírus das hepatites B (HBV) e C (HCV) e da obesidade. Outras evidências são encontradas na ampla variação geográfica que existe na incidência de tipos específicos de câncer (**Figura 7.18**). Por exemplo, o câncer mais comum em homens nos EUA e na maioria dos outros países de alta renda é o de próstata; todavia, em outros países ou regiões, os cânceres de fígado, estômago, esôfago, bexiga, pulmão, orofaringe e sistema imune encontram-se no topo da lista. De modo semelhante, a incidência de câncer de mama geralmente é muito mais alta em mulheres que vivem em países de maior renda do que em de baixa renda. Embora a predisposição racial possa constituir um fator envolvido, acredita-se que as influências ambientais – algumas conhecidas e outras desconhecidas – estejam na base da maior parte dessas diferenças observadas na incidência de câncer.

Entre os fatores ambientais mais bem estabelecidos que afetam o risco de câncer, destacam-se os seguintes:

- *Agentes infecciosos.* Aproximadamente 15% de todos os tipos de câncer no mundo são causados, direta ou indiretamente, por agentes infecciosos, e a morbidade de cânceres ligados a infecções é aproximadamente três vezes maior nos países em desenvolvimento do que nos países desenvolvidos. Por exemplo, o *papilomavírus humano (HPV)*, um agente transmitido por contato sexual, desempenha um papel etiológico na maioria dos carcinomas do colo do útero e em uma fração crescente de câncer de cabeça e pescoço. Os agentes infecciosos específicos e seus cânceres associados são discutidos posteriormente neste capítulo
- *Tabagismo.* Nos EUA, o tabagismo constitui o fator ambiental isolado mais importante que contribui para a morte prematura. O fumo, sobretudo de cigarros, está implicado no câncer de boca, faringe, laringe, esôfago, pâncreas, bexiga e, de maneira

A. Variação mundial na incidência de câncer em homens

Câncer mais comum:
- Próstata
- Pulmão e brônquios
- Estômago
- Fígado
- Cólon e reto
- Sarcoma de Kaposi
- Esôfago
- Linfoma não Hodgkin
- Leucemia
- Cavidade oral
- Nenhum dado

B. Incidência mundial de câncer de mama

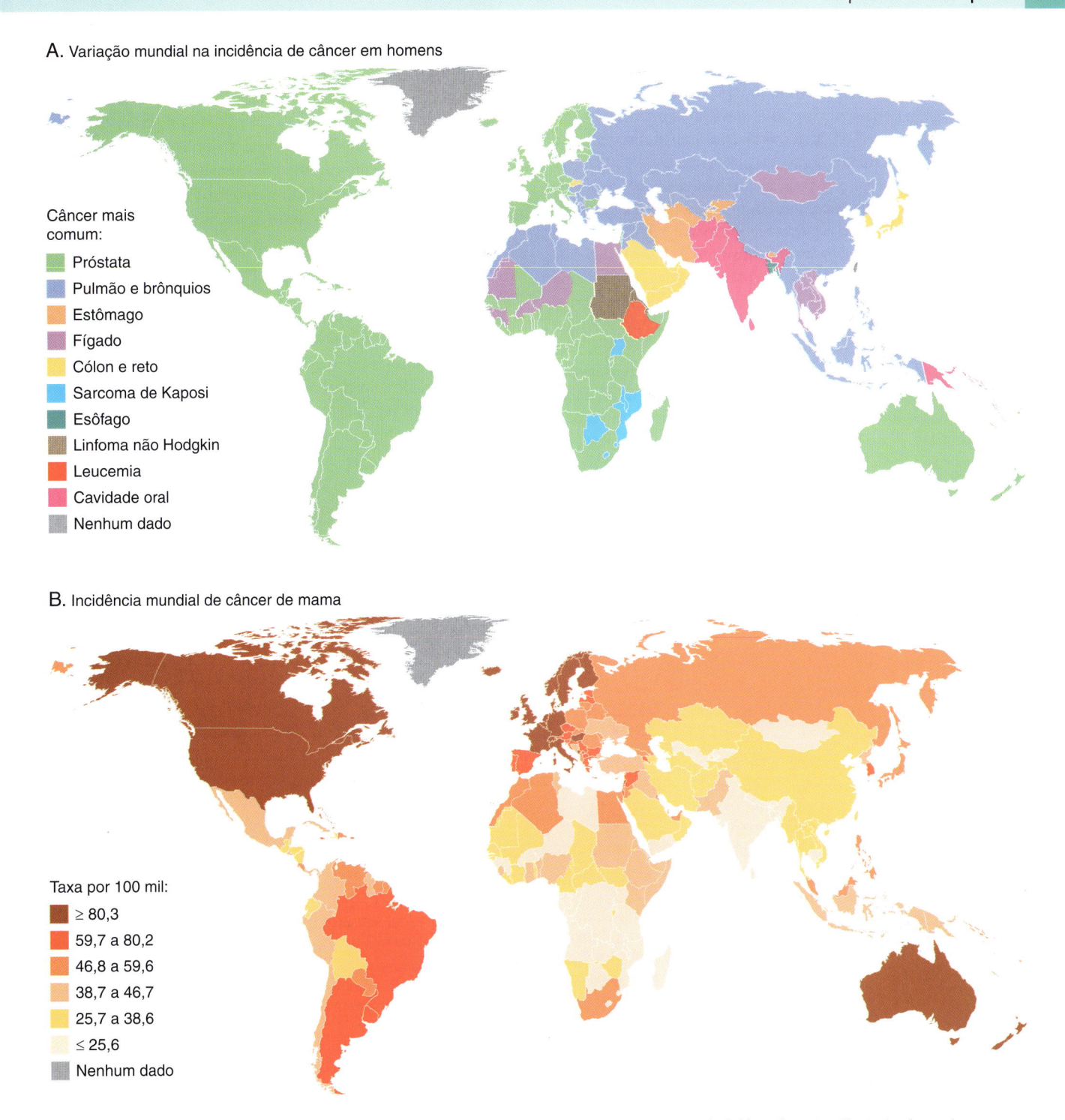

Taxa por 100 mil:
- ≥ 80,3
- 59,7 a 80,2
- 46,8 a 59,6
- 38,7 a 46,7
- 25,7 a 38,6
- ≤ 25,6
- Nenhum dado

Figura 7.18 Variação geográfica na incidência de câncer. **A.** Cânceres mais comuns em homens por país. **B.** Variação na incidência de câncer de mama em mulheres por país. (Modificada de American Cancer Society: *Global Cancer Facts & Figures*, ed. 3, Atlanta, 2015, American Cancer Society.)

mais significativa, em cerca de 90% dos cânceres de pulmão (ver **Capítulo 9**)

- *Consumo de álcool.* O uso abusivo de álcool aumenta o risco de carcinoma de orofaringe (excluindo os lábios), laringe e esôfago e, quando há desenvolvimento de cirrose alcoólica, também o risco de carcinoma hepatocelular. Além disso, o risco de cânceres das vias respiratórias superiores e do trato digestório imposto pelo álcool aumenta de modo sinérgico quando combinado com o uso de tabaco

- *Dieta.* Embora os fatores dietéticos precisos que afetam o risco de câncer continuem sendo objeto de debate, a ampla variação geográfica na incidência de carcinoma colorretal, carcinoma de próstata e carcinoma de mama tem sido atribuída a diferenças na dieta

- *Obesidade.* Tendo em vista que a epidemia de obesidade nos EUA está se espalhando para outras partes do mundo (ver **Capítulo 9**), preocupa o fato de que a obesidade está associada a um aumento do risco de câncer. Os indivíduos com maior sobrepeso na população norte-americana apresentam um aumento de 52% (homens) a 62% (mulheres) nas taxas de mortalidade por câncer, em comparação com seus colegas mais magros; pode-se deduzir que aproximadamente 14% das mortes por câncer em homens e 20% em mulheres estão associadas à obesidade

- *Histórico reprodutivo.* A exposição cumulativa ao longo da vida à estimulação estrogênica, sobretudo sem a oposição da progesterona, aumenta o risco de câncer de mama e de endométrio – os tecidos responsivos a esses hormônios. É provável que parte da variação geográfica na incidência do câncer de mama esteja relacionada com diferentes costumes culturais, que influenciam o momento e o número de gestações que uma mulher tem durante sua vida
- *Carcinógenos ambientais.* Não faltam realmente carcinógenos ambientais bem caracterizados: eles se escondem no meio ambiente, no local de trabalho (**Tabela 7.3**), nos alimentos e nas práticas pessoais. Os indivíduos podem ser expostos a fatores carcinogênicos quando estão em ambientes externos (p. ex., raios ultravioleta [UV], poluição do ar), água de poço (p. ex., arsênico, sobretudo em Bangladesh), certos medicamentos (p. ex., metotrexato), trabalho (p. ex., asbesto) ou ficar em casa (p. ex., carne grelhada, dieta rica em gordura, álcool).

Parece que quase tudo o que uma pessoa faz para ganhar a vida ou para se divertir engorda, é imoral, ilegal ou, ainda pior, carcinogênico.

Idade

A idade exerce influência significativa sobre o risco de câncer. A maior parte dos carcinomas ocorre em adultos com mais de 55 anos. O câncer constitui a principal causa de morte entre mulheres de 40 a 79 anos e entre homens de 60 a 79 anos; o declínio nas mortes por câncer depois dos 80 anos deve-se ao menor número de indivíduos que alcançam essa idade. A incidência crescente do câncer com a idade é provavelmente explicada pelo acúmulo de mutações somáticas que acompanha o envelhecimento das células (discutido mais adiante). O declínio da imunocompetência nos indivíduos idosos também pode constituir um fator relacionado.

Tragicamente, as crianças não são poupadas. Nos EUA, o câncer é responsável por cerca de 10% de todas as mortes em crianças com menos de 15 anos, perdendo apenas para os acidentes. Entretanto, os tipos de câncer que predominam em crianças são diferentes daqueles observados em adultos; em parte, isso se deve ao fato de que os cânceres pediátricos têm mais tendência a ser causados por mutações herdadas (sobretudo nos genes supressores de tumor, descritos mais adiante) e muito menos probabilidade de se originar da exposição a carcinógenos ambientais (p. ex., fumo de cigarros). Essa diferença explica por que os carcinomas, que frequentemente são causados por carcinógenos e constituem o tipo geral mais comum de tumores em adultos, são muito raros em crianças. Por outro lado, a leucemia aguda e neoplasias específicas do sistema nervoso central causam aproximadamente 60% das mortes por câncer na infância. As neoplasias comuns da lactância e da infância incluem os denominados tumores de células pequenas redondas e azuis, como o neuroblastoma, o tumor de Wilms, o retinoblastoma, a leucemia linfoblástica aguda e o rabdomiossarcoma. Essas neoplasias são discutidas no **Capítulo 10** e em outras partes do texto.

Tabela 7.3 Cânceres ocupacionais.

Agentes ou grupos de agentes	Cânceres humanos para os quais se dispõe de evidências razoáveis	Uso ou ocorrência típicos
Arsênio e compostos de arsênio	Carcinoma de pulmão, carcinoma de pele	Subproduto da fundição de metais; componente de ligas, dispositivos elétricos e semicondutores, medicamentos e herbicidas, fungicidas e medicamentos utilizados em banhos de animais
Asbesto	Carcinoma de pulmão, esôfago, estômago e de cólon; mesotelioma	Anteriormente utilizado em muitas aplicações, devido à resistência ao fogo, calor e atrito; ainda encontrado em construções, bem como em tecidos resistentes ao fogo, materiais de fricção (i. e., lonas de freios), papéis de forro e telhados e ladrilhos
Benzeno	Leucemia mieloide aguda	Principal componente do petróleo leve; apesar do risco conhecido, existem muitas aplicações na impressão e litografia, pintura, borracha, limpeza a seco, adesivos e revestimentos, bem como detergentes; anteriormente utilizado largamente como solvente e fumigante
Berílio e compostos do berílio	Carcinoma de pulmão	Combustível de mísseis e veículos espaciais; endurecedor para ligas de metais leves, sobretudo em aplicações aeroespaciais e reatores nucleares
Cádmio e compostos do cádmio	Carcinoma de próstata	Os usos incluem pigmentos amarelos e fósforos; encontrados em soldas; utilizado em baterias e como liga e em chapeamento e revestimento de metais
Compostos de cromo	Carcinoma de pulmão	Componente de ligas metálicas, tintas, pigmentos e conservantes
Compostos de níquel	Carcinoma de pulmão e orofaringe	Niquelagem; componente de ligas ferrosas, cerâmica e baterias; subproduto de soldagem a arco de aço inoxidável
Radônio e seus produtos de decaimento	Carcinoma de pulmão	A partir do decaimento de minerais contendo urânio; risco potencialmente grave em pedreiras e minas subterrâneas
Cloreto de vinila	Angiossarcoma hepático	Refrigerante; monômero para polímeros de vinila; adesivo para plásticos; anteriormente usado como propulsor de aerossol inerte em recipientes pressurizados

Modificada de Stellman JM, Stellman SD: Cancer and workplace, *CA Cancer J Clin* 46:70, 1996.

Condições predisponentes adquiridas

As condições adquiridas que predispõem ao câncer podem ser divididas em distúrbios inflamatórias crônicos, lesões precursoras e estados de imunodeficiência. Os distúrbios inflamatórios crônicos e as lesões precursoras abrangem um conjunto diverso de condições, que estão associadas a um aumento da replicação celular, e que parece criar um solo "fértil" para o desenvolvimento de tumores malignos. Com efeito, podem ser necessários ciclos repetidos de divisão celular para que ocorra transformação neoplásica, visto que as células em proliferação correm maior risco de sofrer mutações somáticas, levando à carcinogênese. Os estados de imunodeficiência predispõem a cânceres induzidos por vírus. Cada uma dessas condições predisponentes adquiridas é descrita a seguir:

- *Inflamação crônica.* Em 1863, Virchow foi o primeiro a propor uma relação de causa e efeito entre a inflamação crônica e o câncer. A amplitude dessa associação é hoje evidente; o risco de câncer é maior em indivíduos afetados por uma ampla variedade de doenças inflamatórias crônicas, tanto infecciosas quanto não infecciosas (**Tabela 7.4**). Os tumores que surgem no contexto da inflamação crônica são, em sua maior parte, carcinomas, mas também incluem o mesotelioma e vários tipos de linfoma. À semelhança de qualquer causa de lesão tecidual, esses distúrbios são acompanhados de uma proliferação compensatória de células, cuja finalidade é reparar os danos. Em alguns casos, a inflamação crônica pode aumentar o reservatório de células-tronco teciduais, que podem ser particularmente suscetíveis à transformação. Além disso, as células imunes ativadas produzem espécies reativas de oxigênio que podem causar dano ao DNA, bem como mediadores inflamatórios, que podem promover a sobrevida das células, mesmo na presença de dano genômico. Qualquer que seja o mecanismo preciso envolvido, a ligação entre inflamação crônica e câncer exerce implicações práticas. Por exemplo, o diagnóstico e o tratamento efetivo da gastrite por *Helicobacter pylori* com antibióticos podem suprimir uma condição inflamatória crônica que, de outro modo, poderia levar ao desenvolvimento de câncer gástrico

- *Lesões precursoras.* As lesões precursoras são definidas por alterações morfológicas localizadas, que identificam um campo de epitélio com risco aumentado de transformação maligna. Essas alterações podem assumir a forma de hiperplasia, metaplasia ou displasia. A relação entre displasia epitelial e metaplasia com várias formas de carcinoma já foi mencionada. As lesões precursoras que consistem em hiperplasia frequentemente surgem em consequência de exposição crônica a fatores tróficos. Uma das lesões precursoras mais comuns desse tipo é a *hiperplasia endometrial*, que é causada pela estimulação estrogênica sustentada do endométrio. Outras lesões "de risco" consistem em neoplasias benignas. Uma lesão clássica desse tipo é o *adenoma viloso do cólon*, que, se não for tratado, evolui para o câncer em cerca de 50% dos casos. Entretanto, deve-se ressaltar que a maioria dos tumores benignos raramente sofre transformação (p. ex., leiomiomas uterinos, adenoma pleomórfico), enquanto outros de modo algum (p. ex., lipomas). A razão pela qual a maioria dos tumores benignos apresenta um risco insignificante de transformação maligna continua sendo uma questão não resolvida; uma possibilidade é a de que os tumores benignos com alto risco de transformação maligna apresentam a propriedade de instabilidade genômica (discutida adiante) que possibilita o desenvolvimento de câncer, o que não ocorre com outros tumores benignos

- *Imunodeficiência e câncer.* Os pacientes com imunodeficiência, em particular os que apresentam déficits da imunidade de células T, correm risco aumentado de câncer, principalmente de tipos de câncer causados por vírus oncogênicos, visto que, presumivelmente, esses indivíduos têm uma incidência maior do que o normal de infecção crônica por vírus. Esses tumores associados a vírus incluem linfomas, certos carcinomas e alguns sarcomas e proliferações semelhantes ao sarcoma. A relação entre infecções, imunidade e câncer é discutida posteriormente neste capítulo.

Tabela 7.4 Estados inflamatórios crônicos e câncer.

Condição patológica	Neoplasia(s) associada(s)	Agente(s) etiológico(s)
Asbestose, silicose	Mesotelioma, carcinoma de pulmão	Fibras de asbesto, partículas de sílica
Doença inflamatória intestinal	Carcinoma colorretal	
Líquen escleroso	Carcinoma de células escamosas vulvares	
Pancreatite	Carcinoma pancreático	Alcoolismo, mutações de linhagem germinativa (p. ex., no gene do tripsinogênio)
Colecistite crônica	Câncer de vesícula biliar	Ácidos biliares, bactérias, cálculos da vesícula biliar
Esofagite de refluxo, esôfago de Barrett	Carcinoma esofágico	Ácido gástrico
Síndrome de Sjögren, tireoidite de Hashimoto	Linfoma MALT	
Colangite por *Opisthorchis*	Colangiocarcinoma, carcinoma de cólon	Tremátodeos hepáticos (*Opisthorchis viverrini*)
Gastrite/úlceras	Adenocarcinoma gástrico, linfoma MALT	*Helicobacter pylori*
Hepatite	Carcinoma hepatocelular	Vírus da hepatite B e/ou C
Osteomielite	Carcinoma nos seios de drenagem	Infecção bacteriana
Cervicite crônica	Carcinoma do colo do útero	Papilomavírus humano
Cistite crônica	Carcinoma de bexiga	Esquistossomose

MALT, tecido linfoide associado à mucosa.
Modificada de Tlsty TD, Coussens LM: Tumor stroma and regulation of cancer development, *Ann Rev Pathol Mech Dis* 1:119, 2006.

Predisposição genética e interações entre fatores ambientais e hereditários

Em algumas famílias, o câncer é um traço hereditário, normalmente devido a mutações de linhagem germinativa em um gene supressor de tumor (descrito adiante). O que então podemos dizer sobre a influência da hereditariedade em neoplasias malignas esporádicas, que constituem aproximadamente 95% dos cânceres nos EUA? Enquanto as evidências sugerem que estes são, em grande parte, atribuídos a fatores ambientais ou a condições predisponentes adquiridas, a falta de uma história familiar não exclui a possibilidade de um componente hereditário. Em geral, é difícil separar as contribuições hereditárias e não hereditárias, visto que as suas interações são, com frequência, complexas, sobretudo quando o desenvolvimento de tumor depende da ação de múltiplos genes. Mesmo em cânceres com um componente hereditário bem definido, o risco de desenvolvimento desse câncer pode ser acentuadamente influenciado por fatores não genéticos. Por exemplo, foi observado que o risco de câncer de mama em mulheres que herdam cópias mutadas dos genes supressores de tumor *BRCA1* ou *BRCA2* (discutidos adiante) é quase três vezes maior em mulheres nascidas depois de 1940 do que naquelas nascidas antes desse ano, talvez devido a mudanças na história reprodutiva. Por outro lado, os fatores genéticos podem alterar a probabilidade de desenvolvimento de cânceres que são principalmente induzidos por carcinógenos ambientais. Isso se deve ao fato de que a variação genética (polimorfismos) em certas enzimas, como o sistema do citocromo P-450, influencia a conversão de pró-carcinógenos em carcinógenos ativos. Um exemplo fundamental, discutido mais adiante, é um polimorfismo em um dos genes P-450, que confere suscetibilidade ao câncer de pulmão induzido por tabagismo.

> **Conceitos-chave**
>
> **Epidemiologia do câncer**
>
> - A incidência do câncer varia de acordo com a geografia, a idade, a raça e a constituição genética. Os cânceres são mais comuns em adultos com mais de 55 anos, porém ocorrem em adultos de todas as idades, bem como em crianças e lactentes. Acredita-se que a variação geográfica resulte principalmente de diferentes exposições ambientais
> - Os fatores ambientais importantes implicados na carcinogênese incluem agentes infecciosos, tabagismo, álcool, dieta, obesidade, história reprodutiva e exposição a carcinógenos ambientais
> - O risco de câncer aumenta em consequência de proliferações para reparo causadas por inflamação crônica ou lesão tecidual, certas formas de hiperplasia e imunodeficiência
> - As interações entre fatores ambientais e fatores genéticos podem constituir determinantes importantes do risco de câncer.

Base molecular do câncer: papel das alterações genéticas e epigenéticas

As evidências sobre as origens genéticas do câncer estão aumentando há décadas. Entretanto, o cálculo completo da extensão dessas aberrações genéticas só agora está chegando à sua conclusão, em virtude dos avanços tecnológicos no sequenciamento do DNA e em outros métodos que possibilitam a análise genômica ampla das células cancerosas. A complexidade desses dados é assustadora, e as mensagens escondidas dentro deles ainda não foram totalmente decodificadas; entretanto, certos "temas genômicos" que emergiram provavelmente são relevantes para todos os tipos de câncer:

- *O dano genético não letal encontra-se no cerne da carcinogênese.* O dano inicial (ou mutação) pode ser causado por exposições ambientais, pode ser herdado na linhagem germinativa ou pode ser espontâneo ou aleatório, sendo incluído na categoria de "má sorte". O termo ambiental, quando utilizado nesse contexto, refere-se a qualquer mutação adquirida causada por agentes exógenos, como vírus ou substâncias químicas ambientais, ou por produtos endógenos do metabolismo celular que têm o potencial de causar dano ao DNA (como espécies reativas de oxigênio) ou de alterar a expressão gênica por meio de mecanismos epigenéticos (p. ex., os denominados oncometabólitos, descritos mais adiante)

- *Os tumores são formados pela expansão clonal de uma única célula precursora que sofreu dano genético (i. e., os tumores são clonais).* As alterações no DNA são hereditárias, transmitidas para as células-filhas, de modo que todas as células dentro de um tumor individual compartilham o mesmo conjunto de mutações que estavam presentes no momento da transformação. Essas mutações específicas do tumor são identificadas, com mais frequência, por sequenciamento do DNA (p. ex., mutações pontuais) ou por análises cromossômicas (p. ex., translocações cromossômicas e alterações no número de cópias, discutidas mais adiante)

- *Quatro classes de genes – proto-oncogenes promotores do crescimento, genes supressores de tumor que inibem o crescimento, genes que regulam a morte celular programada (apoptose) e genes responsáveis pelo reparo do DNA – constituem os principais alvos de mutações causadoras de câncer.* As mutações que ativam os proto-oncogenes podem causar um aumento em uma ou mais funções normais do produto gênico codificado, que promovem a tumorigênese ou o aparecimento de uma função totalmente nova que é oncogênica. Como essas mutações produzem um "ganho de função", elas são capazes de transformar células, apesar da presença de uma cópia normal do mesmo gene. Assim, no linguajar genético, os oncogenes são dominantes em relação a seus correspondentes normais. As mutações que afetam os genes supressores de tumor geralmente causam uma "perda de função", e, na maioria dos casos, ambos os alelos precisam ser danificados para que possa ocorrer transformação. Em consequência, os genes supressores de tumor com mutação costumam se comportar de maneira recessiva. Todavia, existem exceções: algumas vezes, a perda de um único alelo de um gene supressor de tumor (um estado denominado haploinsuficiência) reduz a quantidade da proteína codificada o suficiente para liberar os freios sobre a proliferação e a sobrevida celular. Esse achado indica que duas "doses" do gene são essenciais para a função normal. Os genes reguladores da apoptose podem adquirir anormalidades que resultam em menos morte celular e, portanto, em maior sobrevivência. Essas anormalidades incluem mutações com ganho de função em genes cujos produtos suprimem a apoptose e mutações com perda de função em genes cujos produtos promovem a morte celular. As mutações com perda de função que afetam os genes de reparo do DNA contribuem indiretamente para a carcinogênese ao prejudicar a capacidade da célula de reconhecer e de proceder ao reparo de danos genéticos não letais em outros genes.

Em consequência, as células afetadas adquirem mutações em uma taxa acelerada, um estado designado como *fenótipo mutador*, caracterizado por *instabilidade genômica*
- *A carcinogênese resulta do acúmulo de mutações complementares de maneira sequencial ao longo do tempo* (**Figura 7.19**). As neoplasias malignas apresentam vários atributos fenotípicos, designados como *marcas registradas do câncer* (discutidas com mais detalhes mais adiante), como crescimento excessivo, invasão local e capacidade de formar metástases a distância, que resultam de alterações genômicas que modificam a expressão e a função de genes fundamentais e que, portanto, conferem um fenótipo maligno:
    - *As mutações que contribuem para a aquisição das marcas registradas do câncer são designadas como mutações condutoras*. A primeira mutação condutora que inicia uma célula em sua rota para uma neoplasia maligna é a *mutação iniciadora*, que normalmente é mantida em todas as células do câncer subsequente. Entretanto, como nenhuma mutação isolada parece ser capaz de produzir transformação completa, o desenvolvimento de um câncer requer que a célula "iniciada" adquira um número de mutações condutoras adicionais, cada uma das quais também contribui para o desenvolvimento do câncer. O tempo necessário para que isso ocorra não é conhecido na maioria dos tipos de câncer, mas parece ser longo; mesmo nos cânceres agressivos que clinicamente parecem surgir "do nada", como a leucemia linfoblástica aguda da infância, as células que carregam mutações iniciadoras podem ser encontradas em amostras de sangue coletadas até uma década antes do diagnóstico. A persistência das células iniciadas durante esse longo pródromo pré-clínico é consistente com a ideia de que os cânceres se originam de células que apresentam propriedades semelhantes às das células-tronco, as denominadas células-tronco do câncer, que têm a capacidade de autorrenovação e persistência a longo prazo
    - *As mutações com perda de função em genes que mantêm a integridade genômica parecem constituir uma etapa inicial comum no caminho para a neoplasia maligna, sobretudo no caso dos tumores sólidos*. As mutações que levam à instabilidade genômica não apenas aumentam a probabilidade de adquirir mutações condutoras como também aumentam acentuadamente a frequência de mutações que não apresentam nenhuma consequência fenotípica, as denominadas *mutações passageiras*, que são muito mais comuns do que as mutações condutoras. Em consequência, no momento em que uma célula adquire todas as mutações condutoras que são necessárias para ter um comportamento maligno, ela pode apresentar centenas ou até milhares de mutações passageiras
    - As mutações em muitos outros genes contribuem para a tumorigênese ao interferir nas respostas imunes do hospedeiro ou ao alterar as interações com o estroma ou por outros mecanismos. Por convenção, essas mutações não são classificadas como mutações condutoras e passageiras, visto que os termos são em grande parte restritos a genes que influenciam o comportamento das células de uma maneira intrínsecas.

Uma vez estabelecidos, os tumores evoluem geneticamente durante seu crescimento e sua progressão sob a pressão da seleção darwiniana (sobrevivência do mais apto). Logo no início, todas as células de um tumor são geneticamente idênticas, sendo a progênie de uma única célula transformada fundadora. Entretanto, por ocasião em que um tumor chama a atenção clínica (em geral, quando alcança uma massa de cerca de 1 g ou cerca de 10^9 células), ele sofreu, no mínimo, 30 duplicações celulares (esse número é, na realidade, uma subestimativa substancial), visto que uma fração de células em todos os tumores morre por apoptose durante os estágios pré-clínicos do desenvolvimento do tumor). Durante o processo de expansão, as células tumorais individuais adquirem outras mutações aleatórias; isso é particularmente válido para tumores com mutações condutoras que conferem um fenótipo mutador. Em consequência dessa evolução do tumor, embora os cânceres sejam de origem clonal, na ocasião em que eles se tornam clinicamente evidentes, as suas células com frequência são, do ponto de vista genético, extremamente heterogêneas (ver **Figura 7.19**). Esses diversos subclones do tumor competem pelo acesso a nutrientes e nichos microambientais, e os mais aptos "ganham" essa luta darwiniana e passam a dominar a massa tumoral. Essa tendência perniciosa dos tumores a se tornarem mais agressivos com o passar do tempo é designada como *progressão do tumor*.

Um estudante cético poderia perguntar: "Como sabemos que existem realmente subclones geneticamente distintos em qualquer tipo de câncer em particular?" Dados que corroboram essa hipótese

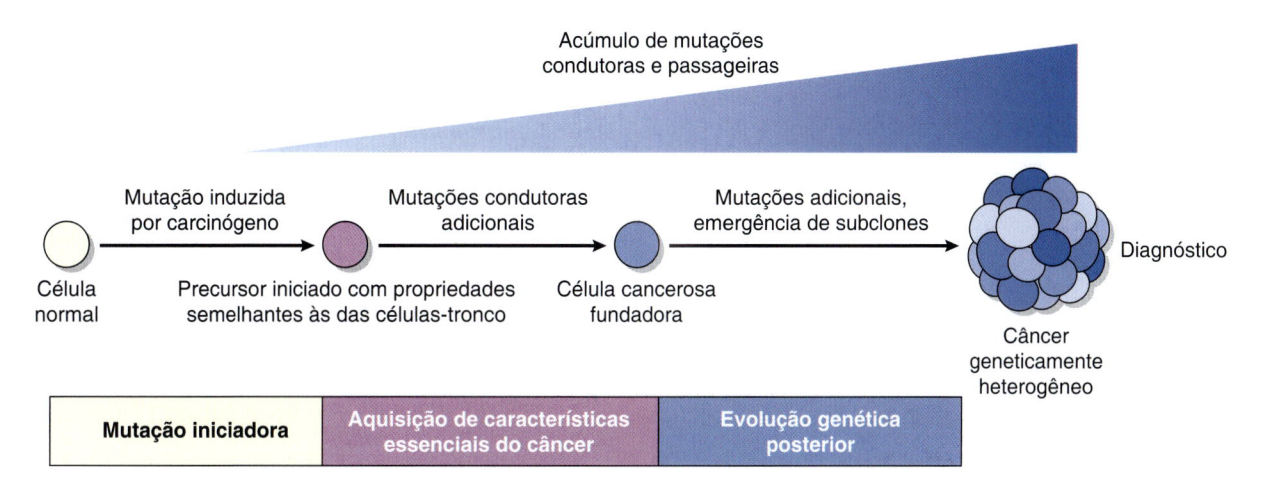

Figura 7.19 Desenvolvimento de câncer por meio da aquisição sequencial de mutações complementares. A ordem pela qual as várias mutações condutoras ocorrem em células precursoras iniciadas não é conhecida e pode variar de tumor para tumor. Ver texto para mais detalhes.

surgiram de estudos de cânceres sólidos, como o carcinoma de células renais, em que múltiplas regiões do tumor primário e depósitos metastáticos do mesmo paciente foram submetidos ao sequenciamento do DNA (**Figura 7.20**). Conforme previsto, foram identificados dois tipos de mutações nesses estudos: (1) mutações que estão presentes em todos os locais testados do tumor, que presumivelmente estavam presentes na célula fundadora por ocasião da transformação; e (2) mutações que são exclusivas de um subconjunto de locais do tumor, que provavelmente foram adquiridas após a transformação, durante o crescimento e a disseminação do tumor. Esse segundo tipo de mutação pode ser utilizado para criar "árvores genealógicas" do tumor mostrando as relações genéticas de vários subclones. De maneira notável, os subclones dentro dos tumores parecem divergir geneticamente de uma forma muito semelhante ao modo pelo qual se acredita que novas espécies emergem em ecossistemas complexos; um exemplo fundamental desse último caso são os tentilhões das Ilhas Galápagos que inspiraram Darwin, em parte, a propor a teoria da evolução para demonstrar a origem das espécies. No caso das espécies, essa divergência genética ocorre ao longo de um período de muitos milênios, ao passo que, nos tumores, os subclones podem surgir e divergir em uma escala temporal de anos, meses ou até mesmo semanas.

A seleção das células mais aptas pode explicar não apenas a história natural do câncer, mas também as mudanças que ocorrem no comportamento do tumor após a terapia. Uma das pressões seletivas mais profundas enfrentadas pelas células cancerosas é a terapia efetiva ministrada pelos médicos. Os tumores que apresentam recorrência após a terapia quase sempre demonstram ser resistentes se o mesmo tratamento for novamente administrado, e essa resistência presumivelmente se deve ao fato de que a terapia seleciona subclones que, por acaso, apresentam um genótipo que possibilita sua sobrevivência.

Além das mutações do DNA, as aberrações epigenéticas também contribuem para as propriedades malignas das células cancerosas. As modificações epigenéticas incluem a metilação do DNA, que tende a silenciar a expressão gênica, e modificações das histonas, as proteínas que acondicionam o DNA na cromatina, o que, dependendo de sua natureza, pode aumentar ou diminuir a expressão gênica. O estado epigenético da célula determina quais os genes expressos, o que, por sua vez, determina o comprometimento da linhagem e o estado de diferenciação das células tanto normais quanto neoplásicas. As modificações epigenéticas costumam ser transmitidas com fidelidade às células-filhas; todavia, em certas ocasiões (exatamente como nas mutações do DNA), podem ocorrer alterações que resultam em mudanças na expressão gênica. A metilação aberrante do DNA nas células cancerosas é responsável pelo silenciamento de alguns genes supressores de tumor, enquanto alterações específicas que podem acontecer no processo de modificações das histonas podem ter efeitos de longo alcance sobre a expressão gênica (ver adiante). O reconhecimento crescente do papel das alterações epigenéticas no câncer revelou um novo caminho para o tratamento dessas condições. Diferentemente das mutações do DNA, as alterações epigenéticas são potencialmente reversíveis por medicamentos que inibem fatores modificadores do DNA ou das histonas. Por conseguinte, há um grande interesse no tratamento dos cânceres com fármacos capazes de corrigir as anormalidades epigenéticas.

Voltaremos a esses temas em toda a discussão subsequente; em seguida, analisaremos as propriedades celulares e moleculares que fundamentam o comportamento maligno das células cancerosas.

Marcas registradas celulares e moleculares do câncer

Ao longo das últimas décadas, foram descobertas centenas de genes que são mutados no câncer. Tradicionalmente, as consequências funcionais dessas alterações foram descritas em um gene de cada vez. Entretanto, a grande quantidade de genes mutados que surgiram a partir do sequenciamento de genomas do câncer transformou o cenário e revelou as limitações ao tentar estabelecer

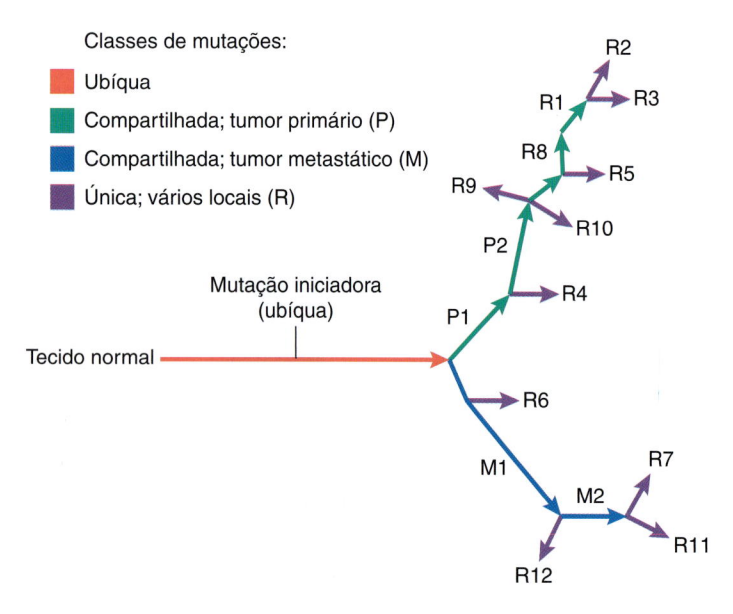

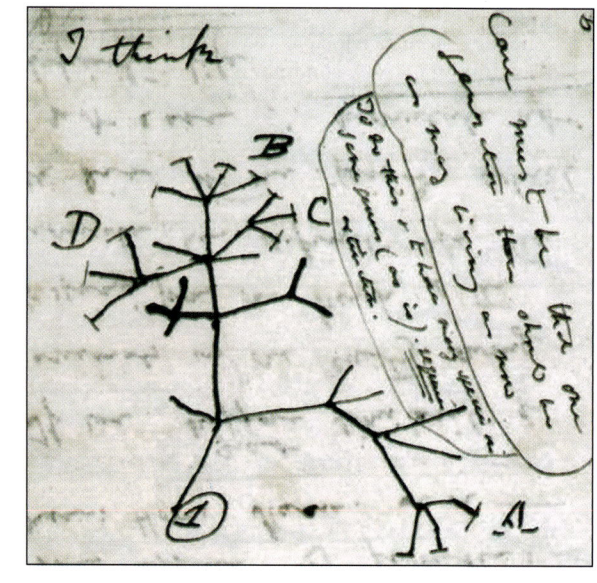

Figura 7.20 Evolução do tumor. Evolução de um carcinoma de células renais (*painel à esquerda*) e os tentilhões de Darwin (*painel à direita*). A árvore evolutiva do carcinoma de células renais baseia-se em comparações genéticas obtidas do sequenciamento do DNA de diferentes locais do tumor; a árvore evolutiva dos tentilhões foi deduzida por Darwin com base em comparações morfológicas de diferentes espécies de tentilhões nas Ilhas Galápagos. (*Painel à direita*, de Darwin CR: Notebook B: Transmutation of species, 1837-1838, p. 26.)

as propriedades fundamentais do câncer, gene por gene. Por exemplo, a compilação de um catálogo parcialmente completo de alterações genéticas recorrentes no carcinoma de mama exigiu o sequenciamento genômico completo de milhares de tumores e levou à identificação de centenas de mutações condutoras distintas – e isso representa apenas um caso entre centenas de diferentes tipos de câncer, alguns dos quais são, do ponto de vista genético, substancialmente mais complexos do que o carcinoma de mama.

Uma maneira mais didática e conceitualmente satisfatória de considerar a biologia do câncer é analisar as propriedades biológicas comuns conferidas às células cancerosas por suas alterações genômicas e epigenômicas diversas. Parece que **todos os tipos de câncer exibem oito alterações fundamentais na fisiologia celular, que são consideradas como as marcas registradas do câncer.** Essas alterações, que estão ilustradas na **Figura 7.21**, consistem nas seguintes:

- *Autossuficiência nos sinais de crescimento.* Os tumores têm a capacidade de proliferar sem estímulos externos, normalmente em consequência da ativação de oncogenes
- *Insensibilidade aos sinais inibidores do crescimento.* Os tumores podem não responder a moléculas que inibem a proliferação das células normais, geralmente devido à inativação dos genes supressores de tumor que codificam componentes das vias inibitórias do crescimento
- *Alteração do metabolismo celular.* As células tumorais sofrem uma mudança metabólica para a glicólise aeróbica (denominada o *efeito Warburg*), que possibilita a síntese das macromoléculas e das organelas necessárias para um rápido crescimento celular
- *Evasão da apoptose.* Os tumores mostram-se resistentes à morte celular programada
- *Potencial de replicação ilimitado (imortalidade).* Os tumores apresentam uma capacidade proliferativa irrestrita, uma propriedade semelhante à das células-tronco que permite às células tumorais evitar a senescência celular e a catástrofe mitótica
- *Angiogênese sustentada.* À semelhança das células normais, as células tumorais não são capazes de crescer sem um suprimento vascular para fornecer os nutrientes e o oxigênio e para remover os produtos de degradação. Por conseguinte, os tumores devem induzir o processo da angiogênese

- *Capacidade de invasão e metástase.* As metástases tumorais constituem a causa da grande maioria das mortes por câncer e surgem da inter-relação de processos que são intrínsecos às células tumorais e de sinais que são iniciados pelo ambiente tecidual
- *Capacidade de evasão da resposta imune do hospedeiro.* Você deve lembrar que as células do sistema imune inato e adaptativo são capazes de reconhecer e de eliminar células que apresentam antígenos anormais (p. ex., uma oncoproteína mutada). As células cancerosas exibem diversas alterações que possibilitam sua evasão da resposta imune do hospedeiro

A aquisição das alterações genéticas e epigenéticas que conferem essas marcas registradas pode ser acelerada por *instabilidade genômica* e pela *inflamação promotora de câncer.* Trata-se de características consideradas propícias, visto que elas promovem a transformação celular e a progressão subsequente do tumor.

Nas seções seguintes, cada uma das marcas registradas e características habilitadoras das células cancerosas é discutida, com foco nos genes contribuintes e nas vias celulares mais importantes. A discussão da fisiopatologia do câncer termina com uma análise dos papéis que as alterações epigenéticas e os RNA não codificantes desempenham na doença.

Autossuficiência nos sinais de crescimento: oncogenes

Os oncogenes são genes mutados que causam crescimento celular excessivo, mesmo na ausência de fatores de crescimento e outros sinais externos promotores de crescimento. Uma importante descoberta no câncer foi a de que os oncogenes são versões mutadas ou hiperexpressas de genes celulares normais, que são denominados proto-oncogenes. Por meio de uma variedade de mecanismos, que são discutidos adiante, essas mutações aumentam ou alteram a função das oncoproteínas, que são constitutivamente ativas e resistentes ao controle por sinais externos. Por conseguinte, as células que expressam oncoproteínas ficam livres dos pontos de checagem normais e proliferam excessivamente.

Para ajudar na compreensão da natureza e das funções das oncoproteínas e de seu papel no câncer, é necessário descrever de maneira sucinta como as células normais respondem aos fatores de crescimento. A sinalização fisiológica induzida por fatores de crescimento pode ser sintetizada nas seguintes etapas:

- Ligação de um fator de crescimento a seu receptor específico
- Ativação transitória e limitada do receptor do fator de crescimento, que, por sua vez, ativa várias proteínas de transdução de sinal citoplasmáticas
- Transmissão do sinal transduzido para o núcleo por meio de proteínas efetoras citoplasmáticas adicionais e segundos mensageiros ou por uma cascata de moléculas de transdução de sinais
- Indução e ativação dos fatores de transcrição e alterações epigenéticas que iniciam e mantêm a transcrição do DNA
- Expressão de genes e fatores codificados que promovem a entrada e a progressão da célula no ciclo celular, resultando finalmente em divisão celular
- Paralelamente, alterações na expressão de outros genes que sustentam a sobrevivência das células e alterações metabólicas que são necessárias para o crescimento ideal.

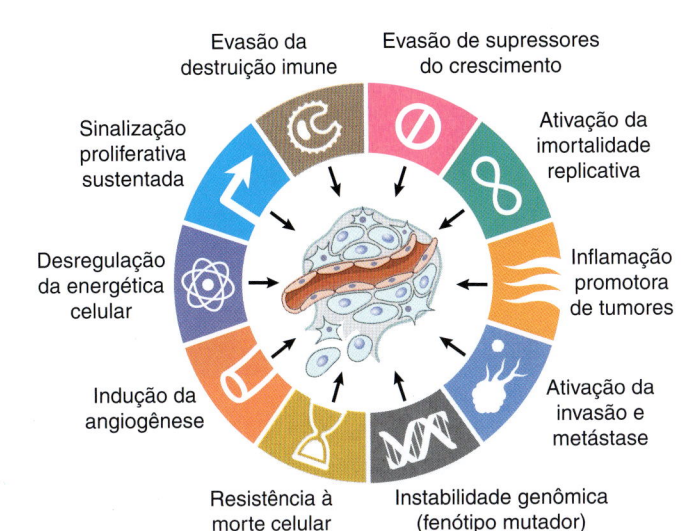

Figura 7.21 Marcas registradas do câncer. (Modificada de Hanahan D, Weinberg RA. Hallmarks of cancer: the next generation, *Cell* 144:646, 2011.)

Foram identificadas aberrações em múltiplas vias de sinalização nas neoplasias, e muitos componentes dessas vias atuam como oncoproteínas quando sofrem mutação (Tabela 7.5). Por outro lado, muitos supressores de tumor atuam por meio da inibição de um ou mais componentes dessas mesmas vias pró-crescimento (discutidas adiante). No **Capítulo 1**, foram definidas as principais vias de sinalização que regulam o comportamento celular, como a via do receptor tirosinoquinase, a via do receptor acoplado à proteína G, a via JAK/STAT, a via WNT, a via *Notch*, a via *Hedgehog*, a via de TGF-β/SMAD e a via do NF-κB. Foram observadas anormalidades em cada uma delas no desenvolvimento e na progressão de vários tipos de câncer.

Tradicionalmente, a discussão das oncoproteínas e dos supressores de tumor tem sido concentrada em sua capacidade de acelerar ou de inibir, respectivamente, a replicação do DNA e a progressão do ciclo celular. Essa visão tem seu mérito e iremos segui-la em nossa descrição inicial das atividades dessas oncoproteínas e supressores de tumor. Entretanto, a proliferação das células exige não apenas a replicação do DNA, como também a biossíntese suficiente de membrana, proteínas e várias macromoléculas e

Tabela 7.5 Oncogenes selecionados, seus modos de ativação e tumores humanos associados.

Categoria	Proto-oncogene	Modo de ativação do tumor	Tumor humano associado
Fatores de crescimento			
PDGF-β	PDGFB	Superexpressão	Astrocitoma
Fatores de crescimento dos fibroblastos	HST1 FGF3	Superexpressão Amplificação	Osteossarcoma Câncer de estômago Câncer de bexiga Câncer de mama Melanoma
TGF-α	TGFA	Superexpressão	Astrocitomas
HGF	HGF	Superexpressão	Carcinoma hepatocelular Câncer de tireoide
Receptores de fatores de crescimento			
Família do receptor de EGF	ERBB1 (EGFR) ERBB2 (HER)	Mutação Amplificação	Adenocarcinoma de pulmão Carcinoma de mama
Tirosinoquinase 3 do tipo FMS	FLT3	Mutação pontual ou pequenas duplicações	Leucemia
Receptor de fatores neurotróficos	RET	Mutação pontual	Neoplasia endócrina múltipla 2A e B, carcinomas medulares de tireoide familiares
Receptor do PDGF	PDGFRB	Amplificação, translocação	Gliomas, leucemias
Receptor para o ligante de KIT	KIT	Mutação pontual	Tumores estromais gastrintestinais, seminomas, leucemias
Receptor de ALK	ALK	Translocação Mutação pontual	Adenocarcinoma de pulmão, certos linfomas Neuroblastoma
Proteínas envolvidas na transdução de sinais			
Proteínas de ligação de GTP (G)	KRAS HRAS NRAS GNAQ GNAS	Mutação pontual Mutação pontual Mutação pontual Mutação pontual Mutação pontual	Tumores de cólon, pulmão e pâncreas Tumores de bexiga e rim Melanomas, neoplasias malignas hematológicas Melanoma uveal Adenoma hipofisário, outros tumores endócrinos
Tirosinoquinase não receptora	ABL	Translocação	Leucemia mieloide crônica Leucemia linfoblástica aguda
Transdução de sinal de RAS	BRAF	Mutação pontual	Melanomas, leucemias, carcinoma de cólon, outros
Transdução de sinal *Notch*	NOTCH1	Mutação pontual, translocação	Leucemias, linfomas, carcinoma de mama
Transdução de sinal JAK/STAT	JAK2	Mutação pontual, translocação	Distúrbios mieloproliferativos Leucemia linfoblástica aguda
Proteínas regulatórias nucleares			
Ativadores da transcrição	MYC	Translocação	Linfoma de Burkitt
	NMYC	Amplificação	Neuroblastoma
Reguladores do ciclo celular			
Ciclinas	CCND1 (ciclina D1)	Translocação Amplificação	Linfoma de células do manto, mieloma múltiplo Cânceres de mama e de esôfago
Quinase dependente de ciclina	CDK4	Amplificação ou mutação pontual	Glioblastoma, melanoma, sarcoma

organelas para possibilitar a divisão de uma célula "mãe" e a produção de duas células-filhas completas. As vias de crescimento celular implicadas na oncogênese também emitem sinais que promovem e que coordenam a biossíntese de todos os componentes celulares essenciais (discutidos adiante). Essa percepção gerou interesse no uso de muitos aspectos da sinalização pró-crescimento oncogênico como alvos terapêuticos, incluindo metabolismo celular alterado característico das células cancerosas.

Com base nesse referencial, discutiremos a seguir algumas das oncoproteínas e mecanismos mais importantes pelos quais elas contribuem para o crescimento autônomo das células cancerosas.

Oncoproteínas e crescimento celular

Os oncogenes desempenham múltiplas funções, porém praticamente todos codificam oncoproteínas constitutivamente ativas, que participam das vias de sinalização que induzem a proliferação de células. Por conseguinte, os proto-oncogenes, as versões reguladas normais dos oncogenes, podem codificar fatores de crescimento, receptores de fatores de crescimento, transdutores de sinais, fatores de transcrição ou componentes do ciclo celular. Na maioria dos casos, os oncogenes correspondentes codificam oncoproteínas, que desempenham funções semelhantes àquelas de seus equivalentes normais, com a importante diferença de que elas em geral são constitutivamente ativas e, portanto, liberam as células de sua dependência normal em relação aos fatores de crescimento.

Nas seções seguintes, acompanharemos uma via de sinalização de fatores de crescimento prototípica, da membrana até o núcleo (**Figura 7.22**), discutindo, em cada passo dessa "caminhada", alguns dos genes e fatores que apresentam desregulação mais comum (e que, portanto, são mais importantes) no câncer.

Fatores de crescimento. Os fatores de crescimento são produzidos, em sua maioria, por um tipo celular e atuam sobre uma célula adjacente de tipo diferente, que expressa o receptor do fator de crescimento apropriado (ação parácrina). Entretanto, algumas células cancerosas sintetizam o mesmo fator de crescimento ao qual são responsivas, criando uma alça autócrina. Por exemplo, os tumores cerebrais denominados *glioblastomas* (ver **Capítulo 28**) frequentemente expressam tanto o fator de crescimento derivado das plaquetas (PDGF) quanto seu receptor (PDGFR), enquanto muitos sarcomas hiperexpressam tanto o fator de crescimento transformador α (TGF-α) quanto seu receptor, o receptor do fator de crescimento epidérmico (EGFR).

Receptores de fatores de crescimento. Um grande número de oncogenes codifica receptores de fatores de crescimento, dos quais os receptores tirosinoquinases são os mais importantes no câncer. Convém lembrar que estes são proteínas transmembranares, com um domínio extracelular de ligação de fator de crescimento e um domínio citoplasmático de tirosinoquinase (ver **Capítulo 1**). Normalmente, o receptor é ativado transitoriamente pela ligação de um fator de crescimento específico, um evento que induz uma rápida mudança na conformação do receptor para um estado dimérico ativo. Em seguida, o receptor ativado autofosforila os resíduos de tirosina em sua própria cauda intracelular, e esses resíduos modificados atuam como sítios para o recrutamento de outras moléculas de sinalização, incluindo RAS e PI3K, que desempenham um papel fundamental na sinalização dos receptores tirosinoquinases (descrita adiante). As versões oncogênicas desses

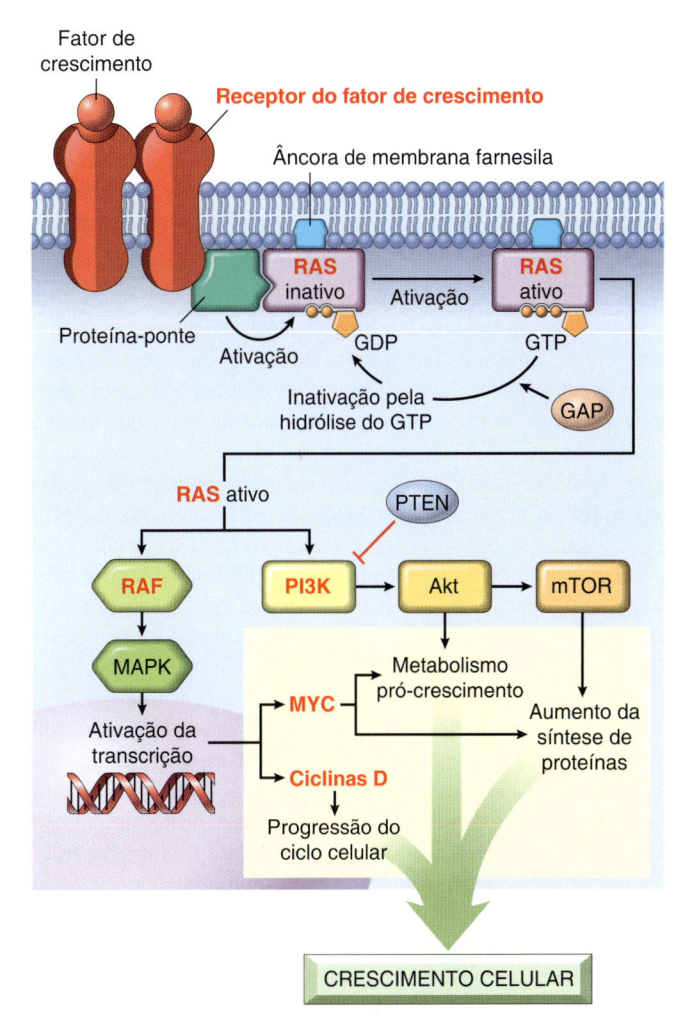

Figura 7.22 Vias de sinalização de fatores de crescimento no câncer. Os receptores de fatores de crescimento RAS, PI3K, MYC e ciclinas D são oncoproteínas que são ativadas por mutações em vários tipos de câncer. As proteínas ativadoras de GTPase (*GAP*) aplicam freios à ativação de RAS, e o homólogo da fosfatase e tensina (*PTEN*) desempenha a mesma função para PI3K. *GDP*, difosfato de guanosina; *GTP*, trifosfato de guanosina.

receptores estão associadas a mutações que levam a uma atividade constitutiva da tirosinoquinase independente de fator de crescimento. Por conseguinte, os receptores mutantes emitem continuamente sinais mitogênicos para a célula, mesmo na ausência de fator de crescimento no ambiente.

Os receptores de tirosinoquinases sofrem ativação constitutiva nos tumores por meio de múltiplos mecanismos, como mutações pontuais, rearranjos gênicos e amplificações gênicas. Algumas das mutações oncogênicas mais bem caracterizadas que envolvem receptores de fatores de crescimento estão listadas na **Tabela 7.5**; a seguir, são apresentados exemplos relevantes de importância clínica particular:

- O *ERBB1* codifica o EGFR. Várias mutações pontuais diferentes de *ERBB1*, encontradas em um subgrupo de adenocarcinomas de pulmão, produzem ativação constitutiva da tirosinoquinase do EGFR
- O *ERBB2* codifica um membro diferente da família de receptores de tirosinoquinase, o HER2. Em vez de ser ativado por mutações pontuais, o gene *ERBB2* é amplificado em certos carcinomas de mama, levando à superexpressão do receptor HER2 e à atividade constitutiva da tirosinoquinase

- O *ALK* é um receptor tirosinoquinase, que pode ser produzido em uma forma constitutivamente ativa como resultado de rearranjo gênico. Por exemplo, em um subgrupo de carcinomas de pulmão, uma deleção no cromossomo 5 funde parte do gene *ALK* com parte de outro gene, denominado *EML4*. O gene de fusão resultante, *EML4-ALK*, codifica uma proteína quimérica EML4-ALK com atividade constitutiva de tirosinoquinase.

A importância desses receptores tirosinoquinases mutados foi comprovada, em larga medida, pela eficiência terapêutica de agentes que inibem suas atividades enzimáticas. Os cânceres de mama com amplificação do *ERBB2* e superexpressão de HER2 respondem de modo satisfatório a anticorpos ou medicamentos que inibem a atividade do HER2. Esses inibidores não apenas bloqueiam o crescimento do tumor, mas também induzem apoptose e regressão do tumor, refletindo a capacidade de sinalização do receptor tirosinoquinase para aumentar a sobrevivência da célula, bem como sua proliferação. Os inibidores do EGFR e do ALK produzem respostas terapêuticas semelhantes em pacientes com adenocarcinomas de pulmão que possuem mutações do *ERBB1* ou genes de fusão *EML4-ALK*, respectivamente.

Infelizmente, essas terapias direcionadas para alvos específicos em geral não são curativas nos cânceres avançados. Foi constatado que as células tumorais que resistem à terapia normalmente apresentam outras mutações adquiridas, que evitam ou minimizam os efeitos do medicamento. Por exemplo, os cânceres de pulmão que desenvolvem resistência aos inibidores do EGFR frequentemente apresentam mutações no EGFR, que impedem a ligação dos inibidores, ou amplificações em um gene denominado *MET*, que codifica outro receptor tirosinoquinase. Essa experiência ressalta um dos problemas clínicos mais relevantes no tratamento dos cânceres avançados: a presença, nas populações geneticamente heterogêneas de células tumorais, de subclones que conferem resistência às terapias-alvo.

Componentes a jusante da via de sinalização do receptor tirosinoquinase. Conforme já assinalado, a ativação do receptor tirosinoquinase estimula o RAS e dois importantes "braços" de sinalização a jusante, a cascata da MAPK e a via PI3K/AKT. Em consonância com a importância dessas vias na mediação do crescimento celular, o RAS, a PI3K e outros componentes dessas vias frequentemente são afetados por mutações com ganho de função em diferentes tipos de câncer. É interessante assinalar que, quando há mutações de RAS em um tumor, as mutações de ativação dos receptores tirosinoquinases quase sempre estão ausentes, pelo menos dentro do clone tumoral dominante, sugerindo que, nesses tumores, o RAS ativado pode substituir por completo a atividade de tirosinoquinase. Por conseguinte, os adenocarcinomas de pulmão são incluídos em subtipos moleculares mutuamente excludentes, que estão associados a mutações que envolvem *RAS* ou vários genes de tirosinoquinase, uma percepção que exerce implicações importantes nas terapias direcionadas para esse tipo de câncer.

As mutações pontuais dos genes da família do *RAS* constituem o tipo mais comum de anormalidade envolvendo protooncogenes em tumores humanos. Os genes RAS, dos quais existem três nos seres humanos (*HRAS*, *KRAS* e *NRAS*), foram descobertos pela primeira vez nos genomas de retrovírus transformadores. Aproximadamente 15 a 20% de todos os tumores humanos apresentam mutações de RAS; todavia, em alguns tipos de câncer, a frequência de mutações de RAS é muito maior. Por exemplo, 90% dos adenocarcinomas pancreáticos contêm mutações de RAS, assim como cerca de 50% dos cânceres de cólon, de endométrio e de tireoide e 30% dos adenocarcinomas de pulmão e leucemias mieloides.

Convém lembrar que as proteínas RAS são membros de uma família de pequenas proteínas G associadas à membrana, que se ligam a nucleotídios de guanosina (trifosfato de guanosina [GTP] e difosfato de guanosina [GDP]), à semelhança das proteínas G trimoleculares maiores. A proteína RAS normalmente alterna entre um estado ativado de transmissão de sinais, em que está ligada ao GTP, e um estado de repouso, em que está ligada ao GDP. A estimulação dos receptores tirosinoquinases por fatores de crescimento leva à troca de GDP por GTP e a mudanças conformacionais subsequentes, que geram RAS ativa. A ativação de RAS é transitória, visto que exerce atividade intrínseca de GTPase, que é acelerada por proteínas ativadoras de GTPase (GAP), que, por sua vez, ligam-se à RAS ativa e aumentam sua atividade de GTPase em mais de mil vezes, terminando, assim, a transdução de sinal. Por conseguinte, as GAP impedem a atividade descontrolada da RAS.

Foram identificadas várias mutações pontuais distintas de *RAS* nas células cancerosas, que reduzem acentuadamente a atividade de GTPase da proteína RAS. Essas formas mutadas de RAS são retidas na forma ativada ligada ao GTP, e, em consequência, a célula recebe continuamente sinais pró-crescimento. A partir desse cenário, pode-se deduzir que as consequências das mutações com ganho de função nas proteínas RAS podem ser mimetizadas por mutações com perda de função nas GAP que normalmente restringem a atividade da RAS. De fato, as mutações incapacitantes da neurofibromina 1, uma GAP codificada pelo gene *NF1*, estão associadas a uma síndrome de câncer hereditária, a *neurofibromatose familiar tipo 1* (ver **Capítulo 25**). Por conseguinte, o gene *NF1* fornece um exemplo de gene supressor de tumor que atua por meio da regulação negativa da sinalização de RAS.

As cascatas da MAPK e PI3K/AKT situam-se a jusante da RAS e são constituídas por uma série de quinases, muitas das quais estão mutadas nas células cancerosas. Os componentes posicionados próximo ao topo de cada cascata frequentemente são afetados por mutações oncogênicas de ganho de função em vários tipos de câncer, da seguinte maneira:

- As *mutações no gene BRAF*, um membro da família de RAF de serina/treonina proteinoquinase, são encontradas em quase 100% das leucemias de células pilosas, em 60% dos melanomas e em uma porcentagem menor de uma ampla variedade de neoplasias, incluindo carcinoma de cólon. À semelhança das mutações de RAS ativadoras, as mutações ativadoras de BRAF estimulam quinases a jusante e, por fim, ativam fatores de transcrição. As mutações em outros membros da família MAPK a jusante de BRAF são menos comuns no câncer, sugerindo que as mutações que afetam os fatores próximos ao topo da cascata são mais efetivas na produção de efeitos pró-crescimento

- As *mutações nas quinases da família PI3K* também são muito comuns em certos tipos de câncer. Por exemplo, cerca de 30% dos carcinomas de mama apresentam mutações de ganho de função de PI3K. Em outros casos, a PI3K tem sua atividade "descontrolada" por mutações de perda de função em seu regulador negativo, denominado PTEN, um supressor de tumor que geralmente está mutado no carcinoma de endométrio. Em circunstâncias normais, após ativação do receptor tirosinoquinase, a PI3K é recrutada para complexos de proteínas associados à membrana plasmática. Aqui, como o BRAF, ela ativa uma cascata de serina/treonina quinases, incluindo AKT. A AKT fosforila mais de 150 proteínas e constitui um importante nó de sinalização. Seus substratos incluem reguladores fundamentais da síntese de proteínas (mTOR) e apoptose (BAD, fatores de transcrição FOXO, MDM2 e IAP, todos descritos em outras partes).

Como as proteínas RAS sofrem mutação com tanta frequência no câncer, muitos esforços foram envidados para tentar desenvolver fármacos capazes de inibir a RAS. Infelizmente, nenhuma dessas estratégias teve sucesso, em grande parte devido ao fato de que o fator necessário consiste na restauração de uma atividade enzimática ausente (atividade de GTPase), um efeito geralmente difícil de ser obtido com fármacos. Por outro lado, o tratamento de pacientes com melanomas avançados com inibidores de BRAF tem produzido respostas clínicas significativas. Essas respostas limitam-se estritamente a tumores com mutações de *BRAF*, visto que dependem da sinalização de BRAF, enquanto os melanomas com genes *BRAF* de tipo selvagem não respondem. Esse fenômeno, denominado *vício em oncogene* (descrito adiante), ressalta a necessidade de uma análise molecular para orientar a terapia adequada. Foram também desenvolvidos diversos fármacos que inibem várias isoformas de PI3K, e alguns estão agora aprovados para o tratamento de determinados tipos de câncer.

Tirosinoquinases não receptoras. Mutações oncogênicas também ocorrem em várias proteínas tirosinoquinases não receptoras que normalmente estão localizadas no citoplasma ou no núcleo. Em muitos casos, as mutações assumem a forma de translocações cromossômicas ou rearranjos, que criam genes de fusão, que, por sua vez, codificam tirosinoquinases constitutivamente ativas. Apesar de sua localização não membranar, essas oncoproteínas parecem ativar as mesmas vias de sinalização que os receptores tirosinoquinases. Um exemplo importante desse mecanismo oncogênico envolve a tirosinoquinase ABL. Na leucemia mieloide crônica (LMC) e em um subgrupo de leucemia linfoblástica aguda, o gene *ABL* é translocado de sua localização normal no cromossomo 9 para o cromossomo 22 (**Figura 7.23**), onde se funde com o gene *BCL* (ver discussão das **translocações cromossômicas** posteriormente neste capítulo). O gene de fusão resultante codifica uma proteína BCR-ABL quimérica, com atividade de tirosinoquinase constitutiva. A contribuição mais importante da porção BCR consiste em promover a autoassociação de BCR-ABL, que parece ser suficiente para desencadear a atividade de tirosinoquinase de ABL. Essa é uma situação recorrente no câncer, visto que muitas tirosinoquinases oncogênicas apresentam-se como proteínas quiméricas, nas quais o parceiro não tirosinoquinase impulsiona a autoassociação.

O tratamento da LMC foi revolucionado pelo desenvolvimento de inibidores da tirosinoquinase BCR-ABL, outro exemplo de planejamento racional de fármacos que surgiu da compreensão da base molecular do câncer. A notável resposta terapêutica da LMC a inibidores de BCR-ABL fornece um dos primeiros e melhores exemplos de *vício em oncogene*, em que as células tumorais são altamente dependentes da atividade de uma oncoproteína. Apesar do acúmulo de mutações em outros genes associados ao câncer nas células da LMC, a sinalização por meio da tirosinoquinase BCR-ABL é necessária para que a maioria das células tumorais da LMC possa proliferar e sobreviver; por conseguinte, a inibição de sua atividade proporciona uma terapia altamente efetiva. A presença de um gene de fusão *BCR-ABL* define a LMC e precisa

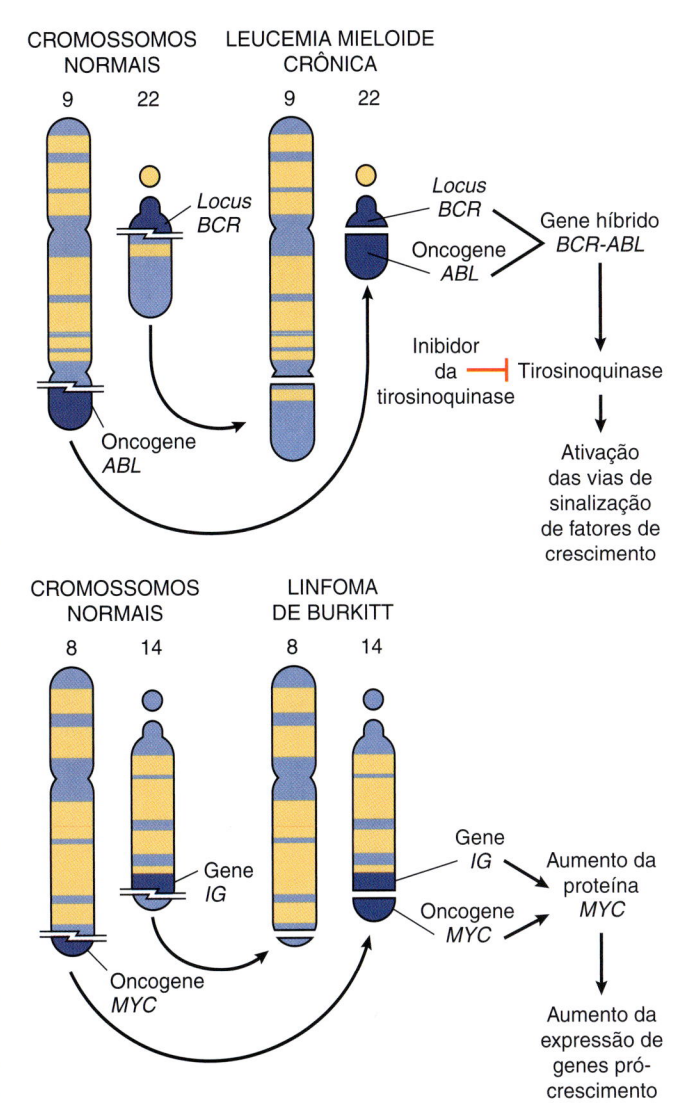

Figura 7.23 Translocação cromossômica e seus oncogenes associados no linfoma de Burkitt e na leucemia mieloide crônica.

ser o evento inicial nessa doença. Assim, as mutações adicionais adquiridas pelo clone fundador são selecionadas por sua capacidade de complementar os efeitos da sinalização constante de BCR-ABL, que pode ser vista como o eixo central de sustentação em torno do qual uma "estrutura" de sinalização oncogênica é construída. Se o eixo central for removido por meio de tratamento com inibidores da quinase BCR-ABL, toda a estrutura colapsa. Infelizmente, o tratamento desse "vício" em BCR-ABL não leva à cura. Embora o componente de proliferação do tumor seja suprimido por inibidores de BCR-ABL e o paciente pareça estar totalmente bem, há persistência de raras "células-tronco" da LMC que abrigam o gene de fusão *BCR-ABL*, aparentemente pelo fato de que essas células não necessitam de sinais de BCR-ABL para sua sobrevivência. Em consequência, a terapia com inibidores de BCR-ABL precisa ser mantida indefinidamente; caso contrário, as células-tronco malignas geram uma descendência rapidamente proliferante, com retorno da leucemia totalmente desenvolvida. Esse resultado destaca um segundo conceito importante ao qual retornaremos: a existência de células do tipo "célula-tronco" em certos cânceres, que podem ser particularmente resistentes às terapias-alvo.

Em outros casos, as proteínas tirosinoquinases não receptoras são ativadas por mutações pontuais que anulam a função dos domínios autorreguladores negativos, que normalmente mantêm a atividade da enzima sob controle. Um exemplo desse tipo de mutação é encontrado na tirosinoquinase não receptora JAK2. A JAK2 participa da via de sinalização JAK/STAT, que transduz sinais mitogênicos de receptores de fatores de crescimento e de citocinas que carecem de atividade de tirosinoquinase (conforme descrito no **Capítulo 1**). A ativação de JAK/STAT altera a expressão de genes-alvo que se ligam a fatores de transcrição STAT. Várias neoplasias mieloides estão frequentemente associadas a mutações pontuais ativadoras na JAK2, que aliviam as células tumorais de sua dependência normal de fatores de crescimento hematopoéticos, como a eritropoetina (ver **Capítulo 13**). O reconhecimento dessa lesão molecular levou ao desenvolvimento clínico de inibidores da JAK2 e estimulou a investigação de mutações ativadoras em outras tirosinoquinases não receptoras.

Fatores de transcrição. Assim como todos os caminhos levam a Roma, todas as vias de transdução de sinais convergem para o núcleo, onde ativam a expressão de genes-alvo que coordenam o avanço ordenado da célula pelo ciclo celular. De fato, a consequência final das vias de sinalização mitogênicas desreguladas consiste na estimulação contínua e inapropriada de fatores de transcrição nucleares que dirigem genes promotores do crescimento. Assim, não é surpreendente que a autonomia do crescimento também possa ocorrer em consequência de mutações que afetam fatores de transcrição que regulam a expressão de genes pró-crescimento e ciclinas. Os fatores de transcrição que pertencem a essa classe incluem os produtos dos proto-oncogenes *MYC, MYB, JUN, FOS* e *REL*. Destes, o *MYC* é o mais comumente afetado no câncer, de modo que apresentaremos uma breve visão geral de sua regulação e função.

MYC. O proto-oncogene *MYC* é expresso em praticamente todas as células eucarióticas e pertence aos genes de resposta precoce imediata, que são induzidos rapidamente e de modo transitório pela sinalização RAS/MAPK, após estimulação dos fatores de crescimento das células em repouso. Em circunstâncias normais, as concentrações da proteína MYC são rigorosamente controladas em nível da transcrição, tradução e estabilidade da proteína, e praticamente todas as vias que regulam o crescimento afetam MYC por meio de um ou mais desses mecanismos.

A maneira pela qual o MYC promove o crescimento celular normal e neoplásico não está totalmente elucidada, porém numerosos estudos mostraram que o **MYC exerce atividades diversas, várias das quais contribuem não apenas para o crescimento celular desregulado, mas também para várias outras marcas registradas do câncer:**

- *O MYC ativa a expressão de muitos genes que estão envolvidos no crescimento celular:*
    - Alguns genes-alvo do MYC, como as ciclinas D, estão diretamente envolvidos na progressão do ciclo celular
    - O MYC também suprarregula a expressão de genes do RNA ribossômico (rRNA) e o processamento do rRNA, aumentando, assim, a montagem dos ribossomos necessários para a síntese de proteínas
    - O MYC suprarregula um programa de expressão gênica, que leva à reprogramação metabólica e ao efeito Warburg, outra marca registrada do câncer (discutida adiante). Entre os genes envolvidos no metabolismo que são suprarregulados pelo MYC estão diversas enzimas glicolíticas e fatores envolvidos no metabolismo da glutamina, ambos os quais contribuem para a geração de intermediários metabólicos que são necessários para a síntese de macromoléculas, como DNA, proteínas e lipídios
- Com base nesses efeitos multifacetados, o MYC pode ser considerado regulador transcricional principal do crescimento celular. Com efeito, os tumores humanos de crescimento mais rápido são os que têm os maiores níveis de MYC, como o linfoma de Burkitt, que praticamente sempre apresenta uma transcrição cromossômica envolvendo *MYC* (ver **Figura 7.23**)
- *Em alguns contextos, o MYC suprarregula a expressão da telomerase.* Conforme discutido adiante, a telomerase é um dos vários fatores que contribuem para a capacidade de replicação contínua (imortalização) das células cancerosas
- *O MYC é um representante de um grupo de fatores de transcrição que podem atuar em conjunto para reprogramar as células somáticas em células-tronco pluripotentes* (ver **Capítulo 1**). Essa capacidade levou à suspeita de que o MYC também possa contribuir para a qualidade de "célula-tronco" das células cancerosas, outro aspecto importante da imortalidade dos cânceres.

Tendo em vista a importância do MYC na regulação do crescimento celular, não deve ser uma surpresa o fato de que ele esteja desregulado no câncer, em virtude de uma grande variedade de mecanismos. Algumas vezes, a desregulação envolve alterações genéticas do próprio MYC. No linfoma de Burkitt e em um subgrupo de outros tumores de células B e T, o gene *MYC* é translocado para um *locus* do gene do receptor de antígenos, que contém elementos reguladores gênicos, denominados amplificadores, que são extremamente ativos nos linfócitos. Em vez de impulsionar a expressão dos receptores de células B ou T, esses amplificadores, na localização incorreta, provocam desregulação e superexpressão da proteína MYC. Em outras situações, o gene *MYC* pode estar amplificado, como nos cânceres de mama, de cólon, de pulmão e outros tecidos, resultando mais uma vez em superexpressão do MYC. Os genes *NMYC* e *LMYC* funcionalmente idênticos também estão amplificados nos neuroblastomas (**Figura 7.24**) e nos cânceres de pequenas células do pulmão, respectivamente. Em muitos outros casos, mutações oncogênicas envolvendo componentes das vias de sinalização a montante elevam os níveis de proteína MYC ao aumentar a transcrição do *MYC*, ao intensificar a tradução do RNA mensageiro (mRNA) do *MYC* e/ou ao estabilizar a proteína MYC. Por conseguinte, a sinalização constitutiva de RAS/MAPK (em muitos cânceres), a sinalização *Notch* (em vários tipos de câncer), a sinalização Wnt (carcinoma do cólon) e a sinalização de *Hedgehog* (meduloblastoma) transformam as células, em parte, por meio da suprarregulação do *MYC*. Por fim, vários polimorfismos de nucleotídio único (SNP) associados a um risco herdado de certos tipos de câncer, como o carcinoma de próstata, de ovário e certas leucemias, situam-se dentro de elementos amplificadores que flanqueiam o *MYC*; essas variantes parecem estimular níveis mais elevados de expressão do RNA do *MYC* em resposta a sinais promotores de crescimento. Por conseguinte, parece não haver limites para as maneiras pelas quais o MYC pode sofrer desregulação nas células cancerosas.

Ciclinas e quinases dependentes de ciclinas. Conforme assinalado no **Capítulo 1**, os fatores de crescimento transduzem sinais que estimulam a progressão ordenada de células por meio

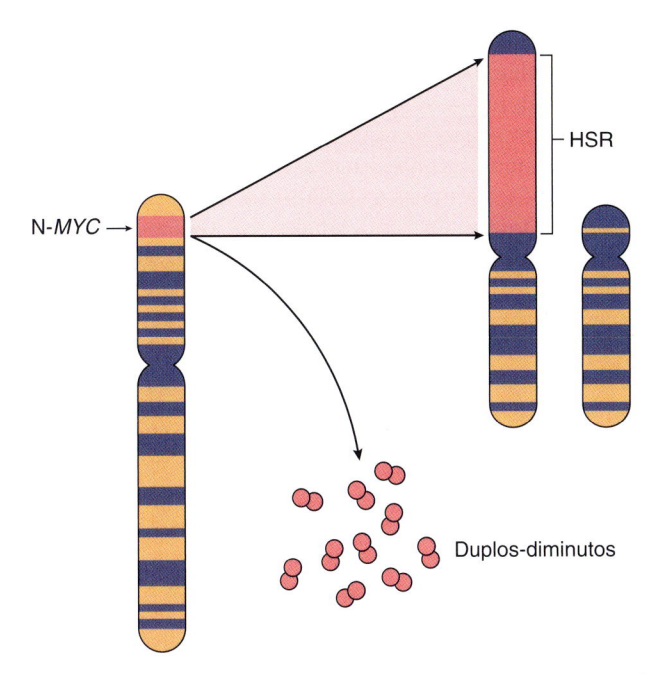

Figura 7.24 Amplificação do gene *NMYC* nos neuroblastomas humanos. O gene *NMYC*, que normalmente está presente no cromossomo 2p, torna-se amplificado e é visto como múltiplos duplos-diminutos cromossômicos ou como uma região de coloração homogênea (*HSR*) integrada no cromossomo. A integração envolve outros autossomos, como 4, 9 ou 13. (Modificada de Brodeur GM: Molecular correlates of cytogenetic abnormalities in human cancer cells: implications for oncogene activation. In Brown EB, editor: *Progress in Hematology*, vol. 14, Orlando, Fla, 1986, Grune & Stratton, p. 229-256.)

- *Mutações de ganho de função nos genes da ciclina D e CDK4, que promovem a progressão suprarregulada de G_1/S e que, portanto, atuam como oncogenes.* Existem três genes de ciclina D, D1, D2 e D3, que são funcionalmente intercambiáveis e, com frequência, desregulados por mutações adquiridas no câncer, como translocações cromossômicas em tumores linfoides e amplificação gênica em uma variedade de tumores sólidos. A amplificação do gene *CDK4* também ocorre nos melanomas, nos sarcomas e nos glioblastomas. Os inibidores de CDK4 são efetivos no tratamento dos cânceres de mama avançados associados a uma atividade excessiva de CDK4. As mutações que afetam outras CDKs e a ciclina E também ocorrem em cânceres, porém não são frequentes, presumivelmente devido ao fato de que esses fatores são menos importantes no controle da transição G_1/S, que desempenha um papel preponderante na regulação das taxas de crescimento dos tumores
- *Mutações de perda de função em genes que inibem a progressão G_1/S.* Exemplos desses genes supressores de tumor são os que codificam os inibidores de CDK, que inibem os complexos de

de várias fases do ciclo celular, processo pelo qual as células replicam seu DNA no preparo para a divisão celular. A progressão das células por meio do ciclo celular é coordenada por quinases dependentes de ciclina (CDK, *cyclin-dependent kinases*), que são ativadas por sua ligação às ciclinas, assim denominadas em virtude da natureza cíclica de sua produção e degradação. Os complexos de CDK-ciclina fosforilam proteínas-alvo cruciais, que conduzem as células adiante, por meio do ciclo celular. Enquanto as ciclinas estimulam as CDK, os inibidores de CDK, que são encontrados em grande número, silenciam as CDK e exercem um controle negativo sobre o ciclo celular (**Tabela 7.6**). A expressão desses inibidores é infrarregulada por vias de sinalização mitogênicas, promovendo, assim, a progressão do ciclo celular.

Existem dois pontos de checagem principais do ciclo celular, um deles situado na transição G_1/S, e o outro, na transição G_2/M, ambos rigorosamente regulados por um equilíbrio de proteínas promotoras e supressoras do crescimento, bem como por sensores de dano ao DNA (ver **Capítulo 1**). Se forem ativados, esses sensores de dano ao DNA transmitem sinais que interrompem a progressão do ciclo celular e que iniciam a apoptose se não for possível proceder ao reparo do dano. De maneira compreensível, os defeitos no ponto de checagem G_1/S são mais importantes no câncer, visto que eles não apenas levam ao crescimento desregulado, mas também podem comprometer o reparo do DNA, criando um fenótipo "mutador" que (conforme já assinalado) possibilita o desenvolvimento e a progressão do câncer.

As principais mutações associadas ao câncer que afetam o ponto de checagem G_1/S podem ser, de maneira mais geral, agrupadas em duas classes:

Tabela 7.6 Componentes e inibidores do ciclo celular frequentemente mutados no câncer.

Componente do ciclo celular	Principal função
Ciclinas e quinases dependentes de ciclinas	
CDK4; ciclinas D	Formam um complexo que fosforila RB, permitindo a progressão da célula por meio do ponto de restrição G_1
Inibidores do ciclo celular	
Família CIP/KIP: p21, p27 (CDKN1A-D)	Bloqueiam o ciclo celular por meio de sua ligação à complexos de ciclina-CDK A p21 é induzida pelo supressor de tumor p53 A p27 responde a supressores do crescimento, como TGF-β
Família INK4/ARF (CDKN2A-C)	A p16/INK4a liga-se à ciclina D-CDK4 e promove os efeitos inibitórios de RB A p14/ARF aumenta os níveis de p53 ao inibir a atividade de MDM2
Componentes do ponto de checagem do ciclo celular	
RB	Proteína de "bolso" supressora de tumor, que se liga a fatores de transcrição E2F em seu estado hipofosforilado, impedindo a transição G_1/S Interagem com fatores de transcrição que regulam a diferenciação
p53	Proteína supressora de tumor alterada na maioria dos cânceres Induzida por dano ao DNA Causa a interrupção do ciclo celular pela suprarregulação do inibidor p21 da CDK Induz a apoptose pela suprarregulação de BAX e outros genes pró-apoptóticos

ciclina D/CDK e que, com frequência, estão mutados ou silenciados em muitas neoplasias malignas humanas. Por exemplo, verifica-se a presença de mutações na linhagem germinativa de *p16* (*CDKN2A*) em 25% das famílias com predisposição ao melanoma, e observa-se a presença de deleção ou inativação da p16 adquiridas somaticamente em 75% dos carcinomas pancreáticos, em 40 a 70% dos glioblastomas, em 50% dos cânceres de esôfago, em 20 a 70% das leucemias linfoblásticas agudas e em 20% dos carcinomas de pulmão de células não pequenas, sarcomas de tecidos moles e cânceres de bexiga. Além disso, os dois genes supressores de tumor mais importantes, *RB* e *TP53*, codificam proteínas que inibem a progressão G_1/S.

> ### Conceitos-chave
> #### Oncogenes, oncoproteínas e proliferação celular desregulada
>
> Proto-oncogenes: genes celulares normais, cujos produtos promovem a proliferação celular.
> Oncogenes: versões mutadas ou superexpressas de proto-oncogenes, com função autônoma, que perderam a dependência de sinais promotores de crescimento normais.
> Oncoproteína: proteína codificada por um oncogene, que impulsiona o aumento da proliferação das células cancerosas, que pode resultar de uma variedade de aberrações:
>
> - Expressão constitutiva de fatores de crescimento e seus receptores de fator de crescimento cognatos, estabelecendo uma alça de sinalização celular autócrina
> - Mutações nos receptores de fatores de crescimento, tirosinoquinases não receptoras ou moléculas de sinalização a jusante, que levam à sinalização constitutiva, como:
>   - Ativação do receptor tirosinoquinase do EGF por mutações pontuais (câncer de pulmão), ativação do receptor tirosinoquinase HER2 por amplificação gênica (câncer de mama) e ativação da JAK2 tirosinoquinase por mutações pontuais (neoplasias mieloproliferativas)
>   - Ativação da tirosinoquinase não receptora ABL por translocação cromossômica e criação de um gene de fusão (leucemia mieloide crônica, leucemia linfoblástica aguda)
>   - Ativação de RAS por mutações pontuais (muitos tipos de câncer)
>   - Ativação de serina/treonina quinases PI3K e BRAF por mutações pontuais (muitos tipos de câncer)
>   - Aumento da expressão de MYC, um fator de transcrição principal que regula os genes necessários para o rápido crescimento celular por desregulação por meio de translocações cromossômicas (linfoma de Burkitt, outras neoplasias malignas hematológicas), amplificação gênica (neuroblastoma) e aumento da atividade das vias de sinalização a montante (muitos tipos de câncer)
>   - Mutações que aumentam a atividade dos complexos de quinase dependente de ciclina 4 (CDK4)/ciclina D, que promovem a progressão do ciclo celular.

Insensibilidade à inibição do crescimento: genes supressores de tumor

Enquanto os oncogenes conduzem a proliferação das células, os produtos da maioria dos genes supressores de tumor aplicam freios na proliferação celular, e a ocorrência de anormalidades **nesses genes leva a uma falha da inibição do crescimento, outra marca registrada fundamental da carcinogênese.** As proteínas supressoras de tumor controlam uma série de pontos de checagem que impedem o crescimento descontrolado. Muitos supressores de tumor, como RB e p53, fazem parte de uma rede regulatória, que reconhece o estresse genotóxico de qualquer fonte e que responde pela desativação da proliferação. De fato, a expressão de um oncogene em células normais com genes supressores de tumor intactos leva a um estado de repouso ou à interrupção permanente do ciclo celular (senescência induzida por oncogenes, discutida adiante), em vez de levar à proliferação descontrolada. Por fim, as vias inibidoras do crescimento podem induzir as células à apoptose. Outro conjunto de supressores de tumor parece estar envolvido na diferenciação celular, fazendo com que as células entrem em um padrão pós-mitótico diferenciado, sem potencial de replicação. À semelhança dos sinais mitogênicos, os sinais que induzem inibição do crescimento e diferenciação originam-se fora da célula e utilizam receptores, transdutores de sinais e reguladores da transcrição nuclear para exercer seus efeitos; os supressores de tumor formam parte dessas redes. Por conseguinte, os produtos proteicos dos genes supressores de tumor podem atuar como fatores de transcrição, inibidores do ciclo celular, moléculas de transdução de sinal, receptores de superfície celular e reguladores das respostas celulares ao dano do DNA.

Nessa seção, descreveremos os genes supressores de tumor, seus produtos e os mecanismos pelos quais a perda de sua função contribui para o crescimento celular desregulado (**Tabela 7.7**). Muitos dos nossos conceitos atuais sobre supressores de tumor evoluíram a partir de estudos do gene do retinoblastoma (*RB*), o primeiro gene supressor de tumor descrito, que continua sendo um protótipo desse tipo de genes. Como muitas descobertas na medicina, o *RB* foi identificado durante o estudo de uma doença hereditária rara, o retinoblastoma familiar. Cerca de 40% dos retinoblastomas são familiares, sendo a predisposição ao desenvolvimento do tumor transmitida como traço autossômico dominante. Os portadores desse traço correm um risco 10 mil vezes maior de desenvolver retinoblastoma (frequentemente nos dois olhos), em comparação com a população geral, e também apresentam um acentuado aumento no risco de desenvolver osteossarcoma e outros sarcomas de tecidos moles. Os 60% restantes dos retinoblastomas ocorrem de modo esporádico (quase sempre afetando apenas um olho), e esses pacientes não correm risco aumentado de outros tipos de câncer. Para explicar esses dois padrões de ocorrência do retinoblastoma, Knudson propôs sua hipótese de "dois eventos" atualmente canônica da oncogênese. Em termos moleculares, a hipótese de Knudson pode ser expressa da seguinte maneira (**Figura 7.25**):

- Duas mutações (eventos) envolvendo ambos os alelos do *RB* são necessárias para produzir o retinoblastoma
- Nos casos familiares, as crianças herdam uma cópia defeituosa do gene *RB* (o primeiro evento) e uma cópia normal do *RB* na linhagem germinativa. Ocorre desenvolvimento de retinoblastoma quando o alelo *RB* normal é mutado nos retinoblastos, em consequência de uma mutação somática espontânea (o segundo evento). Como o segundo evento parece ser praticamente inevitável em uma pequena fração de retinoblastos, a maioria dos indivíduos que herdam um defeito de linhagem germinativa em um alelo *RB* desenvolve retinoblastoma unilateral ou bilateral, e a doença é herdada como traço autossômico dominante

- Nos casos esporádicos, ambos os alelos *RB* normais precisam sofrer mutação somática no mesmo retinoblasto (dois eventos). A probabilidade desse evento é baixa (o que explica por que o retinoblastoma é incomum na população geral), porém o resultado final é o mesmo: uma célula da retina perde a função do *RB* e torna-se cancerosa.

Uma criança portadora de um alelo *RB* mutante herdado em todas as células somáticas é perfeitamente normal (exceto pelo aumento do risco de desenvolvimento de câncer); conclui-se que um gene *RB* defeituoso não exerce efeitos adversos sobre o comportamento celular. Por conseguinte, embora o traço genético (aumento no risco de câncer) associado às mutações de *RB* de linhagem germinativa seja herdado de modo autossômico dominante, no nível da célula individual, o fenótipo associado à perda de função do *RB* comporta-se como um traço recessivo.

Após a identificação do gene *RB*, foram descobertos numerosos outros genes supressores de tumor, frequentemente como resultado do estudo de outros tipos de câncer familiar. Em geral, os principais temas que emergiram do estudo do retinoblastoma familiar são válidos para outros cânceres familiares: o risco de câncer é herdado como traço autossômico dominante, devido a uma mutação de linhagem germinativa em um gene supressor de tumor; os tumores apresentam um segundo "evento" no único alelo normal do gene supressor de tumor; e o mesmo gene supressor de tumor está com frequência mutado em tumores esporádicos do mesmo tipo.

Alguns dos genes supressores de tumor mais importantes, suas síndromes familiares associadas e suas funções normais estão listados na **Tabela 7.7**. Observe que, embora os supressores de tumor tenham sido inicialmente considerados apenas como proteínas que atuam como freios na progressão do ciclo celular e replicação do DNA, percebe-se atualmente que alguns supressores de tumor impedem a ocorrência de transformação celular por meio de outros mecanismos, como alteração do metabolismo celular ou manutenção da estabilidade genômica. Por conseguinte, enquanto os supressores de tumor exercem, em sua maioria, efeitos inibidores sobre o crescimento celular por um mecanismo ou

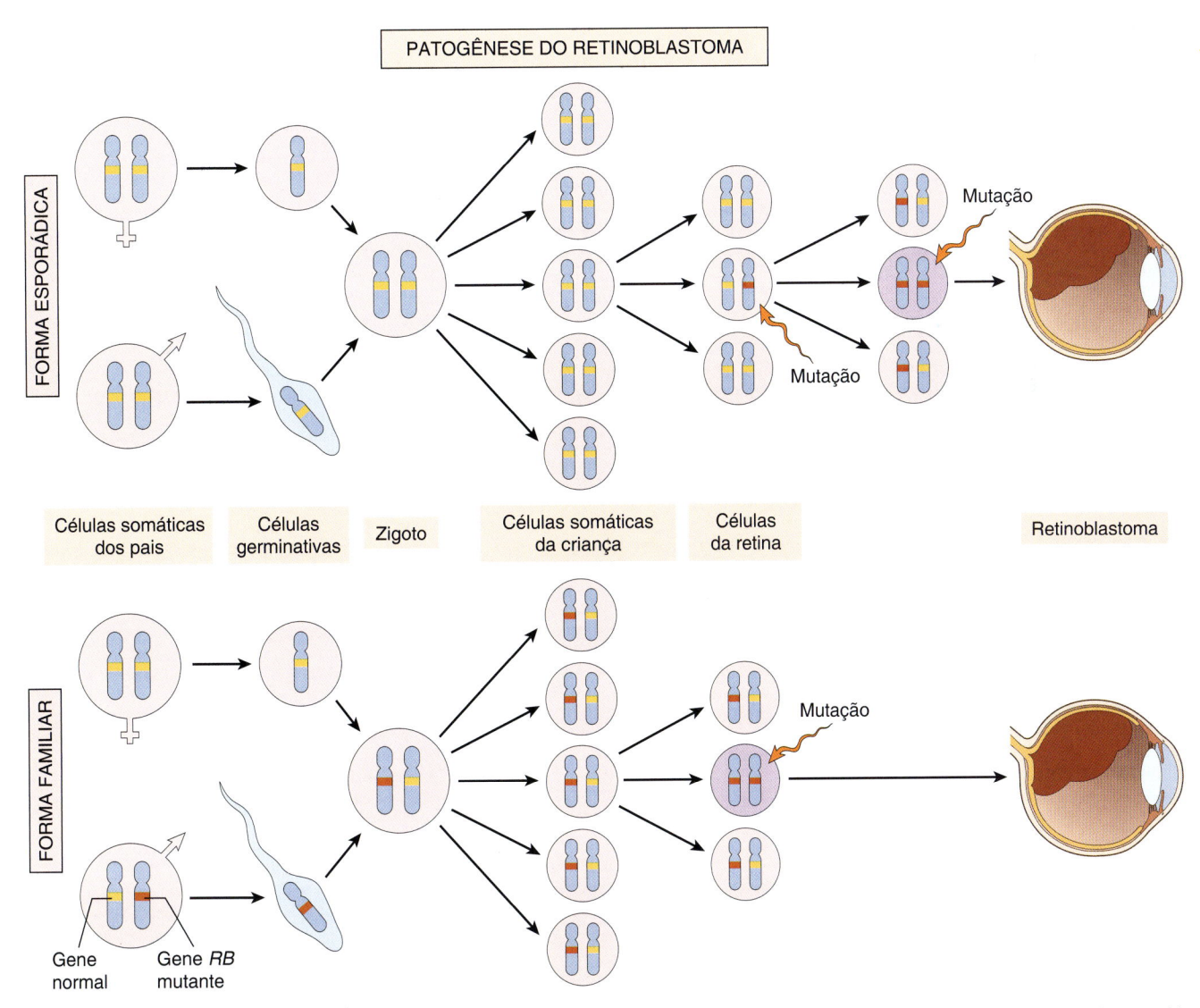

Figura 7.25 Patogênese do retinoblastoma. Duas mutações do *locus RB* no cromossomo 13q14 levam à proliferação neoplásica das células da retina. Na forma esporádica, ambas as mutações do *RB* na célula da retina fundadora do tumor são necessárias. Na forma familiar, todas as células somáticas herdam uma cópia mutada do gene *RB* de um genitor portador, e, em consequência, apenas uma mutação adicional de *RB* em uma célula da retina é necessária para a perda completa da função de RB.

Tabela 7.7 Genes supressores de tumor selecionados e síndromes e cânceres familiares associados, classificados pelas marcas registradas do câncer.[a]

Gene	Proteína	Função	Síndromes familiares	Cânceres esporádicos
Inibidores das vias de sinalização mitogênicas				
APC	Proteína da polipose adenomatosa do cólon	Inibidora da sinalização WNT	Pólipos colônicos e carcinomas familiares	Carcinomas de estômago, cólon, pâncreas; melanoma
NF1	Neurofibromina-1	Inibidora da sinalização RAS/MAPK	Neurofibromatose tipo 1 (neurofibromas e tumores malignos da bainha dos nervos periféricos)	Neuroblastoma, leucemia mieloide juvenil
NF2	Merlina	Estabilidade do citoesqueleto; via de sinalização Hippo	Neurofibromatose tipo 2 (schwannoma acústico e meningioma)	Schwannoma, meningioma
PTCH	Patched	Inibidor da sinalização Hedgehog	Síndrome de Gorlin (carcinoma basocelular, meduloblastoma, vários tumores benignos)	Carcinoma basocelular, meduloblastoma
PTEN	Homólogo da fosfatase e tensina	Inibidor da sinalização de PI3K/AKT	Síndrome de Cowden (variedade de proliferações benignas da pele, GI e do SNC; carcinoma de mama, endométrio e tireoide)	Diversos tipos de câncer, sobretudo carcinomas e tumores linfoides
SMAD2, SMAD4	SMAD2, SMAD4	Componente da via de sinalização do TGF-β, repressores da expressão de MYC e CDK4, indutores da expressão do inibidor de CDK	Polipose juvenil	Com frequência mutado (com outros componentes da via de sinalização do TGF-β) no carcinoma de cólon e de pâncreas
Inibidores da progressão do ciclo celular				
RB	Proteína do retinoblastoma (RB)	Inibidor da transição G_1/S durante a progressão do ciclo celular	Síndrome do retinoblastoma familiar (retinoblastoma, osteossarcoma, outros sarcomas)	Retinoblastoma; osteossarcoma; carcinomas de mama, cólon e pulmão
CDKN2A	p16/INK4a e p14/ARF	p16: regulador negativo de quinases dependentes de ciclina; p14, ativador indireto da p53	Melanoma familiar	Carcinoma de pâncreas, mama e esôfago; melanoma; certas leucemias
Inibidores dos programas pró-crescimento do metabolismo e da angiogênese				
VHL	Proteína de von Hippel-Lindau (VHL)	Inibidora dos fatores de transcrição induzidos por hipoxia (p. ex., HIF1α)	Síndrome de von Hippel-Lindau (hemangioblastoma cerebelar, angioma de retina, carcinoma de células renais)	Carcinoma de células renais
STK11	Quinase hepática B1 (LKB1) ou STK11	Ativadora da família AMPK de quinases; suprime o crescimento celular quando os níveis celulares de nutrientes e energia estão baixos	Síndrome de Peutz-Jeghers (pólipos GI, cânceres GI, carcinoma de pâncreas e outros carcinomas)	Diversos carcinomas (5 a 20% dos casos, dependendo do tipo)
SDHB, SDHD	Subunidades B e D do complexo da succinato desidrogenase	Ciclo do ATC, fosforilação oxidativa	Paraganglioma familiar, feocromocitoma familiar	Paraganglioma
Inibidores da invasão e metástases				
CDH1	E-caderina	Adesão celular, inibição da motilidade celular	Câncer gástrico familiar	Carcinoma gástrico, carcinoma lobular de mama
Facilitadores da estabilidade genômica				
TP53	Proteína p53	Interrupção do ciclo celular e apoptose em resposta ao dano do DNA	Síndrome de Li-Fraumeni (diversos tipos de câncer)	A maioria dos cânceres humanos
Fatores de reparo do DNA				
BRCA1, BRCA2	Câncer de mama 1 e câncer de mama 2 (BRCA1 e BRCA2)	Reparo de quebras de fita dupla no DNA	Carcinoma de mama e de ovário familiar; carcinomas de mama masculina; leucemia linfocítica crônica (BRCA2)	Raros
MSH2, MLH1, MSH6	MSH1, MLH1, MSH6	Reparo de pareamento inadequado do DNA	Carcinoma colorretal hereditário sem polipose	Carcinoma de cólon e de endométrio
Mecanismos Desconhecidos				
WT1	Tumor de Wilms-1 (WT1)	Fator de transcrição	Tumor de Wilms familiar	Tumor de Wilms, certas leucemias
MEN1	Menin	Fator de transcrição	Neoplasia endócrina múltipla 1 (NEM1) (tumores endócrinos de hipófise, paratireoide e pâncreas)	Tumores endócrinos de hipófise, paratireoide e pâncreas

[a]Alguns supressores de tumor apresentam impacto em múltiplos fenótipos de câncer (p. ex., a p53 afeta a progressão do ciclo celular, a estabilidade genômica, a suscetibilidade à morte celular e o metabolismo celular); apenas um subgrupo de efeitos principais é apresentado para cada gene supressor de tumor listado.
ATC, ácido tricarboxílico; GI, gastrintestinal; SNC, sistema nervoso central.

outro, uma definição mais abrangente do supressor de tumor seria a de uma proteína ou gene que se opõe a qualquer uma das várias marcas registradas do câncer.

Consideraremos a seguir o modo pelo qual supressores de tumor específicos funcionam, com foco nos fatores que estão frequentemente mutados no câncer e que ilustram os mecanismos moleculares de importância patogênica.

RB: regulador da proliferação. **O RB, um regulador negativo fundamental na transição G$_1$/S do ciclo celular, está direta ou indiretamente inativado na maioria dos cânceres humanos.** O RB é encontrado em um estado hipofosforilado ativo nas células em repouso e em um estado hiperfosforilado inativo nas células que passam pela transição G$_1$/S do ciclo celular (ver **Capítulo 1**). Sua função pode ser comprometida de duas maneiras diferentes:

- Mutações de perda de função envolvendo ambos os alelos do *RB*
- Mudança do estado hipofosforilado ativo para o estado hiperfosforilado inativo produzida por mutações de ganho de função que suprarregulam a atividade da CDK/ciclina D ou por mutações de perda de função que anulam a atividade dos inibidores de CDK.

Conforme discutido anteriormente, a "decisão" de uma célula de progredir de G$_1$ para S é de grande importância, visto que, quando entra na fase S, a célula é obrigada a completar a mitose. A presença de altos níveis de complexos de CDK4/ciclina D, CDK6/ciclina D e CDK2/ciclina E leva à hiperfosforilação e inibição de RB, liberando os fatores de transcrição E2F que impulsionam a expressão de genes que são necessários para a progressão para a fase S (**Figura 7.26**). Em geral, as vias de sinalização de fatores de crescimento suprarregulam a atividade dos complexos de CDK/ciclina e conduzem as células pela transição G$_1$/S, enquanto os inibidores do crescimento fazem pender a balança para o outro lado, suprarregulando os inibidores de CDK. O RB constitui o ponto de integração desses sinais opostos, tornando-o um regulador-chave na progressão do ciclo celular.

Foi indicado anteriormente que as mutações perda de função de *RB* nas linhagens germinativa e somáticas estão associadas ao retinoblastoma e ao osteossarcoma, e as análises dos genomas de células cancerosas identificaram mutações somáticas de *RB* semelhantes em subgrupos de glioblastoma e carcinomas de pulmão, de mama e de bexiga. Entretanto, tendo em vista que o RB é expresso em todas as células, podemos fazer a seguinte pergunta: por que os pacientes com mutações germinativas de *RB* desenvolvem preferencialmente retinoblastoma, em vez de outros tipos de câncer? E, por outro lado, por que as mutações adquiridas de *RB* não são encontradas em todos os tipos de câncer?

A razão pela qual os indivíduos que herdam um alelo defeituoso de *RB* desenvolvem retinoblastoma e não outros tumores não está elucidada, porém uma explicação possível é a de que existem outros membros da família de RB com atividades semelhantes ao RB; essas proteínas podem desempenhar o papel de RB em outros tipos celulares diferentes dos retinoblastos. Quanto à segunda pergunta, a resposta é muito mais simples: as mutações em outros genes que controlam a fosforilação de RB podem simular o efeito da perda de *RB*, e esses genes estão mutados em muitos tipos de câncer que apresentam genes *RB* normais. Assim, por exemplo, a ativação mutacional da ciclina D ou da CDK4 e a inativação

mutacional de inibidores da CDK favorecem a proliferação celular ao facilitar a hiperfosforilação e a inativação de RB. O paradigma atual é que **a perda do controle normal do ciclo celular é fundamental para a transformação maligna, e que pelo menos um dos quatro reguladores fundamentais do ciclo celular (p16/INK4a, ciclina D, CDK4, RB) está desregulado na grande maioria dos cânceres humanos.** Nas células que possuem mutações em qualquer um desses genes ou nos fatores a montante que regulam sua expressão e função (p. ex., receptores tirosinoquinases, RAS), a RB pode estar funcionalmente inativada, mesmo se o próprio gene *RB* não estiver mutado.

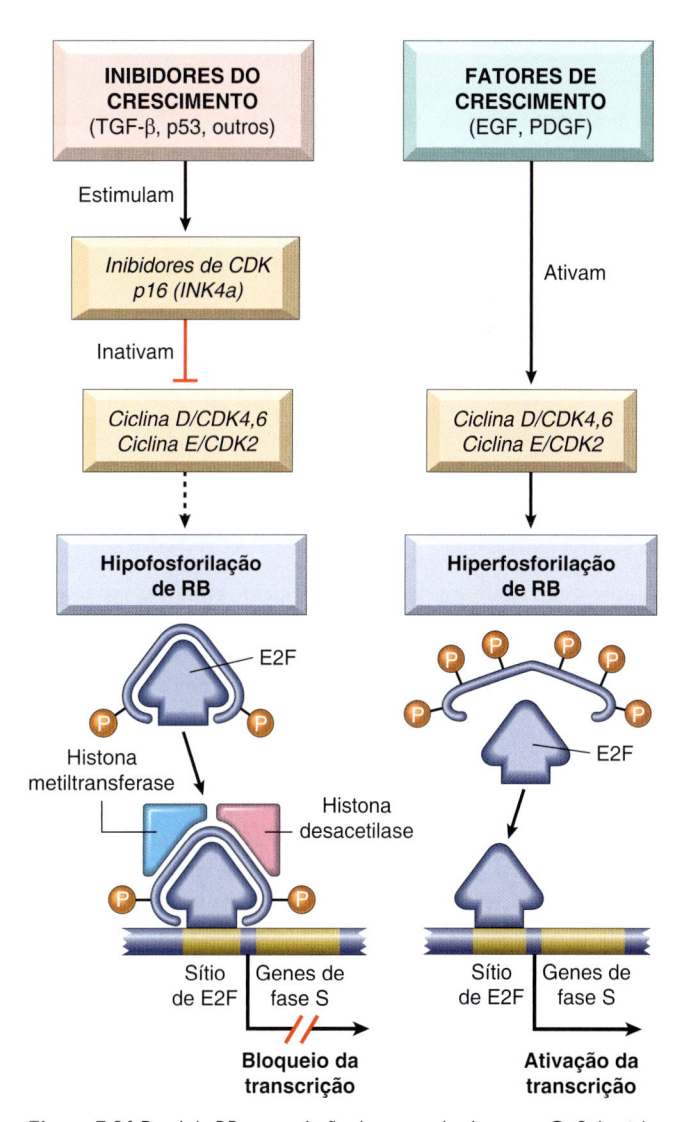

Figura 7.26 Papel de RB na regulação do ponto de checagem G$_1$-S do ciclo celular. A RB hipofosforilada no complexo com os fatores de transcrição E2F liga-se ao DNA, recruta fatores modificadores da cromatina (histona desacetilases e histona metiltransferases) e inibe a transcrição de genes, cujos produtos são necessários para a fase S do ciclo celular. Quando a RB é fosforilada pelos complexos de ciclina D-CDK4, ciclina D-CDK6 e ciclina E-CDK2, ela libera E2F. Esse último, por sua vez, ativa a transcrição dos genes da fase S. A fosforilação de RB é inibida por inibidores da quinase dependente de ciclina, visto que eles inativam complexos de ciclina-CDK. Na maioria dos cânceres, o ponto de checagem G$_1$-S está defeituoso, em consequência de mutação de um dos quatro genes que regulam a fosforilação de RB; esses genes são *RB*, *CDK4*, os genes que codificam proteínas ciclina D e *CDKN2A* (p16). *EGF*, fator de crescimento da epiderme; *PDGF*, fator de crescimento derivado das plaquetas; *TGF*-β, fator de crescimento transformador β.

As proteínas transformadoras de diversos vírus de DNA oncogênicos de animais e seres humanos também neutralizam as atividades inibitórias da RB sobre o crescimento. De maior relevância para o câncer humano é o fato de que os antígenos T grandes de poliomavírus e as proteínas E7 de subtipos de alto risco do HPV (como HPV16) ligam-se à RB hipofosforilada por meio do mesmo "bolso" que a RB utiliza para se ligar aos fatores de transcrição E2F e sequestrá-los. Por conseguinte, a ligação das proteínas virais inativa RB e libera os fatores de transcrição E2F, libertando-os para induzir a progressão do ciclo celular.

> **Conceitos-chave**
>
> **RB, regulador do ciclo celular**
>
> - Quando hipofosforilada, a RB exerce efeitos antiproliferativos pela ligação e inibição de fatores de transcrição E2F, que regulam genes necessários para a passagem das células pelo ponto de checagem da fase G_1/S do ciclo celular. A sinalização normal dos fatores de crescimento leva à hiperfosforilação e inativação da RB, promovendo, assim, a progressão do ciclo celular.
> - O efeito antiproliferativo de RB é anulado nos cânceres por meio de uma variedade de mecanismos, como:
>   - Mutações de perda função de *RB*
>   - Amplificações dos genes CDK4 e ciclina D
>   - Mutações de perda de função que afetam inibidores da quinase dependentes de ciclina (p. ex., p16/INK4a)
>   - Oncoproteínas virais que se ligam a RB e o inibem (proteína E7 do HPV).

TP53: guardião do genoma. O *TP53*, um gene supressor do tumor que regula a progressão do ciclo celular, o reparo do DNA, a senescência celular e a apoptose, é o gene mutado com mais frequência nos cânceres humanos. As mutações com perda de função no *TP53*, localizado no cromossomo 17p13.1, são encontradas em mais de 50% dos cânceres. Além disso, ocorrem mutações do *TP53* em praticamente todo tipo de câncer, como carcinomas de pulmão, de cólon e de mama – as três principais causas de morte por câncer. Na maioria dos casos, as mutações estão presentes em ambos os alelos *TP53* e são adquiridas nas células somáticas (não herdadas na linhagem germinativa). Com menos frequência, os indivíduos herdam um alelo *TP53* mutado. Como no caso do supressor de tumor *RB* e do retinoblastoma, a herança de uma cópia mutada do *TP53* predispõe o indivíduo a tumores malignos, visto que apenas um "evento" adicional no alelo normal restante é necessário para anular a função do *TP53*. Os indivíduos com essas mutações herdadas, considerados como portadores da *síndrome de Li-Fraumeni*, têm o risco 25 vezes maior de desenvolver um tumor maligno aos 50 anos, quando comparados com a população geral. Diferentemente dos indivíduos que herdam um alelo *RB* mutante, o espectro de tumores que se desenvolvem em indivíduos com a síndrome de Li-Fraumeni é amplo; os tipos mais comuns consistem em sarcomas, cânceres de mama, leucemias, tumores cerebrais e carcinomas do córtex da suprarrenal. Com frequência, os indivíduos com síndrome de Li-Fraumeni desenvolvem câncer em uma idade mais jovem e têm mais tendência a apresentar múltiplos tumores primários de diferentes tipos do que os indivíduos normais.

Esses dados de mutação, apesar de impressionantes, começam apenas a contar a história da função alterada do *TP53* no câncer.

O *TP53* codifica a proteína p53, que é rigorosamente regulada em vários níveis. De maneira análoga ao RB, muitos tumores que carecem de mutações de *TP53* apresentam, em vez disso, outras mutações que afetam proteínas envolvidas na regulação da função da p53. Por exemplo, a MDM2 e proteínas relacionadas da família da MDM2 estimulam a degradação de p53; com frequência, essas proteínas estão superexpressas em neoplasias malignas com alelos *TP53* normais. De fato, o gene *MDM2* está amplificado em 33% dos sarcomas humanos, levando a uma deficiência funcional de p53 nesses tumores. À semelhança de RB, as proteínas transformadoras de diversos vírus de RNA ligam-se à p53 e promovem sua degradação. A mais conhecida dessas oncoproteínas virais é a proteína E6 dos subgrupos de alto risco do HPV, que desempenha um papel etiológico no carcinoma do colo do útero e em um subgrupo de carcinomas de células escamosas da cabeça e pescoço.

A perda frequente da função da p53 nos tumores humanos reflete seu papel fundamental na prevenção do desenvolvimento de câncer. A p53 é o ponto focal de uma grande rede de sinais que detectam o estresse celular, principalmente o dano ao DNA, mas também o encurtamento dos telômeros, a hipoxia e o estresse causado pela sinalização excessiva pró-crescimento, como pode ocorrer em células portadoras de mutações em genes como *RAS* e *MYC*. Nas células saudáveis e não estressadas, a p53 é mantida a distância por meio de sua associação já mencionada com MDM2, uma enzima que efetua a ubiquitinação da p53, levando à sua degradação pelo proteassomo. Em consequência, a p53 está praticamente indetectável nas células normais. Entretanto, nas células estressadas, a p53 fica livre dos efeitos inibidores da MDM2 por meio de dois mecanismos principais, que variam dependendo da natureza do estresse:

- *Dano ao DNA e hipoxia.* Os iniciadores-chave da ativação da p53 após lesão do DNA ou estresse hipóxico são duas proteínas quinases relacionadas, a ataxia-telangiectasia mutada (ATM) e a ataxia-telangiectasia e Rad3 relacionada (ATR). Como o próprio nome indica, a ATM foi originalmente identificada em indivíduos com ataxia-telangiectasia, que é causada por mutações de linhagem germinativa na *ATM*. Os pacientes afetados apresentam uma incapacidade de reparo de certos tipos de dano ao DNA e têm uma incidência aumentada de câncer. Os tipos de dano detectados pela ATM e pela ATR são diferentes, porém os efeitos posteriores são semelhantes. Uma vez ativadas, tanto a ATM quanto a ATR estimulam a fosforilação da p53 e da MDM2. Essas modificações pós-traducionais afetam a ligação e a degradação da p53 pela MDM2, resultando em acúmulo de p53
- *"Estresse oncogênico".* A ativação de oncoproteínas como RAS leva a uma sinalização suprafisiológica sustentada por meio de vias pró-crescimento, como as cascatas de MAPK e PI3K/AKT. Por meio de mecanismos que ainda não estão totalmente esclarecidos, esses sinais aberrantes criam estresse celular e levam a um aumento da expressão de p14/ARF, que é codificada pelo gene supressor de tumor *CDKN2A*. A p14/ARF liga-se à MDM2 e desloca a p53, permitindo mais uma vez a elevação dos níveis de p53 na célula.

Uma vez ativada, a p53 impede a transformação neoplásica ao induzir a interrupção transitória do ciclo celular, a senescência (interrupção permanente do ciclo celular) ou a morte celular programada (apoptose) (Figura 7.27). A p53 é um fator de transcrição que se liga ao DNA em sequência específica e ativa

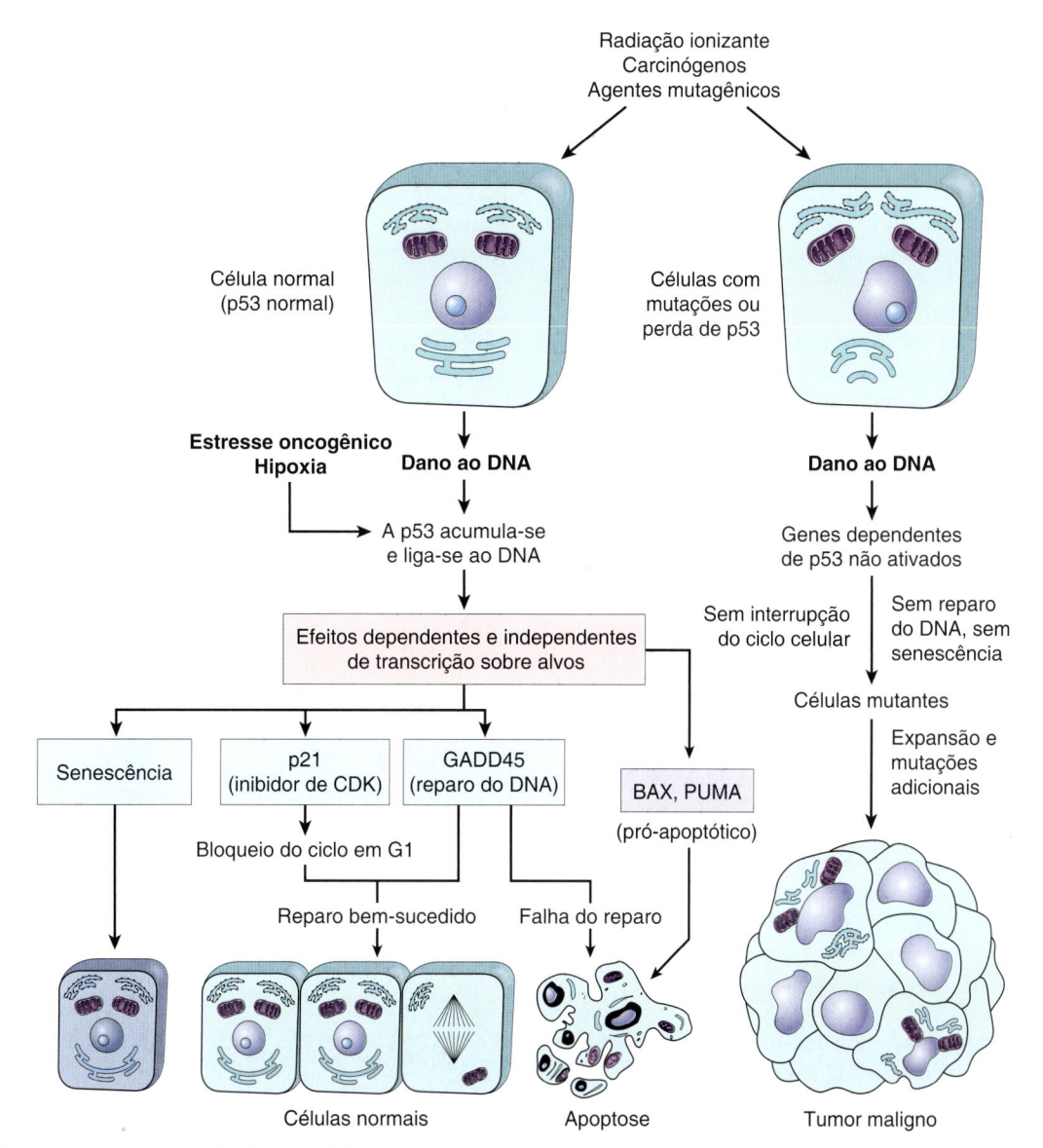

Figura 7.27 Papel da p53 na manutenção da integridade do genoma. A ativação da p53 normal por agentes que provocam dano ao DNA ou por hipoxia leva à interrupção do ciclo celular em G_1 e à indução do reparo do DNA por meio de suprarregulação transcricional dos genes GADD45 e inibidor de quinase dependente de ciclina *CDKN1A* (que codifica o inibidor de quinase dependente de ciclina p21). O reparo bem-sucedido do DNA permite que as células prossigam no ciclo celular; se o reparo do DNA falhar, a p53 desencadeia a apoptose ou a senescência. Nas células com perda ou com mutações do gene da p53, o dano ao DNA não induz a interrupção do ciclo celular nem o reparo do DNA, e as células geneticamente danificadas proliferam, dando origem finalmente a neoplasias malignas.

a transcrição de centenas de genes que possuem elementos reguladores da ligação de p53. Os genes-alvo que executam as funções da p53 não estão totalmente definidos, mas parecem ser classificados em três categorias principais: (1) genes que causam a interrupção do ciclo celular; (2) genes que causam a apoptose; e (3) genes que aumentam o metabolismo catabólico ou inibem o metabolismo anabólico. Este último grupo de genes faz sentido intuitivo; não há necessidade de uma célula que interrompeu sua progressão no ciclo celular de continuar sintetizando macromoléculas (p. ex., lipídios e proteínas) necessárias para o crescimento e a divisão celulares.

Quando a p53 acumula-se em uma célula até níveis suficientes para ativar a transcrição de genes-alvo, vários resultados diferentes são possíveis, cada um deles mais grave do que o anterior em relação ao destino final da célula afetada:

- *Interrupção transitória do ciclo celular induzida pela p53.* Com início rápido, essa interrupção do ciclo celular mediada pela p53 pode ser considerada uma resposta primordial ao dano do DNA. Ocorre tardiamente na fase G_1 e é causada, em parte, pela transcrição do gene *CDKN1A* dependente de p53, que codifica o inibidor de CDK, p21. A p21 (como a p16) inibe complexos de CDK4/ciclina D, mantendo, assim, a RB em um estado hipofosforilado ativo e bloqueando a progressão das células da fase G_1 para a fase S. Essa pausa no ciclo celular é bem-vinda, visto que proporciona às células "tempo para respirar", de modo a proceder ao reparo do dano do DNA. A p53 também ajuda no processo ao induzir proteínas como a GDD45 (interrupção do crescimento e dano ao DNA), que aumentam o reparo do DNA. Se o reparo do dano ao DNA for bem-sucedido, os sinais responsáveis pela estabilização da

p53 em níveis elevados cessam, e os níveis de p53 caem, liberando o bloqueio do ciclo celular. Em seguida, as células podem retornar ao estado normal
- *Senescência induzida pela p53.* A senescência é um estado de interrupção permanente do ciclo celular, caracterizada por alterações específicas na morfologia e na expressão gênica, que a diferenciam da interrupção reversível do ciclo celular. Não se sabe ao certo como as células tornam-se fixas no estado de senescência. Uma hipótese plausível é a de que a senescência é o produto de alterações epigenéticas, que resultam na formação de heterocromatina em *loci*-chave, incluindo genes que são necessários para a progressão das células da fase G_1 para a fase S. À semelhança de outras respostas da p53, a senescência pode ser estimulada em resposta a uma variedade de estresses, como sinalização oncogênica mantida, hipoxia e encurtamento dos telômeros. As células senescentes, embora não sejam normais, são incapazes de sofrer divisão e, portanto, não podem levar ao desenvolvimento de tumores
- *Apoptose induzida por p53.* A apoptose das células com dano irreversível ao DNA constitui o mecanismo protetor final contra a transformação neoplásica. A p53 dirige a transcrição de vários genes pró-apoptóticos, como *BAX* e *PUMA* (ver adiante), que se acredita que desequilibram a balança em favor da morte celular pela via intrínseca (mitocondrial) da apoptose.

Não se sabe ao certo o que determina se uma célula procede ao reparo de seu DNA, torna-se senescente ou sofre apoptose. Entretanto, tanto a duração quanto o nível de ativação da p53 podem ser fatores decisivos. Aparentemente, a afinidade da p53 pelos seus sítios de ligação nos promotores e amplificadores dos genes de reparo do DNA é maior do que sua afinidade por sítios de ligação nos genes pró-apoptóticos. Por conseguinte, a via de reparo do DNA é estimulada em primeiro lugar, à medida que a p53 começa a se acumular. Se a p53 for mantida nesse nível, devido ao reparo ineficaz do DNA ou a outros estresses crônicos (p. ex., induzidos por uma mutação potencialmente oncogênica de RAS), ocorre silenciamento epigenético dos genes que são necessários para a progressão do ciclo celular, levando à senescência. Por outro lado, se houver acúmulo suficiente de p53 para estimular a transcrição dos genes pró-apoptóticos, a célula morre. Embora esse esquema geralmente pareça ser correto, foram observadas variações específicas do tipo celular em resposta à ativação da p53, que não são facilmente explicadas, em que alguns tipos de células sucumbem rapidamente à apoptose, enquanto outros optam principalmente pela senescência. Por conseguinte, ainda há muito a ser aprendido sobre as nuances da função da p53.

Com a perda da função da p53, não há reparo dos danos ao DNA, as mutações condutoras se acumulam nos oncogenes e em outros genes de câncer, e a célula segue um caminho perigoso que leva à transformação maligna. Além disso, quando um câncer se estabelece, o estado da p53 exerce implicações terapêuticas importantes. A radioterapia e a quimioterapia convencional, as duas modalidades comuns de tratamento do câncer, mediam seus efeitos ao induzir dano ao DNA e apoptose subsequente. Os tumores com alelos *TP53* do tipo selvagem (normais) têm mais tendência a serem destruídos por essa forma de terapia do que os tumores com alelos *TP53* mutados. Esse é o caso dos tumores testiculares de células germinativas e das leucemias linfoblásticas agudas da infância – cânceres que apresentam excelentes resultados clínicos, que costumam apresentar alelos *TP53* do tipo selvagem. Em contrapartida, tumores como os cânceres de pulmão e os cânceres colorretais, que frequentemente apresentam mutações do *TP53*, são relativamente resistentes à quimioterapia e à radioterapia. Um segundo efeito menos óbvio, porém ainda mais nefasto, é que as células com p53 defeituosa adquirem um fenótipo mutador, uma tendência a adquirir mutações em uma taxa elevada. Nos tumores em estágio avançado com fenótipos mutadores, em particular, é muito provável (e talvez inevitável) que subclones geneticamente distintos surjam, ao acaso, resistentes a qualquer terapia isolada, radioterapia, quimioterapia convencional ou fármacos direcionados para moléculas (terapias-alvo). Esse assunto é discutido adiante, quando as propriedades facilitadoras da instabilidade genômica são consideradas de modo mais amplo.

Conceitos-chave
p53, o guardião do genoma

- A proteína p53 é o monitor central de estresse na célula e pode ser ativada por anoxia, sinalização inapropriada por oncoproteínas mutadas ou dano ao DNA. A p53 controla a expressão e a atividade de proteínas envolvidas na interrupção do ciclo celular, no reparo ao DNA, na senescência celular e na apoptose
- O dano ao DNA é detectado por complexos que contêm quinases da família ATM/ATR; essas quinases fosforilam a p53, liberando-a de inibidores como a MDM2. Em seguida, a p53 ativada suprarregula a expressão de proteínas, como o inibidor de quinase dependente de ciclina p21, causando, assim, interrupção do ciclo celular no ponto de checagem G_1/S. Essa pausa permite que as células procedam ao reparo do dano ao DNA
- Se não for possível reparar o dano ao DNA, a p53 induz eventos adicionais, que levam à senescência celular ou à apoptose
- A maioria dos cânceres humanos apresenta mutações de perda de função bialélicas no gene *TP53*. Raros pacientes com a síndrome de Li-Fraumeni herdam uma cópia defeituosa do *TP53* e apresentam uma incidência muito alta de uma grande variedade de tipos de câncer
- À semelhança da RB, a p53 é inativada por oncoproteínas virais, como a proteína E6 do HPV.

Outros genes supressores de tumor. Todo o conjunto de genes supressores de tumor ainda está sendo definido. Com frequência estão desativados, visto que constituem os alvos de deleções cromossômicas recorrentes, que agora estão sendo identificadas de modo sistemático e caracterizadas pelo sequenciamento de genomas do câncer. Todos os genes supressores de tumor parecem ter impacto sobre uma ou mais das marcas registradas do câncer. A seguir, são descritos alguns desses genes associados a síndromes clínicas bem definidas (**Tabela 7.7**) ou que servem para evidenciar mecanismos pelos quais os supressores de tumor funcionam; outros que são específicos de órgãos ou tumores são mencionados nos capítulos correspondentes.

APC: guardião da neoplasia de cólon. **A polipose adenomatosa do cólon (APC) é um membro da classe de supressores de tumor que atua por meio da infrarregulação das vias de sinalização promotoras do crescimento.** As mutações com perda de função de linhagens germinativas, que envolvem o *locus APC* no cromossomo 5q21 estão associadas à *polipose adenomatosa familiar*, um distúrbio autossômico dominante, em que os indivíduos que herdam um alelo mutante desenvolvem milhares de pólipos adenomatosos no cólon na adolescência ou na segunda década de vida (ver **Capítulo 17**). Quase de modo invariável, um ou mais desses pólipos sofrem transformação maligna, dando origem ao câncer de cólon. À semelhança de outros genes supressores de tumor, é necessária a perda de ambas as cópias do gene *APC* para que surja um adenoma. Conforme discutido adiante, é necessária a ocorrência de várias mutações adicionais para que os adenomas possam progredir para cânceres. Além dessas formas hereditárias de câncer de cólon, 70 a 80% dos carcinomas colorretais não familiares e adenomas esporádicos também apresentam defeitos adquiridos que acometem ambos os genes APC, implicando firmemente a perda de função do APC na patogênese dos tumores do cólon.

A APC é um componente da via de sinalização WNT, que desempenha um importante papel no controle do crescimento e da diferenciação celulares durante o desenvolvimento embrionário (Figura 7.28). As moléculas de WNT sinalizam por sua ligação a receptores de superfície celular da família *frizzled* (FRZ). Isso estimula diversas vias, que atingem um eixo central comum envolvendo a APC e a β-catenina. Uma importante função da proteína APC é manter a atividade da β-catenina sob controle. Na ausência de sinalização WNT, a APC participa da formação de um "complexo de destruição", que leva à degradação proteassômica da β-catenina. A sinalização WNT bloqueia a formação do complexo de destruição, estabilizando a β-catenina e possibilitando sua translocação do citoplasma para o núcleo. No núcleo, a β-catenina forma um complexo de ativação de transcrição com um fator de ligação do DNA, denominado TCF, que promove o crescimento das células epiteliais do cólon, aumentando a expressão dos genes *MYC*, *ciclina D1* e outros genes. Como a perda de função da APC rompe o complexo de destruição, as células que perdem APC comportam-se como se estivessem continuamente estimuladas por WNT e apresentam uma elevada expressão de genes que são regulados pela β-catenina. A importância do complexo da β-catenina na tumorigênese é atestada pelo fato de que muitos tumores do cólon com genes *APC* normais abrigam mutações da β-catenina, que impedem sua destruição dependente de APC, levando mais uma vez a seu acúmulo e a um aumento da expressão de genes-alvo dependentes de β-catenina. Por conseguinte, a β-catenina, o alvo da APC, é ela própria uma proto-oncoproteína. A desregulação da via APC/β-catenina não se limita aos cânceres de cólon; por exemplo, observa-se a presença de mutações de ganho de função na β-catenina em cerca de 20% dos carcinomas hepatocelulares.

E-caderina. A β-catenina liga-se também à cauda citoplasmática da E-caderina, uma proteína de superfície celular que mantém a aderência intercelular. A perda de contato entre células, como a que ocorre após ferida ou lesão epitelial, rompe a interação entre a E-caderina e a β-catenina. À semelhança da sinalização WNT, isso, por sua vez, possibilita a translocação da β-catenina para o

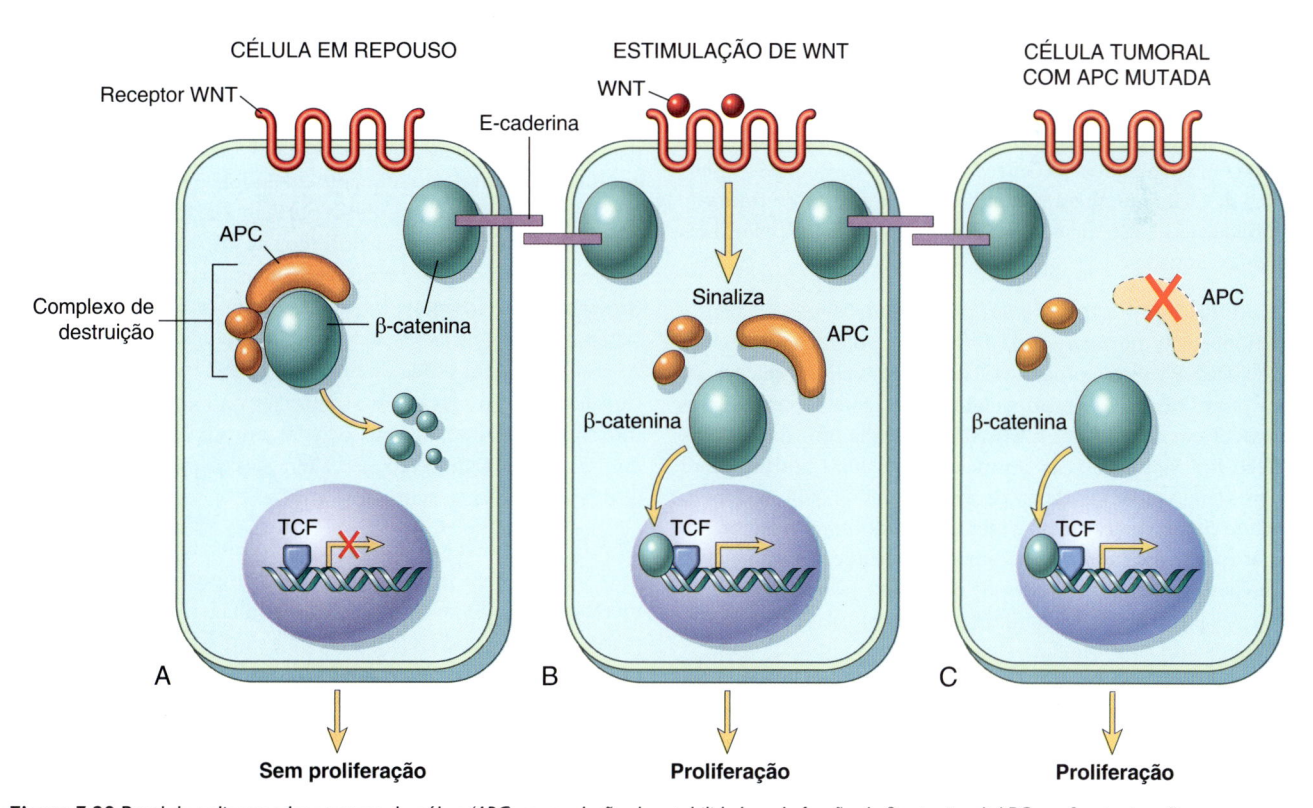

Figura 7.28 Papel da polipose adenomatosa do cólon (*APC*) na regulação da estabilidade e da função da β-catenina. A APC e a β-catenina são componentes da via de sinalização WNT. **A.** Nas células epiteliais do cólon em repouso (não expostas a WNT), a β-catenina forma um complexo macromolecular que contém a proteína APC. Esse complexo leva à destruição da β-catenina, de modo que os níveis intracelulares de β-catenina estão baixos. **B.** Quando células epiteliais normais do cólon são estimuladas por moléculas de WNT, o *complexo de destruição* é desativado, a degradação da β-catenina não ocorre e os níveis citoplasmáticos aumentam. A β-catenina é translocada para o núcleo, onde se liga ao TCF, um fator de transcrição que ativa genes envolvidos na progressão do ciclo celular. **C.** Quando a *APC* está mutada ou ausente, como ocorre frequentemente em pólipos e cânceres de cólon, não pode ocorrer destruição da β-catenina, que é translocada para o núcleo e coativa genes que promovem a entrada no ciclo celular, e as células comportam-se como se estivessem sob estimulação constante pela via WNT.

núcleo, onde estimula genes que promovem a proliferação, uma resposta apropriada à lesão, que pode ajudar no reparo de uma ferida. O restabelecimento desses contatos da E-caderina à medida que a ferida cicatriza leva ao sequestro da β-catenina na membrana e diminui a sinalização proliferativa; diz-se que essas células estão "inibidas por contato". A perda da inibição por contato devido à mutação no eixo E-caderina/β-catenina ou por outras alterações constitui uma característica de muitos carcinomas. Além disso, a perda da E-caderina pode contribuir para o fenótipo maligno ao possibilitar a fácil desagregação das células, que podem então invadir localmente ou metastizar. Foi observada uma redução da expressão da E-caderina na superfície celular em muitos carcinomas, como os que surgem no esôfago, cólon, mama, ovário e próstata. As mutações de linhagem germinativa com perda de função do gene da E-caderina, conhecido como *CDH1*, estão associadas ao carcinoma gástrico familiar, e uma proporção de carcinomas gástricos esporádicos também está associada à perda da expressão de E-caderina, que pode ocorrer devido à mutação do gene *CDH1* ou a outros mecanismos indiretos.

CDKN2A. Conforme assinalado anteriormente, o gene *CDKN2A* codifica dois produtos proteicos: o inibidor da quinase dependente de ciclina p16/INK4a que bloqueia a fosforilação de RB mediada por CDK4/ciclina D, reforçando, assim, o ponto de checagem G_1/S; e p14/ARF, que ativa a via da p53 ao inibir a MDM2 e ao impedir a destruição de p53. A p16 também parece ser importante na indução da senescência celular (descrita adiante). As mutações de linhagem germinativa no *CDKN2A* estão associadas a formas familiares de melanoma, e foram detectadas mutações esporádicas desse *locus* no câncer de bexiga, em tumores de cabeça e pescoço, na leucemia linfoblástica aguda e no colangiocarcinoma. Em alguns tumores, como o câncer do colo do útero, a p16 frequentemente é silenciada pela hipermetilação do gene, em vez de mutação (ver "Alterações epigenéticas"). Outros inibidores da quinase dependentes de ciclina também atuam como supressores de tumor e, com frequência, estão mutados ou silenciados em muitas neoplasias malignas humanas.

Via do TGF-β. Na maioria das células epiteliais, endoteliais e hematopoéticas normais, o TGF-β é um potente inibidor da proliferação. Ele regula processos celulares por meio de sua ligação a receptores de TGF-β, estimulando, assim, sinais intracelulares que envolvem reguladores transcricionais da família da proteína SMAD. Em circunstâncias normais, esses sinais ativam genes antiproliferativos (p. ex., genes para inibidores da quinase dependente de ciclina) e desativam genes que conduzem o crescimento celular (p. ex., *MYC*, ciclinas e quinases dependentes de ciclina). Como podemos deduzir a partir de nossa discussão anterior, essas alterações resultam em diminuição da fosforilação de RB e interrupção do ciclo celular.

Em muitas formas de câncer, esses efeitos inibidores de crescimento são afetados por mutações de perda de função na via de sinalização do TGF-β. As mutações que afetam os receptores de TGF-β são comuns em cânceres de cólon, estômago e endométrio, enquanto a inativação mutacional de SMAD é comum em cânceres pancreáticos. Em muitos outros tipos de câncer, a perda da inibição do crescimento mediado pelo TGF-β ocorre em nível de genes-alvo fundamentais; os exemplos incluem mutações que levam à perda de função da p21 e/ou a expressão persistente do *MYC*. Nesses casos, outros elementos preservados do programa de expressão gênica induzido pelo TGF-β podem de fato facilitar a aquisição de marcas registradas do câncer, como evasão imune ou angiogênese. Por conseguinte, a sinalização do TGF-β tanto pode prevenir quanto promover o crescimento de tumores, dependendo do estado de outros genes na célula.

PTEN. O homólogo da fosfatase e tensina (PTEN) é uma fosfatase associada à membrana, codificada por um gene no cromossomo 10q23, que está mutado na síndrome de Cowden, um distúrbio autossômico dominante, caracterizado por crescimentos benignos frequentes, como tumores dos apêndices cutâneos, e aumento na incidência de cânceres epiteliais, sobretudo de mama (ver **Capítulo 21**), endométrio e tireoide. Conforme já mencionado, o PTEN atua como supressor de tumor, desempenhando o papel de freio na cascata de sinalização PI3K/AKT. A função do gene *PTEN* é perdida em muitos cânceres em consequência de deleção, mutações pontuais deletérias ou silenciamento epigenético.

VHL. As mutações com perda de função de linhagem germinativa do gene von Hippel-Lindau (VHL) no cromossomo 3p estão associadas ao carcinoma hereditário de células renais e a vários outros tumores e proliferações. Foi também observada a ocorrência de mutações somáticas do *VHL* em um subgrupo de carcinomas esporádicos de células renais (ver **Capítulo 20**). A VHL é um componente de um complexo proteico que liga de modo covalente cadeias de ubiquitina a substratos proteicos específicos, promovendo, assim, sua degradação pelo proteassomo. Um substrato essencial para a ubiquitina ligase de VHL é o fator de transcrição induzível por hipoxia 1α (HIF1α). Na presença de oxigênio, o HIF1α é hidroxilado e liga-se à VHL, levando à sua ubiquitinação e degradação. Em ambientes hipóxicos, a reação de hidroxilação não ocorre, e o HIF1α escapa do reconhecimento pela VHL. Em consequência, o HIF1α acumula-se nos núcleos das células hipóxicas e ativa genes-alvo, como os genes que codificam o fator de crescimento do endotélio vascular (VEGF), um fator de angiogênese de importância crítica; o PDGF, um mitógeno potente; e o transportador de glicose GLUT1 e várias enzimas glicolíticas, fatores que contribuem para o efeito Warburg (descrito mais adiante). Por conseguinte, a VHL faz parte do sistema que regula as respostas celulares aos níveis de oxigênio. As mutações com perda de função no *VHL* impedem a ubiquitinação e a degradação do HIF1α, mesmo em condições normóxicas e, portanto, estão associadas a níveis elevados de fatores de crescimento angiogênicos e a alterações no metabolismo celular que favorecem o crescimento.

STK11. O gene *STK11*, também conhecido como *LKB1*, codifica uma serina/treonina quinase, que é um importante regulador do metabolismo celular. As mutações de linhagem germinativa com perda de função do *STK11* provocam a síndrome de Peutz-Jeghers, um distúrbio autossômico dominante associado a pólipos benignos do trato gastrintestinal e a um aumento no risco de vários tipos de câncer epitelial, sobretudo carcinomas gastrintestinais e pancreáticos. O STK11 conta com efeitos pleiotrópicos em múltiplas facetas do metabolismo celular, como a captação de glicose, a gliconeogênese, a síntese de proteínas, a biogênese mitocondrial e o metabolismo dos lipídios. São observadas mutações esporádicas de perda de função do *STK11* em diversos carcinomas, um achado que aponta para o importante papel do metabolismo celular alterado no estabelecimento e na manutenção do estado transformado (discutido adiante).

Conceitos-chave

Mecanismo de ação dos principais genes supressores de tumor

APC: codifica um fator que regula negativamente a via WNT no epitélio do cólon ao promover a formação de um complexo que degrada a β-catenina:

- As mutações de linhagem germinativa com perda de função provocam polipose adenomatosa familiar, um distúrbio autossômico dominante associado ao desenvolvimento de milhares de pólipos do cólon e ao carcinoma de cólon de início precoce
- São observadas mutações somáticas adquiridas de *APC* em cerca de 70% dos carcinomas de cólon esporádicos.

E-caderina: molécula de adesão celular que desempenha um importante papel na inibição do crescimento mediado por contato das células epiteliais; liga-se e sequestra a β-catenina, uma proteína de sinalização que atua na via WNT:

- As mutações de linhagem germinativa com perda de função no gene da E-caderina (*CDH1*) provoca carcinoma gástrico familiar autossômico dominante
- Observa-se uma perda da expressão do *CDH1* em muitos carcinomas esporádicos; esses carcinomas estão associados a uma perda da inibição por contato, perda da coesão, aumento da capacidade de invasão e aumento da sinalização WNT.

CDKN2A: *locus* complexo que codifica duas proteínas supressoras de tumor, p16/INK4a, um inibidor da quinase dependente de ciclina que aumenta a função de RB, e ARF, que estabiliza a p53:

- As mutações de perda de função na linhagem germinativa causam melanoma familiar autossômico dominante
- Observa-se uma perda de função bialélica em diversos tipos de câncer, como leucemias, melanomas e carcinomas.

Via do TGF-β: potente inibidor da proliferação celular nos tecidos normais:

- Mutações de perda de função frequentes que envolvem os receptores de TGF-β (cólon, estômago, endométrio) ou transdutores de sinais a jusante (SMAD, pâncreas) em diversos carcinomas
- Papel complexo na carcinogênese; pode também desempenhar um papel pró-oncogênico, aumentando a capacidade de evasão imune de tumores.

PTEN: codifica um lipídio fosfatase, que é um importante regulador negativo da sinalização de PI3K/AKT:

- As mutações de perda de função na linhagem germinativa causam a síndrome de Cowden, um distúrbio autossômico dominante associado a um elevado risco de carcinoma de mama e de endométrio
- Perda da função bialélica comum em diversos tipos de câncer.

VHL: codifica um componente do complexo ubiquitina ligase, que é responsável pela degradação de fatores induzidos por hipoxia (HIF), fatores de transcrição que alteram a expressão gênica em resposta à hipoxia:

- As mutações com perda de função na linhagem germinativa provocam a síndrome de von Hippel-Lindau, um distúrbio autossômico dominante associado a um alto risco de carcinoma de células renais e feocromocitoma
- As mutações bialélicas adquiridas com perda de função são comuns no carcinoma esporádico de células renais.

Alterações metabólicas promotoras do crescimento: o efeito Warburg

Mesmo na presença de oxigênio em ampla quantidade, as células cancerosas demonstram uma forma distinta de metabolismo celular, que se caracteriza por altos níveis de captação de glicose e aumento da conversão da glicose em lactose (fermentação) pela via glicolítica. Esse fenômeno, denominado *efeito Warburg* e também conhecido como *glicólise aeróbica*, já é reconhecido há muitos anos (Otto Warburg recebeu o Prêmio Nobel em 1931 pela descoberta do efeito que leva seu nome). Do ponto de vista clínico, a "fome de glicose" dos tumores é utilizada para visualizá-los na tomografia por emissão de pósitrons (PET), em que se administra aos pacientes uma injeção de ^{18}F-fluorodesoxiglicose, um derivado não metabolizável da glicose, que é preferencialmente captado pelas células tumorais (bem como por tecidos normais em divisão ativa, como a medula óssea). Os tumores são, em sua maioria, PET-positivos, e os de crescimento rápido são acentuadamente positivos.

No cerne do efeito Warburg encontra-se uma simples pergunta: por que é vantajoso para uma célula cancerosa depender de uma glicólise aparentemente ineficiente (que gera duas moléculas de ATP por molécula de glicose) em vez de utilizar a fosforilação oxidativa (que gera 36 moléculas de ATP por molécula de glicose)? Enquanto refletimos sobre essa pergunta, é importante reconhecer que as células normais de crescimento rápido, como nos tecidos embrionários, também dependem da fermentação aeróbica. Por conseguinte, o "efeito (ou metabolismo) Warburg" não é específico do câncer, mas constitui uma propriedade geral das células em crescimento que é explorada pelas células cancerosas.

A resposta a esse enigma é surpreendentemente simples: **a glicólise aeróbica fornece intermediários metabólicos às células tumorais de divisão rápida, que são necessários para a síntese de componentes celulares, o que não ocorre com a fosforilação oxidativa mitocondrial.** A razão pela qual as células em crescimento dependem da glicólise aeróbica torna-se evidente quando se considera que uma célula em crescimento tem uma necessidade de biossíntese estrita; ela precisa duplicar todos os seus componentes celulares – DNA, RNA, proteínas, lipídios e organelas – antes que ela possa se dividir e produzir duas células-filhas. Convém lembrar que o efeito final da fosforilação oxidativa é tomar uma molécula de glicose, $C_6H_{12}O_6$, e combiná-la com seis moléculas de O_2 para produzir seis moléculas de H_2O e seis moléculas de CO_2, que são perdidas pela respiração. Por conseguinte, embora a fosforilação oxidativa "pura" produza ATP em quantidade abundante, ela não consegue produzir qualquer carbono que possa ser utilizado na formação de componentes celulares necessários para o crescimento (proteínas, lipídios e ácidos nucleicos). Mesmo as células que não crescem ativamente precisam desviar parte dos intermediários metabólicos da fosforilação oxidativa, de modo a sintetizar macromoléculas necessárias para a manutenção celular.

Em contrapartida, nas células em crescimento ativo, apenas uma pequena fração da glicose celular é desviada pela via da fosforilação oxidativa, de modo que, em média, cada molécula de glicose metabolizada produza aproximadamente quatro moléculas de ATP (em vez das duas moléculas que seriam produzidas pela glicólise "pura"). Presumivelmente, esse equilíbrio na utilização da glicose (com forte tendência à fermentação aeróbica, com pequena parcela de fosforilação oxidativa) atinge um "ponto ideal" metabólico, que é fundamental para o crescimento. Conclui-se, portanto, que as células em crescimento dependem do metabolismo mitocondrial. Entretanto, a principal função metabólica das mitocôndrias nas células em crescimento não é gerar ATP, mas executar reações capazes de gerar intermediários que podem ser desviados para uso como precursores na síntese dos blocos de construção celulares. Por exemplo, a biossíntese de lipídios necessita de acetil coenzima A (acetil-CoA), e a acetil-CoA é, em grande parte, sintetizada nas células em crescimento a partir de intermediários, como citrato, que são gerados nas mitocôndrias.

Como essa reprogramação do metabolismo é desencadeada nas células normais e malignas em crescimento? Como era de esperar, **a reprogramação metabólica é produzida por cascatas de sinalização a jusante dos receptores de fatores de crescimento, exatamente as mesmas vias que são desreguladas por mutações nos oncogenes e genes supressores de tumor nos cânceres.** Por conseguinte, enquanto a glicólise aeróbica nas células normais em rápido crescimento cessa quando o tecido não está mais crescendo, essa reprogramação nas células cancerosas persiste, devido à ação dos oncogenes e à perda da função dos genes supressores de tumor. Alguns dos pontos importantes da interferência entre fatores de sinalização pró-crescimento e metabolismo celular são mostrados na **Figura 7.29** e incluem os seguintes:

- *Sinalização do receptor tirosinoquinase/PI3K/AKT.* A sinalização de PI3K/AKT suprarregula a atividade dos transportadores de glicose e de múltiplas enzimas glicolíticas, aumentando, assim, a glicólise; promove o desvio de intermediários mitocondriais para vias que levam à biossíntese de lipídios; e estimula fatores que são necessários para a síntese de proteínas. Além disso, os receptores tirosinoquinases fosforilam e inibem a piruvato quinase, que catalisa a última etapa na via glicolítica, a conversão do fosfoenolpiruvato em piruvato. Isso cria um efeito de represamento, que leva ao acúmulo de intermediários glicolíticos a montante, que são deslocados para a síntese de DNA, RNA e proteínas

- *MYC.* Conforme já assinalado, as vias pró-crescimento suprarregulam a expressão do fator de transcrição MYC, que impulsiona mudanças na expressão gênica que sustentam o metabolismo anabólico e o crescimento celular. Entre os fatores metabólicos mais importantes que são suprarregulados pelo MYC, destacam-se múltiplas enzimas glicolíticas e a glutaminase, que é necessária para a utilização mitocondrial da glutamina, outra fonte importante de intermediários necessários para a síntese de componentes celulares.

O outro lado da moeda é que os supressores de tumor frequentemente inibem vias metabólicas que sustentam o crescimento. Já discutimos como o supressor de tumor STK11 antagoniza as alterações metabólicas que produzem o efeito Warburg. Com efeito, é possível que muitos (e talvez todos) supressores de tumor que induzem a interrupção do crescimento suprimam o efeito Warburg. Por exemplo, a p53, que seguramente é o supressor de tumor mais importante, suprarregula genes-alvo que inibem coletivamente a captação de glicose, a glicólise, a lipogênese e a geração de NADPH (um cofator fundamental, que é necessário para a biossíntese de macromoléculas). Por conseguinte, é evidente que as funções de muitas oncoproteínas e supressores de tumor estejam intrinsecamente ligadas com o metabolismo celular.

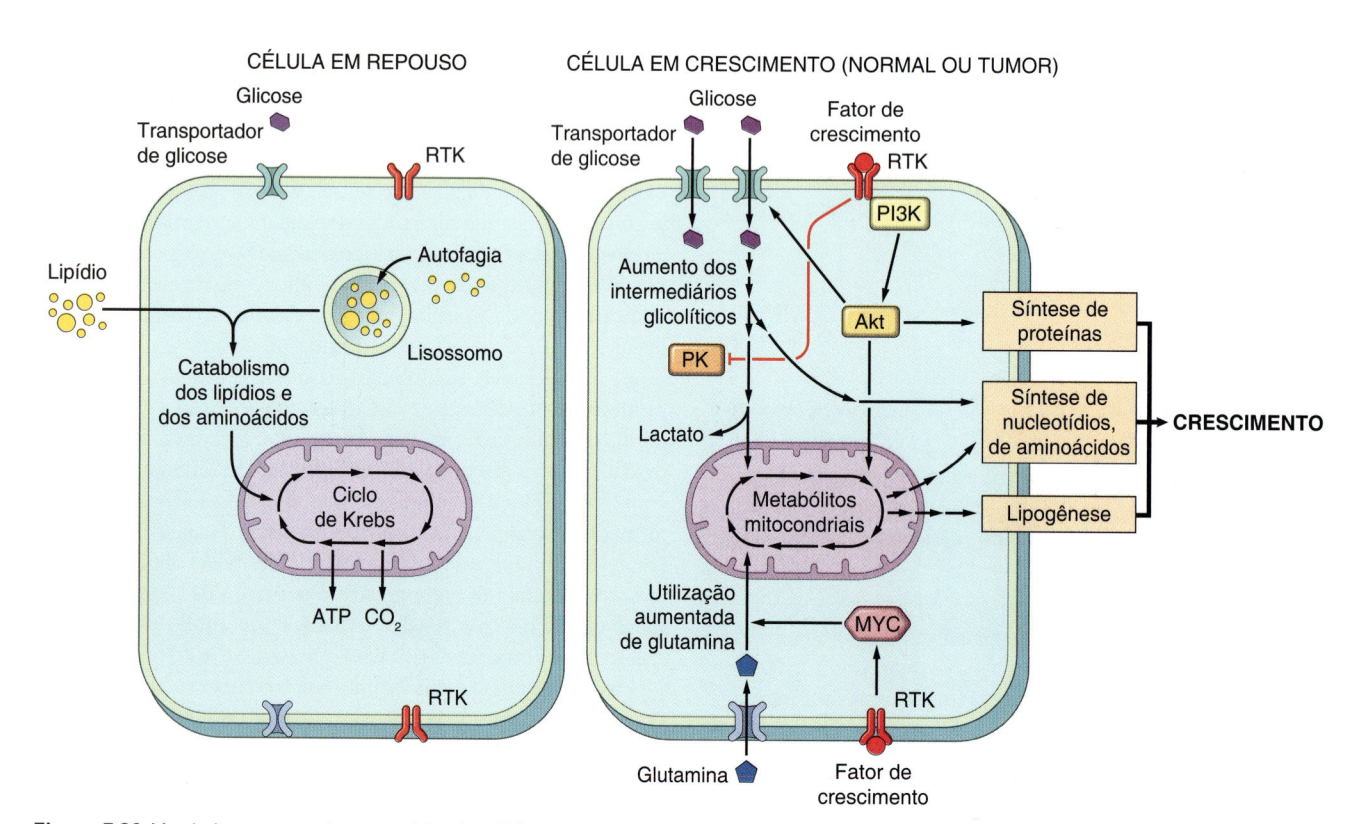

Figura 7.29 Metabolismo e crescimento celular. As células em repouso dependem principalmente do ciclo de Krebs para a produção de trifosfato de adenosina (*ATP*); se forem privadas de nutrientes, a autofagia (autoalimentação) é induzida para proporcionar uma fonte de combustível. Quando estimuladas por fatores de crescimento, as células normais suprarregulam acentuadamente a captação de glicose e de glutamina, resultando em intermediários metabólicos glicolíticos e do ciclo de Krebs, que proporcionam fontes de carbono para a síntese de nucleotídios e lipídios. Nos cânceres, as mutações oncogênicas que envolvem as vias de sinalização de fatores de crescimento e outros fatores-chave, como MYC, desregulam essas vias metabólicas.

Autofagia. A autofagia é um estado de grave deficiência de nutrientes, em que as células não apenas interrompem seu crescimento, como também canibalizam suas próprias organelas, proteínas e membranas como fontes de carbono para a produção de energia (ver **Figura 7.29** e **Capítulo 2**). Se essa adaptação falhar, as células morrerão de inanição. Com frequência, as células tumorais parecem ser capazes de crescer em condições ambientais marginais sem desencadear o processo de autofagia, sugerindo que as vias que induzem a autofagia estão desreguladas. De acordo com isso, vários genes que promovem a autofagia são supressores de tumor, o que significa que a perda da autofagia aumenta o crescimento tumoral. Entretanto, o fato de a autofagia ser sempre ruim do ponto de vista do tumor é objeto de investigação ativa e debate. Por exemplo, em condições de grave privação de nutrientes, as células tumorais podem utilizar a autofagia para se tornar "dormentes", um estado de hibernação metabólica que permite a sobrevivência das células em momentos difíceis por longos períodos de tempo. Acredita-se que essas células sejam resistentes às terapias que destroem as células em divisão ativa e, portanto, poderiam ser responsáveis por falhas terapêuticas. Por conseguinte, a autofagia pode ser uma amiga ou inimiga do tumor, dependendo do modo pelo qual as vias de sinalização que a regulam estejam "conectadas" em determinado tumor.

Oncometabolismo. Um grupo surpreendente de alterações genéticas descobertas a partir dos estudos de sequenciamento genômico de tumores é constituído por mutações em enzimas que participam do ciclo de Krebs. Entre essas mutações, as da isocitrato desidrogenase (IDH) despertaram maior interesse, visto que elas revelaram um novo mecanismo de oncogênese, denominado *oncometabolismo* (**Figura 7.30**).

As etapas propostas na via oncogênica que envolvem a IDH são as seguintes:

- A IDH adquire uma mutação que leva a uma substituição específica de aminoácidos, envolvendo resíduos em seu sítio ativo. Em consequência, a proteína mutada perde sua função de IDH e, em seu lugar, adquire uma nova atividade enzimática que catalisa a produção de 2-hidroxiglutarato (2-HG)
- Por sua vez, o 2-HG atua como inibidor de várias outras enzimas que necessitam de um metabólito (α-cetoglutarato), como cofator. Entre as proteínas que são inibidas pelo 2-HG, destacam-se vários membros da família TET, incluindo TET2
- A TET2 é um dos vários fatores que aumentam a metilação do DNA, que, você deve lembrar, é uma modificação epigenética que controla a expressão gênica normal e, com frequência, sofre disfunção no câncer. De acordo com o modelo, a perda da atividade de TET2 leva a padrões anormais de metilação do DNA
- Por sua vez, a metilação anormal do DNA leva à expressão incorreta dos genes do câncer, que conduzem à transformação celular e oncogênese. Alguns dados sugerem que o efeito final da perda de TET2 em linhagens nas quais a TET2 é um supressor de tumor consiste na suprarregulação de RAS e da sinalização do receptor tirosinoquinase.

Assim, de acordo com esse cenário, a IDH mutada atua por meio da produção de 2-HG, que é considerado um protótipo dos *oncometabólitos*. Ocorrem mutações oncogênicas de IDH em diversos grupos de cânceres, incluindo uma considerável fração de colangiocarcinomas, gliomas, leucemias mieloides agudas e sarcomas. Do ponto de vista clínico, como as proteínas de IDH mutadas apresentam uma estrutura alterada, foi possível desenvolver fármacos capazes de inibir a IDH mutada, mas não a enzima normal. Esses medicamentos estão sendo agora utilizados no tratamento das leucemias com mutações de IDH. Essa história exemplifica como a compreensão detalhada dos mecanismos oncogênicos pode levar à produção de classes totalmente novas de fármacos antineoplásicos.

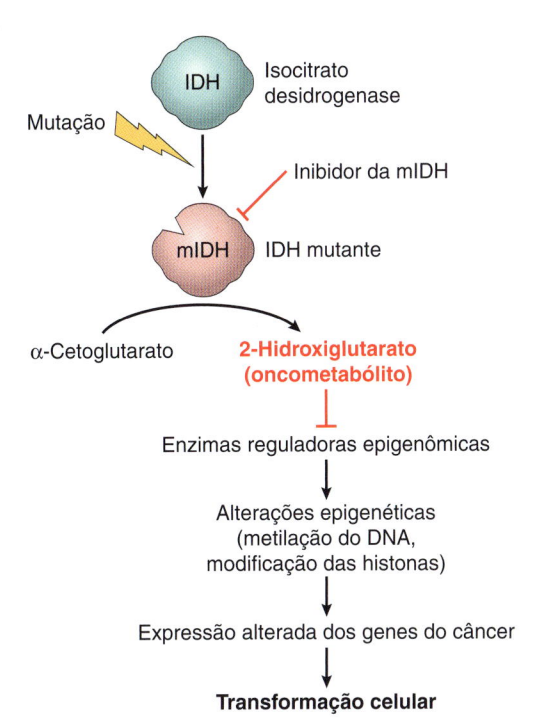

Figura 7.30 Ação proposta do oncometabólito 2-hidroxiglutarato nas células cancerosas com isocitrato desidrogenase mutada (*mIDH*). *IDH*, isocitrato desidrogenase.

Conceitos-chave

Alteração do metabolismo celular

- O efeito (metabolismo) Warburg é uma forma de metabolismo pró-crescimento, que tem preferência pela glicólise em relação à fosforilação oxidativa. É induzido nas células normais por exposição a fatores de crescimento e torna-se permanente nas células cancerosas, em virtude da ação de certas mutações condutoras
- Muitas oncoproteínas (RAS, MYC, receptores de fatores de crescimento mutados) induzem ou contribuem para o efeito Warburg, e muitos supressores de tumor (PTEN, NF1, p53) opõem-se a ele
- O estresse pode induzir as células a consumir os seus próprios componentes, em um processo denominado autofagia. As células cancerosas podem acumular mutações para evitar a autofagia ou corromper o processo para fornecer nutrientes para seu crescimento contínuo e sobrevivência
- Algumas oncoproteínas, como a IDH mutada, atuam causando a formação de altos níveis de "oncometabólitos", que causam alterações epigenéticas, levando, assim, a mudanças na expressão gênica, que são oncogênicas

Evasão da morte celular

Com frequência, as células tumorais apresentam mutações em genes que resultam em resistência à morte celular por apoptose. Conforme discutido no **Capítulo 2**, a apoptose ou morte celular regulada refere-se a um desmantelamento ordenado das células em componentes (corpos apoptóticos), que então são fagocitados de modo eficiente pelos macrófagos, sem estimular a inflamação. Você deve lembrar que existem duas vias que levam à apoptose: (1) a via extrínseca (receptor de morte), que é desencadeada por receptores de morte da família do receptor do fator de necrose tumoral (TNF), como o FAS, e seus ligantes; e (2) a via intrínseca (mitocondrial), que é iniciada por vários estresses, como a ausência de fatores de crescimento e o dano ao DNA. A via intrínseca parece constituir a principal definidora de vida e morte das células cancerosas, visto que estas células estão sujeitas a uma série de estresses intrínsecos que podem iniciar a apoptose, sobretudo dano ao DNA, mas também distúrbios metabólicos em decorrência do crescimento desregulado, hipoxia causada por um suprimento sanguíneo insuficiente e, em alguns tipos de câncer, quantidades aumentadas de proteínas mal enoveladas. Esses estresses são amplificados muitas vezes quando os tumores são tratados com quimioterapia ou radioterapia (que matam as células tumorais principalmente pela indução de apoptose). Por conseguinte, existe uma forte pressão seletiva, tanto antes quanto depois da terapia, para que as células cancerosas desenvolvam mecanismos destinados a escapar da apoptose. Isso ocorre principalmente por meio de mutações adquiridas e mudanças na expressão gênica, que desabilitam componentes essenciais da via intrínseca ou que restabelecem o equilíbrio dos fatores reguladores, de modo a favorecer a sobrevivência da célula diante de estresses intrínsecos (**Figura 7.31**).

Antes de examinarmos os mecanismos de resistência à apoptose, convém efetuar uma breve revisão da via intrínseca. A ativação dessa via leva à permeabilização da membrana mitocondrial externa e à liberação de moléculas no citoplasma, como o citocromo *c*, que iniciam a apoptose. A integridade da membrana mitocondrial externa é determinada por um delicado equilíbrio entre membros pró-apoptóticos e antiapoptóticos da família de proteínas BCL2. As proteínas pró-apoptóticas BAX e BAK são necessárias para a apoptose e promovem diretamente a permeabilização mitocondrial. Sua ação é inibida pelos membros antiapoptóticos dessa família, que são exemplificados pela BCL2 e BCL-XL. Um terceiro conjunto de proteínas, as denominadas *proteínas BH3-apenas* (*BH3-only*), que incluem BIM, BAD, BID e PUMA, desloca o equilíbrio entre os membros pró-apoptóticos e antiapoptóticos da família ao neutralizar as ações de proteínas antiapoptóticas, como BCL2 e BCL-XL, favorecendo assim a apoptose. Quando a soma total de todas as proteínas BH3 expressas "sobrepuja" a barreira antiapoptótica das proteínas BCL2/BCL-XL, a BAX e a BAK são ativadas e formam poros na membrana mitocondrial. Isso propicia o extravasamento do citocromo *c* no citosol, o qual se liga ao APAF-1 e ativa a caspase-9, que, por sua vez, cliva e ativa as caspases executoras. Outro controlador desse sistema é um grupo de proteínas, denominadas *proteínas inibidoras da apoptose (IAP)*, que bloqueiam a ação da caspase-9.

Dentro dessa estrutura, é possível ilustrar os dois principais mecanismos pelos quais as células cancerosas evitam a apoptose (ver **Figura 7.31**):

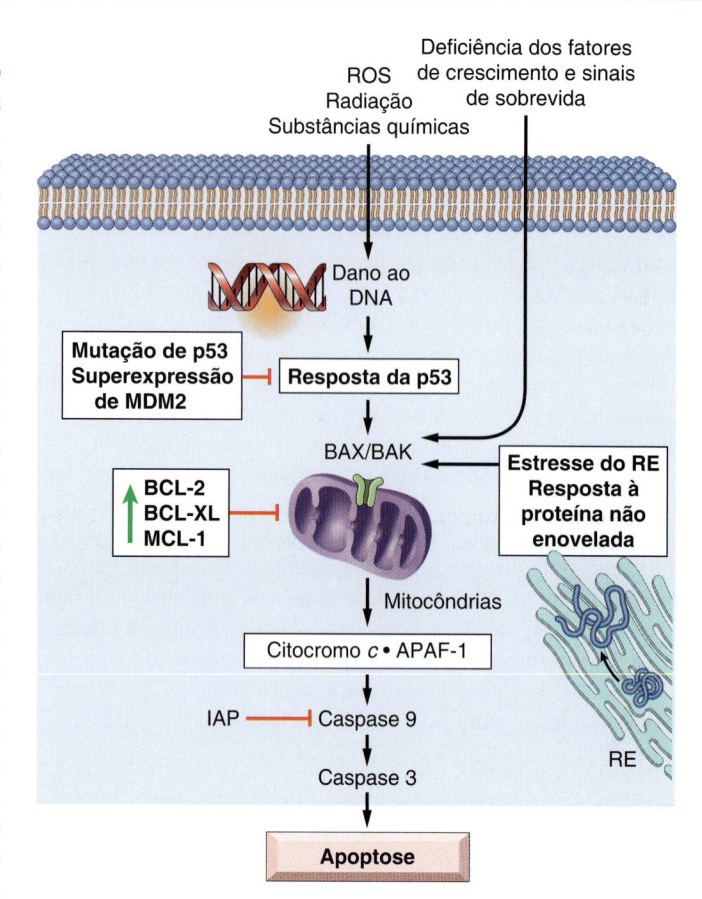

Figura 7.31 Via intrínseca da apoptose e principais mecanismos utilizados pelas células tumorais para evitar a morte celular. Os mecanismos mais importantes envolvem a perda da função da p53 por meio de mutação ou antagonismo pela MDM2, e redução da saída do citocromo *c* das mitocôndrias em consequência da suprarregulação de fatores antiapoptóticos, que estabilizam a membrana mitocondrial, BCL2, CL-XL e MCL-1. Com menos frequência, os tumores suprimem a apoptose ao desregular membros da família do inibidor da apoptose (*IAP*).

- *Perda da função de TP53*. Enquanto o *TP53* está comumente mutado em cânceres por ocasião do diagnóstico, a frequência de mutações de *TP53* é ainda maior em tumores que sofrem recidiva após a terapia, provavelmente devido à sua capacidade de transmitir resistência às terapias genotóxicas. Outras lesões no câncer comprometem indiretamente a função da p53, mais notavelmente a amplificação do *MDM2*, que codifica um inibidor da p53. A perda da função de p53 impede a suprarregulação de PUMA, uma proteína BH3-apenas (*BH3-only*) pró-apoptótica, em resposta à ocorrência de dano ao DNA e outros estresses, possibilitando a sobrevivência de células que, de outra forma, seriam destruídas

- *Superexpressão de membros antiapoptóticos da família BCL2*. A superexpressão de BCL2 é um evento comum, que leva à proteção das células tumorais da apoptose. Um dos exemplos mais bem compreendidos é encontrado no linfoma folicular (ver **Capítulo 12**), um tumor de células B que conta com uma translocação (14;18)(q32;q21) característica, que funde o gene *BCL2* com o gene transcricionalmente ativo da cadeia pesada das imunoglobulinas. O consequente excesso de BCL2 protege os linfócitos transformados da apoptose. Como os linfomas foliculares com superexpressão de BCL2 surgem, em grande parte, por meio de redução da morte celular, em vez de proliferação celular explosiva, eles tendem a ser indolentes (de crescimento lento). Em outros tumores, como a leucemia linfocítica crônica (ver **Capítulo 12**), parece que o BCL2 está suprarregulado, em virtude da perda de micro-RNA específicos que normalmente restringem os níveis de BCL2. Foram propostos muitos outros mecanismos em uma ampla variedade de cânceres, que levam à superexpressão de membros antiapoptóticos da família BCL2.

O reconhecimento dos mecanismos pelos quais os cânceres escapam da morte celular estimulou o desenvolvimento de várias linhas de terapias-alvo. A restauração da função da p53 em tumores com mutação de *TP53* é um problema desanimador (devido à inerente dificuldade de "consertar" genes defeituosos), embora seja possível em tumores nos quais a p53 é inativa, em virtude da superexpressão de seu inibidor, MDM2. De fato, os inibidores de MDM2, que reativam a p53 e que induzem apoptose em tumores com amplificação do gene *MDM2*, estão sendo testados em ensaios clínicos. Resultados ainda mais impressionantes foram obtidos com fármacos que inibem a função de membros antiapoptóticos da família BCL2, sobretudo o próprio BCL2. Esses fármacos apresentam uma potente atividade contra certos tumores caracterizados pela superexpressão de BCL2 (como a leucemia linfocítica crônica) e estão se tornando um componente padrão do tratamento de determinados tipos de câncer.

> **Conceitos-chave**
> **Evasão da morte celular**
> - A apoptose pode ser iniciada por meio das vias intrínseca ou extrínseca, ambas as quais resultam na ativação de uma cascata proteolítica de caspases que destroem a célula
> - As anormalidades que incapacitam a via intrínseca (mitocondrial) parecem ser mais comuns nos cânceres
> - Em mais de 85% dos linfomas de células B foliculares, o gene antiapoptótico *BCL2* está superexpresso, devido a uma translocação (14;18)
> - A superexpressão de outros membros da família do BCL2 também está ligada à sobrevivência das células cancerosas e à resistência a fármacos.

Potencial de replicação ilimitado: as propriedades similares às "células-tronco" das células cancerosas

Todos os cânceres contêm células que são imortais e que apresentam potencial replicativo ilimitado. Algumas linhagens celulares estabelecidas a partir de cânceres estão agora proliferando incessantemente em laboratórios há mais de 60 anos, e é razoável esperar que elas continuem crescendo enquanto houver cientistas para cuidar delas. Como é possível que células cancerosas tenham aparentemente descoberto a proverbial fonte da eterna juventude? As respostas não são totalmente conhecidas, porém três fatores inter-relacionados parecem ser de importância crítica para a imortalidade das células cancerosas: (1) evasão da senescência, (2) evasão da crise mitótica e (3) capacidade de autorrenovação:

- *Evasão da senescência*. Conforme discutido no **Capítulo 2**, a maioria das células humanas normais tem a capacidade de se dividir 60 a 70 vezes. Depois desse número de divisões, as células tornam-se senescentes, abandonando permanentemente o ciclo celular, e nunca mais voltam a se dividir. Os mecanismos que produzem senescência não estão bem compreendidos, porém o estado de senescência está associado a uma suprarregulação de p53 e INK4a/p16 (talvez em resposta ao acúmulo de dano ao DNA com o passar do tempo). Acredita-se que isso possa contribuir para a senescência, em parte ao manter a RB em um estado hipofosforilado, que favorece a interrupção do ciclo celular. Conforme já discutido, o ponto de checagem de G_1/S do ciclo celular dependente de RB está corrompido em praticamente todos os tipos de câncer por uma ampla variedade de aberrações genéticas ou epigenéticas adquiridas, que podem permitir que as células escapem da senescência
- *Evasão da crise mitótica*. Embora as células que são resistentes à senescência tenham aumentado sua capacidade de replicação, elas não são imortais; na verdade, elas finalmente entram em uma fase designada como *crise mitótica* e morrem. A crise mitótica foi atribuída ao encurtamento progressivo dos *telômeros*, que consistem em sequências especiais de DNA nas extremidades dos cromossomos, que se ligam a vários tipos de complexos de proteínas protetoras (ver **Capítulo 2**). A maioria das células somáticas não expressa a *telomerase*, a enzima responsável pela manutenção dos telômeros, e, a cada divisão celular, ocorre encurtamento de seus telômeros. Quando o DNA telomérico já sofreu erosão completa, as extremidades cromossômicas expostas são "detectadas" como quebras de DNA de fita dupla. Se as células afetadas tiverem p53 funcional, a célula interrompe seu crescimento e pode sofrer apoptose; entretanto, se a p53 for disfuncional, a via de junção de extremidades não homólogas é ativada e pode unir as extremidades "desnudas" de dois cromossomos. Os cromossomos dicêntricos resultantes são quebrados durante a tentativa de segregação mitótica na anáfase, produzindo novas quebras de DNA de fita dupla. O dano genômico em "bola de neve" causado por repetidos ciclos de "ponte-fusão-quebra" acaba produzindo uma catástrofe mitótica e morte celular (**Figura 7.32**). A telomerase é expressa em níveis muito baixos na maioria das células somáticas, e, portanto, todas as células em proliferação que escapam da senescência tendem a morrer dessa maneira. Entretanto, as células em crise que reativam a telomerase podem restaurar seus telômeros e sobreviver. Essas células podem ter sofrido dano nos oncogenes e genes supressores de tumor durante a crise e correm alto risco de transformação maligna. Como alternativa, os cânceres podem surgir a partir de células-tronco (descritas mais adiante), que são de vida longa, em parte por sua capacidade de expressar a telomerase. Qualquer que seja o mecanismo envolvido, a manutenção dos telômeros é observada em praticamente todos os tipos de câncer. Em 85 a 95% dos tumores, isso é devido à expressão da telomerase. Os tumores restantes utilizam outro mecanismo para manter os seus telômeros, denominado alongamento alternativo dos telômeros, que depende da recombinação do DNA
- *Autorrenovação*. Diferentemente da maioria das células, as células-tronco teciduais e as células germinativas expressam a telomerase, tornando-as resistentes à crise mitótica, e também evitam, de algum modo, as alterações genéticas e epigenéticas que desencadeiam a senescência. Em termos simples, a

autorrenovação significa que, cada vez que uma célula-tronco se divide, pelo menos uma das duas células-filhas permanece como célula-tronco. Em uma divisão simétrica, ambas as células-filhas continuam como célula-tronco; essas divisões podem ocorrer durante a embriogênese, quando há expansão dos reservatórios de células-tronco, ou durante períodos de estresse. Em uma divisão assimétrica, apenas uma célula-filha permanece como célula-tronco; nessas circunstâncias, a célula-filha não tronco prossegue ao longo de alguma via de diferenciação, perdendo sua natureza de célula-tronco, porém adquirindo uma ou mais funções no processo. As células que estão em "trânsito" para um estado diferenciado são, com frequência, altamente proliferativas, porém elas acabam se diferenciando, interrompem a divisão e, por fim, podem tornar-se senescentes ou sofrer apoptose. O crescimento continuado e a manutenção de muitos tecidos que contêm células de vida curta, como os elementos figurados da medula óssea e do sangue e as células epiteliais do trato gastrintestinal e da pele, dependem de uma população residente de células-tronco teciduais, que têm a capacidade de autorrenovação. Seguindo essa lógica, como os cânceres são imortais e apresentam uma capacidade proliferativa ilimitada, eles também precisam conter células que sofrem autorrenovação – as denominadas *células-tronco do câncer*. Embora continue havendo polêmica sobre a identidade e o número de células semelhantes às células-tronco em determinados tipos de câncer, aceita-se que as células que se assemelham às células-tronco precisam existir em todos os cânceres.

Outra questão em aberto é saber se as células-tronco do câncer surgem da transformação de células-tronco teciduais ou da conversão de células somáticas convencionais em células transformadas com a propriedade adquirida de células-tronco. A resposta parece ser que ambos os cenários ocorrem em diferentes tipos de tumores, conforme exemplificado pela leucemia mieloide crônica e leucemia promielocítica aguda (**Figura 7.33**). Lembre-se de que a expressão de um pequeno número de fatores de transcrição pode resultar na reprogramação epigenética de uma célula somática diferenciada, como um fibroblasto, em uma célula-tronco pluripotente. Por conseguinte, é fácil imaginar como mutações que levam à expressão incorreta de determinados fatores de transcrição essenciais, como MYC, podem converter uma célula somática em uma célula transformada com capacidade de autorrenovação. Um corolário dessa ideia é que, diferentemente das células-tronco normais e de sua progênie mais diferenciada, que apresentam uma relação progenitor-descendente fixa, as células cancerosas dentro de um tumor podem ser capazes de sofrer desdiferenciação

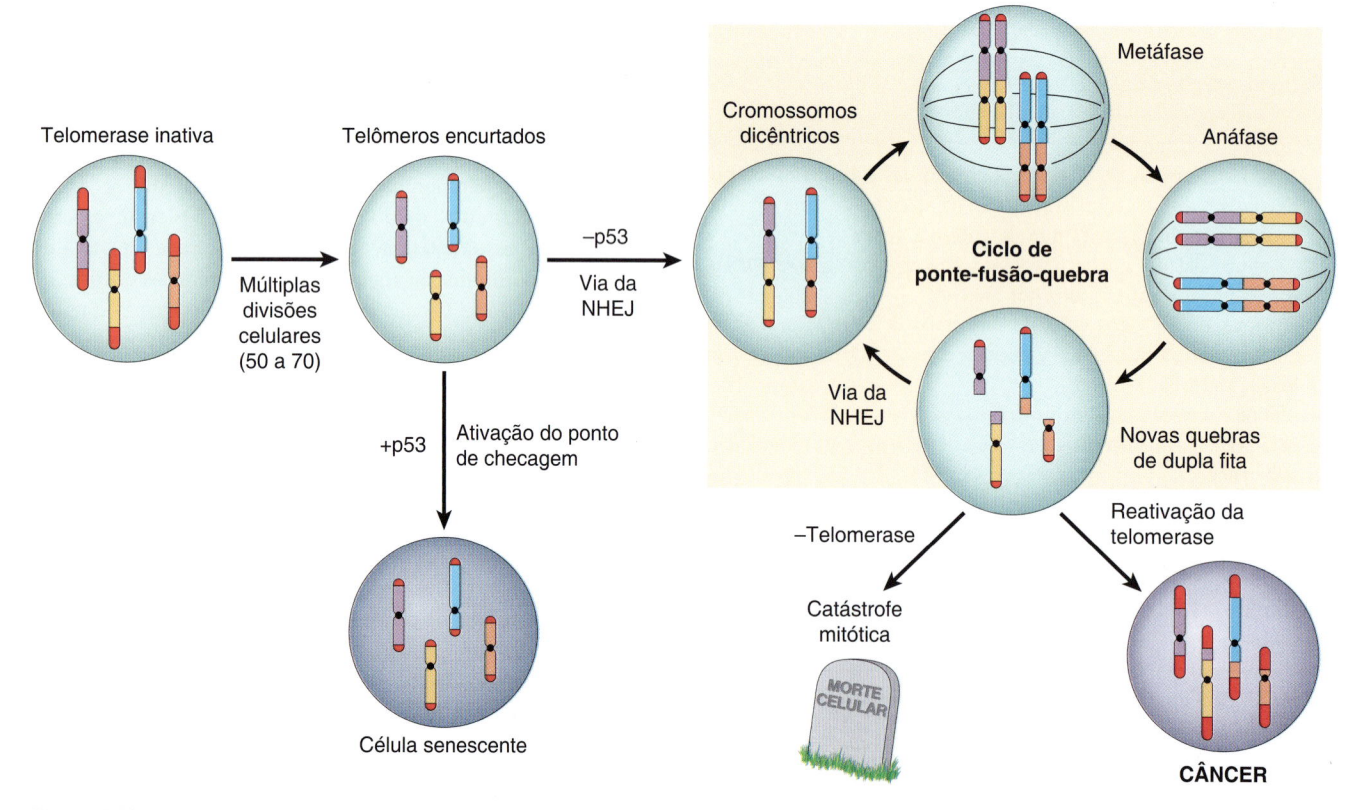

Figura 7.32 Escape das células da senescência e da catástrofe mitótica causadas pelo encurtamento dos telômeros. A replicação das células somáticas, que não expressam a telomerase, resulta em encurtamento dos telômeros. Na presença de pontos de checagem competentes, as células são interrompidas e entram no processo da senescência não replicativa. Na ausência de pontos de checagem, as vias de reparo do DNA, como a via de junção de extremidades não homólogas (*NHJE, nonhomologous end joint*), são inapropriadamente ativadas, levando à formação de cromossomos dicêntricos. Na mitose, os cromossomos dicêntricos são separados, gerando quebras de fita dupla aleatórias que, em seguida, ativam as vias de reparo do DNA, levando à associação aleatória de extremidades de fita dupla e à formação, mais uma vez, de cromossomos dicêntricos. As células passam por numerosas voltas desse ciclo de ponte-fusão-quebra, que gera uma enorme instabilidade cromossômica e numerosas mutações. Se as células forem incapazes de expressar novamente a telomerase, elas acabam sofrendo catástrofe mitótica e morrem. A reexpressão da telomerase permite que as células escapem do ciclo de ponte-fusão-quebra, promovendo, assim, sua sobrevivência e tumorigênese.

para um estado semelhante ao de uma célula-tronco. De fato, há evidências de que os cânceres são capazes de repovoar seus reservatórios de células-tronco a partir de populações de células que não sejam células-tronco, o que complica ainda mais os esforços para definir com precisão e selecionar seletivamente as células-tronco do câncer.

Apesar dessas incertezas, o conceito de células-tronco do câncer tem importantes implicações na terapia antineoplásica. Dessa forma, se as células-tronco do câncer forem essenciais para a persistência do tumor, pode-se concluir que essas células precisam ser eliminadas para erradicar o tumor. Foi formulada a hipótese de que, à semelhança das células-tronco normais, as células-tronco do câncer apresentam alta resistência intrínseca às terapias convencionais, devido a uma baixa taxa de divisão celular e à expressão de fatores, como a resistência a múltiplas drogas-1 (MDR1) que neutralizam os efeitos dos fármacos quimioterápicos. Por conseguinte, o sucesso limitado das terapias atuais pode ser explicado, em parte, por sua incapacidade de matar as células-tronco malignas que estão na raiz do câncer.

> **Conceitos-chave**
> **Potencial de replicação ilimitado**
>
> - Pelo menos algumas células em todos os tipos de câncer precisam ser semelhantes às células-tronco; essas células são algumas vezes designadas como células-tronco do câncer. Podem surgir por meio da transformação de uma célula-tronco normal ou por lesões genéticas adquiridas, que lhes conferem um estado semelhante ao de uma célula-tronco em uma célula mais madura.
> - As células cancerosas adquirem lesões que inativam os sinais de senescência e reativam a telomerase, que atuam em conjunto para conferir um potencial de replicação ilimitado.

Angiogênese

Mesmo se um tumor sólido tiver todas as aberrações genéticas necessárias para sua transformação maligna, ele não pode aumentar além de 1 a 2 mm de diâmetro, a não ser que tenha capacidade de induzir a angiogênese. À semelhança dos tecidos normais, a "saúde" dos tumores exige o fornecimento de oxigênio e de nutrientes e a remoção de resíduos metabólicos; presumivelmente, o limite de 1 a 2 mm de tamanho representa a distância máxima por meio da qual o oxigênio, os nutrientes e os resíduos metabólicos podem se difundir a partir dos vasos sanguíneos existentes. Os cânceres em crescimento estimulam a neoangiogênese, durante a qual novos vasos brotam a partir dos capilares (ver **Capítulo 3**). A neovascularização fornece os nutrientes e o oxigênio necessários, e as células endoteliais em proliferação também estimulam o crescimento de células tumorais adjacentes pela secreção de fatores de crescimento, como os fatores de crescimento semelhantes à insulina (IFG) e o PDGF. Embora a vasculatura do tumor resultante seja efetiva no fornecimento de nutrientes e na remoção dos resíduos, ela não é totalmente normal; os vasos são muito permeáveis e dilatados e apresentam um padrão irregular de conexão – características que podem ser identificadas na angiografia. A angiogênese, ao permitir que as células tumorais tenham fácil acesso a esses vasos anormais, também contribui para a metástase. Por conseguinte, a angiogênese constitui uma característica essencial de malignidade.

Como os tumores em crescimento desenvolvem um suprimento sanguíneo? De acordo com o paradigma atual, **a angiogênese é controlada por um equilíbrio entre promotores e inibidores da angiogênese; nos tumores que desenvolvem angiogênese, esse equilíbrio é deslocado a favor dos promotores.** No início de seu desenvolvimento, a maioria dos tumores humanos não induz a angiogênese. Esses tumores, privados de nutrientes, permanecem pequenos ou *in situ*, possivelmente durante anos, até que um *gatilho angiogênico* põe um fim a esse estágio de quiescência. A base molecular do gatilho angiogênico envolve o aumento na produção local de fatores angiogênicos e/ou a perda de inibidores angiogênicos. As fontes desses fatores incluem células tumorais, células inflamatórias infiltrativas (p. ex., macrófagos) ou outras células estromais associadas ao tumor e MEC. No caso das células tumorais, várias alterações aumentam a produção de fatores pró-angiogênicos:

- *A falta relativa de oxigênio devido à hipoxia estabiliza o HIF1α*, um fator de transcrição sensível ao oxigênio mencionado anteriormente, que ativa a transcrição das citocinas

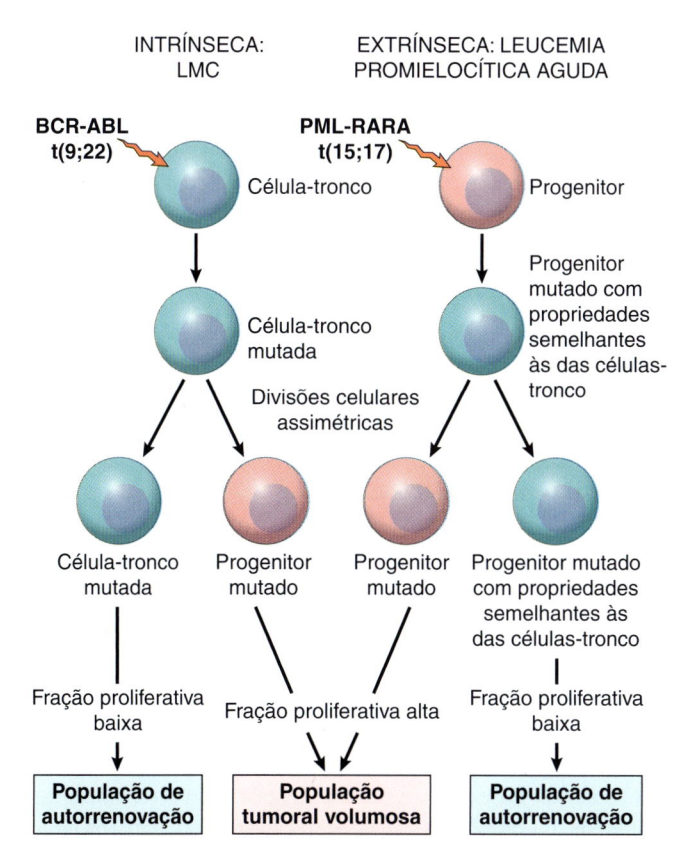

Figura 7.33 Origens das células com capacidade de autorrenovação no câncer. As células-tronco do câncer podem surgir a partir de células-tronco teciduais transformadas (p. ex., células-tronco hematopoéticas na leucemia mieloide crônica [*LMC*]) com "natureza de célula-tronco" intrínseca ou a partir de células em proliferação que adquirem uma mutação, que lhes confere uma propriedade semelhante às células-tronco (p. ex., progenitores dos granulócitos na leucemia promielocítica aguda). Em ambos os casos, as células-tronco do câncer sofrem divisões celulares assimétricas, que dão origem a progenitores comprometidos, que, por sua vez, proliferam mais rapidamente do que as células-tronco do câncer originais; em consequência, a maioria das células malignas presentes nos tumores carecem de capacidade de autorrenovação.

pró-angiogênicas, o VEGF e o fator básico de crescimento do fibroblasto (bFGF). Esses fatores criam um gradiente angiogênico, que estimula a proliferação das células endoteliais e guia o crescimento de novos vasos em direção ao tumor (ver **Capítulo 3**)

- *As mutações condutoras em certos supressores de tumor e oncogenes favorecem a angiogênese.* Por exemplo, a p53 estimula a expressão de moléculas antiangiogênicas, como a trombospondina-1, e reprime a expressão de moléculas pró-angiogênicas, como o VEGF. Por conseguinte, a perda de p53 não apenas remove os pontos de checagem do ciclo celular e altera o metabolismo das células tumorais, como também proporciona um ambiente mais permissivo para a angiogênese. Por outro lado, as mutações de ganho de função no *RAS* ou no *MYC* suprarregulam a produção de VEGF
- As *proteases*, que podem ser produzidas pelas células tumorais ou por células estromais, também influenciam o equilíbrio local dos fatores angiogênicos e antiangiogênicos. Muitas proteases liberam o bFGF da MEC, que constitui um local de armazenamento desse fator, enquanto outras proteases liberam fatores antiangiogênicos, como angiostatina e endostatina, por meio de clivagem proteolítica do plasminogênio e do colágeno, respectivamente.

A ideia de que a angiogênese é essencial para que os tumores sólidos cresçam e alcancem tamanhos clinicamente significativos forneceu um forte incentivo para o desenvolvimento de agentes terapêuticos capazes de bloquear a angiogênese. Esses agentes constituem agora parte do arsenal utilizado pelos oncologistas contra o câncer. Um exemplo notável é o bevacizumabe, um anticorpo monoclonal que neutraliza a atividade do VEGF e está aprovado para o tratamento de diversos tipos de câncer. Entretanto, os inibidores da angiogênese não têm sido tão efetivos quanto se esperava; eles podem prolongar a vida, porém geralmente por apenas alguns meses e com custo financeiro muito elevado. Os mecanismos que fundamentam a persistência e a progressão final dos cânceres apesar do uso de inibidores da angiogênese ainda não foram esclarecidos. Os avanços só serão possíveis com maior compreensão das "vias de escape" por meio das quais as células tumorais evitam os efeitos dos inibidores da angiogênese atualmente utilizados.

> ### Conceitos-chave
> #### Angiogênese
> - A vascularização dos tumores é essencial para seu crescimento e é controlada pelo equilíbrio entre fatores angiogênicos e antiangiogênicos que são produzidos pelas células tumorais e estromais
> - A hipoxia desencadeia a angiogênese por meio das ações do HIF1α sobre a transcrição de um fator pró-angiogênico, o VEGF
> - Muitos outros fatores regulam a angiogênese; por exemplo, a p53 induz a síntese de um inibidor da angiogênese, a trombospondina-1, enquanto a sinalização de RAS, MYC e MAPK suprarregula a expressão do VEGF e estimula a angiogênese
> - Os inibidores do VEGF são utilizados no tratamento de vários tipos de câncer avançado e prolongam a evolução clínica, porém não são curativos.

Invasão e metástase

A invasão e a metástase constituem as principais causas de morbidade e mortalidade relacionadas com o câncer e, portanto, são temas de intensa pesquisa básica e clínica. A invasão local das células tumorais pode danificar ou destruir estruturas vitais e constitui um pré-requisito para a disseminação a distância. Estudos realizados em camundongos e em seres humanos revelaram que, embora muitas dessas células localmente invasivas sejam liberadas na circulação a cada dia, um número muito pequeno produz metástases. Por que o processo metastático é tão ineficiente? A resposta é incerta, porém sem dúvida alguma está relacionada com a complexidade do processo. Para que células tumorais surjam a partir de uma massa primária, destaquem-se dela, entrem nos vasos sanguíneos ou linfáticos e produzam um segundo crescimento em um local distante, elas precisam passar por uma série de etapas que envolvem uma complexa interação entre células tumorais e muitos tipos diferentes de células e fatores do hospedeiro (resumidos na **Figura 7.34**). Em cada ponto dessa sequência, as células que se separam precisam vencer os desafios para evitar as defesas imunológicas (discutidas adiante) e para se adaptar a um novo microambiente (p. ex., linfonodo, medula óssea ou cérebro), que é muito diferente do ambiente do local de origem do tumor. A complexidade dessa série de eventos pode explicar por que não foram encontrados "genes de metástase" individuais; pode ser que o "fenótipo metastático" exija o acúmulo de alterações genéticas e epigenéticas complementares, que coletivamente promovem a cascata metastática. Esse conjunto de "habilidades" pode ser encontrado apenas em algumas células, ou pode até mesmo exigir uma colaboração entre subclones, fornecendo, cada um deles, alguma função necessária. Essa última ideia implica que as metástases bem-sucedidas podem surgir a partir de células que migram como grupos coesos, processo para os quais há algumas evidências significativas.

Na discussão a seguir, a cascata metastática é dividida em duas fases: (1) a invasão da MEC e (2) a disseminação vascular, o endereçamento (*homing*) tecidual e a colonização. Ao longo do texto, abordaremos alguns dos mecanismos moleculares propostos que fundamentam o processo.

Invasão da matriz extracelular

A organização estrutural e a função dos tecidos normais são determinadas por interações entre as células e a MEC. Conforme discutido no **Capítulo 1**, os compartimentos teciduais são separados uns dos outros por dois tipos de MEC, a membrana basal e o tecido conjuntivo intersticial, cada um deles formados por diferentes combinações de colágeno, glicoproteínas e proteoglicanos. Como mostra a **Figura 7.34**, as células tumorais interagem com a MEC em diversos estágios da cascata metastática. Para metastatizar, as células de um carcinoma precisam transpassar a membrana basal subjacente, atravessar o tecido conjuntivo intersticial, e, por fim, ter acesso à circulação ao penetrar na membrana basal vascular. Esse processo é repetido no sentido inverso quando as células tumorais extravasam em um local distante. A invasão de MEC inicia a cascata metastática e é um processo ativo que pode ser dividido em vários passos (**Figura 7.35**):

- "Afrouxamento" das interações entre células tumorais
- Degradação da MEC
- Fixação a componentes "remodelados" da MEC
- Migração e invasão das células tumorais.

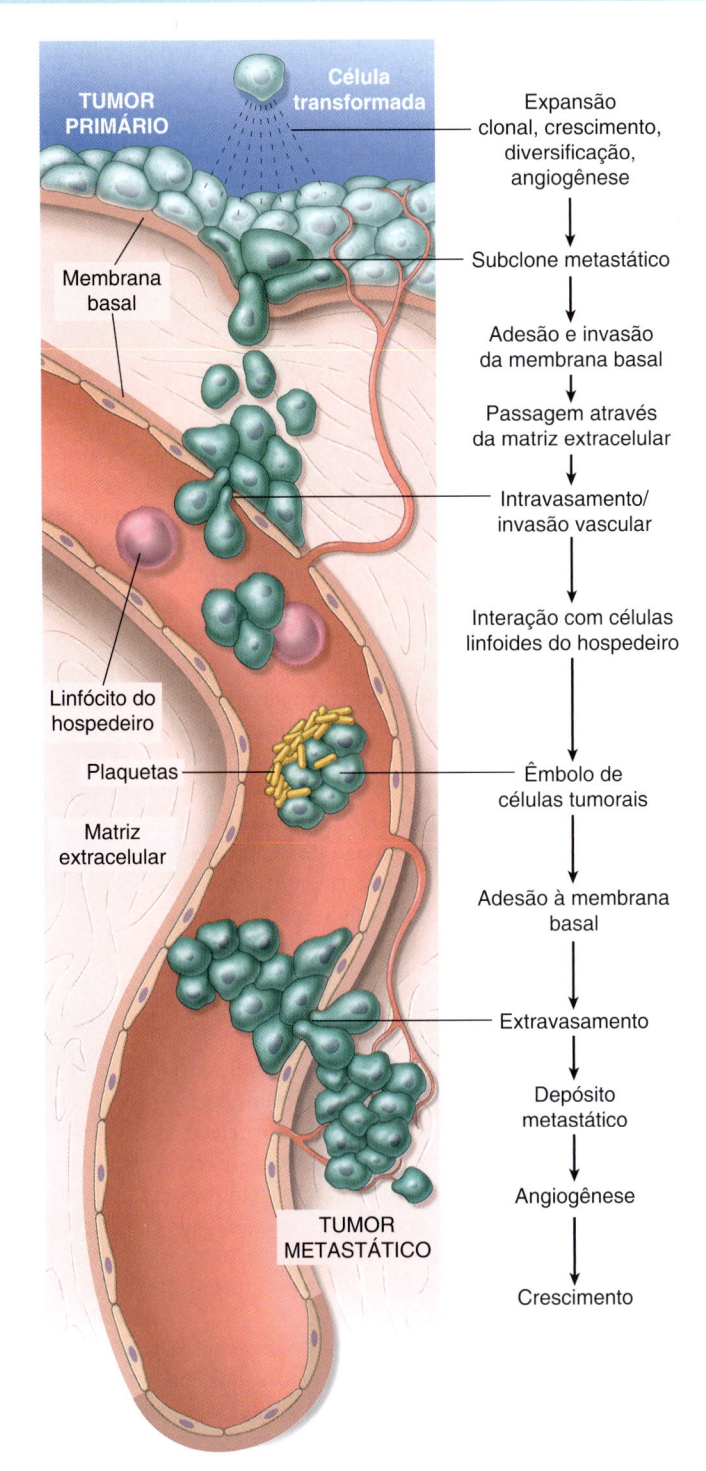

Figura 7.34 A cascata metastática. Etapas sequenciais envolvidas na disseminação hematogênica de um tumor.

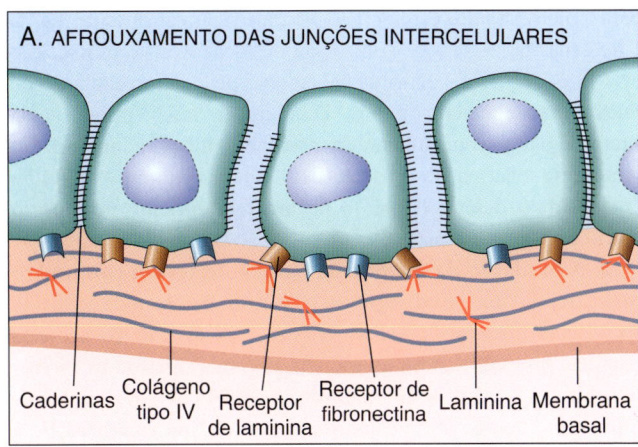

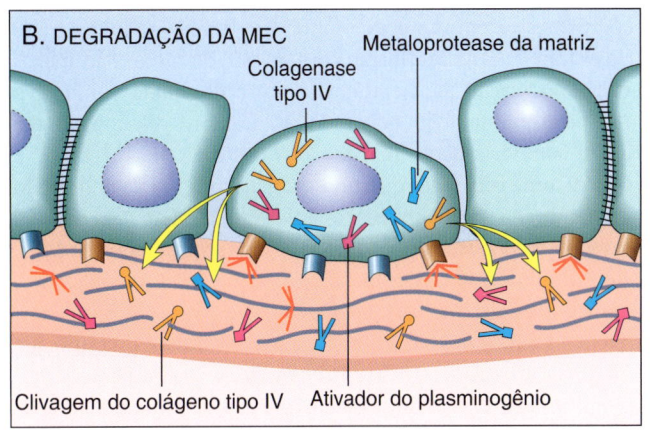

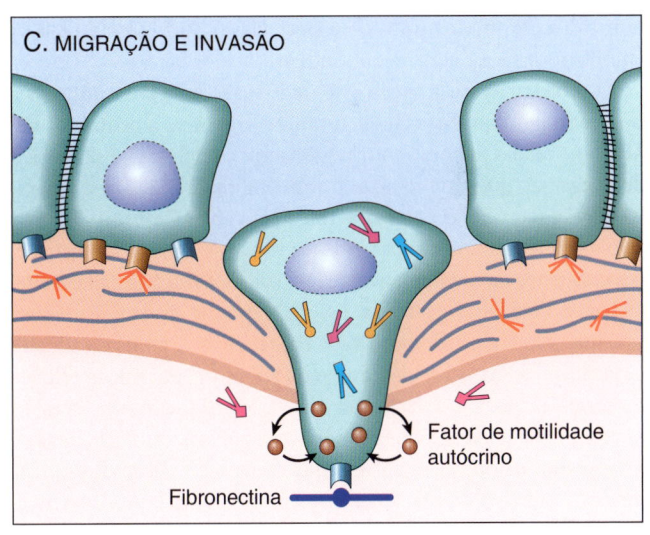

Figura 7.35 Sequência de eventos na invasão das membranas basais epiteliais por células tumorais. As células tumorais separam-se umas das outras, devido à redução da adesividade, e atraem células inflamatórias. As proteases secretadas pelas células tumorais e células inflamatórias degradam a membrana basal. Em seguida, ocorre ligação das células tumorais a sítios de ligação proteoliticamente gerados e migração das células tumorais. MEC, matriz extracelular.

A dissociação das células cancerosas entre si é, com frequência, o resultado de alterações nas moléculas de adesão intercelulares e constitui a primeira etapa no processo de invasão. As células epiteliais normais estão firmemente aderidas entre si e com a MEC por meio de uma variedade de moléculas de adesão. Conforme discutido anteriormente, as *E-caderinas* são glicoproteínas transmembranares que medeiam a adesão homotípica das células epiteliais, servindo para manter as células unidas e para transmitir sinais entre as células. Em vários tumores epiteliais, como certos adenocarcinomas de estômago e de mama, há perda da função da E-caderina, devido a mutações patogênicas, e, em muitos outros cânceres epiteliais, existe a hipótese de que a expressão da E-caderina esteja silenciada, pelo menos de modo transitório, por meio de um processo denominado *transição epitelial para mesenquimal (TEM)*. Foi postulado que a TEM é essencial para a metástase dos carcinomas, em particular cânceres de mama e de próstata. A TEM é controlada pelos fatores de transcrição SNAIL e TWIST e é definida não apenas pela infrarregulação de marcadores epiteliais (p. ex., E-caderina), mas também pela suprarregulação concomitante de marcadores mesenquimais (p. ex., vimentina e actina do músculo liso), alterações que se acredita favoreçam o desenvolvimento de um fenótipo pró-migratório essencial para a metástase.

A degradação da membrana basal e do tecido conjuntivo intersticial constitui o segundo passo no processo de invasão. As células tumorais podem executar essa função ao secretar enzimas proteolíticas ou ao induzir as células estromais (p. ex., fibroblastos e células inflamatórias) a fazê-lo. Muitas proteases diferentes, como as metaloproteinases da matriz (MMP), a catepsina D e o ativador do plasminogênio uroquinase, estão superexpressas em tumores e foram implicadas na invasão das células tumorais. As MMP regulam a invasão do tumor não apenas pela remodelação da membrana basal e do tecido conjuntivo intersticial, mas também pela liberação de fatores que contribuem para o comportamento maligno dos cânceres. Por exemplo, a MMP-9, uma gelatinase que cliva o colágeno tipo IV encontrado na membrana basal epitelial e vascular, também estimula a liberação de VEGF a partir de reservatórios sequestrados na MEC e gera produtos de clivagem do colágeno e dos proteoglicanos, com efeitos quimiotáticos, angiogênicos e promotores do crescimento. Os tumores benignos da mama, do cólon e do estômago têm pouca atividade de MMP-9, enquanto seus correspondentes malignos superexpressam essa enzima. Concomitantemente, as concentrações de inibidores das metaloproteinases também estão reduzidas em muitos tipos de câncer, deslocando ainda mais o equilíbrio para a degradação tecidual.

O terceiro passo no processo de invasão envolve mudanças no modo pelo qual as células tumorais ligam-se a proteínas da MEC. As células tumorais sofrem mudanças complexas na expressão de integrinas, que são proteínas transmembranares que participam da adesão das células entre si e com a MEC (ver **Capítulo 3**). Nas células epiteliais normais, as integrinas que se ligam à laminina e aos colágenos da membrana basal têm sua localização estritamente restrita à face basal da célula. Esses receptores ajudam a manter as células em um estado polarizado em repouso. A perda da adesão nas células normais leva à indução da apoptose, porém, as células tumorais livres são resistentes a essa forma de morte celular (denominada *anoiquia*, que significa sem um lar), em parte devido à expressão de outras integrinas que atenuam a perda de adesão à MEC, aparentemente ao transmitir sinais que promovem a sobrevivência das células. Além disso, a própria matriz é modificada de modo a promover a invasão e a metástase. Por exemplo, a clivagem das proteínas da membrana basal, o colágeno IV e a laminina, pelas MMP-2 ou MMP-9 gera novos sítios que se ligam a receptores nas células tumorais e estimulam a migração.

A migração constitui a etapa final da invasão, impulsionando as células tumorais através da membrana basal degradada e das zonas de proteólise da matriz. A migração é um processo em múltiplas etapas, que envolve muitas famílias de receptores e diversas vias de sinalização que finalmente afetam o citoesqueleto de actina. As células precisam ligar-se à matriz em sua borda anterior, liberar-se da matriz em sua borda posterior e contrair o citoesqueleto de actina para abrir caminho para frente. Esse movimento parece ser estimulado e direcionado por vários tipos de fatores, que provavelmente variam entre diferentes tipos de tumores. Esses fatores incluem:

- Citocinas derivadas das células tumorais, como quimiocinas e fatores de crescimento (p. ex., fatores de crescimento semelhantes à insulina), que atuam como fatores de motilidade autócrinos
- Produtos de clivagem dos componentes da matriz (p. ex., colágeno, laminina)
- Fatores parácrinos derivados das células estromais, como fator de crescimento do hepatócito/fator de dispersão, que se ligam ao receptor tirosinoquinase MET nas células tumorais e estimula a motilidade.

Essa fase inicial de metástase culmina na penetração da membrana basal endotelial e transmigração para dentro do espaço vascular. Durante toda essa fase do processo, as células tumorais interagem não apenas com a MEC, mas também com vários tipos de células estromais, como células da imunidade inata e adaptativa, fibroblastos e células endoteliais. Os detalhes ainda não estão completamente definidos, mas é evidente que os invasores "bem-sucedidos" induzam sinais que modificam as células estromais de modo a sustentar seu comportamento maligno. Por exemplo, sob a influência das células cancerosas invasoras, os denominados fibroblastos associados ao câncer alteram sua expressão de genes que codificam moléculas da MEC, proteases, inibidores das proteases e vários fatores de crescimento. É fácil imaginar que, com a evolução do tumor ao longo do tempo, elas passam a ser dominadas por células cancerosas que são mais efetivas na cooptação do complexo, modificando continuamente o microambiente do tumor para atender a seus propósitos malignos.

Disseminação vascular, endereçamento (homing) e *colonização*

Uma vez na circulação, as células tumorais ficam vulneráveis à destruição por uma variedade de mecanismos, incluindo força de cisalhamento, apoptose devido à anoiquia e defesas imunes inata e adaptativa. Entretanto, as células tumorais circulantes viáveis não são raras em pacientes com tumores sólidos, como os carcinomas. O que, então, separa essas poucas células que dão origem a metástases do grande número de células que não o fazem? Além disso, o que determina por que as metástases finalmente aparecem em locais específicos no corpo?

Embora as respostas definitivas a essas perguntas não sejam conhecidas, temos diversas pistas. Uma ideia que obteve respaldo científico propõe que as células circulantes que estabelecem metástases têm muito mais probabilidade de migrar na forma de agregados multicelulares do que as células isoladas. O agrupamento de células tumorais no sangue é promovido por interações homotípicas, bem como por interações heterotípicas entre as células tumorais e os elementos do sangue, sobretudo as plaquetas (ver **Figura 7.34**), o que se acredita aumentar a sobrevivência das células tumorais na circulação. As células tumorais também podem expressar substâncias aniônicas, como o polifosfato, que ativam o fator XII (fator de contato), resultando em deposição de fibrina e maior estabilização de êmbolos tumorais, o que pode aumentar a capacidade das células de ficarem retidas em massa dentro dos leitos capilares. Outra vantagem potencial apresentada pelas células tumorais que circulam em grupo é a de que elas podem ter muito mais probabilidade do que qualquer célula isolada de dispor de todas as propriedades necessárias para estabelecer uma metástase.

Entre esses atributos fundamentais, destaca-se a presença de células com propriedades semelhantes às das células-tronco, o que pode contribuir não apenas para o crescimento incessante de lesões metastáticas, mas também para a "plasticidade" que é necessária para que as células metastáticas se adaptem ao crescimento em um novo microambiente.

O local onde as células tumorais circulantes param e, por fim, formam depósitos metastáticos clinicamente significativos parece estar relacionado com três fatores: (1) a localização e drenagem vascular do tumor primário; (2) o tropismo de determinados tipos de células tumorais para tecidos específicos; e (3) o escape da dormência tumoral. O primeiro desses fatores é uma questão de simples anatomia; assim, os carcinomas de cólon têm muito mais tendência a produzir metástases no fígado, o primeiro órgão a jusante do tumor, do que metástases em outros locais. Entretanto, existem muitas exceções a essa "regra". Por exemplo, os carcinomas de próstata e de mama disseminam-se preferencialmente para o osso, enquanto os carcinomas broncogênicos tendem a acometer as glândulas suprarrenais e o cérebro, e os neuroblastomas propagam-se para o fígado e o osso. Esse tropismo para órgãos pode estar relacionado com os seguintes mecanismos:

- As células tumorais podem expressar moléculas de adesão, cujos ligantes são encontrados preferencialmente nas células endoteliais dos órgãos-alvo. Nesse aspecto, destaca-se, pelo seu interesse, a molécula de adesão CC44, que é expressa nos linfócitos T normais e é utilizada por essas células para migrar até locais específicos nos tecidos linfoides. Essa migração é realizada pela ligação da CD44 ao hialuronato nas vênulas endoteliais altas. Os tumores sólidos também expressam com frequência a CD44, que parece aumentar sua disseminação para os linfonodos e outros locais metastáticos
- Algumas células cancerosas expressam receptores de quimiocinas, que podem guiar as células tumorais para tecidos que expressam quimiocinas, da mesma forma em que as quimiocinas normalmente atuam como atrativos para células do sistema imune
- Alguns tecidos podem proporcionar um "solo" favorável para o crescimento de "mudas" do tumor. De acordo com essa hipótese de "solo-semente", originalmente proposta por Paget, a capacidade das células tumorais que se originam de determinado local de se adaptar a um ambiente estranho pode ser limitada a tipos específicos de tecidos. Um corolário dessa ideia é o de que os tecidos-alvo nos quais as metástases são raras, apesar de um rico suprimento vascular (p. ex., músculo esquelético, baço), constituem ambientes não permissivos – um "solo infértil", como se diz.

Uma vez retidas em locais distantes, o extravasamento das células tumorais envolve a transmigração entre as células endoteliais, seguida de saída através da membrana basal. Pouco se sabe sobre o modo pelo qual esse processo ocorre, e os mecanismos envolvidos podem diferir, dependendo do endotélio ser fenestrado (como em tecidos como fígado e a medula óssea) ou contínuo, unido por zônulas de oclusão (junções firmes) (como no cérebro). O extravasamento exige a ação de moléculas de adesão (integrinas, receptores de laminina), enzimas proteolíticas e quimiocinas, que podem ser derivadas das células tumorais ou de células imunes inatas, como os monócitos e os neutrófilos.

Mesmo quando as células metastáticas criam raízes e sobrevivem em tecidos distantes, elas podem não conseguir crescer. Esse fenômeno, denominado *dormência tumoral*, é bem descrito no melanoma e nos cânceres de mama e de próstata. Embora os mecanismos moleculares de colonização produtiva ainda estejam apenas começando a ser desvendados, um padrão consistente parece estar relacionado a secreção de citocinas, fatores de crescimento e moléculas da MEC pelas células tumorais, que atuam sobre as células estromais residentes, as quais, por sua vez, tornam o sítio metastático habitável para a célula cancerosa. Por exemplo, as células do câncer de mama que metastatizam para o osso frequentemente secretam a proteína relacionada com o paratormônio (PTHRP), que estimula os osteoblastos a produzirem o ligante de RANK (RANKL). Em seguida, o RANKL ativa os osteoclastos, que degradam a matriz óssea e liberam fatores de crescimento localizados em seu interior, como o IGF e o TGF-β. Esses fatores, por sua vez, ligam-se a receptores nas células cancerosas, ativando vias de sinalização que sustentam o crescimento e a sobrevivência das células cancerosas. É provável que muitas alças de retroalimentação semelhantes entre as células tumorais metastáticas e as células estromais ainda sejam descobertas.

Conceitos-chave
Invasão e metástase

- A capacidade de invadir tecidos, uma característica fundamental da malignidade, ocorre em quatro etapas: o relaxamento dos contatos entre células, a degradação da MEC, a ligação a novos componentes da MEC e a migração das células tumorais
- Ocorre perda dos contatos entre células pela inativação da E-caderina por meio de diversas vias
- A degradação da membrana basal e da matriz intersticial é mediada por enzimas proteolíticas secretadas por células tumorais e células estromais, como as MMP e as catepsinas
- As enzimas proteolíticas também liberam fatores de crescimento sequestrados na MEC e geram fragmentos quimiotáticos e angiogênicos a partir da clivagem das glicoproteínas da MEC
- É possível prever o sítio de metástase de muitos tumores pela localização do tumor primário. Muitos tumores interrompem seu trajeto no primeiro leito capilar que encontram (mais comumente no pulmão e no fígado)
- Alguns tumores exibem tropismo para um órgão, provavelmente devido à expressão dos receptores de adesão ou de quimiocinas, cujos ligantes são expressos por células endoteliais no sítio metastático
- Os genes que promovem a transição epitelial para mesenquimal (TEM), como *TWIST* e *SNAIL*, podem ser genes importantes envolvidos na capacidade de metastatização dos tumores epiteliais.

Evasão da vigilância imunológica

O "santo graal" mais pesquisado da oncologia, a promessa de terapias que permitem ao sistema imune do hospedeiro reconhecer e destruir células cancerosas, finalmente está se materializando, em grande parte devido a uma compreensão mais clara das vias pelas quais as células cancerosas escapam da resposta do hospedeiro. Paul Ehrlich foi o primeiro a conceber a ideia de que as células tumorais podem ser reconhecidas como "estranhas" e eliminadas pelo sistema imune. Subsequentemente, Lewis Thomas e Macfarlane Burnet formalizaram esse conceito, criando o termo *vigilância imunológica*, que implica que uma função normal do sistema imune consiste em "rastrear" constantemente o corpo à procura de células malignas emergentes para destruí-las. Essa ideia foi respaldada por muitas observações – a demonstração direta de células T e anticorpos específicos contra o tumor em pacientes; dados mostrando que a densidade e a qualidade dos infiltrados imunes nos cânceres frequentemente têm uma correlação com o prognóstico; o aumento da incidência de certos tipos de câncer em indivíduos e camundongos imunodeficientes; e, mais recentemente e de maneira mais direta, a resposta de cânceres avançados a agentes terapêuticos que atuam ao estimular as respostas das células T latentes do hospedeiro (ver adiante).

Partindo do pressuposto de que o sistema imune é capaz de reconhecer e de eliminar os cânceres nascentes, conclui-se que os tumores que se desenvolvem em indivíduos imunocompetentes devem ser compostos de células que são invisíveis ao sistema imune do hospedeiro ou que ativam mecanismos que suprimem a imunidade do hospedeiro. Esse conceito é respaldado pelo fato de que os agentes terapêuticos que neutralizam esses mecanismos são capazes de levar à regressão do tumor, mesmo em pacientes com cânceres avançados. Essas respostas clínicas encorajadoras constituem uma forte evidência de que a evasão da imunidade do hospedeiro representa, de fato, uma marca registrada de muitos cânceres humanos, senão todos.

A seção seguinte explora algumas das importantes questões sobre a imunidade tumoral: qual é a natureza dos antígenos tumorais? Quais são os mecanismos efetores do hospedeiro que reconhecem as células tumorais? Como os tumores evitam esses mecanismos do hospedeiro? E como as reações imunes contra tumores podem ser terapeuticamente exploradas?

Antígenos tumorais

Os tumores malignos expressam vários tipos de moléculas, que podem ser reconhecidas pelo sistema imune como antígenos estranhos (Figura 7.36). Os antígenos tumorais que desencadeiam uma resposta imune foram demonstrados em muitos tumores induzidos experimentalmente e em alguns cânceres humanos. Parece que os antígenos proteicos que desencadeiam respostas das células T citotóxicas CD8+ são mais relevantes para a imunidade antitumoral protetora. Esses antígenos proteicos podem ser classificados de acordo com sua fonte e estrutura molecular da seguinte maneira:

- *Neoantígenos produzidos a partir de genes com mutações passageiras e condutoras.* Conforme discutido anteriormente, a transformação neoplásica resulta de mutações condutoras em genes do câncer; esses genes mutados codificam proteínas variantes que nunca foram vistas pelo sistema imune e que, portanto, podem ser reconhecidas como não próprias. Além disso, devido à marca registrada de instabilidade genética, os cânceres frequentemente apresentam uma alta carga de mutações passageiras em todo o seu genoma. Embora essas mutações sejam neutras em termos de adequação das células cancerosas e, portanto, não estejam relacionadas com o fenótipo transformado, algumas ocorrem de modo aleatório nas sequências codificadoras dos genes e dão origem a variantes proteicas que atuam como antígenos tumorais (contanto que a mutação esteja em epítopo que se liga às moléculas do MHC do indivíduo). De fato, o tamanho da carga mutacional em determinado tumor, deduzido a partir do sequenciamento de DNA dos genomas tumorais, exibe uma boa correlação com a intensidade da resposta das células T citotóxicas CD8+ do hospedeiro e a eficácia das terapias imunomoduladoras (descritas adiante)

			EXEMPLOS
Célula hospedeira normal que apresenta múltiplos autoantígenos associados ao MHC	Proteínas próprias normais / MHC de classe I	Ausência de resposta das células T / Célula T	
Células tumorais que expressam diferentes tipos de antígenos tumorais	Proteína própria mutada	Célula T CD8+ CTL	Variantes proteicas criadas por mutações condutoras ou passageiras
	Proteína própria com superexpressão ou com expressão aberrante	Célula T CD8+ CTL	Superexpressão: tirosinase / Expressão aberrante: antígenos de câncer-testículo (MAGE)
	Vírus oncogênico	Célula T / CTL CD8+ específico para antígeno viral	Proteínas E6, E7 do papilomavírus humano no carcinoma do colo do útero; proteínas EBNA no linfoma induzido pelo EBV

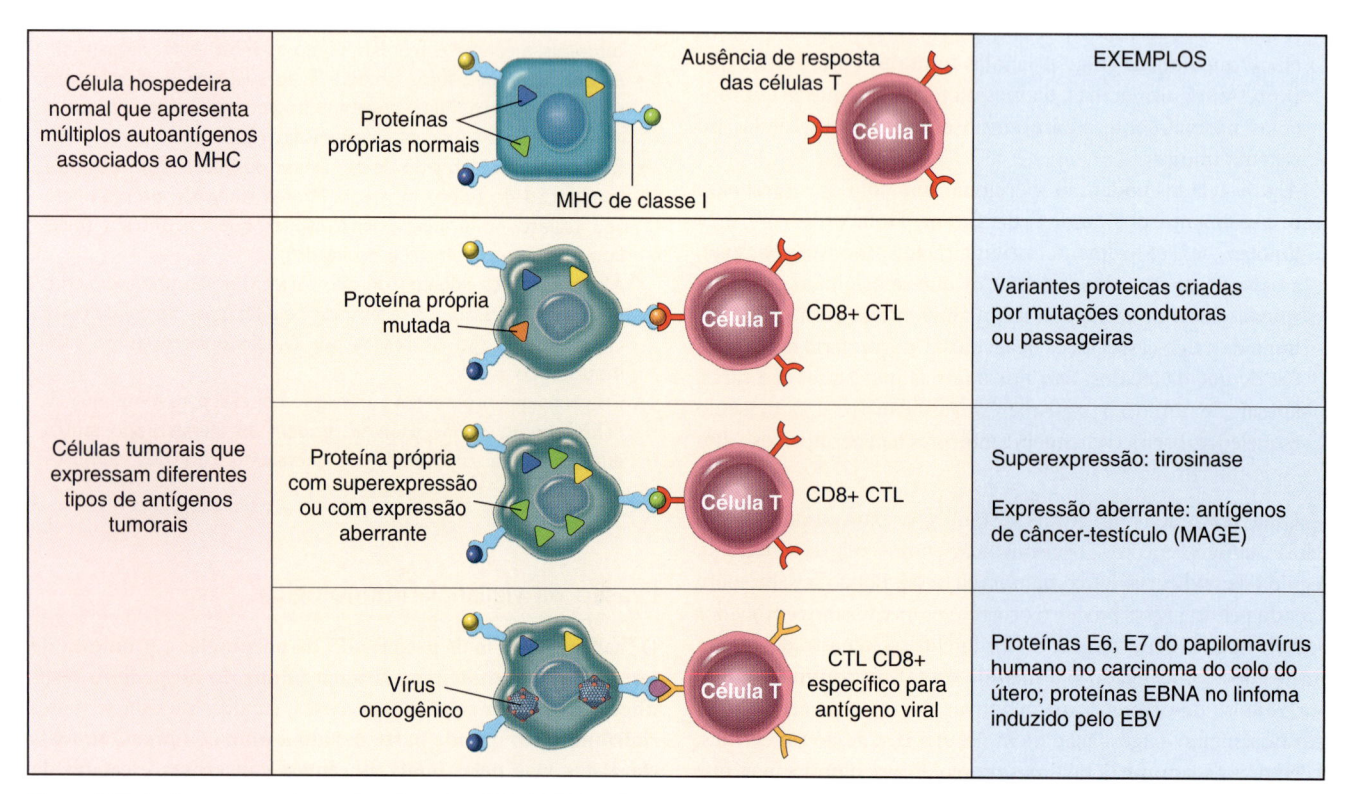

Figura 7.36 Antígenos tumorais reconhecidos pelas células T CD8+. *EBV*, vírus Epstein-Barr; *MHC*, complexo principal de histocompatibilidade. (Modificada de Abbas AK, Lichtman AH: *Cellular and Molecular Immunology*, ed. 5, Philadelphia, 2003, WB Saunders.)

- *Proteínas celulares normais com superexpressão ou expressão aberrante.* Os antígenos tumorais também podem ser proteínas celulares normais, que são superexpressas ou expressas de modo aberrante nas células tumorais. Um exemplo de proteína superexpressa que pode ser antigênica é a tirosinase, uma enzima envolvida na biossíntese de melanina, que é expressa apenas nos melanócitos normais e nos melanomas. Pode ser surpreendente que o sistema imune seja capaz de responder a esse antígeno próprio normal. A provável explicação é a de que a tirosinase é normalmente produzida em quantidades tão pequenas e em um número tão pequeno de células saudáveis que ela não é reconhecida pelo sistema imune e não é capaz de induzir tolerância. Outro grupo de antígenos tumorais é constituído por proteínas com expressão aberrante em células cancerosas, em níveis muito mais elevados do que aqueles observados em tecidos normais. Isso pode ocorrer devido à amplificação gênica ou devido a alterações epigenéticas adquiridas, que reativam genes normalmente silenciados nos tecidos adultos. Alguns genes dessa classe codificam *antígenos de câncer-testículo* – proteínas que normalmente são expressas apenas em células germinativas dos testículos. Embora a proteína esteja presente nos testículos, ela não é expressa na superfície celular em uma forma antigênica, visto que o espermatozoide não expressa antígenos do complexo principal de histocompatibilidade (MHC) de classe I. Assim, para todos os propósitos práticos, esses antígenos são específicos de tumores. O protótipo desse grupo é a família do gene do antígeno do melanoma (MAGE, *melanoma antigen gene*). Embora tenham sido descritos originalmente nos melanomas, os antígenos MAGE são expressos por uma considerável variedade de tumores
- *Antígenos tumorais produzidos por vírus oncogênicos.* Em vários cânceres associados a infecções virais ativas ou latentes (descritas adiante), os vírus responsáveis codificam proteínas virais, que são reconhecidas como estranhas pelo sistema imunológico. Os linfócitos T citotóxicos (CTL) desempenham um papel vital na vigilância contra tumores induzidos por vírus ao reconhecer os antígenos virais e ao destruir as células infectadas por vírus. A importância desse mecanismo imune torna-se evidente com a alta incidência de cânceres induzidos por vírus observada em pacientes com imunodeficiência de células T herdada ou adquirida. Muitos desses tumores são causados pelo vírus Epstein-Barr (EBV) ou pelo HPV – vírus de DNA que apresentam oncogenes virais potentes.

Mecanismos efetores antitumorais

O principal mecanismo imune de erradicação dos tumores consiste na eliminação das células tumorais por CTL específicos para antígenos tumorais. Esse mecanismo predomina, visto que a maioria dos neoantígenos tumorais é representada por produtos de genes mutados ou proteínas virais de síntese endógena, que são apresentadas no contexto de moléculas do MHC de classe I, possibilitando seu reconhecimento pelos CTL. Embora o soro de pacientes com câncer possa conter anticorpos que reconhecem tumores, há poucas evidências de que eles desempenhem qualquer papel protetor em condições fisiológicas. Os efetores celulares que medeiam a imunidade são descritos no **Capítulo 6**. Aqui, concentramo-nos na resposta dos CTL a antígenos tumorais.

As respostas dos CTL contra tumores são iniciadas pelo reconhecimento de antígenos tumorais nas células apresentadoras de antígenos do hospedeiro. Muitos cânceres, em particular aqueles que crescem rapidamente, apresentam uma alta fração de células que estão sofrendo morte celular por apoptose ou por necrose. As células dendríticas e os macrófagos no microambiente do tumor ingerem as células tumorais ou os antígenos tumorais liberados e migram para os linfonodos de drenagem. Nesses linfonodos, apresentam os antígenos no contexto das moléculas do MHC de classe II e, por meio de um mecanismo denominado apresentação cruzada, no contexto das moléculas do MHC de classe I (**Figura 7.37**), permitindo o reconhecimento dos antígenos por CTL CD8+ *naive*. A ativação dos CTL específicos para antígenos também exige moléculas coestimuladoras, que são suprarreguladas nas células apresentadoras de antígenos, presumivelmente por "sinais de perigo" liberados das células tumorais danificadas ou necróticas (DAMP). Uma vez ativados pela interação com as células apresentadoras de antígenos, os CTL específicos contra o tumor podem migrar dos linfonodos para o tumor e matar as células tumorais, diretamente e em série, sem qualquer assistência de outros tipos de células.

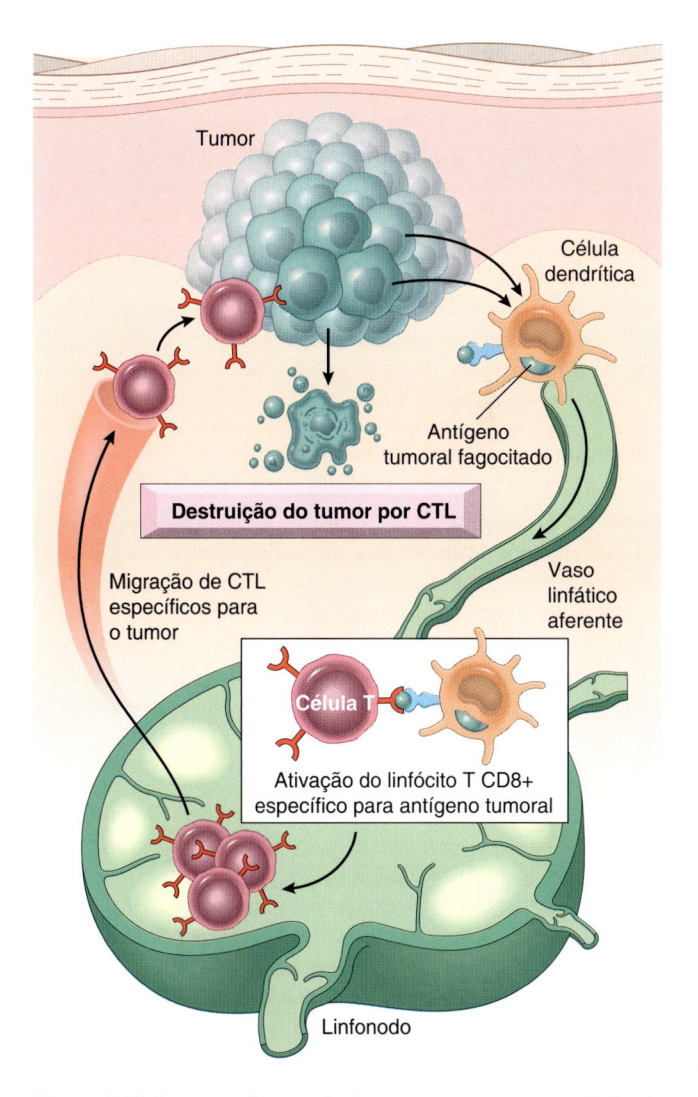

Figura 7.37 Apresentação cruzada de antígenos tumorais e indução da resposta antitumoral dos linfócitos T citotóxicos CD8+. (Modificada de Abbas AK, Lichtman AH: *Cellular and Molecular Immunology*, ed. 8, Philadelphia, 2017, Elsevier.)

A capacidade dos CTL de matar células tumorais, independentemente de outros tipos celulares e fatores, está na base da atividade antitumoral intensa dos CTL desenvolvidos por engenharia para expressar receptores de antígenos quiméricos (as denominadas células CAR-T) contra antígenos de superfície específicos de linhagem encontrados em certos tumores. Por exemplo, células CAR-T específicas para antígenos de células B são altamente ativas contra tumores de células B, porém também aniquilam células B normais e liberam citocinas inflamatórias suficientes para causar morbidade substancial e, algumas vezes, morte do paciente.

Embora os CTL pareçam desempenhar um papel preponderante, outros mecanismos também podem participar da imunidade tumoral. Foram detectadas respostas de células T CD4+ antitumorais em pacientes, e um número aumentado de células T efetoras CD4+, sobretudo células Th1, em infiltrados tumorais foi associado a um melhor prognóstico em certos tipos de câncer, como o carcinoma colorretal. Em modelos experimentais, as células *natural killer* (NK) e os macrófagos ativados são capazes de destruir as células tumorais. Após ativação com interleucinas IL-2 e IL-15, as células NK podem lisar uma ampla variedade de tumores humanos, incluindo os não imunogênicos para as células T, devido à perda da expressão de moléculas do MHC de classe I. A capacidade das células NK de destruir células tumorais não exige sensibilização prévia, sugerindo que elas podem constituir uma primeira linha de defesa. Embora a importância das células NK nas respostas dos hospedeiros contra tumores espontâneos ainda não esteja bem estabelecida, são utilizadas citocinas que ativam as células NK para imunoterapia. Os macrófagos ativados também exibem citotoxicidade contra células tumorais *in vitro*. A interferona-γ, uma citocina secretada por células T e por células NK, é um potente ativador dos macrófagos, que pode permitir que estes eliminem tumores por mecanismos semelhantes aos utilizados para destruir microrganismos (p. ex., produção de espécies reativas de oxigênio; ver **Capítulo 3**).

Mecanismos de evasão imune dos cânceres

As respostas imunes frequentemente deixam de verificar e combater o crescimento de tumores quando estes evitam o reconhecimento imunológico ou resistem aos mecanismos efetores imunes. Como o câncer é muito comum em indivíduos que não apresentam qualquer imunodeficiência manifesta, é evidente que as células tumorais precisam dispor de mecanismos para escapar do sistema imune ou evitá-lo em hospedeiros imunocompetentes. Vários mecanismos parecem estar envolvidos nesse processo (**Figura 7.38**):

- *Crescimento seletivo de variantes antígeno-negativas.* Durante a progressão do tumor, subclones de expressão de antígenos fortemente imunogênicos podem ser eliminados, e as células tumorais que sobrevivem são as que perderam seus antígenos. Se as células tumorais expressarem um grande número de neoantígenos, é improvável que todos possam ser perdidos, porém o mesmo objetivo pode ser alcançado por outras estratégias
- *Perda ou redução da expressão de moléculas do MHC.* As células tumorais podem não ser capazes de expressar níveis normais de moléculas HLA de classe I, perdendo, assim, a capacidade de apresentar antígenos citosólicos e consequentemente, escapando do ataque pelas células T citotóxicas. Entretanto, essas células podem ativar as células NK se as células tumorais expressarem ligantes para receptores ativadores das células NK

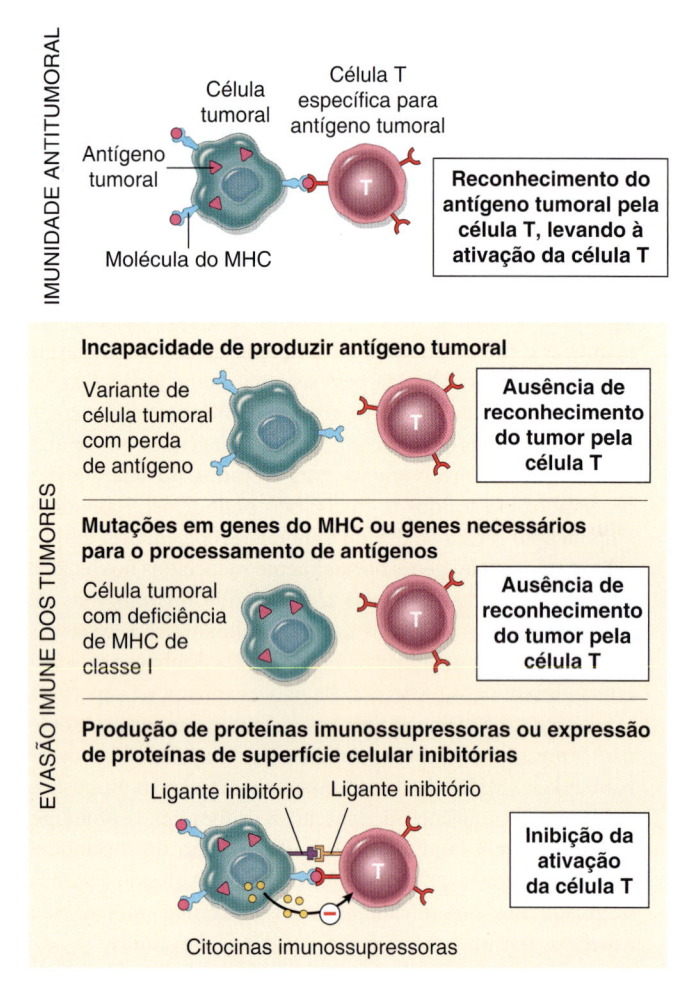

Figura 7.38 Mecanismos pelos quais os tumores evadem do sistema imune. Os tumores podem escapar das respostas imunes pela perda da expressão de antígenos ou de moléculas do complexo principal de histocompatibilidade (*MHC*) ou pela produção de citocinas imunossupressoras ou ligantes para receptores inibidores nas células T, como PD-L1. (De Abbas AK, Lichtman AH, Pillai S: *Cellular and Molecular Immunology*, ed. 7, Philadelphia, 2012, WB Saunders.)

- *Participação de vias que inibem a ativação das células T.* As células tumorais inibem ativamente a imunidade tumoral por meio da suprarregulação de "pontos de checagem" que atuam como reguladores negativos, suprimindo as respostas imunes. Por meio de uma variedade de mecanismos, as células tumorais podem promover a expressão do receptor inibitório CTLA-4 nas células T específicas de tumores. O CTLA-4 liga-se a seus ligantes (as moléculas B7) e os removem das APC, reduzindo, assim, a participação do receptor coestimulador de ativação, CD28. Isso não apenas evita a sensibilização, mas também pode induzir uma falta de responsividade duradoura nas células T específicas de tumores. As células tumorais também podem suprarregular a expressão das PD-L1 e PD-L2, proteínas de superfície celular que ativam o receptor de morte programada 1 (PD-1) nas células efetoras. A PD-1, como o CTLA-4, inibe a ativação das células T. Em alguns casos, a superexpressão de PD-L1 e PD-L2 é causada pela amplificação ou translocação dos genes PD-L1 e PD-L2, colocando-os no panteão dos oncogenes verdadeiros. Com base em resultados promissores obtidos em ensaios clínicos, os anticorpos que restauram a função das células T pelo bloqueio de CTLA-4, PD-L1 ou receptores inibitórios PD-1 estão agora aprovados para o tratamento de pacientes com tumores sólidos em estágio avançado e com certas formas de linfoma. O sucesso desses agentes levou a um novo paradigma na imunoterapia do câncer, algumas vezes denominado "bloqueio do ponto de checagem", centrado na ideia de que os agentes que removem os "freios" (pontos de checagem) impostos por tumores sobre as respostas imunes antitumorais do hospedeiro podem ser altamente efetivos no tratamento do câncer (**Figura 7.39**)

- *Secreção de fatores imunossupressores.* Os tumores podem secretar diversos produtos que inibem a resposta imune do hospedeiro. O TGF-β é secretado em grandes quantidades por muitos tumores e é um potente agente imunossupressor. Suspeita-se também de que muitos outros fatores solúveis produzidos por tumores inibam a resposta imune do hospedeiro, como IL-10, prostaglandina E_2, certos metabólitos derivados do triptofano e VEGF, que podem inibir a migração das células T da vasculatura para o leito tumoral
- *Indução das células regulatórias (Tregs).* Alguns estudos sugerem que os tumores produzem fatores que favorecem o desenvolvimento das Tregs imunossupressoras, podendo também contribuir para a "imunoevasão".

Por conseguinte, não faltam mecanismos pelos quais as células tumorais podem ludibriar o sistema imune do hospedeiro. Entretanto, a resposta anteriormente mencionada dos tumores aos agentes imunomoduladores, como anticorpos que bloqueiam CTLA-4 e PD-1, gerou um enorme interesse em relação ao potencial da imunoterapia do câncer. Uma das características significativas dessa terapia é sua capacidade de produzir remissão a longo prazo e, possivelmente, até mesmo a cura (que não é provável com qualquer outro tratamento), talvez pelo fato de que as células T de memória específicas de tumor e de vida longa sejam ativadas nos pacientes tratados. Os maiores desafios agora consistem em determinar quais são os mecanismos de evasão imune mais importantes nos cânceres de seres humanos e em desenvolver um conjunto mais amplo de terapias que impeçam a atuação dos vários mecanismos de evasão e, assim, induzam imunidade efetiva do hospedeiro. Nesse aspecto, o tratamento dos cânceres humanos com anticorpos inibidores do ponto de checagem altamente específicos oferece a oportunidade de adquirir uma compreensão mecanicista de certos aspectos da resposta e da resistência dos tumores. Até o momento, as lições aprendidas a partir de ensaios clínicos conduzidos com esses inibidores incluem as seguintes:

- *A carga de neoantígenos tumorais constitui um bom preditor de resposta.* Os tumores que apresentam deficiências nas enzimas de reparo de mau pareamento (que normalmente corrige erros da replicação do DNA que levam a mutações pontuais) apresentam as mais altas cargas de mutação de todos os cânceres, e esses tipos de câncer têm mais probabilidade de responder à terapia de bloqueio de pontos de checagem. Com base nessa observação, a terapia com anti-PD-1 está agora aprovada para

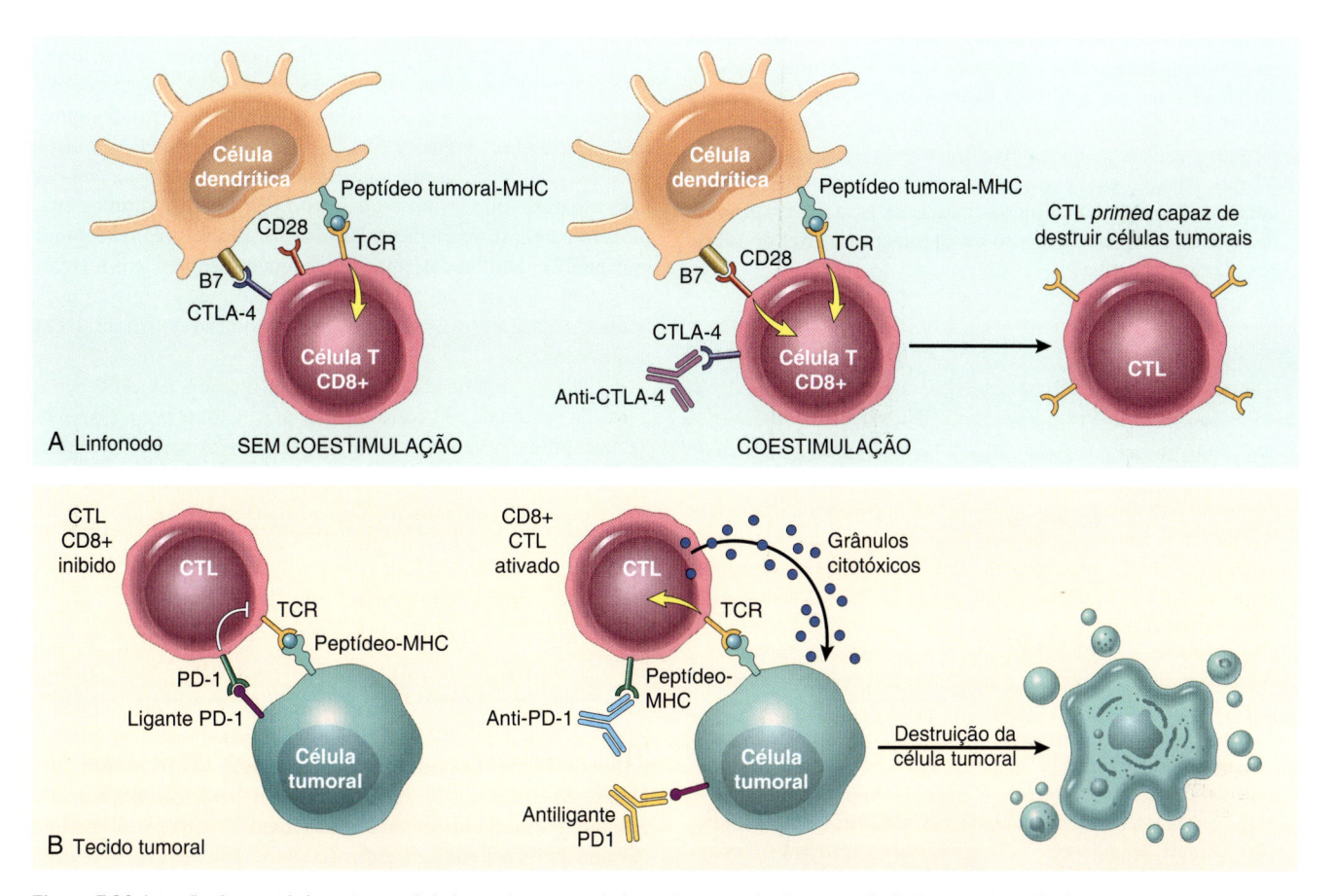

Figura 7.39 Ativação da imunidade antitumoral do hospedeiro por inibidores do ponto de checagem. **A.** O bloqueio da molécula de superfície CTLA-4 com um anticorpo inibidor permite que os linfócitos T CD8+ citotóxicos (*CTL*) ocupem correceptores da família B7, levando à ativação da célula T. **B.** O bloqueio do receptor PD-1 ou do ligante PD-1 por anticorpos inibidores anula os sinais inibitórios transmitidos por PD-1, levando, mais uma vez, à ativação dos CTL. *MHC*, complexo principal de histocompatibilidade. (De Abbas AK, Lichtman AH, Pillai S: *Cellular and Molecular Immunology*, ed. 9, Philadelphia, 2017, Elsevier.)

todos os tumores metastáticos que apresentam defeitos de reparo de mau pareamento, que leva a uma elevada carga mutacional, independentemente do tipo histológico
- *Apenas um subgrupo de tumores (25 a 40%) responde a inibidores dos pontos de checagem*, provavelmente porque os tumores não responsivos dependem de estratégias de evasão diferentes das vias de ponto de checagem. Por exemplo, os tumores que não expressam PD-L1 ou que não apresentam infiltrados de células T CD8+ PD-1 positivos, provavelmente não respondem à terapia com anti-PD-1 ou anti-PD-L1. Os pesquisadores estão investigando agora quais os biomarcadores que irão prever a responsividade a diferentes abordagens de bloqueio dos pontos de checagem
- *Combinação de inibidores de ponto de checagem com outros agentes terapêuticos*. O uso combinado de diferentes inibidores de ponto de checagem ou de inibidores de ponto de checagem com outros tipos de agentes terapêuticos (p. ex., fármacos que têm como alvo oncoproteínas como tirosinoquinase) provavelmente será necessário para obter taxas mais altas de sucesso terapêutico. O primeiro exemplo bem-sucedido é o uso combinado de anti-CTLA-4 e de anti-PD-1 para o tratamento do melanoma, uma abordagem que é mais efetiva do que o uso isolado de anti-CTLA-4. Isso reflete o fato de que os mecanismos pelos quais o CTLA-4 e o PD-1 inibem a ativação das células T são diferentes (**Figura 7.39**). Existem numerosos ensaios clínicos em andamento ou planejados que utilizam combinações de bloqueio de ponto de checagem com outros tipos de agentes terapêuticos
- *As toxicidades mais comuns associadas ao bloqueio de ponto de checagem consistem em autoimunidade e/ou dano inflamatório aos órgãos*. Esses efeitos são previsíveis, visto que a função fisiológica dos receptores e ligantes inibitórios consiste em manter a tolerância a autoantígenos. Uma ampla variedade de órgãos pode ser afetada, como cólon, pulmões, órgãos endócrinos, coração e pele, exigindo, cada um deles, intervenções clínicas diferentes, incluindo, algumas vezes, a interrupção da terapia de bloqueio de ponto de checagem passível de salvar a vida dos pacientes.

Conceitos-chave
Evasão da vigilância imunológica
- As células tumorais podem ser reconhecidas pelo sistema imune como não próprias e destruídas
- A atividade antitumoral é mediada por mecanismos predominantemente mediados por células. Os antígenos tumorais são apresentados por moléculas do MHC de classe I e são reconhecidos por CTL CD8+
- As diferentes classes de antígenos tumorais incluem produtos de proto-oncogenes mutados, genes supressores de tumor, proteínas superexpressas ou expressas de modo aberrante e antígenos tumorais produzidos por vírus oncogênicos
- Os pacientes imunossuprimidos correm risco aumentado de desenvolver câncer, sobretudo tipos de câncer causados por vírus de DNA oncogênicos
- Nos pacientes imunocompetentes, os tumores podem evadir do sistema imune por meio de vários mecanismos, como crescimento seletivo de variantes antígeno-negativas, perda ou expressão reduzida de antígenos de histocompatibilidade e imunossupressão mediada pela expressão de certos fatores (p. ex., TGF-β, ligante PD-1) pelas células tumorais
- Os anticorpos que superam os mecanismos de evasão imune envolvendo "pontos de checagem imunes" estão aprovados para o tratamento de pacientes com câncer avançado e têm mais probabilidade de ser efetivos contra cânceres com alta carga mutacional.

Instabilidade genômica

As aberrações genéticas que aumentam as taxas de mutação são muito comuns nos cânceres e aceleram a aquisição de mutações condutoras, que são necessárias para a transformação e a progressão subsequente do tumor. Embora a exposição a agentes ambientais que são mutagênicos (p. ex., substâncias químicas, radiação, luz solar) seja inevitável, os cânceres são resultados relativamente raros desses encontros. Essa situação resulta da capacidade das células normais de proceder ao reparo do dano ao DNA, da morte de células com danos irreparáveis (ver **Evasão da morte celular**" anteriormente) e de outros mecanismos, como a senescência induzida por oncogenes e a vigilância imune.

Vários mecanismos contribuem para a instabilidade genômica nas células cancerosas. Discutimos anteriormente o modo pelo qual a p53 protege o genoma contra danos potencialmente oncogênicos ao interromper a divisão celular para obter o tempo necessário para o reparo do dano ao DNA e iniciar a apoptose das células com danos irreparáveis. Os cânceres com perda da função de p53 não apenas acumulam mutações pontuais, mas também estão fortemente associados à aneuploidia, que pode assumir a forma de deleções, amplificações e rearranjos cromossômicos complexos. Essas aberrações genômicas podem ocorrer em células com telômeros defeituosos durante os ciclos de ponte-fusão-quebra (ver **Figura 7.32**) ou podem ser criadas por outros tipos de "catástrofes" cromossômicas (como cromotripsia, descrita mais adiante), que levam a quebras do DNA em múltiplos cromossomos. Na ausência de função da p53, as células com genomas gravemente danificados, que normalmente seriam eliminadas, persistem e promovem a junção de seus cromossomos de uma maneira sujeita a erros, utilizando a via de junção de extremidades não homólogas.

O *TP53* é o gene mais comumente mutado no câncer, e a perda da função de p53 constitui, portanto, a fonte preponderante de instabilidade genômica nos cânceres. Nas seções a seguir, discutiremos duas outras classes de proteínas que normalmente funcionam para proteger contra a instabilidade genômica: os fatores de reparo do DNA e a própria DNA polimerase. À semelhança da p53, a disfunção desses fatores leva ao acúmulo mais rápido de dano genômico (um fenótipo "mutador"), acelerando o desenvolvimento e a progressão do câncer. Por fim, descreveremos um tipo especial de instabilidade genômica regulada específica para células linfoides, que também constitui uma fonte de mutações oncogênicas.

***Fatores de reparo por mau pareamento* (mismatch) do DNA.** As proteínas de reparo por mau pareamento do DNA trabalham em conjunto para atuar como "corretor ortográfico" durante o processo de replicação do DNA. Por exemplo, se houver um pareamento errôneo de G com T em vez do pareamento normal A com T, os fatores de reparo por mau pareamento corrigem o defeito. Com a perda da função de "revisão de prova", os erros acumulam-se em todo o genoma. Alguns desses erros podem, ocasionalmente, criar mutações condutoras e, com o tempo, podem levar ao desenvolvimento de um câncer. Uma das marcas registradas de defeitos de reparo por mau pareamento é a *instabilidade de microssatélites*. Os microssatélites são repetições sequenciais de um a seis nucleotídios encontrados em todo o genoma. Nos indivíduos normais, o comprimento desses microssatélites permanece constante. Entretanto, se o reparo por mau pareamento for defeituoso, esses satélites são instáveis, e seu comprimento aumenta ou diminui, criando alelos mutados.

A *síndrome do câncer do cólon hereditário sem polipose (HNPCC)* (também conhecida como síndrome de Lynch) é uma doença autossômica dominante associada a carcinomas, que surgem predominantemente no ceco e cólon proximal (ver **Capítulo 17**). Os indivíduos com a síndrome do HNPCC herdam uma cópia anormal de um gene de reparo por mau pareamento. O problema surge quando as células adquirem mutações somáticas de perda de função, presumivelmente de modo aleatório, em seus únicos alelos normais. As mutações de perda de função na linhagem germinativa em pelo menos quatro genes diferentes podem produzir a síndrome do HNPCC. Os genes mais comumente afetados são *MSH2* e *MLH1*, cada um responsável por cerca de 30% da síndrome do HNPCC. A instabilidade de microssatélites também é observada em aproximadamente 15% dos cânceres de cólon esporádicos e, com menos frequência, em muitos outros tipos de câncer. Nos cânceres esporádicos, os defeitos no reparo por mau pareamento impróprio costumam resultar do silenciamento epigenético do gene *MLH1*, em vez de mutações somáticas.

Fatores de reparo por excisão de nucleotídios. A radiação UV provoca ligação cruzada de resíduos de pirimidina, impedindo a replicação normal do DNA. Esse dano ao DNA é reparado pelo sistema de reparo por excisão de nucleotídios. Vários genes estão envolvidos no reparo por excisão de nucleotídios. As mutações de perda de função herdadas em qualquer um desses genes dão origem a uma síndrome denominada *xeroderma pigmentoso*, que se caracteriza por um risco extraordinariamente alto de câncer de pele, especificamente carcinoma espinocelular e carcinoma basocelular.

Fatores de reparo de recombinação homóloga. Outros tipos de dano ao DNA, sobretudo ligações cruzadas covalentes do DNA e quebras de DNA de fita dupla, são reparados por meio de um complexo processo, denominado recombinação homóloga. Vários distúrbios causados por defeitos nos fatores de recombinação homóloga estão associados a um risco aumentado de câncer, como:

- A *síndrome de Bloom* é um distúrbio autossômico recessivo causado por mutações de perda de função em uma helicase que é necessária para o reparo de recombinação homóloga. Os indivíduos afetados apresentam anomalias de desenvolvimento e aumento no risco de desenvolvimento de muitos tipos de câncer
- A *ataxia-telangiectasia* é um distúrbio autossômico recessivo causado por defeitos no *ATM*, um gene que codifica uma quinase que atua a montante de p53. Essa síndrome caracteriza-se por neurodegeneração (sobretudo do cerebelo, explicando a ataxia), imunodeficiência, hipersensibilidade à radiação (devido a uma incapacidade de reparar quebras de DNA de fita dupla) e predisposição ao câncer, sobretudo certas formas de leucemia e linfoma. Algumas mutações condutoras somáticas no gene *ATM* também são comuns em certos tipos de neoplasias linfoides
- A *anemia de Fanconi* é um distúrbio autossômico recessivo, que pode ser causado por mutações em mais de uma dúzia de genes, codificando, cada um deles, uma proteína que participa de uma via que repara ligações cruzadas do DNA por meio de recombinação homóloga. Caracteriza-se por anormalidades do desenvolvimento (baixa estatura, anormalidades esqueléticas), hipersensibilidade a agentes quimioterápicos que produzem ligação cruzada do DNA e aumento no risco de insuficiência da medula óssea (aplasia) e leucemia
- O *câncer de mama familiar* frequentemente está associado a defeitos herdados em genes que são necessários para o reparo de recombinação homóloga. As mutações em dois genes, *BRCA1* e *BRCA2*, respondem por 25% dos casos. Certas mutações de *BRCA2* de linhagem germinativa causam anemia de Fanconi, e parece que as proteínas BRCA e as proteínas de Fanconi atuam cooperativamente em uma rede de resposta a danos ao DNA ligada ao reparo de recombinação homóloga. A ocorrência de defeitos nessa via leva à ativação da via de junção de extremidades não homólogas, formação de cromossomos dicêntricos, ciclos de ponte-fusão-quebra e aneuploidia, exatamente como ocorre em células com deficiência de p53 que sofrem encurtamento dos telômeros (ver **Figura 7.32**). Além do câncer de mama, as mulheres com mutações de *BRCA1* correm risco substancialmente maior de câncer epitelial de ovário, enquanto os homens apresentam um risco ligeiramente maior de câncer de próstata. As mutações no gene *BRCA2* estão associadas a um espectro mais amplo de cânceres, incluindo câncer de mama em homens e mulheres, bem como cânceres de ovário, de próstata, de pâncreas, dos ductos biliares, de estômago, os melanomas e os linfomas de células B.

DNA polimerase. Em circunstâncias normais, as DNA polimerases celulares envolvidas na replicação do DNA apresentam uma taxa muito baixa de erro, definida como a adição de nucleotídio que não corresponde ao seu complemento na fita molde de DNA. Essa fidelidade decorre, em parte, de uma atividade de exonuclease inerente, que permite que a DNA polimerase faça uma pausa, efetue a excisão de bases de pareamento impróprio e insira o nucleotídio adequado antes de prosseguir pela fita molde. Certos subgrupos de determinados tipos de câncer, mais frequentemente carcinoma de endométrio e câncer de cólon, podem ter mutações na DNA polimerase que resultam em uma perda dessa função de "revisão de prova" e em acúmulo de numerosas substituições pontuais. Os cânceres com mutações da DNA polimerase são os mais densamente mutados de todos os cânceres humanos e, talvez devido a uma elevada carga de neoantígenos, parecem ter excelentes respostas aos inibidores do ponto de checagem imune.

Instabilidade genômica regulada em células linfoides. Um tipo especial de dano ao DNA desempenha um papel central na patogênese de tumores de linfócitos B e T. Conforme descrito no **Capítulo 6**, a imunidade adaptativa depende da capacidade das células B e T de diversificar seus genes receptores de antígenos. As células B e T em desenvolvimento expressam um par de produtos gênicos, RAG1 e RAG2, que realizam a recombinação de segmentos V(D)J, possibilitando a montagem de genes de receptores de antígenos funcionais. Além disso, após encontrar o antígeno, as células B maduras expressam uma enzima especializada, denominada citosina desaminase induzida por ativação (AID), que é necessária para a recombinação da mudança de classe de genes das imunoglobulinas e hipermutação somática. Esses processos estão associados a quebras ou substituições de nucleotídios do DNA induzidas pela AID, ambas as quais estão sujeitas a erros, como translocações e mutações que causam neoplasias linfoides (ver **Capítulo 13**).

> ### Conceitos-chave
>
> #### Instabilidade genômica como facilitadora de formação de neoplasia maligna
>
> - Os indivíduos com mutações hereditárias de genes envolvidos em sistemas de reparo do DNA correm risco muito aumentado de desenvolvimento de câncer
> - Os pacientes com síndrome do HNPCC apresentam defeitos no sistema de reparo de mau pareamento, levando ao desenvolvimento de carcinomas de cólon. Os genomas desses pacientes apresentam instabilidade de microssatélites, que se caracteriza por alterações no comprimento de repetições curtas em todo o genoma
> - Os pacientes com xeroderma pigmentoso apresentam um defeito na via de reparo por excisão de nucleotídios e correm maior risco de desenvolvimento de cânceres de pele por exposição à luz UV, devido a uma incapacidade de reparo dos dímeros de pirimidina
> - As síndromes que envolvem defeitos no sistema de reparo do DNA por recombinação homóloga constituem um grupo de distúrbios – síndrome de Bloom, ataxia-telangiectasia e anemia de Fanconi –, que se caracterizam por distúrbios de desenvolvimento e hipersensibilidade a agentes que causam dano ao DNA, como radiação ionizante. Os genes *BRCA1* e *BRCA2*, que estão mutados nos cânceres de mama familiares, estão envolvidos no reparo do DNA
> - As mutações na DNA polimerase que anulam a função de revisão de prova levam à instabilidade genômica em subgrupos de carcinomas de cólon e de endométrio
> - As células T e B sofrem instabilidade genômica regulada durante rearranjos de genes somáticos. Os erros nesse processo constituem uma importante causa de neoplasias linfoides.

Inflamação facilitadora do câncer

Os cânceres infiltrativos provocam uma reação inflamatória crônica, levando alguns a compará-los com "feridas que não cicatrizam". Em pacientes com cânceres avançados, essa reação inflamatória pode ser extensa a ponto de provocar sinais e sintomas sistêmicos, como anemia (ver **Capítulo 14**), fadiga e caquexia (descrita adiante). Entretanto, estudos realizados com cânceres em modelos animais sugerem que as células inflamatórias também modificam as células tumorais e o microambiente local, possibilitando muitas das marcas registradas de câncer. Esses efeitos podem resultar de interações diretas entre as células inflamatórias e as células tumorais ou de efeitos indiretos das células inflamatórias sobre outras células estromais residentes, sobretudo fibroblastos associados ao câncer e células endoteliais. Os efeitos facilitadores de câncer atribuídos às células inflamatórias e às células estromais residentes incluem os seguintes:

- *Liberação de fatores que promovem proliferação*. Os leucócitos infiltrantes e as células estromais ativadas secretam uma ampla variedade de fatores de crescimento, como EGF, bem como proteases que podem liberar fatores de crescimento a partir da MEC
- *Remoção de supressores do crescimento*. O crescimento das células epiteliais normalmente é suprimido por interações entre células e entre células e a MEC. As proteases liberadas pelas células inflamatórias podem degradar as moléculas de adesão que medeiam essas interações, removendo uma barreira ao crescimento
- *Aumento da resistência à morte celular*. Lembre-se de que o desprendimento das células epiteliais das membranas basais e das interações entre células leva a uma forma de morte celular denominada *anoiquia*. Suspeita-se que os macrófagos associados a tumores possam impedir a anoiquia por meio da expressão de moléculas de adesão, como as integrinas, que promovem interações físicas diretas com as células tumorais. Há também evidências substanciais de que as interações entre células estromais e células cancerosas aumentam a resistências destas últimas à quimioterapia, presumivelmente ao ativar vias de sinalização que promovem a sobrevivência celular na presença de estresse, como dano ao DNA
- *Indução da angiogênese*. As células inflamatórias liberam numerosos fatores, incluindo o VEGF, que estimulam a angiogênese
- *Ativação da invasão e metástase*. As proteases liberadas pelos macrófagos estimulam a invasão tecidual por meio de remodelagem da MEC, enquanto fatores como o TNF e o EGF podem estimular diretamente a motilidade das células tumorais. Conforme já mencionado, outros fatores liberados pelas células estromais, como o TGF-β, podem promover TEM, que é considerada um evento fundamental no processo de invasão e de metástase
- *Evitamento da destruição imune*. Diversos fatores solúveis liberados pelos macrófagos e por outras células estromais podem contribuir para o microambiente imunossupressor dos tumores, como o TGF-β e vários outros fatores que favorecem o recrutamento de Tregs imunossupressoras ou que suprimem a função das células T citotóxicas CD8+. Além disso, há evidências abundantes obtidas de modelos de câncer murino e evidências emergentes em doenças humanas de que os cânceres avançados contêm macrófagos alternativamente ativados (M2) (ver **Capítulo 3**), células induzidas por citocinas como a IL-4 e a IL-13. Esses macrófagos produzem citocinas que promovem a angiogênese, a proliferação de fibroblastos e o depósito de colágeno, todos os quais são comumente observados em cânceres invasivos. Além disso, os macrófagos podem suprimir as respostas imunes efetivas do hospedeiro contra células cancerosas por meio da expressão do fator de ponto de checagem imune PD-L1 e por outros fatores que ainda não foram totalmente elucidados.

Embora uma compreensão completa de como os cânceres "manipulam" as células inflamatórias para sustentar seu crescimento e sobrevivência continue difícil, há interesse substancial no desenvolvimento de terapias dirigidas contra a inflamação induzida por tumores e suas consequências posteriores. Nesse aspecto, é interessante assinalar que os inibidores da ciclo-oxigenase-2 (COX-2) anti-inflamatórios demonstraram diminuir a incidência de adenomas de cólon e estão aprovados para o tratamento de pacientes com polipose adenomatosa familiar.

Desregulação dos genes associado ao câncer

O dano genético que ativa os oncogenes ou inativa os genes supressores de tumor pode ser sutil (p. ex., mutações pontuais) ou envolver segmentos de cromossomos grandes o suficiente para serem detectados em um cariótipo de rotina. A ativação de oncogenes e a perda de função dos genes supressores de tumor por mutações já foram discutidas neste capítulo. Aqui, discutiremos as anormalidades cromossômicas e alterações epigenéticas que contribuem para a carcinogênese e, em seguida, abordaremos de maneira sucinta o papel dos RNA não codificantes.

Alterações cromossômicas

Certas anormalidades cromossômicas estão altamente associadas a neoplasias específicas e levam, de modo inevitável, à desregulação de genes com papel fundamental na patogênese desse tipo de tumor. Foram identificadas anormalidades cromossômicas recorrentes e específicas na maioria das leucemias e linfomas, em muitos sarcomas e em um número crescente de carcinomas. Além disso, cromossomos inteiros podem ser adquiridos ou perdidos. Embora as alterações no número de cromossomos (aneuploidia) e em sua estrutura sejam geralmente consideradas como fenômeno tardio na progressão do câncer, em alguns casos (p. ex., nas células que perderam seus telômeros; ver **Figura 7.32**), pode constituir um evento precoce que inicia o processo de transformação.

Historicamente, as alterações cromossômicas no câncer foram identificadas por meio de cariotipagem, a identificação morfológica dos cromossomos em metáfase preparados a partir de amostras clínicas. Hoje, entretanto, os cariótipos de células cancerosas estão sendo reconstruídos em laboratórios de pesquisa a partir do sequenciamento profundo de genomas de células cancerosas, e é possível que a cariotipagem convencional seja suplantada por outros métodos nos próximos anos, mesmo em laboratórios clínicos. Independentemente da tecnologia utilizada, o estudo das alterações cromossômicas em células tumorais é importante. Em primeiro lugar, os genes na vizinhança de pontos de quebra cromossômicos ou de deleções recorrentes provavelmente são oncogenes (p. ex., *MYC, BCL2, ABL*) ou genes supressores de tumor (p. ex., *APC, RB*). Em segundo lugar, certas anormalidades cariotípicas apresentam valor diagnóstico ou importantes implicações para o prognóstico e a terapia. Por exemplo, os exames que detectam e quantificam genes de fusão *BCR-ABL* ou seus produtos mRNA são essenciais para o diagnóstico da LMC e são utilizados para monitorar a resposta a inibidores da quinase BCR-ABL. Muitas outras aberrações cromossômicas que são características de tipos de tumores específicos são apresentadas em capítulos posteriores.

Translocações cromossômicas. Qualquer tipo de rearranjo cromossômico – translocações, inversões, amplificações e até mesmo pequenas deleções pode ativar proto-oncogenes; entretanto, a translocação cromossômica constitui um mecanismo mais comum. Exemplos notáveis de oncogenes ativados por translocações cromossômicas estão listados na **Tabela 7.8**. As translocações podem ativar os proto-oncogenes de duas maneiras:

- Substituição do promotor ou do amplificador, em que a translocação resulta na superexpressão de um proto-oncogene por meio da troca de seus elementos reguladores por aqueles de outro gene, normalmente um que seja altamente expresso

- Formação de um gene de fusão, em que as sequências codificantes de dois genes sofrem fusão parcial ou total, levando à expressão de uma nova proteína quimérica com propriedades oncogênicas.

Tabela 7.8 Exemplos selecionados de oncogenes criados por translocações.

Neoplasia maligna	Translocação	Genes afetados
Leucemia mieloide crônica (LMC)	(9;22)(q34;q11)	ABL 9q34 BCR 22q11
Leucemia mieloide aguda (LMA)	(8;21)(q22;q22) (15;17)(q22;q21)	AML 8q22 ETO 21q22 PML 15q22 RARA 17q21
Linfoma de Burkitt	(8;14)(q24;q32)	MYC 8q24 IGH 14q32
Linfoma de células do manto	(11;14)(q13;q32)	CCND1 11q13 IGH 14q32
Linfoma folicular	(14;18)(q32;q21)	IGH 14q32 BCL2 18q21
Sarcoma de Ewing	(11;22)(q24;q12)	FLI1 11q24 EWSR1 22q12
Adenocarcinoma de próstata	(7;21)(p22;q22) (17;21)(p21;q22)	TMPRSS2 (21q22.3) ETV1 (7p21.2) ETV4 (17q21)

A superexpressão de um proto-oncogene causada por translocação é exemplificada pelo linfoma de Burkitt. Praticamente todos os linfomas de Burkitt apresentam uma translocação envolvendo o cromossomo 8q24, onde se localiza o gene *MYC*, e um dos três cromossomos que carregam um gene de imunoglobulina. Em seu *locus* normal, o *MYC* é rigorosamente controlado e apresenta expressão mais alta em células que têm grande atividade proliferativa. No linfoma de Burkitt, a translocação mais comum desloca o segmento contendo *MYC* do cromossomo 8 para o cromossomo 14q32 (ver **Figura 7.23**), colocando-o próximo ao gene da cadeia pesada da imunoglobulina (*IGH*). A notação genética para a translocação é t(8;14)9q24;q32). Os mecanismos moleculares da superexpressão do *MYC* mediada por translocação são variáveis, assim como os pontos de quebra precisos dentro do gene *MYC*. Na maioria dos casos, a translocação remove sequências reguladoras do gene *MYC* e as substitui pelas regiões de controle do gene *IGH*, que é altamente expresso nas células B. As sequências codificantes de *MYC* permanecem intactas, e a proteína MYC é constitutivamente expressa em níveis elevados. A presença quase invariável de translocações do *MYC* nos linfomas de Burkitt atesta a importância da hiperatividade do *MYC* na patogênese desse tumor.

Existem muitos outros exemplos de translocações envolvendo oncogenes e *loci* de receptores de antígenos nos tumores linfoides. Para que essas translocações (ou qualquer outra) ocorram, as quebras de DNA de fita dupla precisam ocorrer simultaneamente em pelo menos dois locais no genoma, e as extremidades livres do DNA precisam ser então unidas para criar os dois novos cromossomos resultantes. Nas células linfoides, acredita-se que a maioria dessas alterações moleculares ocorra durante tentativas de recombinação normal do gene do receptor de antígenos (que ocorre em progenitores tanto das células B quanto das células T) ou recombinação de mudança de classe (que é limitada a células B maduras estimuladas por antígenos). Não é surpreendente, portanto, que os tumores com translocações envolvendo genes das imunoglobulinas sejam sempre de origem de células B, enquanto tumores com translocações envolvendo genes dos receptores de células T sejam sempre de origem de células T. Os genes afetados são diversos; entretanto, como no caso das translocações que envolvem o *MYC*, o efeito final consiste na superexpressão de alguma proteína com atividade oncogênica.

O *cromossomo Filadélfia*, que é característico da LMC e de um subgrupo de leucemias linfoblásticas agudas de células B (ver **Capítulo 13**), fornece o exemplo prototípico de um rearranjo cromossômico que cria um gene de fusão codificador de uma oncoproteína quimérica. Neste caso, duas quebras de cromossomos situadas dentro do gene *ABL* no cromossomo 9 e dentro do gene *BCR* (região de agrupamento de pontos de quebra, *breakpoint cluster region*) no cromossomo 22 (ver **Figura 7.23**). Em seguida, a junção de extremidades não homólogas leva a uma translocação recíproca, que cria um gene de fusão *BCR-ABL* oncogênico no cromossomo 22 derivado (o denominado cromossomo Filadélfia). Os genes de fusão *BCR-ABL* codificam proteínas BCR-ABL quiméricas com atividade constitutiva de tirosinoquinase. Desde a descoberta do *BCR-ABL* na LMC, foram descritos muitos outros oncogenes de fusão que codificam tirosinoquinases constitutivamente ativas em uma ampla variedade de cânceres humanos. À semelhança da BCR-ABL, essas proteínas de fusão impulsionam vias de sinalização oncogênicas e, algumas vezes, demonstraram ser alvos de terapias efetivas.

Outros genes de fusão oncogênicos codificam fatores nucleares que regulam a transcrição ou a estrutura da cromatina. Diferentemente das tirosinoquinases hiperativas, pouco se sabe sobre como as oncoproteínas resultantes de fusão com fatores nucleares contribuem para o câncer. Uma exceção com importantes consequências clínicas é encontrada na *leucemia promielocítica aguda* (LPMA). A LPMA está praticamente sempre associada a uma translocação recíproca entre os cromossomos 15 e 17, que produz um gene de fusão *PML-RARA* (**Figura 7.40**). A maneira pela qual esse gene de fusão funciona está agora razoavelmente bem compreendida:

- O gene de fusão codifica uma proteína quimérica, que consiste em parte de uma proteína, denominada PML, e parte do receptor de ácido retinoico α (RARα). O RARα normal liga-se ao DNA e ativa a transcrição na presença de retinoides. Entre os genes responsivos a RARα, encontram-se vários que são necessários para diferenciação dos progenitores mieloides em neutrófilos
- A oncoproteína PML-RARα tem afinidade diminuída pelos retinoides, de modo que, em níveis fisiológicos, os retinoides não se ligam à PML-RARα em nenhum grau significativo. Nesse estado "sem ligante", ela mantém a capacidade de ligação ao DNA; todavia, em vez de ativar a transcrição, ela a inibe por meio do recrutamento de repressores de transcrição. Isso interfere na expressão de genes que são necessários para a diferenciação, levando a um "empilhamento" de progenitores mieloides em proliferação, que substituem os elementos normais da medula óssea

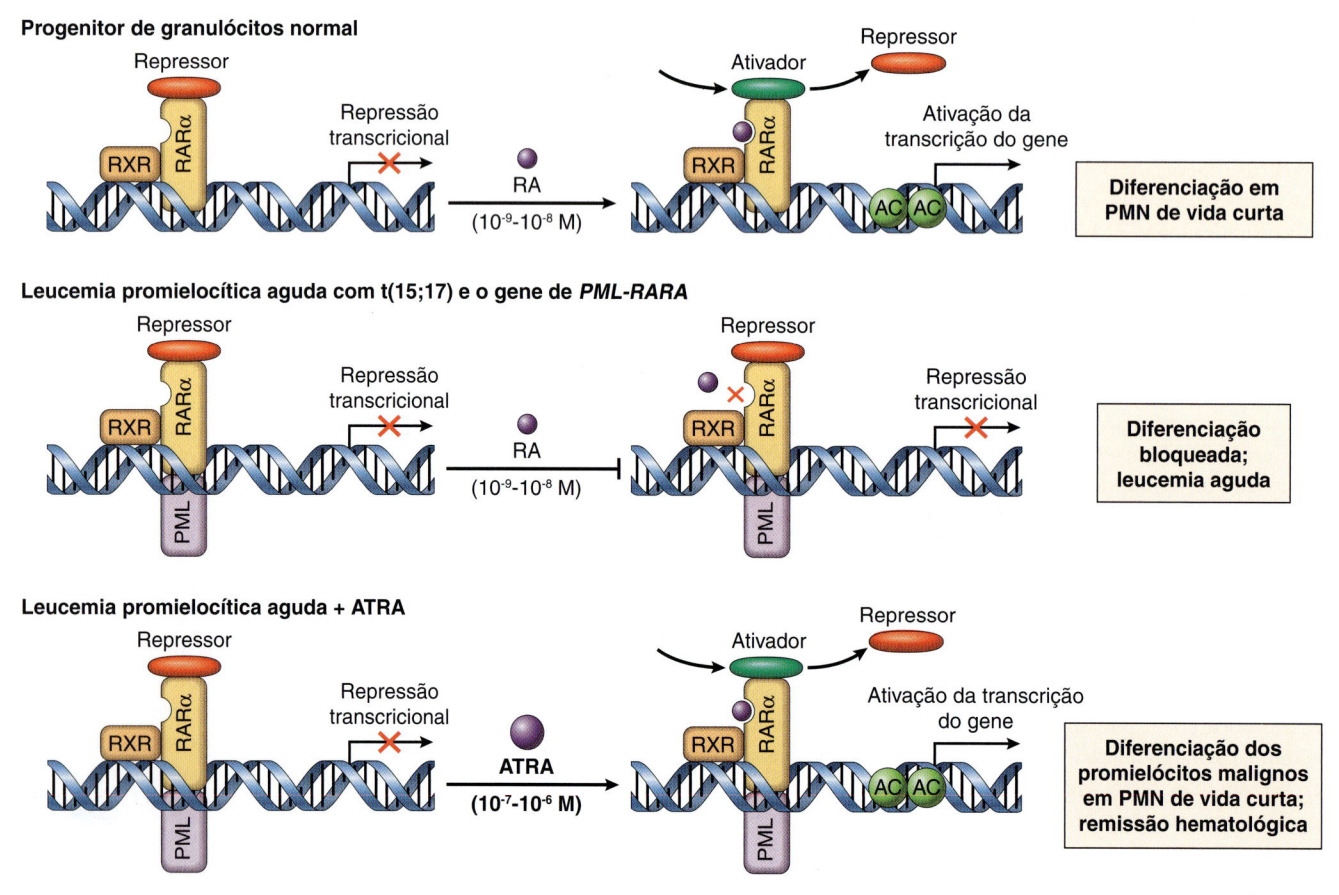

Figura 7.40 Patogênese molecular da leucemia promielocítica aguda e base para a resposta ao ácido all-*trans*-retinoico (*ATRA*). *PML*, gene da leucemia promielocítica aguda; *PMN*, neutrófilo polimorfonuclear; *RA*, ácido retinoico; *RXR*, parceiro de ligação para a RARa normal e a proteína de fusão PML-RARa codificada por um gene quimérico criado pela translocação (15;17) na leucemia promielocítica aguda.

- Quando administrado em doses farmacológicas, o ácido *all-trans*-retinoico (ATRA) liga-se à PML-RARα e produz uma mudança conformacional, que resulta no deslocamento de complexos repressores e no recrutamento de diferentes complexos que ativam a transcrição. Há também evidências de que os complexos PML-RARA ligados ao ATRA sejam degradados mais rapidamente. Essas alterações superam o bloqueio na expressão gênica, causando a diferenciação dos progenitores mieloides neoplásicos em neutrófilos e sua morte (assim como os neutrófilos maduros normais), limpando a medula óssea ao longo de vários dias e possibilitando a recuperação da hematopoese normal.

Essa terapia altamente efetiva fornece o primeiro exemplo de *terapia de diferenciação*, em que células tumorais imortais são induzidas a sofrer diferenciação em sua progênie madura, que conta com tempo de vida limitado. Ela foi precursora também de outros esforços para desenvolver fármacos direcionados para outras oncoproteínas nucleares, apesar da dificuldade inerente do problema.

Deleções. As deleções cromossômicas constituem outra anormalidade estrutural muito comum nas células tumorais. A deleção de regiões específicas de cromossomos está associada à perda de determinados genes supressores de tumor.

Conforme já discutido, as deleções que envolvem o cromossomo 13q14, o local do gene *RB*, estão associadas ao retinoblastoma, e a deleção do gene supressor de tumor *VHL* no cromossomo 3p constitui um evento comum nos carcinomas de células renais. O sequenciamento de genomas de células cancerosas revelou muitos outros exemplos de deleções envolvendo genes supressores de tumor, bem como pequenas inserções de DNA de um local para outro. Entretanto, nem todas as deleções levam a uma perda da função do gene; em alguns casos essas deleções podem levar à ativação de oncogenes por meio dos mesmos mecanismos envolvidos nas translocações cromossômicas. Por exemplo, aproximadamente 25% dos casos de leucemia linfoblástica aguda de células T apresentam pequenas deleções do cromossomo 1, que justapõem o proto-oncogene *TAL1* a um promotor ativo próximo, levando à superexpressão do fator de transcrição TAL1. Muitos outros exemplos de "adição ou ativação por subtração genômica" foram agora descobertos por meio do sequenciamento de genomas do câncer.

Amplificação gênica. A superexpressão de oncogenes também pode resultar da reduplicação e amplificação de suas sequências de DNA. Essa amplificação pode produzir até várias centenas de cópias do oncogene na célula tumoral. Em alguns casos, os genes amplificados produzem alterações cromossômicas, que podem ser identificadas ao exame microscópico. São observados dois padrões mutuamente exclusivos: (1) múltiplas estruturas extracromossômicas pequenas, denominadas *duplos-diminutos* (*double minutes*); e (2) *regiões de coloração homogênea*. Esse último padrão deriva da inserção dos genes amplificados em novas localizações cromossômicas, que podem estar distantes do local normal do oncogene envolvido. As regiões cromossômicas afetadas carecem de um padrão normal de bandas de coloração clara e escura, aparecendo homogêneas em cariótipos (ver **Figura 7.24**). Do ponto de vista clínico, as amplificações mais importantes são o *NMYC* no neuroblastoma e o *ERBB2* nos cânceres de mama. O *NMYC* está amplificado em 25 a 30% dos neuroblastomas, e sua amplificação está associada a um pior prognóstico. Ocorre amplificação de *ERBB2* em cerca de 20% dos cânceres de mama. Conforme já mencionado, a terapia com anticorpos direcionados contra o receptor HER2 codificado por *ERBB2* é uma estratégia terapêutica efetiva para esse subgrupo molecular de cânceres de mama.

Rearranjos cromossômicos complexos. A verdadeira extensão dos rearranjos cromossômicos no câncer só pôde ser percebida após o desenvolvimento do sequenciamento de genomas inteiros de células cancerosas, o que possibilita uma "reconstrução" abrangente dos cromossomos a partir das sequências de DNA. Esse exercício revelou não apenas um grande número de rearranjos simples (p. ex., pequenas deleções, duplicações ou inversões), mas também "catástrofes" cromossômicas dramáticas que resultam de cromotripsia (literalmente, fracionamento do cromossomo). A *cromotripsia* é observada em 1 a 2% dos cânceres em geral e é particularmente comum em osteossarcomas e gliomas. Parece resultar de um único evento, em que dezenas a centenas de quebras de cromossomos ocorrem em um único cromossomo ou em vários deles. A gênese dessas quebras é incerta, porém os mecanismos de reparo do DNA são ativados, os quais reconectam os fragmentos de maneira aleatória, criando muitos rearranjos, deleções e até mesmo amplificações. Foi formulada a hipótese de que esses eventos catastróficos podem causar, ao acaso, mutações de múltiplos genes do câncer simultaneamente, acelerando, assim, o processo da carcinogênese.

> **Conceitos-chave**
>
> **Lesões genéticas no câncer**
>
> - As células tumorais podem adquirir vários tipos de mutações oncogênicas, incluindo mutações pontuais e outras anormalidades cromossômicas não aleatórias, como translocações, deleções e amplificações de genes
> - As translocações contribuem para a carcinogênese por meio da superexpressão de oncogenes ou geração de novas proteínas de fusão com capacidade de sinalização alterada. Com frequência, as deleções provocam perda da função do gene supressor de tumor e, em certas ocasiões, ativam proto-oncogenes. Em geral, a amplificação gênica aumenta a expressão e a função de oncogenes
> - O sequenciamento genômico revelou numerosos rearranjos "crípticos" (subcitogenéticos), principalmente pequenas deleções e inserções ("*indels*"), bem como cromotripsia, em que um cromossomo é "fracionado" e, em seguida, reconstruído de modo aleatório.

Alterações epigenéticas

As alterações epigenéticas foram implicadas em muitos aspectos do fenótipo maligno, como a expressão de genes do câncer, o controle da diferenciação e da autorrenovação e a sensibilidade e resistência a medicamentos. Conforme discutido no **Capítulo 1**, a epigenética refere-se a diferentes fatores, além da sequência do DNA, que regulam a expressão gênica (e, portanto, o fenótipo celular). Lembre-se de que esses mecanismos epigenéticos incluem modificações de histonas catalisadas por enzimas associadas a complexos reguladores da cromatina; metilação do DNA, uma modificação criada por DNA metiltransferases; e outras alterações que regulam a organização de ordem superior do DNA (p. ex., a alça de elementos amplificadores em promotores de genes).

Foi reconhecido, há mais de 100 anos, que os núcleos das células cancerosas exibem morfologias anormais, que (conforme já discutido) podem assumir a forma de hipercromasia, condensação ou afrouxamento da cromatina (a denominada cromatina nuclear vesicular). Esses aspectos alterados originam-se de distúrbios na organização da cromatina. Uma das descobertas mais notáveis, resultante do sequenciamento de genomas do câncer, foi a identificação de numerosas mutações envolvendo genes que codificam proteínas reguladoras epigenéticas (**Tabela 7.9**). Em consequência, suspeita-se agora de que a aparência morfológica alterada das células cancerosas possa refletir defeitos genéticos adquiridos em fatores que mantêm o epigenoma. Com efeito, os métodos que possibilitam a avaliação genômica ampla começaram a revelar alterações disseminadas nos epigenomas das células cancerosas, que podem ser amplamente divididos nas seguintes categorias:

- *Silenciamento de genes supressores de tumor por hipermetilação local do DNA*. Algumas células cancerosas exibem hipermetilação seletiva dos promotores de genes supressores de tumor, resultando em seu silenciamento transcricional. Normalmente, a hipermetilação ocorre apenas em um alelo, e a função da outra cópia do gene supressor de tumor afetado é perdida por outro mecanismo, como mutação pontual incapacitante ou deleção. Um dos vários exemplos de gene supressor de tumor que está hipermetilado em vários tipos de câncer é o *CDKN2A*, que é um *locus* complexo que codifica dois supressores de tumor, p14/ARF e p16/INK4a, que intensificam as atividades da p53 e RB, respectivamente
- *Alterações globais na metilação do DNA*. Além da hipermetilação local dos genes supressores de tumor, muitos tumores apresentam padrões anormais de metilação do DNA em todo o seu genoma. Os tumores que comumente exibem uma metilação do DNA anormal, como a leucemia mieloide aguda, algumas vezes apresentam mutações em genes que codificam DNA metiltransferases ou outras proteínas que influenciam a metilação do DNA (ver **Tabela 7.9**), sugerindo que as alterações observadas apresentam uma base genética. A consequência potencial mais óbvia das alterações globais na metilação consiste na alteração da expressão de múltiplos genes, que podem ser superexpressos ou subexpressos, em comparação com o processo normal, dependendo da natureza das alterações locais
- *Alterações nas histonas*. Você deve lembrar que as histonas são responsáveis pelo "empacotamento" do DNA, e que as alterações no posicionamento das histonas ou modificações pós-traducionais (as denominadas marcas de histonas) regulam a transcrição gênica. Com frequência, as células cancerosas demonstram alterações nas histonas próximas a genes que influenciam o comportamento celular. À semelhança da metilação do DNA, em muitos casos, essas alterações parecem ter uma base genética, sendo atribuível a mutações em proteínas que "escrevem", "leem" e "apagam" marcas de histonas ou que posicionam nucleossomos no DNA (ver **Tabela 7.9**). É importante assinalar que, em alguns tipos de câncer, ocorrem mutações condutoras nos próprios genes das histonas. Os detalhes ainda não estão esclarecidos, mas é certo que essas lesões alteram a expressão de genes que contribuem para o fenótipo maligno.

Muitos aspectos ainda precisam ser elucidados sobre o estado do "epigenoma" em vários tipos de câncer e sua contribuição para o fenótipo maligno, porém diversos aspectos dessa relação merecem destaque:

Tabela 7.9 Exemplos de genes reguladores epigenômicos mutados no câncer.

Gene(s)	Função	Tumor (frequência aproximada de mutação)
DNMT3A	Metilação do DNA	Leucemia mieloide aguda (20%)
MLL1	Metilação da histona	Leucemia aguda em lactentes (90%)
MLL2	Metilação da histona	Linfoma folicular (90%)
CREBBP/EP300	Acetilação da histona	Linfoma difuso de grandes células B (40%)
ARID1A	Posicionamento do nucleossomo/remodelagem da cromatina	Carcinoma de células claras do ovário (60%), carcinoma do endométrio (30 a 40%)
SNF5	Posicionamento do nucleossomo/remodelagem da cromatina	Tumor rabdoide maligno (100%)
PBRM1	Posicionamento do nucleossomo/remodelagem da cromatina	Carcinoma renal (30%)
H3F3A, HIST1 H3B	Variantes de histona H3 (componentes do nucleossomo)	Gliomas pediátricos (30 a 80%, dependendo da localização anatômica)

- *A especificidade da linhagem de certos oncogenes e genes supressores de tumor tem uma base epigenética*. Você pode ter observado que os supressores de tumor e as oncoproteínas podem ser amplamente divididos em duas classes: aqueles que são mutados ou, de outro modo, desregulados em muitos cânceres (p. ex., RAS, MYC, p53), e aqueles que são mutados em um subgrupo restrito de tumores (p. ex., RB no retinoblastoma, VHL no carcinoma de células renais, APC no carcinoma de cólon) e, portanto, são restritos quanto à linhagem. A linhagem ou estado de diferenciação de uma célula cancerosa, do mesmo modo que as células normais, dependem de modificações epigenéticas que produzem um padrão de expressão gênica que caracteriza aquele tipo celular particular. Pode-se deduzir que os genes do câncer com restrição de linhagem só atuam dentro de contextos epigenéticos nos quais os alvos oncogênicos essenciais são controlados por esses genes. Em seus extremos, isso permite que alguns genes, como os que codificam os receptores *Notch*, atuem como supressor de tumor em uma linhagem e comportem-se como oncogene em outra linhagem. Assim, o gene *NOTCH1* é um dos genes supressores de tumor mais comumente mutado no carcinoma espinocelular da pele (em que as mutações resultam em perda de função e levam ao comprometimento da diferenciação) e também constitui o oncogene mais comumente mutado na leucemia linfoblástica aguda de células T (em que as mutações em diferentes partes do gene resultam em ganho de função e conduzem a expressão de genes pró-crescimento, como *MYC*)
- *O epigenoma é um alvo terapêutico*. Como o estado epigenético de uma célula depende de modificações reversíveis realizadas por enzimas (que geralmente constituem bons alvos de

medicamentos), existe um grande interesse no desenvolvimento de fármacos que tenham como alvo modificadores epigenômicos no câncer e outras doenças. Os inibidores de histona desacetilases, as "borrachas" de cromatina que removem grupos acetila das histonas, estão aprovados para uso clínico em certos tumores linfoides, e os inibidores da metilação do DNA são utilizados no tratamento de tumores mieloides, com base, em parte, na ideia de que esses medicamentos são capazes de reativar genes supressores de tumor. Outros medicamentos que têm como alvo os "escritores" específicos e "leitores" de cromatina estão agora sendo avaliados em ensaios clínicos

- *Os cânceres tendem a exibir uma considerável heterogeneidade epigenética.* Da mesma forma que a instabilidade genômica dá origem à heterogeneidade genética nos cânceres, há suspeita de que os cânceres também demonstrem ter uma extensa heterogeneidade epigenética entre células dentro de tumores individuais. Uma das consequências dessa heterogeneidade pode ser a resistência a fármacos. Por exemplo, as alterações epigenéticas podem levar à resistência das células do câncer de pulmão a inibidores da sinalização do EGF. Quando os inibidores são removidos, as células do câncer de pulmão revertem para seu estado prévio sensível ao inibidor. Se for generalizada, essa plasticidade epigenética pode unir-se à heterogeneidade genética como outra barreira ao desenvolvimento de terapias curativas para o câncer.

RNA não codificantes e câncer

Os RNA não codificantes participam da carcinogênese ao regular a expressão de genes codificadores de proteínas associados ao câncer. Os microRNA são os mais bem caracterizados desses RNA não codificantes. Conforme discutido no **Capítulo 1**, os microRNA (miR) são pequenos RNA de fita simples não codificantes, com cerca de 22 nucleotídios de comprimento, que medeiam a inibição específica da sequência dos mRNA. Tendo em vista que os miR controlam a sobrevivência, o crescimento e a diferenciação normais das células, não é surpreendente que eles desempenhem um papel na carcinogênese. A expressão alterada do miR, algumas vezes devido a amplificações e deleções dos *loci* do miR, foi identificada em muitos cânceres. A diminuição da expressão de certos miR aumenta a tradução de mRNA oncogênicos; esses miR apresentam atividade supressora de tumores. Por exemplo, as deleções que afetam miR-15 e miR-16 estão entre as lesões genéticas mais frequentes na leucemia linfocítica crônica, um tumor comum de indivíduos idosos (ver **Capítulo 13**). Nesse tumor, a perda desses miR leva à suprarregulação da proteína antiapoptótica BCL-2, aumentando a sobrevida das células tumorais. Por outro lado, a superexpressão de outros miR reprime a expressão de genes supressores de tumor; esses miR promovem o desenvolvimento do tumor e são designados como *onco-miR*. Um exemplo de um onco-miR é o miR-155, que está superexpresso em muitos linfomas de células B humanos e que suprarregula indiretamente um grande número de genes que promovem a proliferação, incluindo *MYC*.

A atuação dos miR pode representar a ponta do *iceberg* em relação à função dos RNA não codificantes no câncer. As análises genômicas sistemáticas revelaram que mais de 60% dos genomas são transcritos em RNA, cuja maior parte não é codificante e pode ter funções regulatoras (ver **Capítulo 1**).

Base molecular da carcinogênese sequencial ou em múltiplas etapas

Tendo em vista que os tumores malignos precisam adquirir múltiplas "marcas registradas" do câncer, depreende-se que os cânceres resultam do acúmulo sequencial de múltiplas mutações que atuam de forma complementar para produzir um tumor totalmente maligno. A noção de que os tumores malignos se originam do acúmulo sequencial de alterações promotoras do câncer é respaldada por estudos epidemiológicos, experimentais e moleculares, e o estudo dos oncogenes e dos genes supressores de tumor forneceu uma base molecular firme para o conceito de carcinogênese sequencial ou em múltiplas etapas. O sequenciamento genômico completo dos cânceres revelou alterações que podem variar de cerca de apenas 10 mutações em certas leucemias a até muitos milhares de mutações (cuja maior parte consiste em mutações passageiras, e não condutoras) em tumores que surgem após exposição crônica a carcinógenos, como os cânceres de pulmão associados ao tabagismo. Uma resposta mais direta à pergunta "quantas mutações são necessárias para estabelecer um tumor completamente maligno?" é obtida das tentativas experimentais de transformar células humanas normais em cancerígenas com combinações de oncogenes, alguns dos quais derivados de vírus transformadores (descritos mais adiante). Por exemplo, as células epiteliais humanas normais podem ser transformadas pela seguinte combinação de eventos: (1) ativação de RAS; (2) inativação de RB; (3) inativação da p53; (4) inativação de PP2A, uma fosfatase supressora de tumor, que é um regulador negativo de muitas vias de sinalização; e (5) expressão constitutiva da telomerase. As células portadoras de todas essas alterações são imortais e produzem tumores invasivos e totalmente malignos quando injetadas em camundongos com imunodeficiência.

Diferentemente do que ocorre no laboratório, esses eventos presumivelmente nunca são observados de modo simultâneo durante o desenvolvimento natural de um câncer humano, porém ocorre de maneira sequencial. Qual é a evidência de que isso ocorre dessa maneira? Um exemplo clássico de aquisição incremental do fenótipo maligno é encontrado no carcinoma de cólon. Muitos desses cânceres evoluem por meio de uma série de estágios morfologicamente identificáveis, mais notavelmente a formação de adenomas que aumentam de modo progressivo e, por fim, sofrem transformação maligna (ver **Capítulo 17**). As análises moleculares das proliferações em cada estágio mostraram que as lesões pré-cancerígenas apresentam menos mutações do que os adenocarcinomas, e que certas mutações tendem a ocorrer de modo precoce (p. ex., mutações no gene supressor de tumor *APC*) ou de forma tardia (p. ex., mutações em *TP53*) no processo (discutido com mais detalhes no **Capítulo 17**). Existe uma evidência semelhante para a progressão sequencial de outras lesões precursoras reconhecíveis para cânceres epiteliais, como displasias do colo do útero, da epiderme e da mucosa oral e também hiperplasias do endométrio. Esses processos são também descritos em capítulos posteriores correspondentes.

Agentes carcinogênicos e suas interações celulares

Há mais de 200 anos, o cirurgião londrino Sir Percival Pott atribuiu corretamente o câncer de pele do escroto em limpadores de chaminé à exposição crônica à fuligem. Com base nessa observação, a Danish

Chimney Sweeps Guild determinou que seus membros deveriam tomar banho diariamente. Nenhuma medida de saúde pública desde aquela época teve tanto sucesso no controle de uma forma de câncer. Subsequentemente, foi demonstrado que centenas de substâncias químicas são carcinogênicas em animais. Alguns dos principais agentes estão listados na **Tabela 7.10**.

Carcinogênese química

Conforme discutido anteriormente, a carcinogênese é um processo em múltiplas etapas. Isso é cabalmente demonstrado em modelos experimentais de carcinogênese química, em que foram descritos os estágios de iniciação e promoção durante o desenvolvimento do câncer. Os experimentos clássicos que permitiram a distinção entre iniciação e promoção foram realizados na pele de camundongos e revelaram os seguintes conceitos relacionados com a sequência de iniciação-promoção: a *iniciação* resulta da exposição das células a uma dose suficiente de um agente carcinogênico. Provoca dano permanente ao DNA (mutações). Os *promotores* podem induzir o aparecimento de tumores a partir das células iniciadas, porém eles não são tumorigênicos por si só. A aplicação de promotores leva à proliferação e expansão clonal de células iniciadas (mutadas). Impulsionados a proliferar, os subclones das células iniciadas sofrem várias mutações adicionais, e, por fim, surge um clone cancerígeno com todas as características e marcas registradas do câncer. É provável que muitos fatores que contribuem para a oncogênese nos seres humanos também atuem ao estimular a proliferação, podendo, assim, ser considerados de modo conceitual como promotores de tumores; os exemplos incluem a estimulação estrogênica (sem regulação) do endométrio e da mama e os processos inflamatórios crônicos associados ao reparo dos tecidos (p. ex., doença inflamatória intestinal, hepatite crônica e esôfago de Barrett).

Embora os conceitos de iniciação e de promoção tenham sido derivados, em grande parte, de experimentos realizados em camundongos, eles são úteis quando se consideram os papéis de determinados fatores que contribuem para os cânceres humanos. Com esse breve panorama, a iniciação e a promoção podem ser examinadas com mais detalhes (**Figura 7.41**). Todos os carcinógenos químicos iniciadores são eletrófilos (que apresentam átomos com deficiência de elétrons) altamente reativos, que podem reagir com átomos nucleofílicos (ricos em elétrons) na célula. Seus alvos são o DNA, o RNA e as proteínas, e, em alguns casos, essas interações causam morte celular. Obviamente, a iniciação provoca dano não letal ao DNA, cujo reparo é feito em um processo sujeito a erros. Em seguida, a célula mutada transfere as lesões do DNA às células-filhas. As substâncias químicas que podem causar iniciação da carcinogênese são classificadas em duas categorias: de ação direta e de ação indireta.

Tabela 7.10 Principais carcinógenos químicos.

Carcinógenos de ação direta
Agentes alquilantes
β-´propiolactona Dimetil sulfato Diepoxibutano Agentes antineoplásicos (ciclofosfamida, clorambucila, nitrosureia e outros)
Agentes acilantes
1-Acetil-imidazol Cloreto de dimetilcarbamila
Pró-carcinógenos que exigem ativação metabólica
Hidrocarbonetos aromáticos policíclicos e heterocíclicos
Benza[*a*]antraceno Benzo[*a*]pireno Dibenzo[*a*]antraceno 3-Metilcolantreno 7,12-Dimetilbenzo[*a*]antraceno
Aminas aromáticas, amidas, corantes azo
2-Naftilamina (β-naftilamina) Benzidino 2-Acetilaminofluoreno Dimetilaminoazobenzeno ("amarelo-manteiga")
Produtos naturais de plantas e microrganismos
Aflatoxina B_1 Griseofulvina Cicasina Safrol Noz-de-areca
Outros
Nitrosamina e amidas Cloreto de vinila, níquel, cromo Inseticidas, fungicidas Bifenilas policloradas

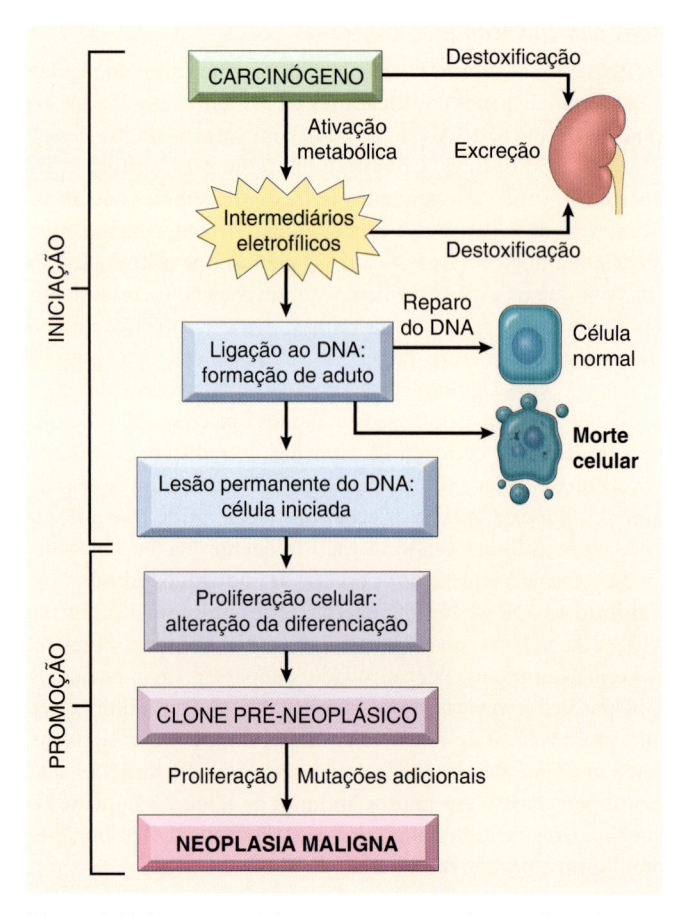

Figura 7.41 Esquema geral de eventos na carcinogênese química. Observe que os promotores causam expansão clonal da célula iniciada, produzindo, assim, um clone pré-neoplásico. A proliferação adicional induzida pelo promotor ou por outros fatores provoca o acúmulo de mutações adicionais e o aparecimento de um tumor maligno.

Carcinógenos de ação direta

Os *carcinógenos de ação direta* **não exigem sua conversão metabólica para se tornarem carcinogênicas.** A maioria consiste em carcinógenos fracos, porém alguns são importantes por serem agentes quimioterápicos contra o câncer (p. ex., agentes alquilantes). Tragicamente, em alguns casos, esses agentes já curaram, controlaram ou adiaram a recorrência de certos tipos de câncer (p. ex., leucemia, linfoma e carcinoma de mama) apenas para produzir uma segunda forma de câncer, normalmente leucemia mieloide aguda. O risco de câncer induzido é baixo, porém sua existência exige o uso criterioso desses agentes.

Carcinógenos de ação indireta

Os *carcinógenos de ação indireta* **exigem sua conversão metabólica para se tornarem carcinógenos ativos; os produtos carcinogênicos são denominados** *carcinógenos finais.* Os carcinógenos químicos em sua maioria atuam indiretamente e exigem sua ativação metabólica para conversão em carcinógenos finais (**Figura 7.41**). Alguns dos carcinógenos químicos indiretos mais potentes – os hidrocarbonetos policíclicos – estão presentes em combustíveis fósseis. Outros, por exemplo, como o benzo[*a*]pireno (o componente ativo da fuligem, que Potts demonstrou ser carcinogênico), são formados durante a combustão em alta temperatura do tabaco nos cigarros e estão implicados na causa do câncer de pulmão. Os hidrocarbonetos policíclicos também são produzidos a partir de gorduras animais no processo de assar ou grelhar carnes e estão presentes em carnes e peixes defumados. As aminas aromáticas e os corantes azo constituem outra classe de carcinógenos de ação indireta que foram amplamente utilizados no passado no corante anilina e na indústria de borracha. Muitos outros carcinógenos ocupacionais estão listados na **Tabela 7.10**.

Os carcinógenos indiretos são metabolizados, em sua maioria, por *mono-oxigenases dependentes do citocromo P-450*. Os genes que codificam essas enzimas são polimórficos, e a atividade e capacidade de indução dessas enzimas variam de modo significativo entre indivíduos (descritas com mais detalhes no **Capítulo 9**). Como essas enzimas são essenciais para a ativação de pró-carcinógenos, a suscetibilidade à carcinogênese está relacionada, em parte, com as variantes polimórficas específicas herdadas por um indivíduo. Assim, pode ser possível avaliar o risco de câncer em determinado indivíduo pela análise genética desses polimorfismos enzimáticos.

O metabolismo dos hidrocarbonetos policíclicos aromáticos, como o benzo[*a*]pireno pelo produto do gene P450 *CYP1A1*, fornece um exemplo instrutivo. Cerca de 10% da população branca é portadora de uma forma altamente induzível desse gene. As pessoas que fumam pouco e que apresentam o genótipo *CYP1A1* suscetível correm risco sete vezes maior de desenvolver câncer de pulmão, em comparação com tabagistas sem o genótipo suscetível. As vias metabólicas também estão envolvidas na inativação (destoxificação) de certos pró-carcinógenos e seus derivados, e a variação dessas vias também pode influenciar o risco de câncer.

Alvos moleculares dos carcinógenos químicos. Como a transformação maligna resulta de mutações, não é surpreendente que os agentes químicos iniciadores tenham, em sua maioria, o DNA como alvo e sejam mutagênicos. Não existe nenhuma alteração isolada ou única associada à iniciação do câncer. Tampouco há qualquer predisposição aparente para que os iniciadores causem mutações em determinados genes; presumivelmente, ocorrem mutações em todo o genoma, e as células que aleatoriamente sofrem dano nos "suspeitos habituais" – oncogenes e supressores de tumor, como *RAS* e *TP53* – adquirem uma vantagem seletiva potencial e correm risco de transformação subsequente.

Isso não quer dizer que as mutações induzidas por carcinógenos ocorrem de modo totalmente aleatório. Em virtude de suas estruturas químicas, alguns carcinógenos interagem de modo preferencial com sequências ou bases particulares do DNA e, portanto, produzem mutações que são agrupadas em "pontos de acesso" ou que são predispostas a substituições de bases específicas. Esse fenômeno é ilustrado por um "ponto de acesso" mutacional associado à exposição à *aflatoxina* B_1, um agente de ocorrência natural produzido por algumas cepas do fungo *Aspergillus*. *Aspergillus* cresce em sementes e nozes inadequadamente armazenados, e existe uma forte correlação entre o nível dietético desse contaminante nos alimentos e a incidência de carcinoma hepatocelular em partes da África e do Extremo Oriente. É interessante ressaltar que os carcinomas hepatocelulares associados à aflatoxina B_1 tendem a apresentar uma mutação particular em *TP53*, uma transversão G:C→T:A no códon 249, que produz uma substituição de arginina por serina na proteína p53, o que interfere em sua função. Por outro lado, as mutações de *TP53* são infrequentes em tumores hepáticos de áreas em que não ocorre contaminação dos alimentos pela aflatoxina, e poucas dessas mutações envolvem o códon 249. De modo semelhante, os cânceres de pulmão associados ao tabagismo apresentam uma carga mutacional 10 vezes maior, em média, do que os cânceres de pulmão em não fumantes, e essas mutações em excesso estão fortemente representadas por substituições de bases específicas que são conhecidas por serem causadas por carcinógenos presentes na fumaça de cigarro (a famosa "prova do crime"). O sequenciamento dos genomas do câncer revelou várias dúzias de outras "assinaturas" mutacionais. Uma dessas assinaturas reflete uma exposição a agentes quimioterápicos, porém as demais assinaturas em grande parte permanecem sem explicação, sugerindo a existência de outros agentes carcinogênicos escondidos no ambiente, aguardando sua descoberta.

Outros carcinógenos potenciais no local de trabalho e em casa incluem cloreto de vinila, arsênico, níquel, cromo, inseticidas, fungicidas e bifenilas policloradas. Os nitritos utilizados como conservantes de alimentos também têm causado preocupação, visto que eles reagem com aminas contaminadas no alimento, formando nitrosaminas, que são suspeitos de serem também agentes carcinogênicos.

Conceitos-chave

Carcinogênese química

- Os carcinógenos químicos apresentam grupos eletrofílicos altamente reativos, que provocam dano direto ao DNA, levando a mutações e, por fim, ao câncer
- Os agentes de ação direta não exigem conversão metabólica para se tornarem carcinogênicos, enquanto os agentes de ação indireta não são ativos até que sejam convertidos em um carcinógeno final por vias metabólicas endógenas. Por conseguinte, os polimorfismos de enzimas endógenas, como o citocromo P-450, podem influenciar a carcinogênese

- Após exposição de uma célula a um agente mutagênico ou a um iniciador, a tumorigênese pode ser intensificada pela exposição a promotores, que estimulam a proliferação de células mutadas
- Exemplos de carcinógenos em humanos incluem agentes de ação direta (p. ex., agentes alquilantes utilizados na quimioterapia), agentes de ação indireta (p. ex., benzo[a]pireno, corantes azo, aflatoxina) e promotores ou agentes que causam hiperplasia patológica do endométrio ou atividade regenerativa no fígado.

Carcinogênese por radiação

A energia radiante, na forma de raios UV da luz solar ou na forma de radiação eletromagnética ionizante e particulada, é mutagênica e carcinogênica. A exposição à luz UV provoca cânceres de pele, enquanto a exposição à radiação ionizante devido à exposição médica ou ocupacional, a acidentes de usinas nucleares e detonações de bombas atômicas, está associada a uma variedade de cânceres. Embora a contribuição da radiação ionizante para a carga total de cânceres humanos provavelmente seja pequena, os cânceres que ocorrem podem surgir décadas mais tarde, e são necessários longos períodos de observação para verificar seu efeito completo. Um aumento na incidência de câncer de mama tornou-se evidente década após a exposição de mulheres quando ainda eram crianças, durante testes de bombas atômicas. A incidência alcançou um pico no período de 1988 a 1992 e, em seguida, declinou. Além disso, a radiação pode ter efeitos aditivos ou sinérgicos com outros fatores potencialmente carcinogênicos.

Raios ultravioleta

A exposição aos raios UV derivados do sol, sobretudo em indivíduos de pele clara, está associada ao aumento da incidência de carcinoma espinocelular, carcinoma basocelular e melanoma da pele. O grau de risco depende do tipo de raios UV, da intensidade da exposição e da pigmentação da pele, refletindo essa última a quantidade de melanina da pele que absorve luz. Por conseguinte, as pessoas de origem europeia com pele clara que sofrem queimaduras solares com facilidade e que têm dificuldade em se bronzear e que moram em locais que recebem muita luz solar (p. ex., Queensland, na Austrália, próximo ao equador) apresentam a maior incidência de câncer de pele do mundo. A porção UV do espectro solar pode ser dividida em três faixas de comprimentos de onda: UVA (320 a 400 nm), UVB (280 a 320 nm) e UVC (200 a 280 nm). Destes, acredita-se que os raios UVB sejam responsáveis pela indução de cânceres de pele. Os raios UVC, apesar de serem um potente mutagênico, não são considerados significativos, visto que são filtrados pela camada de ozônio ao redor da Terra (daí a preocupação sobre a depleção do ozônio).

A luz UVB é carcinogênica, em virtude de sua capacidade de causar a formação de dímeros de pirimidina no DNA. A absorção da energia em um fóton de luz UV pelo DNA produz uma reação química que leva à ligação cruzada covalente de bases pirimidínicas, sobretudo resíduos de timidina adjacentes na mesma fita de DNA. Isso distorce a hélice de DNA e impede o pareamento adequado do dímero com bases na fita oposta de DNA. O reparo dos dímeros de pirimidina é realizado pela via de reparo por excisão de nucleotídios, um processo que pode envolver 30 ou mais proteínas. Foi postulado que, com a exposição excessiva ao sol, a capacidade da via de reparo por excisão de nucleotídios é sobrepujada, e os mecanismos de reparo do DNA sem molde e propensos a erros tornam-se operantes. Esses mecanismos possibilitam a sobrevivência da célula, mas também introduzem mutações que, em alguns casos, levam ao câncer. A importância da via de reparo por excisão de nucleotídios do DNA é evidenciada pela elevada frequência de cânceres em indivíduos com o distúrbio hereditário conhecido como *xeroderma pigmentoso* (discutido anteriormente). A controvérsia sobre o papel da exposição à luz UV na etiologia do melanoma foi solucionada pelo sequenciamento dos genomas do melanoma. Revelou que os melanomas que surgem na pele exposta à luz solar abrigam um enorme número de mutações que apresentam a assinatura de reparo de dímeros de pirimidina propenso a erros, confirmando que a luz UV desempenha um importante papel etiológico nesse câncer potencialmente letal.

Radiação ionizante

As radiações eletromagnética (raios X, raios γ) e particulada (partículas α e β, prótons, nêutrons) são carcinogênicas. As evidências são significativas, e apenas alguns exemplos são suficientes. Muitos indivíduos que foram os primeiros a utilizar os raios X desenvolveram câncer de pele. Os mineiros de elementos radioativos na Europa Central e na região das Montanhas Rochosas dos EUA apresentam uma incidência 10 vezes maior de cânceres de pulmão do que o resto da população. Mais revelador é o acompanhamento dos sobreviventes das bombas atômicas de Hiroshima e Nagasaki. A princípio, houve um aumento acentuado na incidência de certas formas de leucemia, depois de um período latente médio de cerca de 7 anos. Subsequentemente, houve aumento na incidência de muitos tumores sólidos, com períodos latentes mais longos (p. ex., carcinomas de mama, cólon, tireoide e pulmão). Na era atual do uso disseminado da tomografia computadorizada (TC), há muita preocupação em relação aos estudos que mostraram que crianças submetidas a duas ou três TC apresentam um risco três vezes maior de leucemia, enquanto as que são submetidas de 5 a 10 TC correm um risco três vezes maior de ter tumores cerebrais. O risco global em crianças é muito baixo (aproximadamente um caso de leucemia e um de tumor cerebral em excesso depois de 10 anos para cada 10 mil TC); entretanto, evidencia a necessidade de minimizar a exposição à radiação, sempre que possível.

Nos seres humanos, por motivos ainda não esclarecidos, existe uma hierarquia de vulnerabilidade dos tecidos a cânceres induzidos por radiação. Os mais frequentes são as leucemias mieloides (tumores de granulócitos e seus precursores; ver **Capítulo 13**). O câncer de tireoide vem logo em seguida, porém afeta apenas pacientes jovens. Na categoria intermediária são encontrados cânceres de mama, de pulmão e glândulas salivares. Por outro lado, a pele, os ossos e o trato gastrintestinal são relativamente resistentes a neoplasias induzidas por radiação, apesar do fato de as células epiteliais gastrintestinais serem vulneráveis a lesão e morte celular por radiação, e a pele ser "a primeira na fila" a receber todas as radiações externas. Entretanto, o médico não deve esquecer que praticamente *qualquer* célula pode ser transformada em uma célula cancerosa se houver exposição suficiente à energia radiante.

> **Conceitos-chave**
>
> **Carcinogênese por radiação**
>
> - A radiação ionizante provoca quebra dos cromossomos, translocações e, com menos frequência, mutações pontuais, levando ao dano genético e à carcinogênese
> - Os raios UV induzem a formação de dímeros de pirimidina na molécula de DNA, resultando em mutações. Por conseguinte, os raios UV podem dar origem a cânceres de pele. Os indivíduos com defeitos no reparo dos dímeros de pirimidina sofrem de xeroderma pigmentoso e estão particularmente em uma situação de alto risco
> - A exposição à radiação durante exames de imagem, como a TC, está associada a um aumento muito pequeno, porém mensurável no risco de câncer em crianças.

Carcinogênese microbiana

Muitos vírus de RNA e de DNA demonstraram ser oncogênicos em animais tão variados como sapos e primatas. Entretanto, apesar de pesquisas intensas, somente alguns vírus foram associados ao câncer humano. Nossa discussão tem como foco os vírus oncogênicos humanos, bem como o papel que a bactéria *H. pylori* desempenha no câncer gástrico. Um tema comum na patogênese da carcinogênese microbiana é o de que a infecção desencadeia a proliferação celular, que, inicialmente, é policlonal, mas que, com o tempo, torna-se monoclonal pela aquisição de mutações condutoras nas células que sofrem rápida divisão.

Vírus oncogênicos de RNA

Vírus da leucemia de células T humanas tipo 1. Embora o estudo de retrovírus de animais tenha fornecido uma incrível compreensão da base molecular do câncer, apenas um retrovírus humano, o vírus da leucemia de células T humanas tipo 1 (HTLV-1) está firmemente implicado na patogênese do câncer em seres humanos.

O HTLV-1 causa leucemia/linfoma de células T do adulto (ATLL), um tumor endêmico em certas partes do Japão, da bacia do Caribe, da América do Sul e da África e encontrado de modo esporádico em outros locais, incluindo os EUA. Em todo o mundo, estima-se que 15 a 20 milhões de indivíduos estejam infectados pelo HTLV-1. À semelhança do vírus da imunodeficiência humana (HIV), que causa a AIDS, o HTLV-1 tem tropismo para as células T CD4+, e, portanto, esse subgrupo de células T constitui o principal alvo de transformação neoplásica. A infecção humana requer a transmissão de células T infectadas por relação sexual, hemocomponentes ou amamentação. A leucemia desenvolve-se em apenas 3 a 5% dos indivíduos infectados, normalmente depois de um longo período de latência, que pode variar de 40 a 60 anos.

Há pouca dúvida de que a infecção dos linfócitos T pelo HTLV-1 seja necessária para a leucemogênese, porém os mecanismos moleculares da transformação não estão definidos. Diferentemente de vários retrovírus murinos, o HTLV-1 não contém um oncogene, e não foi descoberta nenhuma integração consistente próxima a um proto-oncogene. Entretanto, nas células leucêmicas, a integração viral mostra um padrão clonal. Em outras palavras, embora o sítio de integração viral nos cromossomos do hospedeiro seja aleatório (o DNA viral é encontrado em diferentes localizações em cânceres distintos), o sítio de integração é idêntico dentro de todas as células de determinado câncer. Isso não ocorreria se o HTLV-1 fosse meramente um passageiro que infecta as células após sua transformação; na verdade, significa que o HTLV-1 precisou estar presente no momento da transformação, colocando-o na "cena do crime".

O genoma do HTLV-1 contém as regiões *gag*, *pol*, *env* e a região de repetições terminais longas típicas de todos os retrovírus; todavia, diferentemente de outros vírus envolvidos em leucemias, ele contém dois outros genes, denominados *tax* e *HBZ*. Vários aspectos da atividade transformadora do HTLV-1 podem ser atribuíveis aos produtos proteicos desses genes. O Tax é essencial para a replicação viral, visto que ele estimula a transcrição do RNA viral a partir da repetição terminal longa 5'. O HBZ é um fator de transcrição, e o Tax e o HBZ alteram a transcrição de genes das células do hospedeiro e interagem com certas proteínas de sinalização da célula hospedeira. Ao fazê-lo, eles parecem contribuir para a aquisição de marcas registradas do câncer, embora os mecanismos envolvidos ainda não estejam bem definidos; foram sugeridos efeitos sobre os sinais intracelulares que regulam o crescimento e a sobrevivência das células, a indução de instabilidade genômica e a inibição da senescência. Qualquer que seja o mecanismo efetivo, ele é bastante ineficaz, tendo em vista o período de latência típico de muitas décadas entre a infecção e o desenvolvimento de leucemia, que se desenvolve em apenas um pequeno subgrupo de indivíduos infectados.

Vírus oncogênicos de DNA

À semelhança dos vírus de RNA, foram identificados diversos vírus oncogênicos de DNA que causam tumores em animais. Entre os diversos vírus de DNA humanos, cinco deles – HPV, EBV, HBV, poliomavírus das células de Merkel e herpes-vírus humano-8 (HHV8, também denominado herpes-vírus do sarcoma de Kaposi) – foram implicados na causa do câncer humano. O poliomavírus de células de Merkel foi identificado em carcinomas de células de Merkel e é descrito no **Capítulo 25**. O HHV8 é discutido nos **Capítulos 6** e **11**. Embora não seja um vírus de DNA, o HCV também está associado ao câncer e será discutido aqui de maneira sucinta.

Papilomavírus humano. Foram identificados pelo menos 70 tipos geneticamente distintos de HPV. Alguns tipos (p. ex., 1, 2, 4 e 7) provocam papilomas escamosos benignos (verrugas) nos seres humanos. Por outro lado, HPV de alto risco (p. ex., tipos 16 e 18) foram implicados na gênese dos carcinomas de células escamosas do colo do útero, da região anogenital e da cabeça e pescoço (sobretudo tumores que surgem na mucosa tonsilar). Esses cânceres são doenças sexualmente transmissíveis, causadas pela infecção crônica pelo HPV. Diferentemente dos cânceres de colo do útero, as verrugas genitais apresentam baixo potencial maligno e estão associadas a HPV de baixo risco, predominantemente HPV-6 e HPV-11.

O que explica a variação no risco de câncer entre cepas de HPV? Nas verrugas benignas, o genoma do HPV é mantido em uma forma episomal não integrada, ao passo que, nos cânceres, o genoma do HPV é integrado ao genoma do hospedeiro, sugerindo que a integração do DNA viral constitui um fator relevante nesse processo. À semelhança do HTLV-1, o sítio de integração viral nos cromossomos do hospedeiro é aleatório, porém o padrão de integração é clonal. A integração sempre ocorre de modo a interromper o DNA viral dentro do quadro de leitura aberto E1/E2, levando à perda do repressor viral E2 e a um aumento da expressão dos genes E6 e E7 do HPV, que são responsáveis pelo potencial oncogênico do vírus (**Figura 7.42**):

- *Atividades oncogênicas de E6.* A proteína E6 liga-se à p53 e medeia sua degradação, além de estimular a expressão da transcriptase reversa da telomerase (TERT), a subunidade catalítica da telomerase, como você deve lembrar, contribui para a imortalização das células. A E6 dos tipos de HPV de alto risco exibe maior afinidade pela p53 do que a E6 dos tipos de HPV de baixo risco, uma distinção que provavelmente explica a diferença no risco de câncer
- *Atividades oncogênicas de E7.* A proteína E7 exerce efeitos que complementam os da E6, todos os quais estão centralizados na aceleração das células por meio do ponto de checagem G_1/S do ciclo celular. Liga-se à proteína RB e desloca os fatores de transcrição E2F que normalmente são sequestrados pela RB, promovendo a progressão por meio do ciclo celular. À semelhança das proteínas E6 e da p53, as proteínas E7 dos tipos de HPV de alto risco apresentam maior afinidade pela RB do que as proteínas E7 dos tipos de HPV de baixo risco. A E7 também inativa as proteínas p21 e p27, que são inibidoras de CDK. Por fim, as proteínas E7 dos HPV de alto risco (tipos 16, 18 e 31) ligam-se também às ciclinas A e E e provavelmente as ativam.

Para resumir, **os tipos de HPV de alto risco expressam proteínas oncogênicas que inativam os supressores de tumor, ativam as ciclinas, inibem a apoptose e combatem a senescência celular.** Por conseguinte, é evidente que as proteínas do HPV promovem muitas das marcas registradas do câncer. A primazia da infecção pelo HPV na etiologia do câncer de colo do útero é confirmada pela efetividade das vacinas contra HPV na prevenção desse tipo de câncer. Todavia, a infecção pelo HPV por si só não é suficiente para a carcinogênese. Por exemplo, quando queratinócitos humanos são transfectados com DNA do HPV dos tipos 16, 18 ou 31 *in vitro*, eles são imortalizados, porém não formam tumores. A cotransfecção com um gene *RAS* mutado resulta em transformação maligna completa. Além desses cofatores genéticos, o HPV, com toda a probabilidade, também atua em consonância com os fatores ambientais. Esses fatores incluem tabagismo, infecções microbianas coexistentes, deficiências nutricionais e alterações hormonais, que têm sido implicados na patogênese dos cânceres de colo do útero. Uma alta proporção de mulheres infectadas pelo HPV elimina a infecção por meio de mecanismos imunológicos, porém outras não o fazem, devido a anormalidades imunes adquiridas, como as que resultam da infecção pelo HIV, ou por motivos desconhecidos. Como seria de esperar, as mulheres coinfectadas por HPV de alto risco e pelo HIV apresentam um risco elevado de câncer de colo do útero.

Vírus Epstein-Barr. O EBV, um membro da família dos herpes-vírus, foi o primeiro vírus associado a um tumor humano, o linfoma de Burkitt. Desde sua descoberta, há 50 anos, o EBV tem sido implicado na patogenia de um conjunto diverso de tumores humanos, como diversos linfomas, carcinomas e até mesmo sarcomas raros. Os tumores mais comuns associados ao EBV são linfomas derivados das células B e carcinoma nasofaríngeo; outras neoplasias associadas ao EBV são discutidas em outras partes deste livro.

O modo pelo qual o EBV causa tumores de células B, como o linfoma de Burkitt, é complexo e ainda não está totalmente compreendido, porém é mais bem reconhecido ao considerar os efeitos sobre as células B normais. O EBV conta com glicoproteínas de superfície que reconhecem e que se ligam ao receptor do complemento CD21, permitindo ao vírus ligar-se às células B e infectá-las. Isso provavelmente ocorre nas tonsilas após exposição ao vírus na saliva. A infecção viral das células B é latente, isto é, não há replicação viral, e as células não são destruídas. Entretanto, as proteínas do EBV são expressas em células B infectadas de forma latente, que permitem às células crescer indefinidamente (imortalização). A base molecular do crescimento e da imortalização das células B é complexo; todavia, como no caso de outros vírus, envolve a "apropriação" de diversas vias de sinalização normais. Um gene do EBV, a proteína de membrana latente 1 (*LMP-1*), é um oncogene capaz de induzir linfomas de células B em camundongos. A LMP-1 comporta-se como um receptor de CD40 constitutivamente ativo, um receptor-chave de sinais das células T auxiliares que estimulam o crescimento das células B (ver **Capítulo 6**). A LMP-1 ativa as vias de sinalização NF-κB e JAK/STAT e promove a sobrevivência e a proliferação das células B. É importante notar que essa sobrevivência e proliferação ocorrem de maneira autônoma (*i. e.*, na ausência de células T ou de outros sinais externos) nas células B infectadas por EBV. Ao mesmo tempo, a LMP-1 impede a apoptose por meio da ativação de BCL2. Por conseguinte, o vírus "pega emprestado" as vias de ativação normais das células B para expandir o reservatório de células com infecção latente. Outro gene do EBV, o *EBNA-2*, codifica uma proteína nuclear que simula um receptor *Notch* constitutivamente ativo. O EBNA-2 transativa diversos genes do hospedeiro, como a ciclina D e a família *SRC* de proto-oncogenes. Além disso, o genoma do EBV contém um gene que codifica um homólogo de IL-10 (vIL-10), que foi "emprestado" do genoma do hospedeiro. A vIL-10 suprime a ativação das células T pelos macrófagos e contribui para a transformação dependente de EBV das células B.

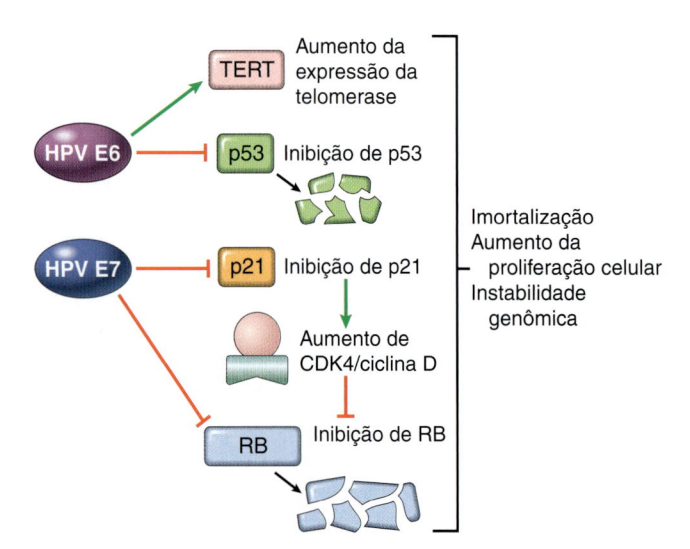

Figura 7.42 Efeitos transformadores das proteínas E6 e E7 do papilomavírus humano (*HPV*). O efeito final das proteínas E6 e E7 do HPV consiste em imortalizar as células e remover as restrições à proliferação celular (ver **Figura 7.26**). *TERT*, transcriptase reversa da telomerase. (Modificada de Münger K, Howley PM: Human papillomavirus immortalization and transformation functions, *Virus Res* 89:213-228, 2002.)

As proteínas do EBV que são necessárias para a imortalização e a proliferação das células B são altamente imunogênicas, e, nos indivíduos normais, a proliferação de células B policlonais impulsionada pelo EBV é prontamente controlada por uma resposta das células T citotóxicas. Dependendo do momento e da intensidade dessa resposta, o indivíduo permanece assintomático ou desenvolve um episódio autolimitado de mononucleose (ver **Capítulo 8**). Entretanto, se a imunidade de células T for deficiente, as células B transformadas pelo EBV podem produzir um linfoma rapidamente progressivo e fatal.

O *linfoma de Burkitt* é uma neoplasia de linfócitos B, que é endêmica na África Central e Nova Guiné, áreas onde ele constitui o tumor da infância mais comum. Um linfoma morfologicamente idêntico ocorre de modo esporádico em todo o mundo. A associação entre o linfoma de Burkitt endêmico e o EBV é forte:

- Mais de 90% dos tumores endêmicos apresentam o genoma do EBV
- Todos os pacientes afetados apresentam títulos elevados de anticorpos contra os antígenos do capsídio viral
- Os títulos séricos de anticorpos contra os antígenos do capsídio viral estão correlacionados com o risco de desenvolvimento do tumor.

Embora o EBV esteja intimamente envolvido na etiologia do linfoma de Burkitt, várias observações sugerem que outros fatores também estão envolvidos. (1) A infecção pelo EBV não se limita às regiões onde o linfoma de Burkitt é encontrado; na verdade, trata-se de um vírus onipresente que infecta quase todos os seres humanos em todo o mundo. (2) O genoma do EBV é encontrado em apenas 15 a 20% dos linfomas de Burkitt fora das regiões endêmicas. (3) Existem diferenças significativas nos padrões de expressão gênica viral nas linhagens de células B transformadas pelo EBV (mas não tumorigênicas) e as células do linfoma de Burkitt. De forma mais notável, as células do linfoma de Burkitt não expressam a LMP-1, a EBNA2 e outras proteínas do EBV que impulsionam o crescimento e a imortalização das células B.

Com base nessas observações, de que maneira, então, o EBV contribui para a gênese do linfoma de Burkitt endêmico? Uma possibilidade é mostrada na **Figura 7.43**. Em regiões onde o linfoma de Burkitt é endêmico, as infecções concomitantes, como a malária, comprometem a imunocompetência, possibilitando a proliferação sustentada de células B. Em algum momento, a imunidade das células T dirigida contra os antígenos do EBV, como EBNA2 e LMP-1, elimina a maioria das células B infectadas pelo EBV, porém um pequeno número de células infrarregula a expressão desses antígenos imunogênicos. Essas células persistem indefinidamente, mesmo na presença de imunidade normal. As células do linfoma podem emergir dessa população somente com a aquisição de mutações específicas, mais caracteristicamente translocações que envolvem o oncogene *MYC*, visto que quase todos os tumores endêmicos esporádicos apresentam a translocação t(8;14) ou outras translocações que desregulam o *MYC*. Por conseguinte, embora os linfomas de Burkitt esporádicos sejam desencadeados por outros mecanismos diferentes do EBV, eles parecem se desenvolver por meio de vias oncogênicas semelhantes.

Em resumo, **no caso do linfoma de Burkitt, parece que o EBV não é diretamente oncogênico; todavia, ao atuar como mitógeno de células B policlonais, ele cria as condições para a aquisição da translocação (8;14) e de outras mutações que, em última análise, produzem um câncer totalmente desenvolvido.**

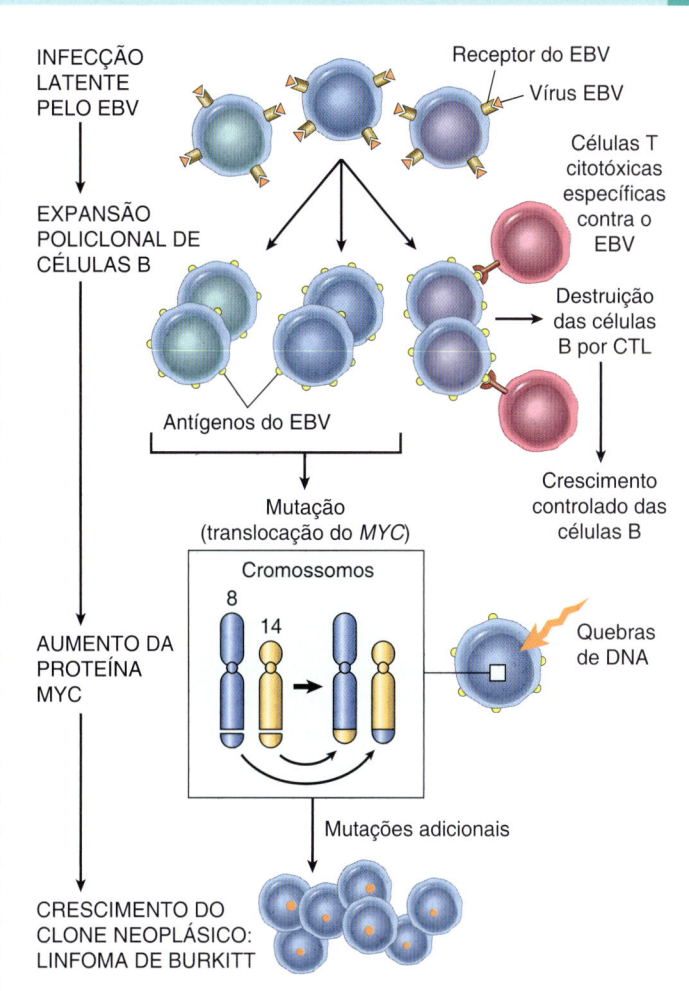

Figura 7.43 Patogênese do linfoma de Burkitt induzido pelo vírus Epstein-Barr (*EBV*). CTL, linfócitos T citotóxicos.

Na maioria dos indivíduos, a infecção pelo EBV é prontamente controlada por respostas imunes efetivas, e a linfomagênese é rara. Em contrapartida, nas regiões onde o linfoma de Burkitt é endêmico, cofatores como a malária crônica podem favorecer a aquisição de eventos genéticos adicionais (p. ex., t[8;14]) que levam à transformação.

O papel desempenhado pelo EBV é mais direto nos linfomas de células B que surgem em pacientes imunossuprimidos. Alguns indivíduos com AIDS ou os que recebem terapia imunossupressora para prevenção de aloenxertos desenvolvem tumores de células B com EBV positivo, frequentemente em múltiplos locais e dentro dos tecidos extranodais, como o intestino e o sistema nervoso central. Essas proliferações são policlonais desde o início, mas podem evoluir em neoplasias monoclonais. Diferentemente do linfoma de Burkitt, os tumores em pacientes imunossuprimidos costumam expressar LMP-1 e EBNA2, que são antigênicas e que normalmente seriam reconhecidas pelas células T citotóxicas. Além disso, em contraste com o linfoma de Burkitt, os tumores de células B em indivíduos imunossuprimidos normalmente carecem de translocações do *MYC*. Essas proliferações potencialmente letais podem ser reprimidas se for possível restaurar a imunidade de células T, como pode ocorrer com a retirada dos agentes imunossupressores em indivíduos submetidos a transplante de órgãos.

O *carcinoma nasofaríngeo* também está fortemente associado ao EBV. Esse tumor é endêmico no sul da China, em partes da África e na população dos inuítes no Ártico. Diferentemente do linfoma de Burkitt, todos os carcinomas nasofaríngeos obtidos de todas as partes do mundo contêm o EBV, e os títulos de anticorpos contra antígenos do capsídio viral estão uniformemente elevados nos pacientes afetados. A estrutura do genoma viral é idêntica (clonal) dentro dos tumores individuais, indicando que a infecção pelo EBV ocorreu antes do desenvolvimento do tumor. Por conseguinte, o EBV desempenha um papel central na gênese do carcinoma nasofaríngeo; entretanto (como no caso do linfoma de Burkitt), sua distribuição geográfica restrita indica que os cofatores genéticos ou ambientais também contribuem para seu desenvolvimento. Diferentemente do linfoma de Burkitt, a LMP-1 é expressa nas células do carcinoma nasofaríngeo e (como nas células B) ativa a via do NF-κB, que suprarregula a expressão de fatores como VEGF, FGF-2, MMP-9 e COX-2, que podem contribuir para a oncogênese. Normalmente, o carcinoma nasofaríngeo contém infiltrados proeminentes compostos de células T, que podem responder a antígenos virais, como LMP-1; entretanto, essa resposta é ineficaz, sugerindo que os mecanismos de evasão imune provavelmente são importantes nesse câncer. De acordo com essa ideia, as células do carcinoma nasofaríngeo frequentemente expressam a molécula do ponto de checagem imune PD-L1 e são responsivas a inibidores de PD-L1. É interessante assinalar que, em certas ocasiões, carcinomas EBV positivos, semelhantes ao carcinoma nasofaríngeo, surgem em outros locais, como o estômago e o timo.

A relação do EBV com a patogênese do linfoma de Hodgkin, outro tumor associado ao EBV, é discutida no **Capítulo 13**.

Vírus das hepatites B e C. Em todo o mundo, 70 a 85% dos carcinomas hepatocelulares estão associados à infecção pelo HBV ou pelo HCV. O HBV é endêmico nos países do Extremo Oriente e da África; correspondentemente, essas áreas apresentam a maior incidência de carcinoma hepatocelular. Apesar das evidências convincentes que incriminam o HBV e o HCV, o modo de ação desses vírus na tumorigênese do fígado não está totalmente elucidado. Ainda não foram identificados oncogenes nos genomas do HBV ou do HCV, e, embora o DNA do HBV seja integrado no genoma humano, não existe nenhum padrão consistente de integração nas células hepáticas. De fato, enquanto os efeitos oncogênicos do HBV e do HCV são multifatoriais, o efeito dominante parece consistir em inflamação crônica imunologicamente mediada e morte dos hepatócitos, levando à proliferação dos hepatócitos durante a regeneração e, com o passar do tempo, dano genômico.

Como em qualquer causa de lesão hepatocelular, a infecção viral crônica leva à proliferação compensatória dos hepatócitos. Esse processo regenerativo é auxiliado e estimulado por uma abundância de fatores de crescimento, citocinas, quimiocinas e outras substâncias bioativas. Essas substâncias são produzidas por células imunes ativadas e promovem a sobrevivência das células, o remodelamento tecidual e a angiogênese (ver **Capítulo 3**). As células imunes ativadas também produzem outros mediadores, como espécies reativas de oxigênio, que são genotóxicos e mutagênicos. Uma etapa molecular essencial pode ser a ativação da via do NF-κB, que bloqueia a apoptose, permitindo que os hepatócitos em divisão sejam submetidos ao estresse genotóxico e acumulem mutações. Embora isso pareça ser um mecanismo dominante na patogênese do carcinoma hepatocelular induzido por vírus, o genoma do HBV também contém genes que podem promover diretamente o desenvolvimento do câncer. Por exemplo, um gene do HBV, conhecido como *HBx*, pode ativar uma variedade de fatores de transcrição e várias vias de transdução de sinais. Além disso, a integração viral pode causar alterações estruturais nos cromossomos, que desregulam os oncogenes e os genes supressores de tumor.

Apesar de não ser um vírus de DNA, o HCV também está fortemente ligado à patogênese do câncer de fígado. Os mecanismos moleculares utilizados pelo HCV não estão tão bem definidos quanto os do HBV. Além da lesão crônica das células hepáticas e da regeneração compensatória, os componentes do genoma do HCV, como a proteína do cerne do HCV, podem exercer um efeito direto sobre a tumorigênese, possivelmente pela ativação de uma variedade de vias de transdução de sinais promotoras do crescimento.

Helicobacter pylori

Inicialmente incriminado como uma causa de úlceras pépticas, o *H. pylori* agora adquiriu a distinção duvidosa de ser a primeira bactéria classificada como carcinogênica. De fato, a infecção pelo *H. pylori* está implicada na gênese dos adenocarcinomas e dos linfomas gástricos.

O cenário proposto para o desenvolvimento do adenocarcinoma gástrico no contexto da infecção pelo *H. pylori* é semelhante ao do câncer de fígado induzido por HBV e HCV, visto que envolve o aumento da proliferação de células epiteliais na presença de inflamação crônica. À semelhança da hepatite viral, o ambiente inflamatório contém numerosos agentes genotóxicos, como espécies reativas de oxigênio. O genoma do *H. pylori* também contém genes implicados diretamente na oncogênese. Foi demonstrado que as cepas associadas ao adenocarcinoma gástrico contêm uma "ilha de patogenicidade" que conta com o gene associado à citotoxina A (*CagA*). Embora o *H. pylori* não seja invasivo, o *CagA* penetra nas células epiteliais gástricas, onde exerce uma variedade de efeitos, incluindo a iniciação de uma cascata de sinalização, que simula a estimulação desregulada de fatores de crescimento. A infecção leva inicialmente ao desenvolvimento de gastrite crônica, seguida de atrofia gástrica, metaplasia intestinal das células de revestimento, displasia e câncer. Essa sequência leva décadas para se completar e ocorre em apenas 3% dos pacientes infectados.

O *H. pylori* está especificamente associado ao desenvolvimento de linfomas gástricos que se originam de células B (também discutidos nos **Capítulos 13 e 17**). Sua patogênese molecular ainda não está totalmente compreendida, mas parece envolver fatores específicos da cepa do *H. pylori*, bem como fatores genéticos do hospedeiro, como polimorfismos nos promotores de citocinas inflamatórias, como a IL-1β e o TNF. Acredita-se que a infecção pelo *H. pylori* leve ao aparecimento de células T reativas à bactéria, que, por sua vez, estimulam a proliferação policlonal de células B. Nas infecções crônicas, podem ser adquiridas mutações atualmente desconhecidas, que proporcionam às células individuais uma vantagem de crescimento. Essas células crescem até formar um MALToma monoclonal, que, entretanto, permanece dependente da estimulação pelas células T e das vias das células B que ativam o fator de transcrição NF-κB. Nesse estágio, a erradicação do *H. pylori* pela antibioticoterapia "cura" o linfoma com a remoção do estímulo antigênico para as células T. Em estágios mais avançados, entretanto, podem ser adquiridas mutações adicionais que causam ativação constitutiva do NF-κB. Nesse ponto, o MALToma não necessita mais do estímulo antigênico da bactéria para seu crescimento e sobrevivência e desenvolve a capacidade de se propagar para outros tecidos além do estômago.

Capítulo 7 Neoplasia

Conceitos-chave
Oncogênese viral e bacteriana

HTLV-I: retrovírus endêmico no Japão, no Caribe e em partes da América do Sul e África, que causa leucemia/linfoma de células T do adulto:

- O HTLV-I codifica duas proteínas virais, Tax e HBX, que se acredita possam contribuir para a leucemogênese por meio de mecanismos incertos
- Depois de um longo período de latência (décadas), uma pequena fração dos indivíduos infectados pelo HTLV-I desenvolve leucemia/linfoma de células T do adulto, um tumor CD4+ que se origina de uma célula infectada pelo HTLV-I, presumivelmente devido à aquisição de mutações adicionais no genoma da célula hospedeira.

HPV: importante causa de verrugas benignas, câncer do colo do útero e câncer orofaríngeo:

- Os tipos oncogênicos do HPV codificam as oncoproteínas virais E6 e E7, que se ligam à p53 e Rb, respectivamente, com alta afinidade e neutralizam sua função
- O desenvolvimento do câncer está associado à integração do HPV no genoma do hospedeiro e a mutações adicionais que são necessárias para a aquisição de marcas registradas do câncer
- Os cânceres por HPV podem ser evitados por meio de vacinação contra tipos de alto risco do HPV.

EBV: herpes-vírus onipresente implicado na patogênese dos linfomas de Burkitt, linfomas de células B em pacientes com imunossupressão de células T (infecção pelo HIV, pacientes receptores de transplante) e vários outros tipos de câncer:

- O genoma do EBV abriga vários genes, que codificam proteínas que desencadeiam vias de sinalização das células B; em seu conjunto, esses sinais são poderosos indutores do crescimento e da transformação das células B
- Na ausência de imunidade das células T, as células B infectadas pelo HBV podem "crescer" rapidamente como tumores de células B agressivos
- Na presença de imunidade normal das células T, uma pequena fração dos pacientes infectados desenvolve tumores de células B com EBV positivo (linfoma de Burkitt, linfoma de Hodgkin) ou carcinoma (p. ex., carcinoma nasofaríngeo).

HBV e HCV: causa de 70 a 85% dos carcinomas hepatocelulares em todo o mundo:

- Os efeitos oncogênicos são multifatoriais; o efeito dominante parece consistir em inflamação crônica imunologicamente mediada, lesão hepatocelular e proliferação reparadora dos hepatócitos
- A proteína HBx do HBV e a proteína do cerne do HCV podem ativar vias de transdução de sinais, que também podem contribuir para a carcinogênese.

H. pylori: implicado no adenocarcinoma gástrico e no MALToma:

- A patogênese dos cânceres gástricos induzidos por *H. pylori* é multifatorial, incluindo inflamação crônica e proliferação reparadora das células gástricas
- Os genes de patogenicidade do *H. pylori*, como *CagA*, também podem contribuir pela estimulação das vias de fatores de crescimento
- A infecção crônica pelo *H. pylori* leva a proliferações de células B policlonais, que podem dar origem a um linfoma de células B (MALToma) do estômago, em consequência do acúmulo de mutações.

Aspectos clínicos da neoplasia

Manifestações clínicas

Em última análise, a importância das neoplasias está associada aos seus efeitos sobre os pacientes. Embora os tumores malignos sejam naturalmente mais ameaçadores do que os tumores benignos, qualquer tumor, mesmo quando benigno, pode causar morbidade e mortalidade.

Efeitos locais e hormonais

A localização é um determinante de importância crítica dos efeitos clínicos dos tumores tanto benignos quanto malignos. Os tumores podem comprimir tecidos vitais e prejudicar suas funções, podem causar morte dos tecidos afetados e fornecer um nicho para a infecção. Um pequeno adenoma hipofisário (1 cm), apesar de ser benigno e possivelmente não funcional, pode comprimir e destruir a glândula normal circundante e, assim, levar ao desenvolvimento de hipopituitarismo grave. Os cânceres que surgem dentro de uma glândula endócrina ou que produzem metástase nela podem causar insuficiência endócrina em consequência da destruição da glândula. As neoplasias do intestino, tanto benignas quanto malignas, podem causar obstrução à medida que aumentam de tamanho. Ocasionalmente, os movimentos peristálticos projetam a neoplasia e seu segmento afetado no segmento a jusante, produzindo intussuscepção obstrutiva (ver **Capítulo 17**). Os sintomas produzidos por um câncer em virtude de sua posição podem (ironicamente) salvar a vida; por exemplo, os poucos sobreviventes do câncer de pâncreas são aqueles cujos tumores causam obstrução "fortuita" dos ductos biliares no início de sua evolução, levando ao aparecimento de icterícia e outros sintomas em um estágio da doença em que a cura cirúrgica ainda é possível.

As neoplasias benignas e malignas que surgem em glândulas endócrinas podem causar problemas clínicos, em virtude da produção de hormônios. Essa atividade funcional é mais típica dos tumores benignos do que dos malignos, os quais têm mais tendência a ser pouco diferenciados e não funcionais. Um adenoma benigno de células beta das ilhotas pancreáticas, com menos de 1 cm de diâmetro, pode produzir insulina suficiente para causar hipoglicemia fatal. Além disso, os tumores não endócrinos podem elaborar hormônios ou produtos semelhantes a hormônios, dando origem a síndromes paraneoplásicas (discutidas adiante). O crescimento erosivo e destrutivo dos cânceres ou a pressão expansiva de um tumor benigno em qualquer superfície natural, como a pele ou a mucosa do intestino, podem provocar ulcerações, infecções secundárias e sangramento. A melena (presença de sangue nas fezes) e a hematúria, por exemplo, são características de neoplasias do intestino e do trato urinário.

Caquexia do câncer

A *caquexia do câncer* é um estado hipercatabólico, definido por uma perda de massa muscular (com ou sem perda de gordura) que não pode ser explicada por uma diminuição na ingestão de alimentos. Ocorre em cerca de 50% dos pacientes com câncer, mais comumente em indivíduos com cânceres gastrintestinal, de pâncreas e de pulmão avançados, e é responsável por cerca de 30% das mortes pela doença. Trata-se de uma condição altamente debilitante, caracterizada por extrema perda de peso, fadiga, atrofia muscular, anemia, anorexia e edema. A mortalidade geralmente é a consequência da atrofia do diafragma e de outros músculos respiratórios.

As causas precisas da caquexia do câncer não são conhecidas, porém os mediadores inflamatórios, sobretudo TNF, IL-1 e IL-6, parecem desempenhar importantes papéis. A administração de qualquer uma dessas citocinas a camundongos induz caquexia, enquanto os camundongos nocaute para o receptor de TNF portadores de tumores são protegidos da caquexia. Essas observações são reforçadas por estudos clínicos mostrando que a caquexia em pacientes com câncer está associada a níveis mais elevados de citocinas inflamatórias. As evidências sugerem que a perda muscular ocorre por um efeito direto das citocinas inflamatórias sobre as células musculares esqueléticas. Especificamente, parece que as citocinas aumentam a degradação das principais proteínas estruturais do músculo esquelético, como a cadeia pesada de miosina, por meio de vias de sinalização que levam à ubiquitinação de proteínas-alvo, seguida de proteólise por meio do proteassoma. É também interessante assinalar que estados caquéticos semelhantes podem ser observados em pacientes sem câncer, como os que apresentam infecções disseminadas crônicas e AIDS, presumivelmente devido, pelo menos em parte, aos efeitos das citocinas inflamatórias.

Entretanto, é também necessário reconhecer que as terapias direcionadas contra citocinas individuais (p. ex., TNF) em pacientes com câncer não têm sido efetivas na reversão da caquexia, sugerindo que uma multiplicidade de citocinas inflamatórias ou outros fatores completamente diferentes também estão envolvidos em sua patogênese. Em conformidade com esta última possibilidade, enquanto a perda de massa muscular constitui a principal característica da caquexia do câncer, muitos pacientes também perdem suas reservas de gordura. Um fator que pode contribuir para a perda de gordura é uma proteína denominada fator de mobilização de lipídios, que tem sido detectada no soro e na urina de pacientes com câncer avançado e que parece sensibilizar os adipócitos a estímulos lipolíticos. É provável que existam mecanismos adicionais subjacentes à caquexia do câncer que aguardam sua descoberta.

Síndromes paraneoplásicas

Alguns indivíduos com câncer desenvolvem sinais e sintomas que não podem ser facilmente explicados pela distribuição anatômica do tumor ou pela elaboração de hormônios endógenos do tecido a partir do qual o tumor surgiu; essas condições são conhecidas como síndromes paraneoplásicas. Ocorrem em cerca de 10% das pessoas com câncer. É importante reconhecer as síndromes paraneoplásicas por várias razões:

- Podem constituir a manifestação mais precoce de uma neoplasia oculta
- Nos pacientes afetados, podem causar problemas clínicos significativos e podem ser até mesmo letais
- Podem simular uma doença metastática e, portanto, confundir o tratamento.

A **Tabela 7.11** apresenta uma classificação das síndromes paraneoplásicas e suas supostas origens. Seguem-se alguns comentários sobre algumas das síndromes mais comuns e interessantes.

As *endocrinopatias* são síndromes paraneoplásicas encontradas com frequência. Por definição, os cânceres responsáveis não são de origem endócrina, e a atividade secretora desses tumores é referida como produção ectópica de hormônio. A *síndrome de Cushing* é a endocrinopatia mais comum. Cerca de 50% dos indivíduos afetados apresentam carcinoma de pulmão, principalmente do tipo de pequenas células. A síndrome é causada pela produção excessiva de corticotropina (hormônio adrenocorticotrófico [ACTH]) ou de peptídeos semelhantes à corticotropina. O precursor da corticotropina é uma grande molécula conhecida como pró-opiomelanocortina. Os pacientes com síndrome de Cushing que apresentam câncer de pulmão têm níveis séricos elevados de pró-opiomelanocortina e corticotropina. A primeira não é encontrada no soro de pacientes com corticotropina em excesso produzida pela hipófise.

A *hipercalcemia* é, provavelmente, a síndrome paraneoplásica mais comum; de fato, a hipercalcemia sintomática está mais frequentemente relacionada ao câncer do que ao hiperparatireoidismo. Dois processos gerais estão envolvidos na hipercalcemia associada ao câncer: (1) a *osteólise* induzida por câncer, seja primária no osso, como no mieloma múltiplo, ou metastática para o osso a partir de qualquer lesão primária; e (2) a produção de *substâncias humorais calcêmicas* por neoplasias extraósseas. Apenas o segundo mecanismo é considerado paraneoplásico.

O fator humoral mais comumente associado à hipercalcemia paraneoplásica é a *proteína relacionada ao paratormônio* (PTHRP). Como o próprio nome indica, a PTHRP tem homologia estrutural parcial com o paratormônio (PTH). A PTHRP e o PTH ligam-se ao mesmo receptor acoplado à proteína G, conhecido como receptor de PTH/PTHRP (designado como PTH-R ou PTHRP-R), e compartilham algumas atividades biológicas, mas nem todas. À semelhança do PTH, a PTHRP aumenta a reabsorção óssea e a captação de cálcio renal, enquanto inibe o transporte renal de fosfato, efeitos que causam elevação dos níveis séricos de cálcio. Diferentemente do PTH, a PTHRP é produzida em pequenas quantidades por muitos tecidos normais, incluindo tipos de células epiteliais, como os queratinócitos, o que pode explicar a associação relativamente frequente dos carcinomas espinocelulares com a hipercalcemia induzida por PTHRP. Além da PTHRP, vários outros fatores, como IL-1, TGF-α, TNF e di-hidroxivitamina D, também foram causalmente implicados na hipercalcemia da neoplasia maligna.

Os tumores mais frequentemente associados à hipercalcemia paraneoplásica são carcinomas de mama, de pulmão, de rim e de ovário. No câncer de mama, a hipercalcemia paraneoplásica é frequentemente exacerbada por metástases ósseas osteolíticas. A neoplasia de pulmão mais comum associada à hipercalcemia é o carcinoma de células escamosas, normalmente devido à liberação de PTHRP.

As *síndromes paraneoplásicas neuromiopáticas* assumem diversas formas, como neuropatias periféricas, encefalite, degeneração cerebelar cortical, uma polimiopatia que se assemelha à polimiosite, e uma síndrome miastênica semelhante à miastenia *gravis* (ver **Capítulo 27**). A causa dessas síndromes não está bem elucidada, mas parece envolver um ataque imunológico induzido pelo câncer sobre os tecidos normais. O evento desencadeante pode ser a expressão ectópica de antígenos, que normalmente são restritos ao sistema neuromuscular pelas células tumorais. Por motivos desconhecidos, o sistema imune reconhece esses antígenos como estranhos e desencadeia uma resposta que leva ao dano tecidual. Com frequência, isso assume a forma de respostas de células T; em alguns casos, são detectados anticorpos de reação cruzada contra antígenos das células neuronais.

A *acantose nigricans* é um distúrbio caracterizado por placas negro-acinzentadas de pele espessa e hiperceratótica, de aparência

Tabela 7.11 Síndromes paraneoplásicas.

Síndromes clínicas	Principais formas de câncer subjacente	Mecanismo causal
Endocrinopatias		
Síndrome de Cushing	Carcinoma de pequenas células de pulmão Carcinoma pancreático Tumores neurais	ACTH ou substância semelhante ao ACTH
Síndrome de secreção inapropriada de hormônio antidiurético	Carcinoma de pequenas células de pulmão Neoplasias intracranianas	Hormônio antidiurético e fator natriurético atrial
Hipercalcemia	Carcinoma de células escamosas de pulmão Carcinoma de mama Carcinoma renal Leucemia/linfoma de células T do adulto	Proteína relacionada ao paratormônio (PTHRP), TGF-α, TNF, IL-1
Hipoglicemia	Carcinoma de ovário Fibrossarcoma Outros sarcomas mesenquimais	Insulina ou substância semelhante à insulina
Policitemia	Carcinoma renal Hemangioma cerebelar Carcinoma hepatocelular	Eritropoetina
Osteomalacia	Tumor mesenquimal fosfatúrico	FGF-23
Síndromes dos músculos e nervos		
Miastenia	Carcinoma broncogênico Neoplasias do timo	Imunológico
Distúrbios dos sistemas nervosos central e periférico	Carcinoma de mama	
Distúrbios dermatológicos		
Acantose nigricans	Carcinoma gástrico Carcinoma de pulmão Carcinoma uterino	Imunológico; secreção do fator de crescimento epidérmico
Dermatomiosite	Carcinoma broncogênico Carcinoma de mama	Imunológico
Alterações ósseas, articulares e dos tecidos moles		
Osteoartropatia hipertrófica e baqueteamento dos dedos das mãos	Carcinoma broncogênico Neoplasia do timo	Desconhecido
Alterações vasculares e hematológicas		
Trombose venosa (fenômeno de Trousseau)	Carcinoma de pâncreas Carcinoma broncogênico Outros tipos de câncer	Produtos tumorais (mucinas que ativam a coagulação)
Coagulação intravascular disseminada	Leucemia promielocítica aguda Carcinoma de próstata	Produtos tumorais que ativam a coagulação
Endocardite trombótica não bacteriana	Cânceres avançados	Hipercoagulabilidade
Aplasia eritroide	Neoplasias do timo	Desconhecido
Outras		
Síndrome nefrótica	Vários tipos de câncer	Antígenos tumorais, imunocomplexos

ACTH, hormônio adrenocorticotrófico; *FGF-23*, fator de crescimento fibroblástico 23; *IL*, interleucina; *TGF*, fator de crescimento transformador; *TNF*, fator de necrose tumoral.

aveludada. Ocorre raramente como doença geneticamente determinada em jovens ou adultos (ver **Capítulo 25**). Em cerca de 50% dos casos, sobretudo em adultos com mais de 40 anos, o aparecimento dessas lesões está associado ao câncer, mais comumente carcinoma de estômago. A acantose nigricans é algumas vezes acompanhada do desenvolvimento abrupto de múltiplas queratoses seborreicas (sinal de Leser-Trélat). Essas alterações cutâneas podem aparecer antes da descoberta do câncer.

A *osteoartropatia hipertrófica* é observada em 1 a 10% dos pacientes com carcinoma de pulmão. Raramente, outros tipos de câncer estão envolvidos. Esse distúrbio caracteriza-se por: (1) formação de novo osso periosteal, principalmente nas extremidades distais dos ossos longos, ossos metatarsais, ossos metacarpais e falanges proximais; (2) artrite das articulações adjacentes; e (3) baqueteamento dos dedos. Embora a osteoartropatia raramente seja observada em pacientes sem câncer, o baqueteamento das pontas dos dedos das mãos pode ser encontrado em pacientes com doenças hepáticas, doença pulmonar difusa, cardiopatia cianótica congênita, colite ulcerativa e outras doenças. A causa é desconhecida.

Diversas manifestações vasculares e hematológicas podem surgir em associação a uma variedade de tipos de câncer. Conforme já assinalado na discussão sobre trombose (ver **Capítulo 4**), a *tromboflebite migratória* (síndrome de Trousseau) pode ser encontrada em associação a cânceres de localização profunda, mais frequentemente carcinomas de pâncreas ou de pulmão. A *coagulação intravascular disseminada* pode complicar diversos distúrbios clínicos (ver **Capítulo 14**); entre os cânceres, a coagulação intravascular disseminada está mais comumente associada à leucemia promielocítica aguda e ao adenocarcinoma de próstata. Algumas vezes, há formação de vegetações fibrinosas não bacterianas, benignas e pequenas nos folhetos das valvas cardíacas (com mais frequência nas valvas do lado esquerdo), sobretudo em indivíduos com adenocarcinomas avançados secretores de mucina. Essas lesões, denominadas *endocardite trombótica não bacteriana*, são descritas com mais detalhes no **Capítulo 12**. As vegetações representam fontes potenciais de êmbolos, que podem complicar ainda mais a evolução do câncer.

Gradação e estadiamento dos tumores

São necessários métodos para quantificar a provável agressividade clínica de determinada neoplasia e sua aparente extensão e disseminação para a realização de um prognóstico acurado e para a comparação dos resultados de vários tratamentos. Por exemplo, os resultados do tratamento do adenocarcinoma de tireoide bem diferenciado, localizado na glândula tireoide, serão diferentes daqueles obtidos com o tratamento de cânceres de tireoide altamente anaplásicos que já invadiram tecidos adjacentes. Foram desenvolvidos sistemas que utilizam o nível de diferenciação ou grau e a extensão da disseminação do câncer ou estágio como parâmetros de gravidade clínica da doença:

- *Gradação*. A gradação de um câncer baseia-se no grau de diferenciação das células tumorais e, em alguns cânceres, no número de mitoses ou nas características arquiteturais. Foram desenvolvidos esquemas de gradação para cada tipo de neoplasia maligna, que geralmente variam de duas (baixo grau e alto grau) a quatro categorias. Os critérios para cada grau variam em diferentes tipos de tumores e, portanto, não são detalhados aqui; todavia, todos procuram, em essência, julgar a extensão em que as células tumorais se assemelham ou deixam de se assemelhar às células correspondentes normais. Embora a gradação histológica seja útil, a correlação entre o aspecto histológico e o comportamento biológico não é perfeita. Tendo em vista esse problema e com o propósito de evitar uma quantificação espúria, a prática comum é caracterizar uma determinada neoplasia em termos descritivos, por exemplo, adenoma bem diferenciado secretor de mucina do estômago ou adenocarcinoma pouco diferenciado de pâncreas
- *Estadiamento*. O estadiamento dos cânceres sólidos baseia-se no tamanho da lesão primária, em sua propagação para linfonodos regionais e na presença ou ausência de metástases hematogênicas. O principal sistema de estadiamento atualmente utilizado é o do American Joint Committee on Cancer (AJCC). Esse sistema utiliza uma classificação denominada *sistema TNM – T* para tumor primário, *N* para comprometimento de linfonodos regionais e *M* para metástases. O estadiamento TNM varia para formas específicas de câncer, porém existem princípios gerais. A lesão primária é caracterizada como T1 a T4, com base no aumento de seu tamanho. T0 é utilizado para indicar uma lesão *in situ*. N0 significaria ausência de comprometimento dos linfonodos, enquanto N1 a N3 denotaria o comprometimento de um número e variedade crescentes de linfonodos. M0 significa ausência de metástases a distância, enquanto M1 ou, algumas vezes, M2 indicam a presença de metástases e algum julgamento sobre seu número.

Entretanto, é cada vez mais evidente que as características moleculares dos tumores sólidos fornecem informações complementares importantes de prognóstico, que são independentes do estadiamento anatômico dos cânceres. Em reconhecimento a isso, o AJCC incluiu uma caracterização molecular como parte essencial da avaliação padrão dos cânceres de mama em estágio inicial (T1-2, N0, M0) na última edição do manual de estadiamento dos cânceres. É possível antecipar que, à medida que a caracterização molecular de todos os cânceres se torna generalizada, muitos mais esquemas de prognóstico que incorporam informações tanto anatômicas quanto moleculares se tornarão parte rotineira da prática patológica e clínica de assistência de alto padrão de qualidade.

> **Conceitos-chave**
>
> **Aspectos clínicos dos tumores**
>
> **Caquexia**: perda progressiva da gordura corporal e da massa corporal magra, acompanhada de profunda fraqueza, anorexia e anemia, causada pela liberação de fatores pelo tumor ou pelas células imunes do hospedeiro.
>
> **Síndromes paraneoplásicas**: complexos sintomáticos observados em indivíduos com câncer, que não podem ser explicados pela disseminação do tumor ou pela liberação de hormônios endógenos da "célula de origem" do tumor. Por exemplo:
> - Endocrinopatias (síndrome de Cushing, hipercalcemia)
> - Síndromes neuropáticas (polimiopatia, neuropatias periféricas, encefalopatia, degeneração neural, síndromes miastênicas)
> - Distúrbios da pele (acantose nigricans)
> - Anormalidades esqueléticas e articulares (osteoartrite hipertrófica)
> - Hipercoagulabilidade (tromboflebite migratória, coagulação intravascular disseminada, endocardite trombótica não bacteriana)
> - **Gradação**: determinada pelo aspecto citológico; baseada na ideia de que o comportamento e a diferenciação estão relacionados, sendo os tumores pouco diferenciados os que apresentam comportamento mais agressivo
> - **Estadiamento**: determinado por exploração cirúrgica ou exame de imagem, baseia-se no tamanho, no local e na disseminação para linfonodos regionais, e em metástases a distância; tem maior valor clínico do que a gradação.

Diagnóstico laboratorial do câncer

A cada ano, o diagnóstico laboratorial do câncer torna-se mais complexo, mais sofisticado e mais "personalizado", o que permite que cada vez mais os pacientes recebam um tratamento individualizado, de acordo com as características moleculares do seu tumor específico. As seções seguintes apresentam o estado atual dessa arte em rápida evolução, começando com métodos padronizados mais antigos e, em seguida, passando para as novas abordagens moleculares, evitando detalhes tecnológicos.

Métodos histológicos e citológicos. O diagnóstico laboratorial do câncer, na maioria dos casos, não é difícil. As duas extremidades do espectro benigno-maligno não causam nenhum problema; entretanto, na parte intermediária, há uma zona cinzenta que até mesmo os especialistas percorrem com cautela. O foco aqui está nos papéis do médico (frequentemente um cirurgião) e do patologista na facilitação do diagnóstico correto.

Os dados clínicos são de valor inestimável para o diagnóstico patológico acurado; entretanto, com frequência, os médicos os subestimam. As alterações produzidas na pele ou na mucosa pela radiação podem ser semelhantes àquelas associadas ao câncer. Cortes obtidos de uma fratura em consolidação podem simular um osteossarcoma. Além disso, a avaliação laboratorial de uma lesão é apenas tão boa quanto a amostra obtida para exame. Ela precisa ser adequada, representativa e corretamente conservada. Dispõe-se de várias abordagens para a obtenção de amostras: (1) excisão ou biopsia, (2) aspiração por agulha e (3) esfregaços citológicos. Quando não é possível efetuar uma excisão, a seleção de um local adequado para biopsia de uma massa exige o reconhecimento de que a periferia pode não ser representativa, e o centro pode ser em grande parte necrótico. A conservação apropriada envolve determinadas ações, como imersão imediata de pelo menos parte do espécime em um fixador (normalmente uma solução de formalina) e (dependendo do diagnóstico diferencial, de uma rápida alocação do tecido para outros exames, como citogenética, citometria de fluxo) diagnóstico molecular (descrito adiante). A solicitação de um diagnóstico "rápido por corte congelado" é algumas vezes desejável, por exemplo, para determinar a natureza de uma lesão expansiva, avaliar as margens de um câncer excisado de modo a certificar-se de que toda a neoplasia foi removida, ou para tomar decisões sobre a necessidade de outros exames além da histologia. Esse método permite uma avaliação histológica em poucos minutos. Em mãos experientes e competentes, o diagnóstico por corte congelado é altamente acurado; entretanto, há casos particulares em que é necessário obter um melhor detalhe morfológico por histologia padrão – por exemplo, quando uma cirurgia extremamente radical, como a amputação de um membro, pode estar indicada. É melhor aguardar um dia ou dois, apesar do atraso, do que realizar uma cirurgia inadequada ou desnecessária.

A *aspiração por agulha fina* (também chamada de biopsia aspirativa por agulha fina) de tumores constitui outra abordagem amplamente utilizada. O procedimento envolve a aspiração de células e líquido associado com uma agulha de pequeno calibre, seguida de exame citológico do esfregaço corado. Esse método é utilizado mais comumente para a avaliação de lesões mais superficiais prontamente palpáveis em locais como a mama, a glândula tireoide e os linfonodos. O método, guiado por exames de imagem, também pode ser utilizado para a avaliação de lesões em estruturas profundas, como os linfonodos pélvicos e o pâncreas. A aspiração por agulha fina é menos invasiva e realizada mais rapidamente do que as biopsias por agulha grossa (*core biopsy*) e evita a cirurgia com seus riscos associados. Embora possa ser prejudicada por erros de amostragem, ela é rápida e muito confiável em mãos experientes.

Os *esfregaços citológicos* constituem outro método para a detecção do câncer (ver **Capítulo 22**). Essa abordagem é mais amplamente utilizada para rastreamento do carcinoma do colo do útero e suas lesões precursoras, porém é apropriada para a avaliação de qualquer forma de neoplasia maligna suspeita, em que as células tumorais são liberadas em líquidos ou são facilmente acessíveis. Os tipos de amostras que são comumente examinados em esfregaços histológicos para células cancerosas incluem urina, líquido cerebrospinal, efusões pleurais e lavado broncoalveolar.

Conforme assinalado anteriormente, as células cancerosas apresentam uma coesão diminuída e exibem uma variedade de alterações morfológicas descritas pelo termo *anaplasia*. Assim, as células desprendidas podem ser avaliadas em relação às características de anaplasia, indicando sua origem a partir de um tumor (**Figura 7.44**). Nesses casos, a interpretação precisa ser feita com base nas características das células individuais ou, no máximo, de um agrupamento de células, sem a evidência comprovativa de perda de orientação de uma célula para outra e (o mais importante) sem evidência de invasão. Esse método possibilita a diferenciação entre células normais, displásicas e malignas e, além disso, permite o reconhecimento de alterações celulares características do carcinoma *in situ*. O controle efetivo do câncer de colo do útero obtido a partir do rastreamento com esfregaços de Papanicolaou é o melhor testemunho do valor da citologia.

Embora a histologia e a citologia esfoliativa continuem sendo a base do diagnóstico do câncer, elas apresentam limites inerentes; por exemplo, pode ser difícil determinar a natureza e o tecido de origem de um tumor pouco diferenciado, e é difícil distinguir

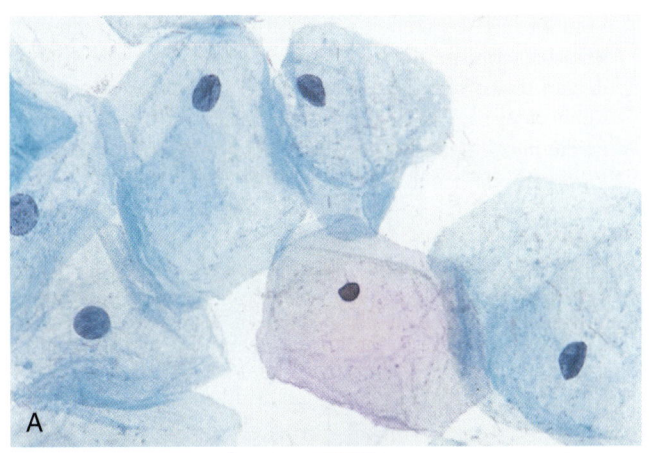

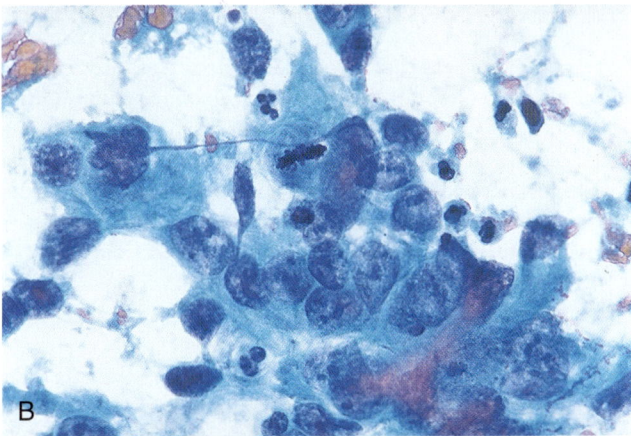

Figura 7.44 Citologia de esfregaços cervicais. **A.** Um esfregaço cervicovaginal normal mostra células escamosas grandes e achatadas, bem como grupos de células metaplásicas; há neutrófilos intercalados. Não há células malignas. **B.** Um esfregaço cervicovaginal anormal mostra numerosas células malignas que apresentam núcleos pleomórficos e hipercromáticos; há leucócitos polimorfonucleares normais intercalados. (Cortesia do Dr. K. Gupta, University of Pennsylvania, Philadelphia, PA.)

alguns tipos de tumores específicos baseando-se apenas em sua aparência morfológica (p. ex., vários tipos de leucemias agudas e linfomas). Essas limitações incentivaram a aplicação generalizada da imuno-histoquímica e da citometria de fluxo, que podem ser utilizadas para o estabelecimento de um diagnóstico mais acurado. Outra modalidade em rápida expansão é o diagnóstico molecular, que está sendo utilizado cada vez mais para a identificação de cânceres passíveis de tratamento com as denominadas terapias-alvo, medicamentos que são direcionados para oncoproteínas mutadas. São apresentados apenas alguns aspectos de destaque dessas modalidades diagnósticas.

Imuno-histoquímica. A disponibilidade de anticorpos específicos facilitou enormemente a identificação de produtos celulares ou de marcadores de superfície. A seguir, são apresentados exemplos da utilidade da imuno-histoquímica no diagnóstico ou no manejo de neoplasias malignas:

- *Categorização dos tumores malignos indiferenciados.* Em muitos casos, os tumores malignos de diversos tipos assemelham-se quanto a sua morfologia, em virtude de sua diferenciação limitada. Pode ser impossível distinguir esses tumores em cortes histológicos corados rotineiramente pela hematoxilina e eosina (H&E). Por exemplo, certos carcinomas anaplásicos, linfomas, melanomas e sarcomas podem ter uma aparência muito semelhante, porém eles precisam ser identificados acuradamente, visto que seu tratamento e o prognóstico são diferentes. Anticorpos específicos contra filamentos intermediários demonstraram ter valor especial nesses casos, visto que as células de tumores sólidos frequentemente contêm filamentos intermediários característicos de sua célula de origem. Por exemplo, a presença de citoqueratinas, que são detectadas por imuno-histoquímica, aponta para uma origem epitelial (carcinoma) (**Figura 7.45**), enquanto a desmina é específica para neoplasias que se originam de células musculares, e as neoplasias malignas hematológicas carecem dessas estruturas citoesqueléticas. Outros marcadores imuno-histoquímicos úteis incluem proteínas de membrana específicas de linhagem (p. ex., CD20, um marcador de tumores de células B) e fatores de transcrição
- *Determinação do local de origem dos tumores metastáticos.* Muitos pacientes com câncer apresentam metástases. Em alguns, o sítio primário é evidente ou facilmente detectado com base nas características clínicas ou radiológicas. Nos casos em que a origem do tumor é obscura, a detecção imuno-histoquímica de antígenos específicos de tecidos ou de órgãos em uma amostra de biopsia da lesão metastática pode levar à identificação do sítio primário da neoplasia. Assim, por exemplo, o antígeno prostático específico (PSA) e a tireoglobulina são marcadores de carcinomas de próstata e de tireoide, respectivamente
- *Detecção de moléculas que apresentam significado prognóstico ou terapêutico.* A detecção imuno-histoquímica de receptores de hormônios (estrogênio/progesterona) em células do câncer de mama tem valor prognóstico e terapêutico, visto que esses cânceres são suscetíveis à terapia antiestrogênica (ver **Capítulo 23**). Em geral, os cânceres de mama com receptores positivos apresentam um melhor prognóstico do que os tumores negativos para esses receptores. Os produtos proteicos de oncogenes, como o *ERBB2* em cânceres de mama, também podem ser detectados por imunocoloração. Os cânceres de mama com coloração imuno-histoquímica intensa para o produto proteico do gene *ERBB2*, o HER2, geralmente apresentam prognóstico sombrio, porém são passíveis de tratamento com anticorpos que bloqueiam a atividade do receptor de HER2. Como a expressão do HER2 em altos níveis é causada pela amplificação do gene *ERBB2*, a hibridização *in situ* fluorescente (FISH) para confirmar a amplificação do gene *ERBB2* é algumas vezes utilizada como adjuvante dos exames imuno-histoquímicos. De modo semelhante, reações imuno-histoquímicas para identificar a proteína ALK podem ser utilizadas para a identificação de cânceres de pulmão e linfomas que expressam proteínas de fusão ALK constitutivamente ativas, fornecendo uma indicação para tratamento com fármacos que inibem a ALK tirosinoquinase.

Citometria de fluxo. A citometria de fluxo mede rápida e quantitativamente diversas características celulares, porém exige células viáveis em suspensão. É utilizada principalmente para identificar antígenos celulares expressos por tumores "líquidos", os que surgem a partir de tecidos hematopoéticos. Incluem linfomas e leucemias de células B e T, bem como neoplasias mieloides. Uma vantagem da citometria de fluxo em relação à imuno-histoquímica é a possibilidade de avaliar simultaneamente múltiplos antígenos em células individuais, utilizando combinações de anticorpos específicos ligados a diferentes corantes fluorescentes. Os anticorpos monoclonais dirigidos contra antígenos encontrados nas células sanguíneas e seus progenitores, que são frequentemente detectados por citometria de fluxo, estão listados no **Capítulo 13**.

Células tumorais circulantes. A instrumentação que permite a detecção, a quantificação e a caracterização de células tumorais sólidas raras (p. ex., carcinoma, melanoma) que circulam no sangue está sendo desenvolvida como modalidade diagnóstica. Alguns dos dispositivos baseiam-se em células de fluxo tridimensional recobertas com anticorpos específicos contra as células tumorais de interesse (p. ex., células de carcinoma), que capturam eficientemente células tumorais raras presentes no sangue. Esses métodos têm o potencial de permitir o estabelecimento de um diagnóstico mais precoce, avaliar o risco de metástase e fornecer uma maneira minimamente invasiva de avaliar a resposta das células tumorais à terapia, porém são agora utilizados principalmente no campo da pesquisa clínica.

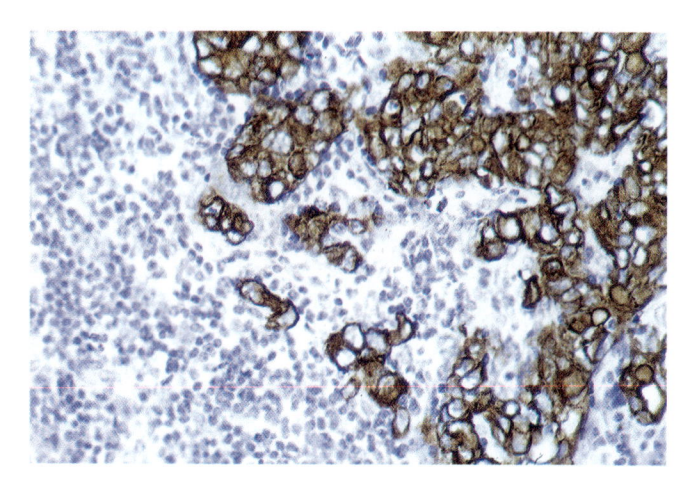

Figura 7.45 Coloração com imunoperoxidase anticitoqueratina de um tumor de origem epitelial (carcinoma). (Cortesia da Dra. Melissa Upton, University of Washington, Seattle, Wash.)

Diagnóstico molecular e citogenética. Várias técnicas moleculares ou citogenéticas – algumas estabelecidas, outras emergentes – têm sido utilizadas para o diagnóstico e, em alguns casos, para prever o comportamento dos tumores:

- *Diagnóstico das neoplasias malignas.* Embora os métodos moleculares não sejam a principal modalidade para o diagnóstico do câncer, eles têm considerável valor em casos selecionados. Os tumores de células T e B originam-se de células isoladas com rearranjos singulares dos genes de receptores de antígenos, enquanto as proliferações linfoides reativas contêm muitos clones diferentes de linfócitos, cada um deles com um conjunto diferente de rearranjos de genes dos receptores de antígenos. Por esse motivo, a avaliação baseada na reação em cadeia da polimerase (PCR) dos genes rearranjados dos receptores de células T ou de imunoglobulinas possibilita a distinção entre proliferações monoclonais (neoplásicas) e policlonais (reativas). Muitas neoplasias hematopoéticas (leucemias e linfomas) estão associadas a translocações específicas que ativam os oncogenes. A detecção dessas translocações, em geral por análise citogenética de rotina ou por FISH (ver **Capítulo 5**), é, com frequência, extremamente útil no diagnóstico. O diagnóstico dos sarcomas (ver **Capítulo 26**) com translocações características também é auxiliado pelas técnicas moleculares, em parte pelo fato de que é frequentemente difícil obter preparações cromossômicas a partir de tumores sólidos. Por exemplo, muitos sarcomas da infância, os denominados tumores de células pequenas redondas e azuis (ver **Capítulo 10**), podem ser difíceis de distinguir um do outro com base em sua morfologia. Todavia, a presença da translocação (11;22)(q24;q12) característica, estabelecida pela PCR, nesses tumores pode ajudar a confirmar o diagnóstico de sarcoma de Ewing. Outra plataforma de diagnóstico com alguma utilidade consiste nos *microarranjos (microarrays) de DNA, tiling arrays*, que cobrem todo o genoma humano ou *SNP arrays* (*chips* de SNP), que permitem o mapeamento em alta resolução de alterações do número de cópias (deleções ou amplificações) genômicas
- *Prognóstico das neoplasias malignas.* Certas alterações genéticas estão associadas a um prognóstico sombrio, de modo que sua detecção possibilita a estratificação dos pacientes para terapia. Por exemplo, a amplificação do gene *NMYC* e as deleções do cromossomo 1p indicam um presságio sombrio para pacientes com neuroblastoma, e os oligodendrogliomas cuja única anormalidade genômica é a perda dos cromossomos 1p e 19q respondem bem à terapia e estão associados a uma sobrevida a longo prazo, quando comparados com tumores sem deleção de 1p e 19q, porém com amplificação do receptor do EGF
- *Detecção de doença residual mínima.* Após tratamento de pacientes com leucemia ou linfoma, a presença de doença mínima ou o início de recidiva podem ser monitorados por meio de amplificação baseada na PCR de sequências de ácido nucleico exclusivas do clone maligno. Por exemplo, a detecção de transcritos de *BCR-ABL* pela PCR fornece uma medida das células leucêmicas residuais em pacientes com LMC tratados. A importância prognóstica da doença residual mínima foi estabelecida na leucemia aguda e está sendo avaliada em outras neoplasias
- *Diagnóstico de predisposição hereditária ao câncer.* Conforme discutido anteriormente, as mutações em linhagens germinativas de vários genes supressores de tumor, incluindo *BRCA1* e *BRCA2*, bem como o proto-oncogene *RET*, estão associadas a um alto risco de desenvolvimento de cânceres específicos. Assim, a detecção desses alelos mutados pode permitir ao paciente e ao médico planejar um programa de rastreamento agressivo, considerar a opção de cirurgia profilática e aconselhar parentes, que também podem estar com risco. Essa análise costuma exigir a detecção de uma mutação específica ou o sequenciamento de todo o gene. Esse último é necessário quando se sabe que existem várias mutações diferentes associadas ao câncer. Embora a detecção de mutações nesses casos seja relativamente direta, as questões éticas relacionadas com o diagnóstico pré-sintomático são complexas
- *Orientação da terapia com fármacos direcionados para oncoproteínas.* Um número crescente de agentes quimioterápicos tem como alvo oncoproteínas que estão apenas presentes em um subgrupo de cânceres de um tipo particular. Por conseguinte, a identificação molecular de lesões genéticas que produzem essas oncoproteínas é essencial para o tratamento ideal dos pacientes. Exemplos atuais de lesões genéticas que guiam a terapia e que são frequentemente testadas em laboratórios de diagnóstico molecular incluem o gene de fusão *PML-RARA* na leucemia promielocítica aguda, o gene de fusão *BCR-ABL* na leucemia mieloide crônica e leucemia linfoblástica aguda, mutações de *ERBB1* (EGFR) e rearranjos do gene *ALK* no câncer de pulmão e mutações de *BRAF* no melanoma
- *Identificação dos mecanismos de resistência a fármacos: biopsias líquidas.* Esses testes dependem de células tumorais circulantes ou cada vez mais de DNA livre da célula, que é liberado no sangue por células tumorais mortas. Os testes mais avançados desse tipo analisam o DNA tumoral livre das células à procura de mutações condutoras específicas que criam oncoproteínas que sejam alvos potenciais, como nos cânceres de pulmão. Esses testes utilizam abordagens extremamente sensíveis baseadas na PCR e podem ser realizados em amostras de sangue periférico em múltiplos momentos após o início do tratamento, evitando a necessidade de biopsias teciduais repetidas. Espera-se que, com essas abordagens, será possível detectar a emergência precoce de novas variantes genéticas que conferem resistência a fármacos, permitindo aos oncologistas selecionar medicamentos alternativos e mais efetivos antes que a recidiva se torne clinicamente evidente.

Perfis moleculares dos tumores: o futuro diagnóstico do câncer

Até recentemente, os estudos moleculares dos tumores envolviam a análise de genes individuais. Entretanto, nos últimos anos, foram introduzidas técnicas revolucionárias passíveis de sequenciar rapidamente um genoma inteiro; avaliar modificações epigenéticas em todo o genoma (o epigenoma); quantificar todos os RNA expressos em uma população de células (o transcriptoma); medir simultaneamente muitas proteínas (o proteoma); e obter um instantâneo de todos os metabólitos da célula (o metaboloma). Dessa maneira, estamos vivendo na era dos "omas".

Entre essas várias tecnologias "ômicas", o sequenciamento do DNA teve o maior impacto sobre a avaliação do câncer. O sequenciamento do RNA também está sendo amplamente utilizado em laboratórios de pesquisa, porém o RNA está sujeito à degradação e é um analito mais difícil de trabalhar do que o DNA na prática clínica. Em contrapartida, o sequenciamento do DNA pode ser rotineiramente efetuado utilizando DNA obtido de tecidos rotineiramente fixados e processados, o tipo encontrado na maioria dos departamentos de patologia.

Esses avanços permitiram o sequenciamento sistemático e a catalogação de alterações genômicas em vários cânceres humanos, muitos dos quais dentro de um grande consórcio patrocinado pelo National Cancer Institute, denominado The Cancer Genome Atlas (TCGA). A complexidade das aberrações genéticas identificadas nesses estudos genômicos amplos inspirou os profissionais de informática a criar novas maneiras de exibir os dados, como os gráficos circulares (**Figura 7.46**), que fornecem um instantâneo de todas as alterações genéticas que existem em determinado tumor.

O principal impacto do sequenciamento do genoma do câncer até hoje tem sido na área de pesquisa. Entretanto, o sequenciamento do DNA de última geração de genomas de cânceres está rapidamente passando para a prática clínica padrão. O sequenciamento "direcionado" está sendo realizado rotineiramente em muitos centros acadêmicos especializados em câncer e laboratórios de referência, a custos razoáveis e com tempos de execução de alguns dias a algumas semanas. Normalmente, esses testes cobrem os éxons de várias centenas de genes-alvo em "profundidade" suficiente (cobertura maior da sequência em questão) para detectar com segurança qualquer mutação que possa estar presente em até 5% das células tumorais. Um objetivo dessas análises é a identificação de lesões genéticas terapeuticamente "acionáveis". Essas abordagens são particularmente aplicáveis a tumores como os carcinomas de pulmão, que são geneticamente diversos e que exigem uma abordagem "personalizada" para que a terapia-alvo tenha sucesso. Entretanto, são obtidas outras informações clinicamente úteis. Por exemplo, o padrão observado de mutações (incluindo mutações passageiras, bem como mutações condutoras) pode ser utilizado para identificar a assinatura mutacional (instabilidade de microssatélite) que está associada a defeitos de reparo de mau pareamento, que, por sua vez, conforme já mencionado, fornece uma indicação para tratamento com inibidores dos pontos de checagem imunes, independentemente do tipo de câncer. Outras mutações identificadas podem ajudar a guiar a terapia; por exemplo, as mutações *TP53* estão associadas a um prognóstico muito sombrio nas leucemias agudas, que, de outro modo, responderiam bem à quimioterapia.

Um menor número de testes que medem os níveis de RNA passou para o domínio clínico, porém os cânceres de mama são rotineiramente submetidos à determinação do perfil de RNA para estabelecer se a quimioterapia tem probabilidade de ser benéfica. Plataformas mais recentes que possibilitam a medição mais fácil e mais confiável de RNA obtidos de amostras de tecidos fixados podem acelerar o desenvolvimento de testes adicionais desse tipo. Certos ensaios destinados a detectar mutações condutoras que utilizam o RNA têm vantagens em relação aos testes baseados no DNA, como ensaios desenvolvidos para identificar RNA quiméricos produzidos a partir de genes de fusão, que agora estão em vários estágios de desenvolvimento e aplicação clínica.

O entusiasmo criado pelo desenvolvimento de novas técnicas para a análise molecular global dos tumores levou alguns cientistas a prever que o fim da histopatologia está chegando. De fato, com o advento das terapias-alvo, pode-se argumentar que estamos em meio a uma mudança de paradigma, em que a parte mais importante do exame de uma amostra de câncer é a identificação de alvos moleculares, em vez do diagnóstico histopatológico (**Figura 7.47**). Por exemplo, percebe-se agora que cânceres distintos do ponto de vista histopatológico podem abrigar a mesma mutação de ganho de função na serina/treonina quinase BRAF, um componente da via de sinalização de RAS (**Figura 7.48**). Em princípio, todos esses diversos "BRAFomas" são candidatos ao tratamento com inibidores de BRAF. Entretanto, os estudos clínicos realizados demonstraram que a efetividade dos inibidores de BRAF (por motivos que ainda não foram determinados) varia amplamente, dependendo do subtipo histológico: as leucemias de células pilosas com mutações de *BRAF* normalmente apresentam respostas sustentadas, enquanto os melanomas respondem de modo transitório, e os carcinomas de cólon respondem pouco, quando apresentam uma resposta, destacando o valor do diagnóstico morfológico. Um exemplo de tratamento baseado totalmente nas características moleculares consiste no uso de inibidores do ponto de checagem em pacientes com tumores metastáticos e recorrentes, com base em defeitos nos genes de reparo de mau pareamento, e não em características histológicas, que mencionamos anteriormente. Entretanto, na maioria dos casos, o exame histopatológico de tumores fornece informações sobre outras características importantes do câncer, como anaplasia, invasão e heterogeneidade do tumor, e, quando associado a testes de biomarcadores *in situ* realizados em cortes de tecidos, também continua sendo a melhor maneira de avaliar interações entre células tumorais e estromais, como angiogênese e resposta imune do hospedeiro. Esta última pode ter um papel cada vez mais importante na orientação das intervenções terapêuticas planejadas para neutralizar a evasão imune dos tumores. Por conseguinte,

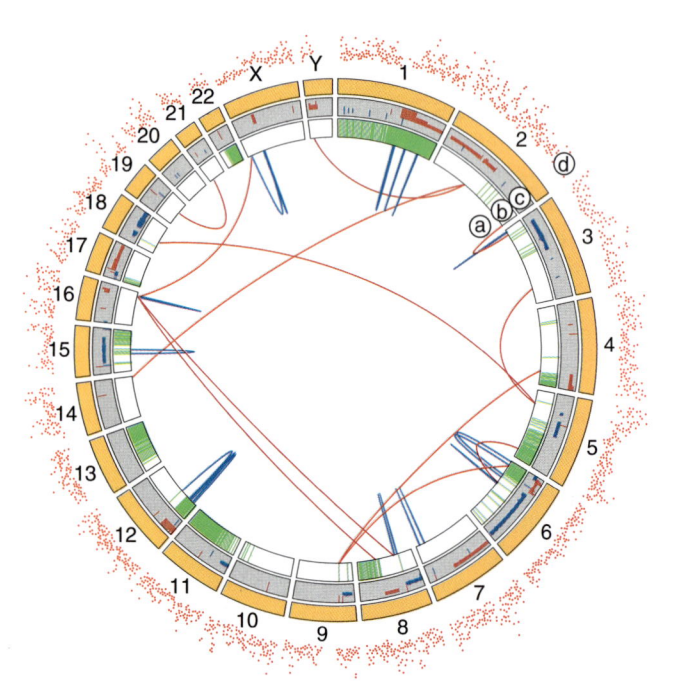

Figura 7.46 Gráfico circular mostrando as alterações genéticas em um único câncer de pulmão em paciente do sexo masculino. Cada um dos 24 cromossomos no câncer é exibido em círculo. As posições das diversas aberrações específicas do tumor são mapeadas nesses cromossomos da seguinte maneira: *a*, Rearranjos estruturais nos cromossomos. As linhas azuis denotam rearranjos intracromossômicos, enquanto as linhas vermelhas indicam rearranjos intercromossômicos. *b*, As regiões de perda de heterozigosidade e desequilíbrio alélico (super-representação de um alelo *versus* o segundo) estão em verde. *c*, Perfis de número de cópias, mostrando as perdas do número de cópias (*em vermelho*) e os ganhos de cópia (*em azul*). *d*, Mutações pontuais, representadas como pontos vermelhos.

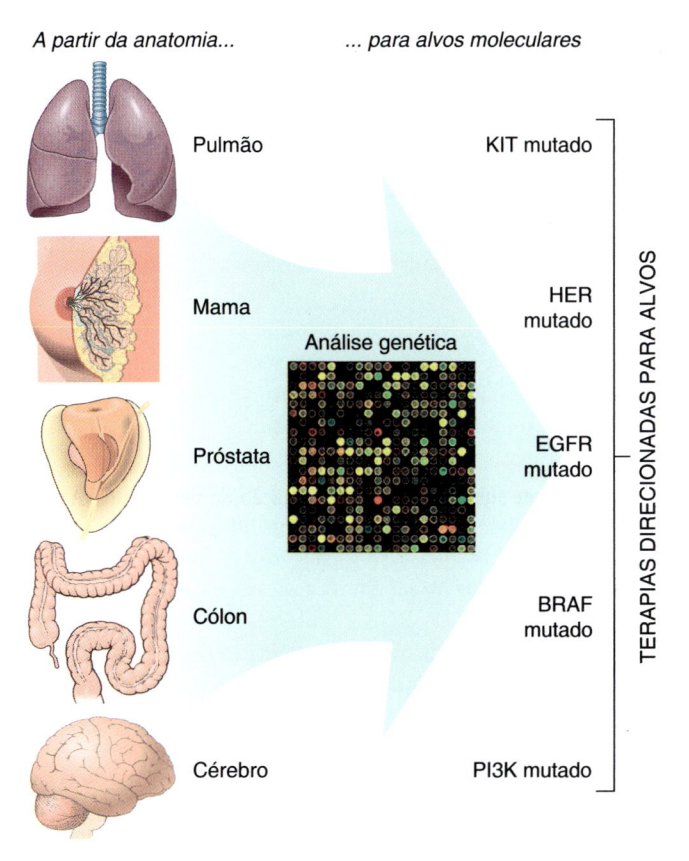

Figura 7.47 Mudança de paradigma: classificação do câncer de acordo com alvos terapêuticos, em lugar da célula de origem e da morfologia. (Cortesia do Dr. Levi Garraway, Dana Farber Cancer Institute, Boston, Mass.)

o que temos diante de nós não é uma substituição de um conjunto de técnicas por outro. Pelo contrário, para o futuro próximo, o diagnóstico mais acurado e a avaliação do prognóstico em pacientes com câncer serão obtidos por meio de uma combinação de técnicas morfológicas e moleculares.

Marcadores tumorais

Os ensaios bioquímicos para enzimas e hormônios associados a tumores e para outros marcadores tumorais no sangue carecem da sensibilidade e especificidade necessárias para diagnosticar o câncer. Entretanto, com outros exames, eles podem contribuir para a detecção do câncer e, em muitos casos, são úteis para acompanhar a resposta de um tumor à terapia e para determinar sua recorrência.

Foram descritos numerosos marcadores tumorais, e novos candidatos são identificados a cada ano. Apenas alguns resistiram à prova do tempo e demonstraram ter utilidade clínica.

A aplicação de vários marcadores, listados na **Tabela 7.12**, é considerada na discussão das formas específicas de neoplasia em outros capítulos, de modo que apenas alguns exemplos amplamente utilizados são suficientes aqui. Os exames de sangue para *antígeno prostático específico (PSA)*, um marcador do adenocarcinoma de próstata, são utilizados com frequência na prática clínica. Pode-se suspeitar de carcinoma de próstata quando são encontrados níveis elevados de PSA no sangue. Entretanto, o rastreamento do PSA evidencia os problemas encontrados com praticamente todo marcador tumoral. Embora os níveis de PSA sejam frequentemente elevados pelo câncer, o PSA também pode ser elevado pela hiperplasia prostática benigna (ver **Capítulo 18**). Além disso, não existe nenhum nível de PSA que assegure que o paciente não tenha câncer de próstata. Essas limitações são discutidas com mais detalhes no **Capítulo 18**.

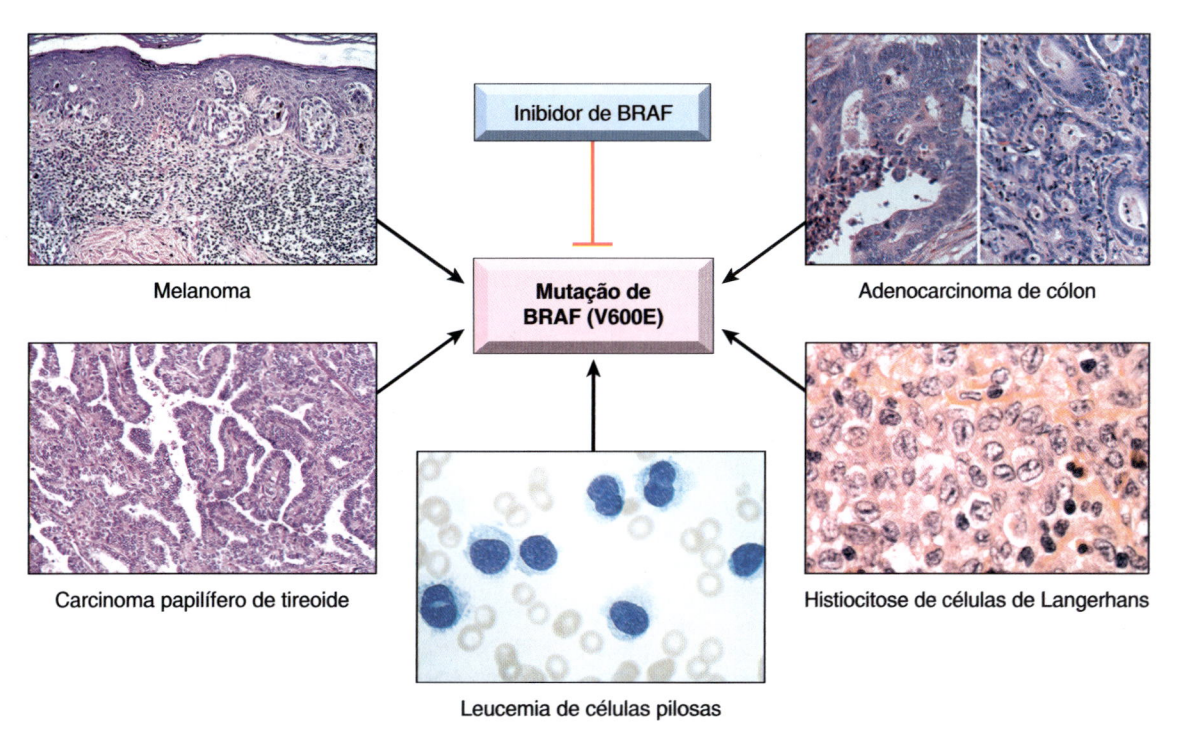

Figura 7.48 Diversos tipos de tumores com patogênese molecular comum.

Tabela 7.12 Marcadores tumorais selecionados.

Marcadores tumorais	Tipos de tumor
Hormônios	
Gonadotropina coriônica humana	Tumores trofoblásticos, tumores testiculares não seminomatosos
Calcitonina	Carcinoma medular de tireoide
Catecolaminas e metabólitos	Feocromocitoma e tumores relacionados
Hormônios ectópicos	Ver **Tabela 7.11**
Antígenos oncofetais	
Alfafetoproteína	Câncer de células hepáticas, tumores de células germinativas não seminomatosos do testículo
Antígeno carcinoembrionário	Carcinomas de cólon, pâncreas, pulmão, estômago e coração
Proteínas de linhagem específica	
Imunoglobulinas	Mieloma múltiplo e outras gamopatias
Antígeno prostático específico e antígeno de membrana prostático específico	Câncer de próstata
Mucinas e outras glicoproteínas	
CA-125	Câncer de ovário
CA-19 a 9	Câncer de cólon, câncer de pâncreas
CA-15 a 3	Câncer de mama
Marcadores de DNA circulante	
Mutantes *EGFR* no soro	Câncer de pulmão
Mutantes *TP53, APC, RAS* nas fezes e no soro	Câncer de cólon
Mutantes *TP53, RAS* nas fezes e no soro	Câncer de pâncreas
Mutantes *TP53, RAS* no escarro e no soro	Câncer de pulmão
Mutantes *TP53* na urina	Câncer de bexiga

Outros marcadores tumorais ocasionalmente utilizados na prática clínica incluem o *antígeno carcinoembrionário* (CEA), que é produzido por carcinomas de cólon, pâncreas, estômago e mama, e a *alfafetoproteína* (AFP), que é produzida por carcinomas hepatocelulares, tumores do saco vitelino e, em certas ocasiões, teratocarcinomas e carcinomas de células embrionárias. Infelizmente, os níveis séricos de CEA e AFP podem estar elevados em uma variedade de condições não neoplásicas, limitando seu valor como testes de rastreamento. Sua utilidade reside em sua capacidade de acompanhar a resposta à terapia. Com a ressecção bem-sucedida do tumor, esses marcadores desaparecem do soro, e sua persistência ou reaparecimento quase sempre significam a existência de tumor escondido. Outros marcadores amplamente utilizados incluem a *gonadotropina coriônica humana* (HCG) para tumores testiculares, o *CA-125* para tumores de ovário e a *imunoglobulina* monoclonal no mieloma múltiplo e em outros tumores secretores de plasmócitos.

O desenvolvimento de testes de rastreamento acurados, sensíveis e específicos para a detecção de marcadores do câncer no sangue e nos líquidos corporais continua sendo uma área ativa de pesquisa, visto que é evidente que a detecção precoce do câncer melhoraria enormemente os resultados clínicos. Para esse propósito, foram desenvolvidos testes sensíveis que identificam mutações condutoras específicas no DNA isolado da urina, do sangue ou das fezes. Entretanto, tem sido difícil encontrar um teste direcionado para qualquer marcador isolado, que tenha especificidade suficiente para possibilitar o rastreamento de populações, e pode ser que esses marcadores (tendo em vista que o câncer é o produto de múltiplos eventos genéticos e epigenéticos, em vez de eventos singulares) simplesmente não existam. Uma abordagem alternativa consiste em medir simultaneamente muitos marcadores associados ao câncer. Em princípio, por exemplo, pode ser possível detectar múltiplas mutações condutoras em uma única "biopsia líquida", e há evidências de que o RNA liberado das células tumorais no sangue seja acessível à determinação do perfil molecular. Esses "RNA circulantes" são enriquecidos em exossomos, vesículas de membrana que podem ser encontradas no sangue e em outros líquidos corporais e que são liberadas das células de alguns tumores.

Com todos os avanços nas análises genômicas e nas terapias-alvo e imunoterapias, pode-se prever com segurança que estamos prestes a alcançar a era dourada do diagnóstico e tratamento dos tumores. Aqueles de vocês que agora estão na faculdade de medicina podem estar seguros de que as expectativas quanto aos rápidos avanços no diagnóstico e na terapia do câncer serão concretizadas enquanto ainda estiver exercendo a medicina. Estejam preparados!

> **Conceitos-chave**
>
> **Aspectos clínicos dos tumores**
>
> - Existem diversas abordagens de amostragem para o diagnóstico de tumores, como excisão, biopsia, aspiração por agulha fina e esfregaços citológicos
> - A imuno-histoquímica e a citometria de fluxo ajudam no diagnóstico e na classificação dos tumores, visto que padrões distintos de expressão de proteínas definem entidades diferentes
> - São utilizadas análises moleculares para determinar o diagnóstico e o prognóstico, para detectar a presença de doença residual mínima e para estabelecer o diagnóstico de predisposição hereditária ao câncer
> - O perfil molecular dos tumores por sequenciamento do DNA, perfil do RNA e arranjos do número de cópias de DNA é útil na estratificação molecular de tumores de outro modo idênticos ou daqueles com histogênese distinta que compartilham uma mutação ou uma assinatura mutacional para terapias-alvo e avaliação prognóstica
> - As proteínas liberadas por tumores no soro, como o PSA, podem ser utilizadas para monitorar a recorrência após o tratamento; todavia, são problemáticas como testes de rastreamento em virtude de sua baixa sensibilidade e especificidade
> - Ensaios de células tumorais e DNA tumoral circulantes estão em fase de desenvolvimento.

LEITURA SUGERIDA

Epidemiologia do câncer

Plummer M, de Martel C, Vignat J et al: Global burden of cancers attributable to infections in 2012: a synthetic analysis, *Lancet Glob Health* 4:e609–e616, 2016. [*Análise detalhada estimando que aproximadamente 15% dos cânceres (2,2 milhões de casos por ano) são atribuíveis a agentes infecciosos*].

Liang J, Shang Y: Estrogen and cancer, *Annu Rev Physiol* 75:225–240, 2013. [*Revisão sobre as evidências epidemiológicas que ligam o hiperestrogenismo ao câncer e compreendendo os mecanismos oncogênicos da sinalização do estrogênio*].

Colditz G, Peterson LL: Obesity and cancer: evidence, impact, and future directions, *Clin Chem* 64:154–162, 2018. [*Revisão sobre as evidências que ligam o risco de vários tipos de câncer à obesidade*].

Alexandrov LB, Kim J, Haradhvala NJ et al: The repertoire of mutational signatures in human cancer, bioRxiv 2018. doi.org/10.1101/322859. [*Atualização das várias assinaturas mutacionais específicas que foram identificadas através do sequenciamento de genomas do câncer. Um trabalho que se enquadra no campo da epidemiologia molecular*].

Evolução do câncer e genômica

McGranahan N, Swanton C: Clonal heterogeneity and tumor evolution: past, present, and the future, *Cell* 168:613–628, 2018. [*Revisão que discute as contribuições relativas das mudanças graduais e em grande escala nos genomas do câncer durante a evolução clonal*].

Greaves M, Maley CC: Clonal evolution in cancer, *Nature* 481:306–313, 2012. [*Discussão dos processos iterativos de expansão clonal, diversificação genética e seleção clonal que promovem a evolução do câncer e, em última análise, levam ao fracasso terapêutico*].

Bailey MH, Tokheim C, Porta-Pardo E et al: Comprehensive characterization of cancer driver genes and mutations, *Cell* 173:371–385, 2018. [*Compêndio atualizado das mutações direcionadoras (driver mutations) e genes do câncer através de uma ampla gama de cânceres*].

Marcas registradas do câncer

Hanahan D, Weinberg RA: Hallmarks of cancer: the next generation, *Cell* 144:646–674, 2011. [*Atualização de um artigo clássico que descreve as características-chave comuns a todos os tipos de câncer*].

Oncogenes

Cilloni D, Saglio G: Molecular pathways: BCR-ABL, *Clin Cancer Res* 18:930–937, 2012. [*Discussão das consequências funcionais e significados clínicos da atividade aberrante de tirosina quisases na leucemia mieloide crônica mediada pela atividade enzimática constitutiva de BCR-ABL*].

Stine ZE, Walton ZE, Altman BJ et al: MYC, metabolism, and cancer, *Cancer Discov* 5:1024–1039, 2015. [*Revisão do papel oncogênico generalizado do fator de transcrição MYC no câncer*].

Pakkala S, Ramalingam SS: Personalized therapy for lung cancer: striking a moving target, *JCI Insight* 3:e120858, 2018. [*Revisão que resume os desafios do tratamento efetivo dos cânceres de pulmão que têm como alvo mutações direcionadoras (driver mutations) em várias quinases*].

Simanshu DK, Nissley DV, McCormick F: RAS proteins and their regulators in human disease, *Cell* 170:17–33, 2017. [*Discussão dos mecanismos, consequências e questões não respondidas relativas à sinalização de RAS*].

Genes supressores de tumor

Joerger AC, Fersht AR: The p53 pathway: origins, inactivation in cancer, and emerging therapeutic opportunities, *Annu Rev Biochem* 85:375–404, 2016. [*Discussão sobre como as funções de p53, sua inativação no câncer e como se pode marcar tumores mutantes para p53*].

Dyson NJ: RB1: a prototype tumour suppressor and an enigma, *Genes Dev* 30:1492–1502, 2016. [*Discussão do que é conhecido e desconhecido sobre a função de RB*].

Chen C-C, Feng W, Lim PX et al: Homology-directed repair and the role of BRCA1, BRCA2, and related proteins in genome integrity and cancer, *Annu Rev Cancer Biol* 2:313–336, 2018. [*Discussão dos papéis das proteínas supressoras de tumor BRCA1 e BRCA2 na proteção do genoma dos danos durante a replicação do DNA*].

Worby CA, Dixon JE: PTEN, *Annu Rev Biochem* 83:641–669, 2014. [*Discussão detalhada da função da fosfatase lipídica PTEN, um importante supressor de tumor*].

Metabolismo celular do câncer

DeBerardnis RJ, Chandel NS: Fundamentals of cancer metabolism, *Sci Adv* 2:e1600200, 2016. [*Revisão que discute a reprogramação de células cancerosas para atender suas demandas bioenergéticas, biossintéticas e redox*].

Autofagia

Santana-Codina N, Mancias JD, Kimmelman AC: The role of autophagy in cancer, *Annu Rev Cancer Biol* 1:19–39, 2017. [*Discussão do complexo papel da autofagia no câncer*].

Evasão da apoptose

Letai A: Apoptosis and cancer, *Annu Rev Cancer Biol* 1:275094, 2017. [*Revisão com foco nos mecanismos antiapoptóticos em células cancerosas e como elas podem ser usadas como alvo*].

Células-tronco do câncer

Batlle E, Clevers H: Cancer stem cells revisited, *Nat Med* 23:1124–1134, 2017. [*Avaliação crítica do modelo de células-tronco no câncer, com foco nas aplicações terapêuticas*].

Maciejowski J, de Lange T: Telomeres in cancer: tumour suppression and genome instability, *Nat Rev Mol Cell Biol* 18:175–186, 2017. [*Revisão que discute o efeito "dois gumes" do encurtamento do telômero no câncer; supressão do crescimento versus instabilidade genômica em virtude da "crise" do telômero*].

Angiogênese

De Palma M, Biziato D, Petrova TV: Microenvironmental regulation of tumour angiogenesis, *Nat Rev Cancer* 17:457–474, 2017. [*Discussão do papel pró-oncogênico do microambiente tumoral no câncer e suas implicações para o desenvolvimento de novas terapias*].

Invasão e metástase

Riggi N, Aguet M, Stamenkovic I: Cancer metastasis: a reappraisal of its underlying mechanisms and their relevance to treatment, *Annu Rev Pathol* 13:117–140, 2018. [*Revisão dos mecanismos celulares e moleculares subjacentes à metástase de tumores sólidos*].

Brabletz T, Kalluri R, Nieto MA et al: EMT in cancer, *Nat Rev Cancer* 18:128–134, 2018. [*Discussão abrangente sobre os possíveis papéis da transição mesênquima-epitélio na metástase e outras características do câncer*].

Evasão das defesas do hospedeiro

Spranger S, Gajewski TF: Mechanisms of tumor cell-intrinsic immune evasion, *Annu Rev Cancer Biol* 2:213–228, 2017. [*Ampla discussão sobre como as células cancerosas escapam do sistema imune inato e adaptativo e o que pode ser feito para combatê-lo*].

Brahmer JR, Tykodi SS, Chow LQ et al: Safety and activity of anti-PD-L1 antibody in patients with advanced cancer, *N Engl J Med* 366:2455–2465, 2012. Also, Topalian SL, Hodi FS, Brahmer JR, et al: Safety, activity, and immune correlates of anti-PD-1 antibody in cancer, *N Engl J Med* 366:2443–2454, 2012. [*Dois artigos publicados lado a lado (consecutivos) que descrevem a atividade anticâncer de anticorpos que interferem com a atividade de PD-1, um receptor de sinalização que inibe a função de células T*].

Havel JJ, Chowell D, Chan TA: The evolving landscape of biomarkers for checkpoint inhibitor immunotherapy, *Nat Rev Cancer* 19:133–150, 2019. [*Discussão dos fatores que determinam a resposta e a resistência à terapia com inibidores de pontos de controle (checkpoint) em pacientes com câncer avançado*].

Inflamação facilitadora do câncer

Pathria P, Louis TL, Varner JA: Targeting tumor-associated macrophages in cancer, *Trends Immunol* 40:310–327, 2019. [*Discussão dos estudos clínicos e experimentais descrevendo os papéis pró-tumorigênicos de macrófagos tumor-associados, que provocam inflamação associada ao câncer*].

Aberrações cromossômicas

Ly P, Cleveland D: Rebuilding chromosomes after catastrophe: emerging mechanisms of chromothripsis, *Trends Cell Biol* 27:917–930, 2017. [*Revisão que descreve os mecanismos e consequências da cromotripsia no câncer*].

Gostissa M, Alt FW, Chiarle R: Mechanisms that promote and suppress chromosomal translocations in lymphocytes, *Annu Rev Immunol* 29:319–350, 2011. [*Discussão dos insights patogênicos obtidos a partir de modelos experimentais de translocações cromossômicas oncogênicas em linfócitos*].

Epigenética e câncer

Flavahan WA, Gaskell E, Bernstein BE: Epigenetic plasticity and the hallmarks of cancer, *Science* 357:2017. eaa12380. [*Discussão sobre como a desregulação* do epigenoma da célula cancerosa leva à heterogeneidade fenotípica e a emergência das marcas registradas do câncer].

Nebbioso A, Tambaro FP, Dell'Aversana C et al: Cancer epigenetics: moving forward, *PLoS Genet* 14:e1007362, 2018. [*Avaliação crítica das aberrações epigenéticas causais no câncer*].

RNA não codificantes

Anastasiadou E, Jacob LS, Slack FJ: Non-coding RNA networks in cancer, *Nat Rev Genet* 18:5–18, 2018. [*Revisão que discute os papéis dos RNA não codificadores como "condutores" (driver) no câncer*].

Lin C-P, He L: Noncoding RNAs in cancer development, *Annu Rev Cancer Biol* 1:163–184, 2017. [*Discussão do papel dos micro RNA na regulação de redes gênicas envolvidas no desenvolvimento do câncer*].

Carcinógenos ambientais

Berger MF, Hodis E, Heffernan TP et al: Melanoma genome sequencing reveals frequent PREX2 mutations, *Nature* 485:502–506, 2012. [*Estudo que descreve e quantifica o impacto mutacional da exposição ao sol nos genomas de melanomas*].

Pleasance ED, Stephens PJ, O'Meara S et al: A small-cell lung cancer genome with complex signatures of tobacco exposure, *Nature* 463:184–190, 2010. [*Estudo que descreve e quantifica o impacto mutacional de carcinógenos da fumaça de tabaco nos genomas de câncer de pulmão*].

Carcinogênese microbiana

Ringehan M, McKeating JA, Protzer U: Viral hepatitis and liver cancer, *Philos Trans R Soc Lond B Biol Sci* 372:e20160274, 2017. [*Discussão dos papéis dos vírus da hepatite no carcinoma hepatocelular*].

Magrath I: Epidemiology: Clues to the pathogenesis of Burkitt lymphoma, *Br J Haematol* 156:744–756, 2012. [*Discussão dos papéis do vírus Epstein-Barr e da malária na gênese do linfoma de Burkitt, uma malignidade agressiva de células B*].

Moody CA, Laimins LA: Human papillomavirus oncoproteins: pathways to transformation, *Nat Rev Cancer* 10:550–560, 2010. [*Revisão com foco nas atividades oncogênicas de proteínas do papilomavírus humano E6 e E7*].

Peleteiro B, La Vecchia C, Lunet N: The role of Helicobacter pylori infection in the web of gastric cancer causation, *Eur J Cancer Prev* 21:118–125, 2012. [*Revisão que propõe um arcabouço conceitual para a compreensão do papel da infecção por Helicobacter pylori no câncer gástrico*].

Caquexia do câncer e síndromes paraneoplásicas

Baracos VE, Martin L, Korc M et al: Cancer-associated cachexia, *Nat Rev Dis Primers* 4:e17105, 2018. [*Visão geral das características clínicas e possíveis mecanismos subjacentes à caquexia relacionada ao câncer*].

Henry K: Paraneoplastic syndromes: definitions, classification, pathophysiology, and principles of treatment, *Semin Diagn Pathol* 36:204–210, 2019. [*Ampla discussão das síndromes paraneoplásicas*].

Diagnóstico do câncer

Heitzer E, Haque IS, Roberts CES et al: Current and future perspectives of liquid biopsies in genomics-driven oncology, *Nat Rev Genet* 20:71–88, 2019. [*Potencial e armadilhas do uso de DNA tumoral circulante e de células tumorais circulantes para diagnosticar o câncer e acompanhar as respostas à terapia*].

Mardis ER: The impact of next-generation sequencing on cancer genomics: from discovery to clinic, *Cold Spring Harb Perspect Med* 9:a036269, 2019. [*Discussão dos usos atuais e potenciais futuros do NGS (sequenciamento de próxima geração) em oncologia*].

Pao W, Iafrate AJ, Su Z: Genetically informed lung cancer medicine, *J Pathol* 223:230–240, 2011. [*Revisão da adoção e aplicação de análises genômicas para o diagnóstico e tratamento do câncer de pulmão*].

CAPÍTULO 8

Doenças Infecciosas

Karen M. Frank • Alexander J. McAdam

SUMÁRIO DO CAPÍTULO

Princípios gerais de patogênese microbiana, 349
  Como os microrganismos causam doença, 349
   Vias de entrada dos microrganismos, 350
   Propagação e disseminação dos microrganismos dentro do corpo, 352
   Liberação do corpo e transmissão dos microrganismos, 352
  Interações hospedeiro-patógeno, 353
   Evasão imune dos microrganismos, 353
   Efeitos lesivos da imunidade do hospedeiro, 354
   Infecções em indivíduos com imunodeficiências, 355
  Danos ao hospedeiro causados pelos microrganismos, 355
   Mecanismos de lesão viral, 355
   Mecanismos de lesão bacteriana, 356
  Espectro das respostas inflamatórias à infecção, 358
   Inflamação supurativa (purulenta), 358
   Inflamação mononuclear e granulomatosa, 359
   Reação citopático-citoproliferativa, 359
   Necrose tecidual, 359
   Inflamação crônica e formação de tecido cicatricial, 359

Infecções virais, 360
  Infecções agudas (transitórias), 360
   Sarampo, 360
   Caxumba, 361
   Poliomielite, 362
   Infecções pelo vírus do Nilo Ocidental, 362
   Febre hemorrágica viral, 363
   Infecções pelo vírus Zika, 363
   Dengue, 364
   Novo coronavírus SARS-CoV-2 (covid-19), 364

  Infecções latentes (infecções por herpes-vírus), 365
   Infecções por herpes-vírus simples, 365
   Infecções pelo vírus varicela-zóster, 366
   Infecções por citomegalovírus, 367
  Infecções crônicas produtivas, 368
  Infecções virais transformadoras, 368
   Infecções pelo vírus Epstein-Barr, 368

Infecções bacterianas, 370
  Infecções por bactérias gram-positivas, 370
   Infecções estafilocócicas, 371
   Infecções estreptocócicas e enterocócicas, 372
   Difteria, 373
   Listeriose, 373
   Antraz, 374
   Infecções por Nocardia, 375
  Infecções por bactérias gram-negativas, 376
   Infecções por Neisseria, 376
   Coqueluche, 377
   Infecções por Pseudomonas, 377
   Peste, 378
   Cancroide (cancro mole), 379
   Granuloma inguinal, 379
  Infecções causadas por micobactérias, 380
   Tuberculose, 380
   Infecções por micobactérias não tuberculosas, 386
   Hanseníase, 386
  Infecções por espiroquetas, 388
   Sífilis, 388
   Doença de Lyme, 391
  Infecções por bactérias anaeróbicas, 392
   Abscessos, 392
   Infecções por clostrídios, 392
  Infecções por bactérias intracelulares obrigatórias, 394

  Infecções por clamídias, 394
  Infecções causadas por outras bactérias intracelulares, 394

Infecções fúngicas, 395
  Infecções por leveduras, 396
   Candidíase, 396
   Infecções por Candida auris, 398
   Criptococose, 398
   Infecções por Pneumocystis, 399
  Infecções por fungos filamentosos, 399
   Aspergilose, 400
   Mucormicose (zigomicose), 401

Infecções parasitárias, 402
  Infecções por protozoários, 402
   Malária, 402
   Babesiose, 404
   Leishmaniose, 404
   Tripanossomíase africana, 406
   Doença de Chagas, 406
   Toxoplasmose, 407
  Infecções por metazoários, 408
   Estrongiloidíase, 408
   Cisticercose e doença hidática (infecções por tênias), 409
   Triquinose, 410
   Esquistossomose, 411
   Filariose linfática, 412
   Oncocercose, 413

Infecções sexualmente transmissíveis, 413
Doenças infecciosas emergentes, 415
Técnicas especiais para o diagnóstico de agentes infecciosos, 416

Princípios gerais de patogênese microbiana

Apesar da disponibilidade de vacinas e antibióticos efetivos, as doenças infecciosas ainda são um problema considerável de saúde em todo o mundo. Nos EUA e em outros países de alta renda, as doenças infecciosas constituem causas significativas de morte entre indivíduos idosos e pessoas que estão imunossuprimidas ou que sofrem de doenças crônicas debilitantes. Nos países de baixa renda, o acesso inadequado aos cuidados médicos e a desnutrição contribuem para uma alta carga de doenças infecciosas. Nessas regiões do mundo, cinco das dez principais causas de morte são doenças infecciosas. Tragicamente, a maioria dessas mortes ocorre em crianças, nas quais as infecções respiratórias, a diarreia infecciosa e a malária são as principais responsáveis.

Como os microrganismos causam doença

As doenças infecciosas são causadas, em sua maioria, por organismos patogênicos que exibem uma ampla diversidade de virulência. Esses organismos são adquiridos a partir de uma variedade de fontes, como pessoas, animais, insetos vetores e o ambiente, porém não são encontrados na microbiota normal das pessoas saudáveis. Por conseguinte, sua presença é diagnóstica de infecção. Ao longo dos últimos anos, tornou-se evidente que os seres humanos e outros animais abrigam um complexo ecossistema de microrganismos (o *microbioma*), que desempenha importantes papéis na saúde e na doença. A maioria desses organismos comensais coexiste pacificamente com seus hospedeiros humanos, ocupando nichos microambientais que, de outro modo, poderiam ser preenchidos por patógenos potenciais, ajudando, dessa maneira, a prevenir doenças infecciosas. Todavia, em condições nas quais as defesas normais do hospedeiro são violadas ou atenuadas (ver adiante), mesmo a microbiota comensal pode causar infecções sintomáticas e pode até mesmo ser fatal.

Começaremos nosso estudo das doenças infecciosas desde o início do processo, em que o hospedeiro estabelece uma "linha de defesa", e em seguida discutiremos a disseminação e a transmissão da infecção, antes de discutir as infecções específicas.

Vias de entrada dos microrganismos

Os microrganismos podem entrar no hospedeiro por meio de violação das superfícies epiteliais, inalação, ingestão ou transmissão sexual (Tabela 8.1). Em geral, as infecções dos sistemas respiratório, gastrintestinal e geniturinário em indivíduos saudáveis são causadas por microrganismos virulentos que têm a capacidade de danificar ou de penetrar na epiderme ou no epitélio da mucosa. Por outro lado, as infecções cutâneas em indivíduos saudáveis são causadas sobretudo por microrganismos que entram na pele pelas lesões superficiais.

Pele

A epiderme queratinizada intacta protege contra a infecção, visto que atua como barreira mecânica, apresenta pH baixo e produz ácidos graxos antimicrobianos e defensinas, que são pequenos peptídeos tóxicos para as bactérias. **As infecções de pele são iniciadas, em sua maioria, por uma lesão mecânica da epiderme.** A lesão pode variar desde um trauma mínimo até grandes feridas, queimaduras e úlceras relacionadas com a pressão. No ambiente hospitalar, as infecções podem surgir em consequência de cateteres intravenosos em pacientes ou picadas de agulha em profissionais de saúde. Alguns patógenos penetram na pele por meio de picada de inseto (*vetor*) ou mordida de animal; os vetores incluem pulgas, carrapatos, mosquitos e piolhos. As larvas de *Schistosoma* podem atravessar a pele intacta por meio da liberação de enzimas que dissolvem as proteínas adesivas que mantêm os queratinócitos unidos. Certos fungos (*dermatófitos*) podem causar infecções superficiais do estrato córneo intacto, dos pelos e das unhas.

Trato gastrintestinal

Podem ocorrer infecções do trato gastrintestinal quando as defesas locais são dribladas por um patógeno ou quando estão

Tabela 8.1 Vias de infecção microbiana.

Local	Principal(ais) defesa(s) local(is)	Base da falha da defesa local	Patógenos (exemplos)
Pele	Barreira epidérmica	Defeitos mecânicos (perfurações, queimaduras, úlceras)	*Staphylococcus aureus, Candida albicans, Pseudomonas aeruginosa*
		Picadas de agulha	Vírus da imunodeficiência humana, vírus da hepatite
		Picadas de artrópodes e mordidas de animais	Febre amarela, peste, doença de Lyme, malária, raiva
		Penetração direta	*Schistosoma* spp.
Trato gastrintestinal	Barreira epitelial	Fixação e proliferação local dos microrganismos	*Vibrio cholerae, Giardia duodenalis*
		Fixação e invasão local dos microrganismos	*Shigella* spp., *Salmonella* spp., *Campylobacter* spp.
		Captação por meio das células M	Poliovírus, *Shigella* spp., *Salmonella* spp.
	Secreções ácidas	Ovos e cistos acidorresistentes	Muitos protozoários e helmintos
	Peristaltismo	Obstrução, íleo, aderências pós-cirúrgicas	Bactérias aeróbicas e anaeróbicas mistas (*Escherichia coli, Bacteroides* spp.)
	Bile e enzimas pancreáticas	Revestimentos externos microbianos resistentes	Hepatite A, rotavírus, norovírus
	Microbiota protetora normal	Uso de antibióticos de amplo espectro	*Clostridioides difficile*
Sistema respiratório	Depuração mucociliar	Fixação e proliferação local dos microrganismos	Vírus influenza
		Paralisia ciliar por toxinas	*Haemophilus influenzae, Mycoplasma pneumoniae, Bordetella pertussis*
	Macrófagos alveolares residentes	Resistência à morte pelos macrófagos	*Mycobacterium tuberculosis*
Trato urogenital	Micção	Obstrução, fixação microbiana e proliferação local	*Escherichia coli*
	Microbiota vaginal normal	Uso de antibióticos	*Candida albicans*
	Barreira epidérmica/epitelial intacta	Fixação microbiana e proliferação local	*Neisseria gonorrhoeae*
		Infecção direta/invasão local	Herpes-vírus, sífilis
		Trauma local	Várias doenças sexualmente transmissíveis (p. ex., papilomavírus humano)

tão enfraquecidas que até mesmo a flora normal produz doença. Os patógenos gastrintestinais são transmitidos, em sua maioria, por alimentos ou água contaminados com material fecal. Quando a higiene falha, a doença diarreica torna-se desenfreada. O trato gastrintestinal conta com várias defesas locais. Entre elas, as secreções gástricas ácidas são consideráveis, em virtude de sua alta eficácia na destruição de certos organismos. A neutralização do ácido do estômago de voluntários saudáveis aumenta a infectividade do *Vibrio cholerae* em 10 mil vezes. O intestino é coberto por uma camada de muco em todo o seu comprimento, o que impede o acesso de patógenos luminais ao epitélio de superfície. As enzimas pancreáticas e os detergentes biliares podem destruir organismos que têm envelopes lipídicos. As defensinas antimicrobianas são produzidas por células epiteliais do intestino. Os anticorpos IgA, que são produzidos nos tecidos linfoides da mucosa, como as placas de Peyer, e secretados na luz intestinal (ver **Capítulo 17**), podem neutralizar patógenos potenciais. O peristaltismo pode eliminar os organismos, impedindo o crescimento excessivo deles no local. Por fim, a microbiota intestinal normal inibe competitivamente a colonização e o crescimento de patógenos potenciais, como *Clostridioides difficile*. Muitos patógenos gastrintestinais comuns são resistentes às defesas locais. O norovírus (o flagelo da indústria das viagens de cruzeiro) é um vírus não envelopado, que é resistente à inativação por ácido, bile e enzimas pancreáticas e que, portanto, espalha-se com facilidade em lugares de aglomeração de pessoas. Os protozoários e os helmintos intestinais, que são transmitidos na forma de cistos ou ovos, respectivamente, dispõem de revestimentos externos resistentes aos ácidos.

Os patógenos podem estabelecer uma doença gastrintestinal sintomática por meio de vários mecanismos distintos:

- *Produção de toxinas*. Alguns organismos que contaminam alimentos podem provocar doença gastrintestinal sem necessariamente estabelecer uma infecção no hospedeiro. Um exemplo é fornecido pelo *Staphylococcus aureus*, que elabora uma poderosa exotoxina durante seu crescimento no alimento contaminado, que é responsável pela ocorrência de intoxicação alimentar aguda
- *Colonização e produção de toxina por bactérias*. Outras bactérias estabelecem uma infecção e produzem toxinas lesivas. Os exemplos incluem o *V. cholerae* e a *Escherichia coli* enterotoxigênica, que se ligam ao epitélio intestinal e multiplicam-se na camada mucosa sobrejacente. Esses microrganismos elaboram exotoxinas potentes, que são responsáveis pela ocorrência de doença sintomática
- *Adesão e invasão da mucosa*. *Shigella* spp., *Salmonella enterica*, *Campylobacter jejuni* e *Entamoeba histolytica* invadem a mucosa intestinal e a lâmina própria e provocam ulceração, inflamação e hemorragia, que se manifestam clinicamente como disenteria. *Candida albicans* causa invasão superficial da mucosa escamosa oral e esofágica em pacientes imunocomprometidos, causando candidíase.

Sistema respiratório

Inúmeros microrganismos, como vírus, bactérias e fungos, são inalados diariamente, em grande parte na poeira ou em partículas de aerossol. Os microrganismos em grandes partículas são retidos na cobertura mucociliar que reveste o nariz e as vias respiratórias superiores e são transportados por ação ciliar até a garganta, onde são deglutidos e eliminados. As partículas com menos de 5 mícrons são transportadas até os alvéolos, onde são fagocitadas por leucócitos.

Os microrganismos que infectam o sistema respiratório saudável escapam das defesas locais por meio de vários mecanismos diferentes. Nas vias respiratórias inferiores e na faringe, alguns vírus respiratórios ligam-se às células epiteliais e penetram nelas. Por exemplo, os vírus influenza contam com proteínas do envelope, denominadas *hemaglutininas*, que se ligam ao ácido siálico na superfície das células epiteliais. Essa fixação induz a célula hospedeira a englobar o vírus por endocitose, resultando na entrada e replicação do vírus. Certos patógenos bacterianos respiratórios, como *Mycoplasma pneumoniae* e *Bordetella pertussis*, liberam toxinas que aumentam sua capacidade de estabelecer uma infecção ao comprometer a atividade ciliar. Outro mecanismo importante no estabelecimento da infecção respiratória é a resistência à destruição após a fagocitose. O *Mycobacterium tuberculosis* conquista um espaço protegido e seguro nos alvéolos ao sobreviver no interior dos fagolisossomos dos macrófagos.

Outros organismos estabelecem doenças quando as defesas locais ou sistêmicas estão comprometidas. O dano à depuração mucociliar respiratória pela influenza, ventilação mecânica, tabagismo ou fibrose cística cria as condições para uma superinfecção por bactérias. Muitos outros agentes infecciosos causam infecções respiratórias, sobretudo no contexto da imunodeficiência sistêmica. Os exemplos incluem infecções fúngicas por *Pneumocystis jirovecii* em pacientes com síndrome da imunodeficiência adquirida (AIDS) e por *Aspergillus* spp. em pacientes com neutropenia.

Trato urogenital

A urina contém um pequeno número de bactérias de baixa virulência. O trato urinário é protegido da infecção pelo esvaziamento regular durante a micção. Os patógenos do trato urinário (p. ex., *E. coli*) quase sempre têm acesso pela uretra e precisam ter a capacidade de aderir ao urotélio para evitar sua eliminação pela urina. As mulheres apresentam 10 vezes mais infecções do trato urinário do que os homens, visto que o comprimento da uretra é de 5 cm nas mulheres, em comparação com 20 cm nos homens, o que torna as mulheres mais suscetíveis à entrada de bactérias provenientes do reto. A expulsão da urina da bexiga elimina os microrganismos. De maneira previsível, **a obstrução do fluxo urinário ou o refluxo de urina constituem um importante fator na suscetibilidade às infecções do trato urinário.**

Da puberdade até a menopausa, a vagina é protegida contra patógenos pelos lactobacilos, que fermentam a glicose em ácido láctico, produzindo um ambiente de baixo pH que suprime o crescimento dos patógenos. Os antibióticos podem matar os lactobacilos e possibilitar o crescimento excessivo de leveduras, o que causa candidíase vaginal.

Transmissão vertical

A transmissão vertical de agentes infecciosos da mãe para o feto ou para o recém-nascido constitui um modo de transmissão comum de certos patógenos e pode ocorrer por diversas vias diferentes:

- *A transmissão placentária-fetal* tem mais probabilidade de ocorrer quando a mãe se torna infectada por um patógeno durante a gravidez. Algumas das infecções resultantes interferem no desenvolvimento do feto, e tanto o grau quanto o tipo de dano dependem da idade do feto no momento da infecção. A infecção pelo vírus da rubéola durante o primeiro trimestre pode levar a malformações cardíacas, deficiência intelectual,

cataratas ou surdez, enquanto a infecção por esse vírus durante o terceiro trimestre tem pouco efeito
- *A transmissão durante o nascimento* é causada pelo contato com agentes infecciosos durante a passagem pelo canal do parto. Os exemplos incluem conjuntivite gonocócica e por clamídia
- *A transmissão pós-natal no leite materno* pode transmitir o citomegalovírus (CMV), o vírus da imunodeficiência humana (HIV) e o vírus da hepatite B (HBV).

Propagação e disseminação dos microrganismos dentro do corpo

Enquanto alguns microrganismos causadores de doença permanecem no local inicial de infecção, outros têm a capacidade de invadir os tecidos e alcançar locais distantes por meio dos vasos linfáticos, do sangue ou dos nervos (Figura 8.1). Os patógenos podem propagar-se no corpo de várias maneiras. Alguns patógenos secretam enzimas que lesionam os tecidos, o que possibilita a propagação contígua dos organismos nesses tecidos. Os organismos que se disseminam frequentemente seguem seu trajeto pelos vasos linfáticos até os linfonodos regionais, a partir dos quais podem alcançar a corrente sanguínea. Certos vírus, como o vírus da raiva, o poliovírus e o vírus varicela-zóster, disseminam-se para o sistema nervoso central (SNC) ao infectar os nervos periféricos e, em seguida, ao percorrer os axônios. Entretanto, o modo mais comum e eficiente de disseminação microbiana é pela corrente sanguínea, por meio da qual os organismos podem alcançar todos os órgãos. As consequências da propagação dos patógenos por via hematogênica variam amplamente, dependendo da virulência do microrganismo, da magnitude da infecção, do padrão de semeadura e dos fatores do hospedeiro, como o estado imunológico. Conforme discutido no **Capítulo 4**, os patógenos disseminados podem produzir uma síndrome de resposta inflamatória sistêmica, denominada *sepse*, que se manifesta como febre, pressão arterial baixa e coagulopatias, que podem progredir para a falência de órgãos e a morte se não forem controladas, mesmo em indivíduos previamente saudáveis. Em outros casos, os principais sinais de disseminação da infecção estão relacionados com a semeadura dos tecidos pelos patógenos. Podem assumir a forma de um único nicho infeccioso (abscesso ou tuberculoma), múltiplos locais pequenos de infecção (p. ex., tuberculose miliar ou microabscessos por *Candida*) ou infecção do coração e dos vasos sanguíneos (endocardite infecciosa e aneurisma micótico).

Liberação do corpo e transmissão dos microrganismos

Os microrganismos utilizam uma variedade de estratégias de saída para assegurar a transmissão de um hospedeiro para outro. A liberação pode ocorrer por descamação da pele, tosse, espirro, micção ou defecação, contato sexual ou insetos vetores. Alguns patógenos são liberados apenas por breves períodos ou periodicamente durante surtos da doença, enquanto outros podem ser eliminados por longos períodos por meio de hospedeiros portadores assintomáticos. Os patógenos variam quanto à sua resistência no ambiente. Os patógenos frágeis persistem fora do corpo por apenas um curto período de tempo e precisam passar rapidamente de uma pessoa para outra, frequentemente por contato direto.

A maioria dos patógenos é transmitida de pessoa para pessoa pelas vias respiratória, fecal-oral ou sexual:

- Os vírus e as bactérias transmitidos por via respiratória são aerossolizados em gotículas e liberados no ar. Alguns patógenos respiratórios, como os vírus influenza, são propagados em grandes gotículas que não chegam a uma distância de mais de 90 cm de sua fonte, enquanto outros, como *M. tuberculosis* e o vírus varicela-zóster, propagam-se em pequenas partículas que podem se deslocar por distâncias maiores

- Os patógenos entéricos são transmitidos, em sua maioria, por via fecal-oral, isto é, pela ingestão de água ou alimentos contaminados por fezes. Os patógenos transportados pela água, envolvidos em surtos epidêmicos propagados dessa maneira, incluem os vírus das hepatites A e E (HAV e HEV), os poliovírus, rotavírus, *V. cholera, Shigella* spp., *C. jejuni* e *S. enterica*. Alguns parasitas helmintos (p. ex., ancilostomídeos, esquistossomas) liberam ovos nas fezes, que eclodem liberando larvas capazes de penetrar na pele do próximo hospedeiro

- A transmissão sexual com frequência envolve um contato prolongado íntimo ou com a mucosa e é responsável pela disseminação de uma ampla variedade de patógenos, como vírus (p. ex., herpes-vírus simples [HSV], HIV, papilomavírus humano [HPV]); bactérias (*Treponema pallidum, Neisseria gonorrhoeae*); protozoários (*Trichomonas vaginalis*); e artrópodes (*Phthiris pubis,* piolhos).

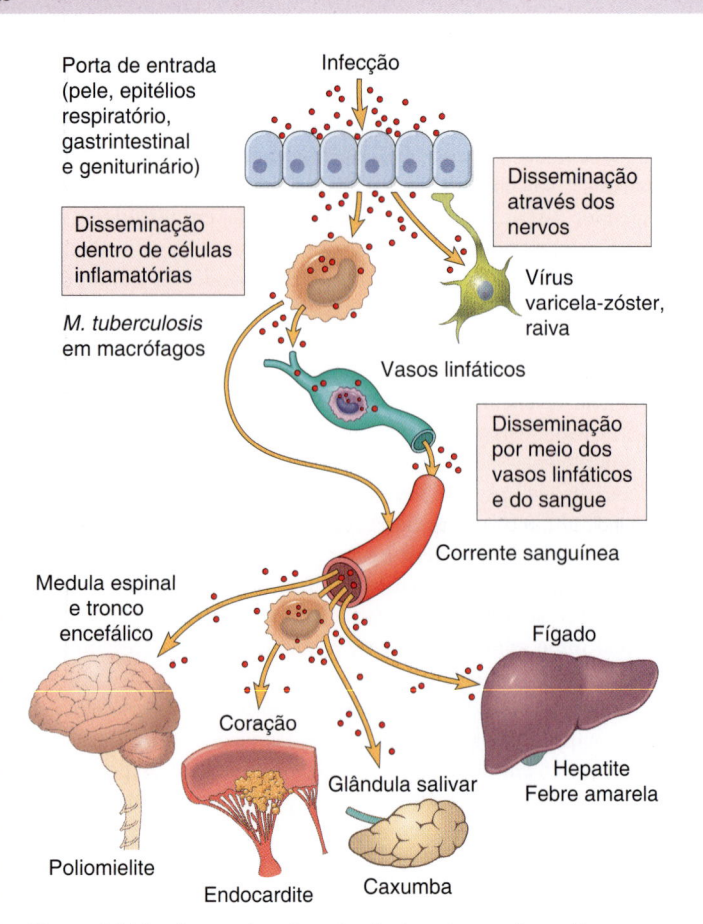

Figura 8.1 Vias de entrada e disseminação dos microrganismos. Para entrar no corpo, os microrganismos atravessam barreiras epiteliais ou da mucosa. A infecção pode permanecer localizada no local de entrada ou pode propagar-se para outros locais no corpo. Os microrganismos mais comuns (*são mostrados exemplos selecionados*) propagam-se através dos vasos linfáticos ou da corrente sanguínea (livremente ou dentro de células inflamatórias). Entretanto, certos vírus e toxinas bacterianas também podem seguir seu trajeto através dos nervos. (Modificada de Mims CA: *The Pathogenesis of Infectious Disease*, ed. 4, San Diego, 1996, Academic Press.)

Existem várias outras vias de transmissão. A saliva é responsável pela transmissão de vírus que se replicam nas glândulas salivares ou na orofaringe, incluindo o vírus Epstein-Barr (EBV). Alguns patógenos humanos importantes são protozoários transmitidos por artrópodes vetores (mosquitos, carrapatos, ácaros) que se alimentam de sangue. Por fim, as *infecções zoonóticas* são aquelas transmitidas de animais para seres humanos por contato direto (como picadas e mordida de animais), consumo de produtos animais ou por meio de um vetor invertebrado.

> **Conceitos-chave**
> **Como os microrganismos causam doença**
> - A transmissão das infecções pode ocorrer por contato (direto e indireto), pela via respiratória, por via fecal-oral, por transmissão sexual, transmissão vertical ou por insetos/artrópodes vetores
> - Um patógeno pode estabelecer uma infecção se dispuser de fatores de virulência que superam as defesas normais do hospedeiro ou se as defesas do hospedeiro estiverem comprometidas
> - As defesas do hospedeiro contra as infecções incluem:
>   - Pele: barreira queratinizada resistente, pH baixo, ácidos graxos
>   - Sistema respiratório: macrófagos alveolares, depuração mucociliar pelo epitélio brônquico, IgA
>   - Sistema GI: pH gástrico ácido, muco viscoso, enzimas pancreáticas e bile, defensinas, IgA e microbiota normal
>   - Trato urogenital: eliminação repetida pela urina e ambiente ácido criado pela microbiota comensal
> - Os patógenos podem proliferar no local da infecção inicial ou podem propagar-se para outros locais por extensão direta (invasão) ou pelo seu transporte nos vasos linfáticos, no sangue ou nos nervos.

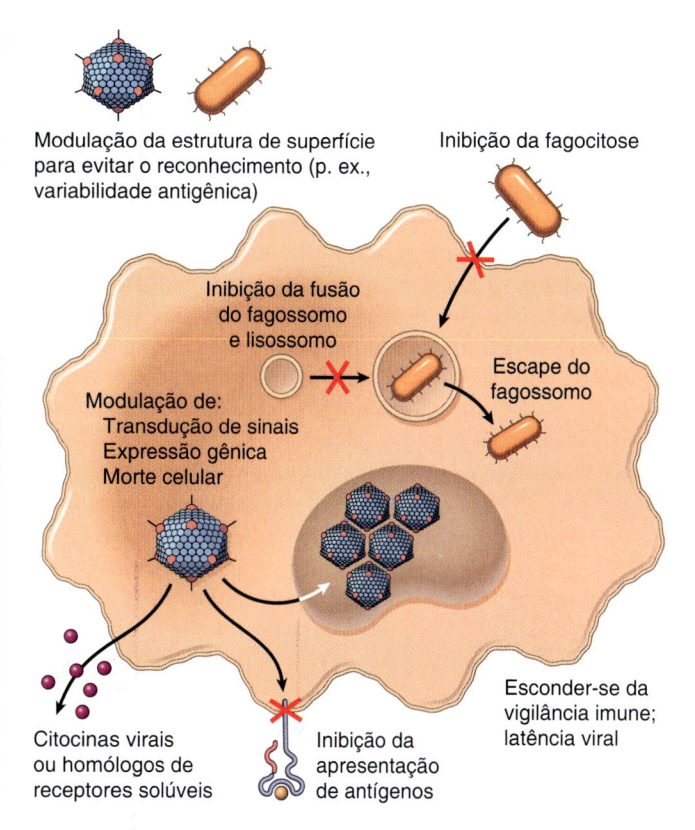

Figura 8.2 Visão geral dos mecanismos utilizados por patógenos virais e bacterianos para escapar da imunidade inata e adaptativa. (Modificada, com autorização, de Finlay B, McFadden G: Anti-immunology: evasion of the host immune system by bacterial and viral pathogens, *Cell* 2006;124:767-782.)

Interações hospedeiro-patógeno

O resultado de uma infecção é determinado pela virulência do microrganismo e pela natureza da resposta imune do hospedeiro, que pode eliminar a infecção ou, em alguns casos, exacerbar ou causar dano tecidual. O hospedeiro dispõe de um grande e complexo arsenal de defesa contra patógenos, que inclui barreiras físicas e componentes do sistema imune inato e adaptativo, que foram discutidos no **Capítulo 6**. Os microrganismos sofrem evolução contínua para combater as defesas do hospedeiro. Aqui, discutiremos algumas características específicas dos microrganismos e a resposta do hospedeiro, que constituem importantes determinantes do resultado das infecções.

Evasão imune dos microrganismos

Os microrganismos patogênicos desenvolveram, em sua maioria, uma ou mais estratégias para escapar das defesas do hospedeiro (Figura 8.2):

- *Variação antigênica.* Os anticorpos dirigidos contra antígenos microbianos bloqueiam a adesão e a captação dos microrganismos dentro das células, atuam como opsoninas para facilitar a fagocitose e fixam o complemento. Para escapar do reconhecimento, os microrganismos contam com estratégias que lhes permitem "mudar de revestimento", expressando diferentes antígenos de superfície (*Borrelia* spp. e tripanossomas). Os vírus influenza têm genoma de RNA segmentado, que possibilita a ocorrência de eventos de recombinação frequentes, o que permite uma derivação antigênica (mudanças nos sítios de ligação das principais glicoproteínas do envelope viral aos anticorpos) e uma mudança antigênica (rearranjo genômico entre duas cepas virais, criando uma nova cepa). Outros microrganismos geram numerosas variantes genéticas por meio de mutação (mais de 95 polissacarídeos capsulares em diferentes cepas de *Streptococcus pneumoniae*) (**Tabela 8.2**)

Tabela 8.2 Mecanismos de variação antigênica.

Tipo	Exemplo	Doença
Taxa elevada de mutação	Vírus da imunodeficiência humana	AIDS
	Vírus influenza	Influenza
Rearranjo genético	Vírus influenza	Influenza
	Rotavírus	Diarreia
Rearranjo genético (p. ex., recombinação gênica, conversão gênica, inversão sítio-específica)	Borrelia burgdorferi	Doença de Lyme
	Neisseria gonorrhoeae	Gonorreia
	Trypanosoma brucei	Doença do sono africana
	Plasmodium falciparum	Malária
Grande diversidade de sorotipos	Rinovírus	Resfriados
	Streptococcus pneumoniae	Pneumonia e meningite

- *Resistência a peptídeos antimicrobianos.* Os patógenos, como *Shigella* spp., *S. aureus* e *Candida* spp., utilizam estratégias para evitar a morte por peptídeos antimicrobianos catiônicos, que incluem: mudanças na carga efetiva de superfície e hidrofobicidade da membrana (que impedem a inserção de peptídeos antimicrobianos e a formação de poros; secreção de proteínas que inativam ou degradam os peptídeos; e bombas que exportam os peptídeos
- *Resistência à morte por fagócitos.* A cápsula de carboidratos na superfície de muitas bactérias (*S. pneumoniae, Neisseria meningitidis, Haemophilus influenzae*) impede a fagocitose dos microrganismos pelos neutrófilos. O *S. aureus* expressa a proteína A, que se liga à porção Fc dos anticorpos e inibe a fagocitose ao reduzir competitivamente a ligação dos anticorpos aos receptores Fc dos fagócitos. Alguns patógenos são resistentes à destruição intracelular nos fagócitos, como micobactérias (que inibem a fusão do fagossomo-lisossomo), *Listeria monocytogenes* (que provoca ruptura da membrana do fagossomo e escapa no citosol), *Cryptococcus neoformans* e certos protozoários (p. ex., *Leishmania* spp., *Trypanosoma* spp., *Toxoplasma gondii*)
- *Evasão da apoptose e manipulação do metabolismo celular do hospedeiro.* Alguns vírus produzem proteínas que interferem na apoptose da célula hospedeira, proporcionando o tempo necessário para a sua replicação, entrar em estado de latência ou até mesmo transformar as células infectadas. Os microrganismos que sofrem replicação intracelular (vírus, algumas bactérias, fungos e protozoários) também expressam fatores que modulam a autofagia, escapando, assim, da degradação
- *Resistência à defesa do hospedeiro mediada por citocinas, quimiocinas e complemento.* Alguns vírus interferem na função da interferona (IFN), produzindo homólogos solúveis dos receptores de IFN-α/β ou IFN-γ que atuam como "iscas", que inibem as ações dos IFN secretados, o que gera proteínas que inibem a via de sinalização do receptor de citocinas JAK/STAT; ou produz proteínas que inativam ou inibem a proteinoquinase dependente de RNA de fita dupla (proteinoquinase R [PKR]), por meio da qual os IFN inibem a replicação viral
- *Evasão do reconhecimento por linfócitos T citotóxicos (CTL) CD8+ e por células T auxiliares CD4+.* As células T reconhecem antígenos microbianos apresentados por moléculas do MHC de classe I para os CTL e da classe II para as células CD4+ (ver **Capítulo 6**). Diversos vírus de DNA (p. ex., HSV, CMV, EBV) ligam-se ou alteram a localização das proteínas do MHC de classe I, o que compromete a apresentação de peptídeos às células T CD8+. Os herpes-vírus também podem ter como alvo moléculas do MHC de classe II para degradação, comprometendo a apresentação de antígenos às células T auxiliares CD4+
- Outra estratégia explora *os mecanismos imunorreguladores para infrarregular as respostas antimicrobianas das células T*. A perda da potência das células T com o passar do tempo, denominada *esgotamento das células T*, constitui uma característica das infecções crônicas pelo HIV, pelo vírus da hepatite C (HVC) e pelo HBV. A proteína da morte celular programada 1 (PD-1) é um receptor de superfície celular de ponto de checagem imune, e a via da PD-1, que normalmente funciona para manter a tolerância das células T aos autoantígenos, constitui um importante mediador do esgotamento das células T durante a infecção viral crônica. Os tumores exploram os mesmos mecanismos para suprimir as respostas imunes destrutivas (ver **Capítulo 7**). A imunoterapia com anti-PD-1 foi aprovada para o tratamento de cânceres e está sendo explorada como possível terapia adjuvante de infecções crônicas que são resistentes à terapia antimicrobiana
- Outra maneira de evitar o sistema imune consiste em "ficar na moita" ao estabelecer um estado de *infecção latente*, no qual poucos genes ou nenhum são expressos, até uma reativação posterior. Como exemplo, destacam-se as infecções latentes dos neurônios pelo HSV e pelo vírus varicela-zóster e dos linfócitos B pelo EBV
- Os patógenos podem infectar as células imunes e interferir nas suas funções (p. ex., o HIV, que infecta e destrói as células T CD4+).

Conceitos-chave
Evasão imune dos microrganismos

Após transpor as barreiras teciduais do hospedeiro, os microrganismos infecciosos também precisam escapar da imunidade inata e adaptativa do hospedeiro para proliferar com sucesso e serem transmitidos para o próximo hospedeiro. As estratégias utilizadas incluem as seguintes:

- Variação antigênica
- Inativação dos anticorpos ou do complemento
- Resistência à fagocitose (p. ex., pela produção de uma cápsula)
- Supressão da resposta imune adaptativa do hospedeiro (p. ex., ao interferir nas citocinas ou ao inibir a expressão do MHC e a apresentação de antígenos)
- Estabelecimento de um estado de latência, durante o qual os vírus sobrevivem em um estado silencioso nas células infectadas
- Infecção e incapacitação ou destruição das células imunes.

Efeitos lesivos da imunidade do hospedeiro

A resposta imune do hospedeiro aos microrganismos pode constituir uma importante causa de lesão tecidual. A reação inflamatória granulomatosa a *M. tuberculosis* sequestra os bacilos e impede sua propagação, mas também pode produzir dano tecidual e fibrose. De modo semelhante, o dano aos hepatócitos após a infecção pelo HBV e HCV deve-se sobretudo aos efeitos da resposta imune sobre as células hepáticas infectadas: em uma tentativa de eliminar o vírus, as células T do hospedeiro e, possivelmente, as células natural *killer* (NK) matam os hepatócitos. Os anticorpos produzidos contra a proteína M estreptocócica podem ter uma reação cruzada com proteínas cardíacas e provocar dano ao coração, levando à doença cardíaca reumática. A glomerulonefrite pós-estreptocócica é causada por imunocomplexos formados entre os anticorpos antiestreptocócicos e os antígenos estreptocócicos que se depositam nos glomérulos renais, o que produz inflamação. Um ciclo de inflamação e lesão epitelial contribui para a patogênese da doença inflamatória intestinal, na qual os microrganismos desempenham um papel relevante (ver **Capítulo 17**). Os vírus (HBV, HCV) e as bactérias (*Helicobacter pylori*) que não são conhecidos como portadores ou ativadores de oncogenes estão associados a cânceres, presumivelmente pelo fato de que esses microrganismos desencadeiam uma inflamação crônica, que proporciona um terreno fértil para o desenvolvimento do câncer (ver **Capítulo 7**).

Infecções em indivíduos com imunodeficiências

Os defeitos herdados ou adquiridos na imunidade inata ou adaptativa frequentemente afetam o sistema imune, deixando o indivíduo suscetível a infecções (ver **Capítulo 6**). Os organismos que causam doença em indivíduos imunodeficientes, mas não em pessoas com sistema imune intacto, são denominados *oportunistas*. Em todo o mundo, a imunodeficiência mais devastadora é causada pela infecção pelo HIV, a causa da AIDS. Outras causas de imunodeficiências adquiridas incluem processos infiltrativos que suprimem a função da medula óssea (como leucemia), fármacos imunossupressores utilizados no tratamento de pacientes com doenças autoimunes e receptores de transplante de órgãos, bem como medicamentos utilizados no tratamento do câncer e transplante de células-tronco hematopoéticas. Os organismos oportunistas (p. ex., *Aspergillus* e *Pseudomonas* spp.) causam doença significativa nesses pacientes. O declínio das respostas imunes pode resultar na reativação de infecção latente (p. ex., herpes-vírus e *M. tuberculosis*). O declínio da função imunológica relacionado com a idade pode aumentar o número de infecções no indivíduo idoso. As doenças ou lesões não imunes também aumentam a suscetibilidade às infecções: *Pseudomonas aeruginosa* e *Burkholderia cepacia* na fibrose cística, devido a um regulador de condutância transmembranar defeituoso, *S. pneumoniae* em indivíduos com doença falciforme, devido à perda dos macrófagos esplênicos, e *P. aeruginosa* em queimaduras, devido à ruptura das barreiras. Por fim, a desnutrição pode comprometer as defesas imunes.

Além das imunodeficiências comuns, doenças de imunodeficiência herdadas (primárias) e raras evidenciam aspectos importantes dos componentes específicos da defesa do hospedeiro, bem como as vulnerabilidades peculiares de determinados patógenos:

- As *deficiências de anticorpos*, como aquelas observadas em pacientes com agamaglobulinemia ligada ao X, levam a um aumento da suscetibilidade às infecções por bactérias extracelulares, como *S. pneumoniae, H. influenzae* e *S. aureus,* bem como alguns vírus (rotavírus e enterovírus)
- Os *defeitos do complemento* envolvendo os primeiros componentes da cascata levam a uma suscetibilidade a infecções por bactérias encapsuladas, como *S. pneumoniae,* enquanto as deficiências dos componentes tardios do complexo de ataque à membrana (C5 a C9) estão associadas a infecções por *Neisseria* spp.
- Os *defeitos na função dos neutrófilos,* como na doença granulomatosa crônica, levam a um aumento da suscetibilidade a infecções causadas por *S. aureus,* algumas bactérias gram-negativas e fungos
- Os *defeitos nas vias de sinalização do receptor do tipo* toll *(TLR, toll-like receptor)* surtem efeitos variados. As mutações em MyD88 ou IRAK4, que são proteínas de sinalização a jusante de vários TLR, predispõem a infecções bacterianas piogênicas (*S. pneumoniae*), e as respostas prejudicadas ao TLR3 estão associadas à encefalite infantil pelo HSV
- Os *defeitos das células T* levam a uma suscetibilidade a patógenos intracelulares, sobretudo vírus e alguns parasitas. As mutações herdadas que prejudicam a geração de células T auxiliares 1 (Th1) (como mutações nos receptores de IL-12 ou IFN-γ ou do fator de transcrição STAT1) estão associadas a infecções por micobactérias atípicas, que são discutidas adiante. Por outro lado, os defeitos que comprometem a geração de células Th17 (mutações em STAT3) estão associadas à candidíase mucocutânea crônica.

Danos ao hospedeiro causados pelos microrganismos

Os agentes infecciosos estabelecem uma infecção e causam dano aos tecidos por meio de alguns mecanismos:

- Podem entrar em contato com as células hospedeiras ou podem entrar nelas e causar *morte celular* diretamente, ou podem provocar alterações do metabolismo e da proliferação celulares, podendo levar, por fim, à *transformação*
- Podem liberar *toxinas* que matam células a distância, liberar *enzimas* que degradam componentes teciduais ou danificar os vasos sanguíneos e causar *necrose isquêmica*
- Podem induzir *respostas imunes* do hospedeiro que, embora sejam dirigidas contra o invasor, provocam dano tecidual adicional.

Mecanismos de lesão viral

Os vírus podem causar dano direto às células hospedeiras ao entrar nelas e se replicar à custa da maquinaria celular. A predileção dos vírus pela infecção de determinadas células, e não de outras, é denominada *tropismo*. **Um importante determinante do tropismo tecidual é a presença de receptores virais nas células hospedeiras.** Os vírus ligam-se a proteínas presentes na superfície das células hospedeiras, que normalmente atuam como receptores para fatores do hospedeiro. Esta é presumivelmente uma maneira pela qual os vírus são capazes de infectar, sobreviver no interior das células e propagar-se. Por exemplo, a glicoproteína gp120 do HIV liga-se à CD4 nas células T e aos receptores de quimiocina CXCR4 (sobretudo nas células T) e CCR5 (principalmente nos macrófagos) (ver **Capítulo 6**), enquanto o EBV liga-se ao receptor 2 do complemento (também conhecido como CR2 ou CD21) nas células B. Outros tropismos são explicados por fatores específicos da linhagem celular. A infecção pelo vírus JC, que causa a leucoencefalopatia (ver **Capítulo 28**), limita-se às células oligodendrogliais no SNC, visto que os genes do vírus JC necessitam dos fatores de transcrição do hospedeiro que são encontrados especificamente nas células gliais para sua expressão.

As barreiras físicas podem contribuir para o tropismo tecidual. Por exemplo, os enterovírus sofrem replicação no intestino, em parte pela capacidade de resistir à inativação pelos ácidos, pela bile e pelas enzimas digestivas. Os rinovírus infectam as células hospedeiras nas vias respiratórias superiores, visto que sua replicação é ótima nas temperaturas mais baixas encontradas em locais expostos ao ar ambiente.

Uma vez no interior das células hospedeiras, os vírus podem danificar ou matar as células por diversos mecanismos (**Figura 8.3**):

- *Efeitos citopáticos diretos.* Alguns vírus matam as células ao impedir a síntese de macromoléculas fundamentais do hospedeiro (p. ex., DNA, RNA ou proteínas da célula hospedeira) ou ao produzir enzimas degradativas e proteínas tóxicas. O poliovírus inativa a proteína de ligação do capuz (*cap*) que é essencial para a tradução dos mRNA da célula hospedeira, porém sem afetar a tradução dos mRNA do poliovírus. Os vírus podem induzir morte celular por meio da ativação dos denominados *receptores de morte* (da família dos receptores do fator de necrose tumoral [TNF]) na membrana plasmática e pelo desencadeamento da maquinaria apoptótica intracelular. São sintetizadas grandes quantidades de proteínas virais nas células infectadas, como proteínas não enoveladas ou mal

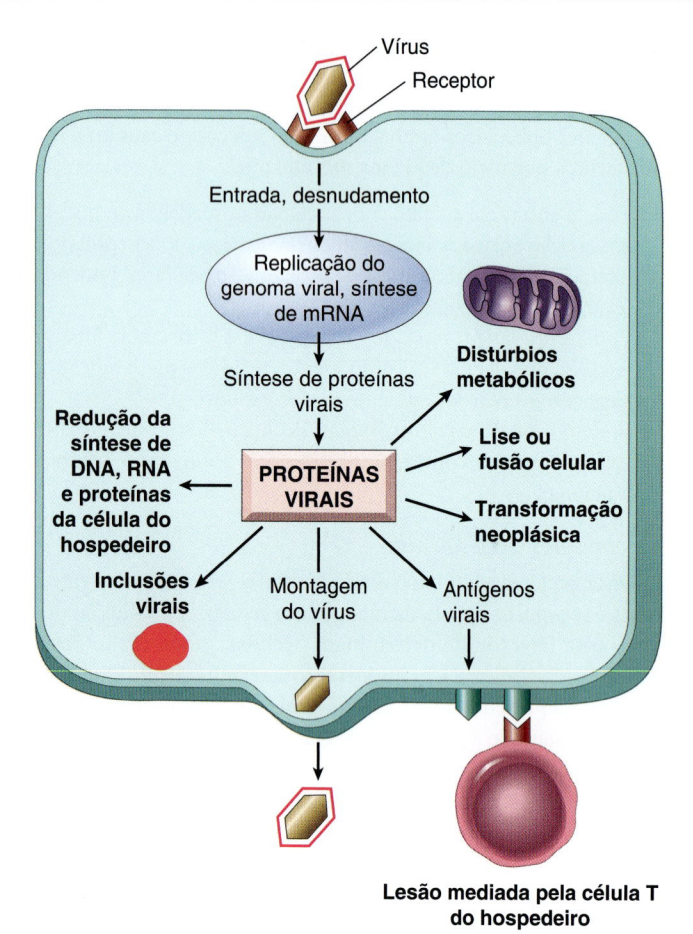

Figura 8.3 Mecanismos pelos quais os vírus causam lesão das células.

enoveladas, que ativam a resposta de estresse do RE; isso também ativa as vias pró-apoptóticas. Por fim, alguns vírus codificam proteínas que são pró-apoptóticas, como a proteína viral R (Vpr) do HIV
- *Respostas imunes antivirais.* Os linfócitos do hospedeiro podem reconhecer e destruir células infectadas por vírus; entretanto, conforme já assinalado, os CTL também podem ser responsáveis pela lesão tecidual
- *Transformação das células infectadas.* Os vírus oncogênicos podem estimular o crescimento e a sobrevivência das células por uma variedade de mecanismos, como a expressão de oncogenes codificados pelo vírus, a expressão de proteínas virais que inativam supressores de tumor essenciais e a mutagênese insercional, em que a expressão dos genes do hospedeiro é alterada pela inserção de genes virais nos genes ou em sequências flanqueadoras do hospedeiro (ver **Capítulo 7**).

Mecanismos de lesão bacteriana

Virulência bacteriana. O dano causado pelas bactérias aos tecidos do hospedeiro depende de sua capacidade de aderir às células hospedeiras, de invadir as células dos tecidos e de liberar toxinas. As bactérias patogênicas têm *genes de virulência*, que codificam proteínas responsáveis por essas propriedades. Um exemplo da importância desses genes pode ser encontrado nas várias cepas de *S. entérica.* Todas as cepas de *S. enterica* que infectam seres humanos estão tão estreitamente relacionadas entre si que acabam por formar uma única espécie, o que significa que elas compartilham muitos genes de manutenção. As diferenças em um número relativamente pequeno de genes de virulência determinam se um isolado de *S. enterica* provoca febre tifoide potencialmente fatal ou enterite autolimitante. Os genes de virulência são, com frequência, encontrados reunidos em agrupamentos denominados *ilhas de patogenicidade.*

Os elementos genéticos móveis, como os plasmídeos e os bacteriófagos, podem transmitir genes funcionalmente importantes para as bactérias, incluindo genes que influenciam a patogenicidade e a resistência a fármacos. Genes para toxinas são algumas vezes encontrados em plasmídeos, porém ocorrem com mais frequência nos genomas de bacteriófagos, como os genes que codificam as toxinas responsáveis pela patogênese de infecções como cólera, difteria e botulismo. Os genes para traços adquiridos de resistência a antibióticos são mais frequentemente encontrados em plasmídeos, que podem se propagar não apenas dentro de espécies bacterianas, mas também entre organismos relacionados de maneira mais distante. Por exemplo, um plasmídeo com genes para a resistência à vancomicina pode se propagar não apenas entre *Enterococcus* spp., mas também em *S. aureus* mais distantemente relacionado (e virulento).

Muitas bactérias regulam de maneira coordenada a expressão gênica dentro de uma grande população por um processo denominado *percepção de quórum* (*quorum sensing*). A percepção de quórum capacita as bactérias a ativar a expressão gênica e a expressar traços específicos somente quando o organismo se prolifera para alcançar uma alta concentração de organismos na colônia. Para isso, as bactérias secretam pequenas moléculas autoindutoras que, quando presentes em altos níveis, induzem a expressão de genes para a produção de toxina (*S. aureus*), competência para transformação genética (*S. pneumoniae*) ou geração de biofilmes (*P. aeruginosa*). Os autoindutores podem ser lactonas de N-acil-homosserina nas bactérias gram-negativas ou peptídeos nas bactérias gram-positivas. A expressão coordenada de fatores de virulência dentro de populações bacterianas pode permitir o crescimento das bactérias em locais distintos do hospedeiro, como abscesso ou pneumonia com consolidação, superando, assim, as defesas do hospedeiro. Curiosamente, na percepção de quórum, diferentes colônias de bactérias dentro da mesma população podem expressar genes diferentes. Por conseguinte, as bactérias unicelulares adquirem algumas das propriedades mais complexas dos organismos multicelulares, nos quais células diferentes desempenham funções diferentes.

As comunidades de bactérias formam *biofilmes,* nos quais os microrganismos vivem dentro de uma camada viscosa de polissacarídeos extracelulares, que adere aos tecidos do hospedeiro ou a dispositivos, como cateteres intravasculares e próteses articulares. Além de aumentar a aderência aos tecidos do hospedeiro, os biofilmes aumentam a virulência das bactérias, visto que eles protegem os microrganismos dos mecanismos efetores imunes e aumentam a resistência aos fármacos antimicrobianos. A formação de biofilmes tem papel importante na persistência e recidiva da endocardite bacteriana, nas infecções de próteses articulares e nas infecções respiratórias em indivíduos com fibrose cística.

Aderência das bactérias às células do hospedeiro. As bactérias utilizam várias estruturas de superfície para se fixar às células e aos tecidos do hospedeiro:

- As *adesinas* são proteínas de superfície bacterianas, que ligam os microrganismos às células hospedeiras ou à matriz extracelular. As adesinas apresentam uma ampla gama de especificidade celular do hospedeiro. Por exemplo, o *Streptococcus pyogenes* adere aos tecidos do hospedeiro utilizando as adesinas proteína F e ácido teicoico, que se projetam da parede celular bacteriana e ligam-se à fibronectina na superfície das células hospedeiras e na matriz extracelular
- Os *pili* são estruturas filamentosas presentes na superfície das bactérias, que atuam como adesinas. As hastes dos *pili* são compostas de subunidades repetidas e conservadas de proteína, enquanto o *fibrillum* variável da ponta dos *pili* determina a especificidade de ligação das bactérias a tecidos. O tropismo tecidual preciso de *E. coli* que provoca infecções do trato urinário é determinado pelo *fibrillum* da ponta, expresso pela bactéria. Assim, a adesão ao epitélio da bexiga é mediada pelo *fibrillum* da ponta, que se liga receptores d-manosilados, e a adesão ao epitélio renal depende da ligação do *fibrillum* da ponta a glicoesfingolipídios que contêm galabiose. Os *pili* podem ser alvos da resposta dos anticorpos do hospedeiro, e, por sua vez, algumas bactérias, como *N. gonorrhoeae* variam os seus *pili* para escapar do sistema imune do hospedeiro.

Bactérias intracelulares. As bactérias desenvolveram uma variedade de mecanismos para entrar nas células hospedeiras. Algumas bactérias utilizam receptores que são importantes na resposta imune do hospedeiro para entrar nos macrófagos. *M. tuberculosis* utiliza receptores do hospedeiro para opsoninas (anticorpos e C3b), bem como receptores não opsônicos (de elementos não opsonizantes) inespecíficos nos macrófagos. Algumas bactérias gram-negativas utilizam um sistema de secreção tipo III para penetrar nas células epiteliais. Esse sistema consiste em estruturas semelhantes a agulhas, que se projetam da superfície bacteriana e ligam-se às células do hospedeiro. Em seguida, essas proteínas formam poros na membrana da célula hospedeira e injetam proteínas bacterianas que medeiam o rearranjo do citoesqueleto da célula hospedeira, de modo a facilitar a entrada da bactéria.

Após a entrada na célula hospedeira, o destino da bactéria (e da célula infectada) varia acentuadamente, dependendo do microrganismo. *Shigella* spp. e *E. coli* inibem a síntese de proteínas do hospedeiro, sofrem rápida replicação e lisam a célula hospedeira em poucas horas. As bactérias são, em sua maioria, destruídas dentro dos macrófagos quando o fagossomo se funde com um lisossomo ácido, formando um fagolisossomo, no interior do qual os microrganismos ingeridos são destruídos; entretanto, certas bactérias escapam dessa defesa do hospedeiro. *M. tuberculosis* bloqueia a fusão do lisossomo com o fagossomo, o que permite sua proliferação descontrolada dentro do macrófago. Outras bactérias evitam a destruição nos macrófagos deixando o fagossomo e entrando no citoplasma. A *L. monocytogenes* produz uma proteína formadora de poro, denominada listeriolisina O, e duas fosfolipases que degradam a membrana do fagossomo, permitindo o escape da bactéria no citoplasma, onde fica protegida dos mecanismos de destruição dos macrófagos. No citoplasma, a *L. monocytogenes* modifica o citoesqueleto de actina da célula hospedeira para promover a propagação direta do organismo para as células adjacentes. O crescimento das bactérias no interior das células pode permitir o escape de certos mecanismos efetores da resposta imune (p. ex., anticorpos e complemento) e também pode facilitar a disseminação das bactérias. Um exemplo dessa disseminação é a migração de macrófagos infectados portadores de *M. tuberculosis* do pulmão para os linfonodos de drenagem e outros locais mais distantes.

Toxinas bacterianas. Qualquer substância bacteriana que contribua para a doença pode ser considerada uma toxina. As toxinas são classificadas como endotoxina, que é componente da célula bacteriana gram-negativa, e exotoxinas, que são proteínas secretadas por muitos tipos de bactérias.

A endotoxina bacteriana é um lipopolissacarídeo (LPS) na membrana externa das bactérias gram-negativas, que estimula as respostas imunes e que causa lesão do hospedeiro. O lipídio A, a parte do LPS que ancora a molécula na membrana da célula hospedeira, conta com atividade de endotoxina do LPS. Este se liga ao receptor de superfície celular CD14, e o complexo LPS/CD14 liga-se então ao TLR4. Outras moléculas nas estruturas externas das bactérias gram-positivas podem ter efeitos semelhantes ao LPS, como o ácido lipoteicoico, que se liga ao TLR2. A resposta ao lipídio A ou ao ácido lipoteicoico é benéfica para o hospedeiro, visto que ativa a imunidade protetora de várias maneiras. Induz a produção de citocinas e de quimioatraentes (quimiocinas) pelas células imunes e aumenta a expressão de moléculas coestimuladoras, que intensificam a ativação dos linfócitos T. Todavia, os níveis elevados de endotoxina desempenham um papel patogênico no choque séptico, na coagulação intravascular disseminada (CIVD) e na síndrome de desconforto respiratório agudo, sobretudo por meio da indução de níveis excessivos de citocinas, como TNF, IL-6 e IL-12.

As exotoxinas são proteínas bacterianas secretadas, que causam lesão celular e doença. Podem ser classificadas em categorias gerais com base em seu mecanismo de ação. São brevemente descritas a seguir e discutidas com mais detalhes nas seções específicas sobre cada tipo de bactéria:

- *Enzimas*. As bactérias secretam uma variedade de enzimas (proteases, hialuronidases, coagulases, fibrinolisinas), que atuam sobre substratos nos tecidos ou nas células do hospedeiro. Essas enzimas desempenham funções na destruição tecidual e na formação de abscessos. Por exemplo, as toxinas esfoliativas produzidas pelo *S. aureus* causam a síndrome da pele escaldada estafilocócica, devido à degradação de proteínas que mantêm os queratinócitos unidos, causando a separação entre a epiderme e as camadas mais profundas da pele
- *Toxinas que alteram as vias de sinalização ou vias reguladoras intracelulares*. A maioria dessas toxinas conta com uma subunidade ativa (A), com atividade enzimática, e uma subunidade de ligação (B), que se liga a receptores na superfície celular e libera a subunidade A dentro do citoplasma da célula. Os efeitos dessas toxinas são diversos e dependem da especificidade de ligação do domínio B e das vias celulares afetadas pelo domínio A. As toxinas A-B são produzidas por diversas bactérias, como *Bacillus anthracis*, *V. cholerae* e algumas cepas de *E. coli*. As *neurotoxinas* são toxinas A-B produzidas por *Clostridium botulinum* e *Clostridium tetani* que inibem a liberação de neurotransmissores, resultando em paralisia. Essas toxinas não matam os neurônios; na verdade, os domínios A interagem especificamente com proteínas envolvidas na secreção de neurotransmissores, na junção sináptica. Tanto o tétano quanto o botulismo podem resultar em morte por insuficiência respiratória, devido à paralisia dos músculos torácicos e do diafragma

- Os *superantígenos* são toxinas bacterianas que estimulam um grande número de linfócitos T por meio de sua ligação a porções conservadas do receptor de células T, levando à proliferação maciça dos linfócitos T e à liberação de citocinas. Os altos níveis de citocinas podem levar à síndrome da resposta inflamatória sistêmica.

> **Conceitos-chave**
> **Dano ao hospedeiro**
> - As doenças causadas por microrganismos envolvem a interação entre os fatores de virulência microbianos e as respostas do hospedeiro
> - Os agentes infecciosos causam morte ou disfunção ao interagir diretamente com as células do hospedeiro
> - A lesão pode ser causada pela liberação local ou sistêmica de produtos microbianos, como endotoxina (LPS), exotoxinas ou superantígenos
> - Os patógenos podem induzir respostas imunes que causam dano aos tecidos. A ausência de uma resposta imune pode reduzir o dano induzido por algumas infecções; por outro lado, o imunocomprometimento pode permitir a expansão descontrolada de microrganismos, que podem causar lesão diretamente.

Espectro das respostas inflamatórias à infecção

Diferentemente da enorme diversidade molecular dos microrganismos, os padrões morfológicos das respostas teciduais a eles são limitados, assim como os mecanismos que dirigem essas respostas. Por conseguinte, muitos patógenos produzem padrões de reações semelhantes, e poucas características são únicas ou patognomônicas de determinado microrganismo. Além disso, algumas vezes, o estado imune do hospedeiro determina as características histológicas da resposta inflamatória aos microrganismos. Assim, as bactérias piogênicas, que normalmente induzem respostas vigorosas dos leucócitos, podem causar rápida necrose tecidual, com pouca exsudação leucocitária em um hospedeiro com neutropenia profunda. De modo semelhante, em um paciente que não está imunocomprometido, *M. tuberculosis* provoca granulomas bem formados, com poucas micobactérias presentes, ao passo que, em um paciente com AIDS, as mesmas micobactérias multiplicam-se de maneira profusa nos macrófagos, que não coalescem em granulomas.

Existem cinco padrões histológicos principais de reação tecidual nas infecções (**Tabela 8.3**).

Inflamação supurativa (purulenta)

Esse padrão caracteriza-se por um aumento da permeabilidade vascular e infiltração leucocitária, predominantemente de neutrófilos (ver **Figura 3.15**). Os neutrófilos são atraídos até o local de infecção pela liberação de quimioatraentes das bactérias "piogênicas" (formadoras de pus) que induzem essa resposta, sobretudo cocos gram-positivos extracelulares e bacilos gram-negativos. O pus é formado por massas de neutrófilos mortos ou em processo de morte, bem como por necrose liquefativa do tecido. O tamanho das lesões purulentas varia, desde minúsculos microabscessos formados em múltiplos órgãos, durante a sepse bacteriana secundária à colonização de uma valva cardíaca, até o comprometimento difuso de lobos inteiros do pulmão na pneumonia. O grau destrutivo das lesões depende de sua localização e do organismo envolvido. Por exemplo, o *S. pneumoniae* costuma poupar as paredes alveolares e provoca pneumonia lobar de

Tabela 8.3 Espectro das respostas inflamatórias à infecção.

Tipo de resposta	Patogênese	Exemplos
Infecção supurativa (purulenta)	Aumento da permeabilidade vascular Infiltração de leucócitos (neutrófilos) Quimioatraentes de bactérias Formação de "pus"	Pneumonia (*Staphylococcus aureus*) Abscessos (*Staphylococcus* spp., bactérias anaeróbicas e outras bactérias)
Inflamação mononuclear e granulomatosa	Infiltrados de células mononucleares (monócitos, macrófagos, plasmócitos, linfócitos) Resposta imune mediada por células aos patógenos ("antígeno persistente") Formação de granulomas	Sífilis Tuberculose
Reações citopático-citoproliferativas	Transformação viral das células Necrose ou proliferação (incluindo multinucleação) Ligadas à neoplasia	Câncer do colo do útero (papilomavírus humano) Varicela, zóster Herpes
Necrose tecidual	Destruição mediada por toxina ou lise Ausência de células inflamatórias Processos rapidamente progressivos	Gangrena (*Clostridium perfringens*) Hepatite (vírus da hepatite B)
Inflamação crônica/cicatriz	Lesão repetitiva, levando à fibrose Perda do parênquima normal	Hepatite crônica com cirrose (vírus das hepatites B e C)
Ausência de reação	Imunocomprometimento grave	*Mycobacterium avium* na AIDS não tratada (deficiência de células T) Mucormicose em pacientes com transplante de medula óssea (neutropenia)

resolução completa, enquanto S. aureus e Klebsiella pneumoniae destroem as paredes alveolares e formam abscessos, que se resolvem com a formação de cicatriz. Pode ocorrer resolução da faringite bacteriana (S. pyogenes) sem sequelas, enquanto a inflamação bacteriana aguda não tratada de uma articulação pode destruí-la em poucos dias.

Inflamação mononuclear e granulomatosa

Os infiltrados intersticiais difusos e predominantemente mononucleares constituem uma característica comum de todos os processos inflamatórios crônicos; entretanto, quando se desenvolvem de forma aguda, eles frequentemente são uma resposta a vírus, bactérias intracelulares ou parasitas intracelulares. Além disso, as espiroquetas e os helmintos provocam respostas inflamatórias crônicas. A célula mononuclear que predomina na lesão inflamatória depende da resposta imune do hospedeiro ao organismo. Por exemplo, os plasmócitos são abundantes nas lesões primárias e secundárias da sífilis (**Figura 8.4**), enquanto os linfócitos predominam na infecção pelo HBV ou nas infecções virais do cérebro. A presença desses linfócitos reflete respostas imunes mediadas por células contra o patógeno ou às células infectadas pelo patógeno. No outro extremo, os macrófagos podem se tornar repletos de microrganismos, como ocorre nas infecções pelo *complexo M. avium* em pacientes com AIDS, que não conseguem desenvolver uma resposta imune efetiva contra os microrganismos.

A *inflamação granulomatosa* é uma forma distinta de inflamação mononuclear, que costuma ser induzida por agentes infecciosos que resistem à erradicação e são capazes de estimular uma forte imunidade mediada por células (p. ex., *M. tuberculosis, Histoplasma capsulatum,* ovos de esquistossomos). A inflamação granulomatosa caracteriza-se pelo acúmulo e agregação de macrófagos ativados, denominados células "epitelioides", algumas das quais podem se fundir para formar células gigantes. Os granulomas podem conter uma área central de necrose caseosa (ver **Capítulo 3** e discussão da tuberculose mais adiante, neste capítulo).

Reação citopático-citoproliferativa

Em geral, essas reações são produzidas por vírus. As lesões caracterizam-se por necrose celular ou proliferação celular, geralmente com células inflamatórias esparsas. Alguns vírus sofrem replicação no interior das células e produzem agregados virais, que são visíveis na forma de corpos de inclusão (p. ex., herpes-vírus ou adenovírus), ou induzem a fusão das células, formando células multinucleadas denominadas *policarions* (p. ex., vírus do sarampo ou herpes-vírus). O dano celular focal na pele pode causar desprendimento das células, formando bolhas (**Figura 8.5**). Alguns vírus podem causar proliferação das células epiteliais (p. ex., verrugas venéreas causadas pelo HPV ou pápulas umbilicadas do molusco contagioso causadas por poxvírus). Por fim, os vírus podem contribuir para o desenvolvimento de neoplasias malignas (ver **Capítulo 7**).

Necrose tecidual

Clostridium perfringens e outros microrganismos, como *Corynebacterium diphtheriae,* que secretam poderosas toxinas, provocam necrose tão rápida e grave (necrose gangrenosa) que o dano aos tecidos constitui a característica dominante. O parasita *E. histolytica* causa úlceras colônicas e abscessos hepáticos, que se caracterizam por extensa destruição do tecido, com necrose liquefativa e pouco infiltrado inflamatório. Alguns vírus podem causar necrose disseminada e grave das células hospedeiras associada a inflamação, conforme exemplificado pela destruição total dos lobos temporais do cérebro pelo HSV ou do fígado pelo HBV.

Inflamação crônica e formação de tecido cicatricial

Muitas infecções induzem inflamação crônica, que pode levar à cura completa ou à extensa formação de tecido cicatricial. Por exemplo, a infecção crônica pelo HBV pode provocar cirrose hepática, em que densos septos fibrosos circundam os nódulos de hepatócitos em regeneração, com perda completa da arquitetura normal do fígado e alterações consequentes no fluxo sanguíneo. Algumas vezes, a resposta cicatricial exuberante constitui a principal causa de disfunção (p. ex., a fibrose em "haste de cachimbo" do fígado ou a fibrose da parede da bexiga causadas por ovos de esquistossomos [**Figura 8.6**] ou a pericardite fibrosa constritiva na tuberculose).

Esses padrões de reação tecidual fornecem diretrizes úteis para a análise dos aspectos microscópicos dos processos infecciosos, porém eles raramente aparecem na forma pura, visto que, com frequência, ocorrem diferentes tipos de reações do hospedeiro ao mesmo tempo. Por exemplo, o pulmão de um

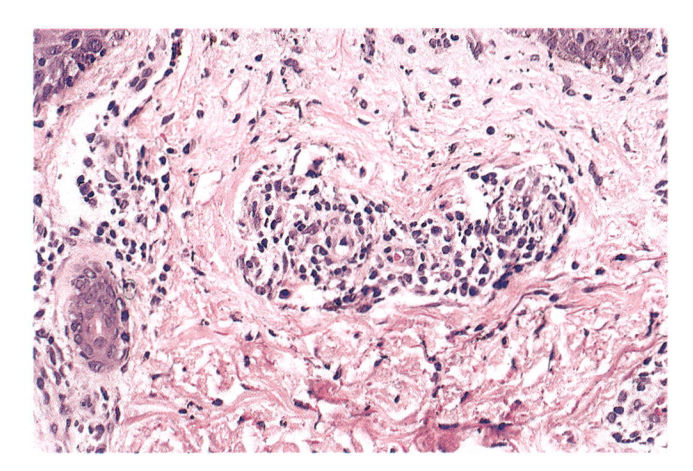

Figura 8.4 Sífilis secundária na derme, com infiltrado linfoplasmocitário perivascular e proliferação endotelial.

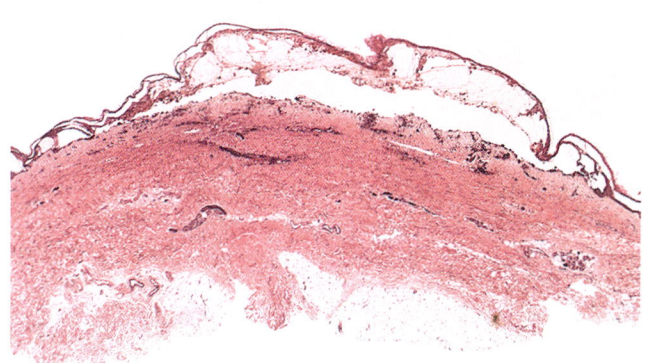

Figura 8.5 Bolha na mucosa por herpes-vírus. Ver **Figura 8.9** para inclusões virais.

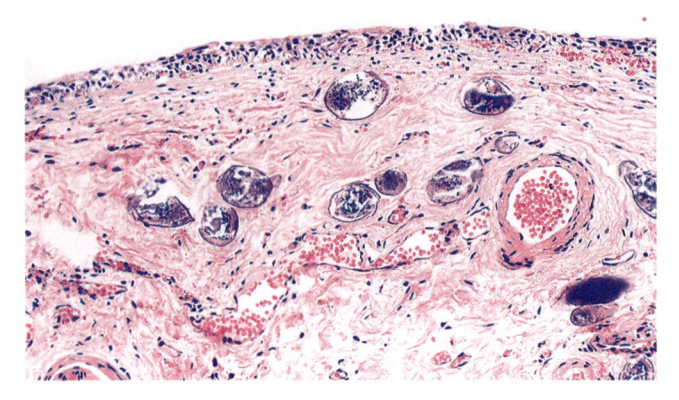

Figura 8.6 Infecção da bexiga por *Schistosoma haematobium*, com numerosos ovos calcificados e extensa cicatriz.

paciente com AIDS pode ser infectado pelo CMV, causando alterações citolíticas, e ao mesmo tempo por *Pneumocystis* spp., que provoca inflamação intersticial. Padrões semelhantes de inflamação também podem ser observados nas respostas teciduais a agentes físicos ou químicos ou em doenças inflamatórias de causa desconhecida (ver **Capítulo 3**).

Concluímos assim a nossa discussão sobre os princípios gerais da patogênese e da patologia das doenças infecciosas. Descreveremos agora as infecções específicas causadas por vírus, bactérias, fungos e parasitas, com foco em seus mecanismos patogênicos e efeitos patológicos, em vez dos detalhes das características clínicas, que são encontrados em livros de clínica médica. As infecções que normalmente acometem um órgão específico são discutidas em outros capítulos.

Infecções virais

Os vírus constituem a causa de muitas infecções agudas e crônicas clinicamente importantes, que podem afetar praticamente qualquer sistema de órgãos (**Tabela 8.4**).

Infecções agudas (transitórias)

Os vírus que provocam infecções transitórias são estruturalmente heterogêneos, porém todos desencadeiam respostas imunes efetivas, que eliminam os patógenos, limitando a duração dessas infecções. Entretanto, vírus específicos exibem graus muito diferentes de diversidade genética, uma variável que exerce impacto considerável na suscetibilidade do hospedeiro à reinfecção pelo mesmo tipo de vírus. Por exemplo, o vírus da caxumba apresenta apenas um subtipo genético e infecta as pessoas apenas uma única vez, enquanto outros vírus, como os vírus influenza, podem infectar repetidamente o mesmo indivíduo, devido ao aparecimento periódico de novas variantes genéticas na natureza. A imunidade a alguns vírus, sobretudo os respiratórios e gastrintestinais, declina com o tempo, e isso também possibilita a infecção repetida do hospedeiro pelo mesmo vírus.

Sarampo

O sarampo é uma infecção viral aguda que afeta múltiplos órgãos e provoca uma ampla variedade de doenças, desde infecções leves e autolimitantes até manifestações sistêmicas graves. Uma grande iniciativa de vários governos e órgãos internacionais, incluindo a Organização Mundial da Saúde (OMS), com o objetivo de aumentar a vacinação contra o sarampo reduziu o número de mortes relacionadas a essa doença em 84% no período de 2000 a 2016; todavia, o sarampo ainda causou quase 90 mil mortes em todo o mundo naquele ano. Devido à nutrição deficiente e à falta de acesso aos cuidados médicos, as crianças de países de baixa renda são de dez a mil vezes mais propensas a morrer dessa doença do que as crianças nos países de maior renda. O sarampo pode produzir doença grave em indivíduos com defeitos da imunidade celular (p. ex., pessoas infectadas pelo HIV ou indivíduos com neoplasia maligna hematológica). Nos países de

Tabela 8.4 Vírus humanos e doenças virais selecionados.

Sistema orgânico	Espécie	Doença
Respiratório	Adenovírus	Infecções das vias respiratórias superiores e inferiores, conjuntivite, diarreia
	Rinovírus	Infecção das vias respiratórias superiores
	Vírus influenza A, B	Influenza
	Vírus sincicial respiratório	Bronquiolite, pneumonia
Digestório	Vírus da caxumba	Caxumba, pancreatite, orquite
	Rotavírus	Gastrenterite infantil
	Norovírus	Gastrenterite
	Vírus da hepatite A	Hepatite viral aguda
	Vírus da hepatite B	Hepatite aguda ou crônica
	Vírus da hepatite D	Com o vírus da hepatite B, hepatite aguda ou crônica
	Vírus da hepatite C	Hepatite aguda ou crônica
	Vírus da hepatite E	Hepatite viral aguda
Sistêmico com erupções cutâneas	Vírus do sarampo	Sarampo
	Vírus da rubéola	Rubéola
	Vírus varicela-zóster	Varicela, zóster
	Herpes-vírus simples 1	Herpes oral
	Herpes-vírus simples 2	Herpes genital
Sistêmico com doenças hematológicas	Citomegalovírus	Doença de inclusão citomegálica
	Vírus Epstein-Barr	Mononucleose infecciosa
	Vírus da imunodeficiência humana 1 e 2	Síndrome da imunodeficiência adquirida
Arbovírus e febres hemorrágicas	Vírus da dengue 1 a 4	Febre hemorrágica da dengue
	Vírus da febre amarela	Febre amarela
Verrugas cutâneas/genitais	Papilomavírus humano	Condiloma; carcinoma do colo do útero
Sistema nervoso central	Poliovírus	Poliomielite
	Vírus JC	Leucoencefalopatia multifocal progressiva (oportunista)

maior renda, ocorrem epidemias de sarampo quando o vírus é introduzido por viajantes de uma área endêmica para a doença e, em seguida, propaga-se, sobretudo, entre indivíduos não vacinados. Nos EUA, nos últimos anos, esses surtos têm ocorrido várias vezes por ano. O diagnóstico pode ser estabelecido clinicamente, por sorologia ou pela detecção do RNA viral em secreções respiratórias ou na urina.

Patogênese

O vírus do sarampo é um vírus de RNA de fita simples da família Paramyxoviridae, que inclui o vírus da caxumba, o vírus sincicial respiratório, o vírus parainfluenza (uma causa de crupe) e o metapneumovírus humano. Existe apenas um sorotipo do vírus do sarampo. A transmissão do vírus do sarampo é muito eficiente por via respiratória, por meio de secreções respiratórias aerossolizadas. Foram identificados três receptores de superfície celular para a proteína hemaglutinina do sarampo. O membro 1 da família da molécula de sinalização para ativação linfocítica (SLAMF1, *signaling lymphocytic activation molecule family member 1*) é expresso nos linfócitos ativados, nas células dendríticas e nos monócitos e atua como receptor inicial para a infecção viral. A nectina-4 é encontrada na superfície basal das células epiteliais, e acredita-se que seja importante na replicação do vírus dentro do sistema respiratório, antes da propagação do vírus nas secreções respiratórias. O CD46 foi o primeiro receptor de superfície celular identificado para o vírus do sarampo, porém foi constatado que ele é apenas utilizado pelo vírus adaptado em cultura (incluindo a cepa da vacina), mas não pelo vírus de tipo selvagem.

O vírus do sarampo pode sofrer replicação em uma variedade de tipos de células, como as epiteliais e os leucócitos. No início, o vírus multiplica-se no sistema respiratório e, em seguida, propaga-se para os tecidos linfoides locais. A replicação do vírus no tecido linfoide é seguida de viremia e disseminação para diversos tecidos, como a conjuntiva, a pele, o sistema respiratório, o trato urinário, os pequenos vasos sanguíneos, o sistema linfático e o SNC. A maioria das crianças desenvolve imunidade mediada por células T ao vírus do sarampo, o que ajuda no controle da infecção viral e produz o exantema do sarampo. Por conseguinte, o exantema é menos frequente em indivíduos com deficiências da imunidade mediada por células. Além disso, em crianças desnutridas, com cuidados médicos precários, o vírus do sarampo pode causar crupe, pneumonia, diarreia, enteropatia perdedora de proteína, ceratite que leva à cicatrização e cegueira, encefalite e exantemas hemorrágicos. A panencefalite esclerosante aguda (ver **Capítulo 28**) e a encefalite com corpos de inclusão do sarampo (em indivíduos imunocomprometidos) constituem complicações tardias e raras do sarampo. A patogênese da panencefalite esclerosante subaguda não está bem esclarecida, porém uma variante do sarampo com replicação defeituosa pode estar envolvida nessa infecção viral persistente.

A imunidade mediada por anticorpos ao vírus do sarampo protege contra a reinfecção. O sarampo também pode causar imunossupressão transitória, porém profunda, resultando em infecções bacterianas e virais secundárias, que são responsáveis por grande parte da morbidade e da mortalidade relacionadas com a doença. As respostas de hipersensibilidade de tipo tardio são reduzidas após a infecção pelo vírus do sarampo, indicando uma redução das respostas dos linfócitos. Isso pode estar associado a uma inibição da capacidade das células dendríticas infectadas de estimular os linfócitos.

> ### Morfologia
>
> O exantema macular da infecção pelo vírus do sarampo é de coloração marrom-avermelhada e acomete a face, o tronco e a parte proximal dos membros. Ele é resultado da dilatação dos vasos da pele, do edema e do infiltrado perivascular mononuclear. As lesões ulceradas da mucosa na cavidade oral, próximo à abertura dos ductos de Stensen (as *manchas de Koplik* patognomônicas) caracterizam-se por necrose, exsudato neutrofílico e neovascularização. Normalmente, os órgãos linfoides apresentam acentuada hiperplasia folicular, centros germinativos grandes e células gigantes multinucleadas de distribuição aleatória, denominadas *células de Warthin-Finkeldey*, que contam com corpos de inclusão eosinofílicos nucleares e citoplasmáticos (**Figura 8.7**). São patognomônicos do sarampo e também são encontrados nos pulmões e no escarro. As formas mais leves de pneumonia do sarampo exibem a mesma infiltração de células mononucleares peribrônquicas e intersticiais, que é observada em outras infecções virais não letais.

Caxumba

A caxumba é uma infecção viral sistêmica aguda, normalmente associada a dor e tumefação das glândulas salivares. À semelhança do vírus do sarampo, o vírus da caxumba é um membro da família Paramyxoviridae que dispõe de dois tipos de glicoproteínas de superfície: uma com atividades de hemaglutinina e neuraminidase e a outra com atividades de fusão celular e citolítica. O vírus da caxumba entra nas vias respiratórias superiores por inalação ou contato com gotículas respiratórias; em seguida, propaga-se para os linfonodos de drenagem, onde sofre replicação nos linfócitos (preferencialmente nas células T ativadas) e, em seguida, dissemina-se pelo sangue para as glândulas salivares e outras glândulas. O vírus da caxumba infecta as células epiteliais dos ductos das glândulas salivares, resultando em descamação das células acometidas, edema e inflamação, que leva à dor e tumefação clássicas das glândulas salivares. O vírus da caxumba também pode propagar-se para outros locais, como o SNC, os testículos, os ovários e o pâncreas. A meningite asséptica constitui a complicação mais comum da caxumba fora das glândulas salivares, ocorrendo em até 15% dos casos. Nos EUA, ocorreram nos últimos anos surtos de caxumba em populações com contato próximo (p. ex., ambientes

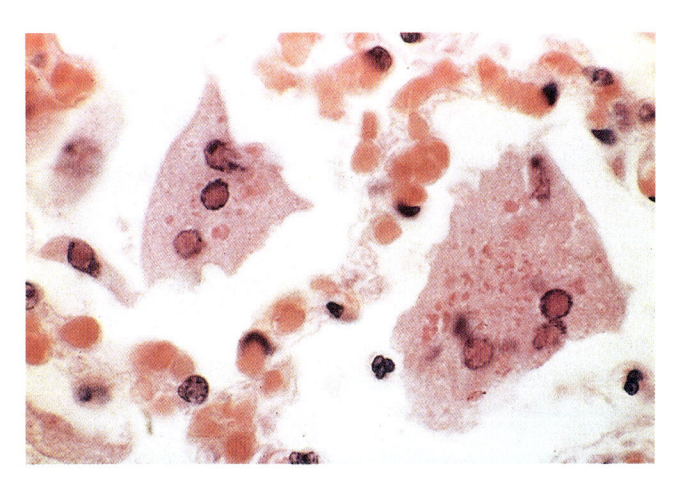

Figura 8.7 Células gigantes do sarampo no pulmão. Observe as inclusões intranucleares eosinofílicas vítreas.

universitários ou de ensino médio), resultando em cerca de 6 mil casos por ano. É importante assinalar que isso representa uma redução de mais de 99% em relação ao número de casos que ocorriam anualmente nos EUA antes do uso da vacina contra a caxumba. Em geral, o diagnóstico é estabelecido clinicamente, porém a sorologia ou a detecção do RNA viral na saliva podem ser utilizadas para o diagnóstico definitivo.

> ### Morfologia
>
> A **parotidite por caxumba** é bilateral em 70% dos casos. As glândulas afetadas estão aumentadas, com consistência pastosa e são úmidas, brilhantes e marrom-avermelhadas aos cortes transversais. Ao exame microscópico, o interstício da glândula é edematoso e difusamente infiltrado por macrófagos, linfócitos e plasmócitos, que comprimem os ácinos e os ductos. A luz dos ductos pode ser preenchida por neutrófilos e restos necróticos, causando dano focal ao epitélio de revestimento.
>
> Na **orquite por caxumba**, a tumefação testicular pode ser acentuada, causada por edema, infiltração de células mononucleares e hemorragias focais. Como o testículo está firmemente contido dentro da túnica albugínea, o edema do parênquima pode comprometer o suprimento sanguíneo e causar áreas de infarto. O dano testicular pode levar à formação de cicatrizes, atrofia e, quando grave, esterilidade.
>
> A infecção e o dano das células acinares no pâncreas podem liberar enzimas digestivas, causando necrose parenquimatosa e gordurosa e inflamação rica em neutrófilos. **A encefalite por caxumba** está associada à desmielinização perivenosa e formação de manguito mononuclear perivascular.

Poliomielite

O poliovírus causa uma infecção viral sistêmica aguda, levando a uma ampla variedade de manifestações, desde infecções leves e autolimitantes até paralisia dos músculos dos membros e dos músculos respiratórios. O poliovírus é um vírus de RNA esférico e não encapsulado, do gênero enterovírus. Outros enterovírus causam diarreia infantil, bem como exantemas (vírus coxsackie A), conjuntivite (enterovírus 70), meningite viral (vírus coxsackie e vírus ECHO) e miopericardite (vírus coxsackie B). Existem três sorotipos de poliovírus, porém é provável que as infecções sejam causadas, em sua maioria, pelo tipo 1. A vacina de poliovírus inativados (injetada) protege contra todos os três sorotipos, enquanto a vacina de poliovírus atenuados (oral) está disponível em várias combinações de um, dois ou todos os três sorotipos, embora apenas as formulações contendo um ou dois sorotipos sejam atualmente utilizadas. Essas vacinas quase erradicaram a poliomielite, visto que o poliovírus infecta apenas seres humanos, dispõe de variação genética limitada e é neutralizado efetivamente por anticorpos gerados pela imunização. De acordo com os dados de vigilância globais da pólio, em 2017, foi notificado um total de apenas 22 casos de pólio; entretanto, casos adicionais foram notificados em 2018 e 2019 causados pela infecção natural e pela cepa vacinal.

À semelhança de outros enterovírus, o poliovírus é transmitido por via fecal-oral. O vírus infecta as células humanas por meio de sua ligação à CD155, uma molécula expressa em uma variedade de tipos celulares, como células epiteliais, linfócitos e neurônios. O vírus é ingerido e replica-se na mucosa da faringe e do intestino, incluindo as tonsilas e as placas de Peyer no íleo. Em seguida, o poliovírus propaga-se pelos vasos linfáticos até os linfonodos e, por fim, no sangue, o que gera viremia e febre transitórias. Embora as infecções por poliovírus sejam, em sua maioria, assintomáticas, em cerca de uma a cada 100 pessoas infectadas, o poliovírus invade o SNC e sofre replicação nos neurônios motores da medula espinal (poliomielite espinal) ou do tronco encefálico (poliomielite bulbar). Os anticorpos antivirais controlam a doença na maioria dos casos; não se sabe por que esses anticorpos não conseguem conter o vírus em alguns indivíduos. A propagação do vírus para o sistema nervoso pode ocorrer por meio do sangue ou por transporte retrógrado do vírus ao longo dos axônios dos neurônios motores. Casos raros de poliomielite que ocorrem após a vacinação são causados por mutações dos vírus atenuados, revertendo para formas virulentas do tipo selvagem. O diagnóstico pode ser estabelecido por cultura viral ou pela detecção do RNA viral em secreções da garganta ou, com mais frequência, nas fezes ou por sorologia. Os aspectos neurológicos e a neuropatologia da infecção pelo poliovírus são descritos no **Capítulo 28**.

Infecções pelo vírus do Nilo Ocidental

O vírus do Nilo Ocidental causa uma infecção sistêmica aguda, que se apresenta de duas formas muito diferentes: uma infecção leve e autolimitante ou uma doença neuroinvasiva associada a sequelas neurológicas a longo prazo. O vírus do Nilo Ocidental é um vírus transmitido por artrópodes (arbovírus) do grupo dos flavivírus, que também inclui os vírus causadores da dengue e da febre amarela. O vírus do Nilo Ocidental tem ampla distribuição geográfica no Velho Mundo, incluindo África, Oriente Médio, Europa, Sudeste Asiático e Austrália. Foi detectado pela primeira vez nos EUA em 1999, durante um surto na cidade de Nova York, e desde então, propagou-se pelo país; em 2017, foi notificado pelo menos 1 caso em 47 dos estados americanos. O vírus do Nilo Ocidental é transmitido por mosquitos para aves e mamíferos. As aves infectadas desenvolvem viremia prolongada e constituem o principal reservatório do vírus. Os seres humanos são hospedeiros incidentais. A maioria dos pacientes afetados adquire a infecção por uma picada de mosquito; com menos frequência, ocorre transmissão de um ser humano para outro por meio de transfusão de sangue, transplante de órgãos, amamentação ou disseminação transplacentária.

Após inoculação por um mosquito, o vírus do Nilo Ocidental replica-se nas células dendríticas da pele, que em seguida migram para os linfonodos. Neste local, o vírus replica-se ainda mais, entra na corrente sanguínea e, em alguns indivíduos, cruza a barreira hematencefálica e infecta os neurônios no SNC.

A infecção pelo vírus do Nilo Ocidental costuma ser assintomática; todavia, em 20% dos indivíduos infectados, produz febre, cefaleia, mialgia, fadiga, anorexia e náuseas. Observa-se um exantema maculopapular em cerca da metade dos casos. Ocorrem complicações do SNC (meningite, encefalite, meningoencefalite) em cerca de 1 em cada 150 infecções clinicamente aparentes. A meningoencefalite apresenta uma taxa de mortalidade de cerca de 10% e resulta em comprometimento cognitivo e neurológico a longo prazo em muitos sobreviventes. Os indivíduos imunossuprimidos e os idosos parecem correr maior risco de doença grave. As complicações raras incluem hepatite, miocardite e pancreatite. Em geral, o diagnóstico é estabelecido por sorologia, porém a cultura viral e testes baseados na reação em cadeia da polimerase (PCR) também são utilizados.

> ### Morfologia
>
> Em pacientes que morreram de infecção pelo vírus do Nilo Ocidental, foi observada a ocorrência de inflamação crônica perivascular e leptomeníngea, nódulos da micróglia (ver **Capítulo 28**) e neuronofagia envolvendo predominantemente os lobos temporais e o tronco encefálico.

Febre hemorrágica viral

A febre hemorrágica viral é uma síndrome multissistêmica grave que representa risco de vida, na qual ocorre dano vascular, levando a hemorragia disseminada e choque. A febre hemorrágica viral é causada por vírus de RNA envelopados, que pertencem a quatro famílias diferentes: *Arenaviridae, Filoviridae, Bunyaviridae* e *Flaviviridae*. Esses vírus podem produzir um espectro de doenças, que variam desde uma doença aguda leve, caracterizada por febre, cefaleia, mialgia, exantema, neutropenia e trombocitopenia, até uma doença grave e potencialmente fatal, na qual há súbita deterioração hemodinâmica e choque. Esses vírus passam por um hospedeiro animal ou inseto durante o ciclo de vida e, portanto, seu alcance é restrito a áreas onde seus hospedeiros residem. Os seres humanos são hospedeiros incidentais, que são infectados quando entram em contato com hospedeiros infectados (geralmente roedores) ou insetos vetores (mosquitos e carrapatos). Alguns vírus que causam febre hemorrágica (Ebola, Marburg, Lassa) também podem ser transmitidos de pessoa para pessoa.

A patogênese da infecção e suas complicações variam entre os diferentes vírus, porém existem algumas características comuns. O dano aos vasos sanguíneos geralmente é proeminente. Pode ser causado pela infecção direta e dano a células endoteliais ou pela infecção de macrófagos e células dendríticas, que levam à produção de citocinas inflamatórias.

Houve um importante surto de vírus Ebola em Serra Leoa, Libéria e Guiné no período de 2014 a 2016, com mais de 28 mil casos e 11 mil mortes notificados à OMS. Em 2019, ocorreu um segundo surto na República Democrática do Congo. Os surtos foram caracterizados pela disseminação explosiva do vírus por transmissão interpessoal por meio de exposição às secreções da mucosa. O vírus Ebola está associado a uma taxa de mortalidade muito alta, alcançando cerca de 40% durante o surto de 2019. Foram desenvolvidas vacinas efetivas contra o vírus Ebola, e seu uso deverá reduzir a morbidade da doença. O vírus Ebola dispõe de mecanismos específicos por meio dos quais é capaz de escapar da resposta imune, possibilitando a rápida replicação dos vírus que alcançam altos níveis. Duas proteínas virais, VP24 e VP35, inibem a ação de IFN tipo I. A VP24 bloqueia a sinalização de IFN tipo I ao impedir a dimerização da tirosinoquinase e a translocação nuclear de STAT-1. A proteína VP35 liga-se ao RNA viral de dupla fita nas células infectadas do hospedeiro, impedindo a detecção do RNA pelos receptores citoplasmáticos que estimulam a produção de IFN tipo I. Além disso, a proteína de superfície viral, GP, é encontrada na forma solúvel não associada ao vírus, que pode atuar como "chamariz" para ligação de anticorpos do hospedeiro, impedindo a neutralização dos vírus intactos pelos anticorpos.

> ### Morfologia
>
> Na febre hemorrágica viral, pode haver manifestações hemorrágicas, incluindo petéquias, causadas por uma combinação de trombocitopenia ou disfunção plaquetária, lesão endotelial, CIVD induzida por citocinas e deficiência de fatores da coagulação, devido à lesão hepática. As hemorragias podem ser proeminentes em algumas infecções (p. ex., febre do Congo-Crimeia), porém raramente ameaçam a vida do paciente. A necrose dos tecidos secundária às lesões vasculares e hemorragias pode ser observada e varia de leve e focal a maciça, porém a resposta inflamatória associada costuma ser mínima. Na infecção pelo vírus Ebola, ocorrem hemorragia disseminada e replicação viral em diversos órgãos, como o fígado, com necrose hepatocelular e inflamação escassa, e o baço, com apoptose dos linfócitos e replicação viral nas células dendríticas, fibroblastos e monócitos.

Infecções pelo vírus Zika

O vírus Zika é um flavivírus que foi descoberto em 1947 e subsequentemente encontrado na África, na Ásia e no Oriente Médio. Ocorreram grandes surtos no estado de Yap, em 2007, e na Polinésia Francesa, no período de 2013 a 2014. Em 2015, um surto do vírus Zika de março a junho no Brasil causou até 1,3 milhão de casos suspeitos. Subsequentemente, foi observado um acentuado aumento na ocorrência de microcefalia em lactentes nascidos no Brasil, com 4.300 casos relatados, e hoje o vírus Zika está claramente associado a esse resultado lamentável. Esse surto de vírus Zika disseminou-se para pelo menos 33 países e territórios nas Américas, com um dos maiores surtos ocorrido na Colômbia, que teve mais de 50 mil casos suspeitos. Nos EUA, a maioria dos aproximadamente 5.600 casos ocorreu em viajantes que retornavam de áreas afetadas; entretanto, mais de 200 casos foram adquiridos por transmissão local. O vírus Zika é transmitido por mosquitos do gênero *Aedes*, sobretudo *Aedes aegypti*. É provável que exista um reservatório animal para o vírus, embora nenhum tenha sido demonstrado como fonte de infecção humana. Além da transmissão pelo mosquito e transmissão perinatal, o vírus também pode infectar indivíduos por meio de transfusão sanguínea e contato sexual. O vírus pode ser detectado no sêmen, em secreções vaginais, no leite materno e na urina por um período de até vários meses após a infecção, embora a duração da infectividade a partir dessas secreções ainda não esteja bem definida.

Nos adultos, as manifestações da infecção pelo vírus Zika costumam ser leves e inespecíficas, como febre, mialgia, artralgia, conjuntivite e exantema maculopapular de poucos dias a 1 semana de duração. A infecção está associada a um pequeno número de casos de complicações neurológicas em adultos, sobretudo síndrome de Guillain-Barré. A transmissão perinatal do vírus pode resultar em óbito fetal ou em defeitos cerebrais moderados a graves no feto e no recém-nascido. No Brasil, a taxa de efeitos adversos em recém-nascidos após a infecção materna pelo vírus Zika foi de 46%, com ocorrência das taxas mais altas após infecção durante o primeiro e o segundo trimestres. A taxa de efeitos adversos em recém-nascidos tem sido mais alta no Brasil do que em outros países. Nos territórios dos EUA, as taxas de defeitos congênitos associados ao vírus Zika para infecções durante os primeiro, segundo e terceiro trimestres de gravidez foram de 8, 5 e 4%, respectivamente. As razões para as diferenças observadas nessas taxas não são conhecidas, mas podem incluir diferenças nos métodos de coleta de dados ou efeitos da genética, de coinfecções, da imunidade de infecções anteriores ou de fatores ambientais ainda indefinidos.

Nossa crescente compreensão da patogênese do vírus Zika provém de necropsias de recém-nascidos infectados, de estudos *in vitro* de tecidos humanos infectados e de alguns estudos em animais. Proteínas virais são encontradas em neurônios e células da glia em degeneração, bem como nas vilosidades coriônicas da placenta em alguns casos, indicando a replicação do vírus com necrose associada dessas células. O RNA viral pode ser detectado em tecidos cerebrais de todos os casos, porém o vírus está ausente ou está presente apenas de forma variável em outros tecidos. Estudos realizados em camundongos com defeitos imunes sugerem que o vírus Zika sofre replicação inicial na placenta, seguida de infecção do feto, e que essa replicação viral ocorre em células precursoras neurais, levando a uma redução do tamanho do cérebro e ao adelgaçamento do córtex. Estudos *in vitro* com uso de linhagens celulares e organoides cerebrais, compostos de células-tronco pluripotentes diferenciadas em uma estrutura semelhante a um tecido, confirmam que o vírus Zika se replica nos neurônios humanos e os mata.

> ### Morfologia
>
> Os resultados adversos mais comuns associados à infecção pelo vírus Zika consistiram em calcificações cerebrais, atrofia cerebral, aumento ventricular e estruturas cerebrais hipoplásicas (**Figura 8.8**). Foi constatada a ocorrência de microcefalia em um pequeno número de lactentes, 3,4% dos quais nascidos de mulheres infectadas; metade dos casos apresentou microcefalia proporcional em crianças muito pequenas para a idade gestacional, enquanto a outra metade apresentou microcefalia desproporcional, significando que o tamanho da cabeça era pequeno em relação ao tamanho da criança. As anormalidades oculares também são comuns, como mosqueamento de pigmento retiniano, atrofia coriorretiniana e anormalidades do nervo óptico.
>
> Em pequenas séries de necropsia, os achados comuns em recém-nascidos incluem microcefalia, ventriculomegalia e contraturas articulares congênitas (artrogripose), além de hipoplasia pulmonar. Foi constatada a ocorrência de grave depleção neuronal e adelgaçamento associado do parênquima cerebral, com microcalcificações e nódulos microgliais.

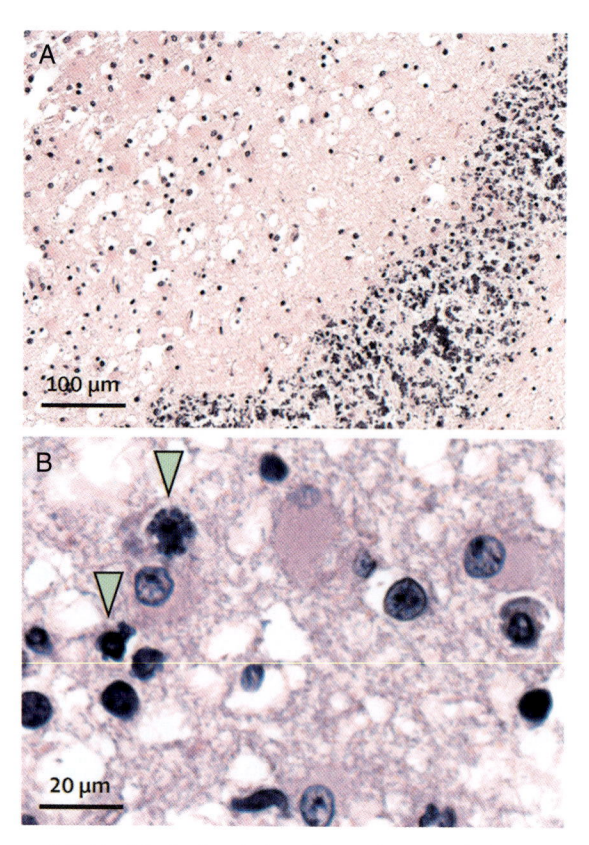

Figura 8.8 Morfologia do cérebro de um lactente de 2 meses com infecção congênita pelo vírus Zika. **A.** Banda subcortical de células em degeneração com calcificações proeminentes. **B.** Córtex com neurônios em degeneração (*setas*). (De Martinez, Pathology of congenital Zika syndrome in Brazil: a case series, *Lancet* 388(10047):898-904, 2016.)

Dengue

O vírus da dengue é um flavivírus transmitido pelo mosquito *Aedes* em regiões tropicais e subtropicais. Estima-se que ele infecta 390 milhões de pessoas a cada ano, das quais 960 mil apresentam infecção grave que exige internação hospitalar. As manifestações clínicas da dengue variam desde febre com cefaleia, exantema macular e mialgias intensas (febre quebra-ossos) até dengue grave (*dengue hemorrágica*) com sangramento, insuficiência hepática, redução do nível de consciência, falência de órgãos e extravasamento de plasma, levando ao choque e ao desconforto respiratório. Na dengue grave, ocorrem hemorragias generalizadas por todo o corpo, com necrose hepática e infiltrados mononucleares, espessamento septal e formação de membranas hialinas no pulmão.

Acredita-se que a resposta imune contra o vírus da dengue determine, em parte, a gravidade das infecção. Existem quatro sorotipos do vírus da dengue. A infecção por cada um dos sorotipos estimula a imunidade protetora contra esse sorotipo específico, mas também estimula uma resposta de anticorpos de reação cruzada, que é fraca e não protetora para os outros sorotipos do vírus. Em geral, a dengue grave ocorre em indivíduos que tiveram infecção anterior por um sorotipo diferente daquele associado à doença grave atual. Acredita-se que o aumento dependente de anticorpos, em que os anticorpos de reação cruzada aumentam a captação do vírus nos macrófagos por meio dos receptores Fc, aumente a infectividade do vírus e contribua para a dengue grave. A dengue grave também ocorre em lactentes que apresentam anticorpos maternos contra o vírus da dengue, em concordância com esse modelo.

Novo coronavírus SARS-CoV-2 (covid-19)

Uma doença mediada por um novo coronavírus SARS-Cov-2, denominada covid-19, foi detectada pela primeira vez em Wuhan, na China, e notificada à OMS em dezembro de 2019. No final de março de 2020, a infecção tornou-se uma pandemia mundial, com mais de 800 mil casos e cerca de 40 mil mortes. Essa pandemia devastadora causou grandes danos sociais e econômicos, além de suas graves consequências para a saúde. Os estudos epidemiológicos realizados sugerem que a origem tenha sido um mercado de frutos do mar e animais em Wuhan, compatível com uma transmissão inicial de animal para ser humano, seguida rapidamente de disseminação de pessoa para pessoa. O sequenciamento do genoma viral completo levou ao desenvolvimento de um rápido ensaio diagnóstico molecular durante o surto em evolução. As manifestações clínicas variaram de uma doença respiratória leve a grave. A grande maioria dos indivíduos que contraem o vírus recupera-se depois de uma doença de características gripais. A doença grave e por vezes fatal com comprometimento respiratório, frequentemente associado a opacidades em vidro fosco bilaterais nas tomografias de tórax, ocorre sobretudo em indivíduos idosos e naqueles que apresentam comorbidades, como diabetes melito, doença pulmonar obstrutiva crônica e insuficiência cardíaca. A sequência genômica mostra que o vírus da covid-19 está relacionado com os coronavírus de morcegos e o coronavírus da SARS. A análise histológica do tecido pulmonar realizada em alguns pacientes revelou dano alveolar difuso e inflamação, sobretudo por células mononucleares.

Infecções latentes (infecções por herpes-vírus)

A latência é definida como a persistência de genomas virais nas células, que não produzem vírus infecciosos. A disseminação da infecção e a lesão tecidual resultam da reativação do vírus latente. Os herpes-vírus são os vírus que estabelecem com mais frequência infecções latentes nos seres humanos, os quais são grandes vírus encapsulados, com genomas de DNA de fita dupla que codificam cerca de 70 proteínas. Os herpes-vírus causam infecção aguda, seguida de infecção latente, em que os vírus persistem em uma forma não infecciosa, com reativação e eliminação periódicas de vírus infecciosos.

Existem oito tipos de herpes-vírus humanos, que pertencem a três subgrupos definidos pelo tipo celular mais frequentemente infectado e pelo local de latência:

- Os *vírus do grupo* α, incluindo HSV-1, HSV-2 e VZV, infectam células epiteliais e produzem infecção latente nos neurônios pós-mitóticos
- Os *vírus do grupo* β incluem o CMV e os herpes-vírus humanos 6 e 7 (HHV-6 e HHV-7), que infectam e produzem infecção latente em uma variedade de tipos celulares. O HHV-6 e o HHV-7 causam exantema súbito, também conhecido como *roséola infantil*, e sexta doença infantil, um exantema benigno de lactentes que também tem sido associado, em sua reativação, com encefalite, pneumonite, hepatite e mielite
- Os *vírus do grupo* γ, incluindo o EBV e o vírus associado ao sarcoma de Kaposi (KSHV/HHV-8), produzem infecção latente sobretudo nas células linfoides
- *Herpesvirus simiae* (vírus B de macaco) é um vírus de macacos do Velho Mundo, que se assemelha ao HSV-1 e que pode causar doença neurológica fatal em manipuladores desses animais, geralmente em consequência de uma mordida.

Infecções por herpes-vírus simples

O herpes-vírus simples (HSV)-1 e o HSV-2 diferem quanto à sorologia, porém estão estreitamente relacionados do ponto de vista genético e causam um conjunto semelhante de infecções primárias e recorrentes. Os herpes-vírus simples são comuns em todo o mundo, com estimativa global de 4 bilhões de infecções. Ambos os vírus se replicam na pele e nas membranas mucosas no local de sua entrada (geralmente orofaringe ou órgãos genitais), onde produzem vírions infecciosos e causam lesões vesiculares da epiderme. Os vírus disseminam-se para neurônios sensitivos que inervam esses locais primários de replicação e liberação virais. Os nucleocapsídios virais são transportados ao longo dos axônios até os corpos celulares dos neurônios, onde os vírus estabelecem uma infecção latente. Nos hospedeiros imunocompetentes, a infecção primária pelo HSV regride em poucas semanas, embora o vírus permaneça latente nas células nervosas. Durante o período de latência, o DNA viral permanece dentro do núcleo do neurônio, e apenas os transcritos de RNA viral associados à latência (LAT) são sintetizados. Nenhuma proteína viral parece ser produzida durante a latência. Os LAT podem contribuir para a latência, visto que conferem resistência à apoptose, produzem silenciamento da expressão gênica lítica por meio da formação de heterocromatina e atuam como precursores de microRNA que infrarregulam a expressão de genes líticos do HSV de importância crítica. A reativação do HSV-1 e do HSV-2 pode ocorrer repetidamente, com ou sem sintomas, e resulta na disseminação do vírus dos neurônios para a pele ou para as membranas mucosas. Foi proposto que, durante a reativação, ocorre liberação do silenciamento epigenético por meio de um processo de metilação/fosforilação ligado às vias de resposta ao estresse celular nos neurônios. A reativação pode ocorrer na presença de imunidade do hospedeiro, visto que os HSV desenvolveram maneiras de evitar o reconhecimento imune. Por exemplo, os HSV podem escapar dos CTL antivirais por meio da inibição da via de reconhecimento do MHC de classe I e também escapam das defesas imunes humorais pela produção de receptores "chamariz", que se ligam ao domínio Fc das imunoglobulinas e inibidores do complemento. Os HSV são capazes de infectar vários tipos de células, como as dendríticas, que são importantes na resposta imune antiviral.

Nos EUA, além de causar lesões cutâneas e genitais, o HSV-1 constitui a principal causa infecciosa de cegueira corneana. Acredita-se que a doença epitelial da córnea seja o resultado de dano viral direto, enquanto a doença estromal da córnea parece ser imunomediada. O HSV-1 também constitui a principal causa de encefalite esporádica fatal nos EUA. Quando a infecção se dissemina para o cérebro, ela costuma acometer os lobos temporais e os giros orbitais dos lobos frontais. As mutações herdadas no TLR3 ou nos componentes de sua via de sinalização aumentam o risco de encefalite por HSV. Além disso, os recém-nascidos e os indivíduos com comprometimento da imunidade celular (p. ex., secundária à infecção pelo HIV ou à quimioterapia) podem sofrer infecções disseminadas por herpes-vírus. Devido à ulceração e ao enfraquecimento da resposta imune, a infecção pelo HSV-2 aumenta em quatro vezes o risco de transmissão do HIV e também aumenta o risco de aquisição do HIV em duas a três vezes.

> **Morfologia**
>
> As células infectadas pelo HSV contêm grandes *inclusões intranucleares* (Cowdry tipo A) de cor rosa a púrpura, que consistem em proteínas de replicação viral e em vírions em vários estágios de montagem, que empurram a cromatina da célula hospedeira para as margens do núcleo (**Figura 8.9**). Devido à fusão celular, o HSV também produz sincícios multinucleados contendo inclusões.
>
> O HSV-1 e o HSV-2 causam lesões, que variam desde vesículas herpéticas e gengivoestomatite autolimitantes até infecções viscerais disseminadas e encefalite potencialmente fatais. **As vesículas herpéticas** demonstram preferência pela pele da face ao redor dos orifícios mucosos (lábios, nariz), onde sua distribuição é, com frequência, bilateral e independente dos dermátomos da pele. As vesículas intraepiteliais, que são formadas pelo edema intracelular e degeneração por balonização das células epidérmicas, frequentemente se rompem e formam uma crosta, porém algumas podem resultar em ulcerações superficiais.

A **gengivoestomatite,** que costuma ser observada em crianças, é causada principalmente pelo HSV-1. Trata-se de uma erupção vesicular que se estende da língua até a retrofaringe, causando linfadenopatia cervical. Ocorrem lesões eritematosas tumefeitas e dolorosas pelo HSV nos dedos ou na palma das mãos (**paroníquia herpética**) em lactentes e, em certas ocasiões, em profissionais de saúde, devido à exposição ocupacional.

O **herpes genital** é causado mais frequentemente pelo HSV-2 do que pelo HSV-1. Caracteriza-se por vesículas nas membranas mucosas genitais, bem como nos órgãos genitais externos, que são rapidamente convertidas em ulcerações superficiais, rodeadas por um infiltrado inflamatório (ver **Capítulo 22**). O herpes-vírus (geralmente HSV-2) pode ser transmitido a recém-nascidos durante a passagem pelo canal do parto de mães infectadas. Embora a infecção pelo HSV-2 no recém-nascido possa ser leve, ela mais comumente é fulminante, com linfadenopatia generalizada, esplenomegalia e focos necróticos por todo o pulmão, fígado, glândulas suprarrenais e SNC.

Duas formas de lesões da córnea são causadas pelo HSV (ver **Capítulo 29**). A **ceratite epitelial herpética** caracteriza-se por citólise típica do epitélio superficial induzida pelo vírus. Por outro lado, a **ceratite estromal herpética** caracteriza-se por infiltrados de células mononucleares ao redor dos queratinócitos e das células endoteliais, levando à neovascularização, formação de cicatrizes, opacificação da córnea e, por fim, cegueira. Neste caso, o dano é provocado por uma reação imunológica à infecção pelo HSV, e não pelos efeitos citopáticos do vírus.

A **encefalite por herpes simples** é descrita no **Capítulo 28**. Em geral, são observadas infecções por herpes cutâneas e viscerais disseminadas em pacientes hospitalizados com câncer subjacente ou imunossupressão. A **esofagite herpética** é com frequência complicada por superinfecção por bactérias ou fungos. A **broncopneumonia herpética,** que algumas vezes resulta de intubação de um paciente com lesões orais ativas, é frequentemente necrosante, e a **hepatite herpética** pode causar insuficiência hepática.

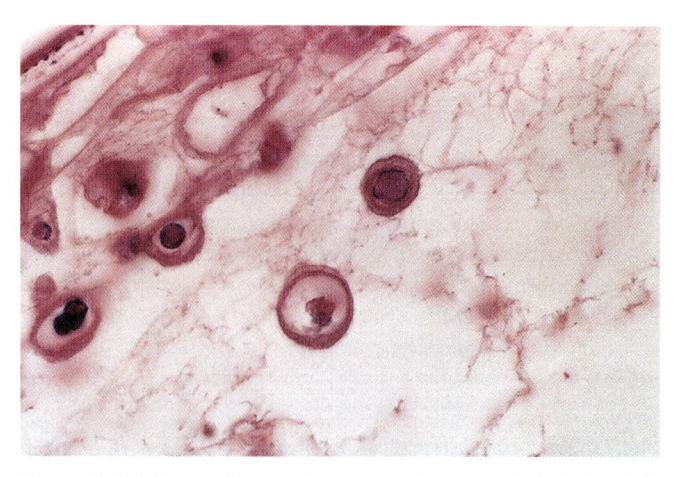

Figura 8.9 Bolha por herpes-vírus mostrando corpos de inclusão virais vítreos intranucleares.

Infecções pelo vírus varicela-zóster

A infecção aguda pelo vírus varicela-zóster (VZV) causa varicela (catapora), enquanto a reativação do VZV latente causa herpes-zóster (também denominado cobreiro). A varicela é leve em crianças, porém mais grave em adultos e em indivíduos imunocomprometidos. O herpes-zóster constitui uma fonte de morbidade em indivíduos de idade mais avançada e imunossuprimidos. À semelhança do HSV, o VZV infecta as membranas mucosas, a pele e os neurônios e provoca uma infecção primária autolimitante em indivíduos imunocompetentes. Também como o HSV, o VZV escapa das respostas imunes e estabelece uma infecção latente nos gânglios sensitivos. Diferentemente do HSV, o VZV é transmitido de forma epidêmica por aerossóis respiratórios, dissemina-se por via hematogênica e causa lesões cutâneas vesiculares disseminadas. A infecção latente pelo VZV é observada nos neurônios e/ou nas células satélites ao redor dos neurônios nos gânglios da raiz posterior. A reativação e a recorrência clínica que causam herpes-zóster são incomuns, mas podem ocorrer muitos anos após a infecção primária. A recorrência localizada do VZV é mais frequente e dolorosa nos dermátomos inervados pelo gânglio trigeminal, onde o vírus tem mais tendência a estar latente. O herpes-zóster raramente sofre recorrência em indivíduos imunocompetentes (em apenas 1 a 4% dos indivíduos infectados), porém os indivíduos imunossuprimidos ou de idade mais avançada podem ter múltiplas recorrências. Por esse motivo, recomenda-se atualmente a vacinação para prevenir o herpes-zóster para todos os indivíduos com mais de 50 anos e adultos mais jovens com distúrbios crônicos passíveis de comprometer a imunidade. A infecção pelo VZV é diagnosticada por cultura viral, PCR ou detecção de antígenos virais em células obtidas a partir de raspados de lesões superficiais.

Morfologia

O exantema da **varicela** ocorre cerca de 2 semanas após a infecção respiratória. As lesões aparecem em múltiplas ondas de distribuição centrífuga do tronco para a cabeça e os membros. Cada lesão evolui rapidamente de uma mácula para uma vesícula, que se assemelha a uma gota de orvalho ou pétala de rosa. No exame histológico, as lesões da varicela exibem vesículas intraepiteliais (**Figura 8.10**), com inclusões intranucleares nas células epiteliais na base das vesículas. Depois de alguns dias, a maioria das vesículas da varicela sofre ruptura, forma uma crosta e cicatriza por regeneração, sem deixar cicatrizes. Entretanto, a superinfecção bacteriana das vesículas rompidas por trauma pode levar à destruição da camada epidérmica basal e à formação de cicatriz residual.

Ocorre **herpes-zóster** quando o VZV que permaneceu latente por muito tempo nos gânglios da raiz posterior após uma infecção anterior é reativado e infecta nervos sensitivos que o transportam para um ou mais dermátomos. Nesse local, o vírus infecta os queratinócitos e causa lesões vesiculares, as quais, diferentemente da varicela, estão associadas com frequência a intenso prurido, sensação de ardência ou dor aguda, devido à radiculoneurite concomitante. Essa dor é intensa quando o nervo trigêmeo é acometido; raramente, o núcleo geniculado é afetado, causando paralisia facial (síndrome de Ramsay Hunt). Os gânglios sensitivos contêm um infiltrado denso e predominantemente mononuclear, com inclusões intranucleares herpéticas dentro dos neurônios e suas células de suporte (**Figura 8.11**). O VZV também pode causar pneumonia intersticial, encefalite, mielite transversa, vasculopatia e lesões viscerais necrosante, sobretudo em indivíduos imunossuprimidos. À semelhança do HSV, os pacientes com mutações do TLR3 correm maior risco de encefalite por VZV.

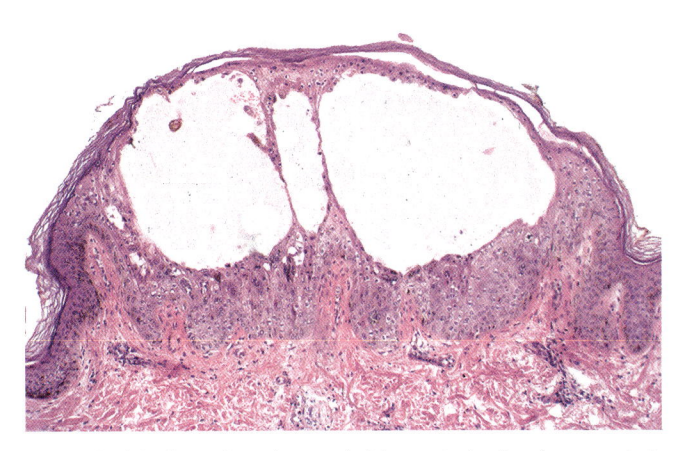

Figura 8.10 Lesão cutânea da varicela (vírus varicela-zóster) com vesícula intraepitelial.

Infecções por citomegalovírus

O **citomegalovírus (CMV), um herpes-vírus do grupo β, pode produzir uma variedade de manifestações de doença, dependendo da idade do hospedeiro e, o mais importante, do estado imune do hospedeiro.** O CMV provoca infecção latente dos monócitos e seus progenitores na medula óssea e pode ser reativado quando a imunidade celular está comprometida. O CMV causa uma infecção assintomática ou semelhante à mononucleose em indivíduos saudáveis, porém provoca infecções sistêmicas devastadoras em recém-nascidos e pessoas imunocomprometidas, nas quais o vírus pode infectar muitos tipos diferentes de células e tecidos. Como o próprio nome indica, as células infectadas pelo CMV apresentam gigantismo de toda a célula e de seu núcleo, que normalmente contém uma grande inclusão circundada por um halo claro ("olho de coruja").

A transmissão do CMV pode ocorrer por diversas vias, dependendo da faixa etária afetada. Incluem as seguintes:

- *Transmissão transplacentária,* a partir de uma infecção recém-adquirida ou primária em uma mãe que não apresenta anticorpos protetores (CMV congênito)

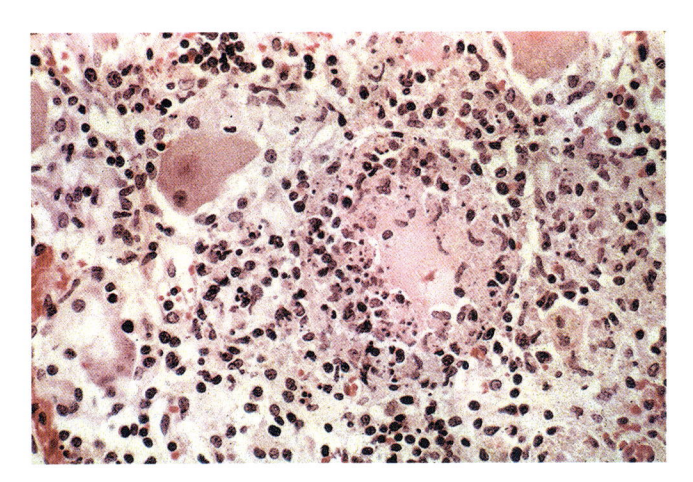

Figura 8.11 Gânglio da raiz posterior com infecção pelo vírus varicela-zóster. Observe a necrose das células ganglionares e a inflamação associada. (Cortesia do Dr. James Morris, Radcliffe Infirmary, Oxford, England.)

- *Transmissão neonatal,* por meio das secreções cervicais ou vaginais durante o parto ou posteriormente por meio do leite de uma mãe com infecção ativa (CMV perinatal)
- Pode ocorrer *transmissão por meio da saliva* nos anos pré-escolares, sobretudo em creches. As crianças de idade pré-escolar assim infectadas transmitem prontamente o vírus para os pais
- A *transmissão por via genital* constitui o modo dominante depois dos 15 anos. A disseminação também pode ocorrer por secreções respiratórias e pela via fecal-oral
- Pode ocorrer *transmissão iatrogênica* em qualquer idade por meio de transplante de órgãos ou transfusão de sangue.

A infecção aguda pelo CMV induz imunossupressão transitória, porém grave. O CMV pode infectar células dendríticas e comprometer o processamento de antígenos e a habilidade das células dendríticas de estimular os linfócitos T. À semelhança de outros herpes-vírus, o CMV pode escapar das defesas imunes por meio de inframodulação das moléculas do MHC de classes I e II e pela produção de homólogos de membros da superfamília do receptor de TNF, IL-10 e moléculas do MHC de classe I. Curiosamente, o CMV pode escapar das células NK pela produção de ligantes que bloqueiam os receptores de ativação e as proteínas semelhantes à classe I, que ocupam os receptores inibitórios. A transferência adotiva de células T específicas contra o CMV tem sido usada com sucesso para prevenção da doença por CMV após transplante de medula óssea, e a resposta das células T CD8+ tem sido considerada como a resposta efetora mais importante. As células T CD4+, as células T γδ e as células NK são conhecidas pelo papel que desempenham no controle imune da infecção. O CMV codifica várias glicoproteínas de ligação de Fcγ, que atuam efetivamente como adversárias dos receptores Fcγ do hospedeiro, inibindo a imunidade mediada pela IgG. Por conseguinte, o CMV esconde-se das respostas imunes e também as suprime ativamente.

Morfologia

As células infectadas estão notavelmente aumentadas, alcançam com frequência um diâmetro de 40 μm e exibem pleomorfismo celular e nuclear. As *inclusões basofílicas intranucleares* proeminentes, que ocupam metade do diâmetro nuclear, costumam ser separadas da membrana nuclear por um halo claro (**Figura 8.12**). No interior do citoplasma das células infectadas, pode-se observar também a presença de inclusões basofílicas menores. As células epiteliais parenquimatosas estão infectadas nos órgãos glandulares, bem como os neurônios no cérebro, os macrófagos alveolares, as células epiteliais e as células endoteliais nos pulmões e as células epiteliais tubulares e endoteliais glomerulares nos rins. O CMV provoca necrose focal com inflamação mínima em praticamente qualquer órgão.

Infecções congênitas. A infecção adquirida no útero pode assumir diversas formas. Em aproximadamente 95% dos casos, ela é assintomática. Entretanto, algumas vezes, quando o vírus é adquirido de uma mãe com infecção primária (que não tem anticorpos protetores), ocorre desenvolvimento da doença de inclusão citomegálica clássica. A doença de inclusão citomegálica assemelha-se à eritroblastose fetal. Os lactentes afetados podem sofrer restrição do crescimento intrauterino e apresentar icterícia, hepatoesplenomegalia, anemia, sangramento devido à trombocitopenia e encefalite. Nos casos fatais, o cérebro frequentemente é

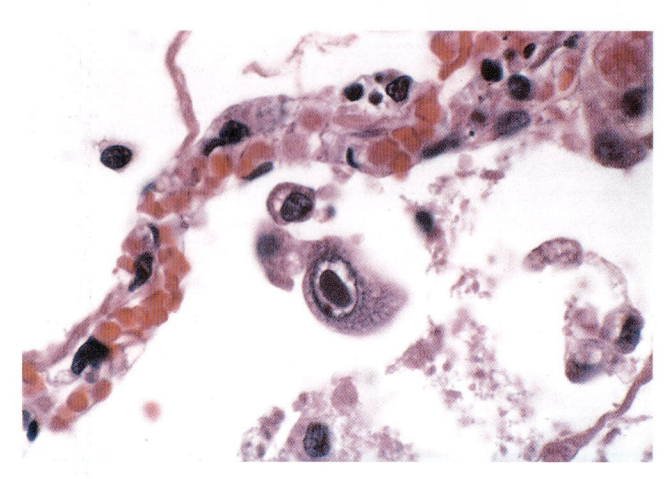

Figura 8.12 Citomegalovírus: inclusões nucleares distintas e citoplasmáticas mal definidas no pulmão.

menor do que o normal (microcefalia) e pode exibir focos de calcificação. O diagnóstico de CMV neonatal é estabelecido por cultura viral ou por amplificação do DNA viral por PCR na urina ou na saliva.

Os lactentes que sobrevivem costumam apresentar déficits permanentes, como déficit intelectual, perda auditiva e outros comprometimentos neurológicos. Entretanto, a infecção congênita nem sempre é devastadora e pode assumir a forma de pneumonite intersticial, hepatite ou distúrbio hematológico. A maioria dos lactentes com essa forma mais leve de doença de inclusão citomegálica recupera-se, porém alguns desenvolvem déficit intelectual posteriormente. Em situações incomuns, uma infecção totalmente assintomática pode ser seguida, meses a anos depois, de sequelas neurológicas, como incapacidade intelectual e surdez de início tardio.

Infecções perinatais. A infecção adquirida durante a passagem pelo canal do parto ou a partir do leite materno costuma ser assintomática, devido aos anticorpos anti-CMV protetores maternos, que são transmitidos para o feto. Apesar da ausência de sintomas, muitos desses lactentes continuam excretando o CMV na urina ou na saliva durante meses a anos. Em alguns estudos, foram relatados efeitos sutis na audição e na capacidade intelectual posteriormente na vida. Com muito menos frequência, os lactentes infectados desenvolvem pneumonite intersticial, atraso do crescimento, exantema e hepatite.

Mononucleose por CMV. Em crianças jovens e adultos saudáveis, a doença quase sempre é assintomática. Em levantamentos realizados ao redor do mundo, 50 a 100% dos adultos apresentam anticorpos anti-CMV, indicando exposição prévia. A manifestação clínica mais comum da infecção pelo CMV em hospedeiros imunocompetentes depois do período neonatal consiste em uma doença semelhante à mononucleose infecciosa, com febre, linfocitose atípica, linfadenopatia e hepatite, caracterizada por hepatomegalia e anormalidades nas provas de função hepática. O diagnóstico é estabelecido por sorologia. A maioria das pessoas recupera-se sem qualquer sequela, porém o vírus pode continuar sendo excretado nos líquidos corporais durante meses a anos. Independentemente da presença ou ausência de sintomas, os indivíduos infectados permanecem soropositivos durante toda a vida, e o vírus nunca é eliminado, persistindo nos leucócitos com infecção latente.

CMV em indivíduos imunossuprimidos. Os indivíduos imunocomprometidos (p. ex., receptores de transplante e indivíduos infectados pelo HIV) são suscetíveis à infecção grave pelo CMV, que pode consistir em novas infecções ou na reativação do CMV latente. No passado, o CMV era o patógeno viral oportunista mais comum na AIDS. Embora o CMV ainda seja um cofator significativo na doença pelo HIV, sobretudo na África, a frequência de infecção grave por CMV em indivíduos HIV positivos foi acentuadamente reduzida com o tratamento antirretroviral. Os receptores de transplantes de órgãos sólidos (coração, fígado, rim) também podem contrair o CMV do órgão doado.

Em todos esses contextos, as infecções por CMV disseminadas, graves e até mesmo potencialmente fatais em indivíduos imunossuprimidos afetam sobretudo os pulmões (pneumonite) e o trato gastrintestinal (colite). Na infecção pulmonar, há desenvolvimento de um infiltrado mononuclear intersticial com focos de necrose, acompanhado das células típicas aumentadas com inclusões. A pneumonite pode evoluir para a síndrome de desconforto respiratório agudo totalmente desenvolvida. A necrose e a ulceração intestinais podem ocorrer e ser extensas, levando à formação de pseudomembranas e diarreia debilitante. O CMV tem sido associado a vasculopatia e ao comprometimento neurocognitivo com marcadores imunes associados, como o acúmulo de células T $\alpha\beta$ de diferenciação terminal, células T $\gamma\delta$ e células NK multifuncionais. O diagnóstico de infecção por CMV é estabelecido pela demonstração de alterações morfológicas características nos cortes histológicos, na cultura viral, títulos crescentes de anticorpos antivirais e detecção do DNA do CMV por meio da PCR. Os ensaios baseados na PCR quantitativa revolucionaram a abordagem no monitoramento da infecção por CMV em indivíduos após a realização de transplante.

Infecções crônicas produtivas

Em algumas infecções, o sistema imune é incapaz de eliminar o vírus, e a replicação viral continuada leva à viremia persistente. A elevada taxa de mutação dos vírus como o HIV e o HBV pode contribuir para o escape do controle pelo sistema imune. A infecção pelo HIV e pelo HBV são descritas nos **Capítulos 6** e **18**, respectivamente.

Infecções virais transformadoras

Alguns vírus são capazes de transformar células infectadas em células tumorais benignas ou malignas. Os vírus oncogênicos podem estimular o crescimento e a sobrevivência das células por uma diversidade de mecanismos. Diversos vírus foram implicados na etiologia do câncer humano, como EBV, HPV, HBV e HTLV-1 (discutidos nos **Capítulos 7, 13, 18 e 22**).

Infecções pelo vírus Epstein-Barr

O vírus Epstein-Barr (EBV) causa a mononucleose infecciosa, um distúrbio linfoproliferativo autolimitante benigno, e está associado à patogênese de vários tumores humanos, mais comumente certos linfomas e carcinoma nasofaríngeo. Apenas a mononucleose infecciosa é discutida aqui.

A mononucleose infecciosa caracteriza-se por febre, faringite, linfadenopatia generalizada, esplenomegalia e aparecimento de linfócitos T ativados atípicos (células da mononucleose no sangue). Alguns indivíduos desenvolvem hepatite, meningoencefalite e pneumonite. A mononucleose infecciosa ocorre principalmente em adolescentes de mais idade ou adultos jovens de classes socioeconômicas mais altas em países de maior renda. No resto do mundo, a infecção primária pelo EBV ocorre na infância e costuma ser assintomática.

Patogênese

O EBV é transmitido por contato humano íntimo, frequentemente por meio da saliva durante o beijo. Não se sabe se as células B, as células epiteliais da orofaringe ou ambas constituem a fonte do vírus. O EBV infecta as células B e, possivelmente, as células epiteliais da orofaringe. Foi levantada a hipótese de que o EBV infecta inicialmente as células epiteliais da orofaringe e, em seguida, propaga-se para o tecido linfoide subjacente (tonsilas e adenoides), onde as células B maduras são infectadas. É importante assinalar que os indivíduos com agamaglobulinemia ligada ao X, que carecem de células B, não apresentam infecção latente pelo EBV nem eliminam o vírus, sugerindo que as células B constituem o principal reservatório da infecção. Uma glicoproteína do envelope do EBV liga-se ao CD21 (CR2), o receptor para o componente C3 d do complemento, que está presente nas células B. A infecção das células B pode assumir uma de duas formas. Em uma minoria de células B, a infecção é lítica, levando à replicação viral e à lise final das células, acompanhada de liberação dos vírions, os quais podem infectar outras células B. Todavia, na maioria das células B, o EBV estabelece uma infecção latente, durante a qual o vírus persiste como epissoma extracromossômico.

As células B com infecção latente pelo EBV são ativadas e começam a proliferar e a se disseminar. Essa população policlonal de células B infectadas pelo EBV encontra-se em expansão descontrolada e secreta anticorpos com muitas especificidades, como anticorpos que reconhecem eritrócitos de carneiro ou de cavalo. Esses denominados *anticorpos heterófilos* são detectados em exames complementares para a mononucleose. As células B infectadas pelo EBV também podem produzir autoanticorpos, como, por exemplo, contra as plaquetas, levando ao desenvolvimento de trombocitopenia imunomediada transitória em um pequeno subgrupo de pacientes com mononucleose.

Os sintomas da mononucleose infecciosa aparecem no início da resposta imune do hospedeiro. A imunidade celular mediada por CTL CD8+ e células NK constitui o componente mais importante dessa resposta. Os *linfócitos atípicos* observados no sangue, que são característicos dessa doença, consistem sobretudo em CTL CD8+ específicos para o EBV, mas também incluem células NK. A proliferação reativa de células T concentra-se, em grande parte, nos tecidos linfoides, que são responsáveis pela linfadenopatia e esplenomegalia. No início da evolução da infecção, ocorre formação de anticorpos IgM contra antígenos do capsídio viral, posteriormente, são produzidos anticorpos IgG que persistem durante toda a vida. Em indivíduos saudáveis nos demais aspectos, as respostas humorais e celulares totalmente desenvolvidas contra o EBV atuam como freios sobre a liberação viral, resultando na eliminação das células B que expressam todo o complemento de genes associados à latência do EBV. Em hospedeiros com defeitos adquiridos da imunidade celular (p. ex., AIDS, transplante de órgãos), a reativação do EBV pode levar à proliferação de células B, que podem progredir por meio de um processo em múltiplas etapas para linfomas de células B associados ao EBV. O EBV também contribui para o desenvolvimento de alguns casos de linfoma de Burkitt (ver **Capítulos 7 e 13**), em que uma translocação cromossômica (mais comumente uma translocação 8:14) envolvendo o oncogene *MYC* é o evento oncogênico crítico.

Morfologia

As principais alterações envolvem o sangue, os linfonodos, o baço, o fígado, o SNC e, em certas ocasiões, outros órgãos. O **sangue periférico** revela linfocitose absoluta; mais de 60% dos leucócitos consistem em linfócitos. Entre 5 e 80% desses últimos são grandes **linfócitos atípicos**, de 12 a 16 μm de diâmetro, caracterizados por citoplasma abundante contendo múltiplas vacuolizações claras, um núcleo oval indentado ou enovelado e grânulos azurófilos citoplasmáticos dispersos (**Figura 8.13**). Esses linfócitos atípicos, cuja maioria expressa CD8, são característicos o suficiente para sugerir fortemente o diagnóstico.

Normalmente, os **linfonodos** são característicos e estão aumentados por todo o corpo, em particular nas regiões cervical posterior, axilar e inguinal. Ao exame histológico, a característica mais notável consiste na expansão de áreas paracorticais, em virtude da ativação das células T (imunoblastos). Com o uso de anticorpos específicos, é também possível detectar no paracórtex uma população menor de células B infectadas pelo EBV, que expressam o gene do antígeno nuclear Epstein-Barr 2 (*EBNA2*), o gene da proteína de membrana latente 1 (*LMP1*) e outros genes específicos da latência. Pode-se observar a presença de células B infectadas pelo EBV que se assemelham às células de Reed-Sternberg (as células malignas do linfoma de Hodgkin, ver **Capítulo 13**). As áreas de células B (folículos) também podem exibir hiperplasia leve. A proliferação de células T é algumas vezes tão exuberante que é difícil distinguir a morfologia nodal daquela observada em linfomas malignos. É comum a ocorrência de alterações semelhantes nas tonsilas e no tecido linfoide da orofaringe.

O **baço** está aumentado na maioria dos casos, com peso entre 300 e 500 g. Em geral, é de consistência mole e carnosa, com uma superfície de corte hiperêmica. As alterações histológicas são análogas àquelas dos linfonodos, com expansão dos folículos da polpa branca e sinusoides da polpa vermelha, devido à presença de numerosas células T ativadas. O baço é vulnerável à ruptura, possivelmente em parte pelo fato de que o rápido aumento de tamanho produz uma cápsula esplênica tensa e frágil.

O **fígado** costuma estar comprometido, embora a hepatomegalia seja, no máximo, moderada. Ao exame histológico, são observados linfócitos atípicos nas áreas portais e nos sinusoides, e pode-se observar a presença de células isoladas dispersas ou focos de necrose parenquimatosa. Esse quadro histológico assemelha-se ao de outras formas de hepatite viral.

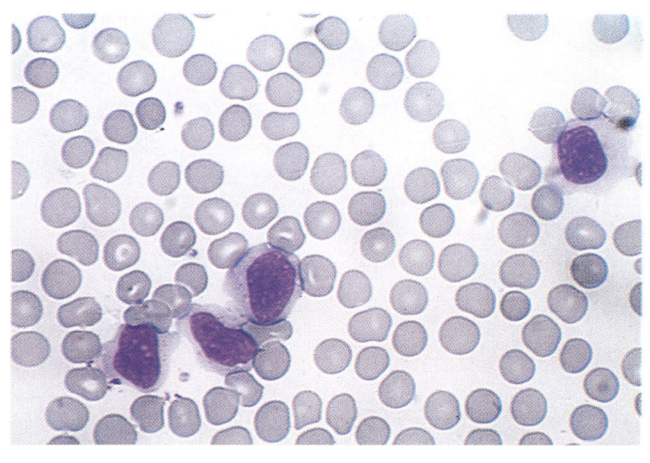

Figura 8.13 Linfócitos atípicos na mononucleose infecciosa.

Características clínicas

Em crianças pequenas, a infecção pelo EBV manifesta-se classicamente com febre, faringite, linfadenite e as outras características já mencionadas. Entretanto, o mal-estar, a fadiga e linfadenopatia constituem a apresentação comum em adultos jovens com mononucleose infecciosa, podendo levantar a suspeita de leucemia ou linfoma; o EBV também pode causar febre de origem indeterminada, sem linfadenopatia significativa ou outros achados localizados, hepatite semelhante a uma das síndromes virais hepatotrópicas e exantema febril semelhante à rubéola. O diagnóstico depende dos seguintes achados (por ordem crescente de especificidade): (1) linfocitose com os linfócitos atípicos característicos no sangue periférico; (2) reação de anticorpos heterófilos positivos (teste Monospot); e (3) elevação dos títulos de anticorpos específicos contra antígenos do EBV (antígenos do capsídio viral, antígenos precoces ou EBNA). Na maioria dos pacientes, ocorre resolução da mononucleose infecciosa em 4 a 6 semanas; todavia, algumas vezes, a fadiga é de maior duração. Em certas ocasiões, surgem uma ou mais complicações. Talvez a mais comum seja a acentuada disfunção hepática com icterícia, níveis elevados das enzimas hepáticas, transtorno do apetite e, raramente, até mesmo insuficiência hepática. Outras complicações envolvem o sistema nervoso, os rins, a medula óssea, os pulmões, os olhos, o coração e o baço. Pode ocorrer ruptura esplênica mesmo com traumatismo mínimo, levando à hemorragia que pode ser fatal. Estudos recentes descobriram uma correlação entre a gravidade da mononucleose infecciosa e o repertório de receptores de células T do hospedeiro, levando à hipótese de que a imunidade heteróloga poderia explicar a variabilidade nos resultados da doença.

Uma complicação mais grave em indivíduos com comprometimento da imunidade das células T, como indivíduos infectados pelo HIV e pacientes submetidos a terapia imunossupressora (p. ex., receptores de transplante de medula óssea ou de órgãos sólidos), consiste na proliferação descontrolada de células B. Esse processo pode ser iniciado por uma infecção aguda ou por reativação de uma infecção latente das células B; em geral, começa como proliferação policlonal de células B, que se transforma em linfoma de células B monoclonal.

Ocorrem consequências graves da infecção pelo EBV em indivíduos que apresentam a doença de linfoproliferação ligada ao X (também conhecida como *doença de Duncan*), um distúrbio causado por mutações no gene *SH2D1A*, que codifica uma proteína de sinalização que participa da ativação das células T e das células NK e da produção de anticorpos. Essa imunodeficiência hereditária rara caracteriza-se por uma resposta imune ineficaz ao EBV. Em geral, os pacientes são normais até sofrerem infecção aguda pelo EBV, frequentemente durante a adolescência. Em mais da metade dos casos, o EBV provoca uma infecção fulminante aguda, que pode ser fatal. Outros sucumbem ao linfoma de células B EBV-positivo ou a infecções relacionadas com hipogamaglobulinemia.

Infecções bacterianas

Diferentes classes de bactérias são responsáveis por diversas infecções (**Tabela 8.5**). A seguir, são discutidos exemplos selecionados das infecções mais comuns ou clinicamente significativas.

Tabela 8.5 Patógenos bacterianos humanos selecionados e doenças associadas.

Sistema orgânico	Espécies	Apresentações frequentes da doença
Respiratório	Streptococcus pyogenes	Faringite
	Corynebacterium diphtheriae	Difteria
	Bordetella pertussis	Coqueluche
	Streptococcus pneumonia	Pneumonia lobar
	Mycobacterium tuberculosis	Tuberculose
	Legionella pneumophila	Doença dos legionários
Gastrintestinal	Helicobacter pylori	Úlceras pépticas
	Vibrio cholerae, Escherichia coli enterotoxigênica	Gastrenterite não inflamatória
	Shigella spp., Salmonella sp. Campylobacter jejuni, Escherichia coli êntero-hemorrágica	Gastrenterite inflamatória
	Salmonella sorotipo typhi	Febre entérica (tifoide)
	Clostridioides difficile	Colite pseudomembranosa
Sistema nervoso	Neisseria meningitidis, Streptococcus pneumoniae, Haemophilus influenzae, Listeria monocytogenes	Meningite aguda
	Clostridium tetani, Clostridium botulinum	Intoxicações paralíticas, tétano e botulismo
Urogenital	Escherichia coli, Pseudomonas aeruginosa, Enterococcus spp.	Infecções do trato urinário
	Neisseria gonorrhoeae	Gonorreia
	Chlamydia trachomatis	Clamídia
	Treponema pallidum	Sífilis
Pele e partes moles adjacentes	Staphylococcus aureus	Abscesso, celulite
	Streptococcus pyogenes	Impetigo, erisipela, fasciite necrosante
	Clostridium perfringens	Gangrena gasosa
	Bacillus anthracis	Antraz cutâneo
	Pseudomonas aeruginosa	Infecções por queimadura
	Mycobacterium leprae	Hanseníase
Infecções disseminadas	Yersinia pestis	Peste
	Borrelia burgdorferi	Doença de Lyme
	Brucella spp.	Brucelose (febre ondulante)
Infecção neonatal disseminada	Streptococcus agalactiae, Listeria monocytogenes	Bacteriemia neonatal, meningite
	Treponema pallidum	Sífilis congênita

Infecções por bactérias gram-positivas

Os cocos gram-positivos comuns incluem *Staphylococcus* spp., *Streptococcus* spp. e *Enterococcus* spp., dos quais cada um é responsável por muitos tipos de infecções. A difteria, a listeriose, o antraz e a nocardiose são infecções menos comuns causadas por bacilos gram-positivos.

Infecções estafilocócicas

O *S. aureus* causa numerosas lesões da pele (furúnculos, carbúnculos, impetigo e síndrome da pele escaldada), bem como abscessos, sepse, osteomielite, pneumonia, endocardite, intoxicação alimentar e síndrome do choque tóxico (Figura 8.14). Nos EUA apenas, há mais de 1 milhão de infecções, com 20 mil mortes por ano. *S. aureus* é coco gram-positivo piogênico, que forma agrupamentos que se assemelham a cachos de uva. As características gerais da infecção por *S. aureus* são analisadas nas seções seguintes. As infecções de órgãos específicos são descritas em outros capítulos. Os estafilococos coagulase-negativos, como *S. epidermidis*, provocam caracteristicamente infecções oportunistas em pacientes cateterizados, em pacientes com próteses de valvas cardíacas e em usuários de substâncias intravenosas. *S. saprophyticus* é uma causa comum de infecção do trato urinário em mulheres jovens.

Patogênese

O *S. aureus* produz numerosos fatores de virulência, que incluem proteínas de superfície envolvidas na aderência e na evasão da resposta imune do hospedeiro, enzimas secretadas que degradam as estruturas do hospedeiro, proteínas secretadas que danificam as células do hospedeiro e proteínas que causam resistência aos antibióticos. O *S. aureus* expressa receptores de superfície para o fibrinogênio (denominado fator de agregação), fibronectina e vitronectina e utiliza essas moléculas para se ligar às células endoteliais do hospedeiro. *S. aureus* produz uma cápsula de polissacarídeo, que permite a ligação a materiais artificiais, resultando em infecção significativa associada a próteses valvares e cateteres, bem como resistência à fagocitose pelas células do hospedeiro. *S. aureus* também expressa a proteína de superfície A, que se liga à porção Fc das imunoglobulinas, permitindo que o microrganismo escape da destruição mediada por anticorpos.

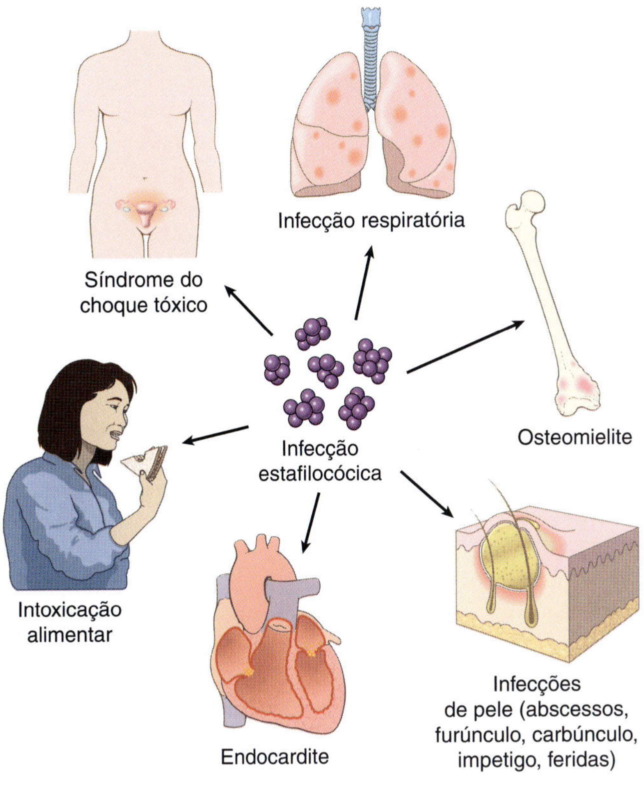

Toxinas de *S. aureus*. *S. aureus* produz múltiplas *toxinas que danificam a membrana (hemolíticas)*. Incluem a α-toxina, uma proteína que se intercala na membrana plasmática das células hospedeiras, formando poros que possibilitam o influxo de níveis tóxicos de cálcio para o citoplasma das células; a β-toxina, que é uma esfingomielinase; e a δ-toxina, que é um peptídeo semelhante a detergente. A γ-toxina e a leucocidina de *S. aureus* provoca lise dos eritrócitos e dos fagócitos, respectivamente.

As *toxinas esfoliativas A e B* produzidas por *S. aureus* são serina proteases, que clivam a proteína desmossomal, a desmogleína 1, que mantém as células epidérmicas firmemente unidas entre si. Essa ação faz com que os queratinócitos se desprendam uns dos outros e da membrana basal subjacente, resultando em perda da função de barreira, o que frequentemente leva a infecções secundárias da pele. A esfoliação pode ocorrer localmente na área da infecção (impetigo bolhoso) ou pode resultar em perda disseminada da epiderme superficial (síndrome da pele escaldada estafilocócica).

Os *superantígenos* produzidos pelo *S. aureus* causam intoxicação alimentar e síndrome do choque tóxico (SCT). A SCT recebeu atenção do público em virtude de sua associação ao uso de tampões hiperabsorventes, que se tornavam colonizados com *S. aureus* durante o uso. Atualmente, é evidente que a SCT pode ser causada pelo crescimento do *S. aureus* em muitos locais, mais comumente na vagina e em sítios cirúrgicos infectados. Essa síndrome caracteriza-se por hipotensão (choque), insuficiência renal, coagulopatia, doença hepática, desconforto respiratório, exantema eritematoso generalizado e necrose dos tecidos moles no local da infecção. Se não for tratada imediatamente, pode ser fatal. A SCT também pode ser causada por *S. pyogenes*. Os superantígenos bacterianos causam proliferação policlonal de células T por meio de sua ligação a porções conservadas das moléculas do MHC e porções relativamente conservadas das cadeias β dos receptores de células T. Dessa maneira, os superantígenos podem estimular até 20% dos linfócitos, levando à liberação de citocinas, como o TNF e a IL-1, em quantidades tão grandes que podem desencadear a síndrome da resposta inflamatória sistêmica (ver **Capítulo 4**). Os superantígenos produzidos pelo *S. aureus* também causam vômitos quando ingeridos em alimentos, presumivelmente pela capacidade de afetar o SNC ou o sistema nervoso entérico.

A resistência aos antibióticos constitui um problema crescente no tratamento das infecções por *S. aureus*. *S. aureus* resistente à meticilina (MRSA) é resistente a quase todos os antibióticos da penicilina e cefalosporinas. Anteriormente, o MRSA era encontrado principalmente em ambientes de cuidados de saúde, porém as infecções por MRSA adquiridas na comunidade são agora comuns. Em consequência, não se recomenda o tratamento empírico das infecções por *S. aureus* com cefalosporinas.

Figura 8.14 As numerosas consequências da infecção estafilocócica.

> ### Morfologia
> Independentemente de a lesão estar localizada pele, nos pulmões, nos ossos ou em valvas cardíacas, *S. aureus* provoca inflamação piogênica, que é característica pela destruição local do tecido do hospedeiro.

Com exceção do impetigo, que é restrito à epiderme superficial, as infecções estafilocócicas da pele concentram-se nos folículos pilosos, onde elas se iniciam. Um **furúnculo** é uma inflamação supurativa focal da pele e do tecido subcutâneo. Os furúnculos podem ser solitários ou múltiplos ou podem sofrer recorrência em surtos sucessivos. Os furúnculos são mais frequentes em áreas úmidas e pilosas, como a face, as axilas, a virilha, as pernas e dobras submamárias. O furúnculo, que começa em um único folículo piloso, desenvolve-se em um abscesso que cresce e se aprofunda e que finalmente "vem à tona" em consequência do adelgaçamento e da ruptura da pele suprajacente. O **carbúnculo** é uma infecção supurativa mais profunda, que se propaga lateralmente abaixo da fáscia subcutânea profunda e, em seguida, torna-se superficial para irromper em múltiplos seios cutâneos adjacentes. Normalmente, os carbúnculos aparecem sob a pele da região superior das costas e nuca, onde os planos fasciais favorecem sua disseminação. A **hidradenite** é uma infecção supurativa crônica das glândulas apócrinas, mais frequentemente nas axilas. As infecções do leito ungueal **(paroníquia)** ou na face palmar das pontas dos dedos **(panarício)** são extremamente dolorosas. Podem ocorrer após trauma ou penetração de farpas e, se forem profundas o suficiente, podem destruir o osso da falange terminal ou descolar a unha de seu leito nos dedos da mão.

As infecções pulmonares por *S. aureus* (**Figura 8.15**) apresentam um infiltrado polimorfonuclear semelhante ao das infecções por *S. pneumoniae* (ver **Figura 3.18B**); todavia, causam muito mais destruição tecidual. Em geral, as infecções pulmonares surgem de uma fonte hematogênica, como um trombo infectado, ou no contexto de uma condição predisponente, como influenza.

A **síndrome da pele escaldada estafilocócica**, também denominada doença de Ritter, ocorre com mais frequência em crianças com infecção da nasofaringe ou da pele por *S. aureus*. Ocorre exantema semelhante a uma queimadura solar, que se espalha pelo corpo inteiro e produz bolhas frágeis, que levam à perda parcial ou total da pele. A descamação da epiderme na síndrome da pele escaldada estafilocócica ocorre no estrato granuloso; o que a distingue da necrólise epidérmica tóxica ou doença de Lyell, que é secundária à hipersensibilidade a fármacos e que causa descamação do nível da junção dermoepidérmica (ver **Capítulo 25**).

Infecções estreptocócicas e enterocócicas

Os estreptococos causam infecções supurativas da pele, da orofaringe, dos pulmões e das valvas cardíacas. Além disso, são responsáveis por diversas síndromes pós-infecciosas, como febre reumática (ver **Capítulo 12**), glomerulonefrite pós-estreptocócica (ver **Capítulo 20**) e eritema nodoso (ver **Capítulo 25**). Essas bactérias são cocos gram-positivos que crescem em pares ou em cadeias. Os estreptococos beta-hemolíticos são tipados de acordo com seus antígenos de carboidrato de superfície. *S. pyogenes* (grupo A) causa faringite, escarlatina, erisipela, impetigo, febre reumática, SCT e glomerulonefrite. *Streptococcus agalactiae* (grupo B) coloniza o sistema genital feminino e provoca sepse e meningite em recém-nascidos e corioamnionite na gravidez. *S. pneumoniae*, o estreptococo α-hemolítico mais importante, constitui uma causa comum de pneumonia adquirida na comunidade em adultos de idade mais avançada e de meningite em crianças e adultos. Os estreptococos do grupo *viridans* incluem estreptococos α-hemolíticos e não hemolíticos encontrados na microbiota oral normal, que constituem uma causa comum de endocardite. *Streptococcus mutans* é a principal causa de cáries dentárias. As infecções estreptocócicas são diagnosticadas por meio de cultura e, em pacientes com faringite, pelo teste rápido do antígeno estreptocócico.

Os *enterococos* são cocos gram-positivos que também crescem em pares e cadeias e que, portanto, são difíceis de diferenciar dos estreptococos com base apenas em sua morfologia. Com frequência, mostram-se resistentes aos antibióticos comumente utilizados e constituem uma causa significativa de endocardite e de infecção do trato urinário.

Patogênese

As diferentes espécies de estreptococos produzem muitos fatores de virulência e toxinas. *S. pyogenes*, *S. agalactiae* e *S. pneumoniae* contam com cápsulas que resistem à fagocitose. *S. pyogenes* também expressa a proteína M, uma proteína de superfície que impede a fagocitose das bactérias, e uma C5a peptidase, que degrada esse peptídeo quimiotático. *S. pyogenes* secreta uma exotoxina pirogênica codificada por fago, que provoca febre e exantema na escarlatina. A febre reumática é provavelmente causada por anticorpos antiproteína M estreptocócica e por células T que apresentam reação cruzada com proteínas cardíacas. *S. pyogenes* virulentos têm sido chamados de "bactérias carnívoras", visto que causam fasciite necrosante rapidamente progressiva. Embora a cápsula antifagocítica seja o fator de virulência mais importante de *S. pneumoniae*, esse microrganismo também produz a pneumolisina, uma toxina que se insere nas membranas celulares do hospedeiro e provoca lise das células, aumentando acentuadamente o dano tecidual. *S. mutans* produz cáries por meio do metabolismo da sacarose a ácido láctico (que causa desmineralização do esmalte dentário) e pela secreção de glicanos de alto peso molecular, que promovem a agregação das bactérias e a formação das placas.

Os enterococos são bactérias de baixa virulência, embora não disponham de cápsula antifagocítica e produzam enzimas que lesionam os tecidos do hospedeiro. A emergência de enterococos como patógeno deve-se sobretudo à resistência a antibióticos, e a incidência é maior em populações de pacientes imunossuprimidos, como aqueles submetidos a transplante de órgãos ou de células-tronco, que recebem agentes antimicrobianos frequentes e que podem apresentar uma alteração da microbiota comensal.

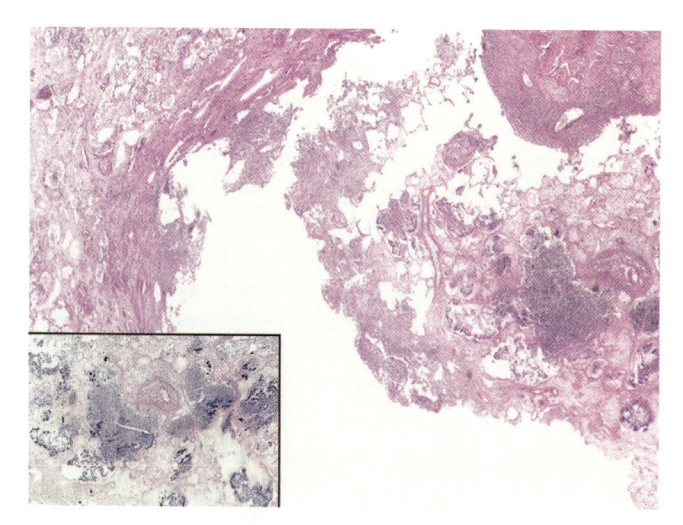

Figura 8.15 Abscesso estafilocócico do pulmão com extenso infiltrado neutrofílico e destruição dos alvéolos (comparar com **Figura 3.18B**). O *detalhe* mostra a mesma área na coloração de gram, destacando os agrupamentos de bactérias.

> ### Morfologia
>
> As infecções estreptocócicas caracterizam-se por infiltrados neutrofílicos intersticiais difusos, com destruição mínima dos tecidos do hospedeiro. As lesões cutâneas causadas pelos estreptococos (furúnculos, carbúnculos e impetigo) assemelham-se àquelas causadas pelos estafilococos.
>
> A **erisipela** é causada por exotoxinas provenientes de infecções superficiais por *S. pyogenes*. Caracteriza-se por edema cutâneo eritematoso que se espalha rapidamente, que pode começar na face ou, com menos frequência, no corpo ou em um membro. O exantema apresenta uma borda serpiginosa nítida e bem demarcada e pode exibir uma distribuição em "borboleta" na face (**Figura 8.16**). Ao exame histológico, observa-se uma reação inflamatória neutrofílica, edematosa e difusa na derme e na epiderme, que se estende para os tecidos subcutâneos. Pode haver formação de microabscessos, entretanto a necrose tecidual costuma ser menor.
>
> A **faringite estreptocócica**, que é o principal antecedente da glomerulonefrite pós-estreptocócica (ver **Capítulo 20**), caracteriza-se por edema, tumefação da epiglote e abscessos puntiformes nas criptas tonsilares, algumas vezes acompanhados de linfadenopatia cervical. O edema associado à infecção grave da faringe pode comprimir as vias respiratórias, sobretudo se houver formação de abscesso peritonsilar ou retrofaríngeo.
>
> A **escarlatina**, associada à faringite causada por *S. pyogenes*, é mais comum entre 3 e 15 anos. Manifesta-se na forma de exantema eritematoso puntiforme, que é mais proeminente no tronco e nas faces mediais dos braços e das pernas. A face também é acometida; entretanto, em geral, uma pequena área ao redor da boca permanece relativamente intacta, produzindo uma palidez perioral. A pele costuma ficar hiperceratótica e escamosa durante a deferverscência.
>
> O *S. pneumoniae* constitui uma importante causa de pneumonia lobar (ver **Capítulo 15**).

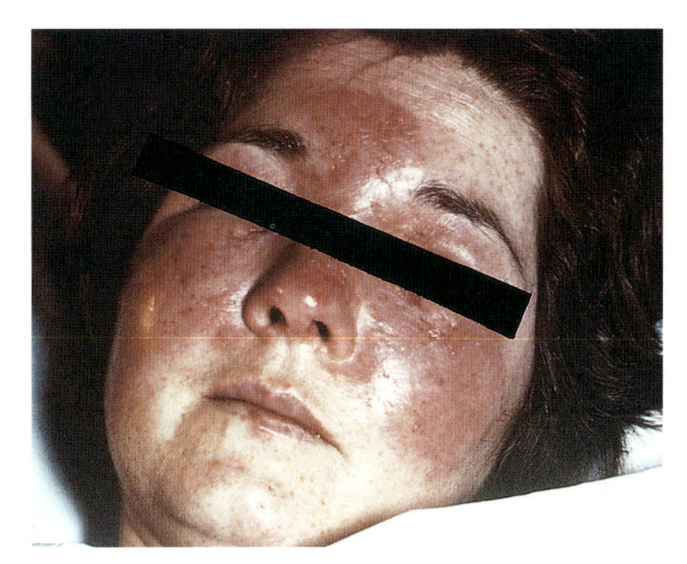

Figura 8.16 Erisipela estreptocócica.

Difteria

A difteria é causada por *Corynebacterium diphtheriae*, um bastonete gram-positivo delgado, com extremidades claviformes, que é transmitido de pessoa para pessoa por meio de gotículas respiratórias ou exsudato da pele. Nos EUA, nessa última década, menos de cinco casos de difteria foram notificados ao Centers for Disease Control and Prevention (CDC), porém mais de 7 mil casos no mundo inteiro têm sido notificados anualmente à OMS. A difteria respiratória causa infecção faríngea ou, com menos frequência, nasal ou laríngea. Pode haver dano ao coração, nervos e outros órgãos. A difteria cutânea provoca úlceras crônicas com uma membrana acinzentada, porém não causa dano sistêmico. *C. diphtheriae* produz uma toxina A-B codificada por fago, que bloqueia a síntese de proteínas da célula hospedeira. O fragmento A faz isso ao catalisar a transferência covalente de difosfato de adenosina (ADP)-ribose para o fator de alongamento 2 (EF-2). Isso inibe a função do EF-2, que é necessária para a tradução do mRNA em proteína. Uma única molécula de toxina diftérica pode matar uma célula por ribosilação do ADP, inativando, assim, mais de 1 milhão de moléculas de EF-2. A imunização com toxoide diftérico (toxina fixada em formalina) estimula a produção de anticorpos neutralizadores da toxina que protegem os indivíduos dos efeitos letais da toxina.

> ### Morfologia
>
> *C. diphtheriae* inalados transportados em gotículas respiratórias proliferam no local de fixação à mucosa da nasofaringe, orofaringe, laringe ou traqueia. As bactérias também formam lesões satélites no esôfago e nas vias respiratórias inferiores. A liberação de exotoxina provoca necrose do epitélio, acompanhada de derramamento de um denso exsudato fibrinossupurativo. A coagulação desse exsudato na superfície necrótica ulcerada cria uma membrana superficial resistente, de aspecto sujo e acinzentada a negra, algumas vezes denominada **pseudomembrana**, por não ser formada de tecido viável (**Figura 8.17**). Observa-se um intenso infiltrado neutrofílico nos tecidos subjacentes, com congestão vascular acentuada, edema intersticial e exsudação de fibrina. Quando a membrana se desprende de seu leito inflamado e vascularizado, podem ocorrer sangramento e asfixia. Com o controle da infecção, a membrana é expelida com a tosse ou removida por digestão enzimática, e a reação inflamatória diminui.
>
> Embora a invasão bacteriana permaneça localizada, com entrada da exotoxina no sangue e sua distribuição sistêmica, pode haver degeneração gordurosa no miocárdio com necrose isolada das miofibras, polineurite com degeneração das bainhas de mielina e dos cilindros-axiais dos axônios e (menos comumente) degeneração gordurosa e necrose focal das células parenquimatosas do fígado, dos rins e das glândulas suprarrenais.

Listeriose

***Listeria monocytogenes* é um bacilo gram-positivo que causa gastrenterite na maioria dos indivíduos que ingerem essa bactéria em quantidade suficiente e infecções de origem alimentar graves em hospedeiros vulneráveis.** Os surtos de infecção por *L. monocytogenes* têm sido associados a muitos alimentos, porém a maioria está relacionada com laticínios ou frutas e vegetais processados. Nos EUA, todos os isolados clínicos de *L. monocytogenes* foram tipados para vigilância epidemiológica desde 1998, com detecção de um aumento de cinco vezes no número de surtos. As mulheres grávidas, os recém-nascidos, os indivíduos idosos e

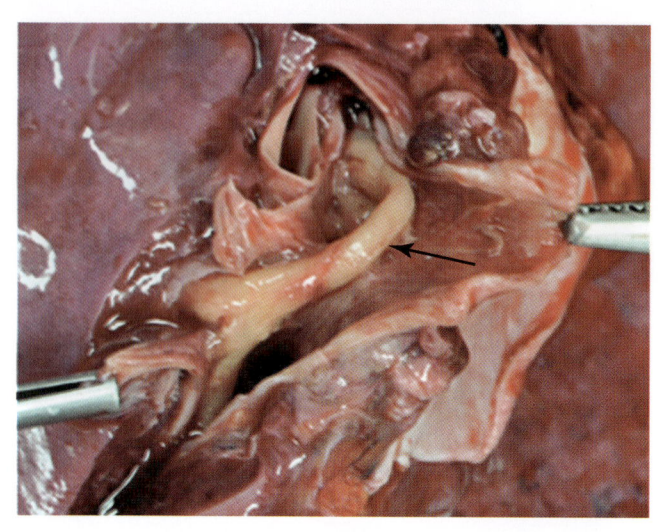

Figura 8.17 Membrana da difteria (seta) situada no interior de um brônquio-fonte. (Cortesia do Dr. Robin A. Cooke, Department of Anatomical Pathology, Princess Alexandria Hospital, Brisbane, Australia.)

Podem ocorrer abscessos focais alternando com nódulos acinzentados ou amarelados, que representam restos de tecido amorfo necrótico, em qualquer órgão, como pulmão, fígado, baço e linfonodos. Nas infecções de maior duração, os macrófagos aparecem em grande número, porém os granulomas são raros. Os lactentes nascidos com sepse por *L. monocytogenes* frequentemente apresentam um exantema papular nos membros, e podem-se observar abscessos por *Listeria* na placenta. O esfregaço do mecônio revela os bacilos gram-positivos.

os pacientes imunossuprimidos são particularmente suscetíveis à infecção grave por *L. monocytogenes*. Nas gestantes, a *L. monocytogenes* provoca amnionite, que pode resultar em aborto, óbito fetal ou sepse neonatal. Em recém-nascidos e adultos imunossuprimidos, pode causar doença disseminada (granulomatose infantisséptica do recém-nascido) e meningite exsudativa.

A *L. monocytogenes* é um patógeno intracelular facultativo. As bactérias ligam-se a receptores nas células epiteliais e macrófagos do hospedeiro e são fagocitadas. As bactérias escapam do fagolisossomo utilizando uma proteína formadora de poro, a listeriolisina O, e duas fosfolipases. A listeriolisina O também afeta as organelas delimitadas por membrana, incluindo arredondamento e retração das mitocôndrias, inibição do retículo endoplasmático e dano à membrana lisossomal. No citoplasma da célula hospedeira, a Act A, uma proteína de superfície bacteriana, liga-se ao complexo Arp2/3, um complexo de nucleação da actina, que induz a polimerização da actina. Isso gera a força necessária para propelir as bactérias dentro das células hospedeiras adjacentes não infectadas. Os macrófagos em repouso não conseguem matar as bactérias intracelulares, enquanto os macrófagos que são ativados pelo IFN-γ têm essa capacidade. Por conseguinte, a resposta efetiva do hospedeiro contra *L. monocytogenes* depende do IFN-γ produzido pelas células NK no início da infecção e pelas células Th1 e T CD8+ na infecção crônica. Os pacientes com defeitos da imunidade celular, como aqueles que apresentam níveis reduzidos de linfócitos CD4+, correm risco aumentado de listeriose.

Morfologia

Nas infecções agudas, a *L. monocytogenes* provoca um padrão exsudativo de inflamação com numerosos neutrófilos. A meningite causada por *L. monocytogenes* é, do ponto de vista macroscópico e microscópico, indistinguível daquela produzida por outras bactérias piogênicas (ver **Capítulo 28**). **O achado de bacilos gram-positivos no líquido cefalorraquidiano (LCR) é praticamente diagnóstico.** Lesões mais variadas podem ser encontradas em recém-nascidos e adultos imunossuprimidos.

Antraz

O antraz caracteriza-se por lesões inflamatórias necrosantes da pele ou do trato gastrintestinal ou sistêmicas. É causado pelo *Bacillus anthracis*, uma grande bactéria gram-positiva em forma de bastonete e formadora de esporos, encontrada em fontes ambientais. O gado torna-se infectado por esporos presentes no ambiente ou no alimento. Em geral, os seres humanos são infectados pela ingestão ou manipulação de carnes ou produtos de animais infectados (p. ex., lã ou peles). Ocorre um pequeno número de casos de antraz por ano, cuja maioria é observada em países de renda mais baixa. Os esporos do antraz podem ser produzidos na forma de um pó fino, criando uma poderosa arma biológica que representa uma ameaça potencial de bioterrorismo. Em 1979, a liberação acidental de esporos de *B. anthracis* em um instituto de pesquisa militar na Rússia matou 66 pessoas. Em 2001, 22 pessoas nos EUA foram infectadas pelo *B. anthracis*, em sua maioria por bioterrorismo doméstico com esporos entregues por correio.

Existem três formas principais de antraz:

- O *antraz cutâneo*, que representa 95% das infecções de ocorrência natural, começa na forma de uma pápula pruriginosa e indolor, que forma uma vesícula em 2 dias. À medida que a vesícula aumenta, pode ocorrer um edema notável ao redor, com desenvolvimento de linfadenopatia regional. Após a ruptura da vesícula, a úlcera remanescente torna-se coberta por uma crosta negra característica, que seca e cai quando a pessoa se recupera. A bacteriemia é rara

- O *antraz inalatório* ocorre quando os esporos transportados pelo ar são inalados. Os esporos são carreados pelos fagócitos até os linfonodos, onde germinam e produzem bacilos que liberam toxinas, que causam mediastinite hemorrágica. Depois de uma doença prodrômica de 1 a 6 dias, caracterizada por febre, tosse e dor torácica ou abdominal, ocorre início abrupto de febre elevada, hipoxia e sudorese. Com frequência, há desenvolvimento de meningite em consequência da bacteriemia. O antraz inalatório leva rapidamente ao choque e frequentemente à morte nos primeiros 1 a 2 dias

- O *antraz gastrintestinal* costuma ser contraído pelo consumo de carne malcozida contaminada com *B. anthracis*. No início, a pessoa apresenta náuseas, dor abdominal e vômitos, seguidos de diarreia sanguinolenta intensa e, algumas vezes, bacteriemia. A mortalidade é de cerca de 40%.

Patogênese

O *B. anthracis* produz toxinas potentes e uma cápsula de poliglutamil que tem característica antifagocítica. Os mecanismos de ação das toxinas do antraz já estão bem compreendidos (**Figura 8.18**). Existem duas subunidades A e uma subunidade B. As duas subunidades A, o *fator de edema* (EF) e o *fator letal* (LF), são assim designadas pelos seus efeitos em animais experimentais.

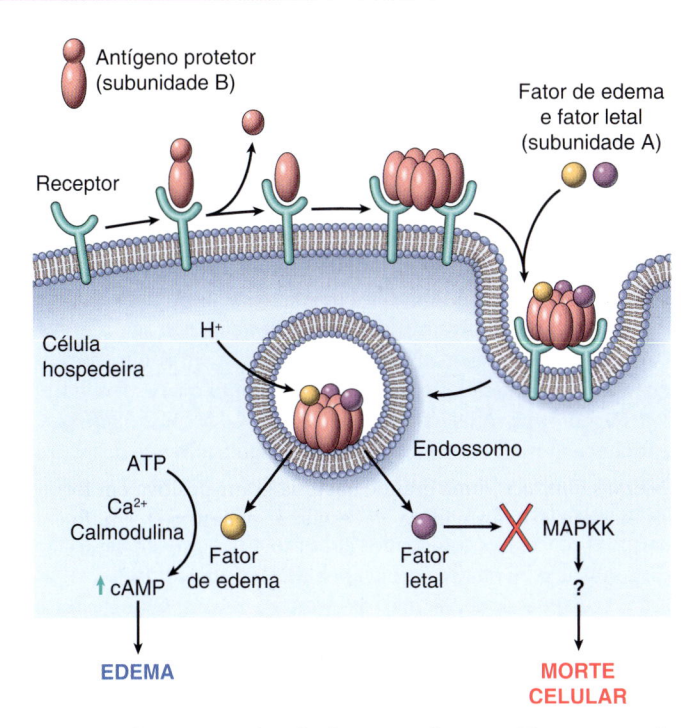

Figura 8.18 Mecanismo de ação das toxinas do antraz. Observe que cada agrupamento de subunidades B liga-se ao fator de edema ou ao fator letal, mas não a ambos (conforme mostrado para maior simplicidade). (Modificada de Mourez M, Lacy DB, Cunningham K, et al: 2001: A year of major advances in anthrax toxin research, Trends Microbiol 10:287-293, 2002.)

A subunidade B é denominada *antígeno protetor* (PA), visto que os anticorpos dirigidos contra ela protegem contra os efeitos das toxinas. O PA não é tóxico, porém serve para liberar o EF e o LF tóxicos nas células. A bactéria libera cada subunidade como proteína separada. O PA liga-se a um receptor de superfície celular que é altamente expresso nas células endoteliais. Em seguida, uma protease do hospedeiro remove um fragmento do PA, e o fragmento remanescente se autoassocia para formar um heptâmero. Uma a três moléculas do EF ou LF ligam-se a um heptâmero de PA, e esse complexo sofre endocitose na célula hospedeira. O baixo pH do endossomo produz uma mudança conformacional no heptâmero de PA, que então forma um canal na membrana do endossomo por meio do qual o EF ou o LF penetram no citoplasma. O EF no citoplasma liga-se ao cálcio e à calmodulina para formar adenilato ciclase. A enzima ativa converte o ATP em monofosfato de adenosina cíclico (cAMP) intracelular, alterando a função da célula. O LF conta com um mecanismo de ação diferente, além de ser uma protease que destrói as quinases de proteinoquinases ativada por mitógeno (MAPKK). Essas quinases regulam a atividade das MAPK, que são importantes reguladores do crescimento e da diferenciação celulares (ver **Capítulo 1**). O mecanismo de morte celular causada pela desregulação das MAPK não está bem compreendido.

Morfologia

As lesões do antraz em qualquer local se caracterizam por necrose e inflamação exsudativa rica em neutrófilos e macrófagos. O diagnóstico é sugerido pela presença de grandes bactérias gram-positivas extracelulares em forma de vagão de carga, que formam cadeias, observadas histologicamente com o uso da coloração de Brown e Brenn ou no crescimento em cultura.

O antraz inalatório provoca numerosos focos de hemorragia no mediastino e linfadenite hemorrágica nos linfonodos hilares e peribrônquicos. Normalmente, os pulmões apresentam pneumonia intersticial peri-hilar, com infiltração de macrófagos e neutrófilos e vasculite pulmonar. Em cerca da metade dos casos, observa-se também a presença de lesões hemorrágicas pulmonares associadas com vasculite. Os linfonodos mediastinais estão expandidos por edema e pela presença de macrófagos contendo linfócitos apoptóticos fagocitados. *B. anthracis* tem mais probabilidade de ser observado nos capilares alveolares e vênulas e, em menor grau, no espaço alveolar e nos linfonodos hilares de drenagem (**Figura 8.19**). Entretanto, nos casos fatais, o microrganismo pode ser encontrado em múltiplos órgãos (baço, fígado, intestino, rins, glândulas suprarrenais e meninges).

Infecções por Nocardia

***Nocardia* spp. são bactérias gram-positivas aeróbicas encontradas no solo que causam infecções oportunistas.** O microrganismo cresce formando cadeias ramificadas distintas. Em cultura, a *Nocardia* forma filamentos aéreos finos que se assemelham a hifas. Apesar dessa semelhança morfológica com fungos, *Nocardia* são bactérias verdadeiras.

Nocardia spp. causam infecções respiratórias, mais frequentemente em pacientes com defeitos da imunidade, devido ao uso prolongado de esteroides, infecção pelo HIV ou diabetes melito. A infecção respiratória por *Nocardia* spp. manifesta-se como doença indolente com febre, perda de peso e tosse, que pode ser confundida com tuberculose ou neoplasia maligna. Em alguns casos, as infecções causadas por *Nocardia* spp. disseminam-se dos pulmões para o SNC. As infecções do SNC também são indolentes e provocam déficits neurológicos variáveis, dependendo do local das lesões. *N. brasiliensis* causa infecções da pele após o contato com lesões preexistentes contaminadas com solo. As manifestações consistem em celulite, doença linfocutânea e actinomicetoma, com formação de nódulos que progridem para formar fístulas crônicas de drenagem.

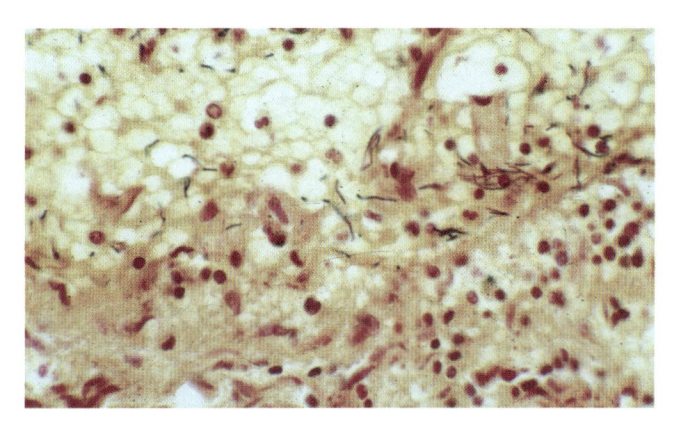

Figura 8.19 *Bacillus anthracis* no seio subcapsular de um linfonodo hilar de um paciente que morreu de antraz inalatório. (Cortesia do Dr. Lev Grinberg, Department of Pathology, Hospital 40, Ekaterinburg, Russia, e Dr. David Walker, UTMB Center for Biodefense and Emerging Infectious Diseases, Galveston, Tex.)

> **Morfologia**
>
> As *Nocardia* spp. aparecem no tecido como microrganismos gram-positivos finos, organizados em filamentos ramificados (**Figura 8.20**). A coloração irregular confere aos filamentos uma aparência com contas de rosário. As *Nocardia* spp. coram-se por corantes acidorresistentes modificados (coloração de Fite-Faraco), diferentemente de *Actinomyces* spp., que podem ter aparência semelhante na coloração de gram dos tecidos. *Nocardia* spp. desencadeiam uma resposta supurativa, com liquefação central, com tecido de granulação e fibrose circundantes. Não há formação de granulomas.

Infecções por bactérias gram-negativas

Existe um grande número de patógenos bacterianos gram-negativos. Muitas bactérias gram-negativas são cada vez mais resistentes aos antibióticos, incluindo *K. pneumoniae* resistente aos carbapenenos e *N. gonorrhoeae* resistente às cefalosporinas. Apenas algumas bactérias gram-negativas serão discutidas nesta seção. Vários patógenos gram-negativos importantes são discutidos nos capítulos pertinentes de sistemas orgânicos, incluindo causas bacterianas de infecções gastrintestinais e infecções do trato urinário. Os microrganismos gram-negativos anaeróbicos são considerados posteriormente neste capítulo. Em geral, as infecções por bactérias gram-negativas são diagnosticadas por cultura.

Infecções por Neisseria

Neisseria spp. são diplococos gram-negativos achatados nos lados adjacentes, conferindo ao par o formato de um grão de café. Essas bactérias aeróbicas têm necessidades nutricionais rigorosas e crescem melhor em meios enriquecidos, como ágar-sangue (chocolate) de carneiro lisado. *Neisseria* spp. patogênicas frequentemente têm a capacidade de secretar DNA de fita simples para a transformação de outras *Neisseria* spp., porém *Neisseria* spp. comensais costumam carecer dessa capacidade. As duas *Neisseria* spp. clinicamente importantes são *N. meningitidis* e *N. gonorrhoeae*.

N. meningitidis **constitui uma causa importante de meningite bacteriana, sobretudo entre adolescentes e adultos jovens.** O microrganismo é um colonizador comum da orofaringe e dissemina-se pela via respiratória. Uma resposta imune leva à eliminação do microrganismo colonizador na maioria das pessoas, e essa resposta é protetora contra uma infecção subsequente pelo mesmo sorotipo de bactéria. Existem vários sorotipos capsulares de *N. meningitidis*; entretanto, cinco deles respondem pela maioria dos casos de meningite. A doença invasiva ocorre sobretudo quando os indivíduos encontram novas cepas às quais não são imunes, como pode ocorrer em crianças pequenas ou em adultos jovens que vivem aglomerados em alojamentos, como quartéis militares ou dormitórios universitários. Nos EUA, *N. meningitidis* é endêmica, porém ocorrem epidemias periodicamente na África Subsaariana, causando milhares de mortes. Vacinas conjugadas altamente efetivas contra *N. meningitidis*, compostas de polissacarídeos capsulares conjugados com proteínas antigênicas, estão disponíveis para quatro sorogrupos de *N. meningitidis* (A, C, W e Y), e dispõe-se de vacinas de proteína recombinante para o sorogrupo B.

Mesmo na ausência de imunidade preexistente, apenas uma pequena fração de indivíduos infectados por *N. meningitidis* desenvolvem meningite. A bactéria precisa invadir as células epiteliais respiratórias e entrar no sangue. A cápsula bacteriana no sangue inibe a opsonização e a destruição das bactérias por proteínas do complemento. A importância do complemento como primeira linha de defesa contra *N. meningitidis* é demonstrada pelas taxas elevadas de infecção grave entre indivíduos que dispõem de defeitos herdados das proteínas do complemento (C5 a C9), que formam o complexo de ataque à membrana, ou em pacientes com hemoglobinúria paroxística noturna (ver **Capítulo 14**), que são tratados com um anticorpo inibidor do complexo de ataque à membrana. Se *N. meningitidis* escapar da resposta do hospedeiro, as consequências podem ser graves. Apesar de o tratamento com antibióticos reduzir acentuadamente a mortalidade relacionada com a infecção por *N. meningitidis,* cerca de 10% dos pacientes infectados ainda morrem. A patologia da meningite piogênica é discutida no **Capítulo 28**.

N. gonorrhoeae **constitui uma importante causa de infecção sexualmente transmissível (IST),** com mais de 450 mil casos notificados a cada ano nos EUA. Ela perde apenas para *C. trachomatis* entre as ISTs causadas por bactérias. Nos homens, a infecção causa uretrite. Nas mulheres, a infecção por *N. gonorrhoeae* é frequentemente assintomática e, portanto, pode passar despercebida. A gonorreia não tratada pode levar à doença inflamatória pélvica, que causar infertilidade ou gravidez ectópica (ver **Capítulo 22**). A infecção é diagnosticada por cultura e testes com PCR. O aumento da resistência às cefalosporinas orais levou à recomendação do tratamento da gonorreia com ceftriaxona intramuscular e azitromicina oral. *N. gonorrhoeae* resistente à ceftriaxona é rara, porém foi detectada no Canadá e no Japão.

Embora a infecção por *N. gonorrhoeae* em geral se manifeste localmente nas mucosas genital ou do colo do útero, faringe ou anorretal, podem ocorrer infecções disseminadas. À semelhança de *N. meningitidis*, *N. gonorrhoeae* tem muito mais probabilidade de sofrer disseminação em indivíduos que carecem das proteínas do complemento que formam o complexo de ataque à membrana. A infecção disseminada em adultos e adolescentes costuma causar atrite séptica, acompanhada de exantema com pápulas e pústulas hemorrágicas. A infecção neonatal por *N. gonorrhoeae* provoca

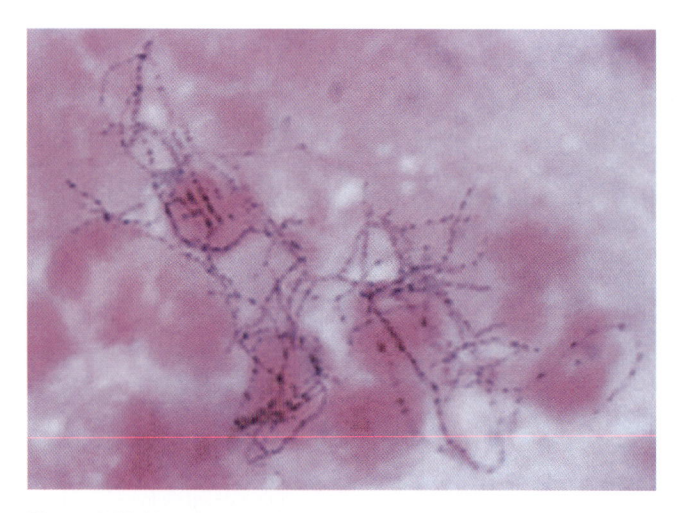

Figura 8.20 *Nocardia asteroides* em uma amostra de escarro corada pelo método de gram. Observe os microrganismos gram-positivos ramificados em contas e os leucócitos. (Cortesia do Dr. Ellen Jo Baron, Stanford University Medical Center, Stanford, Calif.)

conjuntivite, que pode levar à cegueira e, raramente, à sepse. A infecção ocular, que pode ser prevenida pela instilação de nitrato de prata ou de antibióticos nos olhos do recém-nascido, continua sendo uma importante causa de cegueira em alguns países de renda mais baixa.

Patogênese

Neisseria spp. aderem às células epiteliais não ciliadas no local de entrada (nasofaringe, uretra ou colo do útero) e as invadem. A aderência de *N. gonorrhoeae* às células epiteliais é inicialmente mediada por *pili* longos, que se ligam à CD46, uma proteína expressa em todas as células nucleadas humanas. As proteínas OPA (assim denominadas pela sua capacidade de tornar as colônias bacterianas opacas), localizadas na membrana externa das bactérias, aumentam a ligação de *Neisseria* spp. às células epiteliais, promovendo a entrada das bactérias nas células.

As *Neisseria* spp. utilizam a variação antigênica como estratégia para escapar da resposta imune. A existência de múltiplos sorotipos capsulares de *N. meningitidis* resulta em meningite em algumas pessoas após exposição a uma nova cepa, conforme já discutido. Além disso, as *Neisseria* spp. também podem gerar novos antígenos por mecanismos genéticos, que permitem que um único clone bacteriano modifique seus antígenos expressos e escape das defesas imunes. Esses mecanismos envolvem tanto as proteínas dos *pili* quanto as proteínas OPA:

- *Recombinação dos genes que codificam as proteínas dos pili.* Os *pili* são compostos de polipeptídeos codificados pelo gene da pilina, que consiste em um promotor e em sequências codificadoras para 10 a 15 variantes de proteínas dos *pili*. Em qualquer momento no tempo, apenas uma dessas sequências codificadoras fica adjacente ao promotor, permitindo sua expressão. Periodicamente, a recombinação homóloga transfere uma das outras sequências codificadoras de pilina próxima ao promotor, resultando na expressão de uma variante de pilina diferente
- *Expressão de diferentes proteínas OPA.* Cada gene *OPA* conta com várias repetições de uma sequência de cinco nucleotídios, que frequentemente estão deletados ou duplicados. Essas alterações modificam o quadro de leitura do gene, de modo que ele codifica novas sequências. São também introduzidos códons de terminação por meio de adições e deleções, o que determina se cada gene *OPA* é expresso ou silenciado. Por conseguinte, *Neisseria* spp. podem expressar uma, nenhuma ou múltiplas proteínas OPA a qualquer momento.

Coqueluche

A coqueluche, que é causada pelo cocobacilo gram-negativo *Bordetella pertussis*, é uma doença aguda e altamente transmissível, caracterizada por tosse paroxística violenta, seguida de um "guincho" inspiratório alto, à medida que o paciente ofega. Os lactentes com menos de 1 ano correm maior risco de morte. As crianças com coqueluche podem ter crises de tosse por até 10 semanas. Em todo o mundo, estima-se que ocorram mais de 160 mil mortes em crianças com menos de 5 anos devido à coqueluche. Para o diagnóstico, a PCR é mais sensível do que a cultura, porém a especificidade dos ensaios pode variar, de modo que é fundamental obter algum nível de confirmação por cultura em um cenário de surto. O uso disseminado de uma vacina resultou em redução dramática dos casos. Entretanto, a preocupação com os efeitos colaterais da vacina de células inteiras aumentou depois da década de 1980 e levou a uma diminuição de seu uso. Uma vacina acelular tornou-se disponível na década de 1990, porém a proteção diminui com o tempo, razão pela qual houve um aumento da incidência nesses últimos anos, mesmo em áreas onde as taxas de vacinação parecem ser satisfatórias. Surtos observados a cada 3 a 5 anos não afetam principalmente os lactentes, mas crianças de mais idade, adolescentes e adultos. Foi formulada a hipótese de que as modificações *B. pertussis* também podem desempenhar um papel, porém isso não está provado.

Patogênese

B. pertussis coloniza a borda em escova do epitélio brônquico e também invade os macrófagos. Contém uma hemaglutinina filamentosa, que se liga aos carboidratos na superfície das células epiteliais respiratórias, bem como às integrinas CR3 (Mac-1) nos macrófagos. Os fatores de virulência de *B. pertussis* incluem a toxina *pertussis*, a toxina de adenilato ciclase, a toxina dermonecrótica e a citotoxina traqueal. A toxina *pertussis* é uma toxina A-B típica, que é composta por cinco subunidades. A unidade A, à semelhança da toxina da cólera, efetua a ADP-ribosilação e inativa as proteínas de ligação de nucleotídio de guanina, de modo que essas proteínas G não são mais capazes de transduzir sinais, interrompendo o efeito das quimiocinas que utilizam receptores acoplados à proteína G. O componente B contém quatro subunidades que se ligam a moléculas extracelulares e possibilitam a entrada da subunidade A nas células. A subunidade B também pode ligar-se a moléculas de superfície celular, como TLR4, e, por meio destas, pode iniciar eventos de sinalização nas células. Em seu conjunto, as subunidades da toxina *pertussis* comprometem as defesas do hospedeiro ao inibir o recrutamento dos neutrófilos e macrófagos e a ativação e paralisação dos cílios, entre outros efeitos.

B. pertussis também produz a toxina de adenilato ciclase, que entra nas células hospedeiras e converte o ATP em níveis suprafisiológicos de cAMP. A elevação do cAMP inibe a fagocitose, a explosão oxidativa e a destruição mediada por óxido nítrico nos neutrófilos e macrófagos, bem como a formação de armadilhas extracelulares dos neutrófilos. As interações das múltiplas toxinas e fatores de virulência que determinam o curso da doença necessitam de mais estudos.

> ### Morfologia
>
> As *Bordetella* spp. causam laringotraqueobronquite, que, nos casos graves, caracteriza-se por erosão da mucosa brônquica, hiperemia e exsudato mucopurulento copioso (**Figura 8.21**). A não ser que sejam superinfectados, os alvéolos pulmonares permanecem abertos e intactos. Paralelamente à linfocitose periférica pronunciada (até 90%), ocorrem hipercelularidade e aumento dos folículos linfoides da mucosa e linfonodos peribrônquicos.

Infecções por Pseudomonas

A *Pseudomonas aeruginosa* é um bacilo gram-negativo aeróbico oportunista e um patógeno mortal frequente em indivíduos com fibrose cística, queimaduras graves ou neutropenia. Muitos indivíduos com fibrose cística morrem de insuficiência pulmonar secundária à infecção crônica por *P. aeruginosa*. Essa bactéria pode ser muito resistente aos antibióticos, tornando difícil o

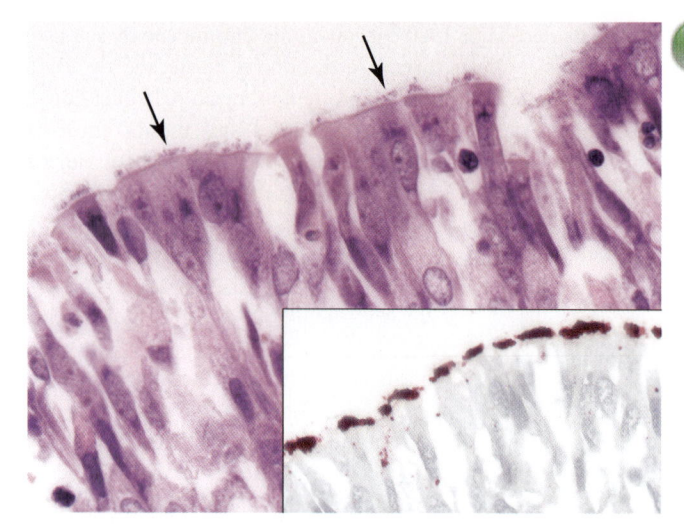

Figura 8.21 Coqueluche mostrando uma névoa de bacilos (*setas*) emaranhados com os cílios das células epiteliais brônquicas. O *detalhe* destaca a névoa de bacilos por imuno-histoquímica, utilizando um anticorpo monoclonal reativo contra o lipo-oligossacarídeo A de *Bordetella pertussis*. (Cortesia das imagens do Dr. Christopher Paddock of the Centers for Disease Control, Atlanta, Ga.)

> ### Morfologia
>
> As *Pseudomonas* spp. causam pneumonia necrosante, que se distribui pelas vias respiratórias terminais em um padrão de flor-de-lis, com notáveis centros necróticos pálidos e áreas periféricas hemorrágicas vermelhas. Ao exame microscópico, são observadas massas de microrganismos, que frequentemente estão concentradas nas paredes dos vasos sanguíneos, onde as células hospedeiras sofrem necrose coagulativa (**Figura 8.22**). Esse quadro de **vasculite bacteriana** gram-negativa acompanhado de trombose e hemorragia, apesar de não ser patognomônico, é altamente sugestivo de infecção por *P. aeruginosa*.
>
> A obstrução brônquica causada por tampões de muco e infecção subsequente por *P. aeruginosa* constituem complicações frequentes da fibrose cística. Apesar do tratamento antibiótico e da resposta imune do hospedeiro, a infecção crônica por *P. aeruginosa* pode resultar em bronquiectasia e fibrose pulmonar (ver **Capítulo 15**).
>
> Nas queimaduras de pele, *P. aeruginosa* sofre ampla proliferação, penetrando profundamente nas veias e disseminando-se por via hematogênica. Com frequência, aparecem lesões cutâneas ovais bem demarcadas, necróticas e hemorrágicas, denominadas **ectima gangrenoso**. A CIVD constitui uma complicação frequente da bacteriemia por *P. aeruginosa*.

tratamento dessas infecções. Com frequência, a *Pseudomonas* infecta queimaduras extensas da pele, podendo levar à sepse. *P. aeruginosa* constitui uma causa comum de infecções hospitalares; o microrganismo tem sido cultivado a partir de bacias de lavagem, tubos respiratórios, berços de maternidade e até mesmo frascos que contenham antissépticos. Ela também causa ceratite da córnea em pessoas que utilizam lentes de contato, endocardite e osteomielite em usuários de substâncias intravenosas, otite externa (ouvido de nadador) em indivíduos saudáveis e otite externa grave em pacientes com diabetes melito.

Patogênese

P. aeruginosa produz várias toxinas que contribuem para o dano tecidual local. No início da infecção dos pulmões de indivíduos com fibrose cística, o microrganismo secreta uma exotoxina A-B, denominada exotoxina A, que, à semelhança da toxina diftérica, inibe a síntese de proteínas por meio de ADP-ribosilação da proteína ribossômica EF-2, levando à morte das células hospedeiras. Nesse estágio inicial, o microrganismo utiliza um sistema de secreção tipo III para transportar as proteínas efetoras nas células hospedeiras; esse sistema reduz a capacidade das células hospedeiras de produzir espécies reativas de oxigênio antibacterianas e também induz a apoptose das células. Posteriormente, na infecção crônica dos pulmões de pessoas com fibrose cística, as bactérias organizam-se em biofilmes compostos, em parte, de alginato que elas secretam. Dentro do biofilme, as bactérias são protegidas dos anticorpos, do complemento, dos fagócitos e dos antibióticos. Além disso, a liberação de exotoxina A é reduzida, assim como a expressão do sistema de secreção tipo III, e o microrganismo evolui para uma forma com menor virulência, embora continue provocando dano ao hospedeiro ao estimular a inflamação e ao liberar enzimas (proteases e elastases) que causam dano aos tecidos. Durante a infecção crônica, o microrganismo desenvolve resistência aos antibióticos por meio da produção de biofilme e de mudanças genéticas, tornando o tratamento difícil.

Peste

***Yersinia pestis* é uma bactéria gram-negativa intracelular facultativa que provoca uma infecção invasiva e frequentemente fatal, denominada peste.** É transmitida de roedores para seres humanos por meio de picadas de pulga ou, com menos frequência, de um ser humano para outro por meio de aerossóis. A peste causou três grandes pandemias que mataram muitos milhões de pessoas; a devastação causada pela epidemia na Europa, no século 14, deu à infecção o nome dramático de *Peste Negra* (*Black Death*). Hoje, a maioria dos casos ocorre na África, porém o microrganismo é endêmico em muitas partes do mundo, incluindo países da antiga União Soviética, Américas e Ásia. Nos EUA, os roedores silvestres no oeste rural são infectados por *Y. pestis* e constituem a fonte de cerca de 10 a 15 casos humanos a cada ano. Em 2017, um surto em Madagascar resultou em mais de 2.400 casos e mais de

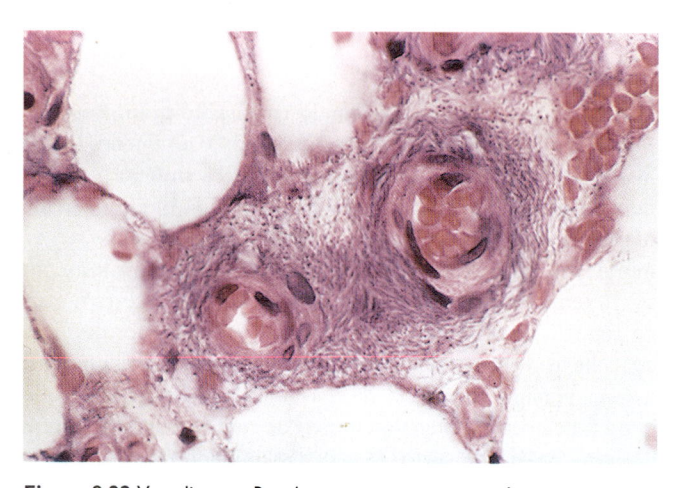

Figura 8.22 Vasculite por *Pseudomonas*, em que massas de microrganismos formam uma névoa perivascular azul-púrpura.

200 mortes. *Y. enterocolitica* e *Y. pseudotuberculosis* são geneticamente semelhantes a *Y. pestis;* essas bactérias causam ileíte e linfadenite mesentérica transmitidas por via fecal-oral.

Y. pestis tem duas fases de crescimento na pulga: uma fase inicial, durante a qual as bactérias se agregam no pró-ventrículo, porém não bloqueiam por completo o fluxo sanguíneo; e uma fase tardia, durante a qual há formação de um biofilme que causa obstrução do intestino da pulga infectada. A pulga faminta pica e regurgita antes de se alimentar e, dessa maneira, infecta o roedor ou o ser humano que está sendo picado. Há uma mudança na regulação gênica da bactéria na percepção da transferência do intestino do inseto para o hospedeiro humano. As bactérias espalham-se a partir do local de inoculação para os tecidos linfoides, onde proliferam e inibem o desencadeamento de uma resposta efetiva pelo hospedeiro. *Y. pestis* dispõe de um complexo de genes transportado por plasmídeos, *virulon Yop*, que codifica um sistema de secreção tipo III, uma estrutura semelhante a uma seringa oca, que se projeta da superfície bacteriana, liga-se às células hospedeiras e injeta proteínas bacterianas, denominadas *Yops* (proteínas do revestimento externo de *Yersinia*) para dentro da célula. A YopE, a YopH e a YopT bloqueiam a fagocitose por meio da inativação de moléculas que regulam a polimerização da actina. A YopJ inibe as vias de sinalização que são ativadas pelo LPS, bloqueando a produção de citocinas inflamatórias.

Morfologia

Y. pestis provoca aumento dos linfonodos (bubões), pneumonia ou sepse com acentuada neutrofilia. As características histológicas distintas incluem (1) proliferação maciça dos microrganismos, (2) aparecimento precoce de efusões ricas em proteínas e em polissacarídeos, com poucas células inflamatórias, (3) necrose dos tecidos e dos vasos sanguíneos, com hemorragia, trombose e edema tecidual acentuados, e (4) infiltrados neutrofílicos que se acumulam adjacentes às áreas necróticas com o início da cicatrização.

Na **peste bubônica,** a picada de pulga infectada costuma ocorrer nas pernas, onde há formação de uma pequena pústula ou úlcera. Os linfonodos de drenagem aumentam consideravelmente em poucos dias e ficam moles, polpudos e com cor de ameixa, podendo sofrer infarto ou ruptura através da pele. Esses linfonodos são denominados *bubões*, da palavra grega para "virilha", dando origem ao nome desse tipo de peste. Na **peste pneumônica**, ocorre broncopneumonia confluente, hemorrágica e necrosante grave, frequentemente com pleurite fibrinosa. Na **peste septicêmica**, os linfonodos em todo o corpo, bem como os órgãos ricos em fagócitos mononucleares, desenvolvem focos de necrose. A bacteriemia fulminante também induz CIVD, com hemorragias e trombos disseminados.

Cancroide (cancro mole)

O cancroide é uma IST ulcerativa aguda causada pelo *Haemophilus ducreyi*. A doença é mais comum em áreas tropicas e subtropicais, entre grupos socioeconômicos mais baixos e homens que tem relações sexuais frequentes com prostitutas. O cancroide é uma das causas mais comuns de úlceras genitais na África, no Sudeste Asiático e no Caribe, onde atua como importante cofator na transmissão da infecção pelo HIV. O cancroide é incomum nos EUA, com menos de 20 casos notificados por ano ao CDC nesses últimos anos. O microrganismo cresce precariamente em cultura, exigindo meios incomuns e altamente enriquecidos, e os testes baseados na PCR não estão amplamente disponíveis, de modo que o cancroide pode ser subdiagnosticado.

Morfologia

Quatro a 7 dias após a inoculação, observa-se o desenvolvimento de uma pápula eritematosa hipersensível nos órgãos genitais externos. Nos homens, a lesão primária costuma ocorrer no pênis; nas mulheres, a maioria das lesões ocorre na vagina ou na área periuretral. Durante vários dias, a superfície da lesão primária sofre erosão, produzindo uma úlcera irregular e dolorosa. Diferentemente do cancro primário da sífilis, a úlcera do cancroide não é endurecida, e pode haver múltiplas lesões. A base da úlcera é coberta por um exsudato emaranhado cinza amarelado. Os linfonodos regionais aumentam e tornam-se hipersensíveis em cerca de 50% dos casos 1 a 2 semanas após a infecção primária. Se a infecção não for tratada, os linfonodos aumentados (bubões) podem erodir a pele sobrejacente, produzindo úlceras crônicas de drenagem.

Ao exame microscópico, a úlcera do cancroide contém uma zona superficial de restos neutrofílicos e fibrina e uma zona subjacente de tecido de granulação, contendo áreas de necrose e vasos com trombose. Observa-se a presença de um infiltrado inflamatório linfoplasmocitário denso abaixo da camada do tecido de granulação. Algumas vezes, é possível demonstrar os cocobacilos nas colorações de gram ou pela prata; entretanto, eles são frequentemente obscurecidos por outras bactérias que colonizam a base da úlcera.

Granuloma inguinal

O granuloma inguinal ou donovanose é uma IST inflamatória crônica causada por *Klebsiella granulomatis* (anteriormente denominada *Calymmatobacterium donovani*), um minúsculo cocobacilo encapsulado. O granuloma inguinal é uma IST nos EUA e na Europa Ocidental, mas que é endêmico em algumas áreas tropicais rurais e alguns países de baixa renda. Os casos não tratados caracterizam-se pelo desenvolvimento de tecido cicatricial extenso, frequentemente associado à obstrução linfática e linfedema (elefantíase) dos órgãos genitais externos. A cultura do microrganismo é difícil, e não se dispõe amplamente de ensaios de PCR, de modo que o diagnóstico é estabelecido pelo exame microscópico de esfregaços ou amostras de biopsia da úlcera.

Morfologia

O granuloma inguinal começa como uma lesão papular elevada no epitélio escamoso estratificado úmido da genitália ou, raramente, da mucosa oral ou da faringe. Por fim, a lesão pode ulcerar e desenvolver tecido de granulação abundante, que se manifesta macroscopicamente como uma massa protuberante, mole e indolor. À medida que a lesão aumenta, suas bordas tornam-se elevadas e endurecidas. Pode-se observar o desenvolvimento de cicatrizes desfigurantes nos casos não tratados e, algumas vezes, essas cicatrizes estão associadas a **estreitamentos** uretrais, vulvares ou anais. Normalmente, os linfonodos regionais são poupados ou apresentam apenas alterações reativas inespecíficas, diferentemente do cancroide.

> O exame microscópico das lesões ativas revela hiperplasia epitelial acentuada nas bordas da úlcera, simulando, algumas vezes, um carcinoma (hiperplasia pseudoepiteliomatosa). Uma mistura de neutrófilos e células inflamatórias mononucleares está presente na base da úlcera e abaixo do epitélio circundante. Os microrganismos podem ser demonstrados em esfregaços do exsudato corados pelo método de Giemsa como minúsculos cocobacilos encapsulados (corpos de Donovan) nos macrófagos. A impregnação pela prata (p. ex., coloração de Warthin-Starry) também pode demonstrar o microrganismo.

Infecções causadas por micobactérias

As bactérias do gênero *Mycobacterium* são bastonetes aeróbicos delgados que crescem em cadeias retas ou ramificadas. As micobactérias dispõem de uma parede celular cérea característica, composta por glicolipídios e lipídios incomuns, como o ácido micólico, tornando-as acidorresistentes, o que significa que elas irão reter os corantes, mesmo com tratamento de uma mistura de ácido e álcool. São fracamente gram-positivas.

Tuberculose

A tuberculose é uma doença pulmonar e sistêmica crônica causada mais frequentemente por *M. tuberculosis*, que é a principal causa infecciosa de morte em todo o mundo. A fonte de transmissão é constituída por seres humanos com tuberculose ativa, que liberam micobactérias no escarro. A tuberculose orofaríngea e intestinal contraída pela ingestão de leite contaminado com *Mycobacterium bovis* é rara em países onde o leite é comumente pasteurizado, porém ainda é observada em países que têm vacas leiteiras tuberculosas e leite não pasteurizado.

Epidemiologia

De acordo com a OMS, cerca de 10 milhões de pessoas desenvolveram tuberculose em todo o mundo em 2018, com uma estimativa de 1,3 milhão de mortes em pessoas sem infecção pelo HIV e 300 mil em pessoas com infecção pelo HIV. A taxa de mortalidade da tuberculose está caindo em 3% por ano. Em 2018, nos EUA, foram notificados cerca de 9 mil casos de tuberculose, dos quais 70% ocorreram em pessoas nascidas fora do país.

A tuberculose floresce em qualquer local onde haja pobreza, aglomeração e doença debilitante crônica. Nos EUA, a tuberculose é, sobretudo, uma doença de idosos, imigrantes de países com alta prevalência e morbidade, indivíduos que vivem em condições de aglomeração (prisão, abrigos para moradores de rua, instituições de cuidados prolongados) e pessoas com AIDS. Certas doenças também aumentam o risco: diabetes melito, linfoma de Hodgkin, doença pulmonar crônica (sobretudo silicose), insuficiência renal crônica, desnutrição, alcoolismo e imunossupressão.

É importante que a infecção por *M. tuberculosis* seja diferenciada da doença ativa. A infecção refere-se à presença de bactérias no corpo, que pode ser sintomática (doença ativa) ou não (infecção latente). A maioria das infecções é adquirida pela transmissão interpessoal de microrganismos transportados pelo ar de um caso ativo para um hospedeiro suscetível. Na maioria das pessoas saudáveis, a tuberculose primária é assintomática, embora possa causar febre e efusão pleural. Em geral, a única evidência de infecção, se houver alguma, consiste em um pequeno nódulo pulmonar fibrocalcificado no local da infecção.

Os microrganismos viáveis podem permanecer dormentes nessas lesões por várias décadas. Se houver diminuição das defesas imunes, a infecção pode ser reativada, produzindo doença transmissível e potencialmente fatal.

Patogênese

O resultado da infecção em um indivíduo imunocompetente que anteriormente não foi exposto depende do desenvolvimento da imunidade antimicobacteriana mediada por células T. Essas células T controlam a resposta do hospedeiro às bactérias e também resultam no desenvolvimento de lesões patológicas, como granulomas caseosos e cavitação.

A infecção por *M. tuberculosis* evolui em etapas, desde a infecção inicial dos macrófagos até uma resposta subsequente das células Th1, ambas contendo bactérias e causando dano tecidual (**Figura 8.23**). No início da infecção, *M. tuberculosis* multiplica-se essencialmente de maneira descontrolada dentro dos macrófagos; posteriormente, na infecção, a resposta celular estimula os macrófagos a conter a proliferação das bactérias. As etapas na infecção são as seguintes:

- *Entrada nos macrófagos.* *M. tuberculosis* entra nos macrófagos por fagocitose mediada por vários receptores expressos no fagócito, incluindo a lectina de ligação da manose e o receptor de complemento tipo 3 (CR3)
- *Replicação nos macrófagos.* *M. tuberculosis* inibe a maturação do fagossomo e bloqueia a formação do fagolisossomo, possibilitando a replicação descontrolada da bactéria dentro da vesícula, protegida dos mecanismos microbicidas dos lisossomos. A bactéria bloqueia a formação do fagolisossomo por meio do recrutamento de uma proteína do hospedeiro, denominada coronina, na membrana do fagossomo. A coronina ativa a fosfatase calcineurina, levando à inibição da fusão do fagossomo com o lisossomo. Por conseguinte, durante o estágio mais inicial da tuberculose primária (< 3 semanas) no indivíduo não sensibilizado, as bactérias proliferam nos macrófagos alveolares pulmonares e nos espaços aéreos, resultando em bacteriemia e semeadura de múltiplos locais. Apesar da bacteriemia, os indivíduos nesse estágio são, em sua maioria, assintomáticos ou apresentam uma doença leve semelhante à gripe
- *Imunidade inata.* Múltiplos padrões moleculares associados ao patógeno (ver **Capítulo 6**) produzidos por *M. tuberculosis* são reconhecidos por receptores da imunidade inata. A lipoarabinomanana micobacteriana liga-se ao TLR2, enquanto nucleotídios CpG não metilados ligam-se ao TLR9. Essas interações iniciam e aumentam as respostas imunes inata e adaptativa a *M. tuberculosis*, conforme descrito adiante
- *Resposta das células Th1.* Cerca de 3 semanas após a infecção, ocorre uma resposta das células Th1 que ativa os macrófagos, permitindo que eles se tornem bactericidas. A resposta é iniciada por antígenos micobacterianos, que entram nos linfonodos de drenagem e são apresentados às células T. A diferenciação das células Th1 depende da IL-12 e da IL-18, que são produzidas por células apresentadoras de antígenos que encontraram as micobactérias. A estimulação do TLR2 por ligantes micobacterianos promove a produção de IL-12 pelas células dendríticas
- *Ativação dos macrófagos mediada pelas células Th1 e morte das bactérias.* As células Th1 tanto nos linfonodos quanto nos pulmões produzem IFN-γ. O IFN-γ é o mediador fundamental que ativa os macrófagos e permite que eles controlem a infecção

por *M. tuberculosis*. Em primeiro lugar, o IFN-γ estimula a maturação do fagolisossomo nos macrófagos infectados, expondo as bactérias a um ambiente ácido oxidante e letal. Em segundo lugar, o IFN-γ estimula a expressão da óxido nítrico (NO) sintase induzível, que produz NO. Este se combina com outros oxidantes para criar intermediários reativos do nitrogênio, que são importantes na destruição das micobactérias. Em terceiro lugar, o IFN-γ mobiliza os peptídeos antimicrobianos (defensinas) contra as bactérias. Por fim, o IFN-γ estimula a autofagia, um processo que sequestra e, em seguida, destrói as organelas danificadas e as bactérias intracelulares, como *M. tuberculosis*

- *Inflamação granulomatosa e dano tecidual.* Além de estimular os macrófagos a matar as micobactérias, a resposta Th1 coordena a formação de granulomas e necrose caseosa. Os macrófagos ativados pelo IFN-γ diferenciam-se nos "histiócitos epitelioides", que se agregam para formar granulomas; algumas células epitelioides podem se fundir para formar células gigantes. Em muitos indivíduos, essa resposta interrompe a infecção antes que ocorram destruição tecidual significativa ou doença. Em outros indivíduos, a infecção progride devido à idade avançada ou à imunossupressão, e a resposta imune continuada resulta em necrose caseosa. Os macrófagos ativados também secretam TNF e quimiocinas, que promovem o recrutamento de mais monócitos. A importância do TNF é ressaltada pelo fato de que os pacientes com artrite reumatoide, que são tratados com um antagonista do TNF, correm risco aumentado de reativação da tuberculose

- *Suscetibilidade do hospedeiro à doença.* A AIDS constitui o maior fator de risco para a progressão da doença ativa, devido à perda do controle imunológico do microrganismo. Outras formas de imunossupressão, incluindo glicocorticoides, inibidores do TNF e transplantes (de órgãos sólidos e de células-tronco) também estão associadas a um aumento do risco, assim como a insuficiência renal e a desnutrição. Mutações herdadas raras que interferem na resposta das células Th1, como perda da proteína β1 do receptor de IL-12, resultam em aumento da suscetibilidade à tuberculose grave e até mesmo à infecção sintomática por micobactérias normalmente avirulentas (denominadas "atípicas"), como o *complexo Mycobacterium avium* (MAC), discutido adiante, ou com a cepa da vacina BCG atenuada. Conforme já assinalado, esse grupo de distúrbios genéticos é denominado *suscetibilidade mendeliana à doença micobacteriana*.

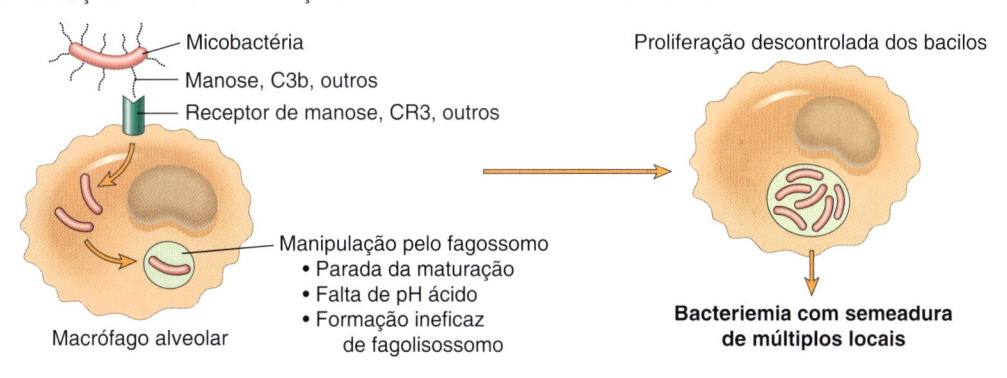

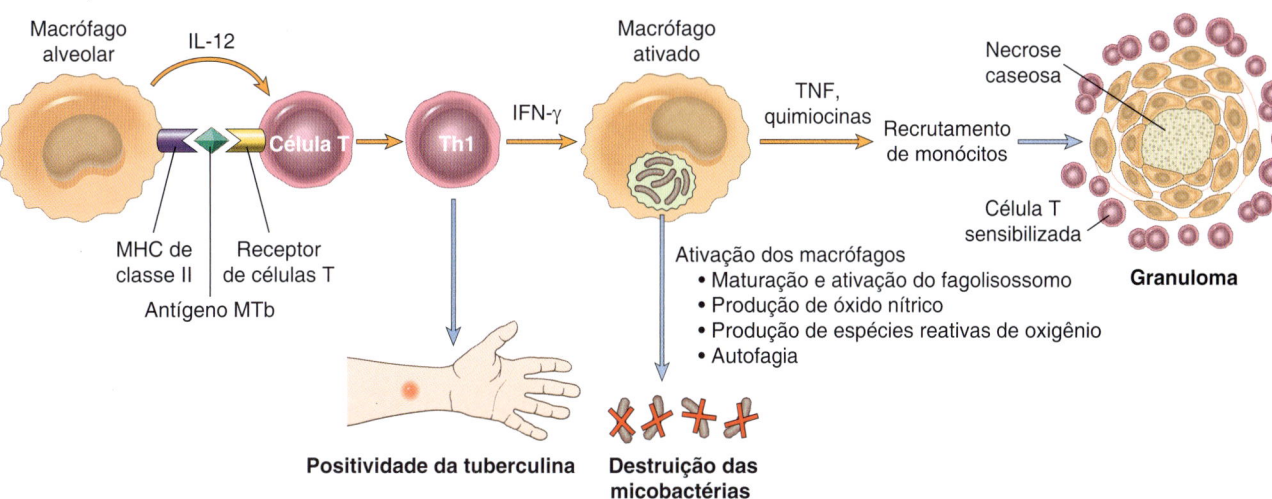

Figura 8.23 Sequência de eventos na tuberculose pulmonar primária, começando com a inalação de *Mycobacterium tuberculosis* virulentos e culminando com o desenvolvimento da imunidade celular contra o microrganismo. **A.** Eventos que ocorrem durante o estágio inicial da infecção, antes da ativação da imunidade mediada por células T. **B.** A iniciação e as consequências da imunidade mediada por células T. O desenvolvimento de resistência ao microrganismo é acompanhada do aparecimento de um teste tuberculínico positivo. *IFN-γ*, interferona-gama; *MHC*, complexo principal de histocompatibilidade; *MTb*, *M. tuberculosis*; *TNF*, fator de necrose tumoral.

Em resumo, a imunidade a *M. tuberculosis* é mediada sobretudo pelas células Th1, que estimulam os macrófagos a matar as bactérias. Essa resposta imune, embora seja em grande parte efetiva, ocorre à custa de destruição tecidual associada. A reativação da infecção ou a reexposição aos bacilos em um hospedeiro previamente sensibilizado resultam em rápida mobilização de uma reação de defesa, mas também em aumento da necrose tecidual. Assim como a imunidade de células T e a resistência estão correlacionadas, também a perda da imunidade das células T (indicada pela negatividade à tuberculina em um indivíduo anteriormente positivo) pode representar um sinal ameaçador de que a resistência ao microrganismo enfraqueceu.

Características clínicas

A tuberculose clínica é dividida em dois tipos importantes que diferem quanto à sua fisiopatologia: a tuberculose primária, que ocorre com a primeira infecção, e a tuberculose secundária, que ocorre em um indivíduo previamente infectado por *M. tuberculosis* (**Figura 8.24**).

A tuberculose primária é a forma da doença que se desenvolve em um indivíduo previamente não exposto e, portanto, não sensibilizado. A doença clinicamente significativa desenvolve-se em cerca de 5% dos indivíduos recém-infectados. Na tuberculose primária, a fonte do microrganismo é exógena. Na maioria das pessoas, a infecção primária é contida; todavia, em outras, a tuberculose primária é progressiva. O diagnóstico de tuberculose primária progressiva em adultos pode ser difícil. Diferentemente da tuberculose secundária (doença apical com cavitação; ver adiante), a tuberculose primária progressiva assemelha-se, com mais frequência, a uma pneumonia bacteriana aguda, com consolidação do lobo, adenopatia hilar e efusão pleural. A disseminação linfática e hematogênica, que ocorrem após a infecção primária, podem resultar em desenvolvimento de meningite tuberculosa e tuberculose miliar (discutida adiante).

A tuberculose secundária é o padrão de doença que surge em um hospedeiro previamente sensibilizado. Pode ocorrer logo após a tuberculose primária; todavia, mais comumente, aparece meses a anos após a infecção inicial, geralmente quando a resistência do hospedeiro está enfraquecida. Origina-se mais comumente da reativação de uma infecção latente, mas também pode resultar de reinfecção exógena em caso de redução da imunidade do hospedeiro ou quando um grande inóculo de bacilos virulentos sobrecarrega

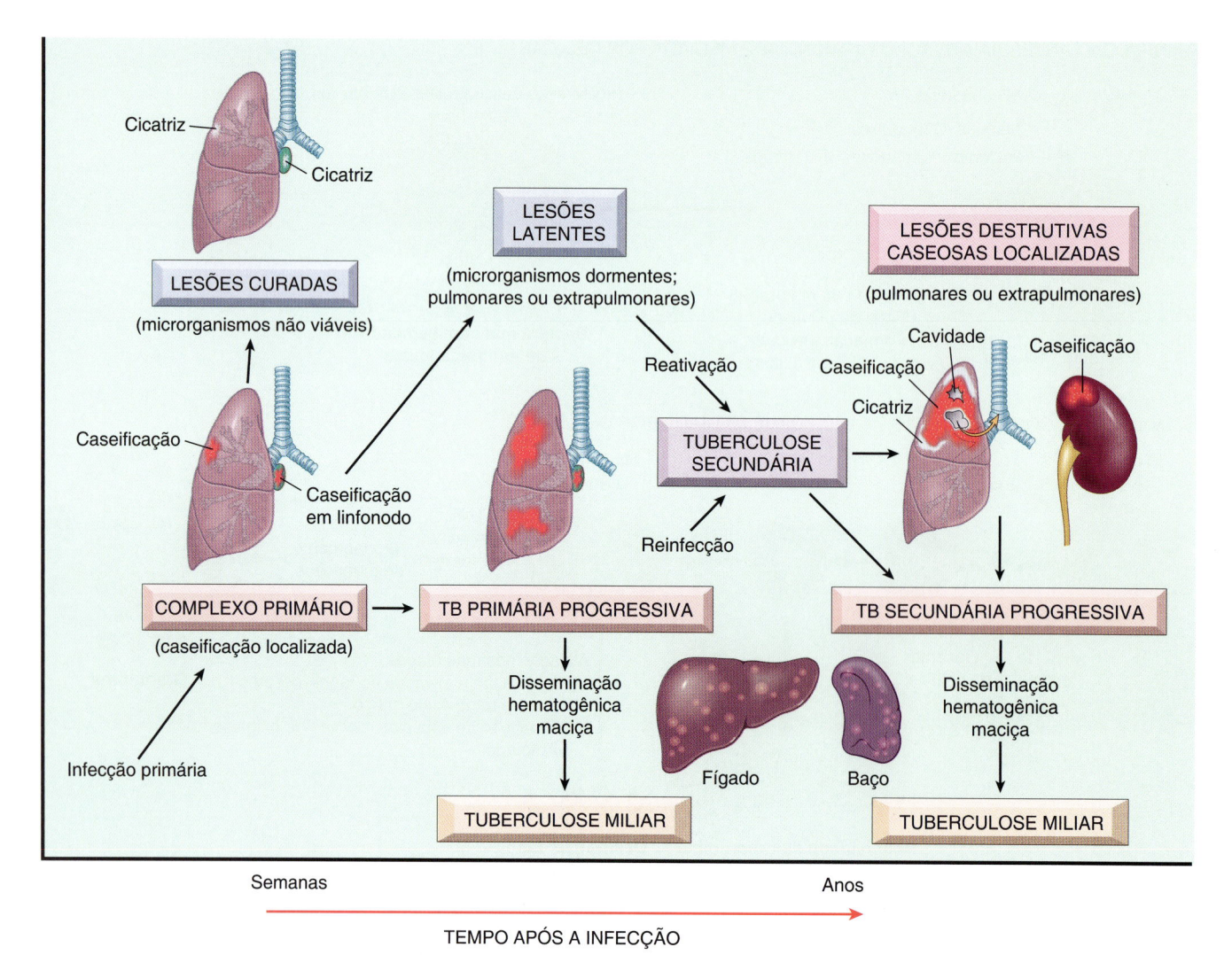

Figura 8.24 História natural e espectro da tuberculose. (Modificada de um esquema fornecido pelo Professor R. K. Kumar, The University of New South Wales, School of Pathology, Sydney, Australia.)

o sistema imune do hospedeiro. A reativação é mais comum em áreas de baixa prevalência, e a reinfecção desempenha um importante papel em regiões de alto contágio.

Classicamente, a tuberculose pulmonar secundária acomete o ápice dos lobos superiores de um ou de ambos os pulmões. Devido à preexistência de hipersensibilidade, os bacilos desencadeiam uma resposta tecidual imediata e pronunciada, que tende a isolar o foco de infecção. Em consequência, os linfonodos regionais são acometidos menos proeminentemente no estágio inicial da doença secundária do que na tuberculose primária. Por outro lado, a cavitação ocorre prontamente na forma secundária. De fato, a cavitação é quase inevitável na tuberculose secundária negligenciada, e a erosão das cavidades em uma via respiratória constitui uma importante fonte de infecção, visto que o indivíduo agora tosse escarro que contém bactérias.

A tuberculose secundária localizada pode ser assintomática. Quando surgem, as manifestações costumam ser de início insidioso. Os sintomas sistêmicos, provavelmente relacionados com as citocinas liberadas pelos macrófagos ativados (p. ex., TNF), aparecem com frequência no início da evolução e consistem em mal-estar, anorexia, perda de peso e febre. Em geral, a febre é baixa e remitente (aparece no final de cada tarde e, em seguida, desaparece) e ocorre sudorese noturna. Com o comprometimento pulmonar progressivo, aparecem quantidades crescentes de escarro, que a princípio é mucoide e, posteriormente, purulento. Verifica-se a presença de algum grau de hemoptise em cerca da metade de todos os casos de tuberculose pulmonar. A dor pleurítica pode resultar da extensão da infecção nas superfícies pleurais. As manifestações extrapulmonares da tuberculose são numerosas e dependem do sistema orgânico acometido.

A multidrogarresistência é agora observada mais comumente do que nos últimos anos; por conseguinte, todos os casos recém-diagnosticados nos EUA são tratados com pelo menos quatro medicamentos, a não ser que a suscetibilidade da bactéria do caso de origem seja conhecida. Em geral, o prognóstico é satisfatório se as infecções forem localizadas nos pulmões, exceto quando causadas por cepas resistentes a fármacos ou quando ocorrem em indivíduos debilitados.

Os testes para tuberculose detectam as bactérias ou a resposta do hospedeiro mediada por linfócitos T às bactérias. Dispõe-se de vários testes para a detecção de *M. tuberculosis* em pacientes com doença ativa. Devem-se efetuar esfregaços álcool-acidorresistentes e culturas do escarro de pacientes com suspeita de tuberculose. A cultura em meio de ágar sólido mostra a ocorrência de crescimento em 3 a 6 semanas, porém a cultura em meio líquido pode fornecer uma resposta nas primeiras 2 semanas. Um teste de sensibilidade abrangente aos antibióticos só pode ser realizado por cultura. A amplificação do DNA de *M. tuberculosis* por PCR possibilita um diagnóstico ainda mais rápido. Dispõe-se de um teste de PCR aprovado pela Food and Drug Administration (FDA) que identifica a presença de *M. tuberculosis* e, se o microrganismo for detectado, sua possível resistência à rifampicina. Os ensaios de PCR são tão sensíveis quanto a cultura em amostras de escarro álcool-acidorresistente positivas, porém ligeiramente menos sensíveis na tuberculose com esfregaço negativo e substancialmente menos sensíveis em crianças. Embora a cultura continue sendo o padrão ouro, a PCR também deve ser realizada se houver suspeita de tuberculose ativa, visto que os resultados são obtidos rapidamente.

O teste para tuberculose latente é efetuado pela detecção de células T específicas para antígenos de *M. tuberculosis* ou hipersensibilidade tardia a esses antígenos. Isso pode ser detectado por ensaios de liberação de IFN-γ (IGRA) ou pelo teste cutâneo tuberculínico (derivado proteico purificado [PDD] ou de Mantoux). Os IGRA são testes *in vitro*, em que os linfócitos do paciente são estimulados com antígenos proteicos de *M. tuberculosis*. A produção de IFN-γ pelas células T é medida para avaliar o nível de imunidade das células T ao microrganismo. O teste cutâneo tuberculínico é realizado pela injeção intracutânea de derivado proteico purificado de *M. tuberculosis*, que induz um endurecimento visível e palpável que alcança um pico em 48 a 72 horas. Um IGRA ou um teste tuberculínico positivo significa imunidade mediada por células T a antígenos micobacterianos, porém não diferencia a infecção da doença ativa. Podem ser obtidas reações falso-negativas no contexto de certas infecções virais, sarcoidose, desnutrição, linfoma de Hodgkin, imunossupressão e (notavelmente) doença tuberculosa ativa. A obtenção de um teste tuberculínico falso-positivo pode resultar de infecção por micobactérias atípicas ou de vacinação prévia com BCG (*Bacillus Calmette-Guerin*), uma cepa atenuada de *M. bovis* utilizada como vacina em alguns países. A obtenção de resultados falso-positivos é incomum com IGRA.

A tuberculose constitui uma importante causa de morte em indivíduos com AIDS. **Todos os estágios da infecção pelo HIV estão associados a um aumento no risco de tuberculose.** O uso da terapia antirretroviral (TARV) reduz o risco da doença em indivíduos com infecção pelo HIV; entretanto, mesmo com TARV, as pessoas infectadas pelo HIV têm mais tendência a desenvolver tuberculose sintomática. Uma baixa contagem de células CD4 antes do início da TARV constitui um importante fator de risco para o desenvolvimento de tuberculose, o que ressalta o papel da resposta imune na manutenção da reativação de *M. tuberculosis* sob controle. As manifestações pulmonares da tuberculose em indivíduos infectados pelo HIV são variáveis, incluindo desde lesões focais ou infiltrados multifocais até doença apical localizada com cavitação. A extensão da imunodeficiência também determina a frequência de comprometimento extrapulmonar, variando de 10 a 15% em indivíduos levemente imunossuprimidos a mais de 50% naqueles com imunodeficiência grave. Outros aspectos atípicos da tuberculose em indivíduos HIV-positivos incluem aumento da frequência de esfregaços de escarro e testes tuberculínicos falso-negativos (o último caso algumas vezes designado como "anergia") e ausência de granulomas característicos nos tecidos, sobretudo nos estágios tardios do HIV. O aumento na frequência de negatividade dos esfregaços de escarro é paradoxal, visto que esses pacientes imunossuprimidos normalmente apresentam cargas mais altas de bactérias. A provável explicação é a de que a cavitação e o dano brônquico são mais graves nos indivíduos imunocompetentes, resultando na presença de mais bacilos no escarro expelido. Por outro lado, a ausência de destruição da parede brônquica devido à redução da hipersensibilidade mediada por células T resulta na excreção de menor número de bacilos no escarro.

> ### Morfologia
>
> ***Tuberculose primária.*** Nos países onde o consumo de leite infectado foi eliminado, a tuberculose primária quase sempre começa nos pulmões. Normalmente, o bacilo inalado implanta-se nos espaços aéreos distais da parte inferior do lobo superior ou na parte superior do lobo inferior, geralmente próximo à pleura. À medida que a sensibilização se desenvolve, surge uma área de 1 a 1,5 cm de inflamação branco-acinzentada com consolidação,

conhecida como *foco de Ghon*. Na maioria dos casos, o centro desse foco sofre necrose caseosa. Os bacilos da tuberculose, tanto livres quanto no interior dos fagócitos, drenam para os linfonodos regionais, que também apresentam, com frequência, caseificação. **Essa combinação de lesão pulmonar parenquimatosa e comprometimento nodal é designada como *complexo de Ghon* (Figura 8.25).** Durante as primeiras semanas, ocorre também disseminação linfática e hematogênica para outras partes do corpo. Em aproximadamente 95% dos casos, o desenvolvimento da imunidade celular controla a infecção. Por conseguinte, o complexo de Ghon sofre fibrose progressiva, frequentemente seguida de calcificação radiologicamente detectável e, apesar da semeadura de outros órgãos, não há desenvolvimento de lesões.

Histologicamente, os locais de comprometimento ativo são marcados por uma reação inflamatória granulomatosa característica, que forma tubérculos tanto caseosos quanto não caseosos (**Figura 8.26A** a **C**). Os tubérculos individuais são microscópicos; apenas quando múltiplos granulomas coalescem é que eles se tornam macroscopicamente visíveis. Em geral, os granulomas estão contidos por uma faixa fibroblástica rodeada por linfócitos. Existem células gigantes multinucleadas nos granulomas. Os indivíduos imunocomprometidos não formam os granulomas característicos, e seus macrófagos contêm muitos bacilos (**Figura 8.26D**).

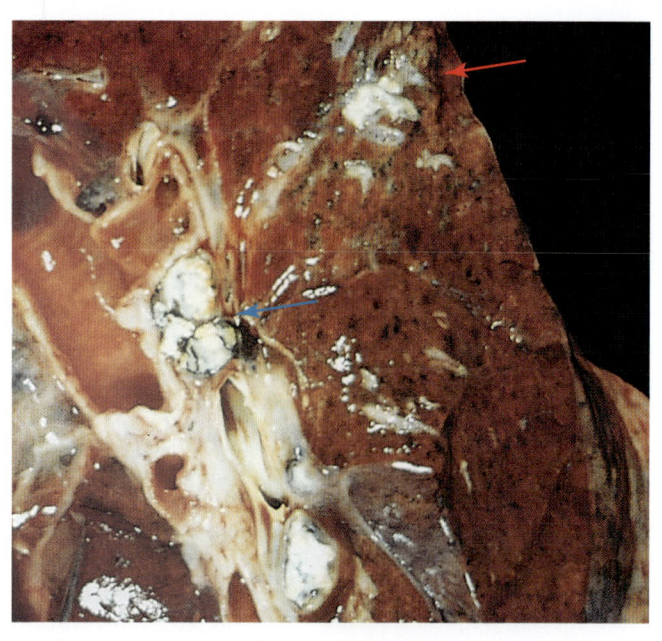

Figura 8.25 Tuberculose pulmonar primária, complexo de Ghon. O foco branco-acinzentado do parênquima está sob a pleura, na parte inferior do lobo superior (*seta vermelha*). São observados linfonodos hilares com caseificação à esquerda (*seta azul*).

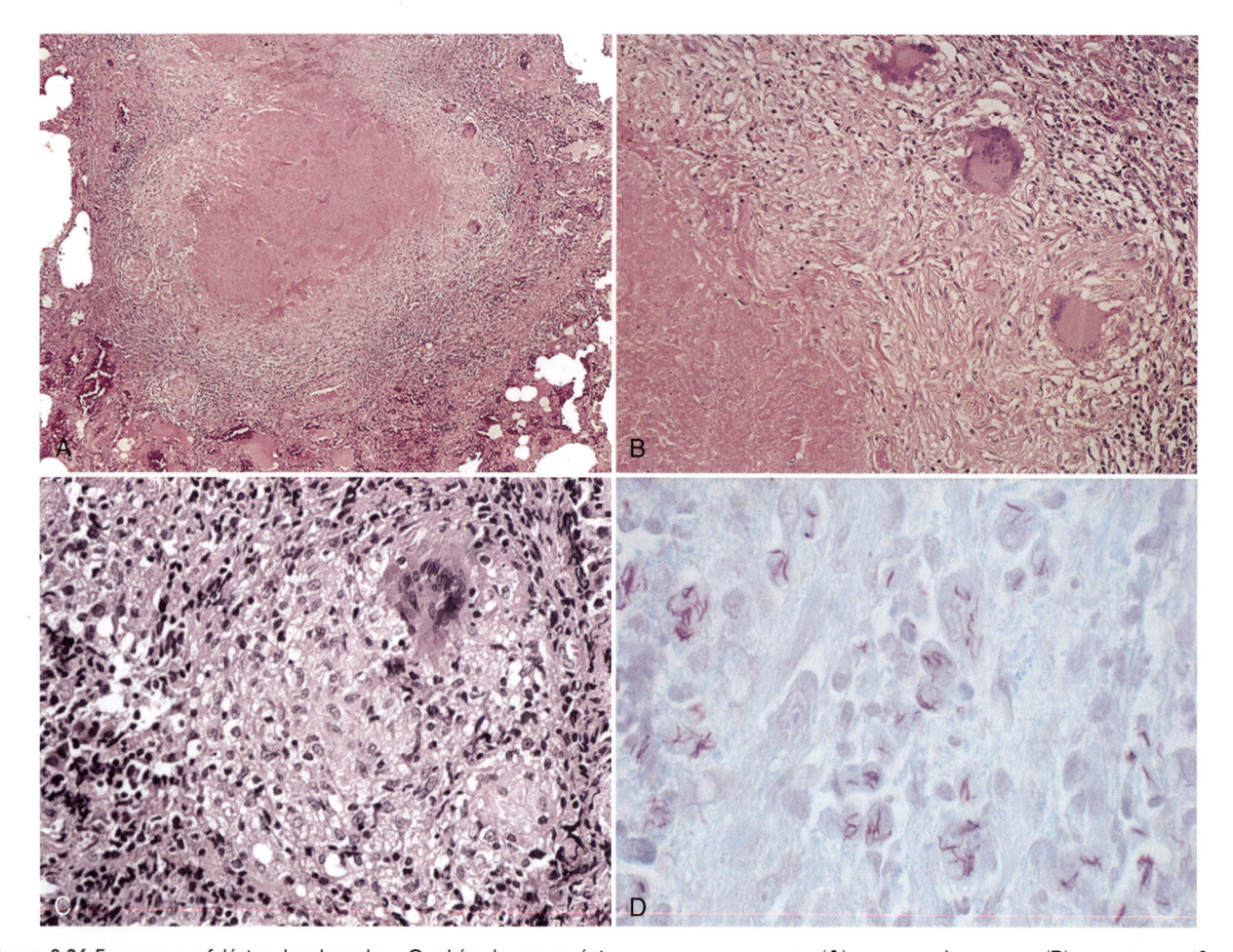

Figura 8.26 Espectro morfológico da tuberculose. O tubérculo característico em pequeno aumento (**A**) e em grande aumento (**B**) mostra a caseificação granular central circundada por células epitelioides e células gigantes multinucleadas. Essa é a resposta habitual observada em indivíduos que desenvolveram imunidade celular ao microrganismo. **C.** Em certas ocasiões, mesmo em pacientes imunocompetentes, os granulomas tuberculosos podem não exibir caseificação central; por conseguinte, independentemente da presença ou da ausência de necrose caseosa, indica-se o uso de coloração especial para microrganismo álcool-acidorresistentes quando se verifica a presença de granulomas. **D.** Nesse espécime de um paciente imunocomprometido, são observados macrófagos com grande número de micobactérias (coloração álcool-acidorresistente).

Tuberculose secundária. Geralmente, a lesão consiste em um pequeno foco de consolidação, com menos de 2 cm de diâmetro, 1 a 2 cm da pleura apical. Esses focos são nitidamente circunscritos, firmes e branco-acinzentados a amarelados e exibem graus variáveis de caseificação central e fibrose periférica (**Figura 8.27**). Nos indivíduos imunocompetentes, o foco parenquimatoso inicial sofre encapsulação fibrosa progressiva, deixando apenas cicatrizes fibrocalcificadas. Ao exame histológico, as lesões ativas mostram tubérculos coalescentes característicos com caseificação central. Com frequência, bacilos da tuberculose podem ser identificados com coloração álcool-acidorresistente nas fases iniciais exsudativa e caseosa da formação do granuloma; todavia, seu número costuma ser muito pequeno para identificação nos estágios fibrocalcificados tardios. A tuberculose pulmonar secundária apical e localizada pode cicatrizar com fibrose, tanto de modo espontâneo quanto após a terapia, ou a doença pode progredir e estender-se ao longo de diversas vias diferentes.

Pode ocorrer **tuberculose pulmonar progressiva** em adultos de idade mais avançada e indivíduos imunossuprimidos. A lesão apical expande-se no pulmão adjacente e, por fim, causa erosão dos brônquios e vasos. Isso evacua o centro caseoso, criando uma cavidade irregular, que é inadequadamente isolada por tecido fibroso. A erosão dos vasos sanguíneos resulta em hemoptise. Com tratamento adequado, o processo pode ser detido, embora a cicatrização por fibrose frequentemente provoque distorção da arquitetura pulmonar. As cavidades, agora livres de inflamação, podem persistir ou tornar-se fibróticas. Se o tratamento for inadequado, ou se as defesas do hospedeiro estiverem comprometidas, a infecção pode disseminar-se pelas vias respiratórias, vasos linfáticos ou sistema vascular. Ocorre **doença pulmonar miliar** quando os microrganismos drenados por meio dos vasos linfáticos entram no sangue venoso e circulam de volta aos pulmões. As lesões individuais consistem em focos microscópicos ou pequenos e visíveis (2 mm) de consolidação branco-amarelada, dispersos pelo parênquima pulmonar (o adjetivo "miliar" deriva da semelhança desses focos com sementes de *millium*). As lesões miliares podem se expandir e coalescer, resultando em consolidação de grandes regiões ou até mesmo de lobos inteiros do pulmão. Com a tuberculose pulmonar progressiva, a cavidade pleural invariavelmente é afetada, e pode haver desenvolvimento de **efusões pleurais serosas, empiema tuberculoso** ou **pleurite fibrosa obliterante**. A tuberculose primária progressiva que ocorre em indivíduos imunossuprimidos dissemina-se de maneira semelhante.

Pode haver desenvolvimento de **tuberculose endobrônquica, endotraqueal e laríngea** em consequência de disseminação por meio dos vasos linfáticos ou a partir do material infeccioso expectorado. O revestimento mucoso pode ser salpicado com diminutas lesões granulomatosas, que podem ser apenas aparentes ao exame microscópico.

Ocorre **tuberculose miliar sistêmica** quando as bactérias se disseminam por meio do sistema arterial sistêmico. A tuberculose miliar é mais proeminente no fígado, na medula óssea, no baço, nas glândulas suprarrenais, nas meninges, nos rins, nas tubas uterinas e no epidídimo, mas pode acometer qualquer órgão (**Figura 8.28**).

A **tuberculose isolada** pode surgir em qualquer um dos órgãos ou tecidos semeados por via hematogênica ou pode constituir a manifestação inicial. Os órgãos comumente afetados incluem as meninges (meningite tuberculosa), rins (tuberculose renal), glândulas suprarrenais (anteriormente uma importante causa de doença de Addison), ossos (osteomielite) e tubas uterinas (salpingite). Quando as vértebras são afetadas, a doença é denominada **doença de Pott.** Os abscessos "frios" paraespinais nesses pacientes podem seguir ao longo dos planos teciduais e se apresentar como uma massa abdominal ou pélvica.

A **linfadenite** constitui a apresentação mais frequente da tuberculose extrapulmonar, que costuma ocorrer na região cervical ("escrófula"). Nos indivíduos HIV negativos, a linfadenite tende a ser unifocal e localizada. Por outro lado, os indivíduos HIV positivos quase sempre apresentam doença multifocal, sintomas sistêmicos e comprometimento pulmonar ou de outros órgãos pela tuberculose ativa.

Conforme assinalado anteriormente, a **tuberculose intestinal** contraída pela ingestão de leite contaminado é comum em países onde ocorre tuberculose bovina e onde o leite não é pasteurizado. Nos países onde o leite é pasteurizado, a tuberculose intestinal é mais frequentemente causada pela deglutição de material infeccioso expelido pela tosse em pacientes com doença pulmonar avançada. Normalmente, os microrganismos depositam-se em agregados linfoides da mucosa dos intestinos delgado e grosso, que em seguida sofrem inflamação granulomatosa, podendo levar à ulceração da mucosa sobrejacente, sobretudo no íleo. A cicatrização cria estenoses.

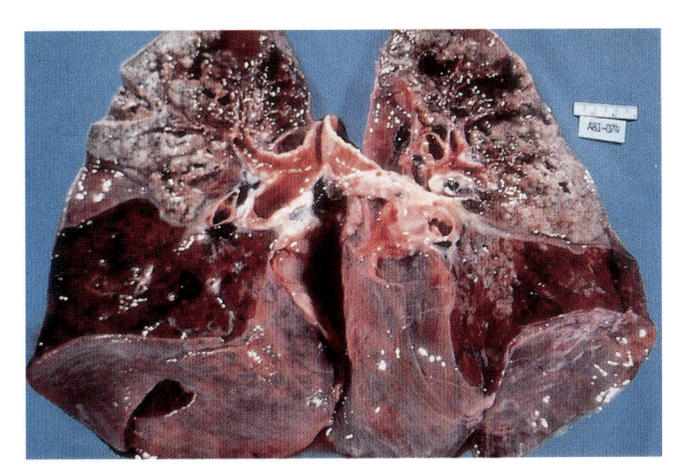

Figura 8.27 Tuberculose pulmonar secundária. As partes superiores de ambos os pulmões estão repletas de áreas branco-acinzentadas de caseificação e múltiplas áreas de amolecimento e cavitação.

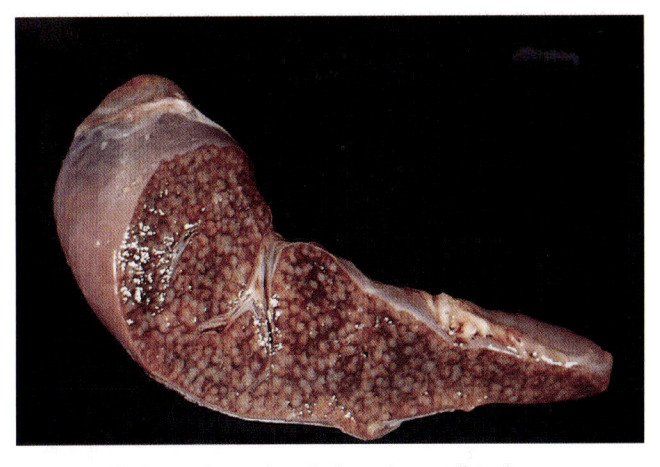

Figura 8.28 Tuberculose miliar do baço. A superfície de corte mostra numerosos tubérculos branco-acinzentados.

Infecções por micobactérias não tuberculosas

As micobactérias não tuberculosas (MNT) referem-se a micobactérias diferentes de *M. tuberculosis* e de *M. leprae*. A prevalência da doença por MNT aumentou em todo o mundo. Das 150 espécies de MNT, os patógenos humanos mais frequentes são o complexo *Mycobacterium avium* (MAC), o complexo *M. abscesssus* e *M. kansasii*. A prevalência de espécies específicas de MNT varia em diferentes regiões geográficas do mundo. O tratamento é diferente para esses patógenos, de modo que a identificação do microrganismo específico é importante. A distinção entre *M. avium* e *M. intracellulare* com o uso de testes físicos e bioquímicos tradicionais tem sido difícil, e as características clínicas dessas infecções são semelhantes, de modo que elas são agrupadas em um complexo. Métodos moleculares mais recentes têm mais capacidade de diferenciar essas duas espécies, bem como *M. chimaera* no mesmo complexo. As MNT são ubíquas no ambiente, na água e no solo, e ocorre pouca transmissão entre seres humanos, com exceção de um pequeno número de casos em pacientes com fibrose cística.

As apresentações clínicas das infecções por MNT incluem doença pulmonar crônica (mais comum), linfadenite, doença cutânea e doença disseminada. Os mecanismos de defesa normais do hospedeiro costumam impedir a infecção, de modo que os indivíduos vulneráveis incluem aqueles com dano pulmonar estrutural, fibrose cística, bronquiectasia, discinesia ciliar primária, doença pulmonar obstrutiva crônica ou pneumoconiose. Outros fatores predisponentes incluem imunossupressão em consequência de infecção pelo HIV, transplante, tratamento com inibidores do TNF e casos raros de autoanticorpos anti-IFN-γ ou defeitos herdados das vias IL-12/IFN-γ. As infecções por micobactérias de crescimento rápido frequentemente estão associadas a infecções pós-cirúrgicas ou pós-traumáticas. Em pacientes com imunodeficiência de células T pronunciada, o MAC provoca infecções amplamente disseminadas, e os microrganismos proliferam em abundancia em muitos órgãos, incluindo os pulmões e o sistema gastrintestinal. Os pacientes apresentam febre baixa, com sudorese noturna profusa e perda de peso. Nos casos de infecção por MAC em um indivíduo sem HIV ou outra imunodeficiência grave, os microrganismos infectam sobretudo o pulmão, causando tosse produtiva e, algumas vezes, febre e perda de peso. As características radiológicas da doença podem consistir em lesões fibrocavitárias, principalmente nos lobos superiores, ou bronquiectasia nodular com grupos multifocais de pequenos nódulos. O desenvolvimento de biofilmes de MNT em dispositivos médicos constitui uma fonte bem documentada de certo número de casos recentes.

> ### Morfologia
>
> A **característica fundamental das infecções por MAC em pacientes com HIV consiste na presença de quantidades abundantes de bacilos álcool-acidorresistentes no interior dos macrófagos (Figura 8.29)**. Dependendo da gravidade da imunodeficiência, as infecções pelo MAC podem ser amplamente disseminadas por todo o sistema mononuclear fagocitário, causando aumento dos linfonodos acometidos, do fígado e do baço, ou podem ser localizadas nos pulmões. Pode haver pigmentação amarelada desses órgãos em consequência do grande número de microrganismos presentes nos macrófagos aumentados. Os granulomas, os linfócitos e a destruição tecidual são raros.

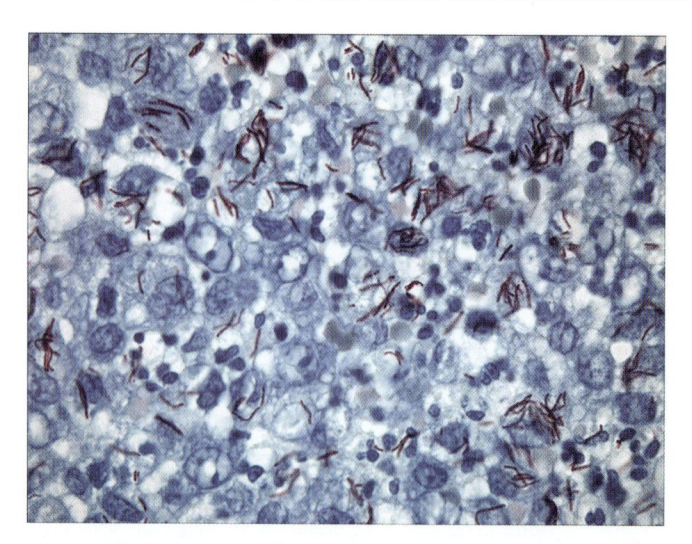

Figura 8.29 Infecção por *Mycobacterium avium* em pacientes com AIDS mostrando a infecção maciça por microrganismos álcool-acidorresistentes. Esse padrão é mais comum em pacientes com imunodeficiências adquiridas.

Hanseníase

A hanseníase ou *doença de Hansen* é uma infecção lentamente progressiva causada por *M. leprae*, que afeta sobretudo a pele e os nervos periféricos. Apesar de sua baixa transmissibilidade, a hanseníase continua sendo endêmica entre pessoas que vivem em vários países tropicais de baixa renda.

Patogênese

A fonte da infecção e a via de transmissão não são conhecidas, porém as secreções respiratórias humanas ou o solo constituem provavelmente a origem da infecção. *M. leprae* é capturado pelos macrófagos e dissemina-se no sangue, porém sofre replicação sobretudo nos tecidos relativamente frios da pele e dos membros. Prolifera melhor entre 32 e 34°C, a temperatura da pele humana. À semelhança de *M. tuberculosis*, *M. leprae* não secreta toxinas, e sua virulência baseia-se nas propriedades de sua parede celular, que é semelhante o suficiente à de *M. tuberculosis* para que a imunização com BCG confira alguma proteção contra a infecção por *M. leprae*. A imunidade celular manifesta-se por reações de hipersensibilidade do tipo tardio às injeções dérmicas de um extrato bacteriano denominado *lepromina*.

M. leprae produz dois padrões notavelmente diferentes de doença, denominados tuberculoide e lepromatoso (também conhecido como virchowiano), que são determinados pela resposta dos linfócitos T auxiliares a *M. leprae*. Os indivíduos com a hanseníase tuberculoide menos grave apresentam lesões cutâneas secas e descamativas, com perda de sensibilidade. Com frequência, apresentam comprometimento assimétrico dos grandes nervos periféricos. A forma mais grave, a hanseníase lepromatosa, inclui espessamento simétrico da pele e nódulos. Na hanseníase lepromatosa, a invasão disseminada das micobactérias nas células de Schwann e nos macrófagos endoneurais e perineurais provoca dano ao sistema nervoso periférico. Nos casos avançados de hanseníase lepromatosa, *M. leprae* está presente no escarro e no sangue. As pessoas também podem apresentar formas intermediárias da doença, denominadas *hanseníase limítrofe (borderline)*.

Conforme assinalado anteriormente, as formas tuberculoide e lepromatosa da hanseníase estão associadas a respostas diferentes das células T. Os indivíduos com hanseníase tuberculoide apresentam uma resposta de células Th1 associada à produção de IL-2 e de IFN-γ, bem como uma resposta Th17. À semelhança de *M. tuberculosis*, o IFN-γ atua na mobilização de uma resposta efetiva dos macrófagos do hospedeiro, de modo que a carga microbiana é baixa. Além disso, a produção de anticorpos é baixa. A hanseníase lepromatosa está associada a uma resposta fraca das células Th1 e, em alguns casos, a um aumento relativo na resposta das células Th2. O resultado final consiste em imunidade celular fraca e incapacidade de controlar as bactérias, que podem ser prontamente visualizadas em cortes histológicos. Em certas ocasiões, mais frequentemente na forma lepromatosa, ocorre produção de anticorpos contra antígenos de *M. leprae*. Paradoxalmente, esses anticorpos em geral não são protetores, mas podem formar imunocomplexos com antígenos livres, que podem levar ao eritema nodoso, vasculite e glomerulonefrite. Alguns pacientes com hanseníase apresentam um padrão misto de citocinas Th1/Th2.

Morfologia

A **hanseníase tuberculoide** começa com lesões cutâneas planas, avermelhadas e localizadas, que aumentam e adquirem formas irregulares com margens hiperpigmentadas, endurecidas e elevadas e centros pálidos deprimidos (cicatrização central). O comprometimento neuronal domina a hanseníase tuberculoide. Os nervos ficam envolvidos por reações inflamatórias granulomatosas e, se forem pequenos (p. ex., os ramos periféricos), são destruídos (**Figura 8.30**). A degeneração nervosa causa anestesia da pele e atrofia cutânea e muscular, que torna o indivíduo propenso a traumas das partes afetadas, levando ao desenvolvimento de úlceras crônicas na pele. Podem ocorrer contraturas, paralisias e autoamputação dos dedos das mãos ou dos pés. O comprometimento do nervo facial pode levar à paralisia das pálpebras, com ceratite e ulcerações da córnea. Ao exame microscópico, todos os locais de comprometimento apresentam lesões granulomatosas, que se assemelham estreitamente àquelas encontradas na tuberculose. Devido à defesa robusta do hospedeiro, os bacilos quase nunca são encontrados, explicando o nome de hanseníase **paucibacilar**. A presença de granulomas e a ausência de bactérias refletem a forte imunidade de células T. Como a hanseníase segue uma evolução extremamente lenta, que se estende por décadas, a maioria dos pacientes morre com hanseníase, em vez de morrer dela.

A **hanseníase lepromatosa ou virchowiana** acomete a pele, os nervos periféricos, a câmara anterior do olho, as vias respiratórias superiores (até a laringe), os testículos, as mãos e os pés. Os órgãos vitais e o SNC raramente são afetados, presumivelmente porque a temperatura central é excessivamente alta para o crescimento de *M. leprae*. As lesões lepromatosas contêm grandes agregados de macrófagos repletos de lipídios (células da hanseníase), frequentemente preenchidos com massas ("globos") de bacilos álcool-acidorresistentes (**Figura 8.31**). Devido à presença de bactérias em quantidades abundantes, a hanseníase lepromatosa é designada como **multibacilar**. Há formação de lesões maculares, papulares ou nodulares na face, nas orelhas, nos punhos, nos cotovelos e nos joelhos. Com a progressão, as lesões nodulares coalescem, produzindo uma face leonina característica. As lesões cutâneas são, em sua maioria, hipoestésicas ou anestésicas. As lesões no nariz podem causar inflamação persistente e secreção repleta de bacilos. Os nervos periféricos, sobretudo ulnar e fibular, que se aproximam da superfície da pele, são invadidos de modo simétrico pelas micobactérias, com inflamação mínima. Ocorrem perda da sensibilidade e alterações tróficas nas mãos e nos pés após as lesões nervosas. Os linfonodos contêm agregados de macrófagos espumosos repletos de bactérias nas áreas paracorticais (células T) e centros germinativos reativos. Na doença avançada, observa-se também a presença de agregados de macrófagos na polpa vermelha do baço e no fígado. Em geral, os testículos estão extensamente acometidos, levando à destruição dos túbulos seminíferos e consequente esterilidade.

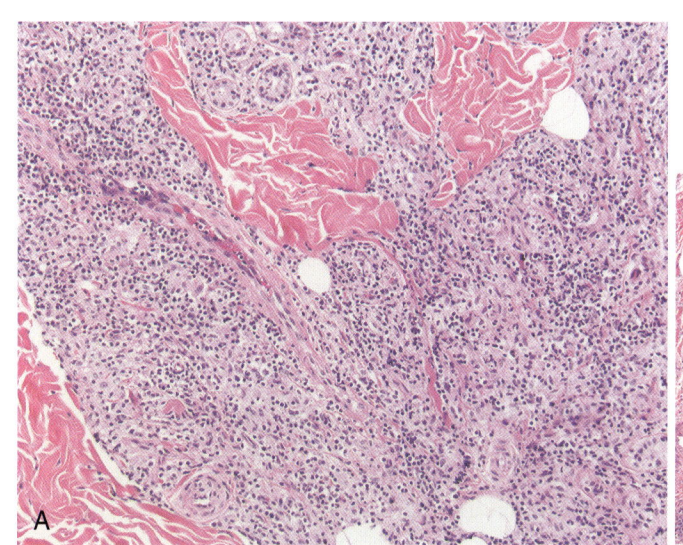

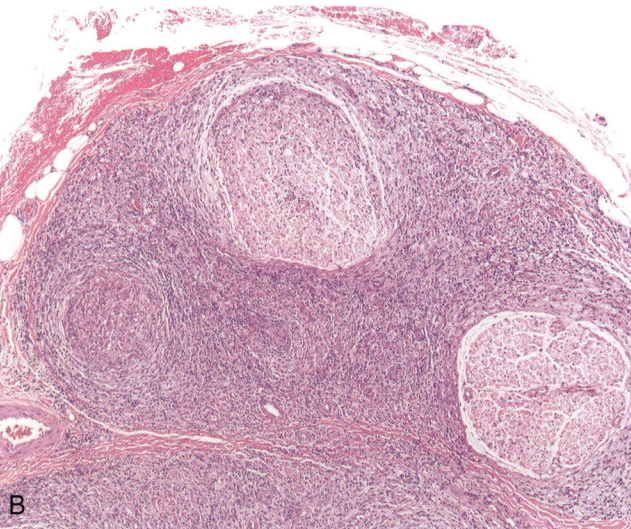

Figura 8.30 Dois tipos de infiltrados inflamatórios comuns na hanseníase são: (**A**) infiltração dérmica densa de macrófagos circundando os anexos, vasos e nervos (resultando em nódulos subcutâneos) e (**B**) infiltração linfocítica e histiocítica crônica densa em grandes feixes de nervos (resultando em mononeuropatia).

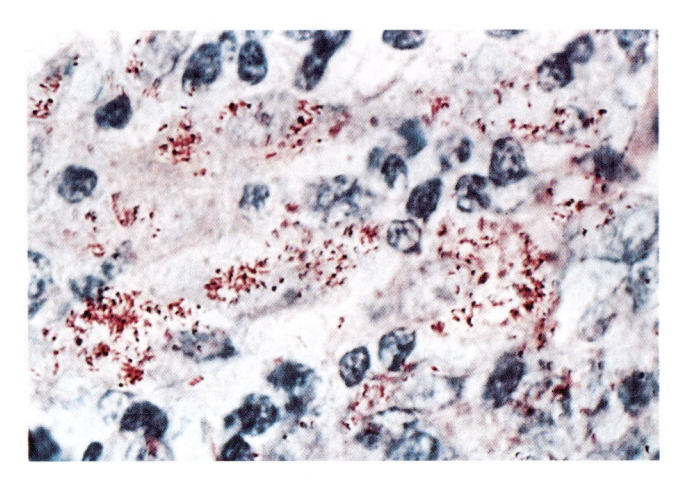

Figura 8.31 Hanseníase lepromatosa. Bacilos álcool-acidorresistentes ("*pargos vermelhos*") dentro de macrófagos.

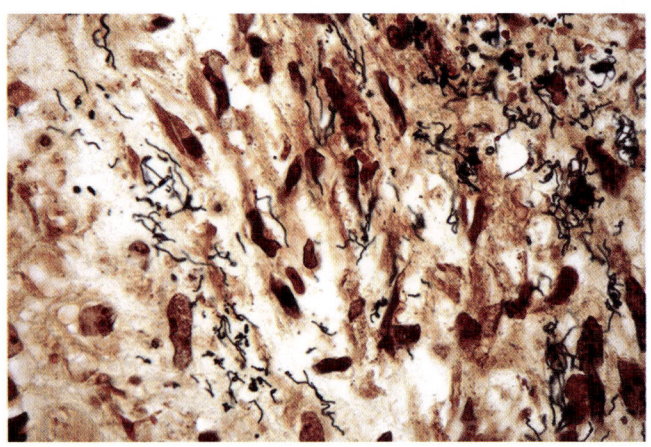

Figura 8.32 *Treponema pallidum* (impregnação pela prata de Steiner) mostrando várias espiroquetas em cortes histológicos de sífilis placentária.

Infecções por espiroquetas

As espiroquetas são bactérias gram-negativas, delgadas e em forma de saca-rolhas, com flagelos periplasmáticos axiais enrolados ao redor de um protoplasma helicoidal. As bactérias são recobertas por uma membrana denominada bainha externa, que se acredita possa mascarar os antígenos bacterianos da resposta imune do hospedeiro. *Treponema pallidum* subesp. *Pallidum* é a espiroqueta microaerófila causadora da sífilis, uma IST crônica com múltiplas apresentações clínicas. Outros treponemas estreitamente relacionados causam bouba (*T. pallidum* subesp. *Pertenue*) e pinta (*T. pallidum* subesp. *Carateum*).

Sífilis

A sífilis é uma IST crônica, com manifestações clínicas e patológicas variadas. A espiroqueta causadora, *T. pallidum* subesp. *Pallidum*, designada simplesmente como *T. pallidum* a partir daqui, é demasiado delgada para ser visualizada com a coloração de gram, mas pode sê-lo por corantes de prata e técnicas de imunofluorescência (**Figura 8.32**). A transmissão transplacentária de *T. pallidum* ocorre prontamente, e a doença ativa durante a gravidez resulta em sífilis congênita. *T. pallidum* não consegue crescer facilmente em cultura. Nos EUA, programas de saúde pública e o tratamento com penicilina reduziram o número de casos de sífilis do final da década de 1940 até o final da década de 1970. Na América do Norte e na Europa Ocidental, a incidência da sífilis tem flutuado desde a década de 1970 e teve um aumento dramático nessa última década entre homens que fazem sexo com homens, sobretudo aqueles com infecção pelo HIV. No mundo inteiro, mais de 5 milhões de novos casos de sífilis são diagnosticados a cada ano, e as infecções congênitas não são incomuns.

Patogênese

A endarterite proliferativa, que afeta os pequenos vasos com infiltrado circundante rico em plasmócitos, é característica de todos os estágios da sífilis. Grande parte da patologia da sífilis pode ser atribuída à isquemia produzida pelas lesões vasculares. A patogênese da endarterite é desconhecida.

A resposta imune a *T. pallidum* diminui a carga de bactérias e pode levar à resolução das lesões locais, porém não elimina de modo confiável a infecção sistêmica. Os locais superficiais de infecção (cancros e exantemas) apresentam um intenso infiltrado inflamatório, que inclui células T, plasmócitos e macrófagos que circundam as bactérias. As células T CD4+ infiltrativas são células Th1 que podem ativar os macrófagos para matar as bactérias. É possível detectar anticorpos antitreponema específicos, que ativam o complemento na lesão e opsonizam as bactérias para fagocitose pelos macrófagos. Em muitos pacientes, o microrganismo persiste apesar dessas respostas do hospedeiro. Uma proteína na membrana externa de *T. pallidum*, a TprK, acumula uma diversidade estrutural durante a evolução da infecção por meio da conversão gênica (recombinação) entre sítios doadores silenciosos e o gene *tprK*, o que pode contribuir para a diversidade antigênica que possibilita a persistência do microrganismo. A dificuldade em desenvolver um sistema de cultura *in vitro* contínua para esse microrganismo limitou a pesquisa da patogênese.

A sífilis é dividida em três estágios, com manifestações clínicas e patológicas distintas (**Figura 8.33**).

Sífilis primária. Esse estágio, que ocorre cerca de 3 semanas após a infecção, caracteriza-se por uma única lesão vermelha, elevada, indolor e firme (cancro), que surge no local de invasão do treponema no pênis, no colo do útero, na parede da vagina ou no ânus. O cancro cicatriza, com ou sem terapia. As espiroquetas são abundantes no cancro e propagam-se a partir dele por todo o corpo por disseminação hematológica e linfática.

Sífilis secundária. Esse estágio é caracterizado por lesões superficiais e indolores da pele e da superfície das mucosas. Ocorre 2 a 10 semanas após o cancro primário em aproximadamente 75% dos indivíduos não tratados. As lesões cutâneas, que ocorrem frequentemente nas palmas das mãos ou plantas dos pés, podem ser maculopapulares, escamosas ou pustulares. As áreas úmidas da pele, como a região anogenital, a face medial das coxas e as axilas, podem apresentar placas elevadas de base larga, denominadas *condilomas planos*. Pode-se observar a formação de erosões superficiais cinza prateadas nas membranas mucosas orais, faríngeas e genitais. A linfadenopatia, a febre baixa, o mal-estar e a perda de peso também são comuns na sífilis secundária. Ocorre neurossífilis assintomática (discutida adiante) em 8 a 40% dos pacientes, enquanto a neurossífilis sintomática com meningite, alterações visuais ou alterações auditivas, é observada em 1 a 2%. A sífilis secundária tem uma duração de várias semanas, e, a seguir, o indivíduo entra no estágio latente da doença.

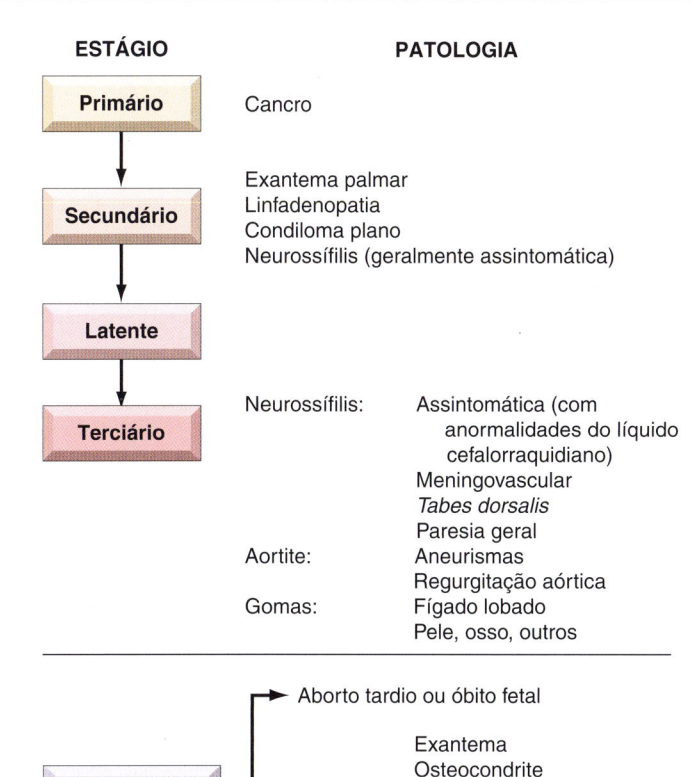

ESTÁGIO	PATOLOGIA
Primário	Cancro
Secundário	Exantema palmar Linfadenopatia Condiloma plano Neurossífilis (geralmente assintomática)
Latente	
Terciário	Neurossífilis: Assintomática (com anormalidades do líquido cefalorraquidiano) Meningovascular *Tabes dorsalis* Paresia geral Aortite: Aneurismas Regurgitação aórtica Gomas: Fígado lobado Pele, osso, outros
Congênita	Aborto tardio ou óbito fetal Infantil: Exantema, Osteocondrite, Periostite, Fibrose hepática e pulmonar Infância: Ceratite intersticial, Dentes de Hutchinson, Surdez do oitavo nervo

Figura 8.33 Manifestações multifacetadas da sífilis.

Sífilis terciária. A sífilis terciária tem três manifestações principais: a sífilis cardiovascular, a neurossífilis e a denominada sífilis terciária benigna. Podem ocorrer isoladamente ou em combinação. A sífilis terciária é observada em um terço dos pacientes não tratados, normalmente depois de um período latente de 5 anos ou mais:

- A *sífilis cardiovascular*, na forma de aortite sifilítica, responde por mais de 80% dos casos de doença terciária. A patogênese dessa lesão vascular não é conhecida, porém a escassez de treponemas e o infiltrado inflamatório intenso sugerem que a resposta imune desempenha um papel relevante. A aortite leva à dilatação lentamente progressiva da raiz e do arco da aorta, causando insuficiência da valva aórtica e aneurismas da parte proximal da aorta (ver **Capítulo 11**)
- A *neurossífilis* pode ser sintomática ou assintomática. A neurossífilis sintomática é discutida no **Capítulo 28**. A neurossífilis assintomática, que representa cerca de um terço dos casos de neurossífilis, é inicialmente suspeitada com base na detecção de anormalidades do LCR, como pleocitose (aumento no número de células inflamatórias), níveis elevados de proteínas ou redução da glicose, e é confirmada pela detecção de anticorpos estimulados pelas espiroquetas (discutidos mais adiante) no LCR. São administrados antibióticos por um maior período de tempo se houver disseminação das espiroquetas para o SNC, razão pela qual os pacientes com sífilis terciária devem ser testados para neurossífilis, mesmo se não tiverem sintomas neurológicos

- A *sífilis terciária benigna* caracteriza-se pela formação de *goma* no osso, na pele e nas membranas mucosas das vias respiratórias superiores e da boca. As gomas consistem em lesões nodulares provavelmente relacionadas com o desenvolvimento de hipersensibilidade tardia às bactérias. O comprometimento esquelético caracteriza-se por dor, hipersensibilidade, edema e fraturas patológicas. As gomas na pele e nas membranas mucosas podem produzir lesões nodulares ou, raramente, lesões ulcerativas destrutivas. As gomas são raras devido ao uso de antibióticos efetivos.

Sífilis congênita. A sífilis congênita ocorre, com mais frequência, durante a sífilis primária ou secundária materna, quando as espiroquetas são mais numerosas. Ocorrem morte intrauterina e morte perinatal em aproximadamente 25% dos casos de sífilis congênita não tratada.

As manifestações da sífilis congênita são divididas naquelas que surgem nos primeiros 2 anos de vida (sífilis infantil) e as que ocorrem mais tarde (sífilis tardia). A sífilis infantil manifesta-se, com frequência, por secreção e congestão nasal nos primeiros meses de vida. Um exantema descamativo ou bolhoso pode levar ao desprendimento da pele, sobretudo das mãos e dos pés, bem como ao redor da boca e do ânus. É comum a ocorrência de hepatomegalia e anormalidades esqueléticas. Surgem manifestações tardias em quase metade das crianças com sífilis neonatal não tratada.

Testes sorológicos para sífilis. A sorologia continua sendo a base para o diagnóstico de sífilis. Os testes sorológicos incluem testes com anticorpos não treponêmicos e testes com anticorpos antitreponema. Os testes não treponêmicos medem os anticorpos contra um antígeno de cardiolipina-colesterol-lecitina presente tanto nos tecidos do hospedeiro quanto em *T. pallidum*. Esses anticorpos são detectados nos testes de reagina plasmática rápida (RPR) e Venereal Disease Research Laboratory (VDRL). Os ensaios não treponêmicos são inespecíficos, porém têm sido amplamente utilizados em virtude de seu baixo custo, fácil realização e resultados quantificáveis, que podem ser utilizados para seguir a resposta ao tratamento. Os testes para anticorpos treponêmicos medem os anticorpos que reagem especificamente com *T. pallidum*. Incluem o teste de absorção de anticorpos treponêmicos fluorescente (fta-abs) e o teste de imunoensaio enzimático para *T. pallidum*. A automatização desses testes mais complexos levou ao seu uso como teste de rastreamento inicial em alguns centros. Os testes rápidos realizados diretamente nos serviços de saúde (*point-of-care*), como terceira opção, foram desenvolvidos para uso com sangue obtido de punção digital (embora o soro exiba maior sensibilidade), são de baixo custo e simples, de modo que não há necessidade de técnicos altamente treinados. Nos EUA, existe apenas um teste *point-of-care* aprovado pela FDA. Os testes rápidos e os ensaios com PCR que foram desenvolvidos não são comumente utilizados no momento atual, em virtude de suas sensibilidades e especificidades mais baixas.

A interpretação desses testes é complexa, devido a diferenças nas respostas dos anticorpos que eles medem e às imperfeições dos testes:

- Os testes para anticorpos tanto treponêmicos quanto não treponêmicos são apenas moderadamente sensíveis (cerca de 70 a 85%) para a sífilis primária
- Ambos os tipos de testes são muito sensíveis (> 95%) para a sífilis secundária

- Os testes treponêmicos são muito sensíveis para a sífilis terciária e latente. Por outro lado, os títulos de anticorpos não treponêmicos caem com o passar do tempo, de modo que os testes não treponêmicos são ligeiramente menos sensíveis para as sífilis terciária ou latente
- Os níveis de anticorpos não treponêmicos caem com o tratamento bem-sucedido da sífilis, de modo que a detecção de alterações dos títulos nesses testes pode ser utilizada para monitorar a terapia
- Os testes treponêmicos, que são não quantitativos, continuam positivos, mesmo após terapia bem-sucedida
- Os testes não treponêmicos ou treponêmicos podem ser utilizados para rastreamento inicial da sífilis; entretanto, os resultados positivos devem ser confirmados com o uso de um teste de outro tipo (p. ex., confirmar os resultados positivos do teste não treponêmico com um teste treponêmico e vice-versa). O teste confirmatório é necessário, visto que podem ser obtidos resultados falso-positivos em ambos os testes. As causas dos resultados falso-positivos nesses testes incluem gravidez, doenças autoimunes e outras infecções diferentes da sífilis.

Morfologia

Na sífilis primária, o cancro ocorre no pênis ou no escroto de 70% dos homens e na vulva ou no colo do útero de 50% das mulheres. O cancro é uma pápula avermelhada e firme, ligeiramente elevada, com até vários centímetros de diâmetro, que produz erosão, criando uma úlcera superficial de base limpa. A induração contígua cria uma massa semelhante a um botão diretamente adjacente à pele erodida, fornecendo a base para a designação de cancro duro (**Figura 8.34**). Ao exame histológico, o cancro contém um infiltrado intenso de plasmócitos, com macrófagos e linfócitos dispersos e endarterite proliferativa. A endarterite começa com a ativação e proliferação das células endoteliais e progride para a fibrose da íntima (ver **Figura 8.4**). Em geral, os linfonodos regionais estão aumentados, devido à linfadenite aguda ou crônica inespecífica, infiltrados ricos em plasmócitos ou granulomas.

Na sífilis secundária, as lesões mucocutâneas disseminadas envolvem a cavidade oral, as palmas das mãos e as plantas dos pés. Com frequência, o exantema consiste em máculas marrom-avermelhadas distintas com menos de 5 mm de diâmetro, embora possa ser folicular, pustuloso, anular ou descamativo. As lesões vermelhas na boca ou na vagina contêm a maioria dos microrganismos e são as mais infecciosas. Histologicamente, as lesões mucocutâneas da sífilis secundária apresentam o mesmo infiltrado de plasmócitos e endarterite obliterativa do cancro primário, embora a inflamação seja, com frequência, menos intensa.

A sífilis terciária acomete com mais frequência a aorta, o SNC, o fígado, os ossos e os testículos. A aortite é causada pela endarterite dos vasos componentes da *vasa vasorum* da parte proximal da aorta. A oclusão da *vasa vasorum* resulta em cicatrização da túnica média da parede aórtica proximal, causando perda de elasticidade. Pode ocorrer estreitamento dos óstios das artérias coronárias, devido à cicatrização subintimal, com consequente isquemia miocárdica. As características morfológicas e clínicas da aortite sifilítica são discutidas com mais detalhes nas doenças dos vasos sanguíneos (ver **Capítulo 11**).

A **neurossífilis** assume uma de várias formas, designadas como sífilis meningovascular, *tabes dorsalis* e paresia geral (ver **Capítulo 28**).

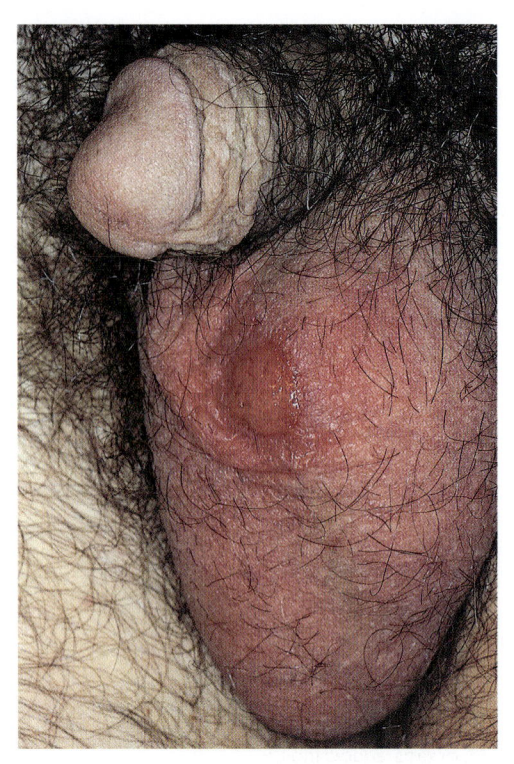

Figura 8.34 Cancro sifilítico no escroto (ver **Figura 8.35** para a histopatologia da sífilis). (Cortesia do Dr. Richard Johnson, Beth Israel-Deaconess Hospital, Boston, Mass.)

As **gomas sifilíticas** são branco-acinzentadas e de aparência elástica; ocorrem de forma isolada ou múltipla e variam quanto ao tamanho, desde lesões microscópicas que se assemelham a tubérculos até massas grandes semelhantes a tumores. Ocorrem na maioria dos órgãos, porém sobretudo na pele, no tecido subcutâneo, nos ossos e nas articulações. No fígado, a cicatrização em consequência das gomas pode causar uma lesão hepática distinta, conhecida como *fígado lobado* (*hepar lobatum*) (**Figura 8.35**). Ao exame histológico, as gomas apresentam centros de material coagulado e necrótico com margens compostas de grandes macrófagos em paliçada e fibroblastos, circundados por um grande número de leucócitos mononucleares, sobretudo plasmócitos. Os treponemas são escassos nas gomas, e sua demonstração é difícil.

O exantema da **sífilis congênita** é mais intenso que o da sífilis secundária do adulto. Trata-se de uma erupção bolhosa das palmas das mãos e plantas dos pés associado à descamação da epiderme. **A osteocondrite e a periostite sifilíticas** afetam todos os ossos, porém as lesões do nariz e da parte inferior das pernas são mais características. A destruição do osso vômer provoca colapso da ponte do nariz e, mais tarde, a deformidade característica do nariz em sela. A periostite da tíbia leva ao crescimento excessivo de osso novo nas faces anteriores e arqueamento anterior ou tíbia em sabre. Ocorre também distúrbio generalizado na formação do osso endocondral. As epífises tornam-se alargadas com o crescimento da cartilagem, e esta última é encontrada em ilhas deslocadas no interior da metáfise.

Com frequência, o **fígado** está gravemente afetado na sífilis congênita. A fibrose difusa permeia os lóbulos, isolando as células hepáticas em pequenos ninhos, acompanhados pelo infiltrado linfoplasmocitário característico e por alterações vasculares. Em certas ocasiões, são encontradas gomas no fígado, mesmo nos casos iniciais. Os **pulmões** podem ser afetados por fibrose

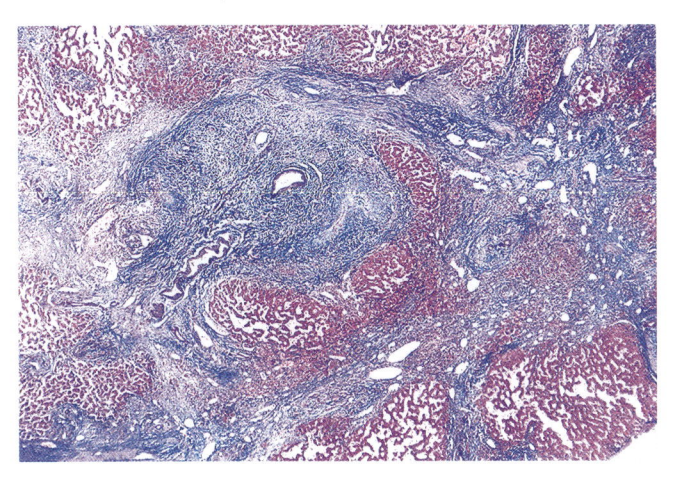

Figura 8.35 Coloração tricrômica do fígado mostrando uma goma (cicatriz), corada de azul, causada pela sífilis terciária (a lesão hepática é também conhecida como *fígado lobado*).

intersticial difusa. No natimorto sifilítico, os pulmões aparecem pálidos e sem ar (pneumonia alba). A espiroquetemia generalizada pode levar a reações inflamatórias intersticiais difusas em praticamente qualquer outro órgão (p. ex., pâncreas, rins, coração, baço, timo, órgãos endócrinos e SNC).

As manifestações tardias da sífilis congênita incluem a **tríade característica de ceratite intersticial, dentes de Hutchinson e surdez do oitavo nervo**. Além da ceratite intersticial, as alterações oculares incluem coroidite e pigmentação anormal da retina. Os dentes de Hutchinson são incisivos pequenos em forma de chave de fenda ou pino, frequentemente com chanfradura no esmalte. A surdez do oitavo nervo e a atrofia do nervo óptico desenvolvem-se secundariamente à sífilis meningovascular.

Doença de Lyme

A doença de Lyme é uma doença comum transmitida por artrópodes, causada por espiroquetas do gênero *Borrelia*, que pode ser localizada ou disseminada, com tendência a causar artrite crônica persistente. Recebeu esse nome em homenagem à cidade de Lyme, em Connecticut, onde ocorreu uma epidemia de artrite associada a eritema da pele em meados da década de 1970. As espécies comuns de *Borrelia* que causam a doença de Lyme incluem *Borrelia burgdorferi* nos EUA e, além disso, *B. afzelii* e *B. garinii* na Europa e na Ásia. Essas espécies são transmitidas por roedores ou, no caso de *B. garinii* de aves, a pessoas por carrapatos do veado *Ixodes*. A doença de Lyme é endêmica nos EUA, na Europa e na Ásia. Nos EUA, houve cerca de 30 a 40 mil casos notificados a cada ano, durante vários anos. A maioria dos casos ocorre nos estados do nordeste e parte superior do centro-oeste. Nas áreas endêmicas, *B. burgdorferi* infecta até 50% dos carrapatos, que também podem ser infectados por *Ehrlichia* spp. e *Babesia* spp. A sorologia constitui o principal método de diagnóstico, porém a PCR pode ser realizada no tecido infectado.

A doença de Lyme envolve múltiplos sistemas de órgãos e é dividido em três estágios (**Figura 8.36**):

- Na *doença localizada inicial*, as espiroquetas multiplicam-se e disseminam-se na derme, no local de picada do carrapato, causando uma área de vermelhidão que se expande, frequentemente com um centro pálido. Essa lesão, denominada *eritema migratório*, pode ser acompanhada de febre e linfadenopatia. O exantema desaparece de modo espontâneo em 4 a 12 semanas
- Na *doença disseminada inicial*, as espiroquetas disseminam-se por via hematogênica por todo o corpo e causam lesões cutâneas secundárias, linfadenopatia, dor articular e muscular

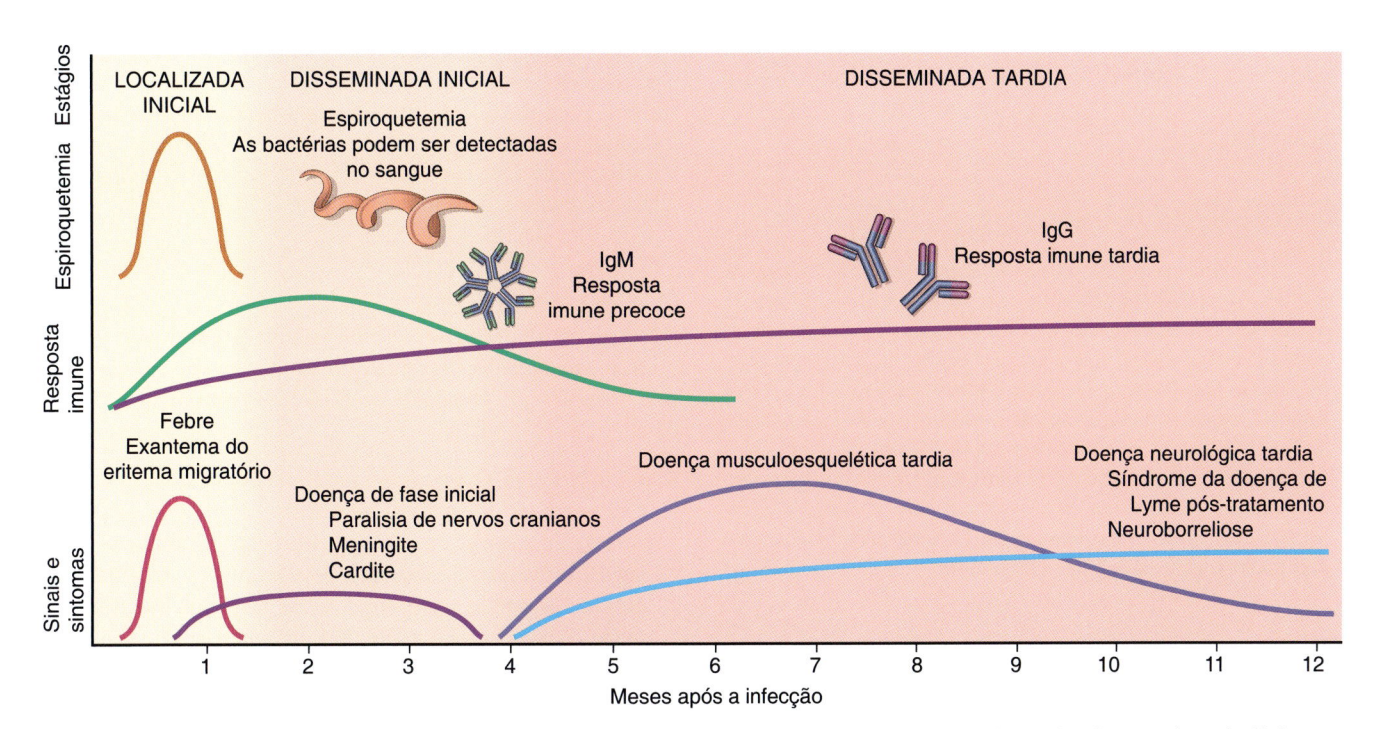

Figura 8.36 A doença de Lyme progride em três fases clinicamente reconhecíveis: localizada inicial, disseminada inicial e disseminada tardia. Embora as manifestações iniciais resultem diretamente da infecção pelas espiroquetas, os sinais e sintomas mais tardios são provavelmente imunomediados. (Modificada do Dr. Charles Chiu, University of California, San Francisco, Calif. Usada com autorização.)

migratória, arritmias cardíacas e meningite, frequentemente associada ao comprometimento de nervos cranianos. Na Europa, *B. alfzelii* está associada ao linfocitoma borreliano, com tumefação azul a vermelha do lóbulo da orelha ou mamilo e infiltração linfocítica

- O terceiro estágio, conhecido como *doença disseminada tardia*, manifesta-se muitos meses após a picada do carrapato. Em geral, *B. burgdorferi* provoca artrite crônica, algumas vezes com grave dano às grandes articulações. Com menos frequência, os pacientes apresentam polineuropatia e encefalite, que variam de leves a debilitantes. A encefalopatia de Lyme é menos comum na Europa do que nos EUA.

Patogênese

B. burgdorferi não produz endotoxina nem exotoxinas passíveis de causar dano ao hospedeiro. Acredita-se que grande parte da patologia associada à infecção seja secundária à resposta imune contra as bactérias e a inflamação que a acompanham. A resposta imune inicial é estimulada pela ligação das lipoproteínas bacterianas ao TLR2 nos macrófagos. Em resposta, essas células liberam citocinas pró-inflamatórias (IL-6 e TNF) e geram intermediários de nitrogênio reativo que são bactericidas, reduzindo a inflamação, porém geralmente sem eliminá-la.

As lesões inflamatórias tendem a ser induzidas por células T e citocinas. Os anticorpos específicos contra *Borrelia*, produzidos 2 a 4 semanas após a infecção, direcionam a fagocitose mediada pelo complemento e a morte das bactérias; entretanto, *B. burgdorferi* escapa da resposta dos anticorpos por meio de variação antigênica. *B. burgdorferi* conta com um plasmídeo com uma única sequência promotora e múltiplas sequências codificadoras para uma proteína de superfície antigênica, V1 sE, cada uma das quais pode se mover para uma posição próxima ao promotor e ser expressa. Por conseguinte, à medida que a resposta dos anticorpos a uma proteína V1 sE ocorre, as bactérias que expressam uma proteína V1 sE alternativa emergem e podem escapar do reconhecimento imune. As manifestações crônicas da doença de Lyme, como artrite tardia, podem ser causadas pela resposta imune contra algum antígeno bacteriano ainda desconhecido, que apresenta reação cruzada com um autoantígeno.

> **Morfologia**
>
> As lesões cutâneas causadas por *B. burgdorferi* caracterizam-se por edema e infiltrado linfoplasmocitário. Na artrite de Lyme em estágio inicial, a sinóvia assemelha-se à artrite reumatoide inicial, com hipertrofia vilosa, hiperplasia das células de revestimento e quantidade abundante de linfócitos e plasmócitos na sinóvia. Uma característica distinta da artrite de Lyme é a arterite, que produz lesões semelhantes a casca de cebola, que lembram as do lúpus (ver **Capítulo 6**). Na doença de Lyme tardia, pode haver erosão extensa da cartilagem nas grandes articulações. Na meningite de Lyme, o LCR é hipercelular, devido a um infiltrado linfoplasmocitário acentuado, e contém IgG antiespiroqueta.

Infecções por bactérias anaeróbicas

Muitas bactérias anaeróbicas pertencem à microbiota normal em locais do corpo que apresentam baixos níveis de oxigênio. A microbiota anaeróbica provoca doença (como abscessos ou peritonite) quando são introduzidas em locais normalmente estéreis, ou quando o equilíbrio dos microrganismos é perturbado, e ocorre supercrescimento de anaeróbios patogênicos (p. ex., colite por *C. difficile* com tratamento antibiótico). Os anaeróbios ambientais também causam doença (tétano, botulismo e gangrena gasosa).

Abscessos

As bactérias comensais encontradas em locais adjacentes (orofaringe, intestino e sistema genital feminino) constituem a causa habitual de abscessos, de modo que as espécies encontradas em um abscesso refletem, com frequência, a microbiota normal daquele local. Em geral, os abscessos são causados por infecções mistas por bactérias anaeróbicas e aeróbicas facultativas. Como os anaeróbios que causam abscessos fazem parte, em sua maioria, da microbiota normal, não é surpreendente que esses microrganismos não produzam toxinas significativas.

As bactérias encontradas em abscessos na cabeça e pescoço refletem a microbiota oral e faríngea. Os anaeróbios comuns nesse local incluem os bacilos gram-positivos *Prevotella* spp. e *Porphyromonas* spp., que frequentemente estão misturados com *S. aureus* e *S. pyogenes* facultativos. *Fusobacterium necrophorum*, um comensal oral, causa a síndrome de Lemierre, que se caracteriza pela infecção do espaço faríngeo lateral e por trombose séptica da veia jugular. Os abscessos abdominais são causados pelos anaeróbios do trato gastrintestinal, incluindo *Peptostreptococcus* spp. e *Clostridium* spp. gram-positivos, bem como *Bacteroides fragilis* e. coli gram-negativos. As infecções do sistema genital em mulheres (p. ex., abscessos do cisto de Bartholin e abscessos tubo-ovarianos) são causadas por bacilos gram-negativos anaeróbicos, como *Prevotella* spp., que frequentemente estão misturados com *E. coli* ou *S. agalactiae*.

> **Morfologia**
>
> Os abscessos causados por microrganismos anaeróbicos contêm pus descolorido e de odor fétido, que frequentemente é pouco isolado. Por outro lado, essas lesões assemelham-se, do ponto de vista patológico, às infecções piogênicas comuns. A coloração de gram revela infecção mista por bastonetes gram-positivos e gram-negativos e cocos gram-positivos misturados com neutrófilos.

Infecções por clostrídios

As espécies de *Clostridium* são bacilos gram-positivos que crescem em condições anaeróbicas e produzem esporos que estão presentes no solo. As espécies de *Clostridium* causam quatro tipos de doença:

- *C. perfringens*, *C. septicum* e outras espécies causam celulite e mionecrose de feridas traumáticas e cirúrgicas (*gangrena gasosa*), mionecrose uterina frequentemente associada a abortos ilegais,[1] intoxicação alimentar leve e infecção do intestino delgado associada a isquemia ou neutropenia, que frequentemente leva à sepse grave. A gangrena gasosa espontânea causada por *C. septicum* está altamente associada a neoplasia maligna subjacente

---

[1] N.R.T.: Geralmente realizados sem os cuidados mínimos necessários de saúde.

- *C. tetani*, a causa do *tétano*, prolifera em feridas por punção e no coto umbilical de recém-nascidos. Libera uma poderosa neurotoxina, que provoca aumento do tônus muscular e espasmos generalizados dos músculos esqueléticos (trismo). O toxoide tetânico (toxina do tétano fixada em formalina) faz parte da imunização DPT (difteria, coqueluche e tétano), que diminuiu acentuadamente a incidência de tétano em todo o mundo
- *C. botulinum*, a causa do *botulismo*, cresce em alimentos inadequadamente cozidos e libera uma potente neurotoxina, que bloqueia a liberação sináptica de acetilcolina e provoca paralisia flácida dos músculos respiratórios e esqueléticos
- *C. difficile* prolifera no intestino quando a competição pela microbiota comensal normal é reduzida em consequência de tratamento com antibióticos. As bactérias liberam toxina e causam *colite pseudomembranosa* (ver **Capítulo 17**).

As infecções por clostrídios podem ser diagnosticadas por meio de cultura (celulite, mionecrose), ensaios de PCR que detectam a toxina (colite pseudomembranosa) ou ambos (botulismo).

Patogênese

C. perfringens não cresce na presença de oxigênio, de modo que a morte tecidual é essencial para o crescimento dessa bactéria no hospedeiro. Essas bactérias liberam colagenase e hialuronidase, que degradam as proteínas da matriz extracelular e contribuem para a capacidade de invasão das bactérias, porém os fatores de virulência mais poderosos são as numerosas toxinas que elas produzem. *C. perfringens* secreta 14 toxinas, das quais a mais importante é a α-toxina. Essa toxina tem múltiplas ações. Trata-se de uma fosfolipase que degrada a lecitina, um importante componente das membranas celulares, e que, portanto, destrói os eritrócitos, as plaquetas e as células musculares, causando mionecrose. Exerce também atividade de esfingomielinase, o que contribui para o dano à bainha dos nervos.

A ingestão de alimento contaminado com *C. perfringens* provoca diarreia breve. Os esporos, que costumam estar presentes na carne contaminada, sobrevivem ao cozimento, e o microrganismo prolifera no alimento enquanto este esfria. A enterotoxina de *C. perfringens* forma poros nas membranas das células epiteliais, provocando lise das células e ruptura das zônulas de oclusão entre as células epiteliais.

As neurotoxinas produzidas por *C. botulinum* e por *C. tetani* inibem a liberação de neurotransmissores, resultando em paralisia. A toxina botulínica, ingerida em alimentos contaminados ou absorvida a partir de feridas infectadas por *C. botulinum*, liga-se a gangliosídeos em neurônios motores e é transportada para dentro da célula. No citoplasma, o fragmento A da toxina botulínica cliva uma proteína, denominada sinaptobrevina, que medeia a fusão das vesículas contendo neurotransmissores com a membrana do neurônio. Ao bloquear a fusão da vesícula, a toxina botulínica impede a liberação de acetilcolina na junção neuromuscular, resultando em paralisia flácida. Se os músculos respiratórios forem afetados, o botulismo pode levar à morte. O uso disseminado da toxina botulínica (Botox) na cirurgia plástica baseia-se em sua capacidade de causar paralisia de músculos estrategicamente escolhidos na face. A toxina tetânica provoca paralisia espástica violenta ao bloquear a liberação de ácido γ-aminobutírico, um neurotransmissor que inibe os neurônios motores.

C. difficile produz a toxina A, uma enterotoxina que estimula a produção de quimiocinas e que, portanto, atrai os leucócitos, e a toxina B, uma citotoxina que produz efeitos citopáticos distintos em células cultivadas. Ambas as toxinas são glicosiltransferases e fazem parte de uma ilha de patogenicidade que está ausente nos cromossomos de cepas não patogênicas de *C. difficile*. O tratamento deste com transplante fecal teve sucesso significativo, destacando o papel da microbiota comensal normal na defesa contra patógenos.

Morfologia

As lesões mais significativas são causadas por *C. perfringens* e são descritas a seguir. A **celulite por clostrídio**, que se origina em feridas, pode ser diferenciada da infecção causada por cocos piogênicos devido ao odor fétido, ao exsudato fino e descolorido e à destruição tecidual relativamente rápida e ampla. Ao exame microscópico, a quantidade de necrose tecidual é desproporcional ao número de neutrófilos e de bactérias gram-positivas presentes (**Figura 8.37**). A celulite por clostrídios, que frequentemente apresenta tecido de granulação em suas bordas, é passível de tratamento por meio de desbridamento e antibióticos.

Em contrapartida, a **gangrena gasosa por clostrídios** é potencialmente fatal e caracteriza-se por edema acentuado e necrose enzimática das células musculares afetadas, 1 a 3 dias após a lesão. Um exsudato líquido extenso, que não apresenta células inflamatórias, provoca edema da região afetada e da pele sobrejacente, que desenvolve grandes vesículas bolhosas que sofrem ruptura. As bolhas de gás causadas pela fermentação bacteriana aparecem dentro dos tecidos gangrenosos. Com a progressão da infecção, os músculos inflamados tornam-se moles, preto-azulados, friáveis e semilíquidos, em consequência da ação proteolítica maciça das enzimas bacterianas liberadas. Ao exame microscópico, observa-se a presença de **mionecrose** grave, hemólise extensa e lesão vascular acentuada com trombose. *C. perfringens* também está associado a infartos de cor escura e em forma de cunha no intestino delgado, sobretudo em indivíduos com neutropenia. Independentemente do local de entrada, quando *C. perfringens* sofre disseminação hematogênica, ocorre formação generalizada de bolhas de gás.

Apesar do grave dano neurológico causado pelas toxinas botulínica e tetânica, as alterações neuropatológicas são sutis e inespecíficas.

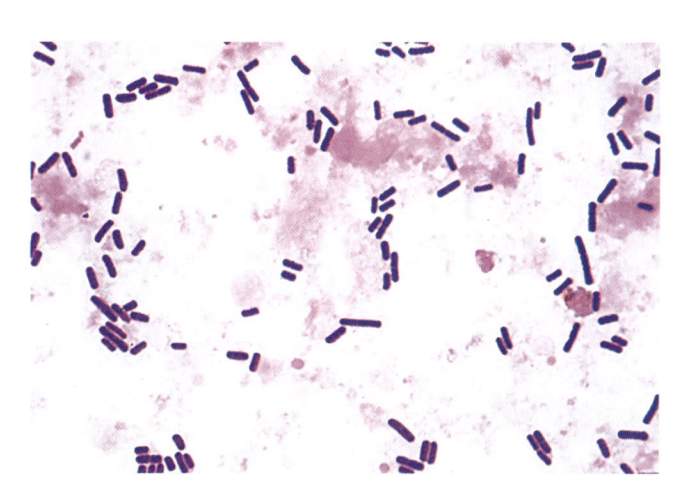

Figura 8.37 *Clostridium perfringens* gram-positivos em forma de vagão, misturados com restos necróticos em tecido gangrenoso.

Infecções por bactérias intracelulares obrigatórias

As bactérias intracelulares obrigatórias só proliferam dentro das células do hospedeiro, embora algumas possam sobreviver fora das células. Esses microrganismos são bem adaptados ao ambiente intracelular, com bombas de membrana para capturar aminoácidos e ATP para obter energia. Alguns são incapazes de sintetizar ATP (p. ex., *Chlamydia* spp.), enquanto outros sintetizam pelo menos parte de seu próprio ATP (p. ex., riquétsias).

Infecções por clamídias

A *C. trachomatis* é uma pequena bactéria gram-negativa que é um patógeno intracelular obrigatório. A *C. trachomatis* é encontrada em duas formas durante seu ciclo de vida característico. A forma infecciosa, denominada corpo elementar, é metabolicamente inativa. Os corpos elementares utilizam um sistema de secreção tipo III para injetar uma proteína, a TARP, nas células hospedeiras, levando à remodelagem da actina no local de entrada das bactérias na célula hospedeira por fagocitose. O corpo elementar diferencia-se em uma forma metabolicamente ativa, denominada corpo reticulado, dentro de uma inclusão delimitada por membrana derivada do endossomo. As bactérias modificam a inclusão para evitar seu tráfego como endossomo e maturação em um fagolisossomo inospitaleiro. Os lipídios do hospedeiro, normalmente encontrados no aparelho de Golgi, e as GTPases típicas da reciclagem dos endossomos e do aparelho de Golgi são recrutados para a inclusão, marcando-a como compartimento não fagocítico. O corpo reticulado utiliza o ATP e os aminoácidos da célula hospedeira para se multiplicar e formar novos corpos elementares infecciosos que causam lise ou são expulsos da célula infectada.

As doenças causadas pela infecção por *C. trachomatis* estão associadas a diferentes sorotipos da bactéria: as infecções urogenitais e a conjuntivite de inclusão são causadas pelos sorotipos D a K, o linfogranuloma venéreo, pelos sorotipos L1, L2 e L3, e uma infecção ocular de crianças, o tracoma, pelos sorotipos A, B e C. As infecções venéreas causadas por *C. trachomatis* são discutidas aqui.

A infecção genital por *C. trachomatis* é a IST bacteriana mais comum no mundo. Em 2016, cerca de 1,6 milhão de casos de clamídia genital foi notificado ao CDC. Nos EUA, a taxa de clamídia genital aumentou de maneira constante ao longo dos últimos 10 anos. As infecções genitais por *C. trachomatis* (com exceção do linfogranuloma venéreo, discutido posteriormente) estão associadas a características clínicas que se assemelham àquelas causadas por *N. gonorrhoeae*. Os pacientes podem desenvolver epididimite, prostatite, doença inflamatória pélvica, faringite, conjuntivite, inflamação peri-hepática e proctite. Diferentemente da uretrite por *N. gonorrhoeae*, a uretrite por *C. trachomatis* em homens pode ser assintomática e, portanto, pode não ser tratada. Tanto *N. gonorrhoeae* quanto *C. trachomatis* frequentemente causam infecções assintomáticas em mulheres. A uretrite causada por *C. trachomatis* pode ser diagnosticada por meio de testes de amplificação de ácidos nucleicos (como PCR) realizados em *swabs* genitais ou amostras de urina.

A infecção genital pelos sorotipos L de *C. trachomatis* provoca *linfogranuloma venéreo*, uma doença ulcerativa crônica. O linfogranuloma venéreo é uma doença esporádica nos EUA e na Europa Ocidental, porém é endêmico em partes da Ásia, África, região do Caribe e América do Sul. Inicialmente, a infecção manifesta-se como uma pequena pápula na mucosa genital ou pele adjacente, que frequentemente não é percebida. Duas a 6 semanas depois, o crescimento dos microrganismos e a resposta do hospedeiro nos linfonodos de drenagem produzem linfonodos tumefeitos e hipersensíveis, que podem coalescer e sofrer ruptura. Se não for tratada, a infecção subsequentemente pode causar fibrose e estenoses no trato anogenital. As estenoses retais são comuns, sobretudo em mulheres.

> ### Morfologia
>
> As características da **uretrite** por *C. trachomatis* são praticamente idênticas às da gonorreia. A infecção primária caracteriza-se por corrimento mucopurulento que contém um predomínio de neutrófilos. Os microrganismos não são visíveis em esfregaços ou cortes corados pelo método de gram.
>
> As lesões do **linfogranuloma venéreo** contêm uma resposta inflamatória granulomatosa e neutrofílica mista. São observados números variáveis de inclusões de clamídias no citoplasma das células epiteliais ou das células inflamatórias. A linfadenopatia regional é comum e costuma ocorrer nos primeiros 30 dias da infecção. O comprometimento dos linfonodos caracteriza-se por uma reação inflamatória granulomatosa associada a focos de necrose de formatos irregulares contendo neutrófilos (abscessos estrelados). Com o passar do tempo, a reação inflamatória é dominada por infiltrados inflamatórios crônicos inespecíficos e fibrose extensa. Essa última, por sua vez, pode causar obstrução linfática local, linfedema e estenoses. Nas lesões ativas, o diagnóstico de linfogranuloma venéreo pode ser estabelecido pela demonstração do microrganismo em cortes de biopsia ou esfregaços do exsudato. Nos casos mais crônicos, o diagnóstico baseia-se na demonstração de anticorpos contra os sorotipos apropriados de clamídia no soro do paciente.

Infecções causadas por outras bactérias intracelulares

As espécies de *Rickettsia*, *Orientia*, *Ehrlichia* e *Anaplasma* são bactérias intracelulares obrigatórias transmitidas por vetores, que causam tifo epidêmico e rural, febre maculosa (*Rickettsia rickettsii* e outras), erliquiose e anaplasmose. Esses microrganismos têm a estrutura de bactérias gram-negativas em forma de bastonete, apesar de sua coloração fraca pelo método de gram:

- O *tifo epidêmico* (causado por *Rickettsia prowazekii*) é transmitido de pessoa para pessoa por piolhos do corpo. Está associado a guerras e pobreza, quando os indivíduos vivem em contato próximo com higiene precária. As manifestações consistem em exantema, que é inicialmente macular e que progride para um exantema maculopapular petequial em todo o corpo, exceto na face, nas palmas das mãos e nas plantas dos pés
- O *tifo rural* (causado por *Orientia tsutsugamushi*) é transmitido por ácaros. É endêmico em áreas de Ásia e da Austrália e, recentemente, surgiu na Coreia do Sul, Chile e áreas da China. Os sintomas habituais consistem em febre, cefaleia, mialgia e tosse, algumas vezes acompanhados de uma escara característica e linfadenopatia associada à picada do ácaro
- A *febre maculosa das Montanhas Rochosas* (causada por *Rickettsia rickettsii*) é transmitida aos seres humanos por carrapatos de cães. É mais comum no sudeste e centro-sul dos EUA. Começa como uma doença grave inespecífica, com febre, mialgias e distúrbio gastrintestinal; em seguida, progride para um exantema macular generalizado e, a seguir, petequial, que pode acometer as palmas das mãos e as plantas dos pés

- A *erliquiose* (causada por *Ehrlichia chaffeensis*) e a anaplasmose (*Anaplasma phagocytophilum*) são transmitidas pelo carrapato da estrela solitária e pelo carrapato do cervo, respectivamente. Essas bactérias infectam predominantemente os monócitos (*E. chaffeensis*) ou os neutrófilos (*A. phagocytophilum*). A erliquiose e a anaplasmose caracterizam-se pelo início abrupto de febre, cefaleia e mal-estar e podem progredir para a insuficiência respiratória, a insuficiência renal e o choque. Ocorre exantema em cerca de 40% dos indivíduos com infecções por *E. chaffeensis*.

Em geral, as doenças por riquétsias são diagnosticadas clinicamente e confirmadas por sorologia ou por imunocoloração dos microrganismos.

Patogênese

As manifestações graves das infecções por riquétsias são principalmente causadas pela infecção das células endoteliais e consequente disfunção e lesão endoteliais. As riquétsias que causam tifo e febres maculosas infectam predominantemente as células endoteliais vasculares, em particular as dos pulmões e do encéfalo. As bactérias penetram nas células por endocitose, porém escapam do endossomo e entram no citoplasma utilizando hemolisinas para romper as membranas fagossômicas. Os microrganismos proliferam no citoplasma da célula endotelial e, a seguir, lisam a célula (grupo do tifo) ou propagam-se de uma célula para outra por meio de motilidade baseada na actina (grupo da febre maculosa). A disfunção endotelial generalizada pode causar choque, edema periférico e pulmonar e CIVD, bem como insuficiência renal e uma variedade de manifestações do SNC, que podem incluir coma.

A resposta imune inata à infecção por riquétsias é complexa, porém inclui as células NK, que produzem IFN-γ. As respostas subsequentes dos CTL são de importância crítica para a eliminação da infecção por riquétsias. O IFN-γ e o TNF, que são produzidos pelas células NK e células T ativadas, estimulam a produção de derivados do óxido nítrico que são bactericidas. Os CTL provocam lise das células infectadas, reduzindo a proliferação bacteriana.

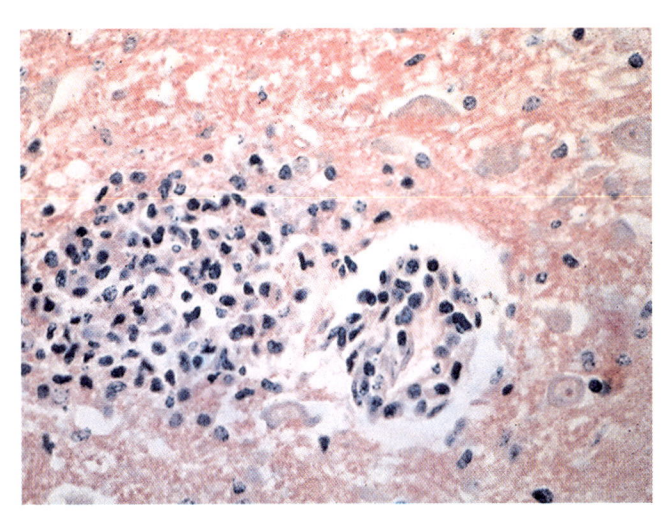

Figura 8.38 Nódulo do tifo no encéfalo.

> ### Morfologia
>
> **Tifo epidêmico.** Nos casos leves, as alterações macroscópicas limitam-se a um exantema e a pequenas hemorragias, devido às lesões vasculares. Nos casos mais graves, podem surgir áreas de necrose da pele e gangrena das pontas dos dedos das mãos, nariz, lóbulos das orelhas, escroto, pênis e vulva. Nesses casos, hemorragias equimóticas irregulares podem ser encontradas internamente, sobretudo no cérebro, no músculo cardíaco, nos testículos, nas membranas serosas, nos pulmões e nos rins.
>
> **As alterações microscópicas mais proeminentes consistem em lesões de pequenos vasos e em áreas focais de hemorragia e de inflamação em vários órgãos e tecidos.** O edema endotelial nos capilares, nas arteríolas e nas vênulas pode provocar estreitamento da luz desses vasos. O vaso afetado costuma ser circundado por um manguito de células inflamatórias mononucleares. Algumas vezes, ocorre trombose da luz vascular. A necrose da parede do vaso é incomum no tifo (em comparação com a febre maculosa das Montanhas Rochosas). As tromboses vasculares levam à necrose gangrenosa da pele e de outras estruturas em uma minoria de casos. No encéfalo, nódulos característicos do tifo são constituídos de proliferações microgliais focais, com infiltrado misto de linfócitos T e macrófagos (**Figura 8.38**).
>
> **O tifo rural** ou infecção transmitida por ácaro geralmente constitui uma versão mais leve do tifo epidêmico. Em geral, o exantema é transitório ou pode não aparecer. A necrose vascular ou a trombose são raras, mas pode haver linfadenopatia inflamatória proeminente.
>
> **Febre maculosa das Montanhas Rochosas.** A característica essencial da febre maculosa das Montanhas Rochosas consiste em um exantema hemorrágico, que se estende por todo o corpo, incluindo as palmas das mãos e as plantas dos pés. Uma escara no local de picada do carrapato é incomum na febre maculosa das Montanhas Rochosas, porém é observada com frequência na infecção causada por *R. akari, R. africae* e *R. conorii*. As lesões vasculares subjacentes ao exantema frequentemente levam à necrose aguda, extravasamento de fibrina e, em certas ocasiões, trombose dos pequenos vasos sanguíneos, incluindo as arteríolas (**Figura 8.39**). Na febre maculosa das Montanhas Rochosas grave, aparecem focos de pele necrótica, sobretudo nos dedos das mãos e dos pés, nos cotovelos, nas orelhas e no escroto. A resposta inflamatória perivascular, semelhante à do tifo, é observada no cérebro, no músculo esquelético, nos pulmões, rins, testículos e músculo cardíaco. As lesões vasculares no cérebro podem acometer vasos de maior calibre e provocar microinfartos. Nos pacientes com febre maculosa das Montanhas Rochosas, a principal causa de morte é o edema pulmonar não cardiogênico que provoca a síndrome de desconforto respiratório agudo.
>
> A **erliquiose** e a **anaplasmose** têm apresentações semelhantes. O exantema é inespecífico e pode ser macular, maculo-papular ou petequial. Nos leucócitos, observa-se a presença de inclusões citoplasmáticas características (mórulas), compostas por massas de bactérias que, em certas ocasiões, adquire a forma de uma amora (**Figura 8.40**).

Infecções fúngicas

Os fungos são eucariotos que crescem na forma de filamentos multicelulares (fungos filamentosos) ou como células individuais isoladas ou em cadeias (leveduras). As paredes celulares dão aos fungos seu formato. As leveduras são redondas a ovais e se reproduzem sobretudo por brotamento. Algumas leveduras, como *C. albicans*, podem produzir brotamentos que não se destacam e

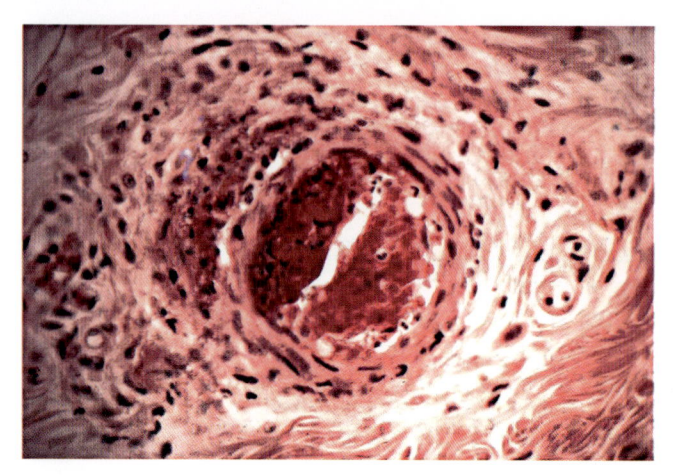

Figura 8.39 Febre maculosa das Montanhas Rochosas com vaso trombosado e vasculite.

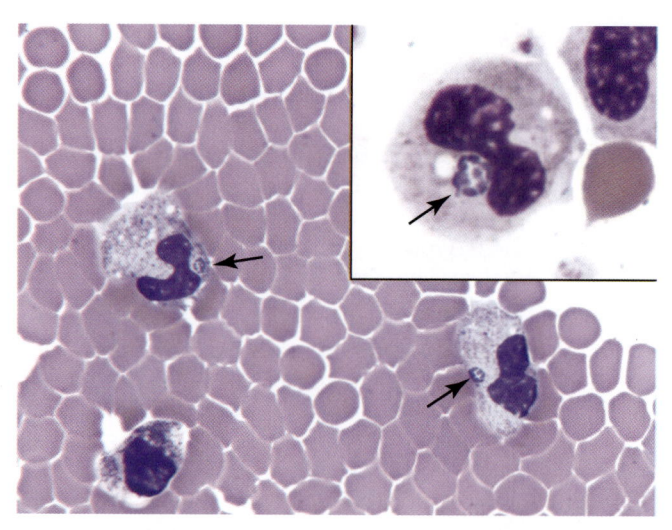

Figura 8.40 Granulócitos do sangue periférico (bastonetes) contendo inclusões de *Anaplasma* (setas). (Cortesia do Dr. Tad Weiczorek, Faulkner Hospital, Boston, Mass.)

tornam-se alongados, formando uma cadeia de células leveduriformes alongadas, denominadas *pseudo-hifas*. Os fungos filamentosos consistem em filamentos semelhantes a fios (hifas), que crescem e se dividem em suas pontas. Podem produzir células redondas, denominadas *conídeos*, que facilmente são transmitidas pelo ar, disseminando o fungo. Muitos fungos de importância médica são *dimórficos, isto é,* existem como leveduras ou fungos filamentosos, dependendo das condições ambientais (leveduras na temperatura do corpo humano e fungos filamentosos na temperatura ambiente). As infecções fúngicas podem ser diagnosticadas por exame histológico, porém a identificação definitiva de algumas espécies exige a realização de cultura.

As infecções fúngicas, também denominadas *micoses*, são classificadas em quatro tipos principais:

- As *micoses superficiais e cutâneas* são comuns e limitam-se às camadas muito superficiais ou queratinizadas da pele, dos cabelos e das unhas
- As *micoses subcutâneas* acometem a pele, os tecidos subcutâneos e os vasos linfáticos e, raramente, sofrem disseminação sistêmica
- As *micoses endêmicas* são causadas por fungos dimórficos, que podem causar doenças sistêmicas graves em indivíduos saudáveis
- As *micoses oportunistas* podem causar doenças sistêmicas potencialmente fatais em indivíduos que estão imunossuprimidos ou que têm dispositivos protéticos implantados ou cateteres vasculares. Alguns dos fungos que causam micoses oportunistas são discutidos nas seções seguintes; os que acometem órgãos específicos são descritos em outros capítulos.

Infecções por leveduras

Candidíase

C. albicans é o fungo patogênico mais prevalente nos seres humanos. Embora existam mais de 200 espécies de *Candida*, há aproximadamente 15 a 20 espécies que são frequentemente observadas nas infecções humanas, sendo as espécies mais frequentes *C. glabrata, C. tropicalis, C. parapsilosis* e *C. kruse*. Esta seção concentra-se em *C. albicans*.

A maioria das infecções por *C. albicans* surge quando essa espécie da microbiota comensal normal rompe a pele ou as barreiras mucosas. As espécies de *Candida*, que normalmente residem na pele, na boca, no trato gastrintestinal e na vagina, costumam viver como comensais benignos e raramente provocam doença em indivíduos saudáveis. Essas infecções podem ser confinadas à pele ou às membranas mucosas, ou podem se disseminar amplamente. Nos indivíduos saudáveis, *C. albicans* causa vaginite e exantema das fraldas. Os indivíduos com diabetes melito e os pacientes queimados são particularmente suscetíveis à candidíase superficial. Em indivíduos com acessos intravenosos ou cateteres de demora ou naqueles submetidos à diálise peritoneal, *C. albicans* pode se disseminar para a corrente sanguínea. A candidíase disseminada grave ocorre mais comumente em pacientes com neutropenia devido à leucemia, quimioterapia ou transplante de células-tronco hematopoéticas, podendo causar choque e CIVD.

Patogênese

Uma única cepa de *C. albicans* pode ter sucesso como comensal ou como patógeno. Não existe nenhum reservatório ambiental conhecido de *C. albicans*, diferentemente de outras espécies de *Candida*, e *C. albicans* desenvolveu múltiplos mecanismos adaptativos para completar o ciclo de vida totalmente dentro do hospedeiro humano. A *C. albicans* pode apresentar nove formas celulares distintas. A mudança fenotípica envolve a regulação transcricional coordenada de genes específicos de fase e fornece uma maneira para que *C. albicans* possa se adaptar a mudanças do ambiente, como temperatura, disponibilidade de nutrientes, antibioticoterapia ou resposta imune. Essas variantes podem exibir alteração da morfologia das colônias, do formato celular, da antigenicidade e da virulência.

A *C. albicans* produz um grande número de adesinas funcionalmente distintas envolvidas na ligação ao fibrinogênio, fibronectina, laminina, células epiteliais e células endoteliais. A *C. albicans* também produz diversas enzimas que contribuem para a invasão do microrganismo, incluindo pelo menos nove aspartil proteinases secretadas, que podem promover a invasão tecidual por meio de degradação das proteínas da matriz extracelular, bem como catalases, que podem permitir ao organismo resistir à morte oxidativa pelas células fagocíticas.

A capacidade de *C. albicans* de crescer como biofilmes também contribui para sua capacidade de causar doença, e foram identificados pelo menos 30 fatores que desempenham um papel na adesão, na maturação e na dispersão que afetam a formação de biofilmes. Os biofilmes são comunidades microbianas, que consistem em misturas de leveduras, formas filamentosas e matriz extracelular derivada dos fungos. A *C. albicans* pode formar biofilmes em dispositivos médicos implantados, que reduzem a suscetibilidade do microrganismo às respostas imunes e à terapia com agentes antifúngicos.

Os neutrófilos, os macrófagos e as células Th17 são importantes na proteção contra a infecção por *Candida*:

- Os neutrófilos e os macrófagos fagocitam *C. albicans*, e a destruição oxidativa por esses fagócitos constitui a primeira linha de defesa do hospedeiro. O importante papel dos neutrófilos e dos macrófagos é ilustrado pelo aumento do risco de infecção por *C. albicans* em indivíduos com neutropenia ou com defeitos da NADPH oxidase ou mieloperoxidase. As formas filamentosas, mas não as leveduras, podem escapar dos fagossomos e entrar no citoplasma e proliferar
- *C. albicans*, na forma de levedura, ativa as células dendríticas por múltiplas vias, mais do que as formas filamentosas do fungo. Por exemplo, o β-1,3-glicana expresso pela levedura liga-se à dectina nas células dendríticas e induz a produção de IL-6 e IL-23, o que promove as respostas das células Th17. Essas respostas Th17 induzidas por *C. albicans* promovem o recrutamento de neutrófilos e monócitos (ver **Capítulo 6**). Essas respostas são fundamentais para a proteção contra a infecção por *C. albicans*, conforme demonstrado pela candidíase mucocutânea recorrente em indivíduos com baixas contagens de células T devido à infecção pelo HIV ou a defeitos herdados no desenvolvimento das células Th17.

Morfologia

Em cortes teciduais, *C. albicans* pode aparecer na forma de levedura, pseudo-hifas e, menos comumente, hifas verdadeiras, que são definidas pela presença de septos, como na presença de tensão reduzida de oxigênio (**Figura 8.41**). As pseudo-hifas, que constituem uma importante pista diagnóstica, consistem em uma cadeia de células leveduriformes em brotamento unidas pelas suas extremidades com constrições. Todas as formas podem estar presentes no mesmo tecido. Os microrganismos podem ser observados em colorações de rotina pela hematoxilina e eosina, porém se utiliza comumente uma variedade de corantes fúngicos especiais (metenamina-prata de Gomori, ácido periódico de Schiff) para melhor visualização.

Com mais frequência, a candidíase assume a forma de uma infecção superficial nas superfícies mucosas da cavidade oral **(sapinho ou candidíase oral)**. A proliferação florida dos fungos cria pseudomembranas branco-acinzentadas de aparência suja, compostas por microrganismos emaranhados e restos inflamatórios. Abaixo da superfície, ocorrem hiperemia e inflamação da mucosa. Essa forma de candidíase é observada em recém-nascidos, pessoas debilitadas, crianças tratadas com esteroides por via oral para a

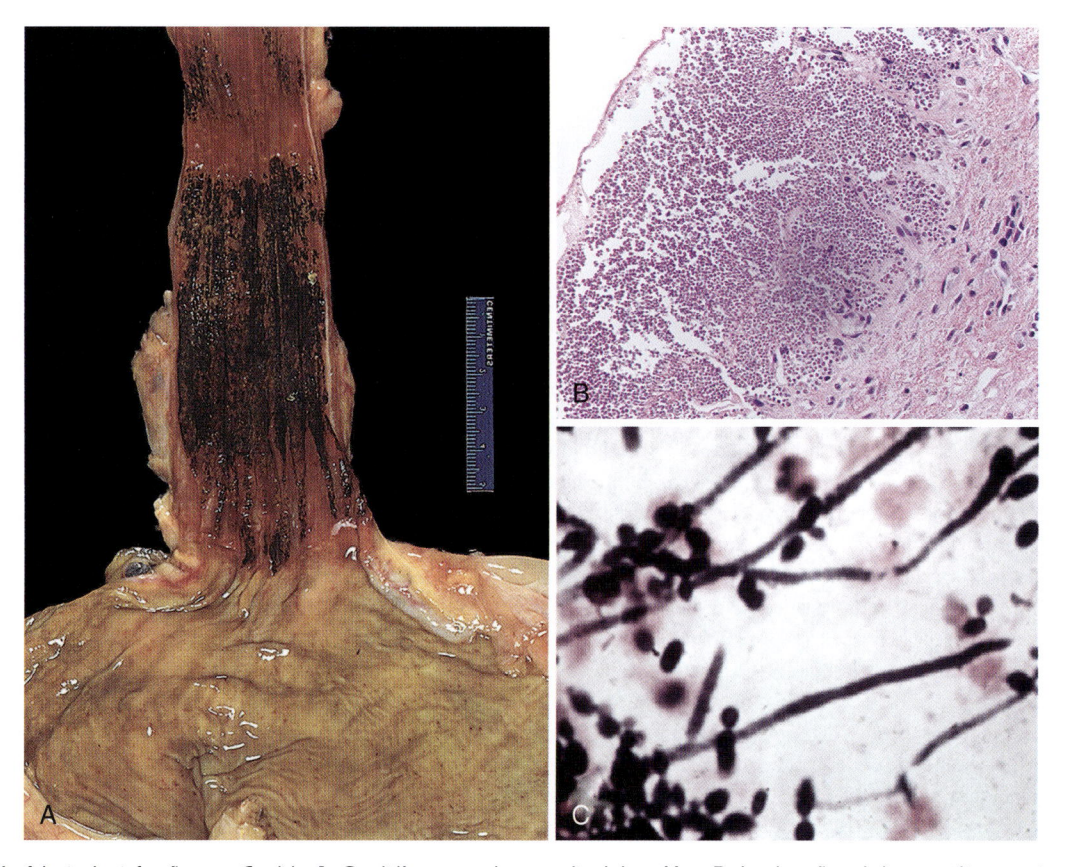

Figura 8.41 Morfologia das infecções por *Candida*. **A.** Candidíase grave da parte distal do esôfago. **B.** A coloração pela hematoxilina e eosina da candidíase esofágica revela a densa camada de *Candida* spp. **C.** Pseudo-hifas características e levedura em brotamento de *Candida* spp. (**C,** Cortesia do Dr. Dominick Cuvuoti, Department of Pathology, University of Texas Southwestern Medical School, Dallas, Tex.)

asma e após um ciclo de antibióticos de amplo espectro que destroem a microbiota bacteriana normal competitiva. O outro grande grupo de risco inclui pacientes HIV positivos; as pessoas com candidíase oral sem razão óbvia devem ser avaliadas e testadas para a infecção pelo HIV.

A **esofagite** por *C. albicans* é comumente observada em pacientes com AIDS e naqueles com neoplasias malignas hematológicas. Esses pacientes apresentam disfagia (deglutição dolorosa) e dor retroesternal; a endoscopia demonstra a presença de placas brancas e pseudomembranas que se assemelham à candidíase oral na mucosa do esôfago (ver **Figura 8.41**).

A **vaginite** por *C. albicans* é comum, sobretudo em mulheres diabéticas, grávidas ou que fazem uso de contraceptivos orais. Em geral, está associada a intenso prurido e corrimento espesso semelhante a coalhada.

A **candidíase cutânea** pode se manifestar de diversas formas, incluindo infecção da unha (onicomicose); pregas ungueais (paroníquia); folículos pilosos (foliculite); pele intertriginosa úmida, como as axilas ou a região interdigital dos dedos das mãos e dos pés (intertrigo); e pele do pênis (balanite). O exantema das fraldas é uma infecção cutânea por *Candida* observada no períneo de lactentes, na região em contato com fraldas molhadas.

A **candidíase invasiva** é causada pela disseminação hematogênica de microrganismos para vários tecidos ou órgãos. Os padrões comuns incluem (1) abscessos renais, (2) abscessos miocárdicos e endocardite, (3) microabscessos cerebrais e meningite, (4) endoftalmite (praticamente qualquer estrutura do olho pode ser acometida) e (5) abscessos hepáticos. Em qualquer uma dessas localizações, dependendo do estado imune do indivíduo infectado, o fungo pode provocar pouca inflamação, causar a resposta supurativa habitual ou, em certas ocasiões, produzir granulomas. Os indivíduos com leucemias agudas que apresentam neutropenia profunda após quimioterapia são particularmente propensos ao desenvolvimento de doença sistêmica. A endocardite por *Candida* spp. é a endocardite fúngica mais comum, que normalmente ocorre em pacientes com próteses de valvas cardíacas ou em usuários de substâncias intravenosas. Nesse último grupo, a valva tricúspide é mais comumente afetada.

Infecções por Candida auris

A *C. auris* é um patógeno emergente associado a múltiplas infecções nosocomiais em cinco continentes. A análise genômica indica que grupos ancestrais separados desse microrganismo surgiram simultaneamente em diferentes regiões geográficas. A resistência desse microrganismo aos fármacos antifúngicos e a dificuldade na identificação da espécie com os diagnósticos laboratoriais tradicionais aumentaram as preocupações. O aumento da colonização e da infecção por espécies de *Candida* não *albicans* é atribuído, em parte, ao maior uso de agentes antifúngicos profiláticos. Existe uma associação de *C. auris* com unidades de terapia intensiva e uso de cateteres venosos centrais ou urinários, de modo que a formação de biofilmes constitui um mecanismo de virulência sugerido desse microrganismo. Foi relatada uma resistência variável a fármacos, porém diversos estudos demonstraram uma resistência aos antifúngicos triazóis e uma suscetibilidade variável à anfotericina B. Foi relatada a colonização das narinas, da virilha, das axilas e do reto com *C. auris*. A mortalidade em pacientes com infecção invasiva por *C. auris* varia, porém com algumas taxas elevadas relatadas de até 50%; tem sido difícil determinar a mortalidade atribuível em uma população de pacientes vulneráveis com comorbidades complexas. Foi constatado que *C. auris* sobrevive em superfícies secas e úmidas por até 14 dias, de modo que a limpeza ambiental para eliminar uma fonte de infecções nosocomiais representa um desafio.

Criptococose

Duas espécies de criptococos são conhecidas por causarem doenças em seres humanos, *C. neoformans* e *C. gattii*, ambas as quais crescem como leveduras encapsuladas. Sabe-se, há muito tempo, que, embora *C. neoformans* possa causar meningoencefalite em indivíduos saudáveis nos demais aspectos, esse microrganismo provoca, com mais frequência, infecção oportunista em indivíduos com AIDS, leucemia, linfoma, lúpus eritematoso sistêmico ou sarcoidose, bem como em receptores de transplante imunossuprimidos. Muitos desses pacientes recebem altas doses de corticosteroides, um importante fator de risco para a infecção por *C. neoformans*. Estima-se que ocorrem mais de 220 mil casos de meningite criptocócica a cada ano em todo o mundo, com mais 180 mil mortes associadas. *C. neoformans* é encontrado no solo e nos excrementos de aves (sobretudo pombos) e infecta as pessoas quando inalado.

C. gattii é um agente infeccioso obscuro que era classicamente considerado um fungo tropical ou subtropical até 1999, quando foi identificado como a causa de um surto de doença criptocócica no noroeste dos EUA e em áreas contíguas na Colúmbia Britânica no Canadá. Subsequentemente, foi ligado a infecções criptocócicas em outras regiões do mundo. Como a maioria dos exames atuais utilizados para estabelecer o diagnóstico de infecções criptocócicas não distingue entre *C. gattii* e *C. neoformans*, a verdadeira incidência de infecções causadas por esses agentes é atualmente incerta. Com base nos achados de áreas onde *C. gattii* é agora especificamente monitorado, parece que essa espécie tem mais tendência que *C. neoformans* a causar doença em indivíduos imunologicamente normais e a apresentar grandes lesões que produzem efeitos expansivos ou que simulam a aparência radiológica de uma neoplasia. *C. gattii* está associado a certas espécies de árvores, e é encontrado no solo e, à semelhança de *C. neoformans*, é adquirido por inalação.

Patogênese

As espécies de *Cryptococcus* contam com vários fatores de virulência que permitem a evasão das defesas do hospedeiro, conforme descrito a seguir:

- *Cápsula de polissacarídeo*. A glicuronoxilomanana inibe a fagocitose por macrófagos alveolares, a migração dos leucócitos e o recrutamento das células inflamatórias. As espécies de *Cryptococcus* podem bloquear a maturação das células dendríticas ao reduzir a apresentação de antígenos dependente do MHC de classe II e ao inibir a produção de IL-12 e IL-23. O *Cryptococcus* pode produzir grandes células, denominadas *células titãs*, que são maiores do que 12 μm e que apresentam parede celular espessa. As espécies de *Cryptococcus* também produzem pequenas células (micro) de 2 a 4 μm, que podem ser adaptadas para seu crescimento em macrófagos

- *Produção de melanina*. A lacase na levedura catalisa a formação de melanina, que (1) tem propriedades antioxidantes, (2) diminui a fagocitose mediada por anticorpos, (3) neutraliza os efeitos dos agentes antifúngicos, (4) liga-se ao ferro e (5) promove a integridade da parede celular

- *Enzimas.* As fosfolipases degradam os componentes da parede celular e podem ajudar na invasão tecidual. A urease ajuda a neutralizar as espécies reativas de oxigênio e o pH da célula fagocítica
- *Resposta celular diferencial aos fagócitos.* Foi sugerido um mecanismo para explicar o sucesso da cepa de *C. gattii* no surto ocorrido no noroeste dos EUA: em resposta a espécies reativas de oxigênio no fagócito, algumas células interrompem seu crescimento e adquirem uma morfologia incomum, com tubularização das mitocôndrias, enquanto outras células se dividem rapidamente. É necessário efetuar mais pesquisas dessas vias patogênicas para obter uma compreensão total.

Morfologia

As espécies de *Cryptococcus* nos hospedeiros humanos ocorrem na forma de levedura, mas não na forma de pseudo-hifas ou hifas. **A levedura criptocócica, normalmente de 5 a 10 μm, tem uma cápsula gelatinosa espessa altamente característica, que contém um polissacarídeo que se cora de vermelho intenso pelos métodos do ácido periódico de Schiff e mucicarmim nos tecidos (Figura 8.42).** O microrganismo pode ser detectado no sangue ou no LCR com vários tipos de imunoensaios. Embora o pulmão seja o principal local de infecção, o comprometimento pulmonar costuma ser leve e assintomático, mesmo quando o fungo se dissemina para o SNC. *C. gattii* parece ter tendência particular a formar um granuloma pulmonar solitário semelhante às lesões circunscritas (em forma de moeda) causadas por *Histoplasma* spp.

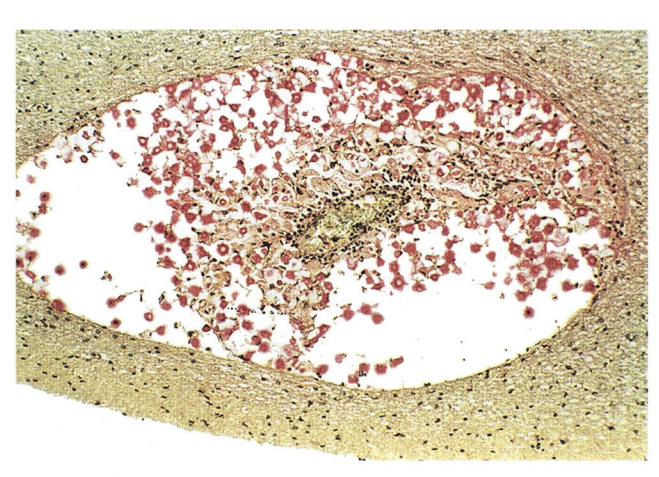

Figura 8.42 Coloração de criptococos pelo mucicarmim (*coloração vermelha*) em um espaço perivascular de Virchow-Robin do cérebro (lesão em bolha de sabão).

As principais lesões causadas por *Cryptococcus* spp. estão localizadas no SNC e acometem as meninges, a substância cinzenta cortical e os núcleos da base. A resposta do hospedeiro aos estreptococos é extremamente variável. Em indivíduos imunossuprimidos, os microrganismos podem praticamente não induzir nenhuma reação inflamatória, de modo que as massas gelatinosas de fungos crescem nas meninges ou expandem os espaços perivasculares de Virchow-Robin na substância cinzenta, produzindo as denominadas lesões em bolha de sabão (ver **Figura 8.42**). Em pessoas gravemente imunossuprimidas, *C. neoformans* pode sofrer ampla disseminação na pele, no fígado, no baço, nas glândulas suprarrenais e nos ossos. Em indivíduos imunocompetentes ou naqueles com doença prolongada, os fungos induzem uma reação granulomatosa crônica composta de macrófagos, linfócitos e células gigantes do tipo corpo estranho. Pode ocorrer também supuração, bem como arterite granulomatosa rara do polígono de Willis.

Infecções por Pneumocystis

P. jirovecii é um fungo leveduriforme que causa principalmente infecções pulmonares e constitui uma infecção oportunista importante em pacientes com AIDS, apesar dos avanços globais observados na terapia antirretroviral. O microrganismo pode causar pneumonia bilateral rapidamente progressiva. Esse microrganismo foi originalmente classificado como parasita protozoário, e as descrições das formas de desenvolvimento refletem essa classificação histórica. As três formas do microrganismo incluem trofozoítos de 1 a 4 μm, esporocistos de 5 a 6 μm e cistos de 5 a 8 μm.

Os cistos exibem uma aparência característica em forma de coco ou são ovais, com um ponto central. Os agrupamentos de microrganismos no líquido do lavado broncoalveolar podem ter 200 μm de diâmetro. O núcleo e as mitocôndrias são visíveis pela coloração de Wright-Giemsa. As formas tróficas não são visíveis com uma coloração para parede celular, como a metenamina prata; todavia, as formas de esporocisto e asco são visíveis (**Figura 8.43**). Os achados histopatológicos incluem espessamento intersticial alveolar e exsudato eosinofílico em favo-de-mel na luz do pulmão. Em geral, são utilizados corantes de anticorpos conjugados com fluoresceína para diagnosticar essas infecções. A β-D-glicana está elevada na infecção, embora não seja específica de *Pneumocystis* spp. e dispõe-se de testes de PCR sensíveis e específicos para o diagnóstico.

Existem muitas espécies de *Pneumocystis*, e cada espécie é específica quanto ao hospedeiro. Não foi identificada nenhuma fonte ambiental ou reservatório externo fora dos seres humanos para *P. jirovecii*, e a falta de um método de cultura contínua *in vitro* têm dificultado a pesquisa da patogênese. Acredita-se que a transmissão seja por via respiratória, e há evidências de que indivíduos saudáveis possam contribuir para o reservatório. Os indivíduos são, em sua maioria, infectados transitoriamente no início da vida, com eliminação efetiva subsequente. A taxa de mortalidade média da infecção sintomática é de 10 a 14%, porém é maior em países de baixa renda e em comunidades urbanas. Os achados extrapulmonares na infecção por *P. jirovecii* não são comuns, mas podem incluir comprometimento de linfonodos, do baço, da medula óssea e do fígado, bem como de outros locais. A infecção por *P. jirovecii* induz uma resposta imune tanto humoral quanto celular.

Infecções por fungos filamentosos

Os fungos dimórficos de importância médica são discutidos no **Capítulo 15** e incluem *Blastomyces dermatitidis*, *H. capsulatum* e *Coccidioides immitis*. Esta seção descreve alguns fungos filamentosos hialinos (transparentes) importantes.

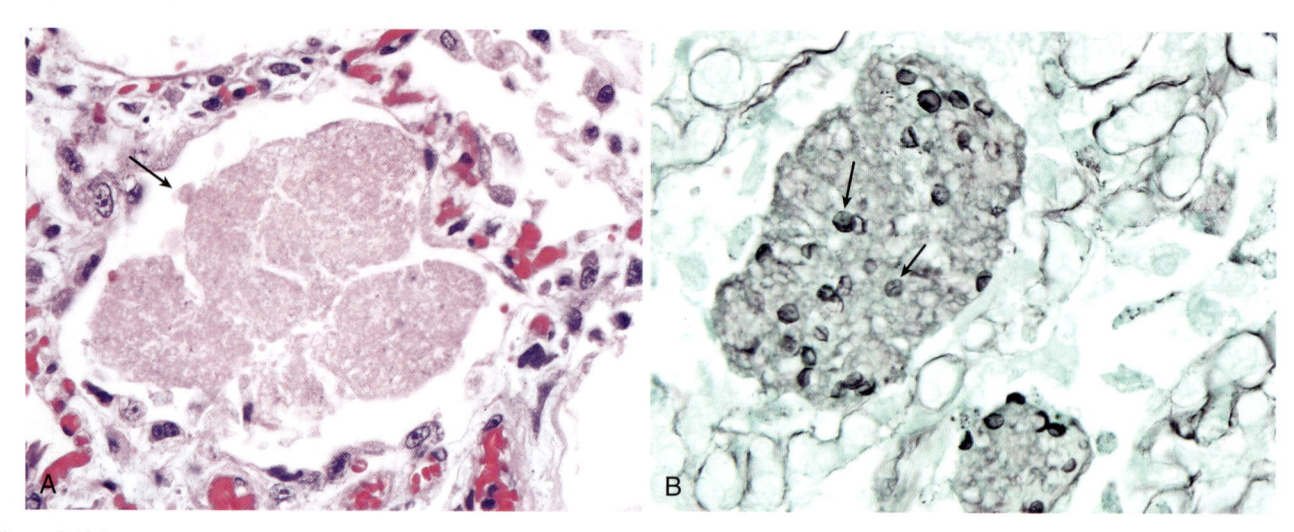

Figura 8.43 Pneumonia causada por *Pneumocystis jirovecii*. **A.** Alvéolos de pulmão repletos de exsudato espumoso (*seta*) e inflamação intersticial. **B.** Coloração dos alvéolos pela prata mostrando os cistos de *Pneumocystis jirovecii* corados de preto (*setas*). (De Procop GW, Pritt BS: *Pathology of Infectious Diseases*, Philadelphia, 2015, Elsevier; Cortesia do Dr. Ann M. Nelson, Joint Pathology Center, Silver Spring, Md.)

Aspergilose

Aspergillus **é um fungo filamentoso onipresente que provoca alergias (aspergilose broncopulmonar alérgica) em indivíduos saudáveis nos demais aspectos, bem como sinusite grave, pneumonia e doença invasiva em indivíduos imunocomprometidos.** As principais condições que predispõem à infecção por *Aspergillus* incluem neutropenia e uso de corticosteroides. *Aspergillus fumigatus* é a espécie patogênica mais comum do fungo.

Patogênese

As espécies de *Aspergillus* são transmitidas na forma de conídeos transportados pelo ar, e o pulmão é a principal porta de entrada. Os esporos de *A. fumigatus*, em virtude de seu pequeno tamanho de aproximadamente 2 a 3 μm, são capazes de alcançar os alvéolos. Os conídeos são recobertos por proteínas hidrofóbicas que mascaram as moléculas microbianas do reconhecimento imune inato. À medida que os conídeos crescem e formam hifas, essas moléculas são expostas. Os macrófagos alveolares reconhecem *Aspergillus* por meio do TLR2 e da lectina dectina-1, que reconhece o β-1,3-glicana na parede celular do fungo. Ambos os receptores ativam os fagócitos, que ingerem e matam os conídeos. Nos estados de imunossupressão, os conídeos podem germinar em hifas, que em seguida invadem os tecidos. Os TLR podem reconhecer produtos das hifas do fungo e desencadear a liberação de mediadores pró-inflamatórios, incluindo TNF, IL-1 e quimiocinas. Os neutrófilos produzem intermediários reativos do oxigênio, que matam as hifas. A aspergilose invasiva está altamente associada à neutropenia e ao comprometimento das defesas dos neutrófilos.

Aspergillus **produz vários fatores de virulência, incluindo adesinas, antioxidantes, enzimas e toxinas.** As defesas antioxidantes incluem pigmento de melanina, manitol, catalases e superóxido dismutase. Esse fungo também produz fosfolipases, proteases e toxinas, porém os seus papéis na patogenicidade não estão bem definidos. A *aflatoxina* é produzida por espécies de *Aspergillus* que crescem na superfície de algumas coletas, como milho e amendoins, sobretudo em regiões quentes, se as coletas não são armazenadas ou inspecionadas adequadamente. A aflatoxina provoca hepatotoxicidade aguda e crônica e está associada a um aumento no risco de câncer de fígado. A sensibilização aos esporos de *Aspergillus* produz alveolite alérgica (ver **Capítulo 15**). A aspergilose broncopulmonar alérgica, associada com hipersensibilidade em consequência da colonização superficial da mucosa brônquica, ocorre frequentemente em indivíduos asmáticos.

> ### Morfologia
>
> A **aspergilose colonizante (aspergiloma)** refere-se ao crescimento do fungo no sistema respiratório, com invasão mínima dos tecidos ou sem invasão. As cavidades pulmonares colonizadas geralmente resultam em tuberculose prévia, bronquiectasia, infartos antigos ou abscessos. As massas de hifas em proliferação dentro de restos proteináceos formam "bolas de fungo" acastanhadas dentro das cavidades. A reação inflamatória circundante pode ser esparsa, ou pode haver inflamação crônica e fibrose. Os indivíduos com aspergilomas costumam apresentar hemoptise recorrente.
>
> A **aspergilose invasiva** é uma infecção oportunista confinada aos hospedeiros imunossuprimidos. Em geral, as lesões primárias acometem os pulmões, porém é comum haver disseminação hematogênica generalizada, com comprometimento das valvas cardíacas e do cérebro. As lesões pulmonares assumem a forma de pneumonia necrosante, com focos acinzentados e arredondados, nitidamente delineados, e bordas hemorrágicas; com frequência, são designadas como lesões em alvo (**Figura 8.44A**). *Aspergillus* **forma corpos de frutificação (normalmente em cavidades pulmonares) e filamentos septados, de 5 a 10 μm de espessura, com ramificações em ângulos agudos (40°)** (ver **Figura 8.44B**). As hifas de *Aspergillus* sem o corpo de frutificação distinto não podem ser diferenciadas de *Pseudallescheria boydii* e *Fusarium* spp. com base apenas na morfologia. *Aspergillus* tem tendência a invadir os vasos sanguíneos, de modo que áreas de hemorragia e infarto geralmente ficam sobrepostas às reações teciduais inflamatórias necrosantes. A infecção rinocerebral por *Aspergillus* em indivíduos imunossuprimidos assemelha-se àquela causada por mucormicoses (p. ex., *Mucor* spp., *Rhizopus* spp.).

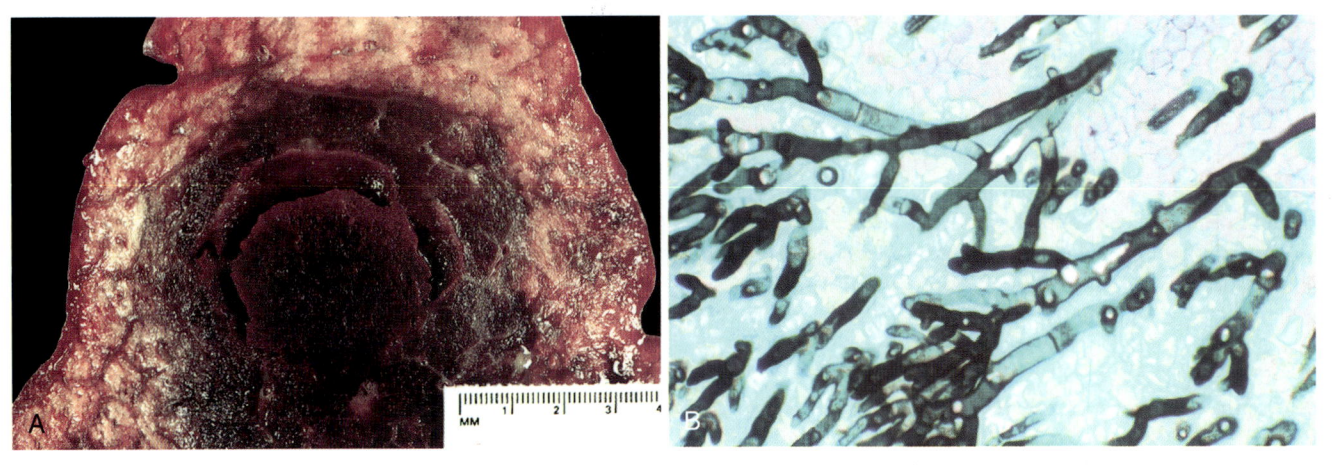

Figura 8.44 Infecção por *Aspergillus*. **A.** Aspergilose invasiva do pulmão em um paciente submetido a transplante de medula óssea. **B.** A impregnação pela metenamina-prata de Gomori mostra as hifas septadas com ramificação em ângulo agudo, compatíveis com *Aspergillus*.

Mucormicose (zigomicose)

Os fungos do subfilo *Mucormycotina* estão amplamente distribuídos na natureza e não causam nenhum prejuízo aos indivíduos imunocompetentes, porém infectam pacientes imunossuprimidos, causando mucormicose. A mucormicose (anteriormente denominada *zigomicose*) é uma infecção oportunista causada por fungos ambientais, como *Mucor* spp., *Rhizopus* spp. e *Cunninghamella* spp., que pertencem ao subfilo *Mycormycotina*. Os principais fatores predisponentes consistem em neutropenia, uso de corticosteroides, diabetes melito, sobrecarga de ferro e quebra da barreira cutânea (p. ex., em consequência de queimaduras, feridas cirúrgicas ou trauma).

Patogênese

Os fungos *Mucormycotina* são transmitidos por meio de esporos assexuados transportados pelo ar. A inalação dos esporos constitui a via de entrada mais comum no corpo, porém a exposição percutânea ou a ingestão também podem levar à infecção. Os macrófagos proporcionam a defesa inicial por meio de fagocitose e destruição não oxidativa dos esporangiósporos em germinação. Os componentes das hifas dos fungos *Mucormycotina* são reconhecidos pelo TLR2, que resulta em uma cascata pró-inflamatória de citocinas, como IL-6 e TNF. Os neutrófilos desempenham um papel essencial na destruição das hifas após a germinação por meio de dano direto às paredes das hifas. Se houver comprometimento no número ou na função dos macrófagos ou neutrófilos, a probabilidade de infecção estabelecida e, em seguida, invasiva aumenta acentuadamente. Por motivos desconhecidos, as diferentes espécies de *Mucor* variam quanto à resistência à fagocitose dos esporos e ao dano às hifas pelos neutrófilos; por conseguinte, algumas infecções podem parecer mais agressivas do que outras, apesar de um meio interno semelhante do hospedeiro. A disponibilidade de ferro livre (um promotor do crescimento dos fungos *Mucormycotina*) aumenta a probabilidade de infecção, conforme observado em indivíduos com diabetes melito (aumento do ferro livre, devido à cetoacidose e/ou baixa afinidade pelo ferro induzida por glicosilação) e pacientes que recebem tratamento crônico de quelação do ferro (em que a desferroxamina atua como sideróforo para os fungos).

Morfologia

Os mucormicetos formam hifas não septadas de largura variável (6 a 50 μm), com ramificação frequente em ângulo reto, distintas das hifas de *Aspergillus*, que são prontamente demonstradas pela coloração pela hematoxilina e eosina ou por corantes fúngicos especiais (**Figura 8.45**). Os três principais locais de invasão são os seios nasais, os pulmões e o trato gastrintestinal, dependendo dos esporos (que estão dispersos na poeira e no ar) serem inalados ou ingeridos. Mais comumente em indivíduos com diabetes melito, o fungo pode propagar-se dos seios nasais para a órbita e o cérebro, dando origem à **mucormicose rinocerebral**. Os fungos *Mucormycotina* causam necrose tecidual local, invadem as paredes arteriais e penetram nos tecidos periorbitais e a calota craniana. Em seguida, ocorre meningoencefalite, algumas vezes complicada por infartos cerebrais quando os fungos invadem as artérias e induzem trombose.

O **comprometimento pulmonar** por fungos *Mucormycotina* pode ser secundário à doença rinocerebral ou pode ser primário em pessoas com imunodeficiência grave. As lesões pulmonares combinam áreas de pneumonia hemorrágica com trombos vasculares e infartos distais.

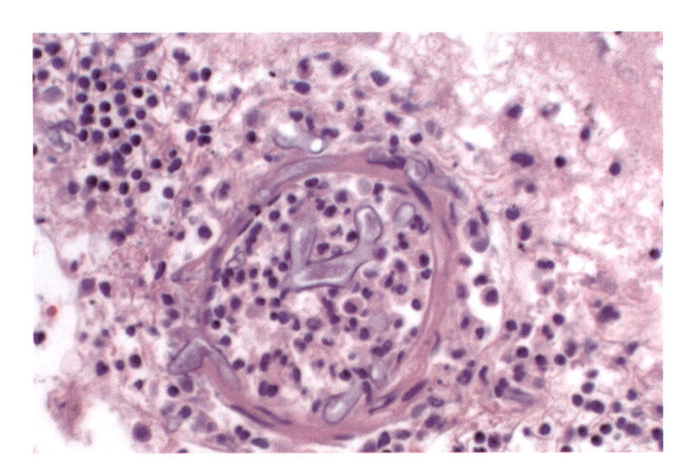

Figura 8.45 Vasos sanguíneos meníngeos com espécies de *Mucor* angioinvasivas. Observar a largura irregular e a ramificação quase em ângulo reto das hifas. Comparar com *Aspergillus* na **Figura 8.44**.

Infecções parasitárias

Infecções por protozoários

Os protozoários são organismos eucarióticos unicelulares. Os protozoários parasitas são transmitidos por insetos ou por via fecal-oral e, nos seres humanos, residem sobretudo no sangue ou no intestino (**Tabela 8.6**). As infecções por protozoários são diagnosticadas, em sua maioria, pelo exame microscópico de esfregaços de sangue ou das lesões.

Malária

A malária, que é causada pelo parasita intracelular *Plasmodium*, afetou 219 milhões de pessoas em todo o mundo em 2017 e matou mais de 435 mil pessoas. De acordo com a OMS, 90% das mortes por malária ocorrem na África Subsaariana, onde ela constitui uma importante causa de morte em crianças com menos de 5 anos. O *Plasmodium falciparum* (a causa da malária cerebral grave) e os outros quatro parasitas causadores de malária que infectam os seres humanos (*P. vivax, P. ovale, P. knowlesi* e *P. malariae*) são transmitidos por fêmeas dos mosquitos do gênero *Anopheles*, que estão amplamente distribuídos por toda a África, Ásia e América Latina. Nos EUA, quase todos os 1.700 novos casos de malária a cada ano, aproximadamente, ocorrem em viajantes ou imigrantes. A pulverização em massa para eliminar os mosquitos vetores foi inicialmente bem-sucedida, porém acabou falhando quando o diclorodifeniltricloroetano (DDT) foi retirado do mercado, devido a questões ambientais. Atualmente, os esforços de saúde pública em todo o mundo para controlar a malária deparam com os desafios dos mosquitos resistentes a inseticidas e das espécies de *Plasmodium* resistentes a fármacos. Hoje, uma combinação de controle dos mosquitos e uso de medicamentos antimaláricos é vista como maneira de diminuir a incidência.

Patogênese

Os ciclos de vida das espécies de *Plasmodium* são semelhantes, porém *P. falciparum* difere em vários aspectos que contribuem para sua maior virulência. *P. vivax, P. ovale, P. knowlesi* e *P. malariae* produzem baixos níveis de parasitemia, anemia leve e, em casos muito raros, ruptura esplênica e síndrome nefrótica. **A infecção por *P. falciparum* está associada a altos níveis de parasitemia, que podem levar à anemia grave, sintomas cerebrais, insuficiência renal, edema pulmonar e morte, dependendo da suscetibilidade do hospedeiro.**

O ciclo de vida das espécies de *Plasmodium* envolve apenas os seres humanos e mosquitos, porém o desenvolvimento do parasita é complexo, visto que ele passa por várias formas morfologicamente distintas. O estágio infeccioso do *Plasmodium*, o *esporozoíto*, é encontrado nas glândulas salivares das fêmeas dos mosquitos. Quando o mosquito se alimenta de sangue, os esporozoítos são liberados no sangue humano e, em poucos minutos, fixam-se aos hepatócitos e os invadem por meio de sua ligação ao receptor do hepatócito para as proteínas séricas trombospondina e properdina (**Figura 8.46**). No interior dos hepatócitos, os parasitas da malária multiplicam-se, liberando até 30 mil *merozoítos* (formas haploides assexuadas) quando cada hepatócito infectado sofre ruptura. Durante a infecção por *P. falciparum*, a ruptura costuma ocorrer

Tabela 8.6 Doenças humanas selecionadas causadas por protozoários.

Localização	Espécie	Doença
Luminal ou epitelial	*Entamoeba histolytica*	Disenteria amebiana; abscesso hepático
	Balantidium coli	Colite
	Giardia duodenalis	Doença diarreica, má absorção
	Cystoisospora belli	Enterocolite crônica, má absorção ou ambas
	Cryptosporidium spp.	
	Trichomonas vaginalis	Uretrite, vaginite
Sistema nervoso central	*Naegleria fowleri*	Meningoencefalite
	Acanthamoeba spp.	Meningoencefalite ou oftalmite
Corrente sanguínea	*Plasmodium* spp.	Malária
	Babesia spp.	Babesiose
	Trypanosoma spp.	Doença do sono africana
Intracelular	*Trypanosoma cruzi*	Doença de Chagas
	Leishmania donovani	Calazar
	Leishmania spp.	Leishmaniose cutânea e mucocutânea
	Toxoplasma gondii	Toxoplasmose

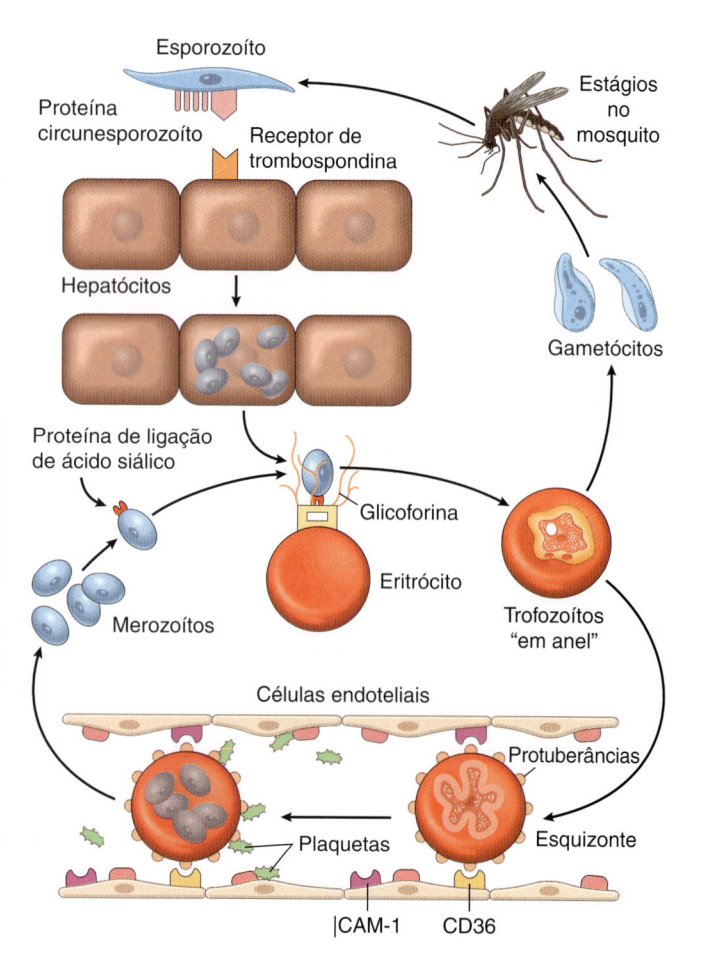

Figura 8.46 Ciclo de vida do *Plasmodium falciparum*. Ambos os estágios exoeritrocitário e eritrocitário estão ilustrados. *ICAM-1*, molécula de adesão intercelular 1. (Desenhada por Dr. Jeffrey Joseph, Beth Israel-Deaconess Hospital, Boston, Mass.)

de 8 a 12 semanas. Por outro lado, *P. vivax* e *P. ovale* formam *hipnozoítos* latentes nos hepatócitos, que provocam recidivas da malária semanas a meses após a infecção inicial. A infecção do fígado e o desenvolvimento de merozoítos são denominados *estágio exoeritrocitário*. Esse estágio é assintomático. Uma vez liberados do fígado, os merozoítos do *Plasmodium* utilizam uma molécula semelhante à lectina para se ligar a resíduos de ácido siálico nas moléculas de glicoforina na superfície dos eritrócitos, que eles invadem por penetração ativa na membrana. No interior dos eritrócitos (*estágio eritrocitário*), os parasitas crescem em um vacúolo digestivo delimitado por membrana, hidrolisando a hemoglobina com enzimas secretadas. O *trofozoíto* é o primeiro estágio do parasita nos eritrócitos e é definido pela presença de uma única massa de cromatina. O estágio seguinte, o *esquizonte*, apresenta múltiplas massas de cromatina, cada uma das quais se desenvolve em um merozoíto. Com a lise do eritrócito, os novos merozoítos infectam outros eritrócitos. Ocorrem febre paroxística, calafrios e tremores característicos da malária quando os merozoítos são liberados no sangue. Conforme discutido adiante, a liberação de merozoítos induz as células do hospedeiro a produzir citocinas, como o TNF, que causam febre. A periodicidade desses paroxismos (a cada 24 a 72 horas) varia de acordo com a espécie de parasita da malária. Embora a maioria dos parasitas da malária no interior dos eritrócitos desenvolva-se em merozoítos, alguns deles, em condições específicas, desenvolvem-se em formas sexuadas, denominadas *gametócitos*, que infectam o mosquito quando ele se alimenta de sangue.

Várias características de *P. falciparum* são responsáveis pela sua maior patogenicidade:

- *P. falciparum* é capaz de infectar eritrócitos de qualquer idade, enquanto as outras espécies só infectam eritrócitos jovens ou velhos, que constituem uma menor fração do reservatório de eritrócitos
- *P. falciparum* faz com que os eritrócitos infectados sofram agregação (rosetas), aderindo às células endoteliais que revestem os pequenos vasos sanguíneos (sequestro) com consequente bloqueio do fluxo sanguíneo. Os polipeptídeos adesivos, como a proteína da membrana eritrocitária de *P. falciparum* 1 (PfEMP1), associam-se para formar protuberâncias na superfície dos eritrócitos (ver **Figura 8.46**). A PfEMP1 liga-se a ligantes nas células endoteliais, como CD36, trombospondina, VCAM-1, ICAM-1 e E-selectina. O sequestro de eritrócitos diminui a perfusão tecidual e leva à isquemia, que é responsável pelas manifestações da malária cerebral, a principal causa de morte em crianças com malária
- Na infecção por *P. falciparum*, as proteínas ligadas a GPI, como antígenos de superfície dos merozoítos, são liberadas dos eritrócitos infectados e induzem a produção de citocinas pelas células do hospedeiro. Essas citocinas aumentam a febre, estimulam a produção de espécies reativas de nitrogênio (levando ao dano tecidual) e induzem a expressão de receptores endoteliais para a PfEMP1 (aumentando o sequestro).

A resistência do hospedeiro a *Plasmodium* pode ser intrínseca ou adquirida. A resistência intrínseca resulta de alterações herdadas, que reduzem a suscetibilidade dos eritrócitos a infecções produtivas pelo *Plasmodium*. A resistência também pode ser adquirida após exposição repetida ou prolongada a espécies de *Plasmodium*, o que estimula uma resposta imune parcialmente protetora.

Vários tipos de mutações que afetam os eritrócitos são altamente prevalentes em partes do mundo onde a malária é endêmica e estão ausentes em outras partes do mundo. Essas mutações são, em sua maioria, patogênicas na forma homozigótica, sugerindo que elas são mantidas em populações devido a uma vantagem seletiva para os portadores heterozigotos contra a malária. As mutações são classificadas em quatro grandes classes:

- Mutações pontuais em genes das globinas – anemia falciforme (HbS), doença da HbC (hemoglobinopatias)
- Mutações que levam a deficiências das globinas – α e β-talassemia
- Mutações que afetam as enzimas eritrocitárias – deficiência de glicose-6-fosfato desidrogenase (G6PD)
- Mutações que causam defeitos da membrana eritrocitária – ausência de DARC (grupo sanguíneo de superfície Duffy), banda 3, espectrina.

P. vivax entra nos eritrócitos por meio de sua ligação ao antígeno do grupo sanguíneo Duffy, e a maior parte da população da África Ocidental não é suscetível à infecção por *P. vivax*, visto que não apresenta o antígeno Duffy. Os mecanismos dos efeitos protetores dos outros três tipos de mutações não estão bem compreendidos.

Os indivíduos que vivem em locais onde o *Plasmodium* é endêmico frequentemente adquirem resistência imunomediada parcial à malária, evidenciada pela redução da doença, apesar da infecção. Os anticorpos e os linfócitos T específicos contra o *Plasmodium* reduzem as manifestações da doença, embora o parasita tenha desenvolvido estratégias para escapar da resposta imune do hospedeiro. *P. falciparum* utiliza a variação antigênica para escapar das respostas dos anticorpos à PfEMP1 e a outras proteínas de superfície. Cada genoma haploide de *P. falciparum* conta com múltiplos genes, que codificam variantes dessas proteínas do parasita. Pelo menos certa porcentagem dos parasitas mudam os genes a cada geração, produzindo proteínas de superfície antigenicamente diferentes e novas. Os CTL também podem ser importantes na resistência a *P. falciparum*. Múltiplas abordagens de vacinas potenciais estão em desenvolvimento; os ensaios atuais com vacinas demonstraram uma diminuição da doença grave, porém apenas uma eficácia modesta contra a infecção clínica.

> ### Morfologia
>
> **O exame diagnóstico para a infecção da malária consiste na avaliação de um esfregaço de sangue periférico corado pelo método de Giemsa (também conhecido como "exame de gota espessa"), que possibilita a identificação dos estágios assexuados do parasita dentro dos eritrócitos infectados.** Os ensaios de PCR são mais sensíveis do que o esfregaço, porém ainda não foram aceitos como padrão ouro; tendo em vista a gravidade potencial da doença, é provável que ambos os ensaios sejam necessários para excluir a possibilidade de infecção. A inserção de proteínas do parasita na membrana do eritrócito leva ao reconhecimento pelos macrófagos, sobretudo no baço. A infecção pelo *Plasmodium falciparum* leva à esplenomegalia, devido à congestão e hiperplasia da polpa vermelha, e o baço pode finalmente apresentar um peso acima de 1.000 g. Nas infecções crônicas, o baço torna-se cada vez mais fibrótico e frágil, com uma cápsula espessa e trabéculas fibrosas. O parênquima é cinza ou preto, devido aos fagócitos que contêm o pigmento hemozoína granular, preto acastanhado e fracamente birrefringente. Os macrófagos com eritrócitos parasitados e fagocitados também são numerosos.

Com a progressão da malária, o fígado torna-se aumentado e pigmentado. As células de Kupffer estão maciçamente preenchidas por pigmento malárico, parasitas e restos celulares, e observa-se também a presença de algum pigmento nas células parenquimatosas. Células fagocíticas pigmentadas podem ser encontradas dispersas pela medula óssea, linfonodos, tecidos subcutâneos e pulmões. Com frequência, os rins estão aumentados e congestos, com poeira de pigmento nos glomérulos e cilindros de hemoglobina nos túbulos.

Na **malária cerebral** causada por *P. falciparum*, os vasos sanguíneos tornam-se obstruídos por eritrócitos parasitados (**Figura 8.47**). Ao redor dos vasos, há hemorragias em anel, que provavelmente estão relacionadas com a hipoxia local, em virtude da estase vascular e reações inflamatórias focais pequenas (denominadas *granulomas maláricos* ou *de Dürck*). Na presença de hipoxia mais grave, ocorrem degeneração dos neurônios, amolecimento isquêmico focal e, em certas ocasiões, infiltrados inflamatórios escassos nas meninges.

Lesões hipóxicas focais e inespecíficas no coração podem ser induzidas pela anemia progressiva e estase circulatória em indivíduos com infecção crônica. Em alguns casos, o miocárdio apresenta infiltrados intersticiais focais. Por fim, no paciente não imune, o edema pulmonar ou o choque com CIVD podem causar morte, algumas vezes na ausência de outras lesões características.

Morfologia

Em esfregaços de sangue, as espécies de *Babesia* assemelham-se superficialmente aos estágios em anel de *P. falciparum;* entretanto, carecem do pigmento hemozoína, exibem maior pleomorfismo e formam tétrades características (cruz de Malta), que são diagnósticas quando encontradas (**Figura 8.48**). O nível de parasitemia por *B. microti* constitui uma boa indicação da gravidade da infecção (cerca de 1% nos casos leves e até 30% nos indivíduos esplenectomizados). Nos casos fatais, os achados anatômicos estão relacionados com o choque e a hipoxia e incluem icterícia, necrose hepática, necrose tubular aguda renal, síndrome de desconforto respiratório agudo, eritrofagocitose e hemorragia visceral.

Babesiose

Babesia microti e *Babesia divergens*, que constituem as principais causas da babesiose, são protozoários semelhantes aos da malária, transmitidos de maneira similar à doença de Lyme e erliquiose granulocítica por carrapatos, *Ixodes scapularis* (carrapato do cervo) e *Ixodes ricinus* (carrapato de ovelhas), com casos adicionais por *B. duncani* e *B. venatorum*. O camundongo de patas brancas é o reservatório de *B. microti* e, em algumas áreas, quase todos os camundongos apresentam parasitemia de baixo nível persistente. *B. microti* sobrevive bem no sangue refrigerado, e foram relatados vários casos de babesiose adquirida por transfusão. As espécies de *Babesia* parasitam os eritrócitos e causam febre e anemia hemolítica. Embora as infecções sejam, em sua maioria, assintomáticas, a infecção em indivíduos debilitados ou esplenectomizados pode causar parasitemia grave e potencialmente fatal.

Leishmaniose

A leishmaniose é uma doença inflamatória crônica da pele, das membranas mucosas ou das vísceras causada por protozoários parasitas intracelulares obrigatórios, que contêm um cinetoplasto (cinetoplastídeo). A doença é transmitida por meio da picada de mosquito-palha (flebótomo) infectado. A leishmaniose é endêmica por todo o Oriente Médio, Sul da Ásia, África e América Latina. Pode ser também epidêmica, como é tragicamente o caso no Sudão, Índia, Bangladesh e Brasil. De acordo com as estimativas, ocorrem 0,7 a 1,2 milhão de casos por ano de leishmaniose cutânea e 200 a 400 mil casos de leishmaniose visceral, com mais de 20 mil mortes anuais. A infecção por leishmanias, à semelhança de infecções por outros microrganismos intracelulares (micobactérias, *Histoplasma* spp., *Toxoplasma* spp. e tripanossomos), é exacerbada por condições que interferem na função das células T, como a AIDS. A cultura, a PCR ou o exame histológico são utilizados para diagnosticar a infecção.

Patogênese

O ciclo de vida das espécies de *Leishmania* envolve duas formas: o promastigota, que se desenvolve e vive extracelularmente no mosquito-palha vetor; e o amastigota, cuja multiplicação é intracelular nos macrófagos do hospedeiro. Existem aproximadamente 21 espécies de *Leishmania* que infectam os seres humanos e cerca de 30 espécies de mosquitos-palha que atuam como vetores. Os mamíferos, como roedores, cães e raposas, são reservatórios

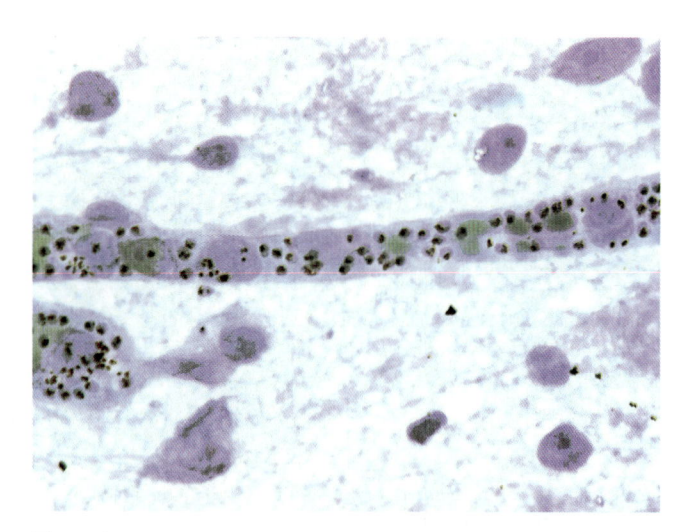

Figura 8.47 Coloração de Field de eritrócitos infectados pelo *Plasmodium falciparum* dentro de um capilar na malária cerebral.

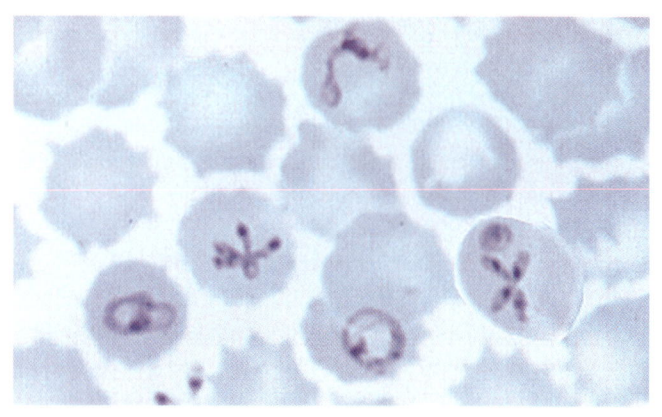

Figura 8.48 Eritrócitos com *Babesia*, incluindo a forma característica em cruz de Malta. (Cortesia de Lynne Garcia, LSG and Associates, Santa Monica, Calif.)

de *Leishmania* spp. Quando os flebótomos picam seres humanos ou animais infectados, os macrófagos que abrigam os amastigotas são ingeridos. Os amastigotas diferenciam-se em promastigotas, multiplicam-se no interior do sistema digestório do mosquito-palha e migram para a glândula salivar, onde estão preparados para a transmissão por meio da picada do mosquito. Quando o mosquito infectado pica uma pessoa, os promastigotas delgados e flagelados infecciosos são liberados na derme do hospedeiro com a saliva do mosquito-pólvora, que potencializa a infectividade do parasita. Os promastigotas são fagocitados pelos macrófagos, e a acidez dentro do fagolisossomo os induz a se transformar em amastigotas redondos, que carecem de flagelos, mas que contêm uma única mitocôndria com seu DNA concentrado em uma suborganela singular, o cinetoplasto. Os amastigotas proliferam dentro dos macrófagos, e os macrófagos que morrem liberam a progênie de amastigotas, passíveis de infectar outros macrófagos.

A distância percorrida pelos amastigotas em sua disseminação pelo corpo depende da espécie específica de *Leishmania* e do hospedeiro, e determina a extensão da doença. Existem várias formas da doença que são causadas por diferentes espécies de *Leishmania*. Velho Mundo (*L. major*, *L. tropica*, *L. donovani* e *L. infantum*) refere-se ao Hemisfério Oriental (parte da Ásia; Oriente Médio; África, sobretudo a região tropical; e África do Norte) e Sul da Europa. Novo Mundo (*L. mexicana*, *L. braziliensis* e *L. chagasi*) refere-se ao Hemisfério Ocidental (partes do México, da América Central e América do Sul). Alguns casos foram descritos no Texas e em Oklahoma.

As espécies de *Leishmania* manipulam as defesas inatas do hospedeiro para facilitar a entrada e sobrevivência nos fagócitos. Os promastigotas produzem dois glicoconjugados de superfície em grandes quantidades, que contribuem para sua virulência:

- O lipofosfoglicano forma um glicocálice denso, que ativa o complemento (levando à deposição de C3b na superfície do parasita) e inibe a ação do complemento (ao evitar a inserção do complexo de ataque à membrana na membrana do parasita). Por conseguinte, o parasita torna-se coberto por C3b, porém evita a destruição pelo complexo de ataque à membrana. Em vez disso, o C3b na superfície do parasita liga-se ao Mac-1 e CR1 nos macrófagos, marcando o promastigota como alvo para a fagocitose
- A Gp63 é uma proteinase dependente de zinco, que cliva o complemento e algumas enzimas antimicrobianas lisossômicas. A Gp63 liga-se também aos receptores de fibronectina nos macrófagos e promove a adesão dos promastigotas aos macrófagos.

Para escapar da morte pelos neutrófilos, as espécies de *Leishmania* utilizam os seguintes mecanismos: (1) interferem na formação de fagolisossomos e na fusão com os grânulos, (2) localizam-se em compartimentos não líticos, (3) resistem à toxicidade das espécies reativas de oxigênio e (4) também à formação de armadilhas extracelulares de neutrófilos (NET) ao produzir endonucleases que digerem as NET e expressar moléculas resistentes à protease.

Os amastigotas de *Leishmania* spp. também produzem moléculas que facilitam a sobrevivência e replicação dentro dos macrófagos. Os amastigotas se reproduzem em fagolisossomos dos macrófagos, que normalmente têm um pH de 4,5. Entretanto, os amastigotas se protegem desse ambiente hostil por meio da expressão de uma ATPase de transporte de prótons, que mantém o pH do fagolisossomo em 6,5.

As espécies de *Leishmania* necessitam de ferro para sua sobrevivência e elas dispõem de um transportador de ferro da família do tipo ZRT, IRT (ZIP) de proteínas da membrana, que é expresso nos amastigotas e que estimula a entrada de ferro no ambiente normalmente com baixo teor de ferro dos fagolisossomos dos macrófagos. O hospedeiro combate essa aquisição de ferro ao utilizar citocinas pró-inflamatórias para reprimir a absorção de ferro (em parte pelo aumento da produção de hepcidina, o principal exportador de ferro, e pela ativação da síntese de ferritina, que se liga ao ferro livre). Além disso, os macrófagos infrarregulam o receptor de transferrina e removem o ferro do fagossomo.

Os principais mecanismos de resistência e suscetibilidade *Leishmania* spp. são determinados pelas respostas das células Th1 e Th2. As células Th1 CD4+ específicas contra o parasita são necessárias para controlar as espécies de *Leishmania* em camundongos e seres humanos. As espécies de *Leishmania* escapam da imunidade do hospedeiro ao comprometer o desenvolvimento da resposta Th1. Em modelos animais, os camundongos que são resistentes à infecção por *Leishmania* produzem níveis elevados de IFN-γ derivada das células Th1, que ativa os macrófagos para destruir os parasitas. Por outro lado, as linhagens de camundongos que são suscetíveis à leishmaniose desenvolvem uma resposta Th2 dominante. As citocinas Th2, como a IL-4, IL-13 e IL-10, impedem a morte efetiva das espécies de

Leishmania ao inibir a atividade microbicida dos macrófagos.

Morfologia

As espécies de *Leishmania* produzem quatro tipos diferentes de lesões nos seres humanos: visceral, cutânea, mucocutânea e cutânea difusa. Na **leishmaniose visceral,** os parasitas invadem e ativam os macrófagos em todo o sistema fagocítico mononuclear (**Figura 8.49**) e provocam uma doença inflamatória sistêmica, caracterizada por hepatoesplenomegalia, linfadenopatia, pancitopenia, febre e perda de peso. O baço pode alcançar um peso de até 3 kg. As células fagocitárias estão aumentadas e repletas de *Leishmania* spp., observa-se a presença de muitos plasmócitos, e a arquitetura normal do baço está desorganizada. Nos estágios tardios, o fígado torna-se cada vez mais fibrótico. As células fagocíticas aglomeram-se na medula óssea e também podem ser encontradas nos pulmões, no trato gastrintestinal, nos rins, no pâncreas e nos testículos. Com frequência, há hiperpigmentação da pele em indivíduos de ancestralidade do Sul da Ásia, razão pela qual a doença é denominada *calazar* (*febre negra* em Hindi). Nos rins, pode haver glomerulonefrite mesangioproliferativa mediada por imunocomplexos, e, nos casos avançados, pode ocorrer depósito de amiloide. Os indivíduos com leishmaniose avançada podem desenvolver infecções bacterianas secundárias que comportam risco de vida, como pneumonia, sepse ou tuberculose. As hemorragias relacionadas com a trombocitopenia também podem ser fatais.

A **leishmaniose cutânea (também conhecida no Brasil como "úlcera de Bauru")** é uma doença localizada e relativamente leve, que consiste em úlceras na pele exposta. A lesão começa como uma pápula circundada por endurecimento, que se transforma em úlcera superficial e de expansão lenta, frequentemente com bordas elevadas, que costuma cicatrizar por involução em 6 a 18 meses sem tratamento. Ao exame microscópico, a lesão apresenta inflamação granulomatosa, normalmente com muitas células gigantes e poucos parasitas.

A **leishmaniose mucocutânea** é encontrada apenas no Novo Mundo. Ocorre desenvolvimento de lesões ulceradas ou não ulceradas úmidas nas áreas da nasofaringe, que, com a progressão, podem ser altamente destrutivas e desfigurantes. O exame microscópico revela um infiltrado inflamatório misto composto de macrófagos que contêm parasitas, com linfócitos e plasmócitos. Mais tarde, a resposta inflamatória tecidual torna-se granulomatosa, e o número de parasitas declina. Por fim, as lesões diminuem e cicatrizam, embora possa ocorrer reativação depois de longos intervalos por meio de mecanismos que atualmente não são compreendidos.

A **leishmaniose cutânea difusa** é uma forma rara de infecção da derme encontrada na Etiópia e na África Oriental adjacente e Américas Central e do Sul. A leishmaniose cutânea difusa começa como um único nódulo cutâneo, que continua se disseminando até que todo o corpo fique coberto por lesões nodulares. Ao exame microscópico, contém agregados de macrófagos espumosos repletos de *Leishmania*.

Tripanossomíase africana

Os tripanossomos africanos são parasitas cinetoplastídeos (que contêm uma grande massa de DNA denominada *cinetoplasto*) que proliferam como formas extracelulares no sangue e que causam febre sustentada ou intermitente, linfadenopatia, esplenomegalia, disfunção cerebral progressiva (doença do sono), caquexia e morte. A infecção por *Trypanosoma brucei rhodesiense*, que ocorre na África Oriental e que é frequentemente aguda e virulenta, é uma infecção zoonótica mais bem combatida pela redução das populações de moscas infectadas (vetores). São notificados algumas centenas de casos por ano. A infecção por *Trypanosoma brucei gambiense*, que ocorre na África Ocidental, dissemina-se entre seres humanos por meio da picada de moscas e requer a detecção ativa dos casos e tratamento, com cerca de 3 mil casos notificados por ano. As moscas tsé-tsé (do gênero *Glossina*) transmitem *Trypanosoma* africano para os seres humanos a partir de animais silvestres e domésticos (*T. brucei rhodesiense*) ou a partir de outros seres humanos (*T. brucei gambiense*).

No interior da mosca, os parasitas multiplicam-se no estômago e, em seguida, nas glândulas salivares antes de serem transformados em tripomastigotas que não se dividem e que são transmitidos para os seres humanos e animais na próxima refeição de sangue. O diagnóstico é estabelecido pelo exame microscópico de esfregaços de sangue, linfonodos ou cancro. O líquido cefalorraquidiano deve ser examinado para determinar se há infecção do SNC, visto que isso determinará o curso do tratamento.

Patogênese

Os tripanossomos africanos são recobertos por uma proteína única, abundante, ancorada a um glicolipídio, denominada *glicoproteína variante de superfície* (VSG). À medida que os parasitas proliferam na corrente sanguínea, o hospedeiro produz anticorpos dirigidos contra a VSG, os quais, em associação com os fagócitos, matam a maioria dos organismos, causando um pico de febre. Entretanto, um pequeno número de parasitas sofre rearranjo genético e produz uma VSG diferente em sua superfície, escapando, assim, da resposta imune do hospedeiro. Esses tripanossomos sucessores multiplicam-se até o hospedeiro produzir uma nova resposta anti-VSG e matar a maioria deles, quando então outro clone com uma VSG distinta assume o lugar. Dessa maneira, os tripanossomos africanos provocam ondas de febre antes de invadir finalmente o SNC. Os tripanossomos têm diversos genes de VSG, dos quais apenas um é expresso de cada vez. O parasita utiliza um mecanismo elegante para ativar e desativar os genes VSG. Embora os genes VSG estejam espalhados por todo o genoma do tripanossomo, apenas aqueles encontrados dentro de sítios de expressão específicos, próximo às extremidades dos cromossomos, são transcritos. Novos genes VSG são periodicamente transferidos para esses sítios, sobretudo por recombinação homóloga, gerando uma nova VSG. Uma RNA polimerase especializada, que transcreve os genes VSG, associa-se apenas a um único sítio de expressão, limitando a expressão de uma VSG de cada vez.

Morfologia

No local de picada do inseto, forma-se um grande cancro vermelho e elástico, que contém numerosos parasitas circundados por um infiltrado inflamatório denso predominantemente mononuclear. Com a cronicidade, ocorre aumento dos linfonodos e do baço, devido à infiltração por linfócitos, plasmócitos e macrófagos, que estão repletos de parasitas mortos. Os tripanossomos (**Figura 8.50**) concentram-se em alças capilares, como o plexo coroide e os glomérulos. Quando os parasitas violam a barreira hematencefálica e invadem o SNC, ocorre desenvolvimento de leptomeningite, que se estende nos espaços perivasculares de Virchow-Robin, com desenvolvimento final de panencefalite desmielinizante. Os plasmócitos que contêm glóbulos citoplasmáticos preenchidos com imunoglobulinas são frequentes e são designados como **células de Mott**. A doença crônica leva à caquexia progressiva; os pacientes, desprovidos de energia e estado mental normal, literalmente definham.

Doença de Chagas

***Trypanosoma cruzi* é um protozoário cinetoplastídeo parasita intracelular que causa a tripanossomíase americana (doença de Chagas).** A doença de Chagas ocorre raramente nos EUA e no México, porém é mais comum na América do Sul, sobretudo

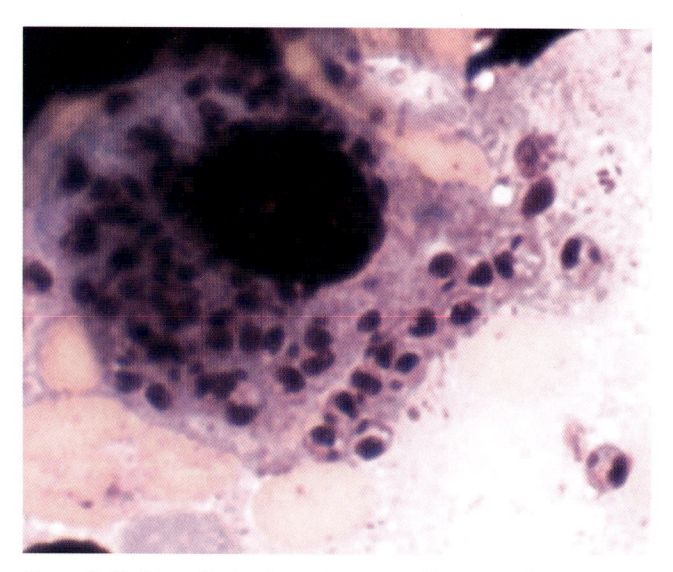

Figura 8.49 Coloração de Giemsa de um macrófago tecidual com parasitas de *Leishmania donovani*.

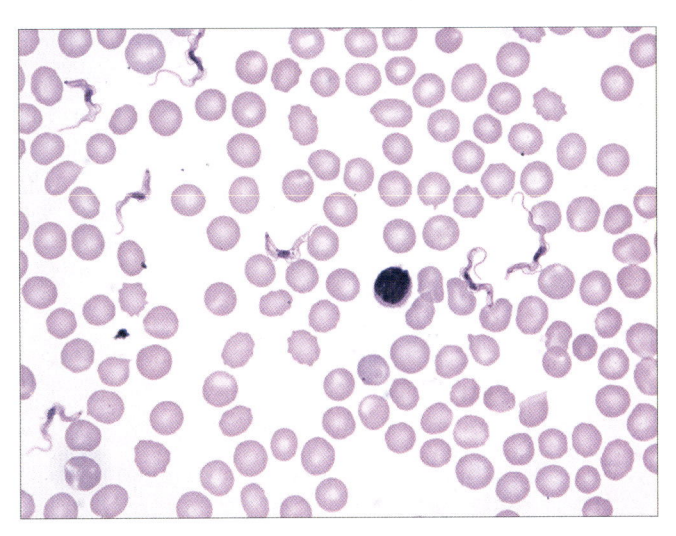

Figura 8.50 Parasitas delgados da tripanossomíase africana na corrente sanguínea.

escapa da ativação do sistema complemento pela expressão de proteínas reguladoras do complemento.

A doença de Chagas afeta sobretudo o coração e, nas áreas endêmicas, constitui uma importante causa de morte súbita devido a arritmias cardíacas. Na doença de Chagas aguda, que é leve na maioria dos indivíduos, o dano cardíaco resulta da invasão direta das células miocárdicas pelos organismos e da inflamação subsequente. Raramente, a doença de Chagas aguda pode apresentar parasitemia elevada, febre ou dilatação e insuficiência cardíacas progressivas, frequentemente com linfadenopatia generalizada ou esplenomegalia. Na doença de Chagas crônica, que ocorre em 20% dos indivíduos, em um intervalo de 5 a 15 anos após a infecção inicial, o mecanismo do dano cardíaco conta com dois componentes:

- A presença de *T. cruzi* persistente leva a uma resposta imune continuada com infiltração inflamatória do miocárdio, mesmo com um número escasso de parasitas
- O parasita também pode induzir respostas autoimunes, de modo que os anticorpos e as células T que reconhecem as proteínas do parasita exibem reação cruzada com as células miocárdicas, as células nervosas e proteínas extracelulares do hospedeiro, como laminina. Por exemplo, os anticorpos de reação cruzada podem induzir disfunção eletrofisiológica do coração.

O dano às células miocárdicas e às vias de condução provoca miocardiopatia dilatada e arritmias cardíacas. Além disso, o dano ao plexo mioentérico causa dilatação do cólon (megacólon) e do esôfago. Isso é comum principalmente em áreas endêmicas do Brasil, onde até 50% dos pacientes com cardite letal apresentam doença colônica e esofágica.

no Brasil, com uma estimativa global de 8 milhões de indivíduos infectados. Os parasitas *T. cruzi* infectam muitos animais, como gatos, cães e roedores. Os parasitas são transmitidos entre animais e para os seres humanos por meio de percevejos triatomíneos (também conhecidos como barbeiros ou reduvídeos), que se escondem em rachaduras de casas mal construídas. Esses triatomíneos se alimentam de seus habitantes durante o sono e eliminam os parasitas nas fezes; por sua vez, os parasitas infecciosos entram no hospedeiro por meio da pele ou das membranas mucosas danificadas. No local de entrada na pele, pode surgir um nódulo eritematoso transitório. Outra via importante de infecção é a ingestão oral dos parasitas, devido à contaminação de produtos alimentares com triatomíneos e/ou suas fezes. Outros modos de infecção incluem a administração de hemocomponentes infectados, transplante de órgãos ou transmissão congênita. O diagnóstico pode ser estabelecido pelo exame de um esfregaço de sangue no caso agudo, porém é realizado mais comumente por sorologia.

Patogênese

T. cruzi dispõe de uma superfamília de glicoproteínas de superfície ancoradas ao glicosilfosfatidilinositol, que interagem com diversos ligantes, como laminina, fibronectina, colágeno, citoqueratina e outras proteínas extracelulares, e que estão envolvidas na adesão e invasão das células. Embora a maioria dos patógenos intracelulares evite o conteúdo tóxico dos lisossomos, após ingestão nos macrófagos, *T. cruzi* necessita, na realidade, de uma breve exposição ao fagolisossomo ácido para o desenvolvimento dos amastigotas, o estágio intracelular do parasita. Para assegurar a exposição aos lisossomos, os tripomastigotas de *T. cruzi* aumentam a concentração de cálcio citoplasmático nas células hospedeiras, promovendo a fusão do fagossomo com o lisossomo. Além de aumentar o desenvolvimento dos amastigotas, o baixo pH do lisossomo ativa proteínas formadoras de poros, que rompem a membrana lisossômica, liberando o parasita no citoplasma celular. Os parasitas se reproduzem como amastigotas arredondados no citoplasma das células hospedeiras e, em seguida, desenvolvem flagelos, provocam lise das células hospedeiras, entram na corrente sanguínea e penetram nos músculos liso, esquelético e cardíaco. *T. cruzi*

Morfologia

Na **miocardite aguda** letal, as alterações têm uma distribuição difusa por todo o coração. Agrupamentos de amastigotas provocam tumefação das fibras miocárdicas individuais e criam pseudocistos intracelulares. Há necrose focal das células miocárdicas, acompanhada de extenso infiltrado inflamatório intersticial agudo e denso por todo o miocárdio. Esse quadro normalmente está acompanhado de uma dilatação das quatro câmaras cardíacas (ver **Capítulo 12**).

Na **doença de Chagas crônica**, o coração normalmente está dilatado, arredondado e de tamanho e peso aumentados. Com frequência, há trombos murais que, em cerca da metade dos casos de necropsia, deram origem a êmbolos pulmonares ou sistêmicos ou a infartos. Ao exame histológico, são observados infiltrados inflamatórios perivasculares e intersticiais, compostos de linfócitos, plasmócitos e monócitos. Ocorrem focos dispersos de necrose das células miocárdicas e fibrose intersticial, sobretudo em direção ao ápice do ventrículo esquerdo, que pode sofrer dilatação aneurismática e adelgaçamento. Mesmo com a dilatação do esôfago e do cólon, os parasitas não podem ser encontrados nos gânglios do plexo mioentérico. A cardiomiopatia chagásica crônica frequentemente é tratada por transplante cardíaco.

Toxoplasmose

Embora milhões de indivíduos sejam portadores de *T. gondii* (um protozoário parasita onipresente) sem apresentar qualquer sintoma, em virtude do controle pelos seus sistemas imunes,

esse protozoário provoca doença significativa no paciente imunocomprometido e em mulheres grávidas e sua prole. Estima-se que 11% da população dos EUA a partir de 6 anos já tenha sido infectada. Em algumas regiões do mundo, 95% da população foi infectada. A infecção por *T. gondii* ocorre pela ingestão de carne malcozida (carne de porco, cordeiro, veado) contaminada com cistos teciduais ou pela aquisição de oocistos com a ingestão de água contaminada ou por ingestão acidental após limpeza da caixa de areia de um gato ou manipulação de solo contaminado. Outra via de infecção é a transmissão vertical durante a gravidez. Raramente, a infecção ocorre por transfusão de sangue ou transplante de órgãos. Alguns indivíduos infectados (10 a 20%) podem apresentar tumefação dos linfonodos e dores musculares, com uma evolução benigna e autolimitante de semanas a meses, seguida de infecção latente. O organismo pode ser reativado após imunossupressão, como a que ocorre após transplante de órgãos ou na infecção pelo HIV. Os sintomas da toxoplasmose congênita podem se tornar evidentes dentro de meses ou muitos anos após o nascimento, e o tratamento imediato por ocasião do nascimento pode reduzir as sequelas finais. Embora a coriorretinite congênita seja bilateral, a toxoplasmose ocular pode ser adquirida e, então, é frequentemente unilateral. A encefalite por *Toxoplasma*, em consequência de reativação, é o quadro oportunista mais comum do SNC em pacientes com AIDS. A miocardite e a pneumonite são duas outras manifestações comuns em pacientes com AIDS. Os pesquisadores formularam a hipótese de uma conexão entre a toxoplasmose e a esquizofrenia e outras condições neurológicas, porém os estudos não são conclusivos.

Patogênese

O gato é o único hospedeiro definitivo, e os seres humanos são os hospedeiros terminais. Os oocistos não esporulados são eliminados nas fezes do gato e esporulam no meio ambiente. Os hospedeiros intermediários (aves, roedores) são infectados pela ingestão de solo, água ou plantas contaminados. Os oocistos ingeridos liberam esporozoítos, que invadem o epitélio intestinal humano, disseminando-se por todo o corpo. Os esporozoítos transformam-se em taquizoítos, que se localizam nos tecidos e desenvolvem-se em bradizoítos. Os gatos tornam-se infectados após a ingestão de hospedeiros intermediários. *T. gondii* é um patógeno intracelular, que pode invadir qualquer célula nucleada por uma forma única de junção em movimento de actina-miosina e que forma um vacúolo parasitóforo (VP) protegido da fusão lisossômica. Para evitar a eliminação dos taquizoítos, *T. gondii* também inibe a autofagia do vacúolo contendo o parasita.

Morfologia

Nos seres humanos, os parasitas formam cistos no músculo esquelético, no miocárdio, nos órgãos viscerais, no cérebro e nos olhos. Embora o diagnóstico geralmente seja estabelecido por meio de testes sorológicos, os cistos podem ser observados em biopsias (**Figura 8.51**), ou os **taquizoítos** podem ser identificados em amostras de líquido adequadamente coradas, por exemplo, o líquido do lavado broncoalveolar de um hospedeiro imunocomprometido. Os taquizoítos podem ser observados com coloração pelo ácido periódico de Schiff, Giemsa ou hematoxilina e eosina. Os cistos teciduais podem variar de tamanho, de 5 a 100 μm. Os cistos intactos podem permanecer durante toda a vida do hospedeiro, sem causar inflamação. A parede do cisto é fina e contém bradizoítos em forma de crescente de aproximadamente 1,5 por 7 μm. A PCR do sangue ou do líquido cefalorraquidiano são testes com boa sensibilidade, que representam uma opção diagnóstica menos invasiva em muitos casos. A **toxoplasmose congênita** pode resultar em morte fetal e aborto ou em hidrocefalia, microcefalia, calcificações cerebrais, déficits neurocognitivos e coriorretinite.

Infecções por metazoários

Os metazoários são organismos eucarióticos multicelulares com sistemas de órgãos. As infecções por parasitas metazoários são contraídas pelo consumo do parasita, frequentemente em carne malcozida, ou por invasão direta do hospedeiro por meio da pele ou ainda por picadas de insetos. Os metazoários residem em muitos locais do corpo, como intestino, pele, pulmão, fígado, músculo, vasos sanguíneos e vasos linfáticos. As infecções são diagnosticadas pela identificação microscópica das larvas ou dos ovos em excreções ou tecidos e por sorologia.

Estrongiloidíase

Strongyloides stercoralis infecta dezenas de milhões de pessoas em todo o mundo e é endêmico nas regiões tropicais e subtropicais da América do Sul, África Subsaariana e Sudeste Asiático. Ocorre esporadicamente nos EUA, incluindo nos Apalaches. **Os vermes vivem no solo e infectam os seres humanos quando as larvas penetram na pele, seguem seu percurso na circulação até os pulmões e, em seguida, migram para a traqueia para serem deglutidas.** As fêmeas residem na mucosa do intestino delgado, onde produzem ovos por reprodução assexuada (partenogênese). As larvas são eliminadas, em sua maioria, nas fezes e, em seguida, podem contaminar o solo para continuar o ciclo de infecção; todavia, algumas se desenvolvem e tornam-se infecciosas dentro do hospedeiro, resultando em autoinfecção.

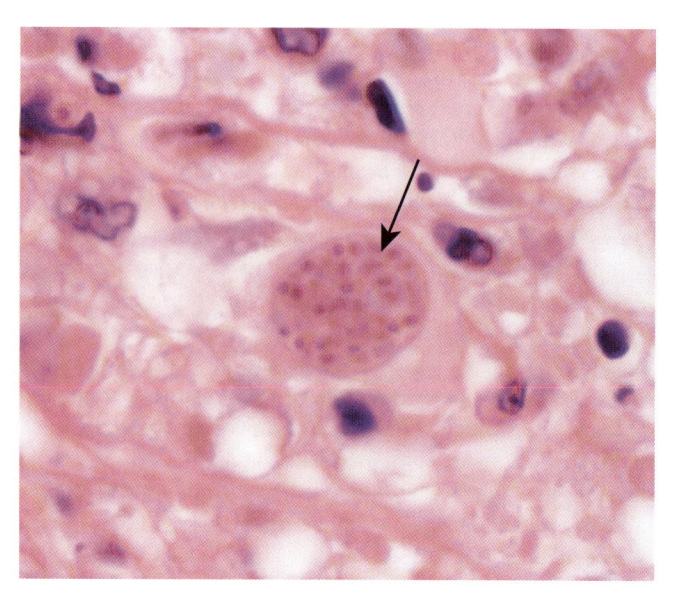

Figura 8.51 Biopsia de cérebro mostrando um cisto de *Toxoplama gondii* (seta). (De Procop GW, Pritt BS: *Pathology of Infectious Diseases*, Philadelphia, Elsevier, 2015; Cortesia do Dr. Bobbi S. Pritt, Department of Laboratory Medicine and Pathology, Mayo Clinic, Rochester, Minn.)

Nos hospedeiros imunocompetentes, o *S. stercoralis* é, com frequência, assintomático, mas pode causar diarreia, plenitude abdominal e, em certas ocasiões, má absorção. Os hospedeiros imunocomprometidos, sobretudo indivíduos que recebem terapia prolongada com corticosteroides, podem apresentar cargas muito altas do verme (hiperinfecção), devido à autoinfecção descontrolada, resultando em doença fatal. Os corticosteroides inibem as funções dos eosinófilos e de outras células imunes do hospedeiro, que se acumulam nos tecidos em resposta à infecção, e estimulam as fêmeas de *Strongyloides* spp. a aumentar a produção de larvas infecciosas. Além disso, outros estados patológicos que perturbam os mecanismos de controle imune (p. ex., transplante de órgãos, linfoma, HTLV-1) estão associados a um risco aumentado. A hiperinfecção pode ser complicada por sepse causada por bactérias intestinais, que entram no sangue após dano à parede intestinal causado pelas larvas invasoras.

Morfologia

Na estrongiloidíase leve, os vermes, sobretudo as larvas, estão presentes nas criptas duodenais, porém não são observados nos tecidos subjacentes. Observa-se um infiltrado rico em eosinófilos na lâmina própria, com edema da mucosa. A hiperinfecção pelo *S. stercoralis* resulta em invasão das larvas na submucosa colônica, vasos linfáticos e vasos sanguíneos, com infiltrado mononuclear associado. Existem muitos vermes adultos, larvas e ovos nas criptas do duodeno e íleo (**Figura 8.52**). Os vermes em todos os estágios podem ser encontrados em outros órgãos, como a pele e os pulmões, e podem ser até mesmo encontrados em grande número no escarro.

Cisticercose e doença hidática (infecções por tênias)

Taenia solium e *Echinococcus granulosus* são cestódeos parasitas (tênias) que causam cisticercose e hidatidose, respectivamente. Ambas as doenças são causadas por larvas que se desenvolvem após a ingestão dos ovos das tênias. Essas tênias têm ciclo de vida complexo, que necessita de dois hospedeiros mamíferos: um hospedeiro definitivo, no qual o verme alcança a maturidade sexual, e um hospedeiro intermediário, no qual o verme não alcança a maturidade sexual.

***T. solium* provoca doença devido à deposição de cistos (cisticercos) em órgãos, com consequente resposta inflamatória.** Essas tênias consistem em uma cabeça (escólex) que dispõe de ventosas e ganchos para fixação à parede intestinal, um colo e numerosos segmentos achatados, denominados proglotides, que contêm órgãos reprodutores tanto masculinos quanto femininos. As proglotides novas desenvolvem-se atrás do escólex. As proglotides mais distais são maduras, contêm muitos ovos e podem se desprender, sendo eliminadas nas fezes. *T. solium* pode ser transmitida a seres humanos de duas maneiras, pela ingestão de cistos larvares ou de ovos, com resultados distintos:

- Os cistos larvares, denominados *cisticercos*, são ingeridos na carne de porco malcozida e fixam-se à parede intestinal, onde se desenvolvem em tênias adultas maduras. Podem crescer até alcançar muitos metros de comprimento e podem produzir sintomas abdominais leves. O ciclo de vida do parasita é completado com esse tipo de infecção, e não ocorre cisticercose disseminada

- Quando os hospedeiros intermediários (porcos ou seres humanos) ingerem ovos na água ou em alimentos contaminados com fezes humanas, o ovo transforma-se em uma oncosfera que eclode e penetra na parede intestinal, dissemina-se por via hematogênica, seguida de transição para um cisticerco, que pode se encistar em muitos órgãos, produzindo os sintomas clínicos da cisticercose. As manifestações mais graves resultam do encistamento no cérebro (neurocisticercose). Podem ocorrer convulsões, aumento da pressão intracraniana e outros distúrbios neurológicos. Não há produção de tênias adultas com esse modo de infecção, visto que as formas larvares císticas alojadas em vários tecidos diferentes do intestino não podem se desenvolver em vermes maduros. Os cistos viáveis de *T. solium* frequentemente não produzem sintomas e podem escapar das defesas imunes do hospedeiro pela produção de teniaestatina e paramiosina, que parecem inibir a ativação do complemento. Quando os cisticercos morrem e degeneram, observa-se o desenvolvimento de uma resposta inflamatória.

Taenia saginata, a tênia do boi, e *Diphyllobothrium latum*, a tênia do peixe, são adquiridas pela ingestão de carne bovina ou de peixe malcozidos. Nos seres humanos, esses parasitas vivem apenas no intestino e não formam cisticercos.

A doença hidática é causada ela ingestão de ovos de *Echinococcus* spp. e formação de cistos em órgãos onde as larvas do parasita são depositadas. O hospedeiro definitivo de *E. granulosus* é o cão, enquanto os hospedeiros intermediários habituais são as ovelhas. No caso de *E. multilocularis*, a raposa é o hospedeiro definitivo mais importante, enquanto os roedores são hospedeiros intermediários. Os seres humanos são hospedeiros intermediários acidentais, que são infectados pela ingestão de alimentos contaminados com ovos eliminados por cães ou raposas. Os ovos eclodem no duodeno, e as larvas invadem o fígado, os pulmões e os ossos. A infecção nos seres humanos costuma ser assintomática, porém a presença de grandes cistos no fígado pode causar dor abdominal ou obstrução, enquanto os cistos pulmonares podem causar dor, tosse e hemoptise. É preciso ter cautela se for considerada a remoção cirúrgica do cisto, visto que podem ocorrer anafilaxia e/ou disseminação dos organismos devido ao derramamento do conteúdo do cisto.

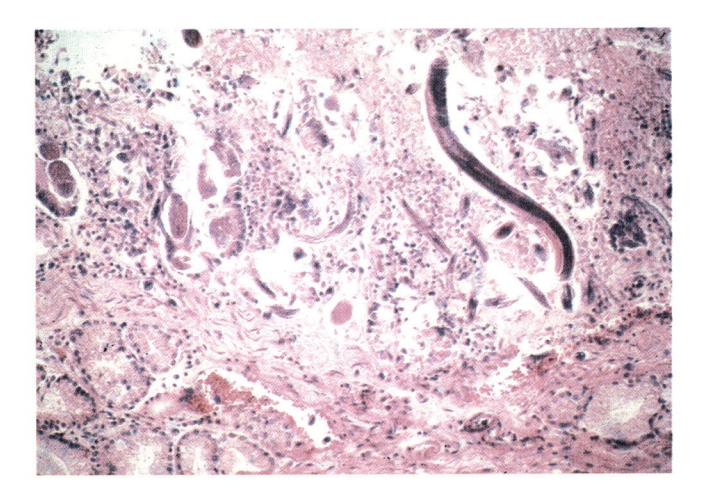

Figura 8.52 Hiperinfecção por *Strongyloides* em um paciente tratado com cortisona em alta dose. Uma fêmea com seus ovos e larvas rabditoides encontram-se nas criptas duodenais; larvas filariformes estão entrando nos vasos sanguíneos e na túnica muscular da mucosa. (Cortesia do Dr. Franz C. Von Lichtenberg, Brigham and Women's Hospital, Boston, Mass.)

Morfologia

Os **cisticercos** podem ser encontrados em qualquer órgão, porém os locais mais comuns incluem o cérebro, os músculos, a pele e o coração. Os sintomas cerebrais dependem da localização precisa dos cistos, que podem ser intraparenquimatosos, fixados à membrana aracnoide ou flutuar livremente no sistema ventricular. Os cistos são ovoides e brancos a opalescentes, frequentemente do tamanho de uma uva, e contêm um escólex invaginado com ganchos que são banhados em um líquido cístico claro (**Figura 8.53**). A parede do cisto tem mais de 100 μm de espessura, é rica em glicoproteínas e provoca pouca resposta inflamatória do hospedeiro quando está intacta. Entretanto, quando os cistos degeneram, ocorre inflamação, seguida de cicatrização focal e calcificações, que podem ser visíveis na radiografia.

Os **cistos de E. granulosus** são encontrados no fígado em cerca de dois terços dos casos, nos pulmões em 5 a 15%, enquanto o restante ocorre nos ossos, no cérebro ou em outros órgãos. Nos vários órgãos, as larvas alojam-se dentro dos capilares e desencadeiam inicialmente uma reação inflamatória, composta, em grande parte, de leucócitos mononucleares e eosinófilos. Muitas dessas larvas são destruídas, porém outras sofrem encistamento. Os cistos são, no início, microscópicos e aumentam progressivamente de tamanho, de modo que, em 5 anos ou mais, podem ter alcançado dimensões de mais de 10 cm de diâmetro. Um líquido opalescente é circundado por uma camada germinativa nucleada interna e por uma camada não nucleada opaca externa. A camada não nucleada externa é característica e tem numerosas laminações delicadas. Fora dessa camada opaca, há uma reação inflamatória do hospedeiro, que produz uma zona de fibroblastos, células gigantes e células mononucleares e eosinófilos. Com o tempo, ocorre formação de uma cápsula fibrosa densa. Com frequência, ocorre desenvolvimento de cistos filhos dentro do grande cisto-mãe. Aparecem inicialmente como minúsculas projeções da camada germinativa, que desenvolvem vesículas centrais e, portanto, formam diminutas cápsulas prolígeras. Os escólices do verme em degeneração produzem um sedimento fino semelhante à areia dentro do líquido hidático (areia hidática).

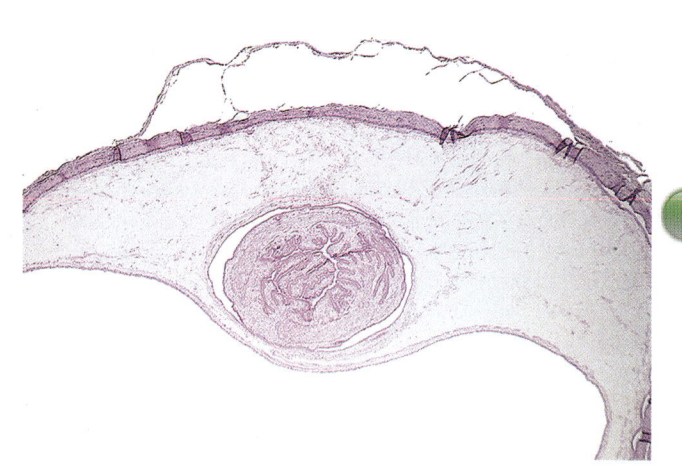

Figura 8.53 Porção de um cisto de cisticerco na pele.

Triquinose

As espécies de *Trichinella* são nematódeos parasitas que são adquiridos pela ingestão das larvas em carne malcozida animais infectados (geralmente porcos, javalis ou cavalos), os quais se infectaram ao comer ratos ou produtos de carne contendo *T. spiralis*, *T. nativa* ou *T. britovi*. Estima-se que ocorrem 10 mil casos em todo o mundo a cada ano. Nos EUA, o número de porcos infectados por *T. spiralis* foi acentuadamente reduzido por leis que exigem o cozimento adequado do alimento fornecido aos porcos; o número de infecções humanas notificadas no país é de cerca de 20 casos por ano. Ainda assim, a triquinose continua disseminada em outras partes do mundo, onde as pessoas consomem comumente carne malcozida, incluindo a de animais de criação e de caça (p. ex., urso) não comerciais.

Patogênese

O ciclo de vida de *T. spiralis* começa no intestino humano, porém termina dentro dos músculos, visto que os humanos são hospedeiros terminais. No intestino humano, as larvas de *T. spiralis* desenvolvem-se em adultos, que se acasalam e liberam novas larvas, as quais penetram nos tecidos. As larvas disseminam-se por via hematogênica e penetram nas células musculares, causando febre, mialgias, eosinofilia acentuada e edema periorbital. Menos comumente, as larvas alojam-se no coração, nos pulmões e no cérebro, e os pacientes podem desenvolver dispneia, encefalite e insuficiência cardíaca. No músculo esquelético estriado, as larvas de *T. spiralis* tornam-se parasitas intracelulares, aumentam acentuadamente de tamanho e modificam a célula muscular do hospedeiro, de modo que ela perde suas estriações, adquire uma cápsula colagenosa e desenvolve um plexo de novos vasos sanguíneos ao redor dela. O complexo célula-parasita é, em grande parte, assintomático, e o verme pode persistir por vários anos antes de morrer e sofrer calcificação. Os anticorpos dirigidos contra antígenos larvais, que incluem um epítopo de carboidrato imunodominante, denominado **tivelose**, podem reduzir a reinfecção e são úteis para o sorodiagnóstico da doença.

T. spiralis e outros nematódeos invasivos estimulam a resposta das células Th2, com produção de IL-4, IL-5, IL-10 e IL-13. As citocinas produzidas pelas células Th2 ativam os eosinófilos e os mastócitos, que estão associados à resposta inflamatória a esses parasitas. Em modelos animais de infecção por *T. spiralis,* a resposta Th2 está associada a um aumento da contratilidade do intestino, que expele os vermes adultos do intestino e, subsequentemente, reduz o número de larvas nos músculos. Embora a resposta Th2 reduza indiretamente o número de larvas no músculo ao eliminar os adultos do intestino, ainda não foi esclarecido se a resposta inflamatória intramuscular, que é composta de células mononucleares e eosinófilos, é efetiva contra as larvas.

Morfologia

Durante a fase invasiva da triquinose, a destruição celular pode ser disseminada nas infecções maciças e pode ser letal. No coração, ocorre miocardite intersticial focal, caracterizada por numerosos eosinófilos e células gigantes dispersas. A miocardite pode levar à cicatrização. As larvas no coração não sofrem encistamento, e sua identificação é difícil, visto que elas morrem e desaparecem. Nos pulmões, as larvas sequestradas provocam edema e hemorragias focais, algumas vezes com infiltrado eosinofílico alérgico.

No SNC, as larvas causam infiltrado linfocítico e eosinofílico difuso, com gliose focal nos pequenos capilares do cérebro e ao redor deles.

T. spiralis sofre encistamento preferencial nos músculos esqueléticos estriados com maior suprimento sanguíneo, como o diafragma e os músculos extraoculares, laríngeos, deltoide, gastrocnêmio e intercostais (**Figura 8.54**). As larvas enroladas medem aproximadamente 1 mm de comprimento e são circundadas por vacúolos intracelulares delimitados por membrana, os quais, por sua vez, são circundados por novos vasos sanguíneos e um infiltrado celular mononuclear rico em eosinófilos. Esse infiltrado é maior ao redor dos parasitas moribundos, os quais finalmente calcificam e deixam cicatrizes que são características o suficiente para sugerir o diagnóstico de triquinose.

Esquistossomose

De acordo com as estimativas, a esquistossomose infecta cerca de 230 milhões de pessoas e mata mais de 200 mil indivíduos por ano. Os órgãos afetados e, portanto, o local da doença principal variam de acordo com as espécies. *Schistosoma mansoni* e *S. japonicum* afetam predominantemente o fígado e o intestino. A maioria das mortes deve-se à cirrose hepática, que é causada por *S. mansoni* na América Latina, África e Oriente Médio e por *S. japonicum* e *S. mekongi* no leste da Ásia. Por outro lado, *S. haematobium*, encontrado na África, causa inflamação granulomatosa crônica da bexiga, que pode levar a hematúria, uropatia obstrutiva e carcinoma. Os trematódeos *Schistosoma* precisam passar por caramujos de água doce, que vivem em rios tropicais de água de movimento lento, lagos e valas de irrigação, ligando ironicamente o desenvolvimento da agricultura à disseminação da doença. Nos seres humanos, a esquistossomose aguda pode ser uma doença febril grave, com pico cerca de 2 meses após a infecção. A fibrose hepática grave é uma manifestação grave da esquistossomose crônica.

Patogênese

Grande parte da patologia da esquistossomose é causada pelas reações inflamatórias do hospedeiro aos diferentes estágios do parasita. O ciclo de vida do *Schistosoma* envolve a infecção sequencial de vários tecidos humanos, cada um deles associado a respostas inflamatórias do hospedeiro. Após sua liberação dos caramujos, as larvas ciliadas, denominadas miracídeos, amadurecem em larvas infecciosas (cercarias) que nadam na água doce e penetram na pele humana com a ajuda de poderosas enzimas proteolíticas que degradam a camada queratinizada. A reação cutânea é mínima. Os esquistossomos migram através da pele e alcançam os vasos sanguíneos periféricos e linfáticos, seguem seu trajeto até os pulmões e o coração, a partir do qual são disseminados amplamente, incluindo as circulações mesentérica, esplâncnica e portal, alcançando por fim os vasos hepáticos, onde amadurecem (*S. mansoni* e *S. japonicum*). Os vermes machos-fêmeas maduros em pares migram então mais uma vez e se estabelecem no sistema venoso (comumente as veias porta ou pélvica). As fêmeas produzem centenas a milhares de ovos por dia, que secretam proteases e induzem reações inflamatórias localizadas. Essa resposta inflamatória à migração dos ovos é necessária para a transferência passiva através do intestino e, no caso do *S. haematobium*, das paredes da bexiga, permitindo a eliminação dos ovos nas fezes ou na urina, respectivamente. A infecção dos caramujos de água doce completa o ciclo de vida.

Os ovos que são transportados pela circulação portal para dentro do parênquima hepático podem causar inflamação crônica grave no fígado. Essa resposta imune aos ovos de *S. mansoni* e *S. japonicum* é responsável pela complicação mais grave da esquistossomose, a fibrose hepática. A resposta das células T auxiliares no estágio inicial é dominado pelas células Th1, que produzem IFN-γ, que estimula os macrófagos a secretar altos níveis das citocinas TNF-α, IL-1 e IL-6, que causam febre. A esquistossomose crônica está associada a uma resposta dominante das células Th2, associada à presença de macrófagos ativados. Ambos os tipos de células T auxiliares contribuem para a formação de granulomas ao redor dos ovos no fígado. A fibrose hepática é uma manifestação grave da esquistossomose crônica, em que as células Th2 e os macrófagos ativados podem desempenhar o papel principal.

Morfologia

Nas infecções iniciais por *S. mansoni* ou *S. japonicum*, são observados granulomas brancos do tamanho de uma cabeça de alfinete dispersos por todo o intestino e o fígado. No centro do granuloma, encontra-se o ovo do esquistossoma, que contém um miracídeo; este degenera e calcifica. Os granulomas são compostos de macrófagos, linfócitos, neutrófilos e eosinófilos, que são característicos das infecções por helmintos (**Figura 8.55**). O fígado é escurecido por pigmentos derivados do heme regurgitados do intestino do esquistossoma, os quais, à semelhança dos pigmentos da malária, são livres de ferro e acumulam-se nas células de Kupffer e nos macrófagos esplênicos.

Nas infecções tardias por *S. mansoni* ou *S. japonicum*, pode haver formação de placas ou pseudopólipos inflamatórios no cólon. A superfície do fígado é irregular, e as superfícies de corte revelam granulomas e fibrose disseminada e aumento portal sem nódulos regenerativos intervenientes. Como esses tratos fibrosos assemelham-se à haste de um cachimbo de barro, a lesão é denominada **fibrose em haste de cachimbo** (**Figura 8.56**). Com frequência, a fibrose oblitera ramos da veia porta, levando a hipertensão portal, esplenomegalia congestiva grave, varizes esofágicas e ascite. Os ovos de esquistossoma, deslocados para

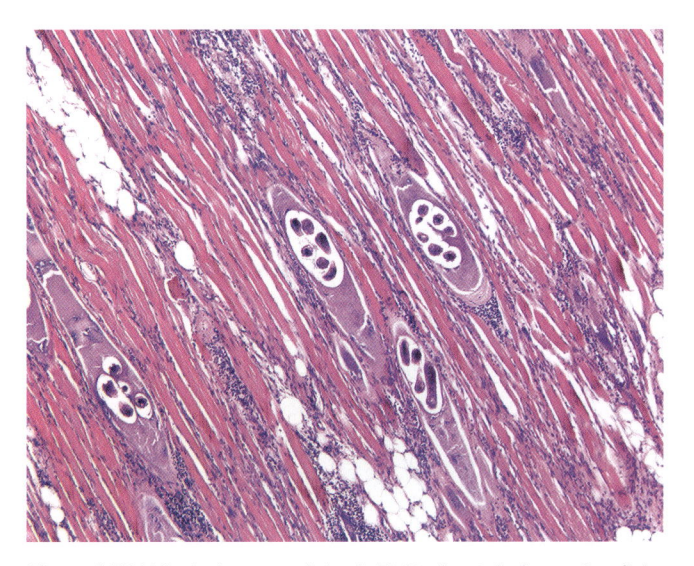

Figura 8.54 Múltiplas larvas enroladas de *Trichinella spiralis* dentro das células musculares esqueléticas.

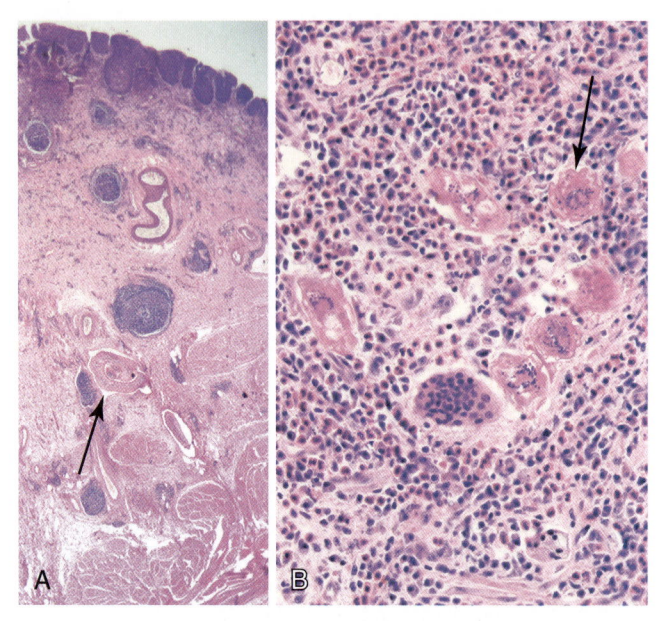

Figura 8.55 Infecção da bexiga pelo *Schistosoma haematobium* (**A**) mostrando a fibrose densa, os granulomas dispersos e um corte transversal de vermes adultos em um vaso (*seta*). O grande aumento (**B**) mostra os ovos com miracídeos (*seta*), eosinófilos proeminentes, histiócitos e células gigantes.

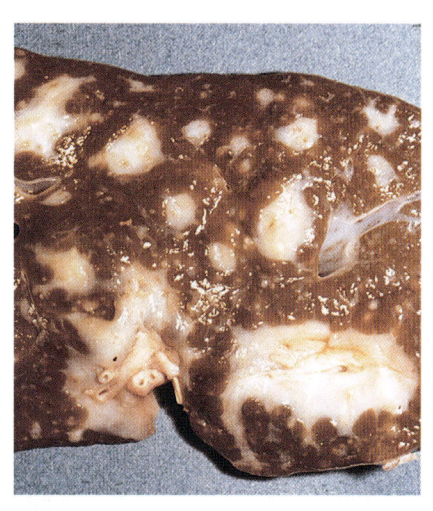

Figura 8.56 Fibrose em haste de cachimbo do fígado, devido à infecção crônica por *Schistosoma japonicum*.

o pulmão por meio de colaterais portais, podem provocar arterite pulmonar granulomatosa, com hiperplasia da íntima, obstrução arterial progressiva e, por fim, insuficiência cardíaca (*cor pulmonale*). Ao exame histológico, as artérias nos pulmões revelam ruptura da camada elástica por granulomas e cicatrizes, trombos luminais em organização e lesões angiomatoides semelhantes àquelas da hipertensão pulmonar idiopática (ver **Capítulo 15**). Os pacientes com esquistossomose hepatoesplênica também apresentam aumento na frequência de glomerulopatia mesangioproliferativa ou membranosa (ver **Capítulo 20**), em que os glomérulos contêm depósitos de imunoglobulina e complemento, porém raramente antígenos de esquistossoma.

Na infecção causada por *S. haematobium*, observa-se o aparecimento inicial de cistite inflamatória, devido à deposição maciça de ovos e granulomas, levando a erosões da mucosa e à hematúria. Mais tarde, os granulomas calcificam e adquirem uma aparência arenosa que, se for intensa, pode revestir a parede da bexiga e causar uma faixa concêntrica densa (bexiga calcificada) nas radiografias. A complicação mais frequente da infecção por *S. haematobium* é a inflamação e fibrose das paredes ureterais, levando à obstrução, hidronefrose e pielonefrite crônica. Há também uma associação entre a esquistossomose urinária e o carcinoma de células escamosas da bexiga (ver **Capítulo 21**).

Filariose linfática

A filariose linfática é transmitida por mosquitos e causada por nematódeos estreitamente relacionados, *Wuchereria bancrofti* e *Brugia* spp. (*B. malayi* [90%] ou *B. timori* [10%]), que são responsáveis por 120 milhões de infecções em todo o mundo. Nas áreas endêmicas, que incluem partes da América Latina, África Subsaariana e Sudeste Asiático, a filariose provoca um espectro de doenças:

- Microfilaremia assintomática
- Linfadenite recorrente
- Linfadenite crônica com edema do membro ou do escroto (elefantíase)
- Eosinofilia pulmonar tropical.

Patogênese

As larvas infecciosas, que são liberadas pelos mosquitos nos tecidos durante a ingestão de sangue, desenvolvem-se nos vasos linfáticos em adultos machos e fêmeas, que se acasalam e liberam microfilárias que entram na corrente sanguínea. Quando picam indivíduos infectados, os mosquitos adquirem as microfilárias e podem transmitir a doença. Os genomas de *Wuchereria bancrofti* e *B. malayi* foram sequenciados, levando à descoberta de algumas moléculas das filárias que podem contribuir para a invasão do hospedeiro e permitir que esses organismos escapem das defesas imunes ou as inibam:

- *Elastases e proteases semelhantes à tripsina*, que facilitam a invasão dos tecidos do hospedeiro
- *Várias glicoproteínas de superfície* com função antioxidante, que podem proteger o parasita das espécies reativas de oxigênio
- *Homólogos das cistatinas* (inibidores da cisteína protease), que podem comprometer a via de processamento de antígenos do MHC de classe II
- *Serpinas* (inibidores da serina protease), que podem inibir proteases dos neutrófilos, que são mediadores inflamatórios de importância crítica
- *Homólogos de moléculas do hospedeiro*, como o TGF-β e o fator de inibição da migração dos macrófagos, que podem reduzir a resposta imune.

Além disso, as bactérias simbióticas *Wolbachia* infectam as filárias e podem contribuir para a patogênese da doença. As espécies de *Wolbachia* são necessárias para o desenvolvimento e a reprodução dos nematódeos, e os antibióticos que erradicam *Wolbachia* spp. comprometem a sobrevivência e a fertilidade dos nematódeos.

As respostas imunes às filárias produzem dano ao hospedeiro humano. Como no caso da hanseníase e da leishmaniose, algumas das manifestações diferentes da doença causada por filárias linfáticas provavelmente estão relacionadas com variações nas respostas das células T do hospedeiro aos parasitas. Na filariose linfática crônica, o dano aos linfáticos é causado diretamente pelos parasitas adultos e por uma resposta imune mediada pelas células Th1, que estimula a formação de granulomas ao redor dos parasitas adultos. Acredita-se que a hipersensibilidade às microfilárias nos pulmões esteja associada à eosinofilia pulmonar tropical. A IgE e os eosinófilos podem ser estimulados pela IL-4 e IL-5, respectivamente, que são secretadas por células T auxiliares Th2 específicas para filárias.

> ### Morfologia
>
> A filariose crônica caracteriza-se por **linfedema persistente** dos membros, do escroto, do pênis ou da vulva (**Figura 8.57**). Com frequência, há hidrocele e aumento dos linfonodos. Nas infecções graves e de longa duração, pode haver exsudação quilosa do escroto aumentado, ou uma perna cronicamente edemaciada pode sofrer fibrose subcutânea firme e hiperqueratose epitelial, uma condição denominada **elefantíase**. A pele elefantoide exibe dilatação dos linfáticos dérmicos, infiltrados linfocíticos disseminados e depósitos focais de colesterol; a epiderme torna-se espessada e hiperceratótica. As filárias adultas – vivas, mortas ou calcificadas – estão presentes nos linfáticos ou nos linfonodos de drenagem, circundadas por (1) inflamação leve ou nenhuma inflamação, (2) eosinofilia intensa com hemorragia e fibrina (funiculoepididimite por filária recorrente) ou (3) granulomas. Com o passar do tempo, os vasos linfáticos dilatados desenvolvem dobras polipoides. Nos testículos, o líquido da hidrocele, que frequentemente contém cristais de colesterol, eritrócitos e hemossiderina, induz espessamento e calcificação da túnica vaginal.
>
> O comprometimento pulmonar pelas microfilárias caracteriza-se por eosinofilia causada pelas respostas das células Th2 e produção de citocinas (eosinofilia tropical) ou pelas microfilárias mortas circundadas por precipitados eosinofílicos hialinos e estrelados inseridos em pequenos granulomas epitelioides (corpos de Meyers-Kouwenaar). Normalmente, esses pacientes não apresentam outras manifestações de doença por filárias.

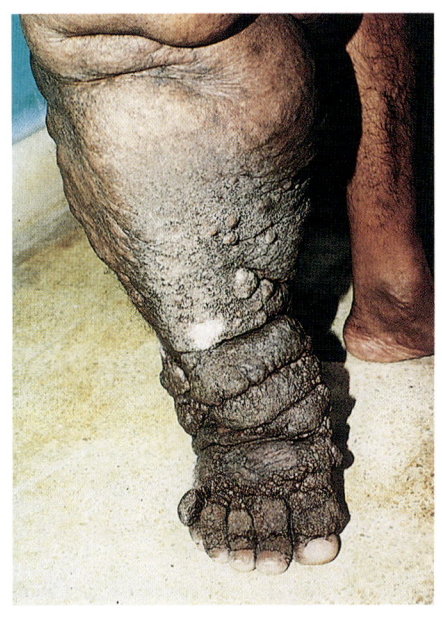

Figura 8.57 Edema maciço e elefantíase causados por filariose da perna. (Cortesia do Dr. Willy Piessens, Harvard School of Public Health, Boston, Mass.)

Oncocercose

***Onchocerca volvulus* é um nematódeo que constitui a principal causa de cegueira evitável na África Subsaariana.** Essa filária é transmitida por borrachudos e afeta 17 milhões de pessoas na África, na América do Sul e no Iêmen. Uma campanha agressiva de tratamento com ivermectina reduziu dramaticamente a incidência das infecções por *Onchocerca* spp. na África e na América do Sul. A OMS declarou a eliminação da oncocercose na Colômbia, no Equador, no México e na Guatemala. Como o hábitat do vetor é próximo a águas de movimento rápido, há uma maior incidência da doença humana perto de rios, o que explica o nome *cegueira dos rios* dado a essa doença.

A doença atribuída à oncocercose deve-se sobretudo à inflamação induzida pelas microfilárias. Os parasitas adultos de *O. volvulus* acasalam-se na derme, onde são circundados por um infiltrado misto de células do hospedeiro, que produz um nódulo subcutâneo característico (*oncocercoma*). As fêmeas inseminadas produzem microfilárias, que se acumulam na pele e se disseminam para as câmaras do olho. A ivermectina mata apenas os vermes imaturos, e não os vermes adultos, de modo que os parasitas podem repovoar o hospedeiro, exigindo a repetição do tratamento a cada 3 a 6 meses até o desaparecimento dos sintomas.

> ### Morfologia
>
> A *O. volvulus* provoca dermatite crônica pruriginosa, com escurecimento focal ou perda de pigmento e descamação, referida como pele de leopardo, lagarto ou elefante. Focos de atrofia epidérmica e degradação das fibras elásticas podem alternar com áreas de hiperqueratose, hiperpigmentação com incontinência pigmentar, atrofia dérmica e fibrose. O oncocercoma subcutâneo é composto de uma cápsula fibrosa que circunda os vermes adultos e um infiltrado inflamatório crônico misto, que inclui fibrina, neutrófilos, eosinófilos, linfócitos e células gigantes (**Figura 8.58**). As lesões oculares progressivas começam com ceratite punctata e pequenas opacidades macias da córnea causadas pelas microfilárias em degeneração, que provocam um infiltrado eosinofílico. Isso é seguido de ceratite esclerosante, que opacifica a córnea, começando no limbo da esclera. A ceratite é algumas vezes acentuada pelo tratamento com fármacos antifilárias (reação de Mazzotti). As microfilárias na câmara anterior causam inflamação da câmara anterior do olho e corpo ciliar (iridociclite) e glaucoma, enquanto o comprometimento da coroide e da retina resulta em atrofia e perda da visão.

Infecções sexualmente transmissíveis

Uma variedade de organismos pode ser transmitida por meio de contato sexual (**Tabela 8.7**). Os grupos com maior risco de IST incluem adolescentes, homens que fazem sexo com homens e indivíduos que utilizam substâncias ilegais por via parenteral. Embora o aumento do risco entre esses grupos seja parcialmente devido a práticas sexuais não seguras, o acesso limitado aos cuidados de saúde constitui, com frequência, um fator contribuinte. A presença de IST em uma criança, a não ser que tenha sido adquirido por ocasião do nascimento, sugere fortemente abuso sexual.

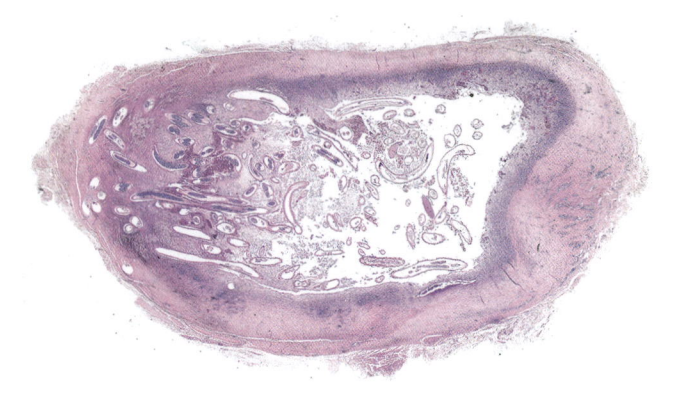

Figura 8.58 Fêmea grávida de *Onchocerca volvulus* repleta de microfilárias em um nódulo fibroso subcutâneo.

- As ISTs podem se estabelecer localmente e, em seguida, disseminar-se a partir da uretra, vagina, colo do útero, reto e orofaringe. Os organismos que causam IST dependem do contato direto de uma pessoa com outra para se disseminar, visto que esses patógenos não sobrevivem no ambiente. Com frequência, a transmissão de IST ocorre a partir de pessoas assintomáticas que não sabem que apresentam uma infecção
- *A infecção por um organismo associado à IST aumenta o risco de outras ISTs.* Isso se deve, sobretudo, ao fato de que os fatores de risco são os mesmos para todas as ISTs. Além disso, a lesão epitelial causada por *N. gonorrhoeae* ou por *C. trachomatis* pode aumentar o risco de coinfecção pelo outro, bem como o risco de infecção pelo HIV se houver exposição concomitante
- *Os microrganismos que causam IST podem ser disseminados de uma mulher grávida para o feto e podem causar dano ao feto ou à criança.* A *C. trachomatis* adquirida no período perinatal provoca conjuntivite, e a infecção neonatal pelo HSV tem muito mais tendência a causar doença visceral e do SNC do que a infecção adquirida posteriormente durante a vida. A sífilis causa, com frequência, aborto. A infecção pelo HIV não tratada pode ser fatal em crianças com infecção pré-natal ou perinatal pelo vírus. O diagnóstico de IST em mulheres grávidas é de importância crítica, visto que a transmissão intrauterina ou neonatal de IST frequentemente pode ser prevenida por meio de tratamento da mãe ou do recém-nascido. O tratamento antirretroviral de mulheres grávidas com infecção pelo HIV e seus recém-nascidos pode reduzir a transmissão do HIV para os filhos de 25% para menos de 1%.

Alguns patógenos, como *Chlamydia trachomatis* e *N. gonorrhoeae*, quase sempre são disseminados por meio de relação sexual, ao passo que outros, como *Shigella* spp. e *E. histolytica*, normalmente são propagados por outros meios, mas também, em certas ocasiões, por sexo oral-anal. Para reduzir a disseminação das ISTs, essas infecções são frequentemente notificadas às autoridades de saúde pública, de modo que as pessoas que tiveram contato íntimo com o paciente possam ser testadas e tratadas.

Embora os vários patógenos que causam IST exibam diferenças em muitos aspectos, devem-se assinalar algumas características gerais:

Tabela 8.7 Classificação das infecções sexualmente transmissíveis importantes.

Patógenos	Doença ou síndrome e população principalmente afetada		
	Homens	Mulheres	Ambos
Vírus			
Herpes-vírus simples			Herpes primário e recorrente, herpes neonatal
Vírus da hepatite B			Hepatite
Papilomavírus humano	Câncer de pênis	Displasia e câncer do colo do útero, câncer vulvar	Condiloma acuminado
Vírus da imunodeficiência humana			Síndrome da imunodeficiência adquirida
Clamídias			
Chlamydia trachomatis	Uretrite, epididimite, proctite	Síndrome uretral, cervicite, bartolinite, salpingite e sequelas	Linfogranuloma venéreo
Micoplasmas			
Ureaplasma urealyticum	Uretrite		
Bactérias			
Neisseria gonorrhoeae	Epididimite, prostatite, estenose uretral	Cervicite, endometrite, bartolinite, salpingite e sequelas (infertilidade, gravidez ectópica, salpingite recorrente)	Uretrite, proctite, faringite, infecção gonocócica disseminada
Treponema pallidum			Sífilis
Haemophilus ducreyi			Cancroide
Klebsiella granulomatis			Granuloma inguinal (donovanose)
Protozoários			
Trichomonas vaginalis	Uretrite, balanite	Vaginite	

A sífilis foi discutida anteriormente neste capítulo, e outras ISTs são descritas nos **Capítulos 21 e 22**.

Doenças infecciosas emergentes

A rápida expansão da população humana justaposta a infrações do meio ambiente permite a emergência de novos patógenos e o ressurgimento de antigos agentes infecciosos. A Tabela 8.8 fornece uma lista da história de doenças que surgiram na segunda metade do século passado. As causas infecciosas de algumas doenças não eram novas, porém previamente não reconhecidas, visto que alguns dos agentes infecciosos são difíceis de cultivar; os exemplos incluem a gastrite por *H. pylori*, o HBV e HCV e a *Legionella pneumophila*. Alguns agentes infecciosos são novos para os seres humanos, como o HIV causador da AIDS e *B. burgdorferi* que causa doença de Lyme. Outras infecções tornaram-se muito mais comuns, devido à imunossupressão pela AIDS ou pela terapia imunossupressora (p. ex., CMV, KSHV, *M. avium intracellulare*, *P. jirovecii* e *Cryptosporidium parvum*). Por fim, as doenças infecciosas que são comuns em uma área podem ser introduzidas em uma nova área. Por exemplo, o vírus do Nilo Ocidental era comum na Europa, na Ásia e na África durante anos antes de ter sido descrito pela primeira vez nos EUA.

A demografia e o comportamento humanos são importantes fatores que contribuem para o padrão de emergência de doenças infecciosas, como a AIDS na África *versus* a AIDS nos EUA. Ocorreram surtos anuais de infecção pelo vírus Nipah em Bangladesh, devido ao consumo de seiva de tamareira. Acredita-se que os morcegos, que eliminam o vírus na saliva e na urina, contaminem a seiva ao alimentar-se dela enquanto é coletada da árvore. O vírus Nipah também pode ser transmitido por contato de uma pessoa com outra pessoa e por transmissão de porcos para pessoas. As mudanças no meio ambiente, em certas ocasiões, impulsionam as taxas de doenças infecciosas. O reflorestamento do leste dos EUA levou a um aumento maciço nas populações de cervos e camundongos, que transportam os carrapatos que transmitem a doença de Lyme, a babesiose e a erliquiose. A incapacidade do DDT de controlar os mosquitos que transmitem a malária e o desenvolvimento de parasitas resistentes a fármacos aumentaram dramaticamente a morbidade e a mortalidade da infecção pelo *Plasmodium falciparum* na Ásia, na África e na América Latina. A adaptação microbiana ao uso generalizado de antibióticos contribuiu para a emergência de resistência a fármacos em diversas espécies de bactérias, como *M. tuberculosis*, *N. gonorrhoeae*, *S. aureus* e *K. pneumoniae*. O uso comercial de populações densas de animais domésticos (p. ex., porcos e galinhas) pelos seres humanos, justaposto à destruição do hábitat de outros reservatórios de doença (p. ex., morcegos e aves selvagens), pode levar à aquisição de características únicas em patógenos comuns, como o vírus influenza, ou à emergência de vírus únicos, como o vírus da síndrome respiratória aguda grave (SARS), o vírus do Nilo Ocidental e o vírus Ebola. Como esses patógenos são novos, os seres humanos carecem de imunidade, de modo que essas infecções podem se propagar rapidamente pela população como pandemias, conforme observado com o vírus influenza A H1N1, em 2009. Causas de doenças infecciosas emergentes mais recentes discutidas neste capítulo incluem o vírus Ebola, vírus Zika, covid-19, *C. auris* e algumas espécies de *Babesia*.

Tabela 8.8 Doenças que emergiram ou ressurgiram nos últimos 45 anos.

Data de reconhecimento	Agente infeccioso	Manifestações
1977	Vírus Ebola	Febre hemorrágica epidêmica do Ebola
	Vírus Hanta	Febre hemorrágica com síndrome renal
	Legionella pneumophila	Doença dos legionários
	Campylobacter jejuni	Enterite
1980	Vírus linfotrópico T humano-1 (HTLV-1)	Linfoma ou leucemia de células T, mielopatia associada ao HTLV
1981	*Staphylococcus aureus*	Síndrome do choque tóxico
1982	*Escherichia coli* O157:H7	Colite hemorrágica, síndrome hemolítico-urêmica
	Borrelia burgdorferi	Doença de Lyme
1983	Vírus da imunodeficiência humana (HIV)	AIDS
	Helicobacter pylori	Úlceras gástricas
1988	Hepatite E	Hepatite de transmissão entérica
1989	Hepatite C	Hepatite C
1992	*Vibrio cholerae* O139	Nova cepa de cólera epidêmica
	Bartonella henselae	Doença da arranhadura do gato
1995	Vírus associado ao sarcoma de Kaposi (HHV-8)	Sarcoma de Kaposi na AIDS
1999	Vírus do Nilo Ocidental	Febre do Nilo Ocidental, doença neuroinvasiva
2003	Coronavírus da síndrome respiratória aguda grave (SARS)	SARS
2007	Vírus Zika	Febre, exantema, síndrome de Guillain-Barré
		Perda fetal, microcefalia, complicações neurológicas em recém-nascidos
2014	Vírus Ebola	Febre, exantema, hemorragia, insuficiência múltipla de órgãos
2016	*Candida auris*	Candidemia, infecções de ferida e orelha resistentes a múltiplos agentes antifúngicos
2019	Covid-19	Febre, tosse, dispneia, pneumonia

Agentes de bioterrorismo. O bioterrorismo refere-se ao uso de agentes biológicos ou químicos como armas, e os microrganismos são classificados com base em uma avaliação daqueles que representam maior perigo. O CDC classifica os agentes potenciais de bioterrorismo com base no risco que eles apresentam e a possibilidade de sua fácil disseminação:

- Os agentes de categoria A representam o maior risco e podem ser prontamente disseminados ou transmitidos de pessoa para pessoa, podem causar alta mortalidade, provocar pânico no público e exigir prontidão das entidades de saúde pública. Por exemplo, a varíola é um agente de categoria A, em virtude de sua alta transmissibilidade, taxa de mortalidade de casos de 30% ou mais e falta de terapia antiviral efetiva. Como a vacinação nos EUA terminou em 1972, e a imunidade declinou, a população é altamente suscetível à varíola. A preocupação de que a varíola possa ser utilizada para bioterrorismo levou a um retorno da vacinação em grupos selecionados. Outros agentes de categoria A incluem *B. anthracis*, *Yersinia pestis* e vírus Ebola
- Os agentes de categoria B são relativamente fáceis de serem disseminados, produzem morbidade moderada, porém baixa mortalidade, e exigem diagnóstico específico e vigilância da doença. Muitos desses agentes são transmitidos pelos alimentos ou pela água. Os exemplos incluem *Brucella* spp. e *V. cholerae*
- Os agentes de categoria C incluem patógenos emergentes que poderiam ser submetidos a engenharia para disseminação em massa, devido a sua disponibilidade, facilidade de produção e disseminação, potencial de elevada morbidade e mortalidade e grande impacto na saúde. Os exemplos incluem Hantavírus e vírus Nipah.

Técnicas especiais para o diagnóstico de agentes infecciosos

Os padrões-ouro para o diagnóstico de infecções incluem a identificação por cultura, sorologia e técnicas moleculares, dependendo do organismo em questão. Alguns agentes infecciosos ou seus produtos podem ser diretamente observados em cortes corados pela hematoxilina e eosina (p. ex., os corpos de inclusão formados pelo CMV e a HSV; agrupamentos bacterianos, que costumam se corar de azul). Entretanto, muitos agentes infecciosos são mais bem visualizados com o uso de corantes especiais, que identificam os organismos com base nas características particulares de sua parede celular ou envoltório ou pela coloração com anticorpos específicos (**Tabela 8.9**). Normalmente, os organismos são mais fáceis de identificar na borda de uma lesão, em vez de seu centro, em particular se houver necrose. As infecções agudas podem ser diagnosticadas por sorologia, com detecção de anticorpos específicos contra o patógeno no soro. A presença de anticorpos IgM específicos logo após o início dos sintomas é diagnóstica. Como alternativa, os títulos de anticorpos específicos podem ser medidos no início da infecção aguda e novamente dentro de 4 a 6 semanas; uma elevação de quatro vezes nos títulos é considerada diagnóstica.

Os testes de amplificação de ácido nucleico, como a PCR e a amplificação mediada por transcrição, são comuns para a rápida identificação de microrganismos. Esses ensaios de diagnóstico molecular tornaram-se rotineiros para o diagnóstico de gonorreia, infecção por clamídia, tuberculose e encefalite por herpes. Em alguns casos, os ensaios moleculares são muitos mais sensíveis do que os exames convencionais, por exemplo, para a detecção do HSV no LCR ou de *Chlamydia* na urina ou em *swabs* genitais. Painéis de PCR multiplex para a detecção de mais de 20 patógenos são agora utilizados clinicamente para a detecção de microrganismos em amostras de fezes, respiratórias e do líquido cefalorraquidiano, bem como caldos de hemocultura positivos. Em indivíduos infectados pelo HIV, HBV ou HCV, a quantificação do RNA viral fornece um importante guia para o manejo da TARV. Os métodos de sequenciamento de alto rendimento ou de última geração, mais frequentemente após PCR do gene do rDNA 16S para bactérias ou a região do espaçador interno transcrito do ribossomo para fungos, possibilitam o rápido sequenciamento de grandes números de moléculas de DNA. O sequenciamento de última geração pode ser utilizado para detectar bactérias, vírus, parasitas ou fungos diretamente em amostras de pacientes. Esse método atualmente conta com aplicação clínica limitada, porém é provável que se torne cada vez mais importante e comum no futuro.

Tabela 8.9 Técnicas especiais para o diagnóstico de agentes infecciosos.

Técnicas	Agentes infecciosos
Coloração de gram	A maioria das bactérias
Coloração álcool-acidorresistente	*Mycobacteria* spp., *Nocardia* spp. (modificada)
Corantes de prata	Fungos, *Legionella* spp., *Pneumocystis jirovecii*
Ácido periódico de Schiff	Fungos, amebas
Mucicarmim	*Cryptococcus* spp.
Giemsa	*Campylobacter* spp., *Leishmania* spp., parasitas da malária
Coloração com anticorpos	Todas as classes
Cultura	Todas as classes
Sondas de DNA	Todas as classes

LEITURA SUGERIDA

Princípios gerais de patogênese microbiana

Centers for Disease Control and Prevention: https://www.cdc.gov/. [*Página da internet extremamente útil mantida pelo principal centro de saúde pública dos Estados Unidos*].

Dutta D, Clevers H: Organoid culture systems to study host-pathogen interactions, *Curr Opin Immunol* 48:15, 2017. [*Boa introdução da utilidade dos organoides para estudos de patogênese* in vitro].

Lee PP, Lau YL: Cellular and molecular defects underlying invasive fungal infections-revelations from endemic mycoses, *Front Immunol* 8:735, 2017. [*Discute como defeitos imunológicos específicos fornecem a base para uma compreensão da interação hospedeiro-fungo durante a infecção*].

Santi-Rocca J, Blanchard N: Membrane trafficking and remodeling at the host-parasite interface, *Curr Opin Microbiol* 40:145, 2017. [*Revisão sobre como parasitas protistas alteram as membranas endossômicas para que possam crescer dentro das células hospedeiras*].

Wheeler ML, Limon JJ, Underhill DM: Immunity to commensal fungi: detente and disease, *Annu Rev Pathol* 12:359, 2017. [*Introdução muito útil sobre a microbiota fúngica e como estes organismos persistem dentro do hospedeiro*].

Virologia

Baseler L, Chertow DS, Johnson KM et al: The pathogenesis of Ebola virus disease, *Annu Rev Pathol* 12:387, 2017. [*Introdução abrangente ao Ebola, com uma discussão aprofundada da patogênese da infecção pelo vírus Ebola*].

Brown JC: Herpes simplex virus latency: the DNA repair-centered pathway, *Adv Virol* 2017:7028194, 2017. [*Resumo conciso do mecanismo de latência usado pelo HSV*].

Graham BS, Sullivan NJ: Emerging viral diseases from a vaccinology perspective: preparing for the next pandemic, *Nat Immunol* 19:20, 2018. [*Fornece uma visão geral dos desafios para o desenvolvimento de vacinas e as tecnologias emergentes para enfrentar esses desafios*].

Grose C, Buckingham EM, Carpenter JE et al: Varicella-zoster virus infectious cycle: ER stress, autophagic flux, and amphisome-mediated trafficking, *Pathogens* 5:2016. [*Bom resumo sobre o estresse celular e fluxo autofágico induzido pelo VZV durante a infecção*].

Musso D, Gubler DJ: Zika virus, *Clin Microbiol Rev* 29:487, 2016. [*Discussão abrangente e excelente sobre a infecção pelo vírus Zika*].

Taylor GS, Long HM, Brooks JM et al: The immunology of Epstein-Barr virus-induced disease, *Annu Rev Immunol* 33:787, 2015. [*Boa discussão sobre o EBV e a resposta imunológica do hospedeiro associada*].

Bacteriologia

Abel L, Fellay J, Haas DW et al: Genetics of human susceptibility to active and latent tuberculosis: present knowledge and future perspectives, *Lancet Infect Dis* 18:e64, 2018. [*Introduz nossa compreensão relativamente limitada da genética do hospedeiro subjacente à vulnerabilidade à tuberculose*].

Awuh JA, Flo TH: Molecular basis of mycobacterial survival in macrophages, *Cell Mol Life Sci* 74:1625–1648, 2017. [*Descreve os mecanismos pelos quais este patógeno intracelular evita a destruição dentro dos macrófagos*].

Dal Peraro M, van der Goot FG: Pore-forming toxins: ancient, but never really out of fashion, *Nat Rev Microbiol* 14:77, 2016. [*Resumo interessante sobre a estrutura das toxinas formadoras de poros e como elas se montam nas membranas do hospedeiro*].

Hinnebusch BJ, Jarrett CO, Bland DM: "Fleaing" the plague: adaptations of *Yersinia pestis* to its insect vector that lead to transmission, *Annu Rev Microbiol* 71:215, 2017. [*Excelente revisão da biologia de* Yersinia *e seu vetor*].

Hryckowian AJ, Pruss KM, Sonnenburg JL: The emerging metabolic view of *Clostridium difficile* pathogenesis, *Curr Opin Microbiol* 35:42, 2017. [*Apresentação concisa de um modelo de patogênese de C. difficile com foco no estado metabólico do intestino*].

Kilgore PE, Salim AM, Zervos MJ et al: Pertussis: microbiology, disease, treatment, and prevention, *Clin Microbiol Rev* 29:449, 2016. [*Revisão abrangente sobre* Bordetella pertussis *e a doença associada*].

Koh WJ: Nontuberculous Mycobacteria-Overview, *Microbiol Spectr* 5:2017. [*Fornece uma introdução à epidemiologia, manifestações e testagem diagnóstica para estas bactérias*].

Radolf JD, Deka RK, Anand A et al: *Treponema pallidum*, the syphilis spirochete: making a living as a stealth pathogen, *Nat Rev Microbiol* 14:744, 2016. [*Boa revisão da patogênese de* Treponema pallidum].

Radoshevich L, Cossart P: *Listeria monocytogenes*: towards a complete picture of its physiology and pathogenesis, *Nat Rev Microbiol* 16:32, 2018. [*Revisão excelente e abrangente da patogênese de* Listeria].

de Sousa JR, Sotto MN, Simoes Quaresma JA: Leprosy as a complex infection: breakdown of the Th1 and Th2 immune paradigm in the immunopathogenesis of the disease, *Front Immunol* 8:1635, 2017. [*Breve discussão sobre as respostas Th1 e Th2 a M. leprae*].

Thomer L, Schneewind O, Missiakas D: Pathogenesis of *Staphylococcus aureus* bloodstream infections, *Annu Rev Pathol* 11:343, 2016. [*Excelente revisão da patogênese da infecção por* Staphylococcus aureus].

Fungos

Alanio A, Desnos-Ollivier M, Garcia-Hermoso D et al: Investigating clinical issues by genotyping of medically important fungi: why and how?, *Clin Microbiol Rev* 30:671, 2017. [*Discussão sobre as mudanças dos métodos de classificação de fungos de importância médica*].

Hoving JC, Kolls JK: New advances in understanding the host immune response to *Pneumocystis*, *Curr Opin Microbiol* 40:65, 2017. [*Excelente revisão de como a compreensão da genética de* Pneumocystis *e do hospedeiro ilumina o entendimento da resposta do hospedeiro*].

Jeffery-Smith A, Taori SK, Schelenz S et al: *Candida auris*: a Review of the Literature, *Clin Microbiol Rev* 31:2018. [*Discussão excepcional e abrangente do nosso conhecimento atual deste patógeno emergente*].

May RC, Stone NR, Wiesner DL et al: *Cryptococcus*: from environmental saprophyte to global pathogen, *Nat Rev Microbiol* 14:106, 2016. [*Revisão abrangente da biologia da doença por* Cryptococcus].

Noble SM, Gianetti BA, Witchley JN: *Candida albicans* cell-type switching and functional plasticity in the mammalian host, *Nat Rev Microbiol* 15:96, 2017. [*Excelente revisão dos mecanismos de adaptabilidade usados por* Candida *para virulência*].

Perlin DS, Rautemaa-Richardson R, Alastruey-Izquierdo A: The global problem of antifungal resistance: prevalence, mechanisms, and management, *Lancet Infect Dis* 17:e383, 2017. [*Introdução valiosa da epidemiologia e dos mecanismos de resistência em fungos resistentes aos fármacos*].

van de Veerdonk FL, Gresnigt MS, Romani L et al: *Aspergillus fumigatus* morphology and dynamic host interactions, *Nat Rev Microbiol* 15:661, 2017. [*Introduz como* Aspergillus fumigatus *se adapta a diferentes ambientes e resiste ao killing pelo sistema imunológico do hospedeiro*].

Parasitologia

Buscher P, Cecchi G, Jamonneau V et al: Human African trypanosomiasis, *Lancet* 390:2397, 2017. [*Visão geral concisa da doença causada por tripanossomos*].

Coppens I: How Toxoplasma and malaria parasites defy first, then exploit host autophagic and endocytic pathways for growth, *Curr Opin Microbiol* 40:32, 2017. [*Discussão concisa da patogênese de patógenos intracelulares*].

Duncan SM, Jones NG, Mottram JC: Recent advances in *Leishmania* reverse genetics: manipulating a manipulative parasite, *Mol Biochem Parasitol* 216:30, 2017.

Grote A, Lustigman S, Ghedin E: Lessons from the genomes and transcriptomes of filarial nematodes, *Mol Biochem Parasitol* 215:23, 2017.

Ramirez-Toloza G, Ferreira A: *Trypanosoma cruzi* evades the complement system as an efficient strategy to survive in the mammalian host: the specific roles of host/parasite molecules and *Trypanosoma cruzi* calreticulin, *Front Microbiol* 8:1667, 2017. [*Revisão excelente e abrangente sobre a patogênese de* Listeria].

Wahlgren M, Goel S, Akhouri RR: Variant surface antigens of *Plasmodium falciparum* and their roles in severe malaria, *Nat Rev Microbiol* 15:479, 2017. [*Boa revisão sobre o mecanismo de variação antigênica de* Plasmodium spp].

CAPÍTULO 9

Doenças Ambientais e Nutricionais

SUMÁRIO DO CAPÍTULO

Efeitos das mudanças climáticas na saúde, 419
Toxicidade de agentes químicos e físicos, 421
Poluição ambiental, 422
  Poluição do ar, 422
  Poluição do ar externo, 422
  Poluição do ar em ambientes fechados, 424
  Metais como poluentes ambientais, 425
  Chumbo, 425
  Mercúrio, 427
  Arsênio, 427
  Cádmio, 427
Riscos à saúde ocupacional: exposições industriais e agrícolas, 428
  Efeitos do tabaco, 429
Efeitos do álcool, 432

Lesões por fármacos e drogas de abuso, 434
  Lesões por fármacos (reações adversas a medicamentos), 434
  Anticoagulantes, 435
  Terapia hormonal da menopausa, 436
  Contraceptivos orais, 436
  Paracetamol, 437
  Ácido acetilsalicílico, 437
  Lesões por agentes não terapêuticos (abuso de drogas ilícitas), 437
  Cocaína, 438
  Opioides e opiáceos, 438
  Anfetaminas e drogas ilícitas relacionadas, 439
  Maconha, 440
  Outras drogas ilícitas, 440
Lesões por agentes físicos, 441
  Trauma mecânico, 441
  Lesão térmica, 441

  Queimaduras térmicas, 441
  Hipertermia, 442
  Hipotermia, 442
  Lesão elétrica, 442
  Lesão produzida por radiação ionizante, 443
Doenças nutricionais, 447
  Insuficiência alimentar, 447
  Má nutrição aguda grave, 448
  Anorexia nervosa e bulimia, 450
  Deficiências de vitaminas, 450
  Vitamina A, 450
  Vitamina D, 453
  Vitamina C (ácido ascórbico), 456
  Obesidade, 457
  Consequências clínicas da obesidade, 462
  Obesidade e câncer, 462
  Dieta e câncer, 463
  Dieta e doenças sistêmicas, 464

Muitas doenças são causadas ou influenciadas por fatores ambientais. Definido de forma ampla, o termo *ambiente* abrange os vários lugares, internos, externos e ocupacionais, nos quais os seres humanos vivem e trabalham. Em cada um desses lugares, o ar que as pessoas respiram, os alimentos e a água que consomem e os agentes tóxicos aos quais estão expostas são os principais determinantes da saúde. Os fatores ambientais que influenciam nossa saúde dizem respeito ao comportamento individual ("ambiente pessoal") e incluem uso de tabaco, ingestão de álcool, consumo de drogas recreativas, dieta alimentar e similares, e ao ambiente externo (meio ambiente e local de trabalho). Em geral, em países com renda mais alta, o comportamento pessoal tem um efeito maior sobre a saúde do que o meio ambiente, mas novas ameaças relacionadas ao aquecimento global (descritas mais adiante) podem mudar essa equação.

O termo *doença ambiental* **se refere a condições causadas pela exposição a agentes químicos ou físicos no meio ambiente, local de trabalho e ambiente pessoal, incluindo doenças de origem nutricional.** A Organização Internacional do Trabalho estima que lesões e doenças relacionadas ao trabalho matem aproximadamente 2,3 milhões de pessoas por ano em todo o mundo (mais mortes do que as causadas por acidentes rodoviários e guerras combinados). Nos EUA, em 2018, foram registrados quase 3 milhões de lesões e doenças ocupacionais. As doenças relacionadas à má nutrição são ainda mais disseminadas. Em 2019, estimava-se que 795 milhões de pessoas estavam malnutridas – uma em cada nove pessoas em todo o mundo. As crianças são afetadas de forma desproporcional pela subnutrição, que é responsável por aproximadamente 50% da mortalidade infantil em todo o mundo. Estimar a carga de doenças na população em geral causadas por exposições não ocupacionais a agentes tóxicos é complicada pela diversidade de agentes e pelas dificuldades em determinar a extensão e a duração das exposições. Mas, sejam quais forem os números exatos, está claro que as doenças ambientais são as principais causas de deficiência e sofrimento e constituem um pesado ônus financeiro, especialmente em países em desenvolvimento.

Neste capítulo, consideramos primeiro o problema emergente dos efeitos das mudanças climáticas sobre a saúde. Em seguida, discutimos os mecanismos de toxicidade de agentes químicos e físicos, e abordamos distúrbios ambientais específicos, incluindo aqueles de origem nutricional.

Efeitos das mudanças climáticas na saúde

Sem ação imediata, a mudança climática deve se tornar a mais importante causa global de doenças ambientais no século 21 e além. As medições da temperatura global mostram que a Terra aqueceu significativamente desde o início do século 20 e, especialmente, desde meados da década de 1960. Temperaturas globais recordes tornaram-se comuns e os 5 anos de 2014 a 2018 foram os mais quentes desde 1880. Durante 2018, a temperatura global da superfície terrestre foi 1,1°C mais quente do que a média do século 20. As temperaturas médias globais dos oceanos também continuam a aumentar, com a temperatura média anual em 2018 sendo 0,66°C mais alta do que a média do século 20.

O aumento da temperatura atmosférica e oceânica levou a um alto número de efeitos que incluem mudanças na frequência de tempestades, secas e inundações, bem como perdas de gelo em grande escala na Groenlândia, na Antártica e na grande maioria das outras regiões glaciais da Terra, e também o drástico adelgaçamento ou desaparecimento do gelo marinho do Oceano Ártico. O derretimento do gelo glacial localizado em solo e a expansão térmica dos oceanos em aquecimento produziu aproximadamente 13 a 20 cm de aumento médio do nível do mar global desde 1900, e o nível do mar atualmente está subindo a uma taxa média global de 3,5 ± 0,4 mm/ano.

Embora os políticos discutam minúcias, entre os cientistas há uma aceitação geral de que a mudança climática é, em grande parte, causada pelo homem. O culpado é o aumento do nível atmosférico de gases de efeito estufa, em especial o dióxido de carbono (CO_2) liberado pela queima de combustíveis fósseis (**Figura 9.1A**), o ozônio (um importante poluente do ar, discutido mais tarde) e o metano. Esses gases, com o vapor d'água, produzem o chamado efeito estufa ao absorver a energia irradiada da superfície da Terra que, de outra forma, seria liberada no espaço. O nível médio anual de CO_2 atmosférico (cerca de 410 ppm) em 2019 foi mais alto do que em qualquer ponto em um período de aproximadamente 650 mil anos e, sem mudanças no comportamento humano, espera-se que aumente para 500 a 1.200 ppm até o final deste século – níveis nunca vivenciados em dezenas de milhões de anos. Este aumento decorre não apenas do aumento da produção de CO_2, mas também do desmatamento e da consequente diminuição na fixação de carbono pelas plantas. Dependendo do modelo computacional usado, há projeções que indicam que os níveis aumentados de gases de efeito estufa farão com que a temperatura global aumente de 2 a 5°C até o ano 2100 (**Figura 9.1B**).

As consequências das mudanças climáticas para a saúde dependerão de sua extensão, rapidez, gravidade e da capacidade da humanidade de mitigar os efeitos prejudiciais. A Organização Mundial da Saúde (OMS) estima que cerca de 250 mil mortes ocorreriam anualmente entre 2030 e 2050 como resultado das mudanças climáticas. Este número não inclui morbidade e interrupção dos serviços de saúde devido a mudanças extremas no clima. Mesmo na melhor das hipóteses, no entanto, espera-se que as mudanças climáticas tenham um grave impacto negativo na saúde humana, aumentando a incidência de uma série de doenças, incluindo as seguintes:

- *Doenças cardiovasculares, cerebrovasculares e respiratórias*, todas elas exacerbadas por ondas de calor e poluição do ar
- *Gastrenterites*, cólera e outras doenças infecciosas transmitidas por alimentos e água, causadas por contaminação como consequência de enchentes e interrupção do abastecimento de água potável e tratamento de esgoto após chuvas fortes e outros desastres ambientais
- *Doenças infecciosas transmitidas por vetores*, como malária e dengue, resultantes de mudanças no número de vetores e na distribuição geográfica relacionadas ao aumento das temperaturas,

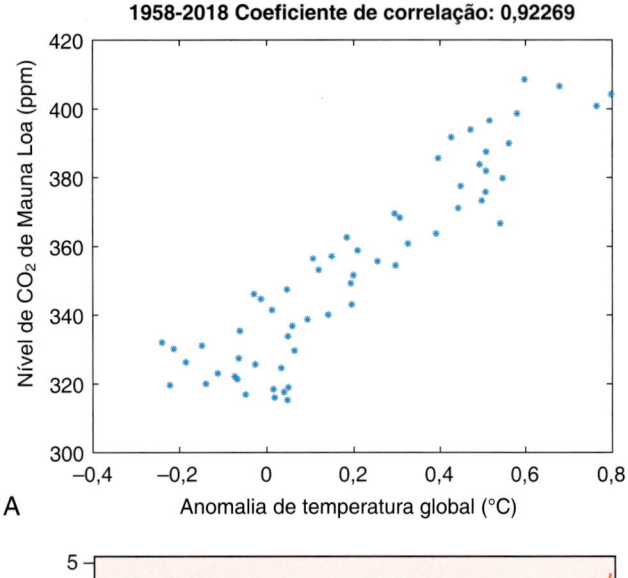

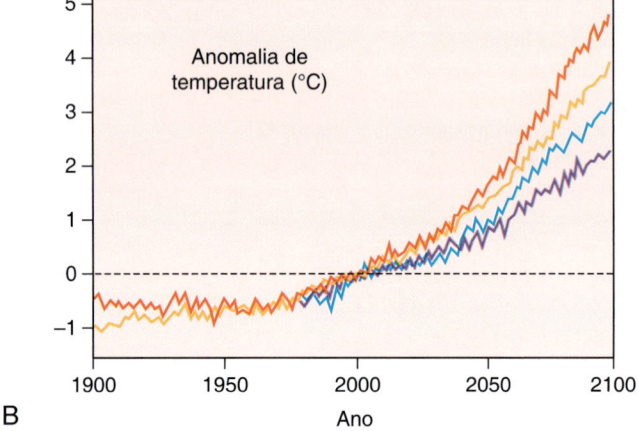

Figura 9.1 Mudanças climáticas, passado e futuro. **A.** Correlação dos níveis de dióxido de carbono (CO_2) medidos no observatório Mauna Loa no Havaí com as tendências médias da temperatura global dos últimos 60 anos. A temperatura global em um determinado ano foi deduzida no Hadley Centre (Reino Unido) a partir de medições feitas em mais de 3 mil estações meteorológicas localizadas ao redor do globo. **B.** Aumentos de temperatura previstos durante o século 21. Diferentes modelos computacionais representam aumentos previstos de 2 a 5°C nas temperaturas globais até o ano 2100. (**A,** Cortesia do Dr. Richard Aster, Department of Geophysics, Colorado State University, Fort Collins, Colo.)

perda de coletas e variações climáticas mais extremas (p. ex., eventos El Niño mais frequentes e graves)
- *Má nutrição*, causada por mudanças no clima local que prejudicam a produção agrícola. Prevê-se que tais mudanças sejam mais graves em locais tropicais, nos quais as temperaturas médias já podem estar próximas ou acima dos níveis de tolerância de determinada plantação; estima-se que, em 2080, a produtividade agrícola pode diminuir em 10 a 25% em alguns países em desenvolvimento, como consequência das mudanças climáticas.

Além desses efeitos específicos causados por doenças, estima-se que o derretimento do gelo glacial, particularmente na Groenlândia e em outras partes do Hemisfério Norte, combinado com a expansão térmica dos oceanos em aquecimento, aumentará o nível do mar em 0,6 a 1,82 m até 2100. Aproximadamente 10% da população mundial – cerca de 600 milhões de pessoas – vive em áreas baixas que correm o risco de inundações, mesmo que o aumento do nível do mar esteja no limite inferior dessas estimativas. Por exemplo, um aumento de 0,45 m no nível do mar submergirá 70% da massa de terra das ilhas Maldivas, enquanto um aumento de 0,9 m inundará 100% de todas as ilhas, mudanças no nível do mar que devem ocorrer em 2100. O deslocamento de pessoas resultante dessas mudanças perturbará vidas e o comércio, criando condições propícias para agitação política, guerra e pobreza – os "vetores" da má nutrição, doença e morte.

O reconhecimento mundial dos efeitos potencialmente catastróficos das mudanças climáticas levou, no final de 2015, a uma reunião histórica de 196 países em Paris, França, na qual os países participantes concordaram com o seguinte objetivo: manter o aumento da temperatura média global bem abaixo de 2°C acima dos níveis pré-industriais e promover esforços para limitar o aumento da temperatura a 1,5°C acima dos níveis pré-industriais, reconhecendo que isso reduziria de forma significativa os riscos e impactos das mudanças climáticas. No entanto, em 2017, os EUA decidiram se retirar desse acordo a partir de 2020, gerando incertezas sobre a capacidade do mundo de cumprir as metas estabelecidas no acordo de Paris.

Toxicidade de agentes químicos e físicos

A *toxicologia* é definida como a ciência dos venenos. Ela estuda a distribuição, os efeitos e os mecanismos de ação de agentes tóxicos. De forma mais ampla, também inclui o estudo dos efeitos de agentes físicos, como radiação e calor. Dos cerca de 100 mil produtos químicos em uso comercial nos EUA, apenas uma pequena proporção foi testada experimentalmente quanto aos seus efeitos na saúde. Várias agências nos EUA definem níveis permitidos de exposição a riscos ambientais conhecidos (p. ex., o nível máximo de monóxido de carbono [CO] no ar que não é prejudicial ou os níveis toleráveis de radiação que são "seguros"). Fatores como a complexa interação entre vários poluentes e a idade, a predisposição genética e diferentes sensibilidades dos tecidos de pessoas expostas criam grandes variações na sensibilidade individual a agentes tóxicos, limitando a eficácia do estabelecimento desses "níveis seguros" para populações inteiras. No entanto, esses pontos de corte são úteis para estudos comparativos dos efeitos dos agentes entre populações específicas e para estimar o risco de doença em indivíduos altamente expostos.

Consideramos, a seguir, alguns princípios básicos relevantes para os efeitos de produtos químicos tóxicos e drogas ilícitas:

- A *definição de veneno* não é simples. É basicamente um conceito quantitativo, dependente da dosagem. A citação de Paracelso no século 16 de que "todas as substâncias são venenos; a dose certa diferencia um veneno de um remédio" ainda é válida hoje, dada a quantidade de substâncias farmacêuticas com efeitos potencialmente nocivos
- Os *xenobióticos* são substâncias químicas exógenas no ambiente, presentes no ar, na água, nos alimentos e no solo e que podem ser absorvidos pelo corpo por inalação, ingestão e contato com a pele (**Figura 9.2**)
- Os produtos químicos podem ser excretados na urina ou nas fezes; eliminado no ar expirado; ou se acumulam nos ossos, tecido adiposo, cérebro ou outros tecidos
- Os produtos químicos podem atuar no local de entrada ou em outros locais após o transporte pelo sangue
- *A maioria dos solventes e medicamentos são lipofílicos*, o que facilita seu transporte no sangue pelas lipoproteínas e sua penetração através da membrana plasmática para as células
- A maioria dos solventes, medicamentos e xenobióticos são metabolizados de modo a formar produtos solúveis em água inativos (desintoxicação) ou são ativados para formar metabólitos tóxicos. As reações que metabolizam os xenobióticos em produtos não tóxicos ou que ativam xenobióticos, gerando compostos tóxicos (**Figuras 9.2** e **9.3**) ocorrem em duas fases. Nas reações de fase I, os produtos químicos sofrem hidrólise, oxidação ou redução. Os produtos das reações de fase I costumam ser metabolizados em compostos solúveis em água por meio de reações de fase II, que incluem glicuronidação,

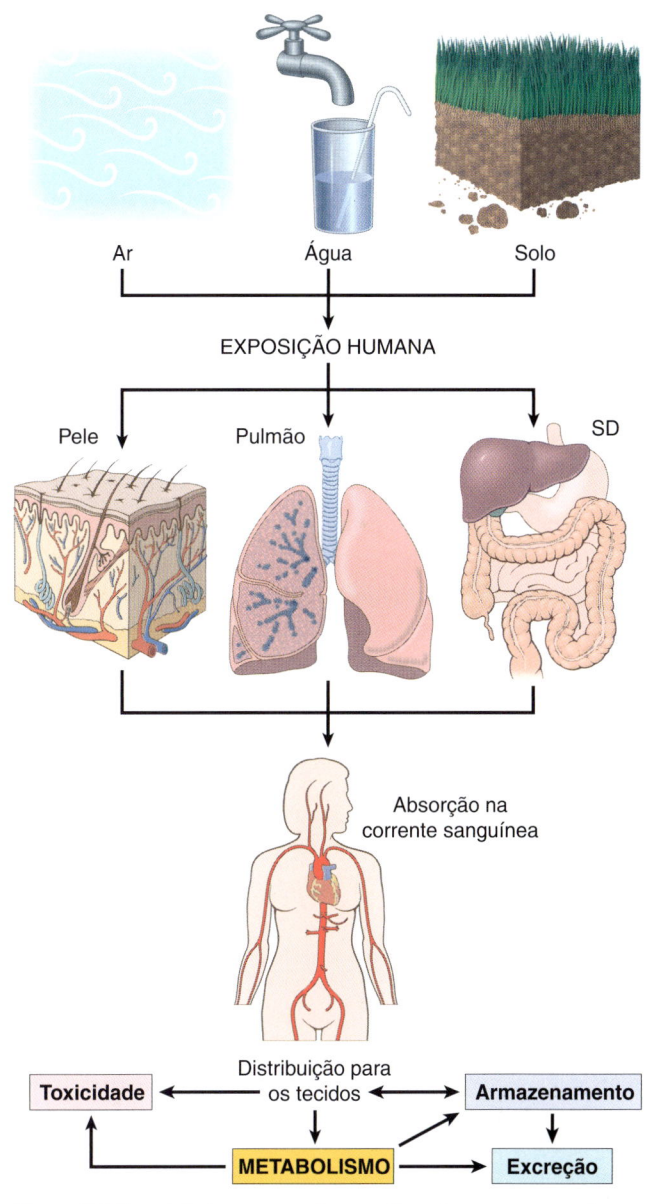

Figura 9.2 Exposição humana a poluentes. Os poluentes no ar, na água e no solo são absorvidos pelos pulmões, sistema digestório (*SD*) e pele. No corpo, eles podem atuar no local de absorção, mas geralmente são transportados pela corrente sanguínea para vários órgãos onde podem ser armazenados ou metabolizados. Os xenobióticos podem ser metabolizados em compostos hidrossolúveis que são excretados, ou em metabólitos tóxicos, um processo conhecido como ativação.

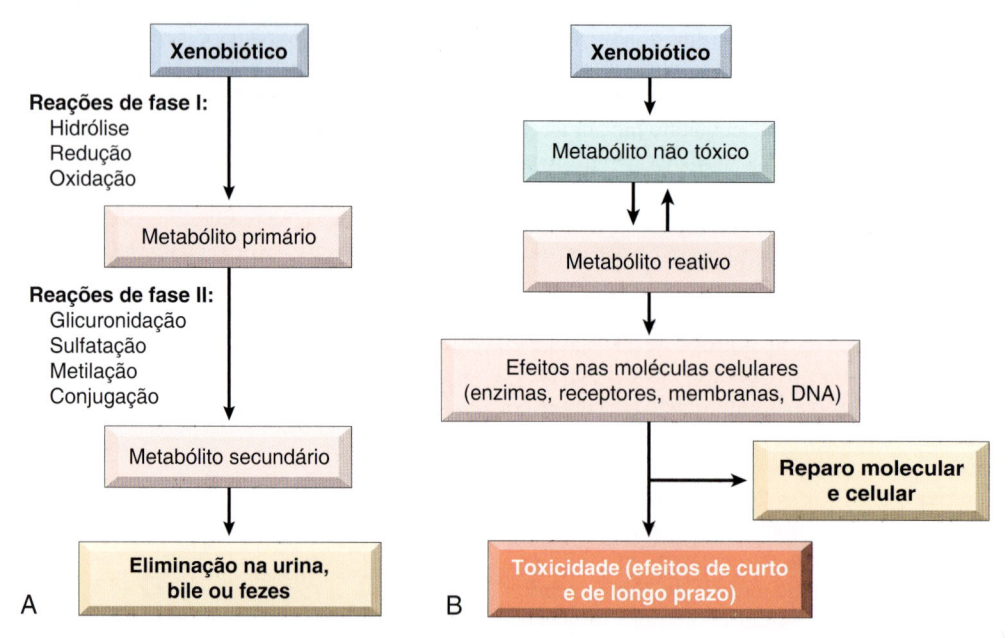

Figura 9.3 Metabolismo dos xenobióticos. **A.** Os xenobióticos podem ser metabolizados em metabólitos não tóxicos e eliminados do corpo (desintoxicação). **B.** O metabolismo dos xenobióticos também pode resultar na formação de um metabólito reativo que é tóxico para os componentes celulares. Se o reparo não for eficaz, surgem efeitos de curto e longo prazos. (Com base em Hodgson E: *A textbook of modern toxicology*, ed. 3, Hoboken, NJ, 2004, Wiley.)

sulfatação, metilação e conjugação com glutationa (GSH). Os compostos hidrossolúveis são rapidamente excretados
- O catalisador mais importante das reações de fase I é o sistema enzimático do citocromo P-450. As enzimas do citocromo P-450 (CYPs) são uma grande família de enzimas contendo heme, cada uma com especificidades preferenciais por substratos. Essas enzimas são expressas principalmente nos hepatócitos, nos quais se localizam no retículo endoplasmático, mas também podem ser encontradas na pele, pulmões, mucosa gastrintestinal e outros órgãos. **O sistema P-450 catalisa reações que desintoxicam os xenobióticos ou, menos comumente, convertem-nos em compostos ativos que causam lesão celular.** Ambos os tipos de reações podem produzir, como subproduto, espécies reativas de oxigênio (ERO), que podem causar danos celulares (ver **Capítulo 2**). Entre os exemplos de ativação metabólica de produtos químicos por meio de CYPs estão a produção do radical livre tóxico triclorometil a partir do tetracloreto de carbono no fígado e a geração de um metabólito de ligação ao DNA a partir do benzo[*a*]pireno, um carcinógeno presente na fumaça do cigarro, no pulmão. As CYPs participam do metabolismo do álcool (discutido posteriormente) e de um grande número de substâncias terapêuticas comuns, como paracetamol, barbitúricos, varfarina e anticonvulsivantes.

Existe uma grande variação na atividade das CYPs entre os indivíduos, a qual pode ser uma consequência de polimorfismos genéticos em CYPs específicas, mas é mais comum que se deva à exposição a fármacos ou a produtos químicos que induzem ou diminuem a atividade da CYP. Os indutores conhecidos de CYP incluem produtos químicos ambientais, drogas ilícitas, tabagismo, álcool e hormônios. Por outro lado, o jejum ou a inanição podem diminuir a atividade da CYP. Os indutores de CYP atuam ligando-se a receptores nucleares específicos, que então se heterodimerizam com o *receptor do retinoide X (RXR)* para formar um complexo de ativação transcricional que se associa a elementos promotores localizados na região flanqueadora 5' dos genes da CYP. Entre os receptores nucleares que participam da indução de CYP estão o receptor de hidrocarboneto de aril, os receptores ativados por proliferadores de peroxissoma (PPARs) e dois receptores nucleares órfãos, o receptor constitutivo de androstano (CAR) e o receptor pregnano X (PXR).

Esta breve visão geral dos mecanismos gerais de toxicidade fornece o contexto para a discussão sobre as doenças ambientais apresentadas neste capítulo.

Poluição ambiental

Poluição do ar

A poluição do ar é uma causa significativa de morbidade e mortalidade em todo o mundo, particularmente entre indivíduos de risco com doença pulmonar ou cardiovascular preexistente. O ar é precioso para a vida, mas também pode conter muitas causas potenciais de doenças. Já há muito tempo os microrganismos transportados pelo ar têm sido as principais causas de morbidade e mortalidade, especialmente em países em desenvolvimento. Os mais difundidos são as substâncias químicas e particulados poluentes transportados pelo ar, especialmente desenvolvidos. Aqui, consideraremos esses perigos no ar de ambientes internos e externos.

Poluição do ar externo

O ar ambiente nas nações industrializadas está contaminado com uma mistura repugnante de poluentes gasosos e particulados, mais fortemente nas cidades e nas proximidades da indústria pesada. Nos EUA, a Environmental Protection Agency monitora e define limites máximos permitidos para seis poluentes: dióxido de enxofre, CO, ozônio, dióxido de nitrogênio, chumbo e material particulado. Coletivamente, esses agentes produzem o conhecido *smog* (fumaça e nevoeiro, ou *smoke and fog,* em inglês) que às vezes sufoca grandes cidades como Pequim, Los Angeles, Houston, Cairo, Nova Delhi, Cidade do México e São Paulo. Pode parecer que a poluição do ar é um fenômeno moderno, mas não é o caso. John Evelyn escreveu em 1661 que os habitantes de Londres sofriam de "Catarros, Tísica e Consunção" (bronquite, pneumonia e tuberculose) ou *Catharrs, Phthisicks and Consumptions,* em inglês, e respiravam "nada além de uma névoa impura e espessa, acompanhada por um vapor fuliginoso e imundo, que os torna desagradável a mil inconvenientes, corrompendo os pulmões e desordenando toda a constituição de seus corpos". A primeira lei de controle ambiental, proclamada por Eduardo I em 1306, era direta em sua simplicidade: "quem for considerado culpado de queimar carvão sofrerá a perda da cabeça". O que mudou nos tempos modernos foi a natureza e as fontes dos poluentes atmosféricos e os tipos de regulamentos que controlam sua emissão.

Embora os pulmões sofram o impacto das consequências adversas, os poluentes aéreos podem afetar muitos sistemas orgânicos. Exceto por alguns comentários sobre o tabagismo, as doenças pulmonares causadas por poluentes são discutidas no **Capítulo 15**. Os principais efeitos dos poluentes externos à saúde estão resumidos na **Tabela 9.1**. O ozônio, o dióxido de enxofre, os particulados e o CO são discutidos aqui.

O *ozônio* (O_3) é produzido pela interação da radiação ultravioleta (UV) e do oxigênio (O_2) na estratosfera e se acumula de forma natural na chamada camada de ozônio, localizada entre 16 e 48 km acima da superfície da Terra. Essa camada protege a vida na Terra, absorvendo a radiação ultravioleta mais perigosa emitida pelo sol. Em 1985, descobriu-se que a camada de ozônio estava quase completamente esgotada na Antártica e estava tonando-se mais fina em outros lugares, um efeito calamitoso decorrente do uso generalizado de gases da classe dos clorofluorcarbonos em condicionadores de ar e refrigeradores e como propelentes de aerossol. Quando liberados na atmosfera, esses gases sobem até a estratosfera e participam de reações químicas que destroem o ozônio. Devido às correntes de ar estratosféricas predominantes, a diminuição resultante é mais profunda nas regiões polares, em especial na Antártica durante os meses de inverno. O reconhecimento do problema levou, em 1987, ao Protocolo de Montreal, acordos internacionais que exigem uma eliminação completa do uso de clorofluorcarbono até 2020 em países de alta renda e até 2040 em países em desenvolvimento. A redução do uso de clorofluorcarbonos nos últimos 30 anos diminuiu o tamanho do "buraco" anual de ozônio na Antártica, indicando que esse desafio ambiental global está sendo enfrentado com sucesso.

Em contraste com o ozônio "bom" na estratosfera, o ozônio que se acumula na baixa atmosfera (ozônio do nível do solo) é um dos poluentes atmosféricos mais perniciosos. O ozônio ao nível do solo é um gás formado pela reação de óxidos de nitrogênio e compostos orgânicos voláteis na presença da luz solar. Essas substâncias químicas são liberadas por emissões industriais e pelo escapamento de veículos motorizados. A toxicidade do ozônio é, em grande parte, mediada pela produção de radicais livres, que lesam as células epiteliais ao longo do trato respiratório e as células alveolares do tipo I e causam a liberação de mediadores inflamatórios. Indivíduos saudáveis expostos ao ozônio apresentam inflamação do trato respiratório superior e sintomas leves (diminuição da função pulmonar e desconforto no tórax), mas a exposição é muito mais perigosa para pessoas com asma ou enfisema.

Para piorar a situação, o ozônio costuma se combinar com outros agentes, como dióxido de enxofre e particulados, criando uma verdadeira "poção envenenada" de poluentes. O dióxido de enxofre é produzido por usinas de energia que queimam carvão e petróleo, da fundição de cobre e como subproduto das fábricas de papel. Liberado no ar, pode ser convertido em ácido sulfúrico e óxido sulfúrico, que causam sensação de queimação no nariz e na garganta, dificuldade para respirar e ataques de asma em indivíduos suscetíveis.

O material particulado (conhecido como "fuligem") é uma causa especialmente importante de morbidade e mortalidade relacionadas à inflamação pulmonar e efeitos cardiovasculares secundários. Com base em estudos de grandes cidades nos EUA, estima-se que haja um aumento de 0,5% na mortalidade geral diária para cada aumento de 10 mg/m^3 nas partículas de 10 μm no ar externo, principalmente devido a exacerbações de doenças pulmonares e cardíacas. Os materiais particulados são emitidos por usinas termoelétricas a carvão e a óleo, por processos industriais que queimam esses combustíveis e pela exaustão de máquinas movidas a diesel. Embora as partículas não tenham sido bem caracterizadas química ou fisicamente, as partículas finas ou ultrafinas com menos de 10 μm de diâmetro são as mais prejudiciais. Elas são facilmente inaladas para os alvéolos, onde são fagocitados por macrófagos e neutrófilos, que respondem liberando vários mediadores inflamatórios. Por outro lado, as partículas com diâmetro superior a 10 μm têm menos consequências porque costumam ser removidas do nariz ou ficam presas pelo epitélio mucociliar das vias respiratórias.

Tabela 9.1 Efeitos de poluentes do ar externo sobre a saúde.

Poluente	Populações em risco	Efeitos
Ozônio	Adultos e crianças saudáveis	Função pulmonar diminuída
		Aumento da reatividade das vias respiratórias
		Inflamação pulmonar
	Atletas, trabalhadores ao ar livre	Diminuição da capacidade de exercício
	Asmáticos	Aumento de hospitalizações
Dióxido de nitrogênio	Adultos saudáveis	Aumento da reatividade das vias respiratórias
	Asmáticos	Função pulmonar diminuída
	Crianças	Aumento de infecções respiratórias
Dióxido de enxofre	Adultos saudáveis	Aumento de sintomas respiratórios
	Indivíduos com doença pulmonar crônica	Aumento da mortalidade
	Asmáticos	Aumento da hospitalização
		Função pulmonar diminuída
Aerossóis ácidos	Adultos saudáveis	Depuração mucociliar alterada
	Crianças	Aumento de infecções respiratórias
	Asmáticos	Função pulmonar diminuída
		Aumento de hospitalizações
Particulados	Crianças	Aumento de infecções respiratórias
	Indivíduos com doença pulmonar ou cardíaca crônica	Função pulmonar diminuída
	Asmáticos	Excesso de mortalidade
		Aumento de crises

De Bascom R, et al: Health effects of outdoor air pollution, *Am J Respir Crit Care Med* 153: 477, 1996.

O CO, um asfixiante sistêmico, é causa importante de morte acidental e suicídios. O CO é um gás não irritante, incolor, insípido e inodoro produzido durante qualquer processo que resulte na oxidação incompleta de hidrocarbonetos. Do ponto de vista da saúde humana, a fonte ambiental mais importante de CO é a queima de materiais carbonáceos, como ocorre em motores automotivos, fornalhas e cigarros. O CO tem vida curta na atmosfera, sendo rapidamente oxidado a CO_2; assim, níveis elevados no ar ambiente são transitórios e ocorrem apenas nas proximidades de fontes de CO. O envenenamento crônico pode ocorrer em indivíduos que trabalham em ambientes como túneis, garagens subterrâneas e pedágios rodoviários com alta exposição a fumaça de automóveis. Mais preocupante é a toxicidade aguda. Em uma garagem pequena e fechada, um carro médio em funcionamento pode produzir CO suficiente para induzir coma ou morte em 5 minutos, e as concentrações de CO também podem aumentar rapidamente a níveis tóxicos com o uso impróprio de geradores movidos a gasolina (p. ex., durante quedas de energia) ou após incêndios em minas. O CO mata em parte induzindo a depressão do sistema nervoso central (SNC), que aparece de forma tão insidiosa que as vítimas muitas vezes não percebem sua grave situação. A hemoglobina tem afinidade 200 vezes maior para o CO do que para o oxigênio, e a carboxi-hemoglobina resultante não consegue transportar O_2. A hipoxia sistêmica se desenvolve quando a hemoglobina está 20 a 30% saturada com CO; com saturação de 60 a 70%, é provável que ocorra inconsciência e morte.

Morfologia

O envenenamento crônico por CO desenvolve-se porque a carboxi-hemoglobina, uma vez formada, é notavelmente estável. Mesmo com níveis baixos, mas persistentes, de exposição ao CO, a carboxi-hemoglobina pode aumentar a níveis potencialmente fatais no sangue. A hipoxia de desenvolvimento lento pode evocar, de forma insidiosa, alterações isquêmicas generalizadas no SNC; estas são particularmente acentuadas nos gânglios da base e núcleos lenticulares. Com a cessação da exposição ao CO, o paciente geralmente se recupera, mas pode haver sequelas neurológicas permanentes, como comprometimento da memória, visão, audição e fala. O diagnóstico é feito pela medição dos níveis de carboxi-hemoglobina no sangue.

O envenenamento agudo por CO é, em geral, uma consequência de exposição acidental ou tentativa de suicídio. Em indivíduos de pele clara, **o envenenamento agudo é marcado por uma típica cor vermelho-cereja generalizada da pele e das membranas mucosas**, que resulta de níveis elevados de carboxi-hemoglobina. Esse efeito do CO na coloração pode resultar na incapacidade de se reconhecer o estado de falta de oxigênio na vítima (e é usado pela indústria de carnes nos EUA para manter a aparência fresca da carne – cuidado, consumidor). Se a morte ocorrer rapidamente, as alterações morfológicas podem não estar presentes; com sobrevida mais longa, o cérebro pode ficar ligeiramente edemaciado, com hemorragias pontilhadas e alterações neuronais induzidas por hipoxia. As alterações morfológicas não são específicas e decorrem da hipoxia sistêmica.

Poluição do ar em ambientes fechados

À medida que nos "enclausuramos" cada vez mais em nossas casas para excluir o meio ambiente, o potencial de poluição do ar interno aumenta. O poluente mais comum é a fumaça do tabaco (discutida posteriormente), mas há outros agressores, como o CO, o dióxido de nitrogênio (ambos já mencionados como poluentes externos) e o amianto (ver **Capítulo 15**). Substâncias voláteis que contêm hidrocarbonetos aromáticos policíclicos gerados por óleos de cozinha e queima de carvão são importantes poluentes internos em partes menos desenvolvidas do mundo, especialmente algumas partes da Ásia. Faremos aqui apenas alguns comentários sobre outros agentes:

- *A fumaça da queima de materiais orgânicos*, contendo vários óxidos de nitrogênio e particulados de carbono, é um irritante que predispõe as pessoas expostas a infecções pulmonares e pode conter hidrocarbonetos policíclicos cancerígenos. Estima-se que um terço da população mundial queime materiais que contêm carbono, como madeira, esterco ou carvão em suas casas para cozinhar, aquecer e iluminar
- Os *bioaerossóis* variam desde agentes microbiológicos capazes de causar doenças infecciosas, como a doença dos legionários (ou legionelose), a pneumonia viral e o resfriado comum, até alergênios menos ameaçadores, mas, ainda assim, aflitivos, derivados de pelos de animais, ácaros, fungos e bolores que são responsáveis pela rinite, irritação nos olhos e asma
- O *radônio*, um gás radioativo derivado do urânio, amplamente presente no solo e nas residências, pode causar câncer de pulmão em mineradores de urânio. Suspeita-se também que exposições crônicas de baixo nível dentro do lar aumentam o risco de câncer de pulmão, especialmente em quem é tabagista. O radônio é a causa número um de câncer de pulmão entre os não fumantes, de acordo com estimativas da Agência de Proteção Ambiental (EPA). No geral, o radônio é a segunda causa principal de câncer de pulmão. Ele é responsável por cerca de 21 mil mortes por câncer de pulmão todos os anos. Cerca de 2.900 dessas mortes ocorrem entre pessoas que nunca fumaram
- O *formaldeído* é usado na fabricação de materiais de construção (p. ex., armários, móveis, adesivos) e pode se acumular no ar em moradias mal ventiladas. Em concentrações de 0,1 ppm ou mais, causa dificuldades respiratórias e uma sensação de queimação nos olhos e na garganta e pode desencadear ataques de asma. O formaldeído é classificado como carcinogênico para humanos e animais
- A chamada *síndrome do edifício doente* permanece um problema de difícil descrição; pode ser uma consequência da exposição a um ou mais poluentes em ambientes internos, possivelmente devido à ventilação insuficiente.

Conceitos-chave

Doenças ambientais e poluição ambiental

- As doenças ambientais são condições causadas pela exposição a agentes químicos ou físicos no meio ambiente, local de trabalho e ambientes pessoais
- Substâncias químicas exógenas, conhecidas como xenobióticos, entram no corpo por inalação, ingestão e contato com a pele e podem ser eliminadas ou acumuladas no tecido adiposo, ossos, cérebro e outros tecidos
- Os xenobióticos podem ser convertidos em produtos não tóxicos ou ativados para gerar compostos tóxicos por meio de um processo de reação de duas fases que envolve o sistema do citocromo P-450

- Os poluentes atmosféricos mais comuns e importantes são o ozônio (que, em combinação com óxidos e materiais particulados, forma o *smog*), dióxido de enxofre, aerossóis ácidos e particulados com menos de 10 μm de diâmetro
- O envenenamento por CO é uma causa importante de morte por acidentes e suicídio; ele se liga à hemoglobina com alta afinidade, levando à asfixia sistêmica associada à depressão do SNC
- Uma série de poluentes, incluindo fumaça, bioaerossóis, radônio e formaldeído, pode se acumular no ar de ambientes internos e causar doenças.

Metais como poluentes ambientais

Chumbo, mercúrio, arsênico e cádmio são os metais pesados mais comumente associados a efeitos nocivos em humanos.

Chumbo

O chumbo é um metal rapidamente absorvido que se liga a grupos sulfidrila em proteínas e interfere no metabolismo do cálcio, efeitos que levam a toxicidades hematológicas, esqueléticas, neurológicas, gastrintestinais e renais. A exposição ao chumbo pode ocorrer por meio do ar, alimentos e água contaminados. Durante a maior parte do século 20, as principais fontes de chumbo no meio ambiente foram as tintas para casa à base de chumbo e gasolina. Embora tenham sido definidos limites para as quantidades de chumbo contidas em tintas residenciais e o uso de gasolina com chumbo em veículos rodoviários tenha sido proibido nos EUA em 1996, a contaminação por chumbo continua sendo um perigo importante para a saúde, especialmente para crianças. Existem muitas fontes de chumbo no meio ambiente, como mineração, fundições, baterias e tintas em *spray* que constituem riscos ocupacionais. No entanto, a tinta com chumbo que está descascando em casas mais antigas e a contaminação do solo representam grandes riscos para os jovens. Os níveis sanguíneos de chumbo em crianças que vivem em casas mais antigas com tinta à base de chumbo ou poeira contaminada com chumbo frequentemente excedem 5 μg/dℓ, nível em que o Centers for Disease Control and Prevention (Centros de Controle e Prevenção de Doenças – CDC) recomenda que medidas sejam tomadas para limitar a exposição futura. Um caso dramático de contaminação da água potável com chumbo ocorreu em Flint, Michigan, em 2014 a 2016. A crise hídrica de Flint ocorreu quando a fonte de abastecimento de água da cidade foi mudada do Lago Huron para o Rio Flint. Como a água do Rio Flint tinha uma concentração de cloreto mais alta do que as águas do lago, ela extraía chumbo dos canos de chumbo centenários. Isso causou um aumento nos níveis desse metal na água da torneira acima do limite aceitável de 15 partes por bilhão (ppb) em cerca de 25% das residências e, em alguns casos, chegando a 13.200 ppb. Como resultado, 6 a 12 mil residentes desenvolveram níveis altíssimos de chumbo no sangue. O chumbo ingerido é particularmente prejudicial para as crianças porque elas absorvem mais de 50% do chumbo dos alimentos, enquanto os adultos absorvem aproximadamente 15%. Uma barreira hematencefálica mais permeável em crianças cria uma alta suscetibilidade a danos cerebrais. As principais características clínicas da intoxicação por chumbo em crianças e adultos são mostradas nas **Figuras 9.4** e **9.5**.

A maior parte do chumbo inalado (80 a 85%) é absorvido pelos ossos e pelos dentes em desenvolvimento, onde compete com o cálcio, liga-se a fosfatos e tem meia-vida de 20 a 30 anos. Cerca de 5 a 10% do chumbo absorvido permanece no sangue, e o restante é distribuído pelos tecidos moles. O excesso de chumbo é tóxico para os tecidos nervosos em adultos e crianças; as neuropatias periféricas predominam nos adultos, enquanto os efeitos centrais são mais comuns em crianças. Os efeitos da exposição crônica ao chumbo em crianças podem ser sutis, produzindo disfunções brandas, incluindo QI reduzido, dificuldades de aprendizagem e atraso no desenvolvimento psicomotor. Em doses mais altas, entretanto, os resultados podem ser devastadores, tomando a forma de cegueira, psicoses, convulsões, coma e até morte. As neuropatias periféricas induzidas por chumbo em adultos costumam remitir com a eliminação da exposição, mas as anormalidades tanto no sistema nervoso periférico quanto no SNC em crianças geralmente são irreversíveis.

O chumbo também afeta muitos outros tecidos. O excesso de chumbo interfere na remodelação normal da cartilagem calcificada e das trabéculas ósseas primárias nas epífises de crianças, causando aumento da densidade óssea detectada como linhas de chumbo radiodensas (**Figura 9.6**). Linhas de chumbo de um tipo diferente também podem ocorrer nas gengivas, onde o excesso de chumbo estimula a hiperpigmentação. O chumbo inibe a cicatrização de fraturas, aumentando a condrogênese e retardando a mineralização da cartilagem. A excreção de chumbo ocorre por meio dos rins, e exposições agudas podem causar danos aos túbulos proximais.

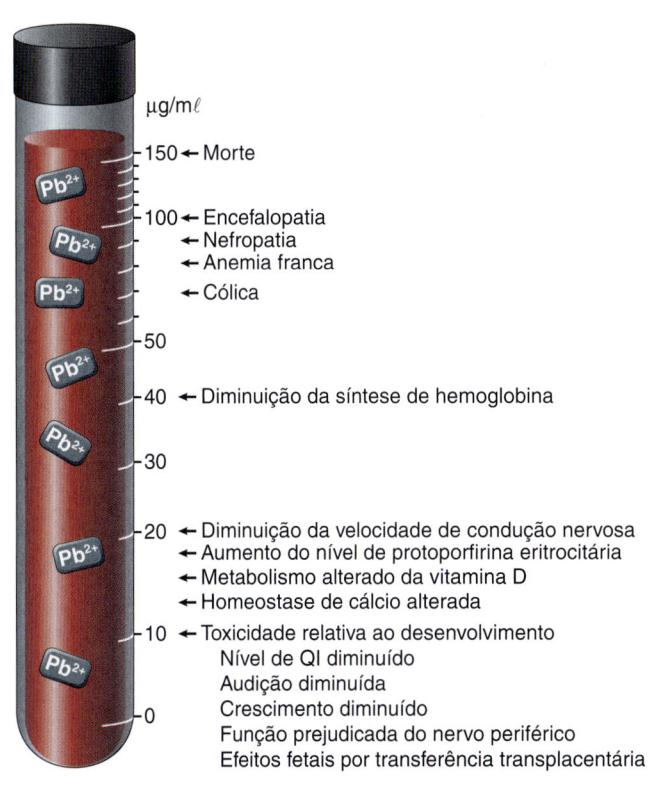

Figura 9.4 Efeitos do envenenamento por chumbo em crianças relacionados aos níveis sanguíneos. (Modificada de Bellinger DC, Bellinger AM: Childhood lead poisoning: the tortuous path from science to policy, *J Clin Invest* 116: 853; 2006.)

CÉREBRO
Adultos: cefaleia, perda de memória
Crianças: encefalopatia, deterioração mental

GENGIVA
Linha de chumbo

SANGUE
Anemia, pontilhado basofílico nos eritrócitos

NERVOS PERIFÉRICOS
Adultos: desmielinização

RIM
Doença tubulointersticial crônica

SISTEMA DIGESTÓRIO
Dor abdominal

OSSOS
Crianças: depósitos radiodensos nas epífises

FONTES

OCUPACIONAIS
Tinta em *spray*
Trabalho com fundição
Mineração e extração de chumbo
Fabricação de baterias

NÃO OCUPACIONAIS
Abastecimento de água
Poeira e lascas de tinta
Escapamento automotivo
Solo urbano

Figura 9.5 Características patológicas de envenenamento por chumbo em adultos.

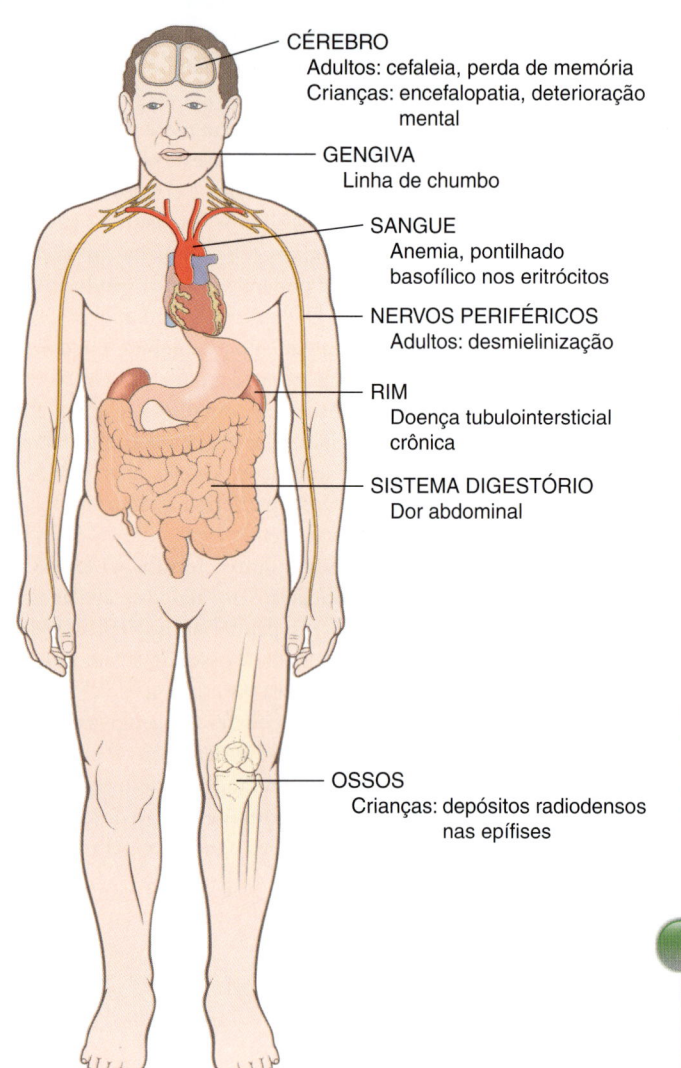

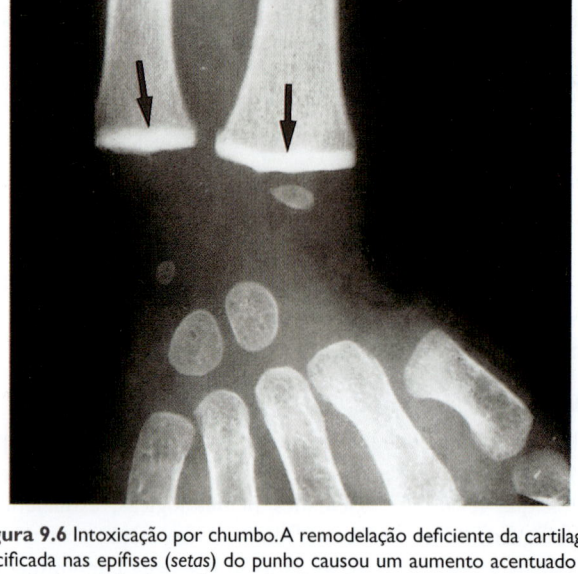

Figura 9.6 Intoxicação por chumbo. A remodelação deficiente da cartilagem calcificada nas epífises (*setas*) do punho causou um aumento acentuado em sua radiodensidade, de modo que são tão radiopacas quanto o osso cortical. (Cortesia do Dr. G. W. Dietz, Department of Radiology, University of Texas Southwestern Medical School, Dallas, Tex.)

O chumbo tem alta afinidade pelos grupos sulfidrila e interfere em duas enzimas envolvidas na síntese da heme: ácido delta-aminolevulínico desidratase e ferroquelatase. A incorporação de ferro na heme é prejudicada, levando à *microcitose* (eritrócitos pequenos) e à anemia. O chumbo também inibe as adenosina trifosfatases (ATPases) dependentes de sódio e potássio nas membranas celulares, um efeito que pode aumentar a fragilidade dos eritrócitos, causando hemólise. O diagnóstico de envenenamento por chumbo requer vigilância constante. Pode-se suspeitar de envenenamento com base em alterações neurológicas em crianças ou em anemia microcítica inexplicada com pontilhado basofílico nos eritrócitos em adultos e crianças. Níveis elevados de chumbo no sangue e protoporfirina eritrocitária livre (acima de 50 μg/dℓ) ou, como uma alternativa, níveis de zinco protoporfirina, são necessários para o diagnóstico definitivo. Em casos mais leves de exposição ao chumbo, a anemia pode ser a única anormalidade.

Morfologia

Os principais alvos anatômicos da toxicidade por chumbo são a medula óssea, o sangue, o sistema nervoso, o sistema digestório e os rins (ver **Figura 9.5**).

As alterações sanguíneas e medulares ocorrem com bastante rapidez e são típicas. A inibição da ferroquelatase pelo chumbo pode resultar no aparecimento de alguns **sideroblastos em anel**, precursores de eritrócitos com mitocôndrias carregadas de ferro que são detectados com uma coloração com azul da Prússia. No sangue periférico, o defeito na síntese de hemoglobina aparece como uma **anemia microcítica e hipocrômica** que costuma ser acompanhada por **hemólise** branda. Ainda mais distintivo é um **pontilhado basofílico nos eritrócitos**.

Podem ocorrer lesões cerebrais em crianças. Em crianças pequenas, foram descritos transtornos sensoriais, motores, intelectuais e psicológicos. A toxicidade por chumbo em uma mulher grávida pode prejudicar o desenvolvimento do cérebro do feto. As alterações anatômicas subjacentes aos déficits funcionais sutis são mal definidas, mas existe a preocupação de que esses defeitos possam ser permanentes. Na extremidade mais grave do espectro, há edema cerebral acentuado, desmielinização da substância branca cerebral e cerebelar e necrose de neurônios corticais acompanhada por proliferação astrocítica difusa. Em adultos, o SNC é afetado com menos frequência, mas é comum que surja uma **neuropatia desmielinizante periférica**, geralmente envolvendo os nervos motores dos músculos mais usados. Assim, os músculos extensores do punho e dos dedos costumam ser os primeiros a serem afetados (causando queda do punho), seguidos pela paralisia dos músculos fibulares (causando queda do pé).

> O **sistema digestório** também é uma importante fonte de manifestações clínicas. A cólica por chumbo caracteriza-se por dor abdominal intensa e mal localizada.
> Os **rins** podem desenvolver dano tubular proximal associado a inclusões intranucleares que consistem em agregados de proteínas. O dano renal crônico leva, com o tempo, a fibrose intersticial e insuficiência renal. A diminuição da excreção de ácido úrico pode causar gota (gota saturnina).

Mercúrio

Assim como o chumbo, o mercúrio se liga a grupos sulfidrila em certas proteínas com alta afinidade, causando danos no SNC e nos rins. O mercúrio teve muitos usos ao longo da história, por exemplo, como pigmento em pinturas rupestres, cosmético, remédio para sífilis e componente de diuréticos. Os alquimistas tentaram (sem muito sucesso) produzir ouro a partir do mercúrio.

O envenenamento por inalação de vapores de mercúrio é conhecido há muito tempo e está associado a tremores, gengivite e comportamento bizarro, como o exibido pelo Chapeleiro Maluco em *Alice no País das Maravilhas*. Existem três formas de mercúrio: mercúrio metálico (também conhecido como mercúrio elementar), compostos inorgânicos de mercúrio (principalmente o cloreto de mercúrio) e mercúrio orgânico (principalmente o metilmercúrio). Hoje, as principais fontes de exposição ao mercúrio são os peixes contaminados (metilmercúrio) e os vapores de mercúrio liberados do mercúrio metálico em amálgamas dentais, um possível risco ocupacional para os dentistas. Em algumas áreas do mundo, o mercúrio usado na mineração de ouro contaminou rios e riachos.

O mercúrio inorgânico proveniente da desgaseificação natural da crosta terrestre ou da contaminação industrial é convertido em compostos orgânicos como o metilmercúrio por bactérias. O metilmercúrio entra na cadeia alimentar, e em peixes carnívoros como espadarte, tubarão e anchova, os níveis de mercúrio podem ser 1 milhão de vezes mais altos do que na água ao redor. Quase 90% do metilmercúrio ingerido é absorvido no sistema digestório. O consumo de peixes contaminados pela liberação de metilmercúrio de fontes industriais na Baía de Minamata e no rio Agano no Japão causou mortalidade e morbidade generalizadas. A exposição aguda por meio do consumo de pão feito de grãos tratados com um fungicida à base de metilmercúrio no Iraque em 1971 resultou em centenas de mortes e milhares de hospitalizações. Os distúrbios médicos associados ao episódio de Minamata tornaram-se conhecidos como *doença de Minamata* e incluem paralisia cerebral, surdez, cegueira, deficiência intelectual e defeitos importantes no SNC de crianças expostas no útero. A lipossolubilidade do metilmercúrio e do mercúrio metálico facilita seu acúmulo no cérebro, afetando as funções neuromotora, cognitiva e comportamental. O GSH intracelular, por atuar como doador de sulfidrila, é o principal mecanismo de proteção contra danos ao SNC e aos rins induzidos por mercúrio.

O mercúrio continua a ser liberado no meio ambiente por usinas de energia e outras fontes industriais, e há sérias preocupações sobre os efeitos da exposição crônica de baixo nível ao metilmercúrio no abastecimento alimentar. Para proteger contra possíveis danos cerebrais aos fetos, o CDC recomendou que as mulheres grávidas evitem o consumo de peixes conhecidos por conterem altos níveis de mercúrio. O mercúrio ingerido pode causar lesões intestinais e causar ulcerações e diarreia com sangue. Nos rins, o mercúrio pode causar necrose tubular aguda e insuficiência renal. A exposição crônica pode causar síndrome nefrótica.

Arsênio

Os sais de arsênio interferem em vários aspectos do metabolismo celular, levando a toxicidades que são mais proeminentes no sistema digestório, sistema nervoso, pele e coração. O arsênico era o veneno preferido na Itália Renascentista, e os membros das famílias Borgia e Medici eram praticantes altamente qualificados na arte de seu uso. Devido à predileção por seu uso como instrumento de assassinato entre famílias reais, o arsênico foi chamado de "o veneno dos reis e o rei dos venenos". O envenenamento deliberado é raro hoje em dia, mas a exposição não intencional ao arsênio é um importante problema de saúde em muitas áreas do mundo. O arsênio é encontrado naturalmente no solo e na água e é usado em produtos como conservantes de madeira e herbicidas e outros produtos agrícolas. Pode ser liberado no meio ambiente por minas e indústrias de fundição. O arsênio está presente na fitoterapia chinesa e indiana, e altas concentrações de arsênio inorgânico estão presentes nas águas subterrâneas de países como Bangladesh, Chile e China. Estima-se que 40 milhões de pessoas em Bangladesh bebam água contaminada com arsênio, constituindo um dos maiores riscos de câncer ambiental já descoberto.

As formas mais tóxicas de arsênio são os compostos trivalentes trióxido de arsênio, arsenito de sódio e tricloreto de arsênio. Se ingerido em grandes quantidades, o arsênio causa toxicidades gastrintestinais, cardiovasculares e ao SNC que costumam ser fatais. Esses efeitos podem ser atribuídos, em parte, à interferência na fosforilação oxidativa mitocondrial, uma vez que o arsênio trivalente pode substituir os fosfatos na ATP. No entanto, o arsênio também tem efeitos pleiotrópicos sobre a atividade de várias outras enzimas e canais iônicos, e estes também podem contribuir para certas toxicidades:

- Os *efeitos neurológicos* geralmente ocorrem 2 a 8 semanas após a exposição e consistem em uma neuropatia sensorimotora que causa parestesias, dormência e dor
- Os *efeitos cardiovasculares* incluem hipertensão e intervalo Q-Tc prolongado com arritmias ventriculares
- Com a exposição crônica, ocorrem *alterações cutâneas* que consistem em hiperpigmentação e hiperqueratose
- O *risco aumentado de desenvolvimento de câncer* é a consequência mais grave da exposição crônica, principalmente do pulmão, bexiga e pele. As neoplasias de pele induzidos por arsênio diferem daqueles induzidos pela luz solar; elas costumam ser múltiplas e geralmente aparecem nas palmas das mãos e solas dos pés. Os mecanismos de carcinogênese por arsênio na pele e nos pulmões ainda não foram elucidados, mas podem envolver defeitos nos mecanismos de reparo por excisão de nucleotídios que protegem contra danos ao DNA.

Cádmio

O cádmio é preferencialmente tóxico para os rins e pulmões por meio de mecanismos incertos que podem envolver o aumento da produção de ERO. Ao contrário de outros metais discutidos nesta seção, a toxicidade por cádmio é um problema relativamente moderno. É um poluente ocupacional e ambiental gerado pela mineração, galvanoplastia e produção de baterias de níquel-cádmio, que, muitas vezes, são descartadas como lixo doméstico. O cádmio pode contaminar o solo e as plantas diretamente ou por meio de fertilizantes e água de irrigação. Os alimentos são a fonte mais importante de exposição ao cádmio para a população em geral. Seus efeitos tóxicos requerem sua absorção nas células por meio de transportadores como o ZIP8, que normalmente funciona como um transportador de zinco.

Os principais efeitos tóxicos do excesso de cádmio são uma forma de doença pulmonar obstrutiva causada por necrose de células epiteliais alveolares e dano tubular renal que pode progredir para doença renal em estágio terminal. A exposição ao cádmio também pode causar anormalidades esqueléticas associadas à perda de cálcio. O uso de água contendo cádmio para irrigar campos de arroz no Japão causou uma doença em mulheres na pós-menopausa conhecida como *itai-itai* ("ai ai"), uma combinação de osteoporose e osteomalacia associada à doença renal. A exposição ao cádmio também está associada a um risco elevado de câncer de pulmão, o que foi demonstrado em trabalhadores expostos em seus locais de trabalho e em populações que vivem perto de fundições de zinco. O cádmio não é diretamente genotóxico e, muito provavelmente, produz danos ao DNA por meio da geração de ERO (ver **Capítulo 2**).

Conceitos-chave
Efeitos tóxicos de metais pesados

- Chumbo, mercúrio, arsênio e cádmio são os metais pesados mais comumente associados a efeitos tóxicos em seres humanos
- As crianças absorvem mais chumbo ingerido do que os adultos; a principal fonte de exposição das crianças é a tinta com chumbo em habitações antigas e a água potável com chumbo
- O excesso de chumbo causa defeitos no SNC em crianças e neuropatia periférica em adultos. Também interfere na remodelação da cartilagem e causa anemia por interferir na síntese de hemoglobina
- A principal fonte de exposição ao mercúrio são peixes contaminados. O cérebro em desenvolvimento é altamente sensível ao metilmercúrio, que se acumula no SNC
- A exposição do feto a altos níveis de mercúrio no útero pode levar à doença de Minamata, caracterizada por paralisia cerebral, surdez e cegueira
- O arsênio é encontrado naturalmente no solo e na água e é um componente de alguns conservantes para madeira e herbicidas. O excesso de arsênio interfere na fosforilação oxidativa mitocondrial e na função de uma série de proteínas. Causa efeitos tóxicos no sistema digestório, SNC e sistema cardiovascular; a exposição a longo prazo causa lesões cutâneas e carcinomas
- O cádmio das baterias de níquel-cádmio e os fertilizantes químicos podem contaminar o solo. O excesso de cádmio causa doença pulmonar obstrutiva e danos renais.

Riscos à saúde ocupacional: exposições industriais e agrícolas

Mais de 10 milhões de acidentes de trabalho ocorrem anualmente nos EUA e aproximadamente 65 mil pessoas morrem em consequência de acidentes de trabalho e doenças ocupacionais. Cerca de 10% dessas mortes ocorrem devido a quedas e outras lesões traumáticas, enquanto o restante é decorrente de exposições tóxicas que levam ao câncer, doenças pulmonares e outras condições potencialmente fatais. As exposições industriais a agentes tóxicos são tão variadas quanto os próprios setores da indústria. Elas variam de irritações meramente irritantes das vias respiratórias por formaldeído ou vapores de amônia a cânceres de pulmão decorrentes da exposição ao amianto, arsênio ou urânio. As doenças humanas associadas às exposições ocupacionais estão listadas na **Tabela 9.2**. Além de metais tóxicos (já discutidos), outros agentes importantes que contribuem para doenças ambientais incluem:

- Os *solventes orgânicos* são amplamente usados em grandes quantidades em todo o mundo. Alguns, como o *clorofórmio* e o *tetracloreto de carbono*, são encontrados em desengordurantes, produtos para lavagem a seco e removedores de tinta.

Tabela 9.2 Doenças humanas associadas a exposições ocupacionais.

Órgão/sistema	Efeito	Agente tóxico
Sistema cardiovascular	Cardiopatias	Monóxido de carbono, chumbo, solventes, cobalto, cádmio
Sistema respiratório	Câncer nasal	Álcool isopropílico, pó de madeira
	Câncer de pulmão	Radônio, amianto, sílica, bis (clorometil) éter, níquel, arsênio, cromo, gás mostarda, urânio
	Doença pulmonar obstrutiva crônica	Pó de grãos, pó de carvão, cádmio
	Hipersensibilidade	Berílio, isocianatos
	Irritação	Amônia, óxidos de enxofre, formaldeído
	Fibrose	Sílica, amianto, cobalto
Sistema nervoso	Neuropatias periféricas	Solventes, acrilamida, cloreto de metila, mercúrio, chumbo, arsênio, DDT
	Marcha atáxica	Clordano, tolueno, acrilamida, mercúrio
	Depressão do SNC	Álcoois, cetonas, aldeídos, solventes
	Catarata	Radiação ultravioleta
Sistema urinário	Toxicidade renal	Mercúrio, chumbo, éteres de glicol, solventes
	Câncer de bexiga	Naftilaminas, 4-aminobifenil, benzidina, produtos de borracha
Sistema reprodutivo	Infertilidade masculina	Chumbo, plastificantes de ftalato, cádmio
	Infertilidade feminina	Chumbo, mercúrio
	Morte fetal	Chumbo, mercúrio
	Teratogênese	Mercúrio, bifenilos policlorados
Sistema hematopoético	Leucemia	Benzeno
Pele	Foliculite e dermatose acneiforme	Bifenilos policlorados, dioxinas, herbicidas
	Câncer	Radiação ultravioleta
Sistema digestório	Angiossarcoma hepático	Cloreto de vinil

DDT, diclorodifeniltricloroetano; *SNC*, sistema nervoso central.
Dados de Leigh JP, et al: Occupational injury and illness in the United States. Estimates of costs, morbidity, and mortality, *Arch Intern Med* 157:1557, 1997; Mitchell FL: Hazardous waste. In Rom WN, editor: *Environmental and Occupational Medicine*, ed. 2, Boston, 1992, Little, Brown, p. 1275; e Levi PE: Classes of toxic chemicals. In Hodgson E, Levi PE, editors: *A Textbook of Modern Toxicology*, Stamford, Conn, 1997, Appleton & Lange, p. 229.

A exposição aguda a níveis elevados desses agentes pode causar tontura e confusão, depressão do SNC e até coma. Níveis mais baixos podem causar toxicidade hepática e renal. A exposição ocupacional ao *benzeno* e ao *1,3-butadieno* aumenta o risco de leucemia. O benzeno é oxidado a um epóxido através do CYP2E1 hepático, um componente do sistema enzimático P-450 já mencionado. O epóxido e outros metabólitos perturbam a diferenciação das células progenitoras na medula óssea e podem causar aplasia da medula e leucemia mieloide aguda

- Os *hidrocarbonetos policíclicos* são liberados durante a combustão do carvão e do gás, principalmente nas altas temperaturas utilizadas nas fundições de aço, e também estão presentes no alcatrão e na fuligem. (Pott identificou a fuligem como a causa dos cânceres escrotais em limpadores de chaminés em 1775, conforme mencionado no **Capítulo 7**). Os hidrocarbonetos policíclicos estão entre os carcinógenos mais potentes e as exposições industriais foram implicadas entre as causas de câncer de pulmão e bexiga

- *Organoclorados* (e compostos orgânicos halogenados em geral) são produtos sintéticos que resistem à degradação e são lipofílicos. Os organoclorados usados como pesticidas são o *diclorodifeniltricloroetano* (DDT) e seus metabólitos e agentes como lindano, aldrina e dieldrina. Organoclorados não pesticidas incluem *bifenilos policlorados (PCBs)* e *dioxinas* (2,3,7,8-tetraclorodibenzo-p-dioxina [TCDD]). O DDT foi proibido nos EUA em 1973. O envenenamento agudo por DDT em seres humanos causa toxicidade neurológica. A maioria dos organoclorados são desreguladores endócrinos e têm atividade antiestrogênica ou antiandrogênica em animais de laboratório, mas os efeitos a longo prazo na saúde de seres humanos ainda não foram firmemente estabelecidos

- Os *organoclorados não pesticidas* incluem *PCBs* e *dioxinas* (TCDD). As dioxinas e os PCBs podem causar distúrbios cutâneos, como foliculite e dermatose acneiforme, conhecidas como cloracne, que consiste em acne, formação de cistos, hiperpigmentação e hiperqueratose, geralmente ao redor da face e atrás das orelhas. Pode ser acompanhada por anormalidades no fígado e no SNC. Como os PCBs induzem o sistema enzimático P-450, os trabalhadores expostos a essas substâncias podem apresentar metabolismo alterado de fármacos. Desastres ambientais no Japão e na China no final dos anos 1960, causados pelo consumo de óleo de arroz contaminado por PCBs, envenenaram cerca de 2 mil pessoas em cada episódio. As manifestações primárias da doença (*yusho* no Japão, *yu-cheng* na China) foram cloracne e hiperpigmentação da pele e das unhas

- O *bisfenol A* (BPA) é usado na síntese de recipientes de policarbonato para alimentos e água e de resinas epóxi que revestem quase todas as garrafas e latas de alimentos; como resultado, a exposição ao BPA é praticamente onipresente em humanos. O BPA é conhecido há muito tempo como um potencial desregulador endócrino. Vários estudos retrospectivos de grande porte relacionaram níveis elevados de BPA urinário a doenças cardíacas em populações adultas. Além disso, lactentes que bebem de recipientes contendo BPA podem ficar particularmente suscetíveis aos efeitos endócrinos desta substância. Em 2010, o Canadá foi o primeiro país a listar o BPA como uma substância tóxica, e os maiores fabricantes de mamadeiras e copos com canudinhos pararam de usá-lo no processo de fabricação. A extensão dos riscos associados ao BPA para a saúde humana permanece incerta

- O *cloreto de vinila*, usado na síntese de resinas polivinílicas, pode causar angiossarcoma do fígado, um tipo raro de neoplasia hepática

- A inalação de *poeiras minerais* causa doenças pulmonares crônicas não neoplásicas chamadas *pneumoconioses*. Esse grupo de distúrbios inclui distúrbios induzidos por particulados orgânicos e inorgânicos, bem como doenças pulmonares não neoplásicas induzidas por fumaças e vapores químicos. As pneumoconioses mais comuns são causadas por exposições ao pó de carvão (na mineração de antracito, um carvão duro), sílica (no jateamento de areia e corte de pedra), amianto (na mineração, fábricas e trabalho de isolamento) e berílio (na mineração e fábricas). A exposição a esses agentes quase sempre ocorre no local de trabalho. O aumento do risco de câncer como resultado da exposição ao amianto, no entanto, estende-se aos familiares dos trabalhadores do amianto e a outras pessoas expostas fora do local de trabalho. As pneumoconioses e sua patogênese são discutidas no **Capítulo 13**.

Efeitos do tabaco

O tabagismo é a causa de morte mais facilmente evitável em humanos. O principal culpado é o cigarro, mas o tabaco sem fumaça (p. ex., rapé, tabaco de mascar) também é prejudicial à saúde e uma causa importante de câncer oral. O uso de produtos de tabaco não só cria riscos pessoais, mas a inalação passiva do tabaco do ambiente (*fumo passivo*) pode causar câncer de pulmão em não fumantes. Mais de 20 milhões de residentes dos EUA morreram de doenças relacionadas ao tabagismo desde o relatório de 1964 do Surgeon General dos EUA sobre os efeitos adversos do fumo. Destes, quase 2,5 milhões como resultado da inalação pelo fumo passivo. Mais de 10 vezes mais pessoas morreram nos EUA como resultado do tabagismo do que em todas as guerras travadas pelos EUA em toda a sua história. Anualmente, o tabaco é responsável por mais de 400 mil mortes nos EUA, um terço delas devido ao câncer de pulmão. De fato, o tabaco é a principal causa exógena de cânceres humanos, incluindo 90% dos cânceres de pulmão.

Em todo o mundo, dois terços dos fumantes vivem em 10 países, liderados pela China, que responde por quase 30%, e pela Índia com cerca de 10%, seguida pela Indonésia, Rússia, EUA, Japão, Brasil, Bangladesh, Alemanha e Turquia.

De 1998 a 2007 nos EUA, a incidência do tabagismo diminuiu modestamente, mas essa tendência não continuou, e cerca de 20% dos adultos continuam fumantes. Mais preocupante ainda é o fato de que o país mais populoso do mundo, a China, tornou-se o maior produtor e consumidor de cigarros do mundo. A China tem aproximadamente 350 milhões de fumantes que, no total, consomem aproximadamente 33% de todos os cigarros fumados em todo o mundo. Estima-se que mais de um milhão de pessoas morrem na China a cada ano de doenças relacionadas ao tabagismo; esta taxa deve aumentar para 8 milhões de mortes a cada ano até 2050. Em todo o mundo, o tabagismo causa mais de 4 milhões de mortes anualmente, principalmente por doenças cardiovasculares, vários tipos de câncer e problemas respiratórios crônicos. Espera-se que esses números aumentem para 8 milhões de mortes relacionadas ao tabaco até 2020, o maior aumento ocorrendo em países em desenvolvimento. Das pessoas vivas hoje, estima-se que 500 milhões morrerão de doenças relacionadas ao tabaco.

O tabaco reduz a sobrevida global por meio de efeitos dependentes da dose, que muitas vezes são expressos em anos-maço, o número médio de maços de cigarros fumados por dia multiplicado pelo número de anos de tabagismo. Os efeitos cumulativos do tabagismo ao longo do tempo são impressionantes. Por exemplo, enquanto aproximadamente 75% dos não fumantes estão vivos aos 70 anos, apenas cerca de 50% dos fumantes sobrevivem até essa idade (**Figura 9.7**). A única boa notícia é que parar de fumar reduz enormemente, em 5 anos, a mortalidade geral e o risco de morte por doenças cardiovasculares. A mortalidade por câncer de pulmão diminui em 21% em 5 anos, mas o risco excessivo persiste por 30 anos.

O número de produtos químicos potencialmente nocivos na fumaça do tabaco é extraordinário. Sua fumaça contém uma mistura complexa de 7 mil produtos químicos, mais de 60 dos quais foram identificados como cancerígenos. A **Tabela 9.3** fornece apenas uma lista parcial e inclui vários tipos de lesões produzidas por esses agentes.

A *nicotina* é um alcaloide presente nas folhas do tabaco altamente viciante que se liga aos receptores nicotínicos da acetilcolina no cérebro e estimula a liberação de catecolaminas pelos neurônios simpáticos. Essa atividade é responsável pelos efeitos agudos do tabagismo, como o aumento da frequência cardíaca e da pressão arterial e a elevação da contratilidade e do débito cardíaco. Estudos recentes indicam que, além de ser viciante, a nicotina tem outros efeitos indesejáveis. Estes incluem efeitos sobre o feto, uma vez que a exposição à nicotina afeta o desenvolvimento do cérebro do feto e contribui para o nascimento prematuro e morte fetal.

Tabela 9.3 Efeitos de componentes selecionados da fumaça do tabaco.

Substância	Efeito
Alcatrão	Carcinogênese
Hidrocarbonetos aromáticos policíclicos	Carcinogênese
Nicotina	Depressão e estimulação ganglionar; promoção de tumores
Fenol	Promoção de tumores; irritação da mucosa
Benzo[a]pireno	Carcinogênese
Monóxido de carbono	Prejuízo no transporte e utilização de oxigênio
Formaldeído	Toxicidade para os cílios; irritação da mucosa
Óxidos de nitrogênio	Toxicidade para os cílios; irritação da mucosa
Nitrosamina	Carcinogênese

Tabagismo e câncer de pulmão. Os agentes na fumaça têm um efeito irritante direto na mucosa traqueobrônquica, produzindo aumento na produção de muco (bronquite). Os componentes da fumaça do cigarro, em especial os hidrocarbonetos policíclicos e nitrosaminas (**Tabela 9.4**), são potentes carcinógenos em animais e estão diretamente envolvidos no desenvolvimento de câncer de pulmão em seres humanos. As CYPs (enzimas de fase I do citocromo P-450) e enzimas de fase II aumentam a hidrossolubilidade dos carcinógenos, facilitando sua excreção. No entanto, alguns intermediários produzidos pelas CYPs são eletrofílicos e formam adutos de DNA que são reparados por mecanismos sujeitos a erros, levando a mutações potencialmente oncogênicas (ver **Capítulo 7**). De forma impressionante, o sequenciamento profundo dos genomas dos cânceres de pulmão que ocorrem em fumantes revelou a presença de milhares de mutações de um tipo que é produzido por carcinógenos na fumaça do tabaco em ambientes experimentais. O risco de desenvolver câncer de pulmão está relacionado ao número de maços-ano ou cigarros fumados por dia (**Figura 9.8**). Além disso, fumar aumenta o risco de outras influências carcinogênicas. Veja o caso da incidência 10 vezes maior de carcinomas de pulmão em trabalhadores que lidam com amianto e em mineradores de urânio que fumam em comparação

Tabela 9.4 Carcinógenos suspeitos específicos por órgão na fumaça de tabaco.

Órgão	Carcinógeno
Pulmão, laringe	Hidrocarbonetos aromáticos policíclicos 4-(metilnitrosoamino)-1-(3-piridil)-1-butanona (NNK) Polônio-210
Esôfago	N´-nitrosonornicotina (NNN)
Pâncreas	NNK
Bexiga	4-aminobifenil, 2-naftilamina
Cavidade oral (fumo)	Hidrocarbonetos aromáticos policíclicos, NNK, NNN
Cavidade oral (rapé)	NNK, NNN, polônio-210

Dados de Szczesny LB, Holbrook JH: Cigarette Smoking. Em Rom WH, editor: *Environmental and Occupational Medicine*, ed. 2, Boston, 1992, Little, Brown, p. 1211.

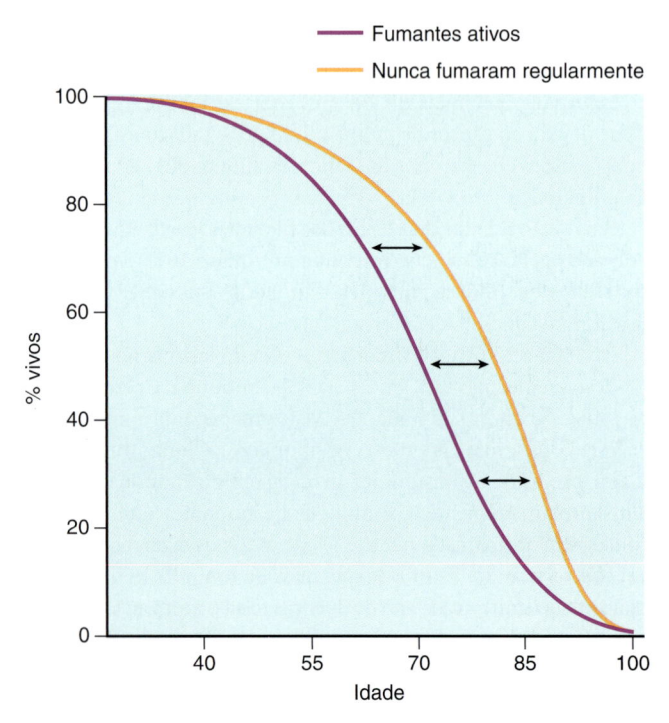

Figura 9.7 Efeitos do tabagismo na sobrevida. O estudo comparou taxas de mortalidade específicas por idade para fumantes ativos de cigarros com as taxas de mortalidade de indivíduos que nunca fumaram regularmente (British Doctors Study). Medida aos 75 anos, a diferença de sobrevida entre fumantes e não fumantes é de 7,5 anos. (Modificada de Stewart BW, Kleihues P, editors: *World Cancer Report*, Lyon, 2003, IARC Press.)

Capítulo 9 Doenças Ambientais e Nutricionais

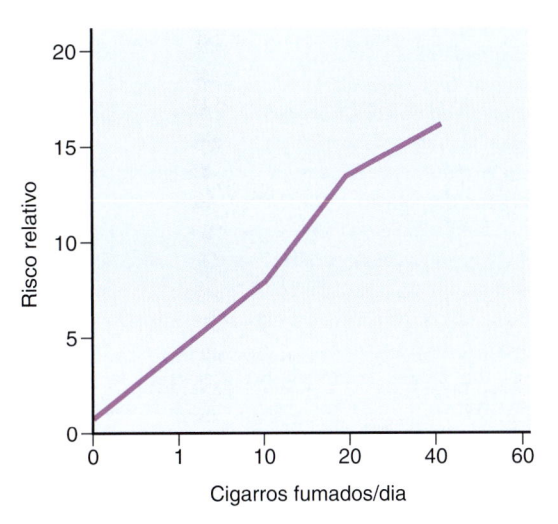

Figura 9.8 O risco de câncer de pulmão é determinado pelo número de cigarros fumados. (Modificada de Stewart BW, Kleihues P, editors: *World Cancer Report*, Lyon, 2003, IARC Press.)

- *O preço cobrado por doenças não malignas* associadas ao fumo é ainda mais terrível. Os agentes presentes na fumaça têm efeito irritante direto na mucosa traqueobrônquica, produzindo inflamação e aumento da produção de muco (bronquite). A fumaça do cigarro também causa o recrutamento de leucócitos para o pulmão, com aumento da produção local de elastase e subsequente lesão do tecido pulmonar, levando a enfisema, bronquite crônica e doença pulmonar obstrutiva crônica, condições que são discutidas no **Capítulo 15**. O tabagismo agrava a asma e aumenta o risco de tuberculose pulmonar
- *O tabagismo está fortemente relacionado ao desenvolvimento de aterosclerose* e suas principais complicações, infarto do miocárdio e acidente vascular encefálico. Os mecanismos causais provavelmente estão relacionados a vários fatores, incluindo aumento da agregação plaquetária, diminuição do suprimento de oxigênio miocárdico (devido à doença pulmonar significativa associada à hipoxia relacionada ao teor de CO da fumaça do cigarro), acompanhados por aumento da demanda de oxigênio do miocárdio e diminuição do limiar para fibrilação ventricular. O tabagismo tem um efeito multiplicativo na incidência de

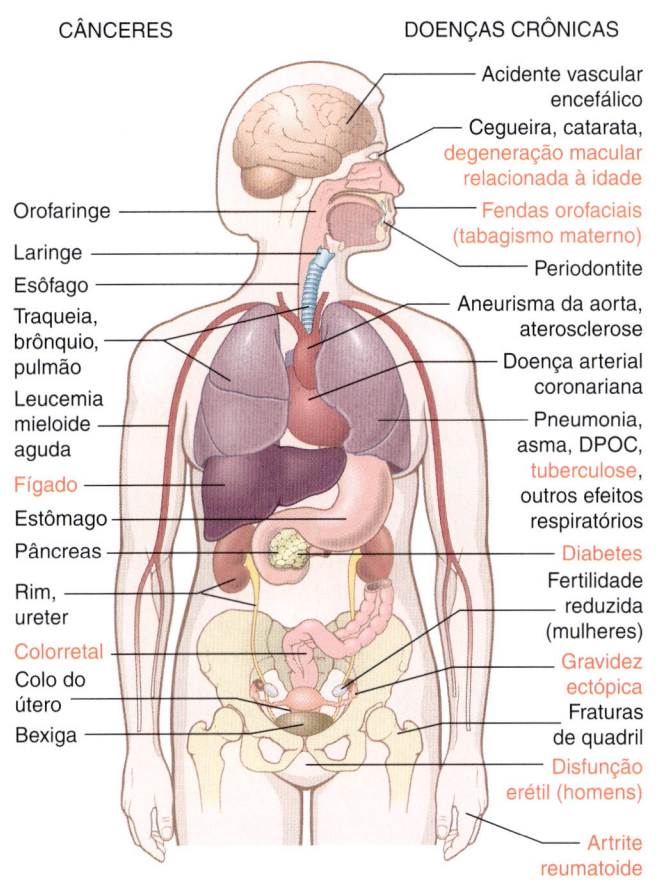

com aqueles que não fumam e a interação entre o consumo de tabaco e álcool no desenvolvimento de cânceres orais e laríngeos (**Figura 9.9**).

Tabagismo e outras doenças. Além do câncer de pulmão, o tabagismo está relacionado a muitos outros distúrbios malignos e não malignos que afetam vários sistemas orgânicos (**Figura 9.10**):

- O tabagismo está associado a *cânceres de esôfago, pâncreas, bexiga, rins, colo uterino* e *medula óssea*. A essa lista, o último relatório do Surgeon General dos EUA adicionou *carcinomas do fígado e cólon*; essa última é a segunda causa mais comum de mortes por câncer

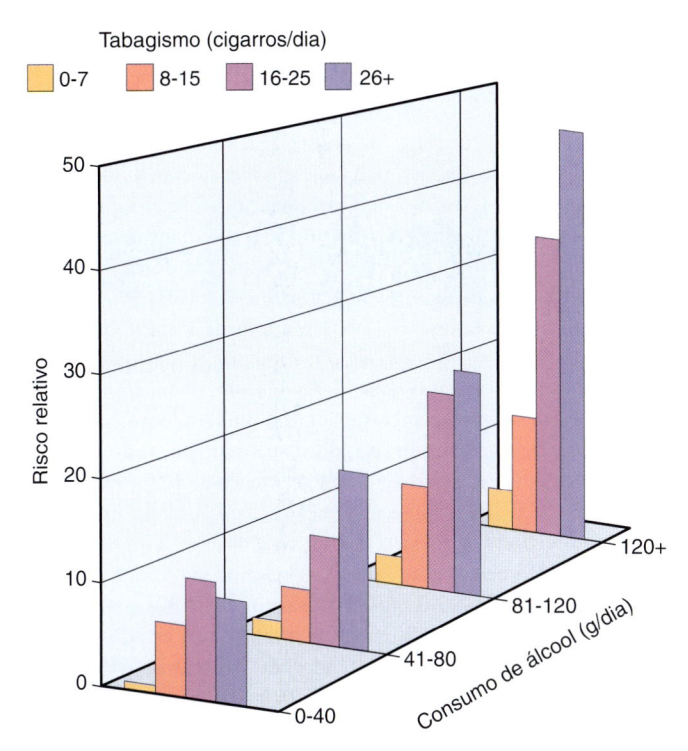

Figura 9.9 Aumento multiplicativo no risco de câncer de laringe a partir da interação entre o tabagismo e o consumo de álcool. (Modificada de Stewart BW, Kleihues P, editors: *World Cancer Report*, Lyon, 2003, IARC Press.)

Figura 9.10 Consequências para a saúde associadas causalmente ao tabagismo. Os itens em vermelho são novas doenças adicionadas no relatório de 2016 do Surgeon General (Departamento de Saúde e Serviços Humanos dos EUA. The Health Consequences of Smoking–50 Years of Progress: A Report of the Surgeon General. Atlanta, Ga, 2016, US Department of Health and Human Services, Centers for Disease Control and Prevention, National Center for Chronic Disease Prevention and Health Promotion, Office on Smoking and Health). *DPOC*, Doença pulmonar obstrutiva crônica.

infarto do miocárdio quando combinado com hipertensão e hipercolesterolemia
- *O tabagismo também prejudica o desenvolvimento fetal.* O tabagismo materno aumenta o risco de abortos espontâneos e partos prematuros e resulta em *retardo do crescimento intrauterino* (ver **Capítulo 10**). O peso ao nascer de neonatos de mães que pararam de fumar antes da gravidez, no entanto, é normal
- O último relatório do Surgeon General dos EUA adicionou várias novas doenças à lista anteriormente conhecida de doenças associadas ao fumo (**Figura 9.10**). *O fumo aumenta o risco de diabetes tipo 2, artrite reumatoide, degeneração macular relacionada à idade, gravidez ectópica e disfunção erétil*
- A exposição à fumaça ambiental do tabaco (*inalação passiva da fumaça*) está associada a alguns dos mesmos efeitos prejudiciais que resultam do tabagismo ativo. Estima-se que o risco relativo de câncer de pulmão em não fumantes expostos à fumaça ambiental seja aproximadamente 1,3 vez maior do que em não fumantes que não estão expostos à fumaça. Nos EUA, aproximadamente 3 mil mortes por câncer de pulmão em não fumantes com mais de 35 anos podem ser atribuídas a cada ano à fumaça do tabaco no ambiente. Ainda mais impressionante é o risco aumentado de aterosclerose coronariana e infarto do miocárdio fatal. Estudos relatam que, a cada ano, 30 a 60 mil mortes decorrentes de problemas cardiovasculares, nos EUA, estão associadas à exposição à fumaça passiva. Crianças que moram em uma casa com um adulto que fuma têm maior frequência de doenças respiratórias, como asma. A inalação passiva de fumaça em não fumantes pode ser estimada medindo-se os níveis sanguíneos de cotinina, um metabólito da nicotina. Nos EUA, os níveis medianos de cotinina em não fumantes diminuíram em mais de 60% desde cerca de 2000, devido à adoção de políticas de proibição ao fumo em locais públicos. No entanto, a exposição passiva à fumaça do tabaco em casa continua sendo uma grande preocupação de saúde pública, especialmente para crianças. Fica claro que o prazer passageiro do fumo tem um alto preço a longo prazo
- *Os cigarros eletrônicos* (e-cigarros), dispositivos que simulam o tabagismo ao fornecer nicotina vaporizada e aromatizantes, estão crescendo em popularidade. O uso de cigarros eletrônicos com sabor, chamados de *vape*, tem aumentado nos últimos anos, sobretudo entre os adultos jovens. Embora por vários anos após o surgimento dos cigarros eletrônicos nenhum efeito adverso significativo tenha sido registrado, no início do verão de 2019 ocorreu um surto de lesão pulmonar aguda associada ao *vape* nos EUA. No final de 2019, cerca de 2 mil casos haviam sido notificados ao CDC, com 42 mortes. A patogênese desse surto está sob intensas investigações.

> **Conceitos-chave**
>
> **Efeitos do tabaco para a saúde**
>
> - O tabagismo é a causa evitável de morte humana mais prevalente
> - A fumaça do tabaco contém mais de 7 mil compostos. Entre eles, estão a nicotina, responsável pelo vício em tabaco, e potentes carcinógenos – principalmente hidrocarbonetos aromáticos policíclicos, nitrosaminas e aminas aromáticas. A nicotina também tem outros efeitos adversos, sobretudo no desenvolvimento fetal, e está associada ao nascimento prematuro e à morte fetal
> - Aproximadamente 90% dos cânceres de pulmão ocorrem em fumantes. O tabagismo também está associado a um risco aumentado de câncer de cavidade oral, laringe, esôfago, estômago, bexiga e rim, algumas formas de leucemia, bem como câncer de fígado e colorretal. A cessação do tabagismo reduz o risco de câncer de pulmão
> - O uso de tabaco sem fumaça é uma causa importante de câncer oral. O consumo de tabaco interage com o álcool, multiplicando o risco de câncer oral, laríngeo e esofágico e aumenta o risco de câncer de pulmão devido à exposição ocupacional ao amianto, urânio e outros agentes
> - O uso de tabaco é um importante fator de risco para o desenvolvimento de aterosclerose e infarto do miocárdio, doença vascular periférica e doença cerebrovascular. Nos pulmões, além do câncer, predispõe ao enfisema, bronquite crônica e doença pulmonar obstrutiva crônica
> - O tabagismo materno aumenta o risco de aborto espontâneo, parto prematuro e retardo do crescimento intrauterino

Efeitos do álcool

O consumo de etanol em quantidades moderadas geralmente não é prejudicial (e pode até proteger contra alguns distúrbios), mas em quantidades excessivas o álcool causa graves danos físicos e psicológicos. Nesta seção, descreveremos o metabolismo do álcool e as principais consequências à saúde associadas ao abuso do álcool.

Apesar de toda a atenção dada às drogas ilícitas, como cocaína e opiáceos, o consumo abusivo de álcool é um perigo muito mais comum e ceifa muito mais vidas. De acordo com um levantamento de 2017 realizado pelo National Institute on Alcohol Abuse and Alcoholism, 60% das pessoas relataram uso de álcool no mês anterior. Ainda mais preocupante é o fato de que 14 milhões de adultos (maiores de 18 anos) sofrem de transtorno do abuso de álcool (TAA) nos EUA (5,7% dessa faixa etária). O TAA é uma doença cerebral recorrente crônica caracterizada por uma capacidade prejudicada de parar ou controlar o uso do álcool, apesar das consequências sociais, ocupacionais ou de saúde adversas. Estima-se que o consumo de álcool seja responsável por mais de 80 mil mortes anualmente, mais de 50% das quais resultam de acidentes causados por direção sob a influência de álcool, bem como homicídios e suicídios relacionados à substância, e cerca de 15 mil mortes anuais são consequência de cirrose hepática. Em todo o mundo, o álcool é responsável por aproximadamente 3,3 milhões de mortes por ano (5,9% de todas as mortes).

Após o consumo, o etanol é absorvido inalterado no estômago e no intestino delgado e, em seguida, distribuído por todo o corpo em proporção direta ao nível no sangue. Menos de 10% é excretado inalterado na urina, suor e respiração. A quantidade exalada é proporcional ao nível no sangue e forma a base para o etilômetro (o teste do bafômetro) usado pelas agências de segurança pública. Uma concentração de 80 mg/dℓ no sangue constitui a definição legal de direção sob a influência na maioria dos estados norte-americanos. Para um indivíduo médio, essa concentração de álcool é atingida após o consumo de três bebidas-padrão, cerca de três garrafas de cerveja (355 mℓ), 444 mℓ de vinho ou 118 a 147 mℓ de bebidas destiladas com 40% de teor alcóolico. A sonolência ocorre com 200 mg/dℓ; a letargia, com 300 mg/dℓ; e o coma, com possível parada respiratória, com níveis mais elevados. A taxa de metabolismo afeta o nível de álcool no sangue. Os alcoólatras crônicos desenvolvem tolerância ao álcool. Eles metabolizam o álcool a uma taxa maior do que o normal e, portanto, apresentam níveis máximos de álcool mais baixos do que a média para o mesmo tipo de álcool consumido. A maior parte do álcool no sangue é metabolizada em acetaldeído no fígado por três sistemas enzimáticos: álcool desidrogenase, isoenzimas do citocromo P-450 e catalase (**Figura 9.11**). Destas, a principal enzima envolvida no metabolismo do álcool é a álcool desidrogenase, localizada no citosol dos hepatócitos. Em altos níveis de álcool no sangue, entretanto, o sistema microssomal de oxidação do etanol também desempenha um papel importante. Esse sistema envolve enzimas do citocromo P-450, em especial a isoforma CYP2E1, localizada no retículo endoplasmático liso. A indução das enzimas P-450 pelo álcool explica o aumento da suscetibilidade dos alcoólatras a outros compostos metabolizados pelo mesmo sistema enzimático, que incluem fármacos e drogas ilícitas (paracetamol, cocaína), anestésicos, carcinógenos e solventes industriais. Vale ressaltar, entretanto, que, quando o álcool está presente no sangue em altas concentrações, ele compete com outros substratos do CYP2E1 e pode atrasar o catabolismo de outras substâncias, potencializando, assim, seus efeitos. A catalase é de menor importância, sendo responsável por apenas cerca de 5% do metabolismo do álcool. O acetaldeído produzido por esses sistemas é, por sua vez, convertido pela acetaldeído desidrogenase em acetato, que é usado na cadeia respiratória mitocondrial ou na síntese de lipídios.

Vários efeitos tóxicos resultam do metabolismo do etanol. Aqui estão listados apenas os mais importantes deles:

- O *acetaldeído*, produto direto da oxidação do álcool, tem muitos efeitos tóxicos e é responsável por alguns dos efeitos agudos do álcool. A eficiência do metabolismo do álcool varia entre as populações, dependendo dos níveis de expressão da álcool desidrogenase e da aldeído desidrogenase, bem como da presença de variantes genéticas que alteram a atividade enzimática. Cerca de 50% dos asiáticos têm uma atividade de aldeído desidrogenase muito baixa devido à substituição da glutamina por lisina no resíduo 487 (o alelo normal é denominado ALDH2*1, e a variante inativa é denominada ALDH2*2). A proteína ALDH2*2 tem atividade negativa dominante, de modo que, mesmo uma cópia do alelo ALDH2*2, reduz significativamente a atividade enzimática. Os indivíduos homozigotos para o alelo ALDH2*2 são completamente incapazes de oxidar o acetaldeído e não toleram o álcool, apresentando náuseas, rubor, taquicardia e hiperventilação após sua ingestão

- A *oxidação do álcool* pela álcool desidrogenase provoca a redução da nicotinamida adenina dinucleotídio (NAD) a NADH, com consequente diminuição da NAD e aumento da NADH. A NAD é necessária para a oxidação de ácidos graxos no fígado e para a conversão de lactato em piruvato. Sua deficiência é a principal causa do acúmulo de gordura no fígado dos alcoólatras. O aumento da razão NADH/NAD em alcoólatras também causa acidose láctica

- *Geração de ERO*. O metabolismo do etanol no fígado pelo CYP2E1 produz ERO, que causam peroxidação lipídica das membranas dos hepatócitos. O álcool também provoca a liberação de endotoxina (lipopolissacarídeo) de bactérias gram-negativas na flora intestinal, o que estimula a produção do fator de necrose tumoral (TNF) e outras citocinas de macrófagos e células de Kupffer, levando à lesão hepática.

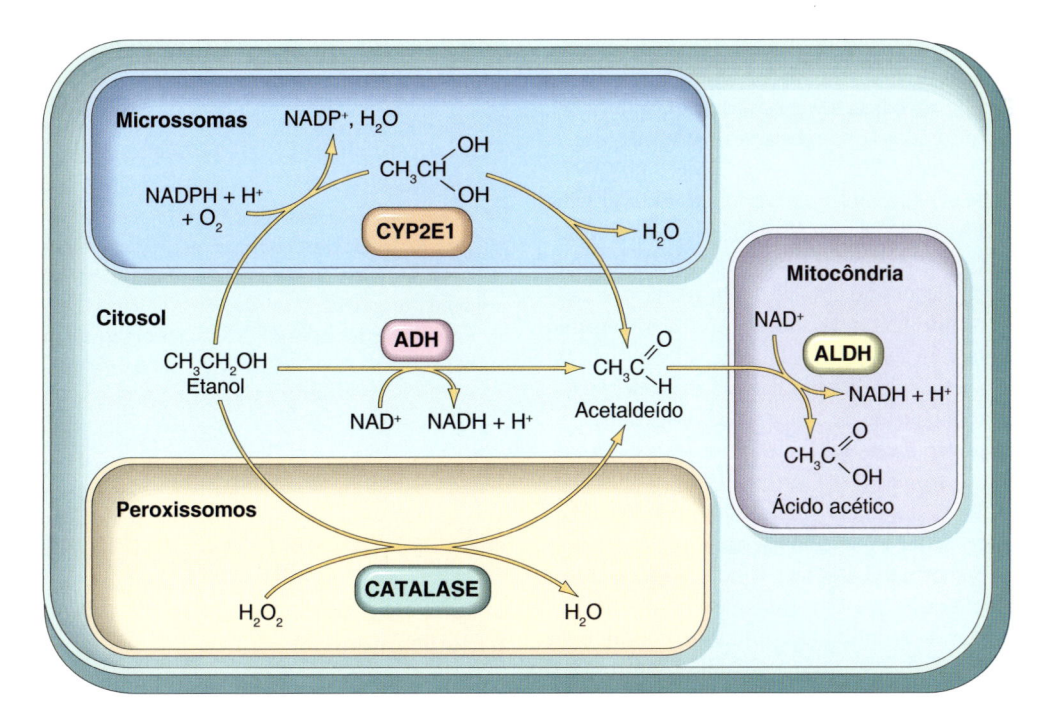

Figura 9.11 Metabolismo do etanol: a oxidação do etanol a acetaldeído por três vias diferentes e geração de ácido acético. Observe que a oxidação pela álcool desidrogenase (*ADH*) ocorre no citosol; o sistema do citocromo P-450 e sua isoforma CYP2E1 estão localizados no retículo endoplasmático (microssomas), e a catalase está localizada nos peroxissomos. A oxidação do acetaldeído pela aldeído desidrogenase (*ALDH*) ocorre na mitocôndria. A oxidação do ADH é a via mais importante; a catalase está envolvida em apenas 5% do metabolismo do etanol. A oxidação por meio de CYPs também pode gerar espécies reativas de oxigênio (não mostrado). (De Parkinson A: Biotransformation of xenobiotics. In Klassen CD, editor: *Casarett and Doull's Toxicology: The Basic Science of Poisons*, ed. 6, New York, 2001, McGraw-Hill, p. 133.)

Os efeitos adversos do etanol podem ser classificados como agudos ou crônicos.

O *alcoolismo agudo* **exerce seus efeitos principalmente no SNC, mas pode induzir alterações hepáticas e gástricas que são reversíveis se o consumo de álcool for interrompido.** Mesmo com a ingestão moderada de álcool, múltiplas gotículas de gordura se acumulam no citoplasma dos hepatócitos (alteração gordurosa ou esteatose hepática). As alterações gástricas são gastrite aguda e ulceração. No SNC, o álcool é um depressor, afetando primeiro as estruturas subcorticais (provavelmente a formação reticular do tronco encefálico superior) que modulam a atividade cortical cerebral. Consequentemente, há estimulação e comportamento cortical, motor e intelectual desordenado. Com níveis sanguíneos progressivamente mais elevados, os neurônios corticais e os centros medulares inferiores encontram-se deprimidos, incluindo aqueles que regulam a respiração. Pode ocorrer parada respiratória.

O *alcoolismo crônico* **afeta não apenas o fígado e o estômago, mas também praticamente todos os outros órgãos e tecidos.** Os alcoólatras crônicos sofrem de morbidade significativa e têm uma expectativa de vida mais curta, relacionada principalmente a danos ao fígado, sistema digestório, SNC, sistema cardiovascular e pâncreas:

- O *fígado* é o principal local de lesão crônica. Além da alteração gordurosa mencionada anteriormente, o alcoolismo crônico causa hepatite alcoólica e cirrose, conforme descritos no **Capítulo 18**. A cirrose está associada à hipertensão portal e a um risco aumentado de desenvolvimento de carcinoma hepatocelular
- No *sistema digestório*, o alcoolismo crônico pode causar sangramento maciço em função de gastrite, úlcera gástrica ou varizes esofágicas (associadas à cirrose), que podem ser fatais
- *Efeitos neurológicos.* A deficiência de tiamina (vitamina B_1) é comum em alcoólatras crônicos; as principais lesões resultantes dessa deficiência são neuropatias periféricas e síndrome de Wernicke-Korsakoff (ver **Tabela 9.9** mais adiante e **Capítulo 28**); atrofia cerebral, degeneração cerebelar e neuropatia óptica também podem ocorrer
- *Efeitos cardiovasculares.* O álcool tem diversos efeitos no sistema cardiovascular. A lesão do miocárdio pode produzir miocardiopatia congestiva dilatada (miocardiopatia alcoólica, discutida no **Capítulo 12**). O alcoolismo crônico também está associado a um aumento da incidência de hipertensão, e o consumo excessivo de álcool, com consequente lesão hepática, resulta em diminuição dos níveis de lipoproteína de alta densidade (HDL), aumentando a probabilidade de cardiopatia coronariana
- *Pancreatite.* A ingestão excessiva de álcool aumenta o risco de pancreatite aguda e crônica (ver **Capítulo 19**)
- *Feto.* O uso de etanol durante a gravidez pode causar a síndrome alcoólica fetal, que é marcada por microcefalia, retardo de crescimento e anormalidades faciais no recém-nascido e redução das funções mentais à medida que a criança cresce. É difícil estabelecer a quantidade mínima de consumo de álcool que pode causar a síndrome alcoólica fetal, mas o consumo durante o primeiro trimestre da gravidez é particularmente prejudicial
- *Carcinogênese.* O consumo crônico de álcool está associado a um aumento da incidência de câncer da cavidade oral, esôfago e fígado. Nas mulheres, a ingestão de baixa a moderada (355 mℓ de cerveja ou 147 mℓ de vinho) incorre em um risco ligeiramente maior de câncer de mama. O acetaldeído é considerado o principal agente associado ao câncer de laringe e esôfago induzido pelo álcool, e adutos de acetaldeído-DNA foram detectados em alguns tumores desses tecidos. Indivíduos com uma cópia do alelo ALDH2*2 da aldeído desidrogenase que bebem têm risco mais alto de desenvolver câncer de esôfago. Como mencionado anteriormente, o álcool e a fumaça do cigarro se associam na causalidade de vários tipos de câncer
- *Má nutrição.* O etanol é uma fonte substancial de energia (calorias vazias). O alcoolismo crônico leva a má nutrição e deficiências nutricionais, principalmente das vitaminas B.

Nem tudo é desgraça, no entanto. Quantidades moderadas de álcool (cerca de 20 a 30 g/dia, correspondendo a aproximadamente 250 mℓ de vinho) parecem proteger contra cardiopatias coronarianas. Os possíveis mecanismos incluem aumento dos níveis de HDL, inibição da agregação plaquetária e redução dos níveis de fibrinogênio. Parece que o velho ditado é verdadeiro, pelo menos no que diz respeito ao álcool – tudo em excesso faz mal.

Conceitos-chave
Álcool – metabolismo e efeitos na saúde

- O abuso agudo de álcool causa sonolência em níveis sanguíneos de aproximadamente 200 mg/dℓ. A letargia e o coma ocorrem com níveis mais elevados
- O álcool é oxidado a acetaldeído no fígado pela álcool desidrogenase, pelo sistema do citocromo P-450 e pela catalase, que é de menor importância. A capacidade diminuída de metabolizar o acetaldeído está associada à toxicidade aguda e a um risco aumentado de certos tipos de câncer
- A oxidação do álcool pela álcool desidrogenase esgota a NAD, levando ao acúmulo de gordura no fígado e à acidose metabólica
- Os principais efeitos do alcoolismo crônico são fígado gorduroso, hepatite alcoólica e cirrose, que causa hipertensão portal e aumenta o risco de desenvolvimento de carcinoma hepatocelular
- O alcoolismo crônico pode causar sangramento em função de gastrite e úlceras gástricas, neuropatia periférica associada à deficiência de tiamina, cardiomiopatia alcoólica e pancreatite aguda e crônica
- O alcoolismo crônico é um importante fator de risco para cânceres da cavidade oral, laringe e esôfago. O risco aumenta muito com o fumo concomitante ou com o uso de tabaco sem fumaça

Lesões por fármacos e drogas de abuso

Lesões por fármacos (reações adversas a medicamentos)

As reações adversas a medicamentos referem-se a efeitos indesejáveis de fármacos administrados em ambientes terapêuticos convencionais. Essas reações são extremamente comuns na prática médica, afetando quase 7% dos pacientes internados em hospitais, com uma taxa de letalidade de 0,32% (sendo responsáveis por 106 mil mortes anuais). Um exemplo exótico, mas facilmente visto, é a descoloração da pele causada pelo acúmulo de um metabólito oxidado do antibiótico minociclina (**Figura 9.12**). Muito mais comuns são as reações medicamentosas decorrentes de ações diretas da substância ou a reações de hipersensibilidade de base imunológica. As reações de hipersensibilidade induzida por medicamentos mais comumente se manifestam como erupções cutâneas, mas também podem mimetizar distúrbios autoimunes, como o lúpus eritematoso sistêmico (ver **Capítulo 6**) ou assumir a forma de anemia hemolítica ou trombocitopenia imunológica (ver **Capítulo 13**).

Os adultos mais velhos (acima de 65 anos) são muito mais propensos a sofrer reações adversas a medicamentos. A **Tabela 9.5** lista achados patológicos comuns em reações adversas a medicamentos e os fármacos mais frequentemente envolvidos. Muitos dos medicamentos que produzem reações adversas, como os agentes antineoplásicos, são altamente potentes e as reações adversas são riscos aceitos para o tratamento. Nesta seção, examinaremos as reações adversas aos medicamentos comumente usados, discutindo primeiro os efeitos indesejáveis dos anticoagulantes, da terapia hormonal da menopausa (THM) e dos anticoncepcionais orais (ACOs) e depois discutindo os efeitos do paracetamol e do ácido acetilsalicílico.

Tabela 9.5 Reações adversas comuns a medicamentos e seus agentes.

Reação	Principais agressores
Medula óssea e células sanguíneas[a]	
Granulocitopenia, anemia aplásica, pancitopenia	Agentes antineoplásicos, imunossupressores, cloranfenicol
Anemia hemolítica, trombocitopenia	Penicilina, metildopa, quinidina, heparina
Cutânea	
Urticária, máculas, pápulas, vesículas, petéquias, dermatite esfoliativa, eritema fixo medicamentoso, pigmentação anormal	Agentes antineoplásicos, sulfonamidas, hidantoínas, alguns antibióticos e muitos outros agentes
Cardíaca	
Arritmias	Teofilina, hidantoína, digoxina
Cardiomiopatia	Doxorrubicina, daunorrubicina
Renal	
Glomerulonefrite	Penicilamina
Necrose tubular aguda	Antibióticos aminoglicosídeos, ciclosporina, anfotericina B
Doença tubulointersticial com necrose papilar	Fenacetina, salicilatos
Pulmonar	
Asma	Salicilatos
Pneumonite aguda	Nitrofurantoína
Fibrose intersticial	Bussulfano, nitrofurantoína, bleomicina
Hepática	
Alteração gordurosa	Tetraciclina
Dano hepatocelular difuso	Halotano, isoniazida, paracetamol
Colestase	Clorpromazina, estrogênios, agentes contraceptivos
Sistêmica	
Anafilaxia	Penicilina
Síndrome do lúpus eritematoso (lúpus induzido por medicamentos)	Hidralazina, procainamida
Sangramento	Varfarina, dabigatrana
Sistema nervoso central	
Zumbido e tontura	Salicilatos
Reações distônicas agudas e síndrome parkinsoniana	Antipsicóticos fenotiazínicos
Depressão respiratória	Sedativos

[a]Afetadas em quase metade de todas as mortes relacionadas a medicamentos.

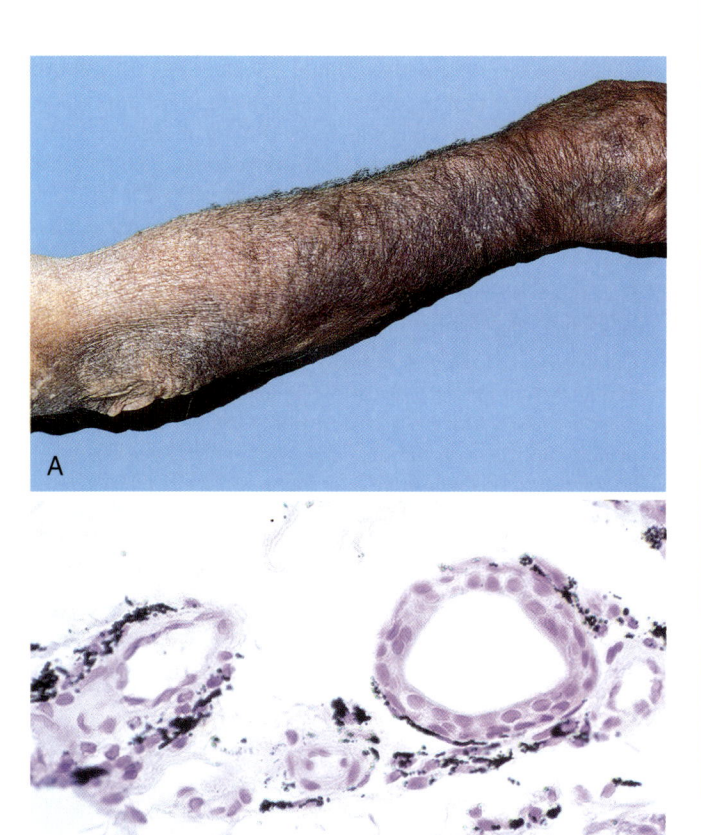

Figura 9.12 Reação adversa a medicamento. Pigmentação da pele causada pela minociclina, um derivado da tetraciclina de ação prolongada. **A.** Pigmentação cinza-azulada difusa do antebraço. **B.** Deposição de partículas pigmentadas de metabólitos do medicamento/ferro/melanina na derme. (Cortesia do Dr. Zsolt Argenyi, Department of Pathology, University of Washington, Seattle, Wash.)

Anticoagulantes

Os dois medicamentos que mais frequentemente causam reações adversas relatadas ao US Food and Drug Administration são os anticoagulantes orais varfarina e dabigatrana. A varfarina é um antagonista da vitamina K e a dabigatrana, um inibidor direto da trombina. As principais complicações associadas a esses dois medicamentos são sangramento, que pode ser fatal, e complicações trombóticas, como acidente vascular encefálico embólico decorrente do subtratamento. A varfarina é barata e seus efeitos são fáceis de monitorar, mas muitos medicamentos e alimentos ricos em vitamina K interferem em seu metabolismo ou anulam sua função. Como resultado, pode ser problemático manter a anticoagulação em uma faixa terapêutica relativamente segura. Ainda não foram descritas as interações farmacológicas dos medicamentos com o metabolismo da dabigatrana, mas ocorrem muitas complicações hemorrágicas. Ela é usada, principalmente, para prevenir o tromboembolismo em pacientes com fibrilação atrial que apresentam alto risco de acidente vascular encefálico trombótico.

Terapia hormonal da menopausa

O tipo mais comum de THM (anteriormente chamada de terapia de reposição hormonal) consiste na administração de estrogênios com um progestágeno. Devido ao risco de câncer uterino, a terapia com estrogênio sozinho é usada apenas em mulheres histerectomizadas. Inicialmente usado para neutralizar ondas de calor e outros sintomas da menopausa, os primeiros estudos clínicos sugeriram que o uso de THM em mulheres na pós-menopausa poderia prevenir ou retardar a progressão da osteoporose (ver **Capítulo 26**) e reduzir a probabilidade de infarto do miocárdio. No entanto, ensaios clínicos randomizados subsequentes produziram resultados decididamente mistos. Em 2002, a Women's Health Initiative surpreendeu a comunidade médica ao relatar que um grande ensaio prospectivo controlado por placebo não conseguiu encontrar corroboração para alguns dos supostos efeitos benéficos da terapia. Esse estudo envolveu aproximadamente 17 mil mulheres que estavam fazendo uso de uma combinação de estrogênio (estrogênios equinos conjugados) e uma progestina sintética (acetato de medroxiprogesterona). Embora a THM tenha reduzido o número de fraturas em mulheres em tratamento, os pesquisadores também relataram que, após 5 anos de tratamento, a THM combinada havia aumentado o risco de câncer de mama (ver **Capítulo 23**), acidente vascular encefálico e tromboembolismo venoso (TEV) e não teve efeito sobre a incidência de cardiopatia coronariana. As repercussões produzidas por esses achados levaram a uma diminuição drástica no uso da THM, de 22 para 4,7% em 2010, que foi acompanhada por uma aparente queda na incidência de câncer de mama diagnosticado recentemente. Mas, durante os últimos anos, houve uma reavaliação dos riscos e benefícios da THM. Essas análises mais recentes mostraram que os **efeitos da THM dependem do tipo de regime de terapia hormonal usado (combinação de estrogênio-progestina *versus* estrogênio sozinho); a idade e a possível presença de fatores de risco na mulher no início do tratamento; a duração do tratamento; e, possivelmente, a dose, formulação e via de administração do hormônio.** O consenso atual de risco/benefício pode ser resumido da seguinte forma:

- *A combinação de estrogênio-progestina aumenta o risco de câncer de mama* após um período médio de 5 a 6 anos. Por outro lado, o estrogênio usado sozinho em mulheres com histerectomia está associado a uma redução limítrofe no risco de câncer de mama. Não há aumento no risco de câncer de ovário
- *A THM pode ter um efeito protetor no desenvolvimento de aterosclerose e doença coronariana em mulheres com menos de 60 anos*, mas não protege aquelas que iniciaram a THM em uma idade mais avançada. Esses dados corroboram a noção de que pode haver uma janela terapêutica crítica para os efeitos da THM no sistema cardiovascular. Os efeitos protetores em mulheres mais jovens dependem, em parte, da resposta dos receptores de estrogênio no endotélio vascular saudável. No entanto, a THM não deve ser usada para prevenção de doenças cardiovasculares ou outras doenças crônicas
- *A THM aumenta o risco de acidente vascular encefálico e TEV, incluindo trombose venosa profunda e embolia pulmonar.* O aumento no TEV é mais pronunciado durante os primeiros 2 anos de tratamento e em mulheres que apresentam outros fatores de risco, como imobilização e estados hipercoaguláveis causados por mutações da protrombina ou do fator V de Leiden (ver **Capítulo 4**). Os riscos de TEV e acidente vascular encefálico parecem ser menores com a via transdérmica do que com a via oral do estrogênio. O efeito da via de administração continua a ser estudado.

Como pode ser observado a partir dessas associações, a avaliação dos riscos e benefícios ao se considerar o uso da THM em mulheres é complexa. O sentimento atual é que esses agentes têm um papel no controle dos sintomas da menopausa no início deste período, mas não devem ser usados a longo prazo para a prevenção de doenças crônicas.

Contraceptivos orais

Em todo o mundo, milhões de mulheres usam anticoncepcionais hormonais. Os COs quase sempre contêm um estradiol sintético e uma quantidade variável de progestina, mas algumas preparações apenas progestina. Eles agem inibindo a ovulação ou impedindo a implantação. Os COs prescritos atualmente contêm uma quantidade muito menor de estrogênios (apenas 20 µg de etinilestradiol) do que as primeiras formulações e estão associados a menos efeitos colaterais. Formulações transdérmicas e implantáveis também estão disponíveis. Portanto, os resultados dos estudos epidemiológicos devem ser interpretados no contexto da dosagem e do sistema de administração. No entanto, há boas evidências para corroborar as seguintes conclusões:

- *Carcinoma da mama.* A opinião predominante é que os COs não aumentam o risco de câncer de mama
- *Câncer endometrial e câncer de ovário.* Os COs têm um efeito protetor contra esses tumores, que podem durar décadas após a interrupção de seu uso
- *Câncer cervical.* Os COs podem aumentar o risco de carcinomas cervicais em mulheres infectadas com o papilomavírus humano
- *Tromboembolismo.* A maioria dos estudos indica que os COs, incluindo as preparações mais recentes com baixa dose (menos de 50 µg de estrogênio), estão associados a um risco duas a quatro vezes maior de trombose venosa e tromboembolismo pulmonar devido a um estado hipercoagulável induzido por elevada síntese hepática de fatores de coagulação. Esse risco pode ser ainda maior com os COs de terceira geração mais recentes que contêm progestinas sintéticas, sobretudo em mulheres que são portadoras da mutação do fator V de Leiden. Para contextualizar essa complicação, no entanto, o risco de tromboembolismo associado ao uso de CO é duas a seis vezes menor do que o risco de tromboembolismo associado à gravidez
- *Doença cardiovascular.* Há uma incerteza considerável sobre o risco de aterosclerose e infarto do miocárdio em usuárias de COs. Parece que os estes não aumentam o risco de doença arterial coronariana em mulheres com menos de 30 anos ou em mais velhas que não são fumantes, mas o risco é aproximadamente o dobro em mulheres fumantes com mais de 35 anos

- *Adenoma hepático.* Existe uma associação bem definida entre o uso de COs e esse raro tumor hepático benigno, principalmente em mulheres idosas que usam CO por tempo prolongado.

Em última análise, os prós e os contras dos COs devem ser vistos no contexto de sua ampla aplicabilidade e aceitação como forma de contracepção.

Paracetamol

O paracetamol, ou acetaminofeno, é o analgésico mais comumente usado nos EUA. Está presente em mais de 300 produtos, isoladamente ou em combinação com outros agentes. Nos EUA, é a causa de cerca de 50% dos casos de insuficiência hepática aguda, com mortalidade de 30%. A superdosagem intencional (tentativa de suicídio) é a causa mais comum de toxicidade por paracetamol na Grã-Bretanha, mas a não intencional é a causa mais frequente nos EUA, representando quase 50% do total de casos de intoxicação.

Em doses terapêuticas, aproximadamente 95% do paracetamol sofre desintoxicação no fígado pelas enzimas da fase II e é excretado na urina como conjugado de glicuronato ou sulfato (**Figura 9.13**). Cerca de 5% ou menos é metabolizado pela atividade de CYPs (principalmente CYP2E) em NAPQI (N-acetil-p-benzoquinoneimina), um metabólito altamente reativo. O NAPQI normalmente é conjugado com GSH, mas, quando o paracetamol é administrado em grandes doses, o NAPQI não conjugado se acumula e causa lesão hepatocelular, levando à necrose centrolobular, que pode progredir para insuficiência hepática. A lesão produzida pelo NAPQI envolve dois mecanismos: (1) ligação covalente às proteínas hepáticas, que causa danos às membranas celulares e disfunção mitocondrial; e (2) depleção de GSH, tornando os hepatócitos mais suscetíveis à lesão induzida por ERO. Como o álcool induz CYP2E no fígado, a toxicidade pode ocorrer em doses mais baixas em alcoólatras crônicos.

A janela entre a dose usual (0,5 g) e a dose tóxica (15 a 25 g) é grande e o medicamento, normalmente, é muito seguro. A toxicidade começa com náuseas, vômitos, diarreia e, às vezes, choque, seguido em alguns dias por evidências de icterícia. A superdosagem de paracetamol pode ser tratada em seus estágios iniciais (dentro de 12 horas) pela administração de *N*-acetilcisteína, que restaura os níveis de GSH. Na superdosagem grave, ocorre insuficiência hepática, começando com necrose centrolobular, que pode se estender a lóbulos inteiros; em tais circunstâncias, o transplante de fígado é a única esperança de sobrevivência. Alguns pacientes também apresentam evidências de danos renais concomitantes.

Ácido acetilsalicílico

A superdosagem de ácido acetilsalicílico pode resultar da ingestão acidental de um grande número de comprimidos por crianças pequenas; em adultos, costuma ser suicida. Muito menos comumente, o envenenamento por salicilato é causado pelo uso excessivo de pomadas contendo óleo de gaultéria (salicilato de metila). A superdosagem aguda de salicilato causa alcalose como consequência da estimulação do centro respiratório na medula. Em seguida, ocorrem acidose metabólica e acúmulo de piruvato e lactato, causados pelo desacoplamento da fosforilação oxidativa e inibição do ciclo de Krebs. A acidose metabólica aumenta o surgimento de formas não ionizadas de salicilatos, que se difundem no cérebro e produzem efeitos que variam de náuseas a coma. A ingestão de 2 a 4 g por crianças ou de 10 a 30 g por adultos pode ser fatal, mas há relatos de sobrevivência após a ingestão de doses cinco vezes maiores.

A toxicidade crônica por ácido acetilsalicílico (salicilismo) pode se desenvolver em pessoas que tomam 3 g ou mais diariamente por longos períodos para o tratamento da dor crônica ou condições inflamatórias. O salicilismo crônico se manifesta por cefaleias, tontura, zumbido nos ouvidos (*tinnitus*), deficiência auditiva, confusão mental, sonolência, náuseas, vômito e diarreia. As alterações no SNC podem progredir para convulsões e coma. As consequências morfológicas do salicilismo crônico são variadas. Na maioria das vezes, há uma gastrite erosiva aguda (ver **Capítulo 17**), que pode produzir sangramento gastrintestinal e levar à ulceração gástrica. Uma tendência ao sangramento pode aparecer concomitantemente com a toxicidade crônica porque o ácido acetilsalicílico acetila a ciclo-oxigenase plaquetária e bloqueia de forma irreversível a produção de tromboxano A_2, um ativador da agregação plaquetária. Hemorragias petequiais podem aparecer na pele e nas vísceras, e o sangramento proveniente das ulcerações gástricas pode ser exacerbado pelo defeito de coagulação. Com o reconhecimento de úlcera gástrica e do sangramento como uma complicação importante da ingestão de grandes doses de ácido acetilsalicílico, a toxicidade crônica agora é bastante incomum.

Misturas analgésicas comerciais de ácido acetilsalicílico e fenacetina ou seu metabólito ativo, o paracetamol, quando administradas por vários anos, podem causar nefrite tubulointersticial com necrose papilar renal, conhecida como *nefropatia analgésica* (ver **Capítulo 20**).

Lesões por agentes não terapêuticos (abuso de drogas ilícitas)

O abuso de drogas ilícitas geralmente envolve o uso repetido ou crônico de substâncias que alteram a mente, além das normas

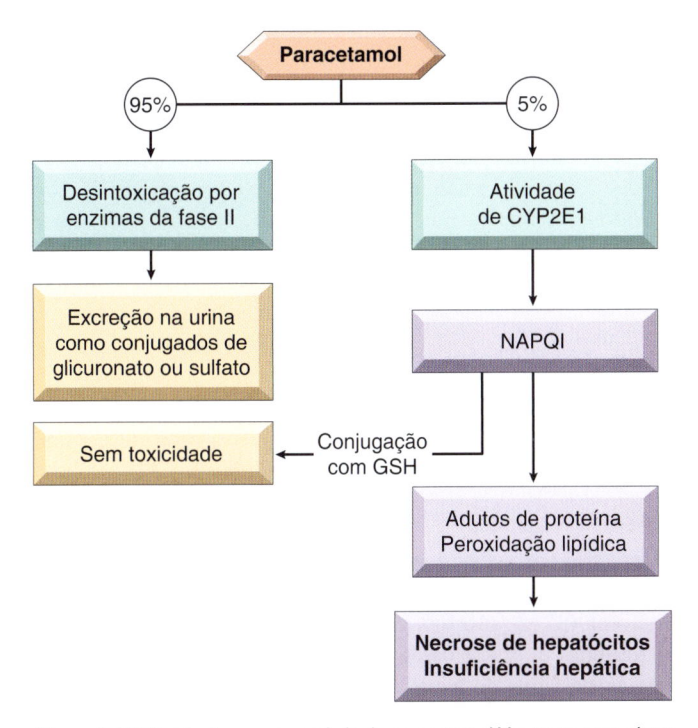

Figura 9.13 Metabolismo e toxicidade do paracetamol. Ver texto para obter mais detalhes. *GSH*, Glutationa; *NAPQI*, N-acetil-p-benzoquinoneimina. (Cortesia do Dr. Xavier Vaquero, Department of Pathology, University of Washington, Seattle, Wash.)

terapêuticas ou sociais, e pode levar à dependência de drogas e à *superdosagem*, ambos sérios problemas de saúde pública. De acordo com o relatório de 2019 do Escritório das Nações Unidas sobre Drogas e Crime, estima-se que cerca de 275 milhões de pessoas em todo o mundo, o que equivale a aproximadamente 5,6% da população global de 15 a 64 anos, usaram drogas ilícitas pelo menos uma vez durante 2016. Aproximadamente 450 mil pessoas morreram em 2015 em decorrência do uso delas. Dessas mortes, 167.750 foram resultado direto de transtornos por uso de drogas, na maioria dos casos envolvendo opioides. As drogas ilícitas de abuso mais comuns estão listadas na **Tabela 9.6**. São considerados aqui a cocaína, os opioides, as anfetaminas e a maconha, entre outros.

Cocaína

De acordo com o Relatório Mundial sobre Drogas de 2016 das Nações Unidas, havia, globalmente, 18 milhões de usuários de cocaína em 2016. Destes, 5,1 milhões estavam na América do Norte, representando 1,4% da população com mais de 14 anos.

A cocaína é extraída das folhas da planta da coca e, geralmente, é preparada como um pó hidrossolúvel, o cloridrato de cocaína. A cocaína vendida nas ruas é generosamente diluída com pó de talco, lactose ou outras substâncias semelhantes. Pode ser aspirada ou dissolvida em água e injetada por via subcutânea ou intravenosa. A cristalização do alcaloide puro produz pepitas de *crack*, assim chamadas por causa do som de estalo que fazem quando aquecidas para produzir vapores que são inalados. As ações farmacológicas da cocaína e do *crack* são idênticas, mas este é muito mais potente.

A cocaína produz euforia intensa e estimulação neurológica, tornando-se uma das drogas mais viciantes. Animais experimentais apertarão uma alavanca mais de mil vezes e renunciarão à comida e à bebida para obtê-la. No usuário de cocaína, embora geralmente não ocorra dependência física, a abstinência psicológica é profunda e pode ser extremamente difícil de tratar. Os desejos intensos são particularmente graves nos primeiros meses após a abstinência e podem recorrer durante anos. **A cocaína facilita a neurotransmissão tanto no SNC, onde bloqueia a recaptação da dopamina, quanto nas terminações nervosas adrenérgicas, onde bloqueia a recaptação da epinefrina e da norepinefrina, ao mesmo tempo que estimula a liberação pré-sináptica da norepinefrina.** A euforia se deve ao aumento da atividade da dopamina no cérebro, especialmente na chamada via mesolímbica dopaminérgica de recompensa.

Os efeitos agudos e crônicos da cocaína em vários sistemas orgânicos são os seguintes:

- *Efeitos cardiovasculares*. Os efeitos cardíacos mais graves da cocaína estão relacionados à sua atividade simpatomimética resultante do bloqueio da recaptação da epinefrina e da norepinefrina nas terminações nervosas adrenérgicas (**Figura 9.14**). O efeito final é o acúmulo desses dois neurotransmissores nas sinapses, resultando em estimulação excessiva, manifestada por taquicardia, hipertensão e vasoconstrição periférica. A cocaína também pode induzir isquemia miocárdica, causando vasoconstrição da artéria coronária e aumentando a agregação plaquetária e a formação de trombos. Esses efeitos duplos da cocaína aumentam a demanda de oxigênio do miocárdio e diminuem o fluxo sanguíneo coronariano, possibilitando uma isquemia do miocárdio e um provável infarto do miocárdio. A cocaína também pode precipitar arritmias letais por aumento da atividade simpática, bem como por interromper o transporte de íons normais (K^+, Ca^{2+}, Na^+) no miocárdio. Esses efeitos tóxicos não estão necessariamente relacionados à dose e um evento fatal pode ocorrer em um indivíduo que usa a cocaína pela primeira vez, com o que seria habitualmente uma dose que altera o humor. Estes efeitos também podem ser potencializados pelo tabagismo, o que aumenta a probabilidade de vasospasmo coronariano induzido por cocaína
- *SNC*. Os efeitos agudos mais comuns no SNC são hiperpirexia (provavelmente causada por aberrações das vias dopaminérgicas que controlam a temperatura corporal) e convulsões
- *Efeitos na gravidez*. Em mulheres grávidas, a cocaína pode causar diminuições agudas no fluxo sanguíneo para a placenta, resultando em hipoxia fetal e aborto espontâneo. O desenvolvimento neurológico pode ser prejudicado no feto de uma mulher grávida usuária crônica de drogas ilícitas
- *Outros efeitos*. O uso crônico de cocaína pode causar (1) perfuração do septo nasal naqueles que a cheiram, (2) diminuição da capacidade de difusão do pulmão em pessoas que inalam a fumaça e (3) cardiomiopatia dilatada.

Opioides e opiáceos

De acordo com o relatório de 2019 do Escritório das Nações Unidas sobre Drogas e Crime, em 2016 havia 19 milhões de usuários de opiáceos (p. ex., morfina e codeína, derivados de papoulas) e 34 milhões de usuários de opioides (naturais e sintéticos). As drogas opioides de abuso incluem fármacos prescritos como oxicodona, hidrocodona, fentanila, tramadol e metadona. Com um número de mortes de 49 mil por superdosagens de opioides em 2016, o problema tomou proporções epidêmicas na América do Norte. Dessas mortes, 40% foram por opioides prescritos.

Tabela 9.6 Drogas de abuso mais comuns.

Classe	Alvo molecular	Exemplo
Narcóticos opioides	Receptor opioide mu (agonista)	Heroína, hidromorfona Oxicodona Metadona Meperidina
Sedativos-hipnóticos	Receptor $GABA_A$ (agonista)	Barbitúricos Etanol Metaqualona Glutetimida Etclorvinol
Estimulantes psicomotores	Transportador de dopamina (antagonista)	Cocaína
	Receptores de serotonina (toxicidade)	Anfetaminas 3,4-metilenodioximetanfetamina (MDMA, *ecstasy*)
Fármacos semelhantes à fenciclidina	Canal do receptor de glutamato NMDA (antagonista)	Fenciclidina (PCP, pó de anjo) Cetamina
Canabinoides	Receptores canabinoides CB1 (agonista)	Maconha Haxixe
Alucinógenos	Receptores de serotonina $5-HT_2$ (agonista)	Dietilamida de ácido lisérgico (LSD) Mescalina Psilocibina

GABA, ácido γ-aminobutírico; $5-HT_2$, 5-hidroxitriptamina; *NMDA*, N-metil D-aspartato.
De Hyman SE: 28-year-old man addicted to cocaine, *JAMA* 286:2586, 2001.

SINAPSE DO SISTEMA NERVOSO CENTRAL

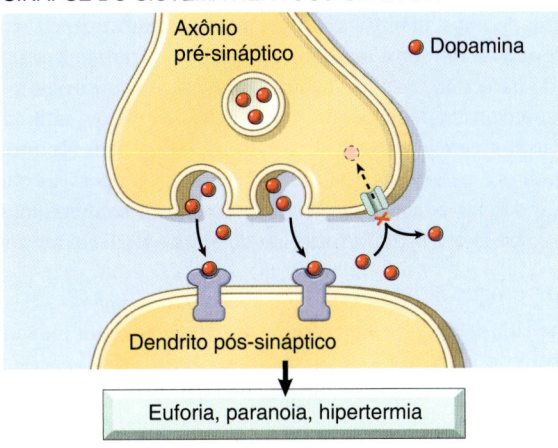

[Diagrama: Axônio pré-sináptico, Dopamina, Dendrito pós-sináptico → Euforia, paranoia, hipertermia]

INTERFACE NEURÔNIO SIMPÁTICO – CÉLULA-ALVO

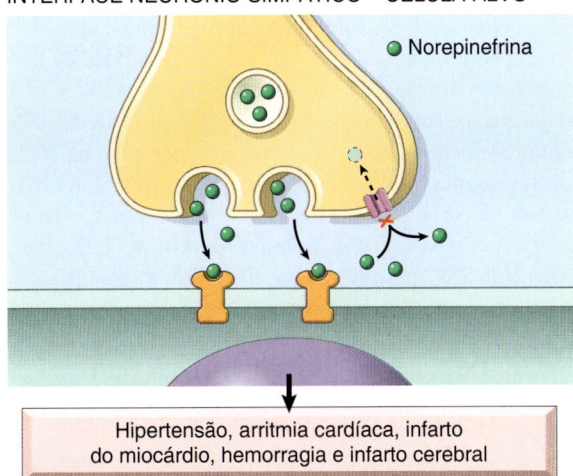

[Diagrama: Norepinefrina → Hipertensão, arritmia cardíaca, infarto do miocárdio, hemorragia e infarto cerebral]

Figura 9.14 Efeito da cocaína na neurotransmissão. A droga inibe a recaptação dos neurotransmissores dopamina e norepinefrina nos sistemas nervosos central e periférico.

A heroína, uma droga de rua derivada da planta da papoula, é intimamente relacionada à morfina. O uso de heroína é ainda mais prejudicial do que o de cocaína. Quando é vendida nas ruas, é misturada (diluída) com um agente (geralmente talco ou quinina); assim, o tamanho da dose não só é variável, como também costuma ser desconhecido para o comprador. A heroína, acompanhada de quaisquer substâncias contaminantes, geralmente é autoadministrada por via intravenosa ou subcutânea. Os efeitos sobre o SNC são variados e incluem euforia, alucinações, sonolência e sedação. A heroína tem uma ampla gama de outros efeitos físicos adversos relacionados (1) à ação farmacológica do agente, (2) às reações aos agentes diluidores ou contaminantes, (3) às reações de hipersensibilidade à droga ou aos seus adulterantes (a própria quinina tem toxicidade neurológica, renal e auditiva) e (4) às doenças contraídas devido ao uso de agulhas contaminadas. A seguir, relacionamos alguns dos efeitos adversos mais importantes da heroína:

- *Morte súbita.* A morte súbita, geralmente relacionada à *superdosagem*, é um risco sempre presente porque, geralmente, a pureza da droga é desconhecida (variando de 2 a 90%). Estima-se que a mortalidade anual entre usuários de heroína nos EUA seja de 1 a 3%. A adição de opioides sintéticos muito potentes, como o fentanila e o carfentanila, à heroína, uma prática comum entre os traficantes, aumenta muito a probabilidade de *superdosagem* fatal. A morte súbita também pode ocorrer se a heroína for usada depois que a tolerância à droga, desenvolvida com o tempo, for perdida (como durante um período de encarceramento). Os mecanismos de morte incluem depressão respiratória profunda, arritmia e parada cardíaca e edema pulmonar grave
- *Lesão pulmonar.* As complicações pulmonares incluem edema moderado a grave, embolia séptica por endocardite, abscesso pulmonar, infecções oportunistas e granulomas de corpo estranho por talco e outros adulterantes. Embora os granulomas ocorram principalmente no pulmão, às vezes são encontrados no sistema fagocitário mononuclear, sobretudo no baço, fígado e linfonodos que drenam para as extremidades superiores. O exame sob luz polarizada costuma destacar cristais de talco aprisionados, às vezes encerrados em células gigantes de corpo estranho
- *Infecções.* As complicações infecciosas são comuns. Os quatro locais mais comumente afetados são pele e tecido subcutâneo, valvas cardíacas, fígado e pulmões. Em uma série de pacientes adictos internados em hospital, mais de 10% tinham endocardite, que frequentemente assume uma forma distinta envolvendo as valvas cardíacas do lado direito, em especial a tricúspide. A maioria dos casos é causada por *Staphylococcus aureus*, mas fungos e uma infinidade de outros organismos também foram implicados. A hepatite viral é a infecção mais comum entre os dependentes químicos e é adquirida pelo compartilhamento de agulhas sujas. Nos EUA, essa prática também levou a uma incidência muito alta de infecção pelo vírus da imunodeficiência humana (HIV) em usuários de drogas ilícitas intravenosas
- *Pele.* Lesões cutâneas são, provavelmente, o sinal revelador mais frequente da dependência de heroína. As alterações agudas incluem abscessos, celulite e ulcerações devido a injeções subcutâneas. Cicatrizes nos locais de injeção, hiperpigmentação sobre veias comumente usadas e veias trombosadas são as sequelas usuais de inoculações intravenosas repetidas
- *Rins.* A doença renal é um risco relativamente comum. As duas formas encontradas com mais frequência são a amiloidose (geralmente secundária às infecções de pele) e a glomerulo-esclerose segmentar e focal; ambas induzem proteinúria e síndrome nefrótica.

O uso de oxicodona, um opioide oral disponível sob prescrição para o tratamento da dor, aumentou drasticamente nos últimos anos nos EUA. De acordo com o National Institute on Drug Abuse, aproximadamente 5% dos alunos do último ano do ensino médio tomaram oxicodona em 2010, às vezes com resultados trágicos devido ao potente efeito de supressão respiratória da substância. O número geral de fatalidades anuais atribuídas ao abuso de opiáceos prescritos nos EUA aumentou de aproximadamente 3 mil em 1999 para cerca de 49 mil em 2017. Atribui-se a maior parte desse aumento ao abuso de oxicodona, que ultrapassou a heroína como a principal causa de morte relacionada a opiáceos nos EUA.

Anfetaminas e drogas ilícitas relacionadas

Metanfetamina. Essa droga viciante, conhecida como *speed* ou "cristal", está intimamente relacionada à anfetamina, mas tem efeitos mais fortes no SNC. O uso de metanfetaminas aumentou rapidamente nos EUA no início dos anos 2000, atingindo o pico no ano de 2005, mas tem diminuído de modo contínuo desde então. De acordo com levantamentos nacionais, o uso de metanfetamina caiu para aproximadamente 560 mil usuários em 2017, uma diminuição de mais de 50% desde 2006. A metanfetamina atua liberando dopamina no cérebro, que inibe a neurotransmissão pré-sináptica nas sinapses corticoestriatais, retardando a liberação de glutamato. A metanfetamina produz uma sensação de euforia, que é seguida por um "bode". O uso a longo prazo leva a comportamentos violentos, confusão e psicose marcados por paranoia e alucinações.

Maconha

Estima-se que 192 milhões de pessoas em todo o mundo usaram maconha (ou "erva") em 2017, tornando-a, de longe, a droga ilícita mais usada no mundo. Vários estados nos EUA legalizaram o uso recreativo da maconha em 2018, e outros mais parecem prontos para fazer o mesmo; assim, seu *status* de droga ilícita está em reavaliação.

A maconha é produzida a partir das folhas da planta *Cannabis sativa*, que contém a substância psicoativa Δ^9-tetraidrocanabinol (THC). Cerca de 5 a 10% do THC é absorvido quando fumado em um cigarro enrolado à mão ("baseado"). O uso de maconha causa euforia e uma sensação de relaxamento. Em muitas pessoas, causa uma percepção sensorial aumentada (p. ex., cores mais brilhantes), risos, percepção alterada do tempo e aumento do apetite. Entre os efeitos benéficos da maconha, estão seu uso potencial para tratar náuseas causadas pela quimioterapia do câncer e como um agente capaz de diminuir a dor em algumas condições crônicas que de outra forma seriam difíceis de tratar. As consequências funcionais e orgânicas do consumo de maconha no SNC receberam mais escrutínio. Seu uso distorce a percepção sensorial e prejudica a coordenação motora, mas esses efeitos agudos geralmente desaparecem em 4 a 5 horas. Com o uso contínuo, essas mudanças podem progredir para prejuízos cognitivos e psicomotores, como incapacidade de avaliar o tempo, velocidade e distância, uma causa potencial de acidentes automobilísticos. A maconha aumenta a frequência cardíaca e, às vezes, a pressão arterial, e pode causar angina em uma pessoa com doença arterial coronariana.

O sistema respiratório também é afetado pelo fumo crônico de maconha; laringite, faringite, bronquite, tosse e rouquidão e sintomas semelhantes aos da asma já foram descritos, assim como obstrução leve, mas significativa, das vias respiratórias. Os cigarros de maconha contêm um grande número de agentes carcinógenos que também estão presentes no tabaco. Fumar um cigarro de maconha, em comparação com um cigarro de tabaco, está associado a um aumento de três vezes na quantidade de alcatrão inalada e retida nos pulmões, possivelmente por causa do maior volume da tragada, inalação mais profunda e mais tempo retendo a respiração. Com o advento dos e-cigarros e do *vape*, um número crescente de usuários está inalando THC em aerossol, uma prática que tem sido associada a lesões pulmonares graves em alguns usuários, talvez devido à presença de adulterantes. Paradoxalmente, alguns usuários pesados desenvolvem a síndrome de hiperêmese por *Cannabis*, marcada por náuseas e vômitos intratáveis que só remitem com a cessação do uso.

Ainda é controverso se a maconha causa dependência física e vício. De acordo com o relatório de 2018 do Instituto Nacional de Abuso de Drogas dos EUA, o uso crônico de maconha, especialmente se a exposição tiver começado durante a adolescência, dá origem ao transtorno por uso de maconha. A dependência nesses indivíduos manifesta-se por sintomas de abstinência, como problemas de humor e de sono, que podem durar até 2 semanas quando não estão usando a droga. Um pequeno subconjunto dos que desenvolvem dependência pode se tornar adicto – indivíduos que não conseguem parar de usar a droga, mesmo que ela interfira em muitos aspectos da vida. O número exato de pessoas que se tornam adictas é incerto, uma vez que estudos epidemiológicos não usaram critérios uniformes para definir a adição em maconha.

Outras drogas ilícitas

A variedade de drogas que já foram experimentadas por indivíduos em busca de "novas experiências" (altos, baixos, "experiências fora do corpo") é enorme. Essas drogas incluem vários estimulantes, depressores, analgésicos e alucinógenos **(Tabela 9.6)**. Entre estes, estão 1-(1-fenilcicloexil) piperidina (PCP) ou fenciclidina e a cetamina (agentes anestésicos relacionados); a dietilamida de ácido lisérgico (LSD), o alucinógeno mais potente conhecido; o *ecstasy* (3,4-metilenodioximetanfetamina [MDMA]); e "sais de banho", catinonas sintéticas que são quimicamente relacionadas ao *khat*, um estimulante amplamente usado na África Oriental. Não se sabe muito sobre os efeitos deletérios a longo prazo de qualquer um desses agentes. Agudamente, o LSD tem efeitos imprevisíveis no humor, afeto e pensamento, às vezes levando a comportamentos bizarros e perigosos. O uso crônico de *ecstasy* pode esgotar a serotonina do SNC, podendo causar distúrbios do sono, depressão, ansiedade e comportamento agressivo.

Por outro lado, estão surgindo usos terapêuticos para drogas psicoativas. Derivados da cetamina ingeridos em baixas doses foram recentemente aprovados para o tratamento de depressão grave, e estudos clínicos explorando o uso de alucinógenos como tratamento para condições psiquiátricas, como transtorno de estresse pós-traumático, estão em andamento.

> **Conceitos-chave**
> **Lesões por fármacos e drogas**
>
> - As lesões por drogas podem ser causadas por substâncias terapêuticas (reações adversas a medicamentos) ou agentes não terapêuticos (abuso de drogas ilícitas)
> - Agentes antineoplásicos, anticoagulantes, preparações para THM e COs, paracetamol e ácido acetilsalicílico estão entre as substâncias terapêuticas mais frequentemente envolvidas
> - A THM aumenta o risco de câncer endometrial e de mama e tromboembolismo e não parece proteger contra doença cardíaca isquêmica em mulheres com mais de 60 anos. Os COs têm um efeito protetor contra o câncer de endométrio e de ovário, mas aumentam o risco de tromboembolismo e adenoma hepático
> - A superdosagem de paracetamol pode causar necrose hepática centrolobular, levando à insuficiência hepática. O tratamento precoce com agentes que restauram os níveis de GSH pode limitar a toxicidade. O ácido acetilsalicílico produz ulceração gástrica e bloqueia a produção de tromboxano A_2 nas plaquetas, o que pode causar sangramento
> - As drogas ilícitas de abuso mais comuns incluem sedativos-hipnóticos (barbitúricos, etanol), estimulantes psicomotores (cocaína, metanfetamina, *ecstasy*), narcóticos opioides (heroína, oxicodona), alucinógenos e canabinoides (maconha)

Lesões por agentes físicos

A lesão induzida por agentes físicos é dividida nas seguintes categorias: trauma mecânico, lesão térmica, lesão elétrica e lesão produzida por radiação ionizante. Cada tipo é considerado separadamente.

Trauma mecânico

As forças mecânicas podem infligir uma variedade de formas de danos. O tipo de lesão depende da forma do objeto em colisão, da quantidade de energia descarregada no impacto e dos tecidos ou órgãos que sofrem o impacto. Lesões ósseas e na cabeça resultam em danos distintos e são discutidas em outra parte do livro (ver **Capítulos 26** e **28**). Todos os tecidos moles reagem de maneira semelhante às forças mecânicas e os padrões de lesão podem ser divididos em escoriações, contusões, lacerações, feridas incisivas e feridas por perfuração. Esta é apenas uma pequena amostra das várias formas de trauma encontradas por patologistas forenses, que lidam com ferimentos produzidos por tiro, punhalada, traumas contusos, acidentes de trânsito e outras causas. Além das análises morfológicas, a patologia forense agora inclui métodos moleculares para testes de identidade e métodos sofisticados para detectar a presença de substâncias estranhas. Os detalhes sobre a prática da patologia forense podem ser encontrados em livros especializados.

Lesão térmica

Tanto o calor quanto o frio excessivos são causas importantes de lesões. As queimaduras são a causa mais comum de lesão térmica e serão discutidas primeiro; segue-se uma breve discussão sobre hipertermia e hipotermia.

Queimaduras térmicas

Nos EUA, aproximadamente 450 mil pessoas por ano recebem tratamento médico para queimaduras. Oitenta por cento das queimaduras são causadas por fogo ou escaldamento, sendo esse último uma das principais causas de ferimentos em crianças. Estima-se que cerca de 3.500 pessoas morrem a cada ano em consequência de ferimentos causados por incêndio e inalação de fumaça, a maioria originada nas residências. Desde a década de 1970, observaram-se diminuições acentuadas nas taxas de mortalidade e no tempo de hospitalização de pacientes queimados. Nos últimos anos, ocorreram aproximadamente 45 mil hospitalizações por ano devido a queimaduras; entre os pacientes tratados em centros especializados de queimados (aproximadamente 55% dos hospitalizados), a taxa de sobrevida foi de mais de 95%, uma evidência notável das melhorias no tratamento de pacientes com queimaduras graves. Essas melhorias foram alcançadas por meio de uma melhor compreensão dos efeitos sistêmicos de queimaduras extensas, da prevenção de infecções das feridas e do uso de tratamentos que promovam a cicatrização das superfícies da pele.

A importância clínica de uma queimadura depende dos seguintes fatores:

- *Profundidade* das queimaduras
- *Porcentagem* da superfície corporal envolvida
- *Lesões internas* causadas pela inalação de vapores quentes e tóxicos
- *Rapidez e eficácia da terapia*, especialmente manejo de líquidos e eletrólitos e prevenção ou controle de infecções de feridas.

As queimaduras costumavam ser classificadas como de primeiro grau a quarto grau, de acordo com a profundidade da lesão (sendo as queimaduras de primeiro grau as mais superficiais), mas agora são classificadas em superficiais, de espessura parcial e de espessura total:

- As *queimaduras superficiais* (anteriormente conhecidas como *queimaduras de primeiro grau*) estão confinadas à epiderme
- As *queimaduras de espessura parcial* (anteriormente conhecidas como *queimaduras de segundo grau*) envolvem lesões na derme
- As *queimaduras de espessura total* (anteriormente conhecidas como *queimaduras de terceiro grau*) se estendem ao tecido subcutâneo. As queimaduras de espessura total também podem envolver danos ao tecido muscular subjacente sob o tecido subcutâneo (anteriormente conhecidas como queimaduras de quarto grau).

Choque, sepse e insuficiência respiratória são as maiores ameaças à vida de pacientes queimados. Particularmente em queimaduras de mais de 20% da superfície corporal, há um rápido deslocamento (dentro de horas) dos líquidos corporais para os compartimentos intersticiais em todo o corpo devido à *síndrome da resposta inflamatória sistêmica*, levando ao choque (ver **Capítulo 4**). Devido ao vazamento vascular generalizado, o edema generalizado, incluindo edema pulmonar, pode ser grave. Um importante efeito fisiopatológico das queimaduras é o desenvolvimento de um estado hipermetabólico associado à perda excessiva de calor e ao aumento da necessidade de suporte nutricional. Estima-se que, quando mais de 40% da superfície corporal é queimada, a taxa metabólica de repouso dobra.

O local da queimadura é ideal para o crescimento de microrganismos; o soro e os detritos fornecem nutrientes, e a queimadura compromete o fluxo sanguíneo, bloqueando as respostas inflamatórias eficazes. Como resultado, praticamente todas as queimaduras são colonizadas por bactérias. As infecções são definidas pela presença de mais de 10^5 bactérias por grama de tecido, e a infecção local invasiva é definida pela presença de mais de 10^5 bactérias por grama em tecido adjacente não queimado. O agressor mais comum é o oportunista *Pseudomonas aeruginosa*, mas cepas resistentes a antibióticos de outras bactérias comuns adquiridas em hospitais, como *S. aureus* resistentes à meticilina e fungos, especialmente espécies de *Candida*, também podem estar envolvidas. Além disso, a síndrome da resposta inflamatória sistêmica pode prejudicar ou desregular as respostas imunes inatas e adaptativas (ver **Capítulo 4**). A disseminação bacterêmica direta e a liberação de substâncias tóxicas, como endotoxinas, do local também podem ter consequências terríveis. Pneumonia ou choque séptico com insuficiência renal e/ou síndrome do desconforto respiratório agudo (ver **Capítulo 15**) são as sequelas graves mais comuns.

A falência de múltiplos órgãos resultante da sepse por queimadura diminuiu muito durante os últimos 30 anos devido à adoção de técnicas para excisão precoce e enxerto da queimadura. A remoção da ferida da queimadura diminui a infecção e reduz a necessidade de cirurgia reconstrutiva. A enxertia é feita com enxertos de pele de espessura parcial; substitutos dérmicos, que servem de leito para o repovoamento celular, podem ser usados em grandes queimaduras de espessura total.

Podem se desenvolver lesões nas vias respiratórias e nos pulmões dentro de 24 a 48 horas após a queimadura; essas lesões podem resultar do efeito direto do calor na boca, nariz e vias respiratórias superiores ou da inalação de ar aquecido e gases nocivos na fumaça. Gases hidrossolúveis, como cloro, óxidos de enxofre e amônia, podem reagir com a água e formar ácidos ou álcalis, especialmente nas vias respiratórias superiores, produzindo inflamação e edema, que podem levar à obstrução parcial ou completa das vias respiratórias. Gases lipossolúveis, como óxido nitroso e produtos da queima de plásticos, têm maior probabilidade de atingir as vias respiratórias mais profundas, produzindo pneumonite.

Em sobreviventes de queimaduras, o desenvolvimento de cicatrizes hipertróficas, tanto no local da queimadura original quanto nos locais doadores do enxerto, e a coceira podem se tornar problemas a longo prazo difíceis de tratar. A cicatriz hipertrófica é uma complicação comum de queimadura marcada por deposição excessiva de colágeno no leito da ferida em cicatrização; sua etiologia não é bem compreendida.

> ### Morfologia
>
> Grosso modo, as queimaduras de espessura total são brancas ou carbonizadas, secas e indolores (devido à destruição das terminações nervosas), enquanto, dependendo da profundidade, as queimaduras de espessura parcial são rosadas ou salpicadas de bolhas e são dolorosas. Histologicamente, o tecido desvitalizado revela necrose coagulativa, adjacente ao tecido vital que rapidamente acumula células inflamatórias e exsudação acentuada.

Hipertermia

A exposição prolongada a temperaturas ambientes elevadas pode resultar em cãibras de calor, exaustão por calor e insolação:

- As *cãibras de calor* resultam da perda de eletrólitos por meio do suor. As cãibras dos músculos voluntários, geralmente em associação com exercícios vigorosos, são o sinal característico. Os mecanismos de dissipação de calor são capazes de manter a temperatura corporal central normal
- A *exaustão por calor* é, provavelmente, a síndrome hipertérmica mais comum. Seu início é súbito, com prostração e colapso, e resulta de uma falha do sistema cardiovascular em compensar a hipovolemia causada pela desidratação. Após um período de colapso, que geralmente é breve, o equilíbrio é restabelecido espontaneamente se a vítima conseguir se reidratar
- A *insolação* está associada a altas temperaturas ambientes, alta umidade e esforço. Adultos mais velhos, indivíduos submetidos a intenso estresse físico (incluindo jovens atletas e recrutas militares) e pessoas com doenças cardiovasculares apresentam risco particularmente alto de insolação. Os mecanismos termorreguladores falham, a sudorese cessa e a temperatura corporal central sobe para mais de 40°C, levando à disfunção de múltiplos órgãos que pode ser rapidamente fatal. A hipertermia é acompanhada por vasodilatação generalizada acentuada, com acúmulo periférico de sangue e uma diminuição do volume sanguíneo circulante efetivo. Hiperpotassemia, taquicardia, arritmias e outros efeitos sistêmicos são comuns. Entretanto, são particularmente importantes as contrações sustentadas do músculo esquelético que podem exacerbar a hipertermia e levar à necrose muscular (rabdomiólise). Esses fenômenos parecem resultar da nitrosilação do receptor 1 de rianodina (RYR1), que está localizado no retículo sarcoplasmático do músculo esquelético. RYR1 regula a liberação de cálcio do sarcoplasma. A insolação desregula a função do RYR1 e permite que o cálcio vaze para o citoplasma, onde estimula a contração muscular e a produção de calor
- A *hipertermia maligna*, apesar do nome, não é causada pela exposição a altas temperaturas. É uma condição genética resultante de mutações em genes como o *RYR1*, que controlam os níveis de cálcio nas células do músculo esquelético. Nos indivíduos afetados, a exposição a certos anestésicos durante a cirurgia desencadeia um rápido aumento nos níveis de cálcio no músculo esquelético, levando à rigidez muscular e aumento da produção de calor. A hipertermia resultante tem uma taxa de mortalidade de aproximadamente 80% se não tratada, mas cai para menos de 5% se a condição for reconhecida e relaxantes musculares forem administrados imediatamente.

Hipotermia

A exposição prolongada a baixa temperatura ambiente leva à hipotermia, uma condição observada com muita frequência em pessoas sem-teto. Alta umidade e roupas molhadas, às vezes exacerbadas pela dilatação dos vasos sanguíneos superficiais devido à ingestão de álcool, aceleram a redução da temperatura corporal. A uma temperatura corporal de aproximadamente 32°C, ocorre perda de consciência, seguida por bradicardia e fibrilação atrial em temperaturas centrais mais baixas.

A hipotermia causa lesão por dois mecanismos:

- Os *efeitos diretos* são provavelmente mediados por perturbações físicas dentro das células por altas concentrações de sal causadas pela cristalização da água intracelular e extracelular (úlcera de frio, ou *frostbite*)
- Os *efeitos indiretos* resultam de alterações circulatórias, que variam dependendo da taxa e da duração da queda de temperatura. O resfriamento lento pode induzir vasoconstrição e aumentar a permeabilidade vascular, levando a edema e hipoxia. Essas alterações são típicas do "pé de trincheira". Essa condição se desenvolveu em soldados que passaram longos períodos em trincheiras inundadas durante a Primeira Guerra Mundial (1914-1918), frequentemente causando gangrena que exigia amputação. Com o resfriamento súbito e persistente, a vasoconstrição e o aumento da viscosidade do sangue na área local podem causar lesão isquêmica e alterações degenerativas nos nervos periféricos. Nessa situação, a lesão vascular e o edema tornam-se evidentes apenas depois que a temperatura começa a voltar ao normal. No entanto, se o período de isquemia for prolongado, podem ocorrer alterações hipóxicas e infarto dos tecidos afetados (p. ex., gangrena dos pés ou dos dedos dos pés).

Lesão elétrica

As lesões elétricas, que muitas vezes são fatais, podem surgir do contato com correntes de baixa tensão (*i. e.*, em casa e no local de trabalho) ou de alta tensão transportadas por linhas de alta potência ou produzidas por raios. As lesões são de dois tipos: (1) queimaduras e (2) fibrilação ventricular ou insuficiência cardíaca e respiratória, resultante da interrupção da condução do impulso nervoso. O tipo de lesão e a gravidade e extensão das queimaduras dependem da força (amperagem), duração e caminho da corrente elétrica dentro do corpo.

A tensão na casa e no local de trabalho (120 ou 220 V) é alta o suficiente para que, com baixa resistência no local de contato (como quando a pele está molhada), corrente suficiente consiga passar pelo corpo e causar lesões graves, incluindo fibrilação ventricular. Se o fluxo de corrente se mantiver por tempo suficiente, pode gerar calor suficiente para produzir queimaduras no local de entrada e saída, bem como nos órgãos internos. Uma característica importante da corrente alternada, o tipo fornecido para a maioria das residências, é que ela induz espasmo muscular tetânico, de modo que, quando alguém segura um fio elétrico ou interruptor, é provável que a pessoa permaneça agarrada, prolongando o período de fluxo da corrente. Isso resulta em uma maior probabilidade de desenvolver queimaduras elétricas extensas e, em alguns casos, espasmo dos músculos da parede torácica, levando à morte por asfixia. As correntes geradas por fontes de alta tensão causam danos semelhantes; no entanto, devido aos grandes fluxos de corrente gerados, é mais provável que produzam paralisia dos centros medulares e queimaduras extensas. Os raios são uma causa clássica de lesões elétricas de alta voltagem.

Lesão produzida por radiação ionizante

A radiação é a energia que viaja na forma de ondas ou partículas de alta velocidade. A radiação apresenta uma ampla gama de energias que abrangem o espectro eletromagnético; pode ser dividida em radiação não ionizante e ionizante. A energia da radiação não ionizante, como a luz ultravioleta e a infravermelha, as micro-ondas e as ondas sonoras, pode mover átomos em uma molécula ou fazer com que vibrem, mas não é suficiente para deslocar os elétrons dos átomos. Em contrapartida, a radiação ionizante tem energia suficiente para remover elétrons fortemente unidos. A colisão de elétrons com outras moléculas libera elétrons em uma cascata de reação, conhecida como ionização. As principais fontes de radiação ionizante são (1) os raios X e raios gama (ondas eletromagnéticas de frequências muito altas), (2) nêutrons de alta energia, partículas alfa (compostas por dois prótons e dois nêutrons) e (3) partículas beta, que são essencialmente elétrons. Em quantidades equivalentes de energia, as partículas alfa induzem danos intensos em uma área restrita, enquanto os raios X e os raios gama dissipam a energia por um curso mais longo e profundo e produzem consideravelmente menos danos por unidade de tecido. Cerca de 50% da dose total de radiação ionizante recebida pela população dos EUA é produzida pelo homem, originando-se principalmente de dispositivos médicos e radioisótopos. Na verdade, a exposição dos pacientes à radiação ionizante durante exames de imagem radiográfica praticamente dobrou entre o início dos anos 1980 e 2006, principalmente por causa do uso muito mais difundido de tomografias computadorizadas (TC).

A radiação ionizante tem dois lados. Ela é imprescindível na prática médica, sendo utilizada no tratamento do câncer, em diagnósticos por imagem e em radioisótopos terapêuticos ou diagnósticos, mas também produz efeitos adversos de curto e longo prazos, como fibrose, mutagênese, carcinogênese e teratogênese.

Unidades de radiação. Vários termos um tanto confusos são usados para descrever a dose de radiação, que pode ser quantificada de acordo com a quantidade de radiação emitida por uma fonte, a quantidade de radiação que é absorvida por uma pessoa e o efeito biológico da radiação. Os termos comumente usados são os seguintes:

- *Curie* (Ci) representa as desintegrações por segundo de um radionuclídeo (radioisótopo); 1 Ci é igual a $3,7 \times 10^{10}$ desintegrações por segundo. Essa é uma expressão da quantidade de radiação emitida por uma fonte

- *Gray* (Gy) é uma unidade que expressa a energia absorvida pelo tecido-alvo por unidade de massa; 1 Gy corresponde à absorção de 10^4 erg/g de tecido. Um centigray (cGy), que é a absorção de 100 erg/g de tecido, é equivalente a 100 Rad (dose absorvida de radiação), abreviado como R. A terminologia cGy agora substituiu o Rad na prática médica

- *Sievert* (Sv) é uma unidade de dose equivalente que depende mais dos efeitos biológicos da radiação do que de seus efeitos físicos (substituiu uma unidade chamada Rem). Para a mesma dose absorvida, vários tipos de radiação produzem diferentes quantidades de danos. A dose equivalente iguala essa variação e, portanto, fornece uma medida uniforme da dose biológica. A dose equivalente (expressa em *Sieverts*) corresponde à dose absorvida (expressa em Grays) multiplicada pela eficácia biológica relativa da radiação. A eficácia biológica relativa depende do tipo de radiação, do tipo e volume do tecido exposto, da duração da exposição e de alguns outros fatores biológicos (discutidos a seguir). A dose efetiva de raios X em radiografias e TC é comumente expressa em miliSieverts (mSv). Para radiação x, 1 mSv = 1 mGy.

Principais determinantes dos efeitos biológicos da radiação ionizante. Além das propriedades físicas da radiação, seus efeitos biológicos dependem muito dos seguintes fatores:

- A *velocidade de aplicação* modifica de forma significativa o efeito biológico. Embora o efeito da energia radiante seja cumulativo, doses divididas podem permitir que as células reparem alguns dos danos entre as exposições. Assim, doses fracionadas de energia radiante têm um efeito cumulativo apenas na medida em que o reparo durante os intervalos de "recuperação" é incompleto. A radioterapia de tumores explora a capacidade geral das células normais de se reparar e se recuperar mais rapidamente do que as células tumorais e, portanto, não sofrer tanto dano por radiação cumulativo

- O *tamanho do campo* tem grande influência nas consequências da irradiação. O corpo pode suportar doses relativamente altas de radiação quando distribuídas em campos pequenos e cuidadosamente protegidos, enquanto doses menores aplicadas em campos maiores podem ser letais

- *Proliferação celular.* Como a radiação ionizante danifica o DNA, as células que se dividem rapidamente são mais vulneráveis a lesões do que as células quiescentes (**Figura 9.15**). Exceto em doses extremamente altas que prejudicam a transcrição do DNA, a irradiação não mata células que não se dividem, como neurônios e células musculares. No entanto, conforme discutido no **Capítulo 7**, nas células em divisão, o dano ao DNA é detectado por sensores que produzem sinais que levam à regulação positiva de p53, o "guardião do genoma". O p53, por sua vez, regula positivamente a expressão de genes que inicialmente levam à interrupção do ciclo celular e, se o dano ao DNA for muito grande para ser reparado, de genes que causam a morte celular por apoptose. É compreensível, portanto, que tecidos com alta taxa de divisão celular, como as gônadas, medula óssea, tecido linfoide e a mucosa do sistema digestório, são extremamente vulneráveis à radiação e a lesão se manifesta logo após a exposição

- *Efeitos do oxigênio e hipoxia.* A produção de ERO a partir de reações com radicais livres gerados pela radiólise da água é o principal mecanismo pelo qual o DNA é danificado pela radiação ionizante. Tecidos mal vascularizados com baixa

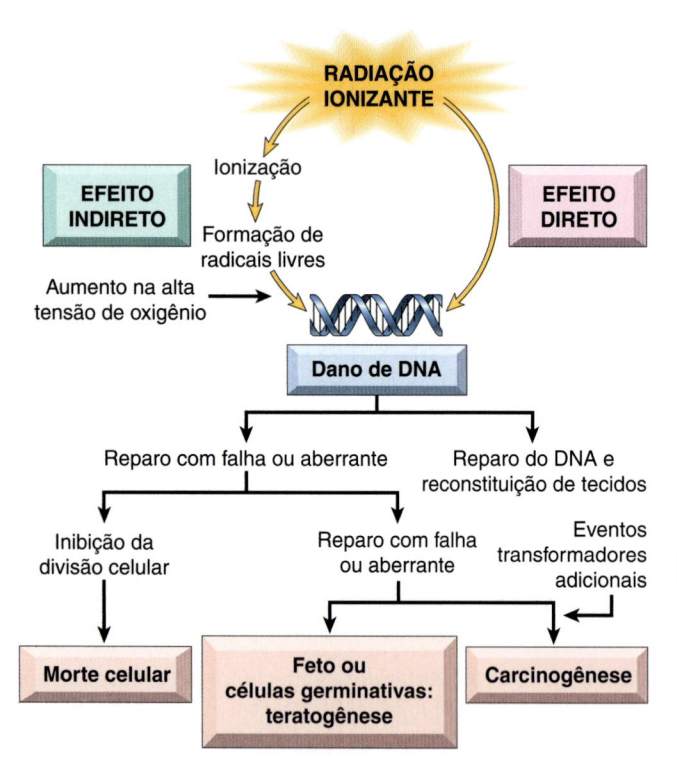

Figura 9.15 Efeitos da radiação ionizante no DNA e suas consequências. Os efeitos no DNA podem ser diretos ou, mais importante, indiretos, por meio da formação de radicais livres.

oxigenação, como o centro de tumores de crescimento rápido, geralmente são menos sensíveis à radioterapia do que os tecidos não hipóxicos

• *Danos vasculares*. Os danos às células endoteliais, que são moderadamente sensíveis à radiação, podem causar estreitamento ou oclusão dos vasos sanguíneos, levando à cicatrização prejudicada, fibrose e atrofia isquêmica crônica. Essas alterações podem aparecer meses ou anos após a exposição (**Figura 9.16**).

A **Figura 9.17** mostra as consequências gerais da exposição à radiação, que variam de acordo com a dose de radiação e o tipo de exposição. A **Tabela 9.7** lista os limiares de dose estimados para efeitos agudos da radiação direcionada a órgãos específicos e a **Tabela 9.8**, as síndromes causadas pela exposição a várias doses de irradiação de corpo inteiro.

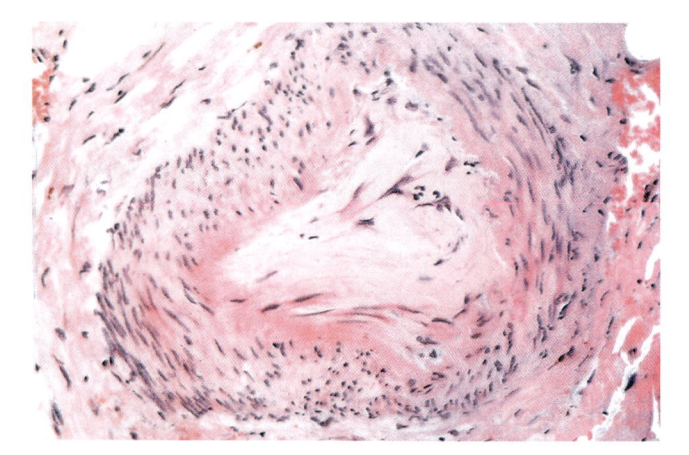

Figura 9.16 Lesão vascular crônica induzida por radiação com fibrose subintimal ocluindo a luz. (American Registry of Pathology © 1990.)

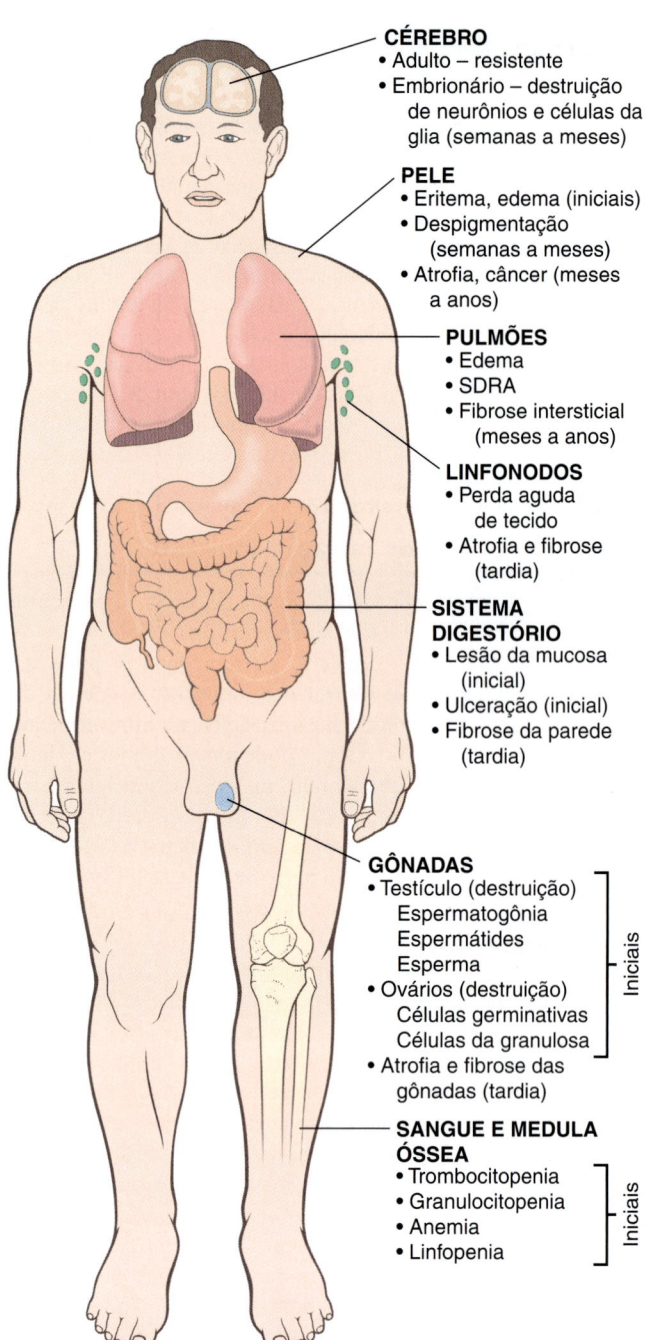

CÉREBRO
• Adulto – resistente
• Embrionário – destruição de neurônios e células da glia (semanas a meses)

PELE
• Eritema, edema (iniciais)
• Despigmentação (semanas a meses)
• Atrofia, câncer (meses a anos)

PULMÕES
• Edema
• SDRA
• Fibrose intersticial (meses a anos)

LINFONODOS
• Perda aguda de tecido
• Atrofia e fibrose (tardia)

SISTEMA DIGESTÓRIO
• Lesão da mucosa (inicial)
• Ulceração (inicial)
• Fibrose da parede (tardia)

GÔNADAS
• Testículo (destruição)
  Espermatogônia
  Espermátides
  Esperma
• Ovários (destruição)
  Células germinativas
  Células da granulosa
• Atrofia e fibrose das gônadas (tardia)

SANGUE E MEDULA ÓSSEA
• Trombocitopenia
• Granulocitopenia
• Anemia
• Linfopenia

Figura 9.17 Visão geral das principais consequências morfológicas da lesão por radiação. As mudanças iniciais ocorrem em horas ou semanas e as mais tardias, em meses ou anos. *SDRA*, síndrome de desconforto respiratório agudo.

Tabela 9.7 Limiares de dose estimados para efeitos agudos da radiação em órgãos específicos.

Efeito na saúde	Órgão	Dose (Sv)
Esterilidade temporária	Testículos	0,15
Depressão da hematopoese	Medula óssea	0,50
Efeitos reversíveis na pele (p. ex., eritema)	Pele	1 a 2
Esterilidade permanente	Ovários	2,5 a 6
Queda temporária de cabelo	Pele	3 a 5
Esterilidade permanente	Testículo	3,5
Catarata	Cristalino do olho	5

> **Morfologia**
>
> As células que sobrevivem aos danos por energia radiante mostram uma ampla gama de **alterações estruturais nos cromossomos** que estão relacionadas a quebras de DNA de fita dupla, incluindo deleções, translocações e fragmentação. O fuso mitótico frequentemente se torna desordenado, podendo ocorrer poliploidia e aneuploidia. Pode ocorrer **edema nuclear**, condensação e aglomeração de cromatina; também é possível observar ruptura da membrana nuclear. Pode ocorrer apoptose. Várias **morfologias nucleares anormais** podem ser vistas. Células gigantes com núcleos pleomórficos ou mais de um núcleo podem aparecer e persistir por anos após a exposição. Em doses extremamente altas de energia radiante, indicadores de morte celular, como picnose nuclear e lise, surgem rapidamente.
>
> Além de afetar o DNA e os núcleos, a energia radiante pode induzir uma variedade de **alterações citoplasmáticas**, incluindo inchaço, distorção mitocondrial e degeneração do retículo endoplasmático. É possível observar rompimentos da membrana plasmática e defeitos focais. A constelação histológica de pleomorfismo celular, formação de células gigantes, mudanças conformacionais em núcleos e figuras mitóticas anormais cria uma semelhança mais do que passageira entre as células danificadas pela radiação e as células cancerígenas, um problema que atormenta o patologista que avalia tecidos irradiados quanto à possível persistência de células tumorais.
>
> Alterações vasculares e fibrose intersticial também são proeminentes em tecidos irradiados (**Figura 9.18**). Durante o período pós-irradiação imediato, os vasos podem exibir apenas dilatação. Com o tempo ou com doses mais altas, uma série de alterações degenerativas aparece, incluindo inchaço e vacuolização das células endoteliais, ou mesmo necrose e dissolução das paredes de pequenos vasos, como capilares e vênulas. Os vasos afetados podem se romper ou sofrer trombose. Em seguida, a proliferação de células endoteliais e a hialinização do colágeno e o espessamento da íntima são vistos nos vasos irradiados, resultando em estreitamento acentuado ou mesmo a obliteração das luzes vasculares. Nesse momento, geralmente fica evidente um aumento do colágeno intersticial no campo irradiado, levando a cicatrizes e contrações.

Irradiação de corpo inteiro. A exposição de grandes áreas do corpo a até mesmo doses muito pequenas de radiação pode ter efeitos devastadores. Doses abaixo de 1 Sv produzem sintomas mínimos ou nulos. No entanto, níveis mais elevados de exposição causam efeitos à saúde conhecidos como síndromes agudas da radiação, que, em doses progressivamente mais altas, envolvem os sistemas hematopoético, digestório e nervoso central. As síndromes associadas à exposição total do corpo à radiação ionizante são apresentadas na **Tabela 9.8**.

Efeitos agudos nos sistemas hematopoético e linfoide. Os sistemas hematopoético e linfoide são extremamente suscetíveis a lesões por radiação e merecem menção especial. Com altos níveis de dose e grandes campos de exposição, a linfopenia grave aparece em poucas horas, assim como o encolhimento dos linfonodos e do baço. A radiação mata os linfócitos diretamente, tanto na circulação quanto nos tecidos (linfonodos, baço, timo, intestino). Com doses subletais de radiação, a regeneração a partir de precursores viáveis é imediata, levando à restauração de uma contagem normal de linfócitos sanguíneos dentro de semanas a meses. Os precursores hematopoéticos na medula óssea também são bastante sensíveis à energia radiante, que produz uma aplasia medular dependente da dose. Os efeitos agudos da irradiação da medula nas contagens de sangue periférico refletem a cinética da renovação dos elementos formados, os granulócitos, plaquetas e eritrócitos, que têm meias-vidas de menos de 1 dia (granulócitos), 10 dias (plaquetas) e 120 dias (eritrócitos). Após um breve aumento na contagem de neutrófilos circulantes, a neutropenia surge depois de vários dias. A contagem de neutrófilos atinge seu nadir, geralmente em contagens próximas a zero, durante a segunda semana. Se o paciente sobreviver, a recuperação de uma contagem normal de granulócitos pode levar de 2 a 3 meses.

A trombocitopenia surge no final da primeira semana, com o nadir da contagem de plaquetas ocorrendo um pouco mais tarde do que o dos granulócitos; a recuperação também é retardada. A anemia aparece após 2 a 3 semanas e pode persistir por meses. É compreensível que doses mais altas de radiação produzam citopenias mais graves e períodos de recuperação mais prolongados. Doses muito elevadas matam as células-tronco hematopoéticas e induzem aplasia permanente (anemia aplásica) marcada por uma falha na recuperação do hemograma, ao passo que com doses mais baixas a aplasia é transitória.

Fibrose. Uma consequência comum da radioterapia para o câncer é o desenvolvimento de fibrose nos tecidos incluídos no campo irradiado (ver **Figura 9.18**). A fibrose pode ocorrer semanas ou meses após a irradiação em consequência da substituição das células parenquimatosas mortas por tecido conjuntivo, levando à formação de cicatrizes e aderências. O dano vascular, a morte de células-tronco teciduais e a liberação de citocinas e quimiocinas que promovem a inflamação e a ativação de fibroblastos são os principais contribuintes para o desenvolvimento de fibrose induzida por radiação (**Figuras 9.19 e 9.20**). Os locais comuns de fibrose após o tratamento com radiação são os pulmões, as glândulas salivares após a radioterapia para cânceres de cabeça e de pescoço e as áreas colorretal e pélvica após o tratamento para câncer de próstata, reto ou colo do útero.

Tabela 9.8 Efeitos da radiação ionizante do corpo inteiro.

	0 a 1 Sv	1 a 2 Sv	2 a 10 Sv	10 a 20 Sv	> 50 Sv
Principal local da lesão	Nenhum	Linfócitos	Medula óssea	Intestino delgado	Cérebro
Principais sinais e sintomas	Nenhum	Granulocitopenia moderada, linfopenia	Leucopenia, hemorragia, queda de cabelo, vômitos	Diarreia, febre, desequilíbrio eletrolítico, vômitos	Ataxia, coma, convulsões, vômitos
Tempo de desenvolvimento	–	1 dia a 1 semana	2 a 6 semanas	5 a 14 dias	1 a 4 h
Letalidade	Nenhuma	Nenhuma	Variável (0 a 80%)	100%	100%

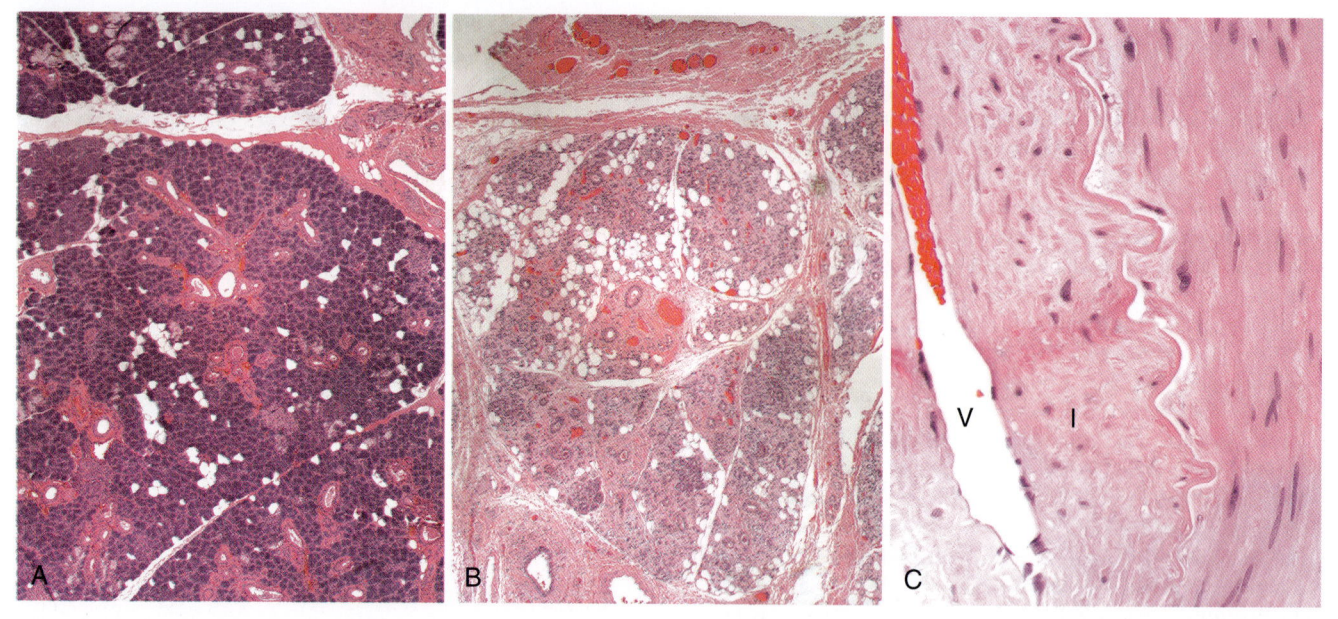

Figura 9.18 Fibrose e alterações vasculares nas glândulas salivares produzidas pela radioterapia da região do pescoço. **A.** Glândula salivar normal. **B.** Fibrose causada por radiação. **C.** Fibrose e alterações vasculares consistindo em espessamento fibrointimal e esclerose arteriolar. *I*, íntima espessada; *V*, luz do vaso. (Cortesia da Dra. Melissa Upton, Department of Pathology, University of Washington, Seattle, Wash.)

Danos ao DNA e carcinogênese. A radiação ionizante pode causar vários tipos de danos ao DNA, incluindo danos de base única, quebras de fita simples e fita dupla (DSBs) e ligações cruzadas de proteína-DNA. Nas células sobreviventes, os defeitos simples podem ser reparados por vários sistemas enzimáticos presentes na maioria das células de mamíferos. O dano mais sério ao DNA consiste nas DSBs. Dois tipos de mecanismos podem reparar as DSBs em células de mamíferos: recombinação homóloga e união de extremidades não homóloga (NHEJ), com a NHEJ sendo a via de reparo mais comum. O reparo do DNA por meio de NHEJ muitas vezes produz mutações, incluindo deleções curtas ou duplicações ou aberrações cromossômicas graves, como translocações e inversões. Se a replicação de células contendo DSBs não for interrompida pelos pontos de controle do ciclo celular (ver **Capítulos 1** e **7**), as células com dano cromossômico persistem e podem iniciar a carcinogênese muitos anos depois.

Riscos de câncer por exposição à radiação. Qualquer célula capaz de divisão que tenha sofrido uma mutação tem o potencial de se tornar cancerígena. Assim, pode ocorrer um aumento da incidência de neoplasias em qualquer órgão após a exposição à radiação ionizante. O nível de radiação necessário para aumentar o risco de desenvolvimento de câncer é difícil de determinar, mas há poucas dúvidas de que exposições agudas ou prolongadas que resultam em doses superiores a 100 mSv causam consequências graves, incluindo câncer. A prova desse risco é encontrada no aumento da incidência de leucemias e neoplasias sólidas em vários órgãos (p. ex., tireoide, mama e pulmões) em sobreviventes dos bombardeios atômicos de Hiroshima e Nagasaki; o alto número de cânceres de tireoide em sobreviventes do acidente de Chernobyl; a alta incidência de neoplasias da tireoide e a elevada frequência de leucemias e defeitos congênitos em habitantes das Ilhas Marshall expostos à precipitação nuclear; e o desenvolvimento de segundos

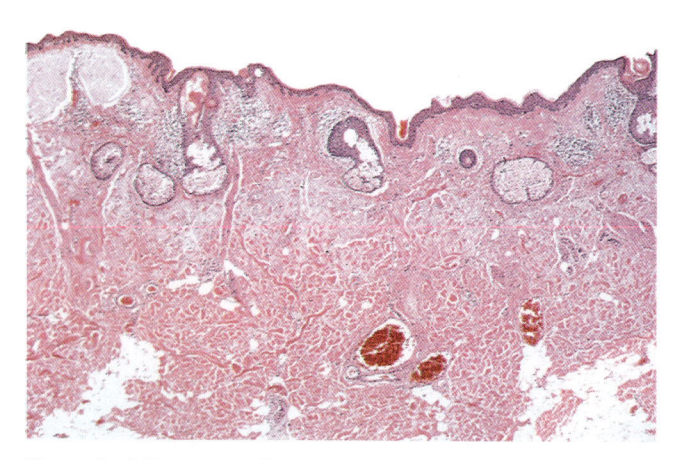

Figura 9.19 Dermatite crônica por radiação com atrofia da epiderme, fibrose dérmica e telangiectasia dos vasos sanguíneos subcutâneos. (American Registry of Pathology © 1990.)

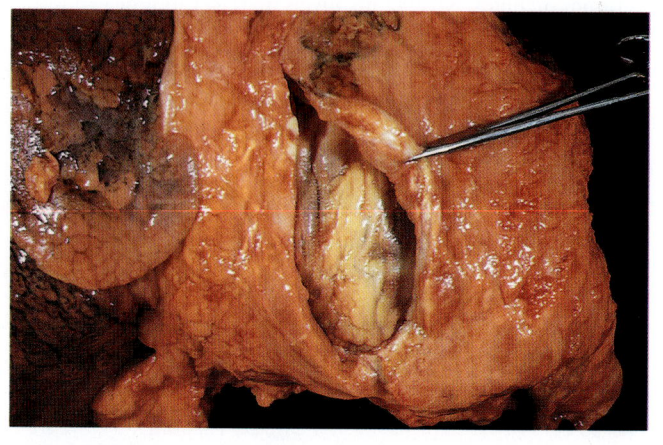

Figura 9.20 Fibrose mediastinal extensa após radioterapia para carcinoma do pulmão. Observe o pericárdio acentuadamente espessado. (Da coleção do Department of Pathology, Southwestern Medical School, Dallas, Tex.)

cânceres, como leucemia mieloide aguda, síndrome mielodisplásica e neoplasias sólidas, em indivíduos que receberam radioterapia para cânceres, como linfoma de Hodgkin. Os riscos a longo prazo de câncer causados por exposições à radiação na faixa de 5 a 100 mSv são muito mais difíceis de estabelecer porque medições exatas de riscos requerem grandes grupos populacionais que variam de 50 mil a 5 milhões de pessoas. No entanto, para raios X e raios gama, há boas evidências para um aumento estatisticamente significativo no risco de câncer em doses agudas maiores que 50 mSv e evidências razoáveis para doses agudas maiores que 5 mSv; como ponto de referência, uma única radiografia posteroanterior de tórax, uma radiografia lateral de tórax e uma tomografia computadorizada de tórax fornecem aos pulmões doses eficazes de 0,01, 0,15 e 10 mSv. Acredita-se que o risco de câncer secundário após irradiação seja maior em crianças. Isso se baseia, em parte, em um recente estudo epidemiológico em grande escala que mostra que crianças que recebem pelo menos duas tomografias têm riscos aumentados muito pequenos, mas mensuráveis, de leucemia e neoplasias cerebrais malignas e em estudos mais antigos que mostram que a radioterapia no tórax é particularmente propensa a produzir câncer de mama quando administrada a adolescentes do sexo feminino.

O aumento do risco de desenvolvimento de câncer também pode estar associado a exposições ocupacionais. O gás radônio é um produto onipresente da decomposição espontânea do urânio. Seus efeitos carcinogênicos são amplamente atribuídos a dois produtos de decaimento, o polônio 214 e o polônio 218 (ou "filhos do radônio"), que emitem partículas alfa. O polônio 214 e o polônio 218 produzidos a partir do radônio inalado tendem a se depositar no pulmão, e a exposição crônica em mineradores de urânio pode dar origem a carcinomas pulmonares. Os riscos também estão presentes em residências onde os níveis de radônio são muito elevados, comparáveis aos encontrados nas minas. Suspeita-se que níveis mais baixos de radônio em residências também podem contribuir para o desenvolvimento de câncer de pulmão, especialmente em quem também fuma.

> ### Conceitos-chave
> #### Lesão por radiação
> - A radiação ionizante pode lesar as células direta ou indiretamente ao gerar radicais livres a partir da água ou do oxigênio molecular
> - A radiação ionizante danifica o DNA; portanto, as células que se dividem rapidamente, como as células germinativas e as da medula óssea e do sistema digestório, são muito sensíveis à lesão por radiação
> - Os danos no DNA que não são adequadamente reparados podem resultar em mutações que predispõem as células afetadas à transformação neoplásica
> - A radiação ionizante pode causar dano vascular e esclerose, resultando em necrose isquêmica das células do parênquima e sua substituição por tecido fibroso.

Doenças nutricionais

A má nutrição é uma consequência da ingestão inadequada de proteínas e calorias ou deficiências na digestão ou absorção de proteínas, resultando na perda de gordura e massa muscular, perda de peso e fraqueza generalizada. Milhões de pessoas em nações em desenvolvimento estão malnutridas ou vivendo à beira da fome. No mundo desenvolvido e, mais recentemente, também em alguns países em desenvolvimento, a obesidade tornou-se um grande problema de saúde pública devido à sua associação com doenças como diabetes, aterosclerose e câncer.

As seções a seguir mal passa perto dos distúrbios nutricionais. Dedicamos atenção especial a má nutrição infantil, anorexia nervosa e bulimia, deficiências de vitaminas e oligoelementos, obesidade e as relações da dieta com câncer e aterosclerose. Outros nutrientes e questões nutricionais serão discutidos no contexto de doenças específicas.

Insuficiência alimentar

Uma dieta adequada deve fornecer (1) energia suficiente, na forma de carboidratos, gorduras e proteínas, para as necessidades metabólicas diárias do corpo; (2) aminoácidos e ácidos graxos a serem usados como elementos estruturais para a síntese de proteínas e lipídios; e (3) vitaminas e minerais, que funcionam como coenzimas ou hormônios nas vias metabólicas vitais ou, como no caso do cálcio e do fosfato, como componentes estruturais importantes. Na *má nutrição primária*, um ou todos esses componentes estão faltando na dieta. Por outro lado, a *má nutrição secundária* resulta de má absorção, utilização ou armazenamento prejudicados, perda excessiva ou necessidade aumentada de nutrientes.

Existem várias condições que podem levar a má nutrição primária ou secundária:

- *Pobreza.* Pessoas sem-teto, idosos e crianças pobres frequentemente sofrem de má nutrição grave, bem como de deficiências de micronutrientes. Em países de baixa renda, pobreza, perda de colheitas, morte de rebanhos e seca, muitas vezes em tempos de guerra e turbulência política, criam o cenário para a má nutrição de crianças e adultos
- *Doenças agudas e crônicas.* A taxa metabólica basal aumenta em muitas doenças, resultando em aumento da necessidade diária de todos os nutrientes. A incapacidade de reconhecer essas necessidades nutricionais pode atrasar a recuperação. A má nutrição costuma estar presente em pacientes com doenças consumptivas, como cânceres avançados e AIDS, que são complicados por caquexia (ver **Capítulo 7**)
- *Alcoolismo crônico.* As pessoas alcoólatras às vezes podem sofrer de má nutrição, mas, mais frequentemente, têm deficiências de vitaminas, especialmente tiamina, piridoxina, folato e vitamina A, como resultado de dieta precária, absorção gastrintestinal defeituosa, utilização e armazenamento anormais de nutrientes, aumento das necessidades metabólicas e aumento da taxa de perda. A incapacidade de reconhecer a probabilidade de deficiência de tiamina em pessoas com alcoolismo crônico pode resultar em dano cerebral irreversível (p. ex., *encefalopatia de Wernicke* e *psicose de Korsakoff*, discutida no **Capítulo 28**)
- *Ignorância e falha na suplementação da dieta.* Mesmo os ricos podem não reconhecer que lactentes, adolescentes e mulheres grávidas têm necessidades nutricionais maiores. A ignorância a respeito do teor nutricional dos alimentos também é um fator que contribuem para tal. Alguns exemplos são a deficiência de ferro em lactentes alimentados exclusivamente com dietas baseadas em leite artificial; a deficiência de tiamina em dietas nas quais o arroz polido é a base da alimentação; e a falta de iodo

nos alimentos e na água em regiões afastadas dos oceanos, a menos que seja fornecida suplementação

- *Restrição alimentar autoimposta.* Anorexia nervosa, bulimia e transtornos alimentares menos evidentes afetam indivíduos preocupados com a imagem corporal e que estão obcecados com o peso corporal (a anorexia e a bulimia serão discutidas posteriormente)
- *Outras causas.* Outras causas de má nutrição incluem doenças gastrintestinais e síndromes de má absorção, doenças genéticas, terapias medicamentosas específicas (que bloqueiam a absorção ou utilização de nutrientes específicos) e nutrição parenteral total inadequada.

Má nutrição aguda grave

A OMS define má nutrição aguda grave (MAG) como um estado caracterizado por uma razão entre peso e altura que é 3 desvios padrões abaixo da faixa normal. Em todo o mundo, cerca de 50 milhões de crianças são afetadas pelo MAG. É comum em países de baixa renda, onde até 25% das crianças podem ser afetadas e onde é um dos principais contribuintes para as altas taxas de mortalidade entre os muito jovens. Além da perda de vidas, as guerras também têm pesadas consequências para os refugiados que vivem na pobreza abjeta. Nos últimos anos, em campos criados para refugiados da Síria, cerca de 20% das crianças sofrem de má nutrição grave ou moderada.

A MAG, anteriormente chamada de má nutrição proteico-energética (MPE), se manifesta como um espectro de síndromes clínicas, todas resultantes de uma ingestão alimentar de proteínas e calorias inadequada para atender às necessidades do corpo. Nos dois extremos da MAG, estão o *marasmo* e o *kwashiorkor*. Deve-se notar que, do ponto de vista funcional, existem dois compartimentos de proteínas no corpo: o compartimento somático, representado pelas proteínas nos músculos esqueléticos, e o compartimento visceral, representado pelos estoques de proteínas nos órgãos viscerais, principalmente o fígado. Esses dois compartimentos são regulados de forma diferente, conforme detalhamos a seguir. O compartimento somático é afetado de modo mais grave no marasmo, e o compartimento visceral está mais gravemente esgotado no kwashiorkor. A avaliação clínica da subnutrição é discutida a seguir, sucedida por descrições do marasmo e do kwashiorkor.

O diagnóstico de MAG é óbvio em suas formas mais graves. Nas formas leves a moderadas, a abordagem usual é comparar o peso corporal para uma determinada altura com as tabelas-padrão; outros parâmetros úteis são os depósitos de gordura, a massa muscular e os níveis de certas proteínas séricas. Com a perda de gordura, a espessura das dobras cutâneas (que inclui a pele e o tecido subcutâneo) fica reduzida. Se o compartimento somático de proteína for catabolizado, a redução resultante na massa muscular fica evidente pela redução da circunferência do braço. A medição das proteínas séricas (albumina, transferrina e outras) fornece uma estimativa da adequação do compartimento visceral de proteína. Estudos recentes sugerem um papel para o microbioma intestinal na patogênese da MAG. Há uma diferença substancial na flora microbiana de crianças com MAG quando comparada com o microbioma intestinal de crianças normais. Parece que as alterações no microbioma não são meramente consequências do MAG, mas desempenham uma função em sua causa. A evidência mais convincente para essa noção vem de transplantes fecais de crianças com MAG para ratos livres de germes. Induziu-se a má nutrição em camundongos hospedeiros por meio de transplantes fecais de crianças afetadas, mas não bem nutridas.

Marasmo. **O marasmo se desenvolve quando a dieta carece gravemente de calorias (Figura 9.21A).** Considera-se que uma criança tem marasmo quando seu peso cai para 60% do normal para sexo, altura e idade. Uma criança marasmática sofre retardo de crescimento e perda de massa muscular como resultado do catabolismo e do esgotamento do compartimento somático de proteína. Essa parece ser uma resposta adaptativa que fornece aminoácidos ao corpo como uma fonte de energia. É interessante notar que o compartimento visceral da proteína, que se presume ser mais crucial para a sobrevivência, está esgotado apenas marginalmente, de modo que os níveis de albumina sérica estão normais ou apenas ligeiramente reduzidos. Além das proteínas musculares, a gordura subcutânea também é mobilizada e utilizada como combustível. A produção de leptina (discutida posteriormente em "Obesidade") é baixa, o que pode estimular o eixo hipotálamo-pituitária-adrenal a produzir altos níveis de cortisol que contribuem para a lipólise. Devido às perdas de músculo e de gordura subcutânea, as extremidades ficam emaciadas; em comparação, a cabeça parece grande demais para o corpo. Anemia e manifestações de deficiências multivitamínicas estão presentes, e há evidências de imunodeficiência, especialmente de imunidade mediada por células T. Consequentemente, é comum que infecções simultâneas estejam presentes, o que impõe ainda mais estresse a um corpo enfraquecido.

Kwashiorkor. **O kwashiorkor ocorre quando a privação de proteínas é relativamente maior do que a redução no total de calorias (Figura 9.21B).** Essa é a forma mais comum de MAG observada em crianças africanas, que foram desmamadas muito cedo e posteriormente alimentadas, quase exclusivamente, com uma dieta de carboidratos (o nome kwashiorkor, da língua Ga em Gana, descreve a doença em uma criança pequena após a chegada de outro filho). A prevalência do kwashiorkor também é alta em países de baixa renda do Sudeste Asiático. Ocorrem formas menos graves em todo o mundo, em pessoas com estados diarreicos crônicos, nos quais a proteína não é absorvida, ou em pessoas com perda crônica de proteína (p. ex., enteropatias perdedoras de proteína, a síndrome nefrótica ou após queimaduras extensas). Nos EUA, há relatos de casos raros de kwashiorkor resultantes de dietas da moda ou da substituição do leite por bebidas à base de arroz.

No kwashiorkor, ao contrário do marasmo, a privação acentuada de proteína está associada à perda grave do compartimento visceral de proteína, e a hipoalbuminemia resultante dá origem a um edema generalizado ou de declive (ver **Figura 9.21**). O peso das crianças com kwashiorkor grave costuma ser de 60 a 80% do normal. No entanto, a verdadeira perda de peso é mascarada pelo aumento da retenção de líquidos (edema). Em outro contraste com o marasmo, há relativa preservação da gordura subcutânea e da massa muscular. A perda modesta desses compartimentos também pode estar mascarada pelo edema.

As crianças com kwashiorkor apresentam lesões cutâneas características com zonas alternadas de hiperpigmentação, descamação e hipopigmentação, dando uma aparência de "tinta descamada". As alterações nos cabelos incluem perda de cor ou faixas alternadas de cores claras e mais escuras, alisamento, textura

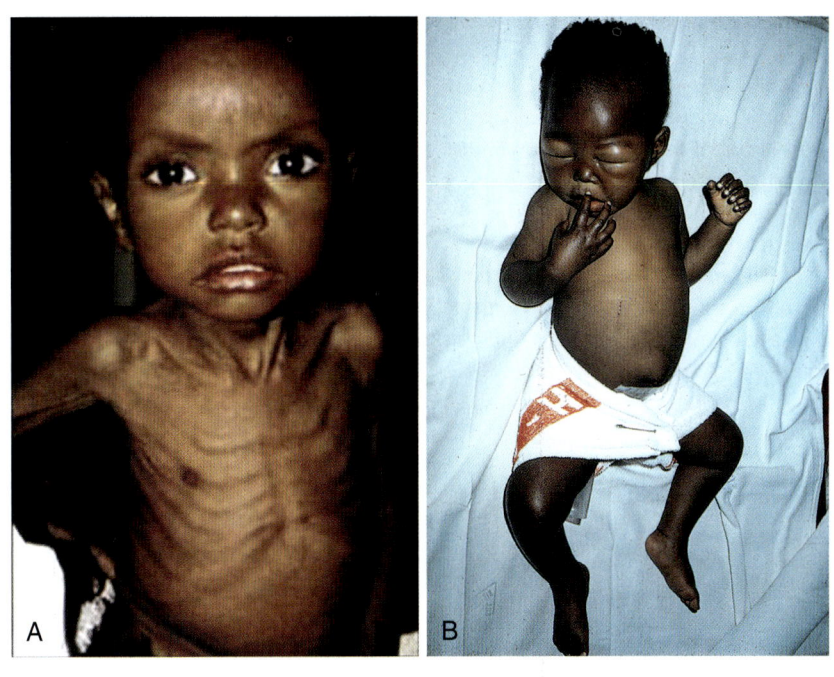

Figura 9.21 Má nutrição infantil. **A.** Marasmo. Observe a perda de massa muscular e gordura subcutânea; a cabeça parece grande demais para o corpo emaciado. **B.** Kwashiorkor. O lactente apresenta edema generalizado, que é observado como ascite e inchaço no rosto, nas mãos e nas pernas. (**A,** Da Clínica Barak, Reisebericht, Quênia.)

fina e perda de aderência firme ao couro cabeludo. Outras características que distinguem o kwashiorkor do marasmo incluem um fígado gorduroso e aumentado (resultante da síntese reduzida do componente da proteína transportadoras das lipoproteínas) e o desenvolvimento de apatia, languidez e perda de apetite. Como o marasmo, é provável que haja deficiências de vitaminas, assim como defeitos na imunidade e infecções secundárias, que produzem inflamação e um estado catabólico que agrava a má nutrição. Como já mencionado, o marasmo e o kwashiorkor representam dois extremos de um espectro, e existe uma considerável sobreposição entre as duas condições.

Má nutrição nos países desenvolvidos. Nos EUA, a má nutrição secundária se desenvolve com frequência em pacientes cronicamente enfermos, idosos e acamados. Estima-se que mais de 50% dos idosos que residem em casas de repouso nos EUA estejam malnutridos. Os sinais mais óbvios da má nutrição secundária incluem (1) redução da gordura subcutânea nos braços, parede torácica, ombros ou regiões metacárpicas; (2) atrofia dos músculos quadríceps e deltoide; e (3) edema no tornozelo ou no sacro. Pacientes malnutridos confinados à cama ou hospitalizados têm um risco aumentado de infecção, sepse, cicatrização prejudicada de feridas e morte após cirurgias.

Morfologia

As principais alterações anatômicas na MAG são (1) falha de crescimento; (2) edema periférico no kwashiorkor; e (3) perda de gordura corporal e atrofia muscular, mais acentuada no marasmo.

O **fígado** no kwashiorkor, mas não no marasmo, encontra-se aumentado e gorduroso; a cirrose sobreposta é rara. No kwashiorkor (raramente no marasmo), o **intestino delgado** apresenta uma diminuição das células mitóticas nas criptas das glândulas, associada à atrofia da mucosa e perda de vilosidades e microvilosidades. Nesses casos, ocorre perda concomitante de enzimas do intestino delgado, mais frequentemente manifestada como deficiência de dissacaridase. Como consequência, os lactentes com kwashiorkor inicialmente podem não responder bem a dietas intensivas à base de leite. Com o tratamento, as alterações na mucosa são reversíveis.

A **medula óssea**, tanto no kwashiorkor quanto no marasmo, pode ser hipoplásica, principalmente como resultado da diminuição do número de precursores de eritrócitos. O sangue periférico comumente revela anemia leve a moderada, que costuma ser de origem multifatorial; as deficiências nutricionais de ferro, folato e proteínas, bem como os efeitos supressores da infecção (anemia por inflamação crônica) podem contribuir para esse achado. Dependendo do fator predominante, os eritrócitos podem ser microcíticos, normocíticos ou macrocíticos.

Há alguns relatos de que o **cérebro** de lactentes que nasceram de mães malnutridas e que sofreram MAG durante os primeiros 1 ou 2 anos de vida apresenta atrofia cerebral, um número reduzido de neurônios e mielinização prejudicada da substância branca.

Muitas outras alterações podem estar presentes, incluindo (1) atrofia tímica e linfoide (mais acentuada no kwashiorkor do que no marasmo); (2) alterações anatômicas induzidas por infecções intercorrentes, especialmente com todos os tipos de vermes endêmicos e outros parasitas; e (3) deficiências de outros nutrientes necessários, como iodo e vitaminas.

Caquexia. A má nutrição secundária é uma complicação comum em pacientes com síndrome da imunodeficiência adquirida (AIDS) ou cânceres avançados e, nesses casos, é conhecida como caquexia. Por causa de sua associação comum com o câncer, a caquexia é discutida no **Capítulo 7**.

Anorexia nervosa e bulimia

A anorexia nervosa é a inanição autoinduzida, resultando em perda de peso acentuada; a bulimia é uma condição na qual o paciente se alimenta em demasia e, em seguida, induz o vômito. A anorexia nervosa tem a maior taxa de mortalidade de todos os transtornos psiquiátricos. A bulimia é mais comum do que a anorexia nervosa e, geralmente, tem um prognóstico melhor; estima-se que ocorra em 1 a 2% das mulheres e 0,1% dos homens, com início médio aos 20 anos. Esses transtornos alimentares ocorrem principalmente em mulheres jovens previamente saudáveis que desenvolveram uma obsessão com a imagem corporal e a magreza. Os fundamentos neurobiológicos dessas doenças são desconhecidos, mas se sugeriu que o metabolismo alterado da serotonina pode ser um componente importante.

Os achados clínicos na anorexia nervosa são, em geral, semelhantes aos da MAG. Além disso, os efeitos no sistema endócrino são proeminentes. A *amenorreia*, resultante da diminuição da secreção do hormônio liberador de gonadotrofina e (como resultado) do hormônio luteinizante e do hormônio foliculoestimulante, é tão comum que sua presença é considerada uma característica diagnóstica. Outros achados comuns relacionados à *diminuição da liberação do hormônio tireoidiano* incluem intolerância ao frio, bradicardia, constipação intestinal e alterações na pele e no cabelo. Além disso, desidratação e anormalidades eletrolíticas estão frequentemente presentes. A pele torna-se seca e escamosa. O aumento de gordura na medula óssea (paradoxalmente, uma vez que a gordura está diminuída em outros lugares) associado a uma deposição peculiar de material da matriz mucinosa, conhecido como *transformação gelatinosa*, é praticamente patognomônico para anorexia nervosa **(Figura 9.22)**. A densidade óssea está diminuída, talvez devido aos baixos níveis de estrogênio, mimetizando a aceleração da osteoporose pós-menopausa. Anemia, linfopenia e hipoalbuminemia podem estar presentes. Uma das principais complicações da anorexia nervosa (e da bulimia) é o aumento da suscetibilidade à *arritmia cardíaca* e *morte súbita*, resultantes da hipopotassemia.

Na bulimia, a *compulsão alimentar* é a norma. Grandes quantidades de alimentos, principalmente carboidratos, são ingeridas, seguido de vômito induzido. Embora as irregularidades menstruais sejam comuns, a amenorreia ocorre em menos de 50% das pacientes bulímicas porque o peso e os níveis de gonadotrofina permanecem próximos do normal. As principais complicações médicas estão relacionadas aos vômitos frequentes e ao uso crônico de laxantes e diuréticos. Eles incluem (1) desequilíbrios eletrolíticos (hipopotassemia), que predispõem o paciente a arritmias cardíacas; (2) aspiração pulmonar do conteúdo gástrico; e (3) ruptura esofágica e gástrica. Apesar disso, não há sinais ou sintomas específicos; portanto, o diagnóstico de bulimia depende de uma avaliação psicológica abrangente.

Deficiências de vitaminas

Treze vitaminas são necessárias para a saúde: A, D, E e K são lipossolúveis e todas as outras, hidrossolúveis. A distinção entre vitaminas lipossolúveis e vitaminas hidrossolúveis é importante. As primeiras são mais rapidamente armazenadas no corpo, mas podem ser mal absorvidas em distúrbios de má absorção de gordura, causados por perturbações das funções digestivas (ver **Capítulo 17**). Certas vitaminas podem ser sintetizadas endogenamente – a vitamina D a partir de esteroides precursores; a vitamina K e a biotina pela microflora intestinal; e a niacina a partir do triptofano, um aminoácido essencial. Apesar dessa síntese endógena, um suprimento dietético de todas as vitaminas é essencial para a saúde.

A deficiência de vitaminas pode ser primária (de origem alimentar) ou secundária a distúrbios na absorção intestinal, transporte no sangue, armazenamento em tecidos ou conversão metabólica. Nas seções a seguir, as vitaminas A, D e C são apresentadas com alguns detalhes devido às suas atividades diversificadas e às alterações morfológicas causadas pelos estados de deficiência. Segue-se a apresentação em forma de tabela das principais consequências das deficiências das vitaminas restantes (E, K e complexo B) e de alguns minerais essenciais. No entanto, deve-se enfatizar que a deficiência de uma única vitamina é incomum e que deficiências de uma ou várias vitaminas podem estar associadas à MAG.

Vitamina A

As principais funções da vitamina A são a manutenção da visão normal, a regulação do crescimento e diferenciação celular e a regulação do metabolismo lipídico. Vitamina A é o nome dado a um grupo de compostos relacionados que incluem *retinol*, *retinal* e *ácido retinoico*, que têm atividades biológicas semelhantes. O termo genérico *retinoides* abrange a vitamina A em suas várias formas e os produtos químicos naturais e sintéticos que estão estruturalmente relacionados à vitamina A, mas podem não necessariamente ter atividade biológica semelhante a ela. Alimentos de origem animal, como fígado, peixe, ovos, leite e manteiga são importantes fontes dietéticas de vitamina A. Vegetais amarelos e verdes folhosos, como cenoura, abóbora e espinafre, fornecem grandes quantidades de carotenoides, provitaminas que podem ser metabolizadas em vitamina A ativa no corpo. Os carotenoides contribuem com aproximadamente 30% da vitamina A nas dietas humanas; o mais importante deles é o betacaroteno, que é eficientemente convertido em vitamina A. A Ingestão Dietética Recomendada para vitamina A é expressa em equivalentes de retinol, para levar em consideração tanto a vitamina A pré-formada quanto o betacaroteno.

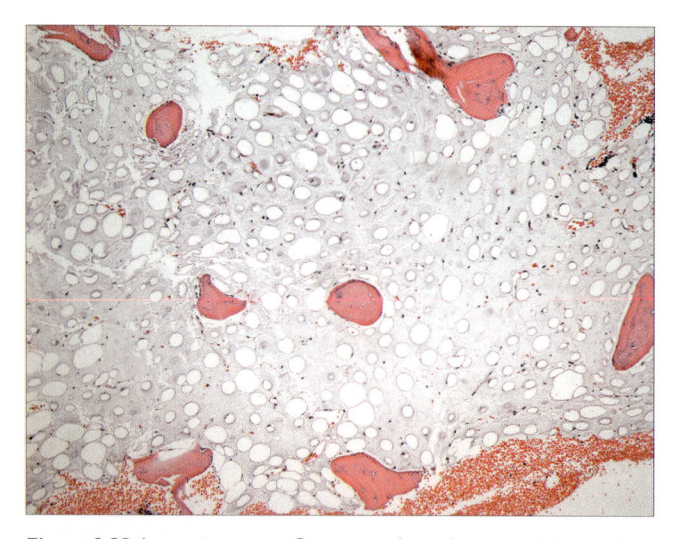

Figura 9.22 Anorexia nervosa. O aumento da gordura na medula associado à deposição de material da matriz mucinosa (transformação gelatinosa) é patognomônico dessa doença.

A vitamina A é uma vitamina lipossolúvel e sua absorção requer bile, enzimas pancreáticas e algum nível de atividade antioxidante nos alimentos. O retinol (geralmente ingerido como éster de retinol) e o betacaroteno são absorvidos no intestino, onde o betacaroteno também é convertido em retinol (**Figura 9.23**). O retinol é então transportado em quilomícrons para o fígado para esterificação e armazenamento. A captação nas células do fígado ocorre por meio do receptor da apolipoproteína E. Mais de 90% das reservas de vitamina A do corpo são armazenadas no fígado, predominantemente nas células estreladas perissinusoidais (de Ito). Em pessoas saudáveis que consomem uma dieta adequada, essas reservas são suficientes para suprir as demandas do corpo por pelo menos 6 meses. Ésteres de retinol armazenados no fígado podem ser mobilizados; antes da liberação, o retinol se liga a uma proteína de ligação ao retinol (RBP) específica, sintetizada no fígado. A captação de retinol/RBP em tecidos periféricos é dependente de receptores da superfície celular específicos para a RBP. Uma vez absorvido pelos tecidos periféricos, o retinol também pode ser armazenado como éster de retinol ou pode ser oxidado para formar ácido retinoico, que tem efeitos importantes na diferenciação e no crescimento epitelial.

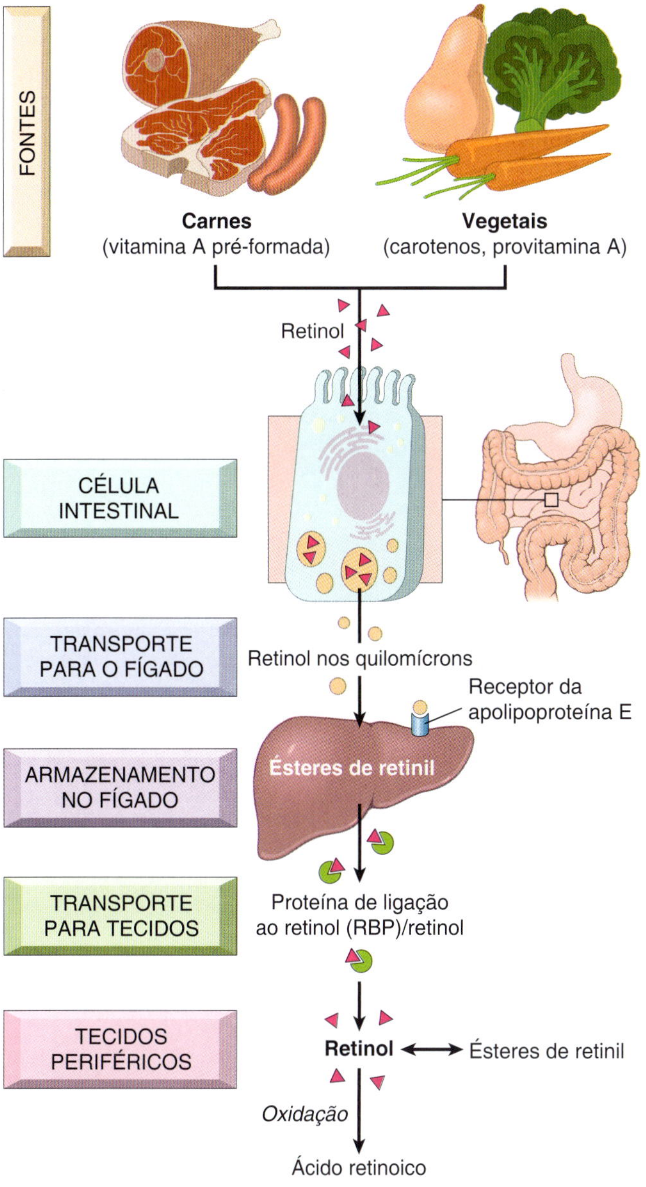

Função. Em humanos, as principais funções da vitamina A são as seguintes:

- *Manutenção da visão normal.* O processo visual envolve quatro formas de pigmentos contendo vitamina A: a rodopsina nos bastonetes, o pigmento mais sensível à luz e, portanto, importante no caso de luz reduzida, e três iodopsinas nos cones, cada uma respondendo a cores específicas na luz clara. A síntese da rodopsina a partir do retinol envolve (1) oxidação para todo-*trans*-retinal, (2) isomerização para 11-*cis*-retinal e (3) associação covalente com a proteína 7-transmembrana dos bastonetes, a opsina, para formar rodopsina. Um fóton de luz causa a isomerização de 11-*cis*-retinal em todo-*trans*-retinal, que se dissocia da rodopsina. Isso induz uma mudança conformacional na opsina, desencadeando uma série de eventos *downstream* que geram um impulso nervoso, que é transmitido através dos neurônios da retina para o cérebro. Durante a adaptação ao escuro, parte do todo-*trans*-retinal é reconvertido em 11-*cis*-retinal, mas a maior parte é reduzida a retinol e perdida para a retina, ditando a necessidade de suprimento contínuo
- *Crescimento e diferenciação celular.* A vitamina A e os retinoides desempenham um papel importante na diferenciação ordenada do epitélio secretor de muco; quando existe um estado de deficiência, o epitélio sofre metaplasia escamosa, diferenciando-se em epitélio queratinizante. A ativação de receptores de ácido retinoico (RARs) por seus ligantes causa a liberação de correpressores e a formação obrigatória de heterodímeros com outro receptor de retinoide, o *RXR*. Tanto RAR quanto RXR têm três isoformas, α, β e γ. Os heterodímeros RAR/RXR ligam-se a elementos de resposta ao ácido retinoico localizados nas regiões regulatórias de genes que codificam receptores para fatores de crescimento, genes supressores de tumor e proteínas secretadas. Por meio desses efeitos, os retinoides regulam o crescimento e a diferenciação celular, o controle do ciclo celular e outras respostas biológicas. O ácido all-*trans*-retinoico, um potente derivado ácido da vitamina A, tem a maior afinidade pelos RARs em comparação com outros retinoides
- *Efeitos metabólicos dos retinoides.* O RXR, que se acredita ser ativado pelo ácido 9-*cis*-retinoico, pode formar heterodímeros com outros receptores nucleares, como os receptores nucleares envolvidos no metabolismo de fármacos, receptores ativados por proliferadores de peroxissoma (PPARs) e receptores de vitamina D. Os PPARs são reguladores essenciais do metabolismo lipídico, incluindo oxidação de ácidos graxos nas células adiposas e músculos, adipogênese e metabolismo de lipoproteínas. A associação entre RXR e PPARγ explica, portanto, os efeitos metabólicos dos retinoides na adipogênese
- *Reforço da imunidade a infecções.* A suplementação de vitamina A pode reduzir as taxas de morbidade e mortalidade por diarreia em 15 e 28%, respectivamente. Os efeitos da vitamina A nas infecções provavelmente derivam, em parte, de sua capacidade de estimular o sistema imunológico por meio de mecanismos obscuros. As infecções podem reduzir a biodisponibilidade da vitamina A, talvez por induzir a resposta de fase aguda, que parece inibir a síntese de RBP no fígado. A queda na RBP hepática causa uma diminuição no retinol circulante, o que reduz a disponibilidade tecidual de vitamina A. Além disso,

Figura 9.23 Metabolismo da vitamina A.

retinoides, betacaroteno e alguns carotenoides relacionados funcionam como agentes fotoprotetores e antioxidantes.

Os retinoides são usados clinicamente no tratamento de distúrbios da pele, como acne grave e certas formas de psoríase, bem como no tratamento da leucemia promielocítica aguda. Conforme discutido no **Capítulo 7**, o ácido all-*trans*-retinoico induz a diferenciação e subsequente apoptose de células de leucemia promielocítica aguda por meio de sua capacidade de se ligar a uma proteína de fusão PML-RARα que caracteriza essa forma de câncer. Um isômero diferente, o ácido 13-*cis*-retinoico, tem sido usado com algum sucesso no tratamento do neuroblastoma infantil.

Deficiência de vitamina A. A deficiência de vitamina A ocorre em todo o mundo como consequência da má nutrição primária ou secundária a condições que causam a má absorção de gorduras. Em crianças, as reservas de vitamina A são esgotadas por infecções e a absorção da vitamina é deficiente em recém-nascidos. Pacientes adultos com síndromes de má absorção, como doença celíaca, doença de Crohn e colite, podem desenvolver deficiência de vitamina A em conjunto com esgotamento de outras vitaminas lipossolúveis. A cirurgia bariátrica e, em idosos, o uso contínuo de óleo mineral como laxante podem levar à deficiência. Os efeitos patológicos da deficiência de vitamina A estão resumidos na **Figura 9.24**.

Como já discutido, a vitamina A é um componente da rodopsina e de outros pigmentos visuais. Não é de surpreender que uma das primeiras manifestações da deficiência de vitamina A seja a visão prejudicada, principalmente com luz reduzida (cegueira noturna). Outros efeitos da deficiência estão relacionados ao papel da vitamina A na regulação da diferenciação das células epiteliais. A deficiência persistente dá origem a metaplasia epitelial e queratinização. As alterações mais devastadoras ocorrem nos olhos e são chamadas de xeroftalmia (olho seco). Primeiro, há secura da conjuntiva (xerose conjuntival) à medida que o epitélio lacrimal normal e secretor de muco é substituído por epitélio queratinizado. Em seguida, há um acúmulo de resíduos de queratina em pequenas placas opacas (*manchas de Bitot*) que progride para a erosão da superfície rugosa da córnea, amolecimento e destruição da córnea (queratomalacia) e cegueira.

Além do epitélio ocular, o epitélio que reveste a passagem respiratória superior e o trato urinário também sofre metaplasia escamosa. A perda do epitélio mucociliar das vias respiratórias predispõe a infecções pulmonares secundárias, e a descamação de resíduos de queratina no trato urinário predispõe a cálculos renais e da bexiga urinária. Hiperplasia e hiperqueratinização da epiderme e obstrução dos ductos das glândulas anexas podem produzir dermatose folicular ou papular. Outra consequência grave é a deficiência imunológica, que é responsável por taxas mais altas de mortalidade por infecções comuns, como sarampo, pneumonia e diarreia infecciosa. Em partes do mundo onde a deficiência de vitamina A é prevalente, a suplementação dietética reduz a mortalidade em 20 a 30%.

Toxicidade por vitamina A. Os excessos de vitamina A em curto e longo prazos podem produzir manifestações tóxicas. As consequências da hipervitaminose A aguda foram descritas pela primeira vez por Gerrit de Veer em 1597, um carpinteiro de navio encalhado no Ártico que relatou em seu diário os graves sintomas que ele e outros membros da tripulação desenvolveram depois de comer fígado de urso polar. Com esse conto de advertência em mente, o comedor audaz deve estar ciente de que a toxicidade aguda por vitamina A também foi descrita em indivíduos que ingeriram fígados de baleias, tubarões e, até mesmo, de atum.

Os sintomas da toxicidade aguda por vitamina A incluem cefaleia, tontura, vômito, estupor e visão turva, sintomas que podem ser confundidos com os de um tumor cerebral (*pseudotumor cerebral*). A toxicidade crônica está associada a perda de peso,

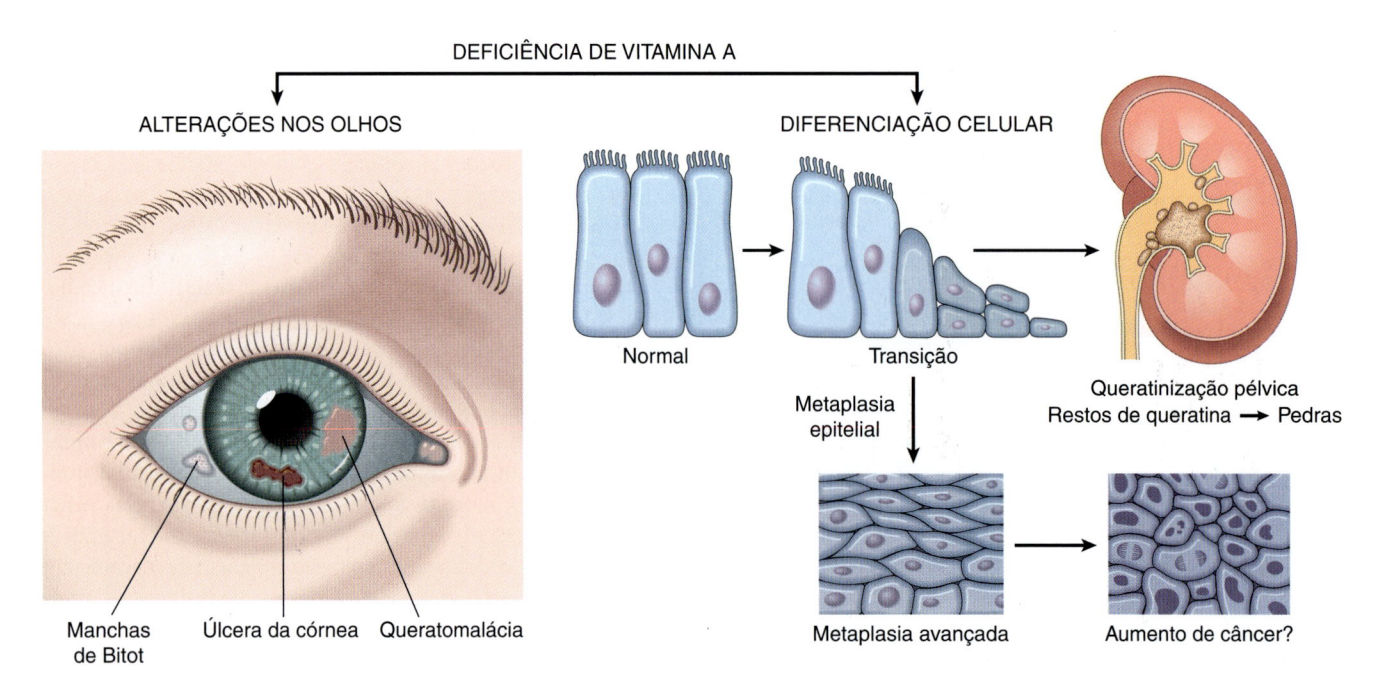

Figura 9.24 Deficiência de vitamina A, suas principais consequências no olho e na produção de metaplasia queratinizante de superfícies epiteliais especializadas e sua possível função na metaplasia epitelial. Não estão representadas a cegueira noturna e a deficiência imunológica.

anorexia, náuseas, vômitos e dores nos ossos e nas articulações. O ácido retinoico estimula a produção e a atividade dos osteoclastos, levando ao aumento da reabsorção óssea e ao alto risco de fraturas. Embora os retinoides sintéticos usados para o tratamento da acne não estejam associados a esses tipos de condições, seu uso na gravidez deve ser evitado devido aos efeitos teratogênicos bem estabelecidos dos retinoides.

Vitamina D

A principal função da vitamina D é a manutenção de níveis plasmáticos adequados de cálcio e fósforo para dar suporte às funções metabólicas, mineralização óssea e transmissão neuromuscular. A vitamina D é uma vitamina lipossolúvel necessária para a prevenção de doenças ósseas conhecidas como *raquitismo* (em crianças cujas epífises ainda não se fecharam) e *osteomalacia* (em adultos), além da *tetania hipocalcêmica*. Com relação à tetania, a vitamina D mantém a concentração correta de cálcio ionizado no compartimento de líquido extracelular. Quando a deficiência se desenvolve, a queda no cálcio ionizado no líquido extracelular resulta em excitação contínua do músculo (tetania). Deve-se notar, entretanto, que qualquer redução no nível de cálcio sérico geralmente é corrigida pelo aumento da secreção do hormônio paratireoidiano seguido de reabsorção óssea; portanto, a tetania é bastante incomum. Nossa atenção aqui está voltada para a função da vitamina D na regulação dos níveis de cálcio sérico.

Metabolismo da vitamina D. A principal fonte de vitamina D para humanos é sua síntese endógena a partir de um precursor, o 7-desidrocolesterol, em uma reação fotoquímica que requer luz solar ou ultravioleta artificial na faixa de 290 a 315 nm (radiação UVB). Essa reação resulta na síntese do *colecalciferol*, conhecido como *vitamina D_3*. Aqui, o termo vitamina D é usado para se referir a esse composto. Em condições normais de exposição ao sol, cerca de 90% da vitamina D necessária é sintetizada endogenamente pela pele. No entanto, os indivíduos com pele escura geralmente apresentam um nível mais baixo de produção de vitamina D devido à pigmentação pela melanina. Fontes dietéticas, como peixes de alto mar, plantas e grãos, contribuem com o restante da vitamina D necessária e dependem da absorção intestinal adequada de gordura. Nas plantas, a vitamina D está presente em uma forma precursora (ergosterol), que é convertida em vitamina D no corpo.

As principais etapas do metabolismo da vitamina D são resumidas da seguinte forma:

1. Síntese fotoquímica de vitamina D do 7-deisdrocolesterol na pele e absorção de vitamina D de alimentos e suplementos no intestino.
2. Ligação da vitamina D de ambas as fontes à α_1-globulina plasmática (proteína de ligação D [DBP]) e transporte para o fígado.
3. Conversão da vitamina D em 25-hidroxicolecalciferol (25-OH-D) no fígado, por meio da ação de 25-hidroxilases, incluindo CYP27A1 e outros CYPs.
4. Conversão da 25-OH-D em 1,25-di-hidroxivitamina D [1α, $25(OH)_2D_3$], a forma mais ativa da vitamina D, pela enzima 1α-hidroxilase no rim.

A produção de 1,25-di-hidroxivitamina D no rim é regulada por três mecanismos principais (**Figura 9.25**):

- *A hipocalcemia estimula a secreção do hormônio paratireoidiano (PTH)*, que, por sua vez, aumenta a conversão de 25-OH-D em 1,25-di-hidroxivitamina D, regulando positivamente a expressão de 1α-hidroxilase
- *A hipofosfatemia também regula positivamente a expressão de 1α-hidroxilase*, aumentando a produção de 1,25-di-hidroxivitamina D
- *Por meio de um mecanismo de* feedback, níveis aumentados de 1,25-di-hidroxivitamina D regulam negativamente sua própria síntese por meio da inibição da atividade da 1α-hidroxilase.

Funções. Assim como os retinoides e os hormônios esteroides, a 1,25-di-hidroxivitamina D atua ligando-se a um receptor nuclear de alta afinidade (receptor da vitamina D), que se associa ao já mencionado RXR. Este complexo heterodimérico liga-se aos elementos de resposta à vitamina D localizados nas sequências regulatórias dos genes-alvo da vitamina D. Os receptores para 1,25-di-hidroxivitamina D estão presentes na maioria das células do corpo. No intestino delgado, ossos e rins, os sinais transduzidos por meio desses receptores regulam os níveis plasmáticos de cálcio e fósforo. Além de seu papel na homeostase esquelética, a vitamina D tem efeitos imunomoduladores e antiproliferativos. A 1,25-di-hidroxivitamina D também parece atuar por meio de mecanismos que não requerem a transcrição de genes-alvo. Esses mecanismos alternativos envolvem a ligação da 1,25-di-hidroxivitamina D a um receptor de vitamina D associado à membrana (mVDR), levando à ativação da proteinoquinase C e à abertura dos canais de cálcio.

Efeitos da vitamina D na homeostase do cálcio e do fósforo. As principais funções da 1,25-di-hidroxivitamina D na homeostase do cálcio e do fósforo são as seguintes:

- *Estimulação da absorção intestinal de cálcio*. A 1,25-di-hidroxivitamina D estimula a absorção intestinal de cálcio no duodeno por meio da interação da 1,25-di-hidroxivitamina D com o receptor nuclear da vitamina D e a formação de um complexo com RXR. O complexo se liga aos elementos de resposta à vitamina D e ativa a transcrição de TRPV6 (um membro da família do receptor de potencial transitório vaniloide), que codifica um canal crucial de transporte de cálcio
- *Estimulação da reabsorção de cálcio no rim*. A 1,25-di-hidroxivitamina D aumenta o influxo de cálcio nos túbulos distais do rim por meio da expressão aumentada de TRPV5, outro membro da família da família do receptor de potencial transitório vaniloide. A expressão de TRPV5 também é regulada pelo PTH em resposta à hipocalcemia
- *Interação com PTH na regulação do cálcio no sangue*. A vitamina D mantém o cálcio e o fósforo em níveis supersaturados no plasma. As glândulas paratireoides têm um papel fundamental na regulação das concentrações extracelulares de cálcio. Essas glândulas têm um receptor de cálcio que detecta até mesmo pequenas mudanças nas concentrações de cálcio no sangue. Além de seus efeitos já descritos sobre a absorção de cálcio no intestino e rins, tanto a 1,25-di-hidroxivitamina D quanto o PTH aumentam a expressão de RANKL (ligante do receptor ativador de NF-κB) nos osteoblastos. O RANKL liga-se ao seu receptor (RANK) localizado nos pré-osteoclastos, induzindo, assim, a diferenciação dessas células em osteoclastos maduros (ver **Capítulo 26**). Por meio da secreção de ácido clorídrico e ativação de proteases como a catepsina K, os osteoclastos dissolvem o osso e liberam cálcio e fósforo na circulação

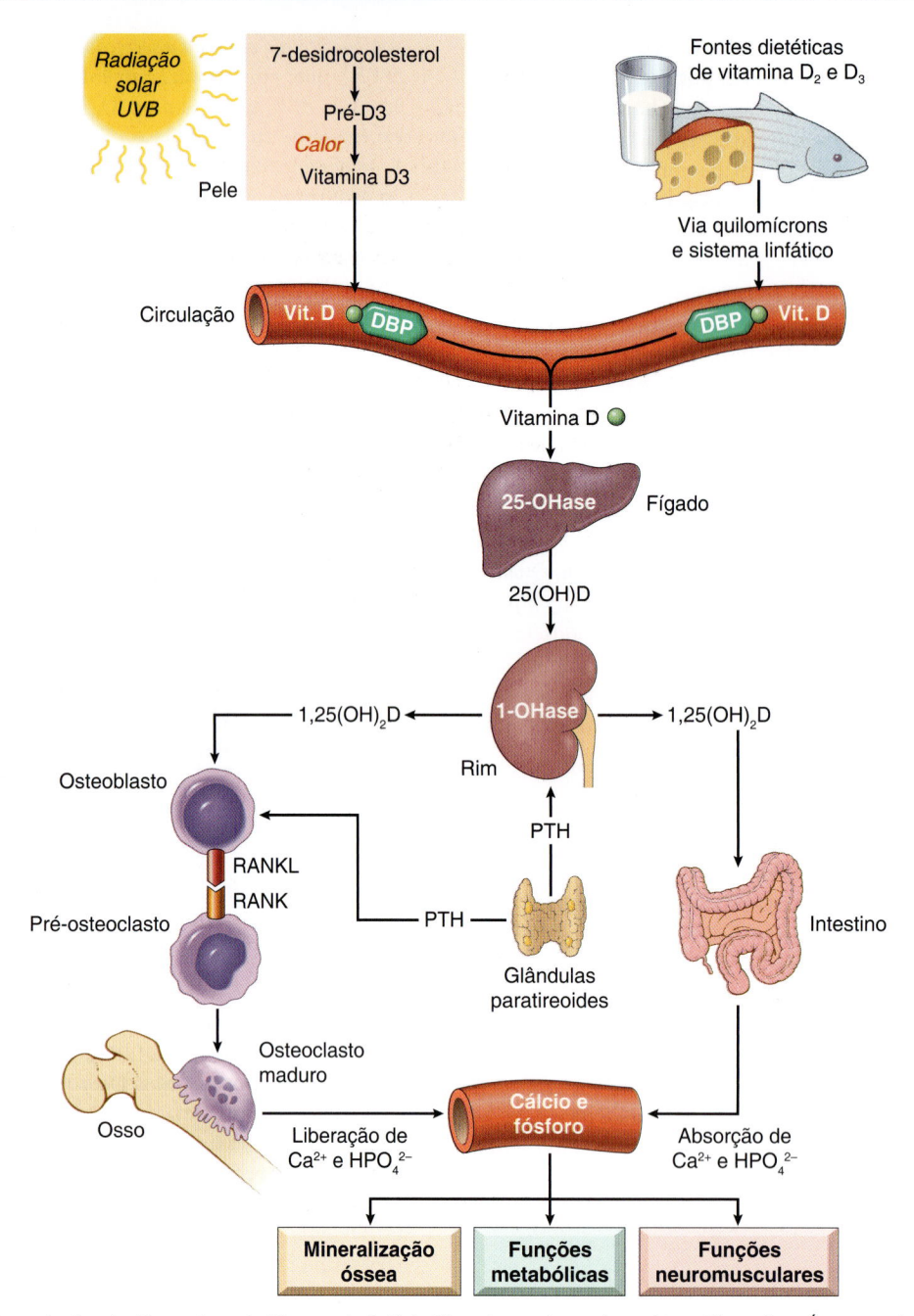

Figura 9.25 Metabolismo da vitamina D, que é produzida a partir do 7-desidrocolesterol na pele ou é ingerida na dieta. É convertida no fígado em 25(OH)D e no rim em 1,25-di-hidroxivitamina D (1,25(OH)$_2$D), a forma ativa da vitamina. A 1,25(OH)$_2$D estimula a expressão de RANKL, um importante regulador da maturação e função dos osteoclastos, nos osteoblastos e aumenta a absorção intestinal de cálcio e fósforo. *DBP*, proteína de ligação à vitamina D (α1-globulina).

- *Mineralização de ossos.* A vitamina D contribui para a mineralização da matriz osteoide e da cartilagem epifisária em ossos chatos e longos. Ela estimula os osteoblastos a sintetizar a proteína de ligação ao cálcio osteocalcina, que está envolvida na deposição de cálcio durante o desenvolvimento ósseo. Os ossos chatos se desenvolvem por formação óssea intramembranosa, na qual as células mesenquimais se diferenciam diretamente em osteoblastos, que sintetizam a matriz osteoide colagenosa na qual o cálcio é depositado. Os ossos longos se desenvolvem por ossificação endocondral, através da qual a cartilagem em crescimento nas placas epifisárias é provisoriamente mineralizada e então progressivamente reabsorvida e substituída pela matriz osteoide que é mineralizada para criar o osso (**Figura 9.26A**).

Quando ocorre *hipocalcemia* devido à deficiência de vitamina D (**Figura 9.27**), a produção de PTH é elevada, causando (1) ativação da 1α-hidroxilase renal, aumentando a quantidade de vitamina D ativa e a absorção de cálcio; (2) aumento da reabsorção de cálcio do osso pelos osteoclastos; (3) diminuição da excreção renal de cálcio; e (4) aumento da excreção renal de fosfato. Embora seja possível restaurar um nível sérico normal de cálcio, a

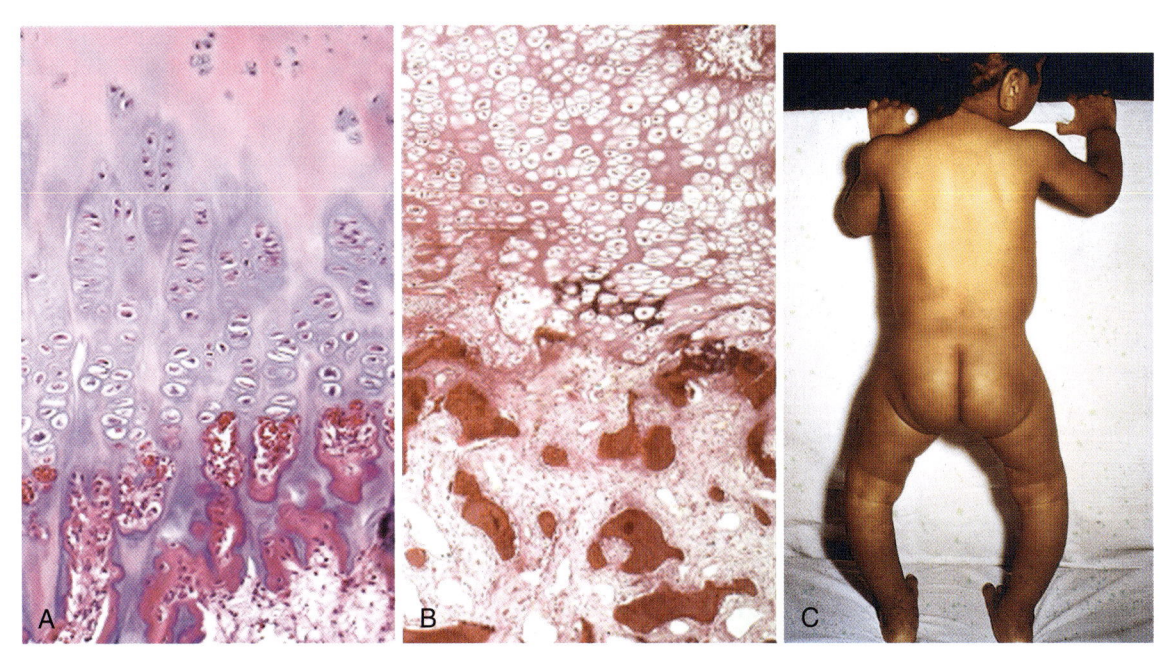

Capítulo 9 Doenças Ambientais e Nutricionais 455

Figura 9.26 Raquitismo. **A.** Junção costocondral normal de uma criança pequena ilustrando a formação de paliçadas de cartilagem e a transição ordenada da cartilagem para a formação de ossos novos. **B.** Detalhe de uma junção costocondral raquítica na qual as paliçadas da cartilagem estão perdidas. As trabéculas mais escuras são ossos bem formados; as trabéculas mais claras consistem em osteoide não calcificada. **C.** Raquitismo: observe o arqueamento das pernas devido à formação de ossos mal mineralizados. (**B,** Cortesia do Dr. Andrew E. Rosenberg, Hospital Geral de Massachusetts, Boston, Mass.)

hipofosfatemia persiste, prejudicando a mineralização óssea. O aumento da produção de FGF-23 pode ser responsável pela osteomalacia induzida por tumor e algumas formas de raquitismo hipofosfatêmico.

Estados deficitários. O intervalo de referência normal para a 25-(OH)-D circulante é de 20 a 100 ng/mℓ; concentrações inferiores a 20 ng/mℓ constituem deficiência de vitamina D.

O raquitismo em crianças em crescimento e a osteomalacia em adultos são doenças esqueléticas com distribuição mundial. Eles podem resultar de dietas deficientes em cálcio e vitamina D, mas uma causa igualmente importante de deficiência de vitamina D é a exposição limitada à luz solar. Isso afeta com mais frequência os habitantes das latitudes do norte, mas pode até ser um problema em países tropicais, em mulheres extremamente cobertas e em crianças nascidas de mães que têm gravidezes frequentes seguidas de lactação. Em todas essas situações, a deficiência de vitamina D pode ser prevenida por uma dieta rica em óleos de peixe. Outras causas menos comuns de raquitismo e osteomalacia incluem distúrbios renais que causam diminuição da síntese de 1,25-di-hidroxivitamina D, esgotamento de fosfato, distúrbios de má absorção e alguns distúrbios hereditários raros. Embora o raquitismo e a osteomalacia raramente ocorram fora dos grupos de alto risco, as formas mais brandas de deficiência de vitamina D que levam a um risco aumentado de perda óssea e fraturas de quadril são bastante comuns em idosos nos EUA e na Europa. Algumas variantes geneticamente determinadas dos receptores de vitamina D também estão associadas à perda acelerada de minerais ósseos durante o envelhecimento e a certas formas familiares de osteoporose (ver **Capítulo 26**).

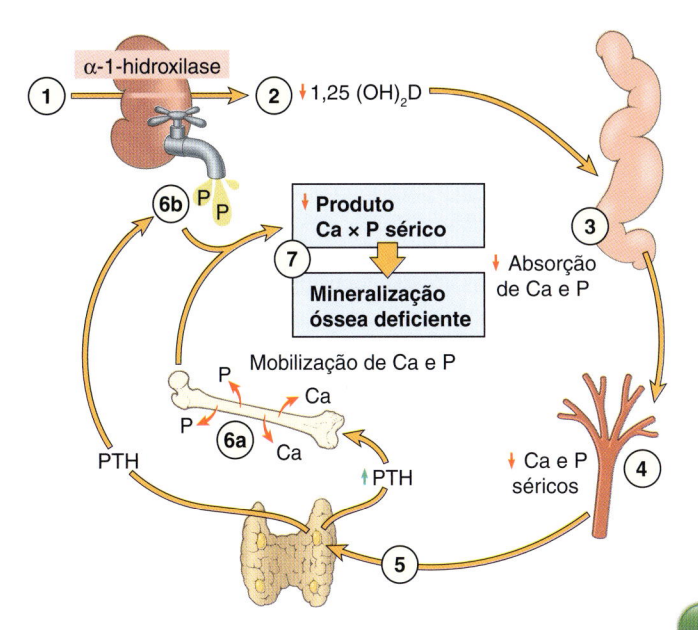

Figura 9.27 Deficiência de vitamina D. Há substrato inadequado para a 1α-hidroxilase renal (*1*), resultando em deficiência de 1,25(OH)$_2$D (*2*), e absorção deficiente de cálcio (*Ca*) e fósforo (*P*) do intestino (*3*), tendo como consequência níveis séricos deprimidos de ambos (*4*). A hipocalcemia ativa as glândulas paratireoides (*5*), causando a mobilização de cálcio e fósforo do osso (*6a*). Simultaneamente, o hormônio paratireoidiano (*PTH*) induz perda de fosfato na urina (*6b*) e retenção de cálcio. Como resultado, os níveis séricos de cálcio são normais ou quase normais, mas os níveis de fosfato são baixos; portanto, a mineralização é prejudicada (*7*).

Morfologia

A deficiência de vitamina D no raquitismo e na osteomalacia resulta em um **excesso de matriz não mineralizada**. Os seguintes eventos ocorrem no raquitismo:

- Crescimento excessivo da cartilagem epifisária devido à calcificação provisória inadequada e falha das células da cartilagem em amadurecer e se desintegrar

- Persistência de massas distorcidas e irregulares de cartilagem que se projetam na cavidade medular
- Deposição de matriz osteoide em remanescentes cartilaginosos inadequadamente mineralizados
- Interrupção da substituição ordenada da cartilagem por matriz osteoide, com aumento e expansão lateral da junção osteocondral (ver **Figura 9.26B**)
- Supercrescimento anormal de capilares e fibroblastos na zona desorganizada, resultante de microfraturas e tensões no osso inadequadamente mineralizado, fraco e malformado
- Deformação do esqueleto devido à perda de rigidez estrutural dos ossos em desenvolvimento.

As alterações esqueléticas macroscópicas no raquitismo dependem da gravidade e da duração do processo e, em especial, das tensões a que cada osso é submetido. Durante o estágio não ambulatório da infância, a cabeça e o tórax suportam as maiores tensões. Os ossos occipitais amolecidos podem se tornar achatados e os ossos parietais podem ser entortados para dentro pela pressão; com a liberação da pressão, o recolhimento elástico solta os ossos de volta às suas posições originais (**craniotabes**). Um excesso de osteoide produz uma **protuberância frontal** e uma **aparência quadrada na cabeça**. A deformação do tórax resulta do crescimento excessivo da cartilagem ou do tecido osteoide na junção costocondral, produzindo o **rosário raquítico**. As áreas metafisárias enfraquecidas das costelas estão sujeitas à tração dos músculos respiratórios e, portanto, dobram-se para dentro, criando protrusão anterior do esterno (**deformidade em peito de pombo**). Quando uma criança que já está andando desenvolve raquitismo, é provável que as deformidades afetem a coluna, a pelve e a tíbia, causando **lordose lombar** e **arqueamento das pernas** (ver **Figura 9.26C**).

Em adultos com **osteomalacia**, a falta de vitamina D perturba a remodelação óssea normal que ocorre ao longo da vida. A matriz osteoide recém-formada e depositada pelos osteoblastos é mineralizada de forma inadequada, produzindo o excesso de osteoide persistente característico da osteomalacia. Embora os contornos do osso não sejam afetados, o osso é fraco e vulnerável a grandes fraturas ou microfraturas, que têm maior probabilidade de afetar os corpos vertebrais e o colo do fêmur. A osteoide não mineralizado aparece como uma camada espessa de matriz (que se tinge de rosa nas preparações de hematoxilina e eosina) disposta em torno das trabéculas mais basofílicas, normalmente mineralizadas.

Efeitos não esqueléticos da vitamina D. Como mencionado anteriormente, o receptor da vitamina D está presente em várias células e tecidos que não participam da homeostase do cálcio e do fósforo. Além disso, macrófagos, queratinócitos e tecidos como mama, próstata e cólon podem produzir 1,25-di-hidroxivitamina D. Nos macrófagos, a síntese de 1,25-di-hidroxivitamina D ocorre por meio da atividade de CYP27B, localizado na mitocôndria. Parece que a ativação induzida por patógenos de receptores tipo *Toll* em macrófagos causa aumento da expressão do receptor de vitamina D e de CYP27B, levando à síntese local de 1,25-di-hidroxivitamina D e à ativação da expressão gênica dependente de vitamina D em macrófagos e outras células imunes vizinhas. No entanto, o efeito final dessa expressão gênica alterada na resposta imune ainda precisa ser determinado, e os ensaios clínicos não conseguiram demonstrar os efeitos benéficos dos suplementos de vitamina D no curso de infecções respiratórias, incluindo a tuberculose.

Toxicidade por vitamina D. A exposição prolongada à luz solar normal não produz um excesso de vitamina D, mas megadoses da vitamina administrada por via oral podem levar à hipervitaminose. Em crianças, a hipervitaminose D pode assumir a forma de calcificações metastáticas de tecidos moles, como o rim; em adultos, causa dor óssea e hipercalcemia. O potencial tóxico dessa vitamina é tão grande que, em doses suficientemente grandes, ela se torna um potente raticida.

Vitamina C (ácido ascórbico)

A deficiência da vitamina C hidrossolúvel leva ao desenvolvimento de *escorbuto*, caracterizado principalmente por doenças ósseas em crianças em crescimento e por hemorragias e defeitos de cicatrização em crianças e adultos. Os marinheiros da Marinha Real Britânica foram apelidados de *limeys* porque no final do século 18 a Marinha começou a fornecer suco de limão-siciliano e limão-taiti (fontes ricas em vitamina C) aos marinheiros para prevenir o escorbuto durante a longa permanência no mar. Somente em 1932 o ácido ascórbico foi identificado e sintetizado. O ácido ascórbico não é sintetizado endogenamente em seres humanos; portanto, somos inteiramente dependentes da dieta para obter esse nutriente. A vitamina C está presente no leite e em alguns produtos de origem animal (fígado, peixes) e é abundante em uma variedade de frutas e vegetais. Quase todas as dietas, exceto as mais restritivas, fornecem quantidades adequadas dessa vitamina.

Função. O ácido ascórbico tem muitas funções que afetam uma série de processos:

- *Síntese de colágeno*. A função mais bem estabelecida da vitamina C é a ativação de *prolil e lisil hidroxilases* a partir de precursores inativos, proporcionando a *hidroxilação do pró-colágeno*. O pró-colágeno inadequadamente hidroxilado não consegue adquirir uma configuração helicoidal estável, de modo que é mal secretado pelo fibroblasto. Essas moléculas que são secretadas são inadequadamente reticuladas, não têm resistência à tração e são mais solúveis e vulneráveis à degradação enzimática. O colágeno, que normalmente tem o maior teor de hidroxiprolina de qualquer polipeptídeo, é o mais afetado, principalmente nos vasos sanguíneos, sendo responsável pela predisposição a hemorragias no escorbuto
- *Síntese de neurotransmissores*. A síntese de norepinefrina requer a hidroxilação de dopamina, uma etapa que requer vitamina C
- *Funções antioxidantes*
- *Modulação da resposta imunológica.*

O efeito nas duas últimas funções fundamentou os estudos clínicos baseados na suplementação de vitamina C na sepse.

Estados deficitários. As consequências da deficiência de vitamina C (escorbuto) estão ilustradas na **Figura 9.28**. Devido à abundância de ácido ascórbico em muitos alimentos, o escorbuto deixou de ser um problema global. Às vezes, é encontrada mesmo em populações mais abastadas como uma deficiência secundária, sobretudo entre indivíduos mais velhos, pessoas que vivem sozinhas e alcoólatras crônicos, grupos que muitas vezes têm padrões alimentares erráticos e inadequados. Ocasionalmente, o escorbuto ocorre em pacientes submetidos a diálise peritoneal e hemodiálise e em adeptos de dietas da moda. A condição também aparece, às vezes, em lactentes que são mantidos com fórmulas de leite evaporado sem suplementação de vitamina C.

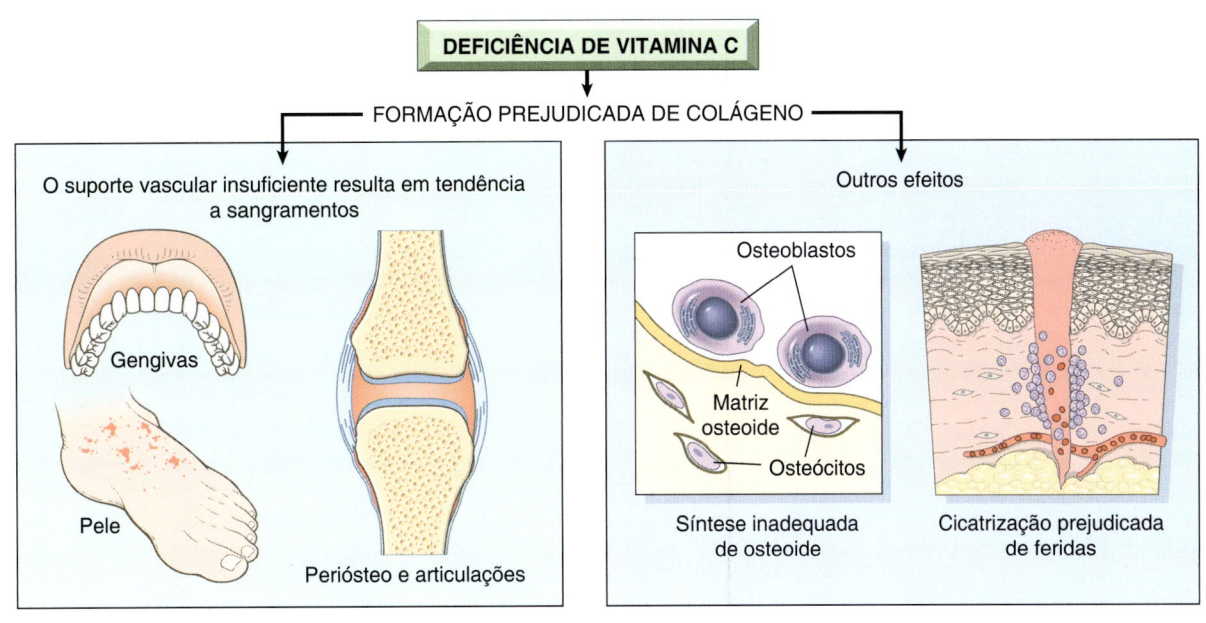

Figura 9.28 Principais consequências da deficiência de vitamina C causada pela formação prejudicada de colágeno.

Excesso de vitamina C. A noção popular de que megadoses de vitamina C protegem contra o resfriado comum, ou pelo menos aliviam os sintomas, não foi confirmada por estudos clínicos controlados. O leve alívio que pode ser sentido provavelmente se deve à leve ação anti-histamínica do ácido ascórbico. Da mesma forma, não há evidências de que grandes doses de vitamina C protejam contra o desenvolvimento do câncer. A disponibilidade fisiológica do excesso de vitamina C é limitada devido a sua instabilidade inerente, baixa absorção intestinal e rápida excreção urinária. Felizmente, as toxicidades relacionadas a altas doses de vitamina C são raras, consistindo em possível sobrecarga de ferro (devido ao aumento da absorção), anemia hemolítica em indivíduos com deficiência de glicose-6-fosfato desidrogenase (G6PD) (ver **Capítulo 14**) e cálculos renais de oxalato de cálcio.

Outras vitaminas e alguns minerais essenciais são listados e descritos resumidamente nas **Tabelas 9.9** e **9.10** e serão discutidos em outros capítulos.

Conceitos-chave

Doenças nutricionais

- A MAG é uma causa comum de morte infantil em países de baixa renda. As duas principais formas de síndromes de MAG são o marasmo e o kwashiorkor. A má nutrição secundária ocorre em doentes crônicos e em pacientes com câncer avançado (como resultado de caquexia)
- O kwashiorkor é caracterizado por hipoalbuminemia, edema generalizado, esteatose hepática, alterações na pele e defeitos na imunidade. É causada por dietas pobres em proteínas, mas normais em calorias
- O marasmo é caracterizado por emaciação resultante da perda de massa muscular e gordura com relativa preservação da albumina sérica. É causada por dietas com carência extrema de calorias proteicas e não proteicas
- A anorexia nervosa é a inanição autoinduzida; é caracterizada por amenorreia e múltiplas manifestações de baixos níveis de hormônio tireoidiano. Bulimia é uma condição em que a compulsão alimentar se alterna com o vômito induzido
- As vitaminas A e D são vitaminas lipossolúveis com uma ampla gama de atividades. A vitamina A é necessária para a visão, diferenciação epitelial e função imunológica. A vitamina D é um regulador-chave da homeostase do cálcio e do fosfato
- A vitamina C e os membros da família da vitamina B são hidrossolúveis. A vitamina C é necessária para a síntese de colágeno, reticulação do colágeno e resistência à tração. As vitaminas B têm diversos papéis no metabolismo celular.

Obesidade

A obesidade é definida como um acúmulo de tecido adiposo de magnitude suficiente para prejudicar a saúde. Como se mede o acúmulo de gordura? Vários métodos de alta tecnologia já foram desenvolvidos, mas, para fins práticos, o *índice de massa corporal* (IMC) é o mais comumente usado. O IMC é calculado como (peso em quilogramas)/(altura em metros)^2 ou kg/m^2. A faixa normal de IMC é entre 18,5 e 25 kg/m^2, embora varie entre os distintos países devido às diferenças na etnia e origens genéticas. Indivíduos com IMC superior a 30 kg/m^2 são classificados como obesos; indivíduos com IMC entre 25 e 30 kg/m^2 são considerados com sobrepeso. Salvo indicação em contrário, o termo obesidade aqui se aplica tanto aos indivíduos verdadeiramente obesos quanto àqueles com sobrepeso.

A obesidade está associada a várias das doenças mais importantes dos seres humanos, incluindo diabetes tipo 2, dislipidemia, doença cardiovascular, hipertensão e câncer. A força dessa associação é afetada não apenas pela quantidade de gordura em excesso, mas também por sua distribuição. A obesidade central ou visceral, na qual o excesso de gordura se acumula preferencialmente no tronco e na cavidade abdominal

Tabela 9.9 Vitaminas: funções principais e síndromes deficitárias.

Vitamina	Funções	Síndromes deficitárias
Lipossolúveis		
Vitamina A	Um componente do pigmento visual Manutenção de epitélios especializados Manutenção da resistência a infecções	Cegueira noturna, xeroftalmia, cegueira Metaplasia escamosa Vulnerabilidade a infecções, particularmente sarampo
Vitamina D	Facilita a absorção intestinal de cálcio e fósforo e a mineralização óssea	Raquitismo em crianças Osteomalacia em adultos
Vitamina E	Antioxidante fundamental; elimina os radicais livres	Degeneração espinocerebelar, anemia hemolítica
Vitamina K	Cofator na carboxilação hepática de pró-coagulantes – fatores II (protrombina), VII, IX e X e proteína C e proteína S	Diátese hemorrágica (ver **Capítulo 14**)
Hidrossolúveis		
Vitamina B_1 (tiamina)	Como pirofosfato, é coenzima em reações de descarboxilação	Beribéri seco e úmido, síndrome de Wernicke, síndrome de Korsakoff (ver **Capítulo 28**)
Vitamina B_2 (riboflavina)	Convertido em coenzimas flavina mononucleotídio e flavina adenina dinucleotídio, cofatores para muitas enzimas no metabolismo intermediário	Arriboflavinose, queilose, estomatite, glossite, dermatite, vascularização da córnea
Niacina	Incorporada em nicotinamida adenina dinucleotídio (NAD) e NAD fosfato, envolvida em uma série de reações redox	Pelagra – "três Ds": demência, dermatite, diarreia
Vitamina B_6 (piridoxina)	Derivados servem como coenzimas em muitas reações intermediárias	Queilose, glossite, dermatite, neuropatia periférica (ver **Capítulo 28**) Manutenção da mielinização dos tratos da medula espinal
Vitamina B_{12}	Necessária para o metabolismo normal do folato e síntese de DNA	Anemia perniciosa megaloblástica e degeneração dos tratos medulares posterolaterais (ver **Capítulo 14**)
Vitamina C	Atua em muitas reações de redução-oxidação (redox) e hidroxilação de colágeno	Escorbuto
Folato	Essencial para transferência e uso de unidades de um carbono na síntese de DNA	Anemia megaloblástica, defeitos do tubo neural (ver **Capítulo 14**)
Ácido pantotênico	Incorporado na coenzima A	Nenhuma síndrome não experimental reconhecida
Biotina	Cofator em reações de carboxilação	Nenhuma síndrome clínica claramente definida

Tabela 9.10 Oligoelementos selecionados e síndromes deficitárias.

Elemento	Função	Base da deficiência	Características clínicas
Zinco	Componente de enzimas, principalmente oxidases	Suplementação inadequada em dietas artificiais Interferência na absorção por outros constituintes da dieta Erro inato do metabolismo	Erupção cutânea ao redor dos olhos, boca, nariz e ânus chamada acrodermatite enteropática Anorexia e diarreia Retardo de crescimento em crianças Função mental deprimida Depressão da cicatrização de feridas e da resposta imunológica Visão noturna prejudicada Infertilidade
Ferro	Componente essencial da hemoglobina, bem como várias metaloenzimas contendo ferro	Dieta inadequada Perda de sangue crônica	Anemia microcítica hipocrômica (ver **Capítulo 14**)
Iodo	Componente do hormônio tireoidiano	Fornecimento inadequado nos alimentos e na água	Bócio e hipotireoidismo (ver **Capítulo 24**)
Cobre	Componente da citocromo c oxidase, dopamina β-hidroxilase, tirosinase, lisil oxidase e enzimas desconhecidas envolvidas na reticulação do colágeno	Suplementação inadequada na dieta artificial Interferência na absorção	Fraqueza muscular Defeitos neurológicos Reticulação anormal de colágeno
Fluoreto	Mecanismo desconhecido	Fornecimento inadequado no solo e água Suplementação inadequada	Cárie dentária (ver **Capítulo 16**)
Selênio	Componente da glutationa peroxidase Antioxidante com a vitamina E	Quantidades inadequadas no solo e na água	Miopatia Cardiomiopatia (doença de Keshan)

(no mesentério e ao redor das vísceras), está associada a um risco muito maior de várias doenças do que o acúmulo excessivo de gordura subcutânea.

A obesidade é um grande problema de saúde pública em países de alta renda e um problema de saúde crescente em países de baixa renda, como a Índia. De acordo com a OMS, estima-se que > 1,9 bilhão de adultos estava com sobrepeso ou obeso em todo o mundo em 2015, dos quais 650 milhões eram obesos. Nos EUA, a obesidade atingiu proporções epidêmicas. Em 2016, a prevalência de obesidade foi de 37,9% em homens e de 41,1% em mulheres. Igualmente preocupante é a prevalência de obesidade em crianças e adolescentes, aproximadamente um terço dos quais são obesos. O aumento da obesidade nos EUA tem sido associado ao maior teor calórico da dieta, causado, principalmente pelo aumento do consumo de açúcares refinados, bebidas adoçadas e óleos vegetais.

A etiologia da obesidade é complexa e ainda não foi totalmente compreendida. Fatores genéticos, ambientais e psicológicos estão envolvidos. No entanto, explicando de forma simples, a obesidade é um distúrbio da homeostase energética. **Os dois lados da equação de energia, a ingestão e o gasto, são regulados de maneira precisa por mecanismos neurais e hormonais, de modo que o peso corporal é mantido em uma faixa estreita por muitos anos.** Aparentemente, esse equilíbrio fino é controlado por um ponto de ajuste interno, ou "lipostato", que detecta a quantidade de estoques de energia (tecido adiposo) e regula apropriadamente a ingestão de alimentos, bem como o gasto de energia. O hipotálamo é o regulador mestre da homeostase energética. Ele recebe informações da periferia sobre o estado dos estoques de energia; se estiverem inadequados, ele aciona os circuitos anabólicos e, se estiverem adequados, os circuitos catabólicos são ativados. O efeito dos circuitos anabólicos é aumentar a ingestão de alimentos e reduzir o gasto de energia, enquanto os circuitos catabólicos reduzem a ingestão de alimentos e aumentam o gasto de energia. Os mecanismos neuro-humorais que regulam o equilíbrio energético podem ser subdivididos em três componentes (**Figuras 9.29** e **9.30**):

- *O sistema periférico, ou aferente,* gera sinais de vários locais. Seus principais componentes são a leptina produzida pelas células adiposas, a grelina do estômago, o peptídeo YY (PYY) e o peptídeo-1 semelhante ao glucagon (GLP-1) do íleo e do cólon e a insulina do pâncreas. Os sistemas aferentes fornecem sinais para o sistema de processamento central no cérebro
- *O sistema de processamento central reside no núcleo arqueado do hipotálamo*, onde os sinais periféricos neuro-humorais são integrados para gerar sinais eferentes. Dois conjuntos de neurônios participam do processamento central (ver **Figura 9.30**):
    - Um par de neurônios de primeira ordem: (1) neurônios pró-opiomelanocortina (*POMC*) e transcritos regulados pela cocaína e anfetamina (*CART*) e (2) neurônios contendo neuropeptídeo Y (*NPY*) e peptídeo relacionado ao agouti (*AgRP*). Esses neurônios de primeira ordem se comunicam com os neurônios de segunda ordem
    - Um par de neurônios de segunda ordem: (1) neurônios que carregam os receptores de melanocortina 3 e 4 (MC3/4R) e recebem sinais dos neurônios de primeira ordem *POMC/CART* e (2) neurônios que carregam receptores Y1 e Y5 e recebem sinais dos neurônios de primeira ordem *NPY/AgRP*

- O *sistema eferente* consiste em sinais gerados por neurônios de segunda ordem e é organizado ao longo de duas vias, a catabólica (a jusante de MC3/4R) e a anabólica (a jusante de receptores Y1 e Y5), que controlam a ingestão de alimentos e o gasto de energia. Além desses circuitos (dentro do hipotálamo), os núcleos hipotalâmicos também se comunicam com os centros do prosencéfalo e do mesencéfalo que controlam o sistema nervoso autônomo.

Com esse contexto sobre a organização dos centros hipotalâmicos que regulam o equilíbrio energético, podemos agora discutir como eles funcionam. Após a ingestão de nutrientes, o POMC é clivado dos neurônios *POMC/CART* e dá origem ao hormônio α-estimulante dos melanócitos (MSH), que ativa os receptores MC3/4R nos neurônios de segunda ordem. Esses neurônios de segunda ordem são responsáveis por reduzir a ingestão de alimentos e aumentar o gasto de energia pela produção de fator neurotrófico derivado do cérebro (BDNF), de hormônio liberador da tireoide (TSH) e de hormônio liberador de corticotropina (CRH). Por outro lado, o jejum ativa os neurônios NPY/AgRP a liberarem NPY, que ativa os receptores Y1 e Y5 em neurônios de segunda ordem. Esses neurônios de segunda ordem são responsáveis por aumentar a ingestão de alimentos pela produção do hormônio concentrador de melanina (MCH) e orexina, e por reduzir o gasto de energia pela regulação negativa da produção simpática. Os neurônios NPY/AgRP também inibem diretamente os neurônios POMC/CART, atenuando, assim, seu efeito anorexigênico.

Para resumir, os neurônios NPY/AgRP podem ser considerados o pedal do acelerador para o apetite, enquanto os neurônios POMC/CART representam o pedal do freio. O funcionamento ordenado desses dois pedais mantém a homeostase da energia.

A seguir, serão discutidos três componentes importantes do sistema aferente, que regula o apetite e a saciedade: a leptina, os hormônios intestinais e a adiponectina, que regula o consumo de energia.

Leptina. **A leptina é secretada pelas células adiposas e sua produção é regulada pela adequação dos estoques de gordura.** O IMC e os estoques de gordura corporal estão diretamente relacionados à secreção de leptina. Com tecido adiposo abundante, a secreção de leptina é estimulada e atravessa a barreira hematencefálica e viaja para o hipotálamo, onde reduz a ingestão de alimentos ao estimular os neurônios POMC/CART e inibir os neurônios NPY/AgRP. A sequência oposta de eventos ocorre quando há estoques inadequados de gordura corporal: a secreção de leptina diminui e a ingestão de alimentos aumenta. Em pessoas com peso estável, as atividades dessas vias são equilibradas.

A leptina regula não apenas a ingestão de alimentos, mas também o gasto de energia por meio de um conjunto distinto de vias. Assim, uma abundância de leptina estimula a atividade física, a produção de calor e o gasto de energia. Os mediadores neuro-humorais do gasto energético induzido pela leptina não estão tão bem definidos. A *termogênese*, um importante efeito catabólico mediado pela leptina, é controlada em parte por sinais hipotalâmicos que aumentam a liberação de norepinefrina pelas terminações nervosas simpáticas no tecido adiposo.

O papel central da leptina na homeostase energética é enfatizado pelo estudo das mutações que afetam os componentes da via da leptina em camundongos e humanos. Camundongos com mutações que desativam o gene da leptina ou seu receptor não conseguem perceber a adequação dos estoques de gordura, então se comportam

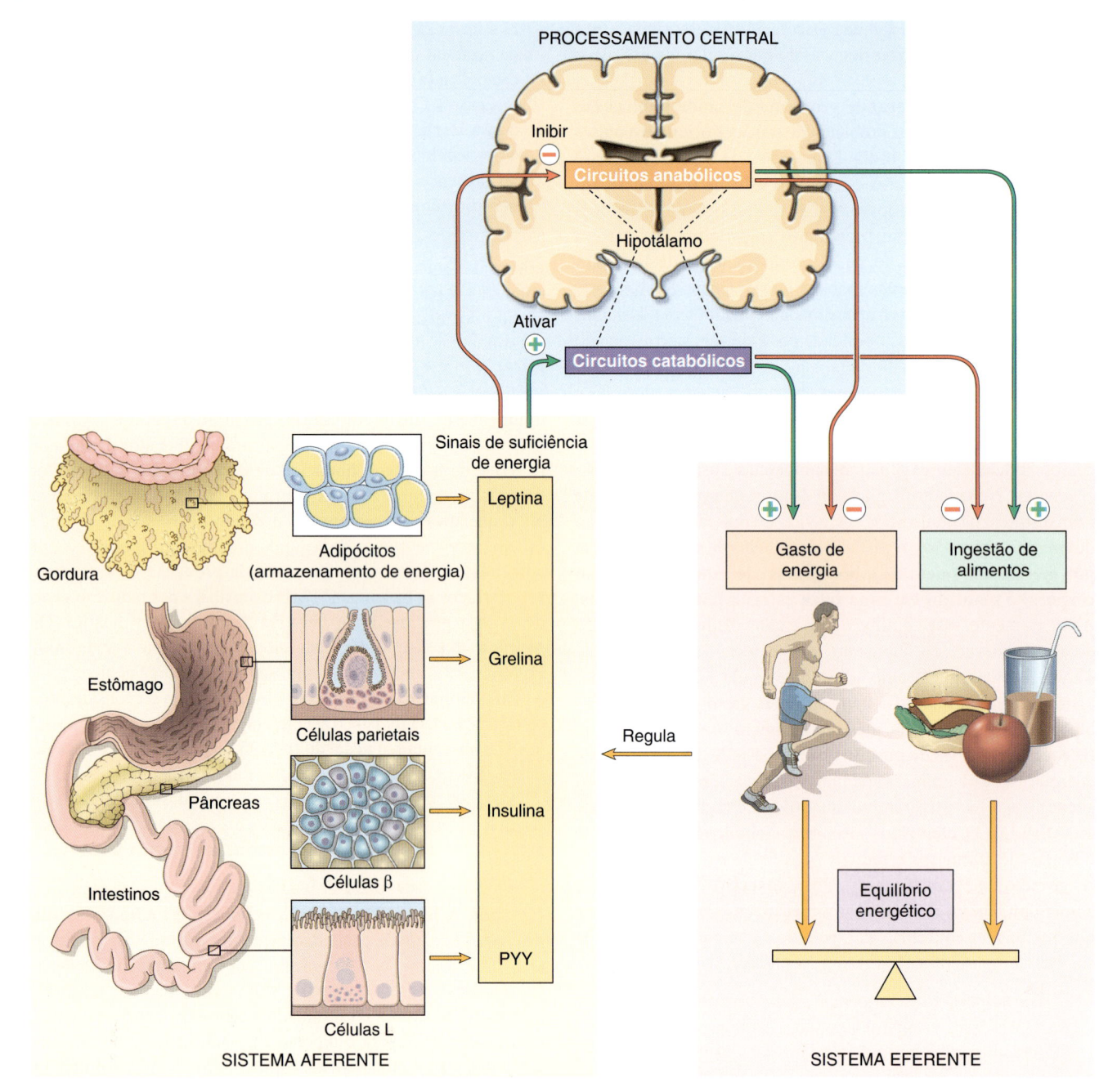

Figura 9.29 Circuito regulador do equilíbrio de energia. Quando há energia suficiente armazenada no tecido adiposo e o indivíduo está bem alimentado, sinais aferentes (insulina, leptina, grelina, peptídeo YY) são distribuídos às unidades centrais de processamento neuronal no hipotálamo. Aqui, esses sinais inibem os circuitos anabólicos e ativam os circuitos catabólicos. Os braços efetores desses circuitos centrais influenciam o equilíbrio energético, inibindo a ingestão de alimentos e promovendo o gasto de energia. Isso, por sua vez, reduz os estoques de energia e os sinais de suficiência de energia são atenuados. Por outro lado, quando os estoques de energia estão baixos, os circuitos anabólicos assumem, às custas dos circuitos catabólicos, a geração de estoques de energia na forma de tecido adiposo.

como se estivessem subnutridos, comendo vorazmente e tornando-se enormemente obesos. Como nos camundongos, as mutações do gene ou do receptor da leptina em humanos, embora raras, causam obesidade maciça. Mais comuns são as mutações no gene do receptor tipo 4 da melanocortina (*MC4R*), encontradas em 4 a 5% dos pacientes com obesidade maciça. Essas características monogênicas confirmam a importância da sinalização da leptina no controle do peso corporal, e é possível que outros defeitos genéticos ou adquiridos na via da leptina desempenhem um papel nas formas mais comuns de obesidade. De acordo com essa noção, a resposta anorexigênica da leptina é atenuada em estados de obesidade, apesar dos altos níveis de leptina circulante (resistência à leptina). Além disso, as injeções de leptina em humanos obesos não afetam a ingestão de alimentos e o gasto de energia, acabando com o entusiasmo inicial da terapia com leptina para a obesidade.

Para encerrar, deve-se notar que, embora nossa discussão tenha se centrado nas ações da leptina, há evidências crescentes de que a insulina, assim como a leptina, exerce respostas anorexigênicas. Os neurônios POMC/CART e NPY/AgRP expressam receptores de insulina. No entanto, embora a insulina possa imitar as ações da leptina, a maioria das evidências sugere a primazia da leptina na regulação da homeostase energética.

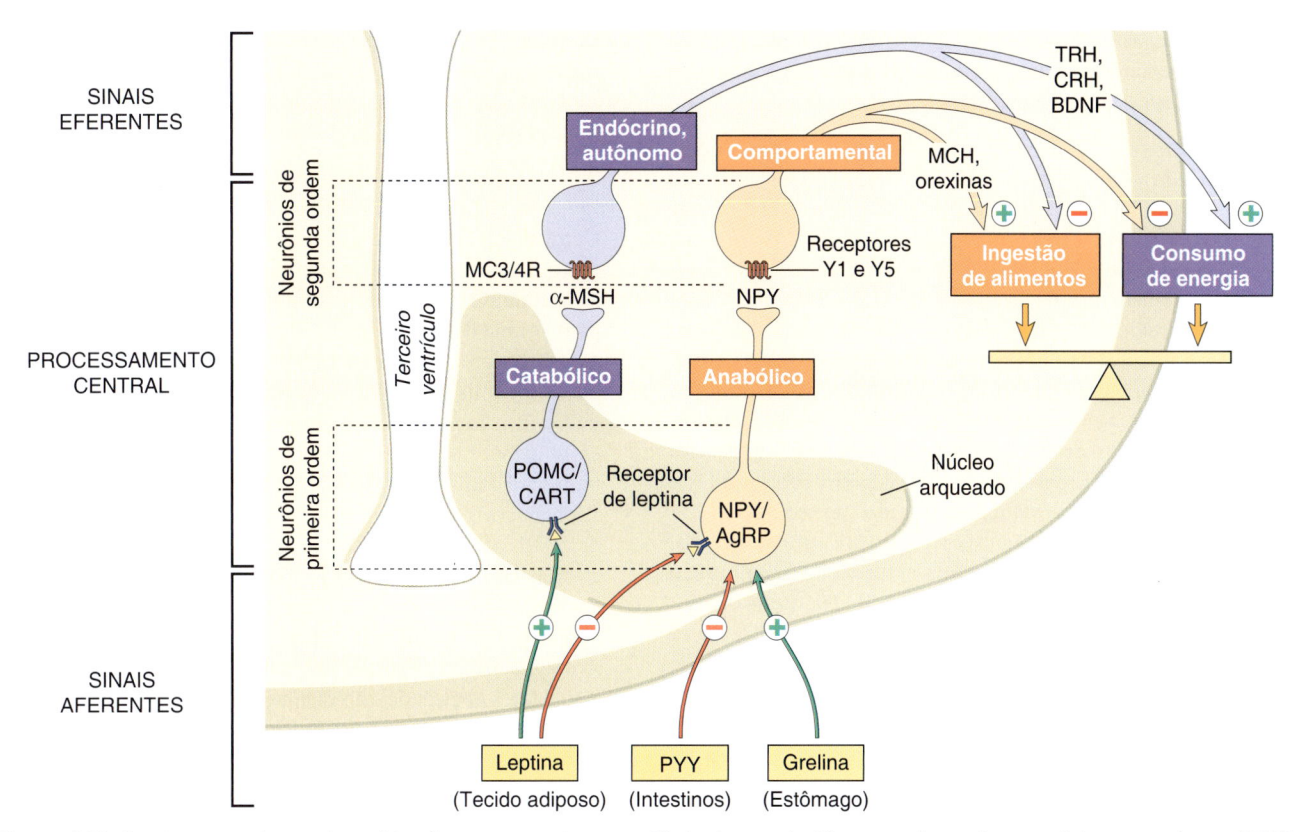

Figura 9.30 Circuitos neuro-humorais no hipotálamo que regulam o equilíbrio de energia. São mostrados aqui os neurônios anorexígenos POMC/CART e os neurônios orexígenos NPY/AgRP no núcleo arqueado do hipotálamo e suas vias. Ver texto para obter mais detalhes. *BDNF*, fator neurotrófico derivado do cérebro; *CRH*, hormônio liberador de corticotropina; *TRH*, hormônio liberador da tireoide; *MCH*, hormônio concentrador de melanina; *PYY*, peptídeo YY.

Adiponectina. A adiponectina, produzida no tecido adiposo, é chamada de "**molécula queimadora de gordura**", pois estimula a oxidação de ácidos graxos no músculo esquelético, reduzindo, assim, os níveis de ácidos graxos. As evidências sugerem que o excesso de ácidos graxos pode cruzar a barreira hematencefálica e entrar no hipotálamo, onde são detectados pelas células microgliais. Essas células respondem liberando fatores inflamatórios que parecem agir nos neurônios hipotalâmicos causando resistência à leptina, atenuando, desta forma, seus sinais de antiadiposidade. Por causa de suas ações na redução dos ácidos graxos, promovendo sua oxidação, a adiponectina é chamada de "anjo da guarda contra a obesidade". A adiponectina também diminui a produção de glicose no fígado e aumenta a sensibilidade à insulina, protegendo contra a síndrome metabólica. Além de seus efeitos metabólicos, a adiponectina tem efeitos anti-inflamatórios, antiaterogênicos, antiproliferativos e cardioprotetores. Seus níveis séricos são mais baixos em indivíduos obesos do que em indivíduos magros. Esses efeitos contribuem para a resistência à insulina associada à obesidade, diabetes tipo 2 e doença hepática gordurosa não alcoólica (ver **Capítulo 18**).

A adiponectina se liga a dois receptores, AdipoR1 e AdipoR2, que são encontrados em muitos tecidos, incluindo o cérebro, mas o AdipoR1 e o AdipoR2 são mais expressos no músculo esquelético e no fígado, respectivamente. A ligação da adiponectina aos seus receptores dispara sinais que ativam a proteinoquinase (proteinoquinase A) dependente de adenosina monofosfato cíclico (cAMP), que por sua vez fosforila e inativa a acetil coenzima A carboxilase, uma enzima-chave necessária para a síntese de ácidos graxos.

Hormônios intestinais. Os peptídeos intestinais atuam como iniciadores e terminadores a curto prazo das refeições. Estes hormônios incluem grelina, PYY e GLP-1 (peptídeo-1 semelhante ao glucagon), entre outros. A *grelina* é produzida no estômago e é o único hormônio intestinal conhecido que aumenta a ingestão de alimentos (efeito orexigênico). Sua injeção em roedores provoca uma ingestão alimentar voraz, mesmo após a administração repetida. As injeções a longo prazo causam ganho de peso, aumentando a ingestão calórica e reduzindo a utilização de energia. A grelina atua centralmente ativando neurônios NPY/AgRP orexigênicos.

Os níveis de grelina normalmente aumentam antes das refeições e caem 1 a 2 horas depois, mas essa queda é atenuada em pessoas obesas. Os níveis de grelina são mais baixos em indivíduos obesos em comparação com indivíduos com peso normal, e os níveis aumentam com a redução da obesidade. Curiosamente, o aumento dos níveis de grelina é muito reduzido em indivíduos nos quais se realiza a cirurgia de *bypass* gástrico para o tratamento da obesidade, sugerindo que os efeitos benéficos dessa cirurgia podem ser em parte devido a uma redução da superfície da mucosa gástrica que está exposta aos alimentos.

PYY e GLP-1 são secretados por células endócrinas do íleo e do cólon. Os níveis plasmáticos de PYY e GLP-1 são baixos durante o jejum e aumentam logo após a ingestão de alimentos. Tanto o PYY quanto o GLP-1 agem centralmente por meio dos neurônios NPY/AgRP no hipotálamo, causando uma diminuição na ingestão de alimentos. Devido ao efeito anorexigênico do GLP-1, os agonistas do receptor de GLP-1 foram recentemente aprovados para o tratamento da obesidade e diabetes tipo 2, uma vez que, além de reduzir a ingestão de alimentos, o GLP-1 aumenta a secreção de insulina dependente de glicose.

Tecido adiposo. Já se sabe há algum tempo que existem dois tipos de tecido adiposo: tecido adiposo branco (TAB) e tecido adiposo marrom (TAM). Este tem a propriedade ímpar de gastar energia por termogênese independente de tremores. OTAB funciona desacoplando a produção de energia do armazenamento de energia e convertendo a energia produzida em calor. O TAM é abundante em recém-nascidos e está localizado principalmente nas áreas interescapular e supraclavicular. Quantidades menores estão presentes ao redor dos rins, aorta, coração, pâncreas e traqueia. Até recentemente, pensava-se que o TAM se perdia nos adultos. No entanto, estudos de imagem recentes revelaram que certa quantidade de TAM se encontra preservada em adolescentes e adultos. Muitos esforços estão agora focados em como o TAM pode ser preservado na idade adulta e ativado para queimar energia.

Além da leptina e da adiponectina, o tecido adiposo branco produz citocinas como TNF, IL-6, IL-1 e IL-18; quimiocinas; e hormônios esteroides. O aumento da produção de citocinas e quimiocinas pelo tecido adiposo em pacientes obesos cria um estado pró-inflamatório crônico marcado por altos níveis de proteína C reativa circulante (PCR). Essa relação pode ser mais do que uma via de mão única, já que evidências emergentes sugerem que as células imunológicas, em especial os macrófagos do tecido, desempenham papéis importantes na regulação da função dos adipócitos.

Agora é evidente que, por meio dessa variedade de mediadores, o tecido adiposo participa do controle do equilíbrio energético e do metabolismo energético, funcionando como elo entre o metabolismo lipídico, a nutrição e as respostas inflamatórias. Assim, o adipócito, que era relegado a um papel obscuro e passivo como a "Cinderela das células do metabolismo", agora é "a rainha da festa" na vanguarda da pesquisa metabólica.

Papel do microbioma intestinal. Uma série interessante de observações em camundongos sugere que o microbioma intestinal pode estar envolvido no desenvolvimento da obesidade. Corroborando essa noção está a descoberta de que os perfis da microbiota intestinal diferem entre camundongos geneticamente obesos e seus irmãos de ninhada magros. O microbioma de camundongos geneticamente obesos pode coletar muito mais energia dos alimentos em comparação com o de camundongos magros. A colonização do intestino de camundongos livres de germes pela microbiota de camundongos obesos (mas não pela microbiota de camundongos magros) está associada ao aumento do peso corporal. A relevância dos modelos de camundongos para a obesidade humana é tentadora, mas ainda precisa ser provada. Também foram relatadas diferenças entre o microbioma intestinal de humanos obesos e magros. Se essa diferença é causal ou apenas uma associação, ainda não está claro.

Consequências clínicas da obesidade

A obesidade, especialmente a central, está associada a um aumento na mortalidade por todas as causas e é um fator de risco conhecido para várias condições, incluindo diabetes tipo 2, doença cardiovascular e câncer (Figura 9.31). A obesidade central também está no centro de um grupo de alterações conhecido como *síndrome metabólica*, caracterizada por anormalidades do metabolismo da glicose e dos lipídios, com hipertensão e evidência de um estado pró-inflamatório sistêmico. Isso parece ser causado pela ativação do inflamassoma por ácidos graxos livres e níveis excessivos de lipídios nas células e nos tecidos. Isso, por sua vez, estimula a secreção de IL-1, que induz a inflamação sistêmica. As seguintes associações são dignas de nota:

- *A obesidade está associada à resistência à insulina e à hiperinsulinemia*, características importantes do diabetes tipo 2 (ver **Capítulo 24**). O processo inflamatório induzido pela IL-1 e por outros fatores provavelmente contribui para a resistência à insulina. O excesso de insulina, por sua vez, pode desempenhar uma função na retenção de sódio, expansão do volume sanguíneo, produção de excesso de norepinefrina e proliferação de músculo liso, que são as marcas da hipertensão. Qualquer que seja o mecanismo, o risco de desenvolver hipertensão entre pessoas previamente normotensas aumenta proporcionalmente com o peso
- *Pessoas obesas geralmente têm hipertrigliceridemia e baixos níveis de HDL-colesterol*, fatores que aumentam o risco de doença arterial coronariana. O risco de cardiopatia coronariana é agravado pela existência de condições comórbidas, incluindo diabetes, hipertensão e dislipidemia
- *A doença hepática gordurosa não alcoólica* está comumente associada à obesidade e ao diabetes tipo 2. Ela pode progredir para fibrose e cirrose (ver **Capítulo 18**)
- A *colelitíase (cálculos biliares)* é seis vezes mais comum em indivíduos obesos do que em indivíduos magros. O aumento associado à obesidade no colesterol corporal total e no *turnover* de colesterol leva à excreção biliar elevada de colesterol na bile, que por sua vez predispõe as pessoas afetadas à formação de cálculos biliares ricos em colesterol (ver **Capítulo 18**)
- A *apneia obstrutiva do sono* e a consequente insuficiência cardíaca direita estão fortemente associadas à obesidade. A síndrome de hipoventilação é uma constelação de anormalidades respiratórias em pessoas muito obesas. Tem sido chamada de síndrome de *pickwick*, em homenagem ao rapaz gordo que constantemente adormecia no romance de Charles Dickens, *The Pickwick Papers*
- *A adiposidade acentuada é um fator predisponente para o desenvolvimento de doença articular degenerativa (osteoartrite)*. Essa forma de artrite, que geralmente aparece em pessoas mais velhas, é atribuída, em grande parte, aos efeitos cumulativos do desgaste nas articulações. Quanto maior a carga de gordura corporal, maior o trauma nas articulações com o passar do tempo
- *Os marcadores de inflamação, como a PCR e as citocinas pró-inflamatórias como o TNF, costumam estar elevados em pessoas obesas, em particular em pessoas com obesidade central.* A base da inflamação é incerta; já se propôs que pode ser um efeito pró-inflamatório direto do excesso de lipídios circulantes ou o aumento da liberação de citocinas de adipócitos carregados de gordura. Seja qual for a causa, acredita-se que a inflamação crônica pode contribuir para muitas das complicações da obesidade, incluindo resistência à insulina, anomalias metabólicas, trombose, doenças cardiovasculares e câncer.

Obesidade e câncer

Há um aumento da incidência de certos tipos de câncer em pessoas com sobrepeso, incluindo câncer de esôfago, tireoide, cólon e rim em homens e câncer de esôfago, endométrio, vesícula biliar e rim em mulheres. Embora o "risco" associado à obesidade seja modesto, devido à prevalência da obesidade na população, ele está associado a aproximadamente 40% de todos os cânceres nos EUA,

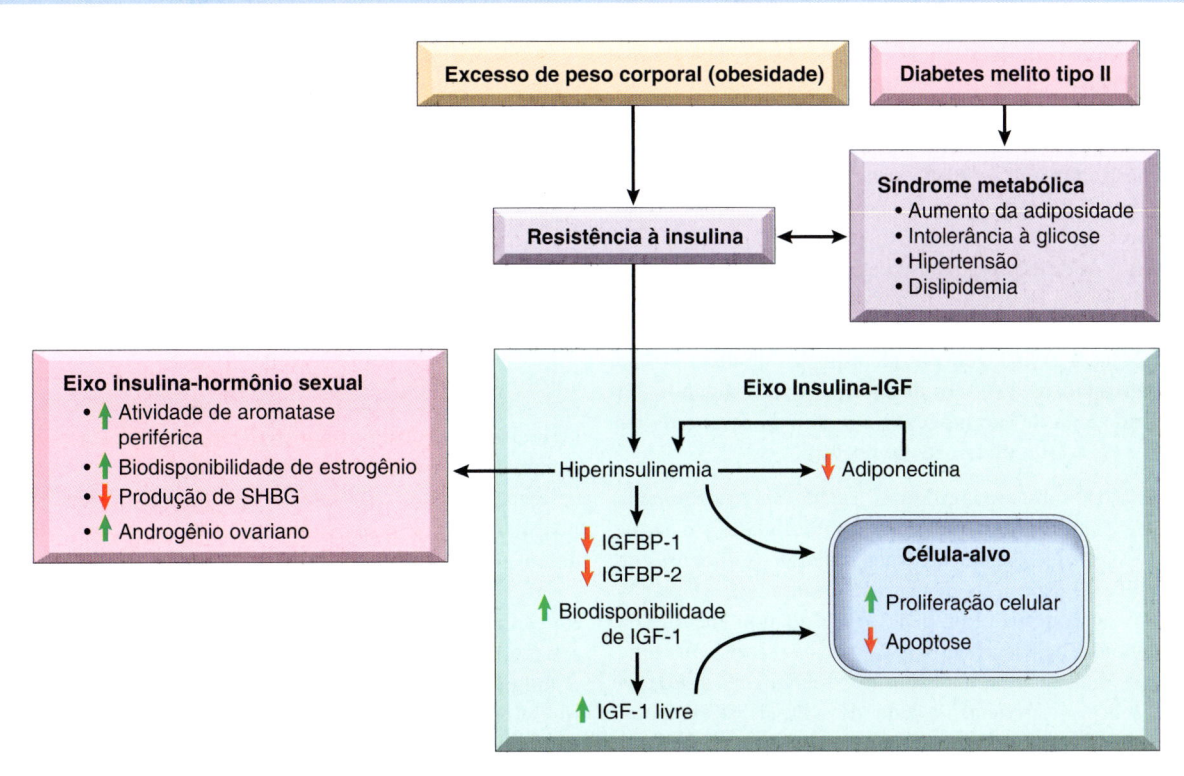

Figura 9.31 Obesidade, síndrome metabólica e câncer. O peso excessivo e a obesidade são precursores da síndrome metabólica, que está associada à resistência à insulina, ao diabetes tipo 2 e a alterações hormonais. Aumentos na insulina e no fator de crescimento semelhante à insulina 1 estimulam a proliferação celular e inibem a apoptose e podem contribuir para o desenvolvimento de tumores. *IGF*, fator de crescimento semelhante à insulina; *IGFBP*, proteína de ligação ao fator de crescimento semelhante à insulina; *SHBG*, globulina ligadora de hormônios sexuais. (Modificada de Renehan AG, et al: and cancer. Obesity and excessive weight: the role of the insulin-IGF axis, *Trends Endocrinol Metab* 17:328, 2006.)

um pouco mais nas mulheres do que nos homens. Os mecanismos subjacentes são desconhecidos e provavelmente, múltiplos:

- *Níveis elevados de insulina*. A resistência à insulina leva à hiperinsulinemia, que inclui vários efeitos que podem contribuir direta ou indiretamente para o câncer (ver **Figura 9.31**). Por exemplo, a hiperinsulinemia causa um aumento nos níveis de fator de crescimento semelhante à insulina 1 (IGF-1) livre. O IGF-1 é um mitógeno e seu receptor, IGFR-1, é altamente expresso em muitos cânceres humanos. O IGFR-1 ativa as vias RAS e PI3K/AKT, que promovem o crescimento tanto de células normais quanto neoplásicas (ver **Capítulo 7**)
- A obesidade tem efeitos sobre os *hormônios esteroides* que regulam o crescimento e a diferenciação das células na mama, no útero e em outros tecidos. Especificamente, a obesidade aumenta a síntese de estrogênio dos precursores de andrógenos, aumenta a síntese de andrógenos nos ovários e adrenais e aumenta a disponibilidade de estrogênio em pessoas obesas ao inibir a produção de globulina ligadora de hormônios sexuais (SHBG) no fígado
- Conforme discutido anteriormente, a secreção de *adiponectina* do tecido adiposo é reduzida em indivíduos obesos. A adiponectina suprime a proliferação celular e promove a apoptose. Ela faz isso em parte promovendo as ações de p53 e p21. Em indivíduos obesos, essas ações antineoplásicas da adiponectina podem estar comprometidas
- O *estado pró-inflamatório* associado à obesidade pode, por si só, ser carcinogênico por meio dos mecanismos discutidos no **Capítulo 7**.

Conceitos-chave
Obesidade

- A obesidade é um distúrbio da regulação da energia. Ela aumenta o risco de uma série de condições importantes, como resistência à insulina, diabetes tipo 2, hipertensão e hipertrigliceridemia, que estão associadas a doença arterial coronariana, certos tipos de câncer, doença hepática gordurosa não alcoólica e cálculos biliares
- A regulação do equilíbrio energético tem três componentes principais: (1) sinais aferentes fornecidos principalmente pela insulina, leptina, grelina, GLP-1 e peptídeo YY; (2) o sistema hipotalâmico central, que integra os sinais aferentes e dispara os sinais eferentes; e (3) sinais eferentes, que controlam o equilíbrio de energia
- A leptina desempenha um papel fundamental no equilíbrio energético. Sua produção pelos tecidos adiposos é aumentada pela abundância de reservas de gordura. A ligação da leptina a seus receptores no hipotálamo diminui o apetite e aumenta o consumo de energia ao estimular os neurônios POMC/CART e inibir os neurônios NPY/AgRP.

Dieta e câncer

Como você se lembrará do **Capítulo 7**, a incidência de cânceres específicos varia até cem vezes em diferentes áreas geográficas. Sabe-se muito bem que as diferenças na incidência de vários tipos de câncer não são fixas e podem ser modificadas por fatores ambientais, incluindo mudanças na dieta. Por exemplo, a incidência de câncer de cólon em homens e mulheres japoneses de 55 a 60 anos era insignificante há cerca de 50 anos, mas agora é mais alta do que em homens da mesma idade no Reino Unido. Estudos também mostraram um aumento progressivo dos cânceres de cólon em populações japonesas à medida que se mudavam do Japão para o Havaí e de lá para a área continental dos EUA. No entanto, apesar da extensa pesquisa experimental e epidemiológica, foram estabelecidos relativamente poucos mecanismos que vinculam dietas e tipos específicos de câncer.

Com relação à carcinogênese, três aspectos da dieta são de grande preocupação: (1) o teor de carcinógenos exógenos; (2) a síntese endógena de carcinógenos a partir de componentes dietéticos; e (3) a falta de fatores de proteção:

- Com relação às substâncias exógenas, a *aflatoxina* está envolvida no desenvolvimento de carcinomas hepatocelulares em partes da Ásia e da África, geralmente em cooperação com o vírus da hepatite B. A exposição à aflatoxina causa uma mutação específica no códon 249 do gene *TP53*; quando encontrada em carcinomas hepatocelulares, essa mutação serve como uma assinatura molecular para a exposição à aflatoxina. Ainda há debate sobre a carcinogenicidade de aditivos alimentares, adoçantes artificiais e pesticidas contaminantes

- A preocupação com a síntese endógena de carcinógenos ou potencializadores de carcinogenicidade de componentes da dieta relaciona-se principalmente aos carcinomas gástricos. As *nitrosaminas e nitrosamidas* estão implicadas na geração desses tumores, já que foi claramente demonstrado que induzem câncer gástrico em animais. Esses compostos podem ser formados no corpo a partir de nitritos e aminas ou amidas derivadas de proteínas digeridas. As fontes de nitritos incluem nitrito de sódio adicionado aos alimentos como conservante e nitratos, presentes em vegetais comuns, que são reduzidos no intestino pela flora bacteriana. Existe, então, o potencial de produção endógena de agentes carcinogênicos a partir de componentes da dieta, o que pode muito bem ter efeito sobre o estômago

- *A alta ingestão de gordura animal, combinada com a baixa ingestão de fibras, tem sido implicada na causa do câncer de cólon.* Estima-se que dobrar o nível médio de consumo total de fibra para cerca de 40 g/dia por pessoa na maioria das populações diminui o risco de câncer de cólon em 50%. A explicação mais plausível para essa associação é que a ingestão elevada de gordura aumenta o nível de ácidos biliares no intestino, o que por sua vez modifica a flora intestinal, favorecendo o crescimento de bactérias microaerofílicas. Os metabólitos do ácido biliar produzidos por essas bactérias podem funcionar como carcinógenos. O *efeito protetor de uma dieta rica em fibras* pode estar relacionado: (1) ao aumento do volume das fezes e à diminuição do tempo de trânsito intestinal, o que diminui a exposição da mucosa a supostos agressores, e (2) a capacidade de certas fibras de se ligar a agentes cancerígenos e, assim, proteger a mucosa. No entanto, as tentativas de documentar essas teorias em estudos clínicos e experimentais não geraram resultados consistentes

- Supõe-se que as *vitaminas C e E, o betacaroteno e o selênio* tenham efeitos anticarcinogênicos por causa de suas propriedades antioxidantes. No entanto, até o momento não há evidências convincentes de que esses antioxidantes atuem como agentes quimiopreventivos. Conforme discutido anteriormente neste capítulo, os retinoides são agentes eficazes na terapia da leucemia promielocítica aguda, e foram relatadas associações entre níveis baixos de vitamina D e câncer de cólon, próstata e mama.

Por um lado, apesar de muitas tendências e proclamações tentadoras de gurus da dieta, até agora não há prova definitiva de que uma dieta em particular pode causar ou prevenir o câncer. Por outro lado, dadas as relações entre a obesidade e o desenvolvimento do câncer, a prevenção da obesidade por meio do consumo de uma alimentação saudável é uma medida de senso comum que contribui em muito para a preservação da boa saúde.

Dieta e doenças sistêmicas

Os problemas de subnutrição e supernutrição, bem como deficiências de nutrientes específicos, foram discutidos; entretanto, a composição da dieta, mesmo na ausência de qualquer um desses problemas, pode dar uma contribuição significativa para a causa e a progressão de uma série de doenças. Alguns exemplos bastam aqui.

Atualmente, uma das questões mais importantes e controversas é a contribuição da dieta para a aterogênese. A questão central é se a modificação dietética – especificamente, a redução no consumo de alimentos ricos em colesterol e gorduras animais saturadas (p. ex., ovos, manteiga, carne) – pode reduzir os níveis de colesterol sérico e prevenir ou retardar o desenvolvimento da aterosclerose (sendo a doença cardíaca coronariana a de maior importância,) em pessoas sem nenhum episódio anterior de doença cardiovascular. Isso se chama prevenção primária. Sabemos algumas respostas, mas não todas. O adulto médio nos EUA consome uma grande quantidade de gordura e colesterol diariamente, com uma proporção de ácidos graxos saturados para ácidos graxos poli-insaturados de cerca de 3:1. Baixar o nível de saturados até o nível dos poli-insaturados causa uma redução de 10 a 15% no colesterol sérico dentro de poucas semanas. Os óleos vegetais (p. ex., óleos de milho e cártamo) e óleos de peixe contêm ácidos graxos poli-insaturados e são boas fontes destes lipídios redutores do colesterol. Os ácidos graxos de óleo de peixe pertencentes à família ômega-3 ou *n*-3 têm mais ligações duplas do que os ácidos graxos ômega-6 ou *n*-6 encontrados em óleos vegetais. Uma inferência feita a partir dessa ideia é que a suplementação da dieta com óleos de peixe pode proteger contra a aterosclerose. No entanto, uma grande metanálise recente de 79 ensaios clínicos randomizados mostrou que os suplementos dietéticos de ácidos graxos ômega-3 ou o consumo de peixes gordos tiveram pouco ou nenhum efeito nas doenças cardiovasculares (cardiopatia isquêmica, acidente vascular encefálico).

Outros efeitos específicos da dieta em doenças já foram reconhecidos:

- Restringir a ingestão de sódio reduz a hipertensão
- A fibra dietética, ou alimentos volumosos, que resulta no aumento do volume fecal, é considerada por alguns pesquisadores como tendo um efeito preventivo contra a diverticulose do cólon
- Demonstrou-se de forma convincente que a restrição calórica aumenta a expectativa de vida em animais experimentais, incluindo macacos. A base para essa observação surpreendente não é clara (ver **Capítulo 2**), e o grau de restrição calórica necessário para prolongar a vida é tão grande que podemos questionar se vale a pena viver uma vida assim. Talvez entendendo o mecanismo subjacente, algum dia possamos comer sem culpa

- Até mesmo o humilde alho tem sido promovido como protetor contra doenças cardiovasculares (e também contra demônios, lobisomens, vampiros e, infelizmente, beijos), embora as pesquisas ainda não tenham provado esse efeito de forma inequívoca, sendo o nos beijos o mais comprovado!

LEITURA SUGERIDA

Alterações climáticas
Haines A, Ebi K: The imperative for climate action to protect health, *N Engl J Med* 380:263, 2019. [*Excelente revisão dos efeitos das alterações climáticas na saúde*].

Poluição do ar
Beelen R, Raaschau-Nielsen O, Massimo S et al: Effects of long-term exposure to air pollution on natural-cause mortality: an analysis of 22 European cohorts within the multicenter ESCAPE project, *Lancet* 383:785, 2014. [*Amplo estudo europeu relacionando mortalidade por todas as causas e inalação de partículas*].

Envenenamento por metais pesados
Hanna-Attisha M, LaChance J, Sadler RC et al: Elevated blood lead levels in children associated with the Flint drinking water crisis: a spatial analysis of risk and public health response, *Am J Public Health* 106:283, 2016. [*Artigo que discute problemas de saúde pública resultantes da poluição da água com chumbo em Flint, Michigan*].
Hon KL, Fung CK, Leung AKC: Childhood lead poisoning: an overview, *Hong Kong Med J* 23:616, 2017. [*Discussão sobre envenenamento por chumbo na infância*].
Rehman K, Fatima F, Waheed I et al: Prevalence of exposure of heavy metals and their impact on health consequences, *J Cell Biochem* 119:157, 2018. [*Artigo abrangente sobre envenenamento por metais pesados*].

Efeitos do álcool e do tabaco
Cao Y, Willet WC, Rimm EB et al: Light to moderate intake of alcohol, drinking patterns, and risk of cancer: results from two prospective US cohort studies, *BMJ* 351:h4238, 2015. [*Discussão sobre o uso de álcool e câncer em diferentes níveis de dose*].
Centers for Disease Control and Prevention: *Outbreak of Lung Injury Associated with the Use of E-Cigarette, or Vaping, Products*. https://www.cdc.gov/tobacco/basic_information/e-cigarettes/severe-lungdisease.html. [*Relatório do CDC sobre lesão pulmonar grave associada com o uso de cigarros eletrônicos aromatizados*].
Maddatu J, Anderson-Baucum E, Evans-Molina C: Smoking and the risk of type 2 diabetes, *Trans Res* 184:101, 2017. [*Discussão sobre as evidências acumuladas para a associação entre diabetes tipo 2 e tabagismo*].
Rigotti NA: Balancing the benefits and harms of e-cigarettes: a national academies of science, engineering, and medicine report, *Ann Intern Med* 168:666, 2018. [*Resumo das evidências que ligam o uso de cigarros eletrônicos e doenças*].
US Department of Health and Human Services: *The health consequences of smoking—50 years of progress: a report of the surgeon general*, Atlanta, GA, 2014, US Department of Health and Human Services, Centers for Disease Control and Prevention, National Center for Chronic Disease Prevention and Health Promotion, Office on Smoking and Health. [*Relatório abrangente preparado pelos Cirurgiões Gerais dos Estados Unidos sobre os efeitos do tabagismo na saúde*].

Terapia hormonal da menopausa e contraceptivos orais
Gialeraki A, Valsami S, Pittaras T et al: Oral contraceptives and HRT risk of thrombosis, *Clin Appl Thromb Hemost* 24:217, 2018. [*Revisão sucinta dos efeitos da terapia de reposição hormonal e contraceptivos orais no tromboembolismo*].

Drogas de abuso e lesão por radiação
Guy GP Jr, Zhang K, Schieber LZ et al: County-level opioid prescribing in the United States, 2015 and 2017. JAMA Internal Medicine published online February 11, 2019. E1. [*Curto artigo sobre a magnitude da crise dos opioides nos Estados Unidos*].
Matthew JD, Forsythe AV, Brady Z et al: Cancer risk in 680,000 people exposed to computed tomography scans in childhood or adolescence: data linkage study of 11 million Australians, *BMJ* 346:f2360, 2013. [*Artigo mostrando que crianças que se submeteram a tomografias computadorizadas apresentam aumento de 24% no risco de desenvolvimento de câncer, acrescentando evidências de que as tomografias computadorizadas aumentam o risco de cânceres secundários em crianças e adolescentes*].
National Institute on Drug Abuse (NIDA). https://www.drugabuse.gov updated in June 2019. [*Extensa discussão sobre os efeitos do uso e abuso da maconha incluindo possível vício*].

Má nutrição
Hariz A, Hamdi MS, Boukhris I et al: Gelatinous transformation of bone marrow in a patient with anorexia nervosa: an uncommon but reversible etiology, *Am J Case Rep* 19:1449, 2018. [*Discussão da transformação gelatinosa da medula óssea que é patognomônica da anorexia nervosa*].
Million M, Diallo A, Raoult R: Review. Gut microbiota and malnutrition, *Microb Pathog* 106:127, 2017. [*Excelente discussão do potencial papel do microbioma na patogênese da desnutrição*].

Vitaminas
Abdelhamid AS, Brown TJ, Brainard JS et al: Omega-3 fatty acids for the primary and secondary prevention of cardiovascular disease, *Cochrane Database Syst Rev* (7):CD003177, 2018. [*Avaliação crítica da taxa de suplementação de ácidos graxos ômega-3 e prevenção de doenças cardíacas*].
Padayatty SJ, Levine M: Vitamin C: the known and unknown and Goldilocks, *Oral Dis* 22:463, 2016. [*Discussão detalhada da fisiologia da vitamina C e doenças associadas à sua deficiência*].
Rautiainen S, Manson J, Lichtenstein AH: Dietary supplements and disease prevention—a global review, *Nat Rev Endocrinol* 12:407, 2016. [*Visão geral ampla do papel dos suplementos alimentares, incluindo vitaminas, na prevenção de doenças*].
Sarri JC: Vitamin A metabolism in rod and cone visual cycles, *Annu Rev Nutr* 32:125, 2012. [*Discussão do mecanismo bioquímico da vitamina A na visão*].
Teng J, Pourmand A, Mazer-Amirshahi M: Vitamin C: the next step in sepsis management?, *J Crit Care* 43:230, 2018. [*Avaliação do possível papel da vitamina C no manejo da sepse*].

Obesidade
Aune D, Sen A, Prasad M et al: BMI and all-cause mortality: systematic review and non-linear dose-response meta-analysis of 230 cohort studies with 3.74million deaths among 30.3 million participants, *BMJ* 353:i2156, 2016. [*Revisão de vários grandes estudos que ligam a obesidade à mortalidade por todas as causas*].
Berthoud H-R, Munzberg H, Morrison CD: Blaming the brain for obesity: integration of hedonic and homeostatic mechanisms, *Gastroenterology* 152:1728, 2017. [*Discussão sobre mecanismos neuro-humorais e obesidade*].
Bouter KE, van Raalte DH, Groen AK et al: Role of gut microbiome in the pathogenesis of obesity and obesity-related metabolic dysfunction, *Gastroenterology* 152:1671, 2017. [*Revisão equilibrada do papel do microbioma na obesidade*].
Chechi K, Nedergaard J, Richard D: Brown adipose tissue as an antiobesity tissue in humans, *Obes Rev* 15:92, 2014. [*Discussão sobre o papel do tecido adiposo marrom na homeostase energética*].
Chen Y, Copeland WK, Vedanthan R et al: Association between body mass index and cardiovascular disease mortality in east Asians and south Asians: pooled analysis of prospective data from the Asia Cohort Consortium, *BMJ* 347:f5446, 2013. [*Discussão sobre o alto risco de doenças cardiovasculares associadas a obesidade em uma população do sul da Ásia*].
Gonzalez-Muniesa P, Martinez-Gonzalez M-A, Hu FB et al: Obesity, *Nat Rev Dis Primers* 3:1, 2017. [*Visão geral da obesidade com foco na obesidade visceral e troncular*].
Steele CB, Thomas CC, Henley SJ et al: Vital signs: trends in incidence of cancers associated with overweight and obesity—United States, 2005-2014, *MMWR Morb Mortal Wkly Rep* 66(39):1052, 2017. [*Discussão da associação entre cânceres e obesidade*].
Timper K, Bruning JC: Hypothalamic circuits regulating appetite and energy homeostasis: pathways to obesity, *Dis Model Mech* 10:679, 2017. [*Excelente discussão da homeostase energética incluindo mecanismos neuro-humorais*].
Zhao VW, Scherer PE: Adiponectin, the past two decades, *J Mol Cell Biol* 8:93, 2016. [*Revisão do papel da adiponectina na regulação do metabolismo lipídico*].

CAPÍTULO 10

Doenças da Lactância e da Infância[a]

Aliya N. Husain • Selene C. Koo

SUMÁRIO DO CAPÍTULO

Anomalias congênitas, 467
    Definições, 468
    Causas de anomalias, 469
Prematuridade e restrição do crescimento fetal, 471
    Restrição do crescimento fetal, 472
        Anormalidades maternas, 472
        Anormalidades fetais, 472
        Anormalidades placentárias, 472
    Síndrome do desconforto respiratório do recém-nascido, 473
    Enterocolite necrosante, 475
Infecções perinatais, 475
    Infecções transcervicais (ascendentes), 476

Infecções transplacentárias (hematológicas), 476
Sepse, 476
Hidropisia fetal, 476
    Hidropisia imune, 476
    Hidropisia não imune, 477
Erros inatos do metabolismo e outros distúrbios genéticos, 479
    Fenilcetonúria, 479
    Galactosemia, 480
    Fibrose cística (mucoviscidose), 481
        Gene da fibrose cística: estrutura e função normais, 481
        Gene da fibrose cística: espectro mutacional e correlação genótipo-fenótipo, 483
        Modificadores genéticos e ambientais, 483

Síndrome de morte súbita do lactente, 488
Neoplasias e lesões semelhantes a neoplasias da lactância e da infância, 490
    Neoplasias benignas e lesões semelhantes a neoplasias, 490
        Hemangioma, 490
        Tumores fibrosos, 491
        Teratomas, 491
    Neoplasias malignas, 491
    Neoplasias neuroblásticas, 492
    Tumor de Wilms, 495

As crianças não são apenas pequenos adultos, e suas doenças não são meramente variantes das doenças deles. Muitas condições da infância são exclusivas, ou, pelo menos, assumem formas distintas, nesse estágio da vida e, portanto, serão discutidas separadamente neste capítulo. As doenças originadas no período perinatal são importantes por serem responsáveis por significativa morbimortalidade. As probabilidades de sobrevida dos lactentes aumentam a cada semana que passa. A taxa de mortalidade infantil nos EUA apresentou um declínio de um nível de vinte mortes por mil nascidos vivos em 1970 para 5,8 em 2014. Embora a taxa de mortalidade continue a diminuir para todos os lactentes, os afro-americanos continuam a ter uma taxa de mortalidade infantil de mais que o dobro (onze mortes por mil nascidos vivos) que dos norte-americanos brancos (4,9 mortes). Em todo o mundo, as taxas de mortalidade infantil variam amplamente, de apenas 1,8 mortes por mil nascidos vivos na Eslovênia, a até 110,6 mortes no Afeganistão. Para nosso espanto, os EUA estão em trigésimo lugar em relação à taxa de mortalidade infantil entre as nações com alta renda do hemisfério ocidental.

Cada estágio de desenvolvimento do lactente e da criança é propenso a um grupo um tanto diferente de distúrbios: (1) o período neonatal (as primeiras 4 semanas de vida); (2) a lactância (o primeiro ano de vida); (3) de 1 a 4 anos; e (4) de 5 a 14 anos.

Anomalias congênitas, prematuridade e baixo peso ao nascer, síndrome de morte súbita do lactente e complicações e lesões maternas representam as principais causas de morte nos primeiros 12 meses de vida. Depois que o lactente sobrevive ao primeiro ano de vida, as perspectivas melhoram consideravelmente. Nas próximas duas faixas etárias – 1 a 4 e 5 a 9 anos –, as lesões não intencionais resultantes de acidentes são a principal causa de morte. Entre as doenças naturais, em ordem de importância, as anomalias congênitas e as neoplasias malignas assumem maior importância. Na faixa etária de 10 a 14, acidentes, malignidades, suicídio, homicídio e malformações congênitas são as principais causas de morte.

A discussão a seguir examina as condições específicas encontradas durante os vários estágios do desenvolvimento lactente e infantil.

Anomalias congênitas

Anomalias congênitas são defeitos anatômicos presentes ao nascimento, mas alguns, como defeitos cardíacos e anomalias renais, podem se tornar clinicamente aparentes apenas depois de alguns anos. O termo *congênito* significa "presente ao nascimento", mas não implica ou exclui uma base genética para o defeito de nascença. Estima-se que cerca de 120 mil (1 em 33) lactentes nasçam com um defeito de nascença a cada ano nos EUA. De certo modo, as anomalias encontradas em recém-nascidos nascidos vivos representam as falhas de desenvolvimento menos graves na embriogênese, pois são compatíveis com o nascimento com vida. Talvez 20% dos óvulos fertilizados sejam tão anômalos que se deterioram nos estágios iniciais. Outros podem ser compatíveis com o desenvolvimento fetal inicial, mas

---

[a]As contribuições anteriores do Dr. Anirban Maitra para este capítulo são reconhecidas com gratidão.

acabam sofrendo aborto espontâneo em seguida. Anomalias menos graves permitem uma sobrevida intrauterina mais prolongada, com alguns distúrbios resultando em natimortalidade e aqueles ainda menos significativos permitindo o nascimento com vida, apesar das limitações impostas.

Definições

O processo de morfogênese (desenvolvimento de órgãos e tecidos) pode ser prejudicado por uma série de erros diferentes:

- As *malformações* representam erros primários da morfogênese, nos quais há um processo de desenvolvimento intrinsecamente anormal (Figura 10.1). As malformações podem ser o resultado de um único gene ou defeito cromossômico, mas são mais comumente de origem multifatorial. As anomalias de desenvolvimento podem se apresentar em vários padrões. Alguns, como defeitos cardíacos congênitos e anencefalia (ausência de parte ou de todo o cérebro), envolvem apenas um sistema do corpo, enquanto em outros casos podem coexistir múltiplas malformações envolvendo muitos órgãos
- As *disrupções* resultam da destruição secundária de um órgão ou região do corpo que anteriormente era normal no desenvolvimento; assim, comparando com as malformações, as disrupções têm origem em uma perturbação extrínseca na morfogênese. Bandas amnióticas, denotando ruptura do âmnio com a formação resultante de "faixas" que circundam, comprimem ou se fixam a partes do feto em desenvolvimento, são o exemplo clássico de uma disrupção (Figura 10.2). Uma variedade de agentes ambientais pode causar disrupções (ver mais adiante). As disrupções não são hereditárias, portanto, não estão associadas a um risco aumentado de recorrência em gestações subsequentes

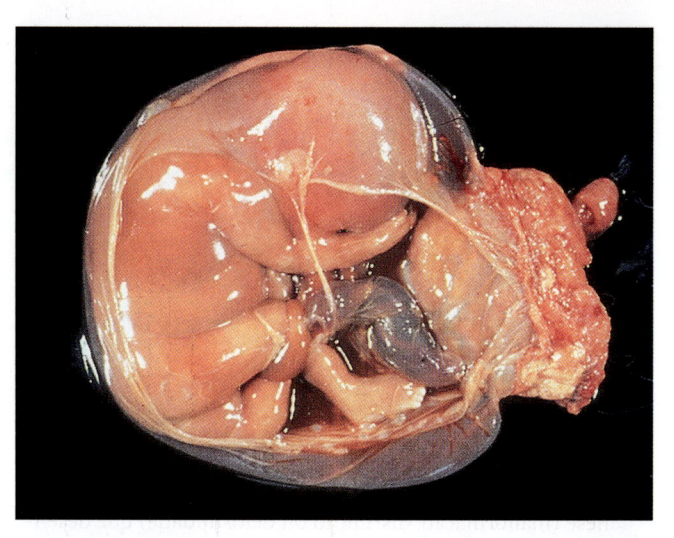

Figura 10.2 Disrupção da morfogênese por uma banda amniótica. Observe a placenta à direita do diagrama e a faixa de âmnio que se estende da parte superior do saco amniótico para circundar a perna do feto. (Cortesia da Dra. Theonia Boyd, Boston Children's Hospital, Boston, Mass.)

- As *deformidades*, como as disrupções, representam uma perturbação extrínseca do desenvolvimento, e não um erro intrínseco da morfogênese. As deformidades são problemas comuns, afetando aproximadamente 2% dos recém-nascidos em graus variados. É fundamental para a patogênese das deformidades a compressão localizada ou generalizada do feto em crescimento por forças biomecânicas anormais, levando, com o tempo, a uma variedade de anormalidades estruturais. O fator subjacente mais comum responsável pelas deformidades é a restrição uterina. Entre 35 e 38 semanas de gestação, o rápido aumento do tamanho do feto ultrapassa o crescimento do útero

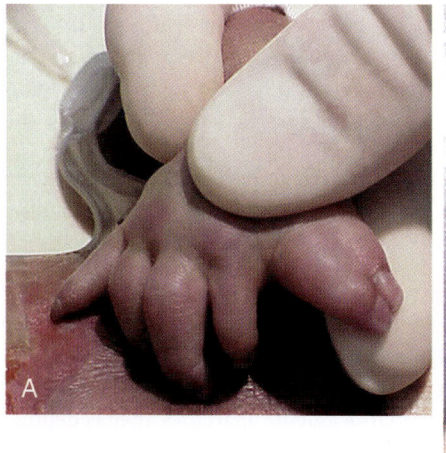

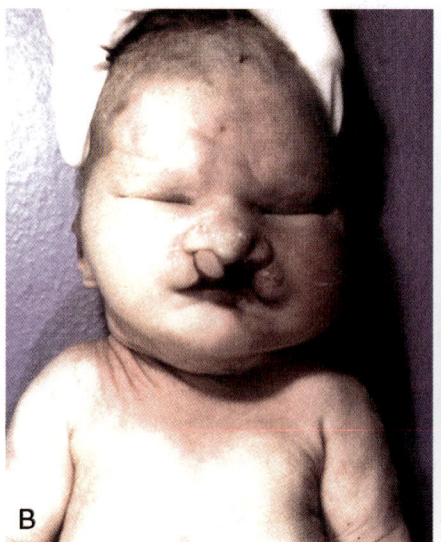

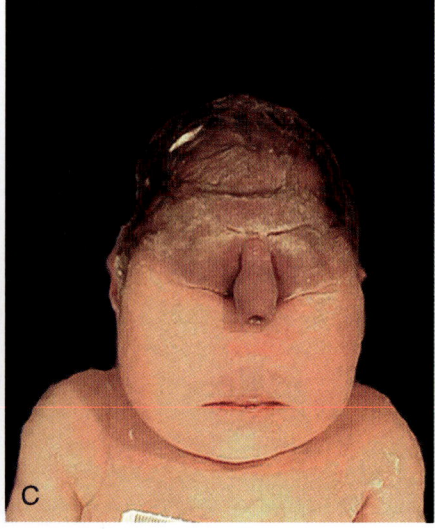

Figura 10.1 Exemplos de malformações. **A.** A *polidactilia* (um ou mais dígitos extras) e a *sindactilia* (fusão de dígitos) têm pouca consequência funcional quando ocorrem isoladamente. Da mesma forma, a *fenda labial* (**B**), associada ou não à fenda palatina, é compatível com a vida quando ocorre como anomalia isolada; no presente caso, entretanto, esse neonato tinha uma *síndrome de malformação* subjacente (trissomia do cromossomo 13) e morreu de defeitos cardíacos graves. **C.** O natimorto ilustrado representa uma malformação grave e essencialmente letal, em que as estruturas do terço médio da face estão fundidas ou malformadas; em quase todos os casos, esse grau de dismorfogênese externa está associado a graves anomalias internas, como desenvolvimento inadequado do cérebro e defeitos cardíacos. (**A** e **C**, Cortesia do Dr. Reade Quinton; **B**, Cortesia da Dra. Beverly Rogers, Department of Pathology, University of Texas Southwestern Medical Center, Dallas, Tex.)

e a quantidade relativa de líquido amniótico (que normalmente atua como uma almofada) diminui. Assim, mesmo o feto normal está sujeito a algum grau de restrição uterina. Vários fatores aumentam a probabilidade de compressão excessiva do feto, resultando em deformidades. Os fatores maternos incluem primeira gravidez, útero pequeno, útero malformado (p. ex., bicorno) e leiomiomas. Os fatores fetais ou placentários incluem oligoidrâmnio, múltiplos fetos e apresentação fetal anormal. Por exemplo, pés tortos podem ocorrer como um componente da sequência de Potter, descrita posteriormente

- **Uma *sequência* é uma cascata de anomalias desencadeadas por uma aberração inicial.** Aproximadamente na metade das vezes, as anomalias congênitas ocorrem de forma isolada; nos casos restantes, múltiplas anomalias congênitas são reconhecidas. Em alguns casos, a constelação de anomalias pode ser explicada por uma única aberração localizada na organogênese (malformação, disrupção ou deformidade) que desencadeia efeitos secundários em outros órgãos. Um bom exemplo é a *sequência de oligoidrâmnio* (ou de *Potter*) (**Figura 10.3**). O oligoidrâmnio (diminuição do líquido amniótico) pode ser causado por uma variedade de anormalidades maternas, placentárias ou fetais não relacionadas. A causa mais comum de oligoidrâmnio é o vazamento crônico de líquido amniótico devido à ruptura das membranas fetais. Entre outras causas estão agenesia renal e obstrução do trato urinário no feto (porque a urina fetal é um dos principais constituintes do líquido amniótico) e insuficiência uteroplacentária resultante de hipertensão materna ou pré-eclâmpsia grave. A compressão fetal associada a oligoidrâmnio significativo, por sua vez, resulta em um fenótipo clássico no recém-nascido, incluindo fácies achatada, anormalidades posicionais das mãos e pés tortos (**Figura 10.4**). Os quadris podem estar luxados. O crescimento da parede torácica e dos pulmões contidos também fica comprometido, de modo que os pulmões frequentemente são hipoplásicos e podem causar morte fetal. Nódulos no âmnio (*âmnio nodoso*) costumam estar presentes
- **Uma *síndrome de malformação* é uma constelação de anomalias congênitas,** consideradas patologicamente relacionadas, que, ao contrário de uma sequência, não podem ser explicadas com base em um único defeito inicial localizado. As síndromes são mais frequentemente causadas por um único agente etiológico, como uma infecção viral ou anomalia cromossômica específica, que afeta simultaneamente vários tecidos.

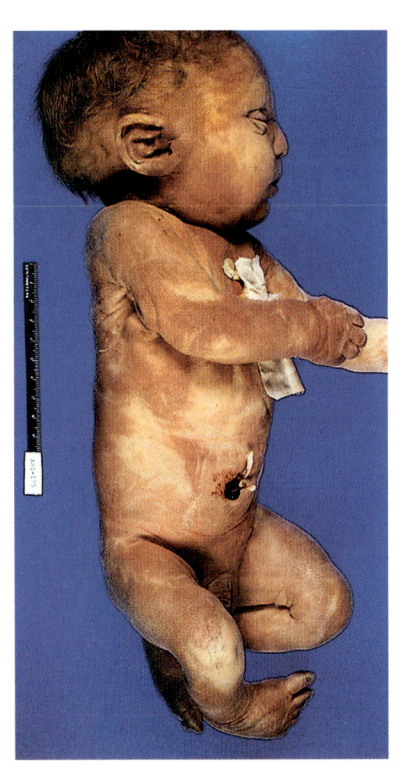

Figura 10.4 Recém-nascido com sequência de oligoidrâmnio. Observe os traços faciais achatados e o pé direito deformado (*talipes equinovarus*).

Além das definições gerais supramencionadas, alguns termos específicos para órgãos devem ser definidos. A *agenesia* se refere à ausência completa de um órgão e seu primórdio associado. Um termo intimamente relacionado, *aplasia*, também se refere à ausência de um órgão, mas que ocorre devido à falha de crescimento do primórdio existente. *Atresia* descreve a ausência de uma abertura, geralmente de um órgão visceral oco, como a traqueia ou o intestino. A *hipoplasia* se refere ao desenvolvimento incompleto ou à diminuição do tamanho de um órgão com diminuição do número de células, enquanto a *hiperplasia* se refere ao inverso, ou seja, o aumento de um órgão devido ao aumento do número de células. Uma anormalidade em um órgão ou tecido como resultado de um aumento ou diminuição no tamanho (e não no número) de células individuais define uma hipertrofia ou uma hipotrofia, respectivamente. Por fim, *displasia* no contexto das malformações (*versus neoplasia*) descreve uma organização anormal das células.

Causas de anomalias

Embora estejamos aprendendo muito sobre as bases moleculares de algumas anomalias congênitas, a causa exata permanece desconhecida em 40 a 60% dos casos. A era da medicina molecular promete trazer mais descobertas sobre os mecanismos pelos quais as malformações ocorrem. As causas comuns conhecidas de anomalias congênitas podem ser agrupadas em três categorias principais: genéticas, ambientais e multifatoriais (**Tabela 10.1**).

As *causas genéticas* das malformações incluem todos os mecanismos de doenças genéticas discutidos anteriormente (ver **Capítulo 5**). Praticamente todas as síndromes cromossômicas estão associadas a malformações congênitas. Os exemplos incluem síndrome de Down e outras trissomias, síndrome de Turner e

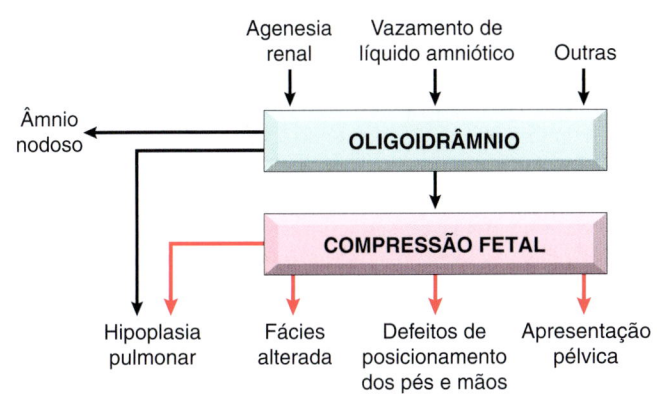

Figura 10.3 Diagrama esquemático da patogênese da sequência de oligoidrâmnio.

Tabela 10.1 Causas de anomalias congênitas em recém-nascidos vivos.

Causa	Frequência (%)
Genética	
Aberrações cromossômicas	10 a 15
Herança mendeliana	2 a 10
Ambiental	

Infecções maternas/placentárias
    Rubéola
    Toxoplasmose
    Sífilis
    Citomegalovírus
    Vírus da imunodeficiência humana
	2 a 3

Estados patológicos maternos
    Diabetes
    Fenilcetonúria
    Endocrinopatias, incluindo obesidade grave
	6 a 8

Fármacos e substâncias químicas
    Álcool, tabagismo
    Antagonistas do ácido fólico
    Andrógenos
    Fenitoína
    Talidomida
    Varfarina
    Ácido 13-*cis*-retinoico
    Outras
	1

Irradiação	1
Multifatorial	20 a 25
Desconhecida	40 a 60

Modificada de Stevenson RE, Hall JG, Everman DB, Solomon B, editores: *Human Malformations and Related Anomalies*, ed. 3, New York, 2016, Oxford University Press, p. 12.

síndrome de Klinefelter. A maioria dos distúrbios cromossômicos surge durante a gametogênese e, portanto, não é familiar. Mutações monogênicas, caracterizadas por herança mendeliana, podem ser a base de algumas das principais malformações. Por exemplo, a holoprosencefalia é o defeito de desenvolvimento mais comum do prosencéfalo e do terço médio da face em humanos; a via de sinalização *Hedgehog* desempenha um papel crucial na morfogênese dessas estruturas, e mutações de perda de função de componentes individuais dentro dessa via são relatadas em famílias com histórico de holoprosencefalia recorrente.

Influências ambientais, como infecções virais, medicamentos e irradiação materna, podem causar anomalias fetais. Entre as infecções virais listadas na **Tabela 10.1**, a rubéola foi um grande flagelo do século XIX e início do século XX. Felizmente, a rubéola materna e a *embriopatia rubeólica* resultante foram praticamente eliminadas em países de alta renda como resultado da vacinação contra a rubéola materna. Suspeita-se que uma série de fármacos e substâncias químicas sejam teratogênicos, mas talvez menos de 1% das malformações congênitas sejam causadas por esses agentes. A lista inclui talidomida, álcool, anticonvulsivantes, varfarina (anticoagulante oral) e ácido 13-*cis*-retinoico, que é usado no tratamento da acne grave. Por exemplo, a talidomida, antes usada como tranquilizante na Europa, causa uma incidência extremamente alta (50 a 80%) de malformações nos membros. O álcool, quando consumido mesmo em quantidades modestas durante a gravidez, é um importante teratógeno ambiental. Os lactentes afetados apresentam restrição de crescimento pré e pós-natal, anomalias faciais (microcefalia, fissuras palpebrais curtas, hipoplasia maxilar) e distúrbios psicomotores. Essas características combinadas são rotuladas de *síndrome alcoólica fetal* (também discutida no **Capítulo 9**). Embora não se tenha demonstrado de forma convincente que a nicotina derivada da fumaça do cigarro seja um teratógeno, há uma alta incidência de aborto espontâneo, parto prematuro e anormalidades placentárias em mulheres grávidas que fumam; muitas vezes, os recém-nascidos de mães que fumam têm baixo peso ao nascer e podem estar mais suscetíveis à síndrome de morte súbita do lactente (discutida posteriormente). Com base nessas descobertas, é melhor evitar completamente a exposição à nicotina durante a gravidez. Entre as doenças maternas listadas na **Tabela 10.1**, o diabetes melito é uma entidade comum e, apesar dos avanços no monitoramento obstétrico pré-natal e no controle da glicose, a incidência de malformações graves em bebês de mães diabéticas fica entre 6 e 10% na maioria das séries. A hiperinsulinemia fetal induzida por hiperglicemia materna resulta em macrossomia fetal (organomegalia e aumento da gordura corporal e massa muscular); anomalias cardíacas, defeitos do tubo neural e outras malformações do sistema nervoso central (SNC) são algumas das principais anomalias observadas na *embriopatia diabética*.

A *herança multifatorial*, que implica a interação de influências ambientais com dois ou mais genes de pequeno efeito, é a etiologia genética mais comum das malformações congênitas. Os exemplos incluem malformações relativamente comuns, como fenda labial, fenda palatina e defeitos do tubo neural. A redução drástica na incidência de defeitos do tubo neural pela ingestão periconcepcional de ácido fólico é um caso em que a compreensão dos estímulos ambientais impediu o desenvolvimento de malformações multifatoriais, embora os genes contribuintes não tenham sido eliminados.

Patogênese

A patogênese das anomalias congênitas é complexa e ainda pouco compreendida, mas dois princípios gerais da patologia do desenvolvimento são relevantes, seja qual for o agente etiológico:

1. O momento do insulto teratogênico pré-natal tem um impacto importante na ocorrência e no tipo de anomalia produzida (**Figura 10.5**). O desenvolvimento intrauterino dos humanos pode ser dividido em duas fases: (1) o período embrionário inicial, que ocupa as primeiras 9 semanas de gravidez; e (2) o período fetal, que termina no nascimento:
   - No *período embrionário inicial* (primeiras 3 semanas após a fertilização), um agente nocivo pode danificar células suficientes para causar morte e aborto ou danificar apenas algumas células, possivelmente permitindo que o embrião se recupere sem desenvolver defeitos. **Entre a terceira e a nona semana, o embrião é extremamente suscetível à teratogênese;** o pico de sensibilidade ocorre entre a quarta e a quinta semana. Durante esse período, os órgãos estão sendo criados a partir das camadas de células germinativas
   - O *período fetal* que sucede a organogênese é marcado, principalmente, pelo crescimento adicional e maturação dos órgãos, com suscetibilidade bastante reduzida a agentes teratogênicos. Em vez disso, o feto é suscetível à restrição de crescimento ou à lesão de órgãos já formados. Assim, determinado agente pode produzir diferentes anomalias se a exposição ocorrer em diferentes momentos da gestação.

	Período embrionário (em semanas)							Período fetal (em semanas)			Gestação completa
1 – 2 Período de divisão do zigoto, implantação e embrião bilaminar	3	4	5	6	7	8		9	16	32	38

Mórula

Blastocisto — Disco embrionário

Normalmente não é suscetível a teratógenos

Períodos críticos de desenvolvimento (o vermelho indica períodos altamente sensíveis)

- Defeitos do tubo neural | Deficiência intelectual | SNC
- AT, DSA, DSV | Coração
- Amelia/meromelia | Membro superior
- Amelia/meromelia | Membro inferior
- Orelhas malformadas, com baixa implantação e surdez | Orelhas
- Microftalmia, catarata, glaucoma | Olhos
- Hipoplasia do esmalte | Dentes
- Fenda palatina | Palato
- Masculinização | Genitália externa

Morte pré-natal | Principais anormalidades morfológicas | Defeitos fisiológicos e pequenas anormalidades

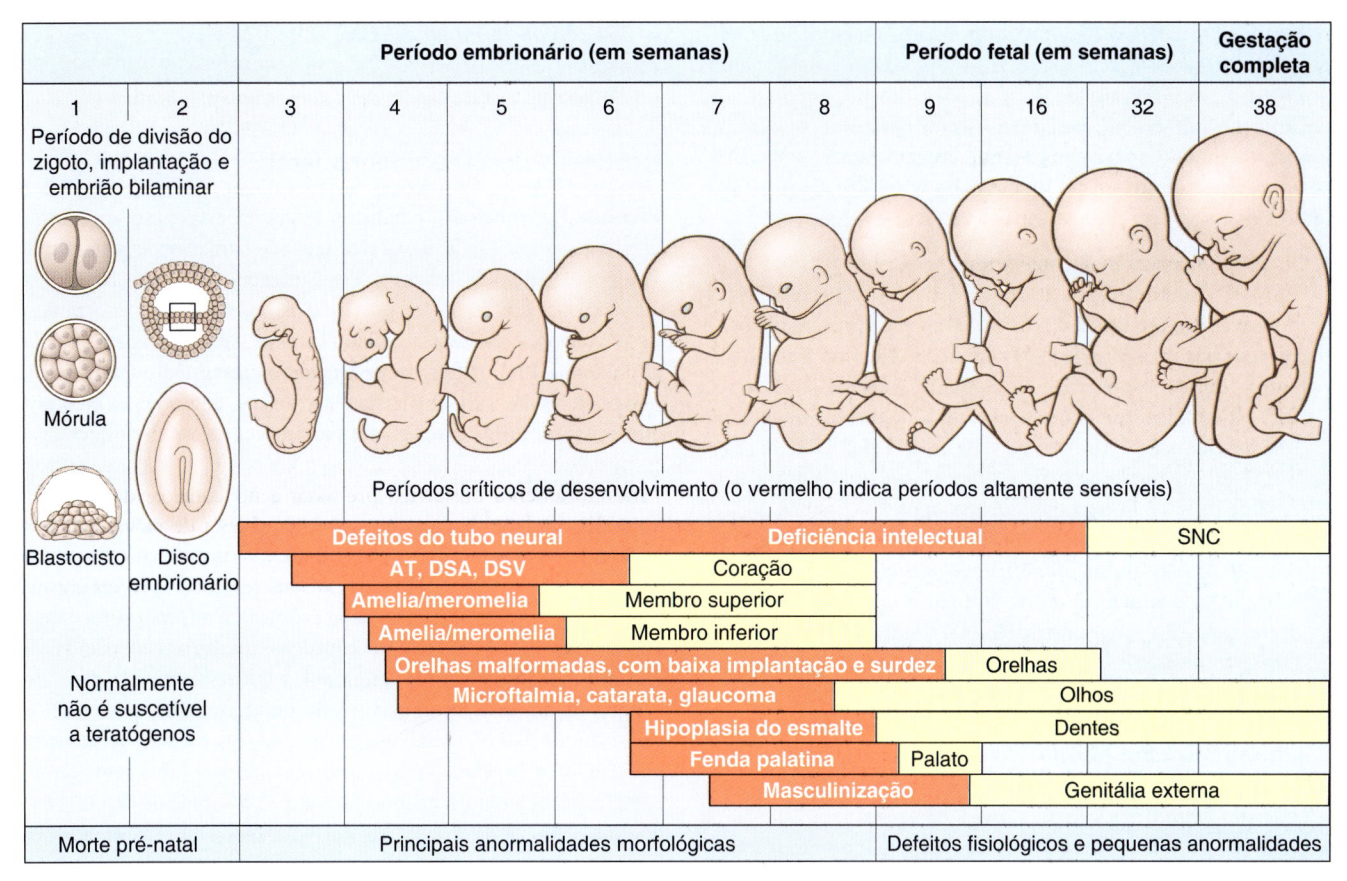

Figura 10.5 Períodos críticos do desenvolvimento para vários sistemas de órgãos e as malformações resultantes. (Modificada e redesenhada de Moore KL: *The Developing Human*, ed. 10, Philadelphia, 2016, WB Saunders, p. 474.)

2. A interação entre teratógenos ambientais e defeitos genéticos intrínsecos é exemplificada pelo fato de que características de dismorfogênese causadas por insultos ambientais podem, com frequência, ser recapituladas pelos defeitos genéticos nas vias atingidas por esses teratógenos. Os seguintes exemplos representativos ilustram essa relação:

- A *ciclopamina* é um teratógeno vegetal contido no *Veratrum californicum* (conhecido como falso-heléboro); ovelhas grávidas que se alimentam dessa planta dão à luz cordeiros com anormalidades craniofaciais graves, incluindo holoprosencefalia e "ciclopia" (olho único fundido, daí a origem do nome ciclopamina). Esse composto é um inibidor da sinalização *Hedgehog* no embrião e, como afirmado anteriormente, as mutações dos genes *Hedgehog* estão presentes em subconjuntos de pacientes com holoprosencefalia
- O *ácido valproico*, um antiepiléptico e um teratógeno reconhecido durante a gravidez, perturba a expressão de uma família de fatores de transcrição altamente conservados e cruciais para o desenvolvimento, conhecidos como proteínas *homeobox* (HOX). Em vertebrados, as proteínas HOX têm sido implicadas na configuração dos membros, vértebras e estruturas craniofaciais. Não surpreendentemente, as mutações na família de genes *HOX* são responsáveis por anomalias congênitas que mimetizam as características observadas na embriopatia do ácido valproico
- O *ácido all-trans-retinoico*, derivado da vitamina A (retinol), é essencial para o desenvolvimento e diferenciação normais,

e sua ausência durante a embriogênese resulta em uma constelação de malformações que afetam vários sistemas de órgãos, incluindo os olhos, sistema geniturinário, sistema cardiovascular, diafragma e pulmões (ver **Capítulo 9** para ler sobre os efeitos da deficiência de vitamina A no período pós-natal). Por outro lado, a exposição excessiva ao ácido retinoico também é teratogênica. Lactentes nascidos de mães tratadas com ácido retinoico para acne grave têm um fenótipo previsível (embriopatia do ácido retinoico), incluindo defeitos no SNC, cardíacos e craniofaciais, como fissura labial e fissura palatina. Essa última pode resultar da desregulação mediada pelo ácido retinoico de componentes da via de sinalização do fator transformador de crescimento-β (TGF-β), que está envolvida na palatogênese. Camundongos nocaute do gene *Tgfb3* desenvolvem uniformemente fenda palatina, mais uma vez ilustrando a relação funcional entre a exposição teratogênica e as vias de sinalização na causa de anomalias congênitas.

Prematuridade e restrição do crescimento fetal

A prematuridade, definida por uma idade gestacional inferior a 37 semanas, é a segunda causa mais comum de mortalidade neonatal, atrás apenas das anomalias congênitas. O Centers for Disease Control and Prevention (CDC; cdc.gov/reproductivehealth) relata que, em 2016, o nascimento prematuro afetou cerca de 1 em cada 10 bebês nascidos nos EUA. As taxas de nascimentos prematuros diminuíram de 2007 a 2014 devido, em parte, ao declínio no número de nascimentos entre mães adolescentes e jovens; no entanto, a taxa entre as mulheres afro-americanas (14%) permanece maior do que nas mulheres brancas (9%). Os principais fatores de risco para prematuridade incluem o seguinte:

- *Ruptura prematura de membranas pré-termo* (RPMPT). A RPMPT complica cerca de 3% de todas as gestações e é responsável por até um terço de todos os partos prematuros. A ruptura das membranas (RM) antes do início do trabalho de parto pode ser espontânea ou induzida. A RPMPT refere-se à RM espontânea que ocorre *antes* de 37 semanas de gestação (daí a explicação "pré-termo"). Por outro lado, RPM se refere à RM espontânea que ocorre *após* 37 semanas de gestação. Essa distinção é importante porque, após 37 semanas, o risco associado ao feto diminui consideravelmente. Vários fatores de risco clínicos foram identificados para a RPMPT, incluindo uma história prévia de parto prematuro, trabalho de parto prematuro e/ou sangramento vaginal durante a gravidez atual, tabagismo materno, baixo nível socioeconômico e nutrição materna deficiente. O desfecho fetal e materno após a RPMPT depende da idade gestacional do feto (RPMPT no segundo trimestre tem um prognóstico desfavorável) e da profilaxia eficaz de infecções na cavidade amniótica exposta
- *Infecção intrauterina*. Esta é uma das principais causas de trabalho de parto prematuro com e sem membranas intactas. A infecção intrauterina está presente em aproximadamente 25% de todos os partos prematuros e, quanto menor for a idade gestacional no momento do parto, maior será a frequência de infecção intra-amniótica. Os correlatos histológicos da infecção intrauterina são inflamação das membranas placentárias (corioamnionite) e inflamação do cordão umbilical fetal (funisite). Os microrganismos mais comuns implicados em infecções intrauterinas que levam ao parto prematuro são *Ureaplasma urealyticum, Mycoplasma hominis, Gardnerella vaginalis* (o organismo dominante encontrado na "vaginose bacteriana", uma infecção polimicrobiana), *Trichomonas*, gonorreia e *Chlamydia*. Em países em desenvolvimento, a malária e o HIV contribuem significativamente para o trabalho de parto prematuro e prematuridade. Estudos recentes começaram a elucidar os mecanismos moleculares do trabalho de parto pré-termo induzido por inflamação. Receptores endógenos do tipo *Toll* (TLRs), que se ligam a componentes bacterianos como ligantes naturais (ver **Capítulo 6**), surgiram como agentes-chave nesse processo. Postula-se que os sinais produzidos pelo engajamento dos TLR desregulam a expressão da prostaglandina, que, por sua vez, induz as contrações do músculo liso uterino
- *Anormalidades estruturais uterinas, cervicais e placentárias*. Distorção uterina (p. ex., miomas uterinos), suporte estrutural comprometido do colo do útero ("incompetência cervical"), placenta prévia e descolamento da placenta (ver **Capítulo 22**) estão associados a um risco aumentado de prematuridade
- *Gestação múltipla* (gravidez gemelar).

Os riscos da prematuridade são múltiplos para o recém-nascido e podem dar origem a uma ou mais das seguintes condições:

- *Síndrome do desconforto respiratório do recém-nascido*, também conhecida como *doença da membrana hialina*
- *Enterocolite necrosante* (ECN)
- *Sepse*
- *Hemorragia intraventricular e da matriz germinativa*.

Restrição do crescimento fetal

Embora os neonatos prematuros tenham baixo peso ao nascer, geralmente é adequado, desde que ajustado para a idade gestacional. Por outro lado, até um terço dos lactentes com peso inferior a 2.500 g nasce a termo e, portanto, é classificado como pouco desenvolvido, e não imaturo. Esses lactentes pequenos para a idade gestacional (PIG) sofrem de restrição do crescimento fetal (RCF), que pode resultar de anormalidades maternas, fetais ou placentárias, embora em muitos casos a causa específica seja desconhecida.

Anormalidades maternas

De longe, os fatores mais comuns associados a neonatos PIG são as condições maternas que resultam na diminuição do fluxo sanguíneo na placenta. Doenças vasculares como pré-eclâmpsia (toxemia gravídica) e hipertensão crônica costumam ser a causa subjacente. A lista de outras condições maternas associadas a lactentes PIG é longa, mas alguns dos fatores evitáveis que vale a pena mencionar são o uso abusivo de narcóticos pela mãe, o consumo de álcool e o tabagismo pesado. Os medicamentos que causam RCF incluem teratógenos clássicos, como agentes quimioterápicos, e alguns agentes terapêuticos comumente administrados, como fenitoína. A má nutrição materna (em especial, a hipoglicemia prolongada) também pode afetar o crescimento fetal.

Anormalidades fetais

As influências fetais são aquelas que reduzem intrinsecamente o potencial de crescimento do feto, apesar de um fornecimento adequado de nutrientes pela mãe. Entre essas condições fetais, destacam-se os distúrbios cromossômicos, as anomalias congênitas e as infecções congênitas. Anormalidades cromossômicas podem ser detectadas em até 17% dos fetos testados para RCF e em até 66% dos fetos com malformações documentadas por ultrassonografia. Entre o primeiro grupo, as anormalidades incluem triploidia (7%), trissomia do 18 (6%), trissomia do 21 (1%), trissomia do 13 (1%) e uma variedade de deleções e translocações (2%). A infecção fetal deve ser considerada em todos os neonatos com RCF. As infecções mais comumente responsáveis por RCF são o grupo de infecções TORCH (*t*oxoplasmose, *o*utros vírus e bactérias, como sífilis, *r*ubéola, *c*itomegalovírus e *h*erpesvírus). Os lactentes que são PIG devido a fatores fetais geralmente têm restrição simétrica do crescimento (também conhecida como RCF proporcional), o que significa que todos os sistemas de órgãos são afetados de forma semelhante.

Anormalidades placentárias

Durante o terceiro trimestre da gravidez, o crescimento fetal vigoroso impõe demandas especialmente pesadas ao suprimento sanguíneo uteroplacentário. Portanto, a adequação do crescimento placentário no segundo trimestre anterior é extremamente importante, e a insuficiência uteroplacentária é uma causa importante de restrição do crescimento. Esta insuficiência pode resultar de anomalias vasculares umbilical-placentárias (como artéria umbilical única e inserção anormal do cordão), descolamento prematuro da placenta, placenta prévia, trombose e infarto placentário, vilosite crônica de etiologia desconhecida, infecção placentária ou gestações múltiplas (ver **Capítulo 22**). Em alguns casos, a placenta (e o neonato) pode ser pequena, mas sem qualquer causa subjacente detectável. As causas placentárias de RCF tendem a resultar em restrição assimétrica do crescimento (ou desproporcional) do feto, com preservação relativa do cérebro. Fisiologicamente, esse tipo geral de RCF é visto como uma sub-regulação negativa do crescimento na última metade da gestação devido à disponibilidade limitada de nutrientes ou oxigênio.

O recém-nascido PIG enfrenta uma trajetória difícil, não apenas durante a luta pela sobrevivência no período perinatal, mas também na infância e na vida adulta. Dependendo da causa subjacente da RCF e, em menor extensão, do grau de prematuridade, existe um risco significativo de morbidade na forma de uma deficiência importante, como disfunção cerebral, dificuldade de aprendizagem ou deficiência auditiva e visual.

Síndrome do desconforto respiratório do recém-nascido

Existem muitas causas de desconforto respiratório no recém-nascido. A causa mais comum é a síndrome do desconforto respiratório (SDR) do recém-nascido, também conhecida como doença da membrana hialina, devido à deposição de uma camada de material proteináceo hialino nos espaços aéreos periféricos de neonatos que sucumbem a essa condição. Outras causas incluem sedação excessiva da mãe, traumatismo craniano fetal durante o parto, aspiração de sangue ou líquido amniótico e hipoxia intrauterina provocada pelo enrolamento do cordão umbilical em torno do pescoço. A incidência de SDR aumenta com a diminuição da idade gestacional, sendo 1% em 37 semanas, 10,5% em 34 semanas e 93% em prematuros extremos (28 semanas ou menos).

Patogênese

O defeito fundamental na SDR é a imaturidade pulmonar e a deficiência de surfactante. Conforme descrito no **Capítulo 15**, o surfactante consiste predominantemente em dipalmitoil-fosfatidilcolina (lecitina), quantidades menores de fosfatidilglicerol e dois grupos de proteínas associadas ao surfactante. O primeiro grupo é composto pelas glicoproteínas hidrofílicas SP-A e SP-D, que atuam na defesa pulmonar do hospedeiro (imunidade inata). O segundo grupo consiste nas proteínas hidrofóbicas do surfactante SP-B e SP-C, que, em conjunto com os lipídios do surfactante, estão envolvidas na redução da tensão superficial na interface ar-líquido nos alvéolos pulmonares. Com a tensão superficial reduzida nos alvéolos, menos pressão é necessária para mantê-los patentes e, portanto, arejados. A importância das proteínas do surfactante na função pulmonar normal pode ser avaliada pela ocorrência de insuficiência respiratória grave em neonatos com deficiência congênita de surfactante causada por mutações nos genes *SFTPB* ou *SFTPC*.

A produção de surfactante pelas células alveolares do tipo II é acelerada no feto após a 35ª semana de gestação. Ao nascer, a primeira respiração requer altas pressões inspiratórias para expandir os pulmões. Com níveis normais de surfactante, os pulmões retêm até 40% do volume de ar residual após a primeira respiração; portanto, as respirações subsequentes requerem pressões inspiratórias bem mais baixas. Com a deficiência de surfactante, os pulmões entram em colapso a cada respiração sucessiva, de modo que os recém-nascidos precisam trabalhar tão arduamente a cada respiração sucessiva quanto com a primeira. O problema dos pulmões atelectásicos rígidos é agravado pela parede torácica flexível, que é puxada para dentro à medida que o diafragma desce. A atelectasia progressiva e a complacência pulmonar reduzida levam, então, a uma cadeia de eventos, conforme ilustrado na **Figura 10.6**, que resulta em uma exsudação rica em proteínas e fibrina nos espaços alveolares, com a formação de membranas hialinas. As membranas fibrino-hialinas são barreiras às trocas gasosas, levando à retenção de dióxido de carbono e hipoxemia. A própria hipoxemia prejudica ainda mais a síntese do surfactante, resultando em um círculo vicioso.

A síntese do surfactante é modulada por uma variedade de hormônios e fatores de crescimento, incluindo cortisol, insulina, prolactina, tiroxina e TGF-β. O papel dos glicocorticoides é particularmente importante. Condições associadas ao estresse intrauterino e RCF que aumentam a liberação de corticosteroides reduzem o risco de desenvolver SDR. A síntese do surfactante pode ser suprimida pelos altos níveis compensatórios de insulina no sangue em neonatos de mães diabéticas, o que neutraliza os efeitos dos esteroides. Isso pode explicar, em parte, por que lactentes de mães diabéticas têm maior risco de desenvolver SDR. Sabe-se que o trabalho de parto aumenta a síntese do surfactante; portanto, o parto cesáreo antes do início do trabalho de parto pode aumentar o risco de SDR.

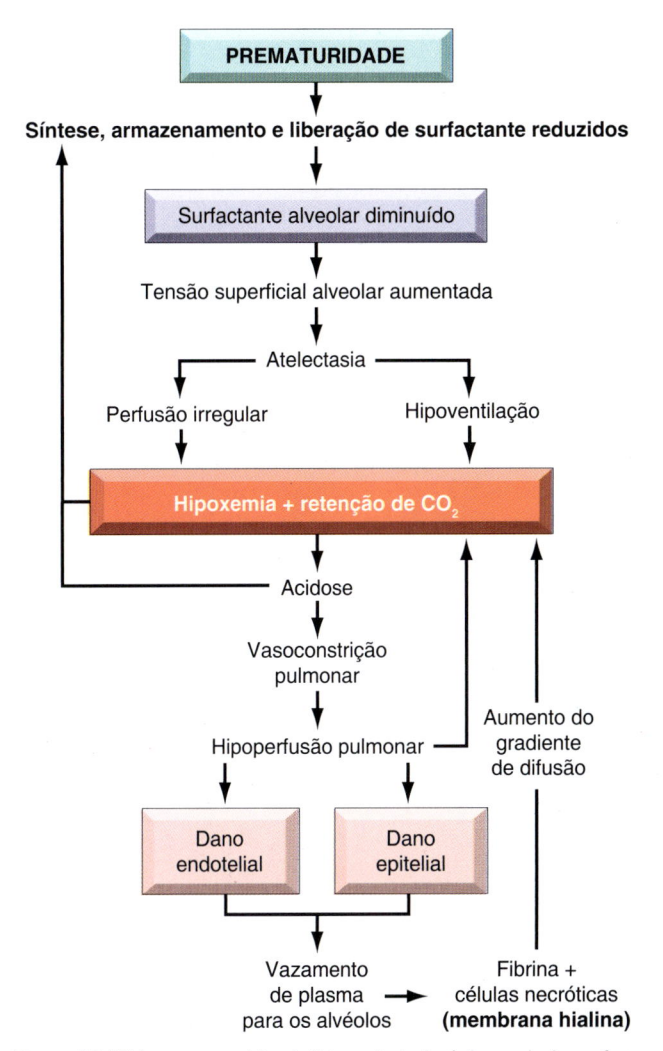

Figura 10.6 Esboço esquemático da fisiopatologia da síndrome de desconforto respiratório (ver texto).

> ### Morfologia
>
> Os pulmões são distintos no exame macroscópico. Embora de tamanho normal, são sólidos, sem ar e de cor púrpura-avermelhada, semelhantes à cor do fígado, e geralmente afundam na água, indicando a relativa ausência de ar aprisionado. Microscopicamente, os alvéolos estão pouco desenvolvidos e os que estão presentes estão colapsados (**Figura 10.7**). Quando o lactente morre no início do curso da doença, é possível ver restos celulares necróticos nos bronquíolos terminais e nos ductos alveolares. O material necrótico é incorporado às **membranas hialinas eosinofílicas** que revestem os bronquíolos respiratórios, os ductos alveolares e os alvéolos. As membranas são constituídas, em grande parte, por fibrina misturada com restos celulares derivados principalmente de pneumócitos do tipo II necróticos. A sequência de eventos que leva à formação das membranas hialinas é ilustrada na **Figura 10.6**. Há uma notável escassez de reação inflamatória neutrofílica associada a essas membranas. As lesões da doença da membrana hialina nunca são vistas em natimortos.
>
> Em neonatos que sobrevivem por mais de 48 horas, ocorrem alterações reparadoras progressivas nos pulmões. O epitélio alveolar prolifera sob a superfície da membrana, que pode se desprender para o espaço aéreo, onde sofre digestão parcial ou fagocitose por macrófagos. Caso não se desprenda, fibroblastos crescem na membrana e ela se incorpora à parede alveolar.

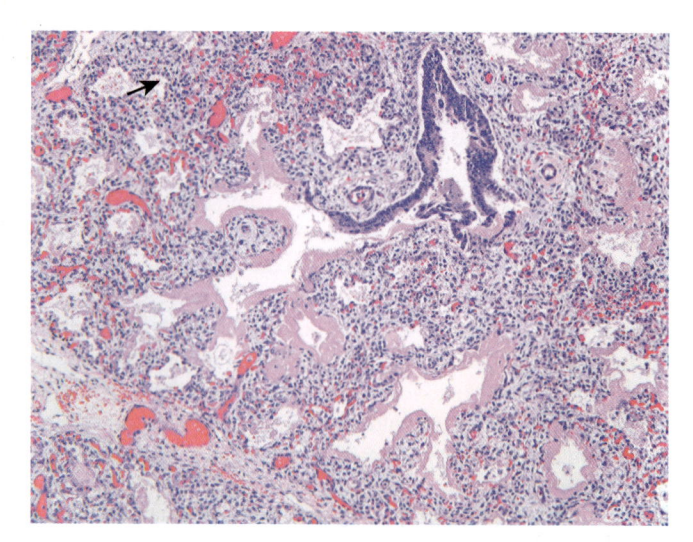

Figura 10.7 Doença da membrana hialina. Existem membranas hialinas espessas e eosinofílicas revestindo os alvéolos dilatados. Observe que os espaços aéreos restantes estão revestidos por epitélio cúbico (*seta*), indicando imaturidade do pulmão.

Características clínicas

O neonato quase sempre é prematuro, mas tem peso adequado para a idade gestacional e há associações fortes, mas não invariáveis, com sexo masculino, diabetes materno e parto cesáreo. A reanimação pode ser necessária no nascimento, mas, geralmente, dentro de alguns minutos a respiração rítmica e a cor normal são restabelecidas. Logo depois, geralmente dentro de 30 minutos, a respiração torna-se mais difícil e, em poucas horas, a cianose torna-se evidente no lactente não tratado. É possível, então ouvir estertores finos em ambos os campos pulmonares. Uma radiografia de tórax neste momento geralmente revela densidades reticulogranulares mínimas e uniformes, produzindo a chamada imagem em vidro fosco. Na condição totalmente desenvolvida, o desconforto respiratório persiste, a cianose aumenta e, mesmo a administração de oxigênio a 80% por uma série de métodos ventilatórios, não melhora a situação. Se a terapia conseguir adiar a morte nos primeiros 3 ou 4 dias, entretanto, o recém-nascido tem uma excelente chance de recuperação.

Atualmente, o curso clínico real e o prognóstico da SDR neonatal variam, dependendo da maturidade e do peso ao nascer do lactente e da prontidão da instituição da terapia. Um grande avanço no controle da SDR concentra-se na prevenção, seja atrasando o trabalho de parto até que o pulmão fetal atinja a maturidade, seja induzindo a maturação do pulmão no feto em risco pelo uso de esteroides pré-natais. A capacidade de avaliar a maturidade pulmonar fetal com precisão é fundamental para esses objetivos. Como as secreções pulmonares são liberadas no líquido amniótico, a análise dos fosfolipídios do líquido amniótico fornece uma boa estimativa do nível de surfactante no revestimento alveolar. A administração profilática de surfactante exógeno no momento do nascimento em neonatos extremamente prematuros (idade gestacional < 28 semanas) tem se mostrado muito benéfica. Em conjunto com as novas técnicas de ventilação assistida, essa estratégia resultou em melhora drástica na função pulmonar, resolução dos sintomas, um curso diminuído e mortalidade marcadamente reduzida. Em casos não complicados, a recuperação começa a ocorrer dentro de 3 ou 4 dias.

As complicações da SDR, fibroplasia retrolental (também chamada retinopatia da prematuridade) nos olhos e displasia broncopulmonar são agora menos frequentes e menos graves quando ocorrem:

- A *retinopatia da prematuridade* tem patogênese de duas fases. Durante a fase hiperóxica da terapia para SDR (fase I), a expressão do fator de crescimento endotelial vascular pró-angiogênico (VEGF) está acentuadamente diminuída, causando apoptose das células endoteliais; os níveis de VEGF aumentam após o retorno à ventilação de ar ambiente relativamente hipóxica (fase II), induzindo a proliferação de vasos retinianos (neovascularização) característica das lesões na retina (ver **Capítulo 29**)

- A *displasia broncopulmonar* caracteriza-se por uma redução marcante na septação alveolar (manifestada como estruturas alveolares grandes e simplificadas) e uma configuração capilar dismórfica. Assim, a compreensão atual é que a displasia broncopulmonar é causada por um comprometimento potencialmente reversível no desenvolvimento da septação alveolar no estágio denominado "sacular". Vários fatores – hiperoxemia, hiperventilação, prematuridade, citocinas inflamatórias e desenvolvimento vascular insuficiente – contribuem para a displasia broncopulmonar e, provavelmente, agem de forma cumulativa ou sinérgica promovendo lesões. Os níveis de uma série de citocinas pró-inflamatórias (TNF, interleucina-1β [IL-1β], IL-6 e IL-8) estão aumentados nos alvéolos de recém-nascidos que desenvolvem displasia broncopulmonar, sugerindo uma função para essas citocinas no impedimento do desenvolvimento pulmonar. O tratamento com células-tronco mesenquimais tem potencial, mas permanece experimental. Elas agem secretando fatores solúveis que suprimem a inflamação e favorecem a reparação dos espaços aéreos.

Recém-nascidos que se recuperam de SDR também apresentam risco aumentado de desenvolver uma variedade de outras complicações associadas ao nascimento prematuro; as mais importantes entre elas são a persistência do canal arterial, hemorragia intraventricular e enterocolite necrosante.

Enterocolite necrosante

A enterocolite necrosante (ECN) é mais comum em prematuros, sendo a incidência da doença inversamente proporcional à idade gestacional. Ocorre em aproximadamente 1 em cada 10 recém-nascidos de muito baixo peso ao nascer (< 1.500 g). Cerca de 2.500 casos ocorrem todo ano nos EUA.

A patogênese da ECN é indefinida, mas multifatorial. Além da prematuridade, a maioria dos casos está associada à alimentação enteral, sugerindo que algum insulto pós-natal (como a introdução de bactérias) desencadeia uma cascata de eventos culminando na destruição do tecido. Embora agentes infecciosos possam desempenhar um papel na patogênese da ECN, nenhum patógeno bacteriano isolado foi associado à doença. Talvez a alteração no microbioma com a alimentação enteral tenha uma função. Muitos mediadores inflamatórios foram associados à ECN. Um mediador específico, o fator de ativação plaquetária (PAF), foi implicado no aumento da permeabilidade da mucosa ao promover a apoptose de enterócitos e comprometer as junções de oclusão intercelulares, colocando, assim, "mais lenha na fogueira". As amostras de fezes e soro de lactentes com ECN demonstram níveis de PAF mais altos do que os controles de mesma idade. Em última análise, a quebra das funções de barreira da mucosa permite a migração transluminal de bactérias intestinais, levando a um círculo vicioso de inflamação, necrose da mucosa e entrada de mais bactérias, culminando, com o tempo, em sepse e choque (ver **Capítulo 4**).

O curso clínico é bastante típico, com aparecimento de fezes com sangue, distensão abdominal e desenvolvimento de colapso circulatório. As radiografias abdominais, com frequência, demonstram gás na parede intestinal (*pneumatose intestinal*). Quando detectada precocemente, a ECN geralmente pode ser tratada de forma conservadora, mas muitos casos (20 a 60%) requerem a ressecção dos segmentos necróticos do intestino. A ECN está associada a alta mortalidade perinatal; aqueles que sobrevivem muitas vezes desenvolvem estenoses pós-ECN devido à fibrose causada pelo processo de cicatrização. Terapias probióticas estão sendo avaliadas para prevenir a ECN.

> **Morfologia**
>
> A ECN costuma envolver o íleo terminal, o ceco e o cólon direito, embora qualquer parte do intestino delgado ou grosso possa estar comprometida. O segmento acometido encontra-se distendido, friável e congestionado, ou pode estar claramente gangrenado; pode ocorrer perfuração intestinal acompanhada de peritonite. Microscopicamente, é possível observar necrose coagulativa da mucosa ou transmural, ulceração, colonização bacteriana e bolhas de gás na submucosa (**Figura 10.8**). Alterações reparadoras, como formação de tecido de granulação e fibrose, podem começar logo após o episódio agudo.

Infecções perinatais

Em geral, as infecções fetais e perinatais são adquiridas por meio de uma de duas vias primárias – transcervical (também conhecida como ascendente) ou transplacentária (hematológica). Ocasionalmente, as infecções ocorrem por uma combinação das duas vias, quando um microrganismo ascendente infecta o endométrio e, em seguida, invade a corrente sanguínea fetal por meio das vilosidades coriônicas.

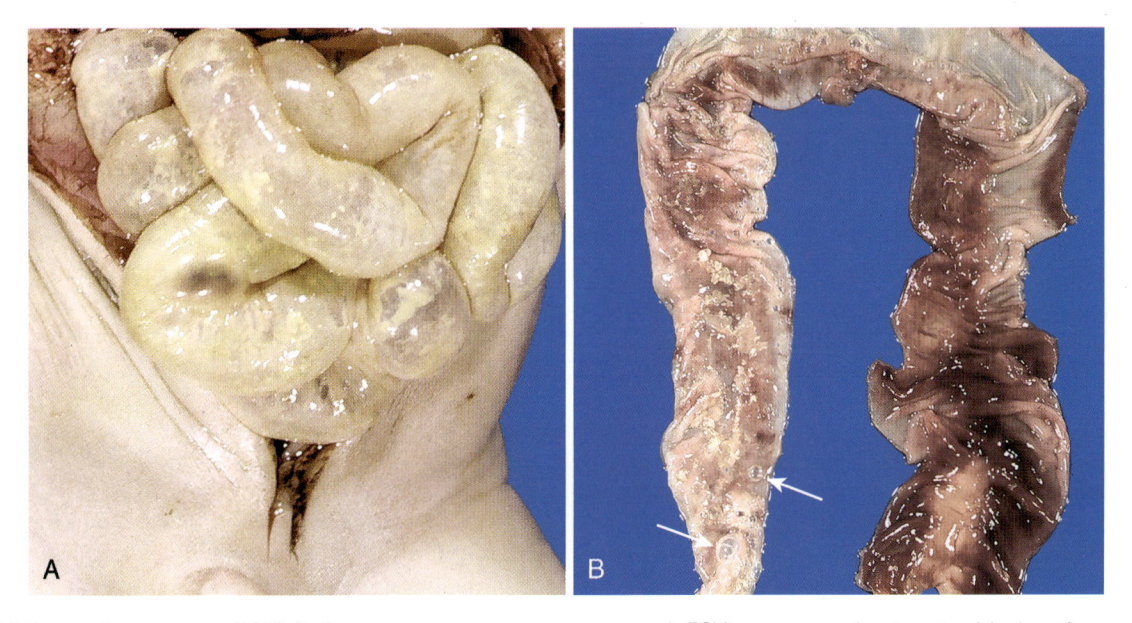

Figura 10.8 Enterocolite necrosante (ECN). **A.** O exame *post-mortem* em um caso grave de ECN mostra que todo o intestino delgado está acentuadamente distendido com uma parede perigosamente fina (em geral, isso implica perfuração iminente). **B.** A porção congestionada do íleo corresponde a áreas de infarto hemorrágico e necrose transmural microscopicamente. Bolhas de gás submucosas (pneumatose intestinal) podem ser vistas em várias áreas (*setas*).

Infecções transcervicais (ascendentes)

A maioria das infecções bacterianas e algumas virais (p. ex., herpes simples II) são adquiridas pela via cervicovaginal. Essas infecções podem ser adquiridas no útero ou por volta do momento do nascimento. Em geral, o feto adquire a infecção inalando líquido amniótico infectado para os pulmões pouco antes do nascimento ou passando por um canal de parto infectado durante o parto. Como afirmado anteriormente, o nascimento prematuro é uma consequência comum e infeliz de infecção. O nascimento prematuro devido a uma infecção pode estar relacionado a danos e ruptura do saco amniótico como consequência direta da inflamação ou à indução do trabalho de parto por prostaglandinas liberadas de neutrófilos infiltrantes. Em geral, observa-se inflamação das membranas placentárias e do cordão, mas a presença ou ausência e a gravidade da corioamnionite não se correlacionam necessariamente com a gravidade da infecção fetal. No feto infectado por inalação de líquido amniótico, pneumonia, sepse e meningite são as sequelas mais comuns.

Infecções transplacentárias (hematológicas)

A maioria das infecções parasitárias (p. ex., *Toxoplasma*, malária) e virais e algumas infecções bacterianas (i. e., *Listeria*, *Treponema*) ganham acesso à corrente sanguínea fetal por via transplacentária através das vilosidades coriônicas. Essa transmissão hematogênica pode ocorrer a qualquer momento durante a gestação ou ocasionalmente, como pode ser o caso da hepatite B e do HIV, no momento do parto por transfusão materno-fetal. As manifestações clínicas dessas infecções são altamente variáveis, dependendo muito do período gestacional e do microrganismo envolvido.

O parvovírus B19, que causa eritema infeccioso ou a "quinta doença da infância" em crianças mais velhas imunocompetentes, pode infectar 1 a 5% das mulheres grávidas soronegativas (não imunes), e a grande maioria tem um desfecho normal para sua gravidez. Os desfechos adversos da gravidez em uma minoria de infecções intrauterinas incluem aborto espontâneo (particularmente no segundo trimestre), natimortalidade, hidropisia fetal (ver adiante) e anemia congênita. O parvovírus B19 tem um tropismo particular pelas células eritroides, e é possível ver inclusões virais diagnósticas em progenitores eritroides iniciais nos lactentes infectados (**Figura 10.9**).

As *infecções do grupo TORCH* (ver anteriormente) são agrupadas porque podem evocar manifestações clínicas e patológicas semelhantes, incluindo febre, encefalite, coriorretinite, hepatoesplenomegalia, pneumonite, miocardite, anemia hemolítica e lesões cutâneas vesiculares ou hemorrágicas. Essas infecções, quando ocorrem no início da gestação, também podem causar sequelas crônicas na criança, incluindo retardo de crescimento e deficiência intelectual, catarata, anomalias cardíacas congênitas e defeitos ósseos.

Sepse

A sepse perinatal pode ser agrupada clinicamente com base no início precoce (dentro dos primeiros 7 dias de vida) *versus* início tardio (de 7 dias a 3 meses). A maioria dos casos de sepse de início precoce é adquirida logo antes do nascimento e tende a resultar em sinais e sintomas clínicos de pneumonia, sepse e, ocasionalmente, meningite dentro de 4 ou 5 dias de vida. O estreptococo do grupo B é a causa mais comum de sepse de início precoce, bem como de meningite bacteriana de início precoce.

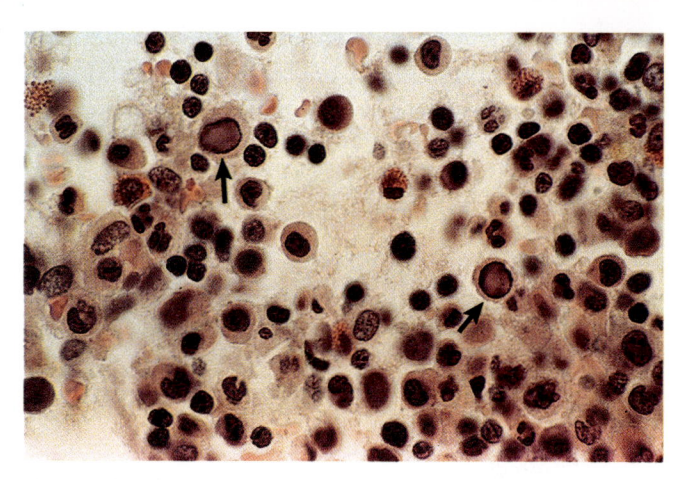

Figura 10.9 Medula óssea de um lactente infectado com parvovírus B19. As *setas* indicam dois precursores eritroides com grandes inclusões intranucleares homogêneas e uma borda periférica circundante de cromatina residual.

As infecções por *Listeria* e *Candida* apresentam períodos de latência mais longos entre o momento da inoculação do microrganismo e o aparecimento dos sintomas clínicos e se apresentam como sepse de início tardio.

Hidropisia fetal

Hidropisia fetal se refere ao acúmulo de líquido de edema no feto durante o crescimento intrauterino. No passado, a anemia hemolítica causada por incompatibilidade do fator sanguíneo Rh entre mãe e feto (hidropisia imune) era a causa mais comum, mas com a profilaxia bem-sucedida desse distúrbio durante a gravidez, a hidropisia não imune é mais comum. O acúmulo de líquido intrauterino pode ser bastante variável, indo desde edema progressivo e generalizado do feto (hidropisia fetal), uma condição geralmente letal, até edema mais localizado, como derrame (efusão) pleural e peritoneal isolado, ou acúmulo de líquido pós-nucal (higroma cístico, ver posteriormente) que são compatíveis com a vida.

Hidropisia imune

A hidropisia imune é uma doença hemolítica causada pela incompatibilidade de antígenos de grupo sanguíneo entre a mãe e o feto. Quando o feto herda determinantes antigênicos eritrocitários do pai que são estranhos à mãe, pode ocorrer uma reação imunológica materna. Os principais antígenos conhecidos por induzirem reações imunológicas clinicamente significativas são certos antígenos Rh e os grupos sanguíneos ABO. A reação ocorre na segunda gravidez e nas subsequentes em uma mãe Rh-negativo com um pai Rh-positivo.

Etiologia e patogênese

A base subjacente da hidropisia imune é a imunização da mãe por antígenos de grupo sanguíneo nos eritrócitos fetais e a passagem livre de anticorpos da mãe através da placenta para o feto (Figura 10.10). Os eritrócitos fetais podem atingir a circulação materna durante o último trimestre da gravidez, quando o citotrofoblasto não está mais presente como barreira, ou durante

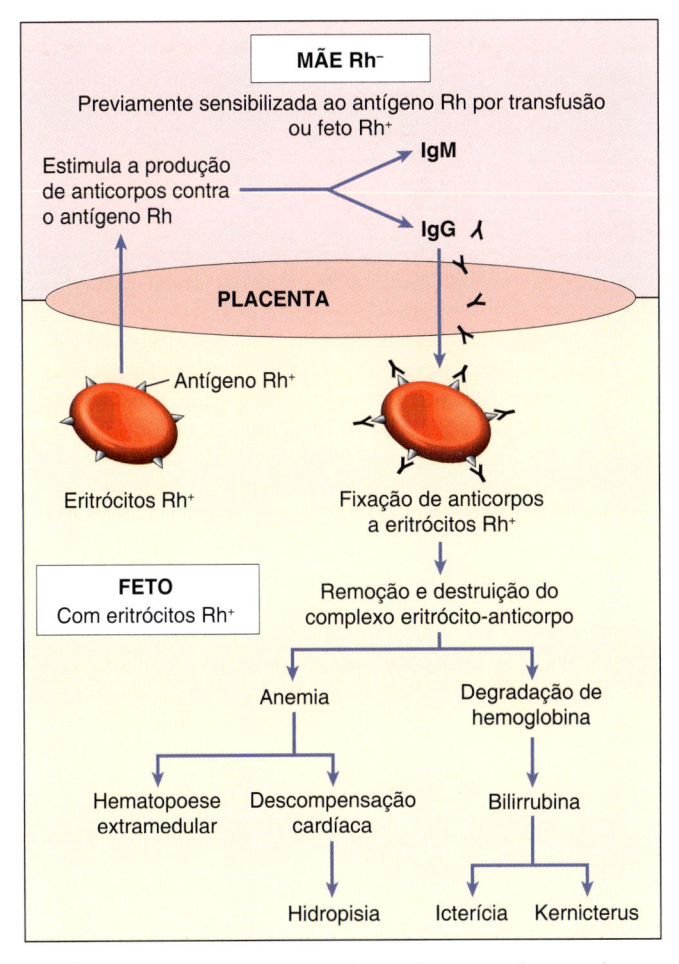

Figura 10.10 Patogênese da hidropisia fetal imune (ver texto).

o próprio parto. A mãe, portanto, torna-se sensibilizada para o antígeno estranho. A exposição inicial ao antígeno Rh evoca a formação de anticorpos IgM que, ao contrário dos anticorpos IgG, não atravessam a placenta. Portanto, a incompatibilidade de Rh é incomum na primeira gravidez. A exposição durante uma gravidez subsequente geralmente leva a uma resposta rápida de anticorpos IgG e ao risco de hidropisia imune.

Dos numerosos antígenos incluídos no sistema Rh, apenas o antígeno D é a principal causa da incompatibilidade de Rh. Vários fatores influenciam a resposta imune aos eritrócitos fetais RhD-positivos que chegam à circulação materna:

- *A incompatibilidade ABO simultânea protege a mãe contra a imunização por Rh* porque os eritrócitos fetais são prontamente revestidos e removidos da circulação materna por anticorpos IgM anti-A ou anti-B que não atravessam a placenta
- *A resposta de anticorpos depende da dose do antígeno imunizante*; portanto, a doença hemolítica se desenvolve apenas quando a mãe apresentou sangramento transplacentário significativo (> 1 mℓ de eritrócitos fetais Rh-positivos).

A incidência de isoimunização materna por Rh diminuiu de modo significativo desde o uso de imunoglobulina *rhesus* (RhIg) contendo anticorpos anti-D. A administração de RhIg às 28 semanas de gestação e dentro de 72 horas após o parto em mães Rh-negativas diminui de forma expressiva o risco de doença hemolítica em neonatos Rh-positivos e em gestações subsequentes;

a RhIg também é administrada após abortos, pois estes também podem levar à imunização. A identificação pré-natal e o manejo do feto em risco foram muito facilitados pela amniocentese e pela coleta de amostras da vilosidade coriônica e de sangue fetal. Além disso, a clonagem do gene *RHD* resultou em esforços para determinar o estado do Rh fetal usando soro materno, pois ele contém DNA fetal. Quando identificados, os casos de hemólise intrauterina grave podem ser tratados por transfusões intravasculares fetais através do cordão umbilical e pela antecipação do parto.

A patogênese da hemólise fetal causada pela incompatibilidade ABO materno-fetal é ligeiramente diferente daquela causada por diferenças nos antígenos Rh. A incompatibilidade ABO ocorre em aproximadamente 20 a 25% das gestações, mas a evidência laboratorial de doença hemolítica ocorre em apenas 1 em cada 10 desses lactentes, e a doença hemolítica é grave o suficiente para requerer tratamento em apenas 1 a cada 200 casos. Vários fatores são responsáveis por isso. Primeiro, a maioria dos anticorpos anti-A e anti-B é do tipo IgM e, portanto, não atravessa a placenta. Segundo, os eritrócitos neonatais expressam fracamente os antígenos A e B do grupo sanguíneo. Terceiro, muitas células, além dos eritrócitos, expressam antígenos A e B e, portanto, absorvem parte do anticorpo transferido. A doença hemolítica ABO ocorre quase exclusivamente em lactentes do grupo A ou B que nascem de mães do grupo O. Por motivos desconhecidos, certas mulheres do grupo O apresentam anticorpos IgG direcionados contra os antígenos do grupo A ou B (ou ambos), mesmo sem sensibilização prévia. Desta forma, o primogênito pode ser afetado. Felizmente, mesmo com anticorpos adquiridos por via transplacentária, a lise dos eritrócitos do bebê é mínima. Não há proteção efetiva contra as reações ABO.

Existem duas consequências da destruição excessiva de eritrócitos no recém-nascido (ver **Figura 10.10**). A gravidade dessas alterações varia consideravelmente, dependendo do grau de hemólise e da maturidade do recém-nascido:

- A *anemia* é um resultado direto da perda de eritrócitos. Se a hemólise for branda, o aumento da produção de eritrócitos pode ser suficiente para manter os níveis quase normais destas células. No entanto, com hemólise mais grave, uma anemia progressiva se desenvolve, podendo resultar em lesão por hipoxia no coração e no fígado. Devido à lesão hepática, a síntese de proteínas plasmáticas diminui e os níveis dessas proteínas podem cair para 2 a 2,5 mg/dℓ. A hipoxia cardíaca pode causar descompensação e insuficiência cardíaca. A combinação de redução da pressão oncótica plasmática e aumento da pressão hidrostática na circulação (secundária à insuficiência cardíaca) resulta em edema generalizado e anasarca, culminando em hidropisia fetal
- A *icterícia* se desenvolve porque a hemólise produz bilirrubina não conjugada (ver **Capítulo 18**). A bilirrubina também atravessa a barreira hematencefálica pouco desenvolvida do lactente. Por ser insolúvel em água, a bilirrubina se liga aos lipídios no cérebro e pode danificar o SNC, causando kernicterus (ver **Figura 10.13**).

Hidropisia não imune

As três principais causas de hidropisia não imune incluem defeitos cardiovasculares, anomalias cromossômicas e anemia fetal. Os defeitos cardiovasculares estruturais e funcionais, como malformações congênitas e arritmias, podem resultar em insuficiência cardíaca intrauterina e hidropisia. Entre as anomalias cromossômicas, o cariótipo 45,X (síndrome de Turner) e as trissomias do 21 e do 18 estão associadas à hidropisia fetal devido às anomalias cardíacas estruturais associadas. Na síndrome de Turner, as anormalidades da drenagem linfática do pescoço também podem levar ao acúmulo de fluido pós-nucal (higromas císticos). A anemia fetal, não causada por anticorpos associados a Rh ou a ABO, também pode resultar em hidropisia. De fato, em algumas partes do mundo (p. ex., Sudeste Asiático), a anemia fetal grave devido à α-talassemia homozigótica, resultante da deleção de todos os quatro genes de α-globina, é provavelmente a causa mais comum de hidropisia não imune (ver **Capítulo 14**). A infecção transplacentária pelo parvovírus B19 está se destacando rapidamente como uma causa importante de hidropisia (ver anteriormente). O vírus obtém entrada preferencial em precursores eritroides (normoblastos), onde se replica, levando à apoptose de progenitores de eritrócitos e à aplasia isolada de eritrócitos. É possível ver inclusões intranucleares parvovirais nos precursores eritroides da medula e nos circulantes (ver **Figura 10.9**). Aproximadamente 10% dos casos de hidropisia não imune estão relacionados a gestações gemelares monozigóticas e transfusão feto-fetal que ocorrem por meio de anastomoses entre as duas circulações. Em até 20% dos casos, a causa permanece desconhecida.

Morfologia

Os achados anatômicos em fetos com acúmulo de líquido intrauterino variam tanto com a gravidade da doença quanto com a etiologia subjacente. Como observado anteriormente, a hidropisia fetal representa a manifestação mais grave e generalizada (**Figura 10.11**), e podem ocorrer graus menores de edema, como coleções isoladas de líquido pleural, peritoneal ou pós-nucal. Consequentemente, os lactentes podem nascer mortos, morrer nos primeiros dias ou se recuperar completamente. A presença de traços dismórficos sugere uma anormalidade cromossômica; o exame *post-mortem* pode revelar uma anomalia cardíaca subjacente.

Na hidropisia associada à anemia fetal, tanto o feto quanto a placenta são caracteristicamente pálidos; na maioria dos casos, o fígado e o baço estão aumentados devido à congestão e insuficiência cardíaca. Além disso, a medula óssea demonstra hiperplasia compensatória de precursores eritroides (sendo a aplasia eritrocitária associada ao parvovírus uma exceção notável) e a hematopoese extramedular está presente no fígado, baço, linfonodos e, possivelmente, outros tecidos, como rins, pulmões e até mesmo o coração (**Figura 10.12**). O aumento da atividade hematopoética é responsável pela presença na circulação periférica de grandes quantidades de eritrócitos imaturos, incluindo reticulócitos e eritroblastos (**eritroblastose fetal**).

A ameaça mais séria na hidropisia fetal é o dano ao SNC, conhecido como **kernicterus** (**Figura 10.13**). O cérebro afetado está aumentado e edemaciado e, quando seccionado, apresenta uma cor amarela brilhante, particularmente os gânglios da base, tálamo, cerebelo, substância cinzenta cerebral e medula espinal. O nível preciso de bilirrubina que induz o kernicterus é imprevisível, mas o dano neural geralmente requer um nível de bilirrubina no sangue superior a 20 mg/dℓ em lactentes nascidos a termo; nos prematuros, esse limiar pode ser consideravelmente mais baixo.

Características clínicas

As manifestações clínicas da hidropisia fetal variam de acordo com a gravidade da doença e podem ser inferidas a partir da discussão anterior. Os neonatos minimamente afetados apresentam palidez, talvez acompanhada de hepatoesplenomegalia (à qual se

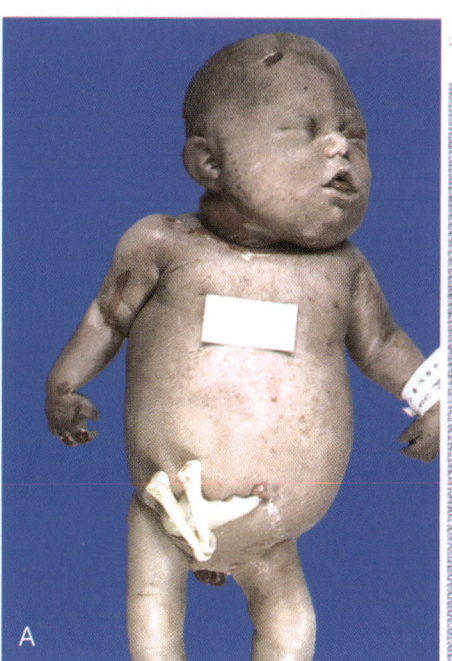

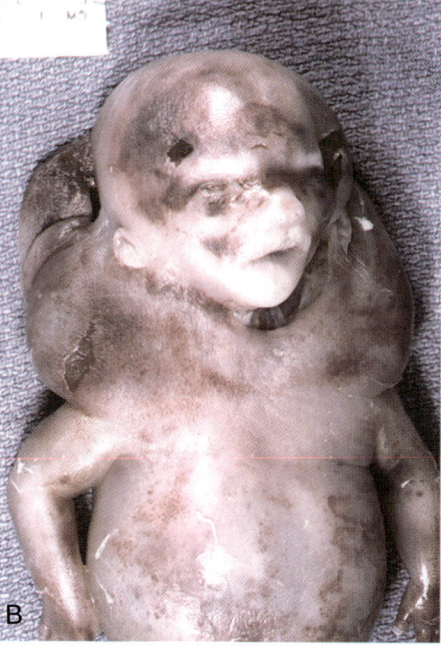

Figura 10.11 Hidropisia fetal. **A.** Há acúmulo generalizado de líquido no feto. **B.** O acúmulo de líquido é particularmente proeminente nas partes moles do pescoço, e essa condição foi denominada *higroma cístico*. Os higromas císticos são caracteristicamente vistos em anomalias cromossômicas constitucionais, como cariótipos 45,X, mas não estão limitados a essas condições. (Cortesia da Dra. Beverly Rogers, Department of Pathology, University of Texas Southwestern Medical Center, Dallas, Tex.)

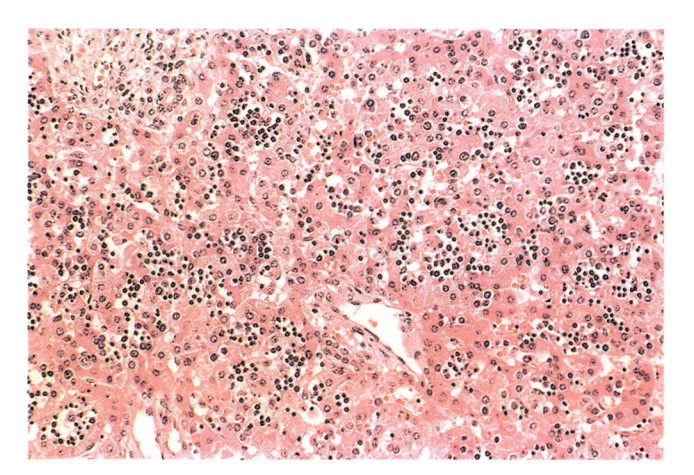

Figura 10.12 Numerosas ilhas de hematopoese extramedular (células pequenas azuis) estão espalhadas entre os hepatócitos maduros no fígado desse lactente com hidropisia fetal não imune.

pode adicionar icterícia nas reações hemolíticas mais graves), enquanto os neonatos mais gravemente enfermos apresentam icterícia intensa, edema generalizado e sinais de lesão neurológica. Esses recém-nascidos podem receber suporte por meio de uma série de medidas, incluindo fototerapia (a luz visual oxida a bilirrubina não conjugada tóxica em dipirróis hidrossolúveis inofensivos, rapidamente excretados) e, em casos graves, exsanguineotransfusão total do neonato.

Erros inatos do metabolismo e outros distúrbios genéticos

Os erros inatos do metabolismo são distúrbios genéticos que dão origem a defeitos no metabolismo. Desde que Sir Archibald Garrod cunhou o termo em 1908, o número de doenças metabólicas reconhecidas aumentou de forma exponencial. A maioria dos erros inatos do metabolismo são doenças raras que, geralmente, são herdadas como traços autossômicos recessivos ou ligados ao cromossomo X (ver **Capítulo 5**). Os distúrbios mitocondriais (ver **Capítulo 5**) formam uma entidade distinta por si próprios. Algumas das características clínicas que sugerem um distúrbio metabólico subjacente em um recém-nascido estão listadas na **Tabela 10.2**. As manifestações clínicas dessas doenças costumam ser o resultado do acúmulo anormal de metabólitos ou da deficiência do produto desejado. Três doenças genéticas, a fenilcetonúria (PKU), a galactosemia e a fibrose cística, foram selecionadas para discussão aqui. A PKU e a galactosemia serão revisadas, pois seu diagnóstico precoce (por meio de programas de triagem neonatal) é especialmente importante, e a morte precoce ou a deficiência intelectual podem ser prevenidas com regimes dietéticos apropriados. A fibrose cística está incluída porque é uma das doenças potencialmente letais mais comuns que ocorrem em indivíduos de ascendência caucasiana.

Fenilcetonúria

Existem diversas variantes desse erro inato do metabolismo, que afeta 1 em cada 10 mil recém-nascidos vivos caucasianos. A forma mais comum, conhecida como PKU clássica, é bastante frequente em pessoas de ascendência escandinava e é distintamente incomum em populações afro-americanas e judias.

A PKU é um distúrbio autossômico recessivo causado por uma deficiência grave da enzima fenilalanina hidroxilase (PAH), levando à hiperfenilalaninemia. Os lactentes afetados são normais

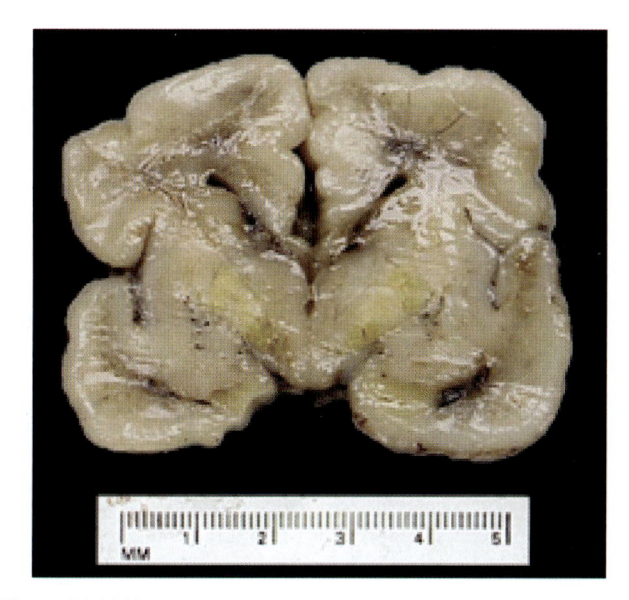

Figura 10.13 Kernicterus. Observe a descoloração amarela do parênquima cerebral devido ao acúmulo de bilirrubina, que é mais proeminente nos gânglios da base, localizados profundamente nos ventrículos.

Tabela 10.2 Anormalidades que sugerem erros inatos do metabolismo.

Gerais
Traços dismórficos
Surdez
Automutilação
Cabelo anormal
Odor anormal do corpo ou da urina ("pés suados"; "cheiro de rato ou bolor"; "xarope de bordo")
Hepatoesplenomegalia; cardiomegalia
Hidropisia

Neurológicas
Hipotonia ou hipertonia
Coma
Letargia persistente
Convulsões

Gastrintestinais
Alimentação deficiente
Vômito recorrente
Icterícia

Oculares
Catarata
Mancha vermelho-cereja na mácula
Luxação do cristalino
Glaucoma

Musculares, articulares
Miopatia
Mobilidade anormal

Modificada de Barness LA, Gilbert-Barness E: Metabolic disease. In Gilbert-Barness E, Barness LA, editors: *Potter's Pathology of the Fetus, Infant, and Child*, St. Louis, 2007, Mosby.

no momento do nascimento, mas em poucas semanas desenvolvem um nível elevado de fenilalanina plasmática, o que prejudica o desenvolvimento do cérebro. Normalmente, por volta dos 6 meses, a deficiência intelectual grave torna-se evidente; menos de 4% das crianças fenilcetonúricas não tratadas têm QI superior a 50 ou 60. Cerca de um terço dessas crianças nunca conseguirá andar e dois terços não conseguem falar. Convulsões, outras anormalidades neurológicas, diminuição da pigmentação do cabelo e da pele, eczema e um odor característico de mofo geralmente acompanham a deficiência intelectual em crianças não tratadas. A hiperfenilalaninemia e a deficiência intelectual resultante podem ser evitadas restringindo-se a ingestão de fenilalanina no início da vida. Portanto, todos os estados dos EUA adotaram procedimentos de triagem para detectar a PKU no período pós-natal imediato.

Muitas mulheres com PKU, se tratadas com restrição alimentar no início da vida, atingem a idade fértil e são clinicamente assintomáticas. A maioria delas tem hiperfenilalaninemia acentuada, porque o tratamento dietético é interrompido após atingirem a idade adulta. Entre 75 e 90% das crianças nascidas dessas mulheres têm deficiência intelectual e são microcefálicas, e 15% têm cardiopatia congênita, embora os próprios neonatos sejam heterozigóticos. Essa síndrome, denominada PKU materna, resulta dos efeitos teratogênicos da fenilalanina ou de seus metabólitos que atravessam a placenta e afetam órgãos fetais específicos durante o desenvolvimento. A presença e a gravidade das anomalias fetais se correlacionam diretamente com o nível materno de fenilalanina, portanto, é imperativo que a restrição alimentar de fenilalanina por parte da mãe seja iniciada antes da concepção e continue durante a gravidez.

A anormalidade bioquímica na PKU é a incapacidade de converter fenilalanina em tirosina. Em crianças normais, é necessário menos de 50% da ingestão dietética de fenilalanina para a síntese proteica. O restante é convertido em tirosina pelo sistema de fenilalanina hidroxilase (**Figura 10.14**). Quando o metabolismo da fenilalanina é bloqueado devido à falta de PAH funcional, pequenas vias de desvio entram em ação, produzindo vários metabólitos fora da via que são excretados em grandes quantidades na urina e no suor. Isso confere um forte odor de mofo ou rato aos lactentes afetados. Acredita-se que o excesso de fenilalanina ou seus metabólitos contribuam para o dano cerebral na PKU. A falta concomitante de tirosina (ver **Figura 10.14**), um precursor da melanina, é responsável pela cor clara do cabelo e da pele.

No nível molecular, já foram identificados mais de 500 alelos mutantes do gene *PAH*. São necessárias mutações em ambos os alelos de *PAH* para desenvolver a doença. Os lactentes com mutações que resultam em atividade de *PAH* seriamente reduzida apresentam níveis de fenilalanina no sangue acentuadamente elevados e as características clássicas de PKU, e aqueles com até 6% de atividade residual de PAH apresentam doença mais branda. Algumas mutações de PAH resultam em apenas elevações modestas dos níveis de fenilalanina no sangue, sem dano neurológico associado. É importante reconhecer essa última condição, conhecida como hiperfenilalaninemia benigna, porque esses indivíduos podem apresentar testes de triagem positivos, mas não desenvolvem os estigmas da PKU clássica. Devido aos numerosos alelos causadores de doença do gene *PAH*, o diagnóstico molecular não é viável, e é necessária a medição dos níveis séricos de fenilalanina para diferenciar entre hiperfenilalaninemia benigna e PKU; os níveis nessa última costumam ser cinco vezes ou mais acima do normal. Uma vez que se estabeleça o diagnóstico bioquímico, é possível determinar a mutação específica que causa a PKU. Com a identificação da mutação, o teste para identificação de portador nos familiares em risco pode ser realizado.

Embora 98% da PKU seja atribuível a mutações em *PAH*, aproximadamente 2% ocorrem devido a anormalidades na síntese ou reciclagem do cofator tetra-hidrobiopterina (BH_4; ver **Figura 10.14**). É clinicamente importante reconhecer essas formas variantes de PKU porque elas não podem ser tratadas por restrição dietética de fenilalanina.

Galactosemia

A galactosemia é um distúrbio autossômico recessivo do metabolismo da galactose resultante do acúmulo de galactose-1-fosfato nos tecidos. Afeta 1 em cada 60 mil recém-nascidos vivos. Normalmente, a lactose, o principal carboidrato do leite dos mamíferos, é dividida em glicose e galactose nas microvilosidades intestinais pela lactase. A galactose é então convertida em glicose em várias etapas catalisadas por enzimas distintas. Duas variantes da galactosemia foram identificadas. Na variante mais comum, há uma falta total de galactose-1-fosfato uridil transferase (GALT). A variante rara tem origem em uma deficiência de galactoquinase. Como a deficiência de galactoquinase leva a uma forma mais branda da doença que não está associada à deficiência intelectual, ela não será considerada nesta discussão.

Como resultado da deficiência de GALT, a galactose-1-fosfato se acumula em muitos locais, incluindo fígado, baço, cristalino, rins, músculo cardíaco, córtex cerebral e eritrócitos. Vias metabólicas alternativas são ativadas, levando à produção de galactitol (um metabólito poliol da galactose) e galactonato, um subproduto oxidado do excesso de galactose, que também se acumulam nos tecidos. A toxicidade a longo prazo na galactosemia tem sido atribuída deforma variada a esses intermediários metabólicos. Os heterozigotos podem ter uma deficiência enzimática leve e são poupados das consequências clínicas e patológicas do estado homozigoto.

O quadro clínico é variável, provavelmente refletindo a heterogeneidade das mutações no gene *GALT*. Fígado, olhos e cérebro são os que mais sofrem os danos. A hepatomegalia que se desenvolve precocemente se deve, em grande parte, à alteração gordurosa, mas com o tempo pode surgir uma cicatriz generalizada que se assemelha muito à cirrose por uso abusivo de álcool. A opacificação do cristalino (catarata) se desenvolve, provavelmente porque o cristalino absorve água e incha à medida que o galactitol, produzido por vias metabólicas alternativas, se acumula e aumenta

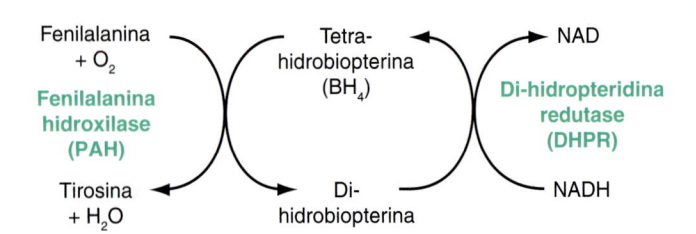

Figura 10.14 O sistema fenilalanina hidroxilase (*PAH*). A deficiência de PAH ou di-hidropteridina redutase (*DHPR*) pode dar origem à fenilcetonúria. *NAD*, nicotinamida adenina dinucleotídio (oxidada); *NADH*, nicotinamida adenina dinucleotídio (reduzida).

a pressão osmótica. Alterações inespecíficas surgem no SNC, incluindo perda de células nervosas, gliose e edema, principalmente nos núcleos denteados do cerebelo e nos núcleos olivares da medula. Mudanças semelhantes podem ocorrer no córtex cerebral e na substância branca.

Esses recém-nascidos apresentam falha de crescimento quase desde o nascimento. Vômito e diarreia aparecem alguns dias após a ingestão de leite. A icterícia e a hepatomegalia geralmente tornam-se evidentes durante a primeira semana de vida e podem parecer uma continuação da icterícia fisiológica do recém-nascido. A catarata se desenvolve dentro de poucas semanas e, nos primeiros 6 a 12 meses de vida, a deficiência intelectual pode ser detectada. Mesmo em lactentes não tratados, entretanto, a deficiência não costuma ser tão grave quanto a observada na PKU. O acúmulo de galactose e galactose-1-fosfato no rim prejudica o transporte de aminoácidos, resultando em aminoacidúria. Há um aumento da frequência de septicemia fulminante por *Escherichia coli*, possivelmente decorrente da atividade bactericida neutrofílica deprimida. Também podem ocorrer hemólise e coagulopatia no período neonatal. Os testes de triagem neonatal são amplamente utilizados nos EUA. Eles se baseiam no ensaio fluorométrico da atividade da enzima GALT em uma mancha de sangue seco. Um teste de triagem positivo deve ser confirmado pelos níveis de GALT nos eritrócitos. O diagnóstico pré-natal é possível pelo ensaio da atividade de GALT em células de cultura do líquido amniótico ou pela determinação do nível de galactitol no sobrenadante do líquido amniótico.

Muitas das alterações clínicas e morfológicas da galactosemia podem ser evitadas ou melhoradas pela remoção precoce da galactose da dieta, pelo menos nos dois primeiros anos de vida. O controle instituído logo após o nascimento evita cataratas e danos ao fígado e permite um desenvolvimento quase normal. Mesmo com restrições dietéticas, entretanto, atualmente está estabelecido que os pacientes mais velhos são com frequência afetados por um distúrbio da fala e por insuficiência gonadal (especialmente insuficiência ovariana prematura) e, menos comumente, por ataxia.

Fibrose cística (mucoviscidose)

A fibrose cística é um distúrbio hereditário do transporte de íons que afeta a secreção de líquidos nas glândulas exócrinas e no revestimento epitelial dos tratos respiratório, digestório e reprodutivo. Em muitos indivíduos, esse distúrbio leva a secreções anormalmente viscosas que obstruem as vias orgânicas, resultando na maioria das características clínicas desse distúrbio, como doença pulmonar crônica secundária a infecções recorrentes, insuficiência pancreática, esteatorreia, má nutrição, cirrose hepática, obstrução intestinal e infertilidade masculina. Essas manifestações podem aparecer em qualquer momento da vida, desde antes do nascimento até muito mais tarde na infância, ou mesmo na adolescência.

A fibrose cística é a doença genética letal mais comum que afeta populações caucasianas, com uma incidência de cerca de 1 em cada 2.500 nascidos vivos. A frequência de portadores nos EUA é de 1 em 20 entre caucasianos, mas significativamente mais baixa em afro-americanos, asiáticos e hispânicos. Embora a fibrose cística siga um padrão de transmissão autossômica recessiva, dados recentes sugerem que mesmo os portadores heterozigotos têm uma incidência maior de doenças respiratórias e pancreáticas em comparação com a população em geral. Além disso, apesar da classificação da fibrose cística como um distúrbio "mendeliano", há um amplo grau de variação fenotípica que resulta de três fatores adicionais: mutações diversas no gene associado à fibrose cística, os efeitos tecido-específicos do produto gênico codificado, e a influência de genes modificadores.

Gene da fibrose cística: estrutura e função normais

O defeito primário na fibrose cística é o transporte anormal de íons cloreto e bicarbonato mediado por um canal aniônico codificado pelo gene regulador da condutância transmembrana da fibrose cística (*CFTR*) no cromossomo 7q31.2. O polipeptídeo de 1.480 aminoácidos codificado por *CFTR* tem dois domínios transmembrana (cada um contendo seis α-hélices), dois domínios de ligação de nucleotídios citoplasmáticos (NBDs) e um domínio regulatório (domínio R) que contém os locais de fosforilação da proteinoquinase A e C (**Figura 10.15**). Os dois domínios transmembrana formam um canal através do qual o cloreto passa. A ativação do canal CFTR é mediada por aumentos induzidos por agonistas no adenosina monofosfato cíclico (cAMP), que levam à ativação de uma proteinoquinase A que fosforila o domínio R. A ligação e hidrólise do adenosina trifosfato (ATP) ocorre no NBD e é essencial para a abertura e fechamento do poro do canal, que são potencializados pela presença do domínio R fosforilado. Várias facetas importantes da função de CFTR surgiram nos últimos anos:

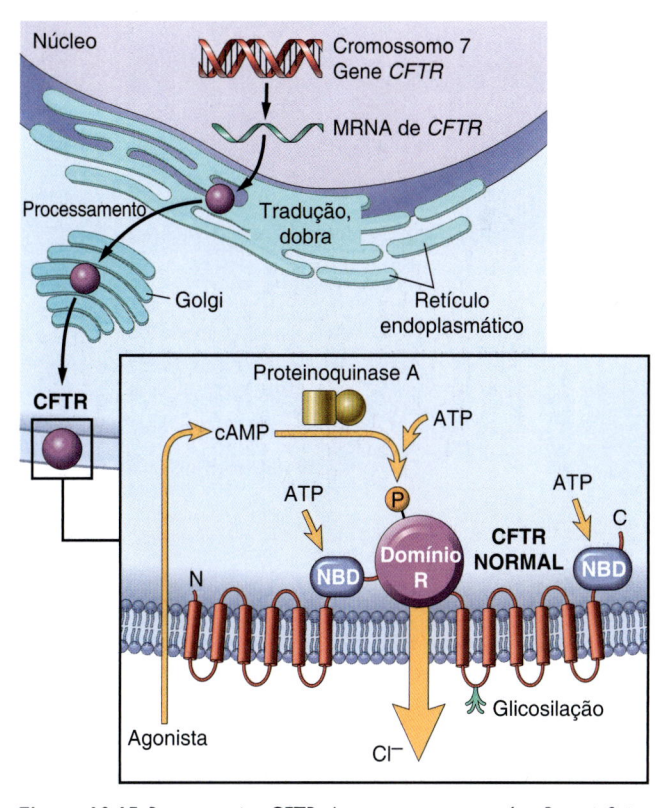

Figura 10.15 *Parte superior*, CFTR do gene para a proteína. *Parte inferior*, Estrutura e ativação normais do regulador da condutância transmembrana da fibrose cística (CFTR). Esta consiste em dois domínios transmembranares, dois domínios de ligação de nucleotídios (NBDs) e um domínio R regulatório. Os agonistas (p. ex., acetilcolina) ligam-se às células epiteliais e aumentam os níveis de adenosina monofosfato cíclico (cAMP), que ativa a proteinoquinase A; a última fosforila o domínio R de CFTR usando ATP. Isso resulta na abertura do canal de íon cloreto.

- *CFTR regula múltiplos canais iônicos e processos celulares.* Embora inicialmente caracterizado como um canal de condutância de cloreto, reconhece-se agora que CFTR pode regular canais iônicos e processos celulares adicionais. Estes incluem os chamados canais de cloreto de retificação externa, canais de potássio de retificação interna (Kir6.1), o canal de sódio epitelial (ENaC), canais de junção comunicante e processos celulares envolvidos no transporte de ATP e secreção de muco. Destes, a interação do CFTR com o ENaC talvez tenha a maior relevância fisiopatológica na fibrose cística. O ENaC está situado na superfície apical das células epiteliais e é responsável pela captação de sódio do líquido luminal, tornando este líquido hipotônico. O ENaC é inibido pelo CFTR de funcionamento normal; portanto, na fibrose cística, a atividade de ENaC aumenta, elevando de modo acentuado a captação de sódio através da membrana apical. A importância desse fenômeno é discutida posteriormente no contexto da patologia pulmonar e gastrintestinal na fibrose cística. A única exceção a isso são os ductos de suor humano, onde a atividade de ENaC diminui como resultado de mutações de *CFTR*; portanto, forma-se líquido hipertônico com alto teor de cloreto de sódio (condição *sine qua non* da fibrose cística clássica). Essa é a base para o suor "salgado" que as mães muitas vezes detectam nos lactentes afetados
- *As funções de* CFTR *são específicas ao tecido; portanto, o impacto de uma mutação em* CFTR *também é específico ao tecido.* A principal função do CFTR nos ductos das glândulas sudoríparas é reabsorver os íons de cloreto luminais e aumentar a reabsorção de sódio por meio do ENaC (ver anteriormente). Portanto, nos ductos sudoríparos, a perda da função de CFTR leva à diminuição da reabsorção de cloreto de sódio e à produção de suor hipertônico (**Figura 10.16**). No entanto, no epitélio respiratório e intestinal, o CFTR é uma das vias mais importantes para a secreção luminal ativa de cloreto. Nesses locais, as mutações de *CFTR* resultam na perda ou na redução da secreção de cloreto para a luz (**Figura 10.16**), e a absorção luminal ativa de sódio é aumentada devido à perda de inibição da atividade de ENaC. Essas mudanças na distribuição de íons resultam no aumento da reabsorção passiva de água da luz, diminuindo o teor de água da camada de fluido superficial que reveste as células da mucosa. Assim, ao contrário dos ductos sudoríparos, não há diferença na concentração de sal da camada

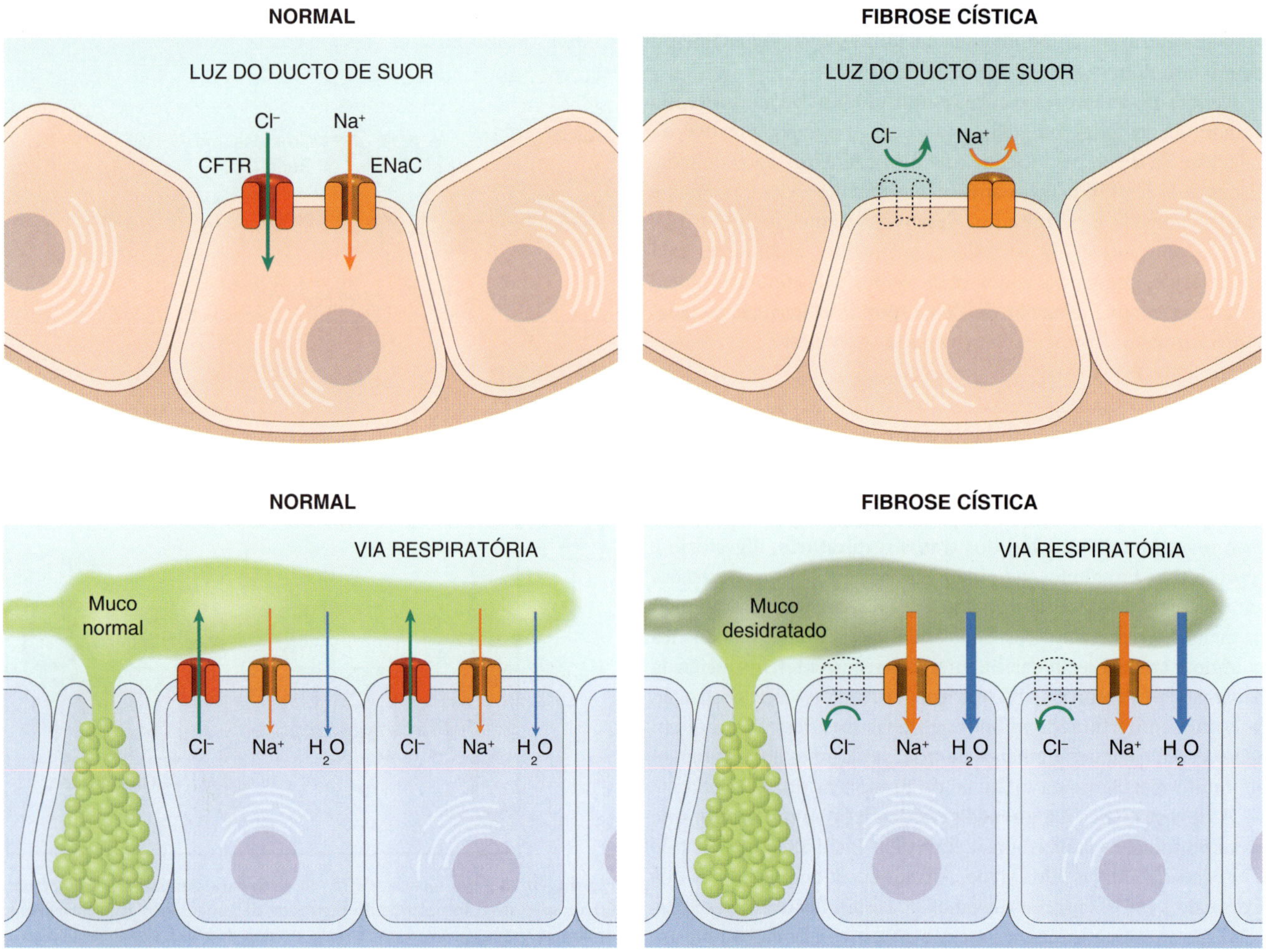

Figura 10.16 Defeito no canal de cloreto de CFTR nos ductos de suor (*em cima*) causa aumento na concentração de cloreto de sódio no suor. Nas vias respiratórias (*embaixo*), os pacientes com fibrose cística apresentam diminuição na secreção de cloreto e aumento da reabsorção de sódio e água, levando à desidratação da camada de muco que reveste as células epiteliais, ação mucociliar defeituosa e obstrução de muco das vias respiratórias. *CFTR*, regulador da condutância transmembrana da fibrose cística; *ENaC*, canal de sódio epitelial.

de fluido superficial que reveste as células mucosas intestinais e respiratórias da em pessoas com fibrose cística em comparação com indivíduos normais. Em vez disso, a patogênese das complicações respiratórias e intestinais na fibrose cística parece originar-se de uma camada de fluido superficial isotônica, mas de baixo volume. Nos pulmões, essa desidratação leva a uma ação mucociliar defeituosa e ao acúmulo de secreções viscosas e hiperconcentradas que obstruem as passagens de ar e predispõem a infecções pulmonares recorrentes

- CFTR *regula o transporte de íons bicarbonato*. O CFTR desempenha um papel direto e indireto na regulação do transporte de bicarbonato através da membrana epitelial apical. O canal aniônico de CFTR não é inteiramente específico para cloreto e também é permeável ao bicarbonato. Além disso, o CFTR tem interações recíprocas com a família SLC26 de trocadores de ânions, que são coexpressos na superfície apical com o CFTR. Em algumas variantes mutantes de *CFTR*, o transporte de cloreto é total ou substancialmente preservado, e o transporte de bicarbonato é acentuadamente anormal. O tecido normal secreta líquidos alcalinos; por outro lado, os líquidos que são ácidos (devido à ausência de íons bicarbonato) são secretados por epitélios que abrigam esses alelos mutantes de *CFTR*. A acidez das secreções resulta em diminuição do pH luminal, o que pode levar a uma série de efeitos adversos, como aumento da precipitação de mucina e tamponamento de ductos e aumento da ligação de bactérias a mucinas obstruídas. A insuficiência pancreática, uma característica da fibrose cística clássica, está quase sempre presente quando há mutações em *CFTR* com condutância anormal de bicarbonato.

Gene da fibrose cística: espectro mutacional e correlação genótipo-fenótipo

Desde que o gene *CFTR* foi clonado em 1989, foram identificadas mais de 2 mil mutações associadas à doença; apenas 5 mutações têm uma frequência relativa de 1% ou mais de genótipos causadores de doença. A maioria das mutações são alterações *missense* (perda de sentido), mas mutações *frameshift* (mudança de quadros de leitura), *splicing* e *nonsense* (sem sentido) também estão presentes. As mutações podem ser agrupadas em seis classes com base em seu efeito na proteína CFTR (**Figura 10.17**). As mutações de classes I a III resultam em menos de 10% da atividade residual de CFTR e são denominadas mutações "graves", e as mutações de classes IV a VI resultam em menos de 20% da atividade residual de CFTR e são chamadas de mutações "brandas":

- Classe I: *síntese defeituosa de proteínas (mutações nulas)*. Essas mutações resultam no término prematuro da tradução da proteína e estão associadas à falta completa da proteína CFTR na superfície apical das células epiteliais
- Classe II: *enovelamento, processamento e tráfego anormais de proteínas (mutações de processamento)*. Essas mutações resultam no processamento defeituoso da proteína do retículo endoplasmático para o aparelho de Golgi; a proteína não é totalmente enovelada e glicosilada e, em vez disso, é degradada antes de atingir a superfície da célula. A mutação de *CFTR* mais comum é a de classe II causada pela deleção de três nucleotídios que codificam para a fenilalanina na posição 508 (ΔF508) do aminoácido. Em todo o mundo, essa mutação pode ser encontrada em aproximadamente 70% dos pacientes caucasianos com fibrose cística. As mutações de classe II estão associadas à falta quase completa da proteína CFTR na superfície apical das células epiteliais
- Classe III: *regulação defeituosa (mutações no processo de abertura [gating])*. As mutações dessa classe impedem a ativação de CFTR, anulando a ligação de ATP e a hidrólise, um prerrequisito essencial para o transporte de íons (ver anteriormente). Assim, existe uma quantidade normal de CFTR na superfície apical, mas ela não é funcional
- Classe IV: *condutância diminuída (mutações de condução)*. Essas mutações ocorrem normalmente no domínio transmembrana de *CFTR*, que forma o poro iônico para o transporte de cloreto. Há uma quantidade normal de CFTR na membrana apical, mas com redução na condução de cloreto
- Classe V: *abundância reduzida (mutações de produção)*. Essas mutações geralmente afetam os locais de *splice* intrônicos ou o promotor *CFTR*, de modo que há uma quantidade reduzida de proteína normal
- Classe VI: *diminuição da estabilidade da membrana CFTR (mutações de instabilidade)*. Essas mutações dão origem a proteínas totalmente processadas e funcionais, mas com estabilidade de membrana bastante reduzida.

Como a fibrose cística é uma doença autossômica recessiva, os indivíduos afetados apresentam mutações em ambos os alelos. No entanto, a natureza das mutações em cada um dos dois alelos pode ter um efeito notável no fenótipo como um todo, bem como nas manifestações específicas de órgão (**Figura 10.18**). Assim, duas mutações "graves" que produzem, na prática, ausência da função de CFTR na membrana estão associadas ao fenótipo de fibrose cística clássico (insuficiência pancreática, infecções sinopulmonares e sintomas gastrintestinais) e a presença de uma mutação "branda" em um ou ambos os alelos resulta em um fenótipo menos grave. Esta máxima geral de correlação genótipo-fenótipo é mais consistente para a doença pancreática, em que a presença de um alelo com uma mutação "branda" associada a alguma atividade de CFTR pode prevenir a insuficiência pancreática que é quase sempre vista com a homozigosidade para mutações "graves". Por outro lado, as correlações genótipo-fenótipo são bem menos consistentes na doença pulmonar, devido ao efeito de modificadores secundários (ver adiante). À medida que o teste genético para mutações em *CFTR* se difundiu, tornou-se evidente que alguns pacientes que apresentam características clínicas aparentemente não relacionadas à fibrose cística também podem abrigar mutações em *CFTR*. Isso inclui indivíduos com pancreatite crônica idiopática, doença pulmonar crônica de início tardio, bronquiectasia idiopática e azoospermia obstrutiva causada pela ausência bilateral dos ductos deferentes (ver discussão detalhada de fenótipos individuais mais adiante). A maioria desses pacientes não demonstra outros traços da fibrose cística, apesar da presença de mutações bialélicas em *CFTR*; esses pacientes são classificados como portadores de fibrose cística atípica ou não clássica. É importante identificar esses indivíduos não apenas para o manejo subsequente, mas também para o aconselhamento genético.

Modificadores genéticos e ambientais

Embora a fibrose cística continue sendo um dos exemplos mais conhecidos do axioma "um gene, uma doença", há evidências consideráveis de que outros genes além do *CFTR* modificam a frequência e a gravidade de certas manifestações específicas de órgãos, especialmente as manifestações pulmonares e íleo meconial neonatal. Não é de se surpreender que polimorfismos

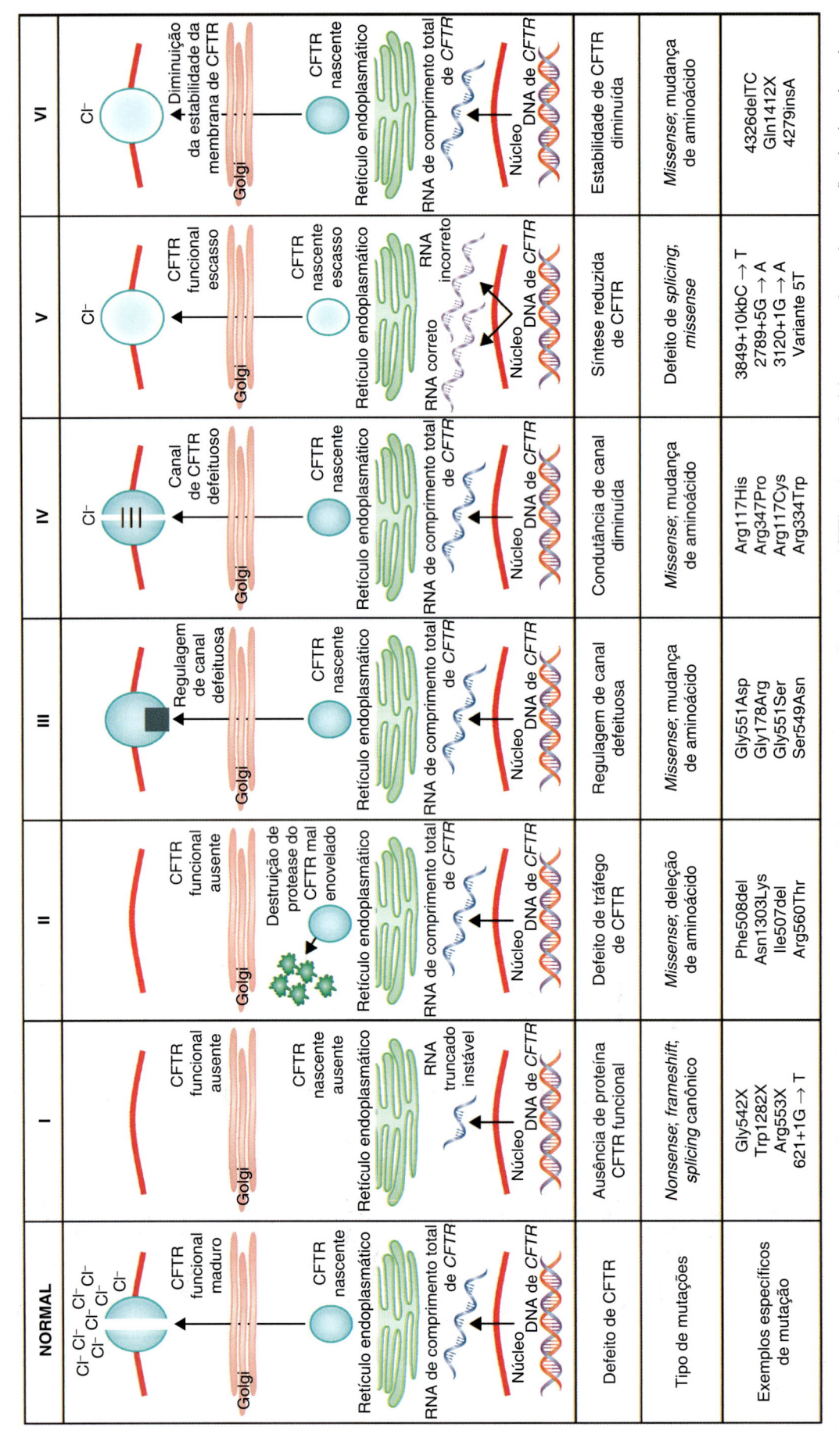

	I	II	III	IV	V	VI
Defeito de CFTR	Ausência de proteína CFTR funcional	Defeito de tráfego de CFTR	Regulagem de canal defeituosa	Condutância de canal diminuída	Síntese reduzida de CFTR	Estabilidade de CFTR diminuída
Tipo de mutações	*Nonsense; frameshift; splicing* canônico	*Missense*; deleção de aminoácido	*Missense*; mudança de aminoácido	*Missense*; mudança de aminoácido	Defeito de *splicing*; *missense*	*Missense*; mudança de aminoácido
Exemplos específicos de mutação	Gly542X Trp1282X Arg553X 621+1G → T	Phe508del Asn1303Lys Ile507del Arg560Thr	Gly551Asp Gly178Arg Gly551Ser Ser549Asn	Arg117His Arg347Pro Arg117Cys Arg334Trp	3849+10kbC → T 2789+5G → A 3120+1G → A Variante 5T	4326delTC Gln1412X 4279insA

Figura 10.17 Classes de mutações em *CFTR*. As mutações no gene regulador da condutância transmembrana da fibrose cística (*CFTR*) podem ser divididas em seis classes. As mutações de classe I resultam em ausência de produção de proteína. As mutações de classe II (incluindo as mais prevalentes, Phe508del ou ΔF508) causam retenção de uma proteína mal enovelada no retículo endoplasmático e subsequente degradação no proteassoma. As mutações de classe III afetam a regulação do canal, prejudicando sua abertura (p. ex., Gly551Asp). As mutações de classe IV apresentam condução reduzida – isto é, fluxo diminuído de íons (p. ex., Arg117His). As mutações de classe V causam redução substancial no mRNA ou na proteína, ou ambos. As mutações de classe VI causam instabilidade substancial da membrana plasmática. (Reproduzida de Elborn JS: Cystic fibrosis, *Lancet* 388:2519-2531, 2016, de Boyle MP, De Boeck K: A new era in the treatment of cystic fibrosis: correction of the underlying CFTR defect, *Lancet Respir Med* 1:158-163, 2013.)

Nível da função de CFTR	< 5%	< 10%	< 20%	50%
Seios paranasais	Sinusite crônica grave	Sinusite crônica moderada		Aumento da taxa de sinusite crônica
Pulmões	Doença pulmonar grave	Doença pulmonar variável		Aumento da taxa de doenças pulmonares
Glândulas sudoríparas	Alto teor de cloreto no suor	Teor intermediário de cloreto no suor		
Pâncreas	Insuficiência pancreática	Suficiência pancreática		
Intestinos	Íleo meconial	Síndrome de obstrução intestinal distal		
Ductos deferentes	Ductos deferentes ausentes			Aumento do risco de ductos deferentes ausentes

Figura 10.18 As muitas manifestações clínicas de mutações no gene da fibrose cística, desde as mais graves até as assintomáticas. (Modificada de Chang EH e Zabner J: Precision genomic medicine in cystic fibrosis, *Clin Transl Sci* 8(5):606-610, 2015.)

em genes cujos produtos modulam a função dos neutrófilos em resposta a infecções bacterianas atuem como *loci* modificadores da gravidade da doença pulmonar na fibrose cística. Exemplos de tais genes modificadores incluem a lectina ligadora de manose 2 (*MBL2*), o fator transformador de crescimento β1 (*TGF-β1*) e o regulador de desenvolvimento relacionado à interferona 1 (*IFRD1*). Postula-se que polimorfismos nesses genes regulam a resistência dos pulmões a infecções exógenas por microrganismos virulentos (ver adiante), modificando assim a história natural da fibrose cística.

Os modificadores ambientais também podem explicar algumas das significativas diferenças fenotípicas entre indivíduos que compartilham o mesmo genótipo *CFTR*. Esse fato é mais bem exemplificado na doença pulmonar, onde as correlações genótipo-fenótipo *CFTR* podem ser desconcertantes. Como afirmado anteriormente, a ação mucociliar defeituosa devido à hidratação deficiente do muco resulta em uma incapacidade de limpar as bactérias das vias respiratórias. As espécies de *Pseudomonas aeruginosa*, em particular, colonizam o trato respiratório inferior, primeiro de forma intermitente e depois de forma crônica. Infecções virais concomitantes predispõem a esse tipo de colonização. O muco estático cria um microambiente hipóxico no líquido da superfície das vias respiratórias, que por sua vez favorece a produção de alginato, uma cápsula de polissacarídeo mucoide, pelas bactérias colonizadoras. A produção de alginato permite a formação de um biofilme que protege as bactérias de anticorpos e antibióticos, permitindo-lhes escapar das defesas do hospedeiro e produzir uma doença pulmonar destrutiva crônica. As reações imunológicas mediadas por células e anticorpos induzidas pelos organismos resultam em destruição pulmonar adicional, mas são ineficazes contra o organismo. Aproximadamente 80% dos pacientes com fibrose cística são colonizados por *Pseudomonas aeruginosa* por volta dos 20 anos. A colonização crônica por essas bactérias é um fator significativo que contribui para a morbidade e a mortalidade da fibrose cística.

É evidente, portanto, que além de fatores genéticos (p. ex., a classe da mutação), uma infinidade de modificadores ambientais (p. ex., infecções intercorrentes e simultâneas por microrganismos) pode influenciar a gravidade e a progressão da doença pulmonar na fibrose cística.

> **Morfologia**
>
> As alterações anatômicas são altamente variáveis em distribuição e gravidade. Em indivíduos com fibrose cística não clássica, a doença é bastante leve e não atrapalha gravemente o crescimento e o desenvolvimento dos pacientes. Em outros, o envolvimento pancreático é grave e prejudica a absorção intestinal por causa da insuficiência pancreática (ver **Capítulo 19**), portanto, a má absorção retarda o desenvolvimento e o crescimento pós-natal. Em outros, o defeito na secreção de muco leva à ação mucociliar defeituosa, obstrução dos brônquios e bronquíolos e infecções pulmonares incapacitantes e fatais. Em todas as variantes, as **glândulas sudoríparas não são afetadas morfologicamente**.
>
> **Anormalidades pancreáticas** estão presentes em aproximadamente 85 a 90% dos pacientes com fibrose cística. Nos casos mais leves, pode haver apenas acúmulo de muco nos pequenos ductos com alguma dilatação das glândulas exócrinas. Em casos mais graves, geralmente vistos em crianças mais velhas ou adolescentes, os ductos estão completamente obstruídos, causando atrofia das glândulas exócrinas e fibrose progressiva (**Figura 10.19**). Pode ocorrer atrofia da porção exócrina do pâncreas, deixando apenas ilhotas dentro de um estroma fibroadiposo. A perda de secreção exócrina pancreática prejudica a absorção de gordura e a avitaminose A associada pode contribuir para a metaplasia escamosa do epitélio que reveste o ducto pancreático, que já está lesionado pelas secreções de muco espessadas. Tampões viscosos e espessos de muco também podem ser encontrados no intestino delgado dos lactentes. Às vezes, eles causam obstrução do intestino delgado, conhecida como **íleo meconial**.
>
> O **envolvimento do fígado** segue o mesmo padrão básico. Os canalículos biliares são obstruídos por material mucoide, acompanhados por proliferação ductular e inflamação portal. A **esteatose** hepática não é um achado incomum em biopsias do fígado. Com o tempo, a **cirrose biliar focal** se desenvolve em cerca de um terço dos pacientes (ver **Capítulo 18**), o que pode acabar envolvendo todo o fígado, resultando em nodularidade hepática difusa. Esse envolvimento hepático grave é encontrado em menos de 10% dos pacientes.
>
> As **glândulas salivares** frequentemente apresentam alterações histológicas semelhantes às descritas no pâncreas: dilatação progressiva dos ductos, metaplasia escamosa do epitélio de revestimento e atrofia glandular seguida de fibrose.

As **alterações pulmonares** são as complicações mais graves dessa doença (**Figura 10.20**). Elas se originam das secreções de muco viscoso das glândulas submucosas da árvore respiratória, levando à obstrução secundária e infecção das vias respiratórias. Os bronquíolos costumam estar distendidos com muco espesso associado a hiperplasia acentuada e hipertrofia das células secretoras de muco. As infecções sobrepostas dão origem a bronquite crônica grave e bronquiectasia (ver **Capítulo 15**). Em muitos casos, ocorrem abscessos pulmonares. *Staphylococcus aureus, Haemophilus influenzae* e *Pseudomonas aeruginosa* são os três organismos mais comuns responsáveis por infecções pulmonares. Como mencionado anteriormente, uma forma mucoide de *P. aeruginosa* (produtora de alginato) é especialmente frequente e causa inflamação crônica. Ainda mais ameaçadora é a frequência crescente de infecção por outro grupo de pseudomonas, o complexo *Burkholderia cepacia*, que inclui pelo menos nove espécies diferentes; destas, as infecções por *B. cenocepacia* são as mais comuns em pacientes com fibrose cística. Essa bactéria oportunista é particularmente resistente, e a infecção por esse organismo tem sido associada a doença fulminante ("síndrome cepacia"), internações hospitalares mais longas e aumento da mortalidade. Outros patógenos bacterianos oportunistas incluem *Stenotrophomonas maltophilia* e micobactérias não tuberculosas; a aspergilose broncopulmonar alérgica também ocorre com frequência aumentada na fibrose cística.

Azoospermia e infertilidade são encontradas em 95% dos homens que sobrevivem até a idade adulta; a **ausência bilateral congênita dos canais deferentes** é um achado frequente nesses pacientes. Em alguns homens, a ausência bilateral dos canais deferentes pode ser a única característica que sugere uma mutação subjacente de *CFTR*.

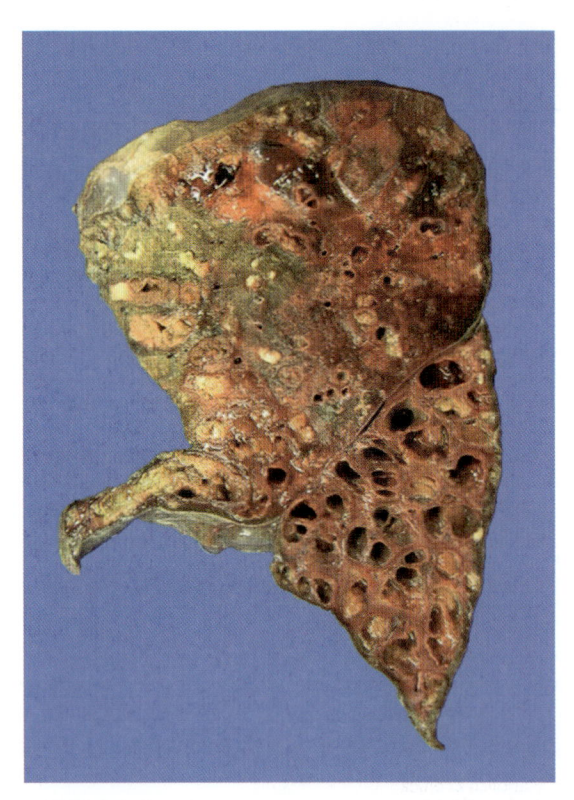

Figura 10.20 Pulmões de um paciente que morreu de fibrose cística. Há extensa obstrução por muco e dilatação da árvore traqueobrônquica. O parênquima pulmonar encontra-se consolidado por uma combinação de secreções e pneumonia – a cor verde associada à infecção por *Pseudomonas*.

Características clínicas

Poucas doenças infantis são tão multifacetadas em suas manifestações clínicas quanto a fibrose cística (**Tabela 10.3; Figura 10.18**). Os sintomas são extremamente variados e podem aparecer desde o nascimento até anos mais tarde, e acometer um ou vários sistemas de órgãos. Aproximadamente 5 a 10% dos casos chegam à atenção clínica ao nascimento ou logo depois, por causa do íleo meconial.

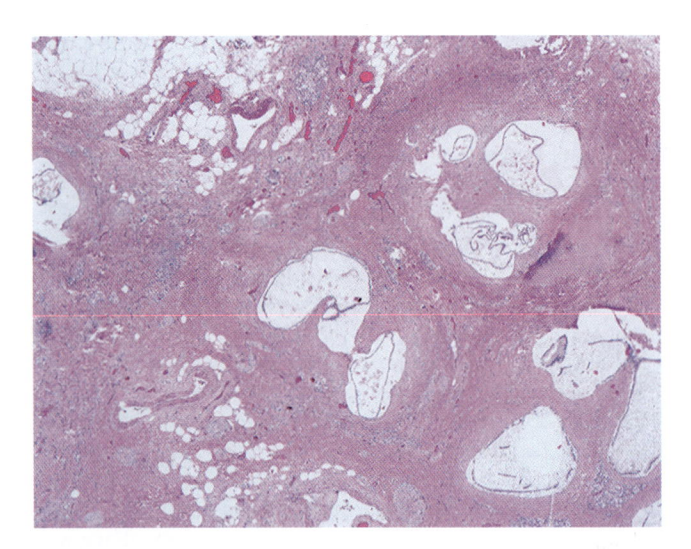

Figura 10.19 Doença pancreática em estágio terminal na fibrose cística. Os ductos estão marcadamente dilatados e as glândulas exócrinas estão destruídas e substituídas por tecido fibroso.

A obstrução intestinal distal também pode ocorrer em indivíduos mais velhos, manifestando-se como episódios recorrentes de dor no quadrante inferior direito, às vezes associada a uma massa palpável de mecônio, com ou sem intussuscepção associada, na fossa ilíaca direita.

A *insuficiência pancreática exócrina* ocorre na maioria (85 a 90%) dos pacientes com fibrose cística e está associada a mutações "graves" de *CFTR* em *ambos* os alelos (p. ex., ΔF508/ΔF508), enquanto 10 a 15% dos pacientes com uma mutação "grave" e uma "leve" (p. ex., ΔF508/R117H) em *CFTR* ou duas mutações "leves" em *CFTR* retêm suficiente função exócrina pancreática para não precisar de suplementação enzimática (fenótipo pâncreas-suficiente). A insuficiência pancreática está associada à má absorção de proteína e gordura e aumento da perda fecal. Manifestações de má absorção (p. ex., fezes volumosas e com odor fétido, distensão abdominal e baixo ganho de peso) podem surgir durante o primeiro ano de vida. A absorção deficiente de gordura pode induzir deficiência de vitaminas lipossolúveis, resultando em manifestações de avitaminose A, D, E ou K. A hipoproteinemia pode ser grave o suficiente para causar edema generalizado. A diarreia persistente pode resultar em prolapso retal em até 10% das crianças com essa doença. O fenótipo pâncreas-suficiente geralmente não está associado a outras complicações gastrintestinais e, em geral, esses indivíduos apresentam crescimento e desenvolvimento excelentes. Um subgrupo de pacientes com fibrose cística pâncreas-suficiente apresenta episódios recorrentes de pancreatite associada a dor abdominal aguda e, ocasionalmente, complicações com risco de vida. Esses pacientes apresentam outras características da fibrose cística clássica, como doença pulmonar. A pancreatite

Tabela 10.3 Características clínicas e critérios de diagnóstico para fibrose cística.

Características clínicas da fibrose cística

1. Doença sinopulmonar crônica manifestada por
   a. Colonização/infecção persistente com patógenos típicos da fibrose cística, incluindo *Staphylococcus aureus*, *Haemophilus influenzae* não tipável, *Pseudomonas aeruginosa* mucoide e não mucoide, *Burkholderia cepacia*
   b. Tosse crônica e produção de expectoração
   c. Anormalidades persistentes na radiografia de tórax (p. ex., bronquiectasia, atelectasia, infiltrados, hiperinsuflação)
   d. Obstrução das vias respiratórias manifestada por chiado e aprisionamento de ar
   e. Pólipos nasais; anormalidades radiográficas ou de tomografia computadorizada dos seios paranasais
   f. Baqueteamento digital
2. Anormalidades gastrintestinais e nutricionais, incluindo
   a. Intestinais: íleo meconial, síndrome de obstrução intestinal distal, prolapso retal
   b. Pancreáticas: insuficiência pancreática, pancreatite aguda recorrente, pancreatite crônica
   c. Hepáticas: doença hepática crônica manifestada por evidências clínicas ou histológicas de cirrose biliar focal ou cirrose multilobular, icterícia neonatal prolongada
   d. Nutricionais: deficiência de crescimento (má nutrição aguda grave), hipoproteinemia, edema, complicações secundárias à deficiência de vitaminas lipossolúveis
3. Síndromes de perda de sal: depleção aguda de sal, alcalose metabólica crônica
4. Anormalidades urogenitais masculinas resultando em azoospermia obstrutiva (ausência congênita bilateral dos canais deferentes)

Critérios para diagnóstico de fibrose cística

Um ou mais traços fenotípicos característicos, OU
um histórico de fibrose cística em um irmão, pai ou filho, OU
um resultado de teste de triagem neonatal positivo
E
Uma concentração aumentada de cloreto no suor, OU
uma concentração de cloreto no suor na faixa intermediária E
   identificação de duas mutações em *CFTR* causadoras de doenças, OU
uma concentração de cloreto no suor na faixa intermediária E
   demonstração de transporte anormal de íons epiteliais nasais
   (diferença de potencial nasal ou medição de corrente intestinal)

Modificada com permissão de Farrell PM, White TB, Ren CL, et al: Diagnosis of cystic fibrosis: consensus guidelines from the Cystic Fibrosis Foundation, *J Pediatr* 181S:S4-S15, 2017.

crônica "idiopática" também pode ocorrer como um achado isolado de início tardio na ausência de outros estigmas de fibrose cística (ver **Capítulo 19**); mutações bialélicas de *CFTR* (geralmente uma "leve" e uma "grave") são demonstráveis na maioria desses indivíduos que têm fibrose cística não clássica ou atípica. A insuficiência pancreática endócrina (*i. e.*, diabetes melito) ocorre em até 50% dos adultos com fibrose cística e acredita-se que seja causada por destruição grave do parênquima pancreático, incluindo as ilhotas.

Complicações cardiorrespiratórias, como infecções pulmonares persistentes, doença pulmonar obstrutiva e *cor pulmonale*, são a causa mais comum de morte (cerca de 80%) em pacientes com fibrose cística nos EUA. Por volta dos 18 anos, 80% dos pacientes com fibrose cística clássica são portadores de *P. aeruginosa* e 3,5% de *B. cepacia*. Com o uso indiscriminado de profilaxia antibiótica contra *Staphylococcus*, houve um lamentável ressurgimento de cepas resistentes de *Pseudomonas* em muitos pacientes. Os indivíduos que apresentam uma mutação "grave" e uma "leve" de *CFTR* podem desenvolver doença pulmonar leve de início tardio,

outro exemplo de fibrose cística atípica ou não clássica. Pacientes com doença pulmonar leve geralmente apresentam pouca ou nenhuma doença pancreática. A bronquiectasia "idiopática" de início na idade adulta foi associada a mutações em *CFTR* em um subconjunto de casos. Pólipos nasossinusais recorrentes podem ocorrer em 10 a 25% dos indivíduos com fibrose cística; portanto, as crianças que apresentam esse achado devem ser testadas quanto à fibrose cística.

A *doença hepática significativa* ocorre no final da história natural da fibrose cística e está ganhando importância clínica com o aumento da expectativa de vida. Na verdade, após complicações cardiopulmonares e relacionadas a transplante, a doença hepática é a causa mais comum de morte na fibrose cística. A maioria dos estudos sugere que a doença hepática sintomática ou bioquímica tem seu início na puberdade ou próximo a esse período, com uma prevalência de aproximadamente 13 a 17%. No entanto, hepatomegalia assintomática pode estar presente em até um terço dos indivíduos. A obstrução do ducto biliar comum pode ocorrer devido a cálculos ou lama; ela se evidencia por dor abdominal e início agudo de icterícia. Como observado anteriormente, a cirrose biliar difusa se desenvolve em menos de 10% dos indivíduos com fibrose cística.

Aproximadamente 95% dos homens com fibrose cística são inférteis, como resultado da *azoospermia obstrutiva*. Conforme mencionado anteriormente, isso acontece, com mais frequência, devido à ausência bilateral congênita dos canais deferentes, que é causada em 80% dos casos por mutações bialélicas em *CFTR*.

Na maioria dos casos, o diagnóstico de fibrose cística baseia-se em concentrações de eletrólitos no suor persistentemente elevadas (muitas vezes a mãe faz o diagnóstico ao reconhecer o suor anormalmente salgado do lactente), achados clínicos característicos (doença sinopulmonar e manifestações gastrintestinais), um teste de triagem neonatal anormal, ou uma história familiar. O teste de triagem neonatal mais comum é baseado na medição do nível sanguíneo de tripsinogênio imunorreativo, que é produzido pelo pâncreas, e níveis elevados são o resultado de lesão pancreática. Uma minoria dos pacientes com fibrose cística, especialmente aqueles com pelo menos uma mutação "leve" em *CFTR*, pode apresentar um teste de suor normal ou quase normal (< 60 mM). A medição da diferença de potencial nasal transepitelial *in vivo* pode ser um complemento útil nessas circunstâncias; indivíduos com fibrose cística demonstram uma diferença de potencial nasal basal significativamente mais negativa do que os controles. Em pacientes com um teste de triagem positivo, achados clínicos sugestivos ou história familiar (ou mais de um destes itens), a análise genética é justificada. O sequenciamento do gene *CFTR* é o padrão-ouro para o diagnóstico de fibrose cística.

Houve grandes avanços no tratamento das complicações agudas e crônicas da fibrose cística, incluindo terapias antimicrobianas mais potentes, reposição de enzimas pancreáticas e transplante bilateral de pulmão. Novas modalidades de tratamento para restaurar a função de *CFTR* mutante estão sendo testadas em ensaios clínicos. Com base no defeito molecular, três classes de agentes estão sendo desenvolvidas:

- *Potenciadores*. Esses agentes mantêm o "portão" do canal de CFTR aberto. Portanto, são mais úteis em mutações de *gating* (classe III) e de condução (classe IV). Eles também são úteis para pacientes com mutações de produção (classe V), melhorando a função de quantidades reduzidas de CFTR

- *Corretores.* Esses agentes auxiliam no enovelamento adequado da proteína CFTR, aumentando, assim, seu tráfego para a superfície celular. Portanto, eles têm o potencial de ajudar os pacientes com mutações de processamento (classe II). Isso inclui pacientes com ΔF508, a mutação mais comum de *CFTR*
- *Amplificadores.* Esses agentes aumentam a quantidade de proteína CFTR que a célula produz e, portanto, podem ser úteis para pacientes com mutações de produção (classe V).

Uma terapia combinada, que consiste em um agente "potenciador" e uma pequena molécula que é um "corretor" de CFTR, foi aprovada para o tratamento de pacientes com duas cópias de ΔF508, a mutação de *CFTR* mais comum. Para o tratamento de pacientes com mutações *nonsense* de classe I, moléculas que permitem a "transleitura ribossômica" de códons de parada prematura estão em preparação. Essa terapia também está sendo testada em distrofias musculares nas quais códons de parada impedem a síntese de distrofina (ver **Capítulo 27**). No geral, as melhorias no tratamento da fibrose cística estenderam a expectativa de vida média para 50 anos.

Síndrome de morte súbita do lactente

De acordo com o National Institute of Child Health and Human Development, a **síndrome de morte súbita do lactente (SMSL)** é definida como "a morte súbita de um lactente com menos de 1 ano que permanece inexplicada após uma investigação completa do caso, incluindo a realização de uma necropsia completa, análise do local da morte e revisão da história clínica". É importante enfatizar que muitos casos de morte súbita na infância podem ter uma base anatômica ou bioquímica inesperada que pode ser discernida na necropsia (**Tabela 10.4**), e não devem ser rotulados como SMSL, mas sim como morte súbita e inesperada do lactente (MSIL). O CDC estima que a SMSL seja responsável por aproximadamente metade dos casos de MSIL nos EUA. Um aspecto da SMSL que não é enfatizado na definição é que o lactente costuma morrer durante o sono, principalmente na posição prona ou lateral, daí os pseudônimos de morte no berço.

Epidemiologia

Como as mortes infantis devido a problemas nutricionais e infecções estão sob controle em países de alta renda, a SMSL assumiu maior importância, inclusive nos EUA, sendo a principal causa de morte entre 1 mês e 1 ano nesse país e a quarta causa de morte geral na infância, após anomalias congênitas, doenças da prematuridade e baixo peso ao nascer e complicações maternas. Principalmente por causa das campanhas nacionais, como "Dormindo de Costas" (*Back to Sleep,* em inglês) (agora "Seguro para Dormir", ou *Safe to Sleep*, em inglês), houve uma queda significativa na mortalidade relacionada à SMSL, de cerca de 120 mortes a cada 100 mil nascidos vivos em 1992 para 35 a cada 100 mil em 2017. Esse número se traduz em cerca de 1.360 mortes devido à SMSL nos EUA. Apesar do declínio da SMSL e da MSIL em todas as raças e etnias, a taxa de MSIL entre lactentes negros não hispânicos (70 a cada 100 mil nascidos vivos) e indígenas norte-americanos/nativos do Alasca (77 a cada 100 mil nascidos vivos) era mais do que o dobro dos lactentes brancos hispânicos (35 a cada 100 mil nascidos vivos) em 2017. As taxas de SMSL para crianças asiáticas/das ilhas do Pacífico e hispânicas eram muito mais baixas do que a taxa para crianças brancas não hispânicas. As diferenças na prevalência da posição supina e outras condições ambientais do sono entre as populações racializadas e étnicas podem contribuir para essas disparidades. Em todo o mundo, em países onde mortes infantis inesperadas são diagnosticadas como SMSL somente após o exame *post-mortem*, as taxas de mortalidade por SMSL variam de 10 por 100 mil nascidos vivos na Holanda a 80 por 100 mil na Nova Zelândia.

Tabela 10.4 Fatores de risco e achados *post-mortem* associados à síndrome de morte súbita do lactente.

Parentais
Idade materna jovem (menos de 20 anos)
Tabagismo materno durante a gravidez
Uso abusivo de drogas ilícitas por *qualquer* um dos progenitores, especificamente uso de maconha pelo pai e opiáceos e cocaína pela mãe
Intervalos intergestacionais curtos
Atendimento pré-natal tardio ou ausente
Grupo socioeconômico baixo
Etnia afro-americana e indígena norte-americana (fatores socioeconômicos)
Infantis
Anormalidades do tronco encefálico, associadas ao atraso no desenvolvimento do despertar e controle cardiorrespiratório
Prematuridade e/ou baixo peso ao nascer
Sexo masculino
Produto de um nascimento múltiplo
SMSL em um irmão anterior
Infecções respiratórias precedentes
Polimorfismos da linha germinativa em genes do sistema nervoso autônomo
Ambientais
Posição de dormir prona ou lateral
Dormir em uma superfície macia
Hipertermia
Compartilhamento da cama nos primeiros 3 meses de vida
Anormalidades *post-mortem* detectadas em casos de morte súbita inesperada do lactente (MSIL)[a]
Infecções
Miocardite viral
Broncopneumonia
Anomalia congênita insuspeitada
Estenose aórtica congênita
Origem anômala da artéria coronária esquerda a partir da artéria pulmonar
Abuso infantil traumático
Asfixia intencional (filicídio)
Defeitos genéticos e metabólicos
Síndrome do QT longo (mutações em *SCN5A* e *KCNQ1*)
Distúrbios da oxidação de ácidos graxos (mutações em *MCAD, LCHAD, SCHAD*)
Cardiomiopatia histiocitoide (mutações em *MTCYB*)
Resposta inflamatória anormal (deleções parciais em *C4a* e *C4b*)

[a]A SMSL não é a única causa de MSILs, mas sim um diagnóstico de exclusão. Portanto, a realização de uma necropsia pode, com frequência, revelar achados que explicariam a causa de uma MSIL. Esses casos *não* devem, estritamente falando, ser rotulados como "SMSL".

C4, componente 4 do complemento; *KCNQ1,* membro 1 da subfamília semelhante a KQT do canal de potássio controlado por voltagem; *LCHAD,* 3-hidroxiacil coenzima A desidrogenase de cadeia longa; *MCAD,* acetil coenzima A desidrogenase de cadeia média; *MTCYB,* citocromo b mitocondrial; *SCHAD,* 3-hidroxiacil coenzima A desidrogenase de cadeia curta; *SCN5A,* canal de sódio, controlado por voltagem, tipo V, subunidade alfa.

Aproximadamente 90% de todas as mortes por SMSL ocorrem durante os primeiros 6 meses de vida, a maioria entre 2 e 4 meses. Essa estreita janela de suscetibilidade máxima é uma característica única que independe de outros fatores de risco (a serem descritos) e da localização geográfica. A maioria dos lactentes que morrem de SMSL morre em casa, geralmente durante a noite, após um período de sono.

Morfologia

Em lactentes que morreram com suspeita de SMSL, foram relatados vários achados no exame *post-mortem*. Eles geralmente são sutis e de significado incerto e não estão presentes em todos os casos. Petéquias múltiplas são o achado mais comum (cerca de 80% dos casos); geralmente estão presentes no timo, na pleura visceral e parietal e no epicárdio. Macroscopicamente, os pulmões em geral estão congestionados e o ingurgitamento vascular com ou sem edema pulmonar pode ser demonstrado microscopicamente na maioria dos casos. Essas alterações possivelmente representam eventos agônicos, porque são encontradas com frequências comparáveis em mortes súbitas explicadas na infância. Dentro do sistema respiratório superior (laringe e traqueia), pode haver alguma evidência histológica de infecção recente (correlacionada com os sintomas clínicos), embora as alterações não sejam suficientemente graves para explicar a morte e não devam excluir o diagnóstico de SMSL. O SNC exibe astrogliose do tronco encefálico e cerebelo. Estudos morfométricos sofisticados revelaram anormalidades quantitativas do tronco encefálico, como hipoplasia do núcleo arqueado ou uma diminuição nas populações de neurônios do tronco encefálico em vários casos; essas observações não são uniformes, no entanto. Achados inespecíficos incluem persistência frequente de hematopoese extramedular hepática e tecido adiposo marrom periadrenal; é tentador especular que esses últimos achados estejam relacionados à hipoxemia crônica, retardo do desenvolvimento normal e estresse crônico. Assim, a necropsia geralmente não consegue fornecer uma causa clara da morte, e isso pode estar relacionado à heterogeneidade etiológica da SMSL. A importância de um exame *post-mortem* reside na identificação de outras causas de MSIL, como infecção insuspeitada, anomalia congênita ou um distúrbio genético (ver **Tabela 10.4**), sendo que a presença de qualquer uma dessas excluiria o diagnóstico de SMSI; e também na exclusão da infeliz possibilidade de abuso infantil traumático.

Patogênese

As circunstâncias que envolvem a SMSL foram exploradas em grande detalhe e é geralmente aceita que é uma condição multifatorial. **Foi proposto um modelo de "risco triplo" para SMSL, que postula a interseção de três fatores sobrepostos: (1) um lactente vulnerável; (2) um período crítico de desenvolvimento no controle homeostático; e (3) um estressor exógeno.** De acordo com esse modelo, vários fatores tornam o lactente vulnerável à morte súbita durante o período crítico de desenvolvimento (*i. e.*, os primeiros 6 meses de vida). Esses fatores de vulnerabilidade podem estar relacionados aos pais, ao lactente ou a estressores ambientais exógenos (ver **Tabela 10.4**).

Embora vários fatores tenham sido propostos para explicar uma criança vulnerável, a hipótese mais convincente é que a SMSL reflete um atraso no desenvolvimento do "despertar" e do controle cardiorrespiratório. O tronco encefálico, e em especial a bulbo, desempenha um papel crítico na resposta de "despertar" do corpo a estímulos nocivos, como hipercapnia episódica, hipoxia e estresse térmico encontrados durante o sono. O sistema serotoninérgico (5-HT) da medula está implicado nessas respostas de "despertar", bem como na regulação de outras funções homeostáticas cruciais, como impulso respiratório, pressão arterial e reflexos das vias respiratórias superiores. Anormalidades na sinalização dependente da serotonina no tronco encefálico podem ser a base subjacente para a SMSL em alguns recém-nascidos.

Estudos epidemiológicos e genéticos identificaram fatores de vulnerabilidade adicionais para a SMSL no modelo de "risco triplo". Lactentes nascidos pré-termo ou com baixo peso ao nascer apresentam risco maior, que aumenta com a diminuição da idade gestacional ou do peso ao nascer. O sexo masculino está associado a uma incidência ligeiramente maior de SMSL. A SMSL em um irmão anterior está associada a um risco relativo cinco vezes maior de recorrência, destacando a importância de uma predisposição genética; o abuso infantil traumático deve ser cuidadosamente excluído sob essas circunstâncias. A maioria dos lactentes que sofreram SMSL tem uma história anterior imediata de infecção leve do trato respiratório, mas nenhum organismo causador único foi isolado. Essas infecções podem predispor um lactente já vulnerável a um comprometimento ainda maior do controle cardiorrespiratório e despertar atrasado. Nesse contexto, os quimiorreceptores laríngeos surgiram como um suposto "elo perdido" entre as infecções do trato respiratório superior, a posição prona e a SMSL. Quando estimulados, esses quimiorreceptores laríngeos geralmente provocam um reflexo cardiorrespiratório inibitório. A estimulação dos quimiorreceptores é potencializada por infecções do trato respiratório, que aumentam o volume das secreções, e pela posição prona, que prejudica a deglutição e a desobstrução das vias respiratórias, mesmo em lactentes saudáveis. Em um lactente previamente vulnerável com resposta de despertar prejudicada, o reflexo cardiorrespiratório inibitório resultante pode ser fatal. Fatores de vulnerabilidade genética em lactentes incluem polimorfismos de genes relacionados à sinalização serotoninérgica e à inervação autonômica, apontando para a importância desses processos na fisiopatologia da SMSL.

O tabagismo materno durante a gravidez apareceu de forma consistente como um fator de risco em estudos epidemiológicos da SMSL, mostrando que crianças expostas à nicotina *in utero* têm mais que o dobro do risco de SMSL em comparação com crianças nascidas de não fumantes. A baixa idade materna, partos frequentes e cuidados pré-natais inadequados constituem fatores de risco associados ao aumento da incidência de SMSL.

Entre os possíveis "estressores ambientais", dormir nas posições de bruços ou de lado, dormir com os pais nos primeiros 3 meses, dormir em superfícies macias e o estresse térmico são, provavelmente, os fatores de risco modificáveis mais importantes para a SMSL. As posições prona ou lateral predispõem um lactente a um ou mais estímulos nocivos reconhecidos (hipoxia, hipercapnia e estresse térmico) durante o sono. A posição lateral era considerada uma alternativa confiável à posição prona para dormir, mas a American Academy of Pediatrics agora reconhece a posição supina para dormir como a única posição segura que reduz o risco de SMSL. Essa campanha "Dormindo de Costas" resultou em reduções substanciais nas mortes relacionadas a SMSL desde o seu início em 1994.

A SMSL é um diagnóstico de exclusão, que exige um exame cuidadoso da cena da morte e um exame *post-mortem* completo. Esse último pode revelar uma causa insuspeitada de morte súbita em até 20% ou mais dos lactentes com "SMSL". As infecções (p. ex., miocardite viral ou broncopneumonia) são as causas mais comuns de morte súbita "inesperada", seguida por anomalias congênitas insuspeitadas. Em parte, devido aos avanços no diagnóstico molecular e no conhecimento do genoma humano, surgiram várias causas genéticas para a morte infantil "inesperada" súbita (ver **Tabela 10.4**). Por exemplo, distúrbios de oxidação dos ácidos graxos, caracterizados por defeitos nas enzimas oxidativas de ácidos graxos mitocondriais, podem ser responsáveis por até 5% das MSILs.

Neoplasias e lesões semelhantes a neoplasias da lactância e da infância

Apenas 2% de todas as neoplasias malignas ocorrem na lactância e na infância; no entanto, o câncer (incluindo a leucemia) é responsável por aproximadamente 16% das mortes de crianças entre 5 e 14 anos nos EUA, e apenas os acidentes causam um número significativamente maior de mortes. As neoplasias benignas são ainda mais comuns do que os cânceres. A maioria das neoplasias benignas pouco preocupa, mas, às vezes, causa complicações graves devido à localização ou ao tamanho.

Às vezes é difícil separar, por motivos morfológicos, tumores ou neoplasias verdadeiras de lesões semelhantes a neoplasias no lactente e na criança. Nesse contexto, duas categorias especiais de lesões semelhantes a neoplasia devem ser distinguidas das neoplasias verdadeiras:

- O termo *heterotopia* (ou *coristoma*) é aplicado a células ou tecidos microscopicamente normais que estão presentes em locais anormais. Exemplos de heterotopias incluem um resto de tecido pancreático encontrado na parede do estômago ou do intestino delgado, ou uma pequena massa de células adrenais encontrada nos rins, pulmões ou ovários. Esses resíduos heterotópicos geralmente têm pouca importância, mas podem ser confundidos clinicamente com neoplasias. Raramente eles são locais de origem de neoplasias verdadeiras, produzindo paradoxos como um carcinoma adrenal surgindo no ovário

- O termo *hamartoma* refere-se a um crescimento excessivo e focal de células e tecidos nativos ao órgão em que ocorre. Embora os elementos celulares sejam maduros e idênticos aos encontrados no restante do órgão, eles não reproduzem a arquitetura normal do tecido circundante. A linha de demarcação entre um hamartoma e uma neoplasia benigna geralmente não é clara porque ambas as lesões podem ser clonais. Hemangiomas, linfangiomas, rabdomiomas do coração, adenomas do fígado e cistos de desenvolvimento dentro dos rins, pulmões ou pâncreas são interpretados por alguns como hamartomas e por outros como neoplasias verdadeiras. Sua histologia inequivocamente benigna, entretanto, não exclui a ocorrência de problemas clínicos incômodos e raramente fatais em alguns casos.

Neoplasias benignas e lesões semelhantes a neoplasias

Praticamente qualquer neoplasia pode ser encontrada em crianças, mas dentro dessa ampla gama os hemangiomas, as lesões fibrosas e os teratomas merecem menção especial. Você perceberá que as neoplasias mais comuns da infância são os tumores de partes moles de origem mesenquimal. Isso contrasta com os adultos, nos quais as neoplasias mais comuns, benignas ou malignas, têm origem epitelial. As neoplasias benignas de variados tecidos são descritas com mais detalhes nos capítulos apropriados; aqui, faremos alguns comentários suas características especiais na infância.

Hemangioma

Os hemangiomas são as neoplasias mais comuns da lactância (ver **Capítulo 11**). Arquitetonicamente, eles não diferem daqueles que ocorrem em adultos. Tanto hemangiomas cavernosos quanto capilares podem ser encontrados, embora os últimos costumem ser mais celulares do que nos adultos, uma característica que é enganosamente preocupante. Em crianças, a maioria está localizada na pele, principalmente na face e no couro cabeludo, onde produzem massas planas a elevadas, irregulares, de cor vermelho-azulada; algumas das lesões planas e maiores (consideradas ectasias vasculares por alguns) são chamadas de *manchas vinho do Porto*. Os hemangiomas podem aumentar com o crescimento da criança, mas em muitos casos eles regridem espontaneamente (**Figura 10.21**). Além de sua importância cosmética, eles podem

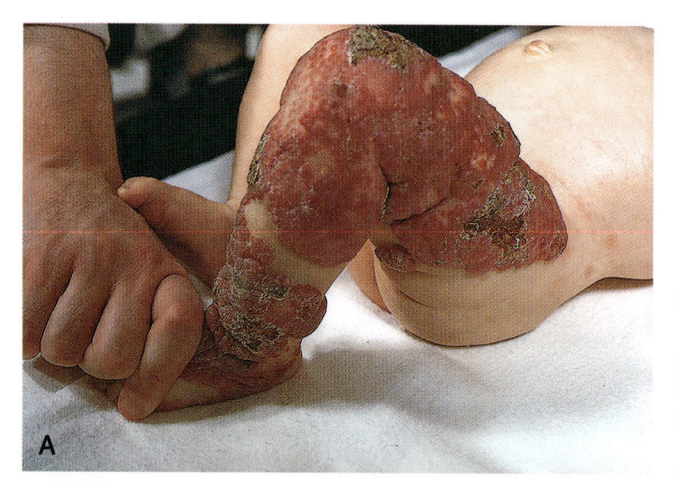

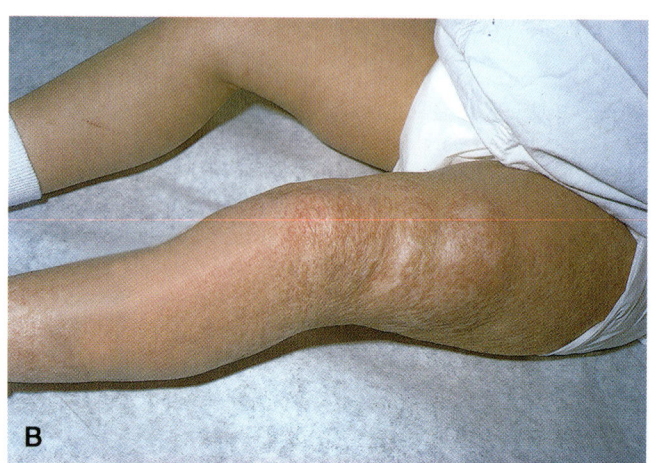

Figura 10.21 Hemangioma congênito ao nascimento (**A**) e aos 2 anos (**B**) após regressão espontânea. (Cortesia do Dr. Eduardo Yunis, Children's Hospital of Pittsburgh, Pittsburgh, Pa.)

representar uma faceta da doença de von Hippel-Lindau (ver **Capítulo 28**), um distúrbio hereditário. Um subconjunto de hemangiomas cavernosos do SNC pode ocorrer no contexto familiar; essas famílias abrigam mutações em um dos três genes (*KRIT1*, *CCM2* ou *PDCD10*).

Tumores fibrosos

Os tumores fibrosos que ocorrem em lactentes e crianças incluem proliferações esparsamente celulares de células fusiformes (chamadas de fibromatose) e lesões ricamente celulares indistinguíveis dos fibrossarcomas que ocorrem em adultos (designados como fibrossarcomas infantis-congênitos). O comportamento biológico não pode ser previsto apenas com base na histologia; no entanto, apesar de suas semelhanças histológicas com os fibrossarcomas de adultos, as variantes infantis-congênitas têm um prognóstico excelente. Uma translocação cromossômica característica, t(12;15)(p13;q25), foi descrita nos fibrossarcomas infantis-congênitos, o que resulta na geração de um transcrito de fusão ETV6-NTRK3. O produto gênico normal *ETV6* é um fator de transcrição, e o produto gênico *NTRK3* (também conhecido como TRKC) é uma tirosinoquinase. Como outras proteínas de fusão de tirosinoquinase encontradas em neoplasias humanas, ETV6-NTRK3 é constitutivamente ativo e estimula a sinalização por meio das vias oncogênicas RAS-MAPK e PI3K/AKT (ver **Capítulo 7**). Entre as neoplasias de partes moles, o transcrito de fusão *ETV6-NTRK3* é mais comumente encontrado em fibrossarcomas infantis-congênitos, tornando-o um marcador diagnóstico útil.

Teratomas

Os teratomas ilustram a relação da maturidade histológica com o comportamento biológico. Os teratomas podem ocorrer como lesões císticas benignas e bem diferenciadas (teratomas maduros), como lesões de potencial indeterminado (teratomas imaturos) ou como teratomas inequivocamente malignos (geralmente misturados com outro componente de tumor de células germinativas, como tumor de saco vitelino) (ver **Capítulo 21**). Eles exibem dois picos de incidência: o primeiro por volta dos 2 anos e o segundo no final da adolescência ou início da idade adulta. O primeiro pico representa neoplasias congênitas; as lesões que ocorrem mais tarde também podem ter origem pré-natal, mas têm um crescimento mais lento. Os teratomas sacrococcígeos são os teratomas mais comuns da infância, representando 40% ou mais dos casos (**Figura 10.22**). Ocorrem com uma frequência de 1 em cada 20 a 40 mil nascidos vivos e são quatro vezes mais comuns em meninas do que em meninos. Aproximadamente 10% dos teratomas sacrococcígeos estão associados a anomalias congênitas, principalmente defeitos do intestino posterior e da região cloacal e outros defeitos da linha média (p. ex., meningocele, espinha bífida) que não se acredita serem resultantes de efeitos locais do tumor. Aproximadamente 75% dessas neoplasias são teratomas maduros e cerca de 12% são inequivocamente malignos e letais. O restante são teratomas imaturos; seu potencial maligno se correlaciona com a quantidade de tecido imaturo que está presente, geralmente elementos neuroepiteliais imaturos. A maioria dos teratomas benignos é encontrada em lactentes mais jovens (< 4 meses), enquanto crianças com lesões malignas tendem a ser um pouco mais velhas. Outros locais para teratomas na infância incluem o testículo (ver **Capítulo 21**), ovário (ver **Capítulo 22**) e várias localizações na linha média, como mediastino, retroperitônio e cabeça e pescoço.

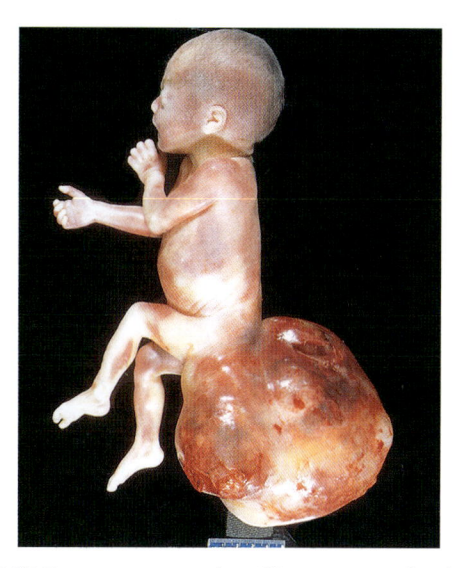

Figura 10.22 Teratoma sacrococcígeo. Observe o tamanho da lesão em comparação com o tamanho do natimorto.

Neoplasias malignas

Os cânceres da lactância e da infância diferem biológica e histologicamente dos cânceres que ocorrem em um momento posterior na vida. As principais diferenças, algumas das quais já foram mencionadas, incluem o seguinte:

- Incidência e tipo da neoplasia
- Demonstração relativamente frequente de uma relação estreita entre o desenvolvimento anormal (teratogênese) e a indução da neoplasia (oncogênese)
- Prevalência de aberrações genéticas familiares subjacentes
- Tendência de malignidades fetais e neonatais para regredir ou se diferenciar espontaneamente
- Melhora na sobrevida ou cura de muitas neoplasias infantis, de modo que atualmente se dedica mais atenção à minimização dos efeitos adversos retardados da quimioterapia e da radioterapia em sobreviventes, incluindo o desenvolvimento de segundas malignidades.

Incidência e tipos

Os cânceres infantis mais frequentes surgem no sistema hematopoético, tecido nervoso (incluindo o sistema nervoso central e simpático, medula adrenal e retina), partes moles, ossos e rim. Isso contrasta fortemente com os adultos, nos quais pele, pulmão, mama, próstata e cólon são os locais mais comuns para surgimento de neoplasias.

As neoplasias que exibem picos agudos de incidência em crianças menores de 15 anos e sua distribuição aproximada por idade estão indicadas na **Tabela 10.5**. A leucemia, por si só, é responsável por mais mortes em crianças com menos de 15 anos do que todos os outros tumores combinados.

Histologicamente, muitas das neoplasias pediátricas malignas não hematopoéticas são peculiares. Em geral, elas tendem a ter uma aparência indiferenciada mais primitiva (embrionária), muitas vezes caracterizada por camadas de células com pequenos núcleos redondos, e frequentemente exibem aspectos de organogênese específicos ao local de origem da neoplasia. Por causa dessa última característica, essas neoplasias são frequentemente designadas pelo

Tabela 10.5 Neoplasias malignas comuns da lactância e da infância.

0 a 4 anos	5 a 9 anos	10 a 14 anos
Leucemia	Leucemia	
Retinoblastoma		
Neuroblastoma	Neuroblastoma	
Tumor de Wilms		Carcinoma de células renais
Hepatoblastoma	Carcinoma hepatocelular	Carcinoma hepatocelular
Sarcoma de partes moles (especialmente rabdomiossarcoma)	Sarcoma de partes moles	Sarcoma de partes moles
	Sarcoma de Ewing	Sarcoma de Ewing
		Sarcoma osteogênico
Teratoma		
Tumores do sistema nervoso central	Tumores do sistema nervoso central	
	Linfoma	Linfoma, incluindo linfoma de Hodgkin
		Carcinoma de tireoide

sufixo -*blastoma*, por exemplo, nefroblastoma (tumor de Wilms), hepatoblastoma e neuroblastoma. Devido à sua aparência histológica primitiva, muitos tumores infantis são chamados coletivamente de *tumores de células pequenas redondas e azuis*. O diagnóstico diferencial dessas neoplasias inclui neuroblastoma, tumor de Wilms, linfoma (ver **Capítulo 13**), rabdomiossarcoma (ver **Capítulo 26**), sarcoma de Ewing/tumor neuroectodérmico primitivo (ver **Capítulo 26**), meduloblastoma (ver **Capítulo 28**) e retinoblastoma (ver **Capítulo 29**). Se o local anatômico de origem for conhecido, o diagnóstico costuma ser possível com base na histologia apenas. Ocasionalmente, é necessária uma combinação de análise cromossômica, coloração com imunoperoxidase ou microscopia eletrônica. Duas dessas neoplasias são discutidas aqui: as neoplasias neuroblásticas, especificamente o neuroblastoma, e o tumor de Wilms. As neoplasias restantes são discutidas em seus respectivos capítulos de cada órgão.

Neoplasias neuroblásticas

O termo neoplasia neuroblástica inclui neoplasias dos gânglios simpáticos e da medula adrenal que são derivadas de células primordiais da crista neural que povoam esses locais. O neuroblastoma é o membro mais importante dessa família. É a neoplasia sólida extracraniana mais comum da infância e a neoplasia maligna infantil mais frequentemente diagnosticada. A prevalência é de cerca de 1 em cada 7 mil nascidos vivos, e há aproximadamente 700 casos diagnosticados a cada ano nos EUA. A média de idade no diagnóstico é de 18 meses; aproximadamente 40% dos casos são diagnosticados na lactância. A maioria dos neuroblastomas ocorre de forma esporádica, mas 1 a 2% são familiares; nesses casos, as neoplasias podem envolver ambas as adrenais ou múltiplos locais autônomos primários. As mutações germinativas no gene da *quinase do linfoma anaplásico* (ALK) (ver **Capítulo 13**) são uma das principais causas da predisposição familiar ao neuroblastoma. Mutações somáticas com ganho de função em *ALK* também são observadas em aproximadamente 10% dos neuroblastomas esporádicos.

Apesar do notável progresso feito no tratamento desta doença, o prognóstico a longo prazo para subgrupos de alto risco permanece reservado, com sobrevida de 5 anos na faixa de 40%. Como ficará evidente mais tarde, a idade e o estágio têm um efeito notável no prognóstico e, em geral, crianças com menos de 18 meses tendem a ter um prognóstico significativamente mais favorável do que indivíduos mais velhos com cargas de doença semelhantes.

Morfologia

Na infância, cerca de 40% dos neuroblastomas surgem na medula adrenal. O restante ocorre em qualquer lugar ao longo da cadeia simpática, sendo as localizações mais comuns a região paravertebral do abdome (25%) e o mediastino posterior (15%). Os tumores podem surgir em vários outros locais, incluindo a pelve, o pescoço e dentro do cérebro (neuroblastomas cerebrais).

Os neuroblastomas variam em tamanho, indo desde nódulos minúsculos (as chamadas **lesões *in situ***) a grandes massas com mais de 1 kg. Os neuroblastomas *in situ* ocorrem 40 vezes mais frequentemente do que tumores clinicamente evidentes. A grande maioria dessas lesões silenciosas regride espontaneamente, deixando apenas um foco de fibrose ou calcificação no adulto; isso tem levado alguns a questionar a conotação neoplásica para as lesões *in situ*.

Alguns neuroblastomas são nitidamente demarcados por uma pseudocápsula fibrosa, mas outros são muito mais infiltrativos e invadem as estruturas vizinhas, incluindo os rins, veia renal e veia cava, e envolvem a aorta. Na transecção, eles são compostos de tecido macio e acinzentado. As neoplasias maiores apresentam áreas de necrose, amolecimento cístico e hemorragia. Ocasionalmente, é possível palpar focos de calcificação intratumoral pontilhada.

Histologicamente, os neuroblastomas clássicos são compostos de células pequenas, de aparência primitiva, com núcleos escuros, citoplasma escasso e bordas celulares mal definidas crescendo em camadas sólidas. Esses tumores podem ser difíceis de diferenciar morfologicamente de outros tumores de células pequenas redondas e azuis. Atividade mitótica, fragmentação nuclear ("cariorrexe") e pleomorfismo podem ser proeminentes. O fundo frequentemente demonstra um material fibrilar levemente eosinofílico (**neurópilo**) que corresponde a processos neuríticos dos neuroblastos primitivos. Normalmente, é possível encontrar **pseudorrosetas de Homer-Wright** nas quais as células tumorais estão arranjadas concentricamente em torno de um espaço central preenchido com neurópilo (**Figura 10.23**). Outros aspectos úteis incluem reações imuno-histoquímicas positivas para enolase neurônio-específica e o fator de transcrição PHOX2B. Algumas neoplasias apresentam sinais de maturação que podem ser espontâneos ou induzidos pela terapia. Células maiores com citoplasma mais abundante, grandes núcleos vesiculares e um nucléolo proeminente representando células ganglionares em vários estágios de maturação podem ser encontradas em tumores, misturados com neuroblastos primitivos (**ganglioneuroblastoma**). Lesões ainda mais bem diferenciadas contêm muito mais células grandes que se assemelham a células ganglionares maduras com poucos ou nenhum neuroblasto residual; tais neoplasias recebem a designação de **ganglioneuroma** (**Figura 10.24**). A maturação dos neuroblastos em células ganglionares costuma ser acompanhada pelo aparecimento de **células de Schwann**. A origem das células de Schwann no neuroblastoma permanece objeto de controvérsia; alguns pesquisadores acreditam que elas representam uma população reativa recrutada pelas células neoplásicas. No entanto, estudos usando técnicas de microdissecção demonstraram que as células de Schwann abrigam pelo menos um subconjunto das mesmas alterações genéticas encontradas nos neuroblastos e, portanto, são um componente do clone maligno. Independentemente da histogênese, documentar a presença de estroma schwanniano é essencial, porque sua presença está associada a um **desfecho favorável** (ver adiante).

As metástases, quando se desenvolvem, aparecem cedo e amplamente. Além da infiltração local e disseminação nos linfonodos, há uma tendência pronunciada de propagação através da corrente sanguínea para o fígado, pulmões, medula óssea e ossos.

Estadiamento. O International Neuroblastoma Staging System (INSS), que é o esquema de estadiamento mais utilizado em todo o mundo, está detalhado na **Tabela 10.6**.

Infelizmente, a maioria (60 a 80%) das crianças apresenta neoplasias em estágio 3 ou 4, e apenas 20 a 40% apresentam neuroblastomas em estágio 1, 2A, 2B ou 4S. O sistema de estadiamento é de suma importância na determinação do prognóstico.

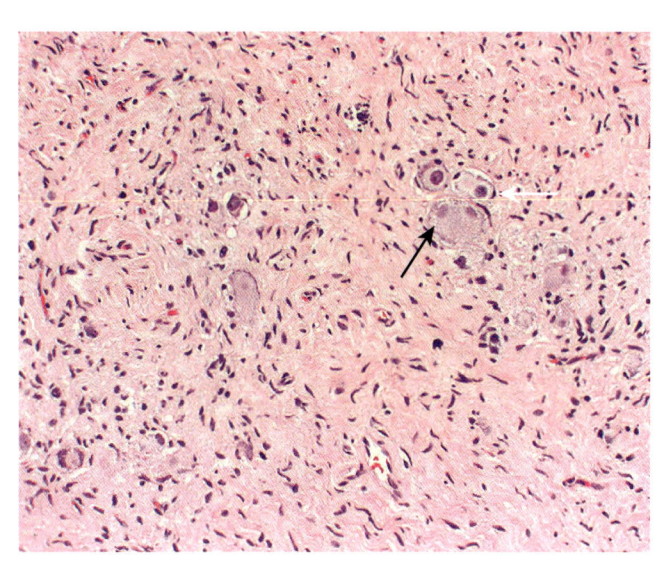

Figura 10.24 Ganglioneuromas se caracterizam por aglomerados de células grandes com núcleos excêntricos, nucléolos proeminentes e citoplasma eosinofílico abundante, representando células ganglionares neoplásicas (*setas*). Células de Schwann fusiformes estão presentes no estroma de fundo.

Curso clínico e aspectos prognósticos (**Tabela 10.7**)

Em crianças pequenas (com menos de 2 anos), os neuroblastomas geralmente se manifestam com grandes massas abdominais, febre e, possivelmente, perda de peso. Em crianças mais velhas, eles podem não chamar a atenção até que metástases se manifestem por meio de dores nos ossos, sintomas respiratórios ou queixas gastrintestinais. Os neuroblastomas podem metastatizar amplamente pelas vias hematogênica e linfática, em especial para o fígado, pulmões, ossos e medula óssea. Proptose e equimose também podem estar presentes devido à disseminação para a região periorbital, um local comum de metástase. Em neonatos, os neuroblastomas disseminados podem se apresentar com múltiplas metástases cutâneas que causam manchas azuis escuras da pele (ganhando a infeliz designação de "bebê muffin de mirtilo"). Cerca de 90% dos neuroblastomas, seja qual for sua localização, produzem catecolaminas (semelhantes àquelas associadas a feocromocitomas), que são um importante aspecto diagnóstico (*i. e.*, níveis elevados de catecolaminas no sangue e níveis urinários elevados dos metabólitos ácido vanilmandélico [VMA] e ácido homovanílico [HVA]). Apesar da elaboração de catecolaminas, a hipertensão é muito menos frequente nessas neoplasias do que nos feocromocitomas (ver **Capítulo 24**). Os ganglioneuromas, ao contrário de seus equivalentes malignos, tendem a produzir lesões de massa assintomáticas ou sintomas relacionados à compressão.

O curso clínico dos neuroblastomas é extremamente variável. Foram identificados diversos fatores clínicos, histopatológicos, moleculares e bioquímicos que influenciam o prognóstico (ver **Tabela 10.7**); com base na coleção de fatores prognósticos presentes em um determinado paciente, eles são classificados como de risco "baixo", "intermediário" ou "alto". Com as melhorias no tratamento, a sobrevida a longo prazo excede 90% dos pacientes nos dois primeiros grupos, mas menos de 50% dos pacientes na categoria de alto risco são sobreviventes a longo prazo. Os fatores prognósticos mais pertinentes incluem:

• *Estágio da neoplasia e idade do paciente no momento do diagnóstico*. Neuroblastomas em estágio 1, 2A ou 2B tendem a ter um prognóstico excelente, a despeito da idade (risco "baixo" ou "intermediário"); neoplasias que exibem amplificação do oncogene *MYCN* são uma exceção notável. Lactentes com neoplasias primárias localizadas e metástases para o fígado, medula óssea e pele (estágio 4S) representam um subtipo especial, em que não é incomum a doença regredir espontaneamente. A base biológica desse comportamento bem-vindo não está clara. A idade de 18 meses surgiu como um ponto crítico de dicotomia em termos de prognóstico. Crianças com menos de 18 meses, e principalmente aquelas

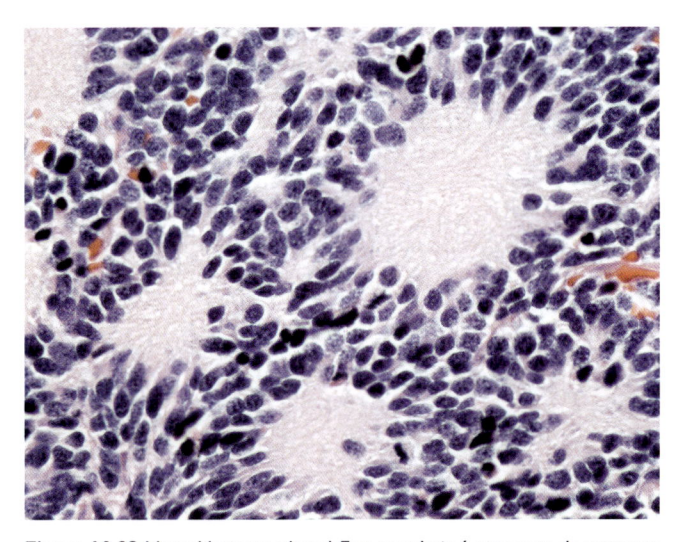

Figura 10.23 Neuroblastoma adrenal. Essa neoplasia é composta de pequenas células embutidas em uma matriz finamente fibrilar (neurópilo). Várias pseudorrosetas de Homer-Wright são vistas nessa imagem.

Tabela 10.6 Sistema internacional de estadiamento de neuroblastoma.

Estágio 1	Tumor localizado, completamente excisado, com ou sem doença microscópica residual; linfonodos não aderentes ipsilaterais representativos negativos para tumor (os nódulos aderidos ao tumor primário podem ser positivos para tumor)
Estágio 2A	Tumor localizado com ressecção macroscópica incompleta; linfonodos não aderentes ipsilaterais representativos microscopicamente negativos para tumor
Estágio 2B	Tumor localizado com ou sem excisão macroscópica completa, linfonodos ipsilaterais não aderentes positivos para tumor; linfonodos contralaterais aumentados, que são negativos microscopicamente para tumor
Estágio 3	Tumor unilateral irressecável infiltrando-se pela linha média com ou sem envolvimento de linfonodos regionais; ou tumor unilateral localizado com envolvimento de linfonodo regional contralateral
Estágio 4	Qualquer tumor primário com disseminação para linfonodos distantes, osso, medula óssea, fígado, pele e/ou outros órgãos (exceto conforme definido para o estádio 4S)
Estágio 4S	Tumor primário localizado (conforme definido para estágio 1, 2A ou 2B) com disseminação limitada a pele, fígado e/ou medula óssea (< 10% das células nucleadas são constituídas por células neoplásicas; > 10% de envolvimento da medula óssea é considerado como estágio 4); o estágio 4S é limitado a lactentes com menos de 1 ano

S, Especial.
Modificada de Brodeur GM, Pritchard J, Berthold F, et al: Revisions of the international neuroblastoma diagnosis, staging, and response to treatment, J Clin Oncol 11:1466, 1993.

Tabela 10.7 Fatores prognósticos em neuroblastomas.

Variável	Favorável	Desfavorável
Estágio[a]	Estágio 1, 2A, 2B, 4S	Estágio 3, 4
Idade[a]	< 18 meses	> 18 meses
Histologia[a]		
Evidência de estroma schwanniano e diferenciação gangliocítica[b]	Presente	Ausente
Índice de mitose-cariorrexe[c]	< 200/5.000 células	> 200/5.000 células
Ploidia de DNA[a]	Hiperdiploide (ganhos de cromossomo inteiro)	Quase diploide (perdas cromossômicas segmentares; cromotripsia)
MYCN[a]	Não amplificado	Amplificado
Perda de cromossomo 1p	Ausente	Presente
Perda do cromossomo 11q	Ausente	Presente
Expressão de TRKA	Presente	Ausente
Expressão de TRKB	Ausente	Presente
Mutações de genes de neuritogênese	Ausente	Presente

[a]Corresponde aos parâmetros mais comumente usados na prática clínica para a avaliação do prognóstico e estratificação do risco.
[b]Não é apenas a presença, mas também a quantidade de estroma schwanniano que confere a designação de uma histologia favorável. É necessário pelo menos 50% ou mais de estroma schwanniano antes que uma neoplasia possa ser classificada como ganglioneuroblastoma ou ganglioneuroma.
[c]O índice de mitose-cariorrexe (MKI) é definido como o número de células mitóticas ou cariorréticas por 5.000 células tumorais em focos aleatórios.

em seu primeiro ano de vida, apresentam excelente prognóstico, independentemente do estágio da neoplasia. Crianças com mais de 18 meses geralmente se enquadram, pelo menos, na categoria de risco "intermediário", e aquelas com tumores em estágio superior ou com aspectos prognósticos desfavoráveis, como amplificação de MYCN nas células neoplásicas, são consideradas de "alto" risco

- *Morfologia da neoplasia.* Foi proposta uma classificação morfológica das neoplasias neuroblásticas ligada à idade que as divide em subtipos histológicos favoráveis e desfavoráveis. As características morfológicas específicas que influenciam o prognóstico estão listadas na **Tabela 10.7**
- *Estado da amplificação de MYCN.* A amplificação do proto-oncogene MYCN em neuroblastomas impacta de maneira significativa o prognóstico, particularmente em tumores que, de outra forma, seriam classificados como tendo bom prognóstico. A presença de amplificação de MYCN "eleva" a neoplasia à categoria de "alto" risco, independentemente da idade, estágio ou histologia. MYCN está localizado no braço curto distal do cromossomo 2 (2p23-p24). A amplificação de MYCN não ocorre no local 2p23-p24, mas como cromossomos extracromossômicos de duplo minuto (*double minute*) ou regiões de coloração homogênea em outros cromossomos (**Figura 10.25**). A amplificação de MYCN está presente em cerca de 20 a 30% das neoplasias primárias, a maioria se apresentando como doença em estágio avançado, e o grau de amplificação se correlaciona com prognóstico mais desfavorável. A amplificação de MYCN é, atualmente, a anormalidade genética mais importante usada na estratificação de risco de tumores neuroblásticos (ver adiante)
- A *ploidia* das células neoplásicas se correlaciona com o desfecho em crianças com menos de 2 anos, mas perde seu valor prognóstico independente em crianças mais velhas. De modo geral, os neuroblastomas podem ser divididos em duas categorias: quase diploide e hiperdiploide (ganhos de cromossomos inteiros), estando o último associado a um prognóstico mais favorável. Postula-se que os neuroblastomas com hiperdiploidia têm um defeito subjacente na maquinaria mitótica que leva a não disjunção e ganhos de cromossomos inteiros, mas, por outro lado, com cariótipos relativamente banais. Os tumores quase diploides mais agressivos abrigam instabilidade genômica generalizada, com múltiplas aberrações cromossômicas segmentares que resultam em um cariótipo complexo, com implicações prognósticas adversas. Uma forma peculiar de aberração segmentar em neuroblastomas agressivos é chamada de cromotripsia (ver **Capítulo 7**), que envolve a fragmentação localizada de um segmento cromossômico seguida pela montagem aleatória dos fragmentos. Em um subconjunto de neuroblastomas, a cromotripsia pode resultar na amplificação de MYCN ou de outros oncogenes, ou perdas em *loci* supressores de tumor.

Embora idade, estágio, histologia, estado de MYCN e ploidia de DNA sejam os critérios "centrais" usados para estratificação de risco formal e tomada de decisão terapêutica, várias perdas cromossômicas segmentares também podem ter valor prognóstico. Em especial, a deleção hemizigótica do braço curto distal do cromossomo 1 na região da banda p36, que ocorre em 25 a 35% das neoplasias primárias, está fortemente correlacionada com amplificação de MYCN, estágio avançado e risco aumentado de recidiva da doença. A perda hemizigótica do cromossomo 11q é

Capítulo 10 Doenças da Lactância e da Infância 495

Embora a discussão das modalidades de tratamento do neuroblastoma esteja além do objetivo deste livro, mencionamos de passagem duas abordagens experimentais promissoras. A primeira envolve o uso de retinoides como terapia adjuvante para induzir a diferenciação do neuroblastoma. Tenha em mente que a via do ácido retinoico desempenha um papel crítico na diferenciação celular durante a embriogênese. Em segundo lugar, ensaios clínicos estão avaliando a utilidade de inibidores de pequenas moléculas de ALK no tratamento de tumores que abrigam mutações ativadoras de *ALK*.

Tumor de Wilms

O tumor de Wilms (nefroblastoma) atinge aproximadamente 1 a cada 10 mil crianças nos EUA, tornando-o a neoplasia renal primária mais comum da infância e a quarta neoplasia maligna pediátrica mais comum nos EUA. O pico de incidência do tumor de Wilms ocorre entre 2 e 5 anos, e 95% das neoplasias ocorrem antes dos 10 anos. Cerca de 5 a 10% dos tumores de Wilms envolvem ambos os rins, ou simultaneamente (sincrônico, ou um após o outro (metacrônico). Os tumores de Wilms bilaterais têm uma idade média de início aproximadamente 10 meses mais cedo do que as neoplasias restritas a um rim, e presume-se que esses pacientes abriguem uma mutação germinativa em um dos genes predisponentes ao tumor de Wilms (ver adiante). A biologia dessa neoplasia ilustra vários aspectos importantes das neoplasias infantis, como a relação entre malformações e neoplasia, as semelhanças histológicas entre a organogênese e a oncogênese, a teoria de dois eventos (*two-hit*) dos genes recessivos supressores de tumor (ver **Capítulo 7**), o papel das lesões pré-malignas e, talvez o mais importante, o potencial que o tratamento tem de afetar o prognóstico e o desfecho. Os avanços nas taxas de cura do tumor de Wilms (de apenas 30% há algumas décadas para aproximadamente 90% atualmente) representam um dos maiores sucessos da oncologia pediátrica.

Patogênese e genética

O risco de tumor de Wilms aumenta com pelo menos três grupos reconhecíveis de malformações congênitas associadas a *loci* cromossômicos distintos. Embora os tumores de Wilms que surgem nesse contexto representem não mais do que 10% dos casos, esses tumores sindrômicos forneceram informações importantes sobre a biologia dessa neoplasia:

- O primeiro grupo de pacientes tem a síndrome WAGR, caracterizada por tumor de *W*ilms, *a*niridia, anomalias genituinárias e deficiência intelectual (anteriormente chamada de *r*etardo mental). O risco ao longo da vida de desenvolver tumor de Wilms é de aproximadamente 33%. Os indivíduos com a síndrome WAGR são portadores de deleções constitucionais (germinativas) de 11p13. Estudos nesses pacientes levaram à identificação do primeiro gene associado ao tumor de Wilms, o *WT1*, e de um gene autossômico dominante para aniridia contiguamente deletado, o *PAX6*, ambos localizados no cromossomo 11p13. Pacientes com deleções restritas a *PAX6*, mas com função normal de *WT1*, desenvolvem aniridia, mas não apresentam risco aumentado para tumores de Wilms. A presença de deleções germinativas em *WT1* na síndrome WAGR representa o "primeiro evento"; o desenvolvimento de tumor de Wilms nesses pacientes frequentemente se correlaciona com a ocorrência de uma mutação *nonsense* ou *frameshift* no segundo alelo de *WT1* ("segundo evento")

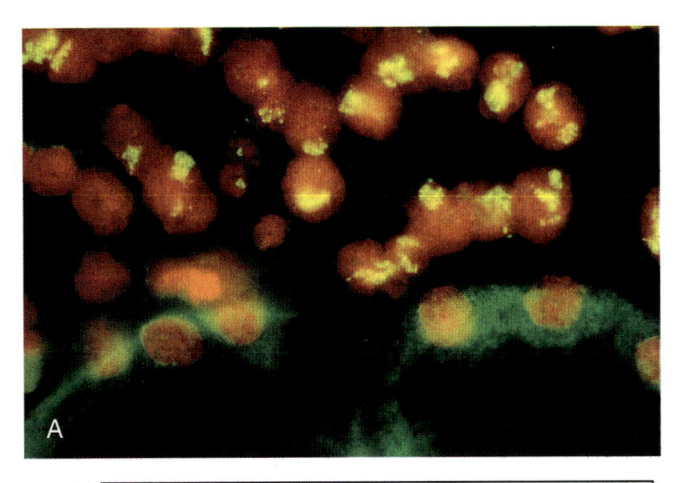

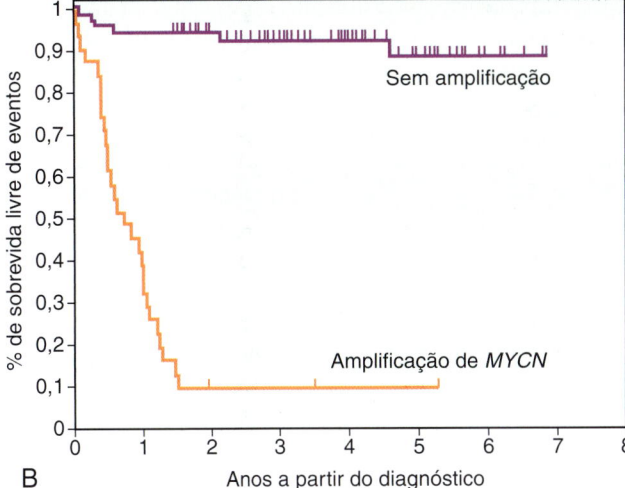

Figura 10.25 A. Hibridização *in situ* fluorescente usando uma sonda de cosmídeo marcada com fluoresceína para *MYCN* em um corte de tecido. Observe as células do neuroblastoma na metade superior da foto com grandes áreas de coloração (*amarelo-esverdeado*); isto corresponde ao *MYCN* amplificado na forma de regiões de coloração homogênea. As células epiteliais tubulares renais na metade inferior da fotografia não exibem coloração nuclear e coloração citoplasmática de fundo (*verde*). **B.** Uma curva de sobrevida de Kaplan-Meier para lactentes com menos de 1 ano com neuroblastoma metastático. A sobrevida livre de eventos em 3 anos de lactentes cujos tumores não tinham amplificação de *MYCN* foi de 93%, enquanto aqueles com tumores que tiveram amplificação de *MYCN* tiveram apenas 10% de sobrevida livre de eventos. (**A,** Cortesia do Dr. Timothy Triche, Children's Hospital, Los Angeles, Calif; **B,** Reproduzida, com autorização, de Brodeur GM: Neuroblastoma: biological insights into a clinical enigma, *Nat Rev Cancer* 3(3):203-216, 2003.)

outro evento de deleção comum com prognóstico adverso, mas que não está correlacionado com a amplificação de *MYCN*.

O sequenciamento completo do genoma revelou alterações em uma variedade de genes. Algumas dessas alterações têm implicações prognósticas. Isso inclui aqueles cujos produtos estão envolvidos na neuritogênese (um processo de diferenciação neuronal que inclui o brotamento de neuritos, que mais tarde se tornam dendritos e axônios). Entre os exemplos selecionados de genes mutantes nesta categoria estão o da *alfa talassemia/retardo mental, ligado ao X (ATRX)*; genes que envolvem a remodelação da cromatina, como os *domínios de interação 1A e 1B ricos em AT (ARID1A e ARID1B)*; e receptores de neurotrofina (*NTRK1, NTRK2* e *NTRK3*). O impacto dessas alterações no prognóstico está sob investigação.

- Um segundo grupo de pacientes com risco muito maior de desenvolvimento de tumor de Wilms (cerca de 90%) tem *síndrome de Denys-Drash*, que é caracterizada por disgenesia gonadal (pseudo-hermafroditismo masculino) e nefropatia de início precoce levando à insuficiência renal. A lesão glomerular característica nesses pacientes é a esclerose mesangial difusa (ver **Capítulo 20**). Assim como nos pacientes com WAGR, esses pacientes também demonstram anormalidades na linha germinativa em *WT1*. Em pacientes com síndrome de Denys-Drash, entretanto, a anormalidade genética é uma mutação *missense* dominante negativa na região "dedo de zinco" (*zinc-finger*) da proteína WT1 que afeta suas propriedades de ligação ao DNA. Essa mutação interfere na função do alelo de tipo selvagem remanescente, embora, estranhamente, seja suficiente apenas para causar anomalias geniturinárias, mas não a tumorigênese; os tumores de Wilms que surgem na síndrome de Denys-Drash demonstram inativação bialélica de *WT1*. Além dos tumores de Wilms, esses indivíduos também apresentam risco aumentado de desenvolver neoplasias de células germinativas chamadas gonadoblastomas (ver **Capítulo 21**), quase certamente uma consequência da interrupção do desenvolvimento gonadal normal. *WT1* codifica um fator de transcrição de ligação ao DNA, que é expresso em vários tecidos, incluindo o rim e as gônadas, durante a embriogênese. A proteína WT1 é crucial para o desenvolvimento renal e gonadal normal. WT1 tem múltiplos parceiros de ligação e a escolha desse parceiro pode afetar se WT1 funcionará como um ativador ou repressor transcricional em um determinado contexto celular. Foram identificados numerosos alvos transcricionais de WT1, incluindo genes que codificam proteínas específicas para podócitos glomerulares e proteínas envolvidas na indução da diferenciação renal. Apesar da importância de *WT1* na nefrogênese e seu papel inequívoco como um gene supressor de tumor, apenas cerca de 10% dos pacientes com tumores de Wilms esporádicos (não sindrômico) demonstram mutações em *WT1*, sugerindo que a maioria desses tumores é causada por mutações em outros genes
- Um terceiro grupo com risco aumentado de desenvolver tumor de Wilms consiste em crianças com *síndrome de Beckwith-Wiedemann* (BWS), caracterizada por aumento dos órgãos do corpo (organomegalia), macroglossia, hemi-hipertrofia, onfalocele e células grandes anormais no córtex adrenal (citomegalia adrenal). A BWS tem servido como um modelo para a tumorigênese associada a *imprinting* genômico (ver **Capítulo 5**). A região cromossômica implicada na BWS foi localizada na banda 11p15.5 (o chamado *locus* WT2), distal ao *locus* de *WT1*. Essa região contém múltiplos genes que são normalmente expressos a partir de apenas um dos dois alelos parentais, com silenciamento transcricional (*i. e., imprinting*) do outro homólogo parental por metilação da região promotora. Ao contrário das síndromes WAGR e de Denys-Drash, a base genética para a BWS é consideravelmente mais heterogênea, pois nenhum gene de 11p15.5 está isoladamente envolvido em todos os casos. Além disso, o fenótipo do BWS, incluindo a predisposição à tumorigênese, é influenciado pelas anormalidades específicas de *imprinting* presentes. Um dos genes na região 11p15.5 – fator de crescimento semelhante à insulina-2 (IGF2) – normalmente é expresso apenas a partir do alelo paterno, e o alelo materno é silenciado por *imprinting*. Em alguns tumores de Wilms, a perda de *imprinting* (*i. e.*, reexpressão do alelo IGF2 materno) pode ser demonstrada, levando à superexpressão da proteína IGF2. Em outros casos, há deleção seletiva do alelo materno *imprintado* combinada com a duplicação do alelo paterno transcricionalmente ativo no tumor (dissomia uniparental de origem paterna), que tem o efeito funcional idêntico da superexpressão de IGF2. Como a proteína IGF2 é um fator de crescimento embrionário, ela poderia explicar os aspectos de supercrescimento associados à BWS, bem como o risco aumentado para tumores de Wilms nesses pacientes.

Diferentemente dos tumores de Wilms sindrômicos, as anormalidades moleculares subjacentes aos tumores esporádicos (*i. e.*, não sindrômicos), que são responsáveis por 90% dos casos em geral em crianças, estão apenas começando a ser elucidadas. Algumas delas estão associadas a características histológicas específicas descritas posteriormente. Por exemplo, foram demonstradas mutações de ganho de função do gene que codifica β-catenina (ver **Capítulo 7**) em aproximadamente 10% dos tumores de Wilms esporádicos. Outras mutações recorrentes ocorrem em genes que codificam proteínas envolvidas no processamento de microRNA (miRNA) (*DROSHA, DGCR8* e *DICER1*); estas são vistas em 15 a 20% dos tumores de Wilms com histologia predominantemente blastemal (ver mais adiante). Postula-se que aberrações no processamento do miRNA levam a níveis reduzidos de muitos miRNAs maduros, em particular na família miR-200, que está envolvida na "transição mesenquimal-epitelial" durante a morfogênese renal. A falta de transição mesenquimal-epitelial provavelmente leva a "restos" blastemais persistentes no rim (ver a seguir), que evoluem para tumores de Wilms. Por fim, os tumores com mutações em *TP53* estão associados a um prognóstico especialmente ruim e, com frequência, têm uma aparência histológica anaplásica distinta, descrita posteriormente.

Morfologia

Macroscopicamente, o tumor de Wilms tende a se apresentar como uma massa grande, solitária e bem circunscrita. Aproximadamente 10% são bilaterais ou multicêntricos no momento do diagnóstico. No corte, o tumor é macio, homogêneo e de cor castanha a cinza com focos ocasionais de hemorragia, formação de cisto e necrose (**Figura 10.26**).

Microscopicamente, os tumores de Wilms se caracterizam por tentativas reconhecíveis de recapitular diferentes estágios da nefrogênese. **A combinação trifásica clássica de tipos de células blastemais, estromais e epiteliais é observada na grande maioria das lesões**, embora a porcentagem de cada componente seja variável (**Figura 10.27A**). Camadas de células pequenas azuis com poucos traços distintivos caracterizam o componente blastemal. A diferenciação epitelial geralmente ocorre na forma de túbulos ou glomérulos abortivos. As células estromais são normalmente de natureza fibroblástica ou mixoide, embora não seja incomum a diferenciação muscular esquelética. Raramente, outros elementos heterólogos são identificados, incluindo epitélio escamoso ou mucinoso, músculo liso, tecido adiposo, cartilagem e tecido osteoide e neurogênico. Aproximadamente 5% dos tumores têm **anaplasia**, definida como a presença de células com núcleos grandes, hipercromáticos e pleomórficos e mitoses anormais (ver **Figura 10.27B**). A presença de anaplasia correlaciona-se com a presença de mutações em *TP53* e o surgimento de resistência à quimioterapia. Lembre-se de que o p53 elicia sinais pró-apoptóticos em resposta ao dano ao DNA (ver **Capítulo 7**). A perda da função de p53 pode explicar a relativa falta de resposta das células anaplásicas à quimioterapia citotóxica.

Os **restos nefrogênicos** são supostas lesões precursoras dos tumores de Wilms vistos no parênquima renal adjacente a aproximadamente 25 a 40% dos tumores unilaterais; essa frequência sobe para quase 100% nos casos de tumores de Wilms bilaterais. Em muitos casos, os restos nefrogênicos compartilham alterações genéticas com o tumor de Wilms adjacente, apontando para seu estado pré-neoplásico. A aparência dos restos nefrogênicos varia de massas expansivas que se assemelham a tumores de Wilms (restos hiperplásicos) a restos escleróticos que consistem predominantemente em tecido fibroso e, em algumas ocasiões, em glomérulos ou túbulos imaturos entremeados. É importante documentar a presença de restos nefrogênicos na amostra ressecada, porque esses pacientes apresentam risco aumentado de desenvolver tumores de Wilms no rim contralateral e requerem vigilância frequente e regular por muitos anos.

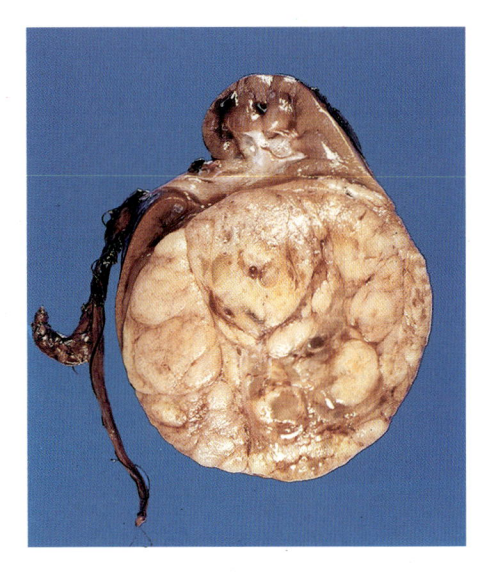

Figura 10.26 Tumor de Wilms no polo inferior do rim com a cor castanho-acinzentada característica e margens bem circunscritas.

Características clínicas

A maioria das crianças com tumores de Wilms apresenta uma grande massa abdominal, que pode ser unilateral ou, quando muito grande, se estender através da linha média e descer pela pelve. Hematúria, dor no abdome após um incidente traumático, obstrução intestinal e hipertensão são outros padrões de apresentação. Em um número considerável desses pacientes, metástases pulmonares estão presentes no momento do diagnóstico primário.

Como afirmado, a maioria dos pacientes com tumor de Wilms pode esperar a cura de sua malignidade. A histologia anaplásica é, talvez, o determinante mais crítico do prognóstico adverso. Mesmo a anaplasia restrita ao rim (*i. e.*, sem disseminação extrarrenal) confere um risco aumentado de recorrência e morte, o que enfatiza a necessidade da identificação precisa dessa característica histológica. Os parâmetros moleculares que se correlacionam com o prognóstico adverso incluem perda de heterozigosidade dos cromossomos 1p e 16q e ganho do cromossomo 1q nas células tumorais. Junto com o aumento da sobrevida de indivíduos com tumor de Wilms, surgiram relatos de um risco aumentado de desenvolvimento de segundos tumores primários, incluindo sarcomas de ossos e partes moles, leucemia e linfomas e cânceres de mama. Embora algumas dessas neoplasias resultem da presença de uma mutação germinativa em um gene de predisposição ao câncer, outras são uma consequência do tratamento, mais comumente da radiação administrada na área do câncer. Esse desfecho trágico, embora incomum, tem exigido que a radioterapia seja usada criteriosamente no tratamento deste e de outros cânceres infantis.

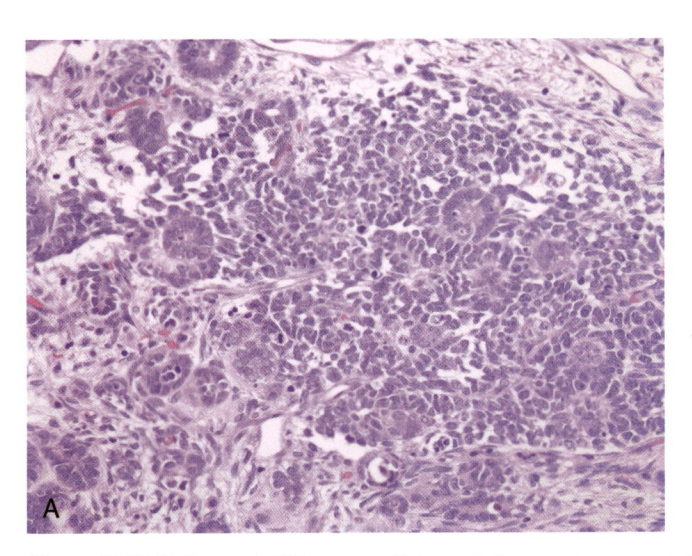

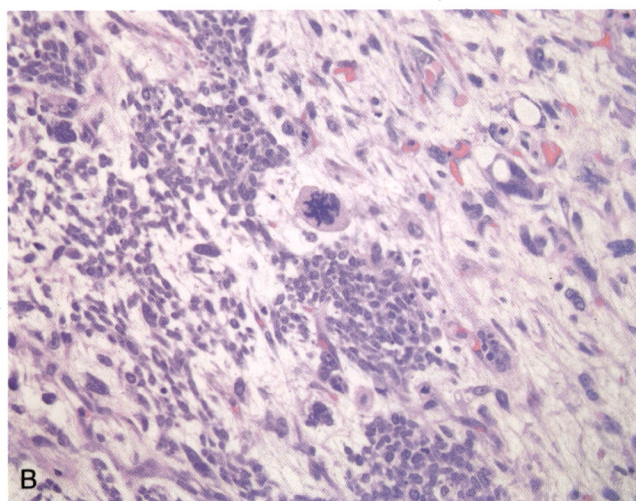

Figura 10.27 A. Tumor de Wilms com células azuis fortemente compactadas (componente blastemal) e túbulos primitivos intercalados (componente epitelial). Embora seja possível ver múltiplas figuras mitóticas, nenhuma é atípica nesse campo. **B.** Presença de anaplasia focal nesse tumor de Wilms, caracterizada por células com núcleos hipercromáticos, pleomórficos e mitoses anormais (centro).

LEITURA SUGERIDA

Anomalias congênitas, hidropisia e infecções

Bellini C, Hennekam RC: Non-immune hydrops fetalis: a short review of etiology and pathophysiology, *Am J Med Genet A* 158A:597–605, 2012. [*Revisão bem escrita sobre hidropisia não imune, que responde pela maioria esmagadora de casos de hidropisia fetal no mundo ocidental*].

McCloskey B, Endericks T: The rise of Zika infection and microcephaly: what can we learn from a public health emergency?, *Public Health* 150:87–92, 2017. [*Este artigo avalia porque a Zika foi declarada Emergência de Saúde Pública de Importância Internacional (PHEIC, do inglês Public Health Emergency of International Concern), porque deixou de ser uma PHEIC e o que podemos aprender com isso para o futuro*].

Mone F, Quinlan-Jones E, Ewer AK et al: Exome sequencing in the assessment of congenital malformations in the fetus and neonate, *Arch Dis Child Fetal Neonatal Ed* 104:F452–F456, 2019. [*Revisão útil sobre os métodos de sequenciamento de próxima geração (next-generation sequencing) para encontrar as causas genéticas de anomalias congênitas*].

Murphy SL, Mathews TJ, Martin JA et al: Annual summary of vital statistics: 2013-2014, *Pediatrics* 139(6):2017. PubMed PMID: 28814547. [*Publicação do Centro de Controle e Prevenção de Doenças (CDC, do inglês Centers for Disease Control and Prevention) dos Estados Unidos, atualizada periodicamente, resumindo os dados estatísticos relacionados às taxas de nascimento e mortalidade, anomalias congênitas, causas de morte e assim por diante*].

Fibrose cística e erros inatos do metabolismo

Coelho AI, Rubio-Gozalbo ME, Vicente JB et al: Sweet and sour: an update on classic galactosemia, *J Inherit Metab Dis* 40:325–342, 2017. [*Resumo do conhecimento atual deste clássico erro inato do metabolismo, além de uma discussão das vias de estudo em andamento*].

Cutting GR: Cystic fibrosis genetics: from molecular understanding to clinical application, *Nat Rev Genet* 16:45–56, 2015. [*Excelente revisão da genética da fibrose cística, incluindo uma discussão dos modificadores da doença e terapias direcionadas*].

Elborn JS: Cystic fibrosis, *Lancet* 388:2519–2531, 2016. [*Excelente visão geral da fibrose cística, incluindo características clínicas e moleculares*].

Donlon J, Sarkissian C, Levy H et al: Hyperphenylalaninemia: phenylalanine hydroxylase deficiency. In Valle D, Beaudet AL, et al, editors: *The online metabolic and molecular bases of inherited disease*, New York, NY, 2014, McGraw-Hill. http://ommbid.mhmedical.com/content.aspx?bookid=971&sectionid=62673211. (Acessado em 11 de dezembro de 2017). [*Recurso online aprofundado que revisa este distúrbio mendeliano prototípico*].

Farrell PM, White TB, Ren CL et al: Diagnosis of cystic fibrosis: consensus guidelines from the Cystic Fibrosis Foundation, *J Pediatr* 181S:S4–S15, 2017. [*Diretrizes de consenso atualizadas para o diagnóstico da fibrose cística*].

Doenças da prematuridade e SMSL

Ahn SY, Chang YS, Kim JH et al: Two-year follow-up outcomes of premature infants enrolled in the phase I trial of mesenchymal stem cell transplantation for bronchopulmonary dysplasia, *J Pediatr* 2017. [*Embora ainda em fase de testes, é encorajador observar que as células-tronco mesenquimais podem ser usadas com segurança em humanos*].

Moon RY, AAP Task Force on Sudden Infant Death Syndrome: SIDS and other sleep-related infant deaths: evidence base for 2016 updated recommendations for a safe infant sleeping environment, *Pediatrics* 138(5):e20162940, 2016. [*Diretriz abrangente para a prevenção da síndrome da morte súbita infantil que leva em consideração as condições predisponentes para esta síndrome ainda inexplicável*].

Pierro M, Ciarmoli E, Thébaud B: Bronchopulmonary dysplasia and chronic lung disease: stem cell therapy, *Clin Perinatol* 42(4):889–910, 2015. [*Artigo empolgante descrevendo as células (tronco) estromais mesenquimais melhorando muitos aspectos críticos da patogênese da displasia broncopulmonar em modelos pré-clínicos*].

Thakkar HS, Lakhoo K: The surgical management of necrotising enterocolitis (NEC), *Early Hum Dev* 97:25–28, 2016. [*Revisão concisa da patogênese, diagnóstico e tratamento desta condição*].

Solebo AL, Teoh L, Rahi J: Epidemiology of blindness in children, *Arch Dis Child* 102(9):853–857, 2017. [*Revisão sobre deficiência visual infantil resumindo novas evidências de epidemiologia global e terapias emergentes para a doença, deficiências visuais graves e cegueira, incluindo retinopatia da prematuridade*].

Tumores da lactância e da infância

Cohn SL, Pearson ADJ, London WB et al: The International Neuroblastoma Risk Group (INRG) classification system: an INRG Task Force report, *J Clin Oncol* 27:289–297, 2009. [*Artigo original que introduz o sistema de estratificação de risco para o neuroblastoma pelo Grupo Internacional de Risco do Neuroblastoma, que se baseia em imagens de pré-tratamento*].

Dome JS, Perlman EJ, Graf N: Risk stratification for Wilms tumor: current approach and future directions, *Am Soc Clin Oncol Educ Book* 215–223, 2014. [*Revisão dos determinantes de prognósticos clínicos, histológicos e moleculares para o tumor de Wilms*].

Gadd S, Huff V, Walz AL et al: A Children's Oncology Group and TARGET initiative exploring the genetic landscape of Wilms tumor, *Nat Genet* 49:1487–1494, 2017. [*Amplo estudo das alterações genéticas do tumor de Wilms que destaca a complexidade e heterogeneidade molecular que podem ser observadas neste tumor infantil*].

Matthay KK, Maris JM, Schleiermacher G et al: Neuroblastoma, *Nat Rev Dis Primers* 2:16078, 2016. [*Revisão excelente e recente das características clínicas, patológicas e moleculares do neuroblastoma*].

CAPÍTULO 11

Vasos Sanguíneos

Richard N. Mitchell • Marc K. Halushka

SUMÁRIO DO CAPÍTULO

Estrutura e função dos vasos sanguíneos, 499
Anomalias vasculares, 501
Resposta da parede vascular à lesão, 501
   Espessamento da túnica íntima: resposta estereotipada à lesão vascular, 503
Doença vascular hipertensiva, 503
   Regulação da pressão arterial, 504
   Patologia vascular na hipertensão, 507
Arteriosclerose, 508
Aterosclerose, 508
   Fatores de risco, 509
   Fatores de risco constitucionais, 509
   Principais fatores de risco modificáveis, 509
   Fatores de risco adicionais, 511
   Consequências da doença aterosclerótica, 517
Aneurismas e dissecção, 519

Aneurisma de aorta abdominal, 521
Aneurisma de aorta torácica, 522
Dissecção da aorta, 522
Vasculite, 524
   Vasculite não infecciosa, 524
   Vasculite associada a imunocomplexos, 525
   Anticorpos anticitoplasma de neutrófilos, 525
   Anticorpos anticélula endotelial, 526
   Arterite de células gigantes (temporal), 526
   Arterite de Takayasu, 527
   Poliarterite nodosa, 528
   Doença de Kawasaki, 529
   Poliangiite microscópica, 529
   Granulomatose com poliangiite, 529
   Síndrome de Churg-Strauss, 530
   Tromboangiite obliterante (doença de Buerger), 530
   Vasculite associada a outros distúrbios não infecciosos, 531
   Vasculite infecciosa, 531

Distúrbios de hiper-reatividade dos vasos sanguíneos, 531
   Fenômeno de Raynaud, 531
   Vasospasmo dos vasos miocárdicos, 532
Veias e vasos linfáticos, 532
   Veias varicosas, 532
   Tromboflebite e flebotrombose, 533
   Síndromes da veia cava superior e inferior, 533
   Linfangite e linfedema, 533
Neoplasias vasculares, 534
   Neoplasias benignas e condições semelhantes a neoplasias, 534
   Intermediário de grau intermediário (limítrofes), 537
   Neoplasias malignas, 538
Patologia da intervenção vascular, 539
   Stent endovascular, 539
   Substituição vascular, 539

A patologia vascular é responsável por mais morbidade e mortalidade que qualquer outra categoria de doença humana. Embora as lesões clinicamente mais significativas envolvam as artérias, as doenças venosas também têm suas consequências. A doença vascular tem como base dois mecanismos principais:

- *O estreitamento (estenose)* ou *obstrução completa* da luz dos vasos, cuja ocorrência pode ser progressiva (p. ex., por aterosclerose) ou abrupta (p. ex., por trombose ou embolia)
- *O enfraquecimento* da parede dos vasos, levando à dilatação ou ruptura.

Para avaliar melhor a patogênese das doenças vasculares, é importante em primeiro lugar compreender a estrutura e a função normais dos vasos sanguíneos.

Estrutura e função dos vasos sanguíneos

A arquitetura geral e a composição celular dos vasos sanguíneos são comparáveis em todo o sistema cardiovascular. Entretanto, os tipos específicos de vasos são caracterizados por especializações estruturais, que refletem diferentes papéis funcionais (**Figura 11.1**). Por exemplo, as paredes arteriais são mais espessas do que as veias correspondentes no mesmo nível de ramificação, de modo a acomodar o fluxo pulsátil e as pressões arteriais mais altas. A espessura da parede arterial diminui de modo gradual à medida que os vasos se tornam menores, porém a razão entre espessura da parede e diâmetro da luz aumenta, permitindo que esses vasos musculares exerçam um controle sobre o fluxo sanguíneo e a pressão. Muitos distúrbios vasculares afetam apenas determinados tipos de vasos e, portanto, apresentam distribuições anatômicas características. Assim, a aterosclerose afeta principalmente as artérias elásticas e musculares, enquanto a hipertensão afeta pequenas artérias musculares e arteríolas, e as diferentes variedades de vasculite acometem caracteristicamente apenas vasos de determinado calibre.

Os constituintes básicos das paredes dos vasos sanguíneos são as células endoteliais (CE) e as células musculares lisas (CML), misturadas com uma variedade de matriz extracelular (MEC), incluindo elastina, colágeno e glicosaminoglicanos. A quantidade relativa e a configuração dos constituintes básicos diferem ao longo da vasculatura, devido a adaptações locais às necessidades mecânicas ou metabólicas. Nas artérias e nas veias, esses constituintes estão organizados em três camadas concêntricas, as *túnicas íntima, média* e *externa* (*adventícia*), que são mais distintas do ponto de vista anatômico nas artérias:

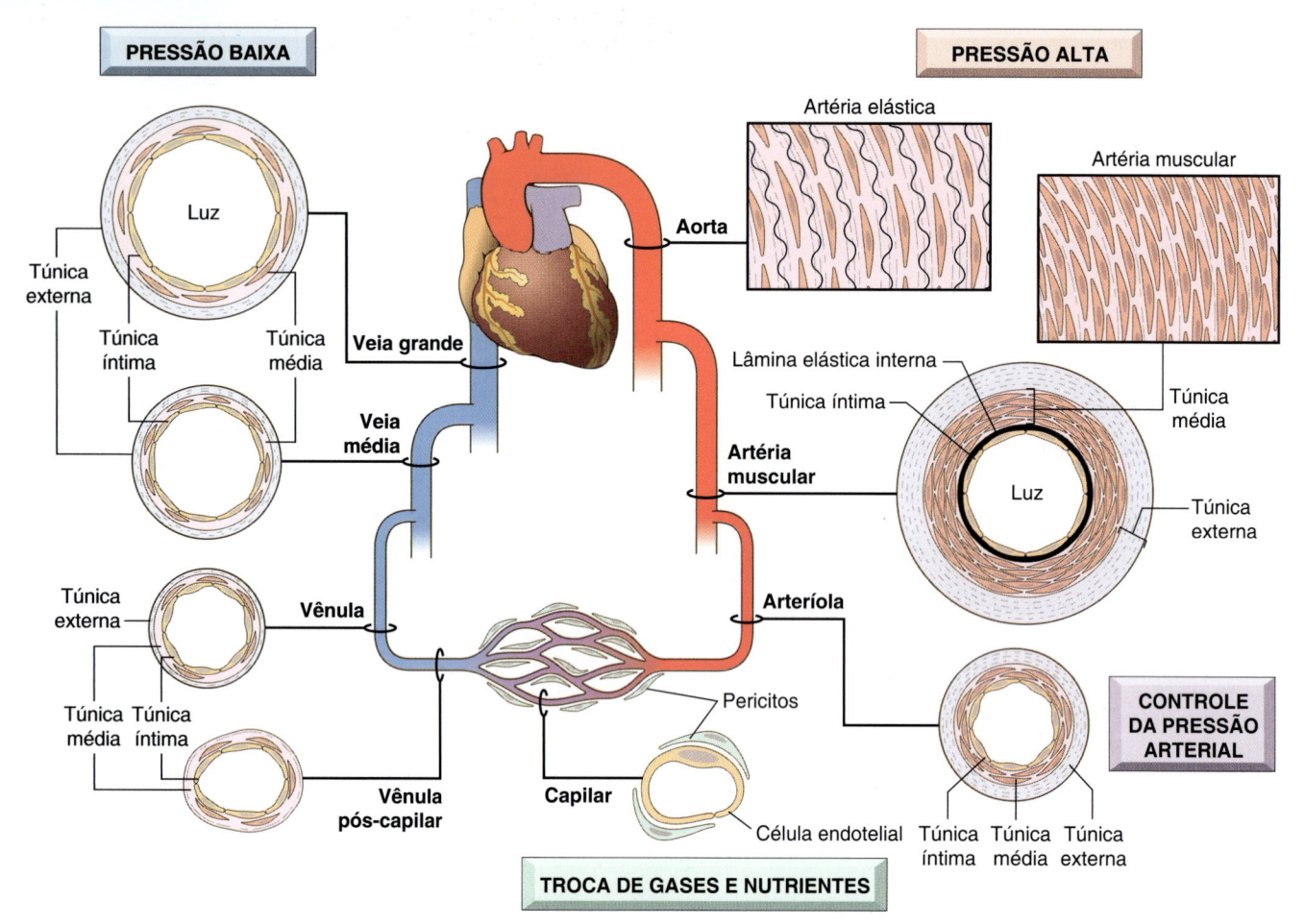

Figura 11.1 Especializações regionais do sistema vascular. Embora a organização básica da vasculatura seja constante, a espessura e a composição das várias camadas diferem de acordo com as forças hemodinâmicas e as necessidades teciduais. Assim, a aorta e outras artérias elásticas apresentam uma quantidade substancial de tecido elástico para acomodar as altas forças pulsáteis, com capacidade de retração e transmissão da energia para o fluxo sanguíneo anterógrado. Esses vasos apresentam unidades lamelares, constituídas por repetições de uma camada de fibras elásticas, célula muscular lisa e matriz extracelular intercalada. As artérias puramente musculares dispõem de fibras elásticas apenas na interseção das túnicas íntima e média ou média e externa. Em comparação, o sistema venoso apresenta uma túnica média mais fina e relativamente pouco desenvolvida, o que permite maior capacitância, enquanto a parede dos capilares possibilita a pronta difusão de oxigênio e nutrientes, visto que é composta apenas por uma célula endotelial e por pericitos esparsos. As diferentes características estruturais e funcionais também influenciam as doenças passíveis de afetar as diversas partes da árvore vascular. Assim, a perda do tecido elástico da aorta resulta em aneurisma, enquanto a estase em um leito venoso dilatado pode resultar em trombose.

- A *túnica íntima* normalmente consiste em uma única camada de CE fixada a uma membrana basal com uma fina camada subjacente de MEC; a túnica íntima é demarcada da túnica média pela lâmina elástica interna
- A *túnica média* das artérias elásticas (p. ex., a aorta) está organizada em camadas de unidades lamelares de fibras de elastina e CML, semelhante aos anéis de crescimento das árvores. Esse alto conteúdo de elastina permite a expansão desses durante a sístole e a sua retração durante a diástole – propelindo funcionalmente o sangue em direção aos tecidos. Com o envelhecimento e a perda da elasticidade, a aorta e as artérias de maior calibre tornam-se menos complacentes; além de transmitir pressões mais altas nos tecidos distais, as artérias de indivíduos idosos com frequência tornam-se progressivamente tortuosas e dilatadas (*ectásicas*):
  - *Nas artérias musculares*, a túnica média é composta predominantemente por CML de orientação circunferencial. A contração (vasoconstrição) ou o relaxamento (vasodilatação) das CMLs arteriolares são regulados por estímulos provenientes do sistema nervoso autônomo e de fatores metabólicos locais
- *As arteríolas constituem os principais pontos de resistência fisiológica ao fluxo sanguíneo*. Como a resistência ao fluxo de líquido é inversamente proporcional à quarta potência do diâmetro (*i. e.*, a redução do diâmetro à metade aumenta a resistência em 16 vezes), pequenas reduções no tamanho da luz das arteríolas causadas por alterações estruturais ou por vasoconstrição podem ter efeitos profundos sobre a pressão arterial
- A *túnica externa (adventícia)* situa-se externamente à túnica média e, em muitas artérias, é separada desta última por uma lâmina elástica externa bem definida. A túnica externa consiste em tecido conjuntivo frouxo e também pode conter fibras nervosas. A difusão de oxigênio e de nutrientes a partir da luz é adequada para sustentar os vasos de parede fina e as CMLs mais internas de todos os vasos. Entretanto, nos vasos de grande e médio calibre, pequenas arteríolas dentro da túnica externa (denominadas *vasa vasorum* – literalmente, "vasos dos vasos") perfundem a metade externa aos dois terços da túnica média.

Conforme já assinalado, as artérias são divididas em três tipos, com base no seu tamanho e nas suas características estruturais:

(1) artérias grandes ou elásticas, incluindo a aorta, seus principais ramos (tronco braquiocefálico, artéria subclávia, artéria carótida comum e artérias ilíacas) e artérias pulmonares; (2) artérias de médio calibre ou musculares, que compreendem os ramos menores da aorta (p. ex., artérias coronárias e renais); e (3) pequenas artérias (≤ 2 mm de diâmetro) e *arteríolas* (20 a 100 μm de diâmetro) dentro dos tecidos e dos órgãos.

Os *capilares* são ligeiramente menores (5 μm), em comparação com o diâmetro de um eritrócito (7 a 8 μm); apresentam um revestimento de CE, porém carecem de túnica média, embora números variáveis de pericitos, que se assemelham às CMLs, normalmente estejam situados abaixo do endotélio. Em seu conjunto, os capilares apresentam uma enorme área de corte transversal e também apresentam uma taxa de fluxo relativamente baixa. A combinação de paredes finas e fluxo lento torna os capilares idealmente adequados para a troca de substâncias difusíveis entre o sangue os tecidos. Como a difusão funcional de oxigênio limita-se a uma distância de apenas cerca de 100 μm, a rede de capilares da maioria dos tecidos é muito rica. Os tecidos com elevada taxa metabólica, como o miocárdio e o encéfalo, apresentam a maior densidade de capilares.

O sangue dos leitos capilares flui para as *vênulas pós-capilares* e, em seguida, de maneira sequencial, através das vênulas coletoras e veias de pequeno, médio e grande calibres. Na maioria das formas de inflamação, ocorrem extravasamento vascular e exsudação de leucócitos preferencialmente das vênulas póscapilares (ver **Capítulo 3**).

Em comparação com as artérias no mesmo nível de ramificação, as veias apresentam maiores diâmetros, luz maior e paredes mais finas e menos organizadas (ver **Figura 11.1**). Essas características estruturais aumentam a capacitância do lado venoso da circulação, que, em média, contém cerca de dois terços do volume total de sangue. O fluxo reverso (devido à gravidade) é impedido nos membros pelas válvulas venosas.

Os *vasos linfáticos* são canais de paredes finas e revestidos de endotélio, que drenam a linfa (água, eletrólitos, glicose, gordura, proteínas e células inflamatórias) do interstício dos tecidos, estabelecendo finalmente uma reconexão com a corrente sanguínea por meio do ducto torácico. Os vasos linfáticos transportam líquido intersticial e células inflamatórias da periferia para os linfonodos, facilitando, assim, a apresentação de antígenos e a ativação das células nos tecidos nodais – e possibilitando o monitoramento contínuo dos tecidos periféricos à procura de infecção. Entretanto, isso pode representar uma faca de dois gumes, visto que esses canais também podem disseminar a doença ao transportar microrganismos ou células tumorais até locais distantes.

Conceitos-chave
Estrutura e função vasculares

- Todos os vasos, com exceção dos capilares, compartilham uma arquitetura geral de três túnicas, que consistem na túnica íntima revestida de endotélio, túnica média circundante de músculo liso e túnica externa (adventícia) de sustentação
- As CMLs e a MEC das artérias, veias e capilares variam de acordo com as demandas hemodinâmicas (p. ex., pressão, pulsatilidade) e necessidades funcionais
- A composição específica da parede dos vasos em qualquer local dentro da árvore vascular influencia a natureza e as consequências das lesões patológicas.

Anomalias vasculares

Apesar de serem raramente sintomáticas, é importante reconhecer as variantes anatômicas do suprimento vascular habitual, visto que a falta de sua identificação pode levar a complicações cirúrgicas e pode impedir tentativas de intervenções terapêuticas (p. ex., colocação de *stents* em artéria coronária). Entre as outras anomalias vasculares congênitas, quatro delas têm importância particular, embora não sejam necessariamente comuns:

- Os *aneurismas do desenvolvimento* ou *saculares* ocorrem nos vasos cerebrais; quando sofrem ruptura, podem causar hemorragia intracerebral fatal (ver **Capítulo 28**)
- As *fístulas arteriovenosas* são conexões diretas (habitualmente pequenas) entre artérias e veias, que se desviam dos capilares. Ocorrem mais comumente como defeitos do desenvolvimento, mas também podem resultar da ruptura de um aneurisma arterial em uma veia adjacente, de lesões penetrantes que perfuram artérias e veias, ou de necrose inflamatória de vasos adjacentes. As fístulas arteriovenosas produzidas por cirurgia proporcionam um acesso vascular para a hemodiálise crônica. À semelhança dos aneurismas saculares, as fístulas arteriovenosas podem sofrer ruptura. Fístulas arteriovenosas grandes ou múltiplas tornam-se clinicamente significativas ao desviar o sangue da circulação arterial para a venosa, forçando o coração a bombear um volume adicional e levando à insuficiência cardíaca
- A *displasia fibromuscular* consiste em um espessamento irregular focal em artérias musculares de médio e grande calibre, incluindo vasos renais, artéria carótida, vasos esplâncnicos e vertebrais. A causa é desconhecida. Ocorre espessamento focal de segmentos da parede do vaso por uma combinação de hiperplasia e fibrose da média e da íntima, resultando em estenose luminal. Nas artérias renais, podem constituir uma causa de hipertensão renovascular (ver **Capítulo 20**). Os segmentos vasculares imediatamente adjacentes podem apresentar uma acentuada atenuação da túnica média (na angiografia, os vasos exibem uma aparência de "colar de contas"), levando a evaginações vasculares (*aneurismas*) que podem sofrer ruptura
- A *origem anômala das artérias coronárias* resulta de uma anomalia do desenvolvimento, em que ambas as artérias coronárias se originam da mesma válvula da valva da aorta. Embora muitas dessas anomalias sejam benignas, quando um vaso coronário passa entre a aorta e a artéria pulmonar, ele pode ser comprimido, por exemplo, durante o exercício, limitando o fluxo sanguíneo e resultando em morte súbita.

Resposta da parede vascular à lesão

O funcionamento integrado das CEs e das CMLs tem impacto nas respostas fisiológicas e fisiopatológicas aos estímulos hemodinâmicos e bioquímicos. A sua função e disfunção são descritas de maneira sucinta, seguido de uma discussão dos distúrbios vasculares específicos.

As CEs formam um revestimento especializado de epitélio escamoso simples para os vasos sanguíneos. Embora as CEs em toda a árvore vascular compartilhem muitos atributos, as populações que revestem diferentes partes da árvore vascular (vasos de grande calibre *versus* capilares, artérias *versus* veias) apresentam perfis de expressão gênica, comportamentos e aspectos morfológicos distintos. Assim, as CEs nos sinusoides hepáticos ou nos glomérulos renais são fenestradas (*i. e.*, apresentam orifícios, presumivelmente para facilitar a filtração), enquanto as CEs do sistema nervoso central (com as células perivasculares associadas) criam uma barreira hematencefálica impermeável.

As CEs são células multifuncionais versáteis, com numerosas propriedades de síntese e metabólicas. No estado normal, essas células apresentam várias atividades constitutivas, que são de importância crítica para a homeostasia vascular e a função circulatória (**Tabela 11.1**). A não ser que sofram lesão ou sejam ativadas, as CEs apresentam uma superfície não trombogênica, que mantém o sangue no estado líquido (ver **Capítulo 4**). Elas também modulam o tônus das CMLs mediais (influenciando, assim, a resistência muscular); metabolizam hormônios, como a angiotensina; regulam a inflamação; e afetam o crescimento de outros tipos de células, particularmente as CMLs. Embora as junções interendoteliais sejam, em grande parte, impermeáveis nos vasos normais, os agentes vasoativos (p. ex., histamina) causam contração das CEs e permitem a rápida saída de líquidos, eletrólitos e proteínas; na presença de inflamação, até mesmo os leucócitos podem deslizar entre CE adjacentes (ver **Capítulo 3**).

As CEs podem responder a diversos estímulos ao ajustar as suas funções no estado de equilíbrio dinâmico (constitutivas) e ao expressar propriedades recentemente adquiridas (induzíveis) – um processo denominado *ativação endotelial* (**Figura 11.2**). Existem numerosos indutores da ativação endotelial, incluindo citocinas e produtos bacterianos, que desencadeiam a inflamação e que, nos casos graves, podem provocar choque séptico (ver **Capítulo 4**). Outros ativadores incluem estresses hemodinâmicos e produtos lipídicos, que são de importância crítica na patogênese

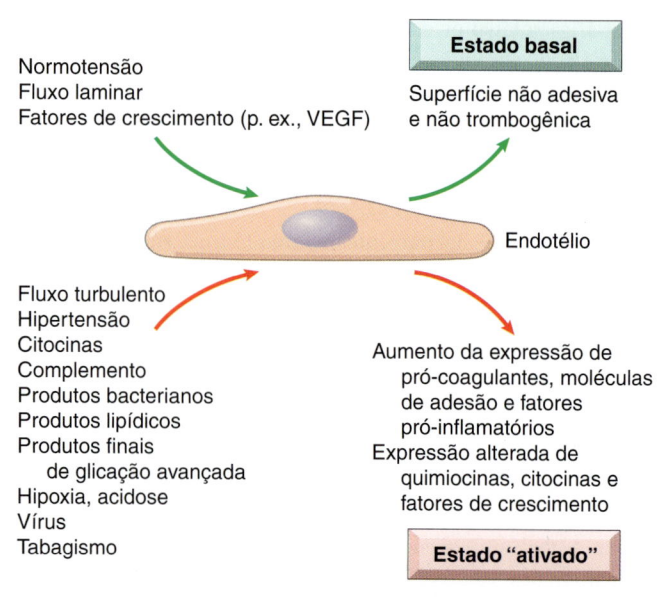

Figura 11.2 Estados basal e ativado das células endoteliais. A pressão arterial normal, o fluxo laminar e os níveis estáveis de fatores de crescimento promovem um estado basal das células endoteliais que mantém uma superfície não adesiva e não trombótica com tônus muscular liso apropriado da parede vascular. A lesão ou a exposição a determinados mediadores resultam em ativação endotelial, um estado em que as células endoteliais desenvolvem uma superfície pró-coagulante, que pode ser adesiva para as células inflamatórias e expressar fatores que provocam contração e/ou proliferação do músculo liso e síntese da matriz. *VEGF*, fator de crescimento endotelial vascular.

da aterosclerose (ver adiante), e produtos finais de glicação avançada, que são importantes nas sequelas patogênicas do diabetes melito (ver **Capítulo 24**). Os vírus, os componentes do complemento e a hipoxia também ativam as CE. Por sua vez, as CEs ativadas expressam moléculas de adesão (ver **Capítulo 3**) e produzem citocinas, quimiocinas, fatores de crescimento, moléculas vasoativas, que resultam em vasoconstrição ou em vasodilatação, indução de moléculas do complexo principal de histocompatibilidade, fatores pró-coagulantes e anticoagulantes e uma variedade de outros produtos biologicamente ativos. As CEs influenciam a reatividade vascular das CMLs subjacentes por meio da produção de fatores vasodilatadores (relaxantes) (p. ex., óxido nítrico) e fatores vasoconstritores (p. ex., endotelina). A função normal das CEs caracteriza-se por um equilíbrio dessas respostas.

A disfunção endotelial refere-se a uma alteração do fenótipo endotelial – observada em muitas condições diferentes –, que frequentemente é tanto pró-inflamatória quanto trombogênica. É responsável, pelo menos em parte, pelo início da formação de trombos, aterosclerose e lesões vasculares da hipertensão e outros distúrbios. Certas formas de disfunção endotelial são de início rápido (em questão de minutos), são reversíveis e independentes da síntese de novas proteínas (p. ex., contração das CEs induzida pela histamina e por outros mediadores vasoativos que provocam espaços no endotélio venular) (ver **Capítulo 3**). Outras alterações, como a suprarregulação de moléculas de adesão, envolvem alterações na expressão gênica e na síntese de proteínas e podem exigir várias horas ou até mesmo dias para o seu desenvolvimento.

As CMLs vasculares constituem os elementos celulares predominantes da túnica média vascular e desempenham importantes papéis no reparo vascular normal e em processos patológicos,

Tabela 11.1 Propriedades e funções das células endoteliais.

Propriedade/função	Mediadores/produtos
Manutenção da barreira de permeabilidade	
Elaboração de reguladores anticoagulantes, antitrombóticos e fibrinolíticos	Prostaciclina Trombomodulina Moléculas semelhantes à heparina Ativador do plasminogênio
Elaboração de moléculas protrombóticas	Fator de von Willebrand Fator tecidual Inibidor do ativador do plasminogênio
Produção de matriz extracelular	Colágeno, proteoglicanos
Modulação do fluxo sanguíneo e da reatividade vascular	*Vasoconstritores:* endotelina, ECA *Vasodilatadores:* NO, prostaciclina
Regulação da inflamação e imunidade	IL-1, IL-6, quimiocinas Moléculas de adesão; VCAM-1, ICAM, E-selectina, P-selectina Antígenos de histocompatibilidade
Regulação do crescimento celular	Estimuladores do crescimento: PDGF, CSF, FGF Inibidores do crescimento: heparina, TGF-β

CSF, fator de estimulação de colônias; *ECA*, enzima conversora de angiotensina; *FGF*, fator de crescimento dos fibroblastos; *ICAM*, molécula de adesão intercelular; *IL*, interleucina; *LDL*, lipoproteína de baixa densidade; *NO*, óxido nítrico; *PDGF*, fator de crescimento derivado das plaquetas; *TGF-β*, fator de crescimento transformador β; *VCAM*, molécula de adesão das células vasculares.

como a aterosclerose. As CMLs têm a capacidade de proliferar quando estimuladas de modo apropriado; essas células também podem sintetizar colágeno, elastina e proteoglicanos e elaborar fatores de crescimento e citocinas. As CMLs também são responsáveis pela vasoconstrição ou dilatação que ocorre em resposta a estímulos fisiológicos ou farmacológicos.

Espessamento da túnica íntima: resposta estereotipada à lesão vascular

A lesão vascular associada à disfunção ou perda das CEs estimula o recrutamento e a proliferação de CML e a síntese associada de MEC; o resultado consiste em espessamento da túnica íntima, que pode comprometer o fluxo vascular. O reparo dos vasos lesionados é análogo ao processo de cicatrização que ocorre em qualquer outro tecido danificado (ver **Capítulo 3**), porém tem um resultado um tanto peculiar, visto que o processo tem impacto no fluxo sanguíneo a jusante. As CEs envolvidas no reparo podem migrar de áreas adjacentes não lesionadas para áreas desnudas ou podem originar-se de precursores circulantes. As CMLs da túnica média ou as células musculares lisas precursoras circulantes também migram para a túnica íntima, proliferam e sintetizam MEC de modo muito semelhante aos fibroblastos que preenchem uma ferida (**Figura 11.3**). Normalmente, a neoíntima resultante é totalmente coberta por CE. Essa resposta da neoíntima ocorre em qualquer tipo de dano ou disfunção vasculares, independentemente da causa. Por conseguinte, o espessamento da túnica íntima é a resposta estereotipada da parede do vaso a qualquer agressão.

As CML da neoíntima apresentam um fenótipo distinto daquele das CMLs da túnica média. Especificamente, as CMLs da neoíntima são mais proliferativas, com aumento das capacidades de biossíntese e redução da função contrátil. Esse comportamento das CMLs da neoíntima é regulado por citocinas e por fatores de crescimento derivado das plaquetas, CEs e macrófagos, bem como da trombina e dos fatores ativados do complemento. Com o tempo e a restauração e/ou normalização da camada de CE, as CMLs da neoíntima podem retornar a um estado não proliferativo.

Conceitos-chave
Resposta das células da parede vascular à lesão

- Todos os vasos são revestidos por endotélio; embora todas as CEs compartilhem certas propriedades homeostáticas, as CEs em leitos vasculares específicos apresentam características especiais, que permitem o desempenho de funções teciduais específicas (p. ex., CEs fenestradas nos glomérulos renais)
- A função das CEs é rigorosamente regulada nos estados tanto basal quanto ativado. Diversos estímulos fisiológicos e fisiopatológicos induzem a ativação e disfunção endoteliais, que alteram o fenótipo das CEs (p. ex., pró-coagulantes *versus* anticoagulantes, pró-inflamatórios *versus* anti-inflamatórios e não adesivos *versus* adesivos)
- A lesão (de quase todos os tipos) da parede do vaso resulta em uma resposta de reparo estereotipada envolvendo a proliferação de CML, a deposição de MEC e a expansão da túnica íntima
- O recrutamento e a ativação das CMLs envolvem sinais provenientes das células (p. ex., CE, plaquetas e macrófagos), bem como mediadores derivados das cascatas da coagulação e do complemento
- O espessamento excessivo da íntima pode resultar em estenose luminal e obstrução vascular.

Doença vascular hipertensiva

As pressões arteriais sistêmica e tecidual local precisam ser mantidas dentro de uma estreita faixa, de modo a impedir consequências indesejáveis. As pressões baixas (hipotensão) resultam em perfusão inadequada dos órgãos e podem levar à disfunção ou à morte dos tecidos. Em contrapartida, a pressão elevada (hipertensão) pode causar dano aos órgãos-alvo e constitui um dos principais fatores de risco para aterosclerose (ver adiante).

À semelhança da altura e do peso, a pressão arterial é uma variável de distribuição contínua. Os efeitos prejudiciais da pressão

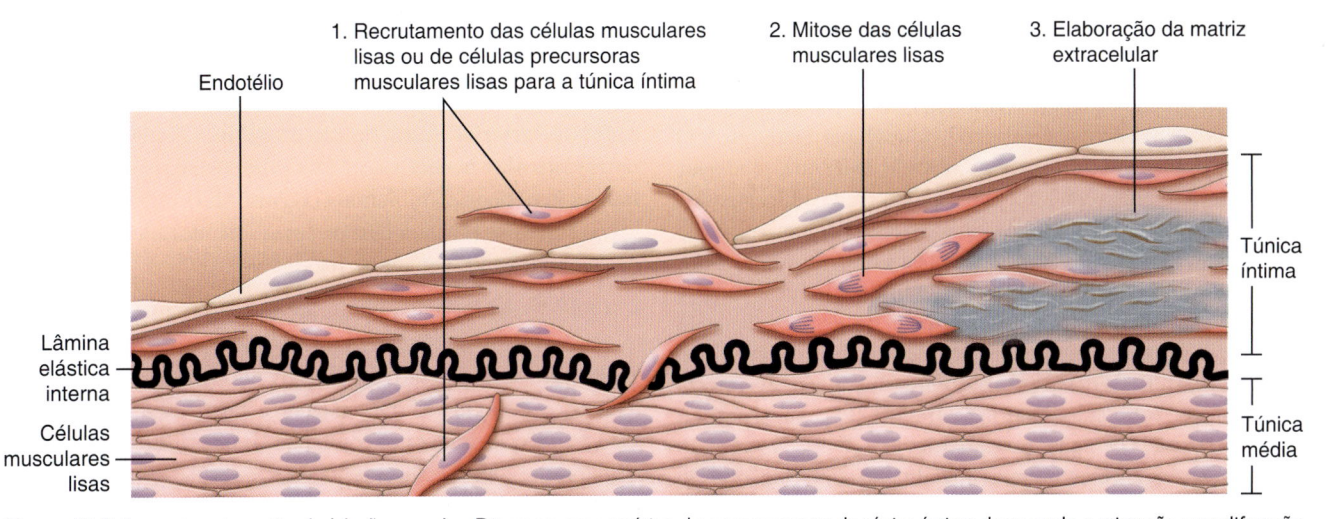

Figura 11.3 Resposta estereotipada à lesão vascular. Diagrama esquemático do espessamento da túnica íntima destacando a migração e proliferação das células musculares lisas da íntima, associadas à síntese de matriz extracelular. As células musculares lisas da túnica íntima podem se originar da túnica média subjacente ou podem ser recrutadas a partir de precursores circulantes; as células da íntima são mostradas com tonalidade mais escura para ressaltar que elas apresentam um fenótipo proliferativo, de síntese e não contrátil, distinto das células musculares lisas da túnica média.

arterial aumentam continuamente à medida que ocorre elevação da pressão – não existe nenhum nível limiar rigidamente definido de pressão arterial capaz de identificar os indivíduos com aumento do risco de doença cardiovascular. Tanto a pressão arterial sistólica quanto a diastólica são importantes na determinação do risco; especificamente, de acordo com as diretrizes mais recentes, os indivíduos com pressão diastólica acima de 80 mmHg ou pressão sistólica acima de 120 mmHg são considerados portadores de hipertensão clinicamente significativa. Aproximadamente 46% dos indivíduos na população geral são, portanto, hipertensos com base nesses critérios mais recentes. Entretanto, esses pontos de corte não avaliam com segurança o risco em todos os pacientes; por exemplo, quando outros fatores de risco, como o diabetes melito, estão presentes, são aplicados limiares mais baixos.

A **Tabela 11.2** fornece uma lista das principais causas de hipertensão. Embora as vias moleculares que regulam a pressão arterial normal estejam razoavelmente bem compreendidas, as causas de hipertensão na maioria dos indivíduos permanecem, em grande parte, desconhecidas. Um pequeno número de pacientes (cerca de 10%) apresenta *hipertensão secundária* como resultado de uma doença renal ou suprarrenal subjacente (p. ex., aldosteronismo primário, síndrome de Cushing ou feocromocitoma), estenose da artéria renal ou outra causa identificável. Todavia, aproximadamente 90% dos casos de hipertensão são idiopáticos – constituindo a denominada hipertensão essencial. Parece provável que a hipertensão seja um distúrbio multifatorial decorrente dos efeitos cumulativos de múltiplos polimorfismos genéticos e fatores ambientais de interação.

A prevalência e a vulnerabilidade às complicações da hipertensão aumentam com a idade e são maiores entre afro-americanos. Além do aumento no risco de aterosclerose, a hipertensão pode causar hipertrofia cardíaca e insuficiência cardíaca (*doença cardíaca hipertensiva*) (ver **Capítulo 12**), demência por múltiplos infartos (ver **Capítulo 28**), dissecção da aorta (discutida posteriormente, neste capítulo) e insuficiência renal (ver **Capítulo 20**). Infelizmente, a hipertensão normalmente permanece assintomática até uma fase tardia de sua evolução, e até mesmo as pressões com acentuada elevação podem permanecer clinicamente silenciosas durante anos. Sem tratamento, aproximadamente metade dos pacientes hipertensos morre de doença cardíaca isquêmica ou de insuficiência cardíaca congestiva, e um terço morre de acidente vascular encefálico. O tratamento com fármacos que reduzem a pressão arterial diminui drasticamente a incidência e as taxas de mortalidade atribuíveis a todas as formas de patologia relacionada com a hipertensão.

Uma pequena porcentagem de indivíduos hipertensos (até 5%) apresenta uma pressão arterial de elevação rápida que, se não for tratada, leva à morte em 1 a 2 anos. Essa forma de hipertensão, denominada *hipertensão maligna,* caracteriza-se por grave elevação da pressão arterial (*i. e.*, pressão sistólica acima de 200 mmHg, pressão diastólica acima de 120 mmHg), insuficiência renal e hemorragias e exsudatos da retina, com ou sem papiledema (tumefação do nervo óptico, que reflete o aumento da pressão intracraniana). Pode desenvolver-se em indivíduos previamente normotensos; entretanto, com mais frequência, é superposta a uma hipertensão "benigna" preexistente.

Nesta seção, apresentaremos inicialmente uma breve visão geral da homeostasia da pressão arterial, seguida de uma discussão dos mecanismos patogênicos que estão na base da hipertensão e de uma descrição das alterações patológicas vasculares associadas à hipertensão.

Tabela 11.2 Tipos e causas de hipertensão (sistólica e diastólica).

Hipertensão essencial
Responsável por 90 a 95% de todos os casos
Hipertensão secundária
Renal
Glomerulonefrite aguda
Doença renal crônica
Doença policística
Estenose da artéria renal
Vasculite renal
Tumores produtores de renina
Endócrinas
Hiperfunção adrenocortical (síndrome de Cushing, aldosteronismo primário, hiperplasia suprarrenal congênita, ingestão de alcaçuz)
Hormônios exógenos (glicocorticoides, estrogênio [incluindo induzido pela gravidez e contraceptivos orais], simpaticomiméticos e alimentos que contêm tiramina, inibidores da monoamina oxidase)
Feocromocitoma
Acromegalia
Hipertireoidismo (tireotoxicose)
Induzida pela gravidez (pré-eclâmpsia)
Cardiovasculares
Coarctação da aorta
Poliarterite nodosa
Aumento do volume intravascular
Aumento do débito cardíaco
Rigidez da aorta
Neurológicas
Psicogênica
Aumento da pressão intracraniana
Aumento do sono
Estresse agudo, incluindo cirurgia

Regulação da pressão arterial

A pressão arterial é uma função do débito cardíaco e da resistência vascular periférica, ambas influenciadas por múltiplos fatores genéticos e ambientais (Figura 11.4). A integração dos vários estímulos assegura uma perfusão sistêmica adequada, apesar das diferenças nas demandas regionais:

- O *débito cardíaco* é uma função do volume sistólico e da frequência cardíaca. O determinante mais importante do volume sistólico é a pressão de enchimento, que é regulada pela homeostasia do sódio e seu efeito sobre o volume sanguíneo. A frequência cardíaca e a contratilidade miocárdica (um segundo fator que afeta o volume sistólico) são reguladas pelos sistemas alfa e beta-adrenérgicos, que também apresentam efeitos importantes sobre o tônus vascular

- A *resistência periférica* é regulada predominantemente no nível das arteríolas por estímulos neurais e hormonais. O tônus

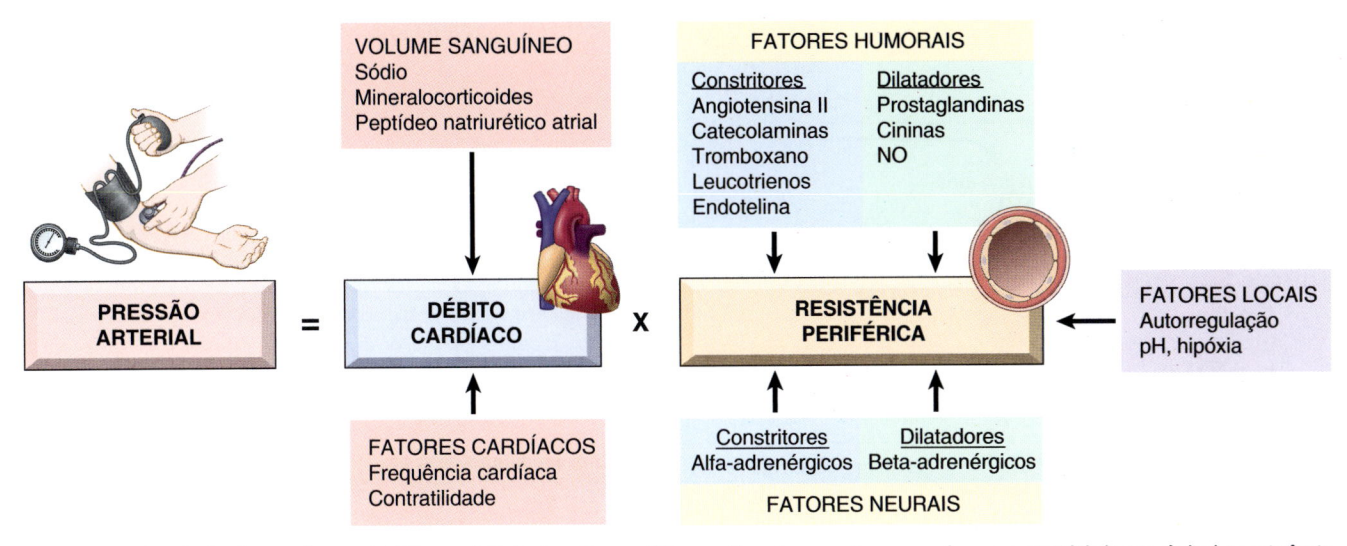

Figura 11.4 Regulação da pressão arterial. Diversas influências sobre o débito cardíaco (p. ex., volume sanguíneo e contratilidade miocárdica) e resistência periférica (efetores neurais, humorais e locais) têm impacto na pressão arterial.

vascular reflete o equilíbrio entre vasoconstritores (incluindo angiotensina II, catecolaminas e endotelina) e vasodilatadores (incluindo cininas, prostaglandinas e NO). Os vasos de resistência também exibem autorregulação, por meio da qual o aumento do fluxo sanguíneo induz vasoconstrição para proteger os tecidos da hiperperfusão. Por fim, a pressão arterial é modulada pelo pH tecidual e pela hipoxia, de modo a acomodar as demandas metabólicas locais.

Os fatores liberados pelos rins, pelas glândulas suprarrenais e pelo miocárdio interagem para influenciar o tônus vascular e regular o volume sanguíneo por meio de ajuste do equilíbrio do sódio (Figura 11.5). Os rins filtram 170 ℓ de plasma, que contêm 23 moles de sal, diariamente. Assim, com uma dieta típica que contenha 100 mEq de sódio, 99,5% do sal filtrado precisam ser reabsorvidos para manter os níveis corporais totais de sódio. Aproximadamente 98% do sódio filtrado são reabsorvidos por vários transportadores constitutivamente ativos. A pequena quantidade de sódio remanescente está sujeita a reabsorção pelo canal de sódio epitelial (EnaC), que é rigorosamente regulado pelo sistema renina-angiotensina-aldosterona; é esta via que determina o equilíbrio final do sódio.

Os rins e o coração contêm células que detectam alterações na pressão arterial ou no volume sanguíneo. Em resposta, essas células liberam efetores circulantes que atuam em conjunto para manter a pressão arterial normal. Os rins influenciam a resistência periférica e a excreção/retenção de sódio principalmente pelo sistema renina-angiotensina-aldosterona:

- A *renina* é uma enzima proteolítica produzida pelas células justaglomerulares, que são células mioepiteliais adjacentes às arteríolas aferentes glomerulares. A renina é liberada em resposta à pressão arterial baixa nas arteríolas aferentes, a níveis elevados de catecolaminas circulantes ou a baixos níveis de sódio nos túbulos renais contorcidos distais. Estes últimos ocorrem quando a taxa de filtração glomerular cai (p. ex., quando o débito cardíaco está baixo), levando a um aumento da reabsorção de sódio pelos túbulos proximais
- A *renina cliva o angiotensinogênio* plasmático em angiotensina I, que, por sua vez, é convertida em angiotensina II pela enzima *conversora de angiotensina (ECA)*, que constitui principalmente um produto do endotélio vascular. A angiotensina II aumenta a pressão arterial por meio de: (1) indução da contração vascular; (2) estimulação da secreção de aldosterona pelas glândulas suprarrenais; e (3) aumento da reabsorção tubular de sódio. A aldosterona da suprarrenal aumenta a pressão arterial em virtude de seu efeito sobre o volume sanguíneo; ela aumenta a reabsorção de sódio (e, portanto, de água) nos túbulos contorcidos distais, com consequente aumento do volume sanguíneo
- *O rim também produz uma variedade de substâncias relaxantes vasculares* (incluindo prostaglandinas e NO), que podem contrabalançar os efeitos vasopressores da angiotensina.

Os *peptídeos natriuréticos miocárdicos* são liberados do miocárdio atrial (contribuinte dominante) e ventricular (contribuinte menor) em resposta à expansão do volume; eles inibem a reabsorção de sódio nos túbulos renais distais, levando, assim, à excreção de sódio e diurese. Além disso, induzem vasodilatação sistêmica.

> **Conceitos-chave**
>
> **Regulação da pressão arterial**
>
> - A pressão arterial é determinada pela resistência vascular e pelo débito cardíaco
> - A resistência vascular é regulada no nível das arteríolas, influenciada por estímulos neurais e hormonais
> - O débito cardíaco é determinado pela frequência cardíaca e pelo volume sistólico, que é fortemente influenciado pelo volume sanguíneo. Esse último, por sua vez, é regulado principalmente pela excreção ou reabsorção renal de sódio
> - A renina, um importante regulador da pressão arterial, é secretada pelos rins em resposta a uma diminuição da pressão arterial nas arteríolas aferentes. Por sua vez, a renina cliva o angiotensinogênio em angiotensina I; o catabolismo endotelial subsequente produz a angiotensina II, que regula a pressão arterial ao aumentar o tônus das CMLs vasculares e ao aumentar a secreção suprarrenal de aldosterona, com consequente aumento da reabsorção renal de sódio

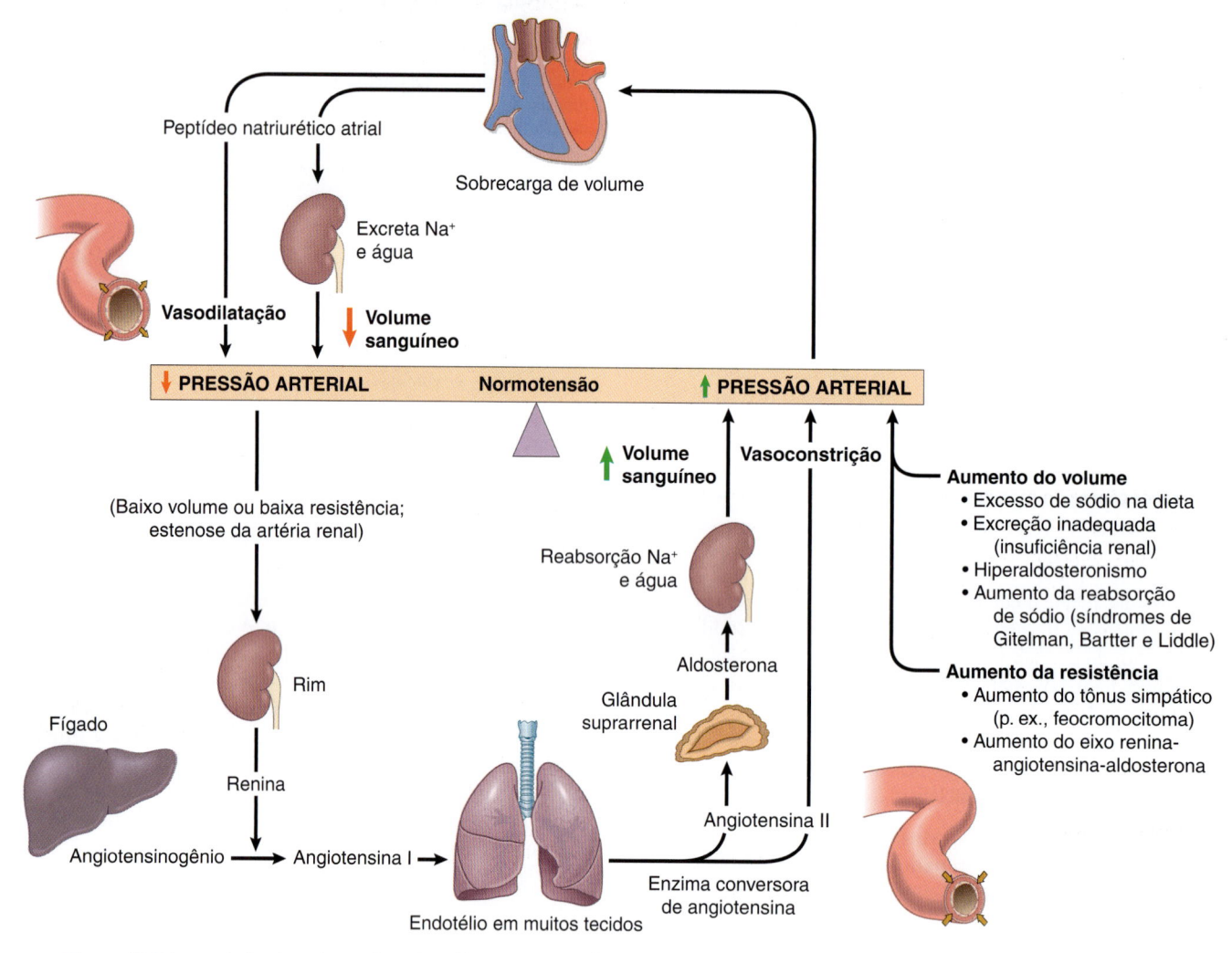

Figura 11.5 Inter-relação da renina-angiotensina-aldosterona e peptídeo natriurético atrial na manutenção da homeostasia da pressão arterial.

Patogênese da hipertensão

A grande maioria (90 a 95%) dos casos de hipertensão é idiopática, resultado da interação de fatores genéticos e ambientais. Mesmo sem conhecer as lesões específicas, é razoável supor que pequenas alterações na homeostasia do sódio renal e/ou no tônus ou na estrutura das paredes dos vasos atuam em combinação para causar hipertensão essencial (ver **Figura 11.5**). A maioria das outras causas é incluída na rubrica geral de doença renal, incluindo hipertensão renovascular (devido à oclusão da artéria renal). Raramente a hipertensão apresenta uma base endócrina subjacente.

Mecanismos da hipertensão secundária. Em muitas das formas secundárias de hipertensão, as vias subjacentes estão razoavelmente bem compreendidas:

- Na *hipertensão renovascular,* a estenose da artéria renal provoca diminuição do fluxo glomerular e da pressão na arteríola aferente do glomérulo. Conforme já discutido, isso induz a secreção de renina, levando a um aumento do volume sanguíneo e do tônus vascular por meio das vias de angiotensina e aldosterona (ver **Figura 11.5**)

- O *hiperaldosteronismo primário* é uma das causas mais comuns de hipertensão secundária (ver **Capítulo 24**). Pode ser idiopático ou menos comumente causado por adenomas suprarrenais secretores de aldosterona

- Os *distúrbios monogênicos* formam causas graves, porém raras, de hipertensão:
  - Os *defeitos gênicos que afetam as enzimas envolvidas no metabolismo da aldosterona* (p. ex., aldosterona sintase, 11β-hidroxilase, 17α-hidroxilase) podem levar a um aumento da secreção de aldosterona, com aumentos a jusante na reabsorção de sal e de água, expansão do volume plasmático e, por fim, hipertensão
  - *Mutações que afetam as proteínas que influenciam a reabsorção de sódio.* Por exemplo, a forma moderadamente grave de hipertensão sensível ao sal, denominada síndrome de Liddle, é causada por mutações em uma proteína do canal de Na$^+$ epitelial, que aumentam a reabsorção tubular distal de sódio em resposta à aldosterona.

Mecanismos da hipertensão essencial. Conforme assinalado anteriormente, na grande maioria dos casos, a hipertensão resulta de interações complexas entre múltiplas influências genéticas e ambientais:

- Os *fatores genéticos* contribuem definitivamente para a regulação da pressão arterial, conforme mostrado por comparações entre gêmeos monozigóticos e dizigóticos e crianças geneticamente relacionadas *versus* adotadas. Além disso, conforme já assinalado, vários distúrbios monogênicos causam formas relativamente raras de hipertensão (e hipotensão) ao alterar a reabsorção efetiva de sódio no rim. Os estudos de associação genômica ampla de grande porte assinalaram mais de 60 *loci* genéticos, em que variantes individualmente têm uma contribuição mínima para os níveis de pressão arterial, porém, quando somadas, exercem efeitos maiores
- A *excreção renal insuficiente de sódio* na presença de pressão arterial normal pode constituir um evento-chave iniciador na hipertensão essencial e, na verdade, uma via comum final para a patogênese da hipertensão. A excreção insuficiente de sódio pode levar de modo sequencial a um aumento do volume de líquidos, aumento do débito cardíaco e vasoconstrição periférica, com consequente elevação da pressão arterial. Na presença de pressão arterial mais alta, uma quantidade adicional suficiente de sódio é excretada pelos rins para igualar a ingestão e impedir uma retenção adicional de líquidos. Por conseguinte, um novo estado de equilíbrio dinâmico do sódio é alcançado ("reajuste da natriurese de pressão"), porém à custa de uma elevação da pressão arterial
- As *influências vasoconstritoras*, como fatores que induzem vasoconstrição ou estímulos que causam alterações estruturais na parede do vaso, podem levar a um aumento da resistência periférica e também podem desempenhar um papel na hipertensão essencial
- Os *fatores ambientais*, como estresse, obesidade, tabagismo, sedentarismo e consumo excessivo de sal, estão todos implicados na hipertensão. Com efeito, as evidências que ligam a ingestão de sódio na dieta com a prevalência da hipertensão em diferentes populações são particularmente impressionantes.

Patologia vascular na hipertensão

A hipertensão não apenas acelera a aterogênese (ver adiante) como provoca alterações degenerativas nas paredes das artérias de grande e de médio calibres, podendo levar à dissecção da aorta, bem como à hemorragia cerebrovascular. Três formas de doença de pequenos vasos estão relacionadas com a hipertensão (**Figura 11.6**).

> ### Morfologia
>
> ***Arteriolosclerose hialina.*** As arteríolas apresentam espessamento hialino homogêneo e rosa, com estreitamento luminal associado (**Figura 11.6A**). Essas alterações refletem tanto o extravasamento de proteínas plasmáticas através das CEs lesionadas quanto o aumento da síntese de matriz pelas CMLs em resposta às pressões hemodinâmicas crônicas da hipertensão. Embora os vasos de pacientes idosos (normotensos ou hipertensos) também exibam com frequência arteriosclerose hialina, ela é mais generalizada e grave nos pacientes com hipertensão e diabetes melito (ver **Capítulo 24**). Na **nefrosclerose** causada por hipertensão crônica, o estreitamento arteriolar provoca comprometimento difuso do suprimento sanguíneo renal e cicatrização glomerular (ver **Capítulo 20**).
>
> ***Arteriolosclerose hiperplásica.*** Essa lesão é observada na hipertensão grave; os vasos apresentam espessamento **laminado** e concêntrico (em "casca de cebola") das paredes, com estreitamento luminal (**Figura 11.6B**). As laminações consistem em CML com membrana basal espessa e reduplicada; na hipertensão maligna, são acompanhadas de depósitos fibrinoides e necrose da parede vascular (**arteriolite necrosante**), particularmente nos rins (ver **Capítulo 20**).
>
> A ***hipertensão pulmonar*** pode ser causada por diversas entidades, incluindo insuficiência cardíaca esquerda, cardiopatia congênita, doenças valvares, doença pulmonar obstrutiva ou intersticial e tromboembolismo recorrente. As arteríolas nesses pulmões afetados normalmente exibem alterações histológicas, que variam desde espessamento fibrótico da íntima até hiperplasia da túnica média. Essas alterações são descritas com mais detalhes no **Capítulo 15**.

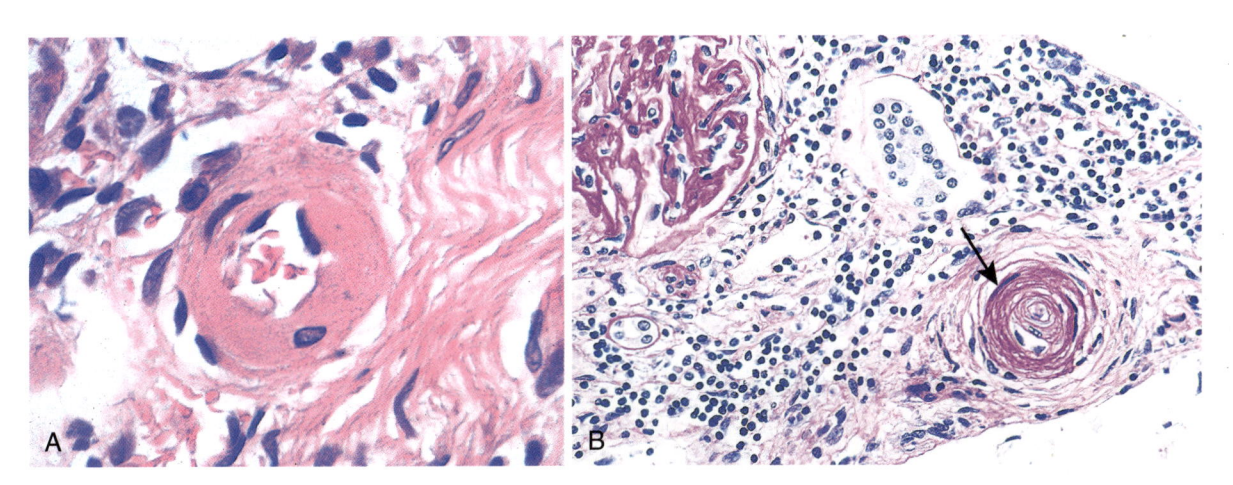

Figura 11.6 Patologia vascular na hipertensão. **A.** Arteriolosclerose hialina. Ocorre espessamento da parede arteriolar com aumento da deposição de proteínas (hialinização), e a luz está acentuadamente estreitada. **B.** Arteriolosclerose hiperplásica (em "casca de cebola") causando obliteração luminal (*seta*) (coloração pelo ácido periódico de Schiff). (**B,** Cortesia de Helmut Rennke, MD, Brigham and Women's Hospital, Boston, Mass.)

> **Conceitos-chave**
>
> **Hipertensão**
>
> - A hipertensão é uma doença comum que afeta aproximadamente metade dos adultos nos EUA. Trata-se de um importante fator de risco para a aterosclerose, a insuficiência cardíaca congestiva e a insuficiência renal
> - A hipertensão essencial representa 90 a 95% dos casos e é um distúrbio multifatorial complexo, que envolve tanto influências ambientais quanto polimorfismos genéticos que influenciam a reabsorção de sódio, as vias da aldosterona e o sistema renina-angiotensina-aldosterona
> - Em certas ocasiões, a hipertensão é causada por distúrbios monogênicos ou é secundária a doenças renais, das glândulas suprarrenais ou de outros órgãos endócrinos
> - A hipertensão sustentada exige a participação do rim, que normalmente responde à hipertensão pela eliminação de sal e de água. Na hipertensão estabelecida, tanto o aumento do volume sanguíneo quanto o aumento da resistência periférica contribuem para a elevação da pressão
> - Histologicamente, a hipertensão está associada a um espessamento das paredes arteriais causado por depósitos hialinos e, nos casos graves, pela proliferação de CE ou de CML e replicação da membrana basal.

Arteriosclerose

A arteriosclerose significa literalmente "endurecimento das artérias"; trata-se de um termo genérico para referir-se ao espessamento da parede arterial e à perda de sua elasticidade. Existem quatro padrões gerais, com diferentes consequências clínicas e patológicas:

- A *arteriolosclerose* afeta as pequenas artérias e arteríolas e pode causar lesão isquêmica distal. As duas variantes anatômicas, a hialina e a hiperplásica, já foram discutidas em relação à hipertensão
- A *esclerose da média de Mönckeberg* caracteriza-se por calcificações das paredes das artérias musculares, que normalmente começam ao longo da membrana elástica interna. Os indivíduos com mais de 50 anos são mais comumente afetados. As calcificações não invadem a luz do vaso e, em geral, não são clinicamente significativas
- A *hiperplasia fibromuscular da íntima* ocorre nas artérias musculares maiores do que as arteríolas. É impulsionada por inflamação (como na arterite cicatrizada ou na arteriopatia associada a transplante; ver **Capítulo 12**) ou por lesão mecânica (p. ex., associada a *stents* ou a angioplastia com balão; ver adiante) e pode ser considerada uma resposta de reparo. Os vasos afetados podem apresentar acentuada estenose; de fato, essa hiperplasia da íntima está na base da reestenose dentro de *stents* e constitui a principal limitação a longo prazo dos transplantes de órgãos sólidos
- A *aterosclerose*, das palavras gregas para "mingau" e "endurecimento", constitui o padrão mais frequente e clinicamente importante, que é discutido aqui.

Aterosclerose

A aterosclerose está na base da patogênese das doenças coronarianas, cerebrais e vasculares periféricas e provoca mais morbidade e mortalidade (aproximadamente metade de todas as mortes) no mundo ocidental do que qualquer outra doença. Tendo em vista que a doença arterial coronariana constitui uma importante manifestação da aterosclerose, os dados epidemiológicos relacionados com a mortalidade por aterosclerose normalmente refletem as mortes causadas por doença cardíaca isquêmica (ver **Capítulo 12**); com efeito, o infarto do miocárdio é responsável por quase um quarto de todas as mortes nos EUA. A doença aterosclerótica da aorta e das carótidas e o acidente vascular encefálico também causam morbidade e mortalidade significativas.

A probabilidade de aterosclerose é determinada pela combinação de fatores de risco adquiridos (p. ex., níveis de colesterol, tabagismo, hipertensão), hereditários (p. ex., mutações nos genes dos receptores de lipoproteína de baixa densidade [LDL]) e associados ao sexo e à idade. Esses fatores, atuando em conjunto, causam lesões da túnica íntima, denominadas *ateromas* (também conhecidos como *placas ateromatosas* ou *ateroscleróticas*), que fazem protrusão na luz dos vasos. Normalmente, uma placa ateromatosa consiste em uma lesão elevada, com um cerne mole e grumoso de lipídios (principalmente colesterol e ésteres de colesterol), recoberta por uma capa fibrosa (**Figura 11.7**). Além da obstrução mecânica do

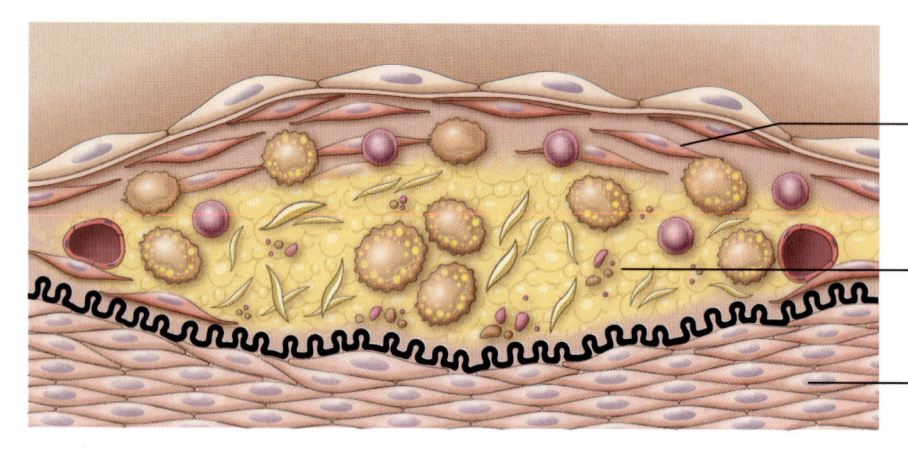

CAPA FIBROSA
(células musculares lisas, macrófagos, células espumosas, linfócitos, colágeno, elastina, proteoglicanos, neovascularização)

CENTRO NECRÓTICO
(restos celulares, cristais de colesterol, células espumosas, cálcio)

TÚNICA MÉDIA

Figura 11.7 Estrutura básica de uma placa aterosclerótica. Observe que a aterosclerose é um processo basicamente da túnica íntima, com uma complexa interação entre células e materiais extracelulares. As placas podem ter efeitos secundários sobre a média subjacente, incluindo uma redução das células musculares lisas.

fluxo sanguíneo, as placas ateroscleróticas podem sofrer ruptura, levando à trombose vascular obstrutiva catastrófica. As placas ateroscleróticas também podem aumentar a distância de difusão da luz até a média, levando à lesão isquêmica e ao enfraquecimento da parede do vaso – alterações que podem resultar na formação de aneurisma.

Epidemiologia. Embora a doença cardíaca isquêmica associada à aterosclerose seja ubíqua entre os países mais desenvolvidos, a redução dos fatores de risco e o avanço das terapias combinaram-se para diminuir a mortalidade associada. Ao mesmo tempo, a redução da mortalidade por doenças infecciosas e a adoção do estilo de vida ocidental levaram a um aumento na prevalência da doença cardíaca isquêmica nos países de baixa renda. Em consequência, a taxa de mortalidade por doença arterial coronariana na África, na Índia e no Sudeste Asiático agora ultrapassa a dos EUA; os países da Europa Oriental apresentam taxas 3 a 5 vezes maiores que as dos EUA e 7 a 12 vezes maiores que as do Japão.

Fatores de risco

A prevalência e a gravidade da aterosclerose e da doença cardíaca isquêmica entre indivíduos e grupos estão relacionadas com o número de fatores de risco identificados por meio de várias análises prospectivas (p. ex., o Framingham Heart Study); alguns desses fatores são constitucionais (e, portanto, menos controláveis), enquanto outros são adquiridos ou estão relacionados com comportamentos específicos e são potencialmente acessíveis à intervenção (**Tabela 11.3**). Normalmente, esses fatores de risco apresentam efeitos mais do que aditivos, porém o tratamento (mesmo quando abaixo do ideal) pode reduzir parte do risco (**Figura 11.8**).

Fatores de risco constitucionais

- *Genética*. A história familiar constitui o fator de risco independente mais importante para a aterosclerose. Alguns distúrbios mendelianos estão fortemente associados à aterosclerose (p. ex., hipercolesterolemia familiar; ver **Capítulo 5**), porém são responsáveis apenas por uma pequena porcentagem de casos. A predisposição familiar bem estabelecida à aterosclerose e à doença cardíaca isquêmica é habitualmente poligênica e está relacionada a pequenos efeitos de muitos alelos compartilhados comuns a uma família ou população

Tabela 11.3 Principais fatores de risco de aterosclerose.

Não modificáveis (constitucionais)
Anormalidades genéticas
História familiar
Idade avançada
Sexo masculino
Modificáveis
Hiperlipidemia
Hipertensão
Tabagismo
Diabetes melito
Inflamação

- *A idade é uma influência dominante*. O desenvolvimento da placa aterosclerótica é um processo progressivo que, em geral, se manifesta clinicamente na meia-idade ou em uma idade mais avançada (ver adiante). Por conseguinte, entre 40 e 60 anos, a incidência de infarto do miocárdio aumenta cinco vezes. As taxas de mortalidade por doença cardíaca isquêmica aumentam a cada década até a idade avançada. Entretanto, cada vez mais, essa associação da idade está sendo reconhecida como talvez mais do que o simples acúmulo de ataques e flechadas de lesão vascular ao longo dos anos. De fato, com o envelhecimento, há uma tendência à proliferação de clones hematopoéticos (a denominada *hematopoese clonal de potencial indeterminado [CHIP, clonal hematopoiesis of indeterminate potential]*) que apresentam mutações que conferem uma vantagem proliferativa. Muitas delas afetam modificações do DNA e a regulação transcricional (p. ex., *TET2* que modifica uma enzima que converte a metilcitosina em 5-hidroximetilcitosina); conforme esperado, podem influenciar em última análise o risco de desenvolvimento de neoplasias malignas hematológicas. Entretanto, talvez mais notável seja o fato de que essa hematopoese clonal ainda esteja associada de modo mais significativo a um aumento da mortalidade cardiovascular de todas as causas. Uma explicação está começando a ser delineada, segundo a qual as mesmas mutações da CHIP que afetam a proliferação celular (p. ex., *TET2*) também podem ter impacto na resposta inflamatória das células mononucleares, influenciando, portanto, a aterogênese (ver adiante)
- *Gênero.* As mulheres na pré-menopausa são relativamente protegidas contra a aterosclerose e suas consequências, em comparação com homens de idade correspondente. Por conseguinte, o infarto do miocárdio e outras complicações da aterosclerose são incomuns em mulheres na pré-menopausa, a não ser que tenham predisposição ao diabetes melito, à hiperlipidemia ou à hipertensão grave. Entretanto, depois da menopausa, a incidência de doenças relacionadas com a aterosclerose aumenta e, em idades mais avançadas, ultrapassa a dos homens. Embora se tenha proposto uma influência favorável do estrogênio para explicar esse efeito, os ensaios clínicos de reposição de estrogênio não mostraram qualquer benefício; de fato, em algumas mulheres idosas, a terapia com estrogênio na pós-menopausa na verdade aumentou o risco cardiovascular.

Principais fatores de risco modificáveis

- *A hiperlipidemia* – e, mais especificamente, a hipercolesterolemia – constitui um importante fator de risco para a aterosclerose; mesmo na ausência de outros fatores de risco, a hipercolesterolemia é suficiente para iniciar o desenvolvimento de uma lesão. O principal componente do colesterol sérico associado a um aumento de risco é o colesterol LDL ("colesterol ruim"). A LDL é o complexo de lipídio-colesterol-proteína que libera colesterol nos tecidos periféricos; em contrapartida, a lipoproteína de alta densidade (HDL) é o complexo que mobiliza colesterol da periferia (incluindo ateromas) e o transporta até o fígado para catabolismo e excreção biliar. A presença de níveis mais altos de HDL ("colesterol bom") correlaciona-se com uma redução do risco.

É compreensível que as intervenções dietéticas e farmacológicas que reduzem os níveis de LDL ou de colesterol sérico total sejam de considerável interesse. Curiosamente, as abordagens

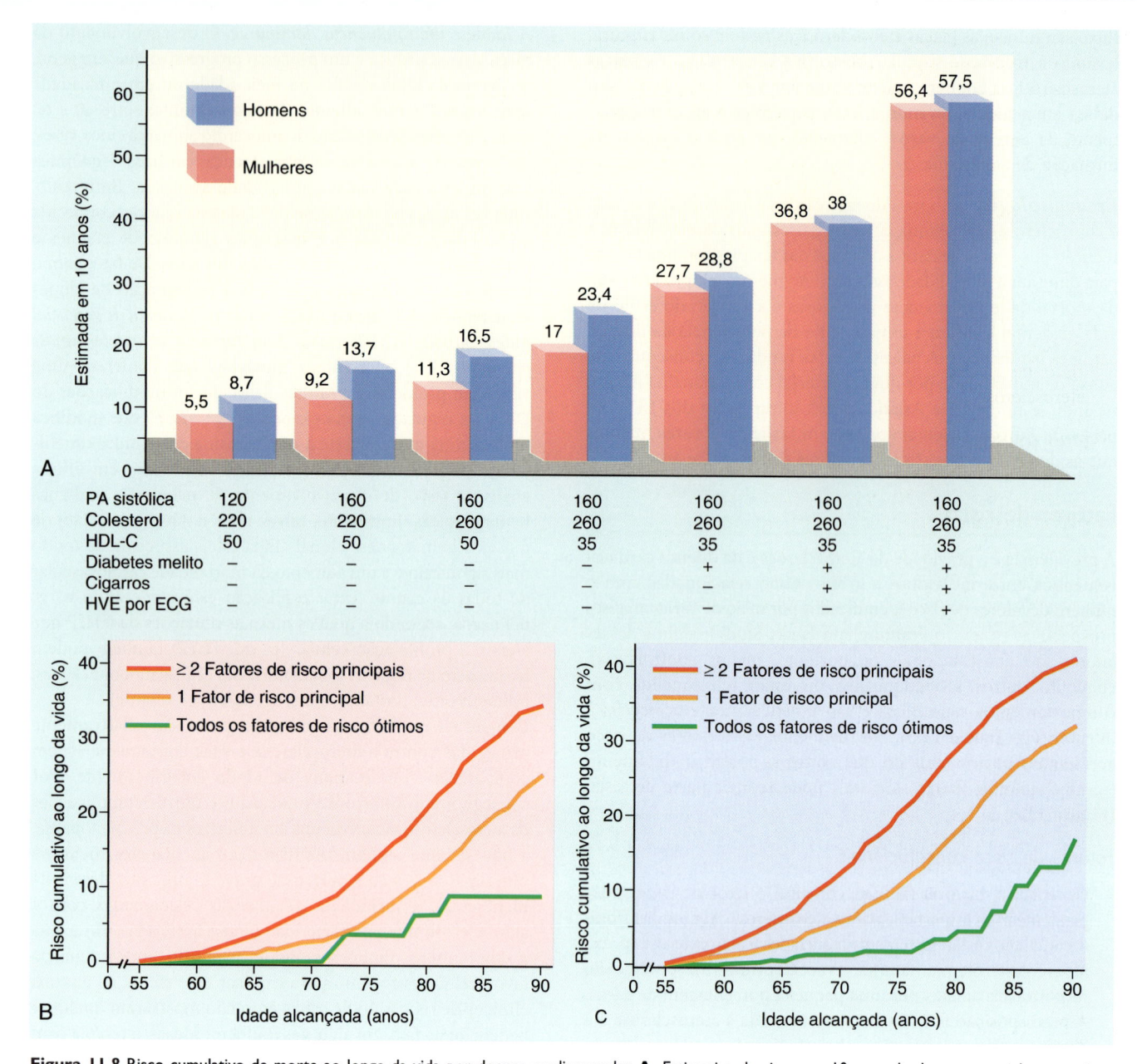

Figura 11.8 Risco cumulativo de morte ao longo da vida por doença cardiovascular. **A.** Estimativa de risco em 10 anos de doença arterial coronariana em homens e mulheres hipotéticos de 55 anos em função dos fatores de risco tradicionais (hiperlipidemia, hipertensão, tabagismo e diabetes melito). *ECG*, eletrocardiograma; *HDL-C*, colesterol de lipoproteína de alta densidade; *HVE*, hipertrofia ventricular esquerda; *PA*, pressão arterial. Em mulheres (**B**) e em homens (**C**), um ou mais fatores de risco de pressão arterial, colesterol, diabetes e tabagismo aumentam significativamente o risco cumulativo de evento cardiovascular ao longo da vida. (**A**, De O'Donnell CJ, Kannel WB: Cardiovascular risks of hypertension: lessons from observational studies, *J Hypertens Suppl* 16(6):S3-S7, 1998, com autorização de Lippincott Williams & Wilkins; **B** e **C**, Modificada de Berry JD, Dyer A, Cai X, et al: Lifetime risks of cardiovascular disease, *N Eng J Med* 366:321-329, 2012.)

que elevam exclusivamente os níveis de HDL não são efetivas. Embora anteriormente considerada importante, a contribuição da maioria das gorduras dietéticas para a aterosclerose é agora considerada mínima. Entretanto, os ácidos graxos ômega-3 (abundantes nos óleos de peixes) são considerados benéficos, enquanto as gorduras insaturadas *trans*, que são produzidas pela hidrogenação artificial de óleos poli-insaturados (utilizados em produtos de panificação e na margarina), podem afetar adversamente os perfis de colesterol. As *estatinas* são uma classe de fármacos que reduzem os níveis circulantes de colesterol ao inibir a hidroximetilglutaril coenzima A (HMG CoA) redutase, a enzima limitadora de velocidade na biossíntese hepática de colesterol (ver **Capítulo 5**). As estatinas são amplamente utilizadas para reduzir os níveis séricos de colesterol, diminuindo as taxas de infarto do miocárdio e representando, seguramente, uma das histórias de sucesso mais significativas da pesquisa translacional. Curiosamente, parte do benefício das estatinas pode ser devida a efeitos "não intencionais" sobre a redução da inflamação (ver também adiante)

- A *hipertensão* pode aumentar o risco de doença cardíaca isquêmica em aproximadamente 60%, em comparação com a população normotensa. A hipertensão crônica constitui a causa

mais comum de hipertrofia ventricular esquerda, de modo que esta última também é um marcador substituto de risco cardiovascular
- O *tabagismo* e, em particular, o seu uso prolongado (durante anos), duplicam a taxa de mortalidade por doença cardíaca isquêmica. O abandono do tabagismo reduz de modo substancial esse risco
- O *diabetes melito* induz hipercolesterolemia (ver **Capítulo 24**) e aumenta acentuadamente o risco de aterosclerose. Sendo os outros fatores iguais, a incidência de infarto do miocárdio é duas vezes mais alta em pacientes diabéticos do que em indivíduos normoglicêmicos. Existe também um aumento no risco de acidente vascular encefálico e um aumento de 100 vezes no risco de gangrena dos membros inferiores induzida pela aterosclerose.

Fatores de risco adicionais

Até 20% de todos os eventos cardiovasculares ocorrem na ausência de fatores de risco importantes (p. ex., hipertensão, hiperlipidemia, tabagismo ou diabetes melito). Com efeito, mais de 75% dos eventos cardiovasculares em mulheres anteriormente saudáveis ocorrem com níveis de colesterol LDL abaixo de 160 mg/dℓ (níveis geralmente considerados indicadores de baixo risco). Evidentemente, existe a contribuição de outros fatores. Entre os fatores comprovados ou suspeitos, destacam-se os seguintes:

- *Inflamação.* A inflamação é observada durante todos os estágios da aterogênese e está estreitamente ligada à formação da placa aterosclerótica e sua ruptura (ver adiante). Com o reconhecimento cada vez maior de que a inflamação desempenha um papel etiológico significativo na doença cardíaca isquêmica, a avaliação da inflamação sistêmica tornou-se importante na estratificação do risco global. Diversos marcadores circulantes da inflamação exibem uma correlação com a doença cardíaca isquêmica, e a *proteína C reativa (PCR)* surgiu como um dos mais estáveis e mais simples de medir. A PCR é um reagente de fase aguda sintetizado principalmente pelo fígado. Embora a PCR não pareça ter nenhuma relação causal com o desenvolvimento da aterosclerose ou suas sequelas, já está bem estabelecido que a PCR plasmática constitui um forte marcador de risco independente para o infarto do miocárdio, o acidente vascular encefálico, a doença arterial periférica e a morte súbita cardíaca, até mesmo entre indivíduos aparentemente saudáveis (**Figura 11.9**). Por conseguinte, os níveis de PCR são agora incorporados nos algoritmos de estratificação de risco. Curiosamente, os níveis de PCR também estão normalmente reduzidos em associação a outras medidas de redução de risco, incluindo abandono do tabagismo, perda de peso, exercício e administração de estatinas
- *Hiper-homocisteinemia.* Os níveis séricos de homocisteína apresentam uma correlação com a aterosclerose coronariana, a doença vascular periférica, o acidente vascular encefálico e a trombose venosa. A *homocistinúria,* devido a erros inatos raros do metabolismo, resulta em níveis circulantes elevados de homocisteína (> 100 μmol/ℓ) e está associada a doença vascular prematura
- *Síndrome metabólica.* Essa entidade, que está associada com obesidade central (ver **Capítulo 9**), caracteriza-se por resistência à insulina, hipertensão, dislipidemia (níveis elevados de LDL e valores diminuídos de HDL), hipercoagulabilidade e estado pró-inflamatório. A dislipidemia, a hiperglicemia e a hipertensão constituem fatores de risco cardíaco, enquanto os estados de hipercoagulabilidade sistêmica e pró-inflamatório podem contribuir para a disfunção endotelial e/ou trombose
- *A lipoproteína a [Lp(a)]* é uma forma alterada de LDL que contém a porção de apolipoproteína B-100 da LDL ligada à apolipoproteína A (apo A). Os níveis de Lp(a) estão associados a um risco de doenças coronariana e cerebrovascular, independentemente dos níveis de colesterol total ou LDL
- *Fatores que afetam a hemostasia.* Diversos marcadores da função hemostática e/ou fibrinolítica (p. ex., nível elevado do inibidor do ativador do plasminogênio 1) são potentes preditores de risco para eventos ateroscleróticos importantes, incluindo infarto do miocárdio e acidente vascular encefálico. Os fatores derivados das plaquetas, bem como a trombina – por meio de efeitos tanto pró-coagulantes quanto pró-inflamatórios –, são cada vez mais reconhecidos como importantes fatores que contribuem para a patologia vascular local
- *Outros fatores.* Os fatores associados a um risco menos pronunciado e/ou difícil de quantificar incluem o sedentarismo; um estilo de vida estressante e competitivo (personalidade tipo A); e obesidade (sendo esta última também complicada por hipertensão, diabetes melito, hipertrigliceridemia e diminuição dos níveis de HDL).

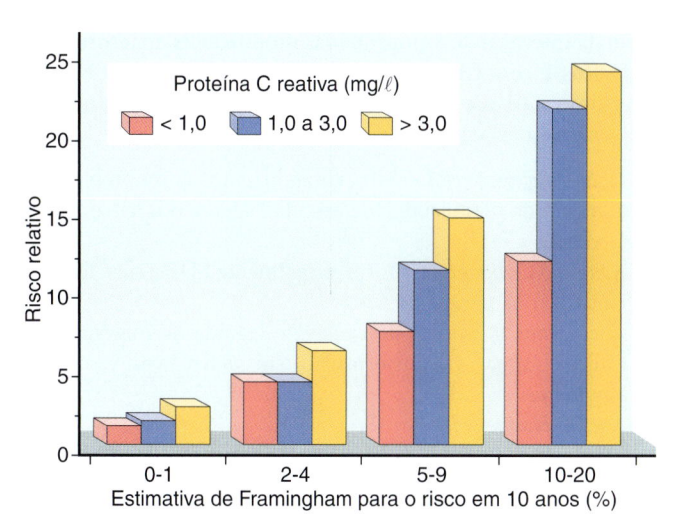

Figura 11.9 A proteína C reativa fornece informações prognósticas em todos os níveis de riscos tradicionais identificados no Framingham Heart Study. O risco relativo (eixo y) refere-se ao risco de um evento cardiovascular (p. ex., infarto do miocárdio). O eixo x é o risco em 10 anos de um evento cardiovascular derivado dos fatores de risco tradicionais identificados no estudo de Framingham. Em cada grupo de risco, os valores da proteína C reativa estratificam ainda mais os pacientes. (Dados de Ridker PM, et al: Comparison of C-reactive protein and low-density lipoprotein cholesterol levels in the prediction of first cardiovascular events, *N Engl J Med* 347:1557, 2002.)

Patogênese da aterosclerose

A importância clínica da aterosclerose tem estimulado um enorme interesse na compreensão dos mecanismos subjacentes à sua evolução e complicações. A visão contemporânea da aterogênese integra os fatores de risco anteriormente discutidos e é denominada hipótese de "resposta à lesão". **Esse modelo considera a aterosclerose uma resposta inflamatória crônica e reparadora da parede arterial à lesão endotelial. A progressão da lesão ocorre por** meio da interação de lipoproteínas modificadas, macrófagos e linfócitos T com CE e CML da parede arterial (Figura 11.10). De acordo com esse esquema, a aterosclerose progride de acordo com esta sequência:

- *Lesão e disfunção endoteliais,* causando (entre outros problemas) aumento da permeabilidade vascular, adesão dos leucócitos e trombose
- *Acúmulo de lipoproteínas* (principalmente LDL e suas formas oxidadas) na parede do vaso
- *Adesão dos monócitos ao endotélio,* seguida de migração na túnica íntima e transformação em *macrófagos e células espumosas*
- *Adesão plaquetária*
- *Liberação de fatores* das plaquetas ativadas, macrófagos e células da parede vascular, induzindo o recrutamento de *CML* a partir da média ou de precursores circulantes
- *Proliferação de CML, produção da MEC e recrutamento de células T*
- *Acúmulo de lipídios* tanto extracelular quanto no interior de células (macrófagos e CML)
- *Calcificação* da MEC e restos necróticos tardiamente na patogênese.

A seguir, discutiremos com alguns detalhes o papel desses fatores na patogênese da aterosclerose, começando com a lesão endotelial.

Lesão endotelial. A lesão das CEs constitui o pilar da hipótese da resposta à lesão. As lesões iniciais surgem em locais de endotélio morfologicamente intacto, que demonstram características de disfunção endotelial – aumento da permeabilidade, aumento da adesão dos leucócitos e alteração da expressão gênica. As causas da disfunção das CEs incluem toxinas da fumaça do cigarro, homocisteína e produção de citocinas inflamatórias. Entretanto, as **três causas mais importantes de disfunção endotelial são os distúrbios hemodinâmicos, a hipercolesterolemia e a inflamação.**

Distúrbios hemodinâmicos. A importância da turbulência hemodinâmica na aterogênese é ilustrada pela observação de que as placas não ocorrem de modo aleatório, mas tendem a se localizar nos óstios de saída dos vasos, nos pontos de ramificação e ao longo da parede posterior da parte abdominal da aorta, onde há padrões de fluxo desordenado e não laminar. Isso é explicado pelo fato de que o fluxo laminar não turbulento aumenta a produção de fatores de transcrição e, em particular, do fator tipo Krüppel 2 (KLF2), que ativam genes ateroprotetores e desativam a transcrição de genes inflamatórios. Em contrapartida, o fluxo turbulento não laminar desencadeia um repertório de transcrição genética que torna esses sítios propensos à aterosclerose. É interessante ressaltar que alguns dos efeitos ateroprotetores das estatinas também ocorrem por meio da suprarregulação do KLF2.

Figura 11.10 Evolução das alterações da parede arterial na hipótese da resposta à lesão. *1,* Normal. *2,* Lesão endotelial com adesão de monócitos e plaquetas. *3, E,* Migração de monócitos e células musculares lisas para a túnica íntima, com ativação dos macrófagos. *4,* Captação de lipídios modificados por macrófagos e células musculares lisas, com maior ativação. *5,* Proliferação das células musculares lisas da túnica íntima com produção de matriz extracelular, formando uma placa bem desenvolvida.

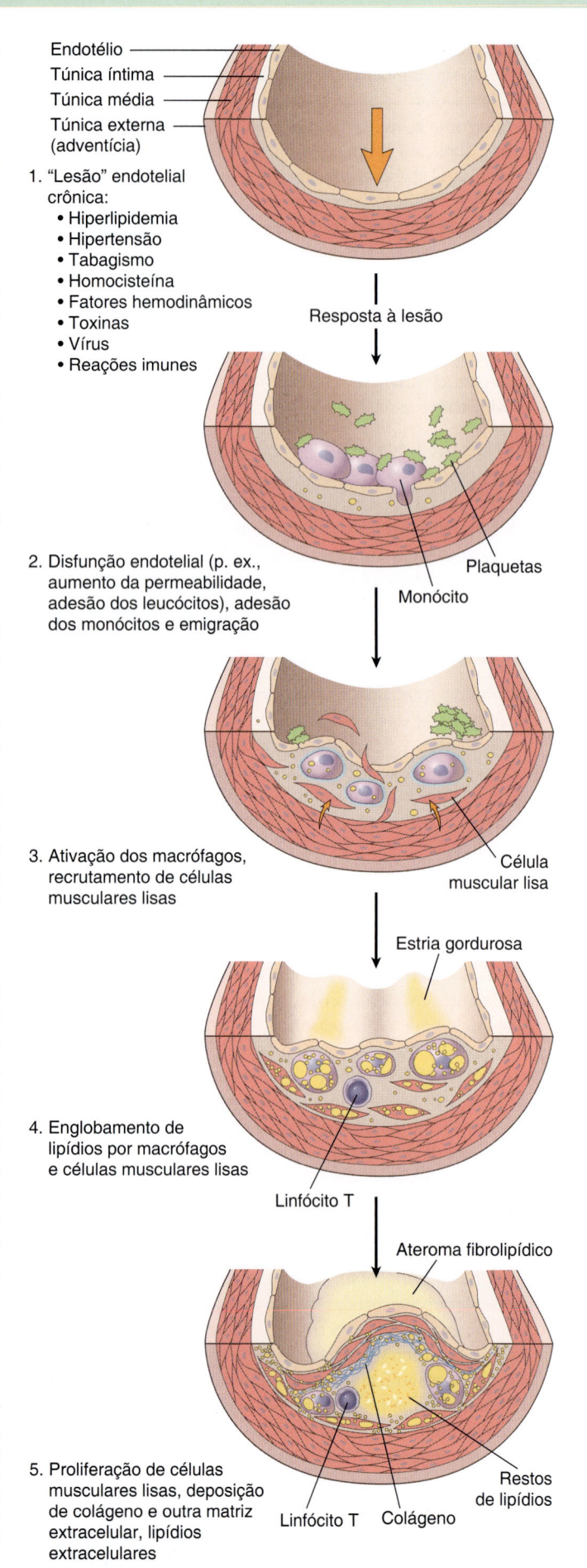

Hipercolesterolemia. Os lipídios são transportados na corrente sanguínea em sua forma ligada a apoproteínas específicas (formando complexos de lipoproteínas). As *dislipoproteinemias* são anormalidades das lipoproteínas que podem estar presentes na população geral (e, de fato, são encontradas em muitos sobreviventes de infarto do miocárdio). Incluem (1) aumento dos níveis de colesterol LDL, (2) diminuição dos níveis de colesterol HDL e (3) aumento dos níveis de Lp(a) anormal. Essas anormalidades podem resultar de mutações em apoproteínas ou receptores de lipoproteínas ou podem se originar de outros distúrbios subjacentes que afetam os níveis circulantes de lipídios, como síndrome nefrótica, alcoolismo, hipotireoidismo ou diabetes melito. Todas essas anormalidades estão associadas a um aumento no risco de aterosclerose.

As evidências que implicam a hipercolesterolemia na aterogênese incluem as seguintes:

- Os *lipídios dominantes nas placas ateromatosas são o colesterol e os ésteres de colesterol*
- Os *defeitos genéticos na captação e no metabolismo das lipoproteínas* que causam hiperlipoproteinemia estão associados à aterosclerose acelerada. Por conseguinte, a hipercolesterolemia familiar, que é causada por mutações que afetam os receptores de LDL e consequente captação hepática inadequada de LDL e seu catabolismo (ver **Capítulo 5**), pode precipitar infarto do miocárdio antes dos 20 anos em indivíduos homozigotos para a mutação. De modo semelhante, ocorre aterosclerose acelerada em modelos de animais com deficiências induzidas por engenharia genética nas apolipoproteínas ou receptores de LDL
- As *análises epidemiológicas* demonstram a existência de uma correlação significativa entre a gravidade da aterosclerose e os níveis de colesterol plasmático total ou LDL
- A *redução do colesterol sérico* por meio de dieta ou medicamentos diminui a velocidade de progressão da aterosclerose, produz regressão de algumas placas e reduz o risco de eventos cardiovasculares.

Os mecanismos pelos quais a hiperlipidemia contribui para a aterogênese incluem os seguintes:

- *Comprometimento da função das CEs.* A hiperlipidemia crônica, em particular a hipercolesterolemia, pode comprometer diretamente a função das CEs por meio de aumento na produção local de espécies reativas de oxigênio; além de causar dano à membrana e às mitocôndrias, os radicais livres de oxigênio aceleram a decomposição do NO, reduzindo a sua atividade vasodilatadora
- *LDLs modificadas.* Na presença de hiperlipidemia crônica, as lipoproteínas acumulam-se dentro da íntima, onde podem se agregar ou podem sofrer oxidação por radicais livres produzidos pelas células inflamatórias. Essas LDLs modificadas são então acumuladas por macrófagos por meio de uma variedade de receptores de depuração (distintos do receptor de LDL). Tendo em vista que as lipoproteínas modificadas não podem ser degradadas por completo, a ingestão crônica leva à formação de macrófagos preenchidos de lipídios, denominados *células espumosas;* de modo semelhante, as CMLs podem se transformar em células espumosas carregadas de lipídios ao ingerir lipídios modificados por meio de proteínas relacionadas ao receptor de LDL. As lipoproteínas modificadas não apenas são tóxicas para as CEs, as CMLs e os macrófagos como também a sua ligação e captação estimulam a liberação de fatores de crescimento, citocinas e quimiocinas, que criam um círculo inflamatório vicioso de recrutamento e ativação dos monócitos. As lesões iniciais que contêm macrófagos repletos de lipídios são denominadas *estrias gordurosas.*

Inflamação. **A inflamação crônica contribui para o início e a progressão das lesões ateroscleróticas.** Acredita-se que a inflamação seja desencadeada pelo acúmulo de cristais de colesterol e ácidos graxos livres nos macrófagos e em outras células (**Figura 11.11**). Essas células detectam a presença de materiais anormais por meio de receptores imunes inatos citosólicos, que são componentes do inflamassomo (ver **Capítulo 6**). A consequente ativação do inflamassomo leva à produção da citocina pró-inflamatória, a interleucina (IL)-1, que recruta e ativa células mononucleares, incluindo macrófagos e linfócitos T. Por sua vez, essa ativação de células mononucleares leva à produção local de citocinas e quimiocinas, que recrutam e ativam mais células inflamatórias. Os macrófagos ativados produzem espécies reativas de oxigênio, que intensificam a oxidação das LDL e elaboram fatores de crescimento que estimulam a proliferação de CML. Os linfócitos T ativados nas lesões da íntima em crescimento elaboram citocinas inflamatórias (p. ex., interferona-γ), que, por sua vez, podem ativar os macrófagos, bem como as CEs e as CMLs. Por conseguinte, muitas das lesões da aterosclerose são atribuídas à reação inflamatória crônica na parede dos vasos.

Infecção. Embora evidências circunstanciais tenham sido apresentadas, estabelecendo uma ligação da aterosclerose com herpesvírus, citomegalovírus e *Chlamydophila pneumoniae,* a infecção não desempenha nenhum papel etiológico estabelecido.

Proliferação do músculo liso e síntese de matriz. A proliferação de CML na íntima e a deposição de MEC convertem a estria gordurosa em um ateroma maduro e contribuem para o crescimento progressivo das lesões ateroscleróticas (ver **Figura 11.10**). Vários fatores de crescimento estão implicados na proliferação de CML e na síntese da MEC, incluindo o fator de crescimento derivado das plaquetas (PDGF), liberado por plaquetas aderentes ao local, bem como macrófagos, CE e CML; fator de crescimento do fibroblasto e fator de crescimento transformador α (ver **Capítulo 1**). Esses fatores também estimulam as CMLs a sintetizar a MEC (notavelmente o colágeno), o que estabiliza as placas ateroscleróticas. Em contrapartida, as células inflamatórias ativadas nos ateromas podem aumentar a degradação de componentes da MEC, resultando em placas instáveis (ver adiante).

Visão geral. A **Figura 11.12** apresenta um resumo das principais vias patogênicas na aterogênese, ressaltando a natureza multifatorial da doença. Esse esquema destaca o conceito da aterosclerose como uma resposta inflamatória crônica – e, em última análise, como tentativa de "reparo" vascular – estimulada por uma variedade de agressões, incluindo lesão das CE, oxidação e acúmulo de lipídios e inflamação. Os ateromas são lesões dinâmicas, que consistem em CE disfuncionais, CML em proliferação e linfócitos T e macrófagos misturados. Todos os quatro tipos de células são capazes deliberar mediadores capazes de influenciar a aterogênese. Assim, nos estágios iniciais, as placas na íntima são constituídas por apenas alguns agregados de CML, macrófagos e células espumosas; a morte dessas células libera lipídios e restos necróticos. Com a progressão, o ateroma é modificado pela MEC sintetizada pelas CMLs; o tecido conjuntivo é particularmente proeminente na face da íntima, formando uma capa fibrosa. Normalmente, as

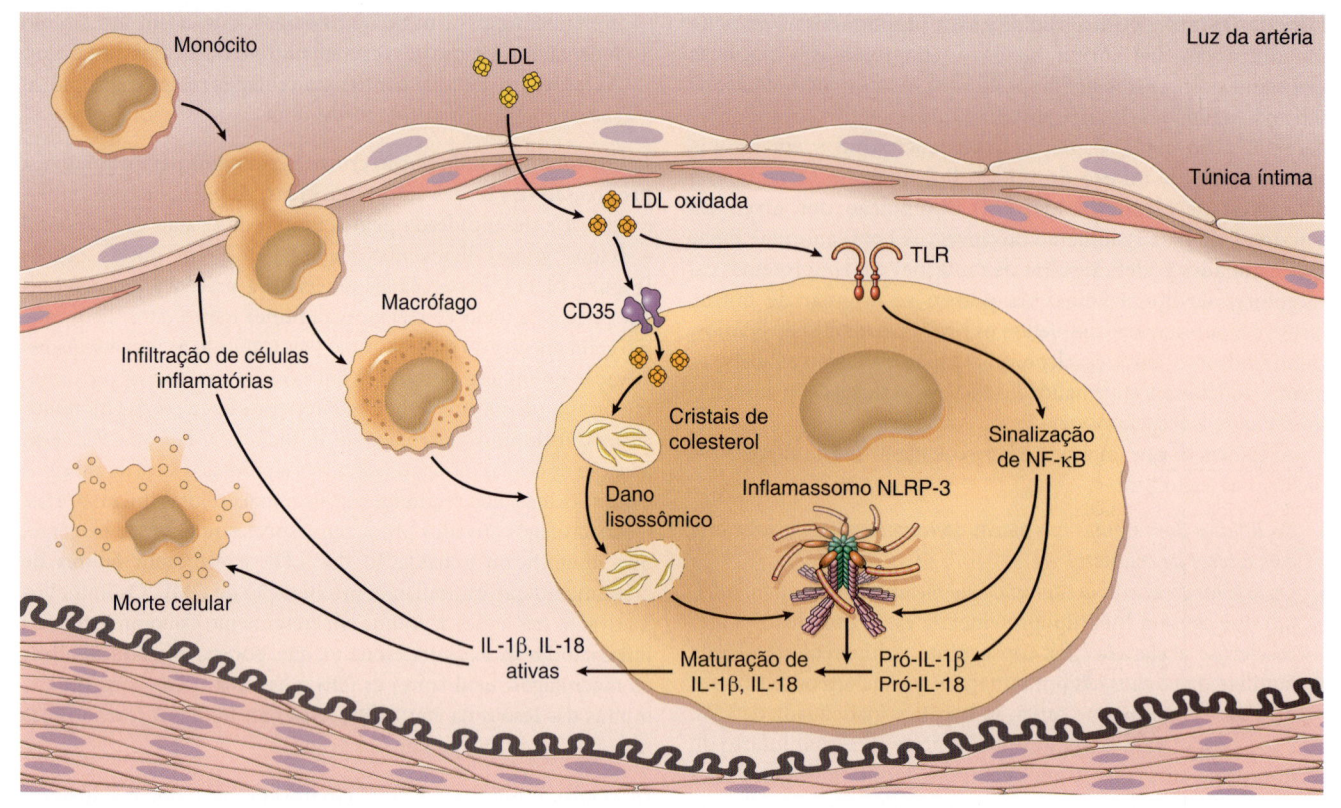

Figura 11.11 Papel dos cristais de colesterol na ativação do inflamassomo e produção de interleucina-1 na placa aterosclerótica. A lipoproteína de baixa densidade (*LDL*) oxidada leva à ativação dos macrófagos subendoteliais por meio da iniciação, mediada pelo receptor do tipo *toll* (*TLR*), da ativação do fator de transcrição *NF-κB* a jusante. O complexo NF-κB induz, então, a produção de uma variedade de mediadores pró-inflamatórios, incluindo precursores das interleucinas e componentes do inflamassomo *NLRP3*. A captação de LDL oxidada e a cristalização subsequente do colesterol resultam em montagem dos componentes precursores em um complexo de inflamassomo ativo, que ativa proteoliticamente as moléculas de pró-interleucina-1 beta (*IL-1β*) e interleucina-18 (*IL-18*). (Modificada de Li X, Deroide N, Mallat Z: The role of the inflammasome in cardiovascular disease, *J Mol Med (Berl)* 92:307-319, 2014.)

lesões conservam um cerne de células preenchidas de lipídios e restos lipídicos, que podem sofrer calcificação. Embora a placa na íntima possa inicialmente causar remodelagem da média e expansão para fora, a placa aterosclerótica em crescimento – com graus variáveis de calcificação, dependendo da natureza da matriz circundante – finalmente invade a luz do vaso e compromete o fluxo sanguíneo. A placa também pode comprimir a túnica média subjacente, levando à sua degeneração, ou pode erodir ou sofrer ruptura, expondo fatores trombogênicos que resultam na formação de trombo e oclusão vascular aguda.

Morfologia

Estrias gordurosas. As estrias gordurosas são compostas principalmente por macrófagos espumosos repletos de lipídios. Surgem como pequenas máculas amarelas e planas, que finalmente podem coalescer, formando estrias alongadas de 1 cm ou mais de comprimento. As lesões não são particularmente elevadas e não provocam qualquer distúrbio significativo do fluxo (**Figura 11.13**). Embora as estrias gordurosas possam evoluir e formar placas, nem todas se transformam em lesões avançadas. As aortas de lactentes podem exibir estrias gordurosas, e essas lesões estão presentes em praticamente todos os adolescentes, mesmo naqueles sem fatores de risco conhecidos. A constatação de que as estrias gordurosas coronarianas começam a se formar na adolescência, nos mesmos locais anatômicos onde mais tarde tendem a desenvolver placas, sugere uma evolução temporal dessas lesões.

Placa aterosclerótica. Os processos fundamentais na aterosclerose consistem em espessamento da túnica íntima e acúmulo de lipídios (ver as **Figuras 11.7, 11.10** e **11.12**). As placas ateromatosas são castanho-amareladas e são elevadas acima da parede circundante do vaso; qualquer trombo superposto às placas ulceradas exibe uma coloração marrom-avermelhada. As placas variam quanto a seu tamanho e podem coalescer, formando massas maiores (**Figura 11.14**).

As lesões ateroscleróticas são focais e raramente circunferenciais; em geral, acometem apenas parte de qualquer parede arterial, e, em corte transversal, essas lesões aparecem, portanto, excêntricas (**Figura 11.5A**). O caráter focal das lesões ateroscleróticas – apesar da exposição uniforme das paredes vasculares a fatores como toxinas da fumaça do cigarro, níveis elevados de LDL, hiperglicemia etc. – é atribuível às variações da hemodinâmica vascular. Os distúrbios locais do fluxo, como o fluxo não laminar (turbulência) nos pontos de ramificação, fazem com que certas porções da parede do vaso sejam mais suscetíveis à formação de placa. Embora sejam inicialmente focais e de distribuição esparsa, as lesões ateroscleróticas tendem a aumentar com o passar do tempo e tornam-se mais numerosas e de distribuição mais ampla. Além disso, em qualquer vaso, é frequente a coexistência de lesões em vários estágios.

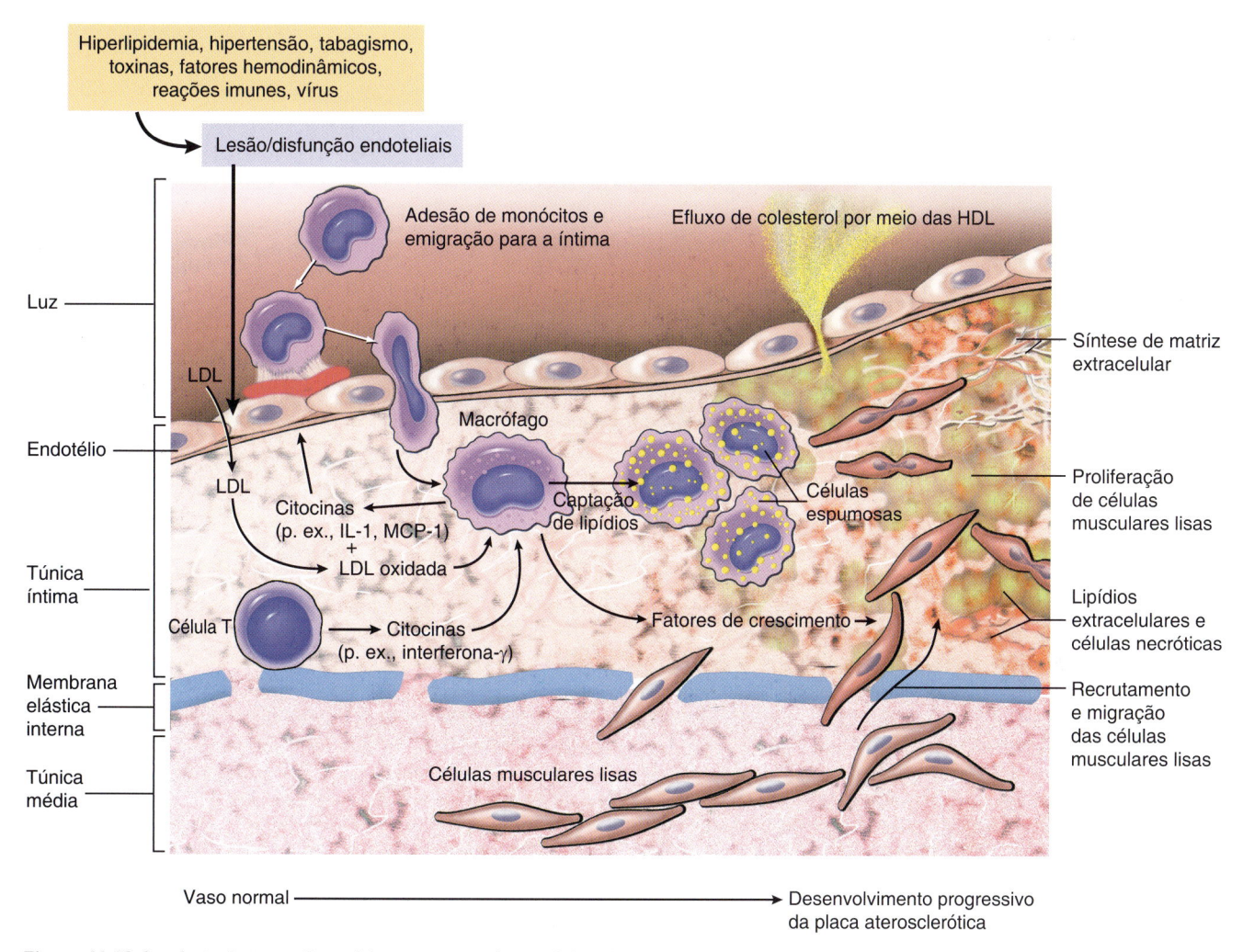

Figura 11.12 Sequência de interações celulares na aterosclerose. A hiperlipidemia, a hiperglicemia, a hipertensão e outras influências causam disfunção endotelial. Isso resulta em adesão das plaquetas e dos monócitos, com liberação subsequente de citocinas e fatores de crescimento, levando à migração e proliferação das células musculares lisas. As células espumosas presentes nas placas ateromatosas originam-se de macrófagos e células musculares lisas que acumularam lipídios modificados (p. ex., lipoproteínas de baixa densidade [*LDL*] oxidadas e agregadas), por meio de proteínas de depuração e relacionadas ao receptor de LDL. O lipídio extracelular provém da insudação a partir da luz do vaso, particularmente na presença de hipercolesterolemia, bem como das células espumosas em degeneração. O acúmulo de colesterol na placa reflete um desequilíbrio entre o influxo e o efluxo; a lipoproteína de alta densidade (*HDL*) provavelmente ajuda a eliminar o colesterol desses acúmulos. Em resposta às citocinas e quimiocinas elaboradas, as células musculares lisas migram para a íntima, proliferam e produzem matriz extracelular, incluindo colágeno e proteoglicanos. *IL-1*, interleucina-1; *MCP-1*, proteína quimioatrativa dos monócitos 1.

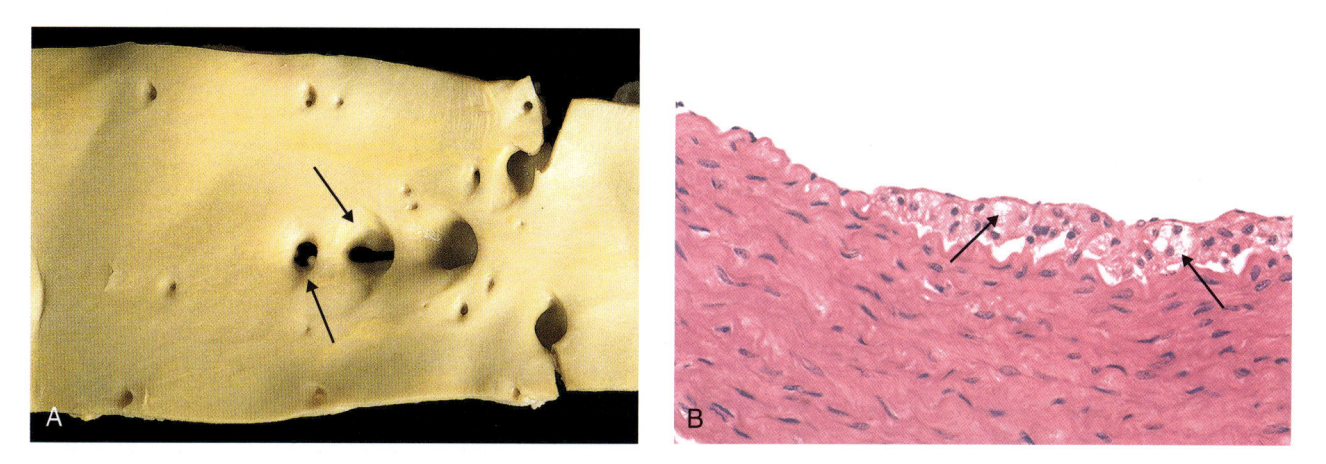

Figura 11.13 Estria gordurosa, uma coleção de macrófagos espumosos na túnica íntima. **A.** Aorta com estrias gordurosas (*setas*) associadas, em grande parte, aos óstios de vasos ramificados. **B.** Fotomicrografia de estria gordurosa em um coelho com hipercolesterolemia experimental, demonstrando as células espumosas derivadas de macrófagos na íntima (*setas*). (**B,** Cortesia de y Myron I. Cybulsky, MD, University of Toronto, Toronto, Ontário, Canadá.)

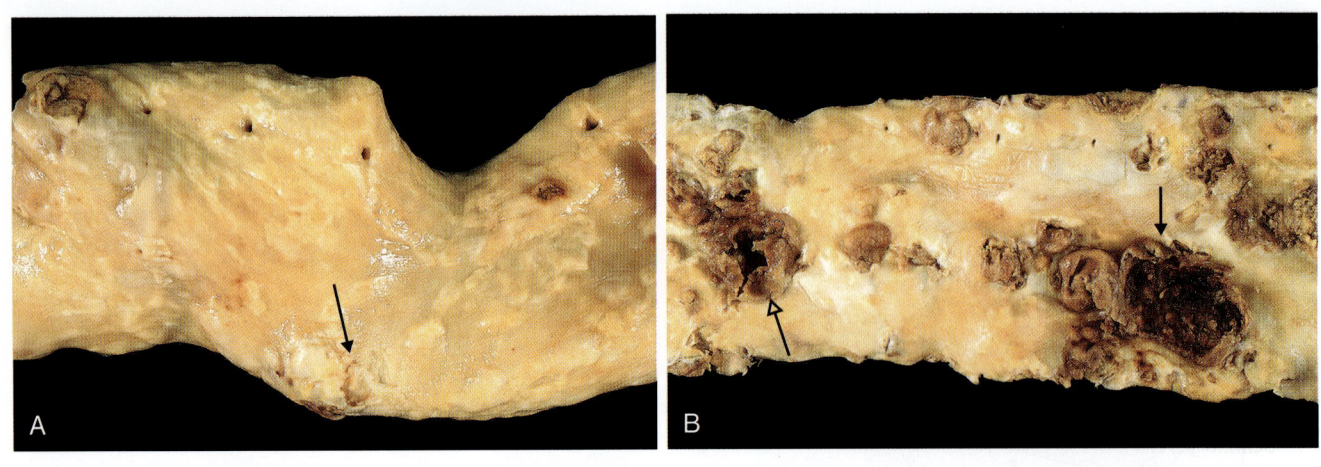

Figura 11.14 Macroscopia de aterosclerose na aorta. **A.** Aterosclerose leve composta de placas fibrosas, uma das quais está indicada pela seta. **B.** Doença grave com lesões complicadas e difusas, incluindo uma placa ulcerada (*seta vazada*) e uma lesão com trombo sobrejacente (*seta fechada*).

Por ordem descendente, **os vasos mais extensamente acometidos são a porção inferior da parte abdominal da aorta e artérias ilíacas, as artérias coronárias, as artérias poplíteas, as artérias carótidas internas e os vasos do polígono de Willis**. Os vasos dos membros superiores são, em geral, relativamente poupados, assim como as artérias mesentéricas e renais, exceto em seus óstios. Embora a maioria dos indivíduos tenha tendência a apresentar um grau consistente de carga aterosclerótica na vasculatura afetada, a gravidade da doença em uma distribuição arterial não prevê necessariamente a gravidade em outra.

As placas ateroscleróticas apresentam três componentes principais: (1) células, incluindo número variável de CML, macrófagos e linfócitos T; (2) MEC, incluindo colágeno, fibras elásticas e proteoglicanos; (3) lipídios intracelulares e extracelulares; e (4) calcificações nas placas de estágio mais tardio (Figuras 11.15B e C). Esses componentes ocorrem em proporções e configurações variáveis em diferentes lesões. Normalmente, há uma capa fibrosa superficial composta de CML e de colágeno relativamente denso. Abaixo e ao lado dessa capa (o "ombro") existe uma área mais celular que contém macrófagos, linfócitos T e CML. Abaixo da capa fibrosa, encontra-se um cerne necrótico contendo lipídios (principalmente colesterol e ésteres de colesterol), restos de células mortas, células espumosas (macrófagos e CML repletos de lipídios), fibrina, trombo em graus variáveis de organização e outras proteínas plasmáticas; o colesterol frequentemente está presente como agregados cristalinos que são eliminados durante o processamento de rotina do tecido, deixando apenas "fendas" vazias. A periferia das lesões exibe **neovascularização** (proliferação de pequenos vasos sanguíneos) (**Figura 11.15C**). A maioria dos ateromas contém lipídios em quantidade abundante, porém algumas placas ("placas fibrosas") são compostas quase exclusivamente por CML e tecido fibroso, que pode ser densamente calcificado.

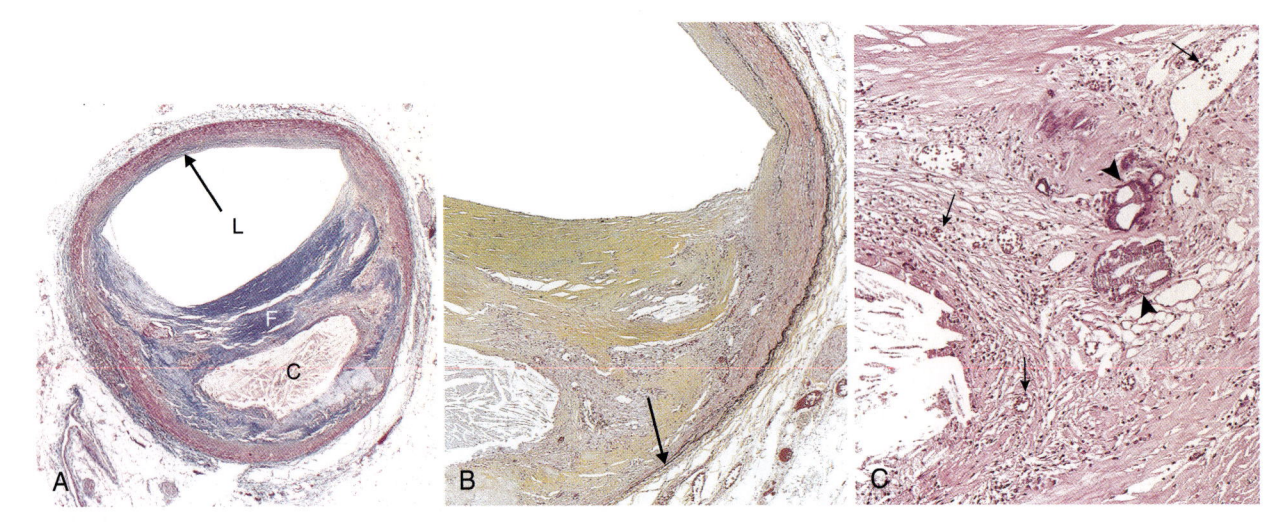

Figura 11.15 Características histológicas de uma placa ateromatosa na artéria coronária. **A.** Arquitetura global demonstrando a capa fibrosa (*F*) e um cerne necrótico central (*C*) contendo colesterol e outros lipídios. Houve comprometimento moderado da luz (*L*). Observe que um segmento da parede está desprovido de placa (*seta*); por conseguinte, a lesão é "excêntrica". Nesse corte, o colágeno foi corado de azul (coloração tricrômica de Masson). **B.** Fotografia em grande aumento de um corte da placa mostrada em (**A**), corada para elastina (preto), demonstrando que as lâminas elásticas interna e externa estão atenuadas, e a túnica média da artéria está fina sob a placa mais avançada (*seta*). **C.** Fotografia em grande aumento na junção da capa fibrosa e cerne mostrando células inflamatórias dispersas, calcificação (*ponta de seta*) e neovascularização (*setas pequenas*).

Em geral, as placas continuam mudando e aumentam de modo progressivo, em consequência da morte e degeneração das células, síntese e degradação (remodelamento) da MEC, organização de qualquer trombo superposto e calcificação secundária dos fosfolipídios ou restos necróticos (ver **Figura 11.15C**).

As placas ateroscleróticas são suscetíveis a alterações patológicas clinicamente importantes. Conforme discutido adiante, a espessura e o conteúdo de MEC da capa fibrosa sobrejacente têm impacto na estabilidade ou na fragilidade da placa e na sua tendência a sofrer alterações secundárias:

- **A ruptura, a ulceração ou a erosão** da superfície das placas ateromatosas expõem a corrente sanguínea a substâncias altamente trombogênicas e levam à trombose, que pode causar oclusão parcial ou completa da luz do vaso (**Figura 11.16**). Se o paciente sobreviver, o trombo pode se organizar e ser incorporado na placa em crescimento
- **Hemorragia dentro de uma placa.** A ruptura da capa fibrosa sobrejacente ou dos vasos de paredes finas nas áreas de neovascularização pode causar hemorragia dentro da placa; um hematoma contido pode expandir a placa e induzir a sua ruptura
- **Ateroembolismo.** A ruptura da placa pode liberar restos ateroscleróticos na corrente sanguínea, produzindo microêmbolos
- **Formação de aneurisma.** A pressão induzida pela aterosclerose ou a atrofia isquêmica da túnica média subjacente, com perda do tecido elástico, causam fraqueza e ruptura potencial.

Consequências da doença aterosclerótica

O infarto do miocárdio (ataque cardíaco), o infarto cerebral (acidente vascular encefálico), os aneurismas da aorta e a doença vascular periférica (gangrena das pernas) constituem as principais consequências da aterosclerose. As grandes artérias elásticas (p. ex., aorta, artérias carótida e ilíaca) e as artérias musculares de grande e de médio calibres (p. ex., artérias coronárias e poplíteas) representam os principais alvos da aterosclerose. A doença aterosclerótica sintomática acomete, com mais frequência, as artérias que suprem o coração, o encéfalo, os rins e os membros inferiores. A história natural, as principais características morfológicas e os principais eventos patogênicos estão esquematizados na **Figura 11.17**.

A seguir, descreveremos as características das lesões ateroscleróticas que normalmente são responsáveis pelas manifestações clínico-patológicas.

Estenose aterosclerótica. Nas pequenas artérias, as placas ateroscleróticas podem provocar oclusão gradual da luz do vaso, comprometendo o fluxo sanguíneo e causando lesão isquêmica. Nos estágios iniciais da estenose, o remodelamento da túnica média do vaso tende a preservar o tamanho da luz. Entretanto, o grau de remodelamento tem limites, e, por fim, o ateroma em expansão invade a luz a ponto de comprometer o fluxo sanguíneo (ver **Figura 11.7**). A *estenose crítica* refere-se ao estágio em que a oclusão é grave o suficiente para causar isquemia tecidual. Na circulação coronariana (e em outras circulações), isso ocorre normalmente quando a oclusão produz uma redução de 70 a 75% na área de corte transversal da luz. Com esse grau de estenose, pode ocorrer dor torácica com o esforço (a denominada *angina estável;* ver **Capítulo 12**). Embora a ruptura aguda da placa (ver adiante) seja a consequência mais perigosa, a aterosclerose também provoca efeitos adversos por meio da diminuição crônica da perfusão arterial. A oclusão mesentérica e a isquemia intestinal, a morte súbita cardíaca, a doença cardíaca isquêmica crônica, a encefalopatia isquêmica e a claudicação intermitente (perfusão diminuída dos membros) representam consequências das estenoses com limitação do fluxo. Os efeitos da oclusão vascular dependem, em última análise, do suprimento arterial e da demanda metabólica do tecido afetado. Se a estenose ocorrer lentamente, os vasos menores adjacentes podem compensar em parte pelo aumento e criação de circulação colateral para perfundir o órgão.

Alteração aguda da placa. Normalmente, a erosão ou a ruptura da placa é seguida imediatamente de trombose vascular parcial ou completa (ver **Figura 11.16**), resultando em infarto agudo do tecido (p. ex., infarto do miocárdio ou cerebral) (**Figura 11.17**). As alterações da placa são classificadas em três categorias gerais:

- *Ruptura/fissura,* com exposição dos constituintes da placa altamente trombogênicos, que ativam a coagulação e induzem trombose. Esta, com frequência, é totalmente oclusiva
- *Erosão/ulceração,* com exposição da membrana basal subendotelial trombogênica ao sangue, induzindo, com menos frequência, trombose totalmente oclusiva
- *Hemorragia no ateroma,* com expansão de seu volume.

Sabe-se agora que as placas responsáveis pelo infarto do miocárdio e por outras síndromes coronarianas agudas são, com frequência, assintomáticas antes de sofrer uma súbita alteração normalmente imprevisível. Assim, os estudos clínicos e patológicos mostram que, na maioria dos casos, as placas que

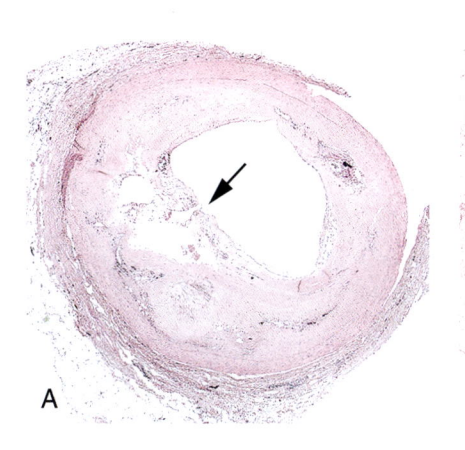

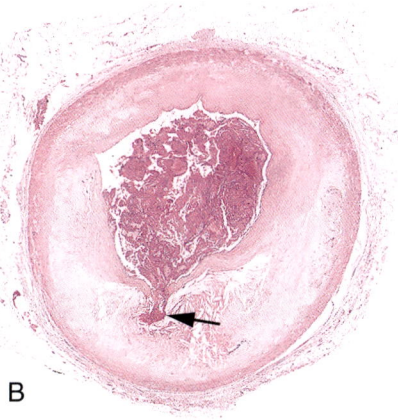

Figura 11.16 Ruptura da placa aterosclerótica. **A.** Ruptura da placa sem trombo superposto em paciente que sofreu morte súbita. **B.** Trombose coronariana aguda superposta a uma placa aterosclerótica, com ruptura focal da capa fibrosa, desencadeando um infarto do miocárdio fatal. Tanto em (**A**) quanto em (**B**), a *seta* aponta para o local de ruptura da placa. (**B**, Reproduzida de Schoen FJ: *Interventional and Surgical Cardiovascular Pathology: Clinical Correlations and Basic Principles,* Philadelphia, 1989, WB Saunders, p. 61.)

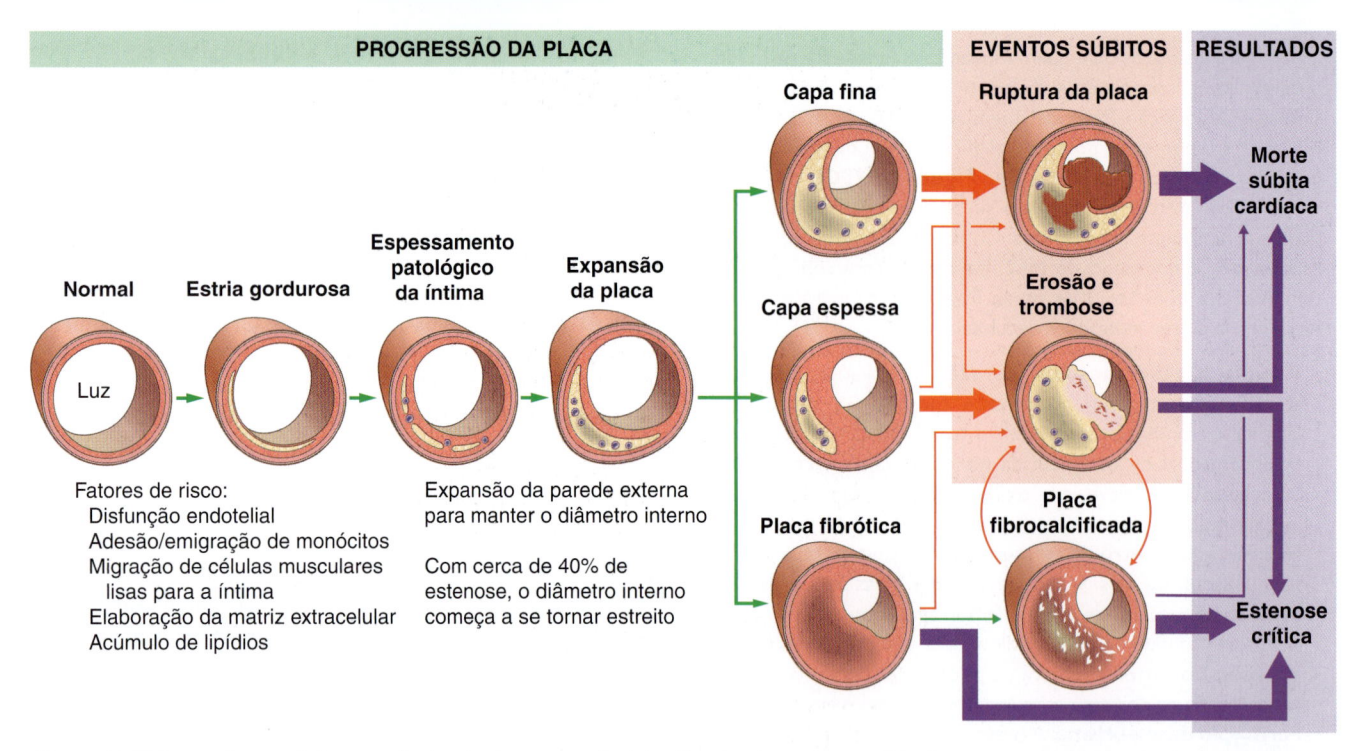

Figura 11.17 Formação, atividades e resultados da placa aterosclerótica. Em uma área propensa à lesão, com outros fatores de risco, forma-se uma estria gordurosa reversível, que pode progredir para a aterosclerose. No início, o aumento compensatório evita a redução do fluxo sanguíneo pelo vaso. Uma placa pode transformar-se em uma placa com capa fina (instável, vulnerável), uma placa com capa espessa (estável) ou uma placa fibrótica (estável). As placas com capa fina são as que têm maior propensão à ruptura, levando geralmente à morte súbita cardíaca. As placas estáveis podem sofrer erosão superficial e trombose, com rápida expansão do tamanho da placa, levando a calcificações mais proeminentes. Esse evento pode levar à morte súbita cardíaca. O estreitamento extenso do diâmetro luminal por placas grandes geralmente resulta em estenose crítica, com redução do suprimento sanguíneo para o coração, resultando em angina.

sofrem ruptura abrupta e causam oclusão coronariana anteriormente só apresentavam estenose leve a moderada e não crítica da luz. Por conseguinte, um grande número de adultos assintomáticos pode estar correndo o risco de um evento coronariano catastrófico. Embora exames de imagem estejam sendo desenvolvidos para a identificação antecipada dessas lesões, é evidente que os exames angiográficos padrões são lamentavelmente inadequados para visualizá-las até depois do evento.

As placas sofrem ruptura quando são incapazes de suportar o estresse mecânico gerado pelas forças de cisalhamento vascular. Os eventos que desencadeiam alterações abruptas nas placas e trombose subsequente são complexos e incluem tanto fatores intrínsecos (p. ex., estrutura e composição da placa) quanto elementos extrínsecos (p. ex., pressão arterial, reatividade plaquetária e espasmo vascular).

A capa fibrosa sofre remodelamento contínuo, que pode estabilizar a placa ou, pelo contrário, torná-la mais suscetível à ruptura. O colágeno é o principal componente estrutural da capa fibrosa, responsável pela sua resistência e estabilidade mecânicas; o equilíbrio entre a síntese e a degradação do colágeno afeta a integridade da capa. Por conseguinte, as placas com capas fibrosas finas e células inflamatórias ativas sobre um cerne necrótico têm mais tendência a sofrer ruptura e são designadas como "placas vulneráveis" (**Figura 11.18**).

O colágeno na placa aterosclerótica é produzido principalmente pelas CMLs, de modo que a perda dessas células resulta em uma capa menos resistente. Além disso, a renovação do colágeno é controlada por metaloproteinases (MMPs), enzimas elaboradas, em grande parte, pelos macrófagos e CMLs dentro da placa ateromatosa. Por outro lado, os inibidores teciduais das metaloproteinases (TIMP, *tissue inhibitors of metalloproteinases*), que são produzidos por CEs, CMLs e macrófagos, modulam a atividade das MMPs. Em geral, a inflamação da placa resulta em aumento efetivo da degradação do colágeno e redução de sua síntese, desestabilizando, assim, a integridade mecânica da capa fibrosa (ver adiante). A inflamação induzida pelos depósitos de colesterol

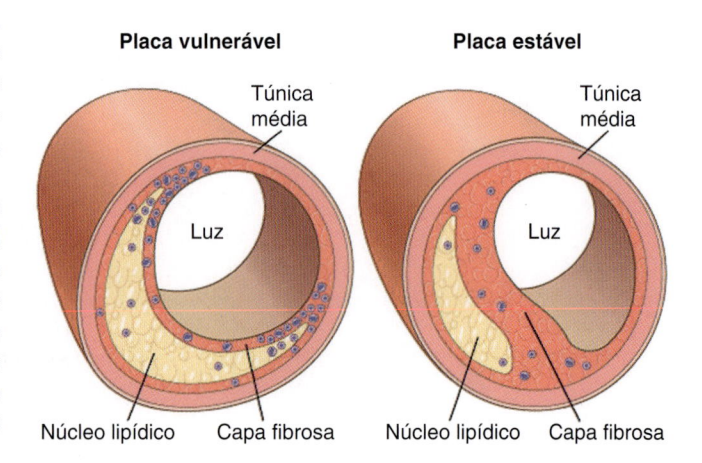

Figura 11.18 Placa aterosclerótica vulnerável e estável. As *placas estáveis* apresentam capas fibrosas espessas e densamente colagenosas, com inflamação mínima e núcleo ateromatoso subjacente. As *placas vulneráveis* apresentam capas fibrosas finas, grandes núcleos de lipídios e inflamação aumentada. (Modificada de Libby P: Molecular bases of the acute coronary syndromes, *Circulation* 91:2844, 1995.)

pode contribuir para a desestabilização da placa. Por outro lado, as estatinas podem ter um efeito terapêutico benéfico não apenas ao reduzir os níveis circulantes de colesterol, mas também ao estabilizar as placas por meio de uma redução de sua inflamação.

As influências extrínsecas às placas também contribuem para alterações agudas da placa. A estimulação adrenérgica pode aumentar a pressão arterial sistêmica ou pode induzir vasoconstrição local, aumentando, assim, os estresses físicos sobre determinada placa. Com efeito, a estimulação adrenérgica associada ao despertar e levantar-se, pode causar picos de pressão arterial (seguidos de aumento da reatividade plaquetária), que foram causalmente ligados à periodicidade circadiana pronunciada para o início do infarto agudo do miocárdio (cujo pico ocorre entre 6 horas da manhã e meio-dia). O intenso estresse emocional também pode contribuir para a ruptura da placa; isso é ilustrado de maneira mais dramática pelo aumento da incidência de morte súbita associada a desastres naturais ou outros desastres, como terremotos e o ataque ao World Trade Center em 11 de setembro de 2001.

É também importante observar que nem todas as rupturas de placas resultam em tromboses oclusivas com consequências catastróficas. Com efeito, a ruptura da placa e a agregação plaquetária superficial e trombose que se seguem constituem, provavelmente, complicações comuns, repetitivas e, com frequência, clinicamente silenciosas do ateroma. O reparo dessas rupturas subclínicas das placas – e a organização dos trombos sobrejacentes – constitui um importante mecanismo no crescimento das lesões ateroscleróticas.

A trombose parcial ou total associada à ruptura de uma placa constitui um fator central nas síndromes coronarianas agudas. Em sua forma mais grave, o trombo leva à oclusão total do vaso afetado. Por outro lado, em outras síndromes coronarianas (ver **Capítulo 12**), a obstrução luminal pelo trombo é incompleta e pode até mesmo aumentar e diminuir com o passar do tempo.

O trombo mural em uma artéria coronária também pode embolizar. Com frequência, pequenos fragmentos embólicos de trombo podem ser encontrados na circulação intramiocárdica distal ou em associação a microinfartos em pacientes com aterosclerose que sofrem morte súbita. A trombina e outros fatores associados à trombose são potentes ativadores das CMLs e, por conseguinte, podem contribuir para o crescimento das lesões ateroscleróticas.

A vasoconstrição compromete o tamanho da luz e, ao aumentar as forças mecânicas locais, pode potencializar a ruptura da placa. A vasoconstrição nos locais de ateroma pode ser estimulada por (1) agonistas adrenérgicos circulantes, (2) conteúdo das plaquetas liberado localmente, (3) disfunção das CE, com comprometimento da secreção de fatores de relaxamento derivados do endotélio (NO) relativos a fatores de contração (endotelina), e (4) mediadores liberados das células inflamatórias perivasculares.

> **Conceitos-chave**
> **Aterosclerose**
>
> - A aterosclerose é uma lesão da íntima, composta de uma capa fibrosa e um núcleo ateromatoso; os constituintes da placa incluem CML, MEC, células inflamatórias, calcificações, lipídios e restos necróticos
> - A aterogênese é estimulada por uma interação de lesão e inflamação da parede do vaso. Os múltiplos fatores de risco para a aterosclerose causam disfunção das CEs e influenciam o recrutamento e a estimulação das células inflamatórias e das CMLs
> - As placas ateroscleróticas desenvolvem-se e, em geral, crescem lentamente ao longo de várias décadas. As placas estáveis podem produzir sintomas relacionados com isquemia crônica em consequência do estreitamento da luz dos vasos, enquanto as placas instáveis podem causar complicações isquêmicas dramáticas e potencialmente fatais, relacionadas com a ruptura aguda da placa, trombose ou embolização
> - As placas estáveis tendem a apresentar uma capa fibrosa densa, acúmulo mínimo de lipídios e pouca inflamação, enquanto as placas instáveis "vulneráveis" apresentam capas finas, grandes núcleos de lipídios e infiltrados inflamatórios relativamente densos.

Aneurismas e dissecção

O aneurisma é uma dilatação anormal localizada de um vaso sanguíneo ou do coração, que pode ser congênita ou adquirida (**Figura 11.19**). Quando o aneurisma envolve todas as túnicas

A. Vaso normal **B.** Aneurisma verdadeiro (sacular) **C.** Aneurisma verdadeiro (fusiforme) **D.** Aneurisma falso **E.** Dissecção

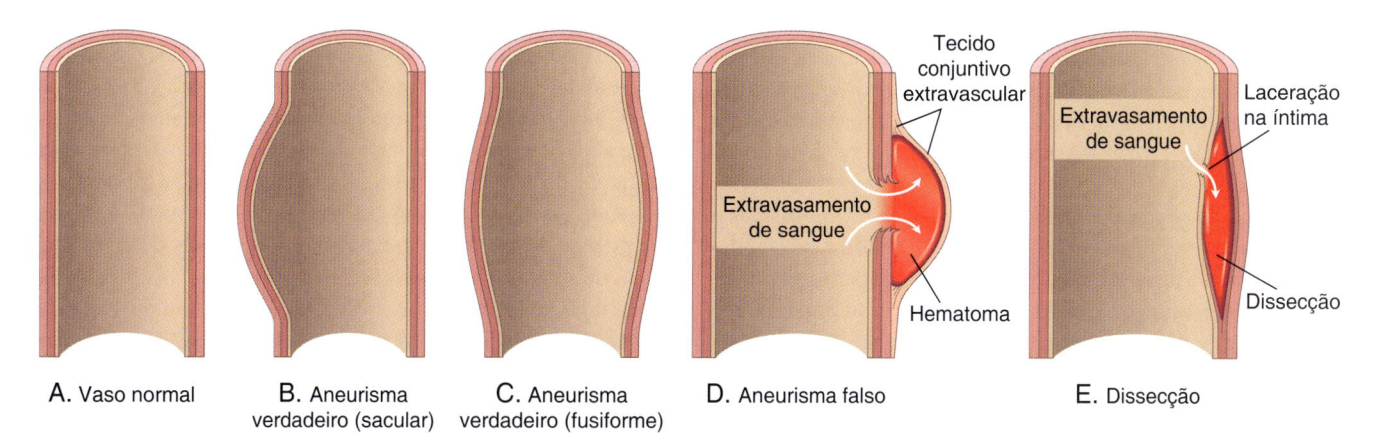

Figura 11.19 Aneurismas. **A.** Vaso normal. **B.** Aneurisma verdadeiro do tipo sacular. A parede forma uma protuberância focal e pode ser atenuada, porém está intacta nos demais aspectos. **C.** Aneurisma verdadeiro do tipo fusiforme. Ocorre dilatação circunferencial do vaso, sem ruptura. **D.** Aneurisma falso. Ocorre ruptura da parede e forma-se um acúmulo de sangue (hematoma) limitado, externamente, pelos tecidos extravasculares aderentes. **E.** Dissecção. O sangue penetra (*disseca*) na parede do vaso e separa as túnicas. Embora isso seja mostrado como um evento que ocorre através de uma laceração da luz, as dissecções também podem ocorrer por ruptura dos vasos dos *vasa vasorum* dentro da túnica média.

de uma parede arterial intacta (porém atenuada) ou a parede ventricular fina do coração, ele é denominado aneurisma verdadeiro. Os aneurismas vasculares ateroscleróticos e congênitos e os aneurismas ventriculares que ocorrem após infartos do miocárdio transmurais são desse tipo. Em contrapartida, um aneurisma falso (também denominado pseudoaneurisma) é um defeito da parede vascular, que leva a um hematoma extravascular, que se comunica livremente como espaço intravascular ("hematoma pulsátil"). Os exemplos incluem ruptura ventricular após infarto do miocárdio, que é contida por uma adesão pericárdica, ou extravasamento na junção suturada de um enxerto vascular com uma artéria natural. Ocorre dissecção arterial quando o sangue penetra em um defeito da parede arterial e escava um túnel através dos planos da média ou da média-túnica externa. As dissecções são, com frequência, mas nem sempre, aneurismáticas (ver adiante). Os aneurismas tanto verdadeiros quanto falsos, bem como as dissecções, podem sofrer ruptura, frequentemente com consequências catastróficas.

Em termos descritivos, os aneurismas são classificados pelo seu formato e tamanho macroscópicos (ver **Figura 11.19**). Os *aneurismas saculares* são evaginações essencialmente esféricas (que envolvem apenas uma parte da parede do vaso); nos vasos intracranianos, eles geralmente medem 2 a 20 mm; todavia, na aorta, variam de 5 a 10 cm de diâmetro e, com frequência, contêm trombo. Os *aneurismas fusiformes* consistem em uma dilatação circunferencial e difusa de um longo segmento vascular; variam quanto a seu diâmetro (em geral, de 5 a 10 cm na aorta) e podem envolver porções extensas do arco da aorta, da parte abdominal da aorta ou até mesmo das artérias ilíacas. Esses tipos não são específicos de nenhuma doença ou manifestações clínicas.

Patogênese

Para manter a sua integridade estrutural e funcional, as paredes arteriais passam por um remodelamento constante por meio de síntese, degradação e reparo dos danos aos constituintes da MEC. Podem ocorrer aneurismas quando a estrutura ou a função do tecido conjuntivo dentro da parede vascular estão comprometidas. Os defeitos na síntese ou na degradação do tecido conjuntivo contribuem para a patologia das doenças aneurismáticas hereditárias, bem como das formas esporádicas comuns de aneurismas. Esses defeitos incluem:

- A *qualidade intrínseca do tecido conjuntivo da parede vascular é precária.* As paredes fracas dos vasos, devido a um defeito na síntese de colágeno tipo III, constituem uma característica essencial da forma vascular da *síndrome de Ehlers* (ver **Capítulo 5**)
- *Sinalização anormal do fator de crescimento transformador β (TGF-β).* A atividade excessiva do TGF-β altera o remodelamento da parede vascular, principalmente da parte ascendente da aorta, levando, por fim, a uma diminuição do conteúdo de MEC e integridade, com dilatação aneurismática. Na *síndrome de Marfan* (ver **Capítulo 5**), a síntese defeituosa da proteína de suporte, a fibrilina, leva à incapacidade de sequestrar apropriadamente o TGF-β de produção endógena. Na *síndrome de Loeys-Dietz,* o aumento de atividade na via de sinalização do TGF-β pode resultar de mutações nos receptores de TGF-β, uma molécula de sinalização intracelular a jusante na via do TGF-β (SMAD3), e até mesmo do próprio TGF-β3. Os aneurismas em pacientes com síndrome de Loeys-Dietz podem sofrer ruptura com tamanhos pequenos e, portanto, seguem um curso "agressivo"
- O *equilíbrio entre degradação e síntese de colágeno é alterado pela inflamação e por proteases associadas.* As células inflamatórias no contexto de aortite ou em associação à aterosclerose podem ser encontradas em toda a parede da aorta. A produção aumentada de MMP, particularmente por macrófagos, pode contribuir para o desenvolvimento de aneurisma por meio de degradação da MEC (elastina, colágenos, proteoglicanos, laminina, fibronectina) em todas as túnicas da parede; a diminuição da expressão dos TIMPs também pode ter impacto na degradação da MEC. Ambos os processos resultam em perda das fibras elásticas necessárias para a retração na diástole. A predisposição genética à formação de aneurismas na presença de lesões inflamatórias (p. ex., aterosclerose) pode estar relacionada com polimorfismos de MMP e/ou TIMP ou com a natureza da resposta inflamatória local. De fato, os aneurismas de aorta abdominal (AAAs) (ver adiante) estão associados a desvios nos ambientes das citocinas locais para a produção de citocinas das células auxiliares 2 (p. ex., IL-4 e IL-10), que podem estimular os macrófagos a produzir quantidades aumentadas de MMP elastolítica
- A *parede vascular é enfraquecida por meio da perda de CML ou pela síntese inapropriada de MEC não colagenosa ou não elástica.* Ocorre isquemia da parte interna da média quando ocorre espessamento aterosclerótico da íntima, aumentando a distância para a difusão do oxigênio e dos nutrientes. A hipertensão sistêmica também pode causar estreitamento significativo das arteríolas dos vasos dos vasos (p. ex., na aorta), causando isquemia da parte externa da média. A sífilis terciária constitui outra causa rara de aneurismas aórticos, em que ocorre endarterite obliterativa nos vasos da parte torácica da aorta. Isso gera isquemia da média, levando à perda de CML e de fibras elásticas e à síntese inadequada ou inapropriada de MEC.

Todos os processos anteriormente descritos levam a alterações histopatológicas da parede arterial (designadas como degeneração da média) (**Figura 11.20**). Embora a inflamação linfoplasmocítica da túnica externa possa sugerir sífilis e as características clínicas (p. ex., alterações esqueléticas na síndrome de Marfan), uma base genética potencial, a degeneração da média é um achado inespecífico comum em todas as formas de doença aórtica.

As duas causas mais importantes de aneurismas aórticos são a aterosclerose e a hipertensão; a aterosclerose representa um fator de maior importância no AAA, enquanto a hipertensão é a etiologia mais comum associada a aneurismas da parte ascendente da aorta. Outras patologias e fatores de risco que enfraquecem as paredes vasculares e levam à formação de aneurismas incluem idade avançada, tabagismo, trauma, vasculite (ver adiante), defeitos congênitos (p. ex., displasia fibromuscular e aneurismas saculares normalmente no polígono de Willis; ver **Capítulo 28**) e infecções (aneurismas micóticos). Os aneurismas micóticos podem originar-se a partir de (1) embolização de um embolo séptico, habitualmente como complicação da endocardite infecciosa; (2) extensão de um processo supurativo adjacente; ou (3) microrganismos circulantes que infectam diretamente a parede arterial.

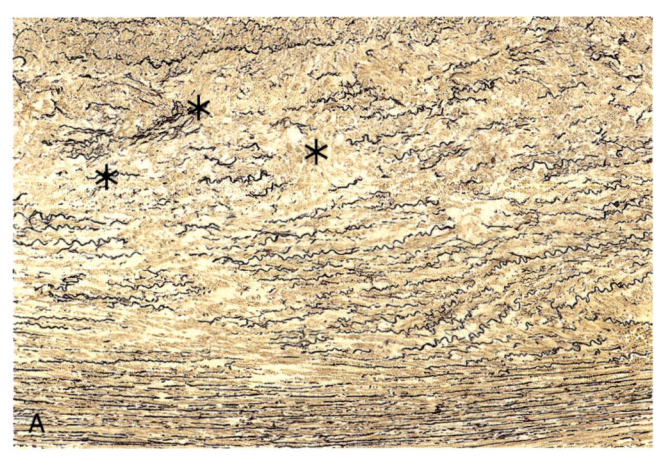

Figura 11.20 Degeneração cística da média. **A.** Corte transversal da túnica média da aorta de um paciente com síndrome de Marfan mostrando a acentuada fragmentação da elastina e formação de áreas desprovidas de elastina, que se assemelham a espaços císticos, mas que na realidade são preenchidas com quantidades aumentadas de proteoglicanos (*asteriscos*). **B.** Média normal para comparação mostrando o padrão regular em camadas do tecido elástico. Tanto em (**A**) quanto em (**B**), a elastina tem coloração preta.

Aneurisma de aorta abdominal

Os aneurismas que ocorrem em consequência de aterosclerose formam-se mais comumente na aorta abdominal e nas artérias ilíacas comuns. Diversos fatores discutidos anteriormente colaboram para enfraquecer a média e predispor à formação de aneurismas.

Os AAAs ocorrem, com mais frequência, em homens e fumantes e desenvolvem-se raramente antes dos 50 anos. A aterosclerose constitui uma importante causa de AAA, porém outros fatores contribuem claramente, visto que a incidência é < 5% em homens com mais de 60 anos, apesar da presença quase universal de aterosclerose da aorta abdominal nessa população.

Morfologia

Os AAAs, habitualmente localizados entre as artérias renais e a bifurcação da aorta, podem ser saculares ou fusiformes: medem mais de 3 cm, porém, frequentemente > 5,5 cm de diâmetro e até 25 cm de comprimento (**Figura 11.21**). Ocorre aterosclerose complicada grave, com destruição e adelgaçamento da túnica média subjacente da aorta; com frequência, o aneurisma contém um trombo mural fraco e pouco organizado. Em certas ocasiões, o AAA pode afetar as artérias renais e mesentéricas superior ou inferior por extensão direta ou pela oclusão dos óstios dos vasos com trombos murais. Não raramente, os AAAs são acompanhados de aneurismas menores das artérias ilíacas.

Três variantes de AAA merecem atenção especial:

- Os **AAAs inflamatórios** são responsáveis por 5 a 10% de todos os AAA; normalmente, ocorrem em pacientes mais jovens que apresentam, com frequência, dor nas costas e elevação dos marcadores inflamatórios (p. ex., velocidade de hemossedimentação). Os aneurismas inflamatórios caracterizam-se por inflamação linfoplasmocítica abundante, com muitos macrófagos (e até mesmo células gigantes) associados a cicatrização periaórtica densa, que pode se estender no retroperitônio anterior. Acredita-se que a causa seja uma resposta imune localizada na parede da aorta abdominal; de maneira notável, a maioria dos casos não está associada à inflamação de outras artérias
- Um subgrupo de AAA inflamatórios pode constituir uma manifestação vascular da **doença relacionada com a imunoglobulina G4 (IgG4-RD)**. Trata-se de um distúrbio caracterizado (na maioria dos casos) por níveis circulantes elevados de IgG4, com fibrose estoriforme e plasmócitos infiltrativos IgG4-positivos nos tecidos afetados. Pode acometer numerosos órgãos, incluindo pâncreas e a tireoide, bem como outros locais vasculares, como a parte ascendente da aorta e vasos do coração. Pode haver fibrose retroperitoneal, com hidronefrose bilateral. O reconhecimento dessa entidade é importante, visto que ela responde adequadamente à terapia com esteroides e anticélula B
- Os **AAAs micóticos** são lesões que se tornaram infectadas devido ao alojamento de microrganismos circulantes na parede. Nesses casos, a supuração destrói ainda mais a média, potencializando a rápida dilatação e ruptura.

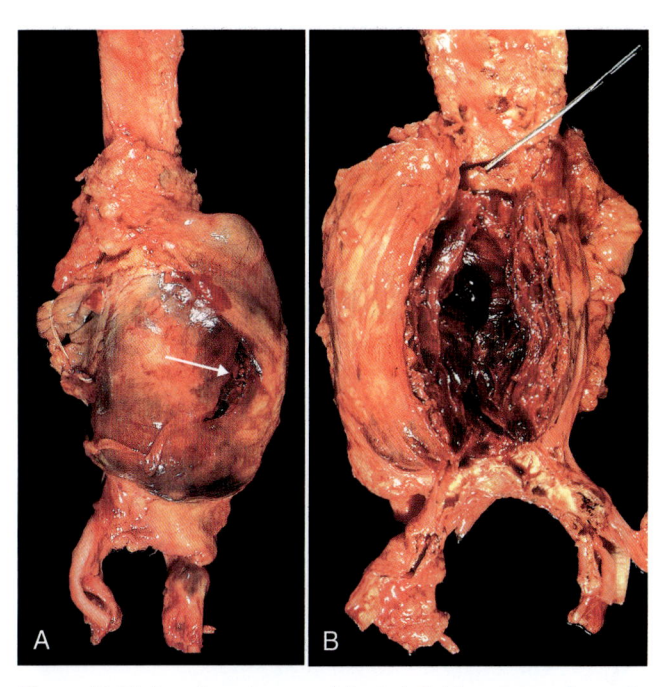

Figura 11.21 Aneurisma de aorta abdominal. **A.** Vista externa, fotografia macroscópica de um grande aneurisma da aorta que sofreu ruptura (o local de ruptura está indicado pela *seta*). **B.** Vista após abertura, com a localização do trajeto de ruptura indicada por uma sonda. A parede do aneurisma é extremamente fina, e a luz está preenchida por uma grande quantidade de trombo em camadas, porém em grande parte não organizado.

Características clínicas

Na maioria dos casos, os AAA são totalmente assintomáticos e são descobertos de modo incidental no exame físico como massa abdominal (com frequência, pulsátil à palpação), que simula um tumor. As outras manifestações clínicas de AAA incluem:

- *Ruptura* na cavidade peritoneal ou nos tecidos retroperitoneais, com hemorragia maciça e potencialmente fatal
- *Obstrução* de um ramo de vaso, resultando em lesão isquêmica tecidual distal; por exemplo, artérias ilíacas (perna), renais (rim), mesentéricas (trato gastrintestinal) ou vertebrais (medula espinal)
- *Embolia* de ateroma ou trombo mural
- *Contato* com uma estrutura adjacente, por exemplo, compressão de um ureter ou erosão de vértebras.

O risco de ruptura está diretamente relacionado com o tamanho do aneurisma e varia de zero para AAA ≤ 4 cm de diâmetro até 1% por ano para os AAAs entre 4 e 5 cm, 11% por ano para os AAAs entre 5 e 6 cm e 25% por ano para aneurismas > 6 cm. A maioria dos aneurismas se expande em uma velocidade de 0,2 a 0,3 cm/ano, porém 20% sofrem expansão mais rápida. Em geral, os aneurismas ≥ 5 cm são tratados de forma agressiva, por meio de cirurgias abertas envolvendo enxertos protéticos ou abordagens endovasculares através da artéria femoral com enxerto *stent* (malha de arame expansível coberta por um manguito de tecido). O momento da cirurgia é de importância crítica; a mortalidade operatória para aneurismas não rotos é de cerca de 5%, enquanto a cirurgia de emergência após ruptura está associada a uma taxa de mortalidade de mais de 50%. Convém reiterar, como a aterosclerose é uma doença sistêmica, um paciente com AAA também tem muita probabilidade de apresentar aterosclerose em outros leitos vasculares e tem um risco significativamente aumentado de doença cardíaca isquêmica e acidente vascular encefálico.

Aneurisma de aorta torácica

Os aneurismas de aorta torácica estão mais comumente associados à hipertensão, porém outras causas estão sendo cada vez mais reconhecidas, como síndrome de Marfan, síndrome de Loeys-Dietz e condições inflamatórias (aortite). Antes da dissecção ou da ruptura, os sintomas podem incluir: (1) dor torácica devido à compressão ou erosão óssea, (2) isquemia miocárdica devido à compressão de uma artéria coronária, (3) dificuldade na deglutição, devido à compressão do esôfago, (4) rouquidão devido à irritação ou à pressão do nervo laríngeo recorrente ou (5) complicações respiratórias causadas pela compressão dos brônquios; a grande maioria não causa nenhum sintoma até a ocorrência de um evento catastrófico (ver adiante).

Dissecção da aorta

Ocorre dissecção da aorta quando o sangue separa os planos laminares da túnica média, formando um canal repleto de sangue dentro da parede da aorta (Figura 11.22). Em geral, a dissecção aórtica está associada à dilatação da aorta; pode ser desastrosa se a dissecção sofrer ruptura através da túnica externa e causar hemorragia nos espaços adjacentes.

A dissecção da aorta ocorre principalmente em dois grupos de pacientes: (1) homens de 40 a 60 anos, com antecedente de hipertensão (mais de 90% dos casos); e (2) pacientes mais jovens com doenças sindrômicas que afetam a aorta (p. ex., síndrome de Marfan). As dissecções podem ser iatrogênicas (p. ex., após canulações arteriais durante o cateterismo diagnóstico ou circulação extracorpórea). Raramente, a gravidez também está associada à dissecção aórtica (ou de outros vasos) (aproximadamente 10 a 20 casos por 1 milhão de nascidos vivos), ocorrendo normalmente durante ou após o terceiro trimestre. Pode estar relacionada ao remodelamento vascular induzido por hormônios e ao estresse hemodinâmico do período perinatal. A dissecção é incomum na presença de aterosclerose substancial ou de outra causa de cicatrização da média, como sífilis, presumivelmente pelo fato de que a fibrose da média inibe a propagação do hematoma dissecante.

Patogênese

A hipertensão constitui o principal fator de risco para a dissecção da aorta. A aorta de pacientes hipertensos apresenta alterações degenerativas da túnica média, com perda de CML e alteração do conteúdo da MEC. Ocorrem outras dissecções no contexto de distúrbios do tecido conjuntivo hereditários ou adquiridos, com defeitos na sinalização do TGF-β ou síntese ou degradação

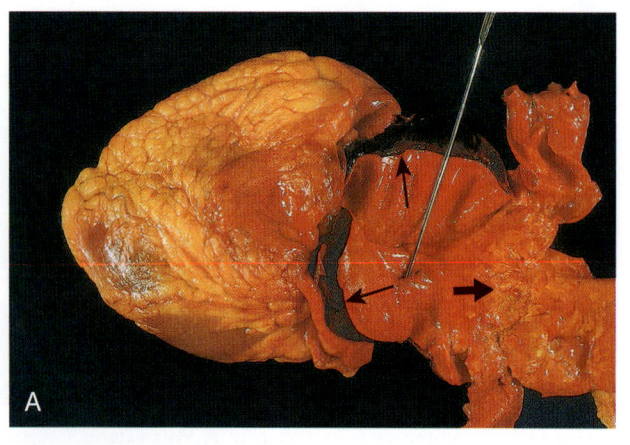

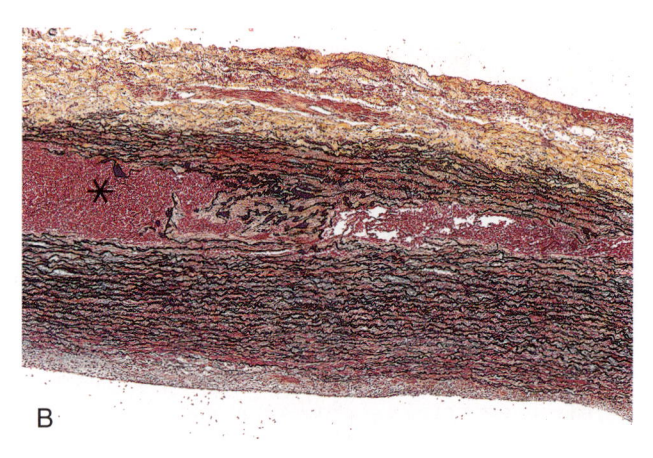

Figura 11.22 Dissecção da aorta. **A.** Fotografia macroscópica de aorta aberta com dissecção proximal, que tem como origem uma pequena laceração oblíqua da íntima (*sonda*), possibilitando a entrada de sangue na média e criando um hematoma intramural retrógrado (*setas finas*). Observe que a laceração da íntima ocorreu em uma região em grande parte livre de placa aterosclerótica e que a propagação distal do hematoma intramural é interrompida no local onde começa a aterosclerose (*seta larga*). **B.** Vista histológica de dissecção demonstrando um hematoma intramural aórtico (*asterisco*). As camadas elásticas da aorta são pretas, enquanto o sangue é vermelho (coloração de Movast).

deficientes da MEC. Entretanto, os padrões específicos de dano à média não constituem um pré-requisito para a dissecção, nem um preditor seguro de sua ocorrência. Independentemente da etiologia subjacente, o fator desencadeante final para a laceração da íntima e a hemorragia aórtica intramural inicial não é conhecido na maioria dos casos. Todavia, uma vez ocorrida a laceração, o fluxo sanguíneo sob a pressão sistêmica disseca através da média, levando à progressão do hematoma. Por conseguinte, a terapia agressiva para redução da pressão pode ser efetiva ao limitar a dissecção em evolução. Em alguns casos, a ruptura dos vasos penetrantes dos vasos dos vasos (*vasa vasorum*) pode dar origem a um hematoma intramural sem laceração da íntima.

Morfologia

Na maioria dos casos de dissecção, a degeneração da média é observada no local de laceração, mas pode não ocorrer na área de propagação. Esses casos normalmente caracterizam a fragmentação e perda das fibras elásticas, acúmulo mucoide da MEC e desgaste das CMLs (ver **Figura 11.20**); a inflamação está caracteristicamente ausente. Podem ocorrer dissecções no contexto de degeneração bastante trivial da média; por outro lado, alterações degenerativas pronunciadas são frequentemente observadas em necropsias de pacientes que não apresentam dissecção. Por conseguinte, a relação das alterações estruturais com a patogênese da dissecção é incerta.

A dissecção de aorta começa habitualmente com uma laceração da túnica íntima. Na grande maioria das dissecções espontâneas, a laceração ocorre na parte ascendente da aorta, habitualmente nos primeiros 10 cm da valva da aorta (ver **Figura 11.22A**). Normalmente, essas lacerações são transversais, com bordas agudas e recortadas de até 1 a 5 cm de comprimento. A dissecção pode ser retrógrada, estendendo-se na direção do coração, bem como distalmente, alcançando algumas vezes as artérias ilíaca e femoral. O hematoma dissecante propaga-se de maneira característica entre unidades lamelares do terço externo da média, ou entre as túnicas média e externa (ver **Figura 11.22B**). Pode romper através da túnica externa (adventícia), causando hemorragia maciça (p. ex., nas cavidades torácica ou abdominal) ou tamponamento cardíaco (hemorragia no saco pericárdico). Em alguns casos (fortuitos), o hematoma dissecante entra novamente na luz da aorta através de uma segunda laceração distal da íntima, criando um novo canal vascular falso ("aorta de cano duplo"). Isso evita a ocorrência de hemorragia extra-aórtica fatal, e, com o tempo, esses canais falsos podem ser endotelializados, transformando-se em **dissecções crônicas** reconhecíveis.

A lesão traumática do tórax (p. ex., acidente com veículo motorizado ou até mesmo reanimação cardiopulmonar extremamente vigorosa) pode causar lacerações da íntima que surgem após a origem dos vasos do arco da aorta, no *ligamento arterial*. Nesses casos, o tecido conjuntivo que fixa a aorta e os vasos pulmonares nesse local pode levar à laceração da aorta quando houver um súbito movimento extremo do coração em direção à parede anterior do tórax.

Características clínicas

A morbidade e a mortalidade associadas à dissecção dependem da parte da aorta acometida; as complicações mais graves ocorrem com dissecções entre a valva da aorta e o arco distal. Assim, as dissecções de aorta são geralmente classificadas em dois tipos (**Figura 11.23**):

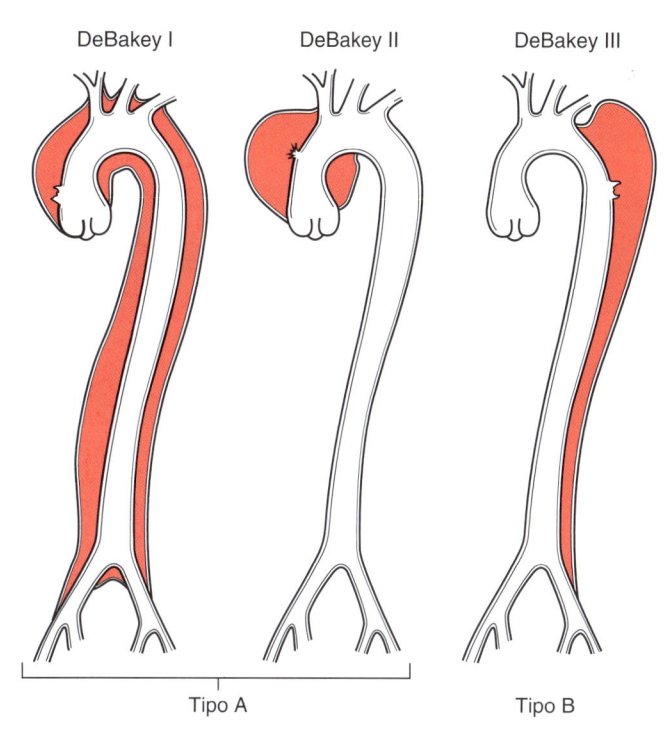

Figura 11.23 Classificação das dissecções. O *tipo A* (proximal) envolve a parte ascendente da aorta, como parte de uma dissecção mais extensa (DeBakey I) ou de modo isolado (DeBakey II). As dissecções do *tipo B* (distal ou DeBakey III) surgem após a saída dos grandes vasos. Normalmente, as dissecções do tipo A são as que apresentam as complicações mais graves e a maior mortalidade.

- *Dissecções do tipo A*. São as lesões *proximais* mais comuns (e perigosas) que acometem tanto a parte ascendente quanto descendente da aorta ou apenas a sua parte ascendente (tipos I e II da classificação de DeBakey)
- *Dissecções do tipo B*. Lesões distais que não acometem a parte descendente da aorta e, em geral, começam distalmente à artéria subclávia (denominadas DeBakey do tipo III).

Os sintomas clínicos clássicos da dissecção de aorta consistem em início súbito de dor lancinante, que habitualmente começa na parte anterior do tórax e irradia-se para o dorso entre as escápulas, descendo à medida que a dissecção progride; a dor pode ser confundida com a do infarto do miocárdio.

A causa mais comum de morte é a ruptura da dissecção e hemorragia nas cavidades pericárdica, pleural ou peritoneal. A dissecção retrógrada na croça da aorta também pode causar ruptura do anel da valva da aorta. As manifestações clínicas comuns incluem tamponamento cardíaco e insuficiência aórtica. As dissecções também podem se estender nas grandes artérias do pescoço ou nas artérias coronárias, renais, mesentéricas ou ilíacas, causando obstrução vascular e consequências isquêmicas, como infarto do miocárdio; o comprometimento das artérias espinais pode causar mielite transversa.

Nas dissecções do tipo A, o rápido diagnóstico e a instituição da terapia anti-hipertensiva intensiva, com plicatura cirúrgica da laceração aórtica, podem salvar 65 a 85% dos pacientes. Entretanto, a mortalidade aproxima-se de 70% nos que apresentam hemorragia ou sintomas relacionados com isquemia distal, e a sobrevida global em 10 anos é de 40 a 88%, dependendo de o paciente ser candidato a cirurgia e a outros fatores prognósticos.

A maioria das dissecções do tipo B pode ser tratada de maneira conservadora; esses pacientes apresentam uma taxa de sobrevida a curto prazo de 75% se forem tratados com cirurgia ou apenas com medicação anti-hipertensiva.

> **Conceitos-chave**
>
> **Aneurismas e dissecções**
>
> - Os aneurismas vasculares são dilatações congênitas ou adquiridas dos vasos sanguíneos, que acometem toda a espessura da parede. As complicações estão relacionadas a ruptura, trombose e embolização
> - Ocorrem dissecções quando o sangue entra na parede de um vaso e disseca através das túnicas, geralmente entre unidades lamelares. Surgem complicações em consequência da ruptura ou obstrução de vasos que se ramificam a partir da aorta
> - Os aneurismas e as dissecções resultam da fraqueza estrutural da parede do vaso, causada por sinalização aberrante do TGF-β, perda das CMLs e alterações da MEC, as quais podem resultar de isquemia, defeitos genéticos ou remodelamento defeituoso da matriz.

Vasculite

A *vasculite* é um termo geral para se referir à inflamação da parede do vaso, com manifestações multifacetadas, dependendo do leito vascular afetado (p. ex., sistema nervoso central *versus* coração *versus* intestino delgado). Além dos achados atribuíveis aos tecidos específicos acometidos, as manifestações clínicas normalmente incluem sinais e sintomas constitucionais associados à inflamação sistêmica, como febre, mialgias, artralgias e mal-estar.

Vasos de qualquer tipo em praticamente qualquer órgão podem ser afetados; a maioria dos casos de vasculite afeta os vasos de pequeno calibre, que incluem desde arteríolas a capilares e vênulas. Entretanto, diversas vasculites tendem a afetar apenas vasos de determinado calibre ou localização. Por conseguinte, existem entidades que afetam principalmente a aorta e as artérias de calibre médio, enquanto outras acometem principalmente apenas as arteríolas menores. São reconhecidas cerca de 20 formas primárias de vasculite, e os esquemas de classificação procuram (com sucesso variável) agrupá-las de acordo com o calibre do vaso, o papel dos imunocomplexos, a presença de autoanticorpos específicos, a formação de granulomas, a especificidade dos órgãos e até mesmo a população (**Tabela 11.4** e **Figura 11.24**). Como veremos adiante, existe uma considerável sobreposição clínica e patológica entre muitas delas.

Os dois mecanismos patogênicos da vasculite consistem em inflamação imunomediada e invasão direta das paredes vasculares por patógenos infecciosos. As infecções também podem induzir indiretamente vasculite não infecciosa, por exemplo, ao gerar imunocomplexos ou ao desencadear uma reatividade cruzada vascular. Em qualquer paciente, é fundamental distinguir entre mecanismos infecciosos e imunológicos, visto que a terapia imunossupressora é apropriada para a vasculite imunomediada, mas poderia ser muito bem contraprodutiva na vasculite infecciosa. As lesões físicas e químicas (p. ex., por irradiação, trauma mecânico e toxinas) também podem causar vasculite.

Vasculite não infecciosa

Os principais mecanismos imunológicos subjacentes à vasculite não infecciosa são os seguintes:

- *Deposição de imunocomplexos*
- *Anticorpos anticitoplasma de neutrófilos (ANCA)*
- *Anticorpos anti-CE*
- *Células T autorreativas.*

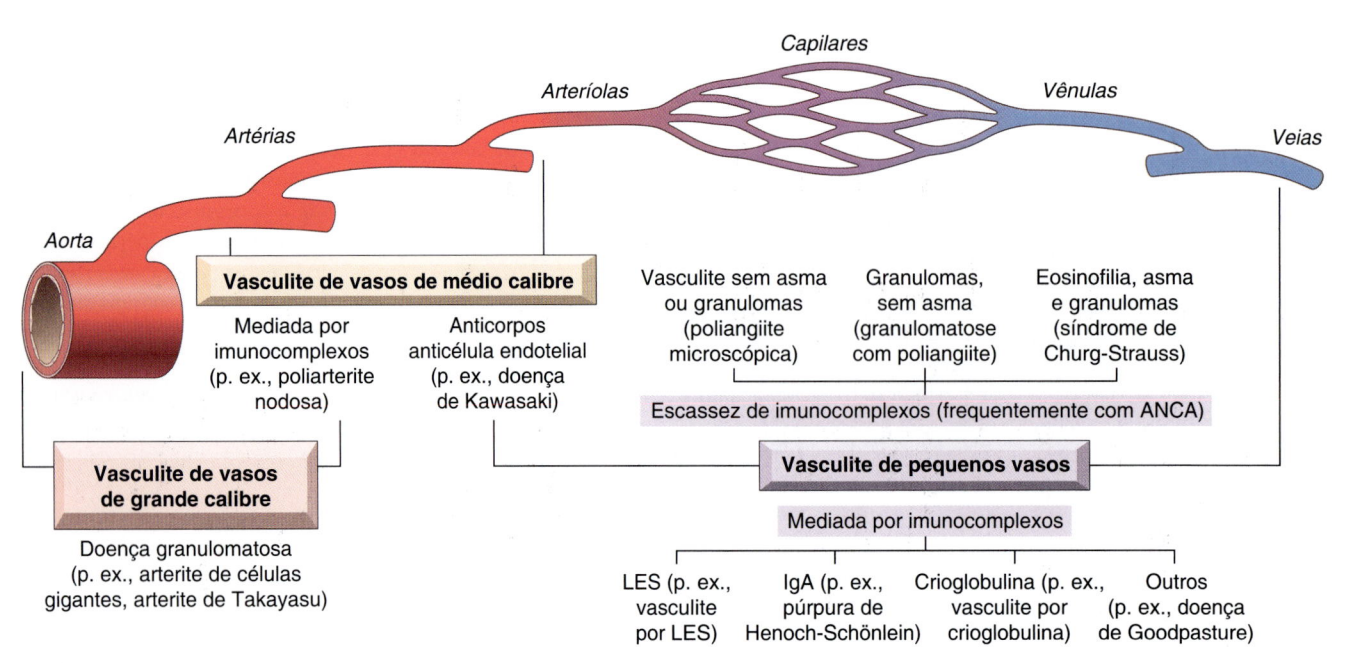

Figura 11.24 Locais vasculares normalmente acometidos com as formas mais comuns de vasculite, bem como possíveis etiologias. Observe que há uma sobreposição substancial nas suas distribuições. ANCA, anticorpo anticitoplasma de neutrófilo; LES, lúpus eritematoso sistêmico.

Tabela 11.4 Principais formas de vasculite.

	Arterite de células gigantes	Granulomatose com poliangiite	Síndrome de Churg-Strauss	Poliarterite nodosa	Vasculite leucocitoclástica	Doença de Buerger	Doença de Behçet
Locais de comprometimento							
Aorta	+	−	−	−	−	−	−
Artérias de médio calibre	+	+	+	+	−	+	+
Artéria de pequeno calibre	−	+	+	+	+	+	+
Capilares	−	−	−	−	+	−	+
Veias	−	−	−	−	+	+	+
Presença de células inflamatórias							
Linfócitos	+	+	+	±	±	±	±
Macrófagos	+	+	+	±	±	±	±
Neutrófilos	Raros	+	+	±	±	±	Necessários
Eosinófilos	Muito raros	±	Necessários	±	±	±	±
Outras características							
Granulomas	+[a]	Necessários[a]	±	−	−	−	−
Células gigantes	Frequentes; não necessárias	±	−	−	−	−	−
Trombose	±	±	±	±	±	Necessária	±
Positividade sérica para ANCA	−	+	+	±	−	−	−
História clínica	> 40 anos, ± polimialgia reumática	Qualquer	Asma, atopia	Qualquer	Qualquer	Fumante jovem do sexo masculino	Úlceras orogenitais

[a]Os granulomas da arterite de células gigantes são encontrados dentro da parede do vaso como parte da inflamação, que compreende a vasculite, porém a sua presença não é necessária para o estabelecimento do diagnóstico. Os granulomas da granulomatose com poliangiite são maiores, estendem-se entre vasos e estão associados a áreas de necrose tecidual.
ANCA, anticorpo anticitoplasma de neutrófilo.
De Seidman MA, Mitchell RN: Surgical pathology of small- and medium-sized vessels, Surg Pathol Clin 5:435, 2012.

Vasculite associada a imunocomplexos

Essa forma de vasculite pode ser observada em distúrbios imunológicos, como lúpus eritematoso sistêmico (LES) (ver **Capítulo 6**), que estão associados à produção de autoanticorpos. As lesões vasculares assemelham-se àquelas encontradas em distúrbios experimentais mediados por imunocomplexos, como o fenômeno de Arthus e a doença do soro, e, em muitos casos, contêm anticorpos e complemento prontamente identificáveis. Entretanto, com frequência, esse tipo de vasculite apresenta vários desafios diagnósticos. Só raramente é possível identificar o antígeno específico responsável pela formação de imunocomplexos. Embora se possa detectar, em certas ocasiões, a presença de imunocomplexos no sangue, não se sabe ao certo se, na maioria dos casos, os complexos antígeno-anticorpo patogênicos são depositados pela circulação ou são formados *in situ*. De fato, a sensibilidade e a especificidade dos ensaios de imunocomplexos circulantes nessas doenças são extremamente baixas. Em muitos casos suspeitos, até mesmo os depósitos de antígeno-anticorpo são escassos. Nessas circunstâncias, os imunocomplexos presumivelmente já foram degradados por ocasião da realização da biopsia; como alternativa, outros mecanismos subjacentes precisam ser considerados para essas vasculites "pauci-imunes".

A deposição de imunocomplexos está implicada nas seguintes vasculites:

- *Vasculite por hipersensibilidade a medicamentos.* Em alguns casos (p. ex., penicilina), os medicamentos atuam como haptenos por meio de sua ligação às proteínas séricas; outros agentes são eles próprios proteínas estranhas (p. ex., estreptoquinase). Qualquer que seja o caso, os anticorpos dirigidos contra as proteínas modificadas por medicamentos ou contra moléculas estranhas resultam na formação de imunocomplexos. As manifestações clínicas podem ser leves e autolimitadas, ou graves e até mesmo fatais; além disso, as lesões cutâneas são mais comuns. É sempre importante considerar a possibilidade de hipersensibilidade a medicamentos como causa de vasculite, visto que a interrupção do agente agressor habitualmente leva à resolução
- *Vasculite secundária a infecções.* Anticorpos dirigidos contra constituintes microbianos podem formar imunocomplexos que circulam e se depositam nas lesões vasculares. Em até 30% dos pacientes com poliarterite nodosa (ver adiante), a vasculite é atribuída a imunocomplexos compostos pelo antígeno de superfície da hepatite B (HBsAg) e anticorpo anti-HBsAg.

Anticorpos anticitoplasma de neutrófilos

Muitos pacientes com vasculite apresentam anticorpos circulantes que reagem com antígenos citoplasmáticos de neutrófilos – *ANCA*. Os ANCA formam um grupo heterogêneo de autoanticorpos dirigidos contra constituintes (principalmente enzimas) dos grânulos primários dos neutrófilos, lisossomos dos monócitos e CE. Os ANCA são marcadores diagnósticos de grande utilidade; em geral, seus títulos refletem a gravidade clínica, e a ocorrência de uma elevação dos títulos depois de períodos de quiescência é preditiva de recorrência da doença. Embora vários ANCA tenham sido descritos, dois deles são mais importantes. Estes foram anteriormente agrupados de acordo com a distribuição intracelular dos antígenos-alvo (citoplasmático [c-ANCA] ou perinuclear [p-ANCA]), porém agora são classificados com base na sua especificidade antigênica:

- *Antiproteinase-3 (PR3-ANCA, anteriormente c-ANCA)*. A proteinase-3 (PR3) é um constituinte dos grânulos azurófilos dos neutrófilos, que compartilha uma homologia com numerosos peptídeos microbianos, explicando, possivelmente, a produção de PR3-ANCA. Os PR3-ANCA estão associados à granulomatose com poliangiite (ver adiante)
- *Antimieloperoxidase (MPO-ANCA, anteriormente p-ANCA)*. A mieloperoxidase (MPO) é um constituinte dos grânulos lisossômicos envolvido na geração de radicais livres de oxigênio (ver **Capítulo 3**). Os MPO-ANCA são induzidos por vários agentes terapêuticos, em particular propiltiouracila (utilizada no tratamento do hipertireoidismo). Os MPO-ANCA estão associados à poliangiite microscópica e à síndrome de Churg-Strauss (ver adiante).

A estreita associação entre os títulos de ANCA e a atividade da doença também sugere que esses anticorpos desempenham um papel patogênico. É interessante assinalar que os ANCA são capazes de ativar diretamente os neutrófilos, estimulando a liberação de espécies reativas de oxigênio e enzimas proteolíticas; nos leitos vasculares, essa ativação também leva a interações destrutivas entre as células inflamatórias e as CE. Enquanto os alvos antigênicos dos ANCA são principalmente intracelulares (e, portanto, não são habitualmente acessíveis aos anticorpos circulantes), ficou evidente agora que os antígenos do ANCA (particularmente a PR3) são constitutivamente expressos em baixos níveis na membrana plasmática ou são translocados para a superfície da célula em leucócitos ativados e apoptóticos.

Um possível mecanismo para a vasculite por ANCA é o seguinte:

- A formação de ANCA é induzida por medicamentos ou por antígenos microbianos de reação cruzada; como alternativa, a expressão na superfície dos leucócitos ou a liberação de PR3 e MPO (no contexto de infecções) estimulam o desenvolvimento de ANCA no hospedeiro suscetível
- A infecção subsequente, a exposição a endotoxinas ou estímulos inflamatórios desencadeiam citocinas, como o fator de necrose tumoral (TNF), que suprarregulam a expressão de superfície da PR3 e MPO nos neutrófilos e em outros tipos de células
- Os ANCA reagem com essas células ativadas por citocinas, causando lesão direta (p. ex., contra as CE) ou ativação adicional (p. ex., dos neutrófilos)
- Os neutrófilos ativados por ANCA provocam lesão tecidual por meio da liberação do conteúdo dos grânulos e de espécies reativas de oxigênio.

Como os autoanticorpos ANCA são dirigidos contra constituintes celulares e não formam imunocomplexos circulantes, as lesões vasculares normalmente não contêm anticorpos e complemento demonstráveis. Por conseguinte, a vasculite associada a ANCA é frequentemente descrita como pauci-imune.

Anticorpos anticélula endotelial

Os anticorpos anti-CE, talvez induzidos por defeitos na regulação imune, podem predispor a certas vasculites, por exemplo, a doença de Kawasaki (ver adiante).

Discutiremos agora de maneira sucinta várias das vasculites mais bem caracterizadas e geralmente reconhecidas, ressaltando que existe uma sobreposição substancial entre as diferentes entidades. Além disso, é preciso ter em mente que alguns pacientes com vasculite não apresentam a constelação clássica de achados que permita que sejam claramente encaixados dentro de um diagnóstico específico.

Arterite de células gigantes (temporal)

A arterite de células gigantes (temporal) é uma inflamação crônica classicamente granulomatosa das artérias de grande e pequeno calibres que afeta principalmente as artérias na cabeça. Trata-se da forma mais comum de vasculite em indivíduos idosos nos EUA e na Europa. As artérias não são particularmente vulneráveis, porém o seu nome está ligado à doença, visto que elas são mais facilmente submetidas a biopsia no estabelecimento do diagnóstico. As artérias vertebrais e oftálmicas, bem como a aorta (*aortite de células gigantes*), também podem ser acometidas. Como o acometimento da artéria oftálmica pode levar à cegueira súbita e permanente, os indivíduos afetados precisam ser diagnosticados e tratados imediatamente.

Patogênese

A arterite de células gigantes provavelmente ocorre em consequência de uma resposta imune mediada por células T contra um antígeno da parede vascular ainda não caracterizado. As citocinas pró-inflamatórias (particularmente o TNF) e os anticorpos anti-CE também contribuem. A inflamação granulomatosa característica, uma associação a certos haplótipos do complexo principal de histocompatibilidade (MHC) e a resposta terapêutica excelente aos esteroides sustentam fortemente uma etiologia imune. A predileção pelos vasos da cabeça ainda não foi explicada, porém uma hipótese aventada é a de que os vasos em várias partes do corpo desenvolvem-se a partir de um primórdio distinto e, portanto, podem expressar antígenos únicos.

> **Morfologia**
>
> Os segmentos arteriais acometidos desenvolvem **espessamento da íntima** (com trombose ocasional), **que reduz o diâmetro da luz.** As lesões clássicas exibem **inflamação granulomatosa** da túnica média, centrada na lâmina interna elástica com **fragmentação da lâmina elástica**; há um infiltrado de células T (CD4+ > CD8+) e macrófagos. Embora sejam observadas células gigantes multinucleadas em aproximadamente 75% das amostras submetidas a biopsia adequada (**Figura 11.25**), os granulomas e as células gigantes podem ser raros ou ausentes. As lesões inflamatórias estão distribuídas apenas focalmente ao longo do vaso, e pode haver segmentos de artéria relativamente normal interpostos. O estágio cicatrizado caracteriza-se pela atenuação da túnica média e formação de cicatriz com espessamento da íntima, fragmentação de mais de 30% da circunferência da lâmina elástica interna e fibrose da túnica externa.

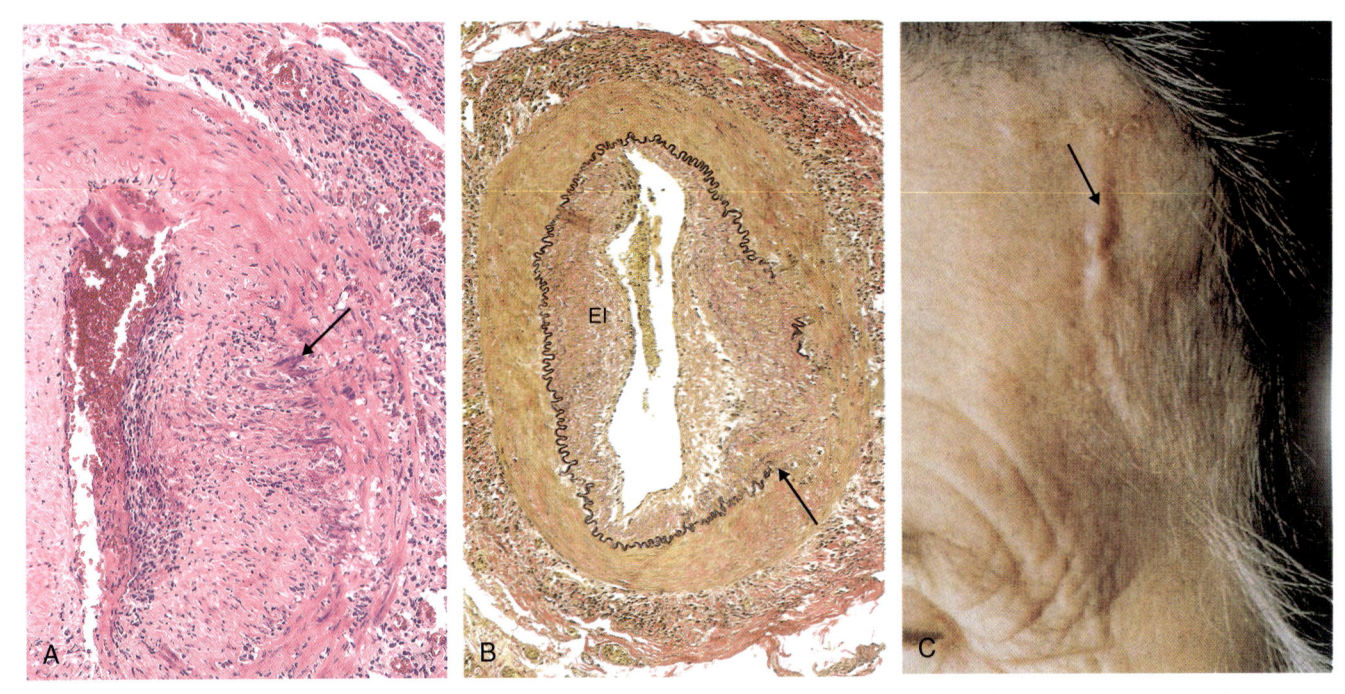

Figura 11.25 Arterite de células gigantes (temporal). **A.** Coloração pela hematoxilina e eosina de corte de artéria temporal mostrando células gigantes na túnica interna elástica degenerada na arterite ativa (*seta*). **B.** Coloração para fibras elásticas demonstrando a destruição focal da lâmina interna elástica (*seta*) e espessamento da íntima (*EI*), uma característica da arterite de longa duração ou cicatrizada. **C.** A artéria temporal de um paciente com arterite de células gigantes clássica mostra um segmento espesso, nodular e hipersensível de um vaso na superfície da cabeça (*seta*). (**C**, De Salvarani C, et al: Polymyalgia rheumatica and giant-cell arteritis, *N Engl J Med* 347:261, 2002.)

Características clínicas

A arterite temporal é rara antes dos 50 anos. Os sintomas podem ser apenas vagos e constitucionais – febre, fadiga, perda de peso – ou consistir em dor facial ou cefaleia, que é mais intensa ao longo do trajeto da artéria temporal superficial, que pode ser dolorosa à palpação. Os sintomas oculares (associados ao comprometimento da artéria oftálmica) aparecem de maneira abrupta em cerca de 50% dos pacientes; variam desde diplopia até perda visual completa. O diagnóstico depende da confirmação histológica e de biopsia. Entretanto, como a arterite de células gigantes pode ser extremamente focal dentro de uma artéria, uma biopsia adequada necessita de pelo menos um segmento de 1 cm; mesmo assim, a obtenção de um resultado negativo da biopsia não descarta a possibilidade do diagnóstico. Normalmente, os corticosteroides ou a terapia com anti-TNF são efetivos.

Arterite de Takayasu

A arterite de Takayasu é uma vasculite granulomatosa de artérias de médio e grande calibres que se caracteriza principalmente por distúrbios oculares e acentuado enfraquecimento dos pulsos nos membros superiores (o que explica o nome de *doença sem pulso*). A arterite de Takayasu manifesta-se com espessamento fibroso transmural da aorta – particularmente o arco da aorta e os grandes vasos –, com intenso estreitamento da luz dos principais vasos ramificados (**Figura 11.26**). A aortite de Takayasu compartilha muitos atributos com a aortite de células gigantes, incluindo características clínicas e histológicas; de fato, a distinção baseia-se normalmente na idade do paciente. Nos indivíduos com mais de 50 anos, o diagnóstico é de aortite de células gigantes, ao passo que os que têm menos de 50 anos são diagnosticados com aortite de Takayasu. Embora seja tradicionalmente associada à população japonesa e a um subgrupo de haplótipos do antígeno leucocitário humano, a aortite de Takayasu apresenta distribuição mundial. É provável que tenha uma etiologia autoimune.

> **Morfologia**
>
> **A arterite de Takayasu acomete classicamente o arco da aorta.** Em um terço dos pacientes, afeta também o restante da aorta e seus ramos, com comprometimento da **artéria pulmonar** em metade dos casos; as artérias coronárias e renais também podem ser afetadas de maneira semelhante. Ocorre espessamento irregular da parede do vaso com hiperplasia da íntima; quando o arco da aorta é acometido, a luz dos grandes vasos pode estar acentuadamente estreita ou até mesmo obliterada (**Figura 11.26A e B**). Esse estreitamento explica a fraqueza dos pulsos periféricos. Histologicamente, as alterações variam desde infiltrados mononucleares da túnica externa com manguito perivascular nos vasos dos vasos até inflamação mononuclear intensa na média. Observa-se também a presença de inflamação granulomatosa, repleta de células gigantes e necrose focal da média. A histologia (**Figura 11.26C**) é essencialmente indistinguível daquela da arterite de células gigantes (temporal). À medida que a doença progride, ocorrem cicatrizes colagenosas com infiltrados inflamatórios crônicos e mistos em todas as três túnicas da parede vascular. Em certas ocasiões, o comprometimento da croça da aorta provoca dilatação e insuficiência da valva da aorta.

Características clínicas

Os sintomas iniciais são habitualmente inespecíficos e consistem em fadiga, perda de peso e febre. Com a evolução, surgem sintomas

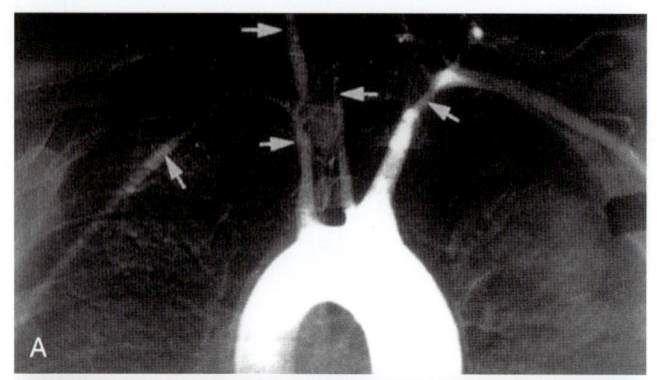

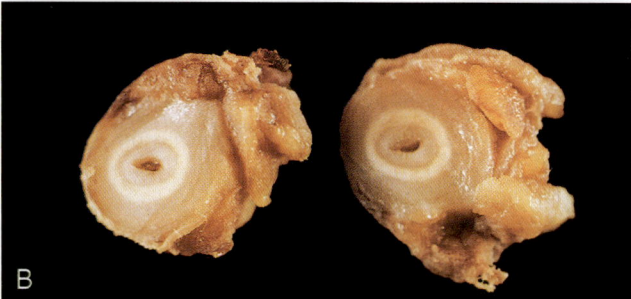

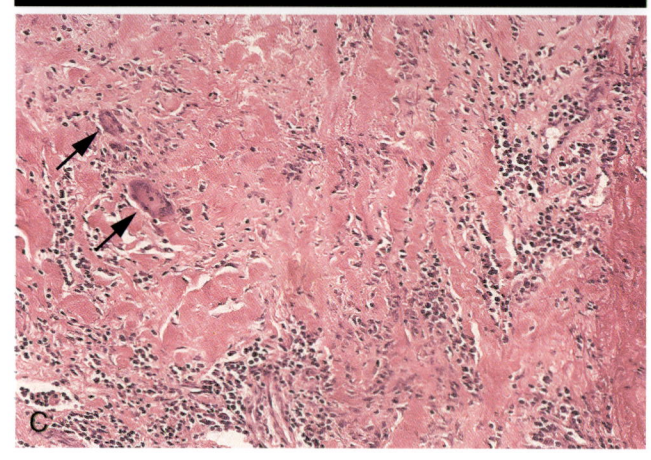

Figura 11.26 Arterite de Takayasu. **A.** Angiograma do arco da aorta mostrando o estreitamento do tronco braquiocefálico, da artéria carótida e da artéria subclávia (*setas*). **B.** Fotografia macroscópica de dois cortes transversais da artéria carótida direita obtidos na necropsia do paciente apresentado em (**A**) demonstrando o acentuado espessamento da íntima e a fibrose da túnica externa com luz residual mínimo. **C.** Aparência histológica na aortite de Takayasu ativa ilustrando a destruição e a fibrose da túnica média da artéria associada a infiltrados mononucleares e células gigantes inflamatórias (*setas*).

vasculares que dominam o quadro clínico, incluindo redução da pressão arterial e pulsos mais fracos nos membros superiores; distúrbios oculares, incluindo defeitos visuais, hemorragias da retina e cegueira total; e déficits neurológicos. O comprometimento da parte mais distal da aorta pode levar à claudicação das pernas; o comprometimento da artéria pulmonar pode causar hipertensão pulmonar. O estreitamento dos óstios das coronárias pode resultar em infarto do miocárdio, e o acometimento das artérias renais leva à hipertensão sistêmica em cerca da metade dos pacientes. A evolução da doença é variável. Em alguns pacientes, há progressão rápida, enquanto outros entram em um estágio de quiescência com 1 a 2 anos, possibilitando uma sobrevida a longo prazo, apesar dos déficits visuais ou neurológicos.

Poliarterite nodosa

A poliarterite nodosa (PAN) é uma vasculite sistêmica das artérias musculares de pequeno ou médio calibres que normalmente afeta os vasos renais e viscerais, porém poupa a circulação pulmonar. Não há nenhuma associação com ANCA, porém um terço dos pacientes com PAN apresenta hepatite B crônica, levando à formação de complexos HBsAg-HbsAb que se depositam nos vasos afetados. A causa permanece desconhecida na maioria dos casos. As manifestações clínicas resultam da isquemia e do infarto dos tecidos e órgãos afetados.

Morfologia

A PAN está associada à inflamação necrosante transmural segmentar das artérias de pequeno a médio calibres, frequentemente com aneurismas sobrepostos e/ou trombose. Os vasos renais, cardíacos, hepáticos e do trato gastrintestinal são acometidos por ordem decrescente de frequência. Em geral, as lesões acometem apenas parte da circunferência do vaso, com predileção pelos pontos de ramificação. A redução da perfusão do parênquima distal às lesões resulta em ulcerações, infartos, atrofia isquêmica ou hemorragia.

Durante a fase aguda, ocorre inflamação transmural da parede arterial, com infiltrado misto de neutrófilos, eosinófilos e células mononucleares, frequentemente acompanhado de **necrose fibrinoide e trombose luminal** (**Figura 11.27**). As lesões mais antigas apresentam espessamento fibroso da parede do vaso, estendendo-se na túnica externa. Caracteristicamente, observa-se uma coexistência de todos os estágios de atividade (desde o inicial até o tardio) em diferentes vasos ou até mesmo dentro do mesmo vaso, sugerindo uma lesão contínua.

Características clínicas

A PAN é principalmente uma doença de adultos jovens, porém pode ocorrer em todas as faixas etárias. A evolução é, com frequência, remitente e episódica, com longos intervalos assintomáticos. Devido à ampla dispersão do comprometimento vascular, os sinais

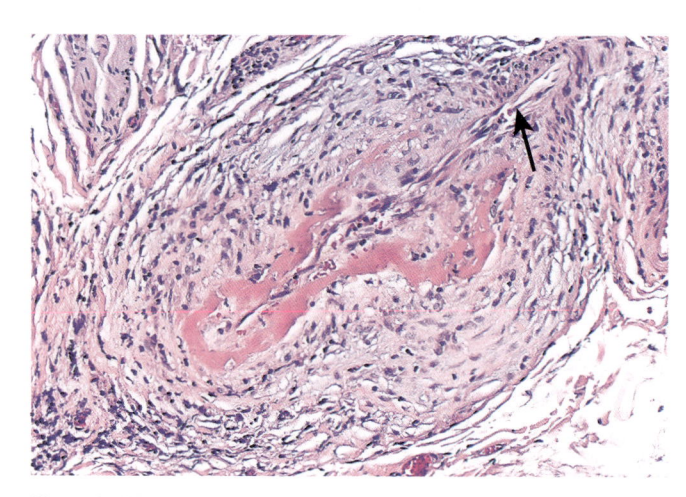

Figura 11.27 Poliarterite nodosa. Observa-se a presença de necrose fibrinoide segmentar e oclusão trombótica da luz dessa pequena artéria. Observe que parte da parede do vaso no lado direito superior (*seta*) não está acometida. (Cortesia de Sidney Murphree, MD, Department of Pathology, University of Texas Southwestern Medical School, Dallas, Tex.)

e sintomas clínicos da PAN podem ser muito variáveis. A apresentação típica envolve alguma combinação de hipertensão de rápida aceleração, devido ao comprometimento da artéria renal; dor abdominal e fezes sanguinolentas causadas pelas lesões gastrintestinais vasculares; mialgias difusas; e neurite periférica que afeta predominantemente os nervos motores. Com frequência, o comprometimento renal constitui uma importante causa de mortalidade. Sem tratamento, a PAN é normalmente fatal; todavia, a imunossupressão pode produzir remissões ou cura em 90% dos casos.

Doença de Kawasaki

A doença de Kawasaki é uma doença febril aguda e habitualmente autolimitada da lactância e da infância, associada à arterite dos vasos de grande a médio calibres; 80% dos pacientes têm menos de 4 anos. Sua importância clínica provém do comprometimento das artérias coronárias. A arterite coronariana pode resultar em aneurismas que sofrem ruptura ou trombose, causando infarto do miocárdio. Originalmente descrita no Japão, a doença é agora reconhecida nos EUA e em outras partes.

Em indivíduos geneticamente suscetíveis, foi postulado que a doença é desencadeada por uma variedade de agentes infecciosos (em sua maioria virais). A vasculite pode resultar de uma resposta de hipersensibilidade de tipo tardio dirigida contra antígenos vasculares de reação cruzada ou recém-descobertos. A produção subsequente de citocinas e ativação de células B policlonais resultam na produção de autoanticorpos contra CE e CML que precipitam a vasculite.

> ### Morfologia
>
> A vasculite da doença de Kawasaki assemelha-se àquela observada na PAN. Há um infiltrado inflamatório transmural denso, embora a necrose fibrinoide seja habitualmente menos proeminente do que na PAN. Normalmente, a vasculite aguda diminui de maneira espontânea ou em resposta ao tratamento, porém pode ocorrer formação de aneurismas, devido ao dano da parede. À semelhança de outras arterites, as lesões cicatrizadas também podem exibir espessamento obstrutivo da íntima. As alterações patológicas fora do sistema cardiovascular raramente são significativas.

Características clínicas

Normalmente, a doença de Kawasaki manifesta-se com eritema e bolhas conjuntivais e orais, edema das mãos e dos pés, eritema das palmas e das plantas, exantema descamativo e aumento dos linfonodos cervicais (o que explica o seu outro nome, *síndrome mucocutânea linfonodal*). Cerca de 20% dos pacientes não tratados desenvolvem sequelas cardiovasculares, que variam desde arterite coronariana assintomática a ectasia das artérias coronárias e aneurismas coronarianos gigantes (7 a 8 mm); estes últimos estão associados a ruptura, trombose, infarto do miocárdio ou morte súbita. A taxa de doença arterial coronariana sintomática é inferior a 4% com terapia com imunoglobulina intravenosa e ácido acetilsalicílico.

Poliangiite microscópica

A poliangiite microscópica é uma vasculite necrosante que geralmente afeta os capilares, bem como as arteríolas e vênulas. Diferentemente da PAN, todas as lesões da poliangiite microscópica tendem a ser da mesma idade em qualquer paciente, sugerindo um único episódio de deposição de anticorpos ou imunocomplexos. É também denominada vasculite por hipersensibilidade ou *vasculite leucocitoclástica*. A pele, as membranas mucosas, os pulmões, o encéfalo, o coração, o trato gastrintestinal, os rins e o músculo podem estar acometidos; a glomerulonefrite necrosante (90% dos pacientes) e a capilarite pulmonar são particularmente comuns. A angiite microscópica pode constituir uma característica de vários distúrbios imunes (p. ex., púrpura de Henoch-Schönlein, crioglobulinemia mista essencial e vasculite associada a distúrbios do tecido conjuntivo).

Patogênese

Em alguns casos, foram implicadas as respostas dos anticorpos a antígenos como medicamentos (p. ex., penicilina), microrganismos (p. ex., estreptococos), proteínas heterólogas ou proteínas tumorais. Isso pode levar à deposição de imunocomplexos ou desencadear respostas imunes secundárias (p. ex., desenvolvimento de ANCA) que são patogênicas. De fato, a maioria dos casos está associada ao MPO-ANCA. O recrutamento e a ativação dos neutrófilos dentro dos leitos vasculares afetados são provavelmente responsáveis pelas manifestações da doença.

> ### Morfologia
>
> A poliangiite microscópica caracteriza-se por **necrose fibrinoide segmentar da túnica média**, com lesões necrosantes transmurais segmentares; não há inflamação granulomatosa. Do ponto de vista morfológico, essas lesões assemelham-se à PAN, porém normalmente poupam as artérias de médio e grande calibres; em consequência, os infartos macroscópicos são incomuns. Em algumas áreas (normalmente vênulas pós-capilares), são observados apenas neutrófilos infiltrantes e fragmentados, dando origem ao termo **vasculite leucocitoclástica (Figura 11.28A)**. Embora se possa demonstrar a presença de imunoglobulinas e de componentes do complemento nas lesões cutâneas iniciais, pouca ou nenhuma imunoglobulina pode ser observada na maioria das lesões (a denominada lesão pauci-imune).

Características clínicas

Dependendo do leito vascular acometido, as principais características clínicas consistem em hemoptise, hematúria e proteinúria, dor ou sangramento intestinal, dor ou fraqueza muscular e púrpura cutânea palpável. Com exceção dos indivíduos que desenvolvem comprometimento renal ou cerebral disseminado, a imunossupressão induz remissão e acentuada melhora da sobrevida a longo prazo.

Granulomatose com poliangiite

Anteriormente denominada granulomatose de Wegener, a granulomatose com poliangiite (GPA) é uma vasculite necrosante caracterizada pela tríade de:

- *Granulomas necrosantes agudos* das vias respiratórias superiores (orelha, nariz, seios da face, orofaringe) ou das vias respiratórias inferiores (pulmão) ou ambas
- *Vasculite necrosante ou granulomatosa* que afeta os vasos de pequeno a médio calibres (p. ex., capilares, vênulas, arteríolas e artérias), mais proeminente nos pulmões e nas vias respiratórias superiores, mas que também afeta outros locais
- *Glomerulonefrite necrosante focal frequentemente crescêntica.*

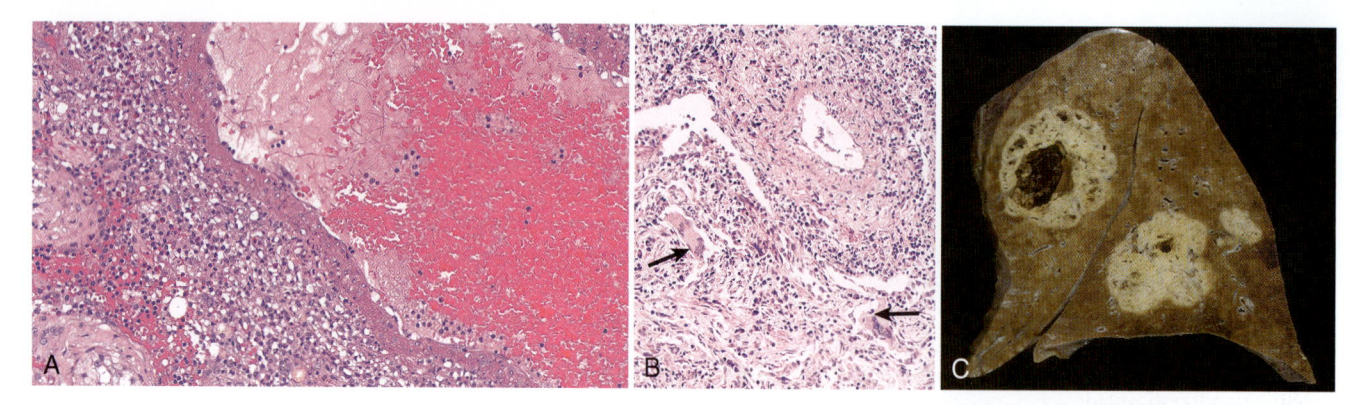

Figura 11.28 Vasculite de pequenos vasos associada a anticorpos anticitoplasma de neutrófilos. **A.** Vasculite leucocitoclástica (poliangiite microscópica) com fragmentação dos neutrófilos nas paredes dos vasos sanguíneos e em seu redor. (**B** e **C**) Granulomatose com poliangiite. **B.** Vasculite de uma pequena artéria com inflamação granulomatosa adjacente, incluindo células epitelioides e células gigantes (*setas*). **C.** Foto macroscópica do pulmão de um paciente com granulomatosa fatal com poliangiite mostrando a presença de grandes lesões nodulares com cavidade central. (**A,** Cortesia de Michael A. Seidman, MD, PhD, Laboratory Medicine Program, University Health Network, Toronto, Canada; **C,** Cortesia de Sidney Murphree, MD, Department of Pathology, University of Texas Southwestern Medical School, Dallas, Tex.)

As formas "limitadas" da GPA podem ser restritas ao sistema respiratório. Em contrapartida, uma forma generalizada da doença pode afetar os olhos, a pele e outros órgãos, notavelmente o coração; do ponto de vista clínico, a GPA generalizada assemelha-se à PAN, exceto pela presença de comprometimento respiratório.

Patogênese

A GPA provavelmente representa uma forma de resposta de hipersensibilidade mediada por células T a agentes microbianos inalados, normalmente "inócuos", ou a outros agentes ambientais. Essa patogênese é sustentada pela presença de granulomas e por uma resposta dramática à terapia imunossupressora. Observa-se também a presença de PR3-ANCA em até 95% dos casos; constituem um marcador útil de atividade da doença e podem participar na sua patogênese. Após tratamento da imunossupressão, os títulos de ANCA caem acentuadamente, e um aumento subsequente dos títulos é preditor de recidiva.

Morfologia

As lesões das vias respiratórias superiores variam desde sinusite inflamatória com granulomas da mucosa até lesões ulcerativas do nariz, palato ou faringe, rodeadas de **granulomas com padrões geográficos de necrose central e acompanhados de vasculite (Figura 11.28B)**. Os granulomas necrosantes são circundados por uma zona de fibroblastos em proliferação com células gigantes e infiltrado de leucócitos, lembrando infecções micobacterianas ou fúngicas. Múltiplos granulomas podem coalescer para produzir nódulos visíveis em radiografias, que também podem sofrer cavitação. A doença em estágio avançado pode ser caracterizada por extenso comprometimento granulomatoso extenso do parênquima (**Figura 11.28C**), e a hemorragia alveolar pode ser proeminente. As lesões podem finalmente sofrer fibrose progressiva e organização.

As lesões renais variam desde necrose glomerular focal leve com trombose de alças capilares isoladas (**glomerulonefrite necrosante focal e segmentar**) até lesões glomerulares mais avançadas com necrose difusa e proliferação das células parietais, resultando em formação de crescentes (**glomerulonefrite crescêntica**).

Características clínicas

Os homens são afetados mais frequentemente do que as mulheres, com idade média de cerca de 40 anos. As características clássicas consistem em pneumonite bilateral com nódulos e lesões cavitárias (95%), sinusite crônica (90%), ulcerações da mucosa da nasofaringe (75%) e doença renal (80%). Além disso, podem ocorrer exantemas, mialgias, comprometimento articular, neurite e febre. Sem tratamento, a doença é, em geral, rapidamente fatal, com mortalidade de 80% em 1 ano. O tratamento com esteroides, ciclofosfamida, antagonistas do TNF e anticorpos anticélula B tornaram a GAP uma doença remitente e recidivante crônica.

Síndrome de Churg-Strauss

A síndrome de Churg-Strauss (também denominada *granulomatose alérgica e angiite*) é uma vasculite necrosante de pequenos vasos, classicamente associada com asma, rinite alérgica, infiltrados pulmonares, eosinofilia periférica, granulomas necrosantes extravasculares e acentuada infiltração eosinofílica dos vasos e dos tecidos.

O comprometimento cutâneo (com púrpura palpável), o sangramento gastrintestinal e a doença renal (principalmente glomeruloesclerose focal e segmentar) constituem as principais associações. A citotoxicidade produzida pelos infiltrados eosinofílicos do miocárdio frequentemente leva à cardiomiopatia; o comprometimento cardíaco, que é observado em 60% dos pacientes, representa uma importante causa de morbidade e morte.

A síndrome de Churg-Strauss é provavelmente uma consequência de hiper-responsividade a algum estímulo alérgico normalmente inócuo. Os MPO-ANCA estão presentes em uma minoria de casos, sugerindo que o distúrbio é, do ponto de vista patogênico, heterogêneo. As lesões vasculares diferem daquelas da PAN ou poliangiite microscópica, em virtude da presença de granulomas e eosinófilos.

Tromboangiite obliterante (doença de Buerger)

A tromboangiite obliterante caracteriza-se por inflamação segmentar trombosante aguda e crônica de artérias de médio e pequeno calibres, particularmente as artérias tibial e radial,

levando, com frequência, à insuficiência vascular que normalmente acomete os membros. Ocorre quase exclusivamente em tabagistas inveterados, habitualmente antes dos 35 anos.

Patogênese

A forte relação com o tabagismo envolve uma toxicidade idiossincrásica direta das CE, causada por algum componente do tabaco ou por uma resposta imune aos mesmos agentes que modificaram as proteínas das paredes vasculares do hospedeiro. A maioria dos pacientes com doença de Buerger apresenta hipersensibilidade a extratos de tabaco injetados por via intradérmica, e seus vasos exibem comprometimento da vasodilatação dependente do endotélio quando estimulados com acetilcolina. Há um aumento da prevalência em certos grupos étnicos (israelitas, subcontinente indiano, japoneses) e uma associação a certos haplótipos do MHC.

> ### Morfologia
>
> Os vasos afetados na tromboangiite obliterante exibem inflamação aguda e crônica, acompanhada de trombose luminal. O trombo pode conter pequenos **microabscessos** compostos por neutrófilos circundados por inflamação granulomatosa (**Figura 11.29**); por fim, podem ocorrer organização e recanalização do trombo. O processo inflamatório estende-se nas veias e nervos contíguos (raramente com outras formas de vasculite), e, com o passar do tempo, todas as três estruturas podem ser envolvidas por tecido fibroso.

Características clínicas

As manifestações iniciais consistem em fenômeno de Raynaud (ver adiante), dor no dorso do pé induzida por exercício (claudicação do dorso do pé) e flebite nodular superficial (inflamação venosa). A insuficiência vascular da doença de Buerger tende a ser acompanhada de dor intensa – mesmo em repouso – devido, sem dúvida alguma, ao comprometimento neural. Pode haver desenvolvimento de ulcerações crônicas dos membros, que progridem com o tempo (em certas ocasiões, de maneira súbita) para a gangrena franca. A abstinência do fumo nos estágios iniciais da doença frequentemente pode melhorar os ataques subsequentes; entretanto, uma vez estabelecidas, as lesões vasculares não respondem à abstinência do tabagismo.

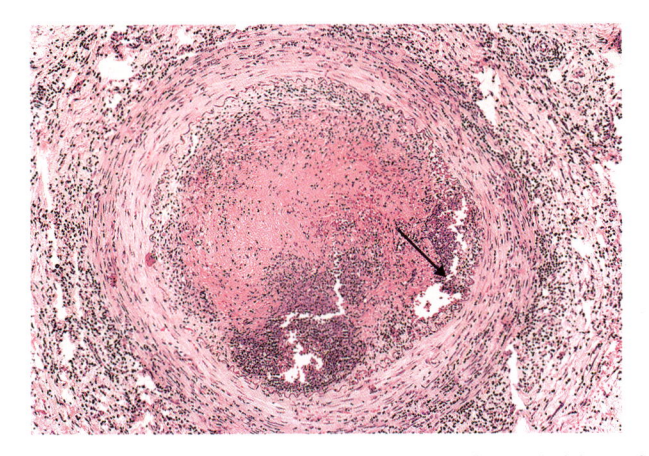

Figura 11.29 Tromboangiite obliterante (doença de Buerger). A luz está ocluída por um trombo contendo abscessos (seta), e a parede do vaso está infiltrada por leucócitos.

Vasculite associada a outros distúrbios não infecciosos

A vasculite semelhante à angiite por hipersensibilidade ou à PAN clássica algumas vezes pode estar associada a outros distúrbios, como artrite reumatoide, lúpus eritematoso sistêmico, neoplasia maligna ou doenças sistêmicas, como crioglobulinemia mista, síndrome do anticorpo antifosfolipídio e púrpura de Henoch-Schönlein. A vasculite reumatoide ocorre predominantemente no contexto da artrite reumatoide grave de longa duração e, em geral, afeta as artérias de pequeno e médio calibres, levando ao infarto visceral; além disso, pode causar aortite clinicamente significativa. A identificação da patologia subjacente tem importância terapêutica. Por exemplo, embora a vasculite lúpica por imunocomplexos clássica e a síndrome do anticorpo antifosfolipídio possam ser semelhantes na sua morfologia e quadro clínico, a terapia anti-inflamatória é necessária na primeira, enquanto a terapia agressiva com anticoagulantes está indicada na segunda.

Vasculite infecciosa

A arterite pode ser causada pela invasão direta de agentes infecciosos, habitualmente bactérias ou fungos, e, em particular, espécies de *Aspergillus* e *Mucor*. A invasão vascular pode constituir parte de uma infecção tecidual localizada (p. ex., pneumonia bacteriana ou adjacente a abscessos) ou, menos comumente, pode originar-se da propagação hematogênica de microrganismos durante a septicemia ou embolização em consequência de endocardite infecciosa.

As infecções vasculares podem enfraquecer as paredes arteriais e culminar em aneurismas micóticos (ver anteriormente) ou induzir trombose e infarto distal. Por conseguinte, a trombose dos vasos meníngeos induzida por inflamação na meningite bacteriana pode, por fim, causar infarto do cérebro subjacente.

> ### Conceitos-chave
> #### Vasculite
>
> - A vasculite é definida como uma inflamação das paredes dos vasos; com frequência, está associada a manifestações sistêmicas (incluindo febre, mal-estar, mialgias e artralgias) e à disfunção orgânica, que dependem do padrão de comprometimento vascular
> - A vasculite apresenta mais comumente uma base imunológica, resultando da deposição de imunocomplexos, ANCA ou anticorpos anti-CE. Com menos frequência, é causada por infecções
> - As diferentes formas de vasculite tendem a afetar especificamente vasos de determinado calibre e localização particular (ver **Figura 11.24** e **Tabela 11.4**).

Distúrbios de hiper-reatividade dos vasos sanguíneos

Vários distúrbios caracterizam-se por vasoconstrição inapropriada ou excessiva dos vasos sanguíneos.

Fenômeno de Raynaud

O fenômeno de Raynaud resulta da vasoconstrição exagerada das artérias e arteríolas em resposta ao frio ou à emoção. Afeta mais comumente as extremidades, em particular os dedos das

mãos e dos pés, porém também acomete, em certas ocasiões, o nariz, os lóbulos das orelhas ou os lábios. O fluxo sanguíneo restrito induz palidez paroxística ou até mesmo cianose nos casos graves; os dedos das mãos afetados exibem classicamente alterações da cor "vermelha, branca e azul" da parte mais proximal para a mais distal, exibindo uma correlação com a vasodilatação proximal, a vasoconstrição central e a cianose mais distal (**Figura 11.30**). O fenômeno de Raynaud pode ser uma entidade primária ou pode ser secundário a outros distúrbios:

- O *fenômeno de Raynaud primário* afeta 3 a 5% da população geral e, com mais frequência, ocorre em mulheres jovens. Tende a afetar as extremidades de maneira simétrica, e tanto a gravidade quanto a extensão do comprometimento normalmente não progridem. Isso resulta da hiper-reatividade intrínseca das CMLs da média. As alterações estruturais das paredes arteriais estão ausentes, exceto na doença de longa duração, quando pode haver espessamento da íntima. A evolução é habitualmente benigna; entretanto, a cronicidade pode levar à atrofia da pele, dos tecidos subcutâneos e dos músculos. A ulceração e a gangrena isquêmica são raras
- O *fenômeno de Raynaud secundário* refere-se à insuficiência vascular, devido a uma doença arterial causada por outras entidades, incluindo LES, esclerodermia, doença de Buerger ou até mesmo aterosclerose. Do ponto de vista clínico, o fenômeno de Raynaud secundário tende a apresentar acometimento assimétrico dos membros e agrava-se progressivamente (tanto na extensão quanto na gravidade) com o tempo.

Como o fenômeno de Raynaud pode constituir a primeira manifestação das vasculites imunomediadas, qualquer paciente com sintomas recentes deve ser avaliado. Entre esses indivíduos, cerca de 10% acabam manifestando uma doença subjacente.

Vasospasmo dos vasos miocárdicos

A constrição excessiva das artérias ou arteríolas pode causar isquemia, e o vasospasmo persistente pode até causar infarto do miocárdio. Além da hiper-reatividade intrínseca das CMLs da média, conforme descrito na doença de Raynaud primária (ver anteriormente), a presença de níveis elevados de mediadores vasoativos pode precipitar uma contração vascular prolongada. Esses agentes podem ser endógenos (p. ex., epinefrina liberada por feocromocitomas) ou exógenos (cocaína ou fenilefrina). A elevação do hormônio tireoidiano provoca um efeito semelhante, aumentando a sensibilidade dos vasos às catecolaminas circulantes, enquanto os autoanticorpos e as células T na esclerodermia (ver **Capítulo 6**) podem causar instabilidade vascular e vasospasmo. O estresse psicológico extremo e a liberação concomitante de catecolaminas podem levar ao vasospasmo patológico.

Quando o vasospasmo dos leitos arteriolares (o denominado Raynaud cardíaco) é de duração suficiente (20 a 30 minutos), podem ocorrer infarto do miocárdio ou morte súbita.

Veias e vasos linfáticos

As veias varicosas e a flebotrombose/tromboflebite são, em seu conjunto, responsáveis por pelo menos 90% das doenças venosas clínicas.

Veias varicosas

As veias varicosas são veias anormalmente dilatadas e tortuosas, produzidas por pressão intraluminal e prolongada, com vasodilatação e incompetência das válvulas venosas. As veias superficiais das partes superior e inferior das pernas são comumente afetadas, visto que a pressão venosa nesses locais pode ser acentuadamente elevada (até 10 vezes o normal) pela postura prolongada. Até cerca de 20% dos homens e um terço das mulheres desenvolvem veias varicosas nos membros inferiores. A obesidade aumenta o risco, e a maior incidência em mulheres provavelmente reflete a elevação prolongada da pressão venosa causada pela compressão da veia cava inferior pelo útero grávido durante a gestação. Uma predileção familiar às veias varicosas reflete o desenvolvimento defeituoso das paredes venosas.

Características clínicas

A incompetência das válvulas venosas leva a estase, congestão, edema, dor e trombose. A isquemia tecidual secundária resulta de congestão venosa crônica e drenagem vascular deficiente, levando

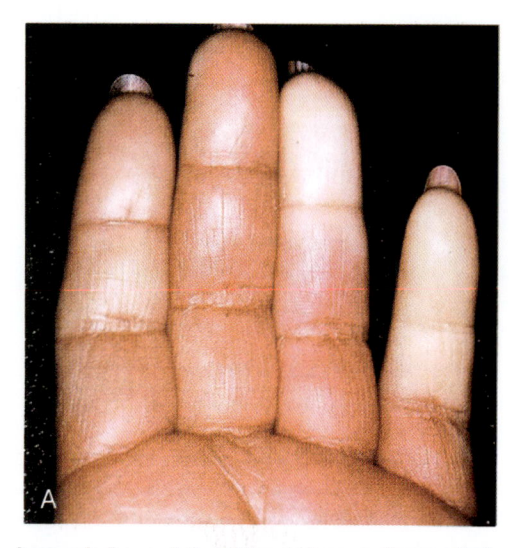

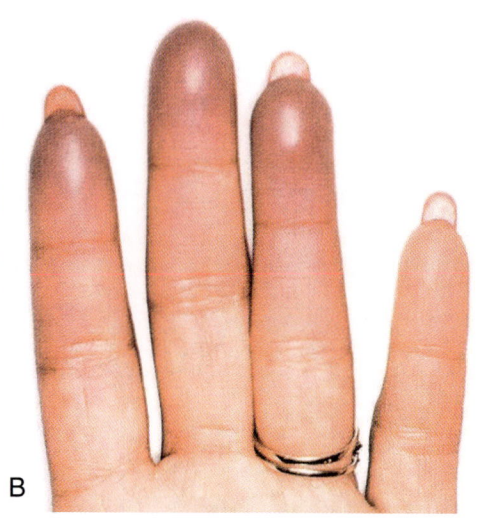

Figura 11.30 Fenômeno de Raynaud. **A.** Palidez nitidamente demarcada da parte distal dos dedos da mão, em consequência do fechamento das artérias digitais. **B.** Cianose da ponta dos dedos. (Reproduzida de Salvarani C, et al: Polymyalgia rheumatica and giant-cell arteritis, *N Engl J Med* 347:261, 2002.)

à dermatite de estase (também denominada "endurecimento acastanhado"; a cor castanha provém da hemólise dos eritrócitos extravasados) e ulcerações; a cicatrização deficiente de feridas e as infecções sobrepostas são outras complicações comuns. É notável assinalar que a embolia dessas veias superficiais é muito rara, em oposição ao tromboembolismo relativamente frequente que surge a partir de veias profundas trombosadas (ver adiante e **Capítulo 4**).

As varicosidades que ocorrem em outros dois locais também merecem atenção:

- *Varizes esofágicas*. A cirrose hepática (menos frequentemente, a obstrução da veia porta ou a trombose da veia hepática) causa hipertensão da veia porta (ver **Capítulo 18**). A hipertensão portal leva à abertura de derivações (*shunts*) portossistêmicas, que aumentam o fluxo sanguíneo para as veias na junção gastresofágica (com formação de varizes esofágicas), no reto (com formação de hemorroidas) e nas veias periumbilicais da parede abdominal (formando uma cabeça de Medusa). As varizes esofágicas são as mais importantes, visto que a sua ruptura pode levar à hemorragia gastrintestinal superior maciça (e até mesmo fatal)
- As *hemorroidas* também podem resultar de dilatação varicosa primária do plexo venoso na junção anorretal (p. ex., por meio de congestão vascular pélvica prolongada, devido à gravidez ou ao esforço na defecação). As hemorroidas são desconfortáveis e podem constituir uma fonte de sangramento; elas também podem trombosar e são propensas à ulceração dolorosa.

Tromboflebite e flebotrombose

A tromboflebite e a flebotrombose são designações em grande parte intercambiáveis para a trombose e a inflamação venosas; as veias profundas das pernas são responsáveis por mais de 90% dos casos. O plexo venoso periprostático nos homens e o plexo venoso pélvico nas mulheres constituem outros locais, bem como as grandes veias do crânio e dos seios da dura-máter (particularmente no contexto de infecção ou inflamação). Pode ocorrer trombose da veia porta em associação a infecções peritoneais (peritonite, apendicite, salpingite e abscessos pélvicos), bem como determinadas condições trombofílicas associadas à hiperatividade das plaquetas (p. ex., policitemia vera) (ver **Capítulo 14**).

A diminuição do fluxo sanguíneo em situação de imobilização prolongada constitui a causa mais comum de *trombose venosa profunda (TVP)* dos membros inferiores. Isso pode ocorrer com repouso prolongado no leito ou permanência na posição sentada durante longas viagens de avião ou excursões de automóvel; o estado pós-operatório também pode precipitar TVP, e a insuficiência cardíaca congestiva, a gravidez, o uso de contraceptivos orais, a neoplasia maligna e a obesidade constituem fatores de risco adicionais.

A hipercoagulabilidade sistêmica, incluindo as síndromes de hipercoagulabilidade genética (ver **Capítulo 4**), também pode contribuir para a tromboflebite. Em pacientes com câncer, particularmente adenocarcinomas, a hipercoagulabilidade ocorre como síndrome paraneoplásica relacionada com a elaboração de fatores pró-coagulantes pelo tumor (ver **Capítulo 7**). Nesse contexto, as tromboses venosas aparecem classicamente em um local, desaparecem e, em seguida, surgem em outro local – constituindo a denominada tromboflebite migratória (*síndrome de Trousseau*).

Os trombos nas pernas tendem a produzir poucos sinais ou sintomas confiáveis ou nenhum. De fato, as manifestações locais, incluindo dilatação das veias, edema, cianose, calor, eritema ou dor, podem estar totalmente ausentes, em particular nos pacientes acamados. Em alguns casos, a dor pode ser desencadeada por pressão exercida sobre as veias afetadas, compressão dos músculos da panturrilha ou dorsiflexão forçada do pé (*sinal de Homan*); ausência de achados não descarta a possibilidade de um diagnóstico de TVP.

A embolia pulmonar constitui uma complicação clínica grave da *TVP* (ver **Capítulo 4**) e resulta da fragmentação ou do desprendimento do trombo venoso. Em muitos casos, a primeira manifestação da tromboflebite consiste em embolia pulmonar. Dependendo do tamanho do número de êmbolos, o resultado pode variar desde ausência de sintomas até a morte.

Síndromes da veia cava superior e inferior

A síndrome da veia cava superior é habitualmente causada por neoplasias que comprimem ou invadem a veia cava superior (p. ex., carcinoma broncogênico ou linfoma mediastinal). A obstrução resultante produz um quadro clínico característico, que inclui acentuada dilatação das veias da cabeça, do pescoço e dos braços com cianose. Os vasos pulmonares também podem ser comprimidos, levando ao desconforto respiratório.

A síndrome da veia cava inferior pode ser causada por neoplasias que comprimem ou invadem a veia cava inferior (VCI) ou por trombose das veias hepática, renal ou dos membros inferiores, que se propaga cefalicamente. Certas neoplasias – em particular o carcinoma hepatocelular e o carcinoma de células renais – exibem uma notável tendência a crescer no interior de veias, as quais podem finalmente ocluir a VCI. A obstrução da VCI produz acentuado edema dos membros inferiores, distensão das veias colaterais superficiais da parte inferior do abdome e – na presença de comprometimento da veia renal – proteinúria maciça.

Linfangite e linfedema

Embora os distúrbios primários dos vasos linfáticos sejam extremamente incomuns, observa-se com frequência o desenvolvimento de processos secundários em associação à inflamação ou a neoplasias malignas.

A linfangite representa uma inflamação aguda causada pela disseminação de infecções bacterianas nos vasos linfáticos; o estreptococo beta-hemolítico do grupo A é o agente mais comum. Os vasos linfáticos afetados tornam-se dilatados e repletos de exsudato de neutrófilos e monócitos; os infiltrados podem se estender através da parede do vaso e, nos casos graves, podem provocar celulite e abscessos focais. A linfangite manifesta-se por estrias subcutâneas vermelhas e dolorosas (linfáticos inflamados), com aumento doloroso dos linfonodos de drenagem (linfadenite). Se as bactérias não forem controladas com sucesso dentro dos linfonodos, o seu escape subsequente na circulação venosa pode resultar em bacteriemia ou sepse.

O *linfedema primário* pode ocorrer como defeito congênito isolado (linfedema congênito simples) ou como *doença de Milroy* familiar (*linfedema congênito hereditário*), que resulta em agenesia ou hipoplasia dos linfáticos. O linfedema secundário ou obstrutivo origina-se do bloqueio de linfáticos previamente normais, incluindo:

- *Tumores* que causam obstrução dos vasos linfáticos ou dos linfonodos regionais
- *Procedimentos cirúrgicos* que seccionam conexões linfáticas (p. ex., ressecção de linfonodos axilares na mastectomia radical)
- *Fibrose pós-irradiação*
- *Filariose*
- *Trombose e formação de cicatriz pós-inflamatória.*

Independentemente da causa, o linfedema aumenta a pressão hidrostática nos linfáticos distais à obstrução e provoca edema. Por sua vez, o edema crônico pode levar à deposição de MEC e fibrose, produzindo endurecimento acastanhado ou aparência de *peau d'orange* (casca de laranja) da pele sobrejacente. Por fim, a perfusão inadequada do tecido pode levar à ulceração da pele. A ruptura dos vasos linfáticos dilatados (p. ex., secundária à obstrução por uma neoplasia ou após lesão cirúrgica) leva ao acúmulo leitoso de linfa, denominado ascite quilosa (abdome), quilotórax e quilopericárdio.

Neoplasias vasculares

As neoplasias de vasos sanguíneos e linfáticos constituem um espectro, desde hemangiomas benignos (extremamente comuns) a neoplasias localmente agressivas, que raramente metastatizam, até angiossarcomas raros e altamente malignos (**Tabela 11.5**).

As neoplasias vasculares originam-se do endotélio (p. ex., hemangioma, linfangioma, angiossarcoma) ou de células que sustentam ou circundam os vasos sanguíneos (p. ex., tumor glômico). As neoplasias primárias dos grandes vasos (aorta, artéria pulmonar e veia cava) são principalmente sarcomas. Embora um hemangioma benigno bem diferenciado habitualmente não seja confundido com um angiossarcoma anaplásico, a distinção entre benigno e maligno pode ser ocasionalmente difícil. As malformações congênitas ou do desenvolvimento e as proliferações vasculares reativas não neoplásicas (p. ex., *angiomatose bacilar*) também podem ocorrer como lesões semelhantes a neoplasias, que podem representar um desafio para o diagnóstico. Em geral, as neoplasias vasculares benignas e malignas podem ser distinguidas pelas seguintes características:

- As *neoplasias benignas* habitualmente contêm canais vasculares evidentes repletos de células sanguíneas (os vasos linfáticos estarão repletos de linfa), revestidos por uma camada única de CE de aparência normal
- As *neoplasias malignas* são mais celulares e mais proliferativas e exibem atipia citológica; em geral, não formam vasos bem organizados. A origem endotelial dessas proliferações neoplásicas pode exigir a detecção imuno-histoquímica de marcadores específicos de CE, como CD31 ou o fator de von Willebrand.

Neoplasias benignas e condições semelhantes a neoplasias

Ectasias vasculares. A *ectasia* é um termo genérico para referir-se a qualquer dilatação local de uma estrutura, enquanto o termo *telangiectasia* é utilizado para descrever uma dilatação permanente de pequenos vasos preexistentes (capilares, vênulas e arteríolas, habitualmente na pele ou nas membranas mucosas) que forma uma lesão vermelha distinta. Podem ser congênitas ou adquiridas e não são neoplasias verdadeiras:

- O *nevo flâmeo* (uma "marca de nascença"), que constitui a forma mais comum de ectasia vascular, é uma lesão plana rosa clara a púrpura escura na cabeça ou no pescoço, composta por vasos dilatados. A maioria acaba regredindo espontaneamente
- A denominada *mancha em vinho do Porto* é um tipo especial de nevo flâmeo que tende a crescer durante a infância, causando espessamento da superfície da pele associada e persistindo com o tempo (talvez o exemplo mais bem conhecido seja a da fronte do ex-presidente soviético Mikhail Gorbachev). Essas lesões na distribuição do nervo trigêmeo podem estar associadas à *síndrome de Sturge-Weber* (também denominada angiomatose encefalotrigeminal). Esse distúrbio congênito incomum está associado a nevos faciais em vinho do Porto, a angiomas venosos ipsilaterais nas leptomeninges corticais, deficiência intelectual, crises convulsivas, hemiplegia e radiopacidades do crânio. A presença de uma grande telangiectasia facial em uma criança com deficiência intelectual pode indicar a existência de outras malformações vasculares. Na maioria dos casos, as manchas em vinho do Porto (incluindo aquelas associadas à síndrome de Sturge-Weber) são causadas por uma mutação somática de perda de sentido (*missense*) de nucleotídio único em GNAQ (a subunidade alfa da molécula de sinalização transmembranar heterotrimérica)
- As *telangiectasias aracneiformes* são malformações vasculares não neoplásicas que se assemelham grosseiramente a uma aranha. Manifestam-se como lesões radiais e frequentemente pulsáteis, compostas por artérias ou arteríolas subcutâneas dilatadas (lembrando as patas da aranha) em torno de um núcleo central (lembrando o corpo da aranha), que empalidecem com a pressão. Ocorrem geralmente na face, no pescoço ou

Tabela 11.5 Classificação das neoplasias vasculares e condições semelhantes a neoplasias.

Neoplasias benignas, condições do desenvolvimento e adquiridas
Hemangioma
Hemangioma capilar
Hemangioma cavernoso
Granuloma piogênico
Linfangioma
Linfangioma simples (capilar)
Linfangioma cavernosos (higroma cístico)
Tumor glômico
Ectasias vasculares
Nevo flâmeo
Telangiectasia aracneiforme (aranha arterial)
Telangiectasia hemorrágica hereditária (doença de Osler-Weber-Rendu)
Proliferações vasculares reativas
Angiomatose bacilar
Neoplasias de grau intermediário
Sarcoma de Kaposi
Hemangioendotelioma
Neoplasias malignas
Angiossarcoma
Hemangiopericitoma

na parte superior do tórax e, com mais frequência, estão associadas a estados hiperestrogênicos (p. ex., em mulheres grávidas ou em pacientes com cirrose)
- A *telangiectasia hemorrágica hereditária (doença de Osler-Weber-Rendu)* é uma doença autossômica dominante causada por mutações em genes que codificam componentes da via de sinalização do TGF-β nas CE. As telangiectasias são malformações compostas de capilares e veias dilatados que estão presentes ao nascimento. Apresentam ampla distribuição pela pele e membranas mucosas orais, bem como nos sistemas respiratório, gastrintestinal e trato urinário. As lesões podem sofrer ruptura espontânea, causando epistaxe (sangramento pelo nariz) grave, sangramento gastrintestinal ou hematúria.

Hemangioma. Os hemangiomas são neoplasias muito comuns, compostos de vasos preenchidos por sangue (**Figura 11.31**). Constituem 7% de todas as neoplasias benignas da lactância e infância. A maioria está presente ao nascimento e inicialmente aumenta de tamanho; entretanto, muitas finalmente regridem de maneira espontânea. Enquanto os hemangiomas são normalmente confinados à cabeça, ao pescoço e à pele do tórax, eles também podem surgir internamente e, em certas ocasiões, podem ser mais extensos (*angiomatose*). Quase um terço das lesões internas ocorre no fígado. A transformação maligna é rara. Foram descritas diversas variantes histológicas e clínicas:

- Os *hemangiomas capilares* constituem o tipo mais comum; ocorrem na pele, nos tecidos subcutâneos e nas mucosas das cavidades orais e lábios, bem como no fígado, no baço e nos rins (**Figura 11.31A**). Histologicamente, são compostos de capilares de paredes finas com estroma escasso (**Figura 11.31B**)
- Os *hemangiomas juvenis* (os denominados hemangiomas "em morango") do recém-nascido são extremamente comuns (1 em cada 200 nascidos vivos) e podem ser múltiplos. Crescem rapidamente durante alguns meses, porém diminuem em seguida com 1 a 3 anos e regridem por completo aos 7 anos, na maioria dos casos
- Os *hemangiomas cavernosos* são compostos de grandes canais vasculares dilatados. Diferentemente dos hemangiomas capilares, os hemangiomas cavernosos são mais infiltrativos, acometem com frequência estruturas profundas e não sofrem regressão espontânea. Além disso, os hemangiomas cavernosos detectados por exames de imagem podem ser difíceis de diferenciar de seus correspondentes malignos. Ao exame histológico, a massa é nitidamente delineada, porém não apresenta cápsula e é composta de grandes espaços vasculares cavernosos preenchidos de sangue, separados por estroma de tecido conjuntivo (**Figura 11.31C**). A trombose intravascular com calcificação distrófica associada é comum. Podem ser localmente destrutivos; entretanto, com mais frequência, têm pouca importância clínica, a não ser um problema cosmético ou a sua vulnerabilidade à ulceração traumática e ao sangramento. Os hemangiomas cerebrais são problemáticos, visto que podem causar sintomas relacionados com a compressão dos tecidos adjacentes ou ruptura. Os hemangiomas cavernosos

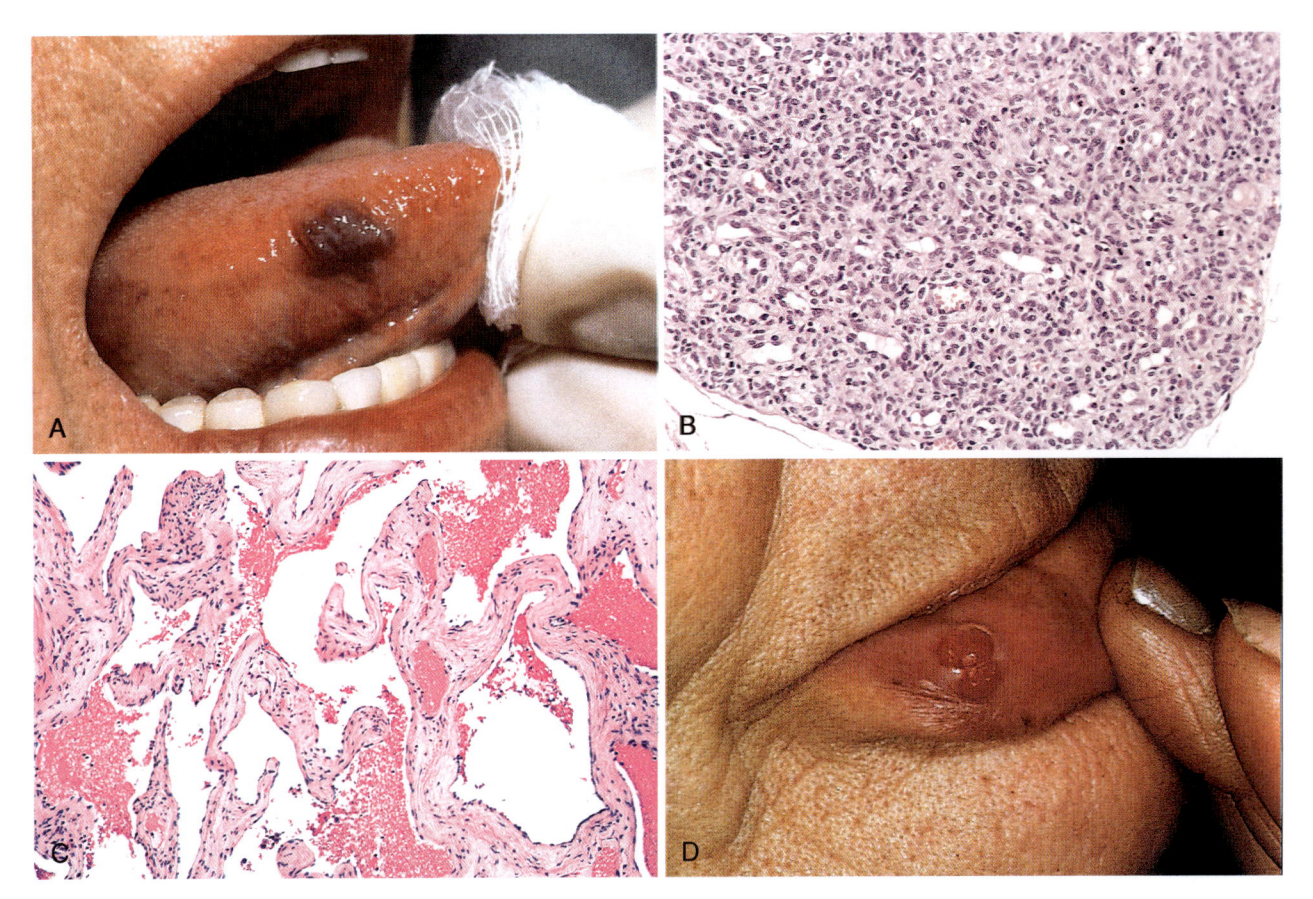

Figura 11.31 Hemangiomas. **A.** Hemangioma da língua. **B.** Histologia do hemangioma capilar juvenil. **C.** Histologia do hemangioma cavernoso. **D.** Granuloma piogênico do lábio. (**A** e **D,** Cortesia de John Sexton, MD, Beth Israel Hospital, Boston, Mass.; **B,** Cortesia de Christopher D. M. Fletcher, MD, Brigham and Women's Hospital, Boston, Mass.; e **C,** Cortesia de Thomas Rogers, MD, University of Texas Southwestern Medical School, Dallas, Tex.)

constituem um componente da *doença de von Hippel-Lindau* (ver **Capítulo 28**), em que as lesões vasculares são comumente encontradas no cerebelo, no tronco encefálico, na retina, no pâncreas e no fígado
- Os *granulomas piogênicos* são hemangiomas capilares que se manifestam como lesões pediculadas avermelhadas, de crescimento rápido, na pele, na gengiva ou na mucosa oral. Sangram com facilidade e, com frequência, são ulcerados (**Figura 11.31D**). Aproximadamente um quarto das lesões desenvolve-se após a ocorrência de trauma, alcançando um tamanho de 1 a 2 cm em algumas semanas. A curetagem e a cauterização são habitualmente curativas. O tumor da gravidez (granuloma gravídico) é um granuloma piogênico que ocorre raramente (1% das pacientes) na gengiva de mulheres grávidas. Essas lesões podem regredir de maneira espontânea (particularmente depois da gravidez) ou podem sofrer fibrose; todavia, em certas ocasiões, é necessária a excisão cirúrgica.

Linfangiomas. Os linfangiomas são o equivalente linfático benigno dos hemangiomas:

- Os *linfangiomas simples (capilares)* são lesões discretamente elevadas ou, algumas vezes, pediculadas de até 1 a 2 cm de diâmetro, que ocorrem predominantemente nos tecidos subcutâneos da cabeça, pescoço e axilas. Ao exame histológico, os linfangiomas exibem redes de espaços revestidos por endotélio, que podem ser distinguidos dos canais capilares por marcadores endoteliais linfáticos (p. ex., VEGFR-3, LYVE-1 e outros) ou pela ausência de eritrócitos
- Os *linfangiomas cavernosos (higromas císticos)* são normalmente encontrados no pescoço ou na axila de crianças e, mais raramente, no retroperitônio. Em certas ocasiões, os linfangiomas cavernosos podem ser enormes (até 15 cm), preenchendo a axila ou produzindo deformidades macroscópicas no pescoço; os linfangiomas cavernosos do pescoço são comuns na *síndrome de Turner*. As lesões são compostas por espaços linfáticos extremamente dilatados, revestidos por CE e separados por estroma de tecido conjuntivo intercalado contendo agregados linfoides. As margens da neoplasia são indistintas e não apresentam cápsula, dificultando a ressecção.

Tumor glômico (glomangioma). Os tumores glômicos são neoplasias benignas e particularmente dolorosas que se originam de CML modificadas dos glomos, estruturas arteriovenosas envolvidas na termorregulação. Embora possam se assemelhar superficialmente a hemangiomas, os glomangiomas originam-se de CML, e não de CE. São mais comumente encontrados na porção distal dos dedos das mãos, particularmente sob as unhas. A excisão é curativa.

Angiomatose bacilar. A *angiomatose bacilar* é uma proliferação vascular que ocorre em hospedeiros imunocomprometidos (p. ex., pacientes com síndrome da imunodeficiência adquirida [AIDS]) causada por bacilos oportunistas da família de *Bartonella*. As lesões podem acometer a pele, o osso, o encéfalo e outros órgãos. Duas espécies estão implicadas:

- *Bartonella henselae,* cujo reservatório principal é o gato doméstico, causa a *doença da arranhadura do gato* (doença granulomatosa necrosante de linfonodos) em hospedeiros imunocompetentes
- *Bartonella quintana* é transmitida por piolhos do corpo humano; esse microrganismo foi a causa da febre das trincheiras na Primeira Guerra Mundial.

> **Morfologia**
>
> As lesões cutâneas consistem em pápulas e nódulos vermelhos ou massas subcutâneas arredondadas; histologicamente, há proliferação capilar com CE epitelioides proeminentes, que exibem atipia nuclear e mitoses, com neutrófilos espalhados no estroma e bactérias causadoras (**Figura 11.32**).

As bactérias induzem os tecidos do hospedeiro a produzir o fator induzível por hipoxia 1α (HIF-1α), que, por sua vez, impulsiona a produção do fator de crescimento do endotélio vascular (VEGF) e, em última análise, proliferação vascular. As infecções (e lesões) são eliminadas por antibióticos.

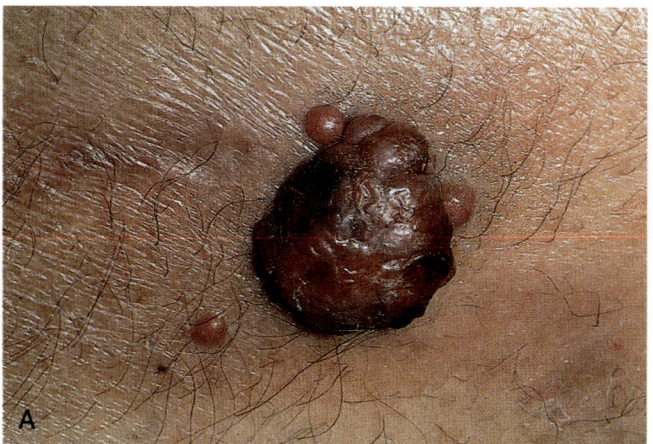

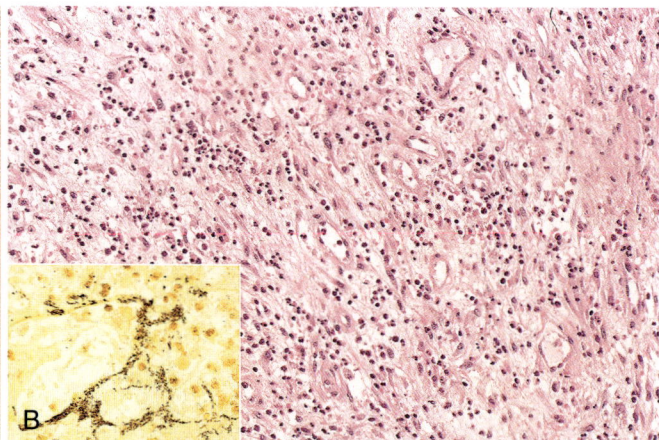

Figura 11.32 Angiomatose bacilar. **A.** Lesão cutânea característica. **B.** Aspecto histológico com inflamação neutrofílica aguda e proliferação vascular (capilar). *Detalhe,* A colocação pela prata modificada (Warthin-Starry) revela agrupamentos de bacilos emaranhados (em preto). (**A**, Cortesia de Richard Johnson, MD, Beth Israel Deaconess Medical Center, Boston, Mass.; **B** e *detalhe*, Cortesia de Scott Granter, MD, Brigham and Women's Hospital, Boston, Mass.)

Tumores de grau intermediário (limítrofes)

Sarcoma de Kaposi. **O sarcoma de Kaposi (SK) é uma neoplasia vascular causada por herpes-vírus humano-8 (HHV8, também conhecido como herpes-vírus do sarcoma de Kaposi).** Embora ocorra em diversos contextos, é sem dúvida alguma mais comum em pacientes com AIDS; de fato, a sua presença é utilizada como critério para o diagnóstico de AIDS. Com base nos dados demográficos e fatores de risco, o SK é classificado em quatro formas:

- O *SK clássico* é uma doença de homens idosos de ascendência do Mediterrâneo, Oriente Médio ou Europa Oriental (particularmente judeus Asquenaze); é incomum nos EUA. Pode estar associado a neoplasia maligna ou a uma alteração da imunidade, porém não está associado à infecção pelo vírus da imunodeficiência humana (HIV). O SK clássico manifesta-se como múltiplas placas ou nódulos cutâneos púrpura-avermelhados, habitualmente na parte distal dos membros inferiores; aumentam progressivamente de tamanho e número e sofrem propagação proximal. Embora sejam persistentes, essas neoplasias são normalmente assintomáticas e permanecem localizadas na pele e no tecido subcutâneo
- O *SK africano endêmico* ocorre geralmente em indivíduos soronegativos para o HIV com menos de 40 anos e pode seguir uma evolução indolente ou agressiva. Acomete os linfonodos com frequência muito maior do que a variante clássica. Com o SK associado à AIDS (ver adiante), o SK é uma das neoplasias mais comuns na África Central. Uma forma particularmente grave, com comprometimento proeminente dos linfonodos e visceral, ocorre em crianças pré-puberais; o prognóstico é sombrio, com mortalidade de quase 100% em 3 anos
- O *SK associado a transplante* ocorre em receptores de transplante de órgãos sólidos submetido à imunossupressão das células T. O risco pode ser 100 vezes maior do que em pacientes imunocompetentes. Normalmente, o SK associado a transplante segue uma evolução agressiva, acometendo os linfonodos, a mucosa e as vísceras; pode não haver lesões cutâneas. As lesões podem regredir com a diminuição da imunossupressão, porém com risco de rejeição do órgão
- O *SK associado à AIDS (epidêmico)* é uma doença definidora de AIDS; em todo o mundo, representa a neoplasia maligna mais comum relacionada com o HIV. Embora a incidência do SK tenha caído em mais de 80% com o advento das terapias antirretrovirais agressivas, ele ainda ocorre em indivíduos infectados pelo HIV com frequência 300 vezes maior do que em receptores de transplante e mil vezes maior do que na população geral. O SK associado à AIDS frequentemente acomete os linfonodos e dissemina-se amplamente para as vísceras no início de sua evolução. A maioria dos pacientes acaba morrendo por infecções oportunistas, e não por SK.

Patogênese

Praticamente todas as lesões do SK são infectadas pelo *HHV8*. À semelhança do vírus Epstein-Barr, o HHV8 é um γ-herpes-vírus. É transmitido sexualmente e, em potencial, por secreções orais e exposições cutâneas (é interessante assinalar que a prevalência do SK africano endêmico está inversamente relacionada com o uso de calçados). O HHB8 e a alteração da imunidade das células T provavelmente são necessários para o desenvolvimento do SK. Em indivíduos idosos, a diminuição da imunidade das células T pode estar relacionada com o envelhecimento. Mutações somáticas adquiridas nas células de origem também contribuem para o desenvolvimento e a progressão da neoplasia.

O HHV8 causa infecções líticas e latentes nas CE, que contribuem para a patogênese do SK. Uma proteína G codificada pelo vírus induz a produção de VEGF, estimulando o crescimento endotelial; além disso, as citocinas produzidas por células inflamatórias recrutadas para os locais de infecção lítica criam um ambiente proliferativo local. Nas células com infecção latente, as proteínas codificadas pelo HHV8 interferem no controle da proliferação celular normal (p. ex., por meio da síntese de um homólogo viral da ciclina D) e impedem a apoptose por meio da inibição d p53. Por conseguinte, o ambiente inflamatório local favorece a proliferação celular, e as células com infecção latente apresentam uma vantagem de crescimento. Em seus estágios iniciais, apenas algumas células estão infectadas pelo HHV8; todavia, com o tempo, praticamente todas as células em proliferação apresentam o vírus. A patogênese molecular, assim como a infecção pelo HIV, é discutida com mais detalhes no **Capítulo 6**.

> ### Morfologia
>
> No **SK clássico** (e, algumas vezes, em outras variantes), as lesões cutâneas progridem por meio de três estágios:
>
> - As **placas** são máculas roxo-avermelhadas (**Figura 11.33A**). A histologia revela espaços vasculares dilatados revestidos por CE irregulares com linfócitos, plasmócitos e macrófagos intercalados (algumas vezes contendo hemossiderina). Pode ser difícil distinguir as lesões do tecido de granulação
> - Com o passar do tempo, as lesões transformam-se em **placas elevadas** maiores e violáceas (**Figura 11.33A**), compostas por acúmulos dérmicos de canais vasculares recortados e dilatados, revestidos e circundados por células fusiformes globosas. Entre os canais vasculares, são encontrados eritrócitos extravasados dispersos, macrófagos repletos de hemossiderina e outras células inflamatórias mononucleares
> - Por fim, as lesões tornam-se **nodulares** e mais nitidamente neoplásicas. Essas lesões são compostas por lâminas de células fusiformes globosas em proliferação, principalmente na derme ou nos tecidos subcutâneos (**Figura 11.33B**), contendo pequenos vasos e espaços semelhantes a fendas com eritrócitos. Observa-se a presença de hemorragia acentuada, pigmento de hemossiderina e inflamação mononuclear; as figuras mitóticas são comuns, assim como glóbulos citoplasmáticos redondos e de cor rosa, que representam eritrócitos em degeneração dentro de fagolisossomos. O estágio nodular anuncia com frequência o comprometimento dos linfonodos e visceral.

Características clínicas

A evolução do SK varia amplamente e é influenciada de modo significativo pelo contexto clínico. A maioria das infecções primárias pelo HHV8 é assintomática. O SK clássico é – pelo menos inicialmente – restrito em grande parte à pele, e a ressecção cirúrgica é habitualmente adequada para um prognóstico excelente. A radiação pode ser utilizada para múltiplas lesões em uma área restrita, e a quimioterapia produz resultados satisfatórios para a doença mais disseminada, incluindo comprometimento nodal. No SK associado à imunossupressão, a suspensão desta última (talvez com quimioterapia adjuvante ou

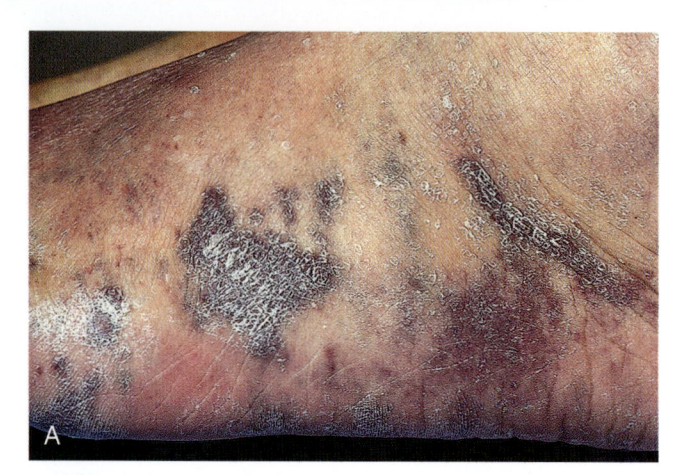

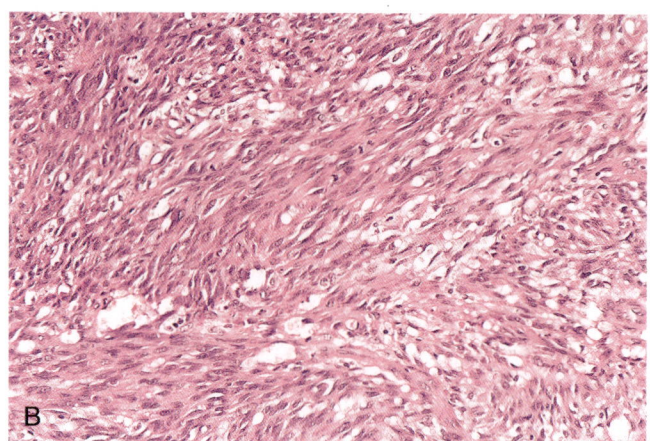

Figura 11.33 Sarcoma de Kaposi. **A.** Fotografia macroscópica ilustrando máculas e placas roxo-avermelhadas coalescentes da pele. **B.** Aparência histológica do estágio nodular do sarcoma de Kaposi demonstrando lâminas de células fusiformes globosas em proliferação. (**B,** Cortesia de Christopher D. M. Fletcher, MD, Brigham and Women's Hospital, Boston, Mass.)

radioterapia) é frequentemente efetiva. No SK associado à AIDS, a terapia antirretroviral para HIV é geralmente benéfica, com ou sem terapia adicional. A interferona-γ e os inibidores da angiogênese também demonstraram ser efetivos de forma variável, enquanto estratégias mais recentes, direcionadas para quinases específicas *downstream* dos receptores de VEGF, são promissoras.

Hemangioendotelioma. Os hemangioendoteliomas compreendem um espectro de neoplasias vasculares limítrofes, com comportamentos clínicos intermediários entre hemangiomas bem diferenciados benignos e angiossarcomas francamente anaplásicos.

O hemangioendotelioma epitelioide é uma neoplasia de adultos que ocorre ao redor de veias de médio e grande calibres. Os canais vasculares bem definidos são inconspícuos, e as células neoplásicas são globosas e, com frequência, cuboides (lembrando células epiteliais). O comportamento clínico é extremamente variável; na maioria dos casos, obtém-se uma cura por excisão, porém até 40% sofrem recorrência, 20 a 30% finalmente metastatizam e 15% dos pacientes morrem de sua neoplasia.

Neoplasias malignas

Angiossarcoma. Os angiossarcomas são neoplasias endoteliais malignas (**Figura 11.34**), cuja histologia varia desde neoplasias altamente diferenciadas que se assemelham a hemangiomas até lesões profundamente anaplásicas. Os indivíduos idosos de ambos os sexos são mais comumente afetados; os angiossarcomas ocorrem em qualquer local, porém afetam com mais frequência a pele, os tecidos moles, as mamas e o fígado.

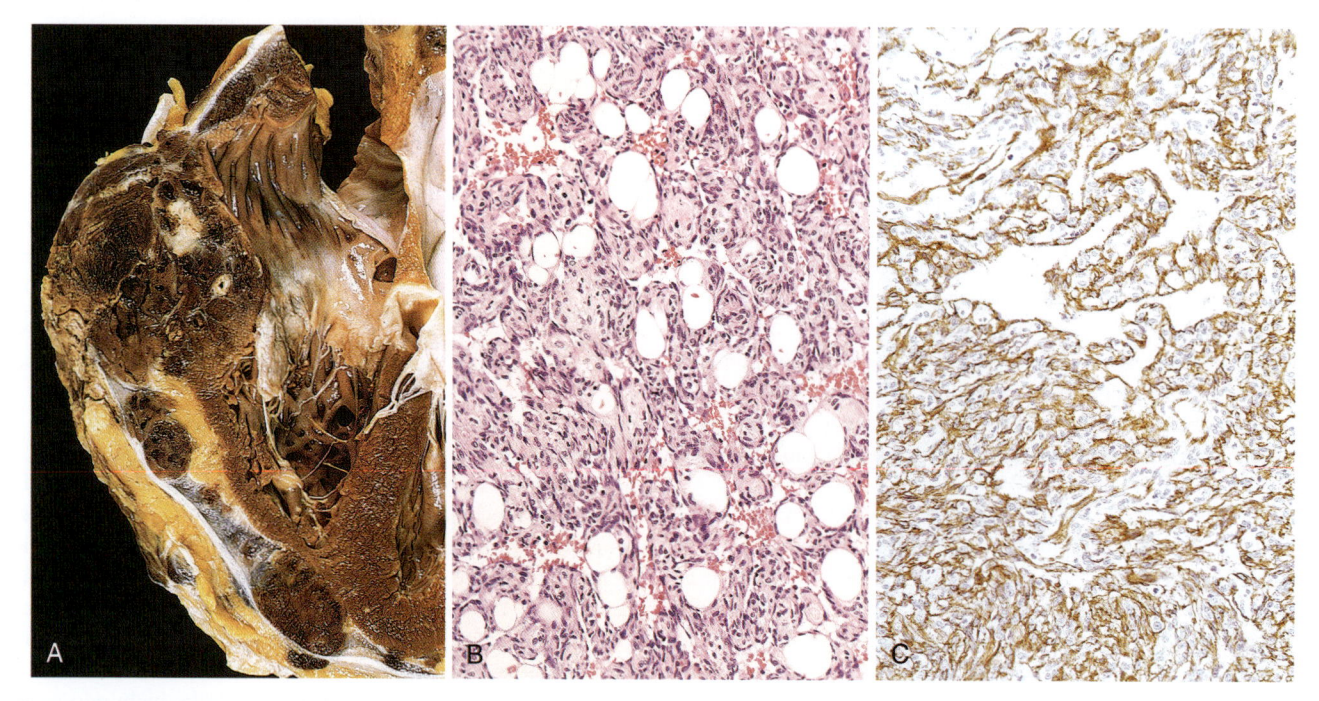

Figura 11.34 Angiossarcoma. **A.** Angiossarcoma acometendo o ventrículo direito. **B.** Angiossarcoma moderadamente diferenciado, com aglomerados densos de células atípicas que revestem a luz vascular. **C.** Coloração imuno-histoquímica para o marcador de célula endotelial CD31 demonstrando a natureza endotelial das células neoplásicas.

Os angiossarcomas também podem surgir na presença de linfedema, classicamente na extremidade superior ipsilateral vários anos após mastectomia radical para câncer de mama (*i. e.*, após ressecção e/ou radiação de linfonodos); nesses casos, a neoplasia origina-se presumivelmente dos vasos linfáticos (*linfangiossarcoma*). Os angiossarcomas também têm sido induzidos por radioterapia e raramente estão associados à inserção prolongada de material estranho (p. ex., dispositivos protéticos).

Os *angiossarcomas hepáticos* estão associados a uma variedade de exposições carcinogênicas, incluindo arsênico (p. ex., em pesticidas), Thorotrast (agente de contraste radioativo antigamente utilizado em exames radiológicos) e cloreto de polivinila (um dos exemplos mais bem conhecidos de carcinogênese química humana). Todos esses agentes apresentam longos períodos de latência entre a exposição inicial e o desenvolvimento final de neoplasia.

Os angiossarcomas são localmente invasivos e podem metastatizar prontamente, com taxas de sobrevida em 5 anos de cerca de 30%.

Morfologia

Os angiossarcomas cutâneos podem começar na forma de múltiplas pápulas ou nódulos de cor vermelha, enganosamente pequenos e assintomáticos. As lesões mais avançadas consistem em grandes massas carnosas de tecido marrom-avermelhado a branco-acinzentado, com margens que se diluem imperceptivelmente nas estruturas adjacentes (**Figura 11.34A**). A necrose e a hemorragia são comuns.

Ao exame microscópico, **todos os graus de diferenciação podem ser observados**, desde CEs atípicas e globosas formando canais vasculares (**Figura 11.34B**) até neoplasias altamente indiferenciadas sem vasos sanguíneos discerníveis. A origem endotelial dessas neoplasias pode ser demonstrada por meio de coloração imuno-histoquímica para CD31 ou para o fator de von Willebrand (**Figura 11.34C**).

Conceitos-chave

Neoplasias vasculares

- As ectasias vasculares não são neoplasias, porém dilatações de vasos existentes
- As neoplasias vasculares podem surgir a partir de vasos sanguíneos ou linfáticos e podem ser compostas de CE (hemangioma, linfangioma, angiossarcoma) ou de outros componentes das células das paredes vasculares (tumor glômico)
- As neoplasias vasculares são, em sua maioria, benignas (p. ex., hemangiomas); algumas apresentam um comportamento intermediário localmente agressivo (p. ex., sarcoma de Kaposi); e outras são altamente malignas (p. ex., angiossarcoma)
- Normalmente, as neoplasias benignas formam canais vasculares evidentes, revestidos por CE de aspecto normal. As neoplasias malignas são, com mais frequência, sólidas e celulares, exibem atipia citológica e carecem de vasos bem definidos.

Patologia da intervenção vascular

As alterações morfológicas que ocorrem nos vasos após intervenção terapêutica (p. ex., colocação de *stent* ou cirurgia de derivação) recapitulam, em grande parte, as alterações que ocorrem no contexto de qualquer agressão vascular. O trauma local ou a trombose (p. ex., devido a um *stent*) ou forças mecânicas anormais (p. ex., veia safena inserida na circulação arterial como procedimento de revascularização do miocárdio) induzem as mesmas respostas de reparo estereotipadas – lesões hiperplásicas da íntima fibromuscular, compostas de CML e MEC. Por conseguinte, à semelhança de vários fatores de risco para aterosclerose, as intervenções que causam lesão do endotélio também tendem a induzir espessamento da íntima pelo recrutamento de CML e promoção da deposição de MEC.

Stent endovascular

As estenoses arteriais (particularmente as das artérias coronárias) podem ser dilatadas por insuflação transitória de um cateter com balão até pressões suficientes para romper a placa oclusiva (*angioplastia com balão*). Embora a maioria dos pacientes apresente uma melhora sintomática após angioplastia isoladamente, é frequente a ocorrência de nova obstrução abrupta, em virtude da compressão luminal causada pela dissecção vascular induzida pela angioplastia, pelo espasmo da parede vascular ou por trombose. Assim, mais de 95% dos procedimentos coronarianos endovasculares envolvem agora tanto a angioplastia quanto a coloração concomitante de *stent coronário*.

Os *stents* coronários são tubos expansíveis de malha metálica. Proporcionam uma luz maior e mais regular, "prendem" os retalhos e as dissecções da íntima que ocorrem durante a angioplastia e limitam mecanicamente o espasmo vascular. Entretanto, devido à lesão endotelial, a trombose constitui uma importante complicação imediata pós-*stent* imediata, e os pacientes precisam receber agentes antitrombóticos potentes (principalmente antagonistas das plaquetas), de modo a prevenir a oclusão trombótica catastrófica aguda. O sucesso da angioplastia a longo prazo é limitado pelo desenvolvimento de reestenose proliferativa dentro no *stent*. Esse espessamento da íntima deve-se ao crescimento e à proliferação das CMLs e à síntese de MEC, estimulados pela lesão inicial da parede vascular; pode causar oclusão luminal clinicamente significativa em até um terço dos pacientes nos primeiros 6 a 12 meses após a colocação do *stent* (**Figura 11.35**).

A última geração de *stents farmacológicos* foi projetada para evitar essa complicação pela liberação de fármacos antiproliferativos (p. ex., paclitaxel ou sirolimo) na parede vascular adjacente para bloquear a ativação das CMLs. Embora a duração da eluição do fármaco seja curta (da ordem de dias a semanas), esses *stents* farmacológicos reduzem a incidência de reestenose em 1 ano em 50 a 80%. Entretanto, devido ao efeito antiproliferativo dos *stents* farmacológicos, o tempo de reendotelização é prolongado, e os pacientes necessitam de ciclos extensos de anticoagulação para prevenir a trombose no *stent*.

Substituição vascular

Podem-se utilizar enxertos vasculares sintéticos ou autólogos para substituir vasos danificados ou para *bypass* de artérias doentes. Os condutos sintéticos de grande calibre (12 a 18 mm) funcionam bem em locais de alto fluxo, como a aorta; infelizmente, os enxertos artificiais de pequeno diâmetro (≤ 8 mm de diâmetro) geralmente falham, devido à trombose precoce ou à hiperplasia tardia da íntima, ocorrendo essa última na junção do enxerto com a vasculatura nativa (**Figura 11.36**).

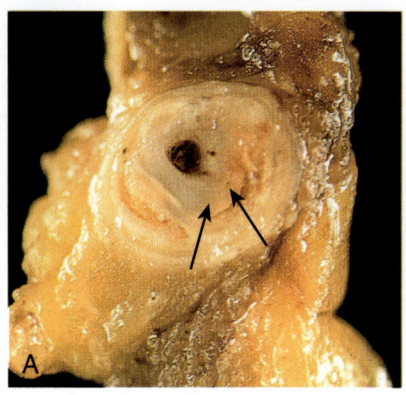

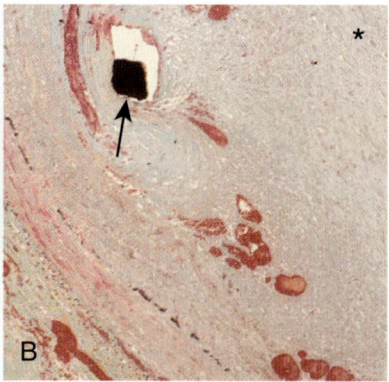

Figura 11.35 Reestenose após angioplastia e colocação de stent. **A.** Vista macroscópica mostrando a placa aterosclerótica amarela residual (*setas*) e uma nova lesão concêntrica da íntima, de coloração branco-acastanhada, no interior da placa. **B.** Vista histológica mostrando uma neoíntima espessa de separação e que se sobrepõe aos fios do *stent* (losango preto indicado pela *seta*), que invade a luz (indicado pelo *asterisco*); coloração de Movat com matriz corada de verde-acinzentado. (**B,** Reproduzida de Schoen FJ, Edwards WD: Pathology of cardiovascular interventions, including endovascular therapies, revascularization, vascular replacement, cardiac assist/replacement, arrhythmia control, and repaired congenital heart disease. In Silver MD, Gotlieb AI, Schoen FJ, editors: *Cardiovascular Pathology*, ed. 3, Philadelphia, 2001, Churchill Livingstone.)

Em consequência, quando há necessidade de substituição de vasos de pequeno calibre (p. ex., nas > 400 mil cirurgias de revascularização do miocárdio realizadas a cada ano), os enxertos são realizados com veias safenas (obtidas da perna do próprio do paciente) ou artérias torácicas internas esquerdas. A desobstrução a longo prazo dos enxertos de veia safena é, em média, de apenas 50% em 10 anos; ocorre oclusão dos enxertos em consequência de trombose (normalmente precoce), espessamento da íntima (meses a anos após a cirurgia) e aterosclerose do enxerto venoso – algumas vezes com ruptura da placa superposta, trombose ou aneurismas. Em contrapartida, mais de 90% dos enxertos com artéria torácica interna, que podem ser utilizados apenas para *bypass* da artéria descendente anterior esquerda, permanecem desobstruídos em 10 anos.

LEITURA SUGERIDA

Estrutura e função dos vasos

Axnick J, Lammert E: Vascular lumen formation, *Curr Opin Hematol* 19:192, 2012. [*Visão geral dos aspectos fisiológicos e do desenvolvimento de formação e remodelamento dos vasos sanguíneos*].

Bikfalvi A: The situation is more complex than anticipated. In *A Brief History of Blood and Lymphatic Vessels*, Cham, Switzerland, 2017, Springer. [*Boa revisão dos fundamentos celulares e moleculares do desenvolvimento vascular, incluindo a vasculogênese tumoral*].

Monahan-Earley R, Dvorak AM, Aird WC: Evolutionary origins of the blood vascular system and endothelium, *J Thromb Haemost* 11 Suppl 1:46, 2013. [*Discussão interessante sobre a base evolutiva do desenvolvimento vascular, incluindo explicações convincentes para a heterogeneidade endotelial*].

Resposta da parede vascular à lesão

Gimbrone MA Jr, García-Cardeña G: Endothelial cell dysfunction and the pathobiology of atherosclerosis, *Circ Res* 11:620, 2016. [*Revisão bem escrita das respostas endoteliais às forças mecânicas e outras lesões produzida por um dos grupos líderes na área*].

Pober JS, Min W, Bradley JR: Mechanisms of endothelial dysfunction, injury, and death, *Annu Rev Pathol* 4:71, 2009. [*Revisão acadêmica bem escrita da etiologia e resultados da lesão endotelial*].

Doença vascular hipertensiva

Coffman TM: Under pressure: the search for the essential mechanisms of hypertension, *Nat Med* 17:1402, 2011. [*Embora não seja tão atual, esta é uma revisão bem escrita dos potenciais mecanismos subjacentes à hipertensão, os modelos que ajudam a elucidar as vias e alguns avanços translacionais*].

Singh M, Mensah GA, Bakris G: Pathogenesis and clinical physiology of hypertension, *Cardiol Clin* 28:545, 2010. [*Excelente visão geral da regulação da pressão sanguínea normal e a interação da genética e do ambiente na fisiopatologia da hipertensão*].

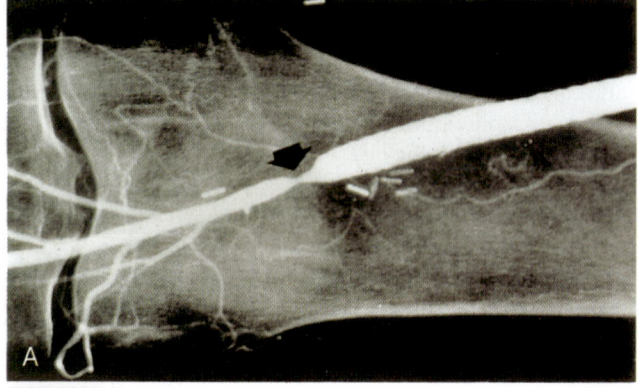

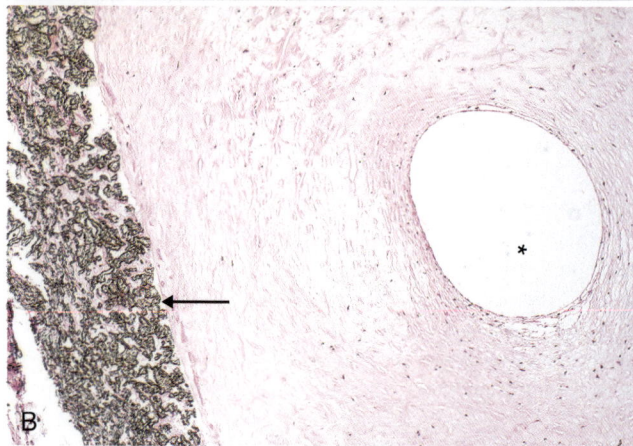

Figura 11.36 Hiperplasia da íntima na anastomose distal de um enxerto sintético femoral-poplíteo. **A.** Angiograma mostrando a constrição (*seta*). **B.** Fotomicrografia demonstrando o enxerto de Gore-Tex (*seta*), com proliferação proeminente da íntima e luz residual muito pequena (*asterisco*). (**A,** Cortesia de Anthony D. Whittemore, MD, Brigham and Women's Hospital, Boston, Mass.)

Aterosclerose

Fuster JJ, Walsh K: Somatic mutations and clonal hematopoiesis: unexpected potential new drivers of age-related cardiovascular disease, *Circ Res* 122:523, 2018. [*Excelente artigo que elucida as conexões mecanísticas entre envelhecimento, hematopoiese clonal e aterosclerose*].

Hansson GK, Libby P, Tabas I: Inflammation and plaque vulnerability, *J Intern Med* 278:483, 2015. [*Boa revisão dos conceitos atuais conectando inflamação e vulnerabilidade da placas*].

Jinnouchi H, Guo L, Sakamoto A et al: Diversity of macrophage phenotypes and responses in atherosclerosis, *Cell Mol Life Sci* 2019. [*Publicação eletrônica antes da impressão*]. [*Revisão sólida das diferentes atividades dos macrófagos na placa aterosclerótica*].

Jaiswal S et al: Clonal hematopoiesis and risk of atherosclerotic cardiovascular disease, *N Engl J Med* 377:111, 2017. [*Novos dados excepcionais mostrando que o risco de aterosclerose com o avanço da idade pode estar relacionado à expansão clonal de certas linhagens hematopoiéticas*].

Karasawa T, Takahashi M: Role of NLRP3 inflammasomes in atherosclerosis, *J Atheroscler Thromb* 24:443, 2017. [*Boa revisão que descreve a interação dos microcristais de colesterol, ativação de fagócitos, ativação do inflamassomo, produção de citocinas e aterogênese*].

Ridker P: From C-reactive protein to interleukin-6 to interleukin-1: moving upstream to identify novel targets for atheroprotection, *Circ Res* 118:145, 2016. [*Artigo de opinião bem escrito sobre como a proteína C reativa está associada a outros mediadores inflamatórios e que identifica alvos terapêuticos potenciais*].

Aneurisma e dissecção

Gillis E, Van Laer L, Loeys BL: Genetics of thoracic aortic aneurysm: at the crossroad of transforming growth factor-β signaling and vascular smooth muscle cell contractility, *Circ Res* 113:327, 2013. [*Boa revisão geral das bases moleculares e celulares dos aneurismas torácicos*].

Michel JB, Jondeau G, Milewicz DM: From genetics to response to injury: vascular smooth muscle cells in aneurysms and dissections of the ascending aorta, *Cardiovasc Res* 11:578, 2018. [*Boa discussão das vias moleculares subjacentes à formação do aneurisma aórtico abdominal humano*].

Vasculite

Jennette J, Falk R: Nosology of primary vasculitis, *Curr Opin Rheumatol* 19:10, 2007. [*Classificação das vasculites baseada no mecanismo patogênico e nos vasos envolvidos; fornece uma boa organização para um aspecto complexo e potencialmente confuso da patologia vascular*].

Jennette JC, Falk RJ: Pathogenesis of antineutrophil cytoplasmic autoantibody-mediated disease, *Nat Rev Rheumatol* 10:463, 2014. [*Visão geral bem escrita e bem organizada do quadro geral da vasculite por autoanticorpos anti-citoplasma de neutrófilos*].

Distúrbios de hiper-reatividade dos vasos sanguíneos

MacAlpin RN: Some observations on and controversies about coronary arterial spasm, *Int J Cardiol* 181:389, 2015. [*Boa visão geral clínica do espasmo coronário e suas sequelas*].

Veias e vasos linfáticos

Goldhaber SZ: Venous thromboembolism: epidemiology and magnitude of the problem, *Best Pract Res Clin Haematol* 25:235, 2012. [*Visão geral completa clinicamente orientada da trombose venosa profunda e embolia pulmonar, incluindo epidemiologia, mecanismo da doença e terapia*].

Neoplasias vasculares

Bhutani M, Polizzotto MN, Uldrick TS et al: Kaposi sarcoma-associated herpesvirus-associated malignancies: epidemiology, pathogenesis, and advances in treatment, *Semin Oncol* 42:247, 2015. [*Revisão sólida e completa*].

Goss JA, Greene AK: Congenital vascular tumors, *Otolaryngol Clin North Am* 51:89, 2018. [*Boa visão geral dos tumores vasculares e malformações*].

Patologia da intervenção vascular

Gallo G, Pierelli G, Forte M et al: Role of oxidative stress in the process of vascular remodeling following coronary revascularization, *Int J Cardiol* 268:27–33, 2018. [*Revisão bem escrita destacando o importante papel das vias de espécies reativas de oxigênio no remodelamento vascular*].

Inoue T et al: Vascular inflammation and repair: implications for reendothelialization, restenosis, and stent thrombosis, *JACC Cardiovasc Interv* 4:1057, 2011. [*Excelente visão geral das vias inflamatórias que influenciam os resultados das intervenções vasculares percutâneas*].

Kim FY et al: Saphenous vein graft disease: review of pathophysiology, prevention, and treatment, *Cardiol Rev* 21:101, 2013. [*Boa visão geral da patogênese e questões clínicas relacionadas à revascularização do miocárdio, pertinente a todas as estenoses do enxerto*].

CAPÍTULO 12

Coração

Richard N. Mitchell • Andrew J. Connolly

SUMÁRIO DO CAPÍTULO

Estrutura cardíaca e especializações, 543
  Miocárdio, 544
  Valvas, 544
  Sistema de condução, 544
  Suprimento sanguíneo, 544
  Regeneração cardíaca, 545
  Efeitos do envelhecimento no coração, 545
Visão geral da fisiopatologia cardíaca, 545
Insuficiência cardíaca, 546
  Hipertrofia cardíaca: fisiopatologia e progressão para insuficiência cardíaca, 546
  Insuficiência cardíaca esquerda, 548
  Insuficiência cardíaca direita, 549
Desenvolvimento cardíaco, 550
Doença cardíaca congênita, 551
  Shunts esquerda-direita, 553
  Defeito do septo atrial, 553
  Forame oval patente, 554
  Defeito do septo ventricular, 554
  Persistência do canal arterial, 554
  Shunts direita-esquerda, 555
  Tetralogia de Fallot, 555
  Transposição das grandes artérias, 556
  Atresia tricúspide, 556

  Lesões obstrutivas, 557
  Coarctação da aorta, 557
  Atresia e estenose pulmonar, 557
  Atresia e estenose aórtica, 558
Doença isquêmica do coração, 558
  Angina de peito, 560
  Infarto agudo do miocárdio, 560
  Cardiopatia isquêmica crônica, 570
Arritmias, 571
  Morte súbita cardíaca, 572
Cardiopatia hipertensiva, 572
  Cardiopatia hipertensiva sistêmica (esquerda), 572
  Cardiopatia hipertensiva pulmonar (direita) (*cor pulmonale*), 573
Valvopatia cardíaca, 574
  Degeneração valvar calcificada, 575
  Estenose aórtica calcificada, 575
  Estenose calcificada de valva aórtica congenitamente bicúspide, 576
  Calcificação do anel mitral, 576
  Prolapso da valva mitral (degeneração mixomatosa da valva mitral), 576
  Febre reumática e cardiopatia reumática, 577
  Endocardite infecciosa, 580
  Vegetações não infectadas, 581

  Endocardite trombótica não bacteriana, 581
  Endocardite do lúpus eritematoso sistêmico (doença de Libman-Sacks), 582
  Cardiopatia carcinoide, 582
  Complicações das valvas protéticas, 583
Cardiomiopatias, 584
  Cardiomiopatia dilatada, 585
  Cardiomiopatia arritmogênica, 588
  Cardiomiopatia hipertrófica, 589
  Cardiomiopatia restritiva, 591
  Amiloidose, 592
  Miocardite, 592
  Outras causas de doença miocárdica, 594
  Fármacos cardiotóxicos, 594
  Radiação, 594
Doença pericárdica, 595
  Derrame pericárdico e hemopericárdio, 595
  Pericardite, 595
  Pericardite aguda, 595
  Pericardite crônica ou cicatrizada, 596
Tumores cardíacos, 596
  Tumores cardíacos primários, 596
  Neoplasias metastáticas, 597
Transplante cardíaco, 598
Dispositivos cardíacos, 599
  Dispositivos de assistência ventricular, 599

O coração humano é uma bomba muito eficiente, durável e confiável, que impulsiona mais de 7.500 ℓ de sangue pelo corpo a cada dia e bate mais de 40 milhões de vezes por ano – a fonte para a oxigenação dos tecidos, nutrição e remoção de resíduos. No útero, o coração e a vasculatura são o primeiro sistema orgânico totalmente funcional (por volta das 8 semanas de gestação). Sem um suprimento vascular e um coração batendo, o desenvolvimento posterior não pode ocorrer e a morte fetal é inevitável. Quando o coração falha no período pós-natal, os resultados também são catastróficos. As doenças cardiovasculares (como doença arterial coronariana [DAC], acidente vascular encefálico e doença vascular periférica) são a causa número um de mortalidade no mundo. Só nos EUA, as doenças cardiovasculares são responsáveis por cerca de uma a cada quatro mortes, totalizando cerca de 610 mil indivíduos anualmente – maior do que o número de mortes causadas por todas as formas de câncer combinadas.

Este capítulo começa com uma breve revisão do coração normal, pois a maioria das cardiopatias se manifesta como alterações estruturais e/ou funcionais em um ou mais componentes cardíacos. Os princípios gerais subjacentes à hipertrofia e à insuficiência cardíaca – desfechos comuns de várias das diferentes formas de cardiopatia – também são discutidos, antes de explorar as principais categorias de doença cardíaca: anormalidades cardíacas congênitas, cardiopatia isquêmica (CI), cardiopatia hipertensiva, doenças das valvas cardíacas e distúrbios primários do miocárdio. O capítulo termina com alguns comentários sobre doenças pericárdicas e neoplasias cardíacas, bem como transplante e dispositivos cardíacos.

Estrutura cardíaca e especializações

O peso do coração varia com a constituição corporal, com média de aproximadamente 0,4 a 0,5% do peso corporal (250 a 320 g na mulher adulta média e 300 a 360 g no homem adulto médio). O aumento do peso do coração ou da espessura ventricular indica hipertrofia, e o aumento do tamanho da câmara implica dilatação; ambos refletem mudanças compensatórias em resposta a sobrecargas de volume e/ou pressão (ver mais adiante). O aumento do peso ou tamanho cardíaco (ou ambos) – resultante da hipertrofia e/ou dilatação – é chamado de cardiomegalia.

Miocárdio

A função de bombeamento do coração ocorre por meio da contração coordenada (durante a sístole) e do relaxamento (durante a diástole) dos miócitos cardíacos (o miocárdio). Os miócitos do ventrículo esquerdo são dispostos em uma orientação circunferencial espiral para gerar ondas de contração vigorosas e coordenadas, que se espalham desde o ápice cardíaco até a base do coração. Por outro lado, os miócitos do ventrículo direito têm uma organização menos estruturada, gerando forças contráteis menos possantes. A contração é obtida pelo encurtamento dos elementos contráteis em série (sarcômeros) dentro das miofibrilas paralelas. Embora o coração seja basicamente uma bomba, vale lembrar que ele também tem outras funções (p. ex., endócrinas). Por exemplo, os cardiomiócitos atriais têm grânulos de armazenamento citoplasmático que contêm peptídeo natriurético atrial e os miócitos ventriculares contêm peptídeo natriurético do tipo B. Ambos são hormônios proteicos que são liberados em resposta ao estiramento aumentado; ambos promovem a vasodilatação arterial e estimulam a eliminação renal de sal e água (natriurese e diurese).

Valvas

As quatro valvas cardíacas – tricúspide, pulmonar, mitral e aórtica – mantêm o fluxo sanguíneo unidirecional. A função valvar depende da mobilidade, flexibilidade e integridade estrutural dos folhetos das valvas atrioventriculares (tricúspide e mitral) ou cúspides das valvas semilunares (aórtica e pulmonar).

A função das valvas semilunares depende da integridade e dos movimentos coordenados das inserções das cúspides. Assim, a dilatação da raiz aórtica pode resultar em regurgitação valvar. Por outro lado, a competência das valvas atrioventriculares depende do funcionamento adequado não apenas dos folhetos, mas também das cordas tendíneas e dos músculos papilares inseridos da parede ventricular. Dilatação ventricular esquerda, uma corda rompida ou disfunção do músculo papilar podem interferir no fechamento da valva mitral, causando insuficiência valvar.

As valvas cardíacas são revestidas por endotélio e compartilham uma arquitetura semelhante, em três camadas:

- *Camada fibrosa*. Uma densa camada de colágeno na superfície de fluxo de saída, conectada às estruturas de suporte valvular e proporcionando integridade mecânica
- *Camada esponjosa*. Um núcleo central de tecido conjuntivo frouxo
- *Camada ventricular ou atrial* (dependendo de qual câmara para a qual está voltada). Uma camada rica em elastina na superfície de fluxo de entrada, proporcionando retração do folheto.

Por serem finos o suficiente para serem nutridos por difusão do sangue, os folhetos e cúspides normais têm apenas vasos sanguíneos escassos limitados à porção proximal da valva. O endotélio valvar também não expressa antígenos ABO ou de histocompatibilidade, de modo que tecidos valvares criopreservados podem ser transplantados com relativa segurança.

Sistema de condução

A contração coordenada do músculo cardíaco depende da iniciação e propagação rápida de impulsos elétricos – realizada por meio de miócitos especializados no sistema de condução. A frequência dos impulsos elétricos é sensível a estímulos neurais (p. ex., estimulação vagal), agentes adrenérgicos extrínsecos (p. ex., epinefrina circulante), hipoxia e concentração de potássio (*i. e.*, a hiperpotassemia pode bloquear a transmissão do sinal por completo).

Os componentes do sistema de condução incluem os seguintes:

- O marca-passo do *nó sinoatrial (SA)*, na junção do apêndice atrial direito e veia cava superior
- O *nó atrioventricular (AV)*, localizado no átrio direito ao longo do septo interatrial
- O *feixe de His (feixe AV)*, conectando o átrio direito ao septo ventricular
- *Divisões de ramos direito e esquerdo* que estimulam seus respectivos ventrículos por meio de arborização adicional na *rede de Purkinje*.

As células do sistema de condução cardíaca despolarizam-se espontaneamente, permitindo que todas funcionem como marca-passos cardíacos. Como a taxa normal de despolarização espontânea no nó SA (60 a 100 batimentos/min) é mais rápida do que os outros componentes, ela costuma definir o ritmo. No entanto, se os tecidos nodais se tornarem disfuncionais, outras células no sistema de condução podem assumir o controle, gerando, por exemplo, um ritmo de escape juncional (geralmente em um ritmo muito mais lento). O nó AV tem uma função de "guardião do portão"; ao atrasar a transmissão de sinais dos átrios para os ventrículos, ele garante que a contração atrial preceda a sístole ventricular.

Suprimento sanguíneo

Os miócitos cardíacos dependem quase exclusivamente da fosforilação oxidativa para suas necessidades de energia. Além de uma alta densidade de mitocôndrias (20 a 30% do volume do miócito), a geração de energia do miocárdio também requer um suprimento constante de sangue oxigenado – tornando o miocárdio extremamente vulnerável à isquemia. Os nutrientes e o oxigênio são fornecidos pelas artérias coronárias, com óstios imediatamente distais à valva aórtica. Essas passam inicialmente pela superfície externa do coração (artérias coronárias epicárdicas) e então penetram no miocárdio (artérias intramurais), ramificando-se depois em arteríolas e formando uma rica rede vascular arborizada, de modo que cada miócito faça contato com, em média, três capilares.

As artérias coronárias direita e esquerda funcionam como artérias terminais, embora, anatomicamente, a maioria dos corações tenha numerosas anastomoses intercoronarianas (conexões chamadas de circulação colateral). O fluxo sanguíneo para o miocárdio ocorre durante a diástole ventricular, após o fechamento da valva aórtica, e quando a microcirculação não é comprimida pela contração cardíaca. Em repouso, a diástole compreende aproximadamente dois terços do ciclo cardíaco; com taquicardia (aumento da frequência cardíaca), a duração relativa da diástole também diminui, podendo comprometer a perfusão miocárdica.

Regeneração cardíaca

Há um interesse considerável em explorar a possibilidade de substituir o miocárdio danificado pela indução da regeneração cardíaca *in vivo* ou implantação de células cardíacas derivadas de células-tronco. Embora a regeneração cardíaca em metazoários como salamandra e peixe-zebra seja bem descrita, o miocárdio dos mamíferos tem um potencial replicativo muito baixo após a vida fetal e neonatal, com média de renovação de cardiomiócitos inferior a 1% por ano em seres humanos adultos. Evidências crescentes, entretanto, indicam que a proliferação de cardiomiócitos pode ser aumentada em camundongos. O potencial para estimular a regeneração cardíaca *in vivo* em seres humanos é tentador porque pode facilitar a recuperação da função miocárdica após uma série de estímulos prejudiciais. Outra área de investigação vigorosa é a expansão *ex vivo* e a administração subsequente de células do miocárdio derivadas de células-tronco em áreas de lesão miocárdica. Infelizmente, os resultados até agora não foram nada animadores. As células implantadas podem apresentar alguma diferenciação de cardiomiócitos, mas a durabilidade desse benefício tem sido limitada e não contribuem significativamente para a restauração da força contrátil; além disso, a incapacidade de integrar com sucesso essas células nas vias de condução do coração do hospedeiro acarreta o risco bastante real de focos arrítmicos autônomos.

Efeitos do envelhecimento no coração

A maioria das formas de cardiopatia se torna mais prevalente a cada década que avança. Consequentemente, à medida que a população em países de alta renda envelhece progressivamente, as alterações no sistema cardiovascular associadas ao envelhecimento tornam-se cada vez mais significativas (**Tabela 12.1**).

O tamanho da cavidade ventricular esquerda, sobretudo na dimensão da base ao ápice, é reduzido em uma fase mais avançada da vida; essa alteração de volume é exacerbada pela hipertensão arterial sistêmica, à medida que o septo ventricular basal se projeta para o trato de saída do ventrículo esquerdo (denominado septo sigmoide). Comparado com o miocárdio mais jovem, o coração "idoso" costuma ter menos miócitos (devido ao atrito degenerativo) e aumento do tecido conjuntivo; octogenários (e mais velhos) também costumam apresentar deposição de amiloide extracelular (na maioria das vezes transtirretina mal catabolizada; ver **Capítulo 6**), que enrijece o coração e reduz o enchimento diastólico. As alterações valvares causadas pelo envelhecimento são os principais fatores que contribuem para doenças valvares significativas (ver adiante), e a aterosclerose progressiva, com um forte componente associado ao envelhecimento (ver **Capítulo 11**), é a principal causa de CI.

Visão geral da fisiopatologia cardíaca

Embora uma série de doenças possa afetar o sistema cardiovascular, as vias fisiopatológicas que resultam em um coração "partido" se resumem em seis mecanismos principais:

Tabela 12.1 Mudanças no coração senescente.

Câmaras
Aumento do tamanho da cavidade atrial esquerda
Diminuição do tamanho da cavidade ventricular esquerda
Septo ventricular em formato sigmoide
Valvas
Depósitos calcários da valva aórtica
Depósitos calcificados anulares na valva mitral
Espessamento fibroso dos folhetos
Curvatura dos folhetos mitrais em direção ao átrio esquerdo
Excrescências de Lambl
Artérias coronárias epicárdicas
Tortuosidade
Complacência diminuída
Depósitos calcificados
Placa aterosclerótica
Miocárdio
Massa diminuída
Gordura subepicárdica aumentada
Atrofia parda
Deposição de lipofuscina
Degeneração basofílica
Depósitos amiloides
Aorta
Aorta ascendente dilatada com deslocamento para a direita
Aorta torácica alongada (tortuosa)
Depósitos calcificados na junção sinotubular
Fragmentação elástica e acúmulo de colágeno
Placa aterosclerótica

- *Falência da bomba.* Na situação mais comum, o músculo cardíaco se contrai fracamente e as câmaras não conseguem se esvaziar de forma adequada – a chamada disfunção sistólica. Em alguns casos, o miocárdio não consegue relaxar o suficiente para permitir o enchimento ventricular, resultando em disfunção diastólica
- *Obstrução ao fluxo.* Lesões que impedem a abertura da valva (p. ex., estenose calcificada da valva aórtica) ou causam aumento das pressões da câmara ventricular (p. ex., hipertensão arterial sistêmica ou coarctação aórtica) podem sobrecarregar o miocárdio, que tem que bombear contra a obstrução
- *Fluxo regurgitante.* A patologia da valva que permite o fluxo retrógrado do sangue resulta em aumento da carga de volume e pode sobrecarregar a capacidade de bombeamento das câmaras afetadas
- *Fluxo desviado.* Defeitos (congênitos ou adquiridos) que desviam o sangue de maneira inadequada de uma câmara para outra, ou de um vaso para outro, levam a sobrecargas de pressão e volume
- *Distúrbios da condução cardíaca.* Impulsos cardíacos descoordenados ou vias de condução bloqueadas podem causar arritmias que desaceleram as contrações ou impedem o bombeamento eficaz por completo
- *Ruptura do coração ou vaso principal.* A perda de continuidade circulatória (p. ex., um ferimento por projétil de arma de fogo que atravesse a aorta torácica) pode levar a perda maciça de sangue, choque hipotensivo e morte.

A maioria das doenças cardiovasculares resulta de uma interação complexa de fatores genéticos e ambientais; eles podem interromper as vias de sinalização que controlam a morfogênese, afetar a sobrevida dos miócitos após uma lesão ou afetar a contratilidade ou a condução elétrica em face de estressores biomecânicos. De fato, a patogênese de muitos defeitos cardíacos congênitos envolve uma anormalidade genética subjacente, cuja expressão é modificada por fatores ambientais (ver adiante). Além disso, os genes que controlam o desenvolvimento do coração também podem regular a resposta a várias formas de lesão, incluindo o envelhecimento. Polimorfismos sutis podem afetar de forma significativa o risco de muitas formas de doenças cardíacas, e, como discutido posteriormente, vários distúrbios cardíacos de início na idade adulta têm uma base fundamentalmente genética. Assim, a genética cardiovascular fornece uma janela importante para a patogênese das cardiopatias, e os diagnósticos moleculares são cada vez mais uma parte crucial de sua classificação.

Insuficiência cardíaca

A insuficiência cardíaca, chamada de modo frequente de insuficiência cardíaca congestiva (ICC), é uma condição comum, geralmente progressiva, com um prognóstico desfavorável. A cada ano, nos EUA, a ICC afeta mais de 5 milhões de indivíduos (em média 2% da população), necessitando de mais de 1 milhão de hospitalizações e contribuindo para a morte de quase 300 mil pessoas. Cerca de metade dos pacientes morre dentro de 5 anos após receberem um diagnóstico de ICC, e uma a cada nove mortes nos EUA inclui a insuficiência cardíaca como causa contributiva.

A insuficiência cardíaca é definida como a condição na qual o coração não consegue bombear sangue para atender de maneira adequada às demandas metabólicas dos tecidos periféricos, ou consegue fazê-lo apenas com pressões de enchimento elevadas. É o estágio final comum de muitas formas de doença cardíaca crônica, muitas vezes emergindo insidiosamente dos efeitos cumulativos da sobrecarga de trabalho crônica (p. ex., na doença valvar ou hipertensão) ou CI (p. ex., após infarto do miocárdio [IM] com dano cardíaco). No entanto, estresses hemodinâmicos agudos, como sobrecarga de líquidos, disfunção valvar abrupta ou infarto do miocárdio, podem precipitar a ICC súbita.

Quando a carga de trabalho cardíaco aumenta ou a função cardíaca está comprometida, vários mecanismos fisiológicos entram em ação e podem, pelo menos inicialmente, manter a pressão arterial e a perfusão dos órgãos:

- *Mecanismo de Frank-Starling*. Volumes de enchimento aumentados dilatam o coração, aumentando, assim, a formação de pontes cruzadas de actina-miosina e intensificando a contratilidade e o volume sistólico
- *Ativação dos sistemas neuro-humorais*. Aumentam a função cardíaca e/ou regulam os volumes e pressões de enchimento (e muitas das terapias para a ICC afetam esses sistemas quando eles têm seu mecanismo de adaptação disfuncional):
  - *Liberação de norepinefrina* pelos nervos adrenérgicos do sistema nervoso autônomo, elevando a frequência cardíaca, intensificando a contratilidade miocárdica e aumentando a resistência vascular
  - *Ativação do sistema renina-angiotensina-aldosterona*, promovendo retenção de água e sal (aumentando o volume circulatório) e intensificando o tônus vascular
  - *Liberação de peptídeo natriurético atrial*, contrabalançando o sistema renina-angiotensina-aldosterona por meio de diurese e relaxamento do músculo liso vascular
- *Adaptações miocárdicas*. Em muitos estados patológicos, a insuficiência cardíaca é precedida por hipertrofia cardíaca, uma resposta compensatória ao aumento do trabalho mecânico. Remodelação ventricular é o termo geral aplicado às mudanças moleculares, celulares e estruturais coletivas que ocorrem em resposta a lesão ou carga ventricular alterada.

Embora tais mecanismos adaptativos possam manter o débito cardíaco adequado em face de perturbações agudas, sua capacidade de fazer isso pode acabar ficando sobrecarregada. A insuficiência cardíaca pode resultar da deterioração progressiva da função contrátil do miocárdio (disfunção sistólica) – refletida como uma diminuição na fração de ejeção (FE, a porcentagem do volume de sangue ejetado do ventrículo durante a sístole; uma FE normal é de aproximadamente 45 a 65%). Pode ocorrer redução da FE com lesão isquêmica, adaptação inadequada à sobrecarga de pressão ou volume devido à hipertensão ou doença valvar, ou ainda dilatação ventricular. Cada vez mais, a insuficiência cardíaca é reconhecida como resultante de uma incapacidade da câmara cardíaca de se expandir e se preencher o suficiente durante a diástole (disfunção diastólica), por exemplo, devido à hipertrofia ventricular esquerda, fibrose miocárdica, pericardite constritiva ou deposição de amiloide.

Hipertrofia cardíaca: fisiopatologia e progressão para insuficiência cardíaca

O aumento contínuo no trabalho mecânico de qualquer um dos ventrículos devido à sobrecarga de pressão, sobrecarga de volume ou sinais tróficos (p. ex., aqueles mediados pela ativação de receptores beta-adrenérgicos**) faz com que os miócitos aumentem de tamanho (hipertrofia celular)**; cumulativamente, isso aumenta o tamanho e o peso do coração (**Figura 12.1**). A hipertrofia requer aumento da síntese de proteínas para formar sarcômeros adicionais, bem como elevação no número de mitocôndrias. Os miócitos hipertróficos também têm núcleos múltiplos ou aumentados, atribuíveis ao aumento da ploidia de DNA resultante da replicação do DNA na ausência de divisão celular.

O padrão de hipertrofia reflete a natureza do estímulo:

- Na *hipertrofia por sobrecarga de pressão* (p. ex., devido à hipertensão ou estenose aórtica), novos sarcômeros são montados predominantemente em paralelo aos eixos longos das células, expandindo a área transversal dos miócitos nos ventrículos e causando um aumento concêntrico na espessura da parede
- Por outro lado, a *hipertrofia por sobrecarga de volume* (p. ex., devido à regurgitação valvar) caracteriza-se por novos sarcômeros sendo montados em série dentro dos sarcômeros existentes, levando, principalmente, à dilatação ventricular. Como resultado, na dilatação devido à sobrecarga de volume, ou na dilatação que acompanha a insuficiência de um coração antes sobrecarregado por pressão, a espessura da parede pode ser aumentada, normal ou menor que o normal. Como consequência, o peso do coração, e não a espessura da parede, é a melhor medida de hipertrofia em corações dilatados.

A doença cardíaca pode levar a níveis espantosos de hipertrofia cardíaca. Pacientes com hipertensão sistêmica, CI, estenose aórtica, regurgitação mitral ou cardiomiopatia dilatada com frequência têm um coração com peso duas a três vezes maior que a média, e a regurgitação aórtica ou cardiomiopatia hipertrófica podem produzir pesos cardíacos três a quatro vezes maiores do que o normal.

Na hipertrofia cardíaca, ocorrem alterações importantes no tecido e na célula. Significativamente, a hipertrofia de miócitos não é acompanhada por uma elevação proporcional no número de capilares. Como resultado, o suprimento de oxigênio e nutrientes para o coração hipertrofiado, em especial aquele submetido a hipertrofia por sobrecarga de pressão, é mais tênue do que no coração normal. Ao mesmo tempo, a hipertrofia cardíaca está associada a demandas metabólicas elevadas devido a aumentos de massa, frequência cardíaca e contratilidade (estado inotrópico ou força de contração), todos os quais aumentam o consumo de oxigênio cardíaco. Como resultado dessas alterações, o coração hipertrofiado fica vulnerável à descompensação relacionada à isquemia, que pode evoluir para insuficiência cardíaca. Para piorar a situação, a hipertrofia também costuma ser acompanhada por deposição de tecido fibroso (fibrose intersticial), causando aumento da resistência ao enchimento diastólico.

As alterações moleculares nos cardiomiócitos hipertrofiados incluem a expressão de genes precoces imediatos (p. ex., *FOS, JUN, MYC* e *EGR1*) (ver **Capítulo 2**) que supostamente promovem o crescimento celular e a expressão alterada de proteínas; com a sobrecarga hemodinâmica prolongada, os miócitos podem até expressar genes que costumam ser vistos apenas durante o desenvolvimento cardíaco fetal (como formas fetais de miosina, peptídeos natriuréticos e colágeno).

A sequência proposta de eventos inicialmente adaptativos – e, posteriormente, prejudiciais – em resposta ao aumento do trabalho cardíaco está resumida na **Figura 12.2**. Conforme ilustrado, a insuficiência cardíaca com o tempo sobrevém. O grau de anormalidade anatômica nem sempre reflete a gravidade da disfunção; de fato, a aparência macroscópica do "coração insuficiente" não

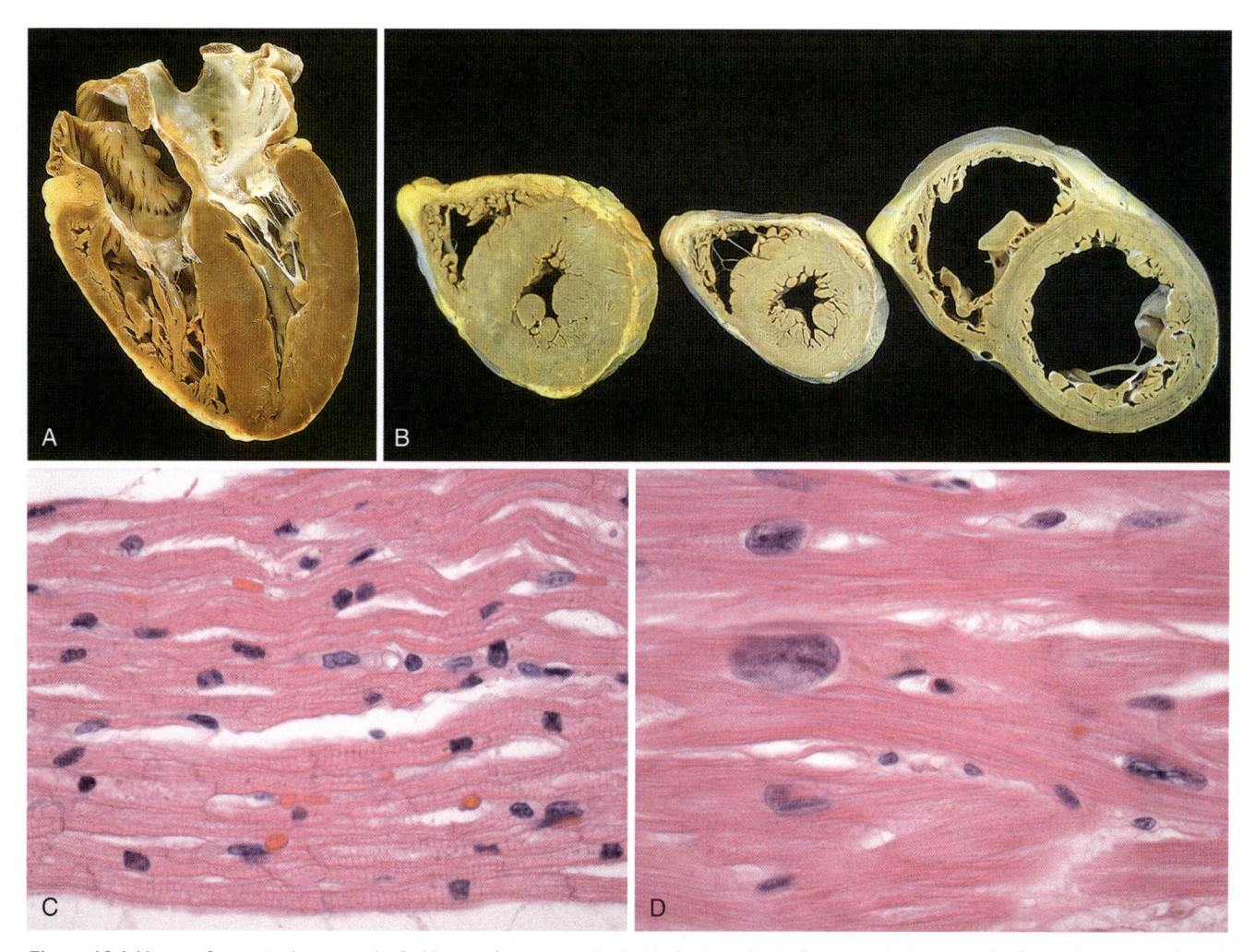

Figura 12.1 Hipertrofia ventricular esquerda. **A.** Hipertrofia por pressão devido à obstrução do fluxo ventricular esquerdo. O ventrículo esquerdo está no canto inferior direito neste plano apical de quatro câmaras do coração. **B.** Hipertrofia ventricular esquerda com e sem dilatação, vista em cortes transversais do coração. Em comparação com um coração normal (*centro*), os corações hipertrofiados por pressão (*esquerda* e em A) têm massa aumentada e uma parede ventricular esquerda espessa, e o coração dilatado e hipertrofiado (*direita*) tem massa aumentada e uma espessura de parede aparentemente normal. **C.** Miocárdio normal. **D.** Miocárdio hipertrofiado (**C** e **D** são fotomicrografias com a mesma magnificação). Observe o aumento de tamanho das células e do núcleo dos miócitos hipertrofiados, e as células intersticiais permanecem pequenas. (**A** e **B,** Reproduzida, com autorização, de Edwards WD: Cardiac anatomy and examination of cardiac specimens. In Emmanouilides GC, et al., editors: *Moss and Adams Heart Disease in Infants, Children, and Adolescents: Including the Fetus and Young Adults,* ed. 5, Philadelphia, 1995, Williams & Wilkins, p. 86.)

Figura 12.2

HIPERTENSÃO → Sobrecarga de pressão

DOENÇA VALVAR → Sobrecarga de pressão e/ou volume

INFARTO DO MIOCÁRDIO → Disfunção regional com sobrecarga de volume

↓

↑ Trabalho cardíaco

↓

↑ Tensão na parede

↓

Estiramento das células

↓

Hipertrofia e/ou dilatação

Caracterizada por
- ↑ Tamanho e massa do coração
- ↑ Síntese proteica
- Indução de genes precoces imediatos
- Indução de programa genético fetal
- Proteínas anormais
- Fibrose
- Vasculatura inadequada

↓

Disfunção cardíaca

Caracterizada por
- Insuficiência cardíaca (sistólica/diastólica)
- Arritmias
- Estimulação neuro-humoral

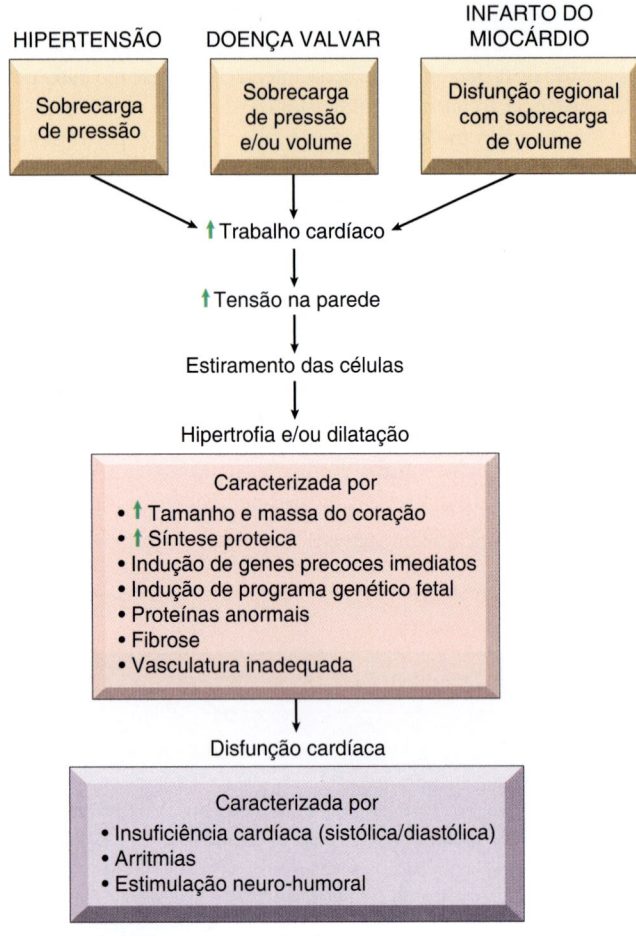

Figura 12.2 Representação esquemática das causas e consequências da hipertrofia cardíaca.

Qualquer que seja sua base, a ICC é caracterizada por graus variáveis de diminuição do débito cardíaco e da perfusão tecidual (insuficiência anterógrada), bem como acúmulo de sangue no sistema de capacitância venosa (insuficiência retrógrada); o último pode causar edema pulmonar, edema periférico ou ambos. Como resultado, muitas das características clínicas e alterações morfológicas significativas observadas na ICC são, na verdade, secundárias a distúrbios induzidos por hipoxia e congestão em tecidos periféricos não cardíacos.

O sistema cardiovascular é um circuito fechado. Assim, embora a insuficiência cardíaca direita e a esquerda possam ocorrer de maneira independente, a insuficiência de um lado (em especial o esquerdo) frequentemente produz tensão excessiva no outro, chegando à insuficiência cardíaca global. Apesar dessa interdependência, é mais fácil entender a patologia da insuficiência cardíaca considerando separadamente a insuficiência cardíaca direita e a esquerda.

Insuficiência cardíaca esquerda

A insuficiência cardíaca esquerda é mais frequentemente causada pelo seguinte:

- CI
- Hipertensão
- Doença valvar aórtica e mitral
- Doenças miocárdicas primárias.

Os efeitos clínicos e morfológicos da ICC esquerda são uma consequência da congestão passiva (sangue acumulado na circulação pulmonar), estase de sangue nas câmaras esquerdas e perfusão inadequada dos tecidos a jusante levando à disfunção do órgão.

---

transmite a base estrutural, bioquímica e molecular subjacente da insuficiência contrátil do miocárdio de forma adequada. Os corações dos pacientes com ICC costumam ser pesados e dilatados, mas podem ter paredes relativamente delgadas e, histologicamente, exibem graus variáveis de hipertrofia dos miócitos. A perda de massa miocárdica no contexto de um infarto leva à hipertrofia relacionada ao trabalho do miocárdio viável circundante. Na doença cardíaca valvar, o aumento da pressão ou do volume sobrecarrega o miocárdio de forma global. O aumento da massa cardíaca devido à doença correlaciona-se com o excesso de mortalidade e morbidade cardíaca; na verdade, a cardiomegalia é um fator de risco independente para morte súbita.

Ao contrário da hipertrofia patológica associada a estressores mecânicos persistentes, o exercício regular pode promover uma hipertrofia fisiológica potencialmente benéfica. O exercício aeróbico (p. ex., corrida de longa distância) tende a estar associado à hipertrofia por aumento da carga de volume acompanhada por aumentos na densidade capilar (ao contrário de outras formas de hipertrofia); a atividade aeróbica regular também diminui a frequência cardíaca e a pressão arterial em repouso – todos eles efeitos benéficos. Em comparação, o exercício puramente estático (p. ex., levantamento de peso) induz hipertrofia leve por pressão (p. ex., secundária a manobras de Valsalva recorrentes) e remodelação menos benéfica.

Morfologia

Coração. Os achados dependem do processo patológico, variando de infartos do miocárdio a valvas estenóticas ou regurgitantes e doença miocárdica intrínseca. Exceto pela insuficiência causada por estenose da valva mitral ou cardiomiopatias restritivas incomuns (descritas posteriormente), o ventrículo esquerdo costuma estar hipertrofiado e, com frequência, dilatado, às vezes maciçamente. A disfunção diastólica do ventrículo esquerdo ou a dilatação com incompetência da valva mitral causa dilatação secundária do átrio esquerdo, aumentando o risco de fibrilação atrial. Isso, por sua vez, resulta em estase sanguínea, em especial no apêndice atrial, que é um local comum de formação de trombos. As alterações microscópicas na insuficiência cardíaca são inespecíficas e incluem graus variáveis de hipertrofia dos miócitos e fibrose intersticial.

Pulmões. A congestão pulmonar e o **edema** produzem pulmões pesados e úmidos, conforme descrito em outros capítulos deste livro (ver **Capítulos 4** e **15**). As alterações pulmonares – das mais leves às mais graves – incluem (1) edema perivascular e intersticial, sobretudo nos septos interlobulares, (2) alargamento edematoso progressivo dos septos alveolares e (3) acúmulo de líquido (edema) nos espaços alveolares. Os eritrócitos extravasados e as proteínas plasmáticas nos alvéolos são fagocitados e digeridos pelos macrófagos; o ferro acumulado é armazenado como hemossiderina. Esses macrófagos carregados de hemossiderina (também conhecidos como **células de insuficiência cardíaca ou células do vício cardíaco**) são sinais indicadores de episódios anteriores de edema pulmonar. Derrames (efusões) pleurais (geralmente serosos) surgem da pressão capilar pleural e linfática elevadas e da resultante transudação de líquido para as cavidades pleurais.

Os primeiros sintomas de insuficiência cardíaca esquerda estão relacionados a edema pulmonar e congestão. Inicialmente, tosse e dispneia (falta de ar) podem aparecer apenas aos esforços. À medida que a ICC progride, o agravamento do edema pulmonar pode causar ortopneia (dispneia em decúbito dorsal, aliviada ao sentar-se ou ficar de pé) ou dispneia paroxística noturna (dispneia que costuma ocorrer à noite, e é tão grave que induz uma sensação de sufocação). Pode haver dispneia em repouso. Os sintomas respiratórios estão associados a estertores finos nas bases pulmonares, causados quando os alvéolos pulmonares edematosos se abrem durante a inspiração. Outras manifestações de insuficiência ventricular esquerda incluem um coração aumentado (cardiomegalia, aparente no exame de imagem), taquicardia, uma terceira bulha cardíaca devido à sobrecarga de volume (S3) ou uma quarta bulha cardíaca (S4) devido ao aumento da rigidez miocárdica. Se a insuficiência cardíaca estiver associada à dilatação ventricular progressiva, os músculos papilares são deslocados para fora, causando regurgitação mitral. A dilatação crônica subsequente do átrio esquerdo pode causar fibrilação atrial, e essas contrações atriais descoordenadas e caóticas reduzem a contribuição atrial para o enchimento ventricular, reduzindo, assim, o volume sistólico ventricular.

Na ICC moderada, uma fração de ejeção reduzida leva à diminuição da perfusão renal, causando ativação do sistema renina-angiotensina-aldosterona como um mecanismo compensatório para corrigir a hipotensão "percebida". Isso leva à retenção de sal e água, com expansão dos volumes de líquido intersticial e intravascular (ver **Capítulos 4 e 11**), exacerbando o edema pulmonar em curso. Se a hipoperfusão do rim se agravar consideravelmente, a excreção prejudicada de produtos nitrogenados pode causar azotemia (chamada azotemia pré-renal; ver **Capítulo 20**). Na ICC muito avançada, a hipoperfusão cerebral pode originar encefalopatia hipóxica (ver **Capítulo 28**), com irritabilidade, perda de limiar de atenção e inquietação que podem progredir para estupor e coma com a lesão cerebral isquêmica.

A insuficiência cardíaca esquerda pode ser dividida em insuficiência sistólica e diastólica:

- A *insuficiência sistólica* é definida pela fração de ejeção insuficiente (falência da bomba) e pode ser causada por qualquer um dos muitos distúrbios que danificam ou desregulam a função contrátil do ventrículo esquerdo
- Na *insuficiência diastólica*, o ventrículo esquerdo está anormalmente rígido e não consegue relaxar durante a diástole. Assim, embora a função cardíaca esteja relativamente preservada em repouso, o coração é incapaz de aumentar seu débito em resposta a aumentos nas demandas metabólicas dos tecidos periféricos (p. ex., durante o exercício). Além disso, como o ventrículo esquerdo não consegue se expandir normalmente, qualquer aumento na pressão de enchimento é logo transferido de volta para a circulação pulmonar, produzindo edema pulmonar. A hipertensão é a etiologia subjacente mais comum; diabetes melito, obesidade e estenose bilateral da artéria renal também podem ser listados como causas. O relaxamento reduzido do ventrículo esquerdo pode ter origem na fibrose miocárdica (p. ex., em cardiomiopatias e CI) ou distúrbios infiltrativos associados a cardiomiopatias restritivas (p. ex., amiloidose cardíaca). A insuficiência diastólica pode aparecer em pacientes mais velhos sem quaisquer fatores predisponentes conhecidos, possivelmente como um enrijecimento exacerbado em relação àquele que acontece normalmente com o coração com a idade. A pericardite constritiva (discutida posteriormente) também pode limitar o relaxamento do miocárdio e, portanto, mimetiza a disfunção diastólica primária.

Insuficiência cardíaca direita

A insuficiência cardíaca direita é mais comumente causada pela insuficiência cardíaca esquerda, pois qualquer aumento na pressão na circulação pulmonar decorrente da insuficiência esquerda sobrecarrega inevitavelmente o lado direito do coração. Como consequência, as causas da insuficiência cardíaca direita incluem todas as etiologias para a insuficiência cardíaca esquerda. A insuficiência cardíaca direita isolada é rara e costuma ocorrer em pacientes com um de vários distúrbios que afetam os pulmões; portanto, é, com frequência, denominada *cor pulmonale*. Além das doenças do parênquima pulmonar, o *cor pulmonale* também pode surgir como consequência de distúrbios que afetam a vasculatura pulmonar, por exemplo, hipertensão pulmonar primária (ver **Capítulo 15**), tromboembolismo pulmonar recorrente (ver **Capítulo 4**) ou condições que causam vasoconstrição pulmonar (apneia obstrutiva do sono, doença da altitude). A característica comum desses distúrbios é a hipertensão pulmonar (discutida posteriormente), que resulta em hipertrofia e dilatação do lado direito do coração. Em casos extremos, o abaulamento para a esquerda do septo interventricular pode até causar disfunção ventricular esquerda. Os principais efeitos morfológicos e clínicos da insuficiência cardíaca direita primária diferem daqueles da insuficiência cardíaca esquerda, visto que a congestão pulmonar é mínima, enquanto o ingurgitamento dos sistemas venoso portal e sistêmico é pronunciado.

Morfologia

Coração. Como na insuficiência cardíaca esquerda, a morfologia cardíaca varia com a causa. Raramente, defeitos estruturais, como anomalias valvares pulmonares ou tricúspides ou fibrose endocárdica (como na cardiopatia carcinoide), podem estar presentes. No entanto, como a insuficiência cardíaca direita isolada é mais frequentemente causada por doença pulmonar, a maioria dos casos exibe apenas hipertrofia e dilatação do átrio e ventrículo direitos.

Fígado e sistema portal. A congestão dos vasos hepáticos e portais pode produzir alterações patológicas no fígado, baço e sistema digestório. O fígado geralmente apresenta aumento de tamanho e peso **(hepatomegalia congestiva)**, causado por **congestão passiva**, maior ao redor das veias centrais (ver **Capítulo 4**). Macroscopicamente, isso se reflete como zonas pericentrais vermelho-acastanhadas congestionadas, com regiões periportais castanhas relativamente normais, produzindo a aparência característica de "fígado em noz-moscada" (ver **Capítulo 4**). Em alguns casos, sobretudo quando a insuficiência cardíaca esquerda com hipoperfusão também está presente, a hipoxia centrolobular grave produz **necrose centrolobular**. Na insuficiência cardíaca direita grave de longa data, as áreas centrais podem se tornar fibróticas, culminando em **cirrose cardíaca** (ver **Capítulo 18**). A hipertensão venosa portal também causa aumento do baço com sequestro de plaquetas (**esplenomegalia congestiva**) e pode igualmente contribuir para congestão crônica e edema da parede intestinal. Esta última complicação pode ser suficientemente grave para interferir na absorção de nutrientes (e/ou fármacos).

Espaços pleural, pericárdico e peritoneal. A congestão venosa sistêmica pode levar ao acúmulo de líquido (**derrames**) nos espaços pleural, pericárdico ou peritoneal (um derrame peritoneal também é chamado de **ascite**). Grandes derrames pleurais podem afetar a ventilação pulmonar por limitação da expansão, causando atelectasia, e a ascite substancial também pode limitar a excursão diafragmática, causando dispneia de forma puramente mecânica.

Tecidos subcutâneos. Edema das porções periféricas e dependentes do corpo, sobretudo dos pés/tornozelos e edema pré-tibial, é uma marca registrada da insuficiência cardíaca direita. Em pacientes cronicamente acamados, o edema pré-sacral pode predominar. Também pode ocorrer edema maciço generalizado (**anasarca**).

O rim e o cérebro também são afetados de forma proeminente na insuficiência cardíaca direita. A congestão renal é mais acentuada na insuficiência cardíaca direita do que na esquerda, levando a maior retenção de líquidos e edema periférico, além de azotemia mais pronunciada. A congestão venosa e a hipoxia do sistema nervoso central também podem produzir déficits na função mental semelhantes aos observados na insuficiência cardíaca esquerda com perfusão sistêmica insuficiente. Embora tenhamos discutido a insuficiência cardíaca direita e esquerda separadamente, mais uma vez vale a pena enfatizar que, em muitos casos de descompensação cardíaca crônica, os pacientes com ICC biventricular apresentam sintomas que refletem insuficiência cardíaca direita e esquerda. Além de uma história e exame físico cuidadosos, os níveis séricos de fator natriurético tipo B (BNP) (ou cerebral) se tornaram uma ferramenta popular para avaliar quantitativamente a extensão da ICC. Lembre-se de que o BNP é liberado pelos cardiomiócitos ventriculares durante o aumento do estresse na parede; um valor baixo tem um alto valor preditivo negativo para ICC. A ecocardiografia também é uma ferramenta extremamente valiosa no acompanhamento de pacientes com ICC, fornecendo uma medida da fração de ejeção, motilidade da parede, função valvar e possível trombose mural.

O tratamento da ICC concentra-se inicialmente na correção de qualquer causa subjacente, por exemplo, um defeito valvar ou perfusão cardíaca inadequada. Além disso, a abordagem clínica inclui restrição de sal ou agentes farmacológicos que reduzem variadamente a sobrecarga de volume (p. ex., diuréticos), aumentam a contratilidade miocárdica (os chamados inotrópicos positivos) ou reduzem a pós-carga (por meio do bloqueio adrenérgico ou de inibidores das enzimas de conversão da angiotensina [ECA]). Embora muitos desses medicamentos forneçam benefícios por meio de efeitos nas vias neuro-humorais, os inibidores da ECA também limitam a hipertrofia dos miócitos e a remodelação cardíaca. Embora a terapia de ressincronização cardíaca (estimulação exógena dos ventrículos direito e esquerdo) e os dispositivos de assistência ventricular mecânica (DAVs, discutidos posteriormente) também tenham sido adicionados ao arsenal do cardiologista, a ICC continua sendo uma causa grave de morbidade e mortalidade humana.

> **Conceitos-chave**
>
> **Insuficiência cardíaca**
>
> - A insuficiência cardíaca ocorre quando o coração é incapaz de fornecer perfusão adequada para atender às necessidades metabólicas dos tecidos periféricos; o débito cardíaco inadequado costuma ser acompanhado por aumento da congestão da circulação venosa
> - A insuficiência cardíaca esquerda é mais comumente causada por CI, hipertensão sistêmica, doença da valva mitral ou aórtica e doenças primárias do miocárdio; os sintomas são decorrentes, sobretudo, de edema e congestão pulmonar, embora a hipoperfusão sistêmica possa causar disfunção renal e cerebral secundária
> - A insuficiência cardíaca direita é mais frequentemente devida à insuficiência cardíaca esquerda e menos a distúrbios pulmonares primários; os sintomas estão relacionados, sobretudo, a edema periférico e congestão visceral.

Desenvolvimento cardíaco

O coração é um órgão mecânico que já começa a gerar sangue pulsátil apenas 3 semanas após a fertilização. Portanto, é provável que as forças hemodinâmicas desempenhem um papel importante no desenvolvimento cardíaco, da mesma forma que influenciam as adaptações no coração adulto, como hipertrofia e dilatação.

As diversas malformações vistas na doença cardíaca congênita (DCC) são causadas por erros que ocorrem durante a migração e enovelamento complexos que constituem a morfogênese cardíaca. Derivados das células do mesoderma lateral, os primeiros precursores cardíacos movem-se para a linha média em duas ondas migratórias (chamadas de campos cardíacos primário e secundário) nos primeiros 15 dias de desenvolvimento fetal. Embora sejam células progenitoras multipotentes que podem produzir todos os principais tipos de células do coração (endocárdio, miocárdio e células musculares lisas), elas logo assumem destinos distintos; as células da primeira onda povoam amplamente o ventrículo esquerdo em desenvolvimento, enquanto as da segunda onda se tornam o trato de saída, o ventrículo direito e a maior parte dos átrios. Assim, defeitos em um ou outro campo cardíaco podem explicar algumas das DCCs que envolvem estruturas específicas. No 20º dia de desenvolvimento, o coração nascente se torna um tubo pulsante, que começa a formar as câmaras cardíacas básicas cerca de 8 dias depois. Quase ao mesmo tempo, (1) as células derivadas da crista neural migram para o trato de saída, onde participam da septação dos tratos de saída aórtico e pulmonar e da formação do arco aórtico; e (2) o tecido conjuntivo intersticial se expande para formar coxins endocárdicos definitivos que se tornarão os futuros canais atrioventriculares e os tratos de saída. No 50º dia, a septação posterior dos ventrículos, átrios e valvas atrioventriculares produz um coração de quatro câmaras.

A orquestração adequada dessas transformações notáveis depende de uma rede de fatores de transcrição que são regulados por uma série de vias de sinalização, sobretudo Wnt, *Hedgehog*, fator de crescimento endotelial vascular (VEGF), proteína morfogenética óssea, fator transformador de crescimento-β (TGF-β), fator de crescimento de fibroblasto e vias *Notch* (ver **Capítulo 1**). Não é tão surpreendente, então, que muitos dos defeitos hereditários que afetam o desenvolvimento cardíaco envolvam genes que codificam fatores de transcrição; estes costumam causar perda parcial de função e são autossômicos dominantes (discutido posteriormente). Além disso, micro-RNA-específicos desempenham papéis cruciais no desenvolvimento cardíaco, coordenando os padrões e níveis de expressão de fatores de transcrição.

Doença cardíaca congênita

A DCC refere-se a anormalidades do coração ou dos grandes vasos que estão presentes no momento do nascimento. A maioria das DCC tem origem na embriogênese defeituosa no período entre a 3ª e a 8ª semana de gestação, quando as principais estruturas cardiovasculares se formam e começam a funcionar. As anomalias mais graves impedem a sobrevivência intrauterina, e malformações cardíacas significativas são comuns entre natimortos. Por outro lado, defeitos circunscritos que afetam regiões específicas do coração ou câmaras individuais podem ser compatíveis com a vida. Nessa última categoria estão os seguintes:

- *Defeitos septais*, ou "buracos no coração", como defeitos do septo interatrial (DSAs) ou defeitos do septo interventricular (DSVs)
- *Lesões estenóticas*, seja no nível das valvas, seja em toda a câmara cardíaca, como na síndrome do coração esquerdo hipoplásico
- *Anomalias do trato de saída*, incluindo o direcionamento inadequado dos grandes vasos a partir dos ventrículos ou artérias coronárias anômalas.

Essas formas "toleradas" de DCC costumam produzir manifestações clinicamente importantes apenas após o nascimento – descobertas pela transição da circulação fetal para perinatal; cerca de metade será diagnosticada no primeiro ano de vida, embora algumas formas mais leves talvez só sejam descobertas na idade adulta (p. ex., DSA).

Incidência

A incidência de DCC depende do que é considerado um defeito. Assim, se a ecocardiografia for realizada rotineiramente em neonatos, pequenos defeitos septais musculares (DSVs ou DSAs) são detectados em mais de 5% dos nascidos vivos. No entanto, eles costumam se fechar de forma espontânea no primeiro ano de vida e, provavelmente, não devem ser computados como parte da carga das DCCs. Da mesma forma, a valva aórtica bicúspide – com uma incidência de 1 a 2% – persiste claramente além da lactância, mas costuma ter manifestações modestas e pode não se tornar evidente até o final da idade adulta. Se a contabilização se restringir a defeitos mais graves, a incidência mundial de malformações cardiovasculares congênitas é ligeiramente inferior a 1% – ainda assim colocando as DCCs entre os defeitos congênitos mais prevalentes. Doze distúrbios são responsáveis por aproximadamente 85% dos casos; suas frequências estão listadas na **Tabela 12.2**.

O número de indivíduos que sobrevivem até a idade adulta com DCC está aumentando rapidamente e estima-se que seja de cerca de 1,5 milhão de pessoas apenas nos EUA. Muitos se beneficiaram dos avanços cirúrgicos que permitem cada vez mais o reparo pós-natal precoce de defeitos estruturais. Em alguns casos,

Tabela 12.2 Frequências de malformações cardíacas congênitas.[a]

Malformação	Incidência por milhão de nascidos vivos	%
Defeito do septo ventricular	4.482	42
Defeito do septo atrial	1.043	10
Estenose pulmonar	836	8
Persistência do canal arterial	781	7
Tetralogia de Fallot	577	5
Coarctação da aorta	492	5
Defeito do septo atrioventricular	396	4
Estenose aórtica	388	4
Transposição das grandes artérias	388	4
Truncus arteriosus	136	1
Conexão anômala total de veias pulmonares	120	1
Atresia tricúspide	118	1
Total	9.757	

[a]Apresentadas como quartil superior de 44 estudos publicados. As porcentagens não somam 100% devido ao arredondamento. Não inclui valvas aórticas bicúspides. Dados de: Hoffman JI, Kaplan S: The incidence of congenital heart disease, *J Am Coll Cardiol* 39(12):1890-1900, 2002.

entretanto, a intervenção cirúrgica não consegue restaurar a normalidade completa; os pacientes podem já ter sofrido alterações pulmonares ou miocárdicas que não são mais reversíveis ou, pelo contrário, podem sofrer arritmias devido à cicatriz cirúrgica. Outros fatores que impactam o desfecho a longo prazo incluem complicações associadas ao uso de materiais protéticos e dispositivos (p. ex., valvas substitutas ou *patches* miocárdicos) e os estressores cardiovasculares associados à gravidez que podem levar um coração reparado à insuficiência.

Etiologia e patogênese

Exposições ambientais (p. ex., infecção congênita por rubéola, teratógenos – incluindo alguns medicamentos terapêuticos e diabetes gestacional) e fatores genéticos são as causas mais bem caracterizadas, mas ainda representam uma minoria dos casos de DCC. Fatores nutricionais também podem influenciar o risco; a suplementação de folato durante o início da gravidez reduz a incidência de DCC.

Os fatores genéticos incluem *loci* específicos implicados em formas familiares de DCC e certas anormalidades cromossômicas (p. ex., trissomias do 13, do 15, do 18 e do 21 e monossomia de X/síndrome de Turner). Na verdade, a causa genética mais comum conhecida de DCC é a trissomia do 21 (síndrome de Down); cerca de 40% dos pacientes com essa síndrome têm um ou mais defeitos cardíacos, na maioria das vezes afetando estruturas derivadas da segunda onda migratória de células (p. ex., os septos atrioventriculares). Os mecanismos pelos quais a aneuploidia causa DCC provavelmente envolvem a expressão desregulada de vários genes.

Um exemplo notável de uma pequena lesão cromossômica que causa DCC é a deleção do cromossomo 22q11.2, que ocorre em pacientes com síndrome de DiGeorge. Nela, o quarto arco branquial e os derivados da terceira e quarta bolsas faríngeas (que contribuem para a formação do timo, das glândulas paratireoides e do coração) se desenvolvem de forma anormal. Dos cerca de 30 genes presentes nesse segmento cromossômico, a deleção do gene do fator de transcrição *TBX1* é, provavelmente, a lesão culpada. TBX1 regula a migração da crista neural, bem como a expansão dos progenitores cardíacos na segunda onda migratória. Curiosamente, as deleções nesta região também estão associadas a doenças mentais, incluindo esquizofrenia.

No caso de mutações monogênicas, os genes afetados codificam proteínas pertencentes a várias classes funcionais diferentes (**Tabela 12.3**); como mencionado anteriormente, muitos deles envolvem fatores de transcrição. Como os pacientes afetados são heterozigotos para tais mutações, deduz-se que uma redução de 50% na atividade desses fatores (ou até menos) pode ser suficiente para prejudicar o desenvolvimento cardíaco. Mesmo decréscimos relativamente menos importantes na atividade de genes específicos podem resultar em defeitos significativos. Assim, estresses ambientais transitórios durante o primeiro trimestre da gravidez que alteram a síntese ou atividade desses mesmos genes podem levar a defeitos adquiridos que mimetizam aqueles produzidos por mutações hereditárias. Além disso, muitos dos fatores de transcrição interagem em grandes complexos de proteínas, fornecendo uma justificativa do porquê mutações em qualquer um dos vários genes podem produzir defeitos semelhantes. Assim, GATA4, TBX5 e NKX2-5, três fatores de transcrição que estão mutados em alguns pacientes com defeitos do septo atrial e ventricular, se ligam uns aos outros e corregulam a expressão de genes-alvo necessários para o desenvolvimento cardíaco adequado.

Outras mutações monogênicas podem alterar proteínas estruturais ou afetar as moléculas da via de sinalização. Assim, mutações em genes que codificam vários componentes da via *Notch* (ver **Capítulo 1**) estão associadas a uma variedade de defeitos cardíacos congênitos, como valva aórtica bicúspide (*NOTCH1*, discutida posteriormente) e tetralogia de Fallot (*JAG1* e *NOTCH2*). Conforme descrito nos **Capítulos 5** e **11**, as mutações da fibrilina são a base da síndrome de Marfan – associada a defeitos valvares e aneurismas aórticos. Embora a fibrilina seja uma proteína estrutural importante na matriz extracelular (MEC), também é um importante regulador negativo da sinalização de TGF-β, e a sinalização hiperativa de TGF-β contribui para as anormalidades cardiovasculares na síndrome de Marfan e na síndrome de Loeys-Dietz relacionada.

Apesar desses avanços, nossa compreensão dos mecanismos subjacentes à DCC permanece rudimentar; a causa exata é desconhecida em quase 90% dos casos. A maioria dos pacientes afetados não apresenta risco genético identificável e, mesmo naqueles que apresentam, a natureza e a gravidade do defeito são altamente variáveis. É provável que a maioria das formas de DCC surja por interações de fatores ambientais com múltiplos genes. As diretrizes para a realização de teste genético são complexas e estão em evolução, mas sugerem que o teste genético pode ser útil em pacientes com uma síndrome não cardíaca mais ampla ou uma história familiar de DCC.

Características clínicas

A maioria das anomalias estruturais nas DCCs pode ser organizada em três categorias principais de acordo com as anormalidades funcionais mais relevantes que causam:

- Shunt esquerda-direita
- Shunt direita-esquerda
- Obstrução.

Tabela 12.3 Exemplos selecionados de defeitos gênicos associados à doença cardíaca congênita.[a]

Distúrbio	Gene(s)	Função do produto genético
Não sindrômico		
DAS ou defeitos de condução	NKX2.5	Fator de transcrição
DAS ou VSD	GATA4	Fator de transcrição
Tetralogia de Fallot	ZFPM2 ou NKX2.5	Fatores de transcrição
Sindrômico[b]		
Síndrome de Alagille – estenose da artéria pulmonar ou tetralogia de Fallot	JAG1 ou NOTCH2	Proteínas ou receptores de sinalização
Síndrome de Char – PCA	TFAP2B	Fator de transcrição
Síndrome CHARGE – DSA, DSV, PCA ou síndrome do coração esquerdo hipoplásico	CHD7	Proteína de ligação à helicase
Síndrome de DiGeorge – DSA, DSV ou obstrução do trato de saída	TBX1	Fator de transcrição
Síndrome de Holt-Oram – DSA, DSV ou defeito de condução	TBX5	Fator de transcrição
Síndrome de Noonan – estenose da valva pulmonar, DSV ou cardiomiopatia hipertrófica	PTPN11, KRAS, SOS1	Proteínas de sinalização

CHARGE, coloboma posterior, defeito cardíaco, atresia coanal, retardo, anomalias genitais e das orelhas; *DSA*, defeito do septo atrial; *DSV*, defeito do septo ventricular; *PCA*, persistência do canal arterial.
[a]Mutações diferentes podem causar o mesmo fenótipo, e mutações em alguns genes podem causar vários fenótipos (p. ex., *NKX2.5*). Muitas dessas lesões congênitas também podem ocorrer esporadicamente, sem mutação genética específica.
[b]Somente as manifestações cardíacas da síndrome são listadas; as outras alterações esqueléticas, faciais, neurológicas e viscerais, não.

Um *shunt* é uma comunicação anormal entre câmaras ou vasos sanguíneos. Os canais anormais permitem que o fluxo sanguíneo verta por gradientes de pressão do lado esquerdo (sistêmico) para o lado direito (pulmonar) da circulação ou vice-versa. Quando o sangue do lado direito da circulação flui diretamente para o lado esquerdo (*shunt* da direita para a esquerda), ocorrem hipoxemia e *cianose* (um tom azul-escuro da pele e das membranas mucosas) porque a circulação pulmonar é desviada e o sangue venoso (pouco oxigenado) desvia diretamente (sem fazer hematose) para o suprimento arterial sistêmico. Além disso, os *shunts* da direita para a esquerda podem permitir que êmbolos das veias periféricas desviem dos pulmões e entrem diretamente na circulação sistêmica (embolia paradoxal). A hipoxia/cianose grave de longa duração também causa aumento do número de eritrócitos circulantes (policitemia), bem como um arredondamento e alargamento distais peculiares das pontas dos dedos das mãos e dos pés ("baqueteamento digital"), que podem incluir alterações ósseas (chamadas osteoartropatia hipertrófica). As causas mais importantes de *shunts* direita-esquerda são tetralogia de Fallot (TDF), transposição das grandes artérias (TGA), *truncus arteriosus* persistente, atresia tricúspide e conexão anômala total das veias pulmonares.

Por outro lado, os *shunts* da esquerda para a direita (p. ex., DSA, DSV e persistência do canal arterial [PCA]) aumentam o fluxo sanguíneo pulmonar, mas não estão inicialmente associados à cianose. No entanto, os *shunts* da esquerda para a direita elevam, de forma crônica, tanto o volume quanto a pressão na circulação pulmonar, normalmente de baixa pressão e baixa resistência. Para manter as pressões venosa e capilar pulmonar distal normais, as artérias pulmonares musculares (< 1 mm de diâmetro) respondem inicialmente se submetendo a hipertrofia da camada média e vasoconstrição. No entanto, a vasoconstrição arterial pulmonar prolongada estimula o desenvolvimento de lesões intimais obstrutivas irreversíveis, análogas às alterações arteriolares vistas na hipertensão sistêmica; as artérias pulmonares podem até desenvolver lesões ateroscleróticas francas (ver **Capítulo 11**). O ventrículo direito também responde às alterações vasculares pulmonares passando por hipertrofia progressiva. Com o tempo, a resistência vascular pulmonar se aproxima dos níveis sistêmicos, e o *shunt* esquerda-direita original torna-se um *shunt* direita-esquerda que introduz sangue pouco oxigenado na circulação sistêmica (*síndrome de Eisenmenger*).

Uma vez que a hipertensão pulmonar irreversível se desenvolva, os defeitos estruturais da DCC são considerados irreparáveis; a insuficiência cardíaca direita subsequente pode levar à morte do paciente, a menos que o transplante combinado de coração e pulmão possa ser realizado. Isso fornece a justificativa para a intervenção precoce para fechar *shunts* esquerda-direita significativos.

A DCC obstrutiva ocorre quando há estreitamento anormal de câmaras, valvas ou vasos sanguíneos; estas incluem coarctação da aorta, estenose da valva aórtica e estenose valvar pulmonar. Uma obstrução completa é chamada de atresia. Em alguns distúrbios (p. ex., TDF), pode haver a presença de uma obstrução (estenose pulmonar) e de um *shunt* (direita-esquerda através de um DSV).

A hemodinâmica alterada na DCC geralmente causa dilatação e/ou hipertrofia cardíaca (ou ambas). No entanto, alguns defeitos induzem uma diminuição no volume e na massa muscular de uma câmara cardíaca; isso é chamado de hipoplasia caso ocorra antes do nascimento e atrofia caso ocorra após o nascimento.

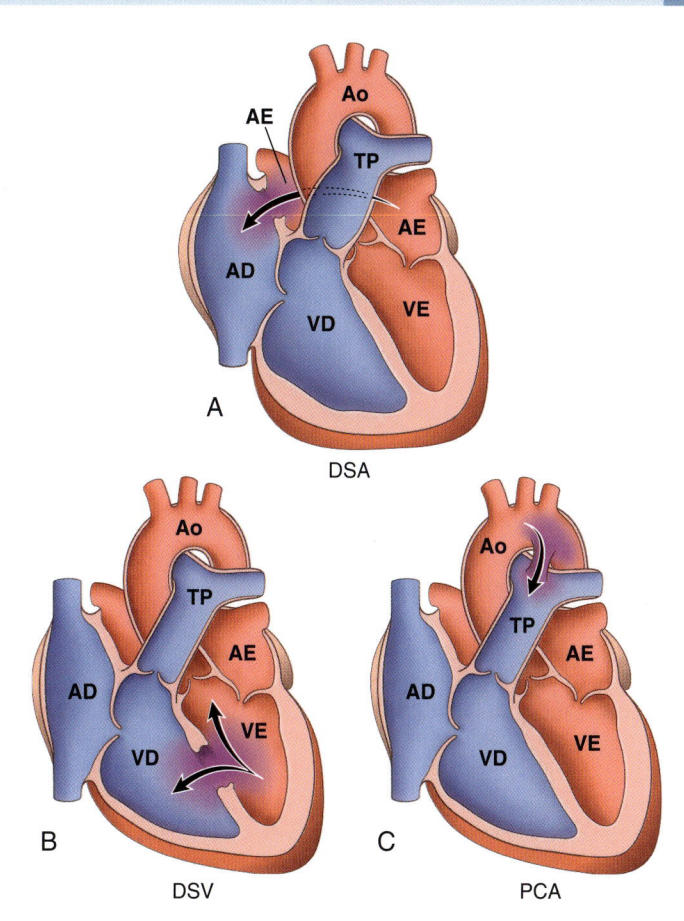

Figura 12.3 *Shunts* congênitos comuns da esquerda para a direita (as *setas* indicam a direção do fluxo sanguíneo). **A.** Defeito do septo atrial (*DSA*). **B.** Defeito do septo ventricular (*DSV*). Com o DSV, o *shunt* é da esquerda para a direita e as pressões são iguais em ambos os ventrículos. Hipertrofia por pressão do ventrículo direito e hipertrofia por volume do ventrículo esquerdo geralmente estão presentes. **C.** Persistência do canal arterial (*PCA*). *AD*, átrio direito; *AE*, átrio esquerdo; *Ao*, Aorta; *TP*, tronco pulmonar; *VD*, ventrículo direito; *VE*, ventrículo esquerdo.

Shunts esquerda-direita

Os *shunts* da esquerda para a direita são as DCC mais comuns; estes incluem DSA, DSV e PCA (**Figura 12.3**). Os DSAs geralmente aumentam apenas os volumes de saída pulmonar e do ventrículo direito, e os DSVs e PCA causam aumento do fluxo sanguíneo pulmonar e da pressão. Dependendo de seu tamanho e localização, as manifestações desses *shunts* variam em gravidade, desde nenhum sintoma até insuficiência cardíaca fulminante.

Defeito do septo atrial

DSAs são aberturas fixas anormais no septo atrial, causadas pela formação incompleta de tecido que permite a comunicação de sangue entre os átrios esquerdo e direito; os DSAs geralmente são assintomáticos até a idade adulta (ver **Tabela 12.2** e **Figura 12.3A**). O DSA não deve ser confundido com forame oval patente (FOP; ver mais adiante), que representa a falha pós-natal em fechar um forame (canal) que faz parte do desenvolvimento normal. A seguir está um breve resumo dos estágios de desenvolvimento do septo atrial:

- O *septum primum* é um crescimento membranoso em forma de meia-lua que se localiza posteriormente entre os átrios direito e esquerdo e os separa parcialmente; a abertura anterior transitória restante, chamada de *ostium primum*, permite a movimentação do sangue do átrio direito para o esquerdo durante o desenvolvimento fetal inicial
- Antes que o septo primum em crescimento oblitere completamente o *ostium primum*, ele desenvolve uma segunda abertura posterior chamada de *ostium secundum*
- O *septum secundum* é um crescimento membranoso subsequente localizado à direita e anterior ao *septum primum*
- O *septum secundum* cresce e cobre o *ostium secundum*, deixando apenas um pequeno canal denominado forame oval, que é contínuo com o *ostium secundum* – o forame oval/*ostium secundum* permite o desvio contínuo da direita para a esquerda do sangue durante o desenvolvimento intrauterino.

Esse retalho de tecido do *septum secundum* abre e fecha em resposta aos gradientes de pressão entre os átrios esquerdo e direito; a valva abre apenas quando a pressão é maior no átrio direito. Na vida fetal, os pulmões não funcionam e a pressão na circulação pulmonar é maior do que a sistêmica; assim, o átrio direito está sob pressões mais altas do que o átrio esquerdo, e a valva do forame oval normalmente está aberta. Ao nascimento, com a expansão do pulmão, as pressões vasculares pulmonares caem e as pressões do átrio direito ficam abaixo das do átrio esquerdo. Como resultado, a valva do forame oval se fecha – e, em geral, se sela permanentemente antes da idade adulta (ver mais adiante).

> **Morfologia**
>
> Os DSAs são classificados de acordo com sua localização. O **DSA do tipo *secundum*** (90% de todos os DSAs) resultam de uma deficiência na formação do *septum secundum*, perto do centro do septo atrial. Geralmente não estão associados a outras anomalias, podem ser de qualquer tamanho e podem ser múltiplos ou fenestrados. As **anomalias do tipo *primum*** (5% dos DSAs) ocorrem adjacentes às valvas AV e estão frequentemente associadas a anormalidades da valva AV e/ou VSD. Os **defeitos do tipo seio venoso** (5%) localizam-se próximo à entrada da veia cava superior e podem estar associados a retorno venoso pulmonar anômalo ao átrio direito.

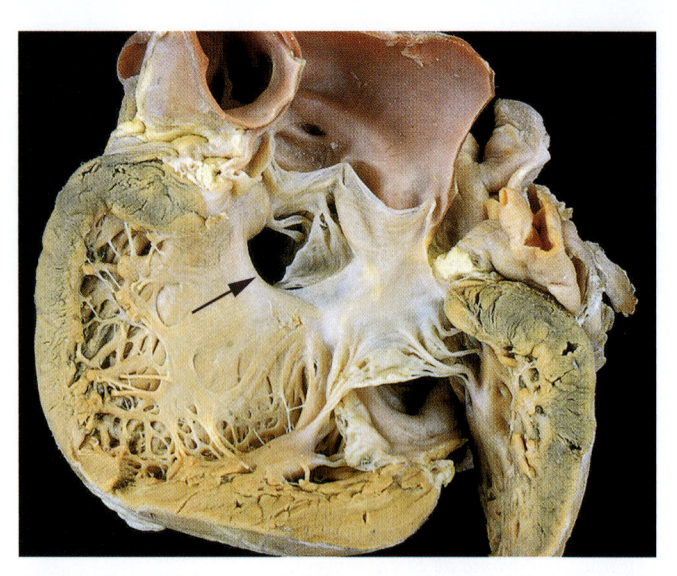

Figura 12.4 Defeito do septo ventricular do tipo membranoso (*seta*) imediatamente proximal à valva aórtica. (Cortesia de William D. Edwards, MD, Mayo Clinic, Rochester, Minn.)

Características clínicas

Os DSAs geralmente são assintomáticos até a idade adulta. Embora os DSVs sejam mais comuns, a maioria fecha espontaneamente. Logo, os DSAs – que têm menos probabilidade de fecharem de forma espontânea – são os defeitos mais comuns a serem diagnosticados em adultos. Os DSAs resultam em um *shunt* esquerda-direita, sobretudo porque a resistência vascular pulmonar é consideravelmente menor do que a resistência vascular sistêmica e porque a complacência (distensibilidade) do ventrículo direito é muito maior do que a do esquerdo. Os volumes de fluxo pulmonar resultantes podem ser de duas a oito vezes o normal. Um sopro costuma estar presente como resultado do fluxo excessivo através da valva pulmonar e/ou através do DSA. Apesar da sobrecarga de volume do lado direito, os DSAs costumam ser bem tolerados e, em geral, não se tornam sintomáticos antes dos 30 anos; é incomum que haja hipertensão pulmonar irreversível.

O fechamento cirúrgico ou intravascular do DSA é realizado para prevenir o desenvolvimento de insuficiência cardíaca, embolia paradoxal e doença vascular pulmonar irreversível. A mortalidade é baixa e a sobrevida pós-operatória é comparável à de uma população não afetada.

Forame oval patente

O forame oval se fecha de modo permanente em cerca de 80% das pessoas por volta dos 2 anos. No entanto, nos 20% restantes, o retalho não selado pode abrir se as pressões do lado direito aumentarem. Assim, a hipertensão pulmonar contínua ou mesmo aumentos transitórios nas pressões do lado direito (p. ex., durante uma evacuação, tosse ou espirro) podem produzir breves períodos de *shunt* direita-esquerda, com a possibilidade de embolia paradoxal.

Defeito do septo ventricular

DSVs são fechamentos incompletos do septo ventricular, permitindo a livre comunicação de sangue entre os ventrículos esquerdo e direito; eles são a forma mais comum de DCC (ver **Tabela 12.2** e **Figura 12.3B**).

> **Morfologia**
>
> Os DSVs são classificados de acordo com sua localização e magnitude. Cerca de 90% ocorrem na região membranosa do septo interventricular (**DSV membranoso**; **Figura 12.4**), e a maioria tem 2 a 3 cm de diâmetro. Os 10% restantes ocorrem abaixo da valva pulmonar (**DSV infundibular**) ou dentro do septo muscular. Embora a maioria dos DSVs sejam únicos, aqueles no septo muscular podem ser múltiplos.

Características clínicas

A maioria dos DSVs que se manifestam clinicamente na faixa etária pediátrica está associada a outras anomalias cardíacas congênitas, como TDF; apenas 20 a 30% são isolados. Por outro lado, se um DSV só é detectado pela primeira vez em um adulto, geralmente é um defeito isolado. As consequências funcionais de um DSV dependem do tamanho do defeito e se há malformações associadas do lado direito. Assim, grandes DSVs causam dificuldades praticamente desde o nascimento; lesões menores costumam ser bem toleradas por anos e podem só ser reconhecidas bem mais tarde na vida. Além disso, aproximadamente 50% dos pequenos DSVs musculares fecham-se de forma espontânea. Grandes defeitos costumam ser membranosos ou infundibulares e costumam causar significativo *shunt* esquerda-direita, levando à hipertrofia ventricular direita precoce e hipertensão pulmonar. Com o tempo, grandes DSVs que não são fechados costumam levar à doença vascular pulmonar irreversível, resultando em reversão do *shunt* e cianose. O fechamento do DSV assintomático com um procedimento cirúrgico ou por cateter geralmente é adiado para depois da fase de lactância, na esperança de fechamento espontâneo. A correção precoce, entretanto, deve ser realizada nos grandes defeitos para prevenir o desenvolvimento de doença vascular pulmonar obstrutiva irreversível.

Persistência do canal arterial

O canal arterial origina-se da artéria pulmonar e se une à aorta em posição imediatamente distal à origem da artéria subclávia esquerda. Durante a vida intrauterina, ele permite o fluxo sanguíneo da artéria pulmonar para a aorta, evitando, assim, os pulmões não oxigenados. Em lactentes saudáveis nascidos a termo, o ducto se comprime e se fecha funcionalmente dentro de 1 a 2 dias após o nascimento; isso ocorre em resposta ao aumento da oxigenação arterial, à diminuição da resistência vascular pulmonar e ao declínio dos níveis locais de prostaglandina E_2. A obliteração estrutural completa ocorre nos primeiros meses de vida extrauterina, deixando para trás o ligamento arterial. O fechamento do ducto costuma ser atrasado (ou mesmo ausente) em lactentes com hipoxia (devido a desconforto respiratório ou doença cardíaca) ou quando outros defeitos congênitos estão presentes, sobretudo DSVs que aumentam as pressões vasculares pulmonares. As PCAs representam cerca de 7% dos casos de DCC (ver **Tabela 12.2** e **Figura 12.3C**), e 90% destes são defeitos isolados.

A PCA produz um sopro característico, contínuo e áspero, "semelhante a uma maquinaria". O impacto clínico de uma PCA depende de seu diâmetro e do estado cardiovascular do indivíduo. A PCA costuma ser assintomática no nascimento, e uma PCA estreita pode não ter efeito no crescimento e desenvolvimento da criança. Como o *shunt* é inicialmente da esquerda para a direita, não há cianose. No entanto, com grandes *shunts*, as sobrecargas adicionais de volume e pressão acabam por produzir alterações obstrutivas nas pequenas artérias pulmonares, levando à reversão do fluxo e suas consequências associadas. Em geral, a PCA isolada deve ser fechada o mais cedo possível; a terapia inclui inibidores da síntese de prostaglandinas e, possivelmente, intervenções percutâneas ou cirúrgicas. Por outro lado, a preservação da persistência do ducto (pela administração de prostaglandina E1) pode salvar a vida de lactentes com várias malformações congênitas que obstruem as vias de saída pulmonares ou sistêmicas. Na DCC com atresia de valva aórtica ou da valva pulmonar, por exemplo, uma PCA pode fornecer todo o fluxo sanguíneo sistêmico ou fluxo sanguíneo pulmonar, respectivamente.

Shunts direita-esquerda

As doenças nesse grupo causam cianose no início da vida pós-natal (DCC cianótica). A TDF, a mais comum nesse grupo, e a TGA são ilustradas esquematicamente na **Figura 12.5**. As outras incluem *truncus arteriosus* persistente, atresia tricúspide e conexão anômala total das veias pulmonares.

Tetralogia de Fallot

As quatro características principais da TDF são (1) DSV, (2) obstrução do trato de saída do ventrículo direito (estenose subpulmonar), (3) uma aorta que se sobrepõe ao DSV (dextroposição da aorta) e (4) hipertrofia ventricular direita (ver **Figura 12.5A**) As três primeiras características resultam embriologicamente do deslocamento anterossuperior do septo infundibular, e a hipertrofia ventricular direita é uma consequência secundária da sobrecarga de pressão.

> **Morfologia**
>
> O coração costuma estar dilatado e em "formato de bota" devido à hipertrofia ventricular direita acentuada. Em geral, o DSV é grande, com a valva aórtica transposta na borda superior, sobrepondo o defeito e ambas as câmaras ventriculares. A obstrução à saída do ventrículo direito se deve, com mais frequência, ao estreitamento do infundíbulo (estenose subpulmonar), mas pode ser acompanhada por estenose valvar pulmonar. Às vezes, há atresia completa da valva pulmonar e de porções variáveis das artérias pulmonares, de modo que o fluxo sanguíneo por uma PCA, artérias brônquicas dilatadas ou ambas é necessário à sobrevivência. A insuficiência da valva aórtica ou um DSA também podem estar presentes; um arco aórtico direito está presente em aproximadamente 25% dos casos.

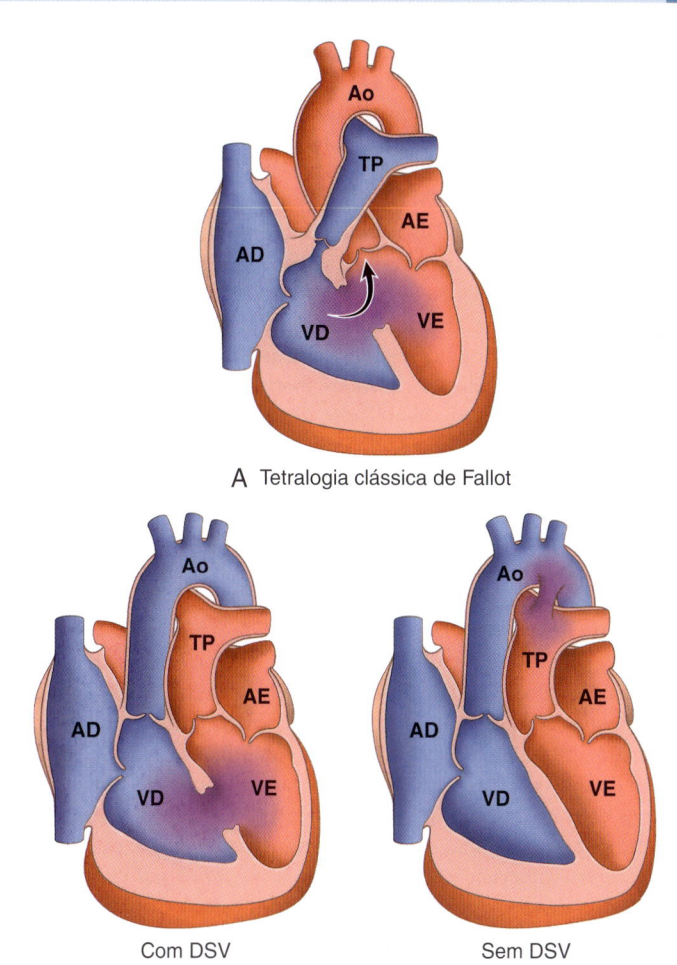

Figura 12.5 *Shunts* congênitos comuns da direita para a esquerda (cardiopatia congênita cianótica). **A.** Tetralogia de Fallot. A direção do *shunt* através do defeito do septo ventricular (*DSV*) depende do grau da estenose subpulmonar; quando grave, ocorre um *shunt* da direita para a esquerda (*seta*). **B.** Dextrotransposição das grandes artérias com e sem DSV. *AD*, átrio direito; *AE*, átrio esquerdo; *Ao*, Aorta; *TP*, tronco pulmonar; *VD*, ventrículo direito; *VE*, ventrículo esquerdo.

Características clínicas

Dependendo da gravidade da estenose subpulmonar, a TDF não tratada pode ser tolerada até a idade adulta; 10% dos indivíduos não operados estarão vivos aos 20 anos e 3% sobreviverão por 40 anos. Se a estenose subpulmonar for leve, a anormalidade se assemelha a um DSV isolado e o *shunt* pode ser da esquerda para a direita, sem cianose (a chamada tetralogia rosa). Com uma obstrução mais grave do fluxo do ventrículo direito, as pressões do lado direito se aproximam ou excedem as pressões do lado esquerdo, e o *shunt* da direita para a esquerda se desenvolve, produzindo cianose (TDF clássica). A maioria dos lactentes com TDF estão cianóticos no nascimento ou logo depois. Quanto mais grave a estenose subpulmonar, mais hipoplásicas são as artérias pulmonares (i. e., menores e com paredes mais finas) e maior é a aorta transposta. À medida que a criança cresce e o coração aumenta de tamanho, o orifício pulmonar não se expande proporcionalmente, tornando a obstrução cada vez pior. A estenose subpulmonar, entretanto, protege a vasculatura pulmonar da sobrecarga de pressão, e a insuficiência ventricular direita é rara, pois o ventrículo direito é descomprimido pelo desvio de sangue para o ventrículo esquerdo e a aorta. O reparo cirúrgico completo é possível, mas torna-se complicado para indivíduos com atresia pulmonar e artérias brônquicas dilatadas.

Transposição das grandes artérias

A TGA produz discordância ventrículo-arterial (o fluxo de saída do ventrículo indo para o vaso de saída errado). Na variante mais comum (dextro-TGA ou d-TGA), a aorta origina-se do ventrículo direito e a artéria pulmonar emana do ventrículo esquerdo (discordância ventrículo-arterial; **Figuras 12.5B e 12.6**). As conexões átrio-ventrículo são normais (concordantes), com o átrio direito unindo-se ao ventrículo direito e o átrio esquerdo esvaziando-se para o ventrículo esquerdo. O defeito embriológico na TGA completa tem origem na formação anormal dos septos aortopulmonar e do canal, ambos em espiral. O resultado é a separação das circulações sistêmica e pulmonar, uma condição incompatível com a vida pós-natal, a menos que exista um *shunt* para a mistura adequada de sangue.

O prognóstico de lactentes com d-TGA depende do grau de "mistura" do sangue, da magnitude da hipoxia do tecido e da capacidade do ventrículo direito de manter a circulação sistêmica. Pacientes com d-TGA e um DSV (aproximadamente 35%) costumam ter um *shunt* estável. No entanto, a dependência de um forame oval patente ou canal arterial para a mistura de sangue (nos 65% restantes) é problemática. Essas conexões sistêmico-pulmonares tendem a se fechar de maneira precoce e, portanto, requerem intervenção para criar um novo *shunt* nos primeiros dias de vida (p. ex., septostomia atrial com balão). Com o tempo, a hipertrofia ventricular direita torna-se proeminente, pois essa câmara está funcionando como o ventrículo sistêmico. Ao mesmo tempo, a parede do ventrículo esquerdo torna-se delgada (atrófica), uma vez que ele suporta a circulação pulmonar de baixa resistência. Sem cirurgia, a maioria dos pacientes morre em poucos meses. No entanto, com o aperfeiçoamento da intervenção cirúrgica precoce, normalmente com uma cirurgia de troca arterial, permite que muitos pacientes com d-TGA sobrevivam até a idade adulta.

Na levo-TGA (l-TGA, também comumente chamada de TGA "congenitamente corrigida"), que é menos comum, o átrio direito se conecta a um ventrículo com a morfologia interna de um ventrículo esquerdo (discordância atrioventricular), que por sua vez deságua no artérias pulmonares (discordância ventrículo-arterial); ao mesmo tempo, o átrio esquerdo se conecta a um ventrículo direito morfológico, que deságua na aorta (**Figura 12.7**). A l-TGA não leva à cianose e, de fato, pode ser totalmente assintomática, sendo diagnosticada na idade adulta apenas durante uma investigação de outros problemas cardíacos. No entanto, a l-TGA resultará em hipertrofia do ventrículo direito morfológico e, com o tempo, pode causar insuficiência cardíaca; também está frequentemente associada a outras DCCs, como DSV, DAS e forame oval patente.

Atresia tricúspide

A atresia tricúspide representa a oclusão completa do orifício da valva tricúspide. Resulta, embriologicamente, da divisão desigual do canal AV; assim, a valva mitral é maior que o normal e há subdesenvolvimento do ventrículo direito (hipoplasia). A circulação pode ser mantida por *shunt* direita-esquerda por meio de comunicação interatrial (DSA ou forame oval patente), além de um DSV que conecta o ventrículo esquerdo à artéria pulmonar que se origina no ventrículo direito hipoplásico. A cianose está presente praticamente desde o nascimento e a mortalidade precoce é elevada.

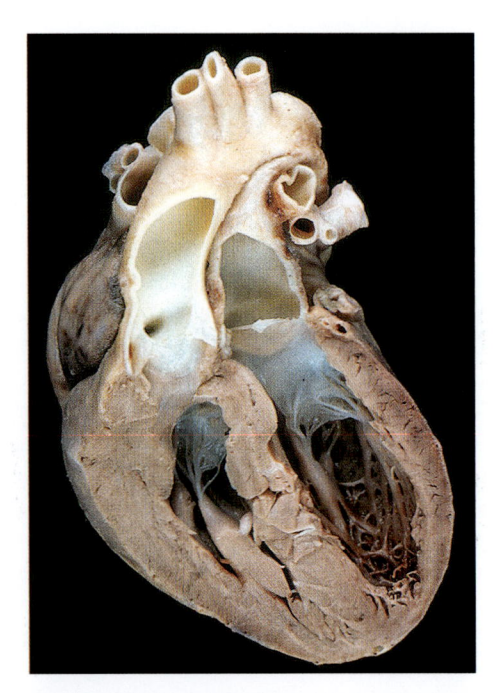

Figura 12.6 Dextrotransposição das grandes artérias. (Cortesia de William D. Edwards, MD, Mayo Clinic, Rochester, Minn.)

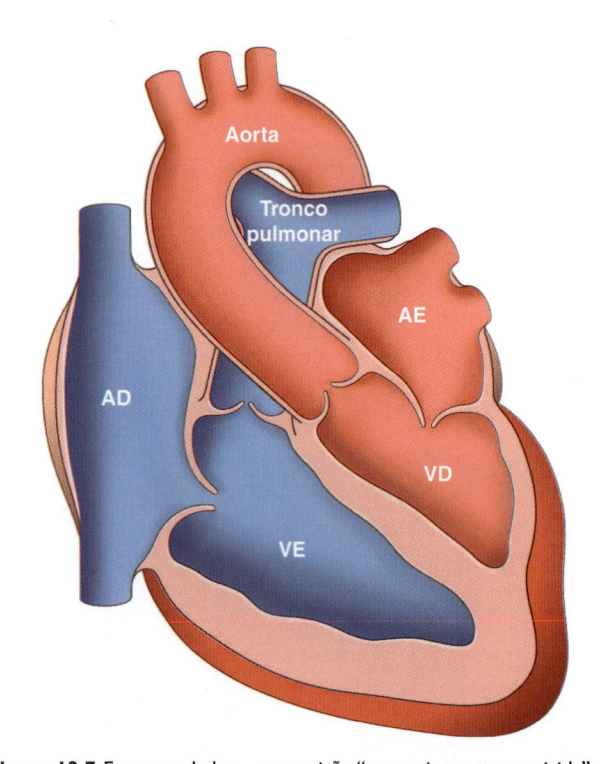

Figura 12.7 Esquema da levotransposição "congenitamente corrigida" das grandes artérias. O átrio direito (*AD*) flui para o ventrículo esquerdo (*VE*) morfológico, que se conecta às artérias pulmonares; o átrio esquerdo (*AE*) se conecta ao ventrículo direito (*VD*) morfológico, que deságua na aorta, que é anormalmente anterior e à esquerda. Essa malformação congênita pode ser bem tolerada, apresentando-se apenas relativamente mais tarde na idade adulta com descompensação morfológica do ventrículo direito.

Lesões obstrutivas

A obstrução congênita ao fluxo sanguíneo pode ocorrer no nível das valvas cardíacas ou dentro de um grande vaso. Exemplos comuns incluem estenose ou atresia da valva aórtica ou pulmonar e coarctação da aorta. A obstrução também pode ocorrer dentro de uma câmara, como ocorre com a estenose subpulmonar na TDF.

Coarctação da aorta

A coarctação (estreitamento, compressão) da aorta tem alta frequência entre as anomalias estruturais comuns. É duas vezes mais comum em homens do que em mulheres; curiosamente, mulheres com síndrome de Turner também costumam ser afetadas (ver **Capítulo 5**). Existem duas formas clássicas: (1) uma forma "infantil" – muitas vezes sintomática na primeira infância – com hipoplasia tubular do arco aórtico proximal a uma PCA; e (2) uma forma "adulta" com uma discreta prega semelhante a uma crista da aorta em posição exatamente oposta ao canal arterial fechado (ligamento arterial), distal aos vasos do arco (**Figura 12.8**). A invasão da luz aórtica é variável, algumas vezes deixando apenas um pequeno canal e outras vezes produzindo apenas um estreitamento mínimo. Embora a coarctação da aorta possa ocorrer como um defeito solitário, em 50% dos casos é acompanhada por uma valva aórtica bicúspide e também pode estar associada a estenose aórtica congênita, DSA, DSV, regurgitação mitral ou aneurismas saculares do polígono de Willis.

> **Morfologia**
>
> A **coarctação pré-ductal** caracteriza-se pelo estreitamento circunferencial do segmento aórtico entre a artéria subclávia esquerda e o canal arterial; o canal costuma estar patente e é a principal fonte de sangue (não oxigenado) fornecido para a aorta distal. O tronco pulmonar encontra-se dilatado para comportar o aumento do fluxo sanguíneo; como o lado direito do coração agora perfunde o corpo distal ao segmento estreitado ("coarctado"), o ventrículo direito normalmente está hipertrofiado.
>
> Na **coarctação pós-ductal "adulta"**, o tipo mais comum, a aorta encontra-se fortemente comprimida por uma crista de tecido adjacente ao ligamento arterial não patente (ver **Figura 12.8B**). O segmento comprimido é composto de músculo liso e fibras elásticas derivadas da média da aorta. Em localização proximal à coarctação, o arco aórtico e seus vasos ramificados estão dilatados e o ventrículo esquerdo, hipertrofiado.

Características clínicas

As manifestações clínicas dependem da gravidade do estreitamento e da patência do canal arterial. A coarctação da aorta com PCA costuma se manifestar no início da vida; na verdade, pode causar sinais e sintomas imediatamente após o nascimento. Nesses casos, o fornecimento de sangue não saturado por meio da PCA produz cianose localizada na metade inferior do corpo. Muitos desses lactentes não sobrevivem ao período neonatal sem intervenção cirúrgica ou por cateter para ocluir a PCA.

A perspectiva é diferente com a coarctação da aorta sem PCA, a menos que a constrição aórtica seja grave. A maioria das crianças é assintomática e a doença pode não ser reconhecida até a idade adulta. Normalmente, há hipertensão nas extremidades superiores e pulsos fracos e hipotensão nas extremidades inferiores, associada a manifestações de insuficiência arterial (*i. e.*, claudicação e frio).

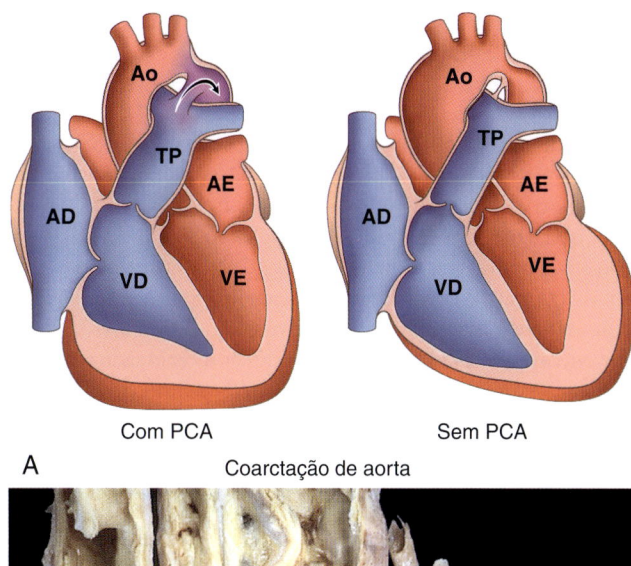

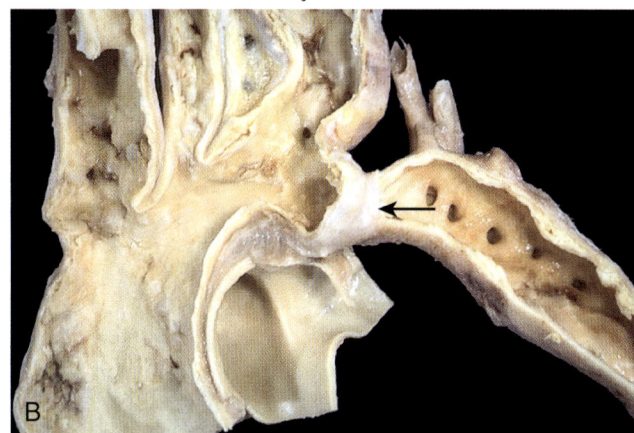

Figura 12.8 A. Esquema da coarctação da aorta com e sem persistência do canal arterial (*PCA*). **B.** Coarctação da aorta tipo pós-ductal. A coarctação é um estreitamento segmentar da aorta (*seta*). Essas lesões costumam se manifestar mais tarde na vida do que as coarctações pré-ductais. A aorta ascendente dilatada e os vasos principais estão à esquerda da coarctação. As extremidades inferiores são perfundidas predominantemente por meio de canais colaterais dilatados e tortuosos. *AD*, átrio direito; *AE*, átrio esquerdo; *Ao*, Aorta; *PCA*, persistência do canal arterial; *TP*, tronco pulmonar; *VD*, ventrículo direito; *VE*, ventrículo esquerdo. (**A,** Cortesia de William D. Edwards, MD, Mayo Clinic, Rochester, Minn. **B,** Cortesia de Sid Murphree, MD, Department of Pathology, University of Texas Southwestern Medical School, Dallas, Tex.)

O desenvolvimento de circulação colateral entre as artérias pré e pós-coarctação por meio das artérias intercostais e mamárias internas aumentadas é característico, muitas vezes produzindo marcas radiograficamente visíveis ("entalhes") da superfície inferior das costelas.

Com coarctações significativas, sopros estão presentes ao longo da sístole; às vezes, um "frêmito" vibratório também está presente. A sobrecarga de pressão cronicamente leva à hipertrofia concêntrica do ventrículo esquerdo. Com a coarctação da aorta não complicada, a ressecção cirúrgica e a anastomose término-terminal ou a substituição do segmento aórtico afetado por uma prótese apresentam excelentes resultados.

Atresia e estenose pulmonar

A estenose ou atresia pulmonar é uma malformação relativamente frequente que leva à obstrução no nível da valva pulmonar. Pode ser leve a grave; a lesão também pode ser isolada ou parte de uma anomalia mais complexa – TDF ou TGA. Em geral, há o desenvolvimento de hipertrofia ventricular direita e, às vezes, há dilatação pós-estenótica da artéria pulmonar devido à lesão da parede por jatos de alta pressão através da valva estenótica. Com a estenose subpulmonar coexistente (como na TDF), o tronco pulmonar não está dilatado e pode, de fato, ser hipoplásico. Quando a valva está totalmente atrésica, não há comunicação entre o ventrículo direito e os pulmões. Nesses casos, a anomalia está associada a um ventrículo direito hipoplásico e um DSA; o sangue chega aos pulmões por meio de uma PCA. A estenose leve pode ser assintomática e compatível com vida longa, enquanto os casos sintomáticos requerem correção cirúrgica. Quando o VD está gravemente hipoplásico, o sangue pode ser direcionado por meio de cirurgia direto da veia cava para a artéria pulmonar, desviando do lado direito do coração.

Atresia e estenose aórtica

O estreitamento e a obstrução congênitos da valva aórtica podem ocorrer em três locais: valvar, subvalvar e supravalvar. A estenose congênita da valva aórtica é uma lesão isolada em 80% dos casos. Com a estenose aórtica valvar, as cúspides podem ser hipoplásicas (pequenas), displásicas (espessadas, nodulares) ou anormais em número (geralmente com uma ou nenhuma comissura). Na estenose ou atresia congênita aórtica grave, a obstrução da via de saída do ventrículo esquerdo leva à hipoplasia do ventrículo esquerdo e da aorta ascendente, algumas vezes acompanhada por fibroelastose endocárdica densa do ventrículo esquerdo, semelhante a porcelana; o canal arterial deve estar patente para permitir o fluxo sanguíneo para a aorta e artérias coronárias. A constelação de achados é chamada de síndrome do coração esquerdo hipoplásico e, a menos que a patência da PCA seja preservada, o fechamento do canal na primeira semana de vida costuma ser letal. Os pacientes afetados necessitam de cirurgias que permitam que o ventrículo direito se torne a bomba para a circulação sistêmica, com os pulmões sendo perfundidos a partir de um "conduíte" paralelo do ventrículo direito ou passivamente a partir das veias cavas.

A estenose subaórtica é causada por um anel ou colarinho espessado de tecido fibroso endocárdico denso abaixo do nível das cúspides. A estenose aórtica supravalvar é uma displasia aórtica congênita com espessamento e constrição da parede da aorta ascendente. As mutações no gene da elastina podem causar estenose supravalvar ao interromper as interações elastina-célula do músculo liso durante a morfogênese aórtica. A estenose subaórtica costuma estar associada a um sopro sistólico proeminente e, às vezes, a um frêmito. A hipertrofia por pressão do ventrículo esquerdo desenvolve-se como consequência da obstrução ao fluxo sanguíneo; a menos que seja muito grave, a estenose costuma ser bem tolerada, embora a hipertrofia ventricular esquerda ainda acarrete um risco de morte súbita cardíaca.

Conceitos-chave

Doença cardíaca congênita

- DCC representa defeitos das câmaras cardíacas ou dos grandes vasos; estes normalmente resultam em desvio de sangue entre as circulações direita e esquerda ou causam obstrução do fluxo. As lesões variam de relativamente assintomáticas a rapidamente fatais. Tanto causas ambientais quanto genéticas contribuem, e as manifestações dependem do momento do insulto ambiental e de qual etapa do desenvolvimento cardíaco é afetada

- Os *shunts* esquerda-direita são mais comuns e costumam estar associados a DSA, DSV ou PCA. Essas lesões resultam em sobrecargas crônicas de volume e pressão do lado direito que, com o tempo, causam hipertensão pulmonar com reversão do fluxo e *shunts* direita-esquerda com cianose (síndrome de Eisenmenger)
- Os *shunts* direita-esquerda são mais comumente causados por TDF ou TGA. Estas são, desde o início, lesões cianóticas e estão associadas a policitemia, efeitos de cianose periférica e êmbolos paradoxais
- Lesões obstrutivas incluem estenoses valvares e coarctação aórtica; a gravidade clínica da lesão depende do grau de estenose e da patência do canal arterial.

Doença isquêmica do coração

Doença isquêmica do coração (DIC) é um termo que representa um grupo de entidades relacionadas resultantes da isquemia miocárdica – um desequilíbrio entre o suprimento miocárdico (perfusão) e a demanda cardíaca por sangue oxigenado. A isquemia não apenas limita a oxigenação do tecido (e, portanto, a geração de ATP), mas também reduz a disponibilidade de nutrientes e a remoção de resíduos metabólicos (ver **Capítulo 2**). Assim, a isquemia cardíaca geralmente não é tão bem tolerada quanto a hipoxemia *per se*, como pode ocorrer com anemia grave, doença cardíaca cianótica ou doença pulmonar avançada.

Em mais de 90% dos casos, a isquemia miocárdica resulta da redução do fluxo sanguíneo devido a lesões ateroscleróticas obstrutivas nas artérias coronárias epicárdicas; consequentemente, a DIC é, com frequência, chamada de doença arterial coronariana (DAC). Na maioria dos casos, há um longo período (até décadas) de progressão lenta e silenciosa das lesões coronarianas antes do início súbito dos sintomas. Assim, a DIC costuma ser a manifestação tardia da aterosclerose coronariana que começou durante a infância ou adolescência (ver **Capítulo 11**).

A DIC pode se manifestar por meio de uma ou mais das seguintes apresentações clínicas:

- *Infarto agudo do miocárdio (IAM)*, no qual a isquemia causa necrose cardíaca franca
- *Angina de peito* (literalmente "dor no peito"), na qual a isquemia não é grave o suficiente para causar infarto, mas os sintomas pressagiam esse risco
- *Cardiopatia isquêmica (CI) crônica* com insuficiência cardíaca
- *Morte súbita cardíaca (MSC)*.

Além da aterosclerose coronariana, a isquemia miocárdica pode ser causada por êmbolos coronários, inflamação dos vasos do miocárdio ou espasmo vascular. Além disso, oclusões da artéria coronária que de outra forma seriam modestas podem se tornar significativas em uma situação de aumento da demanda de energia pelo coração (p. ex., hipertrofia miocárdica ou aumento da frequência cardíaca), hipoxemia ou hipotensão sistêmica (p. ex., choque). Algumas condições podem ter vários efeitos danosos. Assim, a taquicardia aumenta a demanda de oxigênio (por causa de mais contrações por unidade de tempo) enquanto diminui o suprimento funcional (por diminuir o tempo relativo gasto em diástole, quando ocorre a perfusão cardíaca).

Epidemiologia

A DIC é a maior causa de mortalidade em todo o mundo, sendo responsável por mais de 12% das mortes globais; nas nações industrializadas, isso equivale a mais de 7,5 milhões de vítimas a cada ano. Mesmo em países de baixa renda, os avanços no tratamento e prevenção de doenças infecciosas e a crescente adoção de dietas ocidentalizadas estão acelerando a incidência de DIC; prevê-se que em breve também se tornará a principal causa de mortalidade nesses países.

Ao mesmo tempo, há motivos para otimismo; desde o pico em meados da década de 1960, a taxa geral de mortalidade por DIC caiu nos EUA em mais de 50%. Essa melhoria notável pode ser atribuída aos seguintes fatores:

- *Prevenção*, obtida por meio da modificação de fatores de risco importantes, como tabagismo, nível de colesterol no sangue e hipertensão. A redução adicional do risco pode ocorrer por meio da perda de peso, exercícios e manutenção de um bom controle glicêmico em pacientes diabéticos
- *Avanços diagnósticos e terapêuticos*, permitindo tratamentos mais precoces e eficazes. Os últimos incluem medicamentos redutores de colesterol (e de inflamação), como estatinas, trombólise para oclusões coronarianas agudas, melhor manejo medicamentoso após o IAM, angioplastia coronária e implante de *stent*, cirurgia de revascularização do miocárdio (CRM) e terapias aprimoradas para a insuficiência cardíaca e arritmias usando DAVs esquerdos, desfibriladores implantáveis e técnicas de ressincronização cardíaca. Mesmo o uso de ácido acetilsalicílico profilático diário pode ter benefícios terapêuticos.

Dar continuidade a essa tendência encorajadora será um desafio, sobretudo em vista do aumento da longevidade dos *baby boomers* (que levará a uma duplicação de indivíduos com mais de 65 anos em 2050) e a "epidemia de obesidade". Novos avanços terapêuticos dependerão da compreensão dos determinantes genéticos da aterosclerose coronariana e da DIC. Assim, a observação de que os IAMs ocorrem em apenas uma fração dos indivíduos com doença coronariana sugere que o simples controle dos fatores de risco ateroscleróticos é apenas parte da história.

Patogênese

A causa dominante das síndromes de DIC é a perfusão coronária insuficiente em relação à demanda miocárdica; na grande maioria dos casos, isso se deve a um dos seguintes fatores:

- Estreitamento aterosclerótico *crônico* e progressivo das artérias coronárias epicárdicas
- Graus variáveis de alteração *aguda* na placa, trombose e vasospasmo sobrepostos.

Os elementos individuais e suas interações são discutidos a seguir.

Oclusão vascular crônica

Mais de 90% dos pacientes com DIC têm aterosclerose envolvendo uma ou mais artérias coronárias epicárdicas (ver **Capítulo 11**). Uma lesão fixa obstruindo mais de 70% da área transversal vascular (chamada de "estenose crítica") é normalmente citada como o limiar para a isquemia sintomática precipitada pelo exercício (se manifestando de forma característica como angina de esforço). Com esse grau de obstrução, a vasodilatação arterial coronariana compensatória não é mais suficiente para atender a aumentos ainda que moderados na demanda miocárdica. A obstrução de 90% da área transversal da luz costuma levar a um fluxo sanguíneo coronário inadequado, mesmo em repouso. Obstruções de desenvolvimento lento induzem a formação de circulação colateral, que pode mitigar os efeitos mesmo de estenoses de alto grau, ao permitir que canais alternativos perfundam o miocárdio em risco. Consequentemente, em vez de apenas avaliar a extensão da estenose vascular local, as medições do fluxo coronário através da estenose (reservas de fluxo) fornecem uma melhor avaliação das consequências das oclusões fixas da artéria coronária, sobretudo quando multifocais.

Embora apenas um único ramo epicárdico das artérias coronárias principais possa ser afetado, dois ou todos os três – descendente anterior esquerdo (DAE), circunflexo esquerdo (CXE) e artéria coronária direita (ACD) – costumam ser envolvidos simultaneamente pela aterosclerose obstrutiva. Placas clinicamente significativas podem estar localizadas em qualquer lugar ao longo do curso das artérias coronárias, embora tendam a predominar nos primeiros centímetros da DAE e CXE. Às vezes, os principais ramos epicárdicos das coronárias também estão envolvidos (*i. e.*, ramos diagonais de DAE, ramos marginais obtusos de CXE ou ramo descendente posterior da ACD), mas a aterosclerose dos ramos intramiocárdicos (penetrantes) é rara. Assim, a maioria das estenoses ateroscleróticas pode ser acessada por cateterismo coronário.

Alteração aguda da placa

O risco de um indivíduo desenvolver DIC clinicamente importante depende, em parte, do número, da distribuição, da estrutura e do grau de obstrução por placas ateromatosas. No entanto, as diversas manifestações clínicas da DIC não podem ser explicadas apenas pela carga da doença anatômica e pelas estenoses fixas. Isso vale sobretudo para as chamadas síndromes coronarianas agudas, ou seja, quando a angina instável, o infarto do miocárdio agudo e a morte súbita são causados abruptamente por alterações agudas da placa. Essas síndromes coronarianas agudas costumam ser iniciadas por uma conversão imprevisível e repentina de uma placa aterosclerótica estável em uma lesão aterotrombótica instável e com potencial fatal por meio de ruptura, erosão superficial, ulceração, fissura ou hemorragia profunda (geralmente chamados de alterações agudas da placa) (ver **Capítulo 11**). Na maioria dos casos, as alterações agudas da placa – normalmente associadas à inflamação intralesional – precipitam a formação de um trombo sobreposto que obstrui parcial ou completamente a artéria. Resta saber se os regimes anti-inflamatórios agressivos são um meio de reduzir esses eventos coronários agudos.

Consequências da isquemia miocárdica

- A *angina estável* resulta de aumentos na demanda de oxigênio do miocárdio que ultrapassam a capacidade das artérias coronárias com estenoses fixas de elevar o fornecimento de oxigênio; costuma não estar associada à ruptura de placas
- A *angina instável* é causada por alteração aguda da placa que resulta em trombose e/ou vasoconstrição e leva a reduções incompletas ou transitórias no fluxo sanguíneo coronário. Em alguns casos, podem ocorrer microinfartos distais às placas rompidas devido a tromboêmbolos
- O *infarto agudo do miocárdio* (*IAM*) costuma ser resultado de alteração aguda de placas que induz uma oclusão trombótica abrupta, resultando em necrose miocárdica
- A *morte súbita cardíaca* pode ser causada por isquemia miocárdica regional que induz uma arritmia ventricular fatal. Isso pode ser o resultado de uma estenose fixa ou alteração aguda da placa.

Cada uma dessas importantes síndromes será discutida em detalhes a seguir, sucedida por um exame das principais consequências para o miocárdio.

Angina de peito

A angina de peito caracteriza-se por ataques paroxísticos e geralmente recorrentes de desconforto torácico subesternal ou precordial causado por isquemia miocárdica transitória (de 15 segundos a 15 minutos), que é insuficiente para induzir necrose de miócitos. A dor anginosa é uma consequência da liberação induzida pela isquemia de adenosina, bradicinina e outras moléculas que estimulam os nervos aferentes simpáticos e vago. São reconhecidos três padrões de sobreposição de angina de peito, causados por combinações variáveis de perfusão diminuída, demanda aumentada e patologia arterial coronariana. É importante notar que nem todos os eventos isquêmicos são percebidos pelos pacientes; a isquemia silenciosa é particularmente comum na população geriátrica e no contexto da neuropatia diabética:

- A *angina estável (típica)* é a forma mais comum de angina; é causada por um desequilíbrio na perfusão coronária (devido à aterosclerose coronariana estenosante crônica) em relação à demanda miocárdica. A angina estável não ocorre em repouso, mas em um determinado paciente pode ser induzida por atividades que aumentam as necessidades energéticas do coração, como atividade física, exaltação emocional ou estresse psicológico. A angina de peito costuma ser descrita como uma sensação subesternal de esmagamento (dor em aperto) ou compressão que pode irradiar para o braço ou para a mandíbula esquerdos (*dor referida*). A dor geralmente é aliviada pelo repouso (diminuição da demanda) ou pela administração de vasodilatadores, como nitroglicerina e bloqueadores dos canais de cálcio (aumentando, assim, a perfusão)
- A *angina variante de Prinzmetal* é uma forma incomum de isquemia miocárdica episódica causada por espasmo da artéria coronária. Embora os indivíduos com angina variante de Prinzmetal também possam ter aterosclerose coronariana significativa, os ataques de angina não estão relacionados a atividade física, frequência cardíaca ou pressão arterial e podem ocorrer em repouso. A angina de Prinzmetal em geral responde prontamente aos vasodilatadores
- *Angina instável* ou *em crescendo* refere-se a um padrão de angina cada vez mais frequente, prolongada (> 20 min) ou grave, precipitada por níveis progressivamente mais baixos de atividade física ou mesmo ocorrendo em repouso. A angina instável está associada a ruptura da placa e trombose sobreposta, embolização distal do trombo e/ou vasospasmo; é um precursor importante de IAM, podendo pressagiar oclusão vascular completa.

Infarto agudo do miocárdio

O IAM, também chamado de "ataque cardíaco", é a morte do músculo cardíaco devido à isquemia prolongada. Aproximadamente 1,5 milhão de pessoas nos EUA sofre um infarto agudo do miocárdio a cada ano, causando cerca de 610 mil mortes por ano. A principal causa subjacente de DIC é a aterosclerose; embora os IAMs possam ocorrer em praticamente qualquer idade, 10% dos IAMs ocorrem em pessoas com menos de 40 anos e 45% em pessoas com menos de 65. No entanto, a frequência se eleva progressivamente com o aumento da idade e com o aumento dos fatores de risco ateroscleróticos (ver **Capítulo 11**). Na meia-idade, o gênero masculino aumenta o risco relativo de IAM; na verdade, as mulheres costumam ser protegidas contra IAM durante seus anos reprodutivos. Entretanto, o declínio pós-menopausa na produção de estrogênio está associado, em geral, à DAC acelerada, e a DIC é a causa mais comum de morte em mulheres mais velhas. Infelizmente, a terapia de reposição hormonal pós-menopausa não se mostrou protetora e, de fato, em alguns casos, pode ser prejudicial.

Patogênese

Oclusão da artéria coronária. A seguinte sequência de eventos é a causa provável por trás da maioria dos IAMs (ver **Capítulo 11** para mais detalhes):

- Uma placa ateromatosa se erode ou se rompe repentinamente por lesão endotelial, hemorragia intraplaca ou forças mecânicas, expondo o colágeno subendotelial e o conteúdo da placa necrótica ao sangue
- As plaquetas aderem, agregam-se e são ativadas, liberando tromboxano A_2, adenosina difosfato (ADP) e serotonina – causando mais agregação plaquetária e vasospasmo (ver **Capítulo 4**)
- A ativação da coagulação por fator tecidual e outros mecanismos aumenta o trombo em crescimento
- Em minutos, o trombo pode evoluir e ocluir completamente a luz da artéria coronária.

As evidências para essa situação derivam de estudos de necropsia de pacientes que morreram de infarto agudo do miocárdio, bem como de estudos de imagem que demonstram uma alta frequência de oclusão trombótica logo após o IAM; curiosamente, a comparação com angiografias anteriores mostra que esses trombos, em geral, estão em um local que não apresentava previamente uma estenose fixa crítica (> 70%). Normalmente, quando a angiografia é realizada dentro de 4 horas após o início do IAM, ela demonstra trombose coronária em quase 90% dos casos. No entanto, quando a angiografia é realizada 12 a 24 horas após o início dos sintomas, as evidências de trombose são observadas em apenas 60% dos pacientes, mesmo sem intervenção. Assim, pelo menos algumas oclusões são eliminadas espontaneamente por lise do trombo ou relaxamento do espasmo. Essa sequência de eventos em um IAM típico também tem implicações terapêuticas: a trombólise e/ou angioplastia precoce podem ser muito bem-sucedidas em limitar a extensão da necrose miocárdica.

Em aproximadamente 10% dos casos, o IAM ocorre na ausência da aterotrombose coronária típica. Nessas situações, outros mecanismos podem ser responsáveis pela redução do fluxo sanguíneo coronário:

- *Vasospasmo* com ou sem aterosclerose coronariana, talvez em associação com agregação plaquetária ou devido à ingestão de drogas ilícitas ou medicamentos (p. ex., cocaína ou efedrina)
- *Êmbolos* do átrio esquerdo em associação com fibrilação atrial, trombo mural do lado esquerdo, vegetações da endocardite infecciosa (EI), material protético intracardíaco ou êmbolos paradoxais provenientes do lado direito do coração ou de veias periféricas atravessando um forame oval patente e entrando nas artérias coronárias
- *Causas incomuns* de IAM sem aterotrombose incluem distúrbios de pequenos vasos coronários intramurais (p. ex., vasculite), anormalidades hematológicas (p. ex., doença falciforme),

deposição de amiloide nas paredes vasculares, dissecção vascular, hipertrofia acentuada (p. ex., devido a estenose aórtica), pressão arterial sistêmica reduzida (p. ex., choque) ou "proteção" miocárdica inadequada durante cirurgia cardíaca.

Resposta miocárdica. A obstrução arterial coronariana diminui o fluxo sanguíneo para uma região do miocárdio, causando isquemia, disfunção miocárdica rápida e, com o tempo – com comprometimento vascular prolongado – morte de miócitos. A região anatômica irrigada por essa artéria é chamada de área em risco. O desfecho depende predominantemente da gravidade e da duração da privação de fluxo (**Figura 12.9**).

A consequência bioquímica inicial da isquemia miocárdica é a cessação do metabolismo aeróbio em segundos, levando à produção inadequada de fosfatos de alta energia (p. ex., fosfato de creatina e adenosina trifosfato) e acúmulo de metabólitos com potencial nocivo (p. ex., ácido láctico) (ver **Figura 12.9A**). Devido à extraordinária dependência que a função miocárdica tem de oxigênio e nutrientes, a contratilidade miocárdica cessa cerca de um minuto após o início da isquemia grave. Essa perda de função contribui para a diminuição da função sistólica muito antes de ocorrer a morte do miócito.

Conforme detalhado no **Capítulo 2**, alterações ultraestruturais (como relaxamento miofibrilar, esgotamento de glicogênio, edema celular e mitocondrial) também se desenvolvem poucos minutos após o início da isquemia. No entanto, essas manifestações precoces de lesão isquêmica talvez possam ser reversíveis. De fato, a evidência experimental e clínica mostra que apenas a isquemia grave (fluxo sanguíneo de 10% ou menos do normal) com duração de 20 a 30 minutos ou mais leva a danos irreversíveis (necrose) dos miócitos cardíacos. Esse retardo no início da lesão miocárdica permanente fornece a justificativa para o diagnóstico rápido no infarto agudo do miocárdio – permitir a intervenção coronária precoce para restabelecer a perfusão e salvar o miocárdio "em risco" tanto quanto possível.

A primeira característica detectável da necrose do miócito é a ruptura da integridade da membrana sarcolemal, permitindo que macromoléculas intracelulares vazem das células necróticas para o interstício cardíaco e, por fim, para a microvasculatura e os vasos linfáticos. Essa fuga de proteínas miocárdicas intracelulares para a circulação constitui a base para os exames de sangue que podem detectar com sensibilidade o dano irreversível aos miócitos e são importantes para o manejo do IAM (ver adiante). Com a isquemia grave prolongada, a lesão da microvasculatura ocorre após a lesão dos miócitos cardíacos. A progressão temporal desses eventos está resumida na **Tabela 12.4**.

A progressão da necrose isquêmica no miocárdio está resumida na **Figura 12.10**. A lesão irreversível dos miócitos isquêmicos ocorre primeiro na zona subendocárdica. Essa região é especialmente suscetível à isquemia por ser a última área a receber sangue dos vasos epicárdicos e também por estar exposta a pressões intramurais relativamente altas, que atuam para impedir o influxo de sangue. Com a isquemia mais prolongada, a onda de morte celular se desloca por outras regiões do miocárdio, impulsionada por edema tecidual progressivo e espécies reativas de oxigênio derivadas do miocárdio e mediadores inflamatórios.

A localização, o tamanho e as características morfológicas específicas de um infarto agudo do miocárdio dependem:

- Da *localização, da gravidade e da velocidade de desenvolvimento de obstruções coronarianas* devido a aterosclerose e tromboses

Tabela 12.4 Tempo aproximado de início de eventos-chave em miócitos cardíacos isquêmicos.

Característica	Tempo
Início da depleção de ATP	Segundos
Perda de contratilidade	< 2 min
ATP reduzido	
a 50% do normal	10 min
a 10% do normal	40 min
Lesão celular irreversível	20 a 40 min
Lesão microvascular	> 1 h

ATP, adenosina trifosfato.

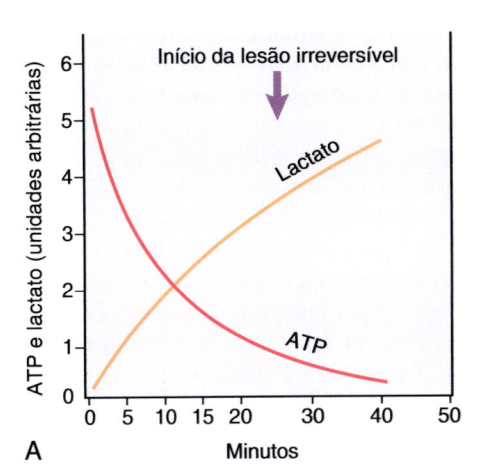

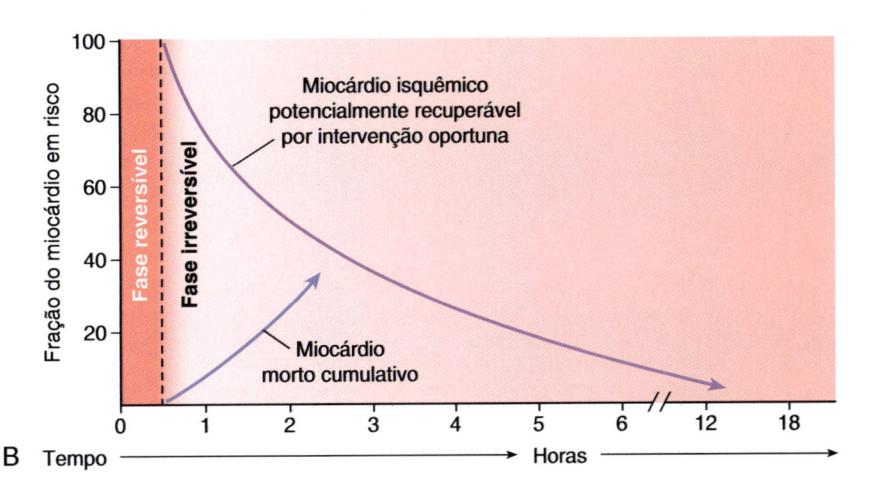

Figura 12.9 Sequência temporal dos achados bioquímicos iniciais e progressão da necrose dos cardiomiócitos após o início da isquemia miocárdica grave. **A.** As alterações iniciais incluem perda de adenosina trifosfato (ATP) e acúmulo de lactato. **B.** Por aproximadamente 30 minutos após o início até mesmo da isquemia mais grave, a lesão miocárdica ainda pode ser reversível. Posteriormente, ocorre perda progressiva de viabilidade, que se torna completa em 6 a 12 horas. Os benefícios da reperfusão são maiores quando ela é alcançada precocemente e são progressivamente perdidos quando a reperfusão é retardada. (Modificada, com autorização, de Antman E: Acute myocardial infarction. In Braunwald E, et al., editors: *Heart Disease: a Textbook of Cardiovascular Medicine*, ed. 6, Philadelphia, 2001, WB Saunders, p. 1114-1231.)

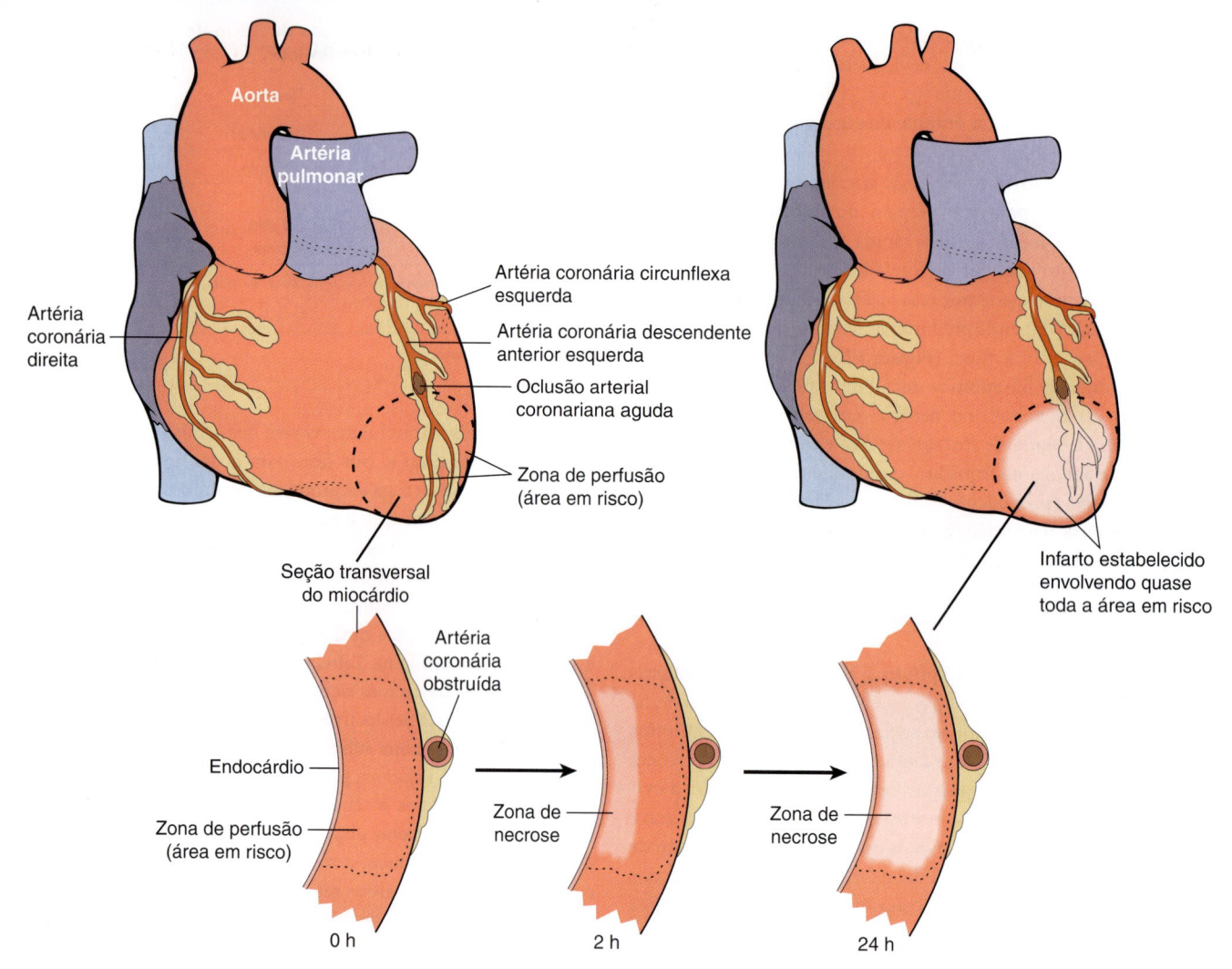

Figura 12.10 Progressão da necrose miocárdica após a oclusão da artéria coronária. A necrose começa em uma pequena zona do miocárdio abaixo da superfície endocárdica no centro da zona isquêmica. A área que depende do vaso ocluído para perfusão é o miocárdio "em risco" (*sombreado*). Observe que uma zona muito estreita do miocárdio logo abaixo do endocárdio é poupada da necrose porque o oxigênio e a nutrição podem ser fornecidos pela difusão a partir do ventrículo.

- Do *tamanho do leito vascular* perfundido pelos vasos obstruídos
- Da *duração* da oclusão
- Das necessidades metabólicas e de oxigênio do miocárdio em risco
- Da extensão da presença de *circulação colateral*
- Da presença, do local e da gravidade do *espasmo arterial coronariano*
- De *outros fatores*, como frequência cardíaca, ritmo cardíaco e oxigenação do sangue.

Um infarto geralmente atinge sua extensão total dentro de 3 a 6 horas; na ausência de intervenção, um infarto causado pela oclusão de um vaso epicárdico pode envolver toda a espessura da parede (infarto transmural). A intervenção clínica dentro dessa janela crítica de tempo pode diminuir o tamanho do infarto dentro do território em risco.

Padrões de infarto. A distribuição da necrose miocárdica se correlaciona com a localização e a causa da perfusão diminuída (**Figura 12.11**).

O conhecimento das áreas do miocárdio perfundidas pelas principais artérias coronárias permite correlacionar as obstruções vasculares específicas com suas áreas correspondentes de IAM. Normalmente, o ramo DAE da artéria coronária esquerda irriga a maior parte do ápice do coração, a parede anterior do ventrículo esquerdo e os dois terços anteriores do septo interventricular. Por convenção, a artéria coronária – seja ACD, seja ramo CXE da ACE – que perfunde o terço posterior do septo é chamada de "dominante" (embora os ramos DAE e CXE costumem perfundir a maior parte do miocárdio do ventrículo esquerdo). Em uma circulação dominante direita (presente em aproximadamente 80% dos indivíduos), a ACD irriga toda a parede livre do ventrículo direito, a parede posterobasal do ventrículo esquerdo e o terço posterior do septo ventricular, e o ramo CXE da ACE, em geral, perfunde apenas a parede lateral do ventrículo esquerdo. Assim, as oclusões da ACD podem levar a danos no ventrículo esquerdo.

Embora a maioria dos corações tenha numerosas anastomoses intercoronarianas (circulação colateral), pouco sangue costuma passar por elas. No entanto, quando uma artéria coronária se estreita progressivamente ao longo do tempo, o sangue flui através

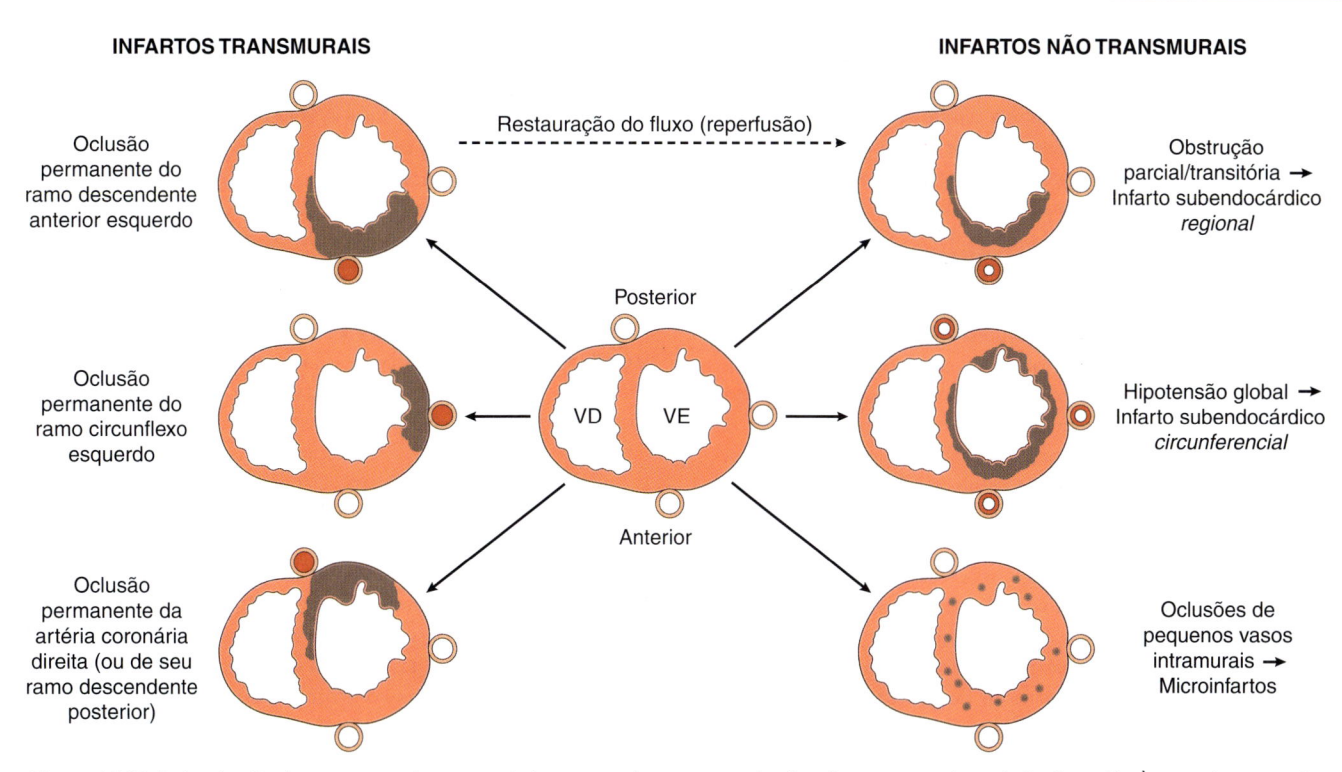

Figura 12.11 A distribuição da necrose isquêmica miocárdica se correlaciona com a localização e natureza da perfusão diminuída. À *esquerda*, as posições dos infartos agudos transmurais resultantes de oclusões das principais artérias coronárias; *de cima para baixo*, artérias descendente anterior esquerda, circunflexa esquerda e coronária direita. À *direita*, os tipos de infartos que resultam de oclusão parcial ou transitória, hipotensão global ou oclusão de pequenos vasos intramurais.

das colaterais pela circulação de alta pressão para a de baixa pressão, fazendo com que os canais se alarguem. Por meio dessa dilatação e crescimento progressivos de colaterais, estimulados pela isquemia, o fluxo sanguíneo é fornecido às áreas do miocárdio que, de outra forma, estariam privadas de perfusão adequada. De fato, em um contexto de colateralização extensa, os territórios de perfusão epicárdica normal podem ser expandidos de tal forma que a oclusão subsequente leva ao infarto em distribuições paradoxais.

Os infartos transmurais ocorrem quando há oclusão de um vaso epicárdico (na ausência de qualquer intervenção terapêutica) – a necrose envolve praticamente toda a espessura da parede ventricular na distribuição da artéria coronária afetada. Esse padrão de infarto costuma estar associado a uma combinação de aterosclerose coronariana crônica, alteração aguda da placa e trombose sobreposta (discutida anteriormente).

Os infartos subendocárdicos (não transmurais) podem ocorrer como resultado de uma ruptura de placa seguida por um trombo coronário que é posteriormente lisado (terapêutica ou espontaneamente) antes que a necrose miocárdica se estenda por toda a espessura da parede. Os infartos subendocárdicos também podem resultar de uma redução grave e prolongada da pressão arterial sistêmica, como no choque sobreposto a estenoses coronarianas crônicas, mas não críticas. Nos infartos subendocárdicos que ocorrem como resultado de hipotensão global, o dano miocárdico costuma ser circunferencial, em vez de se limitar à distribuição de uma única artéria coronária principal.

Microinfarto multifocal refere-se a um padrão que é visto quando há patologia envolvendo apenas vasos intramurais menores. Pode ocorrer no contexto de microembolização, vasculite ou espasmo vascular, por exemplo, devido a catecolaminas endógenas (epinefrina) ou drogas ilícitas ou fármacos (cocaína ou efedrina). Níveis elevados de catecolaminas também aumentam a frequência cardíaca e a contratilidade miocárdica, exacerbando a isquemia causada pelo vasospasmo. O resultado de tal vasospasmo pode ser morte súbita cardíaca (geralmente causada por uma arritmia fatal) ou uma cardiomiopatia dilatada isquêmica (discutida posteriormente).

Morfologia

A evolução temporal das alterações morfológicas no infarto agudo do miocárdio e a recuperação subsequente estão resumidas na **Tabela 12.5**.

Quase todos os infartos transmurais envolvem pelo menos uma parte do ventrículo esquerdo (compreendendo a parede livre e o septo ventricular); eles abrangem quase toda a zona de perfusão da artéria coronária ocluída, exceto por uma borda estreita (aproximadamente 0,1 mm) de miocárdio subendocárdico viável, que é preservada pela difusão de oxigênio e nutrientes a partir da luz ventricular.

As frequências de envolvimento de cada um dos três troncos arteriais principais e os locais correspondentes de lesões miocárdicas que resultam em infarto (no coração direito dominante típico) são as seguintes (lado esquerdo da **Figura 12.11**):

• Artéria coronária descendente anterior esquerda (40 a 50%): infartos que envolvem a parede anterior do ventrículo esquerdo próximo ao ápice; a porção anterior do septo ventricular; e o ápice, de forma circunferencial

- Artéria coronária direita (30 a 40%): infartos que envolvem a parede inferior/posterior do ventrículo esquerdo; porção posterior do septo ventricular; e a parede livre inferior/posterior do ventrículo direito em alguns casos
- Artéria coronária circunflexa esquerda (15 a 20%): infartos que envolvem a parede lateral do ventrículo esquerdo, exceto no ápice.

Às vezes são encontrados outros locais de lesões arteriais coronárias críticas que causam infartos, como a artéria coronária principal esquerda, os ramos secundários (diagonais) da artéria coronária descendente anterior esquerda ou os ramos marginais da artéria coronária circunflexa esquerda. Dos IAMs causados por obstrução coronariana direita, 15 a 30% se estendem da parede livre posterior da porção septal do ventrículo esquerdo para a parede ventricular direita adjacente. O infarto isolado do ventrículo direito é incomum (apenas 1 a 3% dos casos), assim como o infarto dos átrios.

A aparência macroscópica e microscópica de um infarto depende do intervalo de tempo entre o IAM e a morte. O miocárdio danificado sofre uma sequência progressiva de alterações morfológicas envolvendo necrose coagulativa isquêmica típica, o mecanismo predominante de morte celular no IAM (embora também possa ocorrer apoptose); depois disso, ocorre inflamação aguda e reparo que se assemelha às respostas à lesão em outros tecidos (ver **Capítulo 2**).

O reconhecimento morfológico precoce do infarto agudo do miocárdio pode ser difícil, sobretudo quando a morte ocorre dentro de apenas algumas horas após o início dos sintomas. IAMs com menos de 12 horas geralmente não são aparentes apenas no exame macroscópico; entretanto, se o infarto precedeu a morte em pelo menos 2 a 3 horas, é possível destacar a área de necrose por imersão de fatias de tecido em solução de **cloreto de trifeniltetrazólio**. Essa coloração histoquímica macroscópica confere uma cor vermelho-tijolo ao miocárdio intacto e não infartado, com atividade preservada da lactato desidrogenase. Como as desidrogenases vazam pelas membranas danificadas das células mortas, um infarto aparece como uma zona pálida não corada (**Figura 12.12**). De 12 a 24 horas após o infarto, é possível identificar um IAM macroscopicamente como uma área de coloração azul-avermelhada causada por congestão e sangue extravasado. No período de 3 a 7 dias, a área é circundada por uma zona hiperêmica de cicatrização precoce altamente vascularizada (**tecido de granulação**). Depois disso, o infarto torna-se progressivamente mais definido, amarelado e macio. Nas semanas seguintes, a região lesada evolui para uma cicatriz fibrosa.

As alterações histopatológicas também ocorrem em uma sequência bastante previsível (**Figura 12.13**). As alterações típicas da necrose coagulativa tornam-se detectáveis nas primeiras 6 a 12 horas. "Fibras onduladas" podem estar presentes na periferia do infarto, resultantes das contrações do miocárdio viável que causam o estiramento e a deformação das fibras mortas adjacentes não contráteis. É possível observar um outro tipo de alteração isquêmica subletal nas margens dos infartos: essa chamada **vacuolização de miócitos** reflete o acúmulo intracelular de sal e água dentro do retículo sarcoplasmático e marca os miócitos que são viáveis, mas pouco contráteis.

Tabela 12.5 Evolução das alterações morfológicas no infarto do miocárdio.

Tempo	Características macroscópicas	Microscópio óptico	Microscópio eletrônico
Lesão reversível			
0 a 1/2 h	Nenhuma	Nenhuma	Relaxamento de miofibrilas; perda de glicogênio; edema mitocondrial
Lesão irreversível			
1/2 a 4 h	Nenhuma	Normalmente nenhuma; ondulação variável das fibras na borda	Ruptura do sarcolema; densidades mitocondriais amorfas
4 a 12 h	Miocárdio mosqueado (ocasional)	Necrose coagulativa precoce; edema; hemorragia	
12 a 24 h	Miocárdio mosqueado	Necrose coagulativa contínua; picnose de núcleos; hipereosinofilia de miócitos; necrose marginal em bandas de contração; infiltrado neutrofílico precoce	
1 a 3 dias	Miocárdio mosqueado com centro do infarto amarelo-castanho	Necrose coagulativa, com perda de núcleos e estriações; infiltrado intersticial ativo de neutrófilos	
3 a 7 dias	Borda hiperêmica; amolecimento amarelo-castanho central	Início da desintegração de miofibras mortas, com neutrófilos mortos; fagocitose precoce de células mortas por macrófagos na margem do infarto	
7 a 10 dias	Grau máximo do amarelo-castanho e do amolecimento, com margens deprimidas avermelhadas	Fagocitose bem desenvolvida das células mortas; tecido de granulação nas margens	
10 a 14 dias	Margens do infarto deprimidas e de cor cinza-avermelhada	Tecido de granulação bem estabelecido com novos vasos sanguíneos e deposição de colágeno	
2 a 8 semanas	Cicatriz branco-acinzentada, que progride da borda em direção ao centro do infarto	Aumento da deposição de colágeno, com diminuição da celularidade	
> 2 meses	Cicatrização completa	Cicatriz colágena densa	

O miocárdio necrótico provoca inflamação aguda (em geral, mais proeminente de 1 a 3 dias após o IAM), seguido por uma onda de macrófagos que removem miócitos necróticos e fragmentos de neutrófilos (mais pronunciada de 3 a 7 dias após o IAM). A zona infartada é progressivamente substituída por tecido de granulação (mais proeminente de 7 a 10 dias após o IAM), que por sua vez forma a sustentação provisória no qual se forma uma densa cicatriz colágena; como os miócitos cardíacos são células diferenciadas terminalmente (tecido permanente), não se observa proliferação dessas células para regeneração. Na maioria dos casos, a cicatrização está bem avançada no final da sexta semana, mas a eficiência do reparo depende do tamanho da lesão original e da capacidade do hospedeiro de cicatrizar os tecidos. A cura requer a migração de células inflamatórias e o crescimento de novos vasos nas margens do infarto. Assim, um IAM cicatriza-se a partir de suas bordas em direção ao centro, e um infarto grande pode não cicatrizar tão rápido ou tão completamente quanto um infarto pequeno. Além disso, a má nutrição, uma vasculatura deficiente ou esteroides anti-inflamatórios exógenos podem impedir a cicatrização efetiva do infarto (ver **Capítulo 3**). Depois que um infarto do miocárdio está completamente cicatrizado, é impossível distinguir sua idade: estejam elas presentes há 8 semanas, estejam há 10 anos, as cicatrizes fibrosas têm a mesma aparência.

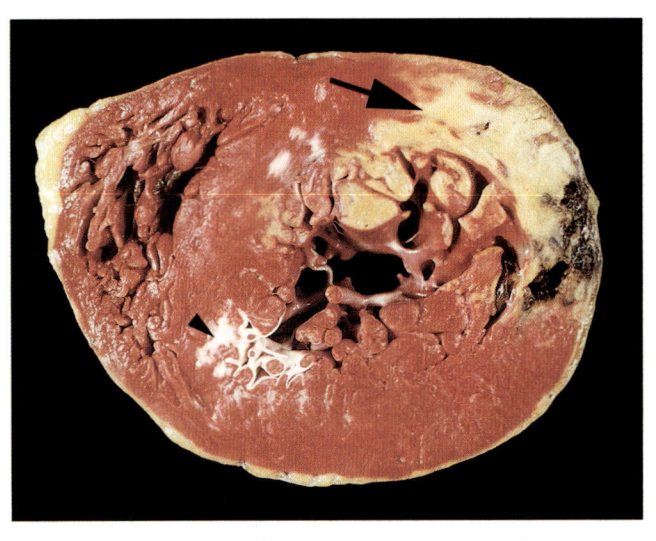

Figura 12.12 Infarto agudo do miocárdio, sobretudo do ventrículo esquerdo posterolateral, demonstrado histoquimicamente por ausência de coloração pelo cloreto de trifeniltetrazólio nas áreas de necrose (*seta*). O defeito de coloração se deve ao vazamento de lactato desidrogenase que ocorre após a morte celular. Observe a hemorragia miocárdica em uma das bordas do infarto, associada à ruptura cardíaca, e a cicatriz anterior (*ponta de seta*), indicativa de infarto antigo. A amostra está orientada com a parede posterior no topo.

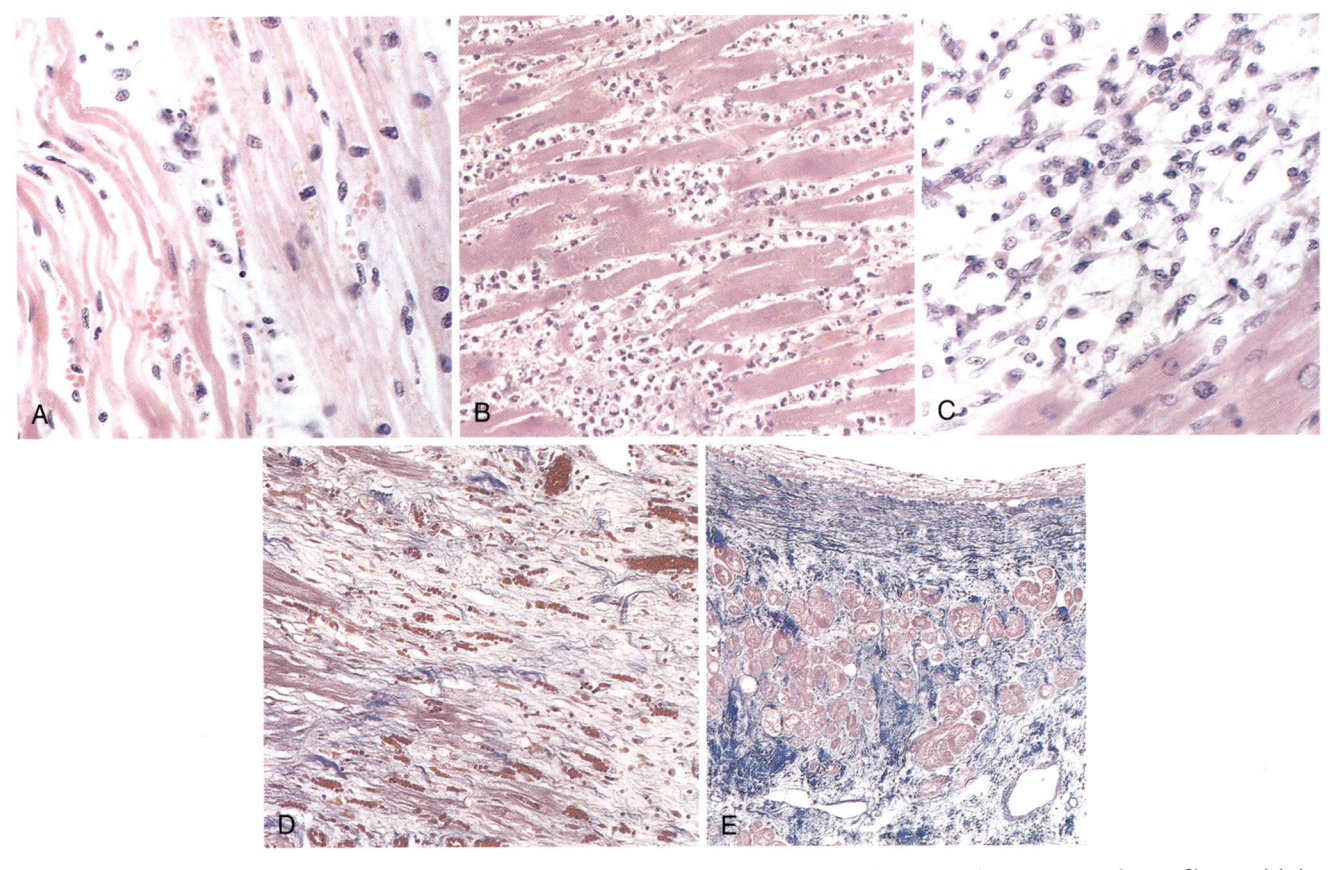

Figura 12.13 Características microscópicas do infarto do miocárdio e seu reparo. **A.** Infarto de 1 dia mostrando necrose coagulativa e fibras onduladas (alongadas e estreitas, em comparação com as fibras normais adjacentes à *direita*). Espaços alargados entre as fibras mortas contêm líquido de edema e neutrófilos dispersos. **B.** Infiltrado leucocitário polimorfonuclear denso em um infarto agudo do miocárdio que ocorreu há 3 a 4 dias. **C.** Remoção de miócitos necróticos por fagocitose (aproximadamente 7 a 10 dias). **D.** Tecido de granulação caracterizado por colágeno frouxo e capilares abundantes. **E.** Infarto do miocárdio cicatrizado no qual o tecido necrótico foi substituído por uma densa cicatriz de colágeno. As células residuais do músculo cardíaco mostram evidências de hipertrofia compensatória. **D** e **E** estão corados com tricrômio de Masson, o que deixa o tecido conjuntivo colágeno com uma cor azul-escura; observe o acúmulo de matriz extracelular (densidade da coloração azul) entre o tecido de granulação inicial e a densa cicatriz subsequente.

A discussão a seguir considera as mudanças que resultam de intervenções que podem limitar o tamanho do infarto, resgatando o miocárdio que ainda não está necrótico.

Modificação do infarto por reperfusão. O objetivo terapêutico no infarto agudo do miocárdio é resgatar a quantidade máxima de miocárdio isquêmico, evitando a lesão irreversível; isso é realizado pela restauração da perfusão tecidual o mais rápido possível. Essa reperfusão é obtida por trombólise (dissolução do trombo pelo uso de ativador do plasminogênio tecidual), angioplastia ou cirurgia de revascularização miocárdica. Infelizmente, embora a preservação de um coração viável (mas em risco) possa melhorar os desfechos de curto e longo prazo, a reperfusão não é uma solução perfeita. De fato, a restauração tardia do fluxo sanguíneo para os tecidos isquêmicos pode estar associada a arritmias e pode incitar ainda mais dano local do que poderia ter ocorrido – a chamada lesão por reperfusão.

Os efeitos da reperfusão na viabilidade e função miocárdicas estão resumidos na **Figura 12.14**. Embora a importância clínica da lesão por reperfusão do miocárdio ainda seja debatida, estimou-se que até 50% (ou mais) do tamanho final do infarto pode ser atribuído aos seus efeitos. Até o momento, os ensaios clínicos para prevenir a ocorrência de lesão por reperfusão ainda não foram frutíferos, porém muitas pesquisas na área continuam sendo desenvolvidas. Os fatores que contribuem para a lesão por reperfusão incluem:

- *Disfunção mitocondrial*: a isquemia altera a permeabilidade da membrana mitocondrial, o que permite que as proteínas entrem na mitocôndria. Isso leva ao inchaço e à ruptura da membrana externa, liberando conteúdos mitocondriais que promovem a apoptose
- *Hipercontratura de miócitos*: durante os períodos de isquemia, os níveis intracelulares de cálcio aumentam como resultado do ciclo de cálcio prejudicado e dano sarcolemal. Após a reperfusão, a contração das miofibrilas aumenta e se descontrola, causando danos ao citoesqueleto e morte celular
- *Radicais livres*, como ânion superóxido ($\bullet O_2$), peróxido de hidrogênio (H_2O_2), ácido hipocloroso (HOCl), peroxinitrito derivado do óxido nítrico e radicais hidroxila ($\bullet OH$), são produzidos dentro de minutos após a reperfusão; eles causam danos aos miócitos ao alterarem as proteínas da membrana e fosfolipídios
- *Agregação de leucócitos*, que pode obstruir a microvasculatura e contribuir para o fenômeno de *no-reflow*. Além disso, os leucócitos produzem proteases e elastases que causam a morte celular
- A *ativação das plaquetas e do complemento* também contribui para a lesão microvascular. Acredita-se que a ativação do complemento desempenhe um papel no fenômeno de *no-reflow*, lesando o endotélio.

A aparência típica do miocárdio reperfundido no contexto de um infarto agudo do miocárdio é mostrada na **Figura 12.15**. Esses infartos costumam ser hemorrágicos como consequência de lesão vascular e extravasamento de sangue. Microscopicamente, miócitos irreversivelmente danificados após a reperfusão desenvolvem necrose com bandas de contração; nesse processo patológico, intensas bandas eosinofílicas de sarcômeros hipercontraídos são criadas por um influxo de cálcio através das membranas plasmáticas que aumenta as interações actina-miosina. Na ausência de ATP, os sarcômeros não conseguem relaxar e ficam presos em um estado tetânico agônico. Assim, embora a reperfusão possa resgatar células que foram lesadas de modo reversível, ela também altera a morfologia das células irreversivelmente lesadas.

As anormalidades bioquímicas (e suas consequências funcionais) também podem persistir por dias a semanas nos miócitos reperfundidos. Acredita-se que essas mudanças sejam a base de um fenômeno conhecido como miocárdio atordoado, um estado de disfunção contrátil prolongada induzido por isquemia a curto prazo que geralmente se recupera após vários dias. O miocárdio que está sujeito à isquemia subletal crônica também pode entrar em um estado de metabolismo e função reduzidos denominado hibernação. A revascularização subsequente (p. ex., por cirurgia de revascularização do miocárdio, angioplastia ou colocação de *stent*) muitas vezes restaura a função normal desse miocárdio em hibernação.

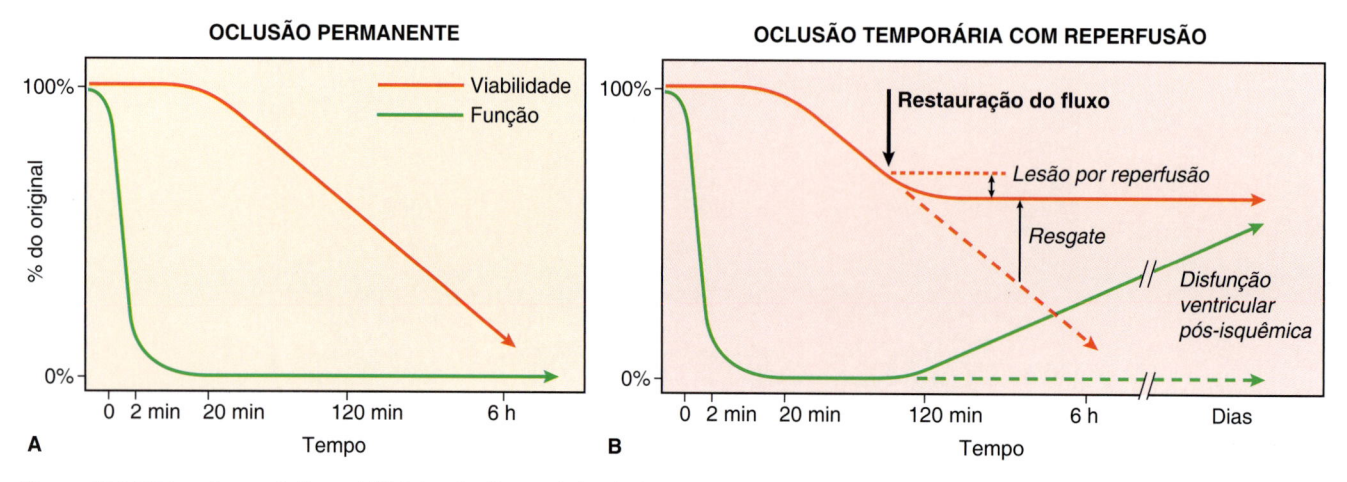

Figura 12.14 Efeitos da reperfusão na viabilidade e função miocárdica. Após a oclusão coronariana, a função contrátil é perdida em 2 minutos e a viabilidade começa a diminuir após cerca de 20 minutos. Se a perfusão não for restaurada (**A**), então quase todo o miocárdio da região afetada morrerá. **B**. Se o fluxo for restaurado, evita-se parte da necrose, o miocárdio é recuperado e, pelo menos, alguma função pode retornar. Quanto mais cedo ocorrer a reperfusão, maior será o grau de resgate. No entanto, o próprio processo de reperfusão pode induzir algum dano (lesão por reperfusão) e o retorno da função do miocárdio recuperado pode ser atrasado por horas a dias (disfunção ventricular pós-isquêmica ou atordoamento).

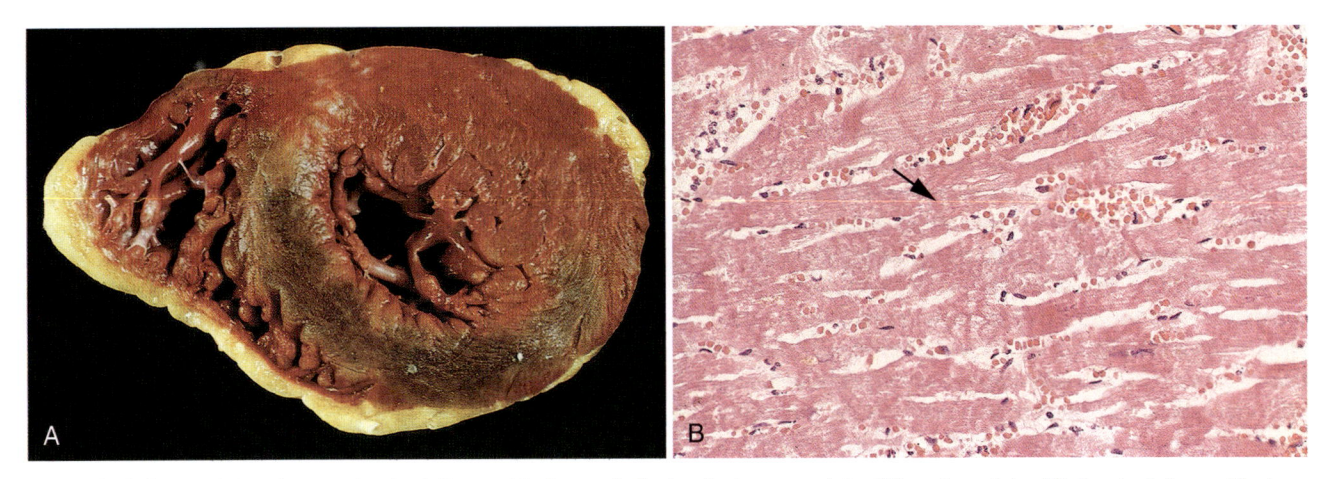

Figura 12.15 Consequências da isquemia miocárdica seguida de reperfusão. Aparência macroscópica (**A**) e microscópica (**B**) do miocárdio modificado por reperfusão. **A.** Infarto agudo do miocárdio da parede anterior, grande e densamente hemorrágico, em um paciente com trombo na artéria descendente anterior tratado com estreptoquinase, um agente fibrinolítico (a fatia está corada com cloreto de trifeniltetrazólio; ver **Figura 12.12**). Amostra orientada com a parede posterior no topo. **B.** Necrose miocárdica com hemorragia e bandas de contração, visíveis como faixas escuras estendendo-se por algumas miofibras (seta).

Características clínicas

O IAM é diagnosticado por meio de sintomas clínicos, exames laboratoriais para detectar a presença de proteínas miocárdicas no plasma e alterações eletrocardiográficas características. Os pacientes com IAM costumam apresentar dor torácica prolongada (mais de 30 minutos), descrita como uma sensação de esmagamento, pontada ou aperto, associada a pulso rápido e fraco. Sudorese abundante (diaforese), náuseas e vômitos são comuns e podem sugerir acometimento da porção posteroinferior do ventrículo com estimulação vagal secundária. Dispneia é um sintoma frequente e resultante do comprometimento da contratilidade do miocárdio isquêmico e consequente congestão pulmonar e edema. No entanto, em até 25% dos pacientes, o início é totalmente assintomático (p. ex., em pacientes com neuropatia diabética), e a doença é descoberta apenas por alterações eletrocardiográficas ou testes laboratoriais que mostram evidências de dano miocárdico (ver adiante).

Devido às alterações eletrocardiográficas características resultantes da isquemia miocárdica ou de necrose em várias distribuições, um infarto transmural é algumas vezes chamado de infarto do miocárdio com supradesnivelamento de ST (IAMCSST), e um infarto subendocárdico como infarto sem supradesnivelamento de ST (IAMSSST). Dependendo da extensão e da localização do envolvimento vascular, os microinfartos apresentam alterações inespecíficas ou podem até ser eletrocardiograficamente silenciosos.

A avaliação laboratorial do IAM baseia-se na medição dos níveis sanguíneos de proteínas que extravasam dos miócitos irreversivelmente danificados; anteriormente, isso envolvia a medição da fração MB da creatinoquinase (CK-MB). Atualmente, os biomarcadores de dano miocárdico mais clinicamente úteis são as troponinas T e I específicas do coração (cTnT e cTnI), proteínas que costumam regular a contração mediada por cálcio do músculo cardíaco (**Figura 12.16**). O diagnóstico de lesão miocárdica é estabelecido quando os níveis sanguíneos de troponina estão acima

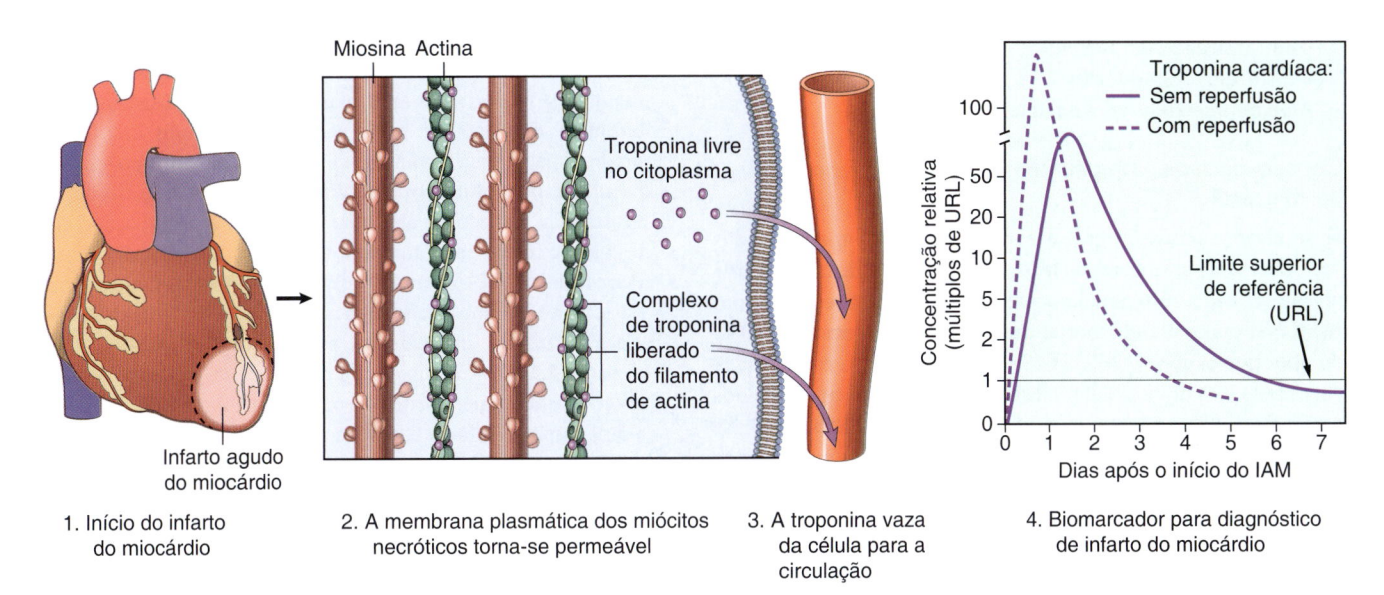

Figura 12.16 Liberação de proteínas do miócito no infarto agudo do miocárdio. A troponina I ou a troponina T são mais rotineiramente usadas atualmente como biomarcadores diagnósticos de lesão de miócitos.

dos níveis limiares; o ritmo e a magnitude do aparecimento desses marcadores séricos após o IAM dependem de vários fatores, como volume do miocárdio danificado, fluxo sanguíneo e drenagem linfática na área do infarto, além da taxa de eliminação do marcador do sangue. As troponinas cardíacas começam a aumentar em 2 a 4 horas e atingem o pico em 24 a 48 horas após um infarto agudo do miocárdio. Com a reperfusão, os níveis de troponina podem ser mais elevados e atingir o pico mais cedo devido à lavagem mais rápida do marcador do tecido necrótico.

Também é possível observar elevação aguda significativa da troponina sérica em outras condições que causam a morte de miócitos cardíacos, como na miocardite e no trauma miocárdico. Por outro lado, a elevação de baixo nível da troponina sérica ("vazamento de troponina") pode ocorrer em uma série de outras condições, como insuficiência cardíaca congestiva, embolia pulmonar, insuficiência renal e sepse. Essas elevações, em geral, não seguem o mesmo curso de tempo da lesão abrupta, portanto, medições em série podem ser úteis para distinguir diferentes etiologias.

As terapias iniciais recomendadas para infarto agudo do miocárdio são prescritas com base nas características fisiopatológicas discutidas anteriormente e incluem as seguintes:

- *Suplementação de oxigênio*, para melhorar a saturação desse elemento no sangue para pacientes com hipoxia ou desconforto respiratório
- *Nitratos*, para induzir a vasodilatação e reverter o vasospasmo
- *Agentes antiplaquetários*, como ácido acetilsalicílico, inibidores do receptor de ADP e inibidores de GPIIb/IIIa
- *Terapia anticoagulante* com heparina não fracionada, heparina de baixo peso molecular, inibidores diretos da trombina e/ou inibidores do fator Xa, para prevenir a propagação do trombo na artéria coronária
- *Betabloqueadores*, para diminuir a demanda de oxigênio do miocárdio e reduzir o risco de arritmias, a menos que contraindicado, como na insuficiência cardíaca
- *Reperfusão imediata*, para resgatar o miocárdio, por medicamentos fibrinolíticos ou intervenções com cateterismo das coronárias
- *Melhorar a relação do suprimento de oxigênio do miocárdio diante da demanda* por meio do manejo de outros fatores, como ansiedade, dor isquêmica, hemodinâmica anormal, anemia e distúrbios respiratórios
- *Monitoramento precoce* e manejo *de arritmia*.

Consequências e complicações do infarto agudo do miocárdio

Já se alcançou um progresso extraordinário na melhoria dos desfechos dos pacientes após IAM, cuja taxa geral de mortalidade hospitalar é de aproximadamente 7 a 8%, com pacientes com IAMCSST apresentando mortalidade ligeiramente mais alta (10%) do que aqueles com IAMSSST (6%). Infelizmente, a mortalidade para IAMs fora do hospital é substancialmente pior: um terço dos pacientes que têm a infelicidade de sofrer um IAMCSST em casa morrerá, em geral de arritmia, 1 hora após o início dos sintomas e antes de receber atenção médica. Essas estatísticas tornam o aumento da taxa de DAC em países com instalações hospitalares limitadas, ou dificuldades de acesso, ainda mais preocupante.

Quase três quartos dos pacientes sofrem uma ou mais das seguintes complicações após um infarto agudo do miocárdio (**Figura 12.17**):

- *Disfunção contrátil*. Em geral, os IAMs afetam a função da bomba ventricular esquerda de maneira proporcional ao volume do dano. Na maioria dos casos, há algum grau de insuficiência ventricular esquerda que se manifesta como hipotensão, congestão pulmonar e edema pulmonar. A "falência grave da bomba" (*choque cardiogênico*) ocorre em cerca de 10% dos pacientes com IAMs transmurais e costuma estar associada a infartos que danificam 40% ou mais do ventrículo esquerdo
- *Disfunção do músculo papilar*. Embora os músculos papilares se rompam com pouca frequência após o IAM, eles geralmente ficam disfuncionais e podem ser pouco contráteis como resultado da isquemia, levando à regurgitação mitral pós-infarto. Muito mais tarde, a fibrose e o encurtamento do músculo papilar ou a dilatação ventricular global também podem causar regurgitação mitral
- *Infarto do ventrículo direito*. Embora o infarto isolado do ventrículo direito ocorra em apenas 1 a 3% dos IAMs, o ventrículo direito é afetado por oclusões da ACD, levando a infarto do septo posterior ou do ventrículo esquerdo. Em ambos os casos, a insuficiência cardíaca direita é um desfecho comum, levando ao acúmulo de sangue na circulação venosa e hipotensão sistêmica
- *Ruptura miocárdica*. A ruptura complica apenas 1 a 5% dos IAMs, mas, quando ocorre, costuma ser fatal. A ruptura da parede livre do ventrículo esquerdo é mais comum, geralmente resultando em hemopericárdio rapidamente fatal e tamponamento cardíaco (ver **Figura 12.17A**). A ruptura do septo ventricular cria um DSV com *shunt* esquerda-direita (ver **Figura 12.17B**), e a ruptura do músculo papilar leva à regurgitação mitral grave (ver **Figura 12.17C**). A ruptura costuma ocorrer no período de 3 a 7 dias após o infarto – o momento no processo de cicatrização em que a lise do miocárdio necrótico é máxima e grande parte do infarto já foi convertida em tecido de granulação macio e friável. Os fatores de risco para ruptura da parede livre incluem idade acima de 60 anos, infartos da parede anterior ou lateral, sexo feminino, ausência de hipertrofia ventricular esquerda e primeiro IAM (porque a cicatriz associada a IAMs prévios tende a limitar o risco de laceração do miocárdio)
- *Arritmias*. IAMs levam a irritabilidade miocárdica e distúrbios de condução que podem causar morte súbita. Aproximadamente 90% dos pacientes desenvolvem alguma forma de perturbação do ritmo cardíaco, com uma incidência maior nos IAMCSSTs do que nos IAMSSSTs. As arritmias associadas ao IAM incluem bloqueio cardíaco de grau variável (incluindo assistolia), bradicardia, taquiarritmias supraventriculares, contrações ventriculares prematuras ou taquicardia ventricular e fibrilação ventricular. O risco de arritmias graves (p. ex., fibrilação ventricular) é maior na primeira hora e diminui depois disso
- *Pericardite*. Os IAMs transmurais podem desencadear uma pericardite fibrino-hemorrágica; esta é uma manifestação epicárdica da inflamação miocárdica subjacente (ver **Figura 12.17D**). Caracterizada clinicamente por dor torácica anterior e atrito pericárdico, a pericardite, em geral, aparece 2 a 3 dias após o infarto e, em seguida, remite gradualmente ao longo dos dias seguintes. Infartos extensos ou inflamação pericárdica grave podem levar a grandes derrames ou se organizar e formar aderências densas que, com o tempo, se manifestam como uma lesão constritiva. Raramente os pacientes desenvolvem uma pericardite intensa semanas após o IAM (*síndrome de Dressler*) devido à formação de anticorpos contra o miocárdio danificado

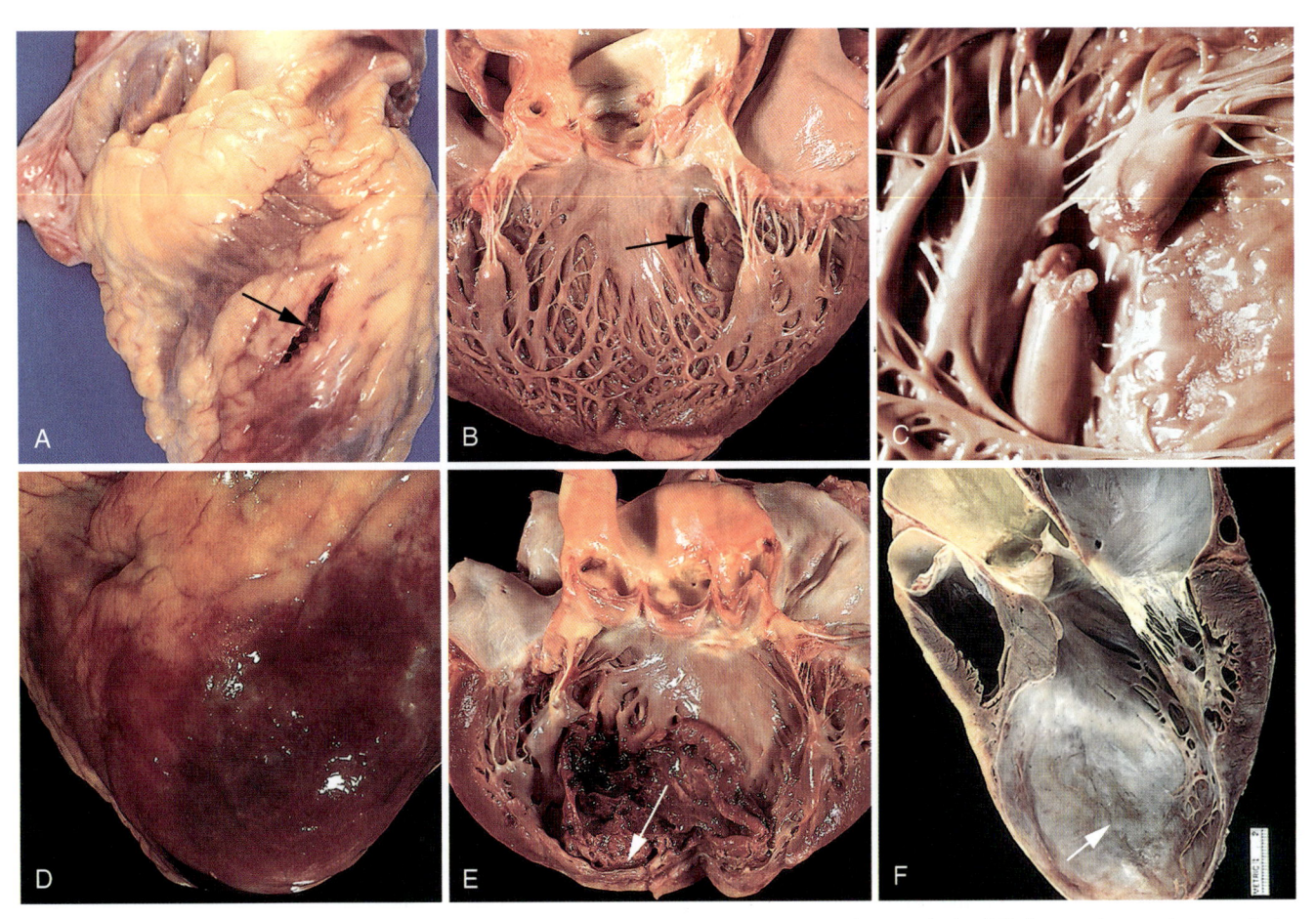

Figura 12.17 Complicações do infarto agudo do miocárdio. **A.** Ruptura miocárdica anterior em um infarto agudo (*seta*). **B.** Ruptura do septo interventricular (*seta*). **C.** Ruptura completa de um músculo papilar necrótico. **D.** Pericardite fibrinosa exibindo uma superfície epicárdica áspera e escura recobrindo um infarto agudo. **E.** Expansão precoce do infarto anteroapical com adelgaçamento da parede (*seta*) e trombo mural. **F.** Grande aneurisma apical do ventrículo esquerdo (*seta*). O ventrículo esquerdo está à direita nesse plano apical de quatro câmaras do coração. (**A** a **E**, Reproduzida, com autorização, de Schoen FJ: *Interventional and Surgical Cardiovascular Pathology: Clinical Correlations and Basic Principles*, Philadelphia, 1989, WB Saunders; **F**, Cortesia de William D. Edwards, MD, Mayo Clinic, Rochester, Minn.)

- *Dilatação da câmara*. Devido ao enfraquecimento do músculo necrótico, pode haver alongamento, afinamento e dilatação desproporcionais da região infartada (sobretudo com infartos anterosseptais)
- *Trombo mural*. Com qualquer infarto, a combinação de contratilidade miocárdica diminuída (que causa estase), dilatação da câmara e dano endocárdico (que causa uma superfície trombogênica) pode promover trombose mural (ver **Figura 12.17E**), podendo levar ao tromboembolismo sistêmico (do lado esquerdo)
- *Aneurisma ventricular*. Uma complicação tardia, os aneurismas do ventrículo geralmente resultam de um grande infarto anterosseptal transmural que cicatriza com a formação de uma parede fina de tecido cicatricial (ver **Figura 12.17F**). Embora os aneurismas ventriculares com frequência deem origem à formação de trombos murais, arritmias e insuficiência cardíaca, eles não se rompem facilmente
- *Insuficiência cardíaca progressiva*. Isso será discutido na seção "Cardiopatia isquêmica crônica", mais adiante neste capítulo.

O risco de complicações pós-infarto e o prognóstico do paciente dependem principalmente do tamanho do infarto, da localização e da fração da espessura da parede envolvida (subendocárdico ou transmural). Portanto, grandes infartos transmurais estão associados a uma probabilidade maior de choque cardiogênico, arritmias e ICC tardia. Pacientes com infartos transmurais anteriores apresentam maior risco de ruptura da parede livre, expansão, trombos murais e aneurisma. Por outro lado, os infartos transmurais posteriores têm maior probabilidade de ser complicados por bloqueios de condução, envolvimento do ventrículo direito ou ambos; quando ocorrem DSVs agudos nesta área, eles são mais difíceis de controlar. Além disso, sexo feminino, idade acima de 70 anos, diabetes melito e IAM prévio são fatores de prognóstico desfavorável em pacientes com infarto do miocárdio com supradesnivelamento do segmento ST. Com infartos subendocárdicos, apenas raramente ocorrem pericardite, ruptura e aneurisma.

Além da sequência de reparo nos tecidos infartados descrita anteriormente, os segmentos não infartados do ventrículo sofrem hipertrofia e dilatação; coletivamente, essas mudanças são denominadas remodelação ventricular. A hipertrofia compensatória do miocárdio não infartado é, a princípio, hemodinamicamente benéfica. No entanto, esse efeito adaptativo pode ser superado pela dilatação ventricular (com ou sem aneurisma ventricular) e aumento da demanda de oxigênio, o que pode exacerbar a isquemia e deprimir a função cardíaca. Também pode haver mudanças na forma ventricular e enrijecimento do ventrículo devido à formação de cicatrizes e hipertrofia que diminuem ainda mais o débito cardíaco. Alguns desses efeitos deletérios parecem ser reduzidos pelos inibidores da ECA, que diminuem a remodelação ventricular que pode ocorrer após o infarto.

O prognóstico a longo prazo após o IAM depende de muitos fatores, os mais importantes dos quais são a função ventricular esquerda residual e a extensão de qualquer obstrução vascular nos vasos que perfundem o miocárdio viável remanescente. A mortalidade total geral no primeiro ano pode chegar a 30%; depois disso, cada ano que passa está associado a uma mortalidade adicional de 3 a 4% entre os sobreviventes. A prevenção do infarto (por meio do controle de fatores de risco) em indivíduos que nunca sofreram um IAM (prevenção primária) e a prevenção de reinfarto em sobreviventes de IAM (prevenção secundária) são estratégias importantes que receberam muita atenção e alcançaram um sucesso considerável.

A relação entre as causas, fisiopatologia e consequências do IAM está resumida na **Figura 12.18**, incluindo os possíveis desfechos de CI crônica e morte súbita, discutidos posteriormente.

Cardiopatia isquêmica crônica

A designação CI crônica (frequentemente chamada de cardiomiopatia isquêmica pelos médicos) é usada aqui para descrever a insuficiência cardíaca congestiva progressiva como uma consequência de dano miocárdico isquêmico acumulado e/ou respostas compensatórias inadequadas. Na maioria dos casos, houve um IAM prévio e, às vezes, intervenções arteriais coronárias anteriores e/ou cirurgia de revascularização. A CI crônica em geral aparece após o infarto devido à descompensação funcional do miocárdio não infartado hipertrofiado (ver discussão anterior sobre hipertrofia cardíaca). No entanto, em outros casos, a DAC obstrutiva grave pode se apresentar como insuficiência cardíaca congestiva crônica na ausência de infarto prévio. Os pacientes com CI crônica representam quase 50% dos receptores de transplante cardíaco.

> ### Morfologia
> Os pacientes com CI crônica apresentam cardiomegalia, com hipertrofia e dilatação ventricular esquerda. Invariavelmente, há algum grau de aterosclerose estenótica nas coronárias. Em geral, cicatrizes discretas representando infartos cicatrizados estão presentes. O endocárdio mural muitas vezes apresenta espessamentos fibrosos irregulares (devido a forças de cisalhamento anormais da parede), e trombos murais podem estar presentes. Os achados microscópicos incluem hipertrofia miocárdica, vacuolização difusa de miócitos subendocárdicos e fibrose intersticial.

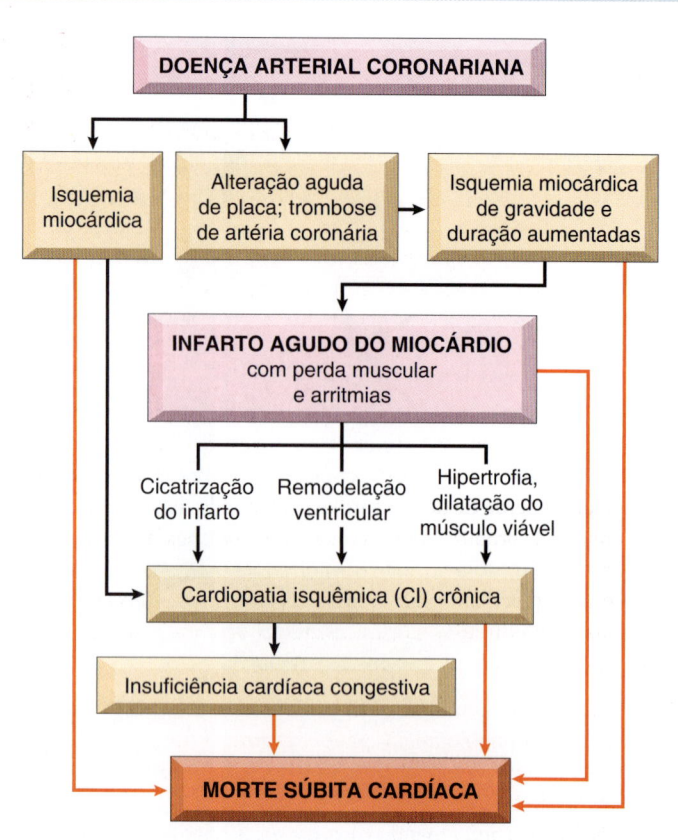

Figura 12.18 Esquema das causas e dos desfechos da cardiopatia isquêmica (*CI*) mostrando as inter-relações entre doença arterial coronariana, alteração aguda da placa, isquemia do miocárdio, infarto agudo do miocárdio, CI crônica, insuficiência cardíaca congestiva e morte súbita cardíaca.

> ### Conceitos-chave
> #### Doença isquêmica do coração
> - A grande maioria das DIC se deve à aterosclerose da artéria coronária. Vasospasmo, vasculite ou embolia são causas menos comuns
> - A isquemia cardíaca resulta de uma incompatibilidade entre o suprimento coronariano e a demanda miocárdica e se apresenta como síndromes diferentes, embora sobrepostas:
> - *Angina de peito* é a dor torácica ao esforço devido à perfusão inadequada e geralmente é decorrente de doença aterosclerótica com mais de 70% de estenose fixa (denominada estenose crítica)
> - A angina instável resulta de uma pequena fissura ou ruptura da placa aterosclerótica que desencadeia agregação plaquetária, vasoconstrição e formação de um trombo mural que não precisa ser necessariamente oclusivo. Pode ocorrer dor no peito, mesmo em repouso ou com esforço mínimo
> - O infarto agudo do miocárdio resulta, em geral, de tromboses agudas após o rompimento da placa; a maioria ocorre em placas que não exibiam previamente estenose crítica
> - CI crônica é a insuficiência cardíaca progressiva decorrente de lesão isquêmica, seja de infartos anteriores, seja de isquemia crônica de baixo grau
> - A isquemia miocárdica leva à perda da função em 1 a 2 minutos, mas causa necrose somente após 20 a 30 minutos. O IAM é diagnosticado com base nos sintomas, alterações eletrocardiográficas e medição das troponinas séricas. As alterações macroscópicas e histológicas do infarto levam de horas a dias para se desenvolver
> - O infarto pode ser modificado por intervenção terapêutica (p. ex., trombólise ou implante de *stent*), que resgata o miocárdio em risco, mas pode induzir lesão relacionada à reperfusão
> - As complicações do infarto incluem: ruptura ventricular, ruptura do músculo papilar, formação de aneurisma, trombo mural, arritmia, pericardite e ICC.

Arritmias

As anormalidades de condução miocárdica podem ser contínuas ou esporádicas (paroxísticas). Ritmos aberrantes podem ser iniciados em qualquer parte do sistema de condução, desde o nó SA até o nível de um miócito individual; tipicamente, são designadas como originárias do átrio (supraventriculares) ou do miocárdio ventricular. As arritmias podem se manifestar como taquicardia (frequência cardíaca rápida), bradicardia (frequência cardíaca lenta), ritmo irregular com contração ventricular normal, despolarização caótica sem contração ventricular funcional (fibrilação ventricular) ou ausência de atividade elétrica (assistolia). Os pacientes podem não estar cientes de um distúrbio rítmico ou podem perceber o "coração acelerado" ou palpitações (ritmo irregular); a perda de débito cardíaco adequado devido à arritmia contínua pode produzir tontura (quase síncope), perda de consciência (síncope) ou morte cardíaca súbita (ver a seguir).

Lesão isquêmica é uma causa comum de distúrbios rítmicos, seja por dano direto, seja pela dilatação das câmaras cardíacas, alterando o disparo do sistema de condução:

- *Síndrome do nó sinusal.* Se o nó SA estiver danificado, outras fibras ou mesmo o nó AV podem assumir a função de marca-passo, embora com uma taxa intrínseca muito mais lenta (causando bradicardia)
- *Fibrilação atrial.* Quando os miócitos atriais se tornam "irritáveis" e se despolarizam de forma independente e esporádica (como ocorre na dilatação atrial), os sinais são transmitidos de forma variável por meio do nó AV, causando a frequência cardíaca "irregularmente irregular" aleatória
- *Bloqueio cardíaco.* Se o nó AV estiver disfuncional, podem ocorrer vários graus de bloqueio cardíaco, desde um simples prolongamento do intervalo P-R no eletrocardiograma (bloqueio cardíaco de primeiro grau), a transmissão intermitente do sinal (bloqueio cardíaco de segundo grau), até insuficiência total (bloqueio cardíaco de terceiro grau).

Conforme discutido anteriormente, a contração cardíaca coordenada depende da transmissão ordenada das correntes elétricas de miócito a miócito por meio das junções comunicantes. Assim, anormalidades na estrutura ou distribuição espacial das junções comunicantes, que são observadas em vários distúrbios (p. ex., cardiopatia isquêmica e cardiomiopatias dilatadas), podem causar arritmias. Isquemia, hipertrofia de miócitos e inflamação (p. ex., miocardite ou sarcoidose) também promovem o aumento da "irritabilidade" que leva à despolarização aberrante espontânea dos miócitos; devido à interconexão elétrica dos miócitos, esses eventos aleatórios podem causar disparo inadequado de células adjacentes e criar circuitos elétricos anormais (os chamados circuitos de reentrada) que levam à taquicardia ventricular, esta, por sua vez, pode progredir para uma fibrilação ventricular fatal. Da mesma forma, a deposição de material não condutor (p. ex., amiloide) e mesmo pequenas áreas de fibrose podem interromper a sinalização miócito a miócito, mais uma vez abrindo caminho para o desenvolvimento de circuitos de reentrada que podem dar origem a arritmias com potencial fatal.

É importante reconhecer as condições hereditárias associadas às arritmias, pois isso pode ser um alerta aos médicos sobre a necessidade de intervenção para a prevenção da morte cardíaca súbita (discutida posteriormente) no paciente e seus familiares. Alguns desses distúrbios estão associados a anormalidades anatômicas reconhecíveis (p. ex., anomalias congênitas, cardiomiopatia hipertrófica, prolapso da valva mitral). No entanto, outros distúrbios hereditários precipitam arritmias e morte súbita na ausência de patologia cardíaca estrutural (os chamados distúrbios elétricos primários). Essas síndromes só podem ser diagnosticadas por meio de testes genéticos, que são realizados em indivíduos com histórico familiar positivo ou arritmia não letal inexplicada.

As canalopatias são as mais importantes das anormalidades elétricas primárias do coração que predispõem às arritmias (Tabela 12.6). As canalopatias são causadas por mutações em genes necessários para a função normal dos canais iônicos. Esses distúrbios (na maioria das vezes com herança autossômica dominante) envolvem genes que codificam os componentes estruturais dos canais iônicos (como os canais de Na^+, K^+ e Ca^+) ou proteínas acessórias essenciais para a função normal dos canais. Os canais iônicos são responsáveis pela condução das correntes elétricas que medeiam a contração do coração e, portanto, não é de surpreender que defeitos nesses canais possam provocar arritmias. O protótipo é a *síndrome do QT longo*, caracterizada pelo prolongamento do segmento QT em ECGs com suscetibilidade a arritmias ventriculares graves. Os canais iônicos são necessários para o funcionamento normal de muitos tecidos, e certas canalopatias também estão associadas a distúrbios de músculo esquelético e diabetes. No entanto, as canalopatias mais comuns são distúrbios isolados do coração e sua consequência mais temida é a morte súbita cardíaca (discutida na próxima seção).

Tabela 12.6 Exemplos selecionados de genes causais em doenças arritmogênicas hereditárias.[a]

Distúrbio	Gene	Função
Síndrome do QT longo[b]	KCNQ1	Canal de K^+ (PDF)
	KCNH2	Canal de K^+ (PDF)
	SCN5A	Canal de Na^+ (GDF)
	CAV3	Caveolina, corrente de Na^+ (GDF)
Síndrome do QT curto[b]	KCNQ1	Canal de K^+ (GDF)
	KCNH2	Canal de K^+ (GDF)
Síndrome de Brugada[b]	SCN5A	Canal de Na^+ (PDF)
	CACNB2b	Canal de Ca^{++} (PDF)
	SCN1b	Canal de Na^+ (PDF)[a]
Síndrome da TVPC[b]	RYR2	Liberação diastólica de Ca^{++} (GDF)
	CASQ2	Liberação diastólica de Ca^{++} (PDF)

GDF, mutações de ganho de função; *PDF*, mutações de perda de função; *TVPC*, taquicardia ventricular polimórfica catecolaminérgica.
[a]Mutações diferentes podem causar a mesma síndrome geral, e mutações em alguns genes podem causar vários fenótipos diferentes; assim, mutações de perda de função (PDF) podem causar intervalos QT longos, enquanto mutações de ganho de função (GDF) resultam em intervalos de repolarização curtos.
[b]A *síndrome do QT longo* se manifesta como arritmias associadas ao prolongamento excessivo da repolarização cardíaca; os pacientes costumam apresentar síncope induzida por estresse ou morte súbita cardíaca (MSC) e algumas formas estão associadas à natação. Os pacientes com a *síndrome do QT curto* apresentam arritmias associadas a intervalos de repolarização interrompidos; elas podem se apresentar com palpitações, síncope e MSC. A *síndrome de Brugada* se manifesta como anormalidades no ECG (supradesnivelamentos do segmento ST e bloqueio de ramo direito) na ausência de cardiopatia estrutural; classicamente, os pacientes apresentam síncope ou MSC durante o repouso ou o sono, ou após grandes refeições. A *TVPC* não produz alterações características no ECG; os pacientes costumam apresentar arritmias com risco de vida na infância devido à estimulação adrenérgica (relacionadas ao estresse).
Modificada de Cerrone M, Priori SG: Genetics of sudden death: focus on inherited channelopathies, *Eur Heart J* 32(17):2109-2118, 2011.

Morte súbita cardíaca

A morte súbita cardíaca (MSC) costuma ser definida como morte inesperada, de causa cardíaca, sem sintomas, ou de 1 a 24 horas do início dos sintomas (diferentes autores usam diferentes critérios); ocorre com cerca de 180 a 450 mil indivíduos por ano apenas nos EUA. **O mecanismo da MSC costuma ser alguma arritmia letal (p. ex., assistolia ou fibrilação ventricular).** Embora lesões isquêmicas (e outras patologias) possam afetar diretamente os principais componentes do sistema de condução, a maioria dos casos de arritmia fatal é desencadeada por irritabilidade elétrica do miocárdio em local distante dos principais elementos do sistema de condução.

A DAC é a principal causa de MSC, sendo responsável pela maioria dos casos; infelizmente, a MSC pode ser a primeira manifestação de uma doença isquêmica do coração (DIC). Nesses casos, em geral, há apenas doença aterosclerótica crônica grave com estenoses fixas críticas; a ruptura aguda de placas é encontrada em apenas 10 a 20% dos casos e 80 a 90% dos pacientes que sofrem de MSC, mas são ressuscitados com sucesso, não apresentam nenhuma evidência enzimática ou eletrocardiográfica de necrose miocárdica. Infartos do miocárdio cicatrizados estão presentes em cerca de 40% dos pacientes e a vacuolização dos miócitos subendocárdicos, indicativo de isquemia crônica grave, é uma característica comum. Com a diminuição da prevalência de DIC em países de alta renda, a MSC está, cada vez mais, sendo vista em indivíduos com coração hipertrofiado e fibrosado sem DIC (devido a hipertensão, obesidade, uso abusivo de substâncias etc.).

Nas vítimas mais jovens, as causas não ateroscleróticas são as etiologias mais comuns para a MSC e incluem:

- *Anormalidades de condução cardíaca*, hereditárias ou adquiridas
- *Cardiomiopatia dilatada* ou *hipertrófica*
- *Anormalidades arteriais coronárias congênitas*
- *Miocardite*
- *Prolapso da valva mitral*
- *Hipertensão pulmonar*
- *Outras causas diversas*, tais como tamponamento cardíaco, embolia pulmonar, alterações metabólicas e hemodinâmicas sistêmicas, catecolaminas e uso abusivo de drogas ilícitas, sobretudo cocaína e metanfetamina.

O prognóstico dos pacientes vulneráveis à MSC é consideravelmente melhor após intervenção farmacêutica e, em especial, após implante de desfibriladores cardioversores automáticos, que podem detectar e neutralizar eletricamente os episódios de fibrilação ventricular.

> **Conceitos-chave**
>
> **Arritmias**
>
> - As arritmias podem ser causadas por alterações isquêmicas ou estruturais no sistema de condução ou por instabilidade elétrica intrínseca dos miócitos. Em corações estruturalmente normais, as arritmias costumam ser decorrentes de mutações nos canais iônicos, causando repolarização ou despolarização aberrante
> - A MSC costuma ser decorrente de fibrilação ventricular e consequência de DAC. A irritabilidade miocárdica costuma ser decorrente de isquemia não letal ou de fibrose preexistente derivada de lesão miocárdica. Com menor frequência, a MSC é decorrente de uma ruptura aguda de placas com trombose que leva a uma arritmia rapidamente fatal.

Cardiopatia hipertensiva

A cardiopatia hipertensiva (CH) é uma consequência do aumento da demanda sobre o coração devido à hipertensão, causando sobrecarga de pressão e hipertrofia ventricular. Embora mais comumente observada no coração esquerdo como resultado da hipertensão sistêmica, a hipertensão pulmonar pode causar com CH direita, ou *cor pulmonale*.

Cardiopatia hipertensiva sistêmica (esquerda)

A hipertrofia cardíaca é uma resposta adaptativa à sobrecarga de pressão da hipertensão crônica. No entanto, essa alteração compensatória pode ser, em última instância, mal adaptativa e pode levar à disfunção miocárdica, à isquemia miocárdica "por demanda", à dilatação cardíaca, à ICC e, em alguns casos, à morte súbita.

Os critérios patológicos mínimos para o diagnóstico de CH sistêmica são: (1) hipertrofia ventricular esquerda (em geral concêntrica) sem outra patologia cardiovascular; e (2) histórico clínico ou evidência patológica de hipertensão em outros órgãos (p. ex., rim). O Estudo de Framingham estabeleceu inequivocamente que, mesmo a hipertensão leve (níveis levemente acima de 140/90 mmHg) – se prolongada por tempo suficiente –, provoca hipertrofia ventricular esquerda; cerca de 30% da população dos EUA sofre de hipertensão, no mínimo, leve. Mais recentemente, os critérios para o diagnóstico de hipertensão foram alterados; de acordo com as diretrizes mais recentes, pressões diastólicas acima de 80 mmHg ou pressões sistólicas acima de 120 mmHg constituem aumentos clinicamente significativos da pressão arterial. Com base nisso, quase metade dos indivíduos da população geral é hipertensa. A patogênese da hipertensão é discutida no **Capítulo 11**.

> **Morfologia**
>
> A hipertensão induz a hipertrofia ventricular esquerda por sobrecarga de pressão, inicialmente sem dilatação ventricular. Como resultado, o espessamento da parede ventricular esquerda aumenta o peso do coração de forma desproporcional ao aumento do tamanho geral do coração (**Figura 12.19A**). O peso do coração pode ultrapassar 500 g e a espessura da parede do ventrículo esquerdo, 2 cm. Com o tempo, a espessura aumentada da parede do ventrículo esquerdo, em associação ao tecido conjuntivo intersticial aumentado, confere uma rigidez que prejudica o enchimento diastólico, muitas vezes levando a hipertrofia do átrio esquerdo.
>
> Microscopicamente, a primeira alteração da CH sistêmica é o aumento do diâmetro transversal dos miócitos, que pode ser difícil de ser observado na microscopia de rotina. Em um estágio mais avançado, graus variáveis de aumento celular e nuclear tornam-se aparentes, muitas vezes acompanhados de fibrose perivascular e intersticial.

A CH sistêmica compensada pode ser assintomática, produzindo apenas evidências eletrocardiográficas ou ecocardiográficas de hipertrofia do ventrículo esquerdo. Em muitos pacientes, a CH sistêmica é observada devido a uma nova fibrilação atrial induzida pela hipertrofia do átrio esquerdo ou por ICC progressiva. Dependendo da gravidade, duração e base subjacente da hipertensão, e da adequação do controle terapêutico, o paciente pode (1) apresentar longevidade normal e morrer de causas não

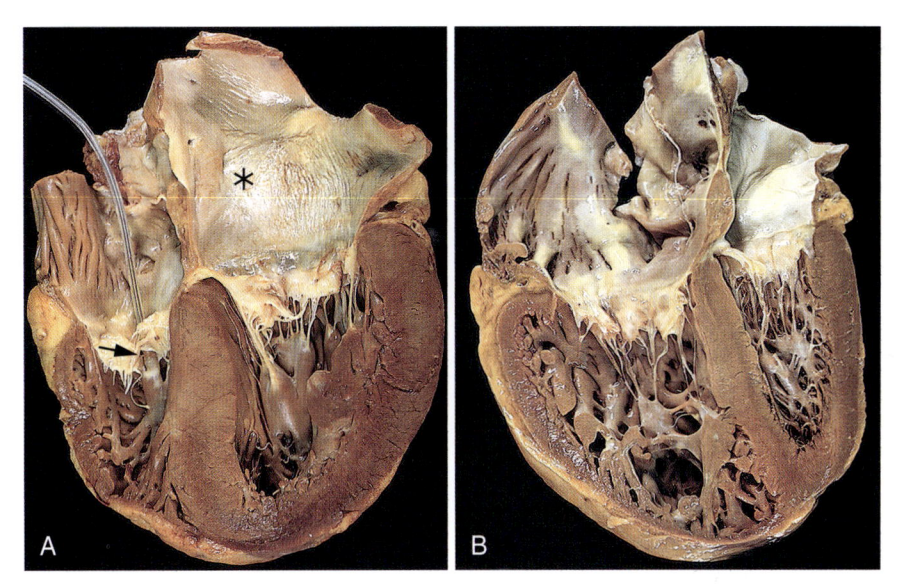

Figura 12.19 Cardiopatia hipertensiva, sistêmica e pulmonar. **A.** Cardiopatia hipertensiva sistêmica (esquerda). Há acentuado espessamento concêntrico da parede ventricular esquerda, causando redução da luz. O ventrículo esquerdo e o átrio esquerdo (*asterisco*) estão à direita nessa vista apical das quatro câmaras do coração. Há um marca-passo no ventrículo direito (*seta*). **B.** Cardiopatia hipertensiva pulmonar (direita) (*cor pulmonale*). O ventrículo direito está marcadamente dilatado e apresenta uma parede livre espessada e trabéculas hipertrofiadas (vista apical das quatro câmaras do coração, ventrículo direito à esquerda). O formato do ventrículo esquerdo (*à direita*) foi distorcido pelo ventrículo direito aumentado.

relacionadas, (2) desenvolver DIC devido aos efeitos potenciadores da hipertensão na aterosclerose coronária e à isquemia induzida pelo aumento da demanda de oxigênio do músculo hipertrofiado, (3) sofrer dano renal ou acidente vascular encefálico como efeitos diretos da hipertensão, ou (4) apresentar insuficiência cardíaca progressiva ou MSC. O controle eficaz da hipertensão pode prevenir a hipertrofia cardíaca e até levar à sua regressão; com a normalização da pressão arterial, os riscos associados de CH são reduzidos.

Cardiopatia hipertensiva pulmonar (direita) (*cor pulmonale*)

Normalmente, como a vasculatura pulmonar é o componente de baixa pressão da circulação, o ventrículo direito tem uma parede mais fina e mais flexível que a do ventrículo esquerdo. A CH pulmonar isolada, ou *cor pulmonale*, decorre da sobrecarga de pressão no ventrículo direito. O *cor pulmonale* crônico é caracterizado por hipertrofia ventricular direita, dilatação e, potencialmente, falência das câmaras direitas. As causas típicas do *cor pulmonale* crônico são distúrbios pulmonares, sobretudo doenças parenquimatosas crônicas, tais como enfisema e hipertensão pulmonar primária (**Tabela 12.7**; ver também **Capítulo 15**). O *cor pulmonale* agudo pode ocorrer após embolia pulmonar maciça. No entanto, também deve ser lembrado que a hipertensão pulmonar costuma ocorrer como uma complicação da cardiopatia esquerda.

> Uma hipertrofia mais sutil do ventrículo direito pode assumir a forma de espessamento dos feixes musculares na via de saída, logo abaixo da valva pulmonar, ou espessamento da faixa moderadora, feixe muscular que conecta o septo ventricular ao músculo papilar anterior do ventrículo direito. Às vezes o ventrículo direito hipertrofiado comprime a câmara ventricular esquerda ou leva à regurgitação e ao espessamento fibroso da valva tricúspide.

Morfologia

No *cor pulmonale* agudo, há dilatação acentuada do ventrículo direito sem hipertrofia. Em corte transversal, o formato normal de crescente da câmara ventricular direita passa a ser um ovoide dilatado. No *cor pulmonale* crônico, a parede do ventrículo direito fica espessada, às vezes com até 1 cm ou mais (**Figura 12.19B**).

Tabela 12.7 Distúrbios que predispõem o *cor pulmonale*.

Doenças do parênquima pulmonar
Doença pulmonar obstrutiva crônica
Fibrose intersticial pulmonar difusa
Pneumoconioses
Fibrose cística
Bronquiectasia
Doenças dos vasos pulmonares
Tromboembolismo pulmonar recorrente
Hipertensão pulmonar primária
Arterite pulmonar extensa (p. ex., granulomatose com poliangiite)
Obstrução vascular induzida por medicamentos, toxinas ou radiação
Microembolia tumoral pulmonar extensa
Distúrbios que afetam o movimento torácico
Cifoescoliose
Obesidade acentuada (apneia do sono, síndrome de Pickwick)
Doenças neuromusculares
Distúrbios indutores de constrição arterial pulmonar
Acidose metabólica
Hipoxemia
Doença crônica da altitude elevada
Obstrução das vias respiratórias principais
Hipoventilação alveolar idiopática

> **Conceitos-chave**
>
> **Cardiopatia hipertensiva**
>
> - A CH pode afetar o ventrículo esquerdo ou o ventrículo direito; no ventrículo direito, é denominada *cor pulmonale*. As pressões elevadas levam à hipertrofia de miócitos e à fibrose intersticial, aumentando a espessura da parede e a rigidez miocárdica
> - A sobrecarga crônica de pressão da hipertensão sistêmica causa hipertrofia ventricular esquerda concêntrica, com frequência associada à dilatação atrial esquerda devido ao enchimento diastólico prejudicado do ventrículo. A sobrecarga de pressão persistentemente elevada pode causar insuficiência ventricular com dilatação
> - O *cor pulmonale* é resultante de hipertensão pulmonar decorrente de doenças vasculares ou parenquimatosas pulmonares primárias. Geralmente, há hipertrofia ventricular e atrial direita; pode ocorrer dilatação ventricular e atrial direita.

Valvopatia cardíaca

Uma valvopatia pode gerar manifestações clínicas devido à estenose (regurgitação), à insuficiência (incompetência) ou a ambas:

- A *estenose* é a não abertura completa de uma valva, obstruindo o fluxo para a frente. A estenose valvar adquirida é quase sempre decorrente de anormalidade primária do folheto e quase sempre um processo crônico (p. ex., calcificação ou cicatriz valvar)
- A *insuficiência* é decorrente do não fechamento completo de uma valva, o que permite a regurgitação (refluxo) do sangue. A insuficiência valvar pode ser decorrente de doença intrínseca dos folhetos valvares (p. ex., endocardite) ou rompimento das estruturas de sustentação (p. ex., aorta, anel mitral, cordas tendíneas, músculos papilares ou parede livre do ventrículo) sem lesão primária de folheto. Pode aparecer abruptamente, como na ruptura de cordas, ou insidiosamente, como consequência de cicatriz e retração de folhetos.

Estenose e insuficiência podem ocorrer de forma isolada ou juntas na mesma valva. A valvopatia pode envolver apenas uma (a valva mitral é o alvo mais comum) ou mais de uma valva. O fluxo anormal através das valvas doentes costuma produzir sons cardíacos anormais, chamados sopros; lesões graves podem até ser palpadas externamente como vibrações. Dependendo da valva envolvida, os sopros são mais bem ouvidos em diferentes locais da parede torácica; além disso, a natureza (regurgitação ou estenose) e a gravidade da valvopatia determinam a qualidade e a temporização do sopro (p. ex., sopros sistólicos fortes ou diastólicos suaves).

As consequências clínicas da disfunção valvar variam dependendo da valva envolvida, do grau de comprometimento, do ritmo de início da doença e da taxa e qualidade dos mecanismos compensatórios. Por exemplo, a destruição repentina de uma cúspide da valva aórtica por infecção (endocardite infecciosa; ver adiante) pode causar regurgitação aórtica aguda, maciça e rapidamente fatal. Por outro lado, a estenose mitral reumática, tipicamente, se desenvolve de forma indolente ao longo dos anos e seus efeitos clínicos podem ser bem tolerados por longos períodos. Certas condições podem complicar as valvopatias cardíacas ao aumentar as demandas do coração; por exemplo, o aumento das demandas de saída durante a gravidez pode exacerbar a valvopatia e levar a desfechos desfavoráveis para a mãe ou o feto. A estenose ou insuficiência valvar costuma produzir alterações secundárias, tanto proximais quanto distais à valva afetada, em particular no miocárdio. Geralmente, a estenose valvar leva à hipertrofia cardíaca por sobrecarga de pressão, enquanto a insuficiência valvar leva à sobrecarga de volume; ambas as situações podem culminar em insuficiência cardíaca. Além disso, a ejeção do sangue através de valvas estenóticas estreitadas pode produzir "jatos" de sangue em alta velocidade que danificam o endotélio ou o endocárdio onde impactam.

As anormalidades valvares podem ser congênitas (discutidas anteriormente) ou adquiridas. A estenose valvar adquirida é quase sempre consequência de lesão remota ou crônica dos folhetos valvares que só se manifesta clinicamente após muitos anos. Por outro lado, a insuficiência valvar adquirida pode ser resultante de doença intrínseca dos folhetos valvares ou dano ou distorção das estruturas de sustentação (p. ex., aorta, anel mitral, cordas tendíneas, músculos papilares, parede livre do ventrículo).

As causas das valvopatias adquiridas estão resumidas na **Tabela 12.8**. As causas mais frequentes das principais lesões valvares são:

- *Estenose aórtica*: calcificação e esclerose de valvas aórticas anatomicamente normais ou congenitamente bicúspides
- *Insuficiência aórtica*: dilatação da aorta ascendente, geralmente secundária à hipertensão e/ou ao envelhecimento
- *Estenose mitral*: cardiopatia reumática (CPR)
- *Insuficiência mitral*: degeneração mixomatosa (PVM) ou dilatação ventricular esquerda em virtude de insuficiência cardíaca isquêmica ou não isquêmica.

Tabela 12.8 Etiologia da valvopatia cardíaca adquirida.

Valvopatia mitral	Valvopatia aórtica
Estenose mitral	**Estenose aórtica**
Cicatriz pós-inflamatória (cardiopatia reumática)	Cicatriz pós-inflamatória (cardiopatia reumática)
	Estenose aórtica calcificada senil
	Calcificação de valva deformada congênita
Regurgitação mitral	**Regurgitação aórtica**
Anormalidades em folhetos e comissuras	Valvopatia intrínseca
Cicatriz pós-inflamatória	Cicatriz pós-inflamatória (cardiopatia reumática)
Endocardite infecciosa	Endocardite infecciosa
Prolapso da valva mitral	Doença da aorta
Fibrose valvar induzida por "fen-fen"	Dilatação degenerativa aórtica
Anormalidades do aparelho tensor	Aortite sifilítica
Ruptura de músculo papilar	Espondilite anquilosante
Disfunção de músculo papilar (fibrose)	Artrite reumatoide
Ruptura de cordas tendíneas	Síndrome de Marfan
Anormalidades do anel e/ou cavidade ventricular esquerda	
Hipertrofia ventricular esquerda (miocardite, cardiomiopatia dilatada)	
Calcificação do anel mitral	

Fen-fen, fenfluramina-fentermina.
Dados de Schoen FJ: Surgical pathology of removed natural and prosthetic valves, Hum Pathol 18(6):558-567, 1987.

Degeneração valvar calcificada

As valvas cardíacas estão sujeitas a altos níveis de estresse mecânico repetitivo, sobretudo nos pontos de pivotamento dos folhetos; isso é consequência de (1) milhões de contrações cardíacas por ano, (2) deformações teciduais substanciais durante cada contração e (3) gradientes de pressão transvalvar na fase fechada de cada contração de cerca de 120 mmHg para a valva mitral e 80 mmHg para a aórtica. Portanto, não é surpreendente que essas estruturas delicadas possam sofrer danos cumulativos e calcificações que levam a disfunções clinicamente importantes.

Estenose aórtica calcificada

A mais comum de todas as anormalidades valvares, a estenose aórtica calcificada, costuma ser consequência do "desgaste" associado à idade de valvas anatomicamente normais ou congenitamente bicúspides (encontradas em cerca de 1% da população). A prevalência da estenose aórtica é estimada em 2% e tem aumentado com o envelhecimento da população em geral. A estenose aórtica de valvas previamente normais (denominada estenose aórtica degenerativa calcificada) costuma manifestar-se clinicamente da sétima à nona década de vida, enquanto as valvas estenóticas bicúspides tendem a se tornar clinicamente significativas uma a duas décadas antes.

A calcificação da valva aórtica pode ser consequência de lesão crônica recorrente resultante de hiperlipidemia, hipertensão, inflamação e outros fatores semelhantes aos implicados na aterosclerose. A lesão progressiva crônica leva à degeneração valvar e favorece a deposição de hidroxiapatita (o mesmo sal de cálcio encontrado nos ossos). Embora este modelo forneça um bom ponto de partida para a compreensão da degeneração calcificada, está cada vez mais claro que a lesão valvar da estenose aórtica calcificada difere da aterosclerose em alguns aspectos importantes. Mais notavelmente, as valvas anormais contêm células semelhantes a osteoblastos, que sintetizam proteínas da matriz óssea e promovem a deposição de sais de cálcio. Além disso, as intervenções que diminuem o risco aterosclerótico (p. ex., estatinas) não parecem prevenir significativamente a degeneração valvar calcificada. As valvas bicúspides incorrem em maior estresse mecânico do que as tricúspides normais, o que pode explicar sua estenose acelerada.

> ### Morfologia
>
> O aspecto macroscópico característico da estenose aórtica calcificada não reumática (envolvendo valvas tricúspides ou bicúspides) são massas calcificadas montadas nas superfícies de saída das cúspides que, em última análise, impedem sua abertura. As bordas livres das cúspides não costumam estar envolvidas (**Figura 12.20A**). Microscopicamente, a arquitetura de camadas da valva está amplamente preservada. O processo de calcificação começa na camada fibrosa da valva situada na superfície de saída da valva, nos pontos de flexão máxima da cúspide (próximo às margens de inserção). A inflamação é variável e pode-se observar osso metaplásico. Na estenose aórtica, a área funcional da valva está diminuída por grandes depósitos nodulares, que podem, com o tempo, causar obstrução mensurável do fluxo; isso sujeita o miocárdio ventricular esquerdo a uma sobrecarga de pressão progressivamente crescente. Em comparação com a estenose aórtica reumática (e congênita) (**Figura 12.22E**), a fusão comissural não costuma ser observada.

Características clínicas

Na estenose aórtica calcificada (sobreposta a uma valva aórtica previamente normal ou bicúspide), a obstrução do fluxo de saída do ventrículo esquerdo leva ao estreitamento gradual do orifício da valva (área valvar de, aproximadamente, 0,5 a 1 cm^2 na estenose aórtica grave; o normal é de cerca de 4 cm^2) e a um gradiente de pressão crescente através da valva calcificada. As pressões no ventrículo esquerdo aumentam para 200 mmHg ou mais nesses casos, produzindo hipertrofia ventricular esquerda concêntrica (sobrecarga de pressão). O miocárdio hipertrofiado tende a ser isquêmico (resultante da perfusão microcirculatória diminuída, muitas vezes complicada por aterosclerose coronariana) e pode ocorrer angina. A função miocárdica sistólica e diastólica pode estar prejudicada; com o tempo, pode ocorrer descompensação cardíaca e ICC. O início dos sintomas (angina, ICC ou síncope) da estenose aórtica anuncia descompensação cardíaca e produz um prognóstico muito ruim. Se não tratada, a maioria dos pacientes com estenose aórtica morrerá em 5 anos após o desenvolvimento de angina, em 3 anos após o desenvolvimento de síncope e em 2 anos após o início da ICC. O tratamento exige a substituição cirúrgica da valva, pois a terapia medicamentosa é ineficaz para a estenose aórtica sintomática grave.

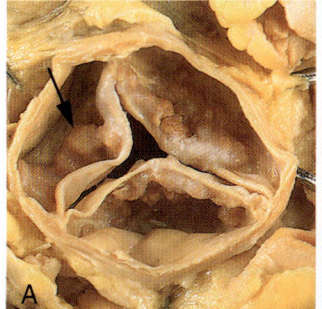

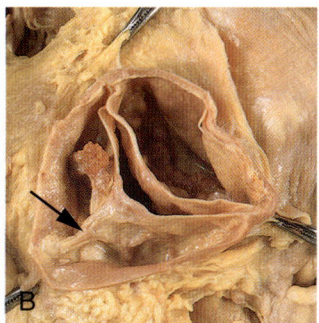

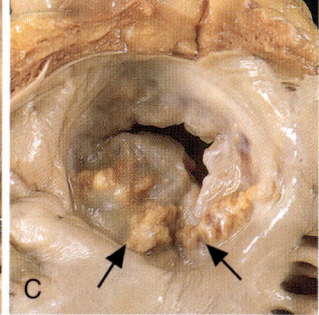

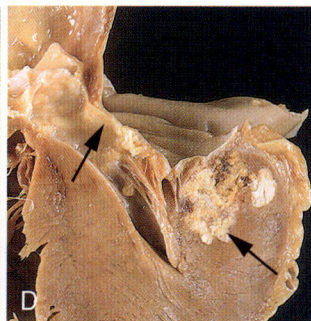

Figura 12.20 Degeneração valvar calcificada. **A.** Estenose aórtica calcificada de uma valva previamente normal (vista da face aórtica). Massas nodulares de cálcio se acumulam nos seios de Valsalva (*seta*). Observe que as comissuras não estão fundidas, tal como ocorre com a estenose valvar aórtica pós-reumática (**Figura 12.22E**). **B.** Estenose aórtica calcificada de uma valva congenitamente bicúspide. Uma cúspide apresenta uma fusão parcial em seu centro, chamada rafe (*seta*). **C** e **D.** Calcificação do anel mitral, com nódulos calcificados na base (margem de inserção) do folheto mitral anterior (*setas*). **C.** Visão do átrio esquerdo. **D.** Corte do miocárdio, mostrando a parede lateral com calcificação densa que se estende até o miocárdio subjacente (*seta*).

Estenose calcificada de valva aórtica congenitamente bicúspide

A valva aórtica bicúspide (VAB) é uma anormalidade do desenvolvimento com prevalência de, aproximadamente, 1% na população; a VAB calcificada compreende cerca de 50% dos casos de estenose aórtica em adultos. Alguns casos de VAB demonstram padrão familiar, geralmente com malformações do trato de saída do ventrículo esquerdo ou da aorta associadas. Mutações de perda de função em *NOTCH1* (mapeado ao cromossomo 9q34.3) foram especificamente associadas à VAB em algumas famílias.

Em uma valva aórtica congenitamente bicúspide, existem apenas duas cúspides funcionais, em geral com tamanho desigual, com a cúspide maior apresentando uma rafe mediana, resultante de separação comissural incompleta durante o desenvolvimento; menos frequentemente, as cúspides têm o mesmo tamanho e a rafe está ausente. A rafe costuma ser um dos principais locais de depósitos de cálcio (**Figura 12.20B**).

Embora a VAB costume ser assintomática no início da vida, o início da degeneração com calcificação anuncia um curso clínico semelhante ao descrito anteriormente para a estenose aórtica calcificada. Outras complicações da valva bicúspide incluem regurgitação aórtica e endocardite infecciosa. Curiosamente, anormalidades estruturais da parede aórtica também costumam acompanhar a VAB, mesmo quando a valva é hemodinamicamente normal, e isso pode potencializar a dilatação ou dissecção aórtica.

Calcificação do anel mitral

Ao contrário do envolvimento predominante da cúspide na calcificação da valva aórtica, os depósitos de cálcio degenerativos na valva mitral costumam se desenvolver no ânulo fibroso. Macroscopicamente, eles aparecem como nódulos irregulares, duros como pedra e, ocasionalmente, ulcerados (2 a 5 mm de espessura) na base dos folhetos (**Figura 12.20C e D**). A calcificação do anel mitral costuma não afetar a função valvar. No entanto, em casos excepcionais, pode levar a:

- *Regurgitação*, ao interferir na contração fisiológica do anel valvar
- *Estenose*, ao prejudicar a abertura dos folhetos mitrais
- *Arritmias* e, ocasionalmente, morte súbita, pela penetração de depósitos de cálcio a uma profundidade suficiente para comprometer o sistema de condução atrioventricular.

Como os nódulos calcificados também podem fornecer um local para a formação de trombos, os pacientes com calcificação do anel mitral apresentam um risco ligeiramente aumentado de acidente vascular encefálico embólico e os nódulos calcificados podem se tornar um nicho para a endocardite infecciosa. A calcificação do anel mitral aumenta com a idade e é mais comum em mulheres e indivíduos com prolapso da valva mitral (ver adiante).

Prolapso da valva mitral (degeneração mixomatosa da valva mitral)

No prolapso da valva mitral (PVM), um ou ambos os folhetos da valva mitral são "moles" e projetam-se para o átrio esquerdo durante a sístole. O PVM afeta, aproximadamente, 2 a 3% dos adultos dos EUA e é mais comum em mulheres; na maioria das vezes, é um achado incidental durante o exame físico, mas pode levar a complicações sérias em uma pequena minoria dos indivíduos afetados.

Patogênese

A base etiológica das alterações que enfraquecem os folhetos valvares e estruturas associadas é desconhecida na maioria dos casos. Raramente, o PVM está associado a doenças hereditárias do tecido conjuntivo, tais como a síndrome de Marfan, causada por mutações na fibrilina-1 (*FBN1*) que alteram as interações célula-matriz e desregulam a sinalização de TGF-β (ver **Capítulo 5**). Curiosamente, camundongos com *FBN1* mutado desenvolvem uma forma de PVM que pode ser prevenida com inibidores de TGF-β, indicando que o excesso de atividade de TGF-β pode causar a frouxidão estrutural característica e as alterações mixomatosas.

> #### Morfologia
>
> **A alteração anatômica característica no PVM é o abaulamento dos folhetos mitrais (Figura 12.21A a C).** Os folhetos afetados costumam estar hipertrofiados, redundantes, grossos e elásticos. As cordas tendíneas associadas podem estar alongadas, afinadas ou mesmo rompidas, e o anel pode estar dilatado. As valvas tricúspide, aórtica ou pulmonar também podem estar afetadas. A principal alteração histológica no tecido é a marcada **degeneração mixomatosa** da camada esponjosa, refletida pelo aumento da deposição de uma matriz hidrofílica altamente sulfatada (**Figura 12.21E**); a camada fibrosa colágena da valva também está atenuada, afetando a integridade estrutural do folheto. As alterações secundárias refletem as tensões e as lesões teciduais incidentes nos folhetos ondulantes: (1) espessamento fibroso dos folhetos valvares, sobretudo no ponto de fricção entre eles; (2) espessamento fibroso linear da superfície endocárdica do ventrículo esquerdo no local onde as cordas anormalmente longas se romperam ou friccionam; (3) espessamento do endocárdio mural do átrio ou ventrículo esquerdo como consequência da lesão induzida pela fricção causada pelos folhetos hipermóveis em prolapso; (4) trombos nas superfícies atriais dos folhetos ou nas paredes atriais (**Figura 12.21B**); e (5) calcificações focais na base do folheto mitral posterior (**Figura 12.21C**). Notavelmente, a degeneração mixomatosa da valva mitral também pode ocorrer como uma consequência secundária da regurgitação de outras etiologias (p. ex., disfunção isquêmica).

Características clínicas

A maioria dos indivíduos com diagnóstico de PVM é assintomática; nesses casos, a condição é descoberta incidentalmente pela ausculta de estalidos durante a sístole, causados pela tensão abrupta sobre os folhetos e cordas tendíneas redundantes quando a valva tenta se fechar; pode ou não haver um sopro regurgitante associado. O diagnóstico é confirmado por ecocardiografia. Uma minoria de pacientes apresenta dor torácica que mimetiza angina (embora não seja por esforço em sua natureza) e um subgrupo apresenta dispneia, possivelmente relacionada à insuficiência valvar. Embora a grande maioria dos indivíduos com PVM não apresente efeitos adversos, aproximadamente, 3% desenvolvem uma das quatro complicações graves: (1) endocardite infecciosa; (2) insuficiência mitral, às vezes com ruptura de cordas; (3) acidente vascular encefálico ou outro infarto sistêmico, resultante de embolização dos trombos do folheto; ou (4) arritmias, tanto ventriculares quanto atriais. Raramente, o PVM é o único achado na morte súbita cardíaca. A cirurgia de reparo ou substituição de valva pode ser realizada em pacientes sintomáticos ou com risco aumentado de complicações significativas.

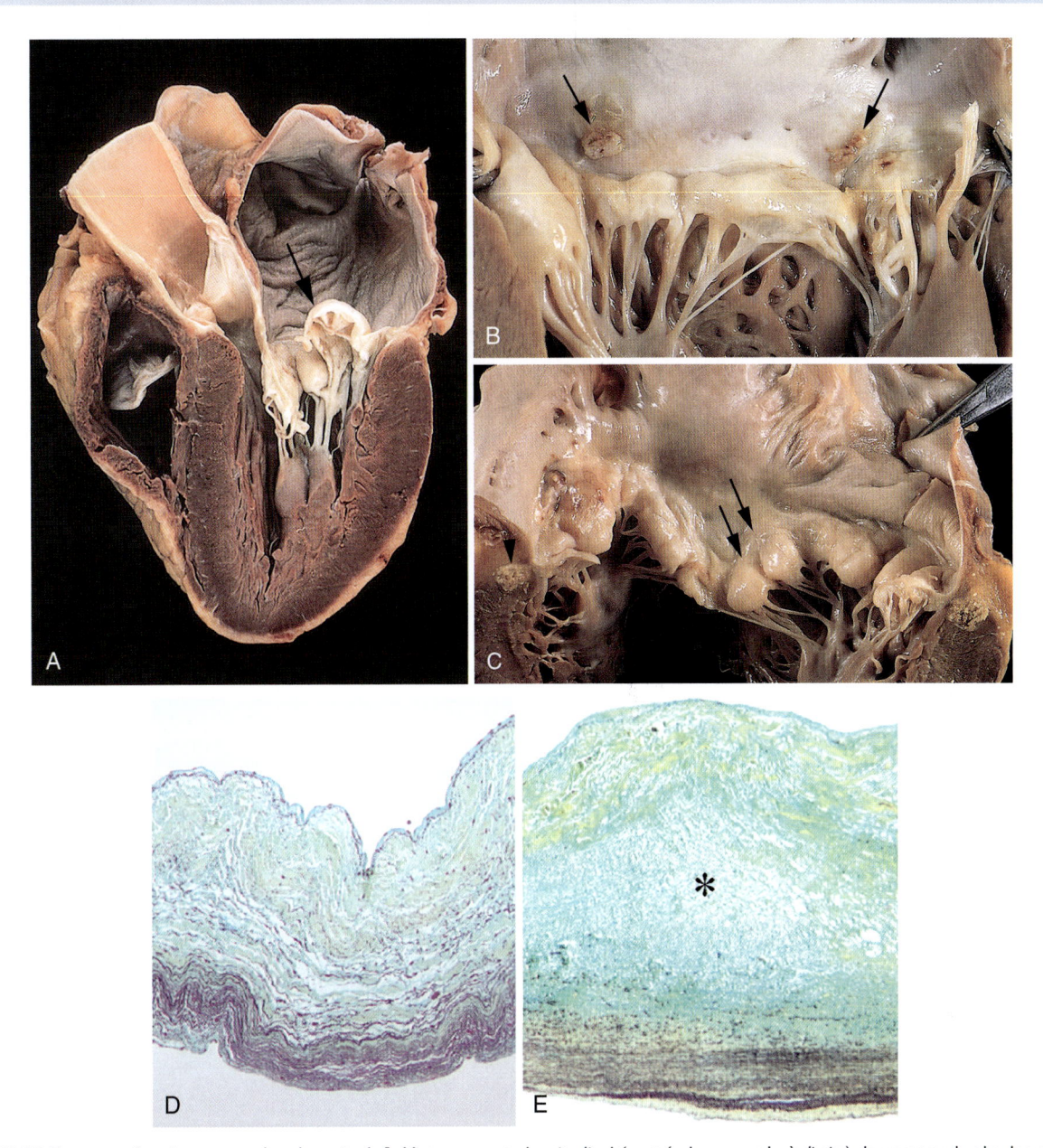

Figura 12.21 Degeneração mixomatosa da valva mitral. **A.** Vista em corte longitudinal (ventrículo esquerdo à *direita*) demonstrando abaulamento com prolapso do folheto mitral posterior para o átrio esquerdo (*seta*). **B.** Valva aberta mostrando abaulamento pronunciado do folheto mitral posterior com placas trombóticas nos locais de contato entre o folheto e o átrio esquerdo (*setas*). **C.** Valva aberta com abaulamento pronunciado (*setas duplas*) em um paciente que morreu repentinamente. Observe também a calcificação do anel mitral no lado esquerdo (*ponta de seta*). Valva cardíaca normal (**D**) e valva mitral mixomatosa (**E**). Nas valvas mixomatosas, o colágeno da camada fibrosa está frouxo e desorganizado, a deposição de proteoglicanos (*asterisco*) na camada esponjosa central está marcadamente expandida e a elastina da camada atrial está desorganizada. (**A**, Cortesia de William D. Edwards, MD, Mayo Clinic, Rochester, Minn; **D** e **E**, Coloração com pentacromo de Movat, na qual o colágeno é amarelo, a elastina é preta e os proteoglicanos são azuis). De Rabkin E, et al: Activated interstitial myofibroblasts express catabolic enzymes and mediate matrix remodeling in myxomatous heart valves, *Circulation* 104:2525-2532, 2001.)

Febre reumática e cardiopatia reumática

A febre reumática (FR) é uma doença inflamatória multissistêmica aguda imunomediada que costuma ocorrer algumas semanas após faringite por estreptococos do grupo A; ocasionalmente, a FR pode acompanhar infecções estreptocócicas em outros locais, tais como a pele. A cardite reumática aguda é uma manifestação comum da FR ativa e pode progredir com o tempo para cardiopatia reumática (CPR) crônica.

A CPR é caracterizada, sobretudo, por valvopatia fibrótica deformante, envolvendo principalmente a valva mitral; de fato, a CPR é, praticamente, a única causa de estenose mitral. A incidência e a taxa de mortalidade da FR e da CPR diminuíram consideravelmente em muitas partes do mundo no último século, como resultado da melhoria do saneamento básico e do rápido diagnóstico e tratamento da faringite estreptocócica. No entanto, em países em desenvolvimento e em áreas urbanas populosas e pobres, a CPR continua sendo um importante problema de saúde pública.

Patogênese

A febre reumática aguda é resultante da resposta imune do hospedeiro aos antígenos dos estreptococos do grupo A, que têm reação cruzada com as proteínas do hospedeiro. O atraso característico de 2 a 3 semanas para o início dos sintomas após a infecção é explicado pelo tempo necessário para a geração da resposta imune adaptativa; em particular, os anticorpos e células T CD4+ dirigidos contra as proteínas M estreptocócicas também podem, em alguns casos, reconhecer os autoantígenos cardíacos. A ligação dos anticorpos pode ativar o complemento, bem como recrutar células portadoras de receptores Fc (neutrófilos e macrófagos); a produção de citocinas pelas células T estimuladas leva à ativação de macrófagos (p. ex., dentro dos nódulos de Aschoff). Os danos ao tecido cardíaco podem, portanto, ser causados pela combinação de reações mediadas por anticorpos e células T (ver **Capítulo 6**). Seguindo essa base imunológica da CPR, os estreptococos estão completamente ausentes das lesões. Como apenas uma pequena minoria de pacientes infectados desenvolve febre reumática (estimada em 3%), é provável que uma suscetibilidade genética influencie o desenvolvimento das respostas imunes de reação cruzada. As lesões fibróticas crônicas são a consequência previsível da cicatrização associada à resolução da inflamação aguda.

> ### Morfologia
>
> As principais características patológicas da FR aguda e da CPR crônica são descritas na **Figura 12.22**. Durante a FR aguda, lesões inflamatórias focais são encontradas em vários tecidos. As lesões características no coração, chamadas de **nódulos de Aschoff**, são compostas por focos de linfócitos T, plasmócitos ocasionais e grandes macrófagos ativados chamados de **células de Anitschkow**. Esses macrófagos apresentam citoplasma abundante e núcleos centrais arredondados a ovoides (ocasionalmente binucleados) nos quais a cromatina se condensa em uma fita central, delgada e ondulada (daí a designação "células-lagarta").
>
> Durante a FR aguda, inflamação difusa e nódulos de Aschoff podem ser encontrados em quaisquer das três camadas do coração, resultando em pericardite, miocardite ou endocardite **(pancardite)**.
>
> A inflamação do endocárdio e das valvas do lado esquerdo costuma resultar em necrose fibrinoide das cúspides ou cordas tendíneas. Acima desses focos necróticos e ao longo das linhas de fechamento são encontradas pequenas (1 a 2 mm) vegetações, chamadas **verrugas**. Assim, a CPR é uma das formas da valvopatia com vegetações, cada uma exibindo suas próprias características

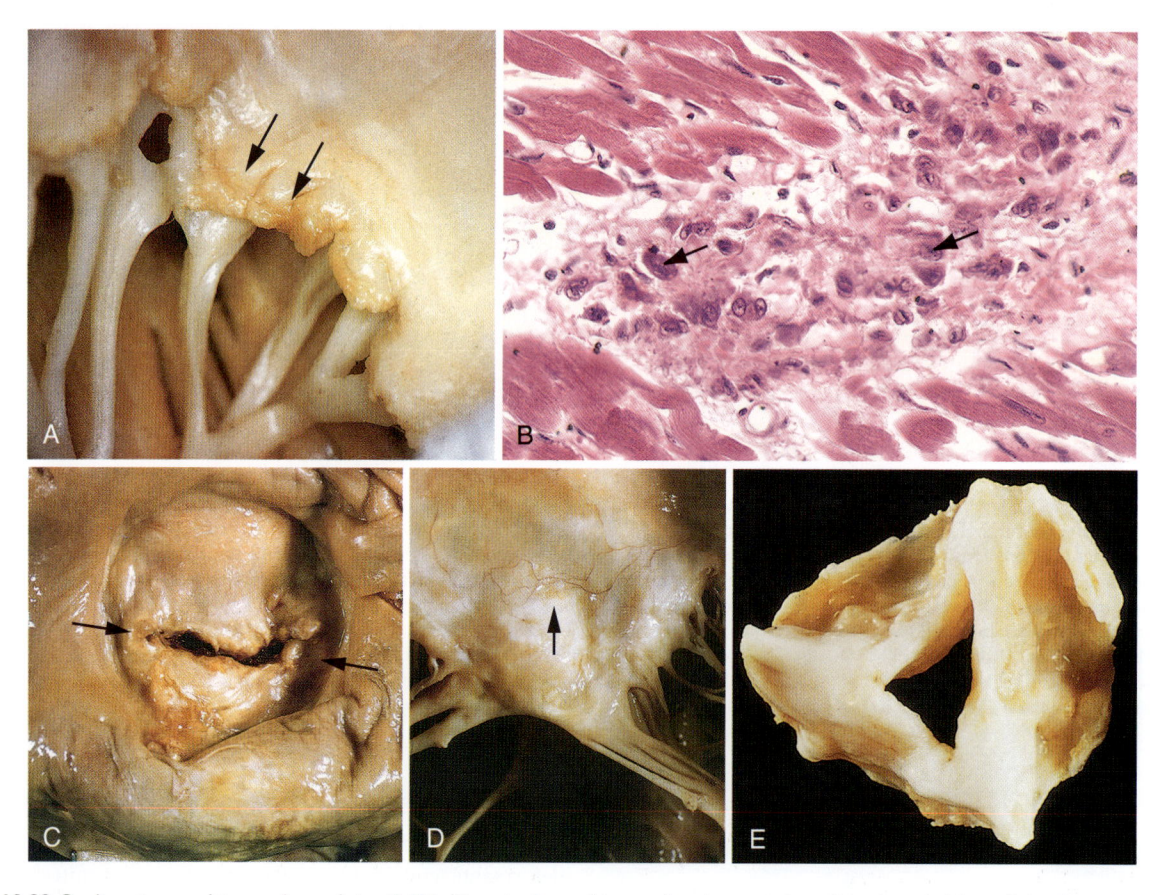

Figura 12.22 Cardiopatia reumática aguda e crônica. **A.** Valvulite mitral reumática aguda sobreposta à cardiopatia reumática crônica. Pequenas vegetações (verrugas) são visíveis ao longo da linha de fechamento dos folhetos da valva mitral (*setas*). Episódios anteriores de valvulite reumática causaram espessamento fibroso e fusão das cordas tendíneas. **B.** Fotomicrografia de um nódulo de Aschoff em um paciente com cardite reumática aguda. O miocárdio exibe um nódulo circunscrito de células inflamatórias mononucleares mistas com necrose associada; em meio ao processo inflamatório, grandes macrófagos ativados apresentam nucléolos proeminentes, bem como a cromatina condensada em longas fitas onduladas ("células-lagarta"; *setas*). **C** e **D.** Estenose mitral com espessamento fibroso difuso e distorção dos folhetos valvares e fusão comissural (*setas*, **C**) e espessamento das cordas tendíneas (**D**). Observe a neovascularização do folheto mitral anterior (*seta*, **D**). **E.** Amostra de estenose aórtica reumática ressecada cirurgicamente demonstrando espessamento e distorção das cúspides com fusão comissural. (**E**, Reproduzida de Schoen FJ, St. John-Sutton M: Contemporary issues in the pathology of valvular heart disease, *Hum Pathol* 18:568, 1967.)

morfológicas (**Figura 12.23**). Lesões subendocárdicas, talvez exacerbadas por jatos regurgitantes, podem provocar espessamentos irregulares chamados **placas de MacCallum**, geralmente no átrio esquerdo.

As alterações anatômicas cardinais da valva mitral na CPR crônica são **espessamento de folheto, fusão e encurtamento comissural e espessamento e fusão das cordas tendíneas** (**Figura 12.22D**). A valva mitral, quase sempre, está envolvida na CPR crônica; é afetada de modo isolado em cerca de dois terços dos casos e, em outros 25% é afetada com a valva aórtica. O envolvimento da valva tricúspide é infrequente e a valva pulmonar raramente é afetada.

Na estenose mitral reumática, a calcificação e a formação de pontes fibrosas através das comissuras valvares criam estenoses em "boca de peixe" (**Figura 12.22C**). Na presença de estenose mitral acentuada, o átrio esquerdo dilata-se de forma progressiva e pode abrigar trombos murais que, por sua vez, podem embolizar. Alterações congestivas de longa data nos pulmões podem induzir alterações vasculares e parenquimatosas pulmonares; com o tempo, isso pode levar a hipertrofia ventricular direita. O ventrículo esquerdo praticamente não é afetado pela estenose mitral pura isolada. Microscopicamente, as valvas mostram a inflamação aguda em organização, com neovascularização pós-inflamatória e fibrose transmural que desestrutura a arquitetura dos folhetos. Nódulos de Aschoff raramente são observados em peças cirúrgicas ou tecidos de necropsia de pacientes com CPR crônica, devido aos longos intervalos entre o insulto inicial e o desenvolvimento da deformidade crônica.

Características clínicas

A FR é caracterizada por uma constelação de manifestações principais:

- *Poliartrite migratória* das grandes articulações
- *Pancardite* (miocardite, pericardite ou endocardite)
- *Nódulos subcutâneos* (geralmente nas superfícies extensoras das extremidades)
- *Eritema marginatum*, um exantema circular irregular
- *Coreia de Sydenham*, um distúrbio neurológico com movimentos involuntários rápidos.

O diagnóstico é estabelecido de acordo com os critérios de Jones revisados: evidência de infecção anterior por estreptococos do grupo A e presença de duas manifestações principais ou uma manifestação principal e duas secundárias (sinais e sintomas inespecíficos que incluem febre, artralgia ou níveis sanguíneos elevados de reagentes de fase aguda); notavelmente, esses critérios estão evoluindo e são aplicados de forma diferente em cenários de baixo e alto risco.

A FR aguda costuma aparecer 10 dias a 6 semanas após uma infecção por estreptococos do grupo A em cerca de 3% dos pacientes. Ocorre com mais frequência em crianças entre 5 e 15 anos, mas os primeiros ataques podem ocorrer na meia-idade. Embora as culturas faríngeas para estreptococos sejam negativas no momento em que a doença começa, anticorpos para uma ou mais enzimas estreptocócicas, tais como estreptolisina O e Dnase B, podem ser detectados no soro da maioria dos pacientes com FR. As manifestações clínicas predominantes são cardite e artrite, esta última mais comum em adultos do que em crianças. A artrite, em geral, começa com poliartrite migratória (acompanhada de febre), na qual uma grande articulação após a outra fica dolorida e inchada por um período de dias e, então, desaparece espontaneamente, não deixando nenhuma deficiência residual. As características clínicas relacionadas à cardite aguda incluem atrito pericárdico, taquicardia e arritmias. A miocardite pode causar dilatação cardíaca que pode culminar em insuficiência valvar funcional ou mesmo insuficiência cardíaca. Aproximadamente 1% dos indivíduos afetados morre de envolvimento fulminante do coração por FR.

Após um ataque inicial, há maior vulnerabilidade à reativação da doença com infecções faríngeas subsequentes, e as mesmas manifestações são prováveis de aparecer com cada ataque recorrente. Os danos às valvas são cumulativos. A turbulência induzida pelas deformidades valvares em curso leva a fibrose adicional. Esse é um excelente exemplo de um tema comum na valvopatia cardíaca, em que as consequências da patologia valvar podem contribuir para a progressão dessa mesma patologia valvar, em um ciclo de *feedback* positivo.

As manifestações clínicas da CPR aparecem anos ou mesmo décadas após o episódio inicial de FR e dependem de quais valvas estão envolvidas. Além de sopros cardíacos, hipertrofia e dilatação

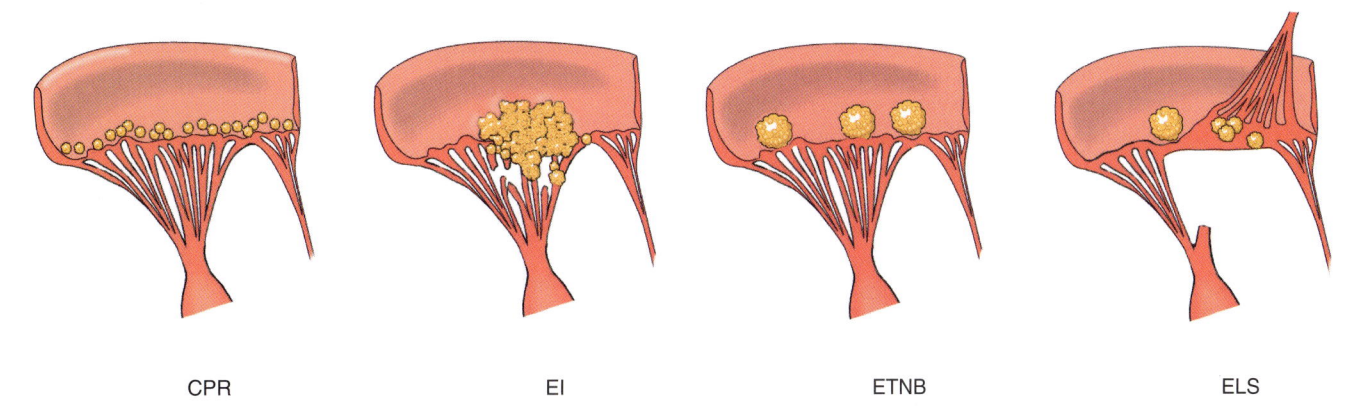

CPR   EI   ETNB   ELS

Figura 12.23 Comparação entre as quatro principais formas de endocardite com vegetações. A fase de febre reumática da cardiopatia reumática (*CPR*) é marcada por pequenas vegetações verrucosas ao longo das linhas de fechamento dos folhetos valvares. A endocardite infecciosa (*EI*) é caracterizada por grandes massas irregulares nas cúspides valvares que podem se estender para as cordas (ver **Figura 12.24A**). A endocardite trombótica não bacteriana (*ETNB*) costuma exibir pequenas vegetações brandas, geralmente aderidas à linha de fechamento. Uma ou mais podem estar presentes (ver **Figura 12.25**). A endocardite de Libman-Sacks (*ELS*) apresenta vegetações de tamanho pequeno ou médio em um ou ambos os lados dos folhetos valvares.

cardíaca e insuficiência cardíaca, os indivíduos com CPR crônica podem sofrer de arritmias (particularmente, fibrilação atrial no contexto de estenose mitral), complicações tromboembólicas e endocardite infecciosa (ver adiante). O prognóstico a longo prazo é altamente variável. O reparo cirúrgico ou a substituição das valvas doentes melhorou muito as perspectivas para pessoas com CPR.

Endocardite infecciosa

A endocardite infecciosa (EI) é uma infecção microbiana das valvas cardíacas ou do endocárdio mural que leva à formação de vegetações compostas por detritos trombóticos e microrganismos, muitas vezes associada à destruição dos tecidos cardíacos subjacentes. Aorta, aneurismas, outros vasos sanguíneos e dispositivos protéticos também podem ser infectados. Embora fungos e outras classes de microrganismos possam ser responsáveis, a maioria das infecções são bacterianas (endocardite bacteriana). O diagnóstico imediato, a identificação do agente agressor e o tratamento eficaz da EI são importantes para limitar a morbidade e a mortalidade.

Tradicionalmente, a EI foi classificada clinicamente nas formas aguda e subaguda com base na gravidade e no ritmo (refletindo a virulência microbiana) e se há patologia valvar subjacente. Assim, a EI aguda costuma ser causada por infecção de uma valva cardíaca anteriormente normal por um microrganismo altamente virulento (p. ex., *Staphylococcus aureus*) que produz lesões destrutivas rapidamente. Essas infecções podem ser difíceis de curar apenas com antibióticos e costumam exigir cirurgia; apesar do tratamento adequado, pode haver morbidade, e mesmo mortalidade, substancial. Por outro lado, a EI subaguda é caracterizada por microrganismos com virulência mais baixa (p. ex., *Streptococcus viridans*) que causam infecções insidiosas de valvas deformadas, com menos destruição geral. Nesses casos, a doença pode seguir um curso prolongado de semanas a meses e a cura pode ser alcançada apenas com antibióticos. É importante ressaltar que nem sempre existe um delineamento claro entre endocardite aguda e subaguda, e muitos casos se enquadram em algum ponto do espectro entre as duas formas.

Patogênese

Embora microrganismos altamente virulentos possam infectar valvas anteriormente normais, uma variedade de anormalidades cardíacas aumenta o risco de desenvolvimento de EI. A CPR com cicatriz valvar é, historicamente, o principal distúrbio antecedente; à medida que a CPR se torna menos comum, ela foi suplantada pelo prolapso da valva mitral, estenose valvar degenerativa calcificada, valva aórtica bicúspide (calcificada ou não), valvas artificiais (protéticas) e defeitos congênitos.

A endocardite de valvas nativas, mas previamente danificadas ou anormais, costuma ser causada (de 50 a 60% dos casos) por *Streptococcus viridans*, um componente normal da flora da cavidade oral. Por outro lado, os microrganismos mais virulentos, como *S. aureus*, comumente encontrados na pele podem infectar valvas saudáveis ou deformadas e são responsáveis por 20 a 30% dos casos em geral; notavelmente, *S. aureus* é o principal agressor na EI entre usuários de drogas ilícitas intravenosas. Outras causas bacterianas incluem enterococos e o chamado grupo HACEK (*Haemophilus*, *Actinobacillus*, *Cardiobacterium*, *Eikenella* e *Kingella*), todos comensais na cavidade oral. Mais raramente, bacilos gram-negativos e fungos podem estar envolvidos.

A endocardite de valva protética que ocorre 1 a 2 meses após o implante cirúrgico costuma ser causada por flora cutânea (*S. aureus* e *S. epidermidis*); infecções de valva protética que ocorrem 1 ano ou mais após a cirurgia tendem a ser causadas por estreptococos e *S. aureus* (ver discussão posterior sobre "Valvas protéticas"). Em cerca de 10% de todos os casos de endocardite, nenhum microrganismo pode ser isolado do sangue (endocardite com "cultura negativa"); as razões incluem terapia anterior com antibióticos, dificuldades em isolar o agente agressor ou porque microrganismos profundamente incrustados na vegetação crescente não são liberados no sangue.

Entre os fatores que mais predispõem à endocardite, estão aqueles que causam a disseminação de microrganismos na corrente sanguínea (bacteriemia ou fungemia). A fonte pode ser uma infecção óbvia em outro lugar, um procedimento dentário ou cirúrgico, uma agulha contaminada compartilhada por usuários de drogas ilícitas intravenosas ou quebras aparentemente triviais nas barreiras epiteliais do intestino, cavidade oral ou pele. Em pacientes com anormalidades nas valvas ou com bacteriemia conhecida, o risco de EI pode ser reduzido com profilaxia antibiótica.

> ### Morfologia
>
> As **vegetações nas valvas cardíacas** são a marca registrada clássica da EI; são lesões friáveis, volumosas e potencialmente destrutivas que contêm fibrina, células inflamatórias e bactérias ou outros microrganismos (**Figuras 12.23** e **12.24**). As valvas aórtica e mitral são os locais mais comuns de infecção, embora as valvas do coração direito também possam estar envolvidas, sobretudo em usuários de drogas ilícitas intravenosas. As vegetações podem ser únicas ou múltiplas e podem envolver mais de uma valva; elas podem, em algumas ocasiões, erodir no miocárdio subjacente e produzir um abscesso (abscesso em anel; **Figura 12.24B**). As vegetações estão sujeitas à embolização; como os fragmentos embólicos costumam conter microrganismos virulentos, é comum haver desenvolvimento de abscessos no local onde se alojam, levando a sequelas, tais como infartos sépticos ou aneurismas micóticos.
>
> As vegetações da endocardite subaguda estão associadas a menos destruição valvar do que as da endocardite aguda, embora a diferença possa ser sutil. Microscopicamente, as vegetações da EI subaguda costumam exibir tecido de granulação em suas bases, indicativo de cura. Com o tempo, pode haver desenvolvimento de fibrose, calcificação e infiltrado inflamatório crônico.

Características clínicas

A endocardite aguda tem um início tempestuoso, com o aparecimento rápido de febre, calafrios, fraqueza e cansaço. Embora a febre seja o sinal mais consistente de EI, ela pode ser leve ou ausente, sobretudo em adultos mais velhos, e as únicas manifestações podem ser fadiga inespecífica, perda de peso e uma síndrome gripal. Os sopros estão presentes na maioria dos pacientes com EI esquerda, seja por um defeito valvar novo, seja por anormalidade preexistente. Os critérios de Duke modificados (**Tabela 12.9**) facilitam o diagnóstico para indivíduos com suspeita de EI, levando em consideração fatores predisponentes, achados físicos, resultados de hemocultura, achados ecocardiográficos e informações laboratoriais.

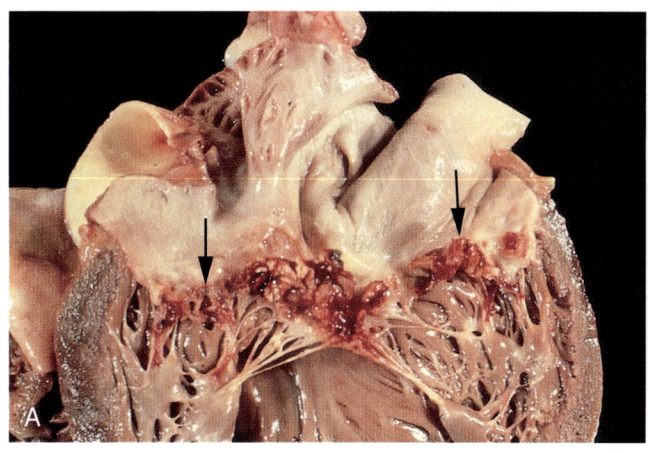

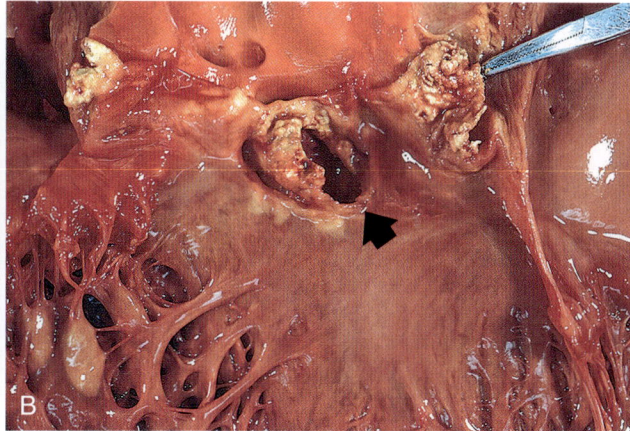

Figura 12.24 Endocardite infecciosa (bacteriana). **A.** Endocardite de valva mitral (subaguda, causada por *Streptococcus viridans*). As vegetações grandes e friáveis estão indicadas pelas *setas*. **B.** Endocardite aguda de valva aórtica congenitamente bicúspide (causada por *Staphylococcus aureus*), com extensa destruição da cúspide e abscesso de anel (*seta*).

As complicações da EI costumam começar nas primeiras semanas após o início e podem incluir deposição glomerular de complexo antígeno-anticorpo, causando glomerulonefrite (ver **Capítulo 20**). Sepse, arritmias (sugerindo invasão do miocárdio subjacente e do sistema de condução) e embolização sistêmica são um presságio ruim para o paciente. Se não tratada, a EI costuma ser fatal. No entanto, com antibioticoterapia apropriada a longo prazo (6 semanas ou mais) e/ou substituição valvar, a mortalidade é reduzida. Para infecções envolvendo microrganismos de baixa virulência (p. ex., *S. viridans*), a taxa de cura é de 98%, e para infecções por enterococos e *S. aureus*, as taxas de cura variam de 60 a 90%; entretanto, com infecções causadas por bacilos ou fungos gram-negativos, metade dos pacientes acaba sucumbindo. A taxa de cura para a endocardite que surge em valvas protéticas é uniformemente pior e a substituição da valva costuma ser necessária.

O diagnóstico precoce e o tratamento eficaz quase eliminaram algumas manifestações clínicas anteriormente comuns da EI de longa duração – por exemplo, microtromboêmbolos (manifestados como hemorragias em estilhaço ou subungueais), lesões eritematosas ou hemorrágicas não dolorosas nas palmas das mãos ou plantas dos pés (lesões de Janeway), nódulos subcutâneos na polpa dos dedos (nódulos de Osler) e hemorragias retinianas nos olhos (manchas de Roth).

Vegetações não infectadas

As vegetações não infectadas (estéreis) ocorrem na endocardite trombótica não bacteriana (ETNB) e na endocardite do lúpus eritematoso sistêmico (LES).

Endocardite trombótica não bacteriana

A endocardite trombótica não bacteriana (ETNB) é caracterizada pela deposição de pequenos trombos estéreis (1 a 5 mm) nos folhetos das valvas cardíacas (Figuras 12.23 e 12.25). Histologicamente, são trombos macios, frouxamente presos à valva subjacente; as vegetações são não destrutivas e não provocam nenhuma reação inflamatória. Embora o efeito local das vegetações costume ser trivial, elas podem ser uma fonte de êmbolos sistêmicos que produzem infartos significativos no cérebro, coração ou em outro local.

Tabela 12.9 Critérios para diagnóstico de endocardite infecciosa.[a]

Critérios patológicos

Microrganismos, demonstrados por cultura ou exame histológico, em uma vegetação, êmbolo de uma vegetação ou abscesso intracardíaco
Confirmação histológica de endocardite ativa em uma vegetação ou abscesso intracardíaco

Critérios clínicos

Principais

Hemocultura(s) positiva(s) para um microrganismo característico ou persistentemente positiva(s) para um microrganismo incomum
Identificação ecocardiográfica de massa oscilante ou abscesso relacionado à valva ou ao implante, ou separação parcial da valva artificial
Nova regurgitação valvar

Secundários

Lesão cardíaca predisponente ou uso de drogas ilícitas intravenosas
Febre
Lesões vasculares, como grandes êmbolos arteriais, infartos pulmonares sépticos, aneurisma micótico, hemorragia intracraniana, hemorragias conjuntivais e lesões de Janeway[b]
Fenômenos imunológicos, como glomerulonefrite, nódulos de Osler,[c] manchas de Roth[d] e fator reumatoide
Evidência microbiológica, como uma única cultura positiva para um microrganismo incomum

[a] O diagnóstico seguindo essas orientações, frequentemente chamadas de critérios de Duke modificados, exige critérios patológicos ou clínicos; se forem usados critérios clínicos, dois critérios principais, um principal + três secundários ou cinco critérios secundários são necessários para o diagnóstico definitivo. O diagnóstico de endocardite infecciosa "possível" requer um principal + um secundário ou três secundários.
[b] As lesões de Janeway são pequenas lesões eritematosas ou hemorrágicas, maculares e não dolorosas nas palmas das mãos e plantas dos pés e são consequência de eventos embólicos sépticos.
[c] Os nódulos de Osler são pequenos nódulos subcutâneos dolorosos que se desenvolvem na polpa dos dedos ou, ocasionalmente, mais proximalmente nos dedos, persistindo por horas a vários dias.
[d] As manchas de Roth são hemorragias retinianas ovais com centros pálidos.
Modificada de Li JS, Sexton DJ, Mick N, et al: Proposed modifications to the Duke criteria for the diagnosis of infective endocarditis, *Clin Infect Dis* 30 (4):633-638, 2000; Baddour LM: Cardiovascular infections. In Mann D, et al., editors: Braunwald's Heart Disease. *A Textbook of Cardiovascular Medicine*, ed. 10, Philadelphia, 2015, WB Saunders, p. 1524.

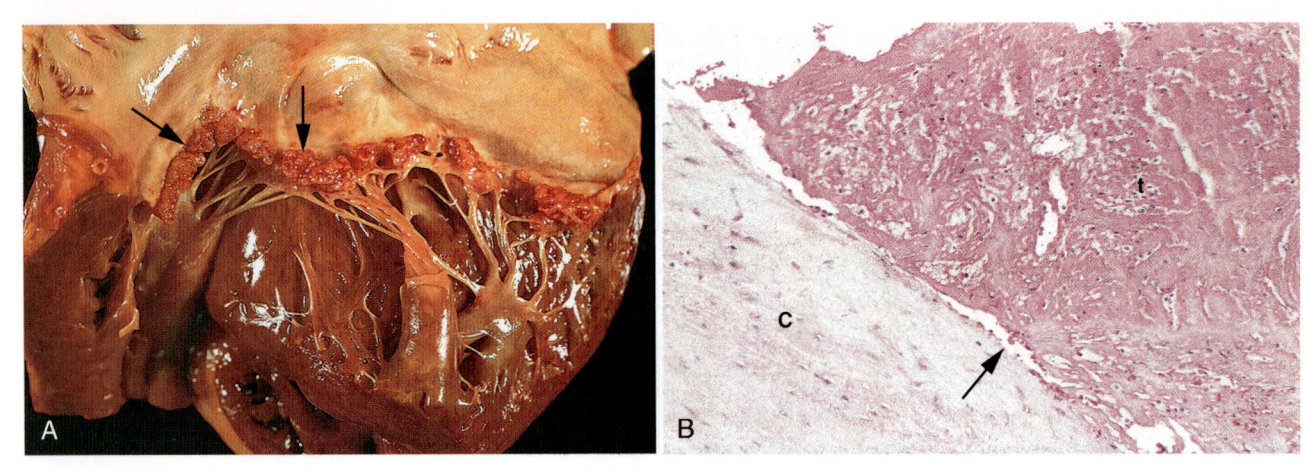

Figura 12.25 Endocardite trombótica não bacteriana (ETNB). **A.** Fileira quase completa de vegetações trombóticas ao longo da linha de fechamento dos folhetos da valva mitral (*setas*). **B.** Fotomicrografia da ETNB mostrando trombo macio praticamente sem inflamação na cúspide valvar (*c*) ou no depósito trombótico (*t*). O trombo está apenas frouxamente aderido à cúspide (*seta*).

A ETNB costuma ser encontrada em pacientes debilitados, como aqueles com câncer ou sepse – daí o termo anterior endocardite marântica (da palavra *marasmo*, referindo-se à má nutrição). Lesão valvar não é um pré-requisito para ETNB; na verdade, a condição costuma ocorrer em valvas anteriormente normais. Em vez disso, os estados hipercoaguláveis são os precursores usuais da ETNB; tais condições incluem coagulação intravascular disseminada crônica, estados hiperestrogênicos e aqueles associados à malignidade subjacente, particularmente adenocarcinomas mucinosos. Essa última pode estar relacionada aos efeitos pró-coagulantes da mucina derivada do tumor ou do fator tecidual, que também podem causar tromboflebite migratória (*síndrome de Trousseau*; ver **Capítulo 4**). Trauma endocárdico, por exemplo, causado por cateter, é outra condição predisponente bem reconhecida.

Endocardite do lúpus eritematoso sistêmico (doença de Libman-Sacks)

Vegetações pequenas (1 a 4 mm) estéreis no quadro de lúpus eritematoso sistêmico são denominadas endocardite de Libman-Sacks. As lesões se desenvolvem como consequência da deposição de imunocomplexos, com ativação do complemento e recrutamento de células portadoras de receptores Fc; histologicamente, há intensa valvulite e necrose fibrinoide da substância valvar. As vegetações podem ocorrer em qualquer parte da superfície da valva, nas cordas ou mesmo no endocárdio atrial ou ventricular (ver **Figura 12.23**). Lesões persistentes podem, com o tempo, resultar em cicatrizes valvares e fusão de folhetos, análogo ao observado na CPR. Lesões semelhantes podem ocorrer na síndrome antifosfolipídio (ver **Capítulo 4**).

Cardiopatia carcinoide

A síndrome carcinoide refere-se a um distúrbio sistêmico caracterizado por rubor, diarreia, dermatite e broncoconstrição, que é causado por compostos bioativos, tais como a serotonina liberada por tumores carcinoides (ver Capítulo 17). A cardiopatia carcinoide refere-se às manifestações cardíacas causadas pelos compostos bioativos e ocorre em cerca de metade dos pacientes nos quais a síndrome sistêmica se desenvolve. As lesões cardíacas costumam não ocorrer até que haja uma carga metastática hepática maciça, pois o fígado, normalmente, cataboliza os mediadores circulantes antes que eles possam afetar o coração. Normalmente, o endocárdio e as valvas do coração direito são afetados, sobretudo por ser os primeiros tecidos cardíacos banhados pelos mediadores liberados pelos tumores carcinoides gastrintestinais. O lado esquerdo do coração recebe alguma medida de proteção porque o leito vascular pulmonar degrada os mediadores. No entanto, as lesões carcinoides do coração esquerdo podem ocorrer no contexto de defeitos atriais ou septais e de fluxo da direita para a esquerda, ou podem ser induzidas por tumores carcinoides pulmonares primários.

Patogênese

Os mediadores elaborados por tumores carcinoides incluem serotonina (5-hidroxitriptamina), calicreína, bradicinina, histamina, prostaglandinas e taquicininas. Embora não esteja claro qual deles é causal, os níveis plasmáticos de serotonina e a excreção urinária do metabólito da serotonina ácido 5-hidroxi-indolacético estão correlacionados com a gravidade das lesões cardíacas. As placas valvares na síndrome carcinoide também são semelhantes às lesões que ocorriam em pacientes que tomavam fenfluramina (um inibidor de apetite, não mais comercializado) ou alcaloides da cravagem do centeio (usados anteriormente para enxaquecas); curiosamente, esses agentes afetam o metabolismo sistêmico da serotonina. Da mesma forma, placas do lado esquerdo foram relatadas após terapia com metisergida ou ergotamina para enxaqueca; notavelmente, esses fármacos são metabolizados em serotonina à medida que passam pela vasculatura pulmonar.

> **Morfologia**
>
> As lesões cardiovasculares associadas à síndrome carcinoide são espessamentos intimais característicos, semelhantes a placas brancas e brilhantes, das superfícies endocárdicas das câmaras cardíacas e dos folhetos valvares (**Figura 12.26**). As lesões são compostas por células de músculo liso e fibras de colágeno esparsas incorporadas em um material de matriz rico em mucopolissacarídeos ácidos. As estruturas subjacentes estão intactas. Com o envolvimento do lado direito, os achados típicos são insuficiência tricúspide e estenose pulmonar.

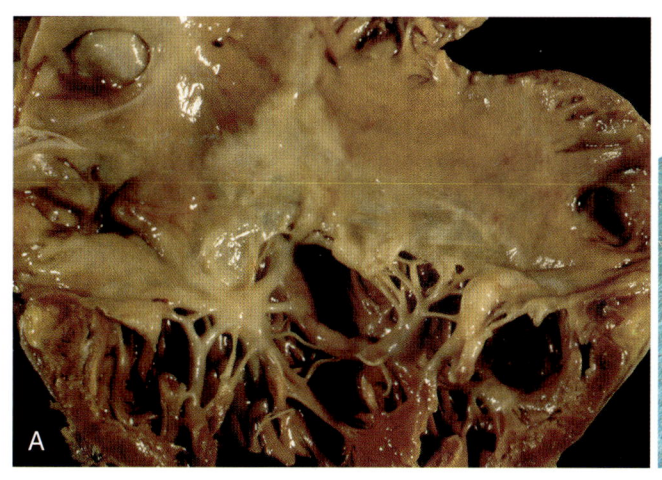

Figura 12.26 Cardiopatia carcinoide. **A.** Lesão fibrótica endocárdica característica envolvendo o ventrículo direito e a valva tricúspide. **B.** Aspecto microscópico da cardiopatia carcinoide com espessamento endocárdico. A coloração de Movat mostra o tecido elástico do miocárdio (*em preto*) subjacente à lesão rica em mucopolissacarídeos ácidos (*azul-esverdeado*). O miocárdio subjacente não está afetado.

Complicações das valvas protéticas

Embora as valvas cardíacas protéticas não sejam perfeitas substitutas dos tecidos nativos, sua introdução alterou radicalmente o prognóstico para pacientes com doença valvar. Dois tipos de valvas protéticas são usados atualmente, cada uma com suas vantagens e desvantagens:

- *Valvas mecânicas*. Consistem em diferentes configurações de material rígido não fisiológico, tais como a bola-gaiola, a valva de disco basculante ou retalhos semicirculares com dobradiças (valvas de disco basculante de duplo folheto)
- *Valvas de tecido (biopróteses)*. Valvas aórticas porcinas ou de pericárdio bovino são preservadas em solução diluída de glutaraldeído e montadas em estrutura protética. Como alternativa, valvas humanas congeladas de doadores falecidos (chamadas de "homoenxertos" criopreservados) também podem ser usadas.

Cada vez mais – sobretudo em pacientes que não são bons candidatos à cirurgia aberta – as valvas bioprotéticas são implantadas por abordagens baseadas em cateter (substituição da valva aórtica transcateter ou SVAT), fixando-se a nova valva no trato de saída sem ressecar a valva doente original. As valvas de tecido são flexíveis e funcionam de forma semelhante às valvas semilunares naturais. No entanto, o tratamento químico das valvas animais gera ligações cruzadas entre as proteínas valvares, em especial o colágeno, inviabilizando o tecido. Da mesma forma, o congelamento e o descongelamento de homoenxertos humanos também podem torná-los inviáveis.

Aproximadamente 60% dos indivíduos que recebem uma valva substituta desenvolvem algum problema sério relacionado à prótese dentro de 10 anos após a cirurgia. As complicações que ocorrem dependem do tipo de valva implantada (**Tabela 12.10** e **Figura 12.27**):

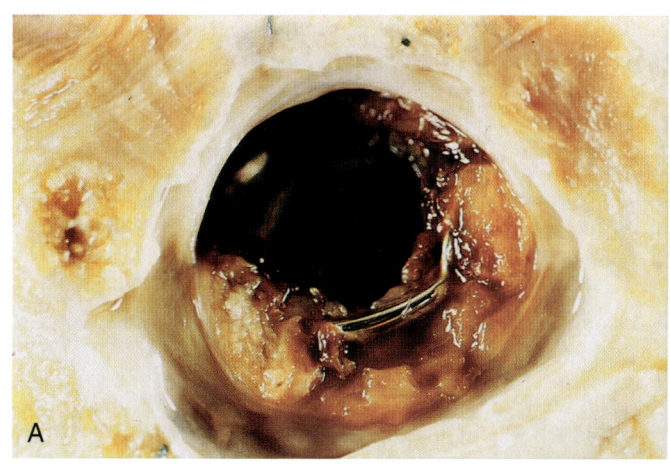

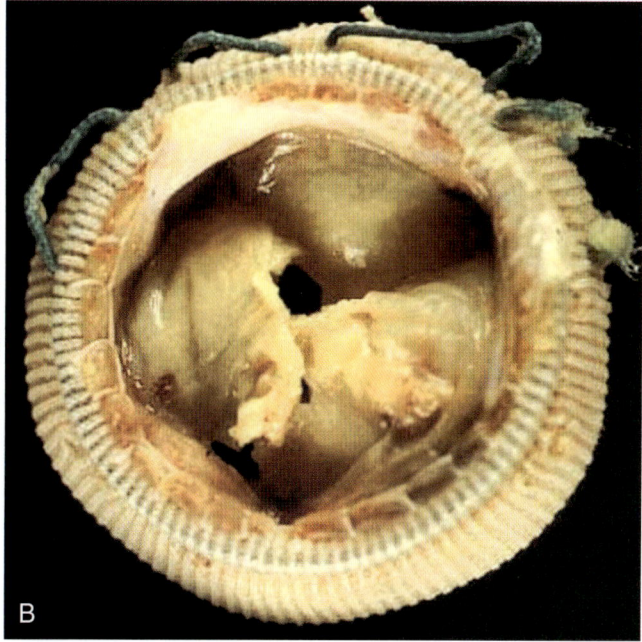

Figura 12.27 Complicações das valvas cardíacas artificiais. **A.** Trombose de uma prótese valvar mecânica. **B.** Calcificação com laceração secundária de uma bioprótese valvar cardíaca porcina, vista pela superfície de influxo.

Tabela 12.10 Complicações das próteses valvares cardíacas.

Trombose/tromboembolismo
Hemorragia relacionada a anticoagulantes
Endocardite de valva protética
Deterioração estrutural (intrínseca)
  Desgaste, fratura, falha do gatilho (*poppet*) em valvas de esfera, ruptura de cúspide, calcificação
  Outras formas de disfunção
Cicatrização inadequada (vazamento paravalvar), cicatrização exuberante (obstrução), hemólise

- O tromboembolismo é a principal complicação para valvas mecânicas (**Figura 12.27A**); pode assumir a forma de oclusão trombótica da prótese ou êmbolos liberados de trombos formados na valva. Como o fluxo sanguíneo em todos os dispositivos mecânicos não é laminar, focos de turbulência e estase são produzidos por próteses e predispõem à formação de trombos. O risco de tais complicações requer anticoagulação a longo prazo em todos os indivíduos com valvas mecânicas, com o risco concomitante de acidente vascular encefálico hemorrágico ou outras formas de sangramento grave
- A *deterioração estrutural* raramente causa falha em qualquer uma das valvas mecânicas em uso. No entanto, quase todas as bioproteses com o tempo se tornam incompetentes devido a calcificação e/ou laceração (ver **Figura 12.27B**)
- A *endocardite infecciosa* é uma complicação potencialmente grave de qualquer substituição valvar. As vegetações da endocardite em prótese valvar costumam estar localizadas na interface prótese-tecido e costumam causar a formação de um abscesso de anel, que pode acabar levando a vazamento paravalvar de sangue regurgitante. Além disso, as vegetações podem envolver diretamente o tecido das cúspides valvares bioprotéticas
- *Outras complicações* incluem vazamento paravalvar devido à cicatrização inadequada, à obstrução devido ao crescimento excessivo de tecido fibroso durante a cicatrização, à desproporção orifício-valva – onde a área efetiva da valva é muito pequena para as necessidades do paciente, levando a uma estenose relativa – ou à hemólise intravascular devido às altas forças de cisalhamento.

Conceitos-chave

Valvopatia cardíaca

- A patologia da valva pode levar à oclusão (estenose) e/ou à regurgitação (insuficiência); as estenoses valvares aórtica e mitral adquiridas são responsáveis por, aproximadamente, dois terços de todas as doenças valvares; o restante costuma ser regurgitação mitral
- A calcificação da valva é um processo degenerativo que costuma resultar em estenose
- A síntese e renovação anormais da matriz resultam em degeneração mixomatosa e insuficiência
- As doenças valvares inflamatórias causam cicatrizes pós-inflamatórias. A CPR é resultante de anticorpos antiestreptocócicos e células T que apresentam reação cruzada com tecidos cardíacos; afeta mais comumente a valva mitral e é responsável por 99% das estenoses mitrais adquiridas

- A EI pode ser agressiva e destruir rapidamente as valvas normais (EI aguda) ou pode ser indolente e minimamente destrutiva em valvas previamente anormais (EI subaguda). A embolização sistêmica pode produzir infartos sépticos
- A ETNB ocorre em valvas previamente normais devido a estados hipercoaguláveis; a embolização é uma complicação importante
- As valvas protéticas mecânicas apresentam complicações trombóticas ou hemorrágicas relacionadas ao fluxo sanguíneo não laminar e à necessidade de anticoagulação crônica. As valvas bioprotéticas são suscetíveis à calcificação e/ou à degeneração com laceração a longo prazo. Ambos os tipos de valvas apresentam um risco aumentado de desenvolvimento de endocardite em relação às valvas nativas.

Cardiomiopatias

O termo cardiomiopatia (literalmente, doença do músculo cardíaco) tem sido historicamente aplicado a qualquer disfunção cardíaca. Tecnicamente, isso não é incorreto; as principais categorias de doenças cardíacas já discutidas – isquêmicas, valvares, hipertensivas ou congênitas – causam "doenças do músculo cardíaco". No entanto, essas categorias principais de doenças cardíacas causam insuficiência cardíaca como consequências secundárias previsíveis de outras formas de disfunções cardíacas – por exemplo, perda da função de bomba devido a IAM ou sobrecargas de volume-pressão devido a uma valva incompetente; na **Tabela 12.11**, elas são referidas como disfunções miocárdicas secundárias. Para distinguir essas formas de "doença cardíaca" daquelas associadas à disfunção miocárdica "primária" inata, surgiu a definição mais sutil de cardiomiopatia. Assim, estimulado pelo reconhecimento de novos fenótipos e pelo advento de uma caracterização molecular mais sofisticada, um painel de especialistas sugeriu: "As cardiomiopatias são um grupo heterogêneo de doenças do miocárdio associadas a disfunções mecânicas e/ou elétricas que geralmente (mas não invariavelmente) exibem hipertrofia ou dilatação ventricular inadequada e são devidas a uma variedade de causas que, com frequência, são genéticas. As cardiomiopatias são confinadas ao coração ou fazem parte de distúrbios sistêmicos generalizados, muitas vezes levando à morte cardiovascular ou à incapacidade relacionada à insuficiência cardíaca progressiva".

Existem dois grupos principais de cardiomiopatias:

- As *cardiomiopatias primárias* envolvem, predominantemente, o coração. Elas podem ser genéticas ou adquiridas (p. ex., miocardite viral, antraciclina cardiotóxica)
- As *cardiomiopatias secundárias* envolvem o miocárdio como componente de um distúrbio sistêmico ou de múltiplos órgãos (p. ex., hemocromatose, amiloidose).

Um grande avanço na nossa compreensão da patogênese das cardiomiopatias decorre da identificação das causas genéticas subjacentes, como mutações em proteínas miocárdicas envolvidas na geração de energia, contração, contatos célula a célula ou conexão do citoesqueleto à matriz extracelular. Estas, por sua vez, levam à contração ou relaxamento anormais, ou ao transporte desregulado de íons, podendo causar arritmias.

As cardiomiopatias podem ser classificadas de acordo com uma variedade de critérios, incluindo a base genética subjacente

Tabela 12.11 Cardiomiopatias: padrões funcionais e causas.

Padrão funcional	Fração de ejeção do ventrículo esquerdo[a]	Mecanismos da insuficiência cardíaca	Causas	Disfunção miocárdica secundária (mimetizando cardiomiopatia)
Dilatada	< 40%	Comprometimento da contratilidade (disfunção sistólica)	Genética; álcool; periparto; miocardite; hemocromatose; anemia crônica; medicação com antraciclinas; sarcoidose; idiopática	Doença isquêmica do coração; valvopatia cardíaca; cardiopatia hipertensiva; cardiopatia congênita
Hipertrófica	50 a 80%	Comprometimento da complacência (disfunção diastólica)	Genética; ataxia de Friedreich; doenças de armazenamento; lactentes de mães diabéticas	Cardiopatia hipertensiva; estenose aórtica
Restritiva	45 a 90%	Comprometimento da complacência (disfunção diastólica)	Amiloidose; fibrose induzida por radiação; idiopática	Constrição pericárdica

[a]O intervalo de valores normal é de, aproximadamente, 50 a 65%.

da disfunção; já discutimos várias das canalopatias indutoras de arritmia. Aqui, limitaremos nossa discussão a distúrbios que produzem anormalidades anatômicas que se enquadram em um dos três padrões patológicos distintos (**Figura 12.28** e **Tabela 12.11**):

- *Cardiomiopatia dilatada (CMD)* (incluindo cardiomiopatia arritmogênica)
- *Cardiomiopatia hipertrófica*
- *Cardiomiopatia restritiva.*

Entre os três padrões principais, a CMD é o mais comum (90% dos casos) e a cardiomiopatia restritiva é o menos frequente. Dentro de cada padrão, há um espectro de gravidade clínica e, em alguns casos, as características clínicas se sobrepõem entre os grupos. Além disso, cada um desses padrões está associado a uma causa identificável específica ou idiopática; embora muitos casos de CMD tenham sido previamente rotulados como "idiopáticos", a maioria deles, agora, pode ser atribuída a uma etiologia genética, tóxica ou infecciosa (**Tabelas 12.11** e **12.12**).

Cardiomiopatia dilatada

A cardiomiopatia dilatada (CMD) caracteriza-se morfológica e funcionalmente por dilatação cardíaca e disfunção contrátil (sistólica) progressiva, em geral com hipertrofia concomitante. Muitos casos são familiares, mas o fenótipo da CMD pode ser resultante de diversas causas, primárias e secundárias.

Patogênese

Vários caminhos diferentes podem levar à CMD (**Figura 12.29**). Identificar o que pode ser causal em qualquer caso costuma ser frustrante, pois o diagnóstico só é feito depois que o paciente já desenvolveu insuficiência cardíaca em estágio terminal; de forma objetiva, o coração está dilatado de uma forma não específica e pouco contrátil. A avaliação clínica nesse ponto é feita para excluir causas isquêmicas, valvares, hipertensivas ou congênitas; uma vez descartadas, o diagnóstico de cardiomiopatia dilatada primária pode ser sugerido. Embora uma avaliação exaustiva possa não ser capaz de identificar uma etiologia específica ("CMD idiopática"), as formas familiares (genéticas) de CMD são cada vez mais reconhecidas e a patologia final também pode resultar de uma série de insultos miocárdicos:

- *Influências genéticas.* A CMD pode ser familiar em até 50% dos casos, causada por mutações em um grupo diverso de mais de 20 genes que codificam proteínas envolvidas no citoesqueleto, sarcolema e envelope nuclear (p. ex., lamina A/C). Em especial, mutações de truncamento em *TTN*, gene que codifica a titina

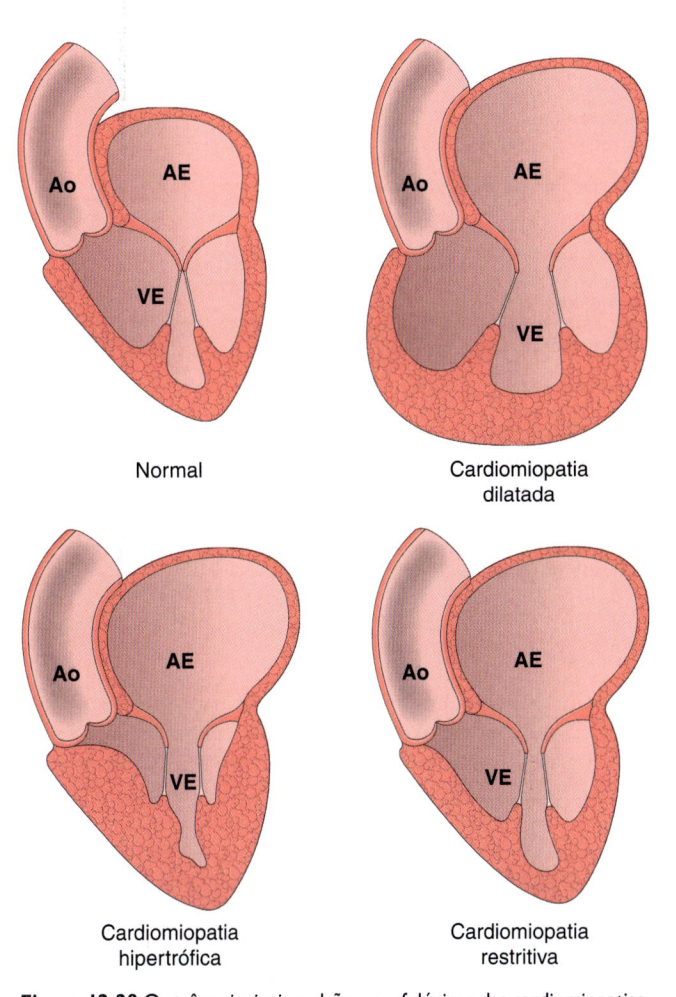

Figura 12.28 Os três principais padrões morfológicos das cardiomiopatias. A cardiomiopatia dilatada leva, principalmente, à disfunção sistólica, enquanto as cardiomiopatias restritivas e hipertróficas resultam em disfunção diastólica. Observe as alterações na espessura da parede atrial e/ou ventricular. AE, átrio esquerdo; Ao, Aorta; VE, ventrículo esquerdo.

Tabela 12.12 Condições associadas a doenças do músculo cardíaco.

Infecções cardíacas
Vírus
Clamídia
Riquétsia
Bactérias
Fungos
Protozoários

Toxinas
Álcool
Cobalto
Catecolaminas
Monóxido de carbono
Lítio
Hidrocarbonetos
Arsênico
Ciclofosfamida
Doxorrubicina (Adriamycin®) e daunorrubicina

Metabólicas
Hipertireoidismo
Hipotireoidismo
Hiperpotassemia
Hipopotassemia
Deficiência nutricional (proteína, tiamina, outras avitaminoses)
Hemocromatose

Doença neuromuscular
Ataxia de Friedreich
Distrofia muscular
Atrofias congênitas

Distúrbios de depósito e outros acúmulos
Síndrome de Hunter-Hurler
Doença de armazenamento de glicogênio
Doença de Fabry
Amiloidose

Infiltrativas
Leucemia
Carcinomatose
Sarcoidose
Fibrose induzida por radiação

Imunológicas
Miocardite (várias formas)
Rejeição pós-transplante

(assim chamada porque é a maior proteína expressa em seres humanos), podem ser responsáveis por, aproximadamente, 10 a 20% de todos os casos de CMD (**Figura 12.30**). Nas formas genéticas de CMD, a herança autossômica dominante é o padrão predominante, embora possa haver penetrância variável, mesmo dentro da mesma família, sugerindo que a progressão para CMD pode ser multifatorial.

A herança ligada ao X, autossômica recessiva e mitocondrial da CMD é menos comum. Em algumas famílias, deleções de genes mitocondriais afetam a fosforilação oxidativa; em outras, há mutações em genes que codificam enzimas envolvidas na β-oxidação de ácidos graxos. Os defeitos mitocondriais costumam se manifestar na população pediátrica, enquanto a CMD ligada ao X costuma se apresentar após a puberdade e no início da idade adulta. A cardiomiopatia ligada ao X também pode estar associada a mutações que afetam a proteína distrofina associada à membrana que acopla o citoesqueleto à matriz extracelular (lembre-se que a distrofina está mutada nas miopatias esqueléticas mais comuns, as distrofias musculares de Duchenne e Becker; ver **Capítulo 27**); algumas mutações no gene da distrofina têm a CMD como a principal característica clínica. Curiosamente, e talvez por resultarem da origem comum de desenvolvimento dos miócitos contráteis e dos elementos de condução, as anormalidades de condução congênitas também podem estar associadas à CMD

- *Miocardite*. Biopsias endomiocárdicas sequenciais documentaram a progressão de miocardite para CMD. Em outros estudos, a detecção das impressões genéticas de Coxsackie B e outros vírus no miocárdio de pacientes com CMD sugere que a miocardite viral pode ser causal (ver discussão posterior)

- *Álcool e outras toxinas*. O consumo abusivo de álcool está fortemente associado ao desenvolvimento de CMD, levantando a possibilidade de que a toxicidade do etanol (ver **Capítulo 9**) ou um distúrbio nutricional secundário possa estar por trás da lesão miocárdica. O álcool ou seus metabólitos (sobretudo o acetaldeído) têm um efeito tóxico direto no miocárdio. Além disso, o alcoolismo crônico pode estar associado à deficiência de tiamina, que pode levar à doença cardíaca por beribéri (uma forma de CMD). No entanto, nenhuma característica morfológica serve para distinguir a cardiomiopatia alcoólica da CMD por outras causas. O cobalto é um exemplo de metal pesado com cardiotoxicidade que causou CMD no cenário de contaminação inadvertida (p. ex., na produção de cerveja). Medicamentos cardiotóxicos usados para quimioterapia (discutidos posteriormente) também são causas importantes de CMD

- *Parto*. A cardiomiopatia periparto pode ocorrer no final da gravidez ou até 5 meses após o parto; é provável que o mecanismo seja multifatorial, incluindo contribuições de suscetibilidade genética, hipertensão associada à gravidez, sobrecarga de volume, deficiência nutricional e/ou outros distúrbios metabólicos sutis. Em modelos de camundongo, a CMD também pode ser induzida por níveis aumentados de mediadores antiangiogênicos circulantes, como inibidores do fator de crescimento endotelial vascular (p. ex., sFLT1, como ocorre na pré-eclâmpsia) ou produtos de antiangiogênicos de clivagem do hormônio prolactina (que aumenta ao final da gravidez). Assim, em mulheres grávidas com predisposição genética particular, moléculas antiangiogênicas elevadas podem levar a um desequilíbrio angiogênico microvascular (perda microvascular em relação à angiogênese), resultando em lesão isquêmica funcional

- A *sobrecarga de ferro* no coração pode ser resultante de hemocromatose hereditária (ver **Capítulo 18**) ou de múltiplas transfusões. A CMD é a manifestação mais comum desse excesso de ferro e pode ser causada por interferência com sistemas enzimáticos dependentes de metais ou por lesão decorrente da produção de espécies reativas de oxigênio mediada por ferro

- O *estresse suprafisiológico* também pode resultar em CMD. Isso pode ocorrer com taquicardia persistente, hipertireoidismo ou mesmo durante o desenvolvimento, como nos fetos de mães diabéticas insulinodependentes. O excesso de catecolaminas, em particular, causa necrose multifocal das bandas de

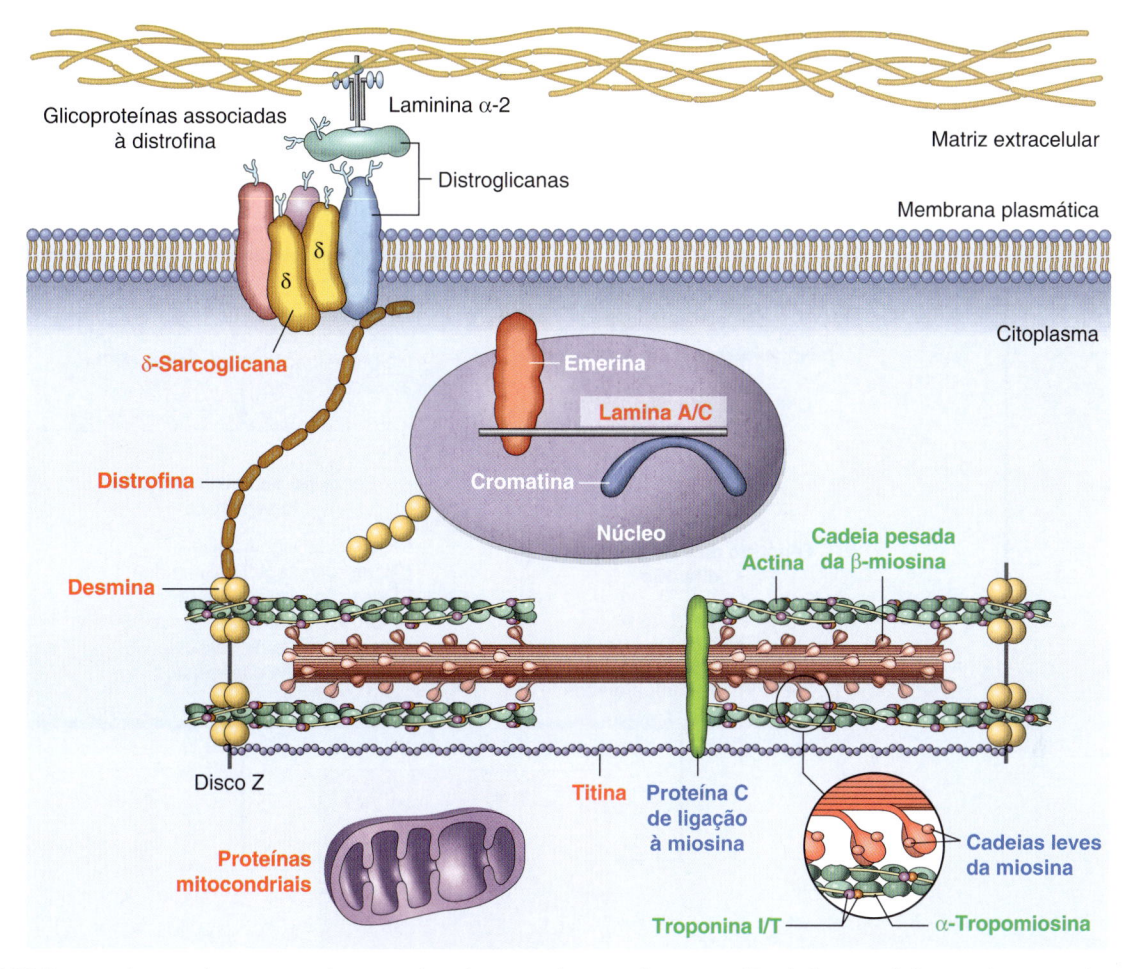

Figura 12.29 Esquema de um miócito mostrando as proteínas-chave mutadas na cardiomiopatia dilatada (*em vermelho*), na cardiomiopatia hipertrófica (*em azul*) ou em ambas (*em verde*). Mutações na titina (a maior proteína humana conhecida, com, aproximadamente, 30 mil aminoácidos) são responsáveis por cerca de 20% de todas as cardiomiopatias dilatadas. A titina se estende ao longo do sarcômero e conecta as linhas Z e M, limitando, assim, a amplitude passiva de movimento do sarcômero conforme ele é esticado. A titina também funciona como uma mola molecular, com domínios que se desdobram quando a proteína é esticada e se dobram novamente quando a tensão é removida, afetando, assim, a elasticidade passiva do músculo estriado.

contração miocárdica, que pode, com o tempo, progredir para CMD. Isso pode acontecer em indivíduos com feocromocitomas, tumores que elaboram epinefrina (ver **Capítulo 24**); o uso de cocaína ou agentes vasopressores, tais como a dopamina, pode ter consequências semelhantes. Esse "efeito das catecolaminas" também ocorre no cenário de estimulação autonômica intensa, por exemplo, secundária a lesões intracranianas ou coação emocional. A *cardiomiopatia de Takotsubo* é uma entidade caracterizada por disfunção contrátil do ventrículo esquerdo após estresse psicológico extremo (também chamada de síndrome do coração partido); o miocárdio afetado pode ficar atordoado ou apresentar necrose das bandas de contração. Por motivos não esclarecidos, o ápice do ventrículo esquerdo é mais frequentemente afetado, levando ao "balonismo apical" que se assemelha a um *takotsubo*, termo em japonês que significa "pote de pescar polvo" (daí o nome). O mecanismo da cardiotoxicidade das catecolaminas é incerto, mas, provavelmente, está relacionado à toxicidade direta aos miócitos devido à sobrecarga de cálcio ou à vasoconstrição focal na macro ou microcirculação arterial coronariana em face da frequência cardíaca elevada.

Morfologia

No fenótipo da CMD, o coração está tipicamente aumentado, pesado (em geral, duas a três vezes mais do que o normal) e flácido, devido à dilatação de todas as câmaras (**Figura 12.31**). Trombos murais podem ser resultantes da estase relativa do sangue em câmaras pouco contráteis e ser uma fonte de tromboêmbolos. Para ser considerado CMD, o coração não deve apresentar alterações valvares primárias; se houver regurgitação mitral (ou tricúspide), ela resulta da dilatação da câmara ventricular esquerda (ou direita) (regurgitação funcional). As artérias coronárias estão isentas de estreitamento significativo ou as obstruções presentes são insuficientes para explicar o grau de disfunção cardíaca.

As anormalidades histológicas na CMD são inespecíficas e costumam não apontar para uma etiologia específica (Figura 12.31B). Além disso, a gravidade das alterações morfológicas pode não refletir o grau de disfunção ou o prognóstico do paciente.

Fibrose intersticial e endocárdica de grau variável está presente, e pequenas cicatrizes subendocárdicas podem substituir células individuais ou grupos de células, provavelmente refletindo a cura

CARDIOMIOPATIA DILATADA

Causas não genéticas
- Miocardite
- Periparto
- Tóxica (p. ex., álcool)
- Idiopática

20 a 50% causas genéticas
Várias proteínas, predominantemente relacionadas ao citoesqueleto (do núcleo ao sarcômero, à membrana celular e aos miócitos adjacentes) ou às mitocôndrias

↓

Defeito na geração de força, transmissão de força e/ou sinalização de miócitos

↓

Fenótipo da cardiomiopatia dilatada
- Hipertrofia
- Dilatação
- Fibrose intersticial
- Trombos intracardíacos

CARDIOMIOPATIA HIPERTRÓFICA

100% causas genéticas
Proteínas sarcoméricas

↓

Defeito na transferência de energia da mitocôndria para o sarcômero e/ou disfunção sarcomérica direta

↓

Fenótipo da cardiomiopatia hipertrófica
- Hipertrofia significativa
- Hipertrofia septal assimétrica
- Desarranjo de miofibras
- Fibrose intersticial e de substituição
- Placa no trato de saída do VE
- Vasos septais espessados

Clínica
- Insuficiência cardíaca
- Morte súbita
- Fibrilação atrial
- AVC

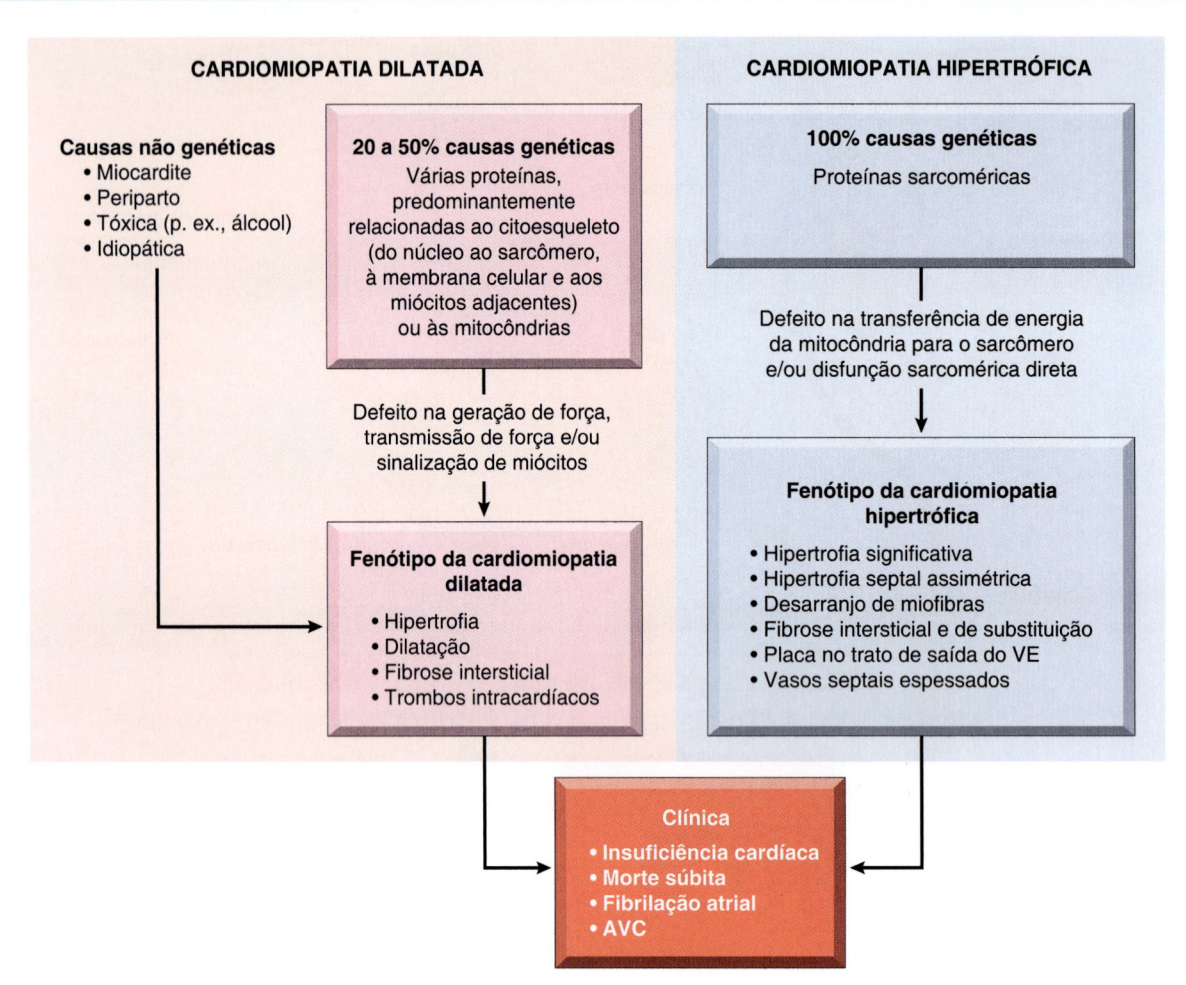

Figura 12.30 Causas e consequências da cardiomiopatia dilatada e hipertrófica. Algumas cardiomiopatias dilatadas e quase todas as cardiomiopatias hipertróficas são de origem genética. As causas genéticas da cardiomiopatia dilatada envolvem mutações em qualquer um de uma ampla gama de genes. Eles codificam proteínas do citoesqueleto predominantemente, mas também dos sarcômeros, mitocôndrias e envelope nuclear. Por outro lado, todos os genes mutados que causam cardiomiopatia hipertrófica codificam proteínas do sarcômero. Embora essas duas formas de cardiomiopatia difiram muito em sua base subcelular e nos fenótipos morfológicos, elas compartilham um conjunto comum de complicações clínicas. *VE*, ventrículo esquerdo.

---

de necrose isquêmica prévia de miócitos causada por desequilíbrio induzido por hipertrofia entre perfusão e demanda. A maioria das células musculares está hipertrofiada com núcleos aumentados, mas algumas estão atenuadas, alongadas e irregulares. Na CMD causada por mutações truncadas no gene da titina, os miócitos podem exibir núcleos hipercromáticos e altamente distorcidos do tipo "estrela ninja" (**Figura 12.31C**); embora este possa ser um achado inespecífico, identificá-lo em 5% ou mais dos miócitos é altamente sugestivo de mutação de truncamento da titina.

Características clínicas

O defeito fundamental na CMD é a contração ineficaz. Assim, na CMD em estágio final, a fração de ejeção cardíaca costuma ser inferior a 25% (o normal é de 50 a 65%). A CMD pode ocorrer em qualquer idade, inclusive na infância, mas afeta mais comumente indivíduos entre 20 e 50 anos. Ela se apresenta com sinais e sintomas de ICC lentamente progressiva, como dispneia, fadiga fácil e baixa capacidade de esforço. Regurgitação mitral secundária e ritmos cardíacos anormais são comuns e pode ocorrer embolização de trombos intracardíacos. A morte costuma ser resultante de insuficiência cardíaca progressiva ou arritmia e pode ocorrer de forma repentina. Embora a mortalidade anual seja alta (10 a 50%), alguns pacientes gravemente afetados respondem bem às terapias farmacológicas ou de ressincronização elétrica (estimulação biventricular). O transplante cardíaco também é cada vez mais realizado, e a assistência ventricular a longo prazo pode ser benéfica. Curiosamente, em alguns pacientes, o suporte cardíaco mecânico de relativamente curto prazo pode induzir melhora duradoura da função cardíaca.

Cardiomiopatia arritmogênica

A cardiomiopatia arritmogênica do ventrículo direito é uma doença autossômica dominante que costuma se manifestar com insuficiência cardíaca direita e distúrbios rítmicos, que podem causar morte súbita cardíaca. Também pode ocorrer o acometimento das câmaras esquerdas com insuficiência cardíaca do lado esquerdo. Classicamente, a parede do ventrículo direito é seriamente atenuada (afilada) devido à perda de miócitos, acompanhada por infiltração gordurosa maciça e fibrose focal (**Figura 12.32**). Embora inflamação mononuclear possa estar presente em torno dos cardiomiócitos em degeneração, a cardiomiopatia arritmogênica não é considerada uma cardiomiopatia inflamatória. A cardiomiopatia arritmogênica clássica tem herança autossômica dominante com penetrância variável; muitas das mutações causais

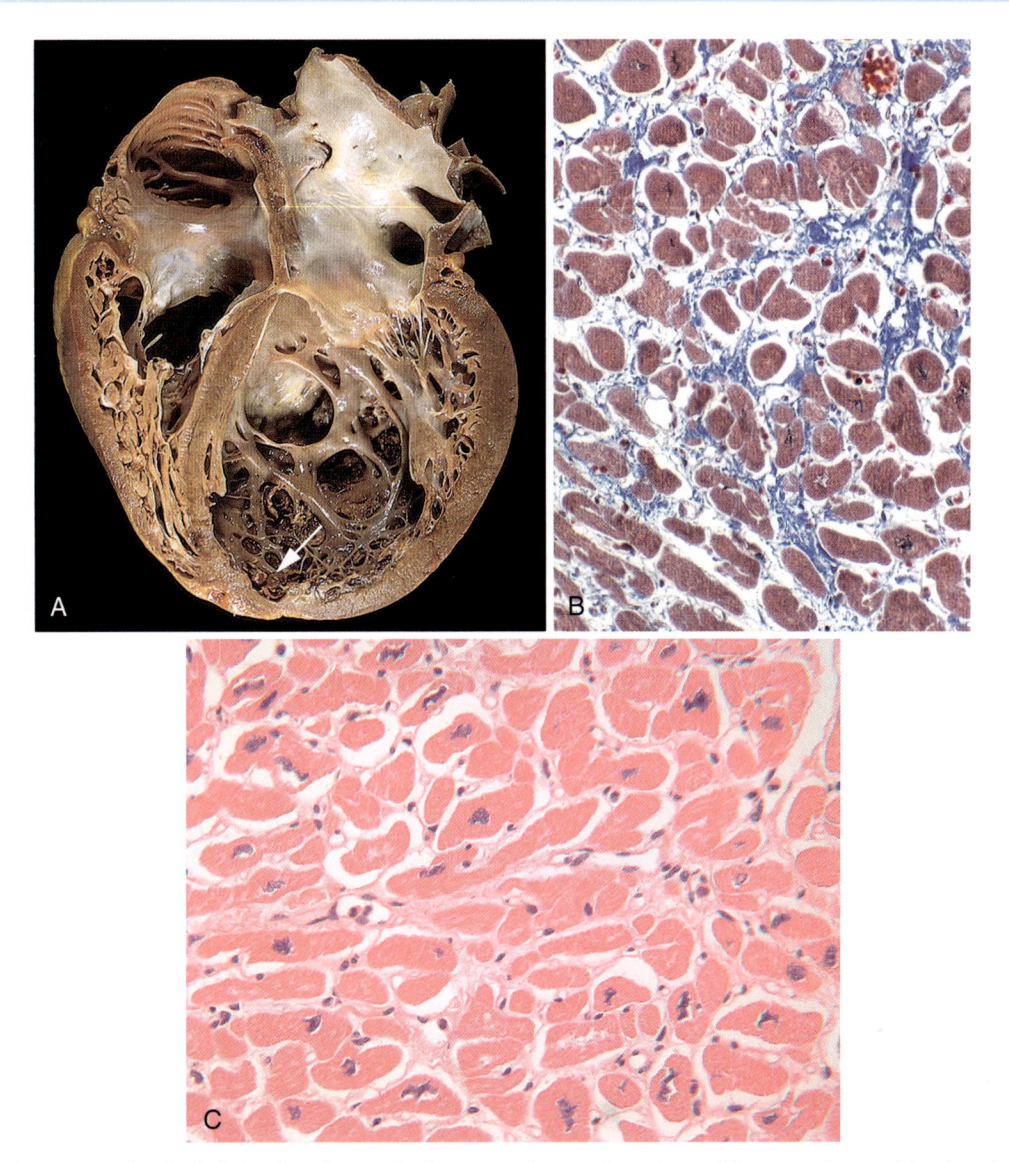

Figura 12.31 Cardiomiopatia dilatada. **A.** Dilatação e hipertrofia das quatro câmaras são evidentes. Há um trombo mural (*seta*) no ápice do ventrículo esquerdo (visto à direita nesta vista apical das quatro câmaras). As artérias coronárias estavam pérvias. **B.** Corte histológico demonstrando hipertrofia de miócitos variável e fibrose intersticial (o colágeno está destacado em azul nesta coloração com tricrômio de Masson). **C.** Aparência histológica dos núcleos aumentados, bizarros e hipercromáticos (comparados a "estrelas ninja") que são vistos em maior número em pacientes com cardiomiopatia dilatada causada por mutações de truncamento da titina.

envolvem genes que codificam proteínas juncionais desmossomais no disco intercalar (p. ex., placoglobina), bem como proteínas que interagem com o desmossomo (p. ex., o filamento intermediário desmina). A síndrome de Naxos é uma doença caracterizada por cardiomiopatia arritmogênica e hiperqueratose das superfícies cutâneas plantares e palmares, e também está associada a mutações da placoglobina.

Cardiomiopatia hipertrófica

A cardiomiopatia hipertrófica (CMH) é um distúrbio genético comum (prevalência de 1 em cada 500), clinicamente heterogêneo, caracterizado por hipertrofia do miocárdio, miocárdio ventricular esquerdo pouco complacente levando a enchimento diastólico anormal e (em cerca de um terço dos casos) obstrução intermitente do fluxo ventricular. É a principal causa de hipertrofia ventricular esquerda inexplicada por outras causas clínicas ou patológicas. O coração apresenta paredes grossas, é pesado e se hipercontrai, em notável contraste com o coração flácido e hipocontrátil da CMD. A CMH causa, primariamente, disfunção diastólica; a função sistólica costuma estar preservada. As duas doenças mais comuns que devem ser distinguidas clinicamente da CMH são doenças de depósito (p. ex., amiloidose, doença de Fabry) e cardiopatia hipertensiva associada a hipertrofia septal subaórtica relacionada à idade (ver discussão anterior em "Cardiopatia hipertensiva" neste capítulo). Ocasionalmente, a estenose aórtica valvar ou a estenose aórtica subvalvar congênita também podem mimetizar a CMH.

Patogênese

Na maioria dos casos, o padrão de transmissão é autossômico dominante com penetrância variável. **A CMH é mais comumente causada por mutações em qualquer um dos vários genes que**

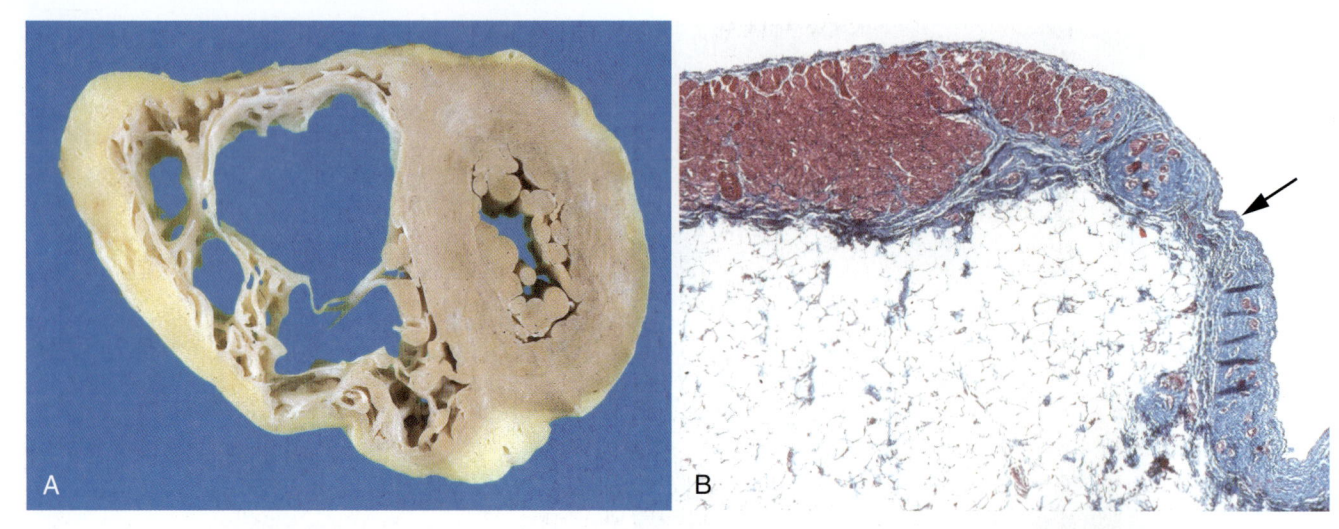

Figura 12.32 Cardiomiopatia arritmogênica. **A.** Fotografia macroscópica mostrando dilatação do ventrículo direito e substituição quase transmural da parede livre do ventrículo direito por gordura e fibrose. O ventrículo esquerdo tem uma configuração praticamente normal neste caso, mas também pode estar envolvido pelo processo da doença. **B.** Fotomicrografia da parede livre do ventrículo direito demonstrando substituição do miocárdio (*em vermelho*) por fibrose (*em azul, seta*) e gordura (coloração com tricrômio de Masson).

codificam proteínas sarcoméricas; existem mais de 400 mutações diferentes conhecidas em nove genes diferentes, a maioria sendo mutações *missense*. As mutações que causam CMH são encontradas mais comumente nos genes que codificam a proteína C de ligação à miosina (*MYBP-C*) ou a cadeia pesada da β-miosina (β-*MHC/MYH7*) e nos genes que codificam TnI, TnT e α-tropomiosina cardíacas; no geral, são responsáveis por 70 a 80% de todos os casos. Diferentes famílias afetadas podem ter mutações distintas envolvendo a mesma proteína; assim, mais de 50 mutações diferentes de β-*MHC* podem causar CMH. O prognóstico de CMH varia bastante e se correlaciona fortemente às mutações específicas.

Como mencionado anteriormente, a CMH é uma doença causada por mutações nas proteínas sarcoméricas. Embora o mecanismo preciso pelo qual essas mutações causam CMH não seja claro, as evidências atuais sugerem que ele surge da transferência de energia defeituosa de sua fonte de geração (mitocôndrias) para seu local de uso (sarcômeros). Por outro lado, a CMD está associada, sobretudo, a anormalidades das proteínas do citoesqueleto (**Figura 12.30**) e pode ser conceituada como uma doença de geração de força, transmissão de força ou sinalização de miócitos anormais. Para complicar as coisas, mutações em certos genes (destacados na **Figura 12.30**) podem dar origem a CMH ou CMD, dependendo do local e da natureza da mutação. O teste genético em cardiomiopatias ainda é prejudicado pelo grande número de "variantes genéticas de significado desconhecido", portanto, o exame genético de membros da família de indivíduos afetados deve ser interpretado dentro do contexto clínico.

Morfologia

A característica essencial da CMH é a **hipertrofia miocárdica maciça, geralmente sem dilatação ventricular** (**Figura 12.33**). O padrão clássico envolve espessamento desproporcional do septo ventricular em relação à parede livre do ventrículo esquerdo, denominado **hipertrofia septal assimétrica**. Em cerca de 10% dos casos, a hipertrofia é concêntrica e simétrica. No corte longitudinal, a cavidade ventricular esquerda normalmente arredondada a ovalada pode estar comprimida em uma configuração "semelhante a uma banana" pelo abaulamento do septo ventricular em direção à luz (**Figura 12.33A**). Embora a hipertrofia acentuada possa envolver todo o septo, costuma ser mais proeminente na região subaórtica; a via de saída do ventrículo esquerdo costuma exibir uma placa endocárdica fibrosa e espessamento do folheto mitral anterior. Ambos os achados resultam do contato do folheto mitral anterior com o septo durante a sístole ventricular; eles se correlacionam com o "movimento sistólico anterior" do folheto anterior no ecocardiograma, com obstrução funcional da via de saída do ventrículo esquerdo durante a sístole.

As características histológicas mais importantes do miocárdio com CMH são (1) hipertrofia maciça de miócitos, que, com frequência, apresentam diâmetros transversais superiores a 40 μm (o normal é, aproximadamente, 15 μm); (2) desorganização aleatória de feixes de miócitos, miócitos individuais e elementos contráteis nos sarcômeros dentro das células (denominado **desarranjo de miofibras**); (3) estreitamento fibrótico de pequenas artérias intramurais; e (4) fibrose intersticial e de substituição (**Figura 12.33B**).

Características clínicas

A CMH é caracterizada pela redução do volume sistólico devido ao enchimento diastólico prejudicado – uma consequência do tamanho reduzido da câmara, bem como da complacência reduzida do ventrículo esquerdo hipertrofiado maciçamente. Além disso, aproximadamente 25% dos pacientes com CMH apresentam obstrução dinâmica à saída do ventrículo esquerdo à medida que o folheto mitral anterior se move em direção ao septo ventricular durante a sístole. O débito cardíaco comprometido, em conjunto com um aumento secundário da pressão venosa pulmonar, explica a dispneia aos esforços observada nesses pacientes. A ausculta revela forte sopro sistólico ejetivo causado pela obstrução do fluxo

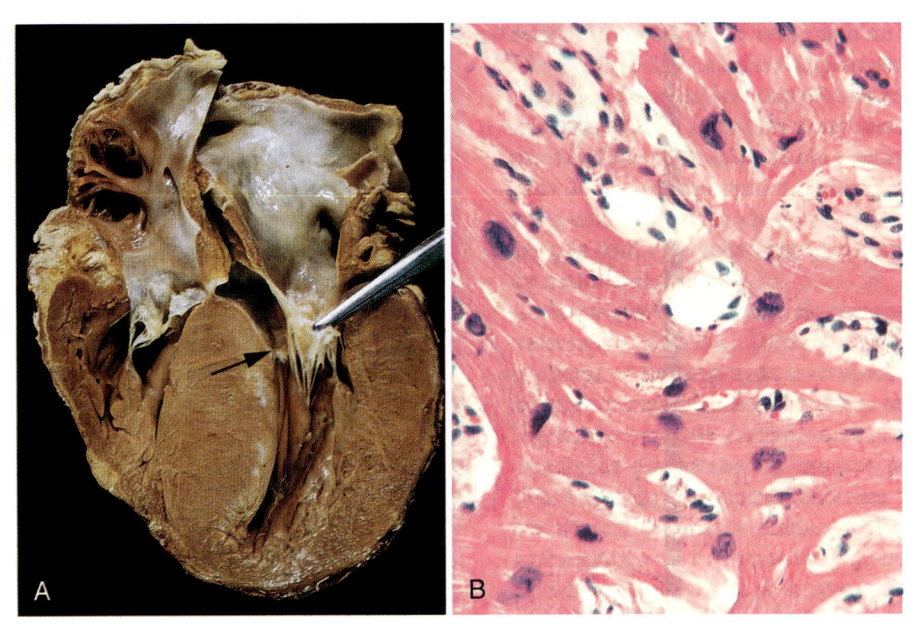

Figura 12.33 Cardiomiopatia hipertrófica com hipertrofia septal assimétrica. **A.** O músculo septal projeta-se para a via de saída do ventrículo esquerdo e o átrio esquerdo está aumentado. O folheto mitral anterior foi afastado do septo para revelar uma placa fibrosa endocárdica (seta) (ver texto). **B.** Fotomicrografia demonstrando desarranjo de miócitos, hipertrofia extrema e ramificação exagerada dos miócitos, bem como a fibrose intersticial característica.

ventricular. Por causa da hipertrofia maciça, alta pressão da câmara ventricular esquerda e, frequentemente, artérias intramurais de paredes espessas, comumente resulta em isquemia miocárdica focal, mesmo na ausência de DAC epicárdica concomitante. Os principais problemas clínicos na CMH são fibrilação atrial, formação de trombo mural levando à embolização e possível acidente vascular encefálico, insuficiência cardíaca intratável, arritmias venosas e, não raramente, morte súbita, sobretudo com certas mutações. Na verdade, a CMH é uma das causas mais comuns de morte súbita, de outra forma inexplicada, em jovens atletas.

A história natural da CMH é altamente variável. A maioria dos pacientes pode ser ajudada por intervenção farmacológica (p. ex., bloqueio beta-adrenérgico) para diminuir a frequência cardíaca e a contratilidade. Desfibriladores/cardioversores implantáveis são justificados para pacientes com CMH em risco de arritmias ventriculares. Algum benefício também pode ser obtido com a redução da massa miocárdica septal, aliviando assim a obstrução da via de saída. Isso pode ser obtido por excisão cirúrgica do músculo ou por infarto septal cuidadosamente controlado por meio de infusão de álcool por cateter.

Cardiomiopatia restritiva

A cardiomiopatia restritiva caracteriza-se por uma diminuição primária da complacência ventricular, resultando em enchimento diastólico ventricular prejudicado. Como a função contrátil (sistólica) do ventrículo esquerdo costuma não ser afetada, a anormalidade funcional pode ser confundida com a da pericardite constritiva ou CMH. A cardiomiopatia restritiva pode ser idiopática ou associada a distúrbios distintos que afetam o miocárdio, sobretudo amiloidose (descrita posteriormente), sarcoidose, fibrose induzida por radiação, tumores metastáticos ou acúmulo de metabólitos derivados de erros inatos do metabolismo.

As características morfológicas macroscópicas são um tanto inespecíficas; embora a dilatação biatrial seja comumente observada devido ao enchimento ventricular restrito e às sobrecargas de pressão, os ventrículos são de tamanho quase normal (ou ligeiramente aumentados), as cavidades não estão dilatadas e o miocárdio é praticamente normal. Microscopicamente, pode haver fibrose intersticial irregular ou difusa, variando de mínima a extensa. Exames de imagem do coração são cada vez mais usados para caracterizar "infiltrados" miocárdicos, e uma biopsia endomiocárdica pode, ocasionalmente, sugerir uma etiologia específica.

Três outras condições restritivas merecem breve menção:

- A endomiocardiofibrose é, principalmente, uma doença que acomete crianças e adultos jovens na África e outras áreas tropicais, caracterizada por fibrose do endocárdio e subendocárdio ventricular que se estende do ápice para cima, e muitas vezes acaba envolvendo as valvas tricúspide e mitral. O tecido fibroso diminui de forma acentuada o volume e a complacência das câmaras afetadas e, portanto, causa um defeito funcional restritivo. Às vezes, desenvolvem-se trombos murais ventriculares e, de fato, grande parte da fibrose endocárdica pode resultar da organização do trombo. A endomiocardiofibrose está ligada a deficiências nutricionais e/ou inflamação relacionada a infecções parasitárias (p. ex., hipereosinofilia); em todo o mundo, é a forma mais comum de cardiomiopatia restritiva

- A *endomiocardite de Loeffler* também resulta em endomiocardiofibrose, geralmente com grandes trombos murais e uma morfologia geral semelhante à da doença tropical. No entanto, além das alterações cardíacas, muitas vezes há uma eosinofilia periférica e infiltrados eosinofílicos em vários órgãos, como o coração. A liberação de produtos tóxicos dos eosinófilos, em especial a proteína básica principal, provavelmente causa necrose endomiocárdica, seguida de cicatrização da área necrótica, estratificação do endocárdio por trombo e, por fim, organização do trombo. Muitos pacientes com endomiocardite de Loeffler têm um distúrbio mieloproliferativo associado a rearranjos cromossômicos envolvendo os genes para os receptores de fator de crescimento derivado de plaquetas (*PDGFR*)-α ou -β (ver **Capítulo 13**). Esses rearranjos produzem genes de fusão que codificam tirosinoquinases de PDGFR constitutivamente ativas. O tratamento desses pacientes com inibidores de tirosinoquinase resultou em remissões hematológicas e resolução das lesões endomiocárdicas

- A *fibroelastose endocárdica* é uma doença cardíaca incomum caracterizada por espessamento fibroelástico que, tipicamente, envolve o endocárdio ventricular esquerdo. É mais comum nos 2 primeiros anos de vida; em um terço dos casos, é acompanhada por obstrução da valva aórtica ou outras anomalias cardíacas congênitas. A fibroelastose endocárdica pode representar um desfecho morfológico comum de vários insultos diferentes, como infecções virais (p. ex., exposição intrauterina à caxumba) ou mutações no gene para tafazina, que afeta a integridade da membrana interna mitocondrial. O envolvimento difuso pode ser responsável por descompensação cardíaca rápida e progressiva e morte.

Amiloidose

A amiloidose é uma forma importante de cardiomiopatia restritiva resultante do acúmulo extracelular de fibrilas proteicas que formam folhas-β pregueadas insolúveis (ver **Capítulo 6**). A amiloidose cardíaca pode aparecer como consequência da amiloidose sistêmica (p. ex., devido a mieloma ou amiloide associada à inflamação) ou pode ser restrita ao coração, em especial em idosos (amiloidose cardíaca senil). A amiloidose cardíaca ocorre, caracteristicamente, em indivíduos com 70 anos ou mais, e tem um prognóstico muito melhor do que a amiloidose sistêmica; os depósitos amiloides são amplamente compostos de transtirretina, uma proteína sérica normal sintetizada no fígado que transporta a tiroxina e a proteína de ligação ao retinol. Formas mutantes de transtirretina podem acelerar a deposição amiloide no coração; 4% dos afro-americanos têm uma mutação da transtirretina que substitui a valina por isoleucina na posição 122, produzindo uma proteína amiloidogênica particularmente responsável pela amiloidose transtirretina familiar autossômica dominante.

A amiloidose cardíaca produz, mais frequentemente, uma cardiomiopatia restritiva, mas também pode ser assintomática, manifestar-se como dilatação ou arritmias ou simular doença isquêmica ou valvar. As apresentações variadas dependem da localização predominante dos depósitos, por exemplo, interstício, sistema de condução, vasculatura coronária ou valvas.

> **Morfologia**
>
> Na amiloidose cardíaca, a consistência do coração varia de normal a firme e elástica. As câmaras são, geralmente, de tamanho normal, mas podem estar dilatadas e ter paredes espessadas. Nódulos pequenos e semitranslúcidos semelhantes a gotas de cera podem ser vistos na superfície endocárdica atrial, sobretudo à esquerda. Histologicamente, depósitos eosinofílicos hialinos de amiloide podem ser encontrados no interstício, tecido de condução, valvas, endocárdio, pericárdio e pequenas artérias coronárias intramurais (**Figura 12.34**). Os acúmulos de amiloide podem ser distinguidos de outros depósitos por colorações especiais, tais como o vermelho Congo ou o azul de Alcian; o primeiro produz birrefringência verde-maçã clássica quando visto sob luz polarizada (**Figura 12.34B**). Artérias e arteríolas intramurais podem ter amiloide suficiente em suas paredes para comprimir e ocluir suas luzes, induzindo isquemia miocárdica ("doença de pequenos vasos").

Miocardite

Miocardite é um grupo diverso de entidades patológicas nas quais microrganismos infecciosos e/ou um processo inflamatório primário causam lesão miocárdica. A miocardite deve ser diferenciada de condições como a DIC, na qual a inflamação miocárdica é secundária a outras causas.

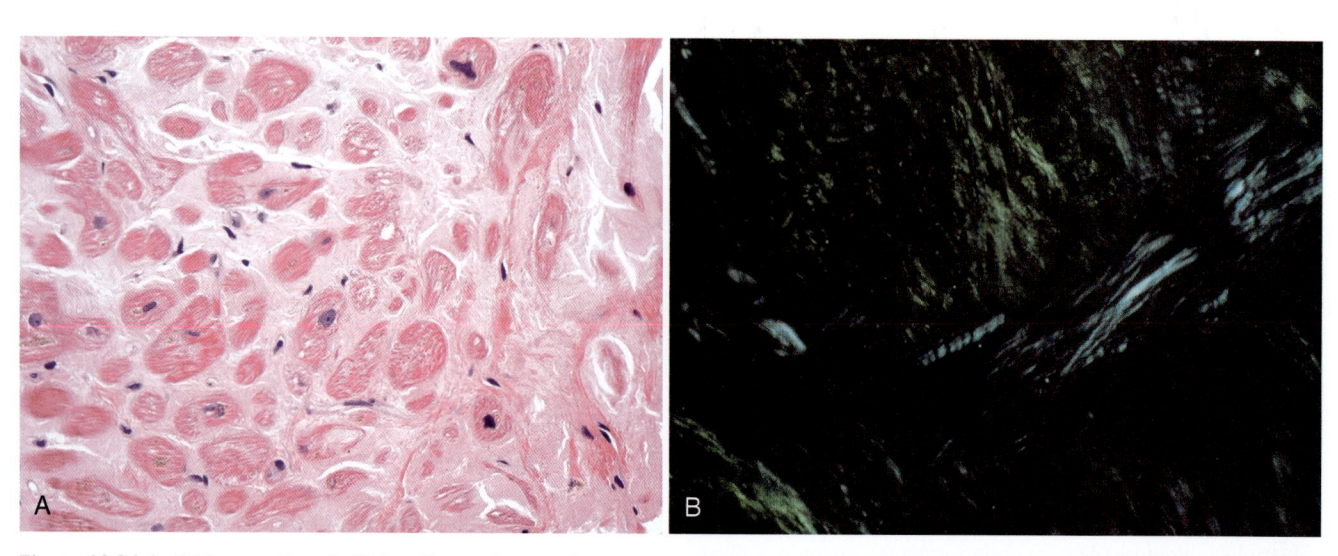

Figura 12.34 Amiloidose cardíaca. **A.** Coloração com hematoxilina e eosina mostrando amiloide aparecendo como um material amorfo rosa ao redor dos miócitos. **B.** Coloração com vermelho do Congo vista sob luz polarizada, na qual o amiloide mostra birrefringência verde-maçã característica (em comparação com o colágeno, azul-claro).

Patogênese

Nos EUA, as infecções virais são a causa mais comum de miocardite. Os vírus Coxsackie A e B e outros enterovírus costumam ser responsáveis pela maioria dos casos. Outros agentes etiológicos menos comuns incluem citomegalovírus, HIV e influenza (**Tabela 12.13**). Em alguns casos (mas não em todos), o agente agressor pode ser diagnosticado por estudos sorológicos ou pela identificação de sequências de ácidos nucleicos virais em biopsias miocárdicas. Dependendo do patógeno e do hospedeiro, os vírus podem causar lesão miocárdica, seja como um efeito citopático direto ou induzindo uma resposta imune destrutiva. As citocinas inflamatórias produzidas em resposta à lesão miocárdica também podem causar disfunção miocárdica desproporcional ao grau de lesão real dos miócitos.

Agentes não virais também são importantes causas de miocardite infecciosa, principalmente o protozoário *Trypanosoma cruzi*, o agente causador da doença de Chagas, endêmica em algumas regiões da América do Sul e com envolvimento miocárdico na maioria dos indivíduos infectados. Cerca de 10% dos pacientes morrem durante um ataque agudo; outros desenvolvem uma miocardite imunomediada crônica que pode progredir para insuficiência cardíaca em 10 a 20 anos. A triquinose (*Trichinella spiralis*) é a doença helmíntica mais comum associada à miocardite. Doenças parasitárias, como toxoplasmose, e infecções bacterianas, como a doença de Lyme e a difteria, também podem causar miocardite. No caso da miocardite diftérica, a lesão miocárdica é consequência da liberação de toxina diftérica por *Corynebacterium diphtheriae* (ver **Capítulo 8**). A miocardite ocorre em aproximadamente 5% dos pacientes com doença de Lyme, uma doença sistêmica causada pela espiroqueta bacteriana *Borrelia burgdorferi* (ver **Capítulo 8**); ela se manifesta, principalmente, como um distúrbio autolimitado do sistema de condução que pode exigir um marca-passo temporário. A miocardite associada à AIDS pode se apresentar com inflamação e dano aos miócitos sem um agente etiológico claro, ou uma miocardite atribuível diretamente ao HIV ou a um patógeno oportunista.

Também existem causas não infecciosas de miocardite. Em termos gerais, elas são mediadas imunologicamente (miocardite por hipersensibilidade) ou condições idiopáticas com morfologia distinta (miocardite de células gigantes) suspeitas de ser de origem imunológica (**Tabela 12.13**). Mais recentemente, inibidores de pontos de controle imunológico administrados para o tratamento do câncer ocasionalmente levaram a uma miocardite linfocítica (muitas vezes fatal).

> ### Morfologia
>
> Macroscopicamente, o coração na miocardite pode parecer normal ou dilatado; alguma hipertrofia pode estar presente dependendo da duração da doença. Em estágios avançados, o miocárdio ventricular está flácido e, frequentemente, manchado por focos pálidos ou pequenas lesões hemorrágicas. Trombos murais podem estar presentes.
>
> A miocardite ativa é caracterizada por um infiltrado inflamatório intersticial associado a miócitos em degeneração ou apoptóticos (**Figura 12.35**); zonas maiores de perda de miócitos ou necrose com edema intersticial podem refletir lesão vascular com dano isquêmico secundário. Um infiltrado difuso, mononuclear e predominantemente linfocítico é o mais comum (**Figura 12.35A**). Embora as biopsias endomiocárdicas possam ser diagnósticas, elas podem ser falsamente negativas porque a inflamação do miocárdio é irregular. Se o paciente sobreviver à fase aguda da miocardite, as lesões inflamatórias se resolvem, sem deixar alterações residuais, ou se curam por fibrose progressiva.
>
> A **miocardite por hipersensibilidade** é caracterizada por infiltrados perivasculares compostos de linfócitos, macrófagos e uma alta proporção de eosinófilos (**Figura 12.35B**). Uma forma morfologicamente distinta de miocardite, chamada **miocardite de células gigantes**, é caracterizada por um infiltrado celular inflamatório disseminado contendo células gigantes multinucleadas (macrófagos fundidos) intercaladas com linfócitos, eosinófilos, plasmócitos e macrófagos. Danos miocitários focais a frequentemente extensos estão presentes (**Figura 12.35C**). Essa variante provavelmente representa a extremidade fulminante do espectro da miocardite e carrega um prognóstico ruim.
>
> A miocardite da **doença de Chagas** é distinta em virtude da parasitização de miofibras dispersas por tripanossomos, acompanhada por um infiltrado inflamatório misto contendo neutrófilos, linfócitos, macrófagos e eosinófilos ocasionais (**Figura 12.35D**).

Tabela 12.13 Principais causas de miocardite.

Infecções
- Vírus (p. ex., vírus Coxsackie, vírus ECHO, influenza, HIV, citomegalovírus)
- Clamídia (p. ex., *Chlamydophila psittaci*)
- Riquétsia (p. ex., *Rickettsia typhi*, tifo murino)
- Bactérias (p. ex., *Corynebacterium diphtheriae*, *Neisseria meningococcus*, *Borrelia* [doença de Lyme])
- Fungos (p. ex., *Candida*)
- Protozoários (p. ex., *Trypanosoma cruzi* [doença de Chagas], toxoplasmose)
- Helmintos (p. ex., triquinose)

Reações imunomediadas
- Pós-virais
- Pós-estreptocócicas (febre reumática)
- Lúpus eritematoso sistêmico
- Hipersensibilidade a fármacos (p. ex., metildopa, sulfonamidas)
- Rejeição a transplante
- Terapias com inibidores de ponto de controle imunológico

Desconhecidas
- Sarcoidose
- Miocardite de células gigantes

HIV, vírus da imunodeficiência humana.

Características clínicas

O espectro clínico da miocardite é amplo. Por um lado, a doença é completamente assintomática e os pacientes podem esperar uma recuperação completa sem sequelas; no outro extremo está o início precipitado de insuficiência cardíaca ou arritmias, em algumas ocasiões seguido de morte súbita. Entre esses extremos, estão vários níveis de sintomas, como fadiga, dispneia, palpitações, desconforto precordial e febre. As características clínicas da miocardite podem imitar as do infarto agudo do miocárdio. Conforme observado anteriormente, os pacientes podem desenvolver CMD como uma complicação tardia da miocardite.

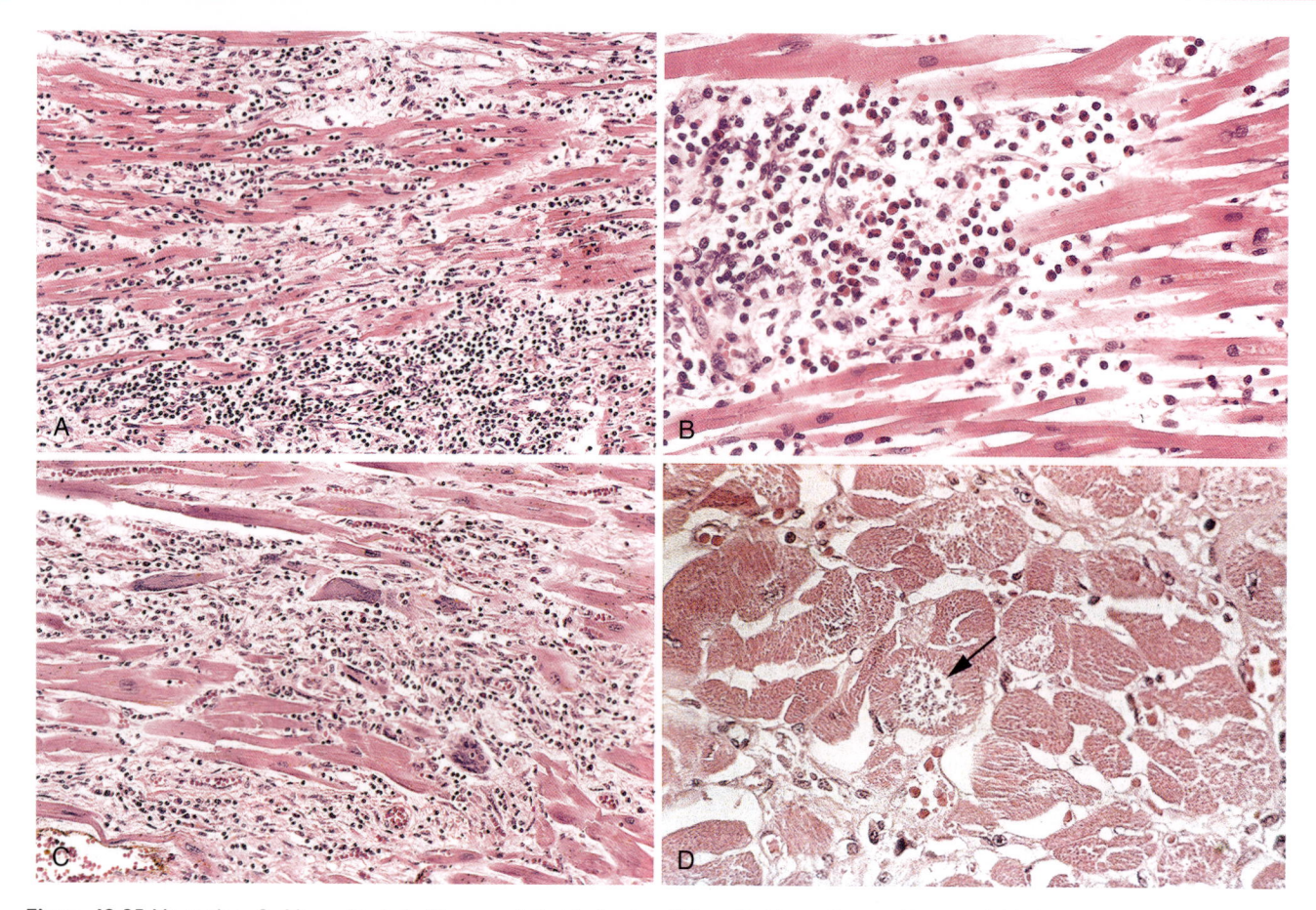

Figura 12.35 Miocardite. A. Miocardite linfocítica, associada à lesão de miócitos. **B.** Miocardite por hipersensibilidade, caracterizada por infiltrado inflamatório intersticial composto, em grande parte, por eosinófilos e células inflamatórias mononucleares, predominantemente localizado nos espaços perivascular e intersticial expandido. **C.** Miocardite de células gigantes, com infiltrado inflamatório mononuclear contendo linfócitos e macrófagos, extensa perda de músculo e células gigantes multinucleadas (macrófagos fundidos). **D.** Miocardite da doença de Chagas. Uma miofibra distendida com tripanossomos (seta) está presente com a necrose individual da miofibra e pequenas quantidades de inflamação.

Outras causas de doença miocárdica

Fármacos cardiotóxicos

As complicações cardíacas das terapias citotóxicas para o câncer são uma questão clínica importante. A cardiotoxicidade pode estar associada a vários agentes quimioterápicos convencionais diferentes, bem como a inibidores de tirosinoquinase. As antraciclinas doxorrubicina e daunorrubicina são os agentes quimioterápicos mais frequentemente associados à lesão miocárdica tóxica; elas causam CMD com insuficiência cardíaca por dano direto aos cardiomiócitos. A toxicidade da antraciclina é dose-dependente e o risco de cardiotoxicidade aumenta quando as doses cumulativas ao longo da vida excedem 250 mg/m^2.

Muitos outros agentes terapêuticos, como lítio, fenotiazinas e cloroquina, podem induzir, de forma muito peculiar, lesão miocárdica e, às vezes, morte súbita. Os achados comuns no miocárdio afetado incluem edema das miofibras, vacuolização citoplasmática e alteração gordurosa. A descontinuação do agente agressor costuma levar à resolução imediata, sem sequelas aparentes. Ocasionalmente, no entanto, um dano mais extenso produz morte de miócitos, que pode evoluir para CMD.

Radiação

A radioterapia na região do tórax pode causar danos por radicais livres, que, por sua vez, podem levar à fibrose de qualquer uma das estruturas cardíacas; as manifestações incluem aterosclerose acelerada, estenose valvar, constrição pericárdica e/ou cardiomiopatia restritiva devido à fibrose intersticial.

Conceitos-chave
Cardiomiopatia

- Cardiomiopatias são doenças intrínsecas do músculo cardíaco que podem ser genéticas (idiopáticas) ou decorrentes de causas bem definidas
- Existem três categorias fisiopatológicas gerais de cardiopatia: dilatada (90%), hipertrófica e restritiva (menos comum)
- A CMD resulta em disfunção sistólica (contrátil). As causas incluem miocardite, exposições a agentes tóxicos (p. ex., álcool) e gravidez. Em até 50% dos casos, mutações genéticas são causais, com mutações de truncamento da titina representando até 20% dos casos de CMD
- A CMH resulta em disfunção diastólica (relaxamento). Praticamente todos os casos se devem a mutações autossômicas dominantes nas proteínas que compõem o aparelho contrátil
- A cardiomiopatia restritiva resulta em um miocárdio rígido e não complacente e pode ser decorrente de acúmulos (p. ex., amiloide), fibrose intersticial aumentada (p. ex., devido à radiação) ou cicatriz endomiocárdica

- Miocardite é o dano miocárdico causado por infiltrados inflamatórios secundários a infecções ou reações imunológicas. As infecções virais são as causas mais comuns nos EUA. Clinicamente, a miocardite pode ser assintomática, originar insuficiência cardíaca aguda ou evoluir para CMD.

Doença pericárdica

Os distúrbios pericárdicos mais importantes envolvem acúmulo de líquido, inflamação, constrição fibrosa ou alguma combinação desses processos, geralmente em associação com outra patologia cardíaca ou doença sistêmica.

Derrame pericárdico e hemopericárdio

Normalmente, o saco pericárdico contém menos de 50 mℓ de um líquido ralo, transparente e cor de palha. Em várias circunstâncias, o pericárdio parietal sofre distensão por um líquido seroso (derrame pericárdico), sangue (hemopericárdio) ou pus (pericardite purulenta). Com a hipertrofia cardíaca de longa data ou com o acúmulo lento de fluido, o pericárdio tem tempo de se remodelar para acomodar o volume maior. Isso permite que um lento acúmulo de derrame pericárdico se torne bastante substancial sem restringir a função cardíaca. Assim, nos derrames crônicos de menos de 500 mℓ de volume, a única significância clínica é o aumento globular característico da sombra cardíaca nas radiografias de tórax. Por outro lado, o desenvolvimento rápido de acúmulo de líquido de 200 a 300 mℓ – por exemplo, devido ao hemopericárdio causado por ruptura de IAM ou dissecção aórtica – pode produzir compressão clinicamente devastadora dos átrios de paredes finas e da veia cava, ou dos próprios ventrículos; o enchimento cardíaco fica, portanto, comprometido, produzindo um tamponamento cardíaco fatal.

Pericardite

A inflamação pericárdica pode ser secundária a várias doenças cardíacas, torácicas ou sistêmicas, metástases de neoplasias remotas ou procedimentos cirúrgicos realizados no coração. As principais causas de pericardite estão listadas na **Tabela 12.14**. A maioria desencadeia uma pericardite aguda, mas algumas, tais como a tuberculose e fungos, produzem reações crônicas.

Pericardite aguda

A pericardite serosa é, caracteristicamente, produzida por doenças inflamatórias não infecciosas, tais como febre reumática, LES e esclerodermia, bem como tumores e uremia. Uma infecção nos tecidos contíguos ao pericárdio – por exemplo, uma pleurite bacteriana – pode incitar uma irritação na serosa pericárdica parietal suficiente para causar um derrame seroso estéril que pode progredir para uma pericardite serofibrinosa e, por fim, para uma franca reação supurativa. Em alguns casos, uma infecção viral bem definida em outro local – trato respiratório superior, pulmão, glândula parótida – antecede a pericardite e serve como o foco primário de infecção. Raramente, em geral em adultos jovens, a pericardite viral ocorre como uma infecção primária aparente que pode ser acompanhada de miocardite (miopericardite). Tumores podem causar pericardite serosa por invasão linfática ou extensão contígua direta para o pericárdio. Histologicamente, a pericardite serosa provoca um infiltrado inflamatório leve na gordura epipericárdica, consistindo em linfócitos predominantemente; a pericardite associada a tumor também pode exibir células neoplásicas. A organização em aderências fibrosas raramente ocorre.

A pericardite fibrinosa e a serofibrinosa são os tipos mais frequentes de pericardite; são compostas de um líquido seroso variavelmente misturado a um exsudato fibrinoso. As causas mais comuns incluem infarto agudo do miocárdio (**Figura 12.17D**), síndrome pós-infarto (Dressler) (uma resposta autoimune que aparece semanas após um IAM), uremia, febre reumática, LES e trauma. Uma reação fibrinosa também pode ocorrer após uma cirurgia cardíaca de rotina. A radiação usada para tratar neoplasias de mama, pulmão ou mediastino pode causar pericardite, derrame pericárdico e distúrbios pericárdicos crônicos.

Os sintomas da pericardite fibrinosa, caracteristicamente, incluem dor (aguda, pleurítica e dependente da posição) e febre; insuficiência congestiva também pode estar presente. Um atrito pericárdico forte é o achado clínico mais marcante. No entanto, o acúmulo de líquido seroso pode impedir o atrito ao separar as duas camadas do pericárdio.

A **pericardite purulenta ou supurativa** reflete uma infecção ativa causada por invasão microbiana do espaço pericárdico; isso pode ocorrer por:

- *Extensão direta* a partir de infecções vizinhas, tais como empiema pleural, pneumonia lobar, infecções mediastinais ou extensão de um abscesso de anel através do miocárdio ou da raiz da aorta
- *Disseminação a partir do sangue*
- *Extensão linfática*
- *Introdução direta* durante cardiotomia.

O exsudato varia de um líquido turvo ralo a franco pus de até 500 mℓ de volume e a pericardite tuberculosa pode exibir focos

Tabela 12.14 Causas da pericardite.

Agentes infecciosos
Vírus
Bactérias piogênicas
Tuberculose
Fungos
Outros parasitas
Supostamente mediadas imunologicamente
Febre reumática
Lúpus eritematoso sistêmico
Esclerodermia
Pós-cardiotomia
Síndrome pós-infarto do miocárdio (Dressler)
Reação de hipersensibilidade a fármacos
Diversas
Infarto do miocárdio
Uremia
Após cirurgia cardíaca
Neoplasia
Trauma
Radiação

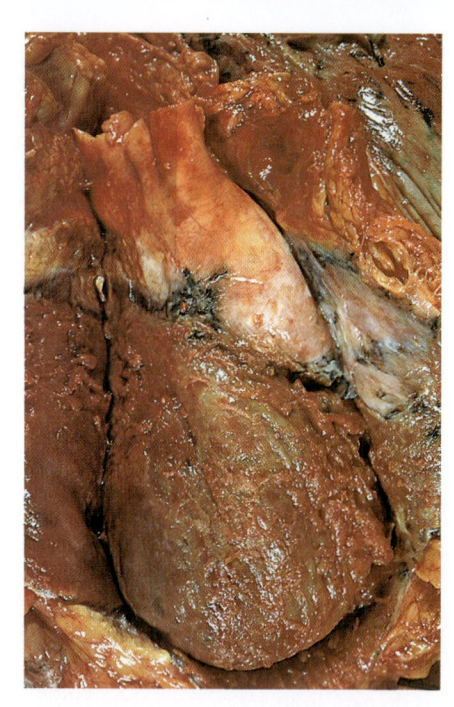

Figura 12.36 Pericardite supurativa aguda decorrente de extensão direta de uma pneumonia adjacente. Exsudato purulento extenso é evidente.

de caseificação. As superfícies serosas estão avermelhadas, granulares e revestidas com o exsudato (**Figura 12.36**). Microscopicamente, há reação inflamatória aguda, que, às vezes, se estende para as estruturas vizinhas (mediastinopericardite). A resolução completa é rara e a organização cicatricial é o resultado usual. A intensa resposta inflamatória e as cicatrizes subsequentes costumam produzir pericardite constritiva (ver adiante). Os achados clínicos na fase ativa assemelham-se aos observados na pericardite fibrinosa, embora a franca infecção leve a sintomas sistêmicos mais marcantes, tais como febre aguda e calafrios.

A pericardite hemorrágica apresenta um exsudato composto de sangue misturado a um derrame fibrinoso ou supurativo. É mais comumente causada pela disseminação de uma neoplasia maligna para o espaço pericárdico; o exame citológico do líquido removido por meio de uma punção pericárdica costuma revelar células neoplásicas. A pericardite hemorrágica também pode ser encontrada em infecções bacterianas, em indivíduos com diátese hemorrágica subjacente e tuberculose. A pericardite hemorrágica costuma ocorrer após cirurgia cardíaca e, ocasionalmente, é responsável por perda significativa de sangue ou até tamponamento, exigindo reoperação. A significância clínica é semelhante à da pericardite fibrinosa ou supurativa.

Pericardite crônica ou cicatrizada

A organização da inflamação pericárdica pode produzir sutis espessamentos fibrosos semelhantes a placas nas membranas serosas ("placa de soldado"), ou aderências finas e delicadas que raramente causam comprometimento da função cardíaca. Em outros casos, a fibrose na forma de aderências filamentosas semelhantes a uma malha pode obliterar amplamente o espaço virtual do saco pericárdico (pericardite adesiva); na maioria dos casos, isso não afeta a função cardíaca. Duas formas merecem alguma discussão:

- A *mediastinopericardite adesiva* pode surgir após pericardite infecciosa, cirurgia cardíaca prévia ou radiação mediastinal. O saco pericárdico é obliterado e a aderência da face externa da camada parietal às estruturas circundantes prejudica a função cardíaca. A cada contração sistólica, o coração "puxa" não apenas o pericárdio parietal, mas também as estruturas adjacentes inseridas. Pode-se observar retração sistólica da caixa torácica e do diafragma e pulso paradoxal. Ocasionalmente, o aumento da carga de trabalho causa hipertrofia e dilatação cardíaca significativas
- Na *pericardite constritiva*, o coração é envolvido por uma cicatriz densa, fibrosa ou fibrocalcificada que limita a expansão diastólica e o débito cardíaco, características que mimetizam uma cardiomiopatia restritiva. Um histórico prévio de pericardite pode ou não estar presente. A cicatriz fibrosa pode ter até 1 cm de espessura, obliterando o espaço pericárdico e, às vezes, se calcifica; em casos extremos, pode assemelhar-se a um molde de gesso (*concretio cordis*). Devido à densa cicatriz enclausurante, não é possível ocorrer hipertrofia e dilatação cardíaca. O débito cardíaco pode estar reduzido durante o repouso, mas o mais importante é que o coração tem pouca ou nenhuma capacidade de aumentar seu débito em resposta ao aumento da demanda sistêmica. Os sinais de pericardite constritiva incluem bulhas cardíacas distantes ou abafadas, pressão venosa jugular elevada e edema periférico. O tratamento consiste na ressecção cirúrgica da carapaça de tecido fibroso constritor (pericardiectomia).

Tumores cardíacos

Tumores cardíacos primários

Os tumores cardíacos primários são incomuns; além disso, a maioria é (felizmente) benigna. Os cinco tumores mais comuns não têm potencial maligno e são responsáveis por quase 90% de todos os tumores cardíacos primários. Em ordem decrescente de frequência (populações pediátrica e adulta combinadas), são mixomas, fibromas, lipomas, fibroelastomas papilares e rabdomiomas.

Os tumores cardíacos primários malignos são extremamente raros e, em geral, são um angiossarcoma ou um sarcoma com pouca diferenciação e amplificação do oncogene *MDM2*. Esses e outros sarcomas do coração não são clínica ou morfologicamente distintos dos sarcomas que surgem em outros locais.

Fibromas e lipomas se assemelham a seus homólogos de outros locais; apenas os mixomas, fibroelastomas papilares e rabdomiomas merecem mais menção aqui.

Os mixomas são os tumores primários mais comuns do coração adulto (**Figura 12.37**). São neoplasias benignas originadas de células mesenquimais primitivas multipotentes. Embora mixomas esporádicos não mostrem alterações genéticas consistentes, síndromes familiares associadas a mixomas apresentam mutações ativadoras no gene *GNAS1*, que codifica uma subunidade da proteína G (Gsα) (em associação com a síntese de McCune-Albright), ou mutações nulas em *PRKAR1A*, que codifica uma subunidade reguladora de uma proteinoquinase dependente de AMP cíclico (complexo de Carney). Cerca de 90% dos mixomas surgem nos átrios, com uma proporção esquerda-direita de, aproximadamente, 4:1.

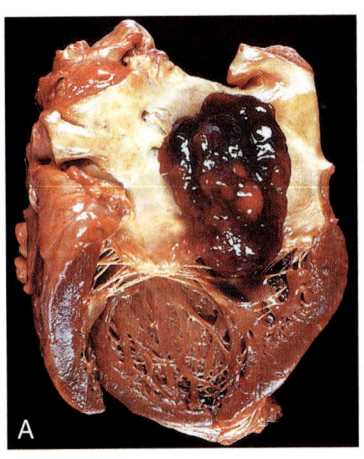

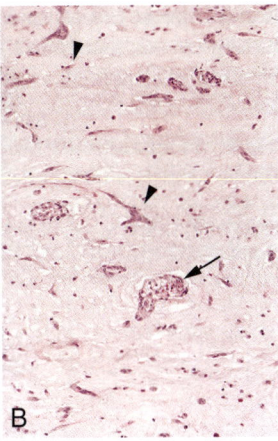

Figura 12.37 Mixoma atrial. A. Uma grande lesão séssil surge da região da fossa oval e se estende através do orifício da valva mitral. **B.** A matriz extracelular amorfa abundante contém células de mixoma multinucleadas dispersas (*pontas de seta*) em vários agrupamentos, como formações anormais semelhantes a vasos (*seta*).

> ### Morfologia
>
> Os tumores costumam ser únicos, mas, raramente, podem ser múltiplos. A região da fossa oval do septo atrial é o local de origem mais comum. Os mixomas variam de pequenos (< 1 cm) a grandes (≥ 10 cm) e podem ser lesões sésseis ou pedunculadas (**Figura 12.37A**). Eles variam de massas duras globulares mosqueadas com hemorragia a lesões moles, translúcidas, papilares ou vilosas com aparência gelatinosa. A forma pedunculada costuma ser suficientemente móvel para se mover em direção à abertura da valva atrioventricular durante a sístole, causando obstrução intermitente que pode ser dependente da posição.
>
> Histologicamente, os mixomas são compostos por células estreladas ou globulares embutidas em uma abundante substância amorfa formada por mucopolissacarídeos ácidos (**Figura 12.37B**). Estruturas peculiares semelhantes a vasos ou glândulas são características. Hemorragia e inflamação mononuclear costumam estar presentes.

As principais manifestações clínicas são decorrentes de uma obstrução valvar em "bola-valva", embolização ou uma síndrome de sintomas constitucionais, tais como febre e mal-estar. Algumas vezes, fragmentação e embolização sistêmica chamam a atenção para essas lesões. Os sintomas constitucionais devem-se, provavelmente, à produção por alguns mixomas de interleucina-6, que é o principal mediador da resposta de fase aguda. Uma ecocardiografia permite identificar essas massas de forma não invasiva. A remoção cirúrgica costuma ser curativa; raramente, talvez no caso de uma excisão incompleta, a neoplasia pode recorrer meses a anos mais tarde.

Os fibroelastomas papilares são tumores endocárdicos peculiares em forma de anêmona do mar; costumam ser incidentais, mas podem embolizar e, portanto, tornar-se clinicamente importantes. Anormalidades citogenéticas clonais foram relatadas, sugerindo que os fibroelastomas são neoplasias benignas. Eles se assemelham às muito menores e geralmente triviais excrescências de Lambl que se projetam de locais de aposição da valva.

> ### Morfologia
>
> Os fibroelastomas papilares costumam estar localizados nas valvas (> 80%), particularmente nas superfícies ventriculares das valvas semilunares e nas superfícies atriais das valvas atrioventriculares. Cada lesão, normalmente com 1 a 2 cm de diâmetro, consiste em um grupo distinto de projeções semelhantes a cabelos com até 1 cm de comprimento. Histologicamente, as projeções são cobertas por um endotélio superficial que envolve um núcleo de tecido conjuntivo mixoide com abundante matriz de mucopolissacarídeos e fibras elásticas.

Os rabdomiomas são os tumores cardíacos primários mais frequentes em crianças; eles são comumente descobertos nos primeiros anos de vida durante a avaliação de uma obstrução de orifício valvar ou outra obstrução de fluxo. Aproximadamente, metade dos rabdomiomas cardíacos é decorrente de mutações esporádicas; os outros 50% dos casos estão associados à esclerose tuberosa (ver **Capítulo 28**), com mutações nos genes supressores de tumor *TSC1* ou *TSC2*. As proteínas TSC1 e TSC2 (hamartina e tuberina, respectivamente) funcionam em um complexo que inibe a atividade do alvo da rapamicina em mamíferos (mTOR), uma quinase que estimula o crescimento celular e regula o tamanho celular. A expressão de TSC1 ou TSC2 costuma estar ausente em rabdomiomas associados à esclerose tuberosa, o que representa um mecanismo para o crescimento excessivo dos miócitos. Como os rabdomiomas costumam regredir de forma espontânea, eles podem ser considerados hamartomas em vez de neoplasias verdadeiras.

> ### Morfologia
>
> Rabdomiomas são massas miocárdicas branco-acinzentadas que podem ser pequenas ou ter até vários centímetros de diâmetro. Costumam ser múltiplos e envolvem preferencialmente os ventrículos, projetando-se para a luz. Microscopicamente, são compostos de miócitos bizarros marcadamente aumentados, com grandes acúmulos de glicogênio. O processamento histológico de rotina remove o glicogênio e reduz artificialmente o citoplasma abundante a filamentos finos que se estendem do núcleo até a membrana superficial, uma aparência conhecida como "células-aranha".

Neoplasias metastáticas

Os tumores metastáticos para o coração ocorrem em cerca de 5% dos pacientes que morrem de câncer; os mais frequentes são os carcinomas de pulmão e mama, melanomas, leucemias e linfomas. As metástases podem atingir o coração e o pericárdio por extensão linfática retrógrada a partir do mediastino (sobretudo carcinomas), por dispersão hematogênica (muitos tumores), por extensão contígua direta (de tumores intratorácicos) ou por extensão venosa (tumores de rim ou fígado). Os sintomas clínicos estão mais frequentemente associados à disseminação pericárdica, que pode causar derrames pericárdicos sintomáticos ou um efeito em massa suficiente para restringir o enchimento cardíaco. As metástases miocárdicas costumam ser clinicamente silenciosas ou apresentar características inespecíficas, tais como um defeito generalizado na contratilidade ou na complacência ventricular; ocasionalmente, podem causar arritmias. Um carcinoma broncogênico ou um linfoma maligno podem infiltrar o mediastino extensivamente, causando enclausuramento, compressão ou invasão da veia cava superior com resultante obstrução ao sangue proveniente da cabeça e membros superiores (síndrome da veia cava superior). O carcinoma de células renais costuma invadir a veia renal e pode crescer como uma coluna contínua de tumor na luz da veia cava inferior até atingir o átrio direito, bloqueando o retorno venoso para o coração.

Transplante cardíaco

O transplante cardíaco é realizado em função de insuficiência cardíaca grave e intratável de diversas causas – mais comumente CMD e DIC; mais de 3.500 cirurgias por ano são realizadas em todo o mundo. Três fatores são os principais responsáveis pela melhora dramática nos resultados do aloenxerto desde o primeiro transplante em 1967: (1) terapia imunossupressora mais eficaz (como o uso de inibidores de calcineurina, inibidores de mTOR, glicocorticoides e outros agentes); (2) seleção cuidadosa de candidatos; e (3) diagnóstico histopatológico precoce de rejeição aguda do aloenxerto por meio de biopsia endomiocárdica.

Entre as principais complicações, a rejeição do aloenxerto é o principal problema que requer vigilância; a biopsia endomiocárdica de rotina é o único meio confiável de diagnosticar rejeição cardíaca aguda antes que ocorra dano miocárdico substancial e em um estágio que seja reversível na maioria dos casos.

A rejeição celular clássica é caracterizada por inflamação linfocítica intersticial com dano associado aos miócitos; a histologia se assemelha à miocardite (**Figura 12.38A**). Também pode haver edema intersticial devido à lesão vascular, e a produção local de citocinas pode afetar a contratilidade miocárdica sem necessariamente provocar danos aos miócitos.

Cada vez mais, a rejeição mediada por anticorpos também é reconhecida como um mecanismo de lesão; os anticorpos específicos do doador dirigidos contra as principais proteínas do complexo de histocompatibilidade levam à ativação do complemento e ao recrutamento de células portadoras de receptores Fc. Esses anticorpos específicos do doador causam comprometimento do aloenxerto ao induzirem lesão das células endoteliais que leva a lesão microvascular com trombose. A rejeição mediada

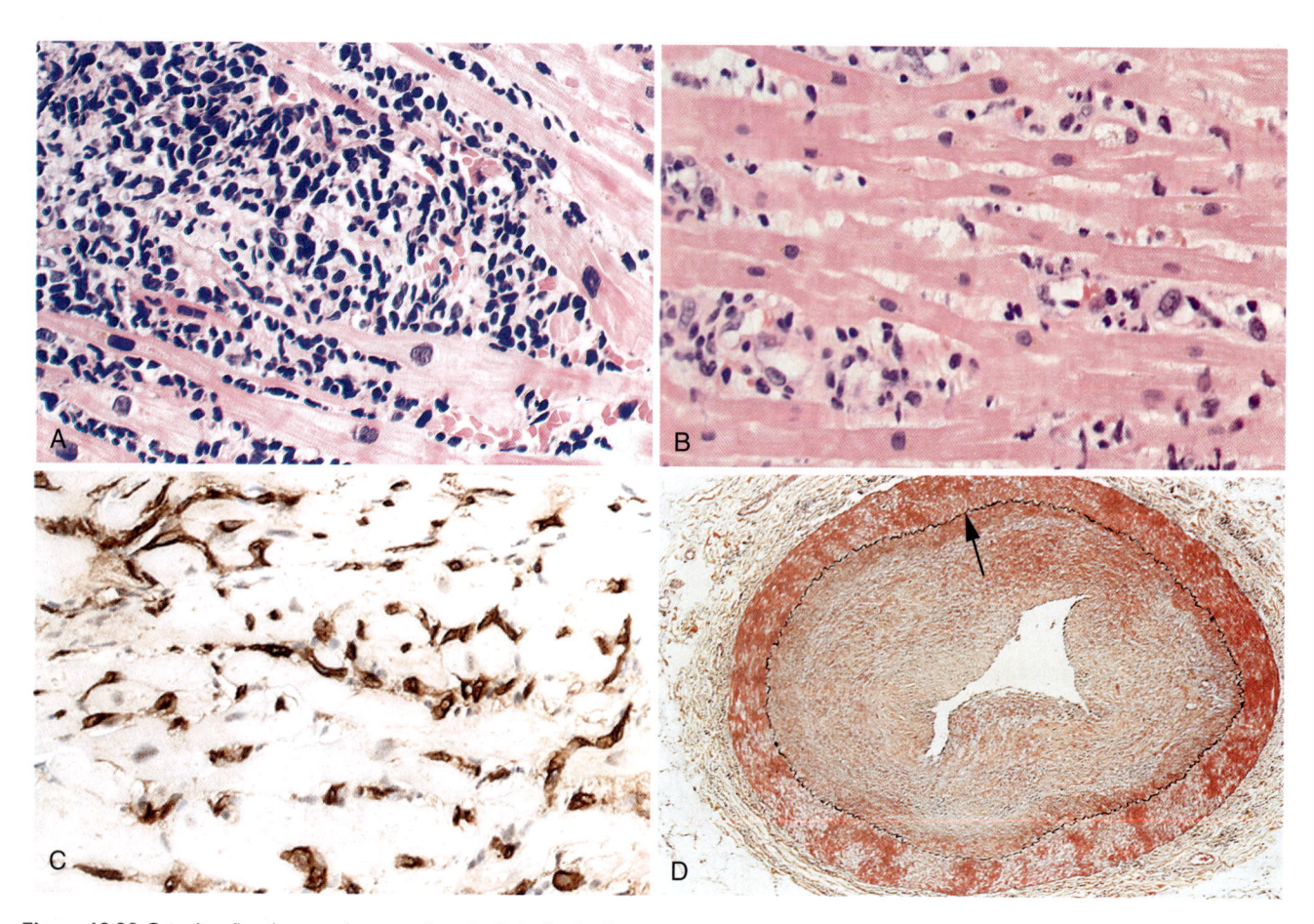

Figura 12.38 Complicações do transplante cardíaco. **A.** Rejeição de aloenxerto celular, tipificada por infiltrado linfocítico associado a dano aos miócitos cardíacos. **B** e **C.** Rejeição mediada por anticorpos. **B.** Fotomicrografia de corte corado com hematoxilina e eosina mostrando endotélio aumentado ativado com neutrófilos e monócitos aderentes, mas um infiltrado intersticial esparso; também há edema perivascular. **C.** Imuno-histoquímica para o componente C4 d do complemento mostrando um contorno nítido dos capilares (em marrom), refletindo a ativação e deposição do complemento. **D.** Vasculopatia do aloenxerto, com espessamento intimal difuso e concêntrico grave, produzindo estenose crítica. A lâmina elástica interna (seta) e a lâmina média estão intactas (coloração com pentacromo de Movat, elastina em preto). (**C,** Cortesia do Dr. Robert Padera, Brigham and Women's Hospital, Boston, Mass.; **D,** Reproduzida, com autorização, de Salomon RN, Hughes CC, Schoen FJ, et al: Human coronary transplantation-associated arteriosclerosis. Evidence for chronic immune reaction to activated graft endothelial cells, *Am J Pathol* 138(4):791-798, 1991.)

por anticorpos mostra edema perivascular leve e células inflamatórias intravasculares aderentes dispersas; costuma ser confirmada por coloração imuno-histoquímica para o fragmento C4 d do complemento, um catabólito de longa duração liberado durante a ativação da cascata do complemento (ver **Figura 12.38B** e **C**).

A rejeição leve pode se resolver de forma espontânea e o reconhecimento imediato de episódios mais graves permite o tratamento bem-sucedido com aumento dos níveis basais de imunossupressão; ocasionalmente, uma imunoterapia agressiva anticélulas T ou anticélulas B, com ou sem plasmaférese, pode ser necessária.

A vasculopatia do aloenxerto é a limitação a longo prazo mais importante para o transplante cardíaco. É uma proliferação intimal tardia, progressiva e difusamente estenosante nos vasos sanguíneos do aloenxerto, predominantemente nas artérias coronárias (**Figura 12.38D**), levando à lesão isquêmica. Dentro de 5 anos após o transplante, 50% dos pacientes desenvolvem vasculopatia significativa do aloenxerto e quase todos os pacientes apresentam lesões em 10 anos. A patogênese da vasculopatia do aloenxerto envolve respostas imunológicas que induzem a produção local de fatores de crescimento que promovem o recrutamento e a proliferação das células intimais de músculo liso com síntese de MEC. A vasculopatia do aloenxerto é um problema particularmente incômodo porque pode levar a infarto agudo do miocárdio silencioso (pacientes transplantados têm coração desnervado e, normalmente, não apresentam angina), ICC progressiva ou morte súbita cardíaca.

Outras complicações pós-operatórias incluem infecções e neoplasias, particularmente linfomas de células B associados ao vírus Epstein-Barr, que surgem no contexto de imunossupressão crônica de células T. Apesar desses problemas, o panorama geral é razoavelmente promissor; a sobrevida em 1 ano é de 90% e a sobrevida em 5 anos é superior a 70%.

Dispositivos cardíacos

Alguns dos avanços recentes mais extraordinários na medicina cardiovascular envolvem o uso de dispositivos mecânicos. Assim, atualmente, *stents* são implantados rotineiramente para a manutenção da patência vascular (sobretudo nas artérias coronárias; ver **Capítulo 11**) e os reparos de condutos endovasculares são abordagens comuns para o tratamento de aneurismas da aorta abdominal. Marca-passos implantáveis e desfibriladores/cardioversores são indispensáveis para pacientes com distúrbios do ritmo cardíaco e a substituição da valva aórtica transcateter (discutida anteriormente) ampliou o número de pessoas que pode se beneficiar com a substituição da valva. Embora impressionantes, esses vários dispositivos não estão isentos de riscos (um tanto previsíveis). Falhas mecânicas podem ocorrer em qualquer dispositivo, como fratura estrutural em *stents* ou falhas de disparo em dispositivos de estimulação. Qualquer coisa inserida no sistema cardiovascular também tem o potencial de desenvolver um trombo, que pode se tornar oclusivo ou embolizar, e um corpo estranho é sempre um nicho potencial de infecção persistente (e difícil de tratar). Felizmente, os benefícios manifestos superam significativamente os riscos potenciais.

Dispositivos de assistência ventricular

Possivelmente, os avanços de engenharia mais impressionantes tenham ocorrido com o desenvolvimento de DAVs. Eles permitem a assistência de pacientes com insuficiência cardíaca causada por condições que variam de miocárdio com atordoamento transitório após a cirurgia, passando por infarto do miocárdio permanente e chegando até a cardiomiopatia progressiva. Dada a disponibilidade limitada de corações adequados para transplante, os DAVs podem fornecer importante assistência de suporte à vida para pacientes com insuficiência em estágio final, permitindo-lhes sobreviver (e, de fato, melhorar seu estado geral de condicionamento) até que um doador adequado possa ser identificado. Cada vez mais, os DAVs também estão sendo implantados como "terapia de destino" para pacientes que não são candidatos a transplante (p. ex., um paciente com histórico de neoplasia maligna e insuficiência cardíaca).

LEITURA SUGERIDA

Geral

Buja L, Ottaviani G, Mitchell R: Pathobiology of cardiovascular diseases: an update, *Cardiovasc Pathol* 42:44, 2019. [*Revisão da patobiologia cardiovascular, juntamente com muitas referências úteis*].

Zipes DP et al, editors: *Braunwald's heart disease: a textbook of cardiovascular medicine*, ed 11, Philadelphia, 2018, Elsevier. [*Texto excepcional e competente, com excelentes seções sobre insuficiência cardíaca e doença cardiovascular aterosclerótica*].

Estrutura cardíaca e especializações

Chien KR, Frisén J, Fritsche-Danielson R et al: Regenerating the field of cardiovascular cell therapy, *Nat Biotechnol* 37:232, 2019. [*Revisão balanceada da pesquisa sobre regeneração cardiovascular*].

Cui M, Wang Z, Bassel-Duby R et al: Genetic and epigenetic regulation of cardiomyocytes in development, regeneration and disease, *Development* 145:24, 2018. [*Revisão da biologia regenerativa do cardiomiócito com um foco na ciência básica*].

Eschenhagen T et al: Cardiomyocyte regeneration: a consensus statement, *Circulation* 136:680, 2017. [*Breve visão geral consensual das evidências atuais para a regeneração dos cardiomiócitos*].

Lee RT, Walsh K: The future of cardiovascular regenerative medicine, *Circulation* 133:2618, 2016. [*Visão geral das tendências na medicina regenerativa cardiovascular*].

Insuficiência cardíaca

Kemp CD, Conte JV: The pathophysiology of heart failure, *Cardiovasc Pathol* 21:365, 2012. [*Excelente revisão da fisiopatologia da insuficiência cardíaca*].

Nakamura M, Sadoshima J: Mechanisms of physiological and pathological cardiac hypertrophy, *Nat Rev Cardiol* 15:387, 2018. [*Boa introdução à hipertrofia cardíaca e, em seguida, revisão detalhada dos possíveis mecanismos moleculares envolvidos*].

Doença cardíaca congênita

Andersen TA, Troelsen KD, Larsen LL: Of mice and men: molecular genetics of congenital heart disease, *Cell Mol Life Sci* 71:1327, 2013. [*Visão geral das relações entre desenvolvimento cardíaco e as doenças cardíacas congênitas*].

Dinardo JA: Heart failure associated with adult congenital heart disease, *Semin Cardiothorac Vasc Anesth* 17:44, 2013. [*Resumo bem escrito das consequências das cardiopatias congênitas observadas na população adulta*].

Huang JB, Liu YL, Sun PW et al: Molecular mechanisms of congenital heart disease, *Cardiovasc Pathol* 19:e183, 2010. [*Revisão abrangente dos genes e vias subjacentes à doença cardíaca congênita*].

Thiene G, Frescura C: Anatomical and pathophysiological classification of congenital heart disease, *Cardiovasc Pathol* 19:259, 2010. [*Excelente tratado sobre a classificação das cardiopatias congênitas*].

Triedman JK, Newburger JW: Trends in congenital heart disease: the next decade, *Circulation* 133:2716, 2016. [*Revisão das tendências na ciência médica e manejo clínico da doença cardíaca congênita*].

Doença isquêmica do coração

Crea F, Libby P: Acute coronary syndromes: the way forward from mechanisms to precision treatment, *Circulation* 136:1155, 2017. [*Revisão excelente e bem escrita sobre a erosão e ruptura da placa em síndromes coronárias agudas*].

Hausenloy DJ, Garcia-Dorado D, Bøtker HE et al: Novel targets and future strategies for acute cardioprotection: position paper of the European Society of Cardiology Working Group on Cellular Biology of the Heart, *Cardiovasc Res* 113:564, 2017. [*Atualização sobre os mecanismos e potenciais intervenções terapêuticas para a lesão por isquemia e reperfusão e para a cardioproteção e pré-condicionamento isquêmico na limitação do tamanho do infarto*].

Hausenloy DJ, Yellon DM: Ischaemic conditioning and reperfusion injury, *Nat Rev Cardiol* 13:193, 2016. [*Ótima revisão dos mecanismos e potenciais abordagens terapêuticas para limitar a lesão por reperfusão após o infarto do miocárdio*].

Nabel EG, Braunwald E: A tale of coronary artery disease and myocardial infarction, *N Engl J Med* 366:54, 2012. [*Excelente visão geral da história de nossa compreensão sobre a fisiopatologia da doença arterial coronariana e os sucessos de intervenções terapêuticas informadas*].

Thygesen K et al: Fourth universal definition of myocardial infarction, *Circulation* 138:e618, 2018. [*Importante artigo de consenso sobre as definições de infarto de miocárdio, com alguma discussão sobre patobiologia*].

Arritmias

Bagnall RD et al: A prospective study of sudden cardiac death among children and young adults, *N Engl J Med* 374:2441, 2016. [*Bom estudo e discussão sobre a morte súbita em jovens, uma área de investigação muito recente*].

Bezzina CR, Lahrouchi N, Priori SG: Genetics of sudden cardiac death, *Circ Res* 116:1919, 2015. [*Discussão atualizada e bem organizada dos distúrbios de canais iônicos conhecidos e das cardiomiopatias que causam morte súbita cardíaca*].

Cardiopatia hipertensiva

Drazner MH: The progression of hypertensive heart disease, *Circulation* 123:327, 2011. [*Boa revisão das consequências cardíacas da hipertensão sistêmica*].

Olschewski A et al: Pathobiology, pathology and genetics of pulmonary hypertension, *Int J Cardiol* 272S:4, 2018. [*Excelente revisão da patologia e patobiologia da hipertensão do lado direito*].

Valvopatia cardíaca

Baddour LM et al: Infective endocarditis in adults: diagnosis, antimicrobial therapy, and management of complications, *Circulation* 132:1435, 2015. [*Boa visão geral, clinicamente orientada, do desenvolvimento em microrganismos, diagnóstico e terapias para a endocardite infecciosa*].

Grozinsky-Glasberg S, Grossman AB, Gross DJ: Carcinoid heart disease: from pathophysiology to treatment, *Neuroendocrinology* 101:263, 2015. [*Boa revisão o pensamento atual sobre fisiopatologia, diagnóstico e tratamento desta entidade*].

Guilherme L, Köhler KF, Kalil J: Rheumatic heart disease: mediation by complex immune events, *Adv Clin Chem* 53:31, 2011. [*Discussão acadêmica e bem escrita sobre os mecanismos patogênicos da doença cardíaca reumática*].

Li C, Xu S, Gotlieb AI et al: The response to valve injury. A paradigm to understand the pathogenesis of heart valve disease, *Cardiovasc Pathol* 20:183, 2011. [*Boa visão geral dos conceitos patológicos da doença valvar*].

New SE, Aikawa E: Molecular imaging insights into early inflammatory stages of arterial and aortic valve calcification, *Circ Res* 108:1381, 2011. [*Boa visão geral dos mecanismos que levam à calcificação degenerativa das válvulas e vasos*].

Otto CM, Prendergast B: Aortic-valve stenosis—From patients at risk to severe valve obstruction, *N Engl J Med* 371:744, 2014. [*Boa revisão da patogênese, características clínicas e manejo clínico*].

Schoen FJ, Gotlieb AI: Heart valve health, disease, replacement, and repair: a 25-year cardiovascular pathology perspective, *Cardiovasc Pathol* 25:341, 2016. [*Excelente revisão sobre os mecanismos da doença valvar e abordagens terapêuticas*].

Cardiomiopatias

Arany Z, Elkayam U: Peripartum cardiomyopathy, *Circulation* 133:1397, 2016. [*Revisão da fisiopatologia e manejo clínico*].

Arbustini E, Narula N, Tavazzi L et al: The MOGE(S) classification of cardiomyopathy for clinicians, *J Am Coll Cardiol* 64:304, 2014. [*Artigo de consenso sobre uma classificação atualizada das cardiomiopatias, direcionada para etiologias genéticas e não para fisiopatologia*].

Braunwald E: Cardiomyopathies: an overview, *Circ Res* 121:711, 2017. [*Artigo introdutório de uma excelente série de nove artigos que cobrem muitos aspectos da cardiomiopatia e miocardite nas páginas 711-854 desta edição do periódico Circ. Res.*].

Buggey J, ElAmm CA: Myocarditis and cardiomyopathy, *Curr Opin Cardiol* 33:341, 2018. [*Boa revisão da etiologia, patogênese e características clínicas*].

Burke MA, Cook SA, Seidman JG et al: Clinical and mechanistic insights into the genetics of cardiomyopathy, *J Am Coll Cardiol* 68:2871, 2016. [*Visão geral bem escrita e competente da genética e fisiopatologia de várias cardiomiopatias escrita por um dos principais grupos do mundo*].

Corrado D, Link MS, Calkins H: Arrhythmogenic right ventricular cardiomyopathy, *N Engl J Med* 376:61, 2017. [*Boa revisão da etiologia, patogênese e características clínicas*].

Garfinkel AC, Seidman JG, Seidman CE: Genetic pathogenesis of hypertrophic and dilated cardiomyopathy, *Heart Fail Clin* 14(2):139, 2018. [*Excelente revisão dos defeitos genéticos subjacentes a muitas das cardiomiopatias*].

Johnson DB et al: Fulminant myocarditis with combination immune checkpoint blockade, *N Engl J Med* 375:1749, 2016. [*Relato interessante de uma doença cardiovascular que se origina de uma nova terapia*].

Kwak-Glass C, Mitchell RN: Winning the battle, but losing the war: mechanisms and morphology of cancer-therapy-associated cardiovascular toxicity, *Cardiovasc Pathol* 30:55, 2017. [*Revisão sobre a toxicidade cardiovascular causada pelas terapias atuais do câncer*].

Maleszewski JJ: Cardiac amyloidosis: pathology, nomenclature, and typing, *Cardiovasc Pathol* 24:343, 2015. [*Boa revisão da amiloidose cardíaca*].

Tumores do coração

Burke A, Tavora F: The 2015 WHO Classification of tumors of the heart and pericardium, *J Thorac Oncol* 11:441, 2016. [*Mais recente esquema de classificação de consenso para tumores do coração e do pericárdio*].

Sawyer DB: Anthracyclines and heart failure, *N Engl J Med* 38:1154, 2013. [*Visão geral sucinta da cardiotoxicidade quimioterapêutica*].

Transplante cardíaco

Bruneval P, Angelini A, Miller D et al: Improving Antibody-Mediated Rejection Diagnostics: Strengths, Unmet Needs, and Future Directions, *Am J Transplant* 17(1):42, 2017. [*Relatório de consenso sobre o estado do diagnóstico da rejeição mediada por anticorpos no transplante cardíaco*].

Mitchell RN: Graft vascular disease: immune response meets the vessel wall, *Annu Rev Pathol* 4:19, 2009. [*Visão geral abrangente da arteriopatia do aloenxerto, incluindo modelos animais, mecanismos patogênicos, diagnóstico clínico e terapia*].

CAPÍTULO 13

Doenças dos Leucócitos, Linfonodos, Baço e Timo

SUMÁRIO DO CAPÍTULO

HEMATOPOESE NORMAL, 601

DISTÚRBIOS DOS LEUCÓCITOS, 604
- **Leucopenia, 604**
  - Neutropenia, agranulocitose, 604
- **Proliferações reativas dos leucócitos e linfonodos, 605**
  - Leucocitose, 605
  - Linfadenite, 606
    - *Linfadenite inespecífica aguda, 607*
    - *Linfadenite inespecífica crônica, 607*
  - Linfo-histiocitose hemofagocítica, 608
- **Proliferações neoplásicas dos leucócitos: visão geral, 608**
  - Fatores etiológicos e patogenéticos na neoplasia de leucócitos, 609
- **Neoplasias linfoides, 610**
  - *Definições e classificações, 610*
  - Neoplasias de células B e T precursoras, 612
  - *Leucemia linfoblástica aguda/linfoma, 612*
  - Neoplasias de células B periféricas, 616

Leucemia linfocítica crônica/linfoma linfocítico de pequenas células, 616
Linfoma folicular, 618
Linfoma difuso de grandes células B, 619
Linfoma de Burkitt, 620
Linfoma de células do manto, 621
Linfomas da zona marginal, 622
Leucemia das células pilosas, 623
Neoplasias de células T periféricas e células NK, 624
Linfoma de células T periféricas sem outra especificação, 624
Linfoma anaplásico de grandes células (ALK positivo), 625
Leucemia/linfoma de células T do adulto, 625
Micose fungoide/síndrome de Sézary, 625
Leucemia de grandes linfócitos granulares, 626
Linfoma de células T/NK extranodal, 626
Neoplasias de plasmócitos e distúrbios relacionados, 626
Mieloma múltiplo, 627
Mieloma indolente, 629
Plasmocitoma ósseo solitário, 629
Linfoma linfoplasmocítico, 630

Linfoma de Hodgkin, 631
- **Neoplasias mieloides, 637**
  - Leucemia mieloide aguda, 637
  - Síndrome mielodisplásica, 640
  - Neoplasias mieloproliferativas, 641
    - *Leucemia mieloide crônica, 642*
    - *Policitemia vera, 644*
    - *Trombocitose essencial, 646*
    - *Mielofibrose primária, 646*
  - Histiocitose de células de Langerhans, 648

- **BAÇO, 649**
  - **Esplenomegalia, 650**
    - Esplenite aguda inespecífica, 650
    - Esplenomegalia congestiva, 651
    - Infartos esplênicos, 651
  - **Neoplasias, 652**
  - **Anomalias congênitas, 652**
  - **Ruptura, 652**

- **TIMO, 652**
  - **Distúrbios do desenvolvimento, 652**
  - **Hiperplasia tímica, 653**
  - **Timoma, 653**

Tradicionalmente, os componentes do sistema hematopoético têm sido divididos em *tecidos mieloides*, que são compostos pela medula óssea e suas células derivadas (p. ex., eritrócitos, plaquetas, granulócitos e monócitos), e em *tecidos linfoides*, que consistem no timo, linfonodos e baço. Entretanto, é importante reconhecer que essa subdivisão é artificial no que diz respeito à fisiologia normal das células hematopoéticas e às doenças que as afetam. Por exemplo, embora contenha relativamente poucos linfócitos, a medula óssea constitui a fonte de todos os progenitores linfoides e a residência dos plasmócitos de vida longa e dos linfócitos de memória. De modo semelhante, os distúrbios neoplásicos das células progenitoras mieloides (leucemias mieloides) originam-se na medula óssea, porém acometem secundariamente o baço e (em menor grau) os linfonodos. Alguns distúrbios dos eritrócitos (p. ex., anemia imuno-hemolítica, discutida no **Capítulo 14**) resultam da formação de autoanticorpos, indicando a existência de um distúrbio primário de linfócitos. Por conseguinte, não é possível estabelecer um limite bem definido entre doenças que afetam os tecidos mieloides e os tecidos linfoides.

Uma vez reconhecida essa dificuldade, dividimos de modo um tanto arbitrário as doenças dos tecidos hematopoéticos em dois capítulos. Neste capítulo, trataremos das doenças dos leucócitos e dos distúrbios que afetam o baço e o timo. No **Capítulo 14**, consideraremos as doenças dos eritrócitos e as que afetam a hemostasia. Antes de analisarmos as doenças específicas, discutiremos de maneira sucinta as origens das células hematopoéticas, visto que muitos distúrbios dos leucócitos e dos eritrócitos envolvem alterações no seu desenvolvimento e maturação normais.

Hematopoese normal

Os progenitores das células do sangue aparecem pela primeira vez durante a terceira semana de desenvolvimento embrionário no saco vitelino. As células derivadas do saco vitelino constituem a fonte dos macrófagos teciduais de vida longa, como as células microgliais no cérebro e as células de Kupffer no fígado (ver **Capítulo 3**), porém a contribuição do saco vitelino para a formação do sangue, principalmente na forma de eritrócitos embrionários, é apenas transitória. Surgem *células-tronco hematopoéticas* (CTH) várias semanas depois, no mesoderma da região intraembrionária da aorta/gônada/mesonéfron. Durante o terceiro mês de embriogênese, as CTH migram para o fígado, que passa a constitui o principal local de formação de células sanguíneas até pouco antes do nascimento. As CTH também estabelecem residência na placenta fetal; essa reserva de CTH é de relevância fisiológica incerta, porém apresenta importância clínica substancial, visto que as CTH coletadas do sangue do cordão umbilical por ocasião do nascimento são utilizadas no transplante de CTH terapêutico. No quarto mês de desenvolvimento, as CTH mudam de localização, passando para a medula óssea. Ao nascimento, a medula óssea em todo o esqueleto é hematopoeticamente ativa, enquanto a hematopoese hepática diminui e torna-se gradualmente mínima, persistindo apenas em focos dispersos, que ficam inativos logo após o nascimento. Depois da puberdade, a hematopoese cessa nos ossos distais e torna-se restrita ao esqueleto axial. Assim, nos adultos normais, apenas cerca da metade do espaço medular é hematopoeticamente ativo.

Os elementos figurados do sangue – eritrócitos, granulócitos, monócitos, plaquetas e linfócitos – apresentam uma origem comum a partir das CTH, isto é, células pluripotentes situadas no topo da hierarquia dos progenitores da medula óssea (Figura 13.1). A maioria das evidências que respaldam esse esquema provém de estudos realizados em camundongos, porém acredita-se que a hematopoese humana ocorra de modo semelhante. O desenvolvimento das células sanguíneas maduras a partir das

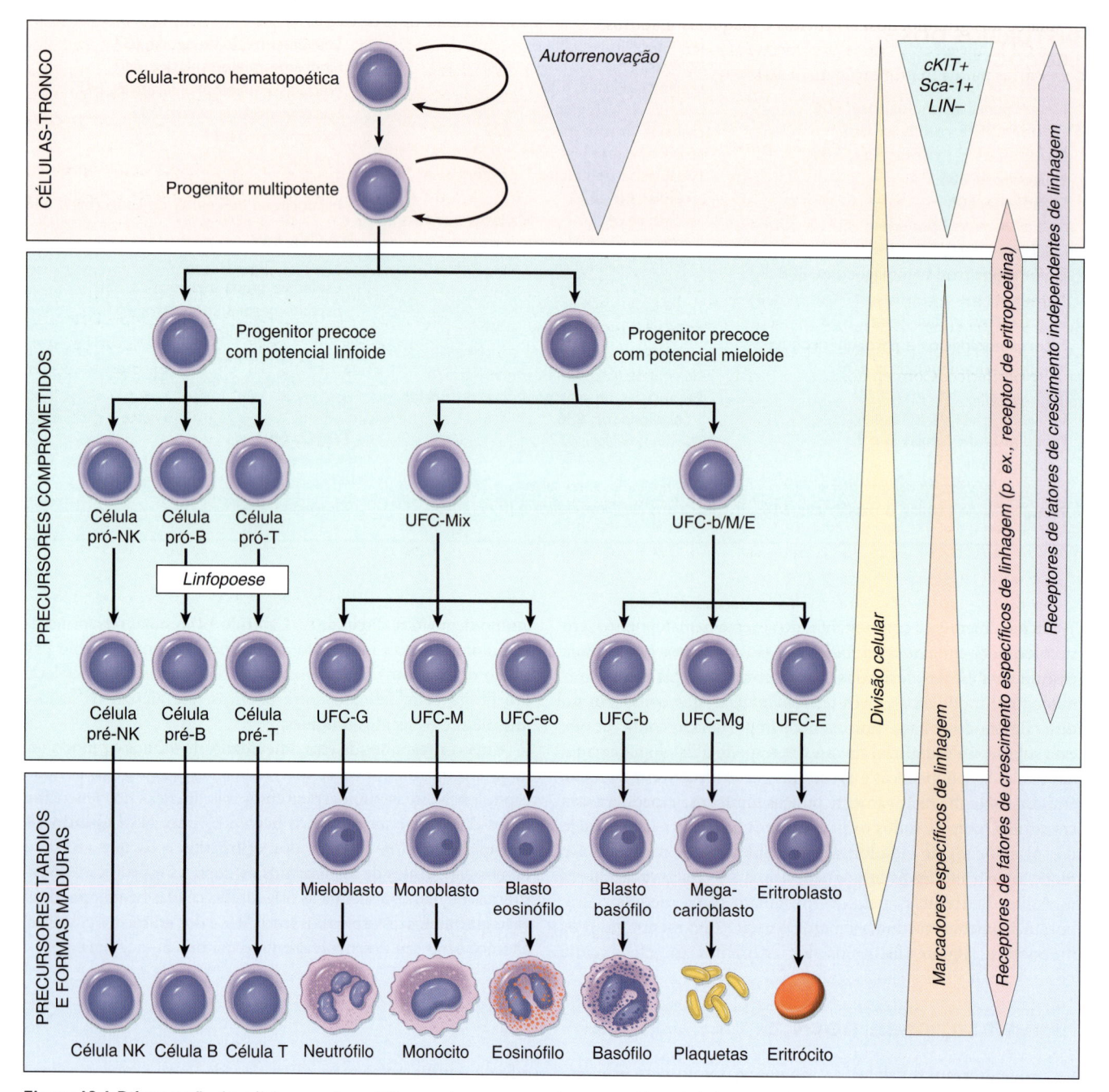

Figura 13.1 Diferenciação das células sanguíneas. *LIN–*, negativo para marcadores específicos de linhagem; *NK, natural killer*; *UFC*, unidade formadora de colônias.

CTH envolve um comprometimento progressivo para populações de células cada vez mais especializadas. As CTH dão origem a vários tipos de células progenitoras precoces, que apresentam um potencial de diferenciação mais restrito, de modo que, em última análise, produzam principalmente células mieloides ou células linfoides. As origens das células linfoides serão revisitadas quando forem discutidas as neoplasias derivadas dessas células. Por sua vez, esses progenitores iniciais dão origem a progenitores que são ainda mais restritos no seu potencial de diferenciação. Algumas dessas células são designadas como *unidades formadoras de colônias* (ver **Figura 13.1**), visto que elas produzem colônias compostas por tipos específicos de células maduras quando crescem em cultura. A partir dos vários progenitores comprometidos, surgem precursores morfologicamente reconhecíveis, como mieloblastos, pró-eritroblastos e megacarioblastos, que constituem os progenitores imediatos dos granulócitos, eritrócitos e plaquetas maduros.

As CTH apresentam duas propriedades essenciais, que são necessárias para a manutenção da hematopoese: a pluripotência e a capacidade de autorrenovação. A pluripotência refere-se à capacidade de uma única CTH de gerar todas as células sanguíneas maduras. Quando uma CTH se divide, pelo menos uma célula-filha precisa se autorrenovar para evitar a depleção das células-tronco. As divisões de autorrenovação ocorrem no interior de um nicho especializado da medula óssea, no qual as células do estroma e os fatores secretados nutrem e protegem as CTH. Como se pode deduzir a partir de sua capacidade de migração durante o desenvolvimento embrionário, as CTH não são sésseis. Em condições de estresse, especificamente, como anemia grave ou inflamação aguda, as CTH são mobilizadas da medula óssea e aparecem no sangue periférico. Com efeito, as CTH utilizadas em transplante são agora coletadas principalmente a partir do sangue periférico de doadores tratados com o fator estimulador de colônias de granulócitos (G-CSF), um dos fatores capazes de mobilizar as CTH de seus nichos de células-tronco na medula óssea.

A resposta da medula óssea a necessidades fisiológicas a curto prazo é regulada por fatores de crescimento hematopoéticos por meio de seus efeitos sobre os progenitores comprometidos. Esses fatores de crescimento são denominados *fatores estimuladores de colônias (CSF)*, visto que foram descobertos em virtude de sua capacidade de sustentar o crescimento de colônias de células sanguíneas *in vitro*. Como os elementos sanguíneos maduros são células de diferenciação terminal com tempo de vida finito, é necessária uma reposição constante de seus números. Nos modelos atuais de hematopoese, algumas divisões das CTH dão origem a células designadas como *progenitoras multipotentes*, que são mais proliferativas do que as CTH, mas que apresentam menor capacidade de autorrenovação (ver **Figura 13.1**). A divisão dos progenitores multipotentes dá origem a, pelo menos, uma célula-filha, que deixa o reservatório de células-tronco e começa a se diferenciar. Uma vez ultrapassado esse limiar, essas células recém-comprometidas perdem a sua capacidade de autorrenovação e começam uma jornada inexorável pela estrada que leva à sua diferenciação terminal e morte. Entretanto, à medida que essas células progenitoras se diferenciam, elas também proliferam rapidamente em resposta a fatores de crescimento, com consequente expansão de seus números. Alguns fatores de crescimento, como o fator de células-tronco (também denominado ligante KIT) e o ligante FLT3, atuam por meio de receptores que são expressos nos progenitores comprometidos muito precoces. Outros, como a eritropoetina, o fator estimulador de colônias de granulócitos-macrófagos (GM-CSF), o G-CSF e a trombopoetina, atuam por meio de receptores que estão expressos apenas nos progenitores comprometidos com potenciais de diferenciação mais restritos. Alças de retroalimentação envolvendo esses fatores de crescimento específicos de linhagem regulam a produção da medula óssea, possibilitando a manutenção dos números de elementos figurados do sangue (eritrócitos, leucócitos e plaquetas) dentro de faixas apropriadas (**Tabela 13.1**).

Muitas doenças alteram a produção de células sanguíneas. A medula é fonte definitiva da maioria das células do sistema imune inato e do sistema imune adaptativo e responde a desafios infecciosos ou inflamatórios pelo aumento da produção de granulócitos sob o controle de fatores de crescimento específicos e citocinas. Em contrapartida, muitos outros distúrbios estão associados a defeitos na hematopoese, que levam a deficiências de um ou mais tipos de células sanguíneas. As neoplasias primárias das células hematopoéticas estão entre as doenças mais importantes que interferem na função da medula óssea, porém determinadas doenças genéticas, infecções, toxinas e deficiências nutricionais, bem como inflamação crônica de qualquer causa, também podem diminuir a produção de células sanguíneas pela medula.

Com frequência, as neoplasias de origem hematopoética estão associadas a mutações que bloqueiam a maturação das células progenitoras ou que anulam a sua dependência de fatores de crescimento. O efeito final dessas alterações consiste em uma expansão clonal desregulada dos elementos hematopoéticos, que substituem os progenitores normais da medula óssea e, com frequência, espalham-se para outros tecidos hematopoéticos. Em alguns casos, essas neoplasias originam-se de CTH transformadas, que conservam a sua capacidade de diferenciação ao longo de múltiplas linhagens, ao passo que, em outros casos, a origem é um progenitor mais diferenciado que adquiriu uma capacidade anormal autorrenovação (ver **Capítulo 7**).

Morfologia

A medula óssea é um microambiente singular que sustenta a proliferação, a diferenciação e a liberação ordenadas das células sanguíneas. É preenchida por uma rede de sinusoides de paredes finas, revestidos por uma única camada de células endoteliais, que

Tabela 13.1 Valores de referência para as células sanguíneas em adultos.[a]

Tipo de célula	Valor de referência
Leucócitos ($\times 10^3/\mu\ell$)	4,8 a 10,8
Granulócitos (%)	40 a 70
Neutrófilos ($\times 10^3/\mu\ell$)	1,4 a 6,5
Linfócitos ($\times 10^3/\mu\ell$)	1,2 a 3,4
Monócitos ($\times 10^3/\mu\ell$)	0,1 a 0,6
Eosinófilos ($\times 10^3/\mu\ell$)	0 a 0,5
Basófilos ($\times 10^3/\mu\ell$)	0 a 0,2
Eritrócitos ($\times 10^6/\mu\ell$)	
Homens	4,3 a 5
Mulheres	3,5 a 5
Plaquetas ($\times 10^3/\mu\ell$)	150 a 450

[a]Os valores de referência variam entre laboratórios. Os valores de referência do laboratório que fornece os resultados devem ser sempre utilizados.

são reforçadas por uma membrana basal descontínua e por células da adventícia. No interior do interstício, encontram-se grupos de células hematopoéticas e células adiposas. As células sanguíneas diferenciadas entram na circulação por meio de migração transcelular através das células endoteliais.

A medula óssea normal é organizada de maneira sutil, porém relevante. Por exemplo, os megacariócitos normais estão situados próximo aos sinusoides e emitem processos citoplasmáticos que se projetam na corrente sanguínea para produzir plaquetas, enquanto os precursores eritroides frequentemente circundam macrófagos que eliminam remanescentes nucleares produzidos quando os eritrócitos expulsam o seu núcleo antes de sua liberação na corrente sanguínea. Os processos que distorcem a arquitetura da medula, como depósitos de câncer metastático ou distúrbios granulomatosos, podem causar liberação anormal de precursores imaturos no sangue periférico, um achado designado como **leucoeritroblastose**.

Os esfregaços de aspirado de medula fornecem a melhor avaliação morfológica das células hematopoéticas. Os precursores mais maduros da medula podem ser identificados baseando-se apenas em sua morfologia. Os precursores imaturos (formas "blásticas") de diferentes tipos são morfologicamente semelhantes e precisam ser identificados de modo definitivo, utilizando anticorpos específicos de linhagem e marcadores histoquímicos (descritos posteriormente nas neoplasias de leucócitos). As biopsias de medula óssea constituem uma maneira adequada de estimar a atividade da medula. Em adultos normais, a razão entre células adiposas e elementos hematopoéticos é de cerca de 1:1. Em estados hipoplásicos (p. ex., anemia aplásica) a proporção de células adiposas está acentuadamente aumentada; em contrapartida, as células adiposas frequentemente desaparecem quando a medula óssea é afetada por neoplasias hematopoéticas e em doenças caracterizadas por hiperplasia compensatória (p. ex., anemias hemolíticas) e proliferações neoplásicas, como as leucemias. Outros distúrbios (p. ex., cânceres metastáticos e doenças granulomatosas) induzem fibrose local da medula óssea. Nesses casos, não é geralmente possível obter um aspirado de medula, e as lesões são mais bem observadas em biopsias.

Distúrbios dos leucócitos

Os distúrbios dos leucócitos podem ser classificados em duas grandes categorias: os distúrbios proliferativos, em que ocorre expansão dos leucócitos, e as leucopenias, que são definidas como uma deficiência de leucócitos. As proliferações de leucócitos podem ser *reativas* ou *neoplásicas*. As proliferações reativas no contexto de infecções ou processos inflamatórios, quando são necessários grandes números de leucócitos para produzir uma resposta efetiva do hospedeiro, são bastante comuns. Os distúrbios neoplásicos, apesar de serem menos frequentes, são muito mais importantes clinicamente. Na discussão a seguir, descreveremos inicialmente os estados de leucopenia e faremos um resumo dos distúrbios reativos mais comuns; em seguida, consideraremos de maneira detalhada as proliferações malignas dos leucócitos.

Leucopenia

O número de leucócitos circulantes pode estar diminuído em uma variedade de distúrbios. Em geral, uma contagem anormalmente baixa de leucócitos (*leucopenia*) resulta de números reduzidos de neutrófilos (*neutropenia, granulocitopenia*). A *linfopenia* é menos comum; além das doenças de imunodeficiências congênitas (ver **Capítulo 6**), é mais comumente observada na infecção avançada pelo vírus da imunodeficiência humana (HIV) após terapia com glicocorticoides ou agentes citotóxicos, distúrbios autoimunes, desnutrição e certas infecções virais agudas. Nesse último contexto, a linfopenia origina-se efetivamente da redistribuição dos linfócitos, e não de uma redução no número dessas células no corpo. As infecções virais agudas induzem a produção de interferons tipo I, os quais ativam os linfócitos T e modificam a expressão de proteínas de superfície que regulam a migração das células T. Essas alterações resultam em sequestro das células T ativadas nos linfonodos e aumento da aderência às células endoteliais, ambos os quais contribuem para a linfopenia. A granulocitopenia é mais comum e, com frequência, está associada a uma redução da função dos granulócitos, de modo que merece uma discussão posterior.

Neutropenia, agranulocitose

A *neutropenia*, que se refere a uma redução do número de neutrófilos no sangue ocorre em uma grande variedade de circunstâncias. A *agranulocitose*, que consiste em uma redução pronunciada dos neutrófilos, tem a grave consequência de tornar os indivíduos suscetíveis a infecções bacterianas e fúngicas.

Patogênese

A neutropenia pode ser causada por (1) granulopoese inadequada ou ineficaz ou (2) aumento da destruição ou sequestro dos neutrófilos na periferia. A granulopoese inadequada ou ineficaz é observada nas seguintes condições:

- *Supressão das CTH*, como a que ocorre na anemia aplásica (ver **Capítulo 14**) e em uma variedade de distúrbios infiltrativos da medula óssea (p. ex., neoplasias, doença granulomatosa); nessas condições, a granulocitopenia é acompanhada de anemia e trombocitopenia
- *Supressão dos precursores granulocíticos comprometidos em consequência* da exposição a determinados medicamentos (discutida adiante)
- Doenças associadas à *hematopoese ineficaz*, como anemia megaloblástica (ver **Capítulo 14**) e síndrome mielodisplásica, em que os precursores defeituosos morrem na medula óssea
- *Condições congênitas* raras (p. ex., síndrome de Kostmann), em que defeitos herdados em genes específicos comprometem a diferenciação dos granulócitos.

A destruição acelerada ou o sequestro de neutrófilos ocorrem nas seguintes condições:

- *Lesão imunomediada dos neutrófilos*, que pode ser idiopática, associada a um distúrbio imunológico bem definido (p. ex., lúpus eritematoso sistêmico) ou causada por exposição a medicamentos
- *Esplenomegalia*, em que o aumento do baço resulta em sequestro e destruição dos neutrófilos no baço e em neutropenia modesta, algumas vezes associada à anemia e, com frequência, à trombocitopenia

- *Aumento da utilização periférica*, que pode ocorrer em infecções bacterianas, fúngicas ou por riquétsias fulminantes.

A causa mais comum de agranulocitose é a toxicidade por medicamentos. Certos fármacos, como os agentes alquilantes e os antimetabólitos utilizados no tratamento do câncer, produzem agranulocitose de maneira previsível e relacionada com a dose. Como esses medicamentos provocam supressão generalizada da hematopoese, a produção de eritrócitos e plaquetas também é afetada. A agranulocitose também pode ocorrer como reação idiossincrásica a uma grande variedade de agentes, como certos antibióticos, anticonvulsivantes, anti-inflamatórios, antipsicóticos e diuréticos. A neutropenia induzida por agentes antipsicóticos, como a clorpromazina e fenotiazinas relacionadas, resulta de um efeito tóxico sobre os precursores granulocíticos na medula óssea. Em contrapartida, a agranulocitose observada após a administração de outros medicamentos, como sulfonamidas, provavelmente decorre da destruição de neutrófilos mediada por anticorpos por meio de mecanismos semelhantes aos envolvidos nas anemias imuno-hemolíticas induzidas por fármacos (ver **Capítulo 14**).

Em alguns pacientes com neutropenia idiopática adquirida, são detectados autoanticorpos dirigidos contra antígenos específicos dos neutrófilos. A neutropenia grave também pode ocorrer em associação a proliferações monoclonais de grandes linfócitos granulares (a denominada *leucemia LGL*). O mecanismo dessa neutropenia não está bem esclarecido; a supressão dos progenitores granulocíticos por produtos da célula neoplásica (habitualmente uma célula T citotóxica CD8+) é considerada o mecanismo mais provável.

Morfologia

As alterações na **medula óssea** variam de acordo com a causa. Na destruição excessiva de neutrófilos na periferia, a medula é habitualmente hipercelular, devido a um aumento compensatório dos precursores granulocíticos. A hipercelularidade também é a regra nas neutropenias causadas por granulopoese ineficaz, como a que ocorre na anemia megaloblástica e na síndrome mielodisplásica. A agranulocitose causada por agentes que suprimem ou que destroem os precursores granulocíticos está associada de modo compreensível à hipocelularidade medular.

As **infecções** representam uma consequência comum da agranulocitose. As lesões necrosantes ulcerativas da gengiva, do assoalho da boca, da mucosa oral, da faringe ou de outras partes da cavidade oral (angina agranulocítica) são muito características. Essas lesões normalmente são profundas, solapadas e recobertas por membranas necróticas cinzentas a negro-esverdeadas a partir das quais é possível isolar numerosas bactérias ou fungos. Com menos frequência, ocorrem lesões ulcerativas semelhantes na pele, na vagina, no ânus ou no trato gastrintestinal. Podem ocorrer infecções bacterianas ou fúngicas invasivas, graves e potencialmente fatais nos pulmões, no trato urinário e nos rins. O paciente neutropênico corre um risco particularmente alto de infecções fúngicas profundas causadas por *Candida* e *Aspergillus*. Com frequência, os locais de infecção exibem crescimento maciço de microrganismos, com pouca resposta leucocitária. Nos casos mais graves, as bactérias crescem em colônias (botriomicose), lembrando aquelas observadas em placas de ágar.

Características clínicas

Os sinais e sintomas de neutropenia estão relacionados com a infecção e consistem em mal-estar, calafrios e febre, frequentemente seguidos de acentuada fraqueza e fatigabilidade. Na presença de agranulocitose, as infecções são frequentemente fulminantes, podendo levar à morte em questão de horas a dias.

As infecções graves têm mais probabilidade de ocorrer quando a contagem de neutrófilos cai abaixo de 500/mm^3. Como as infecções são frequentemente fulminantes, é necessária a administração imediata de antibióticos de amplo espectro sempre que surgirem sinais ou sintomas. Em alguns casos, como após quimioterapia mielossupressora, a neutropenia é tratada com G-CSF, um fator de crescimento que estimula a produção de granulócitos a partir de precursores da medula óssea.

Proliferações reativas dos leucócitos e linfonodos

Leucocitose

A *leucocitose* refere-se a um aumento no número de leucócitos no sangue. Trata-se de uma reação comum a uma variedade de estados inflamatórios.

Patogênese

A contagem de leucócitos no sangue periférico é influenciada por diversos fatores, incluindo:

- O tamanho dos reservatórios de precursores mieloides e linfoides e de células de armazenamento na medula óssea, no timo, na circulação e nos tecidos periféricos
- A taxa de liberação das células na circulação a partir dos compartimentos de armazenamento
- A proporção de células que aderem às paredes dos vasos sanguíneos em qualquer momento (o reservatório marginal)
- A taxa de extravasamento de células do sangue para os tecidos.

Conforme abordado no **Capítulo 3**, a homeostasia dos leucócitos é mantida por citocinas, fatores de crescimento e moléculas de adesão por meio de seus efeitos sobre a proliferação, a diferenciação e o extravasamento dos leucócitos e seus progenitores. A **Tabela 13.2** fornece um resumo dos principais mecanismos de leucocitose neutrofílica e suas causas, das quais a mais importante é a infecção. Na infecção aguda, ocorre rápido aumento na saída dos granulócitos maduros do compartimento medular, uma alteração que pode ser mediada por meio dos efeitos do fator de necrose tumoral (TNF) e da interleucina-1 (IL-1). Se a infecção ou o processo inflamatório forem prolongados, a IL-1, o TNF e outros mediadores inflamatórios estimulam os macrófagos, as células do estroma da medula óssea e as células T a produzir quantidades aumentadas de fatores de crescimento hematopoéticos. Esses fatores intensificam a proliferação e a diferenciação dos progenitores granulocíticos comprometidos e, ao longo de vários dias, induzem um aumento sustentado na produção de neutrófilos.

Alguns fatores de crescimento estimulam preferencialmente a produção de um único tipo de leucócito. Por exemplo, a IL-5 estimula, sobretudo, a produção de eosinófilos, enquanto o G-CSF induz a neutrofilia. Esses fatores são produzidos de modo diferencial em resposta a diversos estímulos patogênicos, e, em consequência, os cinco tipos principais de leucocitose (neutrofilia, eosinofilia, basofilia, monocitose e linfocitose) tendem a ser observados em diferentes contextos clínicos (**Tabela 13.3**).

Tabela 13.2 Mecanismos e causas de leucocitose.

Aumento da produção na medula óssea
Infecção crônica ou inflamação (dependente dos fatores de crescimento)
Paraneoplásica (p. ex., linfoma de Hodgkin; dependente dos fatores de crescimento)
Neoplasias mieloproliferativas (p. ex., leucemia mieloide crônica; independentemente dos fatores de crescimento)
Aumento da liberação das reservas medulares
Inflamação aguda (p. ex., com infecção)
Inflamação crônica (muitas causas)
Redução da marginação
Exercício físico
Catecolaminas
Diminuição do extravasamento nos tecidos
Glicocorticoides

Tabela 13.3 Causas de leucocitose.

Tipo de leucocitose	Causas
Leucocitose neutrofílica	Infecções bacterianas agudas, particularmente aquelas causadas por microrganismos piogênicos; inflamação estéril causada, por exemplo, por necrose tecidual (infarto do miocárdio, queimaduras)
Leucocitose eosinofílica (eosinofilia)	Distúrbios alérgicos, como asma, rinite alérgica, infecções parasitárias; reações medicamentosas; certas neoplasias malignas (p. ex., linfoma de Hodgkin e alguns linfomas não Hodgkin); distúrbios autoimunes (p. ex., pênfigo, dermatite herpetiforme) e algumas vasculites; doença ateroembólica (transitória)
Leucocitose basofílica (basofilia)	Rara, frequentemente indicativa de neoplasia mieloproliferativa (p. ex., leucemia mieloide crônica)
Monocitose	Infecções crônicas (p. ex., tuberculose), endocardite bacteriana, riquetsiose e malária; distúrbios autoimunes (p. ex., lúpus eritematoso sistêmico); doenças inflamatórias intestinais (p. ex., colite ulcerativa)
Linfocitose	Acompanha a monocitose em muitos distúrbios associados à estimulação imunológica crônica (p. ex., tuberculose, brucelose); infecções virais (p. ex., hepatite A, citomegalovírus, vírus Epstein-Barr); infecção por *Bordetella pertussis*

Na sepse ou em distúrbios inflamatórios graves (p. ex., doença de Kawasaki), a leucocitose é frequentemente acompanhada de alterações morfológicas como granulações tóxicas, corpúsculos de Döhle e vacúolos citoplasmáticos (**Figura 13.2**). Os *grânulos tóxicos*, que são mais grosseiros e mais escuros do que os grânulos neutrofílicos normais, representam grânulos azurofílicos (primários) anormais. Os *corpúsculos de Döhle* são manchas de retículo endoplasmático dilatado que aparecem como "poças" citoplasmáticas de cor azul-celeste.

Na maioria dos casos, não é difícil distinguir as leucocitoses reativas das neoplásicas, porém podem surgir incertezas em duas situações. As infecções virais agudas, particularmente em crianças, podem causar o aparecimento de grande número de linfócitos ativados, que se assemelham a células linfoides neoplásicas. Em outros momentos, em particular na presença de infecções graves, muitos granulócitos imaturos aparecem no sangue, simulando uma leucemia mieloide (*reação leucemoide*). Exames laboratoriais especializados (discutidos adiante) são úteis para distinguir as leucocitoses reativas das neoplásicas.

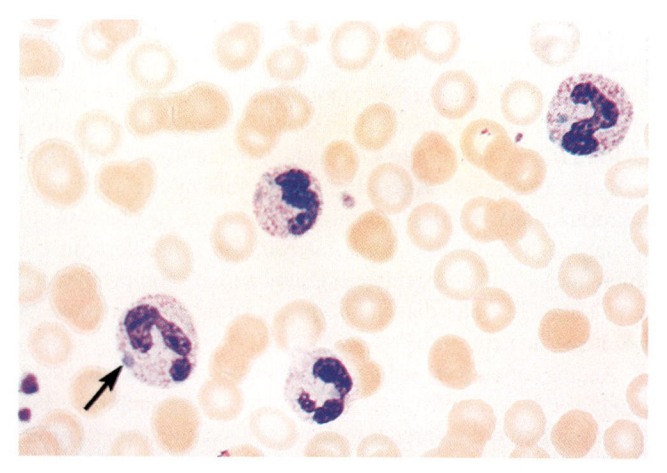

Figura 13.2 Alterações reativas em neutrófilos. São observados neutrófilos contendo grânulos citoplasmáticos grosseiros e de cor púrpura (granulações tóxicas) e manchas citoplasmáticas azuis de retículo endoplasmático dilatado (corpúsculos de Döhle) (*seta*) nesse esfregaço de sangue periférico preparado a partir de um paciente com sepse bacteriana.

Linfadenite

Após o seu desenvolvimento inicial a partir de precursores nos órgãos linfoides centrais (também denominador primários) – a medula óssea para as células B e o timo para as células T –, os linfócitos circulam pelo sangue e, sob a influência de citocinas e quimiocinas específicas, se estabelecem nos linfonodos, no baço, nas tonsilas, adenoides e placas de Peyer, que constituem os tecidos linfoides periféricos (secundários). Os linfonodos, que constituem o tecido linfoide de distribuição mais ampla e facilmente acessível, são examinados com frequência para propósitos diagnósticos. Os linfonodos são estruturas encapsuladas distintas, que contêm zonas de células B e células T separadas, cada uma delas contendo uma quantidade abundante de fagócitos e células apresentadoras de antígenos (ver **Figura 6.8**, **Capítulo 6**).

A ativação das células imunes residentes leva a mudanças morfológicas nos linfonodos. Dentro de vários dias após estimulação antigênica, os folículos primários aumentam e desenvolvem *centros germinativos* de coloração pálida, que consistem em estruturas altamente dinâmicas nas quais as células B adquirem a capacidade de produzir anticorpos de alta afinidade contra antígenos específicos. As zonas de células T paracorticais também podem sofrer hiperplasia. O grau e o padrão de alteração morfológica dependem do estímulo desencadeante e da intensidade da resposta. As lesões e infecções triviais induzem alterações sutis, enquanto infecções mais significativas produzem inevitavelmente aumento dos linfonodos e, algumas vezes, deixam uma cicatrização residual. Por essa razão, os linfonodos em adultos quase nunca estão "normais" ou "em repouso", e, com frequência, é necessário distinguir alterações morfológicas secundárias a eventos passados daquelas relacionadas com uma doença atual. As infecções e os estímulos inflamatórios frequentemente induzem reações imunes regionais ou sistêmicas dentro dos linfonodos. Em outros capítulos, são descritas algumas que produzem padrões morfológicos distintos. Entretanto, a maioria causa padrões estereotipados de reação dos linfonodos, designados como linfadenite inespecífica aguda e crônica.

Linfadenite inespecífica aguda

A linfadenite aguda na região cervical é causada, com mais frequência, por drenagem de microrganismos ou produtos microbianos provenientes de infecções dos dentes ou das tonsilas, ao passo que, nas regiões axilares e inguinais, é mais frequentemente causada por infecções nos membros. A linfadenite aguda também ocorre nos linfonodos mesentéricos, no contexto da apendicite aguda e de outras condições inflamatórias que acometem o intestino (como infecções virais autolimitadas), um diagnóstico diferencial que atormenta o cirurgião. As infecções virais sistêmicas (particularmente em crianças) e a bacteriemia produzem, com frequência, linfadenopatia generalizada.

> **Morfologia**
>
> Os linfonodos estão tumefeitos, vermelho-acinzentados e ingurgitados. No exame microscópico, há predominância de grandes centros germinativos reativos, que contêm numerosas figuras mitóticas. Com frequência, os macrófagos contêm restos particulados, que provêm de bactérias mortas ou células necróticas. Quando a causa consiste em microrganismos piogênicos, os neutrófilos são proeminentes, e os centros dos folículos podem sofrer necrose; algumas vezes, o linfonodo inteiro é convertido em pus. Nas reações menos graves, os neutrófilos dispersos infiltram-se em torno dos folículos e acumulam-se dentro dos seios linfoides. As células endoteliais que revestem os seios tornam-se ativadas e aumentam de tamanho.

Os linfonodos acometidos por linfadenite aguda ficam tumefeitos e dolorosos. Quando a formação de abscesso é extensa, os linfonodos tornam-se flutuantes. A pele sobrejacente fica avermelhada. Algumas vezes, infecções supurativas penetram pela cápsula do linfonodo e seguem até a pele, produzindo seios de drenagem. A cura dessas lesões está associada à formação de cicatrizes.

Linfadenite inespecífica crônica

Uma ampla variedade de estímulos imunológicos crônicos pode produzir linfadenite inespecífica. São observados diversos padrões diferentes de alteração morfológica, frequentemente dentro do mesmo linfonodo.

> **Morfologia**
>
> A **hiperplasia folicular** é causada por estímulos que ativam respostas imunes humorais. É definida pela presença de grandes centros germinativos alongados (folículos secundários), que são circundados por um colar de pequenas células B *naive* em repouso (zona do manto) (**Figura 13.3**). Os centros germinativos são polarizados, constituídos por duas regiões distintas: (1) uma zona escura com células B de tipo blasto proliferativas (centroblastos); e (2) uma zona clara composta de células B com contornos nucleares irregulares ou clivados (centrócitos). Entremeada entre as células B do centro germinativo, encontra-se uma rede indistinta de células dendríticas foliculares apresentadoras de antígenos e macrófagos (frequentemente designados como **macrófagos de corpos tingíveis**) que contêm restos nucleares de células B, que sofrem apoptose se não conseguirem produzir um anticorpo com alta afinidade para o antígeno.
>
> As causas da hiperplasia folicular incluem artrite reumatoide, toxoplasmose e infecção pelo HIV em estágio inicial. Essa forma de hiperplasia assemelha-se morfologicamente ao linfoma folicular (discutido adiante). As características que favorecem a hiperplasia reativa (não neoplásica) incluem (1) preservação da arquitetura dos linfonodos, incluindo as zonas de células T interfoliculares e os sinusoides, (2) acentuada variação no formato e tamanho dos folículos, e (3) presença de figuras mitóticas frequentes, macrófagos fagocíticos e zonas claras e escuras identificáveis, que tendem a estar ausentes nos folículos neoplásicos.
>
> A **hiperplasia paracortical** é causada por estímulos que desencadeiam respostas imunes mediadas por células T, como infecções virais agudas (p. ex., mononucleose infecciosa). Normalmente, as regiões de células T contêm imunoblastos, células T ativadas com três a quatro vezes o tamanho dos linfócitos em repouso, que apresentam núcleos redondos, cromatina aberta, vários nucléolos proeminentes e quantidades moderadas de citoplasma pálido. As zonas de células T expandidas invadem os folículos de células B e, em reações particularmente exuberantes, podem apagá-los. Nesses casos, os imunoblastos podem ser tão numerosos que pode ser necessária a realização de exames especiais para excluir a possibilidade de neoplasia linfoide. Além disso, com frequência, há hipertrofia das células sinusoidais e endoteliais vasculares, algumas vezes acompanhada de infiltração de macrófagos e eosinófilos.
>
> A **histiocitose sinusal** (também denominada *hiperplasia reticular*) caracteriza-se por um aumento no número e no tamanho das células endoteliais que revestem os sinusoides linfáticos, e por um número aumentado de macrófagos intrassinusoidais, que expandem e distorcem os sinusoides. Essa forma de hiperplasia pode ser particularmente proeminente em linfonodos que drenam cânceres, como o carcinoma de mama.

De forma característica, os linfonodos nas reações crônicas não são hipersensíveis, visto que o aumento ocorre lentamente com o passar do tempo, e não há inflamação aguda com dano tecidual associado. A linfadenite crônica é particularmente comum nos linfonodos inguinais e axilares, que drenam áreas relativamente grandes do corpo e que, com frequência, são estimulados por reações imunes a lesões triviais e infecções dos membros.

As reações imunes crônicas também podem promover o aparecimento de coleções organizadas de células imunes em tecidos não linfoides. Essas coleções algumas vezes são denominadas *órgãos linfoides terciários*. Um exemplo clássico é o da gastrite crônica causada por *Helicobacter pylori*, na qual são observados agregados de linfócitos na mucosa, que estimulam o aparecimento de placas de Peyer. Ocorre um fenômeno semelhante na artrite reumatoide, na qual aparecem, com frequência, folículos de células B na sinóvia inflamada. A linfotoxina, uma citocina necessária para a formação das placas de Peyer normais, provavelmente está envolvida no estabelecimento dessas coleções de células linfoides induzidas por inflamação "extranodal".

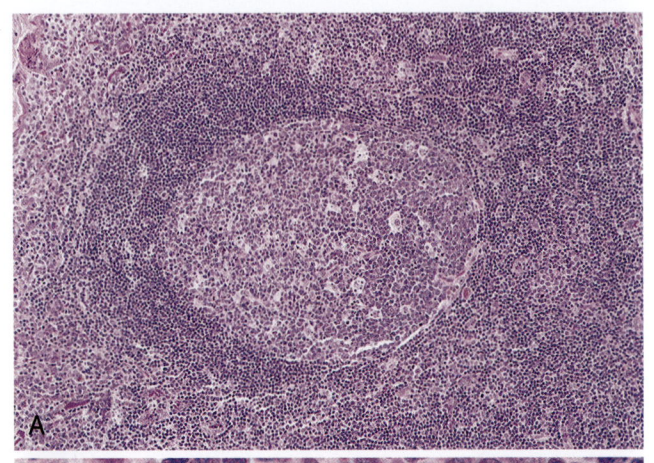

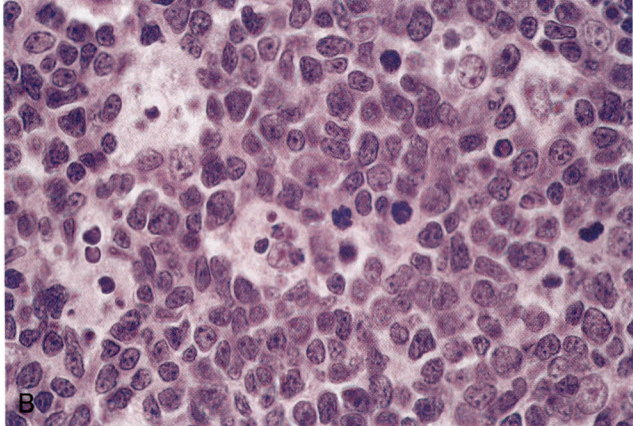

Figura 13.3 Hiperplasia folicular. **A.** Vista de pequeno aumento mostrando um folículo reativo e a zona do manto circundante. A zona do manto de coloração escura é mais proeminente adjacente à zona clara do centro germinativo na metade esquerda do folículo. A metade direita do folículo consiste na zona escura. **B.** Vista de grande aumento da zona escura, que apresenta várias figuras mitóticas e numerosos macrófagos que contêm células apoptóticas fagocitadas (corpos tingíveis).

Linfo-histiocitose hemofagocítica

A *linfo-histiocitose hemofagocítica* (LHH) é uma condição reativa caracterizada por citopenias e sinais e sintomas de inflamação sistêmica, relacionada com a ativação dos macrófagos. Por essa razão, ela também é algumas vezes designada como *síndrome de ativação dos macrófagos*. Algumas formas são familiares e podem surgir no início da vida, até mesmo em lactentes, enquanto outras formas são esporádicas e podem afetar pessoas de qualquer idade.

Patogênese

A característica comum a todas as formas de LHH consiste em ativação sistêmica dos macrófagos e das células T citotóxicas CD8+. Os macrófagos ativados fagocitam progenitores das células sanguíneas na medula óssea e elementos figurados nos tecidos periféricos, enquanto a "sopa" de mediadores liberados por macrófagos e linfócitos suprime a hematopoese e produz sintomas de inflamação sistêmica. Esses efeitos levam ao desenvolvimento de citopenias e a um quadro semelhante ao choque, algumas vezes designado como "tempestade de citocinas" ou síndrome da resposta inflamatória sistêmica (ver **Capítulo 4**).

As formas familiares de LHH estão associadas a várias mutações diferentes, as quais impactam a capacidade das células T citotóxicas (CTL) e das células *natural killer* (NK) de formar ou mobilizar adequadamente grânulos citotóxicos. A maneira pela qual esses defeitos levam à LHH é desconhecida. Um fator desencadeante comum para a LHH é a infecção pelo vírus Epstein-Barr, sugerindo que, em alguns casos, a LHH origina-se de um defeito na capacidade das CTL CD8+ de matar as células infectadas. Em consequência da infecção persistente, as CTL continuam produzindo citocinas, com consequente ativação excessiva dos macrófagos. A LHH também é uma complicação comum do linfoma de células T periféricas (discutido adiante), uma neoplasia de células T maduras que se caracteriza por desregulação imune. Independentemente do fator desencadeante, a LHH está uniformemente associada a níveis extremamente elevados de mediadores inflamatórios, como interferona-γ, TNF-α, IL-6 e IL-12.

Características clínicas

A maioria dos pacientes apresenta uma doença febril aguda associada à esplenomegalia e à hepatomegalia. Em geral, o exame de medula óssea revela hemofagocitose, porém a sua presença não é suficiente nem necessária para estabelecer o diagnóstico. Normalmente, os exames laboratoriais revelam anemia, trombocitopenia e níveis plasmáticos muito altos de ferritina e do receptor de IL-2 solúvel, ambos indicadores de inflamação grave, bem como provas de função hepática e níveis de triglicerídeos elevados, ambos relacionados com a hepatite. O coagulograma pode mostrar evidências de coagulação intravascular disseminada. Sem tratamento, esse quadro pode evoluir rapidamente para a falência múltipla de órgãos, choque e morte.

O tratamento envolve o uso de agentes imunossupressores, quimioterapia "leve" e administração de um anticorpo para neutralizar a atividade da interferona-γ. Os pacientes com mutações de linhagem germinativa que causam LHH ou que apresentam doença persistente/resistente são candidatos ao transplante de CTH. Sem tratamento, o prognóstico é sombrio, particularmente em paciente com formas familiares da doença, que normalmente sobrevivem menos de 2 meses. Com tratamento imediato, com ou sem transplante de CTH subsequente, cerca da metade dos pacientes sobrevive, porém muitos desses sobreviventes apresentam sequelas significativas, como dano renal em adultos e retardo do crescimento e deficiência intelectual em crianças.

Proliferações neoplásicas dos leucócitos: visão geral

Do ponto de vista clínico, as neoplasias malignas são os distúrbios mais importantes dos leucócitos. Essas doenças são divididas em três grandes categorias:

- As *neoplasias linfoides* incluem um grupo diversificado de neoplasias que se originam de células B, células T e célula NK. Em muitos casos, o fenótipo da célula neoplásica assemelha-se estreitamente a determinada classe de linfócito ou estágio de maturação, uma característica utilizada no diagnóstico e na classificação desses distúrbios
- As *neoplasias mieloides* originam-se de progenitores hematopoéticos precoces. São reconhecidas três categorias de neoplasias mieloides: as *leucemias mieloides agudas (LMA)*, em que as células progenitoras imaturas acumulam-se na medula óssea;

as *síndromes mielodisplásicas (SMD)*, que estão associadas à hematopoese ineficaz e citopenias resultantes no sangue periférico; e as *neoplasias mieloproliferativas*, em que a produção aumentada de um ou mais elementos mieloides de diferenciação terminal (p. ex., granulócitos) leva habitualmente a contagens elevadas no sangue periférico
- As *histiocitoses* são lesões proliferativas incomuns de macrófagos e células dendríticas. Embora o termo "histiócito" (literalmente, "célula tecidual") seja um termo morfológico arcaico, ele ainda é utilizado com frequência. Um tipo especial de célula dendrítica imatura, a célula de Langerhans, dá origem a um espectro de distúrbios neoplásicos, designados como *histiocitoses de células de Langerhans*.

Fatores etiológicos e patogenéticos na neoplasia de leucócitos

À semelhança de outros tipos de câncer, o desenvolvimento das neoplasias de leucócitos envolve alterações genéticas, infecções e, algumas vezes, um quadro de inflamação crônica. Diferentes tipos de neoplasias exibem anormalidades distintas e, portanto, respondem a diferentes terapias. Antes de analisarmos essa complexidade, consideraremos temas de relevância geral para a sua etiologia e patogênese.

Translocações cromossômicas e outras mutações adquiridas. A maioria das neoplasias de leucócitos apresenta anormalidades cromossômicas não randômicas, mais comumente translocações. Muitas dessas alterações estão especificamente associadas a determinadas neoplasias e desempenham um papel decisivo em sua gênese (ver **Capítulo 7**):

- *Os genes afetados de maneira recorrente são, com frequência, os que desempenham papéis cruciais no desenvolvimento, no crescimento ou na sobrevida do equivalente normal da célula maligna.* As mutações em certos genes estão tão fortemente associadas a tipos específicos de neoplasias que, em alguns casos, elas são necessárias para determinados diagnósticos. Algumas dessas mutações produzem uma proteína "dominante negativa", que interfere em uma função normal (perda de função); em outras, o resultado consiste em aumento inapropriado de alguma atividade normal (ganho de função)
- *As oncoproteínas criadas por aberrações genômicas frequentemente bloqueiam a maturação normal, ativam vias de sinalização de pró-crescimento ou protegem as células da morte celular apoptótica.* A **Figura 13.4** destaca várias mutações condutoras bem caracterizadas e suas consequências patogênicas em determinadas neoplasias de leucócitos:
  - Muitas oncoproteínas causam interrupção na diferenciação, frequentemente em um estágio em que as células estão em rápida proliferação. A importância desse mecanismo é mais evidente nas leucemias agudas, em que mutações oncogênicas dominantes negativas, que envolvem fatores de transcrição, interferem nos estágios precoces de diferenciação das células linfoides ou mieloides
  - Outras mutações em reguladores da transcrição aumentam diretamente a autorrenovação das células neoplásicas, conferindo-lhes propriedades semelhantes às células-tronco. Com frequência, esses tipos de mutações colaboram com mutações que ativam constitutivamente as tirosinoquinases,

que, por sua vez, ativam RAS e seus dois braços de sinalização *downstream*, as vias PI3K/AKT e MAPK (ver **Capítulo 7**), impulsionando, assim, o crescimento celular
  - Por fim, as mutações que inibem a apoptose prevalecem em certas neoplasias malignas hematológicas
- *Com frequência, os proto-oncogenes são ativados em células linfoides por erros que ocorrem durante a tentativa de diversificação dos genes de receptores de antígenos.* Entre as células linfoides, as mutações potencialmente oncogênicas ocorrem, com mais frequência, nas células B dos centros germinativos. Após estimulação antigênica, as células B entram nos centros germinativos e suprarregulam a expressão da citosina desaminase induzida por ativação (AID), uma enzima especializada modificadora do DNA, que é essencial em dois tipos de modificação dos genes das imunoglobulinas (Ig): a *mudança de classe*, um evento de recombinação intragênica, em que o segmento gênico constante da cadeia pesada de IgM é substituído por um segmento constante diferente (p. ex., IgG3), levando a uma mudança de classe (isótipo) do anticorpo produzido, e a *hipermutação somática*, que cria mutações pontuais dentro dos genes de Ig, o que pode aumentar a afinidade do anticorpo pelo antígeno (ver **Capítulo 6**). Certos proto-oncogenes, como o *MYC*, são ativados em linfomas de células B do centro germinativo por translocações para o *locus* Ig transcricionalmente ativo. De maneira notável, a expressão de AID induz translocações de *MYC/Ig* em uma pequena fração de células B normais do centro germinativo, aparentemente pelo fato da AID criar lesões no DNA que levam a quebras cromossômicas. A "perda do alvo" da AID também está implicada em mutações pontuais que suprarregulam a expressão e a atividade de BCL6, um fator de transcrição oncogênico que desempenha um importante papel em várias neoplasias malignas de células B. Outro tipo de instabilidade genômica regulada que é exclusivo das células B e T precursoras é atribuível à V(D)J recombinase, que corta o DNA em sítios específicos dentro dos *loci* dos receptores de Ig e de células T, respectivamente. Esse processo é essencial para gerar diversidade na montagem de genes de

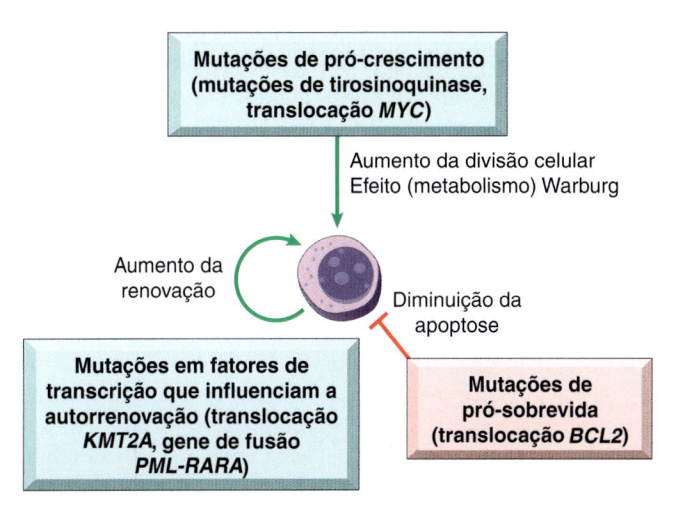

Figura 13.4 Patogênese das neoplasias malignas de leucócitos. Várias neoplasias abrigam mutações que têm efeitos principalmente na maturação ou que aumentam a renovação, impulsionam o crescimento ou impedem a apoptose. São listados exemplos de cada tipo de mutação; os detalhes são fornecidos posteriormente na discussão dos tipos específicos de neoplasias.

receptores de antígenos, porém algumas vezes ocorre incorretamente, o que leva à junção de proto-oncogenes com elementos reguladores dos genes de receptores de antígenos. A superexpressão resultante do proto-oncogene envolvido o converte em um oncogene. Esse mecanismo é praticamente prevalente em neoplasias de células T precursoras, porém é também observado em outros tipos de neoplasias linfoides.

Fatores genéticos hereditários. Conforme discutido no **Capítulo 7**, os indivíduos com doenças genéticas que promovem instabilidade genômica, como a síndrome de Bloom, a anemia de Fanconi e a ataxia-telangiectasia, correm risco aumentado de desenvolver leucemia aguda. Além disso, tanto a síndrome de Down (trissomia do 21) quanto a neurofibromatose tipo I estão associadas a uma incidência aumentada de leucemia infantil.

Vírus. Três vírus linfotrópicos – o vírus da leucemia de células T humana 1 (HTLV-1), o EBV e o herpes-vírus humano-8 (HHV-8; também conhecido como herpes-vírus do sarcoma de Kaposi) – foram implicados como agentes etiológicos em determinados linfomas. Os possíveis mecanismos de transformação pelos vírus são discutidos no **Capítulo 7**. O HTLV-1 está associado à leucemia/linfoma de células T do adulto. O EBV é encontrado em um subgrupo de linfoma de Burkitt, em 30 a 40% dos linfomas de Hodgkin (LH), em muitos linfomas de células B que surgem no contexto da imunodeficiência de células T e em raros linfomas de células NK. Além do sarcoma de Kaposi (ver **Capítulo 11**), o HHV-8 está associado a um linfoma de células B incomum, que se manifesta como efusão maligna, frequentemente na cavidade pleural.

Inflamação crônica. Vários agentes que causam inflamação crônica localizada predispõem à neoplasia linfoide, que quase sempre surge dentro do tecido inflamado. Exemplos incluem as associações entre a infecção por *H. pylori* e linfomas gástricos de células B (ver **Capítulo 17**); enteropatia sensível ao glúten e linfomas intestinais de células T; e até mesmo implantes de mama, que estão associados a um subtipo incomum de linfoma de células T. Isso pode ser comparado com a infecção pelo HIV, que está associada a um risco aumentado de linfomas de células B que podem surgir em praticamente qualquer órgão. No início da evolução, a desregulação de células T como resultado da infecção pelo HIV provoca hiperplasia sistêmica de células B dos centros germinativos, que está associada a uma incidência aumentada de linfomas de células B dos centros germinativos. Na infecção avançada (síndrome da imunodeficiência adquirida [AIDS]), a imunodeficiência grave de células T aumenta ainda mais o risco de linfomas de células B, em particular aqueles associados ao EBV e ao KSHV/HHV-8. Essas relações são discutidas de modo mais detalhado no **Capítulo 6**.

Fatores iatrogênicos. Ironicamente, a radioterapia e certos tipos de quimioterapia utilizados no tratamento do câncer aumentam o risco de neoplasias mieloides e linfoides subsequentes. Essa associação decorre dos efeitos mutagênicos da radiação ionizante e dos agentes quimioterápicos sobre as células progenitoras hematolinfoides.

Tabagismo. A incidência de LMA é 1,3 a 2 vezes maior em fumantes, presumivelmente devido à exposição a carcinógenos, como o benzeno, na fumaça de tabaco.

Neoplasias linfoides

Em seu conjunto, as diversas neoplasias linfoides constituem um grupo complexo e clinicamente importante de cânceres, com cerca de 100 mil novos casos diagnosticados anualmente nos EUA.

Definições e classificações

As neoplasias que se manifestam com comprometimento disseminado da medula óssea e (em geral, mas nem sempre) do sangue periférico são denominadas *leucemias*. As proliferações de leucócitos, normalmente linfócitos, que ocorrem em geral como massas teciduais individualizadas são denominadas *linfomas*. Originalmente, esses termos eram associados a entidades consideradas distintas; entretanto, com o passar do tempo e a maior compreensão adquirida, essas divisões tornaram-se atenuadas. Em certas ocasiões, muitas entidades denominadas "linfomas" têm apresentações leucêmicas, e a evolução para "leucemia" não é incomum durante a progressão de "linfomas" incuráveis. Em contrapartida, neoplasias idênticas a "leucemias" surgem algumas vezes como massas de tecido mole sem doença detectável da medula óssea. Por conseguinte, os termos leucemia e linfoma refletem meramente a distribuição tecidual habitual de cada doença na sua apresentação.

Dentro do grande grupo de linfomas, o *linfoma de Hodgkin* é segregado de outras formas, que constituem os *linfomas não Hodgkin (LNH)*. O linfoma de Hodgkin apresenta características patológicas distintas e é tratado de maneira singular. Outro grupo especial de neoplasias inclui as *neoplasias de plasmócitos*. Essas neoplasias surgem, com mais frequência, na medula óssea e só raramente acometem os linfonodos ou o sangue periférico.

Com mais frequência, a apresentação clínica das neoplasias linfoides é determinada pela distribuição anatômica da doença. Dois terços dos LNH e praticamente todos os linfomas de Hodgkin manifestam-se como linfonodos aumentados não hipersensíveis (frequentemente > 2 cm). Os LNH restantes manifestam-se com sintomas relacionados ao comprometimento de locais extranodais (p. ex., pele, estômago ou cérebro). Com mais frequência, as leucemias linfocíticas chamam a atenção devido a sinais e sintomas relacionados com a supressão da hematopoese normal por células neoplásicas na medula óssea, enquanto a neoplasia de plasmócitos mais comum, o mieloma múltiplo, provoca destruição óssea do esqueleto e, com frequência, manifesta-se com dor, devido às fraturas patológicas. Outros sintomas são frequentemente causados por proteínas secretadas por células neoplásicas ou por células imunes que respondem à neoplasia. Exemplos específicos incluem as neoplasias de plasmócitos, em que grande parte da fisiopatologia está relacionada com a secreção de anticorpos completos ou fragmentos de Ig; o linfoma de Hodgkin, que frequentemente está associado a febre relacionada com a liberação de citocinas por células inflamatórias não neoplásicas, e os linfomas de células T periféricas, que são neoplasias de células T funcionais que frequentemente liberam citocinas e quimiocinas pró-inflamatórias.

Historicamente, poucas áreas da patologia provocaram tanto controvérsia quanto a classificação das neoplasias linfoides; entretanto, foi alcançado um consenso com o uso de ferramentas diagnósticas moleculares objetivas. O esquema de classificação atual da Organização Mundial da Saúde (OMS) (**Tabela 13.4**) utiliza características morfológicas, imunofenotípicas, genotípicas e clínicas para classificar as neoplasias linfoides em cinco grandes categorias, separadas de acordo com a célula de origem:

Tabela 13.4 Classificação das neoplasias linfoides da Organização Mundial da Saúde.

I. Neoplasias de células B precursoras
Linfoma/leucemia linfoblástica aguda de células B (LLA-B)

II. Neoplasias de células B periféricas
Leucemia linfocítica crônica/linfoma de pequenos linfócitos
Leucemia pró-linfocítica de células B
Linfoma linfoplasmocítico
Linfomas de zona marginal esplênico e nodal
Linfoma de zona marginal extranodal
Linfoma de células do manto
Linfoma folicular
Linfoma de zona marginal
Leucemia de células pilosas
Plasmocitoma/mieloma de plasmócitos
Linfoma difuso de grandes células B
Linfoma de Burkitt

III. Neoplasias de células T precursoras
Linfoma/leucemia linfoblástica aguda de células T (LLA-T)

IV. Neoplasias de células T e células NK periféricas
Leucemia pró-linfocítica de células T
Leucemia linfocítica de grandes células granulares
Micose fungoide/síndrome de Sézary
Linfoma de células T periféricas, sem outra especificação
Linfoma anaplásico de grandes células
Linfoma de células T angioimunoblástico
Linfoma de células T associado a enteropatia
Linfoma de células T tipo paniculite
Linfoma de células T γδ hepatoesplênico
Leucemia de células T do adulto/linfoma
Linfoma de células NK/T extranodal
Leucemia de células NK

V. Linfoma de Hodgkin
Subtipos clássicos
    Esclerose nodular
    Celularidade mista
    Rico em linfócitos
    Depleção de linfócitos
Predomínio linfocítico nodular

NK, natural killer.

1. Neoplasias de células B precursoras (neoplasias de células B imaturas).
2. Neoplasias de células B periféricas (neoplasias de células B maduras).
3. Neoplasias de células T precursoras (neoplasias de células T imaturas).
4. Neoplasias de células T e de células NK periféricas (neoplasias de células T e de células NK maduras).
5. Linfomas de Hodgkin (neoplasias de células de Reed-Sternberg e variantes).

Antes de discutir as entidades específicas, convém ressaltar alguns princípios relevantes para as neoplasias linfoides:

- *Pode-se suspeitar de neoplasia linfoide com base nas características clínicas, porém o exame histológico dos linfonodos ou de outros tecidos acometidos é necessário para o diagnóstico.* A análise da expressão de proteínas (marcadores) específicas de linhagem e das alterações genéticas representa um importante complemento para os estudos morfológicos. Os marcadores reconhecidos por anticorpos úteis na caracterização dos linfomas e das leucemias estão listados na **Tabela 13.5**

- *Em geral, o rearranjo dos genes de receptores de antígenos precede a transformação das células linfoides; em consequência, todas as células-filhas derivadas do progenitor maligno compartilham a mesma configuração e sequência de genes de receptores de antígenos e sintetizam proteínas receptoras de antígenos idênticas (Ig ou receptores de células T).* Em contrapartida, as respostas imunes normais compreendem populações policlonais de linfócitos que expressam muitos receptores de antígenos diferentes. Por conseguinte, as análises de genes de receptores de antígenos e seus produtos proteicos podem ser utilizadas para distinguir as proliferações linfoides reativas (policlonais) das malignas (monoclonais). Além disso, cada rearranjo de genes de receptores de antígenos produz uma sequência única de DNA, que constitui um marcador clonal altamente específico, que pode ser utilizado para a detecção de pequenos números de células linfoides malignas residuais após a terapia

- *A maioria das neoplasias linfoides assemelha-se a algum estágio reconhecível de diferenciação das células B ou T (**Figura 13.5**), uma característica que é utilizada na sua classificação.* A grande maioria (85 a 90%) das neoplasias linfoides tem a sua origem nas células B, enquanto a maior parte do restante consiste em neoplasias de células T; as neoplasias que se originam de células NK são raras

- *Com frequência, as neoplasias linfoides estão associadas a anormalidades imunes.* Pode-se observar a ocorrência tanto de uma perda da imunidade protetora (suscetibilidade à infecção) quanto de uma quebra da tolerância (autoimunidade), algumas vezes no mesmo paciente. Em uma perspectiva mais irônica, os indivíduos com imunodeficiência hereditária ou adquirida correm alto risco de desenvolver certas neoplasias linfoides, particularmente aquelas causadas por vírus oncogênicos (p. ex., EBV)

- *As células B e T neoplásicas tendem a recapitular o comportamento de seus equivalentes normais.* À semelhança dos linfócitos normais, as células B e T neoplásicas expressam moléculas de adesão e receptores de quimiocinas que controlam o seu direcionamento (*homing*) para determinados locais teciduais, levando a padrões característicos de comprometimento. Por exemplo, os linfomas foliculares se estabelecem em centros germinativos nos linfonodos, enquanto os linfomas de células T cutâneos se alojam na pele. Números variáveis de células linfoides B e T neoplásicas também recirculam pelos vasos linfáticos e pelo sangue periférico até locais distantes; em consequência, as neoplasias linfoides estão, em sua maioria, amplamente disseminadas por ocasião do diagnóstico. As exceções notáveis a essa regra incluem linfomas de Hodgkin, que algumas vezes são restritos a um grupo de linfonodos, e linfomas de células B da zona marginal, que frequentemente estão restritos a locais de inflamação crônica

- *O linfoma de Hodgkin dissemina-se de maneira sequencial ordenada, enquanto a maioria das formas de LNH dissemina-se amplamente e de modo um tanto imprevisível no seu curso inicial.* Por conseguinte, embora o estadiamento dos linfomas forneça uma informação prognóstica útil, ele é de maior utilidade na orientação da terapia para o linfoma de Hodgkin.

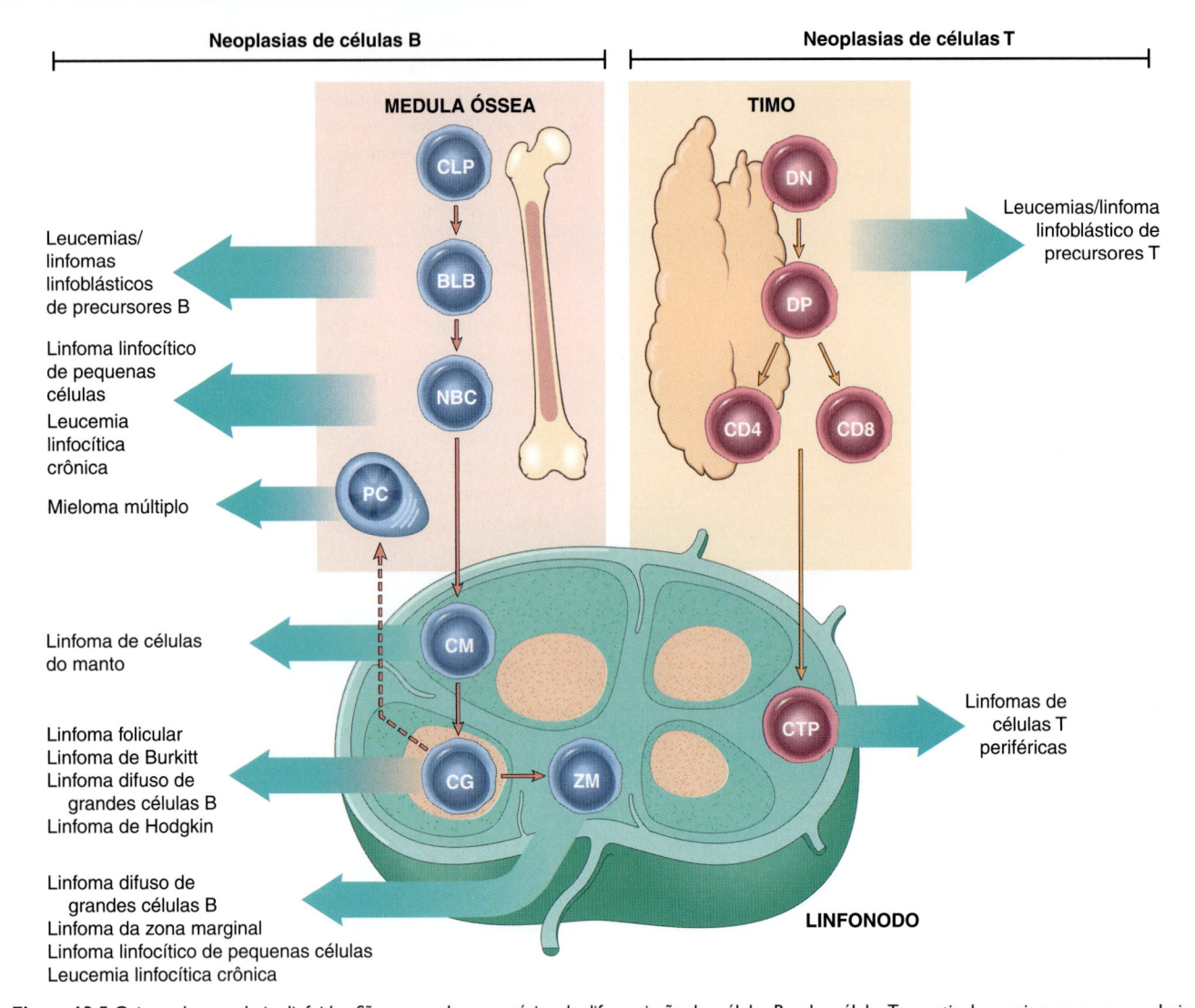

Figura 13.5 Origem das neoplasias linfoides. São mostrados os estágios de diferenciação das células B e das células T a partir dos quais surgem as neoplasias linfoides específicas. *BLB*, linfoblasto pré-B; *CBN*, célula B *naive*; *CG*, célula B do centro germinativo; *CLP*, precursor linfoide comum; *CM*, célula B do manto; *CTP*, célula T periférica; *DN*, célula pró-T duplo-negativa CD4/CD8; *DP*, célula pré-T duplo-positiva CD4/CD8; *ZM*, célula B da zona marginal.

Começaremos nossa discussão das entidades específicas com as neoplasias de células linfoides imaturas e, em seguida, para as neoplasias de células B maduras, neoplasias de plasmócitos e neoplasias de células T e células NK. Algumas das características moleculares e clínicas proeminentes dessas neoplasias estão resumidas na **Tabela 13.6**. Concluiremos com uma discussão do linfoma de Hodgkin.

Neoplasias de células B e T precursoras

Leucemia linfoblástica aguda/linfoma

As leucemias linfoblásticas agudas/linfomas (LLA) são neoplasias compostas de células B imaturas (pré-B) ou T imaturas (pré-T), que são denominadas linfoblastos. Aproximadamente 85% dos casos consistem em LLA-B, que normalmente se manifestam como leucemias agudas da infância. As LLA-T menos comuns tendem a se apresentar em adolescentes do sexo masculino como linfomas tímicos. Entretanto, observa-se uma considerável sobreposição no comportamento clínico da LLA-B e da LLA-T; por exemplo, a LLA-B raramente se manifesta como massa na pele ou em um osso, enquanto muitos casos de LLA-T apresentam-se com um quadro leucêmico ou evoluem para ele. Em virtude de suas semelhanças morfológicas e clínicas, as várias formas de LLA são discutidas aqui em conjunto.

A LLA é o câncer mais comum em crianças. Nos EUA, são diagnosticados cerca de 2.500 novos casos a cada ano, cuja maioria ocorre em indivíduos com menos de 15 anos. A LLA é quase três vezes mais comum em brancos do que em afro-americanos e é ligeiramente mais frequente em meninos do que em meninas. Os hispânicos apresentam a maior incidência entre qualquer grupo étnico. O pico de incidência da LLA-B ocorre em torno de 3 anos, talvez devido ao fato o número de células pré-B normais da medula óssea (a célula de origem) ser maior no início da vida. De modo semelhante, o pico de incidência da LLA-T é observado na adolescência, a idade em que o timo alcança o seu tamanho máximo. A LLA-B e a LLA-T também ocorrem com menos frequência em adultos de todas as idades.

Tabela 13.5 Alguns antígenos de células imunes detectados por anticorpos monoclonais.

Designação dos antígenos	Distribuição celular normal
Principalmente associado às células T	
CD1	Timócitos e células de Langerhans
CD3	Timócitos, células T maduras
CD4	Células T auxiliares, subgrupo de timócitos
CD5	Células T e pequeno subgrupo de células B
CD8	Células T citotóxicas, subgrupo de timócitos e algumas células NK
Principalmente associados às células B	
CD10	Células pré-B e células B dos centros germinativos
CD19	Células pré-B e células B maduras, mas não plasmócitos
CD20	Células pré-B após o CD19 e células B maduras, mas não plasmócitos
CD21	Receptor de EBV; células B maduras e células dendríticas foliculares
CD23	Células B maduras ativadas
CD79a	Células pré-B da medula óssea e células B maduras
Principalmente associados a monócitos ou macrófagos	
CD11c	Granulócitos, monócitos e macrófagos; também expresso por leucemias de células pilosas
CD13	Monócitos e granulócitos imaturos e maduros
CD14	Monócitos
CD15	Granulócitos; células de Reed-Sternberg e variantes
CD33	Progenitores mieloides e monócitos
CD64	Células mieloides maduras
Principalmente associados às células NK	
CD16	Células NK e granulócitos
CD56	Células NK e subgrupo de células T
Principalmente associados às células-tronco e às células progenitoras	
CD34	Células-tronco hematopoéticas pluripotentes e células progenitoras de muitas linhagens
Marcadores de ativação	
CD30	Células B, células T e monócitos ativados; células de Reed-Sternberg e variantes
Presentes em todos os leucócitos	
CD45	Todos os leucócitos, também conhecido como antígeno leucocitário comum (LCA)

CD, designação de grupo; EBV, vírus Epstein-Barr; NK, natural killer.

Patogênese

Muitas das aberrações cromossômicas observadas na LLA provocam desregulação da expressão e da função dos fatores de transcrição necessários para o desenvolvimento normal das células B e T. A maioria das LLA-T apresenta mutações em *NOTCH1*, um gene que é essencial para o desenvolvimento das células T, enquanto uma alta fração de LLA-B apresenta mutações que afetam genes como *PAX5*, *TCF3*, *ETV6* e *RUNX1*, que são todos necessários para a diferenciação adequada dos precursores hematopoéticos na fase inicial. Essas mutações, ao interferir na expressão e na função de fatores reguladores "mestres", promovem a parada de maturação e o aumento da autorrenovação, um fenótipo semelhante ao das células-tronco. Aspectos semelhantes são relevantes na gênese da LMA (discutida adiante).

De acordo com a origem do câncer em múltiplas etapas (ver **Capítulo 7**), a ocorrência de mutações nos genes dos fatores de transcrição não é suficiente para produzir LLA. A identidade de outras mutações condutoras é incompleta, porém é comum a presença de aberrações que promovem o crescimento celular, como mutações que aumentam a atividade da tirosinoquinase e a sinalização de RAS. Dados emergentes do sequenciamento detalhado dos genomas da LLA sugerem que menos de dez mutações são suficientes para produzir a LLA totalmente desenvolvida; por conseguinte, quando comparada com tumores sólidos, a LLA é geneticamente simples.

Cerca de 90% das LLA apresentam alterações cromossômicas numéricas ou estruturais. A mais comum é a hiperploidia (> 50 cromossomos), porém observa-se também a ocorrência de hipoploidia e uma variedade de translocações cromossômicas equilibradas. As alterações no número de cromossomos são de significado patogênico incerto, porém são importantes, visto que elas exibem uma correlação frequente com o imunofenótipo e, algumas vezes, o prognóstico. Por exemplo, a hiperdiploidia e a hipodiploidia estão presentes apenas na LLA-B e estão associadas a prognósticos mais satisfatórios e mais sombrios, respectivamente. Além disso, a LLA-B e a LLA-T estão associadas a conjuntos totalmente diferentes de translocações; assim, apesar de serem morfologicamente idênticas, elas são geneticamente muito distintas.

> ### Morfologia
>
> Nas apresentações leucêmicas, a **medula é hipercelular e preenchida com linfoblastos**, que substituem os elementos normais da medula. Em 50 a 70% dos casos de LLA-T, ocorrem massas tímicas mediastinais, que também têm mais tendência a estar associadas a linfadenopatia e esplenomegalia do que a LLA-B. Tanto na LLA-B quanto na LLA-T, as células neoplásicas apresentam citoplasma basofílico escasso e núcleos ligeiramente maiores que os dos pequenos linfócitos (**Figura 13.6A**). A cromatina nuclear é delicada e finamente pontilhada, enquanto os nucléolos são habitualmente pequenos e, com frequência, delimitados por uma borda de cromatina condensada. Com frequência, a membrana nuclear é profundamente subdividida, o que resulta em uma aparência convoluta. Em consonância com o comportamento clínico agressivo, a taxa de mitose é elevada. À semelhança de outras neoplasias linfoides de crescimento rápido, macrófagos entremeados, que ingerem células neoplásicas apoptóticas, podem conferir uma aparência de "céu estrelado" (ver **Figura 13.15**).
>
> Devido às suas respostas diferentes à quimioterapia, a LLA precisa ser diferenciada da LMA, uma neoplasia de células mieloides imaturas que pode causar sinais e sintomas idênticos. **Em comparação com os mieloblastos, os linfoblastos apresentam cromatina mais condensada, nucléolos menos evidentes e menores quantidades de citoplasma, que habitualmente carece de grânulos.** Todavia, essas distinções

Tabela 13.6 Resumo dos principais tipos de leucemias linfoides e linfomas não Hodgkin.

Diagnóstico	Célula de origem	Genótipo	Principais características clínicas
Neoplasias de células B e T imaturas			
Linfoma/leucemia linfoblástica aguda de células B[a]	Célula B precursora da medula óssea	Diversas translocações cromossômicas; t(12;21) envolvendo RUNX1 e ETV6 presentes em 25%	Predominantemente em crianças; sintomas relacionados com a substituição da medula óssea e pancitopenia; agressivo
Linfoma/leucemia linfoblástica aguda de células T	Células T precursoras (Frequentemente de origem tímica)	Diversas translocações cromossômicas; mutações em NOTCH1 (50 a 70%)	Predominantemente em adolescentes do sexo masculino; massas tímicas e comprometimento variável da medula óssea; agressivo
Neoplasias de células B maduras			
Linfoma de Burkitt[a]	Célula B dos centros germinativos	Translocações envolvendo MYC e loci de Ig, habitualmente t(8;4); subgrupo associado ao EBV	Adolescentes e adultos jovens com massas extranodais; raramente se manifesta como "leucemia"; agressivo
Linfoma difuso de grandes células B[b]	Célula B dos centros germinativos ou pós-centro germinativo	Diversos rearranjos cromossômicos, mais frequentemente de BCL6 (30%), BCL2 (10%) ou MYC (5%)	Todas as idades, porém, mais comum em indivíduos idosos; com frequência, aparece como massa de crescimento rápido; 30% extranodais; agressivo
Linfoma da zona marginal extranodal	Célula B de memória	t(11;18), t(1;14) e t(14;18), criando os genes de fusão MALT1-IAP2, BCL10-IGH, e MALT1-IGH, respectivamente	Surge em locais extranodais em adultos com doenças inflamatórias crônicas; pode permanecer localizado; indolente
Linfoma folicular[b]	Célula B dos centros germinativos	t(14;18), criando o gene de fusão BCL2-IGH	Indivíduos idosos com linfadenopatia generalizada e comprometimento da medula óssea; indolente
Leucemia de células pilosas	Célula B de memória	Mutações ativadoras de BRAF	Homens idosos com pancitopenia e esplenomegalia; indolente
Linfomas de células do manto	Células B naive	t(11;14), criando o gene de fusão D1-IGH	Homens idosos com doença disseminada; moderadamente agressivo
Mieloma múltiplo/ plasmocitoma solitário[b]	Plasmócito pós-centro germinativo com direcionamento (homing) para a medula óssea	Diversos rearranjos envolvendo IGH; deleções de 13q	Mieloma: indivíduos idosos com lesões ósseas líticas, fraturas patológicas, hipercalcemia e insuficiência renal; moderadamente agressivo Plasmocitoma: massas isoladas de plasmócitos no osso ou nos tecidos moles; indolente
Leucemia linfocítica crônica/ linfoma linfocítico de pequenas células	Célula B naive ou célula B de memória	Trissomia do 12, deleções de 11q, 13q e 17p; mutações em NOTCH1, mutações de fatores de splicing	Indivíduos idosos com doença da medula óssea, linfonodos, baço e hepática; hemólise autoimune e trombocitopenia em uma minoria de casos; indolente
Neoplasias de células T maduras ou células NK			
Linfoma/leucemia de células T do adulto	Célula T auxiliar	Pró-vírus HTLV-1 presente nas células neoplásicas	Adultos com lesões cutâneas, comprometimento da medula óssea e hipercalcemia; ocorre principalmente no Japão, na África Ocidental e no Caribe; agressivo
Linfomas de células T periféricas, sem outra especificação	Célula T auxiliar ou citotóxica	Nenhuma anormalidade cromossômica específica	Principalmente em indivíduos idosos; em geral, manifesta-se com linfadenopatia; agressivo
Linfoma anaplásico de grandes células	Célula T citotóxica	Rearranjos do ALK (quinase do linfoma anaplásico de grandes células) em um subgrupo	Crianças e adultos jovens, habitualmente com doença dos linfonodos e tecidos moles; agressivo
Linfoma de células NK/T extranodal	Célula NK (comum) ou célula T citotóxica (raramente)	Associado ao EBV; sem anormalidade cromossômica específica	Adultos com massas extranodais destrutivas, mais comumente sinonasais; agressivo
Micose fungoide/síndrome de Sézary	Célula T auxiliar	Sem anormalidade cromossômica específica	Pacientes adultos com máculas, placas, nódulos cutâneos ou eritema generalizado; indolente
Leucemia linfocítica de grandes células granulares	Dois tipos: célula T citotóxica e célula NK	Mutações pontuais em STAT3	Pacientes adultos com esplenomegalia, neutropenia e anemia, algumas vezes acompanhadas de doença autoimune

[a]Neoplasias mais comuns em crianças.
[b]Neoplasias mais comuns em adultos.
EBV, vírus Epstein-Barr; HTLV-1, vírus da leucemia de células T humanas 1; Ig, imunoglobulina; NK, natural killer.

morfológicas não são absolutas, e o diagnóstico definitivo baseia-se em colorações realizadas com anticorpos específicos contra antígenos de células B e de células T (**Figura 13.6B** e **C**). As colorações histoquímicas também são úteis, visto que os linfoblastos (diferentemente dos mieloblastos) são mieloperoxidase negativos e, com frequência, contêm material citoplasmático positivo para o ácido periódico de Schiff.

Imunofenótipo. A imunocoloração para a desoxinucleotidil terminal transferase (TdT), uma DNA polimerase especializada que é expressa apenas nos linfoblastos pré-B e pré-T, é positiva em mais de 95% dos casos (**Figura 13.6B**). Nas LLA-B, o desenvolvimento das células pré-B, está interrompido em vários estágios, exibindo uma correlação com a expressão de certas proteínas. Em geral, os linfoblastos expressam o pan-marcador de células B, o CD19, e o fator de transcrição PAX5, bem como CD10. Nas LLA-B muito imaturas, o CD10 é negativo. Como alternativa, as LLA de células "pré-B tardias" mais maduras expressam CD10, CD19, CD20 e a cadeia pesada da IgM citoplasmática (cadeia μ). De modo semelhante, nas LLA-T, o desenvolvimento das células pré-T está interrompido em vários estágios. Na maioria dos casos, as células são positivas para CD1, CD2, CD5 e CD7. As neoplasias mais imaturas são habitualmente negativas para CD3, CD4 e CD8 de superfície, enquanto as neoplasias de células pré-T "tardias" são positivas para esses marcadores.

Características clínicas

Embora as LLA e as LMA sejam distintas do ponto de vista genético e imunofenotípico, elas são clinicamente muito semelhantes. Em ambas, o acúmulo de "blastos" neoplásicos na medula óssea suprime a hematopoese normal por meio de aglomeração física, competição pelos fatores de crescimento e outros mecanismos pouco compreendidos. As características comuns e os aspectos mais característicos da LLA são os seguintes:

- *Início abrupto e tempestuoso* alguns dias a semanas após o aparecimento dos primeiros sintomas
- *Sintomas relacionados com a depressão da função da medula óssea,* incluindo fadiga devido à anemia; febre, reflexo de infecções secundárias à neutropenia; e sangramento em consequência da trombocitopenia
- *Efeitos expansivos causados pela infiltração neoplásica* (que são mais comuns na LLA), como dor óssea causada pela expansão da medula e infiltração do subperiósteo; linfadenopatia generaliza, esplenomegalia e hepatomegalia; aumento testicular; e, na LLA-T, complicações relacionadas com a compressão de grandes vasos e das vias respiratórias no mediastino
- *Manifestações do sistema nervoso central,* como cefaleia, vômitos e paralisia de nervos, em consequência da disseminação meníngea, que são mais comuns na LLA.

O tratamento da LLA pediátrica é uma das histórias de grande sucesso na oncologia. Com a quimioterapia agressiva, aproximadamente 95% das crianças com LLA obtêm uma remissão completa, enquanto 75 a 85% são curados. Entretanto, apesar dessas conquistas, a LLA ainda é uma importante causa de morte por câncer em crianças, e apenas 35 a 40% dos adultos são curados. Diversos fatores estão associados a um prognóstico mais sombrio: (1) idade inferior a 2 anos, devido, em grande parte, à forte associação da LLA infantil com translocações que envolvem o gene *MLL*; (2) apresentação na adolescência ou na vida adulta; e (3) contagens de blastos no sangue periférico superior a 100 mil, o que provavelmente reflete uma alta carga tumoral. Os marcadores prognósticos favoráveis incluem (1) idade entre 2 e 10 anos; (2) baixa contagem de leucócitos; (3) hiperdiploidia; (4) trissomia dos cromossomos 4, 7 e 10; e (5) presença de t(12;21). De maneira notável, a detecção molecular de doença residual após a terapia é um preditor de resultado pior tanto na LLA-B quanto na LLA-T e é utilizada para orientar ensaios clínicos.

Embora a maioria das aberrações cromossômicas na LLA altere a função dos fatores de transcrição, a t(9;22), por outro lado, cria um gene de fusão, que codifica uma BCR-ABL tirosinoquinase constitutivamente ativa (descrita com mais detalhes na seção "Leucemia mieloide crônica"). Na LLA-B, a proteína BCR-ABL tem habitualmente um tamanho de 190 kDa e exibe maior atividade de tirosinoquinase do que a forma de BCR-ABL encontrada na leucemia mieloide crônica, na qual se observa habitualmente a presença de uma proteína BCR-ABL de 210 kDa. O tratamento das LLA positivas para t(9;22) com inibidores da BCR-ABL quinase, em combinação com quimioterapia convencional, é altamente

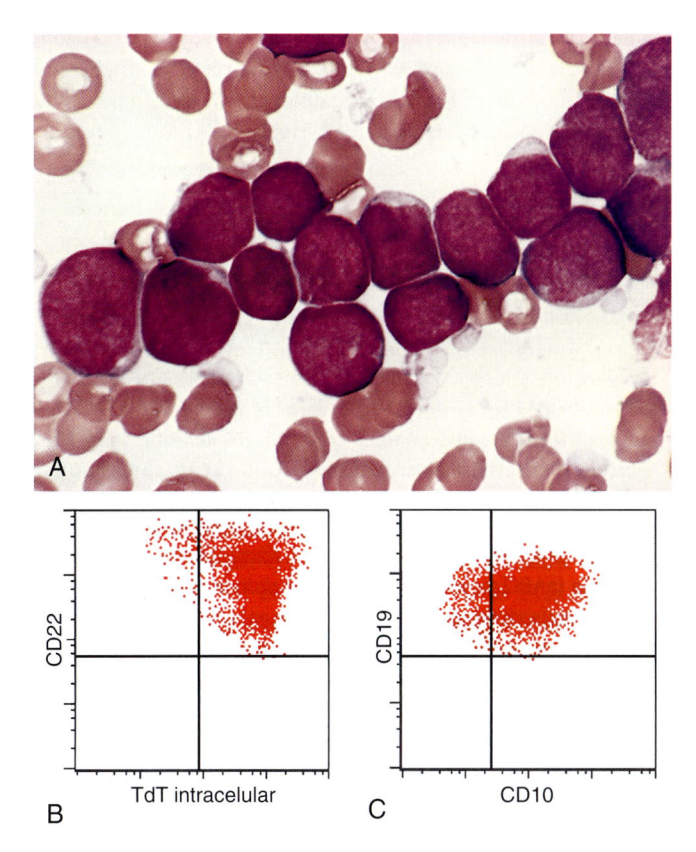

Figura 13.6 A. Leucemia linfoblástica aguda/linfoma (LLA). Linfoblastos com cromatina nuclear condensada, pequenos nucléolos e citoplasma agranular escasso. **B** e **C.** Fenótipo da LLA mostrado em (**A**), analisado por citometria de fluxo. **B.** Os linfoblastos representados pelos *pontos vermelhos* expressam a desoxinucleotidil terminal transferase (*TdT*) e o marcador de células B, CD22. **C.** As mesmas células são positivas para outros dois marcadores, CD10 e CD19, comumente expressos em linfoblastos pré-B. Por conseguinte, trata-se de uma LLA-B. (**A**, Cortesia do Dr. Robert W. McKenna, Department of Pathology, University of Texas Southwestern Medical School, Dallas, Tex.; **B** e **C**, Cortesia do Dr. Louis Picker, Oregon Health Science Center, Portland, Ore.)

efetivo e melhorou acentuadamente o resultado para esse subtipo molecular de LLA-B em crianças e adultos. É interessante assinalar que rearranjos crípticos envolvendo genes que codificam outras tirosinoquinases, além de ABL, também foram descritos na LLA-B, particularmente em adultos, e esses rearranjos também podem constituir alvos terapêuticos. O prognóstico para adultos com LLA que carecem de lesões moleculares passíveis de constituir "alvos" continua mais reservado, em parte devido a diferenças na patogênese molecular da LLA de adultos e crianças, mas também pelo fato de que os indivíduos idosos não conseguem tolerar os esquemas de quimioterapia intensivos que são curativos em crianças. Foram obtidas respostas dramáticas na LLA-B com o receptor de antígeno quimérico de células T dirigido contra o antígeno CD19 de células B (ver **Capítulo 7**), porém com alto custo e com toxicidades associadas que, algumas vezes, foram fatais.

Conceitos-chave

Leucemia linfoblástica aguda/linfoma linfoblástico

- Tipo de câncer mais comum em crianças; pode se originar de células B ou T precursoras
- Neoplasias altamente agressivas que se manifestam com sinais e sintomas de insuficiência da medula óssea ou como massas de rápido crescimento
- As células neoplásicas contêm lesões genéticas que bloqueiam a diferenciação, levando ao acúmulo de blastos imaturos não funcionais
- Um subgrupo de neoplasias contém mutações ativadoras em tirosinoquinases (p. ex., BCR-ABL), que constituem importantes alvos de terapias.

Neoplasias de células B periféricas

Leucemia linfocítica crônica/linfoma linfocítico de pequenas células

A leucemia linfocítica crônica (LLC) e o linfoma linfocítico de pequenas células (LLPC) diferem apenas no grau de linfocitose do sangue periférico. A maioria dos pacientes afetados apresenta linfocitose suficiente para preencher o critério diagnóstico para LLC (contagem absoluta de linfócitos > 5.000/mm³). **No mundo Ocidental, a LLC é a leucemia mais comum em adultos.** Nos EUA, ocorrem aproximadamente 15 mil novos casos de LLC a cada ano. A idade mediana por ocasião do diagnóstico é de 60 anos, e há um predomínio de indivíduos do sexo masculino de 2:1. Em contrapartida, o LLPC constitui apenas 4% dos LNH. A LLC/LLPC é muito menos comum no Japão e em outros países asiáticos do que no Ocidente.

Patogênese

Diferentemente da maioria das outras neoplasias malignas linfoides, as translocações cromossômicas são raras na LLC/LLPC. As anomalias genéticas mais comuns consistem em deleções do 13q14.3, 11q e 17p e trissomia do 12q. A caracterização molecular da região deletada no cromossomo 13 envolve dois micro-RNA, miR-15a e miR-16-1, como genes supressores de tumor. Acredita-se que a perda desses miR resulte na superexpressão da proteína antiapoptótica BCL2, que é uniformemente observada na LLC/LLPC. O sequenciamento do DNA revelou que os genes das Ig de alguns casos de LLC/LLPC apresentam hipermutação somática, o que não ocorre com outros, sugerindo que a célula de origem pode ser uma célula B de memória pós-centro germinativa ou uma célula B *naive*. Por motivos que ainda não estão esclarecidos, as neoplasias com segmentos de Ig não mutados (aqueles supostamente derivados de células B *naive*) seguem uma evolução mais agressiva. O sequenciamento profundo dos genomas de LLC também revelou mutações de ganho de função envolvendo receptor NOTCH1 em 10 a 18% das neoplasias, bem como mutações frequentes em genes que regulam o *splicing* do RNA.

O crescimento das células da LLC/LLPC é, em grande parte, confinado a centros de proliferação (descritos adiante), onde as células neoplásicas recebem sinais críticos do microambiente. As células do estroma dos centros de proliferação expressam uma variedade de fatores que estimulam a atividade dos fatores de transcrição, a atividade dos fatores de transcrição, o fator nuclear kappa B (NF-κB), que promove a sobrevida das células, e MYC, que promove o crescimento celular. Outros sinais críticos são gerados pelo receptor das células B (Ig ligada à membrana), que desencadeia uma via de sinalização que inclui a tirosinoquinase de Bruton (BTK). A importância da BTK nas células B é ressalta pela agamaglobulinemia congênita ligada ao X (ver **Capítulo 6**), que consiste em um defeito do desenvolvimento das células B causado por mutações de perda de função no gene *BTK*. De maneira notável, os inibidores da BTK produzem respostas terapêuticas sustentadas em uma alta proporção de pacientes com LLC, indicando que as células da LLC dependem da sinalização dos receptores de células B e da atividade da BTK para o seu crescimento e sobrevivência.

Morfologia

Os linfonodos são difusamente substituídos por linfócitos predominantemente pequenos, de 6 a 12 μm de diâmetro, com núcleos redondos a ligeiramente irregulares, cromatina condensada e citoplasma escasso (**Figura 13.7**). Existem números variáveis de linfócitos ativados maiores misturados, que frequentemente estão reunidos em agregados frouxos, designados como **centros de proliferação**, que contêm células com atividade mitótica. Quando presentes, **os centros de proliferação são patognomônicos para a LLC/LLPC**. O sangue contém um número variável de pequenos linfócitos redondos com citoplasma escasso (**Figura 13.8**). Em geral, ocorre ruptura de algumas dessas células no processo de preparo dos esfregaços, produzindo as denominadas **células manchadas** (*smudge cells*). Em quase todos os casos, a medula óssea, o baço e o fígado (**Figura 13.9**) também estão acometidos, embora em graus amplamente variáveis.

Imunofenótipo. A LLC/LLPC apresenta um imunofenótipo distinto. As células neoplásicas expressam os pan-marcadores de células B, CD19 e CD20, bem como CD23 e CD25, sendo esse último marcador encontrado em um pequeno subgrupo de células B normais. A expressão de baixo nível de Ig de superfície (habitualmente IgM ou IgM e IgD) também é típica, assim como o alto nível de expressão de BCL2.

Características clínicas

Com frequência, os pacientes são assintomáticos por ocasião do diagnóstico. Quando aparecem, os sintomas são inespecíficos e consistem em fatigabilidade fácil, perda de peso e anorexia.

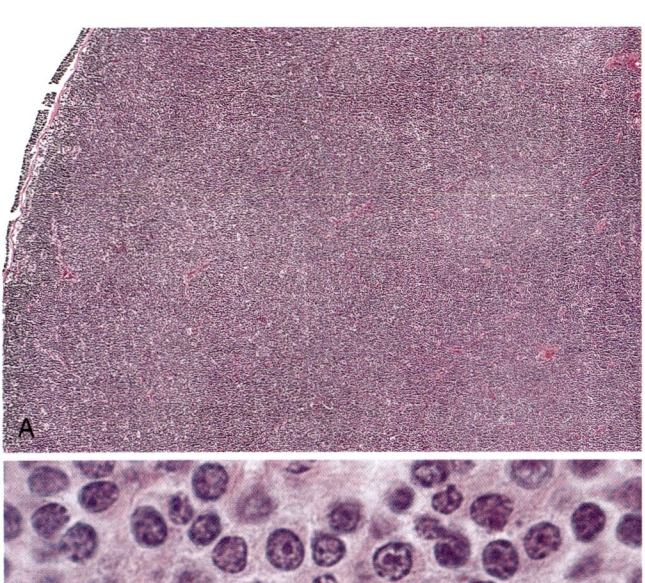

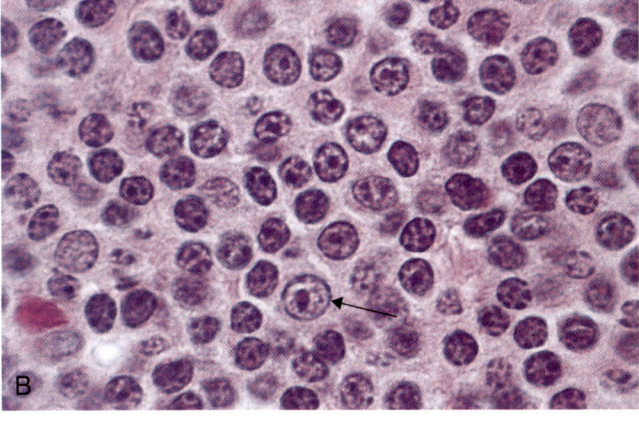

Figura 13.7 Leucemia linfocítica crônica/linfoma linfocítico de pequenas células (linfonodo). **A.** Vista com pequeno aumento mostrando a destruição difusa da arquitetura nodal. **B.** Em grande aumento, a maioria das células neoplásicas consiste em pequenos linfócitos redondos. Um pró-linfócito, a célula maior com nucléolo de localização central, também está presente nesse campo (*seta*) (**A**, Cortesia do Dr. José Hernandez, Department of Pathology, University of Texas Southwestern Medical School, Dallas, Tex.)

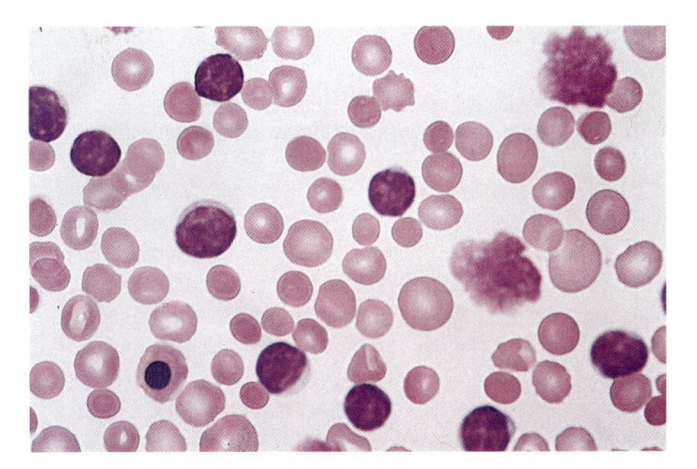

Figura 13.8 Leucemia linfocítica crônica. Esse esfregaço de sangue periférico é repleto de pequenos linfócitos com cromatina condensada e citoplasma escasso. Um achado característico é a presença de células neoplásicas rompidas (células manchadas), duas das quais estão presentes nesse esfregaço. Uma anemia hemolítica autoimune (ver **Capítulo 14**) coexistente explica a presença de esferócitos (eritrócitos redondos hipercromáticos). Uma célula eritroide nucleada está presente no canto inferior da esquerda do campo. Nesse contexto, os eritrócitos nucleados circulantes podem derivar da liberação prematura de progenitores na presença de anemia grave, infiltração da medula pela neoplasia (leucoeritroblastose) ou ambas.

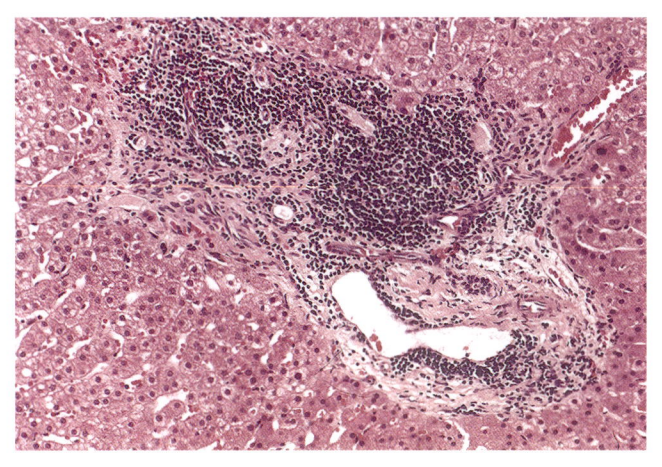

Figura 13.9 Leucemia linfocítica crônica/linfoma linfocítico de pequenas células comprometendo o fígado. Vista de pequeno aumento de infiltrado linfocítico periporta típico. (Cortesia do Dr. Mark Fleming, Department of Pathology, Children's Hospital, Boston, Mass.)

Observa-se a presença de linfadenopatia generalizada e hepatoesplenomegalia em 50 a 60% dos pacientes sintomáticos. A contagem de leucócitos é altamente variável; pode-se observar a ocorrência de leucopenia em indivíduos com LLPC e comprometimento da medula óssea, enquanto contagens superiores a 200.000/mm^3 são algumas vezes observadas em pacientes com LLC que apresentam cargas tumorais maciças. Em alguns pacientes, ocorre um pequeno "pico" de Ig monoclonal no sangue. No outro extremo do espectro, encontram-se pacientes assintomáticos que apresentam células B monoclonais no sangue periférico em número muito baixo para merecer o diagnóstico de LLC. Essa condição, designada como linfocitose monoclonal de significado incerto, é considerada uma lesão precursora que progride para a LLC sintomática em uma taxa de 1% por ano.

A LLC/LLPC interfere na função imune normal por meio de mecanismos que ainda não estão bem definidos. A hipogamaglobulinemia é comum e contribui para um aumento da suscetibilidade às infecções, particularmente aquelas causadas por bactérias. Por outro lado, 10 a 15% dos pacientes desenvolvem anemia hemolítica ou trombocitopenia, devido a autoanticorpos produzidos por células B não neoplásicas.

A evolução e o prognóstico são extremamente variáveis e dependem principalmente do estágio clínico. A sobrevida mediana global é de 4 a 6 anos, porém, ultrapassa dez anos em indivíduos com carga tumoral mínima por ocasião do diagnóstico. Outras variáveis que se correlacionam com um resultado pior incluem: (1) a presença de deleções de 11q e 17p (essa última envolvendo o *TP53*); (2) a ausência de hipermutação somática; (3) a expressão de ZAP-70, uma proteína que aumenta os sinais produzidos pelo receptor de Ig; e (4) a presença de mutações em *NOTCH1*. Os pacientes sintomáticos são geralmente tratados com quimioterapia "suave" e imunoterapia com anticorpos dirigidos contra proteínas encontradas na superfície das células da LLC/LLPC, particularmente CD20. As terapias altamente ativas direcionadas para alvos, recém-disponíveis, incluem inibidores de BTK e inibidores de BCL2; seu impacto na evolução da doença ainda está sendo determinado.

Outro fator que tem impacto na sobrevida dos pacientes é a tendência de transformação da LLC/LLPC em neoplasia mais agressiva. Mais comumente, essa transformação assume a forma de linfoma difuso de grandes células B (LDGCB), a denominada *síndrome de Richter* (cerca de 5 a 10% dos pacientes). Com frequência, a síndrome de Richter é anunciada pelo desenvolvimento de uma massa de rápido crescimento dentro de um linfonodo ou no baço. Está frequentemente associada à aquisição de novas anormalidades envolvendo *TP53* e *MYC* e representa um evento sombrio, visto que a maioria dos pacientes sobrevive menos de 1 ano.

Linfoma folicular

Nos EUA, o linfoma folicular constitui a forma mais comum de LNH indolente, ficando apenas para trás do linfoma difuso de grandes células B (discutido adiante) na frequência entre os linfomas. Afeta 15 a 20 mil indivíduos por ano. Em geral, manifesta-se na meia-idade e afeta igualmente homens e mulheres. É menos comum na Europa e raro em populações asiáticas.

Patogênese

O linfoma folicular está fortemente associado a translocações cromossômicas que envolvem o *BCL2*. Sua característica essencial consiste em uma translocação (14;18), que justapõe o *locus IGH* no cromossomo 14 e o *locus BLC2* no cromossomo 18. A t(14;18) é observada em até 90% dos linfomas foliculares e leva à superexpressão de BCL2 (ver **Figura 13.12**). O BCL2 antagoniza a apoptose (ver **Capítulos 2** e **7**) e promove a sobrevida das células do linfoma folicular. De maneira notável, enquanto os centros germinativos normais contêm numerosas células B que sofrem apoptose, o linfoma folicular é caracteristicamente desprovido de células apoptóticas. O sequenciamento profundo de genomas do linfoma folicular também identificou mutações no gene *KMT2D* em cerca de 90% dos casos. O *KMT2D* codifica uma histona metiltransferase, sugerindo que anormalidades epigenéticas, como alterações nos padrões de marcas de histona, desempenham um importante papel nessa neoplasia.

No início da doença, em particular, as células do linfoma folicular em crescimento nos linfonodos são encontradas dentro de uma rede de células dendríticas foliculares reativas misturadas com macrófagos e células T. Estudos de perfil de expressão mostraram que as diferenças nos genes expressos por essas células do estroma são preditores de resultado, implicando que a resposta das células do linfoma folicular à terapia é influenciada pelo microambiente circundante.

> **Morfologia**
>
> Na maioria dos casos, observa-se um padrão de crescimento nodular ou nodular e difuso nos linfonodos acometidos (**Figura 13.10A**). Observa-se a presença de dois tipos principais de células em proporções variáveis: (1) pequenas células com contornos nucleares irregulares ou clivados e citoplasma escasso, designada como **centrócitos** (pequenas células clivadas); e (2) células maiores com cromatina nuclear aberta, vários nucléolos e uma quantidade modesta de citoplasma, designadas como **centroblastos** (**Figura 13.10B**). Na maioria dos linfomas foliculares, a maioria é representada por centrócitos. Em cerca de 10% dos casos, observa-se um comprometimento do sangue periférico suficiente para produzir linfocitose (habitualmente < 20.000 células/mm^3). O comprometimento da medula óssea ocorre em 85% dos casos e assume a forma característica de agregados linfoides paratrabeculares. A polpa branca do baço (**Figura 13.11**) e as tríades portais hepáticas também estão acometidas com frequência.

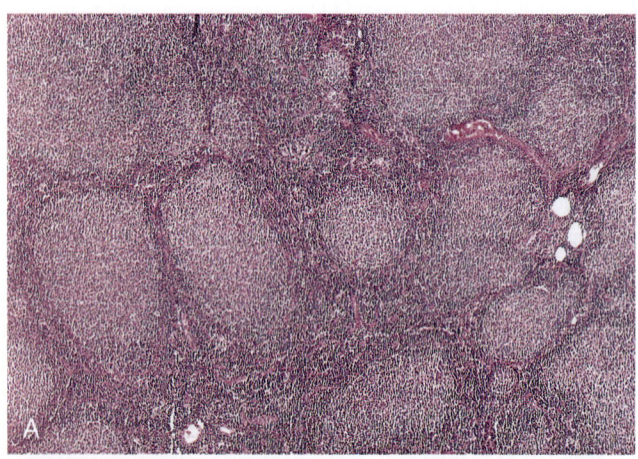

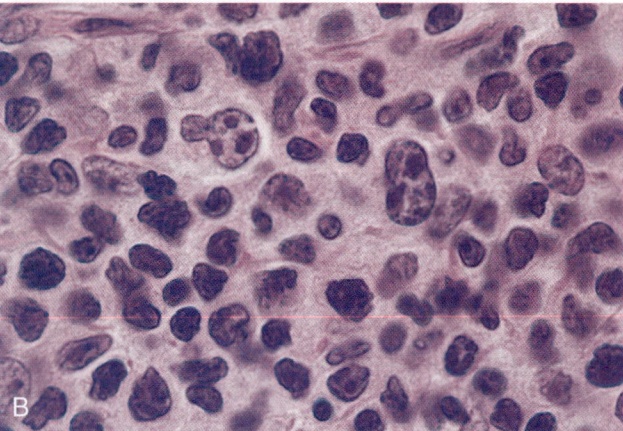

Figura 13.10 Linfoma folicular (linfonodo). **A.** Presença de agregados nodulares de células do linfoma em todo o linfonodo. **B.** Em grande aumento, pequenas células linfoides com cromatina condensada e contornos nucleares irregulares ou clivados (centrócitos) estão misturados com uma população de células maiores com nucléolos (centroblastos). (**A**, Cortesia do Dr. Robert W. McKenna, Department of Pathology, University of Texas Southwestern Medical School, Dallas, Tex.)

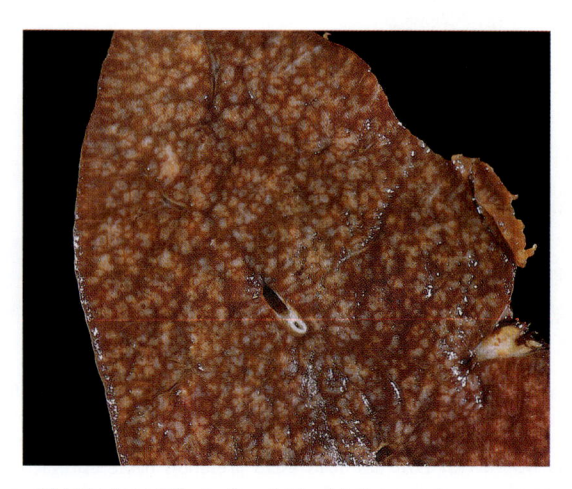

Figura 13.11 Linfoma folicular (baço). Os nódulos proeminentes representam folículos da polpa branca expandidos por células do linfoma folicular. Outros linfomas de células B indolentes (linfoma linfocítico de pequenas células, linfoma de células do manto, linfoma da zona marginal) podem produzir um padrão de comprometimento idêntico. (Cortesia do Dr. Jeffrey Jorgenson, Department of Hematopathology, MD Anderson Cancer Center, Houston, Tex.)

Imunofenótipo. As células neoplásicas assemelham-se estreitamente às células B normais do centro germinativo, expressando CD19, CD20, CD10, Ig de superfície e BCL6. Diferentemente da LLC/LLPC e do linfoma de células do manto, não há expressão de CD5. A BCL2 é expressa em mais de 90% dos casos, em comparação com as células B normais do centro folicular, que são BCL2 negativas (**Figura 13.12**).

Características clínicas

O linfoma folicular tende a se manifestar com linfadenopatia generalizada e indolor. O comprometimento de locais extranodais, como trato gastrintestinal, sistema nervoso central ou testículo, é relativamente incomum. Embora seja incurável, ele habitualmente segue uma evolução de aumento e regressão indolente. A sobrevida (mediana de 7 a 9 anos) não melhora com a terapia agressiva; por conseguinte, a abordagem habitual consiste em medidas paliativas com quimioterapia ou imunoterapia em baixas doses (p. ex., anticorpo anti-CD20) quando os pacientes se tornam sintomáticos. À semelhança da LLC, o linfoma folicular também responde a inibidores da sinalização do receptor de células B (p. ex., inibidores de BTK) e a inibidores de BCL2.

Ocorre transformação histológica em 30 a 50% dos linfomas foliculares, mais comumente em LDGCB. Esses eventos de transformação estão frequentemente associados a aberrações que aumentam a expressão de *MYC*, que impulsiona o efeito (metabolismo) Warburg e o rápido crescimento celular. Os linfomas foliculares exibem evidências de hipermutação somática contínua, que pode promover a transformação por meio de mutações pontuais ou aberrações cromossômicas. A sobrevida mediana é de menos de 1 ano após a transformação.

Linfoma difuso de grandes células B

O linfoma difuso de grandes células B (LDGCB) é a forma mais comum de LNH. Nos EUA, ocorrem cerca de 25 mil novos casos a cada ano. Observa-se um ligeiro predomínio no sexo masculino. A idade mediana do paciente é de cerca de 60 anos, porém o LDGCB também ocorre em adultos jovens e crianças.

Patogênese

Os estudos genéticos, de perfil de expressão gênica e imuno-histoquímicos indicam que o LDGCB é molecularmente heterogêneo. Um evento patogênico frequente é a desregulação de BCL6, um repressor transcricional em dedo de zinco de ligação ao DNA, cuja presença é necessária para a formação de centros germinativos normais. Cerca de 30% dos LDGCB contêm várias translocações que apresentam em comum um ponto de quebra no *BCL6* no cromossomo 3q27. Com frequência ainda maior, são observadas mutações adquiridas nas sequências promotoras do *BCL6*, que anulam a autorregulação do *BCL6* (um importante mecanismo regulador negativo). Foi formulada a hipóteses de que ambos os tipos de lesões constituem subprodutos inadvertidos de hipermutação somática, que resultam em superexpressão de *BCL6*, que apresentam várias consequências importantes. O BCL6 reprime a expressão de fatores que normalmente servem para promover a diferenciação das células B dos centros germinativos, a interrupção do crescimento e a apoptose, e acredita-se que cada um desses efeitos possa contribuir para o desenvolvimento do LDGCB. São também observadas mutações semelhantes àquelas encontradas no *BCL6* em vários outros oncogenes, como o *MYC*, sugerindo que a hipermutação somática nas células do LDGCB tem um "alvo incorreto" para uma ampla variedade de *loci*.

Outros 10 a 20% das neoplasias estão associadas à t(14;18) (discutida anteriormente em "Linfoma folicular"), que leva à superexpressão da proteína antiapoptótica BCL2. As neoplasias com rearranjos do *BCL2* carecem habitualmente de rearranjos do *BCL6*, sugerindo que esses rearranjos definem duas classes moleculares distintas de LDGCB. Algumas neoplasias com rearranjos de *BCL2* podem surgir a partir de linfomas foliculares subjacentes não reconhecidos, que frequentemente se transformam em LDGCB. Cerca de 5% dos LDGCB estão associados a translocações que envolvem os *MYC*; essas neoplasias podem apresentar uma biologia distinta (discutida adiante, em "Linfoma de Burkitt"). Por fim, o sequenciamento de genomas do LDGCB identificou mutações frequentes em genes que codificam histonas acetiltransferases, como p300 e CREBP, proteínas que regulam a expressão gênica pela modificação das histonas e alteração da estrutura da cromatina.

> ### Morfologia
>
> As características comuns consistem em **tamanho** relativamente **grande das células** (em geral, quatro a cinco vezes o diâmetro de um pequeno linfócito) e **padrão difuso de crescimento** (**Figura 13.13**). Outras características morfológicas exibem variação substancial. Com mais frequência, as células neoplásicas apresentam um núcleo redondo ou oval, que parecem ser vesiculares, devido à marginação da cromatina para a membrana nuclear; entretanto, em alguns casos, núcleos grandes multilobados ou irregulares são proeminentes. Os nucléolos podem estar em número de dois a três e situados adjacentes à membrana nuclear ou pode haver um único nucléolo de localização central. Em geral, o citoplasma é moderadamente abundante e pode ser pálido ou basofílico. As neoplasias mais anaplásicas pode conter células multinucleadas com grandes nucléolos de tipo inclusão, que se assemelham às células de Reed-Sternberg (a célula maligna do linfoma de Hodgkin).

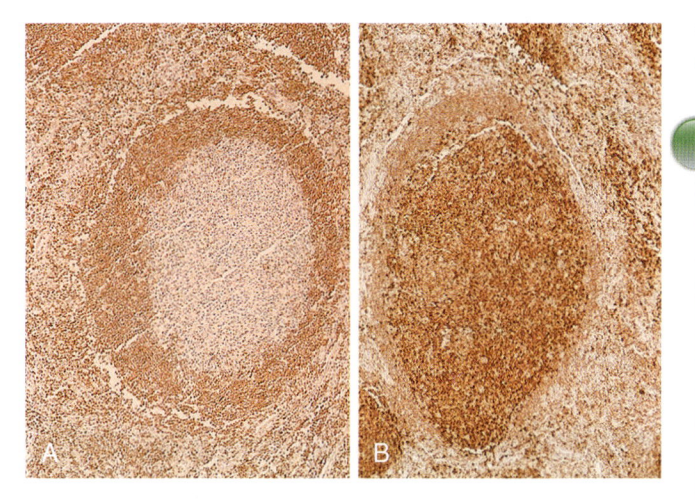

Figura 13.12 Expressão de BCL2 em folículos reativos e neoplásicos. A proteína BCL2 foi detectada por meio de uma técnica imuno-histoquímica que produz uma coloração marrom. Nos folículos reativos (**A**), a BCL2 está presente nas células da zona do manto, mas não nas células B do centro folicular, enquanto as células do linfoma folicular (**B**) exibem uma coloração intensa para BCL2. (Cortesia do Dr. Jeffrey Jorgenson, Department of Hematopathology, MD Anderson Cancer Center, Houston, Tex.)

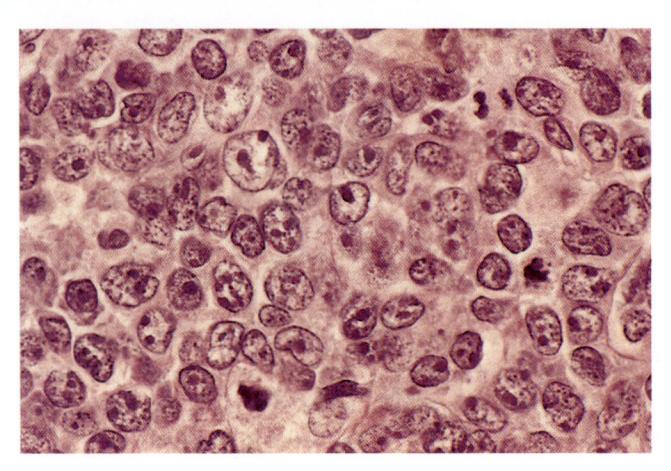

Figura 13.13 Linfoma difuso de grandes células B. As células neoplásicas apresentam grandes núcleos, cromatina aberta e nucléolos proeminentes. (Cortesia do Dr. Robert W. McKenna, Department of Pathology, University of Texas Southwestern Medical School, Dallas, Tex.)

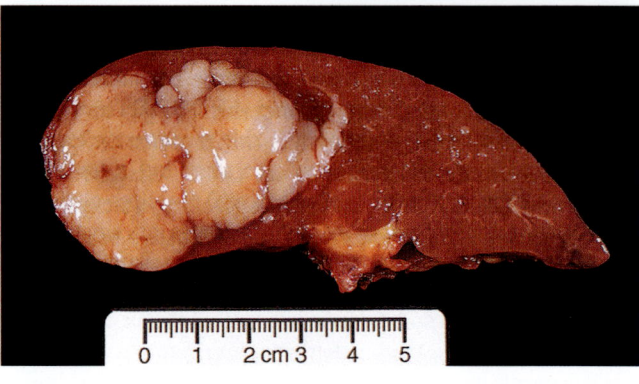

Figura 13.14 Linfoma difuso de grandes células B acometendo o baço. A grande massa isolada é típica. Em contrapartida, os linfomas de células B indolentes produzem habitualmente uma expansão multifocal da polpa branca (ver **Figura 13.11**). (Cortesia do Dr. Mark Fleming, Department of Pathology, Children's Hospital, Boston, Mass.)

Imunofenótipo. Essas neoplasias de células B maduras expressam CD19 e CD20 e exibem expressão variável de marcadores das células B dos centros germinativos, como CD10 e BCL6. A maioria apresenta Ig de superfície. Em alguns casos, observa-se um alto nível de expressão das proteínas MYC e BCL2, que pode indicar um comportamento mais agressivo.

Subtipos especiais. Vários subtipos de LDGCB são distintos o suficiente para merecer uma discussão breve:

- O *linfoma de grandes células B associado à imunodeficiência* ocorre no contexto da imunodeficiência de células T (p. ex., na infecção avançada pelo HIV e em receptores de transplantes de órgãos ou de CTH). As células B neoplásicas são habitualmente infectadas pelo EBV, que desempenha um papel patogênico crítico. A restauração da imunidade pelas células T pode levar à regressão dessas proliferações
- O *linfoma primário de efusão* manifesta-se como efusão pleural ou ascítica maligna, principalmente em pacientes com infecção avançada pelo HIV ou em indivíduos idosos. Com frequência, as células neoplásicas têm aspectos anaplásico e normalmente não expressam marcadores de superfície das células B ou T, porém exibem rearranjos clonais do gene *IGH*. Em todos os casos, as células neoplásicas são infectadas pelo HHV-8, que parece desempenhar um papel causal.

Características clínicas

Normalmente, o LDGCB manifesta-se como massa de rápido crescimento em um local nodal ou extranodal. Pode surgir em praticamente qualquer parte do corpo. O anel de Waldeyer, o tecido linfoide orofaríngeo que inclui as tonsilas e adenoides, é comumente acometido. O comprometimento primário ou secundário do fígado e do baço pode assumir a forma de grandes massas destrutivas (**Figura 13.14**). Os locais extranodais incluem o trato gastrintestinal, a pele, o osso, o cérebro e outros tecidos. O comprometimento da medula óssea é relativamente incomum e, em geral, ocorre em uma fase tardia da evolução. Raramente, observa-se o aparecimento de um quadro leucêmico.

Os LDGCB são neoplasias agressivas, que são rapidamente fatais sem tratamento. Com quimioterapia combinada intensiva, 60 a 80% dos pacientes obtêm uma remissão completa, e 40 a 50% são curados. A terapia adjuvante com anticorpo anti-CD20 melhora tanto a resposta inicial quanto o resultado geral. Os indivíduos com doença limitada apresentam melhor evolução do que aqueles com doença disseminada ou massas neoplásicas volumosas. O perfil de expressão identificou vários subtipos moleculares distintos, incluindo um deles que se assemelha às células B dos centros germinativos e um segundo que se assemelha às células B ativadas pós-centro germinativo, apresentando, cada um deles, resultados clínicos diferentes. Os LDGCB com translocações *MYC* apresentam um prognóstico mais sombrio do que os que não têm essas translocações e podem ser mais bem tratados com esquemas quimioterápicos que agora constituem o padrão para o linfoma de Burkitt. Dispõe-se agora de células T CAR dirigidas contra o antígeno CD19 das células B para o tratamento de pacientes com recidiva de LDGCB refratário.

Linfoma de Burkitt

Na categoria do linfoma de Burkitt estão incluídos (1) o linfoma de Burkitt africano (endêmico), (2) o linfoma de Burkitt esporádico (não endêmico) e (3) um subgrupo de linfomas agressivos que ocorrem em indivíduos infectados pelo HIV. Os linfomas de Burkitt que ocorrem nessas três condições são histologicamente idênticos, porém apresentam características clínicas, genotípicas e virológicas distintas.

Patogênese

Todas as formas de linfoma de Burkitt estão associadas a translocações do gene *MYC* no cromossomo 8, levando a um aumento nos níveis da proteína MYC. A MYC é um mestre regulador de transcrição, que aumenta a expressão dos genes necessários para a glicólise aeróbica, o denominado efeito (metabolismo) Warburg (ver **Capítulo 7**). Quando há disponibilidade de nutrientes, como glicose e glutamina, o efeito (metabolismo) Warburg permite que as células efetuem a biossíntese de todos os blocos de construção – nucleotídios, lipídios, proteínas – que são necessários para o crescimento e a divisão celular. Em consonância com a importância do MYC na regulação da proliferação, o linfoma de Burkitt está entre as neoplasias humanas de crescimento mais rápido. O parceiro na translocação de *MYC* é habitualmente o *locus IGH* [t(8;14)], mas também podem ser os *loci* das cadeias leves de Ig κ [t(2;8)] ou λ [t(8;22)]. Os pontos de quebra no *locus IGH* no linfoma de Burkitt esporádico são habitualmente encontrados nas regiões de mudança de classe, enquanto os pontos de quebra no linfoma de Burkitt endêmico tendem a estar situados dentro de mais sequências 5'V(D)J. A base dessa distinção molecular sutil não é conhecida, porém ambos os tipos de translocação podem ser induzidos nas células B dos centros germinativos pela AID, uma enzima especializada de modificação do DNA, que é necessária tanto na mudança de classe de Ig quanto na hipermutação somática (ver anteriormente). O efeito final dessas translocações é semelhante; a sequência de codificação do *MYC* é reposicionada em local adjacente aos elementos amplificadores de Ig fortes, que impulsionam o aumento da expressão do *MYC*. Além disso, o alelo *MYC* translocado frequentemente abriga mutações pontuais, que estabilizam a proteína MYC e aumentam ainda mais a sua atividade.

O sequenciamento dos genomas das células do linfoma de Burkitt revelou que a maioria das neoplasias apresenta mutações que aumentam a atividade do fator de transcrição TCF3 (também conhecido como E2A), um importante regulador da expressão gênica nas células B dos centros germinativos. Acredita-se que o TCF3 direcione a expressão de um conjunto de genes, como ciclina D, que colaboram com MYC para possibilitar o crescimento muito rápido que caracteriza o linfoma de Burkitt.

Essencialmente, todos os linfomas de Burkitt endêmicos apresentam infecção latente pelo EBV, que também está presente em aproximadamente 25% das neoplasias associadas ao HIV e em 15 a 20% dos casos esporádicos. A configuração do DNA do EBV é idêntica em todas as células neoplásicas de casos individuais, indicando que a infecção precede a transformação. Embora isso coloque o EBV na "cena do crime", seu papel exato na gênese do linfoma de Burkitt permanece especulativo (ver **Capítulo 7**).

Morfologia

Os tecidos afetados são substituídos por um infiltrado difuso de células linfoides de tamanho intermediário, de 10 a 25 μm de diâmetro, com núcleos redondos ou ovais, cromatina grosseira, vários nucléolos e uma quantidade moderada de citoplasma (**Figura 13.15**). **A neoplasia exibe um elevado índice mitótico e contém numerosas células apoptóticas**, cujos remanescentes nucleares são fagocitados por macrófagos benignos entremeados. Esses fagócitos apresentam citoplasma claro e abundante, criando um **padrão "céu estrelado"** característico. Quando a medula óssea é acometida, os aspirados revelam células neoplásicas com cromatina nuclear levemente agrupada, dois a cinco nucléolos distintos e **citoplasma de cor azul real contendo vacúolos citoplasmáticos claros**.

Imunofenótipo. Trata-se de neoplasias de células B maduras, que expressam IgM, CD19, CD20, CD10 e BCL6 de superfície, um fenótipo compatível com uma origem a partir de células B do centro germinativo. Diferentemente da maioria das outras neoplasias que têm a sua origem no centro germinativo, o linfoma de Burkitt quase sempre não expressa a proteína antiapoptótica BCL2.

Características clínicas

Os linfomas de Burkitt tanto endêmicos quanto esporádicos são encontrados principalmente em crianças ou adultos jovens. Nos EUA, de modo geral, o linfoma de Burkitt representa cerca de

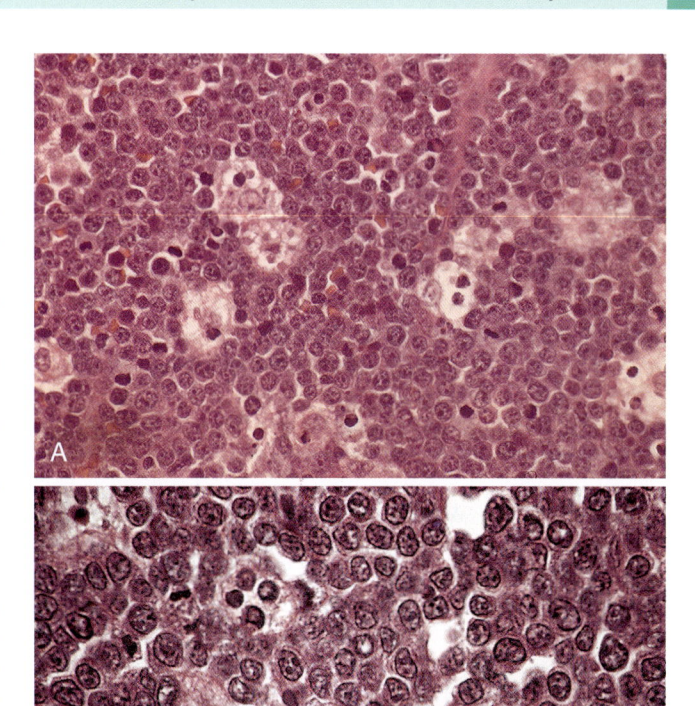

Figura 13.15 Linfoma de Burkitt. **A.** Em pequeno aumento, numerosos macrófagos tingíveis pálidos são evidentes, produzindo uma aparência de "céu estrelado". **B.** Com grande aumento, as células neoplásicas apresentam múltiplos nucléolos pequenos e alto índice mitótico. A ausência de variação significativa no tamanho e no formato dos núcleos confere uma aparência monótona. (**B**, Cortesia do Dr. José Hernandez, Department of Pathology, University of Texas Southwestern Medical School, Dallas, Tex.)

30% dos LNH infantis. A maioria das neoplasias manifesta-se em locais extranodais. Com frequência, o linfoma de Burkitt endêmico manifesta-se como uma massa que acomete a mandíbula e exibe predileção incomum pelas vísceras abdominais, acometendo particularmente os rins, os ovários e as glândulas suprarrenais. Em contrapartida, o linfoma de Burkitt esporádico aparece, com mais frequência, como uma massa que acomete o íleo, ceco e peritônio. O comprometimento da medula óssea e do sangue periférico é incomum, particularmente nos casos endêmicos.

O linfoma de Burkitt é muito agressivo, porém responde de modo satisfatório à quimioterapia intensiva. Pode-se obter a cura na maioria das crianças e adultos jovens. O resultado é mais reservado em indivíduos idosos.

Linfoma de células do manto

O linfoma de células do manto é uma neoplasia linfoide incomum que responde por aproximadamente 2,5% dos LNH nos EUA e por 7 a 9% dos LNH na Europa. Manifesta-se habitualmente na quinta ou sexta décadas de vida, com predominância em indivíduos do sexo masculino. Como o próprio nome indica, as células neoplásicas exibem uma estreita semelhança com as células B normais da zona do manto que circundam os centros germinativos.

Patogênese

Praticamente todos os linfomas de células do manto apresentam uma translocação (11;14) que envolve o *locus IGH* no cromossomo 14 e o *locus* da ciclina D1 no cromossomo 11, que leva à superexpressão da ciclina D1. A suprarregulação resultante da ciclina D1 promove a progressão da fase G_1 para a fase S durante o ciclo celular, conforme descrito no **Capítulo 7**.

> ### Morfologia
>
> Por ocasião do diagnóstico, a maioria dos pacientes apresenta linfadenopatia generalizada, e 20 a 40% têm comprometimento do sangue periférico. Os locais frequentes de comprometimento extranodal incluem a medula óssea, o baço, o fígado e o intestino. Em certas ocasiões, o comprometimento da mucosa do intestino delgado ou do cólon produz lesões do tipo pólipo (polipose linfomatoide). De todas as formas de LNH, o linfoma de células do manto é o que tem mais tendência a se propagar dessa maneira.
>
> As células neoplásicas nodais podem circundar os centros germinativos reativos para produzir uma aparência nodal em pequeno aumento ou substituir difusamente o linfonodo. **Normalmente, a proliferação consiste em uma população homogênea de pequenos linfócitos com contornos nucleares irregulares a ocasionalmente com fendas profundas (clivados)** (**Figura 13.16**). Não há células grandes que se assemelham a centroblastos nem centros de proliferação, o que diferencia o linfoma de células do manto do linfoma folicular e da LLC/LLPC, respectivamente. Na maioria dos casos, a cromatina nuclear está condensada, os nucléolos são indistintos e o citoplasma é escasso. Em certas ocasiões, são observadas neoplasias compostas por células de tamanho intermediário com cromatina mais aberta e índice mitótico alto; é necessário efetuar a imunofenotipagem para distinguir essas variantes "blastoides" da LLA.

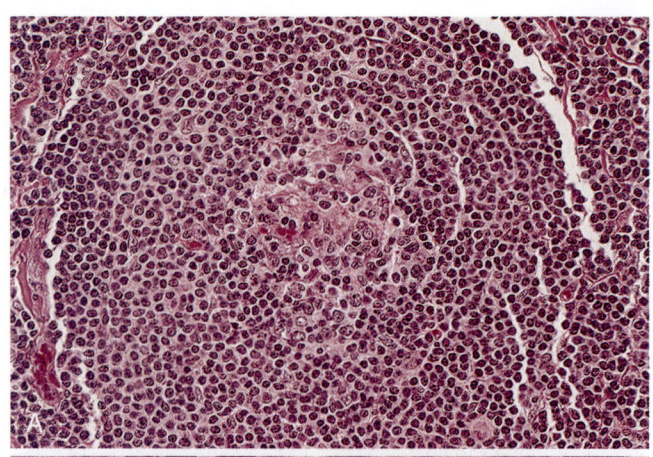

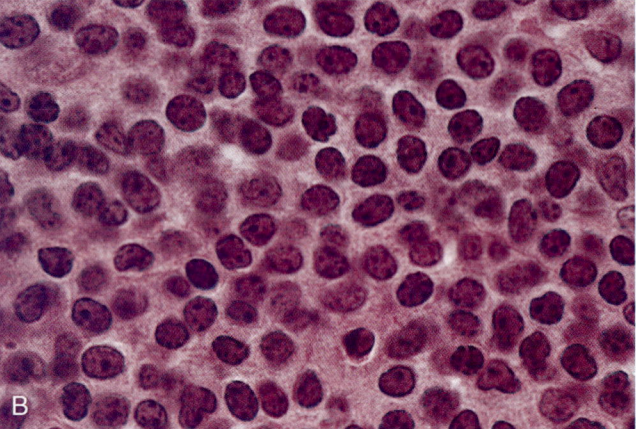

Figura 13.16 Linfoma de células do manto. **A.** Em pequeno aumento, células linfoides neoplásicas que circundam um pequeno centro germinativo atrófico, produzindo um padrão de crescimento de zona do manto. **B.** Vista de grande aumento mostrando uma população homogênea de pequenas células linfoides com contornos nucleares ligeiramente irregulares, cromatina condensada e citoplasma escasso. Não há grandes células semelhantes a pró-linfócitos (que são observadas na leucemia linfocítica) nem centroblastos (observados no linfoma folicular).

Imunofenótipo. Os linfomas de células do manto expressam níveis elevados de ciclina D1, CD19 e CD20 e níveis moderadamente altos de Ig de superfície (habitualmente IgM e IgD com cadeia leve κ ou λ). Em geral, essa neoplasia é CD5+ e CD23–, o que ajuda a distingui-la da LLC/LLPC. Os genes *IGH* carecem de hipermutação somática, sustentando uma origem a partir de uma célula B *naive*.

Características clínicas

A apresentação mais comum consiste em linfadenopatia indolor. Os sintomas relacionados com o comprometimento do baço (presentes em cerca de 50% dos casos) e do intestino também são comuns. O linfoma de células do manto é moderadamente agressivo e incurável; a sobrevida mediana é de oito a dez anos. A variante blastoide, uma assinatura de perfil de expressão "proliferativa", e as mutações de *TP53* estão associadas a uma sobrevida mais curta.

Linfomas da zona marginal

A categoria dos linfomas de zona marginal abrange um grupo heterogêneo de neoplasias de células B que surgem nos linfonodos, no baço ou em tecidos extranodais. As neoplasias extranodais foram inicialmente reconhecidas em locais de mucosa e, com frequência, são designadas como tumores linfoides associados à mucosa (ou MALTomas). Na maioria dos casos, as células neoplásicas exibem evidências de hipermutação somática e são consideradas como provenientes de células B de memória.

Embora todos os linfomas de zona marginal compartilhem certas características, os que ocorrem em locais extrarrenais merecem uma atenção especial, devido à sua patogênese incomum e a três características excepcionais:

- Eles frequentemente surgem em tecidos acometidos por distúrbios inflamatórios crônicos de etiologia autoimune ou infecciosa; os exemplos incluem a glândula salivar na doença de Sjögren, a glândula tireoide na tireoidite de Hashimoto e o estômago na gastrite por *Helicobacter*
- Permanecem localizados por períodos prolongados e só apresentam disseminação sistêmica em uma fase tardia de sua evolução
- Podem regredir se o agente desencadeante (p. ex., *H. pylori*) for erradicado.

Essas características sugerem que **os linfomas de zona marginal extranodais que surgem em tecidos com inflamação crônica situam-se em um *continuum* entre a hiperplasia linfoide reativa e o linfoma totalmente desenvolvido.** A doença começa com uma reação imune policlonal. Com a aquisição de mutações iniciadoras desconhecidas, surge um clone de células B, que ainda depende das células T auxiliares estimuladas por antígenos para receber sinais que impulsionam o seu crescimento e sobrevida. Nesse estágio, a retirada do antígeno responsável leva à involução da neoplasia. Um exemplo clinicamente relevante é encontrado no MALToma gástrico, em que a antibioticoterapia dirigida contra *H. pylori* frequentemente leva à regressão da neoplasia (ver **Capítulo 17**). Entretanto, com o passar do tempo, as neoplasias podem adquirir mutações adicionais, que tornam o seu crescimento e sobrevida independentes de antígenos, como as translocações cromossômicas (11;18), (14;18) ou (1;14), que são relativamente específicas para os linfomas de zona marginal extranodais. Todas essas translocações suprarregulam a expressão e a função de BCL10 ou MALT1, que são componentes proteicos de um complexo de sinalização, que ativa o NF-κB e que promove o crescimento e a sobrevida das células B. Com o processo de evolução clonal, podem ocorrer disseminação para locais distantes e transformação em LDGCB. Esse processo de transição policlonal para monoclonal durante a linfomagênese também pode ser aplicado à patogênese do linfoma induzido por EBV e é discutido de modo mais detalhado no **Capítulo 7**.

Leucemia das células pilosas

Essa neoplasia de células B rara, porém distinta, representa cerca de 2% de todas as leucemias. Trata-se de uma doença que acomete predominantemente homens brancos de meia-idade, com idade mediana de 55 anos e razão entre homens e mulheres de 5:1.

Patogênese

Em mais de 90% dos casos, a leucemia de células pilosas está associada a mutações pontuais ativadoras do BRAF serina/treonina quinase, de localização imediatamente *downstream* do RAS na cascata de sinalização de MAPK (ver **Capítulo 7**). A mutação específica, uma substituição de valina por glutamato no resíduo 600, também é encontrada com alta frequência em muitas outras neoplasias, como melanoma e histiocitose de células de Langerhans (ver adiante).

Morfologia

A leucemia de células pilosas deve o seu nome pitoresco à aparência das células leucêmicas, que apresentam **finas projeções semelhantes a pelos**, mais bem identificadas com o microscópio de contraste de fase (**Figura 13.17**). Nos esfregaços de sangue periférico de rotina, as células pilosas apresentam núcleos redondos, alongados ou reniformes e quantidades moderadas de citoplasma azul-claro, com extensões filiformes ou semelhantes a bolhas. O número de células circulantes é altamente variável. A medula óssea é acometida por um infiltrado intersticial difuso de células com núcleos alongados ou reniformes, cromatina condensada e citoplasma pálido. Como essas células estão entremeadas em uma matriz extracelular composta de fibrilas de reticulina, elas habitualmente não podem ser aspiradas (uma dificuldade clínica designada como "punção seca") e são observadas apenas em biopsias de medula. Em geral, a polpa vermelha do baço está densamente infiltrada, o que leva à obliteração da polpa branca e a um aspecto macroscópico vermelho-vivo. Com frequência, ocorre também comprometimento das tríades portais hepáticas.

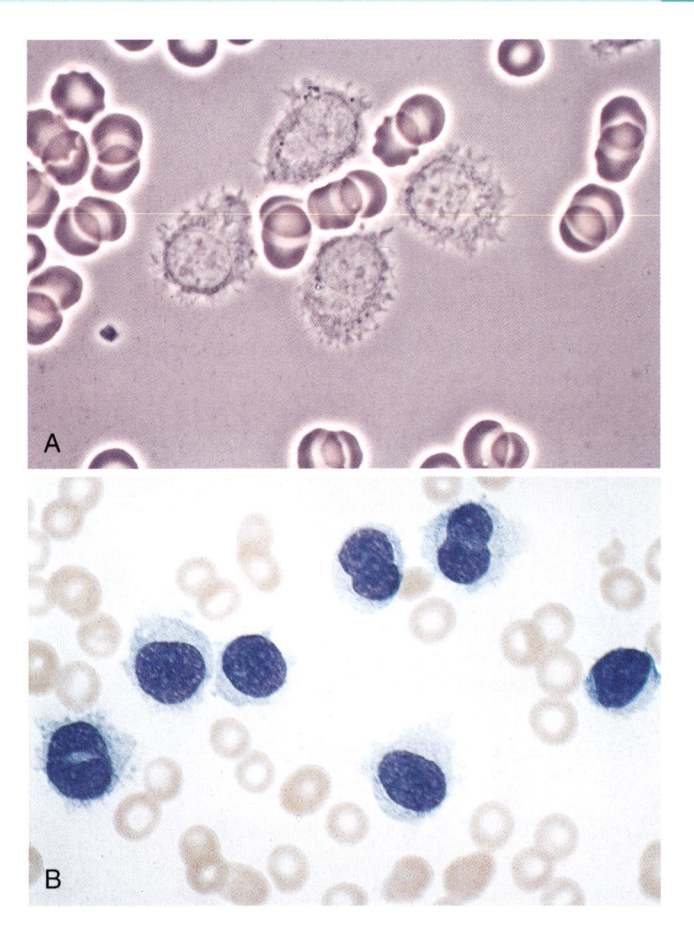

Figura 13.17 Leucemia de células pilosas (esfregaço de sangue periférico). **A.** A microscopia de contraste de fase mostra células neoplásicas com finas projeções citoplasmáticas semelhantes a pelos. **B.** Em esfregaços corados, essas células apresentam núcleos redondos ou enovelados e quantidade modesta de citoplasma agranular azul-claro.

Imunofenótipo. Normalmente, as leucemias de células pilosas expressam os pan-marcadores de células B CD19 e CD20, Ig de superfície (habitualmente IgG) e certos marcadores relativamente distintos, como CD11c, CD25, CD103 e anexina A1.

Características clínicas

As manifestações clínicas resultam, em grande parte, da infiltração da medula óssea, do fígado e do baço. A esplenomegalia, que frequentemente é maciça, constitui o achado físico mais comum e, algumas vezes, o único anormal. A hepatomegalia é menos comum e não é tão acentuada, enquanto a linfadenopatia é rara. Em mais da metade dos casos, ocorre pancitopenia, que resulta do comprometimento da medula óssea e do sequestro de células no baço aumentado. Cerca de um terço dos pacientes afetados apresenta infecções. Há uma incidência aumentada de infecções micobacterianas atípicas, possivelmente relacionadas com a monocitopenia de origem incerta, que é comumente observada nessa doença.

A leucemia de células pilosas segue um curso indolente. Por motivos ainda não bem esclarecidos, ela é excepcionalmente sensível a esquemas quimioterápicos "leves", que produzem remissões de longa duração. Com frequência, as neoplasias sofrem recidiva depois de 5 anos ou mais; contudo, em geral, respondem bem quando tratadas novamente com os mesmos agentes, uma característica altamente incomum entre os cânceres humanos. Os inibidores do BRAF parecem produzir uma excelente resposta nas neoplasias que não responderam à quimioterapia convencional. O prognóstico geral é excelente.

> **Conceitos-chave**
>
> **Formas comuns de leucemia linfoide e linfoma**
>
> **Linfoma linfocítico de pequenas células/leucemia linfocítica crônica**
> - Leucemia mais comum em adultos
> - Leucemias de células B maduras que habitualmente se manifesta com comprometimento da medula óssea e linfonodos
> - Evolução indolente, comumente associada a anormalidades imunes, como aumento da suscetibilidade à infecção e a distúrbios autoimunes.
>
> **Linfoma folicular**
> - Linfoma indolente mais comum em adultos
> - As células neoplásicas recapitulam o padrão de crescimento das células B normais dos centros germinativos; a maioria dos casos está associada a uma translocação (14;18), que resulta em superexpressão de BCL2.
>
> **Linfoma difuso de grandes células B**
> - Linfoma mais comum em adultos
> - Grupo heterogêneo de neoplasias de células B maduras, que compartilha uma morfologia de grandes células e comportamento clínico agressivo
> - Os rearranjos ou mutações do gene *BCL6* são associações reconhecidas; um terço dos casos apresenta uma translocação (14;18) envolvendo o *BCL2* e pode surgir a partir de linfomas foliculares; cerca de 5% dos casos apresentam translocações envolvendo o *MYC*.
>
> **Linfoma de Burkitt**
> - Neoplasia muito agressiva de células B maduras, que surge habitualmente em locais extranodais
> - Fortemente associado a translocações envolvendo o proto-oncogene *MYC*
> - Com frequência, as células neoplásicas apresentam infecção latente pelo EBV.
>
> **Linfoma de células do manto**
> - Neoplasia de células B *naive*, que segue um curso moderadamente agressivo
> - Altamente associado a translocações que envolvem o gene da ciclina D1.
>
> **Linfoma de zona marginal**
> - Neoplasias indolentes de células B sensibilizadas por antígenos, que surgem em locais de estimulação imune crônica
> - Com frequência, permanece localizado por um longo período de tempo.
>
> **Leucemia de células pilosas**
> - Neoplasia morfologicamente distinta e muito indolente de células B maduras, que acomete o baço e a medula óssea
> - Altamente associada a mutações no BRAF serina/treonina quinase.

Neoplasias de células T periféricas e células NK

Essas categorias incluem um grupo heterogêneo de neoplasias cujos fenótipos se assemelham às células T ou células NK maduras. As neoplasias de células T periféricas representam cerca de 5 a 10% dos LNH nos EUA e na Europa, enquanto as neoplasias de células NK são raras. Em contrapartida, por motivos desconhecidos, tanto as neoplasias de células T quanto as de células NK ocorrem com mais frequência no Extremo Oriente. Serão discutidos aqui apenas os diagnósticos mais comuns e os de interesse patogenético particular.

Linfoma de células T periféricas sem outra especificação

Embora a classificação da OMS inclua diversas neoplasias de células T periféricas distintas, muitos desses linfomas não são categorizados com facilidade e são reunidos em um diagnóstico comparado a um "cesto de papel": *linfoma de células T periféricas sem outra especificação*. Conforme esperado, não há nenhuma característica morfológica que seja patognomônica, porém alguns achados são característicos. Essas neoplasias ocupam difusamente os linfonodos e são normalmente compostas por uma mistura pleomórfica de células T malignas de tamanho variável (**Figura 13.18**). Com frequência, observa-se um infiltrado proeminente de células reativas, como eosinófilos e macrófagos, provavelmente atraídas pelas citocinas derivadas da neoplasia. Pode ocorrer também neoangiogênese ativa.

Por definição, todos os linfomas de células T periféricas originam-se a partir de células T maduras. Em geral, expressam CD2, CD3, CD5 e receptores de células T αβ ou γδ. Alguns também expressam CD4 ou CD8; essas neoplasias são consideradas como tendo origem a partir de células T auxiliares ou citotóxicas, respectivamente. Entretanto, muitas neoplasias apresentam fenótipos que não se assemelham a nenhuma célula T normal conhecida. Nos casos difíceis, em que o diagnóstico diferencial situa-se entre linfoma e processo reativo florido, utiliza-se a análise do DNA para confirmar a presença de rearranjos dos genes do receptor de células T clonais.

A maioria dos pacientes apresenta linfadenopatia generalizada, algumas vezes acompanhada de eosinofilia, prurido, febre e perda de peso. Embora se tenha relatado a obtenção de cura do linfoma de células T periféricas, essas neoplasias apresentam um prognóstico

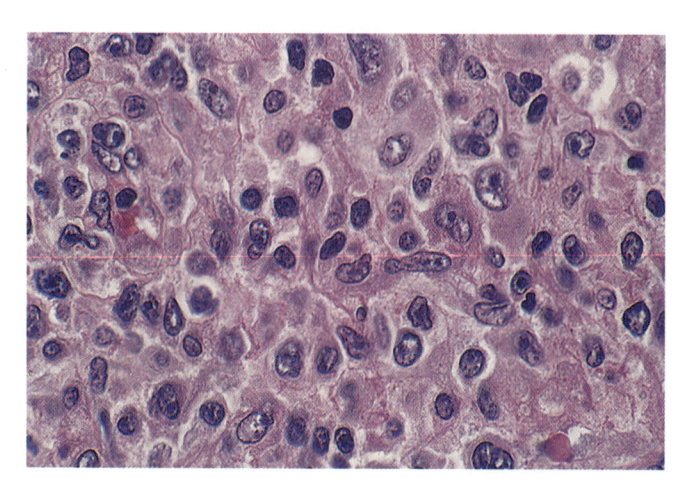

Figura 13.18 Linfoma de células T periféricas sem outra especificação (linfonodo). Pode-se observar um espectro de células linfoides pequenas, intermediárias e grandes, muitas das quais com contorno nuclear irregular.

significativamente mais sombrio do que as neoplasias de células B maduras comparavelmente agressivas (p. ex., LDGCB).

Linfoma anaplásico de grandes células (ALK positivo)

Essa entidade incomum é definida pela presença de rearranjo no gene *ALK* no cromossomo 2p23. Esses rearranjos quebram o *locus ALK* e levam a formação de genes quiméricos, que codificam proteínas de fusão ALK, que são tirosinoquinases constitutivamente ativas que desencadeiam as vias de sinalização de RAS e JAK/STAT.

Como o próprio nome indica, essa neoplasia é normalmente composta de grandes células anaplásicas, algumas das quais contêm núcleos em formato de ferradura e citoplasma volumoso (as denominadas *células características* [*hallmark cells*]) (**Figura 13.19A**). Com frequência, as células neoplásicas agrupam-se ao redor de vênulas e infiltram os seios linfoides, simulando a aparência de um carcinoma metastático. A ALK não é expressa nos linfócitos normais. Por conseguinte, a depleção da proteína ALK nas células neoplásicas (**Figura 13.19B**) fornece um indicador confiável de rearranjo do gene *ALK*.

Os linfomas de células T com rearranjos do *ALK* tendem a ocorrer em crianças ou adultos jovens, acometem, com frequência, os tecidos moles e apresentam um prognóstico muito satisfatório (diferentemente de outras neoplasias agressivas de células T periféricas). A taxa de cura com quimioterapia é de 75 a 80%. Foram desenvolvidos inibidores da ALK, que produziram uma excelente resposta em algumas neoplasias que não tinham respondido à quimioterapia convencional.

Os linfomas de células T que são morfologicamente semelhantes, mas que carecem de rearranjos do ALK (denominados linfomas anaplásicos de grandes células ALK–) tendem a ocorrer em indivíduos idosos e apresentam prognóstico substancialmente mais sombrio. As neoplasias tanto ALK+ quanto ALK– habitualmente expressam CD30, um membro da família de receptores do TNF. De maneira notável, os anticorpos recombinantes ligados a toxinas que reconhecem o CD30 apresentam atividade antineoplásica significativa contra os linfomas de células T CD30+ e o linfoma de Hodgkin, outra neoplasia CD30+ (descrita adiante).

Leucemia/linfoma de células T do adulto

Essa neoplasia de células T CD4+ é observada apenas em adultos infectados pelo HTLV-1 (ver **Capítulo 7**). Ocorre principalmente em regiões onde o HTLV-1 é endêmico, isto é, no sul do Japão, na África Ocidental e na bacia do Caribe. Os achados comuns consistem em lesões cutâneas, linfadenopatia generalizada, hepatoesplenomegalia, linfocitose do sangue periférico e hipercalcemia. Além da leucemia/linfoma de células T do adulto, a infecção pelo HTLV-1 também pode dar origem a uma doença desmielinizante progressiva do sistema nervoso central e da medula espinal (ver **Capítulo 28**).

A aparência das células neoplásicas varia, porém observa-se com frequência a presença de células com núcleos multilobados (células em forma de "trevo" ou "flor"). As células neoplásicas sempre contêm pró-vírus do HTLV-1 clonais, sugerindo que esse vírus desempenha um papel patogênico direto. Entretanto, embora várias proteínas pró-virais tenham sido implicadas no desenvolvimento da leucemia/linfoma de células T do adulto (ver **Capítulo 7**). A neoplasia só se desenvolve em uma pequena fração dos pacientes infectados, habitualmente depois de um período latente de várias décadas, e os detalhes do processo de transformação permanecem pouco compreendidos.

A maioria dos pacientes apresenta uma doença rapidamente progressiva, que é fatal dentro de alguns meses a 1 ano, apesar da quimioterapia agressiva. Com menos frequência, a neoplasia só acomete a pele e segue um curso muito mais indolente, semelhante ao da micose fungoide (descrita a seguir).

Micose fungoide/síndrome de Sézary

A micose fungoide e a síndrome de Sézary constituem manifestações diferentes de uma neoplasia de células T auxiliares CD4+ que se aloja na pele. Do ponto de vista clínico, as lesões cutâneas da *micose fungoide* normalmente progridem por três estágios ligeiramente distintos: uma *fase pré-micótica* inflamatória, uma *fase em placas* e uma *fase tumoral* (ver **Capítulo 25**). No exame histológico, a epiderme e a derme superficial estão infiltradas por células T neoplásicas que, com frequência, apresentam aparência cerebriforme, devido à acentuada invaginação da membrana nuclear. A progressão tardia da doença caracteriza-se por disseminação extracutânea, que é mais comum para os linfonodos e a medula óssea.

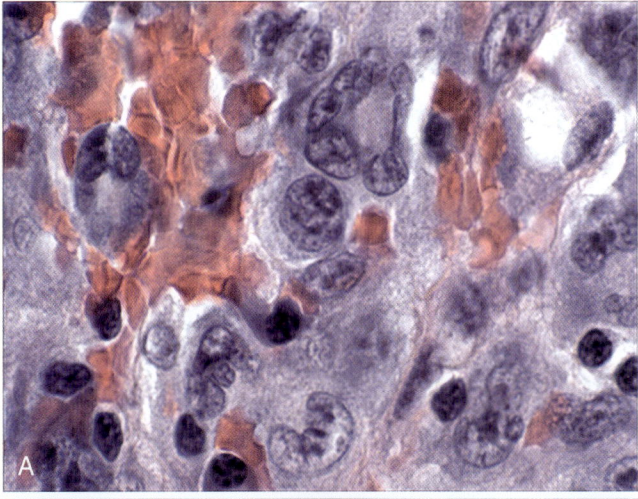

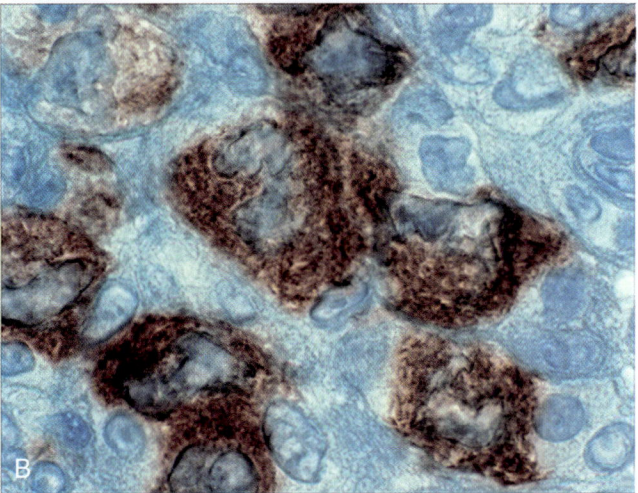

Figura 13.19 Linfoma anaplásico de grandes células. **A.** Várias células características com núcleos em formato de ferradura ou embrioides e citoplasma abundante estão localizadas próximo ao centro do campo. **B.** Coloração imuno-histoquímica demonstrando a presença da proteína de fusão ALK. (Cortesia do Dr. Jeffery Kutok, Department of Pathology, Brigham and Women's Hospital, Boston, Mass.)

A *síndrome de Sézary* é uma variante, em que o acometimento da pele se manifesta por *eritrodermia esfoliativa generalizada*. Diferentemente da mucosa fungoide, as lesões cutâneas raramente desenvolvem tumefação, e ocorre leucemia associada de células de "Sézary" com núcleos cerebriformes característicos.

As células neoplásicas expressam a molécula de adesão, o antígeno leucocitário cutâneo, e os receptores de quimiocinas CCR4 e CCR10, todos os quais contribuem para o direcionamento (*homing*) das células T CD4+ normais para a pele. Apesar de a doença cutânea dominar o quadro clínico, análises moleculares sensíveis mostraram que as células neoplásicas circulam pelo sangue, pela medula óssea e pelos linfonodos ainda mais precocemente no curso da doença. Entretanto, trata-se de neoplasias indolentes, com sobrevida mediana de aproximadamente dez anos. Em certas ocasiões, ocorre transformação para o linfoma de células T agressivo como evento terminal.

Leucemia de grandes linfócitos granulares

São conhecidas variantes de células T e de células NK dessa rara neoplasia, ambas as quais ocorrem principalmente em adultos. Em geral, os indivíduos com doença de células T apresentam linfocitose e esplenomegalia leves a moderadas. Em geral, não há linfadenopatia nem hepatomegalia. A doença de células NK manifesta-se frequentemente de maneira ainda mais sutil, com pouca ou nenhuma linfocitose ou esplenomegalia.

Cerca de 30 a 40% das leucemias de grandes linfócitos granulares apresentam mutações adquiridas no fator de transcrição STAT3, que atua *downstream* dos receptores de citocinas. Essas mutações ocorrem em ambas as formas da doença de células T e de células NK e resultam em ativação independente de citocinas do STAT3, que parece desempenhar um importante papel na patogênese dessas proliferações.

As células neoplásicas consistem em grandes linfócitos com citoplasma azul abundante e alguns grânulos azurófilos grosseiros, melhor observados em esfregaços de sangue periférico. Em geral, a medula óssea contém um infiltrado linfocítico intersticial disperso, cuja identificação é difícil sem o uso de reação imuno-histoquímica. Os infiltrados também estão habitualmente presentes no baço e no fígado. As variantes de células T expressam CD3 em sua superfície, enquanto as variantes de células NK carecem de CD3 de superfície e expressam marcadores de NK, como CD56.

Apesar da escassez relativa de infiltração da medula óssea, **a neutropenia e a anemia dominam o quadro clínico.** A neutropenia pode ser acompanhada de redução notável das formas mieloides avançadas na medula óssea. Raramente, observa-se a presença de *aplasia pura da série vermelha*. Observa-se também uma incidência aumentada de distúrbios reumatológicos. Alguns pacientes com *síndrome de Felty*, uma tríade de artrite reumatoide, esplenomegalia e neutropenia, apresentam esse distúrbio como causa subjacente. A base dessas anormalidades clínicas variadas não é conhecida, porém parece provável a atuação da autoimunidade, provocada de algum modo pela neoplasia.

A evolução é variável e depende, em grande parte, da gravidade das citopenias e de sua responsividade à quimioterapia em baixas doses ou aos esteroides. Em geral, as neoplasias que se originam de células T seguem m curso indolente, enquanto as neoplasias de células NK exibem um comportamento mais agressivo.

Linfoma de células T/NK extranodal

Essa neoplasia é rara nos EUA e na Europa, porém constitui até 3% dos LNH na Ásia. Com mais frequência, manifesta-se como uma massa nasofaríngea destrutiva, e os locais menos comuns de apresentação incluem o testículo e a pele. Normalmente, o infiltrado de células tumorais circunda e invade os pequenos vasos, levando à necrose isquêmica extensa. Nos esfregaços, são observados *grandes grânulos azurófilos* no citoplasma das células neoplásicas, que lembram aqueles encontrados nas células NK normais.

O linfoma de células NK/T extranodal está altamente associado ao vírus Epstein-Barr (EBV). Em cada paciente, individualmente, todas as células neoplásicas contêm epissomos do EBV idênticos, indicando que a neoplasia se origina de uma única célula infectada por EBV. Não se sabe ao certo como o EBV consegue entrar nas células, visto que as células neoplásicas não expressam CD21, a proteína de superfície que atua como receptor de EBV das células B. A maioria das neoplasias é CD3– e carece de rearranjos dos receptores de células T e expressa marcadores de células NK, sustentando uma origem a partir das células NK. Não foi descrita nenhuma aberração cromossômica consistente.

Os linfomas de células T/NK extranodal são, em sua maioria, neoplasias altamente agressivas, que respondem bem à radioterapia, mas que são resistentes à quimioterapia. Por conseguinte, o prognóstico é geralmente sombrio em pacientes com doença avançada. Entretanto, pesquisas recentes mostraram que, à semelhança de outros cânceres impulsionados por vírus, o linfoma de células T/NK extranodal responde bem a inibidores de pontos de verificação imunes, embora com todos os riscos (p. ex., doença autoimune) que estão associados a esses agentes.

> **Conceitos-chave**
>
> **Neoplasias de células T periféricas e células NK**
>
> **Linfomas e leucemias de células T/NK periféricas**
> - Linfoma anaplásico de grandes células: neoplasia de células T agressiva, associada a um subgrupo com translocações que levam à ativação constitutiva da tirosinoquinase ALK
> - Leucemia/linfoma de células T do adulto: neoplasia agressiva de células T CD4+, que uniformemente está associada à infecção pelo THLV-1
> - Leucemia de grandes linfócitos granulares: neoplasia indolente de células T citotóxicas ou células NK, que está associada a mutações no fator de transcrição STAT e a fenômenos autoimunes e citopenias
> - Linfoma de células T/NK extranodal: neoplasia agressiva, que se origina habitualmente de células NK, fortemente associada à infecção pelo EBV.

Neoplasias de plasmócitos e distúrbios relacionados

Essas proliferações de células B contêm plasmócitos neoplásicos, que quase sempre secretam Ig monoclonal ou fragmentos de Ig, que servem como marcadores tumorais e que, com frequência, têm consequências patológicas. Em seu conjunto, as neoplasias de plasmócitos são responsáveis por aproximadamente 15% das mortes causadas por neoplasias linfoides. A mais comum e fatal dessas neoplasias é o mieloma múltiplo, com aproximadamente 15 mil novos casos por ano nos EUA.

Uma Ig monoclonal identificada no sangue é designada como *componente M*, em referência ao mieloma. Como os componentes M completos apresentam pesos moleculares de 160 mil ou mais, eles são restritos ao plasma e ao líquido extracelular e excluídos da urina na ausência de dano glomerular. Entretanto, **os plasmócitos neoplásicos frequentemente sintetizam cadeias leves em excesso, assim como Ig completas.** Em certas ocasiões, são produzidas apenas cadeias leves, e raras neoplasias secretam apenas cadeias pesadas. Na maioria dos pacientes com neoplasias de plasmócitos, o nível de cadeias leves livres está elevado e acentuadamente desviado para uma cadeia leve (p. ex., κ) à custa da segunda cadeia leve (p. ex., λ). Como as cadeias leves livres são de pequeno tamanho, elas também são excretadas na urina. Nesse caso, são designadas como *proteínas de Bence-Jones*.

Os termos empregados para descrever as Ig anormais associadas a neoplasias de plasmócitos incluem *gamopatia monoclonal* e *paraproteinemia*. Essas proteínas anormais estão associadas às seguintes entidades clinicopatológicas:

- O *mieloma múltiplo (mieloma de plasmócito)*, a neoplasia de plasmócitos mais importante, manifesta-se habitualmente como massas neoplásicas espalhadas pelo sistema esquelético. O *mieloma solitário (plasmocitoma)* é uma variante infrequente, que se manifesta como massa solitária no osso ou nos tecidos moles. O *mieloma indolente* refere-se a outra variante incomum, definida pela ausência de sintomas e por níveis plasmáticos elevados de componente M
- A *macroglobulinemia de Waldenström* é uma síndrome em que os altos níveis de IgM levam a sintomas relacionados com a hiperviscosidade do sangue. Ocorre em adultos de idade mais avançada, mais comumente em associação ao linfoma linfoplasmocítico (descrito adiante)
- A *doença da cadeia pesada* é uma gamopatia monoclonal rara, observada em associação a um grupo diverso de distúrbios, como linfoma linfoplasmocítico e um linfoma raro de zona marginal do intestino delgado, que ocorre em populações desnutridas (o denominado *linfoma do Mediterrâneo*). A característica em comum consiste na síntese e secreção de fragmentos de cadeias pesadas livres
- A *amiloidose primária ou amiloidose associada a imunócitos* resulta da proliferação monoclonal de plasmócitos secretores de cadeias leves (habitualmente do isótipo λ) que se depositam como amiloide. Alguns pacientes apresentam mieloma múltiplo franco, porém, outros exibem apenas uma população clonal menor de plasmócitos na medula óssea
- A *gamopatia monoclonal de significado indeterminado (MGUS)* refere-se a pacientes sem sinais ou sintomas que apresentam componentes M pequenos a moderadamente grandes no sangue. A MGUS é muito comum em indivíduos idosos e pode sofrer transformação em mieloma múltiplo ou em outras neoplasias de plasmócitos sintomáticas.

Com essa base, descreveremos agora algumas dessas entidades específicas; a amiloidose primária é discutida no **Capítulo 6**.

Mieloma múltiplo

O mieloma múltiplo é uma neoplasia de plasmócitos comumente associada a lesões ósseas líticas, hipercalcemia, insuficiência renal e anormalidades imunes adquiridas. Apesar do predomínio da doença óssea, essa neoplasia pode propagar-se tardiamente em sua evolução para os linfonodos e locais extranodais. O mieloma múltiplo é responsável por 1% das mortes por câncer nos países ocidentais. Sua incidência é maior em homens e em indivíduos de ascendência africana. Trata-se principalmente de uma doença e indivíduos idosos, com pico de incidência aos 65 a 70 anos.

Patogênese

O mieloma múltiplo é geneticamente heterogêneo e está associado a rearranjos frequentes que envolvem o *locus IGH* no cromossomo 14q32 e vários proto-oncogenes. Incluídos entre os genes com rearranjos, destacam-se os genes reguladores do ciclo celular, a ciclina D1 no cromossomo 11q13 e a ciclina D3 no cromossomo 6p21. Deleções do cromossomo 17p, que envolvem o *locus* supressor de tumor *TP53*, também ocorrem e estão associadas a um prognóstico sombrio. As formas em estágio avançado e altamente agressivas da doença, como a leucemia de plasmócitos, estão associadas a rearranjos que envolvem o *MYC*. O sequenciamento profundo de genomas do mieloma identificou mutações frequentes que envolvem componentes da via do NF-κB, que sustenta a sobrevivência das células B.

A proliferação e a sobrevivência das células do mieloma dependem de várias citocinas, mais notavelmente da IL-6, que é um importante fator de crescimento dos plasmócitos. É produzida pelas próprias células neoplásicas e por células residentes do estroma da medula óssea. Níveis séricos elevados de IL-6 são observados em pacientes com doença ativa e estão associados a um prognóstico sombrio. O crescimento e a sobrevivência das células do mieloma também são aumentados por meio de interações físicas diretas com células do estroma da medula óssea, um fenômeno que constitui uma área de intenso interesse em pesquisa.

Os fatores produzidos pelos plasmócitos neoplásicos medeiam a destruição óssea, que constitui a principal característica patológica do mieloma múltiplo. Um importante fator parece ser o MIP1α derivado do mieloma (também conhecido com CCL3), uma quimiocina que aumenta a formação dos osteoclastos por vários mecanismos diferentes. Outros fatores liberados pelas células neoplásicas, como moduladores da via Wnt, são potentes inibidores da função dos osteoblastos. O efeito final consiste em aumento acentuado da reabsorção óssea, levando à hipercalcemia e a fraturas patológicas.

Morfologia

Em geral, o mieloma múltiplo manifesta-se como neoplasia de plasmócitos (plasmocitomas) destrutiva, que acomete o esqueleto axial. Os ossos mais comumente afetados (por ordem decrescente de frequência) são a coluna vertebral, as costelas, o crânio, a pelve, o fêmur, a clavícula e a escápula. As lesões começam na cavidade medular, provocam erosão do osso esponjoso e, progressivamente destroem o córtex do osso, resultando frequentemente em fraturas patológicas. Essas fraturas são mais comuns na coluna vertebral, mas podem ocorrer em qualquer osso afetado. **As lesões ósseas aparecem radiograficamente como defeitos em saca-bocado, habitualmente com 1 a 4 cm de diâmetro (Figura 13.20)**, e consistem em massas tumorais moles, gelatinosas e avermelhadas. Com menos frequência, a doença óssea generalizada produz desmineralização difusa (osteopenia), em vez de defeitos focais.

A medula óssea, até mesmo distante das massas tumorais francas, contém um número aumentado de plasmócitos, que habitualmente constituem mais de 30% da celularidade. Os plasmócitos podem infiltrar o interstício de maneira sutil ou podem substituir por completo os elementos normais. Diferentemente de seus equivalentes benignos, os plasmócitos malignos apresentam uma área clara perinuclear, devido ao aparelho de Golgi proeminente e ao núcleo de localização excêntrica (**Figura 13.21**). Pode haver predomínio de plasmócitos de aparência relativamente normal, **plasmoblastos** com cromatina nuclear vesicular e um único nucléolo proeminente ou **células multinucleadas bizarras**. Outras variantes citológicas provêm da síntese e secreção desreguladas de Ig, o que leva frequentemente ao acúmulo intracelular de proteína intacta ou parcialmente degradada. Essas variantes incluem as **células-chama** (*flame cells*) com citoplasma vermelho intenso, as **células de Mott** com múltiplas gotículas citoplasmáticas em forma de uva e células que contêm uma variedade de outras inclusões, como fibrilas, bastonetes cristalinos e glóbulos. As inclusões globulares são designadas como **corpos de Russell** (quando citoplasmáticos) ou **corpos de Dutcher** (quando nucleares). Na doença avançada, pode-se observar a presença de infiltrados de plasmócitos no baço, fígado, rins, pulmões, linfonodos e outros tecidos moles.

Em geral, os níveis elevados de proteína M no sangue levam à adesão dos eritrócitos entre si, formando arranjos lineares no esfregaço, um achado designado como **formação em *rouleaux***, cuja formação é característica, porém não específica, visto que pode ser observada em outras condições nas quais os níveis de Ig estão elevados, como lúpus eritematoso e infecção pelo HIV em estágio inicial. Raramente, as células neoplásicas inundam o sangue periférico, causando **leucemia de plasmócitos**.

As proteínas de Bence-Jones são excretadas nos rins e contribuem para uma forma de doença renal, denominada **rim do mieloma**. Essa complicação importante é discutida de modo detalhado no **Capítulo 20**.

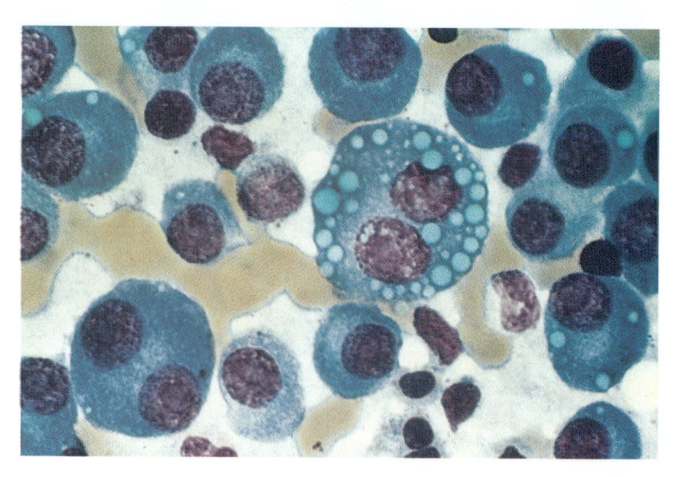

Figura 13.21 Mieloma múltiplo (aspirado de medula óssea). As células normais da medula são substituídas, em grande parte, por plasmócitos, incluindo formas com múltiplos núcleos, nucléolos proeminentes e gotículas citoplasmáticas que contêm imunoglobulina.

Imunofenótipo. Os tumores de plasmócito são positivos para CD138, uma molécula de adesão também conhecida como syndecan-1, e, com frequência, expressam CD56, uma característica que pode ser útil na identificação de pequenas populações de células neoplásicas.

Características clínicas

As características clínicas do mieloma múltiplo derivam (1) dos efeitos do crescimento dos plasmócitos nos tecidos, particularmente nos ossos; (2) da produção excessiva de Ig que, com frequência, apresentam propriedades físico-químicas anormais; e (3) da supressão da imunidade humoral normal.

Com frequência, a reabsorção óssea leva a fraturas patológicas e dor crônica. A hipercalcemia associada pode dar origem a manifestações neurológicas, como confusão, fraqueza, letargia, constipação intestinal e poliúria, e contribui para a disfunção renal. A produção diminuída de Ig normais cria as condições para a ocorrência de infecções bacterianas recorrentes. A imunidade celular não é relativamente afetada. De maior importância é a insuficiência renal, que só perde para as infecções como causa de morte. A patogênese da insuficiência renal (ver **Capítulo 20**), que ocorre em até 50% dos pacientes, é multifatorial. Entretanto, o único fator mais importante parece ser a proteinúria de Bence-Jones, visto que as cadeias leves excretadas são tóxicas para as células epiteliais tubulares renais. Certas cadeias leves (particularmente as das λ6 e λ3) têm propensão a causar amiloidose do tipo AL (ver **Capítulo 6**), que pode exacerbar a disfunção renal, bem como se depositar em outros tecidos.

Em 99% dos pacientes, as análises laboratoriais revelam níveis elevados de Ig no sangue e/ou cadeias leves (proteínas de Bence-Jones) na urina. Em geral, as Ig monoclonais são as primeiras detectadas como "picos" anormais de proteína na eletroforese do soro ou da urina e, em seguida, são ainda mais caracterizadas por imunofixação (**Figura 13.22**). A maioria dos mielomas está associada a mais de 3 g/dℓ de Ig sérica e/ou mais de 6 mg/dℓ de proteínas de Bence-Jones na urina. A Ig monoclonal mais comum (proteína M) é a IgG (cerca de 55% dos pacientes), seguida da IgA (cerca de 25% dos casos). Os mielomas que expressam IgM, IgD ou IgE ocorrem, porém são raros. A produção excessiva e a

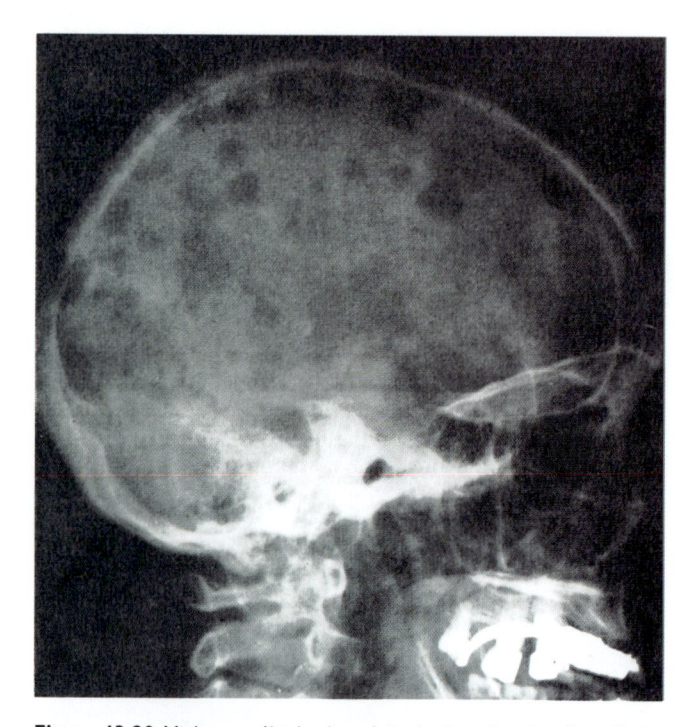

Figura 13.20 Mieloma múltiplo do crânio (radiografia, vista lateral). As lesões ósseas nitidamente em saca bocado são mais evidentes na calvária.

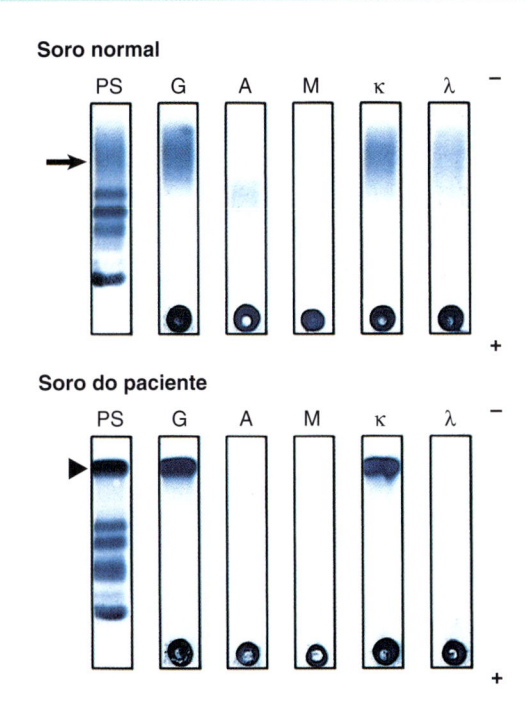

Figura 13.22 Detecção da proteína M no mieloma múltiplo. A eletroforese das proteínas séricas (*PS*) é utilizada para rastreamento de uma imunoglobulina (Ig) monoclonal (proteína M). A IgG policlonal no soro normal (*seta*) aparece como uma banda larga; em contrapartida, o soro de um paciente com mieloma múltiplo contém uma única banda nítida de proteína (*cabeça de seta*) nessa região da eletroforese. A suspeita de Ig monoclonal é confirmada e caracterizada por imunofixação, em que proteínas são captadas no gel com anticorpos específicos contra IgG (*G*), IgA (*A*), IgM (*M*) ou as cadeias leves kappa (κ) ou lambda (λ) e, em seguida, são visualizadas por meio de coloração para proteína. Observe que a banda nítida no soro do paciente apresenta ligação cruzada com antissoros específicos para a cadeia pesada e a cadeia leve kappa da IgG. Indicando a presença de uma proteína M IgGκ. Os níveis de IgG, IgA (*A*) policlonais e de cadeia leve lambda (λ) também estão diminuídos no soro do paciente em comparação com o normal, um achado típico do mieloma múltiplo. (Cortesia do Dr. David Sacks, Department of Pathology, Brigham and Women's Hospital, Boston, Mass.)

agregação das proteínas M, habitualmente do subtipo IgA ou IgG$_3$, levam ao aparecimento de sintomas relacionados com hiperviscosidade (descritos no linfoma linfoplasmocítico) em cerca de 7% dos pacientes. Em 60 a 70% dos pacientes, são observadas cadeias leves livres e uma proteína M sérica. Todavia, em cerca de 20% dos pacientes, apenas cadeias leves livres estão presentes, e cerca de 1% dos casos consiste em mielomas não secretores; por conseguinte, a ausência de proteínas M não exclui por completo o diagnóstico.

O diagnóstico clínico patológico do mieloma múltiplo baseia-se na identificação de plasmócitos clonais na medula e na presença dos critérios CRAB (hiper*c*alcemia, disfunção *r*enal, *a*nemia e lesões ósseas [*b*one]). Pode ser fortemente suspeito na presença das alterações radiográficas características, porém o exame definitivo exige um exame da medula óssea e exames para avaliação dos níveis de cálcio, função renal, contagens hematológicas e Ig no soro e na urina.

O prognóstico é variável. A sobrevida mediana é de 4 a 7 anos, e ainda não foram obtidas curas. Os pacientes com múltiplas lesões ósseas, quando não tratados, raramente sobrevivem por mais de seis a doze meses, enquanto aqueles com "mieloma indolente" podem permanecer assintomáticos durante muitos anos. As translocações que envolvem a ciclina D1 estão associadas a um bom resultado, enquanto as deleções de 13q, deleções de 17p e a t(4;14) indicam uma evolução mais agressiva.

Embora o mieloma continue incurável, houve uma melhora dos resultados ao longo dessa última década com os avanços na terapia. As células do mieloma são sensíveis a inibidores do proteassomo, uma organela celular que degrada proteínas indesejáveis e mal enoveladas (ver **Capítulo 2**). Devido aos níveis elevados de síntese de Ig, pode ocorrer mau enovelamento das cadeias leves e pesadas de Ig, até mesmo nos plasmócitos normais, e essa tendência pode ser exacerbada em células do mieloma nas quais a síntese de cadeias leves e pesadas está desequilibrada. Se essas proteínas mal enoveladas não forem degradadas nos proteassomos, elas desencadeiam a apoptose. Os inibidores do proteassomo induzem morte celular ao explorar essa vulnerabilidade e também parecem retardar a reabsorção óssea por meio de seus efeitos sobre as células do estroma. A talidomida e compostos relacionados, como a lenalidomida, também apresentam atividade contra o mieloma. Curiosamente, isso parece envolver alterações na degradação de proteínas, visto que a lenalidomida redireciona e ativa certas ubiquitina ligases, tendo como alvo proteínas para proteólise que são necessárias para o crescimento do mieloma. Os bifosfonatos, que inibem a reabsorção óssea, reduzem as fraturas patológicas e limitam a hipercalcemia. O transplante de CTH prolonga a vida, porém não demonstrou ser curativo.

Mieloma indolente

Essa entidade define um terreno intermediário entre o mieloma múltiplo e a MGUS. Os plasmócitos respondem por 10 a 30% da celularidade da medula, e o nível de proteína M sérica é superior a 3 g/dℓ, porém os pacientes são assintomáticos. Aproximadamente 75% dos pacientes progridem para o mieloma múltiplo ao longo de um período de quinze anos.

Plasmocitoma ósseo solitário

Cerca de 3 a 5% das neoplasias de plasmócitos manifestam-se como uma lesão solitária do osso ou do tecido mole. As lesões ósseas tendem a ocorrer nos mesmos locais do mieloma múltiplo. As lesões extraósseas estão frequentemente localizadas nos pulmões, na oronasofaringe ou nos seios nasais. Em alguns pacientes, podem ocorrer elevações modestas das proteínas M no sangue ou na urina. O plasmocitoma ósseo solitário quase sempre progride para o mieloma múltiplo, porém essa progressão pode levar de dez a vinte anos ou mais. Em contrapartida, os plasmocitomas extraósseos, particularmente os que acometem as vias respiratórias superiores, são frequentemente curados com ressecção local.

Gamopatia monoclonal de significado indeterminado

A MGUS é o distúrbio de plasmócitos mais comum, que acomete cerca de 3% dos indivíduos com mais de 50 anos e cerca de 5% daqueles com mais de 70. Por definição, os pacientes são assintomáticos, e os níveis séricos de proteína M são inferiores a 3 g/dℓ. **Cerca de 1% dos pacientes com MGUS desenvolve uma neoplasia de plasmócitos sintomática, habitualmente mieloma múltiplo, por ano.** Os plasmócitos clonais na MGUS contêm muitas das mesmas translocações cromossômicas e deleções encontradas no mieloma múltiplo totalmente desenvolvido, indicando que a MGUS representa um estágio precoce de desenvolvimento do mieloma. À semelhança do mieloma indolente, a progressão para o mieloma múltiplo é imprevisível; por essa razão, justifica-se uma avaliação periódica dos níveis séricos de componente M e da proteinúria de Bence-Jones.

Linfoma linfoplasmocítico

O linfoma linfoplasmocítico é uma neoplasia de células B de indivíduos idosos, que habitualmente se manifesta na sexta ou na sétima década de vida. Embora tenha uma semelhança superficial com a LLC/LLPC, ele difere, visto que uma fração substancial das células neoplásicas sofre diferenciação terminal em plasmócitos. Mais comumente, o componente de plasmócitos secreta IgM monoclonal, frequentemente em quantidades suficientes para causar uma síndrome de hiperviscosidade, conhecida como *macroglobulinemia de Waldenström*. Diferentemente do mieloma múltiplo, as complicações decorrentes da secreção de cadeias leves livres (p. ex., insuficiência renal e amiloidose) são relativamente raras, e não ocorre destruição óssea.

Patogênese

Praticamente todos os casos de linfoma linfoplasmocítico estão associados a mutações adquiridas em *MYD88*. O *MYD88* codifica uma proteína adaptadora, que participa de eventos de sinalização que ativam o NF-κB, o que pode promover o crescimento e a sobrevivência das células neoplásicas.

> **Morfologia**
>
> Normalmente, a medula contém um infiltrado de linfócitos, plasmócitos e linfócitos plasmocitoides em proporções variáveis, frequentemente acompanhado de hiperplasia de mastócitos (**Figura 13.23**). Algumas neoplasias também contêm uma população de células linfoides maiores, com cromatina nuclear mais vesicular e nucléolos proeminentes. Com frequência, inclusões positivas para o ácido periódico de Schiff, que contém Ig, são observadas no citoplasma (**corpos de Russell**) ou no núcleo (**corpos de Dutcher**) de alguns plasmócitos. Por ocasião do diagnóstico, a neoplasia está habitualmente disseminada para os linfonodos, o baço e o fígado. Com a progressão a doença, pode ocorrer também infiltração das raízes nervosas, meninges e, mais raramente, do cérebro.

Imunofenótipo. O componente linfoide expressa marcadores de células B, como CD20 e Ig de superfície, enquanto o componente de plasmócitos secreta a mesma Ig que é expressa na superfície das células linfoides, habitualmente IgM.

Características clínicas

As queixas dominantes iniciais são inespecíficas e consistem em fraqueza, fadiga e perda de peso. Cerca da metade dos pacientes apresenta linfadenopatia, hepatomegalia e esplenomegalia. A anemia causada por infiltração da medula óssea é comum. Cerca de 10% dos pacientes têm hemólise autoimune causada por crioaglutininas, isto é, anticorpos IgM que se ligam aos eritrócitos em temperaturas inferiores a 37°C (ver **Capítulo 14**).

Os pacientes com neoplasias secretoras de IgM apresentam sinais e sintomas adicionais, que resultam das propriedades físico-químicas da IgM. Devido a seu grande tamanho, a IgM em altas concentrações aumenta acentuadamente a viscosidade do sangue, causando *síndrome da hiperviscosidade*, que se caracteriza por:

- *Comprometimento visual* associado a congestão venosa, que se reflete pela notável tortuosidade e distensão das veias da retina; as hemorragias e os exsudatos da retina também podem contribuir para os problemas visuais
- *Problemas neurológicos*, como cefaleias, vertigem, surdez e torpor, que resultam da lentidão do fluxo sanguíneo
- *Sangramento* relacionado com a formação de complexos entre macroglobulinas e fatores da coagulação, bem como interferência na função plaquetária
- *Crioglobulinemia* em consequência da precipitação de macroglobulinas em baixas temperaturas, produzindo sintomas como fenômeno de Raynaud e urticária ao frio.

O linfoma linfoplasmocítico é um distúrbio indolente. Como a maior parte da IgM é intravascular, os sintomas causados pelos níveis elevados de IgM (p. ex., hiperviscosidade e hemólise) podem ser aliviados por meio de plasmaférese. O crescimento da neoplasia pode ser controlado com baixas doses de agentes quimioterápicos e imunoterapia com anticorpo anti-CD20. À semelhança de outras neoplasias de células B indolentes, o linfoma linfoplasmocítico é altamente responsivo a inibidores de BTK, indicando que as células neoplásicas dependem da via de sinalização do receptor de células B. A transformação para o linfoma de grandes células ocorre, porém é incomum. A sobrevida mediana é de cerca de 8 anos e pode melhorar ainda mais com o acréscimo recente dos inibidores de BTK ao arsenal terapêutico.

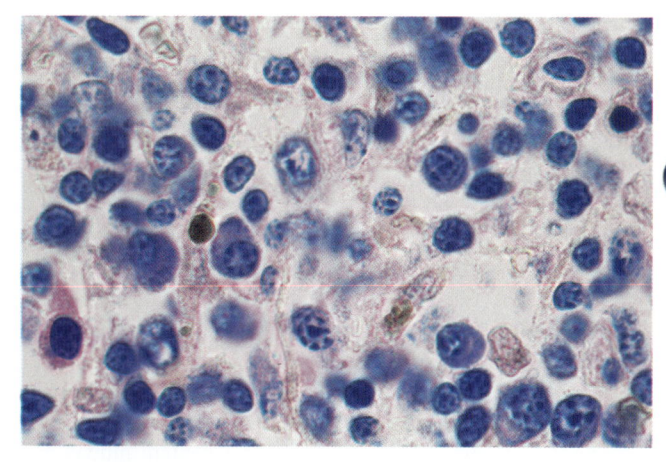

Figura 13.23 Linfoma linfoplasmocítico. A biopsia de medula óssea mostra uma mistura característica de pequenas células linfoides com vários graus de diferenciação dos plasmócitos. Além disso, observa-se a presença de um mastócito com grânulos citoplasmáticos vermelho-púrpura no lado esquerdo do campo.

> **Conceitos-chave**
>
> **Neoplasias de plasmócitos**
>
> **Mieloma múltiplo**
>
> - Neoplasia de plasmócitos que se manifesta com múltiplas lesões ósseas líticas associadas a fraturas patológicas e hipercalcemia
> - Os plasmócitos neoplásicos suprimem a imunidade humoral normal e secretam Ig parciais que são nefrotóxicas
> - Associado a diversas translocações que envolvem o *locus IGH*; desregulação e superexpressão frequentes de ciclinas D
> - Pode estar associado à amiloidose AL (assim como pode ocorrer com outras neoplasias posteriormente).

> **Outras neoplasias de plasmócitos**
>
> - MGUS: comum em indivíduos idosos, progride para o mieloma em uma taxa de 1% ao ano
> - Mieloma indolente: doença disseminada que segue uma evolução incomumente indolente
> - Plasmocitoma ósseo solitário: lesão óssea solitária idêntica ao mieloma disseminado; a maioria dos casos progride para o mieloma nos primeiros sete a dez anos
> - Plasmocitoma extramedular: massa solitária, habitualmente no trato aerodigestivo superior; raramente evolui para uma doença sistêmica
> - Linfoma linfoplasmocítico: linfoma de células B que exibe diferenciação plasmocítica; sintomas clínicos dominados pela hiperviscosidade relacionada a níveis elevados de IgM derivada da neoplasia; altamente associado a mutações no gene *MYD88*.

Linfoma de Hodgkin

O linfoma de Hodgkin compreende um grupo de neoplasias linfoides que diferem do LNH em vários aspectos (**Tabela 13.7**). Enquanto os LNH ocorrem frequentemente em locais extranodais e disseminam-se de maneira imprevisível, **o linfoma de Hodgkin surge em um único linfonodo ou cadeia de linfonodos e propaga-se em primeiro lugar para tecidos linfoides anatomicamente contíguos. Do ponto de vista morfológico, a característica distinta do linfoma de Hodgkin é a presença de células gigantes neoplásicas, denominadas células de Reed-Sternberg.** Essas células liberam fatores que induzem o acúmulo de linfócitos, macrófagos e granulócitos reativos, que normalmente compõem mais de 90% da celularidade da neoplasia. Os estudos moleculares realizados mostraram que as células de Reed-Sternberg neoplásicas derivam de células B do centro germinativo ou pós-centro germinativo.

O linfoma de Hodgkin é responsável por 0,7% de todos os novos cânceres nos EUA; existem cerca de 8 mil casos a cada ano. A idade média é de 32 anos por ocasião do diagnóstico. Trata-se de um dos cânceres mais comuns em adultos jovens e adolescentes, embora também ocorra no indivíduo idoso. Foi o primeiro câncer humano a ser tratado com sucesso por meio de radioterapia e quimioterapia e, na maioria dos casos, é passível de cura.

Tabela 13.7 Diferenças entre o linfoma de Hodgkin e os linfomas não Hodgkin.

Linfoma de Hodgkin	Linfoma não Hodgkin
Mais frequentemente localizado em um único grupo axial de linfonodos (cervical, mediastinal, para-aórtico)	Comprometimento mais frequente de múltiplos linfonodos periféricos
Disseminação ordenada por contiguidade	Disseminação não contígua
Linfonodos mesentéricos e anel de Waldeyer raramente acometidos	Anel de Waldeyer e linfonodos mesentéricos comumente acometidos
Apresentação extranodal rara	Apresentação extranodal comum

Classificação. A classificação da OMS reconhece cinco subtipos de linfoma de Hodgkin:

1. Esclerose nodular.
2. Celularidade mista.
3. Rico em linfócitos.
4. Depleção linfocitária.
5. Nodular com predomínio linfocitário.

Nos primeiros quatro subtipos – esclerose nodular, celularidade mista, rico em linfócitos e depleção linfocitária –, as células de Reed-Sternberg apresentam um imunofenótipo semelhante. Com frequência, esses subtipos são reunidos como formas *clássicas* de linfoma de Hodgkin. No subtipo restante, de predomínio linfocitário, as células de Reed-Sternberg apresentam um fenótipo de células B, que difere daquele encontrado nos tipos clássicos.

Patogênese

A origem das células de Reed-Sternberg neoplásicas do linfoma de Hodgkin clássico foi solucionada por meio de estudos moleculares sofisticados de células de Reed-Sternberg isoladas. Esses estudos revelaram rearranjos dos genes *IGH* clonais e sinais indicadores de hipermutação somática, estabelecendo que as células de Reed-Sternberg se originam a partir de uma célula do centro germinativo ou pós-centro germinativo. Apesar de sua origem a partir das células B, as células de Reed-Sternberg do linfoma de Hodgkin clássico não conseguem expressar a maioria dos genes específicos das células B, incluindo os genes de Ig. A causa dessa reprogramação generalizada de expressão gênica ainda não foi explicada e, presumivelmente, resulta de alterações epigenéticas disseminadas de etiologia incerta.

A ativação do fator de transcrição NF-κB é um evento comum no linfoma de Hodgkin clássico e ativa genes que se acredita sejam capazes de promover o crescimento e a sobrevivência das células de Reed-Sternberg. Isso pode ocorrer por meio de vários mecanismos:

- As células neoplásicas EBV+ expressam a proteína de membrana latente 1 (LMP-1), uma proteína codificada pelo genoma do EBV, que transmite sinais que suprarregulam o NF-κB
- A ativação do NF-κB pode ocorrer em neoplasias EBV– como resultado de mutações de perda de função adquiridas em IκB ou na proteína 3 induzida pelo TNF-α, ambos reguladores negativos do NF-κB.

Foi formulada a hipótese de que a ativação do NF-κB resgata as células B "incapacitadas" do centro germinativo, que são incapazes de expressar Ig devido à apoptose, preparando o caminho para a aquisição de outras mutações desconhecidas, que colaboram para a produção das células de Reed-Sternberg. Pouco se sabe a respeito da base para a morfologia das células de Reed-Sternberg e suas variantes, porém é interessante o fato de que células B infectadas pelo EBV, semelhantes às células de Reed-Sternberg, possam ser encontradas nos linfonodos de indivíduos com mononucleose infecciosa, sugerindo fortemente que proteínas codificadas pelo EBV desempenhem um papel na notável metamorfose das células B em células de Reed-Sternberg.

As células de Reed-Sternberg são aneuploides e exibem diversas aberrações cromossômicas clonais. Os ganhos no número de cópias do proto-oncogene *REL* no cromossomo 2p são particularmente comuns e também podem contribuir para o aumento na atividade do NF-κB. São também frequentes os ganhos de número de cópias em genes que codificam PD-L1 e PD-L2, ambos localizados no cromossomo 9 p, que, como você deve lembrar, são proteínas de pontos de checagem imune que inibem as respostas das células T antineoplásicas (ver **Capítulo 7**).

O acúmulo florido de células reativas nos tecidos acometidos por linfoma de Hodgkin clássico ocorre em resposta a uma ampla variedade de citocinas (p. ex., IL-5, IL-10 e M-CSF), quimiocinas (p. ex., eotaxina) e outros fatores secretados pelas células de Reed-Sternberg. Uma vez atraídas, as células reativas produzem fatores que sustentam o crescimento e a sobrevivência das células neoplásicas e que modificam ainda mais a resposta das células reativas. Por exemplo, os eosinófilos e as células T expressam ligantes que ativam os receptores CD30 e CD40 encontrados nas células de Reed-Sternberg, produzindo sinais que suprarregulam o NF-κB. Embora as células de Reed-Sternberg induzam uma resposta do hospedeiro, ela é ineficaz, devido aos fatores produzidos pelas células de Reed-Sternberg. De maneira mais notável, entre esses fatores, destacam-se o PD-L1 e PD-L2, que antagonizam as respostas das células T citotóxicas. Outros exemplos de "comunicação cruzada" entre células de Reed-Sternberg e células reativas circundantes são fornecidos na **Figura 13.28**.

> **Morfologia**
>
> A identificação das células de Reed-Sternberg e suas variantes é essencial para o estabelecimento do diagnóstico. **As células de Reed-Sternberg diagnósticas são células grandes (45 μm de diâmetro), com múltiplos núcleos ou um único núcleo com vários lobos nucleares, tendo cada um deles um grande nucléolo semelhante a uma inclusão, com tamanho aproximado de um pequeno linfócito (5 a 7 μm de diâmetro) (Figura 13.24A).** O citoplasma é abundante. São também reconhecidas diversas variantes da célula de Reed-Sternberg. As **variantes mononucleares** contêm um único núcleo, com um nucléolo grande semelhante a uma inclusão (**Figura 13.24B**). As **células lacunares** (observadas no subtipo de esclerose nodular) apresentam núcleos mais delicados, pregueados e multilobados e citoplasma abundante, que frequentemente se rompe durante os cortes realizados, deixando o núcleo dentro de um espaço vazio (lacuna) (**Figura 13.24C**). Nas formas clássicas do linfoma de Hodgkin, as células de Reed-Sternberg sofrem uma forma peculiar de morte celular, em que as células se retraem e tornam-se picnóticas, um processo descrito como "mumificação". As **variantes linfo-histiocíticas** (células L&H), com núcleos polipoides, nucléolos inconspícuos e citoplasma moderadamente abundante, são características do subtipo de predomínio linfocitário (**Figura 13.24D**).

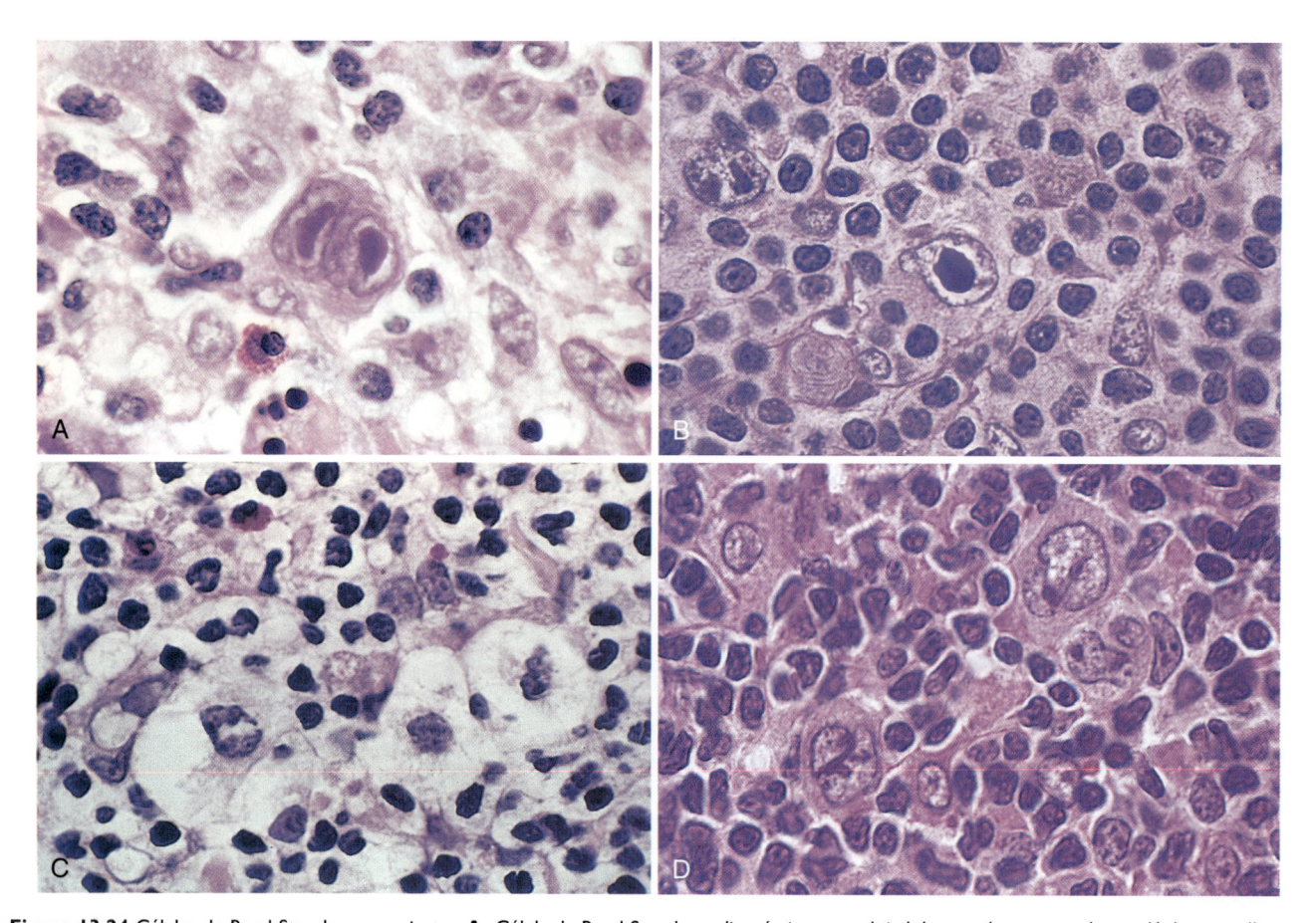

Figura 13.24 Células de Reed-Sternberg e variantes. **A.** Célula de Reed-Sternberg diagnóstica, com dois lobos nucleares, grandes nucléolos semelhantes a uma inclusão e citoplasma abundante, circundada por linfócitos, macrófagos e um eosinófilo. **B.** Célula de Reed-Sternberg, variante mononuclear. **C.** Célula de Reed-Sternberg, variante lacunar. Essa variante apresenta um núcleo pregueado ou multilobado e situa-se em um espaço aberto, que é um artefato criado pela ruptura do citoplasma durante o corte histológico. **D.** Célula de Reed-Sternberg, variante linfo-histiocítica. Observa-se a presença de várias dessas variantes com múltiplas membranas nucleares pregueadas, pequenos nucléolos, cromatina fina e citoplasma pálido abundante. (**A**, Cortesia do Dr. Robert W. McKenna, Department of Pathology, University of Texas Southwestern Medical School, Dallas, Tex.)

O linfoma de Hodgkin precisa ser distinguido de outras condições nas quais é possível observar a presença de células semelhantes às células de Reed-Sternberg, como a mononucleose infecciosa, cânceres de tecidos sólidos e LNH de grandes células. O diagnóstico de linfoma de Hodgkin depende da identificação de células de Reed-Sternberg em um ambiente de células inflamatórias não neoplásicas. As células de Reed-Sternberg também exibem um perfil imuno-histoquímico característico, um aspecto que é utilizado para confirmar a impressão morfológica.

Com base nesses dados, consideraremos as subclasses de linfoma de Hodgkin, assinalando algumas das características morfológicas e imunofenotípicas relevantes de cada uma delas (**Tabela 13.8**). As manifestações clínicas comuns a todas essas subclasses são apresentadas posteriormente.

Tipo esclerose nodular. Trata-se da forma mais comum de linfoma de Hodgkin, que constitui 65 a 70% dos casos. Caracteriza-se pela presença de células de Reed-Sternberg de variante lacunar e pela **deposição de colágeno em faixas, que dividem os linfonodos acometidos em nódulos circunscritos (Figura 13.25)**. A fibrose pode ser escassa ou abundante. As células de Reed-Sternberg são encontradas em um fundo polimórfico de células T, eosinófilos, plasmócitos e macrófagos. As células de Reed-Sternberg diagnósticas frequentemente são raras. As células de Reed-Sternberg nesse tipo e em outros subtipos de linfoma de Hodgkin clássico apresentam um imunofenótipo característico: são positivas para o PAX5 (um fator de transcrição de células B), CD15 e CD30, enquanto são negativas para outros marcadores de células B, marcadores de células T e CD45 (antígeno leucocitário comum). À semelhança de outras formas de linfoma de Hodgkin, o comprometimento do baço, do fígado, da medula óssea e de outros órgãos e tecidos pode surgir em seu devido tempo, na forma de nódulos neoplásicos irregulares, que se assemelham aos observados nos linfonodos. Raramente, esse subtipo está associado ao EBV.

O tipo esclerose nodular ocorre com igual frequência em homens e mulheres. Tem tendência a acometer os linfonodos cervicais inferiores, supraclaviculares e mediastinais de adolescentes ou adultos jovens. O prognóstico é excelente.

Tipo de celularidade mista. Essa forma de linfoma de Hodgkin constitui cerca de 20 a 25% dos casos. Os linfonodos acometidos são difusamente substituídos por um infiltrado celular heterogêneo, que é constituído por células T, eosinófilos, plasmócitos e macrófagos benignos misturados com células de Reed-Sternberg (**Figura 13.26**). **As células de Reed-Sternberg diagnósticas e as variantes mononucleares são habitualmente abundantes. As células de Reed-Sternberg são infectadas pelo EBV em cerca de 70% dos casos.** O imunofenótipo é idêntico ao observado no tipo de esclerose nodular.

O linfoma de Hodgkin de celularidade mista é mais comum em homens. Em comparação com os subtipos de predomínio linfocitário e esclerose nodular, é mais provável que esteja associado a uma idade avançada, a sintomas sistêmicos, como sudorese noturna e perda de peso, e a um estágio avançado da neoplasia. Todavia, o prognóstico global é muito bom.

Tipo rico em linfócitos. Trata-se de uma forma incomum de linfoma de Hodgkin clássico, em que os **linfócitos reativos compõem a grande maioria do infiltrado celular.** Na maioria dos casos, os linfonodos acometidos são difusamente substituídos; entretanto, algumas vezes, observa-se uma nodularidade indistinta, devido à presença de folículos de células B residuais. Essa entidade deve ser distinguida do tipo com predomínio linfocitário pela presença de variantes mononucleares frequentes e células de Reed-Sternberg diagnóstica, com perfil imunofenotípico "clássico". Esse subtipo está associado ao EBV em cerca de 40% dos casos e apresentam um prognóstico muito bom a excelente.

Tipo com depleção linfocitária. Trata-se da forma menos comum de linfoma de Hodgkin, representando menos de 5% dos casos. Caracteriza-se pela escassez de linfócitos e abundância relativa de células de Reed-Sternberg ou de suas variantes pleomórficas. O imunofenótipo das células de Reed-Sternberg é idêntico ao observado em outros tipos clássicos de linfoma de Hodgkin. A imunofenotipagem é essencial, visto que há suspeita de que a maioria das neoplasias com suspeita de serem linfomas de Hodgkin do subtipo com depleção linfocitária demonstra efetivamente ser LNH de grandes células. **Em mais de 90% dos casos, as células de Reed-Sternberg são infectadas pelo EBV.**

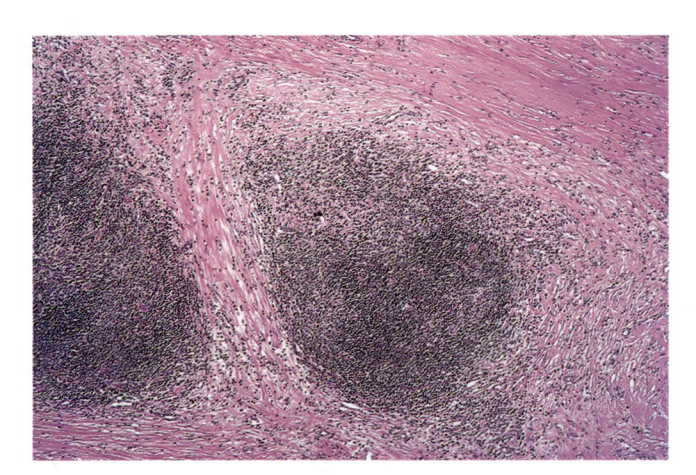

Figura 13.25 Linfoma de Hodgkin tipo esclerose nodular. Vista em pequeno aumento mostrando faixas bem definidas de colágeno acelular de coloração rosa, que subdividem a neoplasia em nódulos. (Cortesia do Dr. Robert W. McKenna, Department of Pathology, University of Texas Southwestern Medical School, Dallas, Tex.)

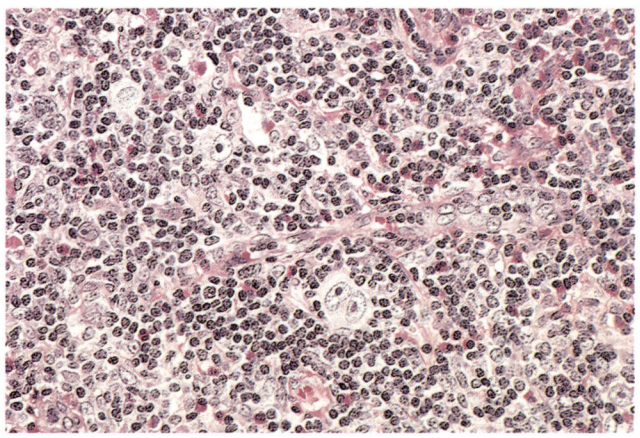

Figura 13.26 Linfoma de Hodgkin tipo celularidade mista. Uma célula de Reed-Sternberg binucleada diagnóstica é circundada por células reativas, incluindo eosinófilos (citoplasma vermelho-brilhante), linfócitos e macrófagos. (Cortesia do Dr. Robert W. McKenna, Department of Pathology, University of Texas Southwestern Medical School, Dallas, Tex.)

O linfoma de Hodgkin com depleção linfocitária ocorre predominantemente em indivíduos idosos, indivíduos HIV-positivos de qualquer idade e em pessoas que vivem em países de baixa renda. O estágio avançado e os sintomas sistêmicos são frequentes, e o resultado global é menos favorável do que nos outros subtipos.

Tipo com predomínio linfocitário nodular. Essa variante "não clássica" incomum do linfoma de Hodgkin é responsável por cerca de 5% dos casos. Os linfonodos acometidos são substituídos por nódulos de pequenos linfócitos misturados com um número variável de macrófagos (**Figura 13.27**). Em geral, é difícil encontrar células de Reed-Sternberg clássicas. Com efeito, essa neoplasia contém as denominadas variantes L&H com núcleos multilobados que se assemelham a pipocas (célula em pipoca). Os eosinófilos e os plasmócitos habitualmente estão escassos ou ausentes.

Diferentemente das células de Reed-Sternberg encontradas nas formas clássicas de linfoma de Hodgkin, as **variantes L&H expressam marcadores de células B típicos das células B dos centros germinativos**, como CD20 e BCL6, e são habitualmente negativas para CD15 e CD30. O padrão nodular de crescimento deve-se à presença de folículos expandidos de células B, que são povoados por variantes L&H, numerosas células B reativas e células dendríticas foliculares. Os genes *IGH* das variantes L&H exibem evidências de hipermutação somática contínua, marcando ainda mais essas células como células B do centro germinativo transformadas. Em 3 a 5% dos casos, esse tipo transforma-se em uma neoplasia semelhante ao linfoma difuso de grandes células B. O EBV raramente está associado a esse subtipo.

A maioria dos pacientes consiste em homens, habitualmente com menos de 35 anos, que apresentam linfadenopatia cervical ou axilar. O comprometimento do mediastino e da medula óssea é raro. Em algumas séries, essa forma de linfoma de Hodgkin tem mais tendência a sofrer recorrência do que os subtipos clássicos, porém o prognóstico é excelente.

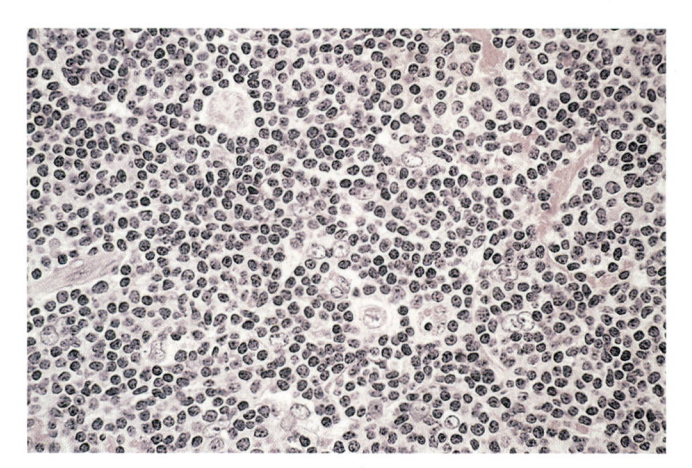

Figura 13.27 Linfoma de Hodgkin tipo predomínio linfocitário. Numerosos linfócitos de aparência madura circundam variantes linfo-histiocíticas grandes, de coloração pálida e dispersas (células em pipoca). (Cortesia do Dr. Robert W. McKenna, Department of Pathology, University of Texas Southwestern Medical School, Dallas, Tex.)

Características clínicas

O linfoma de Hodgkin manifesta-se mais comumente como linfadenopatia indolor. Os pacientes com os tipos de esclerose nodular ou predomínio linfocitário tendem a apresentar doença em estágio I ou II e, em geral, não têm manifestações sistêmicas. Os pacientes com doença disseminada (estágios III e IV) ou com os subtipos de celularidade mista ou depleção linfocitária têm mais tendência a apresentar sintomas constitucionais, como febre, sudorese noturna e perda de peso. Observa-se a ausência de responsividade imune cutânea (também denominada anergia) em consequência da imunidade celular deprimida na maioria dos casos de linfoma de Hodgkin clássico, que é atribuível à expressão de fatores como a IL-10 pelas células de Reed-Sternberg, que suprimem as respostas imunes Th1. Este é apenas um dos muitos exemplos de comunicação cruzada entre células de Reed-Sternberg, várias células do estroma e células imunes (**Figura 13.28**).

Tabela 13.8 Subtipos de linfoma de Hodgkin.

Subtipo	Morfologia e imunofenótipo	Características clínicas típicas
Esclerose nodular	Células lacunares frequentes e células RS diagnósticas ocasionais; infiltrado de fundo composto de linfócitos T, eosinófilos, macrófagos e plasmócitos; faixas fibrosas que dividem as áreas celulares em nódulos. Células RS CD15+, CD30+; habitualmente EBV–	Subtipo mais comum; habitualmente com doença em estágio I ou II; comprometimento mediastinal frequente; ocorrência igual em homens e mulheres, sendo a maioria dos pacientes adultos jovens
Celularidade mista	Células RS mononucleares diagnósticas frequentes; infiltrado de fundo rico em linfócitos T, eosinófilos, macrófagos, plasmócitos; células RS CD15+, CD30+; 70% EBV+	Mais de 50% apresentam-se como doença em estágio III ou IV; maior ocorrência em homens do que em mulheres; incidência bifásica, com pico em adultos jovens e novamente em adultos com mais de 55 anos
Rico em linfócitos	Células RS mononucleares diagnósticas frequentes; infiltrado de fundo rico em linfócitos T; células RS CD15+, CD30+; 40% EBV+	Incomum; ocorrência maior em homens do que em mulheres; tende a ser observado em adultos de idade mais avançada
Depleção linfocitária	Variante reticular: células RS diagnósticas e variantes frequentes e escassez de células reativas de fundo; células RS CD15+, CD30+; a maioria EBV+	Incomum; a maioria em homens idosos, indivíduos infectados pelo HIV e pessoas em países de baixa renda; com frequência, apresenta-se com doença avançada
Predomínio linfocitário nodular	Variantes L&H (célula em pipoca) frequentes em um fundo de células dendríticas foliculares e células B reativas; células RS CD20+, CD15–, CD30–; EB–	Incomum; homens jovens com linfadenopatia cervical ou axilar; mediastinal

HIV, vírus da imunodeficiência humana; *L&H*, linfo-histiocítico; *RS*, Reed-Sternberg.

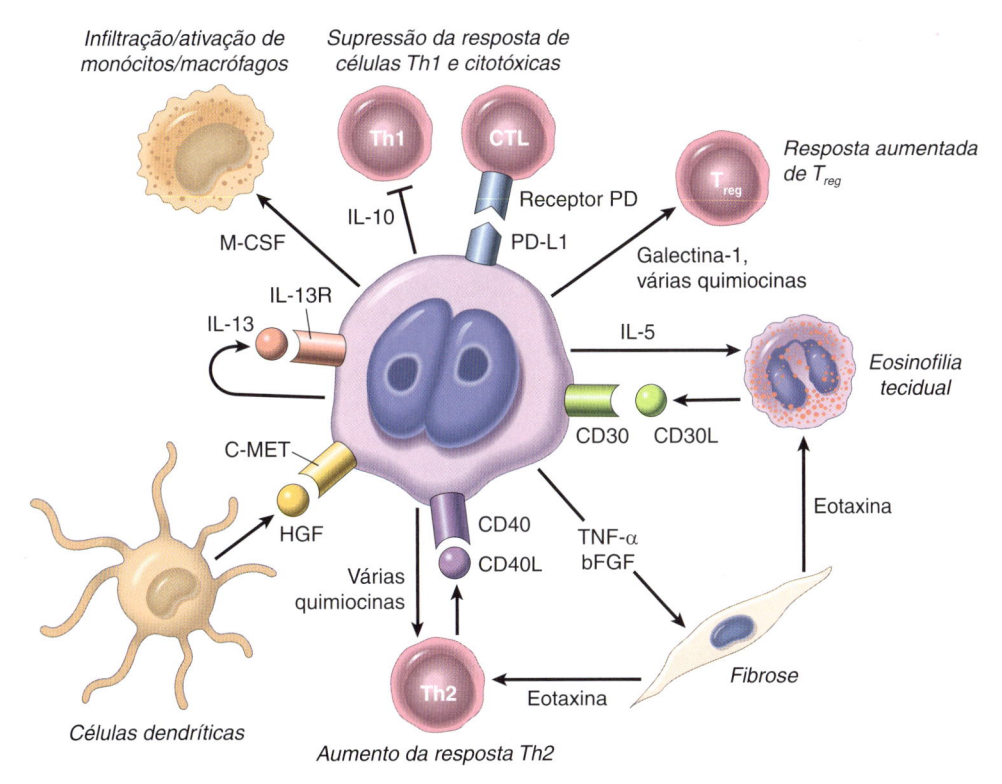

Figura 13.28 Sinais propostos para mediar a comunicação cruzada entre as células de Reed-Sternberg e as células normais circundantes nas formas clássicas de linfoma de Hodgkin. *bFGF*, fator de crescimento do fibroblasto básico; *CD30L*, ligante CD30; *CTL*, célula T citotóxica CD8+; *HGF*, fator de crescimento dos hepatócitos (liga-se ao receptor c-MET); *IL*, interleucina; *M-CSF*, fator de estimulação de colônias de monócitos; *Th1, Th2*, subgrupos de células T auxiliares CD4+; *TNF-α*, fator de necrose tumoral α; T_{reg}, células T reguladoras.

A disseminação do linfoma de Hodgkin é notavelmente estereotipada: em primeiro lugar, doença nodal, seguida de doença esplênica, doença hepática, e, por fim, comprometimento da medula óssea e de outros tecidos. O estadiamento envolve exame físico, exame radiológico do abdome, pelve e tórax e biopsia de medula óssea (**Tabela 13.9**). Com os protocolos de tratamento atuais, o estágio do tumor, mais do que o tipo histológico, constitui a variável prognóstica mais importante. A taxa de cura de pacientes com estágio I e IIA é de quase 90%. Mesmo com doença avançada (estágios IVA e IVB), a sobrevida sem doença em 5 anos é de 60 a 70%.

O linfoma de Hodgkin localizado em estágio inicial pode ser curado com radioterapia de campo envolvido, e, de fato, a cura desses pacientes foi uma das primeiras histórias de sucesso em oncologia. Todavia, foi posteriormente reconhecido que os sobreviventes a longo prazo tratados com radioterapia apresentaram uma incidência muito mais alta de outras neoplasias malignas, como câncer de pulmão, melanoma e câncer de mama. Os pacientes tratados com esquemas de quimioterapia antigos, que contêm agentes alquilantes, também apresentaram uma alta incidência de neoplasias secundárias, particularmente LMA. Esses resultados modestos estimularam o desenvolvimento dos atuais esquemas de tratamento, que minimizam o uso da radioterapia e empregam agentes quimioterápicos menos genotóxicos; em consequência, a incidência de neoplasias secundárias parece ter sido acentuadamente reduzida, sem perda da eficácia terapêutica.

Em pacientes com linfoma de Hodgkin clássico que não respondem à terapia convencional, os inibidores do ponto de checagem (*checkpoint*) imune, que bloqueiam o PD-1, o receptor de PD-L1 e PD-L2, demonstraram ser altamente efetivos. Esses agentes impedem a "exaustão" das células T citotóxicas CD8+ que é causada por PD-L1 e PD-L2 expressos nas células de Reed-Sternberg (ver **Figura 13.28**) e levam a respostas sustentadas em quase 90% dos casos. Com efeito, o linfoma de Hodgkin clássico parece ser o câncer humano mais responsivo à terapia com inibidores do ponto de checagem imune.

Tabela 13.9 Estadiamento clínico dos linfomas de Hodgkin e não Hodgkin (Classificação Ann Arbor).

Estágio	Distribuição da doença
I	Comprometimento de uma única região de linfonodos (I) ou um único órgão ou local extralinfático (IE)
II	Comprometimento de duas ou mais regiões de linfonodos no mesmo lado do diafragma isoladamente (II) ou comprometimento localizado de um órgão ou local extralinfático (IIE)
III	Comprometimento de regiões de linfonodos em ambos os lados do diafragma, sem (III) ou com (IIIE) comprometimento localizado de um órgão ou local extralinfático
IV	Comprometimento difuso de um ou mais órgãos ou locais extralinfáticos, com ou sem comprometimento linfático
Todos os estágios são ainda divididos com base na ausência (A) ou na presença (B) dos seguintes sintomas: febre inexplicada, sudorese noturna profusa e/ou perda de peso inexplicada de mais de 10% do peso corporal normal.	

Dados de Carbone PT, et al: Symposium (Ann Arbor): Staging in Hodgkin's disease, *Cancer Res* 31:1707, 1971.

Conceitos-chave

Linfoma de Hodgkin

- Tumor incomum constituído principalmente por linfócitos reativos, macrófagos, eosinófilos, plasmócitos e células do estroma misturados com células gigantes tumorais raras, denominadas células Reed-Sternberg e variantes
- Dois grandes tipos: o tipo clássico (que apresenta vários subtipos) e o de predomínio linfocitário nodular, que são distinguidos com base nas suas características morfológicas e imunofenotípicas
- As células de Reed-Sternberg dos tipos clássicos expressam múltiplas citocinas, quimiocinas e ligantes, que influenciam a resposta do hospedeiro, e, por sua vez, as células do hospedeiro que respondem produzem fatores que sustentam o crescimento das células neoplásicas
- Com frequência, as formas clássicas estão associadas a mutações adquiridas que ativam o fator de transcrição NF-κB e à infecção pelo EBV
- O tipo de predomínio linfocitário expressa marcadores de células B e não está associado à infecção pelo EBV
- O linfoma de Hodgkin clássico é altamente responsivo a inibidores do ponto de checagem imune, que antagonizam a atividade do PD-L1 e do PD-L2 expressos na superfície das células de Reed-Sternberg.

Aprendizado patogênico das neoplasias linfoides

Antes de concluir nosso estudo das neoplasias linfoides, convém fazer uma pausa para resumir a maneira pela qual mutações condutoras comuns em entidades específicas produzem mudanças no comportamento celular, que exemplificam características particulares do câncer. Alguns dos mecanismos patogênicos mais bem caracterizados estão resumidos na **Figura 13.29**, incluindo a desregulação do MYC no linfoma de Burkitt (levando ao efeito [metabolismo] Warburg e ao rápido crescimento celular); a desregulação de BCL2 no linfoma folicular (levando à resistência à apoptose); a amplificação do gene do ligante de PD-1 no linfoma de Burkitt (levando à evasão da imunidade do hospedeiro); eventos que levam à perda de controle do ciclo celular (rearranjos da ciclina D1 no linfoma de células do manto e perda do gene *CDKN2A* na leucemia linfoblástica aguda [LLA]; mutações em vários fatores de transcrição, particularmente na LLA, que bloqueiam a diferenciação e aumentam a autorrenovação das "células-tronco da leucemia"; e estimulação imune crônica, no linfoma da zona marginal. Essas alterações não apenas destacam importantes princípios patogênicos, mas também constituem cada vez mais os alvos de terapias efetivas, como anticorpos que bloqueiam a PD-1 (linfoma de Hodgkin) e fármacos que antagonizam BCL2 (linfoma folicular e outras neoplasias de células B). Em contrapartida, como as células linfoides normalmente circulam por todo o corpo, existe uma pressão seletiva relativamente pequena nas neoplasias malignas linfoides para aberrações que aumentem a angiogênese ou que ativem a invasão e metástase, pontos de distinção de outras formas de câncer.

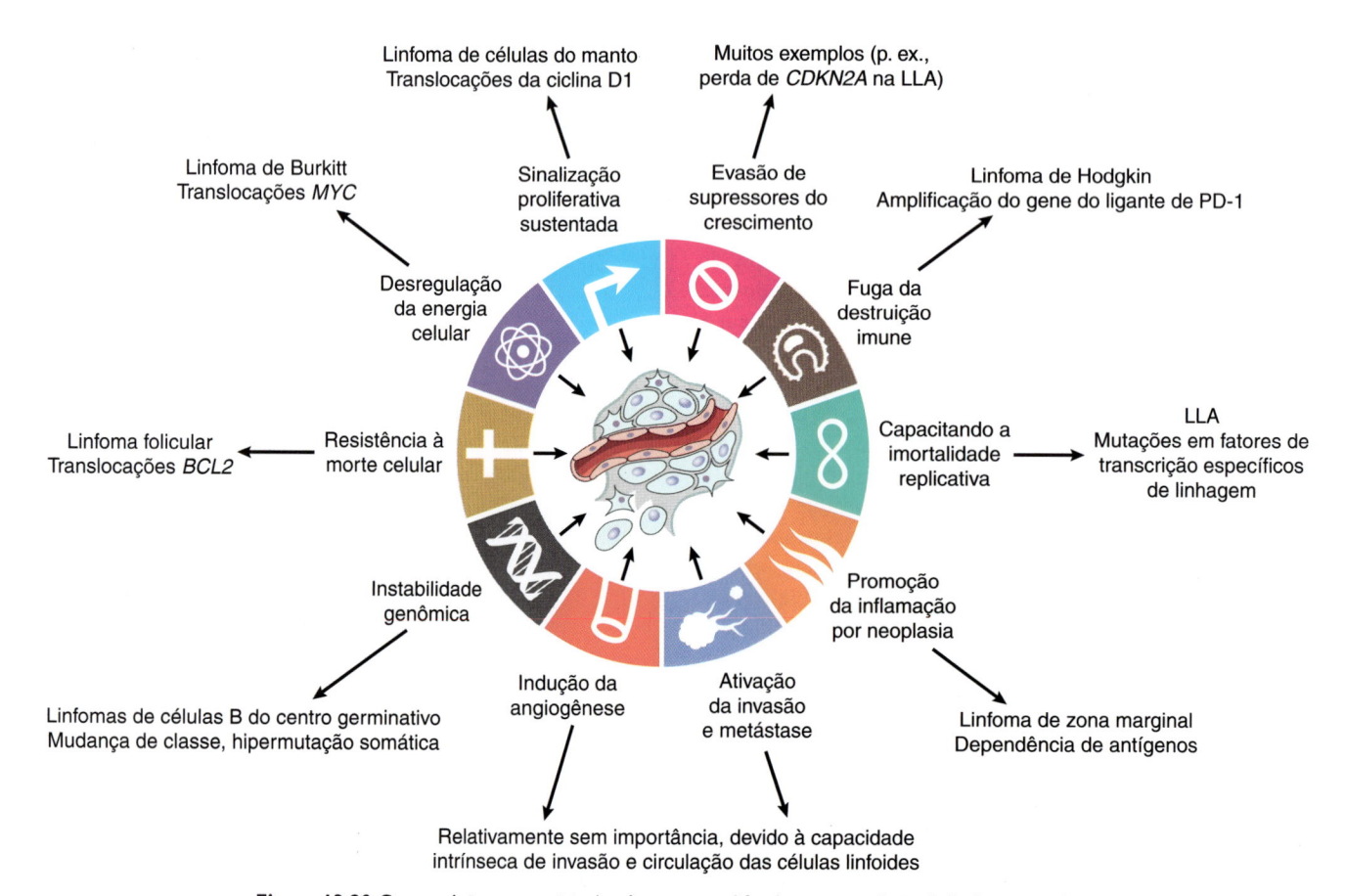

Figura 13.29 Características essenciais do câncer exemplificadas por neoplasias linfoides particulares.

Neoplasias mieloides

A característica comum desse grupo heterogêneo de neoplasias é a sua origem a partir de células progenitoras hematopoéticas. Essas doenças comprometem principalmente a medula óssea e, em menor grau, os órgãos hematopoéticos secundários (baço, fígado e linfonodos) e, em geral, manifestam-se com sintomas relacionados com a hematopoese alterada. Existem três grandes categorias de neoplasias mieloides:

- As *leucemias mieloides agudas*, em que o acúmulo de formas mieloides imaturas (blastos) na medula óssea suprime a hematopoese normal
- As *síndromes mielodisplásicas*, em que a maturação defeituosa dos progenitores mieloides dá origem à hematopoese ineficaz, levando ao desenvolvimento de citopenias
- As *neoplasias mieloproliferativas*, em que ocorre habitualmente aumento na produção de um ou mais tipos de células sanguíneas.

A patogênese das neoplasias mieloides é mais bem compreendida no contexto da hematopoese normal, que envolve uma hierarquia das CTH, dos progenitores comprometidos e dos elementos mais diferenciados (ver **Figura 13.1**). A hematopoese normal é especificamente regulada por mecanismos de retroalimentação homeostáticos envolvendo citocinas e fatores de crescimento, que modulam a produção de eritrócitos, leucócitos e plaquetas pela medula. Esses mecanismos são afetados por neoplasias mieloides, que "escapam" dos controles homeostáticos normais e suprimem a função das CTH e dos progenitores normais residuais. As manifestações específicas das diferentes neoplasias mieloides são influenciadas:

- *Pela posição da célula transformada dentro da hierarquia dos progenitores* (i. e., uma CTH pluripotente *versus* um progenitor mais comprometido)
- *Pelo efeito dos eventos transformadores sobre a diferenciação*, que pode ser inibida, desviada ou desequilibrada por determinadas mutações oncogênicas.

Tendo em vista que todas as neoplasias mieloides originam-se de progenitores hematopoéticos transformados, não é surpreendente que as divisões entre essas neoplasias sejam algumas vezes indistintas. À semelhança de outras neoplasias malignas, as neoplasias mieloides tendem a evoluir ao longo do tempo para formas mais agressivas de doença. Em particular, tanto as síndromes mielodisplásicas quanto as neoplasias mieloproliferativas frequentemente "se transformam" em leucemia mieloide aguda. Em uma das neoplasias mieloproliferativas mais importantes, a leucemia mieloide crônica, observa-se também uma transformação em leucemia linfoblástica aguda, indicando que ela se origina de uma CTH pluripotente transformada. Como observação final, agora é evidente que muitos indivíduos idosos com contagens hematológicas normais apresentam hematopoese clonal, um estado em que uma parte substancial da produção da medula óssea resulta de um clone hematopoético expandido, que carrega uma ou mais mutações condutoras associadas à neoplasia hematopoética, mais comumente doença mieloide. Esses pacientes não apenas correm risco de neoplasias hematopoéticas, como síndromes mielodisplásicas, mas também apresentam um aumento no risco de doenças cardiovasculares (ver **Capítulo 12**).

Leucemia mieloide aguda

A leucemia mieloide aguda (LMA) é uma neoplasia de progenitores hematopoéticos, causada por mutações oncogênicas adquiridas que impedem a diferenciação, levando ao acúmulo de blastos mieloides imaturos na medula óssea. A substituição da medula por blastos produz insuficiência medular e complicações relacionadas com anemia, trombocitopenia e neutropenia. A LMA ocorre em todas as idades, porém a incidência aumenta durante a vida, alcançando o pico depois dos 60 anos. Nos EUA, ocorrem aproximadamente 13 mil novos casos a cada ano.

Classificação. A LMA é muito heterogênea, refletindo as complexidades da diferenciação das células mieloides. A classificação atual da OMS subdivide a LMA em quatro categorias (**Tabela 13.10**). A primeira inclui formas de LMA que estão associadas a determinadas aberrações genéticas, que são importantes, visto que elas se correlacionam com o prognóstico e orientam a terapia. Estão também incluídas as categorias de LMA, que surgem a partir da síndrome mielodisplásica (SMD) ou com características semelhantes à SMD e LMA relacionada com a terapia. As LMA incluídas nessas categorias apresentam características genéticas distintas e respondem de maneira precária à terapia. Uma quarta categoria, designada como "cesta de papel", inclui as LMA que carecem dessas características. Essas LMA são classificadas com base no grau de diferenciação e na linhagem dos blastos leucêmicos. Tendo em vista o papel crescente das características citogenéticas e moleculares na orientação da terapia, uma mudança adicional para uma classificação genética da LMA é inevitável e desejável.

Patogênese

As mutações condutoras na LMA tendem a ser classificadas em quatro categorias funcionais:

- *Mutações de fatores de transcrição que interferem na diferenciação mieloide normal.* Por exemplo, os dois rearranjos cromossômicos mais comuns, t(8;21) e inv(16), alteram os genes *RUNX1* e *CBFB*, respectivamente. Esses dois genes codificam polipeptídeos que se ligam entre si para formar um fator de transcrição RUNX1/CBFB, que é necessário para a hematopoese normal. A t(8;21) e a inv(16) criam genes quiméricos, que codificam proteínas de fusão que interferem na função do RUNX1/CBFB e bloqueiam a maturação das células mieloides. Outro exemplo importante é encontrado na leucemia pró-mielocítica aguda, um subtipo distinto de LMA associado à t(15;17). Esta cria um gene de fusão que codifica uma proteína quimérica, que consiste no receptor do ácido retinoico α (RARα) e em uma porção de uma proteína denominada PML. Conforme discutido no **Capítulo 7**, essa proteína de fusão interfere na diferenciação terminal dos granulócitos, um efeito que pode ser superado por meio de tratamento com ácido all-*trans*-retinoico e com trióxido de arsênio
- *Mutação de proteínas de sinalização que resultam em ativação constitutiva de vias de pró-crescimento/sobrevivência.* Por exemplo, as LMA com t(15;17) frequentemente apresentam também mutações ativadoras em FLT3, um receptor de tirosinoquinase que transmite sinais que simulam a sinalização do fator de crescimento normal, com consequente aumento da proliferação e sobrevivência celulares. A combinação de PML-RARα e do FLT3 ativado é um potente indutor de LMA em camundongos, enquanto a expressão de PML-RARα isoladamente é apenas

Tabela 13.10 Principais subtipos de LMA de acordo com a classificação da Organização Mundial da Saúde.

Classe	Prognóstico	Morfologia/comentários
I. LMA com aberrações genéticas		
LMA com t(8;21)(q22;q22); gene de fusão RUNX1/RUNXT1	Favorável	Gama completa de maturação mielocítica; bastonetes de Auer facilmente encontrados; grânulos citoplasmáticos anormais
LMA com inv(16)(p13;q22); gene de fusão CBFB/MYH11	Favorável	Diferenciação mielocítica e monocítica; precursores eosinofílicos anormais com grânulos basofílicos anormais
LMA com t(15;17)(q22;11-12); gene de fusão RARA/PML	Muito favorável	Numerosos bastonetes de Auer, frequentemente em feixes dentro de pró-granulócitos individuais; grânulos primários habitualmente muito proeminentes, porém inconspícuos na variante microgranular; alta incidência de CID
LMA com t(11q23;v); diversos genes de fusão KMT2A	Sombrio	Em geral, com algum grau de diferenciação monocítica
LMA com citogenética normal e NPM1 mutado	Favorável	Detectado por sequenciamento do DNA
II. LMA com características semelhantes à SMD		
SMD anterior	Sombrio	Diagnóstico baseado na história clínica
LMA com displasia de múltipla linhagem	Sombrio	Células em maturação com características displásicas típicas da SMD
LMA com aberrações citogenéticas semelhantes à SMD	Sombrio	Associada a aberrações de 5q-, 7q-, 20q-
III. LMA relacionada com terapia		
	Muito sombrio	Se ocorrer após terapia com agentes alquilantes ou radioterapia, período de latência de 2 a 8 anos, aberrações citogenéticas semelhantes às da SMD (p. ex., 5q-, 7q-); se ocorrer após terapia com inibidor da topoisomerase II (p. ex., etoposídeo), latência de 1 a 3 anos, translocações envolvendo KMT2A (11q23)
IV. LMA sem outra especificação		
LMA, minimamente diferenciada	Intermediário	Negativa para mieloperoxidase; antígenos mieloides detectados nos blastos por citometria de fluxo
LMA sem maturação	Intermediário	> 3% dos blastos positivos para mieloperoxidase
LMA com maturação mielocítica	Intermediário	Gama completa de maturação mielocítica
LMA com maturação mielomonocítica	Intermediário	Diferenciação mielocítica e monocítica
LMA com maturação monocítica	Intermediário	Predomínio de monoblastos esterase inespecífica-positivos e pró-monócitos na medula óssea; pode haver monoblastos ou monócitos maduros no sangue
LMA com maturação eritroide	Intermediário	Subtipo eritroide/mieloide definido por > 50% de precursores eritroides displásicos em maturação e > 20% de mieloblastos; subtipo eritroide puro definido por > 80% de precursores eritroides sem mieloblastos
LMA com maturação megacariocítica	Intermediário	Predomínio de blastos de linhagem megacariocítica; detecção com anticorpos contra marcadores específicos de megacariócitos (GPIIb/IIIa ou FvW); frequentemente associada à fibrose medular; LMA mais comum na síndrome de Down

CID, coagulação intravascular disseminada; FvW, fator de von Willebrand; GPIIb/IIIa, glicoproteína IIb/IIIa; LMA, leucemia mieloide aguda; SMD, síndrome mielodisplásica.

fracamente leucemogênica. Em subgrupos de LMA, ocorrem também mutações em um grande número de outros genes envolvidos na sinalização de pró-crescimento, como RAS

- *Mutações de genes que regulam ou mantêm o "epigenoma".* Algumas dessas mutações levam a padrões anormais de metilação do DNA ou envolvem membros da família da coesina, proteínas que regulam a organização tridimensional da cromatina no núcleo. Outro grupo de mutações envolvendo as enzimas IDH1 ou IDH2 resulta na aquisição de uma nova atividade enzimática, que produz o oncometabólito 2-hidroxiglutarato (descrito no **Capítulo 7**). Os inibidores de IDH mostram-se efetivos no tratamento das formas de LMA com mutação de IDH. O mecanismo preciso pelo qual a ocorrência de distúrbios do epigenoma contribui para o desenvolvimento de LMA ainda não foi determinado, porém eles presumivelmente levam a alterações na expressão gênica, que contribuem para a aquisição de uma ou mais marcas registradas de câncer

- *Mutação de TP53 ou de genes que regulam p53.* Com o sequenciamento cada vez mais rotineiro dos genomas da LMA, tornou-se evidente que as LMA com mutações que comprometem a função de p53 apresentam características clinicopatológicas distintas, incluindo associações com cariótipo complexo, displasia acentuada e prognóstico particularmente sombrio, devido à resistência às terapias convencionais.

Morfologia

O diagnóstico de LMA baseia-se na presença de pelo menos 20% de blastos mieloides na medula óssea. São reconhecidos vários tipos de blastos mieloides, e algumas neoplasias podem apresentar mais de um tipo de blasto ou blastos com características híbridas. Os **mieloblastos** apresentam cromatina nuclear delicada, dois a quatro nucléolos e citoplasma mais volumoso do que os linfoblastos (**Figura 13.30A**). Com frequência, o citoplasma contém grânulos azurófilos finos e peroxidase positivos. Os **bastonetes de Auer**, que consistem em grânulos azurófilos distintos semelhantes a agulhas, são observados em muitos casos; são particularmente numerosos na LMA com t(15;17) (leucemia pró-mielocítica aguda) (**Figura 13.31A**). Os **monoblastos** (**Figura 13.31B**) apresentam núcleos pregueados ou lobulados, carecem de bastonetes de Auer e são esterase inespecífica positivos. Em algumas LMA, os blastos exibem diferenciação megacariocítica, que é frequentemente acompanhada de fibrose da medula óssea causada pela liberação de citocinas fibrogênicas. Raramente, os blastos da LMA exibem diferenciação eritroide.

O número de células leucêmicas no sangue é altamente variável. A contagem de blastos pode ser de mais de 100.000/mm³, porém é inferior a 10.000/mm³ em cerca de 50% dos pacientes. **Em certas ocasiões, os blastos estão totalmente ausentes no sangue (leucemia aleucêmica).** Por esse motivo, o exame de medula óssea é essencial para excluir a possibilidade de leucemia aguda em pacientes com pancitopenia.

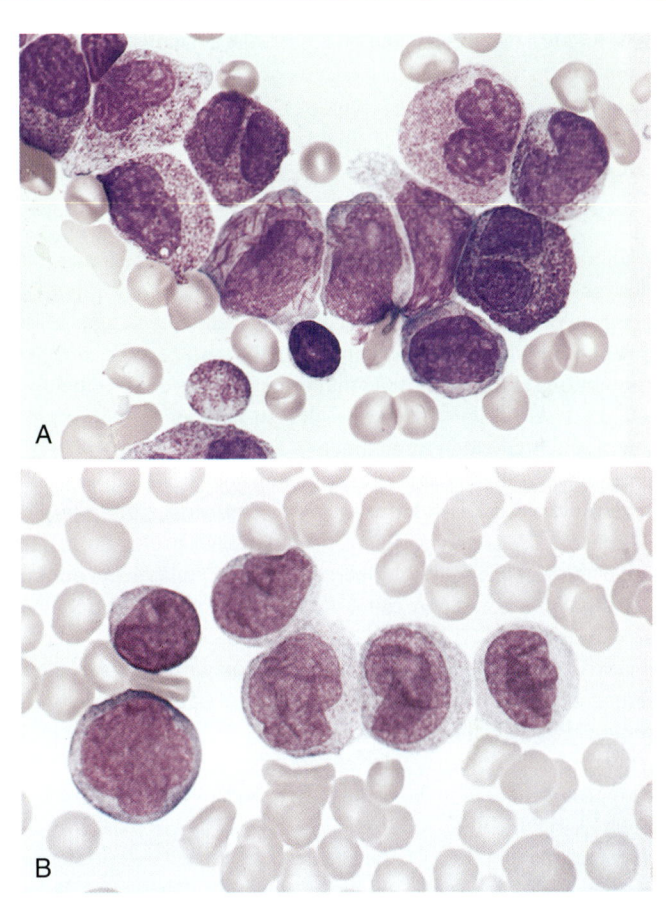

Figura 13.31 Subtipos de leucemia mieloide aguda. **A.** Leucemia pró-mielocítica aguda com a t(15;17) (subtipo FAB M3). O aspirado de medula óssea mostra pró-mielócitos neoplásicos, com grânulos azurófilos numerosos e anormalmente grosseiros. Outros achados característicos incluem a presença de várias células com núcleos bilobados e uma célula no centro campo, que contém múltiplos bastonetes de Auer semelhantes a agulhas. **B.** Leucemia mieloide aguda com diferenciação monocítica (subtipo FAB M5b). O esfregaço de sangue periférico mostra um monoblasto e cinco pró-monócitos com membranas nucleares pregueadas. (Cortesia do Dr. Robert W. McKenna, Department of Pathology, University of Texas Southwestern Medical School, Dallas, Tex.)

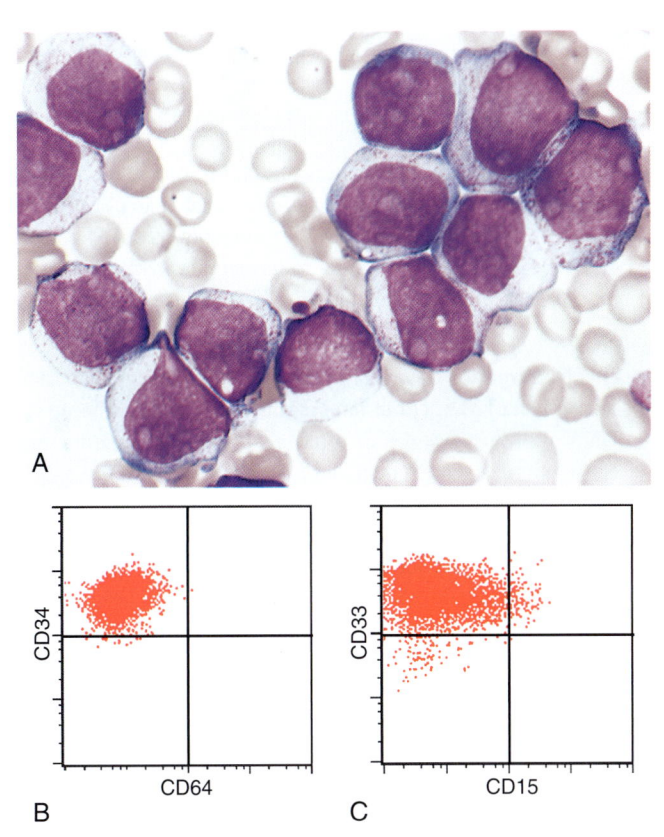

Figura 13.30 A. Leucemia mieloide aguda sem maturação (subtipo FAB M1). Os mieloblastos apresentam cromatina nuclear delicada, nucléolos proeminentes e grânulos azurófilos finos no citoplasma. **B.** Na análise por citometria de fluxo, os blastos mieloides, representados pelos *pontos vermelhos*, expressam CD34, um marcador de células-tronco multipotentes, porém não expressam CD64, um marcador de células mieloides maduras. **C.** Os mesmos blastos mieloides expressam CD33, um marcador de células mieloides imaturas, e um subgrupo expressa CD15, um marcador de células mieloides mais maduras. Por conseguinte, esses blastos são células mieloides que exibem maturação limitada. (**A**, Cortesia do Dr. Robert W. McKenna Department of Pathology, University of Texas Southwestern Medical School, Dallas, Tex.; **B** e **C**, Cortesia do Dr. Louis Picker, Oregon Health Science Center, Portland, Ore.)

Imunofenótipo. Como pode ser difícil distinguir morfologicamente os mieloblastos dos linfoblastos, o diagnóstico de LMA é confirmado por meio de colorações para antígenos mieloides específicos (**Figura 13.30B e C**).

Citogenética. A análise citogenética desempenha um papel central na classificação da LMA. São detectadas aberrações cariotípicas em 50 a 70% dos casos com técnicas padrão e em cerca de 90% dos casos com o uso de bandeamento especial de alta resolução. Determinadas anormalidades cromossômicas correlacionam-se com certas características clínicas. A LMA que surge *de novo* em adultos mais jovens está comumente associada a translocações cromossômicas equilibradas, particularmente t(8;21), inv(16) e t(15;17). Em contrapartida, a LMA após a SMD ou após exposição a agentes que provocam dano ao DNA (como quimioterapia ou radioterapia) frequentemente apresenta deleções ou monossomias nos cromossomos 5 e 7 e, em geral, carece de translocações cromossômicas. A exceção a essa regra é a LMA que ocorre após tratamento com inibidores da topoisomerase II, que está fortemente associada a translocações que envolvem o gene *KTM2A* no cromossomo 11q23. A LMA em indivíduos idosos também tem mais tendência a estar associada a aberrações "ruins" como deleções dos cromossomos 5q e 7q e anormalidades cariotípicas complexas, características que estão associadas a mutações que comprometem a função de p53.

Características clínicas

Algumas semanas ou meses após o início dos sintomas, a maioria dos pacientes apresenta queixas relacionadas com anemia, neutropenia e trombocitopenia, mais notavelmente fadiga, febre e sangramento espontâneo de mucosa e cutâneo. Você deve lembrar que esses achados são muito semelhantes aos produzidos pela LLA. A trombocitopenia resulta em sangramento anormal, que frequentemente é proeminente. É comum a ocorrência de petéquias cutâneas e equimoses, hemorragias nas serosas dos revestimentos das cavidades corporais e vísceras e hemorragia da mucosa das gengivas e do trato urinário. Os pró-coagulantes e os fatores fibrinolíticos liberados pelas células leucêmicas, principalmente na LMA com a t(15;17) exacerbam a tendência ao sangramento. As infecções são frequentes, particularmente na cavidade oral, pele, pulmões, rins, bexiga e cólon e, com frequência, são causadas por microrganismos oportunistas, como fungos, *Pseudomonas* e comensais.

Os sinais e sintomas relacionados com o comprometimento de outros tecidos além da medula óssea são habitualmente menos notáveis na LMA do que na LLA, porém as neoplasias com diferenciação monocítica frequentemente infiltram a pele (leucemia cutânea) e a gengiva, o que provavelmente reflete a tendência normal dos monócitos a extravasar nos tecidos. A disseminação para o sistema nervoso central é menos comum do que na LLA. Em certas ocasiões, a LMA manifesta-se como uma massa localizada de tecido mole, conhecida pelas várias designações como mieloblastoma, sarcoma mieloide ou cloroma. Sem tratamento sistêmico, essas neoplasias, com o passar do tempo, progridem de modo inevitável para a LMA totalmente desenvolvida.

O prognóstico global é reservado, visto que a LMA é uma doença de tratamento difícil. Cerca de 60% dos pacientes obtêm remissão completa com quimioterapia, porém apenas 15 a 30% permanecem livres da doença por 5 anos. Entretanto, o resultado varia acentuadamente entre os diferentes subtipos moleculares. Com a terapia direcionada para alvos, utilizando o ácido all-*trans*-retinoico e sais de arsênio (ver **Capítulo 7**), as LMA com a t(15;17) apresentam o melhor prognóstico de qualquer tipo e são passíveis de cura em mais de 90% dos pacientes. As LMA com t(8;21) ou inv(16) também apresentam um prognóstico relativamente bom com a quimioterapia convencional. Em contrapartida, o prognóstico é muito mais sombrio para pacientes com LMA que têm mais de 60 anos ou que desenvolvem a doença após a SMD ou com o uso de terapia genotóxica, em grande parte porque os subtipos genéticos "bons" são raros nesses contextos e também porque os que ocorrem após terapia genotóxica estão frequentemente associados a mutações *TP53*. Essas formas de LMA de "alto risco" (bem como a LMA de todos os tipos com recidiva) são tratadas com transplante de CTH, quando possível. O desenvolvimento de novas terapias a partir das informações adquiridas com o sequenciamento do DNA é animador; uma história de sucesso é o uso de inibidores de formas mutadas de IDH, que frequentemente produzem respostas excelentes em pacientes com LMA com mutação de *IDH*.

Síndrome mielodisplásica

O termo "síndrome mielodisplásica" refere-se a um grupo de distúrbios de células-tronco clonais, que se caracteriza por defeitos na maturação associados à hematopoese ineficaz e a um alto risco de transformação em LMA. Na SMD, a medula óssea está parcial ou totalmente substituída pela progênie clonal de uma célula-tronco multipotente neoplásica, que retém a capacidade de diferenciação, porém o faz de maneira ineficaz e desordenada. Como o "processo de nascimento" das células sanguíneas está defeituoso na SMD, os pacientes apresentam citopenias de gravidade variável no sangue periférico.

A SMD pode ser primária (idiopática) ou secundária à terapia prévia com agentes genotóxicos ou radioterapia (SMD-t). Em geral, a SMD-t aparece de 2 a 8 anos após exposição genotóxica. Todas as formas de SMD podem transformar-se em LMA, porém, a transformação ocorre com maior frequência e mais rapidamente na SMD-t. Embora sejam normalmente observadas alterações morfológicas características na medula óssea e no sangue periférico, o diagnóstico exige, com frequência, uma correlação com outros exames laboratoriais. A análise citogenética é frequentemente útil, devido à observação frequente de determinadas aberrações cromossômicas (discutidas adiante), e, hoje, o sequenciamento de DNA também é utilizado de modo rotineiro para ajudar a estabelecer o diagnóstico.

Patogênese

A SMD está associada a mutações condutoras, que se sobrepõem parcialmente àquelas observadas na LMA, o que não é surpreendente se considerarmos que a SMD evolui, com frequência, para a LMA. As proteínas afetadas podem ser reunidas em três grandes categorias funcionais, conforme descrito a seguir:

- *Fatores epigenéticos.* São observadas mutações frequentes que envolvem muitos dos mesmos fatores epigenéticos que estão mutados na LMA, como fatores que regulam a metilação do DNA, modificações das histonas e *looping* da cromatina; por conseguinte, à semelhança da LMA, a desregulação do epigenoma parece ser importante na gênese da SMD
- *Fatores de* splicing *do RNA.* Um subgrupo de neoplasias apresenta mutações que envolvem componentes da extremidade 3' do mecanismo de *splicing* do RNA. Ainda não foi determinado de maneira precisa como essas mutações contribuem para o desenvolvimento da SMD
- *Fatores de transcrição.* Essas mutações afetam os fatores de transcrição que são necessários para a mielopoese normal e podem contribuir para diferenciação desorganizada que caracteriza a SMD. De maneira notável, os rearranjos cromossômicos clássicos que são observados na LMA *de novo*, como t(8;21), inv(16) e t(15;17), não ocorrem na SMD; com efeito, a maioria das mutações consiste em mutações de perda de função em genes como *RUNX1*.

Além disso, cerca de 10% dos casos de SMD apresentam mutações de perda de função no gene *TP53*, que, como na LMA, correlacionam-se com a presença de um cariótipo complexo e resultados clínicos particularmente sombrios. Tanto a SMD primária quanto a SMD-t estão associadas a anormalidades cromossômicas recorrentes semelhantes, como monossomias do 5 e do 7; deleções de 5q, 7q e 20q; e trissomia do 8. Como na aneuploidia observada em outros cânceres, ainda não foi elucidado por completo como essas aberrações contribuem para a SMD. Uma ideia é a de que o ganho ou a perda de uma única cópia de genes essenciais é suficiente para proporcionar às células uma vantagem de crescimento, e a de que a aneuploidia é uma maneira de alcançar esse resultado. Por exemplo, aumentos sutis na conhecida oncoproteína MYC são suficientes para estimular o crescimento celular. De maneira notável, o gene *MYC* está localizado no cromossomo 8, e a trissomia do 8 é uma das formas mais comuns de aneuploidia em uma ampla variedade de neoplasias mieloides. De modo semelhante, a região que é comumente perdida no cromossomo 5q contém um gene que codifica a proteína ribossômica RPS14. Em sistemas experimentais, a perda de uma cópia de RPS14 produz eritropoese ineficaz, uma das características essenciais da SMD.

A SMD parece surgir frequentemente de um estado assintomático, denominado hematopoese clonal de potencial indeterminado (CHIP, *clonal hematopoiesis of indeterminate potential*), definido pela presença de uma ou mais mutações patogênicas associadas à SMD em um indivíduo com contagens hematológicas normais. À semelhança da CHIP (conforme discutido no **Capítulo 11**), os pacientes com SMD exibem evidências de um estado pró-inflamatório e correm risco aumentado de morrer por doença cardiovascular. Pesquisas recentes sugerem que a inflamação associada à SMD pode originar-se da ativação do inflamassomo nas células mieloides neoplásicas; ainda não foi determinado com precisão como esse processo ocorre.

Morfologia

Embora a medula óssea seja habitualmente hipercelular por ocasião do diagnóstico, ela algumas vezes é normocelular ou, menos comumente, hipocelular. O achado mais característico consiste em diferenciação desordenada (displásica), que afeta em graus variáveis as linhagens eritroide, granulocítica, monocítica e megacariocítica (**Figura 13.32**). Dentro da série eritroide, as anormalidades comuns consistem em **sieroblastos em anel**, eritroblastos com mitocôndrias carregadas de ferro visíveis como grânulos perinucleares em aspirados ou biopsias, corados pelo azul da Prússia; **maturação megaloblastoide**, semelhante àquela observada na deficiência de vitamina B_{12} ou de folato (ver **Capítulo 14**); e **anormalidades de brotamento nuclear**, reconhecidas como núcleos com contornos deformados e frequentemente poliploides. Os neutrófilos muitas vezes contêm números reduzidos de grânulos secundários, granulações tóxicas e/ou corpúsculos de Döhle. As **células pseudoPelger-Hüet**, que consistem em neutrófilos com apenas dois lobos nucleares, são comumente observadas, enquanto são identificados, em certas ocasiões, neutrófilos que perderam por completo a segmentação nuclear. Os megacariócitos com lobos nucleares únicos ou com múltiplos núcleos separados (**megacariócitos em *pawn ball***) também são característicos. Os **blastos mieloides** podem estar aumentados, porém constituem menos de 20% da celularidade total da medula óssea. Com frequência, o sangue contém células pseudoPelger-Hüet, plaquetas gigantes, macrócitos e poiquilócitos, acompanhados de monocitose relativa ou absoluta. Em geral, os blastos mieloides compõem menos de 10% dos leucócitos no sangue.

Características clínicas

A SMD primária é predominantemente uma doença de indivíduos idosos, com idade média de início de 70 anos. Em até metade dos casos, a SMD é descoberta de modo incidental em exame de sangue de rotina. Quando sintomática, manifesta-se com fraqueza, infecções e hemorragias, que decorrem da pancitopenia.

A SMD primária é dividida em seis categorias na classificação da OMS, com base nas suas características morfológicas e citogenéticas, cujos detalhes estão além do nosso objetivo. Foram desenvolvidos vários sistemas de pontuação prognósticos. Em cada um deles, os resultados mais graves são (compreensivelmente) previstos pelas contagens de blastos mais elevadas e por citopenias mais graves, bem como pela presença de múltiplas anormalidades cromossômicas clonais.

Dependendo do grupo prognóstico, a sobrevida mediana na SMD primária varia de menos de 6 meses a mais de 5 anos. A progressão para a LMA é mais provável e ocorre mais rapidamente nos grupos de prognóstico sombrio e, com frequência, é acompanhada pelo aparecimento de anormalidades citogenéticas adicionais. Com frequência, os pacientes sucumbem às complicações da trombocitopenia (hemorragia) e neutropenia (infecção). O prognóstico é ainda mais sombrio na SMD-t, em que a sobrevida mediana é de apenas 4 a 8 meses; com frequência, evolui para a LMA nos primeiros 2 a 3 meses após o estabelecimento do diagnóstico.

As opções de tratamento são bastante limitadas. Em pacientes mais jovens, o transplante alogênico de CTH oferece a esperança de reconstituição da hematopoese normal e possível cura. Os pacientes de idade mais avançada com SMD recebem tratamento de suporte com antibióticos e transfusões de hemocomponentes. Os medicamentos semelhantes à talidomida e os inibidores da metilação do DNA melhoram a eficiência da hematopoese e as contagens no sangue periférico de um subgrupo de pacientes. A presença da deleção de 5q isolada está correlacionada com uma resposta hematológica aos medicamentos semelhantes à talidomida; todavia, a resposta aos inibidores da metilação do DNA permanece imprevisível.

Neoplasias mieloproliferativas

A característica patogênica comum das neoplasias mieloproliferativas consiste na presença de mutação de tirosinoquinases constitutivamente ativadas ou outras aberrações adquiridas em vias de sinalização que levam à independência dos fatores de crescimento. Os fatores de crescimento hematopoéticos atuam sobre os progenitores normais por meio de sua ligação a receptores de superfície e ativação de tirosinoquinases, que ativam vias que promovem o crescimento e a sobrevivência (ver **Capítulo 7**). As tirosinoquinases mutadas encontradas nas neoplasias mieloproliferativas escapam do controle normal e levam à proliferação independente de fatores de crescimento e à sobrevida dos progenitores da medula óssea. Como as mutações das tirosinoquinases subjacentes às várias neoplasias mieloproliferativas não comprometem a diferenciação, a consequência mais comum consiste em aumento na produção de um ou mais elementos maduros do sangue. A maioria das neoplasias mieloproliferativas origina-se de progenitores mieloides multipotentes, enquanto outras surgem a partir de células-tronco pluripotentes, que dão origem a células tanto linfoides quanto mieloides.

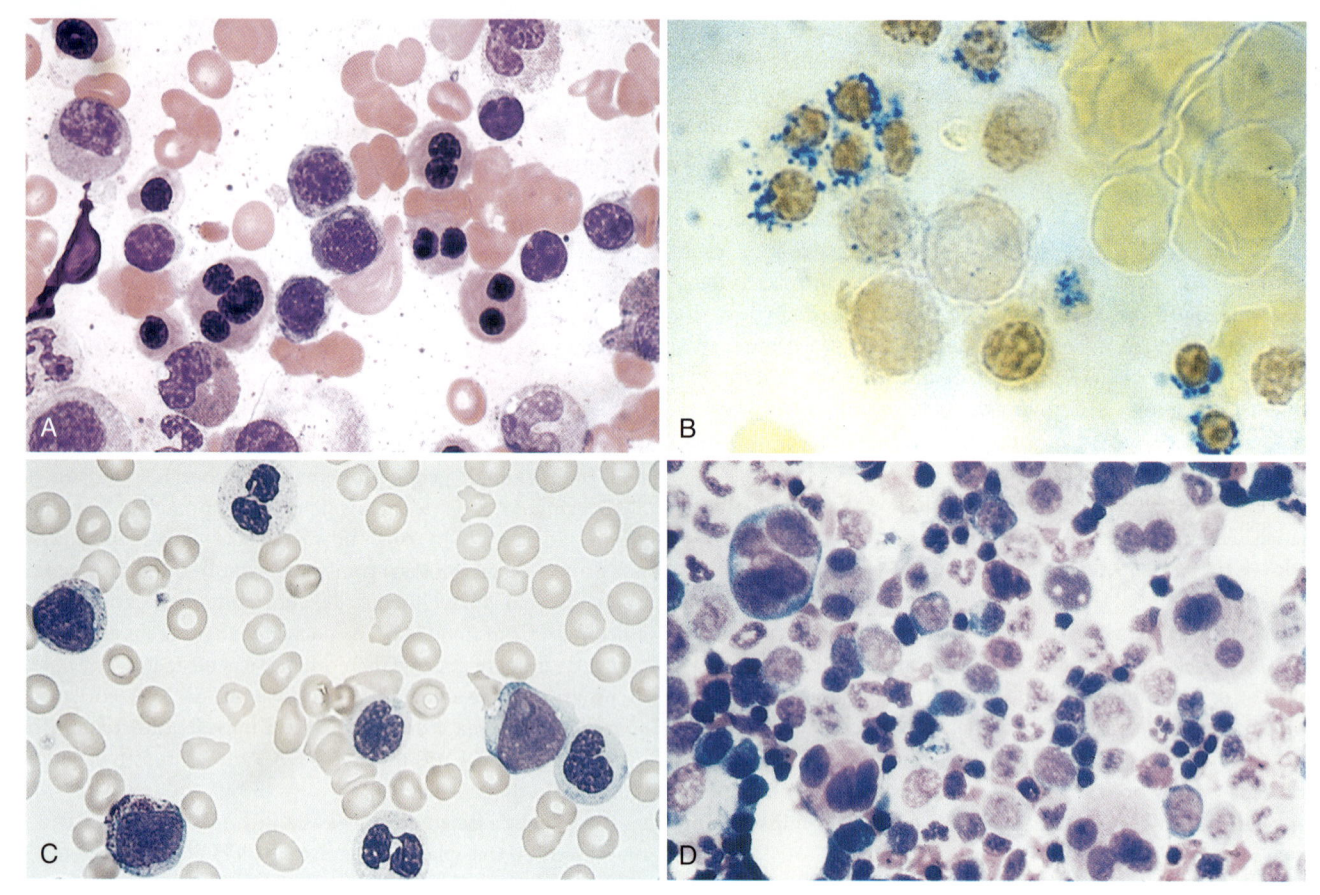

Figura 13.32 Mielodisplasia. São mostradas formas características de displasia. **A.** Progenitores nucleados de eritrócitos, com núcleos multilobados ou múltiplos. **B.** Sideroblastos em anel, progenitores eritroides com mitocôndrias carregadas de ferro, que aparecem como grânulos perinucleares azuis (coloração pelo azul da Prússia). **C.** Na parte superior e inferior do campo, são observadas células pseudoPelger-Hüet, isto é, neutrófilos com apenas dois lobos nucleares, em vez dos três a quatro normais. **D.** Megacariócitos com múltiplos núcleos, em vez do único núcleo multilobado normal. (**A**, **B** e **D**, Aspirados de medula; **C**, Esfregaço de sangue periférico.)

Existe um grau considerável de sobreposição clínica e morfológica entre as neoplasias mieloproliferativas. As características comuns incluem:

- *Aumento do impulso proliferativo* na medula óssea
- Direcionamento (*homing*) das células-tronco neoplásicas para órgãos hematopoéticos secundários, produzindo *hematopoese extramedular*
- Transformação variável para uma fase de exaustão, caracterizada por *fibrose da medula óssea* e *citopenias* do sangue periférico
- Transformação variável em *leucemia aguda*.

Certas neoplasias mieloproliferativas estão fortemente associadas a mutações ativadoras em tirosinoquinases específicas. Essa informação e a disponibilidade de inibidores da quinase aumentaram a importância das análises moleculares para mutações das tirosinoquinases, tanto para propósito de diagnóstico quanto para a seleção da terapia. Essa discussão limita-se às neoplasias mieloproliferativas mais comuns, que são classificadas com base em critérios clínicos, laboratoriais e moleculares. A mastocitose sistêmica, uma neoplasia distinta associada a mutações na tirosinoquinase KIT, é discutida em distúrbios da pele (ver **Capítulo 25**). A associação de várias neoplasias mieloproliferativas com mutações específicas de tirosinoquinases (incluindo distúrbios raros não discutidos aqui) é resumida na **Tabela 13.11**.

Leucemia mieloide crônica

A LMC distingue-se de outras neoplasias mieloproliferativas pela presença de um gene *BCR-ABL* quimérico, derivado de porções do gene *BCR* no cromossomo 22 e do gene *ABL* no cromossomo 9. O *BCR-ABL* dirige a síntese de uma tirosinoquinase BCR-ABL constitutivamente ativa, que, na LMC, tem habitualmente 210 kDa. Em mais de 90% dos casos, o *BCR-ABL* é criado por uma translocação recíproca (9;22)(q34;q11) (o denominado *cromossomo Filadélfia* [Ph]). Nos casos restantes, o gene de fusão *BCR-ABL* é formado por rearranjos citogeneticamente complexos ou crípticos e deve ser detectado por outros métodos, como hibridização *in situ* por fluorescência ou testes baseados na reação em cadeia pela polimerase (PCR). A célula de origem é uma CTH pluripotente.

Patogênese

As tirosinoquinases são normalmente reguladas por dimerização mediada por ligante e autofosforilação, criando uma quinase ativada com capacidade de fosforilar outros substratos proteicos (ver **Capítulos 3** e **7**). O componente BCR de BCR-ABL contém um domínio de dimerização que se autoassocia, levando à ativação da porção tirosinoquinase ABL (**Figura 13.33**). Por sua vez, a quinase ABL fosforila proteínas que induzem a sinalização por meio das mesmas vias de pró-crescimento e pró-sobrevida, que

Capítulo 13 Doenças dos Leucócitos, Linfonodos, Baço e Timo

Tabela 13.11 Mutações que ativam a sinalização de tirosinoquinases nas neoplasias mieloproliferativas.

Distúrbio	Mutação	Frequência[a]	Consequências
Leucemia mieloide crônica	Gene de fusão BCR-ABL	100%	Ativação constitutiva da quinase ABL
Policitemia vera	Mutações JAK2	> 95%	Ativação constitutiva da quinase JAK2
Trombocitopenia essencial	Mutações JAK2	50 a 60%	Ativação constitutiva da quinase JAK2
	Mutações CALR	25 a 35%	Ligante MPL alternativo
	Mutações MPL	5 a 10%	Ativação constitutiva da quinase MPL
Mielofibrose primária	Mutações JAK2	50 a 60%	Ativação constitutiva da quinase JAK2
	Mutações CALR	25 a 30%	Ligante MPL alternativo
	Mutações MPL	5 a 10%	Ativação constitutiva da quinase MPL
Mastocitose sistêmica	Mutações KIT	> 90%	Ativação constitutiva da quinase KIT
Leucemia eosinofílica crônica	Gene de fusão FIP 1L1-PDGFRA	Comum	Ativação constitutiva da quinase PDGFRα
	Gene de fusão PDE4DIP-PDGFRB	Rara	Ativação constitutiva da quinase PDGFRβ
Neoplasias mieloides/linfoides com eosinofilia e mutações do gene da tirosinoquinase[b]	Vários genes de fusão envolvendo FGFRI, PDGFRA, PDGFRB ou JAK2	100%	Ativação constitutiva da tirosinoquinase

[a]Refere-se à frequência dentro de uma categoria diagnóstica.
[b]Distúrbio raro que se origina em células-tronco hematopoéticas pluripotentes que se manifesta com neoplasia mieloproliferativa concomitante e leucemia/linfoma linfoblástico concomitantes.

são ativadas por fatores de crescimento hematopoéticos, incluindo as vias RAS e JAK/STAT. Por motivos desconhecidos, BCR-ABL impulsiona a proliferação dos progenitores granulocíticos e megacariocíticos e também causa a liberação anormal de formas granulocíticas imaturas da medula óssea para o sangue.

Morfologia

A medula óssea está acentuadamente **hipercelular**, devido ao aumento maciço do número de precursores granulocíticos em maturação, que habitualmente incluem uma elevada proporção de eosinófilos e basófilos. Os megacariócitos também estão aumentados e incluem habitualmente pequenas formas displásicas. Os progenitores eritroides estão presentes em número normal ou levemente diminuído. Um achado característico é a presença de macrófagos dispersos com citoplasma abundante pregueado e azul esverdeado – os denominados histiócitos azul-marinho. A deposição aumentada de reticulina é típica, porém a fibrose medular franca é rara no início do curso da doença. O sangue revela a presença de **leucocitose, que frequentemente ultrapassa 100.000 células/mm^3** (**Figura 13.34**), que consistem predominantemente em neutrófilos, bastões, metamielócitos, mielócitos, eosinófilos e basófilos. Em geral, os blastos constituem menos de 10% das células circulantes. O número de plaquetas também está habitualmente aumentado, algumas vezes de maneira acentuada. Com frequência, o baço está muito aumentado, em consequência da hematopoese extramedular extensa (**Figura 13.35**), e muitas vezes contém infartos de idades variáveis de ocorrência. A hematopoese extramedular também pode produzir hepatomegalia e linfadenopatia leves.

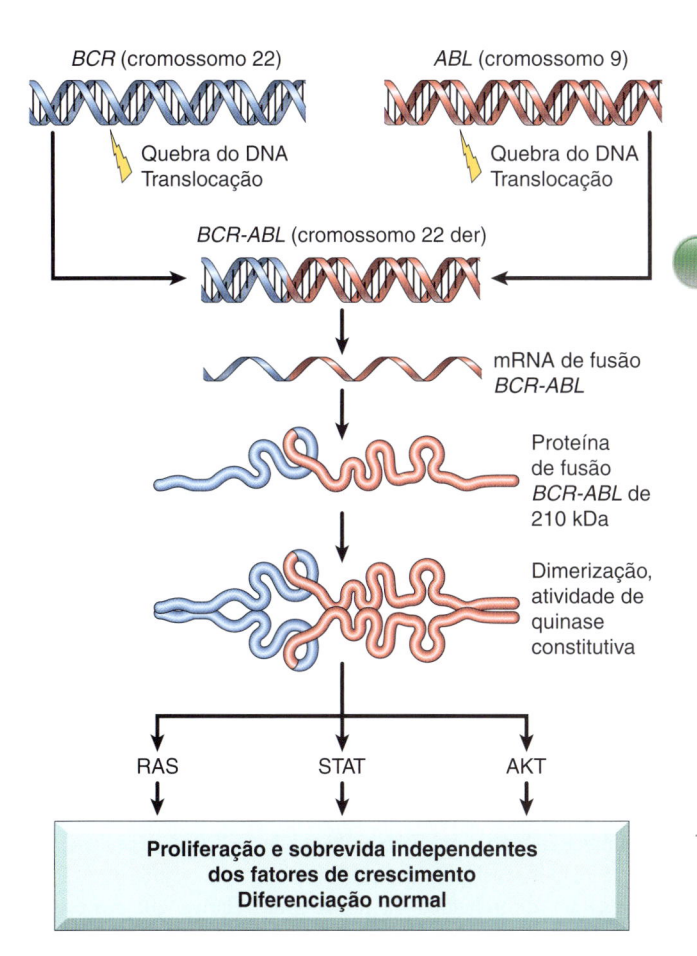

Figura 13.33 Patogênese da leucemia mieloide crônica. A quebra e a junção de BCR e ABL criam um gene de fusão BCR-ABL quimérico, que codifica uma tirosinoquinase BCR-ABL constitutivamente ativa. BCR-ABL ativa múltiplas vias *downstream*, que impulsionam a proliferação independente de fatores de crescimento e a sobrevida dos progenitores da medula óssea. Como BCR-ABL não interfere na diferenciação, o resultado final consiste em aumento dos elementos maduros no sangue periférico, particularmente dos granulócitos e plaquetas. *der*, cromossomo derivado.

Características clínicas

A LMC é principalmente uma doença de adultos, mas também ocorre em crianças e adolescentes. O pico de incidência é observado na quinta e sexta décadas de vida. Nos EUA, ocorrem cerca de 4.500 novos casos por ano.

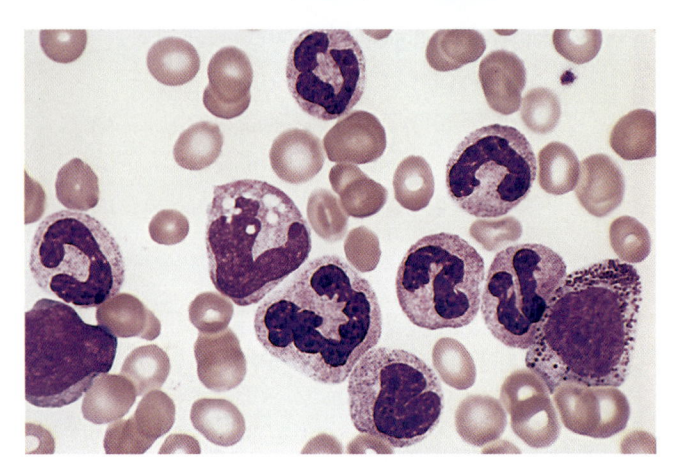

Figura 13.34 Leucemia mieloide crônica. O esfregaço de sangue periférico mostra muitos neutrófilos maduros, alguns metamielócitos e um mielócito. (Cortesia do Dr. Robert W. McKenna, Department of Pathology, University of Texas Southwestern Medical School, Dallas, Tex.)

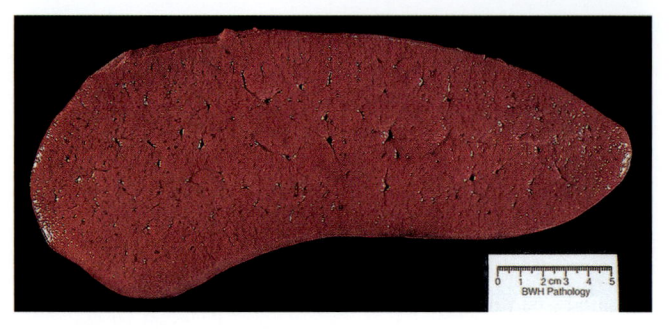

Figura 13.35 Leucemia mieloide crônica (baço). Baço aumentado (2.630 g; normal: 150 a 200 g) com polpa vermelha acentuadamente expandida em consequência da hematopoese neoplásica. (Cortesia do Dr. Daniel Jones, Department of Pathology, Ohio State University, Columbus, OH.)

O início é insidioso. A anemia leve a moderada e o hipermetabolismo, devido à renovação celular aumentada, resultam em fatigabilidade, fraqueza, perda de peso e anorexia. Algumas vezes, o primeiro sintoma consiste em uma sensação de peso no abdome causada pela esplenomegalia ou início agudo de dor no quadrante superior esquerdo, devido ao infarto esplênico. A LMC é mais bem diferenciada de outras neoplasias mieloproliferativas pela detecção do gene de fusão *BCR-ABL* por meio de análises cromossômicas ou testes baseados na PCR.

A história natural da doença não tratada é de progressão lenta; sem qualquer tratamento, a sobrevida mediana é de cerca de 3 anos. Depois de um período variável de 3 anos, em média, cerca de 50% dos pacientes entram uma "fase acelerada", caracterizada por anemia e trombocitopenia crescentes, algumas vezes acompanhadas de aumento do número de basófilos no sangue. Com frequência, aparecem outras anormalidades citogenéticas clonais, como trissomia do 8, isocromossomo 17q ou duplicação do cromossomo Ph. Dentro de seis a doze meses, a fase acelerada termina em um quadro que se assemelha à leucemia aguda (*crise blástica*). Nos outros 50% de pacientes, as crises blásticas ocorrem de modo abrupto, sem fase acelerada. Em 70% das crises, os blastos são de origem mieloide (crise blástica mieloide), ao passo que, na maioria dos casos restantes, os blastos têm a sua origem em células pré-B (crise blástica linfoide). Isso é considerado como evidência de que a LMC se origina a partir de uma célula-tronco pluripotente com potencial tanto mieloide quanto linfoide.

Tendo em vista que as leucemias agudas frequentemente surgem a partir de mutações complementares que envolvem um fator de transcrição e uma tirosinoquinase, seria possível prever que a crise blástica seja causada por uma mutação adquirida em um regulador essencial da transcrição. Essa previsão foi comprovada na crise blástica linfoide, em que 85% dos casos estão associados a mutações que interferem na atividade do Ikaros, um fator de transcrição codificado pelo gene *IKZF1*, que regula a diferenciação dos progenitores hematopoéticos. Os mesmos tipos de mutações de Ikaros também são observados na LLA-B BCR-ABL-positiva, sugerindo que essas duas variedades de leucemia agressiva apresentam uma origem molecular semelhante.

A compreensão da patogênese da LMC levou ao uso de fármacos que têm como alvo o BCR-ABL. O tratamento com inibidores de BCR-ABL resulta em remissões hematológicas sustentadas em mais de 90% dos pacientes, com efeitos colaterais geralmente toleráveis. Esses inibidores reduzem acentuadamente o número de células BCR-ABL-positivas na medula óssea e em outros locais, porém não extinguem a "célula-tronco" da LMC, que persiste em baixos níveis. Em consequência, não está claro se os inibidores de BCR-ABL são verdadeiramente curativos. Todavia, essa forma de terapia direcionada para alvos controla as contagens hematológicas e diminui de modo substancial o risco de transformação na fase acelerada e crise blástica, que representa a maior ameaça para o paciente. É possível que, ao reduzir o impulso proliferativo dos progenitores BCR-ABL-positivos, os inibidores de BCR-ABL diminuam a taxa de aquisição de mutações dessas células, que levam à progressão da doença.

A outra grande ameaça para o paciente é o aparecimento de resistência aos inibidores de BCR-ABL de primeira geração, que, em cerca de 50% dos casos, resulta de mutações do BCR-ABL, e, nos casos restantes, de mutações em outras quinases. Esse problema foi superado, em parte, pelo desenvolvimento de inibidores da quinase de segunda e terceira gerações, que são ativos contra formas mutadas do BCR-ABL. Para pacientes relativamente jovens, o transplante de CTH realizado na fase estável é curativo em cerca de 75% dos casos. O prognóstico é menos favorável quando sobrevém a fase acelerada ou a crise blástica, visto que o transplante e o tratamento com inibidores de BCR-ABL são menos efetivos nessas situações.

Policitemia vera

A policitemia vera (PCV) caracteriza-se por um aumento na produção de eritrócitos, granulócitos e plaquetas (pan-mielose) pela medula óssea, porém é o aumento dos eritrócitos (policitemia) que é responsável pela maioria dos sintomas clínicos. A PCV precisa ser diferenciada da policitemia relativa que resulta de hemoconcentração e de outras causas de policitemia absoluta (ver **Capítulo 14**).

Patogênese

Na PCV, as células progenitoras transformadas apresentam uma necessidade acentuadamente reduzida de eritropoetina e outros fatores de crescimento hematopoéticos, devido a mutações ativadoras na tirosinoquinase JAK2. A JAK2 participa da via

JAK/STAT, situada *downstream* de receptores de múltiplos fatores de crescimento hematopoéticos, incluindo o receptor de eritropoetina. Como a via é constitutivamente ativa, e o número de eritrócitos está anormalmente elevado, os níveis séricos de eritropoetina estão baixos na PCV. Isso está em contradição com as formas secundárias de policitemia, em que os níveis de eritropoetina estão elevados. O hematócrito elevado leva a um aumento da viscosidade e sedimentação do sangue. Esses fatores hemodinâmicos, além de trombocitose e anormalidade da função plaquetária, tornam os pacientes com PCV propensos ao desenvolvimento de trombose e hemorragia.

Mais de 97% dos casos estão associados a uma mutação do *JAK2*, que resulta em uma substituição de valina por fenilalanina no resíduo 617; outras mutações do *JAK2* são encontradas na maioria dos casos remanescentes (e talvez em todos eles). As formas mutadas de *JAK2* encontradas na PCV tornam as linhagens de células hematopoéticas independentes dos fatores de crescimento e, quando expressas em progenitores de medula óssea murina, causam uma doença semelhante à PCV, que está associada à fibrose medular. Em 25 a 30% dos casos, as células neoplásicas contêm duas cópias mutadas de *JAK2*, um genótipo que está associado a contagens mais elevadas de leucócitos, esplenomegalia mais significativa, prurido sintomático e maior taxa de progressão para a fase de exaustão.

O impulso proliferativo na PCV (e em outras neoplasias mieloproliferativas associadas a mutações do *JAK2*) é menor do que na LMC, que está associada a uma hipercelularidade mais pronunciada da medula óssea, leucocitose e esplenomegalia. É provável que os sinais de JAK2 sejam quantitativamente mais fracos ou qualitativamente diferentes daqueles produzidos pelo BCR-ABL (ver **Figura 13.33**).

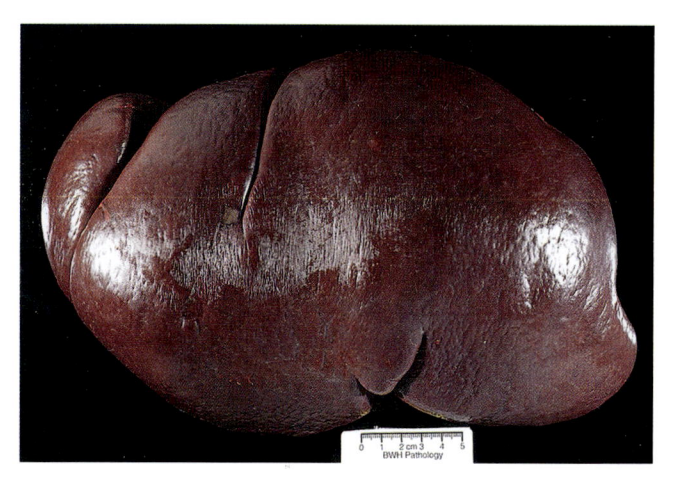

Figura 13.36 Policitemia vera, fase de exaustão. Esplenomegalia maciça (3.020 g; normal: 150 a 200 g), devido, em grande parte, à hematopoese extramedular que ocorre no contexto da mielofibrose avançada da medula óssea. (Cortesia do Dr. Mark Fleming, Department of Pathology, Children's Hospital, Boston, Mass.)

> ### Morfologia
>
> A medula óssea é hipercelular, porém se observa habitualmente a presença de alguma gordura residual. **O aumento no número de progenitores eritroides é sutil e habitualmente acompanhado de aumento no número de precursores granulocíticos e dos megacariócitos também.** Por ocasião do diagnóstico, observa-se um aumento moderado a acentuado das fibras de reticulina na medula óssea em cerca de 10% dos casos. A organomegalia leve é comum e, no início do curso, é causada em grande parte por congestão; nesse estágio, a hematopoese extramedular é mínima. Com frequência, o sangue periférico contém números aumentados de basófilos e plaquetas anormalmente grandes.
>
> Na fase avançada, a PCV frequentemente progride para uma **fase de exaustão**, caracterizada por fibrose extensa da medula óssea, que substitui as células hematopoéticas. Isso é acompanhado de aumento da hematopoese extramedular no baço e no fígado, levando frequentemente à organomegalia proeminente (**Figura 13.36**). Em cerca de 1% dos pacientes, ocorre transformação para a LMA, com suas características típicas.

Características clínicas

A PCV é incomum e apresenta uma incidência de 1 a 3 por 100 mil indivíduos por ano. Surge de modo insidioso, habitualmente em adultos de meia-idade avançada. Os sintomas estão relacionados, em sua maioria, com o aumento da massa de eritrócitos e do hematócrito. Em geral, há também um aumento do volume sanguíneo total. Em seu conjunto, esses fatores provocam fluxo sanguíneo anormal, particularmente do lado venoso de baixa pressão da circulação que se torna acentuadamente distendida. Os pacientes são pletóricos e cianóticos, devido à estagnação e desoxigenação do sangue nos vasos periféricos. É comum a ocorrência de cefaleia, tontura, hipertensão e sintomas gastrintestinais. Podem ocorrer prurido intenso e ulceração péptica, possivelmente como resultado da liberação de histamina pelos basófilos. A alta renovação celular leva à hiperuricemia, e observa-se a ocorrência de gota sintomática em 5 a 10% dos casos.

Em uma situação mais ameaçadora, a anormalidade do fluxo sanguíneo e da função plaquetária que acompanha a PCV leva a um risco aumentado de hemorragia e episódios trombóticos significativos. Aproximadamente 25% dos pacientes procuram atendimento pela primeira vez devido à ocorrência de trombose venosa profunda, infarto do miocárdio ou acidente vascular encefálico. Algumas vezes, ocorrem também tromboses nas veias hepáticas (que causam síndrome de Budd-Chiari), bem como nas veias porta e mesentéricas (que causam infarto intestinal). É preciso lembrar que as complicações trombóticas podem preceder o aparecimento dos achados hematológicos típicos. As hemorragias menores (epistaxe, sangramento das gengivas) são comuns, e ocorrem hemorragias potencialmente fatais em 5 a 10% dos casos.

Normalmente, a concentração de hemoglobina é superior a 16 g/dℓ, e, com frequência, o hematócrito é de 55% ou mais. Algumas vezes, a hemorragia crônica leva à deficiência de ferro, o que pode suprimir a eritropoese o suficiente para reduzir o hematócrito até a sua faixa normal, um exemplo de dois defeitos que atuam um contra o outro, de modo a "corrigir" uma anormalidade laboratorial. A contagem de leucócitos varia de 12.000 a 50.000 células/mm^3, e a contagem de plaquetas frequentemente ultrapassa 500.000 plaquetas/mm^3. Em geral, as plaquetas exibem anormalidades morfológicas, como formas gigantes e, com frequência, são defeituosas nas provas funcionais de agregação.

Sem tratamento, ocorre morte por hemorragia ou trombose dentro de alguns meses após o diagnóstico. Entretanto, a simples manutenção da massa eritrocitária em níveis quase normais por meio de flebotomia estende a sobrevida mediana para cerca de dez anos. Embora os inibidores de JAK2 constituam uma terapia óbvia direcionada para alvos na PCV, os inibidores de JAK2 atuais não são tão efetivos quanto se esperava (possivelmente devido à qualidade dos medicamentos disponíveis) e são utilizados principalmente em pacientes com esplenomegalia significativa. O aumento da sobrevida com o tratamento revelou que a PCV tende a evoluir para uma "fase de exaustão", durante a qual ocorre desenvolvimento das características clínicas e anatômicas da mielofibrose primária. A doença passa por essa transição em aproximadamente 15 a 20% dos pacientes depois de um período médio de dez anos. Caracteriza-se pelo aparecimento de fibrose obliterativa na medula óssea (mielofibrose) e hematopoese extramedular extensa, principalmente no baço, cujo tamanho aumenta acentuadamente. Os mecanismos subjacentes à progressão para a fase de exaustão não conhecidos.

Em cerca de 2% dos pacientes, a PCV transforma-se em LMA. De forma surpreendente, o clone da LMA frequentemente carece de mutações do *JAK2*, sugerindo que as mutações de *JAK2* causadoras ocorrem em uma célula-tronco anormal, que já abriga outras mutações oncogênicas e que, portanto, "corre o risco" de dar origem a várias neoplasias mieloides diferentes. Diferentemente da LMC, é raro observar a transformação em LLA, consistente com uma origem celular a partir de um progenitor comprometido para a diferenciação mieloide.

Trombocitose essencial

A trombocitose essencial (TE) está associada a diversas mutações que aumentam a sinalização de JAK-STAT e que simulam a sinalização constitutiva do receptor de fatores de crescimento. Mais de 90% dos casos apresentam mutações ativadoras em JAK2 (cerca de 50 a 60% dos casos); o MPL (5 a 10% dos casos), um receptor de tirosinoquinase que normalmente é ativado pela trombopoetina e que sinaliza por meio de JAK2; ou calreticulina (cerca de 30% dos casos). De maneira notável, as formas mutadas de CALR observadas na TE são secretadas e ligam-se ao receptor de trombopoetina e o ativam, fornecendo um exemplo de alça de retroalimentação autócrina oncogênica.

Do ponto de vista clínico, a TE manifesta-se com contagens elevadas de plaquetas e é diferenciada da PCV e da mielofibrose primária com base na ausência de policitemia e fibrose da medula óssea, respectivamente. Nos casos sem mutação da tirosinoquinase, é preciso excluir as causas de trombocitose reativa, como distúrbios inflamatórios e deficiência de ferro, antes de poder estabelecer o diagnóstico.

Patogênese

A sinalização constitutiva de JAK2 ou MPL torna os progenitores independentes da trombopoetina e leva à proliferação. A mutação de *JAK2* é a mesma encontrada em quase todos os casos de PCV. Ainda não foi elucidada a razão pela qual alguns pacientes com mutações de *JAK2* apresentam PCV, enquanto outros manifestam TE. Alguns casos considerados como TE podem ser, de fato, uma PCV disfarçada pela deficiência de ferro (que é mais comum em indivíduos diagnosticados com TE), porém isso provavelmente só se aplica a uma pequena fração de pacientes. Conforme já assinalado, a maioria dos casos sem mutações de JAK2 ou de MPL apresentam mutações de calreticulina.

> **Morfologia**
>
> Em geral, a celularidade da medula óssea está apenas discretamente aumentada, porém o número de megacariócitos está, com frequência, acentuadamente elevado, com presença de formas anormalmente grandes. Com frequência, observam-se fibrilas delicadas de reticulina, porém não ocorre a fibrose franca da mielofibrose primária (ver adiante). Em geral, os esfregaços de sangue periférico revelam plaquetas anormalmente grandes (**Figura 13.37**), frequentemente acompanhadas de leucocitose leve. Podem ocorrer graus modestos de hematopoese extramedular, produzindo organomegalia leve em cerca de 50% dos pacientes. Raramente, ocorre uma fase de exaustão da fibrose medular ou transformação em LMA.

Características clínicas

A incidência de TE é de 1 a 3 por 100 mil por ano. Em geral, ocorre depois dos 60 anos, mas também pode ser observada em adultos jovens. A disfunção das plaquetas, derivada do clone neoplásico, pode levar à trombose e hemorragia, que constituem as principais manifestações clínicas. As plaquetas não apenas estão em números elevados, como também apresentam, com frequência, anormalidades qualitativas nos exames funcionais. Os tipos de eventos trombóticos assemelham-se aos observados na PCV; incluem trombose venosa profunda, trombose da veia porta e hepática e infarto do miocárdio. Um sintoma característico é a *eritromelalgia*, uma sensação latejante e de queimação das mãos e dos pés causada pela oclusão das pequenas arteríolas por agregados de plaquetas, que também pode ser observada na PCV.

A TE é um distúrbio indolente com longos períodos assintomáticos interrompidos por crises trombóticas ou hemorrágicas ocasionais. O tempo de sobrevida mediana é de 12 a 15 anos. As complicações trombóticas são mais prováveis em pacientes com contagens muito elevadas de plaquetas e mutações de *JAK2* homozigotas. A terapia consiste em agentes quimioterápicos "suaves" que suprimem a trombopoese.

Mielofibrose primária

A característica essencial da mielofibrose primária consiste no desenvolvimento de fibrose obliterativa da medula óssea. A substituição da medula por tecido fibroso reduz a hematopoese

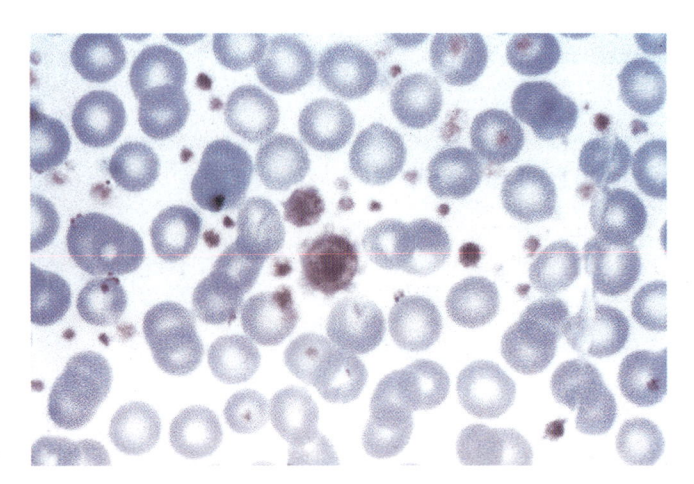

Figura 13.37 Trombocitose essencial. O esfregaço de sangue periférico mostra trombocitose acentuada, com plaquetas gigantes com tamanho aproximado dos eritrócitos circundantes.

da medula óssea, com consequente desenvolvimento de citopenias e extensa hematopoese extramedular. Ao exame histológico, o aspecto é idêntico à fase de exaustão que, em certas ocasiões, ocorre na fase tardia da evolução de outras neoplasias mieloproliferativas. A genética da mielofibrose primária é muito semelhante àquela da TE; cerca de 90% dos casos apresentam mutações ativadoras de *JAK2*, *CALR* ou *MPL*.

Patogênese

A principal característica patológica consiste na deposição extensa de colágeno na medula óssea por fibroblastos não neoplásicos. A fibrose substitui inexoravelmente os elementos hematopoéticos, incluindo as células-tronco, da medula óssea e, por fim, leva à insuficiência medular. É provavelmente causada pela liberação inadequada de fatores fibrogênicos dos megacariócitos neoplásicos. Foram implicados dois fatores sintetizados pelos megacariócitos: o *fator de crescimento derivado das plaquetas* e o *TGF-β*. Como você deve lembrar, o fator de crescimento derivado das plaquetas e o TGF-β são mitógenos de fibroblastos. Além disso, o TGF-β promove a deposição de colágeno e provoca angiogênese, ambas as quais são observadas na mielofibrose (ver **Capítulo 3**).

À medida que a fibrose da medula óssea progride, as CTH circulantes estabelecem residência em nichos de órgãos hematopoéticos secundários, como o baço, o fígado e os linfonodos, levando ao aparecimento de hematopoese extramedular. Por motivos que ainda não estão totalmente compreendidos, a produção de eritrócitos nos locais extramedulares é desordenada. Esse fator e a supressão concomitante da função medular resultam em anemia moderada a grave. Não está claro se a mielofibrose primária é realmente distinta da PCV e da TE ou se meramente reflete uma progressão muito rápida para a fase de exaustão.

Morfologia

No início da evolução, a medula óssea frequentemente é hipercelular, devido ao aumento do número de células em maturação de todas as linhagens, uma característica que lembra a PCV. Do ponto de vista morfológico, os precursores eritroides e granulocíticos aparecem normais, porém os megacariócitos são grandes, displásicos e anormalmente agrupados. Nesse estágio, a fibrose é mínima, e o sangue periférico pode revelar leucocitose e trombocitose. **Com a progressão, a medula torna-se mais hipocelular e difusamente fibrótica.** São observados grupos de megacariócitos atípicos com formas nucleares incomuns (descritos como "semelhantes a nuvens"), e, com frequência, são encontrados elementos hematopoéticos dentro dos sinusoides dilatados, constituindo uma manifestação de grave distorção da arquitetura causada pela fibrose. Em um estágio muito avançado da doença, o espaço medular fibrótico pode ser convertido em osso, uma alteração denominada "osteoesclerose". Essas características são idênticas àquelas observadas na fase de exaustão de outras neoplasias mieloproliferativas.

A obliteração fibrótica do espaço medular resulta em extensa hematopoese extramedular, principalmente no baço, que, em geral, está acentuadamente aumentado, algumas vezes alcançando até 4.000 g. Macroscopicamente, esses baços são firmes e difusamente vermelhos a cinza. À semelhança da LMC, os infartos subcapsulares são comuns (ver **Figura 13.41**). No início, a hematopoese extramedular é confinada aos sinusoides; todavia, posteriormente, ela se expande para os cordões.

O fígado pode estar moderadamente aumentado, devido a focos sinusoidais de hematopoese extramedular. A hematopoese também pode surgir no interior dos linfonodos, porém a linfadenopatia significativa é incomum.

A fibrose da medula óssea reflete-se em vários achados hematológicos característicos (**Figura 13.38**). A distorção da medula óssea leva à liberação prematura de progenitores eritroides nucleados e progenitores granulocíticos precoces (**leucoeritroblastose**), e células imaturas também entram na circulação a partir de locais de hematopoese extramedular. Com frequência, observa-se também a presença de **eritrócitos em forma de lágrima** (dacriócitos), que consistem em células provavelmente danificadas durante o processo de desenvolvimento na medula fibrótica. Embora sejam características da mielofibrose primária, a leucoeritroblastose e os eritrócitos em forma de lágrima são observados em muitos distúrbios infiltrativos da medula, incluindo doenças granulomatosas e neoplasias metastáticas. Outros achados hematológicos comuns, porém inespecíficos, incluem plaquetas anormalmente grandes e basofilia.

Características clínicas

A mielofibrose primária é menos comum do que a PCV e a TE e ocorre habitualmente em indivíduos com mais de 60 anos. Exceto quando precedida por outra neoplasia mieloproliferativa, chama a atenção em virtude da presença de anemia progressiva e esplenomegalia, que produz uma sensação de plenitude no quadrante superior esquerdo. Os sintomas inespecíficos, como fadiga, perda de peso e sudorese noturna, resultam do aumento do metabolismo associado à massa de células hematopoéticas em expansão. O quadro pode ser complicado por hiperuricemia e gota secundária, devido a uma elevada taxa de renovação celular.

Normalmente, os exames laboratoriais revelam anemia normocítica normocrômica moderada a grave, acompanhada de leucoeritroblastose. Em geral, a contagem de leucócitos está normal ou levemente reduzida; entretanto, pode ocorrer uma acentuada elevação (80.000 a 100.000 células/mm^3) no início do curso. A contagem de plaquetas está habitualmente normal ou elevada por ocasião do

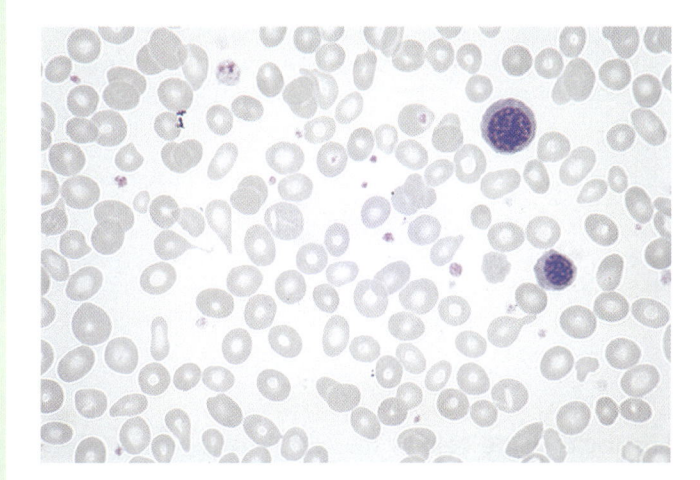

Figura 13.38 Mielofibrose primária (esfregaço de sangue periférico). Dois precursores eritroides nucleados e vários eritrócitos em forma de lágrima (dacriócitos) são evidentes. Havia células mieloides imaturas em outros campos. Um quadro idêntico pode ser observado em outras doenças que produzem distorção da medula óssea e fibrose.

diagnóstico, porém pode surgir trombocitopenia à medida que a doença progride. Esses achados hematológicos são inespecíficos, e a biopsia de medula óssea é essencial para o diagnóstico.

A mielofibrose primária é uma doença muito mais difícil de tratar do que a PCV ou a TE. O curso é variável, porém a sobrevida mediana situa-se na faixa de 3 a 5 anos. As ameaças à vida incluem infecções intercorrentes, episódios trombóticos, sangramento relacionado às anormalidades das plaquetas e transformação em LMA, que ocorre em 5 a 20% dos casos. Quando a mielofibrose é extensa, a LMA algumas vezes surge em locais extramedulares, incluindo linfonodos e tecidos moles. Os inibidores de JAK2 foram aprovados para o tratamento dessa doença e são efetivos na redução da esplenomegalia e dos sintomas constitucionais. O transplante de CTH oferece alguma esperança de cura em pacientes jovens e com aptidão física suficiente para suportar o procedimento.

> ### Conceitos-chave
> #### Neoplasias mieloides
> As neoplasias mieloides ocorrem principalmente em adultos e são classificadas em três grandes grupos.
>
> **LMA**
> - Neoplasia agressiva composta de blastos imaturos da linhagem mieloide, que substituem a medula óssea e suprimem a hematopoese normal
> - Associada a diversas mutações adquiridas, que levam à expressão de fatores de transcrição anormais, que interferem na diferenciação mieloide
> - Com frequência, está também associada a mutações em genes que codificam componentes da via de sinalização do receptor de fatores de crescimento ou reguladores do epigenoma.
>
> **Neoplasias mieloproliferativas**
> - Neoplasias mieloides em que a produção de elementos mieloides figurados está inicialmente aumentada, levando a contagens elevadas no sangue periférico e à hematopoese extramedular
> - Comumente associadas a mutações adquiridas que levam à ativação constitutiva de tirosinoquinases, que mimetizam sinais de fatores de crescimento normais. As quinases patogênicas mais comuns são BCR-ABL (associada à LMC) e *JAK2* mutado (associado à PCV e mielofibrose primária)
> - Todas podem se transformar em leucemia aguda e em uma fase de exaustão de fibrose medular associada a anemia, trombocitopenia e esplenomegalia.
>
> **SMD**
> - Neoplasias mieloides caracterizadas por hematopoese desordenada e ineficaz e alteração da maturação
> - Pode ocorrer *de novo* ou após exposições a genotóxicos
> - Com frequência, abriga mutações em fatores de *splicing*, reguladores epigenéticos e fatores de transcrição
> - Manifesta-se com uma ou mais citopenias e, com frequência, evolui para a LMA.

Histiocitose de células de Langerhans

O termo *histiocitose* é uma designação abrangente para se referir a uma variedade de distúrbios proliferativos de células dendríticas ou macrófagos. Alguns desses distúrbios, como os sarcomas "histiocíticos" raros, são claramente malignos, enquanto outros, como proliferações reativas de macrófagos nos linfonodos, são definitivamente benignos. Situadas entre esses dois extremos estão as histiocitose de células de Langerhans, um espectro de proliferações clonais de um tipo especial de célula dendrítica imatura, denominada células de Langerhans. Como as células de Langerhans fazem parte do sistema imune inato, essas neoplasias (bem como outras histiocitose clonais) podem ser consideradas como neoplasias mieloides incomuns.

Patogênese

A origem e a natureza das células proliferativas na histiocitose de células de Langerhans têm sido controversas, porém agora foi reconhecido que a maioria dos casos apresenta mutações condutoras em genes associados ao câncer e provavelmente são mais bem considerados como neoplasias, embora com propensão incomum para a remissão espontânea. A mutação mais comum é uma substituição ativadora de valina por glutamato no resíduo 600 do BRAF, que já foi discutida pelo seu papel na leucemia de células pilosas e que está presente em 55 a 60% dos casos. Foram também detectadas mutações menos comuns em TP53, no RAS e no receptor de tirosinoquinase MET.

Um fator que contribui para o direcionamento (*homing*) das células de Langerhans neoplásicas é a expressão aberrante dos receptores de quimiocina. Por exemplo, enquanto as células de Langerhans epidérmicas normais expressam CCR6, seus correspondentes neoplásicos expressam tanto CCR6 quanto CCR7. Isso possibilita a migração das células neoplásicas para tecidos que expressam as quimiocinas relevantes – CCL20 (um ligante de CCR6) na pele e no osso e CCL19 e CCL21 (ligantes de CCR7) em órgãos linfoides.

> ### Morfologia
> Independentemente do quadro clínico, as células de Langerhans em proliferação apresentam citoplasma abundante e frequentemente vacuolado e núcleos vesiculares que contêm sulcos ou pregas lineares (**Figura 13.39A**). A presença de *grânulos de Birbeck* no citoplasma é característica, os quais são túbulos pentalaminares, frequentemente com uma extremidade terminal dilatada produzindo uma aparência semelhante a uma raquete de tênis (**Figura 13.39B**), que contém a proteína langerina. Além disso, as células neoplásicas também expressam normalmente HLA-DR, S-100 e CD1a.

Características clínicas

A histiocitose de células de Langerhans manifesta-se na forma de várias entidades clinicopatológicas:

- A *histiocitose de células de Langerhans multissistêmica multifocal (doença de Letterer-Siwe)* ocorre, com mais frequência, antes dos 2 anos; todavia, em certas ocasiões, afeta também adultos. Uma característica clínica dominante consiste no desenvolvimento de lesões cutâneas que se assemelham a uma erupção seborreica, que é causada por infiltrados de células de Langerhans sobre a parte anterior e posterior do tronco e no couro cabeludo. A maioria dos indivíduos afetados apresenta hepatoesplenomegalia concomitante, linfadenopatia, lesões pulmonares e (por fim) lesões ósseas osteolíticas destrutivas. Com frequência, a infiltração extensa da medula óssea leva à anemia, trombocitopenia e predisposição a infecções recorrentes, como otite média e mastoidite. Em alguns casos, as células em proliferação são muito anaplásicas; essas neoplasias são algumas vezes designadas como sarcoma de células de Langerhans. A evolução da doença não tratada é rapidamente fatal. Com quimioterapia intensiva, 50% dos pacientes sobrevivem por 5 anos

- A *histiocitose de células de Langerhans unissistêmica unifocal e multifocal (granuloma eosinofílico)* caracteriza-se pela proliferação de células de Langerhans misturadas com números variáveis de eosinófilos, linfócitos, plasmócitos e neutrófilos. Os eosinófilos representam habitualmente, mas nem sempre, um componente proeminente do infiltrado. Normalmente, surge nas cavidades medulares dos ossos, mais comumente na calvária, nas costelas e no fêmur. Com menos frequência, surgem lesões unissistêmicas de histologia idêntica na pele, nos pulmões ou no estômago. As *lesões unifocais* afetam mais comumente o sistema esquelético em crianças de mais idade ou em adultos. As lesões ósseas podem ser assintomáticas ou podem causar dor, hipersensibilidade e, em alguns casos, fraturas patológicas. A doença unifocal é indolente e pode apresentar cura espontânea ou pode ser curada por meio de excisão local ou irradiação. Em geral, a *doença unissistêmica multifocal* afeta crianças pequenas que apresentam múltiplas massas ósseas erosivas, que algumas vezes se expandem para o tecido mole adjacente. O comprometimento da haste hipofisária do hipotálamo leva ao diabetes insípido em cerca de 50% dos pacientes. A combinação de defeitos dos ossos da calvária, diabetes insípido e exoftalmia é designada como tríade de *Hand-Schüller*. Muitos pacientes apresentam regressão espontânea; outros podem ser tratados com sucesso por meio de quimioterapia. Os inibidores de BRAF são ativos contra a doença com mutação de *BRAF*, porém não são curativos; as combinações de inibidores de BRAF e quimioterapia estão sendo avaliadas em ensaios clínicos

- A *histiocitose de células de Langerhans pulmonar* representa uma categoria especial de doença, observada com mais frequência em adultos fumantes, que pode regredir de modo espontâneo com o abandono do tabagismo. Essas lesões foram descritas como proliferações reativas de células de Langerhans, porém 40% estão associadas a mutações do BRAF, sugerindo que, em muitos casos, elas também são de origem neoplásica.

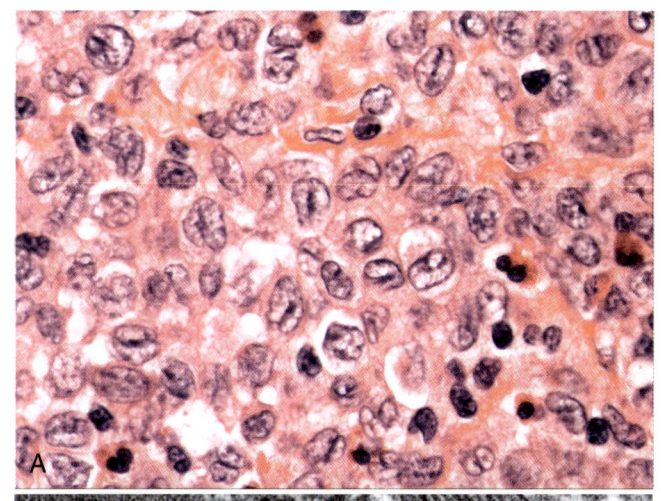

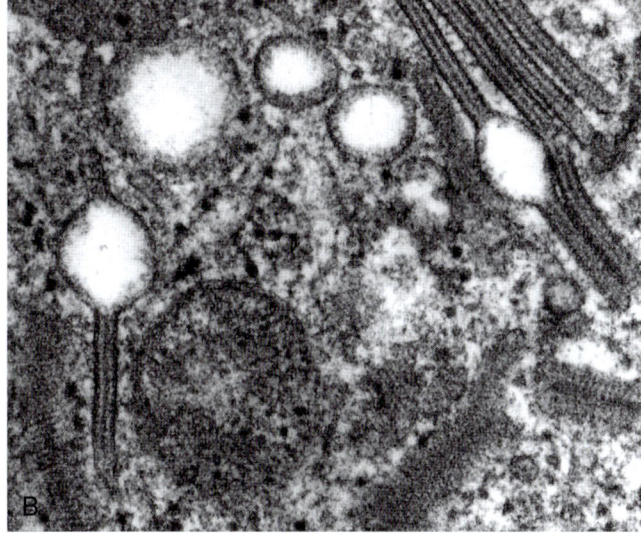

Figura 13.39 Histiocitose de células de Langerhans. **A.** As células de Langerhans com núcleos enovelados ou estriados e citoplasma pálido e moderadamente abundante estão misturadas com alguns eosinófilos. **B.** Micrografia eletrônica mostrando os grânulos de Birbeck semelhantes a bastonetes, com periodicidade característica e extremidade terminal dilatada. (**B**, Cortesia do Dr. George Murphy, Department of Pathology, Brigham and Women's Hospital, Boston, Mass.)

Baço

O baço é um filtro engenhosamente projetado para o sangue e um local de respostas imunes a antígenos transportados pelo sangue. Normalmente, no adulto, pesa cerca de 150 g e é coberto por uma fina cápsula de tecido conjuntivo brilhante de cor cinza-ardósia. Sua superfície de corte revela uma extensa polpa vermelha marcada com manchas cinza, que são os folículos da polpa branca. Esses folículos são constituídos por uma artéria com um colar excêntrico de linfócitos T, a denominada bainha linfática periarteriolar. Em determinados intervalos, essa bainha se expande para formar folículos linfoides que contêm principalmente linfócitos B, que são capazes de se desenvolver em centros germinativos idênticos aos observados nos linfonodos em resposta à estimulação antigênica (**Figura 13.40**).

A polpa vermelha do baço é atravessada por numerosos sinusoides vasculares de paredes finas, separados pelos cordões esplênicos ou "cordões de Billroth". O revestimento endotelial do sinusoide é descontínuo, proporcionando uma passagem para as células sanguíneas entre os sinusoides e os cordões. Os cordões contêm um labirinto de macrófagos frouxamente conectados por meio de longos processos dendríticos, criando um filtro tanto físico quanto funcional. À medida que atravessa a polpa vermelha, o sangue percorre dois trajetos para alcançar as veias esplênicas. Parte do sangue flui pelos capilares nos cordões, onde as células sanguíneas são espremidas por espaços na membrana basal descontínua do revestimento endotelial para alcançar os sinusoides; trata-se da denominada circulação aberta ou compartimento lento. No outro "circuito fechado", o sangue passa rápida e diretamente dos capilares para as veias esplênicas. Embora apenas uma pequena fração do sangue siga o trajeto "aberto", no decorrer do dia, todo o volume de sangue passa pelos cordões, nos quais é rigorosamente examinado pelos macrófagos.

O baço desempenha quatro funções que apresentam impacto nas doenças:

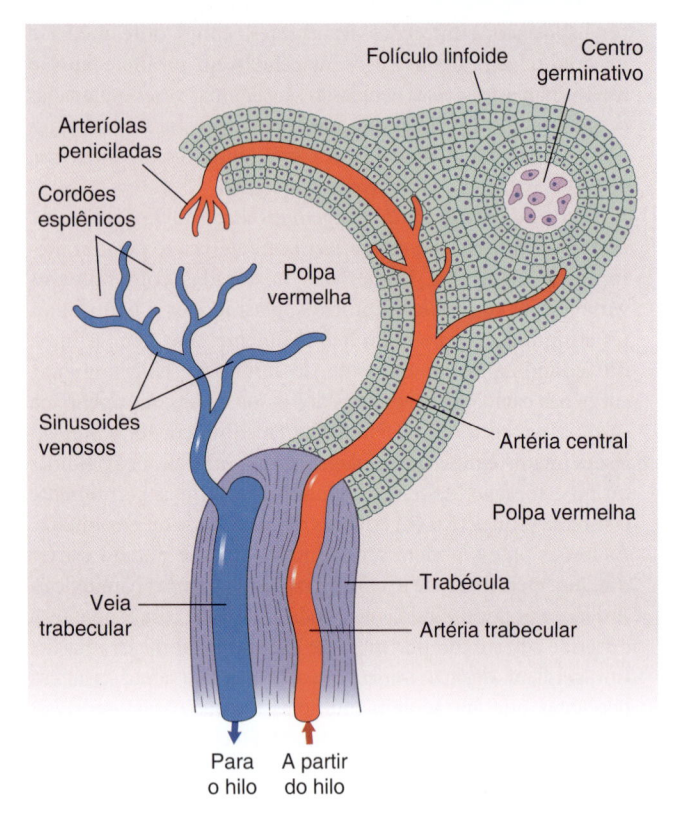

Figura 13.40 Arquitetura normal do baço. (Modificada de Faller DV: Diseases of the spleen. In Wyngaarden JB, Smith LH, editors: *Cecil Textbook of Medicine*, ed. 18, Philadelphia, 1988, WB Saunders, p. 1036.)

- *Fagocitose das células sanguíneas e de material particulado.* Conforme discutido nas anemias hemolíticas (ver **Capítulo 14**), os eritrócitos sofrem extrema deformação durante a sua passagem dos cordões para os sinusoides. Em condições nas quais há uma diminuição da deformabilidade dos eritrócitos, eles ficam retidos nos cordões e são mais facilmente fagocitados pelos macrófagos. Os macrófagos esplênicos também são responsáveis pela "perfuração" dos eritrócitos, um processo pelo qual as inclusões, como *corpúsculos de Heinz* e *corpúsculos de Howell-Jolly*, são excisadas, bem como pela remoção de partículas do sangue, como bactérias
- *Produção de anticorpos.* As células dendríticas na bainha linfática periarterial captam os antígenos e os apresentam aos linfócitos T. A interação entre linfócitos T e B nas extremidades dos folículos da polpa branca leva à geração de plasmócitos secretores de anticorpos, que são encontrados principalmente dentro dos seios da polpa vermelha. O baço parece ser um importante local de produção de anticorpos contra polissacarídeos microbianos, bem como de autoanticorpos contra uma variedade de autoantígenos
- *Hematopoese.* Durante o desenvolvimento fetal, o baço pode constituir um local menor de hematopoese, porém esse processo normalmente desaparece ao nascimento. Todavia, o baço pode tornar-se um importante local de hematopoese extramedular compensatória no contexto da anemia crônica grave (p. ex., em pacientes com talassemia, descrita no **Capítulo 14**) e em pacientes com neoplasias mieloproliferativas, como a LMC e a mielofibrose primária

- *Sequestro dos elementos figurados do sangue.* O baço normal contém apenas cerca de 30 a 40 m*l* de eritrócitos, porém esse volume aumenta acentuadamente na esplenomegalia. O baço também abriga normalmente cerca de 30 a 40% da massa total de plaquetas no corpo. Na presença de esplenomegalia, até 80 a 90% da massa plaquetária total podem ser sequestrados nos interstícios da polpa vermelha, produzindo trombocitopenia. De modo semelhante, o baço aumentado pode aprisionar os leucócitos, induzindo, assim, leucopenia.

O baço, por ser a maior unidade do sistema mononuclear fagocitário, está envolvido em todas as inflamações sistêmicas, nos distúrbios hematopoéticos generalizados e em muitos distúrbios metabólicos. Em cada um deles, o baço sofre aumento de tamanho (*esplenomegalia*), que constitui a principal manifestação dos distúrbios desse órgão. Raramente é o local primário de doença. A insuficiência esplênica em decorrência de esplenectomia ou autoinfarto (como na doença falciforme) apresenta uma importante manifestação clínica, um aumento da suscetibilidade à sepse causada por bactérias encapsuladas, como pneumococos, meningococos e *Haemophilus influenzae*. A diminuição da capacidade fagocitária e a redução da produção de anticorpos que resultam da asplenia contribuem para o risco aumentado de sepse, que pode ser fatal. Todos os indivíduos asplênicos devem ser vacinados contra esses agentes, de modo a reduzir o risco dessa complicação trágica.

Esplenomegalia

Quando aumentado o suficiente, o baço provoca uma sensação de peso no quadrante superior esquerdo e, devido à pressão exercida no estômago, desconforto após a ingestão de alimento. Além disso, o aumento do baço pode causar uma síndrome conhecida como *hiperesplenismo*, que se caracteriza por anemia, leucopenia e/ou trombocitopenia. A provável causa das citopenias é o aumento de sequestro dos elementos figurados e o consequente aumento da fagocitose pelos macrófagos esplênicos.

A **Tabela 13.12** fornece uma lista dos principais distúrbios associados à esplenomegalia, que foi discutida em outra parte em praticamente todas as condições mencionadas. Serão considerados aqui alguns distúrbios.

Esplenite aguda inespecífica

Ocorre aumento do baço em qualquer infecção transportada pelo sangue. Nessas infecções, a reação esplênica inespecífica é causada pelos próprios agentes microbiológicos e por citocinas que são liberadas como parte da resposta imune.

> **Morfologia**
>
> O baço está aumentado (200 a 400 g) e de consistência amolecida. Ao exame microscópico, a principal característica consiste em congestão aguda da polpa vermelha, que pode invadir e praticamente ocupar os folículos linfoides. Em geral, neutrófilos, plasmócitos e, em certas ocasiões, eosinófilos estão presentes nas polpas branca e vermelha. Algumas vezes, os folículos da polpa branca podem sofrer necrose, particularmente quando o agente causador é um estreptococo hemolítico. Raramente, ocorre formação de abscesso.

Tabela 13.12 Distúrbios associados à esplenomegalia.

I. Infecções

Esplenite inespecífica de várias infecções transportadas pelo sangue (particularmente endocardite infecciosa)
Mononucleose infecciosa
Tuberculose
Febre tifoide
Brucelose
Citomegalovírus
Sífilis
Malária
Histoplasmose
Toxoplasmose
Calazar
Tripanossomíase
Esquistossomose
Leishmaniose
Equinococose

II. Estados congestivos relacionados com a hipertensão portal

Cirrose hepática
Trombose da veia porta ou esplênica
Insuficiência cardíaca

III. Distúrbios linfo-hematogênicos

Linfoma de Hodgkin
Linfomas não Hodgkin e leucemias linfocíticas
Mieloma múltiplo
Neoplasias mieloproliferativas
Anemias hemolíticas

IV. Condições imunológicas inflamatórias

Artrite reumatoide
Lúpus eritematoso sistêmico

V. Doenças de depósito

Doença de Gaucher
Doença de Niemann-Pick
Mucopolissacaridoses

VI. Distúrbios diversos

Amiloidose
Neoplasias primárias e cistos
Neoplasias secundárias

Esplenomegalia congestiva

A obstrução crônica do fluxo venoso de saída provoca uma forma de aumento do baço, designada como *esplenomegalia congestiva*. A obstrução venosa pode ser causada por distúrbios intra-hepáticos que retardam a drenagem da veia porta ou por distúrbios extra-hepáticos que afetam diretamente as veias porta ou esplênica. Todos esses distúrbios levam, em última análise, à hipertensão da veia porta ou esplênica. A congestão venosa sistêmica ou central é observada na descompensação cardíaca que compromete o lado direito do coração, como pode ocorrer na doença da valva tricúspide ou do tronco pulmonar, no *cor pulmonale* crônico ou após insuficiência cardíaca esquerda. A congestão sistêmica está associada a um aumento apenas moderado do baço, que raramente ultrapassa 500 g de peso.

A cirrose hepática constitui a principal causa de esplenomegalia congestiva maciça. A fibrose hepática em "haste de cachimbo" da esquistossomose provoca esplenomegalia congestiva particularmente grave, enquanto a cicatrização fibrosa difusa da cirrose alcoólica e cirrose pigmentar também provocam aumento acentuado. Outras formas de cirrose estão menos comumente implicadas.

A esplenomegalia congestiva também pode ser causada por obstrução da veia porta extra-hepática ou da veia esplênica. Isso pode resultar de *trombose da veia porta*, que habitualmente está associada a alguma doença obstrutiva intra-hepática ou inflamação da veia porta (*pieloflebite*), como ocorre após infecções intraperitoneais. A trombose da veia esplênica pode ser causada por neoplasias infiltrantes provenientes de órgãos adjacentes, como carcinomas de estômago ou de pâncreas.

Morfologia

A congestão esplênica de longa duração produz acentuado aumento (1.000 a 5.000 g). O órgão é firme, e a cápsula é habitualmente espessa e fibrosa. Ao exame microscópico, a polpa vermelha apresenta congestão no início da evolução da doença, porém torna-se cada vez mais fibrótica e celular com o passar do tempo. A elevação da pressão venosa portal estimula a deposição de colágeno na membrana basal dos sinusoides, que aparecem dilatados devido à rigidez de suas paredes. A lentidão resultante do fluxo sanguíneo dos cordões para os sinusoides prolonga a exposição das células sanguíneas aos macrófagos, com consequente destruição excessiva (hiperesplenismo).

Infartos esplênicos

Os infartos esplênicos são lesões comuns causadas pela oclusão da artéria esplênica principal ou por qualquer um de seus ramos. A falta de um extenso suprimento sanguíneo colateral predispõe ao infarto após a oclusão vascular. O baço, assim como os rins e o cérebro, é considerado um dos locais mais frequentes onde se alojam êmbolos. No baço de tamanho normal, os infartos são causados, com mais frequência, por êmbolos provenientes do coração. Os infartos podem ser pequenos ou grandes, isolados ou múltiplos ou ainda acometer todo o órgão. Em geral, são benignos, exceto em indivíduos com endocardite infecciosa das valvas mitral ou da aorta, em que os infartos sépticos são comuns. Os infartos também são comuns no baço acentuadamente aumentado, independente da causa, presumivelmente porque o suprimento sanguíneo é tênue e facilmente comprometido.

Morfologia

Os infartos "benignos" são caracteristicamente pálidos, cuneiformes e de localização subcapsular. Com frequência, a cápsula sobrejacente é coberta por fibrina (**Figura 13.41**). Nos infartos sépticos, essa aparência é modificada pelo desenvolvimento de necrose supurativa. No processo de cicatrização, é frequente a formação de grandes cicatrizes deprimidas.

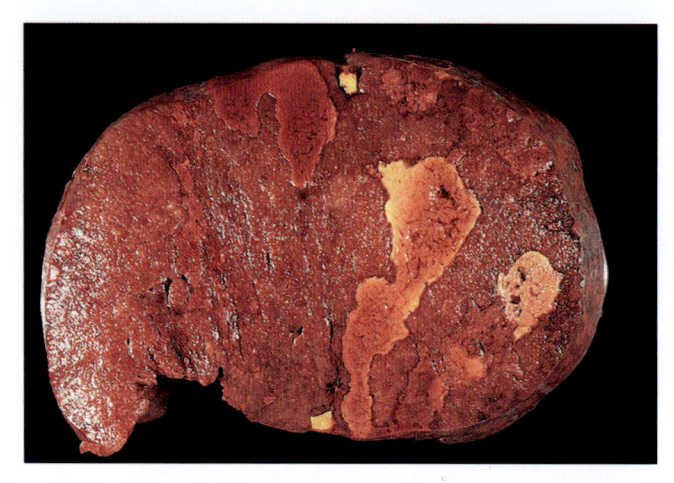

Figura 13.41 Infartos esplênicos. Múltiplos infartos bem circunscritos estão presentes nesse baço, que apresenta aumento maciço (2.820 g; normal 150 a 200 g) pela hematopoese extramedular secundária a uma neoplasia mieloproliferativa (mielofibrose). Os infartos recentes são hemorrágicos, enquanto os infartos mais antigos e mais fibróticos exibem uma cor cinza-amarelada pálida.

Neoplasias

O comprometimento neoplásico do baço é raro, exceto nas neoplasias mieloides e linfoides, que frequentemente provocam esplenomegalia (discutida anteriormente). No baço, podem surgir fibromas benignos, osteomas, condromas, linfangiomas e hemangiomas. Destes, os linfangiomas e os hemangiomas são os mais comuns e, com frequência, são de tipo cavernoso.

Anomalias congênitas

A *ausência completa* do baço é rara e habitualmente está associada a outras anormalidades congênitas, como *situs inversus* e malformações cardíacas. A hipoplasia constitui o achado mais comum.

Os *baços acessórios* (esplenúnculos) são comuns, sendo únicos ou múltiplos em 20 a 35% dos exames *post mortem*. São pequenas estruturas esféricas, que são idênticas ao baço normal do ponto de vista histológico e funcional. Podem ser encontrados em qualquer local dentro da cavidade abdominal. Os baços acessórios são de importância clínica em alguns distúrbios hematológicos, como a esferocitose hereditária (ver **Capítulo 14**), em que a esplenectomia pode ser realizada como tratamento. Se um baço acessório passar despercebido, o benefício terapêutico da remoção do baço definitivo pode ser reduzido ou perdido por completo.

Ruptura

A ruptura esplênica é habitualmente precipitada por traumatismo contuso. Com muito menos frequência, ocorre na ausência aparente de golpe físico. Essas "rupturas espontâneas" nunca envolvem baços verdadeiramente normais, porém resultam de alguma agressão física menor a um baço fragilizado por uma condição subjacente. As condições predisponentes mais comuns são a mononucleose infecciosa, malária, febre tifoide e neoplasias linfoides, que podem levar a um rápido aumento de tamanho do baço, produzindo uma cápsula adelgaçada e tensa, que é suscetível à ruptura. Esse evento dramático frequentemente precipita uma hemorragia intraperitoneal, que precisa ser tratada por meio de esplenectomia imediata, de modo a evitar a morte por perda de sangue. Os baços com aumento crônico têm pouca probabilidade de sofrer ruptura devido ao efeito de resistência da fibrose reativa extensa.

Timo

O timo, um órgão que no passado era mergulhado na obscuridade, desempenha um papel de destaque na imunidade mediada por células (ver **Capítulo 6**). Aqui, nosso interesse concentra-se nos distúrbios da própria glândula.

O timo origina-se embriologicamente do terceiro e, de forma inconstante, do quarto par de bolsas faríngeas. Ao nascimento, pesa 10 a 35 g. Cresce até a puberdade, quando alcança um peso máximo de 20 a 50 g e, posteriormente, sofre involução progressiva até um pouco mais de 5 a 15 g em indivíduos idosos. O timo também pode sofrer involução em crianças e adultos jovens em resposta a uma doença grave e à infecção pelo HIV.

O timo totalmente desenvolvido é composto por dois lobos fundidos e bem encapsulados. A cápsula apresenta extensões fibrosas que dividem cada lobo em numerosos lóbulos, cada um deles com uma camada cortical externa envolvendo a medula central. O timo é composto por diversos tipos de células, porém com predomínio das células epiteliais tímicas e dos linfócitos T imaturos, também denominados timócitos. As células epiteliais no córtex são de forma poligonal e apresentam citoplasma abundante com extensões dendríticas que estabelecem contato com células adjacentes. Por outro lado, as células epiteliais na medula são densamente agrupadas, são frequentemente fusiformes e apresentam citoplasma escasso desprovido de processos interconectantes. Espirais de células epiteliais medulares criam os *corpúsculos de Hassall*, com seus centros queratinizados característicos.

Conforme deduzido a partir da consideração do timo em relação à imunidade (ver **Capítulo 6**), as células progenitoras migram da medula óssea para o timo e amadurecem em células T, que são exportadas para a periferia, porém apenas após terem sido educadas na "universidade tímica" para distinguir entre antígenos próprios e antígenos não próprios. Na vida adulta, a produção tímica de células T declina lentamente à medida que o órgão se atrofia.

No timo, são também encontrados macrófagos, células dendríticas, uma população pequena de linfócitos B, neutrófilos e eosinófilos raros e células mioides (semelhantes às células musculares) dispersas. As células mioides têm interesse particular, visto que elas provavelmente desempenham alguma função no desenvolvimento da miastenia *gravis*, um distúrbio musculoesquelético de origem imune.

As alterações patológicas no timo são limitadas e serão descritas aqui. As alterações associadas à miastenia *gravis* são consideradas no **Capítulo 27**.

Distúrbios do desenvolvimento

A *hipoplasia* ou *aplasia tímica* é observada na síndrome de DiGeorge, que se caracteriza por defeitos graves da imunidade celular e por anormalidades variáveis do desenvolvimento e função das glândulas paratireoides. Conforme discutido no **Capítulo 5**, a síndrome de DiGeorge frequentemente está associada a outros defeitos do desenvolvimento, como parte da síndrome da deleção do 22q11.

Os *cistos tímicos* isolados são lesões incomuns, que habitualmente são descobertas de modo incidental no exame *post mortem* ou durante uma cirurgia. Raramente ultrapassam 4 cm de diâmetro, podem ser esféricos ou ramificados e são revestidos por epitélio estratificado ou colunar. O conteúdo líquido pode ser seroso ou mucinoso e, com frequência, é modificado por hemorragia.

Enquanto os cistos isolados não são clinicamente significativos, as massas tímicas neoplásicas (qualquer que seja a sua origem) comprimem e distorce o timo normal adjacente e, algumas vezes, provocam a formação de cistos. Por conseguinte, a presença de uma lesão tímica cística em um paciente sintomático deve levar a uma investigação minuciosa de neoplasia, particularmente linfoma ou timoma.

Hiperplasia tímica

O termo "hiperplasia tímica" é enganoso, visto que ele habitualmente se aplica ao aparecimento de centros germinativos de células B dentro do timo, um achado designado como *hiperplasia folicular tímica*. Esses folículos de células B estão presentes apenas em pequenos números no timo normal. Embora possa ocorrer hiperplasia folicular em vários estados inflamatórios e imunológicos crônicos, ela é encontrada com mais frequência na miastenia *gravis*, representando 65 a 75% dos casos (ver **Capítulo 27**). Algumas vezes, são encontradas alterações tímicas semelhantes na doença de Graves, no lúpus eritematoso sistêmico, na esclerodermia, na artrite reumatoide e em outros distúrbios autoimunes.

Em outros casos, um timo de morfologia normal é simplesmente grande para a idade do paciente. Conforme já assinalado, o tamanho do timo varia amplamente, e ainda não está claro se isso constitui uma verdadeira hiperplasia ou meramente uma variante do normal. O principal significado dessa forma de "hiperplasia" tímica é que ela pode ser radiologicamente confundida com um timoma, levando à realização de procedimentos cirúrgicos desnecessários.

Timoma

Diversas neoplasias podem surgir no timo – neoplasias de células germinativas, linfomas, carcinoides e outros –, porém **a designação "timoma" é restrita a neoplasias de células epiteliais tímicas**. Normalmente, essas neoplasias também contêm células T imaturas benignas (timócitos).

A OMS criou um sistema de classificação baseado na histologia dos timomas, porém a sua utilidade clínica permanece incerta. Em seu lugar, utilizaremos uma classificação baseada nas características prognósticas mais importantes, no estágio cirúrgico e na presença ou ausência de características citológicas manifestas de neoplasia maligna. Nesse sistema simples, existem apenas três subtipos histológicos:

- Neoplasias citologicamente benignas e não invasivas
- Neoplasias citologicamente benignas, porém invasivas ou metastáticas
- Neoplasias citologicamente malignas (carcinomas tímicos).

Em todas as categorias, as neoplasias ocorrem habitualmente em adultos com mais de 40 anos; os timomas são raros em crianças. Os homens e as mulheres são igualmente afetados. A maioria das neoplasias surge no mediastino anterossuperior; todavia, algumas vezes, elas podem ocorrer no pescoço, na glândula tireoide, no hilo pulmonar ou em outra parte. São incomuns no mediastino posterior. Os timomas respondem por 20 a 30% das neoplasias no mediastino anterossuperior, uma localização também comum para certos linfomas.

Morfologia

Macroscopicamente, os timomas consistem em massas lobuladas firmes, branco-acinzentadas, com tamanho de até 15 a 20 cm. Algumas vezes, exibem áreas de necrose cística e calcificação. A maioria é encapsulada, porém 20 a 25% das neoplasias penetram na cápsula e infiltram os tecidos e estruturas peritímicos.

Os **timomas não invasivos** são, com mais frequência, compostos de células epiteliais do tipo medular ou de uma mistura de células epiteliais dos tipos medular e cortical. As células epiteliais do tipo medular são alongadas ou fusiformes (**Figura 13.42A**). Em geral, observa-se um infiltrado escasso de timócitos, que frequentemente recapitulam o fenótipo dos timócitos medulares. Nos timomas mistos, há uma mistura de células epiteliais poligonais do tipo cortical e um infiltrado mais denso de timócitos. Em conjunto, os padrões medular e misto representam cerca de 50% de todos os timomas. As neoplasias que apresentam uma proporção considerável de células epiteliais do tipo medular são habitualmente não invasivas.

O **timoma invasivo** refere-se a uma neoplasia citologicamente benigna, porém localmente invasiva. Essas neoplasias têm uma tendência muito maior a produzir metástases. As células epiteliais são mais comumente da variedade cortical, com citoplasma abundante e núcleos vesiculares arredondados (**Figura 13.42B**), e são habitualmente misturadas com numerosos timócitos. Em alguns casos, as células neoplásicas exibem atipia citológica, uma característica que se correlaciona com uma tendência a exibir um comportamento mais agressivo. Essas neoplasias respondem por cerca de 20 a 25% de todos os timomas. **Por definição, os timomas invasivos penetram através da cápsula para alcançar as estruturas circundantes.** A extensão da invasão foi subdividida em vários estágios, que estão além do nosso objetivo. Na invasão mínima, a excisão completa produz uma taxa de sobrevida em 5 anos superior a 90%, enquanto a invasão extensa está associada a uma taxa de sobrevida em 5 anos de menos de 50%.

O **carcinoma tímico** representa cerca de 5% dos timomas. Macroscopicamente, trata-se de massas habitualmente carnosas e obviamente invasivas, algumas vezes acompanhadas de metástases para locais como os pulmões. Microscopicamente, a maioria consiste em **carcinomas de células escamosas**. Outra variante distinta é o **carcinoma do tipo linfoepitelioma**, uma neoplasia composta por lâminas de células que têm uma estreita semelhança histológica com o carcinoma nasofaríngeo. Cerca de 50% dos carcinomas do tipo linfoepitelioma contêm genomas monoclonais do EBV, consistente com um papel do HBV na sua patogênese. Foi descrita uma variedade de outros padrões histológicos menos comuns de carcinoma tímico, e todos eles exibem a atipia citológica observada em outros carcinomas.

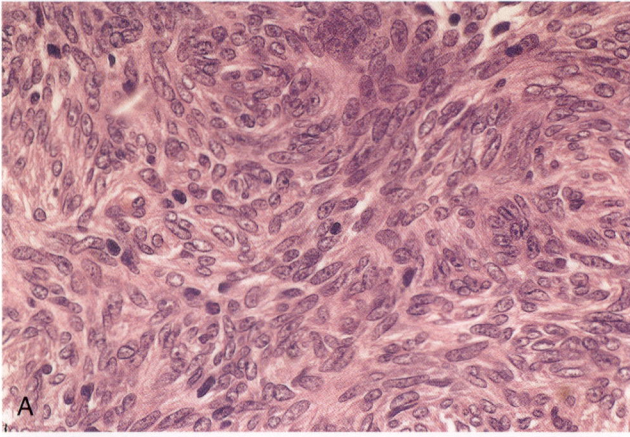

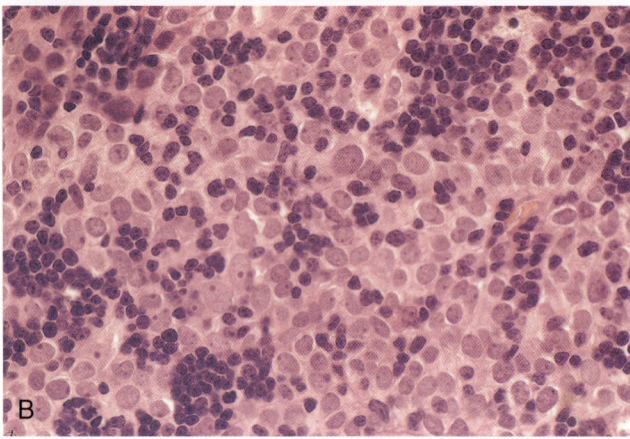

Figura 13.42 Timoma. A. Timoma benigno (tipo medular). As células epiteliais neoplásicas estão dispostas em padrão espiralado e apresentam núcleos discretos ovais a alongados, com nucléolos indistintos. Apenas algumas células linfoides reativas pequenas estão entremeadas. **B.** Timoma maligno tipo I. As células epiteliais neoplásicas são poligonais e apresentam núcleos discretos redondos a ovais, com nucléolos indistintos. Numerosas células linfoides reativas pequenas estão entremeadas. A aparência morfológica dessa neoplasia é idêntica a dos timomas benignos do tipo cortical. Entretanto, neste caso, a neoplasia foi localmente agressiva, invadindo o pulmão e pericárdio adjacentes.

Características clínicas

Cerca de 40% dos timomas manifestam-se com sintomas que resultam do impacto nas estruturas mediastinais. Outros 30 a 45% são detectados durante a avaliação de pacientes com miastenia *gravis*. O restante é descoberto de modo incidental durante exames de imagem ou durante uma cirurgia cardiotorácica. Além da miastenia *gravis*, outros distúrbios autoimunes associados incluem hipogamaglobulinemia, aplasia pura da série vermelha, doença de Graves, anemia perniciosa, dermatomiosite-polimiosite e síndrome de Cushing. A base dessas associações é incerta, porém os timócitos que surgem dentro de timomas dão origem a células T CD4+ e CD8+ de vida longa, e os timomas corticais ricos em timócitos têm mais tendência a estar associados à doença autoimune. Por conseguinte, parece provável que as anormalidades na seleção ou na "educação" das células T que amadurecem dentro do ambiente da neoplasia contribuam para o desenvolvimento de diversos distúrbios autoimunes.

LEITURA SUGERIDA

Células-tronco hematopoéticas

Gao X, Xu C, Asada N et al: The hematopoietic stem cell niche from embryo to adult, *Development* 145:dev139691, 2018. [*Discussão das origens das células-tronco hematopoiéticas*].

Pinho S, Frenette PS: Haematopoietic stem cell activity and interactions with the niche, *Nat Rev Mol Cell Biol* 20:303, 2019. [*Discussão da natureza e biologia do nicho de células-tronco da medula*].

Neoplasias de leucócitos

Allen CE, Merad M, McClain KL: Langerhans-cell histiocytosis, *N Engl J Med* 379:856, 2018. [*Revisão atualizada da patogênese e características clínicas da histiocitose de células de Langerhans*].

Arber A, Orazi A, Hasserjian R et al: The 2016 revision to the World Health Organization classification of myeloid neoplasms and acute leukemia, *Blood* 127:2391, 2016. [*Visão geral da versão mais recente do sistema de classificação usado para neoplasias mieloides*].

Hunger SP, Mullighan CG: Acute lymphoblastic leukemia in children, *N Engl J Med* 373:2015, 1541. [*Visão geral da genética, características clínicas e tratamento da leucemia linfoblástica aguda na infância*].

Jain N, Keating M, Thompson P et al: Ibrutinib and venetoclax for first-line treatment of CLL, *N Engl J Med* 380:2095, 2019. [*Relatório da excelente resposta à terapia com agentes que inibem a sinalização do receptor de células B e função do BCL2, evidência da importância destes fatores no crescimento e sobrevivência celular na LLC*].

Kumar SJ, Rajkuar V, Kyle RA et al: Multiple myeloma, *Nat Rev Dis Primers* 3:17046, 2017. [*Revisão da patogênese, características clínicas e tratamento do mieloma múltiplo*].

Küppers R, Stevenson FK: Critical influences on the pathogenesis of follicular lymphoma, *Blood* 131:2297, 2018. [*Discussão de novos insights na patogênese desta doença, incluindo sua genética e influências microambientais*].

Ogawa S: Genetics of MDS, *Blood* 133:1049, 2019. [*Revisão abrangente dos direcionadores (drivers) genéticos em síndromes mielodisplásicas*].

Sallman DA, List A: The central role of inflammatory signaling in the pathogenesis of myelodysplastic syndromes, Blood 133:1039, 2019. [*Revisão recente da emergente ligação entre síndromes mielodisplásicas e inflamação*].

Schmitz R, Ceribelli M, Pittaluga S et al: Oncogenic mechanisms in Burkitt lymphoma, *Cold Spring Harb Perspect Med* 4:a014282, 2014. [*Revisão da patogênese molecular do linfoma de Burkitt*].

Swerdlow SH, Campo E, Pileri SA et al: The 2016 revision of the World Health Organization classification of lymphoid neoplasms, *Blood* 127:2375, 2016. [*Visão geral da versão mais recente do sistema de classificação usado para neoplasias linfoides*].

Vainchenker W, Kralovics R: Genetic basis and molecular pathophysiology or classical myeloproliferative neoplasms, *Blood* 129:667, 2017. [*Atualização da patogênese dos principais subtipos de neoplasias mieloproliferativas*].

Young RM, Phelan JD, Shaffer AL et al: Taming the heterogeneity of aggressive lymphomas for precision therapy, *Ann Rev Cancer Biol* 3:429, 2019. [*Excelente revisão das origens moleculares do linfoma difuso de grandes células B e implicações para a terapia*].

CAPÍTULO 14

Distúrbios dos Eritrócitos e Distúrbios Hemorrágicos

SUMÁRIO DO CAPÍTULO

Anemias, 655
Anemias por perda de sangue, 657
Perda de sangue aguda, 657
Perda de sangue crônica, 657
Anemias hemolíticas, 657
Esferocitose hereditária, 658
Doença hemolítica causada por defeitos enzimáticos dos eritrócitos: deficiência de glicose-6-fosfato desidrogenase, 660
Doença falciforme, 661
Talassemia, 665
Hemoglobinúria paroxística noturna, 669
Anemia imuno-hemolítica, 670
Anemia hemolítica em decorrência de trauma dos eritrócitos, 671
Anemias por diminuição da eritropoese, 672
Anemia megaloblástica, 672
Anemia por deficiência de folato, 675
Anemia ferropriva, 676
Anemia da inflamação crônica, 680
Anemia aplásica, 680
Aplasia pura da série vermelha, 683
Outras formas de insuficiência medular, 683
Policitemia, 684
Distúrbios hemorrágicos: diáteses hemorrágicas, 684
Distúrbios hemorrágicos causados por anormalidades das paredes dos vasos, 685
Sangramento relacionado com a redução do número de plaquetas: trombocitopenia, 685
Púrpura trombocitopênica imune crônica, 686
Púrpura trombocitopênica imune aguda, 687
Trombocitopenia induzida por medicamentos, 687
Trombocitopenia associada ao vírus da imunodeficiência humana, 687
Microangiopatias trombóticas: púrpura trombocitopênica trombótica e síndrome hemolítico-urêmica, 687
Distúrbios hemorrágicos relacionados com defeitos da função plaquetária, 688
Diáteses hemorrágicas relacionadas com anormalidades nos fatores da coagulação, 689
Complexo de fator VIII-FvW, 689
Doença de von Willebrand, 690
Hemofilia A (deficiência de fator VIII), 691
Hemofilia B (doença de Christmas, deficiência de fator IX), 691
Coagulação intravascular disseminada, 691
Complicações da transfusão, 693
Reações alérgicas, 694
Reações hemolíticas, 694
Lesão pulmonar aguda relacionada à transfusão, 694
Complicações infecciosas, 694

Neste capítulo, consideraremos inicialmente as doenças dos eritrócitos. As mais comuns e importantes são, de longe, as anemias, isto é, estados de deficiência eritrocitária que habitualmente apresentam uma base não neoplásica. Em seguida, completamos nosso estudo das doenças hematológicas com uma discussão dos principais distúrbios hemorrágicos e complicações da transfusão sanguínea.

Anemias

A anemia é definida como uma redução da massa circulante total de eritrócitos abaixo dos limites normais. A anemia diminui a capacidade de transporte de oxigênio do sangue, o que leva à hipoxia tecidual. Na prática, não é fácil medir a massa eritrocitária, e a anemia é habitualmente diagnosticada com base em uma redução do *hematócrito* (razão entre o volume de eritrócitos e o volume total de sangue) e na *concentração de hemoglobina* do sangue para níveis abaixo dos valores normais de referência. Esses valores correlacionam-se com a massa eritrocitária, exceto quando há alterações no volume plasmático causadas por retenção de líquido ou por desidratação.

Existem muitas classificações da anemia. Seguiremos aquela baseada nos mecanismos subjacentes, apresentada na **Tabela 14.1**.

Uma segunda abordagem clinicamente útil classifica a anemia de acordo com as alterações na morfologia dos eritrócitos, que frequentemente apontam para causas particulares. As características morfológicas que fornecem pistas etiológicas incluem o tamanho dos eritrócitos (normocítica, microcítica ou macrocítica), o grau de hemoglobinização, refletido na cor dos eritrócitos (normocrômica ou hipocrômica) e formato. As anemias microcíticas hipocrômicas são causadas por distúrbios na síntese de hemoglobina, enquanto as anemias macrocíticas originam-se, com frequência, de anormalidades que comprometem a maturação dos precursores eritroides na medula óssea. As anemia normocíticas normocrômica apresentam etiologias diversas; em algumas dessas anemias, anormalidades características do formato dos eritrócitos fornecem uma importante pista sobre a causa. O formato dos eritrócitos é avaliado por meio de inspeção visual de esfregaços de sangue periférico, enquanto outros índices eritrocitários são determinados em laboratórios clínicos com instrumentação especial. Os índices eritrocitários de maior utilidade são os seguintes:

- *Volume corpuscular médio:* o volume médio de um eritrócito expresso em fentolitros (fℓ)
- *Hemoglobina corpuscular média:* conteúdo médio (massa) de hemoglobina por eritrócito, expresso em picogramas (pg)

- *Concentração de hemoglobina corpuscular média:* concentração média de hemoglobina em determinado volume de eritrócitos, expressa em gramas por decilitro (g/dℓ)
- *Índice de anisocitose eritrocitária:* coeficiente de variação do volume eritrocitário.

As faixas de referência dos índices eritrocitários em adultos são apresentadas na **Tabela 14.2**.

Qualquer que seja a causa, a anemia provoca manifestações relacionadas com a diminuição da hemoglobina e do conteúdo e oxigênio do sangue. Os pacientes apresentam palidez e, com frequência, queixam-se de fraqueza, mal-estar, fatigabilidade fácil e dispneia ao esforço leve. A hipoxia pode causar degeneração gordurosa no fígado, no miocárdio e no rim. Em certas ocasiões, a hipoxia miocárdica manifesta-se como angina de peito, particularmente quando complicada por doença arterial coronariana preexistente. Na presença de perda de sangue aguda e choque, pode haver desenvolvimento de oligúria e anúria em consequência da hipoperfusão renal. A hipoxia do sistema nervoso central pode causar cefaleia, escurecimento da visão e fraqueza.

Tabela 14.1 Classificação da anemia de acordo com o mecanismo subjacente.

Mecanismo	Exemplos específicos
Perda de sangue	
Perda de sangue aguda	Trauma
Perda de sangue crônica	Lesões do trato gastrintestinal, distúrbios ginecológicos[a]
Aumento da destruição de eritrócitos (hemólise)	
Defeitos genéticos hereditários	
Distúrbios da membrana dos eritrócitos	Esferocitose hereditária, eliptocitose hereditária
Deficiências enzimáticas	
Deficiências das enzimas da via de hexose monofosfato	Deficiência de G6PD, deficiência de glutationa sintetase
Deficiências das enzimas glicolíticas	Deficiência de piruvato quinase, deficiência de hexoquinase
Anormalidades da hemoglobina	
Síntese deficiente de globina	Síndromes talassêmicas
Globinas estruturalmente anormais (hemoglobinopatias)	Doença falciforme, hemoglobinas instáveis
Defeitos genéticos adquiridos	
Deficiência de glicoproteínas ligadas ao fosfatidilinositol	Hemoglobinúria paroxística noturna
Destruição mediada por anticorpos	Doença hemolítica do recém-nascido (doença Rh), reações transfusionais, induzida por medicamentos, distúrbios autoimunes
Trauma mecânico	
Anemias hemolíticas microangiopáticas	Síndrome hemolítica urêmica, coagulação intravascular disseminada, púrpura trombocitopênica trombótica
Hemólise traumática cardíaca	Valvas cardíacas defeituosas
Trauma físico repetitivo	Tocar tambor, correr em maratonas, golpes de caratê
Infecções dos eritrócitos	Malária, babesiose
Lesão tóxica ou química	Sepse por clostrídios, veneno de serpente, envenenamento por chumbo
Anormalidades dos lipídios da membrana	Abetalipoproteinemia, doença hepatocelular grave
Sequestro	Hiperesplenismo
Diminuição na produção de eritrócitos	
Defeitos genéticos hereditários	
Defeitos que levam à depleção das células-tronco	Anemia de Fanconi, defeitos da telomerase
Defeitos que afetam a maturação dos eritroblastos	Síndromes talassêmicas
Deficiências nutricionais	
Deficiências que afetam a síntese de DNA	Deficiências de vitamina B_{12} e folato
Deficiências que afetam a síntese de hemoglobina	Deficiência de ferro
Deficiência de eritropoetina	Insuficiência renal, anemia da inflamação crônica
Lesão imunomediada dos progenitores	Anemia aplásica, aplasia pura da série de vermelha
Sequestro de ferro mediado por inflamação	Anemia da inflamação crônica
Neoplasias hematopoéticas primárias	Leucemia aguda, síndrome mielodisplásica, neoplasias mieloproliferativas (ver **Capítulo 13**)
Lesões expansivas da medula óssea	Neoplasias metastáticas, doença granulomatosa
Infecções dos progenitores dos eritrócitos	Infecção por parvovírus B19
Mecanismos desconhecidos	Distúrbios endócrinos, doença hepatocelular

G6PD, glicose-6-fosfato desidrogenase.
[a]Com mais frequência a anemia resulta de deficiência de ferro, e não de sangramento em si.

Tabela 14.2 Faixas de referência dos eritrócitos em adultos.[a]

Medição (unidades)	Homens	Mulheres
Hemoglobina (g/dℓ)	13,6 a 17,2	12,0 a 15,0
Hematócrito (%)	39 a 49	33 a 43
Contagem de eritrócitos (×10⁶/μℓ)	4,3 a 5,9	3,5 a 5,0
Contagem de reticulócitos (%)	0,5 a 1,5	
Volume corpuscular médio (fℓ)	82 a 96	
Hemoglobina corpuscular média (pg)	27 a 33	
Concentração de hemoglobina corpuscular média (g/dℓ)	33 a 37	
Índice de anisocitose eritrocitária	11,5 a 14,5	

[a]As faixas de referência variam entre laboratórios. As faixas de referência para o laboratório que fornece os resultados sempre devem ser utilizadas na interpretação dos resultados dos exames.

Anemias por perda de sangue

Perda de sangue aguda

Os efeitos da perda de sangue aguda resultam principalmente da perda de volume intravascular que, se for maciça, pode levar ao colapso cardiovascular, choque e morte. As características clínicas dependem da taxa de hemorragia e do sangramento ser externo ou interno. Se o paciente sobreviver, o volume sanguíneo é rapidamente restaurado pelo movimento de água do compartimento de líquido intersticial para o compartimento intravascular. Esse desvio de líquido produz hemodiluição e diminui o hematócrito. A consequente redução da oxigenação tecidual desencadeia um aumento na secreção renal de eritropoetina, que estimula a proliferação dos progenitores eritroides comprometidos (unidade formadora de colônias de células eritroides [CFU-E]) na medula óssea (ver **Figura 13.1**). São necessários cerca de 5 dias para que a progênie dessas CFU-E amadureça e apareça como eritrócitos recém-liberados (reticulócitos) no sangue periférico. O ferro da hemoglobina é recapturado se houver extravasamento dos eritrócitos nos tecidos, enquanto o sangramento no intestino ou fora do corpo leva à perda de ferro e possível deficiência de ferro, o que pode dificultar a restauração das contagens normais de eritrócitos.

O sangramento significativo resulta em alterações previsíveis no sangue, envolvendo não apenas os eritrócitos, mas também os leucócitos e as plaquetas. Se a hemorragia for maciça o suficiente para causar uma redução da pressão arterial, a liberação compensatória de hormônios adrenérgicos mobiliza os granulócitos do reservatório marginal intravascular, o que resulta em leucocitose. No início, os eritrócitos têm aparência normal quanto ao tamanho e cor (normocíticos, normocrômicos). Entretanto, à medida que a produção aumenta na medula óssea, ocorre um notável aumento da contagem de reticulócitos (reticulocitose), que alcança 10 a 15% depois de 7 dias. Os reticulócitos são maiores que os eritrócitos normais e apresentam um citoplasma policromatófilo vermelho-azulado, devido à presença de RNA, uma característica que possibilita a sua identificação no laboratório clínico. Com frequência, a recuperação precoce da perda de sangue também é acompanhada de trombocitose, que resulta do aumento na produção de plaquetas.

Perda de sangue crônica

A perda de sangue crônica induz anemia apenas quando a velocidade da perda ultrapassa a capacidade regenerativa da medula óssea ou quando há depleção das reservas de ferro e aparece anemia ferropriva (ver adiante).

Anemias hemolíticas

As anemias hemolíticas compartilham as seguintes características:

- *Redução do tempo de vida dos eritrócitos* abaixo dos 120 dias normais
- *Elevação dos níveis de eritropoetina e aumento compensatório da eritropoese*
- *Acúmulo de produtos de degradação da hemoglobina*, que são formados como parte do processo de hemólise dos eritrócitos.

A destruição fisiológica dos eritrócitos senescentes ocorre dentro dos macrófagos, que estão presentes em quantidade abundante no baço, no fígado e na medula óssea. Esse processo parece ser desencadeado por **alterações dependentes da idade** nas proteínas de superfície dos eritrócitos, levando ao seu reconhecimento e remoção pelos fagócitos. Na grande maioria das anemias hemolíticas, a destruição prematura dos eritrócitos também ocorre no interior dos fagócitos, um evento designado como hemólise extravascular. Se for persistente, a hemólise extravascular leva à hiperplasia dos fagócitos, que se manifesta por graus variáveis de *esplenomegalia*.

A hemólise extravascular é mais comumente causada por alterações que tornam os eritrócitos menos deformáveis. São necessárias mudanças extremas no formato dos eritrócitos para que eles possam navegar com sucesso pelos sinusoides esplênicos. A redução da deformabilidade torna essa passagem difícil, o que leva ao sequestro dos eritrócitos e à sua fagocitose por macrófagos localizados dentro dos cordões esplênicos. Independentemente da causa, as principais características clínicas da hemólise extravascular consistem em anemia, esplenomegalia e icterícia. Inevitavelmente, uma certa quantidade de hemoglobina escapa dos fagócitos, levando a uma diminuição variável da haptoglobina plasmática, uma α_2-globulina que se liga à hemoglobina livre e impede a sua excreção na urina. Tendo em vista que grande parte da destruição prematura dos eritrócitos ocorre no baço, os indivíduos com hemólise extravascular frequentemente se beneficiam da esplenectomia.

A hemólise intravascular dos eritrócitos pode ser causada por lesão mecânica, fixação do complemento, parasitas intracelulares (p. ex., malária por *falciparum*; ver **Capítulo 8**) **ou fatores tóxicos exógenos.** Em comparação com a hemólise extravascular, a hemólise intravascular ocorre menos comumente; as causas de lesão mecânica incluem trauma causado por valvas cardíacas, estreitamento da microcirculação por trombos ou trauma físico repetitivo (p. ex., corrida em maratonas e tocar tambor). Ocorre fixação do complemento em uma variedade de situações nas quais os anticorpos reconhecem antígenos eritrocitários e se ligam a eles. A lesão tóxica é exemplificada pela sepse por clostrídios, que resulta na liberação de enzimas que digerem a membrana eritrocitária.

Qualquer que seja o mecanismo, a hemólise intravascular manifesta-se por anemia, hemoglobinemia, hemoglobinúria, hemossiderinúria e icterícia. A hemoglobina livre liberada dos eritrócitos lisados liga-se prontamente à haptoglobina, produzindo um complexo que é rapidamente eliminado por fagócitos mononucleares. À medida que ocorre depleção da haptoglobina sérica, a hemoglobina livre é oxidada a metemoglobina, que tem uma cor marrom. As células tubulares proximais renais reabsorvem e degradam grande parte da hemoglobina e metemoglobina filtradas, porém certa quantidade passa para a urina, conferindo-lhe uma cor marrom avermelhada. O ferro liberado da hemoglobina pode acumular-se no interior das células tubulares, dando origem à *hemossiderose renal*. Concomitantemente, grupos heme derivados dos complexos de hemoglobina-haptoglobina são metabolizados a bilirrubina dentro dos fagócitos mononucleares, o que leva à icterícia. Diferentemente da hemólise extravascular, não ocorre esplenomegalia.

Em todos os tipos de anemia hemolítica não complicada, o excesso de bilirrubina é não conjugado. O nível de hiperbilirrubinemia depende da capacidade funcional do fígado e da taxa de hemólise. Quando o fígado é normal, a icterícia raramente é grave, porém a bilirrubina em excesso excretada pelo fígado no trato biliar frequentemente leva à formação de cálculos biliares derivados de pigmentos do heme.

> ### Morfologia
>
> Algumas alterações são observadas na anemia hemolítica, independentemente da causa ou do tipo. A anemia e a redução da tensão de oxigênio tecidual desencadeiam a produção de eritropoetina, que estimula a diferenciação eritroide e leva ao aparecimento de **um número aumentado de precursores eritroides (normoblastos)** na medula óssea (**Figura 14.1**). Aumentos compensatórios na eritropoese resultam em **reticulocitose proeminente** no sangue periférico. A fagocitose dos eritrócitos leva ao acúmulo de **hemossiderina**, um pigmento que contém ferro, particularmente no baço, no fígado e na medula óssea. Esse acúmulo de ferro é referido como **hemossiderose**. Se a anemia for grave, pode ocorrer **hematopoese extramedular** no fígado, no baço e nos linfonodos. Com a hemólise crônica, a excreção biliar elevada de bilirrubina promove a formação de **cálculos biliares pigmentados** (colelitíase).

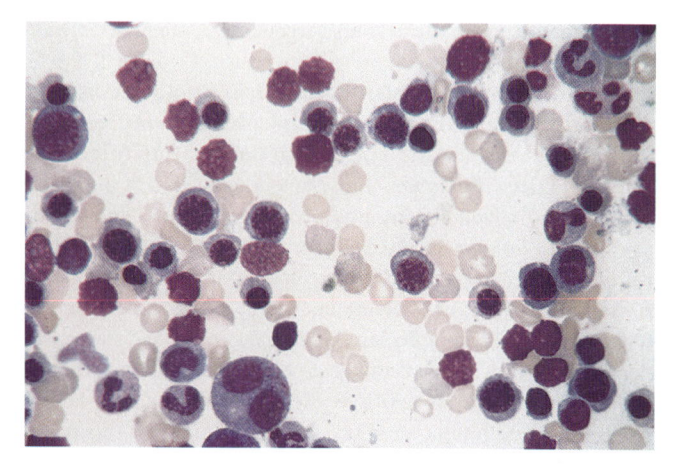

Figura 14.1 Esfregaço de aspirado da medula óssea de um paciente com anemia hemolítica. Observa-se um número aumentado de progenitores eritroides em maturação (normoblastos). (Cortesia do Dr. Steven Kroft, Department of Pathology, University of Texas Southwestern Medical School, Dallas, Tex.)

As anemias hemolíticas podem ser classificadas de diversas maneiras; aqui, a classificação baseia-se nos mecanismos subjacentes (ver **Tabela 14.1**). Começaremos com uma discussão das principais formas hereditárias de anemia hemolítica e, em seguida, passaremos para as formas adquiridas que são mais comuns ou que apresentam interesse fisiopatológico particular.

Esferocitose hereditária

A esferocitose hereditária (EH) é um distúrbio hereditário causado por defeitos intrínsecos no esqueleto da membrana eritrocitária, que tornam os eritrócitos esferoides, menos deformáveis e vulneráveis ao sequestro e destruição pelo baço. A prevalência da EH é maior na Europa Setentrional, onde são relatadas taxas de 1 em 5 mil. Observa-se um padrão de herança autossômica dominante em cerca de 75% dos casos. Os pacientes restantes apresentam uma forma mais grave da doença, que habitualmente é causada pela herança de dois defeitos diferentes (um estado conhecido como heterozigosidade composta).

Patogênese

A notável deformabilidade e a durabilidade dos eritrócitos normais são atribuíveis às propriedades físico-químicas de seu esqueleto especializado da membrana (**Figura 14.2**), situado em estreita aposição à superfície interna da membrana plasmática. Seu principal componente proteico, a espectrina, consiste em duas cadeias polipeptídicas, α e β, que formam heterodímeros flexíveis entrelaçados (helicoidais). As regiões da "cabeça" dos dímeros de espectrina se autoassociam para formar tetrâmeros, enquanto as "caudas" associam-se a oligômeros de actina. Cada oligômero de actina pode ligar-se a múltiplos tetrâmeros de espectrina, criando, assim, um esqueleto de espectrina-actina bidimensional, que está conectado à membrana celular por duas interações distintas. A primeira, que envolve as proteínas anquirina e banda 4.2, liga a espectrina ao transportador de íons transmembranar, a banda 3. A segunda, que envolve a proteína 4.1, liga a "cauda" da espectrina à outra proteína transmembranar, a glicoforina A.

A EH é causada por diversas mutações, que levam a uma insuficiência de componentes do esqueleto da membrana. Em consequência dessas alterações, o tempo de vida dos eritrócitos afetados diminui, em média, para 10 a 20 dias dos 120 dias normais. As mutações patogênicas afetam mais comumente a anquirina, a banda 3, a espectrina ou a banda 4.2, as proteínas envolvidas em uma das duas interações de fixação. A maioria das mutações provoca mudanças de quadro de leitura (*frameshift*) ou introduz códons de terminação prematuros, de modo que o alelo mutado é incapaz de produzir qualquer proteína. A consequente deficiência da proteína afetada reduz a montagem do esqueleto como um todo, desestabilizando a membrana plasmática sobrejacente. Os eritrócitos jovens da EH apresentam forma normal, porém a bicamada lipídica desestabilizada elimina fragmentos de membrana à medida que os eritrócitos envelhecem na circulação. A perda de membrana em relação ao citoplasma "força" as células a assumir o menor diâmetro possível para determinado volume, ou seja, uma esfera. A heterozigosidade composta para dois alelos defeituosos resulta, de modo compreensível, em deficiência mais acentuada do esqueleto da membrana e em doença mais grave.

Os efeitos invariavelmente benéficos da esplenectomia provam que o baço desempenha um papel central na morte prematura dos esferócitos. As dificuldades dos eritrócitos esferocíticos estão razoavelmente bem definidas. Na vida dos esferócitos corpulentos

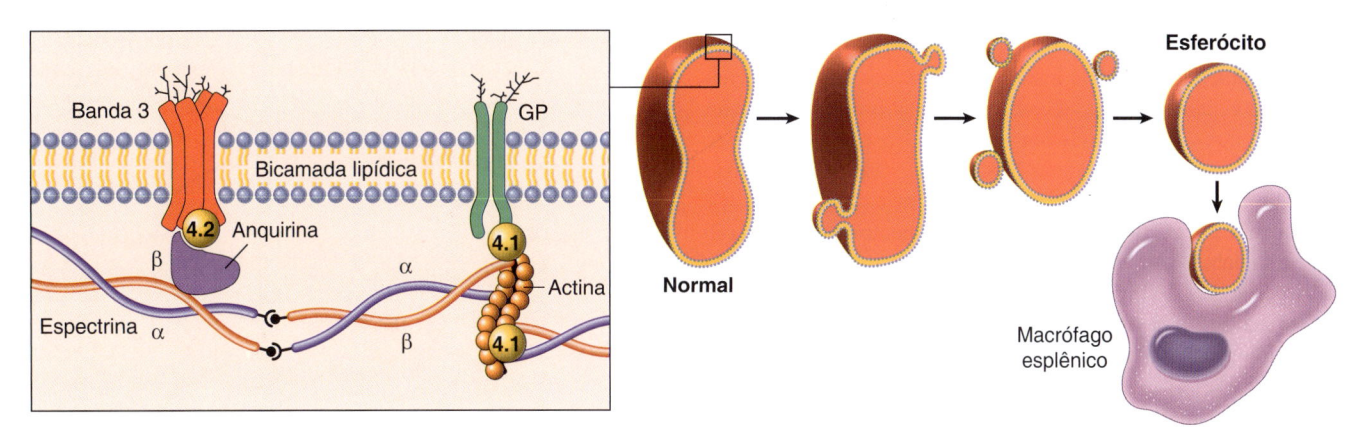

Figura 14.2 Papel do esqueleto da membrana celular eritrocitária na esferocitose hereditária. O *painel à esquerda* mostra a organização normal das principais proteínas do esqueleto da membrana eritrocitária. Várias mutações, envolvendo a α-espectrina, β-espectrina, anquirina, banda 4.2 ou banda 3, que enfraquecem as interações entre essas proteínas, fazem com que os eritrócitos percam fragmentos da membrana à medida que envelhecem. Para acomodar a alteração resultante na razão entre área de superfície e volume, essas células adotam um formato esférico. Os esferócitos são menos deformáveis do que os eritrócitos normais e, portanto, ficam aprisionados nos cordões esplênicos, onde são fagocitados por macrófagos. *GP*, glicoforina.

e desprovidos de flexibilidade, o baço é o vilão. Os eritrócitos normais precisam sofrer uma extrema deformação para sair dos cordões de Billroth e entrar nos sinusoides. Devido à sua forma esferoide e à sua deformabilidade reduzida, os desafortunados esferócitos são aprisionados nos cordões esplênicos, onde passam a ser presas fáceis dos macrófagos. O ambiente esplênico também exacerba a tendência dos eritrócitos da EH a perder a membrana, com íons K^+ e H_2O; foi sugerido que a exposição esplênica prolongada (eritroestase), a depleção da glicose dos eritrócitos e a diminuição do pH eritrocitário contribuem para essas anormalidades (**Figura 14.3**). Após a esplenectomia, os esferócitos persistem, porém a anemia é corrigida.

> **Morfologia**
>
> O achado morfológico mais específico é a **esferocitose**, aparente nos esfregaços como eritrócitos pequenos e de coloração escura (hipercrômicos), que carecem da zona de palidez central (**Figura 14.4**). A esferocitose é característica, porém não patognomônica, visto que se observa também a presença de esferócitos em outros distúrbios associados à perda da membrana eritrocitária, como na anemia hemolítica autoimune. Outras características são comuns a todas as anemias hemolíticas, como reticulocitose, hiperplasia eritroide da medula óssea, hemossiderose e icterícia leve. Ocorre **colelitíase** (cálculos pigmentares) em 40 a 50% dos adultos afetados. A **esplenomegalia** moderada é característica (500 a 1.000 g); em algumas outras anemias hemolíticas, o aumento do baço é igual ou tão consistente. A esplenomegalia resulta da congestão dos cordões de Billroth ou do aumento no número de fagócitos.

Figura 14.3 Fisiopatologia da esferocitose hereditária.

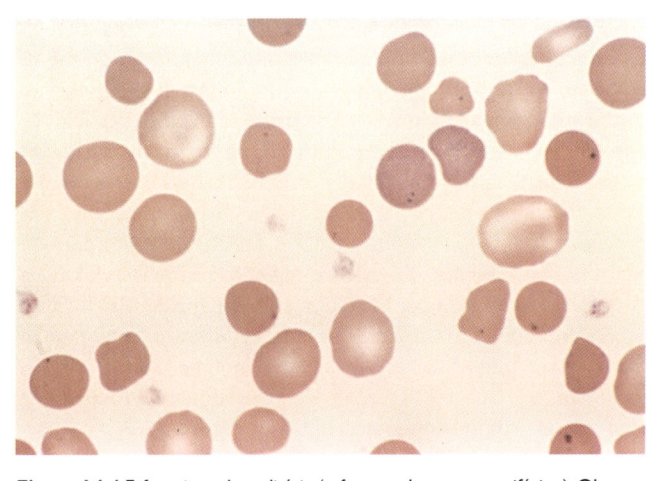

Figura 14.4 Esferocitose hereditária (esfregaço de sangue periférico). Observe a anisocitose e vários esferócitos de aparência escura sem palidez central. São também observados corpúsculos de Howell-Jolly (pequenos remanescentes nucleares escuros) em alguns dos eritrócitos desse paciente com asplenia. (Cortesia do Dr. Robert W. McKenna, Department of Pathology, University of Texas Southwestern Medical School, Dallas, Tex.)

Características clínicas

O diagnóstico baseia-se na história familiar, nos achados hematológicos e nas evidências laboratoriais. Em dois terços dos casos, os eritrócitos são anormalmente sensíveis à lise osmótica quando incubados em soluções salinas hipotônicas, causando o influxo de água nos esferócitos com pouca margem para expansão. Os eritrócitos da EH também apresentam um aumento na concentração de hemoglobina corpuscular média, devido à desidratação causada pela perda de K^+ e H_2O.

As manifestações clínicas características consistem em anemia, esplenomegalia e icterícia. A gravidade varia acentuadamente. Em uma minoria de casos (principalmente em heterozigotos compostos), a EH manifesta-se ao nascimento com icterícia acentuada e exige exsanguineotransfusões. Em 20 a 30% dos pacientes, a doença é tão leve a ponto de ser praticamente assintomática; neste caso, a redução da sobrevida dos eritrócitos é prontamente compensada por um aumento da eritropoese. Entretanto, na maioria dos casos, as alterações compensatórias são ultrapassadas, produzindo anemia hemolítica crônica de gravidade leve a moderada.

Algumas vezes, a evolução clínica geralmente estável é pontuada por *crises aplásicas,* que são habitualmente desencadeadas por uma infecção aguda por parvovírus. O parvovírus infecta e mata os progenitores eritrocitários, o que causa a interrupção de toda a produção de eritrócitos até que o vírus seja eliminado por uma resposta imune, geralmente em 1 a 2 semanas. Devido à redução do tempo de vida dos eritrócitos na EH, a interrupção da eritropoese, mesmo por um curto período, leva a um súbito agravamento da anemia. Pode ser necessária a administração de transfusões para manter o paciente durante a fase aguda da infecção. As *crises hemolíticas* são produzidas por eventos intercorrentes que levam a um aumento da destruição esplênica dos eritrócitos (p. ex., mononucleose infecciosa e consequente aumento do tamanho do baço); essas crises hemolíticas são clinicamente menos significativas do que as crises aplásicas. Os cálculos biliares, que são encontrados em muitos pacientes, também podem produzir sintomas. A esplenectomia trata a anemia e suas complicações, porém está associada a um aumento no risco de sepse, visto que o baço atua como importante filtro contra bactérias transportadas pelo sangue.

Doença hemolítica causada por defeitos enzimáticos dos eritrócitos: deficiência de glicose-6-fosfato desidrogenase

As anormalidades na via da hexose monofosfato ou no metabolismo da glutationa, como resultado de deficiência ou comprometimento da função enzimática, reduzem a capacidade dos eritrócitos de se proteger contra lesões oxidativas e levam à hemólise. O mais importante desses distúrbios enzimáticos é a deficiência hereditária da atividade da glicose-6-fosfato desidrogenase (G6PD). A G6PD reduz o fosfato de nicotinamida adenina dinucleotídio (NADP) a NADPH, enquanto oxida a glicose-6-fosfato (**Figura 14.5**). Em seguida, o NADPH fornece equivalentes redutores necessários para a conversão da glutationa oxidada em glutationa reduzida, que protege contra a lesão oxidativa pela sua participação como cofator em reações que neutralizam compostos como H_2O_2 (ver **Figura 14.5**).

A deficiência de G6PD é um traço recessivo ligado ao X, que faz com que os indivíduos do sexo masculino corram risco muito maior de doença sintomática. Existem várias centenas de variantes genéticas de G6PD, porém a anemia hemolítica clinicamente mais significativa está associada a apenas duas variantes, designadas como G6PD⁻ e G6PD mediterrânea. A G6PD⁻ está presente em cerca de 10% dos negros americanos; a G6PD mediterrânea, como o próprio nome indica, é prevalente no Oriente Médio. Acredita-se que a elevada frequência dessas variações em cada população tenha origem em um efeito protetor contra a malária por *Plasmodium falciparum* (discutida adiante). As variantes de G6PD associadas à hemólise resultam em enovelamento defeituoso da proteína, tornando-a mais suscetível à degradação proteolítica. Quando comparada com a variante normal mais comum, a G6PD B, a meia-vida da G6PD⁻ está moderadamente reduzida, enquanto a da G6PD Mediterrânea está mais acentuadamente anormal. Como os eritrócitos maduros não sintetizam novas proteínas, as atividades enzimáticas da G6PD⁻ e da G6PD Mediterrânea caem rapidamente para níveis inadequados para proteger contra o estresse oxidativo à medida que os eritrócitos envelhecem. Por conseguinte, os eritrócitos mais velhos têm muito mais propensão a sofrer hemólise do que os mais novos.

A hemólise episódica que é característica da deficiência de G6PD é causada por exposições que geram estresse oxidativo. Os fatores desencadeantes mais comuns são as infecções, em que os leucócitos ativados produzem radicais livres derivados do oxigênio. Muitas infecções podem desencadear hemólise; a hepatite viral, a pneumonia e a febre tifoide são as que têm mais tendência a fazê-lo. Os outros iniciadores importantes são medicamentos e certos alimentos. Os medicamentos implicados são numerosos, incluindo antimaláricos (p. ex., primaquina e cloroquina), sulfonamidas, nitrofurantoínas e outros. Alguns medicamentos provocam hemólise apenas em indivíduos que apresentam a variante Mediterrânea mais grave. O alimento citado com mais frequência é o *feijão fava,* que produz oxidantes quando metabolizado. O "favismo" é endêmico no Mediterrâneo, no Oriente Médio e em partes da África, onde seu consumo é prevalente. Raramente, a deficiência de G6PD manifesta-se como icterícia neonatal ou como

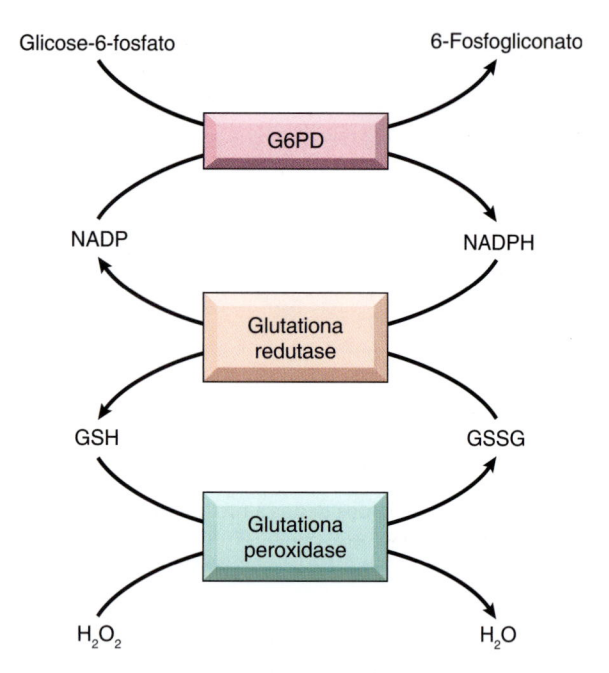

Figura 14.5 Papel da glicose-6-fosfato desidrogenase (G6PD) na defesa contra a lesão oxidativa. A detoxificação do H_2O_2, um oxidante potencial, exige a presença de glutationa reduzida (GSH), que é gerada em uma reação que necessita de nicotinamida adenina dinucleotídio reduzido (NADPH). A síntese de NADPH depende da atividade da G6PD. *GSSG,* glutationa oxidada; *NADP,* fosfato de nicotinamida adenina dinucleotídio.

anemia hemolítica crônica de baixo grau na ausência de infecção ou de fatores desencadeantes ambientais conhecidos.

Os agentes oxidantes causam hemólise tanto intravascular quanto extravascular em indivíduos com deficiência de G6PD. A exposição dos eritrócitos com deficiência de G6PD a altos níveis de oxidantes provoca ligação cruzada de grupos sulfidrila reativos nas cadeias de globina, que sofrem desnaturação e formam precipitados envolvidos por membrana, conhecidos como *corpúsculos de Heinz*. São visualizados como inclusões escuras dentro dos eritrócitos corados com cristal violeta (**Figura 14.6**). Os corpúsculos de Heinz podem danificar a membrana o suficiente para causar hemólise intravascular. Os danos menos graves à membrana resultam em diminuição da deformabilidade dos eritrócitos. À medida que os eritrócitos portadores de inclusões passam pelos cordões esplênicos, os macrófagos arrancam os corpúsculos de Heinz. Em consequência dos danos à membrana, algumas dessas células parcialmente devoradas conservam um formato anormal, dando a impressão que receberam uma mordida (ver **Figura 14.6**). Outras células menos gravemente danificadas transformam-se em esferócitos, devido à perda da área de superfície da membrana. Tanto as células mordidas quanto os esferócitos são retidos nos cordões esplênicos e removidos por fagócitos.

A hemólise intravascular aguda, caracterizada por anemia, hemoglobinemia e hemoglobinúria, começa habitualmente 2 a 3 dias após a exposição de indivíduos com deficiência de G6PD a fatores desencadeantes ambientais. Como apenas os eritrócitos mais velhos correm risco de lise, o episódio é autolimitado, visto que a hemólise cessa quando permanecem apenas os eritrócitos mais jovens repletos de G6PD (mesmo se a exposição ao fator desencadeante, como, por exemplo, um medicamento agressor, continuar). A fase de recuperação é anunciada pela reticulocitose. Como os episódios hemolíticos relacionados com a deficiência de G6PD ocorrem de forma intermitente, as características associadas à hemólise crônica (p. ex., esplenomegalia, colelitíase) estão ausentes.

Doença falciforme

A doença falciforme é uma hemoglobinopatia hereditária comum causada por uma mutação pontual na β-globina que promove a polimerização da hemoglobina desoxigenada, o que leva à distorção dos eritrócitos, anemia hemolítica, obstrução microvascular e danos teciduais isquêmicos. São conhecidas várias centenas de hemoglobinopatias causadas por várias mutações nos genes da globina, porém apenas aquelas associadas à doença falciforme são prevalentes o suficiente nos EUA para serem discutidas. A hemoglobina (Hb) é uma proteína tetramérica composta por dois pares de cadeias de globina, tendo, cada uma delas, o seu próprio grupo heme. Os eritrócitos adultos normais contêm principalmente HbA ($\alpha_2\beta_2$), com pequenas quantidades de HbA$_2$ ($\alpha_2\delta_2$) e hemoglobina fetal (HbF; $\alpha_2\gamma_2$). A doença falciforme é causada por uma mutação de perda de sentido (*missense*) no gene da β-globina, que leva à substituição de um resíduo glutamato com carga por um resíduo valina hidrofóbico. As propriedades fisioquímicas anormais da hemoglobina falciforme (HbS) resultantes são responsáveis pela doença.

Nos EUA, cerca de 8 a 10% dos afro-americanos são heterozigotos para a HbS, uma condição em grande parte assintomática, conhecida como *traço falciforme*. A descendência de dois heterozigotos tem uma probabilidade de um em quatro de ser homozigota para a mutação falciforme, um estado que produz doença falciforme sintomática, que afeta de 70 a 100 mil indivíduos nos EUA. Nos indivíduos afetados, quase toda a hemoglobina nos eritrócitos consiste em HbS ($\alpha_2\beta^s_2$).

A alta prevalência do traço falciforme em certas populações africanas provém de seus efeitos protetores contra a malária por *falciparum*. Estudos genéticos mostraram que a mutação da hemoglobina falciforme surgiu independentemente pelo menos seis vezes em áreas da África onde a malária por *falciparum* é endêmica, fornecendo uma evidência clara da forte seleção darwiniana. As densidades dos parasitas são menores em crianças HbAS heterozigotas infectadas do que em crianças HbAA normais infectadas, e as crianças AS tem uma probabilidade significativamente menor de apresentar doença grave ou de morrer devido à malária. Embora faltem detalhes mecanísticos, dois cenários para explicar essas observações são preferidos:

- Os parasitas intracelulares metabolicamente ativos consomem oxigênio e diminuem o pH intracelular, o que promove o afoiçamento dos eritrócitos AS. Essas células distorcidas e rígidas podem ser eliminadas mais rapidamente pelos fagócitos do baço e do fígado, mantendo as cargas de parasitas baixas
- O afoiçamento também compromete a formação de protuberâncias da membrana que contém uma proteína produzida pelo parasita, denominada *PfEMP-1*. Essas protuberâncias da membrana estão implicadas na adesão dos eritrócitos infectados ao endotélio, e acredita-se que isso desempenhe um papel patogênico importante na forma mais grave da doença, a malária cerebral.

Foi sugerido que a deficiência de G6PD e a talassemia protegem contra a malária, visto que elas aumentam a eliminação dos eritrócitos infectados e diminuem a sua aderência, possivelmente elevando os níveis de estresse oxidativo e causando danos à membrana das células que contêm os parasitas, o que resulta em sua rápida remoção da corrente sanguínea.

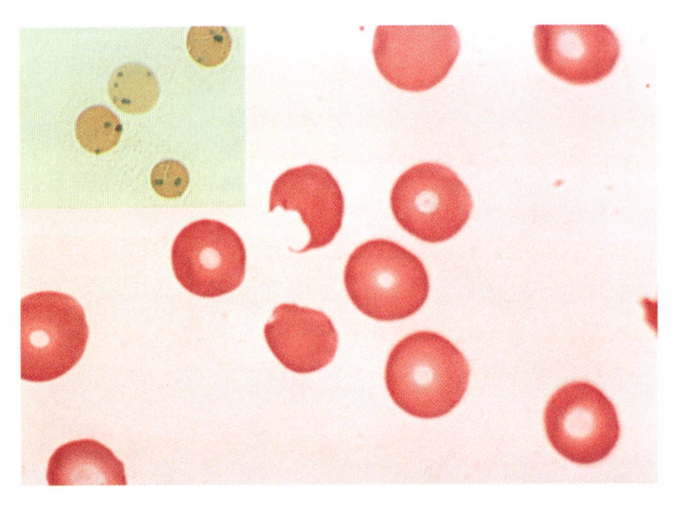

Figura 14.6 Deficiência de glicose-6-fosfato desidrogenase: efeitos da exposição a medicamentos oxidativos (esfregaço de sangue periférico). *Detalhe*, eritrócitos com precipitados de globina desnaturados (corpúsculos de Heinz) revelados por coloração supravital. Como os macrófagos esplênicos arrancam essas inclusões, são produzidas "células mordidas" como a que aparece neste esfregaço (Cortesia do Dr. Robert W. McKenna, Department of Pathology, University of Texas Southwestern Medical School, Dallas, Tex.)

Patogênese

As principais características patológicas – hemólise crônica, oclusão microvascular e danos teciduais – decorrem da tendência das moléculas de HbS a empilhar-se em polímeros quando desoxigenadas. No início, esse processo converte o citosol dos eritrócitos de um líquido com fluxo livre em um gel viscoso. Com a desoxigenação contínua, as moléculas de HbS reúnem-se em longas fibras em forma de agulhas no interior dos eritrócitos, o que produz uma forma distorcida em foice ou folha de azevinho.

Diversas variáveis afetam a taxa e o grau de afoiçamento:

- *Interação da HbS com os outros tipos de hemoglobina.* Nos heterozigotos com traço falciforme, cerca de 40% da hemoglobina consiste em HbS, enquanto o restante é constituído pela HbA, que interfere na polimerização da HbS. Em consequência, os eritrócitos nos indivíduos heterozigotos só se tornam falciformes quando expostos a hipoxia relativamente e prolongada. A HbF inibe a polimerização da HbS até mesmo em maior grau que a HbA; por essa razão, os lactentes com doença falciforme só se tornam sintomáticos a partir dos 5 ou 6 meses de vida, quando o nível de HbF normalmente cai. Todavia, em alguns indivíduos, a expressão da HbF permanece relativamente alta, uma condição conhecida como *persistência hereditária da hemoglobina fetal;* nesses indivíduos, a doença falciforme é muito menos grave. Outra variante de hemoglobina, a HbC também é comum em regiões onde a HbS é encontrada; em geral, cerca de 2 a 3% dos negros americanos são heterozigotos para a HbC, e cerca de um em cada 1.250 é heterozigoto HbS/HbC composto. Nos eritrócitos HbSC, a porcentagem de HbS alcança 50%, em comparação com apenas 40% nas células HbAS. Além disso, com o envelhecimento, as células HbSC tendem a perder sal e água e tornam-se desidratadas, um efeito que aumenta a concentração intracelular de HbS. Esses dois fatores aumentam a tendência da HbS a sofrer polimerização, e, em consequência, os heterozigotos compostos para HbSC apresentam um distúrbio falciforme sintomático, denominado *doença da HbSC*, que é um pouco mais leve do que a doença falciforme
- *Concentração de hemoglobina corpuscular média* (CHCM). As concentrações mais elevadas de HbS aumentam a probabilidade de ocorrer agregação e polimerização durante qualquer período de desoxigenação. Assim, a desidratação intracelular, que aumenta a CHCM, facilita o afoiçamento. Por outro lado, as condições que diminuem a CHCM reduzem a gravidade da doença. Isso ocorre quando um indivíduo, que é homozigoto para a HbS, também apresenta α-talassemia concomitante, o que reduz a síntese de Hb e resulta em doença mais leve
- *pH intracelular.* A diminuição do pH reduz a afinidade da hemoglobina pelo oxigênio, aumentando, assim, a fração de HbS desoxigenada em qualquer tensão de oxigênio e aumenta também a tendência ao afoiçamento
- *Tempo de trânsito dos eritrócitos pelos leitos microvasculares.* Como discutiremos adiante, grande parte da patologia da doença falciforme está relacionada com a oclusão vascular causada pelo afoiçamento nos leitos microvasculares. Na maioria dos leitos microvasculares normais, o tempo de trânsito é demasiado curto para que ocorra agregação significativa da HbS desoxigenada, e, em consequência, o afoiçamento fica restrito aos leitos microvasculares com tempo de trânsito lento. O fluxo sanguíneo é lento no baço e na medula óssea normais, que são proeminentemente afetados na doença falciforme, bem como nos leitos vasculares que estão inflamados. O movimento de sangue pelos tecidos inflamados tem sua velocidade diminuída, devido à adesão dos leucócitos às células endoteliais ativadas e à transudação de líquido pelos vasos permeáveis. Em consequência, os leitos vasculares inflamados são propensos ao afoiçamento e à oclusão.

O afoiçamento provoca danos cumulativos aos eritrócitos por meio de vários mecanismos. À medida que os polímeros de HbS crescem, eles sofrem herniação por meio do esqueleto da membrana e projetam-se da célula coberta apenas pela bicamada lipídica. Essa acentuada perturbação na estrutura da membrana causa influxo de íons Ca^{2+}, que induzem a ligação cruzada das proteínas da membrana e ativam um canal iônico que leva ao efluxo de K^+ e H_2O. Em consequência, com episódios repetidos de afoiçamento, os eritrócitos tornam-se desidratados, densos e rígidos (**Figura 14.7**). Por fim, as células mais gravemente danificadas são convertidas em células não deformáveis e irreversivelmente falcizadas, que mantêm o formato falciforme, mesmo quando totalmente oxigenadas. A gravidade da hemólise está correlacionada com a porcentagem de células irreversivelmente falcizadas, que são rapidamente sequestradas e removidas por fagócitos mononucleares (hemólise extravascular). Os eritrócitos falciformes também são mecanicamente frágeis, o que leva também a alguma hemólise intravascular.

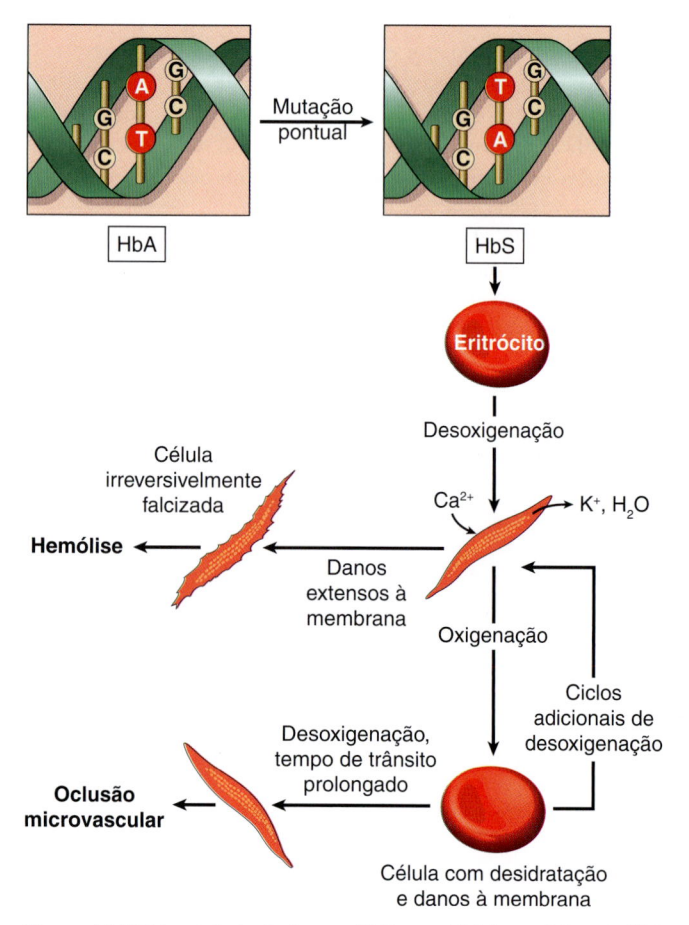

Figura 14.7 Fisiopatologia da doença falciforme. *HbA*, hemoglobina A; *HbS*, hemoglobina S.

A patogênese das oclusões microvasculares, que são responsáveis pelas características clínicas mais graves, está muito menos definida. As oclusões microvasculares não estão relacionadas com o número de células irreversivelmente falcizadas, mas podem depender de um dano mais sutil à membrana eritrocitária e de fatores locais, como inflamação ou vasoconstrição, que tendem a reduzir ou a interromper o movimento dos eritrócitos pelos leitos microvasculares (ver **Figura 14.7**). Conforme assinalado anteriormente, os eritrócitos falciformes expressam níveis mais elevados de moléculas de adesão e são pegajosos. Os mediadores liberados dos granulócitos durante as reações inflamatórias suprarregulam a expressão das moléculas de adesão nas células endoteliais (ver **Capítulo 3**) e aumentam ainda mais a tendência dos eritrócitos falciformes a serem detidos durante o seu trânsito pela microvasculatura. A estagnação dos eritrócitos no interior de leitos vasculares inflamados resulta em exposição prolongada a baixa tensão de oxigênio, afoiçamento e obstrução vascular. Uma vez iniciado, é fácil prever como ocorre o ciclo vicioso de afoiçamento, obstrução, hipoxia e afoiçamento adicional. A depleção de óxido nítrico (NO) também pode desempenhar um papel nas oclusões vasculares. A hemoglobina livre liberada dos eritrócitos falciformes lisados pode ligar-se e inativar o NO, que é um potente vasodilatador e inibidor da agregação plaquetária. Isso, por sua vez, pode levar a um aumento do tônus vascular (estreitamento dos vasos) e também a um aumento da agregação plaquetária, ambos os quais podem contribuir para a estase dos eritrócitos, o afoiçamento e (em alguns casos) a trombose.

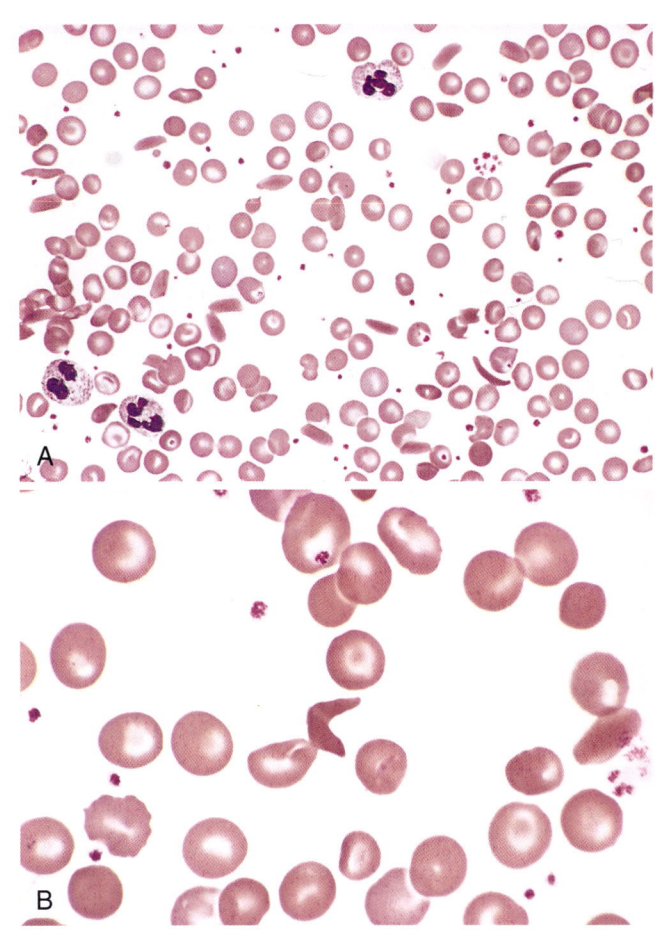

Figura 14.8 Doença falciforme (esfregaço de sangue periférico). **A.** Pequeno aumento mostrando células irreversivelmente falciformes, bem como células em alvo e anisocitose e poiquilocitose. **B.** Aumento maior mostrando uma célula irreversivelmente falciforme no centro. (Cortesia do Dr. Robert W. McKenna, Department of Pathology, University of Texas Southwestern Medical School, Dallas, Tex.)

Morfologia

Na anemia falciforme, o sangue periférico apresenta um número variável de **células irreversivelmente falciformes**, reticulocitose e células em alvo, que resultam da desidratação dos eritrócitos (**Figura 14.8**). Há também **corpúsculos de Howell-Jolly** (pequenos remanescentes nucleares) nos eritrócitos, devido à asplenia (ver adiante). A medula óssea é hiperplásica, em consequência da hiperplasia eritroide compensatória. A acentuada expansão da medula óssea leva à reabsorção óssea e à formação secundária de novo osso, o que resulta em maçãs do rosto proeminentes e alterações do crânio que lembram um corte de cabelo "à escovinha" em radiografias. Pode ocorrer também hematopoese extramedular. O aumento da degradação de hemoglobina pode causar hiperbilirrubinemia e formação de cálculos biliares pigmentares.

No início da infância, o baço está aumentado (até 500 g) devido à congestão da polpa vermelha causada pela retenção dos eritrócitos falciformes nos cordões e nos seios (**Figura 14.9**). Entretanto, com o tempo, a eritroestase crônica leva ao infarto esplênico, à fibrose e à retração progressiva, de modo que, na adolescência ou no início da vida adulta, resta apenas um pequeno pedaço de tecido esplênico fibroso, um processo denominado **autoesplenectomia** (**Figura 14.10**). Podem ocorrer também infartos causados por oclusões vasculares em muitos outros tecidos, como ossos, encéfalo, rim, fígado, retina e vasos pulmonares, o que produz algumas vezes *cor pulmonale*. Em pacientes adultos, a estagnação vascular nos tecidos subcutâneos frequentemente leva a úlceras de perna, uma complicação rara em crianças.

Características clínicas

A doença falciforme causa anemia hemolítica moderadamente grave (hematócrito de 18 a 30%), associada a reticulocitose, hiperbilirrubinemia e presença de células irreversivelmente falciformes. A sua evolução é pontuada por uma variedade de "crises". As *crises vasoclusivas*, também denominadas *crises dolorosas*, são episódios de lesão hipóxica e infarto, que causam dor intensa na região afetada. Embora a infecção, a desidratação e a acidose (todas as quais favorecem a falcização) possam atuar como gatilhos, não se identifica nenhuma causa predisponente na maioria dos casos. Os locais mais comumente afetados incluem os ossos, os pulmões, o fígado, o cérebro, o baço e o pênis. Nas crianças, as crises ósseas dolorosas são extremamente comuns, e, com frequência, é difícil distingui-las da osteomielite aguda. Manifestam-se frequentemente como *síndrome mão-pé* ou dactilite dos ossos das mãos e dos pés. *A síndrome torácica aguda* é um tipo particularmente perigoso de crise vasoclusiva que afeta os pulmões, que normalmente se manifesta com febre, tosse, dor torácica e infiltrados pulmonares. A inflamação pulmonar (como a que pode ser induzida por infecção) pode fazer com que o fluxo sanguíneo se torne lento e "semelhante ao do baço", levando à falcização e vasoclusão.

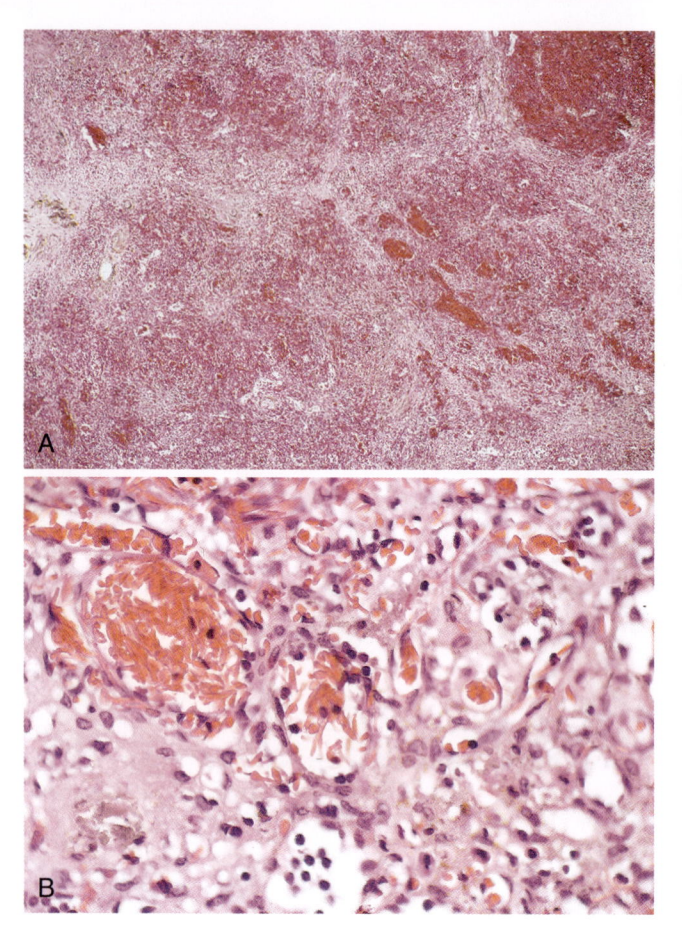

Figura 14.9 A. Baço na doença falciforme (pequeno aumento). Observa-se uma acentuada congestão dos cordões e sinusoides da polpa vermelha; entre as áreas congestas, existem áreas pálidas de fibrose em decorrência dos danos isquêmicos. **B.** Com grande aumento, são observados sinusoides esplênicos dilatados e preenchidos com eritrócitos falciformes. (Cortesia do Darren Wirthwein, Department of Pathology, University of Texas Southwestern Medical School, Dallas, Tex.)

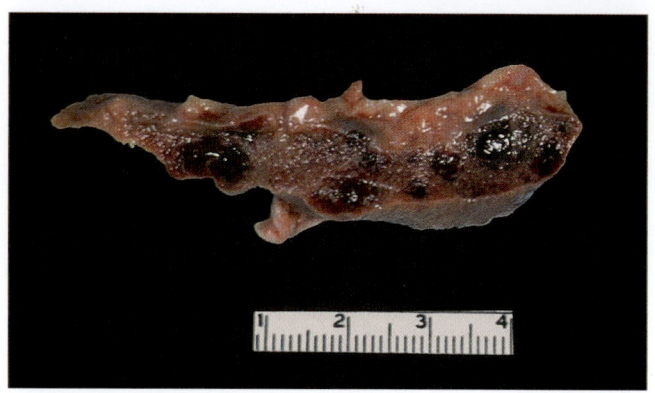

Figura 14.10 Remanescente de baço "autoinfartado" na doença falciforme. (Cortesia dos Drs. Dennis Burns e Darren Wirthwein, Department of Pathology, University of Texas Southwestern Medical School, Dallas, Tex.)

Isso compromete a função pulmonar, criando um ciclo potencialmente fatal de agravamento da hipoxemia pulmonar e sistêmica, falcização e vasoclusão. O *priapismo* afeta até 45% dos homens após a puberdade e pode levar ao dano hipóxico e disfunção erétil. Outros distúrbios relacionados com a obstrução vascular, particularmente acidente vascular encefálico e retinopatia, que leva à perda da acuidade visual e até mesmo à cegueira, podem ter uma consequência devastadora. Os fatores propostos que contribuem para o acidente vascular encefálico incluem a adesão dos eritrócitos falciformes ao endotélio vascular arterial e a vasoconstrição causada pela depleção de NO pela hemoglobina livre.

Embora as crises oclusivas constituam a causa mais comum de morbidade e mortalidade, vários outros eventos agudos complicam a evolução nesses pacientes. Ocorrem *crises de sequestro* em crianças com baços intactos. O aprisionamento maciço de eritrócitos falcizados leva a um rápido aumento do baço, hipovolemia e, algumas vezes, choque. Tanto as crises de sequestro quanto a síndrome torácica aguda podem ser fatais e, algumas vezes, exigem tratamento imediato com exsanguineotransfusões. As *crises aplásicas* resultam da infecção dos progenitores eritroides pelo parvovírus B19, que causa uma interrupção transitória da eritropoese e súbito agravamento da anemia.

Além dessas crises dramáticas, a hipoxia tecidual crônica apresenta uma consequência sutil, porém importante. A hipoxia crônica é responsável pelo comprometimento generalizado do crescimento e do desenvolvimento, bem como pelos danos aos órgãos, o que afeta baço, coração, rins e pulmões. O afoiçamento provocado pela hipertonicidade na medula renal causa lesão que, por fim, leva à *hipostenúria* (incapacidade de concentrar a urina), aumentando a propensão à desidratação e riscos associados.

O aumento da suscetibilidade às infecções por microrganismos encapsulados representa outra ameaça. Isso se deve, em grande parte, à alteração da função esplênica, que está gravemente afetada em crianças com congestão e fluxo sanguíneo precário e totalmente ausente em adultos, em decorrência de infarto esplênico. Os defeitos de etiologia incerta na via alternativa do complemento também comprometem a opsonização das bactérias. A septicemia e a meningite por *Pneumococcus pneumoniae* e *Haemophilus influenzae* são comuns, particularmente em crianças, mas podem ser reduzidas por meio de vacinação e administração de antibióticos profiláticos.

É preciso ressaltar que existe uma grande variação nas manifestações clínicas da doença falciforme. Alguns indivíduos sofrem repetidas crises vasoclusivas, enquanto outros apresentam apenas sintomas leves. A base dessa ampla variação na expressão da doença ainda não foi elucidada; há suspeita da atuação de genes modificadores e de fatores ambientais.

O diagnóstico é sugerido pelos achados clínicos e pela presença de eritrócitos irreversivelmente falcizados e é confirmado por vários exames para a hemoglobina falciforme. O diagnóstico pré-natal é possível por meio da análise do DNA fetal obtido por amniocentese e biopsia coriônica. Nos EUA, a triagem de recém-nascidos para hemoglobina falciforme é atualmente realizada como rotina em todos os 50 estados, normalmente com amostras obtidas por punção do calcanhar ao nascimento.

O prognóstico em pacientes com doença falciforme melhorou de modo considerável nos últimos 10 a 20 anos. Cerca de 90% dos pacientes sobrevivem até 20 anos, e quase 50% sobrevivem além da quinta década. A base do tratamento consiste no uso de hidroxiureia, um inibidor da síntese de DNA, que apresenta vários efeitos benéficos. Entre eles, (1) aumento dos níveis de HbF eritrocitária, que ocorre por mecanismos desconhecidos, e (2) um efeito anti-inflamatório, que decorre da inibição da produção de leucócitos. Acredita-se que essas atividades (e possivelmente outras) atuem em conjunto para diminuir as crises relacionadas com as oclusões vasculares em crianças e em adultos. Quando acrescentada à hidroxiureia, a L-glutamina demonstrou diminuir as crises dolorosas; o mecanismo envolvido é incerto, mas pode consistir em alterações do metabolismo que diminuem o estresse oxidativo nos eritrócitos. O transplante de células-tronco hematopoéticas oferece uma chance de cura e está sendo cada vez mais explorado como opção terapêutica. Outra abordagem recente e atrativa envolve o uso da edição de genes (tecnologia CRISPR) para reverter a mudança de hemoglobina, de modo que as células-tronco hematopoéticas produzam eritrócitos que expressam a hemoglobina fetal, em vez da hemoglobina falciforme. Um ensaio clínico para testar essa abordagem está em andamento e produziu respostas excelentes.

Talassemia

A talassemia refere-se a um distúrbio geneticamente heterogêneo causado por mutações de linhagem germinativa que diminuem a síntese da α-globina ou da β-globina, o que resulta em anemia, hipoxia tecidual e hemólise dos eritrócitos relacionada com o desequilíbrio na síntese das cadeias de globina. As duas cadeias α da HbA são codificadas por um par idêntico de genes de α-globina no cromossomo 16, enquanto as duas cadeias β são codificadas por um único gene de globina-β no cromossomo 11. A β-talassemia é causada pela síntese deficiente de cadeias β, enquanto a α-talassemia é causada pela síntese deficiente de cadeias α. As consequências hematológicas da síntese diminuída de uma cadeia de globina não resultam apenas da deficiência de hemoglobina, mas também de um excesso relativo da outra cadeia de globina, particularmente na β-talassemia (descrita adiante).

A talassemia é endêmica na bacia do Mediterrâneo (com efeito, *thalassa* significa "mar" em grego), bem como no Oriente Médio, na África Tropical no subcontinente indiano e na Ásia e, em conjunto, está entre os distúrbios hereditários mais comuns nos seres humanos. À semelhança da doença falciforme e de outros distúrbios hereditários comuns dos eritrócitos, a sua prevalência parece ser explicada pela proteção conferida aos portadores heterozigotos contra a malária. Apesar de discutirmos a talassemia com outras formas hereditárias de anemia associada à hemólise, é importante reconhecer que os defeitos na síntese de globina que constituem a base desses distúrbios causam anemia por meio de dois mecanismos: diminuição da produção e redução do tempo de vida dos eritrócitos.

β-talassemia

A β-talassemia é causada por mutações que diminuem a síntese das cadeias de β-globina. Sua gravidade clínica varia amplamente, em virtude da heterogeneidade das mutações causadoras. Iniciaremos a nossa discussão com as lesões moleculares que ocorrem na β-talassemia e, em seguida, relacionaremos as variantes clínicas com defeitos moleculares subjacentes específicos.

Patogênese molecular

As mutações causais são classificadas em duas categorias: (1) mutações β^0, associadas à ausência de síntese de β-globina; e (2) mutações β^+, caracterizadas por uma redução da síntese de β-globina (porém detectável). O sequenciamento dos genes da β-talassemia revelou mais de 100 diferentes mutações causais, as quais consistem, em sua maioria, em mutações pontuais, que são divididas em três classes principais:

- *Mutações de splicing.* Essas mutações constituem a causa mais comum da β^+-talassemia. Algumas dessas mutações destroem as junções de *splicing* de RNA normais e impedem por completo a produção do mRNA da β-globina normal, o que resulta em β^0-talassemia. Outras criam um sítio de *splicing* "ectópico" dentro de um íntron. Como o sítio de *splicing* normal que flanqueia permanece, ocorrem *splicing* tanto normal quanto anormal, e há produção de algum mRNA de β-globina normal, o que resulta em β^+-talassemia
- *Mutações nas regiões promotoras.* Essas mutações reduzem a transcrição em 75 a 80%. Há síntese de alguma β-globina normal; por conseguinte, essas mutações estão associadas à β^+-talassemia
- *Mutações dos elementos de terminação da cadeia.* Representam a causa mais comum de β^0-talassemia. Consistem em mutações sem sentido (*nonsense*), que introduzem um códon de interrupção prematuro ou pequenas inserções ou deleções que deslocam as fases de leitura do mRNA (mutações de quadro de leitura [*frameshift*]; ver **Capítulo 5**). Ambas as mutações bloqueiam a tradução e impedem a síntese de qualquer β-globina funcional.

O comprometimento da síntese de β-globina resulta em anemia por dois mecanismos (Figura 14.11). O déficit na síntese de HbA produz eritrócitos microcíticos hipocrômicos "sub-hemoglobinizados", com capacidade subnormal de transporte de oxigênio. Ainda mais importante é a diminuição da sobrevida dos eritrócitos e de seus precursores, que resulta do desequilíbrio na síntese de α e β-globina. As cadeias α não pareadas precipitam dentro dos precursores eritroides, com consequente formação de inclusões insolúveis. Essas inclusões provocam uma variedade de efeitos indesejados, porém, os danos à membrana constituem a causa proximal da maior parte da patologia eritrocitária. Muitos precursores eritroides sucumbem à lesão da membrana e sofrem apoptose. Na β-talassemia grave, estima-se que 70 a 85% dos precursores eritroides tenham esse destino, levando à *eritropoese ineficaz*. Os eritrócitos que são liberados da medula óssea também contêm inclusões e apresentam danos à membrana, deixando-os propensos ao sequestro esplênico e à hemólise extravascular.

Na β-talassemia grave, a eritropoese ineficaz cria vários problemas adicionais. O estímulo eritropoético no contexto da anemia descompensada grave leva à hiperplasia eritroide maciça da medula óssea e à hematopoese extramedular extensa. A massa em expansão de precursores eritroides provoca erosão do córtex do osso, compromete o crescimento ósseo e produz anormalidades esqueléticas (descritas adiante). A hematopoese extramedular envolve o fígado, o baço e os linfonodos e, em casos extremos, produz massas extraósseas no tórax, no abdome e na pelve. Os progenitores eritroides metabolicamente ativos roubam nutrientes de outros tecidos que já apresentam privação de oxigênio, o que causa caquexia grave em pacientes não tratados.

Outra complicação grave da eritropoese ineficaz é a absorção excessiva do ferro da dieta. Os precursores eritroides secretam um hormônio denominado eritroferrona, que inibe a produção de hepcidina, um regulador negativo fundamental da captação de ferro no intestino (descrito mais adiante, neste capítulo). Na talassemia, a expansão acentuada dos precursores eritroides leva a um aumento da absorção de ferro do intestino (**Figura 14.12**), o que, com transfusões de sangue repetidas, leva inevitavelmente a um acúmulo grave de ferro (*hemocromatose secundária*), a não

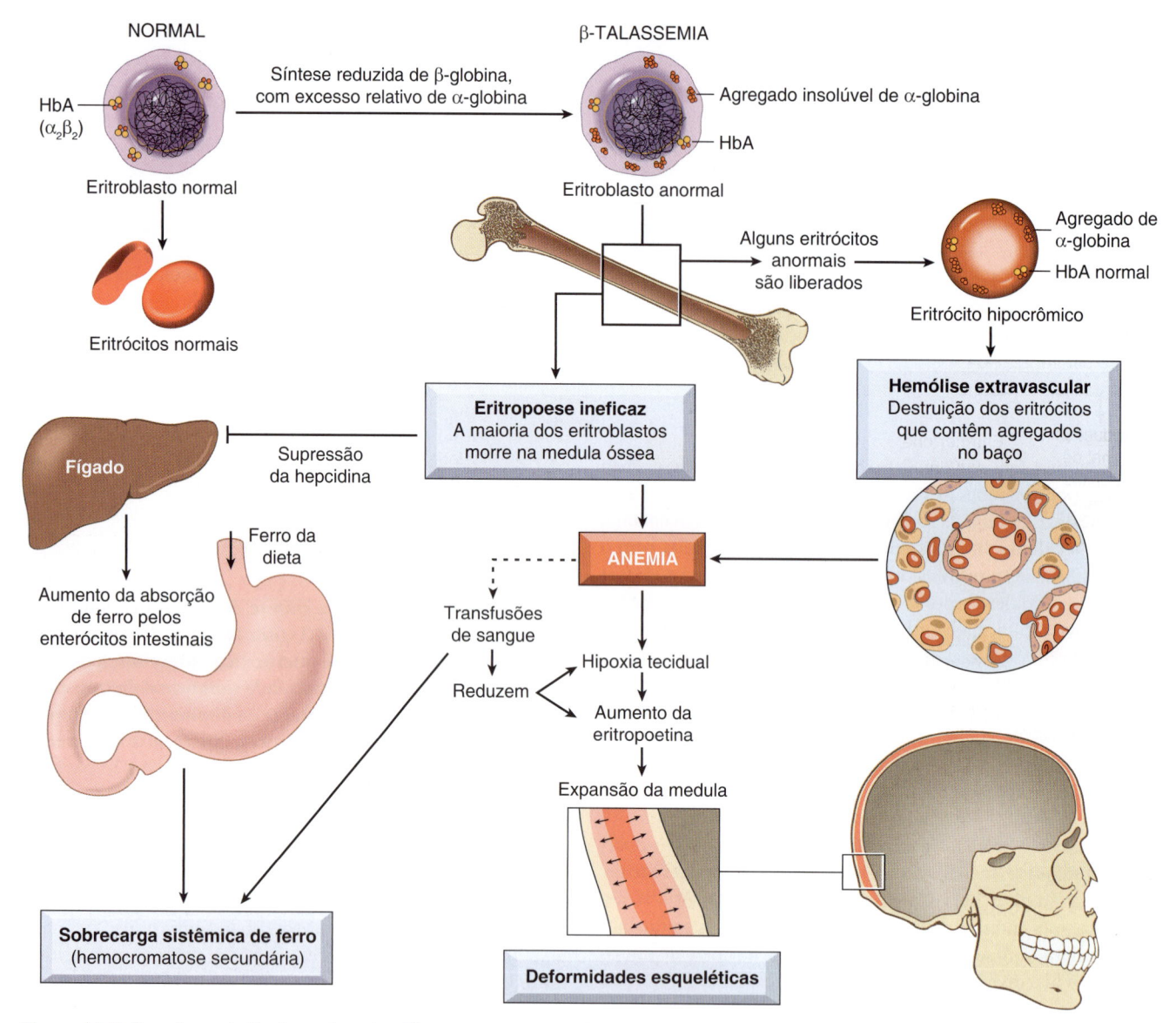

Figura 14.11 Patogênese da β-talassemia maior. Observe que os agregados de cadeias de α-globina não pareadas, uma característica essencial da doença, não são visíveis nos esfregaços de sangue com coloração de rotina. As transfusões de sangue tanto podem diminuir a anemia e suas complicações associadas quanto aumentar também a sobrecarga sistêmica de ferro. *HbA*, hemoglobina A.

ser que sejam tomadas medidas preventivas. Com frequência, ocorre lesão dos órgãos parenquimatosos, em particular o coração e o fígado (ver **Capítulo 18**).

Síndromes clínicas

As relações dos fenótipos clínicos com os genótipos subjacentes estão resumidas na **Tabela 14.3**. A classificação clínica da β-talassemia baseia-se na gravidade da anemia, que, por sua vez, depende do defeito genético (β^+ ou β^0) e da dosagem do gene (homozigoto ou heterozigoto). Em geral, os indivíduos com dois alelos de β-talassemia (β^+/β^+, β^+/β^0 ou β^0/β^0) apresentam anemia grave e dependente de transfusão, denominada β-talassemia maior. Os heterozigotos com um gene da β-talassemia e outro gene normal (β^+/β ou β^0/β) habitualmente apresentam anemia microcítica assintomática leve. Essa condição é denominada β-talassemia menor ou traço de β-talassemia. Uma terceira variante geneticamente heterogênea de gravidade moderada é denominada β-talassemia intermediária. Essa categoria inclui variantes mais leves de β^+/β^+ ou β^+/β^0-talassemia e formas incomuns de β-talassemia heterozigota. Alguns pacientes com β-talassemia intermediária apresentam dois genes defeituosos de β-globina e um defeito gênico de α-talassemia, o que melhora a eficiência da eritropoese e a sobrevida dos eritrócitos ao diminuir o desequilíbrio na síntese de cadeias α e β. Em outros casos raros, porém informativos, os indivíduos afetados apresentam um único defeito na β-globina e uma ou duas cópias extras de genes de α-globina normais (provenientes de um evento de duplicação de gene), agravando o desequilíbrio entre as cadeias. Essas formas incomuns da doença ressaltam o papel fundamental das cadeias de α-globina não pareadas na patologia. As características clínicas e morfológicas da β-talassemia intermediária não são descritas separadamente, mas podem ser deduzidas a partir das seguintes discussões sobre a β-talassemia maior e a β-talassemia menor.

β-talassemia maior. A β-talassemia maior é mais comum em países do Mediterrâneo, em partes da África e no Sudeste Asiático. Nos EUA, a incidência é maior em imigrantes dessas áreas. A anemia manifesta-se 6 a 9 meses após o nascimento, quando a síntese de hemoglobina muda de HbF para HbA. Em pacientes não transfundidos, os níveis de hemoglobina são de 3 a 6 g/dℓ. Os eritrócitos podem carecer totalmente de HbA (genótipo $β^0/β^0$) ou podem conter pequenas quantidades de HbA (genótipos $β^+/β^+$ ou $β^0/β^+$). A principal hemoglobina eritrocitária é a HbF, que está acentuadamente elevada. Os níveis de HbA_2 algumas vezes estão elevados; todavia, com mais frequência, estão normais ou baixos.

> ### Morfologia
>
> Os esfregaços de sangue revelam anormalidades graves dos eritrócitos, como acentuada variação no tamanho (**anisocitose**) e no formato (**poiquilocitose**), **microcitose** e **hipocromia**. É também comum a presença de células em alvo (assim denominadas devido à concentração de hemoglobina no centro da célula), pontilhado basófilo e eritrócitos fragmentados. As inclusões de cadeias α agregadas são removidas eficientemente pelo baço e não são observadas com facilidade. A contagem de reticulócitos está elevada, porém é mais baixa do que o esperado para a gravidade da anemia, devido à eritropoese ineficaz. São observados números variáveis de precursores eritroides (normoblastos) nucleados e pouco hemoglobinizados no sangue periférico, em consequência da eritropoese de "estresse" e da liberação anormal dos precursores eritroides a partir de locais de hematopoese extramedular.
>
> Outras alterações importantes envolvem a medula óssea e o baço. Em pacientes não transfundidos, ocorre acentuada expansão da medula óssea hematopoeticamente ativa. Nos ossos da face e do crânio, a medula óssea em crescimento provoca erosão do osso cortical existente e induz a neoformação de osso, o que confere uma aparência de "corte de cabelo em escovinha" às radiografias (**Figura 14.13**). Tanto a hiperplasia fagocítica quanto a hematopoese extramedular contribuem para o aumento do baço, cujo peso pode alcançar até 1.500 g. O fígado e os linfonodos também podem estar aumentados pela hematopoese extramedular.

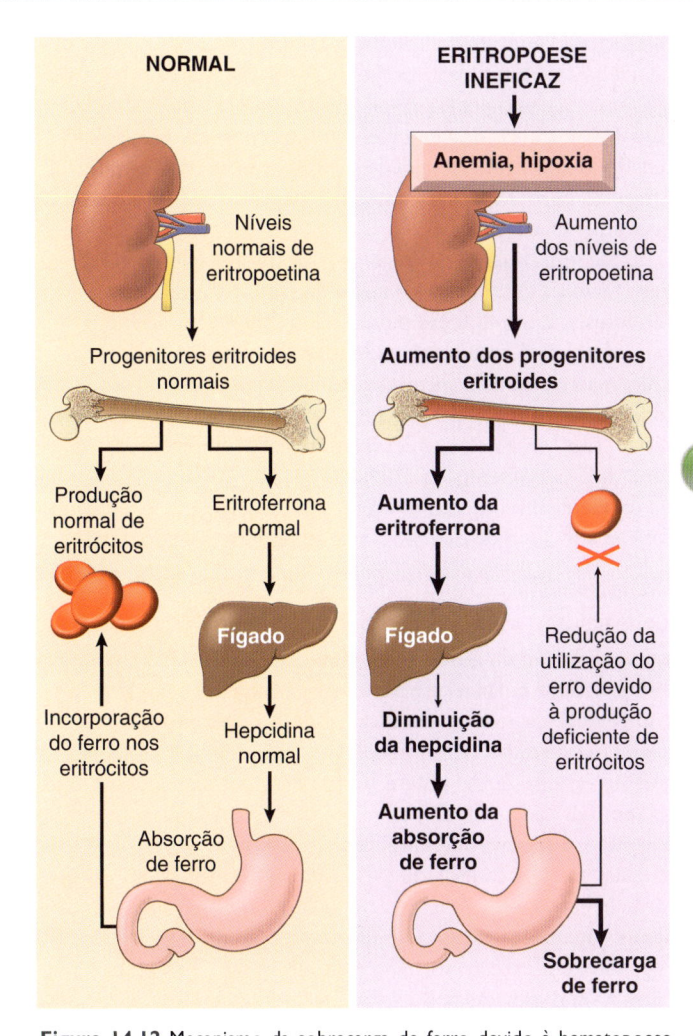

Figura 14.12 Mecanismo da sobrecarga de ferro devido à hematopoese ineficaz. No contexto da eritropoese ineficaz, como a que ocorre em pacientes com talassemia grave, a liberação aumentada de eritroferrona da massa expandida de progenitores eritroides suprime a produção de hepcidina, o que leva a um aumento da captação de ferro do intestino.

Tabela 14.3 Classificação clínica e genética das talassemias.

Síndrome clínica	Genótipo	Características clínicas	Genética molecular
β-talassemia			
β-talassemia maior	β-talassemia homozigótica ($β^0/β^0$, $β^+/β^+$, $β^0/β^+$)	Grave; exige transfusões de sangue	Principalmente mutações pontuais que levam a defeitos na transcrição, *splicing* ou tradução do mRNA da β-globina
β-talassemia intermediária	Variável ($β^0/β^+$, $β^+/β^+$, $β^0/β$, $β^+/β$)	Grave, porém não exige transfusões de sangue regulares	
β-talassemia menor	β-talassemia heterozigótica ($β^0/β$, $β^+/β$)	Assintomática, com anemia leve ou ausente; anormalidades dos eritrócitos	
α-talassemia			
Portador silencioso	–/α α/α	Assintomática; ausência de anormalidades dos eritrócitos	Principalmente deleções gênicas
Traço de α-talassemia	–/– α/α (asiáticos) –/α –/α (africanos negros, asiáticos)	Assintomático, semelhante à β-talassemia menor	
Doença da HbH	–/– –/α	Grave; assemelha-se à β-talassemia intermediária	
Hidropisia fetal	–/– –/–	Letal *in utero* sem transfusões	

A hemossiderose e a hemocromatose secundária, as duas manifestações da sobrecarga de ferro (ver **Capítulo 18**), ocorre inevitavelmente, a não ser que seja fornecida terapia de quelação. O ferro depositado frequentemente provoca danos aos órgãos, mais notavelmente ao coração, fígado e pâncreas.

A evolução clínica da β-talassemia maior é breve, a não ser que sejam administradas transfusões de sangue. As crianças não tratadas sofrem de retardo do crescimento e morrem em uma idade precoce em consequência dos efeitos da anemia. Naqueles que sobrevivem por tempo suficiente, as maçãs do rosto e outras proeminências ósseas estão aumentadas e distorcidas. Em geral, ocorre hepatoesplenomegalia, devido à hematopoese extramedular. Embora as transfusões de sangue melhorem a anemia e suprimam as complicações relacionadas com a eritropoese excessiva, elas levam a complicações por si sós. A doença cardíaca em consequência da sobrecarga progressiva de ferro e hemocromatose secundária (ver **Capítulo 18**) constitui uma importante causa de morte, particularmente em pacientes submetidos a transfusões maciças, que precisam ser tratados com agentes quelantes de ferro para prevenir essa complicação. Com as transfusões e a quelação do ferro, é possível a sobrevida até a terceira década, porém o prognóstico geral permanece reservado. O transplante de células-tronco hematopoéticas é a única terapia que oferece a possibilidade de cura e que está sendo cada vez mais utilizada. É possível estabelecer um diagnóstico pré-natal pela análise molecular do DNA.

β-talassemia menor. A β-talassemia menor é muito mais comum do que β-talassemia maior e, de forma compreensível, afeta os mesmos grupos étnicos. Os pacientes são, em sua maioria, portadores heterozigotos de um alelo β⁺ ou β⁰. Em geral, esses pacientes são assintomáticos. A anemia, quando presente, é leve. Normalmente, o esfregaço de sangue periférico revela hipocromia, microcitose, pontilhado basófilo e células em alvo. Observa-se a ocorrência de hiperplasia eritroide leve na medula óssea. A eletroforese da hemoglobina revela habitualmente aumento da HbA_2 ($\alpha_2\delta_2$) para 4 a 8% da hemoglobina total (normal, 2,5% ± 0,3%), refletindo uma razão elevada de síntese entre cadeias δ e cadeias β. Em geral, os níveis de HbF estão normais ou, em certas ocasiões, ligeiramente aumentados.

O reconhecimento do traço de β-talassemia é importante por duas razões: (1) pode ser confundido com deficiência de ferro e (2) apresenta implicações para o aconselhamento genético. Em geral, é possível excluir a possibilidade de deficiência de ferro (a causa mais comum de anemia microcítica) pela medição dos níveis séricos de ferro, da capacidade total de ligação do ferro e da ferritina sérica (ver seção "Anemia ferropriva", posteriormente neste capítulo). O aumento da HbA_2 é útil para o diagnóstico, particularmente em indivíduos (como mulheres de idade fértil) que correm alto risco de deficiência de ferro.

α-talassemia

A α-talassemia é causada por deleções hereditárias que resultam em diminuição ou ausência da síntese de cadeias de α-globina. Os indivíduos normais apresentam quatro genes de α-globina, e a gravidade da α-talassemia depende do número de genes de α-globina afetados. Conforme observado nas β-talassemias, a anemia origina-se da síntese inadequada de hemoglobina e da presença de cadeias de β, γ e δ-globinas não pareadas em excesso, cujo tipo varia em diferentes idades. Nos recém-nascidos com α-talassemia, as cadeias de γ-globina não pareadas em excesso formam tetrâmeros γ_4, conhecidos como *hemoglobina Bart,* ao passo que, em crianças de mais idade e adultos, as cadeias de β-globina em excesso formam tetrâmeros β_4, conhecidos como *HbH.* Como as cadeias β e γ livres são mais solúveis do que as cadeias α livres e formam homotetrâmeros bastante estáveis, a hemólise e a eritropoese ineficaz são menos graves do que na β-talassemia. Uma variedade de lesões moleculares dá origem à α-talassemia, porém a deleção gênica é a causa mais comum de redução na síntese de cadeias α.

Síndromes clínicas

As síndromes clínicas são determinadas e classificadas pelo número de genes de α-globina que sofreram deleção. Cada um dos quatro genes de α-globina normalmente contribui com 25% do total de cadeias de α-globina. As síndromes de α-talassemia originam-se de combinações de deleções que removem um a quatro genes de α-globina. De maneira não surpreendente, a gravidade da síndrome clínica é proporcional ao número de genes de α-globina que sofreram deleção. Os diferentes tipos de α-talassemia e suas características clínicas proeminentes estão listados na **Tabela 14.3**.

Estado de portador silencioso. O estado de portador silencioso está associado à deleção de um único gene de α-globina, que provoca uma redução pouco detectável na síntese de cadeias de α-globina. Esses indivíduos são totalmente assintomáticos, porém apresentam microcitose discreta.

Traço de α-talassemia. O traço de α-talassemia é causado pela deleção de dois genes de α-globina de um único cromossomo (α/α -/-) ou pela deleção de um gene de α-globina de cada um dos dois cromossomos (α/- α/-) (ver **Tabela 14.3**). O primeiro genótipo é mais comum em populações asiáticas, e o segundo, em regiões da África. Ambos os genótipos apresentam deficiências

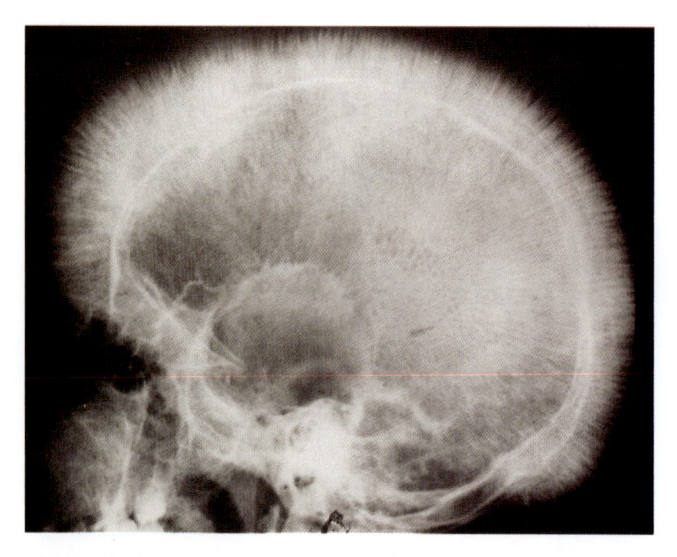

Figura 14.13 β-talassemia maior. Radiografia do crânio mostrando a neoformação óssea na lâmina externa produzindo radiações perpendiculares que lembram um corte de cabelo em escovinha. (Cortesia do Dr. Jack Reynolds, Department of Radiology, University of Texas Southwestern Medical School, Dallas, Tex.)

semelhantes de α-globina, porém diferentes implicações para os filhos dos indivíduos afetados, que correm risco de α-talassemia clinicamente significativa (doença da HbH ou hidropisia fetal) apenas quando pelo menos um dos pais apresenta o haplótipo –/–. Em consequência, a α-talassemia sintomática é relativamente comum em populações asiáticas e rara em populações africanas. O quadro clínico no traço de α-talassemia é idêntico ao descrito para a β-talassemia menor, isto é, eritrócitos pequenos (microcitose), anemia mínima ou ausente e ausência de sinais físicos anormais. Os níveis de HbA_2 estão normais ou baixos.

Doença da hemoglobina H (HbH). A doença da HbH é causada pela deleção de três genes de α-globina. É mais comum em populações asiáticas. Com apenas um gene de α-globina normal, a síntese de cadeias α está acentuadamente reduzida, e formam-se tetrâmeros de β-globina, denominados HbH. A HbH apresenta uma afinidade extremamente alta pelo oxigênio e, portanto, não é útil para o fornecimento de oxigênio, o que leva à hipoxia tecidual desproporcional no nível de hemoglobina. Além disso, a HbH é propensa à oxidação, causando a sua precipitação e a formação de inclusões intracelulares que promovem o sequestro e a fagocitose dos eritrócitos no baço. O resultado é uma anemia moderadamente grave que se assemelha à β-talassemia intermediária.

Hidropisia fetal. A hidropisia fetal, a forma mais grave de α-talassemia, é causada pela deleção de todos os quatro genes de α-globina. No feto, as cadeias de γ-globina em excesso formam tetrâmeros (hemoglobina de Bart), que apresentam afinidade pelo oxigênio elevada a ponto de liberar pouca quantidade para os tecidos. A sobrevivência no início do desenvolvimento deve-se à expressão das cadeias ζ, uma globina embrionária, que é pareada com cadeias γ para formar um tetrâmero de Hb $\zeta_2\gamma_2$ funcional. Em geral, os sinais de sofrimento fetal tornam-se evidentes no terceiro trimestre de gravidez. No passado, a anoxia tecidual grave levava à morte *in utero* ou pouco depois do nascimento; com a transfusão intrauterina, muitos lactentes afetados são atualmente salvos. O feto apresenta palidez intensa, edema generalizado e hepatoesplenomegalia maciça semelhante à observada na doença hemolítica do recém-nascido (ver **Capítulo 10**). Existe uma dependência permanente de transfusões de sangue para a sobrevivência do indivíduo, com seu risco associado de sobrecarga de ferro. O transplante de células-tronco hematopoéticas pode ser curativa.

Hemoglobinúria paroxística noturna

A hemoglobinúria paroxística noturna (HPN) é uma doença que resulta de mutações adquiridas no gene do grupo A de complementação de fosfatidilinositol glicana (*PIGA*), uma enzima essencial para a síntese de determinadas proteínas regulatórias do complemento associadas à membrana. A HPN tem uma incidência de dois a cinco por milhão nos EUA. Apesar de sua raridade, tem fascinado os hematologistas, visto que é a única anemia hemolítica causada por um defeito genético adquirido. Convém lembrar que as proteínas estão ancoradas na bicamada lipídica de duas maneiras. A maioria apresenta uma região hidrofóbica, que se estende pela membrana celular; são as denominadas proteínas transmembranares. As outras aderem à membrana celular por meio de uma ligação covalente a um fosfolipídio especializado, denominado glicosilfosfatidilinositol (GPI). Na HPN, essas proteínas ligadas ao GPI estão deficientes, devido a mutações somáticas que inativam PIGA. O *PIGA* está ligado ao cromossomo X e sujeito à lionização (inativação aleatória de um cromossomo X nas células de indivíduos do sexo feminino; ver **Capítulo 5**). Em consequência, uma única mutação adquirida no gene *PIGA* ativo de qualquer célula é suficiente para produzir um estado de deficiência. Como as mutações causais ocorrem em uma célula-tronco hematopoética, toda a sua progênie clonal (eritrócitos, leucócitos e plaquetas) apresenta deficiência de proteínas ligadas ao GPI. Normalmente, apenas um subgrupo de células-tronco adquire a mutação, e o clone mutante coexiste com a progênie de células-tronco normais que não apresentam deficiência de PIGA.

De maneira notável, a maioria dos indivíduos normais abriga um pequeno número de células na medula óssea com mutações de *PIGA* idênticas às que causam a HPN. Foi formulada a hipótese de que essas células aumentam em número (produzindo, assim, HPN clinicamente evidente) apenas em raros casos, quando apresentam uma vantagem seletiva, como no contexto das reações autoimunes contra antígenos ligados ao GPI. Esse cenário poderia explicar a associação frequente da HPN e anemia aplásica, uma síndrome de insuficiência medular (discutida adiante), que apresenta uma base autoimune em muitos indivíduos.

As células sanguíneas na HPN apresentam deficiência de três proteínas ligadas ao GPI, que regulam a atividade do complemento: (1) o fator acelerador da decomposição ou CD55; (2) o inibidor da lise reativa de membrana ou CD59; e (3) a proteína de ligação de C8. Desses fatores, o mais importante é o CD59, um potente inibidor do complexo de ataque à membrana, que ajuda a impedir a hemólise intravascular dos eritrócitos pelo complemento. **Os eritrócitos com deficiência de fatores ligados ao GPI são anormalmente suscetíveis à lise ou lesão pelo complemento.** Isso se manifesta como hemólise intravascular, que é causada pelo complexo de ataque à membrana C5b-C9. A hemólise é paroxística e noturna em apenas 25% dos casos; a hemólise crônica sem hemoglobinúria dramática é mais típica. A tendência dos eritrócitos a sofrer lise à noite é explicada pela discreta diminuição do pH sanguíneo durante o sono, o que aumenta a atividade do complemento. A anemia é variável, porém é habitualmente de gravidade leve a moderada. A perda do ferro do heme na urina (hemossiderinúria) leva finalmente à deficiência de ferro, o que pode exacerbar a anemia se não for tratada.

A trombose constitui a principal causa de morte relacionada com a doença em indivíduos com HPN. Cerca de 40% dos pacientes sofrem de trombose venosa, que frequentemente acomete as veias hepáticas, portais ou cerebrais. Não se sabe ao certo como a ativação do complemento leva à trombose em pacientes com HPN; a absorção de NO pela hemoglobina livre (discutida na seção "Doença falciforme", anteriormente neste capítulo) pode representar um fator contribuinte, e suspeita-se também de um papel do dano endotelial causado pelo complexo de ataque à membrana C5-9.

Cerca de 5 a 10% dos pacientes finalmente desenvolvem leucemia mieloide aguda ou síndrome mielodisplásica, indicando que a HPN pode surgir no contexto de danos genéticos às células-tronco hematopoéticas.

A HPN é diagnosticada por citometria de fluxo, que fornece um meio sensível para a detecção de eritrócitos com deficiência de proteínas ligadas ao GPI, como CD59 (**Figura 14.14**). O papel fundamental da ativação do complemento na patogênese da HPN foi comprovado pelo uso terapêutico de anticorpo monoclonal, denominado eculizumabe, que impede a conversão do C5 em C5a. Esse inibidor não apenas reduz a hemólise e as necessidades

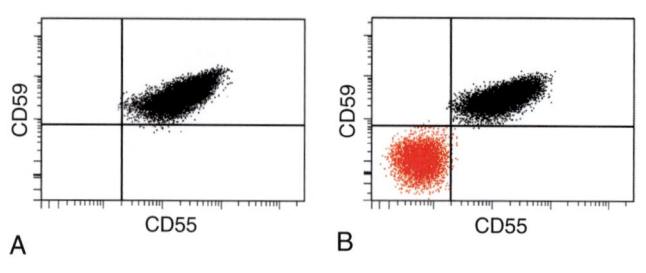

Figura 14.14 Hemoglobinúria paroxística noturna (HPN). **A.** Citograma de fluxo do sangue de um indivíduo normal mostrando que os eritrócitos expressam duas proteínas de membrana ligadas ao fosfatidilinositol glicana (PIG), CD55 e CD59, em sua superfície. **B.** Citograma de fluxo do sangue de um paciente com HPN mostrando uma população de eritrócitos com deficiência de CD55 e CD59. Como é típico da HPN, observa-se também a presença de uma segunda população de eritrócitos CD55+/CD59+ que originam de células-tronco hematopoéticas normais residuais. (Cortesia do Dr. Scott Rodig, Department of Pathology, Brigham and Women's Hospital, Boston, Mass.)

de transfusão associadas, como também diminui o risco de trombose em até 90%. As desvantagens da terapia com inibidor do C5 incluem o seu elevado custo e o risco aumentado de infecção meningocócica grave ou fatal (como é o caso de indivíduos com defeitos hereditários do complemento). Algumas vezes, os fármacos imunossupressores são benéficos para pacientes com evidências de aplasia medular. A única cura é o transplante de células-tronco hematopoéticas.

Anemia imuno-hemolítica

A anemia imuno-hemolítica é causada por anticorpos que reconhecem os eritrócitos e levam à sua destruição prematura. Embora esses distúrbios sejam comumente designados como anemias hemolíticas autoimunes, prefere-se a designação de anemia imuno-hemolítica, visto que, em alguns casos, a reação imune é iniciada por um medicamento ingerido. A anemia imuno-hemolítica pode ser classificada com base nas características do anticorpo responsável (**Tabela 14.4**).

O diagnóstico de anemia imuno-hemolítica exibe a detecção de anticorpos e/ou complemento nos eritrócitos do paciente. Essa detecção é efetuada por meio do *teste de antiglobulina de Coombs direto*, em que os eritrócitos do paciente são misturados com soro contendo anticorpos específicos contra a imunoglobulina ou o complemento humano. Se houver imunoglobulina ou complemento na superfície dos eritrócitos, os anticorpos causam aglutinação, que aparece visualmente na forma de agregados. No *teste da antiglobulina de Coombs indireto*, o soro do paciente é testado quanto à sua capacidade de aglutinar eritrócitos disponíveis no comércio, portadores de antígenos específicos definidos. Esse teste é utilizado para caracterizar o antígeno-alvo e a dependência de temperatura do anticorpo responsável. Dispõe-se também de testes imunológicos quantitativos para a medição direta desses anticorpos.

Tipo por anticorpo quente. Essa forma constitui aproximadamente 80% dos casos de anemia imuno-hemolítica. É causada por anticorpos que se ligam de modo estável aos eritrócitos a 37°C. Cerca de 50% dos casos são idiopáticos (primários); os outros estão relacionados com uma condição predisponente (ver **Tabela 14.4**) ou com a exposição a um medicamento. Os anticorpos causadores são da classe IgG; com menos frequência, os anticorpos IgA são os responsáveis. A hemólise dos eritrócitos é, em grande parte, extravascular. Os eritrócitos recobertos por IgG ligam-se a receptores Fc nos fagócitos, que removem a membrana eritrocitária durante a fagocitose "parcial". À semelhança da esferocitose hereditária, a perda da membrana converte os eritrócitos em esferócitos, que são sequestrados e destruídos no baço. Em geral, observa-se a ocorrência de esplenomegalia moderada, devido à hiperplasia dos fagócitos esplênicos.

Conforme observado em outros distúrbios autoimunes, a causa da anemia imuno-hemolítica primária é desconhecida. Nos casos idiopáticos, os anticorpos são dirigidos contra proteínas de superfície dos eritrócitos, que frequentemente incluem componentes do complexo do grupo sanguíneo Rh. Nos casos induzidos por fármacos, foram descritos dois mecanismos:

- *Fármacos antigênicos.* Nesse contexto, a hemólise ocorrer habitualmente após a administração de grandes doses intravenosas do medicamento agressor e surge 1 a 2 semanas após o início da terapia. Esses medicamentos, exemplificados pela penicilina e pelas cefalosporinas, ligam-se à membrana eritrocitária e criam um novo determinante antigênico, que é reconhecido pelos anticorpos. Os anticorpos responsáveis ligam-se algumas vezes ao complemento e causam hemólise intravascular; todavia, com mais frequência, atuam como opsoninas que promovem a hemólise extravascular dentro dos fagócitos
- *Fármacos que induzem quebra da tolerância.* Esses medicamentos, cujo protótipo é a α-metildopa, um agente anti-hipertensivo, quebram a tolerância de alguma maneira desconhecida, levando à produção de anticorpos dirigidos contra antígenos eritrocitários, particularmente antígenos do grupo sanguíneo Rh. Cerca de 10% dos pacientes que tomam α-metildopa desenvolvem autoanticorpos, conforme avaliado pelo teste de Coombs direto, enquanto cerca de 1% desenvolve hemólise clinicamente significativa.

O tratamento da anemia imuno-hemolítica por anticorpos quentes é direcionada para remoção dos fatores desencadeantes (*i. e.*, fármacos); quando essa medida não é possível, a base do tratamento consiste em agentes imunossupressores e esplenectomia.

Tabela 14.4 Classificação das anemias imuno-hemolíticas.

Tipo por anticorpos quentes (anticorpos IgG ativos a 37°C)
Primária (idiopática)
Secundária
Distúrbios autoimunes (particularmente lúpus eritematoso sistêmico)
Medicamentos
Neoplasias linfoides
Tipo por aglutinina fria (anticorpos IgM ativos abaixo de 37°C)
Aguda (infecção por micoplasma, mononucleose infecciosa)
Crônica
Idiopática
Neoplasias linfoides
Tipo por hemolisina fria (anticorpos IgG ativos abaixo de 37°C)
Rara; ocorre principalmente em crianças após infecções virais

Tipo por aglutinina fria. Essa forma de anemia imuno-hemolítica é causada por anticorpos IgM que se ligam avidamente aos eritrócitos a baixas temperaturas (0 a 4°C), mas não a 37°C. É responsável por 15 a 20% dos casos. Algumas vezes, os anticorpos de aglutinina fria aparecem transitoriamente após determinadas infecções, como *Mycoplasma pneumoniae,* vírus Epstein-Barr, citomegalovírus, vírus influenza e vírus da imunodeficiência humana (HIV). Nessas condições, o distúrbio é autolimitado, e os anticorpos raramente induzem hemólise de importância clínica. A anemia imuno-hemolítica crônica por aglutinina fria ocorre em associação a determinadas neoplasias de células B ou como condição idiopática.

Os sintomas clínicos resultam da ligação da IgM aos eritrócitos nos leitos vasculares, onde a temperatura pode cair abaixo de 30°C, como nos dedos das mãos e dos pés e orelhas expostos. A ligação da IgM provoca rápida aglutinação dos eritrócitos e fixação do complemento. À medida que o sangue recircula e aquece, a IgM é liberada, habitualmente antes que possa ocorrer hemólise mediada pelo complemento; em consequência, a hemólise intravascular habitualmente não é observada. Entretanto, a interação transitória com a IgM é suficiente para depositar quantidades sublíticas de C3b, uma excelente opsonina, que leva à remoção dos eritrócitos pelos fagócitos no baço, no fígado e na medula óssea (hemólise extravascular). A hemólise é de gravidade variável. A obstrução vascular causada pelos eritrócitos aglutinados pode produzir palidez, cianose e fenômeno de Raynaud (ver **Capítulo 11**) nas partes do corpo que são expostas a temperaturas frias. Pode ser difícil tratar a anemia imuno-hemolítica crônica por aglutinina fria causada por anticorpos IgM. A melhor abordagem, quando possível, consiste em evitar as temperaturas frias.

Tipo hemolisina fria. As hemolisinas frias são autoanticorpos responsáveis por uma entidade incomum, conhecida como *hemoglobinúria paroxística do frio.* Esse raro distúrbio pode causar hemólise intravascular substancial e algumas vezes fatal e hemoglobinúria. Os autoanticorpos consistem em IgG que se ligam ao antígeno do grupo sanguíneo P na superfície dos eritrócitos em regiões periféricas frias do corpo. Ocorre lise mediada pelo complemento quando as células recirculam para a parte central aquecida do corpo, onde a cascata do complemento funciona de modo mais eficiente. A maioria dos casos é observada em crianças após infecções virais; nesse contexto, o distúrbio é transitório, e a maioria dos indivíduos afetados recupera-se no primeiro mês.

Anemia hemolítica em decorrência de trauma dos eritrócitos

A hemólise mais significativa causada por trauma dos eritrócitos é observada em indivíduos com próteses de valvas cardíacas e distúrbios microangiopáticos. As valvas cardíacas mecânicas artificiais são mais frequentemente implicadas do que as valvas bioprotéticas porcinas ou bovinas. A hemólise resulta das forças de cisalhamento produzidas pelo fluxo sanguíneo turbulento e por gradientes de pressão através das valvas danificadas. *A anemia hemolítica microangiopática* é mais comumente observada com a coagulação intravascular disseminada (CID), mas também ocorre na púrpura trombocitopênica trombótica (PTT), na síndrome hemolítico-urêmica (SHU), na hipertensão maligna, no lúpus eritematoso sistêmico e no câncer disseminado. A característica patogênica comum nesses distúrbios consiste em lesões microvasculares que resultam em estreitamento luminal, frequentemente devido à deposição de trombos, produzindo estresse de cisalhamento que provoca lesão mecânica dos eritrócitos que circulam. Independentemente da causa, os danos traumáticos levam à hemólise intravascular e ao aparecimento de fragmentos de eritrócitos (*esquistócitos*), "células espiculadas", "células em capacete" e "células triangulares" nos esfregaços de sangue (**Figura 14.15**).

> **Conceitos-chave**
>
> **Esferocitose hereditária**
> - Distúrbio autossômico dominante causado por mutações que afetam o esqueleto da membrana eritrocitária, levando à perda de membrana e à conversão final dos eritrócitos em esferócitos, que são fagocitados e removidos no baço
> - Manifesta-se por anemia e esplenomegalia.
>
> **Talassemia**
> - Distúrbios autossômicos codominantes causados por mutações na α ou na β-globina, que reduzem a síntese de hemoglobina, resultando em anemia microcítica hipocrômica
> - Na β-talassemia, as cadeias de α-globina não pareadas formam agregados que provocam danos aos precursores eritroides e comprometem ainda mais a eritropoese
> - A eritropoese ineficaz aumenta a absorção de ferro e pode levar à sobrecarga sistêmica de ferro.
>
> **Anemia falciforme**
> - Distúrbio autossômico recessivo que resulta de uma mutação na β-globina, fazendo com que a hemoglobina desoxigenada se autoassocie em polímeros longos que distorcem o eritrócito (afoiçamento)
> - O bloqueio episódico dos vasos pelos eritrócitos falciformes provoca crises dolorosas e infarto tecidual, particularmente da medula óssea e do baço
> - Os danos à membrana eritrocitária causados por episódios repetidos de falcização resultam em anemia hemolítica moderada a grave.
>
> **Deficiência de glicose-6-fosfato desidrogenase**
> - Distúrbio ligado ao X, causado por mutações que desestabilizam a G6PD, tornando os eritrócitos suscetíveis aos danos oxidativos.

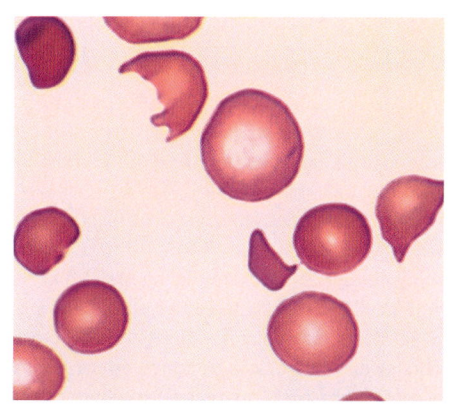

Figura 14.15 Anemia hemolítica microangiopática. Esfregaço de sangue periférico de um paciente com síndrome hemolítico-urêmica mostrando vários eritrócitos fragmentados. (Cortesia do Dr. Robert W. McKenna, Department of Pathology, University of Texas Southwestern Medical School, Dallas, Tex.)

Anemias imuno-hemolíticas
- Causadas por anticorpos dirigidos contra constituintes normais dos eritrócitos ou contra antígenos modificados por haptenos (p. ex., medicamentos)
- A ligação do anticorpo resulta em opsonização dos eritrócitos e hemólise extravascular ou (raramente) fixação do complemento e hemólise intravascular.

Anemias por diminuição da eritropoese

Embora as anemias causadas pela produção inadequada de eritrócitos sejam heterogêneas, elas podem ser classificadas em várias grandes categorias, com base na sua fisiopatologia (ver **Tabela 14.1**). As anemias mais comuns e importantes associadas à subprodução de eritrócitos são aquelas causadas por deficiências nutricionais, seguidas das que surgem secundariamente à inflamação crônica ou insuficiência renal. São também incluídos distúrbios menos comuns, que levam à insuficiência generalizada da medula óssea, como anemia aplásica, neoplasias hematopoéticas primárias (ver **Capítulo 13**) e distúrbios infiltrativos que substituem a medula óssea (p. ex., câncer metastático e doença granulomatosa disseminada). Discutiremos em primeiro lugar as causas extrínsecas de diminuição da eritropoese, que são mais comuns e de importância clínica, e, em seguida, as causas intrínsecas não neoplásicas.

Anemia megaloblástica

O tema comum entre as várias causas de anemia megaloblástica consiste em uma deficiência da síntese de DNA que leva à hematopoese ineficaz e a alterações morfológicas distintas, como precursores eritroides e eritrócitos anormalmente grandes. As causas da anemia megaloblástica são fornecidas na **Tabela 14.5**. A discussão a seguir descreve, em primeiro lugar, as características comuns e, então, concentra-se nos dois subtipos principais: a anemia perniciosa (a principal forma de anemia por deficiência de vitamina B_{12}) e a anemia por deficiência de folato.

Algumas das funções metabólicas da vitamina B_{12} e do folato são consideradas adiante. No momento, é suficiente especificar que a vitamina B_{12} e o ácido fólico são coenzimas necessárias para a síntese de timidina, uma das quatro bases encontradas no DNA. A deficiência dessas vitaminas ou o comprometimento de seu metabolismo resultam em maturação nuclear defeituosa, devido à síntese de DNA prejudicada ou inadequada, com consequente retardo ou bloqueio da divisão celular.

Morfologia

Certos achados no sangue periférico são comuns a todas as formas de anemia megaloblástica. A presença de eritrócitos macrocíticos e ovais **(macro-ovalócitos)** é altamente característica. Como são maiores do que o normal e contêm hemoglobina em quantidade abundante, os macrócitos carecem, em sua maioria, da palidez central dos eritrócitos normais e até mesmo aparecem "hipercrômicos", embora a concentração de hemoglobina corpuscular média não esteja elevada. Ocorre acentuada variação no tamanho (anisocitose) e no formato (poiquilocitose) dos eritrócitos. A contagem de reticulócitos é baixa. Em certas ocasiões, aparecem progenitores eritroides nucleados no sangue circulante quando a anemia é grave. Os neutrófilos também são maiores do que o normal e exibem **hipersegmentação nuclear,** com cinco ou mais lóbulos nucleares, em vez dos três a quatro normais (**Figura 14.16**).

Tabela 14.5 Causas de anemia megaloblástica.

Deficiência de vitamina B_{12}
Diminuição da ingestão
Dieta inadequada, vegetarianismo
Comprometimento da absorção

Deficiência de fator intrínseco
Anemia perniciosa
Gastrectomia
Estados de má absorção
Doença intestinal difusa (p. ex., linfoma, esclerose sistêmica)
Ressecção ileal, ileíte
    Captação competitiva por parasitas
    Infestação pela tênia do peixe
Proliferação bacteriana excessiva em alças cegas e divertículos do intestino

Deficiência de ácido fólico
Diminuição da ingestão
Dieta inadequada, alcoolismo, lactância
Comprometimento da absorção
Estado de má absorção Doença intestinal intrínseca Anticonvulsivantes, contraceptivos orais
Aumento das perdas
Hemodiálise
Aumento das necessidades
Gravidez, lactância, câncer disseminado, acentuado aumento da hematopoese
Comprometimento da utilização
Antagonistas do ácido fólico
Ausência de resposta à terapia com vitamina B_{12} ou com ácido fólico
Inibidores metabólicos da síntese de DNA e/ou metabolismo do folato (p. ex., metotrexato)

Modificada de Beck WS: Megaloblastic anemias. In Wyngaarden JB, Smith LH, editors: *Cecil Textbook of Medicine,* ed. 18, Philadelphia, 1988, WB Saunders, p. 900.

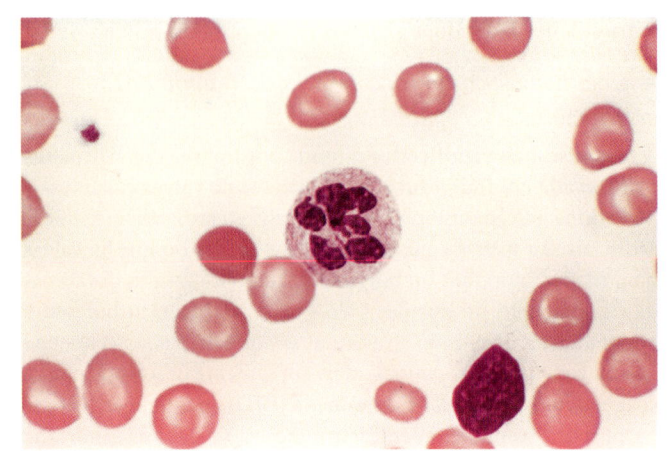

Figura 14.16 Anemia megaloblástica. Esfregaço de sangue periférico mostrando um neutrófilo hipersegmentado com núcleo de seis lobos. (Cortesia do Dr. Robert W. McKenna, Department of Pathology, University of Texas Southwestern Medical School, Dallas, Tex.)

Em geral, a medula óssea é acentuadamente hipercelular em consequência do aumento do número de precursores hematopoéticos. São detectadas **alterações megaloblásticas** em todos os estágios do desenvolvimento eritroide. As células mais primitivas (promegaloblastos) são grandes, com citoplasma intensamente basófilo, nucléolos proeminentes e um padrão de cromatina nuclear fino e distinto (**Figura 14.17**). À medida que essas células se diferenciam e começam a acumular hemoglobina, o núcleo conserva a sua cromatina finamente distribuída, em vez de desenvolver a cromatina picnótica aglomerada típica dos normoblastos. Apesar da maturação nuclear retardada, a maturação citoplasmática e o acúmulo de hemoglobina prosseguem em um ritmo normal, o que leva a uma assincronia entre núcleo e citoplasma. Como a síntese de DNA está afetada em todas as células em proliferação, os precursores granulocíticos também exibem alteração da maturação, na forma de **metamielócitos gigantes** e **bastões**. Os megacariócitos também podem ser anormalmente grandes e apresentar núcleos multilobulados bizarros.

A hiperplasia da medula óssea representa uma resposta a níveis aumentados de fatores de crescimento, como a eritropoetina. Entretanto, o desarranjo na síntese de DNA leva à apoptose da maioria dos precursores na medula óssea (um exemplo de hematopoese ineficaz) e ao desenvolvimento de pancitopenia. A anemia é ainda mais exacerbada por um leve grau de hemólise dos eritrócitos de etiologia incerta.

Anemia por deficiência de vitamina B_{12}: anemia perniciosa

A anemia perniciosa é uma forma específica de anemia megaloblástica, causada por gastrite autoimune que compromete a produção de fator intrínseco, que é necessário para a captação de vitamina B_{12} pelo intestino.

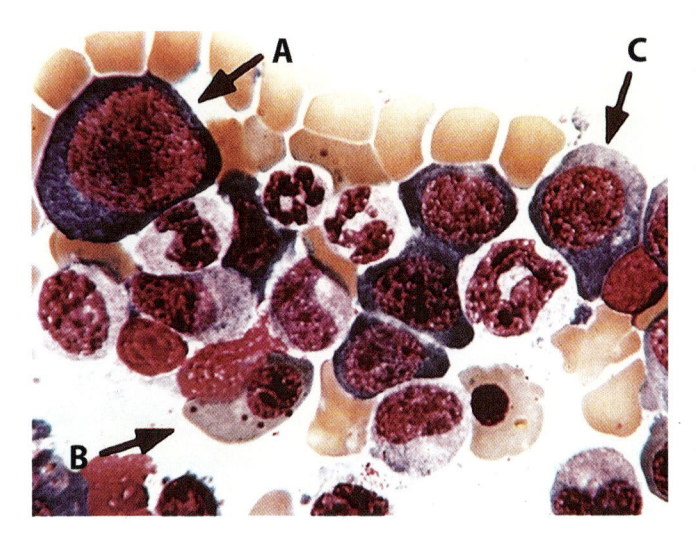

Figura 14.17 Anemia megaloblástica (aspirado de medula óssea). *A a C*, megaloblastos em vários estágios de diferenciação. Observe que o megaloblasto ortocromático (*B*) está hemoglobinizado (como mostra a cor do citoplasma); todavia, diferentemente dos normoblastos ortocromáticos normais, o núcleo não é picnótico. Os precursores eritroides iniciais (*A e C*) e os precursores granulocíticos também estão aumentados e apresentam cromatina anormalmente imatura. (Cortesia do Dr. Jose Hernandez, Department of Pathology, University of Texas Southwestern Medical School, Dallas, Tex.)

Metabolismo normal da vitamina B_{12}. A vitamina B_{12} é um composto organometálico complexo, também conhecido como cobalamina, presente em produtos de origem animal, como carne, peixe, leite e ovos. As necessidades diárias são de 2 a 3 μg. Uma dieta que inclua produtos de origem animal contém uma quantidade significativamente maior do que as necessidades diárias mínimas e normalmente resulta no acúmulo de reservas intra-hepáticas de vitamina B_{12}, que são suficientes para durar vários anos. Em contrapartida, as plantas e os vegetais contêm pouca cobalamina, e as dietas estritamente vegetarianas ou macrobióticas não fornecem quantidades adequadas desse nutriente essencial.

A absorção de vitamina B12 necessita do fato intrínseco, que é secretado pelas células parietais da mucosa do fundo gástrico (Figura 14.18). A vitamina B_{12} é liberada das proteínas de ligação nos alimentos pela ação da pepsina no estômago e liga-se a uma proteína salivar, denominada *haptocorrina*. No duodeno, a vitamina B_{12} ligada é liberada da haptocorrina pela ação de proteases pancreáticas e associa-se ao fator intrínseco. Esse complexo é transportado até o íleo, onde sofre endocitose por enterócitos ileais que expressam um receptor do fator intrínseco, denominado *cubilina*, em sua superfície. No interior das células ileais, a vitamina B_{12} associa-se a uma proteína carreadora principal, a transcobalamina II, e é secretada no plasma. A transcobalamina II fornece a vitamina B_{12} ao fígado e a outras células do corpo, como células em rápida proliferação na medula óssea e no trato gastrintestinal. Além dessa importante via, a vitamina B_{12} oral também pode ser absorvida (embora de modo ineficiente) por difusão passiva, o que possibilita o tratamento da anemia perniciosa com altas doses de vitamina B_{12} oral.

Funções bioquímicas da vitamina B_{12}. São conhecidas apenas duas reações nos seres humanos que necessitam da vitamina B_{12}. Em uma delas, a metilcobalamina atua como cofator essencial na conversão da homocisteína em metionina pela metionina sintase (**Figura 14.19**). No processo, a metilcobalamina produz um grupo metila, que é recuperado do ácido N^5-metiltetra-hidrofólico (N^5-metil FH_4), a principal forma do ácido fólico no plasma. Na mesma reação, o N^5-metil FH_4 é convertido em ácido tetra-hidrofólico (FH_4). O FH_4 é crucial, visto que é necessário (por meio de seu derivado, o $N^{5,10}$-metileno FH_4) para a conversão do monofosfato de desoxiuridina (dUMP) em monofosfato de desoxitimidina (dTMP), um bloco de construção do DNA. Foi postulado que a síntese prejudicada de DNA na deficiência de vitamina B_{12} provém da disponibilidade reduzida de FH_4, cuja maior parte é "aprisionada" na forma de N^5-metil FH_4. O déficit de FH_4 pode ser exacerbado por uma deficiência "interna" de formas poliglutamiladas de FH_4 metabolicamente ativas. Isso provém da necessidade de vitamina B_{12} na síntese de metionina, que contribui com um grupo carbono necessário nas reações metabólicas que produzem poliglutamatos de folato (**Figura 14.20**). Qualquer que seja o mecanismo envolvido, a falta de folato constitui a causa imediata da anemia na deficiência de vitamina B_{12}, visto que a anemia melhora após a administração de ácido fólico.

As complicações neurológicas associadas à deficiência de vitamina B_{12} são mais enigmáticas, visto que elas não melhoram (e, na verdade, podem ser agravadas) com a administração de folato. A outra reação conhecida que depende da vitamina B_{12} é a isomerização da metilmalonil coenzima A em succinil coenzima A pela enzima metilmalonil-coenzima A mutase, que requer a presença de adenosilcobalamina. Por conseguinte, a deficiência

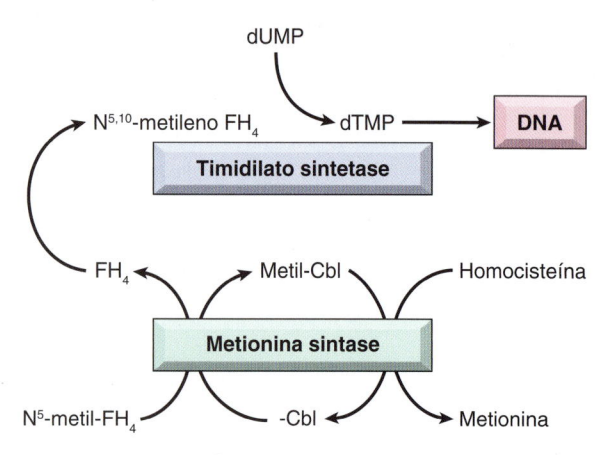

Figura 14.19 Relação do N^5-metil FH$_4$, metionina sintase e timidilato sintetase. Na deficiência de cobalamina (Cbl), o folato é sequestrado na forma de N^5-metil FH$_4$. Isso priva em última análise a timidilato sintetase de sua coenzima folato ($N^{5,10}$-metileno FH$_4$), comprometendo, assim, a síntese de DNA. *dTMP*, monofosfato de desoxitimidina; *dUMP*, monofosfato de desoxiuridina; *FH$_4$*, ácido tetra-hidrofólico.

de vitamina B$_{12}$ leva a um aumento dos níveis plasmáticos e urinários de ácido metilmalônico. A interrupção dessa reação e o consequente acúmulo de metilmalonato e propionato (um precursor) podem levar à formação e à incorporação de ácidos graxos anormais nos lipídios neuronais. Foi sugerido que essa anormalidade bioquímica predispõe à degradação da mielina, produzindo degeneração combinada subaguda da medula espinal (ver **Capítulo 28**). Entretanto, raros indivíduos com deficiências hereditárias de metilmalonil-coenzima A mutase não apresentam essas anormalidades, lançando dúvida sobre essa explicação.

Anemia perniciosa

Incidência. Embora seja ligeiramente mais prevalente nas populações da Escandinávia e em outras populações Caucasianas, a anemia perniciosa ocorre em todos os grupos raciais, como indivíduos de ascendências africana e hispânica. Trata-se de uma doença de adultos de idade mais avançada; a idade mediana por ocasião do diagnóstico é de 60 anos, e essa forma de anemia é rara em pessoas com menos de 30. Há forte suspeita de uma

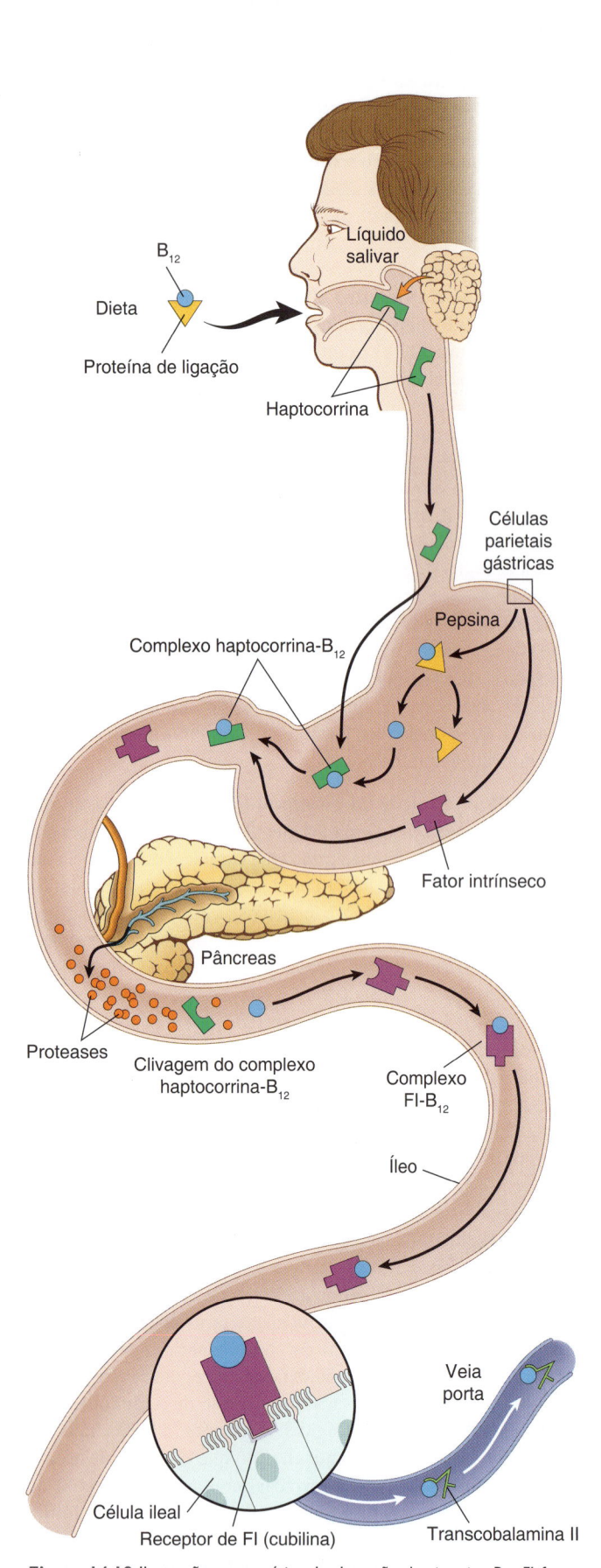

Figura 14.18 Ilustração esquemática da absorção de vitamina B$_{12}$. *FI*, fator intrínseco; *hatpocorrina, cubilina,* ver texto.

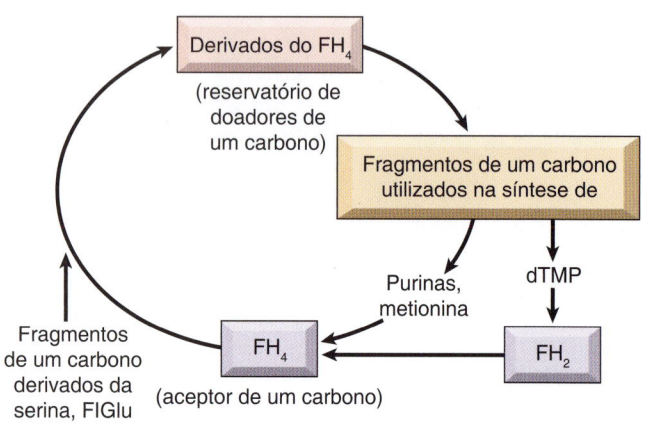

Figura 14.20 Papel dos derivados do folato na transferência de fragmentos de um carbono para a síntese de macromoléculas biológicas. *dTMP*, monofosfato de desoxitimidina; *FH$_4$*, ácido tetra-hidrofólico; *FH$_2$*, ácido di-hidrofólico; *FIGlu,* formiminoglutamato.

predisposição genética, porém não foi identificado nenhum padrão genético definido de transmissão. Conforme descrito adiante, muitos indivíduos afetados têm tendência a formar anticorpos contra múltiplos antígenos próprios.

Patogênese

Acredita-se que a anemia perniciosa resulte de um ataque autoimune à mucosa gástrica. No exame histológico, há uma gastrite atrófica crônica, caracterizada por uma perda de células parietais, infiltrado proeminente de linfócitos e plasmócitos e alterações megaloblásticas nas células da mucosa semelhantes àquelas encontradas nos precursores eritroides. Três tipos de autoanticorpos estão presentes em muitos pacientes, mas não em todos eles. Aproximadamente 75% dos pacientes apresentam um anticorpo tipo I, que bloqueia a ligação da vitamina B_{12} ao fator intrínseco. São encontrados anticorpos tipo I tanto no plasma quanto no suco gástrico. Os anticorpos tipo II impedem a ligação do complexo fator intrínseco-vitamina B_{12} e também estão presentes em uma grande proporção de pacientes com anemia perniciosa. Os anticorpos tanto do tipo I quanto do tipo II são encontrados no plasma e no suco gástrico. Os anticorpos tipo III estão presentes em 85 a 90% dos pacientes e reconhecem as subunidades α e β da bomba de prótons gástrica, que é um componente das microvilosidades do sistema canalicular da célula parietal gástrica. Os anticorpos tipo III não são específicos, visto que são encontrados em até 50% dos indivíduos idosos com gastrite crônica idiopática.

Os autoanticorpos apresentam utilidade diagnóstica, porém não se acredita que eles sejam a causa primária da patologia gástrica; com efeito, parece que uma resposta autorreativa das células T inicia a lesão da mucosa gástrica e desencadeia a formação de autoanticorpos. Quando a massa de células secretoras de fator intrínseco cai abaixo de um limiar (e ocorre depleção das reservas de vitamina B_{12} armazenada), ocorre desenvolvimento de anemia. De maneira notável, a anemia perniciosa também está associada a outros distúrbios autoimunes, particularmente tireotidite e adrenalite autoimunes, sugerindo que ela surge em indivíduos com predisposição a desenvolver autoimunidade.

A deficiência de vitamina B_{12} também pode se originar de outras causas além da anemia perniciosa. Na maioria desses casos, ocorre comprometimento da absorção da vitamina em uma das etapas delineadas anteriormente (ver **Tabela 14.5**). Na acloridria e perda de secreção de pepsina (que ocorre em alguns indivíduos idosos), a vitamina B_{12} não é prontamente liberada das proteínas dos alimentos. Com a gastrectomia, ocorre perda do fator intrínseco. Na insuficiência do pâncreas exócrino, a vitamina B_{12} não pode ser liberada dos complexos de haptocorrina-vitamina B_{12}. A ressecção ileal ou a doença ileal difusa podem impedir a absorção adequada do complexo fator intrínseco-vitamina B_{12}. Algumas tênias (particularmente aquelas adquiridas com o consumo de peixe cru) competem com o hospedeiro pela vitamina B_{12} e podem induzir um estado de deficiência. Em algumas condições, como gravidez, hipertireoidismo, câncer disseminado e infecção crônica, as demandas aumentadas de vitamina B_{12} podem produzir uma deficiência relativa, mesmo com absorção normal.

Morfologia

Na anemia perniciosa, os achados na medula óssea e no sangue assemelham-se aos descritos anteriormente para outras formas de anemia megaloblástica. Normalmente, o estômago apresenta gastrite crônica difusa (ver **Capítulo 17**). A alteração mais característica é a **atrofia das glândulas fúndicas**, que afetam tanto as células principais quanto as células parietais, estando as últimas praticamente ausentes. O epitélio glandular é substituído por células caliciformes secretoras de muco, que se assemelham às que revestem o intestino grosso, constituindo uma forma de metaplasia designada como **intestinalização**. Algumas das células afetadas e seus núcleos podem ter um tamanho duas vezes maior do que o normal, uma alteração "megaloblástica" análoga àquela observada na medula óssea. Com o tempo, a língua pode adquirir uma aparência brilhante, lustrosa e "vermelho-vivo" (**glossite atrófica**). Como a atrofia gástrica e as alterações metaplásicas resultam de autoimunidade, elas persistem após a administração parenteral de vitamina B_{12}, enquanto as alterações "megaloblásticas" na medula óssea e no intestino são prontamente reversíveis.

São encontradas lesões do sistema nervoso central em cerca de três quartos de todos os casos floridos de anemia perniciosa; entretanto, essas lesões também podem ser observadas na ausência de achados hematológicos evidentes. As principais alterações acometem a medula espinal, onde ocorre **desmielinização dos tratos espinais dorsais e laterais,** algumas vezes seguida de perda de axônios. Essas alterações podem causar paraparesia espástica, ataxia sensitiva e parestesias graves nos membros inferiores. Com menos frequência, ocorrem alterações degenerativas nos gânglios das raízes posteriores e nos nervos periféricos (ver **Capítulo 28**).

Características clínicas

A anemia perniciosa é de início insidioso, de modo que, com frequência, é muito grave por ocasião em que ela é clinicamente detectada. A evolução é progressiva, a não ser que seja interrompida pela terapia.

O diagnóstico baseia-se nos seguintes achados: (1) anemia megaloblástica moderada a grave; (2) leucopenia com granulócitos hipersegmentados; (3) baixos níveis séricos de vitamina B_{12}; e (4) níveis séricos elevados de homocisteína e ácido metilmalônico. Os anticorpos séricos contra o fator intrínseco são altamente específicos da anemia perniciosa. O diagnóstico é confirmado pela liberação de reticulócitos e elevação do hematócrito, começando cerca de 5 dias após a administração parenteral de vitamina B_{12}.

Os indivíduos com atrofia e metaplasia da mucosa gástrica devido à anemia perniciosa correm risco aumentado de carcinoma gástrico (ver **Capítulo 17**). Com a administração de vitamina B_{12} parenteral ou oral em alta dose, a anemia é curada, e a progressão da doença neurológica periférica pode ser revertida ou pelo menos interrompida, porém as alterações na mucosa gástrica e o risco de carcinoma não são afetados.

Anemia por deficiência de folato

A deficiência de ácido fólico (mais corretamente, ácido pteroilmonoglutâmico) resulta em anemia megaloblástica, que apresenta as mesmas características patológicas que aquelas causadas pela deficiência de vitamina B_{12}. Os derivados do FH_4 atuam como intermediários na transferência de unidades de um carbono, como os grupos formila e metila, para vários compostos (ver **Figura 14.20**). O FH_4 atua como aceptor de fragmentos de um carbono de compostos como a serina e o ácido formiminoglutâmico. Os derivados de FH_4 assim gerados, por sua vez, doam os fragmentos adquiridos de um carbono em reações que sintetizam diversos metabólitos. Portanto, o FH_4 pode ser visualizado como o "intermediário" biológico em uma série de trocas que envolvem unidades de um carbono. Os processos metabólicos mais importantes que dependem dessas transferências são: (1) síntese de purinas; (2) conversão da homocisteína em metionina, uma reação que também necessita de vitamina B_{12}; (3) síntese de dTMP. Nas primeiras duas reações, o FH_4 é regenerado a partir de seus derivados carreadores de um carbono e está disponível para aceitar outra unidade de um carbono e entrar novamente no reservatório doador. Na síntese de dTMP, ocorre produção de ácido di-hidrofólico (FH_2), que precisa ser reduzido pela di-hidrofolato redutase para entrar novamente no reservatório de FH_4. A etapa da redutase é significativa, visto que essa enzima é suscetível à inibição por vários medicamentos. Entre as moléculas cuja síntese depende de folatos, o dTMP talvez seja o mais importante do ponto de vista biológico, visto que é necessário para a síntese de DNA. A partir dessa discussão, deve ficar evidente que **a síntese suprimida de DNA, o denominador comum da deficiência de ácido fólico e de vitamina B_{12}, constitui a causa imediata da megaloblastose.**

Etiologia

As três principais causas de deficiência de ácido fólico são (1) diminuição da ingestão, (2) aumento das necessidades e (3) utilização comprometida (ver **Tabela 14.5**). Os seres humanos dependem de fontes dietéticas para a obtenção do ácido fólico. As dietas normais contêm, em sua maioria, quantidades abundantes. As fontes mais ricas em representadas pelos vegetais verdes, como alface, espinafre, aspargo e brócolis. Certas frutas (p. ex., limão, bananas, melão) e fontes animais (p. ex., fígado) contêm quantidades menores. Nesses alimentos, o ácido fólico encontra-se, em grande parte, na forma de folilpoliglutamatos. Apesar de sua abundância em alimentos crus, os poliglutamatos são sensíveis ao calor; a fervura, o cozimento a vapor ou a fritura dos alimentos por cinco a dez minutos destroem até 95% do conteúdo de folato. As conjugases intestinais clivam os poliglutamatos em monoglutamatos, que são absorvidos no jejuno proximal. Durante a absorção intestinal, são modificados a 5-metiltetra-hidrofolato, a forma de transporte do folato. As reservas de folato do corpo são relativamente modestas, e pode surgir deficiência dentro de semanas a meses se a ingestão for inadequada.

A diminuição da ingestão pode resultar de uma dieta nutricionalmente inadequada ou do comprometimento da absorção intestinal. Uma dieta normal contém folato acima das necessidades mínimas diárias do adulto. A ingestão dietética inadequada quase invariavelmente está associada a dietas manifestamente deficientes, que são encontradas, com mais frequência, em alcoólicos crônicos, indigentes e indivíduos muito idosos. Nos alcoólicos com cirrose, outros mecanismos de deficiência de folato também foram implicados, como aprisionamento de folato no fígado, perda urinária excessiva e distúrbios do metabolismo do folato. Nessas circunstâncias, a anemia megaloblástica é frequentemente acompanhada de desnutrição geral e manifestações de outras avitaminoses, como queilose, glossite e dermatite. As síndromes de má absorção, como o espru, podem levar à absorção inadequada de folato, assim como doenças infiltrativas do intestino delgado (p. ex., linfoma). Além disso, certos medicamentos, particularmente o anticonvulsivante fenitoína e os contraceptivos orais, interferem na absorção.

Apesar de uma ingestão normal de ácido fólico, é possível observar uma deficiência relativa quando as necessidades estão aumentadas. As condições nas quais isso ocorre incluem gravidez, lactância, distúrbios associados à hematopoese hiperativa (p. ex., anemia hemolítica crônica) e câncer disseminado. Em todas essas circunstâncias, as demandas de síntese aumentada de DNA tornam a ingestão normal inadequada.

Os *antagonistas do ácido fólico*, como o metotrexato, inibem a di-hidrofolato redutase e levam a uma deficiência de FH_4. A inibição do metabolismo do folato afeta todos os tecidos de proliferação rápida, em particular a medula óssea e o trato gastrintestinal. Muitos fármacos quimioterápicos utilizados no tratamento do câncer causam danos ao DNA ou inibem a sua síntese por outros mecanismos, que também causam alterações megaloblásticas nas células que sofrem rápida divisão.

Conforme assinalado anteriormente, a anemia megaloblástica que resulta da deficiência de ácido fólico é idêntica àquela encontrada na deficiência de vitamina B_{12}. Por conseguinte, o diagnóstico de deficiência de folato só pode ser estabelecido pela demonstração de diminuição dos níveis séricos ou eritrocitários de folato. À semelhança da deficiência de vitamina B_{12}, os níveis séricos de homocisteína estão aumentados, porém as concentrações de metilmalonato estão normais. É importante ressaltar que não ocorrem alterações neurológicas.

Embora ocorra uma resposta hematológica rápida indicada por reticulocitose após a administração de ácido fólico, convém lembrar que os sintomas hematológicos da anemia por deficiência de vitamina B_{12} também respondem à terapia com folato. Conforme já assinalado, o folato não previne (e pode até mesmo exacerbar) os déficits neurológicos observados nos estados de deficiência de vitamina B_{12}. Por conseguinte, é essencial excluir a possibilidade de deficiência de vitamina B_{12} como causa da anemia megaloblástica antes de iniciar a terapia com folato.

Anemia ferropriva

A deficiência de ferro é o distúrbio nutricional mais comum no mundo, que resulta em sinais e sintomas clínicos relacionados, em sua maior parte, com a síntese inadequada de hemoglobina. Embora a prevalência da anemia ferropriva seja maior em países de baixa renda, essa forma de anemia é comum nos EUA, particularmente em crianças, meninas adolescentes e mulheres de idade reprodutiva. Os fatores subjacentes à deficiência de ferro diferem ligeiramente em vários grupos populacionais e podem ser mais bem considerados no contexto do metabolismo normal do ferro.

Metabolismo do ferro. A dieta ocidental normal contém cerca de 10 a 20 mg de ferro por dia, cuja maior parte encontra-se na forma de heme em produtos animais, enquanto o restante é encontrado na forma de ferro inorgânico em vegetais. Cerca de 20% do ferro do heme (em comparação com 1 a 2% do ferro não heme) é absorvível, de modo que a dieta ocidental média contém ferro em quantidade suficiente para equilibrar as perdas diárias fixas. Normalmente, o conteúdo corporal total de ferro é de aproximadamente 2,5 g nas mulheres e alcança 6 g nos homens, podendo essa quantidade ser dividida em compartimentos funcionais e de armazenamento (**Tabela 14.6**). Cerca de 80% do ferro funcional é encontrado na hemoglobina; o restante ocorre na mioglobina e em enzimas que contêm ferro, como a catalase e os citocromos. O reservatório de armazenamento representado pela hemossiderina e ferritina contém aproximadamente 15 a 20% de

Tabela 14.6 Distribuição do ferro em adultos jovens saudáveis (mg).

Reservatório	Homens	Mulheres
Total	3.450	2.450
Funcional		
Hemoglobina	2.100	1.750
Mioglobina	300	250
Enzimas	50	50
Armazenamento		
Ferritina, hemossiderina	1.000	400

ferro corporal total. Os principais locais de armazenamento do ferro são o fígado e os fagócitos mononucleares. As mulheres jovens saudáveis apresentam reservas de ferro menores do que os homens, principalmente devido à perda de sangue durante a menstruação, e, com frequência, desenvolvem deficiência de ferro em consequência da perda excessiva ou do aumento das demandas associados à menstruação e à gravidez, respectivamente.

O ferro no corpo é reciclado entre os reservatórios funcional e de armazenamento (**Figura 14.21**). É transportado no plasma por uma proteína de ligação do ferro, denominada *transferrina*, que é sintetizada no fígado. Nos indivíduos normais, cerca de um terço da transferrina está saturado com ferro, produzindo níveis séricos de ferro que correspondem, em média, a 120 µg/dℓ nos homens e a 100 µg/dℓ nas mulheres. A principal função da transferrina plasmática é fornecer ferro às células, como os precursores eritroides, que necessitam do ferro para a síntese de hemoglobina. Os precursores eritroides apresentam receptores de alta afinidade para a transferrina, que medeiam a importação de ferro por meio de endocitose mediada por receptores.

O ferro livre é altamente tóxico (ver **Capítulo 18**), de modo que o ferro de armazenamento precisa ser sequestrado. Esse processo é obtido pela ligação do ferro de armazenamento à ferritina ou à hemossiderina. A ferritina é um complexo de proteína-ferro onipresente, que é encontrado em níveis mais altos no fígado, no baço, na medula óssea e nos músculos esqueléticos. No fígado, a maior parte da ferritina é armazenada no interior das células parenquimatosas; em outros tecidos, como o baço e a medula óssea, ela é encontrada principalmente nos macrófagos. O ferro dos hepatócitos origina-se da transferrina plasmática, enquanto o ferro de armazenamento nos macrófagos provém da degradação dos eritrócitos. A ferritina intracelular está localizada no citosol e nos lisossomos, onde camadas proteicas parcialmente degradadas de ferritina agregam-se para formar grânulos de hemossiderina. O ferro na hemossiderina é quimicamente reativo e adquire uma coloração preto-azulada quando exposto ao ferrocianeto de potássio, que constitui a base da *coloração pelo azul da Prússia*. Na presença de reservas normais de ferro, apenas traços de hemossiderina são encontrados no corpo, principalmente em macrófagos na medula óssea, no baço e no fígado, sendo a maior parte armazenada como ferritina. Nas células com sobrecarga de ferro, a maior parte do ferro é armazenada na hemossiderina.

Como a ferritina plasmática provém, em grande parte, do reservatório de armazenamento do ferro corporal, seus níveis estão correlacionados com as reservas de ferro corporal. Na

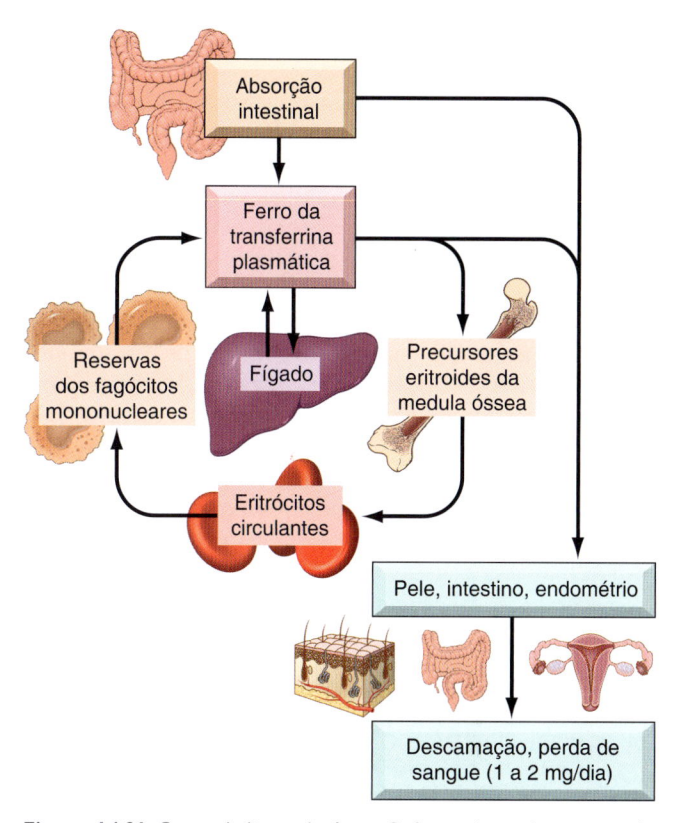

Figura 14.21 O metabolismo do ferro. O ferro absorvido a partir do intestino liga-se à transferrina plasmática e é transportado até a medula óssea, onde é liberado para os eritrócitos em desenvolvimento e incorporado na hemoglobina. Os eritrócitos maduros são liberados na circulação e, depois de 120 dias, são ingeridos por macrófagos, principalmente no baço, no fígado e na medula óssea. Aqui, o ferro é extraído da hemoglobina e reciclado para a transferrina plasmática. Em equilíbrio, o ferro absorvido do intestino é equilibrado por perdas nos queratinócitos descamados, enterócitos e (nas mulheres), endométrio.

deficiência de ferro, os níveis séricos de ferritina são inferiores a 12 µg/dℓ, ao passo que, na sobrecarga de ferro, podem ser observados valores que se aproximam de 5.000 µg/ℓ. A capacidade de rápida mobilização do reservatório de ferro se as necessidades de ferro aumentarem, como pode ocorrer após a perda de sangue, apresenta importância fisiológica.

Como o ferro é essencial para o metabolismo celular e altamente tóxico em excesso, as reservas corporais totais de ferro precisam ser reguladas meticulosamente. O equilíbrio do ferro é mantido pela regulação da absorção de ferro dietético no duodeno proximal. Não existe nenhuma via regulada para a excreção do ferro, que se limita a uma perda diária de 1 a 2 mg por meio de descamação das células epiteliais da mucosa e da pele. Por outro lado, à medida que as reservas de ferro corporal aumentam, a absorção diminui e vice-versa.

As vias responsáveis pela absorção de ferro a partir do intestino são agora compreendidas com detalhes razoáveis (**Figura 14.22**) e diferem para o ferro heme e não heme. O ferro não heme luminal encontra-se, em sua maior parte, no estado Fe^{3+} (férrico) e precisa ser inicialmente reduzido a ferro Fe^{2+} (ferroso) por ferrirredutases, como os citocromos b e STEAP3. Em seguida, o ferro Fe^{2+} é transportado através da membrana apical pelo transportador de metais divalentes 1 (DMT1). O ferro do heme é transportado pela membrana apical até o citoplasma por transportadores que não estão totalmente caracterizados. Neste local, é metabolizado para liberar ferro Fe^{2+}, que entra no compartimento comum com o ferro Fe^{2+} não heme. A absorção de ferro não heme é variável e, com frequência, ineficaz, sendo inibida por substâncias da dieta que se ligam ao ferro Fe^{3+} e o estabilizam, enquanto é intensificada por substâncias que estabilizam o ferro Fe^{2+} (ver adiante). Com frequência, menos de 5% do ferro não heme da dieta é absorvido. Em contrapartida, ocorre absorção de cerca de 20% do ferro heme derivado da hemoglobina, da mioglobina e de outras proteínas animais.

Uma vez nas células duodenais, o ferro Fe^{2+} pode seguir uma de duas vias: transporte para o sangue ou armazenamento como ferro na mucosa. O ferro Fe^{2+} destinado à circulação é transportado a partir do citoplasma pela ferroportina pela membrana do enterócito basolateral. Esse processo é acoplado à oxidação do ferro Fe^{2+} a ferro Fe^{3+}, que é transportado pelas ferro-oxidases, a hefaestina e a ceruloplasmina. O ferro Fe^{3+} recém-absorvido liga-se rapidamente à transferrina, que fornece o ferro aos progenitores eritroides na medula óssea (ver **Figura 14.21**). Tanto o DMT1 quanto a ferroportina estão amplamente distribuídos no organismo e também estão envolvidos no transporte do ferro em outros tecidos. Por exemplo, o DMT1 medeia a captação de ferro "funcional" (derivado da transferrina que sofreu endocitose) através das membranas lisossômicas para o citosol dos precursores eritroides na medula óssea, enquanto a ferroportina desempenha um importante papel na liberação do ferro de armazenamento dos macrófagos.

A absorção do ferro no duodeno é regulada pela *hepcidina*, um pequeno peptídeo circulante sintetizado e liberado do fígado em resposta a aumentos nos níveis intra-hepáticos de ferro. A hepcidina inibe a transferência de ferro do enterócito para o plasma por meio de sua ligação à ferroportina, o que causa sua endocitose e degradação. Em consequência, à medida que os níveis de hepcidina aumentam, o ferro torna-se aprisionado dentro das células duodenais na forma de ferritina da mucosa, sendo perdido à medida que essas células descamam. Por conseguinte, quando o organismo se encontra no estado de repleção de ferro, os altos níveis de hepcidina inibem a sua absorção no

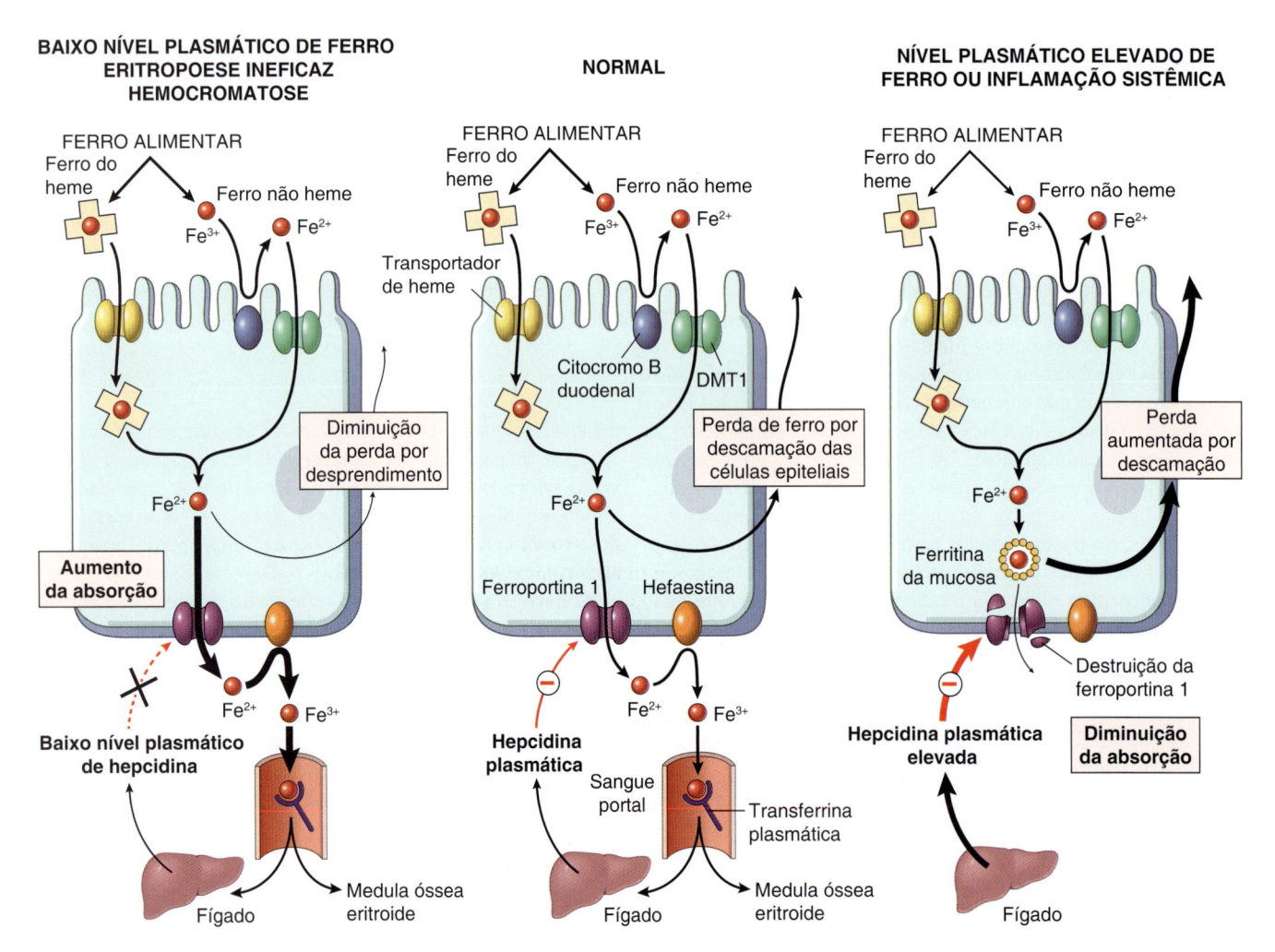

Figura 14.22 Regulação da absorção de ferro. A captação do ferro heme e ferro não heme pelas células epiteliais duodenais é descrita no texto. Quando os locais de armazenamento do corpo estão repletos de ferro, e a atividade eritropoética está normal, a hepcidina plasmática equilibra a captação e a perda de ferro e mantém a homeostasia do ferro ao infrarregular a ferroportina e limitar a captação de ferro (*painel do meio*). A hepcidina aumenta na presença de inflamação sistêmica ou quando os níveis de ferro hepático estão elevados, o que diminui a captação de ferro e aumenta sua perda durante o desprendimento dos duodenócitos (*painel à direita*). Poro outro lado, os níveis de hepcidina caem na presença de baixos níveis plasmáticos de ferro, hemocromatose primária ou hematopoese ineficaz (*painel à esquerda*), o que leva a um aumento da absorção de ferro. *DMTI*, transportador de metais divalentes I.

sangue. Em contrapartida, na presença de baixas reservas corporais de ferro, os níveis de hepcidina caem, o que facilita a absorção de ferro. Ao inibir a ferroportina, a hepcidina não apenas reduz a captação de ferro dos enterócitos, mas também suprime a liberação de ferro dos macrófagos, que constituem uma importante fonte de ferro utilizada pelos precursores eritroides na produção de hemoglobina.

As alterações da hepcidina desempenham um papel central em doenças que envolvem distúrbios do metabolismo do ferro. Isso é ilustrado pelos seguintes exemplos:

- Conforme descrito adiante, neste capítulo, a *anemia da inflamação crônica* é causada, em parte, por mediadores inflamatórios que aumentam a produção hepática de hepcidina
- Uma forma rara de anemia microcítica é causada por mutações que inativam TMPRSS6, uma serina protease transmembranar hepática, que normalmente suprime a produção de hepcidina quando as reservas de ferro estão baixas. Os pacientes afetados apresentam níveis elevados de hepcidina, o que resulta em diminuição da absorção de ferro e incapacidade de responder à terapia com ferro
- Por outro lado, a atividade da hepcidina está inapropriadamente baixa na *hemocromatose* tanto primária quanto secundária, uma síndrome causada pela sobrecarga sistêmica de ferro. Conforme discutido no **Capítulo 18**, as várias formas hereditárias de hemocromatose primária estão associadas a mutações na hepcidina ou nos genes que regulam a sua expressão. Pode ocorrer hemocromatose secundária em doenças associadas à eritropoese ineficaz, como β-talassemia maior (discutida anteriormente) e síndrome mielodisplásica (ver **Capítulo 13**), devido à expansão dos progenitores eritroides e liberação de quantidades aumentadas de eritroferrona, que inibem a produção hepática de hepcidina.

Etiologia. A deficiência de ferro pode resultar de (1) ausência na dieta, (2) comprometimento da absorção, (3) aumento das necessidades ou (4) perda de sangue crônica. Para manter um equilíbrio de ferro normal, cerca de 1 mg de ferro precisa ser absorvido da dieta diariamente. Como apenas 10 a 15% do ferro ingerido é absorvido, a necessidade diária de ferro é de 7 a 10 mg para homens adultos e de 7 a 20 mg para mulheres adultas. Tendo em vista que, no mundo ocidental, a ingestão dietética média diária de ferro é de aproximadamente 15 a 20 mg, a maioria dos homens ingere uma quantidade de ferro mais do que adequada, enquanto muitas mulheres consomem quantidades marginais de ferro. A biodisponibilidade do ferro dietético é tão importante quanto o seu conteúdo total. A absorção de ferro inorgânico é influenciada por outros componentes da dieta. É aumentada pelo ácido ascórbico, ácido cítrico, aminoácidos e açúcares da dieta e inibida por tanatos (encontrados no chá), carbonatos, oxalatos e fosfatos.

A ausência dietética de ferro é rara nos países de alta renda, onde cerca de dois terços do ferro dietético, em média, estão na forma de heme, principalmente na carne. A situação é diferente em países de baixa renda, onde os alimentos são menos abundantes, e a maior parte do ferro da dieta é encontrada em vegetais, na forma inorgânica pouco absorvível. Ocorre inadequação do ferro dietético até mesmo em sociedades de alta renda nos seguintes grupos:

- *Lactentes*, que correm alto risco, devido às quantidades muito pequenas de ferro no leite. O leite materno humano fornece apenas aproximadamente 0,3 mg/ℓ de ferro. O leite de vaca contém aproximadamente o dobro de ferro, porém a sua biodisponibilidade é baixa
- *A população carente*, que pode ter dietas abaixo do ideal por motivos socioeconômicos em qualquer idade
- *Indivíduos idosos*, que costumam apresentar dietas restritas com pouca carne, devido à renda limitada ou à dentição precária
- *Adolescentes*, que consomem *junk food*.

Ocorre absorção prejudicada no espru, em outras causas de má absorção de gordura (esteatorreia) e na diarreia crônica. A gastrectomia diminui a absorção de ferro ao reduzir a acidez do duodeno proximal (a acidez aumenta a captação) e ao aumentar a velocidade de passagem do conteúdo intestinal pelo duodeno. Itens específicos da dieta, como fica evidente a partir da discussão anterior, também podem afetar a absorção.

O aumento das necessidades representa uma importante causa de deficiência de ferro em lactentes, crianças e adolescentes em crescimento, bem como em mulheres na pré-menopausa, particularmente durante a gravidez. As mulheres com privação econômica que apresentam múltiplas gestações a intervalos pequenos correm risco excepcionalmente alto.

A *perda crônica de sangue* constitui a causa mais comum de deficiência de ferro nas sociedades de alta renda. A hemorragia externa ou o sangramento nos tratos gastrintestinal, urinário ou genital causam depleção das reservas de ferro. Em países de alta renda, a deficiência de ferro em homens adultos e mulheres na pós-menopausa deve ser atribuída à perda de sangue gastrintestinal até prova em contrário. Atribuir prematuramente a deficiência de ferro desses indivíduos a qualquer outra causa é correr o risco de omitir a presença de câncer gastrintestinal ou outra lesão hemorrágica. Em certas ocasiões, um clínico alerta, ao investigar uma anemia ferropriva inexplicada, descobre uma fonte de sangramento oculto, como câncer, o que pode salvar a vida do indivíduo.

Patogênese

Qualquer que seja a sua base, a deficiência de ferro leva à produção inadequada de hemoglobina e à anemia microcítica hipocrômica. No início da perda crônica de sangue ou em outros estados de equilíbrio negativo do ferro, as reservas na forma de ferritina e de hemossiderina podem ser adequadas para manter níveis normais de hemoglobina e de hematócrito, bem como níveis normais de ferro sérico e saturação da transferrina. A depleção progressiva dessas reservas reduz inicialmente os níveis séricos de ferro e a saturação da transferrina, sem produzir anemia. Nesse estágio inicial, ocorre aumento da atividade eritroide na medula óssea. A anemia só aparece quando houver depleção completa das reservas de ferro e é acompanhada de níveis séricos de ferro, ferritina e saturação da transferrina abaixo dos valores normais.

> **Morfologia**
>
> A medula óssea revela aumento leve a moderado dos progenitores eritroides. Um achado importante para o diagnóstico é a **ausência de ferro corável nos macrófagos**, que é mais bem avaliada pela realização de coloração de esfregaços de medula óssea pelo azul da Prússia. Nos esfregaços de sangue periférico, os eritrócitos são pequenos (**microcíticos**) e pálidos (**hipocrômicos**).

> Os eritrócitos normais com quantidade de hemoglobina suficiente apresentam uma zona de palidez central que mede cerca de um terço do diâmetro da célula. Na deficiência de ferro estabelecida, a zona de palidez está aumentada, e a hemoglobina pode ser apenas observada em uma faixa periférica estreita (**Figura 14.23**). A observação de poiquilocitose, na forma de pequenos eritrócitos alongados (células em lápis), também é característica.

Características clínicas

As manifestações clínicas da anemia são inespecíficas e já foram descritas de modo detalhado. Com frequência, os sinais e sintomas predominantes estão relacionados com a causa subjacente, como, por exemplo, doença gastrintestinal ou ginecológica, desnutrição, gravidez ou má absorção. Na deficiência de ferro grave e de longa duração, a depleção de enzimas que contêm ferro nas células por todo o corpo também provoca outras alterações, como coiloníquia, alopecia, alterações atróficas da língua e da mucosa gástrica e má absorção intestinal. A depleção de ferro do sistema nervoso central pode levar ao aparecimento de pica, em que os indivíduos afetados apresentam uma compulsão por produtos não alimentares, como argila, ou ingredientes alimentares, como farinha, e movimentam periodicamente os membros durante o sono. A pica também é observada em associação a transtornos do desenvolvimento, como autismo (na ausência de deficiência de ferro). As membranas esofágicas podem aparecer com anemia microcítica hipocrômica e glossite atrófica para completar a tríade de achados na rara *síndrome de Plummer-Vinson* (ver **Capítulo 17**).

O diagnóstico de anemia ferropriva baseia-se, em última análise, nos exames laboratoriais. Tanto a hemoglobina quanto o hematócrito estão diminuídos, habitualmente em grau moderado, em associação com hipocromia, microcitose e poiquilocitose modesta. Os níveis séricos de ferro e de ferritina estão baixos, e a capacidade total de ligação do plasma (o que aponta níveis elevados de transferrina) está elevada. O baixo nível sérico de ferro com aumento da capacidade de ligação do ferro resulta em diminuição da saturação de transferrina para menos de 15%. A redução das reservas de ferro inibe a síntese de hepcidina, e observa-se uma queda de seus níveis séricos. Nos casos não complicados, a suplementação oral de ferro produz aumento dos reticulócitos em cerca de 5 a 7 dias, seguido de aumento constante das contagens hematológicas e normalização dos índices eritrocitários.

Anemia da inflamação crônica

O comprometimento na produção de eritrócitos associado a doenças crônicas que causam inflamação sistêmica constitui uma causa comum de anemia em pacientes hospitalizados. Essa forma de anemia origina-se de uma redução na proliferação dos progenitores eritroides e utilização prejudicada do ferro. As doenças crônicas associadas a essa forma de anemia podem ser agrupadas em três categorias:

- *Infecções microbianas crônicas,* como osteomielite, endocardite bacteriana e abscesso pulmonar
- *Distúrbios imunes crônicos,* como artrite reumatoide e doença inflamatória intestinal
- *Neoplasias,* como carcinomas de pulmão e de mama, e linfoma de Hodgkin.

A anemia da inflamação crônica está associada a baixos níveis séricos de ferro, redução da capacidade total de ligação do ferro e ferro armazenado abundante nos macrófagos teciduais. Vários efeitos da inflamação contribuem para as anormalidades observadas. De maneira mais notável, determinados mediadores inflamatórios, em particular a interleucina-6 (IL-6), estimulam um aumento na produção hepática de hepcidina. Conforme já discutido, a hepcidina inibe a função da ferroportina nos macrófagos e reduz a transferência de ferro do compartimento de armazenamento para os precursores eritroides em desenvolvimento na medula óssea. Em consequência, os precursores eritroides são privados de ferro em meio à abundância. Além disso, esses progenitores não proliferam adequadamente, visto que os níveis de eritropoetina estão inapropriadamente baixos para o grau de anemia. O mecanismo preciso subjacente à redução da eritropoetina é incerto; há suspeita de uma supressão direta da produção renal de eritropoetina pelas citocinas inflamatórias.

Qual poderia ser a razão para o sequestro de ferro no contexto da inflamação? A melhor sugestão é a de que isso aumenta a capacidade do organismo de combater certas infecções, em particular aquelas causadas por bactérias (p. ex., *H. influenzae*) que necessitam de ferro para sua patogenicidade. Nesse aspecto, é interessante considerar que a hepcidina está estruturalmente relacionada com as defensinas, uma família de peptídeos que apresentam atividade antibacteriana intrínseca. Essa conexão ressalta a relação pouco compreendida, porém intrigante, entre inflamação, imunidade inata e metabolismo do ferro.

A anemia é habitualmente leve, e os sintomas dominantes são os da doença subjacente. Os eritrócitos podem ser normocíticos e normocrômicos ou microcíticos e hipocrômicos, como na anemia ferropriva. O aumento do armazenamento de ferro nos macrófagos da medula óssea, os níveis séricos elevados de ferritina e a redução da capacidade total de ligação do ferro descartam prontamente a possibilidade de deficiência de ferro como causa da anemia. Somente o tratamento bem-sucedido da condição subjacente é que corrige com segurança a anemia; entretanto, alguns pacientes, particularmente aqueles com câncer, beneficiam-se da administração de eritropoetina.

Anemia aplásica

A anemia aplásica refere-se a uma síndrome de insuficiência hematopoética primária crônica e pancitopenia concomitante

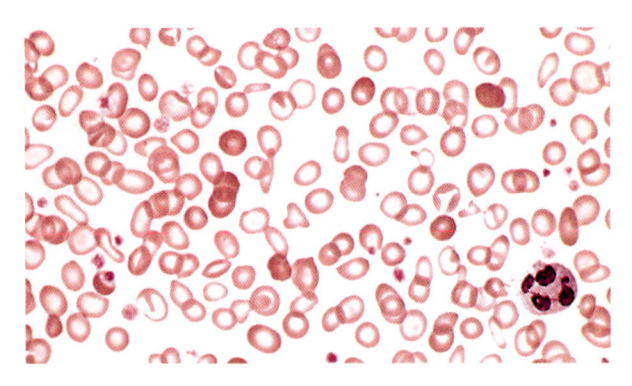

Figura 14.23 Deficiência de ferro (esfregaço de sangue periférico). Observe os eritrócitos microcíticos hipocrômicos que contêm uma borda estreita de hemoglobina periférica. As células dispersas totalmente hemoglobinizadas, presentes devido a uma recente transfusão de sangue, fornecem o contraste. (Cortesia do Dr. Robert W. McKenna, Department of Pathology, University of Texas Southwestern Medical School, Dallas, Tex.)

(anemia, leucopenia e trombocitopenia). Na maioria dos pacientes, há suspeita de mecanismos autoimunes, porém as anormalidades hereditárias ou adquiridas das células-tronco hematopoéticas também contribuem em um subgrupo de pacientes.

Etiologia. As circunstâncias mais comuns associadas à anemia aplásica estão listadas na **Tabela 14.7**. A maioria dos casos de etiologia "conhecida" ocorre após exposição a produtos químicos e medicamentos. Alguns dos agentes associados (como muitos fármacos quimioterápicos para o câncer e o solvente orgânico benzeno) causam supressão da medula óssea, que está relacionada com a dose e é reversível. Em outros casos, a anemia aplásica surge de maneira idiossincrásica imprevisível após exposição a medicamentos que normalmente causam pouca ou nenhuma supressão da medula óssea. Os fármacos implicados nessas reações idiossincrásicas incluem o cloranfenicol e sais de ouro.

A aplasia persistente da medula óssea também pode aparecer após uma variedade de infecções virais, mais comumente hepatite viral, que está associada acerca de 5% dos casos. Não se sabe ao certo por que a anemia aplásica se desenvolve em determinados indivíduos.

A irradiação corporal total pode destruir as células-tronco hematopoéticas de maneira dependente da dose. Os indivíduos que recebem irradiação terapêutica ou que são expostos à irradiação em acidentes nucleares (p. ex., Chernobyl) correm risco de aplasia medular.

As anormalidades específicas subjacentes a alguns casos de anemia aplásica são as seguintes:

- *A anemia de Fanconi* é um distúrbio autossômico recessivo raro, causado por defeitos em um complexo multiproteico que é necessário para o reparo do DNA (ver **Capítulo 7**). A hipofunção da medula óssea torna-se evidente no início da vida e, com frequência, é acompanhada de múltiplas anomalias congênitas, como hipoplasia dos rins e do baço, bem como anomalias ósseas, que afetam comumente os polegares ou os rádios
- São observados defeitos hereditários da *telomerase* em 5 a 10% dos casos de anemia aplásica de início no adulto. A telomerase é necessária para a imortalidade celular e a replicação ilimitada (ver **Capítulos 1** e **7**). Por conseguinte, é possível antecipar que os déficits na atividade da telomerase podem resultar em exaustão prematura das células-tronco hematopoéticas e em aplasia medular
- Ainda mais comuns do que as mutações na telomerase são os telômeros anormalmente curtos, que são encontrados nas células da medula óssea de até metade dos indivíduos afetados com anemia aplásica. Não se sabe se esse encurtamento resulta de outros defeitos não reconhecidos da telomerase ou se representa uma consequência da replicação excessiva de células-tronco.

Entretanto, na maioria dos casos, não é possível identificar nenhum fator desencadeante; aproximadamente 65% dos casos encontram-se nessa categoria idiopática.

Patogênese

A patogênese da anemia aplásica não está totalmente compreendida. De fato, é improvável que um único mecanismo esteja na base de todos os casos. Todavia, foram sugeridas duas etiologias principais: a supressão imunomediada extrínseca de progenitores da medula óssea e uma anormalidade intrínseca das células-tronco (**Figura 14.24**).

Tabela 14.7 Principais causas de anemia aplásica.

Adquiridas
Idiopática
Defeitos adquiridos das células-tronco
Imunomediada idiopática
Agentes químicos
Relacionada com a dose
Agentes alquilantes
Antimetabólitos
Benzeno
Cloranfenicol
Arsenicais inorgânicos
Idiossincrásica
Cloranfenicol
Fenilbutazona
Arsenicais orgânicos
Metilfeniletil-hidantoína
Carbamazepina
Penicilamina
Sais de ouro
Agentes físicos
Irradiação corporal total
Infecções virais
Hepatite (vírus desconhecido)
Infecções por citomegalovírus
Infecções pelo vírus Epstein-Barr
Herpes-zóster (varicela-zóster)
Hereditárias
Anemia de Fanconi
Defeitos da telomerase

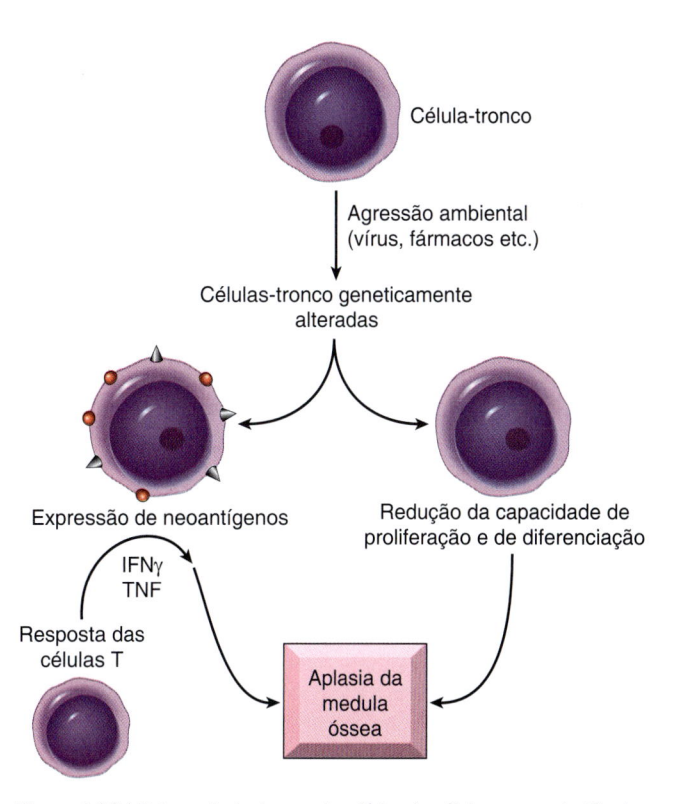

Figura 14.24 Fisiopatologia da anemia aplásica. As células-tronco danificadas podem produzir uma progênie que expressa neoantígenos que induzem uma reação autoimune, ou podem dar origem a uma população clonal com capacidade proliferativa reduzida. Qualquer uma dessas vias pode levar à aplasia medular. Ver abreviaturas no texto.

Estudos experimentais concentraram-se em um modelo no qual as células T ativadas suprimem as células-tronco hematopoéticas. Em primeiro lugar, as células-tronco podem ser antigenicamente alteradas pela exposição a fármacos, agentes infecciosos ou outras agressões ambientais não identificadas. Isso provoca uma resposta imune celular, durante a qual as células Th1 ativadas produzem citocinas, como interferona-γ (IFN-γ) e TNF, que suprimem e destroem os progenitores hematopoéticos. Esse cenário é respaldado por várias observações:

- A análise das poucas células-tronco medulares remanescentes de medula óssea com anemia aplásica revelou que os genes envolvidos nas vias de apoptose e de morte estão suprarregulados. É interessante assinalar que os mesmos genes estão suprarregulados em células-tronco normais expostas à interferona-γ
- Uma evidência ainda mais atrativa (e clinicamente relevante) provém da experiência com a terapia imunossupressora. A globulina antitimócitos e outros agentes imunossupressores, como a ciclosporina, produzem respostas em 60 a 70% dos pacientes. Foi proposto que essas terapias atuam por meio de supressão ou destruição de clones de células T autorreativos. Os antígenos reconhecidos pelas células T autorreativas não estão bem definidos. Em alguns casos, proteínas ligadas ao GPI podem ser os alvos, o que explica possivelmente a associação já assinalada entre anemia aplásica e HPN.

Como alternativa, a noção de que a anemia aplásica resulta de uma anormalidade fundamental das células-tronco é sustentada pela presença de aberrações cariotípicas e mutações adquiridas que envolvem genes de câncer em muitos casos; pela transformação ocasional de aplasias em neoplasias mieloides, normalmente síndrome mielodisplásica ou leucemia mieloide aguda; e pela associação a telômeros anormalmente curtos. Alguma agressão à medula óssea (ou uma predisposição aos danos ao DNA) resulta, presumivelmente, em lesão suficiente para limitar a capacidade de proliferação e de diferenciação das células-tronco. Se os danos forem extensos o suficiente, ocorre anemia aplásica. Esses dois mecanismos não são mutuamente excludentes, visto que as células-tronco com alterações genéticas também podem expressar "neoantígenos", que poderiam servir como alvos para ataque das células T.

Morfologia

A medula óssea acentuadamente hipocelular é, em grande parte, desprovida de células hematopoéticas; com frequência, permanecem apenas células adiposas, estroma fibroso, linfócitos e plasmócitos dispersos. Os aspirados de medula óssea com frequência fornecem pouco material ("punção seca"); por conseguinte, a aplasia é mais bem reconhecida em biopsias de medula óssea (**Figura 14.25**). Outras alterações patológicas inespecíficas estão relacionadas com a granulocitopenia e a trombocitopenia, como infecções bacterianas mucocutâneas e sangramento anormal, respectivamente. Se a anemia exigir múltiplas transfusões, pode surgir hemossiderose sistêmica.

Características clínicas

A anemia aplásica pode ocorrer em qualquer idade e em ambos os sexos. Em geral, o início é insidioso. As manifestações iniciais variam, dependendo da linhagem celular predominantemente afetada; todavia, a pancitopenia surge finalmente, com suas consequências esperadas. A anemia leva à fraqueza progressiva, palidez e dispneia. A trombocitopenia é anunciada por petéquias e equimoses, enquanto a neutropenia manifesta-se como infecções frequentes e persistentes ou pelo início súbito de calafrios, febre e prostração. A esplenomegalia está caracteristicamente ausente; quando presente, deve-se questionar seriamente o diagnóstico de anemia aplásica. Em geral, os eritrócitos são ligeiramente macrocíticos e normocrômicos. A reticulocitopenia é a regra.

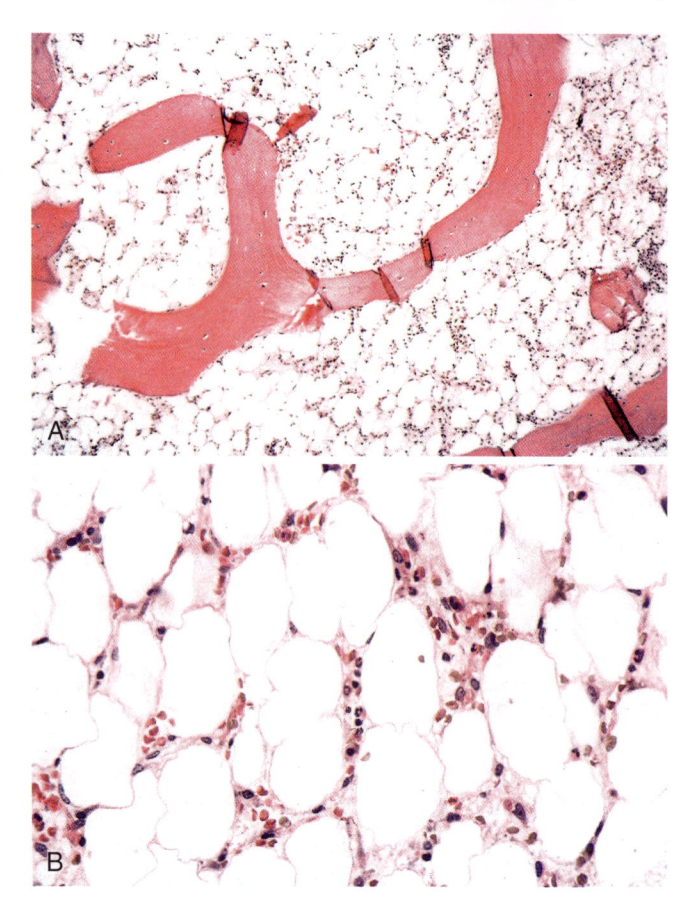

Figura 14.25 Anemia aplásica (biopsia de medula óssea). A medula acentuadamente hipocelular contém principalmente células adiposas. **A.** Pequeno aumento. **B.** Grande aumento. (Cortesia do Dr. Steven Kroft, Department of Pathology, University of Texas Southwestern Medical School, Dallas, Tex.)

O diagnóstico baseia-se no exame de uma biopsia de medula óssea. É importante diferenciar a anemia aplásica de outras causas de pancitopenia, como leucemia "aleucêmica" e síndrome mielodisplásica (ver **Capítulo 13**), que podem apresentar manifestações clínicas idênticas. Na anemia aplásica, a medula óssea é hipocelular (em geral, de forma acentuada), enquanto as neoplasias mieloides estão habitualmente associadas a uma medula óssea hipercelular preenchida por progenitores neoplásicos.

O prognóstico é variável. O transplante de células-tronco constitui o tratamento de escolha em indivíduos com doador apropriado e proporciona uma sobrevida em 5 anos de mais de 75%. Os pacientes de idade mais avançada ou aqueles que não têm doadores adequados frequentemente respondem de modo satisfatório à terapia imunossupressora.

Aplasia pura da série vermelha

A aplasia pura da série vermelha (aplasia eritroide pura) é um distúrbio primário da medula óssea, em que apenas os progenitores eritroides estão suprimidos. Nos casos graves, os progenitores da série vermelha estão totalmente ausentes da medula óssea. Pode ocorrer em associação a neoplasias, particularmente timoma e leucemia de grandes linfócitos granulares (ver **Capítulo 13**), exposição a fármacos, distúrbios autoimunes e infecção por parvovírus (ver adiante). Com exceção daqueles que apresentam infecção pelo parvovírus, é provável que a maioria dos casos tenha uma base autoimune. Na presença de timoma, a ressecção leva a uma melhora hematológica em cerca da metade dos pacientes. Em pacientes sem timoma, a terapia imunossupressora é, com frequência, benéfica. A plasmaférese também pode ser útil em pacientes raros com anticorpos neutralizantes contra a eritropoetina, que podem surgir *de novo* ou após a administração de eritropoetina recombinante.

Uma forma especial de aplasia eritrocitária é observada em indivíduos infectados pelo parvovírus B19, que infecta e destrói preferencialmente os progenitores eritroides. Os indivíduos normais eliminam as infecções por parvovírus em 1 a 2 semanas; em consequência, a aplasia é transitória e carece de importância clínica. Entretanto, conforme assinalado anteriormente, em indivíduos com anemias hemolíticas moderadas a graves, até mesmo uma breve interrupção da eritropoese resulta em rápido agravamento da anemia, gerando crise aplásica. Em indivíduos gravemente imunossuprimidos (p. ex., pacientes com infecção avançada pelo HIV), uma resposta imune ineficaz algumas vezes permite a persistência da infecção, o que leva à aplasia eritrocitária crônica e anemia moderada a grave.

Outras formas de insuficiência medular

A *anemia mielotísica* descreve uma forma de insuficiência medular, em que os elementos normais da medula óssea são substituídos por lesões expansivas. A causa mais comum é o câncer metastático, mais frequentemente o carcinoma que surge na mama, nos pulmões e na próstata. Entretanto, qualquer processo infiltrativo (p. ex., doença granulomatosa) que acomete a medula óssea pode produzir achados idênticos. A anemia mielotísica também é uma característica da fase consumptiva das neoplasias mieloproliferativas (ver Capítulo 13). Todas as doenças responsáveis causam distorção e fibrose da medula óssea, que deslocam os elementos normais da medula e afetam os mecanismos que regulam a saída dos eritrócitos e granulócitos da medula óssea. Esse último efeito provoca liberação prematura de precursores eritroides nucleados e formas granulocíticas imaturas (*leucoeritroblastose*) na circulação e o aparecimento de *eritrócitos em forma de lágrima*, que se acredita sejam deformados durante o seu escape tortuoso da medula fibrótica.

Qualquer que seja a sua causa, a insuficiência renal crônica quase sempre está associada a uma anemia, que tende a ser aproximadamente proporcional à gravidade da uremia. A base da anemia na insuficiência renal é multifatorial, porém, a causa dominante consiste em diminuição da síntese de eritropoetina pelos rins danificados, o que leva à produção inadequada de eritrócitos. A uremia também diminui o tempo de vida dos eritrócitos e compromete a função das plaquetas (ambos por mecanismos incertos), e esses efeitos também podem contribuir para a anemia por meio de hemólise extravascular, sangramento anormal e, por fim, deficiência de ferro. A administração de eritropoetina recombinante e a terapia de reposição com ferro melhoram significativamente a anemia.

A *doença hepatocelular* – tóxica, infecciosa ou cirrótica – está associada a uma anemia atribuída a redução da função da medula óssea. Nesse contexto, as deficiências de folato e de ferro, causadas por nutrição precária ou sangramento excessivo, frequentemente exacerbam a anemia. Os progenitores eritroides são preferencialmente afetados; entretanto, com menos frequência, ocorre também depressão das contagens de leucócitos e de plaquetas. A anemia é, com frequência, ligeiramente macrocítica, devido a anormalidades lipídicas associadas à insuficiência hepática, que fazem com que as membranas dos eritrócitos adquiram fosfolipídios e colesterol à medida que circulam no sangue periférico, com consequente aumento de tamanho das células.

Os *distúrbios endócrinos*, particularmente o hipotireoidismo, também podem estar associados a uma anemia normocítica normocrômica.

> **Conceitos-chave**
>
> **Anemia megaloblástica**
> - Causada por deficiências de folato ou de vitamina B_{12}, que levam à síntese inadequada de timidina e à replicação defeituosa do DNA
> - Resulta em precursores hematopoéticos anormais e de tamanho aumentado (megaloblastos), hematopoese ineficaz, anemia macrocítica e (na maioria dos casos) pancitopenia
> - A deficiência de vitamina B_{12} também está associada a danos neurológicos, particularmente nos tratos posteriores e laterais da medula espinal.
>
> **Anemia ferropriva**
> - Causada por sangramento crônico ou aporte inadequado de ferro; resulta em síntese insuficiente de hemoglobina e eritrócitos microcíticos hipocrômicos.
>
> **Anemia da inflamação crônica**
> - Causada por citocinas inflamatórias, que aumentam os níveis de hepcidina, com consequente redução da absorção de ferro e sequestro do ferro nos macrófagos, bem como supressão da produção de eritropoetina.
>
> **Anemia aplásica**
> - Causada por insuficiência da medula óssea (hipocelularidade), devido a diversas causas, como exposição a toxinas e à radiação, reações idiossincrásicas a fármacos e vírus e defeitos hereditários na telomerase e no reparo do DNA.
>
> **Aplasia pura da série vermelha**
> - Aguda: infecção pelo parvovírus B19
> - Crônica: associada a timoma, leucemia de grandes linfócitos granulares, presença de anticorpos neutralizantes contra a eritropoetina e outro fenômeno autoimune.
>
> **Outras causas de anemias por produção deficiente**
> - Substituição da medula óssea (neoplasias, doença granulomatosa; as denominadas anemias mielotísicas), insuficiência renal, distúrbios endócrinos, insuficiência hepática.

Policitemia

A policitemia denota uma contagem de eritrócitos circulantes anormalmente alta, em geral com aumento correspondente no nível de hemoglobina. **Pode ser relativa (quando ocorre hemoconcentração como resultado da diminuição do volume plasmático) ou absoluta (quando há aumento da massa eritrocitária total).** A policitemia relativa resulta de desidratação, como a que ocorre com privação de água, vômitos ou diarreia prolongados ou uso excessivo de diuréticos. Ela também está associada a uma condição de etiologia desconhecida, denominada policitemia de estresse ou *síndrome de Gaisböck*. Em geral, os indivíduos afetados são homens hipertensos, obesos e ansiosos ("estressados"). A policitemia absoluta é *primária,* quando resulta de uma anormalidade intrínseca dos precursores hematopoéticos, e *secundária,* quando resulta da resposta dos progenitores eritroides a níveis elevados de eritropoetina. A **Tabela 14.8** fornece uma classificação fisiopatológica da policitemia, dividida de acordo com essas linhas.

A causa mais comum de policitemia primária é a *policitemia vera,* uma neoplasia mieloproliferativa associada a mutações que levam ao crescimento dos progenitores eritroides independente da eritropoetina (ver **Capítulo 13**). A policitemia primária resulta, com muito menos frequência, de mutações familiares no receptor de eritropoetina, as quais induzem ativação do receptor independente da eritropoetina. Um indivíduo portador dessa condição ganhou medalhas de ouro olímpicas em esqui *cross-country,* beneficiando-se dessa forma natural de *doping* sanguíneo. A policitemia secundária origina-se de aumentos compensatórios ou patológicos da secreção de eritropoetina. As causas desses aumentos incluem neoplasias secretoras de eritropoetina e defeitos hereditários raros (porém ilustrativos) em vários componentes da via de detecção renal de oxigênio. Esses defeitos estabilizam o HIF-1α, um fator de transcrição que estimula a transcrição do gene da eritropoetina.

Tabela 14.8 Classificação fisiopatológica da policitemia.

Relativa
Redução do volume plasmático (hemoconcentração)
Absoluta
Primária (eritropoetina baixa)
Policitemia vera
Mutações hereditárias do receptor de eritropoetina (raras)
Secundária (eritropoetina alta)
Compensatória
Doença pulmonar
Residência em grandes altitudes
Doença cardíaca cianótica
Paraneoplásica
Neoplasias secretoras de eritropoetina (p. ex., carcinoma de células renais, carcinoma hepatocelular e hemangioblastoma cerebelar)
Mutantes de hemoglobina com alta afinidade pelo oxigênio
Defeitos hereditários que estabilizam o HIF-1α
Policitemia de Chuvash (mutações homozigotas de *VHL*)
Mutações de prolil hidroxilase

HIF-1α, fator induzido por hipoxia 1α.

Distúrbios hemorrágicos: diáteses hemorrágicas

A ocorrência de sangramento excessivo pode resultar de (1) aumento da fragilidade dos vasos, (2) deficiência ou disfunção das plaquetas e (3) desregulação da coagulação, isoladamente ou em combinação. Antes de discutir os distúrbios hemorrágicos específicos, é conveniente analisar os exames laboratoriais comuns utilizados na avaliação de uma diátese hemorrágica. A resposta hemostática normal envolve a parede dos vasos sanguíneos, as plaquetas e a cascata da coagulação (ver **Capítulo 4**). Os seguintes exames são realizados para avaliar diferentes aspectos da hemostasia:

- *Tempo de protrombina (TP).* Esse exame avalia as vias da coagulação extrínseca e comum. A coagulação do plasma após a adição de uma fonte exógena de tromboplastina tecidual (p. ex., extrato cerebral) e íons Ca^{2+} é medida em segundos. Pode ocorrer prolongamento do TP em consequência de deficiência ou disfunção dos fatores V, VII e X, protrombina ou fibrinogênio

- *Tempo de tromboplastina parcial (TTP).* Esse exame avalia as vias da coagulação intrínseca e comum. A coagulação do plasma após a adição de caolin, cefalina e íons Ca^{2+} é medida em segundos. O caolin ativa o fator XII dependente de contato, e a cefalina substitui os fosfolipídios plaquetários. O prolongamento do TTP pode ser causado por deficiência ou disfunção dos fatores V, VIII, IX, X, XI ou XII, protrombina ou fibrinogênio ou pela presença de anticorpos antifosfolipídios interferentes (ver **Capítulo 4**)

- *Contagens de plaquetas.* São realizadas em sangue anticoagulado com um contador de partículas eletrônico. A faixa de referência é de 150×10^3 a 350×10^3 plaquetas/$\mu\ell$. As contagens de plaquetas anormais devem ser confirmadas pela inspeção de um esfregaço de sangue periférico, visto que a agregação de plaquetas durante a contagem automatizada pode resultar em "trombocitopenia" espúria. A obtenção de contagens elevadas pode indicar uma neoplasia mieloproliferativa, como trombocitemia essencial (ver **Capítulo 13**), porém tem mais probabilidade de refletir processos reativos que aumentam a produção das plaquetas (p. ex., inflamação sistêmica)

- *Provas de função plaquetária.* No momento atual, nenhum exame isolado fornece uma avaliação adequada das complexas funções das plaquetas. Exames especializados que podem ser úteis em determinados contextos clínicos incluem testes de agregação plaquetária, que medem a capacidade de adesão das plaquetas umas às outras em resposta a agonistas, como a trombina; e testes quantitativos e qualitativos do fator de von Willebrand, que desempenha um importante papel na aderência das plaquetas à matriz extracelular (ver **Capítulo 4**). Um exame mais antigo, o tempo de sangramento, é demorado e difícil de ser padronizado e foi, em grande parte, abandonado. Os ensaios baseados em instrumentos, que fornecem medidas quantitativas da função plaquetária, são utilizados em alguns centros, porém continuam sendo imperfeitos na previsão do risco de sangramento, presumivelmente devido a dificuldades na simulação da coagulação *in vivo* no laboratório.

Dispõe-se de exames mais especializados para medir os níveis de fatores da coagulação específicos, fibrinogênio, produtos de degradação da fibrina e presença de anticoagulantes circulantes.

Distúrbios hemorrágicos causados por anormalidades das paredes dos vasos

Os distúrbios incluídos nessa categoria são relativamente comuns, porém, geralmente não provocam problemas hemorrágicos graves. Com mais frequência, manifestam-se com pequenas hemorragias (petéquias e púrpura) na pele ou nas membranas mucosas, particularmente nas gengivas. Em certas ocasiões, ocorrem hemorragias mais significativas nas articulações, nos músculos e em localizações subperiosteais, ou assumem a forma de menorragia, epistaxes, sangramento gastrintestinal ou hematúria. A contagem de plaquetas e as provas de coagulação (TP, TTP) são habitualmente normais, apontando, por exclusão, para o problema subjacente.

As condições clínicas nas quais as anormalidades das paredes dos vasos causam sangramento incluem as seguintes:

- As *infecções* frequentemente induzem hemorragias petequiais e purpúricas, em particular a meningococcemia, outras formas de septicemia, endocardite infecciosa e várias riquetsioses. Os mecanismos envolvidos incluem danos microbianos à microvasculatura (vasculite) e coagulação intravascular disseminada
- As *reações medicamentosas* algumas vezes assumem a forma de petéquias cutâneas e púrpura, sem causar trombocitopenia. Em muitos casos, a lesão vascular é mediada pela deposição de imunocomplexos induzidos por fármacos nas paredes dos vasos, o que leva à vasculite por hipersensibilidade (*leucocitoclástica*) (ver **Capítulo 11**)
- O *escorbuto* e a *síndrome Ehlers-Danlos* estão associados a sangramento microvascular, devido a defeitos do colágeno que enfraquecem as paredes dos vasos. A fragilidade vascular adquirida é responsável pela púrpura espontânea, que é comumente observada em indivíduos idosos, e por hemorragias cutâneas, que são observadas na *síndrome de Cushing*, em que os efeitos perdedores de proteína da produção excessiva de corticosteroides provocam perda da matriz extracelular perivascular
- A *púrpura de Henoch-Schönlein* é um distúrbio sistêmico imune, caracterizado por púrpura, dor abdominal em cólica, poliartralgia e glomerulonefrite aguda (ver **Capítulo 20**). Essas alterações resultam da deposição de imunocomplexos circulantes no interior dos vasos em todo o corpo e nas regiões mesangiais glomerulares
- A *telangiectasia hemorragia hereditária* (também conhecida como *síndrome de Weber-Osler-Rendu*) é um distúrbio autossômico dominante que pode ser causado por mutações em pelos menos cinco genes diferentes, cuja maioria modula a sinalização do TGF-β. Caracteriza-se por vasos sanguíneos tortuosos e dilatados com paredes finas, que sangram facilmente. Pode ocorrer hemorragia em qualquer local, porém, ela é mais comum sob as membranas mucosas do nariz (epistaxe), língua, boca e olhos, bem como em todo o trato gastrintestinal
- A *amiloidose perivascular* pode enfraquecer as paredes dos vasos sanguíneos e causar sangramento. Essa complicação é mais comum na amiloidose por amiloide de cadeia leve (AL) (ver **Capítulo 6**) e, com frequência, manifesta-se como petéquias mucocutâneas.

Entre essas condições, o sangramento grave está mais frequentemente associado à telangiectasia hemorrágica hereditária. Em cada uma dessas condições, o sangramento é inespecífico, e o diagnóstico baseia-se no reconhecimento de outros achados associados mais específicos.

Sangramento relacionado com a redução do número de plaquetas: trombocitopenia

A redução do número de plaquetas (trombocitopenia) constitui uma importante causa de sangramento generalizado. Em geral, uma contagem abaixo de 150.000 plaquetas/µℓ é considerada como trombocitopenia. As contagens de plaquetas na faixa de 20.000 a 50.000 plaquetas/µℓ podem agravar o sangramento pós-traumático, enquanto contagens inferiores a 20.000 plaquetas/µℓ podem estar associadas a sangramento espontâneo (não traumático). Quando a trombocitopenia é isolada, o TP e o TTP estão normais.

Convém lembrar que, após a ocorrência de lesão vascular, as plaquetas aderem e agregam-se para formar o tampão hemostático primário e também promovem reações-chave na cascata da coagulação, que levam à hemostasia secundária e à formação de um coágulo de fibrina (ver **Capítulo 4**). Com mais frequência, o sangramento espontâneo associado à trombocitopenia envolve os pequenos vasos. Os locais comuns dessas hemorragias incluem a pele e as membranas mucosas dos tratos gastrintestinal e geniturinário. Entretanto, o mais temido é o sangramento intracraniano, que representa uma ameaça a qualquer paciente com acentuada redução das contagens de plaquetas.

As causas de trombocitopenia são classificadas em quatro categorias principais (**Tabela 14.9**):

- *Diminuição na produção de plaquetas*. Essa diminuição pode resultar de condições que causam depressão geral da produção medular (como anemia aplásica e leucemia) ou que afetam

Tabela 14.9 Causas de trombocitopenia.

Diminuição na produção de plaquetas
Comprometimento seletivo da produção de plaquetas
Induzida por substâncias e medicamentos: álcool, tiazidas, fármacos citotóxicos
Infecções: sarampo, HIV
Deficiências nutricionais
Deficiência de vitamina B$_{12}$, folato (anemia megaloblástica)
Anemia aplásica (ver **Tabela 14.7**)
Substituição da medula óssea
Leucemia, câncer disseminado, doença granulomatosa
Hematopoese ineficaz
Síndromes mielodisplásicas (ver **Capítulo 13**)
Diminuição da sobrevida das plaquetas
Destruição imunológica
Púrpura trombocitopênica imune crônica
Púrpura trombocitopênica imune aguda
Lúpus eritematoso sistêmico, neoplasias linfoides de células B
Aloimune: pós-transfusão e neonatal
Associada a medicamentos: quinidina, heparina, compostos de sulfa
Infecções: HIV, mononucleose infecciosa (transitória, leve), dengue
Destruição não imunológica
Coagulação intravascular disseminada
Microangiopatias trombóticas
Hemangiomas gigantes
Sequestro
Hiperesplenismo
Diluição
Transfusões

seletivamente os megacariócitos. Exemplos desta última situação incluem determinados medicamentos e álcool, que podem suprimir a produção de plaquetas por meio de mecanismos incertos quando ingeridos em grandes quantidades; HIV, que pode infectar os megacariócitos e inibe a produção de plaquetas; e síndrome mielodisplásica (ver **Capítulo 13**), que se manifesta, em certas ocasiões, como trombocitopenia isolada

- *Diminuição da sobrevida das plaquetas*. Esse importante mecanismo de trombocitopenia pode ter uma base imunológica ou não imunológica. Na trombocitopenia imune, a destruição é causada pelo depósito de anticorpos ou de imunocomplexos nas plaquetas. A trombocitopenia autoimune é discutida na seção seguinte. Pode ocorrer trombocitopenia aloimune quando são administradas plaquetas ou quando as plaquetas atravessam a placenta do feto para a mãe grávida. Neste último caso, os anticorpos IgG produzidos na mãe podem causar trombocitopenia clinicamente significativa no feto. Isso lembra a doença hemolítica do recém-nascido, em que os eritrócitos constituem os alvos (ver **Capítulo 10**). As causas não imunológicas mais importantes consistem em *coagulação intravascular disseminada (CID)* e *microangiopatias trombóticas*, em que a ativação plaquetária descontrolada e, com frequência, sistêmica reduz o tempo de vida das plaquetas. A destruição não imunológica das plaquetas também pode ser causada por lesão mecânica, como a observada em indivíduos com próteses de valvas cardíacas
- *Sequestro*. Normalmente, o baço sequestra 30 a 35% das plaquetas do corpo, porém esse número pode alcançar 80 a 90% quando o baço está aumentado, produzindo graus moderados de trombocitopenia
- *Diluição*. As transfusões maciças podem produzir trombocitopenia dilucional.

Púrpura trombocitopênica imune crônica

A púrpura trombocitopênica imune (PTI) crônica é causada pela destruição de plaquetas mediada por autoanticorpos. Pode ocorrer no contexto de uma variedade de condições predisponentes e exposições (secundária) ou na ausência de qualquer fator de risco conhecido (primária ou idiopática). Os contextos nos quais a PTI crônica ocorre secundariamente são numerosos e incluem indivíduos com lúpus eritematoso sistêmico (ver **Capítulo 6**), infecção pelo HIV e neoplasias de células B, como a leucemia linfocítica crônica (ver **Capítulo 13**). O diagnóstico de PTI crônica primária é estabelecido apenas após a exclusão das causas secundárias.

Patogênese

Os autoanticorpos, mais frequentemente dirigidos contra as glicoproteínas da membrana plaquetária IIb-IIIa ou Ib-IX, podem ser demonstrados no plasma e estão ligados à superfície das plaquetas em cerca de 80% dos pacientes. Na grande maioria dos casos, os anticorpos antiplaquetários são da classe IgG. À semelhança das anemias hemolíticas autoimunes, os anticorpos antiplaquetários atuam como opsoninas, que são reconhecidas por receptores Fc de IgG expressos nos fagócitos (ver **Capítulo 6**), o que leva a um aumento na destruição das plaquetas. Em geral, a esplenectomia resulta em acentuada melhora da trombocitopenia, indicando que o baço constitui o principal local de remoção das plaquetas opsonizadas. A polpa vermelha do baço também é rica em plasmócitos, e parte do benefício da esplenectomia pode derivar da retirada de uma fonte de autoanticorpos. Em alguns casos, os autoanticorpos também podem ligar-se aos megacariócitos e danificá-los, levando a uma redução da produção de plaquetas, o que exacerba ainda mais a trombocitopenia.

> **Morfologia**
>
> As principais alterações da púrpura trombocitopênica são encontradas no baço, na medula óssea e no sangue, porém não são específicas. Podem ocorrer alterações secundárias relacionadas com a diátese hemorrágica em qualquer parte do corpo. O baço apresenta um tamanho normal. Em geral, ocorrem congestão dos sinusoides e aumento dos folículos esplênicos, frequentemente associados a centros germinativos reativos e proeminentes. Em muitos casos, são observados megacariócitos dispersos dentro dos seios, representando, possivelmente, uma forma leve de hematopoese extramedular impulsionada pelos níveis elevados de trombopoetina. **A medula óssea revela um aumento moderado no número de megacariócitos.** Alguns deles são aparentemente imaturos, com grandes núcleos únicos e não lobulados. Esses achados são inespecíficos, porém refletem simplesmente uma trombopoese acelerada, sendo encontrados na maioria das formas de trombocitopenia em consequência da destruição aumentada de plaquetas. A importância do exame de medula óssea consiste em descartar a possibilidade de trombocitopenia resultante de insuficiência medular ou de outros distúrbios primários da medula óssea. As alterações secundárias estão relacionadas com a hemorragia, frequentemente na forma de **sangramento petequial na pele e nas membranas mucosas.** Com frequência, o **sangue periférico revela plaquetas anormalmente grandes** (megatrombócitos), que constituem um sinal de trombopoese acelerada.

Características clínicas

A PTI crônica ocorre mais comumente em mulheres adultas com menos de 40 anos. A razão entre mulheres e homens é de 3:1. Com frequência, a PTI crônica tem início insidioso e caracteriza-se por sangramento na pele e nas superfícies mucosas. As hemorragias puntiformes (*petéquias*) são particularmente proeminentes nas áreas dependentes, onde a pressão capilar é maior. As petéquias podem tornar-se confluentes, originando *equimoses*. Com frequência, obtém-se uma história de contusões fáceis, epistaxes, sangramento gengival e hemorragias em tecidos moles causadas por trauma relativamente insignificante. A doença pode se manifestar inicialmente com melena, hematúria ou fluxo menstrual excessivo. A hemorragia subaracnóidea e a hemorragia intracerebral constituem complicações graves e, algumas vezes, fatais, porém elas são felizmente raras nos pacientes tratados. A esplenomegalia e a linfadenopatia não são observadas na doença primária, porém a sua presença deve levar o médico a considerar a possibilidade de outros diagnósticos, como PTI secundária a uma neoplasia de células B.

Os achados laboratoriais típicos refletem a trombocitopenia isolada. Uma baixa contagem de plaquetas, a presença de megacariócitos normais ou aumentados na medula óssea e plaquetas grandes no sangue periférico são consideradas como evidências presuntivas de destruição acelerada das plaquetas. O TP e o TTP estão normais. Os exames para autoanticorpos contra plaquetas apresentam baixa sensibilidade e especificidade e não são clinicamente úteis. Por conseguinte, o diagnóstico é feito por exclusão e só pode ser estabelecido após descartar a possibilidade de outras causas de trombocitopenia (como aquelas listadas na **Tabela 14.9**).

Quase todos os pacientes respondem aos glicocorticoides (que inibem a função fagocitária), porém muitos sofrem recidiva após a suspensão dos esteroides. Os pacientes com trombocitopenia moderadamente grave (contagens de plaquetas > 30.000/mℓ) podem ser acompanhados com cuidado, e, em alguns desses indivíduos, pode ocorrer remissão espontânea da PTI. Em indivíduos com trombocitopenia grave, a esplenectomia normaliza a contagem de plaquetas em cerca de dois terços dos pacientes, porém com o aumento associado do risco de sepse bacteriana. Os agentes imunomoduladores, como a imunoglobulina intravenosa ou anticorpo anti-CD20 (rituximabe), são frequentemente efetivos em pacientes que apresentam recidiva após esplenectomia ou para os quais a esplenectomia está contraindicada. Os peptídeos que simulam os efeitos da trombopoetina (os denominados *miméticos de TPO*) também podem ser efetivos ao melhorar as contagens de plaquetas em indivíduos com doença refratária a outros tratamentos.

Púrpura trombocitopênica imune aguda

À semelhança da PTI crônica, essa condição é causada por autoanticorpos dirigidos contra as plaquetas, porém suas características e evolução são distintas. A PTI aguda é principalmente uma doença da infância, que acomete ambos os sexos com igual frequência. Os sintomas aparecem de maneira abrupta, frequentemente 1 a 2 semanas após uma doença viral autolimitada, que parece desencadear o desenvolvimento de autoanticorpos por meio de mecanismos incertos. Diferentemente da PTI crônica, a PTI aguda é autolimitada e, em geral, sofre resolução espontânea nos primeiros 6 meses. Os glicocorticoides são apenas administrados se a trombocitopenia for grave. Em cerca de 20% das crianças, habitualmente naquelas que não têm pródromo viral, a trombocitopenia persiste; essas crianças apresentam uma forma infantil de PTI crônica, que segue uma evolução semelhante àquela da doença no adulto.

Trombocitopenia induzida por medicamentos

Os medicamentos podem induzir trombocitopenia por meio de efeitos diretos sobre as plaquetas, bem como secundariamente à destruição imunomediada das plaquetas. Os medicamentos mais comumente implicados incluem a quinina, a quinidina e a vancomicina, que induzem a ligação de anticorpos dependentes de fármacos às glicoproteínas plaquetárias. Muito mais raramente, os medicamentos induzem autoanticorpos verdadeiros por meio de mecanismos desconhecidos. A trombocitopenia, que pode ser grave, pode ocorrer em pacientes que utilizam medicamentos inibidores das plaquetas, que se ligam à glicoproteína IIb/IIIa; foi formulada a hipótese de que esses medicamentos induzem mudanças conformacionais da glicoproteína IIb/IIIa e criam um epítopo imunogênico.

A *trombocitopenia induzida por heparina (TIH)* tem uma patogênese distinta e apresenta importância particular devido a seu potencial de consequências clínicas graves (ver **Capítulo 4**). A trombocitopenia, que ocorre em cerca de 5% dos indivíduos que recebem heparina, é de dois tipos:

- *A TIH tipo I ocorre rapidamente após o início da terapia e tem pouca importância clínica*, regredindo, algumas vezes, apesar da continuação da terapia. Com mais probabilidade, resulta de um efeito direto da heparina sobre a agregação plaquetária

- *A TIH tipo II é menos comum, porém é, com frequência, potencialmente fatal*. Ocorre 5 a 14 dias após o início da terapia (ou antes, se o indivíduo já foi sensibilizado à heparina) e, paradoxalmente, leva com frequência à trombose venosa e arterial. É causada por anticorpos que reconhecem complexos de heparina e fator plaquetário 4, um componente normal dos grânulos das plaquetas. A ligação do anticorpo a esses complexos ativa as plaquetas e promove a trombose, mesmo na presença de trombocitopenia. Se a heparina não for imediatamente interrompida e se não for instituído um anticoagulante não heparínico alternativo, pode haver formação de coágulos dentro das artérias de grande calibre, insuficiência vascular e perda de membro, bem como trombose venosa profunda com risco associado de tromboembolismo pulmonar. O risco de TIH tipo II é reduzido, mas não totalmente eliminado, com o uso de preparações de heparina de baixo peso molecular. Quando ocorre desenvolvimento de TIH tipo II, até mesmo as heparinas de baixo peso molecular exacerbam a tendência trombótica e devem ser evitadas.

Trombocitopenia associada ao vírus da imunodeficiência humana

A trombocitopenia constitui uma das manifestações hematológicas mais comuns da infecção pelo HIV. Tanto a produção diminuída de plaquetas quanto o aumento de sua destruição contribuem para o processo. O CD4 e o CXCR4, o receptor e correceptor para o HIV, respectivamente, são encontrados nos megacariócitos, possibilitando a infecção dessas células. Os megacariócitos infectados pelo HIV têm propensão à apoptose, e a sua capacidade de produzir plaquetas encontra-se prejudicada. A infecção pelo HIV também causa hiperplasia e desregulação das células B (possivelmente em virtude de seus efeitos sobre as células T CD4+), o que predispõe ao desenvolvimento de autoanticorpos. Em alguns casos, os anticorpos são dirigidos contra complexos de glicoproteína IIb-III da membrana plaquetária. À semelhança de outras citopenias imunes, os autoanticorpos opsonizam as plaquetas, promovendo a sua destruição por fagócitos mononucleares no baço e em outros locais. A deposição de imunocomplexos nas plaquetas também pode contribuir para a trombocitopenia em alguns pacientes infectados pelo HIV.

Microangiopatias trombóticas: púrpura trombocitopênica trombótica e síndrome hemolítico-urêmica

As microangiopatias trombóticas abrangem um espectro de síndromes clínicas, que são causadas por agressões que levam à ativação excessiva das plaquetas, que se depositam como trombos nos pequenos vasos sanguíneos. Esse grupo de distúrbios inclui a púrpura trombocitopênica trombótica (PTT) e a síndrome hemolítico-urêmica (SHU).

De acordo com a sua descrição original, a PTT era definida por um conjunto de cinco manifestações: febre, trombocitopenia, anemia hemolítica microangiopática, déficits neurológicos transitórios e insuficiência renal. A SHU também está associada à anemia hemolítica microangiopática e trombocitopenia, porém distingue-se pela ausência de sintomas neurológicos, pela proeminência de insuficiência renal aguda e pela sua ocorrência frequente em crianças. Entretanto, com o passar do tempo, a experiência adquirida e a maior compreensão dos mecanismos envolvidos, essas distinções tornaram-se mais atenuadas. Muitos pacientes adultos com "PTT" carecem de um ou mais dos cinco critérios, e alguns pacientes com "SHU" têm febre e disfunção neurológica.

Em ambas as condições, os trombos intravasculares provocam anemia hemolítica microangiopática e disfunção orgânica generalizada, e o consumo associado de plaquetas leva à trombocitopenia. Acredita-se que as manifestações clínicas variadas da PTT e da SHU estejam relacionadas com diferentes tendências à formação de trombos nos tecidos. Embora a CID (discutida adiante) e as microangiopatias trombóticas compartilhem certas características, como oclusão microvascular e anemia hemolítica microangiopática, elas são distintas do ponto de vista patogênico. Na TTP e na SHU (diferentemente da CID), a ativação da cascata da coagulação não é de importância primária, de modo que os exames laboratoriais de coagulação, como TP e PTT, estão habitualmente normais.

Apesar da superposição de determinadas características das várias microangiopatias trombóticas, os fatores desencadeantes da ativação patogênica das plaquetas são distintos e proporcionam uma maneira mais satisfatória e clinicamente relevante para refletir sobre esses distúrbios (resumidos na **Tabela 14.10**). **A PTT é causada por uma deficiência de uma enzima plasmática, denominada ADAMTS13, também designada como "FvW metaloprotease".** A ADAMTS13 degrada multímeros de peso molecular muito alto do FvW. Na sua ausência, os grandes multímeros acumulam-se no plasma e tendem a promover a ativação e a agregação espontâneas das plaquetas. A superposição de lesão das células endoteliais (causada por alguma outra condição) pode promover ainda mais a formação de agregados plaquetários, com consequente início ou exacerbação de PTT clinicamente evidente.

A deficiência de ADAMTS13 pode ser hereditária ou adquirida. Na forma adquirida, observa-se a presença de um autoanticorpo que inibe a atividade de metaloprotease da ADAMTS13. Com menos frequência, os pacientes herdam uma mutação inativadora do *ADAMTS13*. Nos indivíduos com deficiência hereditária de ADAMTS13, o início frequentemente é adiado até a adolescência, e os sintomas são episódicos. Por conseguinte, outros fatores, além da deficiência de ADAMTS13 (p. ex., lesão vascular superposta ou estado protrombótico), devem estar envolvidos para desencadear a PTT totalmente desenvolvida.

A PTT é um diagnóstico importante a ser considerado em todo paciente que apresenta trombocitopenia e anemia hemolítica microangiopática, visto que qualquer demora no diagnóstico pode ser fatal. Com o uso de plasmaférese, que remove os autoanticorpos e fornece ADAMTS13 funcional, a PTT (que outrora era uniformemente fatal) pode ser tratada com sucesso em mais de 80% dos pacientes.

Em contrapartida, a SHU está associada a níveis normais de ADAMTS13 e é iniciada por vários outros defeitos distintos. **A SHU "típica" está fortemente associada à gastrenterite infecciosa causada pela cepa O157:H7 de *Escherichia coli*, que elabora uma toxina do tipo Shiga.** Essa toxina é absorvida a partir da mucosa gastrintestinal inflamada para a circulação, na qual se acredita que ela altere direta ou indiretamente a função das células endoteliais de alguma maneira capaz de resultar em ativação e agregação plaquetárias. As crianças e os indivíduos idosos correm maior risco. Os pacientes afetados apresentam diarreia sanguinolenta, e, alguns dias mais tarde, observa-se o aparecimento da SHU.

A SHU "atípica" está frequentemente associada a defeitos do fator H do complemento, da proteína cofator de membrana (CD46) ou do fator I, proteínas que atuam para prevenir a ativação excessiva da via alternativa do complemento. Deficiências dessas proteínas podem ser causadas por defeitos hereditários ou por autoanticorpos inibidores adquiridos e estão associadas a uma evolução clínica de remissões e recidivas.

Diferentemente da PTT, a base da ativação das plaquetas na SHU típica e atípica ainda não está bem esclarecida. À semelhança da hemoglobinúria paroxística noturna (discutida anteriormente), os anticorpos terapêuticos que inibem a ativação do fator C5 do complemento mostram-se efetivos na prevenção da trombose em pacientes com SHU atípica, provando que a ativação excessiva do complemento desempenha um papel central nessa forma da doença. A imunossupressão também pode ser benéfica em pacientes com autoanticorpos inibidores. O tratamento da SHU típica é de suporte. Os pacientes que sobrevivem à agressão aguda habitualmente se recuperam, porém alguns apresentam danos renais permanentes e necessitam de diálise ou de transplante renal. O impacto da SHU e da PTT sobre os rins é discutido de modo mais detalhado no **Capítulo 20**.

As microangiopatias trombóticas que se assemelham à SHU também podem ser observadas após exposição a outros agentes que causam danos às células epiteliais (p. ex., certos medicamentos e radioterapia). O prognóstico nesses contextos é reservado, visto que a SHU é frequentemente complicada por condições crônicas e potencialmente fatais.

Distúrbios hemorrágicos relacionados com defeitos da função plaquetária

Os defeitos qualitativos da função plaquetária podem ser hereditários ou adquiridos. Foram descritos vários distúrbios hereditários caracterizados por função plaquetária anormal e contagens normais de plaquetas. Uma breve discussão dessas doenças raras é justificada, visto que elas fornecem esclarecimentos sobre os mecanismos moleculares da função plaquetária.

Tabela 14.10 Microangiopatias trombóticas: causas e associações.

Púrpura trombocitopênica trombótica
Deficiência de ADAMTS13
Hereditária
Adquirida (autoanticorpos)
Síndrome hemolítico-urêmica
Típica: infecção pela cepa O157:H7 de *Escherichia coli*
Danos endoteliais causados por toxina do tipo Shiga
Atípica: deficiências de inibidores da via alternativa do complemento (fator H do complemento; proteína cofator de membrana [CD46] ou fator I)
Hereditária
Adquirida (autoanticorpos)
Associações diversas
Medicamentos (ciclosporina, agentes quimioterápicos)
Radiação, transplante de medula óssea
Outras infecções (HIV, sepse pneumocócica)
Condições associadas a autoimunidade (lúpus eritematoso sistêmico, infecção pelo HIV, neoplasias linfoides)

HIV, vírus da imunodeficiência humana.

Os distúrbios hereditários da função plaquetária podem ser classificados em três grupos patogenicamente distintos: (1) defeitos da adesão; (2) defeitos da agregação; e (3) distúrbios da secreção plaquetária (reação de liberação):

- A *síndrome de Bernard-Soulier* ilustra as consequências da adesão defeituosa das plaquetas à matriz subendotelial. Trata-se de um distúrbio autossômico recessivo causado por uma deficiência hereditária do complexo de glicoproteína Ib-IX da membrana plaquetária. Essa glicoproteína é um receptor do FvW e é essencial para a adesão normal das plaquetas à matriz extracelular subendotelial (ver **Capítulo 4**). Os pacientes afetados apresentam uma tendência hemorrágica variável e frequentemente grave
- A *trombastenia de Glanzmann* exemplifica a ocorrência de sangramento em consequência de defeito da agregação plaquetária. É transmitida como traço autossômico recessivo. As plaquetas trombastênicas não conseguem sofrer agregação em resposta ao difosfato de adenosina (ADP), colágeno, epinefrina ou trombina, devido à deficiência ou disfunção da glicoproteína IIb-IIIa, uma integrina que participa da "formação de pontes" entre as plaquetas por meio de ligação ao fibrinogênio. A tendência hemorrágica associada é, com frequência, grave
- Os *distúrbios do pool de armazenamento* caracterizam-se pela liberação defeituosa de determinados mediadores da ativação plaquetária, como tromboxanos e ADP ligado a grânulos. Os defeitos bioquímicos subjacentes a esses distúrbios são variados e complexos e estão além do escopo de nossa discussão.

Entre os defeitos adquiridos da função plaquetária, dois são de importância clínica. O primeiro é causado pela ingestão de ácido acetilsalicílico e outros medicamentos anti-inflamatórios não esteroides. O ácido acetilsalicílico é um potente inibidor irreversível da ciclo-oxigenase, uma enzima necessária para a síntese de tromboxano A_2 e prostaglandinas (ver **Capítulo 3**). Esses mediadores desempenham um importante papel na agregação plaquetária e reações de liberação subsequentes (ver **Capítulo 4**). Os efeitos antiplaquetários do ácido acetilsalicílico formam a base de seu uso na prevenção da trombose coronariana (ver **Capítulo 12**). A uremia (ver **Capítulo 20**) constitui a segunda condição comum associada a defeitos adquiridos da função plaquetária. A patogênese da disfunção plaquetária na uremia é complexa e envolve defeitos na adesão, na secreção dos grânulos e na agregação.

Diáteses hemorrágicas relacionadas com anormalidades nos fatores da coagulação

Foram relatadas deficiências hereditárias ou adquiridas de praticamente todos os fatores da coagulação como causas de diáteses hemorrágicas. O sangramento em consequência de deficiências dos fatores da coagulação manifesta-se comumente na forma de grandes equimoses ou hematomas pós-traumáticos ou de sangramento prolongado após laceração ou algum procedimento cirúrgico. Diferentemente do sangramento observado na trombocitopenia, o sangramento decorrente de deficiências dos fatores da coagulação ocorre, com frequência, nos tratos gastrintestinal e urinário e nas articulações de sustentação do peso (hemartrose). Histórias típicas incluem o paciente que perde sangue por vários dias após extração dentária ou que desenvolve hemartrose após estresse mínimo da articulação do joelho.

Normalmente, as deficiências hereditárias afetam um único fator da coagulação. As deficiências hereditárias de fatores da coagulação mais comuns e mais importantes afetam o fator VIII (hemofilia A) e o fator IX (hemofilia B). As deficiências do FvW (doença de von Willebrand) também discutidas aqui, visto que esse fator influencia tanto a coagulação quanto a função plaquetária.

Em geral, as deficiências adquiridas envolvem múltiplos fatores da coagulação e podem ser causadas por diminuição da síntese de proteínas ou redução da meia-vida das proteínas. A deficiência de vitamina K (ver **Capítulo 9**) compromete a síntese dos fatores II, VII, IX, X e da proteína C. Muitos fatores da coagulação são produzidos no fígado, de modo que, com frequência, observa-se uma síntese inadequada na doença hepática parenquimatosa grave. Por outro lado, na CID, há consumo de múltiplos fatores da coagulação, levando à sua deficiência. Ocorrem deficiências adquiridas de fatores isolados, porém elas são raras. Em geral, são causadas por autoanticorpos inibidores.

Complexo de fator VIII-FvW

Os dois distúrbios hemorrágicos hereditários mais comuns, a hemofilia A e a doença de von Willebrand, são causados por defeitos qualitativos ou quantitativos, que envolvem o fator VIII e o FvW, respectivamente. Antes de discutirmos esses distúrbios, é interessante rever a estrutura e a função dessas duas proteínas, que são encontradas juntas no plasma como parte de um único complexo grande.

O fator VIII é um cofator essencial do fator IX, que converte o fator X em fator Xa (**Figura 14.26**; ver **Capítulo 4**). É sintetizado pelas células endoteliais, enquanto o FvW é produzido pelas células endoteliais e pelos megacariócitos, que constituem a fonte do FvW presente nos grânulos α das plaquetas. Uma vez secretado no sangue, o fator VIII liga-se ao FvW e é estabilizado por ele – uma interação que aumenta a meia-vida do fator VIII de aproximadamente 2,4 horas para cerca de 12 horas.

O FvW secretado na circulação pelas células endoteliais existe na forma de multímeros que contêm até cem unidades, que podem ultrapassar 20×10^6 daltons de massa molecular. Parte do FvW secretado também é depositada na matriz subendotelial, na qual está pronto para promover a adesão plaquetária se houver ruptura do revestimento endotelial (ver **Figura 14.26**). Além do fator VIII, o FvW interage com várias outras proteínas envolvidas na hemostasia, incluindo o colágeno, heparina e glicoproteínas da membrana plaquetária. A função hemostática mais importante do FvW consiste em promover a adesão das plaquetas à matriz subendotelial. Isso ocorre por meio de interações formadoras de pontes entre a glicoproteína Ib-IX plaquetária, o FvW e os componentes da matriz, como o colágeno. O FvW também pode promover a agregação das plaquetas pela sua ligação às integrinas GpIIb/IIIa ativadas; essa atividade pode ter importância particular em condições de alto estresse de cisalhamento (como ocorre nos pequenos vasos).

Os níveis de fator VIII e do FvW são medidos por técnicas imunológicas. A função do fator VIII é avaliada por meio de ensaios da coagulação com misturas do plasma do paciente e plasma com deficiência de fator VIII, enquanto a função do FvW é avaliada por meio do teste de aglutinação de ristocetina. Esse exame consiste em acrescentar plasma do paciente a plaquetas normais fixadas em formalina na presença de ristocetina, uma pequena molécula que se liga ao FvW e o "ativa". A ristocetina induz a ligação de multímeros de FvW multivalentes à glicoproteína Ib-IX, formando "pontes" interplaquetárias. A agregação (aglutinação) resultante das plaquetas reflete a atividade de FvW da amostra.

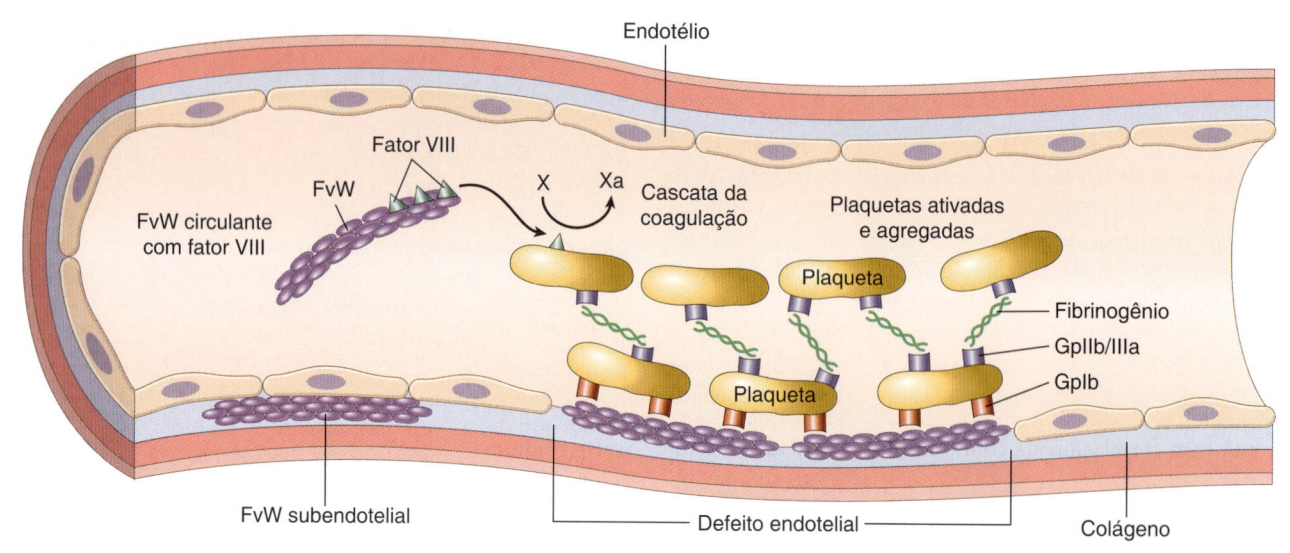

Figura 14.26 Estrutura e função do complexo fator VIII-fator de von Willebrand (FvW). O fator VIII é sintetizado no fígado e nos rins, enquanto o FvW é produzido nas células endoteliais e nos megacariócitos. Os dois associam-se para formar um complexo na circulação. O FvW também está presente na matriz subendotelial dos vasos sanguíneos normais e nos grânulos α das plaquetas. Após a ocorrência de lesão endotelial, a exposição do FvW subendotelial provoca adesão das plaquetas, principalmente por meio do receptor plaquetário de glicoproteína Ib (GpIb). O FvW circulante e o FvW liberados dos grânulos α das plaquetas ativadas podem ligar-se à matriz subendotelial exposta, o que contribui ainda mais para a adesão e a ativação das plaquetas. As plaquetas ativadas formam agregados hemostáticos; o fibrinogênio participa da agregação por meio de interações em pontes com o receptor plaquetário de glicoproteína IIb/IIIa (GpIIb/IIIa). O fator VIII participa da cascata da coagulação como cofator na ativação do fator X na superfície das plaquetas ativadas.

Doença de von Willebrand

A doença de von Willebrand é o distúrbio hemorrágico hereditário mais comum nos seres humanos, afetando cerca de 1% dos adultos nos EUA. Em geral, a tendência hemorrágica é leve e, com frequência, passa despercebida até que a sua presença seja revelada por algum estresse hemostático, como cirurgia ou procedimento dentário. Os sintomas de apresentação mais comuns consistem em sangramento espontâneo das membranas mucosas (p. ex., epistaxe), sangramento excessivo de feridas ou menorragia. Em geral, a doença de von Willebrand é transmitida como distúrbio autossômico dominante, porém existem também raras variantes autossômicas recessivas.

A doença de von Willebrand é, do ponto de vista clínico e molecular, heterogênea; foram descritas centenas de variantes de FvW, e apenas algumas foram formalmente comprovadas como causadoras da doença. São reconhecidos três tipos, cada um deles com uma variedade de fenótipos:

- *A doença de von Willebrand do tipo 1 e do tipo 3 estão associadas a defeitos quantitativos do FvW.* O tipo 1, um distúrbio autossômico dominante caracterizado por deficiência leve a moderada de FvW, responde por cerca de 70% de todos os casos. É comum observar uma penetrância incompleta e expressividade variável; todavia, em geral, a condição está associada a doença leve. A doença tipo 1 está associada a um espectro de mutações, como substituições pontuais que interferem na maturação da proteína do FvW ou que resultam em rápida eliminação a partir do plasma. A doença tipo 3 é um distúrbio autossômico habitualmente causado por deleções ou mutações que interferem mudança de quadros de leitura (*frameshift*) envolvendo ambos os alelos, o que resulta em pouca ou nenhuma síntese de FvW. Como o FvW estabiliza o fator VIII na circulação, os níveis de fator VIII também estão reduzidos na doença tipo 3, e o distúrbio hemorrágico associado é, com frequência, grave

- *A doença de von Willebrand tipo 2 caracteriza-se por defeitos qualitativos do FvW.* Existem vários subtipos, dos quais o tipo 2A é o mais comum. É herdado como distúrbio autossômico dominante. O FvW é expresso em quantidades normais, porém observa-se a presença de mutações *missense*, que levam a uma montagem defeituosa dos multímeros. Em consequência, os multímeros de tamanho grande e intermediário, que constituem as formas mais ativas do FvW, estão ausentes no plasma. A doença de von Willebrand tipo 2 é responsável por 25% de todos os casos e está associada a sangramento leve a moderado.

Os pacientes com doença de von Willebrand apresentam defeitos da função plaquetária, apesar das contagens normais de plaquetas. Os níveis plasmáticos de FvW ativo, medidos pela atividade do cofator ristocetina, estão reduzidos. Como a deficiência de FvW diminui a estabilidade do fator VIII, o tipo 1 e o tipo 3 da doença de von Willebrand estão associados a um prolongamento do TTP.

Mesmo em famílias nas quais ocorre segregação de um único alelo FvW defeituoso, é comum observar uma ampla variabilidade na expressão clínica. Isso se deve, em parte, a genes modificadores que influenciam os níveis circulantes de FvW, os quais apresentam uma ampla faixa nas populações normais. Os indivíduos com doença de von Willebrand dos tipos 1 ou 2 que enfrentam desafios relacionados com a hemostasia (tratamento odontológico, cirurgia) podem ser tratados com desmopressina (que estimula a liberação de FvW), infusões de concentrados de plasma que contêm o fator VIII e o FvW ou FvW recombinante. Por outro lado, os pacientes raros com doença tipo 3 devem ser tratados de modo profilático com concentrados de plasma e infusões de fator VIII para prevenir a ocorrência de hemorragia grave "semelhante à hemofilia".

Hemofilia A (deficiência de fator VIII)

A hemofilia A, que é a doença hereditária mais comum associada a hemorragia potencialmente fatal, é causada por mutações no fator VIII, um cofator essencial para o fator IX na cascata da coagulação. A hemofilia A é herdada como traço recessivo ligado ao cromossomo X e, portanto, afeta principalmente os homens e as mulheres homozigotas. Raramente, ocorre sangramento excessivo em mulheres heterozigotas, presumivelmente como resultado da inativação aleatória do cromossomo X portador do alelo normal do fator VIII na maioria das células (lionização desfavorável). Cerca de 30% dos pacientes não apresentam história familiar, e a sua doença é causada por novas mutações.

A hemofilia A exibe uma ampla gama de gravidade clínica, que está bem correlacionada com o nível de atividade do fator VIII. Os indivíduos com menos de 1% dos níveis normais apresentam doença grave; aqueles com 2 a 5% dos níveis normais, doença moderadamente grave; e aqueles com 6 a 50% dos níveis normais têm doença leve. Os graus variáveis de deficiência de fator VIII são, em grande parte, explicados pela heterogeneidade nas mutações causadoras. As deficiências mais graves resultam de uma inversão envolvendo o cromossomo X, que anula por completo a síntese do fator VIII. Com menos frequência, a hemofilia A grave está associada a mutações pontuais no fator VIII, que comprometem a função da proteína. Nesses casos, os níveis de fator VIII parecem normais por imunoensaio. As mutações que permitem a síntese de algum fator VIII ativo estão associadas a uma doença leve a moderada.

Em todos os casos sintomáticos, observa-se uma tendência à formação fácil de equimoses e hemorragia maciça após trauma ou procedimentos cirúrgicos. Além disso, hemorragias "espontâneas" ocorrem frequentemente em regiões do corpo que são suscetíveis a trauma, particularmente as articulações, caso em que são conhecidas como *hemartroses*. O sangramento recorrente nas articulações leva a deformidades progressivas que podem ser incapacitantes. As petéquias estão caracteristicamente ausentes.

Os pacientes com hemofilia A apresentam prolongamento do TTP e TP normal; esses resultados apontam para uma anormalidade da via intrínseca da coagulação. São necessários ensaios específicos para o fator VIII para estabelecer o diagnóstico. Conforme explicado no **Capítulo 4**, a diátese hemorrágica reflete o papel preponderante do complexo de fator VIIIa/fator IXa na ativação do fator X *in vivo*. A explicação precisa para a tendência dos hemofílicos ao sangramento em determinados locais (articulações, músculos e sistema nervoso central) permanece incerta.

A hemofilia A é tratada com infusões de fator VIII recombinante. Aproximadamente 15% dos pacientes com hemofilia A grave desenvolvem anticorpos que se ligam ao fator VIII e o inibem, provavelmente porque a proteína é percebida como estranha, visto que nunca foi "vista" pelo sistema imune. Recentemente, foram desenvolvidos anticorpos biespecíficos que ligam o fator IXa ao fator X; esses anticorpos prescindem da necessidade de fator VIII e são particularmente efetivos em pacientes com anticorpos inibidores do fator VIII. Antes do desenvolvimento da terapia com fator VIII recombinante, milhares de hemofílicos recebiam concentrados de fator VIII derivados do plasma contendo HIV, e muitos desenvolveram AIDS (ver **Capítulo 6**). O risco de transmissão do HIV foi eliminado, porém tragicamente tarde demais para toda uma geração de hemofílicos. Continuam os esforços para o desenvolvimento de uma terapia gênica somática para a hemofilia.

Hemofilia B (doença de Christmas, deficiência de fator IX)

A deficiência grave do fator IX produz um distúrbio clinicamente indistinguível da deficiência de fator VIII (hemofilia A). Isso não deve ser surpreendente, tendo em vista que os fatores VIII e IX atuam em conjunto para ativar o fator X. Um amplo espectro de mutações envolvendo o gene que codifica o fator IX é encontrado na hemofilia B. À semelhança da hemofilia A, a hemofilia B é herdada como traço recessivo ligado ao cromossomo X e apresenta gravidade clínica variável. Em cerca de 15% desses pacientes, a proteína do fator IX está presente, porém não é funcional. À semelhança da hemofilia A, o TTP está prolongado, e o TP, normal. O diagnóstico de doença de Christmas (assim denominada em homenagem ao primeiro paciente identificado com essa condição, e sem nenhuma relação com o feriado) só é possível pelo ensaio dos níveis dos fatores. A doença é tratada com infusões de fator IX recombinante.

Coagulação intravascular disseminada

A coagulação intravascular disseminada (CID) é um distúrbio trombo-hemorrágico agudo, subagudo ou crônico, que se caracteriza pela ativação excessiva da coagulação e pela formação de trombos na microvasculatura. Ocorre como complicação secundária de muitos distúrbios. Algumas vezes, a coagulopatia permanece localizada a um órgão ou tecido específico. Em consequência da diátese trombótica, há consumo de plaquetas, fibrina e fatores da coagulação e, secundariamente, ativação da fibrinólise. A CID pode se manifestar com sinais e sintomas relacionados com a hipoxia tecidual e infarto causados por microtrombos; hemorragia, em consequência da depleção dos fatores necessários para a hemostasia e ativação dos mecanismos fibrinolíticos; ou ambos.

Etiologia e patogênese

Desde o início, é preciso enfatizar que a CID não é uma doença primária, porém uma coagulopatia adquirida que pode ocorrer no curso de uma variedade de condições clínicas. Ao discutir os mecanismos gerais subjacentes à CID, é conveniente analisar de maneira sucinta o processo normal da coagulação sanguínea e remoção de coágulos (ver **Capítulo 4**).

A coagulação *in vivo* é iniciada pela exposição do fator tecidual, que ativa o fator VII. O efeito mais importante dos complexos fator tecidual/fator VII é a ativação do fator IX, que, por sua vez, ativa o fator X. A ativação do fator X leva à geração de trombina, o componente central no processo da coagulação. Em locais em que o endotélio sofre ruptura, a trombina converte o fibrinogênio em fibrina; apresenta retroalimentação para a ativação dos fatores IX, VIII e V; estimula a ligação cruzada da fibrina; inibe a fibrinólise; e ativa as plaquetas, e todos esses mecanismos aumentam a formação de um coágulo estável. Para evitar a coagulação descontrolada, esse processo deve ser precisamente limitado ao sítio de lesão tecidual. De maneira notável, à medida que a trombina é arrastada na corrente sanguínea e entra em contato com vasos não lesionados, ela é convertida em um anticoagulante por meio de sua ligação à trombomodulina, uma proteína encontrada na superfície das células endoteliais. O complexo trombina-trombomodulina ativa a proteína C, um importante inibidor do fator V e do fator VIII. Outros fatores da coagulação ativados são removidos da circulação pelo fígado, e, como podemos lembrar o sangue também contém vários fatores fibrinolíticos potentes, como a plasmina. Esses controles e outras checagens e equilíbrios normalmente asseguram que ocorra coagulação apenas suficiente, no local e no momento certos.

A partir dessa breve revisão, deve ficar claro que a CID pode resultar da ativação patológica da coagulação ou do comprometimento dos mecanismos inibidores de coágulos. Como estes últimos raramente constituem os principais mecanismos da CID, focalizaremos o início anormal da coagulação.

A CID é desencadeada por dois mecanismos principais: (1) a liberação de fator tecidual ou de outros pró-coagulantes na circulação; e (2) a lesão disseminada das células endoteliais. Os pró-coagulantes, como o fator tecidual, podem ser derivados de uma variedade de fontes, como a placenta em complicações obstétricas ou os tecidos lesionados por trauma ou queimaduras. O muco liberado de certos adenocarcinomas também pode atuar como pró-coagulante por meio da ativação direta do fator X.

A *lesão endotelial* pode iniciar a CID de várias maneiras. As lesões que causam necrose das células endoteliais expõem a matriz subendotelial, com consequente ativação das plaquetas e da via da coagulação. Entretanto, até mesmo lesões endoteliais sutis podem desencadear uma atividade pró-coagulante. Um mediador da lesão endotelial é o TNF, que está implicado na CID que ocorre com a sepse. O TNF induz as células endoteliais a expressar o fator tecidual em sua superfície celular e a diminuir a expressão de trombomodulina, deslocando os controles e os equilíbrios que governam a hemostasia para a coagulação. Além disso, o TNF suprarregula a expressão de moléculas de adesão sobre as células endoteliais, promovendo, assim, a adesão dos leucócitos, que podem provocar danos às células endoteliais pela liberação de espécies reativas de oxigênio e proteases pré-formadas. A lesão endotelial disseminada também pode ser produzida pela deposição de complexos antígeno-anticorpo (p. ex., lúpus eritematoso sistêmico), extremos de temperatura (p. ex., insolação, queimaduras) ou microrganismos (p. ex., meningococos, riquétsias).

A CID está mais comumente associada a complicações obstétricas, neoplasias malignas, sepse e trauma significativo. Nessas condições, os fatores desencadeantes são frequentemente múltiplos e inter-relacionados. Por exemplo, nas infecções bacterianas, as endotoxinas podem inibir a expressão endotelial da trombomodulina, direta ou indiretamente pela estimulação da produção de TNF pelas células imunes, e também podem ativar o fator XII. Os complexos antígeno-anticorpo formados em resposta à infecção podem ativar a via clássica do complemento, originando fragmentos do complemento que ativam secundariamente as plaquetas e os granulócitos. No trauma maciço, na cirurgia extensa e em queimaduras graves, o principal fator desencadeante é a liberação de pró-coagulantes, como o fator tecidual. Em condições obstétricas, os pró-coagulantes derivados da placenta, do feto morto retido ou do líquido amniótico podem entrar na circulação. A hipoxia, a acidose e o choque, que frequentemente coexistem em pacientes muito doentes, também podem causar lesão endotelial generalizada, e as infecções supervenientes podem complicar ainda mais o problema. Entre os cânceres, a leucemia promielocítica aguda e os adenocarcinomas de pulmão, pâncreas, cólon e estômago estão mais frequentemente associados à CID.

Existem duas possíveis consequências da CID (**Figura 14.27**):

- *Deposição disseminada de fibrina* dentro da microcirculação. Isso leva à isquemia dos órgãos mais gravemente afetados ou mais vulneráveis e à anemia hemolítica microangiopática, que resulta da fragmentação dos eritrócitos quando estes são comprimidos através da microvasculatura estreitada

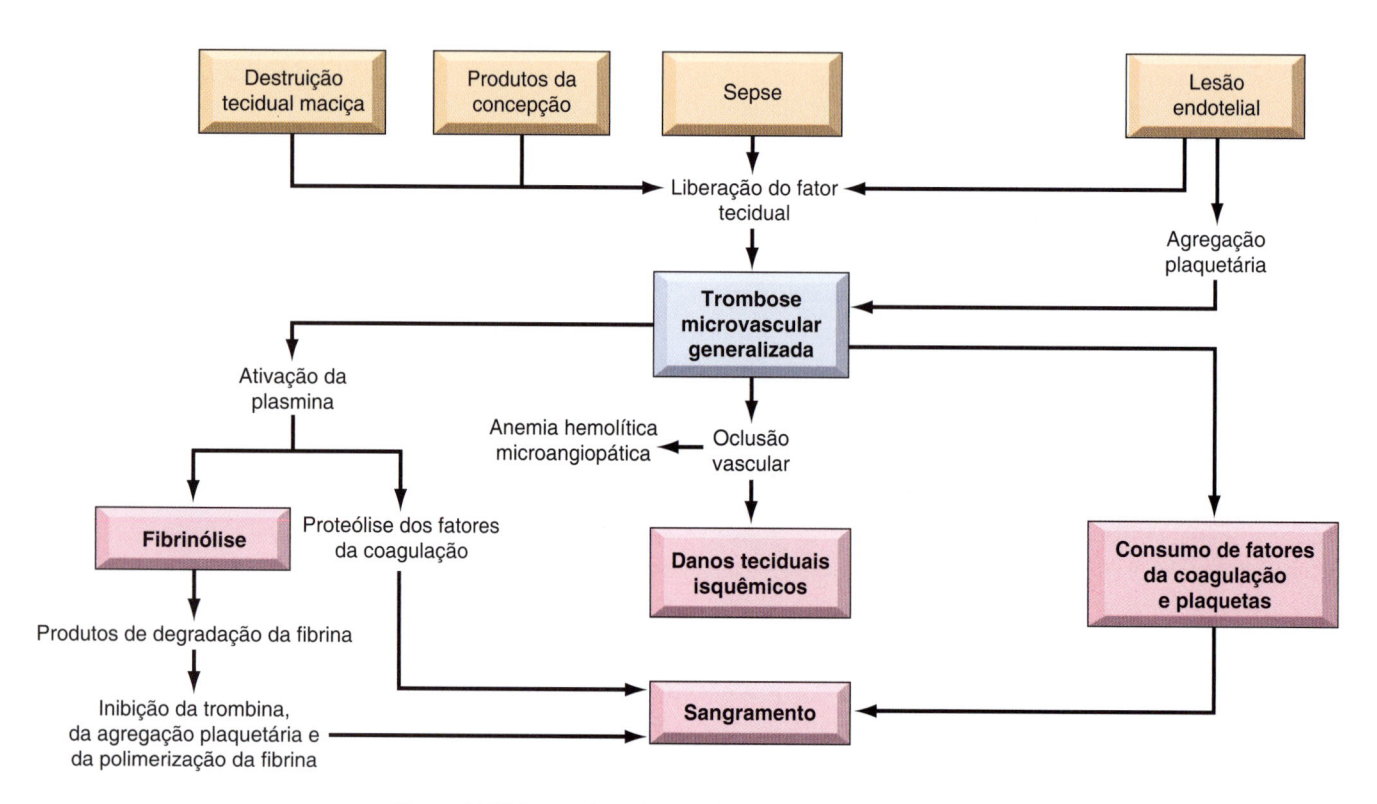

Figura 14.27 Fisiopatologia da coagulação intravascular disseminada.

- *Consumo de plaquetas e fatores da coagulação,* bem como ativação do plasminogênio, levando a uma diátese hemorragia. A plasmina não apenas cliva a fibrina, como também digere os fatores V e VIII, reduzindo ainda mais a sua concentração. Além disso, os produtos de degradação da fibrina resultantes da fibrinólise inibem a agregação plaquetária, a polimerização da fibrina e a trombina.

Morfologia

Com mais frequência, são encontrados **trombos** no encéfalo, no coração, nos pulmões, nos rins, nas glândulas suprarrenais, no baço e no fígado por ordem decrescente de frequência, porém qualquer tecido pode ser acometido. Os rins afetados podem apresentar pequenos trombos nos glomérulos, que causam apenas tumefação reativa das células endoteliais ou, nos casos graves, microinfartos ou até mesmo **necrose cortical renal bilateral**. Numerosos trombos de fibrina podem ser encontrados nos capilares alveolares, algumas vezes associados a edema pulmonar e exsudação de fibrina, criando "membranas hialinas" que lembram a síndrome de angústia respiratória aguda (ver **Capítulo 15**). No sistema nervoso central, os trombos de fibrina podem causar microinfartos, ocasionalmente complicados por hemorragia simultânea, que algumas vezes pode levar a sinais e sintomas neurológicos variáveis. Na meningococcemia, os trombos de fibrina na microcirculação do córtex suprarrenal constituem a provável base das hemorragias suprarrenais maciças observadas na **síndrome de Waterhouse-Friderichsen** (ver **Capítulo 24**). Uma forma incomum de CID ocorre em associação a hemangiomas gigantes **(síndrome de Kasabach-Merritt)**, em que há formação de trombos dentro da neoplasia, devido à estase e trauma recorrente dos vasos sanguíneos frágeis.

Características clínicas

O início da CID pode ser fulminante, como ocorre na sepse ou na embolia de líquido amniótico, ou insidioso e crônico, como nos casos de carcinomatose ou retenção de feto morto. É quase impossível descrever detalhadamente todas as possíveis apresentações clínicas, porém alguns padrões comuns merecem ser descritos. Incluem anemia hemolítica microangiopática; dispneia, cianose e insuficiência respiratória; convulsões e coma; oligúria e insuficiência renal aguda; e insuficiência circulatória súbita ou progressiva e choque. Em geral, a CID aguda, associada (p. ex., a complicações obstétricas ou a trauma significativo), é dominada por uma diátese hemorrágica, enquanto a CID crônica, como a que ocorre em pacientes com câncer, tende a se manifestar com complicações trombóticas. O diagnóstico baseia-se na observação clínica e em exames laboratoriais, incluindo medição dos níveis de fibrinogênio, plaquetas, TP, TTP e produtos de degradação da fibrina, particularmente D-dímeros.

O prognóstico é altamente variável e depende, em grande parte, do distúrbio subjacente. O único tratamento definitivo consiste em remover ou tratar a causa desencadeante. O manejo exige manobra meticulosa entre os perigos da trombose e os da diátese hemorrágica. A administração de anticoagulantes ou pró-coagulantes tem sido defendida em contextos específicos, porém com controvérsias.

Conceitos-chave

Púrpura trombocitopênica imune

- Causada por autoanticorpos contra antígenos plaquetários
- Pode ser desencadeada por medicamentos, infecções ou linfomas ou pode ser idiopática.

Púrpura trombocitopênica trombótica e síndrome hemolítico-urêmica

- Ambas se manifestam com trombocitopenia, anemia hemolítica microangiopática e insuficiência renal; a febre e o comprometimento do SNC são mais típicos da PTT
- PTT: causada por deficiências adquiridas ou hereditárias de ADAMTS 13, uma metaloprotease plasmática que cliva multímeros de peso molecular muito alto do FvW. A deficiência de ADAMTS 13 resulta em multímeros de FvW anormalmente grandes, que ativam as plaquetas
- SHU: causada por deficiências das proteínas reguladoras do complemento ou por agentes que provocam danos às células endoteliais, como a toxina tipo Shiga elaborada pela cepa O157:H7 de *E. coli*. Essas anormalidades iniciam a ativação e agregação plaquetárias e a trombose microvascular.

Doença de von Willebrand

- Distúrbio autossômico dominante causado por mutações do FvW, uma grande proteína que promove a adesão das plaquetas ao colágeno subendotelial e que estabiliza o fator VIII
- Normalmente, provoca um distúrbio de sangramento leve a moderado, que se assemelha àquele associado à trombocitopenia.

Hemofilia

- Hemofilia A: distúrbio ligado ao cromossomo X, causado por mutações no fator VIII. Os indivíduos do sexo masculino afetados normalmente apresentam hemorragia grave nos tecidos moles e nas articulações e exibem prolongamento do TTP
- Hemofilia B: distúrbio ligado ao cromossomo X causado por mutações no fator IX da coagulação. É clinicamente idêntica à hemofilia A.

Coagulação intravascular disseminada

- Síndrome em que a ativação sistêmica da coagulação leva ao consumo de fatores da coagulação e plaquetas
- Pode produzir hemorragia, oclusão vascular e hipoxemia tecidual em várias combinações
- Fatores desencadeantes comuns: sepse, trauma significativo, certos tipos de câncer, complicações obstétricas.

Complicações da transfusão

Os hemocomponentes são, com frequência, corretamente descritos como o dom da vida, visto que permitem que as pessoas sobrevivam a lesões traumáticas e a determinados procedimentos, como transplante de células-tronco hematopoéticas e complexos procedimentos cirúrgicos que, de outro modo, seriam fatais. Em hospitais dos EUA, são realizadas mais de cinco milhões de transfusões de hemácias a cada ano. Graças à melhor triagem de doadores, os hemocomponentes (concentrados de hemácias, plaquetas e plasma fresco congelado) são mais seguros do que jamais foram.

Entretanto, ainda ocorrem complicações. A maior parte dessas complicações e mínima e transitória. A mais comum é designada como *reação não hemolítica febril*, que se manifesta como febre e calafrios, algumas vezes com dispneia leve, nas primeiras 6 horas após uma transfusão de hemácias ou plaquetas. Acredita-se que essas reações sejam causadas por mediadores inflamatórios derivados dos leucócitos dos doadores. A frequência dessas reações aumenta com o tempo de armazenamento do produto e diminui com o uso de medidas que limita a contaminação dos leucócitos dos doadores. Os sintomas respondem a antipiréticos e são de curta duração.

Outras reações transfusionais são incomuns ou raras, mas podem ter consequências graves e, algumas vezes, fatais, justificando, portanto, uma discussão.

Reações alérgicas

Podem ocorrer reações alérgicas graves e potencialmente fatais quando hemocomponentes que contêm certos antígenos são administrados a receptores previamente sensibilizados. Essas reações têm mais tendência a ocorrer em pacientes com deficiência de IgA, cuja frequência é de 1:300 a 1:500 indivíduos. Nesse caso, a reação é desencadeada por anticorpos IgG que reconhecem a IgA no hemocomponente infundido. Felizmente, a maioria dos pacientes com deficiência de IgA não desenvolve esses anticorpos, e essas reações graves são raras: ocorrem em 1 em 20 mil a 1 a 50 mil transfusões. As reações alérgicas urticariformes podem ser desencadeadas pela presença de um alergênio no hemocomponente doado, que é reconhecido pelos anticorpos IgE no receptor. Essas reações são consideravelmente mais comuns e ocorrem em 1 a 3% das transfusões, porém são geralmente leves. Na maioria dos casos, os sintomas respondem a anti-histamínicos e não exigem a interrupção da transfusão.

Reações hemolíticas

As reações hemolíticas agudas são habitualmente causadas por anticorpos IgM pré-formados contra hemácias do doador que fixam o complemento. Resultam mais comumente de um erro na identificação do paciente ou na rotulagem dos tubos, permitindo que um paciente receba uma unidade de sangue ABO incompatível. Os anticorpos IgM "naturais" preexistentes de alta afinidade, habitualmente dirigidos contra antígenos polissacarídeos dos grupos sanguíneos A ou B, ligam-se às hemácias e induzem rapidamente lise mediada por complemento, hemólise intravascular e hemoglobinúria. Aparecem rapidamente febre, calafrios e dor no flanco. O teste de Coombs direto é normalmente positivo, a não ser que todas as hemácias do doador tenham sido lisadas. Os sinais e sintomas devem-se à ativação do complemento, e não à hemólise intravascular em si, visto que a lise osmótica das hemácias (p. ex., pela infusão errônea de hemácias e, simultaneamente, soro glicosado a 5%) produz hemoglobinúria sem qualquer um dos outros sintomas de reação hemolítica. Nos casos graves, o processo pode progredir rapidamente para a CID, o choque, a insuficiência renal aguda e, em certas ocasiões, a morte.

As reações hemolíticas tardias são causadas por anticorpos que reconhecem antígenos eritrocitários aos quais o receptor foi previamente sensibilizado, por exemplo, por meio de transfusão de sangue prévia. Essas reações são normalmente causadas por anticorpos IgG contra antígenos proteicos estranhos e estão associadas a um teste de Coombs direto positivo e a características laboratoriais de hemólise (p. ex., baixo nível de haptoglobina e nível elevado de lactato desidrogenase). Anticorpos contra antígenos como Rh, Kell e Kidd frequentemente induzem uma ativação do complemento suficiente para causar reações graves e potencialmente fatais, idênticas às que resultam de incompatibilidade ABO. Outros anticorpos que não fixam o complemento normalmente resultam em opsonização das hemácias, hemólise extravascular e esferocitose e estão associados a sinais e sintomas relativamente menores.

Lesão pulmonar aguda relacionada à transfusão

A lesão pulmonar aguda relacionada à transfusão (LPART) é uma complicação grave e frequentemente fatal, em que fatores no hemocomponente transfundido desencadeiam a ativação de neutrófilos na microvasculatura pulmonar. A incidência da LPART é baixa, provavelmente inferior a 1 em 10 mil transfusões, porém pode ocorrer com mais frequência em pacientes com doença pulmonar preexistente. Embora a sua patogênese não esteja totalmente compreendida, os modelos atuais favorecem uma hipótese de "dois eventos". O primeiro evento consiste em sequestro dos neutrófilos e *priming* na microvasculatura do pulmão. Foi postulado que as células endoteliais estão envolvidas tanto no sequestro quanto no *priming*; o primeiro pela suprarregulação de moléculas de adesão, e o segundo, pela liberação de citocinas. O segundo evento envolve a ativação dos neutrófilos "preparados" (*priming*) por um fator presente no hemocomponente transfundido.

Diversos fatores foram implicados como "segundo evento", porém os principais candidatos são anticorpos no hemocomponente transfundido, que reconhecem antígenos expressos nos neutrófilos. Sem dúvida alguma, os anticorpos mais comuns associados à LPART são os que se ligam a antígenos do complexo principal de histocompatibilidade (MHC). Esses anticorpos são frequentemente encontrados em mulheres multíparas, que produzem esses anticorpos em resposta a antígenos do MHC estranhos expressos pelo feto. Em outros casos, anticorpos do doador contra antígenos específicos de neutrófilos foram implicados como fatores desencadeantes.

Embora a LPART tenha sido associada a praticamente todos os hemocomponentes que contêm plasma, é mais provável que ocorra após a transfusão de produtos com altos níveis de anticorpos do doador, como plasma fresco congelado e plaquetas. A apresentação é dramática e caracteriza-se pelo início súbito de insuficiência respiratória durante ou logo após uma transfusão. São observados infiltrados pulmonares bilaterais difusos em radiografias de tórax, que não respondem à administração de diuréticos. Outros achados associados incluem febre, hipotensão e hipoxemia. O tratamento é, em grande parte, de suporte, e o resultado é reservado; a mortalidade é de 5% nos casos não complicados e de até 67% em pacientes em estado grave. É importante reconhecer a LPART, visto que os produtos do doador que induzem a complicação em um paciente têm muito mais tendência a fazê-lo em um segundo paciente. De fato, as medidas tomadas para excluir mulheres multíparas da doação de plasma reduziram acentuadamente a incidência de LPART.

Complicações infecciosas

Praticamente qualquer agente infeccioso pode ser transmitido por meio de hemocomponentes, porém as infecções bacterianas e virais constituem os principais responsáveis. As infecções bacterianas são causadas, em sua maioria, pela flora da pele, indicando a ocorrência da contaminação por ocasião em que o produto foi coletado do doador. A contaminação bacteriana significativa (suficiente para produzir sintomas) é muito mais comum em preparações de plaquetas do que em preparações de hemácias, devido, em grande parte, ao fato de que as plaquetas (diferentemente das hemácias) precisam ser armazenadas em temperatura ambiente, uma condição favorável para o crescimento de bactérias. As taxas de infecção bacteriana após transfusão de plaquetas podem alcançar uma em 5 mil, enquanto as infecções secundárias a transfusões de hemácias são menos frequentes em várias ordens de magnitude. Muitos dos sintomas (febre, calafrios, hipotensão) assemelham-se aos das reações transfusionais hemolíticas e não hemolíticas, e, pode ser necessário começar prospectivamente o uso de antibióticos de amplo espectro em pacientes sintomáticos enquanto se aguardam os resultados de laboratório.

Os avanços na seleção e na triagem de doadores e nos exames para doenças infecciosas diminuíram acentuadamente a incidência de transmissão viral por hemocomponentes. Todavia, em raras ocasiões, quando o doador apresenta infecção aguda, porém o vírus ainda não é detectável pela atual tecnologia de teste de ácido nucleico, pode ocorrer transmissão de vírus relacionada com a transfusão, como HIV e vírus das hepatites C e B. As taxas de transmissão do HIV e das hepatites C e B são estimadas em 1 em 1,5 milhão, 1 em 1,2 milhão e 1 em 1 milhão, respectivamente. Continua havendo um baixo risco de agentes infecciosos "exóticos", como vírus do Nilo Ocidental, tripanossomíase e babesiose.

LEITURA SUGERIDA

Doença dos eritrócitos

Higgs DR, Engel JD, Stamatoyannopoulos G: Thalassemia, *Lancet* 379:373, 2012. [*Revisão da patogênese molecular das síndromes de talassemia*].

Hill A, DeZern AE, Kinoshita T et al: Paroxysmal nocturnal hemoglobinuria, *Nat Rev Dis Primers* 3:17028, 2017. [*Discussão da fisiopatologia da hemoglobinúria paroxística noturna e o impacto terapêutico os anticorpos que inibem o complexo de ataque à membrana C5b-C9*].

Liu N, Hargreaves VV, Zhu Q et al: Direct promoter repression by BCL11A controls the fetal to adult hemoglobin switch, *Cell* 173:430, 2018. [*Artigo de referência que define a base molecular da mudança de hemoglobina e como revertê-la, fornecendo uma estratégia terapêutica em certas talassemias e hemoglobinopatias*].

Muckenthaler MU, Rivella S, Hentze MW: A red carpet for iron metabolism, *Cell* 168:344, 2017. [*Revisão com foco no metabolismo normal do ferro e nos distúrbios que o perturbam*].

Narla J, Mohandas N: Red cell membrane disorders, *Int J Lab Med* 39(47):2017. [*Excelente visão geral das anemias hemolíticas comuns causadas por defeitos hereditários da membrana dos eritrócitos*].

Sundd P, Gladwin MT, Novelli EM: Pathophysiology of sickle cell disease, *Annu Rev Pathol* 14:263, 2019. [*Discussão atualizada de como a doença falciforme leva ao dano tecidual*].

Young NS: Aplastic anemia, *N Engl J Med* 379:2018, 1643. [*Discussão da fisiopatologia, diagnóstico e tratamento da anemia aplástica*].

Distúrbios hemorrágicos

Gando S, Levi M, Toh CH: Disseminated intravascular coagulation, *Nat Rev Dis Primers* 2:16037, 2016. [*Visão geral da fisiopatologia da coagulação intravascular disseminada*].

Leebeek FWG, Eikenboom JCJ: von Willebrand's disease, *N Engl J Med* 375:2067, 2016. [*Atualização da patogênese molecular, fisiopatologia, características clínicas e tratamento da doença de von Willebrand*].

Noris M, Remuzzi G: Atypical hemolytic uremic syndrome, *N Engl J Med* 361:1676, 2009. [*Artigo com foco no papel da ativação excessiva da via alternativa do complemento em algumas formas de síndrome hemolítico-urêmica*].

Saha M, McDaniel JK, Zheng XL: Thrombotic thrombocytopenia purpura: Pathogenesis, diagnosis, and potential novel therapeutics, *J Thromb Haemost* 15:1889, 2017. [*Revisão atual dos aspectos básicos e clínicos da púrpura trombocitopênica trombótica*].

Salter BS, Weiner MM, Trinh MA et al: Heparin-induced thrombocytopenia: A comprehensive clinical review, *J Am Coll Cardiol* 67:2519, 2016. [*Discussão completa da patogênese, característica clínicas, critérios diagnósticos e abordagens terapêuticas na trombocitopenia induzida por heparina*].

Zuffery A, Kapur R, Semple JW: Pathogenesis and therapeutic mechanisms in immune thrombocytopenia, *J Clin Med* 6:16, 2017. [*Discussão da fisiopatologia e tratamento da trombocitopenia imune*].

CAPÍTULO 15

Pulmão

Aliya N. Husain

SUMÁRIO DO CAPÍTULO

Anomalias congênitas, 698
Atelectasia (colapso), 699
Edema pulmonar, 699
  Edema pulmonar hemodinâmico, 700
  Edema causado por lesão microvascular (alveolar), 700
Lesão pulmonar aguda e síndrome de desconforto respiratório agudo (dano alveolar difuso), 700
Doenças pulmonares obstrutivas e restritivas, 702
Doenças pulmonares obstrutivas, 703
  Doença pulmonar crônica obstrutiva, 703
  Enfisema, 703
  Bronquite crônica, 705
  Asma, 707
  Bronquiectasia, 711
Doenças intersticiais crônicas difusas (restritivas), 713
  Doenças fibrosantes, 713
  Fibrose pulmonar idiopática, 713
  Pneumonia intersticial não específica, 715
  Pneumonia em organização criptogênica, 715
  Envolvimento pulmonar em doenças autoimunes, 716
  Pneumoconioses, 716
  Complicações das terapias, 721
  Doenças granulomatosas, 721
  Sarcoidose, 721
  Pneumonite por hipersensibilidade, 723
  Eosinofilia pulmonar, 723

Doenças intersticiais relacionadas ao tabagismo, 724
  Pneumonia intersticial descamativa, 724
  Doença pulmonar intersticial associada a bronquiolite respiratória, 724
  Histiocitose pulmonar de células de Langerhans, 724
  Proteinose alveolar pulmonar, 725
  Distúrbios de disfunção do surfactante, 725
Doenças de origem vascular, 726
  Embolia pulmonar e infarto, 726
  Hipertensão pulmonar, 728
  Síndromes hemorrágicas pulmonares difusas, 729
  Hemossiderose pulmonar idiopática, 729
  Síndrome de Goodpasture (doença por anticorpos antimembrana basal glomerular com envolvimento pulmonar), 730
  Poliangiite com granulomatose, 730
Infecções pulmonares, 730
  Pneumonias bacterianas adquiridas na comunidade, 732
  Streptococcus pneumoniae, 732
  Haemophilus influenzae, 732
  Moraxella catarrhalis, 732
  Staphylococcus aureus, 732
  Klebsiella pneumoniae, 732
  Pseudomonas aeruginosa, 732
  Legionella pneumophila, 732
  Mycoplasma pneumoniae, 733
  Pneumonia viral adquirida na comunidade, 734

Influenza, 735
Metapneumovírus humano, 735
Coronavírus humano, 736
Pneumonia associada aos cuidados de saúde, 736
Pneumonia adquirida em hospital, 736
Pneumonia por aspiração, 737
Abscesso pulmonar, 737
Pneumonia crônica, 738
Histoplasmose, 738
Blastomicose, 738
Coccidiodomicose, 739
Pneumonia no hospedeiro imunocomprometido, 739
Doença pulmonar na infecção pelo vírus da imunodeficiência humana, 740
Transplante de pulmão, 740
Neoplasias, 741
  Carcinomas, 741
  Proliferações neuroendócrinas e tumores, 749
  Neoplasias Diversas, 750
  Neoplasias metastáticas, 751
Pleura, 751
  Derrame pleural, 751
  Efusões pleurais inflamatórias, 751
  Derrames pleurais não inflamatórios, 752
  Pneumotórax, 752
  Neoplasias pleurais, 752
  Tumor fibroso solitário, 752
  Mesotelioma maligno, 753

Os pulmões são engenhosamente construídos para realizar sua principal função, a troca de gases entre o ar inspirado e o sangue. Em termos de desenvolvimento, o sistema respiratório é uma protuberância da parede ventral do intestino anterior. A traqueia na linha média desenvolve duas projeções laterais, os brotos pulmonares, que eventualmente se dividem em ramos chamados brônquios lobares, três à direita e dois à esquerda, dando origem a três lobos à direita e dois à esquerda. Os brônquios lobares permitem que o ar entre e saia do pulmão. Eles têm paredes cartilaginosas firmes que fornecem suporte mecânico e são revestidos por epitélio colunar ciliado com abundantes glândulas subepiteliais produtoras de muco, o que impede a entrada de microrganismos. O brônquio fonte direito é mais vertical e diretamente alinhado com a traqueia. Consequentemente, materiais estranhos aspirados, como vômito, sangue e corpos estranhos tendem a entrar no pulmão direito com mais frequência do que no pulmão esquerdo.

Os brônquios lobares direito e esquerdo se ramificam para dar origem a vias respiratórias progressivamente menores que são acompanhadas por um suprimento arterial duplo proveniente das artérias pulmonar e brônquica. Distalmente, os brônquios dão origem aos *bronquíolos*, que se distinguem dos brônquios pela ausência de cartilagem e pela presença de glândulas submucosas em suas paredes. A ramificação subsequente dos bronquíolos leva aos *bronquíolos terminais*, que têm menos de 2 mm de diâmetro. Para além do bronquíolo terminal, está o *ácino*, uma estrutura mais ou menos esférica com um diâmetro de cerca de 7 mm. Um ácino é composto de um *bronquíolo respiratório* (que origina vários alvéolos de suas laterais), *ductos alveolares* e *sacos alveolares*, as extremidades cegas das passagens respiratórias, cujas paredes são formadas inteiramente de alvéolos, o local das trocas gasosas. Um agrupamento de três a cinco bronquíolos terminais, cada qual com seu ácino associado, é referido como o *lóbulo pulmonar*.

Com exceção das cordas vocais verdadeiras, que são cobertas por epitélio estratificado pavimentoso, toda a árvore respiratória, incluindo a laringe, traqueia e bronquíolos, é normalmente revestida por células epiteliais colunares altas ciliadas pseudoestratificadas e por uma população menor de células não ciliadas chamadas células em clava (células de Clara), que secretam uma série de substâncias protetoras para as vias respiratórias. Também existem células dispersas chamadas ionócitos que expressam altos níveis do regulador de condutância transmembrana em fibrose cística (CFTR, *cystic fibrosis transmembrane conductance regulator*) e parecem modular o conteúdo de íons e a viscosidade das secreções brônquicas. Além disso, a mucosa brônquica contém células neuroendócrinas com grânulos do tipo neurossecretor que podem liberar uma variedade de fatores incluindo serotonina, calcitonina e peptídeo liberador de gastrina (bombesina). Inúmeras células caliciformes secretoras de muco e glândulas submucosas também estão dispersas por toda a extensão das paredes da traqueia e brônquios (mas não dos bronquíolos).

A estrutura microscópica das paredes alveolares (ou septos alveolares) consiste nos seguintes componentes (**Figura 15.1**):

- Uma rede entrelaçada de *capilares anastomosados* revestidos com células endoteliais
- *Membrana basal e interstício circundante*, que separa as células endoteliais das células epiteliais do revestimento alveolar. Em finas porções do septo alveolar as membranas basais do epitélio e endotélio são fundidas, enquanto em porções mais espessas eles são separados por um espaço intersticial (*interstício pulmonar*) contendo fibras elásticas finas, pequenos feixes de colágeno, algumas células intersticiais semelhantes a fibroblastos, células musculares lisas, mastócitos e raros linfócitos e monócitos
- *Epitélio alveolar*, uma camada contínua de dois tipos celulares: *pneumócitos do tipo I* pavimentosos achatados que recobrem 95% da superfície alveolar e dos *pneumócitos do tipo II* arredondados. As células do tipo II sintetizam *surfactante* (que forma uma camada muito fina camada sobre as membranas das células alveolares) e estão envolvidas no reparo do dano alveolar por meio de sua capacidade de proliferar e dar origem a células do tipo I.

As paredes alveolares são perfuradas por numerosos *poros de Kohn*, que permitem a passagem de bactérias e exsudato entre alvéolos adjacentes (ver **Figura 15.35B**). *Macrófagos alveolares* residentes dispersos também estão presentes, ambos fracamente ligados às células epiteliais ou livres no interior dos espaços alveolares.

Anomalias congênitas

As anomalias de desenvolvimento do pulmão são raras. As anomalias mais comuns são apresentadas a seguir:

- A *hipoplasia pulmonar* é um defeito no desenvolvimento de ambos os pulmões (um pode ser mais afetado que o outro) que resulta na diminuição do tamanho do pulmão. É causada por anormalidades que comprimem o pulmão ou impedem a expansão pulmonar no útero, tais como hérnia diafragmática congênita e oligoidrâmnio. A hipoplasia grave é fatal no período neonatal inicial
- Os *cistos do intestino anterior* surgem a partir da separação anormal do intestino anterior primitivo e, na maioria das vezes, estão localizados no hilo ou no mediastino médio. Dependendo da estrutura da parede, estes os cistos são classificados como broncogênicos (mais comuns), esofágicos ou entéricos. Um cisto broncogênico raramente está conectado à árvore traqueobrônquica. É revestido por epitélio colunar pseudoestratificado ciliado e tem uma parede contendo glândulas brônquicas, cartilagem e músculo liso. Esses cistos podem chamar a atenção devido aos sintomas resultantes da compressão de estruturas próximas ou infecção sobreposta, ou podem ser achados incidentais
- O *sequestro pulmonar* é uma área bem definida de tecido pulmonar que (1) não está conectado às vias respiratórias e (2) tem um suprimento de sangue anormal originado da aorta ou de seus ramos. O *sequestro extralobar* é externo ao pulmão e mais comumente se apresenta em bebês como uma lesão maciça. Pode estar associado a outras anomalias congênitas. O *sequestro intralobar* ocorre dentro do pulmão e está geralmente presente em crianças mais velhas, muitas vezes devido a infecções localizadas recorrentes ou bronquiectasia.

Outras anormalidades congênitas menos comuns incluem anomalias traqueais e brônquicas (atresia, estenose, fístula traqueoesofágica), anomalias vasculares, malformação pulmonar congênita das vias respiratórias e hiperinsuflação lobar congênita (enfisema).

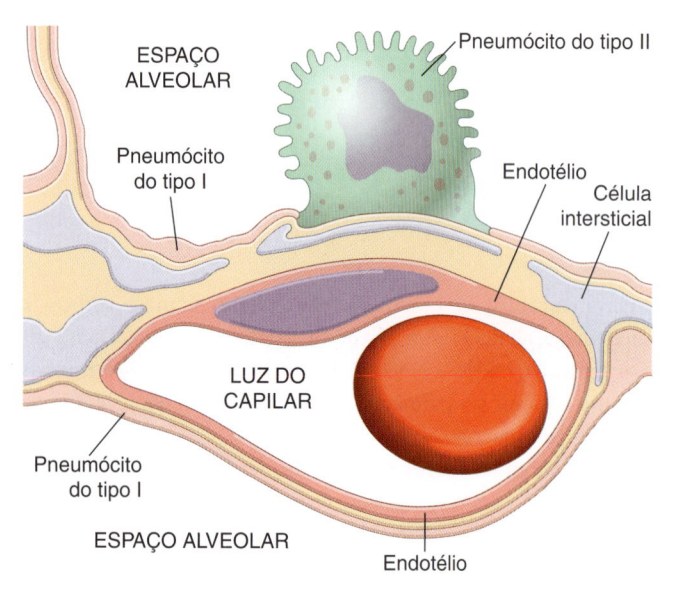

Figura 15.1 Estrutura microscópica da parede alveolar. Observe que a membrana basal (*amarela*) é fina de um lado e alargada onde se apresenta contínua ao espaço intersticial. Partes de células intersticiais são mostradas.

Atelectasia (colapso)

A *atelectasia* se refere à expansão incompleta dos pulmões (atelectasia neonatal) ou ao colapso do pulmão previamente inflado, resultando em áreas de parênquima pulmonar com pouco ar. As principais formas de atelectasias adquiridas, encontradas principalmente em adultos, são as seguintes (**Figura 15.2**):

- A *atelectasia por reabsorção* decorre da obstrução de uma via respiratória. Com o tempo, o ar é reabsorvido dos alvéolos distais, que colapsam. Uma vez que o volume pulmonar está diminuído, o mediastino se desvia *no sentido* do pulmão atelectásico. A obstrução de vias respiratórias é mais frequentemente causada por excesso de secreções (p. ex., tampões de muco) ou exsudatos dentro dos brônquios menores, como pode ocorrer na asma brônquica, bronquite crônica, bronquiectasia, e estados pós-operatórios. A aspiração de corpos estranhos e neoplasias intrabrônquicas também podem levar a obstrução de vias respiratórias e atelectasia
- A *atelectasia por compressão* ocorre sempre que volumes significativos de líquido (transudato, exsudato ou sangue), neoplasia, ou o ar (*pneumotórax*) se acumulam na cavidade pleural. Na atelectasia por compressão, o mediastino se desvia *para longe* do pulmão afetado
- A *atelectasia por contração* ocorre quando fibrose pulmonar ou pleural, focal ou generalizada, impede a expansão completa do pulmão.

Uma atelectasia significativa reduz a oxigenação e predispõe a infecção. A atelectasia é um distúrbio reversível, exceto nos casos causados por fibrose.

Edema pulmonar

O edema pulmonar (excesso de líquido intersticial no alvéolo) pode ser o resultado de distúrbios hemodinâmicos (edema pulmonar cardiogênico) ou aumento da permeabilidade capilar em decorrência de lesão microvascular (edema pulmonar não cardiogênico) (**Tabela 15.1**). Uma consideração geral sobre edema é apresentada no **Capítulo 4**, enquanto congestão e edema pulmonares são abordados brevemente no contexto de insuficiência cardíaca congestiva (ver **Capítulo 12**). Qualquer que seja o cenário clínico, congestão pulmonar e edema produzem pulmões pesados e encharcados. A terapia e a evolução dependem da etiologia subjacente.

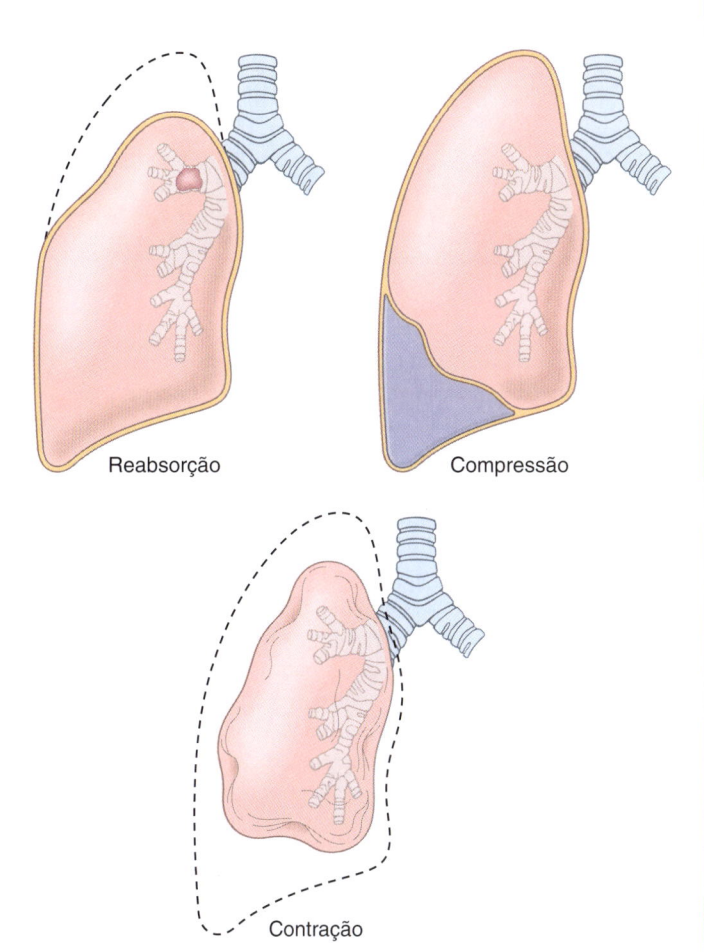

Figura 15.2 Várias formas de atelectasia adquirida. As *linhas tracejadas* indicam o volume normal do pulmão.

Tabela 15.1 Classificação e caudas de edema pulmonar.

Edema hemodinâmico
Aumento da pressão hidrostática (aumento da pressão venosa pulmonar)
Insuficiência cardíaca esquerda (comum) Sobrecarga de volume Obstrução pulmonar venosa
Redução da pressão oncótica (menos comum)
Hipoalbuminemia Síndrome nefrótica Doença hepática Enteropatias com perda de proteínas
Obstrução linfática (rara)
Edema decorrente de lesão na parede alveolar (lesão microvascular ou epitelial)
Lesão direta
Infecções: pneumonia bacteriana Gases inalados: altas concentrações de oxigênio, fumaça Aspiração de líquidos: conteúdo gástrico, quase afogamento Radiação Trauma pulmonar
Lesão indireta
Síndrome de resposta inflamatória sistêmica (p. ex., associada com sepse, queimaduras, pancreatite, trauma extenso) Relacionada a transfusão sanguínea Fármacos e agentes químicos: agentes quimioterápicos (bleomicina), outros medicamentos (metadona, anfotericina B), heroína, cocaína, querosene, paraquat
Edema de origem indeterminada
Alta altitude Neurogênico (trauma do sistema nervoso central)

Edema pulmonar hemodinâmico

O edema pulmonar hemodinâmico é causado pelo *aumento da pressão hidrostática* e ocorre mais comumente na insuficiência cardíaca congestiva esquerda. O edema se acumula inicialmente nas regiões basais dos lobos inferiores porque a pressão hidrostática é maior nesses locais (edema dependente). Histologicamente, os capilares alveolares estão ingurgitados e há um transudato intra-alveolar que se apresenta como um material granular fino de coloração rosa pálido. Micro-hemorragias alveolares e *macrófagos carregados de hemossiderina (células de "insuficiência cardíaca")* podem estar presentes. Na congestão pulmonar prolongada (p. ex., como visto na estenose mitral), macrófagos carregados de hemossiderina são abundantes, enquanto a fibrose e o espessamento das paredes alveolares fazem com que os pulmões encharcados se tornem firmes e marrons (*enduração marrom*). Essas mudanças não prejudicam apenas a função respiratória, mas também predispõem à infecção.

Edema causado por lesão microvascular (alveolar)

O edema pulmonar não cardiogênico é causado pela lesão dos septos alveolares. A lesão primária do endotélio vascular ou o dano às células epiteliais alveolares (com lesão microvascular secundária) produz um exsudato inflamatório que extravasa para o espaço intersticial e, em casos mais graves, para os alvéolos. O edema alveolar associado à lesão é característica importante de uma condição grave e muitas vezes fatal, conhecida como *síndrome de desconforto respiratório agudo* (discutido à frente).

Lesão pulmonar aguda e síndrome de desconforto respiratório agudo (dano alveolar difuso)

A lesão pulmonar aguda (LPA/ALI, *acute lung injury*) é caracterizada pelo início abrupto de hipoxemia e edema pulmonar bilateral na ausência de insuficiência cardíaca (edema pulmonar não cardiogênico). A síndrome de desconforto respiratório agudo (SDRA/ARDS, *acute respiratory syndrome*) é uma manifestação grave de ALI. Tanto SDRA/ARDS quanto LPA/ALI apresentam aumento na permeabilidade vascular pulmonar associada a inflamação, edema e morte de células epiteliais. A manifestação histológica dessas doenças consiste em *lesão alveolar difusa*.

A LPA/ALI é uma complicação bem conhecida de diversas condições clínicas, incluindo doenças pulmonares e sistêmicas (**Tabela 15.2**). Em muitos casos, condições predisponentes estão presentes (p. ex., choque, oxigenoterapia e sepse). Em outros casos não tão comuns, LPA/ALI surge de maneira aguda na ausência de fatores desencadeadores conhecidos e evolui para um curso clínico rapidamente progressivo, uma condição conhecida como *pneumonia intersticial aguda*.

Patogênese

LPA/ALI-SDRA/ARDS é iniciada pela lesão de pneumócitos e do endotélio pulmonar, colocando em movimento um círculo vicioso de aumento da inflamação e do dano pulmonar (**Figura 15.3**):

- A *ativação endotelial* é um evento inicial importante. Em alguns casos, a ativação endotelial é secundária à lesão do pneumócito, a qual é detectada pelos macrófagos alveolares residentes. Em resposta, essas sentinelas imunológicas secretam mediadores como o fator de necrose tumoral (TNF, *tumor necrosis factor*) que atuam no endotélio vizinho. Alternativamente, mediadores inflamatórios circulantes podem ativar diretamente o endotélio pulmonar no contexto de lesão tecidual grave ou sepse. Alguns desses mediadores lesam as células endoteliais, enquanto outros (particularmente as citocinas) induzem a expressão de níveis aumentados de moléculas de adesão, proteínas pró-coagulantes e quimiocinas pelas células endoteliais

- *Adesão e extravasamento de neutrófilos*. Os neutrófilos aderem ao endotélio ativado e migram para o interstício e para os alvéolos, onde desgranulam e liberam mediadores inflamatórios, incluindo proteases, espécies reativas de oxigênio e citocinas. Evidências experimentais sugerem que "armadilhas" extracelulares de neutrófilos (NETs, *neutrophil extracellular traps*) são liberadas e também contribuem diretamente para o dano pulmonar. Essas lesões e fatores pró-inflamatórios associados desencadeiam um círculo vicioso de inflamação e dano endotelial que estão no cerne da LPA/ALI-SDRA/ARDS

- *Acúmulo de líquido intra-alveolar e formação de membranas hialinas*. A ativação endotelial e a lesão tornam os capilares pulmonares permeáveis, permitindo a formação de líquido que

Tabela 15.2 Condições associadas ao desenvolvimento da síndrome de desconforto respiratório agudo.

Infecção
Sepse[a]
Infecções pulmonares difusas[a]
Pneumonias virais, por *Mycoplasma* e *Pneumocystis*, tuberculose miliar
Aspiração gástrica[a]
Físicas/lesão
Lesões da cabeça incluindo trauma mecânico[a]
Contusões pulmonares
Quase afogamento
Fraturas com embolia gordurosa
Queimaduras
Radiação ionizante
Irritantes inalados
Toxicidade por oxigênio
Fumaça
Gases e produtos químicos irritantes
Lesão química
Superdosagem de heroína ou metadona
Ácido acetilsalicílico
Superdosagem de barbitúricos
Paraquat
Condições hematológicas
Lesão pulmonar associada a transfusão
Coagulação intravascular disseminada
Pancreatite
Uremia
Derivação cardiopulmonar
Reações de hipersensibilidade
Solventes orgânicos
Fármacos

[a]Mais de 50% dos casos de síndrome de desconforto respiratório agudo estão associados com essas quatro condições.

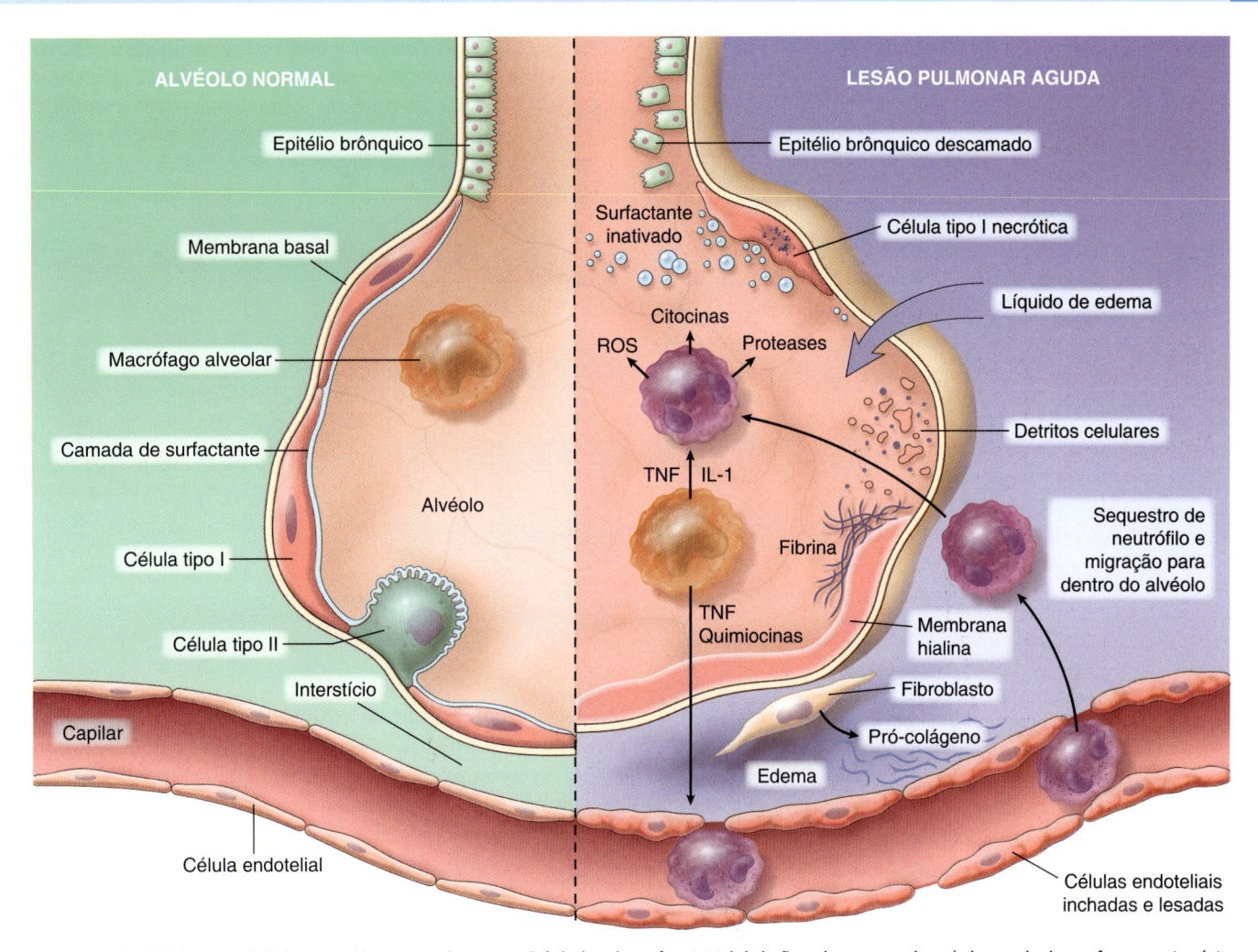

Figura 15.3 Alvéolo normal (*lado esquerdo*) comparado com o alvéolo lesado na fase inicial da lesão pulmonar aguda e síndrome de desconforto respiratório agudo. *IL-1*, interleucina-1; *ROS*, espécies reativas do oxigênio; *TNF*, fator de necrose tumoral. (Modificada, com autorização, de Matthay MA, Ware LB, Zimmerman GA: The acute respiratory distress syndrome. *J Clin Invest.* 122:2731, 2012.)

causa edema intersticial e intra-alveolar. Dano e necrose de pneumócitos alveolares do tipo II causam anormalidades nos surfactantes, comprometendo ainda mais a troca gasosa alveolar. Em última análise, o líquido espessado do edema rico em proteínas e os detritos originados de células epiteliais alveolares mortas se organizam em membranas hialinas, uma característica da LPA/ALI-SDRA/ARDS

- A resolução das lesões é impedida na LPA/ALI-SDRA/ARDS devido à necrose epitelial e ao dano inflamatório que prejudica a capacidade das células remanescentes de auxiliar na reabsorção do edema. Eventualmente, no entanto, se o estímulo inflamatório diminui, os macrófagos removem detritos intra-alveolares e liberam citocinas fibrogênicas, como o fator de crescimento transformador β (TGF-β, *transforming growth factor* β) e fator de crescimento derivado de plaquetas. Esses fatores estimulam o crescimento de fibroblastos e deposição de colágeno, levando à fibrose das paredes alveolares. Os pneumócitos do tipo II residuais proliferam para substituir os pneumócitos do tipo I, reconstituindo o revestimento alveolar. A restauração endotelial ocorre através da proliferação de endotélio ileso dos capilares.

As lesões na SDRA/ARDS não são distribuídas uniformemente, e como resultado, há comumente áreas que são rígidas e mal aeradas, além de regiões que apresentam níveis quase normais de complacência e ventilação. Como as regiões mal aeradas continuam a ser perfundidas, há uma incompatibilidade de ventilação e perfusão, um fenômeno que agrava a hipoxemia e cianose.

Estudos epidemiológicos têm mostrado que a LPA/ALI-SDRA/ARDS é mais comum e tem pior prognóstico em alcoólatras crônicos e em fumantes. Estudos de associação genômica ampla identificaram uma série de variantes genéticas que aumentam o risco de SDRA/ARDS, algumas das quais foram mapeadas em genes ligados à inflamação e coagulação.

Morfologia

No estágio exsudativo agudo, os pulmões estão pesados, firmes, vermelhos e encharcados. Eles exibem congestão, edema intersticial e intra-alveolar, inflamação, deposição de fibrina e **dano alveolar difuso**. As paredes alveolares ficam revestidas com **membranas hialinas** cerosas (**Figura 15.4**) que são morfologicamente semelhantes àquelas observadas na doença da membrana hialina neonatal (ver **Capítulo 10**). As membranas hialinas alveolares consistem em líquido edematoso rico em fibrina misturado com remanescentes de células epiteliais necróticas.

No estágio proliferativo ou de organização, os pneumócitos do tipo II proliferam e tecido de granulação se forma nas paredes e espaços alveolares. Na maioria dos casos, o tecido de granulação desaparece, deixando um comprometimento funcional mínimo. No entanto, às vezes ocorre o espessamento fibrótico (cicatriz) dos septos alveolares (estágio fibrótico tardio).

Características clínicas

Dispneia profunda e taquipneia precedem a LPA/ALI-SDRA/ARDS, e são seguidas por crescente insuficiência respiratória, hipoxemia, cianose e aparecimento de infiltrados bilaterais difusos no exame radiográfico. A hipoxemia pode ser refratária à oxigenoterapia devido à incompatibilidade ventilação-perfusão, podendo desenvolver acidose respiratória. No início do curso, os pulmões tornam-se rígidos devido à perda de surfactante funcional, levando à necessidade de intubação e altas pressões ventilatórias para manter uma troca gasosa adequada.

Não há tratamentos específicos comprovados para a SDRA/ARDS, manifestação comum em pacientes com doenças agudas e que continua a causar sérias consequências, mesmo em pacientes que recebem suporte médico de última geração. Em um estudo de 2016 envolvendo unidades de terapia intensiva em 50 países, a incidência de SDRA/ARDS foi de 10,4% e as taxas de mortalidade foram 35% para casos leves, 40% para casos moderados e 46% para casos graves de SDRA/ARDS. A maioria das mortes foram atribuídas à sepse, falência generalizada de órgãos ou lesão pulmonar grave. A maioria dos sobreviventes recupera a função pulmonar, mas em uma minoria o dano pulmonar resulta em fibrose intersticial e doença pulmonar crônica.

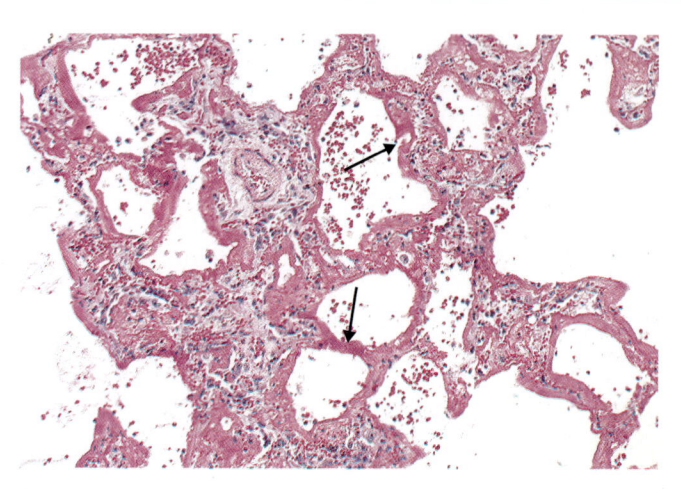

Figura 15.4 Lesão alveolar difusa (síndrome de desconforto respiratório agudo). Alguns alvéolos estão colapsados, outros estão distendidos e muitos estão revestidos por membranas hialinas (*setas*).

> **Conceitos-chave**
> **Síndrome de desconforto respiratório agudo**
> - SDRA/ARDS é uma síndrome clínica de insuficiência respiratória progressiva causada por dano alveolar difuso no contexto de sepse, trauma grave ou infecção pulmonar difusa
> - Danos às células epiteliais endoteliais e alveolares e inflamação secundária são os eventos-chave iniciais e a base do dano pulmonar
> - O achado histológico característico é o revestimento das paredes alveolares por membranas hialinas, acompanhado de edema, neutrófilos e macrófagos dispersos, além de necrose epitelial.

Doenças pulmonares obstrutivas e restritivas

As doenças pulmonares obstrutivas são caracterizadas por um aumento na resistência ao fluxo aéreo devido à doença difusa das vias respiratórias, que pode afetar qualquer nível do trato respiratório. As doenças pulmonares obstrutivas contrastam com as doenças restritivas, que são caracterizadas pela redução da expansão do parênquima pulmonar e diminuição da capacidade pulmonar total. A distinção clínica entre essas doenças é baseada principalmente em testes de função pulmonar. Nos indivíduos com distúrbios obstrutivos difusos, os testes de função pulmonar mostram taxas de fluxo aéreo máximo diminuídas durante a expiração forçada, geralmente expressos como volume expiratório forçado no primeiro segundo (VEF_1) sobre a capacidade ventilatória forçada (CVF). Uma razão VEF_1/CVF inferior a 0,7 geralmente indica doença obstrutiva. A obstrução do fluxo expiratório pode ser causada por uma variedade de condições (**Tabela 15.3**), cada uma com alterações patológicas características e mecanismos diferentes de obstrução do fluxo aéreo. No entanto, conforme discutido adiante, divisões entre essas entidades clínicas não são "limpas" e muitos pacientes apresentam doenças com características sobrepostas. Por contraste, as doenças restritivas estão associadas

Tabela 15.3 Distúrbios associados à obstrução do fluxo aéreo: espectro da doença pulmonar obstrutiva crônica.

Termo clínico	Local anatômico	Alterações patológicas principais	Etiologia	Sinais/sintomas
Bronquite crônica	Brônquio	Hiperplasia de glândulas mucosas, hipersecreção	Fumaça de cigarro, poluentes do ar	Tosse, produção de escarro
Bronquiectasia	Brônquio	Dilatação e cicatrização das vias respiratórias	Infecções persistentes ou graves	Tosse, escarro purulento, febre
Asma	Brônquio	Hiperplasia da musculatura lisa, excesso de muco, inflamação	Imunológica ou causas indefinidas	Chiado episódico, tosse, dispneia
Enfisema	Ácino	Aumento do espaço aéreo; destruição da parede	Fumaça de cigarro	Dispneia
Doença das pequenas vias respiratórias, bronquiolite[a]	Bronquíolo	Cicatrização inflamatória/obliteração	Fumaça de cigarro, poluentes do ar, diversos	Tosse, dispneia

[a]Pode ser observado em qualquer forma de doença pulmonar obstrutiva ou como um achado isolado.

a reduções proporcionais tanto na capacidade pulmonar total quanto no VEF$_1$, de modo que a relação VEF$_1$/CVF permanece normal. Defeitos restritivos ocorrem em dois amplos tipos de condições: (1) *distúrbios da parede torácica* (p. ex., obesidade grave, doenças pleurais, cifoescoliose e doenças neuromusculares, como poliomielite); e (2) *doenças crônicas intersticiais e infiltrativas*, como pneumoconioses e fibrose intersticial.

Doenças pulmonares obstrutivas

As doenças pulmonares obstrutivas comuns incluem doença pulmonar obstrutiva crônica (DPOC), asma e bronquiectasia (**Tabela 15.3**). Enfisema e bronquite crônica são duas manifestações clínico-patológicas principais da DPOC, frequentemente encontradas juntas no mesmo paciente, quase certamente porque eles compartilham o mesmo fator etiológico principal: tabagismo. Embora a asma seja distinguível da bronquite crônica e enfisema pela presença de broncospasmo reversível, alguns pacientes com asma típica também desenvolvem um componente irreversível (**Figura 15.5**). Por outro lado, alguns pacientes com DPOC típica têm um componente reversível. Os médicos comumente rotulam tais pacientes como portadores de DPOC/asma.

Doença pulmonar crônica obstrutiva

A DPOC, um importante problema de saúde pública, é definida pela Organização Mundial da Saúde (OMS) como "uma doença comum, evitável e tratável caracterizada pela persistência de sintomas respiratórios e limitação do fluxo aéreo devido a anormalidades das vias respiratórias e/ou alveolares causadas pela exposição a partículas ou gases nocivos." Atualmente, a DPOC é a quarta causa de mortes no mundo e projeta-se que se tornará a terceira causa em 2020 devido ao aumento do tabagismo em países como a China. Existe uma forte associação entre o tabagismo pesado e a DPOC. No geral, 35 a 50% dos fumantes inveterados desenvolvem DPOC; inversamente, cerca de 80% dos casos de DPOC podem ser atribuídos ao tabagismo. Mulheres e afrodescendentes norte-americanos que fumam muito são mais suscetíveis do que outros grupos. Fatores de risco adicionais incluem o desenvolvimento pulmonar deficiente no início da vida, exposição a poluentes ambientais e ocupacionais, hiper-responsividade das vias respiratórias e certos polimorfismos genéticos.

Mesmo reconhecendo que enfisema e a bronquite crônica muitas vezes ocorrem juntos em pacientes com DPOC, ainda assim é útil discutir individualmente estes padrões de lesão pulmonar e anormalidades de funções associadas, de modo a destacar a base fisiopatológica das diferentes causas de obstrução do fluxo aéreo. Finalizaremos nossa discussão voltando às características clínicas da DPOC.

Enfisema

O enfisema é definido pelo alargamento irreversível dos espaços aéreos distais ao bronquíolo terminal, acompanhado pela destruição de suas paredes. Sutil, mas funcionalmente importante, a fibrose das pequenas vias respiratórias (distinta da bronquite crônica) também está presente e contribui significativamente para a obstrução do fluxo aéreo. O enfisema é classificado de acordo com sua distribuição anatômica dentro do lóbulo. Lembre-se que o lóbulo é um aglomerado de ácinos, as unidades respiratórias terminais. Com base nos segmentos das unidades respiratórias envolvidas, o enfisema é subdividido em quatro tipos principais: (1) *centroacinar*, (2) *panacinar*, (3) *parasseptal* e (4) *irregular*. Destes, apenas os dois primeiros causam obstrução significativa do fluxo aéreo (**Figura 15.6**).

Figura 15.5 Representação esquemática da superposição entre as doenças pulmonares obstrutivas crônicas.

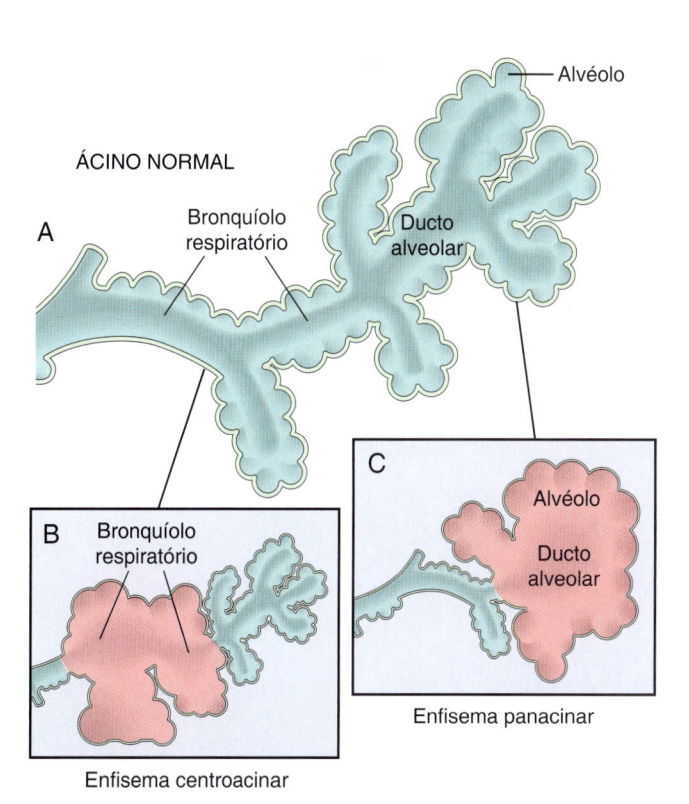

Figura 15.6 Padrões de enfisema clinicamente significativos. **A.** Estrutura do ácino normal. **B.** Enfisema centroacinar com dilatação afetando inicialmente os bronquíolos respiratórios. **C.** Enfisema paracinar com distensão inicial de alvéolo e ducto alveolar.

- *Enfisema centroacinar (centrolobular).* É a forma mais comum de enfisema, constituindo mais de 95% dos casos clinicamente relevantes. Ocorre predominantemente em fumantes pesados com DPOC. Nesse tipo de enfisema, as porções centrais ou proximais dos ácinos (formados por bronquíolos respiratórios) são afetados, enquanto os alvéolos distais são poupados (**Figuras 15.6B** e **15.7A**). Assim, tanto os espaços aéreos enfisematosos quanto os normais existem dentro do mesmo ácino e lóbulo. As lesões são mais comuns e geralmente mais pronunciadas nos lobos superiores, particularmente nos segmentos apicais. No enfisema centroacinar grave, o ácino distal também pode estar envolvido, tornando difícil a diferenciação do enfisema panacinar
- *Enfisema panacinar (panlobular).* Esse tipo de enfisema está associado à *deficiência de α_1-antitripsina* (ver **Capítulo 18**) e é agravado pelo fumo. Os ácinos estão uniformemente aumentados a partir do nível dos bronquíolos respiratórios até os alvéolos terminais de fundo cego (**Figuras 15.6C** e **15.7B**). Em contraste com o enfisema centroacinar, o enfisema panacinar tende a ocorrer mais comumente nas zonas inferiores e nas margens anteriores do pulmão, sendo geralmente mais grave nas bases
- *Enfisema acinar distal (parasseptal).* Esse tipo de enfisema provavelmente é a causa adjacente de muitos casos de pneumotórax espontâneo em adultos jovens. Enquanto a porção proximal porção do ácino está normal, a parte distal está predominantemente comprometida. O enfisema é mais marcante na região adjacente à pleura, ao longo do septo de tecido conjuntivo lobular e nas margens dos lóbulos. Ocorre adjacente a áreas de fibrose, cicatriz ou atelectasia, sendo geralmente mais grave na metade superior dos pulmões. O achado característico são os múltiplos espaços aéreos aumentados, variando de menos de 0,5 cm a mais de 2 cm de diâmetro, que às vezes formam estruturas semelhantes a cistos
- *Aumento do espaço aéreo com fibrose (enfisema irregular).* Assim chamado porque há envolvimento do ácino de maneira irregular e está quase invariavelmente associado a cicatrizes. Na maioria dos casos, ocorre em pequenos focos e é clinicamente insignificante.

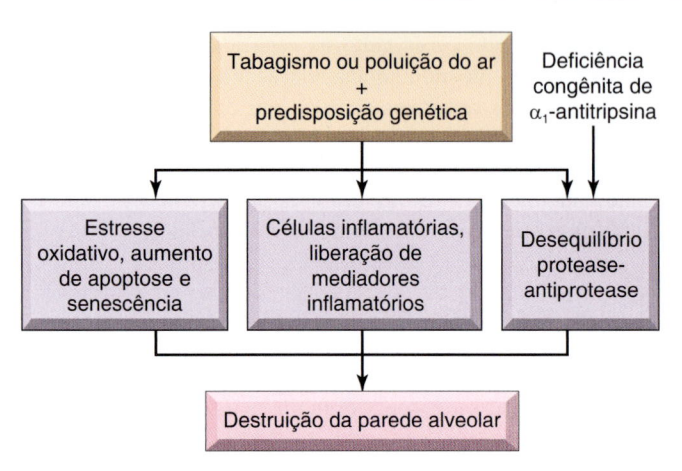

Figura 15.8 Patogênese do enfisema.

Patogênese

A forma clinicamente importante de enfisema está amplamente restrita a fumantes e pacientes com deficiência de α_1-antitripsina, destacando a importância desses dois fatores etiológicos. Os seguintes mecanismos associados a esses fatores contribuem para o desenvolvimento de enfisema (**Figura 15.8**):

- *Lesão tóxica e inflamação.* Inalação de fumaça de cigarro e outras partículas nocivas danificam o epitélio respiratório e causam inflamação, resultando em graus variáveis de destruição do parênquima. Uma grande variedade de mediadores inflamatórios (incluindo leucotrieno B_4, interleucina [IL] -8, TNF e outros) está aumentada nas partes afetadas do pulmão. Esses mediadores são liberados por células epiteliais residentes e macrófagos e atraem diversas células inflamatórias (fatores quimiotáticos), amplicam o processo inflamatório (citocinas pró-inflamatórias), e induzem mudanças estruturais (fatores de crescimento). Inflamação crônica também leva ao acúmulo de células T e B em partes afetadas do pulmão, embora o papel da imunidade adaptativa no enfisema seja atualmente incerto
- *Desequilíbrio protease-antiprotease.* Várias proteases são liberadas das células inflamatórias e das células epiteliais degradando

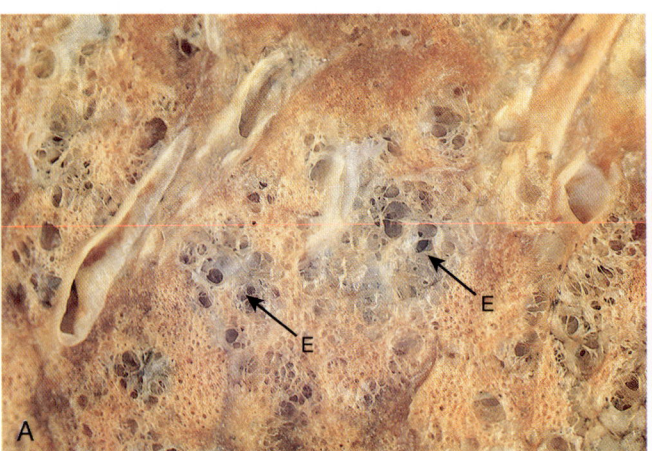

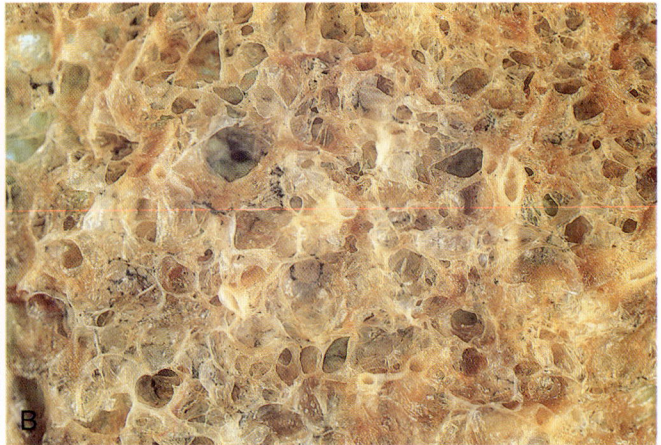

Figura 15.7 A. Enfisema centroacinar. As áreas centrais mostram lesões enfisematosas marcantes (*E*) cercadas por espaços alveolares relativamente preservados. **B.** Enfisema panacinar envolvendo todo o lóbulo pulmonar.

os componentes do tecido conjuntivo. Em pacientes que desenvolvem enfisema há uma deficiência relativa de antiproteases protetoras, que em alguns casos tem uma base genética (discutido adiante)
- *Estresse oxidativo*. Substâncias presentes na fumaça de cigarro, dano alveolar e células inflamatórias produzem oxidantes, os quais podem gerar danos ao tecido, disfunção endotelial e inflamação. O papel dos oxidantes é confirmado por estudos em camundongos cujo gene *NRF2* está inativado. O NRF2 é um fator de transcrição que atua como sensor para oxidantes em muitos tipos celulares, incluindo células epiteliais alveolares. Oxidantes intracelulares ativam *NRF2*, que regula positivamente a expressão de genes que protegem as células do dano oxidativo. Camundongos deficientes de *NRF2* são significativamente mais sensíveis à fumaça de cigarro do que camundongos normais. Além disso, variantes genéticas de *NRF2*, reguladores de *NRF2* e genes-alvo de *NRF2* estão todos associados a doenças pulmonares relacionadas ao tabagismo em humanos
- *Infecção*. Embora a infecção não pareça desempenhar um papel iniciador na destruição do tecido, infecções bacterianas e/ou virais podem exacerbar agudamente a doença existente.

A noção de que as proteases são importantes é em parte baseada na observação de que pacientes com deficiência genética da antiprotease α_1-antitripsina têm uma tendência acentuada marcante a desenvolver enfisema, que é agravada pelo hábito de fumar. Cerca de 1% de todos os pacientes com enfisema tem esse defeito. Normalmente presente no soro, líquidos teciduais e macrófagos, a $\alpha1$-antitripsina é um dos principais inibidores de proteases (particularmente de elastase) secretadas por neutrófilos durante inflamação. A α_1-antitripsina é codificada pelo *locus* do inibidor de proteinase (*Pi*) no cromossomo 14. O *locus Pi* é polimórfico e aproximadamente 0,012% da população dos EUA é homozigota para o alelo Z, um genótipo associado a níveis séricos baixíssimos de α_1-antitripsina. Mais de 80% dos indivíduos ZZ desenvolvem enfisema panacinar sintomático, que ocorre em uma idade mais precoce e apresenta maior gravidade se o indivíduo fuma. Postula-se que qualquer lesão (p. ex., aquela induzida pelo fumo) que aumenta a ativação e o influxo de neutrófilos para o pulmão leva à liberação local de proteases que, na ausência de atividade de α_1-antitripsina, resulta em digestão excessiva do tecido elástico e, com o tempo, enfisema.

Diversas outras variantes genéticas também foram associadas ao risco de desenvolver enfisema. Entre elas, estão variantes do receptor nicotínico de acetilcolina que supostamente influencia a dependência da fumaça do cigarro e, portanto, o comportamento de fumantes. Não surpreendentemente, as mesmas variantes também estão ligadas ao risco de câncer de pulmão, enfatizando a importância do tabagismo em ambas as doenças.

Uma série de fatores contribui para a obstrução das vias respiratórias no enfisema. As pequenas vias respiratórias são normalmente mantidas abertas pelo recuo elástico do parênquima pulmonar. A perda de tecido elástico nas paredes dos alvéolos que circundam os bronquíolos respiratórios reduz a tração radial, levando ao colapso desses bronquíolos durante a expiração e obstrução funcional do fluxo aéreo na ausência de obstrução mecânica. Além disso, mesmo os fumantes jovens costumam apresentar alterações relacionadas à inflamação das pequenas vias respiratórias que também contribuem para o estreitamento e obstrução das vias respiratórias (descritos adiante).

> **Morfologia**
>
> O enfisema avançado produz pulmões volumosos, muitas vezes sobrepostos de maneira anterior ao coração. Em pacientes com doenças relacionadas ao tabagismo, geralmente os dois terços superiores dos pulmões são afetados com mais gravidade. Alvéolos grandes podem ser facilmente vistos na superfície de cortes de pulmões fixados (**Figura 15.7**). Vesículas ou bolhas apicais características de enfisema irregular podem aparecer em pacientes com doença avançada.
>
> **Microscopicamente, alvéolos anormalmente grandes são separados por finos septos com fibrose centroacinar focal.** Há perda de anexos entre os alvéolos e a parede externa das pequenas vias respiratórias. Os poros de Kohn estão tão grandes que os septos parecem flutuar ou projetar-se às cegas para os espaços alveolares com fundo em forma de taco. À medida que as paredes alveolares são destruídas, há diminuição da área do leito capilar. Com o avanço da doença, surgem espaços aéreos anormais ainda maiores e possivelmente vesículas ou bolhas, que muitas vezes se deformam e comprimem os bronquíolos respiratórios e a vasculatura do pulmão. Alterações inflamatórias nas pequenas vias respiratórias são frequentemente sobrepostas (descritas a seguir na bronquite crônica), assim como as alterações vasculares relacionadas à hipertensão pulmonar decorrente de hipoxemia local e perda de leitos capilares.

Bronquite crônica

A bronquite crônica é definida clinicamente como tosse persistente com produção de escarro por pelo menos 3 meses, em pelo menos 2 anos consecutivos, na ausência de qualquer outra causa identificável. A bronquite crônica prolongada está associada a disfunção pulmonar progressiva, cuja gravidade pode ser tão grande que pode levar a hipoxemia, hipertensão pulmonar e *cor pulmonale*.

Patogênese

O fator primário ou iniciador na gênese da bronquite crônica é a exposição a substâncias nocivas ou irritantes inaladas, como a fumaça do cigarro (90% das pessoas afetadas são fumantes) e poeira de grãos, algodão e sílica. Diversos fatores contribuem para sua patogênese:

- *Hipersecreção de muco*. A característica mais precoce da bronquite crônica é a hipersecreção de muco nas grandes vias respiratórias, associada ao aumento das glândulas submucosas na traqueia e brônquios. A base para a hipersecreção de muco não é completamente compreendida, mas parece envolver mediadores inflamatórios como histamina e IL-13. Com o tempo, também há um aumento acentuado das células caliciformes nas pequenas vias respiratórias (pequenos brônquios e bronquíolos) levando à produção excessiva de muco, que contribui para a obstrução das vias respiratórias. Acredita-se que tanto o aumento de tamanho das glândulas submucosas quanto o no número de células caliciformes são reações protetoras contra a fumaça de cigarro ou outros agentes poluentes (p. ex., dióxido de enxofre e dióxido de nitrogênio)
- *Disfunção adquirida do regulador de condutância transmembrana da fibrose cística (RCTFC)*. Há evidências substanciais de que o tabagismo leva à disfunção adquirida do RCTFC, que por

sua vez, causa a secreção anormal de muco desidratado que exacerba a gravidade da bronquite crônica
- *Inflamação.* Inalantes que induzem bronquite crônica causam danos celulares, provocando respostas inflamatórias agudas e crônicas envolvendo neutrófilos, linfócitos e macrófagos. Inflamação prolongada e fibrose associada envolvendo pequenas vias respiratórias (pequenas brônquios e bronquíolos, com menos de 2 a 3 mm de diâmetro) também podem levar à obstrução crônica das vias respiratórias
- *Infecção.* A infecção não inicia bronquite crônica, mas é provavelmente importante para sua manutenção e pode ser crítica na produção de exacerbações agudas.

A fumaça do cigarro predispõe à bronquite crônica de várias formas. Não apenas pela lesão das células do revestimento das vias respiratórias, levando à inflamação crônica, mas também por interferir na ação ciliar do epitélio respiratório, prevenindo a eliminação do muco e aumentando o risco de infecção.

Morfologia

De maneira geral, hiperemia, tumefação e edema das membranas mucosas são observados, frequentemente acompanhadas de excesso de secreções mucinosas ou mucopurulentas. Em alguns casos, grandes extravasamentos de secreção e pus preenchem os brônquios e bronquíolos. As características microscópicas são inflamação crônica das vias respiratórias (predominantemente linfócitos e macrófagos); espessamento da parede bronquiolar devido à hipertrofia da musculatura lisa, deposição de matriz extracelular na camada muscular e fibrose peribrônquica; hiperplasia de células caliciformes; e aumento das glândulas secretoras de muco presentes na traqueia e brônquios. Destas, a alteração mais marcante é um aumento no tamanho das glândulas mucosas. Este aumento pode ser avaliado pela proporção entre a espessura da camada da glândula mucosa e espessura da parede entre o epitélio e a cartilagem (**índice de Reid**). O índice de Reid (normalmente 0,4) está aumentado na bronquite crônica, geralmente de forma proporcional à gravidade e duração da doença. Os tampões de muco, inflamação e fibrose podem levar ao estreitamento acentuado dos bronquíolos, e, nos casos mais graves, causar obliteração da luz devido à fibrose (**bronquiolite obliterante**). O epitélio brônquico também pode exibir metaplasia escamosa e displasia devido aos efeitos irritantes e mutagênicos das substâncias presentes na fumaça do cigarro.

Características clínicas da doença pulmonar obstrutiva crônica

A maior parte dos pacientes afetados tem histórico de tabagismo de 40 maços-ano ou mais. A DPOC frequentemente se apresenta de forma insidiosa, com aumento lento da dispneia de esforço e tosse crônica com produção de escarro que é leve no início, mas que vai aumentando com o tempo. Outros pacientes apresentam exacerbações causadas por infecção sobrepostas que podem causar confusão com outros distúrbios, como asma (devido à respiração ofegante). O teste diagnóstico mais importante é a espirometria, que normalmente apresenta uma relação FEV_1/CVF inferior a 0,7.

Uma vez que a DPOC surge, os sintomas geralmente aumentam e diminuem com o tempo e são geralmente piores pela manhã.

O quadro clínico varia de acordo com a gravidade da doença e as contribuições relativas das alterações enfisematosas brônquicas (**Tabela 15.4**). Em uma extremidade do espectro estão os "sopradores róseos" (*pink puffers*), pacientes em que o enfisema domina. Classicamente, esse paciente é dispneico e apresenta tórax em barril, com expiração claramente prolongada, senta-se para a frente em uma posição curvada, e respira com os lábios franzidos. A tosse costuma ser leve, a superdistensão dos pulmões é grave, a capacidade de difusão é baixa e os valores dos gases no sangue são relativamente normais em repouso. A perda de peso é comum e pode ser tão grave a ponto de sugerir um câncer oculto. Na outra extremidade do espectro, estão pacientes com bronquite crônica pura, que são conhecidos de uma maneira um tanto inglória como "tossidores azuis" (*blue bloaters*). O principal sintoma é uma tosse persistente produtora de escarro, além de hipercapnia, hipoxemia e cianose leve. A maioria dos pacientes está em uma posição intermediária, com sinais e sintomas decorrentes de alterações brônquicas e enfisematosas.

As opções de tratamento incluem a interrupção do hábito de fumar, oxigenoterapia, broncodilatadores de ação prolongada associados a corticosteroides inalatórios, antibióticos, fisioterapia, bulectomia, e, em pacientes selecionados, cirurgia de redução do volume pulmonar e transplante de pulmão. Mesmo com intervenção, no entanto, a DPOC em geral progride e frequentemente se torna fatal. A DPOC prolongada, particularmente em pacientes com componente de bronquite, geralmente provoca hipertensão pulmonar, *cor pulmonale* e morte em decorrência de insuficiência cardíaca. A morte pode também resultar de insuficiência respiratória aguda devido a infecções agudas sobrepostas à DPOC. Em pacientes com alterações enfisematosas, bolhas subpleurais podem se romper, levando a um quadro de fatal de pneumotórax. A maior esperança para uma grande mudança nesse quadro catastrófico é o desenvolvimento de programas mais eficazes voltados para a prevenção do tabagismo e outras exposições ambientais.

Tabela 15.4 Características predominantes do enfisema e da bronquite crônica.

	Bronquite	Enfisema
Idade (em anos)	40 a 45	50 a 75
Dispneia	Leve; tardia	Grave; precoce
Tosse	Inicial; escarro abundante	Tardia; escarro escasso
Infecções	Comuns	Ocasionais
Insuficiência respiratória	Precoce, periódica	Terminal
Cor pulmonale	Comum	Raro, terminal
Resistência das vias respiratórias	Aumentada	Normal ou levemente aumentada
Recuo elástico	Normal	Baixo
Radiografia de tórax	Vasos proeminentes; aumento do tamanho do coração	Hiperinsuflação; tamanho normal do coração
Aparência	Tossidores azuis (*blue bloaters*)	Sopradores róseos (*pink puffers*)

> **Conceitos-chave**
>
> **Doença pulmonar obstrutiva crônica**
>
> - Mais comum em fumantes de longa data (normalmente > 40 maços-ano); os poluentes do ar também contribuem
> - A patologia pulmonar subjacente geralmente inclui tanto bronquite quanto enfisema
> - Geralmente fatal devido ao desenvolvimento de insuficiência cardíaca ou insuficiência respiratória em decorrência de infecção sobreposta.
>
> **Enfisema**
>
> - Na DPOC, há geralmente uma distribuição centroacinar caracterizada pelo aumento permanente dos espaços aéreos distais aos bronquíolos terminais
> - Particularmente grave em pacientes com deficiência de α_1-antitripsina, na qual um padrão panacinar de alteração enfisematosa pode ser visto
> - A destruição do tecido é causada por elastases e oxidantes liberados de células inflamatórias, particularmente neutrófilos, em resposta à lesão celular causada pela fumaça de cigarro e poluentes.
>
> **Bronquite crônica**
>
> - Definida pela tosse persistente produtiva por pelo menos 3 meses consecutivos, em pelo menos 2 anos consecutivos
> - As características patológicas dominantes são hipersecreção de muco devido ao aumento das glândulas secretoras de muco e inflamação crônica associada à fibrose da parede bronquiolar.

Outras formas de enfisema

Além do enfisema que ocorre no contexto da DPOC, várias outras condições que podem estar associadas à hiperinsuflação pulmonar ou à alteração enfisematosa focal são mencionadas aqui de maneira resumida:

- *Hiperinsuflação compensatória.* Esse termo é usado para designar a dilatação dos alvéolos em resposta à perda de substância pulmonar em outro local, como por exemplo, após a remoção cirúrgica de um pulmão ou lobo com câncer
- *Hiperinsuflação obstrutiva.* Nesta condição, o pulmão se expande porque o ar está preso em seu interior. Uma causa comum é a obstrução quase total de uma via respiratória por uma neoplasia ou objeto estranho. Em bebês, pode ser causado por *hiperinsuflação lobar congênita*, que na maioria das vezes resulta de hipoplasia da cartilagem brônquica. A hiperinsuflação ocorre (1) em decorrência de uma obstrução que atua como válvula esférica, permitindo que o ar entre na inspiração, mas bloqueando sua saída na expiração, ou (2) porque colaterais trazem ar de locais anteriores à obstrução. Esses colaterais consistem nos *poros de Kohn* e outras conexões bronquioalveolares acessórias diretas (os *canais de Lambert*). A hiperinsuflação obstrutiva pode ser fatal se a parte afetada se distender o suficiente para comprimir o pulmão adjacente não envolvido
- *Enfisema bolhoso.* Esse é um termo descritivo para grandes vesículas ou bolhas subpleurais (espaços maiores que 1 cm em diâmetro no estado distendido) que pode ocorrer em qualquer forma de enfisema (**Figura 15.9**), geralmente próximo ao ápice. A ruptura das bolhas pode causar pneumotórax

- *Enfisema intersticial.* Causado pela entrada de ar no tecido conjuntivo do estroma pulmonar, mediastino ou tecido subcutâneo. Na maioria dos casos, o *enfisema intersticial* é provocado por rupturas alveolares que ocorrem em pacientes com enfisema pulmonar devido a aumentos transitórios da pressão intra-alveolar durante a tosse, por exemplo. Menos frequentemente, a porta de entrada de ar nos tecidos moles circundantes pode ser causada por perfuração no pulmão em consequência de lesões no tórax ou fratura de costelas.

Asma

A asma é uma doença heterogênea, geralmente caracterizada por inflamação crônica das vias respiratórias e obstrução expiratória variável do fluxo aéreo que produz sintomas como respiração ofegante, falta de ar, aperto no tórax e tosse, que variam ao longo do tempo e em intensidade. Episódios sintomáticos são mais prováveis de ocorrer à noite ou cedo pela manhã e são produzidos por broncoconstrição pelo menos parcialmente reversível, de maneira espontânea ou com tratamento. Raramente, uma crise persistente denominada *asma aguda grave* (anteriormente conhecido como *estado asmático*) pode ser fatal; geralmente, esses pacientes têm um longo histórico de asma. Entre os ataques, os pacientes podem ser praticamente assintomáticos. É importante notar que houve um aumento significativo na incidência de asma no ocidente nos últimos 40 a 50 anos, uma tendência que agora começou a diminuir. No entanto, a prevalência da asma continua a aumentar em países de baixa renda e em alguns grupos étnicos nos quais sua prevalência prévia era baixa.

A asma apresenta vários fenótipos clínicos distintos, cada qual com diferentes mecanismos patogênicos subjacentes. Pode ser categorizada como *atópica* (evidência de sensibilização a alergênios

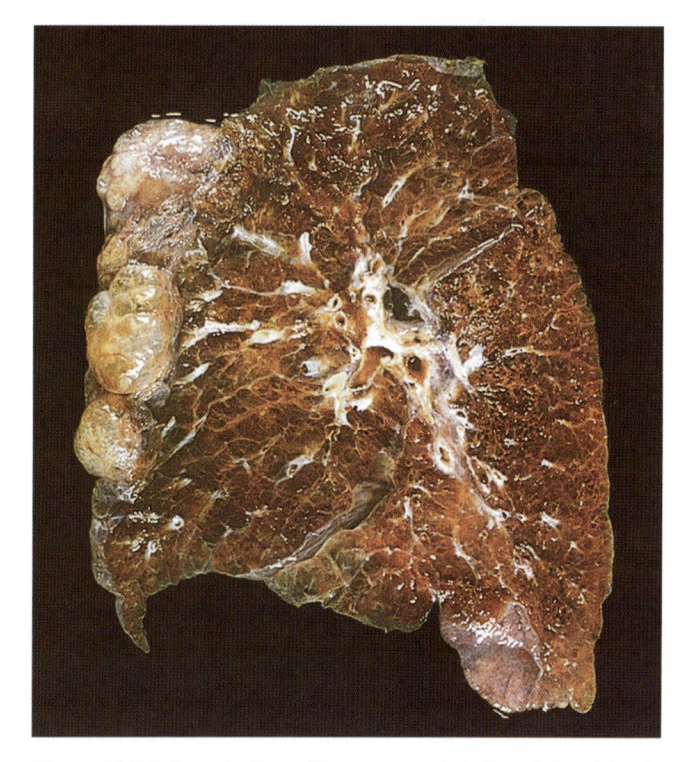

Figura 15.9 Enfisema bolhoso. Observe a grande bolha subpleural (*região superior esquerda*).

e ativação imunológica, muitas vezes em um paciente com rinite alérgica ou eczema) ou *não atópica* (sem evidência de sensibilização a alergênios), dos quais existem vários subtipos. Em todos os tipos, os episódios de broncospasmo podem ter diversos gatilhos, como infecções respiratórias (especialmente infecções virais), agentes irritantes (p. ex., fumaça, vapores), ar frio, estresse e exercícios. Uma forma biológica significativa e clinicamente útil de classificar asma é com base em seus gatilhos. Primeiro descreveremos brevemente os vários subtipos principais de asma e, em seguida, investigaremos sua patogênese em maior profundidade.

Asma atópica. Esse tipo de asma é um exemplo clássico de uma reação de hipersensibilidade mediada por IgE (tipo I) (discutida no **Capítulo 6**). A doença geralmente se inicia na infância e é desencadeada por alergênios ambientais, como poeiras, pólens, pelos de baratas ou animais e alimentos, que mais frequentemente atuam em sinergia com outros cofatores ambientais pró-inflamatórios, principalmente infecções respiratórias virais. Um histórico familiar positivo de asma é comum, e um teste cutâneo com o antígeno agressor nesses pacientes resulta em uma reação imediata de pápula e eritema. A asma atópica também pode ser diagnosticada com base em altos níveis séricos totais de IgE ou evidência de sensibilização ao alergênio por meio de testes radioalergosorventes séricos (RASTs, *serum radioallergosorbent tests*), que podem detectar a presença de anticorpos IgE específicos para alergênios individuais.

Asma não atópica. Indivíduos com asma não atópica não apresentam evidências de sensibilização a alergênios e o resultado do teste cutâneo é geralmente negativo. Um histórico familiar positivo de a asma é menos comum nesses pacientes. Infecções respiratórias causadas por vírus (p. ex., rinovírus, vírus parainfluenza, e vírus sincicial respiratório) são gatilhos comuns da asma não atópica. Inalação de poluentes do ar, como fumaça de cigarro, dióxido de enxofre, ozônio e dióxido de nitrogênio podem também contribuir para a inflamação crônica das vias respiratórias e hiper-reatividade em alguns casos. Como já mencionado, em alguns casos, os ataques podem ser desencadeados por eventos aparentemente inócuos, como exposição ao frio e até exercício.

Asma induzida por fármacos. Vários agentes farmacológicos provocam asma. Asma sensível ao ácido acetilsalicílico é um tipo incomum que ocorre em indivíduos com rinite recorrente e pólipos nasais. Esses indivíduos são extremamente sensíveis a pequenas doses de ácido acetilsalicílico, bem como outros fármacos anti-inflamatórios não esteroidais; além de experienciar crises de asma, têm também urticária. O ácido acetilsalicílico e outros fármacos relacionados desencadeiam asma nesses pacientes pela inibição da via da ciclo-oxigenase do metabolismo do ácido araquidônico, levando a uma rápida diminuição da prostaglandina E_2. Normalmente a prostaglandina E_2 inibe as enzimas que geram mediadores pró-inflamatórios, como leucotrienos B_4, C_4, D_4 e E_4, que se acredita desempenharem papéis centrais na asma induzida por ácido acetilsalicílico.

Asma ocupacional. Essa forma de asma pode ser desencadeada por vapores (derivados de resinas epóxi, plásticos), poeiras orgânicas e químicas (madeira, algodão, platina), gases (tolueno), ou outros produtos químicos (formaldeído, derivados de penicilina). Apenas quantidades mínimas dos agentes químicos são necessárias para induzir a crise, que geralmente ocorre após exposições repetidas. Os mecanismos subjacentes variam de acordo com o estímulo e incluem reações do tipo I, liberação direta de substâncias broncoconstritoras e respostas de hipersensibilidade de origem desconhecida.

Patogênese

A asma atópica, forma mais comum da doença, é causada por uma resposta a IgE mediada por células Th2 contra alergênios ambientais, em indivíduos geneticamente predispostos. A inflamação de vias respiratórias é central para a fisiopatologia da doença e causa disfunção dessas vias, em parte por meio da liberação de mediadores inflamatórios potentes e, em parte, por meio do remodelamento da parede das vias respiratórias. À medida que a doença se torna mais grave, há aumento da secreção local de fatores de crescimento que induzem o alargamento das glândulas mucosas, proliferação da musculatura lisa, angiogênese e fibrose. Várias combinações desses processos ajudam a explicar os diferentes subtipos de asma, sua resposta ao tratamento e sua história natural ao longo da vida de uma pessoa.

As contribuições da resposta imunológica, genética e ambiente são discutidas separadamente a seguir, embora estejam intimamente ligadas.

Respostas Th2, IgE e inflamação. **Uma anormalidade fundamental na asma é a resposta Th2 exagerada a antígenos ambientais normalmente inofensivos (Figura 15.10).** As células Th2 secretam citocinas que promovem inflamação e estimulam células B a produzir IgE e outros anticorpos. Estas citocinas incluem IL-4, que estimula a produção de IgE; IL-5, que ativa eosinófilos recrutados localmente; e IL-13, que estimula a secreção de muco por glândulas submucosas brônquicas e também promove a produção de IgE por células B. As células T e células epiteliais secretam quimiocinas que recrutam mais células T e eosinófilos, exacerbando a reação. Como em outras reações alérgicas (ver **Capítulo 6**), a IgE liga-se aos receptores Fc nos mastócitos da submucosa e a exposição repetida ao alergênio desencadeia nos mastócitos a liberação do conteúdo dos grânulos, produção de citocinas e outros mediadores, que coletivamente induzem a reação inicial (hipersensibilidade imediata) e a reação de fase tardia.

A reação inicial é dominada por broncoconstrição, aumento da produção de muco, graus variáveis de vasodilatação e aumento da permeabilidade vascular. A broncoconstrição é desencadeada por estímulo direto de receptores vagais subepiteliais (parassimpáticos) através de reflexos centrais e locais desencadeados por mediadores produzidos pelos mastócitos e outras células na reação. A reação de fase tardia é dominada pelo recrutamento de leucócitos, principalmente eosinófilos, neutrófilos e mais células T. Embora as células Th2 sejam o tipo de célula T dominante envolvido na doença, outras T células que contribuem para a inflamação incluem células Th17 (produtoras de IL-17) que recrutam neutrófilos.

Muitos mediadores produzidos por leucócitos e células epiteliais têm sido implicados na resposta asmática. A longa lista de "suspeitos" da asma aguda pode ser classificada com base na eficácia clínica da intervenção farmacológica com antagonistas de mediadores específicos:

- Os mediadores cujo papel no broncospasmo é claramente mostrado pela eficácia da intervenção farmacológica são (1) *leucotrienos* C_4, D_4 e E_4, que causam broncoconstrição prolongada, bem como aumento da permeabilidade vascular e aumento da secreção de muco; (2) *acetilcolina*, liberada pelos nervos parassimpáticos intrapulmonares, que podem causar constrição

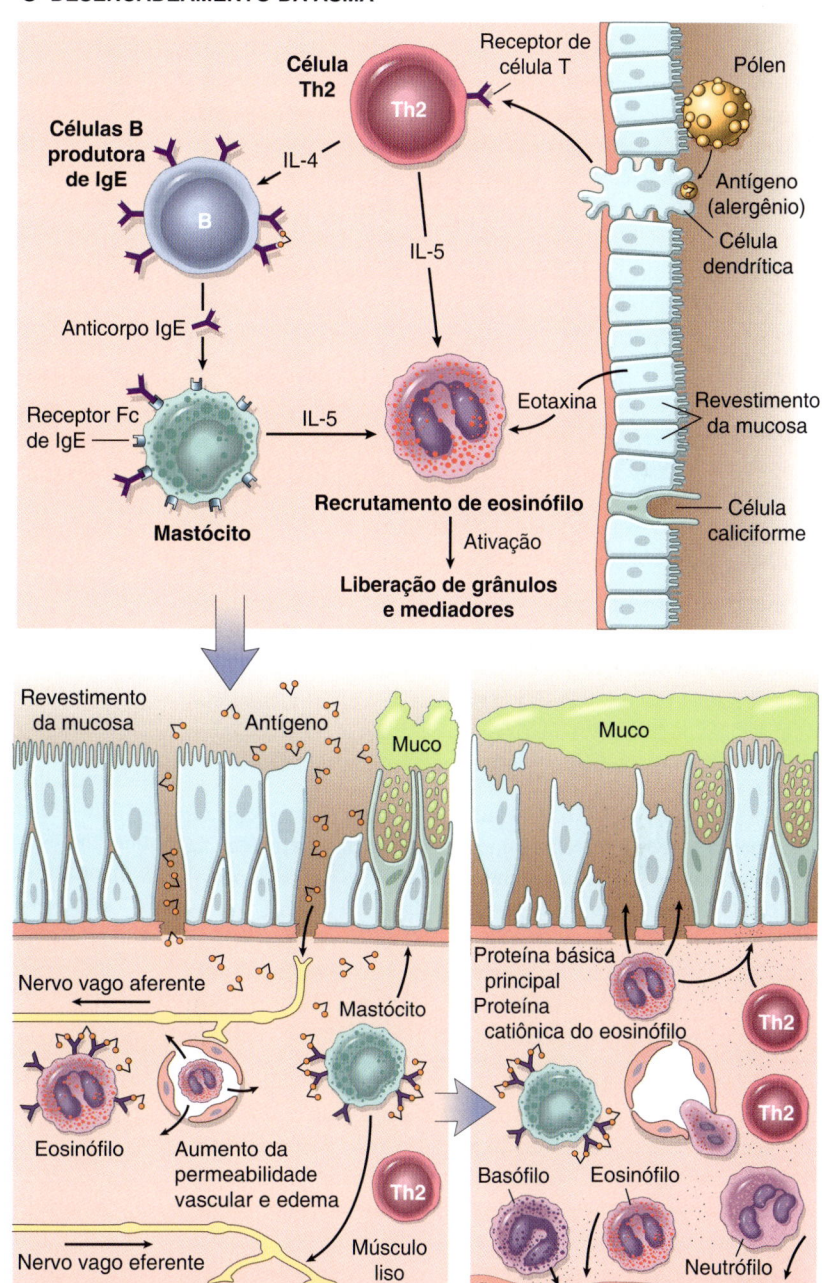

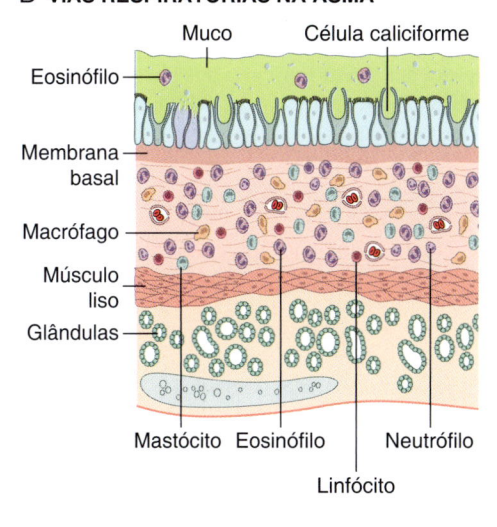

Figura 15.10 A. e B. Comparação entre uma via respiratória normal e uma via respiratória afetada pela asma. A via respiratória asmática é marcada pelo acúmulo de muco na luz do brônquio que é secundário ao aumento no número de células caliciformes secretoras de muco na mucosa e hipertrofia das glândulas submucosas; inflamação crônica intensa devido ao recrutamento de eosinófilos, macrófagos e outras células inflamatórias; espessamento da membrana basal; e hipertrofia e hiperplasia das células musculares lisas. **C.** Os alergênios inalados (antígeno) elicitam uma resposta dominada por Th2, favorecendo a produção de IgE e o recrutamento de eosinófilos. **D.** Na reexposição ao antígeno, a reação imediata é desencadeada pela ligação cruzada de IgE ligada aos receptores Fc nos mastócitos. Essas células liberam mediadores pré-formados que, tanto diretamente quanto por meio de reflexos neuronais, induzem broncospasmo, aumento da permeabilidade vascular, produção de muco e recrutamento de leucócitos. **E.** Leucócitos recrutados para o local da reação (neutrófilos, eosinófilos e basófilos; linfócitos e monócitos) liberam mediadores adicionais que iniciam a reação de fase tardia. Vários fatores liberados pelos eosinófilos (p. ex., proteína básica principal, proteína catiônica do eosinófilo) também causam danos ao epitélio. *IL-5*, interleucina-5.

da musculatura lisa das vias respiratórias estimulando diretamente receptores muscarínicos; (3) *IL-5*, antagonistas dessa citocina são eficazes no tratamento de formas graves de asma associadas à eosinofilia no sangue periférico; e (4) *galectina-10* (GAL10), que é liberada a partir de eosinófilos e forma cristais conhecidos como *cristais Charcot-Leyden*. Estudos recentes têm mostrado que esses cristais, há muito reconhecidos como uma característica da asma, são fortes indutores de inflamação e produção de muco

- Um segundo grupo de agentes presentes na "cena do crime", mas que parecem ter contribuições relativamente pequenas com base na ausência de eficácia de antagonistas potentes ou inibidores de sua síntese. Estes incluem (1) *histamina*, um potente broncoconstritor; (2) *prostaglandina D_2*, que provoca broncoconstrição e vasodilatação; e (3) *fator de ativação plaquetário*, que causa agregação de plaquetas e liberação de serotonina de seus grânulos. Esses mediadores ainda podem se provar importantes em certos tipos de asma crônica ou não alérgica
- Finalmente, um terceiro grande grupo compreende "suspeitos" para os quais antagonistas ou inibidores específicos não estão disponíveis ou ainda não foram suficientemente estudados. Nesse grupo estão IL-4, IL-13, TNF, quimiocinas (p. ex., eotaxina, também conhecida como CCL11), neuropeptídeos, óxido nítrico, bradicinina e endotelinas.

Está claro, portanto, que vários mediadores contribuem para a resposta asmática aguda. Além disso, a composição desta "sopa de mediadores" provavelmente varia entre indivíduos ou diferentes tipos de asma. A valorização da importância de células inflamatórias e mediadores na asma levaram a uma maior ênfase em medicamentos anti-inflamatórios, como corticosteroides, no seu tratamento.

Suscetibilidade genética. A suscetibilidade à asma atópica é multigênica e frequentemente associada ao aumento da incidência de outras doenças alérgicas, como rinite alérgica (febre do feno) e eczema. Os polimorfismos genéticos ligados à asma e outros distúrbios alérgicos foram descritos no **Capítulo 6**. Basta dizer aqui que muitos deles provavelmente influenciam respostas imunes e a reação inflamatória subsequente. Algumas das variantes genéticas mais fortes ou interessantes associadas à asma incluem:

- Um *locus* de suscetibilidade para asma localizado no cromossomo 5q, próximo ao agrupamento gênico que codifica as citocinas IL-3, IL-4, IL-5, IL-9 e IL-13, além do receptor de IL-4. Entre os genes deste agrupamento, polimorfismos no gene *IL13* apresenta as associações mais fortes e consistentes com asma ou doença alérgica, enquanto variantes gênicas do receptor de IL-4 estão associadas com atopia, IgE sérica total elevada e asma
- Alelos HLA de classe II particulares ligados à produção de anticorpos IgE contra alguns antígenos, como o pólen da tasneira
- Variantes associadas aos genes que codificam IL-33, um membro da família da citocina IL-1, além de seu receptor, ST2, que induz a produção de citocinas Th2
- Variantes associadas ao gene que codifica a linfopoietina estromal tímica (TSLP, *thymic stromal lymphopoietin*), uma citocina produzida pelo epitélio que pode ter um papel na gênese de reações alérgicas.

Fatores ambientais. A asma é uma doença das sociedades industrializadas onde a maioria das pessoas vive nas cidades. Duas noções, nenhuma delas totalmente satisfatória, foram propostas para explicar esta associação. Em primeiro lugar, ambientes industrializados contêm muitos poluentes transportados pelo ar que podem atuar como alergênios para iniciar uma resposta Th2. Em segundo lugar, a vida urbana tende a limitar a exposição de crianças muito pequenas a certos antígenos, particularmente antígenos microbianos, sendo que a exposição a tais antígenos pode proteger as crianças da asma e atopia. A ideia de que a exposição microbiana durante o início da vida reduz a incidência posterior de doenças alérgicas (e algumas doenças autoimunes) foi popularizada como hipótese da higiene. Apesar dos mecanismos subjacentes deste efeito protetor não estarem claros, ensaios de probióticos e exposições intencionais precoces de crianças a supostos alergênios têm sido incentivados para diminuir o risco de desenvolvimento posterior de alergias.

As infecções não causam asma por si mesmas, mas podem ser cofatores importantes. Crianças pequenas sensibilizadas com aeroalergênios e acometidas por infecções por vírus do trato respiratório inferior (rinovírus tipo C, vírus sincicial respiratório) têm um risco 10 a 30 vezes maior de desenvolver asma grave e/ou persistente. Infecções virais e bacterianas (identificadas por culturas e ensaios que não envolvem culturas) estão associadas com exacerbações agudas da doença.

Com o tempo, episódios repetidos de exposição a alergênios e reações imunológicas resultam em alterações estruturais da parede brônquica, denominadas *remodelamento das vias respiratórias*. Essas alterações, descritas posteriormente em maiores detalhes, incluem hipertrofia e hiperplasia da musculatura lisa brônquica, lesão epitelial, aumento da vascularização das vias respiratórias, aumento do volume de glândulas mucosas subepiteliais e fibrose subepitelial.

Um pequeno subconjunto de pacientes com asma, muitos dos quais apresentando doença grave refratária aos glicocorticoides, tem infiltrados inflamatórios enriquecidos com neutrófilos em vez de eosinófilos. Esta manifestação da doença pode ser direcionada por uma resposta de células Th17 à colonização bacteriana crônica do pulmão.

> **Morfologia**
>
> Em pacientes que morrem de asma aguda grave (estado asmático), os pulmões estão hiperinsuflados e contêm pequenas áreas de atelectasia. O achado superficial mais notável é a oclusão dos brônquios e bronquíolos por tampões de muco espesso e tenaz, que geralmente contêm epitélio descamado. Um achado característico nas amostras de escarro ou lavado broncoalveolar de pacientes com asma atópica são as **espirais de Curschmann**, que podem resultar da extrusão de tampões de muco originados nos ductos ou bronquíolos das glândulas mucosas subepiteliais. Numerosos eosinófilos e **cristais de Charcot-Leyden** compostos pela proteína derivada de eosinófilos galectina-10 também estão presentes. Os demais achados histológicos característicos da asma, conhecidos coletivamente como **remodelamento das vias respiratórias (Figuras 15.10B e 15.11)**, incluem:
>
> - Espessamento da parede das vias respiratórias
> - Fibrose da membrana sub-basal (devido à deposição de colágenos tipo I e III)
> - Aumento da vascularização

- Aumento no tamanho das glândulas submucosas e número de células caliciformes das vias respiratórias
- Hipertrofia e/ou hiperplasia da musculatura da parede brônquica com aumento da matriz extracelular.

Embora a obstrução aguda do fluxo de ar seja atribuída primariamente à broncoconstrição muscular, edema agudo e tampões de muco, o remodelamento das vias respiratórias pode contribuir para a obstrução crônica irreversível dessas vias.

> **Conceitos-chave**
> **Asma**
> - A asma é caracterizada por broncoconstrição reversível causada pela hiper-responsividade das vias respiratórias a uma variedade de estímulos
> - A asma atópica é causada por uma reação imunológica mediada por Th2 e IgE a alergênios ambientais e é caracterizada por reações de fase aguda (imediata) e de fase tardia. As citocinas Th2 IL-4, IL-5 e IL-13 são mediadores importantes
> - Os gatilhos para a asma não atópica são menos claros, mas incluem infecções virais e poluentes no ar inalado, que também podem desencadear asma atópica
> - Os eosinófilos são células inflamatórias essenciais na asma atópica; outras células inflamatórias implicadas na patogênese da asma atópica incluem mastócitos, neutrófilos e linfócitos T
> - O remodelamento das vias respiratórias (fibrose da membrana sub-basal, hipertrofia de glândulas brônquicas e hiperplasia da musculatura lisa) adiciona um componente irreversível à doença obstrutiva.

Características clínicas

Uma crise asmática aguda clássica dura até várias horas. Em alguns pacientes, no entanto, os sintomas cardinais de sensação de aperto no tórax, dispneia, respiração ofegante e tosse (com ou sem produção de escarro) estão constantemente presentes em um nível baixo. Em sua forma mais grave, a asma aguda grave, o paroxismo persiste por dias ou mesmo semanas, às vezes causando obstrução tão extrema do fluxo de ar que resulta em cianose marcante ou mesmo morte.

O diagnóstico é baseado na demonstração de um aumento na obstrução do fluxo de ar (considerando os níveis basais); dificuldade na expiração (expiração prolongada, chiado); e naqueles com asma atópica, identificação de eosinofilia no sangue periférico, além de eosinófilos, espirais de Curschmann e cristais de Charcot-Leyden no escarro. Considerando um caso típico, com intervalos livres de dificuldade respiratória, a doença é mais desalentadora e incapacitante do que letal, e a maior parte dos indivíduos é capaz de manter uma vida produtiva.

A terapia é baseada na gravidade da doença. As peças centrais da terapia padrão são broncodilatadores, glicocorticoides e antagonistas de leucotrienos. Para a asma grave e de difícil controle em adolescentes e adultos, novas terapias biológicas com enfoque em mediadores inflamatórios já estão disponíveis, tais como anticorpos bloqueadores de IL-5, os quais são efetivos na asma grave associada a respostas imunes Th2 e eosinofilia no sangue periférico. Até 50% da asma infantil sofre remissão na adolescência e retorna na idade adulta em um número significativo de pacientes. Em outros casos, há um declínio variável na função pulmonar basal ao longo do tempo.

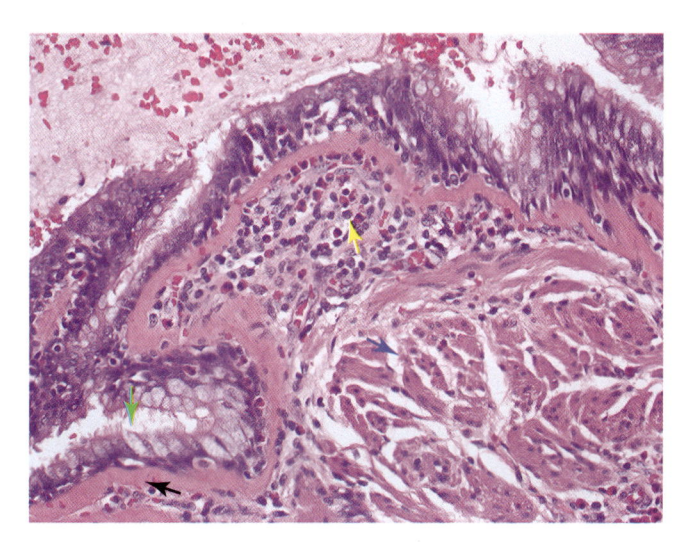

Figura 15.11 Brônquio de um paciente asmático exibindo hiperplasia de células caliciformes (*seta verde*), fibrose da membrana sub-basal (*seta preta*), inflamação eosinofílica (*seta amarela*) e hipertrofia muscular (*seta azul*).

Bronquiectasia

A bronquiectasia é um distúrbio em que a destruição de tecido muscular e elástico pela inflamação decorrente de infecções persistentes ou graves levam à dilatação permanente de brônquios e bronquíolos. Como consequência do melhor controle de infecções pulmonares, a bronquiectasia não é mais tão comum, mas ainda pode se desenvolver em associação com as seguintes condições:

- *Condições congênitas ou hereditárias que predispõem a infecções crônicas*, incluindo fibrose cística, sequestro intralobar do pulmão, estados de imunodeficiência, discinesia ciliar primária e síndrome de Kartagener
- *Pneumonia necrosante grave* causada por bactérias, vírus ou fungos; pode ser um único episódio grave ou infecções recorrente infecções
- *Obstrução brônquica*, causada por neoplasia, corpo estranho ou preenchimento por muco; em cada caso, a bronquiectasia é localizada no segmento pulmonar obstruído
- *Doenças imunológicas*, incluindo artrite reumatoide, lúpus eritematoso sistêmico, enteropatia inflamatória e situação pós-transplante (rejeição crônica após o transplante pulmonar e doença do enxerto-*versus*-hospedeiro crônica após transplante de células-tronco hematopoéticas)
- Até 50% dos casos são *idiopáticos*, com ausência das associações mencionadas, nas quais parece haver disfunção da imunidade do hospedeiro a agentes infecciosos levando a inflamação crônica.

Patogênese

Obstrução e infecção são as principais condições associadas à bronquiectasia. **As infecções que levam à bronquiectasia geralmente são o resultado de um defeito na desobstrução das vias respiratórias.** Às vezes, esse defeito decorre da obstrução das vias respiratórias, levando ao acúmulo distal de secreções.

Ambos os mecanismos são facilmente aparentes em uma forma grave de bronquiectasia associada à fibrose cística (ver **Capítulo 10**). Na fibrose cística, o defeito primário no transporte de íons resulta em secreções viscosas espessas que perturbam a depuração mucociliar e levam à obstrução das vias respiratórias. Essa condição prepara o terreno para infecções bacterianas crônicas, que causam danos generalizados às paredes das vias respiratórias. Com destruição da musculatura lisa e do tecido elástico de apoio, os brônquios tornam-se marcadamente dilatados, enquanto os bronquíolos menores são progressivamente obliterados como resultado de fibrose (bronquiolite obliterante).

A *discinesia ciliar primária* é uma doença autossômica recessiva com uma frequência de 1 em 10 a 20 mil nascimentos. As mutações causadoras doença resultam em disfunção ciliar devido a defeitos em proteínas motoras ciliares (p. ex., mutações envolvendo a dineína), novamente evitando a depuração mucociliar e estabelecendo o cenário para infecções recorrentes que levam à bronquiectasia. A função ciliar também é necessária durante a embriogênese para garantir a rotação adequada dos órgãos em desenvolvimento no tórax e abdome; na sua ausência, a localização dos órgãos torna-se uma questão de acaso. Como resultado, aproximadamente metade dos pacientes com discinesia ciliar primária apresentam a *síndrome de Kartagener*, marcada por *situs inversus* ou uma anormalidade de lateralização parcial associada com bronquiectasia e sinusite. Homens com essa condição também tendem a ser inférteis como resultado de dismotilidade do esperma.

A *aspergilose broncopulmonar alérgica* ocorre em pacientes com asma ou fibrose cística e frequentemente leva ao desenvolvimento de bronquiectasia. É causada por uma resposta hiperimune ao fungo *Aspergillus fumigatus*. A sensibilização para *Aspergillus* leva à ativação de células T auxiliares Th2, as quais liberam citocinas que recrutam eosinófilos e outros leucócitos. Caracteristicamente, existem altos níveis séricos de IgE, anticorpos séricos para *Aspergillus*, inflamação intensa das vias respiratórias com eosinófilos e formação de tampões de muco, que desempenham um papel primário no desenvolvimento de bronquiectasia.

Haemophilus influenzae é encontrado em aproximadamente metade das culturas de escarro, enquanto *Pseudomonas aeruginosa* é encontrado em 12 a 30% das culturas de pacientes com bronquiectasia, com quatro outros tipos de bactérias (incluindo micobactérias não tuberculosas), constituindo a maioria dos casos restantes em pacientes de diferentes localizações geográficas. Esta observação sugere que o microambiente bronquiectático inflamado, mucoide, às vezes anaeróbico, favorece a colonização por relativamente poucas espécies microbianas. Na aspergilose broncopulmonar alérgica, hifas fúngicas podem ser vistas em colorações especiais dentro do conteúdo mucoinflamatório dos brônquios segmentares dilatados. Em estágios avançados, o fungo pode se infiltrar na parede brônquica.

Características clínicas

A bronquiectasia causa tosse grave e persistente; expectoração de escarro fétido, às vezes com sangue; dispneia e ortopneia em casos graves; e, ocasionalmente, hemoptise, que pode ser maciça. Os sintomas são frequentemente episódicos e são precipitados por infecções do trato respiratório superior ou pela entrada de novos agentes patogênicos. Paroxismos de tosse são particularmente frequentes quando o paciente se levanta pela manhã, pois a mudança de posição causa acúmulo de pus e secreções que são drenadas

Morfologia

A bronquiectasia geralmente afeta os lobos inferiores bilateralmente, em particular as passagens aéreas verticais, além de ser mais grave nos brônquios e bronquíolos mais distais. Quando uma neoplasia ou aspiração de corpos estranhos levam à bronquiectasia, o envolvimento é localizado. **As vias respiratórias encontram-se dilatadas, às vezes até quatro vezes o tamanho normal.** Caracteristicamente, os brônquios e bronquíolos estão tão dilatados que podem ser seguidos quase até as superfícies pleurais. Em contraste, no pulmão normal os bronquíolos não podem ser acompanhados a olho nu além de um ponto 2 a 3 cm das superfícies pleurais. Sobre a superfície de corte do pulmão, os brônquios dilatados aparecem císticos e são preenchidos com secreções mucopurulentas (**Figura 15.12**).

Os achados histológicos variam com a atividade e cronicidade da doença. No caso mais completo e ativo, há intenso exsudato inflamatório agudo e crônico no interior das paredes dos brônquios e bronquíolos, associado à descamação do epitélio de revestimento e ulceração extensa. Também pode haver metaplasia escamosa do epitélio remanescente em resposta a inflamação crônica, reduzindo ainda mais a depuração mucociliar. Em alguns casos, a necrose destrói as paredes brônquicas ou bronquiolares e forma um abscesso pulmonar. A fibrose das paredes brônquica e bronquiolares e a fibrose peribronquiolar se desenvolvem nos casos mais crônicos, levando a vários graus de obliteração subtotal ou total das luzes bronquiolares.

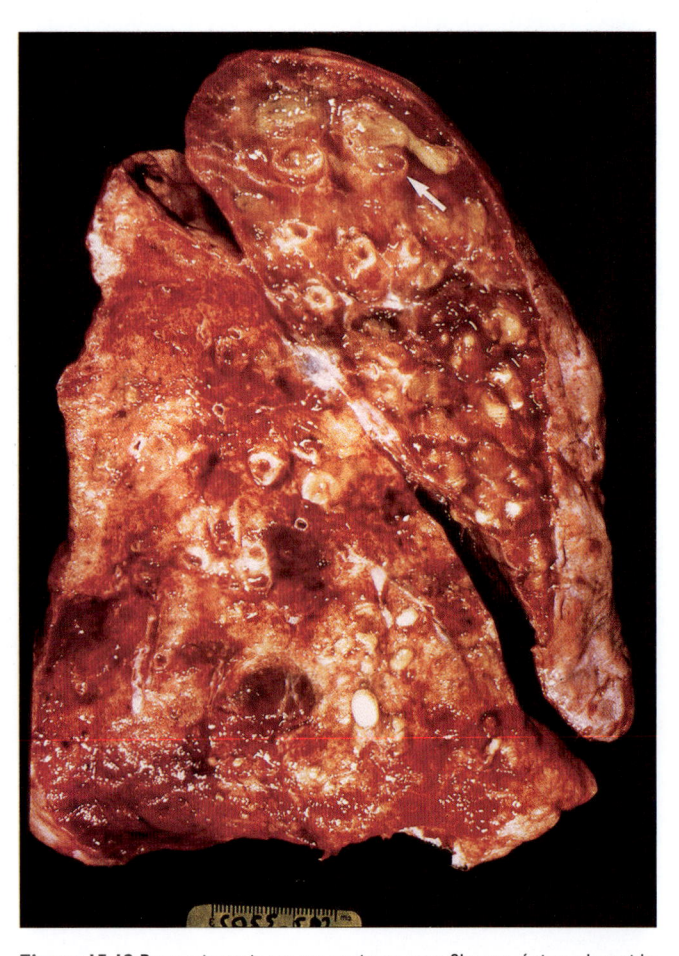

Figura 15.12 Bronquiectasia em um paciente com fibrose cística submetido a transplante pulmonar. A superfície de corte do pulmão mostra brônquios periféricos acentuadamente distendidos preenchidos por secreções mucopurulentas.

para os brônquios. A insuficiência respiratória obstrutiva pode causar dispneia acentuada e cianose. No entanto, os tratamentos atuais com melhores antibióticos e fisioterapia melhoraram consideravelmente os resultados e a expectativa de vida quase dobrou. Consequentemente, *cor pulmonale*, abscessos cerebrais e amiloidose são atualmente complicações menos frequentes da bronquiectasia do que no passado.

Doenças intersticiais crônicas difusas (restritivas)

As doenças pulmonares restritivas se enquadram em duas categorias gerais: (1) *doenças intersticiais e infiltrativas crônicas*, como pneumoconioses e fibrose intersticial de etiologia desconhecida; e (2) *distúrbios da parede torácica* (p. ex., doenças neuromusculares como poliomielite, obesidade grave, doenças pleurais e cifoescoliose), que não são discutidas aqui.

As doenças pulmonares intersticiais crônicas representam um grupo heterogêneo de distúrbios caracterizados predominantemente por inflamação e fibrose do interstício pulmonar associadas a estudos de função pulmonar indicativos de doença pulmonar restritiva. Doenças restritivas difusas são categorizadas com base na histologia e características clínicas (**Tabela 15.5**). Muitas das entidades clínicas são de patogênese desconhecida, enquanto algumas têm um componente intra-alveolar, bem como intersticial. Os pacientes apresentam dispneia, taquipneia, crepitações ao final da inspiração e eventual cianose, com ausência de respiração ofegante ou outra evidência de obstrução das vias respiratórias. As anormalidades funcionais clássicas são reduções na capacidade de difusão, volume e complacência pulmonares. As radiografias de tórax mostram lesões bilaterais que assumem a forma de pequenos nódulos, linhas irregulares, ou *sombras em vidro fosco*, todas correspondentes a áreas de fibrose intersticial. Embora as entidades clínicas muitas vezes possam ser distinguidas em seus estágios iniciais, as formas avançadas são difíceis de diferenciar porque todas resultam em cicatrizes difusas no pulmão, frequentemente referidas como *pulmão em estágio terminal* ou *pulmão em favo de mel*. Eventualmente, o quadro pode resultar em hipertensão pulmonar secundária e insuficiência cardíaca direita (*cor pulmonale*).

Doenças fibrosantes

Fibrose pulmonar idiopática

A fibrose pulmonar idiopática (FPI) refere-se a uma síndrome clínico-patológica marcada por fibrose pulmonar intersticial progressiva e insuficiência respiratória. Na Europa, o termo *alveolite fibrosante criptogênica* é mais popular. A FPI tem apresentações radiológicas, patológicas e clínicas características. O padrão histológico da fibrose é conhecido como pneumonia intersticial usual (PIU), que muitas vezes pode ser diagnosticada com base em sua aparência característica nas varreduras por tomografia computadorizada. O padrão da PIU também pode ser visto em outras doenças, particularmente doenças do tecido conjuntivo, pneumonia de hipersensibilidade crônica e asbestose; todas elas devem ser distinguidas da FPI com base nas apresentações clínicas, laboratoriais e histológicas.

Tabela 15.5 Principais categorias da doença pulmonar intersticial crônica.

Fibrosantes
Pneumonia intersticial usual (fibrose pulmonar idiopática)
Pneumonia intersticial não específica
Pneumonia criptogênica em organização
Associada a doenças do tecido conjuntivo
Pneumoconiose
Reações medicamentosas
Pneumonite por radiação

Granulomatosas
Sarcoidose
Pneumonite por hipersensibilidade

Eosinofílica

Relacionadas ao fumo
Pneumonia intersticial descamativa
Doença pulmonar intersticial associada à bronquiolite respiratória

Outras
Histiocitose de células de Langerhans
Proteinose alveolar pulmonar
Pneumonia intersticial linfoide

Patogênese

Embora a causa da FPI permaneça desconhecida, parece que a doença surge em indivíduos geneticamente predispostos que são propensos ao reparo aberrante de lesões recorrentes em células epiteliais alveolares causadas por exposições ambientais (**Figura 15.13**). Os seguintes fatores estão associados:

- *Fatores ambientais*. O mais importante entre eles é o tabagismo, que aumenta em várias vezes o risco de FPI. A incidência da FPI também está aumentada em indivíduos expostos à poluição do ar, microaspiração, vapores de metal e pó de madeira, ou que trabalham em certas ocupações, incluindo agricultura, cabeleireiro e polimento de pedra. Acredita-se que a exposição a irritantes ambientais ou toxinas em cada um desses contextos causa danos recorrentes às células epiteliais alveolares
- *Fatores genéticos*. A vasta maioria dos indivíduos que fumam ou que têm outras exposições ambientais vinculadas à FPI não desenvolvem a doença, indicando que fatores adicionais são necessários para seu desenvolvimento. Mutações nos genes *TERT*, *TERC*, *PARN* e *RTEL1*, todos os quais envolvidos com a manutenção de telômeros, estão associados com risco aumentado de desenvolver a FPI. Lembre-se que a manutenção dos telômeros (as extremidades dos cromossomos) é necessária para prevenir a senescência celular. Até 15% dos casos de FPI familiar estão associados a defeitos hereditários em genes que mantêm os telômeros, enquanto até 25% dos casos esporádicos de FPI estão associados com encurtamento anormal do telômero nos linfócitos do sangue periférico, uma descoberta que também sugere um problema com a manutenção dos telômeros. Outras formas familiares raras de FPI estão associadas a mutações em genes que codificam componentes do surfactante; essas mutações criam defeitos nos enovelamentos das proteínas afetadas, levando à ativação da resposta a proteínas não enoveladas em pneumócitos do tipo II. Como consequência, os pneumócitos parecem se tornar mais sensíveis a insultos ambientais, levando a disfunção

e lesão celulares. Finalmente, cerca de um terço dos casos de FPI estão associados a um polimorfismo de nucleotídio único no promotor do gene *MUC5B* que aumenta muito a secreção de MUC5B, um membro da família das mucinas. Essa mucina pode, por sua vez, alterar a depuração mucociliar, mas precisamente como essa alteração se relaciona ao risco de desenvolver a FPI ainda é desconhecido

- *Idade*. A FPI é uma doença de indivíduos mais velhos, raramente surgindo antes dos 50 anos. Não se sabe o quanto essa associação deriva do encurtamento do telômero, relacionado ao envelhecimento, ou de outras alterações adquiridas, associadas ao envelhecimento.

É fácil imaginar como alguns dos fatores aqui citados podem se combinar para exacerbar a senescência e o dano às células epiteliais alveolares, que parecem ser os eventos iniciais da FPI. Entretanto, deve-se admitir que a patogênese da FPI é complexa e mal compreendida. Por exemplo, não se sabe ao certo como o dano às células epiteliais alveolares se traduz em fibrose intersticial. Um modelo afirma que as células epiteliais lesadas são a fonte de fatores pró-fibrogênicos como o TGF-β, enquanto um segundo modelo, não mutuamente exclusivo, propõe que as células imunes inatas e adaptativas produzem tais fatores como parte da resposta do hospedeiro ao dano das células epiteliais. Outro trabalho descreveu anormalidades nos próprios fibroblastos que envolvem mudanças no sistema de sinalização intracelular e características que lembram a transição epitélio-mesenquimal (ver **Capítulo 7**), mas uma ligação causal entre essas alterações e a fibrose não foi estabelecida.

Morfologia

Macroscopicamente, as superfícies pleurais do pulmão são "em paralelepípedo" como resultado da retração de cicatrizes ao longo dos septos interlobulares. A superfície de corte mostra áreas esbranquiçadas, firmes e elásticas de fibrose, que ocorrem preferencialmente nos lobos inferiores, nas **regiões subpleurais** e ao longo dos **septos interlobulares**. Microscopicamente, a marca registrada é a **fibrose intersticial irregular**, que varia em intensidade (**Figura 15.14**) e idade. As lesões iniciais contêm uma exuberante proliferação de fibroblastos (**focos fibroblásticos**). Com o tempo, essas áreas tornam-se mais fibróticas e menos celulares. A coexistência de lesões iniciais e tardias é bastante típica (**Figura 15.15**). A fibrose densa causa a destruição da arquitetura alveolar e a formação de espaços císticos revestidos por pneumócitos tipo II hiperplásicos ou epitélio bronquiolar (**fibrose em favo de mel**). Com amostragem adequada, essas alterações histológicas diagnósticas (*i. e.*, áreas de fibrose densa e focos fibroblásticos) podem ser identificadas mesmo em estágio avançado de FPI. Há inflamação leve a moderada dentro das áreas fibróticas, consistindo principalmente em linfócitos misturados com algumas áreas de plasmócitos, neutrófilos, eosinófilos e mastócitos. Focos de metaplasia escamosa e hiperplasia de musculatura lisa podem estar presentes, assim como alterações hipertensivas da artéria pulmonar (fibrose intimal e espessamento medial). Em exacerbações agudas, o dano alveolar difuso (DAD) pode estar sobreposto a essas mudanças crônicas.

Figura 15.13 Mecanismos patogênicos propostos para a fibrose pulmonar idiopática. Fatores ambientais potencialmente prejudiciais para o epitélio alveolar interagem com fatores genéticos ou relacionados ao envelhecimento e colocam o epitélio em risco, criando uma lesão epitelial persistente. Fatores secretados a partir do epitélio lesado/ativado, possivelmente amplificados por fatores liberados por células imunes inatas e adaptativas respondendo aos sinais de "perigo" produzidos pelo epitélio danificado, ativam os fibroblastos intersticiais. Há certas evidências de que esses fibroblastos ativados apresentam anormalidades de sinalização que levam ao aumento da sinalização por meio da via PI3K/AKT. Os fibroblastos ativados sintetizam e depositam colágeno, levando à fibrose intersticial e eventual insuficiência respiratória.

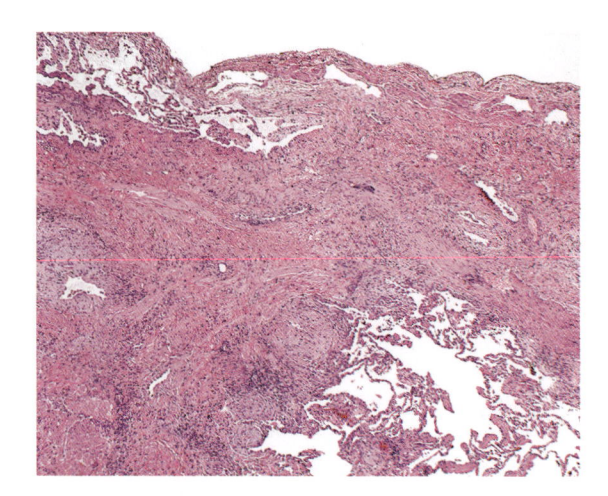

Figura 15.14 Pneumonia intersticial usual. A fibrose é mais pronunciada na região subpleural. (Cortesia da Dr. Nicole Cipriani, Department of Pathology, University of Chicago, Chicago, Ill.)

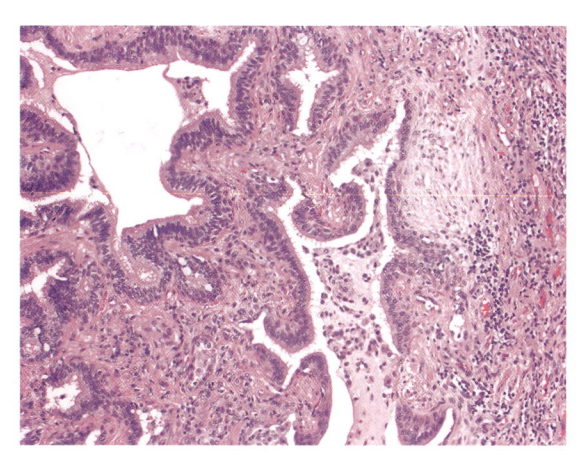

Figura 15.5 Pneumonia intersticial usual. Foco fibroblástico com fibras correndo em paralelo à superfície e à matriz extracelular mixoide azulada. Fibrose em favo de mel está presente à esquerda.

Características clínicas

A FPI começa insidiosamente com aumento gradual da dispneia de esforço e tosse seca. A maioria dos pacientes tem 55 a 75 anos na apresentação. Hipoxemia, cianose e baqueteamento ocorrem tardiamente no curso da doença. O curso em pacientes individuais é imprevisível. Normalmente, há insuficiência respiratória lentamente progressiva, mas alguns pacientes apresentam exacerbações agudas e seguem um curso clínico rapidamente "ladeira abaixo". A mediana de sobrevivência é de aproximadamente 3,8 anos após o diagnóstico. O transplante de pulmão é a única terapia definitiva; no entanto, duas drogas, um inibidor de tirosinoquinase e um antagonista de TGF-β, têm ambos demonstrado capacidade de retardar a progressão da doença e representam a primeira terapia-alvo eficaz (embora modestamente) para FPI.

Pneumonia intersticial não específica

Apesar de seu nome "não específico", é importante reconhecer essa entidade clínica, uma vez que esses pacientes têm um prognóstico muito melhor do que pacientes com PIU. A pneumonia intersticial não específica está mais frequentemente associada a doenças do tecido conjuntivo, mas também pode ser idiopática.

> **Morfologia**
>
> Com base em sua histologia, a pneumonia intersticial não específica é dividida nos padrões celular e fibrosante. O padrão celular consiste principalmente em inflamação intersticial crônica leve a moderada, contendo linfócitos e alguns plasmócitos, em uma distribuição uniforme ou irregular. O padrão fibrosante consiste em lesões fibróticas intersticiais difusas ou irregulares de aproximadamente o mesmo estágio de desenvolvimento, uma distinção importante da PIU. Focos fibroblásticos, fibrose em favo de mel, membranas hialinas e granulomas estão ausentes.

Características clínicas

Os pacientes com pneumonia intersticial não específica apresentam dispneia e tosse que duram vários meses. É mais provável que sejam mulheres não fumantes em sua sexta década de vida. Na imagem, as lesões têm aparência de opacidades reticulares bilaterais, simétricas, predominantemente de lobo inferior. Pacientes com padrão celular são um pouco mais jovens do que aqueles com padrão fibrosante e apresentam um melhor prognóstico.

Pneumonia em organização criptogênica

A pneumonia em organização criptogênica é mais frequentemente observada como uma resposta à infecção ou lesão inflamatória dos pulmões, tendo sido associada a pneumonias virais e bacterianas, toxinas inaladas, fármacos, doença do tecido conjuntivo e doença do enxerto-*versus*-hospedeiro em receptores de transplante de células-tronco hematopoéticas. Os pacientes apresentam tosse e dispneia e têm áreas irregulares de consolidação subpleural ou peribrônquica à radiografia. Histologicamente, caracteriza-se pela presença de tampões polipoides de tecido conjuntivo frouxamente organizados (corpos de Masson) no interior dos ductos alveolares, alvéolos e frequentemente bronquíolos (**Figura 15.16**). O tecido conjuntivo é todo da mesma época, e a arquitetura pulmonar subjacente é normal. Não há fibrose intersticial ou pulmão em favo de mel. Alguns pacientes se recuperam espontaneamente, mas a maioria precisa de tratamento com esteroides orais por 6 meses ou mais para a recuperação completa. O prognóstico a longo prazo é dependente do distúrbio subjacente.

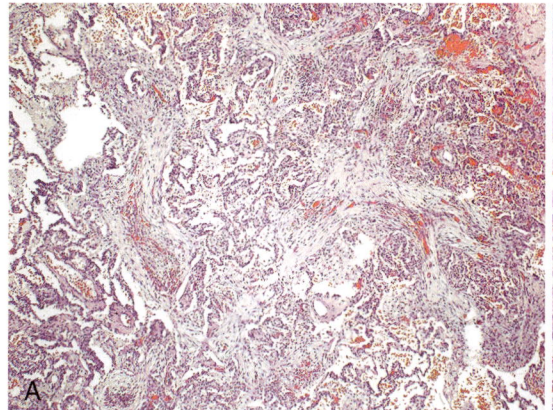

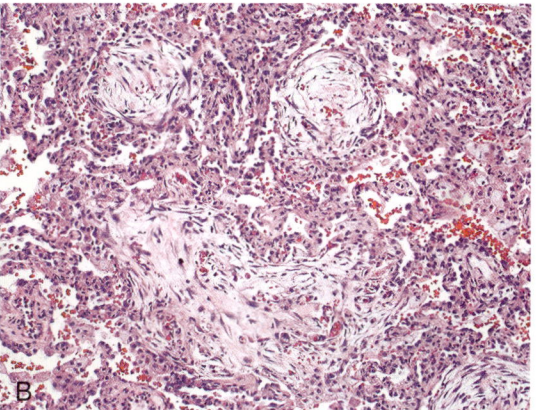

Figura 15.16 Pneumonia em organização criptogênica. Alguns espaços alveolares estão preenchidos com "bolas" de fibroblastos (corpos de Masson), enquanto as paredes alveolares estão relativamente normais. **A.** Pequeno aumento. **B.** Grande aumento.

Envolvimento pulmonar em doenças autoimunes

Muitas doenças autoimunes (também conhecidas como doenças do tecido conjuntivo devido à sua associação frequente com artrite) podem envolver o pulmão em algum momento de seu curso. Aquelas bem reconhecidas por produzirem doenças pulmonares são lúpus eritematoso sistêmico, artrite reumatoide, esclerose sistêmica progressiva (esclerodermia) e dermatomiosite-polimiosite. O envolvimento pulmonar pode assumir diferentes padrões histológicos: pneumonia intersticial não específica, pneumonia intersticial usual, pneumonia em organização e bronquiolite são as mais comuns:

- A *artrite reumatoide* está associada ao envolvimento pulmonar em 30 a 40% dos pacientes na forma de (1) pleurite crônica, com ou sem efusão; (2) pneumonite intersticial difusa e fibrose; (3) nódulos reumatoides intrapulmonares; (4) bronquiolite folicular; ou (5) hipertensão pulmonar. Quando a doença pulmonar ocorre no contexto da artrite reumatoide e pneumoconiose (descrita a seguir), é conhecida como *síndrome de Caplan*
- A *esclerose sistêmica* (esclerodermia) está associada a fibrose intersticial difusa (o padrão intersticial não específico é mais comum do que o padrão intersticial usual) e envolvimento pleural
- O *lúpus eritematoso* pode provocar infiltrados parenquimatosos irregulares e transitórios ou, ocasionalmente, pneumonite lúpica grave, bem como pleurite e derrame pleural.

O envolvimento pulmonar nessas doenças tem um prognóstico variável determinado pela extensão e padrão histológico do envolvimento.

> **Conceitos-chave**
>
> **Doenças pulmonares intersticiais crônicas**
>
> - A fibrose intersticial difusa do pulmão dá origem a doenças pulmonares restritivas caracterizadas por complacência pulmonar reduzida e CVF reduzida. A razão de VEF_1 para CVF é normal
> - A fibrose pulmonar idiopática é um protótipo de doenças pulmonares restritivas. É caracterizada por fibrose intersticial irregular, focos fibroblásticos e formação de espaços císticos (pulmão em favo de mel). Esse padrão histológico é conhecido como fibrose intersticial usual
> - A causa da fibrose pulmonar idiopática é desconhecida, mas as análises genéticas apontam para papéis de senescência do epitélio alveolar (devido ao encurtamento do telômero), produção alterada de mucina e sinalização anormal nos fibroblastos alveolares. A lesão de células epiteliais alveolares desencadeia eventos que levam ao aumento da produção local de citocinas fibrogênicas, como o TGF-β.

Pneumoconioses

O termo *pneumoconiose*, **cunhado originalmente para descrever a reação pulmonar não neoplásica à inalação de poeiras minerais encontradas no local de trabalho, agora também inclui a doença induzida por gases e vapores químicos.** Uma classificação simplificada é apresentada na **Tabela 15.6**. Quando implementados, regulamentos que limitam a exposição do trabalhador resultam em diminuição acentuada das doenças associadas à poeira.

Tabela 15.6 Doenças pulmonares causadas por poluentes do ar.

Agente	Doença	Exposição
Poeiras minerais		
Poeira do carvão	Antracose, Máculas, Fibrose maciça progressiva, Síndrome de Caplan	Mineração (particularmente antracito)
Sílica	Silicose, Síndrome de Caplan	Trabalhos de fundição de metal, jateamento de areia, mineração de rochas duras, corte de pedra, outros
Amianto	Asbestose, Placas pleurais, Síndrome de Caplan, Mesotelioma, Carcinoma do pulmão, laringe, estômago, cólon	Mineração, moagem, manufatura, instalação e remoção de insulação
Berílio	Beriliose aguda, Granulomatose por berílio, Carcinoma pulmonar (?)	Mineração, manufatura
Óxido de ferro	Siderose	Soldagem
Sulfato de bário	Baritose	Mineração
Óxido de estanho	Estanose	Mineração
Poeiras orgânicas que induzem pneumonite por hipersensibilidade		
Feno mofado	Pulmão do fazendeiro	Atividade rural
Bagaço	Bagaçose	Fabricação de placas de revestimento, papel
Excretas de pássaros	Pulmão do criador de pássaros	Manipulação de pássaros
Poeiras orgânicas que induzem asma		
Algodão, linho, cânhamo	Bissinose	Manufatura têxtil
Poeira de cedro vermelho	Asma	Serralheria, carpintaria
Fumaças e vapores químicos		
Óxido nitroso, dióxido de enxofre, amônia, benzeno, inseticidas	Bronquite, asma, Edema pulmonar, SDRA/ARDS, Lesão de mucosa, Envenenamento fulminante	Exposição ocupacional ou acidental

SDRA/ARDS, síndrome de desconforto respiratório agudo.

Patogênese

Os seguintes fatores específicos influenciam o desenvolvimento da pneumoconiose derivada de partículas de poeira:

- *Retenção de poeira*, determinada pela concentração de poeira no ar ambiente, duração da exposição e eficácia dos mecanismos de depuração. Qualquer influência que prejudica a depuração mucociliar, como fumar cigarros, aumenta significativamente o acúmulo de poeira nos pulmões

- *Tamanho da partícula*. As partículas mais perigosas são de 1 a 5 μm de diâmetro porque as partículas deste tamanho podem atingir as pequenas vias respiratórias terminais e os sacos aéreos depositando-se em seus revestimentos
- *Solubilidade e citotoxicidade de partículas*, que são influenciadas pelo tamanho da partícula. Em geral, pequenas partículas compostas por substâncias nocivas de alta solubilidade são mais propensas a produzir lesão pulmonar aguda de início rápido. Em contraste, partículas maiores são mais propensas a resistir à dissolução e podem persistir no parênquima pulmonar por anos. Estas tendem a evocar pneumoconioses colágenas fibrosantes, como é característica da *silicose*
- *Captação de partículas pelas células epiteliais ou saída através dos revestimentos epiteliais*, permitindo que ocorram interações diretas com fibroblastos e macrófagos intersticiais. Algumas partículas podem alcançar os linfonodos diretamente através da drenagem linfática ou no interior de macrófagos em migração e, assim, iniciar uma resposta imune adaptativa aos componentes particulados ou a proteínas próprias modificadas pelas partículas, ou ambos
- A *ativação do inflamassoma* (ver **Capítulo 3**), que ocorre após a fagocitose de certas partículas por macrófagos. Essa resposta imune inata amplifica a intensidade e a duração da reação local
- *Tabagismo*, o qual piora os efeitos de todas as poeiras minerais inaladas, particularmente aquelas geradas do amianto.

Em geral, apenas uma pequena porcentagem de pessoas expostas desenvolve doenças respiratórias ocupacionais, implicando uma predisposição genética para tal. Muitas doenças listadas na **Tabela 15.6** são bastante incomuns; portanto, apenas algumas poucas que causam fibrose pulmonar são apresentadas a seguir.

Pneumoconiose dos carvoeiros

A pneumoconiose dos carvoeiros é uma doença pulmonar causada por inalação de partículas de carvão e outras formas misturadas de poeira. Medidas de redução de poeira em minas de carvão ao redor do globo reduziram drasticamente sua incidência. O espectro de achados pulmonares em carvoeiros é amplo, variando de antracose assintomática, formas simples de pneumoconiose dos carvoeiros com pouca ou nenhuma disfunção pulmonar, formas complicadas de pneumoconiose dos carvoeiros, ou *fibrose progressiva maciça*, na qual a função pulmonar está comprometida. A contaminação por sílica na poeira de carvão favorece o desenvolvimento de doença progressiva. Na maioria dos casos, a própria poeira de carbono é o principal culpado, e estudos demonstraram que as lesões das formas complicadas contêm muito mais poeira do que as lesões das formas simples. Os carvoeiros também podem desenvolver enfisema e bronquite crônica independente do hábito de fumar.

> ### Morfologia
>
> Os depósitos de carbono são de cor escura preta e facilmente visíveis macroscópica e microscopicamente. A **antracose** é a lesão pulmonar induzida por carvão mais inócua de carvoeiros, sendo também observada em algum grau em residentes urbanos e tabagistas. O pigmento de carbono inalado é englobado por macrófagos alveolares ou intersticiais, que se acumulam no tecido conjuntivo adjacente aos vasos linfáticos e em tecidos linfoides organizados adjacentes aos brônquios ou no hilo pulmonar.
>
> A forma simples de pneumoconiose dos carvoeiros é caracterizada por **máculas de carvão** (1 a 2 mm de diâmetro) e **nódulos de carvão** um pouco maiores. Máculas de carvão consistem em macrófagos repletos de carbono; os nódulos também contêm uma delicada rede de fibras de colágeno. Embora essas lesões estejam espalhadas por todo o pulmão, os lobos superiores e as zonas superiores dos lobos inferiores estão mais intensamente envolvidas. Elas estão localizadas principalmente adjacentes aos bronquíolos respiratórios, o local de acúmulo inicial da poeira. No devido tempo, ocorre a dilatação de alvéolos adjacentes, às vezes dando origem ao **enfisema centrolobular**.
>
> A ocorrência da **forma complicada de pneumoconiose dos carvoeiros** (fibrose maciça progressiva) tem a forma simples da doença como pano de fundo e geralmente requer muitos anos para se desenvolver. É caracterizada por cicatrizes intensamente enegrecidas de 1 cm ou mais, às vezes com até 10 cm no maior diâmetro. Elas geralmente são múltiplas. Microscopicamente, as lesões consistem em colágeno denso e pigmento (**Figura 15.17**). O centro da lesão geralmente é necrótica, provavelmente devido à isquemia local.

Características clínicas

A pneumoconiose dos carvoeiros é geralmente benigna, causando pequeno decréscimo na função pulmonar. Mesmo as formas leves do tipo complicado de pneumoconiose dos carvoeiros não afetam a função pulmonar significativamente. Em uma minoria de casos (menos de 10%), desenvolve-se a fibrose maciça progressiva,

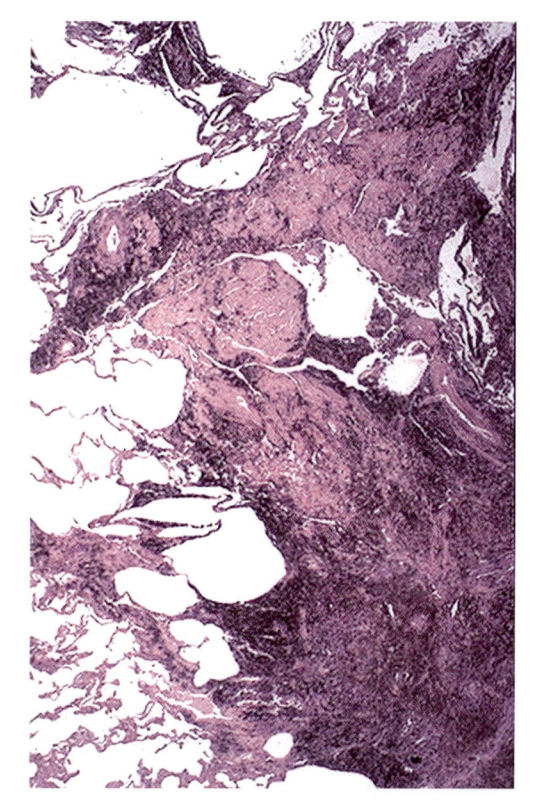

Figura 15.17 Fibrose maciça progressiva em um carvoeiro. Uma grande quantidade de pigmento preto está associada à fibrose intersticial densa. (De Klatt EC: *Robbins and Cotran Atlas of Pathology*, ed. 2, Philadelphia, 2010, Saunders, p. 121.)

levando ao aumento da disfunção pulmonar, hipertensão pulmonar, e *cor pulmonale*. Uma vez que a fibrose maciça progressiva se desenvolve, pode continuar a piorar mesmo que a exposição adicional a poeira seja evitada. Ao contrário da silicose (discutida a seguir), não há evidências convincentes de que a pneumoconiose dos carvoeiros aumenta a suscetibilidade à tuberculose, nem predispõe ao câncer na ausência de tabagismo. No entanto, o uso doméstico interno de "carvão fumegante" (betuminoso) para cozinhar e para aquecimento, uma prática comum em áreas de mais baixa renda do mundo, está associado ao aumento do risco de morte por câncer de pulmão, mesmo em quem não fuma.

Silicose

A silicose é uma doença pulmonar comum causada por inalação de dióxido de silício cristalino pró-inflamatório (sílica). A doença geralmente se apresenta após décadas de exposição na forma de pneumoconiose nodular, fibrosante e lentamente progressiva. Atualmente, a silicose é a doença ocupacional crônica mais prevalente no mundo. Tanto a dose quanto a raça são importantes para o desenvolvimento de silicose (afro-americanos correm maior risco do que caucasianos). Como mostra a **Tabela 15.6**, trabalhadores de um grande número de ocupações estão sob risco, incluindo indivíduos envolvidos com o reparo, reabilitação ou demolição de estruturas de concreto como edifícios e estradas. A doença também ocorre em trabalhadores que produzem denim desgastado por jato de areia, escultores de pedra e joalheiros que usam moldes de giz. Ocasionalmente, grande exposição durante períodos de meses a alguns anos pode resultar em silicose aguda, um distúrbio caracterizado pelo acúmulo de material lipoproteináceo abundante no interior dos alvéolos (morfologicamente idêntico à proteinose alveolar, discutida posteriormente).

Patogênese

A fagocitose de cristais de sílica inalados por macrófagos ativa o inflamassoma e estimula a liberação de mediadores inflamatórios, particularmente IL-1 e IL-18. Por sua vez, esse processo induz o recrutamento de células inflamatórias adicionais e ativa fibroblastos intersticiais, levando à deposição de colágeno. A sílica ocorre tanto na forma cristalina quanto na forma amorfa, embora as formas cristalinas (incluindo quartzo, cristobalita e tridimita) sejam muito mais fibrogênicas. Destes, o quartzo está mais comumente implicado. Acredita-se que a falta de respostas graves à sílica em mineradores de carvão e hematita ocorre devido ao revestimento da sílica com outros minerais, especialmente componentes da argila, que tornam a sílica menos tóxica. Apesar dos silicatos amorfos serem biologicamente menos ativos do que a sílica cristalina, cargas pulmonares pesadas desses minerais também podem produzir lesões.

> **Morfologia**
>
> A silicose é caracterizada macroscopicamente em seus estágios iniciais por nódulos minúsculos, quase impalpáveis, discretamente pálidos a enegrecidos (caso também haja pó de carvão), presentes nos linfonodos hilares e nas zonas superiores dos pulmões. Conforme a doença progride, esses nódulos se aglutinam em **cicatrizes** (**Figura 15.18**). Alguns nódulos podem sofrer amolecimento central e cavitação devido a tuberculose ou isquemia sobreposta.

> As lesões fibróticas também podem ocorrer nos linfonodos hilares e na pleura. Às vezes, folhas finas de calcificação ocorrem nos linfonodos e são observados radiograficamente como **calcificação em casca de ovo** (i. e., cálcio em torno de uma zona sem calcificação). Se a doença continua a progredir, a expansão e a coalescência das lesões pode produzir fibrose maciça progressiva. O exame histológico revela a lesão que é a "marca registrada" da doença, caracterizada por uma área central de fibras de colágeno em disposição concêntrica, com uma zona mais periférica de macrófagos repletos de poeira (**Figura 15.19**). O exame dos nódulos por microscopia de luz polarizada revela partículas de silicato fracamente birrefringentes.

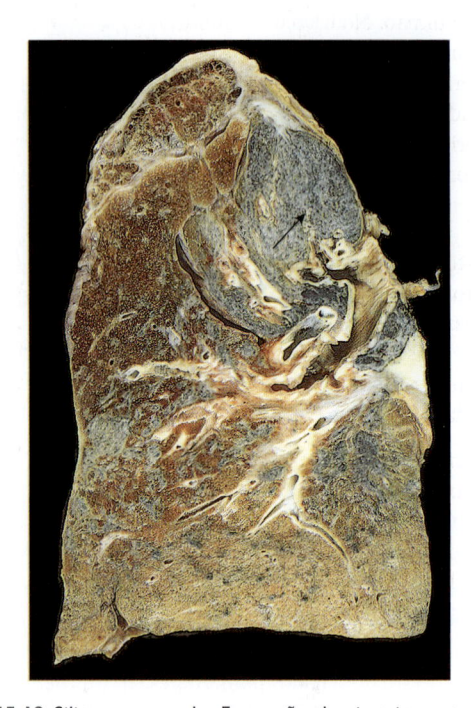

Figura 15.18 Silicose avançada. Formação de cicatriz contraiu o lobo superior, resultando em uma pequena massa escura (*seta*). Observe o denso espessamento pleural. (Cortesia do Dr. John Godleski, Brigham and Women's Hospital, Boston, Mass.)

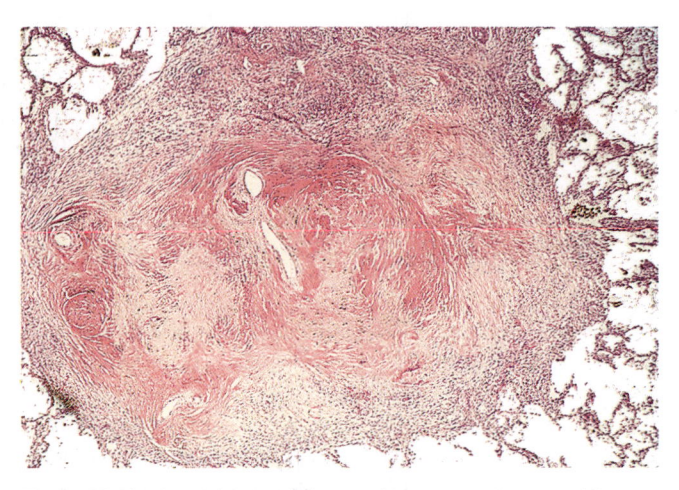

Figura 15.19 Vários nódulos silicóticos colagenosos coalescentes. (Cortesia do Dr. John Godleski, Brigham and Women's Hospital, Boston, Mass.)

Características clínicas

O início da silicose pode ser lento e insidioso (o mais comum é de 10 a 30 anos após a exposição), acelerado (dentro de 10 anos de exposição) ou rápido (semanas ou meses após intensa exposição à poeira fina rica em sílica, mas isso é raro). As radiografias de tórax geralmente mostram uma nodularidade fina nas zonas superiores do pulmão. A função pulmonar é normal ou apenas moderadamente afetada no início do curso clínico, sendo que a maioria dos pacientes não desenvolve falta de ar até que a fibrose maciça progressiva sobrevenha. A doença pode continuar a piorar mesmo se o paciente não estiver mais exposto ao agente. A doença demora para o paciente ir a óbito, mas a função pulmonar prejudicada pode limitar seriamente as atividades.

A silicose também está associada a um aumento da suscetibilidade à *tuberculose* e a um risco duas vezes maior de desenvolver câncer de pulmão. No caso da tuberculose, pode ser que a sílica cristalina iniba a capacidade de macrófagos pulmonares matarem micobactérias fagocitadas. A ligação com o câncer não é totalmente compreendida, mas é apenas uma dentre muitas condições inflamatórias crônicas que aumentam o risco de desenvolvimento de carcinoma nos tecidos envolvidos (ver **Capítulo 7**).

Doenças relacionadas ao amianto

O amianto é uma família de silicatos hidratados cristalinos pró-inflamatórios que estão associados a fibrose pulmonar e várias formas de câncer. O uso de amianto é fortemente restrito em muitos países de alta renda; contudo, há pouco ou nenhum controle nas regiões de baixa renda no mundo. As doenças relacionadas ao amianto incluem:

- Placas fibrosas localizadas ou, raramente, fibrose pleural difusa
- Derrames pleurais recorrentes
- Fibrose intersticial parenquimatosa (*asbestose*)
- Carcinoma pulmonar
- Mesotelioma
- Neoplasias laríngeas, ovarianas e talvez outras extrapulmonares, incluindo carcinoma de cólon
- Risco aumentado para o desenvolvimento de doenças autoimunes sistêmicas e doenças cardiovasculares também foram propostas.

A incidência aumentada de cânceres relacionados ao amianto em familiares de trabalhadores expostos ao amianto alertou o público em geral para os perigos potenciais, mesmo quando há baixos níveis de exposição. Entretanto, a necessidade de programas caros para a redução de amianto em ambientes como escolas, que apresentam baixas (embora mensuráveis) contagens de fibras de amianto no ar, permanece uma questão controversa.

Patogênese

A capacidade das diferentes formas de amianto de causar doenças depende da concentração, tamanho, forma e solubilidade. O asbesto ocorre em duas formas geométricas distintas, serpentinas e anfibólios. A forma crisotila, pertencente ao grupo das serpentinas, representa 90% do asbesto usado na indústria. Os anfibólios, embora menos prevalentes, são mais patogênicos do que os crisotilas, particularmente no que diz respeito à indução de mesotelioma, uma neoplasia maligna derivada das células de revestimento das superfícies pleurais (descrito mais adiante).

A maior patogenicidade dos anfibólios está aparentemente relacionada às suas propriedades aerodinâmicas e de solubilidade. Os crisotilas, com sua estrutura mais flexível e enrolada, têm maior chance de ficarem impactados nas vias respiratórias superiores e serem removidos pelo elevador mucociliar. Além disso, uma vez aprisionados nos pulmões, os crisotilas são gradualmente lixiviados dos tecidos porque são mais solúveis do que os anfibólios. Em contraste, os anfibólios retos e rígidos podem se alinhar com a corrente de ar e, assim, se depositar mais profundamente nos pulmões, onde podem penetrar nas células epiteliais e alcançar o interstício. Tanto os anfibólios quanto as serpentinas são fibrogênicos, e doses crescentes estão associadas a uma maior incidência de doenças relacionadas ao asbesto.

Em contraste com outras poeiras inorgânicas, o asbesto atua como iniciador e promotor de tumores (ver **Capítulo 7**). Alguns de seus efeitos oncogênicos são mediados por radicais livres reativos gerados por fibras de amianto, que preferencialmente se localizam no pulmão distal, próximo às células mesoteliais da pleura. Agentes químicos tóxicos adsorvidos nas fibras de amianto também provavelmente contribuem para a oncogenicidade das fibras. Por exemplo, a adsorção de carcinógenos da fumaça do cigarro nas fibras de amianto pode ser a base para a notável sinergia entre tabagismo e o desenvolvimento de carcinoma de pulmão em trabalhadores expostos ao amianto. O hábito de fumar também aumenta o efeito do amianto em interferir na depuração mucociliar de fibras. Um estudo com trabalhadores expostos ao amianto encontrou um aumento de 5 vezes no risco de desenvolvimento de carcinoma pulmonar quando há exposição apenas ao amianto, enquanto a exposição ao amianto, associada ao hábito de fumar, provocou um aumento de 55 vezes nesse risco.

Uma vez fagocitadas por macrófagos, as fibras de amianto ativam o inflamassoma e estimulam a liberação de fatores pró-inflamatórios e mediadores fibrogênicos. A lesão inicial ocorre em bifurcações das vias respiratórias pequenas e ductos, onde as fibras de amianto aterrissam, penetram e são diretamente tóxicas para as células do parênquima pulmonar. Macrófagos alveolares e intersticiais tentam ingerir e eliminar as fibras. A longo prazo, a deposição de fibras e liberação persistente de mediadores (p. ex., espécies reativas de oxigênio, proteases, citocinas e fatores de crescimento) eventualmente causam inflamação pulmonar intersticial generalizada e fibrose.

> ### Morfologia
>
> A asbestose é marcada por **fibrose pulmonar intersticial difusa**, que se distingue da fibrose intersticial difusa resultante de outras causas apenas pela presença de **corpos de asbesto**. Os corpos de asbesto têm coloração marrom-dourada, são fusiformes ou têm a forma de hastes frisadas com um centro translúcido, que consistem em fibras de amianto revestidas com um material proteináceo que contém ferro (**Figura 15.20**). Eles surgem quando os macrófagos fagocitam as fibras de amianto, sendo que o ferro é presumivelmente derivado da ferritina do fagócito. Outros particulados inorgânicos podem ser revestidos com complexos de ferro-proteína semelhantes e são chamados **corpos ferruginosos**.
>
> A asbestose começa como uma fibrose em torno dos bronquíolos respiratórios e ductos alveolares e se estende para envolver os sacos alveolares e alvéolos adjacentes. A fibrose distorce a arquitetura do tecido, criando espaços aéreos aumentados e cercados por paredes fibrosas espessas; eventualmente as regiões afetadas adquirem o aspecto de favo de mel. O padrão da fibrose é histologicamente semelhante ao observado na fibrose intersticial normal, com focos fibroblásticos e graus variados de fibrose.

Em contraste com a pneumoconiose e silicose dos carvoeiros, a asbestose começa nos lobos inferiores e subpleuralmente, com os lobos médio e superior sendo afetados à medida que a fibrose progride. A cicatriz pode prender e estreitar as artérias e arteríolas pulmonares, causando hipertensão pulmonar e *cor pulmonale*.

As **placas pleurais**, manifestação mais comum da exposição ao amianto, são placas bem circunscritas de colágeno denso frequentemente calcificado (**Figura 15.21**). Elas se desenvolvem com mais frequência nos aspectos anterior e posterolateral da pleura parietal e sobre as cúpulas do diafragma. O tamanho e o número de placas pleurais não se correlacionam com o nível de exposição ao amianto ou o tempo de exposição. Elas também não contêm corpos de amianto identificáveis; no entanto, raramente ocorrem em indivíduos sem histórico ou evidência de exposição ao amianto. Eventualmente, a exposição ao amianto induz derrames pleurais, que geralmente são serosos, mas podem apresentar sangue. Raramente, a fibrose pleural visceral difusa pode ocorrer e, em casos avançados, grudar o pulmão à parede torácica.

Tanto carcinomas pulmonares quanto mesoteliomas (pleural e peritoneal) se desenvolvem em trabalhadores expostos ao amianto (ver seções "Carcinomas" e "Neoplasias pleurais").

Figura 15.21 Placas pleurais relacionadas ao asbesto. Placas fibrosas e calcificadas grandes e bem delimitadas são vistas na superfície pleural do diafragma. (Cortesia do Dr. John Godleski, Brigham and Women's Hospital, Boston, Mass.)

Características clínicas

Os achados clínicos na asbestose são muito semelhantes aos causados por outras doenças pulmonares intersticiais difusas (discutidas anteriormente). Raramente aparecem menos de 10 anos após a primeira exposição e são mais comuns após 20 a 30 anos. A dispneia geralmente é a primeira manifestação, provocada pelo esforço no início, mas depois está presente mesmo em repouso. Quanto presente, a tosse associada à produção de escarro provavelmente se deve ao tabagismo e não à asbestose. Os estudos de radiografia de tórax revelam densidades lineares irregulares, particularmente em ambos os lobos inferiores. Com o avanço da pneumoconiose, um padrão em favo de mel se desenvolve. A doença pode permanecer estática ou progredir para uma insuficiência respiratória, *cor pulmonale* e morte. As placas pleurais são geralmente assintomáticas e são detectadas nas radiografias como densidades circunscritas. A asbestose complicada por câncer de pulmão ou pleural está associada a um prognóstico particularmente negativo.

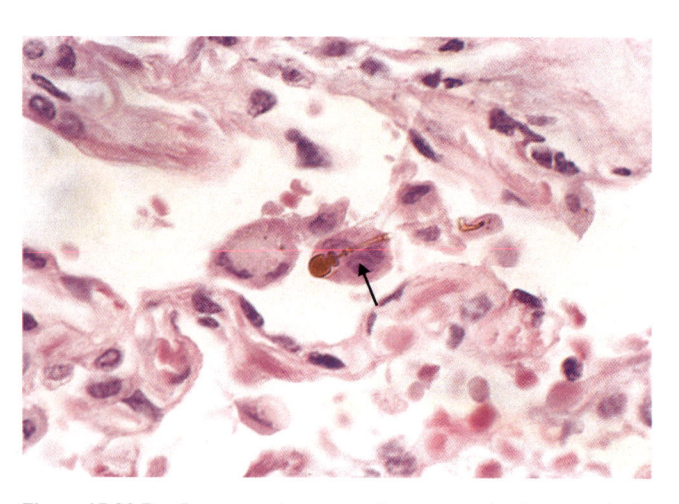

Figura 15.20 Detalhe em grande aumento de um corpo de asbesto revelando as extremidades peroladas e salientes típicas (*seta*).

Conceitos-chave

Pneumoconioses

- As pneumoconioses englobam um grupo de doenças fibrosantes crônicas do pulmão resultantes da exposição a substâncias orgânicas e particulados inorgânicos, mais comumente poeira mineral
- Os macrófagos alveolares pulmonares desempenham um papel central na patogênese da lesão pulmonar, promovendo inflamação e produzindo citocinas fibrogênicas
- A doença induzida pela poeira de carvão varia desde antracose assintomática e formas simples da pneumoconiose dos carvoeiros (máculas ou nódulos de carvão e enfisema centrolobular), até fibrose maciça progressiva, que se manifesta por disfunção pulmonar crescente, hipertensão pulmonar e *cor pulmonale*
- A silicose é a pneumoconiose mais comum no mundo, sendo a sílica cristalina (p. ex., quartzo) a frequente culpada. A doença pulmonar é progressiva mesmo após o fim da exposição
- As manifestações da silicose variam desde a nódulos silicóticos assintomáticos a grandes áreas de fibrose densa; pessoas com silicose também têm uma suscetibilidade aumentada à tuberculose. Há um aumento de duas vezes no risco de desenvolvimento do câncer de pulmão
- As fibras de amianto se apresentam em duas formas; os anfibólios rígidos têm maior potencial fibrogênico e carcinogênico do que os crisotilas pertencente ao grupo das serpentinas
- A exposição ao amianto está ligada a seis processos clínicos: (1) fibrose intersticial do parênquima (asbestose); (2) placas pleurais localizadas (assintomáticas) ou raramente fibrose pleural difusa; (3) derrames pleurais recorrentes; (4) carcinoma pulmonar; (5) mesoteliomas pleural e peritoneal malignos; e (6) câncer de laringe
- O tabagismo aumenta o risco de desenvolvimento do câncer de pulmão no contexto de exposição ao amianto; mesmo membros da família de trabalhadores expostos ao amianto estão em maior risco de desenvolver carcinoma pulmonar e mesotelioma

Complicações das terapias

Doenças pulmonares induzidas por drogas. Um número crescente de medicamentos prescritos causa uma variedade de alterações agudas e crônicas na estrutura e função pulmonar, fibrose intersticial, bronquiolite obliterante e pneumonia eosinofílica. Por exemplo, drogas citotóxicas usadas na terapia do câncer (p. ex., bleomicina) causam danos pulmonares e fibrose como resultado de toxicidade direta e estimulam o influxo de células inflamatórias para os alvéolos. Amiodarona, um fármaco usado para tratar arritmias cardíacas, concentra-se preferencialmente no pulmão e causa pneumonite significativa em 5 a 15% dos pacientes que a recebem. Tosse induzida pelos inibidores da enzima conversora da angiotensina é muito comum.

O uso abusivo de drogas ilícitas intravenosas costuma causar infecções pulmonares. Além disso, o material particulado usado para adulterar/diluir essas drogas ilícitas pode se alojar na microvasculatura pulmonar, produzindo inflamação granulomatosa e fibrose.

Doenças pulmonares induzidas por radiação. A pneumonite por radiação é uma complicação bem conhecida da radioterapia para tratar neoplasias torácicas (pulmão, esôfago, mama, mediastino). Na maioria das vezes, essa condição envolve o pulmão que está dentro do campo de radiação e se apresenta em formas aguda e crônica. A pneumonite aguda por radiação (alveolite linfocítica ou pneumonite por hipersensibilidade) ocorre entre 1 e 6 meses após a irradiação em 3 a 44% dos pacientes, dependendo da dose e da idade. As manifestações são: febre, dispneia desproporcional ao volume de pulmão irradiado, derrame pleural e infiltrados pulmonares. As alterações morfológicas são as mesmas causadas pela lesão alveolar difusa associada a atipia de pneumócitos do tipo II e fibroblastos hiperplásicos. A atipia de células epiteliais e células espumosas dentro das paredes dos vasos também são características dos danos por radiação. A terapia com esteroides pode resolver completamente esses sintomas, mas alguns casos progridem para uma pneumonite por radiação crônica (fibrose pulmonar), que também pode ocorrer na ausência de pneumonite por radiação aguda antecedente ou clinicamente aparente. Em sua forma mais grave, a pneumonite por radiação crônica associada a fibrose progressiva pode causar cianose, hipertensão pulmonar e *cor pulmonale*.

Doenças granulomatosas

Sarcoidose

A sarcoidose é uma doença granulomatosa sistêmica de causa desconhecida que pode envolver muitos tecidos e órgãos. As várias apresentações clínicas da sarcoidose são multifacetadas, mas as mais comuns são a linfadenopatia hilar bilateral ou envolvimento pulmonar parenquimatoso, que ocorrem em 90% dos casos. Em termos de frequência, as lesões de olhos e pele são as próximas. Como outras doenças, incluindo infecções micobacterianas, fúngicas e beriliose, também podem produzir granulomas não caseosos, sendo o diagnóstico de exclusão.

A sarcoidose geralmente ocorre em adultos com menos de 40 anos, mas pode afetar qualquer faixa etária. A prevalência é maior em mulheres, mas varia amplamente em diferentes países e populações. Nos EUA, as taxas são mais altas no sudeste e são 10 vezes maiores em afro-americanos do que em caucasianos. Em contraste, a doença é rara entre os chineses e pessoas do Sudeste Asiático. Os padrões de envolvimento dos órgãos também variam com a etnia.

Patogênese

Embora várias linhas de evidência sugiram que a sarcoidose seja uma doença de regulação imunológica desordenada em indivíduos geneticamente predispostos, sua etiologia é desconhecida. Existem várias anormalidades imunológicas no ambiente local de granulomas sarcoides que sugerem uma resposta imune mediada por células a um antígeno não identificado. Essas anormalidades incluem:

- Acúmulo intra-alveolar e intersticial de células T $CD4^+$, resultando em razões de células T CD4/CD8 que variam de 5: 1 a 15: 1 e sugerem o envolvimento patogênico de células T auxiliares $CD4^+$. Há expansão oligoclonal de subconjuntos de células T como determinado pela análise do rearranjo do receptor de células T, consistente com uma proliferação dirigida por antígeno
- Níveis aumentados de citocinas Th1 derivadas de células T, como IL-2 e interferona (IFN)-γ, que podem ser responsáveis pela expansão de células T e ativação de macrófagos, respectivamente
- Aumento dos níveis de várias citocinas no ambiente local (IL-8, TNF, proteína inflamatória de macrófago 1α), que favorece o recrutamento adicional de células T e monócitos e contribui para a formação de granulomas. O TNF em particular é liberado em níveis elevados por macrófagos alveolares ativados e a concentração de TNF no líquido broncoalveolar é um marcador da atividade da doença
- Função prejudicada das células dendríticas.

Adicionalmente, existem anormalidades imunológicas sistêmicas em indivíduos com sarcoidose. São frequentemente observadas anergia em testes cutâneos com antígenos comuns como *Candida* ou derivado proteico purificado (PPD, *purified protein derivative*) da tuberculose, e hipergamaglobulinemia policlonal, outra manifestação de desregulação das células T auxiliares. Evidências de influências genéticas incluem agrupamento familiar e étnico de casos e a associação com certos genótipos de antígenos leucocitários humanos (HLA, *human leukocyte antigens*), como por exemplo, HLA-A1 e HLA-B8.

> ### Morfologia
>
> Praticamente todos os órgãos do corpo são afetados pela sarcoidose, mesmo que em raras ocasiões. Os tecidos envolvidos contêm **granulomas** bem formados sem necrose (**Figura 15.22**) compostos de agregados de macrófagos epitelioides fortemente agrupados, frequentemente com células gigantes. A necrose central é incomum. Com a cronicidade, os granulomas podem ficar encarcerados por bordas fibrosas ou eventualmente ser substituídos por cicatrizes fibrosas hialinas. Concreções laminadas compostas de cálcio e proteínas conhecidas como **corpos de Schaumann** e inclusões estreladas conhecidas como **corpúsculos asteroides** são encontradas dentro de células gigantes em aproximadamente 60% dos granulomas. Embora característicos, esses achados microscópicos são não patognomônicos de sarcoidose porque os corpúsculos asteroides e corpos de Schaumann podem ser encontrados em outras doenças granulomatosas (p. ex., tuberculose).
>
> O **pulmão** é um local comum de envolvimento. Macroscopicamente, não há alteração demonstrável no geral, embora nos casos em fase avançada, a coalescência dos granulomas produza pequenos nódulos de 1 a 2 cm que são palpáveis ou visíveis, com

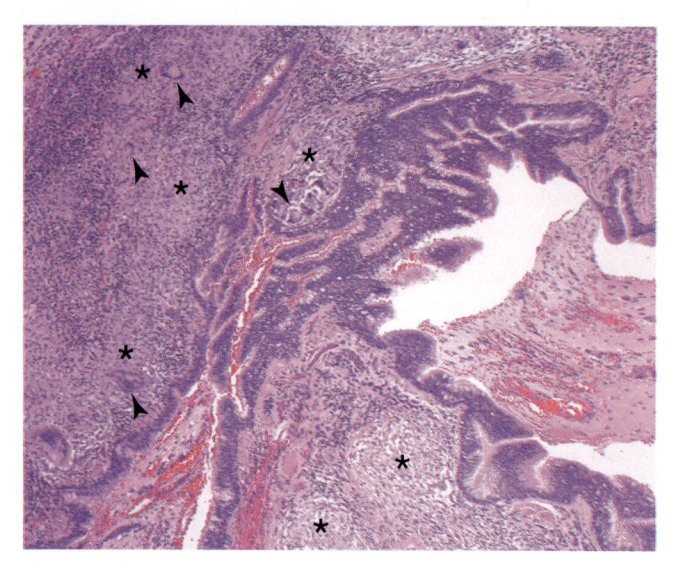

Figura 15.22 Brônquio com granulomas sarcóideos não caseosos característicos (*asteriscos*), com muitas células gigantes multinucleadas (*cabeças de seta*). Observe a localização subepitelial dos granulomas.

aspecto de consolidações sem caseosas e sem cavitação. As lesões são distribuídas primariamente ao longo dos vasos linfáticos ao redor dos brônquios e vasos sanguíneos, embora também sejam observadas lesões alveolares e envolvimento pleural. A frequência relativamente alta de granulomas na submucosa brônquica explica o alto rendimento diagnóstico de biopsias broncoscópicas. Parece haver uma forte tendência de cura das lesões nos pulmões, portanto vários estágios de fibrose e hialinização são frequentemente encontrados.

Os **linfonodos** estão envolvidos em quase todos os casos, particularmente os gânglios hilares e mediastinais, mas qualquer gânglio do corpo pode ser afetado. Os gânglios estão caracteristicamente aumentados, bem delimitados e às vezes calcificados. Granulomas tonsilares são vistos em cerca de um quarto a um terço dos casos. Há envolvimento do **baço** em aproximadamente 75% dos casos, mas esplenomegalia evidente é observada em apenas 20% dos casos. Ocasionalmente, os granulomas podem coalescer para formar pequenos nódulos visíveis macroscopicamente. O **fígado** é afetado um pouco menos frequentemente do que o baço. Pode estar moderadamente aumentado e, em geral, contém granulomas dispersos, em maior número nas tríades portais do que no parênquima lobular.

A **medula óssea** está envolvida em cerca de 20% dos casos. Radiologicamente, lesões ósseas visíveis apresentam uma tendência particular de envolver ossos falangeais das mãos e dos pés, criando pequenas áreas circunscritas de reabsorção óssea dentro da cavidade medular, além de um padrão reticulado difuso em toda a cavidade, com alargamento das hastes ósseas ou formação de osso novo nas superfícies externas.

As **lesões cutâneas**, encontradas em 25% dos casos, assumem uma variedade de aparências, incluindo nódulos subcutâneos discretos; placas eritematosas focais e ligeiramente elevadas; ou lesões planas que são ligeiramente avermelhadas e escamadas, lembrando aquelas encontradas no lúpus eritematoso sistêmico. As lesões também podem aparecer nas membranas mucosas da cavidade oral, laringe e trato respiratório superior. Outros pacientes apresentam **eritema nodoso**, nódulos eritematosos dolorosos nas canelas que se originam de paniculites septais.

O **envolvimento ocular**, visto em 25% dos casos, assume a forma de irite ou iridociclite e pode ser bilateral ou unilateral. Consequentemente, opacidades da córnea, glaucoma e perda total da visão podem ocorrer. Essas lesões oculares são frequentemente acompanhadas por inflamação das glândulas lacrimais e supressão da lacrimação (**síndrome sicca**). A sarcoidose bilateral das glândulas parótida, submaxilar e sublingual constituem o envolvimento uveoparotídeo combinado conhecido como síndrome de Mikulicz (ver **Capítulo 16**).

O envolvimento dos **músculos** é subdiagnosticado, uma vez que pode ser assintomático. A presença de fraqueza muscular, dores, sensibilidade e fadiga devem ser considerados como sinais de miosite sarcoide oculta, que pode ser diagnosticada por biopsia muscular. Os granulomas sarcoides ocasionalmente ocorrem no coração, rins, sistema nervoso central (neurossarcoidose, observada em 5 a 15% dos casos), além de glândulas endócrinas, particularmente na glândula pituitária, bem como em outros tecidos do corpo.

Características clínicas

Por causa da gravidade variável e distribuição inconsistente nos tecidos, a sarcoidose pode se apresentar com diversas características. Pode ser descoberta inesperadamente em radiografias de rotina do tórax como uma adenopatia hilar bilateral ou se apresentar como uma linfadenopatia periférica, ou ainda na forma de lesões cutâneas, envolvimento ocular, esplenomegalia ou hepatomegalia. Entretanto, na grande maioria dos casos, os indivíduos procuram atendimento médico por causa do início insidioso de anormalidades respiratórias (falta de ar, tosse, dor no peito, hemoptise) ou de sinais e sintomas constitucionais (febre, fadiga, perda de peso, anorexia, suor noturno).

A sarcoidose segue um curso imprevisível. Pode ser inexoravelmente progressiva ou marcada por períodos de atividade intercalada com remissões, às vezes permanentes, que podem ser espontâneas ou induzidas por terapia com esteroides. No geral, 65 a 70% dos pacientes afetados se recuperam com manifestações residuais mínimas ou ausentes. Em 20% dos pacientes há perda permanente de alguma função pulmonar ou alguma deficiência visual também permanente. Dos 10 a 15% restantes, alguns morrem de problemas cardíacos ou danos ao sistema nervoso central, mas a maioria sucumbe de fibrose pulmonar progressiva e *cor pulmonale*.

Conceitos-chave
Sarcoidose

- A sarcoidose é uma doença multissistêmica de etiologia desconhecida; a característica histopatológica diagnóstica é a presença de granulomas não caseosos em vários tecidos
- Anormalidades imunológicas incluem altos níveis de células T $CD4^+$ no pulmão que secretam citocinas Th1-dependentes, como IFN-γ e IL-2 localmente
- As manifestações clínicas incluem aumento dos linfonodos, envolvimento ocular (síndrome sicca [olhos secos], irite ou iridociclite), lesões cutâneas (p. ex., eritema nodoso) e envolvimento visceral (fígado, pele, medula). O envolvimento pulmonar ocorre em 90% dos casos, com formação de granulomas e fibrose intersticial

Pneumonite por hipersensibilidade

O termo *pneumonite por hipersensibilidade* descreve um espectro de distúrbios pulmonares imunologicamente mediados, predominantemente intersticiais, causados por exposição intensa e frequentemente prolongada a antígenos orgânicos inalados. Os indivíduos afetados apresentam uma sensibilidade anormal ou reatividade aumentada ao antígeno causador que, ao contrário da asma, provoca alterações patológicas que envolvem primariamente as paredes alveolares (por isso o sinônimo *alveolite alérgica extrínseca*). É importante reconhecer essas doenças no início de seu curso clínico porque a progressão para uma doença pulmonar fibrótica crônica grave pode ser prevenida pela remoção do agente ambiental.

Mais comumente, a hipersensibilidade resulta da inalação de poeira orgânica contendo antígenos compostos de esporos de bactérias termofílicas, fungos, proteínas animais ou produtos bacterianos. Numerosas síndromes são descritas, dependendo da ocupação ou exposição do indivíduo. A condição conhecida como *pulmão do fazendeiro* resulta da exposição a poeiras geradas a partir de feno úmido, quente e recém-colhido que permite a rápida proliferação de esporos de actinomicetos termofílicos. A condição chamada *pulmão dos criadores de pombos* (doença dos apreciadores de pássaros) é provocada por proteínas do soro, excrementos ou penas de aves. Já a condição chamada *pulmão do umidificador* ou *do ar condicionado* é causada por bactérias termofílicas presentes em reservatórios de água aquecida. Pássaros de estimação e porões mofados passam facilmente despercebidos na anamnese, a menos que questionados especificamente.

Várias linhas de evidências sugerem que a pneumonite por hipersensibilidade é uma doença imunologicamente mediada:

- Amostras de lavado broncoalveolar da fase aguda apresentam níveis aumentados de quimiocinas pró-inflamatórias, tais como proteína inflamatória do macrófago 1α e IL-8
- Amostras de lavado broncoalveolar também apresentam números aumentados de linfócitos T $CD4^+$ e $CD8^+$ de forma consistente
- A maior parte dos pacientes tem anticorpos específicos no soro contra o antígeno causador
- Complemento e imunoglobulinas foram demonstrados dentro das paredes dos vasos por imunofluorescência
- A presença de granulomas não necrosantes em dois terços dos pacientes sugere que reações de hipersensibilidade mediadas por células T (tipo IV) contra os antígenos implicados têm um papel patogênico.

> ### Morfologia
>
> As alterações histológicas dependem da fase da doença; o dano alveolar agudo é observado entre as primeiras horas e poucos dias após exposição ao antígeno, enquanto as alterações subagudas são caracteristicamente centradas nos bronquíolos. Estas incluem pneumonite intersticial, consistindo principalmente de linfócitos, plasmócitos e macrófagos (eosinófilos são raros), bem como granulomas não necrosantes (**Figura 15.23**). Fibrose intersticial com focos fibroblásticos, faveolamento e bronquiolite obliterativa, assim como com granulomas, é observada na fase crônica.

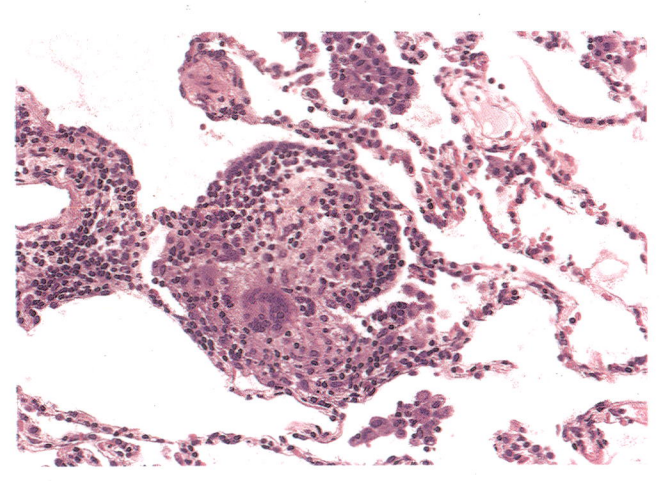

Figura 15.23 Pneumonite por hipersensibilidade. Granulomas intersticiais de formação frouxa e inflamação crônica são características.

Características clínicas

As manifestações clínicas da pneumonite por hipersensibilidade são variadas. Ataques agudos que se seguem à inalação de poeira antigênica em pacientes sensibilizados, consistem em episódios de febre, dispneia, tosse e leucocitose. Infiltrados intersticiais micronodulares podem aparecer na radiografia de tórax e testes de função pulmonar mostram um transtorno restritivo agudo. Os sintomas geralmente aparecem 4 a 6 horas após a exposição e podem durar de 12 horas a vários dias, sendo recorrentes com a reexposição. Se a exposição for contínua e prolongada, sobrevém uma forma crônica da doença, levando a fibrose progressiva, dispneia e cianose – um quadro semelhante ao visto em outras formas de doença intersticial crônica.

Eosinofilia pulmonar

Embora relativamente raras, existem várias entidades pulmonares clínicas e patológicas caracterizadas por um infiltrado de eosinófilos, recrutados em parte por elevados níveis alveolares de atraentes de eosinófilos, como a IL-5. A eosinofilia pulmonar é dividida nas seguintes categorias:

- *Pneumonia eosinofílica aguda com insuficiência respiratória.* Essa é uma doença aguda de causa desconhecida que apresenta um início rápido com febre, dispneia e insuficiência respiratória hipoxêmica. A radiografia de tórax mostra infiltrados difusos e o líquido do lavado broncoalveolar contém mais de 25% de eosinófilos. A histologia mostra dano alveolar difuso e muitos eosinófilos. A doença responde rapidamente aos corticosteroides
- *Eosinofilia secundária*, que ocorre em várias infecções parasitárias, fúngicas e bacterianas; na pneumonia por hipersensibilidade; em alergias a medicamentos; e em associação com asma, aspergilose broncopulmonar alérgica ou *síndrome de Churg-Strauss*, uma forma de vasculite
- *Pneumonia eosinofílica idiopática crônica*, caracterizada por áreas focais de consolidação celular da substância pulmonar distribuídas principalmente na periferia dos campos pulmonares. Agregados de linfócitos e eosinófilos dentro das paredes septais e espaços alveolares são proeminentes nessas lesões.

Fibrose intersticial e pneumonia em organização estão frequentemente presentes. Esses pacientes apresentam tosse, febre, suores noturnos, dispneia e perda de peso, sendo que todos respondem à corticoterapia. A pneumonia eosinofílica crônica é diagnosticada quando outras causas de eosinofilia pulmonar são excluídas.

Doenças intersticiais relacionadas ao tabagismo

As doenças relacionadas ao tabagismo podem ser agrupadas em doenças obstrutivas (enfisema e bronquite crônica, já discutidas) e doenças restritivas ou intersticiais. Uma maioria dos indivíduos com fibrose pulmonar idiopática são fumantes; no entanto, o papel do tabagismo em sua patogênese ainda não foi esclarecido. Pneumonia intersticial descamativa e doença pulmonar intersticial associada a bronquiolite são duas outras doenças pulmonares intersticiais associadas ao tabagismo dignas de breve menção.

Pneumonia intersticial descamativa

A pneumonia intersticial descamativa é caracterizada por grandes coleções de macrófagos nos espaços aéreos de um fumante ou ex-fumante. Originalmente, acreditava-se que os macrófagos seriam pneumócitos descamados – daí o nome inapropriado "pneumonia intersticial descamativa".

> **Morfologia**
>
> A descoberta mais surpreendente é o acúmulo de um grande número de macrófagos com citoplasma abundante com um pigmento de coloração marrom empoeirada (**macrófagos de fumantes**) nos espaços aéreos (**Figura 15.24**). Alguns dos macrófagos contêm corpos lamelares (compostos de surfactante) dentro de vacúolos fagocíticos, presumivelmente derivados de pneumócitos do tipo II necróticos. Os septos alveolares estão espessados por um infiltrado inflamatório esparso de linfócitos, plasmócitos e, ocasionalmente, eosinófilos. Os septos são revestidos por pneumócitos protuberantes e cuboidais. A fibrose intersticial, quando presente, é leve, enquanto o enfisema está frequentemente presente.

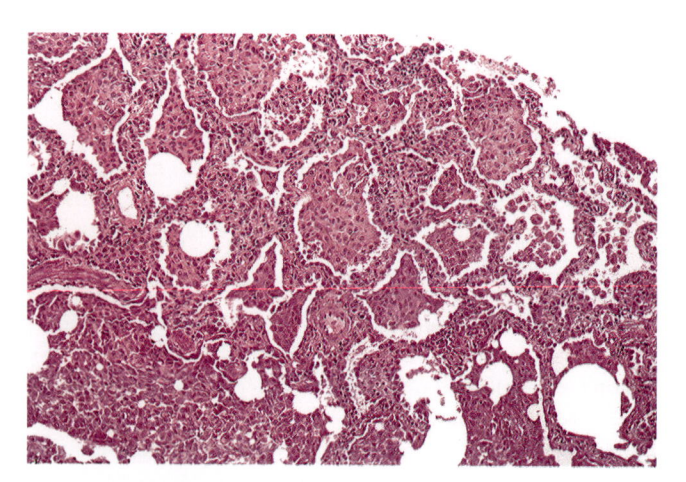

Figura 15.24 Pneumonia intersticial descamativa. Detalhe em médio aumento do pulmão demonstra o acúmulo de grande número de macrófagos dentro dos espaços alveolares e somente ligeiro espessamento fibroso das paredes alveolares.

A pneumonia intersticial descamativa geralmente se apresenta na quarta ou quinta década de vida e atualmente é tão comum em homens quanto em mulheres. Praticamente todos os pacientes são fumantes. Os sintomas que se manifestam incluem um início insidioso de dispneia e tosse seca ao longo de semanas ou meses, frequentemente associados ao baqueteamento digital. Os testes de função pulmonar geralmente mostram uma anormalidade restritiva leve e capacidade de difusão moderadamente diminuída. Os pacientes com pneumonia intersticial descamativa geralmente apresentam uma excelente resposta à terapia com esteroides e à cessação do tabagismo, mas ocasionalmente os pacientes evoluem para fibrose intersticial.

Doença pulmonar intersticial associada a bronquiolite respiratória

A doença pulmonar intersticial associada a bronquiolite respiratória é marcada por inflamação crônica e fibrose peribronquiolar. É uma lesão histológica comum em fumantes, caracterizada pela presença de macrófagos com pigmentação intraluminal no interior de bronquíolos respiratórios de primeira e segunda ordem. Em sua forma mais branda, é na maioria das vezes um achado incidental nos pulmões de fumantes ou ex-fumantes. O termo *doença pulmonar intersticial associada a bronquiolite respiratória* é usado para pacientes que desenvolvem sintomas pulmonares significativos, função pulmonar anormal e anormalidades de imagem.

> **Morfologia**
>
> As mudanças são irregulares em baixo resolução e apresentam distribuição bronquiolocêntrica. Os bronquíolos respiratórios, ductos alveolares e espaços peribronquiolares contêm agregados de macrófagos de coloração marrom empoeirado (**macrófagos de fumantes**) semelhantes aos vistos na pneumonia intersticial descamativa. Há um infiltrado peribronquiolar e na submucosa irregular de linfócitos e histiócitos. Fibrose peribronquiolar leve também é observada, que se expande de forma contígua aos septos alveolares. O enfisema centrolobular é comum, mas não grave. A pneumonia intersticial descamativa é frequentemente encontrada em diferentes partes do mesmo pulmão.

Os sintomas são geralmente leves e consistem em início gradual de dispneia e tosse em pacientes que são tipicamente fumantes com exposição de mais de 30 maços-ano na quarta ou quinta década de vida. Cessação do tabagismo geralmente resulta em melhoria.

Histiocitose pulmonar de células de Langerhans

A histiocitose pulmonar de células de Langerhans é uma doença rara caracterizada por coleções focais de células de Langerhans (frequentemente acompanhada por eosinófilos). À medida que essas lesões progridem, ocorre a cicatrização, levando à destruição das vias respiratórias e dano alveolar que resultam no aparecimento de espaços císticos irregulares. A imagem do tórax mostra anormalidades císticas e nodulares características. As células de Langerhans são células dendríticas imaturas com núcleos estriados e recortados, além de citoplasma abundante. Essas células são positivas para S100, CD1a e CD207 (langerina), mas são negativas para CD68.

Mais de 90% dos pacientes afetados são adultos relativamente jovens, fumantes ou ex-fumantes; entre os fumantes, cerca de metade melhora após a cessação do tabagismo, sugerindo que em alguns casos, as lesões são decorrentes de um processo inflamatório reativo. No entanto, em outros casos, as células de Langerhans têm mutações ativadoras na serina/treonina quinase BRAF, uma característica consistente com um processo neoplásico que também é comumente visto na histiocitose de células de Langerhans envolvendo outros tecidos (ver **Capítulo 13**). Uma base neoplásica pode explicar porque a doença progride em alguns pacientes, às vezes até necessitando transplante de pulmão.

Proteinose alveolar pulmonar

A proteinose alveolar pulmonar (PAP) é uma doença rara causada por defeitos na função dos macrófagos pulmonares devido à deficiência na sinalização do fator de estimulador de colônias de granulócitos-macrófagos (GM-CSF, *granulocyte-macrophage colony-stimulating factor*), **que resulta no acúmulo de surfactante nos espaços intra-alveolar e bronquiolar.** A PAP é caracterizada radiologicamente por opacificações pulmonares assimétricas irregulares bilaterais. Existem três classes distintas da doença – autoimune (conhecida anteriormente como adquirida), secundária e congênita –, cada qual com um espectro semelhante de alterações histológicas:

- A *PAP autoimune* é causada por autoanticorpos que se ligam e neutralizam a função do GM-CSF. Ocorre principalmente em adultos, representa 90% de todos os casos de PAP e não apresenta qualquer predisposição familiar. Camundongos com nocauteamento do gene do GM-CSF desenvolvem PAP e são "curados" pelo tratamento com GM-CSF. A perda de sinalização do GM-CSF bloqueia a diferenciação terminal de macrófagos alveolares, prejudicando sua capacidade de catabolizar o surfactante
- A *PAP secundária* é incomum e está associada a diversas doenças, incluindo distúrbios hematopoéticos, doenças malignas, distúrbios de imunodeficiência, intolerância à proteína lisinúrica (um erro inato do metabolismo de aminoácidos) e silicose aguda, além de outras síndromes inalatórias. Especula-se que essas doenças de alguma forma prejudicam a sinalização dependente de GM-CSF ou eventos *downstream* envolvidos na maturação ou função do macrófago, mais uma vez causando depuração inadequada do surfactante dos espaços alveolares
- A *PAP hereditária* é extremamente rara, ocorre em neonatos e é causada por mutações de perda de função nos genes que codificam o GM-CSF ou seu receptor.

> ### Morfologia
>
> A doença é caracterizada pelo acúmulo de precipitados intra-alveolares que contêm proteínas surfactantes, causando consolidação focal-confluente de grandes áreas dos pulmões com mínima reação inflamatória (**Figura 15.25**). Como consequência, há um aumento acentuado no tamanho e peso do pulmão. O precipitado alveolar é rosa, homogêneo e positivo para a coloração com ácido periódico de Schiff, além de conter fendas de colesterol e proteínas surfactantes (que podem ser demonstrados por coloração imuno-histoquímica). Ultraestruturalmente, as lamelas de surfactante em pneumócitos do tipo II são normais, em contraste com os distúrbios de disfunção do surfactante (descritos a seguir).

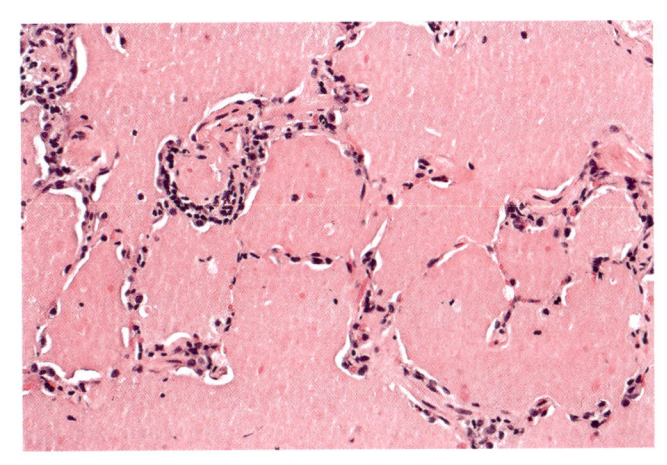

Figura 15.25 Proteinose alveolar pulmonar. Os alvéolos estão preenchidos por um precipitado granular proteico-lipídico denso e amorfo, enquanto as paredes alveolares estão normais.

Características clínicas

Em sua maioria, pacientes adultos apresentam tosse e escarro abundante que geralmente contém pedaços de material gelatinoso. Alguns apresentam sintomas que se estendem por anos, muitas vezes com doenças febris intermitentes causadas por infecções pulmonares secundárias causadas por uma variedade de organismos. Pode ocorrer dispneia progressiva, cianose e insuficiência respiratória, mas a condição segue um curso benigno em diversos pacientes, com resolução eventual das lesões. A lavagem pulmonar total é o tratamento padrão e fornece benefícios independentemente do defeito subjacente. A terapia com GM-CSF é segura e eficaz em mais da metade dos pacientes com PAP autoimune e a terapia dirigida ao distúrbio subjacente também pode ser útil. A doença primária é tratada com terapia de reposição de GM-CSF, às vezes seguida por transplante de células-tronco hematopoéticas alogênicas, que pode levar à cura.

Distúrbios de disfunção do surfactante

Os distúrbios de disfunção do surfactante são doenças causadas por diversas mutações em genes que codificam proteínas envolvidas no tráfico ou secreção de surfactantes. As manifestações clínicas variam de insuficiência respiratória neonatal a doença pulmonar intersticial de início na idade adulta. Os seguintes genes estão mais comumente mutados:

- O *membro 3 da proteína do cassete de ligação ao ATP* (ABCA3, *ATP-binding cassette protein member 3*) é o gene mais frequentemente mutado em distúrbios de disfunção do surfactante. Mutações em *ABCA3* estão associadas a um transtorno autossômico recessivo, que normalmente se apresenta nos primeiros meses de vida, com insuficiência respiratória rapidamente progressiva seguida de morte. Menos comumente, chama atenção em crianças mais velhas e em adultos com doença pulmonar intersticial crônica
- O segundo gene mais comumente mutado nos distúrbios de disfunção do surfactante codifica a *proteína surfactante C*. Essa forma tem um padrão de herança autossômica dominante e apresenta um curso altamente variável

- O terceiro gene mais comumente mutado nos distúrbios de disfunção do surfactante codifica a *proteína surfactante B*. Essa forma tem um padrão de herança autossômica recessiva. Normalmente ocorre nascimento a termo e a dificuldade respiratória se desenvolve progressivamente logo após o nascimento. A morte segue entre 3 e 6 meses de idade, a menos que seja realizado transplante de pulmão.

> ### Morfologia
>
> Há uma quantidade variável de material granular intra-alveolar rosa, hiperplasia de pneumócitos do tipo II, fibrose intersticial e simplificação alveolar. As colorações imuno-histoquímicas mostram a falta das proteínas surfactantes C e B em suas respectivas deficiências. Ultraestruturalmente, anormalidades em corpos lamelares nos pneumócitos do tipo II podem ser observadas em todas as três formas; pequenos corpos lamelares com núcleos eletrodensos são diagnósticos para mutação de *ABCA3* (**Figura 15.26**).

Doenças de origem vascular

Embolia pulmonar e infarto

A embolia pulmonar é uma causa importante de morbidade e mortalidade, particularmente em pacientes que estão acamados, mas também em uma ampla gama de condições associadas a hipercoagulabilidade. Coágulos sanguíneos que obstruem as grandes artérias pulmonares são quase sempre de origem embólica. A fonte usual – trombos nas veias profundas da perna (> 95% dos casos) – e a magnitude do problema clínico foram discutidos no **Capítulo 4**. A embolia pulmonar causa mais de 50 mil mortes/ano nos EUA e sua incidência na necropsia varia entre 1 (na população geral de pacientes hospitalares) e 30% (em pacientes que vão a óbito após queimaduras graves, traumas ou fraturas). A embolia pulmonar é a única e principal causa que contribui com a morte em cerca de 10% dos adultos que morrem agudamente em hospitais. Em contraste, as tromboses pulmonares dos grandes vasos são raras e se desenvolvem apenas na presença de hipertensão pulmonar e insuficiência cardíaca.

Patogênese

A embolia pulmonar geralmente ocorre em pacientes com condição predisponente que causa uma tendência aumentada à coagulação (trombofilia). Os pacientes costumam ter doenças cardíacas, câncer ou foram imobilizados por vários dias ou semanas antes do aparecimento de uma embolia sintomática. Pacientes com fraturas de quadril são particularmente de alto risco. Estados de hipercoagulação, tanto primários (p. ex., fator V de Leiden, mutações na protrombina e síndrome antifosfolipíde) ou secundários (p. ex., obesidade, cirurgia recente, câncer, uso de anticoncepcional oral, gravidez) são fatores de risco importantes. Linhas venosas centrais internas podem ser um "berço" para a formação de trombos no átrio direito, que podem causar embolia pulmonar. Raramente, a embolia pulmonar pode consistir em gordura, ar ou neoplasia. Pequenos êmbolos derivados da medula óssea são frequentemente observados em pacientes que morrem após compressões torácicas executadas durante os esforços de reanimação.

A resposta fisiopatológica e o significado clínico da embolia pulmonar dependem da extensão de obstrução do fluxo sanguíneo da artéria pulmonar, do tamanho dos vasos obstruídos, do número de êmbolos e da saúde cardiovascular do paciente. Os êmbolos têm duas consequências fisiopatológicas deletérias: (1) *comprometimento respiratório* devido ao segmento não perfundido, embora ventilado; e (2) *comprometimento hemodinâmico* devido ao aumento da resistência ao fluxo sanguíneo pulmonar causado pela obstrução embólica. Muitas vezes ocorre morte súbita, principalmente como resultado do bloqueio do fluxo sanguíneo pelos pulmões. A morte também pode ser causada por insuficiência cardíaca aguda direita (*cor pulmonale agudo*).

> ### Morfologia
>
> Os grandes êmbolos alojam-se na artéria pulmonar principal, em seus ramos principais ou na bifurcação como um êmbolo em sela (**Figura 15.27**). Êmbolos menores trafegam para vasos mais periféricos, onde podem causar hemorragia ou infarto. Em pacientes com função cardiovascular adequada, o suprimento da artéria brônquica sustenta o parênquima pulmonar; neste caso, pode ocorrer hemorragia, mas não infarto. Naqueles pacientes em que a função cardiovascular já está comprometida, como os portadores de doenças cardíacas ou pulmonares, o infarto é mais comum. No geral, cerca de 10% dos êmbolos causam infarto. Aproximadamente 75% dos infartos afetam os lobos inferiores e, em mais da metade, múltiplas lesões ocorrem. Eles variam em tamanho desde aquelas pouco visíveis até lesões massivas envolvendo grandes partes de um lobo. Normalmente, elas se estendem à periferia do pulmão como uma cunha cujo ápice aponta para o hilo do pulmão. Em muitos casos, um vaso obstruído é identificado próximo ao ápice do infarto. A embolia pulmonar pode ser distinguida de um coágulo *post-mortem* pela presença das linhas de Zahn no trombo (ver **Capítulo 4**).

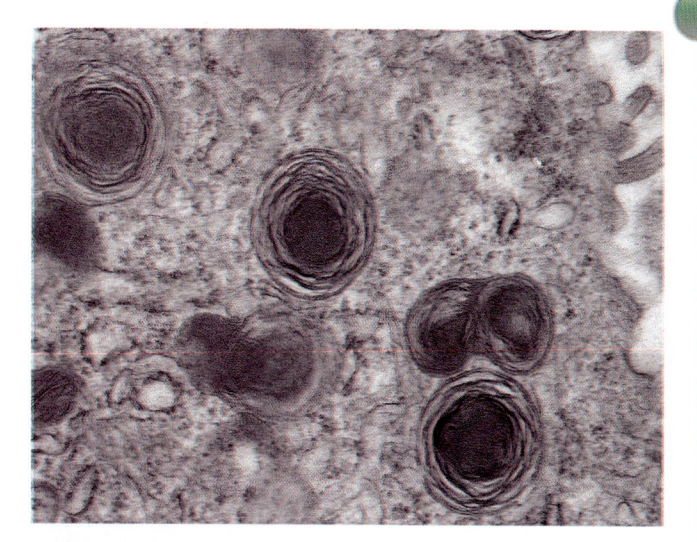

Figura 15.26 Proteinose alveolar pulmonar associada à mutação do gene *ABCA3*. A micrografia eletrônica mostra pneumócitos do tipo II com pequenas lamelas de surfactante com núcleos eletrodensos, uma aparência característica de casos associados às mutações em *ABCA3*.

O infarto pulmonar é classicamente hemorrágico e aparece como uma área elevada, vermelho-azulada nos estágios iniciais (**Figura 15.28**). Muitas vezes, a superfície pleural justaposta é coberta por um exsudato fibrinoso. Os eritrócitos começam a se romper dentro de 48 horas, o infarto torna-se mais pálido e eventualmente marrom-avermelhado conforme a hemossiderina é produzida. Com o passar do tempo, começa a substituição fibrosa nas margens como uma zona periférica cinza-esbranquiçada e, eventualmente, o infarto se converte em uma cicatriz contraída. Histologicamente, a área hemorrágica apresenta necrose isquêmica das paredes alveolares, bronquíolos e vasos. Se o infarto for causado por um êmbolo infectado, a reação inflamatória neutrofílica pode ser intensa. Tais lesões são conhecidas como **infartos sépticos**, alguns dos quais se transformam em abscessos.

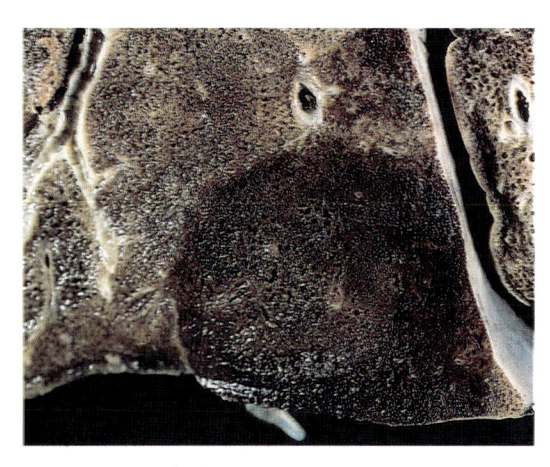

Figura 15.28 Infarto pulmonar hemorrágico agudo.

Características clínicas

Um êmbolo pulmonar grande é uma das poucas causas de morte praticamente instantânea. Durante a reanimação cardiopulmonar em tais casos, é frequentemente dito que o paciente tem dissociação eletromecânica, na qual o eletrocardiograma tem um ritmo, mas não há pulso palpável porque nenhum sangue está entrando na circulação arterial pulmonar. Entretanto, se o paciente sobrevive após apresentar embolia pulmonar considerável, síndrome clínica pode mimetizar o infarto do miocárdio, com forte dor no tórax, dispneia e choque. Os pequenos êmbolos são silenciosos ou induzem apenas dor no tórax e tosse transientes. No grupo restante de pacientes com embolia pulmonar sintomática, os sintomas de apresentação mais comuns são (em ordem decrescente): dispneia, dor pleurítica e tosse, acompanhada em cerca de metade dos casos de inchaço ou dor na panturrilha ou na coxa. Os êmbolos que causam infarto pulmonar podem, adicionalmente, produzir febre e hemoptise. Uma pleurite fibrinosa sobrejacente pode produzir fricção pleural.

Em pacientes hemodinamicamente estáveis com risco baixo a moderado de embolia pulmonar, a dosagem do dímero-D é um teste de triagem útil, pois um nível normal exclui embolia pulmonar. O diagnóstico definitivo geralmente é feito por meio de angiografia pulmonar por tomografia computadorizada, que identifica artérias pulmonares obstruídas. Raramente, outros métodos diagnósticos são solicitados, como a cintilografia de ventilação-perfusão. A trombose venosa profunda pode ser diagnosticada com ultrassonografia duplex. A radiografia de tórax pode ser normal ou revelar um infarto pulmonar, geralmente 12 a 36 horas após sua ocorrência, como um infiltrado em forma de cunha.

Após a agressão aguda inicial, os êmbolos geralmente se resolvem via contração e fibrinólise, particularmente em pacientes relativamente jovens. Se não for resolvido, vários pequenos êmbolos podem provocar hipertensão pulmonar e *cor pulmonale* crônico. Talvez o mais importante seja que um pequeno êmbolo pode ser o presságio de um êmbolo maior. Na presença de uma condição subjacente predisponente, pacientes com embolia pulmonar tem 30% de probabilidade de sofrer uma segunda embolia.

A prevenção da embolia pulmonar é um desafio clínico importante para o qual não há solução fácil. A terapia profilática inclui deambulação precoce em pacientes de pós-operatório e pós-parto, meias elásticas e meias de compressão graduada para pacientes acamados, além de anticoagulantes em indivíduos de alto risco. O tratamento da embolia pulmonar inclui anticoagulantes e medidas de suporte; a trombólise pode trazer algum benefício em pacientes com complicações graves (p. ex., choque) mas acarreta um alto risco de sangramento. Aqueles sob o risco de embolia pulmonar recorrente nos quais a terapia com anticoagulantes é contraindicada podem receber um filtro na veia cava inferior (uma espécie de "guarda-chuva") que captura coágulos antes de atingirem os pulmões.

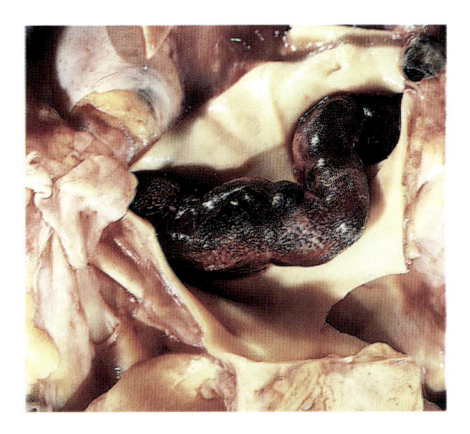

Figura 15.27 Grande êmbolo em sela proveniente da veia femoral montado sobre as artérias pulmonares principais esquerda e direita. (Do acervo de ensino do Department of Pathology, University of Texas Southwestern Medical School, Dallas, Tex.)

> ### Conceitos-chave
> #### Embolia pulmonar
> - Quase todos os grandes trombos da artéria pulmonar são de origem embólica, geralmente se originando das veias profundas da porção inferior da perna
> - Os fatores de risco incluem repouso prolongado na cama, cirurgia nas pernas, traumas graves, insuficiência cardíaca congestiva, uso de anticoncepcionais orais (especialmente aqueles com alto teor de estrogênio), câncer disseminado e formas hereditárias de hipercoagulabilidade

- A grande maioria dos êmbolos (60 a 80%) são clinicamente silenciosos, enquanto uma minoria (5%) causa *cor pulmonale* agudo, choque ou morte (normalmente de grandes "êmbolos em sela"). O restante causa sintomas relacionados à incompatibilidade ventilação-perfusão e/ou infarto pulmonar, particularmente dispneia e dor pleurítica
- O risco de recorrência é alto e a embolia recorrente pode eventualmente causar hipertensão pulmonar e *cor pulmonale*.

Hipertensão pulmonar

A hipertensão pulmonar é definida como uma pressão arterial pulmonar média maior ou igual a 25 mmHg em repouso. Com base nos mecanismos subjacentes, a OMS classificou a hipertensão pulmonar em cinco grupos: (1) hipertensão arterial pulmonar, um conjunto diversificado de doenças que impacta primariamente pequenas artérias musculares pulmonares; (2) hipertensão pulmonar associada a insuficiência cardíaca esquerda; (3) hipertensão pulmonar por doenças pulmonares e/ou hipoxia; (4) hipertensão pulmonar tromboembólica crônica e outras obstruções; e (5) hipertensão pulmonar com mecanismos obscuros e/ou multifatoriais.

Patogênese

Como pode ser deduzido da classificação anterior, a hipertensão pulmonar tem diversas causas, mesmo dentro de cada grupo. Isso é mais frequentemente associado a condições cardiopulmonares estruturais que aumentam o fluxo sanguíneo pulmonar, a resistência vascular pulmonar ou a resistência do coração esquerdo ao fluxo sanguíneo. Algumas das causas mais comuns são:

- *Doenças pulmonares intersticiais ou obstrutivas crônicas* (grupo 3). Essas doenças obliteram os capilares alveolares, aumentando resistência pulmonar ao fluxo sanguíneo e, secundariamente, a pressão arterial pulmonar
- *Antecedente de doença cardíaca congênita ou adquirida* (grupo 2). A estenose mitral, por exemplo, causa um aumento da pressão atrial esquerda e da pressão venosa pulmonar que é eventualmente transmitido para o lado arterial da vasculatura pulmonar, provocando hipertensão
- *Tromboêmbolos recorrentes* (grupo 4). Êmbolos pulmonares recorrentes podem causar hipertensão pulmonar por reduzir a área de secção transversal funcional do leito vascular pulmonar, que por sua vez provoca um aumento na resistência vascular pulmonar
- *Doenças autoimunes* (grupo 1). Várias dessas doenças (mais especialmente a esclerose sistêmica) envolvem a vasculatura e/ou o interstício pulmonar, causando aumento da resistência vascular e hipertensão pulmonar
- *Apneia obstrutiva do sono* (grupo 3) é um distúrbio comum associado à obesidade e hipoxemia. É agora reconhecido como um fator que contribui significativamente para o desenvolvimento de hipertensão pulmonar e *cor pulmonale*.

Raramente, hipertensão pulmonar é encontrada em pacientes nos quais todas as causas conhecidas foram excluídas; refere-se a isso como *hipertensão arterial pulmonar idiopática*, também compreendida no grupo 1 de doença. No entanto, "idiopático" é um termo um tanto impróprio, uma vez que até 80% dos casos "idiopáticos" (às vezes referidos como hipertensão pulmonar primária) têm uma base genética, às vezes sendo hereditários em famílias como um traço autossômico dominante. Dentro dessas famílias, há penetrância incompleta e apenas 10 a 20% dos membros da família realmente desenvolvem manifestações da doença.

Como costuma ser o caso, muito se aprendeu sobre a patogênese da hipertensão pulmonar investigando a base molecular da forma familiar rara da doença. A primeira mutação descoberta na hipertensão arterial pulmonar familiar estava no gene que codifica o receptor tipo 2 da proteína morfogenética óssea (BMPR2, *bone morphogenetic protein receptor type 2*). Mutações inativadoras do gene *BMPR2* na linhagem germinativa são encontradas em 75% dos casos familiares de hipertensão pulmonar e 25% dos casos esporádicos. Posteriormente, outras mutações foram descobertas e também convergem na via de BMPR2, afetando sua sinalização intracelular. Também foi demonstrado que o gene *BMPR2* é regulado negativamente nos pulmões de alguns pacientes com hipertensão arterial pulmonar idiopática sem mutações em *BMPR2*.

BMPR2 é uma proteína da superfície celular pertencente à superfamília dos receptores de TGF-β que se liga a uma variedade de citocinas, incluindo TGF-β, proteína morfogênica óssea (BMP, *bone morphogenetic protein*), ativina, e inibina. Descrita originalmente como uma via que regula o crescimento ósseo, a sinalização BMP-BMPR2 tem agora sua importância reconhecida para a embriogênese e apoptose, além de proliferação e diferenciação celular. Os detalhes ainda precisam ser elucidados, mas parece que a haploinsuficiência de BMPR2 causa disfunção e proliferação de células endoteliais e células musculares lisas vasculares. Como apenas 10 a 20% dos indivíduos portadores de mutações em *BMPR2* desenvolvem a doença, é provável que genes modificadores e/ou gatilhos ambientais também contribuam para a patogênese da doença. Um modelo de dois eventos foi proposto, por meio do qual um indivíduo geneticamente suscetível portador de uma mutação em *BMPR2* requer insultos genéticos ou ambientais adicionais para desenvolver a doença (**Figura 15.29**).

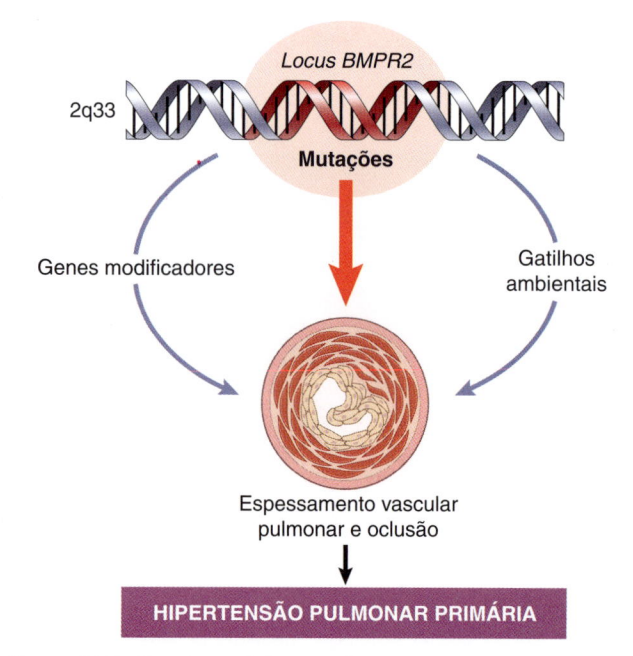

Figura 15.29 Patogênese da hipertensão pulmonar primária (idiopática).

> **Morfologia**
>
> Todas as formas de hipertensão pulmonar estão associadas à **hipertrofia da camada média das artérias musculares e elásticas do pulmão** e à **hipertrofia ventricular direita**. A presença de muitos trombos organizados ou recanalizados favorece a recorrência de embolia pulmonar como a causa dessa forma de hipertensão. A coexistência de fibrose pulmonar difusa, ou de enfisema grave e bronquite crônica, apontam para hipoxia crônica e perda de leitos capilares como eventos iniciadores. As mudanças vasculares podem envolver toda a árvore arterial, desde as artérias pulmonares principais até as arteríolas (**Figura 15.30**). Nos casos mais graves, o espessamento das paredes da artéria pulmonar e seus ramos principais assume algumas características de aterosclerose sistêmica, embora alterações ateroscleróticas clássicas não sejam observadas. Em vez disso, as arteríolas e pequenas artérias (40 a 300 μm de diâmetro) são afetadas de forma proeminente pela impressionante hipertrofia da camada média e fibrose da íntima, que às vezes estreitam a luz do vaso até torná-lo um canal minúsculo. Um extremo do espectro de alterações patológicas é a lesão plexiforme, assim chamada porque um tufo de formações capilares está presente, produzindo uma rede (ou teia), que abrange a luz de pequenas artérias dilatadas de paredes finas e que pode se estender para fora do vaso. As lesões plexiformes são mais proeminentes na hipertensão pulmonar idiopática e familiar (grupo 1), doença cardíaca congênita não reparada com *shunt* esquerda-direita (grupo 2) e hipertensão pulmonar associada à infecção pelo vírus da imunodeficiência humana (HIV) e fármacos (também grupo 1).

Características clínicas

Formas idiopáticas (geralmente hereditárias) de hipertensão pulmonar são mais comuns em mulheres de 20 a 40 anos, mas podem ocorrer ocasionalmente na infância. Os sinais clínicos e os sintomas em todos os tipos tornam-se evidentes apenas em casos avançados da doença. Em casos de doença idiopática, as características de apresentação são geralmente dispneia e fadiga, mas alguns pacientes têm dor no tórax do tipo angina. Com o tempo, ocorrem desconforto respiratório grave, cianose e hipertrofia ventricular direita, e morte causada por *cor pulmonale* descompensado segue-se dentro de 2 a 5 anos em 80% dos pacientes, muitas vezes com tromboembolismo e pneumonia sobrepostos.

As opções de tratamento dependem da causa subjacente. Para pacientes com doença secundária, a terapia é dirigida ao agente desencadeador (p. ex., doença tromboembólica ou hipoxemia). Um grande número de vasodilatadores têm sido usado com sucesso variável nos pacientes do grupo 1 ou doença refratária pertencente a outros grupos. O transplante de pulmão representa tratamento definitivo para determinados pacientes.

Síndromes hemorrágicas pulmonares difusas

A hemorragia pulmonar é uma complicação dramática de alguns distúrbios pulmonares intersticiais. As *síndromes hemorrágicas pulmonares* (**Figura 15.31**) incluem: (1) síndrome de Goodpasture; (2) hemossiderose pulmonar idiopática; e (3) hemorragia associada à vasculite. A última engloba condições como angiite por hipersensibilidade, poliangiite com granulomatose e lúpus eritematoso sistêmico (ver **Capítulo 11**).

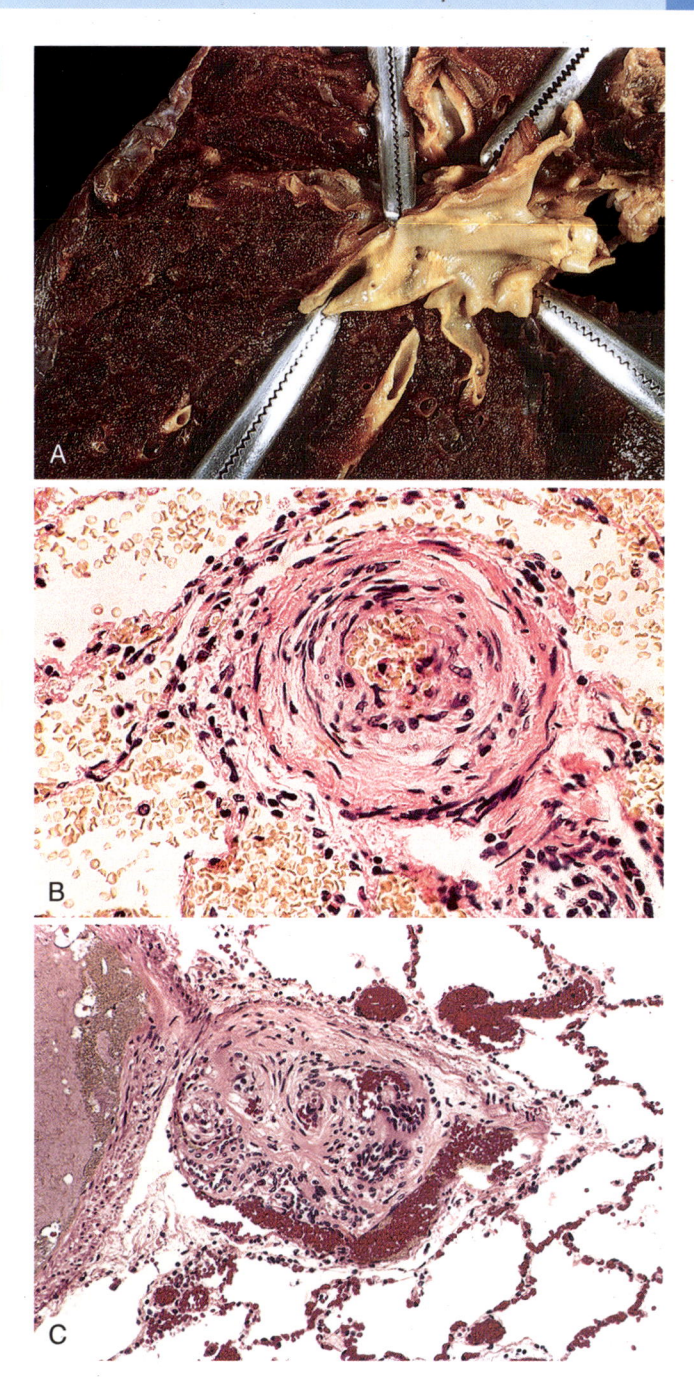

Figura 15.30 Alterações vasculares da hipertensão arterial pulmonar. **A.** Alterações semelhantes a ateroma, um achado geralmente limitado aos grandes vasos. **B.** Hipertrofia medial acentuada. **C.** Lesão plexiforme de pequenas artérias característica de hipertensão pulmonar avançada.

Hemossiderose pulmonar idiopática

Hemossiderose pulmonar idiopática é uma doença rara caracterizada por hemorragia alveolar difusa e intermitente. A maioria dos casos ocorre em crianças pequenas, embora a doença também tenha sido relatada em adultos. Geralmente se apresenta com um início insidioso de tosse produtiva, hemoptise e anemia associadas a infiltrados pulmonares difusos.

A causa e a patogênese são desconhecidas e anticorpos antimembrana basal (a causa da síndrome de Goodpasture) são indetectáveis. No entanto, a resposta favorável a imunossupressão a

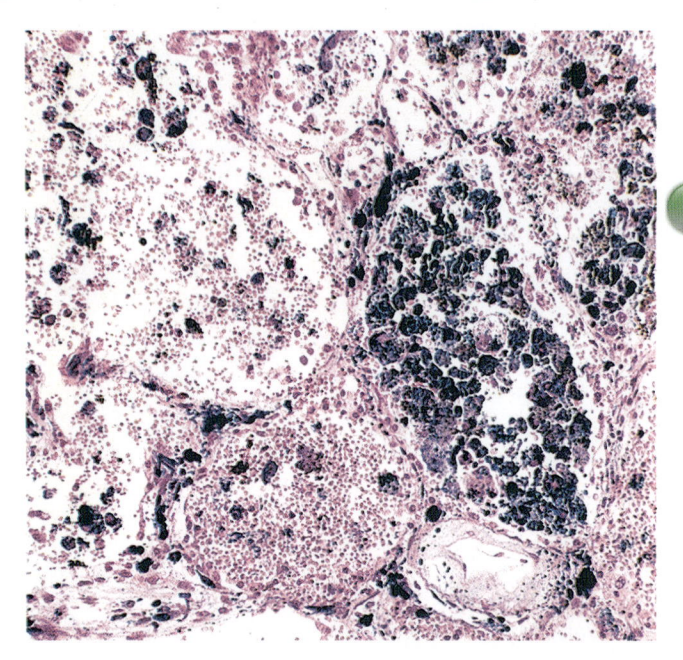

Figura 15.31 Síndrome hemorrágica pulmonar difusa. Há hemorragia intra-alveolar aguda e macrófagos carregados de hemossiderina, refletindo hemorragia prévia (coloração com azul da Prússia).

crescente. Assim como ocorre em outras doenças autoimunes, existe uma associação com certos subtipos de HLA (p. ex., HLA-DRB1*1501 e HLA-DRB1*1502).

> **Morfologia**
>
> Nos casos clássicos, os pulmões estão pesados e com áreas de consolidação marrom-avermelhadas. Histologicamente, há necrose focal das paredes alveolares associada a hemorragias intra-alveolares. Frequentemente, os alvéolos contêm macrófagos carregados de hemossiderina (**Figura 15.31**). Em estágios mais tardios, pode ocorrer espessamento fibroso dos septos, hiperplasia de pneumócitos do tipo II e organização de sangue em espaços alveolares. Em muitos casos, os estudos de imunofluorescência revelam depósitos lineares de imunoglobulinas ao longo das membranas basais das paredes septais. Os rins apresentam achados característicos de glomerulonefrite proliferativa focal em casos iniciais ou glomerulonefrite crescente em pacientes com glomerulonefrite rapidamente progressiva. Depósitos lineares diagnósticos de imunoglobulinas e complemento são observados ao longo das membranas basais glomerulares por estudos de imunofluorescência, mesmo nos poucos pacientes com doença renal ausente.

longo prazo com prednisona e/ou azatioprina indica que um mecanismo imunológico pode estar envolvido no dano capilar pulmonar subjacente ao sangramento alveolar. Além disso, o acompanhamento a longo prazo mostra que alguns pacientes afetados desenvolvem outros distúrbios imunológicos.

Síndrome de Goodpasture (doença por anticorpos antimembrana basal glomerular com envolvimento pulmonar)

A síndrome de Goodpasture é uma doença autoimune rara em que lesões renais e pulmonares são causadas por autoanticorpos circulantes contra o domínio não colágeno da cadeia α3 do colágeno tipo IV. Quando apenas a doença renal é causada por este anticorpo, chamamos de doença por anticorpos antimembrana basal glomerular. O termo *síndrome de Goodpasture* se aplica para 40 a 60% dos pacientes que desenvolvem hemorragia pulmonar além da doença renal. Embora indivíduos de qualquer idade possam ser afetados, a maioria dos casos ocorre na adolescência ou na casa dos 20 anos. Em contraste com muitas outras doenças autoimunes, existe uma preponderância masculina. A maioria dos pacientes são fumantes ativos.

Patogênese

A imunopatogênese da síndrome e a natureza dos antígenos de Goodpasture são descritas no **Capítulo 20**. Os anticorpos patogênicos iniciam a destruição inflamatória da membrana basal em glomérulos renais e alvéolos pulmonares, dando origem a uma glomerulonefrite rapidamente progressiva e uma pneumonite intersticial hemorrágica necrosante. O gatilho que inicia a produção de anticorpos antimembrana basal é desconhecido. Além de células B autorreativas, algumas evidências experimentais sugerem que as células T também contribuam, aumentando a função das células B e participando diretamente do dano glomerular e formação

Características clínicas

A maioria dos casos se inicia com sintomas respiratórios, principalmente hemoptise e evidência radiográfica de consolidações pulmonares focais. Em pouco tempo, as manifestações de glomerulonefrite aparecem, levando a uma insuficiência renal rapidamente progressiva. A causa mais comum de morte é a uremia. O prognóstico outrora sombrio para esta doença foi significativamente melhorado pelo uso de plasmaférese intensiva. Acredita-se que esse procedimento seja benéfico por remover anticorpos antimembrana basal e possivelmente outros mediadores de lesão imunológica. A terapia imunossupressora simultânea inibe a produção adicional de anticorpos, melhorando a hemorragia pulmonar e a glomerulonefrite.

Poliangiite com granulomatose

Chamada anteriormente granulomatose de Wegener, essa doença autoimune envolve mais frequentemente o trato respiratório superior e/ou os pulmões, sendo a hemoptise o sintoma comum de apresentação. Suas características são discutidas no **Capítulo 11**. Aqui, é suficiente enfatizar que a biopsia pulmonar transbrônquica pode prover o único tecido disponível para diagnóstico. Uma vez que a quantidade de tecido é pequena, a necrose e a vasculite granulomatosa podem não estar presentes. Em vez disso, as características histológicas importantes para o diagnóstico são capilarite e granulomas mal formados dispersos (ao contrário daqueles encontrados na sarcoidose, que são arredondados e bem definidos).

Infecções pulmonares

As infecções do trato respiratório são mais frequentes do que as infecções de qualquer outro órgão e representam o maior número de dias de trabalho perdidos na população em geral. A grande maioria consiste em infecções do trato respiratório superior causadas por vírus (resfriado comum, faringite), mas infecções bacterianas, virais, por micoplasmas e fúngicas do pulmão (pneumonia) são responsáveis por uma enorme morbidade e respondem por 2,3% de todas as mortes nos EUA. A pneumonia pode ser amplamente definida como qualquer infecção do parênquima pulmonar.

Os mecanismos de defesa antimicrobiana pulmonar são descritos no **Capítulo 8**. A pneumonia pode ocorrer sempre que esses mecanismos de defesa locais são prejudicados ou quando a resistência sistêmica do hospedeiro está debilitada. Fatores que diminuem a resistência incluem doenças crônicas, deficiências imunológicas, tratamento com agentes imunossupressores e leucopenia. Os mecanismos locais de defesa pulmonar também podem estar comprometidos por muitos fatores, incluindo:

- *Perda ou supressão do reflexo da tosse*, como resultado de alteração sensorial (p. ex., coma), anestesia, distúrbios neuromusculares, fármacos ou dor no tórax, todos os quais podendo levar à *aspiração* de conteúdo gástrico
- *Disfunção do aparelho mucociliar*, que pode ser causada pela fumaça de cigarro, inalação de gases quentes ou corrosivos, doenças virais ou defeitos genéticos da função ciliar (p. ex., síndrome dos cílios imóveis)
- *Acúmulo de secreções* em condições como fibrose cística e obstrução brônquica
- *Interferência nas atividades fagocíticas e bactericidas de macrófagos alveolares* causadas pelo álcool, fumaça de cigarro, anoxia ou intoxicação por oxigênio
- *Congestão pulmonar e edema*.

Defeitos na imunidade inata (incluindo defeitos em neutrófilos e do complemento) e imunodeficiência humoral tipicamente levam a um aumento da incidência de infecções por bactérias piogênicas. Mutações da linhagem germinativa em MyD88 (um adaptador para vários receptores do tipo *Toll* [TLRs, *Toll-like receptors*], que são importantes para ativação do fator de transcrição nuclear kappa B [NF-κB, *nuclear factor kappa B*]) também estão associadas a pneumonias bacterianas destrutivas (pneumocócicas). Por outro lado, defeitos da imunidade mediada por células (congênitos e adquiridos) levam ao aumento de infecções por microrganismos intracelulares, como micobactérias e herpes-vírus, bem como por microrganismos de baixíssima virulência, como o fungo *Pneumocystis jiroveci*.

Vários outros pontos devem ser enfatizados. Primeiro, parafraseando o médico francês Louis Cruveilhier em 1919 (durante a epidemia de gripe espanhola), "a gripe condena e a infecção adicional executa." A causa mais comum de morte em epidemias de influenza viral é a pneumonia bacteriana sobreposta. Segundo, embora a porta de entrada para a maioria das pneumonias bacterianas seja o trato respiratório, a disseminação hematogênica para os pulmões a partir de outro órgão pode ocorrer e pode ser difícil distinguir de pneumonia primária. Finalmente, muitos pacientes com doenças crônicas adquirem pneumonia enquanto hospitalizados (*infecção nosocomial*) como decorrência de vários fatores: bactérias comuns ao ambiente hospitalar podem ter adquirido resistência aos antibióticos; oportunidades de propagação estão aumentadas; procedimentos invasivos, como intubações e injeções são comuns; e as bactérias podem contaminar equipamentos usados em unidades de terapia respiratória.

A pneumonia é classificada com base no agente etiológico ou, caso nenhum patógeno seja isolado (o que ocorre em cerca de 50% de casos), pelo contexto clínico em que ocorre a infecção.

Esse último reduz consideravelmente a lista de patógenos suspeitos, fornecendo um guia para terapia antimicrobiana empírica. Como indica a **Tabela 15.7**, a pneumonia pode surgir de sete contextos clínicos diferentes ("síndromes de pneumonia"), sendo os patógenos implicados bastante específicos para cada categoria.

Tabela 15.7 Síndromes de pneumonia.

Pneumonia adquirida na comunidade
Streptococcus pneumoniae
Haemophilus influenzae
Moraxella catarrhalis
Staphylococcus aureus
Legionella pneumophila
Enterobactérias (*Klebsiella pneumoniae*) e *Pseudomonas* spp.
Mycoplasma pneumoniae
Chlamydia spp. (*C. pnemoniae*, *C. psittaci*, *C. trachomatis*)
Coxiella burnetii (febre Q)
Viroses: vírus sincicial respiratório, vírus parainfluenza e metapneumovírus humano (crianças); influenza A e B (adultos); adenovírus (recrutas militares)
Pneumonia associada aos cuidados de saúde
Staphylococcus aureus sensível à meticilina
Staphylococcus aureus resistente à meticilina
Pseudomonas aeruginosa
Streptococcus pneumoniae
Pneumonia adquirida em hospital
Bastonetes gram-negativos, Enterobactérias (*Klebsiella* spp., *Serratia marcescens*, *Escherichia coli*) e *Pseudomonas* spp.
Staphylococcus aureus (geralmente resistente à meticilina)
Pneumonia por aspiração
Microbiota oral anaeróbia (*Bacteroides*, *Prevotella*, *Fusobacterium*, *Peptostreptococcus*), misturada com bactérias aeróbicas (*Streptococcus pneumoniae*, *Staphylococcus aureus*, *Haemophilus influenzae*, *Pseudomonas aeruginosa*)
Pneumonia crônica
Nocardia
Actinomyces
Granulomatosas: *Mycobacterium tuberculosis* e micobactérias atípicas, *Histoplasma capsulatum*, *Coccidioides immitis*, *Blastomyces dermatitidis*
Pneumonia necrosante e abscesso pulmonar
Bactérias anaeróbicas (extremamente comum), com ou sem infecção aeróbica mista
Staphylococcus aureus, *Klebsiella pneumoniae*, *Streptococcus pyogenes* e pneumococos tipo 3 (incomum)
Pneumonias no hospedeiro imunocomprometido
Citomegalovírus
Pneumocystis jiroveci
Mycobacterium avium – complexo *intracellulare*
Aspergilose invasiva
Candidíase invasiva
Organismos bacterianos, virais e fúngicos "usuais" (listados aqui)

Pneumonias bacterianas adquiridas na comunidade

A pneumonia aguda adquirida na comunidade refere-se à infecção pulmonar em indivíduos saudáveis que é adquirida a partir do ambiente normal (em contraste com as pneumonias adquiridas em hospitais). Pode ser bacteriana ou viral. As características clínicas e radiológicas são geralmente incapazes de diferenciar infecções virais e bacterianas. Um marcador de inflamação, a procalcitocina, um reagente de fase aguda produzido primariamente no fígado, está mais significativamente elevado em infecções bacterianas do que virais e tem algum valor preditivo, mas não é específico, pois também está acentuadamente elevado em outras doenças inflamatórias graves, como a síndrome da resposta inflamatória sistêmica (SRIS) (ver **Capítulo 4**).

Frequentemente, uma infecção bacteriana segue-se a uma infecção viral do trato respiratório superior. A invasão bacteriana do parênquima pulmonar faz com que os alvéolos sejam preenchidos por um exsudato inflamatório, causando assim a consolidação ("solidificação") do tecido pulmonar. Muitas variáveis, como o agente etiológico específico, a reação do hospedeiro e a extensão do envolvimento, determinam a forma precisa de pneumonia. Condições predisponentes incluem extremos de idade, doenças crônicas (insuficiência cardíaca congestiva, DPOC e diabetes), deficiências imunológicas adquiridas ou congênitas e função esplênica diminuída ou ausente. Esta última coloca o paciente em risco de infecção por bactérias encapsuladas como os pneumococos.

Streptococcus pneumoniae

Streptococcus pneumoniae, ou *pneumococo*, **é a causa mais comum de pneumonia aguda adquirida na comunidade.** O exame do escarro com coloração de gram é uma etapa importante no diagnóstico de pneumonia aguda. A presença de numerosos neutrófilos com a típica marcação gram-positiva, com presença de diplococos em forma de lanceta, dá suporte ao diagnóstico de pneumonia pneumocócica. Entretanto, é preciso lembrar que *S. pneumoniae* é uma parte da microbiota endógena em 20% dos adultos, e, portanto, resultados falso-positivos podem ser obtidos. O isolamento de pneumococos a partir de hemoculturas é mais específico, mas menos sensível (na fase inicial da doença, apenas 20 a 30% dos pacientes apresentam hemoculturas positivas). Vacinas contra pneumococos contendo polissacarídeos capsulares dos sorotipos comuns são usadas em indivíduos com alto risco de sepse pneumocócica.

Haemophilus influenzae

Haemophilus influenzae é um organismo gram-negativo pleomórfico que ocorre em formas encapsuladas e não encapsuladas. Existem seis sorotipos da forma encapsulada (tipos "a" a "f"), dentre os quais o tipo b é o mais virulento. Anticorpos contra a cápsula protegem o hospedeiro da infecção por *H. influenzae*; por isso o polissacarídeo capsular b é incorporado na vacina amplamente utilizada contra *H. influenzae*. Com o uso rotineiro de vacinas contra *H. influenzae*, a incidência de doenças causadas pelo sorotipo b diminuiu significativamente. Em contraste, infecções com formas não encapsuladas, também chamadas formas *não tipáveis*, estão aumentando. Essas formas são menos virulentas e tendem a se espalhar ao longo da superfície do trato respiratório superior, produzindo otite média (infecção da orelha média), sinusite e broncopneumonia. Recém-nascidos e crianças com comorbidades como prematuridade, doenças malignas e imunodeficiência apresentam alto risco de desenvolvimento de infecção invasiva.

A pneumonia por *H. influenzae*, que pode seguir uma infecção respiratória viral, é uma emergência pediátrica e tem alta taxa de mortalidade. A laringotraqueobronquite descendente resulta na obstrução das vias respiratórias, pois os brônquios menores são obstruídos por exsudatos densos e ricos em fibrina contendo neutrófilos, semelhantes aos observados em pneumonias pneumocócicas. A consolidação pulmonar é geralmente lobular e irregular, mas pode ser confluente e envolver todo o lobo pulmonar. Antes de a vacina se tornar amplamente disponível, *H. influenzae* representou uma causa comum de meningite supurativa em crianças até 5 anos. *H. influenzae* também causa um quadro agudo de conjuntivite purulenta (olho rosa) em crianças e, em pacientes mais velhos com predisposição, podem causar septicemia, endocardite, pielonefrite, colecistite e artrite supurativa. Finalmente, *H. influenzae* é a causa bacteriana mais comum de exacerbações agudas da DPOC.

Moraxella catarrhalis

Moraxella catarrhalis é reconhecida como uma causa de pneumonia bacteriana, especialmente em idosos. É a segunda causa bacteriana mais comum de exacerbação aguda da DPOC. Com *S. pneumoniae* e *H. influenzae*, *M. catarrhalis* é uma das três causas mais comuns de otite média em crianças.

Staphylococcus aureus

Staphylococcus aureus é uma causa importante de pneumonia bacteriana secundária em crianças e adultos saudáveis no contexto de doenças respiratórias virais (p. ex., sarampo em crianças e influenza em crianças e adultos). A pneumonia estafilocócica está associada a uma alta incidência de complicações, como abscesso pulmonar e empiema. *Usuários de drogas intravenosas ilícitas* apresentam alto risco de desenvolvimento de pneumonia estafilocócica associada a endocardite. Também é um causa importante de pneumonia adquirida em hospitais.

Klebsiella pneumoniae

Klebsiella pneumoniae é a causa mais frequente de pneumonia bacteriana gram-negativa. Geralmente aflige indivíduos debilitados e desnutridos, especialmente *alcoólatras crônicos*. Escarro espesso e mucoide (frequentemente com coloração de sangue) é característico porque a bactéria produz um polissacarídeo capsular viscoso abundante, que o paciente pode ter dificuldade em expectorar.

Pseudomonas aeruginosa

Embora *Pseudomonas aeruginosa* mais comumente cause infecções adquiridas em hospitais, é mencionada aqui devido sua ocorrência na fibrose cística e em pacientes imunocomprometidos. É comum em pacientes neutropênicos e tem uma propensão a invadir vasos sanguíneos com consequente propagação extrapulmonar. A septicemia por *Pseudomonas* é uma doença fulminante.

Legionella pneumophila

Legionella pneumophila é o agente da doença dos legionários, a forma de pneumonia causada por esse organismo. A infecção também causa a febre de Pontiac, uma doença autolimitada relacionada ao trato respiratório superior. Esse organismo se desenvolve em ambientes aquáticos artificiais, como torres de resfriamento de água e sistemas de tubulação para abastecimento de água doméstica (potável). É transmitida por inalação de organismos aerossolizados ou aspiração de água potável contaminada. A pneumonia por *Legionella* é comum em indivíduos com condições predisponentes, tais como doença cardíaca, renal, imunológica ou hematológica. Receptores de transplante de órgãos são particularmente suscetíveis. A infecção pode ser bastante grave, frequentemente exigindo hospitalização, e pacientes imunossuprimidos têm taxas de mortalidade de até 50%. O diagnóstico pode ser feito rapidamente pela detecção do DNA de *Legionella* no escarro usando o teste baseado na reação em cadeia pela polimerase (PCR, *polymerase chain reaction*) ou pela identificação de antígenos de *Legionella* na urina; a cultura continua sendo o padrão-ouro de diagnóstico, mas leva de 3 a 5 dias.

Mycoplasma pneumoniae

As infecções por *Mycoplasma* são particularmente comuns entre crianças e adultos jovens. Elas ocorrem esporadicamente ou como epidemias locais em comunidades fechadas (escolas, campos militares e prisões).

Focos de **broncopneumonia** são áreas consolidadas de inflamação supurativa aguda. A consolidação pode ser confinada a um lobo, porém é mais normalmente multilobar e frequentemente bilateral e basal, devido à tendência de as secreções gravitarem para os lobos inferiores. Lesões bem desenvolvidas são ligeiramente elevadas, secas, granulares, de coloração cinza-avermelhada a amarela, além de mal delimitadas em suas margens (**Figura 15.33**). Histologicamente, a reação geralmente elicita um rico exsudato neutrofílico que preenche os brônquios, bronquíolos e espaços alveolares adjacentes (**Figura 15.35A**).

As **complicações** da pneumonia incluem: (1) destruição do tecido e necrose, causando a **formação de abscesso** (particularmente comuns em infecções pneumocócicas ou por *Klebsiella*); (2) disseminação da infecção para a cavidade pleural, causando uma reação intrapleural fibrinossupurativa conhecida como **empiema**; e (3) **bacteriemia disseminada** para as válvulas cardíacas, pericárdio, cérebro, rins, baço ou articulações, causando abscessos, endocardite, meningite ou artrite supurativa.

Morfologia

A pneumonia bacteriana tem dois padrões de distribuição anatômica: broncopneumonia lobular e pneumonia lobar (**Figura 15.32**). A consolidação irregular do pulmão é a característica dominante da **broncopneumonia** (**Figura 15.33**), enquanto a consolidação de uma grande parte de um lobo ou de um lobo inteiro define a **pneumonia lobar** (**Figura 15.34**). Essas categorizações anatômicas podem ser difíceis de aplicar em casos individuais, porque os padrões se sobrepõem. O envolvimento irregular pode se tornar confluente, produzindo consolidação lobar. Além disso, os mesmos organismos podem produzir qualquer um dos padrões dependendo da suscetibilidade do paciente. **Mais importantes do ponto de vista clínico são a identificação do agente causador e a determinação da extensão da doença.**

Na pneumonia lobar, quatro estágios da resposta inflamatória foram classicamente descritos: congestão, hepatização vermelha, hepatização cinzenta e resolução. No primeiro estágio de **congestão**, o pulmão está pesado, úmido e vermelho. A congestão é caracterizada por ingurgitamento vascular, presença de líquido de edema intra-alveolar contendo alguns neutrófilos, além da presença de bactérias, que podem ser numerosas. No próximo estágio, de **hepatização vermelha**, há uma exsudação confluente extensa, à medida que neutrófilos, eritrócitos e fibrina preenchem os espaços alveolares (**Figura 15.35A**). No exame macroscópico, o lobo se apresenta vermelho, firme, sem ar e de consistência semelhante ao fígado, daí o nome hepatização. O terceiro estágio, de **hepatização cinzenta**, é marcado por desintegração progressiva dos eritrócitos e persistência de um exsudato fibrino-supurativo (**Figura 15.35B**), resultando em uma mudança de cor para marrom-acinzentado. Na fase final, de **resolução**, o exsudato dentro dos espaços alveolares está decomposto por digestão enzimática produzindo detritos granulares semifluidos que são reabsorvidos, ingeridos por macrófagos, expectorados ou organizados por fibroblastos em crescimento na região (**Figura 15.35C**). A reação fibrinosa pleural decorrente da inflamação adjacente, muitas vezes presente nos estágios iniciais caso a consolidação se estenda à superfície pulmonar (**pleurite**), pode apresentar resolução semelhante. Mais frequentemente, há organização, deixando espessamentos fibrosos ou aderências permanentes.

Broncopneumonia   Pneumonia lobar

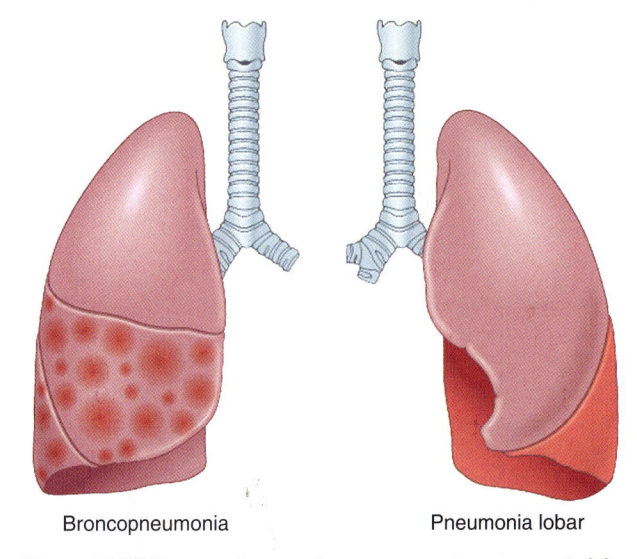

Figura 15.32 Comparação entre broncopneumonia e pneumonia lobar.

Figura 15.33 Broncopneumonia. Corte do pulmão mostrando manchas de consolidação (*setas*).

Figura 15.34 Pneumonia lobar – hepatização cinzenta. O lobo inferior está uniformemente consolidado.

Características clínicas

Os principais sintomas da pneumonia bacteriana aguda adquirida na comunidade pneumonia são o início abrupto de febre alta, calafrios e tosse com produção de expectoração mucopurulenta e, ocasionalmente, hemoptise. Quando a pleurite está presente, é acompanhada por dor pleurítica e atrito pleural por fricção. Todo o lóbulo se torna radiopaco na pneumonia lobar, ao passo que há opacidades focais na broncopneumonia.

O quadro clínico é marcadamente modificado pela administração de antibióticos eficazes. Os pacientes que recebem tratamento adequado podem se tornar afebris e com poucos sinais clínicos dentro de 48 a 72 horas após o início dos antibióticos. A identificação do organismo causador e a determinação de sua sensibilidade a antibióticos são os pilares da terapia. Menos de 10% dos pacientes com pneumonia grave o suficiente para merecer hospitalização vai a óbito. Na maioria desses casos, a morte resulta de alguma complicação, como empiema, meningite, endocardite, ou pericardite, ou é atribuível a alguma influência predisponente, como debilidade ou alcoolismo crônico.

Pneumonia viral adquirida na comunidade

Infecções virais comuns incluem aquelas causadas pelos vírus influenza dos tipos A e B, vírus sinciciais respiratórios, metapneumovírus humano, adenovírus, rinovírus, vírus da rubéola e vírus da varicela. Qualquer um desses agentes pode causar uma infecção relativamente leve do trato respiratório superior conhecida como resfriado comum, ou uma infecção mais grave do trato respiratório inferior. Os fatores que favorecem a extensão da infecção ao pulmão incluem extremos de idade, desnutrição, alcoolismo e doenças debilitantes subjacentes.

Embora os detalhes moleculares variem, todos os vírus que causam pneumonia produzem doenças por meio de mecanismos gerais semelhantes. Esses vírus têm tropismos que lhes permite

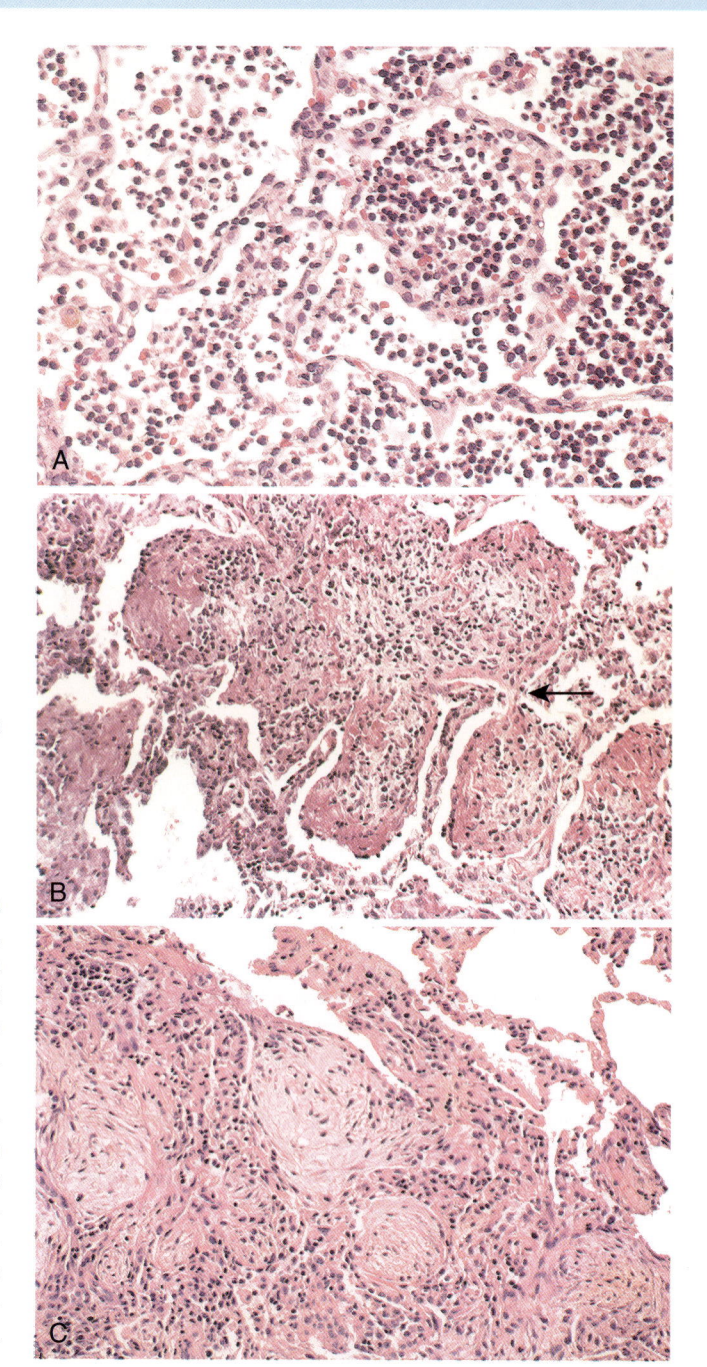

Figura 15.35 Estágios da pneumonia bacteriana. **A.** Pneumonia aguda. Os capilares septais congestionados e numerosos neutrófilos intra-alveolares são características da hepatização vermelha inicial. As redes de fibrina ainda não se formaram. **B.** Organização inicial do exsudato intra-alveolar, visto focalmente fluindo através dos poros de Kohn (seta). **C.** Pneumonia em organização avançada. Os exsudatos foram convertidos em massas fibromixoides ricas em macrófagos e fibroblastos.

se ligar e entrar nas células do revestimento respiratório. A replicação e expressão gênica viral levam a mudanças citopáticas, induzindo morte celular e inflamação secundária. O dano resultante e o comprometimento das defesas pulmonares locais, como a depuração mucociliar, podem predispor a superinfecções bacterianas, que muitas vezes são mais graves do que a própria infecção viral.

Influenza

Os vírus influenza do tipo A infectam humanos, porcos, cavalos, aves e são a principal causa de infecções pandêmicas e epidêmicas por influenza. O genoma do vírus influenza codifica várias proteínas, mas as mais importantes do ponto de vista de vantagem para a virulência viral são a hemaglutinina e a neuraminidase. Há três subtipos principais de hemaglutinina (H1, H2, H3) e dois subtipos de neuraminidase (N1, N2). Ambas são incorporadas em uma bicamada lipídica, que constitui o envelope do vírus influenza. A hemaglutinina é particularmente importante, pois serve para aderir o vírus ao seu alvo celular via resíduos de ácido siálico em polissacarídeos de superfície. Seguindo a captura do vírus em vesículas endossômicas, a acidificação do endossomo desencadeia uma mudança de conformação na hemaglutinina que permite que o envelope viral se funda com a membrana celular do hospedeiro, liberando os RNA genômicos virais no citoplasma da célula. A neuraminidase, por sua vez, facilita a liberação de vírions recém-formados que estão brotando de células infectadas pela clivagem dos resíduos de ácido siálico. Anticorpos neutralizantes do hospedeiro contra hemaglutinina e neuraminidase viral previnem e melhoram, respectivamente, a infecção por vírus influenza.

O genoma viral é composto por oito RNA de fitas simples, cada um codificando uma ou mais proteínas. Os RNA são empacotados em hélices por nucleoproteínas que determinam o tipo de vírus influenza (A, B ou C). Um único subtipo de vírus influenza A predomina em todo o mundo em um dado momento. As epidemias de influenza são causadas por mutações espontâneas que alteram epítopos antigênicos das proteínas hemaglutinina e neuraminidase virais. Essas mudanças antigênicas (*deriva antigênica*) resultam em novas cepas virais que são suficientemente diferentes para enganar, pelo menos em parte, anticorpos anti-influenza produzidos em membros da população em resposta a exposições prévias a outras cepas de gripe. Normalmente, no entanto, essas novas cepas carregam semelhanças suficientes com cepas anteriores de modo que pelo menos alguns membros da população são parcialmente resistentes à infecção. Em contraste, as pandemias, que são mais longas e mais difundidas do que as epidemias, ocorrem quando tanto os genes da hemaglutinina quanto da neuraminidase são substituídos por meio de recombinação com os vírus da influenza animal (*mudança antigênica*). Nesse caso, essencialmente todos os indivíduos são suscetíveis ao novo vírus influenza.

Caso o hospedeiro não possua anticorpos protetores, o vírus infecta os pneumócitos e provoca várias alterações citopáticas. Logo após a entrada nos pneumócitos, a infecção viral inibe os canais de sódio, produzindo mudanças de eletrólitos e água que levam ao acúmulo de líquido na luz alveolar. Segue-se então a morte das células infectadas por meio de vários mecanismos, incluindo a inibição da tradução dos RNA mensageiros da célula hospedeira e ativação de caspases, levando à apoptose. A morte de células epiteliais agrava o acúmulo de líquido e libera "sinais de perigo" que ativam macrófagos residentes. Além disso, antes de sua morte, células epiteliais infectadas liberam uma variedade de mediadores inflamatórios, incluindo diversas quimiocinas e citocinas que adicionam combustível ao "fogo" inflamatório. Ainda, mediadores liberados das células epiteliais e macrófagos ativam o endotélio pulmonar vizinho e servem como quimioatraentes para neutrófilos, que migram para o interstício nos primeiros 2 dias após a infecção. Em alguns casos, a infecção viral pode causar lesão pulmonar suficiente para produzir SDRA, embora mais frequentemente a doença pulmonar grave origine-se de uma pneumonia bacteriana sobreposta. Destas, as pneumonias secundárias causadas por *S. aureus* são particularmente comuns e muitas vezes letais.

O controle da infecção depende de vários mecanismos do hospedeiro. A presença de produtos virais induz respostas imunes inatas em células infectadas, como a produção de interferona-α e -β. Esses mediadores regulam positivamente a expressão do gene *MX1*, que codifica uma guanosina trifosfatase que interfere na transcrição gênica e replicação viral. Tal como ocorre em outras infecções virais, as células *natural killer* (NK) e as células T citotóxicas podem reconhecer e matar células infectadas do hospedeiro, limitando a replicação e propagação viral para pneumócitos adjacentes. A resposta imune celular é eventualmente amplificada pelo desenvolvimento de respostas de anticorpos às proteínas hemaglutinina e neuraminidase virais.

A percepção sobre futuras pandemias veio de estudos sobre as pandemias passadas. A análise de DNA de genomas virais recuperados dos pulmões de um soldado que morreu na grande pandemia de influenza de 1918 e que matou entre 20 e 40 milhões de pessoas em todo o mundo identificaram sequências da influenza suína, consistentes com a origem desse vírus por "mudança antigênica". A primeira pandemia de gripe deste século ocorrida em 2009 também foi causada por uma mudança antigênica envolvendo um vírus de origem suína. Esse vírus causou infecções particularmente graves em adultos jovens, aparentemente porque os adultos mais velhos tinham anticorpos contra cepas de influenza anteriores que transmitiram pelo menos proteção parcial. Comorbidades como diabetes, doença cardíaca, doença pulmonar e imunossupressão também foram associadas com maior risco de infecção grave.

Qual então pode ser a fonte da próxima grande pandemia? Não há certeza, mas uma preocupação está centrada na influenza aviária, que normalmente infecta aves. Uma dessas cepas, tipo H5N1, se espalhou por todo o mundo em pássaros selvagens e domésticos. Felizmente, a transmissão do vírus aviário H5N1 atual é ineficiente. No entanto, se uma influenza H5N1 se recombinar com outra influenza altamente infecciosa para humanos, a cepa resultante pode ser capaz de sustentar a transmissão de pessoa para pessoa (e assim causar a próxima grande pandemia).

Metapneumovírus humano

O metapneumovírus humano, um paramixovírus descoberto em 2001, é encontrado em todo o mundo e está associado a infecções do trato respiratório superior e inferior. As infecções podem ocorrer em qualquer faixa etária, mas são mais comuns em crianças pequenas, adultos idosos e pacientes imunocomprometidos. Algumas infecções, como bronquiolite e pneumonia, são graves; no geral, metapneumovírus é responsável por 5 a 10% das hospitalizações e 12 a 20% das consultas ambulatoriais de crianças que sofrem de infecções agudas do trato respiratório. Essas infecções são clinicamente indistinguíveis daquelas causada pelo vírus sincicial respiratório humano e muitas vezes são confundidos com influenza. A primeira infecção por metapneumovírus humano ocorre durante a primeira infância, mas reinfecções são comuns ao longo da vida, especialmente em indivíduos mais velhos. Os métodos de diagnóstico incluem testes de PCR para o RNA viral. O tratamento geralmente se concentra em medidas de suporte. Apesar de pesquisas em andamento, uma vacina clinicamente eficaz e segura ainda precisa ser desenvolvida.

Coronavírus humano

Os coronavírus são vírus envelopados, de RNA de polaridade positiva, que infectam seres humanos e diversas outras espécies de vertebrados. Coronavírus fracamente patogênicos causam infecções leves do trato respiratório superior semelhantes ao resfriado, enquanto coronavírus altamente patogênicos podem causar pneumonia grave, muitas vezes fatal. Um exemplo de coronavírus altamente patogênico é o SARS-CoV-2, uma cepa que surgiu no final de 2019 na China e que está produzindo uma pandemia ainda em evolução desde o início de 2020 (discutido no **Capítulo 8**). Coronavírus altamente patogênicos como o SARS-CoV-2 se ligam à proteína ECA2 na superfície das células epiteliais alveolares pulmonares, explicando o tropismo desses vírus para o pulmão. Com formas altamente patogênicas em hospedeiros suscetíveis, geralmente indivíduos mais velhos com condições de comorbidade, a resposta imune do hospedeiro e as citocinas liberadas no local frequentemente produzem lesão pulmonar e SDRA.

> ### Morfologia
>
> Todas as infecções virais produzem alterações morfológicas semelhantes. As infecções respiratórias do trato superior são marcadas por hiperemia e inchaço da mucosa, infiltração da submucosa por células mononucleares (principalmente, linfócitos e monócitos) e superprodução de secreções mucosas. A mucosa inchada e o exsudato viscoso podem obstruir os canais nasais, seios da face ou as trompas de Eustáquio, causando infecção bacteriana supurativa secundária. A amigdalite induzida por vírus que causa hiperplasia do tecido linfoide dentro do anel de Waldeyer é frequente em crianças.
>
> Na **laringotraqueobronquite** e **bronquiolite** virais há inchaço das pregas vocais e produção abundante de muco. O comprometimento da função broncociliar é um convite à superinfecção bacteriana com supuração mais acentuada. A obstrução de vias respiratórias pequenas pode originar atelectasia pulmonar focal. Com o envolvimento bronquiolar mais grave, ocorre obstrução generalizada das vias respiratórias secundárias e terminais por detritos celulares, fibrina e exsudato inflamatório. Se prolongado, esse quadro pode levar à organização e fibrose, resultando em bronquiolite obliterante e dano pulmonar permanente.
>
> O envolvimento pulmonar pode ser bastante irregular ou envolver todos os lobos bilateralmente ou unilateralmente. As áreas afetadas tornam-se vermelho-azuladas e congestionadas. A pleurite ou derrame pleural são incomuns e o padrão histológico depende da gravidade da doença. **Uma reação inflamatória intersticial envolvendo as paredes dos alvéolos é predominante.** Os septos alveolares estão alargados e edematosos, e geralmente contêm um infiltrado inflamatório mononuclear consistindo de linfócitos, macrófagos e, ocasionalmente, plasmócitos. Em casos graves, os neutrófilos também podem estar presentes. Os alvéolos podem estar livres de exsudato, mas em muitos pacientes há presença de material proteico e um exsudato celular. Quando complicada por SDRA, membranas hialinas rosadas revestem as paredes alveolares (**Figura 15.4**). A erradicação da infecção é seguida pela reconstituição da arquitetura pulmonar normal.
>
> A infecção bacteriana sobreposta modifica este quadro, causando bronquite ulcerativa, bronquiolite e pneumonia bacteriana. Alguns vírus, como herpes simples, varicela e adenovírus, podem estar associados à necrose do epitélio brônquico e alveolar e inflamação aguda. As alterações citopáticas virais características são descritas no **Capítulo 8**.

Características clínicas

O curso clínico da pneumonia viral é extremamente variado. Muitos casos se mascaram como infecções graves do trato respiratório superior ou como um resfriado. Mesmo os indivíduos com pneumonia atípica bem desenvolvida apresentam poucos sintomas localizados. A tosse pode estar ausente e as principais manifestações podem consistir apenas em febre, cefaleia e mialgia. O edema e a exsudação frequentemente causam incompatibilidade ventilação-perfusão levando à hipoxemia e, assim, suscitam sintomas fora de proporção aos escassos achados físicos.

As pneumonias virais são geralmente leves e se resolvem espontaneamente sem sequelas duradouras. No entanto, pneumonias intersticiais virais podem assumir proporções epidêmicas e, em tais situações, mesmo uma baixa taxa de complicações pode levar a morbidade e mortalidade significativas, como tipicamente ocorre em epidemias de influenza.

Pneumonia associada aos cuidados de saúde

A pneumonia associada aos cuidados de saúde foi recentemente descrita como uma entidade clínica distinta associada a vários fatores de risco. Dentre esses fatores, está a hospitalização por pelo menos 2 dias no passado recente; presença em uma casa de repouso ou instalação de cuidados de longa duração; ter frequentado um hospital ou clínica de hemodiálise; e ter recebido antibioticoterapia intravenosa, quimioterapia ou tratamento de feridas recentemente. Os organismos mais comumente isolados são *S. aureus* e *P. aeruginosa* meticilina-resistentes. Esses pacientes têm uma maior mortalidade do que aqueles com pneumonia adquirida na comunidade.

Pneumonia adquirida em hospital

As pneumonias adquiridas em hospitais são definidas como infecções pulmonares adquiridas durante uma internação hospitalar. Essas pneumonias são comuns em pacientes com doença grave subjacente, imunossupressão, antibioticoterapia prolongada ou dispositivos de acesso invasivos, como cateteres intravasculares. Pacientes em ventilação mecânica estão particularmente sob elevado risco. As infecções hospitalares que se sobrepõem a uma infecção subjacente (que causou a hospitalização) são graves e frequentemente cursam com risco de vida. Cocos gram-positivos (principalmente *S. aureus*) e bastonetes gram-negativos (espécies de Enterobacteriaceae e *Pseudomonas*) são os isolados mais comuns. Os mesmos organismos predominam na pneumonia associada à ventilação, sendo os bacilos gram-negativos um pouco mais comuns neste cenário.

> ### Conceitos-chave
> #### Pneumonia aguda
>
> - *S. pneumoniae* (pneumococo) é a causa mais comum de pneumonia aguda adquirida na comunidade; a distribuição da inflamação é geralmente lobar
> - As pneumonias lobares evoluem em quatro estágios: congestão, hepatização vermelha, hepatização cinzenta e resolução
> - Outras causas comuns de pneumonias bacterianas agudas na comunidade incluem *H. influenzae* e *M. catarrhalis* (ambas associadas com exacerbações agudas de DPOC), *S. aureus*

> (geralmente secundárias a infecções respiratórias virais), *K. pneumoniae* (observada em pacientes alcoólatras crônicos), *P. aeruginosa* (observada em portadores de fibrose cística e naqueles com neutropenia), e *L. pneumophila*, observada particularmente em indivíduos com condições de comorbidade (p. ex., doença cardíaca ou pulmonar) e em recipientes de transplantes de órgãos
> - Causas importantes de pneumonia viral adquirida na comunidade incluem vírus influenza, metapneumovírus e coronavírus covid-19, sendo o último um patógeno recém-emergente
> - As pneumonias bacterianas são caracterizadas predominantemente por inflamação neutrofílica intra-alveolar, enquanto a pneumonia viral apresenta inflamação linfocítica intersticial.

Pneumonia por aspiração

A pneumonia por aspiração ocorre em pacientes acentuadamente debilitados ou naqueles que aspiram conteúdo gástrico enquanto inconscientes (p. ex., após um acidente vascular encefálico) ou durante vômitos repetidos. Esses pacientes têm reflexos anormais de vômito e de deglutição que predispõem à aspiração. A pneumonia resultante é parcialmente química (devido aos efeitos irritantes do ácido gástrico) e parcialmente bacteriana (da microbiota oral). Normalmente, mais do que um organismo é recuperado em cultura, sendo aeróbios mais comuns do que anaeróbios. Esse tipo de pneumonia é frequentemente necrosante, segue um curso clínico fulminante e é causa frequente de morte. Em pacientes que sobrevivem, abscesso pulmonar é uma complicação comum.

A microaspiração, em contraste, ocorre frequentemente em quase todas as pessoas, especialmente naquelas com doença de refluxo gastresofágico. Geralmente resulta em pequenos granulomas mal formados não necrosantes com reação de células gigantes multinucleadas de corpo estranho. Geralmente não tem consequência, mas pode exacerbar outras doenças pulmonares preexistentes, como asma, fibrose intersticial e rejeição pulmonar.

Abscesso pulmonar

O termo *abscesso pulmonar* descreve um processo supurativo local que produz necrose do tecido pulmonar. Procedimentos cirúrgicos orofaríngeos ou odontológicos, infecções sinobrônquicas e bronquiectasia desempenham papéis importantes no desenvolvimento desses abscessos.

Etiologia e patogênese

Sob circunstâncias apropriadas, qualquer patógeno bacteriano pode produzir um abscesso; aqueles que o fazem mais comumente incluem estreptococos aeróbios e anaeróbios, *S. aureus* e uma série de organismos gram-negativos. Infecções mistas frequentemente ocorrem devido ao importante papel causal desempenhado pela inalação de material estranho. Organismos anaeróbicos normalmente encontrados na cavidade oral, incluindo membros dos gêneros *Bacteroides*, *Fusobacterium* e *Peptococcus*, representam os isolados exclusivos em cerca de 60% dos casos. Os organismos causadores são introduzidos pelos seguintes mecanismos:

- *Aspiração de material infectante* (causa mais frequente). Os fatores de risco incluem reflexos de tosse suprimidos (p. ex., intoxicação alcoólica aguda, uso abusivo de opioides, coma, anestesia, distúrbios convulsivos), disfagia grave (p. ex., déficit neurológico, doença esofágica), vômitos prolongados e má higiene dental. A aspiração primeiro causa pneumonia, que progride para necrose do tecido e formação de abscesso pulmonar
- *Infecção pulmonar primária antecedente*. Formações de abscesso pós-pneumônico são geralmente associadas a *S. aureus*, *K. pneumoniae* e pneumococos. Pacientes pós-transplante ou indivíduos imunossuprimidos de outra forma estão em especial risco
- *Embolia séptica*. Êmbolos infectados podem surgir a partir de tromboflebite em qualquer parte da circulação venosa sistêmica ou das vegetações de endocardite bacteriana infecciosa no lado direito do coração e se alojar no pulmão
- *Neoplasia*. Infecção secundária é particularmente comum em segmentos broncopulmonares obstruídos por uma neoplasia maligna primária ou secundária (*pneumonia pós-obstrutiva*)
- *Diversos*. Penetrações traumáticas dos pulmões; extensão direta de infecções supurativas do esôfago, coluna vertebral, espaço subfrênico ou cavidade pleural; e semeadura hematogênica do pulmão por organismos piogênicos, todos podem levar à formação de abscesso pulmonar.

Quando todas essas causas são excluídas, ainda há casos em que nenhuma base discernível para a formação de abscesso pode ser identificada. Esses casos são conhecidos como *abscessos pulmonares primários criptogênicos*.

Morfologia

Os abscessos variam em diâmetro de alguns milímetros a grandes cavidades de 5 a 6 cm (**Figura 15.36**). Eles podem afetar qualquer parte do pulmão e ser únicos ou múltiplos. Abscessos pulmonares em decorrência de aspiração são mais comuns à direita (porque o brônquio principal direito tem uma posição mais vertical) e, na maioria das vezes, são únicos. Abscessos que se desenvolvem no curso de pneumonia ou bronquiectasia são geralmente múltiplos, basais e difusamente dispersos. Êmbolos sépticos e abscessos piogênicos são múltiplos e podem afetar qualquer região dos pulmões.

A alteração histológica cardinal em todos os abscessos é a destruição supurativa do parênquima pulmonar dentro da área central de cavitação. A cavidade do abscesso pode ser preenchida com detritos supurativos ou, se houver comunicação com uma passagem de ar, pode ser parcialmente drenado para criar uma cavidade contendo ar. Infecções saprofíticas sobrepostas são propensas a se desenvolver dentro dos detritos necróticos. A infecção contínua leva a cavidades grandes, mal delimitadas, fétidas, verde-enegrecidas e multiloculares designadas gangrenas do pulmão. Em casos crônicos, a proliferação considerável de fibroblastos produz uma parede fibrosa.

Características clínicas

As manifestações de abscessos pulmonares são muito semelhantes àquelas de bronquiectasia e caracteristicamente incluem tosse, febre e grandes quantidades de escarro fétido, purulento ou sanguinolento. Febre, dor no tórax e perda de peso são comuns. Pode ocorrer baqueteamento dos dedos das mãos e dos pés. Os achados clínicos fornecem apenas uma suspeita de diagnóstico e devem ser confirmados radiologicamente. Sempre que um abscesso

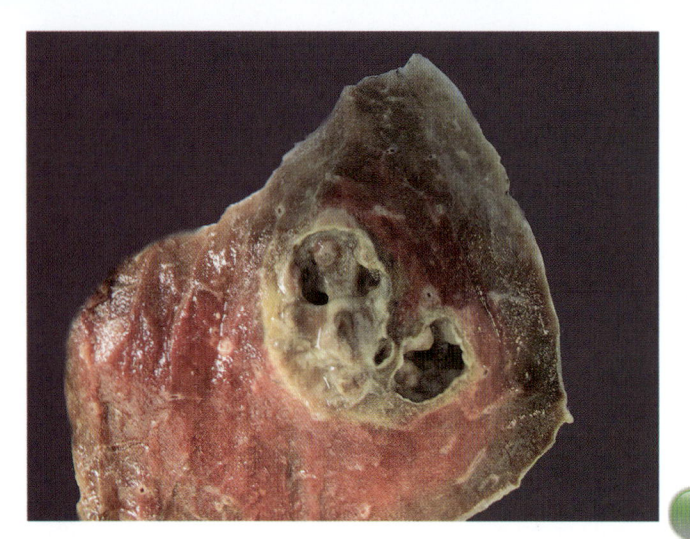

Figura 15.36 Corte na superfície do pulmão mostrando dois abscessos. (Cortesia do Dr. M. Kamran Mirza, University of Chicago, Chicago, Ill.)

é descoberto em indivíduos mais velhos, é importante excluir um carcinoma subjacente, presente em 10 a 15% dos casos.

O curso dos abscessos é variável. Com terapia antimicrobiana, a maioria se resolve, deixando uma cicatriz. Dentre as complicações estão a extensão da infecção para a cavidade pleural, hemorragia, o desenvolvimento de *abscessos cerebrais* ou *meningite* a partir de êmbolos sépticos e (raramente) amiloidose secundária (tipo AA).

Pneumonia crônica

A pneumonia crônica é mais frequentemente uma lesão localizada no paciente imunocompetente, com ou sem envolvimento do linfonodo regional. Normalmente, a reação inflamatória é granulomatosa e causada por bactérias (p. ex., *Mycobacterium tuberculosis*) ou fungos (p. ex., *Histoplasma capsulatum*). A tuberculose do pulmão e de outros órgãos é descrita no **Capítulo 8**. As pneumonias crônicas causadas por fungos são discutidas aqui.

Histoplasmose

A infecção por *H. capsulatum* é adquirida pela inalação de partículas de poeira do solo contaminado com excretas de pássaros ou morcegos que contêm pequenos esporos (microconídios), a forma infecciosa do fungo. É uma doença endêmica ao longo dos rios Ohio e Mississippi, e no Caribe. Também é encontrada no México, América Central e América do Sul, partes do leste e sul da Europa, África, leste da Ásia e Austrália. Assim como *M. tuberculosis*, *H. capsulatum* é um patógeno intracelular encontrado principalmente em fagócitos. As apresentações clínicas e lesões morfológicas da histoplasmose apresentam uma semelhança notável com aquelas da tuberculose, incluindo (1) um envolvimento pulmonar primário autolimitado e muitas vezes latente, que pode se manifestar como lesões em forma de moeda na radiografia de tórax; (2) doença pulmonar crônica, progressiva e secundária localizada nos ápices pulmonares e que causa tosse, febre e suores noturnos; (3) propagação para sítios extrapulmonares, incluindo mediastino, glândulas adrenais, fígado ou meninges; e (4) doença amplamente disseminada em pacientes imunocomprometidos. A histoplasmose pode acometer indivíduos imunocompetentes, mas como de costume é mais grave em indivíduos com a imunidade mediada por células deprimida.

A patogênese da histoplasmose não é completamente compreendida. A porta de entrada é quase sempre o pulmão. Os macrófagos ingerem o organismo, mas não conseguem matá-lo sem a ajuda das células T, e isso permite que o organismo se multiplique no interior de fagolisossomos e se dissemine antes do desenvolvimento de imunidade de células T, que leva de 1 a 2 semanas para ocorrer. Em indivíduos com imunidade mediada por células adequada, a infecção é controlada por células T auxiliares do padrão Th1 que reconhecem antígenos fúngicos e, subsequentemente, secretam IFN-γ, que ativa macrófagos e lhes permite matar as leveduras intracelulares. Além disso, o *Histoplasma* induz macrófagos a secretar TNF, que recruta e estimula outros macrófagos a matar o fungo.

> **Morfologia**
>
> Nos pulmões de adultos outrora saudáveis, infecções por *Histoplasma* produzem **granulomas**, que geralmente se tornam necróticos e podem coalescer para produzir áreas de consolidação. Com a resolução espontânea ou tratamento eficaz, essas lesões sofrem fibrose e calcificação concêntrica (aparência de casca de árvore) (**Figura 15.37A**). A diferenciação histológica de tuberculose, sarcoidose e coccidioidomicose requer a identificação de leveduras de paredes finas medindo 3 a 5 μm, que podem persistir nos tecidos por anos. Na **histoplasmose disseminada fulminante**, que ocorre em indivíduos imunossuprimidos, não se formam granulomas; em vez disso, há acúmulos focais de fagócitos mononucleares preenchidos com leveduras fúngicas por todo o corpo (**Figura 15.37B**).

O diagnóstico de histoplasmose pode ser estabelecido por testes sorológicos para anticorpos e antígenos fúngicos, cultura ou identificação do fungo em biopsias de tecidos. A maioria dos casos se resolve espontaneamente. A doença progressiva ou a doença em pacientes imunocomprometidos é tratada com agentes antifúngicos.

Blastomicose

Blastomyces dermatitidis é um fungo dimórfico que habita o solo e causa doença nas regiões central e sudeste dos EUA; a infecção também ocorre no Canadá, no México, no Oriente Médio, na África e na Índia. Existem três formas clínicas: *blastomicose pulmonar*, *blastomicose disseminada* e uma *forma cutânea primária* rara que resulta da inoculação direta de organismos na pele. A pneumonia geralmente se resolve espontaneamente, mas pode persistir ou progredir para uma lesão crônica.

> **Morfologia**
>
> Em hospedeiros normais, as lesões pulmonares da blastomicose são granulomas supurativos. Os macrófagos têm uma capacidade limitada de ingerir e matar *B. dermatitidis*, e a persistência das células de levedura leva ao recrutamento de neutrófilos. No tecido, *B. dermatitidis* é uma levedura redonda de 5 a 15 μm que se divide por brotamento de base ampla. O fungo tem uma parede celular espessa de contorno duplo e núcleos visíveis (**Figura 15.38**). O envolvimento da pele e da laringe está associado a hiperplasia epitelial acentuada, que pode ser confundida com carcinoma de células escamosas.

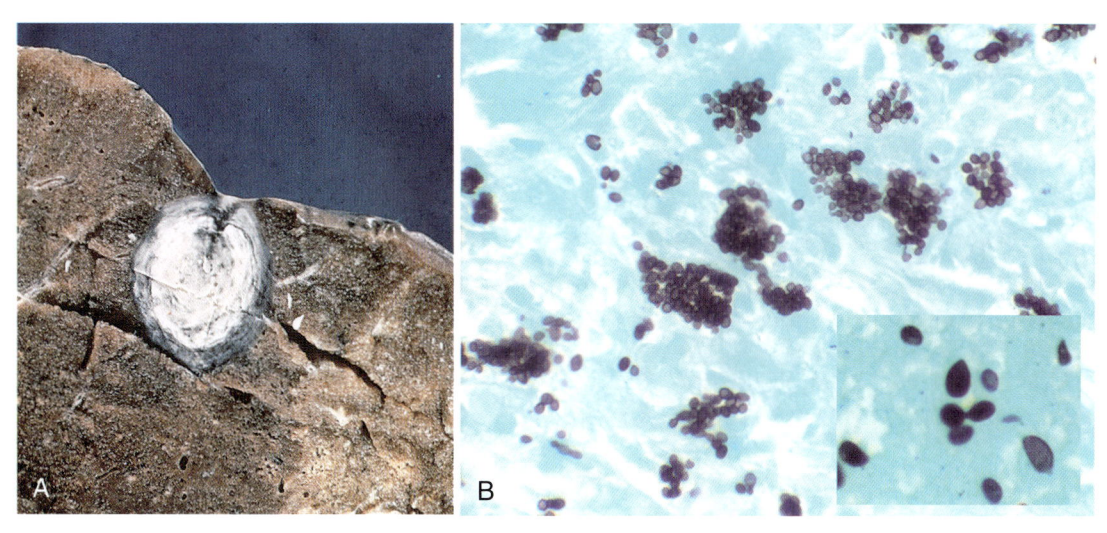

Figura 15.37 Histoplasmose. **A.** Granuloma laminado de *Histoplasma* no pulmão. **B.** Leveduras de *Histoplasma capsulatum* preenchem fagócitos no pulmão de um paciente com histoplasmose disseminada; a *inserção* mostra um detalhe em grande aumento de leveduras em forma de pera com brotamento em base estreita, (coloração pela prata).

Coccidiodomicose

Quase todo mundo que inala os esporos de *Coccidioides immitis* se infecta e desenvolve uma reação de hipersensibilidade tardia ao fungo, embora a maioria permaneça assintomática. Na verdade, mais de 80% das pessoas em áreas endêmicas do sudoeste e oeste dos EUA e do México apresentam uma reação positiva ao teste cutâneo. Uma razão para a infectividade de *C. immitis* é que os artroconídios infecciosos, quando ingeridos por macrófagos alveolares, bloqueiam a fusão do fagossomo e o lisossomo e, portanto, resistem à morte intracelular. Aproximadamente 10% das pessoas infectadas desenvolvem lesões pulmonares e menos de 1% das pessoas desenvolvem infecção disseminada por *C. immitis*, que frequentemente envolve a pele e as meninges. Certos grupos étnicos (p. ex., filipinos e afro-americanos) e pessoas imunossuprimidas estão em alto risco de desenvolverem a doença disseminada.

Morfologia

Dentro de macrófagos ou células gigantes, *C. immitis* está presente na forma de esférulas não aderentes de paredes espessas medindo 20 a 60 μm de diâmetro, muitas vezes preenchidas com pequenos endosporos. Uma reação piogênica é sobreposta quando as esférulas se rompem para liberar os endosporos (**Figura 15.39**). Uma doença rara e progressiva causada por *C. immitis* envolve os pulmões, meninges, pele, ossos, adrenais, linfonodos, baço ou fígado. Em todos esses locais, a resposta inflamatória pode ser puramente granulomatosa, piogênica ou mista.

Pneumonia no hospedeiro imunocomprometido

O aparecimento de um infiltrado pulmonar, com ou sem sinais de infecção (p. ex., febre), é uma das complicações mais comuns e graves em pacientes cujas defesas imunológicas estão suprimidas por doenças, terapias imunossupressoras para transplantes de órgãos ou células-tronco hematopoéticas, quimioterapia para neoplasias, ou irradiação. Além dos patógenos usuais, uma grande variedade dos chamados agentes infecciosos oportunistas, muitos dos quais raramente causam infecção em hospedeiros normais, podem causar pneumonia, e muitas vezes mais do que um agente está envolvido. A mortalidade decorrente dessas infecções oportunistas é alta. A **Tabela 15.8** lista alguns desses agentes oportunistas de acordo com a prevalência e do quanto causam infiltrados

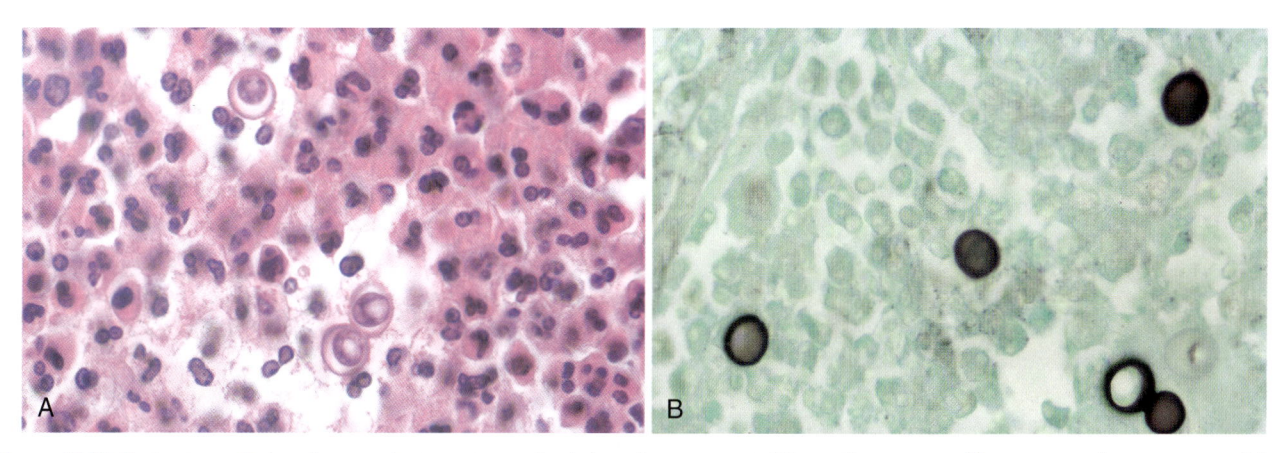

Figura 15.38 Blastomicose. **A.** Leveduras em brotamento arredondado, maiores que neutrófilos, estão presentes. Observe a parede espessa e os núcleos característicos (não observados em outros fungos). **B.** Coloração pela prata.

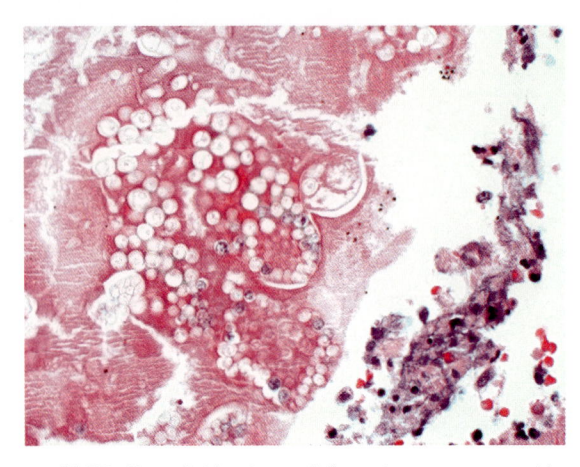

Figura 15.39 Coccidioidomicose. Esferas intactas e rompidas são observadas.

pulmonares locais ou difusos. O diagnóstico diferencial de tais infiltrados inclui reações a fármacos e envolvimento do pulmão por neoplasias. As infecções específicas são discutidas no **Capítulo 8**. Destas, as que normalmente envolvem o pulmão podem ser classificadas de acordo com o agente etiológico: (1) bactérias (*P. aeruginosa*, espécies de *Mycobacterium*, *L. pneumophila* e *Listeria monocytogenes*), (2) vírus (citomegalovírus [CMV] e herpes-vírus), e (3) fungos (*P. jiroveci*, espécies de *Candida*, espécies de *Aspergillus*, os *Phycomycetes*, e *Cryptococcus neoformans*).

Doença pulmonar na infecção pelo vírus da imunodeficiência humana

A doença pulmonar é responsável por 30 a 40% das hospitalizações em indivíduos infectados pelo HIV. Embora o uso de potentes agentes antirretrovirais e quimioprofilaxia eficaz tenha alterado marcadamente a incidência e o resultado da doença pulmonar em pessoas infectadas pelo HIV, a infinidade de agentes infecciosos e outras lesões pulmonares tornam o diagnóstico e tratamento um desafio à parte. Alguns dos agentes microbianos individuais que afetam indivíduos infectados pelo HIV já foram discutidos; esta seção se concentra apenas nos princípios gerais da doença pulmonar associada ao HIV:

Tabela 15.8 Causas de infiltrados pulmonares em hospedeiros imunocomprometidos.

Infiltrados difusos	Infiltrados focais
Comuns	
Citomegalovírus	Infecções por bactérias gram-negativas
Pneumocystis jiroveci	*Staphylococcus aureus*
Reação a medicamentos	*Aspergillus*
	Candida
	Doenças malignas
Raras	
Pneumonia bacteriana	*Cryptococcus*
Aspergillus	*Mucor*
Cryptococcus	*Pneumocystis joriveci*
Doenças malignas	*Legionella pneumophila*

- *Apesar da ênfase em infecções oportunistas, deve ser lembrado que as infecções bacterianas do trato respiratório inferior causadas pelos patógenos "usuais" estão entre as mais graves doenças pulmonares na infecção pelo HIV.* Dentre os organismos implicados estão S. pneumoniae, S. aureus, H. influenzae e bastonetes gram-negativos. As pneumonias bacterianas em pessoas infectadas com HIV são mais comuns, mais graves e mais frequentemente associadas a bacteriemia do que naquelas sem infecção pelo HIV

- *Nem todos os infiltrados pulmonares em indivíduos infectados pelo HIV são de etiologia infecciosa.* Uma série de doenças não infecciosas, incluindo sarcoma de Kaposi (ver **Capítulos 6** e **11**), linfoma de Hodgkin (ver **Capítulo 13**) e câncer de pulmão ocorrem com maior frequência e devem ser excluídos

- *A contagem de células T CD4+ determina o risco de infecção por organismos específicos.* Como regra geral, infecções bacterianas e tuberculosas são mais prováveis na presença de contagens mais altas de CD4+ (> 200 células/mm³). A pneumonia por *Pneumocystis* geralmente ataca quando as contagens de CD4+ são inferiores a 200 células/mm³, enquanto infecções pelo CMV, fungos e *Mycobacterium avium* do complexo *intracellulare* são incomuns até que a doença esteja muito avançada (contagens de CD4+ inferiores a 50 células/mm³).

Finalmente, a doença pulmonar em pessoas infectadas pelo HIV pode resultar de mais de uma causa, e até mesmo patógenos comuns podem se apresentar com manifestações atípicas. Portanto a investigação diagnóstica desses pacientes deve ser mais extensa (e cara) do que seria necessário em um indivíduo imunocompetente.

Transplante de pulmão

As indicações para transplante podem incluir quase todas as doenças pulmonares não neoplásicas terminais, desde que o paciente não tenha nenhuma outra condição grave que impeça a terapia imunossupressora vitalícia. As indicações mais comuns são DPOC em estágio terminal, fibrose pulmonar idiopática, fibrose cística e hipertensão arterial pulmonar idiopática/familiar. Embora o transplante de pulmão bilateral ofereça melhor sobrevivência em comparação com o transplante de pulmão único, o último pode ser realizado de maneira a beneficiar dois receptores a partir de um único (e muito raro) doador. Quando há presença de infecção crônica bilateral (p. ex., fibrose cística, bronquiectasia), ambos os pulmões do receptor devem ser substituídos para remover o reservatório de infecção.

Com o aperfeiçoamento das técnicas cirúrgicas e de preservação de órgãos, as complicações pós-operatórias (p. ex., deiscência de anastomose, trombose vascular, disfunção primária do enxerto) estão se tornando raras. O pulmão transplantado está sujeito a duas complicações principais: infecção e rejeição:

- As *infecções pulmonares* em pacientes com transplante de pulmão são essencialmente aquelas de qualquer hospedeiro imunocomprometido, discutidas anteriormente. No período inicial pós-transplante (primeiras semanas), as infecções bacterianas são mais comuns. A profilaxia com ganciclovir e o pareamento do estado CMV doador-receptor, a pneumonia por CMV ocorre menos frequentemente e é menos grave, embora algumas cepas resistentes estejam surgindo. A maioria das infecções ocorre do terceiro ao décimo segundo mês após o transplante. A pneumonia por *P. jiroveci* é rara, uma vez que quase todos os pacientes recebem profilaxia adequada, geralmente consistindo em sulfametoxazol-trimetoprima. As infecções fúngicas são principalmente decorrentes de espécies de *Aspergillus* e de *Candida*, e podem envolver o sítio de anastomose brônquica e/ou o pulmão

- A *rejeição aguda do aloenxerto pulmonar* ocorre em algum grau em todos os pacientes apesar da imunossupressão de rotina. Essa rejeição muitas vezes aparece várias semanas a meses após a cirurgia, mas também pode se manifestar depois de anos ou sempre que a imunossupressão é diminuída. Os pacientes apresentam febre, dispneia, tosse e infiltrados radiológicos. Uma vez que esses sintomas são semelhantes ao quadro de infecção, o diagnóstico muitas vezes depende de biopsia transbrônquica

- A *rejeição crônica do aloenxerto pulmonar* é um problema significativo em pelo menos metade de todos os pacientes 3 a 5 anos após o transplante. A rejeição se manifesta por tosse, dispneia e um quadro irreversível de diminuição da função pulmonar devido à fibrose.

> **Morfologia**
>
> As características morfológicas da rejeição aguda são primariamente infiltrados inflamatórios (linfócitos, plasmócitos, poucos neutrófilos e eosinófilos) ao redor de pequenos vasos, na submucosa das vias respiratórias, ou ambos. O principal correlato morfológico da rejeição crônica é a **bronquiolite obliterante**, a oclusão parcial ou completa de pequenas vias respiratórias por fibrose, com ou sem inflamação ativa (**Figura 15.40**). A bronquiolite obliterante é irregular e, portanto, difícil de diagnosticar por biopsia transbrônquica. Bronquiectasia e fibrose pulmonar também podem se desenvolver durante a rejeição crônica prolongada.

A rejeição celular aguda das vias respiratórias (o precursor presumido da obliteração fibrosa posterior dessas vias respiratórias) é geralmente responsivo à terapia, mas o tratamento da bronquiolite obliterante estabelecida tem sido decepcionante. Seu progresso pode ser retardado ou mesmo interrompido por algum tempo, mas não pode ser revertido. Complicações incomuns do transplante de pulmão incluem linfoma de células B associados ao vírus Epstein-Barr (EBV), que geralmente surge no interior do pulmão aloenxertado. Com a melhoria contínua das terapias cirúrgicas, imunossupressora e antimicrobianas, o resultado do transplante de pulmão melhorou consideravelmente. A mediana geral de sobrevida é de 6 anos, sendo que pacientes mais jovens e aqueles submetidos a transplante bilateral de pulmão apresentam melhores resultados.

Neoplasias

Da grande variedade de neoplasias benignas e malignas que podem surgir no pulmão, 90 a 95% são carcinomas, cerca de 5% são tumores carcinoides e 2 a 5% são neoplasias mesenquimais e outras neoplasias diversas.

Carcinomas

O câncer de pulmão é atualmente o câncer principal mais frequentemente diagnosticado e a causa mais comum de mortalidade por câncer no mundo todo. Estima-se que ocorreram 2,1 milhões de novos casos e 1,8 milhão de mortes por câncer de pulmão no mundo em 2018. O número de novos casos de câncer de pulmão em 2018 nos EUA deve chegar a aproximadamente 230 mil (note que em 1950 eram 18 mil), representando aproximadamente 14% dos diagnósticos de câncer e ceifando mais de 150 mil vidas, o que equivale a aproximadamente 28% de todas as mortes relacionadas ao câncer. A cada ano, o câncer de pulmão mata mais pessoas do que câncer de cólon, mama e próstata combinados. Geralmente, é uma doença de adultos mais velhos, ocorrendo mais frequentemente entre as idades de 55 e 84 anos, com pico de incidência entre 65 e 74 anos. Apenas 2% de todos os casos ocorrem antes dos 40 anos.

Como o câncer de pulmão está fortemente ligado ao tabagismo, mudanças no hábito de fumar influenciam sobremaneira a incidência e mortalidade da doença, bem como a prevalência dos vários tipos histológicos de câncer de pulmão. Desde o início da década de 1990, a incidência e as taxas de mortalidade de câncer de pulmão foram diminuindo nos homens devido a uma diminuição no tabagismo masculino ao longo nos últimos 35 anos. No entanto, a diminuição do tabagismo entre as mulheres foi menor do que entre os homens. Desde 1987 mais mulheres morrem a cada ano de câncer de pulmão do que câncer de mama, o qual por mais de 40 anos foi a principal causa de morte por câncer em mulheres.

Etiologia e patogênese

A maioria (mas não todos) os cânceres de pulmão estão associados a um carcinógeno bem conhecido: a fumaça de cigarro. Além disso, existem outros fatores genéticos e ambientais. Os cânceres de pulmão são amplamente classificados nos tipos "pequenas células" e "não pequenas células", com o último grupo incluindo adenocarcinoma e carcinoma de células escamosas. As mutações condutoras que causam câncer de pulmão variam entre esses subtipos histológicos, como será descrito mais tarde.

Tabaco. **Cerca de 80% dos cânceres de pulmão ocorrem em fumantes ativos ou aqueles que pararam recentemente, e há uma correlação quase linear entre a frequência do câncer de**

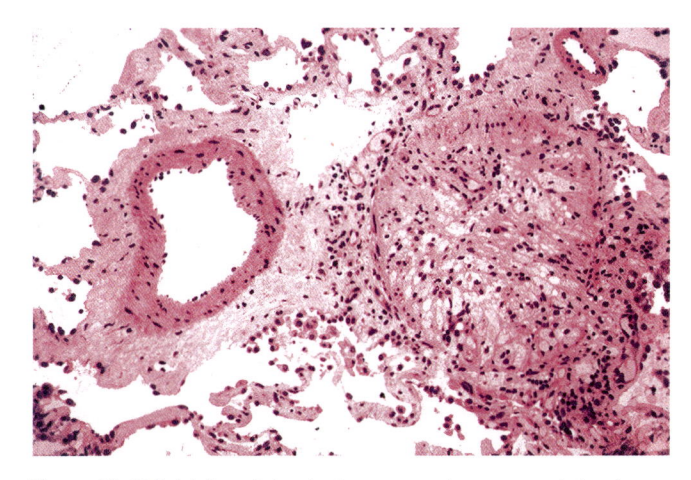

Figura 15.40 Rejeição crônica de aloenxerto pulmonar associado a bronquiolite (bronquiolite obliterante). A artéria pulmonar adjacente está normal. (Cortesia do Dr. Thomas Krausz, Department of Pathology, The University of Chicago, Pritzker School of Medicine, Chicago, Ill.)

pulmão e maços-ano de tabagismo. Fumantes inveterados habituais (dois maços por dia durante 20 anos) têm um risco 60 vezes maior do que não fumantes. Contudo, uma vez que o câncer de pulmão se desenvolve em apenas 10 a 15% dos fumantes, é provável que haja outros fatores que interagem com o hábito de fumar e que predispõem os indivíduos a essa doença mortal. Por motivos obscuros, parece que as mulheres são mais suscetíveis aos carcinógenos presentes no tabaco do que os homens. Embora a cessação do hábito de fumar diminua o risco de câncer de pulmão ao longo do tempo, esse risco pode nunca retornar aos níveis basais. Na verdade, as alterações genéticas que precedem o câncer de pulmão podem persistir por muitos anos no epitélio brônquico de ex-fumantes. Fumantes de cachimbo e charuto também incorrem em um risco elevado, embora apenas modestamente. Mascar tabaco não é um substituto seguro para cigarros ou charutos, pois esses produtos poupam o pulmão, mas causam cânceres orais e podem levar ao vício da nicotina. Os efeitos a longo prazo dos aerossóis de cigarros eletrônicos não são conhecidos, uma vez que a "vaporização" é um fenômeno relativamente recente (ver **Capítulo 9**).

Infelizmente, os efeitos carcinogênicos da fumaça do tabaco se estendem a quem vive e trabalha com fumantes. A *fumaça de segunda mão*, ou fumaça ambiental de cigarro, contém numerosos carcinógenos humanos para os quais não há nível seguro de exposição. Estima-se que a cada ano cerca de 3 mil adultos não fumantes morrem de câncer de pulmão como resultado da respiração de fumaça de segunda mão.

O que dizer dos fumantes inveterados que nunca desenvolvem câncer? Enquanto parte disso pode ser uma questão de acaso, o efeito mutagênico de carcinógenos na fumaça é modificado por variantes genéticas. Lembre-se de que muitos produtos químicos (pró-carcinógenos) são convertidos em carcinógenos via ativação pelo sistema enzimático altamente polimórfico da mono-oxigenase P-450 (ver **Capítulo 9**). Variantes específicas da P-450 têm uma capacidade aumentada de ativar pró-carcinógenos da fumaça do cigarro e fumantes com estas variantes incorrem em um risco maior de desenvolver câncer de pulmão. De forma semelhante, indivíduos cujos linfócitos do sangue periférico apresentam quebras cromossômicas mais numerosas após a exposição aos carcinógenos associados ao tabaco (genótipo de sensibilidade mutagênica) têm um risco 10 vezes maior de desenvolver câncer de pulmão em comparação com os controles, presumivelmente por causa da variação genética em genes envolvidos no reparo do DNA.

As alterações histológicas que se correlacionam com as etapas ao longo do caminho para a transformação neoplásica são mais bem documentadas para o carcinoma de células escamosas e são descritas em mais detalhes adiante. Existe uma correlação linear entre a intensidade de exposição à fumaça de cigarro e o aparecimento de alterações epiteliais mais preocupantes. Estas alterações começam com hiperplasia de células basais de aparência inócua e metaplasia escamosa, e progridem para displasia escamosa e carcinoma *in situ*, a última etapa antes da progressão para o câncer invasivo.

Riscos industriais. Certas exposições industriais, como amianto, arsênio, cromo, urânio, níquel, cloreto de vinila e gás mostarda, aumentam o risco de desenvolver câncer de pulmão. Alta dose de radiação ionizante é carcinogênica. Houve um aumento da incidência de câncer de pulmão entre os sobreviventes das explosões de bombas atômicas em Hiroshima e Nagasaki, bem como em trabalhadores profundamente envolvidos na limpeza após o desastre de Chernobyl. O urânio é fracamente radioativo, mas as taxas de câncer de pulmão entre os mineradores de urânio não fumantes são quatro vezes maiores do que na população em geral; entre os mineradores fumantes, as taxas são cerca de dez vezes maiores. A exposição ao amianto também aumenta o risco de desenvolvimento do câncer de pulmão. O período de latência antes do desenvolvimento do câncer de pulmão é de 10 a 30 anos, que é a doença maligna mais frequente em indivíduos expostos ao amianto, principalmente quando associado ao hábito de fumar. Trabalhadores do amianto que não fumam têm um risco cinco vezes maior de desenvolver câncer de pulmão do que indivíduos-controle não fumantes, enquanto aqueles que fumam têm um risco 55 vezes maior.

Poluição do ar. É incerto se a poluição do ar, por si só, aumenta o risco de câncer de pulmão, mas provavelmente adiciona risco àqueles que fumam ou estão expostos à fumaça de segunda mão. Isso pode ocorrer por meio de vários mecanismos diferentes. A exposição crônica a partículas da poluição atmosférica pode causar irritação pulmonar, inflamação e reparo, e você se lembrará de que a inflamação crônica e o reparo aumentam o risco de uma variedade de cânceres (ver **Capítulo 7**). Uma forma específica de poluição do ar que pode contribuir para um aumento do risco de câncer de pulmão é o gás radônio. O radônio é um gás radioativo onipresente que tem sido relacionado epidemiologicamente ao aumento do câncer de pulmão em mineradores de urânio. Outros mineradores subterrâneos e profissionais que trabalham em locais abaixo do solo, como metrôs, túneis e porões, estão em maior risco de exposição ao radônio. Há preocupação de que baixos níveis de exposição (p. ex., casas bem insuladas em áreas com níveis naturalmente elevados de radônio no solo) também possam aumentar a incidência de câncer de pulmão.

Mutações adquiridas. Tal como acontece com outros cânceres (ver **Capítulo 7**), os carcinomas pulmonares relacionados ao fumo surgem por etapas cumulativas de mutações oncogênicas "condutoras" que resultam na transformação neoplásica das células epiteliais pulmonares. Algumas das alterações genéticas associadas ao câncer podem ser encontradas no epitélio brônquico "benigno" de fumantes sem câncer de pulmão, sugerindo que grandes áreas da mucosa respiratória sofreram mutagênese pela exposição aos carcinógenos presentes na fumaça do cigarro ("efeito de campo"). Nesse solo fértil, as células que acumulam apenas a coleção "errada" de mutações condutoras complementares necessárias para adquirir todos os as marcas registradas do câncer se transformam em carcinomas.

Cada um dos principais subtipos histológicos de câncer de pulmão apresenta características moleculares distintas, como segue:

- O *adenocarcinoma* está associado ao tabagismo, mas menos do que outros subtipos histológicos; como resultado, é o subtipo mais comum em indivíduos que nunca fumaram (descrito a seguir). Cerca de um terço dos adenocarcinomas tem mutações oncogênicas de ganho de função envolvendo componentes das vias de sinalização dos receptores de fatores de crescimento; é importante reconhecer essas vias porque muitas vezes elas podem ser alvo de inibidores específicos (discutidos adiante). Entre as mutações de ganho de função, estão aquelas em genes que codificam diversos receptores tirosinoquinases diferentes, tais como: *EGFR*, em 10 a 15% das neoplasias em caucasianos e uma porcentagem mais alta de mulheres asiáticas não fumantes; *ALK*, em 3 a 5% das neoplasias; *ROS1*, em 1% das neoplasias; *MET*, em 2 a 5% das neoplasias; e RET, em 1 a 2% das neoplasias. Outras neoplasias têm mutações de ganho de função em serina/treonina quinases (*BRAF*, 2% das neoplasias; e *PI3K*, 2% das neoplasias) ou no gene *KRAS* (cerca de 30% das neoplasias), todas as quais codificam moléculas de sinalização que se encontram *downstream* a receptores tirosinoquinases nas vias de sinalização de fatores de crescimento

- O *carcinoma de células escamosas* está altamente associado à exposição à fumaça de cigarro e abriga diversas aberrações genéticas, muitas das quais são deleções cromossômicas envolvendo *loci* supressores de tumor. Essas perdas, especialmente aquelas envolvendo 3p, 9p (local do gene *CDKN2A*) e 17p (local do gene *TP53*), são eventos iniciais na evolução do tumor, sendo detectados em uma frequência apreciável células da mucosa respiratória histologicamente normais de fumantes. A maioria das neoplasias tem mutações em *TP53* e a superexpressão da proteína p53 (observada por coloração imuno-histoquímica), um marcador de mutações em *TP53*, é um evento precoce, sendo relatado em 10 a 50% das displasias escamosas e em 60 a 90% dos carcinomas de células escamosas *in situ*. O gene supressor de tumor *CDKN2A*, que codifica o inibidor da quinase dependente de ciclina p16, sofre mutação em 65% das neoplasias. Muitos carcinomas de células escamosas também têm amplificação de *FGFR1*, um gene que codifica o receptor tirosinoquinase do fator de crescimento de fibroblastos
- O *carcinoma de pequenas células* está praticamente relacionado ao tabagismo e tem a maior carga mutacional entre os cânceres de pulmão. Há uma inativação quase universal de *TP53* e *RB*, e transformações incomuns de carcinomas de células não pequenas para carcinomas de pequenas células estão frequentemente associadas com aquisição de mutações de perda de função em *RB*, enfatizando a importância da inativação de *RB* neste subtipo de câncer de pulmão. A perda do cromossomo 3p também ocorre em quase todas essas neoplasias e é vista mesmo no epitélio pulmonar histologicamente normal, sugerindo que também é um evento inicial crítico. Este subtipo também é comumente associado à amplificação de genes da família *MYC*.

Câncer de pulmão em pessoas que nunca fumaram. A OMS estima que 25% dos cânceres de pulmão em todo o mundo ocorrem em pessoas que nunca fumaram. Essa porcentagem está provavelmente mais próxima de 10 a 15% nos países ocidentais. Esses cânceres ocorrem mais comumente em mulheres e a maioria são adenocarcinomas, frequentemente com mutações/comutações rastreáveis. Os cânceres em não fumantes são mais prováveis de ter mutações em *EGFR* e quase nunca tem mutações em *KRAS*; mutações em *TP53* não são incomuns, mas ocorrem com menos frequência do que em cânceres relacionados ao tabagismo.

Lesões precursoras (pré-invasivas). Quatro tipos morfológicos de lesões epiteliais precursoras são reconhecidos: (1) hiperplasia adenomatosa atípica; (2) adenocarcinoma *in situ*; (3) displasia escamosa e carcinoma *in situ*; e (4) hiperplasia de células neuroendócrinas pulmonares idiopática difusa. Deve ser lembrado que o termo *precursor* não implica que a progressão para o câncer é inevitável. Atualmente, não é possível distinguir entre lesões precursoras que progridem e aquelas que permanecem localizadas ou regridem.

Classificação

A classificação dos tumores é importante para a consistência no tratamento do paciente e fornece uma base uniforme para estudos epidemiológicos e biológicos. A classificação mais recente do câncer de pulmão é apresentada na **Tabela 15.9**. Diversas variantes histológicas de cada tipo de câncer de pulmão são descritas; no entanto, seu significado clínico ainda é indeterminado, exceto conforme mencionado neste capítulo. As proporções relativas das principais categorias são:

- Adenocarcinoma (50%)
- Carcinoma de células escamosas (20%)
- Carcinoma de pequenas células (15%)
- Carcinoma de células grandes (2%)
- Outras (13%).

Pode haver misturas de padrões histológicos, inclusive no mesmo câncer. Assim, combinações de carcinoma de células escamosas e adenocarcinoma ocorrem em aproximadamente 14% dos pacientes, enquanto combinações de carcinoma de pequenas células e carcinoma de células escamosas ocorre em cerca de 5% dos pacientes.

A incidência de adenocarcinoma aumentou significativamente nas últimas duas décadas, e agora é a forma mais comum de câncer de pulmão em mulheres e homens. A base para essa mudança não é clara. Um possível fator é o aumento de mulheres fumantes, mas isso somente reforça nossa ignorância sobre por que as mulheres desenvolvem adenocarcinoma com mais frequência.

Tabela 15.9 Classificação histológica de neoplasias pulmonares epiteliais malignas.

Classificação da neoplasia
Adenocarcinoma
Lepídico, acinar, micropapilar, sólido (de acordo com o padrão predominante)
Adenocarcinoma mucinoso invasivo
Adenocarcinoma minimamente invasivo (não mucinoso, mucinoso)
Carcinoma de células escamosas
Queratinizante, não queratinizante, basaloide
Tumores neuroendócrinos
Carcinoma de pequenas células
Carcinoma de pequenas células combinado
Carcinoma neuroendócrino de grandes células
Carcinoma neuroendócrino de grandes células combinado
Tumor carcinoide   Típico, atípico
Outros tipos incomuns
Carcinoma de grandes células
Carcinoma adenoescamoso
Carcinoma sarcomatoide   Pleomórfico, células fusiformes, carcinoma de células gigantes, carcinossarcoma, blastoma pulmonar
Outros, como carcinoma semelhante a linfoepitelioma e carcinoma NUT
Neoplasias do tipo glândula salivar

Outra possibilidade é que as mudanças nos cigarros (alterações nos filtros das pontas e diminuição de alcatrão e nicotina) podem ter feito com que fumantes inalem mais profundamente, aumentando a exposição de vias respiratórias e células periféricas com predileção para dar origem a adenocarcinoma causado por esses carcinógenos.

> ### Morfologia
>
> Os carcinomas pulmonares podem surgir na periferia do pulmão (mais frequentemente, adenocarcinomas) ou na região central/hilar (mais frequentemente, carcinomas de células escamosas), às vezes em associação com lesões precursoras reconhecíveis.
>
> A **hiperplasia adenomatosa atípica** é uma pequena lesão precursora ($\leq$ 5 mm) caracterizada por pneumócitos displásicos que revestem paredes alveolares levemente fibróticas (**Figura 15.41**). Pode ser única ou múltipla e estar adjacente ou distante da neoplasia invasiva no pulmão.
>
> O **adenocarcinoma in situ** (anteriormente denominado carcinoma bronquíolo-alveolar) é uma lesão com menos de 3 cm de tamanho e composta inteiramente de células displásicas que crescem ao longo de septos alveolares preexistentes. As células são mais displásicas do que na hiperplasia adenomatosa atípica e podem ou não conter mucina intracelular (**Figura 15.42**).
>
> O **adenocarcinoma** é uma neoplasia epitelial maligna invasiva com diferenciação glandular ou produção de mucina pelas células tumorais. Os adenocarcinomas crescem em vários padrões, incluindo acinar, lepídico, papilar, micropapilar e sólido. Comparado aos cânceres de células escamosas, essas lesões estão em geral localizadas mais perifericamente e tendem a ser menores. Elas variam histologicamente entre neoplasias bem diferenciadas com elementos glandulares óbvios (**Figura 15.43A**), lesões papilares que se assemelham a outros carcinomas papilares e massas sólidas com glândulas e células produtoras de mucina apenas ocasionais. A maioria expressa o fator de transcrição da tireoide-1 (TTF-1, *thyroid transcription factor-1*) (**Figura 15.43A**, detalhe), uma proteína identificada pela primeira vez na tireoide e necessária para o desenvolvimento normal do pulmão. Na periferia da neoplasia, muitas vezes há um padrão lepídico de disseminação, no qual as células neoplásicas "rastejam" ao longo de septos alveolares de aparência normal. Neoplasias ($\leq$ 3 cm) com um pequeno componente invasivo ($\leq$ 5 mm) associadas a cicatrizes e um padrão de crescimento lepídico periférico são chamadas **adenocarcinomas microinvasivos**. Estes têm um prognóstico muito melhor do que os carcinomas invasivos do mesmo tamanho. **Adenocarcinomas mucinosos** tendem a se espalhar de forma aerogênica, formando tumores-satélite; portanto, é menos provável que sejam curados por cirurgia. Eles podem se apresentar como um nódulo solitário ou como vários nódulos, ou ainda um lobo inteiro pode ser consolidado pela neoplasia, mimetizando a pneumonia lobar.
>
> O **carcinoma de células escamosas** é mais comum em homens e está fortemente associado ao tabagismo. As lesões precursoras que originam o carcinoma de células escamosas invasivo são bem caracterizadas. Os carcinomas de células escamosas são frequentemente precedidos por **displasia** ou **metaplasia escamosa** do epitélio brônquico, que então se transforma no **carcinoma in situ**, um estágio que pode durar por anos (**Figura 15.44**). A essa altura, células atípicas podem ser identificadas em esfregaços citológicos de escarro ou em líquidos de lavados brônquicos ou escovações (**Figura 15.45**), mas a lesão é assintomática e indetectável em radiografias. Eventualmente, um carcinoma de células escamosas invasivo aparece. A neoplasia pode então seguir uma variedade de caminhos. Pode crescer exofiticamente na luz brônquica, produzindo uma massa intraluminal. Com mais crescimento, o brônquio torna-se obstruído, levando a atelectasia distal e infecção. A neoplasia também pode penetrar na parede do brônquio e se infiltrar ao longo do tecido peribrônquico (**Figura 15.46**) na carina adjacente ou mediastino. Em outros casos, a neoplasia cresce ao longo de uma fronte ampla para produzir uma massa intraparenquimatosa semelhante à couve-flor que comprime o pulmão circundante. Como em quase todos os tipos de câncer de pulmão, o tecido neoplásico é branco-acinzentado e tem textura de firme a dura. Especialmente quando as neoplasias são volumosas, áreas focais de hemorragia ou necrose podem parecer produzir manchas vermelhas ou branco-amareladas e amolecimento. Às vezes, esses focos necróticos cavitam.

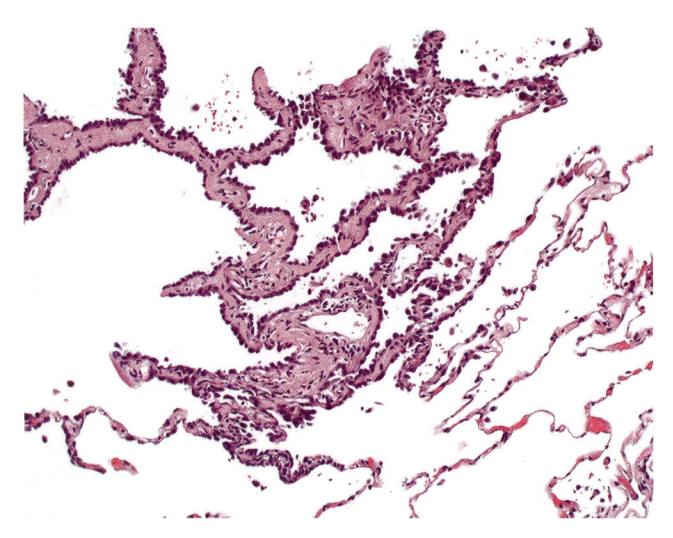

Figura 15.41 Hiperplasia adenomatosa atípica. O epitélio é cuboidal e há fibrose intersticial leve.

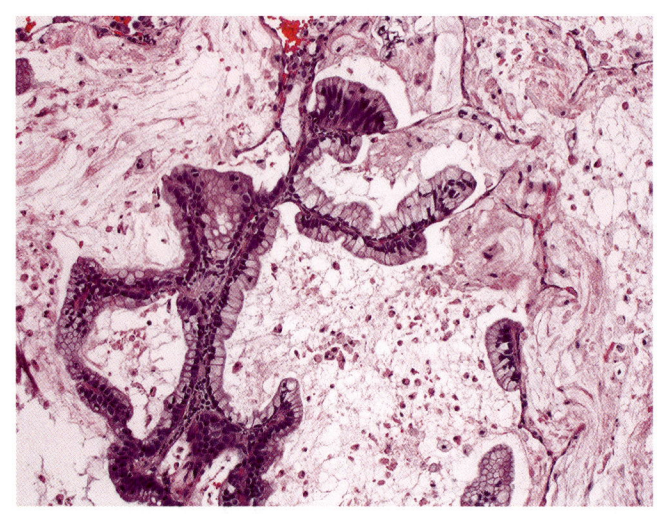

Figura 15.42 Adenocarcinoma *in situ* subtipo mucinoso. O crescimento característico ao longo dos septos alveolares preexistentes é evidente, sem invasão.

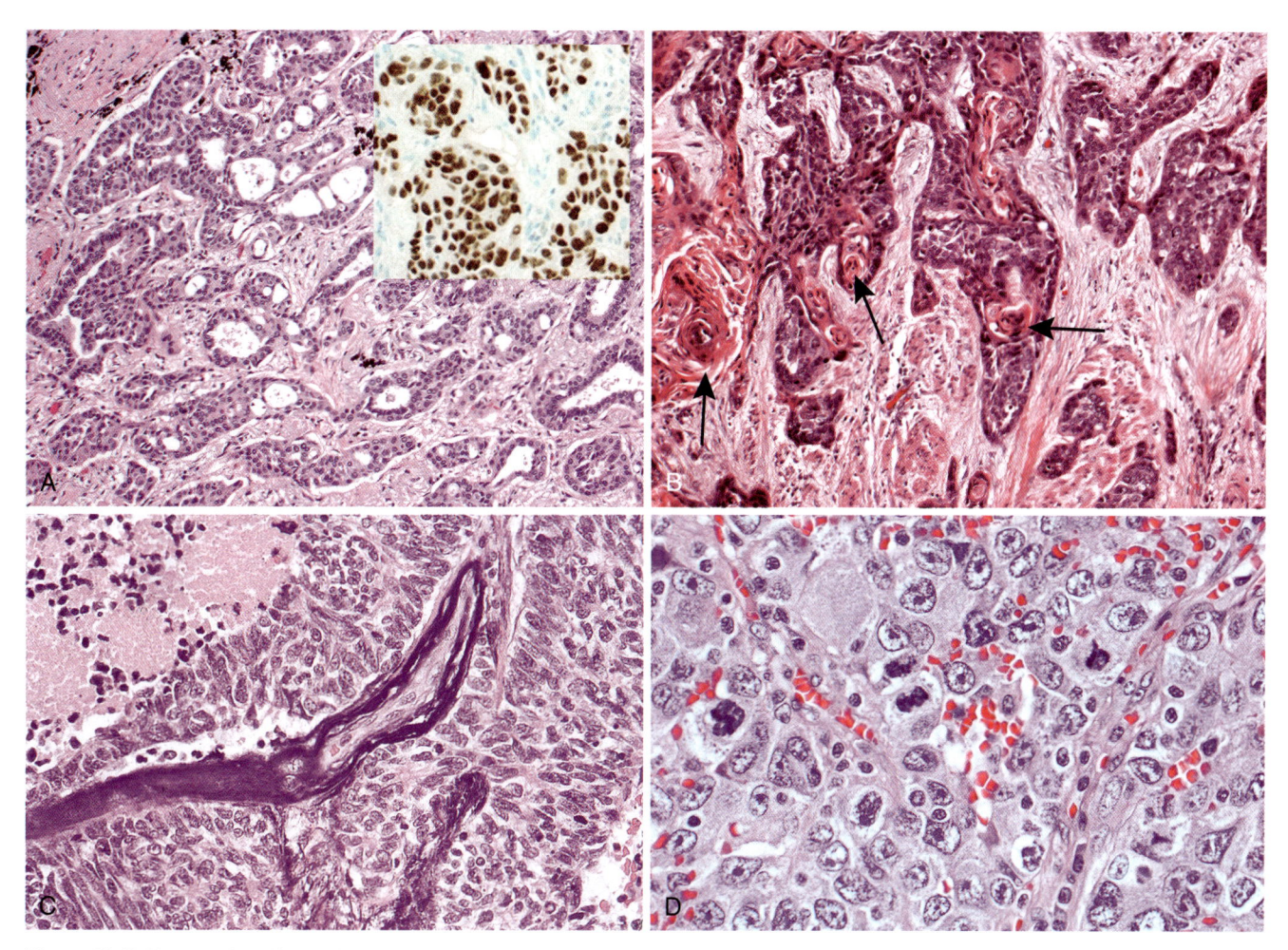

Figura 15.43 Variantes histológicas do carcinoma de pulmão. **A.** Adenocarcinoma formador de glândulas; a *inserção* mostra a expressão do fator de transcrição da tireoide 1 (TTF-1), detectado por imuno-histoquímica. **B.** Carcinoma de células escamosas bem diferenciado apresentando queratinização (seta). **C.** Carcinoma de pequenas células. Existem ilhas de células pequenas extremamente basofílicas e áreas de necrose. **D.** Carcinoma de grandes células. As células tumorais são pleomórficas e não apresentam evidência de diferenciação escamosa ou glandular.

Histologicamente, o carcinoma de células escamosas é caracterizado pela presença de queratinização e/ou pontes intercelulares. A queratinização pode assumir a forma de pérolas escamosas ou células individuais com citoplasma marcadamente eosinofílico (**Figura 15.43B**). Essas características são proeminentes em neoplasias bem diferenciadas, são facilmente observáveis, mas não extensas em neoplasias moderadamente diferenciadas, e são vistas focalmente em neoplasias pouco diferenciadas. Atividade mitótica é maior em neoplasias pouco diferenciadas. No passado, a maioria dos carcinomas de células escamosas surgia centralmente dos brônquios segmentares ou subsegmentares, mas a incidência de carcinoma de células escamosas do pulmão periférico está aumentando. Metaplasia escamosa, displasia epitelial e focos de carcinoma in situ podem ser vistos no epitélio brônquico adjacente à massa tumoral (ver **Figura 15.44**).

O **carcinoma de pequenas células** é uma neoplasia altamente maligna que apresenta uma forte relação com o tabagismo; apenas cerca de 1% ocorre em não fumantes. As neoplasias podem surgir nos brônquios principais ou na periferia do pulmão. Não há fase pré-invasiva conhecida. Elas são as neoplasias de pulmão mais agressivas, metastatizando amplamente e quase sempre provando ser fatais.

O carcinoma de pequenas células é composto por células relativamente pequenas com citoplasma escasso, bordas celulares mal definidas, cromatina nuclear finamente granular (padrão de sal e pimenta) e nucléolos ausentes ou imperceptíveis (**Figura 15.43C**). As células são redondas, ovais ou em forma de fuso, e a moldagem nuclear é proeminente. Não há um tamanho absoluto para as células neoplásicas, mas em geral são menores que três vezes o diâmetro de um pequeno linfócito em repouso (aproximadamente 25 μm). A contagem mitótica é alta. As células crescem em aglomerados que não exibem organização glandular nem escamosa. Necrose é comum e frequentemente extensa. Coloração basofílica de paredes vasculares devido à incrustação de DNA de células neoplásicas necróticas (efeito Azzopardi) está frequentemente presente. O carcinoma de pequenas células combinado é uma variante em que o carcinoma de pequenas células típico se mistura a histologias de células não pequenas, como carcinoma neuroendócrino de células grandes ou até mesmo morfologias de células fusiformes semelhantes ao sarcoma.

A microscopia eletrônica mostra grânulos neurossecretores de núcleo denso, com cerca de 100 nm de diâmetro, em dois terços dos casos de carcinoma de pequenas células. A ocorrência de grânulos neurossecretores; a expressão de marcadores

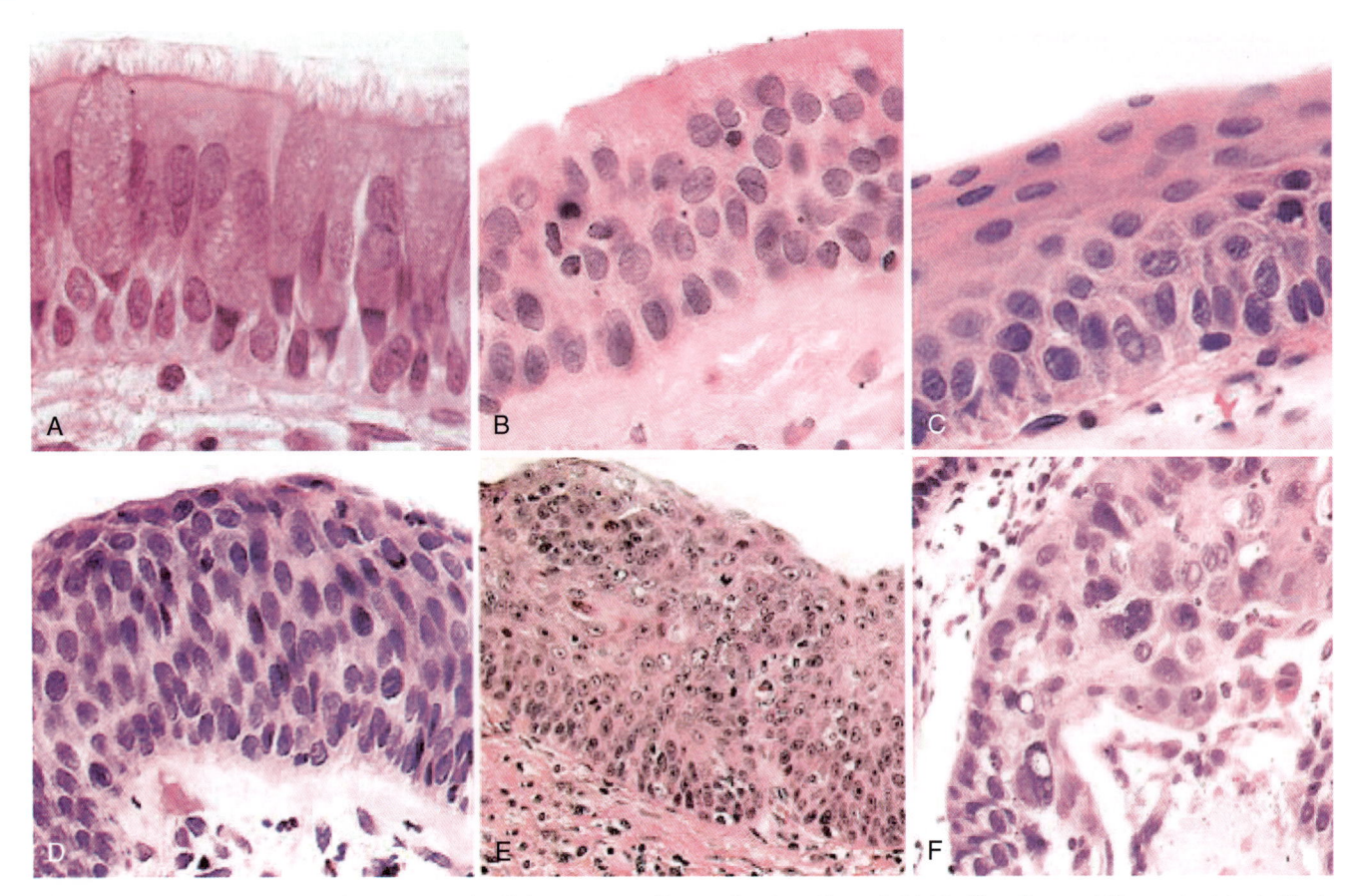

Figura 15.44 Lesões precursoras de carcinomas de células escamosas. Algumas das alterações mais iniciais ("leves") no epitélio respiratório danificado pelo tabagismo incluem (**A**) hiperplasia de células caliciformes, (**B**) hiperplasia de células basais (ou células de reserva) e (**C**) metaplasia escamosa. Mudanças mais ameaçadoras incluem (**D**) o aparecimento de displasia escamosa, caracterizada pela presença de epitélio escamoso desordenado, com perda da polaridade nuclear, hipercromasia nuclear, pleomorfismo e figuras mitóticas. A displasia escamosa pode progredir através dos estágios de displasia leve, moderada e grave. **E.** Carcinoma *in situ*, o estágio imediatamente anterior ao (**F**) carcinoma escamoso invasivo, por definição não penetrou a membrana basal e tem características citológicas semelhantes às do carcinoma franco. (**A** a **E**, Cortesia do Dr. Adi Gazdar, Department of Pathology, University of Texas, Southwestern Medical School, Dallas, Tex. **F**, Reproduzida, com autorização, de Travis WD, et al., editors: *World Health Organization Histological Typing of Lung and Pleural Tumors*, Heidelberg, 1999, Springer.)

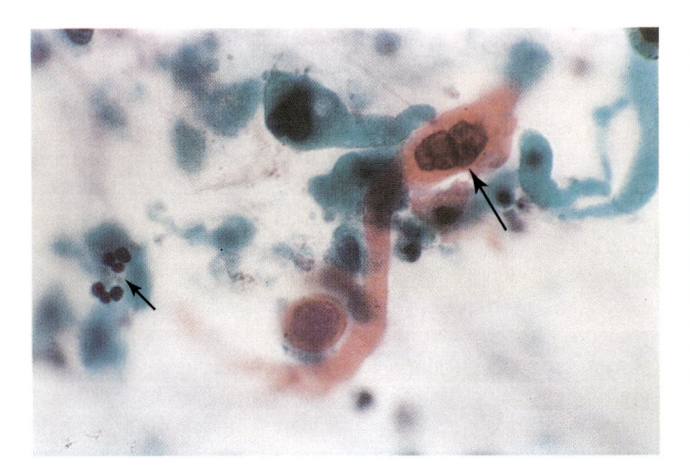

Figura 15.45 Diagnóstico citológico de câncer de pulmão. A amostra de escarro mostra uma célula de carcinoma escamoso queratinizada com coloração laranja e núcleo hipercromático proeminente (*seta grande*). Observe o tamanho das células tumorais em comparação com os neutrófilos normais (*seta pequena*).

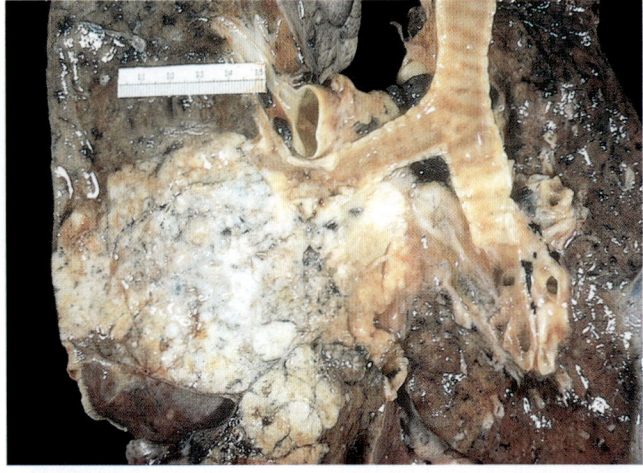

Figura 15.46 Carcinoma pulmonar. A neoplasia cinza-esbranquiçada infiltra o parênquima pulmonar. Cortes histológicos identificaram essa neoplasia como um carcinoma de células escamosas.

neuroendócrinos, como cromogranina, sinaptofisina e CD56; e a capacidade de algumas dessasneoplasias secretarem hormônios (p. ex., proteína relacionada ao paratormônio, uma causa de hipercalcemia paraneoplásica) sugerem que se origine de células progenitoras neuroendócrinas presentes no revestimento do epitélio brônquico. Entretanto, essa visão simplista é desafiada pela existência de neoplasias compostas por uma mistura de carcinoma de pequenas células e outras histologias, além das bem documentadas "transformações" de carcinoma de células não pequenas em carcinoma de pequenas células. Entre os vários tipos de câncer de pulmão, o carcinoma de pequenas células é aquele que está mais comumente associado com a produção de hormônio ectópico (discutido adiante).

O **carcinoma de grandes células** é uma neoplasia epitelial maligna indiferenciada que não apresenta as características citológicas de outras formas de câncer de pulmão. As células normalmente têm núcleos grandes, nucléolos proeminentes e uma quantidade moderada de citoplasma (**Figura 15.43D**). O carcinoma de grandes células é diagnosticado por exclusão, uma vez não que expressa os marcadores associados ao adenocarcinoma (TTF-1, napsina A) ou carcinoma de células escamosas (p40, p63). Uma variante histológica é o carcinoma neuroendócrino de grandes células, que tem características semelhantes às do carcinoma de pequenas células, mas compreende células neoplásicas de maior tamanho.

Carcinoma combinado. Aproximadamente 4 a 5% de todos os carcinomas de pulmão têm uma histologia combinada, incluindo dois ou mais dentre os tipos supramencionados.

Qualquer tipo de carcinoma de pulmão pode se estender até a superfície pleural e então se espalhar dentro da cavidade pleural ou no pericárdio. Metástases para os gânglios brônquicos, traqueais e mediastinais podem ser encontradas na maioria dos casos. A frequência de envolvimento dos linfonodos varia ligeiramente com o padrão histológico, mas com médias superiores a 50%.

A propagação a distância do carcinoma de pulmão ocorre através dos canais linfáticos e das vias hematogênicas. Essas neoplasias costumam se espalhar cedo por todo o corpo, exceto o carcinoma de células escamosas, que metastatiza tardiamente fora do tórax. A metástase pode ser a primeira manifestação de uma lesão pulmonar oculta subjacente. Nenhum órgão ou tecido é poupado, mas as glândulas adrenais, por motivos obscuros, estão envolvidas em mais da metade dos casos. O fígado (30 a 50%), cérebro (20%) e ossos (20%) são outros locais preferidos de metástases.

Patologia secundária. Os carcinomas de pulmão têm efeitos locais que podem causar várias alterações patológicas no pulmão distal ao ponto de envolvimento brônquico. A obstrução parcial pode causar **enfisema focal** marcante; a obstrução total pode levar a **atelectasia**. A drenagem prejudicada das vias respiratórias é um causa comum de **bronquite supurativa ou ulcerativa grave** ou de **bronquiectasia**. Os **abscessos pulmonares** às vezes chamam a atenção para um carcinoma silencioso. A compressão ou invasão da veia cava superior pode causar congestão venosa e edema da cabeça e do braço e, em última análise, comprometimento circulatório – a **síndrome da veia cava superior**. A extensão para o pericárdio ou sacos pleurais podem causar **pericardite** (ver **Capítulo 12**) ou **pleurite** com efusões significativas. Cânceres de pulmão apicais no sulco pulmonar superior tendem a invadir as estruturas neurais ao redor a traqueia, incluindo o plexo cervical simpático, e produzir um grupo de achados clínicos que incluem dor intensa na distribuição do nervo ulnar e *síndrome de Horner* (enoftalmia, ptose, miose e anidrose) no mesmo lado da lesão. Tais neoplasias também são chamadas *tumores de Pancoast*.

Estadiamento. Um sistema TNM uniforme para determinar o estadiamento do câncer de acordo com sua extensão anatômica no momento do diagnóstico é útil, particularmente para comparar os resultados do tratamento entre diferentes centros (**Tabela 15.10**).

Tabela 15.10 Sistema de estadiamento internacional para câncer de pulmão.

Estadiamento TNM	
Tis	Carcinoma *in situ* Adenocarcinoma *in situ*: adenocarcinoma com padrão lepídico puro, ≤ 3 cm Carcinoma de células escamosas *in situ*
T1	Neoplasia com ≤ 3 cm sem envolvimento pleural ou do brônquio fonte principal (T1mi, adenocarcinoma minimamente invasivo; T1a, < 1 cm; T1b, 1 a 2 cm; T1c, 2 a 3 cm)
T2	Neoplasia com 3 a 5 cm ou envolvimento do brônquio fonte principal, mas não da carina, envolvimento visceral pleural ou atelectasia lobar (T2a, 3 a 4 cm; T2b, 4 a 5 cm)
T3	Neoplasia com > 5 a 7 cm ou um com envolvimento da pleura parietal, parede torácica (incluindo tumores do sulco superior), diafragma, nervo frênico, pleura mediastinal, pericárdio parietal ou nódulos neoplásicos separados no mesmo lobo
T4	Neoplasia com > 7 cm ou qualquer neoplasia com invasão de mediastino, coração, grandes vasos, traqueia, nervo laríngeo recorrente, esôfago, corpo vertebral ou carina ou nódulos neoplásicos separados em um lobo diferente ipsilateral
N0	Ausência de metástase para linfonodos regionais
N1	Envolvimento intraparenquimal ou peribrônquico ou de linfonodo hilar ipsilateral
N2	Metástase para linfonodos mediastinais ou subcarinais ipsilaterais
N3	Metástase para linfonodos mediastinais ou hilares contralaterais, linfonodos escalenos ipsilaterais ou contralaterais ou linfonodos supraclaviculares
M0	Ausência de metástase a distância
M1	Metástase a distância (M1a, nódulo neoplásico separado no lobo contralateral ou nódulos pleurais, ou derrame pleural ou pericárdico malignos; M1b, metástase extratorácica única em um único órgão; M1c, múltiplas metástases extratorácicas)
Agrupamento de estádios			

Estádio 0	Tis	N0	M0
Estádio IA	IA1, T1mi ou T1a; IA2, T1b; IA3, T1c	N0	M0
Estádio IB	T2a	N0	M0
Estádio IIA	T2b	N0	M0
		N1	M0
Estádio IIB	T2b	N0	M0
	T1a, T1b, T1c, T2a, T2b	N1	M0
	T3	N0	M0
Estádio IIIA	T1a, T1b, T1c, T2a, T2b	N2	M0
	T3	N1	M0
	T4	N0, N1	M0
Estádio IIIB	T1a, T1b, T1c, T2a, T2b	N3	M0
	T3, T4	N2	M0
Estádio IIIC	T3, T4	N3	M0
Estádio IVA	Qualquer T	Qualquer N	M1a, M1b
Estádio IVB	Qualquer T	Qualquer N	M1c

Características clínicas

O câncer de pulmão é uma das neoplasias mais insidiosas e agressivas no domínio da oncologia. Nos casos típicos, é descoberto em pacientes com 50 anos ou mais, cujos sintomas têm a duração de vários meses. As principais queixas apresentadas são tosse (75%), perda de peso (40%), dor no tórax (40%) e dispneia (20%). Algumas das manifestações locais mais comuns do câncer de pulmão e suas bases patológicas estão listadas na **Tabela 15.11**.

Não raro, o câncer de pulmão é reconhecido por meio de biopsia dos tecidos envolvidos pela doença metastática. Os sintomas das metástases dependem do local, por exemplo, dor nas costas em metástases ósseas e cefaleia, hemiparesia, dano do nervo craniano e convulsões em metástases cerebrais.

O melhor "tratamento" para o câncer de pulmão é a prevenção do tabagismo, que reduziu sua incidência nos EUA entre os homens; no entanto, 15% dos adultos ainda fumam, e mesmo aqueles que desistiram permanecem em risco elevado por um longo período de tempo. Essa realidade levou ao desenvolvimento de testes de detecção precoce em indivíduos de alto risco usando tomografia computadorizada de baixa dosagem, que é capaz de detectar alguns cânceres de pulmão precoces do tipo não pequenas células (ressecáveis), mas a um custo de alta incidência de resultados falso-positivos (não câncer). No geral, a perspectiva é negativa para a maioria dos pacientes. Mesmo com incremento nas melhorias da cirurgia torácica, radioterapia e quimioterapia, a taxa de sobrevivência geral em 5 anos é de apenas 18,7%. A taxa de sobrevivência em 5 anos é de 52% para os casos detectados quando a doença ainda está localizada, 22% quando há metástase regional e apenas 4% quando há metástases à distância. Em geral, o adenocarcinoma e o carcinoma de células escamosas tendem a permanecer localizados por mais tempo e têm um prognóstico ligeiramente melhor do que o carcinoma de pequenas células, que geralmente está avançado no momento da descoberta.

Tabela 15.11 Efeito locais da disseminação da neoplasia pulmonar.

Característica clínica	Base patológica
Tosse (50 a 75%)	Envolvimento das vias respiratórias centrais
Hemoptise (25 a 50%)	Hemorragia da neoplasia na via respiratória
Dor no tórax (20%)	Extensão da neoplasia no mediastino, pleura ou parede torácica
Pneumonia, abscesso, colapso lobar	Obstrução da via respiratória pela neoplasia
Pneumonia lipoide	Obstrução pela neoplasia; acúmulo de lipídio celular em macrófagos espumosos
Derrame pleural	Disseminação da neoplasia para a pleura
Rouquidão	Invasão recorrente do nervo laríngeo
Disfagia	Invasão esofágica
Paralisia diafragmática	Invasão do nervo frênico
Destruição de costelas	Invasão da parede torácica
Síndrome da VCS	Compressão da VCS pela neoplasia
Síndrome de Horner	Invasão de gânglios simpáticos
Pericardite, tamponamento	Envolvimento pericárdico

VCS, veia cava superior.

O tratamento de pacientes portadores de adenocarcinoma e mutações ativadoras em *EGFR* (presentes em aproximadamente 15% de todos os casos) ou em outras tirosinoquinases com inibidores de quinases específicos prolongam a sobrevivência. Muitas neoplasias recorrentes carregam novas mutações que geram resistência a esses inibidores, provando que estes as drogas estão "atingindo" seu alvo. Em contraste, mutações ativadoras em *KRAS* (presentes em aproximadamente 30% dos casos de adenocarcinoma) parecem estar associadas a um pior prognóstico, independentemente do tratamento, em uma doença já sombria. Em decorrência dos efeitos mutagênicos de carcinógenos da fumaça do cigarro, os cânceres de pulmão têm uma alta carga de neoantígenos potencialmente antigênicos. Assim, tanto o adenocarcinoma quanto o carcinoma celular escamoso respondem, em subconjuntos de casos, à terapia com inibidores de *checkpoint*, que produziu melhorias na sobrevivência e agora está aprovado para uso.

O carcinoma de pequenas células é bastante sensível à radioterapia e à quimioterapia, e aproximadamente 10% dos pacientes com doença limitada sobrevivem por 5 anos e podem se curar. Infelizmente, no entanto, a maioria dos pacientes apresenta doença em estágio avançado; para esses pacientes, apesar das excelentes respostas iniciais à quimioterapia, a mediana de sobrevivência é de aproximadamente 10 meses e a taxa de cura é próxima de zero. Novas abordagens envolvendo o uso de conjugados anticorpo-droga (que levam a quimioterapia seletivamente às células tumorais) e inibidores de *checkpoint* imunológicos estão sendo testados.

Síndromes paraneoplásicas. O carcinoma de pulmão pode estar associado a várias síndromes paraneoplásicas (ver **Capítulo 7**), algumas das quais podem anteceder o desenvolvimento de uma lesão pulmonar detectável. Os seguintes hormônios ou fatores semelhantes a hormônios são elaborados por células de câncer de pulmão e síndromes associadas:

- *Hormônio antidiurético* (ADH, *antidiuretic hormone*), induzindo hiponatremia devido à secreção inadequada de ADH
- *Hormônio adrenocorticotrófico* (ACTH, *adrenocorticotropic hormone*), produzindo síndrome de Cushing
- *Paratormônio, peptídeo relacionado ao hormônio da paratireoide, prostaglandina E e algumas citocinas*, todos implicados na hipercalcemia frequentemente observada no câncer de pulmão
- *Calcitonina*, causando hipocalcemia
- *Gonadotrofinas*, causando ginecomastia
- *Serotonina e bradicinina*, associadas à síndrome carcinoide.

A incidência de síndromes paraneoplásicas clinicamente significativas relacionadas a esses fatores em pacientes com câncer de pulmão varia de 1 a 10%, embora uma proporção muito maior de pacientes apresente níveis séricos elevados destes (e outros) hormônios peptídicos. Qualquer tipo histológico de neoplasias pode ocasionalmente produzir qualquer um dos hormônios, mas as neoplasias que produzem ACTH e ADH são predominantemente de carcinomas de pequenas células, enquanto aqueles que produzem hipercalcemia são principalmente carcinomas de células escamosas.

Outras manifestações sistêmicas de carcinoma pulmonar incluem a *síndrome miastênica de Lambert-Eaton* (ver **Capítulo 27**), na qual fraqueza muscular é causada por autoanticorpos (possivelmente elicitados por canais iônicos da neoplasia) direcionados ao canal de cálcio neuronal; *neuropatia periférica*, em geral puramente sensorial; anormalidades dermatológicas, incluindo acantose nigricans (ver **Capítulo 25**); anormalidades hematológicas, como as *reações leucemoides*; estados de hipercoagulabilidades, como a *síndrome de Trousseau* (trombose venosa profunda e tromboembolismo); e finalmente, uma anormalidade peculiar do tecido conjuntivo chamada *osteoartropatia pulmonar hipertrófica*, associada ao baqueteamento dos dedos.

> ### Conceitos-chave
> #### Carcinomas de pulmão
>
> - Os três principais subtipos histológicos são adenocarcinoma (mais comum), carcinoma de células escamosas e carcinoma de pequenas células
> - Cada um dos subtipos é clínica e geneticamente distinto. Carcinomas de pulmão de pequenas células são mais bem tratados com quimioterapia porque quase todos são metastáticos na apresentação. Os outros carcinomas podem ser curáveis por cirurgia se limitados ao pulmão. A combinação quimioterápica também está disponível com inibidores de tirosinoquinase para aquelas neoplasias com mutações em *EGFR*, *ALK*, *ROS* e *MET*
> - Tabagismo é o fator de risco mais importante para câncer de pulmão; o subtipo mais comum relacionado ao tabagismo em homens e mulheres é o adenocarcinoma. O adenocarcinoma também é o subtipo mais comum em não fumantes
> - Lesões precursoras incluem a hiperplasia adenomatosa atípica e o adenocarinoma *in situ* (anteriormente carcinoma bronquíoloalveolar) para adenocarcinomas e a displasia escamosa para carcinoma de células escamosas
> - Neoplasias de 3 cm ou menos de diâmetro caracterizadas por crescimento puro ao longo de estruturas preexistentes (padrão lepídico) sem invasão estromal são agora chamadas adenocarcinoma *in situ*
> - Os cânceres de pulmão, particularmente os carcinomas de pulmão de pequenas células, costumam causar síndromes paraneoplásicas.

Proliferações neuroendócrinas e tumores

O pulmão normal contém células neuroendócrinas dentro do epitélio na forma de células individuais ou como agrupamentos, os corpos neuroepiteliais. Praticamente todas as hiperplasias de células neuroendócrinas pulmonares são secundárias à fibrose e/ou à inflamação das vias respiratórias. A exceção é uma doença rara chamada *hiperplasia idiopática difusa de células neuroendócrinas pulmonares*, em que a hiperplasia ocorre na ausência de um estímulo inflamatório.

Neoplasias de células neuroendócrinas do pulmão incluem *tumorlets* benignos, que são pequenos ninhos hiperplásicos sem consequências de células neuroendócrinas observadas em áreas com cicatrizes ou inflamação crônica; *carcinoides*; e os altamente agressivos (já discutidos) carcinoma de pequenas células e carcinoma de grandes células neuroendócrinas do pulmão. Os tumores carcinoides são classificados separadamente, uma vez que diferem significativamente dos carcinomas, com evidências de diferenciação neuroendócrina em termos de incidência e características clínica, epidemiológica, histológica e molecular. Por exemplo, em contraste com os carcinomas neuroendócrinos de pequenas células e grandes células, os carcinoides pode ocorrer em pacientes com neoplasia endócrina múltipla tipo 1.

Tumores carcinoides

Os tumores carcinoides representam 1 a 5% de todas as neoplasias de pulmão. A maioria dos pacientes com essas neoplasias tem menos de 60 anos e a incidência é igual para ambos os sexos. Aproximadamente 20 a 40% dos pacientes são não fumantes. Os tumores carcinoides são neoplasias epiteliais malignas de baixo grau subclassificadas em *carcinoides típicos* e *atípicos*.

> ### Morfologia
>
> Os carcinoides podem surgir centralmente ou serem periféricos. No exame macroscópico, as neoplasias centrais crescem como massas semelhantes a dedos ou polipoides esféricos que comumente se projetam na luz do brônquio e geralmente estão cobertas por uma mucosa intacta (**Figura 15.47A**). Elas raramente excedem 3 a 4 cm de diâmetro. A maioria está confinada aos brônquios do tronco principal. Outras, no entanto, penetram na parede brônquica para se espalhar no tecido peribrônquico, produzindo a chamada **lesão em botão de colarinho**. As neoplasias periféricas são sólidas e nodulares.
>
> Histologicamente, a neoplasia é composta de arranjos de células organoides, trabeculares, em paliçada, em fita ou em forma de roseta separadas por um delicado estroma fibrovascular. Em comum com as lesões do trato gastrintestinal, as células individuais são bastante regulares, têm núcleos redondos uniformes e uma quantidade moderada de citoplasma eosinofílico (**Figura 15.47B**). Os carcinoides típicos apresentam menos do que duas mitoses por 10 campos de grande aumento e ausência de necrose, enquanto os carcinoides atípicos apresentam entre duas e 10 mitoses por 10 campos de grande aumento e/ou focos de necrose. Os carcinoides atípicos também mostram aumento do pleomorfismo, têm nucléolos mais proeminentes e são mais propensos a crescer de forma desorganizada e invadir vasos linfáticos. Na microscopia eletrônica, as células exibem grânulos com núcleos densos característicos de outros tumores neuroendócrinos e, por imuno-histoquímica, serotonina, enolase específica do neurônio, bombesina, calcitonina ou outros peptídeos são encontrados.

Características clínicas

As manifestações clínicas dos carcinoides brônquicos emanam de seu crescimento intraluminal, sua capacidade de metastatizar e a capacidade de algumas das lesões elaborarem aminas vasoativas. Tosse persistente, hemoptise, comprometimento da drenagem de passagens respiratórias por infecções secundárias, bronquiectasia, enfisema e atelectasia são todos subprodutos do crescimento intraluminal dessas lesões.

Mais interessantes são as lesões funcionais capazes de produzir a *síndrome carcinoide* clássica, caracterizada por ataques intermitentes de diarreia, rubor e cianose. Aproximadamente 10% dos carcinoides brônquicos dão origem a essa síndrome. No geral, a maioria dos carcinoides brônquicos não tem atividade secretória e não metastatizam para locais distantes, mas seguem um curso relativamente benigno por longos períodos e são, portanto, passíveis de ressecção. As taxas de sobrevida de 5 anos relatadas são de 95% para carcinoides típicos, 70% para carcinoides atípicos, 30% para carcinoma neuroendócrino de grandes células e 5% para carcinoma de pequenas células, respectivamente.

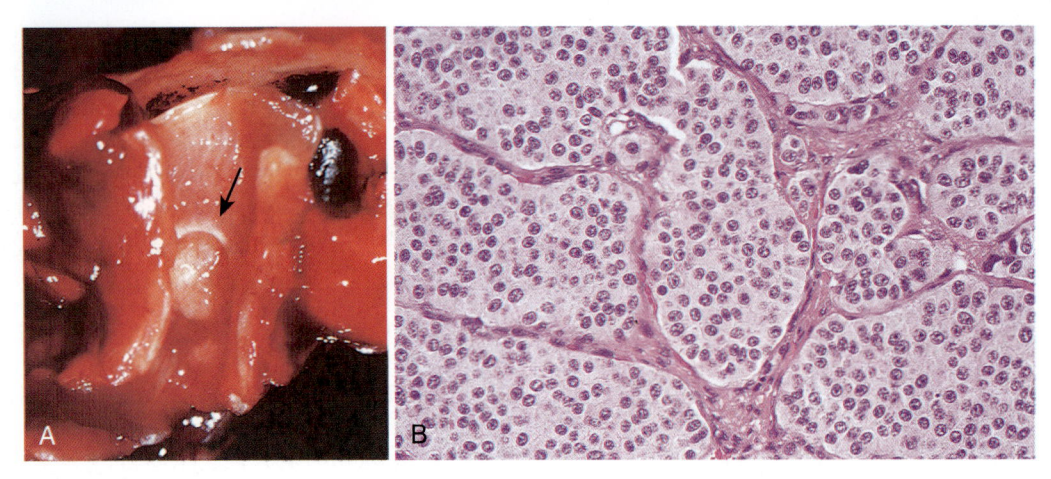

Figura 15.47 Carcinoide brônquico. **A.** Carcinoide crescendo como uma massa esférica (*seta*) projetando-se para a luz do brônquio. **B.** As células tumorais têm núcleos pequenos, arredondados, uniformes e citoplasma moderado. (Cortesia do Dr. Thomas Krausz, Department of Pathology, The University of Chicago, Pritzker School of Medicine, Chicago, Ill.)

Neoplasias diversas

Neoplasias mesenquimais benignas e malignas, como tumor miofibroblástico inflamatório, fibroma, fibrossarcoma, linfangioleiomiomatose, leiomioma, leiomiossarcoma, lipoma, hemangioma e condroma, podem ocorrer no pulmão, mas são raras. Neoplasias hematolinfoides semelhantes àquelas descritas em outros órgãos também podem afetar o pulmão, seja como lesões isoladas, seja, mais comumente, como parte de uma doença generalizada. Entre estas, estão histiocitose de células de Langerhans, linfomas de Hodgkin, granulomatose linfomatoide, um linfoma de células B positivo para EBV incomum e linfoma extranodal de células B da zona marginal de baixo grau (ver **Capítulo 13**).

O *hamartoma* pulmonar é uma lesão relativamente comum que geralmente é descoberta em radiografias torácicas de rotina como uma radiopacidade arredondada incidental (*lesão em moeda*). A maioria é solitária, com menos de 3 a 4 cm de diâmetro e bem circunscrita. O hamartoma pulmonar consiste em nódulos de tecido conjuntivo interseccionados por fendas epiteliais. A cartilagem é o tecido conjuntivo mais comum, mas também pode haver tecido fibroso e gordura. As fendas são revestidas por epitélio ciliado ou não ciliado (**Figura 15.48**). O termo tradicional hamartoma é mantido para esta lesão, mas que na verdade é uma neoplasia clonal associada com aberrações cromossômicas envolvendo 6p21 ou 12q14-q15. Essas aberrações são encontradas no componente mesenquimal, enquanto o componente epitelial parece representar epitélio respiratório aprisionado.

A *linfangioleiomiomatose* é uma doença pulmonar que afeta primariamente mulheres jovens em idade reprodutiva. A doença é caracterizada por uma proliferação de células epitelioides perivasculares que expressam marcadores de melanócitos e células musculares lisas. A proliferação distorce o pulmão envolvido, provocando uma dilatação cística semelhante a enfisema dos espaços aéreos terminais, espessamento do interstício e obstrução de vasos linfáticos. As células epitelioides lesionais frequentemente abrigam mutações de perda de função no gene supressor de tumor *TSC2*, um dos *loci* ligados à esclerose tuberosa (ver **Capítulo 28**). A proteína codificada por *TSC2*, tuberina, é um regulador negativo do alvo da rapamicina em mamíferos (mTOR, *mammalian target of rapamycin*), um regulador-chave do metabolismo celular. Enquanto mutações em *TSC2* apontam para o aumento da atividade mTOR como um fator patogênico, o distúrbio continua mal compreendido. A forte tendência em afetar mulheres jovens sugere que o estrogênio contribua para a proliferação de células epitelioides perivasculares, que frequentemente expressam receptores de estrogênio. Os pacientes mais comumente apresentam dispneia ou pneumotórax espontâneo, sendo este último relacionado a alterações enfisematosas. A doença tende a progredir lentamente ao longo de um período de várias décadas. Os inibidores de mTOR retardam ou previnem a deterioração da função pulmonar, mas devem ser continuados indefinidamente. Apenas o transplante de pulmão é curativo.

O *tumor miofibroblástico inflamatório* é uma neoplasia rara, mais comum em crianças, com igual razão entre homens e mulheres. Os sintomas de apresentação incluem febre, tosse, dor no tórax e hemoptise. Também pode ser assintomático. Estudos de imageamento geralmente mostram uma massa periférica redonda e bem definida. Calcificação está presente em cerca de um quarto dos

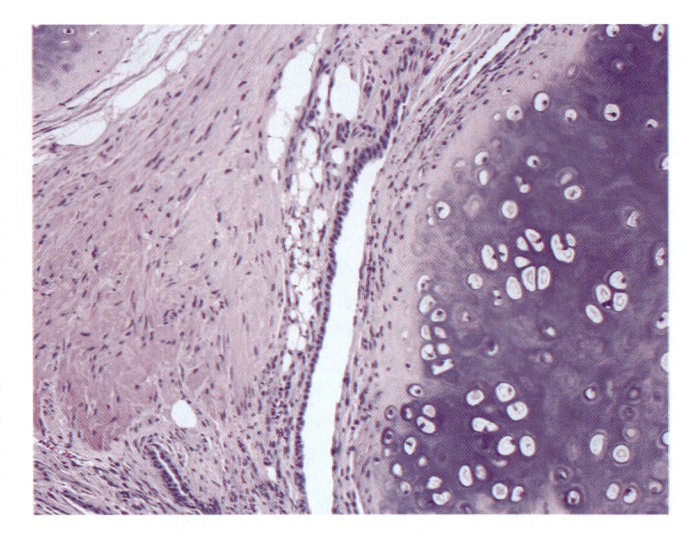

Figura 15.48 Hamartoma pulmonar. Há ilhas de cartilagem, gordura, músculo liso e epitélio respiratório aprisionado.

casos. Macroscopicamente, a lesão é firme, tem 3 a 10 cm de diâmetro e apresenta coloração branco-acinzentada. Microscopicamente, há proliferação de fibroblastos e miofibroblastos fusiformes, linfócitos, plasmócitos e fibrose periférica. Algumas dessas neoplasias têm rearranjos ativadores do gene do receptor tirosinoquinase *ALK*, localizado em 2p23, e o tratamento com inibidores de ALK tem produzido respostas sustentadas em tais casos.

Neoplasias do mediastino podem surgir em estruturas mediastinais ou podem ser metastáticos a partir do pulmão ou de outros órgãos. Frequentemente invadem ou comprimem os pulmões. A **Tabela 15.12** lista as neoplasias mais comuns nos vários compartimentos do mediastino. Tipos específicos de neoplasias são discutidos em seções apropriadas deste livro.

Neoplasias metastáticas

O pulmão é o local mais comum de neoplasias metastáticas. Carcinomas e sarcomas surgem em qualquer parte do corpo e podem se espalhar para os pulmões através do sangue ou vasos linfáticos ou por continuidade direta. Carcinoma esofágico e linfoma mediastinal também podem invadir o pulmão por extensão direta.

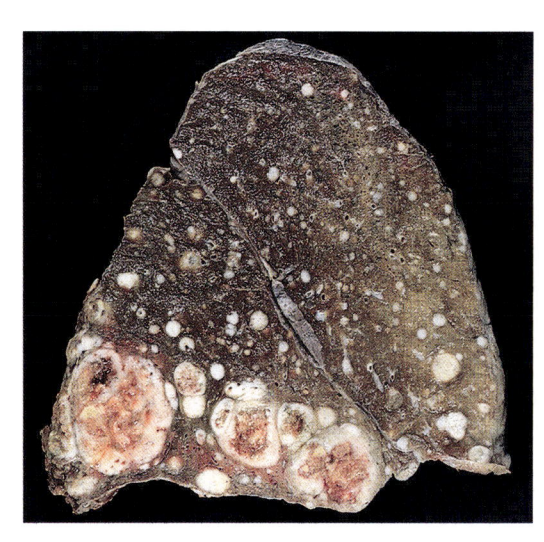

Figura 15.49 Numerosas metástases pulmonares provenientes de um carcinoma de células renais. (Cortesia da Dra. Michelle Mantel, Brigham and Women's Hospital, Boston, Mass.)

Morfologia

O padrão de disseminação metastática para os pulmões é bastante variável. Na situação usual, múltiplos nódulos discretos (lesões em bala de canhão) estão espalhados por todos os lobos, particularmente na periferia do pulmão (**Figura 15.49**). Outras vezes, a propagação assume a forma de um nódulo solitário, com envolvimento endobrônquico ou pleural, consolidação pneumônica e/ou alguma combinação dos mesmos. Focos de crescimento lepídico semelhantes ao adenocarcinoma *in situ* são ocasionalmente observados em carcinomas metastáticos e podem estar associados a qualquer um dos padrões listados.

Tabela 15.12 Neoplasias mediastinais e outras massas.

Mediastino anterior
Timoma
Teratoma
Linfoma
Lesões da tireoide
Tumores da paratireoide
Carcinoma metastático
Mediastino posterior
Tumores neurogênicos (schwannoma, neurofibroma)
Linfoma
Tumor metastático (a maioria se origina no pulmão)
Cisto broncogênico
Hérnia gastroentérica
Mediastino médio
Cisto broncogênico
Cisto pericárdico
Linfoma

Pleura

A maioria dos distúrbios pleurais se origina de complicações de doenças que surgem em outras partes do corpo. Infecções secundárias e inflamações são achados particularmente comuns na necropsia. Entre os distúrbios primários importantes, estão (1) infecções bacterianas intrapleurais, presumivelmente o produto de semeadura de bacteriemia transitória; e (2) mesotelioma, uma neoplasia pleural primária (discutida adiante).

Derrame pleural

O derrame pleural é uma manifestação comum de doenças pleurais primárias e secundárias, que podem ser inflamatórias ou não inflamatórias. Normalmente, não mais do que 15 mℓ de líquido seroso, claro e relativamente acelular lubrifica a superfície pleural. O acúmulo de líquido pleural ocorre nas seguintes situações:

- Aumento da pressão hidrostática, como na insuficiência cardíaca congestiva
- Aumento da permeabilidade vascular, como na pneumonia
- Diminuição da pressão osmótica, como na síndrome nefrótica
- Aumento da pressão negativa intrapleural, como na atelectasia
- Diminuição da drenagem linfática, como na carcinomatose mediastinal.

Efusões pleurais inflamatórias

As pleurites serosa, serofibrinosa e fibrinosa têm todas uma base inflamatória, diferindo apenas na intensidade e duração do processo. As causas mais comuns de pleurite são distúrbios associados à inflamação do pulmão subjacente, como tuberculose, pneumonia, infarto pulmonar, abscesso pulmonar e bronquiectasia. Artrite reumatoide, lúpus eritematoso sistêmico, uremia, infecções sistêmicas difusas e envolvimento metastático da pleura também podem causar pleurite serosa ou serofibrinosa. A radioterapia para tratamento de neoplasias no pulmão ou no mediastino frequentemente causa uma pleurite serofibrinosa. Na maioria desses distúrbios, a reação pleural é mínima e o exsudato líquido é reabsorvido com resolução ou organização do componente fibrinoso. Contudo, grandes quantidades de líquido às vezes se acumulam e comprimem o pulmão, causando desconforto respiratório.

Um exsudato pleural purulento (*empiema*) geralmente resulta da semeadura bacteriana ou micótica do espaço pleural, a qual ocorre mais frequentemente por disseminação contígua de organismos a partir da infecção intrapulmonar, mas ocasionalmente ocorre por disseminação linfática ou hematogênica de uma fonte mais distante. Raramente, infecções abaixo do diafragma como o abscesso subdiafragmático ou hepático podem se estender por continuidade através do diafragma para os espaços pleurais, mais frequentemente do lado direito.

O empiema é caracterizado por pus loculado, amarelo-esverdeado e cremoso composto de massas de neutrófilos misturados a outros leucócitos. Embora o empiema possa se acumular em grandes volumes (500 a 1.000 mℓ), geralmente o volume é pequeno e o pus é isolado por fibrose. O empiema pode se resolver, mas de maneira mais frequente o exsudato se organiza em aderências densas, fibrosas e resistentes que frequentemente obliteram o espaço pleural ou envolve os pulmões; qualquer desses casos pode restringir seriamente a expansão pulmonar.

A *pleurite hemorrágica*, que se manifesta por exsudados inflamatórios sanguíneos, não é frequente e está mais comumente associada com diáteses hemorrágicas, infecções por riquétsias e envolvimento neoplásico da cavidade pleural. O exsudato sanguíneo deve ser diferenciado de hemotórax (discutido mais adiante). Quando a pleurite hemorrágica é encontrada, deve ser feita uma pesquisa cuidadosa para a presença de células tumorais.

Derrames pleurais não inflamatórios

Coleções não inflamatórias de líquido seroso dentro das cavidades pleurais são chamadas *hidrotórax*. O líquido é claro e apresenta coloração palha. O hidrotórax pode ser unilateral ou bilateral dependendo da causa subjacente. A causa mais comum de hidrotórax é insuficiência cardíaca e por esta razão é geralmente acompanhada de congestão pulmonar e edema. O hidrotórax também pode ser observado em qualquer outra doença sistêmica associada a edema generalizado, como em pacientes com insuficiência renal ou cirrose hepática.

O escape de sangue para a cavidade pleural é conhecido como *hemotórax*. É uma complicação mais comumente associada a traumas, ou menos comumente associada a cirurgia, mas também pode acompanhar a ruptura de um aneurisma aórtico, um cenário em que é quase invariavelmente fatal.

O *quilotórax* é um acúmulo de líquido leitoso, geralmente de origem linfática, na cavidade pleural. O quilo é branco leitoso porque contém gorduras finamente emulsificadas. O quilotórax é mais frequentemente causado por trauma do ducto torácico ou por obstrução de um ducto linfático principal, geralmente por doenças malignas. Tais neoplasias surgem mais comumente dentro da cavidade torácica e invadem os vasos linfáticos localmente, mas de maneira ocasional neoplasias mais distantes metastatizam através dos vasos linfáticos e crescem dentro do ducto linfático direito ou do ducto torácico, produzindo obstrução.

Pneumotórax

Pneumotórax se refere ao ar ou gás nas cavidades pleurais, e está mais comumente associado a enfisema, asma e tuberculose. Pode ser espontâneo, traumático ou terapêutico. O pneumotórax espontâneo pode complicar qualquer forma de doença pulmonar que causa alterações enfisematosas. Uma cavidade de abscesso que se comunica diretamente com o espaço pleural ou com o tecido intersticial pulmonar também pode levar ao escape de ar. Nessa circunstância, o ar pode se dissecar através da substância pulmonar ou de volta através do mediastino (enfisema intersticial), eventualmente entrando na cavidade pleural. Pneumotórax traumático é geralmente causado por alguma lesão perfurante na parede torácica, mas às vezes o trauma perfura o pulmão e, portanto, fornece dois caminhos para o acúmulo de ar nos espaços pleurais. A reabsorção do ar no espaço pleural ocorre no pneumotórax espontâneo e traumático desde que a comunicação original se feche.

Entre as várias formas de pneumotórax, aquela que atrai mais atenção clínica é o *pneumotórax idiopático espontâneo*. Essa entidade é encontrada em pessoas relativamente jovens; parece normalmente decorrer da ruptura de bolhas subpleurais apicais pequenas e periféricas; e geralmente diminuem espontaneamente à medida que o ar é reabsorvido. Ataques recorrentes são comuns e podem ser bastante incapacitantes.

O pneumotórax pode causar desconforto respiratório acentuado devido ao colapso e atelectasia do pulmão. Em alguns casos, o defeito pleural atua como uma válvula de aba e permite a entrada de ar durante a inspiração, mas não permite seu escape durante expiração. O resultado é chamado *pneumotórax hipertensivo*, em que o aumento progressivo da pressão intrapleural pode comprimir as estruturas vitais do mediastino e o pulmão contralateral.

Neoplasias pleurais

A pleura pode estar envolvida por neoplasias primárias ou secundárias. O envolvimento metastático secundário é muito mais comum do que as neoplasias primárias. As metástases malignas mais frequentes surgem de neoplasias primárias do pulmão e da mama. Além dessas neoplasias, a transformação maligna de qualquer órgão do corpo pode se espalhar para os espaços pleurais. Carcinomas ovarianos, por exemplo, tendem a causar implantes generalizados nas cavidades abdominais e torácicas. A maioria dos implantes metastáticos produze um derrame seroso ou serossanguinolento que frequentemente contém células neoplásicas. Por esse motivo, o exame citológico cuidadoso do sedimento é de considerável valor diagnóstico.

Tumor fibroso solitário

O tumor fibroso solitário é um tumor de tecido mole com propensão a ocorrer na pleura e, menos comumente, no pulmão e em outros locais. A neoplasia geralmente está aderida à superfície pleural por um pedículo. Pode ser pequena (1 a 2 cm de diâmetro) ou atingir um tamanho enorme, mas tende a permanecer confinada à superfície do pulmão (**Figura 15.50**).

> **Morfologia**
>
> *Grosso modo*, o tumor fibroso solitário consiste em tecido fibroso denso com cistos ocasionais preenchidos por um líquido viscoso. Microscopicamente, a neoplasia mostra espirais de reticulina e fibras de colágeno, entre as quais se encontram células fusiformes intercaladas semelhantes a fibroblastos. Raramente, essa neoplasia pode ser maligna, marcada por pleomorfismo, atividade mitótica, necrose e tamanho grande (> 10 cm). As células neoplásicas são positivas para CD34 e STAT6 e negativas para queratina por imunocoloração, características que ajudam a distinguir essa lesão do mesotelioma maligno (o qual apresenta fenótipo oposto). O tumor fibroso solitário não tem relação com a exposição ao amianto.

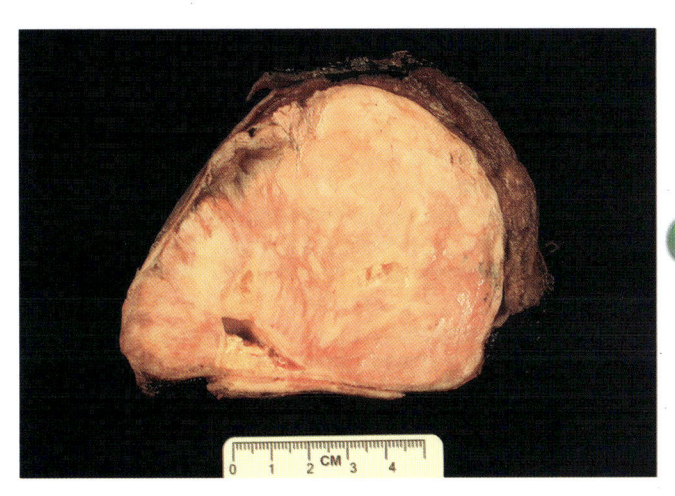

Figura 15.50 Tumor fibroso solitário. A superfície do corte é sólida com aspecto espiralado. (Cortesia da Dra. Justine Barletta, Department of Pathology, Brigham and Women's Hospital, Boston, Mass.)

O tumor fibroso solitário está altamente associado a uma inversão críptica do cromossomo 12 envolvendo os genes *NAB2* e *STAT6*. Esse rearranjo cria um gene de fusão *NAB2-STAT6* que parece ser praticamente único para o tumor fibroso solitário e que codifica um fator de transcrição quimérico que se acredita ser um dos principais impulsionadores do desenvolvimento da neoplasia.

Mesotelioma maligno

O mesotelioma maligno, embora raro, assumiu grande importância nas últimas décadas devido ao aumento da incidência entre pessoas com forte exposição ao amianto (ver seção "Pneumoconioses"). O mesotelioma torácico surge a partir da pleura visceral ou parietal. Em áreas costeiras com indústrias de transporte nos EUA e na Grã-Bretanha, bem como áreas de mineração no Canadá, na Austrália e na África do Sul, cerca de 90% dos mesoteliomas são relacionados ao amianto. O risco de desenvolvimento de mesotelioma ao longo da vida em indivíduos fortemente expostos ao amianto é de 7 a 10%. Há um longo período de latência (25 a 45 anos) para o desenvolvimento de mesotelioma relacionado ao amianto, e parece não haver aumento do risco para o desenvolvimento de mesotelioma em trabalhadores do amianto fumantes. Isso contrasta com o risco de desenvolvimento de carcinoma do pulmão relacionado ao amianto, que é acentuadamente aumentado pelo tabagismo. Assim, os trabalhadores do amianto (particularmente aqueles que fumam) têm um risco muito maior de morrer de carcinoma de pulmão do que de mesotelioma.

Corpos de asbesto (**Figura 15.20**) são encontrados em maiores números nos pulmões de pacientes com mesotelioma. Outro marcador de exposição ao amianto, a *placa de asbesto*, foi discutido anteriormente (**Figura 15.21**).

Embora várias anormalidades citogenéticas tenham sido detectadas, a mais comum é a deleção homozigótica do cromossomo 9p levando à perda do gene supressor de tumor *CDKN2A*, que ocorre em cerca de 80% dos mesoteliomas. O sequenciamento genômico do mesotelioma mostrou que mutações direcionadoras também são comuns no gene *NF2* (neurofibromatose-2), que codifica um regulador de sinalização celular; e *BAP1*, que codifica uma proteína que interage com o supressor de tumor *BRCA1* e parece funcionar como um regulador da cromatina. Digno de nota, os indivíduos com mutações da linhagem germinativas em *BAP1* têm um risco acentuadamente elevado de desenvolver mesotelioma, uma associação adicional deste gene supressor de tumor na patogênese da doença.

Morfologia

O mesotelioma maligno é uma lesão difusa que se origina da pleura visceral ou parietal, se espalha amplamente no espaço pleural e geralmente está associado a derrame pleural extenso e invasão direta de estruturas torácicas. O pulmão afetado fica embainhado por uma espessa camada de tecido tumoral macio, gelatinoso e de coloração rosa-acinzentada (**Figura 15.51**).

Microscopicamente, o mesotelioma maligno pode ser epitelioide (60 a 80%), sarcomatoide (10 a 12%) ou bifásico (10 a 15%). Isso está de acordo com o fato de que as células mesoteliais têm o potencial para se desenvolver em células semelhantes ao epitélio ou células mesenquimais estromais.

O mesotelioma do **tipo epitelioide** consiste em células cuboidais, colunares ou achatadas formando estruturas tubulares ou papilares que se assemelham ao adenocarcinoma (**Figura 15.52A**). As marcações imuno-histoquímicas são muito úteis para diferenciá-lo do adenocarcinoma pulmonar. A maioria dos mesoteliomas mostra forte positividade para queratina, calretinina (**Figura 15.52B**), tumor de Wilms 1 (WT-1), citoqueratina 5/6 e podoplanina, e, ao contrário dos adenocarcinomas, são negativos para Claudin4. Esse painel de anticorpos é diagnóstico na maioria dos casos, quando interpretados no contexto da morfologia e apresentação clínica. O tipo mesenquimal de mesotelioma (**tipo sarcomatoide**) tem aparência semelhante a um fibrossarcoma. Mesoteliomas sarcomatoides tendem a apresentar menor expressão de muitos marcadores descritos anteriormente, e alguns podem ser positivos apenas para queratina. O mesotelioma do **tipo bifásico** contém ambos os padrões epitelioide e sarcomatoide (**Figura 15.52B**).

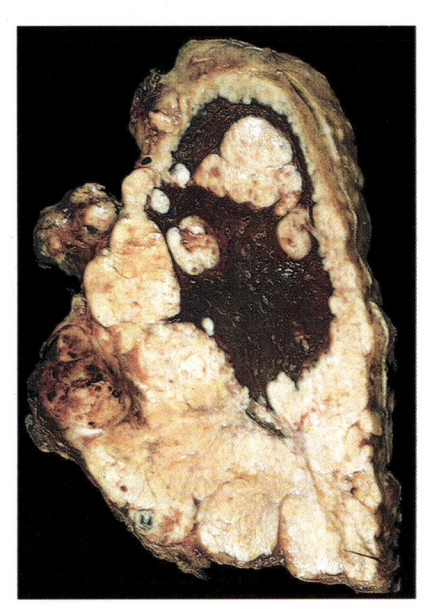

Figura 15.51 Mesotelioma maligno. Observe o tecido tumoral pleural branco, firme e espesso que envolve o pulmão.

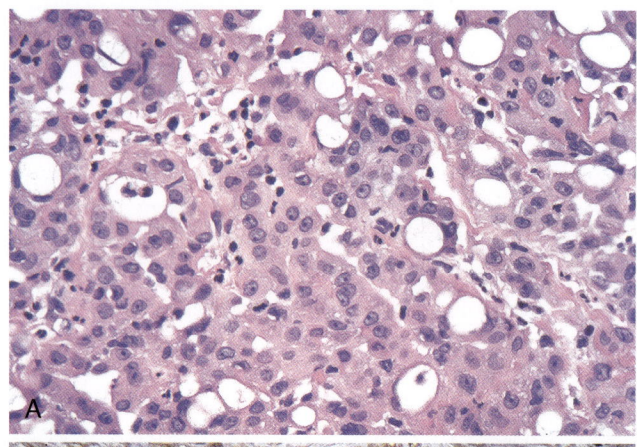

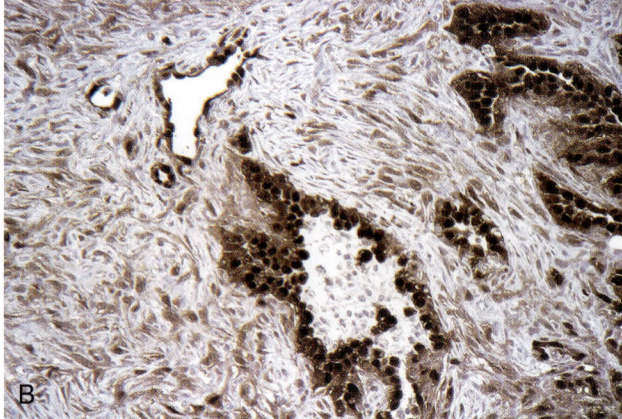

Figura 15.52 Variantes histológicas do mesotelioma maligno. **A.** Tipo epielioide. **B.** Tipo misto, corado para calretinina (método da imunoperoxidase). O componente epitelial é fortemente positivo (marrom-escuro), enquanto o componente sarcomatoide é menos positivo. (Cortesia do Dr. Thomas Krausz, Department of Pathology, The University of Chicago, Pritzker School of Medicine, Chicago, Ill.)

Características clínicas

Os sintomas de apresentação são dor no tórax, dispneia e, como observado, derrames pleurais recorrentes. Asbestose pulmonar concomitante (fibrose) está presente em apenas 20% dos indivíduos com mesotelioma pleural. O pulmão é invadido diretamente, muitas vezes há disseminação metastática para os linfonodos hilares e, eventualmente, para o fígado e outros órgãos distantes. Cinquenta por cento dos pacientes morrem dentro de 12 meses após o diagnóstico, e poucos sobrevivem por mais de 2 anos. A terapia agressiva (pneumonectomia extrapleural, quimioterapia, radioterapia) parece melhorar esse prognóstico negativo em alguns pacientes.

Os mesoteliomas também surgem no peritônio, pericárdio, túnica vaginal e sistema genital (tumor adenomatoide benigno) (ver **Capítulo 21**). Os *mesoteliomas peritoneais* estão relacionados à forte exposição ao amianto em 60% dos pacientes do sexo masculino (o número é muito menor nas mulheres). Embora em cerca de metade dos casos a doença permaneça confinada à cavidade abdominal, o envolvimento intestinal frequentemente leva à morte por obstrução intestinal ou inanição.

LEITURA SUGERIDA

Lesão pulmonar aguda

Matthay MA et al: Acute respiratory distress syndrome, *Nat Rev Dis Primers* 5:18, 2019. [*Esse guia sobre SDRA adulta e pediátrica considera sua epidemiologia, mecanismos de lesão pulmonar, abordagens ideias para diagnóstico, estratégias de manejo e qualidade de vida após recuperação da SDRA*].

Sharp C et al: Advances in understanding of the pathogenesis of acute respiratory distress syndrome, *Respiration* 89:420, 2015. [*Revisão abrangente dos fatores patogênicos da síndrome do desconforto respiratório agudo e da lesão pulmonar aguda que fundamentam novas abordagens que estão sendo estudadas para o tratamento*].

Doenças pulmonares obstrutivas

Global Initiative for Chronic Obstructive Lung Disease. *Global Strategy for the Diagnosis, Management and Prevention of COPD.* 2019. Disponível em: http://goldcopd.org. [*Estratégia global para o diagnóstico, manejo e prevenção da DPOC que fornece uma revisão imparcial das evidências atuais. Um guia de bolso também está disponível*].

Hogg JC et al: The contribution of small airway obstruction to the pathogenesis of chronic obstructive pulmonary disease, *Physiol Rev* 97:529, 2017. [*Revisão abrangente do entendimento passado e atual das pequenas vias respiratórias, incluindo anatomia, métodos de avaliação, imagem, barreira epitelial e secreção de muco, além de inflamação e remodelamento*].

Rabe KF et al: Chronic obstructive pulmonary disease, *Lancet* 389:1931, 2017. [*Excelente revisão da epidemiologia, causas, patofisiologia e tratamento da DPOC*].

Enfisema

Barnes PJ: Cellular and molecular mechanisms of asthma and COPD, *Clin Science* 131:1541, 2017. [*Revisão das células inflamatórias, mediadores inflamatórios e alterações estruturais na asma e doença pulmonar obstrutiva crônica, e suas implicações para terapia*].

Boucherat O et al: Bridging lung development with chronic obstructive pulmonary disease. Relevance of developmental pathways in chronic obstructive pulmonary disease pathogenesis, *Am J Respir Crit Care Med* 193:362, 2016. [*Excelente perfil dos insultos e genes do desenvolvimento envolvidos na ocorrência e patogênese da doença pulmonar obstrutiva crônica*].

Choudhury G et al: Role of inflammation and oxidative stress in the pathology of ageing in COPD: potential therapeutic interventions, *COPD* 14:122, 2017. [*Revisão que discute as evidências que apoiam diversos mecanismos da patogênese da doença pulmonar obstrutiva crônica, incluindo estresse oxidativo e envelhecimento*].

Faner R et al: Multilevel, dynamic chronic obstructive pulmonary disease heterogeneity: a challenge for personalized medicine, *Ann Am Thorac Soc* 13(S5):S466, 2016. [*Revisão sucinta dos vários componentes da doença pulmonar obstrutiva crônica que levam ao conceito de traços tratáveis*].

Huang YJ et al: Understanding the role of the microbiome in chronic obstructive pulmonary disease: principles, challenges, and future directions, *Transl Res* 179:71, 2017. [*Revisão abrangente dos estudos que examinam as diferenças do microbioma na saúde e na DPOC*].

Jones RL et al: Airway remodelling in COPD: it's not asthma!, *Respirology* 21:1347, 2016. [*Revisão que resume os estudos de deposição de matriz das vias aéreas na DPOC, que é diferente daquela na asma*].

Kligerman S et al: Clinical-radiologic-pathologic correlation of smokingrelated diffuse parenchymal lung disease, *Radiol Clin North Am* 54:1047, 2016. [*Revisão clinicamente orientada da doença pulmonar obstrutiva crônica e outras lesões pulmonares relacionadas ao tabagismo e como suas manifestações patológicas levam a achados específicos na tomografia computadorizada*].

Bronquite crônica

Solomon GM et al: Therapeutic approaches to acquired cystic fibrosis transmembrane conductance regulator dysfunction in chronic bronchitis, *Ann Am Thorac Soc* 13(Suppl 2):S169, 2016. [*Revisão sobre a crescente evidência do papel da disfunção do gene CFTR em pacientes com bronquite crônica associada ao tabagismo, que pavimentou o caminho para os fármacos moduladores de CFTR*].

Asma

Barnes PJ: Cellular and molecular mechanisms of asthma and COPD, *Clin Sci* 131:1541, 2017. [*Revisão comparando os mecanismos inflamatórios e celu-*

lares da asma e da doença pulmonar obstrutiva crônica e como as diferenças nas células e mediadores inflamatórios são responsáveis pelas diferenças nas manifestações clínicas e na resposta à terapia].

Global Initiative for Asthma. *Global strategy for asthma management and prevention.* 2019. Available from: www.ginasthma.org. [*Recurso educacional baseado em evidências para uso mundial para diagnóstico, manejo e prevenção da asma. Guia de bolso também disponível*].

Israel E, Reddel HK: Severe and difficult-to-treat asthma in adults, *N Engl J Med* 377:965, 2017. [*Revisão que se concentra na avaliação, manejo e características patobiológicas das vias aéreas e novos agentes terapêuticos que foram desenvolvidos para combater a asma*].

Leung JM et al: Asthma-COPD overlap syndrome: pathogenesis, clinical features, and therapeutic targets, *BMJ* 358:j3772, 2017. [*Revisão sobre a sobreposição asma-DPOC como fenótipo clinicamente importante com ênfase nos fatores que podem levar à asma em pacientes com doença pulmonar obstrutiva crônica e vice-versa*].

Papi A et al: Asthma, *Lancet* 391:783, 2018. [*Visão geral da asma com foco clínico, incluindo epidemiologia, fisiopatologia, diagnóstico clínico, fenótipos de asma e manejo clínico. Terapias emergentes, controvérsias e incertezas no manejo da asma também são discutidos*].

Bronquiectasia

Boyton RJ et al: Bronchiectasis: current concepts in pathogenesis, immunology, and microbiology, *Annu Rev Pathol* 11:523, 2016. [*Revisão abrangente de diversas etiologias e como a interação entre suscetibilidade imunogenética, desregulação imunológica e infecção bacteriana resulta em dano pulmonar*].

Mirra V et al: Primary ciliary dyskinesia: an update on clinical aspects, genetics, diagnosis, and future treatment strategies, *Front Pediatr* 5:135, 2017. [*Revisão abrangente da discinesia ciliar primária, desde sua história até a compreensão atual das causas genéticas e abordagem multidisciplinar para o manejo do paciente*].

Muldoon EG et al: Allergic and noninvasive infectious pulmonary aspergillosis syndromes, *Clin Chest Med* 38:521, 2017. [*O artigo revisa as síndromes de aspergilose não invasivas, com foco na apresentação clínica, diagnóstico, manejo e potenciais complicações*].

Fibrose pulmonar idiopática

Batra K et al: Pathology and radiology correlation of idiopathic interstitial pneumonias, *Hum Pathol* 72:1, 2018. [*Excelente revisão das principais características das pneumonias intersticiais idiopáticas, incluindo imagens patológicas e radiológicas ilustrativas*].

Lederer DJ et al: Idiopathic pulmonary fibrosis, *N Engl J Med* 378:1811, 2018. [*Excelente revisão das características clínicas, características patobiológicas e fatores de risco, diagnóstico, terapia e complicações da fibrose pulmonar idiopática*].

Pneumonia intersticial não específica

Wells AU et al: Nonspecific interstitial pneumonia: time to be more specific?, *Curr Opin Pulm Med* 22:450, 2016. [*Revisão das características clínicas, de imagem e sorológicas que apoiam o conceito de que a pneumonia intersticial não específica é um agrupamento de distúrbios separados com um padrão histológico comum*].

Pneumonia em organização

Torrealba JR et al: Pathology-radiology correlation of common and uncommon computed tomographic patterns of organizing pneumonia, *Hum Pathol* 71:30, 2018. [*Revisão das características clínicas, radiológicas e patológicas da pneumonia em organização, incluindo diagnósticos diferenciais*].

Pneumoconiose

Barmania S: Deadly denim: sandblasting-induced silicosis in the jeans industry, *Lancet Respir Med* 4:543, 2016. [*Destaque para o jateamento de jeans, uma exposição relativamente nova no local de trabalho, resultando em silicose reconhecida pela primeira vez na Turquia e agora em outros países*].

Cullinan P et al: Occupational lung diseases: from old and novel exposures to effective preventive strategies, *Lancet Respir Med* 5:445, 2017. [*Revisão que resume as doenças pulmonares predominantes causadas por uma ampla gama de riscos no local de trabalho e possíveis vias para seu reconhecimento e prevenção*].

Perret JL et al: Coal mine dust lung disease in the modern era, *Respirology* 22:662, 2017. [*Excelente revisão da epidemiologia, prevenção, marcadores moleculares e características clínicas, patológicas e radiológicas da pneumoconiose dos mineradores de carvão*].

Pneumonite por radiação

Bledsoe TJ et al: Radiation pneumonitis, *Clin Chest Med* 38:201, 2017. [*Revisão da patofisiologia, incidência, diagnóstico, tratamento e prognóstico da pneumonia por radiação*].

Sarcoidose

Esteves T et al: Is there any association between sarcoidosis and infectious agents? A systematic review and meta-analysis, *BMC Pulm Med* 16:165, 2016. [*Revisão de 58 estudos caso-controle sugerindo que alguns agentes infecciosos podem estar associados à sarcoidose e que mais de um agente deve estar implicado em sua patogênese*].

O'Regan A, Berman JS: Sarcoidosis, *Ann Intern Med* 156:ITC5-1, 2012. [*Revisão abrangente da patogênese, manifestações clínicas, diagnóstico e prognóstico da sarcoidose*].

Salamo O et al: Noncoding RNAs: new players in pulmonary medicine and sarcoidosis, *Am J Respir Cell Mol Biol* 58:147, 2018. [*Revisão que fornece informações sobre o papel de RNAs não codificadores na patogênese de doenças pulmonares em geral e sarcoidose em particular, bem como seu possível uso como ferramenta de diagnóstico e prognóstico*].

Pneumonia por hipersensibilidade

Miller R et al: Hypersensitivity pneumonitis: a perspective from members of the Pulmonary Pathology Society, *Arch Pathol Lab Med* 142:120, 2018. [*Revisão das formas clínicas, patogênese, critérios diagnósticos, radiologia, patologia e tratamento da pneumonite de hipersensibilidade*].

Doenças pulmonares eosinofílicas

Cottin V: Eosinophilic lung diseases, *Clin Chest Med* 37:535, 2016. [*Revisão da classificação, características clínicas, investigação diagnóstica geral e manejo de doenças pulmonares eosinofílicas*].

Doenças intersticiais relacionadas ao tabagismo

Franks T, Galvin JR: Smoking-related "interstitial" lung disease, *Arch Pathol Lab Med* 139:974, 2015. [*Breve revisão de doenças relacionadas ao tabagismo que enfatiza o fato de que achados histológicos em fumantes de cigarros são diversos*].

Histiocitose pulmonar de células de Langerhans

Vassallo R et al: Current understanding and management of pulmonary Langerhans cell histiocytosis, *Thorax* 72:937, 2017. [*Revisão da epidemiologia, patogênese, características clínicas, patologia e manejo da histiocitose pulmonar de células de Langerhans*].

Proteinose alveolar pulmonar

Kumar A et al: Pulmonary alveolar proteinosis in adults: pathophysiology and clinical approach, *Lancer Respir Med* 2018. [*Publicação eletrônica antes da impressão*]. [*Revisão da patogênese, classificação e tratamento da proteinose pulmonar alveolar*].

Distúrbios de disfunção do surfactante

Gupta A, Zheng SL: Genetic disorders of surfactant protein dysfunction: when to consider and how to investigate, *Arch Dis Child* 102:84, 2017. [*Revisão das características clínicas, patogênese, genética molecular, patologia e história natural destes distúrbios raros*].

Hipertensão pulmonar

Thenappan T et al: Pulmonary arterial hypertension: pathogenesis and clinical management, *BMJ* 360:j5492, 2018. [*Revisão do estado da arte da epidemiologia, patogênese, diagnóstico e tratamento da hipertensão pulmonar*].

Síndromes hemorrágicas pulmonares

Lally L, Spiera RF: Pulmonary vasculitis, *Rheum Dis Clin North Am* 41:315, 2015. [*Revisão das condições inflamatórias mais comuns envolvendo os vasos pulmonares*].

Pneumonia

Kradin RL, Digumarthi S: The pathology of pulmonary bacterial infection, *Semin Diagn Pathol* 34:498, 2017. [*Excelente revisão das principais características de diversas pneumonias bacterianas*].

Pritt BS, Aubry MC: Histopathology of viral infections of the lung, *Semin Diagn Pathol* 34:510, 2017. [*Revisão da etiologia, epidemiologia, apresentação clínica e características patológicas das pneumonias virais*].

Wunderink RG, Waterer G: Advances in the causes and management of community acquired pneumonia in adults, *BMJ* 358:j2471, 2017. [*Revisão da incidência, diagnóstico clínico, causas e manejo ideal da pneumonia adquirida na comunidade].

Transplante de pulmão

Yusen RD et al: The registry of the International Society for Heart and Lung Transplantation: 32nd Adult Lung and Heart-Lung Transplantation Report 2015, *J Heart Lung Transplant* 34:1264, 2015. [Relatório anual do registro de dados incluindo número de transplantes, indicações e resultados].

Câncer de pulmão

Calvayrac O et al: Molecular biomarkers for lung adenocarcinoma, *Eur Respir J* 49:1601734, 2017. [Revisão que discute os fatores oncogênicos do adenocarcinoma pulmonar, as características epidemiológicas associadas e as maneiras pelas quais sua identificação pode informar as estratégias terapêuticas].

Dautzenberg B et al: Patients with lung cancer: are electronic cigarettes harmful or useful?, *Lung Cancer* 105:42, 2017. [Revisão que se concentra em informações factuais úteis sobre cigarros eletrônicos para profissionais que lidam com pacientes com câncer de pulmão].

Gazdar A et al: Small-cell lung cancer: what we know, what we need to know and the path forward, *Nat Rev Cancer* 17:725, 2017. [Excelente revisão sobre o câncer pulmonar de células pequenas incluindo história da pesquisa clínica e laboratorial, genética, patogênese molecular, terapia direcionada e imunoterapia e mecanismos de resistência].

Hirsh V: New developments in the treatment of advanced squamous cell lung cancer: focus on afatinib, *Onco Targets Ther* 10:2513, 2017. [Revisão resumindo a base biológica para o tratamento do carcinoma celular escamoso com inibidores de pontos de controle (checkpoint), anticorpos anti-VEGFR2 e bloqueio da família ErbB].

McIntyre A et al: Lung cancer—a global perspective, *J Surg Oncol* 115:550, 2017. [Revisão resumindo as variações globais na incidência, etiologia, genética, triagem e padrões de tratamento do câncer de pulmão].

Melosky B et al: Breaking the biomarker code: PD-L1 expression and checkpoint inhibition in advanced NSCLC, *Cancer Treat Rev* 65:65, 2018. [Revisão de seis ensaios clínicos de fase III mostrando que os inibidores de pontos de controle representam um grande avanço no tratamento do câncer de pulmão de células não pequenas avançado e que o status de PD-L1 pode informar as decisões de tratamento].

Sabari JK et al: Unravelling the biology of SCLC: implications for therapy, *Nat Rev Clin Oncol* 14:549, 2017. [Revisão dos avanços no entendimento da biologia do carcinoma pulmonar de células pequenas que levaram ao desenvolvimento de novas terapias experimentais].

Thakrar R et al: Preinvasive disease of the airway, *Cancer Treat Rev* 58:77, 2017. [Revisão que descreve a história natural da doença pré-invasiva da via aérea, o entendimento atual das alterações moleculares e as abordagens de tratamento].

Travis WD et al: The 2015 World Health Organization Classification of Lung Tumors: impact of Genetic, Clinical and Radiologic Advances Since the 2004 Classification, *J Thorac Oncol* 10:1243, 2015. [Revisão concisa destacando as atualizações da classificação mais recente da Organização Mundial da Saúde dos tumores pulmonares incorporando o conhecimento molecular e genético mais recente].

Pleura

Galateau-Salle F et al: The 2015 World Health Organization Classification of Tumors of the Pleura: advances since the 2004 Classification, *J Thorac Oncol* 11:142, 2016. [Revisão concisa destacando as atualizações da classificação mais recente da Organização Mundial da Saúde do mesotelioma maligno].

Husain AN et al: Guidelines for pathologic diagnosis of malignant mesothelioma: 2017 update of the consensus statement from the International Mesothelioma Interest Group, *Arch Pathol Lab Med* 142:89, 2018. [Guia prático do diagnóstico patológico do mesotelioma].

CAPÍTULO 16

Cabeça e Pescoço

Mark W. Lingen • Nicole A. Cipriani

SUMÁRIO DO CAPÍTULO

CAVIDADE ORAL, 757
Doenças dos dentes e de suas estruturas de sustentação, 757
Cárie dentária, 757
Gengivite, 757
Periodontite, 758
Lesões inflamatórias/reativas, 758
Úlceras aftosas (aftas), 758
Lesões fibrosas proliferativas, 758
Infecções, 759
Infecções pelos herpes-vírus simples, 759
Candidíase oral (sapinho), 759
Infecções fúngicas profundas, 759
Manifestações orais de doenças sistêmicas, 759
Leucoplasia pilosa, 760
Lesões pré-cancerosas e cancerosas, 760
Leucoplasia e eritroplasia, 760
Carcinoma espinocelular, 761
Cistos e tumores odontogênicos, 763

VIAS RESPIRATÓRIAS SUPERIORES, 765
Nariz, 765
Lesões inflamatórias, 765
Lesões necrosantes do nariz e das vias respiratórias superiores, 766
Nasofaringe, 766
Lesões Inflamatórias, 766
Tumores de nariz, seios paranasais e nasofaringe, 766
Laringe, 769
Lesões inflamatórias, 769
Nódulos reativos (nódulos e pólipos das pregas vocais), 769
Papiloma escamoso e papilomatose, 769
Carcinoma da laringe, 769

ORELHAS, 770
Lesões inflamatórias, 770

Otosclerose, 771
Tumores, 771

PESCOÇO, 771
Cisto branquial (cisto linfoepitelial cervical), 771
Cisto do ducto tireoglosso, 771
Paraganglioma (tumor de corpo carotídeo), 771

GLÂNDULAS SALIVARES, 773
Xerostomia, 773
Inflamação (sialoadenite), 773
Neoplasias, 774
Adenoma pleomórfico, 774
Tumor de Warthin (cistadenoma papilar linfomatoso), 775
Carcinoma mucoepidermoide, 776
Outros tumores de glândulas salivares, 776

As doenças de cabeça e pescoço variam desde um resfriado comum até neoplasias incomuns da orelha e nariz. Os exemplos discutidos nas seções a seguir são organizados com base na região anatômica primária em que ocorrem, ou seja, cavidade oral, vias respiratórias superiores (como nariz, faringe, laringe e seios nasais), orelha, pescoço ou glândulas salivares.

Cavidade oral

Doenças dos dentes e de suas estruturas de sustentação

Cárie dentária

A cárie dentária é causada por desmineralização focal da estrutura dentária (esmalte e dentina) originada pelos produtos ácidos da fermentação de açúcares por bactérias. A cárie é a principal causa de perda dentária antes dos 35 anos. A cárie costumava ser mais comum em países industrializados que tinham abundância de alimentos processados e refinados ricos em carboidratos. No entanto, a demografia mudou com a redução da incidência em países industrializados e aumento da incidência em nações em desenvolvimento. A primeira é reflexo da melhoria da higiene oral e, em vários países como EUA[1], da fluoretação da água potável. Na formação cristalina do esmalte dentário, a fluoroapatita (fluorofosfato de cálcio) é mais resistente à degradação ácida do que a hidroxiapatita (apatita de cálcio). O aumento do consumo de alimentos processados está associado a maiores taxas de cárie em países de baixa renda, onde a incidência deve continuar a crescer.

Gengivite

A gengivite é a inflamação da mucosa bucal ao redor dos dentes, causada pelo acúmulo de placa e tártaro dental. Pode ocorrer em qualquer idade, mas é mais prevalente e grave na adolescência. A placa é um biofilme viscoso e incolor que se acumula entre os dentes e em sua superfície devido à falta de higiene bucal. Ela contém uma mistura de bactérias (que produzem o ácido que contribui para o desenvolvimento da cárie), proteínas salivares e células epiteliais descamadas. Se não for removida, a placa

---

[1] N.R.T.: E boa parte do Brasil.

pode se mineralizar e formar o cálculo (tártaro). A gengivite é caracterizada por eritema, edema, sangramento, alterações de contorno e perda da adaptação dos tecidos moles aos dentes. Felizmente, é reversível; a terapia visa, principalmente, reduzir o acúmulo de placa e tártaro por meio de higiene bucal regular.

Periodontite

A periodontite é um processo inflamatório que afeta as estruturas de sustentação dos dentes (ligamentos periodontais), o osso alveolar e o cemento. As sequelas da periodontite incluem destruição do ligamento periodontal que fixa os dentes ao osso alveolar. Isso leva a afrouxamento e posterior perda do dente. Assim como a cárie, a periodontite está associada à má higiene bucal, mas também é caracterizada por uma composição alterada da microbiota bucal, que se acredita ser importante na patogênese. Em geral, bactérias gram-positivas facultativas colonizam as áreas gengivais saudáveis; a placa em áreas de periodontite ativa contém microbiota anaeróbica e microaerofílica gram-negativa. Das 300 espécies de bactérias da cavidade oral, a periodontite em adultos está associada, principalmente, a *Aggregatibacter* (*Actinobacillus*) *actinomycetemcomitans*, *Porphyromonas gingivalis* e *Prevotella intermedia*.

A doença periodontal costuma ser localizada, mas também pode ser um componente de doenças sistêmicas, tais como a síndrome da imunodeficiência adquirida (AIDS), leucemia, doença de Crohn, diabetes, síndrome de Down, sarcoidose e síndromes associadas a defeitos nos neutrófilos (síndrome de Chédiak-Higashi, agranulocitose e neutropenia cíclica). As infecções periodontais podem servir como local de origem para endocardite infecciosa e abscessos nos pulmões e no cérebro.

Lesões inflamatórias/reativas

Úlceras aftosas (aftas)

As úlceras aftosas são comuns, dolorosas e costumam ser recorrentes. As causas são desconhecidas, mas as úlceras aftosas orais afetam até 40% da população e são mais frequentes nas primeiras duas décadas de vida. As úlceras aftosas tendem a se concentrar em algumas famílias e podem estar associadas a distúrbios imunológicos, como doença celíaca, doença inflamatória intestinal e doença de Behçet. As lesões aparecem como úlceras mucosas únicas ou múltiplas, superficiais e hiperêmicas, cobertas por um fino exsudato e circundadas por uma pequena zona de eritema (**Figura 16.1**). O infiltrado inflamatório subjacente é, inicialmente, mononuclear, mas torna-se rico em neutrófilos após infecção bacteriana secundária. As lesões costumam se resolver de forma espontânea em 7 a 10 dias, mas, às vezes, persistem por semanas, sobretudo em pacientes imunocomprometidos.

Lesões fibrosas proliferativas

O *fibroma por irritação*, também chamado de *fibroma traumático* ou *hiperplasia fibrosa focal*, é uma massa nodular submucosa de estroma de tecido conjuntivo fibroso que ocorre, principalmente, na mucosa bucal ao longo da linha de mordida, ou na gengiva (**Figura 16.2**). É considerado um processo reativo induzido por traumas repetitivos. O tratamento é a excisão cirúrgica completa.

O *granuloma piogênico* ocorre, em geral, nas gengivas de crianças, adultos jovens e mulheres grávidas (*granuloma gravídico*). Essa lesão inflamatória exofítica tem cor vermelha ou roxa

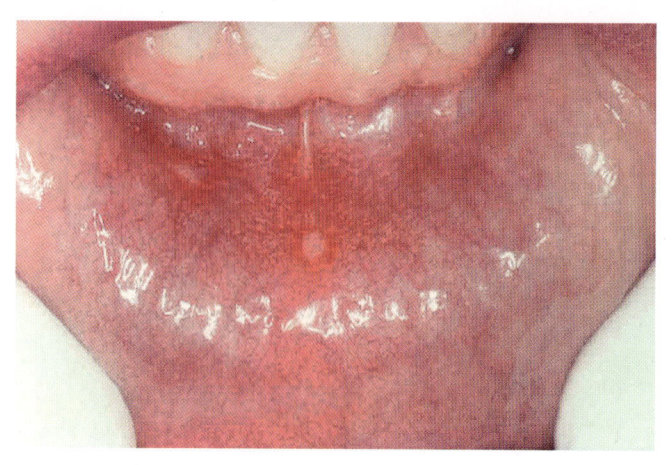

Figura 16.1 Úlcera aftosa. Úlcera única com halo eritematoso circundando uma membrana fibrinopurulenta amarelada.

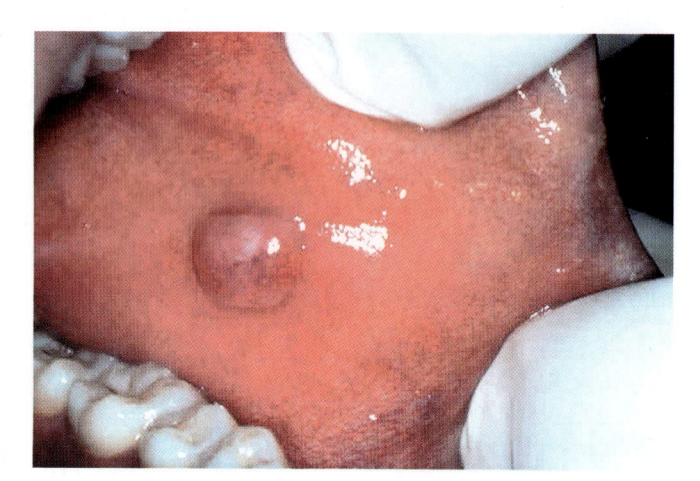

Figura 16.2 Fibroma por irritação. Nódulo exofítico rosado e liso na mucosa bucal.

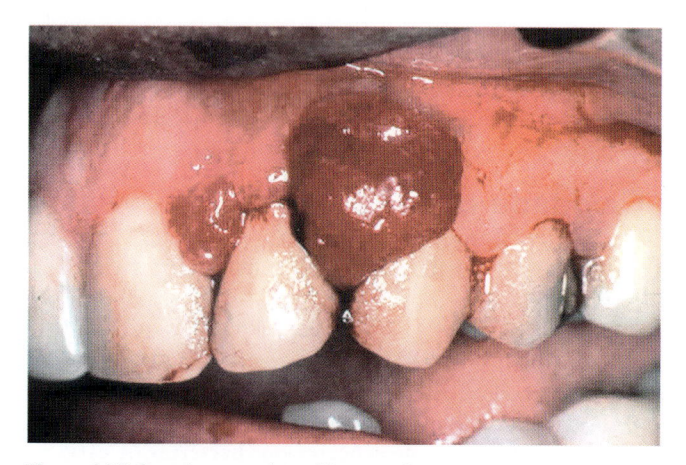

Figura 16.3 Granuloma piogênico. Massa exofítica eritematosa e hemorrágica na mucosa gengival.

e costuma ser ulcerada (**Figura 16.3**). Em alguns casos, seu rápido crescimento pode ser alarmante e criar suspeita de malignidade. Histologicamente, os granulomas piogênicos são uma proliferação altamente vascularizada de tecido de granulação em organização. Os granulomas piogênicos podem regredir, tornar-se densas massas fibrosas ou evoluir para um fibroma ossificante periférico. A excisão cirúrgica completa é o tratamento definitivo para essas lesões.

O *fibroma ossificante periférico* é uma massa gengival comum que costuma ser de natureza reativa, e não neoplásica. Como mencionado anteriormente, alguns se formam a partir de um granuloma piogênico de longa data e outros se desenvolvem a partir de células do ligamento periodontal. Os fibromas ossificantes periféricos são lesões gengivais avermelhadas, ulceradas e nodulares. Há uma maior incidência em mulheres jovens. Como as lesões apresentam uma taxa de recorrência de 15 a 20%, a excisão cirúrgica completa até o periósteo é necessária.

O *granuloma periférico de células gigantes* é uma lesão incomum da cavidade oral que costuma ser um processo inflamatório reativo. Em geral, é coberto por mucosa gengival intacta, mas pode estar ulcerado. Histologicamente, os granulomas periféricos de células gigantes contêm agregados de células gigantes multinucleadas semelhantes a um corpo estranho, separados por um estroma fibroangiomatoso. Embora não encapsuladas, as lesões costumam ser bem delimitadas e facilmente excisadas. Elas devem ser diferenciadas das lesões centrais de células gigantes encontradas na mandíbula e dos histologicamente semelhantes, porém, costumam ser múltiplos "tumores marrons" observados no hiperparatireoidismo (ver **Capítulo 24**).

Infecções

Infecções pelos herpes-vírus simples

O herpes oral costuma se apresentar como gengivoestomatite em crianças, faringite em adultos e infecção mucocutânea crônica em indivíduos imunocomprometidos. A maioria das infecções herpéticas orofaciais é causada pelo herpes-vírus simples 1 (HSV-1), mas podem ocorrer infecções orais por HSV-2 (herpes genital). Em crianças, as infecções primárias são mais comuns entre 2 e 4 anos. Elas costumam ser assintomáticas, mas podem se manifestar como gengivoestomatite herpética aguda, com aparecimento abrupto de vesículas e ulcerações na mucosa bucal em até 20% dos casos. Essas lesões podem ser acompanhadas por linfadenopatia, febre e anorexia. Em adultos, a faringite herpética aguda é comum e pode reincidir.

> #### Morfologia
>
> As vesículas herpéticas variam em tamanho, podendo ter alguns milímetros ou serem grandes bolhas, e são preenchidas por um líquido seroso e transparente. Elas logo se rompem e se tornam ulcerações superficiais dolorosas, com bordas avermelhadas. O edema intracelular e intercelular e a acantólise criam fendas que podem se tornar vesículas macroscópicas. As células epidérmicas individuais nas margens das vesículas ou livres dentro do líquido podem conter **inclusões virais intranucleares** eosinofílicas, ou várias células podem se fundir, produzindo células gigantes (**policariontes multinucleadas**). Isso pode ser demonstrado pelo **teste diagnóstico de Tzanck**, com base no exame microscópico do líquido da vesícula. As vesículas e úlceras superficiais costumam desaparecer de forma espontânea de 3 a 4 semanas, mas o vírus caminha ao longo dos nervos regionais e, acaba permanecendo dormente (latente) nos gânglios locais (p. ex., gânglio trigeminal).

A maioria dos indivíduos infectados abrigam vírus latentes nas células epiteliais ou gânglios. A reativação do HSV latente causa *estomatite herpética recorrente* e está associada a trauma, alergias, exposição à luz ultravioleta, infecção do trato respiratório superior, gravidez, menstruação, imunossupressão e exposição a temperaturas extremas. Diferentemente da gengivoestomatite herpética aguda, a estomatite herpética recorrente ocorre no local da inoculação primária ou na mucosa associada ao mesmo gânglio. As lesões aparecem como grupos de pequenas vesículas (1 a 3 mm) nos lábios (herpes labial), orifícios nasais, mucosa bucal, gengiva e palato duro. Embora costumem desaparecer em 7 a 10 dias, as lesões podem persistir em pacientes imunocomprometidos e podem exigir terapia antiviral sistêmica.

Outras infecções virais que podem envolver a cavidade oral e a região da cabeça e pescoço incluem herpes-zoster, vírus Epstein-Barr (EBV; mononucleose, carcinoma de nasofaringe, linfoma), citomegalovírus, enterovírus (herpangina, doença mão-pé-boca, faringite linfonodular aguda) e rubéola (sarampo).

Candidíase oral (sapinho)

A *Candida albicans* é um componente normal da microbiota bucal em aproximadamente 50% da população e é a infecção fúngica mais comum da cavidade oral. Os fatores que influenciam a probabilidade de infecção incluem a cepa de *C. albicans*, a composição da microbiota bucal e o estado imunológico do indivíduo. A candidíase oral pode ser *pseudomembranosa*, *eritematosa* ou *hiperplásica*. A forma pseudomembranosa, o sapinho, é caracterizada por uma membrana inflamatória superficial, de cor cinza a branca, composta de organismos emaranhados em um exsudato fibrinossupurativo, que pode ser facilmente raspada, revelando uma base inflamatória eritematosa subjacente. A infecção costuma permanecer superficial, exceto no contexto de imunossupressão, como em indivíduos submetidos a transplante de órgão ou medula óssea, neutropenia, imunossupressão induzida por quimioterapia, AIDS ou diabetes. Antibióticos de amplo espectro que eliminam ou alteram a microbiota bacteriana normal da boca também podem causar candidíase.

Infecções fúngicas profundas

Além dos locais usuais de infecção, algumas infecções fúngicas profundas, como histoplasmose, blastomicose, coccidioidomicose, criptococose, zigomicose e aspergilose, têm predileção pela cavidade oral, cabeça e pescoço. A incidência de infecções fúngicas orais cresceu com o aumento do número de pacientes imunocomprometidos devido a doenças como a AIDS, tratamentos oncológicos e transplantes de órgão.

Manifestações orais de doenças sistêmicas

As lesões orais costumam ser o primeiro sinal de doenças sistêmicas subjacentes. Algumas das associações de doenças mais comuns e suas manifestações orais são citadas na **Tabela 16.1**. Apenas a leucoplasia pilosa será aqui considerada com mais detalhes.

Tabela 16.1 Manifestações orais de algumas doenças sistêmicas.

Doença sistêmica	Alterações orais associadas
Doenças infecciosas	
Escarlatina	Língua vermelho-vivo com papilas proeminentes ("língua de framboesa"); língua com uma camada branca por meio da qual papilas hiperêmicas se projetam ("língua de morango")
Sarampo	Enantema na cavidade oral costuma preceder exantema; ulcerações na mucosa bucal próximas ao orifício do ducto parotídeo produzem as manchas de Koplik
Mononucleose infecciosa	Faringite e amigdalite agudas que podem causar revestimento com uma membrana exsudativa cinza-esbranquiçada; linfonodos cervicais aumentados, petéquias palatinas
Difteria	Característica membrana inflamatória fibrinossupurativa grossa e esbranquiçada sobre as amígdalas e retrofaringe
Vírus da imunodeficiência humana	Predisposição para infecções orais oportunistas, sobretudo por herpes-vírus, *Candida* e outros fungos; lesões orais de sarcoma de Kaposi e leucoplasia pilosa (ver texto)
Condições dermatológicas[a]	
Líquen plano	Lesões queratóticas brancas e reticuladas, semelhantes a um rendado, que podem sofrer ulceração e raramente formam bolhas; observadas em mais de 50% dos pacientes com líquen plano cutâneo; raramente é a única manifestação
Pênfigo	Vesículas e bolhas sujeitas a ruptura, deixando erosões hiperêmicas cobertas por exsudatos
Penfigoide bolhoso	Lesões orais (penfigoide da membrana mucosa) que se assemelham às do pênfigo, mas podem ser diferenciadas histologicamente
Eritema multiforme	Exantema maculopapular vesicobolhoso que pode surgir após infecção em outro local, ingestão de fármacos, desenvolvimento de câncer ou doença colágeno-vascular; quando há envolvimento mucoso e cutâneo generalizado, é referido como síndrome de Stevens-Johnson
Distúrbios hematológicos	
Pancitopenia (agranulocitose, anemia aplásica)	Infecções orais graves na forma de gengivite, faringite, amigdalite; podem se estender, produzindo celulite do pescoço (angina de Ludwig)
Leucemia	Com a depleção de neutrófilos funcionais, pode haver desenvolvimento de lesões orais semelhantes às da pancitopenia
Leucemia monocítica	Infiltração leucêmica e crescimento gengival, com frequência acompanhados de periodontite
Outras	
Pigmentação melânica	Pode aparecer na doença de Addison, hemocromatose, displasia fibrosa do osso (síndrome de Albright) e síndrome de Peutz-Jeghers (polipose gastrintestinal)
Ingestão de fenitoína	Crescimento gengival marcante por tecido fibroso
Gravidez	Granuloma piogênico friável e avermelhado projetando-se da gengiva (granuloma gravídico)
Síndrome de Rendu-Osler-Weber	Doença autossômica dominante com múltiplas telangiectasias aneurismáticas congênitas abaixo das superfícies mucosas da cavidade oral e lábios

[a]Ver **Capítulo 25**.

Leucoplasia pilosa

A leucoplasia pilosa é uma lesão oral característica na borda lateral da língua, causada por EBV, que costuma se manifestar em pacientes imunocomprometidos. Naqueles infectados pelo vírus da imunodeficiência humana (HIV), a leucoplasia pilosa pode ser um prenúncio do desenvolvimento da AIDS. No entanto, essas lesões são cada vez mais vistas em pacientes imunocomprometidos por outras razões, tais como tratamento oncológico, imunossupressão associada a transplante e idade avançada. A leucoplasia pilosa se apresenta como placas brancas hiperqueratóticas confluentes, de aspecto aveludado ("pelagem"), quase sempre situadas na borda lateral da língua. Ao contrário da candidíase, a lesão não pode ser raspada. A aparência microscópica distinta consiste em hiperparaqueratose e acantose com "células em balão" na camada espinhosa superior. Proteínas e transcritos de RNA de EBV podem ser detectados nas células lesionais. A infecção adicional por *Candida* pode aumentar a "pilosidade".

Lesões pré-cancerosas e cancerosas

Muitos tumores epiteliais e de tecido conjuntivo da região da cabeça e pescoço (p. ex., papilomas, hemangiomas, linfomas) ocorrem em outras partes do corpo e são descritos em outros capítulos. Esta discussão considera apenas o câncer oral mais comum, o carcinoma espinocelular (CEC), e suas lesões pré-cancerosas associadas.

Leucoplasia e eritroplasia

A leucoplasia é definida pela Organização Mundial da Saúde como "uma mancha ou placa branca que não pode ser raspada e não pode ser caracterizada clínica ou patologicamente como nenhuma outra doença". Esse termo clínico é reservado para lesões que estão presentes na cavidade oral sem motivo aparente. Assim, manchas brancas causadas por irritação óbvia ou entidades, tais como líquen plano e candidíase, não são consideradas leucoplasia. Cerca de 3% da população mundial tem leucoplasia; 5 a 25% dessas lesões são pré-malignas. Assim, até prova em contrário por avaliação histológica, todas as leucoplasias devem ser consideradas pré-cancerosas.

Relacionada à leucoplasia, porém muito menos comum e muito mais nefasta, está a *eritroplasia*, que é uma área avermelhada, de aspecto aveludado e possivelmente erodida dentro da cavidade oral, que costuma permanecer nivelada ou pode estar ligeiramente deprimida em relação à mucosa circundante (**Figura 16.4**). O epitélio nessas lesões tende a ser consideravelmente atípico e o risco de transformação maligna é muito maior do que na leucoplasia. Formas intermediárias, que apresentam características de leucoplasia e eritroplasia, são denominadas *leucoeritroplasias*.

Tanto a leucoplasia quanto a eritroplasia podem ser observadas em adultos de qualquer idade, mas costumam ser encontradas em pessoas de 40 a 70 anos, com uma preponderância masculina de 2:1. Embora essas lesões tenham origens multifatoriais, o uso de tabaco (cigarros, cachimbos, charutos e certas formas de fumo de mascar) é um antecedente comum.

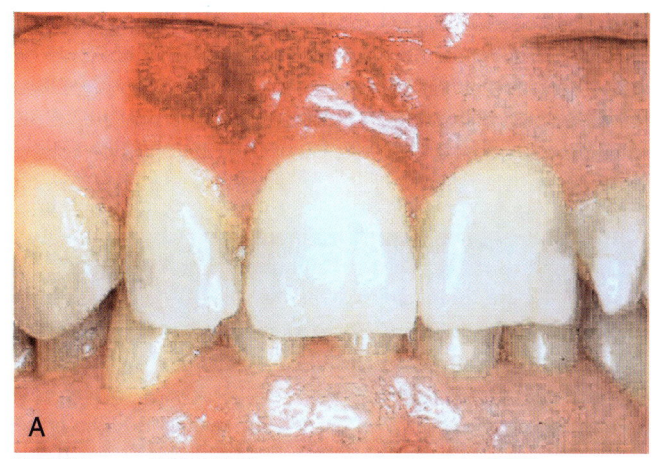

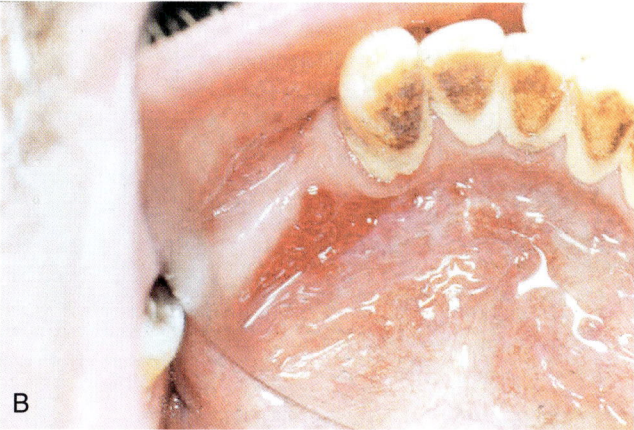

Figura 16.4 Eritroplasia. **A.** Mancha avermelhada na gengiva maxilar. **B.** Lesão avermelhada no processo alveolar da mandíbula. A biopsia de ambas as lesões revelou carcinoma *in situ*.

que costumam ter bordas bem demarcadas. Elas podem ser levemente espessadas e lisas, enrugadas e fissuradas, ou podem aparecer como placas verrucosas elevadas, às vezes corrugadas (**Figura 16.5A**). Ao exame histológico, apresentam um espectro de alterações epiteliais que variam de hiperqueratose sobrejacente a um epitélio mucoso acantótico espessado, mas ordenado, a lesões com alterações consideravelmente displásicas, às vezes se fundindo em carcinoma *in situ* (**Figura 16.5B**).

As alterações histológicas na **eritroplasia** raramente demonstram maturação epidérmica ordenada; quase todas (cerca de 90%) apresentam displasia grave, carcinoma *in situ* ou carcinoma minimamente invasivo. Com frequência, pode-se observar uma intensa reação inflamatória subepitelial com dilatação vascular, o que contribui para o aspecto avermelhado dessas lesões.

Carcinoma espinocelular

Aproximadamente 95% dos tumores de cabeça e pescoço são CECs, com o restante consistindo, na maioria das vezes, em adenocarcinomas originários das glândulas salivares. O carcinoma espinocelular de cabeça e pescoço (CECCP) é a sexta neoplasia mais comum do mundo. Nas taxas atuais, cerca de 50 mil casos nos EUA e mais de 650 mil casos em todo o mundo serão diagnosticados a cada ano. O termo *câncer de cabeça e pescoço* inclui tumores da cavidade oral, faringe, laringe e cavidades nasais, que são aqui discutidos, e também tumores de tireoide (ver **Capítulo 24**) e glândulas salivares (discutidos posteriormente neste capítulo).

A patogênese do CEC é multifatorial:

- A *infecção pelo papilomavírus humano (HPV) de alto risco* é, atualmente, a principal causa de CEC de orofaringe
- Na América do Norte e na Europa, o CEC da cavidade oral é, classicamente, uma doença de indivíduos de meia-idade usuários crônicos de *fumo* e *álcool*
- Na Índia e na Ásia, mascar o paan é uma importante influência regional predisponente. Essa mistura, considerada uma iguaria por alguns, contém ingredientes, tais como noz-de-areca, limão e tabaco, embrulhados em uma folha de bétel; muitos dos ingredientes do paan podem dar origem a carcinógenos

Morfologia

A **leucoplasia** pode ocorrer em qualquer parte da cavidade oral (os locais mais comuns são a mucosa bucal, o assoalho da boca, a superfície ventral da língua, o palato e a gengiva). Apresenta-se como manchas ou placas esbranquiçadas solitárias ou múltiplas

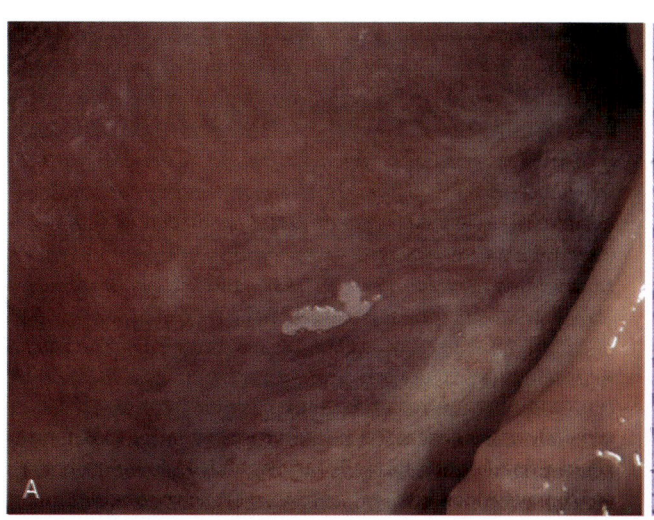

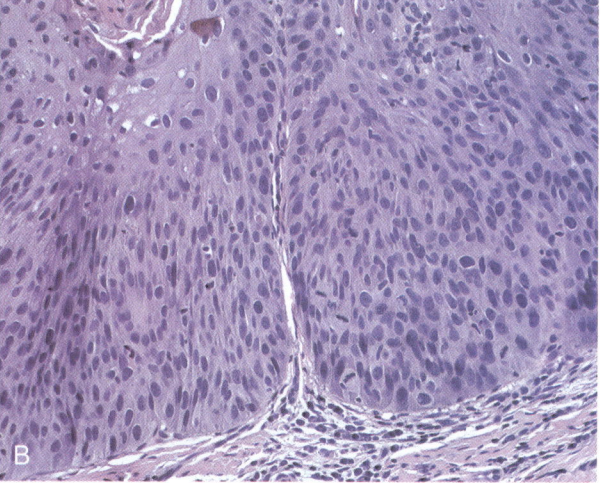

Figura 16.5 Leucoplasia. **A.** A aparência clínica da leucoplasia é bastante variável. Nesse exemplo, a lesão é lisa e fina, com bordas bem demarcadas. **B.** Aparência histológica da leucoplasia mostrando displasia grave, caracterizada por pleomorfismo nuclear e celular, numerosas figuras mitóticas e perda da maturação normal.

- A *radiação actínica* (luz solar) e o fumo de cachimbo são influências predisponentes conhecidas para o câncer de lábio inferior
- A incidência de CEC da cavidade oral (em especial envolvendo a língua) em indivíduos com menos de 40 anos sem fatores de risco conhecidos tem aumentado. A patogênese nesse grupo de pacientes, que não são fumantes e não estão infectados por HPV, é desconhecida.

Na orofaringe, cerca de 80% dos CECs, sobretudo os que envolvem as amígdalas, a base da língua e a faringe, abrigam variantes oncogênicas do HPV, principalmente o HPV-16. Os casos de CEC de orofaringe associados ao HPV aumentaram em mais de duas vezes nas últimas duas décadas. Espera-se que essa tendência seja revertida com a vacina contra o HPV, que protege contra o câncer cervical. A detecção precoce do CEC de cabeça e pescoço associado ao HPV pode ser desafiadora, pois os locais anatômicos de origem (criptas tonsilares, base da língua e orofaringe) não são facilmente acessíveis ou passíveis de rastreamento citológico (ao contrário do colo do útero) quanto a lesões pré-malignas. Ao contrário do de orofaringe, o CEC de cavidade oral associado ao HPV é relativamente incomum.

O prognóstico depende de vários fatores, incluindo a etiologia específica do CEC. A taxa de sobrevida em 5 anos do CEC "clássico" em estágio inicial relacionado a tabagismo e álcool é de, aproximadamente, 80%, mas a sobrevida cai para 20% quando a doença está em estágio avançado. A sobrevida a longo prazo é melhor em pacientes com CEC HPV-positivos. A perspectiva sombria do CEC clássico reflete o diagnóstico em estágio avançado, bem como a presença frequente de múltiplos tumores primários. Notavelmente, os segundos tumores primários ocorrem a uma taxa de 3 a 7% ao ano, a taxa mais alta de todas as doenças malignas. Essa observação levou ao conceito de *campo cancerizável*, que postula que vários tumores primários individuais se desenvolvem de modo independente no trato aerodigestivo superior como resultado de anos de exposição da mucosa a carcinógenos. Isso pode explicar por que há quase 35% de probabilidade de desenvolvimento de, pelo menos, um novo tumor primário em indivíduos que sobrevivem 5 anos após a detecção do tumor primário inicial. O desenvolvimento desses tumores pode ser devastador, sobretudo para indivíduos cujas lesões iniciais eram pequenas. Os segundos tumores primários costumam ser fatais. A detecção precoce de lesões pré-malignas é, portanto, crítica para a sobrevida desses pacientes a longo prazo.

Biologia molecular do carcinoma espinocelular. Tal como em outros cânceres, o desenvolvimento do CEC é causado pelo acúmulo de mutações e mudanças epigenéticas que alteram a expressão e a função de oncogenes e genes supressores de tumor. Várias alterações moleculares reproduzíveis, algumas definitivamente caracterizadas e outras inferidas, foram identificadas. Em geral, elas podem ser categorizadas como perda de heterozigosidade (PDH), alterações no número de cópias, hipermetilação, alterações na expressão de RNA e mutações somáticas no DNA.

Vários estudos de sequenciamento de exoma em larga escala, incluindo aqueles realizados como parte do Atlas Genômico do Câncer (TCGA), definiram o cenário mutacional do CEC. Vários achados importantes foram feitos nesses estudos. Em primeiro lugar, vários genes previamente propostos como peças críticas no CEC (*TP53*, *CDKN2A*, *PIK3CA*) mostraram estar mutados com frequências suficientes para sugerir que sejam responsáveis pelo desenvolvimento do câncer. Em segundo lugar, novas alterações genéticas foram encontradas, sobretudo em *NOTCH1* e suas vias associadas, e no supressor de tumor *FAT1*, um membro da família das caderinas, o que poderá ser usado no desenvolvimento de terapias-alvo. Terceiro, embora *TP53* tenha sido o gene mutado com mais frequência, a frequência mutacional para os outros genes mais comuns variava de 1 a 23%, o que sugere que haja uma considerável variabilidade intertumoral com relação às mutações específicas em um determinado tumor. Por fim, as mutações identificadas em tumores HPV-positivos e HPV-negativos eram diferentes. Por exemplo, os tumores HPV-negativos abrigavam mais mutações somáticas do que os tumores HPV-positivos. Além disso, devido à expressão das oncoproteínas E6 e E7 do HPV, as vias da p53 e da RB são, tipicamente, inativadas em tumores HPV-positivos, semelhante ao que foi observado no câncer cervical (ver **Capítulo 22**). Apesar desse conhecimento avançado, as terapias-alvo para reduzir a morbidade e a mortalidade do CEC permanecem limitadas.

As lesões são consideradas pré-malignas e em risco de progredir para CECCP quando há displasia histológica. No entanto, os critérios para o diagnóstico de displasia são subjetivos e abertos a uma ampla gama de interpretações, mesmo entre patologistas altamente qualificados. Isso, em parte, reflete a ausência de achados histológicos validados que predigam a transformação maligna de lesões displásicas. Em geral, aproximadamente, 15% das lesões pré-malignas progredirão para CECCP em um período médio de 5 anos. Nossa incapacidade de fazer um prognóstico preciso com base nas alterações histológicas enfatiza a necessidade de desenvolvimento de critérios moleculares que predigam resultados.

> **Morfologia**
>
> O CEC pode surgir em qualquer região da cabeça e pescoço que seja revestida por epitélio pavimentoso estratificado. Para o CEC queratinizante HPV-negativo "clássico", os locais mais comuns são a superfície ventral da língua, o assoalho da boca, o lábio inferior, o palato mole e a gengiva (**Tabela 16.2**). Por outro lado, os CECs associados ao HPV são, na maioria das vezes, neoplasias não queratinizantes que surgem no epitélio reticulado das criptas tonsilares das tonsilas linguais, base da língua, palato mole e faringe. Embora os CECs queratinizantes sejam normalmente precedidos por lesões pré-malignas, tais como leucoplasia e eritroplasia, os CECs associados ao HPV tendem a se desenvolver sem um componente pré-maligno (displásico) prontamente identificado.
>
> Os CECs queratinizantes em estágio inicial aparecem como placas elevadas, firmes e de aspecto perolado, ou como áreas irregulares, endurecidas ou verrucosas de espessamento da mucosa. Ambos os padrões podem estar sobrepostos a um cenário de aparente leucoplasia ou eritroplasia. É comum que, à medida que essas lesões aumentam de tamanho, elas criem massas ulceradas e protuberantes com bordas irregulares e endurecidas ou enroladas (**Figura 16.6A**). Por outro lado, os CECs associados ao HPV, tipicamente, apresentam-se como pequenos tumores primários que não apresentam lesões mucosas superficiais visíveis, mas são acompanhados por linfadenopatia cervical significativa.
>
> **Os CECs queratinizantes começam como lesões displásicas**, que podem ou não progredir para displasia de espessura total (carcinoma *in situ*) antes de invadirem o estroma de tecido conjuntivo subjacente (**Figura 16.6B**). Essa diferença na progressão deve ser contrastada com o câncer cervical (ver **Capítulo 22**),

no qual a displasia de espessura total, que representa o carcinoma *in situ*, tipicamente, se desenvolve antes da invasão. Os CECs queratinizantes variam de tumores bem diferenciados a anaplásicos e, às vezes, sarcomatoides. No entanto, o grau de diferenciação histológica, conforme determinado pelo grau relativo de queratinização, não está correlacionado com o comportamento, incluindo a taxa de crescimento. O CEC tende a se infiltrar no local antes de dar metástases a distância. As rotas de disseminação dependem do local primário. Os linfonodos cervicais são os principais sítios de metástase local e os destinos mais comuns de metástases a distância são os linfonodos mediastinais, pulmões, fígado e ossos. Infelizmente, metástases a distância costumam já estar presentes no momento da descoberta da lesão primária.

A histologia do **CEC associado ao HPV caracteriza-se pela proliferação de ninhos e lóbulos de células basaloides e não queratinizantes** que crescem entre camadas de linfócitos (**Figura 16.7A**). A detecção imuno-histoquímica de forte expressão da proteína p16 pode servir como marcador para o CEC associado ao HPV (**Figura 16.7B**). No entanto, exames adicionais, usando-se PCR ou hibridização *in situ* (ISH) (**Figura 16.7C**), podem ser necessários em certos casos.

Tabela 16.2 Diferenças entre CEC associado ao HPV e não associado ao HPV.

	Associado ao HPV	Não associado ao HPV
Idade do paciente	Mais jovens	Mais velhos
Fatores de risco	Número de parceiros de sexo oral	Tabaco, álcool
Localização	Orofaringe	Cavidade oral
Apresentação clínica	Lesão primária pequena com doença nodal volumosa	Lesão primária grande com doença nodal variável
Histologia	CEC não queratinizante	CEC queratinizante
Metástase a distância	Rara	Comum
Desfechos clínicos	Bom	Ruim
Risco de segundo tumor primário	Baixo	Alto

CEC, carcinoma espinocelular; HPV, papilomavírus humano.

Cistos e tumores odontogênicos

A grande maioria dos cistos odontogênicos é derivada de remanescentes do epitélio odontogênico presente nas mandíbulas. Ao contrário do restante do esqueleto, os cistos revestidos por epitélio são comuns nas mandíbulas. Estes cistos são subclassificados como inflamatórios ou de desenvolvimento (**Tabela 16.3**), e apenas os mais comuns serão aqui descritos.

O *cisto dentígero* se origina ao redor da coroa de um dente que não sofreu erupção como resultado do acúmulo de líquido entre o dente em desenvolvimento e o folículo dentário. Radiograficamente, são lesões uniloculares, associadas com mais frequência a terceiros molares (sisos) impactados. Histologicamente, são revestidas por uma fina camada de epitélio escamoso estratificado e, em geral, há um denso infiltrado crônico de células inflamatórias no tecido conjuntivo circundante. A excisão cirúrgica completa é o tratamento.

O *tumor odontogênico queratocístico*, antes denominado *queratocisto odontogênico*, deve ser diferenciado de outros cistos odontogênicos devido ao comportamento agressivo. Os tumores odontogênicos queratocísticos podem ser observados em indivíduos de qualquer idade, mas são mais comuns entre 10 e 40 anos, em homens e na região posterior da mandíbula. As lesões se apresentam como radiolucências uniloculares ou multiloculares bem definidas, com um revestimento que consiste em uma fina camada de epitélio escamoso estratificado queratinizado, uma camada proeminente de células basais e uma superfície epitelial corrugada. O tratamento requer a excisão completa devido ao comportamento agressivo. As taxas de recorrência para lesões removidas de forma inadequada podem chegar a 60%. Cerca de 80% das lesões são solitárias, mas pacientes com cistos múltiplos devem ser avaliados quanto à síndrome do carcinoma basocelular nevoide (síndrome de Gorlin), que está associada a mutações no gene supressor de tumor *PTCH* (Patched) no cromossomo 9q22 (ver **Capítulo 25**).

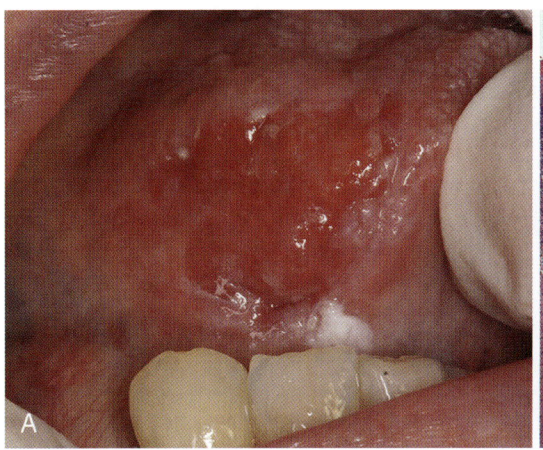

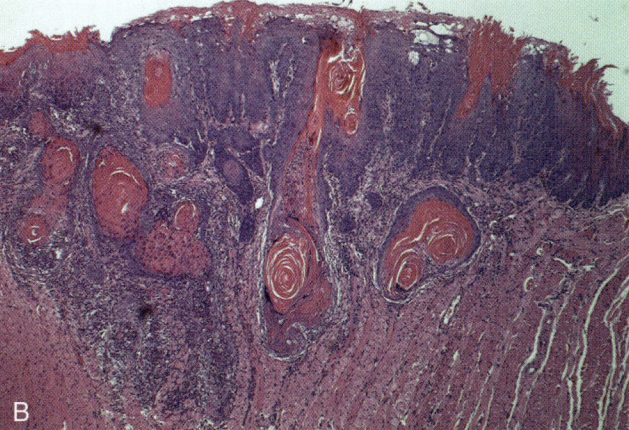

Figura 16.6 Carcinoma espinocelular queratinizante. **A.** Aspecto clínico demonstrando ulceração e endurecimento da mucosa oral. **B.** Aparência histológica, demonstrando numerosos ninhos e ilhas de queratinócitos malignos com espirais de queratina que invadem o estroma de tecido conjuntivo subjacente e o músculo esquelético.

Tabela 16.3 Classificação histológica dos cistos odontogênicos.

Inflamatórios
Cisto radicular
Cisto residual
Cisto paradental (inflamatório colateral)
De desenvolvimento
Cisto dentígero
Queratocisto odontogênico
Cisto gengival
Cisto de erupção
Cisto periodontal lateral
Cisto odontogênico glandular
Cisto odontogênico epitelial calcificante
Cisto do ducto nasopalatino

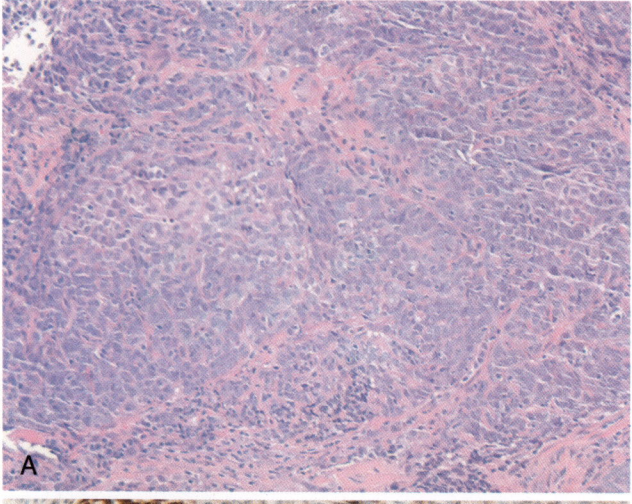

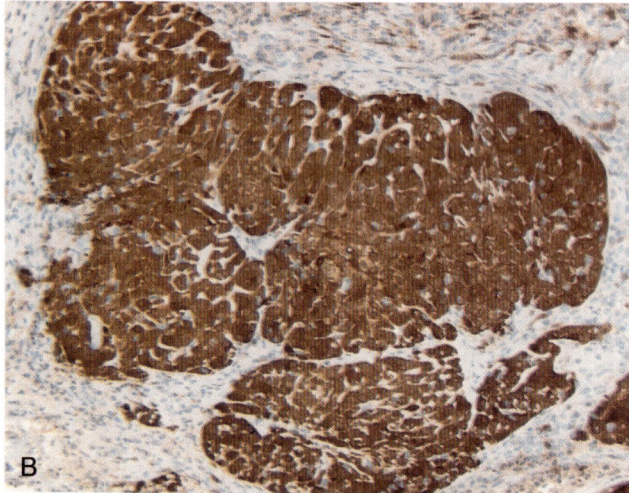

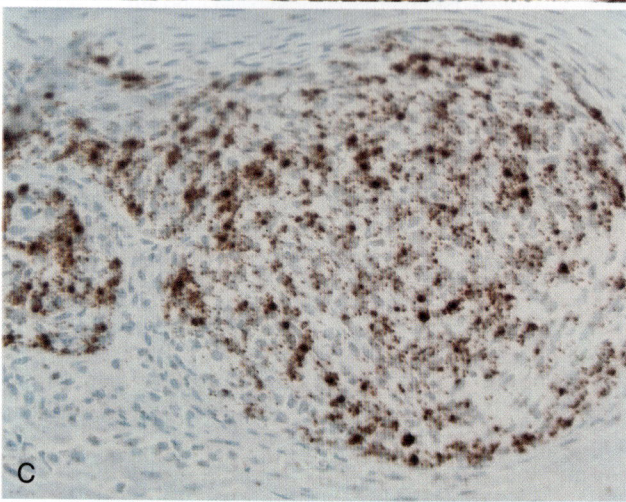

Figura 16.7 Carcinoma espinocelular não queratinizante. **A.** Aparência histológica demonstrando ninhos e cordões de células de aparência basaloide. **B.** Imuno-histoquímica demonstrando forte coloração de p16 nos núcleos e citoplasmas das células tumorais. **C.** Hibridização *in situ* para expressão de mRNA de E6 e E7 de papilomavírus humano de alto risco.

O *cisto radicular* é uma lesão inflamatória comum encontrada no ápice do dente. Os cistos se desenvolvem como resultado da inflamação prolongada do dente (*pulpite*), geralmente secundária a lesões cariosas avançadas ou trauma local. Pode haver necrose do tecido pulpar, que pode se estender pelo comprimento da raiz e sair no ápice, adentrando o osso alveolar circundante. Com o tempo, pode haver desenvolvimento de tecido de granulação, com subsequente epitelização, o que resulta em um cisto radicular. O antigo termo *granuloma periapical* ainda é usado, embora a lesão não mostre inflamação granulomatosa verdadeira. As lesões inflamatórias periapicais são persistentes devido à presença contínua de bactérias ou outros agentes irritantes. O tratamento efetivo, portanto, requer a remoção completa do material agressor e a restauração ou extração do dente.

Os *tumores odontogênicos* são um grupo de lesões que apresentam diversos aspectos histológicos e comportamentos clínicos. Algumas são neoplasias verdadeiras (benignas e malignas) e outras podem ser hamartomas. Os tumores odontogênicos são derivados do epitélio odontogênico, do mesênquima odontogênico ou de ambos (**Tabela 16.4**). Os dois tumores mais comuns e clinicamente significativos são o odontoma e o ameloblastoma:

- O *odontoma*, o tumor odontogênico mais comum, origina-se no epitélio e está associado a extensa deposição de esmalte e dentina. Essas lesões podem representar hamartomas em vez de neoplasias verdadeiras e são tratadas por excisão local
- O *ameloblastoma* se origina no epitélio odontogênico e não apresenta diferenciação de células ectomesenquimais. É cístico, de crescimento lento e invasivo, de desenvolvimento geralmente indolente. O tratamento requer ampla ressecção cirúrgica para prevenir a recorrência.

Conceitos-chave
Cavidade oral

- A cárie é a causa mais comum de perda dentária em pessoas com menos de 35 anos. A principal causa é a destruição do dente por produtos finais ácidos da fermentação de açúcares por bactérias
- A gengivite é uma inflamação comum e reversível da mucosa ao redor dos dentes
- A periodontite é uma condição inflamatória crônica que resulta em destruição das estruturas de sustentação do dente e

posterior perda dentária. Está associada à má higiene bucal e alteração da microbiota bucal
- Úlceras aftosas são úlceras superficiais dolorosas de etiologia desconhecida
- Fibromas e granulomas piogênicos são lesões reativas comuns da mucosa bucal
- Leucoplasias e eritroplasias são lesões da mucosa bucal que podem sofrer transformação maligna
- A maioria dos cânceres de cavidade oral e orofaringe são CECs. Os CECs de cavidade oral estão ligados ao uso de tabaco e álcool, mas houve um aumento dramático na incidência de lesões associadas ao HPV nos CECs de orofaringe.

Tabela 16.4 Classificação histológica dos tumores odontogênicos.

Tumores odontogênicos epiteliais
Benignos
Ameloblastoma
Tumor odontogênico epitelial calcificante
Tumor odontogênico escamoso
Tumor odontogênico adenomatoide
Malignos
Carcinoma ameloblástico
Carcinoma odontogênico esclerosante
Carcinoma odontogênico de células claras
Carcinoma odontogênico de células fantasmas
Carcinoma espinocelular intraósseo primário
Tumores odontogênicos mesenquimais
Fibroma odontogênico
Mixoma odontogênico
Cementoblastoma
Tumores odontogênicos epitélio-mesenquimais
Benignos
Odontoma
Odontoma tipo composto
Odontoma tipo complexo
Fibroma ameloblástico
Fibrodontoma ameloblástico
Tumor dentinogênico de células-fantasma
Malignos
Fibrossarcoma ameloblástico

Vias respiratórias superiores

O termo *vias respiratórias superiores* é aqui usado para incluir o nariz, a faringe e a laringe. Os distúrbios nessas estruturas estão entre as alterações clínicas mais comuns dos seres humanos, porém, felizmente, a grande maioria é mais um incômodo do que uma ameaça.

Nariz

As doenças inflamatórias, tais como o resfriado comum, são as afecções mais frequentes do nariz e seios aéreos acessórios. Na maioria das vezes, são de origem viral, mas podem ser complicadas por infecções bacterianas sobrepostas. Doenças nasais inflamatórias destrutivas e tumores primários na cavidade nasal ou seio maxilar ocorrem com menos frequência.

Lesões inflamatórias

Rinite infecciosa. A rinite infecciosa, também conhecida como *resfriado comum*, é causada por um ou mais vírus. Os principais agentes são adenovírus, vírus ECHO e rinovírus, todos provocando descarga catarral profusa. Durante os estágios agudos iniciais, a mucosa nasal se torna espessa, edemaciada e vermelha; as cavidades nasais se estreitam e as conchas nasais ficam aumentadas. Essas alterações podem se estender, produzindo faringotonsilite. Uma infecção bacteriana secundária intensificará a reação inflamatória e produzirá um exsudato mucopurulento ou, algumas vezes, supurativo. Felizmente, essas infecções se resolvem em pouco tempo. Como diz o ditado, "em 1 semana se for tratada ou em 7 dias se for ignorada".

Rinite alérgica. A rinite alérgica é iniciada por hipersensibilidade a um dentre um grande grupo de alergênios, geralmente pólen, fungos, alergênios de animais e ácaros. Afeta 20% da população dos EUA. Tal como a asma, a rinite alérgica é uma reação imunológica mediada por IgE que demonstra resposta de fase inicial e uma de fase tardia (ver "Hipersensibilidade imediata [tipo I]" no **Capítulo 6**). A reação alérgica é caracterizada por edema da mucosa, eritema e secreção de muco, com a presença de infiltrados leucocitários ricos em eosinófilos.

Pólipos nasais. Ataques recorrentes de rinite podem, com o tempo, levar a protrusões focais da mucosa, produzindo os *pólipos nasais*, que podem atingir 3 a 4 cm de comprimento. Histologicamente, esses pólipos consistem em mucosa edemaciada com estroma frouxo, glândulas mucosas hiperplásicas ou císticas e infiltrados de neutrófilos, eosinófilos e plasmócitos (**Figura 16.8**). Na ausência de infecção bacteriana, a superfície da mucosa fica intacta, mas pode se tornar ulcerada. Quando múltiplos ou grandes, os pólipos nasais podem invadir as vias respiratórias e prejudicar a drenagem dos seios. Apesar das características indicarem uma etiologia alérgica, a maioria das pessoas com pólipos nasais não é atópica e apenas 0,5% dos pacientes atópicos desenvolvem pólipos nasais.

Rinite crônica. A rinite crônica surge em consequência de episódios repetidos de rinite microbiana ou alérgica com posterior desenvolvimento de infecção bacteriana sobreposta. Desvio de septo nasal ou pólipos nasais que prejudiquem a drenagem das secreções contribuem para a probabilidade de invasão microbiana. Descamação superficial ou ulceração do epitélio da mucosa são comuns. Os infiltrados inflamatórios incluem um número variável de neutrófilos, linfócitos e plasmócitos. As infecções podem se estender para os seios.

Sinusite. A maioria dos casos de sinusite aguda é precedida por rinite, porém, ocasionalmente, a sinusite maxilar surge por extensão de uma infecção periapical através do assoalho do seio ósseo.

Os microrganismos responsáveis costumam ser componentes da microbiota bucal que desencadeiam uma reação inflamatória. O edema de mucosa resultante prejudica a drenagem dos seios e pode causar *empiema* sinusal. A obstrução de fluxo ocorre, mais frequentemente, nos seios frontais e, menos comumente, nos seios etmoidais anteriores. Em algumas ocasiões, isso pode levar a acúmulo de muco, produzindo a chamada *mucocele*.

A sinusite aguda pode progredir para *sinusite crônica*, sobretudo quando a drenagem está prejudicada. Uma infecção polimicrobiana, em grande parte composta por componentes normais da microbiota bucal, está presente na maioria dos casos. Fungos podem causar sinusite crônica grave (p. ex., na mucormicose), sobretudo em pacientes diabéticos. Raramente, a sinusite pode se apresentar como um componente da *síndrome de Kartagener*, que também inclui bronquiectasia e *situs inversus* (ver **Capítulo 15**), como resultado de ação ciliar defeituosa. Embora a maioria dos casos de sinusite crônica seja mais desconfortável do que incapacitante ou grave, as infecções podem, ocasionalmente, se espalhar para a órbita ou penetrar no osso circundante, causando osteomielite. A propagação para a calota craniana pode causar tromboflebite séptica em um seio venoso dural.

Lesões necrosantes do nariz e das vias respiratórias superiores

Lesões ulcerativas necrosantes no nariz e trato respiratório superior podem ser produzidas por:

- *Infecções fúngicas agudas* (incluindo mucormicose; ver **Capítulo 8**), sobretudo em pacientes diabéticos e imunossuprimidos
- *Granulomatose com poliangiite*, antes chamada de granulomatose de Wegener (ver **Capítulo 11**)
- O *linfoma extranodal de células T/NK, tipo nasal*, no qual as células tumorais abrigam EBV (ver **Capítulo 13**), ocorre, de forma característica, em homens de ascendência asiática ou latino-americana na quinta ou sexta década de vida; ulceração e infecção bacteriana costumam complicar o processo. Não tratadas, essas neoplasias costumam ser brevemente fatais em decorrência da disseminação descontrolada do linfoma e penetração na calota craniana ou da infecção bacteriana secundária com disseminação séptica. Os casos localizados podem ser controlados com radioterapia, mas a recidiva e a recorrência são comuns e são associadas a desfechos ruins.

Nasofaringe

A mucosa da nasofaringe, as estruturas linfoides relacionadas e as glândulas locais podem estar envolvidas em uma ampla variedade de infecções (p. ex., difteria, mononucleose infecciosa), bem como em neoplasias.

Lesões Inflamatórias

Faringite e tonsilite costumam acompanhar infecções virais do trato respiratório superior. Rinovírus, vírus ECHO e adenovírus são as causas mais comuns; os casos restantes costumam ser causados por diferentes cepas de influenza ou vírus sincicial respiratório. Eritema e edema da mucosa nasofaríngea com aumento reativo das tonsilas e linfonodos próximos são característicos. Infecção bacteriana pode causar faringite e tonsilite ou, como alternativa, ocorrer como um processo secundário sobreposto à infecção viral. Os estreptococos β-hemolíticos são os patógenos mais frequentes, mas *Staphylococcus aureus* ou outras bactérias também podem estar presentes. Quando há bactérias presentes, exsudato e membranas exsudativas (pseudomembranas) podem cobrir a mucosa nasofaríngea e as tonsilas nasopalatinas e palatinas aumentadas. A *tonsilite folicular*, na qual as tonsilas aumentadas (devido à hiperplasia linfoide reativa) apresentam "pontinhos" causados pelo exsudato que emana das criptas tonsilares, é comum.

A principal relevância da "dor de garganta" estreptocócica reside no possível desenvolvimento de sequelas tardias, tais como febre reumática (ver **Capítulo 12**) e glomerulonefrite (ver **Capítulo 20**). Ainda há debates sobre a possibilidade dos episódios recorrentes de tonsilite aguda favorecerem o desenvolvimento de aumento tonsilar crônico, mas independentemente da causa do aumento, os pacientes podem se beneficiar da excisão cirúrgica.

Tumores de nariz, seios paranasais e nasofaringe

Os tumores no nariz, seios paranasais e nasofaringe são raros, mas incluem o amplo espectro de neoplasias mesenquimais e epiteliais.

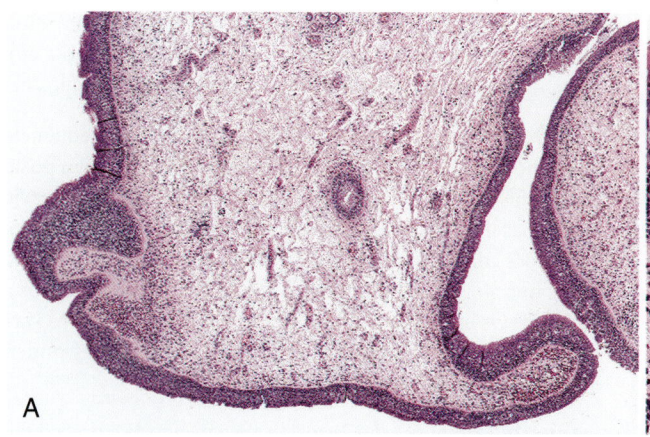

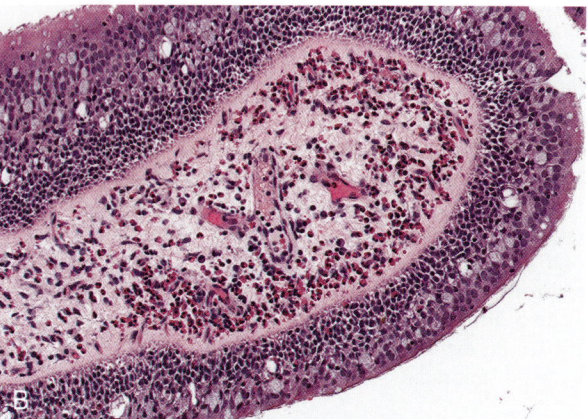

Figura 16.8 A. Pólipos nasais. Fotomicrografia em menor aumento mostrando estroma edematoso revestido por epitélio. **B.** Fotomicrografia em maior aumento mostrando edema estromal, infiltrado inflamatório rico em eosinófilos e o revestimento epitelial respiratório.

Angiofibroma nasofaríngeo. O angiofibroma nasofaríngeo é um tumor benigno e altamente vascular que ocorre, quase exclusivamente, em adolescentes do sexo masculino, que costumam ter pele clara e cabelos ruivos. Acredita-se que surja no estroma fibrovascular da parede posterolateral do teto da cavidade nasal. A remoção cirúrgica, em geral com embolização pré-operatória para diminuir o sangramento, é o tratamento de escolha. Como o angiofibroma nasofaríngeo costuma agredir a área afetada, com extensão intracraniana, as taxas de recorrência podem se aproximar de 20%, e 9% dos casos podem ser fatais (**Figura 16.9**). Mutações em *CTNNB1*, que codifica a betacatenina, estão presentes na maioria dos angiofibromas nasofaríngeos. Este tumor também pode se desenvolver de forma esporádica ou sindrômica em associação à polipose adenomatosa familiar.

Papiloma nasossinusal (schneideriano). **O papiloma nasossinusal é uma neoplasia benigna originária da mucosa respiratória ou schneideriana que reveste a cavidade nasal e seios paranasais.** Essas lesões ocorrem em três formas: *exofíticas* (mais comuns), *endofíticas* (ou *invertidas*) e *oncocíticas* (antes conhecidas como *papiloma de células cilíndricas*). Os papilomas nasossinusais são mais comuns em homens entre 30 e 60 anos. Na forma endofítica, pode haver invaginação para o estroma subjacente (**Figura 16.10**). Embora seja uma neoplasia benigna, pode agredir a área afetada, seja no nariz, seja nos seios paranasais, o que inclui invasão da órbita ou da calota craniana, e apresenta alta taxa de recorrência se não for excisada de maneira adequada. A transformação maligna ocorre em cerca de 10% dos casos. A maioria dos papilomas nasossinusais endofíticos apresenta mutações no gene *EGFR*. Os casos restantes costumam abrigar DNA de HPV, geralmente dos tipos 6 e 11 de baixo risco.

Neuroblastoma olfatório (estesioneuroblastoma). **Os neuroblastomas olfatórios são originários de células olfatórias neuroectodérmicas da mucosa, sobretudo na face superior da cavidade nasal.** A distribuição de idade é bimodal, com picos aos 15 e 50 anos. Tipicamente, os pacientes apresentam obstrução nasal e/ou epistaxe. Histologicamente, os neuroblastomas olfatórios são *neoplasias de células pequenas redondas e azuis*, uma categoria

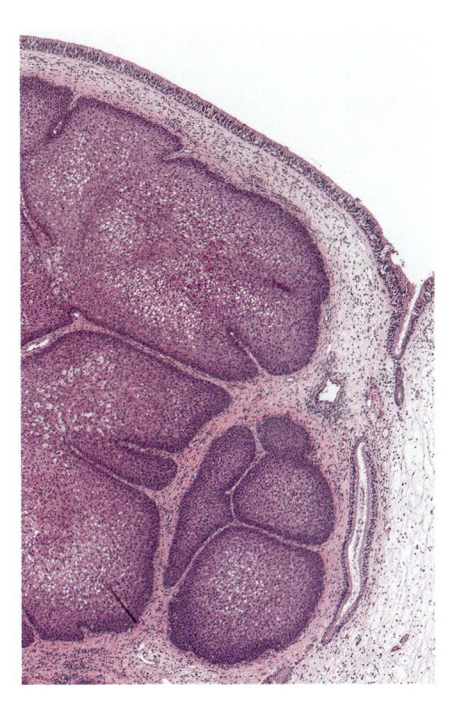

Figura 16.10 Papiloma invertido. A superfície sobrejacente é revestida por um fino epitélio respiratório; no entanto, o estroma subjacente contém vários nódulos de epitélio neoplásico espesso crescendo para dentro; por isso, o termo *invertido*.

que inclui linfoma, carcinoma de pequenas células, sarcoma de Ewing/tumor neuroectodérmico periférico, rabdomiossarcoma, melanoma e carcinoma indiferenciado nasossinusal. Os neuroblastomas olfatórios costumam ser compostos de ninhos e lóbulos de células bem circunscritos separados por estroma fibrovascular (**Figura 16.11**). Uma matriz fibrilar representando processos celulares neuronais emaranhados costuma estar presente. Consistente com sua origem neuroendócrina, a microscopia eletrônica demonstra grânulos secretores ligados à membrana e a imuno-histoquímica é positiva para enolase neurônio-específica, sinaptofisina, CD56 e cromogranina. Dependendo do estágio e grau do tumor, a combinação de cirurgia, radioterapia e quimioterapia gera taxas de sobrevida em 5 anos entre 40 e 90%. As aberrações genéticas no neuroblastoma olfatório são heterogêneas, com casos demonstrando ganhos e/ou perdas cromossômicas variáveis.

Carcinoma NUT da linha média. **Esse tumor incomum ocorre na nasofaringe, glândulas salivares ou outras estruturas da linha média do tórax ou abdome.** Pode ocorrer em qualquer idade, desde a infância até a idade adulta tardia, mas a verdadeira incidência do carcinoma NUT da linha média não é conhecida, pois ele é facilmente confundido com CEC. Apesar disso, o carcinoma NUT da linha média é clinicamente distinto devido ao comportamento extremamente agressivo e à resistência à terapia convencional; a maioria dos pacientes sobrevive por menos de 1 ano após o diagnóstico. Os carcinomas NUT da linha média são uniformemente associados a translocações que fundem genes que codificam proteínas quiméricas compostas em sua maior parte por NUT, uma proteína reguladora da cromatina, e uma porção de uma proteína "leitora de cromatina", em geral BRD4. Fármacos que deslocam BRD4-NUT da cromatina induzem células do carcinoma NUT da linha média a se diferenciarem terminalmente, e, hoje em dia, a terapia-alvo com esses inibidores de BRD4-NUT está sendo testada clinicamente.

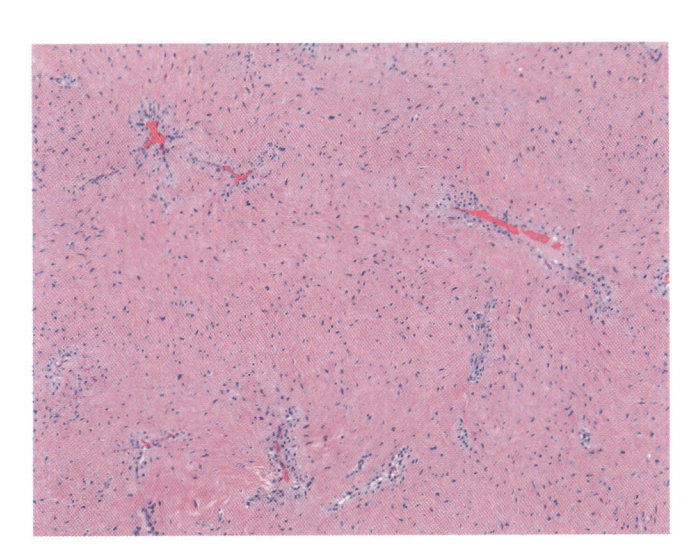

Figura 16.9 Angiofibroma nasofaríngeo mostrando vasos musculares de paredes finas separados por denso estroma colagenoso contendo fibroblastos pequenos e brandos.

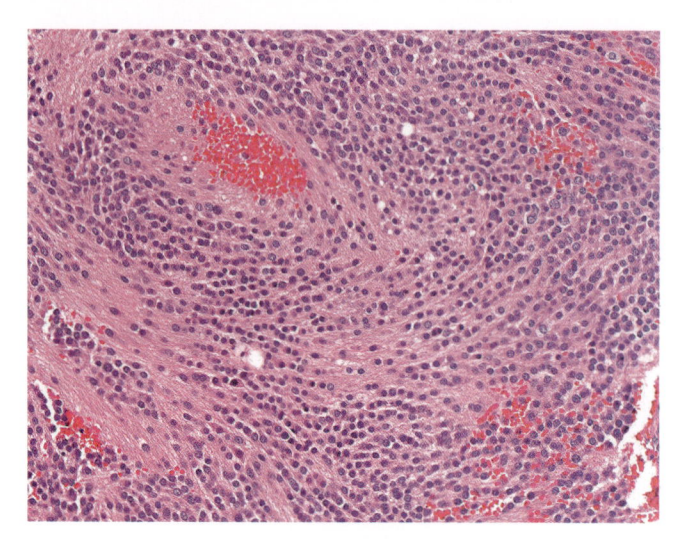

Figura 16.11 O neuroblastoma olfatório é composto de pequenas células monótonas com núcleos arredondados em um estroma fibrilar eosinofílico. As células parecem formar uma espiral em torno de um canal vascular preenchido de sangue.

Carcinoma de nasofaringe. **O carcinoma de nasofaringe é caracterizado por sua distribuição geográfica distinta, estreita relação anatômica com o tecido linfoide e associação com infecção por EBV.** A nomenclatura para os carcinomas de nasofaringe continua a evoluir, mas, no momento, é descrita como um de três padrões: (1) CECs queratinizantes, (2) CECs não queratinizantes e (3) CECs basaloides. *Linfoepitelioma* ou *carcinoma linfoepitelial* são nomes antigos desse tumor, que não são mais usados.

Os três principais fatores que influenciam o desenvolvimento de carcinomas de nasofaringe são hereditariedade, idade e infecção pelo EBV. Por exemplo, essas neoplasias são comuns, sobretudo em algumas partes da África, onde representam o câncer infantil mais frequente. Por outro lado, os carcinomas de nasofaringe são comuns em adultos do sul da China, mas é raro que ocorram em crianças. Nos EUA, os carcinomas de nasofaringe são raros em todas as faixas etárias. Além da infecção por EBV, dietas ricas em nitrosaminas (que são encontradas em alimentos fermentados e peixes salgados), e insultos ambientais, como tabagismo e gases químicos, foram associados a esses tumores. Na forma não queratinizante, a maioria dos pacientes tem anticorpos contra antígenos precoces do EBV ou antígenos do capsídio viral do EBV, e a PCR pode ser usado para detectar DNA de EBV no soro.

Morfologia

Histologicamente, os carcinomas nasofaríngeos queratinizantes e não queratinizantes assemelham-se a CECs bem diferenciados e pouco diferenciados que surgem em outros locais. A variante indiferenciada é composta de grandes células epiteliais com núcleos vesiculares ovais ou redondos, nucléolos proeminentes e bordas celulares indistintas; estas bordas indistintas dão a aparência de um sincício (**Figura 16.12B**). Linfócitos abundantes de aparência normal, células T predominantemente, infiltram-se nos tumores. RNA, como EBER-1, ou proteínas, como LMP-1, codificados por EBV, podem ser identificados nas células epiteliais malignas por hibridização *in situ* (**Figura 16.12C**) ou imuno-histoquímica, respectivamente.

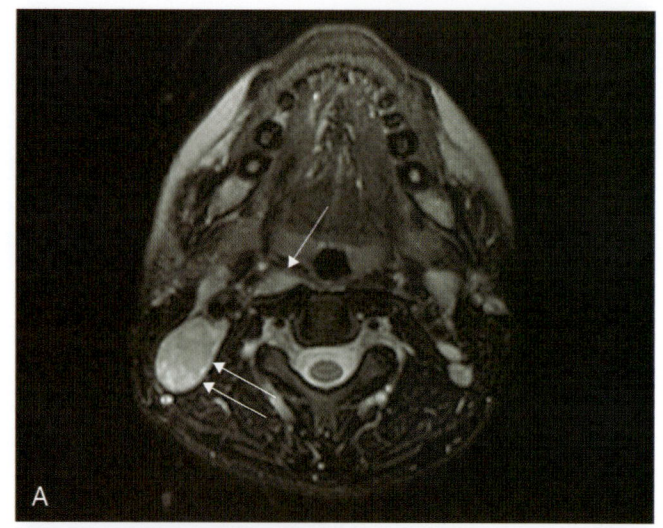

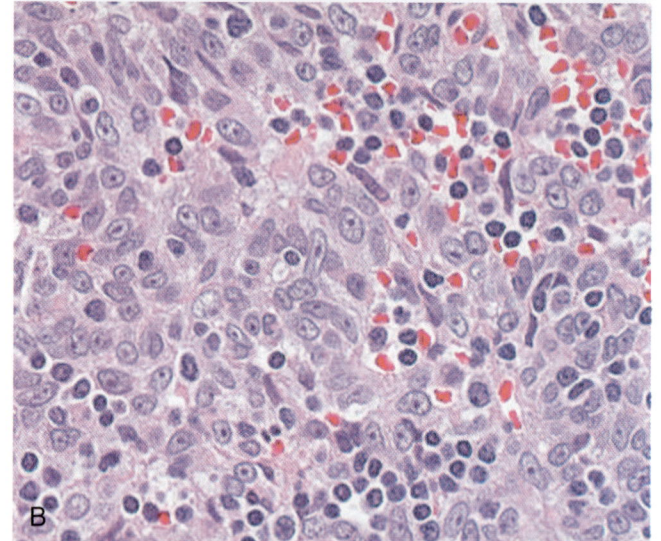

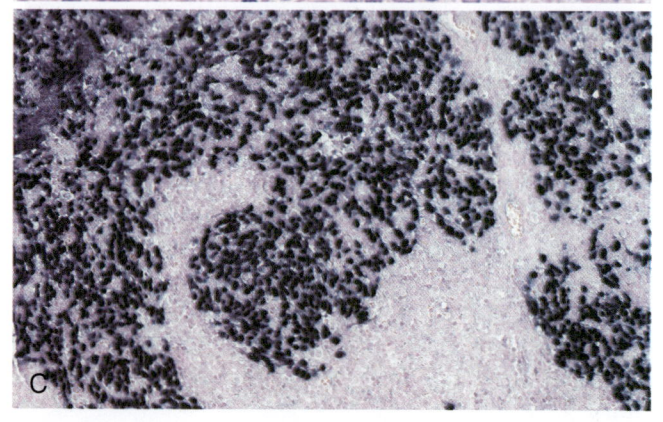

Figura 16.12 Carcinoma nasofaríngeo tipo indiferenciado não queratinizante. **A.** Estudo de ressonância magnética demonstrando espessamento da região nasofaríngea (*seta*) e linfonodo cervical aumentado (*seta dupla*). **B.** Os aglomerados sinciciais de epitélio maligno são infiltrados por linfócitos benignos. **C.** Hibridização *in situ* para EBER-1, um pequeno RNA nuclear codificado pelo vírus Epstein-Barr.

Os carcinomas nasofaríngeos primários costumam permanecer clinicamente ocultos até se apresentarem em estágios avançados com obstrução nasal, epistaxe e metástases para os linfonodos cervicais em até 70% dos pacientes. A radioterapia é o tratamento-padrão e resulta em sobrevida em 5 anos de, aproximadamente, 60%.

Isso, no entanto, varia com a histologia; a sobrevida em 5 anos dependente do estádio para o carcinoma de nasofaringe não queratinizante varia de 70 a 98%, mas, para a forma queratinizante, é de apenas 20%. Essas diferenças gritantes foram atribuídas a respostas terapêuticas divergentes, uma vez que os carcinomas indiferenciados são os mais radiossensíveis e os carcinomas queratinizantes são os menos radiossensíveis.

Laringe

Os distúrbios mais comuns da laringe são inflamatórios. Tumores são incomuns, porém passíveis de ressecção, embora, muitas vezes, isso acarrete perda da voz natural.

Lesões inflamatórias

A laringite pode ocorrer como a única manifestação após insulto alérgico, viral, bacteriano ou químico, mas costuma ser associada à infecção generalizada do trato respiratório superior, forte exposição a toxinas ambientais (p. ex., fumaça de tabaco) ou refluxo gastresofágico devido aos efeitos irritantes do conteúdo gástrico. A laringe também pode ser afetada em infecções sistêmicas, tais como tuberculose e difteria. Embora a maioria das infecções seja autolimitada, as sequelas podem ser graves, sobretudo na primeira infância ou na infância, em que congestão, exsudação ou edema da mucosa podem causar obstrução da laringe. Em particular, a laringoepiglotite causada por vírus sincicial respiratório, *Haemophilus influenzae* ou estreptococos beta-hemolíticos pode induzir o edema repentino da epiglote e pregas vocais nas pequenas vias respiratórias de lactentes e crianças pequenas, tornando-se uma emergência médica. Isso é incomum em adultos devido ao tamanho maior da laringe e também aos músculos acessórios respiratórios mais fortes. *Crupe* refere-se à laringotraqueobronquite infantil que produz um estridor inspiratório característico devido ao estreitamento das vias respiratórias. A laringite comum em fumantes inveterados predispõe a metaplasia epitelial escamosa e, às vezes, carcinoma evidente.

Nódulos reativos (nódulos e pólipos das pregas vocais)

Os nódulos reativos, também chamados de pólipos, desenvolvem-se nas pregas vocais, mais frequentemente em fumantes inveterados ou naqueles que impõem grande esforço em suas cordas vocais (*os chamados "nódulos do cantor"*) (**Figura 16.13**). Devido à sua localização estratégica e à inflamação que os acompanha, eles alteram de maneira característica o caráter da voz e costumam causar rouquidão progressiva. Apesar disso, o risco de desenvolvimento de câncer nessas lesões é quase inexistente. Por convenção, os nódulos nas pregas vocais são bilaterais e os pólipos são unilaterais. Adultos são os mais afetados. Os nódulos e pólipos são excrescências lisas, arredondadas, sésseis ou pedunculadas, e, em geral, têm alguns milímetros em sua maior dimensão e estão localizados nas cordas vocais verdadeiras. As características histológicas dos nódulos e pólipos são semelhantes; são recobertos por epitélio escamoso que pode se tornar queratótico, hiperplásico ou mesmo ligeiramente displásico, recobrindo um núcleo de tecido conjuntivo frouxo mixoide. Esse pode ser fibrótico, fibrinoso ou altamente vascularizado. Nódulos em pregas vocais opostas podem colidir uns com os outros e causar ulceração.

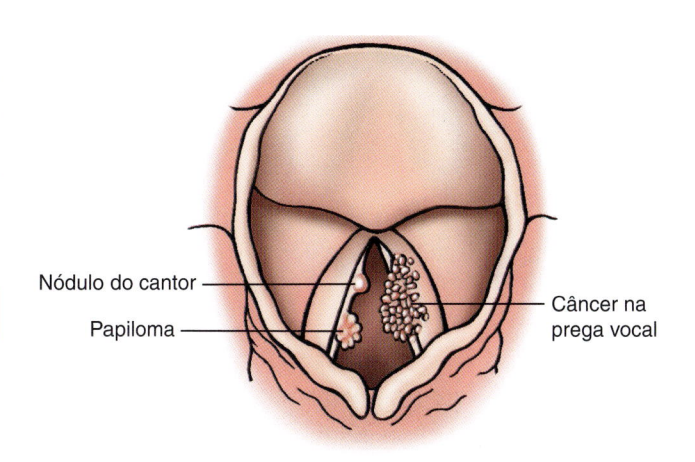

Figura 16.13 Comparação diagramática entre um nódulo do cantor, um papiloma benigno e um carcinoma exofítico na laringe, para destacar as diferenças de aparência clínica.

Papiloma escamoso e papilomatose

Os papilomas escamosos da laringe são neoplasias benignas, geralmente localizados nas cordas vocais verdadeiras, que formam proliferações exofíticas moles que não costumam exceder 1 cm de diâmetro (**Figura 16.13**). Os crescimentos são compostos de múltiplas projeções delgadas em forma de dedos apoiadas por núcleos fibrovasculares centrais e cobertos por um epitélio escamoso estratificado organizado. Quando os papilomas se desenvolvem na borda livre de uma prega vocal, o trauma pode levar à ulceração que pode ser acompanhada por hemoptise.

Os papilomas costumam ser solitários em adultos, mas múltiplos em crianças, uma condição conhecida como *papilomatose laríngea juvenil*. As lesões são causadas por HPV tipos 6 e 11 adquiridos pelo canal de parto materno. A recorrência é comum, mas raras vezes se transformam em CEC. Embora os pólipos costumem regredir espontaneamente na puberdade, a regularidade da recorrência requer que algumas crianças sejam submetidas a várias cirurgias.

Carcinoma da laringe

O carcinoma da laringe, tipicamente, é um carcinoma de células escamosas observado em fumantes crônicos do sexo masculino.

Sequência hiperplasia-displasia-carcinoma. **As alterações epiteliais da laringe variam de hiperplasia a displasia, carcinoma *in situ* a carcinoma invasivo.** Macroscopicamente, as superfícies epiteliais podem ser lisas, brancas ou avermelhadas com espessamentos focais, ásperas por queratose ou pontuadas por lesões verrucosas irregulares ou ulceradas róseo-esbranquiçadas (**Figuras 16.13 e 16.14**).

As hiperplasias não displásicas quase não têm potencial para transformação maligna. Para lesões com displasia, o risco de transformação maligna é diretamente proporcional ao grau inicial de displasia. Por exemplo, o risco de transformação é de apenas 1 a 2% em 5 a 10 anos para lesões com displasia leve, mas aumenta para 5 a 10% para aquelas com displasia grave. A avaliação histológica é a única maneira de classificar a displasia.

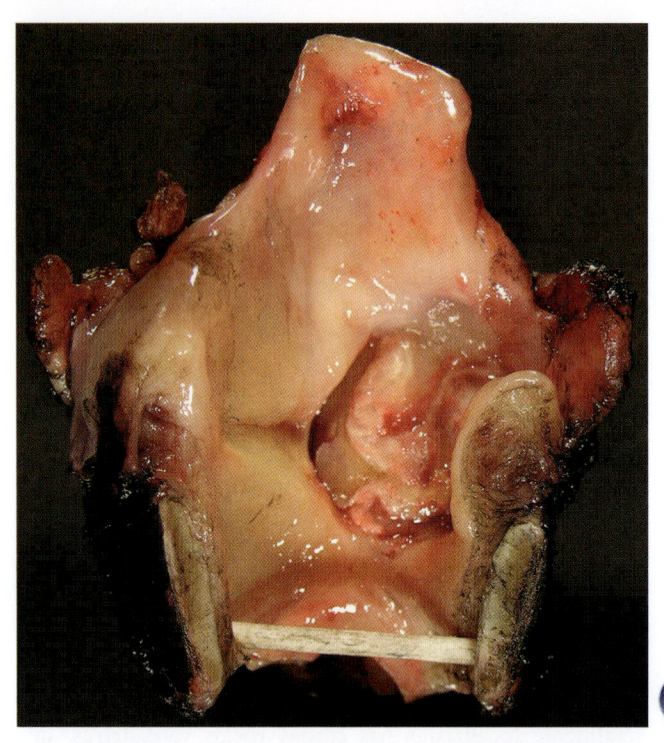

Figura 16.14 Carcinoma da laringe. Observe a grande lesão ulcerada e de aspecto fungoide envolvendo a prega vocal direita e o seio piriforme.

ariepiglóticas ou os seios piriformes. Os CECs da laringe se desenvolvem de forma semelhante aos de outros locais, começando como lesões *in situ* que se tornam placas mucosas enrugadas cinza-peroladas e, por fim, massas ulceradas com aspecto fungoide (**Figura 16.14**). Histologicamente, o grau de anaplasia é bastante variável e pode incluir células tumorais gigantes e figuras mitóticas bizarras. Como esperado em locais nos quais a neoplasia surge após exposição recorrente a carcinógenos ambientais, a hiperplasia escamosa com focos de displasia ou carcinoma *in situ* podem estar presentes nas mucosas adjacentes.

O carcinoma da laringe se apresenta mais comumente em homens na sexta década de vida. A manifestação inicial costuma ser rouquidão persistente, disfagia e disfonia. O prognóstico está diretamente relacionado ao estádio clínico. No início da doença, as técnicas de preservação de órgãos (p. ex., cirurgia a *laser*, microcirurgia e radioterapia) são usadas com maior frequência. A combinação de quimioterapia e radioterapia, com ou sem laringectomia, costuma ser necessária para a doença mais avançada ou recorrente.

O carcinoma da laringe costuma estar relacionado à fumaça do tabaco; o risco é proporcional à exposição. Antes da transformação maligna, as alterações epiteliais costumam regredir após a cessação do tabagismo. O álcool atua de forma sinérgica com o tabaco, aumentando substancialmente o risco. Fatores nutricionais, exposição ao amianto, radiação e infecção por HPV também podem aumentar o risco de câncer.

Morfologia

Aproximadamente 95% dos carcinomas da laringe são CECs típicos. A maioria surge nas pregas vocais, mas pode se desenvolver acima ou abaixo das pregas e envolver a epiglote, as pregas

Conceitos-chave

Vias respiratórias superiores

- A rinite pode ser de natureza infecciosa ou alérgica e, com o tempo, pode causar rinite crônica, sinusite e desenvolvimento de pólipos nasais
- A faringite e a tonsilite, tipicamente, são causadas por infecções comuns do trato respiratório superior por rinovírus, vírus ECHO e adenovírus
- O carcinoma nasofaríngeo costuma ser causado por EBV; os tumores são mais comuns em crianças africanas e adultos asiáticos
- A laringite pode ter diversas etiologias, como insultos alérgicos, virais, bacterianos e químicos
- Os nódulos e pólipos das pregas vocais são lesões reativas observadas em fumantes ou indivíduos que forçam as cordas vocais
- O CEC da laringe está relacionado ao tabagismo e ao uso de álcool e é mais prevalente em homens mais velhos

Orelhas

Embora raramente reduzam o tempo de vida, os distúrbios da orelha costumam afetar sua qualidade. Os distúrbios aurais mais comuns, em ordem decrescente de frequência, são (1) otite aguda e crônica (envolvendo, com mais frequência, a orelha média e mastoide), às vezes levando a colesteatoma; (2) otosclerose sintomática; (3) pólipos aurais; (4) labirintite; (5) carcinomas, sobretudo na orelha externa; e (6) paragangliomas, sobretudo na orelha média. Apenas as condições com características morfológicas distintas (exceto labirintite) serão descritas. Os paragangliomas são discutidos mais à frente.

Lesões inflamatórias

Otites médias agudas e crônicas ocorrem com mais frequência em lactentes e crianças. Tipicamente, sua origem é uma infecção viral que induz um exsudato seroso. Infecções bacterianas sobrepostas, mais frequentemente por *Streptococcus pneumoniae*, *H. influenzae* não tipável ou *Moraxella catarrhalis*, podem levar a inflamação supurativa.

Episódios repetidos de otite média aguda não tratada levam à doença crônica. Os agentes causadores costumam ser *Pseudomonas aeruginosa*, *S. aureus*, fungos ou, em alguns casos, uma infecção polimicrobiana. A infecção crônica tem o potencial de perfurar o tímpano, invadir os ossículos ou o labirinto, espalhar-se para os espaços da mastoide e, até mesmo, penetrar na calota craniana, produzindo abscesso ou cerebrite temporal. Em indivíduos com diabetes, a otite média causada por *P. aeruginosa* é agressiva e pode se espalhar amplamente, resultando em otite média necrosante destrutiva.

Os colesteatomas são lesões císticas não neoplásicas associadas à otite média crônica. Tipicamente, os cistos têm 1 a 4 cm de diâmetro, são revestidos por epitélio escamoso queratinizante ou epitélio mucossecretor metaplásico e preenchidos com material queratinoso amorfo. Espículas de colesterol podem estar presentes. Embora a patogênese não seja clara, acredita-se que a inflamação crônica e a perfuração do tímpano, com o crescimento do epitélio escamoso ou metaplasia do revestimento epitelial secretor da orelha média, promovam a formação de um ninho de células escamosas que se torna cístico. A ruptura do cisto induz uma rápida reação inflamatória que inclui células gigantes engolfando células escamosas parcialmente necróticas e outros resíduos particulados. Essas lesões, por crescimento progressivo, podem invadir os ossículos, labirinto, osso adjacente ou tecido conjuntivo circundante e, às vezes, produzir massas cervicais visíveis.

Otosclerose

Otosclerose refere-se à deposição óssea anormal na orelha média no nível da borda da janela oval na qual a platina do estribo se encaixa. Ambas as orelhas costumam ser afetadas. No início, há anquilose fibrosa da platina. Isso costuma ocorrer nas primeiras décadas de vida. Com o tempo, o crescimento ósseo ancora a platina na janela oval. A gravidade da perda auditiva reflete o grau de imobilização. Graus mínimos de otosclerose são comuns em adultos jovens e de meia-idade, mas, felizmente, a doença sintomática mais grave é relativamente rara. A otoesclerose é familiar na maioria dos casos, com transmissão autossômica dominante e penetrância variável. A base para o supercrescimento ósseo é obscura, mas parece representar o desacoplamento da reabsorção óssea e formação óssea normais. Assim, começa com a reabsorção óssea, seguida por fibrose e vascularização do osso temporal nas imediações da janela oval. Com o tempo, a fibrose é substituída por um novo osso denso que ancora a platina do estribo. Na maioria dos casos, o processo se desenvolve de maneira lenta ao longo de décadas e pode causar perda auditiva acentuada.

Tumores

Tumores epiteliais e mesenquimais da orelha externa, média ou interna são raros, com exceção de carcinomas basocelulares ou CECs que surgem no pavilhão auricular (orelha externa). Estes tendem a ocorrer em homens idosos e estão associados à exposição solar. Por outro lado, os CECs do canal auditivo ocorrem com mais frequência em mulheres de meia-idade a idosas e não estão associados à exposição solar. Os CECs que envolvem a orelha se assemelham aos seus equivalentes em outros locais da pele, começando como pápulas que se estendem e, com o tempo, corroem e invadem. Apesar da invasão local, os carcinomas basocelulares e os CECs que envolvem o pavilhão auricular raramente se disseminam. A perspectiva é mais sombria quando os CECs surgem no canal auditivo externo, pois podem invadir a cavidade craniana ou metastatizar para os linfonodos regionais, resultando em uma sobrevida em 5 anos de, apenas, aproximadamente, 50%.

> **Conceitos-chave**
>
> **Orelha**
>
> - As infecções da orelha são comuns em crianças e costumam ter etiologia viral. As infecções crônicas podem ser complicadas por infecções bacterianas, que, por sua vez, podem levar a complicações secundárias, como perfuração timpânica, bem como disseminação para os ossículos ou espaços da mastoide
> - A otoesclerose, com sua perda auditiva associada, é causada pela deposição óssea anormal na orelha média.

Pescoço

A maioria das condições que envolvem o pescoço é descrita em outros capítulos (p. ex., melanomas, linfomas e carcinomas espinocelulares e basocelulares primários) ou são componentes de distúrbios sistêmicos (p. ex., exantemas generalizados, linfadenopatia da mononucleose infecciosa, tonsilite). O que resta ser aqui considerado são algumas lesões incomuns exclusivas do pescoço.

Cisto branquial (cisto linfoepitelial cervical)

Acredita-se que a grande maioria dos cistos branquiais surja de remanescentes do segundo arco branquial e são mais comumente observados em adultos jovens entre 20 e 40 anos. Essas lesões benignas costumam aparecer na face lateral superior do pescoço, ao longo do músculo esternocleidomastóideo. Os cistos de crescimento lento são bem circunscritos, têm 2 a 5 cm de diâmetro e costumam ser revestidos por epitélio escamoso estratificado ou epitélio colunar pseudoestratificado. As paredes do cisto fibroso costumam conter tecido linfoide com centros germinativos proeminentes. O conteúdo do cisto pode ser transparente e aquoso ou mucinoso, e também pode conter células descamadas e detritos celulares granulares. Os cistos são facilmente excisados. Lesões semelhantes podem aparecer na glândula parótida ou na cavidade oral abaixo da língua. Os cistos branquiais não sofrem transformação maligna. A maioria dos CECs císticos de pescoço são metástases de um câncer de vias respiratórias superiores ou do sistema digestório.

Cisto do ducto tireoglosso

A tireoide primordial se forma na região do forame cego na base da língua; à medida que a glândula se desenvolve, ela desce até sua localização definitiva na linha média da região anterior do pescoço. Resquícios desse processo de desenvolvimento podem persistir, resultando em cistos de 1 a 4 cm revestidos por epitélio escamoso estratificado quando localizados próximos à base da língua ou por epitélio colunar pseudoestratificado quando em localizações inferiores. Padrões de diferenciação epitelial de transição também ocorrem. A parede do cisto fibroso costuma apresentar agregados linfoides ou remanescentes da tireoide. A transformação maligna do epitélio de revestimento é extremamente rara. O tratamento definitivo é a excisão cirúrgica.

Paraganglioma (tumor de corpo carotídeo)

Os paragangliomas surgem de células neuroendócrinas associadas aos sistemas nervosos simpático e parassimpático e

ocorrem em muitos locais. Os feocromocitomas da medula adrenal são os paragangliomas mais comuns (ver **Capítulo 24**). Aproximadamente, 70% dos paragangliomas extra-adrenais ocorrem na cabeça e no pescoço. Embora a patogênese não seja totalmente compreendida, mutações de perda de função em genes que codificam subunidades da succinato desidrogenase (que também são comuns em tumores estromais gastrintestinais) ou cofatores da fosforilação oxidativa mitocondrial ocorrem com frequência em paragangliomas hereditários e espontâneos. Ainda não está claro como essas mutações contribuem para o desenvolvimento do tumor, mas suspeita-se que seja por alteração do metabolismo celular, que é uma das marcas da neoplasia (ver **Capítulo 7**). Curiosamente, a incidência desses tumores é maior em pessoas que vivem em grandes altitudes.

É comum que os paragangliomas se desenvolvem em dois locais:

- *Paragânglios paravertebrais* (p. ex., órgão de Zuckerkandl e, raramente, bexiga). Esses tumores dispõe de conexões simpáticas e coram positivamente para cromafins, que detectam células produtoras de catecolaminas
- Paragânglios relacionados aos grandes vasos da cabeça e pescoço, a chamada *cadeia aortopulmonar*, como os *corpos carotídeos* (p. ex., tumor de corpo carotídeo); corpos aórticos; gânglios jugulotimpânicos (às vezes chamados de *glômus timpânico* ou *jugular*); gânglio nodoso do nervo vago; e aglomerados localizados na região da cavidade oral, nariz, nasofaringe, laringe e órbita. São inervados pelo sistema nervoso parassimpático e raras vezes produzem catecolaminas.

Morfologia

O **tumor de corpo carotídeo** é um paraganglioma parassimpático típico. Raramente excede 6 cm de diâmetro e surge próximo à bifurcação da artéria carótida comum, ou a envolve. O tecido tumoral varia de róseo-avermelhado a marrom e seu aspecto microscópico é característico dos paragangliomas presentes em todos os locais. Os ninhos (Zellballen) de **células principais** arredondadas a ovais com citoplasma eosinofílico abundante, limpo ou granular, e núcleos uniformes, arredondados a ovoides, às vezes vesiculares, são circundados por delicados septos vasculares (**Figura 16.15**). Há pouco pleomorfismo celular e as mitoses são escassas. As células principais, que são de origem neuroectodérmica, coram fortemente para marcadores neuroendócrinos, tais como cromogranina, sinaptofisina, enolase neurônio-específica, CD56 e CD57. A rede de suporte de células estromais fusiformes, geralmente chamadas de *células sustentaculares*, é positiva para a proteína S-100. A microscopia eletrônica costuma detectar grânulos neuroendócrinos bem demarcados em tumores paravertebrais, mas a quantidade desses grânulos é variável e eles tendem a ser escassos em tumores não funcionais.

Os tumores de corpo carotídeo e os paragangliomas em geral são massas raras, de crescimento lento e indolores que costumam surgir na quinta e sexta décadas de vida. Costumam ocorrer de forma isolada e esporádica, mas também podem ser familiares. Os tumores associados à neoplasia endócrina múltipla tipo 2 ocorrem com mais frequência na adrenal (feocromocitomas) (ver **Capítulo 24**), enquanto os tumores associados a síndromes de paragangliomas familiares (PGL tipos 1 a 4, envolvendo os genes da succinato desidrogenase) costumam envolver a cabeça e o pescoço. Acredita-se que, aproximadamente, um terço dos paragangliomas

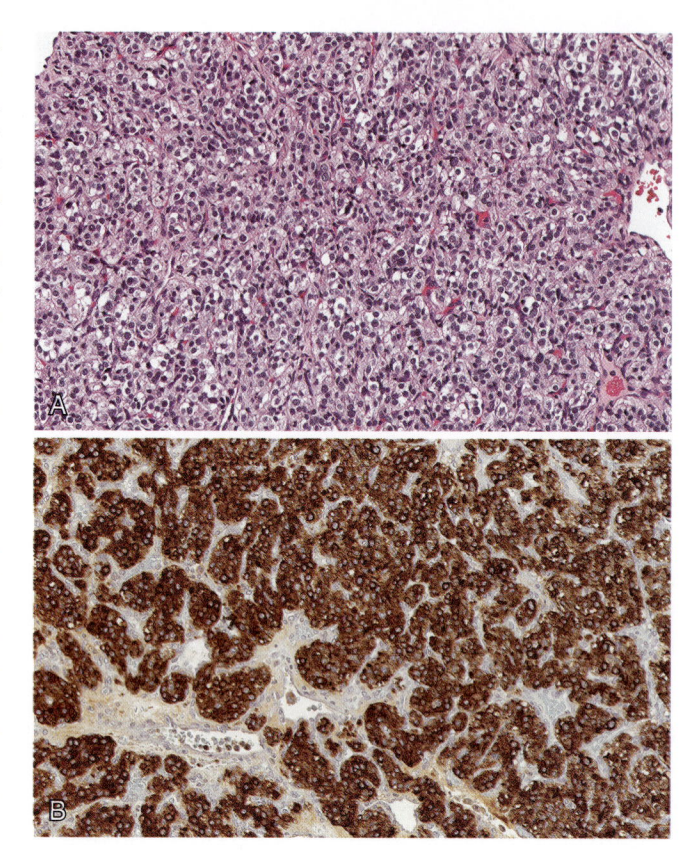

Figura 16.15 Tumor de corpo carotídeo. **A.** Fotomicrografia em pequeno aumento mostrando aglomerados de células tumorais separados por septos (Zellballen). Os septos são marcados por capilares com eritrócitos brilhantes. **B.** Imuno-histoquímica demonstrando positividade para cromogranina nas células tumorais.

de cabeça e pescoço esteja associado a mutações germinativas. Os tumores de corpo carotídeo costumam reincidir após ressecção incompleta e, apesar de sua aparência benigna, podem metastatizar para linfonodos regionais e locais distantes. Aproximadamente, 50% acabam sendo fatais, principalmente, devido ao crescimento infiltrativo. Infelizmente, as características histológicas não predizem o curso clínico de um tumor de corpo carotídeo – mitoses, pleomorfismo e até mesmo invasão vascular não são indicadores confiáveis. No entanto, mutações na succinato desidrogenase B (*SDHB*) estão associadas a taxas mais altas de metástase (30 a 50%).

Conceitos-chave

Pescoço

- Os cistos branquiais surgem da região da segunda bolsa branquial e costumam aparecer em adultos jovens
- Os cistos do ducto tireoglosso surgem devido à descida incompleta ao longo do processo de maturação do primórdio da tireoide do forame cego na base da língua
- Setenta por cento dos paragangliomas extra-adrenais ocorrem na cabeça e no pescoço. Esses tumores são mais comuns na quinta e sexta décadas de vida e podem ser hereditários ou esporádicos. Os paragangliomas hereditários de cabeça e pescoço estão associados a mutações no gene da succinato desidrogenase, ocorrem em indivíduos mais jovens, costumam ser múltiplos e podem ser malignos.

Glândulas salivares

Existem três glândulas salivares principais (parótidas, submandibulares e sublinguais) e inúmeras glândulas salivares menores distribuídas por toda a mucosa da cavidade oral; todas podem ser envolvidas em doenças inflamatórias ou neoplásicas.

Xerostomia

A xerostomia é definida como boca seca resultante da diminuição da produção de saliva. Relata-se que sua incidência chega a 20% em indivíduos com mais de 70 anos em algumas populações. A xerostomia é característica da *síndrome de Sjögren* (ver **Capítulo 6**), uma doença autoimune que costuma ser acompanhada por olhos secos (queratoconjuntivite seca). A ausência de secreções salivares também é uma das principais complicações da radioterapia para câncer de cabeça e pescoço. No entanto, a xerostomia é, na maioria das vezes, um efeito adverso de medicamentos normalmente prescritos, tais como anticolinérgicos, antidepressivos/antipsicóticos, diuréticos, anti-hipertensivos, sedativos, relaxantes musculares, analgésicos e anti-histamínicos. A xerostomia pode se manifestar como mucosa seca e/ou atrofia das papilas da língua, com fissuras e ulcerações. Na síndrome de Sjögren, também pode ocorrer aumento inflamatório das glândulas salivares. As complicações da xerostomia incluem aumento da taxa de cárie dentária, candidíase e dificuldade de deglutição e fala.

Inflamação (sialoadenite)

A sialoadenite pode ser induzida por trauma, infecção viral ou bacteriana ou doença autoimune. A forma mais prevalente de sialoadenite é a **mucocele**. A causa viral mais comum da sialoadenite é a **caxumba**, que afeta as glândulas salivares principais, sobretudo as parótidas, e costuma envolver outros órgãos glandulares, tais como o pâncreas e os testículos (ver **Capítulo 8**).

Mucocele. **As mucoceles costumam ocorrer no lábio inferior como resultado de um trauma (Figura 16.16A), ocorrem em todas as idades e se apresentam com uma bolha flutuante à palpação no lábio inferior, na tonalidade azulada translúcida.** Essa lesão comum das glândulas salivares é causada pelo bloqueio ou ruptura de um ducto de glândula salivar, com consequente vazamento de saliva para o estroma de tecido conjuntivo circundante. Os pacientes podem relatar um histórico de alterações no tamanho da lesão, sobretudo em associação com as refeições. Histologicamente, as mucoceles são pseudocistos revestidos por tecido de granulação inflamatório ou tecido conjuntivo fibroso e preenchidos com mucina e células inflamatórias, sobretudo macrófagos (**Figura 16.16B**). A excisão completa do cisto e do lóbulo da glândula salivar menor que o acompanha é necessária, pois a excisão incompleta pode levar à recorrência.

Rânula é um termo reservado para cistos com revestimento epitelial que surgem após lesão do ducto da glândula sublingual. Uma rânula pode se tornar tão grande que se desenvolve em uma *rânula mergulhante*, descrição pitoresca de um cisto que disseca através do estroma de tecido conjuntivo que conecta os dois ventres do músculo milo-hióideo.

Sialolitíase e sialoadenite inespecífica. **A sialoadenite bacteriana inespecífica, envolvendo as glândulas submandibulares e outras glândulas salivares principais, é comum e, na maioria das vezes, causada por infecção por *S. aureus* e *Streptococcus viridans* após obstrução ductal por cálculos (*sialolitíase*).** A formação de cálculo pode estar relacionada à obstrução dos orifícios das glândulas salivares por resíduos alimentares impactados ou edema local após lesão, mas, em muitos casos, nenhuma causa subjacente é detectada. A redução da secreção de saliva, tal como pode ocorrer em pacientes tratados com fenotiazinas a longo prazo, pode predispor à invasão bacteriana secundária. Similarmente, a diminuição das secreções salivares resultante de desidratação pode

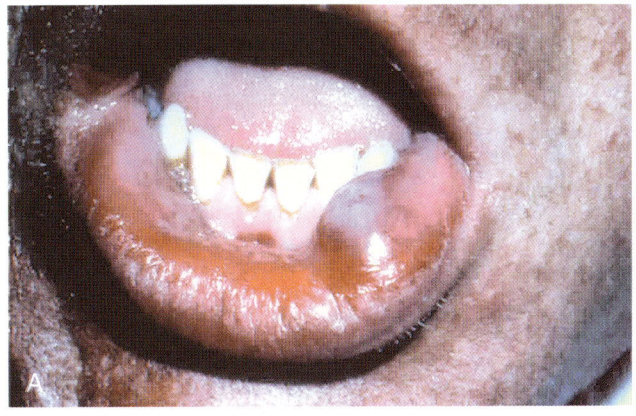

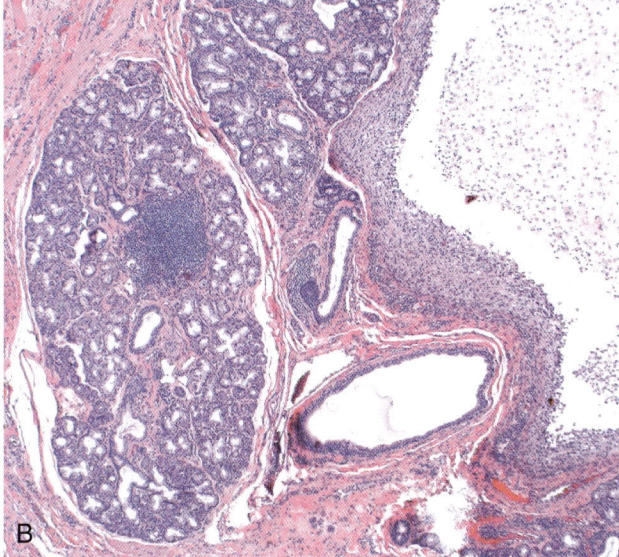

Figura 16.16 Mucocele. **A.** Lesão flutuante cheia de líquido no lábio inferior após trauma. **B.** Cavidade de aparência cística preenchida com material mucinoso e revestida por tecido de granulação em organização.

facilitar a parotidite supurativa bacteriana, em especial em pacientes idosos com histórico recente de cirurgia torácica ou abdominal de grande porte.

Os processos obstrutivos e a invasão bacteriana levam à inflamação das glândulas afetadas, que, geralmente, é intersticial ou, quando induzida por estafilococos ou outros piógenos, associada à necrose supurativa evidente e formação de abscesso. A inflamação causa um inchaço doloroso e, às vezes, uma secreção ductal purulenta. A doença é quase sempre unilateral e envolve uma única glândula.

Neoplasias

Apesar de sua morfologia relativamente simples, as glândulas salivares dão origem a mais de 30 tumores histologicamente distintos. Uma classificação e a incidência relativa de tumores benignos e malignos estão listadas na **Tabela 16.5**; as raras neoplasias mesenquimais benignas e malignas não estão incluídas. Apesar dessa diversidade, um pequeno número de neoplasias representa mais de 90% dos tumores de glândulas salivares. Estes serão o foco da discussão a seguir.

As neoplasias de glândula salivar representam menos de 2% de todos os tumores em seres humanos. Aproximadamente, 65 a 80% surgem na parótida, 10% na glândula submandibular e o restante, nas glândulas salivares menores, incluindo as glândulas sublinguais. A maioria dos tumores de parótida é benigna, mas 40% dos tumores de glândula submandibular, 50% dos tumores de glândulas salivares menores e 70 a 90% dos tumores de glândula sublingual são malignos. Assim, em termos gerais, o potencial maligno dos tumores de glândula salivar é inversamente proporcional ao tamanho da glândula, com glândulas menores abrigando um número maior de cânceres.

Os tumores de glândula salivar ocorrem sobretudo em adultos, com apenas cerca de 5% ocorrendo antes dos 16 anos. Há uma leve predominância do sexo feminino em geral, mas isso pode variar com a histologia. Por exemplo, os tumores de Warthin são muito mais comuns em homens, provavelmente refletindo a prevalência mais alta de tabagistas homens, fator que é predisponente. Qualquer que seja o padrão histológico, as neoplasias de glândula parótida produzem inchaços característicos na frente e abaixo da orelha. Quando diagnosticadas pela primeira vez, as lesões benignas e malignas variam de 4 a 6 cm de diâmetro e, exceto no caso de tumores malignos altamente invasivos, são móveis à palpação.

Tabela 16.5 Classificação histológica e incidência dos tumores benignos e malignos mais comuns das glândulas salivares.

Benigno	Maligno
Adenoma pleomórfico (tumor misto)	Carcinoma mucoepidermoide
Tumor de Warthin	Carcinoma de células acinares
Oncocitoma	Carcinoma adenoide cístico
Adenoma canalicular	Adenocarcinoma, sem outra especificação
Adenoma basocelular	Carcinoma ex-adenoma pleomórfico
Outros adenomas	Carcinoma espinocelular
Papilomas ductais	Outros carcinomas

Os tumores benignos costumam estar presentes por muitos meses a vários anos antes de chamarem à atenção do ponto de vista clínico, mas os cânceres são detectados mais rapidamente devido ao breve crescimento. Apesar dessas generalidades, não existem critérios clínicos confiáveis para diferenciar lesões benignas de malignas.

Adenoma pleomórfico

Os adenomas pleomórficos são as neoplasias mais comuns das glândulas salivares. Representam quase 60% dos tumores de parótida, são menos comuns nas glândulas submandibulares e são relativamente raros nas glândulas salivares menores. Os adenomas pleomórficos são tumores benignos que consistem em uma mistura de células ductais (epiteliais), mioepiteliais e mesenquimais, o que explica por que também são denominados *tumores mistos*.

Pouco se sabe sobre a origem dos adenomas pleomórficos, mas a exposição à radiação aumenta o risco. Incerta também é a histogênese de seus vários componentes. Uma visão comum é que todos os elementos tumorais, incluindo aqueles que parecem mesenquimais, são de origem mioepitelial ou de células de reserva ductais (células-tronco). Muitos casos estão associados a rearranjos cromossômicos que induzem a superexpressão de PLAG1, um fator de transcrição que promove a expressão de genes que aumentam o crescimento celular, incluindo componentes das vias de sinalização dos receptores de fator de crescimento. Mutações no gene *HMGA2*, que codifica uma proteína ligante a DNA, estão associadas a muitos dos casos que não apresentam superexpressão de PLAG.

Morfologia

A maioria dos adenomas pleomórficos se apresenta como massas arredondadas e bem demarcadas que raramente excedem 6 cm em sua maior dimensão (**Figura 16.17**). Embora encapsulado, em alguns locais (em especial no palato), a cápsula dos adenomas pleomórficos não está completamente desenvolvida e o crescimento expansivo produz protrusões para a glândula circundante. Isso pode levar a recorrências se o tumor for apenas enucleado. A superfície de corte é cinza-esbranquiçada com áreas translúcidas mixoides e azuladas de estroma condroide (semelhante à cartilagem).

A característica histológica dominante é a heterogeneidade morfológica. Os elementos epiteliais semelhantes a células ductais ou células mioepiteliais são organizados como ductos, ácinos, túbulos irregulares, cordões ou camadas de células. Esses elementos costumam estar dispersos em um fundo de tecido frouxo mixoide e hialino contendo ilhas de cartilagem e, raramente, focos de osso (**Figura 16.18**). Às vezes, as células epiteliais formam ductos bem desenvolvidos revestidos por células cuboidais a colunares com uma camada subjacente de pequenas células mioepiteliais intensamente cromáticas. Em outros casos, pode haver cordões ou camadas de células mioepiteliais. Ilhas de epitélio escamoso bem diferenciado também podem estar presentes. Na maioria dos casos, não há displasia epitelial ou atividade mitótica. Os tumores se comportam de forma semelhante, sejam eles compostos predominantemente por elementos epiteliais, sejam eles mesenquimais.

Os adenomas pleomórficos se apresentam como massas indolores, de crescimento lento, móveis e discretas nas áreas da parótida ou submandibular ou ainda na cavidade bucal. A taxa

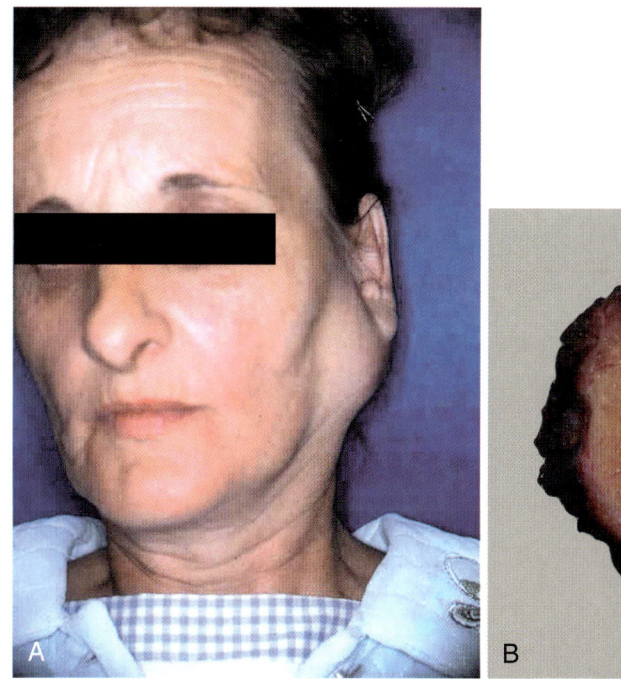

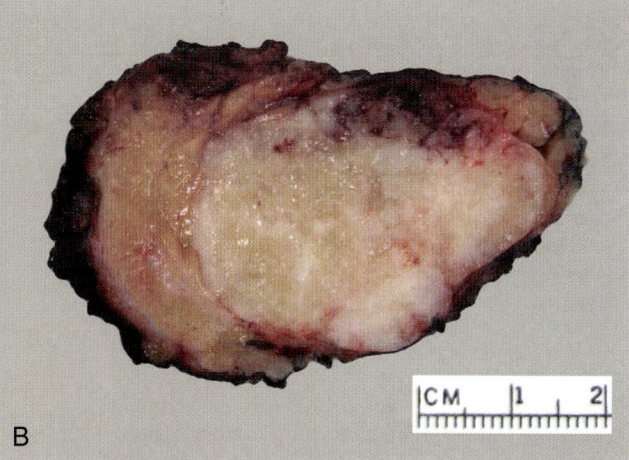

Figura 16.17 Adenoma pleomórfico. A. Neoplasia de crescimento lento na glândula parótida, presente há muitos anos. **B.** Macroscopicamente, esse corte transversal representativo de um espécime de parotidectomia mostra um tumor amarelo-esbranquiçado circunscrito e o tecido glandular salivar normal adjacente à esquerda.

de recorrência após a parotidectomia é de 4%, aproximadamente. As recorrências ocorrem de meses a anos após a cirurgia. Por outro lado, a recorrência após enucleação simples se aproxima de 25%, talvez devido à extensão do tumor além da cápsula.

As taxas de transformação maligna do adenoma pleomórfico se correlacionam com a idade da lesão; 2% dos tumores que estão presentes há menos de 5 anos abrigam cânceres, mas isso aumenta para 10% para aqueles presentes há mais de 15 anos. Os cânceres, em geral, são adenocarcinomas ou carcinomas indiferenciados. São altamente infiltrantes e podem substituir completamente a lesão precursora, dificultando o diagnóstico de carcinoma decorrente de adenoma pleomórfico, que requer a presença de adenoma pleomórfico benigno residual. Lamentavelmente, quando aparecem, esses cânceres estão entre os mais agressivos de todas as neoplasias de glândula salivar, com taxas de mortalidade de 30 a 50% em 5 anos.

Tumor de Warthin (cistadenoma papilar linfomatoso)

O *tumor de Warthin* é a segunda neoplasia de glândula salivar mais comum. É o único tumor que surge quase exclusivamente na glândula parótida. Os tumores de Warthin são benignos e ocorrem mais em homens do que em mulheres, em geral entre a quinta e a sétima década de vida. O risco aumenta oito vezes em fumantes. A maioria dos tumores de Warthin é unifocal, mas cerca de 10% são multifocais e 10% são bilaterais.

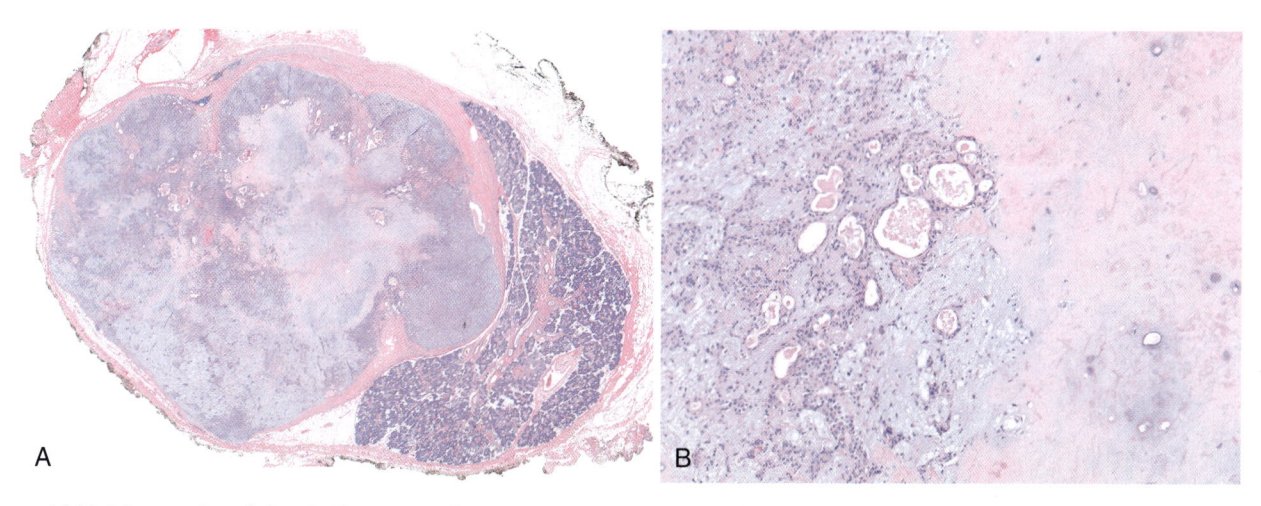

Figura 16.18 Adenoma pleomórfico. A. Fotomicrografia em pequeno aumento mostrando um tumor bem demarcado com parênquima glandular salivar normal adjacente à direita. **B.** Fotomicrografia em grande aumento mostrando células epiteliais e mioepiteliais formando ductos (*à esquerda*) e uma matriz condromixoide (*à direita*).

> **Morfologia**
>
> Os tumores de Warthin são massas encapsuladas arredondadas a ovais com 2 a 5 cm de diâmetro e facilmente palpáveis na glândula parótida superficial. A transecção revela uma superfície cinza-claro pontuada por estreitos espaços císticos ou fissurados preenchidos com secreções mucinosas ou serosas e, com frequência, estreitados por projeções polipoides de elementos linfoepiteliais. O revestimento é composto por uma camada dupla de células oncocíticas; a camada mais interna é colunar, enquanto células cuboides ocupam a camada externa (**Figura 16.19**). O termo **oncócito** (ou "célula inchada" em grego) refere-se a grandes células contendo numerosas mitocôndrias que conferem uma aparência granular e eosinofílica ao citoplasma e dispõem de núcleos grandes com nucléolos proeminentes. As células secretoras dispersas na camada interna são responsáveis pelas secreções dentro do lúmen dilatado. Focos de metaplasia escamosa podem estar presentes.

A histogênese dos tumores de Warthin é ainda bastante debatida; não está claro se o epitélio é verdadeiramente neoplásico (monoclonal) ou se é uma proliferação reativa (policlonal). Independentemente, acredita-se que as células epiteliais secretem quimioatraentes para as células linfoides, que são reativas. Embora tumores de Warthin tenham surgido em linfonodos cervicais, essas neoplasias são benignas e apresentam uma taxa de recorrência de apenas 2% após ressecção.

Carcinoma mucoepidermoide

O carcinoma mucoepidermoide é o tumor maligno primário mais comum das glândulas salivares, representando, aproximadamente, 15% de todos os tumores de glândula salivar. A maioria (60 a 70%) ocorre nas parótidas, mas os carcinomas mucoepidermoides representam uma grande fração das neoplasias de glândula salivar nas outras glândulas, sobretudo nas glândulas salivares menores. Mais da metade dos casos está associada a uma translocação cromossômica equilibrada (11;19) (q21;p13) que cria um gene de fusão composto por porções dos genes *CRTC1* (também conhecido como *MECT1*) e *MAML2*. Acredita-se que a proteína de fusão CRTC1-MAML2 desempenhe um papel fundamental na gênese deste tumor, possivelmente por perturbar as vias de sinalização dependentes de cAMP e *Notch*.

> **Morfologia**
>
> Os carcinomas mucoepidermoides podem crescer até 8 cm de diâmetro. Embora pareçam circunscritos, não há presença de cápsulas bem definidas e os tumores costumam ser infiltrantes nas margens. À transecção, os carcinomas mucoepidermoides são pálidos, branco-acinzentados e costumam apresentar pequenos cistos contendo mucina. A histologia demonstra configurações em cordões, lâminas ou cistos de células escamosas, mucosas ou intermediárias que têm características escamosas e vacúolos pequenos a grandes preenchidos com muco (**Figura 16.20A** e **B**). A citologia pode ser monótona e branda ou, de forma alternativa, altamente anaplásica e inconfundivelmente maligna. Por conseguinte, os carcinomas mucoepidermoides são subclassificados como de baixo, intermediário ou alto grau.

O curso clínico e o prognóstico dos carcinomas mucoepidermoides refletem seu grau histológico. Os tumores de baixo grau podem invadir a área afetada e reincidir em, aproximadamente, 15% dos casos, mas raras vezes metastatizam. A taxa de sobrevida em 5 anos é superior a 90%. Em contraste, as neoplasias de alto grau e, em menor extensão, os tumores de grau intermediário são invasivos e difíceis de serem excisados. Até 30% reincidem e 30% metastatizam para locais distantes, resultando em uma sobrevida em 5 anos de, apenas, 50%.

Outros tumores de glândulas salivares

Duas neoplasias menos comuns merecem uma breve descrição: o carcinoma adenoide cístico e o carcinoma de células acinares.

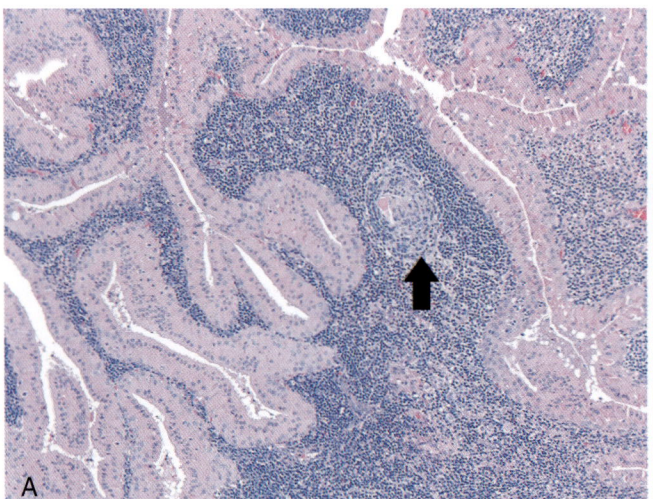

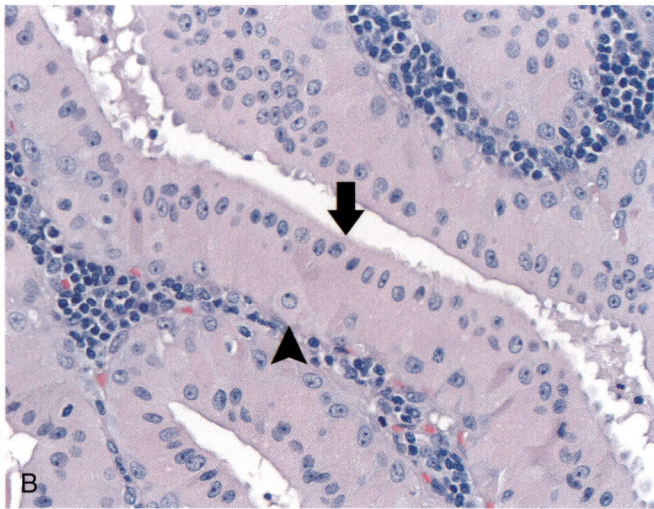

Figura 16.19 Tumor de Warthin. **A.** Fotomicrografia em pequeno aumento mostrando elementos epiteliais e linfoides. Observe o centro germinativo folicular linfoide abaixo do epitélio (*seta*). **B.** O epitélio consiste em uma camada dupla de células epiteliais oncocíticas em estroma linfoide, com uma camada luminal colunar (*seta*) associada a uma camada cuboide (*cabeça de seta*).

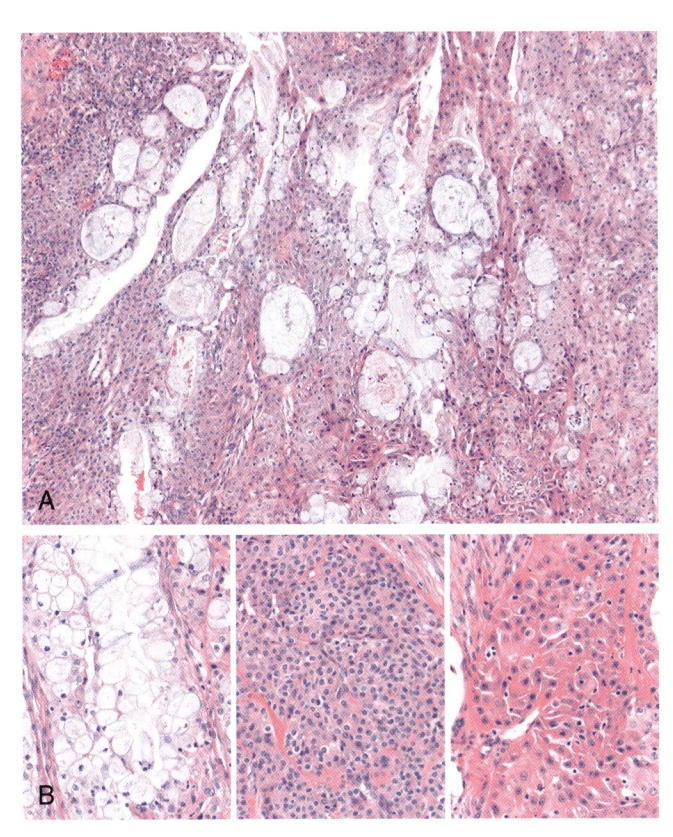

Figura 16.20 Carcinoma mucoepidermoide. **A.** Fotomicrografia em pequeno aumento mostrando lâminas e microcistos contendo células de morfologias variadas. **B.** Essas células variam entre mucinosas (*à esquerda*), intermediárias (*centro*) e escamosas (*à direita*).

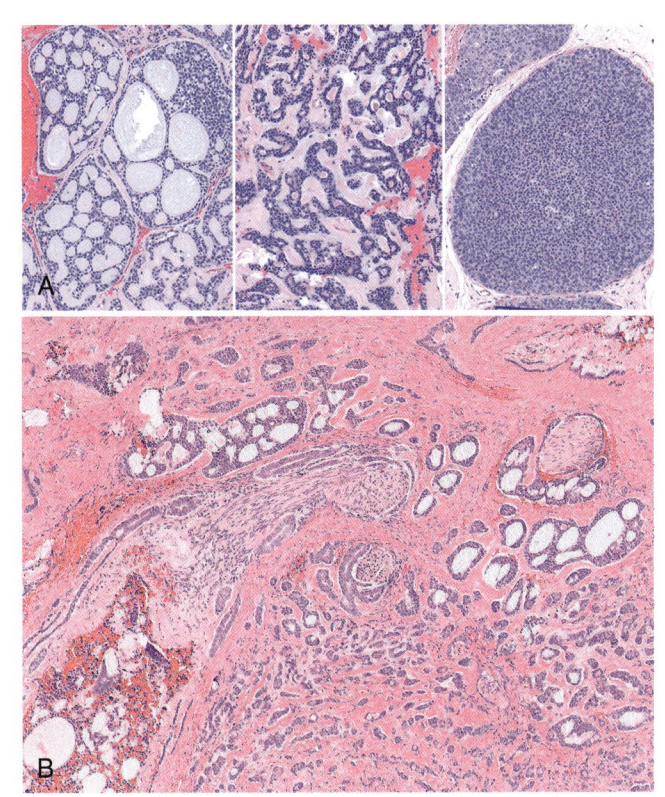

Figura 16.21 Carcinoma adenoide cístico. **A.** Três padrões de crescimento típicos: cribriforme (*à esquerda*), tubular (*centro*) e sólido (*à direita*). **B.** Invasão perineural por carcinoma adenoide cístico.

Carcinomas adenoides císticos. Cinquenta por cento desses tumores relativamente incomuns ocorrem nas glândulas salivares menores (em especial nas glândulas palatinas). Entre as glândulas salivares principais, as glândulas parótidas e submandibulares são as mais comumente afetadas. Os carcinomas adenoides císticos também ocorrem no nariz, seios da face, vias respiratórias superiores, pulmão, tórax e outros locais. Embora a patogênese não seja definida, rearranjos do gene *MYB-NFIB* estão presentes em um subconjunto de carcinomas adenoides císticos.

Morfologia

Macroscopicamente, os carcinomas adenoides císticos são lesões pequenas, mal encapsuladas, infiltrantes, de cor rosa-acinzentada, compostas por pequenas células com núcleos compactos e escuros e citoplasma escasso. As células tumorais são organizadas em um padrão de crescimento cribriforme que se assemelha ao queijo suíço. Os espaços entre as células tumorais costumam estar preenchidos com material hialino que pode representar excesso de membrana basal (**Figura 16.21A**). Os padrões histológicos menos comuns são tubulares e sólidos.

Os carcinomas adenoides císticos são tumores imprevisíveis, de crescimento lento, que tendem a invadir os espaços perineurais (**Figura 16.21B**). Eles reincidem com frequência e 50% ou mais, com o tempo, disseminam-se para locais distantes, como ossos, fígado e cérebro, às vezes, décadas após a tentativa de remoção.

Assim, embora a taxa de sobrevida em 5 anos seja de cerca de 60 a 70%, ela cai para, aproximadamente, 30% em 10 anos e 15% em 15 anos. Os carcinomas adenoides císticos que surgem nas glândulas salivares menores tendem a ter um prognóstico pior do que aqueles que surgem nas glândulas parótidas.

Carcinomas de células acinares. Estes representam apenas de 2 a 3% dos tumores de glândula salivar e costumam ser pequenos e bem circunscritos. A maioria se desenvolve nas glândulas parótidas, com o restante surgindo nas glândulas submandibulares. As glândulas salivares menores, que costumam apresentar apenas um número escasso de células acinares serosas, raramente são envolvidas. Como os tumores de Warthin, os carcinomas de células acinares podem ser bilaterais ou multicêntricos.

Morfologia

Histologicamente, os carcinomas de células acinares são compostos por células que se assemelham às células acinares serosas normais das glândulas salivares, com núcleos pequenos e arredondados e morfologia variável (**Figura 16.22**). O citoplasma costuma conter grânulos arroxeados (**grânulos de zimogênio**, recapitulando as enzimas digestivas acinares serosas normais), mas as células também podem ser claras ou vacuoladas. As células neoplásicas são organizadas em camadas, microcistos, glândulas, folículos ou papilas. Os tumores com padrão de crescimento em forma de camadas, pleomorfismo nuclear, mitoses e necrose são referidos como desdiferenciados ou que sofreram transformação de alto grau.

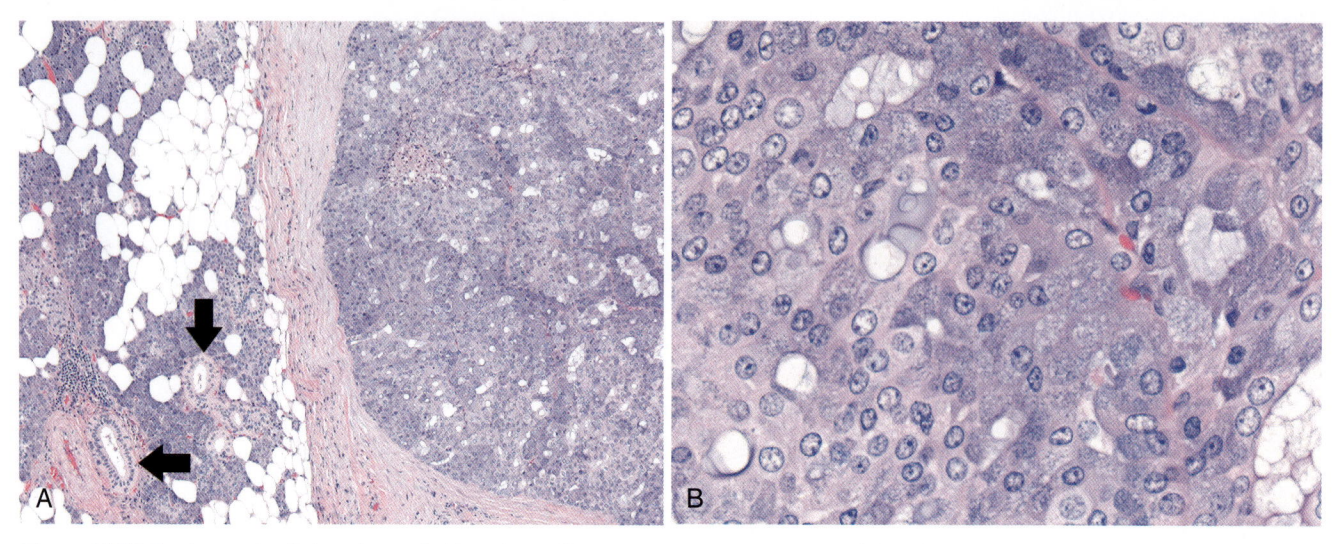

Figura 16.22 Carcinoma de células acinares. **A.** Fotomicrografia em pequeno aumento mostrando tecido seroso normal da parótida com mistura de gordura e ductos (setas) à esquerda e camadas de células serosas no carcinoma de células acinares à direita. **B.** Fotomicrografia em grande aumento de células tumorais com grânulos citoplasmáticos roxos e núcleos arredondados monótonos.

O curso clínico dos carcinomas de células acinares reflete seu grau de pleomorfismo citológico. Embora a recorrência seja incomum após ressecção, 10 a 15% dos tumores metastatizam para os linfonodos. A taxa de sobrevida é de, aproximadamente, 90% em 5 anos e 60% em 20 anos.

Conceitos-chave

Doenças das glândulas salivares

- Sialoadenite é a inflamação das glândulas salivares e pode ser causada por trauma, infecção ou doença autoimune
- Mucoceles são resultantes de trauma ou bloqueio de um ducto de glândula salivar, o que permite o vazamento de saliva para o tecido conjuntivo circunjacente
- O adenoma pleomórfico é uma neoplasia benigna de crescimento lento, composta por uma mistura heterogênea de células epiteliais e mesenquimais
- O carcinoma mucoepidermoide é uma neoplasia maligna de agressividade biológica variável, composta por uma mistura de células escamosas e mucosas.

LEITURA SUGERIDA

Comprehensive genomic characterization of head and neck squamous cell carcinomas, Nature 517(7536):576–582, 2015. [Artigo abrangente do Atlas do Genoma do Câncer (TGCA, do inglês The Cancer Genome Atlas) que define o cenário mutacional do câncer de cabeça e pescoço].

El-Naggar AK, Chan JKC, Grandis JR et al: Tumors of salivary glands, Chapter 7. In WHO classification of head and neck tumors, ed 4, 2017, WHO, IARC, pp 159–201. [Este capítulo fornece um resumo abrangente e atualizado da atual classificação dos tumores benignos e malignos das glândulas salivares].

Gillison ML, Broutian T, Pickard RK et al: Human papilloma virus and rising oropharyngeal cancer incidence in the United States, J Clin Oncol 29:4294, 2011. [Estudo abrangendo Sobrevivência, Epidemiologia e Resultados Finais (SEER, do inglês Surveillance, Epidemiology, and End Results) do Programa de Repositórios Teciduais Residuais, demonstrando que o aumento da incidência populacional e sobrevivência de câncer orofaríngeo nos Estados Unidos desde 1984 são causados pela infecção por HPV].

Lingen MW, Xiao W, Schmitt A et al: Low etiologic fraction for high-risk human papillomavirus in oral cavity squamous cell carcinomas, Oral Oncol 49:1, 2013. [Este manuscrito estimou a fração etiológica para HPV entre carcinomas epidermoides consecutivos e incidentes da cavidade oral em quatro hospitais norte-americanos e determinou que a fração etiológica de casos HPV positivos foi significativamente menor do que o de orofaringe].

Neville BW, Damm DD, Allen CM et al: Oral and maxillofacial pathology, ed 4, 2016, Elsevier. [Abordagem clínica e patológica combinada em um texto estilo atlas, descrevendo as principais doenças da cavidade oral].

CAPÍTULO 17

Trato Gastrintestinal

SUMÁRIO DO CAPÍTULO

ANORMALIDADES CONGÊNITAS, 780
Atresia, fístulas e duplicações, 780
Hérnia diafragmática, onfalocele e gastrosquise, 780
Ectopia, 780
Divertículo de Meckel, 781
Estenose pilórica, 781
Doença de Hirschsprung, 781

ESÔFAGO, 783
Obstrução do esôfago, 783
Acalasia, 783
Esofagite e distúrbios relacionados, 784
  Lacerações, 784
  Esofagite química e infecciosa, 784
  Esofagite de refluxo, 785
  Esofagite eosinofílica, 786
  Varizes esofágicas, 786
  Esôfago de Barrett, 787
Tumores do esôfago, 788
  Adenocarcinoma, 788
  Carcinoma de células escamosas, 789

ESTÔMAGO, 791
Gastropatia e gastrite aguda, 791
Doença da mucosa relacionada com o estresse, 792
Gastrite crônica e suas complicações, 793
  Gastrite por *Helicobacter pylori*, 793
  Gastrite atrófica autoimune, 795
  Formas incomuns de gastrite, 796
  Doença da ulcerosa péptica, 796
  Outras complicações da gastrite crônica, 798
  Atrofia da mucosa e metaplasia intestinal, 798
  Displasia, 798
  Gastrite cística, 798

Gastropatias hipertróficas, 799
  Doença de Ménétrier, 799
  Síndrome de Zollinger-Ellison, 799
Pólipos e tumores gástricos, 800
  Pólipos inflamatórios e hiperplásicos, 800
  Pólipos de glândulas fúndicas, 800
  Adenoma gástrico, 801
  Adenocarcinoma gástrico, 801
  Linfoma, 803
  Neoplasias neuroendócrinas, 804
  Tumor estromal gastrintestinal, 805

INTESTINO DELGADO E CÓLON, 807
Obstrução intestinal, 807
  Hérnias, 807
  Aderências, 808
  Vólvulo, 808
  Intussuscepção, 808
Doença intestinal isquêmica, 808
Angiodisplasia, 810
Má absorção e diarreia, 810
  Fibrose cística, 811
  Doença celíaca, 811
  Disfunção entérica ambiental, 813
  Enteropatia autoimune, 813
  Deficiência de lactase (dissacaridase), 814
  Doença de inclusão das microvilosidades, 814
  Abetalipoproteinemia, 814
Enterocolite infecciosa, 815
  Cólera, 815
  Enterocolite por *Campylobacter*, 817
  Shigelose, 817
  Salmonella, 818
  Febre tifoide, 819
  Yersinia, 819
  Escherichia coli, 820
  Colite pseudomembranosa, 821

Doença de Whipple, 821
Gastrenterite viral, 822
Enterocolite parasitária, 824
Síndrome do intestino irritável, 826
Doença inflamatória intestinal, 826
  Doença de Crohn, 828
  Colite ulcerativa, 830
  Colite indeterminada, 832
  Neoplasia associada à colite, 832
Outras causas de colite crônica, 833
  Colites de derivação, 833
  Colite microscópica, 833
Doença do enxerto-*versus*-hospedeiro, 834
Doença diverticular do cólon sigmoide, 834
Pólipos, 835
  Pólipos hiperplásicos, 835
  Pólipos inflamatórios, 835
  Pólipos hamartomatosos, 836
  Pólipos juvenis, 836
  Síndrome de Peutz-Jeghers, 837
  Pólipos neoplásicos, 839
Polipose adenomatosa familiar, 841
Câncer colorretal hereditário sem polipose, 841
Adenocarcinoma, 842
Tumores do canal anal, 846
Hemorroidas, 847
Apendicite aguda, 847
Tumores do apêndice, 848

CAVIDADE PERITONEAL, 848
Doença inflamatória, 848
  Infecção peritoneal, 849
  Retroperitonite esclerosante, 849
Neoplasias, 849

O trato gastrintestinal (GI) é um tubo oco, que se estende desde a cavidade oral até o ânus e consiste em segmentos anatomicamente distintos, incluindo esôfago, estômago, intestino delgado, cólon, reto e ânus. Cada um desses segmentos desempenha funções únicas, complementares e altamente integradas, que, juntas, atuam para regular a ingestão, o processamento e a absorção dos nutrientes ingeridos e para remover os resíduos de degradação. As variações regionais na estrutura e na função refletem-se nas doenças do trato GI, que, com frequência, afetam de modo preferencial um ou outro segmento. Por esse motivo, após considerar as diversas anormalidades congênitas importantes, a discussão será organizada anatomicamente. Os distúrbios que afetam mais de um segmento do trato GI, como a doença de Crohn, são discutidos com a região acometida com mais frequência.

Anormalidades congênitas

Dependendo da natureza e do momento de aparecimento da lesão durante a gestação, diversas anomalias do desenvolvimento podem afetar o trato GI. Considerando-se o fato de que muitos órgãos se desenvolvem simultaneamente durante a embriogênese e são suscetíveis aos mesmos danos, é importante ressaltar que a presença de anomalias GI congênitas deve levar a uma avaliação de outros órgãos.

Atresia, fístulas e duplicações

A atresia, as fístulas e as duplicações podem ocorrer em qualquer parte do trato GI. Quando presentes no esôfago, elas são descobertas pouco depois do nascimento, geralmente devido à regurgitação durante a alimentação. A maioria das lesões é incompatível com a sobrevivência sem a realização imediata de reparo cirúrgico. A ausência ou agenesia do esôfago é extremamente rara, porém a atresia, em que o desenvolvimento é incompleto, é encontrada em 1 a 5 lactentes por 10 mil nascidos vivos. Na atresia, não há desenvolvimento de um segmento do esôfago, deixando apenas um fino cordão não canalizado, com consequente obstrução mecânica (**Figura 17.1A**). A atresia ocorre mais comumente na bifurcação traqueal ou próximo a ela e, em geral, está associada a uma fístula, que conecta os segmentos esofágicos superior ou inferior a um brônquio ou à traqueia (**Figura 17.1B**). Em outros casos, pode ocorrer fístula sem atresia (**Figura 17.1C**). Qualquer uma das três principais formas de fístula traqueoesofágica pode levar a aspiração, sufocamento, pneumonia e desequilíbrios hidreletrolíticos graves. As anormalidades do desenvolvimento do esôfago estão associadas a uma variedade de anormalidades congênitas, incluindo: VACTERL (malformações, como defeitos vertebrais, anais, cardíacos, traqueoesofágicos, renais e dos membros); TACRD (agenesia/atresia traqueal, anormalidades cardíacas congênitas complexas, defeitos do raio radial e atresia duodenal); e outras anormalidades que acometem o coração, os pulmões, os grandes vasos, o trato geniturinário e o ânus. Entre as anormalidades do ânus, destaca-se o ânus imperfurado, decorrente da falta de involução da membrana cloacal.

A estenose é uma forma incompleta de atresia, em que a luz apresenta um calibre acentuadamente reduzido em consequência de espessamento fibroso da parede. Isso resulta em obstrução parcial ou completa. Além das formas congênitas, a estenose pode ser adquirida em decorrência de cicatrização inflamatória, como aquela causada por refluxo gastresofágico crônico, irradiação, esclerose sistêmica ou lesão cáustica. Ela pode acometer qualquer parte do trato GI, porém a estenose clinicamente significativa afeta, com mais frequência, o esôfago e o intestino delgado, em virtude de seu menor calibre.

Hérnia diafragmática, onfalocele e gastrosquise

Ocorre hérnia diafragmática quando a formação incompleta do diafragma possibilita a protrusão das vísceras abdominais para dentro da cavidade torácica, mais comumente do lado esquerdo. Quando grave, o efeito de preenchimento do espaço das vísceras deslocadas pode levar à hipoplasia pulmonar potencialmente fatal.

A onfalocele ocorre quando o intestino extraembrionário não retorna à cavidade abdominal, e o fechamento da musculatura abdominal é incompleto. Em consequência, as vísceras abdominais (incluindo o fígado) sofrem protrusão ventral dentro de uma membrana coberta por âmnio e peritônio, separada por geleia de Wharton. Com frequência, a onfalocele está associada a outros defeitos congênitos, bem como a anormalidades cromossômicas.

A gastrosquise assemelha-se à onfalocele, exceto que acomete todas as camadas da parede abdominal, desde o peritônio até a pele. Em geral, limita-se ao intestino e ocorre como defeito isolado, sem outras anormalidades. A incidência das gastrosquises está aumentando, possivelmente devido a fatores ambientais, como tabagismo e exposição a substâncias químicas agrícolas. O reparo cirúrgico da onfalocele e da gastrosquise é geralmente bem-sucedido.

Ectopia

Os tecidos ectópicos (restos do desenvolvimento) são comuns no trato GI. O local mais frequente de mucosa gástrica ectópica é o terço superior do esôfago, onde é denominada heterotopia gástrica (*inlet patch*). Apesar de ser geralmente assintomática, o ácido liberado pela mucosa gástrica dentro do esôfago pode resultar em disfagia, esofagite, esôfago de Barrett ou, raramente, adenocarcinoma. O tecido pancreático ectópico ocorre com

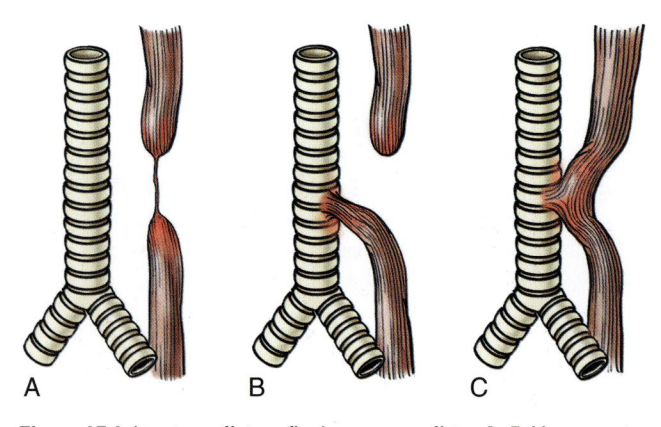

Figura 17.1 Atresia esofágica e fístula traqueoesofágica. **A.** Esôfago superior e inferior cegos, com um fino cordão de tecido conjuntivo que liga os dois segmentos. **B.** Segmento superior cego, com fístula entre o segmento inferior e a traqueia. **C.** Fístula (sem atresia) entre o esôfago pérvio e a traqueia. A anomalia de desenvolvimento mostrada em **B** é a mais comum. (Modificada de Morson BC, Dawson IMP, editors: *Gastrointestinal Pathology*, Oxford, 1972, Blackwell Scientific Publications, p. 8.)

menos frequência e é encontrado no esôfago ou no estômago. Esses nódulos são geralmente assintomáticos, porém podem produzir dano local e inflamação. Quando o tecido pancreático ectópico está presente no piloro, a inflamação e a cicatrização podem levar à obstrução. Como os restos embrionários podem estar presentes dentro de qualquer camada da parede gástrica, eles podem simular um câncer invasivo. Pode haver heterotopia gástrica, pequenas placas de mucosa gástrica ectópica no intestino delgado ou no cólon, com perda de sangue oculto, em virtude da ulceração péptica da mucosa adjacente.

Divertículo de Meckel

Um divertículo verdadeiro é uma evaginação cega do trato alimentar, que se comunica com a luz e inclui todas as três camadas da parede intestinal. O divertículo verdadeiro mais comum, que é a anomalia congênita mais comum do trato GI, é o divertículo de Meckel, que ocorre no íleo. O divertículo de Meckel resulta da falta de involução do ducto vitelino, que conecta a luz do intestino em desenvolvimento com o saco vitelino. Esse divertículo solitário estende-se a partir do lado antimesentérico do intestino (**Figura 17.2**). A "regra dos 2" é utilizada com frequência para ajudar a lembrar das características dos divertículos de Meckel, que são as seguintes:

- Ocorrem em cerca de 2% da população
- Em geral, encontram-se a uma distância de 60 cm da válvula ileocecal
- Medem aproximadamente 5 cm de comprimento
- São duas vezes mais comuns em indivíduos do sexo masculino
- São mais frequentemente sintomáticos em torno de 2 anos (apenas cerca de 4% são sempre sintomáticos).

O revestimento da mucosa do divertículo de Meckel pode assemelhar-se ao do intestino delgado normal; entretanto, pode-se observar a presença de tecido pancreático ou gástrico ectópico. Esse último pode secretar ácido, causar ulceração péptica da mucosa do intestino delgado adjacente e manifestar-se como sangramento oculto ou dor abdominal, que se assemelha à apendicite aguda ou à obstrução.

Praticamente todos os demais divertículos são adquiridos e carecem por completo de túnica muscular ou apresentam uma túnica muscular própria atenuada. Do ponto de vista técnico, trata-se de pseudodivertículos, que, em geral, são chamados simplesmente de divertículos. Eles ocorrem mais frequentemente no cólon sigmoide (ver adiante).

Estenose pilórica

A estenose pilórica pode ser congênita ou adquirida. A forma congênita mais comum é a estenose pilórica hipertrófica congênita. É três vezes mais comum em indivíduos do sexo masculino e tem incidência global de 1 a cada 300 a 900 nascidos vivos. Os gêmeos monozigóticos apresentam uma alta taxa de concordância; o risco está aumentado em menor grau nos gêmeos dizigóticos e nos irmãos de indivíduos afetados. A síndrome de Turner e a trissomia do 18 também conferem risco aumentado. Embora os mecanismos subjacentes não estejam elucidados, a exposição à eritromicina ou à azitromicina, por via oral ou pelo leite da mãe, nas primeiras 2 semanas de vida está associada a esse distúrbio.

Em geral, a estenose pilórica hipertrófica congênita manifesta-se entre 3 e 6 semanas de vida como regurgitação de início recente, com vômitos não biliosos em jato após a alimentação e demandas frequentes de nova amamentação. O exame físico revela a presença de massa abdominal firme e ovoide de 1 a 2 cm em até 90% dos casos; o hiperperistaltismo anormal da esquerda para a direita também é comum imediatamente antes do vômito. O diagnóstico é estabelecido principalmente por ultrassonografia. Do ponto de vista anatômico, há obstrução da saída gástrica pela hiperplasia da muscular própria pilórica. O edema e as alterações inflamatórias na mucosa e na submucosa podem agravar o estreitamento. A incisão cirúrgica da túnica muscular (miotomia) é curativa.

A estenose pilórica adquirida ocorre em adultos em consequência de gastrite antral ou de úlceras pépticas de localização próxima ao piloro. Os carcinomas da parte distal do estômago e do pâncreas também podem provocar estreitamento do canal pilórico, devido à fibrose ou à infiltração maligna.

Doença de Hirschsprung

A doença de Hirschsprung causa obstrução funcional do cólon, devido à falta de migração das células ganglionares para a parede do cólon, em consequência de uma mutação no receptor de tirosinoquinase. A doença de Hirschsprung ocorre em cerca de 1 a cada 5 mil nascidos vivos. Pode ser isolada ou ocorrer em associação a outras anormalidades do desenvolvimento; 10% de todos os casos ocorrem em crianças com síndrome de Down, e observa-se a presença de anormalidades neurológicas graves em 5% dos lactentes com doença de Hirschsprung.

Patogênese

O plexo neuronal entérico desenvolve-se a partir das células da crista neural que migram para dentro da parede intestinal durante a embriogênese. A doença de Hirschsprung, também conhecida como megacólon aganglônico congênito, ocorre quando a migração das células da crista neural do ceco para o reto é interrompida prematuramente, ou quando as células ganglionares sofrem morte prematura. Isso produz um segmento intestinal distal que carece do plexo submucoso de Meissner e do plexo mioentérico de Auerbach,

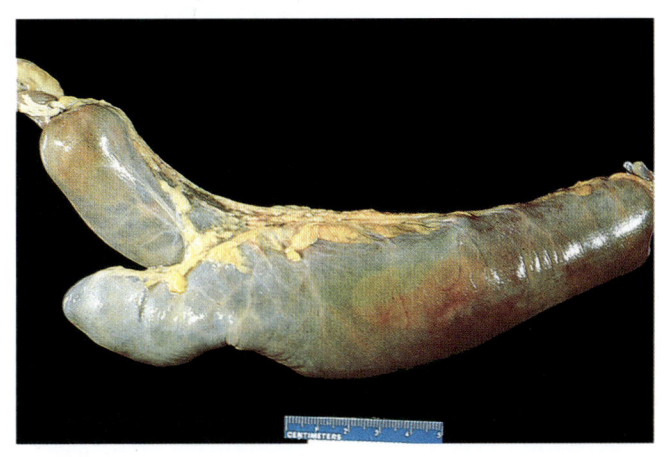

Figura 17.2 Divertículo de Meckel. A bolsa cega está localizada no lado antimesentérico do intestino delgado.

denominado aganglionose. As contrações peristálticas coordenadas estão ausentes, e ocorre obstrução funcional, resultando em dilatação proximal ao segmento afetado.

Mutações de perda de função heterozigotas no gene *RET* do receptor tirosinoquinase são responsáveis pela maioria dos casos de doença de Hirschsprung familiar e por aproximadamente 15% dos casos esporádicos. A associação entre a síndrome de Down e a doença de Hirschsprung pode estar ligada ao gene da molécula de adesão celular da síndrome de Down no cromossomo 21, cuja superexpressão leva a defeitos neurais em modelos experimentais. Em pacientes sem trissomia do 21, foram implicadas mutações de linhagem germinativa em vários genes necessários para a inervação intestinal normal, das quais as mais comuns envolvem *RET*, *EDNRB* ou *EDN3* (que codificam um par receptor-ligante). Essas proteínas parecem participar de vias de sinalização que regulam o desenvolvimento do sistema nervoso entérico. No entanto, os defeitos em genes conhecidos não podem explicar todos os casos, e a penetrância em indivíduos que apresentam mutações patogênicas é incompleta, sugerindo, também, a importância de genes modificadores ou de fatores ambientais. Alguns desses genes podem estar ligados ao sexo, visto que a doença é mais comum em indivíduos do sexo masculino; entretanto, quando presente em indivíduos do sexo feminino, o segmento aganglionar afetado tende a ser mais longo.

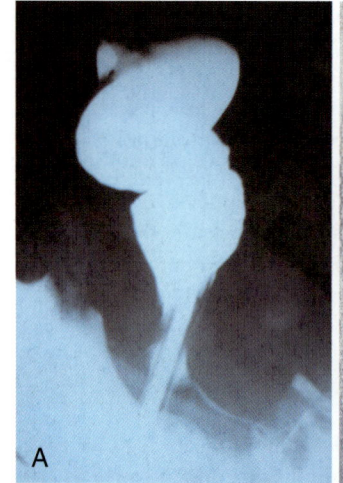

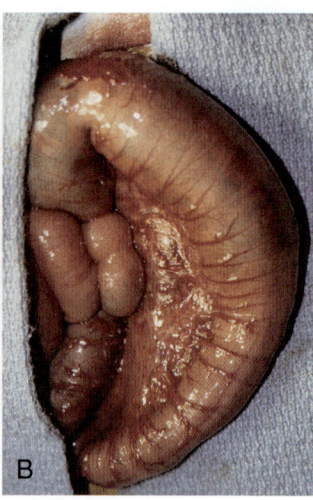

Figura 17.3 Doença de Hirschsprung. **A.** Enema baritado pré-operatório mostrando a constrição do reto (*parte inferior da imagem*) e o cólon sigmoide dilatado. **B.** Fotografia intraoperatória correspondente mostrando a constrição do reto e a dilatação do cólon sigmoide. (Cortesia da Dra. Aliya Husain, The University of Chicago, Chicago, Ill.)

Morfologia

O diagnóstico de doença de Hirschsprung exige a confirmação histológica da ausência de células ganglionares dentro do segmento afetado. Além de sua morfologia característica em cortes corados pela hematoxilina e pela eosina, as células ganglionares podem ser identificadas com o uso de corantes imuno-histoquímicos para acetilcolinesterase.

O reto é sempre afetado, porém o comprimento dos segmentos adicionais envolvidos varia amplamente. Na maioria dos casos, a anormalidade estende-se até o cólon sigmoide; todavia, nos casos graves, o cólon inteiro pode estar acometido. A doença limitada ao reto-sigmoide é denominada *doença de Hirschsprung de segmento curto*, ao passo que os casos com extensão mais proximal são denominados *doença de Hirschsprung de segmento longo*.

A região aganglônica pode ter uma aparência macroscópica normal ou contraída. Em contrapartida, o cólon proximal normalmente inervado sofre dilatação progressiva (**Figura 17.3**) e pode apresentar distensão maciça (**megacólon**) em consequência da obstrução distal. A parede colônica pode estar distendida a ponto de sofrer ruptura, que ocorre mais frequentemente próximo ao ceco. Além disso, pode haver inflamação da mucosa e úlceras superficiais em segmentos com inervação normal, o que dificulta a identificação macroscópica da extensão da aganglionose. Por conseguinte, o exame histopatológico intraoperatório (corte congelado) é comumente utilizado para confirmar a presença de células ganglionares na região da anastomose.

Características clínicas

Normalmente, a doença de Hirschsprung manifesta-se como ausência de eliminação do mecônio no período pós-natal imediato. Ocorrem obstrução ou constipação intestinal, geralmente com peristaltismo visível, porém ineficaz. Quando apenas alguns centímetros do reto estão acometidos, pode haver eliminação de fezes, dificultando o diagnóstico. Com mais frequência, a obstrução é óbvia e caracteriza-se por distensão abdominal e vômito bilioso, à medida que o material luminal retorna ao cólon proximal. As principais ameaças à vida incluem enterocolite, desequilíbrios hidreletrolíticos, perfuração e peritonite. O tratamento consiste em ressecção cirúrgica do segmento aganglionar e anastomose do cólon proximal normal ao reto. Mesmo após a cirurgia bem-sucedida, podem ser necessários vários anos para que a função intestinal normal e a continência sejam alcançadas.

Diferentemente do megacólon congênito da doença de Hirschsprung, o megacólon adquirido pode ocorrer em qualquer idade como resultado de doença de Chagas, obstrução por neoplasia ou estreitamento inflamatório, complicação da colite ulcerativa, miopatia visceral ou em associação a transtornos psicossomáticos. Destes, apenas a doença de Chagas (ver adiante) compartilha a mesma fisiopatologia da doença de Hirschsprung: a perda de células ganglionares.

Conceitos-chave

Malformações congênitas do trato gastrintestinal

- O trato GI é um local comum de anormalidades do desenvolvimento, com frequência em associação a defeitos congênitos de outros sistemas de órgãos
- A atresia e as fístulas são anomalias do desenvolvimento, normalmente presentes ao nascimento. O ânus imperfurado constitui a forma mais comum de atresia intestinal congênita, ao passo que o esôfago é o local mais comum de fistulização
- A estenose pode ser de desenvolvimento ou adquirida. Ambas as formas se caracterizam por espessamento da parede e obstrução luminal parcial ou completa. As formas adquiridas resultam, com frequência, de cicatrização inflamatória
- A hérnia diafragmática caracteriza-se pelo desenvolvimento incompleto do diafragma e pela protrusão dos órgãos abdominais dentro do tórax, produzindo, com frequência, hipoplasia

pulmonar. A onfalocele e a gastrosquise referem-se à protrusão ventral dos órgãos abdominais
- A ectopia refere-se à presença de tecidos normalmente formados em um local anormal. Ela é comum no trato GI, sendo a mucosa gástrica ectópica no terço superior do esôfago a forma mais comum
- O divertículo de Meckel é um divertículo verdadeiro, definido pela presença de todas as três camadas da parede intestinal, que resulta da falta de involução do ducto vitelino. Trata-se de um local frequente de ectopia gástrica, que resulta em lesão péptica e sangramento oculto
- A estenose pilórica hipertrófica congênita ocorre entre 3 e 6 semanas de vida e é mais comum em indivíduos do sexo masculino
- A doença de Hirschsprung é causada pela ausência de migração das células ganglionares derivadas da crista neural para dentro do cólon distal. Esse defeito, que sempre envolve o reto, estende-se proximalmente a distâncias variáveis.

Esôfago

O esôfago desenvolve-se a partir da porção cranial do intestino anterior e pode ser identificado em torno da terceira semana de gestação. É um tubo muscular oco e altamente distensível, que se estende da epiglote, na faringe, até a junção gastresofágica. As doenças adquiridas do esôfago abrangem desde cânceres altamente letais até a pirose do refluxo gastresofágico, que pode ser crônica e incapacitante ou apenas um incômodo ocasional.

Obstrução do esôfago

A principal função do esôfago é transportar os alimentos sólidos e líquidos ingeridos para o estômago. Esse transporte pode ser impedido por obstrução física ou funcional. Esta última resulta da interrupção do peristaltismo coordenado após a deglutição. A dismotilidade esofágica é classificada em três padrões principais:

- O *esôfago em quebra-nozes* descreve a obstrução funcional do esôfago por contrações descoordenadas e intensas de ampla amplitude do músculo liso circular interno e longitudinal externo. A deglutição de bário pode ser normal ou demonstrar uma aparência semelhante a um quebra-nozes, com regiões estreitas e distendidas. Entretanto, a manometria é necessária para o estabelecimento do diagnóstico
- O *espasmo esofágico difuso*, também conhecido como esôfago em saca-rolhas, devido à sua aparência na deglutição de bário, caracteriza-se por contrações simultâneas repetitivas do músculo liso da parte distal do esôfago. Diferentemente do esôfago em quebra-nozes, essas contrações são de amplitude normal
- A *disfunção do esfíncter esofágico inferior*, incluindo alta pressão de repouso ou relaxamento incompleto, pode estar presente como anomalia isolada ou pode acompanhar o esôfago em quebra-nozes ou o espasmo esofágico difuso.

Devido ao aumento da tensão da parede, a dismotilidade esofágica pode resultar no desenvolvimento de pequenos divertículos, particularmente na região epifrênica, imediatamente acima do esfíncter esofágico inferior. De modo semelhante, o comprometimento do relaxamento e o espasmo do músculo cricofaríngeo após a deglutição podem resultar em aumento da pressão dentro da parte distal da faringe e em desenvolvimento de um divertículo de Zenker (faringoesofágico), localizado imediatamente acima do esfíncter esofágico superior. Os divertículos de Zenker são incomuns, desenvolvem-se normalmente depois dos 50 anos e podem alcançar vários centímetros de tamanho. Quando pequenos, podem ser assintomáticos, porém os divertículos de Zenker maiores podem acumular quantidades significativas de alimento, produzindo uma massa e sintomas que incluem regurgitação e halitose. A obstrução mecânica causada por estenose ou por câncer manifesta-se normalmente como disfagia progressiva, que se inicia com a incapacidade de deglutir alimentos sólidos.

A estenose esofágica benigna geralmente é causada pelo espessamento fibroso da submucosa e está associada à atrofia da muscular própria e a dano epitelial secundário. Embora seja ocasionalmente congênita, a estenose é causada, com mais frequência, por inflamação e cicatrização, que podem resultar de refluxo gastresofágico crônico, irradiação ou lesão cáustica. Em geral, os pacientes com obstrução funcional ou com estenoses benignas mantêm o apetite e o peso. Em contrapartida, as estenoses malignas com frequência estão associadas à perda de peso.

As membranas de mucosas esofágicas são protrusões incomuns da mucosa semelhantes a ressaltos. Em geral, ocorrem em mulheres com idade superior a 40 anos e podem estar associadas ao refluxo gastresofágico, à doença do enxerto-*versus*-hospedeiro crônica ou a doenças bolhosas da pele. Na parte superior do esôfago, as membranas podem ser acompanhadas de anemia ferropriva, glossite e queilose como parte da *síndrome de Plummer-Vinson*. Do ponto de vista morfológico, as membranas esofágicas são reconhecidas como lesões semicircunferenciais, compostas de tecido conjuntivo fibrovascular e recobertas por epitélio. O principal sintoma das membranas é a obstrução parcial, principalmente a alimentos que não são mastigados por completo, e disfagia não progressiva.

Os anéis esofágicos ou *anéis de Schatzki* assemelham-se às membranas, porém são circunferenciais, mais espessos e incluem a mucosa, a submucosa e, em certas ocasiões, a muscular própria hipertrófica. Quando presentes na parte distal do esôfago, acima da junção gastresofágica, são denominados *anéis A* e são recobertos por mucosa escamosa; em contrapartida, aqueles localizados na junção escamocolunar da parte inferior do esôfago são denominados *anéis B* e podem ter uma mucosa do tipo da cárdia do esôfago em sua superfície inferior.

Acalasia

A acalasia caracteriza-se pela tríade de relaxamento incompleto do esfíncter esofágico inferior, aumento do tônus do esfíncter esofágico inferior e aperistalse do esôfago. Os sintomas consistem em disfagia, dificuldade em eructar e dor torácica. Embora haja algum aumento do risco de câncer de esôfago, ele não é considerado grande o suficiente para justificar uma endoscopia para vigilância.

A acalasia primária é rara e resulta da degeneração dos neurônios produtores de óxido nítrico, que normalmente induzem relaxamento do esfíncter esofágico inferior. Além disso, podem ocorrer alterações degenerativas do nervo vago extraesofágico ou do núcleo dorsal do vago. A causa é desconhecida, e foram descritos raros casos familiares.

A acalasia secundária pode surgir na doença de Chagas, em que a infecção pelo *Trypanosoma cruzi* provoca destruição do plexo mioentérico, falha do peristaltismo e dilatação esofágica. Os plexos duodenal, colônico e mioentérico ureteral também podem estar afetados na doença de Chagas. Outras causas de doença do tipo acalasia incluem neuropatia autonômica diabética; distúrbios infiltrativos, como neoplasia maligna, amiloidose e sarcoidose; esclerose sistêmica; ou lesões dos núcleos motores dorsais (p. ex., após poliomielite). A disfunção do esfíncter esofágico inferior também ocorre em associação à síndrome de Down ou como parte da síndrome de Allgrove (triplo A), um distúrbio autossômico recessivo caracterizado por acalasia, alacrimia e insuficiência suprarrenal resistente ao hormônio adrenocorticotrófico. A associação de alguns casos de acalasia à infecção remota pelo herpes-vírus simples 1 (HSV-1), a ligação dos polimorfismos de genes imunorreguladores à acalasia e a coexistência ocasional da síndrome de Sjögren ou de doença autoimune da tireoide sugerem que a acalasia também pode ser desencadeada pela destruição imunomediada dos neurônios inibitórios esofágicos. Os tratamentos para a acalasia primária e secundária têm por objetivo superar a obstrução e incluem miotomia laparoscópica, dilatação com balão pneumático e injeção de neurotoxina botulínica (Botox) para inibir os neurônios colinérgicos promotores da contração.

Esofagite e distúrbios relacionados

Lacerações

As lacerações longitudinais da mucosa localizadas próximo à junção gastresofágica, denominadas lacerações de Mallory-Weiss, estão mais frequentemente associadas à ânsia de vômito ou a vômitos intensos em consequência de intoxicação aguda por álcool. Normalmente, a ocorrência de relaxamento reflexo da musculatura gastresofágica precede a onda contrátil antiperistáltica associada ao vômito. Acredita-se que esse relaxamento deixa de ocorrer durante o vômito prolongado, de modo que o conteúdo gástrico do refluxo força a abertura gástrica, causando a distensão e a laceração da parede esofágica. As lacerações aproximadamente lineares da síndrome de Mallory-Weiss têm orientação longitudinal e variam quanto ao comprimento desde milímetros a vários centímetros. Em geral, essas lacerações cruzam a junção gastresofágica e podem estar localizadas na mucosa gástrica proximal. Até 10% dos casos de sangramento GI superior, que, com frequência, se manifesta como hematêmese (**Tabela 17.1**), resultam de lacerações esofágicas superficiais, como aquelas associadas à síndrome de Mallory-Weiss. Normalmente, esses casos não necessitam de intervenção cirúrgica, e a cicatrização tende a ser rápida e completa. Em contrapartida, a síndrome de Boerhaave é muito menos comum, porém muito mais grave, e caracteriza-se por laceração transmural e ruptura da parte distal do esôfago. Esse evento catastrófico provoca mediastinite grave e, em geral,

Tabela 17.1 Causas esofágicas de hematêmese.

Lacerações (síndrome de Mallory-Weiss)
Perfuração do esôfago (câncer ou síndrome de Boerhaave)
Varizes (cirrose)
Fístula esofagoaórtica (em geral, com câncer)
Esofagite química e esofagite induzida por comprimidos (medicamentos)
Esofagite infecciosa (*Candida*, herpes)
Estenoses benignas
Vasculite (autoimune, por citomegalovírus)
Esofagite de refluxo (erosiva)
Esofagite eosinofílica
Úlceras esofágicas (muitas etiologias)
Esôfago de Barrett
Adenocarcinoma
Carcinoma de células escamosas
Hérnia de hiato

exige intervenção cirúrgica. Como os pacientes podem apresentar dor torácica intensa, taquipneia e choque, o diagnóstico diferencial inicial pode incluir infarto agudo do miocárdio.

Esofagite química e infecciosa

A mucosa escamosa estratificada do esôfago pode ser danificada por uma variedade de substâncias irritantes, incluindo álcool, ácidos ou álcalis corrosivos, líquidos excessivamente quentes e tabagismo intensivo. Os sintomas variam desde dor autolimitada, particularmente na deglutição, denominada *odinofagia*, até hemorragia, estenose ou perfuração nos casos graves.

Em crianças, a lesão química do esôfago é geralmente secundária à ingestão acidental de produtos de limpeza domésticos; pode ocorrer dano grave após a tentativa de suicídio em adultos. Pode ocorrer lesão química menos grave da mucosa esofágica quando comprimidos (medicamentos) alojam-se e dissolvem-se no esôfago, condição denominada *esofagite induzida por comprimidos*. A lesão esofágica iatrogênica pode ser causada por quimioterapia citotóxica, radioterapia ou doença do enxerto-*versus*-hospedeiro. O esôfago também pode ser acometido por doenças descamativas da pele, penfigoide bolhoso, epidermólise bolhosa e, raramente, doença de Crohn.

As infecções esofágicas em indivíduos saudáveis nos demais aspectos são causadas, com mais frequência, pelo herpes-vírus simples. As infecções são mais comuns em pacientes debilitados ou imunossuprimidos e podem ser causadas pelo herpes-vírus simples, pelo citomegalovírus (CMV) ou por fungos. Entre estes últimos, a candidíase é mais comum, embora também seja observada a ocorrência de mucormicose e aspergilose.

> **Morfologia**
>
> A morfologia da esofagite química e infecciosa varia de acordo com a etiologia. Em geral, infiltrados densos de neutrófilos estão presentes, mas podem estar ausentes após uma lesão induzida por substâncias químicas (soda cáustica, ácidos ou detergentes), que causam necrose completa da parede do esôfago. Com frequência, a esofagite por comprimidos ocorre no local de estenoses que impedem a passagem do conteúdo luminal.
>
> A irradiação do esôfago provoca danos semelhantes aos observados em outros tecidos e caracteriza-se por proliferação da íntima e estreitamento luminal dos vasos sanguíneos submucosos e

murais. O dano concomitante à mucosa é, em parte, secundário a essa lesão vascular induzida por radiação, conforme discutido no **Capítulo 9**.

A infecção causada por fungos ou bactérias pode causar lesão ou complicar uma úlcera preexistente. Com frequência, são encontradas bactérias orais não patogênicas no leito da úlcera, ao passo que as bactérias e os fungos patogênicos, que são responsáveis por cerca de 10% dos casos de esofagite infecciosa, podem invadir a mucosa e causar a sua necrose. A candidíase caracteriza-se por **pseudomembranas** aderentes branco-acinzentadas, compostas de hifas fúngicas densamente entrelaçadas e células inflamatórias que recobrem a mucosa esofágica.

A aparência endoscópica com frequência indica a causa da esofagite viral. Normalmente, os herpes-vírus causam úlceras em saca-bocado (**Figura 17.4A**). As amostras de biopsia demonstram inclusões nucleares virais em células epiteliais multinucleadas em degeneração na margem da úlcera (**Figura 17.4B**). Em contrapartida, a infecção pelo CMV provoca ulcerações mais superficiais e caracteriza-se por inclusões citoplasmáticas e nucleares dentro das células endoteliais capilares e estromais (**Figura 17.4C**). Embora a aparência histológica seja característica, as colorações imuno-histoquímicas para antígenos específicos de vírus constituem ferramentas diagnósticas complementares sensíveis e específicas.

As características histológicas da **doença do enxerto-versus-hospedeiro** do esôfago assemelham-se àquelas observadas na pele e consistem em apoptose das células epiteliais basais, atrofia da mucosa e fibrose da submucosa, sem infiltrados inflamatórios agudos significativos. A aparência microscópica do comprometimento do esôfago no penfigoide bolhoso, na epidermólise bolhosa e na doença de Crohn também se assemelha àquela observada na pele (ver **Capítulo 25**).

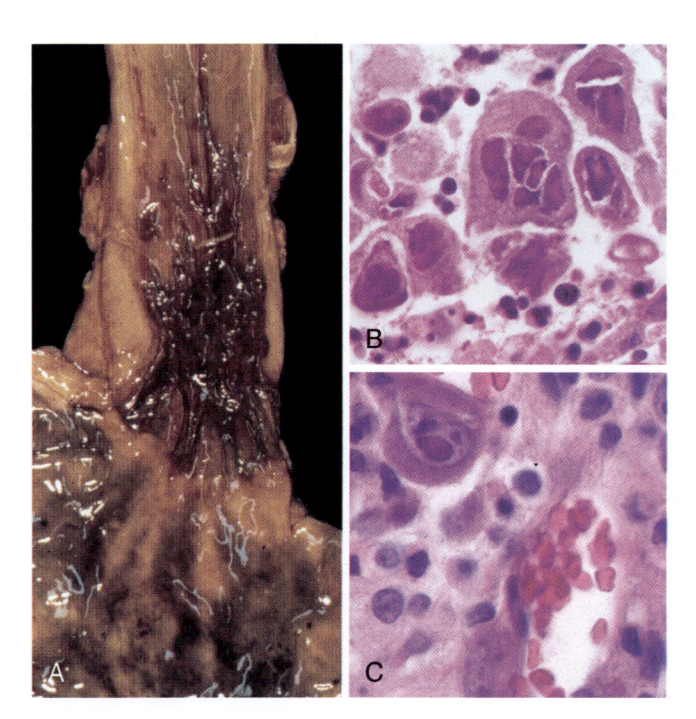

Figura 17.4 Esofagite viral. **A.** Espécime *post-mortem* com múltiplas úlceras herpéticas sobrepostas na parte distal do esôfago. **B.** Células escamosas multinucleadas que contêm inclusões nucleares de herpes-vírus. **C.** Células endoteliais infectadas por citomegalovírus, com inclusões citoplasmáticas e nucleares.

Esofagite de refluxo

O refluxo do conteúdo gástrico na parte inferior do esôfago constitui a causa mais frequente de esofagite e o diagnóstico GI mais comum em pacientes ambulatoriais nos EUA. A condição clínica associada, denominada doença do refluxo gastresofágico (DRGE), ocorre devido à sensibilidade do epitélio esofágico ao ácido, apesar de sua resistência à lesão abrasiva.

Patogênese

Acredita-se que o relaxamento transitório do esfíncter esofágico inferior seja uma importante causa de DRGE. Esse relaxamento é mediado por vias vagais e pode ser desencadeado pela distensão gástrica. O refluxo gastresofágico também pode ocorrer após aumentos abruptos da pressão intra-abdominal, como, por exemplo, com a tosse, o esforço ou a inclinação do corpo. Outras condições associadas à DRGE incluem uso de álcool e tabaco, obesidade, depressores do sistema nervoso central, gravidez, hérnia de hiato (discutida adiante), atraso do esvaziamento gástrico e aumento do volume gástrico.

Morfologia

A hiperemia simples, visualizada como vermelhidão para o endoscopista, pode constituir a única alteração na DRGE leve; com frequência, a histologia da mucosa está normal. O refluxo gástrico mais significativo está associado a erosões (**Figura 17.5A**) e ao influxo de eosinófilos na mucosa escamosa (**Figura 17.6A**). A hiperplasia da zona basal e o alongamento das papilas da lâmina própria também são comuns. A infiltração de neutrófilos é menos frequente e, em geral, está associada à infecção bacteriana ou fúngica ou à lesão química.

Características clínicas

A DRGE apresenta prevalência estimada de 10 a 20% nos países ocidentais, porém é inferior a 5% na Ásia e é mais comum em indivíduos com idade superior a 40 anos. Os sintomas típicos consistem em pirose, disfagia e regurgitação do conteúdo gástrico de sabor azedo, mais frequentemente no período pós-prandial. Raramente, a dor torácica associada à DRGE pode ser confundida com doença cardíaca isquêmica. O tratamento com inibidores da bomba de prótons para reduzir a acidez gástrica normalmente proporciona alívio sintomático. A endoscopia não é necessária para estabelecer o diagnóstico e é comumente reservada para pacientes refratários aos inibidores da bomba de prótons. A biopsia endoscópica também pode detectar esofagite eosinofílica, bem como esôfago de Barrett, estenoses, ulcerações e outras complicações da DRGE. De maneira notável, a gravidade dos sintomas não está estreitamente relacionada com o grau de dano histológico, e podem ser observadas anormalidades histológicas substanciais em indivíduos sem sintomas típicos de DRGE.

A hérnia de hiato pode causar incompetência do esfíncter esofágico inferior e sintomas que se assemelham aos da DRGE, porém é sintomática em menos de 10% dos adultos. As hérnias de hiato ocorrem, em sua maioria, por deslizamento, em que os pilares do diafragma se separam, e a junção gastresofágica se projeta para dentro do tórax. As hérnias de hiato paraesofágicas menos comuns penetram através de um defeito na membrana frenoesofágica, podem acometer o estômago e outros órgãos e, em geral, exigem reparo cirúrgico.

Esofagite eosinofílica

A esofagite eosinofílica é uma forma de inflamação esofágica aguda dominada por eosinófilos e associada à doença atópica. Muitos pacientes apresentam dermatite atópica, rinite alérgica, asma ou eosinofilia periférica modesta. Em conformidade com essa característica, dados recentes sugerem que os mastócitos também podem ser importantes na patogênese. A incidência da esofagite eosinofílica aumentou de modo acentuado, particularmente em áreas urbanas e entre homens brancos. Além dos sintomas semelhantes aos da DRGE, os pacientes apresentam impactação dos alimentos, disfagia e vômitos. Os lactentes também podem apresentar intolerância à alimentação. No exame endoscópico, o esôfago pode ter a aparência de anéis circulares empilhados (denominado esôfago felino, devido à suposta semelhança endoscópica com a cauda de um gato rajado), estenoses e sulcos lineares (**Figura 17.5B**). A principal característica histológica consiste no grande número de eosinófilos intraepiteliais, em particular superficialmente, que podem formar agrupamentos ou lâminas (**Figura 17.6B**). A sua abundância pode ajudar a distinguir a esofagite eosinofílica da DRGE, da doença de Crohn e de outras causas de esofagite. Entretanto, esses achados histológicos não são totalmente específicos, e alguns pacientes com extensa infiltração eosinofílica intraepitelial podem responder aos inibidores da bomba de prótons, sobretudo quando administrados em altas doses. As restrições dietéticas para prevenir a exposição a alergênios alimentares são frequentemente úteis e podem ser definidas com base no teste de contato (*patch testing*) ou no teste de imunoglobulina E (IgE). Como alternativa, a eliminação empírica do leite de vaca, ovos, soja ou leguminosas e trigo da dieta pode ser benéfica. Quando o tratamento dietético falha, os corticosteroides tópicos ou, com menos frequência, sistêmicos podem ser utilizados e, às vezes, combinados com inibidores da bomba de prótons. Diferentemente da DRGE, a esofagite eosinofílica não está associada ao aumento do risco de esôfago de Barrett.

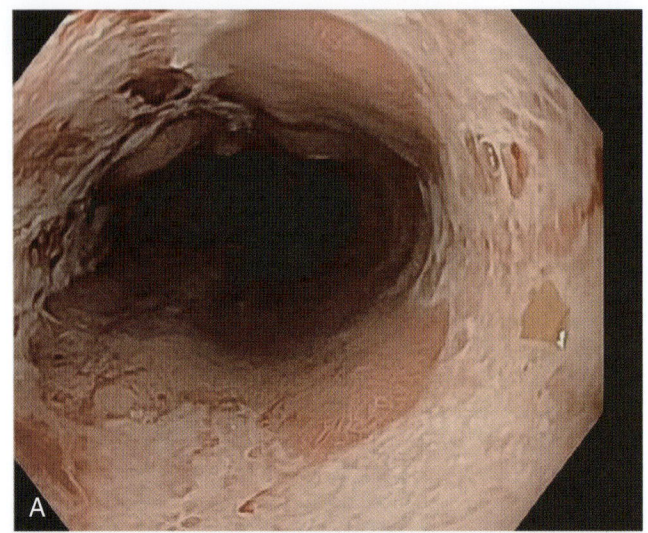

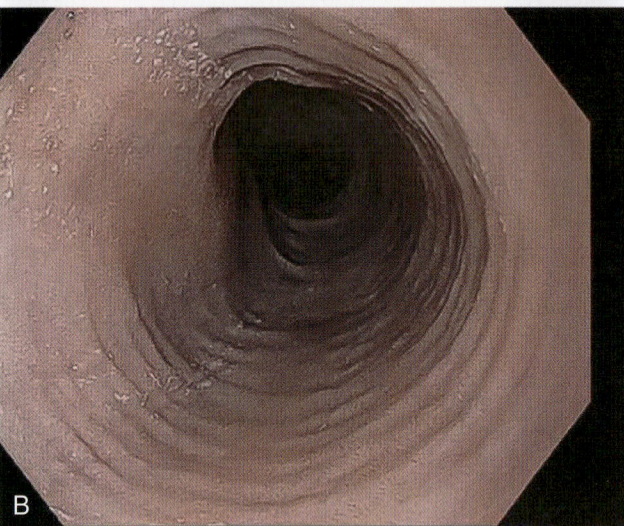

Figura 17.5 Esofagite. A. Vista endoscópica da esofagite de refluxo mostrando: múltiplas erosões no revestimento escamoso do esôfago; uma zona metaplásica (esôfago de Barrett, discutido adiante); e mucosa gástrica distal. Observe as ilhas acastanhadas de epitélio metaplásico dentro da mucosa escamosa branca. **B.** A aparência endoscópica "felina" ou "em anel" do esôfago é típica da esofagite eosinofílica. (Cortesia da Dra. Linda S. Lee, Brigham and Women's Hospital and Harvard Medical School, Boston, Mass.)

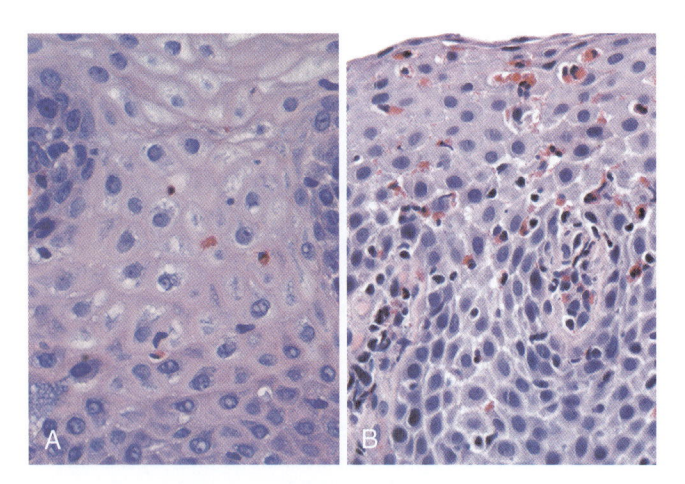

Figura 17.6 Esofagite. A. Esofagite de refluxo com eosinófilos intraepiteliais dispersos e leve expansão da zona basal. **B.** A esofagite eosinofílica caracteriza-se por numerosos eosinófilos intraepiteliais.

Varizes esofágicas

As varizes esofágicas são veias dilatadas na parte inferior do esôfago. Embora a maioria das pequenas varizes nunca sangre, a ruptura de grandes varizes pode resultar em exsanguinação.

Patogênese

As varizes esofágicas são causadas por hipertensão portal, devido ao comprometimento do fluxo sanguíneo através do sistema porta venoso e do fígado. A elevação da pressão venosa portal resulta no desenvolvimento de canais colaterais em locais em que os sistemas porta e cava se comunicam. Essas veias colaterais possibilitam a ocorrência de alguma drenagem, porém também resultam em congestão e dilatação dos plexos venosos subepiteliais e submucosos dentro da parte distal do esôfago e da parte proximal do estômago. Os vasos dilatados, denominados *varizes*, são comuns em pacientes com cirrose, mais frequentemente devido à doença hepática alcoólica. Em todo o mundo, a esquistossomose hepática constitui a segunda causa mais comum de varizes. Uma discussão mais detalhada da hipertensão portal é apresentada no **Capítulo 18**.

> **Morfologia**
>
> As varizes esofágicas são veias dilatadas tortuosas localizadas dentro da mucosa e da submucosa da parte distal do esôfago e da parte proximal do estômago (**Figura 17.7**). A ruptura das varizes pode resultar em hemorragia na luz ou na parede do esôfago e pode estar associada à ulceração e à necrose da mucosa. Caso tenha ocorrido ruptura no passado, pode-se observar, também, a presença de trombose venosa, inflamação e evidências de escleroterapia anterior.

Características clínicas

Ocorrem varizes gastresofágicas em 30% dos pacientes com cirrose compensada e em 60% dos que apresentam cirrose descompensada. A hemorragia de varizes é uma emergência cujo tratamento pode ser clínico, por meio de indução de vasoconstrição esplâncnica, ou endoscópico, por escleroterapia (injeção de agentes trombóticos), tamponamento por balão ou ligadura de varizes. Apesar dessas intervenções, cada episódio de hemorragia de varizes confere risco de mortalidade de 15 a 20%, e mais da metade dos pacientes que sobrevivem ao primeiro sangramento de varizes sofrem hemorragia recorrente dentro de 1 ano, com taxa de mortalidade semelhante à do primeiro episódio. Os fatores de risco para hemorragia incluem varizes grandes ou tortuosas, elevação do gradiente de pressão venosa hepática, sangramento anterior e doença hepática avançada. O tratamento consiste em betabloqueadores para reduzir o fluxo sanguíneo portal e ligadura endoscópica das varizes.

Esôfago de Barrett

O esôfago de Barrett é uma complicação da DRGE crônica que se caracteriza por metaplasia intestinal dentro da mucosa escamosa do esôfago e que está associado a risco aumentado de câncer. A incidência do esôfago de Barrett está aumentando, e estima-se que ocorra em até 10% dos indivíduos com DRGE sintomática e 2% da população geral. O esôfago de Barrett é mais comum em homens brancos, e normalmente se manifesta entre 40 e 60 anos. A maior preocupação clínica reside no fato de que o esôfago de Barrett confere um aumento no risco de adenocarcinoma de esôfago. O sequenciamento genômico de biopsias com esôfago de Barrett revelou a presença de mutações condutoras patogênicas em genes do câncer, também encontradas no adenocarcinoma de esôfago. As mutações potencialmente oncogênicas são mais numerosas quando as biopsias demonstram a presença de displasia, uma alteração neoplásica pré-invasiva que está associada a sintomas prolongados, maior comprimento do segmento, idade avançada do paciente e raça branca. A grande maioria dos adenocarcinomas de esôfago ocorre em associação ao esôfago de Barrett. Entretanto, a maioria dos indivíduos com esôfago de Barrett não desenvolve tumores do esôfago.

> **Morfologia**
>
> O esôfago de Barrett pode ser reconhecido como língua de mucosa vermelha e aveludada, que se estende para cima a partir da junção gastresofágica. Essa mucosa metaplásica alterna-se com uma mucosa escamosa (esofágica) lisa e pálida residual (ver **Figura 17.5A**) e relaciona-se distalmente com a mucosa colunar (gástrica) marrom-clara (**Figura 17.8A e B**). O esôfago de Barrett pode ser subclassificado em segmento longo (≥ 3 cm) ou segmento curto (< 3 cm). Os pacientes com doença de segmento curto podem não apresentar sintomas de DRGE e têm menor risco de desenvolver displasia ou carcinoma em comparação com aqueles que apresentam doença de segmento longo.
>
> O diagnóstico do esôfago de Barrett exige a obtenção de evidências endoscópicas de mucosa colunar metaplásica acima da junção gastresofágica. Ao exame microscópico, a metaplasia do tipo intestinal é observada como uma substituição do epitélio esofágico escamoso com células caliciformes. As células caliciformes são diagnósticas do esôfago de Barrett e têm vacúolos mucosos distintos, que se coram de azul-pálido e conferem o formato de cálice de vinho ao citoplasma restante (**Figura 17.8C**). Além disso, pode-se observar a presença de células colunares não caliciformes, como as células foveolares do tipo gástrico, porém não há consenso quanto à sua presença ser suficiente para o diagnóstico.
>
> A **displasia** é classificada como de baixo ou de alto grau. Em ambos os graus, observa-se a presença de mitoses atípicas, hipercromasia nuclear, cromatina irregularmente condensada,

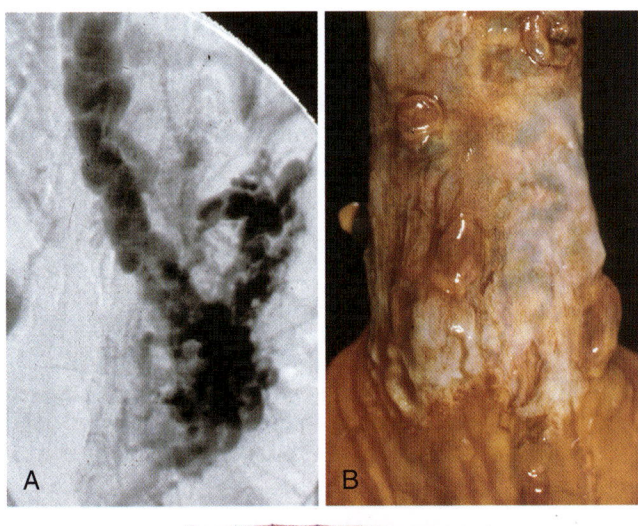

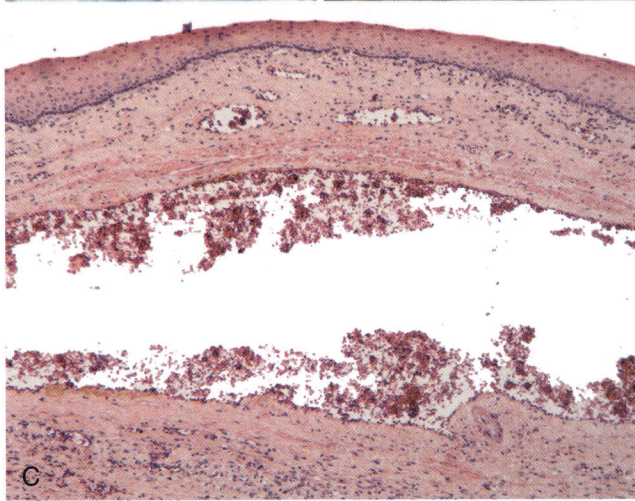

Figura 17.7 Varizes esofágicas. **A.** Embora não seja mais utilizado como abordagem diagnóstica, esse angiograma revela diversas varizes esofágicas tortuosas. **B.** Presença de varizes colapsadas nesse espécime *post-mortem* correspondendo ao angiograma em **A**. As áreas polipoides representam locais prévios de hemorragia de varizes, que foram ligadas com bandas. **C.** Varizes dilatadas sob a mucosa escamosa intacta.

aumento da razão nuclear-citoplasmática e ausência de maturação das células epiteliais durante a sua migração para a superfície do esôfago (**Figura 17.9A**). As glândulas displásicas exibem formatos irregulares em brotamento e aglomeração de células. A displasia de alto grau (**Figura 17.9B**) apresenta alterações mais graves de citologia e arquitetura, em comparação com a displasia de baixo grau. Com a progressão, as células epiteliais podem invadir a lâmina própria, característica que define a progressão para o carcinoma intramucoso.

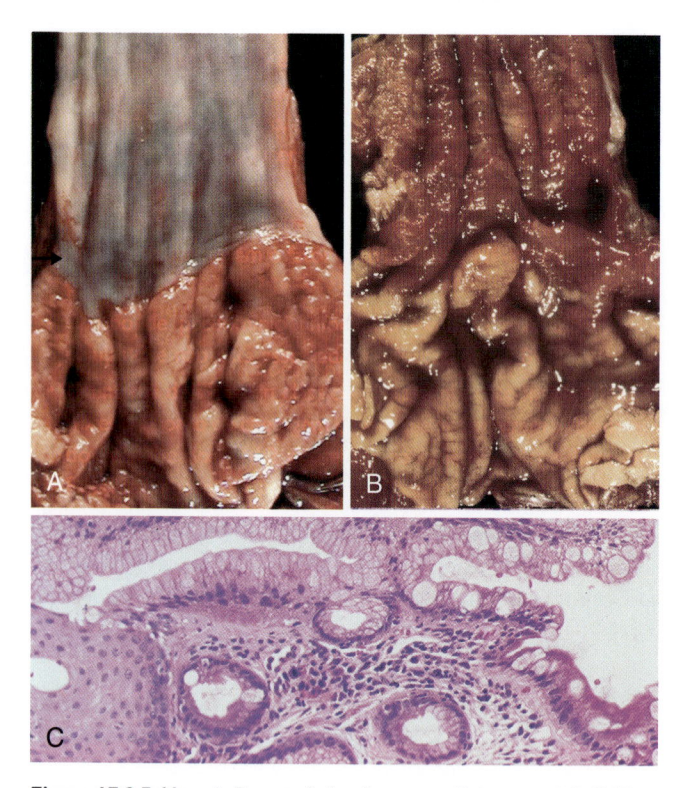

Figura 17.8 Esôfago de Barrett. **A.** Junção gastresofágica normal. **B.** Esôfago de Barrett. Observe as pequenas ilhas de mucosa escamosa residual e pálida dentro da mucosa de Barrett. **C.** Aparência histológica da junção gastresofágica no esôfago de Barrett. Observe a transição entre a mucosa escamosa do esôfago (*à esquerda*) e a metaplasia de Barrett, com células caliciformes metaplásicas em quantidade abundante (*à direita*).

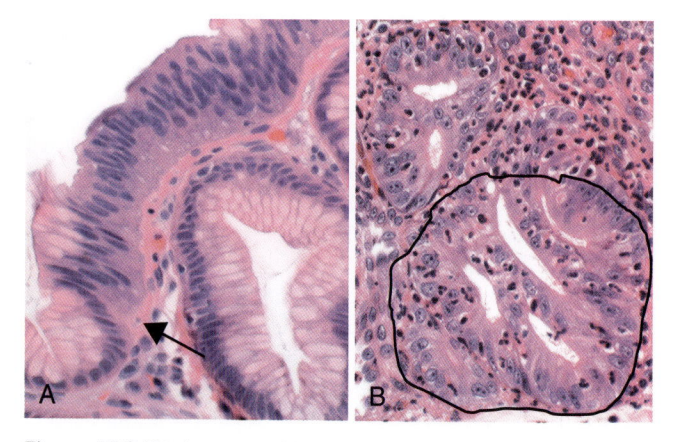

Figura 17.9 Displasia no esôfago de Barrett. **A.** Transição abrupta da metaplasia para a displasia de baixo grau (*seta*). Observe a estratificação nuclear e a hipercromasia. **B.** Irregularidades da arquitetura, incluindo glândula dentro de glândula ou perfis cribriformes na displasia de alto grau (*dentro do círculo*).

Características clínicas

O esôfago de Barrett só pode ser identificado por meio de endoscopia e biopsia, que são geralmente realizadas devido aos sintomas de DRGE. Uma vez diagnosticado, a melhor abordagem de manejo é um assunto controverso. Muitos defendem a vigilância por meio de endoscopia periódica com biopsia, porém os ensaios clínicos randomizados realizados não conseguiram demonstrar que essa conduta melhora a sobrevida global. Além disso, as incertezas em relação ao potencial de regressão espontânea da displasia, particularmente a de baixo grau, e as informações limitadas sobre o risco de progressão complicam as decisões clínicas.

O carcinoma intramucoso ou invasivo exige intervenção terapêutica. As opções de tratamento incluem ressecção cirúrgica, ou esofagectomia, bem como novas modalidades, como terapia fotodinâmica, ablação por *laser* e mucosectomia endoscópica. A displasia multifocal de alto grau, que está associada ao risco significativo de progressão para o carcinoma intramucoso ou invasivo, é tratada como carcinoma intramucoso. Atualmente, muitos médicos acompanham a displasia de baixo grau ou um foco isolado de displasia de alto grau com endoscopia e biopsia a intervalos regulares.

Tumores do esôfago

Quase todos os cânceres de esôfago consistem em adenocarcinoma ou carcinoma de células escamosas. O carcinoma de células escamosas é mais comum em todo o mundo, porém o adenocarcinoma está aumentando nos EUA e em outros países do Ocidente. Outras neoplasias malignas do esôfago são muito menos comuns e incluem formas raras de adenocarcinoma, carcinoma indiferenciado, carcinoma neuroendócrino, melanoma, linfoma e sarcoma; essas neoplasias não são discutidas aqui. Os tumores benignos do esôfago são geralmente mesenquimais e surgem dentro da parede do esôfago, sendo os leiomiomas os mais comuns.

Adenocarcinoma

O adenocarcinoma de esôfago normalmente surge no contexto do esôfago de Barrett e da DRGE de longa duração. Por conseguinte, as taxas aumentadas de carcinoma esofágico podem ser devidas, em parte, ao aumento da incidência do refluxo gastresofágico relacionado com a obesidade e esôfago de Barrett associado. Outros fatores de risco importantes incluem o uso de tabaco e a exposição à radiação. Em contrapartida, o risco é reduzido por dietas ricas em frutas frescas e vegetais. Alguns sorotipos de *Helicobacter pylori* estão associados à diminuição do risco de adenocarcinoma de esôfago, talvez pelo fato de causarem atrofia gástrica, o que diminui a secreção ácida e reduz o dano ao esôfago induzido pelo refluxo.

O adenocarcinoma do esôfago ocorre mais frequentemente em indivíduos brancos e exibe um forte viés de gênero, sendo sete vezes mais comum nos homens. A incidência varia amplamente em todo o mundo, com taxas mais altas nos EUA, no Reino Unido, no Canadá, na Austrália, na Holanda e no Brasil, e taxas mais baixas na Coreia, na Tailândia, no Japão e no Equador. Nos países em que o adenocarcinoma de esôfago é mais comum, a incidência teve um aumento acentuado desde 1970, mais rápido do que quase todos os outros tipos de câncer. Por motivos desconhecidos, esses aumentos foram restritos a homens brancos e hispânicos e a mulheres brancas nos EUA. Em consequência, o adenocarcinoma de esôfago, que representava menos de 5% dos cânceres de esôfago antes de 1970, agora responde por mais da metade de todos os cânceres de esôfago nos EUA.

Patogênese

Os estudos moleculares indicam que a progressão do esôfago de Barrett para o adenocarcinoma ocorre ao longo de um período extenso por meio da aquisição sequencial de alterações genéticas e epigenéticas. Nos estágios iniciais, são detectadas anormalidades cromossômicas e mutações dos genes supressores de tumor *TP53* e *CDKN2A*. No caso do *CDKN2A*, que codifica duas proteínas supressoras de tumor, a p16 e a p19-ARF, tanto a perda alélica quanto o silenciamento epigenético induzido por hipermetilação foram descritos. Com a progressão, pode haver amplificação de vários oncogenes, incluindo os genes *EGFR*, *ERBB2*, *MET*, *ciclina D1* e *ciclina E*.

Morfologia

O adenocarcinoma de esôfago ocorre geralmente no terço distal do esôfago e pode invadir a cárdia gástrica adjacente (**Figura 17.10A**). A princípio, ele aparece como placas planas ou elevadas na mucosa intacta nos demais aspectos, porém pode crescer, formando grandes massas de 5 cm ou mais de diâmetro. Como alternativa, os tumores podem infiltrar-se difusamente ou ulcerar e invadir profundamente a mucosa.

No nível microscópico, os tumores normalmente produzem mucina e formam glândulas (**Figura 17.11A**), geralmente com morfologia do tipo intestinal; com menos frequência, os tumores são compostos de células em anel de sinete difusamente infiltrativas (semelhantes àquelas observadas nos cânceres gástricos difusos) ou, em raros casos, células pequenas e pouco diferenciadas (semelhantes ao carcinoma de pulmão de pequenas células). Com frequência, o esôfago de Barrett é encontrado adjacente ao tumor.

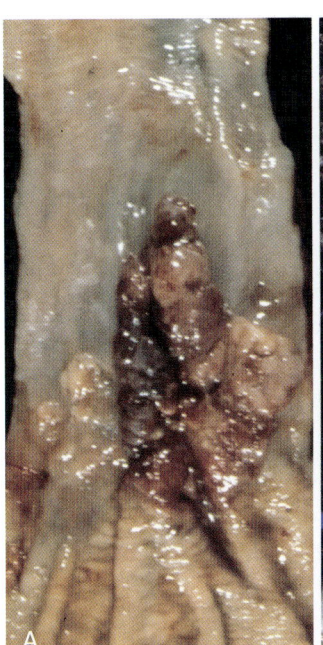

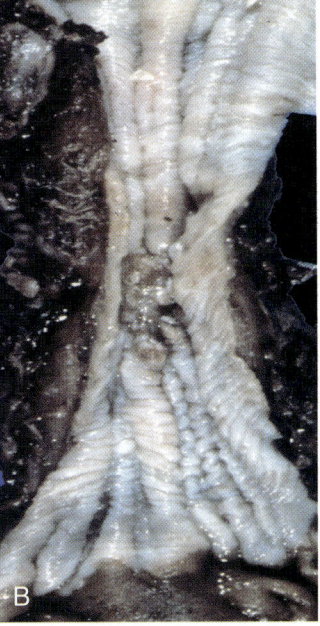

Figura 17.10 Câncer de esôfago. **A.** Em geral, o adenocarcinoma ocorre distalmente e, como neste caso, acomete com frequência a cárdia do estômago. **B.** O carcinoma de células escamosas é encontrado mais frequentemente na parte média do esôfago, onde comumente causa estenoses.

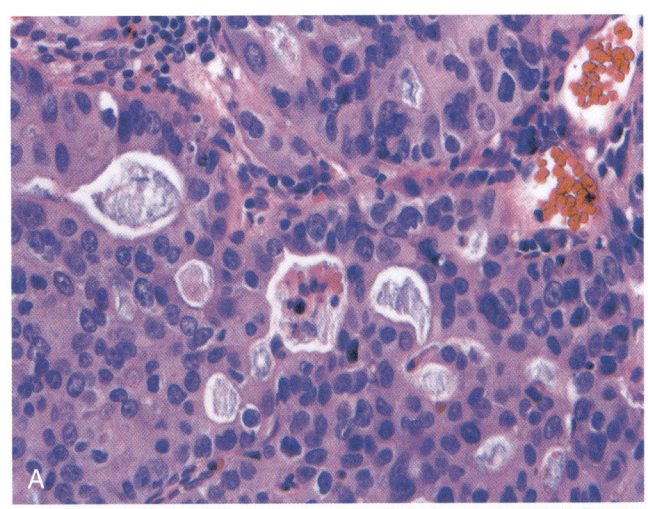

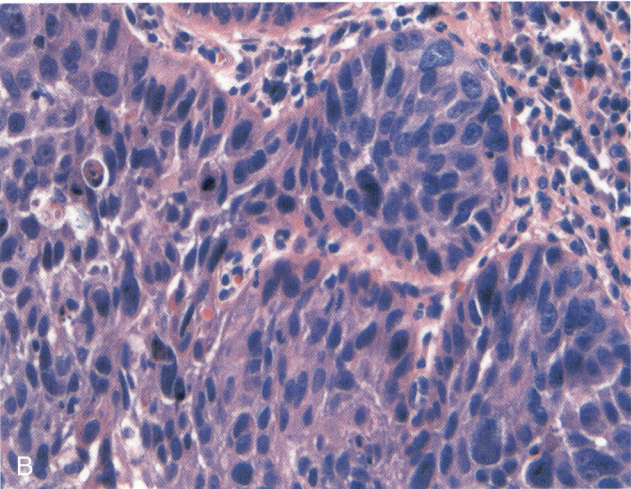

Figura 17.11 Câncer de esôfago. **A.** Adenocarcinoma de esôfago organizado em glândulas consecutivas (costas-com-costas). **B.** Carcinoma de células escamosas composto de ninhos de células malignas, que mimetizam parcialmente a organização do epitélio escamoso.

Características clínicas

Embora os adenocarcinomas de esôfago sejam, em certas ocasiões, descobertos de modo incidental durante a avaliação da DRGE ou na vigilância do esôfago de Barrett, eles mais comumente se manifestam com dor ou dificuldade à deglutição, perda de peso progressiva, hematêmese, dor torácica ou vômitos. Quando os sintomas aparecem, o tumor geralmente já se disseminou para os vasos linfáticos submucosos. Em consequência, a sobrevida global em 5 anos é inferior a 25%. Em contrapartida, a sobrevida em 5 anos é de aproximadamente 80% nos casos em que o adenocarcinoma se limita à mucosa ou à submucosa.

Carcinoma de células escamosas

Nos EUA, o carcinoma de células escamosas do esôfago ocorre em adultos com idade superior a 45 anos e é quatro vezes mais frequente nos homens do que nas mulheres. Os fatores de risco incluem uso de álcool e tabaco, pobreza, lesão esofágica cáustica, acalasia, síndrome de Plummer-Vinson, dietas deficientes em frutas e vegetais e consumo frequente de bebidas muito quentes.

A radiação prévia do mediastino também predispõe os indivíduos ao carcinoma de esôfago, que, na maioria dos casos, ocorre 5 a 10 anos ou mais após a exposição.

A incidência do carcinoma de células escamosas do esôfago varia até 180 vezes entre os países e dentro deles, sendo mais comum em populações rurais e de baixa renda. As regiões com maior incidência incluem Irã, parte central da China, Hong Kong, Brasil e África do Sul. Um foco de incidência extremamente alta no oeste do Quênia foi ligado ao consumo de leite fermentado tradicional, denominado *mursik*, que contém o carcinógeno acetaldeído (ver **Capítulo 9**). Em outras áreas geográficas com taxas elevadas de carcinoma de células escamosas do esôfago, a ingestão regular de chá muito quente é comum. Nos EUA, é quase oito vezes mais frequente em afro-americanos do que em brancos, o que constitui uma notável disparidade de risco que reflete, em parte, diferenças nas taxas de uso de álcool e de tabaco, mas também reflete provavelmente contribuições de outros fatores que ainda não estão totalmente elucidados.

Patogênese

Na Europa e nos EUA, a maioria dos carcinomas de células escamosas do esôfago está relacionada com o uso de álcool e de tabaco, que aumentam de maneira sinérgica o risco. Todavia, o carcinoma de células escamosas do esôfago também é comum em algumas regiões em que o uso de álcool e de tabaco é incomum. Por conseguinte, é preciso considerar deficiências nutricionais, bem como hidrocarbonetos policíclicos, nitrosaminas e outros compostos mutagênicos, como aqueles encontrados em alimentos contaminados por fungos. Alguns dados sugerem que a infecção pelo papilomavírus humano (HPV) pode contribuir para o carcinoma de células escamosas do esôfago em regiões de alto risco, mas não em áreas de baixo risco. A patogênese molecular do carcinoma de células escamosas do esôfago ainda não está totalmente definida; todavia, as anormalidades recorrentes incluem: amplificação do gene do fator de transcrição *SOX2*, que está envolvido na autorrenovação das células-tronco; superexpressão do regulador do ciclo celular, a ciclina D1; e mutações de perda de função nos genes supressores de tumor *TP53*, *CDH1* (que codifica a E-caderina) e *NOTCH1*.

Os carcinomas de células escamosas são, em sua maioria, moderadamente a bem diferenciados (**Figura 17.11B**). As variantes histológicas menos comuns incluem carcinoma de células escamosas verrucoso, carcinoma de células fusiformes e carcinoma de células escamosas basaloide. Independentemente da histologia, os tumores sintomáticos são, em geral, grandes e invasivos por ocasião do diagnóstico. A rede linfática rica do esôfago promove metástases, bem como disseminação circunferencial e longitudinal; pode haver nódulos intramurais de tumores satélites a uma distância de vários centímetros da massa principal. Os locais de metástases para linfonodos variam de acordo com a localização do tumor: os cânceres no terço superior do esôfago acometem de preferência os linfonodos cervicais; aqueles situados no terço médio acometem os linfonodos mediastinais, paratraqueais e traqueobronquiais; e aqueles no terço inferior disseminam-se para os linfonodos gástricos e celíacos.

Características clínicas

O início do carcinoma de células escamosas do esôfago é insidioso. Normalmente, os pacientes apresentam disfagia, odinofagia (dor à deglutição) ou obstrução na apresentação e podem ter se adaptado inconscientemente à obstrução progressiva do esôfago, alterando a dieta de alimentos sólidos para líquidos. A perda de peso e a debilitação resultam da nutrição prejudicada e da caquexia associada ao tumor. A ulceração do tumor pode ser acompanhada de hemorragia e sepse, e, com frequência, aparecem sintomas de deficiência de ferro. Em certas ocasiões, os primeiros sintomas são causados por aspiração de alimentos através de uma fístula traqueoesofágica (causada pela extensão do tumor dentro da traqueia).

A prevalência aumentada de rastreamento endoscópico levou à detecção mais precoce do carcinoma de células escamosas do esôfago. Isso é importante, visto que as taxas de sobrevida em 5 anos são de 75% em indivíduos com lesões superficiais, porém são muito mais baixas em pacientes com tumores mais avançados. As metástases para linfonodos estão associadas a um prognóstico reservado. Nos EUA, a taxa de sobrevida global em 5 anos continua inferior a 20% e varia de acordo com o estágio do tumor, a idade, a raça e o sexo do paciente.

Morfologia

Diferentemente da localização distal do adenocarcinoma, metade dos carcinomas de células escamosas ocorre no terço médio do esôfago (**Figura 17.10B**). O carcinoma de células escamosas começa como uma lesão *in situ*, denominada **displasia escamosa** (essa histopatologia é designada como neoplasia intraepitelial ou carcinoma *in situ* em locais fora do trato GI, como, por exemplo, no colo do útero). As lesões iniciais aparecem como pequenos espessamentos branco-acinzentados semelhantes a placas. Ao longo de meses a anos, eles crescem e formam massas tumorais, que podem ser polipoides ou exofíticas e se projetam na luz, causando a sua obstrução. Outros tumores consistem em lesões ulceradas ou difusamente infiltrativas, que se espalham dentro da parede do esôfago e causam espessamento, rigidez e estreitamento luminal. Os tumores podem invadir estruturas circundantes, incluindo a árvore respiratória (causando pneumonia), a aorta (causando exsanguinação catastrófica) ou o mediastino e o pericárdio.

Conceitos-chave

Doenças do esôfago

- As anormalidades da motilidade do esôfago incluem esôfago em quebra-nozes e espasmo esofágico difuso
- A acalasia, caracterizada por relaxamento incompleto do esfíncter esofágico inferior, aumento do tônus do esfíncter esofágico inferior e aperistalse do esôfago, constitui uma forma comum de obstrução funcional do esôfago. Ela pode ser primária ou secundária, e essa última forma ocorre comumente devido à infecção por *Trypanosoma cruzi*
- As lacerações de Mallory-Weiss da mucosa na junção gastresofágica desenvolvem-se em consequência de ânsia de vômito ou vômitos intensos
- A esofagite pode resultar de lesão química ou infecciosa da mucosa. A infecção é mais comum em indivíduos imunocomprometidos

- A causa mais prevalente de esofagite é o refluxo de ácido gástrico no esôfago (DRGE)
- A esofagite eosinofílica está fortemente associada à alergia alimentar, rinite alérgica ou asma. Trata-se de uma causa comum de sintomas semelhantes à DRGE em crianças que vivem em países de alta renda
- As varizes gastresofágicas constituem uma consequência da hipertensão portal e estão presentes em metade dos pacientes com cirrose

- O esôfago de Barrett desenvolve-se em pacientes com DRGE crônica e representa uma metaplasia colunar da mucosa escamosa do esôfago
- O esôfago de Barrett constitui um fator de risco para o desenvolvimento de adenocarcinoma de esôfago
- O carcinoma de células escamosas do esôfago está associado ao uso de álcool e tabaco, pobreza, lesão esofágica cáustica, acalasia, tilose e síndrome de Plummer-Vinson.

Estômago

Os distúrbios do estômago constituem uma causa frequente de doença clínica, em que as lesões inflamatórias e neoplásicas são mais comuns. Nos EUA, as doenças relacionadas com o estômago são responsáveis por quase um terço de todos os gastos com cuidados de saúde relacionados às doenças gastrintestinais. Além disso, apesar da redução da incidência em certos locais, como nos EUA, o câncer gástrico continua sendo uma importante causa de morte em todo o mundo.

O estômago é dividido em quatro regiões anatômicas principais: a cárdia, o fundo gástrico, o corpo gástrico e o antro pilórico. A cárdia e o antro pilórico são revestidos principalmente por células foveolares secretoras de mucina, que formam pequenas glândulas. As glândulas do antro pilórico são semelhantes, mas também contêm células endócrinas, como as células G, que liberam gastrina para estimular a secreção luminal de ácido pelas células parietais dentro do fundo e do corpo gástricos. As glândulas bem desenvolvidas do corpo e do fundo gástricos contêm células parietais, bem como células principais, que produzem e secretam enzimas digestivas.

Gastropatia e gastrite aguda

A inflamação da mucosa gástrica ocorre em muitas condições e é denominada gastrite aguda, quando há presença de neutrófilos, e gastropatia, quando as células inflamatórias são raras ou estão ausentes. As substâncias irritantes, incluindo agentes anti-inflamatórios não esteroides (AINEs), álcool e bile, constituem as causas mais comuns de gastropatia. Tanto a gastropatia quanto a gastrite podem ser assintomáticas ou podem estar associadas a dor epigástrica, náuseas e vômitos. Nos casos mais graves, pode haver erosão da mucosa, ulceração, hemorragia, hematêmese, melena ou, raramente, perda maciça de sangue.

Patogênese

A luz gástrica apresenta pH próximo a 1, isto é, mais de 1 milhão de vezes mais ácido do que o sangue. Esse ambiente hostil contribui para a digestão, mas também tem o potencial de provocar danos. Múltiplos mecanismos evoluíram para proteger a mucosa gástrica (**Figura 17.12**). As secreções das células foveolares formam uma fina camada de muco e fosfolipídios, que impede o contato direto das grandes partículas de alimento com o epitélio. O muco também promove a formação de uma camada "inerte" de líquido com pH neutro, como resultado da secreção de íons bicarbonato pelas células epiteliais superficiais. Abaixo do muco, as células epiteliais gástricas formam uma barreira física, que limita a difusão retrógrada de ácido e o extravasamento de outros materiais luminais, incluindo enzimas digestivas, na lâmina própria. As células foveolares da superfície são substituídas a cada 3 a 7 dias, ao passo que as células parietais e principais são de vida mais longa. A rica vascularização da mucosa fornece oxigênio e nutrientes e remove qualquer ácido gástrico que possa ter se difundido na lâmina própria.

A gastropatia e a gastrite ocorrem quando as forças lesivas superam os fatores protetores (**Figura 17.12**). A ruptura dos mecanismos protetores é ilustrada pelos seguintes exemplos:

- *Inibição da ciclo-oxigenase (COX) por AINEs.* Os AINEs inibem a síntese de prostaglandinas E_2 e I_2 dependente de COX, que contribuem para quase todos os mecanismos de defesa anteriormente citados, incluindo: secreção de muco, bicarbonato e fosfolipídios; fluxo sanguíneo da mucosa; e restituição epitelial. Eles também reduzem a secreção de ácido. Embora a COX-1 desempenhe um papel mais importante do que a COX-2, ambas as isoenzimas contribuem para a proteção da mucosa. Por conseguinte, enquanto o risco de lesão gástrica induzida por AINEs é maior com inibidores não seletivos, como o ácido acetilsalicílico, o ibuprofeno e o naproxeno, os inibidores seletivos da COX-2, como o celecoxibe, também podem causar gastropatia ou gastrite
- A *inibição dos transportadores de bicarbonato gástricos* por íons amônio pode resultar em lesão gástrica nos pacientes urêmicos e naqueles infectados por *H. pylori* secretor de urease
- A *redução da secreção de mucina e de bicarbonato* foi sugerida como fator para explicar o aumento de suscetibilidade de adultos de mais idade à gastrite
- A *diminuição do fornecimento de oxigênio* pode ser responsável pelo aumento da incidência de gastrite aguda em grandes altitudes.

A ingestão de substâncias químicas agressivas, particularmente ácidos ou bases, seja acidentalmente, seja como tentativa de suicídio, provoca lesão gástrica grave. O dano celular direto também contribui para a gastrite induzida pelo consumo de álcool, por AINEs, radioterapia e quimioterapia. Os agentes que inibem a síntese de DNA ou o aparelho mitótico, incluindo aqueles utilizados na quimioterapia do câncer, podem causar dano generalizado à mucosa ao inibir a renovação epitelial.

Morfologia

Ao exame histológico, pode ser difícil reconhecer a gastropatia e a gastrite aguda leve, visto que a lâmina própria exibe apenas edema moderado e congestão vascular leve. O epitélio de superfície permanece intacto, porém se observa, com frequência, a presença de hiperplasia das células foveolares, com perfis característicos em saca-rolha e proliferação epitelial. É possível encontrar neutrófilos entre as células epiteliais ou dentro da luz das glândulas mucosas na gastrite. A lâmina própria contém apenas alguns linfócitos e plasmócitos.

A presença de neutrófilos acima da membrana basal, em contato direto com as células epiteliais, é anormal em todas as partes do trato GI e indica a presença de inflamação ativa ou, neste caso, de gastrite (em vez de gastropatia). O termo *inflamação ativa* é preferido à expressão inflamação aguda, visto que os neutrófilos podem estar presentes nos estados tanto agudo quanto crônico da doença. Por conseguinte, no trato GI, o termo agudo refere-se à duração da doença, e não ao padrão inflamatório.

Com a progressão da lesão, as erosões (*i. e.*, defeitos da mucosa superficial) são acompanhadas de infiltrado neutrofílico e exsudato contendo fibrina dentro da luz. A hemorragia pode causar pontos escuros na mucosa hiperêmica. A erosão e a hemorragia de ocorrência concomitante são denominadas **gastrite hemorrágica erosiva aguda**. Embora grandes áreas da superfície gástrica possam estar desnudas, o comprometimento é geralmente superficial.

Doença da mucosa relacionada com o estresse

A doença da mucosa relacionada com o estresse ocorre em pacientes com traumas graves, queimaduras extensas, doença intracraniana, cirurgia de grande porte, doença clínica grave e outras formas de estresse fisiológico grave. Em alguns casos, as úlceras associadas ao estresse recebem nomes específicos, com base na localização e em associações clínicas. Por exemplo:

- As *úlceras de estresse* são mais comuns nas situações de choque, sepse ou trauma grave
- As *úlceras de Curling* referem-se a úlceras que ocorrem na parte proximal do duodeno, no contexto de queimaduras ou traumas graves
- As *úlceras de Cushing* referem-se a úlceras gástricas, duodenais e esofágicas que surgem em indivíduos com doença intracraniana. Elas apresentam elevado risco de perfuração.

Patogênese

A patogênese da lesão da mucosa gástrica associada ao estresse está mais frequentemente relacionada com isquemia local. Isso pode ser devido à hipotensão sistêmica ou à redução do fluxo sanguíneo, causada por vasoconstrição esplâncnica induzida por estresse. A suprarregulação e a liberação aumentada do vasoconstritor endotelina-1 também contribuem para a lesão isquêmica da mucosa gástrica.

Acredita-se que as lesões associadas a lesões intracranianas sejam causadas pela estimulação direta dos núcleos vagais, causando hipersecreção de ácido gástrico. A acidose sistêmica, um achado frequente nessas situações, também pode contribuir para o dano à mucosa ao reduzir o pH intracelular das células mucosas e o gradiente de pH, que promove a eliminação do ácido que sofreu difusão retrógrada na lâmina própria.

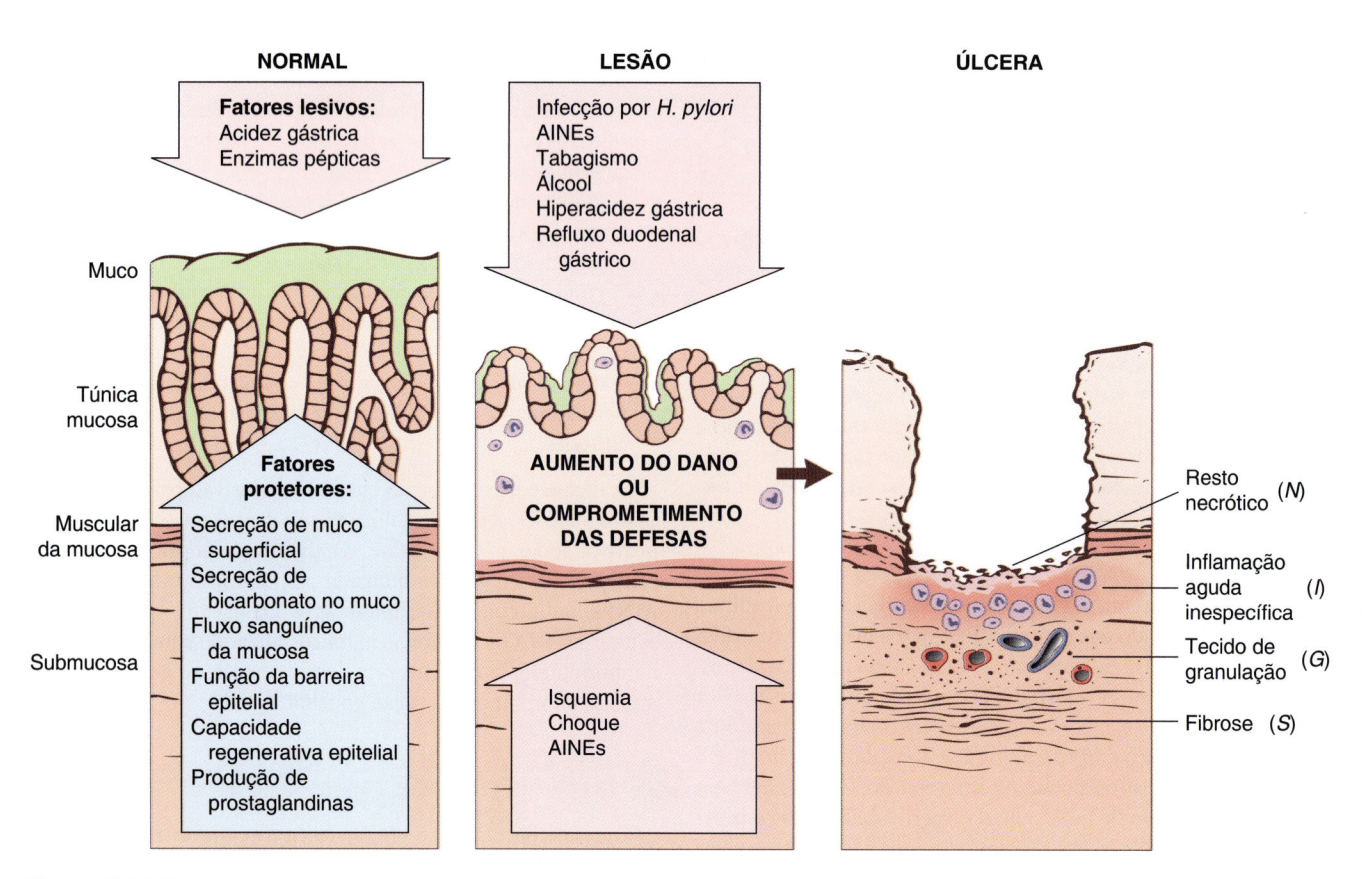

Figura 17.12 Mecanismos de lesão e proteção gástricas. O diagrama ilustra a progressão das formas mais leves de lesão até a ulceração que podem ocorrer na gastrite aguda ou crônica. As úlceras incluem camadas de necrose (*N*), inflamação (*I*) e tecido de granulação (*G*), porém uma cicatriz fibrótica (*S*), que leva tempo para se desenvolver, só é encontrada nas lesões crônicas. AINEs, anti-inflamatórios não esteroides.

> ### Morfologia
>
> A lesão da mucosa gástrica relacionada com o estresse varia desde erosões superficiais até lesões que penetram a mucosa. As úlceras são arredondadas, com menos de 1 cm de diâmetro e apresentam uma base que é frequentemente corada de marrom a negro pela digestão ácida do sangue extravasado. Diferentemente das úlceras pépticas, que, em geral, são solitárias e localizadas no antro, as úlceras de estresse agudas são encontradas em qualquer parte do estômago e, com frequência, são múltiplas. Ao exame microscópico, as úlceras de estresse agudas são nitidamente demarcadas, com mucosa adjacente relativamente normal. Pode-se observar a presença de serosite, porém a cicatrização e o espessamento dos vasos sanguíneos que caracterizam as úlceras pépticas crônicas estão claramente ausentes. A cicatrização com reepitelização completa ocorre dentro de alguns dias até semanas após o tratamento bem-sucedido da condição subjacente.

Características clínicas

Os pacientes em estado crítico internados em unidades de terapia intensiva apresentam, em sua maioria, evidências histológicas de dano à mucosa gástrica. O sangramento dessas lesões é grave o suficiente para exigir transfusões de hemácias em 1 a 4% desses pacientes. Além disso, podem ocorrer outras complicações, incluindo perfuração. Os inibidores da bomba de prótons profiláticos podem atenuar o impacto da ulceração de estresse, porém o determinante mais importante do resultado clínico é a possibilidade de corrigir a condição subjacente.

As causas de sangramento gástrico não relacionadas com o estresse incluem as seguintes condições:

- A *lesão de Dieulafoy* consiste em uma arteríola submucosa anormal, geralmente encontrada na curvatura menor do estômago, próximo à junção gastresofágica. A erosão do epitélio sobrejacente pode causar sangramento gástrico recorrente, que, apesar de ser normalmente autolimitado, pode ser copioso. O uso de AINEs pode aumentar o risco de sangramento
- A *ectasia vascular do antro gástrico* (*EVAG*) é responsável por 4% das hemorragias GI superiores não varicosas. Ela pode ser reconhecida na endoscopia como faixas longitudinais de mucosa eritematosa e edematosa, que se alternam com a mucosa mais pálida e menos gravemente afetada, descrita, às vezes, como estômago em melancia. As faixas eritematosas são criadas por vasos ectásicos da mucosa. Ao exame histológico, a mucosa do antro revela a presença de gastropatia reativa, com capilares dilatados que contêm trombos de fibrina. Embora seja com mais frequência idiopática, a EVAG pode estar associada à cirrose e à esclerose sistêmica. O sangramento recorrente pode produzir um resultado positivo no teste para sangue nas fezes e levar à anemia ferropriva.

Gastrite crônica e suas complicações

A gastrite crônica é causada com mais frequência pela infecção por *H. pylori*. Outras causas incluem gastrite autoimune, lesão por radiação, refluxo biliar crônico, lesão mecânica (p. ex., sonda nasogástrica de demora) e comprometimento por doenças sistêmicas, como doença de Crohn, amiloidose ou doença do enxerto-*versus*-hospedeiro.

Em comparação com a gastrite aguda, os sintomas associados à gastrite crônica normalmente são menos graves, porém mais persistentes. As náuseas e a dor abdominal superior são típicas, algumas vezes com vômitos; todavia, a hematêmese é incomum.

Gastrite por *Helicobacter pylori*

As bactérias da espécie *H. pylori* são bacilos em forma de espiral ou curvos, presentes nas amostras de biopsia gástrica de quase todos os pacientes com úlceras duodenais, bem como na maioria dos indivíduos com úlceras gástricas ou gastrite crônica. A infecção aguda por *H. pylori*, *per se*, não produz sintomas suficientes para que chame a atenção médica na maioria dos casos; é a gastrite crônica que, em última análise, leva o indivíduo a procurar tratamento. As espécies de *H. pylori* estão presentes na maioria dos indivíduos com gastrite crônica antral.

Epidemiologia. Nos EUA, a infecção por *H. pylori* está associada à pobreza, a aglomerações domésticas, à educação limitada, à residência em áreas rurais, ao nascimento fora dos EUA e à idade acima dos 60 anos. A prevalência da infecção também é maior em indivíduos de etnia afro-americana ou hispano-americana, bem como em algumas populações de imigrantes. Os seres humanos são os principais portadores, o que sugere que a transmissão ocorre principalmente por via fecal-oral. Normalmente, a infecção é adquirida na infância e, na ausência de tratamento, persiste durante toda a vida. A melhora das condições sanitárias explica a acentuada redução das taxas de infecção por *H. pylori* entre pessoas mais jovens. Nos países com recursos, a infecção por *H. pylori* é rara antes dos 10 anos, e é encontrada em apenas 10% dos indivíduos entre 18 e 30 anos, porém é observada em até 50% daqueles com mais de 65 anos. Pode-se concluir que o ambiente durante a infância constitui um risco de importância crítica para a colonização por *H. pylori*.

Patogênese

Com mais frequência, a infecção por *H. pylori* manifesta-se como gastrite predominantemente antral, com produção de ácido normal ou elevada. Quando a inflamação permanece limitada ao antro, o aumento modesto da produção local de gastrina pode aumentar a massa de células parietais dentro do corpo gástrico, bem como a secreção de ácido, levando a um maior risco de úlcera péptica gástrica ou duodenal (ver adiante). Como alternativa, a gastrite por *H. pylori* de longa duração pode evoluir e comprometer o corpo e o fundo gástricos. Isso pode resultar em gastrite atrófica, com redução da massa de células parietais e metaplasia intestinal. Diferentemente da gastrite autoimune (ver adiante), a atrofia induzida por *H. pylori* não está associada a autoanticorpos e, em geral, é focal. A perda das células parietais leva à redução da secreção de ácido, o que, por sua vez, estimula a produção de gastrina. Entretanto, como algumas células parietais sobrevivem, a secreção limitada de ácido continua, e os aumentos da gastrina não são tão pronunciados quanto aqueles da gastrite autoimune. Entretanto, a secreção diminuída de ácido na gastrite por *H. pylori* com atrofia diminui o risco de úlceras gástricas e duodenais. Isso resulta em uma relação inversa entre o adenocarcinoma gástrico, que está associado à atrofia e à metaplasia intestinal, e as úlceras duodenais, que estão associadas ao aumento da secreção de ácido.

H. pylori adaptou-se ao nicho ecológico proporcionado pelo muco gástrico. A sua virulência está ligada aos seguintes fatores:

- *Flagelos*, que permitem a mobilidade das bactérias no muco viscoso
- *Urease*, que gera amônia a partir da ureia endógena e, portanto, eleva o pH gástrico local e aumenta a sobrevivência das bactérias
- *Adesinas*, que aumentam a aderência bacteriana à superfície das células foveolares
- *Toxinas*, como o gene A associado à citotoxina (*CagA*).

A variação nesses e em outros fatores bacterianos está fortemente ligada aos resultados. Por exemplo, o gene *CagA* está presente em cerca de 50% dos isolados de *H. pylori* de modo global, porém em 90% dos isolados de *H. pylori* em populações com prevalência aumentada de câncer gástrico. Isso pode ser devido, em parte, às cepas que expressam *CagA*, que colonizam o corpo gástrico e induzem secreção de citocinas pró-inflamatórias, atrofia e metaplasia intestinal de modo mais efetivo do que *H. pylori* negativo para *CagA*.

Os fatores do hospedeiro também desempenham um importante papel no resultado da infecção por *H. pylori*. Os polimorfismos genéticos, que levam à expressão aumentada das citocinas pró-inflamatórias – fator de necrose tumoral (TNF) e interleucina (IL)-1β – ou à diminuição da expressão da citocina anti-inflamatória IL-10, parecem estar associados ao desenvolvimento de pangastrite, atrofia, metaplasia intestinal e câncer gástrico. Por conseguinte, a evolução da gastrite por *H. pylori* é o resultado da interação entre as defesas mucosas gastroduodenais, as respostas imunes do hospedeiro e os fatores de virulência bacteriana.

Morfologia

Em geral, as amostras de biopsia gástrica demonstram a presença de *H. pylori* em indivíduos infectados. O microrganismo concentra-se no muco superficial que recobre as células epiteliais nas regiões da superfície e do colo. A distribuição pode ser irregular, com áreas de colonização maciça adjacentes àquelas com poucos microrganismos. Os microrganismos são demonstrados com mais facilidade por meio de imunocoloração ou coloração histoquímica (**Figura 17.13A**).

O antro constitui o local de biopsia preferido para a avaliação da gastrite *H. pylori*, visto que é mais comumente infectado. Na colonização densa, os microrganismos também podem ser encontrados na mucosa oxíntica (produtora de ácido) do fundo e do corpo gástricos. A mucosa antral infectada por *H. pylori* é geralmente eritematosa e apresenta uma aparência grosseira ou até mesmo nodular. O infiltrado inflamatório inclui um grande número de plasmócitos, com frequência em agrupamentos ou lâminas, dentro da lâmina própria superficial. Eles são acompanhados por números aumentados de linfócitos, macrófagos e neutrófilos dentro da lâmina própria. Os neutrófilos infiltram-se através da membrana basal (**Figura 17.13B**) e acumulam-se na luz das glândulas gástricas ou depressões, criando abscessos de criptas. Quando intensos, os infiltrados inflamatórios podem criar pregas rugosas espessas, simulando a aparência endoscópica de cânceres em estágio inicial. Os agregados linfoides, alguns dos quais com centros germinativos, estão comumente presentes (**Figura 17.13C**) e representam o **tecido linfoide associado à mucosa** (MALT, *mucosa associated lymphoid tissue*) induzido, que tem o potencial de se transformar em linfoma. Por conseguinte, a gastrite crônica por *H. pylori* está associada ao risco aumentado de adenocarcinoma gástrico e linfoma.

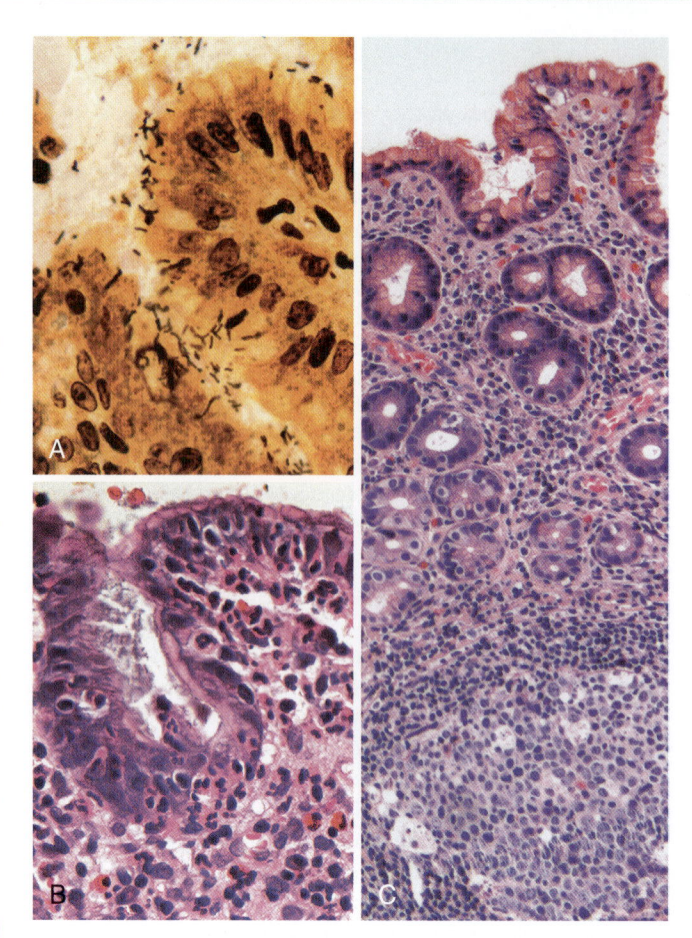

Figura 17.13 Gastrite por *Helicobacter pylori*. **A.** Os *H. pylori* espiralados são destacados nessa coloração pela prata de Warthin-Starry. Os microrganismos estão presentes em quantidade abundante dentro do muco superficial. **B.** Os neutrófilos intraepiteliais e da lâmina própria são proeminentes. **C.** Os agregados linfoides com centros germinativos e plasmócitos subepiteliais em quantidade abundante dentro da lâmina própria superficial constituem uma característica da gastrite por *H. pylori*.

Características clínicas

As alterações observadas na gastrite atrófica por *H. pylori* às vezes são descritas como gastrite atrófica metaplásica ambiental para distingui-la da gastrite atrófica metaplásica autoimune (descrita adiante). Além da identificação histológica do microrganismo, foram desenvolvidos vários exames complementares não invasivos, incluindo sorologia para anticorpos contra *H. pylori*, detecção bacteriana fecal e teste do hidrogênio no ar expirado, que é positivo, devido à amônia produzida pela urease bacteriana. Outros exames complementares realizados em biopsias incluem teste rápido da urease, cultura bacteriana ou detecção do DNA de *H. pylori* por reação em cadeia pela polimerase (PCR, *polymerase chain reaction*).

Os tratamentos efetivos para a infecção por *H. pylori* incluem associações de antibióticos e inibidores da bomba de prótons. Em geral, os indivíduos com gastrite por *H. pylori* melhoram após o tratamento, embora possam ocorrer recidivas após a erradicação incompleta ou reinfecção, particularmente em regiões com altas taxas de colonização endêmica.

Gastrite atrófica autoimune

Diferentemente da gastrite associada a *H. pylori*, a gastrite atrófica autoimune preserva o antro e está frequentemente associada à hipergastrinemia acentuada (Tabela 17.2). Ela é responsável por menos de 10% dos casos de gastrite crônica e tem prevalência estimada de 2% em indivíduos com idade superior a 60 anos. A gastrite atrófica autoimune caracteriza-se por:

- Anticorpos dirigidos contra as células parietais e o fator intrínseco, que podem ser detectados no soro e nas secreções gástricas
- Concentração sérica reduzida de pepsinogênio I
- Hiperplasia das células endócrinas
- Deficiência de vitamina B_{12}
- Secreção deficiente de ácido gástrico (acloridria).

Patogênese

A gastrite atrófica autoimune está associada à perda de células parietais, que são responsáveis pela secreção de ácido gástrico e fator intrínseco. A ausência de produção de ácido estimula a liberação de gastrina, resultando em hipergastrinemia e hiperplasia das células G do antro produtoras de gastrina. A perda do fator intrínseco resulta em absorção ileal deficiente de vitamina B_{12}, levando, por fim, à deficiência de vitamina B_{12} e à *anemia perniciosa* (uma forma de anemia megaloblástica descrita no **Capítulo 14**). A elevada frequência de metaplasia intestinal associada levou ao uso do termo *gastrite atrófica metaplásica autoimune*.

As células T CD4+ direcionadas contra componentes da célula parietal, incluindo a hidrogênio potássio adenosina trifosfatase (H^+,K^+-ATPase), são consideradas os principais agentes de lesão na gastrite atrófica autoimune. Essa ideia é sustentada pela observação de que a transferência de células T CD4+ reativas à H^+,K^+-ATPase em camundongos normais resulta em gastrite e produção de autoanticorpos dirigidos contra a H^+,K^+-ATPase. Não há evidências de uma reação autoimune às células principais, o que sugere que elas podem ter sido perdidas em consequência da destruição das glândulas gástricas durante o ataque autoimune às células parietais. Se a destruição autoimune for controlada por meio de imunossupressão, pode haver repovoamento das glândulas, o que demonstra que as células-tronco gástricas sobrevivem e têm a capacidade de se diferenciar em células parietais e principais.

Os autoanticorpos contra componentes das células parietais, mais proeminentemente a H^+,K^+-ATPase ou bomba de prótons, e o fator intrínseco estão presentes em até 80% dos pacientes com gastrite atrófica autoimune. Entretanto, não se acredita que esses anticorpos sejam patogênicos, visto que nem o fator intrínseco secretado nem a bomba de prótons orientada para a luz são acessíveis aos anticorpos circulantes, e a transferência passiva desses anticorpos não provoca gastrite em animais experimentais.

Morfologia

A gastrite atrófica autoimune caracteriza-se por dano difuso à mucosa oxíntica (produtora de ácido) dentro do corpo e do fundo gástricos. O antro e a cárdia normalmente são preservados. Com a atrofia difusa, a mucosa oxíntica do corpo e do fundo gástricos aparece acentuadamente adelgaçada, e há perda das pregas gástricas. Se a deficiência de vitamina B_{12} for grave, ocorre o aumento do tamanho do núcleo (alteração megaloblástica) nas células epiteliais. Pode-se observar a presença de neutrófilos, porém o infiltrado inflamatório normalmente é composto de linfócitos, macrófagos e plasmócitos, com frequência em associação com agregados linfoides e folículos. Diferentemente da inflamação da lâmina própria superficial, que é típica da gastrite por *H. pylori*, a inflamação na gastrite atrófica autoimune é mais profunda e centralizada nas glândulas gástricas (**Figura 17.14A**). A perda das células parietais e principais pode ser extensa. Quando a atrofia não é completa, ilhas residuais de mucosa oxíntica podem conferir uma aparência de múltiplos pólipos pequenos ou nódulos. Em outras áreas, pequenas elevações superficiais podem representar locais de metaplasia intestinal, caracterizada pela presença de células caliciformes e células absortivas colunares (**Figura 17.14B**). É comum a presença de hiperplasia de células endócrinas e do tipo enterocromafim. Raramente, a hiperplasia de células endócrinas pode progredir para formar pequenos tumores multicêntricos neuroendócrinos de baixo grau (carcinoides).

Características clínicas

Os anticorpos dirigidos contra as células parietais e o fator intrínseco já estão presentes duas a três décadas antes do aparecimento da atrofia gástrica e de outras complicações, como anemia perniciosa; por conseguinte, a progressão para a doença clinicamente evidente é lenta. A idade mediana por ocasião do diagnóstico é de 60 anos. A doença afeta um número ligeiramente maior de mulheres do que de homens, e não parece haver viés étnico nem racial. A anemia perniciosa e a gastrite atrófica autoimune com

Tabela 17.2 Características da gastrite associada a *Helicobacter pylori* e autoimune.

	Associada a *H. pylori*	Autoimune
Localização	Antro	Corpo gástrico
Infiltrado inflamatório	Neutrófilos, plasmócitos subepiteliais	Linfócitos, macrófagos
Produção de ácido	Aumentada a ligeiramente diminuída	Diminuída
Secreção de gastrina	Normal a aumentada	Aumentada a acentuadamente aumentada
Outras lesões	Pólipos hiperplásicos/inflamatórios	Hiperplasia neuroendócrina
Sorologia	Anticorpos contra *H. pylori*	Anticorpos contra células parietais (H^+,K^+-ATPase, fator intrínseco)
Sequelas	Úlcera péptica, adenocarcinoma, MAlToma	Atrofia, anemia perniciosa, adenocarcinoma, tumor carcinoide
Associações	Baixo nível socioeconômico, pobreza, residência em áreas rurais	Doença autoimune: tireoidite, diabetes melito, doença de Graves

H^+,K^+-*ATPase*, hidrogênio potássio adenosina trifosfatase; *MAlToma*, linfoma de tecido linfoide associado à mucosa.

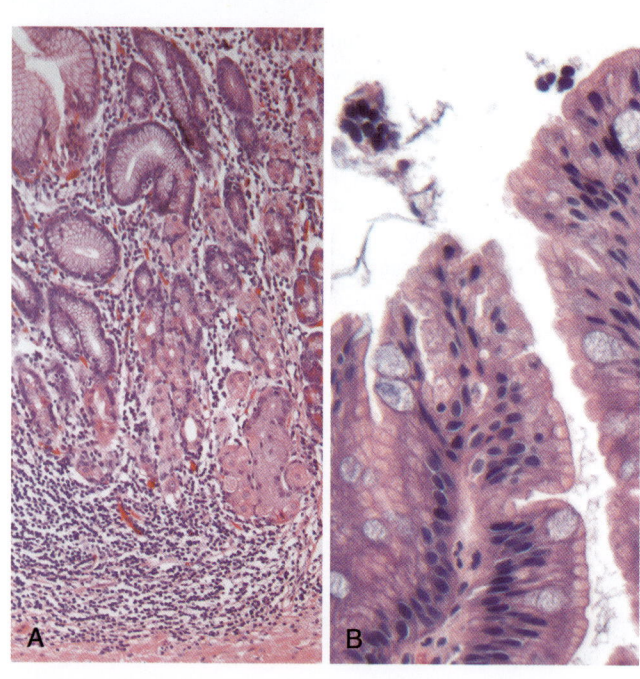

Figura 17.14 Gastrite autoimune. **A.** Fotomicrografia em pequeno aumento do corpo gástrico mostrando infiltrados inflamatórios profundos, principalmente compostos de linfócitos, e atrofia glandular. **B.** Metaplasia intestinal, reconhecível pela presença de células caliciformes dentro do epitélio foveolar gástrico.

frequência estão associadas a outras doenças autoimunes, incluindo tireoidite de Hashimoto, diabetes melito tipo 1, doença de Addison e outras doenças. Essas associações, em conjunto com a concordância em alguns gêmeos monozigóticos e o agrupamento da doença em famílias, respaldam a predisposição genética. Contudo, há poucas evidências de uma ligação entre a gastrite autoimune e os alelos específicos do antígeno leucocitário humano (HLA, *human leukocyte antigen*).

As características clínicas estão relacionadas principalmente com a deficiência de vitamina B$_{12}$, incluindo anemia megaloblástica (ver **Capítulo 14**) glossite atrófica, em que a língua se torna lisa e vermelho-vivo, megaloblastose epitelial, diarreia má absortiva, entre outras (ver **Capítulo 28**). As características clínicas e as alterações patológicas relacionadas com os efeitos da deficiência de vitamina B$_{12}$ sobre a medula e o SNC (p. ex., degeneração combinada subaguda da medula espinal) são descritas de modo detalhado nos **Capítulos 14** e **28**, respectivamente.

Formas incomuns de gastrite

Gastrite eosinofílica. A gastrite eosinofílica caracteriza-se por danos teciduais associados a infiltrados densos de eosinófilos nas túnicas mucosa e muscular, geralmente na região do antro ou do piloro. A lesão também pode ser encontrada em outras áreas no trato GI e está associada à eosinofilia periférica e a níveis séricos elevados de IgE. As reações alérgicas constituem uma das causas de gastrite eosinofílica, em que o leite de vaca e a proteína da soja representam os alergênios mais comuns em crianças. A gastrite eosinofílica também pode ocorrer em associação com distúrbios imunes, como esclerose sistêmica e miopatia inflamatória, infecções parasitárias e até mesmo infecção por *H. pylori*.

Gastrite linfocítica. Essa doença afeta predominantemente as mulheres e produz sintomas abdominais inespecíficos. A gastrite linfocítica é idiopática, porém cerca de 40% dos casos estão associados à doença celíaca, o que sugere uma patogênese imunomediada. Normalmente, a gastrite linfocítica acomete todo o estômago e, com frequência, é denominada *gastrite varioliforme*, com base na sua aparência endoscópica distinta (caracterizada por pregas espessas recobertas por pequenos nódulos com ulceração aftosa central). Do ponto de vista histológico, observa-se um acentuado aumento do número de linfócitos T intraepiteliais.

Gastrite granulomatosa. O termo descritivo gastrite granulomatosa é aplicado para referir-se a qualquer gastrite que contenha granulomas. Ele abrange um grupo diverso de doenças, com características clínicas e patológicas amplamente variáveis. Muitos casos são idiopáticos. Em populações ocidentais, o comprometimento gástrico pela doença de Crohn constitui a causa específica mais comum de gastrite granulomatosa, seguida de sarcoidose e infecções (incluindo micobactérias, fungos, CMV e *H. pylori*). Além da presença de granulomas histologicamente evidentes, podem ocorrer estreitamento e rigidez do antro gástrico secundários à inflamação granulomatosa transmural.

Doença da ulcerosa péptica

A doença ulcerosa péptica (DUP) refere-se à ulceração crônica da mucosa que afeta o duodeno ou o estômago e quase sempre está associada à infecção por *H. pylori*, ao uso de AINEs ou ao tabagismo. A forma mais comum de DUP ocorre no antro gástrico ou no duodeno, em consequência de gastrite antral crônica induzida por *H. pylori*, que está associada ao aumento da secreção de ácido gástrico e à redução da secreção de bicarbonato duodenal. Conforme assinalado, a infecção por *H. pylori* que acomete o fundo ou o corpo gástricos é geralmente acompanhada de aumento mais modesto da secreção de ácido, devido à atrofia gástrica associada. Em virtude da secreção ácida reduzida, os indivíduos com atrofia da mucosa gástrica geralmente são protegidos de úlceras do antro e do duodeno. A DUP também pode ser causada pelo ácido secretado pela mucosa gástrica ectópica dentro do duodeno, por divertículo de Meckel ou por mucosa gástrica ectópica esofágica (heterotopia gástrica [*inlet patch*]).

Epidemiologia. A incidência da DUP está caindo, assim como a redução da prevalência da infecção por *H. pylori*. Todavia, a DUP em pacientes com idade superior a 60 anos aumentou, em virtude do uso crescente de AINEs. Isso pode ser amplificado pela infecção por *H. pylori*, que atua de modo sinérgico com o ácido acetilsalicílico em baixas doses (pelos seus benefícios cardiovasculares), induzindo a lesão gástrica. A DUP também está associada ao tabagismo e à doença cardiovascular, provavelmente devido à diminuição do fluxo sanguíneo, da oxigenação e da cicatrização da mucosa. Outros fatores de risco para a DUP estão listados na **Tabela 17.3**.

Patogênese

A DUP resulta de desequilíbrios entre os mecanismos de defesa e os fatores lesivos que provocam gastrite crônica (discutidos anteriormente). Por conseguinte, a DUP desenvolve-se, em geral, a partir de uma gastrite crônica. As razões pelas quais algumas pessoas só desenvolvem gastrite crônica, ao passo que outras

Tabela 17.3 Fatores de risco para doença ulcerosa péptica.

- Infecção por *Helicobacter pylori*
- Tabagismo (que atua de modo sinérgico com *H. pylori* para a DUP gástrica)
- Doença pulmonar obstrutiva crônica
- Substâncias ilícitas, por exemplo, cocaína, que reduz o fluxo sanguíneo da mucosa
- AINEs (potencializados por corticosteroides)
- Cirrose alcoólica (principalmente DUP duodenal)
- Estresse psicológico (pode aumentar a secreção de ácido gástrico)
- Hiperplasia das células endócrinas (pode estimular o crescimento das células parietais e a secreção de ácido gástrico)
- Síndrome de Zollinger-Ellison (DUP do estômago, duodeno e jejuno)
- Infecção viral (CMV, herpes-vírus simples)

AINEs, anti-inflamatórios não esteroides; *CMV*, citomegalovírus; *DUP*, doença ulcerosa péptica.

desenvolvem DUP não estão bem compreendidas. Entretanto, à semelhança da gastrite por *H. pylori*, é provável que fatores do hospedeiro estejam envolvidos, bem como a variação observada na patogenicidade das cepas bacterianas.

Morfologia

As úlceras pépticas ocorrem no contexto da gastrite crônica; no entanto, são encontradas com mais frequência na parte proximal do duodeno, a uma distância de poucos centímetros da válvula pilórica. A metaplasia foveolar, na qual estão presentes células mucosas do tipo gástrico, é comum na doença péptica duodenal crônica e pode constituir uma resposta protetora, visto que os epitélios gástricos são menos sensíveis ao ácido do que os epitélios intestinais. As úlceras pépticas gástricas estão predominantemente localizadas ao longo da curvatura menor, próximo à interface do corpo gástrico e do antro.

As úlceras pépticas são solitárias em mais de 80% dos pacientes e formam um **defeito nitidamente em saca-bocado arredondado a oval** (Figura 17.15A). A margem da mucosa geralmente está nivelada com a mucosa circundante, porém pode projetar a base, particularmente no lado proximal. Em contrapartida, **as margens elevadas são mais características das neoplasias**. A profundidade das úlceras correlaciona-se com o diâmetro, e a extensão profunda pode ser limitada pela muscular própria gástrica espessa, pelo pâncreas aderente, pela gordura omental ou pelo fígado. A **perfuração** para a cavidade peritoneal é uma emergência cirúrgica, que pode ser identificada pela presença de ar livre no peritônio abaixo do diafragma em radiografias de abdome na posição ortostática.

A base das úlceras pépticas é lisa e limpa, em decorrência da digestão péptica do exsudato. As úlceras ativas podem ser revestidas por uma fina camada de restos fibrinoides, com infiltrado inflamatório predominantemente neutrofílico. Abaixo, o **tecido de granulação**, com vasos imaturos, leucócitos mononucleares e cicatriz fibrosa ou colagenosa, forma a base da úlcera (**Figura 17.15B**). Em geral, os vasos maiores dentro da área cicatrizada apresentam espessamento e estão ocasionalmente trombosados. O sangramento desses vasos pode causar **hemorragia** potencialmente fatal. A cicatrização pode envolver toda a espessura da parede e levar à formação de pregas na mucosa circundante, que se irradiam para fora (disposição radial).

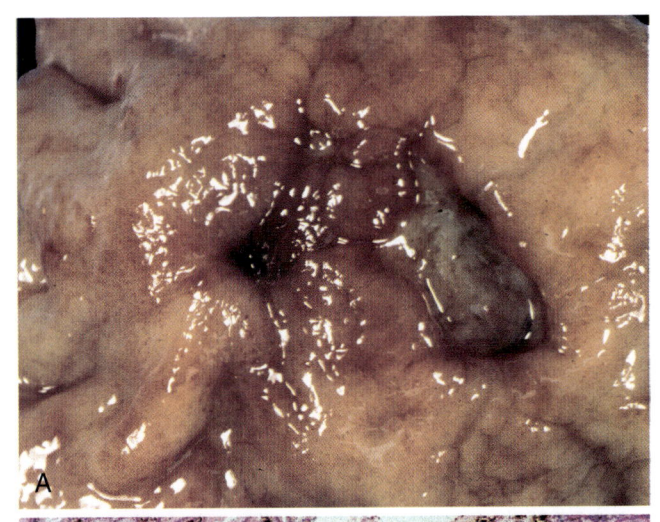

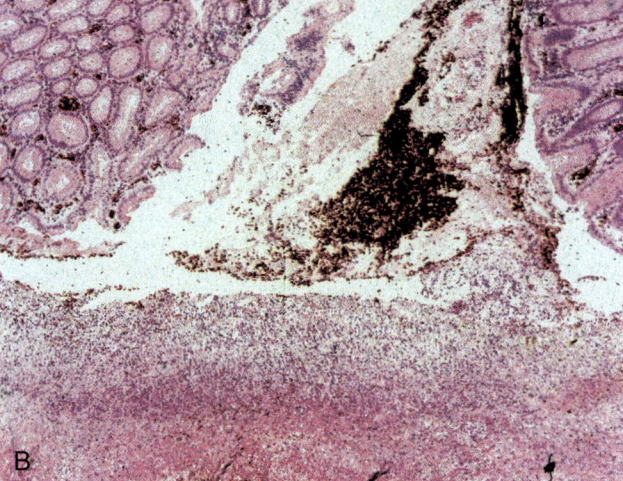

Figura 17.15 Perfuração gástrica aguda em um paciente com ar livre sob o diafragma (radiografia não mostrada). **A.** Defeito da mucosa com margens limpas. **B.** A base da úlcera necrótica é composta de tecido de granulação.

Características clínicas

Em geral, as úlceras pépticas apresentam-se clinicamente com queimação epigástrica ou dor contínua. Outras se apresentam com anemia ferropriva, hemorragia ou perfuração (**Tabela 17.4**). A dor tende a ocorrer 1 a 3 horas após as refeições durante o dia, torna-se mais intensa à noite (em geral, entre 11 horas da noite e 2 horas da manhã) e é aliviada por álcalis ou alimentos. Outras manifestações incluem náuseas, vômitos, distensão, eructação e perda de peso significativa. Nas úlceras penetrantes em camadas mais profundas, a dor é ocasionalmente referida para as costas, o quadrante superior esquerdo ou o tórax, onde pode ser interpretada erroneamente como de origem cardíaca.

As terapias atuais para a DUP são direcionadas para a erradicação de *H. pylori* e a neutralização do ácido gástrico, principalmente com inibidores da bomba de prótons. Além disso, é importante suspender outros agentes agressores, como os AINEs, incluindo os inibidores seletivos da COX-2, que podem interferir na cicatrização da mucosa. Embora as úlceras pépticas tenham sido anteriormente difíceis de erradicar, a taxa de recorrência hoje é inferior a 20% após a eliminação bem-sucedida de *H. pylori*.

Tabela 17.4 Complicações da doença ulcerosa péptica.

Sangramento
Ocorre em 15 a 20% dos pacientes
Complicação mais frequente
Pode ser potencialmente fatal
Responde por 25% das mortes relacionadas com úlceras
Pode ser a apresentação inicial de uma úlcera

Perfuração
Ocorre em até 5% dos pacientes
É responsável por dois terços das mortes relacionadas com úlceras
Raramente, é a apresentação inicial de uma úlcera

Obstrução
Principalmente em úlceras crônicas
Secundária ao edema ou à cicatrização
Ocorre em cerca de 2% dos pacientes
Mais frequentemente associada a úlceras do canal pilórico
Pode ocorrer com úlceras duodenais
Causa dor abdominal em cólica incapacitante
Raramente, pode causar obstrução total e vômitos intratáveis

que produzem nitrosaminas carcinogênicas. A metaplasia intestinal também ocorre na gastrite crônica por *H. pylori*, mas pode regredir após a eliminação do microrganismo.

Displasia

A gastrite crônica expõe o epitélio ao dano dos radicais livres relacionados com a inflamação e a estímulos proliferativos, que incluem respostas regenerativas à lesão e aumento da produção de gastrina, uma substância mitogênica do epitélio gástrico. Com o passar do tempo, essa combinação de estressores pode levar ao acúmulo e à amplificação de alterações genéticas, que resultam em carcinoma. As lesões *in situ* pré-invasivas podem ser reconhecidas histologicamente como displasia. Os marcadores morfológicos de displasia consistem em variações no tamanho, na forma e na orientação do epitélio, assim como na textura grosseira da cromatina, na hipercromasia e no aumento do núcleo. A distinção entre displasia e alterações epiteliais regenerativas induzidas pela inflamação ativa pode representar um desafio para o patologista, visto que o aumento da proliferação epitelial e das figuras mitóticas pode ser proeminente em ambas. Uma pista consiste no amadurecimento das células epiteliais reativas à medida que alcançam a superfície da mucosa, enquanto as lesões displásicas permanecem citologicamente imaturas.

Gastrite cística

A gastrite cística é uma proliferação epitelial reativa e exuberante associada ao aprisionamento de cistos revestidos por epitélio. Esses cistos podem ser encontrados dentro da submucosa (gastrite cística poliposa) ou nas camadas mais profundas da parede gástrica (gastrite cística profunda). Devido à associação com a gastrite crônica e a gastrectomia parcial, acredita-se que a gastrite cística seja induzida por trauma, porém as razões para o desenvolvimento de cistos epiteliais dentro das porções mais profundas da parede gástrica não estão bem definidas. As alterações epiteliais mais regenerativas podem ser proeminentes no epitélio aprisionado, de modo que a gastrite cística pode ser confundida com adenocarcinoma invasivo.

Outras complicações da gastrite crônica

Atrofia da mucosa e metaplasia intestinal

Conforme assinalado anteriormente, a gastrite crônica pode levar à perda significativa da massa celular. Essa atrofia oxíntica está frequentemente associada à metaplasia intestinal, reconhecida pela presença de células caliciformes, e está fortemente associada ao aumento do risco de adenocarcinoma gástrico. O risco de adenocarcinoma é maior na gastrite atrófica metaplásica autoimune. Isso pode ser devido ao fato de que a acloridria da atrofia da mucosa gástrica possibilita a proliferação excessiva de bactérias

Tabela 17.5 Gastropatias hipertróficas e pólipos gástricos.

Parâmetro	Doença de Ménétrier (adulto)	Síndrome de Zollinger-Ellison	Pólipos inflamatórios e hiperplásicos	Gastrite cística	Pólipos de glândulas fúndicas	Adenomas gástricos
Idade média do paciente, anos	30 a 60	50	50 a 60	Variável	50	50 a 60
Localização	Corpo e fundo gástricos	Fundo gástrico	Antro > corpo gástrico	Corpo gástrico	Corpo e fundo gástricos	Antro > corpo gástrico
Tipo de célula predominante	Mucosa	Parietal > mucosa, endócrina	Mucosa	Mucosa, revestimento cístico	Parietal e principal	Displásica, intestinal
Infiltrado inflamatório	Limitado, linfócitos	Neutrófilos	Neutrófilos e linfócitos	Neutrófilos e linfócitos	Nenhum	Variável
Sintomas	Hipoproteinemia, perda de peso, diarreia	Úlceras pépticas	Semelhantes aos da gastrite crônica	Semelhantes aos da gastrite crônica	Nenhum, náuseas	Semelhantes aos da gastrite crônica
Fatores de risco	Nenhum	Neoplasia endócrina múltipla	Gastrite crônica, *H. pylori*	Trauma, cirurgia prévia	IBP, PAF	Gastrite crônica, atrofia, metaplasia intestinal
Associação ao adenocarcinoma	Sim	Não	Ocasional	Não	Apenas sindrômica (PAF)	Frequente

IBP, inibidores da bomba de prótons; *PAF*, polipose adenomatosa familiar.

Gastropatias hipertróficas

As gastropatias hipertróficas são doenças incomuns, caracterizadas por aumento "cerebriforme" das pregas gástricas, devido à hiperplasia epitelial sem inflamação. Como seria de esperar, as gastropatias hipertróficas estão ligadas à liberação excessiva de fatores de crescimento. Dois exemplos bem-definidos são a doença de Ménétrier e a síndrome de Zollinger-Ellison, cujas características morfológicas são comparadas com outras proliferações gástricas na **Tabela 17.5**.

Doença de Ménétrier

A doença de Ménétrier é um distúrbio raro associado à secreção excessiva do fator de crescimento transformador (TGF)-α, que é um ligante do receptor de EGF (EGFR), e à hiperativação do receptor do fator de crescimento epidérmico nas células epiteliais gástricas. Ocorrem alguns casos em associação à infecção viral ou por *H. pylori*. A doença de Ménétrier caracteriza-se por hiperplasia difusa do epitélio foveolar dentro do corpo e do fundo gástricos, bem como por hipoproteinemia devido à perda de albumina, que pode se aproximar de 10 g/dia, através da mucosa gástrica. Os sintomas secundários, como perda de peso, diarreia e edema periférico, estão comumente presentes. Além disso, pode-se observar a presença de efeitos sistêmicos do TGF-α, incluindo hiperplasia do fígado, do pâncreas e do trato GI (além do estômago) e perda de tecido muscular e tecido adiposo, bem como presença de psoríase. Os sintomas e as características patológicas da doença de Ménétrier em crianças assemelham-se aos dos adultos, porém a doença pediátrica é geralmente autolimitada e, com frequência, ocorre após a infecção por CMV ou outra infecção respiratória. Ocorre aumento do risco de adenocarcinoma gástrico em adultos com doença de Ménétrier.

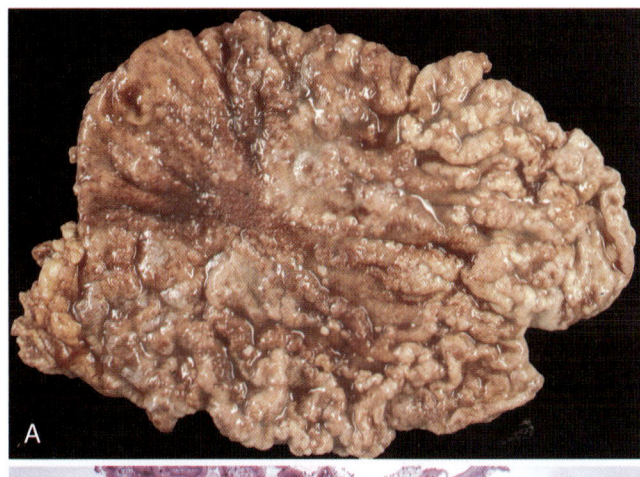

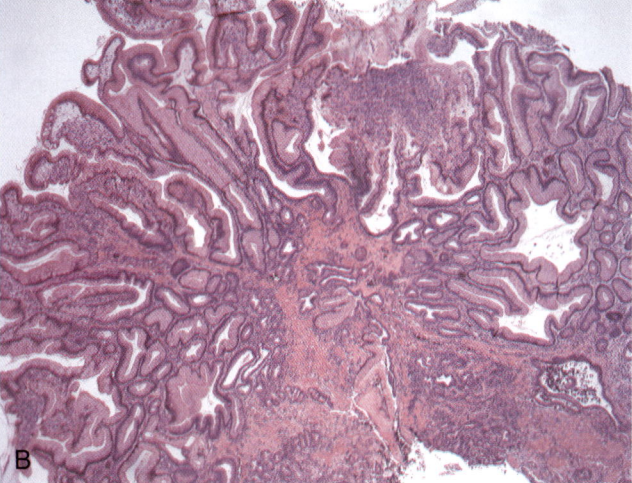

Figura 17.16 Doença de Ménétrier. **A.** Hipertrofia acentuada das pregas gástricas. **B.** Hiperplasia foveolar com glândulas alongadas e focalmente dilatadas. (Cortesia do Dr. M. Kay Washington, Vanderbilt University, Nashville, Tenn.)

> ### Morfologia
>
> A doença de Ménétrier caracteriza-se pelo aumento irregular das pregas gástricas. Algumas áreas podem ter aparência polipoide. As pregas gástricas estão aumentadas no corpo e no fundo (**Figura 17.16A**), porém o antro é geralmente poupado. Ao exame histológico, o aspecto mais característico consiste em hiperplasia das células mucosas foveolares. As glândulas estão alongadas, com aparência de saca-rolha, e a dilatação cística é comum (**Figura 17.16B**). Em geral, a inflamação é moderada, porém alguns casos exibem uma acentuada linfocitose intraepitelial. A atrofia glandular difusa ou focal, que é evidente como hipoplasia das células parietais e principais, normalmente está misturada com hiperplasia epitelial.

O tratamento da doença de Ménétrier é de suporte, com albumina intravenosa e suplementação nutricional parenteral. Nos casos associados ao herpes-vírus, CMV ou *H. pylori*, o tratamento da infecção pode ser útil. Em muitos casos, os anticorpos que bloqueiam a ativação do receptor do fator de crescimento epidérmico são efetivos. Nos casos graves, a gastrectomia continua sendo uma opção terapêutica.

Síndrome de Zollinger-Ellison

A síndrome de Zollinger-Ellison é causada por tumores neuroendócrinos secretores de gastrina. Esses gastrinomas quase sempre são encontrados no intestino delgado ou no pâncreas. Com frequência, os pacientes apresentam úlceras duodenais ou diarreia crônica. No estômago, a característica mais notável é um acentuado aumento na espessura da mucosa oxíntica, em virtude da hiperplasia maciça das células parietais. A gastrina também induz hiperplasia das células mucosas do colo e das células endócrinas dentro da mucosa oxíntica.

O tratamento de indivíduos com síndrome de Zollinger-Ellison consiste em bloqueio da hipersecreção de ácido, normalmente com inibidores da bomba de prótons. A supressão do ácido possibilita a cicatrização das úlceras pépticas e evita a perfuração gástrica, permitindo que o tratamento seja direcionado para o gastrinoma, que, então, passa a constituir o principal determinante da sobrevida a longo prazo.

Os gastrinomas são lesões solitárias e esporádicas em 75% dos pacientes. Os 25% restantes de pacientes com gastrinomas têm neoplasia endócrina múltipla tipo 1 (MEN1). Esses pacientes são mais jovens e apresentam principalmente tumores duodenais, que comumente metastatizam. As mutações no gene *MEN1* nos gastrinomas esporádicos também estão associadas ao comportamento agressivo do tumor. A cintilografia com receptor de somatostatina ou a ultrassonografia endoscópica podem ajudar na identificação. Os pacientes com doença metastática podem se beneficiar do tratamento com análogos da somatostatina.

> **Conceitos-chave**
>
> **Gastrite**
>
> - A gastrite é um processo inflamatório da mucosa. Na ausência de células inflamatórias ou quando estas são raras, pode-se utilizar o termo gastropatia
> - O espectro clínico da gastrite aguda varia desde uma doença assintomática até dor epigástrica leve, náuseas e vômitos. Os fatores etiológicos incluem qualquer agente ou doença capaz de interferir nos mecanismos protetores da mucosa gástrica
> - A infecção por *H. pylori* constitui a causa mais comum de gastrite crônica. Outros agentes lesivos incluem AINEs e álcool
> - A gastrite por *H. pylori* normalmente afeta o antro e está associada ao aumento da produção de ácido gástrico. Posteriormente no curso da doença, o corpo gástrico pode ser acometido, e a atrofia glandular resultante pode levar a uma discreta redução da produção de ácido. As respostas imunes do hospedeiro e as características bacterianas determinam se a infecção permanece no antro ou progride para pangastrite e atrofia
> - A gastrite por *H. pylori* induz a formação de MALT, que pode dar origem a linfomas de células B (MALTomas)
> - Depois de *H. pylori* e do uso de AINEs, a gastrite atrófica autoimune é a causa mais frequente de gastrite crônica. Ela resulta em atrofia das glândulas oxínticas do corpo gástrico, levando à diminuição da produção de ácido gástrico, à hiperplasia das células G do antro e à deficiência de vitamina B_{12}. Normalmente, observa-se a presença de anticorpos anticélulas parietais e antifator intrínseco
> - Há desenvolvimento de metaplasia intestinal em todas as formas de gastrite crônica, o que constitui um fator de risco para o adenocarcinoma gástrico
> - A doença ulcerosa péptica é geralmente secundária à gastrite crônica induzida por *H. pylori* e à hipercloridria resultante. As úlceras podem desenvolver-se no estômago ou no duodeno e, em geral, cicatrizam após a supressão da produção de ácido gástrico e a erradicação de *H. pylori*
> - A doença de Ménétrier é um distúrbio raro causado pela secreção excessiva do TGF-α e que se caracteriza por hiperplasia foveolar difusa e enteropatia perdedora de proteína
> - A síndrome de Zollinger-Ellison é causada por tumores secretores de gastrina, que causam hiperplasia das células parietais e hipersecreção de ácidos; 60 a 90% desses gastrinomas são malignos.

Pólipos e tumores gástricos

Em até 5% das endoscopias GI altas, são identificados pólipos, nódulos ou massas que se projetam acima do nível da mucosa circundante. Os pólipos podem se desenvolver em decorrência de hiperplasia das células epiteliais ou estromais, inflamação, ectopia ou neoplasia. Apenas os tipos mais comuns de pólipos gástricos serão discutidos aqui (os pólipos de Peutz-Jeghers e juvenis são discutidos com os pólipos intestinais mais adiante).

Pólipos inflamatórios e hiperplásicos

Até 75% de todos os pólipos gástricos consistem em pólipos inflamatórios ou hiperplásicos. A sua incidência está correlacionada com a prevalência regional da infecção por *H. pylori*. Esses pólipos, que são mais comuns em indivíduos entre 50 e 60 anos, desenvolvem-se com frequência em associação com gastrite crônica, que inicia a lesão que leva à hiperplasia reativa e ao crescimento de pólipos. O risco de displasia nos pólipos inflamatórios varia de 1 a 20% e aumenta acentuadamente nos pólipos pedunculados com mais de 1 cm de diâmetro.

> **Morfologia**
>
> Os pólipos inflamatórios ou hiperplásicos são, em sua maioria, menores que 1 cm de diâmetro. Com frequência, os pólipos são múltiplos, particularmente em indivíduos com gastrite atrófica. Os pólipos hiperplásicos têm forma ovoide e apresentam uma superfície lisa; é comum a presença de erosões superficiais nos pólipos inflamatórios. Ao exame microscópico, os pólipos apresentam glândulas foveolares irregulares, com dilatação cística e alongada (**Figura 17.17A**). A lâmina própria é normalmente edematosa, com graus variáveis de inflamação aguda e crônica (**Figura 17.17B**).

Pólipos de glândulas fúndicas

Os pólipos das glândulas fúndicas ocorrem esporadicamente e em indivíduos com mutações de linhagem germinativa no gene *APC* (a causa da polipose adenomatosa familiar) ou no gene de reparo do DNA *MUTYH* (ambas discutidas mais adiante). A prevalência dos pólipos de glândulas fúndicas esporádicos aumentou acentuadamente nos últimos anos como resultado do maior uso de inibidores da bomba de prótons. Esses fármacos inibem a produção de ácido, o que leva ao aumento da secreção de gastrina e, por sua vez, ao crescimento das glândulas oxínticas. Os pólipos de glândulas fúndicas podem ser assintomáticos ou estar associados a náuseas, vômitos ou dor epigástrica.

> **Morfologia**
>
> Os pólipos de glândulas fúndicas ocorrem no corpo e no fundo gástricos e consistem em lesões bem circunscritas com uma superfície lisa. Eles podem ser isolados ou múltiplos e são compostos por glândulas cisticamente dilatadas e irregulares, revestidas por células parietais, principais e mucosas foveolares. Normalmente, a inflamação está ausente ou é mínima (**Figura 17.17C**). Pode ocorrer displasia nos pólipos de glândulas fúndicas associadas à PAF, e foram relatados raros cânceres. Em contrapartida, os pólipos de glândulas fúndicas esporádicos, incluindo os que surgem em associação à terapia com inibidores da bomba de prótons, não estão associados a risco significativo de neoplasia.

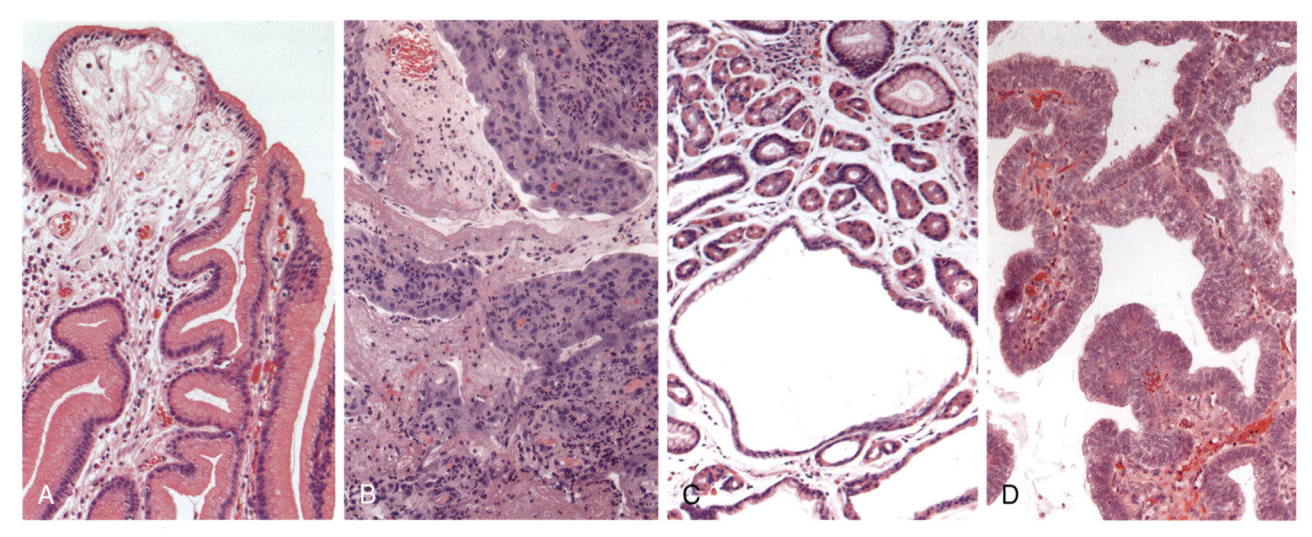

Figura 17.17 Pólipos gástricos. **A.** Pólipo hiperplásico contendo glândulas foveolares em forma de saca-rolha. **B.** Pólipo hiperplásico com ulceração extensa. **C.** Pólipo de glândula fúndica composto por glândulas cisticamente dilatadas e revestidas por células parietais, principais e foveolares. **D.** Adenoma gástrico com hipercromasia nuclear epitelial e pseudoestratificação.

Adenoma gástrico

A maioria dos adenomas gástricos desenvolve-se no contexto da gastrite crônica com atrofia e metaplasia intestinal, com exceção daqueles associados a mutações de linhagem germinativa em *APC* ou *MUTYH*. Eles representam até 10% de todos os pólipos gástricos (ver **Tabela 17.5**). A sua frequência aumenta de maneira progressiva com a idade, e observa-se uma acentuada variação na prevalência entre diferentes populações, que acompanha paralelamente a incidência do adenocarcinoma gástrico. Em geral, os pacientes têm entre 50 e 60 anos, e os homens são afetados três vezes mais frequentemente do que as mulheres. O risco de adenocarcinoma em adenomas gástricos está correlacionado com o tamanho e é particularmente elevado nas lesões com mais de 2 cm de diâmetro. Os adenomas gástricos apresentam maior risco de câncer (até 30% quando são grandes) e precisam ser tratados de modo mais agressivo do que os adenomas colônicos.

> ### Morfologia
>
> Em geral, os adenomas gástricos são lesões solitárias do antro. Todos os adenomas GI exibem displasia, que é classificada em baixo ou alto grau (**Figura 17.17D**). Ambos os graus de displasia se caracterizam por aumento do núcleo, alongamento, pseudoestratificação e hipercromasia. A displasia de alto grau caracteriza-se por atipia citológica mais grave e anormalidades da arquitetura, incluindo brotamento glandular e estruturas de glândula dentro de glândula ou cribriformes.

Adenocarcinoma gástrico

O adenocarcinoma constitui a neoplasia maligna mais comum do estômago, compreendendo mais de 90% de todos os cânceres gástricos. Conforme discutido com mais detalhes posteriormente, o adenocarcinoma gástrico é, do ponto de vista morfológico, dividido nos tipos intestinal, que tende a formar massas volumosas, e difuso, que infiltra e provoca o espessamento da parede gástrica.

Os primeiros sintomas de ambos os tipos de adenocarcinoma gástrico assemelham-se aos da gastrite crônica e da doença ulcerosa péptica, incluindo dispepsia, disfagia e náuseas. Em consequência, esses tumores com frequência são descobertos em estágios avançados, quando surgem sintomas, como perda de peso, anorexia, plenitude precoce (principalmente nos cânceres difusos), anemia e hemorragia.

Epidemiologia. A incidência do câncer gástrico varia acentuadamente de acordo com a geografia. No Japão, no Chile, na Costa Rica e na Europa Oriental, a incidência é até 20 vezes maior do que na América do Norte, no norte da Europa, na África e no Sudeste Asiático. Programas de rastreamento endoscópico em massa foram bem-sucedidos em regiões em que a incidência é alta, como o Japão, onde 35% dos casos recentemente detectados consistem em cânceres gástricos em estágio inicial, limitados à mucosa e à submucosa. Infelizmente, esses programas de rastreamento em massa não têm uma relação custo-benefício favorável em regiões de baixa incidência, e menos de 20% dos casos são detectados em estágio inicial na América do Norte e no norte da Europa. Com frequência, são detectadas metástases por ocasião do diagnóstico. Os locais mais comumente acometidos incluem linfonodos sentinelas supraclaviculares (nódulo de Virchow), linfonodos periumbilicais (nódulo da Irmã Maria José; *Sister Mary Joseph*, em inglês), ovários (tumor de Krukenberg), linfonodo axilar esquerdo e fundo de saco de Douglas.

O câncer gástrico é mais comum em grupos socioeconômicos de nível mais baixo, bem como em indivíduos com atrofia mucosa multifocal e metaplasia intestinal. Conforme assinalado anteriormente, a doença ulcerosa péptica está associada a risco reduzido de câncer gástrico, porém os pacientes submetidos à gastrectomia parcial para doença ulcerosa péptica correm risco ligeiramente maior de desenvolver câncer no coto gástrico residual, possivelmente devido à hipocloridria e ao refluxo de bile.

O adenocarcinoma do estômago era a causa mais comum de morte por câncer nos EUA em 1930. Entretanto, desde então, a incidência caiu 85%, e o adenocarcinoma gástrico é agora responsável por apenas 2,5% das mortes por câncer nesse país.

A diminuição da incidência do câncer gástrico é atribuída, em grande parte, à redução das taxas de infecção por *H. pylori* e está principalmente relacionada com os cânceres de tipo intestinal. Outros fatores ambientais e dietéticos, incluindo redução do consumo de carcinógenos dietéticos, como compostos N-nitroso e benzo[*a*]pireno (devido ao uso reduzido de sal e à defumação para conservação dos alimentos), e a disponibilidade generalizada de refrigeração também podem ter contribuído para a redução da incidência. Em consonância com uma causa ambiental, em vez de genética, os indivíduos migrantes de regiões de alto risco para regiões de baixo risco mantêm o risco de seu país original, porém os filhos apresentam taxas de câncer gástrico semelhantes àquelas do novo país de residência.

Embora a incidência global de adenocarcinoma gástrico esteja caindo, o câncer de cárdia gástrica está aumentando. Isso provavelmente está relacionado com o esôfago de Barrett, e pode refletir a incidência crescente da DRGE crônica e da obesidade. De acordo com essa suposta patogênese compartilhada, os adenocarcinomas de cárdia gástrica e os adenocarcinomas da parte distal do esôfago assemelham-se quanto a morfologia, comportamento clínico e respostas terapêuticas.

Patogênese

Enquanto a maioria dos cânceres gástricos não é hereditária, as mutações identificadas no câncer gástrico familiar forneceram importantes esclarecimentos sobre os mecanismos da carcinogênese nos casos esporádicos. O câncer gástrico familiar está fortemente associado a mutações na linhagem germinativa de perda de função no gene supressor de tumor *CDH1*, que codifica a proteína de adesão celular, E-caderina (discutida no **Capítulo 7**). Mutações de perda de função em *CDH1* também estão presentes em cerca de 50% dos tumores gástricos difusos esporádicos, ao passo que a expressão da E-caderina está drasticamente diminuída no restante dos tumores difusos, com frequência por hipermetilação e silenciamento do promotor do *CDH1*. **Por conseguinte, a perda da E-caderina constitui uma etapa fundamental no desenvolvimento do câncer gástrico difuso.** As mutações do *CDH1* também são comuns no carcinoma lobular esporádico e familiar de mama, que, à semelhança do câncer gástrico difuso (ver adiante), tende a infiltrar-se como células isoladas.

Diferentemente dos cânceres gástricos difusos, **os cânceres gástricos do tipo intestinal estão fortemente associados a mutações que resultam em aumento da sinalização pela via Wnt.** Eles incluem mutações de perda de função no gene supressor de tumor da polipose adenomatosa familiar (*APC*) e mutações de ganho de função no gene codificador da β-catenina. Outros genes comumente afetados por mutações de perda de função ou por silenciamento incluem aqueles envolvidos na sinalização do TGF-β (*TGFβRII*), na regulação da apoptose (*BAX*) e no controle do ciclo celular (*CDKN2A*), todos os quais são discutidos com mais detalhes no **Capítulo 7**. Os pacientes com PAF que apresentam mutações de linhagem germinativa do *APC* correm maior risco de câncer gástrico do tipo intestinal, particularmente os que residem em regiões de alto risco, como o Japão. Variantes de genes pró-inflamatórios, como IL-1β e o receptor de IL-1, estão associadas a risco elevado de câncer gástrico em pacientes que apresentam gastrite por *H. pylori*. Por conseguinte, o risco é afetado tanto pela constituição genética do hospedeiro quanto por fatores ambientais. Outras associações entre a inflamação crônica e o câncer são discutidas posteriormente no contexto da doença inflamatória intestinal (DII) e no **Capítulo 7**.

> ### Morfologia
>
> Os adenocarcinomas gástricos são classificados de acordo com a sua localização e morfologia macroscópica e histológica. A maioria dos adenocarcinomas gástricos distais ocorre no antro; a curvatura menor está acometida com mais frequência do que a curvatura maior. Os tumores gástricos com **morfologia intestinal formam tumores volumosos (Figura 17.18A)** e são compostos de estruturas glandulares (**Figura 17.19A**), ao passo que os cânceres que exibem um **padrão de crescimento infiltrativo difuso (Figura 17.18B)** normalmente são compostos de **células em anel de sinete (Figura 17.19B)**. Embora possam penetrar a parede gástrica, os adenocarcinomas do tipo intestinal crescem, com frequência, ao longo de frentes coesivas amplas para formar uma massa exofítica ou um tumor infiltrativo ulcerado. Em geral, as células neoplásicas contêm vacúolos apicais de mucina, e pode haver mucina em quantidade abundante na luz das glândulas. Em contrapartida, os cânceres difusos penetram a parede gástrica na forma de pequenos agrupamentos e células individuais não coesivas, devido à ausência de E-caderina. Essas células não formam glândulas, porém apresentam grandes vacúolos de mucina, que expandem o citoplasma e empurram o núcleo para a periferia, criando uma morfologia de célula em anel de sinete. Com o pequeno aumento, elas podem ser confundidas com células inflamatórias. A liberação de mucina extracelular em qualquer tipo de câncer gástrico pode resultar na formação de grandes lagos de mucina, que dissecam os planos teciduais.
>
> Pode ser difícil identificar uma massa no câncer gástrico difuso, porém esses tumores infiltrativos frequentemente provocam uma reação **desmoplásica**, que endurece a parede gástrica. Quando existem grandes áreas de infiltração, um achatamento difuso das pregas e uma parede espessa e rígida podem conferir a aparência de cantil de couro, denominada **linite plástica (Figura 17.18B)**.

Características clínicas

O câncer gástrico do tipo intestinal predomina em áreas de alto risco e desenvolve-se a partir de lesões precursoras, incluindo displasia plana e adenomas. A idade média de apresentação é de 55 anos, e a razão entre homens e mulheres é de 5:1. Em contrapartida, a incidência do câncer gástrico difuso é relativamente uniforme entre os países, e não há lesões precursoras identificadas; a prevalência é semelhante em homens e mulheres. Em particular, a notável diminuição na incidência do câncer gástrico aplica-se apenas ao tipo intestinal. Em consequência, as incidências dos cânceres gástricos do tipo intestinal e do tipo difuso são agora semelhantes em muitas regiões.

A profundidade da invasão e a extensão das metástases nodais e a distância continuam sendo os indicadores prognósticos mais poderosos no câncer gástrico. A invasão local no duodeno, no pâncreas e no retroperitônio é comum. Nesses casos, os esforços geralmente se concentram na quimioterapia ou radioterapia e nos cuidados paliativos. Quando possível, a cirurgia continua sendo a abordagem de tratamento. Com a ressecção cirúrgica, a taxa de sobrevida em 5 anos do câncer gástrico em estágio inicial pode ultrapassar 90%, mesmo na presença de metástases para linfonodos. Em contrapartida, a taxa de sobrevida em 5 anos para o câncer gástrico avançado continua abaixo de 20%. Devido ao estágio avançado em que a maioria dos cânceres gástricos é detectada nos EUA, a taxa de sobrevida global em 5 anos é inferior a 30%.

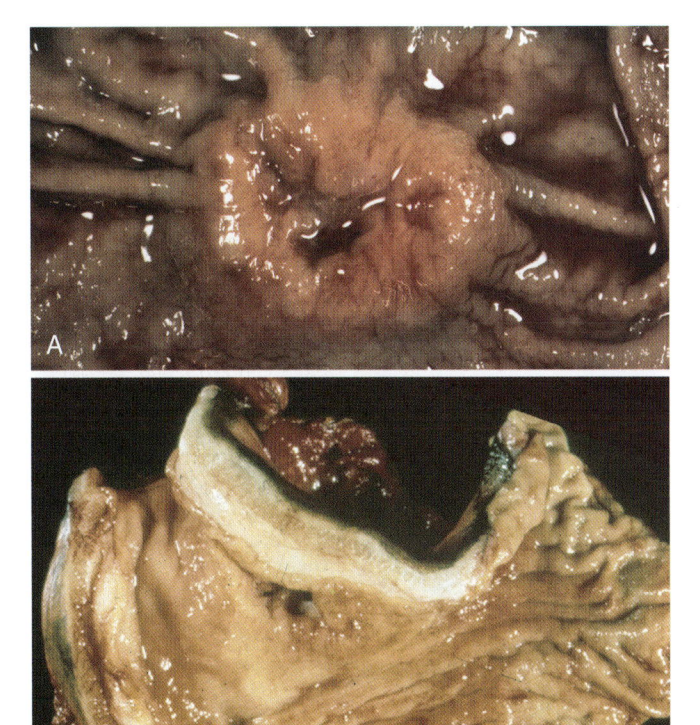

Figura 17.18 Adenocarcinoma gástrico. **A.** Adenocarcinoma do tipo intestinal, que consiste em uma massa elevada com bordas elevadas e ulceração central. Compare com a úlcera péptica da **Figura 17.15A**. **B.** Câncer gástrico do tipo infiltrativo (linite plástica). Ocorre acentuado espessamento da parede gástrica, e as pregas gástricas estão parcialmente perdidas, porém não há massa dominante.

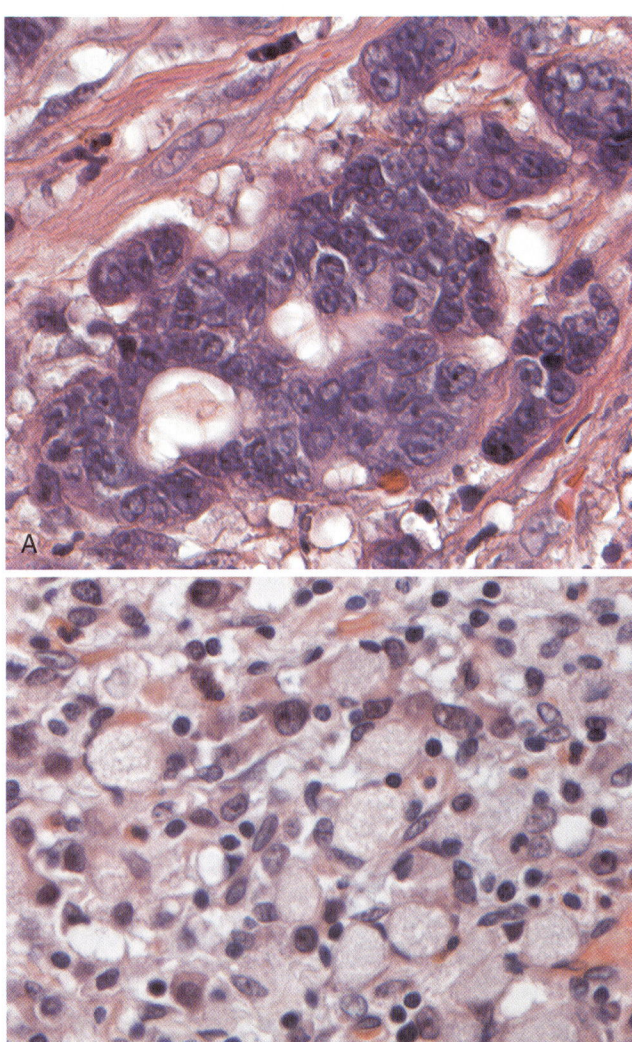

Figura 17.19 Adenocarcinoma gástrico. **A.** Adenocarcinoma do tipo intestinal composto de células colunares formadoras de glândulas, que se infiltram no estroma desmoplásico. **B.** Nos tumores infiltrativos, as células em anel de sinete podem ser identificadas pelos seus grandes vacúolos citoplasmáticos de mucina e pelos seus núcleos finos, em forma de crescente e perifericamente deslocados. Observe a ausência de formação de glândulas.

Linfoma

Embora possam surgir linfomas extranodais em praticamente qualquer tecido, eles ocorrem mais comumente no trato GI, em particular no estômago. Em receptores de transplante de órgãos ou de células-tronco hematopoéticas alogênicas, o intestino também constitui o local mais frequente de linfoproliferações de células B positivas para o vírus Epstein-Barr. Essa localização preferencial é mais provável, visto que os déficits da função das células T causados por fármacos imunossupressores orais (p. ex., ciclosporina) são maiores nos locais do intestino em que ocorre a absorção dos medicamentos. Quase 5% de todas as neoplasias malignas gástricas consistem em linfomas primários, cuja maior parte é constituída por linfomas indolentes de células B da zona marginal extranodal. No intestino, esses tumores são frequentemente denominados linfomas do MALT ou MALToma; estes e outros linfomas do intestino são discutidos no **Capítulo 13**.

Patogênese

Os linfomas de células B da zona marginal extranodal surgem com frequência em locais de inflamação crônica. Eles podem originar-se no trato GI, em locais de MALT preexistente, como as placas de Peyer do intestino delgado, porém desenvolvem-se mais comumente em tecidos que, em geral, são desprovidos de tecido linfoide organizado. O MALT não é encontrado no estômago normal, mas pode ser induzido, normalmente em consequência de gastrite crônica. A infecção por *H. pylori* constitui o indutor mais comum do MALT gástrico e, portanto, é encontrada em associação à maioria dos MALTomas gástricos.

Três translocações estão associadas ao MALToma gástrico: a t(11;18)(q21;q21) e as t(1;14)(p22;q32) e t(14;18)(q32;q21), menos comuns. A translocação t(11;18)(q21;q21) reúne o gene do inibidor da apoptose 2 (*API2*) no cromossomo 11 com o gene "mutado no linfoma MALT" (*MLT1*) no cromossomo 18. Isso cria um gene de fusão *API2-MLT1* quimérico, que codifica uma proteína de fusão API2-MLT1. As translocações t(14;18)(q32;q21) e t(1;14)(p22;q32) provocam o aumento da expressão das proteínas intactas MALT1 e BCL-10, respectivamente.

Cada uma das três translocações leva à atividade constitutiva do fator nuclear kappa B (NF-κB), um fator de transcrição que promove o crescimento e a sobrevivência das células B. A ativação do NF-κB dependente de antígeno nas células B e T normais exige tanto BCL-10 quanto MALT1, que atuam em conjunto em uma via de transdução de sinais a jusante dos receptores de antígenos de linfócitos. Por conseguinte, a inflamação induzida por *H. pylori* pode desencadear a ativação do NF-κB por meio da via MALT/BCL-10 nos MALTomas, que carecem dessas translocações. A remoção desse estímulo pode explicar a razão pela qual esses tumores tendem a responder à erradicação de *H. pylori*. Em contrapartida, os tumores que apresentam translocações envolvendo o *MALT1* ou o *BCL10* geralmente não são sensíveis à eliminação de *H. pylori*. Outras características tumorais, como invasão da muscular própria ou comprometimento de linfonodos, também exibem uma correlação com a resistência à erradicação de *H. pylori*.

À semelhança de outros linfomas de baixo grau, os MALTomas podem transformar-se em tumores mais agressivos, que são histologicamente idênticos aos linfomas difusos de grandes células B. Com frequência, isso está associado a outras alterações genéticas, como inativação dos genes supressores de tumor que codificam p53 e p16.

Morfologia

Do ponto de vista histológico, o MALToma gástrico assume a forma de um denso infiltrado linfocítico na lâmina própria (**Figura 17.20A**). Os linfócitos neoplásicos se infiltram nas glândulas gástricas, criando **lesões linfoepiteliais características** (**Figura 17.20A**, detalhe). Pode haver folículos de células B de aparência reativa, e, em cerca de 40% dos tumores, observa-se uma diferenciação plasmocítica. Em outros locais, os linfomas GI podem se disseminar na forma de pequenos nódulos característicos (**Figura 17.20B**) ou infiltrar difusamente a parede (**Figura 17.20C**).

À semelhança de outros tumores de células B maduras, os MALTomas expressam os marcadores de células B, CD19 e CD20. Eles não expressam CD5 nem CD10, porém são positivos para CD43 em aproximadamente 25% dos casos, uma característica incomum que pode ser útil para o diagnóstico. Nos casos em que não há lesões linfoepiteliais, a monoclonalidade pode ser demonstrada pela expressão restrita das cadeias leves de imunoglobulina κ ou λ ou pela detecção molecular de rearranjos clonais de IgH.

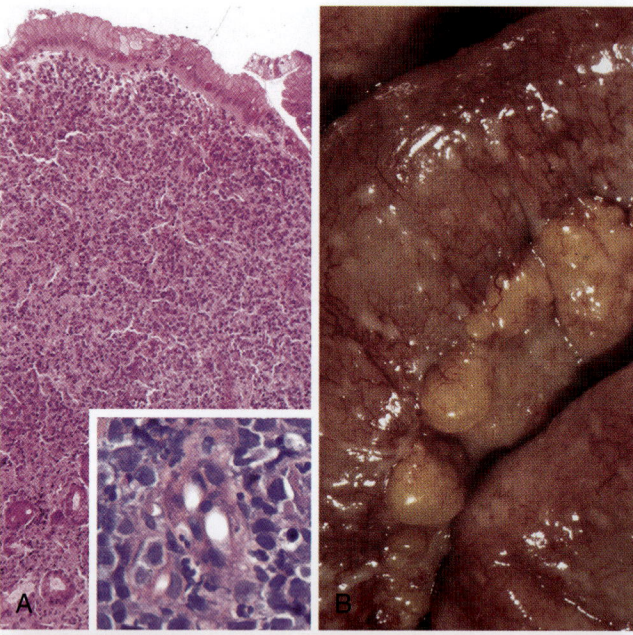

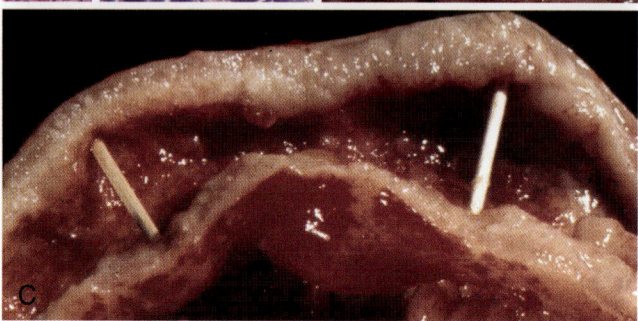

Figura 17.20 Linfoma. **A.** Linfoma de tecido linfoide associado à mucosa gástrica substituindo grande parte do epitélio gástrico. O *detalhe* mostra lesões linfoepiteliais, com linfócitos neoplásicos circundantes e glândulas gástricas infiltradas. **B.** Linfoma disseminado no intestino delgado, com numerosos nódulos serosos pequenos. **C.** Linfoma de grandes células B infiltrando a parede do intestino delgado e produzindo espessamento difuso.

Características clínicas

Os sintomas de apresentação mais comuns consistem em dispepsia e dor epigástrica. Além disso, podem ocorrer hematêmese, melena e sintomas constitucionais, como perda de peso. Como os MALTomas gástricos e a gastrite por *H. pylori* frequentemente coexistem e apresentam sintomas clínicos e aspectos endoscópicos que se sobrepõem, podem surgir algumas dificuldades diagnósticas, particularmente em biopsias com amostras pequenas.

Neoplasias neuroendócrinas

Esses tumores surgem a partir dos componentes difusos do sistema endócrino. Os tumores anteriormente denominados tumores carcinoides são agora designados adequadamente como tumores neuroendócrinos bem diferenciados, embora o termo carcinoide continue sendo utilizado de modo informal no trato GI e formalmente em outros locais. A maioria desses tumores é encontrada no trato GI, e mais de 40% ocorrem no intestino delgado. A árvore traqueobrônquica e os pulmões são os outros locais mais comumente acometidos. As neoplasias neuroendócrinas gástricas podem estar associadas à hiperplasia de células endócrinas, gastrite atrófica crônica autoimune, MEN1 e síndrome de Zollinger-Ellison. A hiperplasia de células endócrinas gástricas e de células do tipo enterocromafim tem sido associada à terapia com inibidores da bomba de prótons, porém o risco de progressão para uma neoplasia neuroendócrina é insignificante nessas circunstâncias.

Morfologia

Ao exame macroscópico, as neoplasias neuroendócrinas consistem em massas intramurais ou submucosas que criam pequenas lesões polipoides (**Figura 17.21A**). No estômago, elas surgem normalmente dentro da mucosa oxíntica. A mucosa sobrejacente pode estar intacta ou ulcerada, e, nos intestinos, os tumores podem invadir profundamente até acometer o mesentério. As neoplasias neuroendócrinas tendem a ser de cor amarela ou castanha e são muito firmes em consequência de desmoplasia intensa, que pode causar torção e obstrução do intestino delgado. Ao exame histológico, os tumores neuroendócrinos bem diferenciados são compostos de ilhas, trabéculas, filamentos, glândulas e placas de células uniformes com citoplasma granular rosa e escasso e núcleo redondo a oval, com padrão de cromatina em "sal e pimenta" (**Figura 17.21**). Os corantes imuno-histoquímicos são positivos para os marcadores de grânulos endócrinos, como a sinaptofisina e a cromogranina A. As neoplasias pouco diferenciadas, com altas taxas mitóticas e índices proliferativos Ki-67 elevados, são denominadas carcinomas neuroendócrinos e são subclassificadas em tipos com células pequenas ou células grandes. À semelhança dos carcinomas neuroendócrinos em sítios extraintestinais, é comum a ocorrência de mutação de *TP53* e *RB*.

Características clínicas

O pico de incidência das neoplasias neuroendócrinas GI é na sexta década, embora possam aparecer em qualquer idade. Os sintomas refletem os hormônios liberados pelas células tumorais. Por exemplo, as neoplasias que produzem gastrina causam a síndrome de Zollinger-Ellison. A síndrome carcinoide, que se desenvolve em menos de 10% dos pacientes, é causada por substâncias vasoativas secretadas pelo tumor na circulação sistêmica. Isso pode levar à ocorrência de ruborização cutânea, sudorese, broncospasmo, dor abdominal em cólica, diarreia e fibrose valvar cardíaca do lado direito. Quando as neoplasias neuroendócrinas são restritas ao intestino, as substâncias vasoativas liberadas são metabolizadas a formas inativas pelo fígado, um efeito de "primeira passagem" semelhante ao exercido sobre medicamentos ingeridos por via oral. Embora esse efeito possa ser superado por uma grande carga tumoral ou quando os tumores secretam hormônios na circulação venosa não portal, a síndrome carcinoide continua apresentando uma forte associação com doenças metastáticas a ponto de permitir que os produtos tumorais escapem da circulação portal e do fígado. De maneira notável, apesar de ser um marcador de doença avançada, o comportamento metastático, por si só, não é suficiente para classificar uma neoplasia como carcinoma neuroendócrino.

Os fatores prognósticos mais importantes para as neoplasias neuroendócrinas GI incluem o grau de diferenciação histológica, a taxa de mitose e o índice proliferativo Ki-67. O comportamento também é afetado pelo tamanho e pela localização, e o estadiamento é específico da região:

- Os *tumores neuroendócrinos do intestino anterior* dentro do estômago e do duodeno raramente produzem metástases e, em geral, são curados pela ressecção. Isso é particularmente válido para os tumores que surgem em associação à gastrite atrófica. Os tumores neuroendócrinos gástricos sem fatores predisponentes são, com frequência, mais agressivos
- Os *tumores neuroendócrinos do intestino médio* surgem no jejuno e no íleo, são frequentemente múltiplos e tendem a ser agressivos
- Os *tumores neuroendócrinos do intestino posterior* que surgem no apêndice e no cólon e reto normalmente são descobertos de modo incidental. Os que surgem no apêndice ocorrem em qualquer idade e, em geral, estão localizados na extremidade. Esses tumores raramente têm mais de 2 cm de diâmetro e quase sempre são benignos. Os tumores neuroendócrinos do reto tendem a produzir hormônios polipeptídicos e, quando sintomáticos, causam dor abdominal e perda de peso. Como são geralmente descobertos quando pequenos, é rara a presença de metástase dos tumores neuroendócrinos retais.

Tumor estromal gastrintestinal

O tumor estromal gastrintestinal (GIST, *gastrointestinal stromal tumor*) **é o tumor mesenquimal mais comum do abdome**, com incidência anual entre 11 e 20 por 1 milhão de pessoas. Mais da metade desses tumores ocorre no estômago. O termo *estromal* reflete a confusão histórica sobre a origem desse tumor, que agora se sabe que surge a partir de células intersticiais de Cajal ou células marca-passo. Uma ampla variedade de outras neoplasias mesenquimais pode surgir no estômago. Muitas dessas neoplasias são nomeadas de acordo com o tipo celular com o qual mais se assemelham. Por exemplo, os tumores de músculo liso são denominados leiomiomas ou leiomiossarcomas; os tumores de bainha do nervo são denominados schwannomas; e os tumores que se assemelham aos glomos (estruturas vasculares encontradas nos

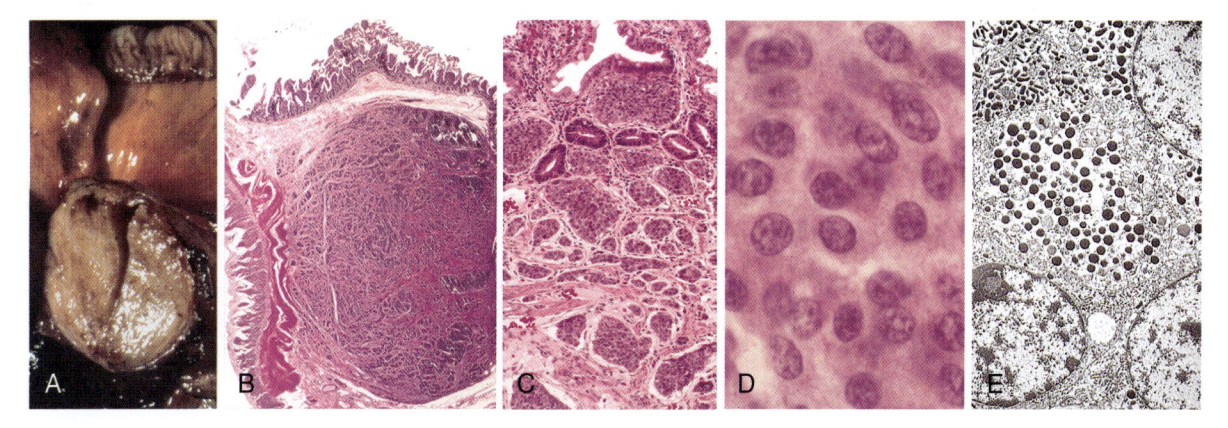

Figura 17.21 Tumor neuroendócrino (tumor carcinoide). **A.** Corte transversal macroscópico de um nódulo tumoral submucoso. **B.** Ao exame microscópico, o nódulo é composto de células tumorais inseridas em tecido fibroso denso. **C.** Em outras áreas, o tumor espalhou-se extensamente dentro dos canais linfáticos da mucosa. **D.** Grande aumento mostrando a citologia inexpressiva característica. A textura da cromatina, com grânulos finos e grosseiros, é frequentemente descrita como padrão em "sal e pimenta". Apesar de sua aparência inócua, esses tumores podem ser clinicamente agressivos. **E.** A microscopia eletrônica revela grânulos neurossecretores citoplasmáticos densos.

leitos ungueais e em outros locais) são denominados tumores glômicos. Todos eles são raros no intestino e são discutidos no **Capítulo 26**.

Epidemiologia. As proliferações microscópicas clinicamente silenciosas que podem representar precursores do GIST são comuns. Esses focos apresentam baixo índice mitótico e risco extremamente baixo de transformação neoplásica. As alterações associadas à progressão para o GIST manifesto não estão bem definidas, porém é comum haver perda ou deleção parcial dos cromossomos 9, 14 ou 22.

Os GISTs são diagnosticados com pico etário de 60 anos, e menos de 10% ocorrem em indivíduos com idade inferior a 40 anos. Os GISTs são incomuns em crianças. Ainda assim, quando ocorrem, podem estar relacionados com a tríade de Carney, uma síndrome não hereditária de GIST, paraganglioma e condroma pulmonar que ocorre principalmente em indivíduos do sexo feminino. Além disso, há uma incidência aumentada de GIST em indivíduos com neurofibromatose tipo 1.

Patogênese

Aproximadamente 75% de todos os GISTs apresentam mutações oncogênicas de ganho de função no receptor de tirosinoquinase KIT. Outros 8% de GISTs têm mutações que ativam o receptor relacionado de tirosinoquinase, o receptor do fator de crescimento derivado das plaquetas α (PDGFRA). A KIT e o PDGFRA constitutivamente ativos desencadeiam as mesmas vias de sinalização a jusante. Por conseguinte, as mutações dos genes de correspondência são mutuamente exclusivas. Raros indivíduos com mutações de linhagem germinativa desses genes apresentam hiperplasia difusa das células de Cajal e desenvolvem múltiplos GISTs. Os GISTs sem mutações de *KIT* ou *PDGFRA* com frequência apresentam mutações em genes que codificam componentes do complexo da succinato desidrogenase mitocondrial (*SDHA, SDHB, SDHC, SDHD*), um exemplo interessante (e ainda pouco compreendido) de mutações oncogênicas que afetam componentes de uma via metabólica, especificamente o ciclo de Krebs. Essas mutações, que causam perda da função da succinato desidrogenase, são geralmente herdadas na linhagem germinativa e conferem o aumento do risco de GISTs e paraganglioma (síndrome de Carney-Stratakis), em que a segunda cópia do gene afetado está mutada ou perdida no tumor.

Morfologia

Os GISTs gástricos primários podem alcançar 30 cm de diâmetro. Em geral, eles formam uma massa carnosa bem circunscrita e solitária. A mucosa que recobre a massa frequentemente está ulcerada, e a superfície de corte do tumor apresenta um aspecto espiralado. As metástases podem formar múltiplos nódulos serosos em toda a cavidade peritoneal ou dentro do fígado, porém a disseminação para fora do abdome é incomum. Os GISTs compostos de células alongadas e delgadas são classificados como **tipo celular fusiforme (Figura 17.22A)**, ao passo que os GISTs dominados por células de aparência epitelial volumosas são denominados **tipo epitelioide (Figura 17.22B)**. É comum a presença de misturas dos dois padrões. O marcador diagnóstico de maior utilidade é o KIT (CD117), que pode ser detectado por técnicas imuno-histoquímicas nas células de Cajal e em 95% dos GISTs gástricos. O pleomorfismo nuclear é incomum.

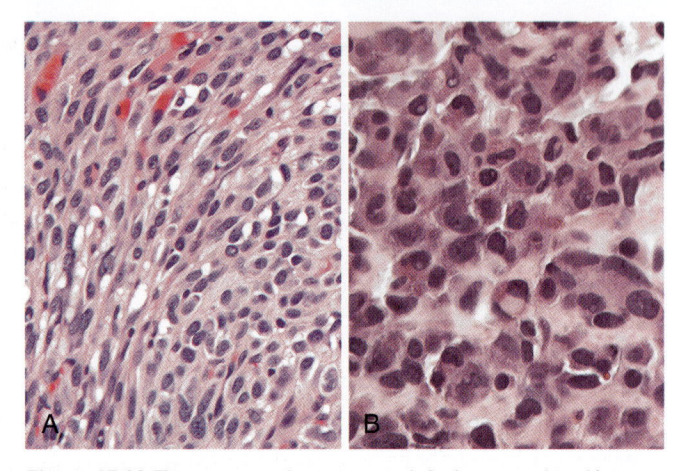

Figura 17.22 Tumor estromal gastrintestinal. **A.** Ao exame histológico, os tumores estromais gastrintestinais de células fusiformes típicos são compostos de feixes ou fascículos de células tumorais fusiformes. **B.** Tumores estromais gastrintestinais de células epitelioides compostos de células de aparência epitelial e arredondadas sem fascículos bem definidos. Esses tumores podem simular o adenocarcinoma metastático.

Características clínicas

Os sintomas dos GISTs na apresentação inicial estão normalmente relacionados com efeitos expansivos. A ulceração da mucosa pode causar perda de sangue, e cerca da metade dos indivíduos com GISTs apresenta anemia ou sintomas relacionados. Os GISTs também podem ser descobertos de modo incidental durante exame radiológico, endoscopia ou cirurgia abdominal realizados por outras razões. A ressecção cirúrgica completa constitui o principal tratamento para o GIST gástrico localizado. O prognóstico está correlacionado com o tamanho do tumor, o índice mitótico e a localização, e os GISTs gástricos são menos agressivos do que os que surgem no intestino delgado. A recorrência ou as metástases são raras nos GISTs gástricos com menos de 5 cm, porém são comuns nos tumores mitoticamente ativos com mais de 10 cm. Muitos tumores se encontram em uma categoria intermediária, em que não é possível prever o potencial maligno da lesão.

O fenótipo molecular é uma consideração importante no tratamento de pacientes com GISTs recorrentes ou metastáticos não ressecáveis. Os tumores com mutações de *KIT* ou *PDGFRA* com frequência respondem ao imatinibe, um inibidor da tirosinoquinase, ao passo que os tumores sem essas mutações são geralmente resistentes. Nos pacientes tratados, observa-se o desenvolvimento frequente de resistência ao imatinibe devido a mutações secundárias de *KIT* ou *PDGFRA*. Esses tumores podem responder a outros inibidores da tirosinoquinase que escapam dos efeitos das mutações que conferem resistência ao imatinibe.

Conceitos-chave

Proliferações neoplásicas e não neoplásicas do estômago

- Os pólipos gástricos são, em sua maioria, inflamatórios ou hiperplásicos. Essas lesões reativas estão associadas à gastrite crônica
- Os pólipos das glândulas fúndicas ocorrem de forma esporádica, mais frequentemente como consequência da terapia com inibidores da bomba de prótons e em pacientes com polipose adenomatosa familiar e polipose associada ao *MUTYH*

- Os adenomas gástricos desenvolvem-se em um contexto de gastrite crônica e estão fortemente associados à metaplasia intestinal e à atrofia da mucosa (glandular). O adenocarcinoma é frequente nos adenomas gástricos, os quais exigem, portanto, uma terapia mais agressiva do que os adenomas do cólon
- A incidência do adenocarcinoma gástrico varia acentuadamente de acordo com a geografia. Os tumores individuais são classificados de acordo com a sua localização e morfologia macroscópica e histológica. Os tumores gástricos com histologia intestinal tendem a formar tumores volumosos e podem ser ulcerados, ao passo que aqueles compostos de células em anel de sinete normalmente exibem um padrão de crescimento infiltrativo difuso, que pode provocar espessamento da parede gástrica, sem formar uma massa distinta. Os adenocarcinomas gástricos estão ligados à gastrite crônica
- Os linfomas gástricos primários são, com mais frequência, tumores de células B indolentes do tecido linfoide associado à mucosa (MALTomas), que surgem no contexto da gastrite crônica por *H. pylori*
- As neoplasias neuroendócrinas surgem a partir de componentes difusos do sistema endócrino e são mais comuns no trato GI, particularmente no intestino delgado. Elas podem ser subdivididas em tumores neuroendócrinos (anteriormente denominados tumores carcinoides) e carcinomas neuroendócrinos, com base na histologia e na imuno-histoquímica para o marcador proliferativo Ki-67. O prognóstico também é afetado pela localização; os tumores do intestino delgado tendem a ser mais agressivos, ao passo que os do apêndice são normalmente benignos
- O GIST é o tumor mesenquimal mais comum do abdome, ocorre com mais frequência no estômago e desenvolve-se a partir das células de Cajal (marca-passo). A maioria dos tumores apresenta mutações ativadoras em *KIT* ou *PDGFRA* tirosinoquinases e responde a inibidores específicos da tirosinoquinase.

Intestino delgado e cólon

O intestino delgado e o cólon constituem a maior parte do trato GI e são os locais em que ocorre uma ampla variedade de doenças. Algumas dessas doenças estão relacionadas com o transporte de nutrientes e água, cuja perturbação resulta em má absorção e diarreia. Os intestinos também constituem o principal local em que o sistema imune entra em contato com um grupo diverso de antígenos presentes nos alimentos e nos microrganismos intestinais. Por conseguinte, não é surpreendente que o intestino delgado e o cólon sejam com frequência afetados por distúrbios infecciosos e inflamatórios. Por fim, o cólon é o local mais comum de neoplasia GI nas populações ocidentais.

Obstrução intestinal

A obstrução do trato GI pode ocorrer em qualquer nível, porém o intestino delgado é afetado com mais frequência, em virtude de sua luz relativamente estreita. Em seu conjunto, as hérnias, as aderências intestinais, a intussuscepção e o vólvulo respondem por 80% das obstruções mecânicas (**Figura 17.23**). O restante é constituído por tumores, infarto e outras causas de estreitamento, como, por exemplo, doença de Crohn. As manifestações clínicas da obstrução intestinal incluem dor e distensão abdominais, vômitos e constipação intestinal. Em geral, a intervenção cirúrgica é necessária nos casos em que a obstrução tem uma base mecânica ou está associada ao infarto intestinal.

Hérnias

Qualquer fraqueza ou defeito da parede abdominal pode permitir a protrusão de uma bolsa de peritônio revestida de serosa, denominada saco herniário. Normalmente, as hérnias adquiridas ocorrem anteriormente, via canais inguinal e femoral, umbigo ou em locais de defeitos cirúrgicos e são observadas em até 5% da população. **As hérnias constituem a causa mais frequente de obstrução intestinal em todo o mundo** e a terceira causa mais comum de obstrução nos EUA. Em geral, a obstrução ocorre devido à protrusão visceral (herniação externa) e está mais frequentemente associada a hérnias inguinais, que tendem a apresentar orifícios estreitos e grandes sacos. As alças do intestino delgado normalmente estão envolvidas, porém o omento ou o intestino grosso também podem sofrer protrusão, e qualquer um deles pode ficar aprisionado. A pressão exercida no colo da bolsa pode comprometer a drenagem venosa da víscera aprisionada. A estase e o edema resultantes aumentam o volume da alça herniada, levando ao aprisionamento permanente (encarceramento) e, com o passar do tempo, ao comprometimento arterial e venoso (estrangulamento) e ao infarto (**Figura 17.24**).

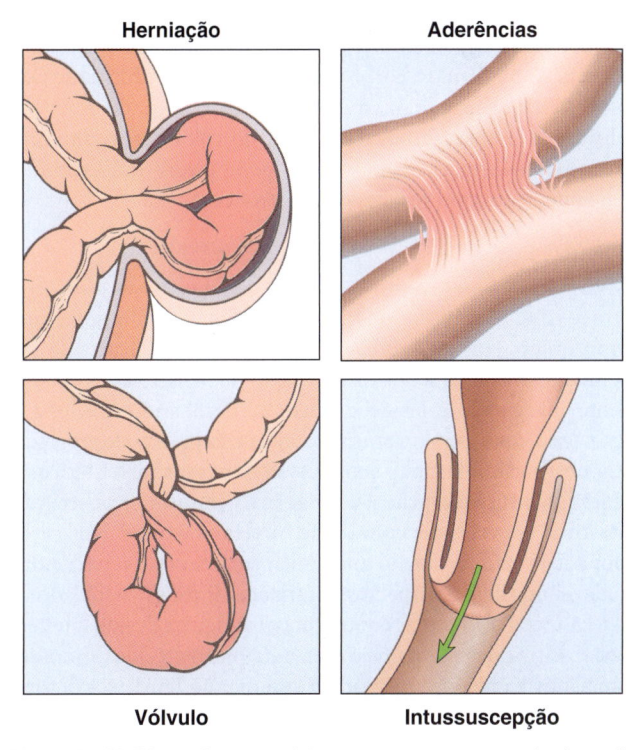

Figura 17.23 Obstrução intestinal. As quatro principais causas de obstrução intestinal são: (1) herniação de um segmento nas regiões umbilical ou inguinal, (2) aderência entre alças do intestino, (3) vólvulo e (4) intussuscepção.

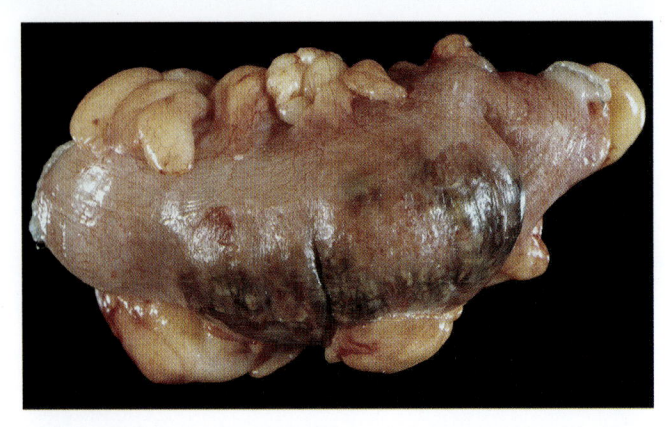

Figura 17.24 Obstrução intestinal. Parte do intestino encarcerada dentro de uma hérnia inguinal. Observe as áreas escuras de serosa e hemorragia associada, que indicam dano isquêmico.

Aderências

Os procedimentos cirúrgicos, as infecções ou outras causas de inflamação peritoneal, como a endometriose, podem levar ao desenvolvimento de aderências entre os segmentos do intestino, a parede abdominal ou os sítios cirúrgicos. Essas pontes fibrosas podem criar alças fechadas através das quais outras vísceras podem deslizar e ficar encarceradas, resultando em herniação interna. As sequelas, incluindo obstrução e estrangulamento, assemelham-se às das hérnias externas.

Vólvulo

Ocorre vólvulo quando uma alça do intestino sofre torção em torno de seu ponto mesentérico de fixação, o que resulta em comprometimento luminal e vascular. Por conseguinte, o vólvulo apresenta características tanto de obstrução quanto de infarto. Com mais frequência, o vólvulo ocorre em grandes alças redundantes do cólon sigmoide, seguido, em frequência, do ceco, do intestino delgado, do estômago ou, raramente, do cólon transverso. Em virtude de sua raridade, o vólvulo pode passar despercebido, frequentemente com resultados catastróficos.

Intussuscepção

Ocorre intussuscepção quando um segmento do intestino, comprimido por uma onda de peristaltismo, encaixa-se no segmento imediatamente distal. Uma vez aprisionado, o segmento invaginado é propelido pelo peristaltismo e traciona o mesentério junto. Sem tratamento, a intussuscepção pode progredir para obstrução intestinal, compressão dos vasos mesentéricos e infarto. **A intussuscepção é a causa mais comum de obstrução intestinal em crianças com idade inferior a 2 anos.** Nos casos idiopáticos, não há defeito anatômico subjacente, e o paciente é saudável nos demais aspectos. Outros casos foram associados à infecção viral e a vacinas contra rotavírus, talvez devido à hiperplasia reativa das placas de Peyer e de outros tecidos linfoides associados à mucosa, que podem atuar como borda condutora. A intussuscepção é incomum em crianças de mais idade e em adultos e, em geral, é causada por uma massa ou tumor intraluminal, que atua como ponto inicial de tração. Cerca de 1% dos pacientes com fibrose cística desenvolvem intussuscepção; nesse caso, acredita-se que as fezes espessadas atuem como ponto de tração. Enemas contrastados podem ser utilizados tanto para diagnóstico quanto terapeuticamente para intussuscepção idiopática em lactentes e crianças pequenas, nos quais enemas de ar também podem ser utilizados para a redução da intussuscepção. A intervenção cirúrgica é necessária na presença de massa.

Doença intestinal isquêmica

A maior parte do trato GI é suprida pelas artérias celíaca, mesentérica superior e mesentérica inferior. À medida que se aproximam da parede intestinal, as artérias mesentéricas superior e inferior ramificam-se nas arcadas mesentéricas. As interconexões entre arcadas, bem como os vasos colaterais das circulações celíaca proximal e pudenda e ilíaca distais, permitem que o intestino delgado e o cólon possam tolerar uma perda lentamente progressiva do suprimento sanguíneo de uma artéria. Diferentemente da hipoperfusão progressiva crônica, o comprometimento agudo de qualquer vaso principal pode levar ao infarto em vários metros de intestino. O dano pode incluir desde infarto da mucosa, que não se estende além da muscular da mucosa, até infarto mural da mucosa e da submucosa e infarto transmural acometendo todas as três túnicas. Enquanto os infartos da mucosa ou murais podem ocorrer após a hipoperfusão aguda ou crônica, o infarto transmural normalmente é causado pela obstrução vascular aguda. Na grande maioria dos casos, a obstrução aguda é provocada por trombose ou embolia. O fator de risco mais importante para a trombose é a aterosclerose grave (em geral, proeminente na origem dos vasos mesentéricos). As causas menos comuns de trombose incluem vasculites sistêmicas (ver **Capítulo 11**). Os êmbolos obstrutivos originam-se mais comumente de ateromas da aorta ou trombos murais cardíacos. A trombose venosa mesentérica, que também pode levar à doença isquêmica, é incomum, mas pode resultar de estados de hipercoagulabilidade hereditários ou adquiridos, neoplasias invasivas, cirrose, trauma ou massas abdominais que comprimem a drenagem portal. A hipoperfusão intestinal também pode ocorrer na ausência de obstrução vascular, no contexto de insuficiência cardíaca, choque, desidratação ou uso de fármacos vasoconstritores.

Patogênese

As respostas intestinais à isquemia ocorrem em duas fases. A lesão hipóxica inicial surge no início do comprometimento vascular, porém o maior dano ocorre durante a segunda fase, a lesão por reperfusão, que é iniciada pela restauração do suprimento sanguíneo. Embora os mecanismos subjacentes da lesão de reperfusão não estejam totalmente compreendidos, eles incluem o extravasamento de produtos bacterianos da luz intestinal (p. ex., lipopolissacarídeo) na circulação sistêmica, a produção de radicais livres, a infiltração de neutrófilos e a liberação de mediadores inflamatórios adicionais (ver **Capítulo 2**).

A gravidade do comprometimento vascular, o intervalo de tempo durante o qual ele se desenvolve e os vasos afetados constituem as principais variáveis que determinam a gravidade da doença intestinal isquêmica. A anatomia vascular intestinal também contribui de duas maneiras para a distribuição do dano isquêmico:

- *Os segmentos intestinais no final de seus respectivos suprimentos arteriais são particularmente suscetíveis à isquemia.* Essas *zonas de transição* incluem a flexura esquerda do cólon, onde as circulações das artérias mesentéricas superior e inferior terminam, e, em menor grau, o cólon sigmoide e o reto, onde terminam as circulações das artérias mesentérica inferior, pudenda e ilíaca. A hipotensão ou a hipoxemia generalizadas podem causar lesão localizada nas zonas de transição, e deve-se considerar a possibilidade de doença isquêmica no diagnóstico diferencial da colite focal da flexura esquerda do cólon ou do cólon retossigmoide

- Os capilares intestinais seguem o seu trajeto ao longo das glândulas, desde a cripta até a superfície (vilosidade), antes de fazer uma volta em forma de grampo e descer para as vênulas pós-capilares. Esse arranjo faz o epitélio de superfície ser particularmente vulnerável à lesão isquêmica, em relação às criptas. Esse padrão de circulação protege as células-tronco epiteliais, que estão localizadas dentro das criptas e são necessárias para a restauração da lesão epitelial. Por conseguinte, a atrofia epitelial superficial com criptas normais ou hiperproliferativas constitui uma assinatura morfológica da doença intestinal isquêmica.

Morfologia

Embora o cólon seja o local mais comum de isquemia GI, o infarto da mucosa ou mural pode acometer qualquer nível do intestino, desde o estômago até o ânus. As lesões podem ser contínuas, porém são mais frequentemente segmentadas e focais (**Figura 17.25A**). A mucosa é hemorrágica e, com frequência, ulcerada (**Figura 17.25B**). O edema pode causar espessamento da parede intestinal, particularmente quando o dano se estende até a submucosa e a muscular própria.

Em geral, porções substanciais do intestino são afetadas no **infarto transmural causado por obstrução arterial aguda**. A demarcação entre o intestino normal e o isquêmico é nitidamente definida, e, no início, o intestino infartado apresenta congestão intensa e coloração escurecida a roxo-avermelhada. Posteriormente, o muco tingido de sangue ou o próprio sangue acumulam-se na luz, e a parede torna-se edematosa, espessa e elástica. Há necrose coagulativa da muscular própria dentro de 1 a 4 dias, e pode ocorrer perfuração. A serosite pode ser proeminente, com exsudatos purulentos e deposição de fibrina.

Na **trombose venosa mesentérica**, o fluxo de sangue arterial continua por um tempo, levando à transição menos abrupta do intestino afetado para o normal. A propagação do trombo pode levar ao comprometimento secundário do leito esplâncnico. O resultado assemelha-se à obstrução arterial aguda, visto que a drenagem venosa prejudicada impede, por fim, a entrada do sangue arterial oxigenado nos capilares.

O exame microscópico do intestino isquêmico revela atrofia característica ou descamação do epitélio de superfície (**Figura 17.25C**), frequentemente com criptas hiperproliferativas. No início, não há infiltrados inflamatórios, porém os neutrófilos são recrutados nas primeiras horas de reperfusão. A isquemia crônica é acompanhada de cicatrização fibrosa da lâmina própria (**Figura 17.25D**) e, raramente, de formação de estenose. Na isquemia tanto aguda quanto crônica, a superinfecção bacteriana e a liberação de enterotoxinas podem induzir a **formação de pseudomembranas**, que se assemelham à colite pseudomembranosa associada a *Clostridioides* (anteriormente *Clostridium*) *difficile* (discutida adiante).

Características clínicas

A doença isquêmica do cólon é mais comum em pacientes com idade superior a 70 anos e ocorre com frequência ligeiramente maior em mulheres. **Normalmente, a isquemia colônica aguda manifesta-se na forma de início súbito de cólica, dor abdominal inferior do lado esquerdo, vontade de defecar e evacuação de sangue ou diarreia sanguinolenta.** Os pacientes podem progredir para choque e colapso vascular em poucas horas nos casos graves. A intervenção cirúrgica é necessária em cerca de 10% dos casos e deve ser considerada se houver evidências de desenvolvimento de infarto (p. ex., diminuição dos sons peristálticos, defesa ou hipersensibilidade de rebote). Como esses sinais físicos se sobrepõem aos de outras emergências abdominais (p. ex., apendicite aguda, úlcera perfurada e colecistite aguda), o diagnóstico de infarto intestinal pode ser tardio ou passar despercebido, com consequências desastrosas.

Com manejo apropriado, a mortalidade nos primeiros 30 dias é de cerca de 10%. Essa porcentagem é duplicada em pacientes com doença colônica do lado direito, que, em geral, apresentam uma evolução mais grave. Isso pode ser devido ao fato de que o lado direito do cólon é suprido pela artéria mesentérica superior, que também irriga uma grande parte do intestino delgado. Assim, a isquemia colônica do lado direito pode ser a apresentação inicial

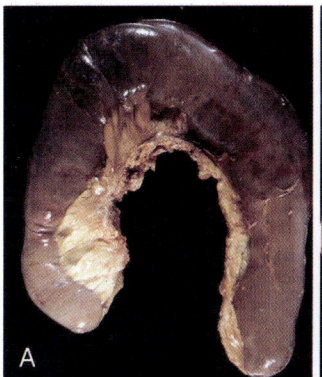

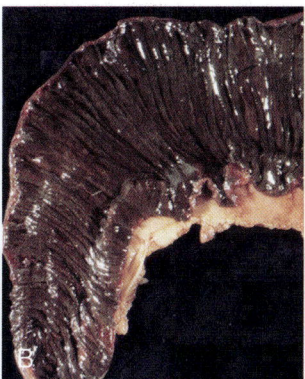

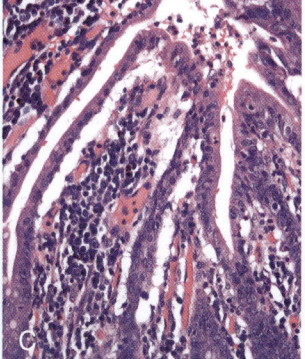

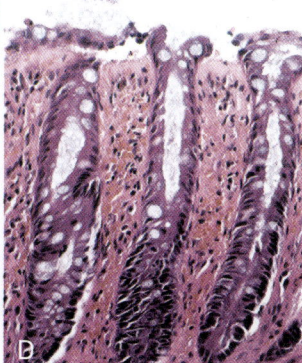

Figura 17.25 Doença intestinal isquêmica. **A.** Ressecção jejunal com a serosa escura de isquemia aguda (trombose mesentérica). **B.** A mucosa é escura devido à hemorragia. **C.** Epitélio viloso atenuado característico de trombose mesentérica aguda. **D.** Isquemia colônica crônica com atrofia do epitélio superficial e lâmina própria fibrótica.

de comprometimento mais disseminado da perfusão intestinal. Outros indicadores de prognóstico sombrio incluem doença pulmonar obstrutiva crônica e persistência de sintomas por mais de 2 semanas. A lesão intestinal isquêmica pode assumir uma variedade de formas subagudas ou crônicas:

- *Zonas limitadas de infartos da mucosa e infartos murais* podem progredir para infarto mais extenso e transmural se o suprimento vascular não for restaurado pela correção da lesão ou, na doença crônica, pelo desenvolvimento de suprimento colateral adequado. O diagnóstico de colite e enterite isquêmica não oclusiva pode ser particularmente difícil, visto que os sintomas são, com frequência, inespecíficos, incluindo diarreia sanguinolenta intermitente e obstrução intestinal
- A *isquemia crônica* pode ser mascarada como doença inflamatória intestinal, com episódios de diarreia sanguinolenta intercalados com períodos normais
- A *infecção por CMV* provoca doença GI isquêmica, devido ao tropismo do vírus para as células endoteliais e à consequente obstrução vascular localizada. A infecção por CMV, que pode ser uma complicação da terapia imunossupressora, é discutida com mais detalhes no **Capítulo 8**
- A *enterocolite por radiação* ocorre quando o trato GI é irradiado e resulta de uma combinação das lesões epitelial e endotelial. Além da história clínica, a presença de "fibroblastos de radiação" altamente atípicos no estroma pode fornecer uma importante pista para a etiologia. A enterite por radiação aguda manifesta-se como anorexia, cólicas abdominais e diarreia por má absorção, ao passo que a colite ou enterite por radiação crônica é, com mais frequência, indolente e pode se manifestar como enterocolite inflamatória
- A *enterocolite necrosante* é um distúrbio agudo dos intestinos delgado e grosso que pode resultar em necrose transmural. Trata-se da emergência GI adquirida mais comum em recém-nascidos, particularmente aqueles prematuros ou com baixo peso ao nascer; com frequência, manifesta-se com o início da alimentação oral. A enterocolite necrosante é discutida com mais detalhes no **Capítulo 10**, porém é mencionada aqui, visto que se acredita que a lesão isquêmica possa contribuir para a patogênese.

Angiodisplasia

A angiodisplasia caracteriza-se por vasos sanguíneos malformados da mucosa e da submucosa, que são dilatados e de paredes finas. Eles são mais comuns no ceco ou no cólon direito e, em geral, manifestam-se clinicamente após a sexta década de vida. Embora a prevalência seja inferior a 1% nos adultos, a angiodisplasia é responsável por 20% dos principais episódios de sangramento intestinal inferior em populações de mais idade. A apresentação pode incluir desde hemorragia intermitente crônica até maciça e aguda.

A patogênese da angiodisplasia continua indefinida, porém tem sido atribuída a fatores mecânicos e congênitos. A distensão e a contração normais do intestino podem causar oclusão intermitente das veias da submucosa que penetram através da muscular própria, levando à dilatação e tortuosidade focais dos vasos da submucosa e da mucosa sobrejacentes. Como o ceco apresenta maior diâmetro entre todos os segmentos do cólon, ele desenvolve a maior tensão na parede. Isso pode explicar a distribuição preferencial das lesões angiodisplásicas no ceco e no cólon direito.

Do ponto de vista morfológico, as lesões angiodisplásicas caracterizam-se por ninhos ectásicos de veias tortuosas, vênulas e capilares. Os canais vasculares são separados, com frequência, da luz intestinal apenas pela parede vascular fina e por uma camada de células epiteliais atenuadas, tornando os vasos vulneráveis à ruptura até mesmo por lesões menores.

Má absorção e diarreia

A má absorção caracteriza-se pela absorção deficiente de gorduras, vitaminas lipo e hidrossolúveis, proteínas, carboidratos, eletrólitos, minerais e água. A característica fundamental da má absorção é a esteatorreia, caracterizada por gordura fecal excessiva e pela evacuação de fezes volumosas, espumosas, gordurosas e de coloração amarela ou de barro. Nos EUA, os distúrbios de má absorção crônicos mais comumente encontrados são a insuficiência pancreática, a doença celíaca e a doença de Crohn (**Tabela 17.6**). A doença intestinal do enxerto-*versus*-hospedeiro constitui uma causa importante de má absorção e diarreia após o transplante alogênico de células-tronco hematopoéticas.

A má absorção resulta de um distúrbio em pelo menos uma das quatro fases da absorção de nutrientes:

- *Digestão intraluminal*, em que as proteínas, os carboidratos e as gorduras são degradados em formas apropriadas para a sua absorção
- *Digestão terminal*, que envolve a hidrólise dos carboidratos e peptídeos por dissacaridases e peptidases na borda em escova da mucosa do intestino delgado
- *Transporte transepitelial*, em que os nutrientes, o líquido e os eletrólitos são transportados e processados dentro do epitélio do intestino delgado
- *Transporte linfático* dos lipídios absorvidos.

Em muitos distúrbios de má absorção, predomina um defeito em um desses processos, embora vários defeitos geralmente contribuam para tal. Em consequência, os sintomas e as consequências das síndromes de má absorção assemelham-se mais do que diferem uns dos outros. A má absorção crônica pode levar à diarreia, flatulência, dor abdominal, perda de peso e perda da massa muscular e, com frequência, está associada a anorexia, distensão abdominal e borborigmos. A absorção inadequada de vitaminas e minerais pode resultar em: anemia e mucosite, devido à deficiência de piridoxina, folato ou vitamina B_{12}; sangramento, devido à deficiência de vitamina K; osteopenia e tetania, em consequência da deficiência de cálcio, magnésio ou vitamina D; ou neuropatia periférica, devido às deficiências de vitamina A ou B_{12}. Pode-se observar, também, o desenvolvimento de uma variedade de distúrbios endócrinos e da pele (p. ex., bócio e vitiligo) em consequência de deficiências de nutrientes, micronutrientes e vitaminas.

A diarreia é definida como o aumento da massa, da frequência ou da fluidez das fezes, normalmente superior a 200 g por dia. Tanto a má absorção de nutrientes quanto o aumento da secreção de líquidos pelo intestino podem contribuir para a diarreia. Nos casos graves, o volume de fezes pode ultrapassar 14 ℓ por dia e, sem reposição volêmica, resultar em morte. A diarreia de pequeno

Tabela 17.6 Defeitos nas doenças de má absorção e diarreicas.

Doença	Digestão intraluminal	Digestão terminal	Transporte transepitelial	Transporte linfático
Doença celíaca		+	+	
Enteropatia ambiental		+	+	
Pancreatite crônica	+			
Fibrose cística	+			
Má absorção primária de ácidos biliares	+		+	
Síndrome carcinoide			+	
Enteropatia autoimune		+	+	
Deficiência de dissacaridases		+		
Doença de Whipple				+
Abetalipoproteinemia			+	
Gastrenterite viral		+	+	
Gastrenterite bacteriana		+	+	
Gastrenterite parasitária		+	+	
Doença inflamatória intestinal	+	+	+	

"+" indica que o processo é anormal na doença especificada.

volume sanguinolenta e dolorosa é conhecida como disenteria. A diarreia pode ser classificada em quatro categorias principais:

- A *diarreia secretora* caracteriza-se por fezes isotônicas e persiste durante o jejum
- A *diarreia osmótica*, como a que ocorre na deficiência de lactase, deve-se à força osmótica excessiva exercida pelos solutos luminais não absorvidos. O líquido da diarreia tem uma concentração de mais de 50 mOsm em relação ao plasma e diminui com o jejum
- A *diarreia por má absorção* ocorre devido à falha generalizada na absorção de nutrientes, está associada à esteatorreia e é aliviada pelo jejum
- A *diarreia exsudativa* devido à doença inflamatória caracteriza-se por fezes purulentas e, com frequência, sanguinolentas, que continuam durante o jejum.

Fibrose cística

A fibrose cística afeta muitos sistemas de órgãos, principalmente os pulmões, e é discutida com mais detalhes no **Capítulo 10**. Apenas a má absorção associada à fibrose cística é considerada aqui. Em virtude da ausência do regulador da condutância transmembrana da fibrose cística (CFTR, *cystic fibrosis transmembrane conductance regulator*) epitelial, os indivíduos com fibrose cística apresentam defeitos do cloreto e, em certos tecidos, do transporte de íons bicarbonato através dos epitélios. Isso interfere na secreção de bicarbonato, sódio e água, resultando, em última análise, na diminuição da hidratação do conteúdo luminal. As fezes viscosas espessas podem, em certas ocasiões, levar à obstrução intestinal, porém resultam mais comumente na formação de concreções intraductais pancreáticas. Essas últimas podem começar *in utero* e resultar em obstrução dos ductos, pancreatite crônica de baixo grau com autodigestão do pâncreas e, por fim, insuficiência pancreática exócrina em mais de 80% dos pacientes. Por sua vez, isso compromete a fase intraluminal da absorção de nutrientes, um defeito que pode ser tratado de modo efetivo por meio de suplementação enzimática oral.

Doença celíaca

A doença celíaca, também conhecida com espru celíaco ou enteropatia sensível ao glúten, é um distúrbio imunomediado desencadeado pela ingestão de alimentos que contêm glúten, como trigo, centeio ou cevada, em indivíduos com predisposição genética. A doença celíaca tem incidência global de 0,6 a 1%, porém a sua prevalência varia amplamente entre países e regiões. Algumas dessas diferenças se correlacionam com a variação no consumo de trigo. Apesar de ter sido anteriormente rara em muitos países, a incidência da doença celíaca está aumentando, possivelmente como resultado da adoção de dietas ocidentais.

Patogênese

A fração do glúten solúvel em álcool, a gliadina, contém a maioria dos componentes produtores da doença. O glúten é digerido por enzimas luminais e da borda em escova em aminoácidos e peptídeos, incluindo um peptídeo α-gliadina de 33 aminoácidos, que é resistente à degradação pelas proteases gástricas, pancreáticas e do intestino delgado (**Figura 17.26**). Alguns peptídeos da gliadina podem induzir as células epiteliais a expressar a IL-15, que, por sua vez, desencadeia a ativação e a proliferação dos linfócitos CD8+ intraepiteliais. Esses linfócitos expressam NKG2D, um marcador das células *natural killer* e receptor para MIC-A. Os enterócitos induzidos a expressar MIC-A na superfície em resposta ao estresse são, então, atacados por linfócitos intraepiteliais que expressam NKG2D. O dano epitelial resultante pode aumentar a passagem de outros peptídeos da gliadina na lâmina própria, onde sofrem desaminação pela transglutaminase tecidual. Os peptídeos de gliadina interagem com HLA-DQ2 ou HLA-DQ8 nas células apresentadoras de antígenos e, por sua vez, estimulam as células T CD4+ a produzir citocinas, que exacerbam o dano tecidual.

Embora a maioria das pessoas consumam grãos e sejam expostas ao glúten e à gliadina, um número muito pequeno desenvolve doença celíaca. Por conseguinte, os fatores do hospedeiro é que determinam se haverá desenvolvimento da doença. Entre esses fatores, as proteínas HLA parecem ser de importância crítica,

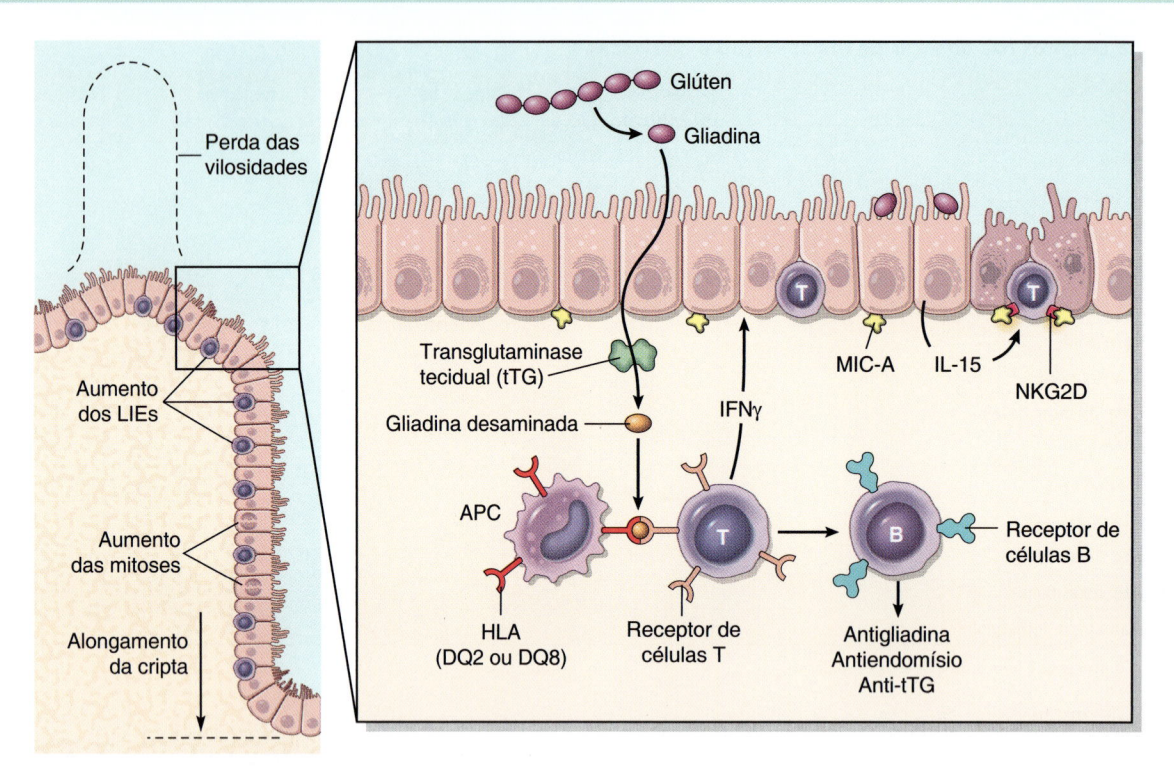

Figura 17.26 O *painel à esquerda* ilustra as alterações morfológicas que podem estar presentes na doença celíaca, incluindo atrofia das vilosidades, aumento do número de linfócitos intraepiteliais (*LIE*) e proliferação epitelial com alongamento da cripta. O *painel à direita* ilustra um modelo da patogênese da doença celíaca. Observe que os mecanismos imunes tanto inatos (células T CD8+ intraepiteliais, ativadas pela IL-15) quanto adaptativos (sensibilização das células T CD4+ e das células B à gliadina) estão envolvidos nas respostas dos tecidos à gliadina.

visto que quase todos os indivíduos com doença celíaca apresentam o alelo HLA-DQ2 ou HLA-DQ8 de classe II. Entretanto, o *locus* HLA é responsável por menos da metade do componente genético da doença celíaca. Os outros fatores genéticos podem incluir polimorfismos de genes envolvidos na regulação imune e na função epitelial. Essas variáveis genéticas também podem contribuir para associações entre a doença celíaca e outras doenças imunes, incluindo diabetes melito tipo 1, tireoidite, síndrome de Sjögren e nefropatia por IgA.

das vilosidades, constitui um marcador sensível da doença celíaca, mesmo na ausência de dano epitelial e atrofia das vilosidades. Entretanto, a linfocitose intraepitelial e a atrofia vilosa não são específicas da doença celíaca e podem estar presentes em outras doenças, incluindo enterite viral. Por conseguinte, a associação de histologia e sorologia é mais específica para o diagnóstico de doença celíaca.

Morfologia

As amostras de biopsia da segunda parte do duodeno ou do jejuno proximal, que são expostos às concentrações mais altas de glúten da dieta, geralmente são diagnósticas na doença celíaca. A histopatologia caracteriza-se por um número aumentado de linfócitos T CD8+ intraepiteliais (linfocitose intraepitelial), hiperplasia da cripta e atrofia vilosa (**Figura 17.27**). Essa perda da área de superfície da mucosa e da borda em escova contribui para a má absorção. As taxas aumentadas de renovação epitelial, que se refletem no aumento da atividade mitótica das criptas, também podem limitar a capacidade dos enterócitos absortivos de se diferenciarem por completo e de expressarem as proteínas necessárias para a digestão terminal e o transporte transepitelial. Outras características da doença celíaca totalmente desenvolvida incluem aumento do número de plasmócitos, mastócitos e eosinófilos, particularmente na parte superior da lâmina própria. Com o aumento do rastreamento sorológico e a detecção precoce de anticorpos associados à doença, foi constatado que o aumento do número de linfócitos intraepiteliais, em particular

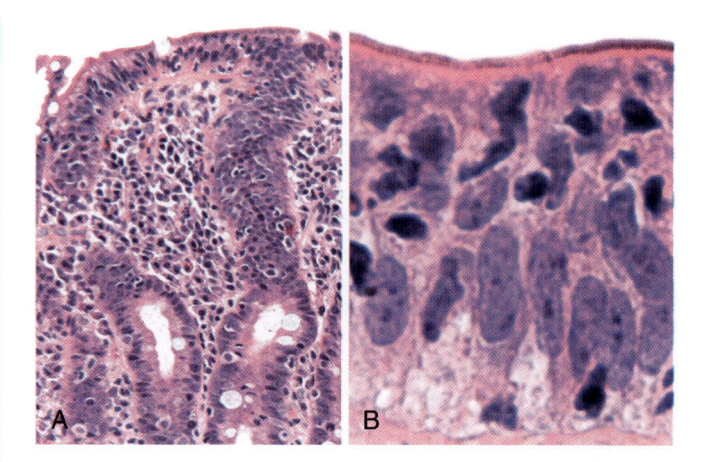

Figura 17.27 Doença celíaca. **A.** Os casos avançados de doença celíaca apresentam perda completa das vilosidades ou atrofia vilosa total. Observe os densos infiltrados de plasmócitos na lâmina própria. **B.** Infiltração do epitélio de superfície por linfócitos T, que podem ser reconhecidos pelos seus pequenos núcleos densamente corados, em comparação com os núcleos epiteliais maiores e de coloração mais clara.

Características clínicas

Nos adultos, a doença celíaca manifesta-se mais comumente entre 30 e 60 anos. Muitos casos de doença celíaca escapam da atenção clínica por longos períodos, devido à sua apresentação atípica. Outros pacientes podem ter doença celíaca silenciosa, definida por sorologia positiva e atrofia vilosa sem sintomas, ou doença celíaca latente, em que a sorologia positiva não é acompanhada de atrofia vilosa. A doença celíaca pode estar associada à diarreia crônica, à distensão ou à fadiga crônica, mas também pode ser assintomática. Esses casos podem se manifestar com anemia, devido à má absorção crônica de ferro e vitaminas. Nos adultos, a doença celíaca é detectada duas vezes mais frequentemente em mulheres, talvez pelo fato de que o sangramento menstrual aumenta os efeitos da absorção prejudicada de ferro. Em até 10% dos pacientes, pode-se observar a presença de dermatite herpetiforme (ver **Capítulo 25**), uma lesão cutânea bolhosa e pruriginosa característica.

A doença celíaca pediátrica, que afeta igualmente ambos os sexos, pode se manifestar com má absorção ou sintomas atípicos que afetam quase qualquer órgão. Em pacientes com sintomas clássicos, a doença normalmente começa após a introdução do glúten na dieta, entre 6 e 24 meses de vida, e manifesta-se com irritabilidade, distensão abdominal, anorexia, diarreia crônica, atraso do crescimento, perda de peso ou perda da massa muscular. As crianças com sintomas não clássicos tendem a apresentar a doença em uma idade mais avançada, com queixas de dor abdominal, náuseas, vômitos, distensão ou constipação intestinal. As queixas extraintestinais comuns incluem artrite ou dor articular, estomatite aftosa, anemia ferropriva, atraso da puberdade e baixa estatura.

Infelizmente, o único tratamento disponível no momento para a doença celíaca é a dieta isenta de glúten. Normalmente, a adesão à dieta sem glúten leva à resolução dos sintomas, à redução dos títulos de antitransglutaminase tecidual ou de outros anticorpos associados à doença celíaca e à restauração da histologia normal ou quase normal da mucosa em 6 a 24 meses. Esforços terapêuticos estão sendo concentrados para o desenvolvimento de agentes capazes de minimizar o impacto de pequenas quantidades de glúten ingerido. Uma dieta isenta de glúten também pode reduzir o risco de complicações a longo prazo, incluindo anemia, infertilidade na mulher, osteoporose e câncer (ver adiante).

Em geral, são realizados testes sorológicos não invasivos antes da biopsia. O teste mais sensível consiste na determinação dos anticorpos IgA contra a transglutaminase tecidual. Anticorpos IgA antiendomisiais também podem estar presentes. Os anticorpos IgG antitransglutaminase tecidual podem ser detectados em pacientes com deficiência de IgA. A ausência de HLA-DQ2 e HLA-DQ8 é útil pelo seu valor preditivo negativo, porém a presença desses alelos não é útil para confirmar o diagnóstico.

Os indivíduos com doença celíaca apresentam aumento do risco de neoplasia maligna. O câncer mais comum é o linfoma de células T associado à enteropatia, um linfoma agressivo de linfócitos T intraepiteliais. O adenocarcinoma do intestino delgado também é mais frequente em indivíduos com doença celíaca. Por conseguinte, quando há desenvolvimento de sintomas como dor abdominal, diarreia e perda de peso, apesar de uma dieta estrita sem glúten, é preciso considerar a possibilidade de câncer ou de espru refratário, em que há perda da resposta à dieta isenta de glúten.

Disfunção entérica ambiental

A *disfunção entérica ambiental*, também chamada de *enteropatia ambiental*, *enteropatia tropical* ou *espru tropical*, é um distúrbio que prevalece em áreas e em populações com condições sanitárias e de higiene precárias, incluindo: regiões gravemente subdesenvolvidas em partes da África Subsaariana, como Zâmbia; populações de aborígenes no norte da Austrália; e alguns grupos pobres da América do Sul e da Ásia. Os indivíduos afetados com frequência apresentam má absorção, desnutrição e atraso do crescimento. Foi sugerido que as taxas relativamente altas de falha de vacinas orais em regiões em que a disfunção entérica ambiental é endêmica são devidas a defeitos da função imune da mucosa nessa doença.

Atualmente, não existem critérios clínicos, laboratoriais ou histopatológicos aceitos que permitam o estabelecimento do diagnóstico de disfunção entérica ambiental. Foram examinadas amostras de biopsia intestinal em um pequeno número de casos, e as características histológicas relatadas incluem infiltração por células imunes mais pronunciada, porém atrofia vilosa menos avançada, em comparação com a doença celíaca avançada.

As causas subjacentes da disfunção entérica ambiental são desconhecidas. Defeitos nas funções da barreira e do transporte intestinais secundários à exposição crônica a patógenos fecais e a outros contaminantes microbianos, anormalidades imunes da mucosa e surtos repetidos de diarreia nos primeiros 2 ou 3 anos de vida provavelmente estão envolvidos. Embora muitos patógenos sejam endêmicos nas comunidades afetadas, nenhum agente infeccioso isolado foi associado à disfunção entérica ambiental. Além disso, o tratamento com antibióticos orais e os suplementos nutricionais não revertem nem evitam a disfunção entérica ambiental. As perdas irreversíveis no desenvolvimento físico, como, por exemplo, altura e peso, podem ser acompanhadas de déficits cognitivos não corrigíveis. Assim, é difícil estimar o impacto global da disfunção entérica ambiental, que afeta, segundo estimativas, mais de 150 milhões de crianças em todo o mundo, podendo contribuir para um alto índice de mortes na infância.

Enteropatia autoimune

A enteropatia autoimune é um distúrbio ligado ao X que se caracteriza por diarreia persistente grave e doença autoimune e ocorre com mais frequência em crianças pequenas. Uma forma familiar particularmente grave, denominada IPEX – acrônimo em inglês para desregulação imune, poliendocrinopatia, enteropatia e ligação ao X –, é causada por mutações de perda de função da linhagem germinativa no gene *FOXP3*, localizado no cromossomo X. O FOXP3 é um fator de transcrição expresso nas células T CD4+ regulatórias, e os indivíduos com mutações do *FOXP3* apresentam defeitos no desenvolvimento e na função dessas células. Outros defeitos na função das células T regulatórias foram associados a formas menos graves de enteropatia autoimune. A presença de autoanticorpos dirigidos contra enterócitos e células caliciformes é comum, e alguns pacientes apresentam anticorpos contra células parietais ou das ilhotas. No intestino delgado, os linfócitos intraepiteliais podem estar aumentados, mas não na extensão observada na doença celíaca. Diferentemente desta última, os neutrófilos infiltram com frequência a mucosa intestinal. A terapia consiste em fármacos imunossupressores, como ciclosporina, e em transplante de células-tronco hematopoéticas.

Deficiência de lactase (dissacaridase)

As dissacaridases, incluindo a lactase, estão localizadas na membrana da borda em escova apical das células epiteliais absortivas das vilosidades. Na ausência dessa enzima, a lactose da dieta não pode ser degradada em glicose e galactose. A lactose não pode ser absorvida e permanece na luz, onde exerce uma força osmótica que atrai o líquido e provoca diarreia. Como o defeito é bioquímico, a histologia é geralmente normal. Existem dois tipos de deficiência de lactase:

- A *deficiência congênita de lactase*, causada por uma mutação no gene que codifica essa enzima, é um distúrbio autossômico recessivo. A doença é rara e manifesta-se como diarreia explosiva com fezes aquosas e espumosas e distensão abdominal com a ingestão de leite. Os sintomas diminuem quando se interrompe a exposição ao leite e aos laticínios. A deficiência congênita de lactase era frequentemente fatal antes da disponibilidade de fórmula para lactentes à base de soja
- A *deficiência adquirida de lactase* é causada pela infrarregulação da expressão do gene da lactase e é particularmente comum entre populações de americanos nativos, afro-americanos e chineses. A deficiência adquirida de lactase pode se desenvolver potencialmente com o aumento da idade, visto que, até uma época relativamente recente (em termos evolutivos), as pessoas não consumiam leite após o desmame. A deficiência de lactase também pode ocorrer após infecções virais ou bacterianas entéricas; nesses casos, pode ser curada com o passar do tempo. Os sintomas, incluindo plenitude abdominal e diarreia, ocorrem após a ingestão de laticínios que contenham lactose. Além disso, ocorre flatulência, devido à fermentação dos açúcares não absorvidos pelas bactérias colônicas.

Doença de inclusão das microvilosidades

A doença de inclusão das microvilosidades, às vezes referida como doença de Davidson, é uma doença autossômica recessiva de transporte vesicular que leva à montagem deficiente da borda em escova. É causada por mutações no gene *MYO5B*, que codifica uma proteína motora necessária para o fornecimento e a recuperação de componentes da membrana plasmática, bem como para o transporte normal de nutrientes, íons e água. A doença ocorre mais comumente em populações da Europa, do Oriente Médio e nos americanos nativos Navajo. Ocorre desenvolvimento de diarreia intensa e intratável antes dos 3 meses (com frequência, nos primeiros dias de vida), em decorrência de um defeito na digestão terminal e nas funções de transporte transepitelial. Os fatores responsáveis pela apresentação precoce ou tardia ainda não foram definidos. O defeito no tráfego pela membrana plasmática leva ao acúmulo de vesículas apicais anormais, que contêm microvilosidades e vários componentes da membrana. As vesículas anormais podem ser identificadas por microscopia eletrônica ou por imunocoloração para a proteína da borda em escova, a vilina. A imuno-histoquímica CD10, que marca as inclusões das microvilosidades, bem como outras estruturas citoplasmáticas, também é utilizada para o diagnóstico. A nutrição parenteral total e o transplante de intestino delgado constituem os únicos tratamentos disponíveis para a doença de inclusão das microvilosidades.

Abetalipoproteinemia

A abetalipoproteinemia é uma doença autossômica recessiva rara caracterizada pela incapacidade de efetuar a montagem de lipoproteínas ricas em triglicerídeos. É causada por uma mutação na proteína de transferência microssomal de triglicerídeos (MTP, *microsomal triglyceride transfer protein*), que é necessária para a transferência de lipídios para o polipeptídeo de apolipoproteína B nascente no retículo endoplasmático. Na ausência da MTP, ocorre acúmulo intracelular de lipídios. O acúmulo de triglicerídeos manifesta-se na forma de vacuolização epitelial e pode ser realçado por corantes especiais, como o óleo vermelho-O (*oil red*), particularmente após uma refeição gordurosa.

A abetalipoproteinemia manifesta-se na lactância com insuficiência do crescimento, diarreia e esteatorreia. Devido ao defeito na montagem das lipoproteínas, o plasma é totalmente desprovido de lipoproteínas contendo apolipoproteína B. A incapacidade de absorver ácidos graxos essenciais leva a deficiências de vitaminas lipossolúveis, bem como a defeitos da membrana lipídica, que podem ser reconhecidos pela presença de acantócitos (*i. e.*, eritrócitos com protrusões pontiagudas da membrana) em esfregaços de sangue periférico.

Conceitos-chave

Distúrbios congênitos e adquiridos (não infecciosos) dos intestinos

- Podem ocorrer hérnias abdominais por meio de qualquer fraqueza ou defeito na parede da cavidade peritoneal, incluindo os canais inguinal e femoral, o umbigo e locais de cicatrizes cirúrgicas
- Ocorre intussuscepção quando um segmento do intestino se encaixa no segmento distal imediato. Trata-se da causa idiopática mais comum de obstrução intestinal em crianças com idade inferior a 2 anos, porém é impulsionada pela borda condutora de lesões expansivas em indivíduos de mais idade
- A doença intestinal isquêmica do cólon é mais comum na flexura esquerda do cólon, no cólon sigmoide e no reto; trata-se de zonas de transição em que terminam duas circulações arteriais
- A angiodisplasia é uma malformação dos vasos sanguíneos da submucosa e da mucosa e constitui uma causa comum de sangramento intestinal baixo em indivíduos com idade superior a 60 anos
- A diarreia pode ser caracterizada como secretora, osmótica, por má absorção ou exsudativa
- A má absorção associada à fibrose cística é o resultado de insuficiência pancreática, levando à liberação e à atuação inadequada de enzimas digestivas pancreáticas e, consequentemente, à degradação luminal deficiente de nutrientes
- A doença celíaca é uma enteropatia imunomediada, desencadeada pela ingestão de grãos que contêm glúten. A diarreia por má absorção na doença celíaca deve-se à perda da área de superfície da borda em escova, incluindo atrofia vilosa e, possivelmente, maturação deficiente dos enterócitos em consequência do dano epitelial imunomediado
- A disfunção entérica ambiental é prevalente em áreas com condições sanitárias precárias. De acordo com as estimativas, ela afeta mais de 150 milhões de crianças em todo o mundo e pode contribuir para um número muito grande de mortes infantis

- A enteropatia autoimune caracteriza-se por diarreia persistente com outras formas de doença autoimune. Uma forma particularmente grave é a IPEX, causada pela mutação no gene *FOXP3*, que é necessário para o desenvolvimento e a função das células T regulatórias
- A deficiência de lactase provoca diarreia osmótica, devido à incapacidade de degradar a lactose. A forma autossômica recessiva é rara e grave; já a forma adquirida é comum e manifesta-se geralmente na idade adulta
- A doença de inclusão das microvilosidades é um distúrbio autossômico recessivo raro, devido a mutações no *MYO5B*, que comprometem o transporte vesicular e a montagem da borda em escova.

Enterocolite infecciosa

A enterocolite pode manifestar-se com uma ampla variedade de sintomas, incluindo diarreia, dor abdominal, urgência, desconforto perianal, incontinência e hemorragia (Tabela 17.7). Esse problema global é responsável por mais de 1 milhão de mortes a cada ano. Metade da mortalidade ocorre em crianças com idade inferior a 5 anos, nas quais a doença diarreica constitui a quarta causa mais comum de morte em todo o mundo. Os patógenos específicos variam amplamente em função da idade, da nutrição e do estado imune do hospedeiro, bem como da geografia e de outras influências ambientais, como disponibilidade de água potável limpa. As infecções bacterianas, como *E. coli* enterotoxigênica e espécies de *Salmonella*, são frequentemente responsáveis por doenças diarreicas agudas. O rotavírus e o adenovírus são causas comuns de morte em crianças com idade inferior a 5 anos (ver Tabela 17.7). As infecções micobacterianas do trato GI são consideradas de modo detalhado no Capítulo 8.

Cólera

Vibrio cholerae **é uma bactéria gram-negativa em forma de vírgula causadora da cólera, uma doença que tem sido endêmica no Vale do Ganges, na Índia, e em Bangladesh em toda a história.** Desde 1817, sete grandes pandemias espalharam-se pelas rotas de comércio para Europa, Austrália e Américas, após as quais a cólera retornou ao Vale do Ganges. A cólera também persiste no Golfo do México, porém apenas causa raros casos de doenças associada ao consumo de frutos do mar. Isso ocorre pelo fato de que os crustáceos e o plâncton podem constituir reservatórios de *Vibrio cholerae*. A incidência da cólera aumenta durante o verão, o que reflete o crescimento mais rápido das bactérias do gênero *Vibrio* em temperaturas quentes. Ela é principalmente transmitida pela ingestão de água contaminada e pode causar epidemias em áreas em que desastres como terremotos ou guerra destruíram os sistemas de esgoto, com consequente contaminação fecal do abastecimento de água potável. Por exemplo, o terremoto ocorrido no Haiti, em 2010, levou a uma epidemia de cólera que afetou mais de 5% da população. Mais da metade dos casos exigiu hospitalização, e 1% foi fatal.

Patogênese

A diarreia grave é causada pela toxina liberada pelas bactérias. *Vibrio* não é invasivo e permanece na luz intestinal. As proteínas envolvidas na motilidade e na fixação são necessárias para a colonização eficiente. A hemaglutinina, uma metaloproteinase, é importante para o desprendimento e a eliminação das bactérias nas fezes, o que é fundamental para a disseminação.

A toxina da cólera é codificada por um fago de virulência e é composta de cinco subunidades B e uma única subunidade A. As subunidades B ligam-se ao gangliosídeo GM1 na superfície das células epiteliais intestinais, possibilitando o transporte da toxina por endocitose até o retículo endoplasmático (**Figura 17.28**). Nesse local, a subunidade A da toxina é reduzida pela proteína dissulfeto

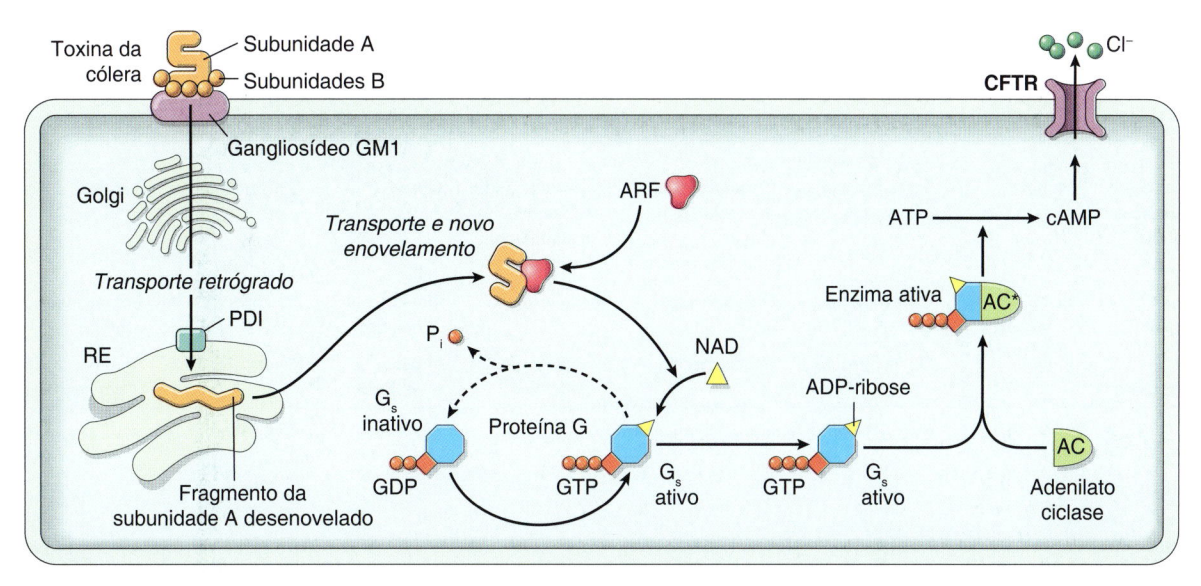

Figura 17.28 Transporte e sinalização da toxina da cólera. Após o transporte retrógrado da toxina até o retículo endoplasmático (*RE*), a subunidade A é liberada pela ação da proteína dissulfeto isomerase (*PDI*) e, em seguida, é capaz de acessar o citoplasma das células epiteliais. Em conjunto com o fator de ribosilação do ADP (*ARF*), a subunidade A efetua, em seguida, a ADP-ribosilação de G$_s$α, que é mantida no estado ativo ligado ao GTP. Isso leva à ativação da adenilato ciclase (*AC*) e do monofosfato de adenosina cíclico (*cAMP*) produzido abre o regulador de condutância transmembrana da fibrose cística (*CFTR*), o que impulsiona a secreção de cloreto e provoca diarreia.

Tabela 17.7 Características das enterocolites bacterianas.

Tipo de infecção	Geografia	Reservatório	Transmissão	Epidemiologia	Áreas GI afetadas	Sintomas	Complicações
Cólera	Índia, África	Moluscos	Fecal-oral, água	Esporádica, endêmica, epidêmica	Intestino delgado	Diarreia aquosa grave	Desidratação, desequilíbrio eletrolítico
Campylobacter spp.	Países de alta renda	Galinhas, ovelhas, porcos, gados	Aves domésticas, leite, outros alimentos	Esporádica, crianças, viajantes	Cólon	Diarreia aquosa ou sanguinolenta	Artrite reativa, síndrome de Guillain-Barré
Shigelose	Mundial, endêmica em países de baixa renda	Seres humanos	Fecal-oral, alimentos, água	Crianças, trabalhadores migrantes, viajantes, residentes de asilos	Cólon esquerdo, íleo	Diarreia sanguinolenta	Artrite reativa, uretrite, conjuntivite, síndrome hemolítico-urêmica
Salmonelose	Mundial	Aves domésticas, animais de criação, répteis	Carne, aves domésticas, ovos, leite	Crianças, adultos de mais idade	Cólon e intestino delgado	Diarreia aquosa ou sanguinolenta	Sepse, abscesso
Febre entérica (tifoide)	Índia, México, Filipinas	Seres humanos	Fecal-oral, água	Crianças, adolescentes, viajantes	Intestino delgado	Diarreia sanguinolenta, febre	Infecção crônica, estado de portador, encefalopatia, miocardite, perfuração intestinal
Yersinia spp.	Europa setentrional e central	Porcos, vacas, filhotes de cães, gatos	Carne de porco, leite, água	Casos agrupados/ aglomerações	Íleo, apêndice, cólon direito	Dor abdominal, febre, diarreia	Artrite reativa, eritema nodoso
Escherichia coli							
ETEC	Países de baixa renda	Desconhecido	Alimento ou fecal-oral	Lactentes, adolescentes, viajantes	Intestino delgado	Diarreia aquosa grave	Desidratação, desequilíbrios eletrolíticos
EPEC	Mundial	Seres humanos	Fecal-oral	Lactentes	Intestino delgado	Diarreia aquosa	Desidratação, desequilíbrios eletrolíticos
EHEC	Mundial	Disseminado, incluindo gato	Carne de vaca, leite, laticínios	Esporádica e epidêmica	Cólon	Diarreia sanguinolenta	Síndrome hemolítico-urêmica
EIEC	Países de baixa renda	Desconhecido	Queijos, outros alimentos, água	Crianças pequenas	Cólon	Diarreia sanguinolenta	Desconhecidas
EAEC	Mundial	Desconhecido	Desconhecida	Crianças, adultos, viajantes	Cólon	Diarreia não sanguinolenta, sem febre	Pouco definidas
Colite pseudo-membranosa (*C. difficile*)	Mundial	Seres humanos, hospitais	Os antibióticos possibilitam o seu aparecimento	Imunossuprimidos, pacientes tratados com antibióticos	Cólon	Diarreia aquosa, febre	Recidiva, megacólon tóxico
Doença de Whipple	Rural > urbano	Desconhecido	Desconhecida	Rara	Intestino delgado	Má absorção	Artrite, doença do SNC
Infecção micobacteriana	Mundial	Desconhecido	Desconhecida	Imunossuprimidos, endêmica	Intestino delgado	Má absorção	Pneumonia, infecção em outros locais

EAEC, E. coli enteroagregativa; *EHEC, E. coli* êntero-hemorrágica; *EIEC, E. coli* enteroinvasiva; *EPEC, E. coli* enteropatogênica; *ETEC, E. coli* enterotoxigênica; *GI,* gastrintestinal; *SNC,* sistema nervoso central.

isomerase, e um fragmento da subunidade A é desenovelado. Em seguida, esse fragmento peptídico é transportado no citosol utilizando a maquinaria celular do hospedeiro, que normalmente transfere proteínas mal enoveladas do retículo endoplasmático para o citosol. Uma vez no citosol, o fragmento da subunidade A é novamente enovelado e, a seguir, interage com fatores de ribosilação de ADP (ARF, *ADP ribosylation factors*) citosólicos para ativar a proteína G estimuladora $G_s\alpha$. Isso estimula a adenilato ciclase, e o aumento resultante do monofosfato de adenosina cíclico (cAMP) intracelular abre o regulador da condutância da fibrose cística (CDTR, *cystic fibrosis conductance regulator*), que libera íons cloreto na luz. A absorção de cloreto e de sódio também é inibida no cAMP. O consequente acúmulo de cloreto, bicarbonato e sódio dentro da luz intestinal cria uma força osmótica que arrasta a água para a luz e provoca diarreia maciça. De maneira notável, as biopsias da mucosa revelam apenas alterações histológicas mínimas.

Características clínicas

Os indivíduos expostos ao *V. cholerae* são, em sua maioria, assintomáticos ou só desenvolvem diarreia leve. Naqueles com doença grave, ocorre início abrupto de diarreia aquosa e vômitos após o período de incubação de 1 a 5 dias. As fezes volumosas assemelham-se à água de arroz e, às vezes, são descritas como tendo odor de peixe. A taxa de diarreia pode alcançar 1 ℓ por hora, levando a desidratação, hipotensão, cãibras musculares, anúria, choque, perda da consciência e morte. A mortalidade da cólera grave é de cerca de 50% na ausência de tratamento, porém a reposição hídrica realizada no momento adequado pode salvar mais de 99% dos pacientes. Com frequência, a reidratação oral é suficiente, porém infelizmente não é utilizada como deveria. As terapias promissoras em fase de investigação para tratamento agudo incluem inibidores do CFTR, que impedem a diarreia ao bloquear a secreção de cloreto. A vacinação dos indivíduos de risco durante surtos de cólera pode limitar a disseminação da doença e é recomendada pela Organização Mundial da Saúde (OMS), aliada a outras estratégias de controle e prevenção. A vacinação profilática é um objetivo a longo prazo, e alguns dados indicam que essa abordagem proporcionará uma imunidade de rebanho suficiente para reduzir a incidência da cólera.

Enterocolite por *Campylobacter*

O *Campylobacter jejuni* é o patógeno bacteriano entérico mais comum nos países de alta renda e constitui uma causa importante de diarreia do viajante e intoxicação alimentar. As infecções estão associadas, com mais frequência, à ingestão de frango malcozido, porém os surtos também podem ser causados por leite não pasteurizado ou água contaminada.

Patogênese

A patogênese da infecção por *Campylobacter* continua sendo pouco definida, porém as quatro principais propriedades que contribuem para a virulência são a motilidade, a aderência, a produção de toxina e a invasão. Os flagelos conferem ao *Campylobacter* a sua motilidade, o que facilita a aderência e a colonização. Alguns isolados de *C. jejuni* também liberam citotoxinas, que causam danos epiteliais diretos, ou uma enterotoxina semelhante à toxina da cólera. A disenteria (*i. e.*, diarreia sanguinolenta) geralmente está associada à invasão bacteriana e é causada por apenas uma minoria de cepas de *Campylobacter*. Ocorre febre entérica quando as bactérias se proliferam na lâmina própria e nos linfonodos mesentéricos.

A infecção por *Campylobacter* pode resultar em artrite reativa, principalmente em pacientes com genótipo HLA-B27. Outras complicações extraintestinais, incluindo eritema nodoso e síndrome de Guillain-Barré, uma paralisia flácida causada pela inflamação dos nervos periféricos imunologicamente mediada (ver **Capítulo 27**), não estão relacionadas com HLA. O mimetismo molecular foi implicado na patogênese da síndrome de Guillain-Barré, devido à reação cruzada dos anticorpos séricos contra o lipopolissacarídeo de *C. jejuni* com gangliosídeos dos sistemas nervosos central e periférico. O risco de desenvolvimento da síndrome de Guillain-Barré após a infecção por *Campylobacter* é estimado em menos de 0,1%, porém até 40% dos casos de síndrome de Guillain-Barré apresentam infecção documentada por *Campylobacter* nas 2 semanas anteriores à apresentação, e até 50% apresentam coproculturas positivas ou anticorpos circulantes contra *Campylobacter*.

> ### Morfologia
>
> As bactérias do gênero *Campylobacter* são microrganismos gram-negativos flagelados, em forma de vírgula. O diagnóstico é estabelecido principalmente por coprocultura, visto que os achados na biopsia são inespecíficos. Os infiltrados de neutrófilos da mucosa e intraepiteliais são proeminentes, em particular na mucosa superficial (**Figura 17.29A**); pode-se observar também a presença de criptite (infiltração do epitélio das criptas por neutrófilos) e abscessos da cripta (acúmulos de neutrófilos na luz das criptas). É importante assinalar que a arquitetura das criptas é preservada (**Figura 17.29D**), embora isso possa ser difícil de avaliar nos casos com danos graves à mucosa.

Características clínicas

A ingestão de apenas 500 microrganismos de *C. jejuni* pode causar doença após um período de incubação de até 8 dias. A diarreia aquosa, tanto aguda quanto após um pródromo semelhante à influenza, constitui o principal sintoma, porém ocorre disenteria em 15% dos adultos e em mais de 50% das crianças. Os pacientes podem eliminar bactérias por 1 mês ou mais após a resolução clínica. Em geral, não há necessidade de antibioticoterapia.

Shigelose

Os microrganismos do gênero *Shigella* são anaeróbios facultativos gram-negativos, não encapsulados e imóveis, que pertencem à família Enterobacteriaceae e estão estreitamente relacionados com *E. coli* enteroinvasiva. Embora os seres humanos sejam o único reservatório conhecido, as espécies de *Shigella* representam uma das causas mais comuns de diarreia sanguinolenta, com incidência global de até 165 milhões de casos a cada ano. Tendo-se em vista a dose infectiva extremamente baixa de várias centenas de microrganismos e a presença de até 10^9 microrganismos em cada grama de fezes durante a doença aguda, a *Shigella* é altamente transmissível por via fecal-oral ou por água e alimentos contaminados.

Nos EUA e na Europa, as crianças em creches, os trabalhadores imigrantes, os viajantes para países com recursos escassos e os indivíduos em clínicas de repouso são os mais comumente afetados. Em geral, as mortes limitam-se a crianças com idade inferior a 5 anos. A *Shigella* é endêmica em países com condições sanitárias precárias, onde é responsável por 10% das doenças diarreicas pediátricas e por até 75% das mortes por diarreia.

Patogênese

Os microrganismos do gênero *Shigella* são resistentes ao ácido gástrico, o que explica a baixa dose infecciosa. Uma vez no intestino, os microrganismos são captados por células M ou *microfold*, que são especializadas na amostragem e na apresentação de antígenos luminais. As bactérias se proliferam dentro das células M e, em seguida, escapam para a lâmina própria, onde são fagocitadas por

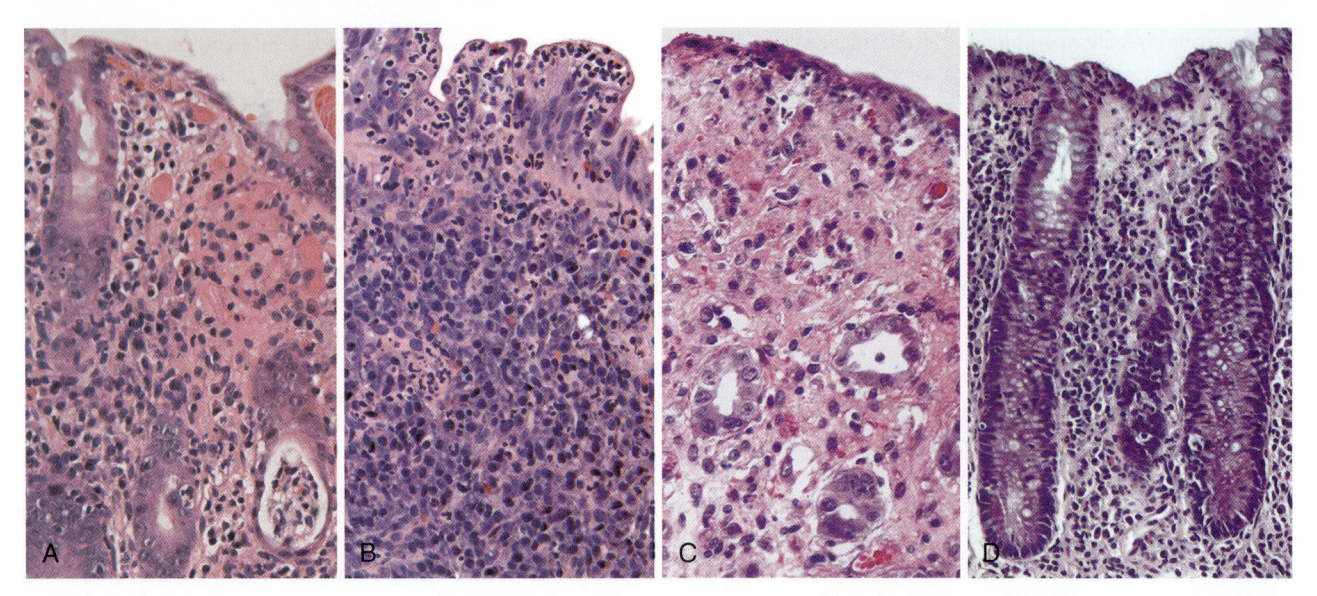

Figura 17.29 Enterocolite bacteriana. **A.** A infecção por *Campylobacter jejuni* produz colite autolimitada aguda. Pode-se observar a presença de neutrófilos dentro da superfície e no epitélio da cripta, e um abscesso de cripta está presente na parte inferior, à direita. **B.** Na infecção por *Yersinia*, o epitélio de superfície pode ser erodido pelos neutrófilos, e a lâmina própria está densamente infiltrada por lâminas de plasmócitos misturados com linfócitos e neutrófilos. **C.** A *Escherichia coli* êntero-hemorrágica O157:H7 resulta em uma morfologia semelhante à da isquemia, com atrofia e erosão da superfície. **D.** A infecção por *E. coli* enteroinvasiva assemelha-se a outras colites autolimitadas agudas, como aquelas causadas por *C. jejuni*. Observe a manutenção da arquitetura da cripta e o espaçamento normais, apesar dos neutrófilos intraepiteliais abundantes.

macrófagos, nos quais elas induzem a apoptose. A resposta inflamatória danifica o epitélio de superfície e permite que a *Shigella* dentro da luz intestinal, bem como as que se encontram na lâmina própria, tenha acesso às membranas basolaterais das células epiteliais do cólon, através das quais as bactérias invadem o citoplasma com mais eficiência do que a partir da superfície apical. Todas as espécies de *Shigella* carregam plasmídeos de virulência, alguns dos quais codificam um sistema de secreção tipo III, capaz de injetar diretamente proteínas bacterianas no citoplasma do hospedeiro. A *Shigella dysenteriae* do sorotipo 1 também libera a toxina Shiga Stx, que inibe a síntese de proteínas eucarióticas, resultando em lesão e morte das células hospedeiras.

Morfologia

As infecções por *Shigella* são mais proeminentes no cólon esquerdo, porém o íleo também pode ser acometido, refletindo, talvez, a abundância das células M no **epitélio da cúpula** sobre as placas de Peyer. A mucosa é hemorrágica e ulcerada, e pode haver pseudomembranas. A histologia dos casos iniciais assemelha-se àquela de outras colites agudas autolimitadas, como a colite por *Campylobacter*; entretanto, **devido ao tropismo para as células M, podem ocorrer úlceras aftosas semelhantes àquelas observadas na doença de Crohn.** Este e outros fatores levam a uma possibilidade considerável de confusão com a doença inflamatória intestinal.

Características clínicas

Após um período de incubação de até 1 semana, a *Shigella* causa uma doença autolimitada, que se caracteriza por diarreia, febre e dor abdominal de 7 a 10 dias de duração. A diarreia inicialmente aquosa progride para uma fase disentérica em cerca de 50% dos pacientes, e os sintomas constitucionais podem persistir por até 1 mês. A duração dos sintomas normalmente é mais curta em crianças, porém a gravidade é, com frequência, muito maior. Nos adultos, uma apresentação subaguda incomum inclui semanas de aumento e diminuição da diarreia, que pode simular uma colite ulcerativa de início recente. A confirmação da infecção por *Shigella* exige coprocultura. O tratamento com antibióticos reduz tanto o curso clínico quanto a duração de eliminação das bactérias nas fezes. Em contrapartida, os medicamentos antidiarreicos podem prolongar os sintomas e retardar a eliminação da *Shigella*, razão pela qual estão contraindicados.

As complicações tardias da infecção por *Shigella* são incomuns, porém incluem a tríade de artrite ativa estéril, uretrite e conjuntivite, que afeta preferencialmente homens HLA-B27 positivos entre 20 e 40 anos. A *S. dysenteriae* do sorotipo 1, que secreta toxina Shiga, também pode desencadear a síndrome hemolítico-urêmica, embora a *E. coli* êntero-hemorrágica (EHEC) seja mais comumente responsável por esse quadro (ver **Capítulo 20**). O megacólon tóxico e a obstrução intestinal constituem complicações raras.

Salmonella

As ***Salmonella***, que são classificadas na família Enterobacteriaceae de bacilos gram-negativos, são divididas em *S. typhi*, o agente causador da febre tifoide (discutida na próxima seção), e *Salmonella* não tifoide, como *S. enteritidis*. Essa última constitui a causa mais comum de salmonelose, com mais de 1 milhão de casos a cada ano nos EUA; a prevalência é ainda maior em países de recursos escassos. A infecção é mais comum em crianças de mais idade e indivíduos idosos, com pico de incidência no verão e no outono. A *Salmonella* é transmitida por meio de alimentos contaminados, particularmente carne crua ou malcozida, aves domésticas, ovos e leite. O processamento centralizado dos alimentos pode levar a grandes surtos. Dispõe-se de vacinas para seres humanos e animais de criação, como, por exemplo, galinhas poedeiras.

Patogênese

É necessário um número muito pequeno de *Salmonella* viáveis para causar infecção; a ausência de ácido gástrico em indivíduos com gastrite atrófica ou naqueles submetidos à terapia supressora de ácido reduz ainda mais a quantidade de inóculo necessário. A *Salmonella* tem genes de virulência que codificam um sistema de secreção tipo III, capaz de transferir proteínas bacterianas nas células M e nos enterócitos. As proteínas transferidas ativam as Rho guanosina trifosfatases (GTPases) do hospedeiro, estimulando, assim, o rearranjo da actina e a endocitose das bactérias, o que, por sua vez, facilita o crescimento bacteriano dentro dos endossomos. A *Salmonella* também secreta uma molécula que induz a liberação de células epiteliais do eicosanoide hepoxilina A3, um poderoso quimioatraente que estimula a quimiotaxia dos neutrófilos na luz intestinal e potencializa o dano à mucosa. A flagelina, a proteína do cerne dos flagelos bacterianos, e o lipopolissacarídeo bacteriano podem ativar o TLR5 e o TLR4, respectivamente, aumentando ainda mais a inflamação e o dano tecidual. As células T Th1 e Th17 contribuem para a eliminação do patógeno, o que explica a razão pela qual os indivíduos com defeitos genéticos na imunidade de Th17 correm risco de salmonelose disseminada.

As características macroscópicas e microscópicas da enterite por *Salmonella* são inespecíficas e assemelham-se àquelas da colite autolimitada aguda do *Campylobacter* e da *Shigella*. As coproculturas são essenciais para o diagnóstico.

Características clínicas

As infecções por *Salmonella* são clinicamente indistinguíveis daquelas causadas por outros patógenos entéricos. Os sintomas variam desde fezes moles até diarreia profusa semelhante à da cólera e disenteria. Com frequência, ocorre a resolução da febre em 2 dias, porém a diarreia pode persistir por 1 semana, e os microrganismos podem ser eliminados nas fezes durante várias semanas após a resolução. Em geral, não se recomenda a antibioticoterapia, visto que ela pode prolongar o estado de portador ou até mesmo causar recidiva e, em geral, não diminui a duração da diarreia. Embora as infecções por *Salmonella* sejam normalmente autolimitadas, podem ocorrer algumas complicações, incluindo artrite reativa e meningite, e até mesmo morte, particularmente em pacientes com neoplasias malignas, imunossupressão, alcoolismo, disfunção cardiovascular, doença falciforme ou anemia hemolítica.

Febre tifoide

A febre tifoide, também chamada de febre entérica, tem incidência anual de 30 milhões de indivíduos em todo o mundo. A doença é causada por *Salmonella enterica* e seus dois subtipos, *typhi* e *paratyphi*. A maioria dos casos em países endêmicos é causada pela *S. typhi*, ao passo que a infecção por *S. paratyphi* é mais comum entre viajantes, talvez pelo fato de serem frequentemente vacinados contra *S. typhi*. Nas áreas endêmicas, as crianças e os adolescentes são afetados com mais frequência, porém não há preferência de idade em países não endêmicos. A infecção está fortemente associada a viagens para Índia, México, Filipinas, Paquistão, El Salvador e Haiti. Os seres humanos constituem o único reservatório para *S. typhi* e *S. paratyphi*, e a transmissão ocorre de pessoa para pessoa por meio de alimentos ou de água contaminada. A colonização da vesícula biliar com *S. typhi* ou *S. paratyphi* pode estar associada a cálculos biliares e ao estado de portador crônico.

Patogênese

Diferentemente da *S. enteritidis*, a *S. typhi* dissemina-se pelos vasos linfáticos e sanguíneos, causando hiperplasia reativa sistêmica dos fagócitos e tecidos linfoides. À semelhança da *Shigella*, a *S. typhi* é resistente ao ácido gástrico e, inicialmente, invade o organismo por meio das células M do intestino delgado.

> ### Morfologia
>
> A infecção por *Salmonella* faz as **placas de Peyer no íleo terminal** aumentarem, formando elevações em platô nitidamente delineadas, com até 8 cm de diâmetro. Os linfonodos mesentéricos de drenagem também estão aumentados. Os neutrófilos acumulam-se na lâmina própria superficial, assim como os macrófagos que contêm bactérias, eritrócitos, restos nucleares, linfócitos e plasmócitos. Os danos à mucosa formam úlceras ovais, orientadas ao longo do eixo do íleo, que podem o perfurar.
>
> Na infecção disseminada por *S. typhi*, o baço está aumentado e tem consistência mole, com polpa vermelha uniformemente pálida, trama folicular obliterada e hiperplasia proeminente dos fagócitos. O fígado apresenta pequenos focos de necrose parenquimatosa aleatoriamente dispersos, nos quais os hepatócitos são substituídos por agregados de macrófagos, denominados **nódulos tifoides**, que também podem ser encontrados na medula óssea e nos linfonodos.

Características clínicas

A infecção aguda resulta em anorexia, dor abdominal, distensão, náuseas, vômitos e diarreia sanguinolenta, seguidos de uma fase assintomática curta, que progride para bacteriemia e febre com sintomas de características gripais. A hipersensibilidade abdominal pode simular uma apendicite. Manchas cor-de-rosa, que consistem em pequenas lesões maculopapulares eritematosas, desenvolvem-se no tórax e no abdome. Os sintomas cessam após várias semanas, porém pode ocorrer recidiva. **A disseminação sistêmica pode causar complicações extraintestinais, incluindo encefalopatia, meningite, convulsões, endocardite, miocardite, pneumonia e colecistite.** Os pacientes com doença falciforme são particularmente suscetíveis à osteomielite por *Salmonella*. As hemoculturas são positivas em mais de 90% dos indivíduos afetados durante a fase febril. O tratamento com antibióticos pode evitar a progressão da doença.

Yersinia

Três espécies de *Yersinia* são patógenos humanos. A *Y. enterocolitica* e a *Y. pseudotuberculosis* causam doença GI e são discutidas aqui. A *Y. pestis*, o agente da peste pulmonar e bubônica, é discutida no **Capítulo 8**. A incidência das infecções GI por *Yersinia* na Europa é maior do que na América do Norte, talvez em consequência de práticas dietéticas diferentes. As infecções estão mais frequentemente associadas ao consumo de carne de porco, leite cru e água contaminada e tendem a aumentar no inverno.

Patogênese

A *Yersinia* invade as células M e utiliza proteínas bacterianas especializadas, denominadas adesinas, para ligar-se às integrinas β_1 da célula hospedeira. Uma ilha de patogenicidade codifica proteínas que medeiam a captação e o transporte de ferro; sistemas semelhantes de transporte de ferro também estão presentes em *E. coli*, *Klebsiella*, *Salmonella* e nas enterobactérias. Na *Yersinia*, **o ferro intensifica a virulência e estimula a disseminação sistêmica, o que explica o motivo pelo qual os indivíduos com aumento do ferro não heme, como os que apresentam certas formas crônicas de anemia ou hemocromatose, correm maior risco de sepse e morte.**

> ### Morfologia
>
> As infecções por *Yersinia* acometem principalmente o íleo, o apêndice e o cólon direito (ver **Figura 17.29B**). Os microrganismos sofrem proliferação extracelular no tecido linfoide, o que resulta em hiperplasia dos linfonodos regionais e das placas de Peyer, bem como em espessamento da parede intestinal. A mucosa que recobre o tecido linfoide pode tornar-se hemorrágica, e podem surgir erosões aftosas e úlceras, bem como infiltrados de neutrófilos (**Figura 17.29B**) e granulomas. À semelhança da *Shigella*, esses fatores podem causar confusão diagnóstica com a doença de Crohn.

Características clínicas

Em geral, a infecção por *Yersinia* manifesta-se com dor abdominal, náuseas, vômitos e hipersensibilidade abdominal. **Com frequência, ocorrem sintomas extraintestinais de faringite, artralgia e eritema nodoso.** A febre e a diarreia são menos comuns. A invasão das placas de Peyer, com comprometimento subsequente dos linfáticos regionais, pode simular a apendicite aguda em adolescentes e adultos jovens, porém a enterite e a colite predominam em crianças de mais idade. A *Yersinia* pode ser detectada por meio de coprocultura em ágar seletivo para *Yersinia*. Nos casos com doença extraintestinal, os linfonodos e as hemoculturas também podem ser positivos. As complicações pós-infecciosas incluem artrite reativa com uretrite e conjuntivite, miocardite, eritema nodoso e doença renal.

Escherichia coli

As *E. coli* são bacilos gram-negativos que colonizam o trato GI saudável; a maioria não é patogênica, porém um subgrupo provoca doença humana. Os microrganismos desse subgrupo são classificados de acordo com a sua morfologia, a patogênese e o comportamento *in vitro*. Os subgrupos com importante relevância clínica incluem a *E. coli* enterotoxigênica (ETEC), a *E. coli* enteropatogênica (EPEC), a *E. coli* êntero-hemorrágica (EHEC), a *E. coli* enteroinvasiva (EIEC) e a *E. coli* enteroagregativa (EAEC).

Escherichia coli *enterotoxigênica*. As ETECs constituem a principal causa de diarreia do viajante e disseminam-se por meio de água ou alimentos contaminados. Nos países com recursos escassos, as crianças com idade inferior a 2 anos são particularmente suscetíveis. As ETECs não são invasivas, porém produzem toxinas termolábeis (LT) e termoestáveis (ST). A LT assemelha-se à toxina da cólera e ativa a adenilato ciclase, resultando em aumento do cAMP intracelular e da secreção de cloreto. A ST liga-se à guanilato ciclase e aumenta o monofosfato de guanosina cíclico (cGMP) intracelular; os efeitos exercidos sobre o transporte epitelial de íons assemelham-se aos induzidos pela LT. À semelhança da cólera, a diarreia não inflamatória secretora induzida pela ETEC resulta apenas em alterações histológicas leves, apesar do potencial de causar desidratação e, nos casos graves, choque.

Escherichia coli *enteropatogênica*. As EPECs são prevalentes em todo o mundo e constituem uma importante causa de diarreia endêmica, bem como de surtos de diarreia, particularmente em crianças com idade inferior a 2 anos. As EPECs caracterizam-se pela sua capacidade de produzir lesões por aderência e apagamento (A/A), em que as bactérias aderem firmemente às membranas apicais dos enterócitos do intestino delgado e causam perda local, isto é, apagamento das microvilosidades. As proteínas necessárias para criar as lesões por A/A são codificadas por uma grande ilha de patogenicidade genômica, o *locus* do apagamento dos enterócitos (LEE, *locus of enterocyte effacement*), que também está presente em muitas cepas de EHEC. Essas proteínas incluem a Tir, que está inserida na membrana plasmática das células epiteliais intestinais. A Tir atua como receptor para a proteína intimina da membrana externa bacteriana, que é codificada pelo gene *espE* e pode ser utilizada para a detecção molecular e o diagnóstico da infecção por EPEC. O *locus* do apagamento dos enterócitos também codifica um sistema de secreção tipo III, semelhante ao da *Shigella*, que injeta proteínas efetoras bacterianas no citoplasma das células endoteliais. As cepas de EPEC não produzem toxinas Shiga.

Escherichia coli *êntero-hemorrágica*. As EHEC são categorizadas como *E. coli* dos sorotipos O157:H7 e não O157:H7. Os surtos de *E. coli* O157:H7 são frequentemente causados pelo consumo de carne moída malcozida, refletindo o reservatório natural em bovinos. O leite e os vegetais contaminados também representam veículos para a infecção. Ambos os sorotipos O157:H7 e não O157:H7 produzem toxinas do tipo Shiga, de modo que as lesões (ver **Figura 17.29C**) e os sintomas clínicos se assemelham aos produzidos pela infecção por *S. dysenteriae*. Os sorotipos O157:H7 têm mais tendência do que os sorotipos não O157:H7 a causar surtos de diarreia sanguinolenta, síndrome hemolítico-urêmica e colite isquêmica. É importante ressaltar que os antibióticos não são recomendados, visto que a destruição das bactérias pode levar à liberação de toxinas do tipo Shiga e ao aumento do risco de síndrome hemolítico-urêmica, particularmente em crianças.

Escherichia coli *enteroinvasiva*. Os microrganismos EIEC assemelham-se, do ponto de vista bacteriológico, à *Shigella* e são transmitidos por meio de água ou alimentos ou por contato entre pessoas. Embora as EIECs não produzam toxinas, elas invadem as células epiteliais e produzem características inespecíficas de colite autolimitada aguda (ver **Figura 17.29D**). As infecções por EIEC são mais comuns entre crianças pequenas em países com recursos limitados e, em certas ocasiões, estão associadas a surtos em regiões mais afluentes.

Escherichia coli *enteroagregativa*. A EAEC tem morfologia "em tijolo empilhado" singular quando ligada às células epiteliais. Esses microrganismos causam diarreia em crianças e adultos em todo o mundo, incluindo diarreia do viajante. Os microrganismos aderem aos enterócitos por meio de fímbrias de aderência e são auxiliados pela dispersina, uma proteína de superfície bacteriana que neutraliza a carga de superfície negativa do lipopolissacarídeo. Os microrganismos EAEC produzem alterações histológicas mínimas e causam diarreia não sanguinolenta, que pode ser prolongada em indivíduos com imunodeficiência.

Colite pseudomembranosa

Em geral, a colite pseudomembranosa é causada pelo *Clostridioides* (anteriormente *Clostridium*) *difficile* e é conhecida como colite associada a antibióticos ou diarreia associada a antibióticos. Embora outros microrganismos, como *Salmonella*, *Clostridium perfringens* tipo A ou *Staphylococcus aureus*, também possam produzir diarreia no contexto da antibioticoterapia, apenas o *C. difficile* provoca colite pseudomembranosa.

Patogênese

A perturbação da microbiota colônica normal por antibióticos possibilita a proliferação excessiva de *C. difficile*. Quase todos os antibióticos podem ser responsáveis; os determinantes mais importantes da doença consistem em frequência do uso e efeito sobre a microbiota colônica. As toxinas liberadas por *C. difficile* causam ribosilação de pequenas GTPases, como Rho, levando a ruptura do citoesqueleto epitelial, perda da barreira formada pelas zônulas de oclusão, liberação de citocinas e apoptose. A ruptura do citoesqueleto mediada por toxina em outros tipos de células, particularmente os neutrófilos, também pode contribuir para o desenvolvimento de pseudomembranas purulentas, porém os processos que resultam em colite pseudomembranosa não estão totalmente compreendidos.

> ### Morfologia
>
> O epitélio de superfície está desnudo, e a lâmina própria superficial contém um denso infiltrado de neutrófilos e trombos de fibrina ocasional dentro dos capilares. As **pseudomembranas (Figura 17.30A e B)**, constituídas por uma camada aderente de células inflamatórias e resíduos, não são específicas e podem ser encontradas na isquemia ou em infecções necrosantes. Entretanto, **a histopatologia da colite associada ao *C. difficile* é patognomônica**. As características especiais incluem o exsudato mucopurulento, que caracteristicamente irrompe das criptas danificadas para formar lesões "em vulcão" **(Figura 17.30C)** e coalesce para formar pseudomembranas.

Características clínicas

Os fatores de risco para a colite associada ao *C. difficile* incluem tratamento com antibióticos, idade avançada, hospitalização e imunossupressão. O microrganismo é particularmente prevalente em hospitais; até 30% dos adultos hospitalizados são colonizados com *C. difficile* (uma taxa 10 vezes maior que a da população geral), porém a maioria dos pacientes colonizados não apresenta doença. Os indivíduos com colite associada ao *C. difficile* têm febre, leucocitose, dor abdominal, cólicas, diarreia aquosa e desidratação. A perda de proteínas pode levar à hipoalbuminemia. Pode-se observar a presença de leucócitos e sangue oculto nas fezes, porém a diarreia visivelmente sanguinolenta é incomum. O megacólon tóxico, caracterizado por acentuada dilatação do cólon, é uma complicação potencialmente fatal, que resulta da lesão acentuada da parede colônica. Em geral, o diagnóstico é estabelecido pela detecção da toxina do *C. difficile*, em vez de cultura, e é confirmado pela histopatologia característica. O metronidazol e a vancomicina são terapias geralmente efetivas, porém a prevalência de cepas de *C. difficile* hipervirulentas e resistentes a antibióticos está aumentando. Ocorre colite recorrente associada ao *C. difficile* em até 40% dos pacientes. O transplante microbiano fecal evita com sucesso a infecção recorrente em alguns pacientes e está se tornando uma terapia aceita. Muitos pesquisadores estão empenhados no desenvolvimento de populações microbianas definidas passíveis de serem administradas em substituição às preparações fecais. Novos antibióticos, bem como anticorpos monoclonais contra as toxinas A e B, também podem ser efetivos, porém ainda não alcançaram uso disseminado.

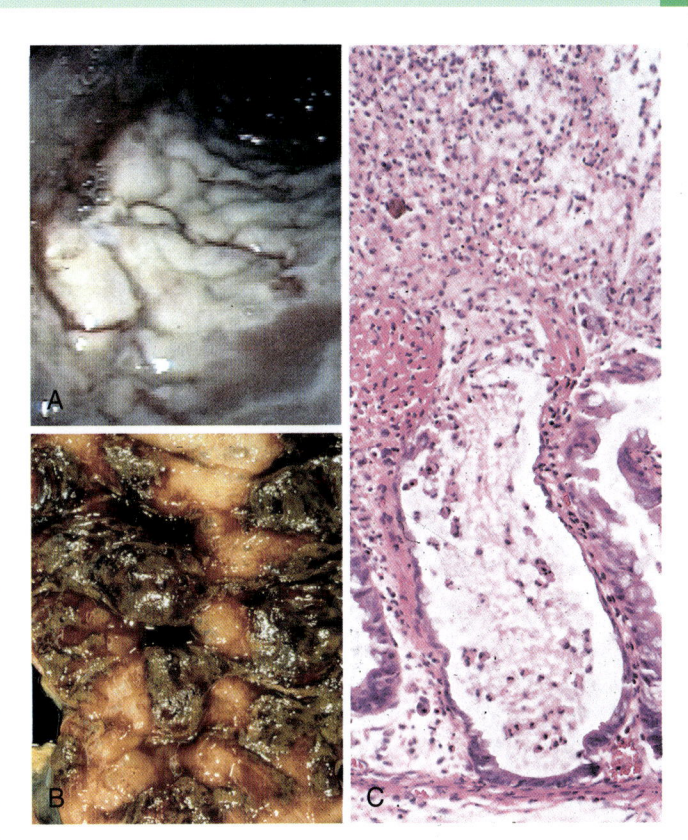

Figura 17.30 Colite por *Clostridioides* (anteriormente *Clostridium*) *difficile*. **A.** O cólon é revestido por pseudomembranas castanhas compostas de neutrófilos, células epiteliais mortas e restos inflamatórios (vista endoscópica). **B.** As pseudomembranas são facilmente reconhecidas ao exame macroscópico. **C.** O padrão típico dos neutrófilos que emanam de uma cripta danificada lembra uma erupção vulcânica.

Doença de Whipple

A doença de Whipple é uma doença crônica multivisceral rara, descrita pela primeira vez como lipodistrofia intestinal, em 1907, por George Hoyt Whipple, patologista que ganhou o Prêmio Nobel pelo seu trabalho sobre anemia perniciosa.

Patogênese

O relato de caso original de Whipple descreveu um indivíduo com má absorção, linfadenopatia e artrite de origem indefinida. O exame *post-mortem* demonstrou a presença de macrófagos espumosos preenchidos com microrganismos gram-positivos. O microrganismo foi identificado como um actinomiceto pela PCR, em 1992, e denominado *Tropheryma whipplei*. Os sintomas clínicos surgem devido ao acúmulo de macrófagos repletos de bactérias dentro da lâmina própria do intestino delgado e dos linfonodos mesentéricos, causando obstrução linfática. Por conseguinte, **a diarreia por má absorção da doença de Whipple deve-se ao comprometimento da drenagem linfática.**

> ### Morfologia
>
> A característica morfológica essencial da doença de Whipple é o **acúmulo denso de macrófagos espumosos e distendidos na lâmina própria do intestino delgado (Figura 17.31A)**. Os macrófagos contêm grânulos positivos para ácido periódico de Schiff (PAS, *periodic acid*-Schiff) e resistentes à diastase, que representam bactérias parcialmente digeridas dentro dos lisossomos **(Figura 17.31B)**. Bacilos intactos em forma de bastonete também podem ser identificados por microscopia eletrônica **(Figura 17.31C)**. Observa-se a presença de um infiltrado semelhante de macrófagos espumosos nas infecções micobacterianas intestinais **(Figura 17.31D)**, e os microrganismos são PAS-positivos em ambas as doenças. A coloração álcool-acidor-resistente pode ser útil, visto que as micobactérias exibem coloração positiva **(Figura 17.31E)**, mas não *T. whipplei*.
>
> A **expansão vilosa** produzida pelos densos infiltrados de macrófagos confere uma aparência macroscópica emaranhada e desorganizada à superfície da mucosa. A dilatação linfática e a deposição lipídica na mucosa são responsáveis pelas placas brancas a amarelas na mucosa visíveis na endoscopia. Na doença de Whipple, os macrófagos preenchidos de bactérias podem se acumular dentro de **linfonodos mesentéricos**, **membranas sinoviais**, **valvas cardíacas**, **encéfalo** e outros locais.

A doença de Whipple é mais comum em homens brancos, particularmente em fazendeiros e outros indivíduos com exposição ocupacional ao solo ou a animais. Embora não haja relação familiar consistente, a raridade da infecção, apesar do grande número de portadores saudáveis, sugere a existência de fatores de risco genéticos.

A apresentação clínica da doença de Whipple geralmente consiste na tríade de diarreia, perda de peso e artralgia. Os sintomas extraintestinais podem preceder a má absorção em meses ou anos e incluem artrite, artralgia, febre, linfadenopatia e doença neurológica, cardíaca ou pulmonar.

Gastrenterite viral

A infecção humana sintomática é causada por muitos vírus. Aqui, são discutidos os mais comuns.

Norovírus. Esse vírus, anteriormente conhecido como vírus tipo Norwalk, é uma causa comum de gastrenterite não bacteriana. Os seres humanos constituem o único reservatório conhecido desses pequenos vírus icosaédricos, com genoma de RNA de fita simples. **Acredita-se que cerca da metade de todos os surtos de gastrenterite no mundo seja causada por norovírus.** Nos EUA, os norovírus representam a causa mais comum de gastrenterite aguda, que exige atenção médica. Eles são responsáveis por mais de 200 mil mortes na infância a cada ano em países com recursos limitados. Com o uso crescente da vacina contra rotavírus, o norovírus tornou-se a causa mais comum de diarreia em todo o mundo.

Os surtos locais de norovírus são normalmente iniciados por água ou alimentos contaminados, porém a disseminação pela população ocorre por meio de transmissão fecal-oral e de pessoa para pessoa. A transmissão fecal-oral é responsável pela maioria dos casos esporádicos. As infecções espalham-se facilmente em escolas, hospitais, clínicas de repouso e outros grandes agrupamentos em locais fechados, como navios de cruzeiro. Nesses ambientes, os veículos incluem gotículas transportadas pelo ar, superfícies do ambiente e fômites. Alguns dados sugerem que a realização rigorosa de higiene pessoal, as precauções entéricas e a descontaminação regular do ambiente com higienizadores das mãos à base de álcool e panos de limpeza com amônio quaternário podem reduzir a transmissão. Entretanto, a prevenção é difícil, devido à resistência do vírus a uma ampla faixa de temperaturas, desde o ponto de congelamento a 60°C, e à dose infecciosa extraordinariamente baixa de menos de 20 partículas.

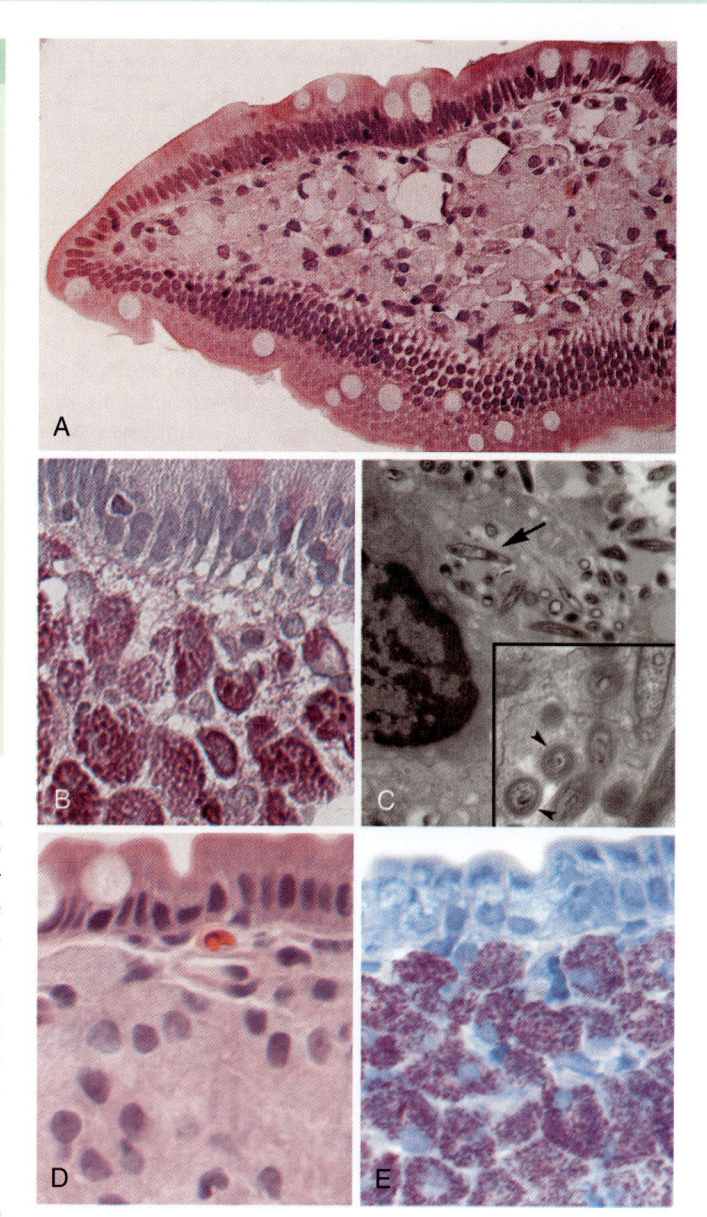

Figura 17.31 Doença de Whipple e infecção micobacteriana. **A.** A coloração pela hematoxilina e pela eosina mostra o apagamento da lâmina própria normal por uma lâmina de macrófagos distendidos. **B.** A coloração pelo ácido periódico de Schiff destaca os lisossomos dos macrófagos repletos de bacilos. **C.** A micrografia eletrônica de parte de um macrófago mostra os bacilos dentro da célula (*seta na parte superior*); observados com maior aumento (*pontas de seta no detalhe*). **D.** A morfologia da infecção micobacteriana pode assemelhar-se à da doença de Whipple, particularmente no hospedeiro imunocomprometido. Compare com (**A**). **E.** Diferentemente de *T. whipplelii*, as micobactérias são positivas com colorações para bactérias álcool-acidor-resistentes. (**C**, Cortesia de George Kasnic e do Dr. William Clapp, University of Florida, Gainesville, Fla.)

Após um período de incubação de até 2 dias, os indivíduos afetados desenvolvem vômitos, dor abdominal em cólica, diarreia aquosa e sintomas inespecíficos, incluindo cefaleia, calafrios e mialgias. Na maioria dos casos, ocorre resolução dos sintomas em 2 a 3 dias. As partículas virais infecciosas podem ser eliminadas antes dos sintomas e por até 8 semanas após a infecção em indivíduos saudáveis e imunocompetentes.

A infecção pelo norovírus em pacientes imunocomprometidos representa um problema significativo. Alguns dados sugerem que quase 20% dos pacientes submetidos à imunossupressão após o tratamento renal ou como tratamento para a doença do enxerto-*versus*-hospedeiro após o transplante de células-tronco hematopoéticas são infectados pelo norovírus e apresentam diarreia intermitente. Muitos desses pacientes não conseguem eliminar a infecção, sofrem de diarreia crônica e eliminam vírus com características infectantes por até 1 ano. A desnutrição e a desidratação que acompanham a infecção também podem aumentar a morbidade da doença subjacente.

Alguns indivíduos demonstram resistência natural à infecção pelo norovírus, devido a mutações que inativam a galactose 2-α-l-fucosiltransferase, *FUT2*, que contribui para a glicosilação de proteínas destinadas à superfície celular no complexo de Golgi. Cerca de 20% dos indivíduos de ascendência europeia e africana são homozigotos para essas mutações. Esses indivíduos, denominados não secretores, não liberam antígenos de grupo sanguíneo na saliva nem os expressam em células epiteliais de muitos locais da mucosa, incluindo o trato GI. Os não secretores são resistentes à infecção, visto que carecem dos grupos de carboidratos nesses antígenos, que atuam como ligantes para a infecção viral. Em outros, é difícil obter imunidade adquirida, devido à existência de uma grande diversidade de cepas de norovírus, o que limita a proteção cruzada, e ao fato de que o genoma viral sofre regularmente recombinação, resultando em mudança antigênica. Em consequência, surge uma nova cepa pandêmica a cada 2 a 4 anos.

Morfologia

A morfologia é inespecífica, mas pode incluir leve encurtamento das vilosidades, vacuolização epitelial, hipertrofia das criptas e infiltração da lâmina própria por neutrófilos, linfócitos e monócitos (**Figura 17.32A**). A borda em escova das microvilosidades também está comprometida, e a redução da expressão de enzimas digestivas pode levar à esteatorreia leve e à má absorção de carboidratos.

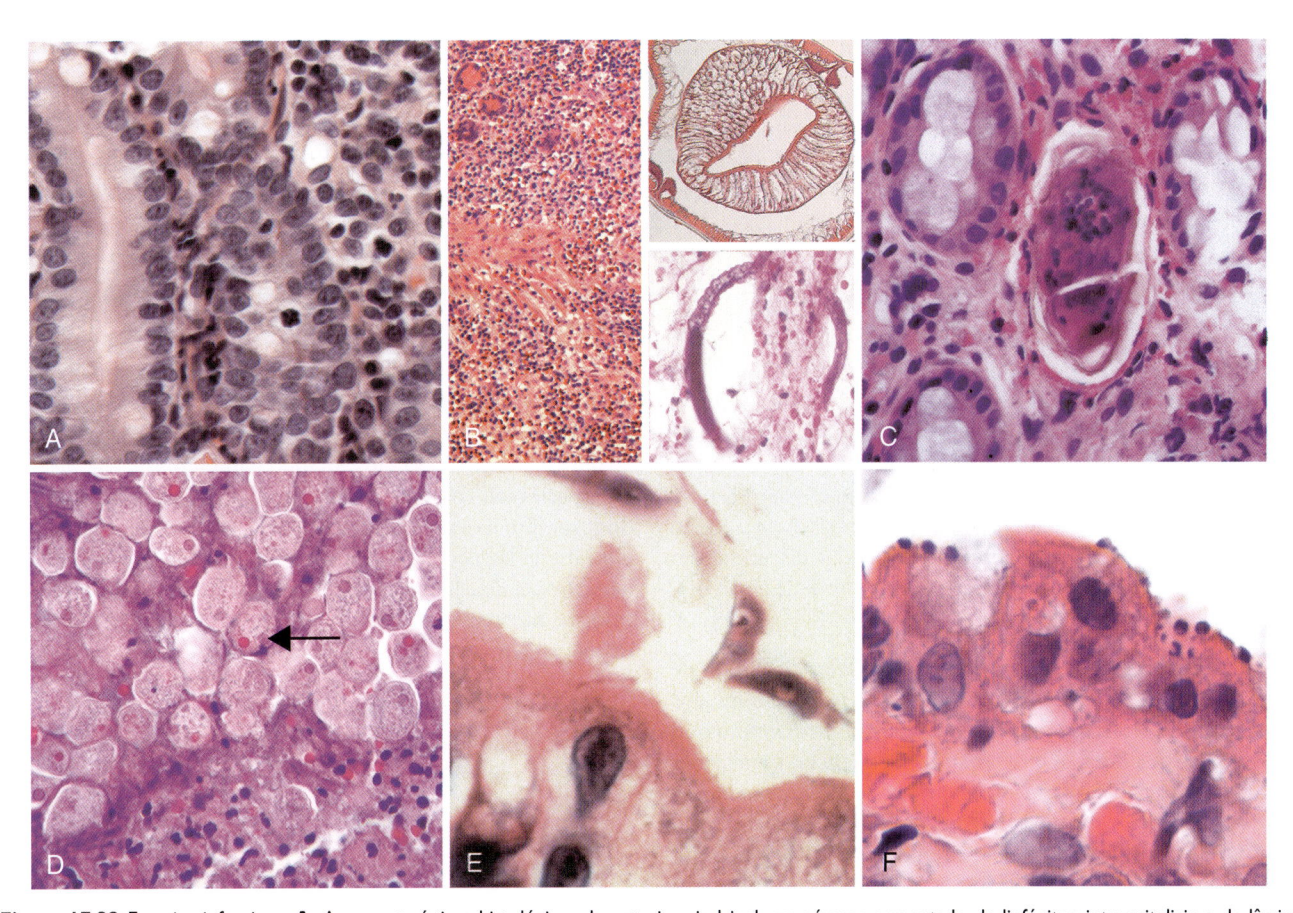

Figura 17.32 Enterite infecciosa. **A.** As características histológicas da enterite viral incluem número aumentado de linfócitos intraepiteliais e da lâmina própria e hipertrofia das criptas. **B.** Infiltrados eosinofílicos difusos na infecção parasitária. Esse caso foi causado por *Ascaris* (*detalhe na parte superior*), porém uma reação tecidual semelhante pode ser causada por *Strongyloides* (*detalhe na parte inferior*). **C.** A esquistossomose pode induzir uma reação inflamatória aos ovos aprisionados dentro da lâmina própria. **D.** *Entamoeba histolytica* em uma amostra de biopsia de cólon. Observe alguns organismos ingerindo eritrócitos (*seta*). **E.** *Giardia lamblia*, que estão presentes no espaço luminal sobre as vilosidades de aparência quase normal, passam despercebidas com facilidade. **F.** *Cryptosporidium* são observados como esferas azuis que aparecem na parte superior da borda em escova, mas, na verdade, estão envoltos por uma fina camada de citoplasma da célula hospedeira.

Rotavírus. Esse vírus encapsulado, com um genoma de RNA de fita dupla segmentado, é altamente prevalente e constitui uma causa significativa de morte por diarreia em todo o mundo. As crianças entre 6 e 24 meses são as mais vulneráveis, provavelmente pelo fato de que os anticorpos no leite materno conferem proteção durante os primeiros 6 meses de vida. As vacinas contra rotavírus estão se tornando amplamente utilizadas, porém não são totalmente efetivas em regiões com recursos limitados, talvez em consequência da desnutrição. A OMS recomenda que a primeira dose seja administrada com 6 meses de vida.

Os surtos de rotavírus em hospitais e creches são comuns, e a infecção espalha-se com facilidade; o inóculo infectante mínimo estimado é de apenas 10 partículas virais. O rotavírus infecta seletivamente e destrói os enterócitos maduros no intestino delgado, e a superfície das vilosidades é repovoada por células epiteliais imaturas. O dano aos enterócitos pode ser mediado por um fator viral, denominado proteína não estrutural 4 (NSP4, *nonstructural protein 4*), que pode induzir apoptose. A perda da função absortiva e a secreção efetiva de água e eletrólitos são complicadas pela diarreia osmótica, causada pela absorção incompleta dos nutrientes. À semelhança do norovírus, o rotavírus apresenta um curto período de incubação, seguido de vários dias de vômitos e diarreia aquosa.

Adenovírus. O adenovírus, uma causa comum de diarreia pediátrica, também afeta pacientes imunocomprometidos. Amostras de biopsia do intestino delgado podem revelar degeneração epitelial; entretanto, com mais frequência, exibem atrofia vilosa inespecífica e hiperplasia compensatória das criptas. As inclusões nucleares virais são incomuns. Normalmente, a doença manifesta-se após um período de incubação de 1 semana, com sintomas que incluem diarreia, vômitos e dor abdominal. Além disso, podem ocorrer febre e perda de peso. Em geral, há resolução dos sintomas em dez dias.

Enterocolite parasitária

Embora os vírus e as bactérias sejam os patógenos entéricos predominantes nos EUA, as doenças parasitárias e as infecções por protozoários afetam mais da metade da população mundial de maneira crônica ou recorrente. O intestino delgado pode proporcionar abrigo para até 20 espécies de parasitas, incluindo nematódeos, como *Ascaris* e *Strongyloides*; ancilostomídeos e oxiúros; cestódeos, incluindo platelmintos e tênias; trematódeos; e protozoários. As infecções por parasitas são discutidas no **Capítulo 8**; as que são mais comuns no trato intestinal são discutidas aqui de maneira sucinta.

Ascaris lumbricoides. Esse nematódeo infecta 1 bilhão de indivíduos em todo o mundo. Os ovos de *Ascaris* são eliminados nas fezes de indivíduos infectados, possibilitando a disseminação por via fecal-oral direta. Os ovos também podem estar presentes em frutas e vegetais inadequadamente limpos e descascados, que se desenvolveram em solo contaminado, o que explica a razão pela qual *Ascaris*, *Strongyloides*, ancilostomídeos (*Necator duodenale* e *Ancylostoma duodenale*) e tricocéfalo (*Trichuris trichiura*) são conhecidos como helmintos transmitidos pelo solo. Os ovos ingeridos eclodem no intestino, e as larvas penetram na mucosa intestinal. Em seguida, as larvas migram da circulação esplâncnica para a sistêmica e, por fim, entram nos pulmões para crescer dentro dos alvéolos. Cerca de 3 semanas depois, as larvas são expelidas pela tosse e deglutidas. Ao retornar para o intestino delgado, as larvas amadurecem em vermes adultos, que induzem uma reação inflamatória rica em eosinófilos (**Figura 17.32B**), o que pode causar obstrução física do intestino ou da árvore biliar. As larvas também podem formar abscessos hepáticos e causar pneumonite. O diagnóstico é geralmente estabelecido pela detecção de ovos em amostras de fezes.

Strongyloides. As larvas de *Strongyloides* vivem em solo contaminado com fezes e podem penetrar na pele intacta. Elas migram através dos pulmões, onde induzem infiltrados inflamatórios, e passam a residir então no intestino, enquanto amadurecem para se transformarem em vermes adultos. Diferentemente de outros vermes intestinais, que necessitam de um estágio de ovos ou larvas fora dos seres humanos, os ovos de *Strongyloides* podem eclodir dentro do intestino e liberar larvas que penetram na mucosa, causando autoinfecção (**Figura 17.32B**). Por conseguinte, a infecção por *Strongyloides* pode persistir por toda a vida, e os indivíduos imunossuprimidos podem desenvolver autoinfecção fulminante. O *Strongyloides* estimula uma forte reação tecidual e eosinofilia periférica.

Necator duodenale *e* Ancylostoma duodenale. Esses ancilostomídeos infectam 1 bilhão de pessoas em todo o mundo e causam morbidade significativa. A infecção é iniciada pela penetração das larvas através da pele. Após o desenvolvimento adicional nos pulmões, as larvas migram até a traqueia e são deglutidas. Os vermes aderem à mucosa duodenal, sugam o sangue e se reproduzem. Isso provoca múltiplas erosões superficiais, hemorragia focal, infiltrados inflamatórios e, na infecção crônica, anemia ferropriva. O diagnóstico pode ser estabelecido pela detecção dos ovos em esfregaços de fezes.

Trichuris trichiura. Esses vermes infectam principalmente crianças pequenas. À semelhança de *Enterobius vermicularis*, *T. trichiura* não penetra na mucosa intestinal e raramente provoca doença grave. As infecções maciças podem causar diarreia sanguinolenta e prolapso retal.

Enterobius vermicularis *e* Enterobius gregorii. Esses organismos, também conhecidos como oxiúros, infectam pessoas em países tanto de alta quanto de baixa renda, e mais de 1 bilhão de indivíduos são infectados em todo o mundo. O *E. vermicularis* é a espécie mais comum, porém foi também relatada a ocorrência do *E. gregorii* na Europa, na África e na Ásia. Como não invadem o tecido do hospedeiro e vivem toda a sua vida na luz intestinal, os oxiúros raramente causam doença grave. A infecção é transmitida principalmente por via fecal-oral. Os vermes adultos que vivem no intestino migram até o orifício anal à noite, e a fêmea deposita os ovos na mucosa perirretal. Os ovos causam irritação e prurido retal e perineal. A coceira leva à contaminação dos dedos, o que promove a transmissão entre seres humanos. Tanto os ovos quanto os oxiúros adultos permanecem viáveis fora do corpo, de modo que é comum haver infecção repetida. O diagnóstico pode ser estabelecido com a aplicação de uma fita de celofane à pele perianal e seu exame ao microscópio para a identificação dos ovos.

Esquistossomose. Essa doença, que acomete os intestinos, caracteriza-se mais comumente pela residência dos vermes adultos nas veias mesentéricas. Os ovos são aprisionados dentro da mucosa e da submucosa (**Figura 17.32C**). A reação imune resultante é, com frequência, granulomatosa e pode causar sangramento e até mesmo obstrução. Mais detalhes são apresentados no **Capítulo 8**.

Cestódeos intestinais. As três principais espécies de cestódeos que afetam os seres humanos são: *Diphyllobothrium latum*, a tênia do peixe; *Taenia solium*, a tênia do porco; e *Hymenolepis nana*, a tênia anã. Essas espécies residem exclusivamente na luz intestinal e são transmitidas pela ingestão de peixe, carne ou carne de porco crus ou malcozidos que contêm larvas encistadas. A liberação das larvas possibilita a adesão à mucosa intestinal por meio da cabeça ou do escólex. O verme obtém seus nutrientes do fluxo de alimentos e aumenta por meio da formação de segmentos repletos de ovos, denominados proglotes. Em geral, os seres humanos são infectados por um único verme; como ele não penetra na mucosa intestinal, não costuma ocorrer eosinofilia periférica. Entretanto, a carga dos parasitas pode ser impressionante. Os vermes adultos podem crescer e alcançar muitos metros de comprimento, eliminando grandes números de proglotes e ovos nas fezes. Os sintomas clínicos incluem dor abdominal, diarreia e náuseas, porém a maioria dos casos é assintomática. Em certas ocasiões, o *D. latum* provoca deficiência de vitamina B_{12} e anemia megaloblástica, visto que o parasita compete com o hospedeiro pela vitamina B_{12} da alimentação. A identificação de proglotes e ovos nas fezes constitui o método mais eficiente de diagnóstico.

Entamoeba histolytica. Esse protozoário causa amebíase e é disseminado por transmissão fecal-oral. A *E. histolytica* infecta cerca de 500 milhões de pessoas em países como a Índia, o México e a Colômbia e é responsável por 40 milhões de casos de disenteria e abscesso hepático a cada ano. Os cistos têm quatro núcleos e uma parede de quitina, que é resistente ao ácido gástrico, característica que possibilita a sua passagem pelo estômago sem sofrer qualquer dano. Em seguida, a *E. histolytica* coloniza a superfície epitelial do cólon e libera trofozoítos, que são formas ameboides que se reproduzem em condições anaeróbias.

A amebíase afeta, com mais frequência, o ceco e o cólon ascendente, porém o cólon sigmoide, o reto e o apêndice também podem ser acometidos. Ocorre disenteria quando as amebas aderem ao epitélio colônico, induzem apoptose, invadem as criptas e escavam lateralmente na lâmina própria. Isso recruta os neutrófilos, provoca dano tecidual e cria uma úlcera em forma de frasco com colo estreito e base larga. O diagnóstico histológico pode ser difícil, visto que as amebas podem ser semelhantes a macrófagos no seu tamanho e aparência (**Figura 17.32**). Os parasitas penetram nos vasos esplâncnicos e embolizam para o fígado, produzindo abscessos em cerca de 40% dos pacientes com disenteria amebiana. Os abscessos hepáticos amebianos podem ultrapassar 10 cm de diâmetro e apresentam uma reação inflamatória escassa nas margens, com revestimento de fibrina emaranhado e desorganizado. Os abscessos persistem após a resolução da doença intestinal aguda e, em raros casos, podem alcançar o pulmão e o coração por extensão direta. As amebas também podem se disseminar para os rins e o encéfalo por meio da corrente sanguínea.

Os indivíduos com amebíase podem apresentar dor abdominal, diarreia sanguinolenta ou perda de peso. Em certas ocasiões, ocorrem colite necrosante aguda e megacólon; ambos estão associados à mortalidade significativa. Os parasitas carecem de mitocôndrias ou das enzimas do ciclo de Krebs e, portanto, são fermentadores obrigatórios da glicose. O metronidazol, que inibe a piruvato oxidorredutase, uma enzima necessária para a fermentação, constitui o tratamento mais efetivo para a doença sistêmica.

***Giardia* lamblia.** Esses organismos, também chamados de *G. duodenalis* ou *G. intestinalis*, foram inicialmente descritos por van Leeuwenhoek, o inventor do microscópio, que descobriu o patógeno em suas próprias fezes. A *G. lamblia* é o patógeno parasitário mais comum nos seres humanos e se propaga pela água ou por alimentos contaminados com fezes. A infecção pode ocorrer após a ingestão de apenas 10 cistos. Como esses cistos são resistentes ao cloro, a *Giardia* é endêmica em abastecimentos públicos de água não filtrada. As *Giardia* também são comuns em riachos rurais, o que explica a infecção em campistas que utilizam esses rios como fonte de água. A infecção pode ocorrer por via fecal-oral, e, como são estáveis, os cistos podem ser deglutidos acidentalmente durante a natação em água contaminada.

As *Giardia* são protozoários flagelados que causam diminuição na expressão das enzimas da borda em escova, dano às microvilosidades e apoptose das células epiteliais do intestino delgado. As respostas da IgA secretória e da IL-6 da mucosa são importantes para a eliminação das infecções por *Giardia*. Os indivíduos imunossuprimidos, com agamaglobulinemia ou desnutrição são, com frequência, gravemente afetados. As *Giardia* podem escapar da eliminação imune por meio de modificação contínua do principal antígeno de superfície, a proteína variante de superfície, e podem persistir por vários meses ou anos, causando sintomas intermitentes.

Os trofozoítos de *Giardia* podem ser identificados em biopsias duodenais, com base no seu formato piriforme característico e na presença de dois núcleos do mesmo tamanho. Apesar do grande número de trofozoítos, alguns dos quais estão firmemente ligados à borda em escova dos enterócitos vilosos, não há invasão, e a morfologia do intestino delgado pode ser normal (**Figura 17.32E**); as infecções maciças podem ser acompanhadas de encurtamento das vilosidades com número aumentado de linfócitos intraepiteliais e infiltrados inflamatórios mistos da lâmina própria.

A giardíase pode ser subclínica ou ser acompanhada de diarreia aguda ou crônica, má absorção e perda de peso. A infecção é normalmente documentada pela detecção imunofluorescente de cistos em amostras de fezes. A terapia antimicrobiana oral é efetiva, porém a recorrência é comum.

Criptosporidium. À semelhança da *Giardia*, os criptosporídeos representam uma importante causa de diarreia em todo o mundo. A criptosporidiose foi descoberta pela primeira vez na década de 1980 como agente de diarreia crônica em pacientes com síndrome da imunodeficiência adquirida (AIDS), e agora é reconhecida como causa de doença autolimitada aguda em hospedeiros imunologicamente normais. A criptosporidiose também causa diarreia persistente em residentes de países com recursos limitados. Os organismos são encontrados em todo o mundo, com exceção da Antártida, talvez pelo fato de que os oocistos morrem por congelamento. Os oocistos são resistentes ao cloro e, portanto, podem persistir em água tratada, porém não filtrada. A água potável contaminada continua sendo o modo mais comum de transmissão. O maior surto documentado, decorrente de purificação inadequada da água, ocorreu em 1993, em Milwaukee, Wisconsin, e afetou mais de 400 mil pessoas. À semelhança da giardíase, a criptosporidiose propaga-se rapidamente nos participantes de esportes aquáticos. A infecção transmitida por alimentos ocorre com menos frequência.

Os seres humanos são infectados por várias espécies diferentes de *Cryptosporidium*, incluindo *C. hominis* e *C. parvum*. Todos são capazes de passar por um ciclo de vida completo, com fases reprodutivas assexuada e sexuada, em um único hospedeiro. Uma vez ingeridos, apenas 10 oocistos encistados são suficientes para causar infecção sintomática. Os esporozoítos são liberados após a ativação da protease pelo ácido gástrico. Eles são móveis e apresentam uma organela especializada que adere à borda em escova e provoca mudanças no citoesqueleto do enterócito. Essas mudanças induzem o enterócito a englobar o parasita, que, então, estabelece residência dentro de um vacúolo endocítico. A má absorção de sódio, a secreção de cloreto e o aumento da permeabilidade das zônulas oclusivas levam à diarreia aquosa não sanguinolenta.

Com frequência, a histologia da mucosa está apenas minimamente alterada, porém a criptosporidiose persistente em crianças e a infecção maciça em pacientes imunossuprimidos podem resultar em atrofia vilosa, hiperplasia das criptas e infiltrados inflamatórios. Embora o esporozoíto seja intracelular, na microscopia óptica, ele parece estar situado sobre o topo da membrana apical epitelial (**Figura 17.32F**). Normalmente, os organismos estão mais concentrados no íleo terminal e no cólon proximal, mas podem ser encontrados em todo o intestino, no trato biliar e até mesmo no sistema respiratório de hospedeiros imunodeficientes. O diagnóstico baseia-se no achado de oocistos nas fezes.

Conceitos-chave
Enterocolite infecciosa

- O *V. cholerae* secreta uma toxina pré-formada, que causa secreção maciça de cloreto. A água acompanha o gradiente osmótico resultante, com consequente diarreia secretora
- O *C. jejuni* é o patógeno bacteriano entérico mais comum nos países de alta renda e causa diarreia do viajante. A maioria dos isolados não é invasiva
- As espécies de *Salmonella* e *Shigella* são invasivas e estão associadas à diarreia sanguinolenta exsudativa (disenteria)
- A infecção por *Salmonella enteritidis* é uma causa comum de intoxicação alimentar
- A *S. typhi* causa doença sistêmica (febre tifoide)
- A colite pseudomembranosa é frequentemente desencadeada por antibioticoterapia. O organismo responsável, *C. difficile*, libera toxinas que afetam a função epitelial e induzem uma resposta inflamatória, que inclui erupções de neutrófilos características semelhantes a vulcões das criptas do cólon. Essas erupções espalham-se para formar pseudomembranas mucopurulentas
- O norovírus é uma causa comum de diarreia autolimitada em adultos e em crianças. É transmitido de pessoa para pessoa em casos esporádicos e por meio de água contaminada em epidemias
- O rotavírus causa diarreia infantil grave e mortalidade significativa em todo o mundo. A vacinação generalizada reduziu a incidência de infecção pelo rotavírus
- As infecções por parasitas e protozoários afetam mais da metade da população mundial de maneira crônica ou recorrente. Cada parasita tem um ciclo de vida e uma reação tecidual distintos. Os que invadem o organismo estão normalmente associados à eosinofilia tecidual e sistêmica

Síndrome do intestino irritável

A síndrome do intestino irritável (SII) caracteriza-se por dor abdominal crônica e recidivante, distensão e alterações no hábito intestinal. Apesar de os sintomas serem muito reais, as avaliações endoscópica e microscópica são normais em pacientes com SII. Por conseguinte, o diagnóstico depende dos sintomas clínicos e de teste funcional. É preciso reconhecer que a SII é uma síndrome e que múltiplas doenças podem ser representadas com esse descritor geral. A SII é atualmente dividida em subtipos, incluindo predomínio de diarreia, predomínio de constipação intestinal e misto, conforme definido por revisões sucessivas dos critérios de Roma.

Patogênese

A patogênese da SII continua sendo pouco definida, embora exista claramente uma interação entre estressores psicológicos, dieta, perturbação do microbioma intestinal, aumento das respostas sensoriais entéricas a estímulos GI e motilidade GI anormal. Por exemplo, os pacientes com os subtipos de constipação intestinal predominante ou diarreia predominante da SII tendem a apresentar redução ou aumento das contrações colônicas e das taxas de trânsito, respectivamente. A síntese excessiva de ácidos biliares ou a má absorção de ácidos biliares foram identificadas como causas de SII com diarreia predominante, provavelmente devido aos efeitos dos ácidos biliares sobre a motilidade intestinal e o transporte de íons epiteliais.

Outros dados ligam os distúrbios da função do sistema nervoso entérico à SII, sugerindo um papel da sinalização defeituosa do eixo cérebro-intestino. De acordo com essa hipótese, estudos de sequenciamento e associação genômica ampla ligaram vários genes candidatos à SII, incluindo transportadores de recaptação da serotonina, receptores de canabinoides e mediadores inflamatórios relacionados com o TNF. Além disso, os antagonistas dos receptores de 5-HT3 mostram-se efetivos em muitos casos de SII com diarreia predominante. Os opioides e os agentes psicoativos com efeitos anticolinérgicos também são utilizados no tratamento da SII com diarreia predominante.

Um grupo separado de pacientes com SII associa o início a um surto de gastrenterite infecciosa, sugerindo que a ativação imune ou, como alternativa, uma mudança do microbioma intestinal possam desencadear a doença.

Características clínicas

O pico de prevalência da SII ocorre entre 20 e 40 anos, com predominância feminina significativa. Devido à variabilidade nos critérios diagnósticos, é difícil estabelecer a incidência, porém a maioria dos autores relata prevalência nos países de alta renda de 5 a 10%. Atualmente, a SII é diagnosticada com base em critérios clínicos que exigem a ocorrência de dor ou desconforto abdominais durante pelo menos 3 dias por mês, ao longo de 3 meses, com melhora após defecação ou mudança na frequência ou no formato das fezes. É preciso excluir a possibilidade de outras causas, como infecção entérica ou doença inflamatória intestinal.

Doença inflamatória intestinal

A doença inflamatória intestinal (DII) é uma condição crônica que resulta de interações complexas entre a microbiota intestinal e a imunidade do hospedeiro em indivíduos geneticamente predispostos, o que leva à ativação imune inapropriada na mucosa. A DII compreende dois distúrbios: a colite ulcerativa e a doença de Crohn. As descrições da colite ulcerativa e da doença de Crohn datam, respectivamente, da Antiguidade e, pelo menos, do século XVI; todavia, foram necessárias as modernas técnicas microbiológicas para excluir etiologias infecciosas convencionais para essas doenças. Entretanto, conforme discutido adiante, a microbiota luminal provavelmente desempenha um importante papel na patogênese da DII.

A distinção entre colite ulcerativa e doença de Crohn baseia-se principalmente na distribuição dos locais afetados (**Figura 17.33**) e na expressão morfológica da doença (**Tabela 17.8**) nesses locais. **A colite ulcerativa acomete apenas o cólon e o reto e, em geral, limita-se à mucosa e à submucosa. Em contrapartida, a doença de Crohn, que também tem sido denominada enterite regional (devido ao comprometimento ileal frequente), pode acometer qualquer área do trato GI e, normalmente, é transmural.**

Epidemiologia. A colite ulcerativa e a doença de Crohn manifestam-se, com mais frequência, na adolescência e no início da segunda década de vida, porém podem se desenvolver em qualquer idade. A DII é mais comum entre indivíduos brancos e, nos EUA, ocorre três a cinco vezes mais frequentemente entre judeus do leste europeu (Asquenazes) do que na população geral. Isso se deve, pelo menos em parte, a fatores genéticos, conforme discutido adiante. A DII é mais comum na América do Norte, na Europa Setentrional e na Austrália, porém a incidência mundial está aumentando e está se tornando significativa na África, na América do Sul e na Ásia, locais em que a prevalência era historicamente baixa. A hipótese da higiene sugere que essa incidência crescente esteja relacionada com melhores condições de armazenamento de alimentos, diminuição da contaminação dos alimentos e mudanças na composição do microbioma intestinal, resultando em desenvolvimento inadequado dos processos regulatórios que limitam as respostas imunes da mucosa. Por sua vez, esse processo permite que alguns microrganismos associados à mucosa desencadeiem uma inflamação persistente e crônica em hospedeiros suscetíveis. Outras possíveis explicações para o aumento da prevalência da DII incluem a ideia de que os conservantes e outros materiais acrescentados aos alimentos processados induzem dano de baixo grau à mucosa, que predispõe à DII.

Tabela 17.8 Características que diferem entre a doença de Crohn e a colite ulcerativa.

Característica	Doença de Crohn	Colite ulcerativa
Macroscópicas		
Região do intestino	Íleo ± cólon	Apenas cólon
Distribuição	Lesões descontínuas	Difusa
Estenose	Sim	Rara
Aparência da parede	Espessa	Normal
Microscópicas		
Inflamação	Transmural	Limitada à mucosa
Pseudopólipos	Moderados	Acentuados
Úlceras	Profundas, semelhantes a corte de faca	Superficiais, de base ampla
Reação linfoide	Acentuada	Moderada
Fibrose	Acentuada	Leve a ausente
Serosite	Acentuada	Leve a ausente
Granulomas	Sim (~ 35%)	Não
Fissuras/seios	Sim	Não
Clínicas		
Fístula perianal	Sim (na doença do cólon)	Não
Má absorção de gordura/vitamina	Sim	Não
Potencial maligno	Com comprometimento do cólon	Sim
Recorrência pós-cirurgia	Comum	Não
Megacólon tóxico	Não	Sim

Um único caso não apresenta necessariamente todas as características.

Patogênese

A DII resulta de uma combinação de anormalidades na regulação imune, nas interações entre hospedeiro e microrganismos e nas funções da barreira epitelial em indivíduos geneticamente suscetíveis. Foram identificados mais de 200 polimorfismos genéticos associados à DII, porém eles são responsáveis por menos de 50% do risco de doença de Crohn, e suas contribuições para a colite ulcerativa são ainda menores. Por exemplo, os polimorfismos do *NOD2*, o mais importante gene de risco para a doença de Crohn, estão associados apenas ao aumento de 10 vezes no risco de doença. Além disso, os alelos *NOD2* que estão associados ao risco são encontrados em aproximadamente 35% dos indivíduos brancos com doença de Crohn ou duas vezes mais frequentemente do que em indivíduos brancos saudáveis. Por conseguinte, embora a predisposição genética seja importante, os fatores ambientais também são de importância crítica para a patogênese. Os elementos genéticos e ambientais que contribuem para a doença podem ser considerados em termos de imunidade, autofagia e respostas ao estresse celular e interações entre hospedeiro e microrganismos:

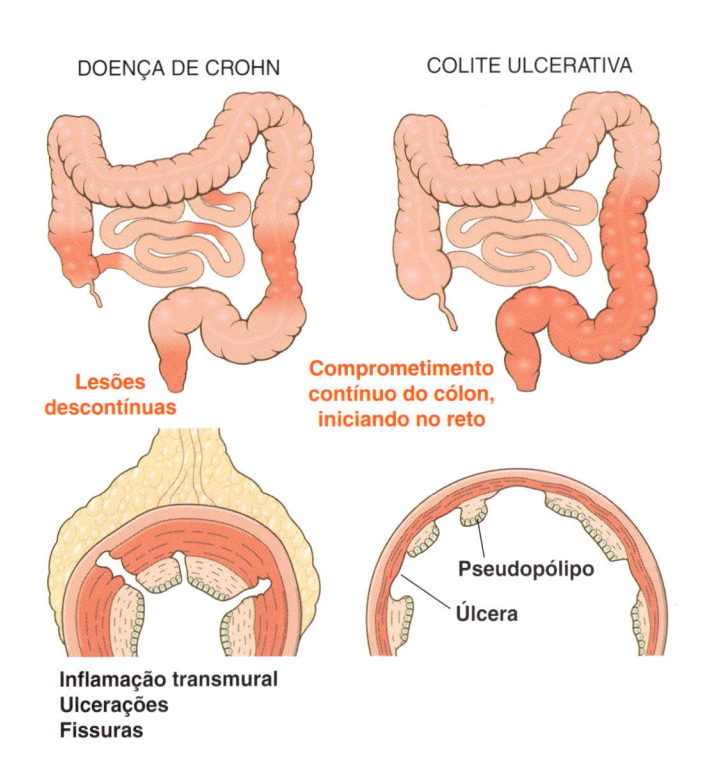

Figura 17.33 Distribuição das lesões na doença inflamatória intestinal. A distinção entre doença de Crohn e colite ulcerativa baseia-se principalmente na morfologia.

- *Imunidade da mucosa.* Numerosos genes de sinalização e reguladores imunes, incluindo os que codificam moléculas HLA e citocinas, têm sido associados à DII. No caso destes últimos, estão envolvidos polimorfismos em *loci* genéticos que incluem genes na sinalização tanto pró-inflamatória (p. ex., interferona-γ) quanto anti-inflamatória (imunorreguladora; p. ex., IL-10) e o receptor de IL-10. A polarização Th1 está presente em ambas as doenças, embora também haja evidências de ativação de Th2 na colite ulcerativa, refletindo, talvez, as diferenças subjacentes nos genes associados à doença. A sinalização de Th17 também é importante na patogênese da DII, visto que tanto a doença de Crohn quanto a colite ulcerativa estão ligadas a polimorfismos no receptor de IL-23 e outras moléculas envolvidas na sinalização de Th17. Esses dados genéticos são consistentes com a observação de que as populações de células T Th17 estão expandidas no intestino doente

 Muitos dos genes ligados à DII também estão associados a outras doenças autoimunes, incluindo diabetes melito, artrite reumatoide e psoríase. Na maioria dos casos, os alelos de risco são consistentes nessas doenças; todavia, em alguns casos, os alelos ligados a risco aumentado em outras doenças são protetores na DII. Isso pode explicar a razão pela qual algumas terapias imunomoduladoras que são efetivas na DII intensificam a progressão de outras doenças, ao passo que algumas terapias efetivas em outras doenças podem exacerbar a DII

 Do ponto de vista global, múltiplos polimorfismos genéticos contribuem para a patogênese da DII, e os genes específicos envolvidos variam entre a doença de Crohn e a colite ulcerativa, entre indivíduos e, em alguns genes, entre grupos étnicos. Por exemplo, os polimorfismos do *NOD2* não foram associados à doença de Crohn em populações asiáticas. Dentro de grupos étnicos, as análises de rede demonstraram que a constelação de alelos de risco presentes se correlaciona com o fenótipo da doença, incluindo a presença de comprometimento do cólon, estenoses ou fístulas na doença de Crohn
- *Autofagia e respostas ao estresse celular.* As associações genéticas, bem como as análises moleculares, indicam que a ocorrência de defeitos na autofagia e nas respostas ao estresse celular contribui para a patogênese da DII. Entre esses genes, os mais estudados incluem *ATG16L1* e *IRGM*, ambos os quais estão envolvidos na formação do autofagossomo. A autofagia constitui um mecanismo homeostático normal, que remove organelas danificadas e é suprarregulado em resposta ao estresse celular, incluindo privação de nutrientes e estresse do retículo endoplasmático. A autofagia também representa uma maneira de remover fontes de espécies reativas de oxigênio e patógenos intracelulares. A mutação de *ATG16L1*, que está ligada à doença de Crohn, promove a degradação de ATG16L1, limitando, assim, a autofagia. As vias precisas pelas quais a perda da função de ATG16L1 leva à doença ainda estão sendo definidas, porém é interessante assinalar que os grânulos das células de Paneth, que contêm peptídeos antibacterianos que são liberados na luz das criptas, estão anormais do ponto de vista tanto estrutural quanto funcional em pacientes e camundongos com defeitos do *ATG16L1*
- *Interações entre hospedeiro e microrganismos.* O microbioma intestinal, composto de bactérias, fungos e vírus, tem sido objeto de intensa investigação nesta última década. Como muitos desses microrganismos não são passíveis de cultura por técnicas padrão, os estudos basearam-se, em grande parte, em tecnologias de sequenciamento de alto rendimento.

Em geral, o microbioma é formado por um pequeno número de espécies ao nascimento. Ele evolui e transforma-se em um ecossistema muito mais complexo, com muito mais espécies, após o desmame e durante a infância. A complexidade microbiana declina, em seguida, na velhice. Dados obtidos de seres humanos, bem como de modelos experimentais, demonstraram que os microrganismos expressam proteínas e outras moléculas e geram metabólitos que podem proteger contra doenças ou promovê-las. Exemplos específicos incluem espécies de *Clostridia*, que estimulam o desenvolvimento de células T reguladoras, e *Bifidobacterium*, que promovem a diferenciação das células Th17. Além disso, diversas espécies produzem butirato, cujas atividades incluem aumento da função da barreira mucosa, aumento da proliferação epitelial e regulação imunológica

Os produtos microbianos solúveis ativam proteínas sensoriais do hospedeiro, incluindo TLR e receptores de dectina de superfície, além de receptores intracelulares de reconhecimento de padrão associados a microrganismos, por exemplo, *NOD2*. Essa é a maneira pela qual o microbioma pode modular a imunidade da mucosa. Em contrapartida, o sistema imune pode alterar acentuadamente o microbioma por mecanismos que incluem secreção luminal de peptídeos antimicrobianos e IgA antibacteriana. Essa interação entre microrganismos e sistema imune pode contribuir para a evolução da disbiose, caracterizada por mudanças nas populações microbianas e redução da diversidade de espécies na doença. Por conseguinte, embora a disbiose esteja frequentemente estabelecida na apresentação da doença, é difícil diferenciar entre as mudanças microbianas que desencadeiam a doença e as que são causadas por ela.

Uma notável exceção à natureza poligênica da DII é a DII de início muito precoce, que pode ser impulsionada por mutações em genes isolados, necessários para o transporte de íons epiteliais, a sinalização imune ou a defesa do hospedeiro. Estudos dessas formas monogênicas de DII lançaram alguma luz sobre os mecanismos envolvidos nas formas mais comuns de DII. Por exemplo, foi constatado que os macrófagos produzem IL-1β em quantidade excessiva em lactentes com mutações do receptor de IL-10 (a mutação mais comum na DII de início muito precoce). Esses pacientes beneficiaram-se do tratamento com antagonista do receptor de IL-1, e a eficácia de um tratamento semelhante está sendo avaliada na DII poligênica.

Doença de Crohn

O epônimo *doença de Crohn* baseia-se em uma publicação de 1932, porém a entidade foi descrita alguns séculos antes. Por exemplo, Louis XIII, da França (1601-1643), sofria de diarreia sanguinolenta recidivante, febre, abscesso retal, úlceras do intestino delgado e do cólon e fístulas, que começaram aos 20 anos e representam características clássicas da doença de Crohn.

Morfologia

A doença de Crohn pode ocorrer em qualquer área do trato GI, porém acomete mais comumente o íleo terminal, a válvula ileocecal e o ceco. A doença limita-se ao intestino delgado em cerca de 40% dos casos; tanto o intestino delgado quanto o cólon estão afetados em 30% dos pacientes, e o restante tem apenas comprometimento colônico. A presença de múltiplas áreas nitidamente delineadas e separadas da doença, resultando em **lesões descontínuas**, é característica da doença de Crohn e, quando presente, a diferencia da colite ulcerativa. A presença de estenoses, que ocorrem comumente na doença de Crohn, porém apenas raramente na colite ulcerativa de longa duração, também pode ser útil (**Figura 17.34A**).

A lesão mais precoce da doença de Crohn, a **úlcera aftosa**, pode progredir, e, com frequência, múltiplas lesões coalescem, formando úlceras serpentinosas alongadas, orientadas ao longo do eixo do intestino (**Figura 17.34B**). É comum a ocorrência de edema e perda das pregas normais da mucosa. A ulceração com preservação da mucosa entremeada, uma consequência da distribuição em placas da doença de Crohn, resulta em uma aparência em **pedra de calçamento** irregular da mucosa (**Figura 17.34B**). Com frequência, há desenvolvimento de **fissuras**, que podem se estender profundamente, transformando-se em tratos fistulosos ou locais de perfuração (**Figura 17.34C**). A parede intestinal apresenta-se espessa e elástica em consequência de edema transmural, inflamação, fibrose da submucosa e hipertrofia da muscular própria, que contribuem para a formação de estenose (ver **Figura 17.34A**). Em casos com doença transmural extensa, o tecido adiposo mesentérico com frequência se estende sobre a superfície serosa (**gordura em "trepadeira"**) (**Figura 17.34D**).

As características microscópicas da doença de Crohn ativa incluem neutrófilos abundantes, que infiltram o epitélio das criptas e o danificam. Os grupos de neutrófilos dentro da cripta são denominados **abscessos da cripta** e, com frequência, estão associados à sua destruição. A ulceração é comum na doença de Crohn, e pode haver uma transição abrupta entre a mucosa ulcerada e a mucosa normal adjacente. Mesmo em áreas em que o exame macroscópico sugere a presença de doença difusa, a patologia microscópica pode aparecer em placas. Ciclos repetidos de destruição e regeneração das criptas levam à **distorção e à desorganização das glândulas da mucosa**; as criptas normalmente retas e paralelas assumem formas ramificadas bizarras e orientações incomuns umas em relação às outras (**Figura 17.35A**). A metaplasia epitelial constitui outra consequência da lesão recidivante crônica. Uma forma, a **metaplasia pseudopilórica**, refere-se à presença de glândulas que se assemelham ao antro gástrico. A **metaplasia de células de Paneth** também pode ocorrer no cólon esquerdo, onde as células de Paneth normalmente estão ausentes. Essas alterações arquitetônicas e metaplásicas podem persistir, mesmo quando há resolução da inflamação ativa. A atrofia da mucosa, com perda das criptas, também pode ocorrer após anos de doença. Os **granulomas não caseosos** (**Figura 17.35C**), uma característica essencial da doença de Crohn, são encontrados em aproximadamente 35% dos casos e podem ocorrer em áreas de doença ativa (**Figura 17.35C**) ou em regiões não afetadas dentro de qualquer camada da parede intestinal (**Figura 17.35D**). Os granulomas também podem ser encontrados em linfonodos mesentéricos de drenagem.

Características clínicas

As manifestações clínicas da doença de Crohn são extremamente variáveis. Na maioria dos pacientes, a doença começa com crises intermitentes de diarreia relativamente leve, febre e dor abdominal. Cerca de 20% dos pacientes têm manifestações agudas, com dor no quadrante inferior direito do abdome, febre e diarreia sanguinolenta, que pode simular apendicite aguda ou perfuração intestinal. Normalmente, os períodos de doença ativa são interrompidos por

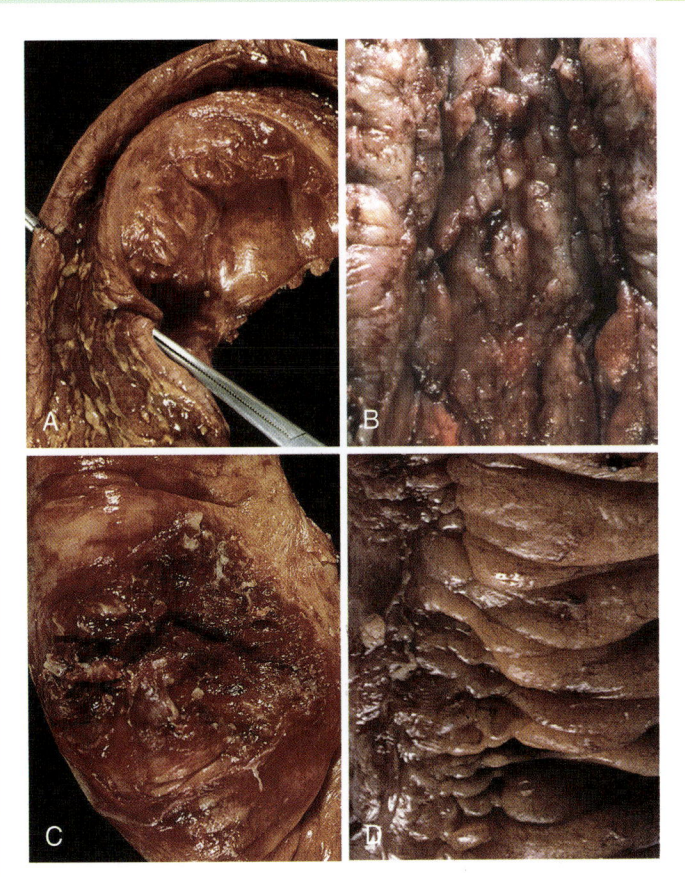

Figura 17.34 Patologia macroscópica da doença de Crohn. **A.** Estenose do intestino delgado. **B.** Úlceras lineares da mucosa, que conferem uma aparência em pedra de calçamento à mucosa, e espessamento da parede intestinal. **C.** Perfuração e serosite associada. **D.** Gordura em "trepadeira".

períodos assintomáticos de várias semanas a muitos meses de duração. A reativação da doença pode estar associada a uma variedade de fatores desencadeantes externos, incluindo estresse físico ou emocional, produtos dietéticos específicos e tabagismo. Este último representa um forte fator de risco para o desenvolvimento da doença de Crohn, e, em alguns casos, o início da doença está associado ao início do tabagismo. Infelizmente, a sua interrupção não resulta em remissão da doença.

A anemia ferropriva em consequência da perda de sangue pode se desenvolver em indivíduos com doença colônica, ao passo que a doença extensa do intestino delgado pode resultar em perda de proteínas suficientes para causar hipoalbuminemia e má absorção de nutrientes, vitamina B_{12} e sais biliares. As estenoses fibrosantes, particularmente do íleo terminal, são comuns e exigem ressecção cirúrgica. Com frequência, a doença sofre recidiva no local da anastomose, e até 40% dos pacientes necessitam de ressecção adicional nos primeiros dez anos. Ocorre desenvolvimento de fístulas entre as alças do intestino, que também podem acometer a bexiga, a vagina e a pele abdominal e perianal. A perfuração e os abscessos peritoneais são comuns. As terapias incluem: agentes anti-inflamatórios, como salicilatos; agentes imunossupressores, como corticosteroides; e terapias biológicas, como anticorpos anti-TNF. Nas últimas duas décadas, os anticorpos anti-TNF revolucionaram o tratamento da doença de Crohn. Mais recentemente, outras terapias biológicas, incluindo anticorpos contra outras citocinas e proteínas de adesão celular que são necessárias para a migração de células inflamatórias, bem como inibidores

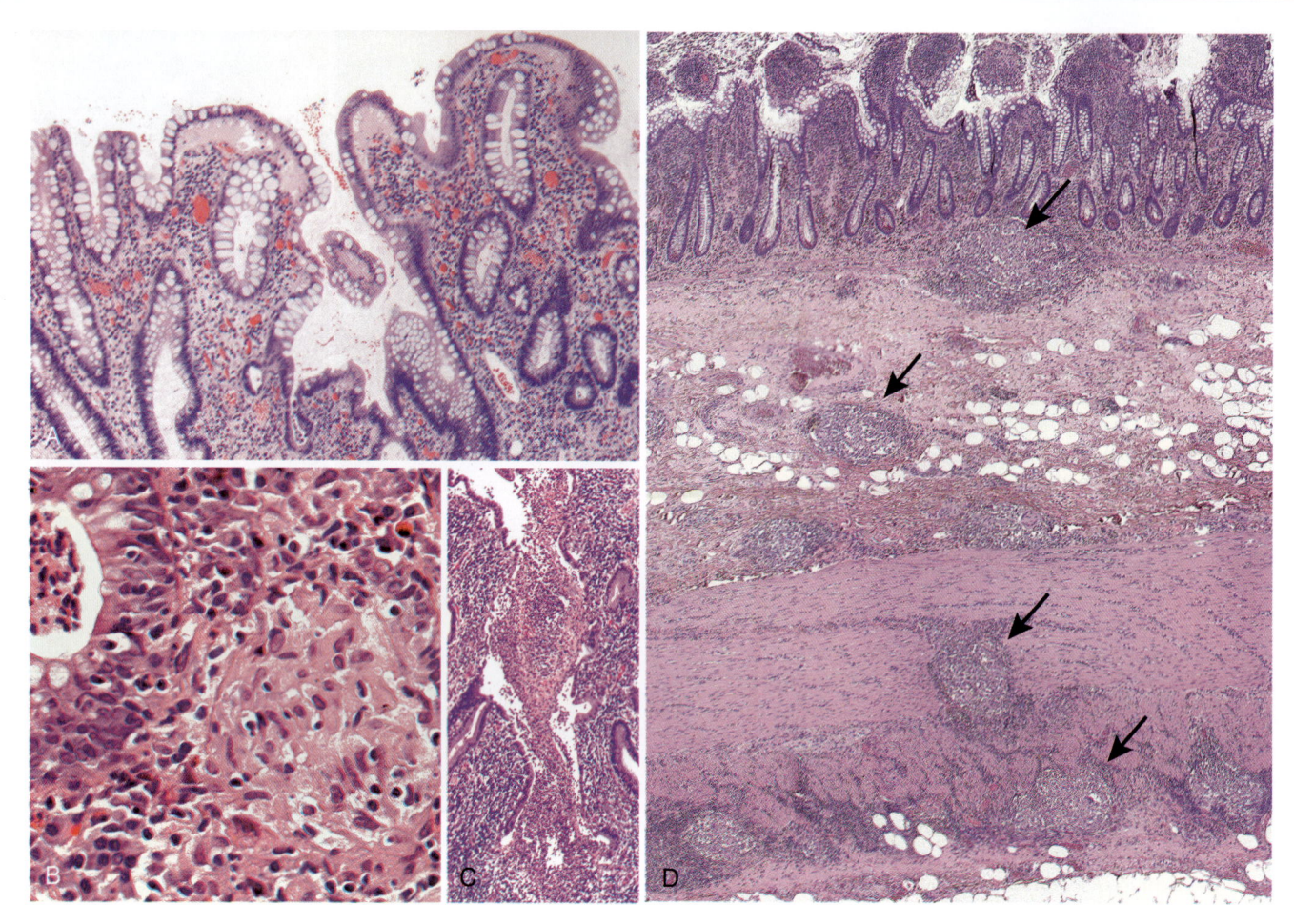

Figura 17.35 Patologia microscópica da doença de Crohn. **A.** A organização irregular das criptas resulta em lesão e regeneração repetidas. **B.** Granuloma não caseoso. **C.** Doença de Crohn ativa, com ulceração e exsudato purulento. **D.** Doença de Crohn transmural, com granulomas submucosos e serosos (*setas*).

da quinase específicos, estão em vários estágios de testes e aprovação para uso clínico. Não é difícil vislumbrar o desenvolvimento de algoritmos para o tratamento utilizando a genética, a função imune e a composição microbiana dos pacientes individuais para guiar a seleção de terapias direcionadas para alvos.

As *manifestações extraintestinais* da doença de Crohn incluem nódulos cutâneos formados por granulomas, uveíte, poliartrite migratória, sacroileíte, espondilite anquilosante, eritema nodoso, granulomas cutâneos e baqueteamento das pontas dos dedos das mãos, qualquer um dos quais pode se desenvolver antes do reconhecimento da doença intestinal. A pericolangite e a colangite esclerosante primária ocorrem em indivíduos com doença de Crohn com frequência maior do que nos indivíduos sem doença de Crohn; entretanto, são ainda mais comuns em pacientes com colite ulcerativa (ver adiante e **Capítulo 18**). Conforme discutido posteriormente, o risco de adenocarcinoma de cólon está aumentado em pacientes com doença colônica de longa duração.

Colite ulcerativa

A colite ulcerativa está intimamente relacionada com a doença de Crohn, porém o comprometimento intestinal limita-se ao cólon e ao reto. As manifestações extraintestinais da colite ulcerativa sobrepõem-se às da doença de Crohn e incluem poliartrite migratória, sacroileíte, espondilite anquilosante, uveíte e lesões cutâneas. Aproximadamente 2,5 a 7,5% dos indivíduos com colite ulcerativa também apresentam colangite esclerosante primária (ver **Capítulo 18**). O prognóstico a longo prazo para pacientes com colite ulcerativa depende da gravidade da doença ativa e de sua duração. Muitas das terapias, incluindo anticorpos anti-TNF, que são efetivas na doença de Crohn também se mostraram efetivas na colite ulcerativa. Entretanto, alguns tratamentos para doença de Crohn são ineficazes na colite ulcerativa, o que sugere que os mecanismos moleculares subjacentes a essas duas formas de DII não estão totalmente sobrepostos.

Morfologia

No nível macroscópico, a colite ulcerativa sempre acomete o reto e estende-se proximalmente, de modo contínuo, afetando parte do cólon ou todo ele. A doença que acomete o cólon inteiro é denominada **pancolite** (**Figura 17.36A**). A doença distal limitada pode ser designada de maneira descritiva como **proctite ulcerativa** ou **proctossigmoidite ulcerativa**. O intestino delgado é normal, porém pode haver inflamação leve da mucosa do íleo distal, denominada *ileíte por contracorrente*, nos casos graves de pancolite. Não se observa a presença de lesões descontínuas (embora a inflamação focal do apêndice ou do ceco possa ocasionalmente estar presente na colite ulcerativa, que, de outro modo, limita-se ao cólon distal).

Do ponto de vista macroscópico, a mucosa acometida do cólon pode estar levemente avermelhada e granular ou apresentar úlceras extensas com bases largas. Além disso, pode haver uma transição abrupta entre o cólon afetado e não acometido (**Figura 17.36B**). As úlceras estão alinhadas ao longo do eixo longitudinal do cólon, porém normalmente não repetem as úlceras serpiginosas da doença de Crohn. Ilhas isoladas de mucosa em regeneração com frequência formam protuberâncias na luz, criando **pseudopólipos** (**Figura 17.36C**), e as extremidades desses pólipos podem se fundir para formar **pontes de mucosa** (**Figura 17.36D**). A doença crônica pode levar à **atrofia da mucosa**, com uma superfície lisa que carece das pregas normais. Diferentemente da doença de Crohn, a colite ulcerativa não é transmural. Em consequência, **não há espessamento da parede do cólon, a superfície serosa é normal, e não ocorrem estenoses**. Raramente, os casos graves estão associados à inflamação da muscular própria e à disfunção neuromuscular, levando à dilatação do cólon e ao **megacólon tóxico**, que está associado ao risco significativo de perfuração.

As características histológicas da doença da mucosa na colite ulcerativa assemelham-se às da doença de Crohn colônica e incluem infiltrados inflamatórios, abscessos da cripta (**Figura 17.37A**), distorção das criptas e metaplasia epitelial pseudopilórica (**Figura 17.37B**). Diferentemente da doença de Crohn, não há granulomas, e a inflamação difusa limita-se geralmente à mucosa e à submucosa superficial (**Figura 17.37C**). Nos casos graves, a destruição extensa da mucosa aparece acompanhada de úlceras que se estendem na submucosa, porém a muscular própria raramente é envolvida. A fibrose da submucosa, a atrofia da mucosa e a distorção de sua arquitetura permanecem como cicatrizes da doença curada, porém a histologia também pode reverter para o seu aspecto quase normal após uma remissão prolongada.

Características clínicas

A colite ulcerativa é um distúrbio recidivante que se caracteriza por crises de diarreia sanguinolenta com material mucoide pegajoso, dor no andar inferior do abdome e cólicas, que são temporariamente aliviadas pela defecação. Esses sintomas podem persistir por dias, semanas ou meses antes de desaparecer. A crise inicial pode, em alguns casos, ser grave o suficiente para constituir uma emergência médica ou cirúrgica. Mais da metade dos pacientes apresenta doença clinicamente leve, porém quase todos sofrem pelo menos uma recidiva no decorrer de um período de dez anos. Historicamente, até 30% dos pacientes afetados necessitaram de colectomia nos primeiros 3 anos após a apresentação clínica inicial, devido a sintomas incontroláveis, porém a incidência de colectomia caiu acentuadamente com os avanços no tratamento médico. A colectomia cura efetivamente a doença intestinal na colite ulcerativa, porém as manifestações extraintestinais podem persistir.

Os fatores que desencadeiam o desenvolvimento de colite ulcerativa em indivíduos previamente saudáveis não são conhecidos. Entretanto, a enterite infecciosa precede o início da doença em alguns casos. Foi formulada a hipótese de que a enterite induz

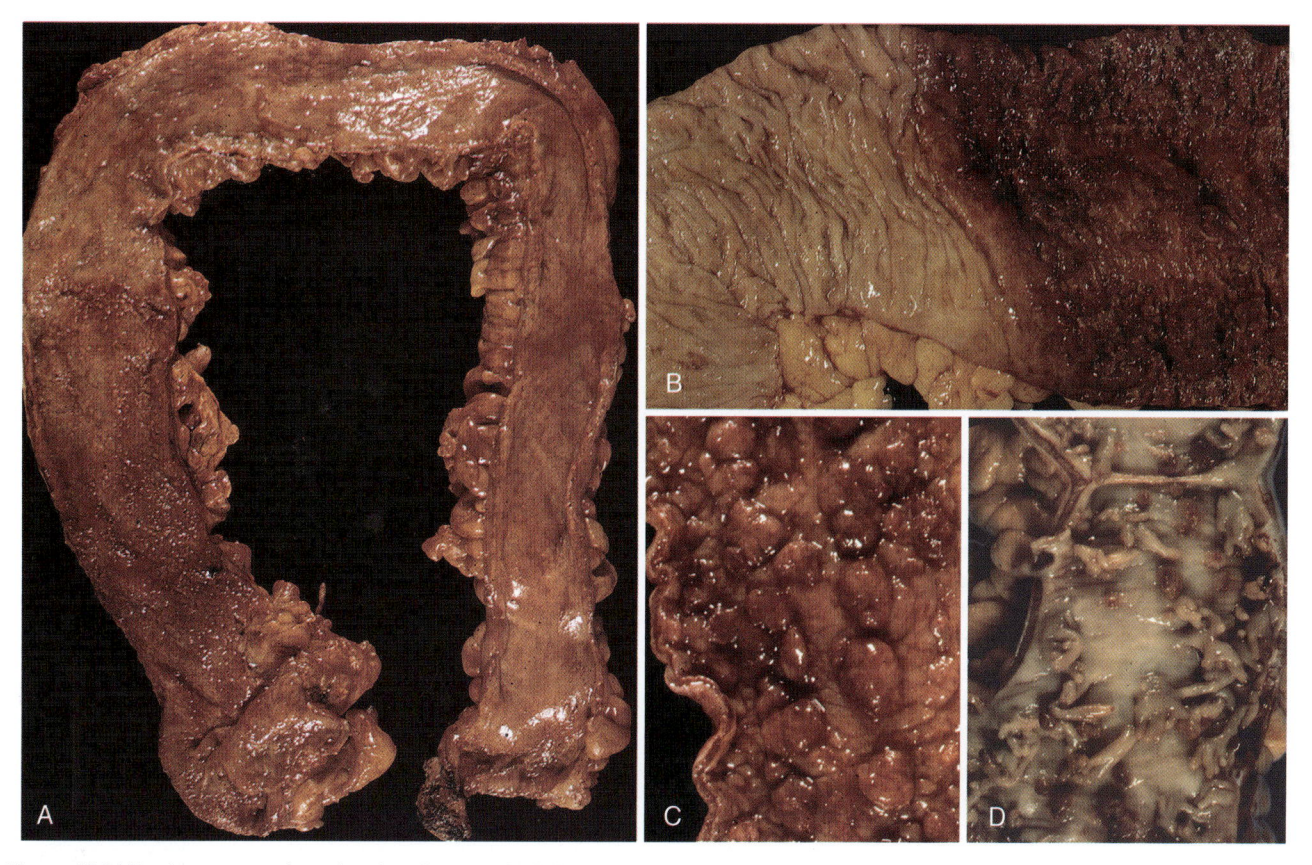

Figura 17.36 Patologia macroscópica da colite ulcerativa. **A.** Colectomia total com pancolite mostrando a doença ativa, com mucosa granular e vermelha no ceco (*à esquerda*) e mucosa atrófica lisa distalmente (*à direita*). **B.** Demarcação nítida entre a colite ulcerativa ativa (*à direita*) e a mucosa normal (*à esquerda*). **C.** Pólipos inflamatórios. **D.** Pontes mucosas que podem unir pólipos inflamatórios.

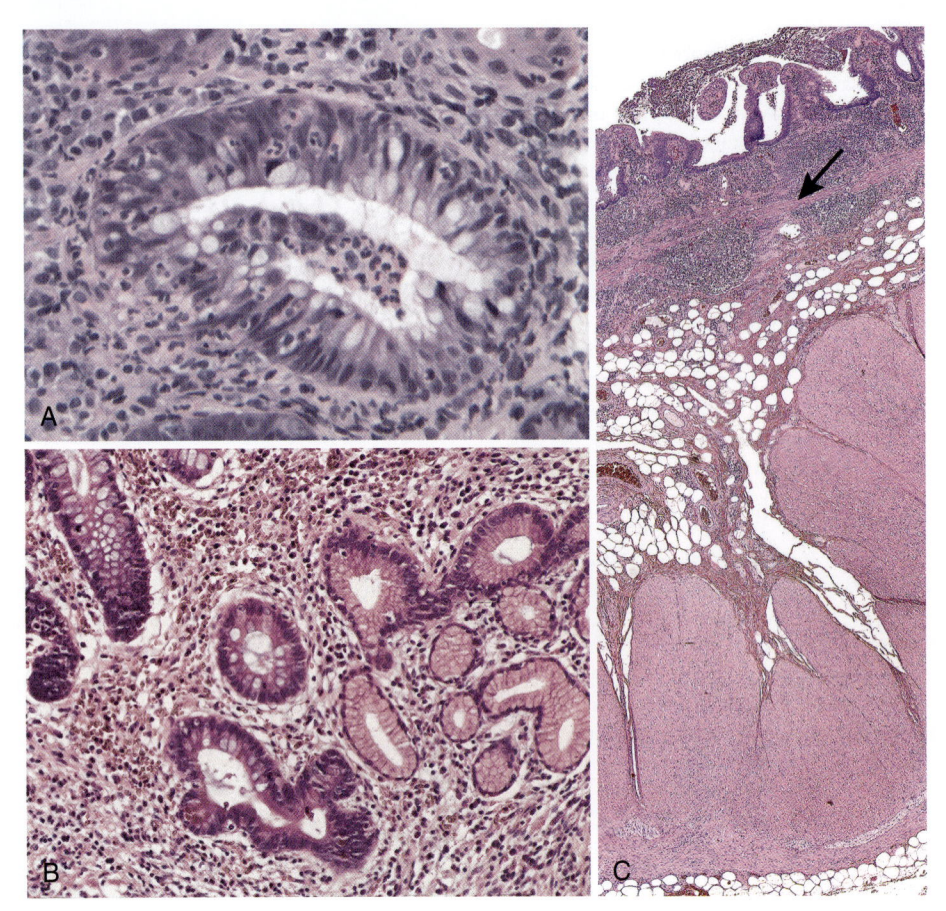

Figura 17.37 Histopatologia da colite ulcerativa. **A.** Abscesso de cripta. **B.** Metaplasia pseudopilórica (*à direita*). **C.** A doença limita-se à mucosa (acima da *seta*). Compare com a **Figura 17.35D**.

uma ativação imune da mucosa e desencadeia alterações microbianas que levam à doença em indivíduos suscetíveis. Em outros pacientes, o primeiro episódio de doença é precedido de estresse psicológico, que também pode estar ligado à recidiva durante a remissão. Também foi relatado o aparecimento inicial de sintomas logo após o abandono do tabagismo em alguns pacientes; nesses indivíduos, o fumo pode aliviar parcialmente os sintomas.

Colite indeterminada

Tendo-se em vista a extensa sobreposição genética, patológica e clínica entre a colite ulcerativa e a doença de Crohn (ver **Tabela 17.8**), o diagnóstico definitivo não é possível em até 10% dos pacientes com DII. Esses casos, denominados colite indeterminada, não acometem o intestino delgado e se caracterizam por doença colônica em um padrão contínuo típico da colite ulcerativa, porém com características sugestivas de doença de Crohn. Eles incluem doença histológica focal, história familiar de doença de Crohn e lesões perianais. Os exames sorológicos podem ser úteis nos casos que apresentam características superpostas, visto que são encontrados anticorpos anticitoplasma de neutrófilos perinucleares em 75% dos indivíduos com colite ulcerativa e em apenas 11% daqueles com doença de Crohn. Em contrapartida, os anticorpos dirigidos contra *Saccharomyces cerevisiae* com frequência estão ausentes em pacientes com colite ulcerativa, porém presentes naqueles com doença de Crohn. Todavia, os resultados sorológicos normalmente são ambíguos nos casos que são indeterminados do ponto de vista clínico. Felizmente, a sobreposição existente no tratamento médico permite que a colite indeterminada seja tratada de modo efetivo.

Neoplasia associada à colite

Uma das complicações a longo prazo mais temidas da colite ulcerativa e da doença de Crohn colônica é o desenvolvimento de neoplasia. O risco de displasia e de desenvolvimento subsequente de câncer está relacionado com diversos fatores:

- *Duração da doença.* O risco aumenta acentuadamente 8 a 10 anos após o início da doença
- *Extensão da doença.* Os pacientes com pancolite correm maior risco do que aqueles que só apresentam doença do lado esquerdo. Os pacientes com doença de Crohn sem comprometimento colônico não têm risco aumentado
- *Natureza da resposta inflamatória.* A maior frequência e a gravidade da inflamação ativa (caracterizada pela presença de neutrófilos) estão associadas a maior risco.

Para facilitar a detecção precoce de neoplasia, os pacientes normalmente são inscritos em programas de vigilância, cerca de 8 anos após o diagnóstico de DII. A principal exceção é constituída por pacientes com DII e colangite esclerosante primária, que correm maior risco de desenvolver câncer e, em geral, já são inscritos para vigilância no momento do diagnóstico.

O objetivo das biopsias para vigilância consiste na identificação de epitélio displásico, que é um precursor do carcinoma associado à colite. A displasia pode surgir em áreas planas da mucosa, que não são reconhecidas como anormais ao exame macroscópico. Os endoscópios de alta resolução e as técnicas endoscópicas especializadas, incluindo a cromoendoscopia, ajudaram a direcionar as biopsias para áreas com suspeita de displasia, porém ainda são necessárias múltiplas biopsias para vigilância e a realização de exame histológico. A displasia associada à DII é classificada histologicamente em baixo ou alto grau (**Figura 17.38A e B**) e pode ser multifocal. A displasia de alto grau pode estar associada a um carcinoma invasivo no mesmo local (**Figura 17.38C**) ou em outro local do cólon e, portanto, costuma exigir a realização de colectomia. A displasia de baixo grau pode ser acompanhada de forma rigorosa, com vigilância endoscópica frequente, porém a colectomia também é comum, particularmente na presença de múltiplos focos de displasia plana (não polipoide), em pacientes com doença extensa ou de longa duração e em pacientes idosos. Os adenomas colônicos (discutidos adiante) também ocorrem em pacientes com DII e, em alguns casos, pode ser difícil diferenciá-los de um foco polipoide de displasia associada à DII. Felizmente, as lesões polipoides solitárias na colite ulcerativa, sem focos de displasia plana, geralmente podem ser tratadas por meio de ressecção endoscópica e acompanhamento cuidadoso.

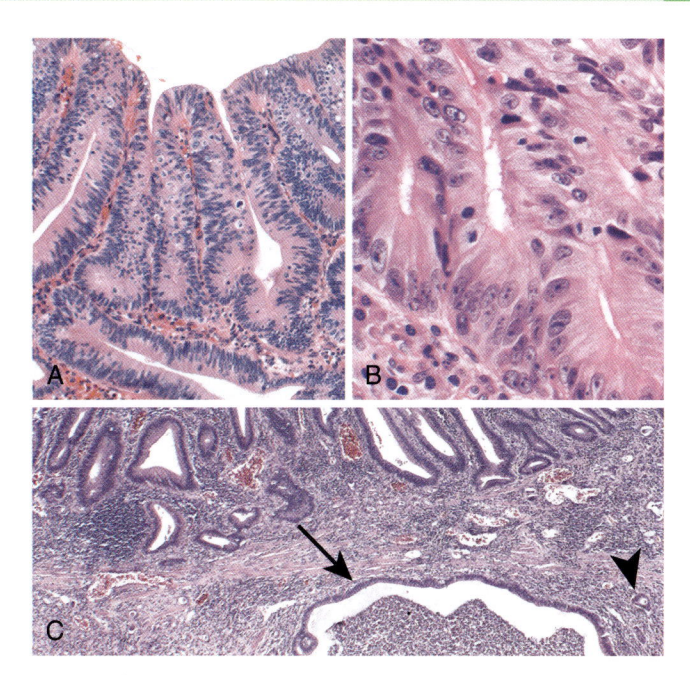

Figura 17.38 Displasia associada à colite. **A.** Displasia com estratificação nuclear extensa e acentuada hipercromasia nuclear. **B.** Disposição glandular cribriforme na displasia de alto grau. **C.** Espécime de colectomia com displasia de alto grau na superfície e adenocarcinoma invasivo subjacente. Um grande espaço cístico preenchido com neutrófilos e revestido por adenocarcinoma invasivo é aparente (*seta*) abaixo da camada muscular da mucosa. Também são observadas pequenas glândulas invasivas (*cabeça de seta*).

Outras causas de colite crônica

Colites de derivação

O tratamento cirúrgico de colite ulcerativa, doença de Hirschsprung e outros distúrbios intestinais às vezes exige a criação de colostomia temporária ou permanente, resultando em um segmento distal cego do cólon, a partir do qual o fluxo fecal normal é desviado. A colite pode se desenvolver no segmento desviado. Além do eritema e da friabilidade da mucosa, a característica mais notável da colite de derivação é o desenvolvimento de numerosos folículos linfoides na mucosa (**Figura 17.39A**). Além disso, pode-se observar a presença de um maior número de linfócitos, monócitos, macrófagos e plasmócitos na lâmina própria. Nos casos graves, a histopatologia pode se assemelhar àquela da DII e consiste em abscessos das criptas, distorção da arquitetura da mucosa ou, raramente, granulomas. Os mecanismos responsáveis pela colite de derivação não estão bem compreendidos, porém foi sugerida a ocorrência de alterações na microbiota luminal e desvio do fluxo fecal que fornece nutrientes às células epiteliais do cólon. Em concordância com isso, os enemas que contêm ácidos graxos de cadeia curta – produtos do metabolismo bacteriano do cólon que sinalizam e atuam como fonte de energia para as células epiteliais do cólon – podem promover a recuperação da mucosa. Entretanto, esses enemas não são utilizados com frequência, devido ao odor fétido do butirato. Ocorre resolução da colite de derivação após anastomose e restauração do fluxo fecal.

Colite microscópica

A colite microscópica abrange duas entidades: a colite colagenosa e a colite linfocítica. Essas duas doenças idiopáticas manifestam-se com diarreia aquosa, não sanguinolenta e crônica, sem perda de peso. Os exames radiológicos e endoscópicos geralmente são

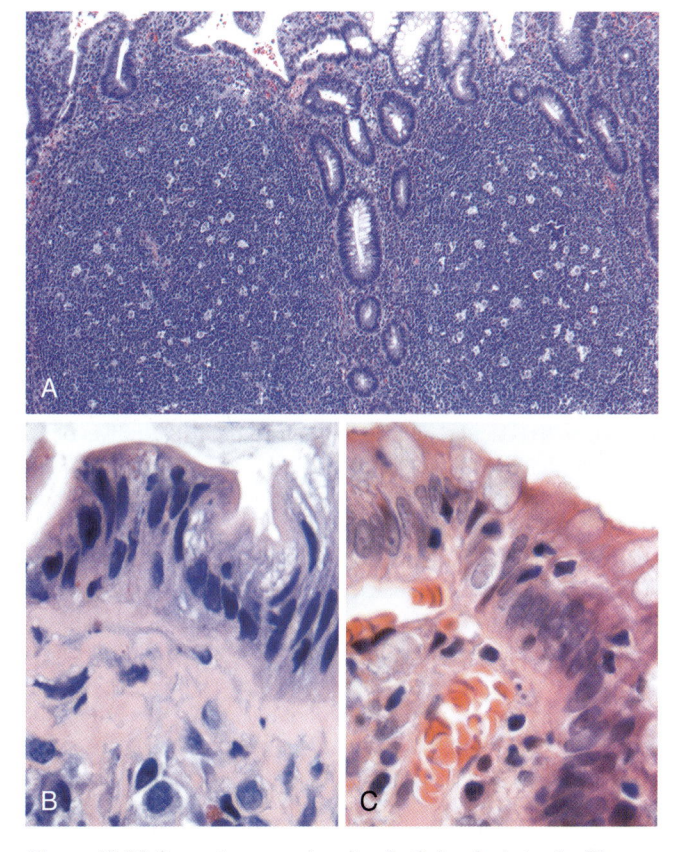

Figura 17.39 Causas incomuns de colite. **A.** Colite de derivação. Observe os grandes folículos linfoides com centros germinativos. **B.** Colite colagenosa com uma densa faixa de colágeno subepitelial. **C.** Colite linfocítica. Os linfócitos intraepiteliais podem ser reconhecidos pelos seus pequenos núcleos densamente corados.

normais. A colite colagenosa, que ocorre principalmente em mulheres de meia-idade ou idosas, caracteriza-se pela presença de uma densa camada de colágeno subepitelial, pelo número aumentado de linfócitos T intraepiteliais e por um infiltrado inflamatório misto na lâmina própria (**Figura 17.39B**). A colite linfocítica é semelhante do ponto de vista histológico, porém a camada de colágeno subendotelial é de espessura normal, e o aumento dos linfócitos T intraepiteliais é maior, ultrapassando, com frequência, um linfócito T para cada cinco colonócitos (**Figura 17.39C**). A colite linfocítica exibe uma forte associação com a doença celíaca e com doenças autoimunes, incluindo a doença de Graves, a artrite reumatoide e a gastrite autoimune ou linfocítica. Alterações histológicas semelhantes podem ser induzidas pelos AINEs e, possivelmente, por inibidores da bomba de prótons.

Doença do enxerto-*versus*-hospedeiro

A doença do enxerto-*versus*-hospedeiro ocorre após transplante alogênico de células-tronco hematopoéticas. O intestino delgado e o cólon são acometidos na maioria dos casos. Embora a doença do enxerto-*versus*-hospedeiro seja mediada por células T do doador direcionadas especificamente para antígenos nas células epiteliais GI do receptor, o infiltrado linfocítico da lâmina própria é normalmente esparso. A apoptose epitelial, particularmente das células das criptas, constitui o achado histológico mais comum. Nos casos graves, pode ocorrer destruição completa das criptas. Com frequência, a doença do enxerto-*versus*-hospedeiro intestinal manifesta-se com diarreia aquosa, que pode se tornar sanguinolenta nos casos graves. Curiosamente, as alterações morfológicas na doença do enxerto-*versus*-hospedeiro sobrepõem-se com a enterocolite e a diarreia, que, com frequência, surgem em pacientes oncológicos tratados com inibidores do ponto de checagem imune; essas complicações estão se tornando mais frequentes com o uso aumentado dessas terapias. Embora os mecanismos da enterocolite induzida por inibidores do ponto de checagem não estejam bem definidos, eles provavelmente se sobrepõem, pelo menos em parte, com os da doença de enxerto-*versus*-hospedeiro.

Doença diverticular do cólon sigmoide

A doença diverticular resulta de evaginações pseudodiverticulares adquiridas da mucosa e da submucosa do cólon. Diferentemente dos divertículos verdadeiros, como o divertículo de Meckel, os da doença diverticular não incluem todas as três túnicas da parede do cólon. Os divertículos colônicos são raros em indivíduos com idade inferior a 30 anos, porém a prevalência aproxima-se de 50% em populações adultas do Ocidente com idade superior a 60 anos. A diverticulose é menos comum no Japão, bem como em países com recursos escassos, provavelmente devido a diferenças na alimentação. Além disso, a maioria dos divertículos na Ásia e na África ocorre no cólon direito, ao passo que eles são raros nos países ocidentais. As razões dessa diferença na distribuição não estão bem definidas.

Patogênese

Os divertículos do cólon ocorrem em virtude da estrutura singular da muscular própria e da elevação da pressão intraluminal. Há formação de descontinuidades focais na camada interna de músculo circular, em locais em que os nervos e os vasos retos arteriais penetram nela. No intestino delgado, esses espaços são reforçados pela camada longitudinal externa da muscular própria; entretanto, no cólon, essa camada é reunida em três bandas, denominadas tênias do cólon. A pressão intraluminal, particularmente no cólon sigmoide, está elevada, em virtude da contração peristáltica exagerada, efeito que é aumentado pelas dietas pobres em fibras, com redução do volume fecal. Essa pressão aumentada leva à herniação da mucosa através dos pontos anatômicos de fragilidade da muscular própria.

> ### Morfologia
>
> Os divertículos do cólon são pequenas evaginações semelhantes a frascos, geralmente com 0,5 a 1 cm de diâmetro, que ocorrem em uma distribuição regular (refletindo a contribuição anatômica para a patogênese) ao longo das tênias do cólon (**Figura 17.40A**). Eles são mais comuns no cólon sigmoide, porém outras partes do cólon podem ser afetadas. Os divertículos colônicos apresentam uma parede fina, composta de mucosa plana ou atrófica, que pode ser circundada por uma submucosa comprimida e uma túnica muscular atenuada ou ausente (**Figura 17.40B e C**). É comum haver hipertrofia da camada circular da muscular própria no segmento intestinal afetado. A obstrução diverticular causa inflamação, denominada diverticulite. Como a parede do divertículo é sustentada apenas pela muscular da mucosa e por uma fina camada de tecido adiposo subseroso, a inflamação e a pressão elevada dentro de um divertículo obstruído podem levar à perfuração. Com ou sem perfuração, a diverticulite pode causar colite associada à doença diverticular segmentar, espessamento fibrótico na parede colônica e ao seu redor ou formação de estenose. A perfuração pode resultar em abscessos pericolônicos, tratos sinusais intramurais e, em certas ocasiões, peritonite.

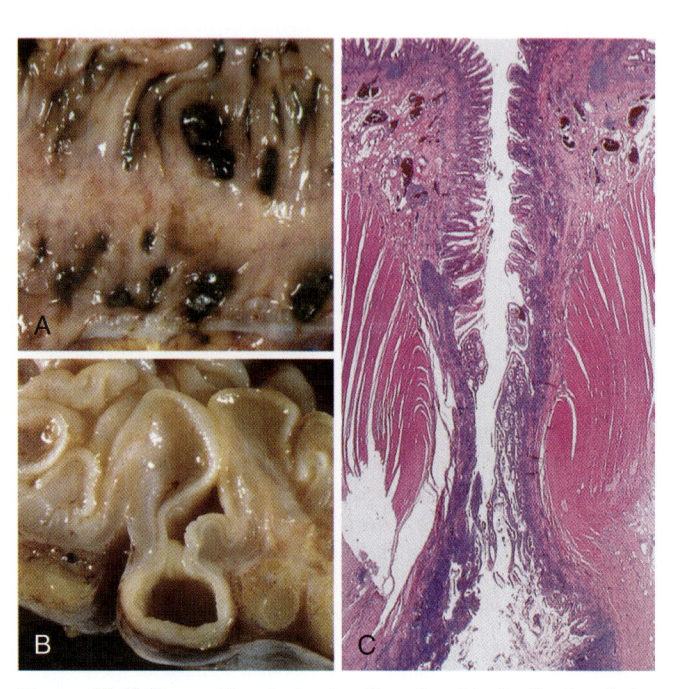

Figura 17.40 Doença diverticular do cólon sigmoide. **A.** Os divertículos preenchidos com fezes estão dispostos de maneira regular. **B.** Corte transversal mostrando a evaginação da mucosa através da muscular própria. **C.** Fotomicrografia em pequeno aumento de um divertículo sigmoide, mostrando a protrusão da mucosa através da muscular própria.

Características clínicas

A maioria dos indivíduos com doença diverticular permanece assintomática durante toda a vida. Entretanto, cerca de 20% desenvolvem manifestações, como cólica intermitente, desconforto contínuo na parte inferior do abdome, constipação intestinal, distensão ou sensação de nunca conseguir esvaziar o reto por completo. Às vezes, os pacientes apresentam constipação intestinal alternando com diarreia, o que simula a SII. Não se sabe ao certo se uma dieta rica em fibras previne o desenvolvimento de diverticulose ou protege contra a diverticulite, porém as dietas suplementadas com fibras podem proporcionar melhora sintomática. Mesmo quando ocorre, a diverticulite apresenta, com mais frequência, resolução espontânea. Em geral, a intervenção cirúrgica é reservada para pacientes com diverticulite grave ou recorrente.

Conceitos-chave

Síndrome do intestino irritável e colite

- A síndrome do intestino irritável caracteriza-se por dor abdominal crônica e recorrente, distensão e alterações do hábito intestinal, sem patologia macroscópica ou histológica. A patogênese ainda não foi definida, porém provavelmente inclui contribuições de estressores psicológicos, dieta, microbioma intestinal, motilidade GI anormal e aumento das respostas sensoriais entéricas a estímulos GI
- A DII é uma designação abrangente para a colite ulcerativa e a doença de Crohn. A colite indeterminada é o termo utilizado para casos de DII sem características definitivas de colite ulcerativa ou doença de Crohn
- A colite ulcerativa limita-se à mucosa e à submucosa do cólon, é contínua a partir do reto e varia desde uma doença apenas retal até a pancolite; não há lesões descontínuas nem granulomas
- A doença de Crohn afeta mais comumente o íleo terminal e o ceco, mas pode acometer qualquer local do trato GI. O comprometimento é descontínuo, resultando em lesões salteadas. Nas áreas afetadas, a doença pode ser transmural, acometendo toda a espessura da parede intestinal. Os granulomas não caseosos são comuns
- Ambas as formas de DII aparecem, com mais frequência, na adolescência e no início da segunda década de vida e estão associadas a manifestações extraintestinais
- Acredita-se que a DII resulte de um sinergismo entre risco genético, disfunção imune da mucosa e disbiose, isto é, alterações da composição microbiana associadas à doença
- O risco de displasias epiteliais do cólon e adenocarcinoma está aumentado em pacientes com DII que tiveram doença colônica por mais de oito a dez anos
- As duas formas de colite microscópica, a colite colagenosa e a colite linfocítica, causam diarreia aquosa crônica. Os intestinos estão normais na endoscopia, e as doenças são identificadas pelas suas características histológicas típicas
- A doença diverticular do cólon sigmoide é comum em populações do ocidente com idade superior a 60 anos. As causas incluem dietas pobres em fibras, espasmo colônico e anatomia característica do cólon. A inflamação dos divertículos, denominada diverticulite, afeta uma minoria de pacientes com diverticulose, mas pode causar perfuração em sua forma mais grave.

Pólipos

Os pólipos são mais comuns no cólon e no reto; entretanto, conforme discutido, podem ocorrer no esôfago, no estômago ou no intestino delgado. A maioria dos pólipos, se não todos, começa como pequenas elevações da mucosa. Esses pólipos são denominados *sésseis*, um termo emprestado dos botânicos, que o utilizam para descrever flores e folhas que crescem diretamente a partir do caule, sem uma haste. À medida que os pólipos sésseis aumentam, a proliferação de células adjacentes à massa e os efeitos de tração sobre a protrusão luminal podem se combinar para criar um pedículo. Os pólipos com pedículos são denominados *pediculados*. Em geral, os pólipos intestinais podem ser classificados em não neoplásicos ou neoplásicos. O pólipo neoplásico mais comum é o adenoma, que tem o potencial de evoluir para câncer. Os pólipos não neoplásicos podem ser classificados como inflamatórios, hamartomatosos ou hiperplásicos.

Pólipos hiperplásicos

Os pólipos hiperplásicos do cólon são proliferações epiteliais benignas normalmente descobertas na sexta e na sétima década de vida. A patogênese dos pólipos hiperplásicos não está totalmente elucidada, porém acredita-se que eles resultam da diminuição da renovação das células epiteliais e do atraso da descamação das células epiteliais superficiais, levando ao "empilhamento" de células caliciformes e células absortivas. Essas lesões não têm potencial maligno. A sua principal importância reside na necessidade de distingui-las dos adenomas serrilhados sésseis, que são histologicamente semelhantes, mas têm potencial maligno, conforme descrito adiante. Além disso, é importante ressaltar que a hiperplasia epitelial pode ocorrer com reação específica adjacente ou sobrejacente a qualquer massa ou lesão inflamatória e, portanto, pode fornecer uma pista sobre a presença de uma lesão adjacente e clinicamente importante.

Morfologia

Os pólipos hiperplásicos são mais comumente encontrados no cólon esquerdo e, em geral, têm menos de 5 mm de diâmetro. Trata-se de protrusões nodulares lisas, frequentemente nas cristas das pregas de mucosa. Eles podem ocorrer isoladamente, porém são, com mais frequência, múltiplos, em particular no cólon sigmoide e no reto. Ao exame histológico, os pólipos hiperplásicos são compostos de células caliciformes e absortivas maduras, com arquitetura de superfície serrilhada, que constitui a característica morfológica dessas lesões (**Figura 17.41**). O serrilhado limita-se normalmente ao terço superior da cripta.

Pólipos inflamatórios

Os pólipos que se formam como parte da síndrome da úlcera retal solitária fornecem um exemplo de lesão puramente inflamatória. Os pacientes apresentam a tríade clínica de sangramento retal, secreção de muco e lesão inflamatória da parede retal anterior. A causa subjacente consiste em comprometimento do relaxamento do esfíncter anorretal, o que forma um ângulo agudo na prateleira retal anterior e leva à abrasão recorrente e à ulceração da mucosa retal sobrejacente. Por fim, pode haver formação de um pólipo inflamatório em consequência de ciclos crônicos de lesão e cicatrização.

Pólipos hamartomatosos

Os pólipos hamartomatosos ocorrem de modo esporádico ou como componentes de síndromes geneticamente determinadas ou adquiridas (Tabela 17.9).

Embora se acreditasse originalmente que pudessem refletir anormalidades do desenvolvimento, muitas síndromes de pólipos hamartomatosos são causadas por mutações de linhagem germinativa em genes supressores de tumor ou proto-oncogenes. Algumas dessas síndromes estão associadas ao aumento do risco de câncer, tanto dentro dos pólipos quanto em outras áreas intestinais ou extraintestinais. Assim, um subgrupo de pólipos hamartomatosos pode ser considerado como lesões neoplásicas pré-malignas, muito semelhantes aos adenomas. Além disso, é importante reconhecer esses pólipos, devido às manifestações extraintestinais associadas e à possibilidade de que outros membros da família sejam afetados. Várias dessas síndromes são discutidas a seguir, ao passo que outras estão resumidas na **Tabela 17.9**.

Pólipos juvenis

Os pólipos juvenis, malformações focais do epitélio e da lâmina própria, podem ser esporádicos ou sindrômicos. A maioria ocorre em crianças com idade inferior a 5 anos, porém os pólipos tanto esporádicos quanto sindrômicos podem surgir em idades mais avançadas. Muitos pólipos juvenis estão localizados no reto e causam sangramento retal. Em alguns casos, podem ocorrer intussuscepção, obstrução intestinal ou prolapso do pólipo (através do esfíncter anal).

Os pólipos juvenis esporádicos, também denominados pólipos de retenção, são geralmente solitários. Em contrapartida, a síndrome autossômica dominante da polipose juvenil caracteriza-se por número variável de pólipos hamartomatosos, variando de três a centenas. Nesses casos, a colectomia pode ser necessária para limitar a hemorragia crônica e às vezes grave associada à ulceração do pólipo. Uma minoria de pacientes também apresenta pólipos no estômago e no intestino delgado, que podem sofrer transformação maligna. As malformações arteriovenosas pulmonares e outras malformações congênitas constituem manifestações extraintestinais reconhecidas da polipose juvenil.

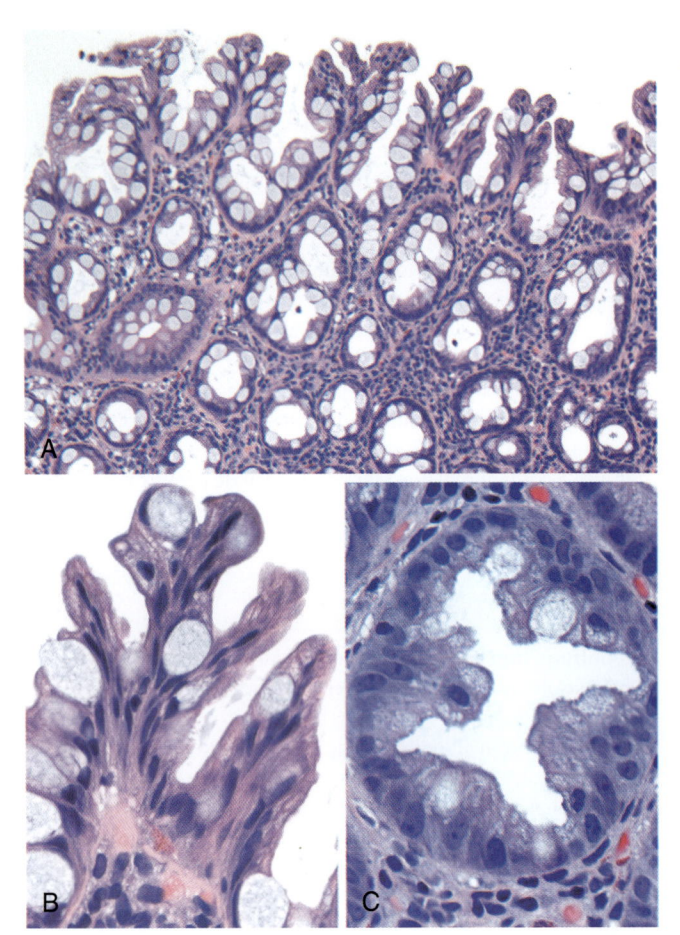

Figura 17.41 Pólipo hiperplásico. **A.** Superfície do pólipo, com tufos irregulares de células epiteliais. **B.** A formação de tufo resulta de aglomeração epitelial excessiva. **C.** A aglomeração epitelial produz uma arquitetura serrilhada nos cortes transversais das criptas.

O aprisionamento desse pólipo no fluxo fecal leva ao prolapso da mucosa. As características histológicas distintas incluem infiltrados inflamatórios mistos, erosão e hiperplasia epitelial, bem como hiperplasia fibromuscular da lâmina própria induzida pelo prolapso (**Figura 17.42**).

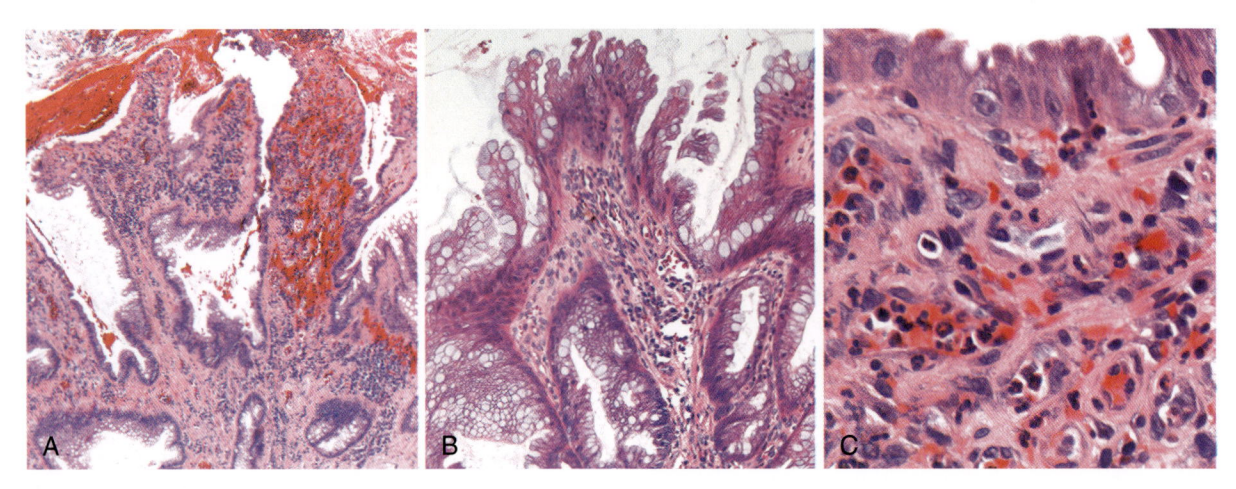

Figura 17.42 Síndrome da úlcera retal solitária. **A.** As glândulas dilatadas, o epitélio proliferativo, as erosões superficiais e o infiltrado inflamatório são típicos de pólipo inflamatório. Entretanto, a hiperplasia do músculo liso dentro da lâmina própria indica que também ocorreu prolapso da mucosa. **B.** Hiperplasia epitelial. **C.** Proliferação capilar semelhante ao tecido de granulação dentro da lâmina própria causada por erosão repetida.

Tabela 17.9 Síndromes de polipose gastrintestinal.

Síndrome	Idade média na apresentação (anos)	Genes mutados; via	Lesões GI	Manifestações extragastrintestinais selecionadas
Polipose juvenil	< 5	SMAD4, BMPR1A; via de sinalização do TGF-β	Pólipos juvenis; risco de adenocarcinoma gástrico, do intestino delgado, do cólon e do pâncreas	Malformações congênitas, baqueteamento digital
Síndrome de Peutz-Jeghers	10 a 15	STK11; vias relacionadas com a AMP quinase	Pólipos arborizantes; intestino delgado > cólon > estômago; adenocarcinoma do cólon	Máculas pigmentadas; risco de cânceres de cólon, mama, pulmão, pâncreas e tireoide
Síndrome de Cowden, síndrome de Bannayan-Ruvalcaba-Riley[a]	< 15	PTEN: via PI3K/AKT	Pólipos intestinais hamartomatosos /inflamatórios, linfomas, ganglioneuromas	Tumores benignos da pele, lesões benignas e malignas de tireoide e de mama; nenhum aumento nos cânceres GI
Síndrome de Cronkhite-Canada	> 50	Não hereditária, causa desconhecida	Pólipos hamartomatosos do estômago, intestino delgado, cólon; anormalidades não polipoides da mucosa	Atrofia ungueal, queda dos cabelos, pigmentação anormal da pele, caquexia e anemia. Fatal em até 50% dos casos
Esclerose tuberosa		TSC1 (hamartina), TSC2 (tuberina); via do mTOR	Pólipos hamartomatosos	Deficiência intelectual, epilepsia, angiofibroma facial, tubérculos corticais (SNC), angiomiolipoma renal
PAF				
PAF clássica	10 a 15	APC	Adenomas múltiplos	Hipertrofia congênita do EPR
PAF atenuada	40 a 50	APC	Adenomas múltiplos	
Síndrome de Gardner	10 a 15	APC	Adenomas múltiplos	Osteomas, tumores da tireoide, tumores desmoides, cistos cutâneos
Síndrome de Turcot	10 a 15	APC	Adenomas múltiplos	Meduloblastoma, glioblastoma
Polipose associada a MUTYH	30 a 50	MUTYH	Adenomas múltiplos	Pólipos gástricos e duodenais

[a]Também denominada síndrome de hamartoma-tumor PTEN.
GI, gastrintestinal; mTOR, alvo da rapamicina em mamíferos; PAF, polipose adenomatosa familiar; RPE, epitélio pigmentado da retina; SNC, sistema nervoso central; TGF-β, fator de crescimento transformador β.

Morfologia

A maioria dos pólipos juvenis tem menos de 3 cm de diâmetro. Normalmente, são lesões pediculadas, de superfície lisa e avermelhadas, com espaços císticos característicos. O exame microscópico revela que esses cistos consistem em glândulas dilatadas preenchidas com mucinas e restos inflamatórios (**Figura 17.43**). O restante do pólipo é composto de lâmina própria expandida por infiltrados inflamatórios mistos. A muscular da mucosa pode estar normal ou atenuada.

Embora a morfogênese dos pólipos juvenis não seja totalmente compreendida, foi proposto que a hiperplasia da mucosa constitui o evento iniciador. Essa hipótese é consistente com a descoberta de que as mutações em vias que regulam o crescimento celular causam polipose juvenil autossômica dominante. A mutação mais comum identificada é do *SMAD4*, que codifica um intermediário de sinalização na via do TGF-β. Com frequência, esses pacientes apresentam polipose juvenil e telangiectasia hemorrágica hereditária. Em outros casos, mutações em *BMPR1A*, uma quinase que é um membro da superfamília do TGF-β, causam a doença (ver **Tabela 17.9**). Em sua totalidade, essas mutações são responsáveis por menos da metade dos pacientes. Por conseguinte, ainda é necessário descobrir outros genes responsáveis pela polipose juvenil autossômica dominante.

A displasia é rara nos pólipos juvenis esporádicos. Em contrapartida, a síndrome da polipose juvenil está associada à displasia, tanto dentro dos pólipos juvenis quanto em adenomas separados. Em consequência, 30 a 50% dos pacientes com polipose juvenil desenvolvem adenocarcinoma de cólon em torno dos 45 anos.

Síndrome de Peutz-Jeghers

Essa síndrome autossômica dominante rara manifesta-se em uma idade mediana de 11 anos com múltiplos pólipos hamartomatosos GI e hiperpigmentação mucocutânea. Essa última assume a forma de máculas azul-escuras a marrons nos lábios, nas narinas, na mucosa oral, nas superfícies palmares das mãos, na genitália e na região perianal. Essas lesões assemelham-se a sardas, porém são diferenciadas pela sua presença na mucosa oral. Os pólipos de Peutz-Jeghers podem iniciar uma intussuscepção, que, em certas ocasiões, é fatal. De maior importância é a **associação da síndrome de Peutz-Jeghers ao aumento acentuado do risco de várias neoplasias malignas.** O risco cumulativo durante a vida

> **Morfologia**
>
> Os pólipos da síndrome de Peutz-Jeghers são mais comuns no intestino delgado, embora possam ocorrer no estômago e no cólon e, com frequência muito menor, na bexiga e nos pulmões. Ao exame macroscópico, os pólipos são grandes e pediculados, com contorno lobulado. O exame histológico demonstra uma rede arborizada característica, composta de tecido conjuntivo, músculo liso, lâmina própria e glândulas revestidas por epitélio intestinal de aparência normal (**Figura 17.44**). A arborização e a presença de músculo liso misturado com lâmina própria são úteis para a distinção entre os pólipos da síndrome de Peutz-Jeghers e os pólipos juvenis.

Características clínicas

Como a morfologia dos pólipos de Peutz-Jeghers pode se sobrepor à dos pólipos hamartomatosos esporádicos, a presença de múltiplos pólipos no intestino delgado, a hiperpigmentação mucocutânea e a obtenção de uma história familiar positiva são de importância é de cerca de 40%, e recomenda-se a vigilância regular desde o nascimento para tumores do cordão sexual dos testículos, no final da infância para cânceres gástricos e do intestino delgado e na segunda e terceira décadas de vida para cânceres de cólon, pâncreas, mama, pulmão, ovário e útero.

Patogênese

Mutações heterozigóticas de linhagem germinativa de perda de função no gene *STK11* estão presentes em cerca da metade dos indivíduos com síndrome de Peutz-Jeghers familiar, bem como em um subgrupo de pacientes com síndrome de Peutz-Jeghers esporádica. O *STK11* é um gene supressor de tumor que regula proteinoquinases ativadas por AMP (AMPK), que, por sua vez, controlam a polarização da célula e atuam como freio sobre o crescimento e o metabolismo anabólico (ver **Capítulo 7**). Assim como com outros genes supressores de tumor, a função da segunda cópia "normal" do *STK11* frequentemente é perdida por meio de mutação somática em cânceres que ocorrem na síndrome de Peutz-Jeghers, o que explica o alto risco de neoplasia nos pacientes afetados.

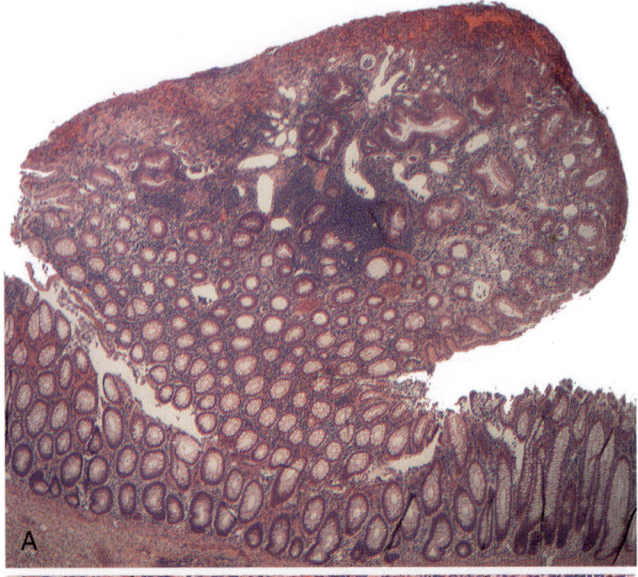

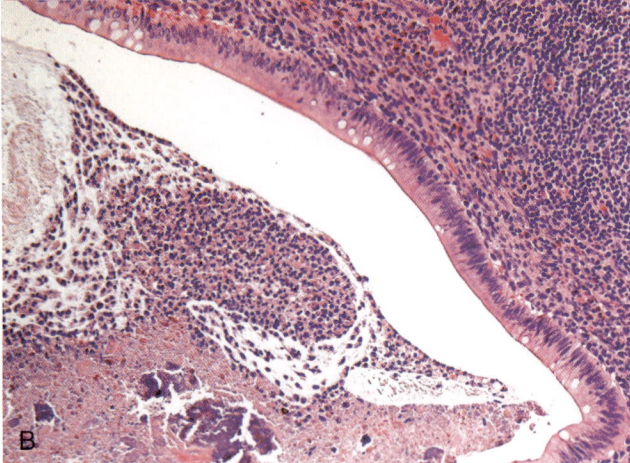

Figura 17.43 Polipose juvenil. **A.** Pólipo juvenil. Observe a erosão superficial e as criptas cisticamente dilatadas. **B.** Pode ocorrer acúmulo de muco espesso, neutrófilos e restos inflamatórios dentro das criptas dilatadas.

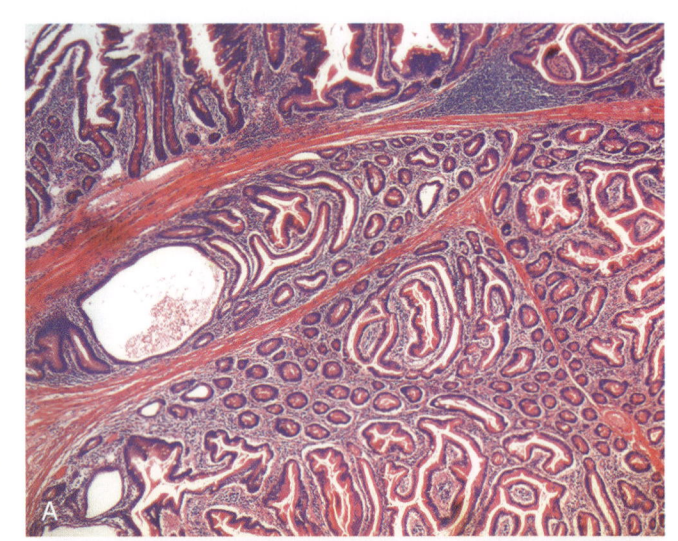

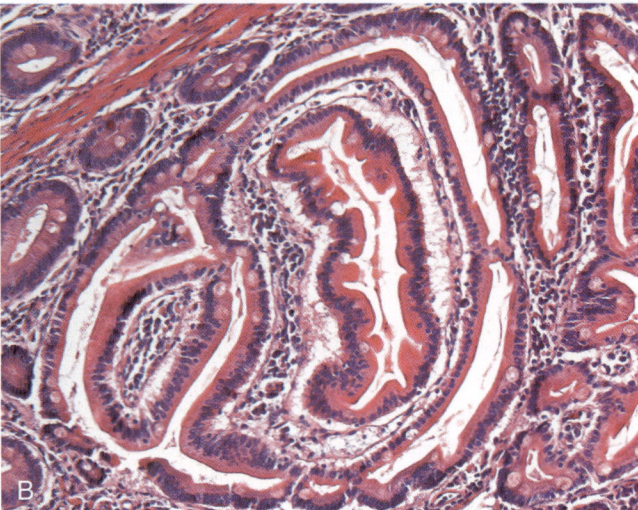

Figura 17.44 Pólipo de Peutz-Jeghers. **A.** A superfície do pólipo (*parte superior*) recobre o estroma, composto de feixes de músculo liso, cruzando a lâmina própria. **B.** A arquitetura glandular complexa e a presença de músculo liso constituem características que distinguem os pólipos de Peutz-Jeghers dos pólipos juvenis.

crítica para o diagnóstico. A detecção de mutações do *STK11* pode ser útil para o estabelecimento do diagnóstico em pacientes com pólipos que não apresentam hiperpigmentação mucocutânea. Entretanto, a ausência de mutações do *STK11* não exclui a possibilidade do diagnóstico, visto que essas mutações não são observadas em todos os pacientes.

Pólipos neoplásicos

Os pólipos neoplásicos mais comuns são adenomas do cólon, que são precursores da maioria dos adenocarcinomas colorretais. No entanto, é importante reconhecer que qualquer lesão expansiva neoplásica no trato GI pode produzir um pólipo. Isso inclui os adenocarcinomas, os tumores neuroendócrinos, os tumores estromais, os linfomas e até mesmo cânceres metastáticos em locais distantes.

Os adenomas são neoplasias epiteliais que variam desde pequenos pólipos geralmente pediculados a grandes lesões sésseis. Observa-se o desenvolvimento de adenomas em cerca de 30% dos adultos com idade próxima a 60 anos que vivem no Ocidente. Como esses pólipos são precursores do adenocarcinoma colorretal, recomenda-se uma vigilância a partir dos 45 a 50 anos. Os indivíduos com risco aumentado, incluindo os que têm história familiar de adenocarcinoma colorretal, são normalmente submetidos a rastreamento por colonoscopia pelo menos dez anos antes da menor idade em que um parente foi diagnosticado. A abordagem preferida para o rastreamento varia, porém a colonoscopia constitui a modalidade mais frequente. Os adenomas são menos comuns na Ásia, porém a sua incidência tem aumentado (paralelamente à incidência crescente do adenocarcinoma colorretal) à medida que as dietas e o estilo de vida ocidentais se tornam mais prevalentes.

Em concordância com suas lesões precursoras, a prevalência dos adenomas colorretais nas populações correlaciona-se com a do adenocarcinoma colorretal, e as distribuições dos adenomas e do adenocarcinoma no cólon são semelhantes. A colonoscopia de vigilância regular e a remoção dos pólipos reduzem a incidência de adenocarcinoma colorretal. Apesar dessa forte relação, é preciso ressaltar que a maioria dos adenomas não progride para se transformar em adenocarcinomas. No momento, não se dispõe de ferramentas para identificar os adenomas que sofrerão transformação maligna. Os adenomas são, em sua maioria, clinicamente silenciosos, com exceção dos pólipos grandes, que produzem sangramento oculto e anemia.

> ### Morfologia
>
> **Os adenomas colorretais caracterizam-se pela presença de displasia epitelial.** Os adenomas típicos variam de 0,3 a 10 cm de diâmetro e podem ser pediculados (**Figura 17.45A**) ou sésseis, e a superfície de ambos os tipos têm uma textura semelhante ao veludo ou a uma framboesa (**Figura 17.45B**). Ao exame histológico, **as características fundamentais da displasia epitelial consistem em hipercromasia nuclear, alongamento e estratificação (Figura 17.46C)**. Essas alterações são observadas com mais facilidade na superfície do adenoma e, com frequência, são acompanhadas de nucléolos proeminentes, citoplasma eosinofílico e redução no número de células caliciformes. Os adenomas pediculados têm pedículos fibromusculares delgados (**Figura 17.45C**), que contêm vasos sanguíneos proeminentes derivados da submucosa. Em geral, o pedículo é recoberto por epitélio não neoplásico, porém pode haver displasia.
>
> Os adenomas podem ser classificados em **tubulares, tubulovilosos** ou **vilosos**, com base na sua arquitetura. Entretanto, essas categorias têm pouca importância clínica quando isoladas. Os adenomas tubulares tendem a ser pólipos pequenos e pediculados, compostos de glândulas arredondadas ou tubulares (**Figura 17.46A**). Em contrapartida, os adenomas vilosos, que, em geral, são maiores e sésseis, são cobertos por vilosidades delgadas (**Figura 17.46B**). Os adenomas vilosos abrigam cânceres com mais frequência do que os adenomas tubulares, porém isso também está relacionado com o maior tamanho dos adenomas vilosos. Como o próprio nome indica, os adenomas tubulovilosos têm arquitetura mista.
>
> As **lesões serrilhadas sésseis**, também chamadas de adenomas serrilhados sésseis, sobrepõem-se histologicamente aos pólipos hiperplásicos, porém são mais comumente encontradas

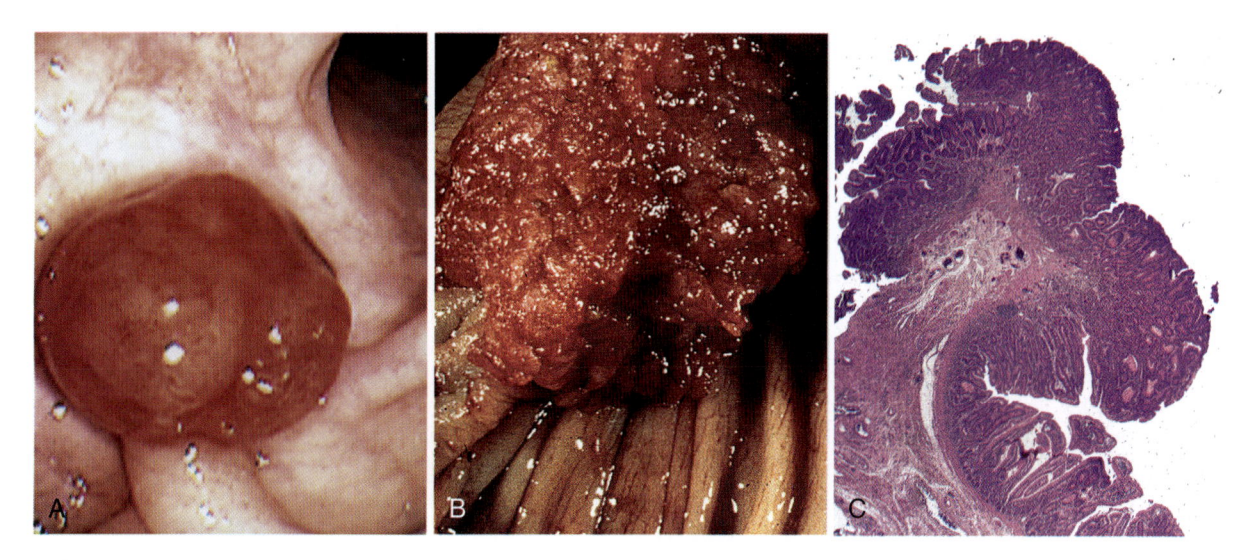

Figura 17.45 Adenomas colônicos. **A.** Adenoma pediculado (*vista endoscópica*). **B.** Adenoma com superfície aveludada. **C.** Fotomicrografia em pequeno aumento de um adenoma tubular pediculado.

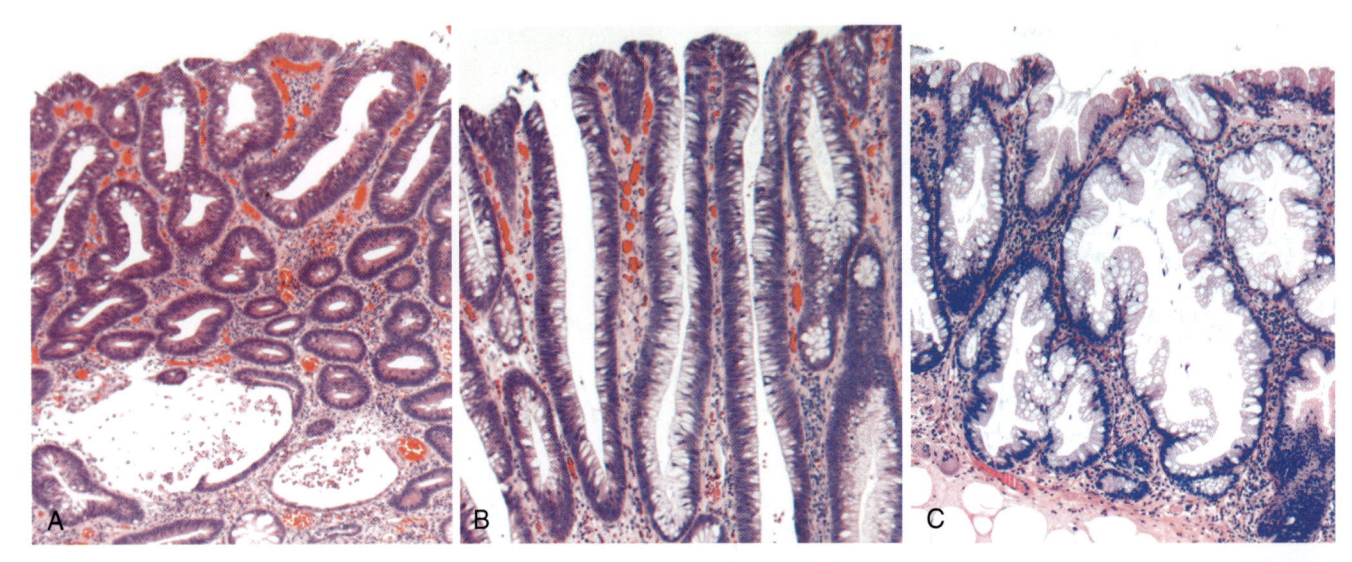

Figura 17.46 Aparência histológica dos adenomas colônicos. **A.** Adenoma tubular com superfície lisa e glândulas arredondadas. Em certas ocasiões, ocorre inflamação ativa nos adenomas; aqui, pode-se observar a dilatação e a ruptura da cripta na parte inferior do campo. **B.** Adenoma viloso com longas projeções finas, que lembram as vilosidades do intestino delgado. **C.** Adenoma serrilhado séssil revestido por células caliciformes sem características citológicas de displasia. Essa lesão é diferenciada de um pólipo hiperplásico pela extensão do processo neoplásico até as criptas, resultando em crescimento lateral. Compare com o pólipo hiperplásico na **Figura 17.41**.

no cólon direito. Apesar de seu potencial maligno, esses pólipos **carecem das características citológicas típicas da displasia** que estão presentes em outros adenomas. Ao exame histológico, essas lesões podem ser diferenciadas dos pólipos hiperplásicos pela presença de arquitetura serrilhada em toda a extensão das glândulas, incluindo a base da cripta, a dilatação da cripta e o crescimento lateral (**Figura 17.46D**).

O **carcinoma intramucoso** ocorre quando as células epiteliais displásicas violam a membrana basal para invadir a lâmina própria. Essas células podem se estender na muscular da mucosa, mas não através dela. Devido à ausência de canais linfáticos funcionais na mucosa colônica, os carcinomas intramucosos têm pouco ou nenhum potencial metastático, e a polipectomia completa é, em geral, curativa (**Figura 17.47A**). A invasão além da muscular da mucosa, inclusive dentro do pedículo submucoso de um pólipo pediculado (**Figura 17.47B**), constitui um adenocarcinoma invasivo e está associada ao risco de disseminação para outros locais. Nesses casos, diversos fatores, como grau histológico do componente invasor, presença de invasão vascular ou linfática e distância do componente invasor até a margem da ressecção, são considerados no planejamento da terapia adicional.

Embora a maioria dos adenomas colorretais consista em lesões benignas, uma pequena proporção abriga um câncer invasivo por ocasião de sua detecção. **O tamanho constitui a característica mais importante correlacionada com o risco de neoplasia maligna.** Por exemplo, enquanto o câncer é extremamente raro nos adenomas com menos de 1 cm de diâmetro, quase 40% das lesões com diâmetro acima de 4 cm contêm focos de câncer invasivo. A displasia de alto grau também representa um fator de risco para câncer em um pólipo individual, porém não confere risco aumentado de câncer em outros pólipos no mesmo paciente.

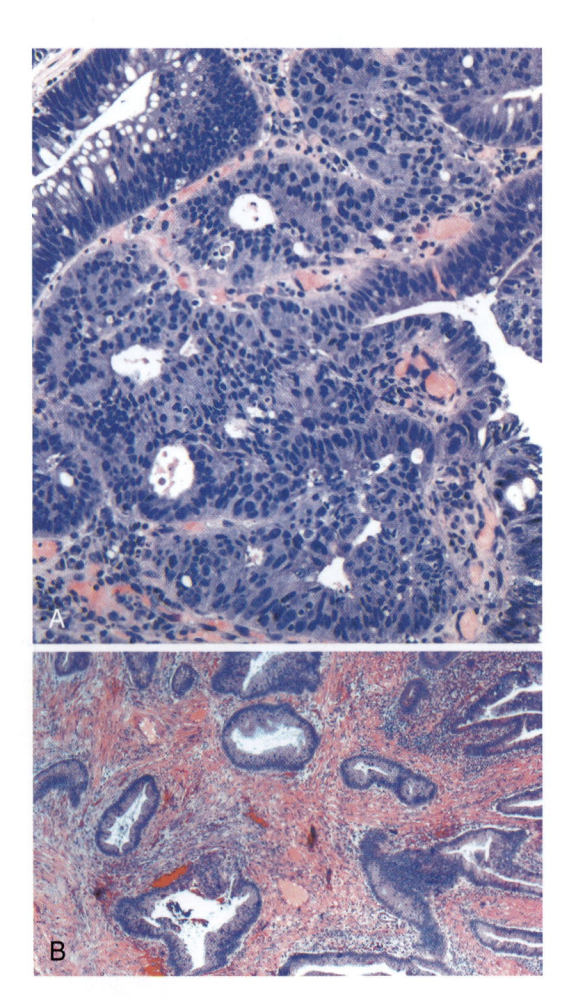

Figura 17.47 Adenoma com carcinoma. **A.** Glândulas cribriformes em contato direto com a lâmina própria sem membrana basal intercalada nesse carcinoma intramural. **B.** Adenocarcinoma invasivo (*à esquerda*) sob um adenoma viloso (*à direita*). Observe a resposta desmoplásica aos componentes invasores.

Polipose adenomatosa familiar

A polipose adenomatosa familiar (PAF) é um distúrbio autossômico dominante, em que os pacientes desenvolvem numerosos adenomas colorretais na adolescência. A PAF é causada por mutações somáticas no gene da polipose adenomatosa do cólon, ou *APC*, que constitui um regulador negativo fundamental da via de sinalização Wnt (ver **Capítulo 7**). Aproximadamente 75% dos casos são hereditários, ao passo que o restante parece ser causado por mutações *de novo*.

São necessários pelo menos 100 pólipos para o estabelecimento do diagnóstico de PAF clássica, porém milhares podem estar presentes (**Figura 17.48**). Exceto pelos seus números, os pólipos associados à PAF são morfologicamente indistinguíveis dos adenomas esporádicos. Entretanto, adenomas planos ou deprimidos também são prevalentes na PAF, e adenomas microscópicos, que consistem em apenas uma ou duas criptas displásicas, são comuns na mucosa de aparência normal.

O **adenocarcinoma colorretal se desenvolve em 100% dos pacientes com PAF não tratados, com frequência antes dos 30 anos e quase sempre aos 50.** Em consequência, a colectomia profilática constitui o tratamento padrão. A colectomia evita o câncer colorretal, porém os pacientes continuam correndo risco de neoplasia em outros locais. A ampola de Vater e o estômago são locais extracolônicos comuns de adenomas em pacientes com PAF.

A PAF está associada a uma variedade de manifestações extraintestinais, incluindo atrofia congênita do epitélio pigmentado da retina, que pode ser detectada ao nascimento e constituir um adjuvante no rastreamento precoce. Mutações específicas do *APC* foram associadas a outras manifestações da PAF e explicam, em parte, certas variantes, como a síndrome de Gardner e a síndrome de Turcot (**Tabela 17.10**).

Alguns pacientes com polipose sem perda do *APC* apresentam mutações bialélicas do gene de reparo de excisão de base *MUTYH* (também chamado de *MYH*). Esse distúrbio autossômico recessivo é denominado *polipose associada ao MUTYH*, ou *PAM*. Diferentemente da PAF, a PAM caracteriza-se por menos de cem pólipos, que aparecem em idades mais avançadas. O desenvolvimento do câncer de cólon também é tardio. Além disso, os adenomas serrilhados sésseis e pólipos hiperplásicos, geralmente com mutações do *KRAS*, estão muitas vezes presentes em indivíduos com PAM.

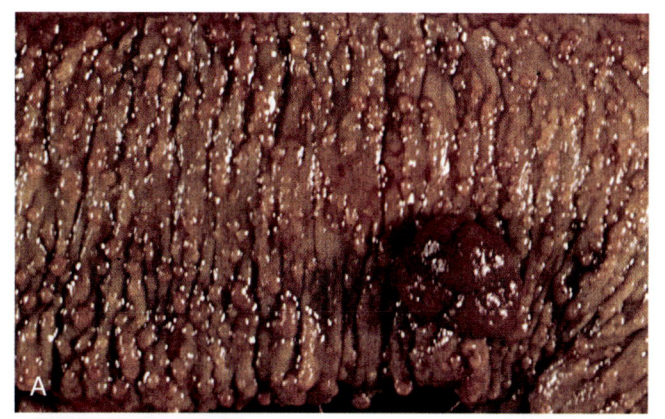

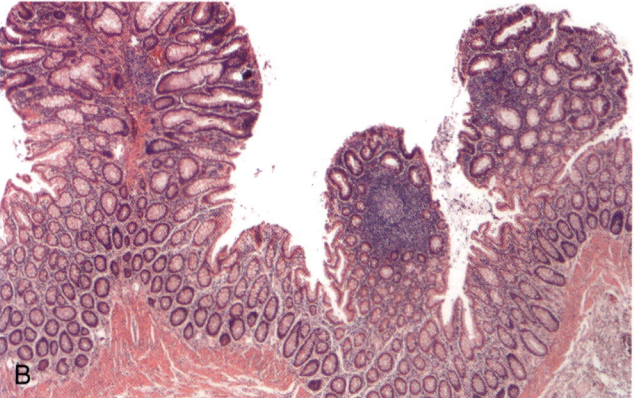

Figura 17.48 Polipose adenomatosa familiar. **A.** Presença de centenas de pequenos pólipos em todo o cólon, com um pólipo dominante (*à direita*). **B.** Três adenomas tubulares estão presentes no campo microscópico.

Câncer colorretal hereditário sem polipose

O câncer colorretal hereditário sem polipose (HNPCC, *hereditary non-polyposis colorectal cancer*) é causado por mutações hereditárias em genes de reparo de mau pareamento, que codificam proteínas responsáveis pela detecção, pela excisão e pelo reparo de erros que ocorrem durante a replicação do DNA (ver **Capítulo 7**). O HNPCC, também chamado de síndrome de Lynch, foi originalmente descrito com base no agrupamento

Tabela 17.10 Padrões comuns de neoplasia colorretal esporádica e familiar.

Etiologia	Defeito molecular	Genes-alvo	Transmissão	Local predominante	Histologia
Polipose adenomatosa familiar	Via APC/WNT	APC	Autossômica dominante	Nenhum	Tubular, viloso; adenocarcinoma típico
Polipose associada ao *MYH*	Reparo de mau pareamento do DNA	MYH	Autossômica recessiva	Nenhum	Adenoma serrilhado séssil; adenocarcinoma mucinoso
Câncer colorretal hereditário sem polipose	Reparo de mau pareamento do DNA	MSH2, MLH1	Autossômica dominante	Lado direito	Adenoma serrilhado séssil; adenocarcinoma mucinoso
Câncer de cólon esporádico (70 a 80%)	Via APC/WNC	APC	Nenhuma	Lado esquerdo	Tubular, viloso; adenocarcinoma típico
Câncer de cólon esporádico (10 a 15%)	Reparo de mau pareamento do DNA	MSH2, MLH1	Nenhuma	Lado direito	Adenoma serrilhado séssil; adenocarcinoma mucinoso
Câncer de cólon esporádico (5 a 10%)	Hipermetilação	MLH1, BRAF	Nenhuma	Lado direito	Adenoma serrilhado séssil; adenocarcinoma mucinoso

familiar de cânceres em vários locais, incluindo cólon, reto, endométrio, estômago, ovários, ureter, encéfalo, intestino delgado, trato hepatobiliar, pâncreas e pele. Acredita-se que o HNPCC seja responsável por 2 a 4% de todos os cânceres colorretais, o que o torna a forma sindrômica mais comum de câncer de cólon. Os cânceres de cólon em pacientes com HNPCC tendem a ocorrer em idades mais jovens do que os cânceres de cólon esporádicos e, com frequência, estão localizados no cólon direito (ver **Tabela 17.10**).

Assim como a identificação de mutações do *APC* na PAF forneceu informações moleculares da patogênese da maioria dos cânceres de cólon esporádicos, a descoberta dos defeitos no HNPCC esclareceu os mecanismos responsáveis pela maioria dos casos esporádicos remanescentes. Existem pelo menos cinco genes de reparo de mau pareamento, porém a maioria dos pacientes com HNPCC apresenta mutações em *MSH2* ou *MLH1*. Os pacientes com HNPCC herdam um gene mutante e um alelo normal. Quando a segunda cópia é perdida por meio de mutação ou de silenciamento epigenético, os defeitos no reparo de mau pareamento levam ao acúmulo de mutações em taxas até mil vezes mais altas do que o normal, principalmente em regiões que contêm sequências repetidas curtas, denominadas microssatélites. O genoma humano contém cerca de 50 a 100 mil microssatélites, que são propensos a sofrer expansão durante a replicação do DNA e representam os locais mais frequentes de mutações no HNPCC. As consequências da deficiência de reparo de mau pareamento e a instabilidade de microssatélites (MSI, *microsatellite instability*) resultantes são discutidas a seguir, no contexto do adenocarcinoma do cólon.

Adenocarcinoma

O adenocarcinoma do cólon é a neoplasia maligna mais comum do trato GI e a principal causa de morbidade e mortalidade no mundo. Em contrapartida, o intestino delgado, que representa 75% de toda extensão do trato GI, constitui um local incomum de neoplasias benignas e malignas. Entre as neoplasias malignas do intestino delgado, os adenocarcinomas e os tumores neuroendócrinos bem diferenciados apresentam uma incidência aproximadamente igual, seguidos dos linfomas e sarcomas.

Epidemiologia. **O adenocarcinoma colorretal é responsável por quase 10% de todas as mortes por câncer em todo o mundo.** Cerca de 1,2 milhão de novos casos de adenocarcinoma colorretal e 600 mil mortes associadas ocorrem a cada ano em todo o mundo. A incidência dessas neoplasias é mais alta na América do Norte, e os EUA respondem por aproximadamente 10% dos casos e das mortes por câncer globalmente. Isso representa quase 15% de todas as mortes relacionadas com o câncer nos EUA, perdendo apenas para o câncer de pulmão. A Austrália, a Nova Zelândia, a Europa e, com as mudanças no estilo de vida e na dieta, o Japão também apresentam uma alta incidência de adenocarcinoma colorretal. Em contrapartida, as taxas são mais baixas na América do Sul, na Índia, na África e no centro-sul da Ásia. A incidência do câncer colorretal alcança um pico aos 60 a 70 anos. Menos de 20% dos casos ocorrem antes dos 50 anos, porém dados recentes sugerem que a incidência da doença está aumentando antes dos 40 anos.

Os fatores dietéticos mais estreitamente associados ao aumento do risco de câncer colorretal incluem a baixa ingestão de fibras vegetais não absorvíveis e o alto consumo de carboidratos refinados e gorduras. Embora essas associações sejam claras, a relação mecanística entre dieta e risco não está bem elucidada. Foi formulada a teoria de que o conteúdo reduzido de fibra leva à diminuição do volume fecal e à alteração da composição da microbiota intestinal. Essa mudança pode aumentar a síntese de subprodutos oxidativos potencialmente tóxicos do metabolismo bacteriano, que se acredita que permaneçam em contato com a mucosa colônica por períodos mais longos, em consequência da redução da massa fecal. O alto consumo de gordura também aumenta a síntese hepática de colesterol e de ácidos biliares, que podem ser convertidos em carcinógenos pelas bactérias intestinais.

Além da modificação da alimentação, a quimioprevenção farmacológica está indicada. O ácido acetilsalicílico e outros AINEs têm efeito protetor. Isso é consistente com estudos que mostram que alguns AINEs causam regressão de pólipos em pacientes com PAF nos quais o reto foi mantido no lugar após a colectomia. Há suspeita de que esse efeito seja mediado pela inibição da enzima COX-2, que está altamente expressa em 90% dos carcinomas colorretais e em 40 a 90% dos adenomas. A COX-2 é necessária para a produção da prostaglandina E_2, que promove a proliferação epitelial, particularmente após a ocorrência de lesão. O TLR4, que reconhece o lipopolissacarídeo e está superexpresso em adenomas e carcinomas, suprarregula a expressão da COX-2.

Patogênese

Estudos da carcinogênese colorretal forneceram informações fundamentais sobre os mecanismos gerais da evolução do câncer. Esses dados foram discutidos no **Capítulo 7**; aqui, são analisados conceitos que pertencem especificamente à carcinogênese colorretal.

A combinação de eventos moleculares que levam ao adenocarcinoma de cólon é heterogênea e inclui anormalidades genéticas e epigenéticas. **Foram descritas pelo menos duas vias genéticas: a via APC/β-catenina, que é ativada na sequência clássica de adenoma-carcinoma; e a via de MSI, que está associada a defeitos no reparo de mau pareamento do DNA e ao acúmulo de mutações em regiões de repetição de microssatélites do genoma** (**Tabela 17.10**). Ambas as vias envolvem o acúmulo sequencial de múltiplas mutações, porém diferem nos genes envolvidos e nos mecanismos pelos quais as mutações ocorrem. Os eventos epigenéticos, dos quais o mais comum é o silenciamento gênico induzido por metilação, podem aumentar a progressão ao longo de cada via:

- *A sequência clássica de adenoma-carcinoma responde por até 80% dos cânceres esporádicos e normalmente inclui a mutação do APC no início do processo neoplásico* (**Figura 17.49**). As duas cópias do gene *APC* precisam estar funcionalmente inativadas, seja por mutação, seja por eventos epigenéticos, para que ocorra o desenvolvimento de adenomas. A proteína APC liga-se normalmente à β-catenina e promove a sua degradação; a β-catenina é um componente da via de sinalização Wnt (ver **Capítulo 7**). Com a perda da função da APC, a β-catenina acumula-se e é translocada para o núcleo, onde forma um complexo com o fator de ligação do DNA TCF e ativa a transcrição de genes, incluindo *MYC* e a ciclina D1, que promovem a proliferação. O papel fundamental da β-catenina nessa via é demonstrado pelo fato de que muitos cânceres de cólon sem mutações do *APC* abrigam mutações de β-catenina que impedem a degradação dependente de APC, possibilitando, assim, o acúmulo de β-catenina, que ativa a sinalização Wnt.

Outras mutações se acumulam, incluindo mutações ativadoras no *KRAS*, que promovem o crescimento e impedem a apoptose. São observadas mutações do *KRAS* em menos de 10% dos adenomas com menos de 1 cm de diâmetro, porém em 50% dos adenomas com mais de 1 cm de diâmetro e em 50% dos adenocarcinomas invasivos, o que indica que se trata de um evento tardio na progressão neoplásica. A carcinogênese também está associada a mutações em genes supressores de tumor, como os que codificam SMAD2 e SMAD4, que são efetores da sinalização do TGF-β. Como a sinalização do TGF-β normalmente inibe o ciclo celular, a perda desses genes pode permitir o crescimento celular descontrolado. O gene supressor de tumor *TP53* está mutado em 70 a 80% dos cânceres de cólon, porém raramente é afetado nos adenomas, o que sugere que as mutações do *TP53* também ocorrem em estágios mais avançados da progressão da neoplasia. Com frequência, a perda da função do *TP53* e de outros genes supressores de tumor é causada por deleções cromossômicas, demonstrando que a instabilidade cromossômica constitui uma característica fundamental da via APC/β-catenina. Como alternativa, os genes supressores de tumor podem ser silenciados por meio de metilação de zonas ricas em CpG ou ilhas de CpG dentro da região 5', que geralmente inclui o promotor e o sítio de iniciação transcricional de alguns genes. A expressão da telomerase também aumenta à medida que as lesões se tornam mais avançadas

- *Em pacientes com deficiência de reparo de mau pareamento do DNA, as mutações acumulam-se em repetições de microssatélites, condição denominada instabilidade de microssatélites (MSI).* Essas condições são chamadas de neoplasias de MSI alta ou MSI-H. Algumas sequências de microssatélites estão localizadas nas regiões codificantes ou promotoras de genes envolvidos na regulação do crescimento celular, como o receptor de TGF-β tipo II e a proteína pró-apoptótica BAX (**Figura 17.50**). Como o TGF-β inibe a proliferação das células epiteliais do cólon, a mutação do *TGFBR2*, que codifica o receptor de TGF-β tipo II, pode contribuir para o crescimento celular descontrolado, ao passo que a perda de BAX pode aumentar a sobrevida de clones geneticamente anormais

- *Um subgrupo de cânceres de cólon com microssatélites instáveis, sem mutações nas enzimas de reparo de mau pareamento do DNA, demonstrou o fenótipo de hipermetilação da ilha CpG* (CIMP, CpG island hypermethylation phenotype). Nessas neoplasias, a região promotora *MLH1* é normalmente hipermetilada, reduzindo, assim, a expressão e a função de reparo de MLH1. As mutações ativadoras no oncogene *BRAF* são comuns nesses tipos de câncer. Em contrapartida, o *KRAS* e o *TP53* normalmente não estão mutados. A combinação de MSI, mutação de *BRAF* e metilação de alvos específicos, como *MLH1*, constitui a assinatura dessa via de carcinogênese

- *Um pequeno grupo de cânceres de cólon exibe aumento da metilação da ilha de CpG na ausência de MSI.* Muitas dessas neoplasias abrigam mutações de *KRAS*, porém as mutações de *TP53* e *BRAF* são incomuns. Em contrapartida, as mutações de *TP53* são comuns nos cânceres de cólon que não apresentam fenótipo metilador de ilhas de CpG.

Embora a morfologia não possa definir de maneira confiável os eventos moleculares subjacentes que levam à carcinogênese, certas correlações foram associadas à deficiência de reparo de mau pareamento e à MSI. Essas alterações moleculares são comuns nos adenomas serrilhados sésseis e nos cânceres que surgem a partir deles. Além disso, os carcinomas invasivos com MSI geralmente apresentam diferenciação mucinosa proeminente e infiltrados linfocíticos peritumorais. Essas neoplasias, bem como aquelas com fenótipo de hipermetilação de ilhas de CpG, estão normalmente localizadas no cólon direito. A MSI pode ser identificada pela ausência de coloração imuno-histoquímica para

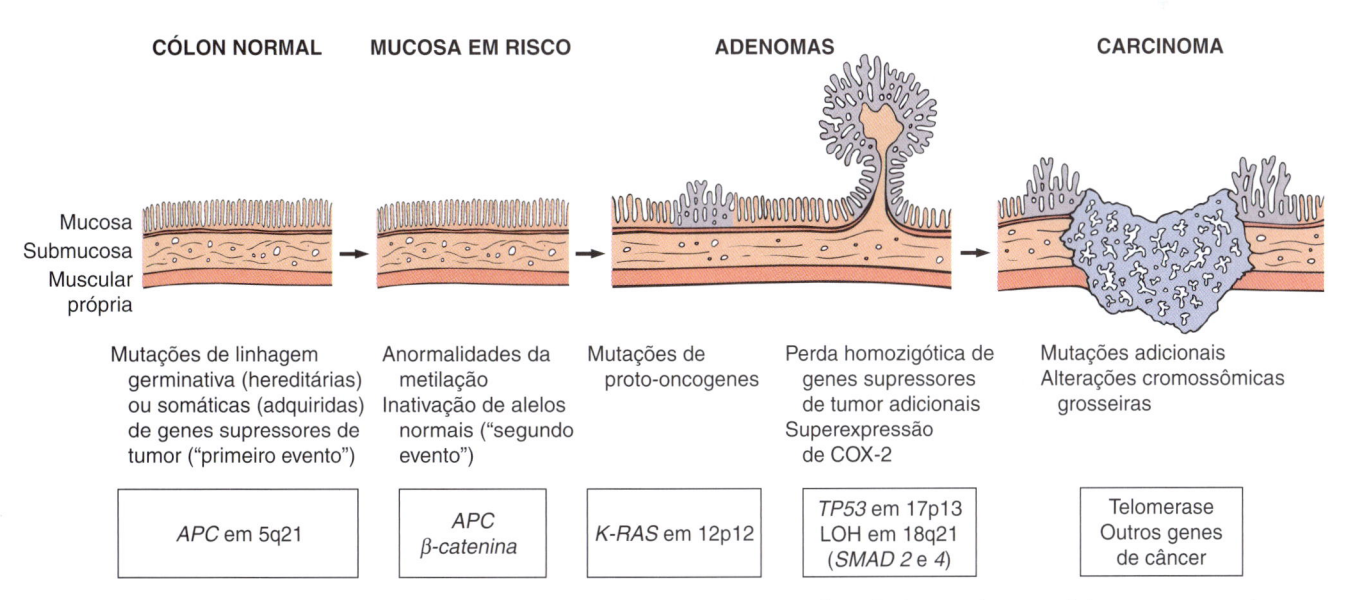

Figura 17.49 Alterações morfológicas e moleculares na sequência de adenoma-carcinoma. A perda de uma cópia normal do gene supressor de tumor *APC* ocorre precocemente. Portanto, os indivíduos que nascem com um alelo mutante correm risco aumentado de desenvolver câncer de cólon. Como alternativa, a inativação do *APC* no epitélio do cólon pode ocorrer mais tarde durante a vida. Esse representa o "primeiro evento" (*first hit*) de acordo com a hipótese de Knudson (ver **Capítulo 7**). A perda da segunda cópia intacta do *APC* ocorre em seguida ("segundo evento") (*second hit*). Outras alterações, incluindo a mutação do *KRAS*, as perdas no 18q21 envolvendo *SMAD2* e *SMAD4* e a inativação do gene supressor de tumor *TP53*, levam à emergência de carcinoma. Embora pareça haver uma sequência temporal de alterações, o acúmulo de mutações, e não a sua ocorrência em uma ordem específica, é de importância mais crítica.

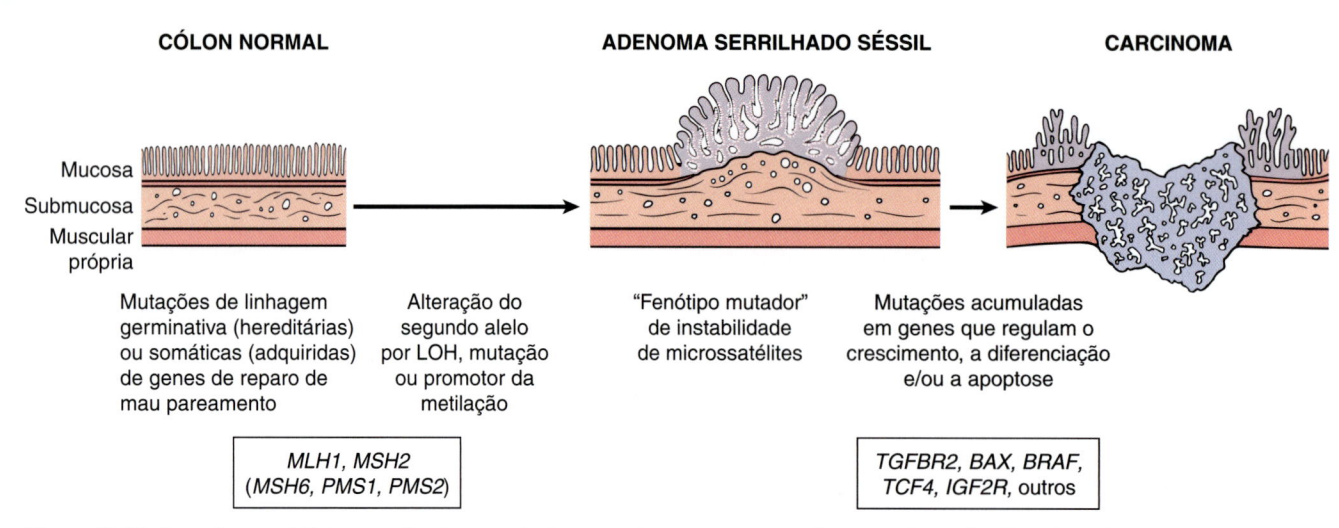

Figura 17.50 Alterações morfológicas e moleculares na via de reparo de mau pareamento da carcinogênese do cólon. Os defeitos nos genes de reparo de mau pareamento resultam em instabilidade de microssatélites e possibilitam o acúmulo de mutações em numerosos genes. Se essas mutações afetarem genes envolvidos na sobrevida e na proliferação celulares, pode haver desenvolvimento de câncer.

proteínas de reparo de mau pareamento ou por análise genética molecular de sequências de microssatélites. É importante identificar os pacientes com HNPCC, devido às implicações para aconselhamento genético, ao elevado risco de uma segunda neoplasia maligna do cólon ou de outros órgãos e, em alguns contextos, às diferenças no prognóstico e na terapia.

Morfologia

De forma geral, os adenocarcinomas estão quase igualmente distribuídos ao longo de toda a extensão do cólon. As neoplasias no **cólon proximal com frequência crescem como massas exofíticas polipoides**, que se estendem ao longo de uma parede do ceco e do cólon ascendente; essas neoplasias raramente causam obstrução. Em contrapartida, **os carcinomas no cólon distal tendem a ser lesões anulares, que produzem constrições em "anel de guardanapo" e estreitamento luminal (Figura 17.51)**, às vezes a ponto de causar obstrução. Ambas as formas crescem na parede intestinal com o tempo. As características microscópicas gerais dos adenocarcinomas de cólon do lado direito e do lado esquerdo são semelhantes. As neoplasias são compostas, em sua maioria, de células colunares altas, que se assemelham ao epitélio displásico encontrado nos adenomas (**Figura 17.52A**). O componente invasivo dessas neoplasias desencadeia uma forte resposta desmoplásica estromal, que é responsável pela sua consistência firme característica. Algumas neoplasias pouco diferenciadas formam apenas poucas glândulas (**Figura 17.52B**). Outras podem produzir mucina abundante, que se acumula dentro da parede intestinal, e esses casos estão associados a mau prognóstico. Raramente, as neoplasias podem ser compostas de células em anel de sinete semelhantes àquelas encontradas no câncer gástrico (**Figura 17.52C**).

Características clínicas

A disponibilidade de rastreamento endoscópico associado ao conhecimento de que a maioria dos carcinomas surge a partir de adenomas fornece uma oportunidade única para a prevenção do câncer. Infelizmente, os cânceres colorretais desenvolvem-se de modo insidioso e podem passar despercebidos por longos períodos. Os cânceres de ceco e outros cânceres de cólon do lado direito chamam mais frequentemente a atenção clínica pelo aparecimento de fadiga e fraqueza devido à anemia ferropriva. Por conseguinte, é uma máxima clínica que a causa subjacente da anemia ferropriva em um homem idoso ou em mulheres na pós-menopausa é um câncer GI, até que se prove o contrário. Os adenocarcinomas colorretais do lado esquerdo podem produzir sangramento oculto, alterações no hábito intestinal ou cólicas e desconforto no quadrante inferior esquerdo do abdome.

Embora as variantes histológicas pouco diferenciadas e mucinosas estejam associadas a um prognóstico mais reservado, **os dois fatores prognósticos mais importantes são a profundidade da invasão e a presença de metástases para linfonodos**. A invasão na muscular própria reduz significativamente a probabilidade de

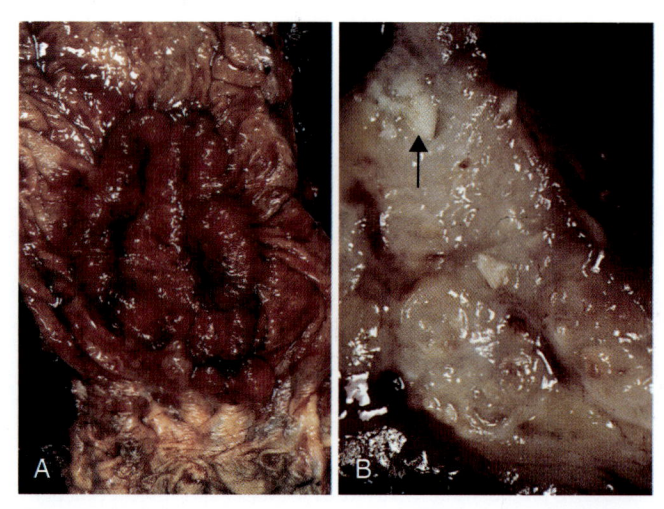

Figura 17.51 Carcinoma colorretal. **A.** Câncer retal ulcerado e circunferencial. Observe a mucosa anal na parte inferior da imagem. **B.** Câncer de cólon sigmoide que invadiu a muscular própria e está presente dentro do tecido adiposo subseroso (*à esquerda*). Áreas de necrose da cor de giz estão presentes na parede do cólon (*seta*).

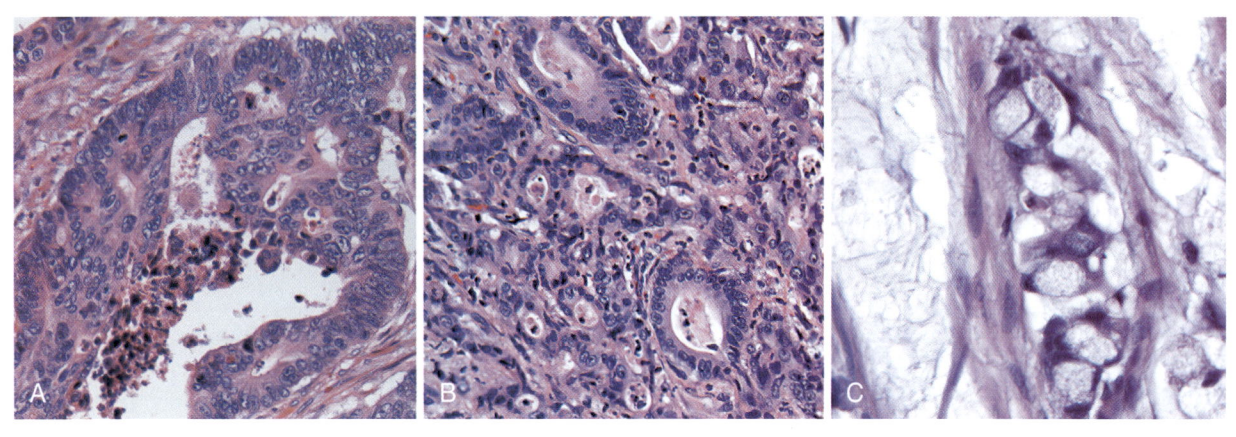

Figura 17.52 Aspecto histológico de carcinoma colorretal. **A.** Adenocarcinoma bem diferenciado. Observe os núcleos hipercromáticos e alongados. Restos necróticos presentes na luz glandular são típicos. **B.** O adenocarcinoma pouco diferenciado forma algumas glândulas, porém é composto, em grande parte, por ninhos infiltrativos de células tumorais. **C.** Adenocarcinoma mucinoso com células em anel de sinete e lagos extracelulares de mucina.

sobrevida, que é ainda mais reduzida pela presença de metástases em linfonodos (**Figura 17.53A**). As metástases podem acometer linfonodos regionais, os pulmões (**Figura 17.53B**) e os ossos; entretanto, como resultado da drenagem portal do cólon, o fígado constitui o local mais comum de lesões metastáticas a distância (**Figura 17.53C**). O reto não drena por meio da circulação portal; por conseguinte, os carcinomas anais que metastatizam geralmente não afetam o fígado.

Esses fatores prognósticos foram originalmente reconhecidos por Dukes e Kirklin e formam o cerne do sistema TNM (tumor-linfonodos-metástase) (**Tabela 17.11**). A classificação TNM é utilizada para definir o estágio da neoplasia (**Tabela 17.12**). Independentemente do estágio, é preciso ressaltar que alguns pacientes com pequeno número de metástases evoluem bem durante anos após a ressecção de nódulos tumorais distantes.

As taxas de sobrevida em 5 anos variam amplamente em todo o mundo. Nos EUA, a taxa de sobrevida global em 5 anos é de 65% e varia de 90 a 40% dependendo do estágio. Na Europa, no Japão e na Austrália, as taxas de sobrevida são semelhantes e variam de 60 (Suíça, Japão) a 40% (Polônia). As taxas globais de sobrevida são um pouco menores em outros países, como China, Índia, Filipinas e Tailândia (30 a 42%). Em contrapartida, a taxa de sobrevida em 5 anos em Gâmbia é de apenas 4%, uma medida dos desafios de fornecer cuidados à saúde em partes do mundo com baixos recursos.

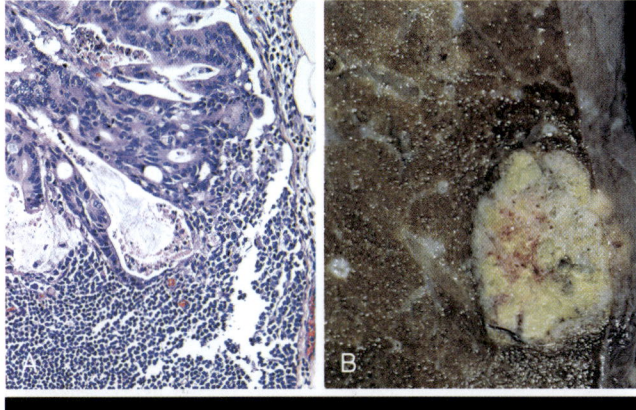

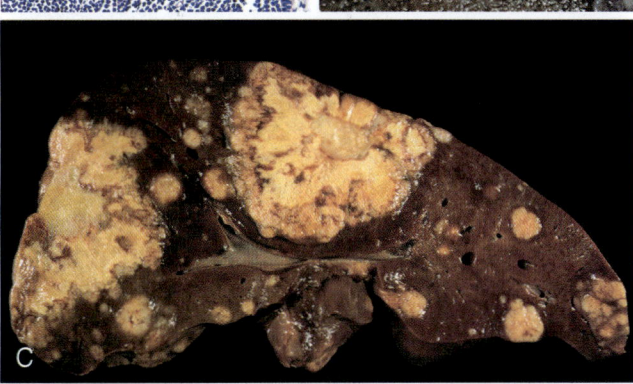

Figura 17.53 Carcinoma colorretal metastático. **A.** Metástase para linfonodos. Observe as estruturas glandulares dentro do seio subcapsular. **B.** Nódulo subpleural solitário de carcinoma colorretal metastático para o pulmão. **C.** Fígado contendo duas grandes metástases e muitas metástases menores. Observe a necrose central dentro das metástases.

> ### Conceitos-chave
> #### Lesões proliferativas benignas e malignas do cólon
>
> - Os pólipos intestinais podem ser classificados como não neoplásicos e neoplásicos. Os pólipos não neoplásicos podem ser subclassificados como hiperplásicos, inflamatórios ou hamartomatosos
> - Os pólipos hiperplásicos são proliferações epiteliais benignas mais comumente encontradas no cólon esquerdo e no reto. Eles não têm potencial maligno e precisam ser diferenciados dos pólipos serrilhados sésseis
> - Os pólipos inflamatórios formam-se como resultado de ciclos crônicos de lesão e cicatrização
> - Os pólipos hamartomatosos ocorrem de modo esporádico ou como parte de doenças genéticas. Estas últimas incluem a polipose juvenil e a síndrome de Peutz-Jeghers, que estão associadas ao aumento do risco de neoplasia maligna
> - Os pólipos neoplásicos epiteliais benignos do intestino são denominados adenomas. A característica básica dessas lesões, que são precursoras dos adenocarcinomas do cólon, consiste em displasia citológica
> - Diferentemente dos adenomas tradicionais, os pólipos serrilhados sésseis carecem de displasia citológica e compartilham características morfológicas com os pólipos hiperplásicos
> - A polipose adenomatosa familiar (PAF) e o câncer de cólon hereditário sem polipose (HNPCC) constituem as formas mais comuns de câncer de cólon familiar

Tabela 17.11 Classificação TNM do carcinoma colorretal do American Joint Committee on Cancer (AJCC).

TNM	
Tumor	
TX	O tumor primário não pode ser avaliado
T0	Nenhuma evidência de tumor primário
Tis	Carcinoma in situ, carcinoma intramucoso
T1	O tumor invade a submucosa
T2	O tumor invade a muscular própria
T3	O tumor invade os tecidos pericolorretais através da muscular própria
T4	O tumor invade o peritônio visceral ou invade ou adere a órgãos ou estruturas adjacentes
T4a	O tumor invade o peritônio visceral
T4b	O tumor invade diretamente ou adere a órgãos ou estruturas adjacentes
Linfonodos regionais	
NX	Os linfonodos regionais não podem ser avaliados
N0	Ausência de metástases para linfonodos regionais
N1	Metástase em um a três linfonodos regionais
N1a	Metástase em um linfonodo regional
N1b	Metástase em dois a três linfonodos regionais
N1c	Depósito(s) do tumor na subserosa ou nos tecidos moles pericólicos ou perirretais não peritonealizados, sem metástase para linfonodos regionais
N2	Metástase em quatro ou mais linfonodos regionais
N2a	Metástase em quatro a seis linfonodos regionais
N2b	Metástase em sete ou mais linfonodos regionais
Metástases a distância	
M0	Ausência de metástase a distância
M1	Metástase a distância para um ou mais locais ou órgãos distantes ou metástase peritoneal
M1a	Metástase para um local ou órgão sem metástase peritoneal
M1b	Metástases para dois ou mais locais ou órgãos sem metástase peritoneal
M1c	Metástase para a superfície do peritônio, isoladamente ou com outras metástases para locais ou órgãos

Utilizada, com autorização, do American College of Surgeons. Amin MB, Edge SB, Greene FL et al., editors: *AJCC Cancer Staging Manual*, ed. 8, New York, Springer, 2017.

Tabela 17.12 Sistema de estadiamento do câncer colorretal.

Estádio	T	N	M
0	Tis	N0	M0
I	T1–T2	N0	M0
IIA	T3	N0	M0
IIB	T4a	N0	M0
IIC	T4b	N0	M0
IIIA	T1–T2	N1/N1c	M0
	T1	N2a	M0
IIIB	T3–T4a	N1/Nc	M0
	T2–T3	N2a	M0
	T1–T2	N2b	M0
IIIC	T4a	N2a	M0
	T3–T4a	N2b	M0
	T4b	N1/N2	M0
IVA	Qualquer T	Qualquer N	M1a
IVB	Qualquer T	Qualquer N	M1b
IVC	Qualquer T	Qualquer N	M1c

Utilizada, com autorização, do American College of Surgeons. Amin MB, Edge SB, Greene FL et al., editors: *AJCC Cancer Staging Manual*, ed. 8, New York, Springer, 2017.

- A PAF e o HNPCC caracterizam vias distintas de transformação e progressão neoplásicas, que também estão envolvidas na maioria dos cânceres de cólon esporádicos. Uma terceira via, caracterizada por hipermetilação de ilhas de CpG, está na base da maioria dos cânceres de cólon restantes
- Quase todos os cânceres de cólon são adenocarcinomas. Os dois fatores prognósticos mais importantes são a profundidade de invasão e a presença ou ausência de metástases para linfonodos.

- A PAF é causada por mutações do *APC*. Normalmente, os pacientes apresentam mais de cem adenomas, e todos os pacientes desenvolvem câncer de cólon antes dos 30 anos
- O HNPCC é causado por mutações nas enzimas de reparo de mau pareamento do DNA. Os pacientes com HNPCC apresentam um número muito menor de pólipos e desenvolvem câncer em idades mais avançadas do que os pacientes com PAF, porém com idade mais jovem do que aqueles com câncer de cólon esporádico

Tumores do canal anal

O canal anal pode ser dividido em terços. A zona superior é revestida por epitélio retal colunar; o terço médio, por epitélio de transição; e o terço inferior, por epitélio escamoso estratificado. Os carcinomas do canal anal podem apresentar padrões de diferenciação glandulares ou escamosos típicos, mimetizando o epitélio normal dos terços superior e inferior, respectivamente (**Figura 17.54A**). Um padrão de diferenciação adicional de carcinomas de células escamosas, denominado basaloide, está presente em neoplasias povoadas por células imaturas provenientes da camada basal do epitélio de transição (**Figura 17.54B**). Essas neoplasias são classificadas como escamosas, porém o termo arcaico carcinoma cloacogênico é geralmente aplicado quando toda a neoplasia exibe um padrão basaloide. Como alternativa, a diferenciação basaloide pode ser misturada com a diferenciação mucinosa. Com frequência, o carcinoma de células escamosas do canal anal está associado à infecção por cepas de alto risco do papilomavírus humano (HPV), ao passo que as infecções por cepas de HPV de baixo risco estão associadas ao condiloma acuminado (**Figura 17.54C**). O sexo anal constitui o principal fator de risco para as lesões associadas ao HPV.

Hemorroidas

As hemorroidas afetam cerca de 5% da população geral e desenvolvem-se em consequência da pressão venosa persistentemente elevada no plexo venoso retal. As influências predisponentes mais frequentes são o esforço à defecação (p. ex., na constipação intestinal) e a estase venosa da gravidez. As hemorroidas também podem se desenvolver em consequência de hipertensão portal. A patogênese das hemorroidas (varizes anais) na hipertensão portal é semelhante à das varizes esofágicas; as varizes anais são mais comuns e muito menos graves. As varizes anais e perianais conectam os sistemas venosos portal e da cava inferior, aliviando, assim, a hipertensão venosa.

Com frequência, as hemorroidas manifestam-se com dor e sangramento retal, particularmente sangue vermelho-vivo no papel higiênico. Com exceção das mulheres grávidas, as hemorroidas raramente são encontradas em indivíduos com idade inferior a 30 anos. O sangramento das hemorroidas geralmente não constitui uma emergência médica e pode ser tratado por meio de escleroterapia, ligadura com banda elástica ou coagulação por infravermelho. As hemorroidas internas ou externas extensas ou graves podem ser removidas cirurgicamente por meio de hemorroidectomia.

Apendicite aguda

O apêndice é um divertículo verdadeiro normal do ceco, propenso à inflamação aguda e crônica. A apendicite aguda é mais comum em adolescentes e adultos jovens, com risco cumulativo de 7%; os indivíduos do sexo masculino são afetados com frequência ligeiramente maior que os do sexo feminino. Apesar da prevalência da apendicite aguda, o diagnóstico pode ser difícil de confirmar no pré-operatório e pode ser confundido com linfadenite mesentérica (em geral, secundária à infecção por *Yersinia* ou à enterocolite viral não reconhecida), salpingite aguda, gravidez ectópica, dor *mittelschmerz* (causada por sangramento pélvico menor no momento da ovulação) e diverticulite de Meckel.

Patogênese

Acredita-se que a apendicite aguda seja iniciada pelo aumento progressivo da pressão intraluminal, que compromete o fluxo venoso. Em 50 a 80% dos casos, a apendicite aguda está associada à obstrução luminal franca, geralmente causada por uma pequena massa de fezes semelhante a pedra ou fecalito ou, menos comumente, por cálculo biliar, neoplasia ou massa de vermes (oxiuríase vermicular). A hiperplasia linfoide periapendicular (p. ex., após a infecção viral) e a compressão resultante do apêndice também foram propostas como mecanismos de obstrução venosa e luminal. A estase do conteúdo luminal possibilita a proliferação bacteriana, levando à isquemia e à inflamação.

Morfologia

Na apendicite aguda precoce, ocorre congestão dos vasos subserosos, e há um infiltrado neutrofílico perivascular modesto em todas as camadas da parede. A reação inflamatória transforma a serosa brilhante normal em uma superfície eritematosa, granular e fosca. Apesar da presença frequente de neutrófilos na mucosa e de ulceração superficial focal, eles não constituem marcadores específicos de apendicite aguda. O diagnóstico de apendicite aguda exige **infiltração neutrofílica da muscular própria**. Nos casos mais graves, um exsudato neutrofílico proeminente gera uma reação fibrinopurulenta serosa. À medida que o processo continua, pode haver formação de abscessos focais na parede (apendicite supurativa aguda). O comprometimento adicional dos vasos apendiculares pode resultar em isquemia, ulceração hemorrágica e necrose gangrenosa, que se estende até a serosa, produzindo apendicite gangrenosa aguda, que, por sua vez, pode ser seguida de ruptura e peritonite supurativa.

Características clínicas

Normalmente, a apendicite aguda precoce provoca dor periumbilical, localizada no quadrante inferior direito do abdome, seguida de náuseas, vômitos, febre baixa e elevação discreta da contagem de leucócitos do sangue periférico. Um achado físico clássico é o *sinal de McBurney*, que consiste em hipersensibilidade profunda

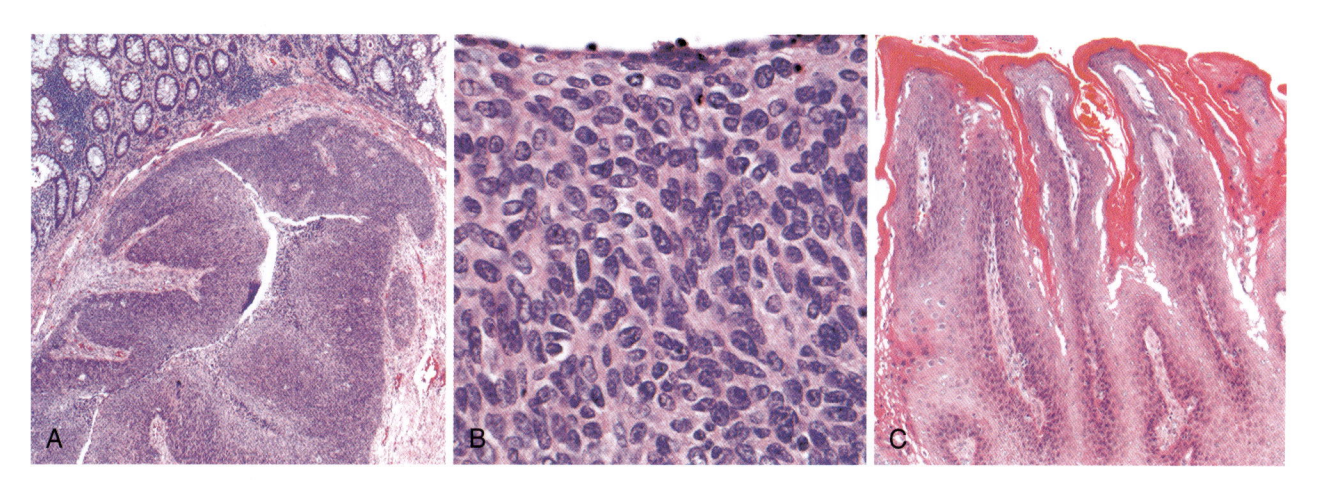

Figura 17.54 Tumores anais. A. Carcinoma de células escamosas do ânus demonstrando uma organização em múltiplas camadas, que se assemelha à mucosa escamosa. A mucosa retal adjacente está normal. **B.** Carcinoma de células escamosas anal com características basaloides, composto de células hipercromáticas que se assemelham à camada basal da mucosa escamosa normal. **C.** Condiloma acuminado com arquitetura verrucosa.

localizada a dois terços da distância entre o umbigo e a espinha ilíaca anterossuperior direita (ponto de McBurney).

Lamentavelmente, os sinais e os sintomas clássicos da apendicite aguda estão com frequência ausentes. Em alguns casos, um apêndice retrocecal pode gerar dor pélvica ou no flanco direito, ao passo que a rotação do cólon pode dar origem à dor apendicular no quadrante superior esquerdo. À semelhança de outras causas de inflamação aguda, ocorre leucocitose neutrofílica. Em alguns casos, a leucocitose periférica pode ser mínima ou tão grande a ponto de outras causas serem consideradas. O diagnóstico de apendicite aguda em crianças pequenas e indivíduos idosos é particularmente problemático, visto que outras causas de emergência abdominal são prevalentes nessas populações, e as crianças muito pequenas e os idosos também são propensos a ter apresentações clínicas atípicas.

Tendo-se em vista esses desafios diagnósticos, não deve ser surpreendente que cirurgiões altamente competentes removam apêndices normais. Essa abordagem é preferível à ressecção tardia de um apêndice doente, em virtude da morbidade e da mortalidade significativas associadas à perfuração do apêndice. Outras complicações da apendicite incluem pieloflebite, trombose venosa portal, abscesso hepático e bacteriemia.

Tumores do apêndice

Ocorrem vários tumores no apêndice. O mais comum é o tumor neuroendócrino bem diferenciado (carcinoide). Em geral, ele é descoberto de modo incidental no momento de uma cirurgia ou durante o exame patológico de apêndice ressecado. Essa neoplasia, que quase sempre é benigna, forma mais frequentemente uma tumefação bulbosa sólida na extremidade distal do apêndice, podendo alcançar 2 a 3 cm de diâmetro. Embora a extensão intramural e transmural possa ser evidente, as metástases nodais são muito raras, e a disseminação a distância é excepcionalmente rara.

Os adenomas convencionais, os adenocarcinomas produtores e não produtores de mucina e o tumor adenocarcinoide incomum também ocorrem no apêndice e podem causar obstrução e aumento, simulando a apendicite aguda.

Neoplasias mucinosas do apêndice ocorrem em adultos, mais frequentemente na sexta década de vida. Elas caracterizam-se por proliferação epitelial mucinosa, mucina extracelular e margens tumorais que pressionam o tecido normal; o padrão invasivo infiltrante classifica a neoplasia como adenocarcinoma produtor de mucina.

A mucina pode dissecar através da parede até a superfície peritoneal, causando ruptura do apêndice. As neoplasias são classificadas em neoplasias mucinosas apendiculares de baixo ou de alto grau (LAMN, HAMN) com base nas características histológicas. O *GNAS*, que codifica Gαs, está frequentemente mutado, e acredita-se que ele contribua para a produção excessiva de mucina. As mutações de *KRAS* também são comuns. Os genes envolvidos no câncer de cólon, como *APC*, *TP53* e *SMAD4*, normalmente estão intactos na neoplasia mucinosa apendicular de baixo grau (LAMN, *low grade apendiceal mucinous neoplasm*), porém podem estar mutados na neoplasia mucinosa apendicular de alto grau (HAMN, *high grade apendiceal mucinous neoplasm*). Quando restrita ao apêndice, o prognóstico da LAMN é excelente. Os resultados são mais variáveis na HAMN. A disseminação peritoneal da LAMN, da HAMN ou de adenocarcinomas produtores de mucina (do apêndice ou do cólon) pode levar ao pseudomixoma peritoneal, em que a mucina semissólida e viscosa preenche o abdome. Essa doença intraperitoneal disseminada pode ser mantida sob controle durante anos por meio de citorredução cirúrgica repetida; todavia, na maioria dos casos, segue uma evolução inexoravelmente fatal.

> **Conceitos-chave**
>
> **Hemorroidas e doença apendicular**
>
> - As hemorroidas são vasos colaterais que se desenvolvem em consequência de elevação persistente da pressão venosa dentro do plexo venoso retal. Ocorrem também na hipertensão portal
> - A apendicite aguda é mais comum em crianças e adolescentes. Acredita-se que seja iniciada pelo aumento da pressão intraluminal e pelo fluxo venoso comprometido
> - O tumor mais comum do apêndice é o tumor neuroendócrino bem diferenciado (carcinoide), que é quase sempre benigno
> - A disseminação peritoneal de neoplasias mucinosas pode causar pseudomixoma peritoneal.

Cavidade peritoneal

A cavidade peritoneal abriga as vísceras abdominais e é revestida por uma única camada de células mesoteliais, que cobrem as superfícies visceral e parietal e são sustentadas por uma fina camada de tecido conjuntivo para formar o peritônio. Aqui, serão discutidos os distúrbios inflamatórios, infecciosos e neoplásicos da cavidade peritoneal e do espaço retroperitoneal.

Doença inflamatória

A peritonite pode resultar de invasão bacteriana ou de irritação química e, com mais frequência, é causada por:

- Extravasamento de bile ou enzimas pancreáticas, que produz *peritonite estéril*
- *Perfuração ou ruptura do sistema biliar*, que provoca peritonite altamente irritativa, geralmente complicada por superinfecção bacteriana
- *Pancreatite hemorrágica aguda* (ver **Capítulo 19**), que está associada ao extravasamento de enzimas pancreáticas e à necrose gordurosa. O dano à parede intestinal pode permitir a disseminação de bactérias na cavidade peritoneal
- O *material estranho*, incluindo aquele introduzido cirurgicamente (talco e suturas), pode induzir granulomas do tipo corpo estranho e a formação de cicatriz fibrosa
- *Endometriose*, que provoca hemorragia na cavidade peritoneal, na qual atua como irritante
- *Ruptura de cistos dermoides*, que liberam queratinas e induzem uma reação granulomatosa intensa

- *Perfuração de vísceras abdominais*, resultando em extravasamento de material luminal, que pode levar à infecção e à ativação imune.

Infecção peritoneal

Ocorre peritonite bacteriana quando bactérias da luz GI são liberadas na cavidade abdominal, mais comumente após a perfuração intestinal. Os microrganismos implicados com mais frequência incluem *E. coli*, estreptococos, *S. aureus*, enterococos e *C. perfringens*.

A peritonite bacteriana espontânea desenvolve-se na ausência de uma fonte evidente de contaminação. Ela é observada com mais frequência em pacientes com cirrose e ascite e, com menos frequência, em crianças com síndrome nefrótica. O diagnóstico baseia-se na presença de neutrófilos no líquido ascítico e em culturas bacterianas positivas; a *E. coli*, os estreptococos e espécies de *Klebsiella* são os microrganismos envolvidos com mais frequência.

Morfologia

A resposta celular inflamatória é composta primariamente de coleções densas de neutrófilos e resíduos fibrinopurulentos, que recobrem as vísceras e a parede abdominal. Um líquido seroso ou ligeiramente turvo começa a se acumular e torna-se supurativo com a progressão da infecção. Pode haver formação de abscessos sub-hepáticos e subdiafragmáticos. Com exceção da peritonite tuberculosa, a reação geralmente permanece superficial.

Retroperitonite esclerosante

A retroperitonite esclerosante, também conhecida como fibrose retroperitoneal idiopática ou doença de Ormond, caracteriza-se por fibrose densa, que pode se estender até acometer o mesentério. Embora a causa da retroperitonite esclerosante seja desconhecida, acredita-se que muitos casos estejam situados dentro do espectro da doença esclerosante relacionada com IgG4, um distúrbio imunoinflamatório que pode levar à fibrose em uma ampla variedade de tecidos. Como o processo comprime, com frequência, os ureteres, a entidade é descrita com mais detalhes nos **Capítulos 6** e **21**.

Neoplasias

As neoplasias malignas primárias que se originam do revestimento peritoneal, os mesoteliomas, assemelham-se às neoplasias da pleura e do pericárdio. Os mesoteliomas peritoneais quase sempre estão associados a altos níveis de exposição ao asbesto. Raramente, pode haver desenvolvimento de neoplasias de tecido mole primárias benignas e malignas dentro do peritônio e do retroperitônio. A mais comum delas é a neoplasia desmoplásica de pequenas células redondas. Trata-se de uma neoplasia agressiva que ocorre em crianças e adultos jovens. Ela exibe forte semelhança morfológica com o sarcoma de Ewing (ver **Capítulo 26**) e, à semelhança dele, caracteriza-se também por uma translocação recíproca, t(11;22) (p13;q12), que produz os genes de fusão *EWS* e *WT1*.

As neoplasias secundárias podem acometer o peritônio por disseminação direta ou semeadura metastática, resultando em carcinomatose peritoneal. Conforme discutido anteriormente, os carcinomas mucinosos, em particular os do apêndice, podem causar pseudomixoma peritoneal.

LEITURA SUGERIDA

Peery AF, Crockett SD, Murphy CC et al: Burden and cost of gastrointestinal, liver, and pancreatic diseases in the United States: update 2018, *Gastroenterology* 156:254–272, e11, 2019. [*Análise atual das tendências na epidemiologia e custos de doenças gastrintestinais*].

Anormalidades congênitas

Duggan CP, Jaksic T: Pediatric intestinal failure, *N Engl J Med* 377:666–675, 2017. [*Revisão da síndrome do intestino curso e insuficiência intestinal*].

Heuckeroth RO: Hirschsprung disease—integrating basic science and clinical medicine to improve outcomes, *Nat Rev Gastroenterol Hepatol* 15:152–167, 2018. [*Revisão dos mecanismos e terapias emergentes da doença de Hirschsprung*].

Jobson M, Hall NJ: Contemporary management of pyloric stenosis, *Semin Pediatr Surg* 25:219–224, 2016. [*Revisão com foco nos mecanismos e tratamento da estenose pilórica*].

Esôfago

Obstrução do esôfago

Pandolfino JE, Gawron AJ: Achalasia: a systematic review, *JAMA* 313:1841–1852, 2015. [*Revisão abrangente da acalasia*].

Esofagite

Dellon ES, Hirano I: Epidemiology and natural history of eosinophilic esophagitis, *Gastroenterology* 154:319–332, e3, 2018. [*Revisão abrangente da esofagite eosinofílica*].

Gyawali CP, Fass R: Management of gastroesophageal reflux disease, *Gastroenterology* 154:302–318, 2018. [*Abordagem detalhada para pacientes com refluxo esofágico*].

Esôfago de Barrett

McDonald SA, Graham TA, Lavery DL et al: The Barrett's gland in phenotype space, *Cell Mol Gastroenterol Hepatol* 1:41–54, 2015. [*Revisão detalhada dos mecanismos subjacentes à metaplasia de Barrett*].

Moyes LH, Oien KA, Foulis AK et al: Prevalent low-grade dysplasia: the strongest predictor of malignant progression in Barrett's columnarlined oesophagus, *Gut* 65:360–361, 2016. [*Ampla análise clínica do risco de displasia e câncer no esôfago de Barrett*].

Tumores do esôfago

Coleman HG, Xie SH, Lagergren J: The epidemiology of esophageal adenocarcinoma, *Gastroenterology* 154:390–405, 2018. [*Tendências na epidemiologia do adenocarcinoma esofágico*].

Reid BJ: Genomics, endoscopy, and control of gastroesophageal cancers: a perspective, *Cell Mol Gastroenterol Hepatol* 3:359–366, 2017. [*Análise da compreensão e abordagens atuais no adenocarcinoma esofágico*].

Estômago

Gastropatia e gastrite aguda

Barletta JF, Bruno JJ, Buckley MS et al: Stress ulcer prophylaxis, *Crit Care Med* 44:1395–1405, 2016. [*Revisão de literatura detalhada com recomendações a respeito da profilaxia de úlcera por estresse*].

Goldstein JL, Scheiman JM, Fort JG et al: Aspirin use in secondary cardiovascular protection and the development of aspirin-associated erosions and ulcers, *J Cardiovasc Pharmacol* 68:121–126, 2016. [*Análise dos fármacos não esteroidais anti-inflamatórios e de inibidores da bomba de prótons em úlceras gástricas*].

Lanas A, Chan FKL: Peptic ulcer disease, *Lancet* 390:613–624, 2017. [*Análise de úlceras pépticas não relacionadas ao* Helicobacter pylori *ou uso de fármacos anti-inflamatórios não esteroidais*].

Gastrite crônica

Anderson WF, Rabkin CS, Turner N et al: The changing face of noncardia gastric cancer incidence among US Non-Hispanic whites, *J Natl Cancer Inst* 2018. doi:10.1093/jnci/djx262. [*Análise epidemiológica e racial da incidência do câncer gástrico não cárdia*].

Bockerstett KA, DiPaolo RJ: Regulation of gastric carcinogenesis by inflammatory cytokines, *Cell Mol Gastroenterol Hepatol* 4:47–53, 2017. [*Revisão da relação entre respostas inflamatórias de citocinas e carcinogênese gástrica*].

Crowe SE: Helicobacter pylori infection, *N Engl J Med* 380:1158–1165, 2019. [*Revisão abrangente da infecção por* Helicobacter pylori *e patogênese da gastrite*].

Neumann WL, Coss E, Rugge M et al: Autoimmune atrophic gastritispathogenesis, pathology and management, *Nat Rev Gastroenterol Hepatol* 10:529, 2013. [*Revisão abrangente da gastrite atrófica*].

Gastropatias hipertróficas

Fiske WH, Tanksley J, Nam KT et al: Efficacy of cetuximab in the treatment of Menetrier's disease, *Sci Transl Med* 1:8ra18, 2009. [*Análise de uma série de pacientes tratados para a doença de Ménétrier*].

Simmons LH, Guimaraes AR, Zukerberg LR: Case records of the Massachusetts General Hospital. Case 6-2013. A 54-year-old man with recurrent diarrhea, *N Engl J Med* 368:757, 2013. [*Relato de caso e discussão da síndrome de Zollinger-Ellison*].

Pólipos e tumores gástricos

Bannon AE, Klug LR, Corless CL et al: Using molecular diagnostic testing to personalize the treatment of patients with gastrointestinal stromal tumors, *Expert Rev Mol Diagn* 17:445–457, 2017. [*Discussão atualizada do diagnóstico molecular e tratamento dos tumores estromais gastrintestinais*].

Boland CR, Yurgelun MB: Historical perspective on familial gastric cancer, *Cell Mol Gastroenterol Hepatol* 3:192–200, 2017. [*Perspectiva sobre síndromes de câncer gástrico familiares*].

Polk DB, Peek RM Jr: Helicobacter pylori: gastric cancer and beyond, *Nat Rev Cancer* 10:403, 2010. [*Boa revisão sobre* Helicobacter pylori *e os mecanismos pelos quais a bactéria está ligada ao câncer gástrico*].

Sagaert X, Van Cutsem E, De Hertogh G et al: Gastric MALT lymphoma: a model of chronic inflammation-induced tumor development, *Nat Rev Gastroenterol Hepatol* 7:336, 2010. [*Discussão sobre a patogênese do linfoma de tecido linfoide associado à mucosa*].

Intestino delgado e cólon

Obstrução intestinal

Langer JC: Intestinal rotation abnormalities and midgut volvulus, *Surg Clin North Am* 97:147–159, 2017. [*Revisão sobre vólvulo e suas complicações*].

Doença intestinal isquêmica e angiodisplasia

Barnert J, Messmann H: Diagnosis and management of lower gastrointestinal bleeding, *Nat Rev Gastroenterol Hepatol* 6:637, 2009. [*Discussão de abordagens clínicas para a hemorragia gastrintestinal baixa*].

Beg S, Ragunath K: Review on gastrointestinal angiodysplasia throughout the gastrointestinal tract, *Best Pract Res Clin Gastroenterol* 31:119–125, 2017. [*Revisão sobre angiodisplasia*].

Má absorção e diarreia

Das S, Jayaratne R, Barrett KE: The role of ion transporters in the pathophysiology of infectious diarrhea, *Cell Mol Gastroenterol Hepatol* 6:33–45, 2018. [*Revisão fisiologicamente orientada do transporte iônico na diarreia*].

Guerrant RL, DeBoer MD, Moore SR et al: The impoverished gut—a triple burden of diarrhoea, stunting and chronic disease, *Nat Rev Gastroenterol Hepatol* 10:220, 2013. [*Revisão dos mecanismos subjacentes à falha do crescimento (atrofia)*].

Kelly T, Buxbaum J: Gastrointestinal manifestations of cystic fibrosis, *Dig Dis Sci* 60:1903–1913, 2015. [*Revisão da obstrução e outras complicações gastrintestinais da fibrose cística*].

Kelly CP, Bai JC, Liu E et al: Advances in diagnosis and management of celiac disease, *Gastroenterology* 148:1175–1186, 2015. [*Revisão de especialistas sobre os meios atuais e potenciais futuros de manejo da doença celíaca*].

Thiagarajah JR, Donowitz M, Verkman AS: Secretory diarrhoea: mechanisms and emerging therapies, *Nat Rev Gastroenterol Hepatol* 12:446–457, 2015. [*Revisão da diarreia secretora com vistas a futuras terapias direcionadas*].

Enterocolite infecciosa

Barton Behravesh C, Mody RK, Jungk J et al: 2008 outbreak of Salmonella Saintpaul infections associated with raw produce, *N Engl J Med* 364:918, 2011. [*Análise de uma epidemia por* Salmonella].

Barzilay EJ, Schaad N, Magloire R et al: Cholera surveillance during the Haiti epidemic—the first 2 years, *N Engl J Med* 368:599, 2013. [*Estudo do surto de cólera após o terremoto de 2010 no Haiti*].

DuPont HL: Acute infectious diarrhea in immunocompetent adults, *N Engl J Med* 370:1532–1540, 2014. [*Discussão de especialistas sobre diarreia infecciosa aguda*].

Ooijevaar RE, Terveer EM, Verspaget HW et al: Clinical application and potential of fecal microbiota transplantation, *Annu Rev Med* 70:335–351, 2019. [*Revisão do estado atual e dos prospectos futuros para o transplante fecal terapêutico*].

Síndrome do intestino irritável

Ford AC, Lacy BE, Talley NJ: Irritable bowel syndrome, *N Engl J Med* 376:2566–2578, 2017. [*Revisão abrangente da síndrome do intestino irritável*].

Ghoshal UC, Gwee KA: Post-infectious IBS, tropical sprue and small intestinal bacterial overgrowth: the missing link, *Nat Rev Gastroenterol Hepatol* 14:435–441, 2017. [*Discussão sobre a infecção e disbiose microbiana como contribuintes para a patogênese da síndrome do intestino irritável*].

Doença inflamatória intestinal

Honda K, Littman DR: The microbiota in adaptive immune homeostasis and disease, *Nature* 535:75–84, 2016. [*Revisão abrangente das interações hospedeiro-microrganismo com foco na imunorregulação*].

Jostins L, Ripke S, Weersma RK et al: Host-microbe interactions have shaped the genetic architecture of inflammatory bowel disease, *Nature* 491:119, 2012. [*Análise abrangente de 163 genes associados à enteropatia inflamatória com novo insight na relação às respostas aos patógenos*].

Kanneganti TD: Inflammatory bowel disease and the NLRP3 inflammasome, *N Engl J Med* 377:694–696, 2017. [*Revisão dos avanços na compreensão da sinalização do inflamassomo e relevância para a enteropatia inflamatória*].

Kelsen JR, Dawany N, Moran CJ et al: Exome sequencing analysis reveals variants in primary immunodeficiency genes in patients with very early onset inflammatory bowel disease, *Gastroenterology* 149:1415–1424, 2015. [*Identificação de causas monogênicas para a enteropatia inflamatória*].

Lavoie S, Conway KL, Lassen KG et al: The Crohn's disease polymorphism, ATG16L1 T300A, alters the gut microbiota and enhances the local TH1/TH17 response, *Elife* 8:2019. [*Análise da relação entre alelos de risco, microbioma intestinal e imunidade de mucosa na enteropatia inflamatória*].

Waldner MJ, Neurath MF: Mechanisms of immune signaling in colitisassociated cancer, *Cell Mol Gastroenterol Hepatol* 1:6–16, 2015. [*Revisão das contribuições imunes para os cânceres associados a colite no contexto da enteropatia inflamatória*].

Outras causas de colite

Collins M, Michot JM, Danlos FX et al: Inflammatory gastrointestinal diseases associated with PD-1 blockade antibodies, *Ann Oncol* 28:2860–2865, 2017. [*Discussão sobre doenças inflamatórias e diarreicas associadas à imunoterapia do câncer*].

Pardi DS: Diagnosis and management of microscopic colitis, *Am J Gastroenterol* 112:78–85, 2017. [*Revisão sobre a patobiologia e diagnóstico da colite colagenosa e linfocítica*].

Diverticulite

Crowe FL, Balkwill A, Cairns BJ et al: Source of dietary fibre and diverticular disease incidence: a prospective study of UK women, *Gut* 63:1450–1456, 2014. [*Estudo prospectivo sobre a dieta e a doença diverticular*].

Young-Fadok TM: Diverticulitis, *N Engl J Med* 380:500–501, 2019. [*Revisão abrangente da doença diverticular*].

Pólipos

Anderson JC, Baron JA, Ahnen DJ et al: Factors associated with shorter colonoscopy surveillance intervals for patients with low-risk colorectal adenomas and effects on outcome, *Gastroenterology* 152:1933–1943, 2017. [*Análise dos padrões de prática e frequência de colonoscopia*].

Click B, Pinsky PF, Hickey T et al: Association of colonoscopy adenoma findings with long-term colorectal cancer incidence, *JAMA* 319:2021–2031, 2018. [*Estudo do risco de câncer colorretal com uma função dos achados de colonoscopia em aproximadamente 16.000 pacientes*].

East JE, Atkin WS, Bateman AC et al: British Society of Gastroenterology position statement on serrated polyps in the colon and rectum, *Gut* 66:1181–1196, 2017. [*Declaração de posição no manejo de pólipos serrilhados*].

Sengupta S, Bose S: Peutz-Jeghers syndrome, *N Engl J Med* 380:472, 2019. [*Revisão da etiologia e manejo da doença de Peutz-Jeghers*].

Adenocarcinoma

Corley DA, Jensen CD, Marks AR et al: Adenoma detection rate and risk of colorectal cancer and death, *N Engl J Med* 370:1298, 2014. [*Amplo estudo da relação entre a taxa de detecção de adenoma e incidência do câncer de cólon*].

Dalerba P, Sahoo D, Paik S et al: CDX2 as a prognostic biomarker in stage II and stage III colon cancer, *N Engl J Med* 374:211–222, 2016. [*Identificação do fator de transcrição CDX2 como um fator prognóstico do câncer colorretal que poderia direcionar o uso da terapia de adjuvante*].

Medema JP: Targeting the colorectal cancer stem cell, *N Engl J Med* 377:888–890, 2017. [*Breve revisão sobre potenciais novas terapias para o tratamento do câncer colorretal*].

Hemorroidas

Jacobs D: Clinical practice. Hemorrhoids, *N Engl J Med* 371:944–951, 2014. [*Revisão clinicamente orientada do manejo de hemorroidas*].

Apendicite aguda e tumores do apêndice

Flum DR: Clinical practice. Acute appendicitis—appendectomy or the "antibiotics first" strategy, *N Engl J Med* 372:1937–1943, 2015. [*Discussão sobre abordagens alternativas para o manejo da apendicite aguda*].

Lee LH, McConnell YJ, Tsang E et al: Simplified 2-tier histologic grading system accurately predicts outcomes in goblet cell carcinoid of the appendix, *Hum Pathol* 46:1881–1889, 2015. [*Análise clinicopatológica das características histológicas associada ao desfecho em tumores carcinoides de células caliciformes do apêndice*].

Cavidade peritoneal

Kim J, Bhagwandin S, Labow DM: Malignant peritoneal mesothelioma: a review, *Ann Transl Med* 5:236, 2017. [*Revisão abrangente sobre o mesotelioma peritoneal e terapias em evolução*].

Misdraji J: Mucinous epithelial neoplasms of the appendix and pseudomyxoma peritonei, *Mod Pathol* 28(Suppl 1):S67–S79, 2015. [*Revisão sistemática do pseudomixoma peritoneal*].

CAPÍTULO 18

Fígado e Vesícula Biliar

Ryan M. Gill • Sanjay Kakar[a]

SUMÁRIO DO CAPÍTULO

FÍGADO E VIAS BILIARES, 853
Características gerais da doença hepática, 854
 Mecanismos de lesão e de reparo, 854
 Respostas dos hepatócitos e do parênquima, 854
 Formação e regressão de cicatrizes, 856
 Insuficiência hepática, 856
 Insuficiência hepática aguda, 856
 Insuficiência hepática crônica e cirrose, 858
 Hipertensão portal, 859
 Insuficiência hepática crônica agudizada, 861
Distúrbios infecciosos, 861
 Hepatites virais, 861
 Vírus da hepatite A, 861
 Vírus da hepatite B, 862
 Vírus da hepatite C, 864
 Vírus da hepatite D, 865
 Vírus da hepatite E, 866
 Síndromes clínico-patológicas de hepatite viral, 867
 Infecções bacterianas, fúngicas e parasitárias, 869
Hepatite autoimune, 870
Lesão hepática induzida por medicamentos e toxinas, 872
Esteatose hepática, 873
 Doença hepática alcoólica, 873
 Doença hepática gordurosa não alcoólica, 877

Doença hepática hereditária, 879
 Hemocromatose, 879
 Doença de Wilson, 881
 Deficiência de α_1-antitripsina, 882
Doença colestática, 883
 Formação e secreção de bile, 883
 Fisiopatologia e hiperbilirrubinemia, 884
 Icterícia fisiológica do recém-nascido, 885
 Hiperbilirrubinemia hereditária, 885
 Obstrução dos grandes ductos biliares, 886
 Colestase da sepse, 887
 Hepatolitíase primária, 887
 Colestase neonatal, 887
 Atresia biliar extra-hepática, 887
 Colestase neonatal não obstrutiva, 888
 Colangiopatias autoimunes, 888
 Colangite biliar primária, 889
 Colangite esclerosante primária, 890
Anomalias estruturais da árvore biliar, 891
 Cisto de colédoco, 891
 Doença fibropolicística, 891
Distúrbios circulatórios, 892
 Comprometimento do fluxo sanguíneo para o fígado, 892
 Comprometimento da artéria hepática, 892
 Obstrução e trombose da veia porta, 893
 Comprometimento do fluxo sanguíneo ao longo do fígado, 894
 Obstrução do fluxo venoso hepático, 894

 Trombose da veia hepática, 894
 Síndrome da obstrução sinusoidal, 895
 Congestão passiva e necrose centrolobular, 895
Doença hepática associada à gravidez, 896
 Pré-eclâmpsia e eclâmpsia, 896
 Esteatose hepática aguda da gravidez, 896
 Colestase intra-hepática da gravidez, 897
Nódulos e neoplasias, 897
 Lesões não neoplásicas expansivas, 897
 Hiperplasia nodular focal, 897
 Outras lesões expansivas não neoplásicas, 897
 Neoplasias benignas, 898
 Hemangioma cavernoso, 898
 Adenoma hepatocelular, 898
 Neoplasias malignas primárias, 899
 Hepatoblastoma, 899
 Carcinoma hepatocelular, 900
 Neoplasias biliares malignas, 903
 Outras neoplasias malignas hepáticas primárias, 904
 Metástases, 904

VESÍCULA BILIAR, 905
Anomalias congênitas, 905
Colelitíase (cálculos biliares), 905
Colecistite, 907
 Colecistite aguda, 907
 Colecistite crônica, 908
Carcinoma de vesícula biliar, 909

Fígado e vias biliares

O fígado adulto normal pesa 1.400 a 1.600 g e tem duplo suprimento sanguíneo, em que a veia porta do fígado fornece 60 a 70% do fluxo sanguíneo hepático, ao passo que a artéria hepática fornece os 30 a 40% restantes. A veia porta do fígado e a artéria hepática entram pela face inferior do fígado através do hilo ou *porta do fígado*. No interior do fígado, os ramos das veias porta, as artérias hepáticas e os ductos biliares seguem um trajeto paralelo nos tratos portais.

O modelo de lóbulos fornece uma maneira conveniente de considerar a organização anatômica do fígado (Figura 18.1). Nesse modelo, o fígado é dividido em lóbulos hexagonais de 1 a 2 mm, que são orientados em torno das tributárias terminais da veia hepática. As veias situam-se no centro dos lóbulos e, portanto, são denominadas veias centrais (também chamadas de centrolobulares), ao passo que os tratos portais estão localizados na periferia. Cada lóbulo pode ser dividido em seis ácinos triangulares.

---
[a] Somos extremamente gratos às contribuições dos doutores James Crawford e Neil Theise para este capítulo nas várias últimas edições deste livro.

Os hepatócitos na vizinhança da veia central são denominados "pericentrais" e encontram-se na "zona 3", ao passo que os hepatócitos próximos ao trato portal são periportais e pertencem à "zona 1". De forma notável, determinados tipos de lesão hepática afetam preferencialmente os hepatócitos em zonas específicas (ver **Figura 18.1**). Essas diferentes sensibilidades resultam da variação na oxigenação dos hepatócitos (maior na zona 1 e menor na zona 3) e das atividades metabólicas da periferia em direção ao centro do lóbulo.

Dentro do lóbulo, os hepatócitos estão organizados em lâminas ou "placas" anastomosantes, denominadas trabéculas, que se estendem dos tratos portais até as veias hepáticas terminais. Entre as placas trabeculares de hepatócitos, estão os sinusoides vasculares. O sangue atravessa os sinusoides e passa para as veias hepáticas terminais através de numerosos orifícios na parede da veia. Assim, os hepatócitos são banhados nos dois lados por uma mistura de sangue venoso portal e sangue arterial hepático. Os sinusoides são revestidos por endotélio fenestrado. Abaixo das células endoteliais, encontra-se o *espaço de Disse*, no qual se projetam numerosas microvilosidades dos hepatócitos. As *células de Kupffer* dispersas, que pertencem ao sistema fagocítico mononuclear, estão fixadas à face luminal das células endoteliais, e as *células estreladas hepáticas* que contêm gordura são encontradas também no espaço de Disse. Entre os hepatócitos contíguos, encontram-se os canalículos biliares, que são canais de 1 a 2 μm de diâmetro, formados por sulcos nas membranas plasmáticas dos hepatócitos e separados do espaço vascular por zônulas de oclusão (junções firmes). Esses canais drenam nos *canais de Hering*, que, por sua vez, se conectam com os dúctulos biliares. Os dúctulos deságuam nos ductos biliares interlobulares dentro dos tratos portais. No fígado normal, observa-se também a presença de muitos linfócitos (em sua maioria células T gama delta, mas também células *natural killer* [NK]), compreendendo até 22% das células, além dos hepatócitos.

Características gerais da doença hepática

O fígado é vulnerável a uma grande variedade de agressões metabólicas, tóxicas, microbianas, circulatórias e neoplásicas. Além disso, ocorrem danos hepáticos secundários a outras doenças, como insuficiência cardíaca, câncer disseminado e infecções extra-hepáticas. A enorme reserva funcional do fígado mascara o impacto clínico dos danos hepáticos leves; entretanto, com a progressão de doença difusa ou a ruptura do fluxo biliar, as consequências da alteração da função hepática podem se tornar potencialmente fatais.

Com exceção da insuficiência hepática aguda, a doença hepática é um processo insidioso, em que a detecção clínica e os sintomas de descompensação hepática podem ocorrer semanas, meses ou muitos anos após o início da lesão. A flutuação da lesão hepática pode ser imperceptível para o paciente e só detectável por anormalidades dos exames laboratoriais (**Tabela 18.1**).

Mecanismos de lesão e de reparo

Respostas dos hepatócitos e do parênquima

Os hepatócitos lesionados e disfuncionais em uma variedade de distúrbios podem demonstrar várias alterações morfológicas potencialmente reversíveis. Essas alterações incluem acúmulo de

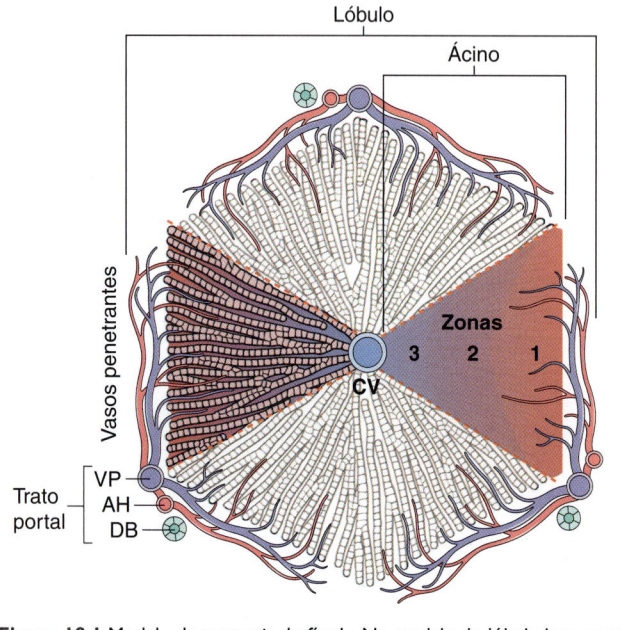

Figura 18.1 Modelo de anatomia do fígado. No modelo do lóbulo hexagonal, a veia hepática terminal (*VC*) encontra-se no centro de um "lóbulo", ao passo que os tratos portais estão na periferia. Esses pontos de referência servem para identificar o parênquima "periporta" e "pericentral". No modelo acinar, com base no fluxo sanguíneo, podem ser definidas três zonas, estando a zona 1 mais próxima do suprimento sanguíneo portal, e a zona 3, mais distante. *AH*, artéria hepática; *DB*, ducto biliar; *VP*, veia porta.

Tabela 18.1 Avaliação laboratorial da doença hepática.

Categoria de exame	Medição sérica

Integridade dos hepatócitos	Enzimas hepatocelulares citosólicas[a]
	  Aspartato aminotransferase (AST) sérica
	  Alanina aminotransferase (ALT) sérica
	  Lactato desidrogenase (LDH) sérica

Função excretora biliar	Substâncias normalmente secretadas na bile[a]
	  Bilirrubina sérica
	    Total: não conjugada mais conjugada
	    Direta: apenas conjugada
	  Bilirrubina urinária
	  Ácidos biliares séricos
	Enzimas da membrana plasmática (em consequência dos danos ao canalículo biliar)[a]
	  Fosfatase alcalina sérica
	  γ-glutamil transpeptidase (GGT) sérica

Função de síntese dos hepatócitos	Proteínas secretadas no sangue
	  Albumina sérica[b]
	  Fatores da coagulação[b]
	    Tempo de protrombina (TP) e tempo de tromboplastina parcial (TTP): fibrinogênio, protrombina, fatores V, VII, IX e X
	Metabolismo dos hepatócitos
	  Amônia sérica[a]
	  Teste do ar expirado de aminopirina (desmetilação hepática)[b]

[a]Aumento na doença hepática.
[b]Diminuição na doença hepática.

gordura (esteatose) e bilirrubina (colestase), bem como balonização, uma alteração caracterizada por tumefação da célula, citoplasma claro e agregação de filamentos intermediários, que, quando proeminentes, podem formar *inclusões hialinas de Mallory*. Os hepatócitos balonizados constituem uma característica essencial da esteato-hepatite induzida por álcool ou não alcoólica (ver adiante), mas também podem ocorrer na lesão isquêmica ou tóxica ou na presença de colestase.

Quando a lesão é irreversível, os hepatócitos podem morrer por necrose ou apoptose. Na necrose dos hepatócitos, os desequilíbrios iônicos devido à função defeituosa do transportador de membrana plasmática levam ao fluxo de líquido para dentro da célula, que incha e sofre ruptura. As anormalidades da membrana também levam ao acúmulo de cálcio intracelular e a vários eventos que desencadeiam a disfunção mitocondrial. Até mesmo antes da ruptura da membrana, a perda de sua integridade leva à liberação de constituintes citoplasmáticos no compartimento extracelular, incluindo substâncias que alertam as células imunes inatas sobre uma ameaça vigente (sinal de perigo). Os remanescentes das células necróticas são rapidamente fagocitados por macrófagos, que tendem a se aglomerar e a marcar os locais de necrose dos hepatócitos (**Figura 18.2**). Essa forma de lesão constitui o modo predominante de morte na lesão isquêmica/hipóxica e uma parte significativa da lesão hepática na presença de estresse oxidativo.

A apoptose dos hepatócitos é uma forma ativa de morte celular "programada", que resulta em retração dos hepatócitos, condensação da cromatina nuclear (*picnose*), fragmentação nuclear (*cariorrexe*) e fragmentação celular em *corpos apoptóticos* acidófilos. Essas alterações resultam de cascatas de caspases, descritas de modo detalhado no **Capítulo 2**. Os hepatócitos apoptóticos foram claramente descritos pela primeira vez na febre amarela por William Thomas Councilman e, por esse motivo, têm sido comumente denominados *corpúsculos de Councilman*; como a apoptose ocorre em muitas formas de doença hepática, esse epônimo, por convenção, fica restrito a essa doença. Nos contextos mais frequentes em que se observam hepatócitos apoptóticos (p. ex., hepatite aguda e crônica), utiliza-se o termo *corpúsculos acidófilos*, devido às suas características de coloração intensamente eosinofílica (**Figura 18.3**).

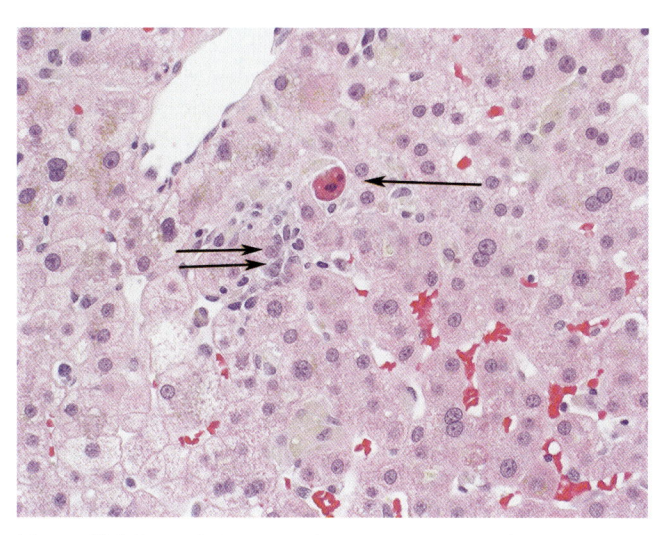

Figura 18.3 Focos de hepatite lobular na hepatite C crônica mostrando um hepatócito apoptótico ("corpúsculo acidófilo"; *seta*) e um foco de infiltração mononuclear em torno de um hepatócito lesionado de coloração mais escura (*setas duplas*).

Se a lesão do parênquima for generalizada, ela pode levar à necrose confluente, que consiste em uma perda zonal de hepatócitos contíguos. Essa situação pode ser observada em lesões tóxicas ou isquêmicas agudas ou na hepatite viral ou autoimune grave. A necrose confluente pode começar com perda dos hepatócitos na zona 3, próximo à veia central. O espaço resultante é preenchido por restos celulares, macrófagos e remanescentes da rede de reticulina. Na *necrose em ponte*, a área de necrose pode estender-se das veias centrais até os tratos portais ou através de tratos portais adjacentes (com frequência com uma veia central inaparente dentro da área de lesão). Na necrose panacinar, ocorre a obliteração de todo o lóbulo. Mesmo em doenças como a hepatite viral, em que os hepatócitos constituem os principais alvos de ataque, as agressões vasculares secundárias – devido à inflamação ou à trombose – podem produzir grandes áreas de necrose confluente dos hepatócitos. Esse processo ocorre em muitos tipos de doenças hepáticas nas quais há extensa perda de hepatócitos e colapso da estrutura de reticulina de sustentação. A cicatrização resultante (conhecida no fígado como *cirrose*), em que os hepatócitos são circundados por fibrose (com ou sem resposta regenerativa), representa um ponto final comum na doença hepática crônica. Em alguns casos, há regressão da cicatriz (descrita na próxima seção).

A substituição dos hepatócitos perdidos ocorre principalmente por meio de replicação dos hepatócitos maduros adjacentes aos que morreram, mesmo quando há necrose confluente significativa. Os hepatócitos são quase semelhantes a células-tronco quanto à sua capacidade de replicação contínua, mesmo após anos de lesão crônica, de modo que a reposição do parênquima a partir de células-tronco teciduais não constitui comumente uma parte significativa do processo de reparo. Entretanto, nos indivíduos com doença crônica, os hepatócitos alcançam a senescência replicativa, e, quando isso ocorre, as populações de células-tronco podem começar a se expandir e a se diferenciar, um evento marcado por *reações ductulares*. Essas estruturas semelhantes a ductos, às vezes sem luz, contêm células multipotentes que podem contribuir de modo significativo para a restauração do parênquima.

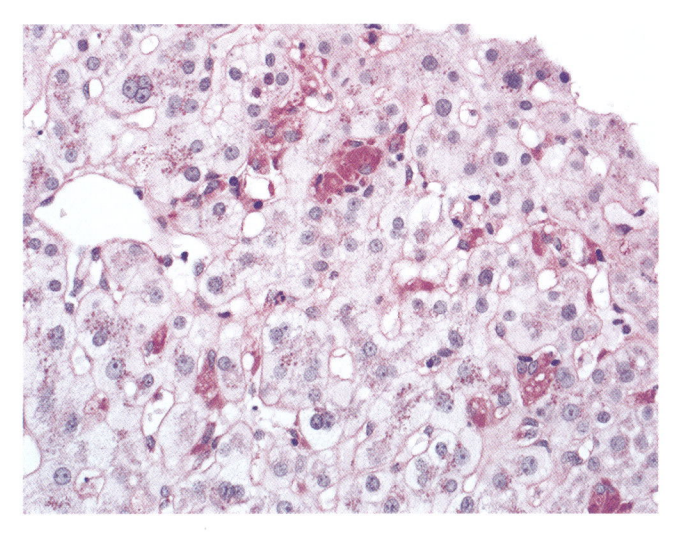

Figura 18.2 Hepatite B aguda. Agrupamentos de macrófagos com material intracelular PAS-positivo derivado de hepatócitos necróticos.

Formação e regressão de cicatrizes

O principal tipo de célula envolvida na deposição de cicatrizes fibrosas no fígado é a célula estrelada hepática. Quando estão em seu estado quiescente, a principal função das células estreladas consiste em armazenamento de lipídios, incluindo vitamina A. Entretanto, em várias formas de lesão aguda e crônica, as células estreladas tornam-se ativadas e diferenciam-se em miofibroblastos altamente fibrogênicos. Os estímulos para a ativação das células estreladas são variados e incluem: (1) citocinas inflamatórias, como o fator de necrose tumoral alfa (TNF-α), que é produzido pelas células de Kupffer, por macrófagos e outros tipos de células; (2) interações alteradas com a matriz extracelular (MEC); e (3) toxinas e espécies reativas de oxigênio (ROS, *reactive oxygen species*). Após a ativação, a conversão das células estreladas em miofibroblastos é estimulada por sinais transmitidos pelo receptor β do fator de crescimento derivado das plaquetas e por citocinas, como o fator de crescimento transformador β (TGF-β) e a interleucina-17 (IL-17), bem como quimiocinas, que podem ser liberadas a partir das células de Kupffer residentes ou de macrófagos e linfócitos recrutados. Por sua vez, as células estreladas ativadas também liberam citocinas, fatores de crescimento e fatores quimiotáticos e vasoativos. Se a lesão e os estímulos inflamatórios persistirem, têm início a deposição de matriz extracelular e a formação de cicatriz, frequentemente no espaço de Disse; há perda concomitante da fenestração das células endoteliais sinusoidais, uma alteração denominada *capilarização sinusoidal*, que constitui uma característica particularmente proeminente da esteato-hepatite não alcoólica, bem como uma característica dos sinusoides anormais observados no carcinoma hepatocelular (ambos descritos adiante).

As áreas de perda de hepatócitos na doença hepática crônica, talvez relacionada com o comprometimento vascular, são transformadas em septos fibrosos densos por meio do colapso da rede de reticulina subjacente e pela deposição de colágeno pelos miofibroblastos. Os fibroblastos portais também podem desempenhar um papel na formação de cicatriz que acompanha a lesão hepática crônica em alguns distúrbios. Por fim, os septos fibrosos circundam os hepatócitos sobreviventes e resultam em cicatrização difusa (cirrose). Na doença hepática crônica, os hepatócitos sobreviventes multiplicam-se em um esforço para restaurar o parênquima, formando nódulos regenerativos, que constituem uma característica predominante na maioria dos casos de cirrose hepática.

Se a lesão crônica que leva à formação de cicatriz for interrompida (p. ex., eliminação da infecção pelo vírus da hepatite ou interrupção do uso de álcool), a ativação das células estreladas e a formação de cicatriz cessam, e os septos fibrosos podem começar a ser degradados por metaloproteinases produzidas pelos hepatócitos, levando à resolução parcial e a uma aparência denominada *cirrose septal incompleta*. Infelizmente, o remodelamento vascular e outras mudanças da arquitetura que ocorrem na cirrose podem não se normalizar, mesmo com a extensa reabsorção da cicatriz, o que pode explicar por que determinadas anormalidades vasculares, como hipertensão portal, não melhoram em alguns pacientes.

Insuficiência hepática

A forma mais grave de doença hepática é a insuficiência hepática, que pode ser aguda (em consequência de destruição hepática súbita e maciça) ou (mais comumente) crônica, após anos de lesão insidiosa e progressiva do fígado. Em alguns casos, os indivíduos com doença hepática crônica desenvolvem *insuficiência hepática crônica agudizada*, em que uma lesão aguda não relacionada se sobrepõe à doença crônica em estágio avançado, ou em que ocorre uma "exacerbação" da doença crônica que leva à descompensação hepática. Qualquer que seja a sequência seguida, é necessária uma perda de 80 a 90% da capacidade funcional antes que ocorra insuficiência hepática. Quando o fígado não consegue mais manter a homeostasia, o transplante hepático oferece a melhor esperança de sobrevida; sem transplante, a taxa de mortalidade em indivíduos com insuficiência hepática é de cerca de 80%.

Insuficiência hepática aguda

A insuficiência hepática aguda é definida como uma doença hepática aguda associada à encefalopatia e à coagulopatia, a qual ocorre nas primeiras 26 semanas após a ocorrência de lesão hepática inicial, na ausência de doença hepática preexistente. Em geral, a síndrome manifesta-se nas primeiras 8 semanas após a lesão, e muitos pacientes evoluem para o coma em apenas 1 semana. Dentro dessa janela de 26 semanas, é útil conhecer o intervalo entre o início dos sintomas e a insuficiência hepática, visto que isso pode fornecer pistas importantes para definir a etiologia. A insuficiência hepática aguda de início muito rápido é induzida, com mais frequência, por fármacos ou toxinas e normalmente resulta de necrose *hepática maciça*. Essa forma de insuficiência hepática, antes denominada "insuficiência hepática fulminante", é um termo que permanece enraizado na literatura e ainda é utilizado como sinônimo. A ingestão acidental ou deliberada de paracetamol (ver **Capítulo 9**) responde por quase 50% dos casos em adultos nos EUA, ao passo que a hepatite autoimune, outros fármacos/toxinas e as infecções agudas pelos vírus das hepatites A e B são responsáveis pela maior parte dos casos restantes. Na Ásia, as hepatites B e E agudas constituem as causas predominantes. Com a toxicidade do paracetamol, a insuficiência hepática surge na primeira semana após o início dos sintomas, ao passo que a insuficiência causada por vírus da hepatite leva mais tempo para se desenvolver. O mecanismo da necrose hepatocelular pode consistir em danos tóxicos diretos (como no caso do paracetamol); todavia, com mais frequência, consiste em uma combinação variável de toxicidade e destruição imunomediada dos hepatócitos (p. ex., infecção pelo vírus da hepatite). Causas raras de insuficiência hepática aguda incluem anormalidades do fluxo sanguíneo, distúrbios metabólicos e neoplasias malignas, mais comumente leucemia ou linfoma (33%), seguidas de câncer de mama (30%) e câncer de cólon (7%). Não é possível estabelecer uma etiologia em aproximadamente 15% dos casos em adultos e em 50% dos casos pediátricos.

Morfologia

A insuficiência hepática aguda geralmente está associada à **necrose hepática maciça**, com perda de grandes regiões de parênquima ao redor de ilhas de hepatócitos em regeneração (**Figura 18.4**). O fígado afetado é pequeno e retraído. A proeminência da perda hepatocelular (*dropout*) e das reações ductulares no fígado depende da natureza e da duração da agressão. As lesões tóxicas, como a superdosagem de paracetamol, normalmente ocorrem em horas a dias, constituindo um período muito curto para possibilitar a formação de cicatrizes ou a regeneração. As infecções virais agudas podem causar insuficiência ao longo de semanas a alguns meses, de modo que, embora a lesão dos hepatócitos continue ultrapassando o processo de reparo, a regeneração é, com frequência, evidente, assim como a cicatrização.

Em alguns poucos casos, a insuficiência hepática aguda pode estar associada a uma disfunção generalizada das células hepáticas, sem morte celular óbvia, como na **esteatose microvesicular difusa**, relacionada com o fígado esteatótico da gravidez ou com reações idiossincrásicas a toxinas (p. ex., valproato, tetraciclina). Nessas situações, o metabolismo dos hepatócitos está gravemente afetado, em geral devido à disfunção mitocondrial, impedindo o fígado de desempenhar suas funções normais. Nos estados de imunodeficiência, como a infecção não tratada pelo vírus da imunodeficiência humana (HIV, *human immunodeficiency virus*), a imunossupressão pós-transplante e certas neoplasias malignas linfoides, a insuficiência hepática aguda pode ser causada por vírus não hepatotróficos, particularmente citomegalovírus, herpes-vírus simples e adenovírus. Com os melhores tratamentos disponíveis para a infecção pelo HIV, a incidência dessas formas de hepatite viral está diminuindo.

Características clínicas

A insuficiência hepática aguda manifesta-se inicialmente com náuseas, vômitos e icterícia, seguidos de encefalopatia potencialmente fatal e defeitos da coagulação. Normalmente, os níveis séricos das transaminases hepáticas estão acentuadamente elevados. No início, o fígado está aumentado, devido à tumefação dos hepatócitos, a infiltrados inflamatórios e ao edema; entretanto, à medida que o parênquima é destruído, ocorre retração drástica do fígado. Por conseguinte, o declínio das transaminases séricas (com a morte dos hepatócitos) com frequência não representa um sinal de melhora, mas sim indica que existem poucos hepatócitos viáveis restantes; essa suspeita é confirmada se houver agravamento da icterícia, coagulopatia e encefalopatia. Com a progressão ininterrupta, ocorre falência múltipla de órgãos e, se o transplante não for possível, morte. As outras manifestações de insuficiência hepática aguda são as seguintes:

- Ocorre *colestase* devido a alterações na formação e no fluxo de bile, levando à retenção de bilirrubina e de outros solutos normalmente eliminados na bile. A coloração amarela da pele e da esclera (*icterícia*) ocorre com a retenção de bilirrubina, e há um risco aumentado de infecção bacteriana potencialmente fatal
- A *encefalopatia hepática* é um espectro de alterações da consciência, que variam desde anormalidades sutis do comportamento até confusão e estupor acentuados, coma profundo e morte. A encefalopatia pode progredir ao longo de vários dias, semanas ou meses após a lesão hepática aguda. Os sinais neurológicos flutuantes associados incluem rigidez e hiper-reflexia. A ocorrência de *asterix ou flapping*, um sinal particularmente característico, consiste em movimentos de extensão-flexão rápidos e não ritmados da cabeça e dos membros, que são bem observados quando os braços são mantidos em extensão, com os punhos em dorsiflexão. Acredita-se que a encefalopatia hepática seja causada por níveis elevados de amônia, que apresentam uma correlação com o comprometimento da função neuronal e o edema cerebral. A principal fonte de amônia é o trato gastrintestinal, no qual ela é produzida por microrganismos e pelos enterócitos durante o metabolismo da glutamina. Normalmente, a amônia é transportada na veia porta até o fígado, onde é metabolizada no ciclo da ureia; na presença de doença hepática grave, ocorre falha desse mecanismo

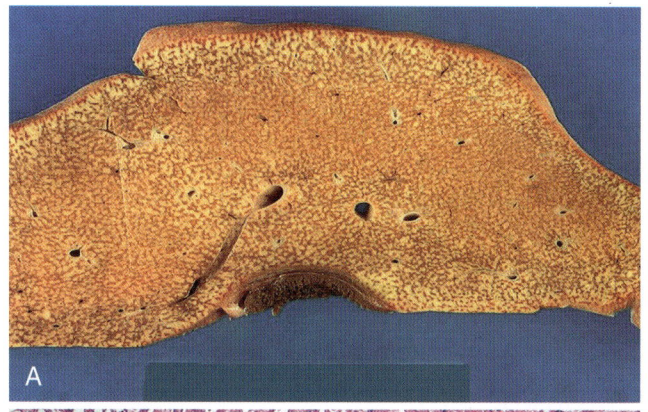

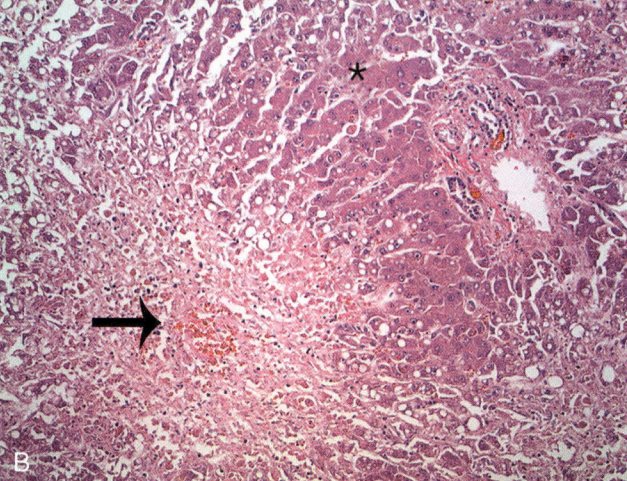

Figura 18.4 A. Necrose maciça, corte do fígado. O fígado é pequeno (700 g), corado com bile, de consistência mole e congesto. **B.** Necrose hepatocelular causada por superdosagem de paracetamol. A necrose confluente é observada na região perivenular (zona 3) (*seta larga*). O tecido normal residual está indicado por um *asterisco*. (Cortesia do Dr. Matthew Yeh, University of Washington, Seattle, Wash.)

de destoxificação. Foram sugeridos vários mecanismos não exclusivos de toxicidade do sistema nervoso central (SNC) pela amônia, incluindo efeitos diretos sobre os neurônios e efeitos indiretos mediados pelo metabolismo de amônia para glutamina nos astrócitos, que parecem contribuir para o edema ao atuar com efeito osmótico

- *Coagulopatia*. Os hepatócitos são responsáveis pela síntese dos fatores da coagulação II (protrombina), V, VII, IX, X, XI e XII, bem como do fibrinogênio (**Capítulo 4**). Por conseguinte, na insuficiência hepática, ocorre o desenvolvimento de deficiências de fatores de coagulação e da coagulabilidade. A formação de hematomas é um sinal precoce, que pode progredir para o sangramento intracraniano com risco de vida ou fatal. O fígado também é responsável por ajudar a remover os fatores da coagulação ativados da circulação, e, em alguns casos, a perda dessa função leva à coagulação intravascular disseminada (ver **Capítulo 14**), exacerbando ainda mais a tendência ao sangramento
- Surge *hipertensão portal* quando ocorre diminuição do fluxo através do sistema venoso porta, que pode se desenvolver devido à obstrução nos níveis pré-hepático, intra-hepático ou pós-hepático. Embora possa ocorrer na insuficiência hepática aguda, a hipertensão portal é observada com mais frequência

na insuficiência hepática crônica e é descrita mais adiante. Na insuficiência hepática aguda, se houver desenvolvimento de hipertensão portal em poucos dias a semanas, a obstrução é predominantemente intra-hepática, e a principal consequência clínica consiste em *ascite*. Na doença hepática crônica, a hipertensão portal desenvolve-se ao longo de meses a anos, e seus efeitos são mais complexos e generalizados

- A *síndrome hepatorrenal* é uma forma de insuficiência renal que ocorre em indivíduos com insuficiência hepática, nos quais não há nenhuma causa morfológica ou funcional intrínseca para a disfunção renal. O seu início é marcado pela queda do débito urinário e pelo aumento dos níveis de ureia e creatinina no sangue. A sua fisiopatologia não está totalmente elucidada, porém foi formulada a hipótese de que o evento desencadeante seja a hipertensão portal e a produção secundária aumentada de vasodilatadores, como o óxido nítrico, pelas células endoteliais na vasculatura esplâncnica. Isso, por sua vez, leva à vasodilatação sistêmica e à diminuição da perfusão renal, que é detectada pelo rim, provocando ativação do eixo renina/angiotensina. Na presença de hipertensão portal e produção persistente de vasodilatadores, o principal efeito da ativação de renina/angiotensina consiste na redução adicional da perfusão renal e da taxa de filtração glomerular, resultando em insuficiência renal. O declínio da função renal é reversível se a função hepática for restaurada, por exemplo, por transplante de fígado. Os pacientes que desenvolvem síndrome hepatorrenal geralmente apresentam hipertensão portal devido à cirrose, à hepatite alcoólica grave ou (menos frequentemente) a neoplasias metastáticas. Contudo, os pacientes com insuficiência hepática fulminante de qualquer causa podem desenvolver síndrome hepatorrenal.

Insuficiência hepática crônica e cirrose

Na doença hepática crônica, a insuficiência hepática está mais frequentemente associada a fibrose/cirrose avançada, uma condição caracterizada por remodelamento difuso do fígado em nódulos parenquimatosos (em geral, regenerativos) circundados por faixas fibrosas e grau variável de derivação vascular (com frequência, portossistêmica). As principais causas de insuficiência hepática crônica em todo o mundo consistem em hepatite B crônica, hepatite C crônica, doença hepática gordurosa não alcoólica e doença hepática alcoólica. Nos EUA, a doença hepática crônica é a décima segunda causa mais comum de mortalidade e é responsável pela maioria das mortes relacionadas com o fígado.

Embora a cirrose e a insuficiência hepática crônica estejam frequentemente associadas, elas não são sinônimas; nem todos os casos de cirrose levam de modo inexorável à insuficiência hepática crônica, tampouco todas as doenças hepáticas crônicas em estágio terminal são cirróticas. Por exemplo, as doenças crônicas, como a colangite biliar primária, a colangite esclerosante primária, a hiperplasia nodular regenerativa, a esquistossomose crônica e a doença hepática fibropolicística, não costumam ser acompanhadas de cirrose totalmente estabelecida, mesmo em estágio terminal. Em contrapartida, os pacientes com hepatite autoimune bem tratada ou aqueles com hepatite B suprimida ou hepatite C curada geralmente não progridem para a doença hepática terminal, mesmo na presença de cirrose.

Em algumas doenças que dão origem à cirrose, como hepatite viral não tratada, doença hepática alcoólica, doença hepática gordurosa não alcoólica e doenças metabólicas, a morfologia e a fisiopatologia da cirrose apresentam algumas características particulares (descritas em seções subsequentes deste capítulo). Por conseguinte, embora o termo cirrose implique a presença de doença crônica grave, essa doença não constitui um diagnóstico específico e tem implicações de prognóstico variáveis. Há também alguns casos nos quais a cirrose surge sem qualquer causa bem definida; nessas circunstâncias, emprega-se, às vezes, o termo *cirrose criptogênica*.

Morfologia

A cirrose caracteriza-se pela presença de nódulos parenquimatosos circundados por faixas densas de fibrose em todo o fígado, convertendo a cápsula hepática normalmente lisa em uma superfície irregular, com áreas deprimidas de cicatrização e nódulos regenerativos protuberantes (Figura 18.5). No nível microscópico, a extensão da fibrose é ressaltada pelo uso de corantes especiais para colágeno (**Figura 18.6A**). O tamanho dos nódulos, o padrão de formação de cicatrizes (com ligação de tratos portais entre si *versus* ligação de tratos portais com as veias centrais), o grau de colapso do parênquima e a extensão da trombose vascular (particularmente da veia porta) variam entre doenças e, em certo grau, entre indivíduos com a mesma doença. As características morfológicas de regressão incluem cicatrizes incompletas (ver **Figura 18.6B**) associadas a uma reação ductular variável e a alterações da arquitetura. Conforme assinalado anteriormente, nem todos os fígados em estágio terminal são cirróticos, porém todos revelam graus variáveis de lesão, reparo, regeneração e fibrose. Por conseguinte, a doença hepática em estágio terminal é mais bem considerada um espectro de tentativas ineficazes de reparo de lesão continuada, intermitente ou passada.

Características clínicas

Cerca de 40% dos indivíduos com cirrose são assintomáticos até os estágios mais avançados da doença. Quando sintomáticos, eles apresentam manifestações inespecíficas: anorexia, perda de peso,

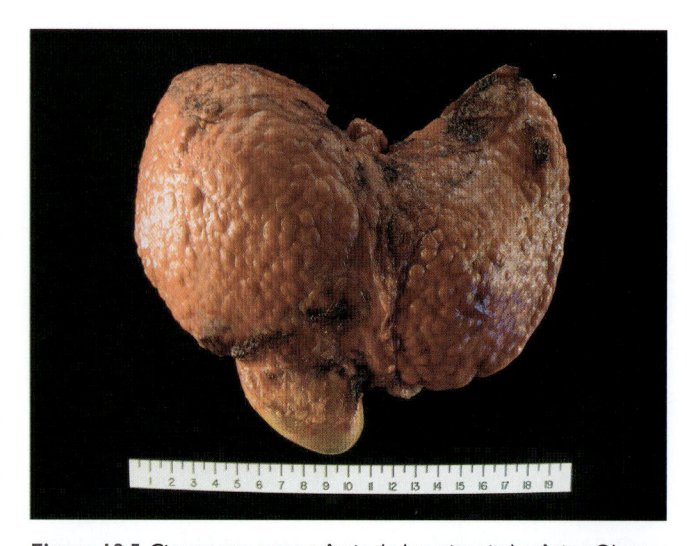

Figura 18.5 Cirrose em consequência de hepatite viral crônica. Observe as áreas deprimidas de cicatrização densa separando nódulos regenerativos proeminentes na superfície do fígado.

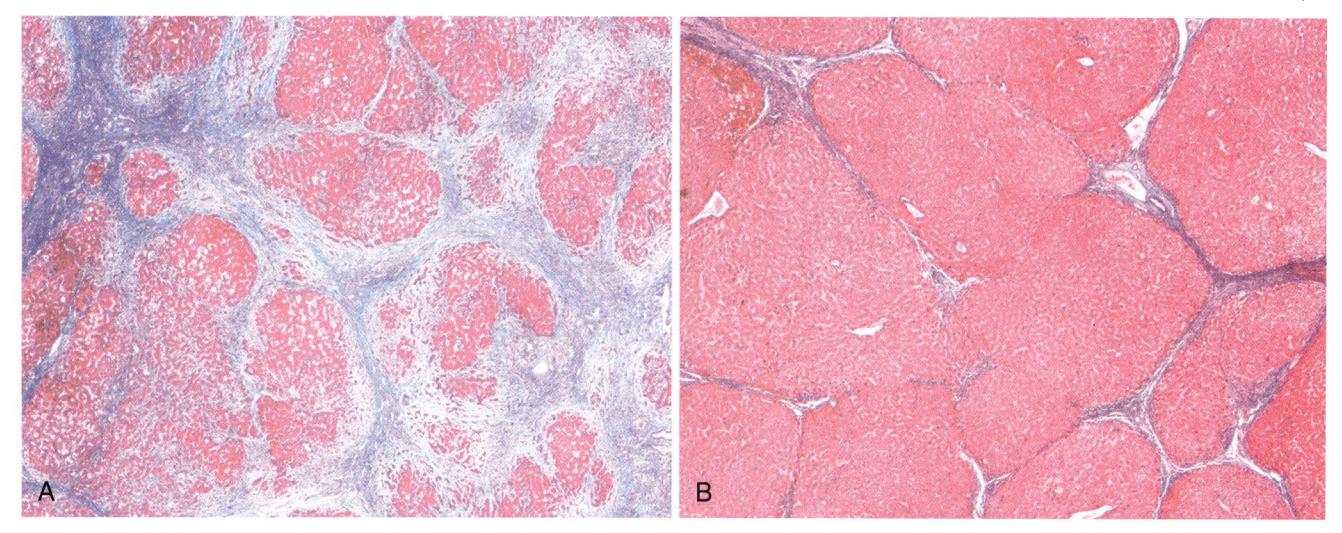

Figura 18.6 Cirrose alcoólica em um paciente etilista ativo (**A**) e após abstinência de longa duração (**B**). **A.** Faixas espessas de colágeno separam os nódulos cirróticos arredondados. **B.** Após 1 ano de abstinência, a maior parte das cicatrizes desapareceu. (Coloração tricrômica de Masson.) (Cortesia dos Drs. Hongfa Zhu e Isabel Fiel, Mount Sinai School of Medicine, NY.)

fraqueza e, na doença avançada, sinais e sintomas de insuficiência hepática discutidos anteriormente. As causas comuns de morte consistem em encefalopatia hepática, sangramento de varizes esofágicas, infecções bacterianas (que resultam de danos à barreira mucosa do intestino e disfunção das células de Kupffer) e carcinoma hepatocelular.

Além de icterícia, encefalopatia e coagulopatia (todas também observadas na insuficiência hepática aguda), a insuficiência hepática crônica está associada a várias outras características significativas:

- *Por meio de mecanismos ainda não definidos, a colestase persistente pode levar ao prurido* (coceira), que pode ser de grande intensidade. Alguns pacientes podem arranhar a pele, o que leva ao risco de episódios repetidos de infecção potencialmente fatal. O alívio só pode ser obtido por meio de transplante de fígado
- *O distúrbio do metabolismo dos estrogênios leva à hiperestrogenemia, que tem vários efeitos.* Ela produz alterações vasculares que podem levar ao eritema palmar (um reflexo da vasodilatação local) e às aranhas vasculares (angiomas aracneiformes) da pele. Cada angioma consiste em uma arteríola dilatada central e pulsátil, a partir da qual irradiam pequenos vasos. Nos homens, a hiperestrogenemia também pode produzir *hipogonadismo e ginecomastia*
- *O hipogonadismo também pode ocorrer em mulheres, devido à ruptura da função do eixo hipotálamo-hipófise*, por meio de deficiências nutricionais associadas à doença hepática crônica ou a alterações hormonais primárias.

Hipertensão portal

Pode ocorrer o desenvolvimento de resistência aumentada ao fluxo sanguíneo portal em uma variedade de circunstâncias, que podem ser divididas em *pré-hepáticas, intra-hepáticas* e *pós-hepáticas* (**Tabela 18.2**). As principais condições pré-hepáticas consistem em trombose obstrutiva, estreitamento da veia porta antes de sua ramificação dentro do fígado e esplenomegalia maciça, com aumento do fluxo sanguíneo na veia esplênica. As principais causas pós-hepáticas incluem insuficiência cardíaca direita grave, pericardite constritiva e obstrução do fluxo da veia hepática. A causa intra-hepática dominante é a cirrose, responsável pela maioria dos casos de hipertensão portal. Outras causas intra-hepáticas muito menos frequentes incluem esquistossomose, degeneração gordurosa maciça, doença granulomatosa fibrosante difusa, como sarcoidose, e doenças que afetam a microcirculação portal, como hiperplasia nodular regenerativa (discutida adiante)

A fisiopatologia da hipertensão portal é complexa e envolve resistência ao fluxo portal no nível dos sinusoides e aumento do fluxo portal causado pela circulação hiperdinâmica. O aumento da resistência ao fluxo portal no nível dos sinusoides é causado pela contração das células musculares lisas vasculares

Tabela 18.2 Localização e causas da hipertensão portal.

Causas pré-hepáticas
Trombose obstrutiva da veia porta
Anormalidades estruturais, como estreitamento da veia porta antes de sua ramificação no fígado
Causas intra-hepáticas
Cirrose de qualquer causa
Hiperplasia nodular regenerativa
Colangite biliar primária (mesmo na ausência de cirrose)
Esquistossomose
Degeneração gordurosa maciça
Doença granulomatosa fibrosante difusa (p. ex., sarcoidose)
Neoplasia maligna infiltrativa, primária ou metastática
Neoplasia maligna focal com invasão da veia porta (particularmente carcinoma hepatocelular)
Amiloidose
Causas pós-hepáticas
Insuficiência cardíaca direita grave
Pericardite constritiva
Obstrução do fluxo da veia hepática

e dos miofibroblastos e pela interrupção do fluxo sanguíneo por cicatrização e formação de nódulos parenquimatosos. As alterações das células endoteliais sinusoidais que contribuem para a vasoconstrição intra-hepática associada à hipertensão portal incluem diminuição da produção de óxido nítrico (NO) e liberação aumentada de endotelina-1, angiotensinogênio e eicosanoides. O remodelamento sinusoidal e as anastomoses entre os sistemas arterial e portal nos septos fibrosos contribuem para a hipertensão portal ao impor pressões arteriais sobre o sistema venoso porta de baixa pressão. O remodelamento sinusoidal e as derivações intra-hepáticas também interferem na troca metabólica entre o sangue sinusoidal e os hepatócitos.

Outro fator importante no desenvolvimento da hipertensão portal consiste em aumento do fluxo sanguíneo venoso portal, em decorrência da circulação hiperdinâmica. Isso é causado pela vasodilatação arterial, principalmente na circulação esplâncnica. Por sua vez, o aumento do fluxo sanguíneo arterial esplâncnico leva ao aumento do efluxo venoso no sistema porta. Embora vários mediadores, como a prostaciclina e o TNF, tenham sido implicados na etiologia da vasodilatação arterial esplâncnica, o NO emergiu como a causa mais significativa.

As quatro principais consequências da hipertensão portal são: (1) encefalopatia hepática (descrita na seção sobre insuficiência hepática); (2) ascite; (3) formação de derivações venosas portossistêmicas; e (4) esplenomegalia congestiva. Essas consequências estão ilustradas na **Figura 18.7** e são descritas a seguir.

Ascite

O acúmulo de líquido na cavidade peritoneal é denominado ascite, e 85% dos casos são causados por cirrose. Em geral, a ascite torna-se clinicamente detectável quando há acúmulo de pelo menos 500 mℓ. O líquido geralmente é seroso, apresenta menos de 3 g/dℓ de proteína (em grande parte albumina) e um gradiente de albumina entre soro e ascite ≥ 1,1 g/dℓ. O líquido pode conter um número escasso de células mesoteliais e leucócitos mononucleares. A presença de neutrófilos sugere infecção, ao passo que a presença de eritrócitos indica a possibilidade de câncer intra-abdominal disseminado. Na ascite de longa duração, a infiltração de líquido peritoneal através dos linfáticos transdiafragmáticos pode produzir hidrotórax, geralmente do lado direito. A patogênese da ascite é complexa, envolvendo hipertensão sinusoidal, hipoalbuminemia, aumento do fluxo linfático hepático, vasodilatação esplâncnica e circulação hiperdinâmica.

Derivações portossistêmicas

Na presença de hipertensão portal crônica, a dilatação vascular e o remodelamento frequentemente levam ao desenvolvimento de derivações venosas de paredes finas entre as circulações porta e sistêmica que contornam o fígado. Essas derivações podem aparecer sempre que as circulações sistêmica e porta compartilharem leitos capilares (ver **Figura 18.7**). Os principais locais são as veias ao redor e dentro do reto (cuja manifestação consiste em hemorroidas), a junção gastresofágica (produzindo varizes), o retroperitônio e o ligamento falciforme do fígado (envolvendo colaterais periumbilicais e da parede abdominal). Os colaterais da parede abdominal aparecem como veias subcutâneas dilatadas, que se estendem do umbigo até as margens das costelas (cabeça de medusa) e constituem uma característica clínica típica da hipertensão portal. Embora possa ocorrer o sangramento de hemorroidas, ele raramente é maciço e potencialmente fatal. Muito

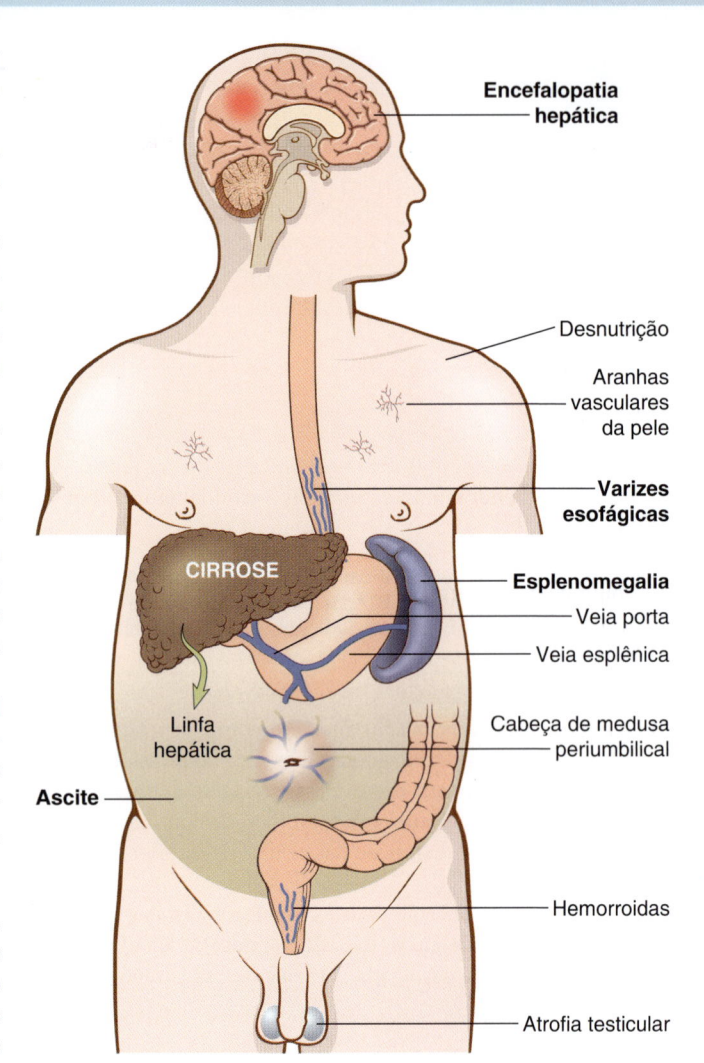

Figura 18.7 Principais consequências clínicas da hipertensão portal no contexto da cirrose, mostradas em homens. Nas mulheres, a oligomenorreia, a amenorreia e a esterilidade em consequência de hipogonadismo são frequentes. Os achados de importância clínica estão em negrito.

mais importantes são as varizes esofagogástricas, que aparecem em cerca de 40% dos indivíduos com cirrose hepática avançada e causam hematêmese maciça e morte em cerca da metade dos indivíduos afetados. Cada episódio de sangramento está associado à mortalidade de cerca de 30%.

Esplenomegalia

A hipertensão portal de longa duração pode causar esplenomegalia congestiva. O grau de aumento do baço varia amplamente, e o peso do órgão pode alcançar até 1.000 g (cinco a seis vezes o normal), porém não apresenta necessariamente uma correlação com outras características da hipertensão portal. A esplenomegalia pode induzir secundariamente anormalidades hematológicas atribuíveis ao "hiperesplenismo", particularmente trombocitopenia ou até mesmo pancitopenia, em grande parte devido ao sequestro de elementos sanguíneos na polpa vermelha expandida do baço.

Complicações pulmonares da insuficiência hepática e hipertensão portal. Essa discussão será concluída com duas síndromes pulmonares que ocorrem no contexto da insuficiência hepática crônica e hipertensão portal:

- A *síndrome hepatopulmonar* é observada em até cerca de 30% dos pacientes com cirrose hepática e hipertensão portal. A síndrome é causada pela dilatação de capilares e vasos pré-capilares intrapulmonares de até 500 μM de tamanho. A derivação do sangue da direita para a esquerda através dos vasos dilatados produz desigualdade da ventilação-perfusão e compromete a oxigenação do sangue, manifestando-se na forma de hipoxemia. A dispneia resultante é mais grave na posição ortostática, em comparação com a posição de decúbito, visto que a gravidade exacerba o desequilíbrio de ventilação-perfusão. Os pacientes com essa síndrome apresentam pior prognóstico do que aqueles sem ela. A patogênese ainda não está esclarecida, porém foi postulado que o fígado doente pode não eliminar fatores como a endotelina-1, que estimula as células endoteliais a produzir vasodilatadores, como o óxido nítrico
- A *hipertensão portopulmonar* refere-se à hipertensão arterial pulmonar que surge na doença hepática. Ela também não está bem compreendida, mas parece depender da hipertensão portal e da vasoconstrição pulmonar excessiva concomitantes e do remodelamento vascular. As manifestações clínicas mais comuns consistem em dispneia ao esforço e baqueteamento digital.

Insuficiência hepática crônica agudizada

Alguns indivíduos com doença hepática crônica avançada e estável, porém bem compensada, desenvolvem subitamente sinais de insuficiência hepática aguda. Nesses pacientes, geralmente há cirrose estabelecida, com extensa derivação vascular. Por conseguinte, grandes volumes de parênquima hepático funcional apresentam um suprimento vascular limítrofe, tornando-os altamente vulneráveis a agressões sobrepostas. A mortalidade a curto prazo dos pacientes com essa forma de insuficiência hepática é de cerca de 50%.

Os pacientes com infecção crônica pelo vírus da hepatite B superinfectados pelo vírus da hepatite D podem sofrer súbita descompensação, assim como aqueles com hepatite B controlada clinicamente, nos quais surgem mutantes virais que são resistentes à terapia; ambos os casos ocorrem devido a exacerbações agudas da doença. A colangite ascendente em um paciente com colangite esclerosante primária ou com doença hepática fibropolicística (descrita adiante) também pode causar rápida descompensação da função hepática. Em raros casos, pacientes com esteato-hepatite não alcoólica podem desenvolver grave disfunção hepática após uma rápida perda de peso ou desnutrição; o mecanismo de lesão nesses casos não é conhecido.

Outras causas de descompensação são agressões sistêmicas, em vez de intra-hepáticas. Por exemplo, a sepse e sua hipotensão associada podem comprometer o parênquima hepático com suprimento vascular limítrofe. De modo semelhante, a insuficiência cardíaca aguda, a superdosagem de medicamento ou uma lesão tóxica podem fazer um paciente cirrótico bem compensado desenvolver insuficiência. Por fim, existe a possibilidade de neoplasia maligna, seja uma neoplasia hepática primária, particularmente carcinoma hepatocelular ou colangiocarcinoma, seja metástases hepáticas a partir de algum outro local (p. ex., cólon), devendo esta ser sempre considerada como possível causa de insuficiência hepática aguda na doença hepática crônica previamente bem compensada.

> **Conceitos-chave**
> **Insuficiência hepática**
>
> - Pode ocorrer insuficiência hepática após uma lesão aguda ou crônica, embora também possa se dar como agressão aguda sobreposta a uma doença hepática crônica bem compensada nos demais aspectos
> - A regra mnemônica para as causas de insuficiência hepática aguda é a seguinte:
>   - A: paracetamol (acetaminofeno), hepatite A, hepatite autoimune
>   - B: hepatite B
>   - C: hepatite C, criptogênica
>   - D: fármacos (drogas)/toxinas, hepatite D
>   - E: hepatite E, causas mais exóticas (p. ex., doença de Wilson, síndrome de Budd-Chiari, linfoma, carcinoma)
>   - F: degeneração gordurosa (*fatty*) do tipo microvesicular (p. ex., esteatose hepática da gravidez, valproato, tetraciclina, síndrome de Reye)
> - Sequelas graves e às vezes fatais da insuficiência hepática incluem coagulopatia, encefalopatia, hipertensão portal, sangramento de varizes esofágicas, síndrome hepatorrenal e hipertensão portopulmonar.

Distúrbios infecciosos

Hepatites virais

O termo "hepatite viral" é mais comumente utilizado no contexto do comprometimento hepático por vírus hepatotrópicos, que incluem os vírus das hepatites A, B, C, D e E. Os vírus não hepatotrópicos, como o vírus Epstein-Barr, o citomegalovírus, o herpes-vírus simples, o adenovírus e o vírus da febre amarela, também podem causar hepatite, geralmente em associação com infecção sistêmica. Pode ocorrer comprometimento hepático em uma ampla variedade de outras infecções virais sistêmicas, porém ele é geralmente leve e, com frequência, subclínico.

Nas seções a seguir, serão discutidos os vírus hepatotrópicos individualmente e, em seguida, certas síndromes clínico-patológicas comuns a todos.

Vírus da hepatite A

A infecção pelo vírus da hepatite A (HAV) é uma doença autolimitada que não leva à hepatite crônica ou a um estado de portador. Ela é responsável por aproximadamente 25% dos casos de hepatite aguda clinicamente evidente em todo o mundo, e as estimativas nos EUA são de 2 mil novos casos de hepatite viral por ano.

Epidemiologia

O HAV é transmitido pela ingestão de água e alimentos contaminados e é endêmico em países com condições sanitárias e de higiene precárias. Nos países de alta renda, a prevalência da soropositividade (indicadora de exposição prévia) aumenta gradualmente com a idade, alcançando 50% aos 50 anos nos EUA. O HAV é eliminado nas fezes durante 2 a 3 semanas antes e 1 semana após o início da icterícia. O contato pessoal próximo com um indivíduo infectado ou a contaminação fecal-oral durante esse período respondem pela maioria dos casos e podem resultar em surtos em ambientes institucionais, como escolas e creches.

Além disso, podem ocorrer epidemias transmitidas pela água em locais com condições de aglomeração e sem saneamento. Nos países de alta renda, infecções esporádicas podem ser contraídas pelo consumo de moluscos crus ou cozidos no vapor (ostras, mexilhões, amêijoas), que concentram o vírus da água do mar contaminada por esgoto humano. Pode ocorrer transmissão sexual, mas não transmissão materno-fetal. Como a viremia do HAV é transitória, a transmissão hematogênica do HAV é rara, e o sangue doado não é submetido a rastreamento para esse vírus.

Patogênese

Descoberto em 1973, o HAV é um pequeno picornavírus não envelopado de RNA de fita positiva que ocupa o seu próprio gênero, *Hepatovirus*. Do ponto de vista ultraestrutural, o HAV é um capsídio icosaédrico de 27 nm de diâmetro. O receptor para o HAV nos hepatócitos é a HAVcr-1 (também conhecida como TIM-1), uma glicoproteína que é membro da família de proteínas que servem como receptores para vários outros vírus. O HAV não é citopático, e a lesão hepatocelular é provocada por linfócitos T citotóxicos e células NK que reconhecem e matam os hepatócitos infectados pelo vírus.

Características clínicas

O período de incubação do HAV é de 2 a 6 semanas. O anticorpo IgM contra o HAV aparece com o início dos sintomas e persiste por 3 a 6 meses (**Figura 18.8**). A IgG anti-HAV aparece durante a recuperação da infecção aguda e persiste por anos, conferindo imunidade permanente contra a reinfecção. Os indivíduos afetados apresentam sintomas inespecíficos, como fadiga e perda do apetite, e, com frequência, desenvolvem icterícia. A maioria dos pacientes recupera-se em 3 semanas, e ocorre resolução da doença em quase todos os pacientes dentro de 6 meses. Ocorre insuficiência hepática aguda em 0,1 a 0,3% dos pacientes, particularmente naqueles com doença hepática crônica devido a outra etiologia. Outras complicações incomuns incluem colestase prolongada e recidiva da doença nos primeiros 6 meses após o quadro inicial. As manifestações extra-hepáticas incluem exantema, artralgia e complicações mediadas por imunocomplexos, como vasculite leucocitoclástica, glomerulonefrite e crioglobulinemia. A vacina HAV é efetiva na prevenção da infecção.

Vírus da hepatite B

A infecção pelo vírus da hepatite B (HBV) apresenta resultados clínicos variados, que dependem da idade de exposição, da presença de comorbidades (incluindo exposição a outros agentes infecciosos) e da imunidade do hospedeiro. **As principais apresentações clínicas incluem: (1) hepatite aguda seguida de recuperação e eliminação do vírus; (2) insuficiência hepática aguda com necrose hepática maciça; (3) hepatite crônica com ou sem progressão para a cirrose; e (4) estado de portador assintomático "saudável" (Figura 18.9).**

Epidemiologia

A infecção crônica pelo HBV afeta 400 milhões de pessoas em todo o mundo, com maior prevalência (> 8%) na África, na Ásia e no Pacífico Ocidental. A prevalência também é relativamente alta (2 a 7%) no sul e no leste da Europa e mais baixa (< 2%) na Europa Ocidental, na América do Norte e na Austrália. De acordo com as estimativas, há 60 mil novos casos de infecção pelo HBV nos EUA a cada ano, e quase 2 milhões de pessoas têm infecção

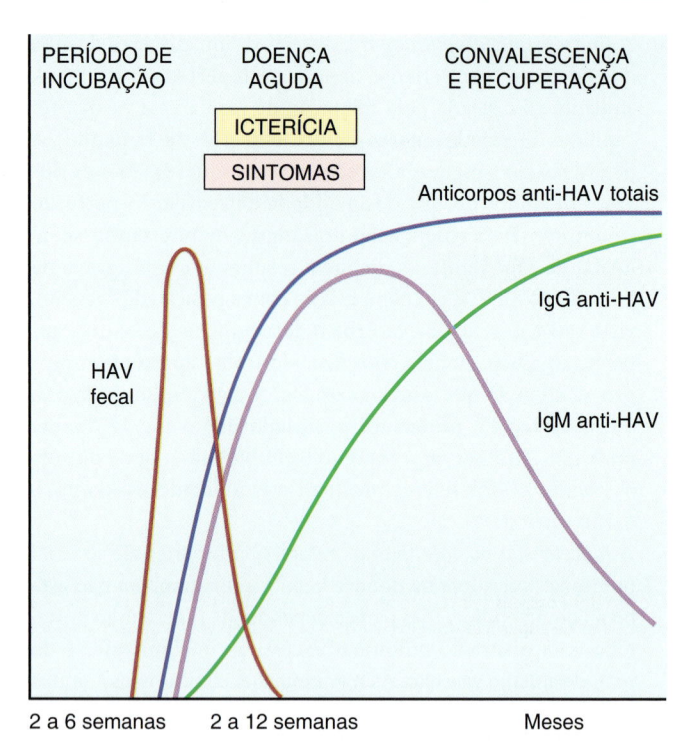

Figura 18.8 Alterações temporais dos marcadores sorológicos na infecção aguda pelo vírus da hepatite A (*HAV*). *IgM*, imunoglobulina M.

crônica pelo HBV. O vírus tem um modo de transmissão parenteral por meio de sexo não protegido, transfusão de sangue e compartilhamento de agulhas e seringas para uso de substâncias intravenosas. A transmissão por transfusões foi acentuadamente reduzida pela triagem do sangue doado para HBsAg e exclusão de doadores de sangue remunerados. Em regiões de alta prevalência, a transmissão durante o parto é responsável por 90% dos casos. Além disso, pode ocorrer transmissão horizontal em crianças por meio de pequenas lacerações da pele ou das membranas mucosas ou com contato corporal próximo.

Patogênese

O HBV foi associado pela primeira vez à hepatite na década de 1960, quando foi identificado o antígeno Austrália (agora conhecido como antígeno de superfície da hepatite B). O vírus é um membro da Hepadnaviridae, uma família de vírus de DNA que causam hepatite em diversas espécies animais. O vírion maduro tem um envelope superficial externo composto de proteínas virais e lipídios derivados do hospedeiro, o qual circunda um cerne constituído de proteínas de nucleocapsídio, polimerase viral e DNA viral. O genoma do HBV consiste em uma molécula de DNA parcialmente circular de fita dupla, com vários quadros de leitura abertos que codificam as seguintes proteínas:

- O *antígeno de superfície da hepatite B* (*HBsAg*), que se refere a três glicoproteínas relacionadas do envelope viral, os HBsAg grande, médio e pequeno. O HBsAg grande está geralmente associado aos vírions completos, ao passo que as proteínas do envelope virais não infecciosas (principalmente o HBsAg pequeno) são liberadas em grandes quantidades por hepatócitos infectados livres de elementos do cerne virais
- *Antígeno do cerne da hepatite B* (*HBcAg*), a proteína do nucleocapsídio, que desempenha um papel na montagem dos vírions

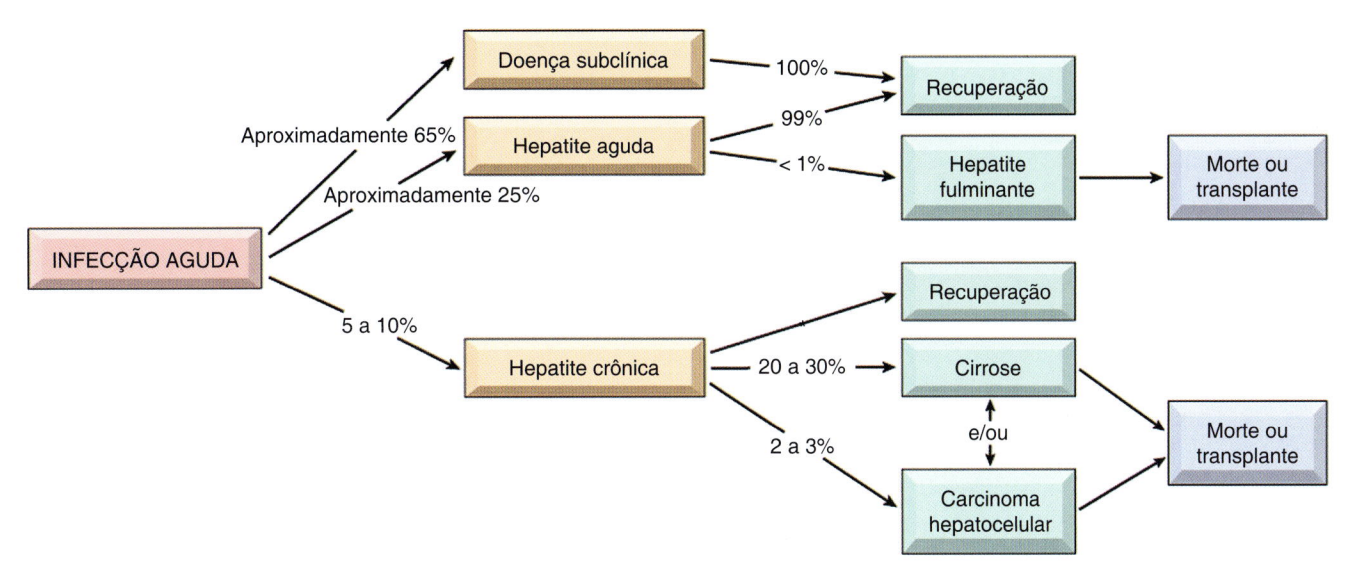

Figura 18.9 Possíveis resultados da infecção pelo vírus da hepatite B em adultos e suas frequências aproximadas nos EUA. *Ocorre eliminação espontânea do antígeno de superfície do vírus da hepatite B durante a infecção crônica pelo HBV, com incidência anual estimada de 1 a 2% nos países ocidentais.

completos; e um transcrito polipeptídico mais longo, com uma região pré-cerne e do cerne, denominada *antígeno E da hepatite B* (*HBeAg*)
- A *HBV polimerase* (*Pol*), que exibe atividade tanto de DNA polimerase quanto de transcriptase reversa
- A *proteína X da hepatite B* (*HBx*), que não é necessária para a replicação do vírus, mas pode atuar como transativador da transcrição dos genes virais e de um subgrupo de genes do hospedeiro. Ela foi implicada na patogênese do carcinoma hepatocelular relacionado com HBV.

A entrada do HBV nos hepatócitos ocorre por meio da ligação do HbsAg grande ao transportador de sais biliares, conhecido como polipeptídeo cotransportador de sódio-taurocolato (NTCP). O genoma viral entra no núcleo, onde a fita positiva é sintetizada para formar o DNA circular covalentemente fechado (ccc DNA). A replicação do HBV ocorre por meio de transcrição reversa através de um RNA intermediário.

A resposta imune do hospedeiro ao vírus constitui o principal determinante do resultado da infecção. A replicação viral de alto nível e a elevada produção de proteínas virais podem provocar alterações citopáticas nas células infectadas; entretanto, a maior parte da lesão dos hepatócitos é causada por um ataque das células infectadas por células T citotóxicas CD8+. Uma forte resposta por células CD4+ e CD8+ produtoras de interferona (IFN)-γ específicos do vírus está associada à resolução da infecção aguda.

Características clínicas

O HBV tem um período de incubação prolongado (4 a 26 semanas). A evolução da infecção é acompanhada pela medição de antígenos virais e por respostas sorológicas no sangue, conforme ilustrado na **Figura 18.10**. Algumas características relevantes desses marcadores merecem ser citadas:

- O *HBsAg* aparece antes do início dos sintomas e alcança um pico na doença sintomática aguda. Em pacientes com resolução da infecção, o HBsAg com frequência declina para níveis indetectáveis em 12 semanas, porém pode persistir por até 24 semanas. Em contrapartida, o HBsAg persiste nos casos que progridem para a cronicidade
- O *anticorpo anti-HBs* começa a surgir após a resolução da doença aguda, geralmente após o desaparecimento do HBsAg (ver **Figura 18.10A**). Em alguns casos, o aparecimento do anticorpo anti-HBs é retardado até várias semanas a meses após o desaparecimento do HBsAg; nesses casos, pode-se estabelecer um diagnóstico sorológico pela detecção do anticorpo IgM anti-HBc. Os anticorpos anti-HBs tendem a persistir durante toda a vida, conferindo proteção ao organismo, base essa das estratégias atuais de vacinação que utilizam o HBsAg não infeccioso. Em contrapartida, os anticorpos anti-HBs não são produzidos nos casos que progridem para a doença hepática crônica, que também está associada a elevações persistentes e variáveis dos níveis séricos de transaminases na maioria dos casos (mas não em todos) (ver **Figura 18.10B**)
- O *HBeAg, o DNA do HBV e a DNA polimerase do HBV* são detectáveis no soro logo após o HBsAg e indicam uma replicação viral ativa. A persistência do HBeAg é um importante indicador de replicação viral contínua, infectividade e provável progressão para a hepatite crônica. Uma ressalva é o possível surgimento de cepas mutadas de HBV que não produzem HBeAg, mas que apresentam replicação competente e expressam HBcAg. Nesses pacientes, o HBeAg pode estar baixo ou indetectável, apesar da presença do DNA do HBV no soro
- A presença do *anticorpo anti-HBe* indica que a infecção aguda alcançou o seu pico e está declinando, ao passo que, nos casos que progridem para a infecção crônica, o anticorpo anti-HBe não é produzido ou só aparece tardiamente no curso da doença.

A infecção aguda pelo HBV é leve ou subclínica em quase dois terços dos adultos, ao passo que outros apresentam sintomas constitucionais inespecíficos, como anorexia, febre, icterícia e dor no quadrante superior direito do abdome. Podem ocorrer fenômenos mediados por imunocomplexos, como glomerulonefrite, bem como outros distúrbios imunológicos, como *poliarterite nodosa* (ver **Capítulo 11**). A insuficiência hepática aguda é rara e ocorre

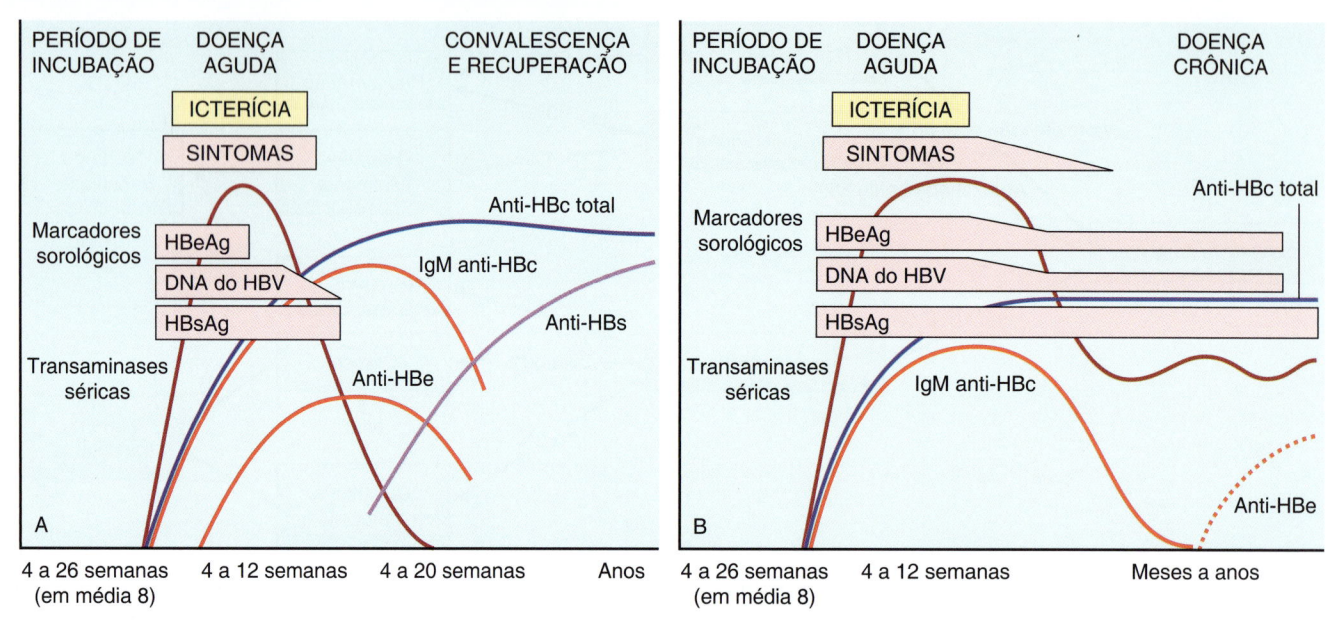

Figura 18.10 Alterações temporais dos marcadores sorológicos na infecção pelo vírus da hepatite B. **A.** Infecção aguda com resolução. **B.** Progressão para a infecção crônica. Em alguns casos de hepatite B crônica, os níveis séricos de transaminases podem tornar-se normais.

em aproximadamente 0,1 a 0,5% dos indivíduos com infecção aguda. Na maioria dos casos, a infecção é autolimitada, e ocorre resolução sem tratamento. Em 5 a 10% dos indivíduos infectados, a infecção persiste e torna-se crônica. O risco de infecção crônica está inversamente relacionado com a idade e é maior (aproximadamente 90%) em lactentes expostos ao vírus por meio da transmissão de suas mães no momento do parto. Os indivíduos que adquirem o HBV ao nascimento e que subsequentemente desenvolvem hepatite crônica também correm risco máximo de desenvolver carcinoma hepatocelular (**Figura 18.9**), que constitui um dos cânceres mais comuns e fatais em partes do mundo, como a China, onde a transmissão perinatal ocorre com frequência.

A vacinação é altamente efetiva, visto que induz uma resposta protetora dos anticorpos anti-HBs em 95% dos lactentes, crianças e adolescentes. Embora tenham sido descritos mutantes induzidos pela vacina, que se replicam na presença de imunidade induzida pela vacina, a sua prevalência não parece estar aumentando. Em indivíduos com HBV crônico, o tratamento com interferona e agentes antivirais, como inibidores da transcriptase reversa (entecavir, tenofovir), pode diminuir a velocidade de progressão da doença, reduzir os danos hepáticos e diminuir o risco de cirrose e de carcinoma hepatocelular, porém a cura completa é difícil.

Vírus da hepatite C

O vírus da hepatite C (HCV) raramente causa hepatite aguda sintomática, porém constitui a causa mais comum de hepatite viral crônica.

Epidemiologia

O HCV afeta aproximadamente 170 milhões de pessoas em todo o mundo; nos EUA, há 2,7 milhões de casos de HCV crônicos. A triagem do sangue de doadores diminuiu a incidência anual da infecção de 230 mil novas infecções por ano, em meados da década de 1980, para 17 mil novas infecções por ano atualmente. O modo de transmissão é parenteral; os fatores de risco mais comuns consistem em uso de substâncias intravenosas, múltiplos parceiros sexuais, lesão por picada de agulha e múltiplos contatos com um indivíduo infectado pelo HCV. A transmissão relacionada com a transfusão praticamente desapareceu nos EUA. Pode ocorrer transmissão perinatal em crianças. Um terço dos indivíduos infectados não apresenta fator de risco identificável, o que constitui um mistério hepatológico permanente.

Patogênese

O HCV, descoberto em 1989, é um membro da família Flaviviridae. O HCV é um pequeno vírus de RNA de fita simples e envelopado, com um quadro de leitura aberto que codifica uma única poliproteína, que é subsequentemente processada em várias proteínas funcionais, incluindo duas proteínas do envelope, E1 e E2, e cinco proteínas do cerne: p7, NS2, NS3/4a (protease), NS5A (complexo de replicação) e NS5B (RNA polimerase). O papel dessas proteínas no ciclo de vida do HCV está resumido na **Figura 18.11**.

A incapacidade da resposta imune do hospedeiro de eliminar o HCV está relacionada com o rápido surgimento de variantes genéticas, tanto na população quanto nos indivíduos infectados. A RNA polimerase do HCV apresenta baixa fidelidade, dando origem a variantes que são classificadas em sete genótipos e muitos subtipos. Com a progressão da doença, múltiplas variantes genéticas "pessoais", conhecidas como *quasispécies*, surgem em indivíduos infectados. Os anticorpos anti-HCV dirigidos contra a proteína do envelope E2 são comuns e têm atividade neutralizante, porém as variantes emergentes com epítopos E2 alterados escapam dessa defesa do hospedeiro. A protease NS3/NS4A também afeta a resposta antiviral celular mediada por interferona, bloqueando outros meios potenciais de defesa do hospedeiro.

Características clínicas

O período de incubação da hepatite por HCV varia de 4 a 26 semanas, com média de 9 semanas. O RNA do HCV é detectável no sangue durante 1 a 3 semanas na infecção aguda e coincide com o aumento das transaminases. Os anticorpos anti-HCV surgem 3 a 6 semanas após a infecção. A eliminação espontânea do vírus após 4 a 6 meses é rara, de modo que a detecção persistente do RNA do HCV depois desse período fornece um indicador de infecção crônica pelo HCV (**Figura 18.12**). O teste para anticorpos anti-HCV é utilizado como exame de rastreamento para o HCV,

porém pode ser negativo no início da infecção e em indivíduos imunossuprimidos. Após tratamento o bem-sucedido, ou em casos de eliminação espontânea do vírus, os anticorpos anti-HCV podem ser detectados na ausência de RNA do HCV, mas podem desaparecer com o tempo.

A infecção aguda pelo HCV é assintomática em aproximadamente 85% dos indivíduos, e a hepatite aguda grave é rara. Embora algumas pessoas privilegiadas eliminem a infecção aguda (por motivos não esclarecidos), a infecção persistente e a hepatite crônica constituem o resultado habitual. Diferentemente do HBV, ocorre doença crônica em 80 a 90% dos indivíduos infectados pelo HCV, e cerca de 20% deles progridem para a cirrose em 20 a 30 anos. Normalmente, são observadas elevações flutuantes das aminotransferases séricas durante a fase crônica da doença. Até mesmo os pacientes com níveis normais de transaminases correm risco de desenvolver danos hepáticos permanentes, e, portanto, todos aqueles que apresentam níveis séricos detectáveis de RNA do HCV necessitam de tratamento e acompanhamento a longo prazo. A idade avançada, o sexo masculino, o uso de álcool, os agentes imunossupressores, a coinfecção pelo vírus da hepatite B/HIV e doenças associadas à resistência à insulina, incluindo obesidade, diabetes melito tipo 2 e síndrome metabólica, têm sido associados à progressão. Os pacientes que desenvolvem cirrose correm risco de apresentar carcinoma hepatocelular. Embora o risco global seja pequeno, nos EUA, o HCV é responsável por cerca de um terço dos casos de câncer de fígado.

Felizmente, o tratamento da hepatite C foi revolucionado nos últimos anos com a disponibilidade de agentes antivirais altamente efetivos. Esse notável avanço tornou-se possível com a compreensão do papel das proteínas virais no ciclo de vida do vírus, o que, por sua vez, possibilitou o desenvolvimento de fármacos antagonistas específicos (ver **Figura 18.11**). À semelhança da infecção pelo HIV, esses medicamentos são utilizados em associação para superar a resistência e incluem agentes que têm como alvo a protease NS3/4a, o complexo de replicação NS5A e a polimerase NS5B. Diferentemente do HIV, o HCV não se integra no genoma, no qual pode permanecer latente, de modo que verdadeiras curas são frequentemente obtidas. A resposta terapêutica sustentada é definida como um nível de RNA do HCV indetectável após 12 a 24 semanas de terapia medicamentosa; de modo geral, essas respostas sustentadas são obtidas em 80 a 90% dos casos, com taxas de respostas mais baixas em pacientes infectados pelo genótipo 3 do HCV. A infecção pelo HCV parece estar curada em > 99% dos pacientes que apresentam uma resposta antiviral sustentada. A principal desvantagem desses avanços é o seu custo muito elevado; um ciclo curativo de terapia medicamentosa custa mais de US$ 100.000, e, só nos EUA, estima-se que o tratamento das infecções por HCV possa gerar despesas superiores a US$ 50 bilhões nos próximos 5 anos.

Vírus da hepatite D

O vírus da hepatite D (HDV) ou "agente delta" é um vírus de RNA característico, que depende do HBV para o seu ciclo de vida.

Epidemiologia

Estima-se que 5% dos indivíduos infectados pelo HBV sejam coinfectados pelo HDV, o que equivale a aproximadamente 15 milhões de pessoas em todo o mundo. A maior prevalência é observada na bacia Amazônica, na África Central, no Oriente Médio e na bacia do Mediterrâneo. O HDV é incomum no Sudeste Asiático

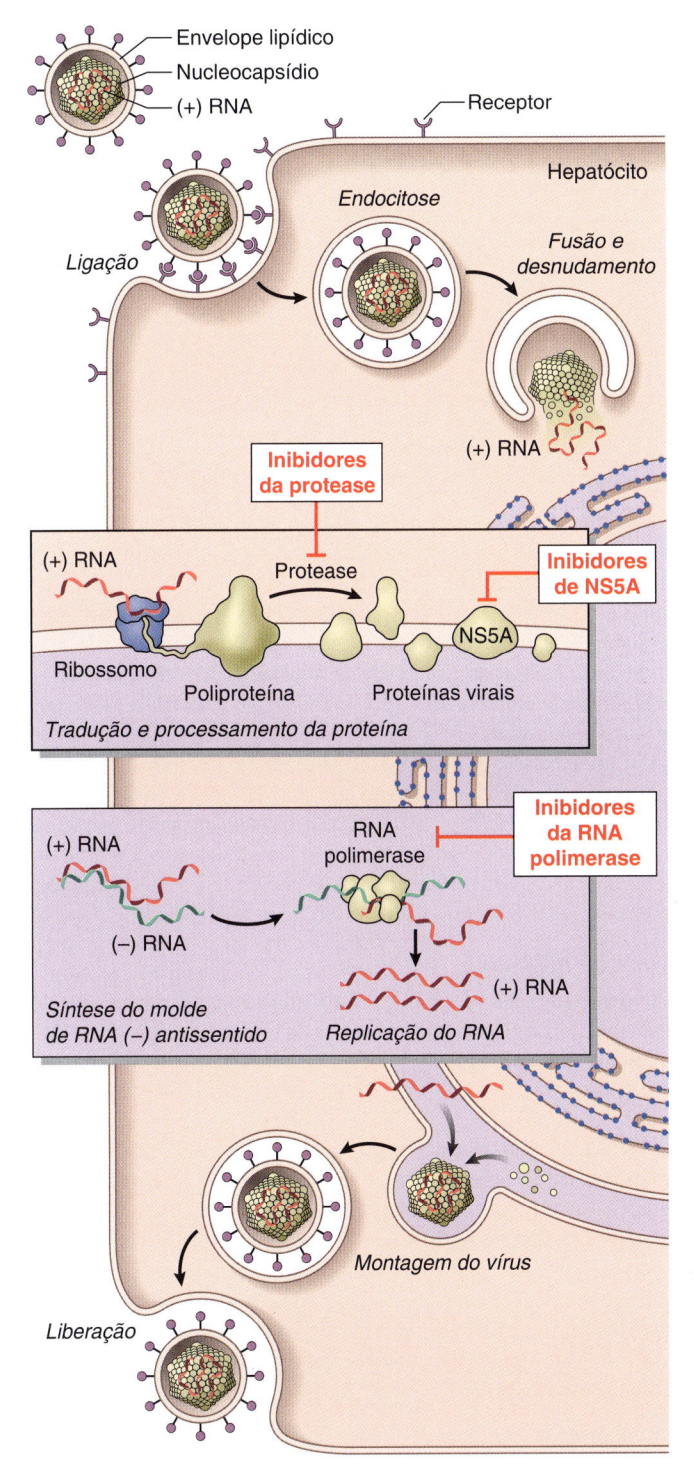

Figura 18.11 Ciclo de vida da hepatite C. A entrada, a replicação, a montagem e o brotamento do vírus são mostrados, com ênfase nas etapas que podem constituir alvos efetivos para fármacos antivirais.

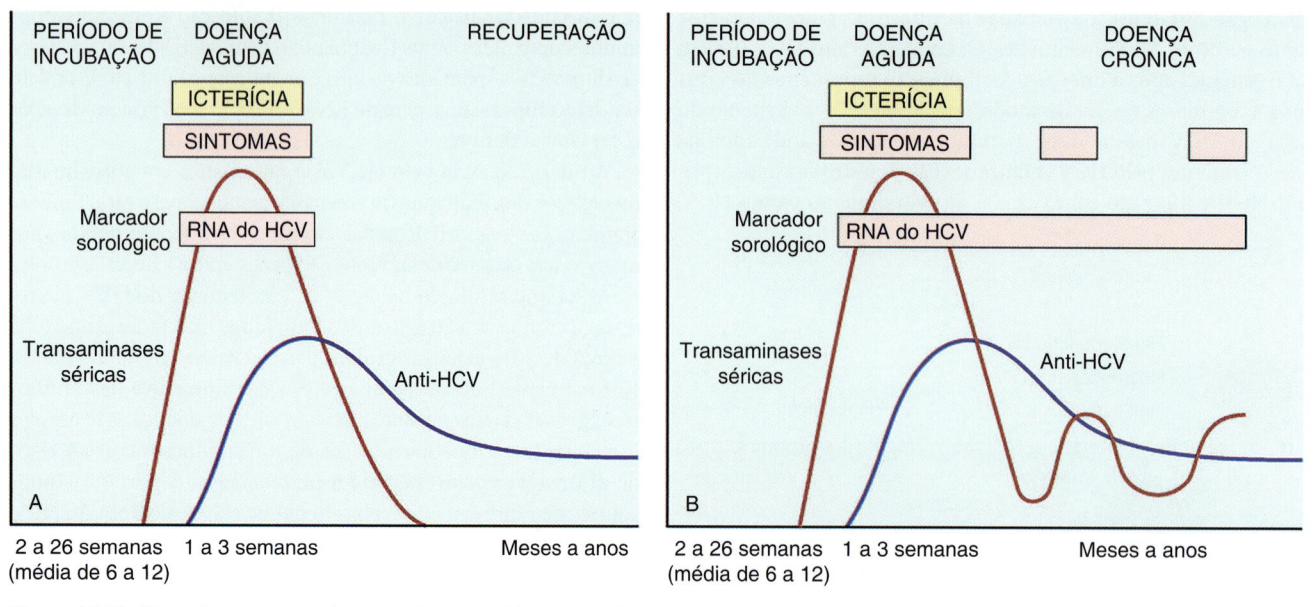

Figura 18.12 Alterações temporais dos marcadores sorológicos na infecção pelo vírus da hepatite C. **A.** Infecção aguda com resolução. **B.** Progressão para a infecção crônica.

e na China. A transmissão da doença ocorre por via parenteral, com frequência em associação ao uso de substâncias intravenosas e a múltiplas transfusões de sangue.

Patogênese

O HDV, descoberto em 1977, é uma partícula de dupla camada, de 35 nm. O antígeno de revestimento externo do HDV envolve uma montagem polipeptídica interna, denominada antígeno delta (HDAg), que é a única proteína produzida pelo vírus. Associada à partícula viral, existe uma pequena molécula circular de RNA de fita simples, cujo comprimento é o mais curto de qualquer vírus animal conhecido. A replicação do vírus ocorre por meio de síntese de RNA dirigida por RNA pela RNA polimerase do hospedeiro. A base dos surtos de doença associados à superinfecção pelo HDV não está bem elucidada; foram sugeridos efeitos citopáticos e aumento das respostas citotóxicas do hospedeiro.

Características clínicas

A infecção pelo HDV surge em dois contextos, cada um deles com um curso clínico ligeiramente diferente:

- Ocorre *coinfecção* após a exposição a soro contendo tanto HDV quanto HBV. A coinfecção pode resultar em hepatite aguda, que é indistinguível da hepatite B aguda. Ela é autolimitada e geralmente é seguida de eliminação de ambos os vírus. Entretanto, existe uma maior taxa de insuficiência hepática aguda em usuários de substâncias intravenosas
- Ocorre *superinfecção* quando um portador crônico de HBV é exposto a um novo inóculo de HDV. Isso resulta em doença dentro de 30 a 50 dias, que se manifesta como hepatite aguda grave em um portador de HBV assintomático ou como exacerbação de infecção crônica preexistente pelo vírus da hepatite B. A infecção crônica pelo HDV ocorre em mais de 80% das superinfecções e pode apresentar duas fases: uma fase aguda, com replicação ativa do HDV e supressão do HBV associada a níveis elevados de transaminases; e uma fase crônica, em que a replicação do HDV diminui, a replicação do HBV aumenta e os níveis de transaminases flutuam.

O RNA do HDV é detectável no sangue e no fígado imediatamente antes da doença sintomática aguda, bem como nos primeiros dias após o seu aparecimento. O anticorpo IgM anti-HDV é o indicador mais confiável de exposição recente ao HDV, porém o seu aparecimento é tardio e, com frequência, de curta duração. Na hepatite delta crônica que surge a partir de uma superinfecção pelo HDV, o HBsAg está presente no soro, e os anticorpos anti-HDV persistem por meses ou mais.

A coinfecção por HDV e HBV aumenta o risco de progressão para cirrose e CHC. A infecção crônica pelo HDV é tratada com interferona-γ, porém a eliminação do vírus só ocorre em uma minoria de casos. Novos agentes que têm como alvo a entrada e a replicação do vírus estão em fase de ensaios clínicos. A vacinação contra o HBV também evita a infecção pelo HDV.

Vírus da hepatite E

O vírus da hepatite E (HEV) é uma infecção transmitida entericamente pela água, cuja ocorrência se dá principalmente em jovens e adultos de meia-idade.

Epidemiologia

O HEV é uma doença zoonótica com reservatórios animais, como macacos, gatos, porcos e cães. Foram relatadas epidemias na Ásia e no subcontinente indiano, na África Subsaariana, no Oriente Médio, na China e no México. A infecção pelo HEV representa mais de 30% dos casos de hepatite aguda esporádica na Índia, ultrapassando a frequência do HAV. Casos esporádicos podem ocorrer em pessoas que viajam para essas regiões e são observados em países de alta renda, em associação à criação de suínos ou ao consumo de vísceras.

Patogênese

Descoberto em 1983, o HEV é um vírus de RNA de fita positiva e não envelopado, do gênero *Hepevirus*. O genoma de RNA tem 7,3 kb de comprimento e contém quatro quadros de leitura abertos, que codificam múltiplas proteínas, incluindo uma protease viral e a RNA polimerase viral. O HEV não é citopático, e acredita-se que o danos hepáticos sejam decorrentes da resposta do hospedeiro às células infectadas pelo vírus.

Características clínicas

Os vírions são eliminados nas fezes durante a doença aguda, e a infecção normalmente ocorre por via fecal-oral. O período de incubação médio após a exposição é de 4 a 5 semanas, seguido de hepatite aguda autolimitada na maioria dos casos, com resolução em 2 a 4 semanas. Antes do início da doença clínica, o RNA do HEV e os vírions podem ser detectados por meio de PCR nas fezes e no soro. O aparecimento dos sintomas clínicos, a elevação das aminotransferases séricas e a ocorrência de IgM anti-HEV são praticamente simultâneos. A IgM é substituída por anticorpos IgG anti-HEV persistentes durante a recuperação.

Em pacientes imunocompetentes, não há doença hepática crônica nem viremia persistente. No entanto, a infecção aguda pelo HEV está associada a uma taxa de mortalidade que se aproxima de 20% entre mulheres grávidas. Pode ocorrer infecção crônica pelo HEV em situação de imunossupressão, como em pacientes com AIDS e em receptores de transplante.

Síndromes clínico-patológicas de hepatite viral

A hepatite viral pode seguir vários cursos clínicos: (1) infecção assintomática aguda com recuperação; (2) hepatite sintomática aguda, anictérica ou ictérica, com recuperação; (3) insuficiência hepática aguda com necrose hepática maciça ou submaciça; e (4) hepatite crônica com ou sem progressão para a cirrose. A **Tabela 18.3** fornece um resumo das principais características da infecção por diversos vírus da hepatite. As infecções agudas por todos os vírus hepatotrópicos podem ser assintomáticas ou sintomáticas. O HAV e o HEV (em hospedeiros imunocompetentes) não causam hepatite crônica, e apenas um pequeno número de pacientes adultos infectados pelo HBV desenvolve hepatite crônica. Em contrapartida, o HCV é notório pela progressão para a infecção crônica. A insuficiência hepática aguda é incomum e é observada principalmente na infecção por HAV, HBV ou HDV, dependendo da região. O HEV pode causar insuficiência hepática aguda em mulheres grávidas. Embora o HBV e o HCV sejam responsáveis pela maioria dos casos de hepatite crônica, muitos outros distúrbios apresentam características clínicas e patológicas semelhantes, em particular a hepatite autoimune e a hepatite induzida por medicamentos/toxinas, que são descritas mais adiante. Por conseguinte, os exames sorológicos e moleculares são essenciais para o diagnóstico de hepatite viral e para diferenciar os vários tipos de hepatite.

As características relevantes das principais síndromes clínico-patológicas associadas às infecções por vírus hepatotrópicos incluem as seguintes:

- *Infecção assintomática aguda com recuperação.* Nesse caso, a infecção é identificada devido à elevação mínima das transaminases séricas ou, após a recuperação, à presença de anticorpos antivirais. As infecções por HAV e HBV podem ser eventos subclínicos, verificados apenas pela presença de anticorpos anti-HAV ou anti-HBV
- *Infecção sintomática aguda com recuperação.* A doença sintomática pode ser dividida em quatro fases: (1) período de incubação; (2) fase pré-ictérica sintomática; (3) fase ictérica sintomática; e (4) convalescença. O período de incubação para os diferentes vírus é fornecido na **Tabela 18.3**. O pico de infectividade ocorre durante os últimos dias assintomáticos do período de incubação e os primeiros dias dos sintomas agudos
- *Insuficiência hepática aguda.* A hepatite viral é responsável por cerca de 10% dos casos de insuficiência hepática aguda. As hepatites A e E constituem as causas mais comuns em todo o mundo, ao passo que o HBV é mais comum na Ásia e no Mediterrâneo. O tratamento consiste em fornecer cuidados de suporte e possibilitar a replicação dos hepatócitos residuais, levando à restituição do fígado. O transplante de fígado representa a única opção se não houver resolução da doença antes do desenvolvimento de infecção secundária e falência de outros órgãos

Tabela 18.3 Vírus da hepatite.

Vírus	Hepatite A	Hepatite B	Hepatite C	Hepatite D	Hepatite E
Tipo de vírus	RNAfs	Parcialmente DNAfd	RNAfs	RNAfs circular defeituoso	RNAfs
Via de transmissão	Fecal-oral (água ou alimentos contaminados)	Parenteral, contato sexual, perinatal	Parenteral; uso de cocaína intranasal	Parenteral	Fecal-oral
Período médio de incubação	2 a 6 semanas	2 a 26 semanas	4 a 26 semanas	Igual ao HBV	4 a 5 semanas
Frequência de doença hepática crônica	Nunca	5 a 10%	> 80%	10% (coinfecção); 90 a 100% para a superinfecção	Apenas em hospedeiros imunocomprometidos
Diagnóstico	Anticorpos IgM séricos	Anticorpos anti-HBs ou anti-HBc; PCR para DNA do HBV	ELISA para anticorpos anti-HCV; PCR para RNA do HCV	Anticorpos IgM ou IgG séricos; PCR para RNA do HDV	Anticorpos IgM e IgG séricos; PCR para RNA do HEV

DNAfd, DNA de fita dupla; *ELISA*, ensaio imunoabsorvente ligado à enzima; *HBcAg*, antígeno do cerne da hepatite B; *HBsAg*, antígeno de superfície da hepatite B; *HBV*, vírus da hepatite B; *HCV*, vírus da hepatite C; *HDAg*, antígeno da hepatite D; *HDV*, vírus da hepatite D; *HEV*, vírus da hepatite E; *IgG*, imunoglobulina G; *IgM*, imunoglobulina M; *IV*, via intravenosa; *PCR*, reação em cadeia da polimerase; *RNAfs*, RNA de fita simples.
De Washington K: Inflammatory and infectious diseases of the liver. In Iacobuzio-Donahue CA, Montgomery EA, editors: *Gastrintestinal and Liver Pathology*, Philadelphia, 2005, Churchill Livingstone.

- *Hepatite crônica.* **A hepatite crônica é definida como evidências sintomáticas, bioquímicas e sorológicas de doença hepática continuada ou recidivante por mais de 6 meses.** Em alguns pacientes, a elevação persistente das transaminases séricas pode constituir a única evidência clínica de cronicidade. Podem ocorrer prolongamento do tempo de protrombina, hiperglobulinemia, hiperbilirrubinemia e elevações discretas do nível de fosfatase alcalina. Em indivíduos sintomáticos, a fadiga constitui o achado mais comum; os sintomas menos comuns incluem mal-estar, perda de apetite e episódios ocasionais de icterícia leve. A doença por imunocomplexos pode se desenvolver, devido a complexos de antígeno-anticorpo circulantes na infecção crônica por HBV e HCV, e pode se manifestar como vasculite, glomerulonefrite e crioglobulinemia
- *Estado de portador.* Um "portador" é um indivíduo que abriga e pode transmitir um microrganismo, mas não apresenta sintomas. No caso dos vírus hepatotrópicos, o estado de portador tem sido utilizado para descrever dois cenários separados: (1) indivíduos que abrigam o vírus, mas não apresentam doença hepática; e (2) indivíduos que abrigam o vírus e apresentam danos hepáticos não progressivos e assintomáticos. Em ambos os casos, particularmente no segundo, os indivíduos afetados são reservatórios da infecção. Na infecção pelo HBV, o termo "portador saudável" tem sido utilizado para se referir a indivíduos com HBsAg e anti-HBe, porém sem HBeAg. Esses pacientes apresentam níveis normais de aminotransferases, níveis séricos baixos ou indetectáveis de DNA do HBV e ausência de inflamação significativa ou lesão hepática na biopsia (ver **Figura 18.11**). No caso do HCV, um estado equivalente ao "portador saudável" de HBV não é reconhecido.

O HIV é um importante fator de comorbidade nas infecções por vírus hepatotrópicos. A coinfecção pelo HIV e por vírus da hepatite é comum nos EUA, visto que entre 10 e 25% dos indivíduos infectados pelo HIV também são infectados por HBV e HCV, respectivamente. As infecções crônicas por HBV e HCV constituem as principais causas de morbidade e mortalidade em indivíduos infectados pelo HIV, embora a gravidade e a progressão em pacientes imunocompetentes infectados pelo HIV sejam semelhantes àquelas de indivíduos HIV negativos. A infecção pelo HIV não tratada exacerba de modo significativo a gravidade da doença hepática causada por HBV ou HCV.

> ### Morfologia
>
> As características morfológicas gerais da hepatite viral são apresentadas de modo esquemático na **Figura 18.13**. As alterações morfológicas nas hepatites virais aguda e crônica devido a vírus hepatotrópicos são, em grande parte, semelhantes e sobrepostas àquelas associadas a hepatite autoimune, reações adversas a medicamentos e doença de Wilson.
>
> Na hepatite viral aguda, o tamanho do fígado pode ser normal, aumentado (devido à inflamação) ou diminuído (retraído) nos casos associados à insuficiência hepática aguda e à necrose hepática maciça (ver **Figura 18.4**). No exame microscópico, há um infiltrado inflamatório portal e lobular, constituído predominantemente de linfócitos e uma mistura variável de plasmócitos e eosinófilos. A lesão dos hepatócitos pode resultar em necrose ou apoptose (ver **Figuras 18.2** e **18.3**), geralmente bem com macrófagos pigmentados, que removem os restos celulares mortos. Nos casos graves, pode-se observar a necrose de grupos de hepatócitos (i. e., necrose confluente), que pode progredir para a necrose do lóbulo inteiro (i. e., necrose panlobular ou panacinar) ou conectar estruturas vasculares (i. e., necrose em ponte). Além disso, pode haver o desenvolvimento de insuficiência hepática com necrose hepática maciça.
>
> **A característica histológica definidora da hepatite viral crônica é a inflamação linfocitária ou linfoplasmocitária portal com fibrose.** Com frequência, as células inflamatórias cruzam a placa limitante e levam à lesão dos hepatócitos periportais (**atividade de interface**). Isso pode ser acompanhado de grau variável de inflamação lobular. Há formação de fibrose com o aumento dos danos hepáticos, que se manifesta inicialmente como fibrose portal e periporta. Ocorre desenvolvimento de septos fibrosos, que levam à fibrose em ponte portoportal e, por fim, à cirrose.
>
> Algumas características morfológicas estão presentes em determinados subtipos de hepatite viral crônica. Na hepatite B crônica, o retículo endoplasmático dos hepatócitos está intumescido e preenchido por HBsAg, levando a uma **aparência de "vidro fosco"**. A imuno-histoquímica para os antígenos de superfície e do cerne da hepatite B pode confirmar a infecção por HBV (**Figura 18.14**). Em geral, a hepatite C crônica exibe agregados linfoides proeminentes ou folículos linfoides totalmente formados nos tratos portais (**Figura 18.15**). A esteatose é comum na hepatite C crônica e pode ser significativa nos casos de infecção pelo genótipo 3. Pode-se observar a presença de lesão dos ductos biliares na hepatite C, simulando uma doença biliar, porém isso normalmente é um achado focal.
>
> Com frequência, a biopsia de fígado é realizada para confirmar o diagnóstico de hepatite crônica e para avaliar a atividade inflamatória (grau) e a fibrose (estágio). O estágio da doença é utilizado em associação a outros parâmetros clínicos para determinar a abordagem terapêutica.

> ### Conceitos-chave
> #### Hepatite viral
>
> - A hepatite A é transmitida por via fecal-oral, provoca hepatite aguda e não leva à doença hepática crônica
> - A hepatite B é transmitida por via parenteral, e a maioria das infecções é subclínica; entretanto, ela pode causar hepatite aguda, hepatite crônica e cirrose
> - A hepatite C está mais frequentemente associada à progressão para a doença hepática crônica (80% ou mais dos casos), ao passo que as infecções agudas são quase sempre subclínicas
> - A hepatite D é um vírus defeituoso, que exige a coinfecção com o vírus da hepatite B para a sua replicação e infecção
> - A hepatite E é endêmica em regiões equatoriais e, com frequência, epidêmica; provoca doença aguda, que pode ser grave durante a gravidez e pode levar à hepatite crônica em indivíduos imunocomprometidos
> - As células inflamatórias na hepatite viral, tanto aguda quanto crônica, são principalmente células T; os achados morfológicos sobrepõem-se com outros distúrbios hepáticos, como hepatite autoimune, lesão hepática induzida por medicamentos e doença de Wilson

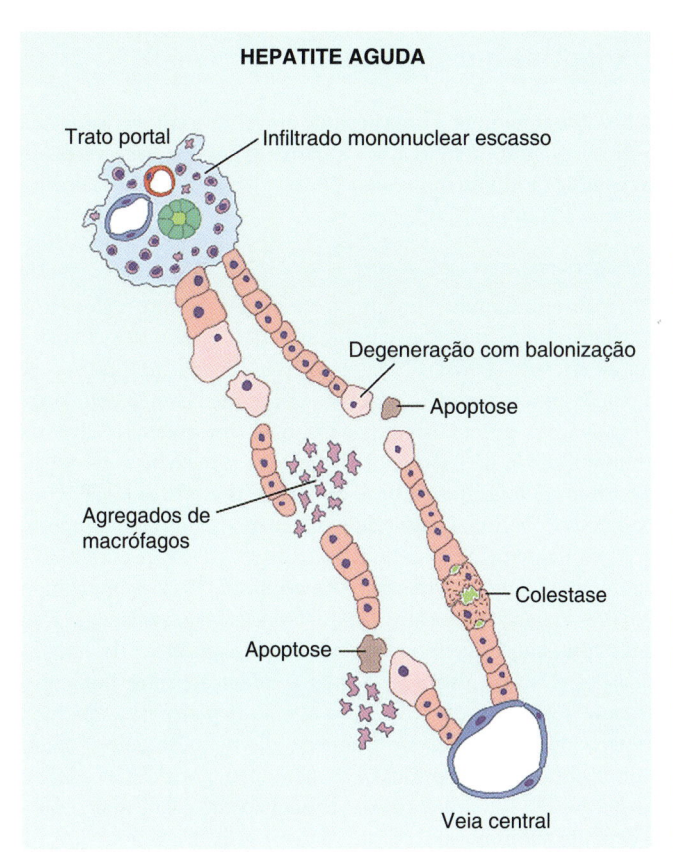

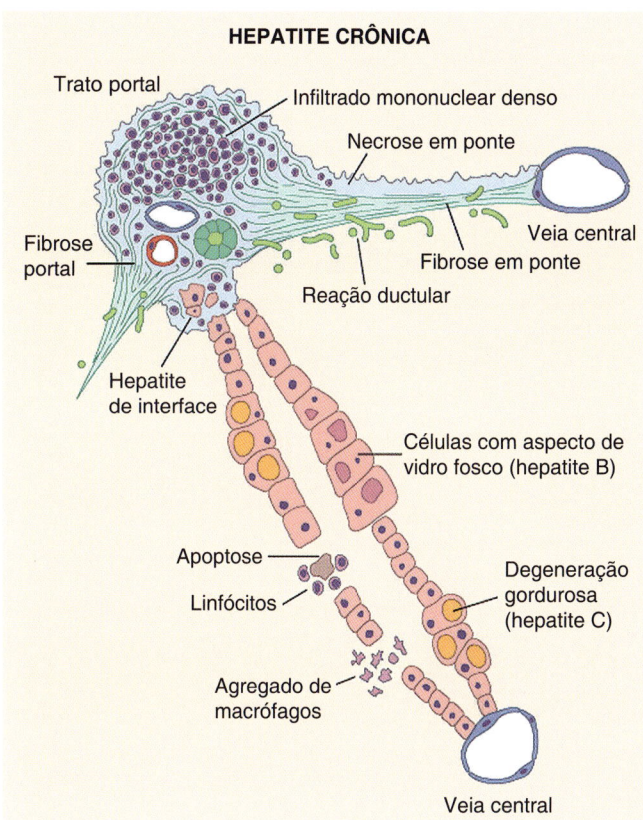

Figura 18.13 Representação esquemática das características morfológicas das hepatites aguda e crônica. A hepatite aguda caracteriza-se por inflamação lobular e lesão hepatocelular, ao passo que a hepatite crônica apresenta inflamação portal densa. Pode ocorrer necrose em ponte na hepatite aguda grave, e observa-se a presença de fibrose na hepatite crônica. Com frequência, observa-se a presença de reação ductular em áreas de fibrose na hepatite crônica.

- A avaliação por meio de biopsia na hepatite viral crônica revela a extensão da fibrose (estágio), que pode determinar o curso terapêutico de ação
- Os pacientes com HBV ou HCV correm risco aumentado de desenvolver CHC, particularmente no contexto da cirrose.

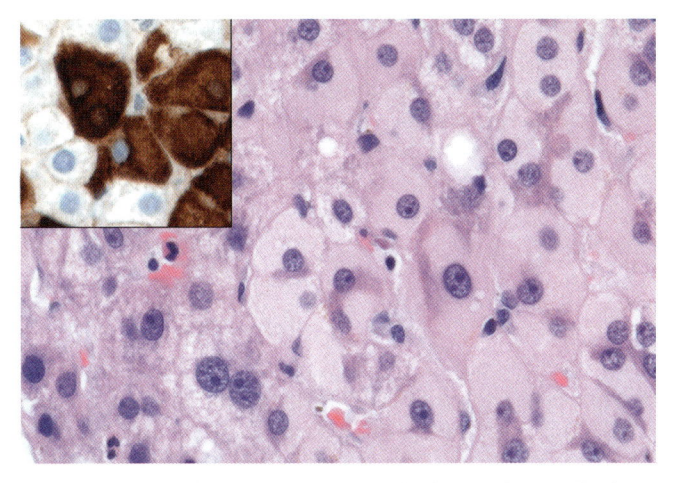

Figura 18.14 Hepatócitos com aspecto de vidro fosco na hepatite B crônica, causados pelo acúmulo do antígeno de superfície do vírus da hepatite B no retículo endoplasmático. As inclusões citoplasmáticas são de coloração rosa-claro e finamente granulares na coloração pela hematoxilina e pela eosina; a imuno-histoquímica (*detalhe*) confirma que elas contêm o antígeno de superfície da hepatite B (*em marrom*).

Infecções bacterianas, fúngicas e parasitárias

As bactérias, os fungos, os helmintos e outros parasitas/protozoários podem acometer o fígado e a árvore biliar na forma de infecções localizadas ou como parte de doença sistêmica. Exemplos de infecções bacterianas incluem *Staphylococcus aureus* na síndrome do choque tóxico, *Salmonella typhi* na febre tifoide, *Treponema pallidum* na sífilis secundária ou terciária e *Bartonella henselae* na doença da arranhadura do gato. A obstrução biliar cria um ambiente para a proliferação bacteriana, levando à infecção da árvore biliar, geralmente denominada colangite ascendente. Quando grave, a infecção pode estender-se até o fígado e produzir abscessos intra-hepáticos. A propagação das bactérias por via hematogênica ou a sua disseminação direta a partir de tecidos infectados adjacentes também podem levar à formação de abscesso. Os abscessos hepáticos estão associados à ocorrência de febre, dor no quadrante superior direito do abdome e hepatomegalia dolorosa. A icterícia pode resultar da obstrução biliar extra-hepática. Em geral, a antibioticoterapia é efetiva, porém a drenagem cirúrgica pode ser necessária para as lesões grandes. As infecções bacterianas extra-hepáticas, particularmente as infecções intra-abdominais, podem levar a alterações inflamatórias inespecíficas no fígado. A sepse pode estar associada à reação ductular e à colestase, que se manifesta como tampões de bile nos dúctulos (*colestase ductular* ou *colangiolar*), uma característica típica da sepse.

O fígado pode estar acometido nas infecções fúngicas (p. ex., histoplasmose) e micobacterianas disseminadas. A histologia hepática mostra granulomas epitelioides, com ou sem necrose,

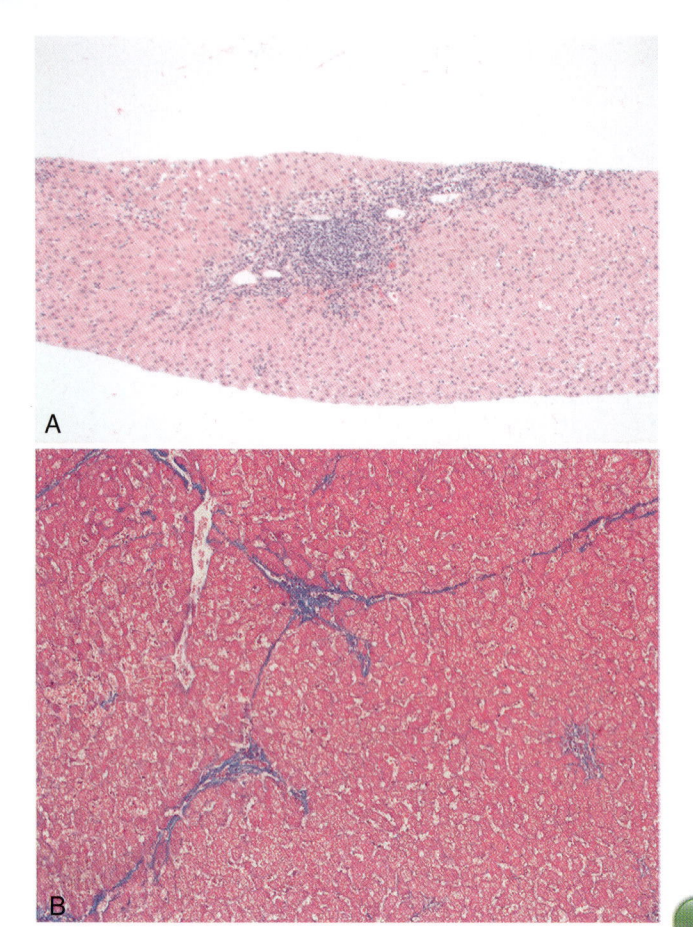

Figura 18.15 Hepatite viral crônica causada pelo vírus da hepatite C. **A.** Expansão característica do trato portal por um agregado linfoide. **B.** Fibrose em ponte delicada, observada em uma fase mais tardia da evolução da doença.

Hepatite autoimune

A hepatite autoimune é uma hepatite progressiva crônica associada à predisposição genética, a autoanticorpos e a uma resposta terapêutica à imunossupressão. Observa-se predomínio da doença no sexo feminino (78%).

Patogênese

A hepatite autoimune tem uma forte associação com alelos HLA específicos em indivíduos brancos (DR3), japoneses (DR4) e sul-americanos (DRB1). Os fatores desencadeantes propostos para a reação imune incluem infecções virais, medicamentos/toxinas e vacinação, porém os antígenos que constituem o alvo da autoimunidade não são conhecidos, e, à semelhança de outros distúrbios autoimunes, a base do ataque imune aos hepatócitos permanece obscura. O infiltrado linfocitário no fígado é composto predominantemente de células T auxiliares CD4+, com células T citotóxicas CD8+ na interface. As células CD4+ desempenham um importante papel na ativação dos linfócitos B e sua diferenciação em plasmócitos, que são responsáveis pela produção de autoanticorpos. O mecanismo pelo qual a interação entre linfócitos, autoanticorpos e tipos HLA leva à lesão hepática não está bem esclarecido. Um pequeno número de medicamentos, como minociclina, nitrofurantoína e α-metildopa, pode desencadear a formação de autoanticorpos e lesão hepatocelular, que simula a hepatite autoimune.

Morfologia

As características da hepatite autoimune sobrepõem-se àquelas das hepatites aguda e crônica de outras etiologias. A inflamação extensa e a lesão hepatocelular na interface, bem como no parênquima hepático, constituem características da hepatite autoimune. É típica a presença de numerosos plasmócitos agrupados (**Figura 18.16**). Pode-se observar a presença de linfócitos e plasmócitos dentro do citoplasma dos hepatócitos, com frequência na interface, constituindo um fenômeno curioso, denominado emperipolese. A necrose de grupos de hepatócitos (necrose confluente) pode afetar as áreas perivenulares, todo o ácino (necrose panacinar) ou conectar estruturas vasculares (necrose em ponte). As características regenerativas resultantes podem se manifestar como "rosetas", um arranjo circular de hepatócitos ao redor de um canalículo dilatado. A maioria dos casos exibe algum grau de fibrose na apresentação inicial, o que aumenta a progressão da doença. A cirrose com atividade inflamatória limitada (i. e., "cirrose de exaustão") é observada na apresentação inicial em alguns casos, constituindo o resultado de doença subclínica.

em locais de comprometimento. O diagnóstico baseia-se nos achados sorológicos, nas hemoculturas ou na demonstração dos microrganismos em biopsias de fígado.

As infecções parasitárias e helmínticas que podem acometer o fígado incluem malária, esquistossomose, estrongiloidíase, criptosporidiose, leishmaniose, equinococose, amebíase e infecções pelos trematódeos hepáticos *Fasciola hepatica*, *Opisthorchis* e *Clonorchis sinensis* (ver **Capítulo 8**). A esquistossomose é mais comumente encontrada na Ásia, na África e na América do Sul, em áreas em que a água contém numerosos caramujos de água doce como vetor e tem tendência particular a causar doença hepática crônica. As infecções por trematódeos hepáticos, que são mais comuns no Sudeste Asiático, são conhecidas por aumentar o risco de colangiocarcinoma (discutido adiante). Os cistos hidáticos são geralmente causados por infecções por *Echinococcos* (ver **Capítulo 8**). Com frequência, ocorrem calcificações características nas paredes dos cistos, que podem permitir um diagnóstico radiológico. Os cistos hidáticos são incomuns nos países de alta renda. A degeneração hepática cística ou abscessos podem ser causados por infecções amebianas e infecções por outros protozoários e helmintos. A incidência das infecções amebianas é baixa em países de alta renda e é comumente encontrada em imigrantes de regiões endêmicas.

Características clínicas

A hepatite autoimune não tratada leva à morte ou progride para a cirrose na maioria dos casos. Ela apresenta uma ampla gama de apresentações, que variam desde doença assintomática, detectada por níveis elevados de transaminases durante um rastreamento, até apresentações agudas e crônicas. As apresentações agudas podem ser indistinguíveis da hepatite viral aguda ou da hepatite induzida por fármacos e podem levar à insuficiência hepática aguda. Mais comumente, a apresentação é insidiosa, com sintomas inespecíficos, como fadiga, anorexia, náuseas e dor abdominal.

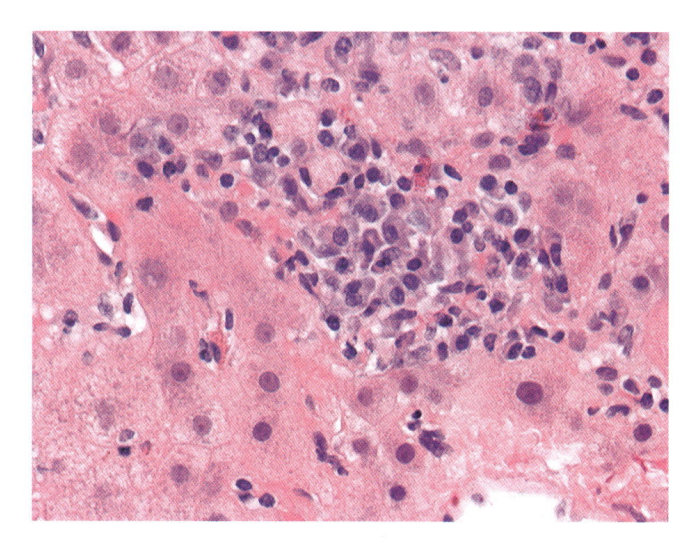

Figura 18.16 Hepatite autoimune. A figura mostra um foco de hepatite lobular com plasmócitos proeminentes, típicos dessa doença.

Tabela 18.4 Critérios diagnósticos simplificados (2008) do International Autoimmune Hepatitis Group.

		Pontos[a]
Autoanticorpos	ANA ou ASMA ou LKM > 1:80	2
	ANA ou ASMA ou LKM > 1:40	1
	SLA/LP positivo (> 20 unidades)	0
IgG (ou gamaglobulinas)	> 1,10 vez o limite normal	2
	Limite superior da normalidade	1
Histologia do fígado[b]	Típica da hepatite autoimune	2
	Compatível com hepatite autoimune	1
	Atípica para a hepatite autoimune	0
Ausência de hepatite viral	Sim	2
	Não	0

[a]Hepatite autoimune (HAI) definida: N = 7; HAI provável: N = 6.
[b]Típica: (1) hepatite de interface, infiltrados linfocitários/linfoplasmocitários em tratos portais e estendendo-se no lóbulo; (2) emperipolese (penetração ativa de uma célula dentro e através de uma célula maior); (3) formação de rosetas hepáticas.
Compatível: hepatite crônica com infiltração linfocitária sem características consideradas típicas.
Atípica: presença de sinais de outro diagnóstico como doença hepática gordurosa não alcoólica.
ANA, anticorpo antinuclear; *ASMA*, antiactina do músculo liso; *HAI*, hepatite autoimune; *IgG*, imunoglobulina G; *LKM*, anticorpos microssomais antifígado-rim; *LP*, fígado-pâncreas; *SLA*, antígeno hepático solúvel.
Modificada de Hennes EM, Zeniya M, Czaja AJ, et al: Simplified criteria for the diagnosis of autoimmune hepatitis, *Hepatology* 48(1):169-176, 2008.

Os pacientes assintomáticos ou com apresentação aparentemente aguda têm, com frequência, fibrose e até mesmo cirrose na necropsia, indicando a existência de doença subclínica que não foi reconhecida.

Em um pequeno subgrupo de pacientes, pode haver sobreposição de características com a colangite biliar primária ou a colangite esclerosante primária, sendo esta última de ocorrência mais frequente na população pediátrica. O diagnóstico das síndromes de sobreposição exige a presença inequívoca de evidências sorológicas, bioquímicas e/ou histológicas de ambas as doenças. Em alguns casos, o segundo componente da síndrome de sobreposição torna-se evidente meses ou anos após o tratamento do primeiro componente. A hepatite autoimune também pode estar associada a outras doenças autoimunes, como diabetes melito tipo 1, tireoidite e espru celíaco. É importante reconhecer a lesão do tipo hepatite autoimune induzida por fármacos, visto que a interrupção do medicamento normalmente leva à recuperação clínica.

O diagnóstico de hepatite autoimune baseia-se na combinação de quatro características: autoanticorpos, elevação dos níveis séricos de IgG, exclusão de outras etiologias (p. ex., hepatite viral, medicamentos) e achados histológicos confirmatórios na biopsia de fígado. Essas características foram combinadas para criar um esquema de pontuação, que permite a categorização de casos em hepatite autoimune definida e provável (**Tabela 18.4**). Com base nos tipos de autoanticorpos presentes, a hepatite autoimune é subclassificada como tipos 1 e 2. O *tipo 1* é mais comum e caracteriza-se, normalmente, pela presença de anticorpos antinucleares (ANA) e anticorpos antiactina do músculo liso (SMA). Além disso, podem ser observados anticorpos contra o antígeno hepático solúvel/o antígeno de fígado-pâncreas (SLA/LPA) e, menos comumente, anticorpos antimitocondriais (AMA, mais típicos da colangite biliar primária). A doença *tipo 2* é mais comum em crianças e caracteriza-se por anticorpos antimicrossomais de fígado-rim 1 (LKM-1), que são dirigidos contra CYP2D6, e anticorpos anticitosol hepático 1 (ACL-1). As outras características clínicas, a história natural e os achados patológicos são semelhantes nos dois tipos. Com frequência, os níveis séricos de IgG estão elevados na hepatite autoimune e podem fornecer outra indicação para o diagnóstico.

Os títulos de autoanticorpos não se correlacionam bem com a gravidade ou o resultado da doença e podem não estar presentes em um pequeno subgrupo de casos (*i. e.*, hepatite autoimune soronegativa). Além disso, observa-se a presença de autoanticorpos em outras doenças, como esteato-hepatite e hepatite viral crônica (p. ex., por HBV e HCV); por conseguinte, é importante estabelecer o diagnóstico com base nas características clínicas, sorológicas e histológicas gerais.

O tratamento de escolha consiste em imunossupressão com prednisona, com ou sem azatioprina, levando à remissão em 80 a 90% dos pacientes, geralmente nos primeiros 12 meses de tratamento. Outros agentes imunossupressores são utilizados se não for possível tolerar os efeitos colaterais dos esteroides. Os pacientes com respostas incompletas ou com múltiplas recidivas correm maior risco de progressão para a cirrose, bem como risco de desenvolver carcinoma hepatocelular. O transplante de fígado pode ser necessário para pacientes cirróticos. A taxa de sobrevida em 10 anos após o transplante de fígado é de 75%, com recorrência da doença em 20% dos pacientes.

Conceitos-chave

Hepatite autoimune

- O diagnóstico de hepatite autoimune baseia-se em uma combinação de quatro características: autoanticorpos, níveis séricos elevados de IgG, achados patológicos e exclusão de etiologias virais/medicamentosas

- Os autoanticorpos mais comuns na hepatite autoimune tipo I são os ANA e os anticorpos antimúsculo liso (ASMA), ao passo que a hepatite autoimune tipo 2 se caracteriza por autoanticorpos anti-LKM1
- A hepatite autoimune pode ter apresentações variáveis: elevação assintomática das enzimas hepáticas, insuficiência hepática aguda, hepatite crônica e cirrose
- As características histológicas típicas da hepatite autoimune consistem em alto grau de atividade necroinflamatória e numerosos plasmócitos.

Lesão hepática induzida por medicamentos e toxinas

A lesão hepática induzida por medicamentos ou toxinas constitui uma importante causa de insuficiência hepática aguda nos EUA. Devido ao seu papel central no metabolismo, o fígado é suscetível a lesões por uma ampla variedade de compostos encontrados em medicamentos (**Tabela 18.5**), fitoterápicos, suplementos dietéticos, plantas e fungos venenosos (p. ex., cogumelos *Amanita phylloides*) e produtos domésticos e industriais (p. ex., pomadas, perfumes, xampu, solventes de limpeza, pesticidas). Com base em dados da U.S. Drug Induced Liver Injury Network, 10% dos pacientes com lesão hepática induzida por medicamentos morrem ou necessitam de transplante de fígado, ao passo que 17% desenvolvem doença hepática crônica.

Patogênese

Os princípios de lesão por medicamentos e lesão tóxica são discutidos no **Capítulo 9**. A lesão hepática pode se desenvolver imediatamente após a exposição ao agente responsável ou se manifestar depois de semanas ou até mesmo meses. Na maioria dos casos, a lesão é mediada por metabólitos reativos gerados no fígado. A família de enzimas do citocromo, em particular o citocromo P-450, está envolvida na maioria dessas reações metabólicas. Tendo-se em vista que essas enzimas são mais ativas na zona central do lóbulo, a necrose de hepatócitos perivenulares constitui uma característica típica da lesão hepática induzida por medicamentos. Os agentes que induzem o sistema do citocromo, como rifampicina, fenitoína, isoniazida, fumaça de tabaco e etanol, podem exacerbar a toxicidade de outros fármacos.

A lesão hepática induzida por medicamentos pode ser idiossincrásica (imprevisível) ou dependente da dose (previsível). As reações idiossincrásicas constituem a forma mais comum de lesão hepática induzida por medicamentos e ocorrem geralmente depois de 1 a 3 meses de exposição (ver **Tabela 18.5**). Em alguns casos, parecem resultar de uma resposta de hipersensibilidade ao medicamento ou ao(s) seu(s) metabólito(s). Acredita-se que exista uma suscetibilidade genética nos indivíduos que apresentam reações idiossincrásicas. Por exemplo, o metabolismo da isoniazida (um agente antituberculose) é lento em indivíduos que apresentam uma variante da *N*-acetiltransferase (NAT2) com atividade enzimática diminuída, elevando os níveis do medicamento no fígado e resultando em suscetibilidade à hepatotoxicidade da isoniazida. Os medicamentos antimicrobianos são os responsáveis mais comuns nas reações idiossincrásicas, representando quase metade dos casos. Outros agentes comumente implicados incluem fármacos cardiovasculares, agentes que atuam no sistema nervoso central, fármacos antineoplásicos e analgésicos, como os anti-inflamatórios não esteroides. Uma grande variedade de fitoterápicos e agentes nutricionais também foi implicada nas reações idiossincrásicas.

O paracetamol é uma hepatotoxina previsível clássica e dependente de dose, e hoje constitui a causa mais comum de insuficiência hepática aguda, exigindo transplante nos EUA.

Tabela 18.5 Padrões de lesão hepática induzida por medicamentos e toxinas.

Padrão de lesão	Achados morfológicos	Exemplos de agentes associados
Colestática	Colestase hepatocelular leve, sem inflamação	Contraceptivos e esteroides anabolizantes, antibióticos, TARV
Hepatite colestática	Colestase com atividade necroinflamatória lobular; pode apresentar destruição dos ductos biliares	Antibióticos, fenotiazinas, estatinas
Necrose hepatocelular	Necrose irregular dos hepatócitos	Metildopa, fenitoína
	Necrose maciça	Paracetamol, halotano
	Hepatite crônica	Isoniazida
Esteatose hepática	Gotículas de gordura grandes e pequenas	Etanol, corticosteroides, metotrexato, nutrição parenteral total
	"Esteatose microvesicular" (gotícula de gordura pequena e difusa)	Valproato, tetraciclina, ácido acetilsalicílico (síndrome de Reye), TARV
	Esteato-hepatite com hialino de Mallory	Etanol, amiodarona, irinotecano
Fibrose e cirrose	Fibrose periporta e pericelular	Álcool, metotrexato, enalapril, vitamina A e outros retinoides
Granulomas	Granulomas epitelioides não caseosos	Sulfonamidas, amiodarona, isoniazida
	Granulomas com anel de fibrina	Alopurinol
Lesões vasculares	Síndrome da obstrução sinusoidal (doença veno-oclusiva): obliteração das veias centrais	Quimioterapia em altas doses, chá de ervas
	Síndrome de Budd-Chiari	Contraceptivos orais
	Peliose hepática: cavidades repletas de sangue, não revestidas por células endoteliais	Esteroides anabolizantes, tamoxifeno
Neoplasias	Adenoma hepatocelular	Contraceptivos orais, esteroides anabolizantes
	Carcinoma hepatocelular	Álcool, torotraste
	Colangiocarcinoma	Torotraste
	Angiossarcoma	Torotraste, cloreto de vinila

TARV, terapia antirretroviral.
Modificada de Washington K: Metabolic and toxic conditions of the liver. In Iacobuzio-Donahue CA, Montgomery EA, editors: *Gastrointestinal and Liver Pathology*, Philadelphia, 2005, Churchill Livingstone.

O agente tóxico não é o paracetamol em si, mas sim um metabólito, a *N*-acetil_P-benzoquinona imina (NAPQI), que é produzido pelo sistema do citocromo P-450. Os hepatócitos da zona 3 pericentral são mais sensíveis à NAPQI; todavia, em caso de superdosagem grave, a lesão afeta todas as partes dos lóbulos, resultando em insuficiência hepática aguda. Embora tentativas de suicídio com paracetamol sejam comuns, as superdosagens acidentais também são frequentes. Isso se deve ao fato de que a atividade do sistema do citocromo P-450 pode ser suprarregulada por outros agentes tomados em associação com o paracetamol, como o álcool (é preciso ter cuidado com o paracetamol como profilático para ressaca) ou codeína em comprimidos de paracetamol. Outros exemplos de hepatotoxinas de ação direta que podem produzir lesão hepática grave incluem solventes orgânicos e toxinas em cogumelos.

Morfologia

Os fármacos podem causar um ou mais padrões de lesão. A lesão hepatocelular é responsável por quase metade dos casos, e o restante é dividido de modo aproximadamente igual entre padrões colestático e hepatocelular/colestático misto. As reações idiossincrásicas com padrão de lesão hepatocelular exibem características típicas da hepatite aguda dominada por inflamação e graus variáveis de necrose. O quadro assemelha-se ao das hepatites viral e autoimune, e a necrose da zona central é uma característica comum. Em uma minoria de casos, pode-se observar uma progressão para hepatite crônica e até mesmo cirrose. A lesão causada por hepatotoxinas intrínsecas é dominada por necrose, com inflamação mínima. A lesão centrada nos ductos biliares caracteriza-se por combinações variadas de colestase e reações ductulares, que podem progredir para a colestase crônica e a "perda" de ductos em uma minoria de casos.

Alguns agentes produzem outros padrões de lesão. Fármacos como a amiodarona (agente antiarrítmico), o tamoxifeno (antiestrogênio), o irinotecano (antineoplásico) e o metotrexato (agente imunossupressor) podem causar um padrão de lesão **semelhante à esteato-hepatite**. A disfunção mitocondrial causada por medicamentos como a tetraciclina (antibiótico), o ácido valproico (anticonvulsivante) e a zidovudina (antirretroviral) pode resultar em **esteatose microvesicular**. A lesão endotelial dos sinusoides e das veias centrais pode ser causada por agentes citotóxicos (azatioprina, oxaliplatina), levando à **síndrome da obstrução sinusoidal** (anteriormente denominada doença veno-oclusiva).

Características clínicas

A lesão hepática induzida por medicamentos pode ter uma ampla variedade de apresentações e deve ser sempre incluída no diagnóstico diferencial de doença hepática. Como não há nenhuma característica clínica ou patológica específica, o diagnóstico é estabelecido com base na associação temporal de exposição a medicamentos ou toxinas ao início de lesão hepática. As medições das enzimas hepáticas podem ser utilizadas para avaliar se a lesão é principalmente: (1) hepatocelular (alanina aminotransferase [ALT] ≥ 5 vezes o limite superior do normal ou razão ALT/fosfatase alcalina [FA] > 5); (2) colestática (FA ≥ 2 vezes o limite superior do normal ou razão ALT/FA < 2); ou (3) mista (aumento da ALT e da FA com razão ALT/FA entre 2 e 5). A exclusão de outras etiologias e a recuperação (na maioria dos casos) após a retirada do agente agressor favorecem o diagnóstico presuntivo. A recorrência com reexposição ao medicamento pode ser confirmatória, porém raramente é utilizada na prática por motivos óbvios.

Conceitos-chave

Lesão hepática induzida por medicamentos

- Existem dois mecanismos de lesão hepática:
  - A hepatotoxicidade direta, um fenômeno dependente da dose do medicamento ou de seu metabólito, que previsivelmente afeta os indivíduos expostos; um exemplo típico é o paracetamol, que constitui a causa mais comum de insuficiência hepática aguda nos EUA
  - Uma resposta idiossincrásica (hipersensibilidade), que não é dependente da dose, é responsável pela maioria dos casos de lesão hepática induzida por medicamentos, porém ocorre normalmente em uma minoria de indivíduos
- Os medicamentos podem simular qualquer padrão clínico ou histológico de lesão e devem ser incluídos no diagnóstico diferencial das doenças hepáticas em diversos contextos clínicos
- É necessária uma correlação do perfil temporal da ingestão de medicamentos com o início da doença para o estabelecimento do diagnóstico.

Esteatose hepática

A doença hepática alcoólica e a doença hepática gordurosa não alcoólica compartilham muitas semelhanças e são consideradas em conjunto nesta seção.

Doença hepática alcoólica

O consumo excessivo de álcool (etanol) representa uma importante causa de doença hepática na maioria dos países ocidentais; ele é responsável por 5,9% das mortes em todo o mundo e, com mais frequência, leva à morte e à incapacidade mais cedo na vida do que outras formas de lesão hepática crônica. Existem três formas distintas, ainda que sobrepostas, de lesão hepática induzida por álcool: (1) esteatose ou degeneração gordurosa; (2) esteato-hepatite alcoólica; e (3) fibrose, que leva à cirrose.

Patogênese

A farmacocinética e o metabolismo do álcool são descritos no **Capítulo 9**. Os efeitos prejudiciais do álcool e de seus subprodutos na função hepatocelular são pertinentes para essa discussão. A ingestão a curto prazo de apenas 80 g de álcool (seis cervejas ou 240 mℓ de bebidas com 40% de graduação alcoólica) durante um a vários dias geralmente produz esteatose hepática leve e reversível. O risco de lesão hepática grave torna-se significativo com o consumo de 80 g ou mais de etanol por dia. O consumo diário de 160 g ou mais por 10 a 20 anos com frequência está associado à lesão hepática grave. Entretanto, apenas 10 a 15% dos etilistas desenvolvem cirrose. Por conseguinte, outros fatores também influenciam o desenvolvimento e a gravidade da doença hepática alcoólica. Esses fatores incluem:

- *Gênero.* Embora a maioria dos pacientes com doença hepática alcoólica seja constituída de homens, as mulheres, com base na dose, são mais suscetíveis à lesão hepática induzida por álcool. As diferenças de gênero na farmacocinética e no metabolismo do álcool podem contribuir para isso, bem como as respostas dependentes de estrogênio do fígado à endotoxina derivada do intestino (lipopossacarídeo [LPS]). Embora os mecanismos exatos sejam desconhecidos, parece que o estrogênio aumenta a permeabilidade do intestino às endotoxinas. As endotoxinas são transportadas no sistema porta para o fígado, onde se ligam ao receptor CD14 de LPS expresso nas células de Kupffer, um evento que estimula o receptor TLR4. A sinalização do TLR desencadeia a liberação de citocinas e quimiocinas, que podem contribuir para a inflamação que acompanha a doença hepática alcoólica
- *Diferenças étnicas e genéticas.* Nos EUA, as taxas de cirrose são mais altas em afro-americanos do que em norte-americanos brancos, apesar dos níveis semelhantes de consumo de álcool. Estudos realizados com gêmeos sugerem que existe um componente genético na doença hepática induzida por álcool, embora seja difícil separar as influências genéticas das ambientais. A variação genética nas enzimas de destoxificação do álcool e os promotores de citocinas podem desempenhar um papel significativo e contribuir para as diferenças observadas entre as populações. A *ALDH*2*, uma variante da aldeído desidrogenase (*ALDH*) encontrada em 50% dos asiáticos, tem atividade enzimática muito baixa. Os indivíduos homozigotos para *ALDH*2* são incapazes de oxidar o álcool a acetaldeído e, portanto, são intolerantes ao álcool, que produz rubor na parte superior do corpo e níveis variáveis de náuseas e letargia
- *Comorbidades.* A sobrecarga de ferro, a esteato-hepatite não alcoólica e a infecção por HCV e HBV atuam de modo sinérgico com o álcool para aumentar a gravidade da doença hepática.

O consumo excessivo de álcool provoca esteatose, disfunção de mitocôndrias, microtúbulos e membranas celulares e estresse oxidativo, e a lesão resultante leva a graus variáveis de inflamação e morte dos hepatócitos. Vários fatores parecem contribuir para a esteatose. O metabolismo do álcool pela álcool desidrogenase e pela acetaldeído desidrogenase gera grandes quantidades de nicotinamida adenina dinucleotídio (NADH) reduzida. Isso altera o equilíbrio redox nos hepatócitos e produz numerosos efeitos que favorecem a lipogênese, incluindo supressão da oxidação dos ácidos graxos e aumento da expressão de enzimas que realizam a síntese de ácidos graxos. O acúmulo de lipídios intra-hepáticos pode ser ainda mais exacerbado pelo comprometimento da montagem e pela secreção de lipoproteínas. O álcool também aumenta o catabolismo periférico da gordura, aumentando o compartimento circulante de lipídios disponíveis para captação pelos hepatócitos.

Os mecanismos exatos subjacentes à lesão dos hepatócitos e à hepatite alcoólica não estão bem elucidados, porém foram identificados vários fatores provavelmente contribuintes:

- A *acetaldeído* (o produto da álcool desidrogenase) induz a peroxidação lipídica e a formação de aduto de acetaldeído-proteína, rompendo a função do citoesqueleto e da membrana e, possivelmente, produzindo neoantígenos
- *Indução de CYP2E1.* O consumo de álcool em altos níveis induz os microssomos hepáticos que contêm CYP2E1, um componente do sistema do citocromo P-450. O metabolismo do álcool pela CYP2E1 produz ROS, que provoca danos às proteínas celulares, membranas e mitocôndrias – efeitos que podem promover a apoptose
- *Metabolismo da metionina.* O álcool prejudica o metabolismo hepático da metionina, que diminui os níveis de glucagon, sensibilizando, assim, o fígado à lesão oxidativa e contribuindo para a produção de homocisteína, que pode induzir a resposta de estresse do retículo endoplasmático.

A indução das enzimas do citocromo P-450 no fígado pelo álcool também aumenta a conversão de outros fármacos (p. ex., paracetamol) em metabólitos tóxicos. Além disso, conforme assinalado, o álcool tem sido associado à captação aumentada de endotoxina bacteriana pelo intestino, induzindo respostas inflamatórias no fígado.

Os danos causados por esses e outros fatores levam à inflamação e, com a cronicidade, à fibrose hepática e a distúrbios de perfusão vascular (resumidos na **Figura 18.17**). Em essência, a doença hepática alcoólica pode ser considerada um estado de desregulação adaptativa, em que as células do fígado respondem de maneira cada vez mais patológica a um estímulo (álcool) que, originalmente, era apenas marginalmente prejudicial.

> ### Morfologia
>
> As alterações características na doença hepática alcoólica começam na zona 3 centrolobular e estendem-se para fora, em direção aos tratos portais, à medida que a gravidade da lesão aumenta. A **esteatose hepática (fígado gorduroso)** é um efeito precoce e previsível do consumo de álcool. Mesmo após um consumo moderado de álcool, ocorre o acúmulo de gotículas de lipídios nos hepatócitos. O acúmulo de lipídios começa na forma de pequenas gotículas, que coalescem em grandes gotículas, que distendem o hepatócito e empurram o núcleo para a periferia (**Figura 18.18**). Ao exame macroscópico, o fígado gorduroso do alcoolismo crônico está aumentado (com peso de até 4 a 6 kg), amolecido, amarelo e gorduroso. A esteatose pode ser dividida nas formas micro e macrovesicular. A **esteatose macrovesicular** é a forma predominante da doença hepática alcoólica. Uma exceção incomum é a **degeneração espumosa alcoólica**, uma forma de esteatose microvesicular às vezes observada com consumo maciço e crônico de álcool, que está associada a danos do retículo endoplasmático e da mitocôndria. Em geral, a degeneração gordurosa é totalmente reversível se houver cessação da ingestão de álcool.
>
> Em um subgrupo de pacientes com doença hepática alcoólica, a inflamação (**hepatite alcoólica**) e a fibrose hepáticas (ver **Figura 18.18**) constituem características proeminentes. Os achados morfológicos na hepatite alcoólica incluem os seguintes:
>
> - *Hepatócitos balonizados* (**Figura 18.19**). Trata-se de hepatócitos intumescidos e lesionados, com citoplasma claro e danos ao citoesqueleto, que, quando extensos, resultam na formação de **hialino de Mallory (corpúsculos de Mallory)**, que consiste em emaranhados de filamentos intermediários, como a queratina 8 e queratina 18, que são parcialmente degradados e ubiquitinados (ver **Figura 18.19B**). Os corpúsculos de Mallory podem refletir uma tentativa fracassada de sequestrar e degradar as proteínas citoplasmáticas danificadas. Outros hepatócitos com balonização não apresentam corpúsculos de Mallory e contêm, em vez disso, gotículas de lipídios. Embora os hepatócitos balonizados não sejam totalmente específicos da esteato-hepatite alcoólica, eles são essenciais para esse diagnóstico. Outras

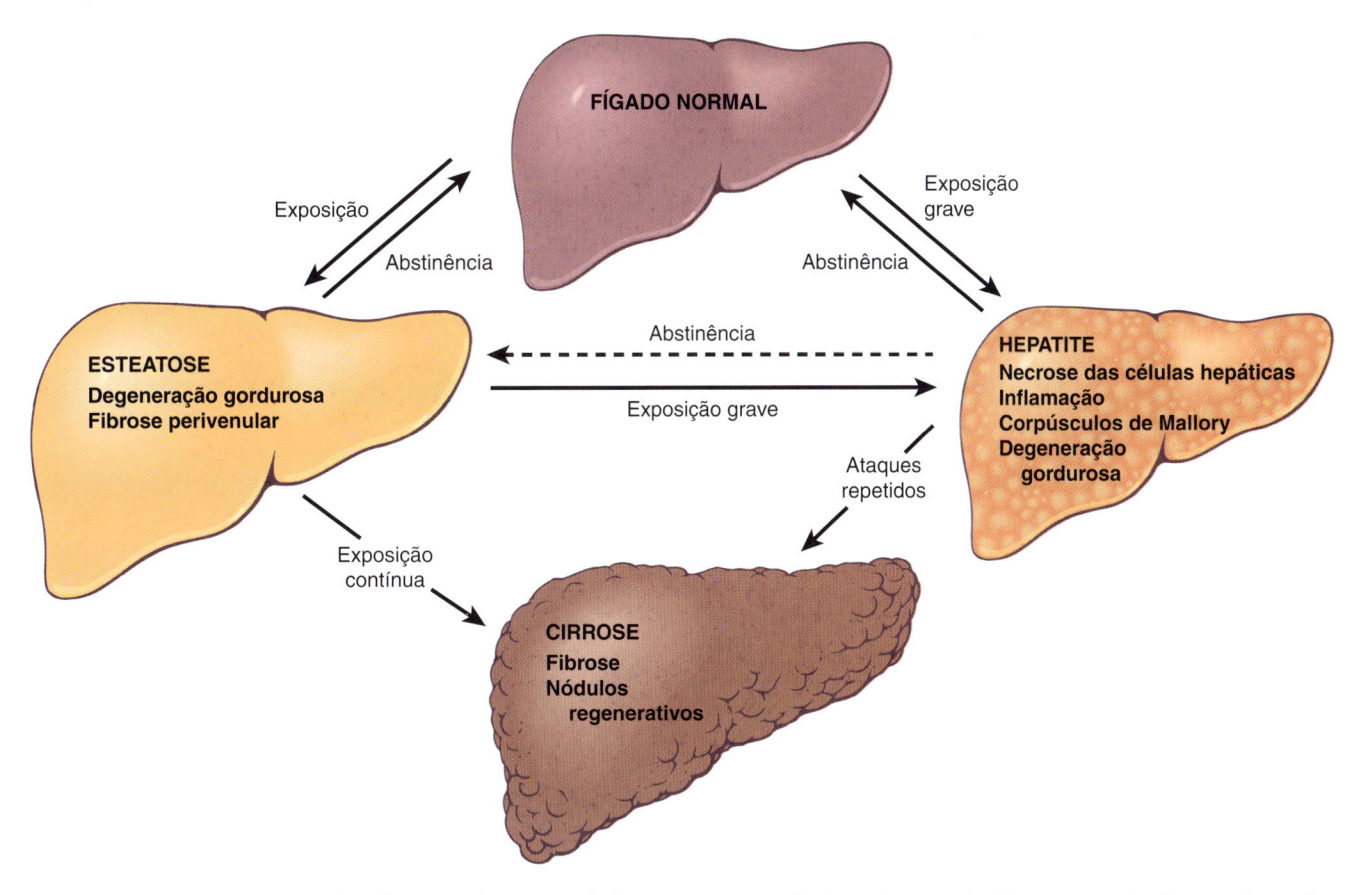

Figura 18.17 Doença hepática alcoólica. São mostradas as inter-relações entre a esteatose hepática, a hepatite alcoólica e a cirrose alcoólica, com ilustrações das principais características morfológicas. Convém assinalar que alguns pacientes apresentam inicialmente cirrose sem qualquer uma das formas de doença hepática alcoólica.

condições que apresentam balonização dos hepatócitos incluem a esteato-hepatite não alcoólica (EHNA, ou NASH, do inglês), a doença de Wilson e doenças crônicas do trato biliar
- *Inflamação e necrose*. Em geral, os neutrófilos são mais proeminentes na hepatite alcoólica do que na EHNA e podem ficar em torno dos hepatócitos balonizados, particularmente na presença de corpúsculos de Mallory. Os infiltrados linfocitários lobulares são comuns, e podem ocorrer infiltrados linfocitários portais, bem como aumento dos macrófagos nos tratos portais e no parênquima lobular. A necrose/apoptose é geralmente irregular; todavia, em alguns casos, pode ocorrer lesão hepatocelular mais proeminente e necrose confluente
- *Fibrose perivenular/pericelular*. Com frequência, a esteato-hepatite é acompanhada de fibrose. Ela normalmente se inicia na zona acinar 3 (zona centrolobular) na forma de fibrose pericelular ou perissinusoidal, com aparência de "tela de arame" (ver **Figura 18.18**). Com os danos contínuos, esse processo progride para a fibrose portal/periporta e, em seguida, para a fibrose em ponte e cirrose. que, em muitos casos, é micronodular ("cirrose de Laennec") (**Figura 18.20**). Os estágios iniciais de formação de cicatriz podem regredir com a interrupção do uso de álcool; entretanto, com o desenvolvimento da cirrose e de suas alterações vasculares (relacionadas com a fibrose perivenular e a obliteração fibrosa, denominada fleboesclerose e lesões veno-oclusivas), a probabilidade de recuperação completa da função normal diminui. A regressão completa da cirrose alcoólica, embora tenha sido relatada, é rara.

Características clínicas

A esteatose hepática pode causar hepatomegalia, com elevação leve dos níveis séricos de bilirrubina e fosfatase alcalina. A disfunção hepática grave é incomum. A abstinência de álcool e o consumo de uma dieta adequada constituem o tratamento suficiente. Em

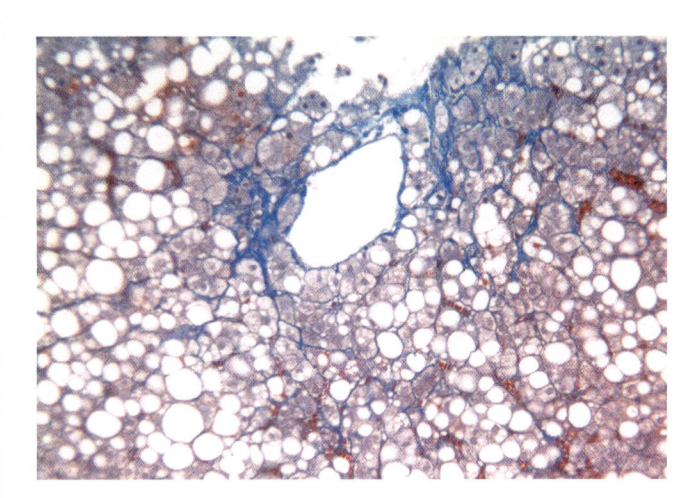

Figura 18.18 Esteatose alcoólica e fibrose. Uma mistura de pequenas e grandes gotículas de lipídios (observadas como vacúolos claros) é mais proeminente ao redor da veia central, estendendo-se para fora até os tratos portais. Observa-se a presença de alguma fibrose (*coloração azul*) em um padrão em tela de arame perissinusoidal. (Coloração: tricrômico de Masson.) (Cortesia da Dra. Elizabeth Brunt, Washington University, St. Louis, Mo.)

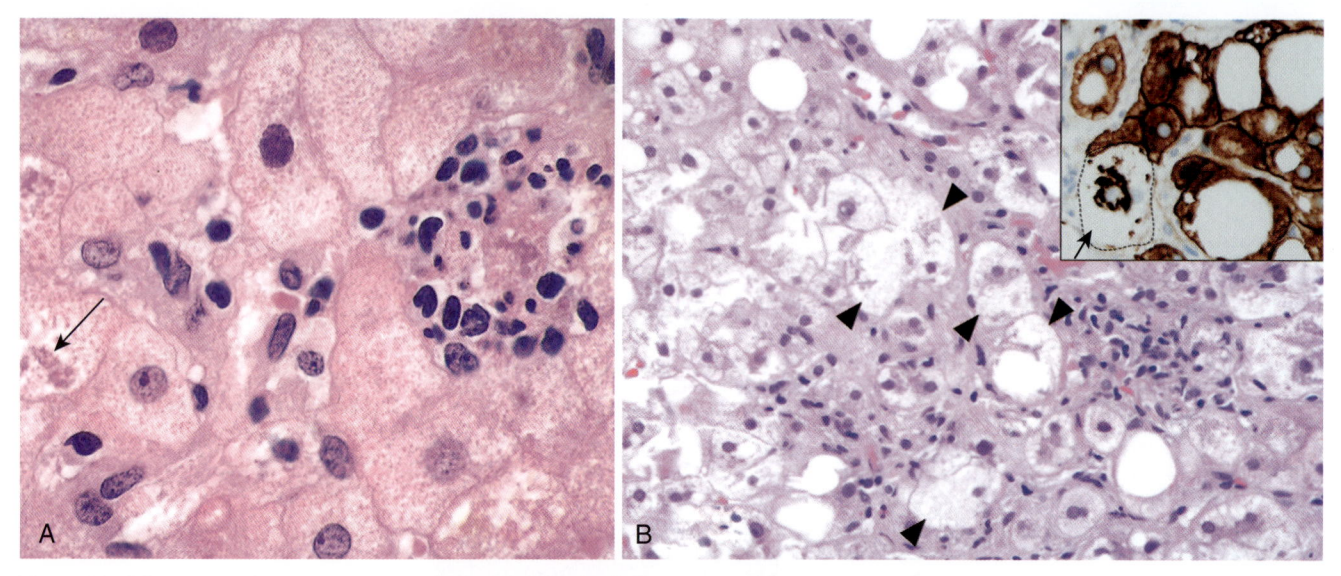

Figura 18.19 A. Hepatite alcoólica com células inflamatórias agrupadas marcando o local de um hepatócito necrótico. Observa-se a presença de corpúsculo de Mallory em outro hepatócito (*seta*). **B.** Hepatite alcoólica com muitos hepatócitos balonizados (*cabeças de setas*). Observa-se, também, a presença de agrupamentos de células inflamatórias; o *detalhe* mostra a imuno-histoquímica para as queratinas 8 e 18 (*em marrom*), com a maioria dos hepatócitos, incluindo aqueles com vacúolos lipídicos, apresentando coloração citoplasmática normal; entretanto, na célula balonizada (*seta*), as queratinas ubiquinadas sofreram colapso, formando os corpúsculos Mallory e deixando o citoplasma "vazio". (Cortesia da Dra. Elizabeth Brunt, Washington University, St. Louis, Mo.)

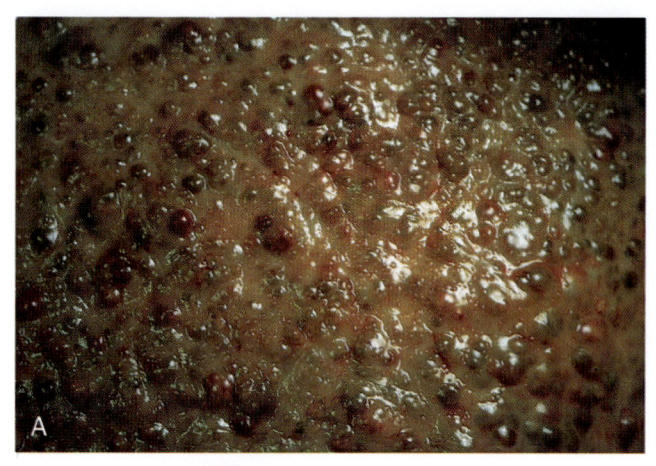

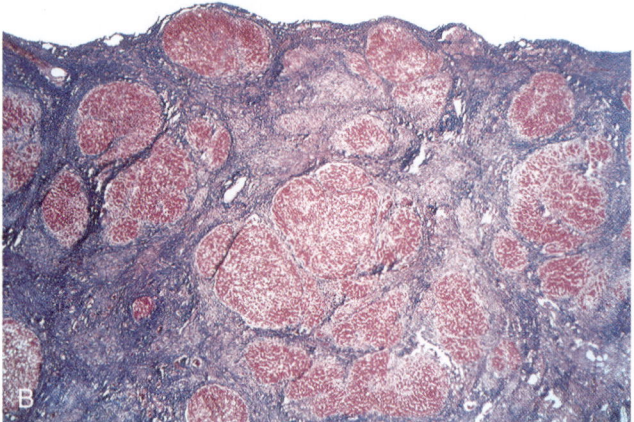

Figura 18.20 Cirrose alcoólica. **A.** A nodularidade difusa característica da superfície é induzida pela cicatrização fibrosa subjacente. O tamanho médio dos nódulos é de 3 mm nessa vista ampliada, típico da cirrose "micronodular" da doença hepática alcoólica. A coloração esverdeada é causada pela colestase. **B.** Do ponto de visto microscópico, essa cirrose caracteriza-se por pequenos nódulos envolvidos por tecido fibroso de coloração azul; o acúmulo de gordura não é mais observado nesse estágio de "exaustão" (coloração: tricrômico de Masson).

contrapartida, a hepatite aguda tende a ter início rápido, com frequência após um episódio de consumo maciço de álcool. Normalmente, ocorrem mal-estar, anorexia, perda de peso, desconforto na parte superior do abdome e hepatomegalia dolorosa, acompanhados dos achados laboratoriais de hiperbilirrubinemia, níveis séricos elevados de aminotransferases e fosfatase alcalina e, com frequência, leucocitose neutrofílica. Diferentemente de outras doenças hepáticas crônicas, nas quais o nível sérico de ALT tende a ser mais alto do que o nível sérico de AST, na doença hepática alcoólica, os níveis séricos de AST tendem a ser mais elevados que os de ALT, com razão de 2:1 ou mais. Esse achado pode ser particularmente útil em caso de etilismo oculto. No outro extremo do espectro, em casos graves, os sintomas e os achados laboratoriais podem simular os da insuficiência hepática aguda. Em outros casos, observa-se um quadro de síndrome colestática aguda, que se assemelha à obstrução dos grandes ductos biliares.

O prognóstico é imprevisível; cada episódio de hepatite está associado a um risco de morte de cerca de 10 a 20%. Com surtos repetidos, ocorre o desenvolvimento de cirrose em cerca de um terço dos pacientes dentro de alguns anos. A hepatite alcoólica também pode se sobrepor à cirrose estabelecida. Com nutrição adequada e interrupção total do consumo de álcool, pode ocorrer resolução da hepatite alcoólica. Todavia, em alguns pacientes, a hepatite persiste apesar da abstinência, e observa-se uma progressão para a cirrose.

As manifestações da cirrose alcoólica assemelham-se àquelas de outras formas de cirrose. Os achados laboratoriais refletem a disfunção hepática e consistem em elevação dos níveis séricos de aminotransferases, hiperbilirrubinemia, elevação variável da fosfatase alcalina sérica, hipoproteinemia (globulinas, albumina e fatores da coagulação) e anemia. Em alguns casos, a biopsia de fígado pode estar indicada, visto que, em cerca de 10 a 20% dos casos de suspeita de cirrose alcoólica, observa-se a presença de outra doença. Por fim, a cirrose pode ser clinicamente silenciosa e descoberta apenas na necropsia, ou quando um estresse, como infecção ou trauma, desequilibra a balança para a insuficiência hepática.

O prognóstico a longo prazo para os etilistas com doença hepática é variável. A taxa de sobrevida em 5 anos aproxima-se de 90% em abstêmios que não apresentam icterícia, ascite ou hematêmese, porém cai para 50 a 60% naqueles que continuam consumindo álcool. Na doença avançada, as causas imediatas e comuns de morte incluem: (1) coma hepático, (2) hemorragia gastrintestinal maciça, (3) infecção intercorrente (à qual esses pacientes são predispostos), (4) síndrome hepatorrenal (com frequência após um episódio de hepatite alcoólica) e (5) carcinoma hepatocelular (o risco de desenvolver essa neoplasia na cirrose alcoólica é de 1 a 6% por ano).

Conceitos-chave
Doença hepática alcoólica

- A doença hepática alcoólica é um distúrbio crônico que pode resultar em esteatose, hepatite alcoólica, fibrose progressiva e acentuada alteração da perfusão vascular, levando, por fim, à cirrose
- O consumo de 80 g/dia de álcool é considerado o limiar para o desenvolvimento de doença hepática alcoólica, mas pode ser inferior em mulheres
- Pode levar 10 a 15 anos de consumo de álcool para o desenvolvimento de cirrose, que só ocorre em uma pequena proporção de etilistas crônicos
- Os efeitos patológicos do álcool sobre os hepatócitos incluem alterações no metabolismo dos lipídios relacionadas com alteração do potencial redox, lesão causada por ROS geradas como resultado do metabolismo do álcool pelo sistema P-450 e adutos de proteína formados pelo acetaldeído, um importante metabólito do álcool.

Doença hepática gordurosa não alcoólica

A doença hepática gordurosa não alcoólica (DHGNA) é definida pela presença de esteatose hepática (fígado gorduroso) em indivíduos que não consomem álcool ou que o fazem em pequenas quantidades e não apresentam outra causa de acúmulo secundário de gordura hepática (p. ex., HCV, doença de Wilson, medicamentos). A DHGNA está associada a obesidade, diabetes melito tipo 2 e hiperlipidemia, que são, todos eles, componentes da síndrome metabólica (**Tabela 18.6**). Ela tornou-se a causa mais comum de doença hepática crônica nos EUA, e projeta-se que a sua prevalência ultrapasse 30% na população adulta em 2030. A expressão *esteato-hepatite não alcoólica* (ou seu acrônimo comum, *EHNA*) é reservada para pacientes com DHGNA que apresentam lesão esteato-hepatítica com características histológicas semelhantes àquelas observadas na hepatite alcoólica. O diagnóstico de EHNA confere maior risco de desenvolver doença hepática fibrótica avançada, e a expectativa é a de que o aumento na prevalência da DHGNA produza um aumento concomitante na incidência de EHNA e de suas complicações graves (p. ex., cirrose descompensada, carcinoma hepatocelular).

Patogênese

Os mecanismos subjacentes precisos à DHGNA são desconhecidos. A forte associação com resistência à insulina sugere que esse fator é particularmente importante no desenvolvimento da doença. Todavia, mesmo entre os que apresentam resistência à insulina,

Tabela 18.6 Critérios da Organização Mundial da Saúde para a síndrome metabólica.

Um dos:	Diabetes melito ou tolerância à glicose diminuída ou alteração da glicemia em jejum ou resistência à insulina
E dois de:	Pressão arterial: ≥ 140/90 mmHg Dislipidemia: triglicerídeos (TG): ≥ 1,695 mmol/ℓ e fração de lipoproteínas de alta densidade do colesterol (HDL-C) ≤ 0,9 mmol/ℓ (homens), ≤ 1 mmol/ℓ (mulheres) Obesidade central: relação cintura-quadril > 0,90 (homens); > 0,85 (mulheres) ou índice de massa corporal > 30 kg/m^2 Microalbuminúria: taxa de excreção urinária de albumina de ≥ 20 µg/min ou razão entre albumina e creatinina ≥ 30 mg/g

existe uma variabilidade significativa na gravidade da DHGNA, e foram sugeridas associações complexas com variantes genéticas, dieta e microbioma intestinal. À semelhança da doença hepática alcoólica, existe uma associação estabelecida entre o aumento da produção de endotoxinas derivadas do intestino e a inflamação e lesão hepáticas. As dietas ricas em frutose também têm sido associadas ao aumento do risco de fibrose relacionada com DHGNA, e a gordura dietética, particularmente a gordura *trans*, pode desempenhar um papel na produção de lesão hepática. A apneia obstrutiva do sono, que geralmente ocorre no contexto da obesidade, tem sido associada à progressão da doença, possivelmente relacionada com a hipoxia intermitente. A fibrose pode ser acelerada quando a lesão de outra doença hepática (p. ex., hemocromatose) se sobrepõe à DHGNA.

Em indivíduos com resistência à insulina estabelecida e síndrome metabólica, o tecido adiposo visceral não apenas aumenta em massa, mas também se torna disfuncional. A resistência à insulina leva ao aumento da liberação de ácido graxos livres dos adipócitos, devido à hiperatividade da lipoproteína lipase (ver **Capítulo 24**). Isso está associado à redução da produção do hormônio adiponectina dos adipócitos, que diminui a oxidação dos ácidos graxos livres pelo músculo esquelético e aumenta a captação de ácidos graxos livres pelos hepatócitos (ver **Capítulo 9**), nos quais os ácidos graxos são armazenados como triglicerídeos. Os adipócitos disfuncionais também sintetizam citocinas pró-inflamatórias, como o TNF-α. Ao mesmo tempo, há evidências de que os hepatócitos na DHGNA infrarregulam a lipólise, uma alteração que pode contribuir ainda mais para o acúmulo de lipídios. A lipólise ocorre por meio de um mecanismo denominado lipofagia, que se assemelha estreitamente à macroautofagia, que, como se sabe, é o processo pelo qual as células removem os componentes celulares excessivos ou disfuncionais e (em épocas de inanição) geram metabólitos para a produção de energia.

O efeito final dessas alterações consiste em acúmulo de lipídios nos hepatócitos. As células carregadas de gordura são altamente sensíveis a produtos de peroxidação lipídica gerados por estresse oxidativo, que podem danificar as membranas mitocondriais e plasmáticas, levando potencialmente à apoptose ou à necrose. Essas tendências podem ser exacerbadas pelo estado pró-inflamatório que acompanha a resistência à insulina. Uma vez estabelecida a lesão celular, a liberação de citocinas, como TNF-α e TGF-β, das células de Kupffer localmente leva à ativação das células estreladas, à deposição de colágeno e à formação de cicatrizes.

Morfologia

A EHNA compartilha muitas características morfológicas com a hepatite alcoólica; o estabelecimento de seu diagnóstico exige a presença de esteatose (≥ 5% dos hepatócitos), inflamação lobular e hepatócitos balonizados. Não é possível distinguir com segurança a hepatite alcoólica da EHNA com base nos achados histológicos, embora a hepatite alcoólica tenha, em média, menos esteatose e mais hepatócitos balonizados, inflamação lobular, corpúsculos de Mallory, infiltrados neutrofílicos, colestase e obliteração das veias centrais (**Figura 18.21**).

A determinação da extensão da fibrose é importante para o manejo clínico. Normalmente, ocorre o desenvolvimento de fibrose ao redor da veia central na forma de uma fina "teia de aranha" de deposição de colágeno pericelular (também denominada padrão em tela de galinheiro), que só pode ser apreciada com uma coloração tricrômica. Em geral, a progressão da fibrose manifesta-se como fibrose periporta, seguida de fibrose em ponte e cirrose. Com frequência, a cirrose permanece subclínica durante anos, e, quando estabelecida, a esteatose ou os hepatócitos balonizados podem estar reduzidos ou ausentes. Acredita-se que mais de 90% dos casos designados como "cirrose criptogênica" (i. e., cirrose de causa desconhecida) sejam devidos à EHNA (i. e., "EHNA *burned out*").

A DHGNA pediátrica difere de modo significativo da DHGNA do adulto. Normalmente, as crianças apresentam esteatose mais difusa e fibrose portal (em vez de central), e pode não haver hepatócitos balonizados.

Características clínicas

O curso clínico variado de indivíduos com DHGNA está resumido na **Figura 18.22**. Aqueles que só apresentam esteatose geralmente são assintomáticos. Com frequência, a apresentação clínica está relacionada com outros sinais e sintomas da síndrome metabólica, em particular resistência à insulina ou diabetes melito. Os exames de imagem podem revelar acúmulo de gordura no fígado. É necessário proceder à biopsia de fígado para o diagnóstico de EHNA e para a avaliação da fibrose. É fundamental excluir a possibilidade de doenças virais, autoimunes e outras doenças metabólicas do fígado, e a biopsia pode ser útil quando há mais de uma possível etiologia para a lesão hepática. Os níveis séricos de AST e ALT estão elevados na maioria dos pacientes com EHNA. Apesar das elevações enzimáticas, os pacientes podem ser assintomáticos. Outros apresentam sintomas inespecíficos, como fadiga, ou queixam-se de desconforto abdominal do lado direito do abdome, causado pela hepatomegalia. Devido à associação com a síndrome metabólica, a doença cardiovascular constitui uma causa frequente de morte em pacientes com EHNA. A EHNA também aumenta o risco de carcinoma hepatocelular, assim como outras doenças metabólicas (discutidas posteriormente).

O objetivo do tratamento de indivíduos com EHNA é reverter as características histológicas da doença e prevenir ou reverter a fibrose ao corrigir os fatores de risco subjacentes, como obesidade

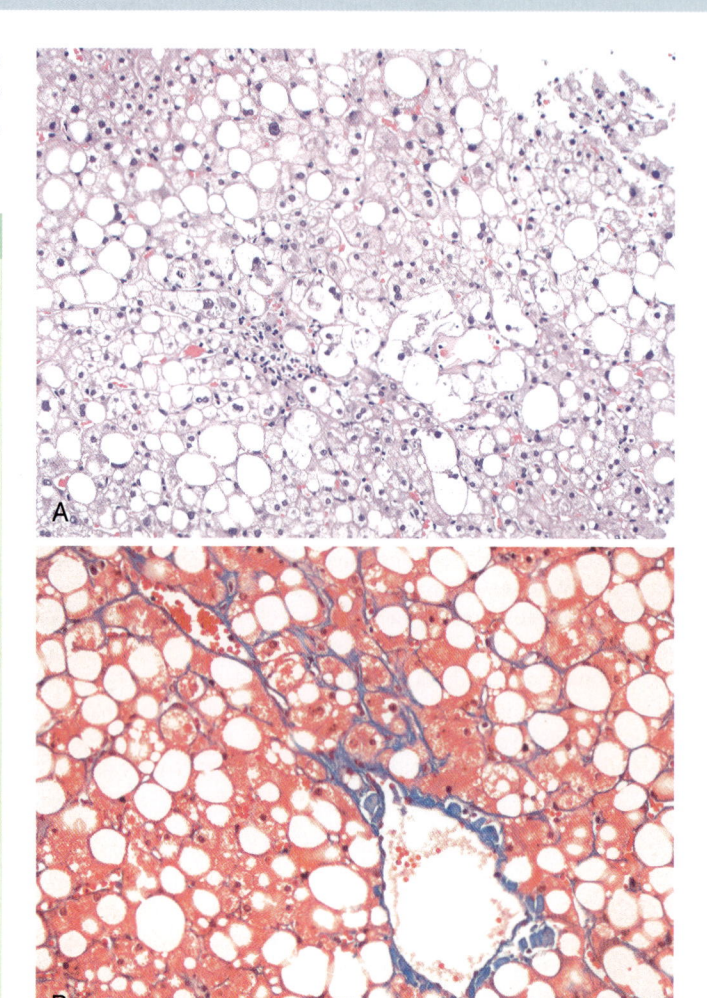

Figura 18.21 Doença hepática gordurosa não alcoólica. **A.** Fígado com gotículas lipídicas grandes e pequenas misturadas, bem como hepatócitos balonizados. **B.** Esteatose e fibrose que se estende ao longo dos sinusoides em um padrão semelhante a uma tela de galinheiro, em que os hepatócitos individuais e agrupados são circundados por cicatrizes finas (*fibras azuis*). Observe a semelhança com a hepatite alcoólica mostrada na **Figura 18.18**. (Coloração: tricrômico de Masson).

e hiperlipidemia, e ao tratar a resistência à insulina. A perda de peso, a dieta e o exercício podem reverter potencialmente as anormalidades histológicas na EHNA. Existem numerosos ensaios clínicos em andamento destinados a desenvolver abordagens farmacológicas para o tratamento da EHNA e suas complicações.

Conceitos-chave

Doença hepática gordurosa não alcoólica

- O distúrbio metabólico mais comum do fígado é a DHGNA, que está associada a síndrome metabólica, obesidade, diabetes melito tipo 2 e hiperlipidemia
- A DHGNA pode apresentar todas as alterações histológicas associadas à doença hepática alcoólica (p. ex., esteatose, esteato-hepatite e esteatofibrose). O diagnóstico de EHNA exige a realização de biopsia, e não é possível diferenciar de modo confiável a EHNA da hepatite alcoólica sem história clínica

- A DHGNA pediátrica está sendo cada vez mais reconhecida à medida que a epidemia de obesidade acomete faixas etárias pediátricas. As suas características histológicas diferem ligeiramente daquelas observadas em adultos.

Doença hepática hereditária

Entre as doenças metabólicas hereditárias, a hemocromatose, a doença de Wilson e a deficiência de α_1-antitripsina são mais proeminentes e são discutidas nas seções seguintes.

Hemocromatose

A hemocromatose é causada pela absorção excessiva de ferro, cuja maior parte é depositada no fígado e no pâncreas, seguidos do coração, das articulações e dos órgãos endócrinos. Quando a hemocromatose resulta de um distúrbio hereditário, ela é denominada *hemocromatose hereditária*. Quando ocorre acúmulo em consequência da administração parenteral de ferro, geralmente na forma de transfusões, ou de outras causas, ela é denominada *hemocromatose secundária*. A classificação das várias causas de sobrecarga de ferro é apresentada na **Tabela 18.7**.

Conforme discutido no **Capítulo 14**, o compartimento de ferro corporal total varia de 2 a 6 g nos adultos normais; ocorre armazenamento de aproximadamente 0,5 g no fígado, dos quais 98% estão nos hepatócitos. Na hemocromatose grave, o compartimento de ferro corporal total pode ultrapassar 50 g, dos quais mais de um terço se acumula no fígado. A sobrecarga grave de ferro caracteriza-se pelos seguintes aspectos:

- Os casos totalmente desenvolvidos exibem: (1) cirrose micronodular (em todos os pacientes); (2) diabetes melito (75 a 80% dos pacientes); e (3) pigmentação anormal da pele (em 75 a 80% dos pacientes)

Tabela 18.7 Classificação da sobrecarga de ferro.

I. Hemocromatose hereditária

Mutações de genes que codificam HFE, o receptor de transferrina 2 (TfR2) ou a hepcidina

Mutações de genes que codificam HJV (hemojuvelina: hemocromatose juvenil)

II. Hemossiderose (hemocromatose secundária)

Sobrecarga de ferro parenteral devido a transfusões de hemácias
    Anemias hemolíticas crônicas graves (p. ex., doença falciforme)
    Formas graves de talassemia
    Insuficiência da medula óssea (p. ex., anemia aplásica)
Condições associadas a um aumento da captação de ferro
    β-talassemia
    Síndrome mielodisplásica
Aumento da ingestão oral de ferro
    Sobrecarga de ferro africana (siderose de Bantu)
Atransferrinemia congênita
Doença hepática crônica
    Doença hepática alcoólica
    Porfiria cutânea tardia
Hemocromatose neonatal[a]

[a]A hemocromatose neonatal desenvolve-se *in utero*, mas não parece ser uma condição hereditária.

- O acúmulo de ferro nas formas hereditárias ocorre durante toda a vida, porém a lesão causada pelo excesso de ferro é lenta e progressiva; em consequência, os sintomas geralmente aparecem pela primeira vez entre a quarta e a quinta décadas de vida nos homens e mais tarde nas mulheres, visto que o sangramento menstrual contrabalança o acúmulo até a menopausa
- Como muitas mulheres não acumulam quantidades clinicamente relevantes de ferro durante a sua vida, a hemocromatose hereditária afeta mais homens do que mulheres (razão de 5 a 7:1).

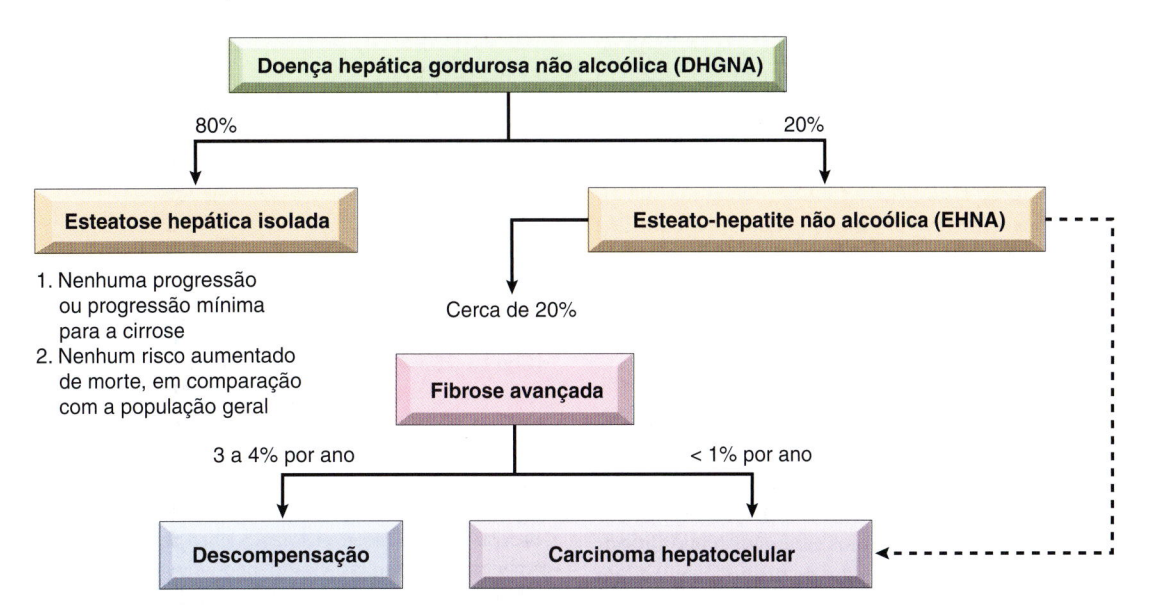

Figura 18.22 História natural dos fenótipos da doença hepática gordurosa não alcoólica. A esteatose hepática isolada apresenta risco mínimo de progressão para a cirrose ou aumento da mortalidade, ao passo que a esteato-hepatite não alcoólica apresenta um aumento da mortalidade global, bem como risco aumentado de cirrose e carcinoma hepatocelular.

Patogênese

Como não existe uma regulação da excreção de ferro do corpo, o conteúdo corporal total de ferro é rigorosamente regulado pela sua absorção intestinal. Na hemocromatose hereditária, a regulação da absorção intestinal do ferro dietético é anormal, levando ao acúmulo efetivo de ferro de 0,5 a 1 g/ano. Normalmente, a doença manifesta-se após o acúmulo de 20 g de ferro armazenado. Os mecanismos de lesão hepática incluem: (1) peroxidação dos lipídios por reações de radicais livres catalisadas pelo ferro; (2) estimulação da formação de colágeno pela ativação das células estreladas hepáticas; e (3) interação de ROS e do próprio ferro com o DNA, resultando em lesão celular letal e predisposição ao carcinoma hepatocelular.

O principal regulador da absorção de ferro é a proteína denominada hepcidina, que é codificada pelo gene *HAMP* e produzida e secretada pelo fígado (Figura 18.23). A transcrição do *HAMP* é aumentada pelas citocinas inflamatórias e pelo ferro, ao passo que é diminuída por deficiência de ferro, hipoxia e eritroferrona, um hormônio produzido pelos eritroblastos da medula óssea. Esses estímulos são integrados para regular a síntese e os níveis plasmáticos de hepcidina (ver **Capítulo 14**). A hepcidina liga-se ao canal de efluxo de ferro celular, a ferroportina, causando a sua internalização e proteólise, com consequente inibição da liberação de ferro das células intestinais e dos macrófagos. Devido a essas atividades, o aumento da hepcidina produz uma redução nos níveis plasmáticos de ferro. Em contrapartida, uma deficiência anormal de hepcidina provoca a sobrecarga de ferro. Outras proteínas envolvidas no metabolismo do ferro atuam por meio de regulação dos níveis de hepcidina. A diminuição da síntese ou da atividade da hepcidina pode ser causada por mutações de perda de função nos genes *HAMP*, *HJV*, *TFR2* e *HFE*, que estão todos associados a formas hereditárias de hemocromatose. Além disso, ocorre deficiência de hepcidina quando há uma elevação crônica dos níveis de eritroferrona, conforme observado em distúrbios caracterizados por hematopoese ineficaz, como a β-talassemia e a síndrome mielodisplásica.

A forma adulta da hemocromatose hereditária é geralmente causada por mutações do *HFE*; a mutação do *TFR2* é uma causa rara. As mutações nos genes *HAMP* e *HJV* são muito menos comuns e dão origem às formas juvenis de hemocromatose hereditária. O *HFE* codifica uma molécula do tipo HLA de classe I, que controla a absorção intestinal de ferro dietético ao regular a síntese de hepcidina. A mutação do *HFE* mais comum produz uma substituição inativadora de cisteína por tirosina no aminoácido 282 (C282Y) e ocorre em 70% ou mais dos pacientes com diagnóstico de hemocromatose hereditária. A outra mutação comum do *HFE* associada à doença resulta em uma substituição de H63D (histidina na posição 63 para aspartato).

A mutação C282Y do *HFE* está confinada, em grande parte, a populações brancas de origem europeia, ao passo que a mutação H63D tem distribuição mundial. A frequência de homozigosidade de C282Y é de 0,45% (1 em cada 220 pessoas), ao passo que a frequência de heterozigosidade é de 11%, o que torna a hemocromatose hereditária um dos distúrbios genéticos mais comuns em seres humanos. A penetrância do distúrbio é baixa em pacientes com mutação C282Y homozigota e ainda menor em indivíduos homozigotos para H63D e heterozigotos compostos para C282Y/H63D.

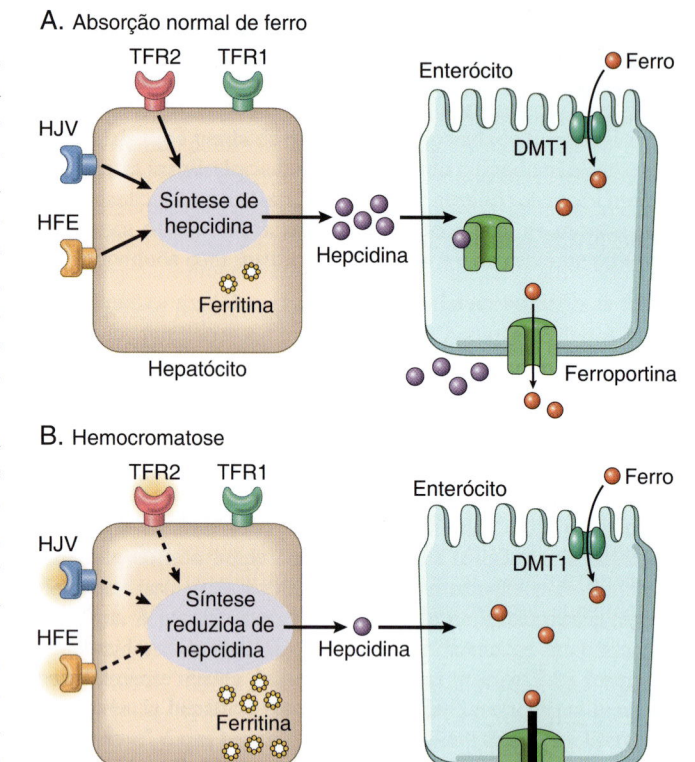

Figura 18.23 Metabolismo normal do ferro e sua alteração na hemocromatose hereditária. **A.** No estado normal, HFE, HJV e TFR2 regulam a síntese de hepcidina pelos hepatócitos, mantendo níveis circulantes normais de hepcidina, que se liga à ferroportina nos enterócitos, resultando em internalização do complexo e em degradação da ferroportina. Isso, por sua vez, reduz o efluxo de ferro dos enterócitos. Por meio dessas interações reguladoras, a absorção normal de ferro é mantida. **B.** Na hemocromatose hereditária, as mutações dos genes *HFE*, *HJV* ou *TFR2* reduzem a síntese de hepcidina, diminuindo os seus níveis na circulação. Devido à diminuição da interação entre hepcidina e ferroportina, a atividade da ferroportina e o efluxo de ferro dos enterócitos aumentam, produzindo sobrecarga de ferro sistêmica.

Morfologia

A hemocromatose grave (hereditária ou secundária) caracteriza-se por: (1) **deposição** de **hemossiderina** nos seguintes órgãos (por ordem decrescente de gravidade): fígado, pâncreas, miocárdio, hipófise, glândulas suprarrenais, glândula tireoide, glândulas paratireoides, articulações e pele; (2) cirrose; e (3) fibrose pancreática. No **fígado**, o ferro torna-se inicialmente evidente como grânulos amarelo-ouro de hemossiderina no citoplasma dos hepatócitos periportais, que se coram pelo azul da Prússia (**Figura 18.24**). Com o aumento da carga de ferro, ocorre a deposição progressiva no restante do lóbulo, assim como no epitélio dos ductos biliares e nas células de Kupffer. O ferro é uma hepatotoxina direta, e, caracteristicamente, a inflamação está ausente. Nos estágios iniciais da doença, o fígado normalmente é um pouco maior do que o normal, denso e de cor marrom-chocolate. Há o desenvolvimento lento de septos fibrosos, levando, em última análise, ao fígado pequeno e retraído, com padrão micronodular de cirrose. Nos estágios mais avançados, o parênquima hepático com frequência é marrom-escuro a quase preto, devido ao extenso acúmulo de ferro.

Outros órgãos que são particularmente suscetíveis aos efeitos tóxicos do ferro também apresentam alterações morfológicas. O **pâncreas** torna-se intensamente pigmentado e pode sofrer atrofia do parênquima em associação com fibrose intersticial. Com frequência, o **coração** está aumentado e apresenta hemossiderose, que produz uma notável coloração marrom. Ambos os órgãos podem desenvolver fibrose. A pigmentação da pele resulta predominantemente do aumento da produção de melanina epidérmica, cujo mecanismo permanece desconhecido. A combinação desses pigmentos confere à pele uma cor cinza-ardósia característica. Com a deposição de hemossiderina nos revestimentos articulares, pode haver desenvolvimento de **sinovite aguda**. A deposição excessiva de pirofosfato de cálcio provoca danos à cartilagem articular, produzindo uma poliartrite incapacitante, denominada **pseudogota**. Os **testículos podem ser pequenos e atróficos**, secundariamente ao comprometimento da hipófise e aos níveis reduzidos de gonadotrofinas e testosterona.

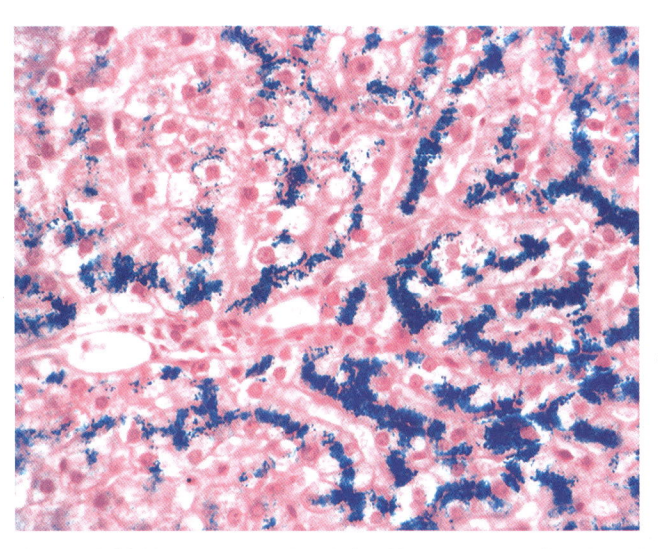

Figura 18.24 Hemocromatose hereditária. Nesse corte corado pelo azul da Prússia, o ferro hepatocelular aparece na cor azul. A arquitetura do parênquima está normal.

Características clínicas

As principais manifestações da hemocromatose consistem em hepatomegalia, dor abdominal, pigmentação anormal da pele (particularmente nas áreas expostas ao sol), alteração da homeostasia da glicose ou diabetes melito (devido à destruição das ilhotas pancreáticas), disfunção cardíaca (arritmias, miocardiopatia) e artrite atípica. Em alguns pacientes, a queixa inicial consiste em hipogonadismo (p. ex., amenorreia em mulheres, impotência e perda da libido em homens). Trata-se, com mais frequência, de uma doença que acomete homens pelas razões descritas anteriormente; raramente, torna-se evidente antes dos 40 anos. A tétrade clássica de cirrose com hepatomegalia, pigmentação anormal da pele, diabetes melito e disfunção cardíaca pode não se desenvolver até um estágio avançado no curso da doença. A morte pode resultar de cirrose ou doença cardíaca.

Outra causa significativa de morte é o carcinoma hepatocelular, cujo risco é 200 vezes maior do que na população em geral. O tratamento que reduz a sobrecarga de ferro não remove por completo o risco de câncer, presumivelmente devido aos danos ao DNA que ocorrem antes do diagnóstico e do início do tratamento.

Felizmente, a hemocromatose com frequência é diagnosticada antes da ocorrência de danos teciduais irreversíveis. Atualmente, a maioria dos pacientes com hemocromatose é identificada no estágio subclínico pré-cirrótico por meio de medições dos níveis séricos de ferro de rotina (como parte de outras avaliações diagnósticas), e o diagnóstico é confirmado pelo sequenciamento do DNA e pela detecção de mutações causadoras, com frequência *HFE*. A avaliação adicional inclui a exclusão de causas secundárias de sobrecarga de ferro. Uma biopsia hepática também pode fornecer informações úteis (p. ex., sobre a presença de fibrose), porém não é realizada de modo rotineiro, visto que os testes genéticos e os exames de imagem anularam a necessidade de avaliação quantitativa do conteúdo de ferro tecidual. O rastreamento de familiares dos pacientes com suspeita de hemocromatose é importante, visto que a identificação de portadores assintomáticos pode prevenir o desenvolvimento da doença.

A prevenção do desenvolvimento ou da progressão da doença em pacientes com doença hereditária de início na vida adulta é notavelmente simples, visto que a flebotomia regular possibilita a depleção contínua das reservas teciduais de ferro. Com tratamento, a expectativa de vida é normal.

As causas mais comuns de hemocromatose secundária (ou adquirida) consistem em distúrbios associados à eritropoese ineficaz, como talassemia (ver **Capítulo 14**) e síndrome mielodisplásica (ver **Capítulo 13**). Nesses distúrbios, o excesso de ferro resulta não apenas de transfusões, mas também do aumento de absorção. A eritroferrona liberada de uma população expandida de progenitores eritroides na medula óssea suprime a produção de hepcidina pelo fígado, levando ao aumento da absorção de ferro. As transfusões isoladas, quando administradas repetidamente durante um período de anos (p. ex., em pacientes com anemias hemolíticas crônicas), também podem levar à hemossiderose sistêmica e à lesão do parênquima, independentemente de a hematopoese ser ineficaz. Por fim, outras formas de cirrose também podem diminuir a produção de hepcidina, devido à perda da massa de eritrócitos, levando mais uma vez ao aumento da captação de ferro pelo intestino e ao aumento dos níveis de ferro nos tecidos.

Doença de Wilson

A doença de Wilson é um distúrbio autossômico recessivo causado pela mutação do gene *ATP7B*, resultando em comprometimento da excreção de cobre na bile e incapacidade de incorporar o cobre na ceruloplasmina. Esse distúrbio caracteriza-se pelo acúmulo de níveis tóxicos de cobre em muitos tecidos e órgãos, principalmente o fígado, o cérebro e os olhos. O cobre livre é captado pelos hepatócitos e incorporado à apoceruloplasmina para formar a *ceruloplasmina*, que é secretada no sangue. A ceruloplasmina representa 90 a 95% do cobre plasmático. O excesso de cobre dentro dos hepatócitos que não é incorporado à ceruloplasmina é sequestrado nos lisossomos e transportado na bile, a partir da qual é finalmente excretado nas fezes.

Patogênese

A doença de Wilson resulta de mutações de perda de função no gene *ATP7B*, que codifica uma ATPase transportadora de cobre transmembranar, expressa na membrana canalicular dos hepatócitos. Foram identificadas mais de 300 variantes de sequência no gene *ATP7B*, porém nem todas causam a doença. A maioria dos pacientes consiste em heterozigotos compostos, que contêm diferentes mutações em cada alelo *ATP7B*. A frequência global de alelos mutados é de 1:100, e a prevalência da doença é de aproximadamente 1:30.000 a 1:50.000 (cerca de 9 mil pacientes nos EUA). A deficiência de ATP7B diminui o transporte de cobre na bile, compromete a sua incorporação à ceruloplasmina e inibe a secreção de ceruloplasmina no sangue. Esses defeitos levam à diminuição da ceruloplasmina circulante, acompanhada de acúmulo de cobre nos hepatócitos. O cobre sérico total pode estar abaixo do normal, devido à deficiência de ceruloplasmina, particularmente no início da evolução da doença.

O excesso de cobre hepático provoca lesão tóxica por três mecanismos: (1) promoção da formação de radicais livres pela reação de Fenton (ver **Capítulo 2**); (2) ligação a grupos sulfidrila de proteínas celulares; e (3) deslocamento de outros metais das metaloenzimas hepáticas. A lesão dos hepatócitos faz o cobre não ligado à ceruloplasmina ser derramado no sangue e se acumular em certos tecidos, particularmente nos núcleos da base e na córnea. De modo concomitante, ocorre um aumento acentuado da excreção urinária de cobre, porém sem alcançar níveis suficientes para evitar a deposição de cobre nos tecidos.

> ### Morfologia
>
> Com frequência, o fígado sofre as consequências da lesão, porém a doença também pode se manifestar como distúrbio neurológico. As alterações hepáticas são variáveis, incluindo desde danos relativamente mínimos até danos maciços, podendo simular muitas outras doenças. A **degeneração gordurosa (esteatose)** pode estar presente, com necrose focal dos hepatócitos. A insuficiência hepática aguda pode simular a hepatite viral aguda. Na doença de Wilson, a hepatite crônica normalmente apresenta inflamação portal moderada a grave e necrose dos hepatócitos, bem como degeneração gordurosa e características de esteato-hepatite (*i. e.*, balonização dos hepatócitos, corpúsculos de Mallory proeminentes e fibrose perissinusoidal). Por fim, ocorre cirrose. A coloração histoquímica do cobre não é sensível nem específica para o diagnóstico de doença de Wilson. A lesão tóxica do cérebro acomete principalmente os núcleos da base, e quase todos os pacientes com comprometimento neurológico desenvolvem lesões oculares, denominadas **anéis de Kayser-Fleischer**, que consistem em depósitos verdes a marrons de cobre na membrana de Descemet no limbo da córnea.

Características clínicas

A idade de início da doença de Wilson varia de 6 a 40 anos (com idade média de 11,4 anos). A apresentação clínica é extremamente variável. Alguns pacientes apresentam doença hepática aguda ou crônica. O comprometimento neurológico pode levar a distúrbios do movimento (tremor, falta de coordenação, coreia ou coreoatetose) ou distonia rígida (em distonia espástica, face semelhante a uma máscara, rigidez e distúrbios da marcha). Os pacientes também podem ter sintomas psiquiátricos. Pode ocorrer anemia hemolítica, devido aos danos à membrana eritrocitária, causados por oxidantes produzidos pelo cobre livre. O diagnóstico bioquímico da doença de Wilson baseia-se, em geral, na presença de níveis séricos diminuídos de ceruloplasmina, no aumento do conteúdo de cobre hepático (o teste mais sensível e acurado) e na excreção urinária aumentada de cobre (o teste mais específico). Hoje, dispõe-se do sequenciamento do gene *ATP7B* para casos em que os resultados dos exames bioquímicos são indeterminados. Esses problemas podem surgir no contexto de lesão hepática, que pode provocar a elevação dos níveis séricos de ceruloplasmina, ainda dentro da faixa normal. A demonstração de anéis de Kayser-Fleischer pelo exame com lâmpada de fenda também é útil para o diagnóstico. O reconhecimento precoce e a terapia de quelação de cobre a longo prazo (com d-penicilamina ou trientina) ou terapia à base de zinco (que bloqueia a captação de cobre dietético no intestino) são efetivos. Os indivíduos com hepatite ou cirrose intratável necessitam de transplante de fígado, que pode ser curativo.

Deficiência de α_1-antitripsina

A deficiência de α_1-antitripsina é um distúrbio autossômico recessivo do enovelamento de proteínas, caracterizado por níveis muito baixos de α_1-antitripsina (α_1AT) circulante. A principal função dessa proteína é a inibição das proteases, particularmente de elastase, catepsina G e proteinase 3 dos neutrófilos, que normalmente são liberadas dos neutrófilos em sítios inflamatórios. A deficiência de α_1AT leva ao desenvolvimento de enfisema pulmonar, visto que a atividade das elastases dos neutrófilos não é inibida (ver **Capítulo 15**). Além disso, ela provoca doença hepática, em consequência do acúmulo hepatocelular da proteína mal enovelada, um exemplo de mutação "de ganho de função tóxica".

A α_1AT é uma pequena glicoproteína plasmática de 394 aminoácidos, sintetizada predominantemente pelos hepatócitos. Trata-se de um membro da família de inibidores da serina protease (serpina). O gene é muito polimórfico, e foram identificadas pelo menos 75 formas de α_1AT, indicadas alfabeticamente pela sua migração relativa em gel isoelétrico. A notação geral consiste em "Pi" para "inibidor da protease" e uma letra alfabética para a posição no gel; a presença de duas letras indica o genótipo de dois alelos de um indivíduo. O genótipo mais comum é PiMM, que ocorre em 90% dos indivíduos ("tipo selvagem").

A mutação clinicamente significativa e mais comum é a PiZ; os homozigotos para a proteína PiZZ apresentam níveis circulantes de α_1AT, que correspondem a apenas 10% do valor normal. Esses indivíduos correm alto risco de desenvolver doença clínica. A expressão dos alelos é autossômica codominante; portanto, os heterozigotos para PiMZ apresentam níveis plasmáticos intermediários de α_1AT. Entre pessoas de ascendência do norte da Europa, o estado PiZZ afeta 1 em cada 1.800 nascidos vivos. Devido à sua apresentação inicial com doença hepática, a deficiência de α_1AT constitui o distúrbio hepático hereditário mais comumente diagnosticado em lactentes e crianças.

Patogênese

As variantes associadas à doença exibem um defeito seletivo no transporte da proteína do retículo endoplasmático para o complexo de Golgi; isso é particularmente característico do polipeptídeo PiZ, que resulta da substituição de glutamina por lisina na posição 342. O polipeptídeo mutante (α_1AT-Z) é mal enovelado e sofre agregação, criando estresse do retículo endoplasmático e desencadeando a resposta a proteínas mal enoveladas, uma cascata de sinalização que pode levar à apoptose (ver **Capítulo 2**). Todos os indivíduos com o genótipo PiZZ acumulam α_1AT-Z no retículo endoplasmático dos hepatócitos, porém apenas um pequeno subgrupo desenvolve doença hepática franca. Por conseguinte, postula-se que outros fatores genéticos ou ambientais possam desempenhar um papel no desenvolvimento da doença hepática.

> ### Morfologia
>
> A deficiência de α_1AT caracteriza-se pela presença de **inclusões globulares citoplasmáticas nos hepatócitos**, que são redondas a ovais, fortemente positivas na coloração pelo ácido periódico de Schiff (PAS) e resistentes à diastase (**Figura 18.25**). As inclusões aparecem em primeiro lugar nos hepatócitos periportais nas formas precoce e leve da doença; com a progressão, elas aparecem nos hepatócitos centrais na doença mais grave, como aquela associada à variante PiZZ. Entretanto, o número de hepatócitos que contêm glóbulos não exibe uma estreita correlação com a gravidade da doença, e os pacientes podem apresentar hepatite neonatal antes do aparecimento dos glóbulos (em geral, 12 semanas de idade ou mais para a doença associada a PiZZ).

Características clínicas

Os achados clínicos e a evolução são muito variáveis. A apresentação neonatal incomum tende a estar associada à doença grave e à rápida progressão para a cirrose. Outros pacientes manifestam a doença na vida adulta com hepatite crônica, cirrose ou carcinoma hepatocelular, que se desenvolve em 2 a 3% dos adultos PiZZ, geralmente (mas nem sempre) no contexto da cirrose. O transplante de fígado é curativo para a doença hepática, porém não tem efeito sobre o desenvolvimento e a evolução da doença pulmonar (ver **Capítulo 15**).

> ### Conceitos-chave
> #### Doença hepática hereditária
>
> - A hemocromatose hereditária é mais comumente causada por mutações de perda de função no gene *HFE*, cujo produto regula a captação intestinal de ferro ao aumentar a síntese de hepcidina pelo fígado. Ela se caracteriza pela absorção aumentada de ferro dietético e pelo acúmulo de ferro no fígado e no pâncreas; a lesão desses órgãos resulta em cirrose e diabetes melito
> - A doença de Wilson é causada por mutações que anulam a função do transportador de íons metálicos, ATP7B, que resulta em acúmulo de cobre no fígado, no cérebro (particularmente nos núcleos da base) e nos olhos ("anéis de Kayser-Fleisher)
> - A deficiência de α_1-antitripsina é uma doença de mau enovelamento de proteínas, que resulta em comprometimento da secreção de α_1-antitripsina no soro e provoca estresse do retículo endoplasmático, levando à lesão dos hepatócitos por meio da via de resposta a proteínas mal enoveladas. A principal consequência da deficiência de α_1-antitripsina é o enfisema pulmonar, devido à atividade não controlada da elastase.

Doença colestática

Formação e secreção de bile

A bile desempenha um papel fundamental na eliminação de bilirrubina, excesso de colesterol, xenobióticos e oligoelementos, como cobre, arsênio, selênio e zinco, e a sua ação detergente emulsifica a gordura alimentar na luz intestinal, possibilitando a sua absorção pelo intestino. Os principais componentes da bile são: bilirrubina, sais biliares, colesterol e fosfolipídios (principalmente fosfatidilcolina).

A bilirrubina é um produto final tóxico da degradação do heme, e é processada pelo fígado e excretada na bile (**Figura 18.26**). O processamento hepático da bilirrubina envolve a sua captação da circulação, o armazenamento intracelular, a conjugação com ácido glicurônico e a excreção na bile. A maior parte da bilirrubina produzida diariamente (0,2 a 0,3 g, 85%) provém da degradação dos eritrócitos senescentes pelos macrófagos no baço, no fígado e na medula óssea. A bilirrubina restante é produzida pela renovação de proteínas hepáticas que contêm grupos heme (p. ex., citocromos P-450). O heme é convertido em bilirrubina pela ação de várias enzimas dos fagócitos e liberada no sangue, onde se liga à albumina, uma etapa necessária para o transporte, visto que a bilirrubina é insolúvel em pH fisiológico. A captação pelos hepatócitos na membrana sinusoidal é seguida de conjugação da bilirrubina com uma ou duas moléculas de ácido glicurônico no retículo

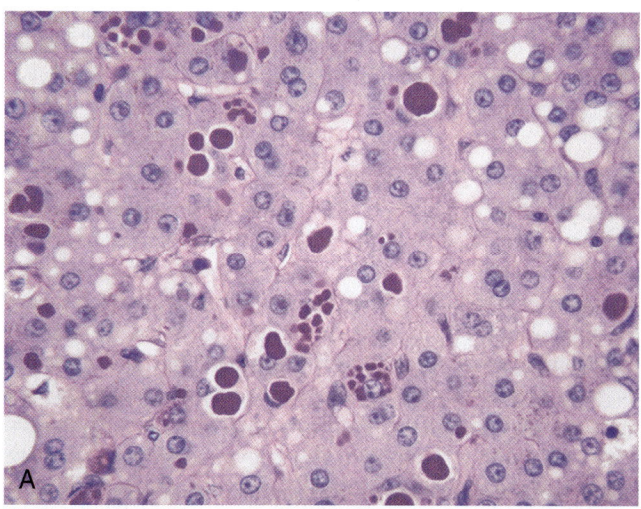

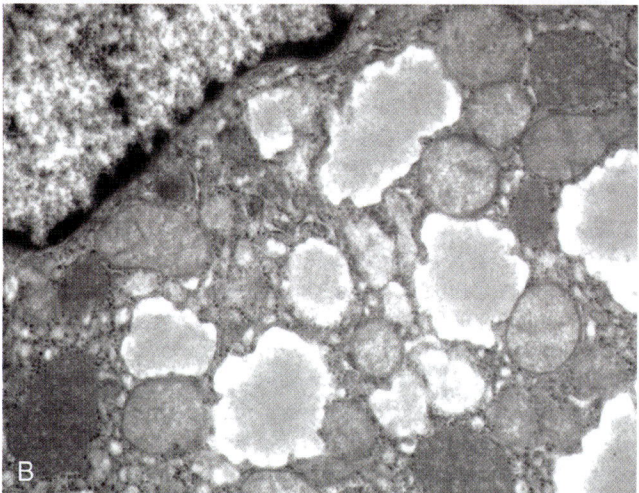

Figura 18.25 Deficiência de α_1-antitripsina. **A.** Coloração pelo ácido periódico de Schiff após a digestão do fígado pela diastase, destacando os grânulos citoplasmáticos de coloração magenta característicos. **B.** Micrografia eletrônica mostrando o retículo endoplasmático dilatado por agregados de proteínas mal enoveladas.

endoplasmático e excreção dos glicuronídeos de bilirrubina hidrossolúveis e atóxicos na bile. Os glicuronídeos de bilirrubina são, em sua maioria, desconjugados na luz intestinal por β-glicuronidases bacterianas e degradados a urobilinogênios incolores. Os urobilinogênios e os resíduos de pigmento intacto são excretados, em grande parte, nas fezes. Cerca de 20% dos urobilinogênios formados são reabsorvidos no íleo e no cólon, devolvidos ao fígado e reexcretados na bile. Uma pequena quantidade do urobilinogênio reabsorvido é excretada na urina.

Os sais biliares são formados pela conjugação de ácidos biliares com taurina ou glicina. Nos seres humanos, os ácidos biliares predominantes são o ácido cólico e o ácido quenodesoxicólico, que são detergentes altamente efetivos. Os ácidos biliares combinam-se com o colesterol e os fosfolipídios para formar micelas, que solubilizam o colesterol e reduzem o efeito tóxico dos ácidos biliares sobre o epitélio biliar. Os ácidos biliares secretados, conjugados ou não conjugados, são reabsorvidos, em sua maioria, a partir do intestino e recirculam para o fígado (circulação êntero-hepática), onde são captados pelos hepatócitos, ajudando, assim, a manter o reservatório endógeno de ácidos biliares.

Os constituintes da bile são transportados através da membrana canalicular dos hepatócitos por uma variedade de proteínas transportadoras. Algumas dessas proteínas importantes são a MRP2 (proteína resistente a múltiplas drogas-2) para a bilirrubina conjugada, a bomba de exportação de sais biliares (BSEP) para os sais biliares, a MDR3 (resistência a múltiplas drogas-3) para a fosfatidilcolina e as esterolinas 1 e 2 para o colesterol.

Fisiopatologia e hiperbilirrubinemia

No adulto normal, os níveis séricos de bilirrubina variam entre 0,3 e 1,2 mg/dℓ, e a taxa de produção de bilirrubina é igual à taxa de captação hepática, conjugação e excreção biliar. A icterícia torna-se evidente quando os níveis séricos de bilirrubina aumentam acima de 2 a 2,5 mg/dℓ. Dependendo da etiologia subjacente (resumida na **Tabela 18.8**), a elevação pode envolver predominantemente a bilirrubina não conjugada (indireta) ou conjugada (direta). O exame para bilirrubina plasmática conjugada e não conjugada ajuda a determinar a causa da hiperbilirrubinemia. A produção excessiva de bilirrubina (p. ex., devido à anemia hemolítica ou à eritropoese ineficaz) ou a conjugação defeituosa (devido à imaturidade ou a causas hereditárias) levam ao acúmulo de bilirrubina não conjugada. Essa forma é, em grande parte, insolúvel e não pode ser excretada na urina. Embora a maior parte da bilirrubina não conjugada esteja firmemente ligada à albumina no sangue, em níveis excessivos, a fração não ligada aumenta e pode se difundir para os tecidos, particularmente no cérebro de lactentes, produzindo danos neurológicos (*kernicterus*). Com mais frequência, a hiperbilirrubinemia conjugada resulta de doença hepatocelular, lesão dos ductos biliares e obstrução biliar. Como essa forma é hidrossolúvel e fracamente ligada à albumina sérica, ela pode ser excretada na urina.

Com essa visão geral, serão discutidos a seguir os distúrbios hepatobiliares que levam à hiperbilirrubinemia, muitos dos quais se caracterizam por colestase, que se refere à retenção de bilirrubina e de outros solutos eliminados na bile, devido à formação prejudicada de bile ou à obstrução do fluxo. Antes de analisar as entidades específicas, será realizada uma breve revisão das características morfológicas e clínicas da colestase, que são comuns a todos eles.

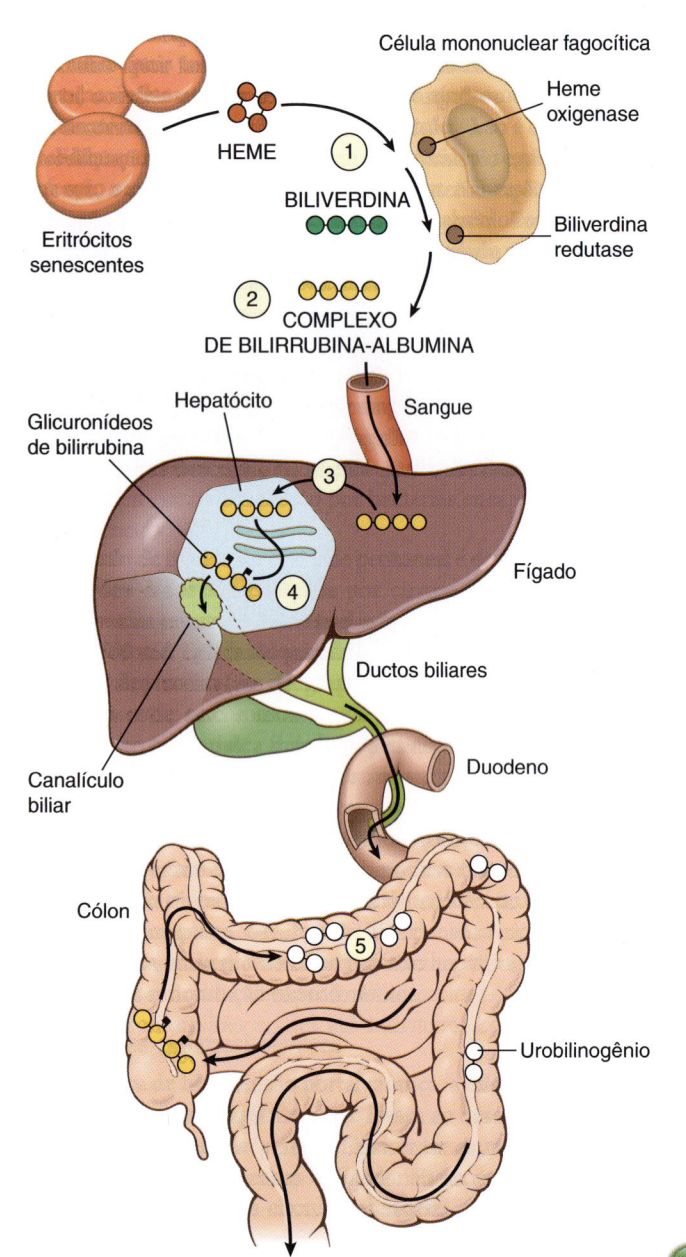

Figura 18.26 Metabolismo e eliminação da bilirrubina. (1) A produção de bilirrubina normal a partir do heme (0,2 a 0,3 g/dia) provém principalmente da degradação dos eritrócitos senescentes circulantes. (2) A bilirrubina extra-hepática liga-se à albumina sérica e é transportada até o fígado. (3) A captação hepatocelular e (4) a glicuronidação no retículo endoplasmático geram monoglicuronídeos e diglicuronídeos de bilirrubina, que são hidrossolúveis e facilmente excretados na bile. (5) As bactérias intestinais desconjugam a bilirrubina e a degradam em urobilinogênios incolores. Os urobilinogênios e o resíduo de pigmentos intactos são excretados nas fezes, com alguma reabsorção e excreção na urina.

> ### Morfologia
>
> A característica típica da colestase é o acúmulo de tampões marrom-esverdeados de pigmento biliar nos hepatócitos e canalículos dilatados (**Figura 18.27**). A ruptura dos canalículos pode levar ao extravasamento de bile, que é fagocitada pelas células de Kupffer. O acúmulo de sais biliares nos hepatócitos resulta em uma aparência intumescida e espumosa do citoplasma ("degeneração plumosa").

Tabela 18.8 Causas de icterícia.

Hiperbilirrubinemia predominantemente não conjugada

Produção excessiva de bilirrubina
  Anemias hemolíticas
    Reabsorção de sangue de hemorragia interna (p. ex., sangramento do trato alimentar, hematoma)
    Eritropoese ineficaz (p. ex., anemia perniciosa, talassemia)
Redução da captação hepática
  Interferência de fármacos nos sistemas de transporte da membrana
  Alguns casos de síndrome de Gilbert
Comprometimento da conjugação de bilirrubina
  Icterícia fisiológica do recém-nascido (atividade diminuída da UGT1A1, excreção diminuída)
  Icterícia do leite materno (β-glicuronidases no leite)
  Deficiência genética da atividade de UGT1A1 (síndrome de Crigler-Najjar tipos I e II, alguns casos de síndrome de Gilbert)

Hiperbilirrubinemia predominantemente conjugada

Deficiência de transportadores da membrana canalicular (síndrome de Dubin-Johnson, síndrome de Rotor)
Doença hepatocelular (p. ex., hepatite viral ou induzida por fármacos, cirrose)
Comprometimento do fluxo biliar em consequência de obstrução dos ductos ou colangiopatias autoimunes

UGT1A1, família da uridina difosfato glicuroniltransferase, peptídeo A1.

Características clínicas

A bilirrubina elevada torna-se clinicamente evidente na forma de pigmentação amarelada da pele (icterícia) e esclera (*icterus*). Outras manifestações incluem prurido, xantomas cutâneos (acúmulo focal de colesterol) ou sintomas relacionados com a má absorção intestinal, incluindo deficiências de vitaminas lipossolúveis (vitaminas A, D e K). Os achados laboratoriais característicos de doença colestática consistem em níveis séricos elevados de fosfatase alcalina (FA) e de γ-glutamil transpeptidase (GGT), enzimas presentes nas membranas apicais (canaliculares) dos hepatócitos e das células epiteliais dos ductos biliares.

Icterícia fisiológica do recém-nascido

Na icterícia fisiológica do recém-nascido, os níveis de UGT1A1 (família da uridina difosfato glicuroniltransferase, peptídeo A1), a enzima responsável pela glicuronidação da bilirrubina, estão baixos ao nascimento e só alcançam os níveis do adulto com 3 a 4 meses de idade. Por conseguinte, a presença de hiperbilirrubinemia não conjugada transitória e leve é quase universal na primeira semana de vida. A amamentação pode exacerbar a hiperbilirrubinemia não conjugada, possivelmente devido à presença de enzimas de desconjugação da bilirrubina no leite materno. Na maioria dos lactentes, a fototerapia com luz azul (que converte a bilirrubina em um isômero solúvel, que é prontamente excretado na urina) é suficiente para manter os níveis de bilirrubina não conjugada dentro de uma faixa segura até ocorrer a maturação suficiente dos mecanismos hepáticos de conjugação.

Hiperbilirrubinemia hereditária

As mutações genéticas podem resultar em comprometimento da captação, conjugação ou secreção de bilirrubina. A *síndrome de Crigler-Najjar tipo 1* é causada pela deficiência grave de UGT1A1

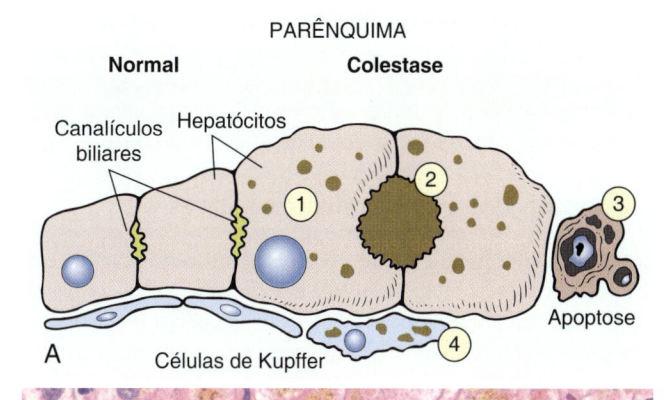

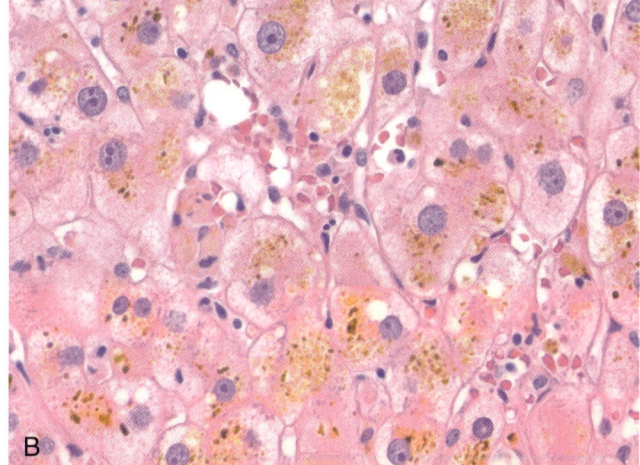

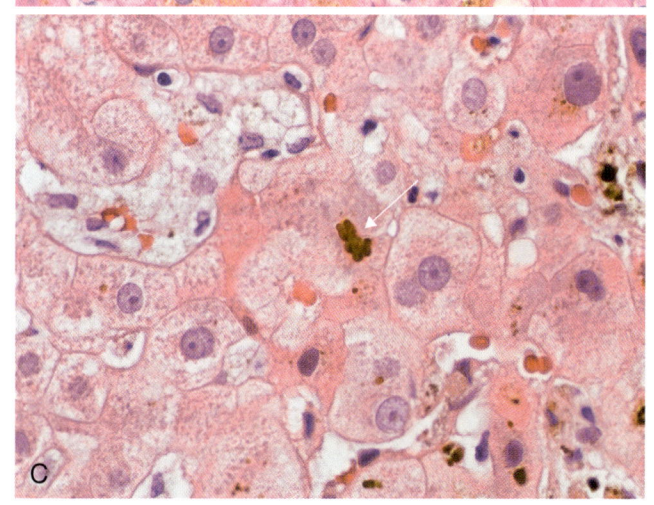

Figura 18.27 Colestase. A. Características morfológicas da colestase (*à direita*) e comparação com o fígado normal (*à esquerda*). Os hepatócitos colestáticos (1) estão aumentados, com espaços canaliculares dilatados (2). Pode-se observar a presença de células apoptóticas (3), e as células de Kupffer (4) frequentemente contêm pigmentos biliares regurgitados. **B.** Colestase intracelular, mostrando os pigmentos biliares no citoplasma. **C.** Tampão biliar (*seta*), mostrando a expansão do canalículo biliar pela bile.

e é fatal próximo à época do nascimento. Na *síndrome de Crigler-Najjar tipo 2* e na síndrome de Gilbert, observa-se alguma atividade da UGT1A1, resultando em fenótipo mais leve. Em contrapartida, a *síndrome de Dubin-Johnson* e a *síndrome de Rotor* levam à hiperbilirrubinemia conjugada. Ambas são doenças autossômicas recessivas e clinicamente benignas. A síndrome de Dubin-Johnson é causada pela mutação do gene *MRP2* (proteína resistente a múltiplas drogas-2), que é necessária para o transporte de ânions orgânicos diferentes dos sais biliares nas membranas caniculares. A deposição de pigmento negro marrom semelhante à melanina nos hepatócitos constitui uma característica notável dessa doença, podendo levar ao escurecimento do fígado.

Obstrução dos grandes ductos biliares

A obstrução dos grandes ductos biliares tem diversas causas. Em adultos, as causas comuns consistem em cálculos (coledocolitíase), neoplasias malignas da árvore biliar ou da cabeça do pâncreas (em geral, adenocarcinoma) e estenoses, que resultam de procedimentos cirúrgicos anteriores ou de lesão isquêmica. A colangite esclerosante primária (descrita adiante) pode levar a um quadro obstrutivo, devido à lesão inflamatória dos grandes ductos biliares intra-hepáticos ou extra-hepáticos. No contexto pediátrico, os fatores responsáveis comuns incluem atresia biliar, fibrose cística e cistos de colédoco. As alterações colestáticas resultantes são reversíveis se a obstrução for corrigida precocemente na evolução da doença, porém a obstrução persistente pode levar à fibrose e à denominada cirrose biliar. A obstrução biliar também predispõe à colangite ascendente, uma infecção bacteriana da árvore biliar mais comumente causada por microrganismos entéricos, como coliformes e enterococos. Em geral, a colangite apresenta-se com febre, calafrios, dor abdominal e icterícia. Os casos graves podem resultar em formação de abscesso, sepse e morte.

Morfologia

A obstrução dos ductos biliares extra-hepáticos ou dos grandes ductos biliares intra-hepáticos leva à dilatação da parte proximal dos ductos. Na biopsia de fígado, a característica essencial consiste em expansão portal devido ao edema, reação ductular proeminente na interface parênquima-portal e neutrófilos infiltrativos associados aos dúctulos ("**pericolangite**") (**Figura 18.28**). Na colangite ascendente, os neutrófilos também envolvem o epitélio e a luz dos ductos biliares (**Figura 18.29**). A obstrução persistente leva à fibrose, que, por fim, pode evoluir para a cirrose biliar (**Figura 18.30**). O intumescimento dos hepatócitos periportais

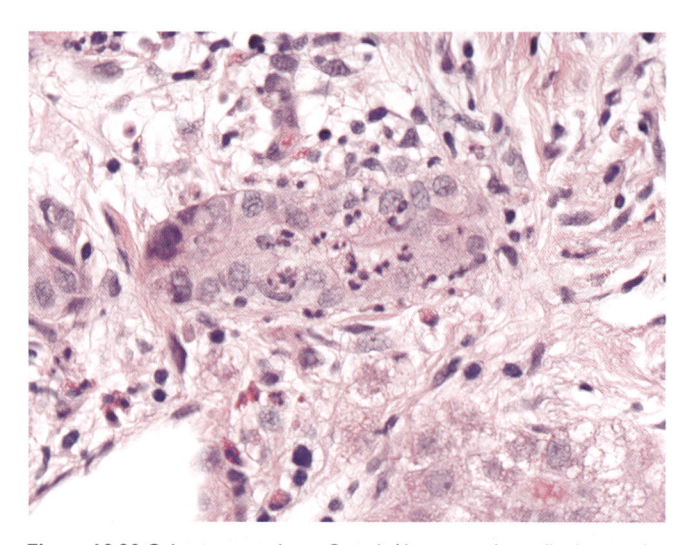

Figura 18.29 Colangite ascendente. Os indivíduos com obstrução dos grandes ductos biliares correm risco de infecções bacterianas na árvore biliar. São observados neutrófilos no revestimento epitelial do ducto biliar e dentro da luz.

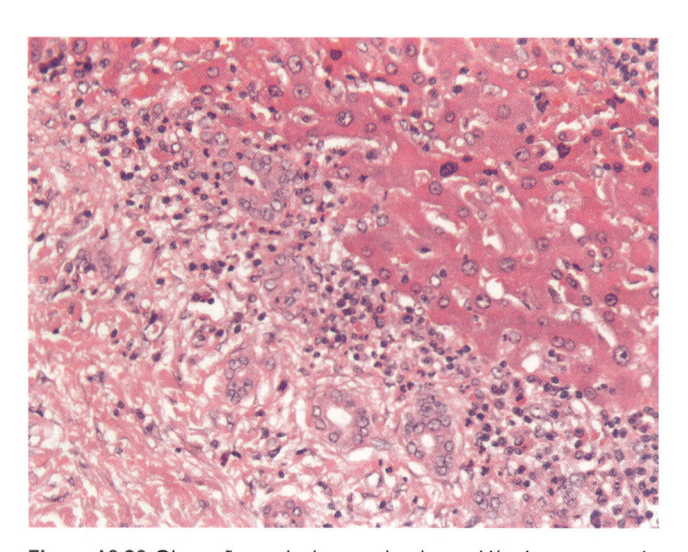

Figura 18.28 Obstrução aguda dos grandes ductos. Há edema acentuado do estroma do trato portal (*espaços brancos*) e uma reação ductular com neutrófilos infiltrados na interface entre o trato portal e o parênquima hepatocelular.

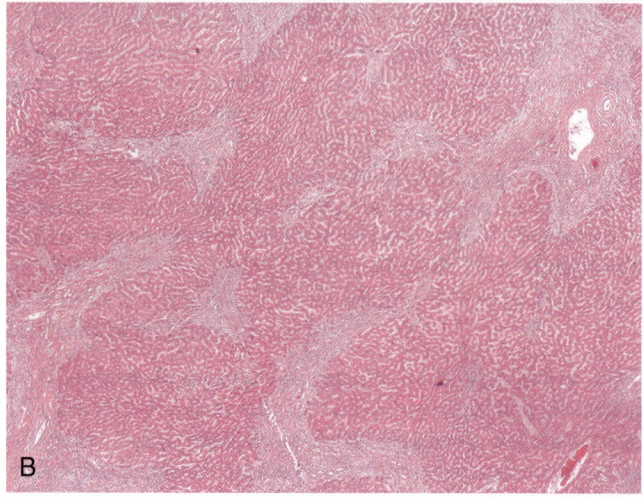

Figura 18.30 Cirrose biliar. **A.** Corte sagital através do fígado mostrando a nodularidade (mais proeminente *à direita*) e a coloração esverdeada da cirrose biliar em estágio terminal. **B.** Diferentemente de outras formas de cirrose, os nódulos de células hepáticas na cirrose biliar com frequência não são redondos, mas sim irregulares, como as peças de um quebra-cabeça.

("**degeneração plumosa**"), o pigmento biliar e os corpúsculos de Mallory são observados nos hepatócitos periportais na doença avançada. A colangite ascendente sobreposta na doença avançada pode precipitar a insuficiência hepática crônica agudizada.

Colestase da sepse

A sepse pode afetar o fígado por vários mecanismos: (1) por meio de efeitos diretos da infecção bacteriana intra-hepática (p. ex., formação de abscessos ou colangite bacteriana); (2) isquemia relacionada com a hipotensão causada pela sepse (particularmente quando o fígado é cirrótico); ou (3) em resposta a produtos microbianos circulantes. Esse último efeito tem maior probabilidade de levar à colestase da sepse, particularmente quando a infecção sistêmica é causada por microrganismos gram-negativos. Os achados morfológicos característicos na presença de sepse grave incluem colestase canalicular e tampões biliares dentro dos canais dilatados de Hering e dos dúctulos biliares na interface parênquima-portal ("colestase ductular" ou "colangiolar") (**Figura 18.31**). A inflamação e a lesão hepatocelular são normalmente leves.

Hepatolitíase primária

Outrora denominada "colangite piogênica recorrente", a hepatolitíase refere-se à presença de cálculos nos ductos biliares intra-hepáticos, que podem levar a episódios repetidos de colangite ascendente e à destruição inflamatória progressiva do parênquima hepático. A doença é altamente prevalente no Leste Asiático, porém é rara em outras partes do mundo. A sua causa é incerta; como possíveis etiologias, foram sugeridas anormalidades congênitas dos ductos, dieta e infecção crônica por bactérias ou parasitas. A lesão inflamatória crônica associada à hepatolitíase é um fator de risco para o colangiocarcinoma, particularmente em Taiwan e, em menor grau, no Japão.

Morfologia

Observa-se a presença de cálculos de bilirrubinato de cálcio pigmentados nos ductos biliares intra-hepáticos distendidos (**Figura 18.32**). Os ductos exibem inflamação crônica, fibrose mural e hiperplasia das glândulas peribiliares. Não há obstrução dos ductos extra-hepáticos. Episódios repetidos de inflamação, colapso do parênquima e fibrose podem levar a uma lesão de tipo massa, que pode simular uma neoplasia nos exames de imagem.

Colestase neonatal

A icterícia fisiológica do recém-nascido (discutida anteriormente) desaparece em 2 semanas, de modo que os lactentes que apresentam icterícia depois de 14 a 21 dias de vida precisam ser avaliados para a possibilidade de colestase neonatal. As principais causas podem ser agrupadas em duas grandes categorias: (1) doença biliar obstrutiva, como atresia biliar; e (2) etiologias não obstrutivas, que incluem escassez de ductos biliares, doenças infecciosas/metabólicas, defeitos nos transportadores de bile e hepatite neonatal idiopática.

Atresia biliar extra-hepática

A atresia biliar extra-hepática caracteriza-se por obstrução completa ou parcial da árvore biliar extra-hepática nos primeiros 3 meses de vida. Ela é responsável por um terço dos casos de colestase neonatal e por 50 a 60% das crianças encaminhadas para transplante de fígado. Em sua forma perinatal mais comum (80% dos casos), a árvore biliar está normalmente formada, e o início da doença é observado após o nascimento. Infecções, agentes tóxicos e lesões autoimunes foram sugeridas, porém a causa permanece desconhecida. A forma fetal menos comum provavelmente resulta do desenvolvimento aberrante da árvore biliar extra-hepática. Os lactentes com atresia biliar extra-hepática apresentam icterícia, urina escura, fezes claras ou acólicas e hepatomegalia.

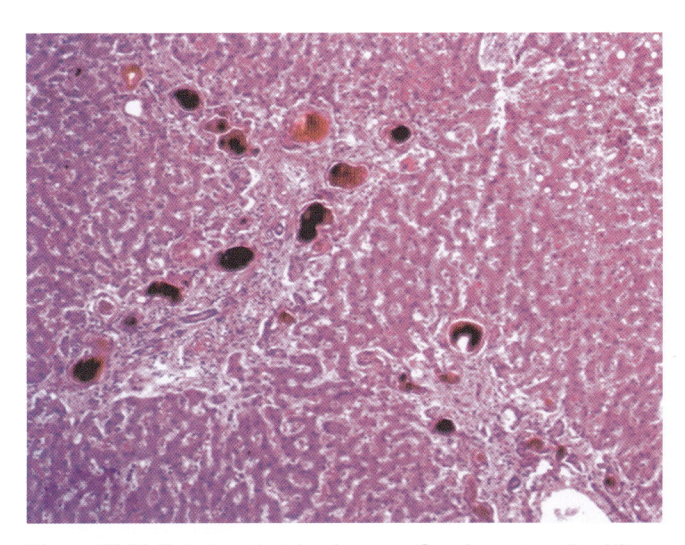

Figura 18.31 Colestase ductular da sepse. Grandes concreções biliares escuras dentro dos canais de Hering acentuadamente dilatados e dúctulos na interface parênquima-portal. (Cortesia do Dr. Jay Lefkowitch, Columbia University College of Physicians and Surgeons, NY.)

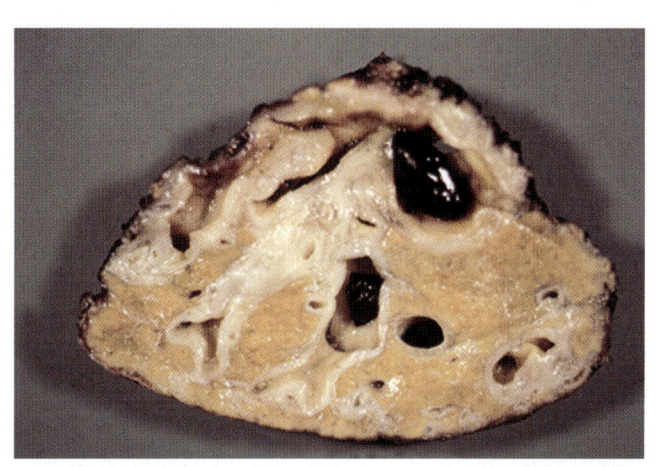

Figura 18.32 Hepatolitíase. Lobo hepático direito atrófico ressecado, com achados característicos, incluindo acentuada dilatação dos ductos biliares distorcidos, que contêm grandes cálculos pigmentados e amplas áreas de colapso do parênquima hepático. (Cortesia do Dr. Wilson M.S. Tsui, Caritas Medical Centre, Hong Kong.)

> **Morfologia**
>
> A inflamação e a fibrose dos ductos hepáticos ou do ducto colédoco constituem a característica essencial da doença e podem se estender, acometendo os ductos intra-hepáticos. As características típicas de obstrução biliar são observadas na biopsia de fígado, incluindo edema portal, reação ductular e infiltrados de neutrófilos. Se não for corrigida, pode desencadear o desenvolvimento de cirrose aos 3 a 6 meses de idade.

Características clínicas

Como a atresia biliar extra-hepática exige intervenção cirúrgica (portoenterostomia ou procedimento de Kasai), a sua diferenciação da colestase neonatal não obstrutiva é de importância crítica. Além disso, é preciso excluir outras etiologias de doenças biliares obstrutivas, como fibrose cística. A combinação de apresentação clínica, exames de imagem (ultrassonografia e cintilografia com ácido iminodiacético [HIDA] hepatoespecífico) e biopsia pode confirmar o diagnóstico na maioria dos casos. Os achados de vesícula biliar pequena ou ausente e fibrose na porta do fígado na ultrassonografia sustentam o diagnóstico de atresia biliar extra-hepática, assim como a cintilografia HIDA com tecnécio-99m (^{99m}Tc), que é excretado na bile. Na atresia biliar extra-hepática, há ausência total de secreção de ^{99m}Tc na bile, e a árvore biliar não é visualizada. O comprometimento dos ductos proximais à porta do fígado, a progressão intra-hepática da doença e a colangite ascendente representam obstáculos ao tratamento cirúrgico bem-sucedido. O transplante de fígado constitui a única opção quando a intervenção cirúrgica não é viável.

Colestase neonatal não obstrutiva

Um grupo diverso de distúrbios está associado à colestase neonatal não obstrutiva. Eles podem ser divididos em distúrbios nos quais a colestase aparece como parte de uma síndrome ou como anormalidade isolada do fígado:

- A *síndrome de Alagille* é uma doença autossômica dominante que está associada à colestase e à escassez de ductos biliares, bem como a outras anormalidades, como face dismórfica, vértebras em forma de borboleta, defeitos oculares e defeitos cardíacos. Ela é causada por mutações de perda de função na via Notch envolvendo os genes que codificam o ligante JAG1 ou o receptor NOTCH2, ambos necessários para o desenvolvimento normal da árvore biliar
- *Certos erros inatos do metabolismo*, em particular a galactosemia (ver **Capítulo 10**) e a doença de Niemann-Pick (ver **Capítulo 5**), podem se manifestar com colestase não obstrutiva
- *As causas não sindrômicas* de colestase não obstrutiva incluem deficiência de α_1-antitripsina (discutida anteriormente) e diversos distúrbios da síntese de ácidos biliares e do transporte de bile.

Com os recentes avanços, é possível determinar a etiologia subjacente em 85 a 90% dos casos (resumida na **Tabela 18.9**).

> **Morfologia**
>
> A diminuição do número de ductos biliares nas regiões portais constitui o aspecto mais característico e constante. Com frequência, a insuficiência biliar está associada à hepatite, caracterizada por inflamação e apoptose/necrose hepatocelular. As características mais significativas são colestase hepatocanalicular e alteração das células gigantes ou células sinciciais com hepatócitos multinucleados (**Figura 18.33**). Em geral, há células de Kupffer reativas e hematopoese extramedular.

Tabela 18.9 Principais causas de colestase neonatal.

Doença biliar obstrutiva
Atresia biliar extra-hepática
Infecção neonatal
Citomegalovírus
Sepse bacteriana
Infecção do trato urinário
Sífilis
Distúrbios genéticos
Doenças metabólicas: tirosinemia, galactosemia
Doenças de depósito de lipídios: doença de Niemann-Pick
Defeitos na síntese de bile: anormalidades do transporte de bile (colestase intra-hepática progressiva), defeitos na síntese de ácidos biliares
Fibrose cística
Deficiência de α_1-antitripsina
Síndrome de Alagille (escassez sindrômica de ductos biliares)
Diversas
Choque/hipoperfusão, fármacos, nutrição parenteral total, hipopituitarismo
Hepatite neonatal idiopática

Colangiopatias autoimunes

Esta seção discute os dois principais distúrbios autoimunes dos ductos biliares: a colangite biliar primária e a colangite esclerosante primária. As características dessas duas condições são comparadas na **Tabela 18.10**.

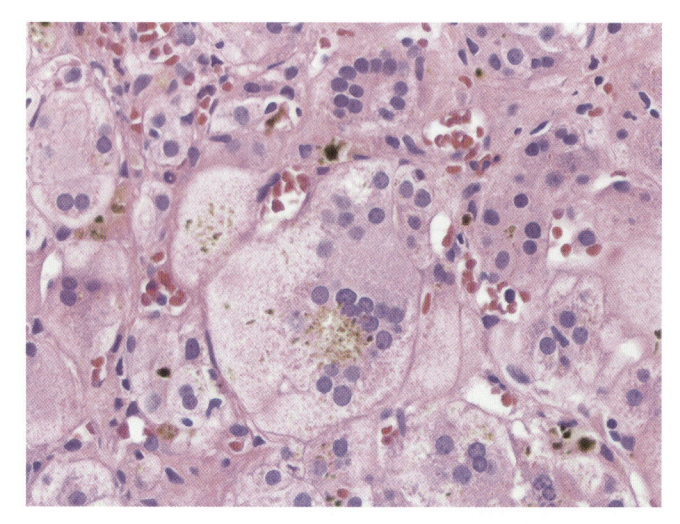

Figura 18.33 Hepatite neonatal. Observe os hepatócitos gigantes multinucleados.

Tabela 18.10 Principais características da colangite biliar primária e da colangite esclerosante primária.

Parâmetro	Colangite biliar primária	Colangite esclerosante primária
Idade	Idade mediana de 50 anos	Idade mediana de 30 anos
Sexo	90% do sexo feminino	70% do sexo masculino
Condições associadas	Síndrome de Sjögren (70%), doença da tireoide, esclerodermia	Doença inflamatória intestinal (70%)
Sorologia	95% AMA-positivos, 40 a 50% ANA-positivos	65% ANCA-positivos; ANA variável, AMA normalmente negativo 6% ANA-positivos
Radiologia	Normal	Estenoses e *beading* dos grandes ductos biliares; "poda" (*pruning*) dos ductos menores
Lesão dos ductos	Lesões floridas dos ductos; perda dos ductos pequenos	Destruição inflamatória dos ductos extra-hepáticos e dos grandes ductos intra-hepáticos; obliteração fibrótica dos ductos intra-hepáticos médios e pequenos; reação ductular nos tratos portais menores

AMA, anticorpo antimitocondrial; *ANA*, anticorpo antinuclear; *ANCA*, anticorpo anticitoplasma de neutrófilo.

Colangite biliar primária

A colangite biliar primária (CBP) é uma doença autoimune caracterizada pela destruição inflamatória dos ductos biliares intra-hepáticos de pequeno e médio porte. Os grandes ductos intra-hepáticos e a árvore biliar extra-hepática não são acometidos. Na maioria dos pacientes, o diagnóstico é estabelecido nos estágios iniciais da doença, de modo que o nome anterior de "cirrose biliar primária" não é mais utilizado. A CBP tem uma notável predileção pelo sexo feminino de 9:1, com pico de incidência entre 40 e 50 anos de idade. A doença é mais comum nos EUA e na Europa Setentrional, ao passo que a incidência é baixa na África e no subcontinente indiano. Os familiares de pacientes com CBP correm risco aumentado de desenvolver a doença.

Patogênese

Acredita-se que a CBP seja um distúrbio autoimune, resultante de um ataque mediado por linfócitos T dos pequenos ductos biliares interlobulares. O fator desencadeante para esse ataque não é conhecido, porém pode envolver a exposição a fatores ambientais, como infecções e substâncias químicas tóxicas, em indivíduos geneticamente suscetíveis. Isso pode levar à expressão de "autoantígenos" nas células epiteliais dos ductos biliares, com destruição resultante pelos linfócitos T. A retenção de sais biliares devido a uma lesão dos ductos biliares leva à lesão hepatocelular secundária na CBP, que pode, em última análise, produzir um quadro cirrótico.

Os anticorpos antimitocondriais dirigidos contra o componente E2 do complexo da piruvato desidrogenase (PDC-E2) constituem o achado mais característico da CBP. Células T específicas para o PDC-E2 estão presentes na CBP, sustentando ainda mais a noção de um processo imunomediado. O papel dos anticorpos antimitocondriais na patogênese da CBP não está bem definido, visto que 5% dos pacientes com CBP típica nos demais aspectos são negativos para anticorpos antimitocondriais (AMA). Além disso, os títulos de anticorpos não se correlacionam com a gravidade ou a progressão da doença, e eles não são preditivos de resposta à terapia (ver adiante). Além disso, pode haver outros autoanticorpos dirigidos contra proteínas dos poros nucleares e proteínas centroméricas.

Morfologia

A característica essencial da CBP consiste em infiltração linfocítica e lesão epitelial que acomete os pequenos ductos biliares interlobulares. Com frequência, observa-se a presença de granulomas epitelioides malformados nos tratos portais, que podem estar centrados nos ductos biliares. **O quadro histológico de destruição linfocitária e/ou granulomatosa dos ductos biliares (lesão ductal florida) é altamente característico da CBP (Figura 18.34).** Com frequência, ocorrem inflamação linfoplasmocitária portal e reação ductular. O comprometimento dos ductos biliares tem uma distribuição irregular, em que o comprometimento de uma minoria de tratos portais constitui uma característica comum na doença em estágio inicial. A progressão da doença leva à perda de pequenos ductos biliares intra-hepáticos ("ductopenia"). Diferentemente da colestase obstrutiva, induzida por fármacos ou associada à sepse, o acúmulo de bile na CBP não é centrizonal, porém é observado em regiões periportais/perisseptais. A estase de sais biliares leva ao intumescimento dos hepatócitos periportais, que apresentam citoplasma claro com filamentos granulares (**degeneração plumosa**) e podem desenvolver corpúsculos de Mallory. Essas alterações periportais, denominadas estase de colato, podem ser observadas em qualquer doença biliar crônica. A doença em estágio terminal culmina em cirrose. À semelhança de outras doenças biliares, os nódulos cirróticos na CBP tendem a ser alongados ("em forma de guirlanda"), diferentemente dos nódulos redondos que ocorrem nas doenças hepatíticas. Alguns pacientes desenvolvem hipertensão portal, devido a nódulos regenerativos sem fibrose, característica denominada hiperplasia nodular regenerativa. A base desse fenômeno na CBP não é conhecida.

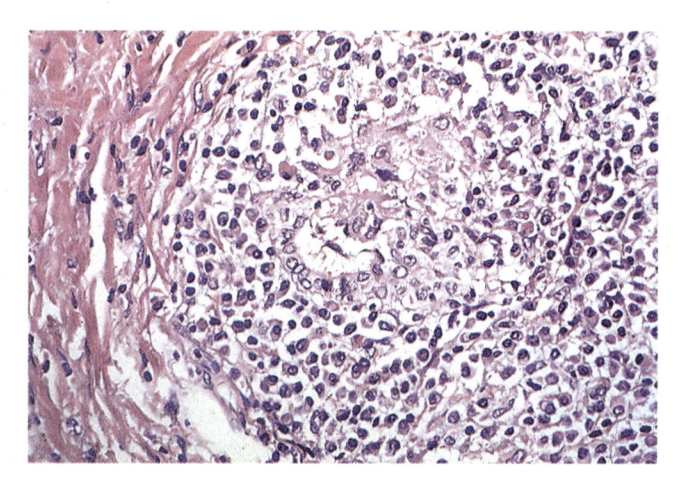

Figura 18.34 Colangite biliar primária. Um trato portal sofreu acentuada expansão por um infiltrado de linfócitos e plasmócitos ao redor de uma reação granulomatosa destrutiva centrada em um ducto biliar ("lesão ductal florida").

Características clínicas

Em geral, a CBP sintomática manifesta-se com fadiga e prurido, que aumentam lentamente com o passar do tempo. A hipercolesterolemia é comum. Observa-se a ocorrência de esplenomegalia e icterícia na doença avançada. Outras características que podem ocorrer incluem hiperpigmentação da pele, xantelasmas, esteatorreia e osteomalacia e/ou osteoporose relacionadas com a má absorção de vitamina D. Outras doenças autoimunes, como síndrome de Sjögren, esclerose sistêmica, tireoidite, artrite reumatoide, fenômeno de Raynaud e doença celíaca, também podem estar presentes nos pacientes afetados.

Um número crescente de casos está sendo detectado em pacientes assintomáticos com níveis séricos elevados de fosfatase alcalina. Os anticorpos antimitocondriais estão presentes em 90 a 95% dos pacientes em todos os estágios da doença e são altamente característicos. Por motivos incertos, muitos pacientes também apresentam níveis séricos elevados de anticorpos IgM. Os anticorpos antimitocondriais podem ser detectados por imunofluorescência indireta ou pelo ensaio imunoabsorvente ligado à enzima (ELISA); este último tem maior sensibilidade e especificidade, visto que detecta seletivamente a presença de anticorpos dirigidos contra a subunidade E2 do complexo da piruvato quinase. O diagnóstico pode ser estabelecido na presença de dois dos seguintes critérios: fosfatase alcalina elevada por mais de 6 meses; teste positivo para anticorpos antimitocondriais; e achados histológicos característicos. A forma da doença AMA-negativa tem apenas dois desses achados e, às vezes, é denominada "colangiopatia autoimune" ou "colangite autoimune". A apresentação clínica, a patologia e a história natural dessa doença são semelhantes nos demais aspectos.

A CBP é uma doença lentamente progressiva, e ocorre progressão para a doença hepática em estágio terminal em 20 a 25% dos pacientes ao longo de 15 a 20 anos. O tratamento com ácido ursodesoxicólico oral, um ácido biliar de ocorrência natural, retarda a progressão da doença na maioria dos pacientes, porém a resposta é inadequada em até 40% dos indivíduos afetados. Nesses pacientes, outras terapias médicas estão sendo avaliadas, como o ácido obeticólico (um ácido biliar sintético). Em pacientes nos quais o tratamento clínico falha, o transplante de fígado produz resultados excelentes, com sobrevida em 7 anos de mais de 70%. À semelhança de muitas formas crônicas de lesão hepática, a CBP está associada a risco aumentado de carcinoma hepatocelular.

Colangite esclerosante primária

A colangite esclerosante primária (CEP) caracteriza-se por inflamação e fibrose obliterativa dos ductos extra-hepáticos e dos grandes ductos intra-hepáticos e por dilatação dos segmentos preservados. A CEP tende a ocorrer entre a terceira e quinta décadas de vida e apresenta uma predominância no sexo masculino de 2:1.

Patogênese

A presença de autoanticorpos circulantes e linfócitos T no estroma periductal e as associações com HLA-B8 e outros antígenos do MHC e retocolite ulcerativa sustentam a ideia de que a CEP é um processo imunomediado. Acredita-se que uma combinação de fatores ambientais e genéticos possa desencadear a lesão inflamatória dos ductos biliares. Os parentes de primeiro grau de pacientes com CEP apresentam aumento do risco de desenvolver a doença, o que sugere um componente genético. Foi proposto que as células T, ativadas na mucosa danificada de pacientes com colite ulcerativa, migram para o fígado, onde elas reconhecem um antígeno do ducto biliar por reação cruzada. Foi também postulado que as infecções ou as mudanças no microbioma intestinal podem levar a alterações nos colangiócitos, que induzem a lesão inflamatória. Diferentemente da CBP, o perfil de autoanticorpos na CEP não é característico; todavia, em aproximadamente 65% dos pacientes, são encontrados anticorpos anticitoplasma de neutrófilo – perinucleares (pANCA) atípicos dirigidos contra uma proteína do envelope nuclear.

> **Morfologia**
>
> Os grandes ductos biliares intra-hepáticos e os ductos extra-hepáticos apresentam lesão epitelial e infiltrados neutrofílicos sobrepostos à inflamação crônica. O edema e a inflamação provocam estreitamento da luz, levando à fibrose e a estenoses. Pode-se observar o desenvolvimento de litíase nos ductos dilatados. A lesão inflamatória pode resultar em fibrose circunferencial "em casca de cebola" (fibrose/esclerose periductais) ao redor de uma luz cada vez mais atrófica (**Figura 18.35**), levando finalmente à obliteração por uma cicatriz em "lápide". Os ductos biliares intra-hepáticos menores, cuja amostra é mais comumente obtida em biopsia, não estão diretamente acometidos pela inflamação, mas podem exibir lesão leve e reação ductular proeminente, devido à colestase. A progressão da colestase e da fibrose culmina em cirrose biliar. Pode haver o desenvolvimento de neoplasia intraepitelial biliar, levando ao colangiocarcinoma, uma complicação temida da CEP.

Características clínicas

Os sintomas de apresentação mais comuns consistem em fadiga, prurido e icterícia. Quase metade dos pacientes é assintomática na apresentação e chama a atenção médica devido à elevação persistente da fosfatase alcalina sérica, particularmente em pacientes com retocolite ulcerativa que são submetidos a rastreamento de rotina. A colangite ascendente também pode ser a apresentação inicial. Observa-se, também, a ocorrência de pancreatite crônica e colecistite crônica, em consequência do comprometimento dos ductos pancreáticos e da vesícula biliar. Podem ocorrer fibrose e, por fim, cirrose.

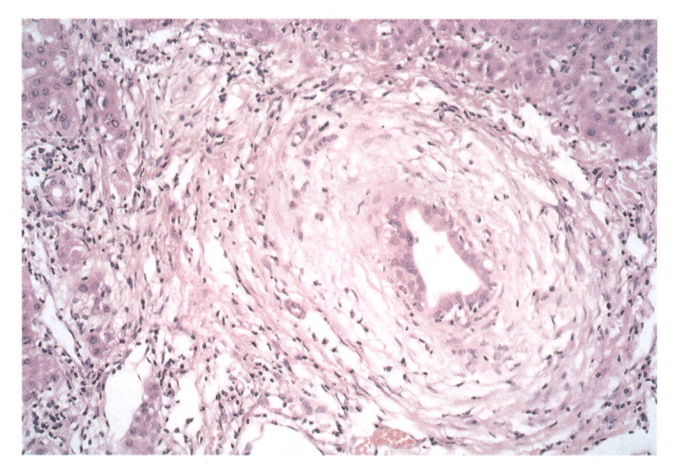

Figura 18.35 Colangite esclerosante primária. Um ducto biliar em degeneração está aprisionado em uma densa cicatriz concêntrica "em casca de cebola".

O padrão-ouro para o diagnóstico de CEP é o *beading* característico observado na grande árvore biliar intra e extra-hepática por meio de colangiopancreaticografia retrógrada endoscópica/magnética (CPRE/CPRM), envolvendo estenoses e dilatações biliares irregulares (**Figura 18.36**). A doença inflamatória intestinal, em particular a retocolite ulcerativa, afeta cerca de 70% dos indivíduos com CEP, ao passo que 8% dos pacientes com doença inflamatória intestinal desenvolvem CEP. Em um pequeno subgrupo de casos, principalmente em associação com a doença inflamatória intestinal, ocorre o comprometimento dos ductos biliares menores apenas, e o exame de CPRE/CPRM é normal. Essa condição é denominada CEP de pequenos ductos e pode progredir para a CEP de grandes ductos típica. A CEP clássica precisa ser distinguida da colangite que ocorre na doença esclerosante com IgG_4 (ver **Capítulo 6**), que responde a esteroides e frequentemente está associada à hepatite. Em 5 a 10% dos casos, ocorre hepatite autoimune em associação com a CEP.

Normalmente, a doença segue um curso prolongado, levando à cirrose, no decorrer de 10 a 15 anos. O risco cumulativo de desenvolver colangiocarcinoma é de 20%. Não existe terapia médica estabelecida para a CEP; ensaios clínicos do ácido ursodesoxicólico estão em andamento. A colestiramina, uma resina de ligação aos ácidos biliares, é utilizada para aliviar o prurido, e a dilatação endoscópica ou a colocação de *stent* são utilizadas para aliviar a obstrução biliar. O transplante de fígado constitui o tratamento de escolha para a doença hepática em estágio terminal.

- A obstrução dos grandes ductos biliares está mais comumente associada a cálculos biliares e a carcinomas que acometem a cabeça do pâncreas. Pode haver desenvolvimento de colangite ascendente. A obstrução crônica pode levar à cirrose
- A colestase na sepse pode resultar dos efeitos diretos da infecção bacteriana intra-hepática, dos produtos microbianos circulantes ou da isquemia relacionada com a hipotensão
- A hepatolitíase primária é um distúrbio de formação de cálculos biliares intra-hepáticos, que é mais comum no Leste Asiático e leva a episódios repetidos de colangite ascendente e destruição inflamatória do parênquima. Ela predispõe ao colangiocarcinoma
- A CBP é uma doença autoimune com destruição inflamatória e, com frequência, granulomatosa dos ductos biliares intra-hepáticos de tamanho pequeno a médio. Ela ocorre com mais frequência em mulheres de meia-idade e está normalmente associada a anticorpos antimitocondriais e a outras doenças autoimunes (p. ex., síndrome de Sjögren e tireoidite de Hashimoto)
- A CEP é uma doença autoimune que é mais comum em homens e está fortemente associada à doença inflamatória intestinal, particularmente retocolite ulcerativa. O diagnóstico é estabelecido pela visualização da árvore biliar. Do ponto de vista histológico, as características típicas consistem em inflamação, fibrose e estenoses que acometem os grandes ductos biliares intra e extra-hepáticos. Os pacientes correm risco de desenvolver colangiocarcinoma

Conceitos-chave

Doenças colestáticas

- Ocorre colestase com comprometimento do fluxo biliar, levando ao acúmulo de pigmento biliar no parênquima hepático. As etiologias hepáticas incluem defeitos metabólicos na formação ou na secreção de bile e lesão inflamatória dos ductos biliares, ao passo que as etiologias pós-hepáticas incluem obstrução mecânica ou destruição inflamatória dos ductos biliares extra-hepáticos

Anomalias estruturais da árvore biliar

Cisto de colédoco

Os cistos de colédoco são dilatações congênitas do ducto colédoco. Com mais frequência, eles surgem em crianças com idade inferior a 10 anos e manifestam-se como icterícia e/ou dor abdominal recorrente, sintomas que são típicos de cólica biliar. Cerca de 20% dos casos tornam-se sintomáticos apenas na vida adulta. Em alguns casos, os cistos de colédoco ocorrem em associação com a dilatação cística da árvore biliar intra-hepática (*doença de Caroli*, descrita mais adiante). A razão entre sexo feminino e sexo masculino é de 3:1 a 4:1. Esses cistos incomuns podem assumir a forma de dilatação segmentar ou cilíndrica do ducto colédoco, divertículos dos ductos extra-hepáticos ou coledococeles, que consistem em lesões císticas que se projetam na luz duodenal. Os cistos colédocos predispõem à formação de cálculos, estenose e estreitamento, pancreatite e complicações biliares obstrutivas no fígado. Além disso, existe risco aumentado de desenvolver carcinoma de ductos biliares.

Doença fibropolicística

A doença fibropolicística do fígado é um grupo heterogêneo de lesões, nas quais a principal anormalidade consiste em malformação congênita da árvore biliar. As lesões podem ser identificadas de modo incidental durante exames radiográficos, cirurgia ou necropsia. As formas mais graves podem se manifestar como hepatoesplenomegalia ou hipertensão portal na ausência de disfunção hepática, começando no final da infância ou na adolescência. Essas lesões fazem parte do espectro de malformações de desenvolvimento das placas ductais, que resultam da persistência das placas ductais

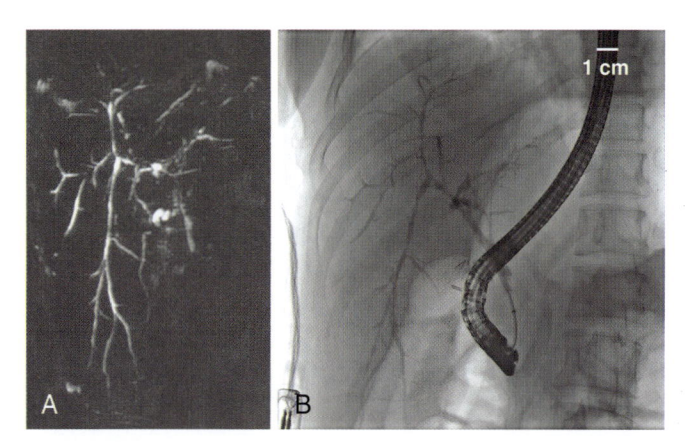

Figura 18.36 Exames de imagem de um paciente com colangite esclerosante primária. **A.** A colangiografia por ressonância magnética mostra uma dilatação focal em alguns ductos biliares (*áreas largas e brilhantes*) e estreitamento em outros (*adelgaçamento ou ausência*). **B.** A colangiografia retrógrada endoscópica do mesmo paciente mostra estruturas quase idênticas às de A. O endoscópio é visível, dando uma ideia de escala. (Cortesia do Dr. M. Edwyn Harrison, MD, Mayo Clinic, Scottsdale, Ariz.)

periportais fetais. O calibre dos tratos portais acometidos determina o tamanho, a morfologia e a distribuição das lesões. A doença fibropolicística do fígado ocorre, com frequência, em associação com a doença renal policística autossômica recessiva (**Capítulo 20**). Os indivíduos com doença fibropolicística do fígado correm risco aumentado de desenvolver colangiocarcinoma.

Na doença polifibrocística, podem-se observar três conjuntos de achados patológicos, que, às vezes, se sobrepõem:

- Os *complexos de von Meyenburg* são hamartomas dos ductos biliares pequenos (**Figura 18.37**). Complexos de von Meyenburg ocasionais são comuns em indivíduos normais sob os demais aspectos. Quando são difusos, eles sinalizam a presença de doença fibropolicística subjacente e clinicamente importante
- *Cistos biliares intra-hepáticos ou extra-hepáticos solitários ou múltiplos*. Quando presentes de modo isolado, esses cistos podem ser sintomáticos, devido à colangite ascendente. A dilatação cística multifocal dos grandes ductos biliares intra-hepáticos é denominada *doença de Caroli*. Quando a dilatação cística da árvore biliar ocorre em associação com a fibrose hepática congênita, utiliza-se o termo *síndrome de Caroli* (**Figura 18.38**). Pode ocorrer dilatação cística dos ductos, porém também existem cistos verdadeiros. Estes últimos podem ser cistos intra-hepáticos ou do colédoco, conforme descrito anteriormente
- A *fibrose hepática congênita* caracteriza-se pelo aumento dos tratos portais causado por faixas largas de tecido colagenoso, formando septos que dividem o fígado em ilhas irregulares (**Figura 18.39**). Números variáveis de ductos biliares de formato anormal estão incluídos no tecido fibroso, embora permaneçam em continuidade com a árvore biliar. À semelhança da cirrose, os indivíduos com fibrose hepática congênita correm risco de desenvolver hipertensão portal e suas complicações, particularmente hemorragia de varizes.

Distúrbios circulatórios

Tendo-se em vista o grande volume de sangue que flui pelo fígado, não é surpreendente que os distúrbios circulatórios tenham um considerável impacto sobre o órgão. Entretanto, na maioria dos casos, não há desenvolvimento de anormalidades clinicamente significativas da função hepática, porém a morfologia do fígado pode estar consideravelmente afetada. Esses distúrbios podem ser agrupados de acordo com o comprometimento do fluxo sanguíneo para o fígado, através ou a partir dele (**Figura 18.40**).

Comprometimento do fluxo sanguíneo para o fígado

Comprometimento da artéria hepática

O duplo suprimento de sangue do fígado atenua a ocorrência de infarto; entretanto, a obstrução de um ramo intra-hepático da artéria hepática por êmbolos, trombos ou compressão pode resultar em infarto localizado, que é pálido e anêmico, ou hemorrágico, se houver sufusão com sangue portal (**Figura 18.41**). As causas subjacentes podem incluir neoplasia, poliarterite nodosa (ver **Capítulo 11**) ou sepse. A interrupção do fluxo sanguíneo através

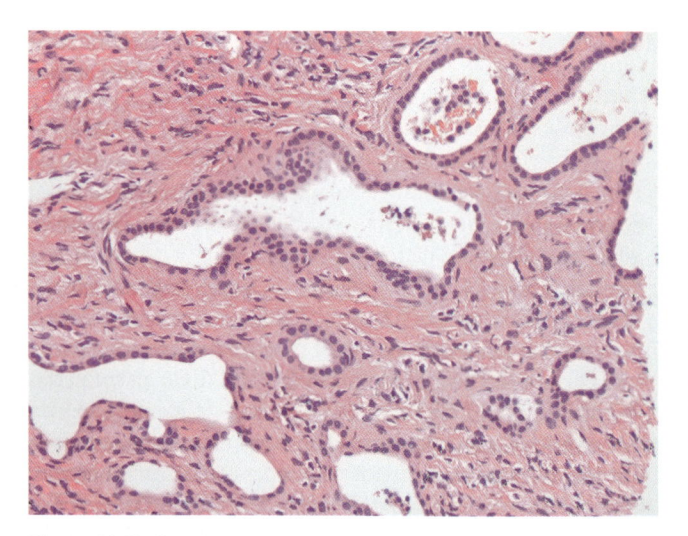

Figura 18.37 Complexo de von Meyenburg (hamartoma de ductos biliares). Acredita-se que os ductos biliares irregulares e dilatados com contornos curvilíneos representem a formação de placa ductal.

Figura 18.38 Fibrose hepática congênita com múltiplos cistos biliares.

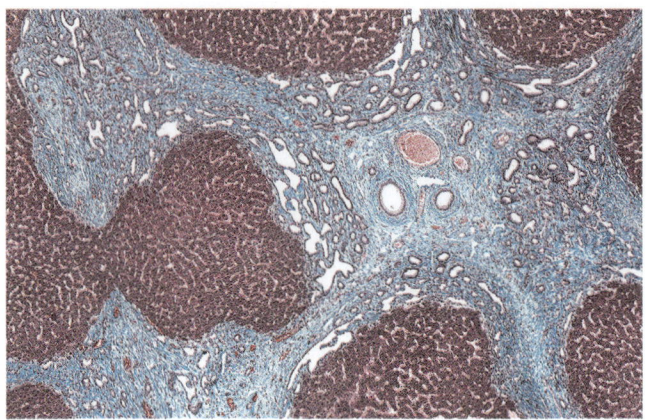

Figura 18.39 Fibrose hepática congênita. Amplas faixas de fibrose com remanescentes dilatados de placas ductais. O parênquima intercalado é relativamente normal (coloração: tricrômico de Masson).

FORMAS

COMPROMETIMENTO DO FLUXO SANGUÍNEO PARA O FÍGADO
  Obstrução da veia porta
  Trombose intra-hepática ou extra-hepática

COMPROMETIMENTO DO FLUXO SANGUÍNEO INTRA-HEPÁTICO
  Cirrose
  Oclusão sinusoidal

OBSTRUÇÃO DO FLUXO DE SAÍDA PELA VEIA HEPÁTICA
  Trombose da veia hepática (síndrome de Budd-Chiari)
  Síndrome de obstrução sinusoidal

MANIFESTAÇÕES

Varizes esofágicas
Esplenomegalia
Congestão intestinal

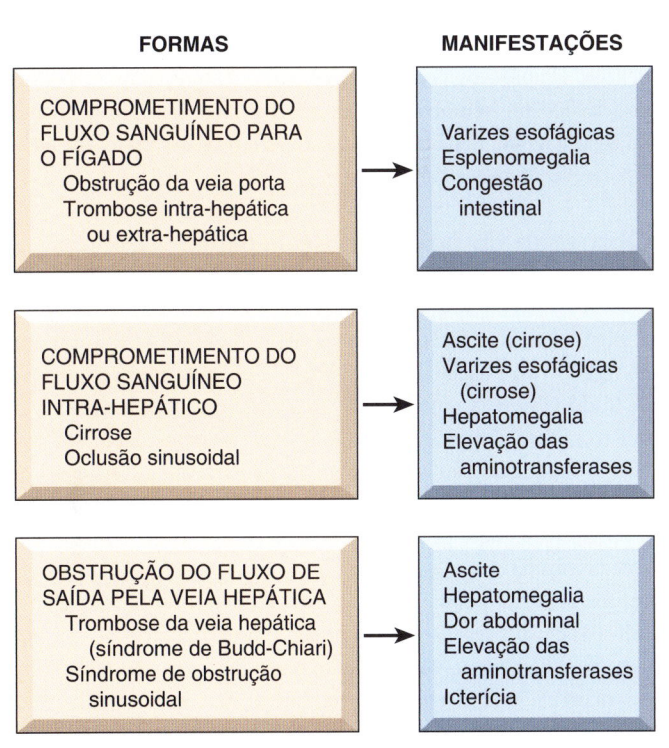

Ascite (cirrose)
Varizes esofágicas (cirrose)
Hepatomegalia
Elevação das aminotransferases

Ascite
Hepatomegalia
Dor abdominal
Elevação das aminotransferases
Icterícia

Figura 18.40 Formas e manifestações clínicas dos distúrbios circulatórios hepáticos.

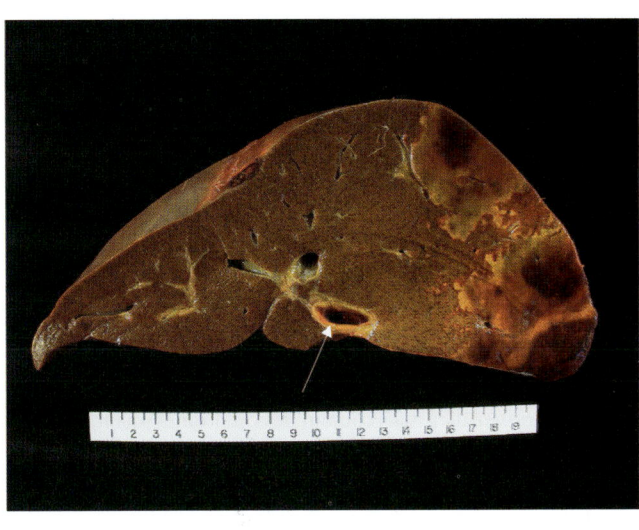

Figura 18.41 Infarto do fígado. Um trombo está alojado em um ramo periférico da artéria hepática (*seta*) e comprime a veia porta adjacente; o tecido infartado necrótico distal apresenta margens pálidas e áreas multifocais de hemorragia.

da artéria hepática principal nem sempre provoca necrose isquêmica do órgão, particularmente se o fígado estiver normal nos demais aspectos, visto que o fluxo arterial retrógrado através de vasos acessórios, quando acoplado ao suprimento venoso portal, geralmente é suficiente para sustentar o parênquima hepático.

Diversas condições aumentam a vulnerabilidade do fígado ao infarto em caso de obstrução da artéria hepática. A trombose da artéria hepática em um fígado transplantado geralmente leva ao infarto dos ductos principais da árvore biliar, visto que o seu suprimento sanguíneo é totalmente arterial, podendo levar também à lesão hepática e a alterações regenerativas. Podem ocorrer grandes infartos com trombose combinada da veia porta e da artéria hepática, resultando, por fim, em cicatriz subcapsular.

Obstrução e trombose da veia porta

O bloqueio da veia porta e suas tributárias tanto pode ser insidioso e bem tolerado quanto ser um evento catastrófico e potencialmente letal; a maioria dos casos situa-se em algum ponto entre esses dois extremos. A doença oclusiva da veia porta ou de seus principais ramos normalmente produz dor abdominal e, na maioria dos casos, manifestações de hipertensão portal, principalmente varizes esofágicas que têm propensão a sofrer ruptura.

A obstrução pode ocorrer na veia porta extra-hepática, nas radículas da veia porta intra-hepática ou nos pequenos ramos da veia porta. A obstrução extra-hepática da veia porta pode ser idiopática (cerca de um terço dos casos) ou pode se originar das seguintes condições:

- *Sepse umbilical neonatal ou cateterismo da veia umbilical*, que produzem, com frequência, oclusão subclínica da veia porta, que se manifesta como sangramento de varizes e ascite dentro de alguns anos

- *Infecção intra-abdominal* causada por diverticulite aguda ou apendicite, levando à pileoflebite na circulação esplâncnica
- *Estados de hipercoagulabilidade herdados ou adquiridos*, incluindo neoplasias mieloproliferativas, como policitemia vera (ver **Capítulo 13**), em que as anormalidades das plaquetas predispõem à trombose da veia porta
- *Trauma*, cirúrgico ou de outro tipo
- *Trombose da veia esplênica associada à pancreatite e ao câncer de pâncreas*, que se propaga para a veia porta
- *Invasão da veia porta por carcinoma hepatocelular*
- *Cirrose*, que está associada à trombose da veia porta em aproximadamente 25% dos pacientes, muitos dos quais apresentam um genótipo trombofílico subjacente (p. ex., fator V de Leiden; ver **Capítulo 4**).

As radículas intra-hepáticas da veia porta têm maior probabilidade de serem obstruídas por trombose aguda, geralmente no contexto de uma neoplasia maligna ou de algum outro estado de hipercoagulabilidade. Em contrapartida, pode-se observar a ocorrência de obstrução de pequenos ramos da veia porta em uma variedade de condições patogenicamente distintas, caracterizadas por hipertensão portal não cirrótica, como:

- *A causa mais comum de obstrução de pequenos ramos da veia porta é a esquistossomose;* os ovos dos parasitas e a resposta inflamatória granulomatosa associada causam obstrução dos menores ramos da veia porta
- *Outras doenças associadas à obstrução de pequenos ramos da veia porta são coletivamente denominadas hipertensão portal não cirrótica idiopática*. A patogênese é desconhecida; foram observadas associações com estados protrombóticos, infecções (p. ex., HIV), fármacos, toxinas, imunodeficiências, obstrução biliar crônica e doenças autoimunes. Foi relatada uma variação geográfica na incidência de fibrose e hipertensão portais não cirróticas. A doença é particularmente comum na Índia, porém a incidência parece estar diminuindo. Com frequência, os pacientes apresentam sangramento gastrintestinal alto. No Leste

Asiático, particularmente no Japão, existe uma predominância do sexo feminino, e os pacientes apresentam esplenomegalia, frequentemente em associação com doenças reumatológicas. A doença é observada na infecção pelo HIV não tratada e em pacientes que recebem terapia antirretroviral, nos quais pode representar uma complicação do tratamento. O transplante de fígado pode ser necessário para evitar sequelas fatais da hipertensão portal em todos esses contextos.

Comprometimento do fluxo sanguíneo ao longo do fígado

A causa intra-hepática mais comum de comprometimento do fluxo sanguíneo é a cirrose, conforme descrito anteriormente. Além disso, a oclusão física do fluxo sanguíneo sinusoidal ocorre em um pequeno grupo de doenças, incluindo as seguintes:

- *Doença falciforme* (**Figura 18.42**), devido à obstrução por eritrócitos falciformes
- *Coagulação intravascular disseminada*, devido a numerosos trombos pequenos
- *Eclâmpsia* (discutida adiante)
- *Neoplasia metastática intrassinusoidal difusa*, devido à obstrução física por tampões de neoplasia, às vezes com trombose sobreposta.

Em todos esses cenários, a obstrução do fluxo sanguíneo pode levar à necrose maciça dos hepatócitos e à insuficiência hepática aguda.

A *peliose hepática* é uma forma peculiar de dilatação sinusoidal, que ocorre em qualquer condição em que haja impedimento do efluxo de sangue hepático. O fígado contém espaços císticos preenchidos por sangue, revestidos ou não por células endoteliais sinusoidais. A patogênese é desconhecida. Foram observadas espécies de *Bartonella* nas células endoteliais sinusoidais na peliose associada à AIDS; entretanto, observa-se, também, a ocorrência de peliose no câncer e em outras infecções, como a tuberculose. A administração de hormônios sexuais (p. ex., esteroides anabolizantes, contraceptivos orais, danazol) também pode provocar peliose. Embora os sinais clínicos geralmente estejam ausentes, podem ocorrer hemorragia intra-abdominal potencialmente fatal ou insuficiência hepática. Em geral, as lesões desaparecem após a correção da causa subjacente.

Obstrução do fluxo venoso hepático

Trombose da veia hepática

A obstrução das veias hepáticas principais provoca aumento do fígado, dor e ascite, uma condição conhecida como síndrome de Budd-Chiari. A obstrução de uma única veia hepática principal por trombose é clinicamente silenciosa. Os danos hepáticos são uma consequência do aumento da pressão arterial intra-hepática. A trombose da veia hepática está associada a neoplasias mieloproliferativas, como policitemia vera (ver **Capítulo 13**), distúrbios hereditários da coagulação (ver **Capítulo 4**), síndrome do anticorpo antifosfolipídio, hemoglobinúria paroxística noturna (ver **Capítulo 14**) e cânceres intra-abdominais, em particular o carcinoma hepatocelular. Na gravidez ou com o uso de contraceptivos orais, ela ocorre em consequência da interação com um distúrbio trombofílico subjacente.

> ### Morfologia
>
> Na síndrome de Budd-Chiari, o fígado está intumescido e púrpura-avermelhado e apresenta uma cápsula tensa (**Figura 18.43**). Pode haver áreas de colapso hemorrágico alternando com parênquima preservado ou em regeneração, e os padrões são dependentes de quais veias hepáticas pequenas e grandes estão obstruídas. Ao exame microscópico, o parênquima hepático afetado revela congestão centrolobular intensa e necrose. Há o desenvolvimento de fibrose pericentral/sinusoidal nos casos em que a trombose ocorre mais lentamente. As principais veias contêm trombos, que exibem graus variáveis de organização.

Características clínicas

A mortalidade da trombose aguda da veia hepática não tratada é elevada. A realização imediata de cirurgia para criar uma derivação venosa portossistêmica possibilita o fluxo reverso pela veia porta e melhora o prognóstico. A forma crônica é muito menos letal, e mais de dois terços dos pacientes permanecem vivos após 5 anos.

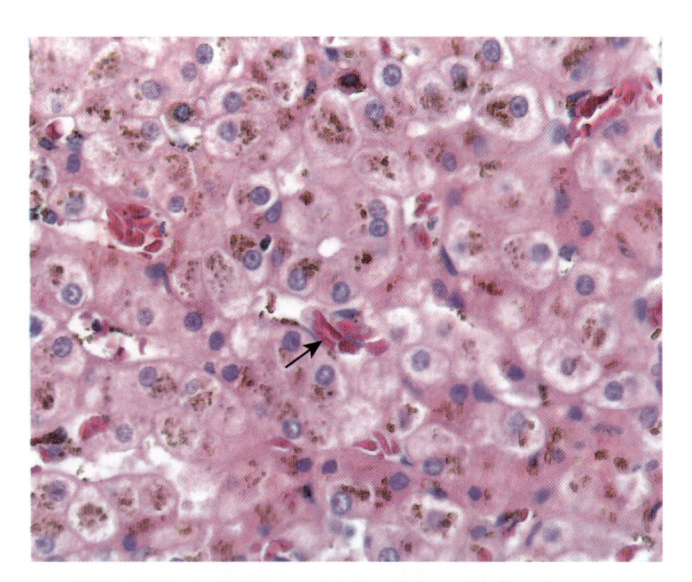

Figura 18.42 Crise falciforme no fígado. A fotomicrografia mostra vários sinusoides que contêm eritrócitos "falciformes" (*seta*).

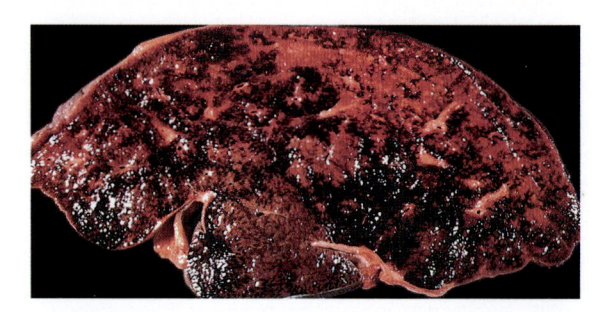

Figura 18.43 Síndrome de Budd-Chiari. A trombose das veias hepáticas principais causou necrose hepática hemorrágica.

Síndrome da obstrução sinusoidal

Descrita originalmente em jamaicanos que bebiam chá de arbusto com o alcaloide pirrolizidina e denominada *doença veno-oclusiva*, a síndrome da obstrução sinusoidal agora ocorre principalmente em dois contextos: (1) após o transplante de células-tronco hematopoéticas alogênicas (ou, menos comumente, autólogas), em geral nas primeiras 3 semanas (embora a realização de mudanças nos esquemas de condicionamento tenha reduzido a incidência); e (2) em pacientes com câncer submetidos a certas formas de quimioterapia. A taxa de mortalidade é de até 80% na doença grave.

Patogênese

A síndrome da obstrução sinusoidal surge em decorrência de lesão tóxica do endotélio sinusoidal. O endotélio lesionado e descamado provoca a obstrução do fluxo sanguíneo sinusoidal, e os restos associados acumulam-se na veia hepática terminal. Os eritrócitos entram no espaço de Disse nos sinusoides rompidos, e a interrupção do fluxo sanguíneo com frequência leva à necrose dos hepatócitos perivenulares.

> ### Morfologia
>
> A síndrome da obstrução sinusoidal caracteriza-se por obliteração das vênulas hepáticas terminais pelo endotélio intumescido ou necrótico, edema e deposição final de colágeno. Na doença aguda, há congestão centrolobular, necrose hepatocelular e acúmulo de macrófagos carregados de hemossiderina. Nas lesões avançadas, a luz obliterada das vênulas pode ser identificada por corantes especiais para o tecido conjuntivo (**Figura 18.44**). Na síndrome da obstrução sinusoidal crônica ou cicatrizada, pode ocorrer obliteração fibrosa completa da vênula.

Características clínicas

Embora a histologia seja o padrão-ouro para o estabelecimento do diagnóstico, a biopsia de fígado é, com frequência, perigosa nesses pacientes. Em consequência, o diagnóstico é normalmente estabelecido em bases clínicas, a partir dos achados de hepatomegalia dolorosa, ascite, ganho de peso e icterícia, bem como fluxo venoso hepático invertido ou atenuado na ultrassonografia com Doppler. Os resultados iniciais sugerem que o tratamento com anticoagulantes e ursodesoxicolato pode reduzir a incidência e a gravidade da síndrome da obstrução sinusoidal em pacientes submetidos a transplante de células-tronco hematopoéticas.

Congestão passiva e necrose centrolobular

Essas manifestações hepáticas de comprometimento circulatório sistêmico – congestão passiva e necrose centrolobular – são consideradas em conjunto, visto que elas representam um *continuum* morfológico. Ambas as alterações são comumente observadas na necropsia, visto que existe um elemento de insuficiência circulatória pré-óbito em praticamente toda morte não traumática.

> ### Morfologia
>
> A descompensação cardíaca direita leva à congestão passiva do fígado. O fígado está levemente aumentado, tenso e cianótico, com bordas arredondadas. Ao exame microscópico, observa-se a **congestão dos sinusoides centrolobulares que também se encontram dilatados**. Com o tempo, os hepatócitos centrolobulares tornam-se atróficos, o que resulta em acentuada atenuação das placas celulares hepáticas.
>
> A insuficiência cardíaca esquerda ou o choque podem levar à hipoperfusão hepática e à hipoxia dos hepatócitos ao redor das veias centrais. A combinação de hipoperfusão e congestão retrógrada atua de modo sinérgico, causando **necrose hemorrágica centrolobular**. O fígado adquire uma aparência mosqueada variegada, refletindo a hemorragia e a necrose nas regiões centrolobulares (**Figura 18.45A**). Esse achado é conhecido como **fígado em noz-moscada**, devido à sua semelhança com a superfície de corte de uma noz-moscada. Na maioria dos casos, a única evidência clínica de necrose centrolobular ou de suas variantes consiste em elevação transitória dos níveis séricos de aminotransferases, porém os danos ao parênquima podem ser suficientes para induzir icterícia leve a moderada.
>
> Ao exame microscópico, há uma nítida demarcação entre os hepatócitos periportais viáveis e os hepatócitos pericentrais necróticos ou atróficos, com sufusão de sangue através da região centrolobular (**Figura 18.45B**). Na insuficiência cardíaca congestiva grave e crônica sustentada, observa-se o desenvolvimento de **esclerose cardíaca** com fibrose pericelular centrolobular, às vezes com septos fibrosos em ponte.

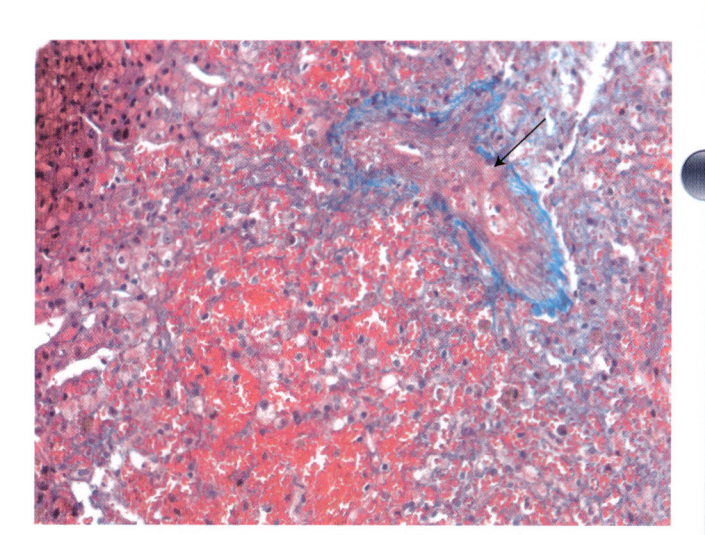

Figura 18.44 Síndrome da obstrução sinusoidal. A coloração do colágeno revela congestão sinusoidal acentuada, atrofia e perda de hepatócitos, bem como trombo organizado dentro da luz da veia (*seta*). (Coloração: tricrômico de Masson.)

> ### Conceitos-chave
> #### Distúrbios circulatórios
>
> - Os distúrbios circulatórios do fígado podem ser causados por comprometimento do fluxo sanguíneo de entrada no fígado, por defeitos no fluxo sanguíneo intra-hepático e pela obstrução do fluxo sanguíneo de saída
> - A obstrução da veia porta por trombose intra-hepática ou extra-hepática pode causar hipertensão portal, varizes esofágicas e ascite
> - A cirrose constitui a causa mais comum de comprometimento do fluxo sanguíneo intra-hepático
> - As obstruções ao fluxo sanguíneo de saída incluem trombose da veia hepática (síndrome de Budd-Chiari) e síndrome da obstrução sinusoidal, anteriormente conhecida como doença veno-oclusiva

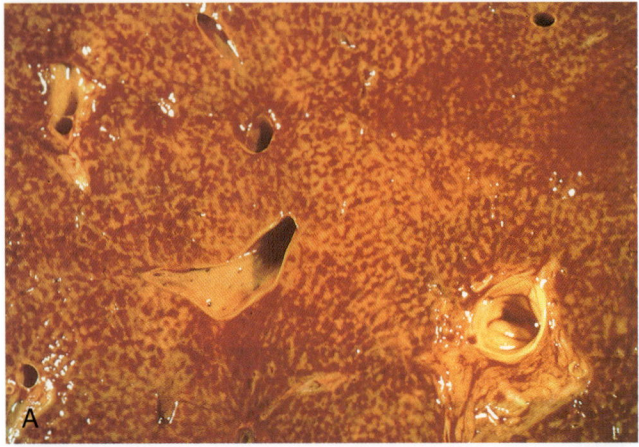

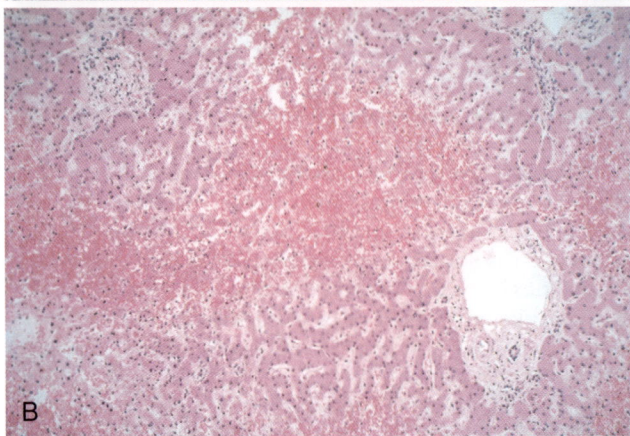

Figura 18.45 Congestão passiva aguda ("fígado em noz-moscada"). **A.** A superfície de corte do fígado tem uma aparência vermelha mosqueada e variegada, representando a congestão e a hemorragia nas regiões centrolobulares do parênquima. **B.** Ao exame microscópico, a região centrolobular apresenta sufusão com eritrócitos, e os hepatócitos atrofiados não são facilmente observados. Os tratos portais e o parênquima periporta estão intactos.

Doença hepática associada à gravidez

Algumas formas de doença hepática podem ser exacerbadas pela gravidez. A hepatite viral (HAV, HBV, HCV ou HBV + HDV) constitui a causa mais comum de icterícia na gravidez. Embora essas mulheres necessitem de manejo clínico cuidadoso, a gravidez não altera especificamente o curso da hepatite viral, com exceção da infecção pelo HEV, que, por motivos desconhecidos, segue uma evolução mais grave e apresenta uma taxa de mortalidade que se aproxima de 20% em gestantes. O fígado também pode ser secundariamente acometido por outras infecções durante a gravidez, incluindo hepatite causada pelo herpes-vírus simples, uma rara causa de insuficiência hepática aguda na gravidez, e abscesso hepático causado por *Listeria monocytogenes*, um microrganismo que cresce no tecido placentário, a partir do qual pode se implantar no fígado.

São obtidas provas de função hepática anormal em 3 a 5% das gestações; todavia, na maioria dos casos, essas anormalidades não têm importância clínica. Em um subgrupo muito pequeno de mulheres grávidas (0,1%), observa-se o desenvolvimento de complicações hepáticas mais graves. Esses distúrbios incluem a pré-eclâmpsia e a eclâmpsia, a esteatose hepática aguda da gravidez e a colestase intra-hepática da gravidez. Nos casos extremos, a eclâmpsia e a esteatose hepática aguda da gravidez podem ser fatais.

Pré-eclâmpsia e eclâmpsia

A *pré-eclâmpsia* afeta até 10% das gestações e caracteriza-se por hipertensão materna, proteinúria, edema periférico e anormalidades da coagulação (ver **Capítulo 22** para uma discussão detalhada). Quando ocorrem hiper-reflexia e convulsões, a condição é denominada *eclâmpsia* e pode ser potencialmente fatal. Como alternativa, a doença hepática subclínica pode ser a principal manifestação da pré-eclâmpsia, como parte de uma síndrome de *h*emólise, *e*levação das enzimas hepáticas (*l*iver) e contagem baixa (*l*ow) de *p*laquetas, designada como *síndrome HELLP*. Aqui, o foco será concentrado na patologia hepática dessas entidades.

Morfologia

Na pré-eclâmpsia, **os sinusoides periportais contêm depósitos de fibrina associados à hemorragia no espaço de Disse**, levando à necrose coagulativa hepatocelular periporta. O sangue sob pressão pode coalescer e se expandir para formar um hematoma hepático; a dissecção sob a cápsula de Glisson pelo sangue pode levar à ruptura hepática catastrófica na pré-eclâmpsia (**Figura 18.46**).

Características clínicas

Os pacientes com comprometimento hepático na pré-eclâmpsia podem apresentar elevação modesta a grave dos níveis séricos de aminotransferases e elevação leve da bilirrubina sérica. Uma disfunção hepática suficiente para causar coagulopatia indica doença avançada e potencialmente letal. Os casos leves podem ser tratados de modo conservador. A interrupção da gravidez é necessária nos casos graves. As mulheres que sobrevivem à pré-eclâmpsia leve ou grave se recuperam sem sequelas.

Esteatose hepática aguda da gravidez

A esteatose hepática aguda da gravidez manifesta-se como um espectro de doença, que varia desde uma disfunção hepática subclínica ou modesta (evidenciada por elevação dos níveis séricos de aminotransferases) até insuficiência hepática, coma e morte. Trata-se de uma doença rara, que afeta cerca de 1 em 16 mil mulheres grávidas.

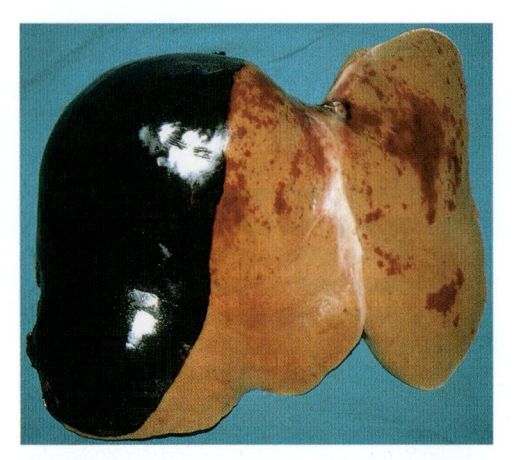

Figura 18.46 Eclâmpsia. Hematoma subcapsular dissecando sob a cápsula de Glisson em um caso fatal. (Cortesia do Dr. Brian Blackbourne, Office of the Medical Examiner, San Diego, Calif.)

Patogênese

Em alguns casos, a patogênese dessa doença pode envolver um distúrbio herdado do metabolismo. Em um subgrupo de pacientes, ambos os pais têm uma deficiência heterozigota na 3-hidroxiacil coenzima A (CoA) desidrogenase de cadeia longa mitocondrial. Os fetos e a placenta com deficiência homozigota passam bem durante a gestação, porém essa deficiência provoca disfunção hepática na mãe, visto que os metabólitos 3-hidroxiacil de cadeia longa produzidos pelo feto ou pela placenta entram na circulação materna e causam hepatotoxicidade. Por conseguinte, esse é um raro caso em que o feto provoca doença metabólica na mãe.

Morfologia

O diagnóstico de esteatose hepática aguda da gravidez depende da identificação, na biopsia, de **esteatose microvesicular difusa** característica dos hepatócitos. Nos casos graves, pode haver desorganização lobular com perda dos hepatócitos, colapso da rede de reticulina e inflamação dos tratos portais, tornando difícil a distinção da hepatite viral. Além disso, pode ocorrer colestase.

Características clínicas

Embora essa condição siga mais comumente uma evolução leve, as mulheres com esteatose hepática aguda da gestação podem progredir dentro de alguns dias para insuficiência hepática e morte. O principal tratamento consiste em interrupção da gravidez. As mulheres afetadas manifestam a doença na segunda metade da gestação, comumente no terceiro trimestre. Os sintomas são diretamente atribuíveis à insuficiência hepática incipiente, incluindo sangramento, náuseas, vômitos, icterícia e coma. Em 20 a 40% dos casos, os sintomas de apresentação podem ser os da pré-eclâmpsia coexistente.

Colestase intra-hepática da gravidez

O início de prurido no segundo ou terceiro trimestres, seguido, em alguns casos (10 a 25%) de escurecimento da urina e, em certas ocasiões, de fezes claras e icterícia, anuncia o desenvolvimento dessa síndrome enigmática, que regride nas primeiras 2 a 3 semanas após o parto. O nível sérico de bilirrubina (em sua maior parte conjugada) raramente ultrapassa 5 mg/dℓ, e pode haver elevação discreta da fosfatase alcalina. Os níveis de sais biliares estão acentuadamente elevados. O estado hormonal alterado da gravidez provavelmente se combina com fatores ambientais e defeitos das proteínas transportadoras para produzir colestase canalicular. Existe um risco modesto de perda fetal, e a condição pode sofrer recorrência em gestações subsequentes. O prurido resultante da retenção de sais biliares pode ser extremamente desconfortável para a gestante.

Nódulos e neoplasias

As lesões hepáticas expansivas incluem processos não neoplásicos, como hiperplasia nodular focal, nódulos regenerativos e abscessos ou outro processo infeccioso. As lesões neoplásicas expansivas incluem: nódulos hepatocelulares benignos, como o adenoma hepatocelular; neoplasias malignas primárias do epitélio hepático, como carcinoma hepatocelular e colangiocarcinoma intra-hepático; e neoplasias não epiteliais, como angiossarcoma e neoplasias metastáticas.

Lesões não neoplásicas expansivas

Hiperplasia nodular focal

A hiperplasia nodular focal (HNF) é uma lesão não neoplásica benigna, mais comum em mulheres adultas.

Patogênese

Acredita-se que a HNF resulte de uma alteração do fluxo sanguíneo que leva a alterações hiperplásicas dos hepatócitos. Podem ocorrer nódulos semelhantes à HNF em locais adjacentes a outras neoplasias e em condições vasculares, como hemangiomas e síndrome de Budd-Chiari. A HNF multifocal pode ocorrer em associação a hemangioma hepático ou extra-hepático, malformações vasculares ou (curiosamente) tumores cerebrais, como meningioma e astrocitoma.

Morfologia

A HNF é bem circunscrita, normalmente carece de uma cápsula e apresenta uma **cicatriz estrelada central** em até 80% dos casos (**Figura 18.47A**). A maioria das lesões tem 5 cm ou menos de diâmetro. Ao exame microscópico, septos fibrosos irradiam-se a partir da cicatriz central, dividindo o parênquima hepático em nódulos. Os septos fibrosos e a cicatriz central contêm artérias de paredes espessas, com hiperplasia da íntima e fibromuscular e lâmina elástica malformada (**Figura 18.47B**). Com frequência, há uma reação ductular proeminente, porém os ductos biliares interlobulares estão ausentes. Os hepatócitos nos nódulos estão organizados em placas com uma a duas células de espessura; não há atipia citológica e arquitetônica. A imuno-histoquímica para a glutamina sintetase (GS), uma enzima normalmente presente nos hepatócitos centrizonais, é muito útil para o diagnóstico. Na HNF, observa-se um "padrão semelhante a um mapa" altamente característico de intensa coloração citoplasmática de GS no interior de grupos anastomosantes de hepatócitos.

Características clínicas

Os casos são, em sua maioria, assintomáticos e chamam a atenção clínica durante um exame de imagem ou uma cirurgia. A presença de uma cicatriz central é um achado altamente característico, que ajuda a estabelecer o diagnóstico em exames de imagem. A HNF é uma lesão benigna e não necessita de tratamento. A ressecção é realizada apenas na presença de grandes lesões sintomáticas.

Outras lesões expansivas não neoplásicas

As lesões expansivas não neoplásicas, como abscessos, granulomas e pseudotumores inflamatórios, podem simular neoplasias verdadeiras. Podem ocorrer grandes nódulos regenerativos no fígado não cirrótico em condições vasculares, como síndrome de Budd-Chiari, hemangioma e malformações vasculares. Em algumas condições, todo o fígado torna-se nodular sem fibrose significativa,

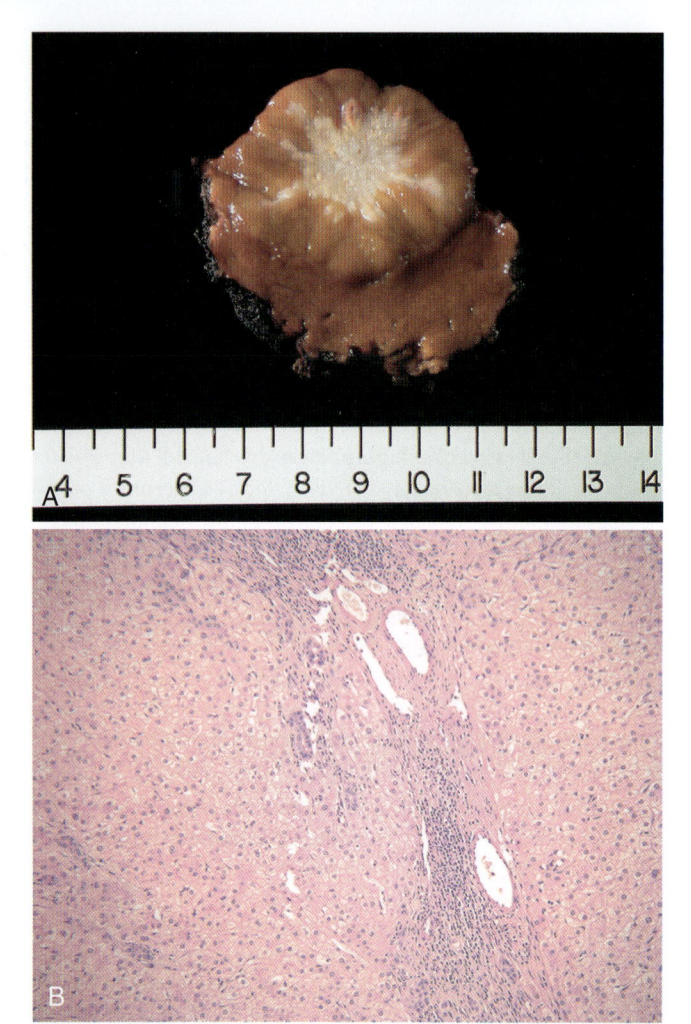

Figura 18.47 Hiperplasia nodular focal. **A.** Espécime ressecado mostrando os contornos lobulados e uma cicatriz central estrelada. **B.** Micrografia de pequeno aumento mostrando uma cicatriz fibrosa larga, com artérias de paredes espessas e reação ductular, porém sem ductos biliares interlobulares.

uma condição denominada hiperplasia nodular regenerativa (HNR). A HNR pode levar à hipertensão portal e pode simular a cirrose em exames de imagem.

As proliferações biliares benignas incluem o adenoma dos ductos biliares e o hamartoma biliar (complexo de von Meyenburg, descrito anteriormente). Ambos são assintomáticos e, em geral, medem menos de 2 cm. Essas lesões chamam a atenção clínica como nódulos minúsculos ou cistos em exames de imagem, ou como pequenas lesões subcapsulares observadas durante uma cirurgia abdominal, quando podem ser confundidas com doença metastática. Ambas as lesões apresentam ductos biliares aleatórios em um estroma fibroso e não apresentam atipias citológicas ou arquiteturais. Os perfis ductulares no adenoma dos ductos biliares tendem a ser redondos e não dilatados, ao passo que os do hamartoma biliar são dilatados, curvilíneos e, com frequência, apresentam bile ou secreções espessas. Acredita-se que estes últimos sejam um remanescente da malformação da placa ductal. A identificação recente de mutações adquiridas de *BRAF* patogênicas na maioria dos adenomas dos ductos biliares indica que se trata de uma neoplasia benigna, resolvendo um debate antigo.

Neoplasias benignas

Hemangioma cavernoso

O hemangioma cavernoso é a neoplasia hepática benigna mais comum. Ele aparece como um nódulo macio e distinto, azul-avermelhado, geralmente com menos de 2 cm de diâmetro e de localização subcapsular. Ao exame histológico, o tumor consiste em canais vasculares dilatados de paredes finas (**Figura 18.48**). Na maioria dos casos, são assintomáticos e detectados de modo incidental em exames de imagem.

Adenoma hepatocelular

O adenoma hepatocelular é uma neoplasia benigna que normalmente ocorre em mulheres jovens e está fortemente associado ao uso de contraceptivos orais e esteroides anabolizantes. A incidência dessa doença aumentou na última década, presumivelmente relacionada com a obesidade e a síndrome metabólica. Podem ocorrer múltiplos adenomas hepatocelulares (denominados *adenomatose hepática* quando há 10 ou mais tumores) em contextos tanto familiares quanto adquiridos.

Patogênese

Foram definidos três subtipos moleculares, cada um deles associado a características clínico-patológicas distintas e a risco variável de transformação em carcinoma hepatocelular:

- *Adenoma hepatocelular inativado pelo fator nuclear do hepatócito 1-alfa (HNF1-α).* Por definição, todas essas neoplasias apresentam mutações de perda de função no gene *HNF1-α*, que codifica um fator de transcrição que regula muitos genes nos hepatócitos e nas ilhotas pancreáticas. As mutações de linhagem germinativa heterozigotas são responsáveis pelo diabetes juvenil do início da maturidade (MODY, *maturity-onset diabetes of the young*) autossômico dominante e estão associadas a 10% dos adenomas hepatocelulares inativados pelo HNF1-α. Esse subtipo representa 40 a 50% dos casos, tem forte predileção por indivíduos do sexo feminino e está associado a risco mínimo de transformação em carcinoma hepatocelular

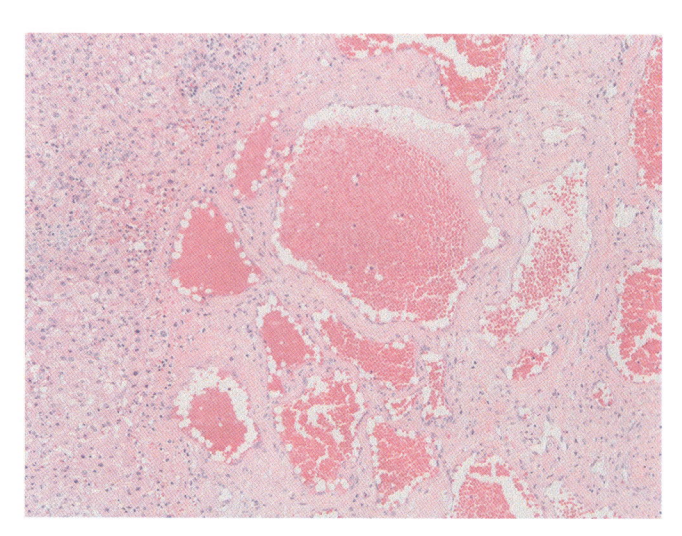

Figura 18.48 Hemangioma cavernoso. Canais vasculares repletos de sangue e separados por um estroma fibroso denso.

- O *adenoma hepatocelular inflamatório* é um subtipo que resulta de mutações ativadoras no gp130, um correceptor de IL-6, que levam à ativação constitutiva da sinalização de JAK-STAT. Esse subtipo representa 40 a 50% dos casos, é mais comum em mulheres e está associado a obesidade e síndrome metabólica. Além disso, ocorrem mutações ativadoras de β-catenina em 10% dos adenomas hepatocelulares inflamatórios, e essas neoplasias correm maior risco de transformação maligna
- O *adenoma hepatocelular ativado por β-catenina* é definido por mutações ativadoras no gene de β-catenina (*CTNNB1*) ou em outros componentes da via Wnt (como *APC*). Essas neoplasias correm alto risco de transformação maligna em carcinoma hepatocelular e estão associadas ao uso de contraceptivos orais e esteroides anabolizantes. Quase 40% dessas neoplasias ocorrem em homens.

> ### Morfologia
>
> Os adenomas hepatocelulares aparecem como massas distintas, às vezes com hemorragia associada, compostos de hepatócitos dispostos em placas de uma a duas células de espessura (**Figura 18.49**). Observa-se a presença de grandes artérias dentro de uma pequena quantidade de estroma fibroso, ao passo que não há ductos biliares interlobulares nem tratos portais normais. Normalmente, as neoplasias com mutação de *HNF1α* apresentam gordura proeminente nos hepatócitos lesionais e por imuno-histoquímica, e a proteína de ligação de ácidos graxos do fígado (LFABP), uma proteína regulada pelo *HNF1α*, está ausente (**Figura 18.50A**). Os tumores com mutação de β-catenina frequentemente apresentam características citológicas ou arquitetônicas atípicas, e pode-se observar a presença de áreas que exibem transformação evidente em carcinoma hepatocelular. Devido às mutações de β-catenina ou a outras mutações que ativam a sinalização Wnt, a localização nuclear acentuada da β-catenina é observada em pelo menos um subgrupo das células neoplásicas (ver **Figura 18.50B**). Normalmente, as neoplasias inflamatórias exibem dilatação sinusoidal e podem apresentar características que simulam a hiperplasia nodular focal, como septos fibrosos e reação ductular. Devido à sinalização de JAK-STAT hiperativa, essas neoplasias superexpressam proteínas de fase aguda, como proteína C reativa e amiloide A sérico (**Figura 18.50C**).

Características clínicas

O adenoma hepatocelular pode ser detectado de modo incidental por meio de exames de imagem ou pode chamar a atenção devido ao aparecimento de sintomas relacionados com dor abdominal ou necrose hemorrágica. A ruptura de adenomas hepatocelulares pode causar hemorragia abdominal maciça e representa uma emergência cirúrgica. Recomenda-se a ressecção para neoplasias ativadas pela β-catenina, bem como para neoplasias com 5 cm ou mais, devido ao risco de hemorragia e transformação maligna. No caso de neoplasias menores sem ativação pela β-catenina, o acompanhamento rigoroso e a interrupção da exposição a contraceptivos orais ou esteroides anabolizantes podem ser suficientes.

Neoplasias malignas primárias

As neoplasias malignas do fígado podem ser primárias ou metastáticas. Entre as neoplasias epiteliais primárias, as mais comuns são o carcinoma hepatocelular e o colangiocarcinoma intra-hepático.

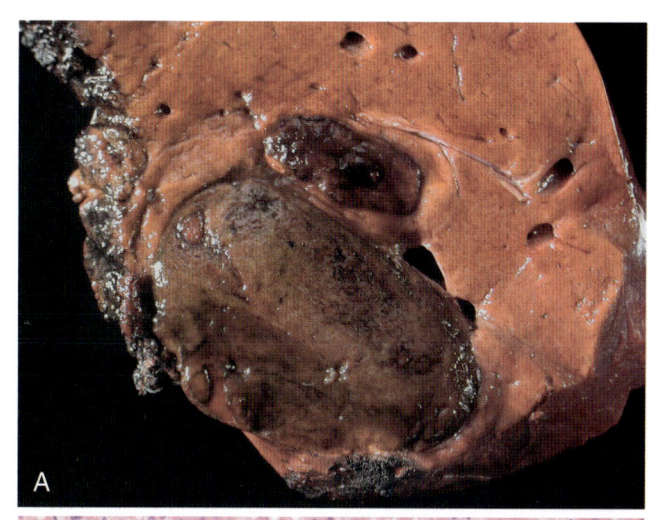

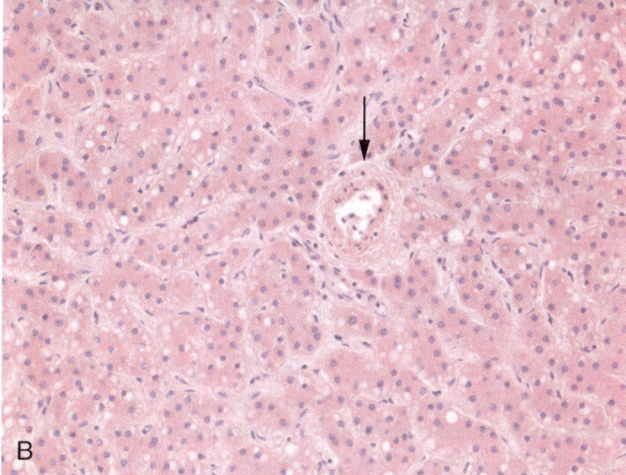

Figura 18.49 Adenoma hepatocelular. **A.** Espécime ressecado mostrando uma massa bem definida de coloração bronze no fígado. **B.** Vista microscópica mostrando cordões finos de hepatócitos, com suprimento vascular arterial (*seta*) e sem tratos portais.

O hepatoblastoma é uma neoplasia hepatocelular rara, que ocorre no contexto pediátrico. As neoplasias não epiteliais, como o angiossarcoma, são extremamente raras.

Hepatoblastoma

O hepatoblastoma é a neoplasia hepática mais comum no início da infância. Ele ocorre raramente em crianças com idade superior a 3 anos, e a sua incidência está aumentando. A ativação da via de sinalização de Wnt é característica do hepatoblastoma, levando à translocação da β-catenina ao núcleo e, consequentemente, ao aumento da expressão dos genes-alvo de Wnt, como glutamina-sintetase, em quase todos os casos. Essas neoplasias estão associadas a várias síndromes, incluindo *polipose adenomatosa familiar* (causada por mutações de linhagem germinativa de perda de função no *APC*; ver **Capítulo 17**) e *síndrome de Beckwith-Wiedemann*. Este último distúrbio está associado a anormalidades congênitas do crescimento, causadas por alteração epigenética anormal de uma região do cromossomo 11, que leva à superexpressão do fator de crescimento semelhante à insulina-2 e à perda de expressão do *CDKN1C*, um gene supressor de tumor que codifica o inibidor de quinase dependente de ciclina, p57.

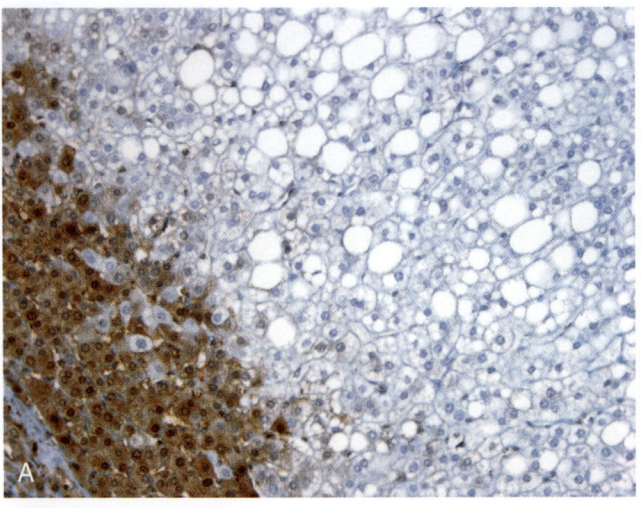

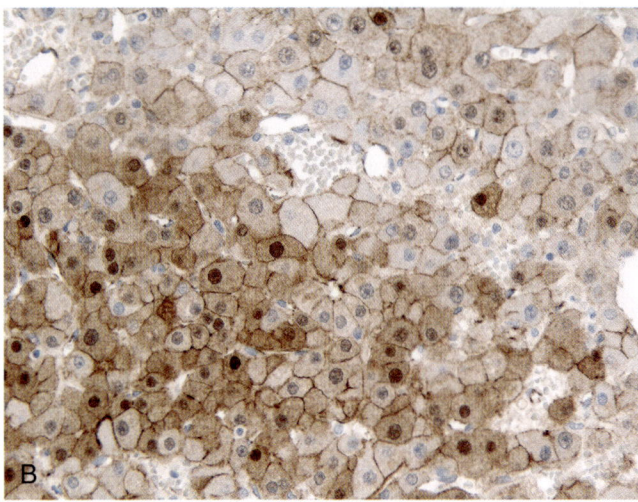

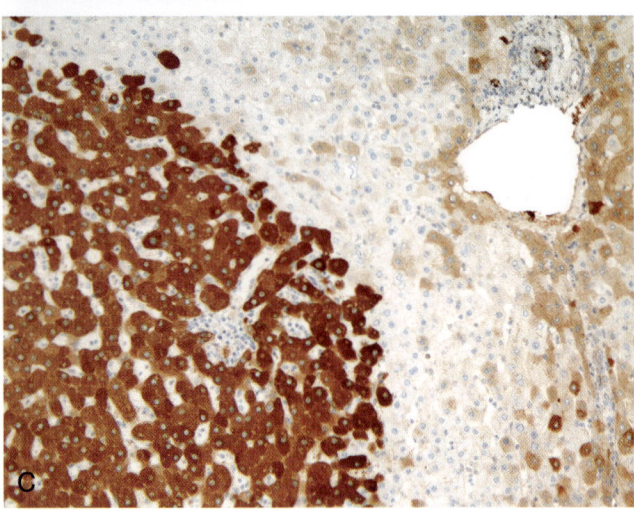

Figura 18.50 Subtipos moleculares de adenoma hepatocelular. **A.** Adenoma hepatocelular inativado pelo HNF1α. A proteína de ligação a ácidos graxos do fígado (LFABP, cuja expressão depende do HNF1α) está ausente na neoplasia por imuno-histoquímica e presente nos hepatócitos normais adjacentes (*parte inferior, à esquerda*). **B.** Adenoma hepatocelular com ativação da β-catenina. Observe a imuno-histoquímica nuclear em alguns hepatócitos neoplásicos (em comparação com outros hepatócitos neoplásicos que mantêm a coloração normal das membranas). **C.** Adenoma hepatocelular inflamatório. Ocorre suprarregulação acentuada da proteína C reativa nos hepatócitos neoplásicos, em comparação com a expressão altamente variável e de baixo nível no parênquima hepático adjacente. (Imuno-histoquímica com DAB [*em marrom*] e contracorante de hematoxilina.) (**A**, Cortesia do Dr. Valerie Paradis, Beaujon Hospital, Paris, França.)

Morfologia

Existe uma variedade de subtipos histológicos de hepatoblastoma, que podem ser agrupados em duas categorias principais: (1) o **tipo epitelial**, composto de pequenas células fetais poligonais ou células embrionárias menores, formando trabéculas, ácinos, túbulos ou estruturas papilares, que lembram vagamente o fígado em desenvolvimento (**Figura 18.51**); e (2) o **tipo epitelial e mesenquimal misto**, que contém focos adicionais de diferenciação mesenquimal, que podem consistir em mesênquima primitivo, osteoide, cartilagem ou músculo estriado.

Características clínicas

Em geral, o hepatoblastoma chama a atenção clínica devido à tumefação abdominal em lactentes ou crianças assintomáticos. São observados sintomas relacionados com disfunção hepática (icterícia, prurido) em um subgrupo de pacientes, e cerca de 20% dos tumores apresentarão metástases para os pulmões por ocasião do diagnóstico. A neoplasia é tratada por meio de ressecção cirúrgica e quimioterapia, que melhoraram os resultados. A taxa de sobrevida global em 5 anos é de aproximadamente 80%.

Carcinoma hepatocelular

O carcinoma hepatocelular (CHC) é responsável por aproximadamente 5,4% de todos os cânceres em todo o mundo e constitui um dos cânceres mais comuns em regiões geográficas com altas taxas de infecção por hepatite B. Mais de 85% dos casos ocorrem em países da Ásia, (sudeste da China, Coreia, Taiwan) e África Subsaariana, onde a infecção crônica pelo HBV é comum. O pico de incidência do CHC nessas áreas é observado em adultos

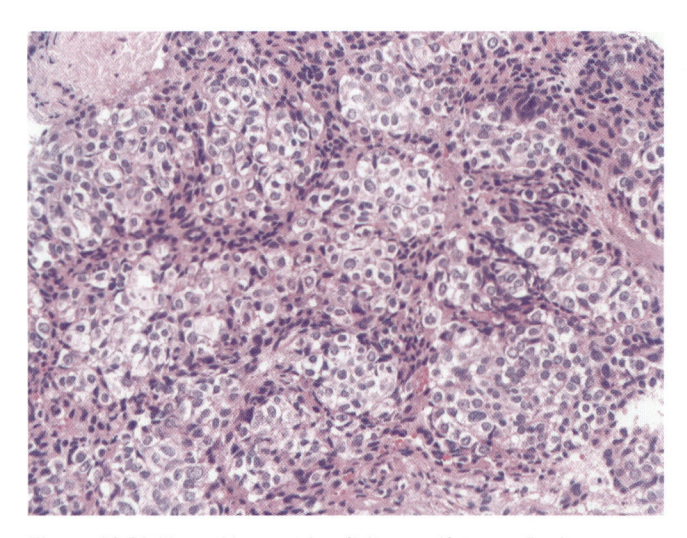

Figura 18.51 Hepatoblastoma. As células neoplásicas estão dispostas em lâminas e assemelham-se a hepatócitos embrionários e fetais.

jovens entre 20 e 40 anos, que adquiriram o vírus da hepatite B por transmissão materno-fetal. Felizmente, a incidência do CHC está diminuindo na Ásia, devido à vacinação contra a hepatite B; entretanto, ao mesmo tempo, a sua incidência está aumentando em países ocidentais, devido às taxas crescentes de infecção pelo vírus da hepatite C e de síndrome metabólica. Por motivos que ainda não foram esclarecidos, existe uma predominância masculina pronunciada, de até 8:1, nas áreas de alta incidência.

Patogênese

Em sua maioria, os CHCs ocorrem no contexto de doença hepática crônica com cirrose, ao passo que 15 a 20% surgem em fígados não cirróticos (Figura 18.52). As doenças subjacentes mais comuns são a hepatite viral crônica (B e C), as doenças metabólicas, como hemocromatose hereditária e deficiência α_1-antitripsina, e a doença hepática alcoólica. A doença hepática gordurosa não alcoólica também aumenta o risco de CHC, mesmo na ausência de cirrose. Embora os detalhes ainda não estejam claramente elucidados, acredita-se que a lesão crônica, a inflamação e a regeneração dos hepatócitos, que são observadas nesses distúrbios, contribuem para a aquisição de mutações condutoras que levam ao desenvolvimento de CHC (ver adiante). Parte do risco na África e na Ásia parece estar relacionada com a contaminação de colheitas por aflatoxina, uma micotoxina produzida por espécies de *Aspergillus*, que atua de modo sinérgico com o álcool e a hepatite B. O risco de CHC na cirrose relacionada com outras etiologias, como doença de Wilson e doenças biliares crônicas, é ligeiramente mais baixo, porém ainda acima da média da população.

À semelhança de outros tipos de câncer, o CHC está associado a conjuntos complementares de mutações condutoras, que levam à aquisição das marcas registradas do câncer (ver **Capítulo 7**). Entre as mais comuns, destacam-se as mutações ativadoras no gene da β-catenina (40% das neoplasias), mutações no promotor do gene *TERT* (telomerase transcriptase), que suprarregulam a atividade da telomerase (50 a 60% das neoplasias), e mutações inativadoras em *TP53* (até 60% das neoplasias). O *CHC fibrolamelar*, um subtipo histológico incomum, que, com frequência, ocorre em adolescentes e adultos jovens na ausência de doença hepática preexistente, está fortemente associado a um gene de fusão, que leva à atividade aberrante da proteinoquinase A, uma enzima que participa de uma via de sinalização regulada pelo cAMP.

> ### Morfologia
>
> Foram descritas várias lesões precursoras no CHC. Conforme discutido anteriormente, no fígado não cirrótico, o CHC pode surgir no adenoma hepatocelular, particularmente naquele com mutações ativadoras de β-catenina. Na doença hepática crônica, as alterações morfológicas mais precoces que parecem se correlacionar com a presença de hepatócitos "em risco" são denominadas "alteração de grandes células" e "alteração de pequenas células" (**Figura 18.53**). A **alteração de grandes células** refere-se a hepatócitos que são maiores do que o normal e, com frequência, apresentam múltiplos núcleos aumentados e pleomórficos, sem aumento da razão núcleo-citoplasma (ver **Figura 18.53A**). Nas **alterações de pequenas células**, os hepatócitos exibem uma alta razão núcleo-citoplasma e hipercromasia nuclear leve e/ou pleomorfismo (ver **Figura 18.53B**). As lesões nodulares no fígado cirrótico, denominadas **nódulos displásicos** (**Figura 18.54**), são mais ameaçadoras e estão normalmente associadas à alteração de pequenas células. Os nódulos displásicos diferem dos nódulos cirróticos adjacentes quanto ao tamanho, à cor e à vascularização, exibem graus variáveis de displasia e apresentam aberrações clonais associadas ao CHC totalmente desenvolvido. Às vezes, podem-se observar pequenas áreas de CHC em nódulos displásicos de alto grau (aspecto de "nódulo dentro de nódulo") (ver **Figura 18.54B**).
>
> O CHC pode formar uma única massa ou múltiplas massas distintas, ou pode infiltrar difusamente o fígado. Essas massas podem ser pálidas e amarelas, devido à degeneração gordurosa, ou verdes, devido à colestase. As neoplasias com mais de 2 cm têm maior tendência a estar associadas à invasão vascular e a metástases intra-hepáticas. Pode ocorrer invasão das veias, com extensão para dentro da veia porta, da veia cava inferior e até mesmo do lado direito do coração.
>
> Do ponto de vista microscópico, os CHCs bem diferenciados e moderadamente diferenciados são compostos de células que se assemelham aos hepatócitos normais, ao passo que as neoplasias pouco diferenciadas exibem atipia citológica acentuada. As células neoplásicas crescem em placas espessas ou trabéculas,

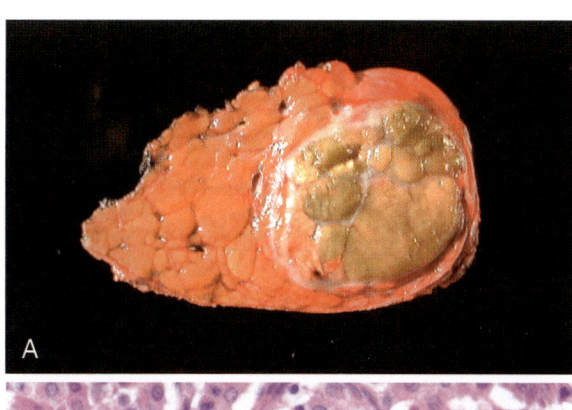

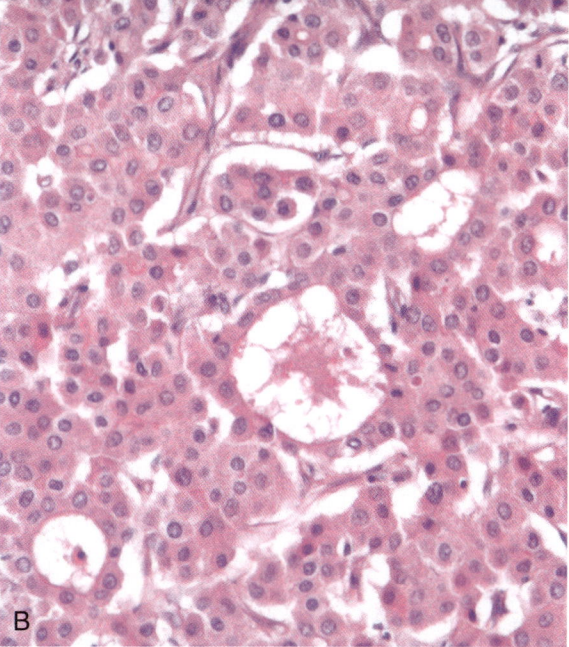

Figura 18.52 Carcinoma hepatocelular. **A.** Fígado retirado durante a necropsia mostrando uma neoplasia unifocal substituindo a maior parte do lobo hepático direito. **B.** Hepatócitos malignos crescendo em versões distorcidas da arquitetura normal, incluindo grandes espaços pseudoacinares (canalículos biliares dilatados e malformados) e trabéculas de hepatócitos espessas.

estruturas pseudoglandulares com tampões biliares ou lâminas (ver **Figura 18.52B**). Essa variante fibrolamelar distinta apresenta a tríade característica de grandes células poligonais: citoplasma granular (oncocítico), devido às mitocôndrias abundantes; núcleos vesiculares, com nucléolo proeminente; e lamelas paralelas de feixes densos de colágeno (**Figura 18.55**).

Características clínicas

As manifestações clínicas do CHC são inespecíficas e incluem dor abdominal, mal-estar, fadiga, perda de peso e hepatomegalia. As características da doença hepática crônica subjacente podem estar presentes. Os níveis elevados de α-fetoproteína sérica constituem um achado frequente na doença avançada, porém não são sensíveis como teste de rastreamento para neoplasias em estágio inicial e não estão associados à variante fibrolamelar. A ultrassonografia é utilizada para o rastreamento de pacientes de alto risco, como os que apresentam cirrose. A tomografia computadorizada e a ressonância magnética com exames contrastados fornecem achados altamente característicos. O realce precoce da neoplasia, devido à captação do meio de contraste na fase arterial, seguido de rápido *washout* venoso, é considerado o diagnóstico do CHC.

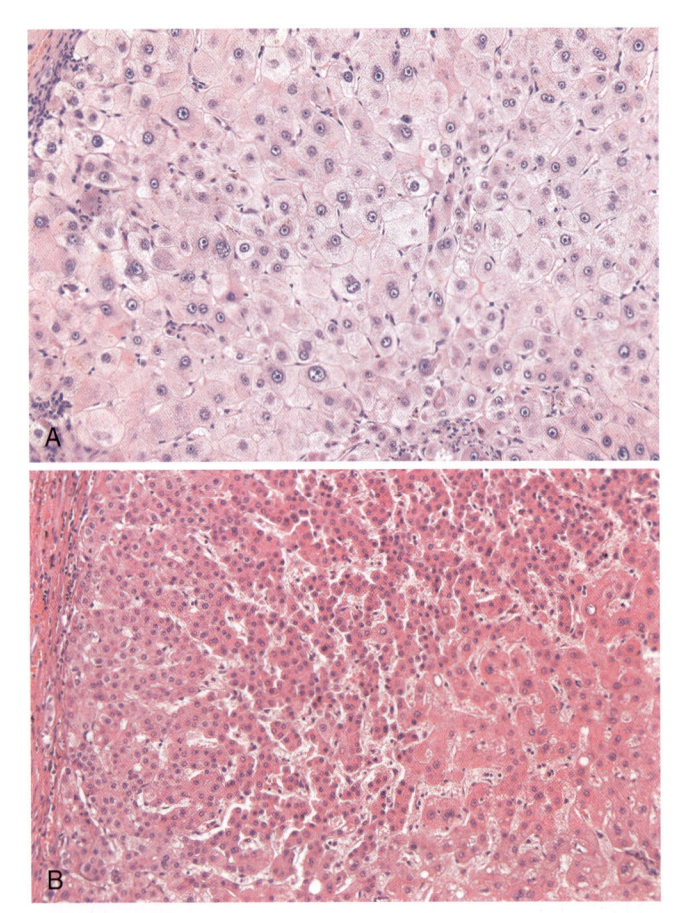

Figura 18.53 Alterações pré-malignas dos hepatócitos. **A.** Alteração de grandes células. Grandes hepatócitos com núcleos volumosos e, com frequência, atípicos estão dispersos entre hepatócitos de tamanho normal com núcleos redondos típicos. **B.** Alterações de pequenas células. As células anormais apresentam uma razão núcleo-citoplasma elevada e são separadas por placas espessas. Os hepatócitos de aparência normal estão no canto inferior direito. (Cortesia do Dr. Young Nyun Park, Yonsei Medical College, Seoul, Coreia do Sul.)

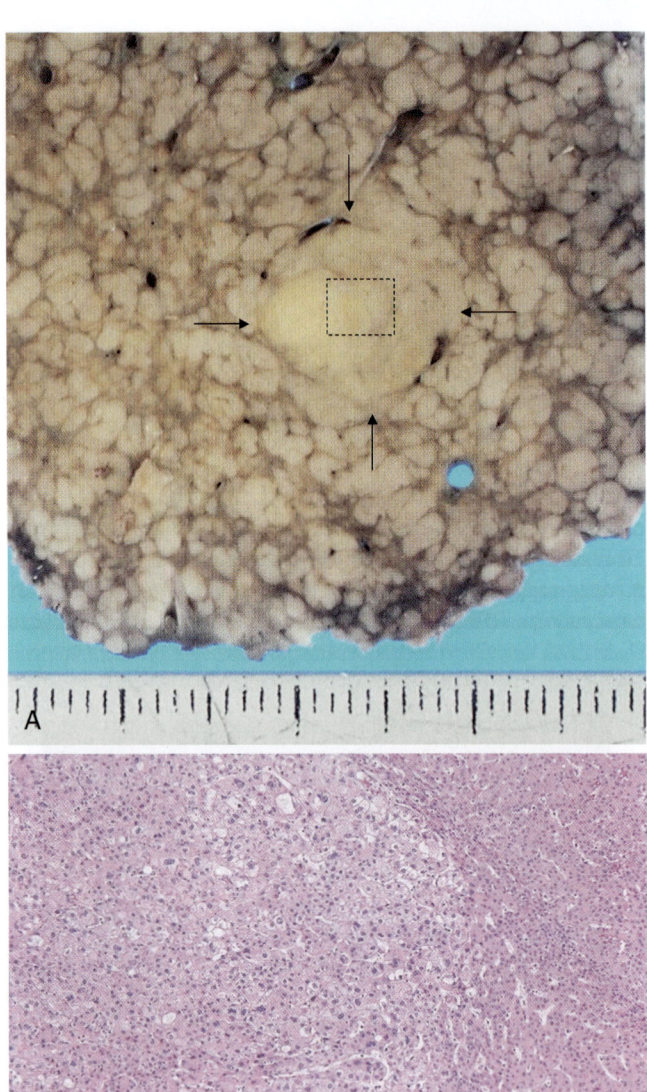

Figura 18.54 A. Cirrose relacionada com a hepatite C com nódulo distintamente grande (*setas*). O crescimento do nódulo dentro de nódulo sugere um câncer em evolução. **B.** Histologicamente, a região delimitada pelo quadrado em **A** mostra um carcinoma hepatocelular (CHC) bem diferenciado (*à direita*) e um subnódulo de CHC moderadamente diferenciado dentro dele (*no centro, à esquerda*). (Cortesia do Dr. Masamichi Kojiro, Kurume University, Kurume, Japão.)

A ressecção cirúrgica, quando possível, constitui o tratamento de escolha das neoplasias em fígados não cirróticos e em fígados cirróticos com função adequada. O transplante de fígado é considerado para o CHC no contexto de cirrose avançada. A ablação da neoplasia guiada por imagem com álcool ou com ondas de radiofrequência pode ser utilizada para neoplasias não ressecáveis ou para aquelas que não preenchem os critérios de transplante. As metástases hematogênicas, particularmente para o pulmão, tendem a ocorrer em um estágio avançado da doença. Ocorrem metástases para linfonodos em < 5% dos casos.

O prognóstico geral no CHC é limitado, devido à doença hepática subjacente e à resistência intrínseca do CHC à quimioterapia convencional. A taxa de sobrevida global em 5 anos é de 30% para a neoplasia confinada ao fígado e de apenas 5 a 10%

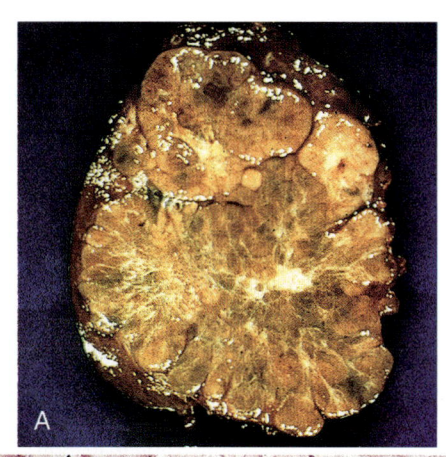

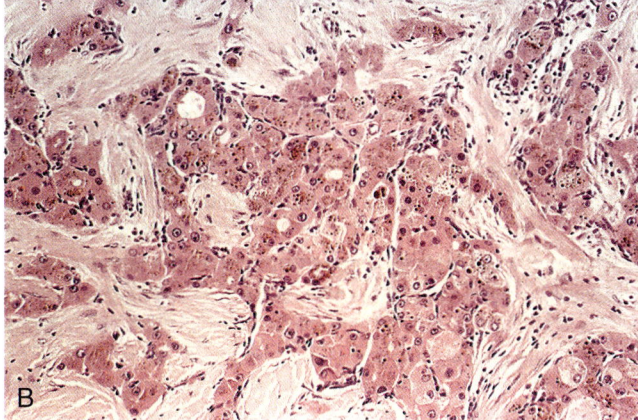

Figura 18.55 Carcinoma fibrolamelar. **A.** Espécime ressecado mostrando um nódulo bem demarcado. **B.** Fotomicrografia mostrando ninhos e cordões de hepatócitos oncocíticos de aspecto maligno, separados por feixes densos de colágeno.

para os casos com disseminação extra-hepática. Os resultados são melhores para a variante fibrolamelar (que é incomum), e até 40% dos pacientes sobrevivem por 10 anos ou mais. Isso se deve, em grande parte, ao fato de que, na ausência de doença hepática subjacente, é possível efetuar uma ressecção cirúrgica extensa, em virtude da capacidade regenerativa do fígado remanescente.

Neoplasias biliares malignas

Os adenocarcinomas que surgem a partir da árvore biliar intra-hepática são denominados *colangiocarcinoma intra-hepático*, ao passo que a neoplasia semelhante que se origina a partir dos ductos biliares extra-hepáticos é denominada *adenocarcinoma biliar*. O colangiocarcinoma intra-hepático é a neoplasia maligna primária mais comum do fígado depois do CHC. A sua incidência está aumentando nos EUA. Ele é responsável por 7,6% das mortes por câncer em todo o mundo e por 3% das mortes por câncer nos EUA. É muito comum em países do Sudeste Asiático, como Tailândia, Laos e Camboja, onde a infestação pelo trematódeo hepático é endêmica.

Patogênese

Os fatores de risco para neoplasias do trato biliar incluem distúrbios do desenvolvimento, como doença hepática fibropolicística, e condições inflamatórias crônicas que acometem os ductos biliares, como colangite esclerosante primária, infestação por trematódeos hepáticos (particularmente espécies de *Opisthorchis* e *Clonorchis*)

e hepatolitíase. As doenças hepáticas crônicas que predispõem ao CHC, como hepatite B, hepatite C e doença hepática gordurosa não alcoólica, também aumentam o risco de colangiocarcinoma intra-hepático. À semelhança do CHC, a lesão crônica, a inflamação e a regeneração do epitélio biliar nessas condições podem preparar o terreno para a aquisição de mutações condutoras, levando ao desenvolvimento de câncer.

As mutações condutoras no colangiocarcinoma intra-hepático e no adenocarcinoma biliar extra-hepático exibem sobreposição apenas parcial. As mutações no *KRAS* são comuns em ambas as neoplasias. Além disso, subgrupos de colangiocarcinoma intra-hepático apresentam mutações condutoras em *IDH1* e *IDH2* (isocitrato desidrogenase), que geram "oncometabólitos" (ver **Capítulo 7**), e em genes modificadores da cromatina, como *BAP1* e *PBRM1*. Os genes de fusão que envolvem o *FGFR2* (receptor do fator de crescimento do fibroblasto 2) também são comuns. Em contrapartida, além das mutações em *KRAS*, os adenocarcinomas biliares extra-hepáticos têm maior tendência a apresentar mutações em *TP53* e *SMAD4*, que constituem características genéticas semelhantes àquelas do adenocarcinoma de pâncreas.

> ### Morfologia
>
> Em geral, o colangiocarcinoma intra-hepático ocorre no fígado não cirrótico (**Figura 18.56**) e normalmente forma uma massa firme branco-acinzentada. Os adenocarcinomas biliares extra-hepáticos incluem neoplasias peri-hilares, conhecidas como **tumores de Klatskin**, que se localizam na junção dos ductos hepáticos direito e esquerdo. Essas neoplasias representam 60 a 70% dos adenocarcinomas biliares extra-hepáticos, ao passo que os 30 a 40% restantes acometem o ducto colédoco. Em geral, os adenocarcinomas biliares extra-hepáticos são pequenos por ocasião do diagnóstico, visto que são detectados precocemente, devido às características obstrutivas. Essas neoplasias podem formar um nódulo firme na parede do ducto biliar, podem ser difusamente infiltrativas ou podem formar lesões papilares.
>
> Ao exame microscópico, ambas as neoplasias intra-hepáticas e extra-hepáticas exibem características de adenocarcinomas. Na maioria dos casos, elas são bem a moderadamente diferenciadas e estão dispostas em estruturas glandulares/tubulares claramente definidas, revestidas por células epiteliais malignas incorporadas em um estroma fibroso abundante (ver **Figura 18.56B**). É comum ocorrer invasão linfovascular e perineural (ver **Figura 18.56C**). Acredita-se que essas neoplasias surjam geralmente a partir de lesões pré-malignas, denominadas neoplasias intraepiteliais biliares. Outras lesões precursoras menos comuns incluem as neoplasias císticas mucinosas e as neoplasias papilares intraductais.

Características clínicas

O colangiocarcinoma intra-hepático pode ser detectado de modo incidental em exames de imagem ou pode apresentar-se com um quadro colestático ou massa hepática sintomática, ao passo que o adenocarcinoma extra-hepático normalmente se manifesta com sintomas relacionados com a obstrução biliar. A ressecção da neoplasia com margens negativas e a ausência de comprometimento dos linfonodos constituem fatores favoráveis. Verifica-se a presença de metástases para linfonodos em 50 a 60% dos pacientes na apresentação inicial. A quimioterapia adjuvante é comumente administrada após a ressecção, porém as respostas da neoplasia

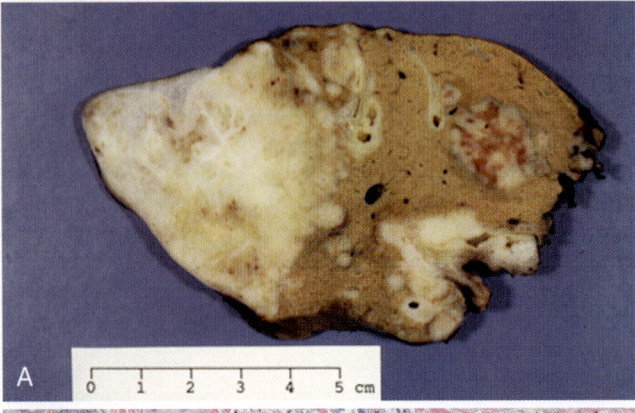

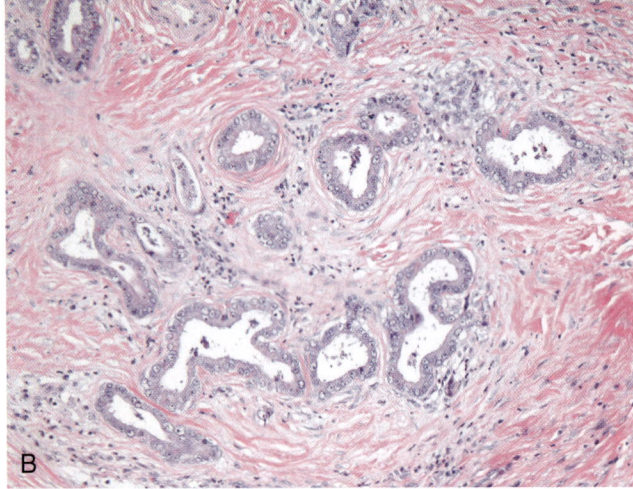

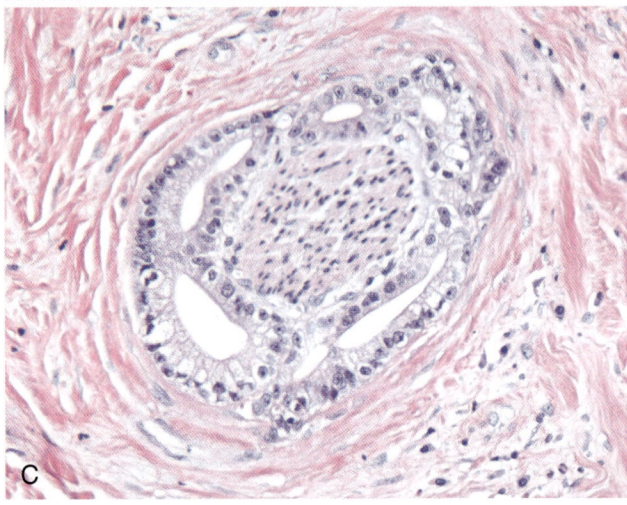

Figura 18.56 Colangiocarcinoma. A. Colangiocarcinoma multifocal no fígado de um paciente com infestação pelo trematódeo hepático, *Clonorchis sinensis*. **B.** Glândulas malignas invasivas em um estroma esclerótico e reativo. **C.** Invasão perineural por glândulas malignas formando um padrão semelhante a uma coroa ao redor do nervo central aprisionado. (**A**, Cortesia do Dr. Wilson M.S. Tsui, Caritas Medical Centre, Hong Kong.)

são comumente transitórias. O prognóstico global é sombrio, visto que as recorrências são comuns, e a taxa de sobrevida em 5 anos é de 20 a 40% após a ressecção cirúrgica.

Outras neoplasias malignas hepáticas primárias

Vários outros tipos de câncer podem surgir no fígado. Entre os mais comuns ou de interesse patológico, destacam-se os seguintes:

- O *carcinoma hepatocelular-colangiocarcinoma combinado* é composto de células semelhantes ao CHC e ao colangiocarcinoma intra-hepático. Essas neoplasias apresentam os mesmos fatores de risco do CHC
- O *angiossarcoma* é uma neoplasia vascular maligna, que, historicamente, está associada a cloreto de vinila, arsênio ou agente para exames de imagem Thorotrast (ver **Capítulos 9 e 11**). Essa neoplasia tornou-se rara com a redução das exposições a esses agentes
- O *hemangioendotelioma epitelioide* é outra neoplasia vascular com potencial maligno intermediário e prognóstico ligeiramente melhor do que o angiossarcoma, que é quase uniformemente fatal
- O *linfoma hepático primário* é um tipo raro de neoplasia maligna hepática. O subtipo mais comum é o *linfoma difuso de grandes células B*, uma forma de linfoma não Hodgkin, que, com frequência, ocorre em sítios extranodais (ver **Capítulo 13**). Outro subtipo raro é o *linfoma de células T hepatoesplênico*, mais comum em homens adultos jovens, que tem predileção pelo seu crescimento dentro dos sinusoides do fígado, do baço e da medula óssea.

Metástases

O comprometimento do fígado por neoplasias malignas metastáticas é muito mais comum do que a neoplasia hepática primária. Embora as fontes mais comuns sejam o cólon, a mama, o pulmão e o pâncreas, praticamente qualquer tipo de câncer pode se disseminar para o fígado. Normalmente, são encontradas metástases nodulares que, com frequência, causam hepatomegalia pronunciada e substituem uma grande parte do parênquima hepático normal. O peso do fígado pode ultrapassar vários quilogramas. A metástase também pode aparecer como nódulo solitário, que, nesse caso, pode ser tratado por meio de ressecção cirúrgica. A extensão do comprometimento metastático que pode estar presente na ausência de evidências clínicas ou laboratoriais de insuficiência hepática é sempre surpreendente; com frequência, o único sinal revelador é a hepatomegalia. Entretanto, com a destruição maciça dos hepatócitos ou a obstrução direta dos ductos biliares principais, é inevitável o aparecimento de icterícia e outras evidências de disfunção hepática.

> **Conceitos-chave**
>
> **Neoplasias hepáticas**
>
> - O fígado é o local mais comum de cânceres metastáticos de neoplasias primárias de cólon, pulmão e mama
> - Os adenomas hepatocelulares são neoplasias benignas de hepatócitos, e podem ser subclassificados com base em diferentes conjuntos de mutações condutoras
> - O CHC é a neoplasia maligna hepática primária mais comum, e ocorre frequentemente na presença de cirrose relacionada com doença hepática crônica, incluindo hepatites B e C crônicas, hepatite autoimune, doença hepática gordurosa alcoólica/não alcoólica e hemocromatose
> - O colangiocarcinoma intra-hepático e o adenocarcinoma biliar extra-hepático apresentam características histológicas semelhantes e compartilham fatores de risco, como colangite esclerosante primária e infestação por trematódeos hepáticos, como *Opisthorchis* e *Clonorchis*. Essas neoplasias apresentam prognóstico sombrio.

Vesícula biliar

O fígado secreta até 1 ℓ de bile por dia. Entre as refeições, ela é armazenada na vesícula biliar, onde é concentrada. No adulto, a vesícula biliar tem capacidade de cerca de 50 mℓ. O órgão não é essencial para a função biliar, visto que os seres humanos não sofrem de indigestão nem de má absorção de gordura após a colecistectomia.

Anomalias congênitas

Pode haver ausência congênita da vesícula biliar ou ocorrer duplicação da vesícula biliar, com ductos císticos unidos ou independentes. Um septo longitudinal ou transverso pode criar uma vesícula biliar bilobada. São observadas localizações aberrantes da vesícula biliar em 5 a 10% da população, mais comumente com inclusão parcial ou completa na substância hepática. A presença de dobra no fundo constitui a anomalia mais comum, criando *barrete frígio* (**Figura 18.57**). Além disso, pode ocorrer *agenesia* de toda ou de qualquer porção dos ductos hepáticos ou do ducto colédoco e estreitamento hipoplásico dos canais biliares ("atresia biliar" verdadeira). Os *cistos de colédoco*, descritos anteriormente, podem constituir achados isolados na vesícula biliar ou estar associados a outros cistos na árvore biliar extra-hepática ou à doença fibropolicística.

Colelitíase (cálculos biliares)

Mais de 95% dos casos de doença do trato biliar são atribuíveis a cálculos biliares. Os cálculos biliares afetam 10 a 20% das populações de adultos em países de alta renda. Nos EUA, estima-se que mais de 20 milhões de pessoas tenham cálculos biliares, totalizando aproximadamente 25 a 50 toneladas e levando à realização anual de mais de 700 mil colecistectomias, com custo aproximado de US$ 6 bilhões.

Epidemiologia

Existem duas classes gerais de cálculos biliares: os cálculos de colesterol, que contêm mais de 50% de colesterol cristalino monoidratado; e os cálculos pigmentados, compostos predominantemente de sais de bilirrubinato de cálcio. Cada um deles apresenta fatores de risco diferentes. Os cálculos de colesterol são mais prevalentes nos EUA e na Europa Ocidental (90%) e são raros em países de baixa renda. As taxas de prevalência de cálculos biliares de colesterol aproximam-se de 75% em americanos nativos dos grupos Pima, Hopi e Navajo, ao passo que os cálculos pigmentados são raros nessas populações. Os cálculos pigmentados, que constituem o tipo de cálculo predominante em populações não ocidentais, surgem principalmente no contexto de infecções bacterianas ou infestações parasitárias da árvore biliar, bem como em indivíduos com doenças que levam à hemólise crônica dos eritrócitos.

Os principais fatores de risco associados ao desenvolvimento de cálculos biliares estão listados na **Tabela 18.11** e são descritos aqui de maneira sucinta:

- *Idade e sexo*. A prevalência de cálculos biliares de colesterol aumenta ao longo da vida, porém eles afetam predominantemente indivíduos da meia-idade até idosos. A prevalência é maior em mulheres de qualquer região ou etnia; em mulheres brancas, a prevalência é cerca de duas vezes maior do que em homens. A hipersecreção de colesterol biliar parece desempenhar um importante papel nas diferenças de idade e de gênero. Além disso, são observadas associações significativas com a síndrome metabólica e a obesidade
- *Fatores ambientais*. A exposição ao estrogênio, incluindo com o uso de contraceptivos orais e durante a gravidez, aumenta a expressão dos receptores hepáticos de lipoproteínas e estimula a atividade da HMG-CoA redutase hepática, aumentando tanto

Tabela 18.11 Fatores de risco para cálculos biliares.

Cálculos de colesterol
Demografia: habitantes da Europa Setentrional, Américas do Norte e do Sul, americanos nativos, mexicano-americanos
Idade avançada
Hormônios sexuais femininos
Sexo feminino
Contraceptivos orais
Gravidez
Obesidade e síndrome metabólica
Redução rápida do peso
Estase biliar
Distúrbios inatos do metabolismo dos ácidos biliares
Síndromes de hiperlipidemia
Cálculos pigmentados
Demografia: mais frequentes em asiáticos do que em ocidentais, maior ocorrência em áreas rurais do que urbanas
Anemias hemolíticas crônicas
Infecção biliar
Distúrbios gastrintestinais: doença ileal (p. ex., doença de Crohn), ressecção ou derivação ileal, fibrose cística com insuficiência pancreática

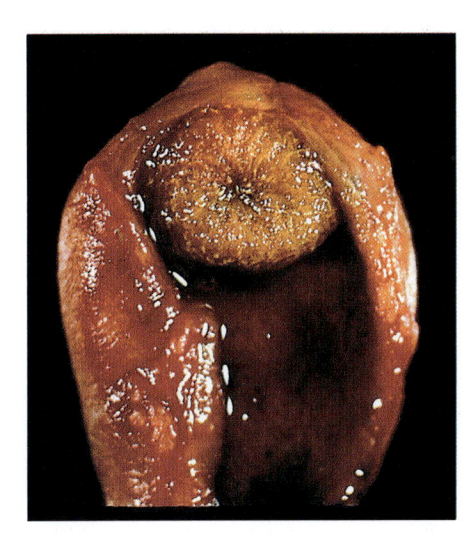

Figura 18.57 Barrete frígio da vesícula biliar; o fundo é dobrado para dentro.

a captação quanto a biossíntese de colesterol, respectivamente. O resultado consiste em secreção biliar excessiva de colesterol. A obesidade e a rápida perda de peso também estão fortemente associadas ao aumento da secreção de colesterol biliar
- *Distúrbios adquiridos.* A estase da vesícula biliar, que pode ser neurogênica ou hormonal, promove um ambiente local favorável para a formação de cálculos tanto de colesterol quanto de pigmento
- *Fatores hereditários.* Os genes que codificam proteínas dos hepatócitos que transportam lipídios biliares, conhecidas como transportadores cassete de ligação de ATP (ABC), têm associações com a formação de cálculos biliares. Em particular, uma variante comum do transportador de esterol, codificada pelo gene *ABCG8*, está associada a risco aumentado de cálculos de colesterol.

Patogênese dos cálculos de colesterol

O colesterol é solubilizado na bile pela formação de micelas com sais biliares e lecitinas, ambos os quais atuam como detergentes. Quando as concentrações de colesterol ultrapassam a capacidade de solubilização da bile (supersaturação), o colesterol não pode mais permanecer disperso e torna-se nucleado em cristais de colesterol monoidratado sólidos. Quatro condições parecem contribuir para a formação de cálculos de colesterol: (1) supersaturação da bile com colesterol; (2) hipomotilidade da vesícula biliar; (3) nucleação acelerada de cristais de colesterol; e (4) hipersecreção de muco na vesícula biliar, que aprisiona os cristais nucleados, levando ao acúmulo de mais colesterol e ao aparecimento de cálculos macroscópicos.

Patogênese dos cálculos pigmentados

Os cálculos pigmentados consistem em misturas complexas de sais de cálcio insolúveis de bilirrubina não conjugada e sais de cálcio inorgânico. Os distúrbios associados a níveis elevados de bilirrubina não conjugada na bile aumentam o risco de desenvolvimento de cálculos pigmentados. Esses distúrbios incluem anemia hemolítica crônica, disfunção grave ou derivação ileais e contaminação bacteriana da árvore biliar. A bilirrubina não conjugada normalmente representa um componente menor da bile, porém aumenta quando a infecção do trato biliar leva à liberação de β-glicuronidases microbianas, que hidrolisam os glicuronídeos de bilirrubina. Por conseguinte, a infecção do trato biliar por *Escherichia coli*, *Ascaris lumbricoides* ou pelo trematódeo *C. sinensis* aumenta a probabilidade de formação de cálculos pigmentados. Nas anemias hemolíticas, ocorre o aumento da secreção de bilirrubina conjugada na bile. Cerca de 1% dos glicuronídeos de bilirrubina sofre desconjugação na árvore biliar, e, no contexto de secreção cronicamente aumentada de bilirrubina conjugada, ocorre a produção de uma quantidade de bilirrubina desconjugada grande o suficiente para possibilitar a formação de cálculos de pigmento.

> ### Morfologia
>
> Os **cálculos de colesterol** surgem exclusivamente na vesícula biliar e variam de 100% de colesterol puro (o que é raro) até cerca de 50% de colesterol. Os cálculos de colesterol puro são amarelo-pálidos, redondos a ovoides e têm uma superfície externa dura e finamente granular (**Figura 18.58**), que, na transecção, revela uma paliçada cristalina brilhante que se irradia. Com proporções crescentes de carbonato de cálcio, fosfatos e bilirrubina, os cálculos adquirem uma cor branco-acinzentada a preta e podem ser lamelares. Em geral, ocorrem múltiplos cálculos, que variam até vários centímetros de diâmetro. Raramente, um cálculo muito grande pode preencher praticamente quase todo o fundo da vesícula biliar. As superfícies dos cálculos podem ser arredondadas ou facetadas, devido à aposição entre cálculos adjacentes. Os cálculos compostos em grande parte de colesterol são radiotransparentes; uma quantidade suficiente de carbonato de cálcio é encontrada em 10 a 20% dos cálculos de colesterol, tornando-os radiopacos. O colesterol supersaturado na bile, que forma cálculos de colesterol, também pode se difundir na mucosa, manifestando-se como *colesterolose* (**Figura 18.59**).
>
> Os **cálculos pigmentados** são de coloração marrom a preta. Em geral, os cálculos pigmentares negros são encontrados na bile da vesícula biliar estéril, ao passo que os cálculos marrons são encontrados em grandes ductos biliares infectados. Os cálculos negros contêm polímeros oxidados de sais de cálcio de bilirrubina não conjugada, pequenas quantidades de carbonato de cálcio,

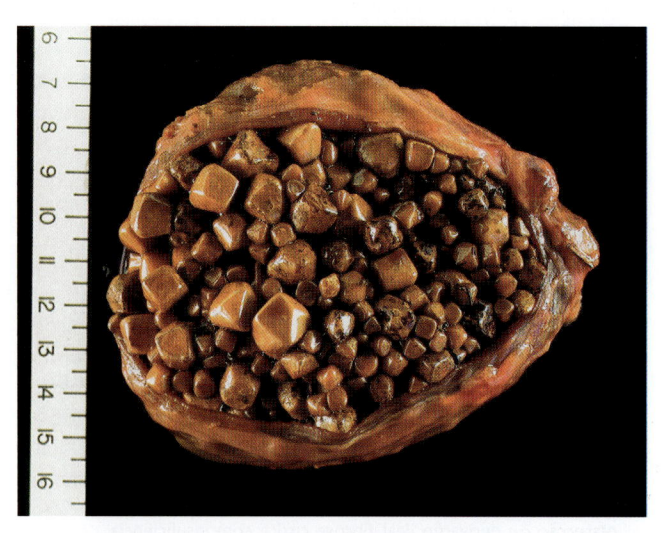

Figura 18.58 Cálculos biliares de colesterol. A parede da vesícula biliar está espessada e fibrótica, devido à colecistite crônica.

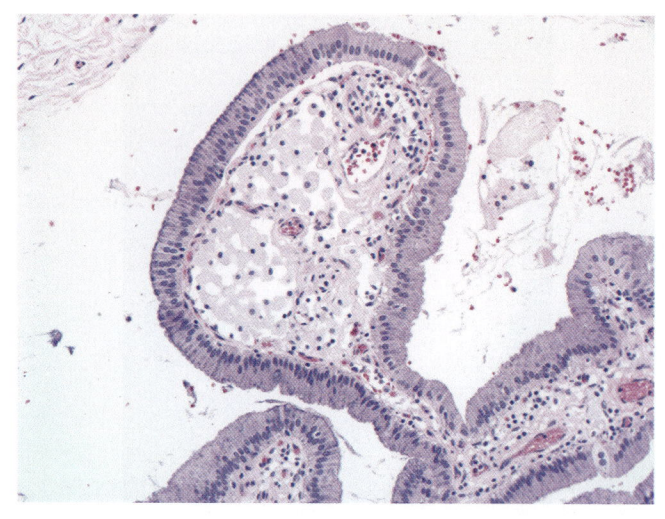

Figura 18.59 Colesterolose. A mucosa da vesícula biliar mostra uma lâmina própria distendida por macrófagos espumosos.

fosfato de cálcio, glicoproteína mucina e alguns cristais de colesterol monoidratados. Os cálculos marrons contêm compostos semelhantes, bem como alguns sais de palmitato e estearato de colesterol e cálcio. Os cálculos de pigmento negro raramente medem mais de 1,5 cm de diâmetro, quase sempre estão presentes em grande número (com uma relação inversa entre tamanho e número; **Figura 18.60**) e são muito friáveis. Em geral, eles apresentam contornos espiculados e moldados. Os cálculos marrons tendem a ser laminados e moles e podem apresentar uma consistência saponácea ou oleosa. Cerca de 50 a 75% dos cálculos de pigmento negro são radiopacos, devido aos sais de cálcio, ao passo que os cálculos marrons, que contêm sabões de cálcio, são radiotransparentes. As glicoproteínas de mucina constituem o arcabouço e o cimento entre as partículas de todos os tipos de cálculos.

Características clínicas

Os cálculos biliares podem estar presentes por várias décadas antes do aparecimento de sintomas, e 70 a 80% dos pacientes permanecem assintomáticos durante toda a vida. Os indivíduos assintomáticos passam a ser sintomáticos em uma taxa média de até 4% por ano, embora o risco diminua com o passar do tempo. Os pacientes sintomáticos com "cólica" biliar apresentam dor excruciante, embora essa designação seja incorreta, visto que a dor é normalmente constante, e não em cólica. Com frequência, a dor ocorre após uma refeição gordurosa, que induz a contração da vesícula biliar, o que comprime o cálculo contra a saída da vesícula biliar, resultando em aumento de pressão e, por fim, dor. Esta está localizada no quadrante superior direito ou na região epigástrica e pode irradiar para o ombro direito ou as costas. A inflamação da vesícula biliar (colecistite, discutida adiante) em associação a cálculos também produz dor. As complicações mais graves incluem empiema, perfuração, fístula, inflamação da árvore biliar (colangite), colestase obstrutiva e pancreatite. Quanto maiores forem os cálculos, menor será a probabilidade de eles entrarem nos ductos císticos ou no colédoco para provocar obstrução; os cálculos muito pequenos ou "areia" são os mais perigosos. Em certas ocasiões, um cálculo grande pode causar erosão direta em uma alça adjacente do intestino delgado, provocando obstrução intestinal ("íleo biliar" ou síndrome de Bouveret). Os cálculos biliares também estão associados a risco aumentado de carcinoma de vesícula biliar (discutido adiante).

Colecistite

A inflamação da vesícula biliar pode ser aguda, crônica ou aguda sobreposta à crônica. Ela ocorre quase sempre em associação a cálculos biliares. Nos EUA, a colecistite é uma das indicações mais comuns para cirurgia abdominal. A sua epidemiologia acompanha estreitamente a dos cálculos biliares.

Colecistite aguda

A colecistite aguda é precipitada, em 90% dos casos, por obstrução do colo da vesícula biliar ou do ducto cístico por um cálculo. A colecistite calculosa aguda constitui a principal complicação dos cálculos biliares e a razão mais comum para colecistectomia de emergência. A colecistite sem cálculos (*colecistite acalculosa*) também pode ocorrer em pacientes em estado clínico grave e representa os 10% restantes de casos.

Patogênese

A colecistite calculosa aguda resulta da irritação química e da inflamação de uma vesícula biliar obstruída por cálculos. A ação das fosfolipases da mucosa hidrolisa as lecitinas luminais a lisolecitinas tóxicas. Ocorre ruptura da camada de muco de glicoproteína normalmente protetora, com consequente exposição do epitélio da mucosa à ação detergente direta dos sais biliares. As prostaglandinas liberadas dentro da parede da vesícula biliar distendida contribuem para as inflamações da mucosa e mural; a distensão e o aumento da pressão intraluminal comprometem o fluxo sanguíneo para a mucosa. Esses eventos ocorrem inicialmente na ausência de infecção bacteriana; entretanto, posteriormente, durante a evolução, pode haver sobreposição de infecção bacteriana, exacerbando o processo inflamatório. A colecistite calculosa aguda é comum, sobretudo em pacientes diabéticos que apresentam cálculos biliares sintomáticos.

Acredita-se que a colecistite acalculosa aguda resulte de isquemia. A artéria cística é uma artéria terminal sem circulação colateral. Os fatores que contribuem para tal podem incluir inflamação e edema da parede (comprometendo o fluxo sanguíneo) e estase da vesícula biliar, devido ao acúmulo de microcristais de colesterol (lama biliar), bile viscosa e muco, causando a obstrução do ducto cístico na ausência de cálculos. Em geral, essa doença ocorre em pacientes agudamente enfermos, que estão hospitalizados por condições não relacionadas. Os fatores de risco para a colecistite acalculosa aguda incluem: (1) sepse com hipotensão e falência múltipla de órgãos; (2) imunossupressão; (3) traumatismo significativo e queimaduras; (4) diabetes melito; e (5) infecções.

Morfologia

Na **colecistite aguda**, a vesícula biliar normalmente está aumentada e tensa e pode assumir uma coloração vermelho-brilhante ou manchada, violácea a negro-esverdeada, conferida pelas

Figura 18.60 Cálculos biliares pigmentados. Vários cálculos biliares negros e facetados estão presentes nessa vesícula biliar normal sob os demais aspectos de um paciente com prótese mecânica de valva mitral, levando à hemólise intravascular crônica.

hemorragias subserosas. Com frequência, a serosa é coberta por um exsudato fibrinoso, que pode ser fibrinopurulento nos casos graves. Não há diferenças morfológicas específicas entre as colecistites acalculosa e calculosa aguda, exceto a ausência de cálculos na forma acalculosa. Na **colecistite calculosa**, comumente existe um cálculo que causa obstrução no colo da vesícula biliar ou no ducto cístico. A luz da vesícula biliar contém um ou mais cálculos e está preenchida com bile turva misturada com fibrina, pus e hemorragia. Quando o exsudato consiste em pus praticamente puro, a condição é denominada **empiema da vesícula biliar**. Nos casos leves, a parede da vesícula biliar está espessada, edematosa e hiperêmica. Nos casos mais graves, ela é transformada em um órgão necrótico negro-esverdeado, denominado **colecistite gangrenosa**, com perfurações pequenas a grandes. A invasão por microrganismos formadores de gás, notavelmente clostrídios e coliformes, pode causar **colecistite "enfisematosa" aguda**. Do ponto de vista histológico, as alterações precoces da colecistite aguda incluem edema, congestão e erosão da mucosa. Normalmente, os neutrófilos estão esparsos, a não ser que haja infecção sobreposta.

Características clínicas

Os indivíduos com colecistite calculosa aguda geralmente (mas nem sempre) apresentaram episódios anteriores de dor associada à vesícula biliar. Uma crise começa com dor abdominal progressiva no quadrante superior direito ou na região epigástrica e dura mais de 6 horas. Com frequência, ela está associada a febre baixa, anorexia, taquicardia, sudorese, náuseas e vômitos. A maioria dos pacientes não apresenta icterícia; a ocorrência de hiperbilirrubinemia sugere obstrução do ducto colédoco. A leucocitose leve a moderada pode ser acompanhada de elevação modesta dos níveis séricos de fosfatase alcalina. A colecistite calculosa aguda pode aparecer de maneira notavelmente súbita e constitui uma emergência cirúrgica aguda, ou pode se manifestar com sintomas leves, que regridem sem intervenção médica. Na ausência de cuidados médicos, a crise geralmente desaparece em 7 a 10 dias e, com frequência, nas primeiras 24 horas. Todavia, até 25% dos pacientes desenvolvem sintomas progressivamente mais graves, exigindo intervenção cirúrgica imediata. A recorrência é comum em pacientes que se recuperam sem cirurgia.

Os sintomas clínicos da colecistite acalculosa aguda tendem a ser mais insidiosos, visto que são obscurecidos pelas condições subjacentes que precipitam a crise. Uma maior proporção de pacientes não apresenta sintomas relacionados com a vesícula biliar; por conseguinte, o diagnóstico depende de um alto índice de suspeita. No paciente em estado grave, o reconhecimento precoce da condição é crucial, visto que o seu não reconhecimento quase sempre cursa com uma evolução fatal. Em consequência da demora no diagnóstico ou da própria doença, a incidência de gangrena e perfuração é muito maior na colecistite acalculosa do que na calculosa. Em raros casos, a infecção bacteriana primária por agentes como *S. typhi* e estafilococos pode dar origem à colecistite acalculosa aguda. Além disso, pode ocorrer uma forma mais indolente de colecistite acalculosa aguda no contexto de vasculite sistêmica, doença isquêmica aterosclerótica grave em indivíduos idosos, AIDS (em geral, relacionada com a infecção por *Cryptosporidium*) ou infecção ascendente do trato biliar.

Colecistite crônica

A colecistite crônica pode ser uma sequela de surtos repetidos de colecistite aguda leve a grave; todavia, em muitos casos, ela se desenvolve na ausência aparente de crises agudas antecedentes. Como a colecistite está associada à colelitíase em mais de 90% dos casos, a população de pacientes de risco é a mesma que a dos cálculos biliares. A evolução da colecistite crônica é obscura; não se sabe ao certo se os cálculos biliares desempenham um papel direto na iniciação da inflamação ou no aparecimento da dor, tendo-se em vista que a colecistite acalculosa crônica apresenta sintomas e histologia semelhantes aos da forma calculosa. Na verdade, a supersaturação de bile predispõe à inflamação crônica e, na maioria dos casos, à formação de cálculos. Microrganismos, geralmente *E. coli* e enterococos, são cultivados a partir da bile em cerca de um terço dos casos. Diferentemente da colecistite calculosa aguda, a obstrução do fluxo da vesícula biliar não é um pré-requisito.

> ### Morfologia
>
> As alterações morfológicas na colecistite crônica são extremamente variáveis e, às vezes, mínimas. Em geral, a serosa é lisa e brilhante, mas pode se tornar fosca devido à **fibrose subserosa**. Pode haver aderências fibrosas densas, que representam as sequelas de infecção aguda precedente. Em cortes, a parede exibe espessamento variável e aparência opaca, branco-acinzentada. Nos casos não complicados, a luz contém bile mucoide amarelo-esverdeada e, em geral, cálculos. A mucosa em si é geralmente preservada.
>
> Ao exame histológico, o grau de inflamação é variável. Nos casos mais leves, são encontrados apenas linfócitos, plasmócitos e macrófagos dispersos na mucosa e no tecido fibroso subseroso (**Figura 18.61A**). Nos casos mais avançados, ocorre acentuada fibrose subepitelial e subserosa, acompanhada de infiltração de células mononucleares. A proliferação reativa da mucosa e a fusão das pregas mucosas podem resultar em criptas de epitélio mergulhadas dentro da parede da vesícula biliar. Projeções de epitélio da mucosa através da parede (**seios de Rokitansky-Aschoff**) podem ser muito proeminentes (ver **Figura 18.61B**).
>
> Em raros casos, ocorre calcificação distrófica extensa da parede da vesícula biliar (**vesícula em porcelana**). Com mais frequência, há substituição completa da parede da vesícula biliar e da mucosa por fibrose densa (**colecistite hialinizante**), com ou sem calcificação. Essa alteração é notável pela sua associação à incidência aumentada de carcinoma de vesícula biliar (discutido adiante). Na **colecistite xantogranulomatosa**, a vesícula biliar apresenta uma parede extremamente espessa e está retraída, nodular e cronicamente inflamada, com focos de necrose e hemorragia. Ela é desencadeada pela ruptura dos seios de Rokitansky-Aschoff na parede da vesícula biliar, seguida de acúmulo de macrófagos que ingeriram fosfolipídios biliares. Essas células que contêm lipídios com citoplasma espumoso são denominadas células xantomatosas, o que explica o nome dessa condição. Por fim, uma vesícula biliar atrófica, com obstrução crônica e frequentemente dilatada pode conter apenas secreções claras, uma condição conhecida como **hidropisia da vesícula biliar**. Outras formas raras de colecistite crônica incluem a colecistite esclerosante relacionada com IgG$_4$, outra manifestação da doença fibrosante relacionada a IgG$_4$.

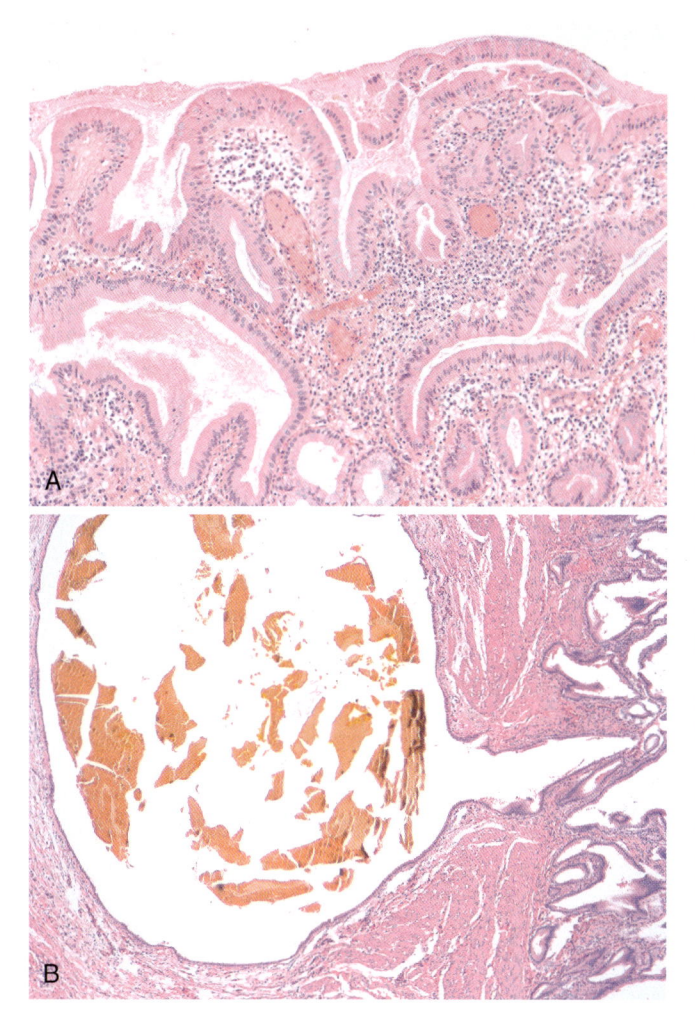

Figura 18.61 Colecistite crônica. **A.** A mucosa da vesícula biliar está infiltrada por células inflamatórias. **B.** Evaginação da mucosa através da parede formando o seio de Rokitansky-Aschoff (que contém bile).

cada ano. Existem amplas variações na incidência do câncer de vesícula biliar em todo o mundo, com algumas regiões que abrigam os maiores números de casos, como Chile, Bolívia e norte da Índia. Até mesmo nos EUA, certas áreas com grande número de populações nativas americanas ou hispânicas, como o sudoeste, apresentam maior incidência de câncer de vesícula biliar do que o restante do país. O câncer de vesícula biliar é pelo menos duas vezes mais comum em mulheres do que em homens, e essa disparidade pode ser várias vezes maior em regiões de incidência mais alta. A esmagadora maioria dos pacientes é diagnosticada em um estágio avançado cirurgicamente não ressecável, e a taxa de sobrevida média em 5 anos é de menos de 10% para os pacientes afetados.

Patogênese

O fator de risco mais importante para o câncer de vesícula biliar (além do gênero e da etnia) é a formação de cálculos biliares, que estão presentes em 95% dos casos. Entretanto, convém assinalar que apenas 1 a 2% dos pacientes com cálculos biliares desenvolvem câncer de vesícula biliar. Na Ásia, as infecções bacterianas ou parasitárias crônicas foram implicadas como fatores de risco, e a coexistência de cálculos biliares com câncer de vesícula biliar é muito menor. No entanto, o traço comum que liga os cálculos biliares ou as infecções crônicas com o câncer de vesícula biliar é a inflamação crônica. As mutações condutoras relativamente comuns incluem aberrações de ganho de função que afetam membros da família do gene do receptor de EGF (incluindo *HER2*) e genes que codificam componentes de sinalização a jusante, como RAS, e mutações de perda de função no gene supressor de tumor *TP53*, que estão presentes em até metade das neoplasias. Como é típico dos cânceres com mutação de *TP53*, a maioria dos carcinomas de vesícula biliar exibe aneuploidia.

Características clínicas

A colecistite crônica não apresenta as manifestações características das formas agudas e caracteriza-se normalmente por ataques recorrentes de dor epigástrica ou contínua no quadrante superior direito. As náuseas, os vômitos e a intolerância a alimentos gordurosos são associações frequentes.

O diagnóstico da colecistite tanto aguda quanto crônica é importante, devido às seguintes complicações:

- *Superinfecção bacteriana* com colangite ou sepse
- *Perfuração da vesícula biliar* e formação local de abscesso
- *Ruptura da vesícula biliar* com peritonite difusa
- *Fístula entérica biliar* (colecistoentérica), com drenagem de bile em órgãos adjacentes, entrada de ar e bactérias na árvore biliar e possível obstrução intestinal induzida por cálculo biliar (íleo)
- *Agravamento de doença médica preexistente*, com descompensação cardíaca, pulmonar, renal ou hepática.

Carcinoma de vesícula biliar

O carcinoma da vesícula biliar é a neoplasia maligna mais comum do trato biliar extra-hepático. Nos EUA, cerca de 6 mil novos casos de câncer de vesícula biliar são diagnosticados a

Morfologia

Foram descritas várias lesões precursoras do carcinoma de vesícula biliar, o que indica que (como é típico do carcinoma em geral) o câncer totalmente desenvolvido tende a surgir a partir de um processo gradativo e prolongado. Esses precursores incluem lesões planas *in situ* com graus variáveis de displasia, lesões expansivas semelhantes ao adenoma, denominadas neoplasia tubular papilar intracolecística e metaplasia intestinal. Os cânceres de vesícula biliar são principalmente adenocarcinomas e, com frequência, são detectados no fundo da vesícula biliar (**Figura 18.62**). Eles podem produzir uma massa firme e mal circunscrita ou podem infiltrar de modo difuso a parede da vesícula biliar, simulando a aparência macroscópica da colecistite crônica. Ao exame microscópico, eles caracterizam-se comumente pela presença de glândulas incorporadas no estroma desmoplásico; todavia, em alguns casos, a atipia citológica e a resposta do estroma são mínimas; nesses casos, a identificação de invasões perineural e vascular ajuda a estabelecer o diagnóstico. Com a progressão, ocorrem extensão direta em outros órgãos, formação de fístula, disseminação peritoneal e biliar e metástases para o fígado e os linfonodos porta-hepáticos. Raramente, outros tipos de neoplasias malignas surgem, principalmente dentro da vesícula biliar, incluindo neoplasias neuroendócrinas, carcinoma de células escamosas e sarcomas.

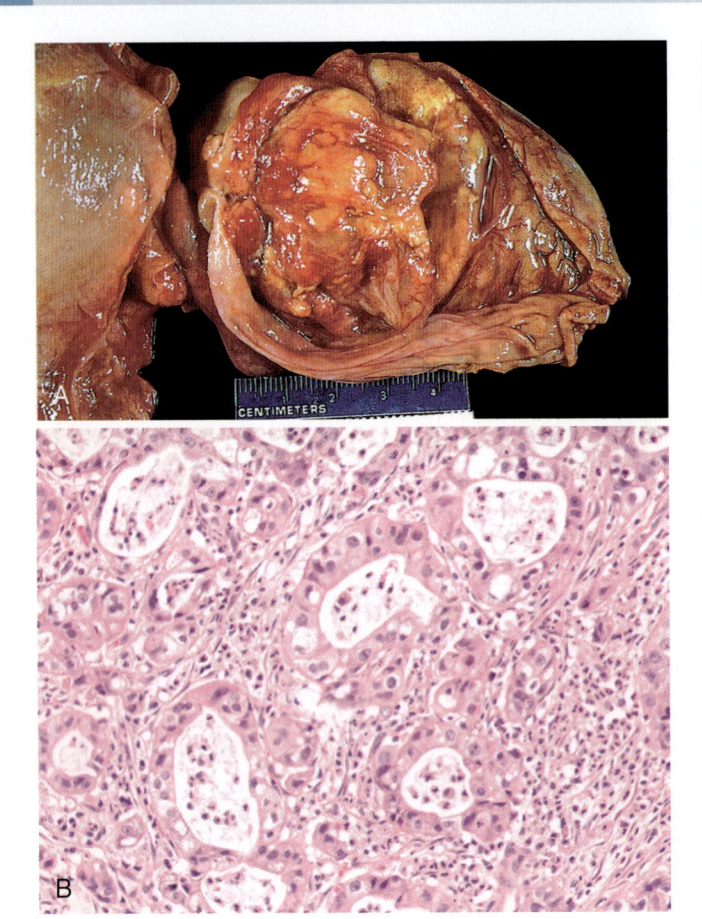

Figura 18.62 Adenocarcinoma de vesícula biliar. **A.** A vesícula biliar aberta contém uma grande neoplasia exofítica, que praticamente preenche a luz. **B.** Glândulas malignas são observadas infiltrando a parede da vesícula densamente fibrótica.

Características clínicas

O diagnóstico pré-operatório de carcinoma da vesícula biliar é mais a exceção do que a regra, ocorrendo em menos de 20% dos pacientes. Os sintomas de apresentação clínica são insidiosos e normalmente indistinguíveis daqueles associados à colelitíase, incluindo dor abdominal, icterícia, anorexia, náuseas e vômitos. Se a neoplasia for detectada antes da invasão e da disseminação, como no caso de achado incidental de carcinoma durante uma cirurgia para cálculos biliares sintomáticos ou colecistite aguda, é possível obter a cura por meio de ressecção cirúrgica. Entretanto, a maioria dos pacientes apresenta doença avançada por ocasião do diagnóstico, e o prognóstico global para esses pacientes é sombrio, mesmo com ressecção aparentemente completa de neoplasia evidente. Com frequência, a quimioterapia adjuvante é oferecida a esses pacientes, porém não é curativa, e a maioria deles acaba sucumbindo à doença.

Conceitos-chave
Doenças da vesícula biliar

- As doenças da vesícula biliar incluem colelitíase, colecistites aguda e crônica e câncer de vesícula biliar
- Os cálculos biliares são comuns nos países ocidentais. A maioria consiste em cálculos de colesterol. Os cálculos pigmentados, que contêm bilirrubina e cálcio, são mais comuns nos países asiáticos
- Os fatores de risco para o desenvolvimento de cálculos de colesterol incluem idade avançada, sexo feminino, uso de estrogênio, obesidade e hereditariedade
- A colecistite quase sempre ocorre em associação à colelitíase, embora seja observada na ausência de cálculos biliares em cerca de 10% dos casos. Os cálculos biliares também constituem um fator de risco para o câncer de vesícula biliar
- A colecistite calculosa aguda é a razão mais comum para a realização de colecistectomia de emergência
- Os cânceres de vesícula biliar estão associados a cálculos biliares na maioria dos casos. Normalmente, eles são detectados tardiamente, devido aos sintomas inespecíficos, e, portanto, apresentam prognóstico sombrio.

LEITURA SUGERIDA

Mecanismos de lesão e reparo do fígado

Gouw ASW, Clouston AD, Theise ND: Ductular reactions in human livers: diversity at the interface, *Hepatology* 54:1853, 2011. [*Revisão das reações ductulares, a resposta de células-tronco dos fígados humanos em todas as doenças hepáticas, que estão relacionadas aos mecanismos de regeneração, fibrogênese e neoplasia*].

Kocabayoglu P, Friedman SL: Cellular basis of hepatic fibrosis and its role in inflammation and cancer, *Front Biosci (Schol Ed)* 5:217, 2013. [*Entrelaçando o que se sabe sobre as células estreladas hepáticas e outras células miofibroblásticas do fígado com processos inflamatórios, fibrosantes e de doenças neoplásicas*].

Koyama Y, Brenner DA: Liver inflammation and fibrosis, *J Clin Invest* 127(1):55–64, 2017. doi:10.1172/JCI88881. [Epub 2017 Jan 3]. PubMed PMID: 28045404. PubMed Central PMCID: PMC5199698, Review, [*Revisão recente das complexas interações entre o sistema imunológico e a fibrose hepática*].

Quaglia A, Alves VA, Balabaud C et al: International Liver Pathology Study Group. Role of aetiology in the progression, regression, and parenchymal remodelling of liver disease: implications for liver biopsy interpretation, *Histopathology* 68(7):953–967, 2016. doi:10.1111/his.12957. [*Publicação eletrônica em 28 de abril de 2016*]. [*Este artigo desafia os patologistas a evoluir o uso passado do termo "cirrose" para comunicar informações mais úteis sobre fibrose em relação à etiologia da doença*].

Theise ND, Saxena R, Portmann BC et al: The canals of Hering and hepatic stem cells in humans, *Hepatology* 30(6):1425–1433, 1999. PubMed PMID: 10573521. [*Identificação histopatológica meticulosa de um nicho de células-tronco no fígado*].

Wanless IR, Nakashima E, Sherman M: Regression of human cirrhosis. Morphologic features and the genesis of incomplete septal cirrhosis, *Arch Pathol Lab Med* 124:1599, 2000. [*Artigo revolucionário que começou a reavaliar se a fibrose/cirrose poderia regredir; veja também, no mesmo volume do periódico, às críticas dos revisores originais do artigo (publicado apesar de suas objeções) e as respostas dos autores a elas. A história da Patologia acontecendo diante de seus olhos*].

Insuficiências hepáticas aguda, crônica e crônica agudizada

Bernal W, Wendon J: Acute liver failure, *N Engl J Med* 369:2525, 2013. [*Excelente revisão clínica*].

Berzigotti A, Seijo S, Reverter E et al: Assessing portal hypertension in liver diseases, *Expert Rev Gastroenterol Hepatol* 7:141, 2013. [*Definições e metodologias em evolução para avaliação da hipertensão portal estão na vanguarda dos avanços em hepatologia*].

Chun LJ, Tong MJ, Busuttil RW et al: Acetaminophen hepatotoxicity and acute liver failure, *J Clin Gastroenterol* 43:342, 2009. [*Sobre a causa mais comum de falência hepática aguda que leva ao transplante*].

Hytiroglou P, Snover DC, Alves V: Beyond "cirrhosis": a proposal from the International Liver Pathology Study Group, *Am J Clin Pathol* 137:5, 2012. [*Novos entendimentos de diversas cirroses e um novo olhar sobre o antigo conceito de cirrose e doença hepática em estágio avançado*].

Khungar V, Poordad F: Hepatic encephalopathy, *Clin Liver Dis* 16:301, 2012. [*Boa visão geral de uma das sequelas mais ameaçadoras de todas as formas de insuficiência hepática*].

Laleman W, Verbeke L, Meersseman P: Acute-on-chronic liver failure: current concepts on definition, pathogenesis, clinical manifestations and potential therapeutic interventions, *Expert Rev Gastroenterol Hepatol* 5:523, 2011.

Lee WM, Squires RH Jr, Nyberg SL et al: Acute liver failure: summary of a workshop, *Hepatology* 47(4):1401–1415, 2008. doi:10.1002/hep.22177. PubMed PMID: 18318440. PubMed Central PMCID: PMC3381946, [*Discussão sobre os achados do Grupo de Estudo da Insuficiência Hepática Aguda*].

Lefkowitch JH: The pathology of acute liver failure, *Adv Anat Pathol* 23(3):144–158, 2016. doi:10.1097/PAP.0000000000000112. PubMed PMID: 27058243. Review, [*Excelente revisão sobre a patologia da insuficiência hepática aguda*].

van Leeuwen DJ, Alves V, Balabaud C et al: Acute-on-chronic liver failure 2018: a need for (urgent) liver biopsy? *Expert Rev Gastroenterol Hepatol* 12(6):565–573, 2018. [*Revisão recente da terminologia e considerações clinicopatológicas sobre insuficiência hepática aguda e crônica*].

Hepatite viral

Chung RT, Baumert TF: Curing chronic hepatitis C—The arc of medical triumph, *N Engl J Med* 370:1576, 2014. [*Excelente perspectiva sobre porque e como a hepatite C pode ser curada*].

European Association for the Study of the Liver: EASL recommendations on treatment of hepatitis C 2018, *J Hepatol* 69(2):461–511, 2018. [*Revisão do diagnóstico, triagem e diretrizes de tratamento para a hepatite C*].

Joyce MA, Tyrrell DL: The cell biology of hepatitis C virus, *Microbes Infect* 12:263, 2010. [*O que entendemos e o que não entendemos sobre o vírus da hepatite C e as células que ele infecta*].

Lamontagne RJ, Bagga S, Bouchard MJ: Hepatitis B virus molecular biology and pathogenesis, *Hepatoma Res* 2:163–186, 2016. [*Revisão sobre a infecção pelo vírus da hepatite B*].

Lenggenhager D, Weber A: Clinicopathologic features and pathologic diagnosis of hepatitis E, *Hum Pathol* 2019. doi:10.1016/j.humpath.2019.10.003. pii: S0046-8177(19)30179-0. [*Publicação eletrônica antes da impressão*], [*Revisão sobre a infecção pelo vírus da hepatite E*].

Doenças hepáticas autoimunes

Czaja AJ: Examining pathogenic concepts of autoimmune hepatitis for cues to future investigations and interventions, *World J Gastroenterol* 25(45):6579–6606, 2019. [*Revisão da patogênese da hepatite autoimune*].

Eisenmann de Torres B, and members of the International Autoimmune Hepatitis Group: Simplified criteria for the diagnosis of autoimmune hepatitis, *Hepatology* 48:169, 2008. [*Conjunto de critérios ainda relevante para o diagnóstico da hepatite autoimune*].

European Association for the Study of the Liver: EASL Clinical Practice Guidelines: the diagnosis and management of patients with primary biliary cholangitis, *J Hepatol* 67(1):145–172, 2017. [*Revisão das diretrizes de diagnóstico e tratamento da colangite biliar primária*].

Karlsen TH, Folseraas T, Thorburn D, et al: Primary sclerosing cholangitis – a comprehensive review, *J Hepatol* 67(6):1298–1323, 2017. [*Revisão de todos os aspectos da colangite esclerosante primária*].

Lesão hepática induzida por fármacos e toxinas

Crawford JM: Histologic findings in alcoholic liver disease, *Clin Liver Dis* 16:699, 2012. [*Um olhar completo sobre as alterações morfológicas na doença hepática alcoólica e os mecanismos subjacentes que as produzem*].

Gunawan B, Kaplowitz N: Clinical perspectives on xenobiotic-induced hepatotoxicity, *Drug Metab Rev* 36:301, 2004. [*Revisão abrangente e atual*].

Kleiner DE: Drug-induced liver injury: the hepatic pathologist's approach, *Gastroenterol Clin North Am* 46(2):273–296, 2017. [*Revisão da maneira pela qual as alterações morfológicas são avaliadas no contexto da suspeita de lesão hepática induzida por drogas*].

Doença hepática gordurosa

Alpert L, Hart J: The pathology of alcoholic liver disease, *Clin Liver Dis* 20(3):473–489, 2016. [*Revisão recente sobre a patologia da doença hepática alcoólica*].

Kleiner DE, Brunt EM: Nonalcoholic fatty liver disease: pathologic patterns and biopsy evaluation in clinical research, *Semin Liver Dis* 32:3, 2012. [*Tão competente quanto alguém pode ser sobre o assunto*].

Doenças hepáticas herdadas

Perlmutter DH, Silverman GA: Hepatic fibrosis and carcinogenesis in α1-antitrypsin deficiency: a prototype for chronic tissue damage in gain-of-function disorders, *Cold Spring Harb Perspect Biol* 1:3, 2011. [*Uma perspectiva mais ampla sobre algumas doenças hereditárias crônicas usando a antitripsina α1 como o exemplo paradigmático*].

Pietrangelo A: Genetics, genetic testing, and management of hemochromatosis: 15 years since hepcidin, *Gastroenterology* 149(5):1240–1251, 2015. [*Revisão abrangente da genética da hemocromatose com ênfase na hepcidina no mecanismo da doença*].

Rosencrantz R, Schilsky M: Wilson disease: pathogenesis and clinical considerations in diagnosis and treatment, *Semin Liver Dis* 31:245, 2011. [*Revisão dos mecanismos da lesão hepática induzida por cobre na doença de Wilson com um resumo útil das considerações de diagnóstico e tratamento*].

Síndromes colestáticas

Desmet VJ: Congenital diseases of intrahepatic bile ducts: variations on the theme "ductal plate malformation", *Hepatology* 16:1069, 1992. [*Artigo clássico de patologia do fígado*].

Hirschfield GM, Heathcote EJ, Gershwin ME: Pathogenesis of cholestatic liver disease and therapeutic approaches, *Gastroenterology* 139:1481, 2010. [*Visão geral completa das características mais comuns da doença hepática*].

Paumgartner G: Biliary physiology and disease: reflections of a physicians-cientist, *Hepatology* 51:1095, 2010. [*Como o trabalho de bancada exerce um impacto na medicina clínica, às vezes lentamente ao longo de décadas*].

Tsui WM, Lam PW, Lee WK: Primary hepatolithiasis, recurrent pyogenic cholangitis, and oriental cholangiohepatitis: a tale of 3 countries, *Adv Anat Pathol* 18:318, 2011. [*Revisão que revela muito sobre as doenças discutidas, bem como as histórias variáveis da compreensão médica em diferentes regiões do globo*].

Distúrbios circulatórios

Guido M, Alves VAF, Balabaud C et al: Histology of portal vascular changes associated with idiopathic non-cirrhotic portal hypertension: nomenclature and definition, *Histopathology* 74(2):219–226, 2019. [*Fornece uma revisão do espectro de alterações histológicas e uma nomenclatura unificadora*].

Neoplasias hepáticas benignas e malignas

Choi WT, Kakar S: Atypical hepatocellular neoplasms: review of clinical, morphologic, immunohistochemical, molecular, and cytogenetic features. *Adv Anat Pathol* 25(4):254–262, 2018. [*Revisão dos aspectos patológicos e moleculares dos adenomas e tumores atípicos com características limítrofes do CHC*].

International Consensus Group for Hepatocellular Neoplasia: Pathologic diagnosis of early hepatocellular carcinoma, *Hepatology* 49:658, 2009. [*Um bom exemplo de como as mudanças chegam à medicina, pela combinação de esforços individuais ao longo de anos, para alcançar um novo consenso*].

Massarweh NN, El-Serag HB: Epidemiology of hepatocellular carcinoma and intrahepatic cholangiocarcinoma, *Cancer Control* 24(3): 1073274817729245, 2017. [*Revisão da epidemiologia e tendências em carcinomas hepatocelulares e colangiocarcinoma*].

Rizvi S, Khan SA, Hallemeier CL et al: Cholangiocarcinoma—evolving concepts and therapeutic strategies, *Nat Rev Clin Oncol* 15(2):95–111, 2018. [*Revisão da epidemiologia, patogênese e manejo do colangiocarcinoma*].

Sempoux C, Chang C, Gouw A et al: Benign hepatocellular nodules: what have we learned using the patho-molecular classification, *Clin Res Hepatol Gastroenterol* 37(4):322–327, 2013. [*Da equipe amplamente responsável pelas novas subclassificações moleculares dos adenomas hepatocelulares*].

Vogel A, Cervantes A, Chau I et al: ESMO Guidelines Committee: hepatocellular carcinoma: ESMO Clinical Practice Guidelines for diagnosis, treatment and follow-up, *Ann Oncol* 29(Suppl 4):iv238–iv255, 2018. [*Revisão das diretrizes para diagnóstico e manejo do CHC*].

WHO Classification of Tumours Editorial Board: *Digestive System Tumors*, Lyon, France, 2019, International Agency for Research on Cancer. [*Classificação da OMS de séries de tumores, ed 5, vol 1*].

CAPÍTULO 19

Pâncreas

Anirban Maitra[a]

SUMÁRIO DO CAPÍTULO

Anomalias congênitas, 913
Pancreatite, 914
  Pancreatite aguda, 914
  Pancreatite crônica, 918
Cistos não neoplásicos, 920

Cistos congênitos, 920
Pseudocistos, 920
Neoplasias, 920
  Neoplasias císticas, 920
  Carcinoma de pâncreas, 923

Precursores do câncer de pâncreas, 923
Carcinoma de células acinares, 926
Pancreatoblastoma, 926

O pâncreas adulto é um órgão retroperitoneal de orientação transversal, que se estende desde a alça em C do duodeno até o hilo esplênico (**Figura 19.1**). Embora o órgão tenha recebido seu nome do grego *pankreas* ("todo de carne"), trata-se, na verdade, de um complexo órgão lobulado, com componentes exócrinos e endócrinos distintos.

O *pâncreas exócrino* representa 80 a 85% do órgão e é composto por células acinares. Essas células epiteliais de forma piramidal contêm grânulos delimitados por membrana ricos em proenzimas (zimogênios), incluindo tripsinogênio, quimiotripsinogênio, procarboxipeptidase, pró-elastase, calicreinogênio e pró-fosfolipase A e B, todas as quais contribuem para a digestão. Após secreção, essas proenzimas e enzimas são conduzidas por uma série de dúctulos e ductos até o duodeno, em que são ativadas por clivagem proteolítica (descrita adiante).

O *pâncreas endócrino* é composto por cerca de 1 milhão de grupos de células endócrinas, as ilhotas de Langerhans, que estão espalhadas por toda a glândula. As células das ilhotas secretam insulina, glucagon, somatostatina e polipeptídio pancreático. Embora constituam apenas 1 a 2% da massa do órgão, os hormônios liberados pelas células das ilhotas são reguladores essenciais do metabolismo sistêmico. As doenças do pâncreas endócrino são descritas de modo detalhado no **Capítulo 24**.

Anomalias congênitas

O complexo processo que resulta na fusão dos primórdios dorsal e ventral do pâncreas durante o desenvolvimento embrionário do órgão é imperfeito, originando variações anatômicas do pâncreas. Normalmente, o pâncreas surge da fusão de evaginações dorsal e ventral do intestino anterior. O corpo, a cauda e a face superior/anterior da cabeça do pâncreas, bem como o ducto acessório de Santorini, derivam do primórdio dorsal. Normalmente, o primórdio ventral dá origem às partes posterior/inferior da cabeça do pâncreas, que drena pelo ducto pancreático principal na papila duodenal maior.

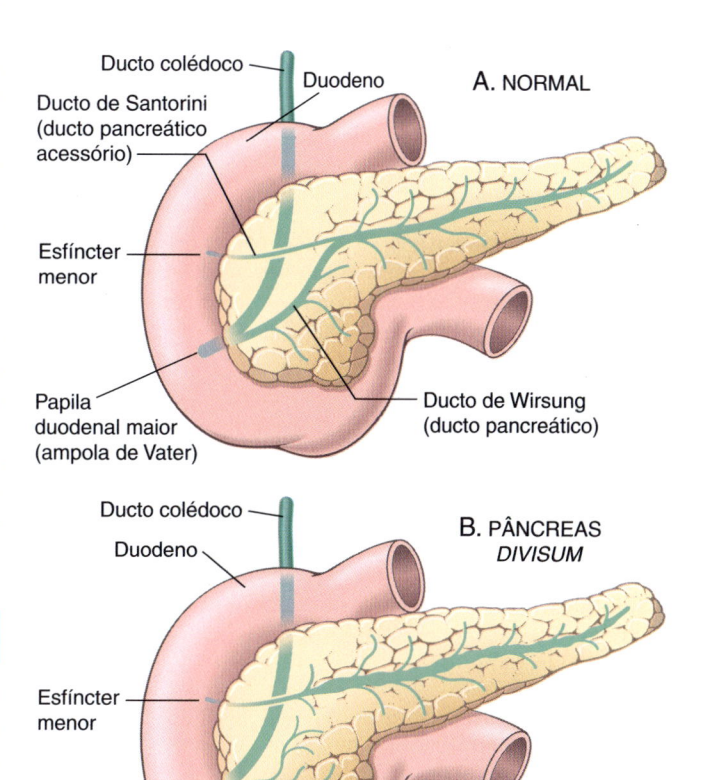

Figura 19.1 Anatomia dos ductos pancreáticos. **A.** Anatomia normal dos ductos. **B.** Anatomia dos ductos no pâncreas *divisum*. (Modificada de Gregg JA, et al: Pancreas divisum: results of surgical intervention, *Am J Surg* 145:488-492, 1983.)

---

[a]Estou grato pelas preciosas contribuições de Ralph H. Hruban e Christine A. Iacobuzio-Donahue, que foram os autores deste capítulo na edição anterior. Muitas das fotomicrografias utilizadas neste capítulo são contribuições do Dr. Hruban.

***Pâncreas* divisum**. O pâncreas *divisum* é a anomalia congênita mais comum do pâncreas, com uma incidência de 3 a 10%. Na maioria dos indivíduos, o ducto pancreático principal (ducto de Wirsung), une-se ao ducto colédoco em posição imediatamente próxima à papila duodenal maior, enquanto o ducto pancreático acessório (ducto de Santorini) drena no duodeno por meio de uma papila menor separada (ver **Figura 19.1A**). O pâncreas *divisum* é causado por uma falha de fusão dos sistemas de ductos fetais dos primórdios pancreáticos dorsal e ventral. Em consequência, nessa variante anatômica, a maior parte do pâncreas (formada pelo primórdio pancreático dorsal) drena no duodeno por meio da papila duodenal menor, de pequeno calibre (**Figura 19.1B**), enquanto o ducto de Wirsung drena apenas uma pequena porção da cabeça da glândula através da papila duodenal maior. Apesar das controvérsias, foi sugerido que a drenagem inadequada das secreções pancreáticas através da papila menor, sobretudo quando combinada com defeitos genéticos que também aumentam a suscetibilidade à pancreatite (ver adiante), predispõe os indivíduos com pâncreas *divisum* à pancreatite crônica.

***Pâncreas* anular**. O pâncreas anular consiste em um anel de tecido pancreático normal semelhante a uma banda, que circunda por completo a segunda porção do duodeno. O pâncreas anular pode provocar obstrução duodenal.

***Pâncreas* ectópico**. Em cerca de 2% dos exames *post mortem* cuidadosos de rotina, identifica-se a presença de tecido pancreático de localização aberrante ou ectópica. Os principais locais de ectopia são o estômago e o duodeno, seguidos do jejuno, divertículo de Meckel e íleo. Embora costumem ser achados incidentais, esses restos embrionários, compostos de ácinos pancreáticos, glândulas e, algumas vezes, ilhotas de Langerhans de aparência normal, podem causar dor devido à inflamação localizada ou podem induzir sangramento da mucosa.

Agenesia. Muito raramente, o pâncreas não se desenvolve (agenesia). Alguns casos de agenesia são provocados por mutações de linhagem germinativa homozigotas envolvendo *PDX1*, um gene que codifica um fator de transcrição de homeobox, que é fundamental para o desenvolvimento do pâncreas.

Pancreatite

A pancreatite é dividida em duas formas, aguda e crônica, exibindo, cada uma delas, suas próprias características patológicas e clínicas específicas. Ambas as formas são iniciadas por lesões que levam à autodigestão do pâncreas pelas suas próprias enzimas. Em circunstâncias normais, vários fatores protegem o pâncreas da autodigestão:

- *As enzimas digestivas são sintetizadas, em sua maioria, como proenzimas inativas* (zimogênios), que são acondicionadas em grânulos secretores
- *As proenzimas costumam ser ativadas pela tripsina*, que é ela própria ativada pela enteropeptidase (enteroquinase) duodenal no intestino delgado; em consequência, a ativação intrapancreática de proenzimas costuma ser mínima.
- *As células acinares e ductais secretam inibidores da tripsina*, incluindo o inibidor de serina protease de Kazal tipo 1 (SPINK1), o que limita ainda mais a atividade intrapancreática da tripsina.

Ocorre pancreatite quando esses mecanismos protetores são desestruturados ou sobrecarregados. Os ataques agudos incluem desde eventos leves e autolimitados até eventos com potencial fatal. A pancreatite recorrente ou persistente pode levar à perda permanente da função pancreática.

Pancreatite aguda

A pancreatite aguda caracteriza-se por lesão reversível e inflamação do parênquima pancreático e apresenta muitas causas, incluindo exposições a agentes tóxicos (p. ex., álcool), obstrução do ducto pancreático (p. ex., por cálculos biliares), defeitos genéticos hereditários, lesão vascular e infecções. A pancreatite aguda é relativamente comum, com uma incidência anual nos países ocidentais de 10 a 20 casos a cada 100 mil indivíduos. A doença do sistema biliar e o alcoolismo são responsáveis por cerca de 80% desses casos (**Tabela 19.1**). A proporção de casos provocados pelo consumo excessivo de álcool varia de 65% nos EUA a 20% na Suécia e 5% ou menos no sul da França e no Reino Unido. A razão entre homens e mulheres é de 6:1 em indivíduos com alcoolismo e de 1:3 em pacientes com doença do sistema biliar. Ocorrem cálculos biliares em 35 a 60% dos casos de pancreatite aguda, o que causa "pancreatite por cálculos biliares" em cerca de 5% dos pacientes com cálculos biliares.

Tabela 19.1 Fatores etiológicos na pancreatite aguda.

Metabólicos
Alcoolismo[a]
Hiperlipoproteinemia
Hipercalcemia
Fármacos (p. ex., azatioprina, estatinas, agonistas do GLP-1, inibidores da DPP-4)
Genéticos
Mutações em genes que codificam a tripsina (*PRSS1*), reguladores da tripsina (*SPINK1*) ou proteínas que regulam o metabolismo do cálcio (*CASR*)
Fibrose cística (*CFTR*)
Mecânicos
Cálculos biliares[a]
Trauma

Lesão iatrogênica
    Lesão cirúrgica
    Procedimentos endoscópicos com injeção de contraste (p. ex., CPRE)

Vasculares
Choque
Ateroembolismo
Vasculite (p. ex., poliarterite nodosa)
Infecciosos
Caxumba
Vírus coxsackie

[a]Etiologias mais comuns nos EUA.
CPRE, colangiopancreatografia retrógrada endoscópica; *DPP-4*, dipeptidil peptidase4; *GLP-1*, peptídio semelhante ao glucagon-1.

Patogênese

A pancreatite aguda resulta da liberação e ativação inadequadas das enzimas pancreáticas, que, por sua vez, destroem o tecido pancreático e induzem uma reação inflamatória. A ativação inapropriada da tripsina dentro do pâncreas pode ativar outras proenzimas, como a pró-fosfolipase e a pró-elastase, que degradam as células adiposas e danificam as fibras elásticas dos vasos sanguíneos, respectivamente. Quando o dano tecidual é iniciado, a tripsina também pode ativar, direta ou indiretamente, fatores encontrados no sangue, incluindo componentes da coagulação, complemento, calicreína e vias fibrinolíticas (ver **Capítulos 3 e 4**). A inflamação resultante e a trombose de pequenos vasos provocam maior dano às células acinares, o que amplifica a ativação intrapancreática das enzimas.

Os fatores desencadeantes que causam ativação intrapancreática das enzimas na pancreatite aguda esporádica continuam sendo objeto de investigação, porém há evidências de pelo menos três eventos desencadeantes principais (**Figura 19.2**):

- *A obstrução do ducto pancreático* é mais comumente causada por cálculos biliares e lama biliar (ou barro biliar), mas também pode resultar de neoplasias periampulares (p. ex., câncer de pâncreas), coledococele (dilatação cística congênita do ducto colédoco), parasitas (sobretudo *Ascaris lumbricoides* e *Clonorchis sinensis*) e, possivelmente, pâncreas *divisum*. A obstrução aumenta a pressão ductal intrapancreática e leva ao acúmulo de líquido rico em enzimas no interstício. Diferentemente de outras enzimas pancreáticas, a lipase é secretada em uma forma ativa e tem o potencial de causar necrose da gordura local. Foi formulada a hipótese de que a morte dos adipócitos produz localmente sinais de "perigo", que são detectados por células estreladas do pâncreas e leucócitos. Estes liberam mediadores pró-inflamatórios que, por sua vez, promovem extravasamento microvascular e desenvolvimento de edema intersticial. O edema pode comprometer ainda mais o fluxo sanguíneo local, o que causa insuficiência vascular e lesão isquêmica das células acinares

- *A lesão primária das células acinares* leva à liberação de enzimas digestivas, inflamação e autodigestão dos tecidos. As células acinares podem ser danificadas por uma variedade de agressões endógenas, exógenas e iatogênicas. Muitas dessas agressões resultam em estresse oxidativo e geração de radicais livres intracelulares, que levam à oxidação dos lipídios da membrana e à ativação de fatores de transcrição. Estes últimos incluem AP1 e NF-κB, que induzem a expressão de quimiocinas que, por sua vez, atraem células mononucleares. O aumento do fluxo de cálcio constitui outro fator desencadeante importante para a ativação inapropriada de enzimas. O cálcio desempenha um

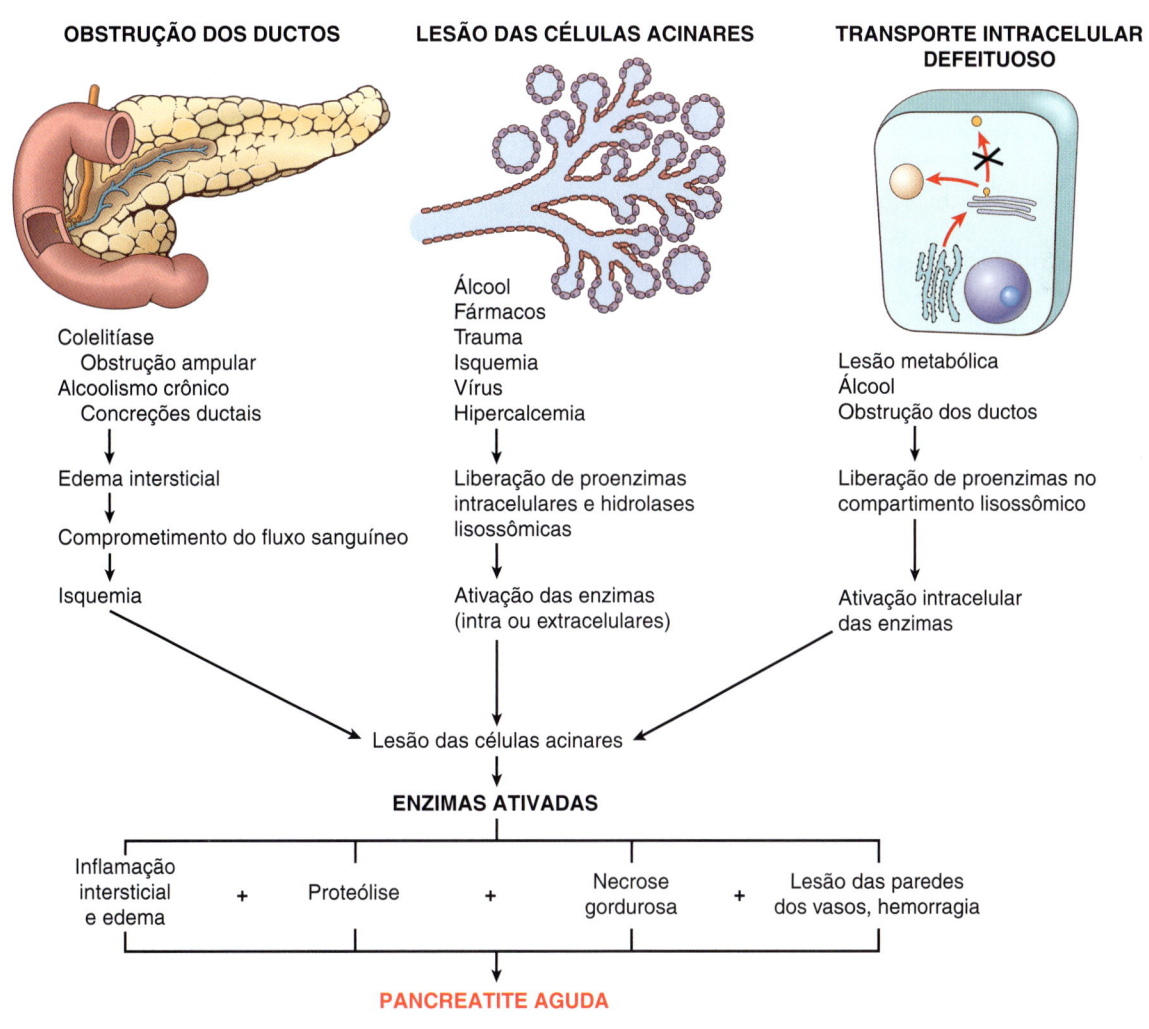

Figura 19.2 Três vias propostas na patogênese da pancreatite aguda.

papel fundamental na regulação da tripsina. Quando os níveis de cálcio estão baixos, a tripsina tende a clivar e inativar a ela própria, porém essa autoinibição é anulada, e a autoativação da tripsina é favorecida quando ocorre elevação dos níveis de cálcio. Por conseguinte, qualquer fator capaz de produzir aumento do cálcio dentro das células acinares pode desencadear a ativação excessiva da tripsina. Os exemplos incluem condições hereditárias que afetam os níveis de cálcio (**Tabela 19.2**).

- *Transporte intracelular defeituoso de proenzimas dentro das células acinares.* Nas células acinares normais, as enzimas digestivas e as hidrolases lisossômicas são transportadas por vias separadas. Em modelos animais de lesão acinar, as proenzimas pancreáticas, das quais a *catepsina* (uma família de hidrolases) é a mais importante, são liberadas indevidamente nos lisossomos. Em seguida, as hidrolases ativam as proenzimas pancreáticas que rompem as membranas lisossômicas, levando, por fim, à liberação de enzimas ativadas. Não se sabe ao certo se esse mecanismo é relevante na pancreatite aguda humana.

Foram propostos dois fatores que contribuem para a pancreatite induzida por álcool: a obstrução ductal e o dano às células acinares. O consumo de álcool aumenta transitoriamente a contração do esfíncter de Oddi (o músculo da papila duodenal maior), e a ingestão crônica de álcool resulta na secreção de líquido pancreático rico em proteínas, que tende a formar tampões espessos de proteína, que provocam obstrução dos pequenos ductos pancreáticos. No interior das células acinares, o estresse oxidativo induzido pelo álcool pode gerar radicais livres, levando à oxidação dos lipídios da membrana e à ativação dos fatores de transcrição pró-inflamatórios, AP1 e NF-κB. O estresse oxidativo também pode promover a fusão de lisossomos e grânulos de zimogênio e aumentar os níveis intracelulares de cálcio, possivelmente por meio de dano mitocondrial, promovendo, assim, a ativação intracelular da tripsina e de outras enzimas digestivas. Todavia, convém assinalar que a maioria dos etilistas nunca desenvolve pancreatite, e os que a desenvolvem geralmente o fazem depois de muitos anos de uso abusivo de álcool. Por conseguinte, os aspectos fundamentais da fisiopatologia da pancreatite induzida por álcool permanecem obscuros.

Outros fatores desencadeantes comprovados ou suspeitos de pancreatite aguda em casos esporádicos incluem (ver **Tabela 19.1**):

- *Distúrbios metabólicos,* como hipertrigliceridemia e estados hipercalcêmicos, como no hiperparatireoidismo
- *Lesões genéticas,* conforme descrito adiante
- *Medicamentos.* Centenas de medicamentos foram ligados sem base científica à pancreatite aguda, porém apenas cerca de 50 apresentam uma evidência definida. Estes últimos incluem azatioprina, inibidores da enzima conversora de angiotensina (ECA), estatinas e medicamentos antidiabéticos, como agonistas do peptídio semelhante ao glucagon-1 (GLP-1) e inibidores da dipeptidil peptidase-4 (DPP-4)
- *Lesão traumática das células acinares,* por trauma abdominal fechado ou por lesão iatrogênica durante uma cirurgia ou durante a colangiopancreatografia retrógrada endoscópica
- *Lesão isquêmica das células acinares,* causada por choque, trombose vascular, embolia ou vasculite
- *Infecções,* como a caxumba, podem levar à pancreatite aguda por meio de lesão direta das células acinares.

Os fatores hereditários estão sendo cada vez mais reconhecidos como causas de pancreatite. Os indivíduos afetados apresentam ataques recorrentes de pancreatite aguda grave que geralmente começam na infância e podem levar à pancreatite crônica. **A característica compartilhada pela maioria das formas de pancreatite hereditária é um defeito que aumenta ou mantém a atividade da tripsina** (ver **Tabela 19.2**). Três genes implicados na pancreatite hereditária merecem atenção especial: *PRSS1*, *SPINK1* e *CFTR*. A maioria dos casos hereditários deve-se a mutações de ganho de função no gene do tripsinogênio (conhecido como *PRSS1*). Algumas dessas mutações do gene *PRSS1* tornam a tripsina resistente à autoinativação, anulando um importante mecanismo de retroalimentação negativa; outras mutações tornam o tripsinogênio mais propenso à ativação proteolítica. A pancreatite hereditária associada à mutação do tripsinogênio apresenta um padrão de herança autossômico dominante, como costuma ser o caso dos distúrbios associados a mutações de ganho de função.

A pancreatite hereditária também pode ser causada por mutações de perda de função em *SPINK1*, um gene que codifica um inibidor da tripsina. Como uma cópia funcional do *SPINK1* produz inibidor suficiente para manter o controle adequado da tripsina, essa forma de pancreatite hereditária apresenta uma forma de herança autossômica recessiva.

Tabela 19.2 Predisposição hereditária à pancreatite.

Gene (localização cromossômica)	Produto proteico	Função
CFTR (7q31)	Regulador de condutância transmembrana na fibrose cística	Canal epitelial de ânions. As mutações de perda de função alteram a pressão do líquido e limitam a secreção de bicarbonato, o que causa espessamento dos líquidos secretados e obstrução ductal
PRSS1 (7q34)	Serina protease 1 (tripsinogênio 1)	Tripsina catiônica. As mutações de ganho de função impedem a autoinativação da tripsina
SPINK1 (5q32)	Inibidor de serina peptidase, Kazal tipo 1	Inibidor da tripsina. As mutações causam perda de função, aumentando a atividade da tripsina
CASR (3q13)	Receptor sensor de cálcio	Receptor ligado à membrana, que detecta os níveis extracelulares de cálcio e controla os níveis luminais deste íon. As mutações podem alterar as concentrações de cálcio e ativar a tripsina
CTCR (1p36)	Quimiotripsina C (caldecrina)	Degrada a tripsina, protege o pâncreas de lesão relacionada com a tripsina
CPA1 (7q32)	Carboxipeptidase A1	Exopeptidase envolvida na regulação da ativação de zimogênios

Conforme discutido de modo detalhado no **Capítulo 10,** a fibrose cística é causada por mutações no gene do regulador da condutância transmembrana da fibrose cística (*CFTR*), que codifica um canal de cloreto apical. A perda do *CFTR* leva a secreções anormais, que promovem a formação de tampão proteico, obstrução dos ductos e desenvolvimento de pancreatite. A doença pode ocorrer em indivíduos com mutações homozigotas ou até mesmo heterozigotas do gene *CFTR*, sobretudo em pacientes que também possuem mutações do *SPINK1*.

Convém assinalar que os pacientes com pancreatite hereditária associada a *PRSS1* têm um risco cumulativo de 40% de desenvolver câncer de pâncreas, exemplificando a associação nefasta entre neoplasia e lesão e inflamação teciduais crônicas.

Morfologia

A morfologia da pancreatite aguda varia desde inflamação e edema limitados a necrose extensa e hemorragia. As alterações básicas consistem em **(1) extravasamento microvascular e edema, (2) necrose gordurosa, (3) inflamação aguda, (4) dano, incluindo autodigestão, ao parênquima pancreático e (5) destruição dos vasos sanguíneos com hemorragia intersticial.** A extensão de cada uma dessas alterações depende da duração e da gravidade da doença.

Em formas mais limitadas de **pancreatite intersticial aguda,** as alterações histológicas limitam-se a inflamação leve, edema intersticial e necrose gordurosa focal dentro do pâncreas e gordura peripancreática **(Figura 19.3)**. A necrose gordurosa, desencadeada pela atividade da lipase, leva à **saponificação,** um processo em que os ácidos graxos combinam-se com o cálcio para formar sabões de cálcio insolúveis, que conferem uma aparência microscópica azul granular às células adiposas que sobrevivem (ver **Capítulo 2**).

Na **pancreatite necrosante aguda,** os ácinos, os ductos e até mesmo as ilhotas sofrem necrose. Na forma mais grave, a **pancreatite necro-hemorrágica,** a necrose extensa do parênquima é acompanhada de hemorragia intraparenquimatosa, devido à lesão vascular. Isso confere uma cor preta-avermelhada com focos intercalados de necrose gordurosa calcária branco-amarelada **(Figura 19.4)**. A necrose gordurosa também pode ocorrer no omento e mesentério do intestino adjacente ao pâncreas, bem como além da cavidade abdominal, como no tecido adiposo subcutâneo, em consequência da liberação sistêmica de lipase. Normalmente, a cavidade peritoneal contém um líquido seroso, ligeiramente turvo e de cor marrom, com glóbulos de gordura que refletem a digestão do tecido adiposo.

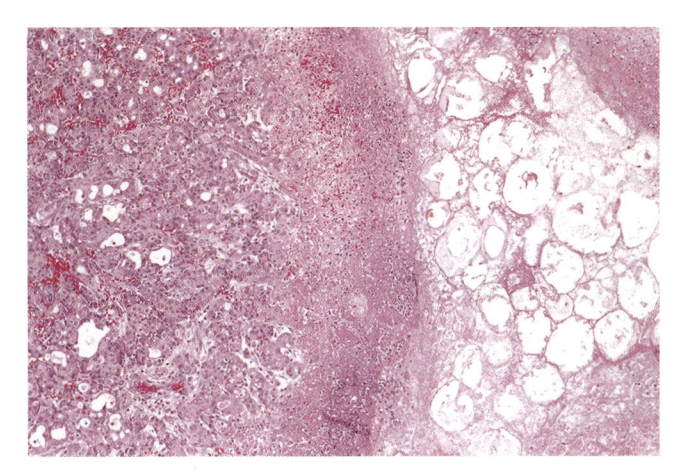

Figura 19.3 Essa fotomicrografia mostra uma região de necrose gordurosa à direita e necrose focal do parênquima pancreático (*no centro*).

sistêmica, o que resulta em leucocitose, coagulação intravascular disseminada, edema e síndrome da angústia respiratória aguda. Podem ocorrer choque, devido à síndrome da resposta inflamatória sistêmica (ver **Capítulo 4**), e necrose tubular renal aguda.

Os achados laboratoriais incluem elevação dos níveis séricos de amilase e lipase durante as primeiras 4 a 12 horas após o início da dor. A lipase sérica constitui o marcador mais específico e sensível de pancreatite aguda, visto que a amilase sérica tem uma meia-vida curta e pode se normalizar em 3 a 5 dias, enquanto os níveis de lipase permanecem elevados por 8 a 14 dias. Ocorre glicosúria em 10% dos casos, e a hipocalcemia pode resultar da saponificação da gordura necrótica. A visualização direta do pâncreas aumentado e inflamado na tomografia computadorizada (TC) é útil no estabelecimento do diagnóstico de pancreatite.

O tratamento concentra-se no "repouso" do pâncreas pela eliminação total da ingestão oral e terapia de suporte com fluidos intravenosos e analgesia. A maioria dos indivíduos com pancreatite aguda recupera-se por completo, porém cerca de 5% daqueles que apresentam pancreatite aguda grave morrem na primeira semana da doença. A síndrome da angústia respiratória aguda e a insuficiência renal aguda são complicações graves. As possíveis sequelas incluem abscesso pancreático estéril e pseudocistos pancreáticos.

Características clínicas

A dor abdominal constitui a principal manifestação da pancreatite aguda. Caracteristicamente, a dor é constante, intensa e referida na parte superior ou média das costas e, em certas ocasiões, no ombro esquerdo. A gravidade varia desde um leve desconforto até dor incapacitante. É comum a ocorrência de anorexia, náuseas e vômitos. Os níveis plasmáticos elevados de amilase e lipase sustentam o diagnóstico de pancreatite aguda, assim como a exclusão de outras causas possíveis de dor abdominal.

A pancreatite aguda grave é uma emergência médica. Os pacientes costumam apresentar abdome agudo e achados sistêmicos causados pela liberação de enzimas tóxicas, citocinas e outros mediadores na circulação. Isso ativa uma resposta inflamatória

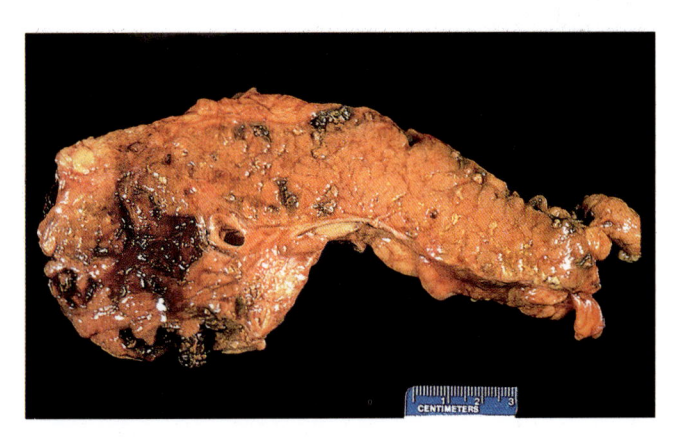

Figura 19.4 O pâncreas foi seccionado longitudinalmente para revelar áreas escuras de hemorragia na cabeça do pâncreas e uma área focal de necrose gordurosa pálida na gordura peripancreática (*parte superior à esquerda*).

Em 40 a 60% dos pacientes com pancreatite necrosante aguda, os restos acelulares tornam-se infectados, geralmente por microrganismos gram-negativos do intestino, o que complica ainda mais o processo clínico. A insuficiência de múltipla de órgãos e a necrose do pâncreas constituem indicadores prognósticos adversos.

> **Conceitos-chave**
>
> **Pancreatite aguda**
>
> - A pancreatite aguda é uma forma de lesão reversível do parênquima pancreático associada à inflamação
> - A pancreatite aguda pode ser causada por:
>   Consumo excessivo de álcool
>   Obstrução do ducto pancreático (p. ex., por cálculos biliares)
>   Fatores genéticos (p. ex., *PRSS1, SPINK1, CFTR*)
>   Lesões traumáticas
>   Medicamentos
>   Infecções (p. ex., caxumba ou vírus coxsackie)
>   Distúrbios metabólicos que levam à hipercalcemia
>   Isquemia
> - A principal característica comum a todas essas causas é que elas promovem a ativação inapropriada de enzimas digestivas dentro do pâncreas
> - As características clínicas incluem dor abdominal aguda, síndrome da resposta inflamatória sistêmica e níveis séricos elevados de lipase e amilase.

Pancreatite crônica

A pancreatite crônica é definida como uma inflamação prolongada do pâncreas associada à destruição irreversível do parênquima exócrino, fibrose e, nos estágios avançados, perda do parênquima endócrino. A prevalência da pancreatite crônica situa-se entre 0,04 e 5%; a maioria dos pacientes afetados são homens de meia-idade. **A causa mais comum de pancreatite crônica é o uso de álcool a longo prazo.** Além do álcool, a pancreatite crônica tem sido associada às seguintes condições:

- *Obstrução* prolongada do ducto pancreático por cálculos ou neoplasias
- *Lesão autoimune*
- *Fatores hereditários*, conforme discutido anteriormente; até 25% dos casos de pancreatite crônica têm uma base genética.

Patogênese

A pancreatite crônica ocorre, com frequência, após episódios repetidos de pancreatite aguda. Foi sugerido que a pancreatite aguda possa iniciar uma sequência de fibrose perilobular, distorção ductal e alteração das secreções que, em consequência de lesão recorrente, leva à perda do parênquima exócrino e à fibrose.

A lesão pancreática crônica de qualquer causa leva à produção local de mediadores inflamatórios, que promovem a formação de fibrose e perda das células acinares. Embora exista uma sobreposição entre as citocinas liberadas durante a pancreatite aguda e crônica, os fatores fibrogênicos tendem a predominar na pancreatite crônica. Essas citocinas fibrogênicas, incluindo o fator de crescimento transformador β (TGFβ) e o fator de crescimento derivado das plaquetas (PDGF) induzem a ativação e a proliferação de células estreladas pancreáticas (miofibroblastos periacinares), a deposição de colágeno e a fibrose (**Figura 19.5**).

A *pancreatite autoimune* é uma forma patogenicamente distinta de pancreatite crônica, que ocorre em duas formas, cada uma delas com sua própria histopatologia característica. A pancreatite autoimune tipo 1 está associada à presença de plasmócitos secretores de imunoglobulina G4 (IgG4) no pâncreas e constitui uma manifestação de uma doença sistêmica relacionada com IgG (ver **Capítulo 6**). Em contrapartida, a pancreatite autoimune tipo 2 é restrita ao pâncreas, com exceção de um subgrupo de pacientes com colite ulcerativa. Ambas as variantes de pancreatite autoimune podem mimetizar o carcinoma pancreático, incluindo uma apresentação na forma de "lesão expansiva" na cabeça do pâncreas em exames de imagem. Por conseguinte, é importante distinguir a pancreatite autoimune, que responde à terapia com esteroides, da neoplasia.

> **Morfologia**
>
> **A pancreatite crônica caracteriza-se por fibrose do parênquima, atrofia e perda das células acinares além de dilatação variável dos ductos (Figura 19.6A).** Macroscopicamente, a glândula é dura, algumas vezes com ductos visivelmente dilatados contendo concreções calcificadas. Essas alterações costumam ser acompanhadas de um infiltrado inflamatório crônico evidente no exame histológico, que circunda os lóbulos e os ductos. A perda das células acinares é uma característica constante, porém há preservação relativa das ilhotas de Langerhans, que se tornam incorporadas no tecido esclerótico e podem se fundir, parecendo aumentadas. O epitélio ductal pode apresentar atrofia, hiperplasia ou metaplasia (escamosa). A pancreatite crônica causada por uso abusivo de álcool caracteriza-se por dilatação dos ductos com a presença de tampões proteicos e calcificações intraluminais (**Figura 19.6B**). A **pancreatite autoimune** tipo 1 costuma apresentar fibrose com padrão espiralado ou estoriforme, inflamação obliterativa das veias (flebite) e inflamação linfoplasmocitária densa, enriquecida por plasmócitos secretores de IgG4 (**Figura 19.6C**). Esta última característica mencionada também pode ser observada em outros órgãos. Em contrapartida, a pancreatite autoimune tipo 2 caracteriza-se por infiltrados neutrofílicos dentro do epitélio e do lúmen dos ductos pancreáticos de tamanho médio (lesões epiteliais granulocíticas). Embora infiltrados linfoplasmocitários sejam observados em ambas as variantes, a pancreatite autoimune tipo 2 carece dos plasmócitos secretores de IgG4 abundantes que caracterizam o tipo 1.

Características clínicas

A pancreatite crônica pode ocorrer após múltiplos episódios de pancreatite aguda, com crises repetidas de dor abdominal leve a moderadamente intensa ou dor persistente na região abdominal e nas costas. As crises podem ser precipitadas por consumo excessivo de álcool, alimentação em excesso (que aumenta a demanda do pâncreas) ou uso de opiáceos e outros fármacos que aumentam o tônus do esfíncter de Oddi. Em outros pacientes, a doença pode ser silenciosa até que ocorra desenvolvimento de insuficiência pancreática e diabetes melito, devido à destruição do pâncreas exócrino e endócrino.

O diagnóstico de pancreatite crônica exige um alto grau de suspeita. Durante uma crise, podem ocorrer febre baixa e elevações leves a moderadas dos níveis séricos de amilase. Todavia, na doença crônica, a perda das células acinares pode ser tão grande a ponto

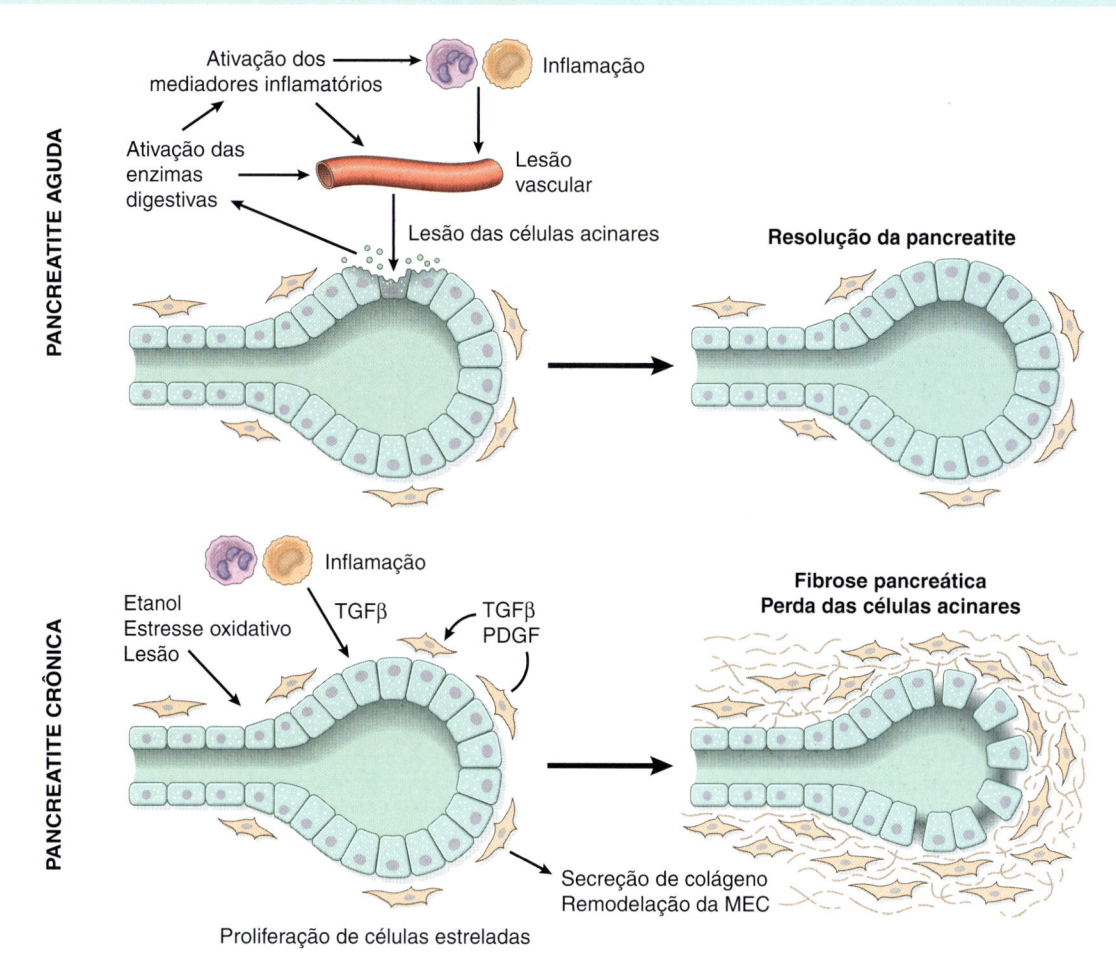

Figura 19.5 Comparação dos mediadores na pancreatite aguda e crônica. Na pancreatite aguda, a lesão acinar resulta na liberação de enzimas digestivas, o que leva a uma cascata de eventos, incluindo a ativação da cascata da coagulação, inflamação aguda e crônica, lesão vascular e edema. Na maioria dos pacientes, ocorre resolução completa da lesão aguda, com restauração da massa de células acinares. Na pancreatite crônica, episódios repetidos de lesão das células acinares levam à produção de citocinas pró-fibrogênicas, como o fator de crescimento transformador β (TGFβ) e fator de crescimento derivado de plaquetas (PDGF), resultando em proliferação dos miofibroblastos, síntese de colágeno e remodelação da matriz extracelular (MEC). A lesão repetida leva à perda irreversível da massa de células acinares, fibrose e insuficiência pancreática (exócrina).

de eliminar esse indício diagnóstico. Pode haver obstrução induzida por cálculos biliares com icterícia e níveis séricos elevados de fosfatase alcalina. A visualização de calcificações no pâncreas por TC e ultrassonografia pode ser de grande utilidade. A perda de peso (devido à insuficiência pancreática exócrina e à má absorção) e o edema (secundário à hipoalbuminemia) também podem sustentar o diagnóstico.

Em geral, a pancreatite crônica não é uma condição que oferece risco de morte, porém o prognóstico a longo prazo é sombrio, com taxa de mortalidade de enfermos entre 20 e 25 anos de 50%. A insuficiência pancreática exócrina, a má absorção crônica e o diabetes melito podem levar a uma morbidade significativa e contribuir para a mortalidade. Em outros pacientes, a dor crônica intensa é um problema dominante. Em cerca de 10% dos pacientes, ocorre desenvolvimento de pseudocistos pancreáticos (descritos adiante). Os pacientes com pancreatite hereditária associada a mutações do *PRSS1* apresentam um risco cumulativo de 40% de desenvolver câncer de pâncreas; o risco de câncer de pâncreas está apenas moderadamente elevado em outras formas de pancreatite crônica.

Conceitos-chave
Pancreatite crônica

- A pancreatite crônica caracteriza-se por lesão irreversível do pâncreas, que leva à fibrose, perda do parênquima pancreático, perda das funções exócrina e endócrina e desenvolvimento de pseudocistos
- A pancreatite crônica é mais frequentemente causada por:
  - Episódios repetidos de pancreatite aguda
  - Uso crônico de álcool
  - Mutações de linhagem germinativa em genes como o *CFTR* (o gene que codifica o transportador que está defeituoso na fibrose cística), sobretudo quando combinadas com estressores ambientais
- A pancreatite crônica pode ser a manifestação de uma etiologia autoimune sistêmica ou localizada
- As características clínicas incluem dor abdominal intermitente ou persistente, má absorção intestinal e diabetes melito

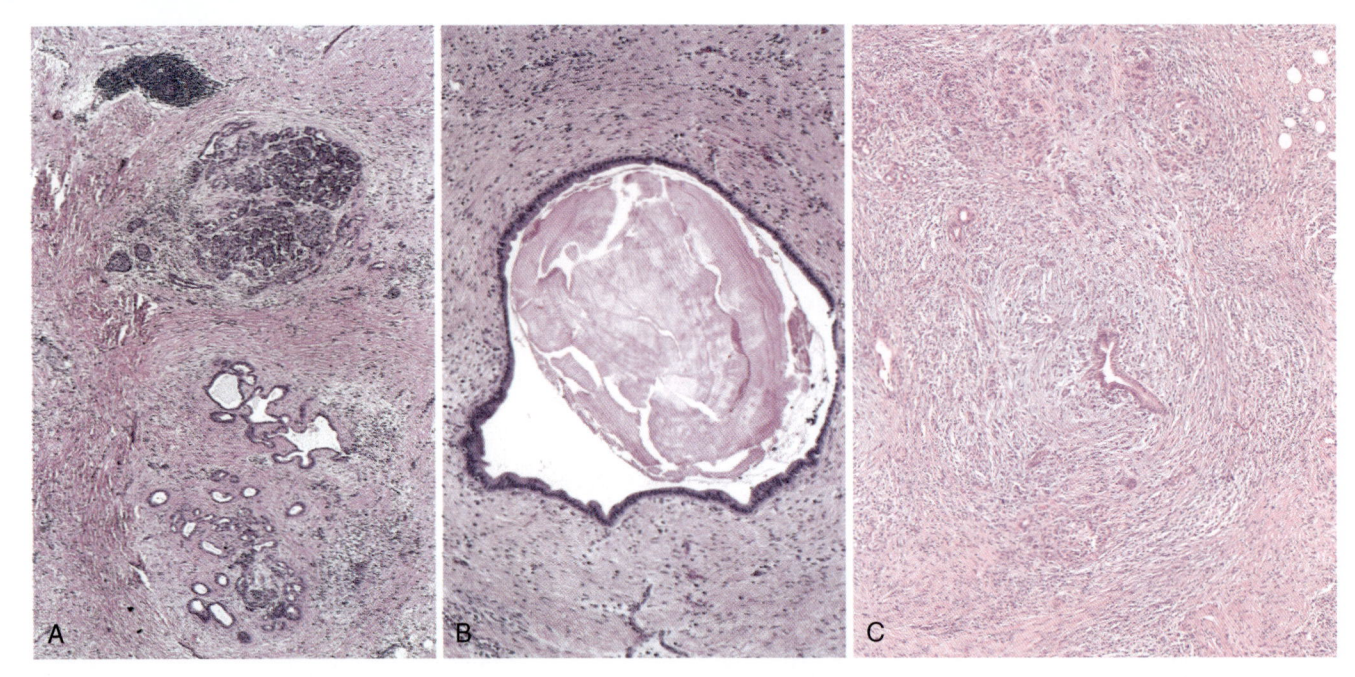

Figura 19.6 Pancreatite crônica. **A.** A fibrose extensa e a atrofia deixaram apenas ilhotas residuais (*parte superior*) e ductos (*parte inferior*), com células inflamatórias crônicas esparsas e algumas ilhas de tecido acinar. **B.** Fotomicrografia em aumento maior, mostrando os ductos dilatados com concreções ductais eosinofílicas espessas em um indivíduo com pancreatite crônica alcoólica. **C.** Exemplo de pancreatite autoimune com infiltrados linfoplasmocitários extensos e estroma fibrótico estoriforme. Neste caso, a coloração para IgG4 confirmou a presença de plasmócitos que expressam IgG4 em quantidade abundante. (**C,** Fotomicrografia com cortesia de Aatur D. Singhi, University of Pittsburgh Medical Center, Pittsburgh, Pa.)

Cistos não neoplásicos

Uma variedade de cistos pode surgir no pâncreas. A maioria consiste em pseudocistos não neoplásicos, porém ocorrem também cistos congênitos e cistos neoplásicos.

Cistos congênitos

Os cistos congênitos são cistos uniloculares de parede fina, que provavelmente resultam do desenvolvimento anormal dos ductos pancreáticos. Variam quanto ao tamanho, desde dimensões microscópicas até 5 cm de diâmetro, e são revestidos por um epitélio cuboide uniforme ou, se a pressão intracística for alta, por células epiteliais planas e atenuadas. Uma cápsula fibrosa fina, preenchida por líquido seroso claro, caracteriza os cistos congênitos que podem ser esporádicos ou que podem ocorrer como parte de condições hereditárias, como *a doença renal policística autossômica dominante* (ver **Capítulo 20**) e a *doença de von Hippel-Lindau* (ver **Capítulo 28**). Com frequência, observa-se a coexistência de cistos nos rins, no fígado e no pâncreas na doença renal policística. Na doença de von Hippel-Lindau, são encontradas neoplasias vasculares na retina e no cerebelo ou tronco encefálico, em associação a cistos congênitos (e também a neoplasias) no pâncreas, fígado e rim.

Pseudocistos

Ocorre formação de pseudocistos quando áreas de necrose gordurosa hemorrágica intrapancreática ou peripancreática são isoladas por fibrose e tecido de granulação. Essas lesões, que representam 75% de todos os cistos pancreáticos, são designadas como pseudocistos devido à ausência de um revestimento epitelial. Normalmente, os pseudocistos surgem após um episódio de pancreatite aguda, sobretudo quando sobreposto à pancreatite alcoólica crônica. A lesão traumática do pâncreas também pode dar origem a pseudocistos. Embora muitos pseudocistos evoluam com resolução espontânea, eles também podem ser secundariamente infectados, e os pseudocistos maiores podem comprimir ou até mesmo perfurar estruturas adjacentes.

> ### Morfologia
>
> Em geral, os pseudocistos são solitários e podem estar localizados dentro do pâncreas ou, mais comumente, no omento menor e no retroperitônio, entre o estômago e o cólon transverso ou entre o estômago e o fígado. Podem ser até mesmo subdiafragmáticos (**Figura 19.7A**). Os pseudocistos são revestidos por tecido fibroso e tecido de granulação (**Figura 19.7B**) e variam quanto a seu tamanho, de 2 a 30 cm de diâmetro.

Neoplasias

Um amplo espectro de neoplasias exócrinas surge no pâncreas. Essas neoplasias podem ser císticas ou sólidas; algumas são benignas, enquanto outras estão entre as mais letais de todas as neoplasias malignas. As neoplasias endócrinas também ocorrem no pâncreas e são discutidas no **Capítulo 24.**

Neoplasias císticas

As neoplasias císticas incluem diversas neoplasias que variam desde cistos benignos inócuos até lesões precursoras e cânceres invasivos e potencialmente letais. Apenas 5 a 15% de todos os cistos pancreáticos são neoplásicos; em contrapartida, menos

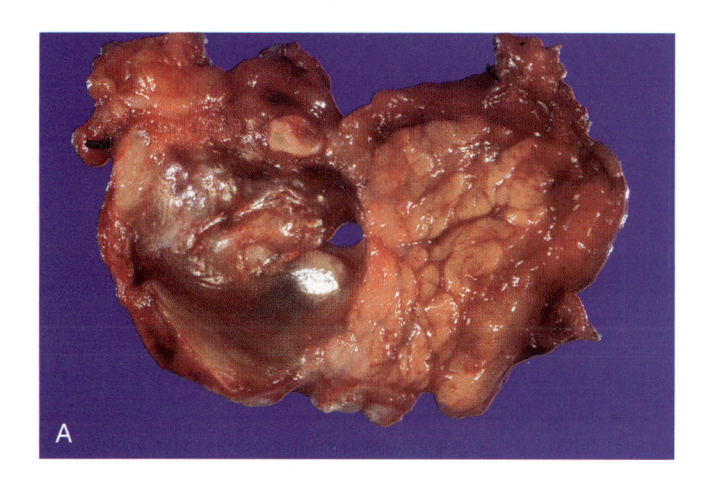

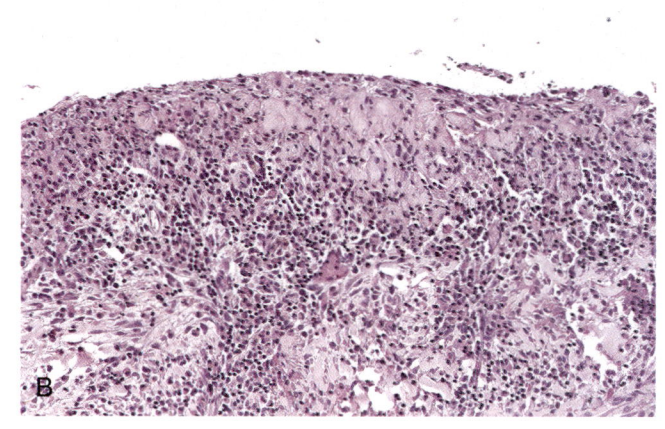

Figura 19.7 Pseudocisto pancreático. **A.** Corte transversal revelando um cisto mal definido com parede necrótica marrom-escura. **B.** O cisto carece de um revestimento epitelial verdadeiro e, em vez disso, é revestido por fibrina e tecido de granulação.

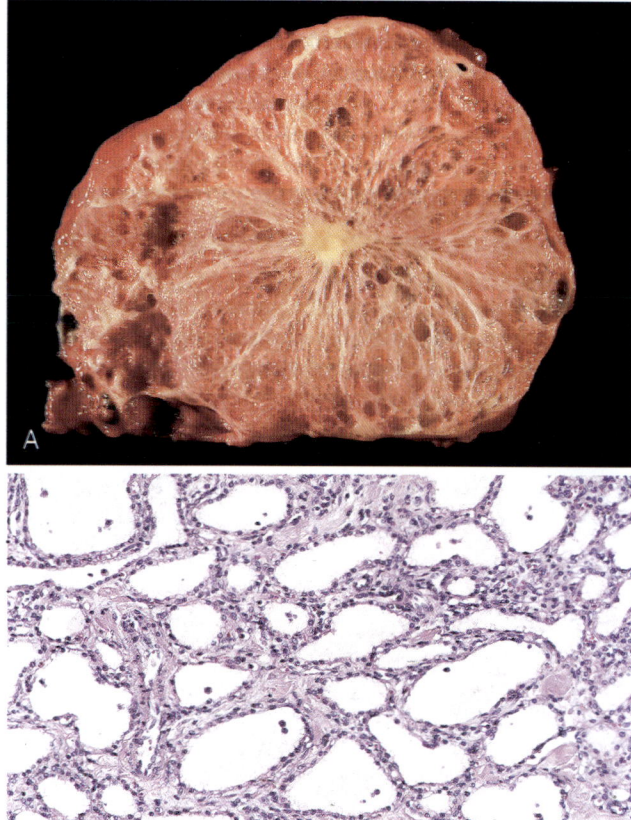

Figura 19.8 Neoplasia cística serosa (cistadenoma seroso). **A.** Corte transversal de uma neoplasia cística serosa microcística. Apenas uma borda fina de parênquima pancreático normal permanece. Os cistos são relativamente pequenos e contêm líquido claro, cor de palha. **B.** Os cistos são revestidos por epitélio cuboide sem atipia.

de 5% de todas as neoplasias do pâncreas são císticas. As neoplasias císticas serosas são quase sempre benignas, enquanto outras, como neoplasias mucinosas papilares intraductais e neoplasias císticas mucinosas, são pré-cancerígenas. O cenário genômico de cada tipo de neoplasia cística é distinto, ressaltando diferenças na patogênese e na história natural.

As *neoplasias císticas serosas* costumam ocorrer na cauda do pâncreas. Os cistos são pequenos (1 a 3 mm) e podem ser solitários, múltiplos ou presentes como lesões microcísticas em favo de mel. Os cistos serosos são revestidos por células cuboides ricas em glicogênio e contêm líquido claro, diluído e cor de palha (**Figura 19.8**). São responsáveis por 15 a 25% de todas as neoplasias císticas do pâncreas e são duas vezes mais comuns em mulheres. Normalmente, as neoplasias císticas serosas aparecem na sexta e sétima décadas de vida com sintomas inespecíficos, como dor abdominal, porém muitas são detectadas de modo incidental durante exames de imagem para outra indicação. A ressecção cirúrgica é curativa na grande maioria dos pacientes. A inativação do gene supressor de tumor *VHL* no cromossomo 3p constitui a anormalidade genética mais comum nas neoplasias císticas serosas.

Cerca de 95% das *neoplasias císticas mucinosas* surgem em mulheres e, diferentemente das neoplasias císticas serosas, são precursoras de carcinomas invasivos. Em geral, essas neoplasias surgem na cauda do pâncreas e manifestam-se como massas indolores, de crescimento lento. As cavidades císticas são maiores que aquelas observadas nas neoplasias císticas serosas e são preenchidas com mucina tenaz e espessa. O epitélio colunar produtor de mucina que reveste os cistos está associado a um estroma denso, semelhante ao estroma do ovário (**Figura 19.9**). Esse último costuma expressar receptores de estrogênio e de progesterona, bem como outros marcadores do estroma ovariano, como a inibina. A ressecção cirúrgica é curativa nas neoplasias císticas mucinosas não invasivas, porém até um terço abriga um adenocarcinoma invasivo. Até 50% dos pacientes com adenocarcinoma invasivo que surge em uma neoplasia cística mucinosa sucumbem à doença nos primeiros 5 anos; por conseguinte, a detecção e o tratamento precoces, antes do desenvolvimento de câncer invasivo, são fundamentais. As neoplasias císticas mucinosas abrigam mutações oncogênicas do *KRAS* em cerca da metade dos casos, enquanto mutações de *TP53* e *SMAD4* costumam ser observadas em neoplasias invasivas que surgem a partir desses cistos. Recentemente, foram descritas mutações de perda de função do *RNF43*, que codifica uma E3 ubiquitina ligase que normalmente infrarregula a sinalização de Wnt, em até um terço das neoplasias císticas mucinosas. Ocorrem também mutações de *RNF43* semelhantes em cânceres colorretais.

As *neoplasias mucinosas papilares intraductais* (NMPI) são neoplasias produtoras de mucina, que acometem os ductos maiores

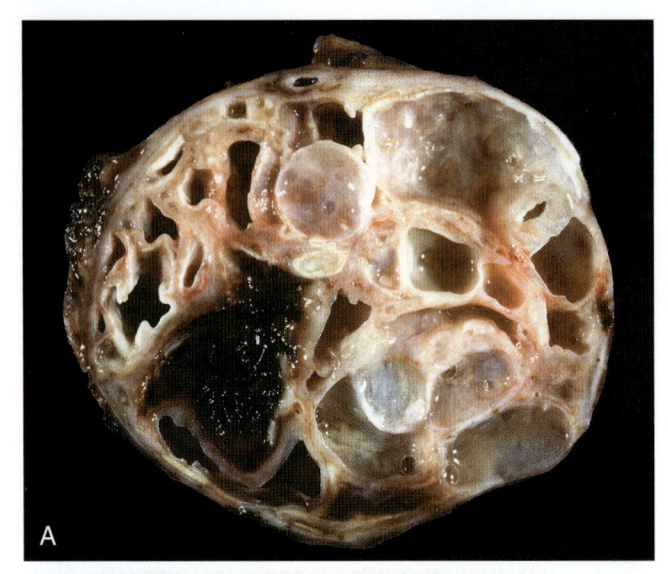

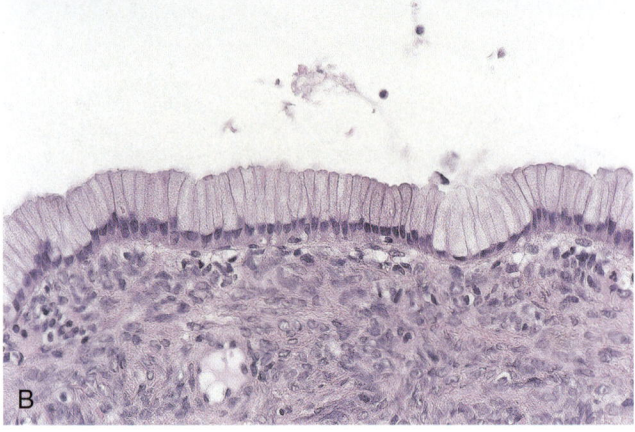

Figura 19.9 Neoplasia cística mucinosa do pâncreas, com displasia de baixo grau. **A.** Corte transversal de um cisto multiloculado mucinoso na cauda do pâncreas. Os cistos são grandes e preenchidos com mucina espessa. **B.** Os cistos são revestidos por epitélio colunar mucinoso, com estroma "ovariano" denso.

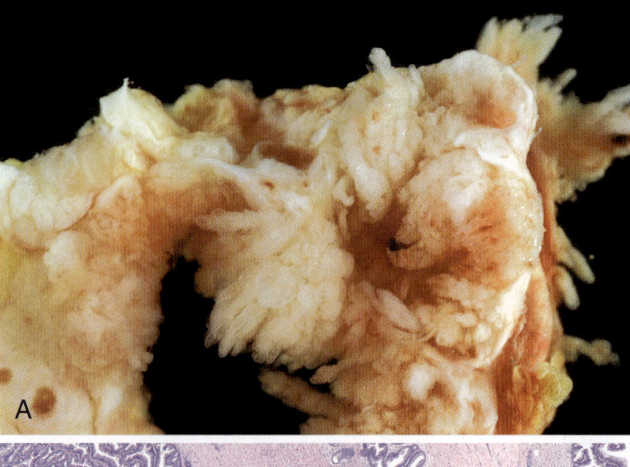

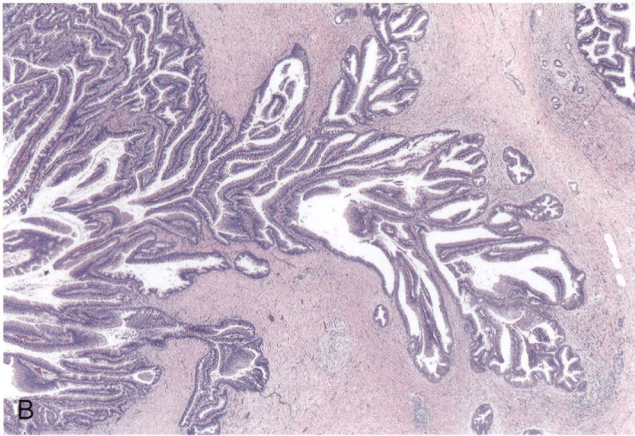

Figura 19.10 Neoplasia mucinosa papilar intraductal. **A.** Corte transversal ao longo da cabeça do pâncreas, mostrando uma neoplasia papilar proeminente, que distende o ducto pancreático principal. **B.** A neoplasia acomete o ducto pancreático principal (à esquerda) e estende-se dentro dos ductos menores e dúctulos (à direita).

do pâncreas. Diferentemente das neoplasias císticas mucinosas, as NMPI surgem com mais frequência em homens e tendem a acometer a cabeça do pâncreas. Até 20% são multifocais. Duas características são úteis para diferenciar as NMPI das neoplasias císticas mucinosas: (1) ausência do estroma "ovariano" denso observado nas neoplasias císticas mucinosas, e (2) o comprometimento do ducto pancreático (**Figura 19.10**). À semelhança das neoplasias císticas mucinosas, as NMPI podem progredir para um câncer invasivo; a detecção e o tratamento precoces antes da progressão para o câncer invasivo são, portanto, fundamentais. À semelhança das neoplasias císticas mucinosas, as neoplasias mucinosas papilares intraductais abrigam mutações oncogênicas *KRAS* em cerca de 80% dos casos e mutações de perda de função do *RNF43* em até 50%. As mutações em *TP53* e *SMAD4* normalmente só ocorrem com transição para o câncer invasivo. De maneira notável, as mutações oncogênicas do *GNAS*, que codifica a subunidade alfa da proteína G estimuladora Gsα, estão presentes em cerca de dois terços dos NMPI, porém não são encontradas em outros cistos pancreáticos.

A *neoplasia pseudopapilar sólida* é incomum, ocorre sobretudo em mulheres jovens e, em virtude de seu grande tamanho, manifesta-se frequentemente com desconforto abdominal. Como o próprio nome sugere, essas neoplasias bem circunscritas apresentam componentes sólidos e císticos, esses últimos preenchidos com restos hemorrágicos. As células neoplásicas crescem em lâminas sólidas ou, como o nome sugere, como projeções pseudopapilares e, com frequência, parecem estar pouco coesas. Observa-se a presença de mutações ativadoras do *CTNNB1* (β-catenina) em quase todas essas neoplasias, enquanto as mutações de *KRAS, RNF43, GNAS* ou *VHL* (características de outras neoplasias císticas do pâncreas) não são observadas. A ressecção cirúrgica, que constitui o tratamento de escolha, mostra-se curativa na maioria dos pacientes.

Conceitos-chave

Neoplasias císticas

- Praticamente todas as neoplasias císticas serosas são benignas
- As neoplasias mucinosas papilares intraductais não invasivas e as neoplasias císticas mucinosas quase sempre são passíveis de cura, porém ambas podem progredir para carcinomas invasivos potencialmente letais
- Cada uma das principais neoplasias císticas exibe um perfil mutacional relativamente específico.

Carcinoma de pâncreas

O adenocarcinoma ductal invasivo do pâncreas, conhecido como câncer de pâncreas, constitui a terceira causa principal de mortes por câncer nos EUA, precedido apenas pelos cânceres de pulmão e de cólon; apresenta uma das maiores taxas de mortalidade entre todos os tipos de câncer. Foi estimado que, em 2020, o câncer de pâncreas afetaria cerca de 57.600 estadunidenses e quase todos morreriam da doença. A taxa de sobrevida em 5 anos é deplorável, de apenas 10%.

Precursores do câncer de pâncreas

O câncer de pâncreas invasivo origina-se a partir de lesões precursoras não invasivas, designadas como neoplasia intraepitelial pancreática (NIPan) (**Figura 19.11**). Essas lesões desenvolvem-se em pequenos ductos e, com frequência, são microscópicas, embora algumas, como as duas variantes de neoplasias císticas mucinosas descritas anteriormente, possam ser detectadas macroscopicamente. De modo geral, acredita-se que mais de 90% dos cânceres de pâncreas surjam a partir de NIPan (enquanto o restante origina-se de lesões císticas). Essa conclusão é sustentada pelas seguintes observações:

- As alterações genéticas e epigenéticas identificadas na NIPan assemelham-se àquelas encontradas em cânceres invasivos (descritos adiante)
- Com frequência, a NIPan é encontrada no parênquima pancreático, adjacente a um carcinoma infiltrativo. Um corolário dessa observação é o fato de que, enquanto lesões isoladas de NIPan de baixo grau podem ser identificadas no pâncreas de indivíduos idosos, a NIPan de alto grau (também conhecida como carcinoma *in situ*) quase nunca é observada na ausência de câncer invasivo
- A NIPan precede o desenvolvimento de câncer invasivo em modelos de câncer de pâncreas em camundongos submetidos a engenharia genética
- Relatos de casos isolados documentaram indivíduos com NIPan que, mais tarde, desenvolveram câncer de pâncreas invasivo.

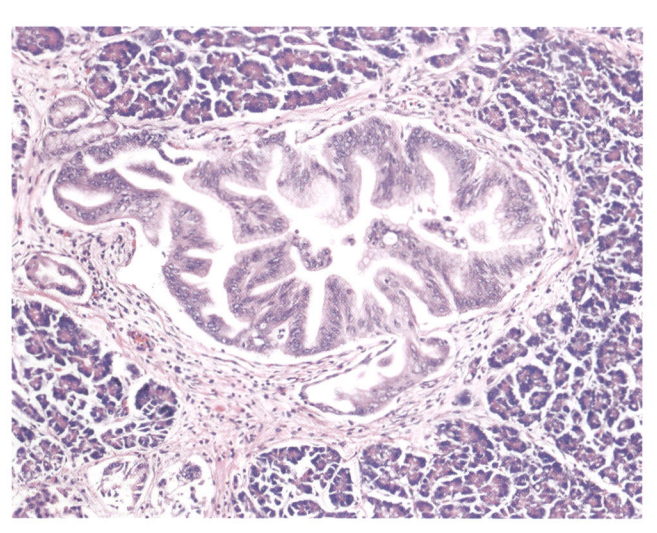

Figura 19.11 Neoplasia intraepitelial pancreática de alto grau, acometendo um pequeno ducto pancreático.

As células epiteliais na NIPan exibem um acentuado encurtamento dos telômeros, o que pode predispor essas lesões a acumular anormalidades cromossômicas e a progredir para o carcinoma invasivo (ver **Capítulo 7**). Conforme assinalado anteriormente, a NIPan é dividida em baixo grau e alto grau com base nas características morfológicas, que também tendem a se correlacionar com o acúmulo sequencial de anormalidades genéticas (**Figura 19.12**).

Patogênese

À semelhança de outros carcinomas, o câncer de pâncreas é o produto de mutações complementares e alterações epigenéticas, que alteram a expressão de oncogenes e de genes supressores de tumores. As alterações moleculares mais comuns na carcinogênese do pâncreas estão resumidas na **Tabela 19.3** e incluem as seguintes:

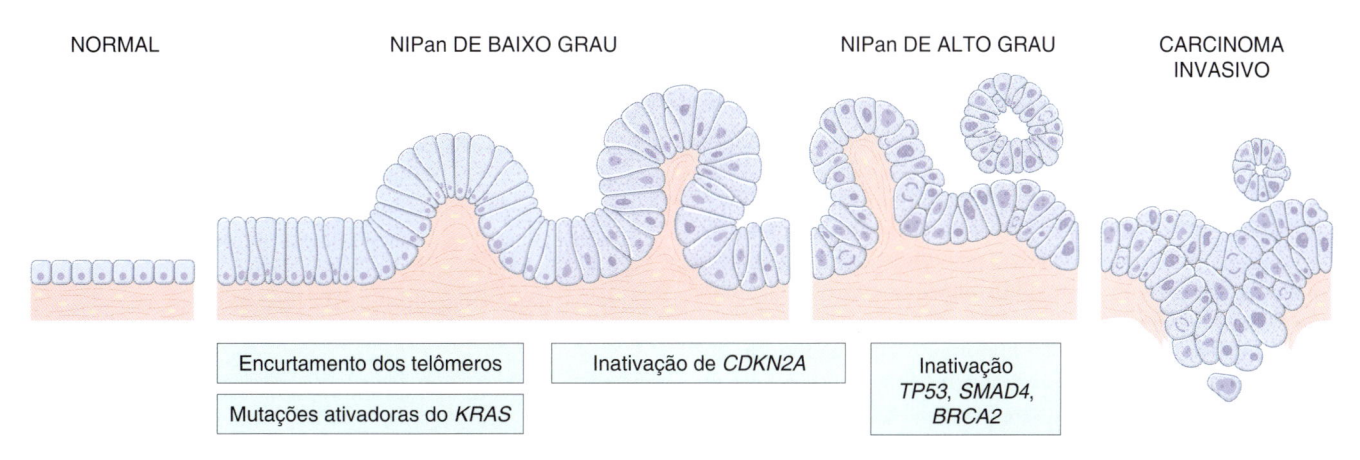

Figura 19.12 Modelo para a progressão de ductos normais (*à esquerda*) passando por neoplasia intraepitelial pancreática de baixo e de alto grau (*no centro*) e chegando ao carcinoma invasivo (*à direita*). O encurtamento dos telômeros e as mutações do oncogene *KRAS* constituem as primeiras alterações discerníveis na progressão em múltiplas etapas, seguidas de inativação do gene supressor de tumor *CDKN2A*, que codifica o regulador p16 do ciclo celular. A inativação dos genes supressores de tumor *TP53*, *SMAD4* e *BRCA2* ocorre na neoplasia intraepitelial pancreática de alto grau que precede o câncer invasivo. É importante observar que, enquanto existe uma sequência temporal geral de alterações, o acúmulo de múltiplas mutações é mais importante do que a ocorrência em uma ordem específica.

Tabela 19.3 Alterações moleculares somáticas no adenocarcinoma ductal pancreático.

Gene	Região cromossômica	Porcentagem de casos com alteração genética[a]	Função do gene
Oncogenes (a frequência inclui mutações pontuais e amplificações)			
KRAS	12p	> 90%	Enzima de ligação do GTP e transdutor de sinal do fator de crescimento
AKT2	19q	6%	Transdutor de sinal do fator de crescimento
MYC	8q	5%	Fator de transcrição
GATA6	18q	9%	Fator de transcrição
FGFR1	8p	5%	Receptor do fator de crescimento
BRAF	7q	3%	Serina treonina quinase, regula a sinalização de MAPK
Genes supressores de tumor (a frequência inclui mutações pontuais e deleções homozigotas)			
p16/CDKN2A	9p	30%	Regulador negativo do ciclo celular
TP53	17p	75%	Resposta ao dano no DNA
SMAD4	18q	55%	Via de TGFβ
BRCA2	13q	4%	Resposta ao dano no DNA
ATM	11q	5%	Resposta ao dano no DNA
ARID1A	1p	6%	Regulador da cromatina
MLL3/KMT2C	7q	4%	Regulador da cromatina
KDM6A	Xp	3%	Regulador da cromatina

[a]Frequência de alterações obtida de The Cancer Genome Atlas Research Network: Integrated Molecular Characterization of Pancreatic Ductal Adenocarcinoma, *Cancer Cell* 32(2):185-203.e13, 2017.
GTP, trifosfato de guanosina; MAPK, proteinoquinase ativada por mitógeno; TGFβ, fator de crescimento transformador β.

- **O KRAS (cromossomo 12p) é o oncogene alterado com mais frequência no câncer de pâncreas, com presença de mutações pontuais ativadoras em mais de 90% dos casos.** Essas mutações resultam em ativação constitutiva de Ras, uma pequena proteína de ligação do trifosfato de guanosina (GTP), que corresponde a uma enzima que costuma participar de eventos de sinalização *downstream* dos receptores de fator de crescimento com atividade intrínseca de tirosinoquinase (ver **Capítulos 1** e **7**). A sinalização de Ras ativa diversas vias *downstream*, que aumentam o crescimento e a sobrevivência das células, mais notavelmente as vias de proteinoquinase ativada por mitógeno (MAPK) e PI3K/AKT (ver **Capítulo 7**)
- O *CDKN2A* (cromossomo 9p) está inativado em 30% dos cânceres de pâncreas por meio de mutações pontuais ou deleções homozigotas. Esse *locus* complexo codifica duas proteínas supressoras de tumor (ver **Capítulo 7**): a p16/INK4a, um inibidor de quinase dependente de ciclina que antagoniza a progressão do ciclo celular, e ARF, uma proteína que aumenta a função da proteína supressora de tumor, p53
- O *SMAD4* (cromossomo 18q) está inativado em 55% dos cânceres de pâncreas. O *SMAD4* codifica um supressor de tumor, que desempenha um importante papel na transdução de sinais da família TGFβ de receptores de superfície celular. O *SMAD4* raramente está inativado em outros tipos de câncer
- O *TP53* (cromossomo 17p) está inativado em 70 a 75% dos cânceres de pâncreas. Esse gene codifica o supressor de tumor p53, uma proteína de ligação do DNA nuclear, que pode responder ao dano no DNA ao interromper o crescimento celular, induzir a morte celular (apoptose) ou causar senescência celular (ver **Capítulo 7**).

São também observadas mutações menos comuns, que afetam genes envolvidos no reparo do DNA ou na regulação da estrutura da cromatina (**Tabela 19.3**). Além disso, outras pesquisas identificaram alterações epigenéticas patogênicas que, com as alterações genéticas já mencionadas, produzem vários subtipos moleculares distintos de câncer de pâncreas:

- *Anormalidades na metilação do DNA (epigenéticas)*. As anormalidades na metilação do DNA são disseminadas no câncer de pâncreas. Por exemplo, a hipermetilação de promotores provocam silenciamento transcricional de genes supressores de tumor, incluindo *CDKN2A*. Em contrapartida, a hipometilação de promotores leva à superexpressão de oncogenes, como *GATA6* e *BRD4*
- *Perfis transcriptômicos e subtipos de câncer de pâncreas*. As análises globais de expressão gênica identificaram dois subtipos distintos de câncer de pâncreas, denominados tipo basal e clássico. Os cânceres de pâncreas de tipo basal são altamente agressivos, enquanto o subtipo clássico apresenta um prognóstico ligeiramente mais favorável. O modo pelo qual esses subtipos respondem de modo diferencial a terapias específicas constitui uma área de pesquisa em franca atividade.

Epidemiologia e hereditariedade. O câncer de pâncreas é sobretudo uma doença de indivíduos idosos, e 80% dos casos ocorrem depois dos 60 anos. A incidência está aumentada em afro-americanos, americanos japoneses, nativos do Havaí e judeus asquenaze.

A influência ambiental mais forte é o tabagismo, que duplica o risco de câncer de pâncreas. A pancreatite crônica constitui um fator de risco adicional, que pode refletir a associação entre inflamação crônica, reparo tecidual e neoplasia. O risco de câncer de pâncreas também é maior em indivíduos com obesidade visceral e índice de massa corporal elevado. O diabetes melito também representa um fator de risco modesto. Por outro lado, o diabetes melito de início recente pode constituir a primeira indicação de câncer de pâncreas oculto em pacientes idosos; ocorrem intolerância à glicose anormal ou diabetes franco em até metade dos pacientes com câncer de pâncreas dentro de até 3 anos após o aparecimento dos sinais clínicos de câncer. Por conseguinte, o aparecimento de diabetes melito pode representar uma oportunidade para o diagnóstico precoce de câncer de pâncreas.

Cerca de 10% dos pacientes com câncer de pâncreas apresentam mutação de linhagem germinativa deletéria em um gene de predisposição ao câncer (**Tabela 19.4**) ou relatam um ou mais parentes de primeiro grau com câncer de pâncreas. As mutações do *BRCA2* constituem a causa conhecida mais comum de câncer de pâncreas familiar; as mutações de linhagem germinativa em outros genes ligados ao câncer de mama e de ovário hereditário (*BRCA1, PALB2, ATM*) também estão associadas a um risco de quatro a dez vezes maior. Com a disponibilidade de agentes terapêuticos dirigidos especificamente contra cânceres que apresentam defeitos no reparo do DNA, mais comumente mutações de *BRCA1* ou *BRCA2*, recomenda-se atualmente um exame de linhagem germinativa para todos os pacientes com câncer de pâncreas. Os pacientes com defeitos em genes de reparo do mau pareamento do DNA, que apresentam câncer colorretal hereditário sem polipose, também correm risco aumentado de câncer de pâncreas. A identificação de instabilidade de microssatélites, assinatura molecular do reparo do mau pareamento do DNA no câncer de pâncreas, também é importante para o tratamento, visto que esses cânceres têm mais tendência a responder à terapia dirigida para pontos de checagem imune.

Morfologia

Cerca de 60% dos cânceres de pâncreas surgem na cabeça do pâncreas, 15% no corpo e 5% na cauda; em 20% dos casos, todo o pâncreas é acometido.

A grande maioria das neoplasias pancreáticas são adenocarcinomas que assemelham-se ao epitélio ductal normal pela formação de glândulas e secreção de mucina. Duas características são típicas: (1) esses cânceres são altamente invasivos e, com frequência, estendem-se nos tecidos peripancreáticos; e (2) induzem uma intensa resposta desmoplásica, que resulta na deposição de colágeno denso. Em consequência dessas características, os cânceres de pâncreas são, em sua maioria, massas duras, estreladas, branco-acinzentadas e mal definidas (**Figura 19.13A**).

A maioria dos carcinomas da cabeça do pâncreas provoca obstrução da parte distal do ducto colédoco, o que resulta em distensão da árvore biliar em cerca de 50% dos pacientes. Em contrapartida, os carcinomas do corpo e da cauda do pâncreas não interferem no sistema biliar e podem ser grandes e estar amplamente disseminados por ocasião do diagnóstico.

Os cânceres de pâncreas tendem a crescer ao longo dos nervos e a invadir os vasos sanguíneos e o retroperitônio. O baço, as glândulas suprarrenais, o cólon transverso e o estômago frequentemente são acometidos por invasão direta, e os linfonodos peripancreáticos, gástricos, mesentéricos, omentais e porta-hepáticos muitas vezes são acometidos. É comum haver invasão perineural, linfática e dos grandes vasos. As metástases a distância são observadas sobretudo no fígado e nos pulmões.

Ao exame microscópico, os carcinomas da cabeça, do corpo e da cauda do pâncreas são indistinguíveis. Formam estruturas tubulares abortivas ou agrupamentos de células, com padrão de crescimento profundamente infiltrativo (**Figura 19.13B**). As glândulas malignas mal formadas são revestidas por células epiteliais cuboides a colunares pleomórficas. Entretanto, pode ser difícil distinguir entre carcinomas bem diferenciados e glândulas benignas com atipia epitelial e fibrose do estroma, que são comuns na pancreatite crônica. A intensa desmoplasia induzida pelos cânceres de pâncreas também pode interferir na interpretação diagnóstica das biopsias por agulha, independentemente da diferenciação da neoplasia, contanto que a massa tumoral não seja neoplásica.

As variantes morfológicas menos comuns do câncer de pâncreas incluem carcinomas adenoescamosos, carcinoma coloide, carcinoma hepatoide, carcinoma medular, carcinoma de células em anel de sinete, carcinoma indiferenciado e carcinoma indiferenciado com células gigantes de tipo osteoclasto.

Características clínicas

Normalmente, os carcinomas do pâncreas permanecem silenciosos até causar obstrução ou invadir as estruturas adjacentes. A dor costuma constituir o primeiro sintoma; entretanto, por ocasião em que a dor aparece, esses cânceres geralmente não são mais curáveis. A icterícia obstrutiva está associada à maioria dos carcinomas da cabeça do pâncreas, visto que eles tendem a bloquear o ducto colédoco; isso é exemplificado pelo *sinal de Courvoisier,*

Tabela 19.4 Predisposição hereditária ao câncer de pâncreas.

Distúrbio	Gene	Aumento do risco de câncer de pâncreas (em vezes)	Risco de câncer de pâncreas aos 70 anos (%)
Síndrome de Peutz-Jeghers	STK11	130	30 a 60
Pancreatite hereditária	PRSS1, SPINK1	50 a 80	25 a 40
Síndrome de nevo-melanoma familiar atípica	CDKN2A	20 a 35	10 a 17
História familiar forte (3 ou mais parentes com câncer de pâncreas)	Desconhecido	14 a 32	8 a 16
Câncer de mama e de ovário hereditário	Múltiplos, incluindo BRCA1, BRCA2, PALB2, ATM	4 a 10	5
Câncer colorretal hereditário sem polipose	Múltiplos, incluindo MLH1, MSH2, PMS2	8 a 10	4

pacientes com câncer de pâncreas e possam ser úteis no acompanhamento da resposta do paciente ao tratamento, esses marcadores carecem da especificidade e sensibilidade necessárias para testes aplicados a populações maiores para diagnóstico inicial. Embora técnicas de imagem, como ultrassonografia endoscópica e TC, possam ser utilizadas para estabelecer o diagnóstico, elas não são úteis como exames de rastreamento. Por conseguinte, a US Screening and Prevention Task Force (USPSTF) atualmente não recomenda o rastreamento da população geral para o câncer de pâncreas, devido à preocupação global de resultados falso-positivos e prejuízo potencial. Entretanto, o rastreamento é recomendado para indivíduos que possuem mutações de linhagem germinativa deletérias (**Tabela 19.4**) que estão associadas a um risco aumentado de câncer de pâncreas.

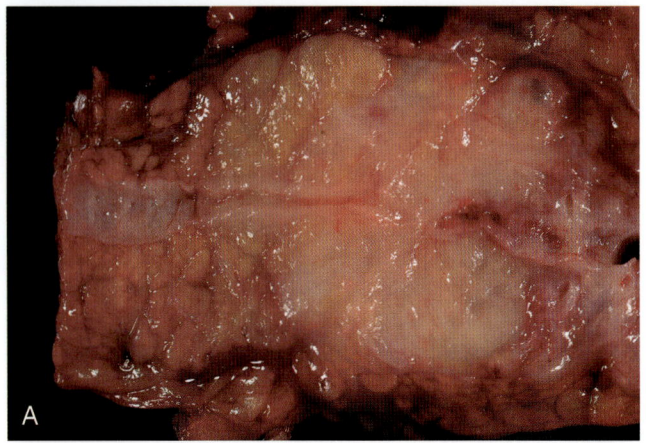

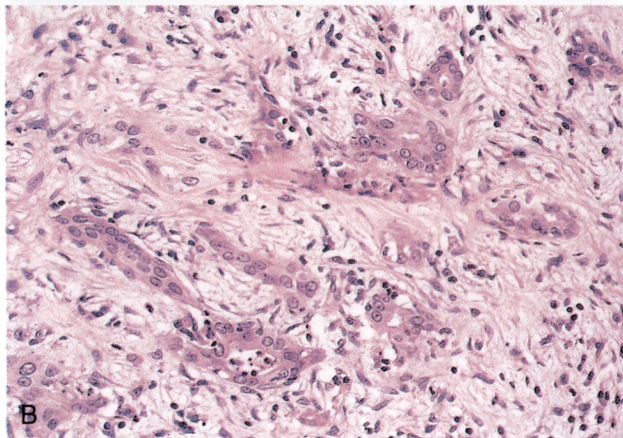

Figura 19.13 Carcinoma de pâncreas. **A.** Corte transversal da cauda do pâncreas, mostrando o parênquima pancreático e um ducto pancreático (*à esquerda*) normais e uma massa pálida de localização central no ducto (*à direita*). **B.** Glândulas malformadas, compostas por células epiteliais malignas dispersas dentro do estroma densamente fibrótico; observa-se também a presença de algumas células inflamatórias.

> ### Conceitos-chave
> #### Carcinoma de pâncreas
>
> - O câncer de pâncreas é um dos cânceres sólidos mais agressivos
> - O tabagismo constitui uma importante causa de câncer de pâncreas
> - Ocorrem mutações de linhagem germinativa causadoras de câncer em 10% dos pacientes
> - O câncer de pâncreas invasivo surge a partir de lesões precursoras histologicamente bem definidas, das quais a mais comum é a neoplasia intraepitelial pancreática (NIPan)
> - Os adenocarcinomas ductais são altamente invasivos e desencadeiam uma intensa resposta desmoplásica
> - Os genes mais frequentemente mutados ou alterados no câncer de pâncreas incluem *KRAS*, *p16/CDKN2A*, *TP53* e *SMAD4*; os perfis transcricionais podem ser utilizados para definir os subtipos basal (altamente agressivo) e clássico (um pouco menos agressivo)
> - Com frequência, os pacientes apresentam dor abdominal e perda de peso, algumas vezes acompanhadas de icterícia e trombose venosa profunda. O diabetes de início recente é detectado em até metade dos casos.

que consiste em aumento palpável da vesícula biliar indolor com icterícia leve. A perda de peso, a anorexia e o mal-estar generalizado e fraqueza são frequentemente sinais de doença avançada. A tromboflebite migratória, conhecida como *sinal de Trousseau*, ocorre em cerca de 10% dos pacientes e é atribuída à elaboração de fatores ativadores das plaquetas e procoagulantes pelo carcinoma ou seus produtos necróticos (ver **Capítulo 4**). Lamentavelmente, Armand Trousseau (1801-1867, médico no Hotel Dieu, Paris), cujo nome foi dado a este sinal, suspeitou corretamente de que ele estava com carcinoma quando desenvolveu tromboses de aparecimento e desaparecimento espontâneos (migratórias).

A sobrevida após o diagnóstico de carcinoma pancreático avançado é normalmente curta. Mais de 80% dos cânceres de pâncreas não são ressecáveis por ocasião do diagnóstico, devido à invasão de vasos ou outras estruturas ou devido a metástases a distância. Em contrapartida, os pacientes submetidos a ressecção bem-sucedida apresentam sobrevida mais longa (alguns casos com mais de 5 anos), ressaltando a importância crítica da detecção precoce. Para facilitar o diagnóstico, quando o câncer de pâncreas é passível de ressecção, muitos pesquisadores investigaram testes que poderiam ser utilizados para detecção precoce. Embora os níveis séricos de vários antígenos (p. ex., antígeno carcinoembrionário e antígeno CA19-9) estejam frequentemente elevados em

Carcinoma de células acinares

À semelhança das células acinares normais, os carcinomas de células acinares formam grânulos de zimogênio e produzem enzimas exócrinas, como tripsina e lipase. Até 15% dos indivíduos com carcinoma de células acinares desenvolvem a síndrome de necrose gordurosa metastática, devido à liberação de lipase na circulação. Os carcinomas de células acinares mostram uma ativação aberrante da via Wnt, devido a mutações de perda de função do gene supressor de tumor *APC* ou a mutações pontuais ativadoras do *CTNNB1*, que codifica a betacatenina.

Pancreatoblastoma

Os pancreatoblastomas são neoplasias raras, que ocorrem sobretudo em crianças de 1 a 15 anos. Apresentam aparência microscópica distinta, que consiste em ilhas escamosas misturadas com células acinares. São malignos, porém a sobrevida é melhor do que a dos adenocarcinomas do ducto pancreático. À semelhança do carcinoma de células acinares, os pancreatoblastomas costumam abrigar mutações que ativam a via de sinalização Wnt.

LEITURA SUGERIDA

Anomalias congênitas
Stanger BZ, Hebrok M: Control of cell identity in pancreas development and regeneration, *Gastroenterology* 144:1170-1179, 2013. [*Revisão do desenvolvimento normal do pâncreas e como o desenvolvimento explica as anomalias*].

Pancreatite aguda
Forsmark CE, Vege SS, Wilcox CM: Acute pancreatitis, *N Engl J Med* 375:1972-1981, 2017. [*Visão geral competente e clinicamente orientada da pancreatite aguda, especialmente diretrizes para classificação e manejo*].

Kang R, Lotze MT, Zeh HJ et al: Cell death and DAMPs in acute pancreatitis, *Mol Med* 20:466-477, 2014. [*Revisão mecanística da pancreatite aguda destacando como o dano tecidual local se traduz na resposta inflamatória sistêmica característica da doença grave*].

Lankisch PG, Apte M, Banks PA: Acute pancreatitis, *Lancet* 386:85-96, 2015. [*Outra revisão clinicamente orientada da pancreatite aguda, desta vez com um foco mais internacional*].

Mounzer R, Whitcomb DC: Genetics of acute and chronic pancreatitis, *Curr Opin Gastroenterol* 29:544-551, 2013. [*Revisão dos fatores genéticos que predispõem à pancreatite aguda e pancreatite aguda recorrente levando à pancreatite crônica, de um dos principais especialista nesta área*].

Pancreatite crônica
Hart PA, Zen Y, Chari ST: Recent advances in autoimmune pancreatitis, *Gastroenterology* 149:39-51, 2015. [*Revisão desta entidade rara, incluindo os dois subtipos de pancreatites autoimunes, características clínicas e de imagem e manejo*].

Hegyi E, Sahin-Toth M: Genetic risk in chronic pancreatitis—the trypsin dependent pathway, *Dig Dis Sci* 62:1692-1701, 2017. [*Revisão mecanística que explica como mutações em genes responsáveis pela homeostase da tripsina levam à pancreatite crônica*].

Kleef J, Whitcomb DC, Shimosegawa T et al: Chronic pancreatitis, *Nat Rev Dis Primers* 3:17060, 2017. [*A série "Primer" é maravilhosa para uma rápida visão geral de qualquer entidade, por exemplo, pancreatite crônica. Todos os autores são especialistas renomados mundialmente nesta área*].

Majumder S, Chari ST: Chronic pancreatitis, *Lancet* 387:1957-1966, 2016. [*Excelente tratado de fisiopatologia, mecanismos e manejo da pancreatite crônica*].

Pseudocistos
Klöppel G: Pseudocysts and other non-neoplastic cysts of the pancreas, *Semin Diagn Pathol* 17:7-15, 2000. [*Discussão sobre pseudocisto por um dos principais especialistas em patologia pancreática*].

Neoplasias císticas
Basturk O, Hong SM, Wood LD et al: A revised classification system and recommendations from the Baltimore consensus meeting for neoplastic precursor lesions in the pancreas, *Am J Surg Pathol* 39:1730-1741, 2015. [*Diretrizes que definem os critérios diagnósticos e graduação da displasia nas lesões precursoras comuns do câncer pancreático*].

Singhi AD, McGrath K, Brand RE et al: Preoperative next generation sequencing of pancreatic cyst fluid is highly accurate in cyst classification and detection of advanced neoplasia, *Gut* 2017. [*Excelente exemplo de como a patologia molecular é integrada em um algoritmo diagnóstico do manejo dos cistos pancreáticos para diferenciar manejo conservador do cirúrgico*].

Springer S, Masica DL, Dal Molin M et al: A multimodality test to guide the management of patients with a pancreatic cyst, *Sci Trans Med* 11:eaav4772, 2019. [*Aplicação no mundo real de ensaios moleculares no fluido do cisto pancreático para classificar o tipo de cisto subjacente no pâncreas*].

Tanaka M, Fernandez-del Castillo C, Kamisawa T et al: Revisions of International Consensus Fukuoka Guidelines for the Management of IPMN of the Pancreas, *Pancreatology* 17:738-753, 2017. [*Diretrizes sobre o manejo clínico dos cistos*].

Wu J, Jiao Y, Dal Molin M et al: Whole-exome sequencing of neoplastic cysts of the pancreas reveals recurrent mutations in components of ubiquitin-dependent pathways, *Proc Natl Acad Sci USA* 108:21188-21193, 2011. [*O sequenciamento dos exomas das neoplasias císticas mais comuns do pâncreas revela um perfil de mutação para cada tipo de cisto*].

Carcinoma de pâncreas
Cancer Genome Atlas Research Network: Integrated genomic characterization of pancreatic ductal adenocarcinoma, *Cancer Cell* 32:185-203, 2017. [*Artigo definitivo sobre a caracterização molecular do câncer pancreático usando múltiplas plataformas e análise de dados integrativa*].

Chari ST, Kelly K, Hollingsworth MA et al: Early detection of pancreatic cancer: a summative review, *Pancreas* 44:693-712, 2015. [*Roteiro para abordagens de detecção precoce do câncer de pâncreas que também destaca a importância do diabetes de início recente como uma via de enriquecimento para pacientes em risco para este câncer*].

Hu C, Hart SN, Polley EC et al: Association between inherited germline mutations in cancer predisposition genes and risk of pancreatic cancer, *JAMA* 19:2401-2409, 2018. [*Maior série de casos-controle na identificação de mutações deletérias da linhagem germinativa que se correlacionam com o risco de câncer pancreático*].

Kleeff J, Korc M, Apte M et al: Pancreatic cancer, *Nat Rev Dis Prim* 2:16022, 2016. [*Revisão relativamente abrangente sobre a patologia, genética, características clínicas e tratamento do câncer pancreático*].

Neoptolemos JP, Kleeff J, Michl P et al: Therapeutic developments in pancreatic cancer: current and future perspectives, *Nat Rev Gastroenterol Hepatol* 15:333-348, 2018. [*Revisão clinicamente orientada sobre os avanços recentes nas opções de tratamento para o câncer de pâncreas localizado e metastático, além de terapias emergentes como as imunoterapias*].

Ying H, Dey P, Yao W et al: Genetics and biology of pancreatic ductal adenocarcinoma, *Genes Dev* 30:355-385, 2016. [*Revisão completa das aberrações moleculares no câncer de pâncreas, tanto genômicas quando não genômicas, além de potenciais implicações translacionais*].

CAPÍTULO 20

Rins

Anthony Chang • Zoltan G. Laszik

SUMÁRIO DO CAPÍTULO

Manifestações clínicas das doenças renais, 930

Doenças glomerulares, 931
- Estrutura do glomérulo, 932
- Respostas patológicas do glomérulo à lesão, 934
  - *Hipercelularidade, 934*
  - *Espessamento da membrana basal, 934*
  - *Hialinose e esclerose, 934*
- Patogênese da lesão glomerular, 935
  - *Doenças causadas pela formação in situ de imunocomplexos, 935*
  - *Doença causada por anticorpos dirigidos contra componentes normais da membrana basal glomerular, 936*
  - *Glomerulonefrite resultante da deposição de imunocomplexos circulantes, 937*
  - *Mecanismos da lesão glomerular após a formação de imunocomplexos, 937*
  - *Imunidade mediada por células na glomerulonefrite, 938*
  - *Ativação da via alternativa do complemento, 938*
  - *Mediadores da lesão glomerular, 938*
  - *Lesão das células epiteliais, 939*
  - *Mecanismos de progressão nas doenças glomerulares, 940*
  - *Lesão tubular e fibrose intersticial, 940*
- Síndrome nefrítica, 940
  - *Glomerulonefrite proliferativa aguda (pós-infecciosa e associada à infecção), 941*
  - *Glomerulonefrite crescêntica (rapidamente progressiva), 942*
- Síndrome nefrótica, 945
  - *Nefropatia membranosa, 946*
  - *Doença por lesões mínimas, 947*
  - *Glomeruloesclerose segmentar e focal, 949*
  - *Nefropatia associada ao HIV, 952*
- *Glomerulonefrite membranoproliferativa, 952*
- *Glomerulonefrite membranoproliferativa secundária, 953*
- *Doença de depósito denso, 953*
- *Glomerulonefrite fibrilar, 955*
- Outras doenças glomerulares, 955
  - *Nefropatia por IgA (doença de Berger), 955*
  - *Nefrite hereditária, 957*
  - *Síndrome de Alport, 957*
  - *Nefropatia da membrana basal fina (hematúria familiar benigna), 957*
- Lesões glomerulares associadas a doenças sistêmicas, 958
  - *Nefrite lúpica, 958*
  - *Púrpura de Henoch-Schönlein, 958*
  - *Nefropatia diabética, 958*
  - *Outros distúrbios sistêmicos, 958*

Doenças tubulares e intersticiais, 959
- Lesão/necrose tubular aguda, 959
- Nefrite tubulointersticial, 961
- Pielonefrite e infecção do trato urinário, 962
  - *Pielonefrite aguda, 963*
  - *Pielonefrite crônica e nefropatia de refluxo, 965*
- Nefrite tubulointestinal induzida por fármacos e toxinas, 967
  - *Nefrite intersticial aguda induzida por fármacos, 967*
- Outras doenças tubulointersticiais, 968
  - *Nefropatia por urato, 968*
  - *Hipercalcemia e nefrocalcinose, 969*
  - *Doença renal tubulointersticial autossômica dominante, 969*
  - *Nefropatia por cilindros de cadeias leves ("rins do mieloma"), 969*
  - *Nefropatia por cilindros biliares, 970*

Doenças vasculares, 970
- Nefrosclerose, 970
- Estenose da artéria renal, 972
- Microangiopatias trombóticas, 972
  - *Síndrome hemolítico-urêmica típica (epidêmica, clássica, positiva para diarreia), 973*
  - *Síndrome hemolítico-urêmica atípica (não epidêmica, negativa para diarreia), 974*
  - *Púrpura trombocitopênica trombótica, 974*
- Outros distúrbios vasculares, 975
  - *Doença renal isquêmica aterosclerótica, 975*
  - *Doença renal ateroembólica, 975*
  - *Nefropatia falciforme, 975*
  - *Infartos renais, 976*

Anomalias congênitas e do desenvolvimento, 976

Doenças císticas dos rins, 976
- Doença renal policística autossômica dominante (do adulto), 977
- Doença renal policística autossômica recessiva (infantil), 979
- Doenças císticas da medula renal, 980
  - *Rins em esponja medular, 980*
  - *Nefronoftise, 980*
- Displasia renal multicística, 980
- Doença cística adquirida, 980
- Cistos simples, 981

Obstrução do trato urinário (uropatia obstrutiva), 981

Urolitíase (cálculos renais), 983

Neoplasias renais, 984
- Neoplasias benignas, 984
  - *Adenoma papilar renal, 984*
  - *Angiomiolipoma, 984*
  - *Oncocitoma, 984*
- Neoplasias malignas, 985
  - *Carcinoma de células renais, 985*
  - *Carcinoma urotelial da pelve renal, 987*

O que é um ser humano a não ser uma máquina engenhosa concebida para transformar, com "infinita habilidade, o vinho tinto de Shiraz em urina?". Assim declarou o narrador em *Sete contos góticos*, de Isak Dinesen. Mais precisamente, embora com visão menos poética, os rins humanos servem para converter mais de 1.700 ℓ de sangue por dia em cerca de 1 ℓ de líquido altamente concentrado, denominado *urina*. Ao fazê-lo, os rins excretam os produtos residuais do metabolismo, regulam de modo preciso a concentração corporal de água, sal, cálcio, fósforo e outros ânions e cátions e mantêm o equilíbrio acidobásico apropriado do plasma.

Os rins também atuam como órgão endócrino, uma vez que secretam hormônios, como a eritropoetina, a renina e as prostaglandinas, além de regular o metabolismo da vitamina D. Os mecanismos fisiológicos que os rins desenvolveram para executar essas funções exigem muita complexidade estrutural.

As doenças renais são responsáveis por uma grande taxa de morbidade e de mortalidade. De acordo com o U.S. Renal Data System Annual Data Report de 2015, mais de 660 mil norte-americanos tinham doença renal terminal (DRT), dos quais dois terços são mantidos sob diálise, a um custo de aproximadamente US$ 72 mil por pessoa por ano. A taxa de mortalidade da DRT em 1 ano, quando se considera o risco aumentado de doença cardiovascular conferido pela doença, ultrapassa a da maioria dos cânceres recém-diagnosticados. Ocorre lesão renal aguda em mais de 2 milhões de pessoas em todo o mundo, e ela representa um importante fator de risco para o desenvolvimento de doença renal crônica e DRT. Além disso, milhões de indivíduos são afetados anualmente por doenças renais não fatais, notadamente infecções dos rins ou das vias urinárias inferiores, cálculos renais e obstrução urinária. A disponibilidade de diálise e o sucesso do transplante renal melhoraram os resultados para os pacientes.

O estudo das doenças renais é facilitado pela sua classificação em doenças que afetam os quatro componentes morfológicos básicos: glomérulos, túbulos, interstício e vasos sanguíneos. Essa abordagem é útil, visto que as manifestações iniciais da doença que afetam cada um desses componentes tendem a ser distintas. Além disso, alguns componentes parecem ser mais vulneráveis a formas específicas de lesão renal: por exemplo, **as doenças glomerulares são, em sua maioria, imunologicamente mediadas, ao passo que os distúrbios tubulares e intersticiais são causados, com frequência, por agentes tóxicos ou infecciosos.** Todavia, alguns distúrbios afetam mais de uma estrutura, e a interdependência anatômica e funcional dos componentes dos rins indica que os danos a um deles em geral afetam secundariamente os outros. Por exemplo, os distúrbios primários dos vasos sanguíneos afetam inevitavelmente todas as estruturas supridas por esses vasos. Os danos glomerulares graves comprometem o fluxo através do sistema vascular peritubular; por outro lado, a destruição tubular pode induzir a ocorrência de lesão glomerular, em virtude do aumento da pressão intraglomerular. Por conseguinte, qualquer que seja a origem, todas as formas de doença renal crônica causam danos, em última análise, a todos os quatro componentes dos rins, culminando na denominada *doença renal terminal*. A reserva funcional dos rins é grande, e podem ocorrer muitos danos antes que haja evidência de comprometimento funcional. Por essas razões, o reconhecimento dos primeiros sinais e sintomas é de grande importância clínica.

Manifestações clínicas das doenças renais

As manifestações clínicas das doenças renais podem ser agrupadas em síndromes razoavelmente bem definidas. Algumas são exclusivas das doenças glomerulares, ao passo que outras são encontradas em doenças que afetam qualquer um dos componentes:

- A *azotemia* é uma anormalidade bioquímica que se refere à elevação dos níveis de nitrogênio ureico no sangue (BUN, *blood urea nitrogen*) e creatinina e está relacionada, em grande parte, à diminuição da taxa de filtração glomerular (TFG). A azotemia é uma consequência de muitos distúrbios renais, porém também surge como resultado de distúrbios extrarrenais. Trata-se de uma característica típica da lesão renal tanto aguda quanto crônica. A *azotemia pré-renal* é observada quando há hipoperfusão dos rins que compromete a função renal, na ausência de lesão parenquimatosa. Ela pode ser causada por hipotensão, perdas excessivas de líquido de qualquer causa ou se o volume intravascular efetivo for reduzido em consequência de choque, depleção de volume, insuficiência cardíaca congestiva ou cirrose hepática. A *azotemia pós-renal* ocorre sempre que houver obstrução do fluxo urinário distalmente aos rins. O alívio da obstrução é seguido de correção da azotemia

- Quando a azotemia leva a sinais e sintomas clínicos associados a anormalidades bioquímicas, ela é denominada *uremia*. A uremia caracteriza-se não apenas pela falência da função excretora renal, mas também por uma série de alterações metabólicas e endócrinas que resultam dos danos renais. Os pacientes urêmicos manifestam, com frequência, comprometimento secundário do sistema gastrintestinal (p. ex., gastrenterite urêmica), dos nevos periféricos (p. ex., neuropatia periférica) e do coração (p. ex., pericardite fibrinosa urêmica)

- A *síndrome nefrítica* é uma entidade clínica causada por doença glomerular inflamatória e é dominada pelo início agudo de hematúria (presença de eritrócitos na urina) macroscópica ou microscópica, com eritrócitos dismórficos e cilindros hemáticos no exame de urina, diminuição da TFG, proteinúria leve a moderada e hipertensão. Trata-se da apresentação clássica da glomerulonefrite pós-estreptocócica aguda. A *glomerulonefrite rapidamente progressiva* (GNRP) é uma forma de síndrome nefrítica na qual ocorre rápido declínio da TFG (em questão de horas a dias)

- A *síndrome nefrótica*, que também é devida à doença glomerular, caracteriza-se por proteinúria maciça (mais de 3,5 g/dia), hipoalbuminemia, edema grave, hiperlipidemia e lipidúria (presença de lipídios na urina). As características clínicas da nefrite e da síndrome nefrótica são discutidas de modo mais detalhado posteriormente

- A *hematúria ou a proteinúria assintomáticas*, ou uma combinação de ambas, geralmente constituem uma manifestação de anormalidades glomerulares sutis ou leves

- A *lesão renal aguda* (anteriormente denominada insuficiência renal aguda) caracteriza-se por um rápido declínio da TFG (em horas a dias), com desregulação concomitante do equilíbrio hidreletrolítico e retenção de resíduos metabólicos normalmente excretados pelos rins, incluindo ureia e creatinina. Em suas formas mais graves, manifesta-se por *oligúria* ou *anúria* (redução ou ausência do fluxo de urina). Ela pode resultar de lesão glomerular, intersticial, vascular ou lesão tubular aguda (LTA)

- A *doença renal crônica* (anteriormente denominada insuficiência renal crônica) é definida pela presença de TFG diminuída, que é persistentemente inferior a 60 mℓ/min/1,73 m^2 durante pelo menos 3 meses, devido a qualquer causa e/ou à albuminúria persistente. Ela pode se manifestar com declínio clinicamente silencioso da função excretora renal nas formas mais leves ou com sinais e sintomas prolongados de uremia nos casos mais graves. É o resultado de todas as doenças crônicas do parênquima renal

- Na *doença renal terminal*, a TFG é menor que 5% do valor normal; trata-se do estágio terminal da uremia

- Os *defeitos tubulares renais* são caracterizados principalmente por poliúria (formação excessiva de urina), nictúria e distúrbios eletrolíticos (p. ex., acidose metabólica). Eles constituem o resultado de doenças que afetam diretamente as estruturas tubulares (p. ex., nefronoftise) ou causam defeitos em funções tubulares específicas. Estas últimas podem ser herdadas (p. ex., diabetes nefrogênico familiar, cistinúria, acidose tubular renal) ou adquiridas (p. ex., nefropatia por chumbo)

- A *obstrução do trato urinário* e as *neoplasias renais* apresentam manifestações clínicas variadas com base na localização anatômica específica e na natureza da lesão. A *infecção do trato urinário* caracteriza-se por bacteriúria e piúria (presença de bactérias e leucócitos na urina). A infecção pode ser sintomática ou assintomática e pode afetar os rins (*pielonefrite*) ou a bexiga (*cistite*)
- A *nefrolitíase* (*cálculos renais*) manifesta-se por espasmos de dor intensa (cólica renal) e hematúria, frequentemente com formação recorrente de cálculos.

Estima-se que a doença renal crônica afete 11% de todos os adultos nos EUA, com predominância particular entre indivíduos idosos. Ela constitui o resultado de uma variedade de doenças renais, porém mais comumente diabetes e hipertensão, e é a principal causa de morte por doença renal. A evolução da função renal normal para a lesão renal crônica sintomática passa por uma série de estágios, que são definidos por medições do nível sérico de creatinina, a partir das quais são obtidas estimativas de redução da TFG. A doença renal crônica provoca anormalidades sistêmicas significativas, que estão listadas na **Tabela 20.1**.

Conceitos-chave

Manifestações clínicas das doenças renais

- A azotemia é a manifestação bioquímica da lesão renal aguda ou crônica e caracteriza-se por níveis elevados de BUN ou, como alternativa, por uma elevação da creatinina sérica. Ela reflete uma redução da TFG
- A lesão renal que resulta em azotemia pode ser aguda ou crônica. A lesão renal aguda pode ser reversível ou progredir para a doença renal crônica, que geralmente é irreversível
- Uma importante manifestação da lesão renal é a síndrome nefrótica, em que a lesão do glomérulo resulta em filtração anormal, levando a proteinúria maciça, edema e distúrbios metabólicos
- As síndromes nefríticas são aquelas em que as principais manifestações consistem em hematúria, azotemia, hipertensão e proteinúria subnefrótica
- As doenças que acometem os túbulos e o interstício podem apresentar manifestações clínicas da síndrome nefrítica ou de defeitos específicos da função tubular ou de doença renal aguda ou crônica, sem características definidoras mais específicas.

Doenças glomerulares

As doenças glomerulares constituem alguns dos principais problemas na nefrologia. Os glomérulos podem ser lesionados por uma variedade de fatores, bem como no curso de várias doenças sistêmicas. As doenças imunológicas sistêmicas, como lúpus eritematoso sistêmico (LES), os distúrbios vasculares, como hipertensão, as doenças metabólicas, como o diabetes melito, e algumas condições hereditárias, como doença de Fabry, com frequência afetam o glomérulo e são coletivamente denominadas

Tabela 20.1 Principais manifestações sistêmicas da doença renal crônica e uremia.

Líquidos e eletrólitos
Desidratação
Edema
Hiperpotassemia
Acidose metabólica
Fosfato de cálcio e osso
Hiperfosfatemia
Hipocalcemia
Hiperparatireoidismo secundário
Osteodistrofia renal
Hematológicas
Anemia
Diátese hemorrágica
Cardiopulmonares
Hipertensão
Insuficiência cardíaca congestiva
Cardiomiopatia
Edema pulmonar
Pericardite urêmica
Gastrintestinais
Náuseas e vômitos
Sangramento
Esofagite, gastrite, colite
Neuromusculares
Miopatia
Neuropatia periférica
Encefalopatia
Dermatológicas
Pele amarelada da doença renal
Prurido
Dermatite

doenças glomerulares secundárias. As doenças nas quais os rins são o único órgão ou o órgão predominantemente envolvido constituem os vários tipos de *glomerulonefrite primária* ou, como alguns deles não têm um componente inflamatório celular, *glomerulopatia primária*. Entretanto, tanto as manifestações clínicas quanto as alterações histológicas glomerulares podem ser semelhantes nas formas primária e secundária.

Nas seções seguintes, serão discutidos o glomérulo normal e os mecanismos de lesão glomerular e, em seguida, os vários tipos de glomerulopatias primárias. De maneira sucinta, serão analisadas as formas secundárias discutidas em outras partes deste livro. A **Tabela 20.2** fornece uma lista das formas mais comuns de glomerulonefrite que apresentam características morfológicas e clínicas razoavelmente bem definidas. As manifestações clínicas da doença glomerular são agrupadas em cinco síndromes glomerulares principais, resumidas na **Tabela 20.3**. Tanto as glomerulopatias primárias quanto as doenças sistêmicas que afetam o glomérulo podem resultar nessas síndromes. Como as doenças glomerulares estão frequentemente associadas a distúrbios sistêmicos, principalmente diabetes melito, LES, vasculite e amiloidose, em qualquer paciente com manifestações de doença glomerular, é fundamental considerar essas condições sistêmicas.

Tabela 20.2 Doenças glomerulares.

Glomerulopatias primárias

Glomerulonefrite proliferativa aguda
    Pós-infecciosa
    Outras
Glomerulonefrite rapidamente progressiva (crescêntica)
Nefropatia membranosa
Doença por lesões mínimas
Glomeruloesclerose segmentar e focal
Glomerulonefrite membranoproliferativa
Doença de depósito denso
Nefropatia por IgA

Doenças sistêmicas com comprometimento glomerular

Lúpus eritematoso sistêmico
Diabetes melito
Amiloidose
Síndrome de Goodpasture
Poliarterite/poliangiite microscópica
Granulomatose com poliangiite
Púrpura de Henoch-Schönlein

Distúrbios hereditários

Síndrome de Alport
Nefropatia de membrana basal fina
Doença de Fabry

Estrutura do glomérulo

Muitas manifestações clínicas das doenças glomerulares resultam de perturbações de componentes específicos do tufo glomerular, de modo que, antes de discutir essas doenças, serão descritas as estruturas anatômicas básicas dos glomérulos. O glomérulo consiste em uma rede anastomosada de capilares revestidos por endotélio fenestrado envolvido por duas camadas de células epiteliais (**Figura 20.1**). As células epiteliais viscerais (comumente chamadas de *podócitos*) são incorporadas à parede dos capilares ou tornam-se parte intrínseca dela, e são separadas das células endoteliais por uma membrana basal. O epitélio parietal, situado na cápsula de Bowman, reveste o espaço urinário, a cavidade na qual o filtrado do plasma é inicialmente coletado.

A parede capilar glomerular é a membrana de filtração e consiste nas seguintes estruturas (**Figura 20.2**):

Tabela 20.3 Manifestações clínicas das doenças glomerulares.

Síndrome	Manifestações
Síndrome nefrítica	Hematúria, azotemia, proteinúria variável, oligúria, edema e hipertensão
Glomerulonefrite rapidamente progressiva	Nefrite aguda, proteinúria e insuficiência renal aguda
Síndrome nefrótica	Proteinúria > 3,5 g/dia, hipoalbuminemia, hiperlipidemia, lipidúria
Doença renal crônica	Azotemia → uremia progredindo por meses a anos
Anormalidades urinárias isoladas	Hematúria glomerular e/ou proteinúria subnefrótica

- Existe uma camada fina de *células endoteliais* fenestradas, em que cada fenestra tem cerca de 70 a 100 nm de diâmetro
- Uma *membrana basal glomerular* (MBG) com uma camada central espessa e eletrodensa, a *lâmina densa*, e camadas periféricas mais finas e eletrotransparentes, a *lâmina rara interna* e a *lâmina rara externa*. A MBG consiste em colágeno (principalmente do tipo IV), laminina, proteoglicanos polianiônicos (principalmente heparan sulfato), fibronectina, entactina e várias outras glicoproteínas. O colágeno tipo IV forma uma supraestrutura em rede, à qual outras glicoproteínas aderem. O bloco de construção (monômero) dessa rede é uma molécula em hélice tríplice composta de um ou mais de seis tipos de cadeias α ($α_1$ a $α_6$ ou COL4A1 a COL4A6). Cada molécula é constituída por um domínio 7S na extremidade N-terminal, um domínio em hélice tríplice no meio e um domínio não colagenoso (NC1) globular na extremidade C-terminal. O domínio NC1 é importante para a formação da hélice e para a montagem dos monômeros de colágeno na supraestrutura da membrana basal. As glicoproteínas (laminina, entactina) e os proteoglicanos (heparan sulfato, perlecan) aderem à supraestrutura colagenosa. As propriedades bioquímicas desses componentes estruturais são fundamentais para a compreensão das doenças glomerulares. Por exemplo, os antígenos no domínio NC1 constituem os alvos dos anticorpos na nefrite anti-MBG; os defeitos genéticos nas cadeias α estão na base de algumas formas de nefrite hereditária; e o conteúdo de proteoglicano da MBG pode contribuir para as suas características de permeabilidade
- As *células epiteliais viscerais* (podócitos) apresentam processos interdigitados incorporados e aderidos à lâmina rara externa da membrana basal (ver **Figura 20.1**). Os *pedicelos dos podócitos* adjacentes são separados por *fendas de filtração* de 20 a 30 nm de largura, que são atravessadas por uma ponte constituída de diafragma fino (ver **Figura 20.2**)
- O tufo glomerular inteiro é sustentado pelo mesângio, o tecido situado entre os capilares e composto de uma *matriz mesangial* semelhante à membrana basal, que forma uma malha na qual estão inseridas as células mesangiais (ver **Figura 20.1**). Essas células de origem mesenquimal são contráteis, fagocíticas e capazes de se proliferar, de depositar tanto matriz quanto colágeno e de secretar vários mediadores biologicamente ativos. Do ponto de vista biológico, elas assemelham-se mais com as células musculares lisas vasculares e os pericitos. Essas células são importantes em muitas formas de glomerulonefrite.

O glomérulo normal é altamente permeável à água e a pequenos solutos, devido à natureza fenestrada do endotélio, ao passo que é impermeável a proteínas do tamanho da albumina (raio de aproximadamente 3,6 nm; peso molecular de 70 quilodaltons [kD]) ou maiores. As características de permeabilidade da *barreira de filtração glomerular* possibilitam a discriminação entre várias moléculas de proteínas, dependendo de seu tamanho (quanto maiores, menos permeáveis) e carga (quanto mais catiônicas, mais permeáveis). Essa função de barreira dependente do tamanho e da carga é explicada pela estrutura da parede capilar. A restrição dependente de carga é importante na exclusão praticamente completa da albumina do filtrado, visto que ela é uma molécula aniônica.

A célula epitelial visceral é importante para a manutenção da função da barreira glomerular; o seu diafragma em fenda proporciona uma barreira de difusão distal seletiva para o tamanho na filtração de proteínas, e esse tipo de célula é em

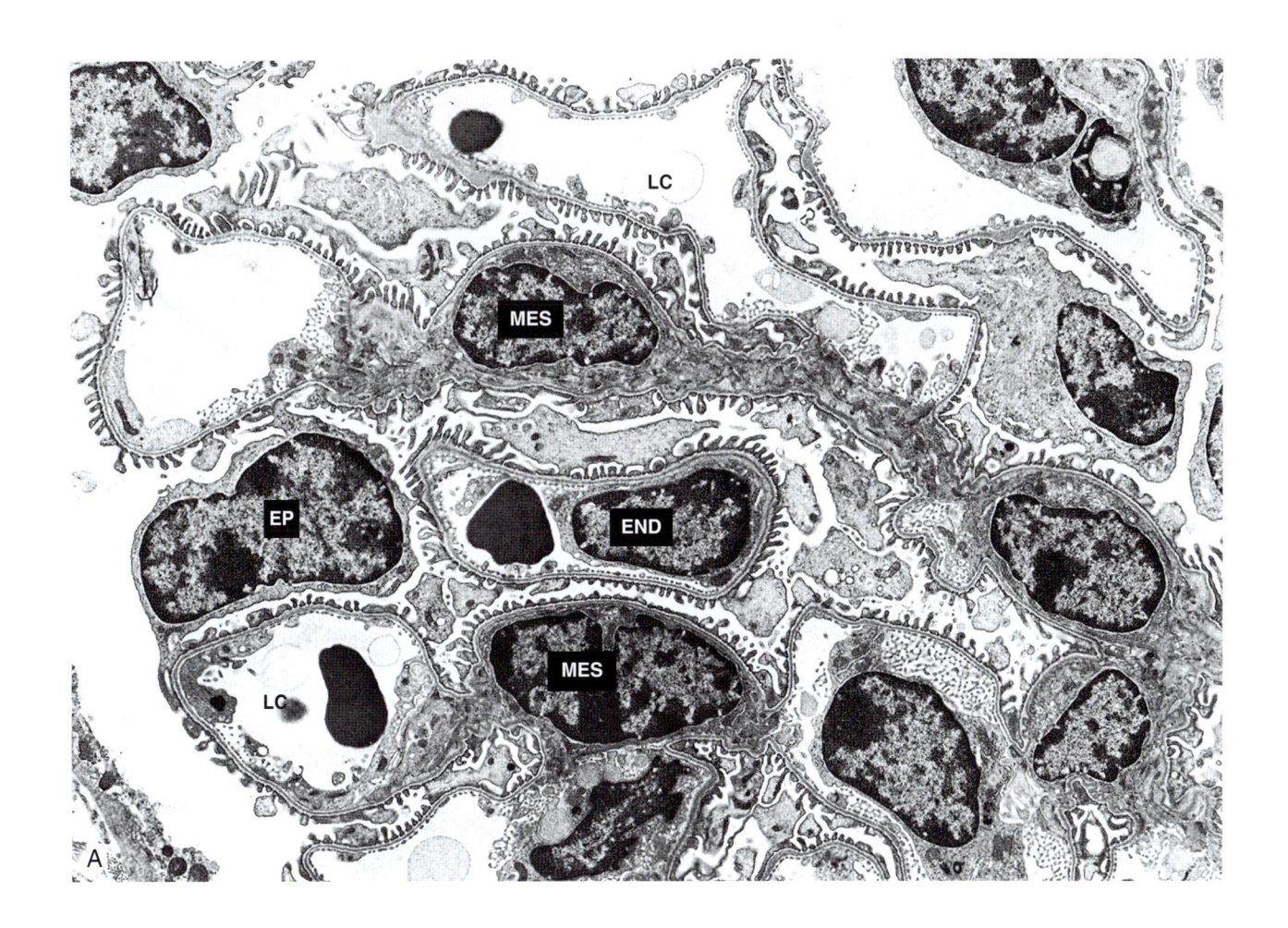

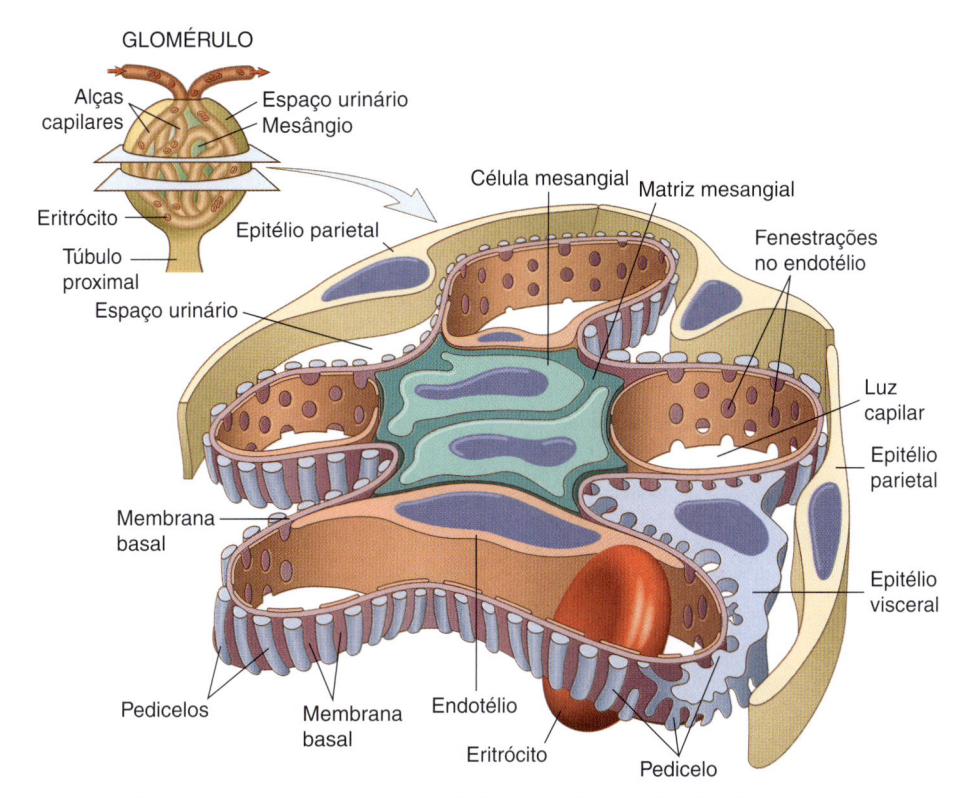

Figura 20.1 A. Micrografia eletrônica em pequeno aumento do glomérulo renal. *END*, endotélio; *EP*, células epiteliais viscerais com pedicelos; *LC*, luz do capilar; *MES*, mesângio. **B.** Representação esquemática de um lobo glomerular. (**A**, Cortesia da Dra. Vicki Kelley, Brigham e Women's Hospital, Boston, Mass.)

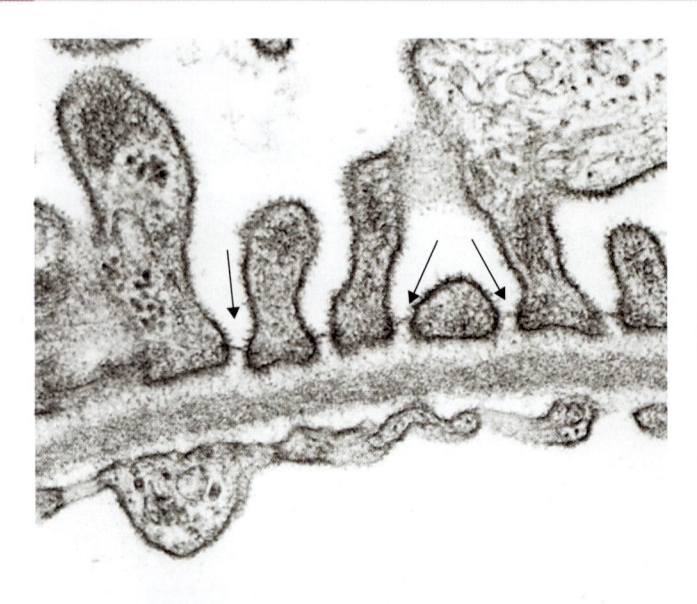

Figura 20.2 Filtro glomerular constituído (*da base para a parte superior*) de endotélio fenestrado, membrana basal e pedicelos das células epiteliais. Observe as fendas de filtração (*setas*) e o diafragma entre os pedicelos. Observe, também, que a membrana basal consiste em uma lâmina densa central, situada entre duas camadas mais frouxas, a lâmina rara interna e a lâmina rara externa. (Cortesia do Dr. Helmut Rennke, Brigham e Women's Hospital, Boston, Mass.)

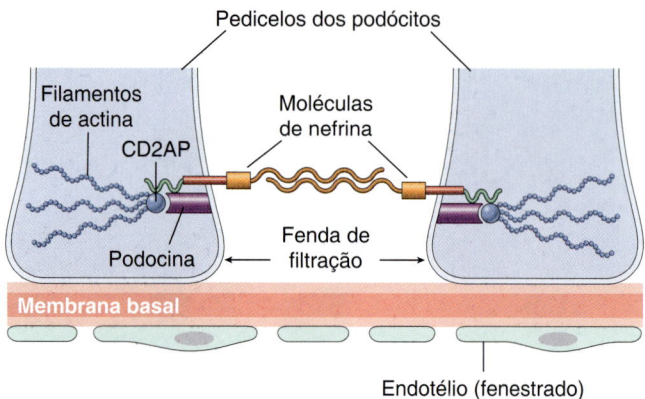

Figura 20.3 Diagrama esquemático simplificado de algumas das proteínas mais bem estudadas do diafragma em fenda glomerular. *CD2AP*, proteína associada ao CD2.

grande parte responsável, em circunstâncias normais, pela síntese dos componentes da MBG. As proteínas localizadas no diafragma em fenda ou presentes em montagens de moléculas dentro das células epiteliais viscerais que estão fixadas ao diafragma em fenda estão ilustradas na **Figura 20.3**. A nefrina é uma proteína transmembranar com uma grande porção extracelular, constituída por domínios do tipo imunoglobulina (Ig). As moléculas de nefrina estendem-se umas para as outras a partir de pedicelos vizinhos e se dimerizam através do diafragma em fenda. No citoplasma dos pedicelos, a nefrina forma conexões moleculares com a podocina, uma proteína associada ao CD2, e, por fim, com o citoesqueleto de actina das células epiteliais viscerais. Mais proteínas do diafragma em fenda continuam sendo identificadas, e foram publicadas descrições abrangentes de sua estrutura e interações. A importância das proteínas do diafragma em fenda para a manutenção da permeabilidade glomerular é demonstrada pela observação de que as mutações nos genes que as codificam dão origem a defeitos na permeabilidade e à síndrome nefrótica (discutida adiante).

Respostas patológicas do glomérulo à lesão

Vários tipos de glomerulopatias caracterizam-se por uma ou mais das quatro reações teciduais básicas.

Hipercelularidade

Algumas *doenças inflamatórias* do glomérulo caracterizam-se pelo aumento do número de células nos tufos glomerulares. Essa hipercelularidade resulta de uma ou mais das seguintes causas:

- *Proliferação* das células mesangiais ou endoteliais
- *Infiltração de leucócitos*, incluindo neutrófilos, monócitos e, em algumas doenças, linfócitos. A combinação de infiltração de leucócitos e edema e proliferação de células mesangiais e/ou endoteliais é frequentemente denominada *proliferação endocapilar*
- *Formação de crescentes*. Trata-se de acúmulos celulares resultantes da proliferação de células epiteliais glomerulares e infiltração de leucócitos. A proliferação de células epiteliais que caracteriza a formação de crescentes ocorre após a lesão imune/inflamatória que acomete as paredes capilares. As proteínas plasmáticas extravasam no espaço urinário, onde se acredita que a exposição a fatores pró-coagulantes, como o fator tecidual, leve à deposição de fibrina. Há suspeita de que a ativação de fatores da coagulação, como a trombina, seja um gatilho para a formação de crescentes, porém os mecanismos reais ainda estão pouco elucidados. As moléculas que foram implicadas no recrutamento de leucócitos nos crescentes incluem múltiplas citocinas pró-inflamatórias.

Espessamento da membrana basal

Na microscopia óptica, essa alteração aparece como espessamento das paredes capilares, mais bem visualizada em cortes corados pelo ácido periódico de Schiff (PAS). Na microscopia eletrônica, esse espessamento assume uma das três formas a seguir:

- Deposição de material eletrodenso amorfo, mais frequentemente imunocomplexos, no lado endotelial ou epitelial da membrana basal ou dentro da própria MBG. A fibrina, o amiloide, as crioglobulinas e as proteínas fibrilares anormais também podem se depositar na MBG
- Aumento na síntese dos componentes proteicos da membrana basal, como ocorre na glomeruloesclerose diabética
- Formação de camadas adicionais de matrizes de membrana basal, que mais frequentemente ocupam locais subendoteliais e podem variar desde uma matriz mal organizada até uma lâmina densa totalmente duplicada, conforme ocorre na glomerulonefrite membranoproliferativa (GNMP).

Hialinose e esclerose

A *hialinose*, quando aplicada ao glomérulo, denota o acúmulo de material que é homogêneo e eosinofílico na microscopia óptica. A *hialina* é um material amorfo, extracelular, composto de proteínas plasmáticas que saíram da circulação e passaram para as estruturas glomerulares. Quando extensos, esses depósitos podem causar obliteração da luz capilar do tufo glomerular. Em geral, a hialinose é uma consequência de lesão endotelial ou da parede capilar e, normalmente, constitui o resultado de várias formas de danos glomerulares.

A *esclerose* caracteriza-se pela deposição de matriz extracelular de colágeno. Ela pode ser confinada a áreas mesangiais, como comumente é o caso na glomeruloesclerose diabética, envolver alças capilares, ou ambas. O processo esclerosante também pode resultar em obliteração de alguns ou de todas as luzes capilares nos glomérulos afetados.

Muitas glomerulopatias primárias são classificadas pela sua histologia, conforme observado na **Tabela 20.2**. As alterações histológicas podem ser subdivididas pela sua distribuição nas seguintes categorias: *difusas*, quando acometem todos os glomérulos dos rins; *globais*, quando acometem a totalidade dos glomérulos individuais (um dado glomérulo inteiro); *focais*, quando acometem apenas uma fração dos glomérulos nos rins; *segmentares*, quando afetam parte de cada glomérulo; e *alças capilares* ou *mesangiais*, quando afetam predominantemente capilares ou regiões mesangiais.

Tabela 20.4 Mecanismos imunes da lesão glomerular.

Lesão mediada por anticorpos
Deposição de imunocomplexos in situ
Antígenos teciduais intrínsecos fixos
Domínio NC1 do antígeno de colágeno tipo IV (nefrite anti-MBG)
Antígeno PLA$_2$R (glomerulopatia membranosa)
Antígenos mesangiais
Outros
Antígenos plantados
Exógenos (agentes infecciosos, medicamentos)
Endógenos (DNA, proteínas nucleares, imunoglobulinas, imunocomplexos, IgA)
Deposição de imunocomplexos circulantes
Antígenos endógenos (p. ex., DNA, antígenos tumorais)
Antígenos exógenos (p. ex., produtos infecciosos)
Lesão imune mediada por células
Ativação da via alternativa do complemento

MBG, membrana basal glomerular.

> **Conceitos-chave**
>
> **Lesão das estruturas glomerulares**
>
> - A MBG é composta de moléculas de colágeno tipo IV e outras proteínas da matriz. Essas proteínas podem constituir o alvo de anticorpos em alguns tipos de glomerulonefrite; as anormalidades genéticas na sua composição constituem a base de algumas formas de nefrite hereditária
> - As células epiteliais viscerais (podócitos) são um componente crítico da barreira de filtração glomerular, e a sua lesão leva ao extravasamento de proteínas dentro do espaço urinário (proteinúria)
> - A resposta glomerular aguda à lesão inclui hipercelularidade com proliferação das células mesangiais e/ou endoteliais, influxo de leucócitos e, quando grave, formação de crescentes
> - As respostas glomerulares crônicas à lesão incluem espessamento da membrana basal, hialinose e esclerose

Patogênese da lesão glomerular

Embora muitos detalhes permaneçam desconhecidos sobre os agentes etiológicos e os eventos desencadeantes, é claro que **os mecanismos imunes se encontram na base da maioria das formas de glomerulopatia primária e de muitos distúrbios glomerulares secundários (Tabela 20.4)**. A glomerulonefrite pode ser induzida experimentalmente por reações de antígeno-anticorpo. Além disso, os depósitos glomerulares de imunoglobulinas, frequentemente com componentes do complemento, são encontrados na maioria dos indivíduos com glomerulonefrite. As reações imunes mediadas por células também podem desempenhar um papel, geralmente em associação a eventos mediados por anticorpos. Começamos essa discussão com uma análise da lesão induzida por anticorpos.

Foram estabelecidas duas formas de lesão associadas a anticorpos: (1) lesão por *anticorpos que reagem* in situ *dentro do glomérulo*, por meio da ligação a antígenos glomerulares fixos (intrínsecos) insolúveis ou a moléculas extrínsecas plantadas no glomérulo; e (2) lesão que resulta da *deposição de complexos de antígeno-anticorpo circulantes no glomérulo*. É evidente que a principal causa de glomerulonefrite como resultado da formação de complexos antígeno-anticorpo é a consequência da formação de imunocomplexos *in situ*, e não a deposição de complexos circulantes, como se acreditava.

Doenças causadas pela formação in situ *de imunocomplexos*

Nessa forma de lesão, os imunocomplexos são formados localmente por anticorpos que reagem com antígenos teciduais intrínsecos ou com antígenos extrínsecos "plantados" no glomérulo a partir da circulação. A nefropatia membranosa é o exemplo clássico de lesão glomerular que resulta da formação local de imunocomplexos por anticorpos que reagem com antígenos endógenos.

O padrão de deposição imune na microscopia de imunofluorescência é granular, o que reflete a interação antígeno-anticorpo muito localizada. Na microscopia eletrônica, a glomerulopatia caracteriza-se pela presença de numerosos depósitos eletrodensos subepiteliais distintos (formados de reagentes imunes). Esses complexos subepiteliais, com respostas resultantes do hospedeiro, podem levar ao espessamento da membrana basal visualizado na microscopia óptica, daí o termo *nefropatia membranosa*.

Os anticorpos podem reagir *in situ* com antígenos que normalmente não estão presentes no glomérulo, mas que estão "plantados" nesse local. Esses antígenos podem se localizar nos rins por meio de interação com vários componentes intrínsecos do glomérulo. Os antígenos plantados incluem moléculas catiônicas, que se ligam a: componentes aniônicos do glomérulo; DNA, nucleossomos e outras proteínas nucleares, que têm afinidade pelos componentes da MBG; produtos bacterianos; grandes proteínas agregadas (p. ex., imunoglobulinas agregadas), que se depositam no mesângio em virtude de seu tamanho; e aos próprios imunocomplexos, visto que eles continuam apresentando sítios reativos para interações adicionais com anticorpos livres, antígenos livres ou complemento. Não faltam outros antígenos plantados possíveis, incluindo produtos virais, bacterianos e parasitários, bem como medicamentos.

Doença causada por anticorpos dirigidos contra componentes normais da membrana basal glomerular

Na glomerulonefrite induzida por anticorpos anti-MBG, os anticorpos ligam-se a antígenos intrínsecos de distribuição homogênea ao longo de toda a extensão da MBG, resultando em um padrão linear difuso de coloração para anticorpos por técnicas de imunofluorescência (**Figura 20.4B e E**). Isso contrasta com o padrão granular de coloração por imunofluorescência, que corresponde aos imunocomplexos distintos observados na nefropatia membranosa, ou em outras doenças glomerulares nas quais

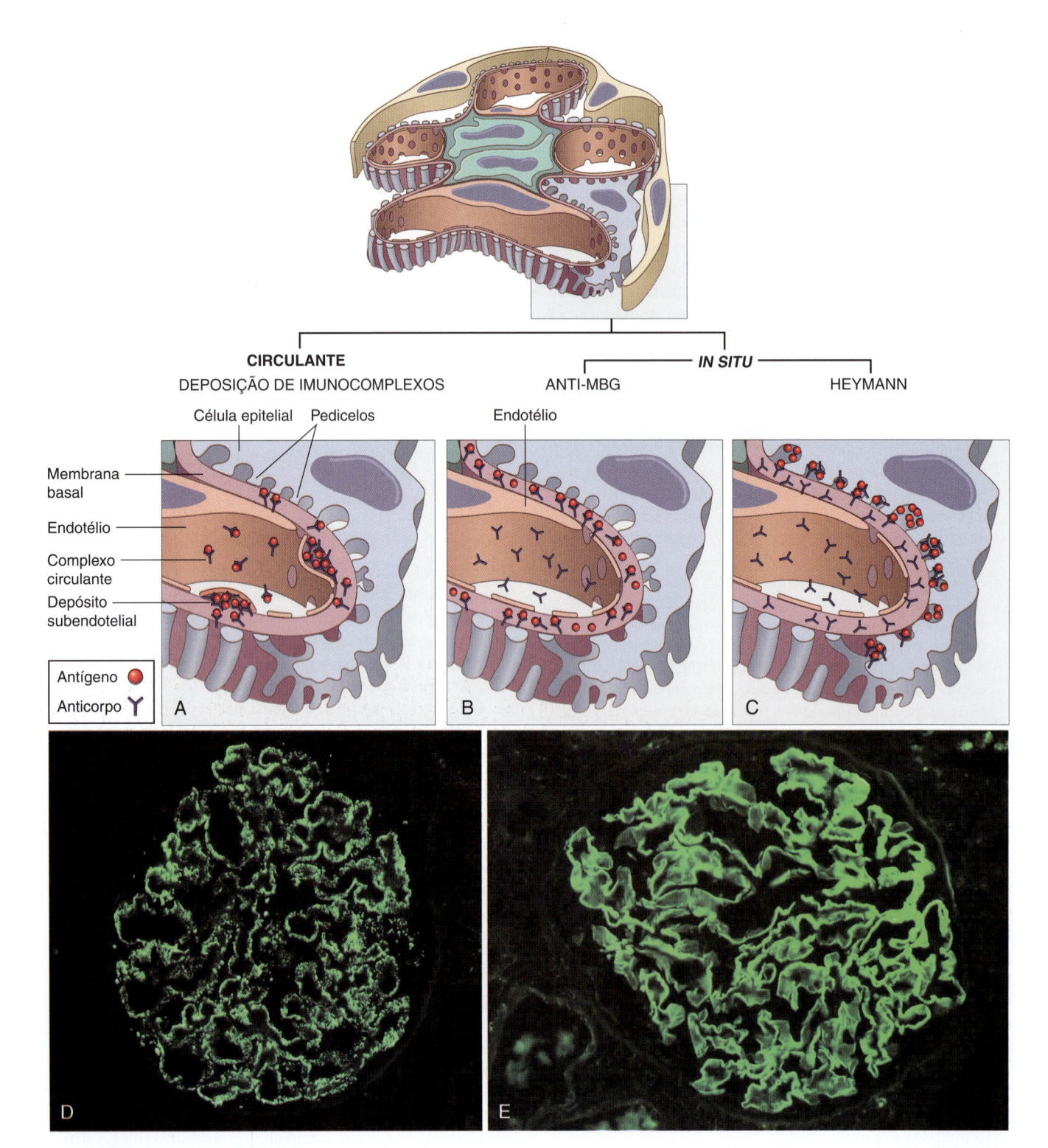

Figura 20.4 A lesão glomerular mediada por anticorpos pode resultar da deposição de imunocomplexos circulantes (**A**) ou, mais comumente, da formação *in situ* de complexos exemplificados pela doença antimembrana basal glomerular (anti-MBG) (**B**) ou pela nefrite de Heymann (**C**). **D** e **E**. Dois padrões de deposição de imunocomplexos visualizados por microscopia de imunofluorescência: granulares, característicos da nefrite por imunocomplexos circulantes e *in situ* (**D**); e lineares, característicos da doença por anti-MBG clássica (**E**). (**D**, Cortesia do Dr. J. Kowalewska, Department of Pathology, University of Washington, Seattle, Washington. **E**, De Kumar V, Abbas AK, Aster JC: *Robbins Basic Pathology*, ed. 10, Philadelphia, 2018, Elsevier.)

há formação *in situ* de grandes complexos de antígenos e anticorpos. Embora a glomerulonefrite induzida por anticorpos anti-MBG seja responsável por menos de 5% dos casos de glomerulonefrite humana, ela provoca lesão glomerular crescêntica e necrosante grave e a síndrome clínica de GNRP.

Glomerulonefrite resultante da deposição de imunocomplexos circulantes

Nesse tipo de nefrite, a lesão glomerular é causada pelo aprisionamento de complexos antígeno-anticorpo circulantes nos glomérulos. Os anticorpos não têm especificidade imunológica para os constituintes glomerulares, e os complexos se localizam dentro dos glomérulos, em virtude de suas propriedades físico-químicas e dos fatores hemodinâmicos peculiares ao glomérulo (ver **Figura 20.4A**).

Os antígenos que desencadeiam a formação de imunocomplexos circulantes podem ser de origem endógena, como na glomerulonefrite associada ao LES ou na nefropatia por IGA, **ou podem ser exógenos**, como pode ocorrer na glomerulonefrite que ocorre após determinadas infecções. Os antígenos microbianos que estão implicados nesse processo incluem produtos bacterianos (proteínas estreptocócicas), o antígeno de superfície do vírus da hepatite B, antígenos do vírus da hepatite C e antígenos do *Treponema pallidum*, do *Plasmodium falciparum* e de diversos vírus. Acredita-se, também, que alguns antígenos tumorais causem nefrite mediada por imunocomplexos. Em muitos casos, o antígeno desencadeante é desconhecido.

Mecanismos da lesão glomerular após a formação de imunocomplexos

A patogênese das doenças por imunocomplexos é discutida no **Capítulo 6**. Aqui, serão analisadas, de maneira sucinta, as principais características relacionadas com a lesão glomerular. **Qualquer que possa ser o antígeno, os complexos antígeno-anticorpo formados ou depositados nos glomérulos podem induzir uma reação inflamatória local que produz lesão.** Os anticorpos podem ativar o complemento e ocupar receptores Fc presentes nos leucócitos e, possivelmente, nas células mesangiais glomerulares ou em outras células, levando à inflamação. As lesões glomerulares podem exibir infiltração leucocitária e proliferação de células mesangiais e endoteliais.

A microscopia eletrônica revela depósitos eletrodensos, que, presumivelmente, contêm imunocomplexos e podem se localizar no mesângio, entre as células endoteliais e a MBG (depósitos subendoteliais) ou entre a superfície externa da MBG e os podócitos (depósitos subepiteliais). Os depósitos podem estar localizados em mais de um sítio em determinado caso. Na microscopia de imunofluorescência, os imunocomplexos são visualizados como depósitos granulares ao longo da membrana basal (ver **Figura 20.4D**), no mesângio ou em ambas as localizações. Uma vez depositados nos rins, os imunocomplexos finalmente podem ser degradados, em grande parte por neutrófilos e monócitos/macrófagos infiltrantes, pelas células mesangiais e por proteases endógenas, e, em seguida, a reação inflamatória pode diminuir. Esse curso ocorre quando a exposição ao antígeno desencadeante é de curta duração e limitada, como na maioria dos casos de glomerulonefrite estreptocócica. Entretanto, se houver deposição repetida de imunocomplexos por períodos prolongados, como pode ser observado no LES ou na hepatite viral, podem ocorrer muitos ciclos de lesão, levando a um tipo de glomerulonefrite membranosa ou membranoproliferativa crônica.

Diversos fatores afetam a localização glomerular dos antígenos, anticorpos ou imunocomplexos. A carga molecular e o tamanho desses reagentes são claramente importantes. Os antígenos altamente catiônicos tendem a cruzar a MBG, e os complexos resultantes acabam residindo em uma localização subepitelial. As moléculas altamente aniônicas são excluídas da MBG e são retidas na região subendotelial ou não são nefritogênicas. As moléculas de carga neutra e os imunocomplexos que contêm essas moléculas tendem a se acumular no mesângio. Em geral, os grandes complexos circulantes não são nefritogênicos, visto que eles são eliminados pelo sistema mononuclear fagocítico e não penetram na MBG em quantidades significativas. O padrão de localização também é afetado por alterações da hemodinâmica glomerular, pela função mesangial e pela integridade da barreira seletiva para cargas do glomérulo. Essas influências podem estar na base do padrão variável de deposição de reagentes imunes em várias formas de glomerulonefrite (**Figura 20.5**). Por sua vez, os padrões distintos de localização de imunocomplexos constituem um determinante-chave da resposta à lesão e das características histológicas subsequentes que se desenvolvem. Os imunocomplexos localizados em porções subendoteliais dos capilares e nas regiões mesangiais são acessíveis à circulação e têm maior tendência a serem envolvidos em processos inflamatórios que exigem a interação e a ativação dos leucócitos circulantes. As doenças nas quais os imunocomplexos são confinados às localizações subepiteliais e para as quais as membranas basais dos capilares podem representar uma barreira à interação com leucócitos circulantes, como no caso da nefropatia membranosa, normalmente apresentam uma patologia não inflamatória.

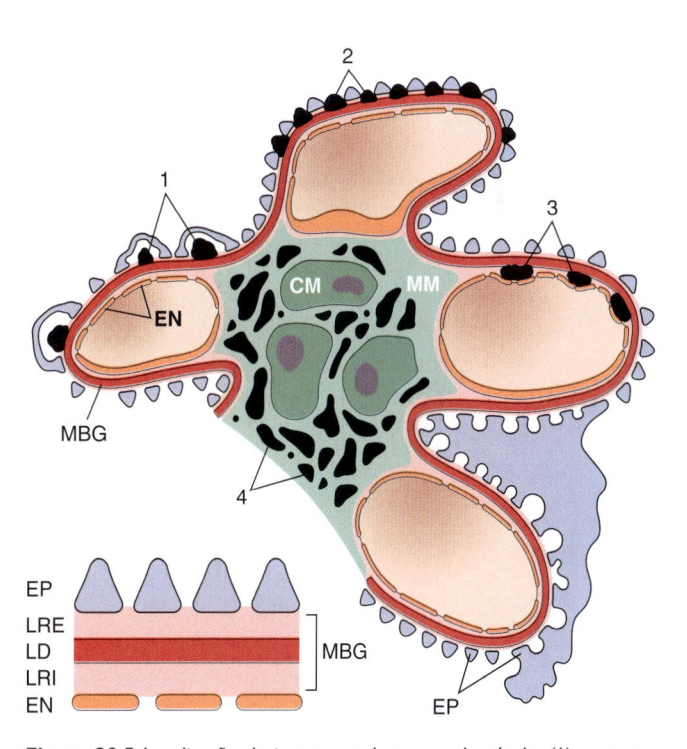

Figura 20.5 Localização de imunocomplexos no glomérulo: (1) corcovas subepiteliais, como na glomerulonefrite aguda; (2) depósitos membranosos, como na nefropatia membranosa e na nefrite de Heymann; (3) depósitos subendoteliais, como na nefrite lúpica e na glomerulonefrite membranoproliferativa; e (4) depósitos mesangiais, como na nefropatia por IgA. *CM*, célula mesangial; *EN*, endotélio; *EP*, epitélio; *LD*, lâmina densa; *LRE*, lâmina rara externa; *LRI*, lâmina rara interna; *MBG*, membrana basal glomerular; *MM*, matriz mesangial. (Modificada de Couser WG: Mediation of immune glomerular injury, *J Am Soc Nephrol* 1[1]: 13-29, 1990.)

Em suma, **a maioria dos casos de glomerulonefrite mediada por imunocomplexos é uma consequência da deposição de imunocomplexos distintos, que resultam em coloração por imunofluorescência granular ao longo das membranas basais ou no mesângio.** Todavia, pode ser difícil determinar se a deposição ocorreu *in situ*, por complexos circulantes ou por ambos os mecanismos, visto que, conforme discutido anteriormente, a retenção dos imunocomplexos circulantes pode iniciar a formação adicional de complexos *in situ*. Agentes etiológicos isolados, como os vírus das hepatites B e C, podem causar um padrão membranoso de glomerulonefrite, com deposição subepitelial *in situ* de antígenos, ou um padrão membranoproliferativo, mais indicador de deposição subendotelial de antígenos ou de deposição de complexos circulantes. Portanto, é melhor considerar que **a deposição de complexos antígeno-anticorpo no glomérulo constitui uma importante via de lesão glomerular e que as reações imunes *in situ*, o aprisionamento de complexos circulantes, as interações entre esses dois eventos e os determinantes hemodinâmicos e estruturais locais no glomérulo contribuem para as diversas alterações morfológicas e funcionais observadas nas glomerulonefrites.**

Imunidade mediada por células na glomerulonefrite

Embora os mecanismos mediados por anticorpos possam iniciar a maioria das formas de glomerulonefrite, há evidências de que as células T sensibilizadas causem lesão glomerular e estejam envolvidas na progressão de algumas glomerulonefrites. As pistas para o papel desempenhado pela imunidade celular incluem: presença de macrófagos e células T ativados e seus produtos no glomérulo em algumas formas de glomerulonefrite humana e experimental; evidências *in vitro* e *in vivo* de ativação dos linfócitos com exposição aos antígenos nas glomerulonefrites humana e experimental; eliminação da lesão glomerular por depleção dos linfócitos; e experimentos em que a lesão glomerular pode ser induzida pela transferência de células T de animais nefríticos para receptores normais. As evidências são mais convincentes para determinados tipos de glomerulonefrite crescêntica experimental, em que os anticorpos anti-MBG iniciam a lesão glomerular, e os linfócitos T ativados propagam a inflamação. Apesar desse conjunto de evidências sugestivas, ainda faltam provas de que a glomerulonefrite nos seres humanos resulta principalmente da ativação das células T.

Ativação da via alternativa do complemento

Ocorre ativação da via alternativa do complemento na entidade clínico-patológica denominada *doença por depósito denso*, designada, até recentemente, como *glomerulonefrite membranoproliferativa* (*GNMP tipo II*), e nas *glomerulopatias por C3*. Isso será discutido mais adiante, nas seções que descrevem essas doenças.

Mediadores da lesão glomerular

Após os reagentes imunes ou as células T sensibilizadas terem se localizado no glomérulo, como surgem os danos glomerulares? Os mediadores – tanto células quanto moléculas – são os suspeitos habituais envolvidos nas inflamações aguda e crônica, descritas no **Capítulo 3**, e apenas alguns são destacados aqui (**Figura 20.6**).

Células

- Os *neutrófilos* e os *monócitos* infiltram o glomérulo em certos tipos de glomerulonefrite, em grande parte como resultado da ativação do complemento, resultando na geração de agentes quimiotáticos (principalmente C5a), mas também por ativação mediada pelo receptor Fc. Os neutrófilos liberam: proteases, que causam a degradação da MBG; radicais livres derivados do oxigênio, que causam danos celulares; e metabólitos do ácido araquidônico, que contribuem para as reduções da TFG
- Os *macrófagos* e os *linfócitos T*, que infiltram os glomérulos nas reações mediadas por anticorpos e por células, quando ativados, liberam muitas moléculas biologicamente ativas
- As *plaquetas* podem se agregar nos glomérulos durante a lesão imunomediada. A liberação de eicosanoides, fatores de crescimento e outros mediadores pelas plaquetas pode contribuir

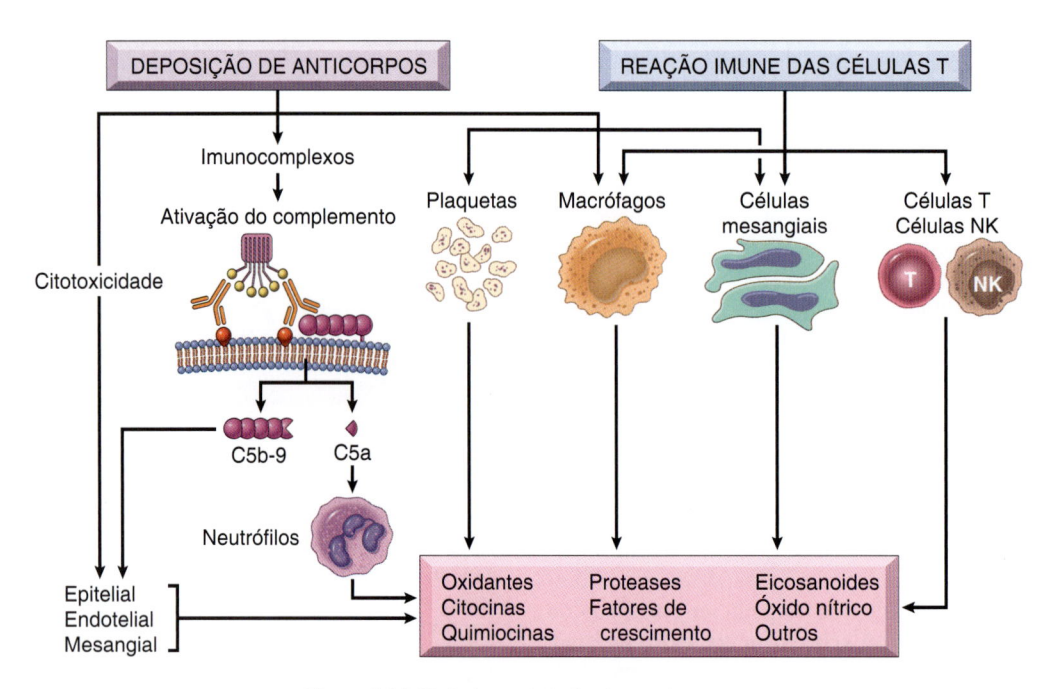

Figura 20.6 Mediadores da lesão glomerular imune.

para a lesão vascular e a proliferação de células glomerulares. Os agentes antiplaquetários têm efeitos benéficos na glomerulonefrite tanto humana quanto experimental
- As *células glomerulares residentes*, particularmente as células mesangiais, podem ser estimuladas para produzir mediadores inflamatórios, incluindo espécies reativas de oxigênio (ROS, *reactive oxygen species*), citocinas, quimiocinas, fatores de crescimento, eicosanoides, óxido nítrico e endotelina. Elas podem iniciar respostas inflamatórias nos glomérulos, mesmo na ausência de infiltração leucocitária.

Mediadores solúveis

Praticamente todos os mediadores químicos inflamatórios conhecidos (ver **Capítulo 3**) foram implicados na lesão glomerular:

- A *ativação do complemento* leva à geração de produtos quimiotáticos, que induzem o influxo de leucócitos (lesão dependente de complemento e neutrófilos) e à formação de C5b–C9, o complexo de ataque à membrana. O C5b–C9 provoca lise celular; todavia, ele também pode estimular as células mesangiais a produzirem oxidantes, proteases e outros mediadores. Por conseguinte, até mesmo na ausência de neutrófilos, o C5b–C9 pode causar proteinúria, conforme demonstrado na glomerulopatia membranosa experimental. Em algumas doenças, coletivamente denominadas *glomerulopatias C3*, há evidências de ativação do complemento que não resulta da deposição de anticorpos ou de imunocomplexos, mas, sim, da regulação defeituosa do sistema complemento. Conforme esperado, tendo-se em vista que não há participação de anticorpos, a ativação do complemento nesses distúrbios ocorre pela via alternativa. O resultado é o mesmo que o da ativação da via clássica
- Os *eicosanoides*, o *óxido nítrico*, a *angiotensina* e a *endotelina* estão envolvidos nas alterações hemodinâmicas
- As *citocinas*, em particular a IL-1 e o TNF, que podem ser produzidos por leucócitos infiltrantes e pelas células glomerulares residentes, induzem a adesão dos leucócitos e uma variedade de outros efeitos
- As *quimiocinas*, como a proteína quimioatraente de monócitos 1, promovem o influxo de monócitos e linfócitos. Os *fatores de crescimento*, como o fator de crescimento derivado das plaquetas (PDGF, *platelet-derived growth factor*), estão envolvidos na proliferação das células mesangiais. O fator transformador de crescimento-β, o fator de crescimento do tecido conjuntivo e o fator de crescimento de fibroblastos parecem ser de importância crítica na deposição de MEC e na hialinização, levando à glomeruloesclerose na lesão crônica. O fator de crescimento do endotélio vascular (VEGF, *vascular endothelial growth factor*) parece manter a integridade do endotélio e pode ajudar a regular a permeabilidade capilar
- O *sistema da coagulação* também é um mediador dos danos glomerulares. Com frequência, a fibrina está presente nos glomérulos e no espaço de Bowman na glomerulonefrite, o que indica a ativação da cascata da coagulação, e os fatores da coagulação ativados, em particular a trombina, podem constituir um estímulo para a formação de crescentes.

Lesão das células epiteliais

A lesão dos podócitos é comum a muitas formas de doenças glomerulares, tanto primárias quanto secundárias, de etiologias tanto imunes quanto não imunes. O termo *podocitopatia* tem sido aplicado a doenças com etiologias distintas, cuja manifestação principal é a lesão dos podócitos. Essa condição pode ser induzida por: anticorpos contra antígenos dos podócitos; toxinas, como em um modelo experimental de proteinúria induzida por purinomicina aminoglicosídeo; concebivelmente por determinadas citocinas; certas infecções virais, como o vírus da imunodeficiência humana (HIV, *human immunodeficiency virus*); ou por fatores circulantes que ainda não estão totalmente caracterizados, postulados na doença por lesões mínimas e na glomeruloesclerose segmentar e focal (GESF). Essa lesão reflete-se por alterações morfológicas nos podócitos, que incluem apagamento dos pedicelos, vacuolização e retração e desprendimento das células da MBG, e, do ponto de vista funcional, como proteinúria (**Figura 20.7**).

A perda dos podócitos, que têm apenas uma capacidade muito limitada de replicação e reparo, pode constituir uma característica de múltiplos tipos de lesão glomerular, incluindo a GESF

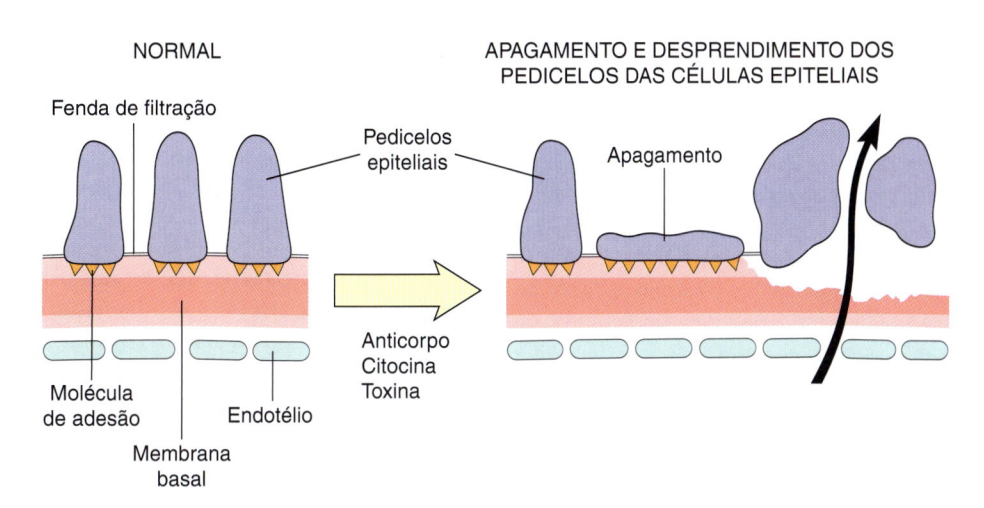

Figura 20.7 Lesão da célula epitelial. A sequência postulada é uma consequência de anticorpos específicos contra antígenos de células epiteliais, toxinas, citocinas ou outros fatores que causam lesão. Isso resulta em apagamento dos pedicelos e, às vezes, em desprendimento das células epiteliais e extravasamento de proteínas através da membrana basal glomerular defeituosa e das fendas de filtração.

e a nefropatia diabética. Normalmente, essa perda não pode ser reconhecida em espécimes patológicos, a não ser que sejam utilizadas técnicas morfométricas. Na maioria das formas de lesão glomerular, a perda dos diafragmas em fenda constitui um evento fundamental no desenvolvimento da proteinúria (ver **Figura 20.7**). As anormalidades funcionais do diafragma em fenda também podem resultar de mutações em seus componentes, como nefrina e podocina, sem danos inflamatórios efetivos ao glomérulo. Essas mutações constituem a causa de formas hereditárias raras da síndrome nefrótica.

Mecanismos de progressão nas doenças glomerulares

Até agora, foram discutidos os mecanismos imunológicos e os mediadores que *iniciam* a lesão glomerular. O resultado dessa lesão depende de diversos fatores, incluindo a gravidade dos danos renais, a natureza e a persistência dos antígenos e o estado imune, a idade e a predisposição genética do hospedeiro.

Sabe-se, há muito tempo, **que qualquer doença renal, tanto glomerular como de outro tipo, destrói os néfrons funcionais e reduz a TFG em cerca de 30 a 50% do valor normal, e a progressão para a insuficiência renal terminal prossegue em uma velocidade constante, independentemente da agressão original ou da atividade da doença subjacente.** Os fatores secundários que levam à progressão são de grande interesse clínico, visto que eles podem representar alvos da terapia para retardar ou até mesmo prevenir a jornada inexorável para a diálise ou o transplante.

As duas principais características histológicas desses danos renais progressivos são a *glomeruloesclerose* e a *fibrose tubulointersticial*.

Glomeruloesclerose

A esclerose que acomete porções de alguns glomérulos (também chamada de GESF secundária) desenvolve-se após muitos tipos de lesão renal e pode levar à proteinúria e ao comprometimento funcional crescente. A esclerose glomerular pode ser observada mesmo em casos nos quais a doença primária não era glomerular. Os mecanismos da glomeruloesclerose nesse contexto são descritos na discussão da GESF posteriormente, neste capítulo.

Lesão tubular e fibrose intersticial

A lesão tubulointersticial, manifestada por danos tubulares e inflamação intersticial, é um componente de muitas glomerulonefrites agudas e crônicas. A fibrose tubulointersticial contribui para a progressão de doenças glomerulares tanto imunes quanto não imunes, por exemplo, a nefropatia diabética. Com efeito, **existe, com frequência, uma correlação muito melhor do declínio da função renal com a extensão dos danos tubulointersticiais do que com a gravidade da lesão glomerular em si.** Muitos fatores podem levar a essa lesão tubulointersticial, incluindo isquemia de segmentos tubulares a jusante dos glomérulos escleróticos, inflamação aguda e crônica no interstício adjacente e danos ou perda do suprimento sanguíneo capilar peritubular. Parece que a proteinúria também pode causar *lesão direta e ativação das células tubulares*. Por sua vez, as células tubulares ativadas expressam moléculas de adesão e elaboram citocinas pró-inflamatórias, quimiocinas e fatores de crescimento que contribuem para a fibrose intersticial. As proteínas filtradas que podem produzir esses efeitos tubulares incluem citocinas, produtos do complemento, o ferro da hemoglobina, imunoglobulinas, componentes lipídicos e proteínas plasmáticas modificadas por oxidação.

> **Conceitos-chave**
>
> **Patogênese da lesão glomerular e progressão da doença glomerular**
>
> - A lesão mediada por anticorpos constitui um importante mecanismo de danos glomerulares, principalmente por meio das vias mediadas pelo complemento e por leucócitos. Os anticorpos também podem ser diretamente citotóxicos para as células glomerulares
> - As formas mais comuns de glomerulonefrite mediada por anticorpos são causadas pela formação de imunocomplexos, que podem envolver antígenos endógenos (p. ex., PLA$_2$R na nefropatia membranosa) ou antígenos exógenos (p. ex., microbianos). Os imunocomplexos exibem um padrão granular de deposição por imunofluorescência
> - Os autoanticorpos contra componentes da MBG constituem a causa de doença mediada por anticorpos anti-MBG, com frequência associada à lesão grave. O padrão de deposição de anticorpos por imunofluorescência é linear
> - A ativação da via alternativa do complemento é um importante mecanismo de lesão nas glomerulopatias C3, que incluem a doença por depósito denso e a glomerulonefrite C3
> - Os mediadores inflamatórios solúveis, como citocinas, quimiocinas, fatores de crescimento, eicosanoides, óxido nítrico e fatores da coagulação ativados, também contribuem para a lesão glomerular
> - A lesão das células epiteliais (podócitos) induzida por anticorpos, toxinas, citocinas, infecções e fatores circulantes pouco caracterizados é uma manifestação comum de várias formas de doenças glomerulares
> - A lesão glomerular progressiva pode resultar de lesões glomerulares primárias ou secundárias, de doenças que são limitadas aos rins ou sistêmicas e de doenças que, inicialmente, acometem outras estruturas renais, além dos glomérulos
> - A lesão progressiva resulta de um ciclo de perda de glomérulos e néfrons, de alterações compensatórias que levam a uma maior lesão glomerular e glomeruloesclerose e, por fim, DRT
> - A lesão glomerular progressiva é acompanhada de lesões crônicas de outras estruturas renais, manifestadas normalmente como fibrose tubulointersticial.

Uma vez discutidos os fatores envolvidos na iniciação e na progressão da lesão glomerular, agora serão analisadas as doenças glomerulares individuais. A **Tabela 20.5** fornece um resumo das principais características clínicas e patológicas das importantes formas de glomerulopatias primárias.

Síndrome nefrítica

As doenças glomerulares que se apresentam com síndrome nefrítica se caracterizam por inflamação nos glomérulos. As principais características clínicas da síndrome nefrítica incluem as seguintes:

- *Hematúria* (presença de eritrócitos e cilindros hemáticos na urina)
- *Proteinúria* (geralmente na faixa subnefrótica), com ou sem edema
- *Azotemia*
- *Hipertensão*.

Tabela 20.5 Resumo das principais glomerulonefrites primárias.

Doença	Apresentação clínica mais frequente	Patogênese	Patologia glomerular		
			Microscopia óptica	Microscopia de fluorescência	Microscopia eletrônica
Glomerulonefrite pós-infecciosa	Síndrome nefrítica	Mediada por imunocomplexos; antígeno circulante ou plantado	Proliferação endocapilar difusa; infiltração leucocitária	IgG granular e C3 na MBG e no mesângio; IgA granular em alguns casos	Corcovas, principalmente subepiteliais; depósitos subendoteliais nos estágios iniciais da doença
Glomerulonefrite crescêntica (rapidamente progressiva)	Síndrome nefrítica; progressão rápida	Mediada por anticorpo anti-MBG; mediada por imunocomplexos; mediada por ANCAs e desconhecida	Proliferação extracapilar com crescentes; necrose	IgG linear e C3 na GN mediada por anticorpos anti-MBG; IgG granular, outras Ig e/ou complemento na GN mediada por imunocomplexos ou sem depósitos na GN mediada por ANCAs	Sem depósitos na GN mediada por anti-MBG e ANCAs; imunocomplexos em várias localizações na GN mediada por imunocomplexos
Nefropatia membranosa	Síndrome nefrótica	Imunocomplexo in situ, antígeno PAL$_2$R na maioria dos casos de doença primária	Espessamento difuso da parede capilar	IgG granular e C3; difusa	Depósitos subepiteliais
Doença por lesões mínimas	Síndrome nefrótica	Desconhecida; perda de poliânion glomerular; lesão dos podócitos	Normal; lipídios nos túbulos	Negativa	Apagamento dos pedicelos; sem depósitos
Glomeruloesclerose segmentar e focal	Síndrome nefrótica; proteinúria não nefrótica	Desconhecida Nefropatia de ablação Fator plasmático (?); lesão dos podócitos	Esclerose segmentar e focal e hialinose	Focal; IgM + C3 em muitos casos	Apagamento dos pedicelos; desnudamento epitelial
Glomerulonefrite membranoproliferativa (GNMP) tipo I	Síndrome nefrítica/nefrótica	Imunocomplexo	Padrões proliferativo ou membranoproliferativo de proliferação; duplicação (splitting) da MBG; fragmentação	IgG ++ C3; C1q ++ C4	Depósitos subendoteliais
Doença por depósito denso (GNMP) tipo II	Hematúria Insuficiência renal crônica	Desregulação adquirida ou genética da via alternativa do complemento	Padrões mesangiais proliferativo ou membranoproliferativo de proliferação; duplicação (splitting) da MBG; fragmentação	C3; sem C1q ou C4	Depósitos densos
Nefropatia por IgA	Hematúria ou proteinúria recorrente	Desconhecida	Glomerulonefrite proliferativa mesangial focal; alargamento mesangial	IgA ± IgG, IgM e C3 no mesângio	Depósitos densos mesangiais e paramesangiais

ANCAs, anticorpos anticitoplasma de neutrófilos; MBG, membrana basal glomerular.

A síndrome nefrítica constitui a apresentação clínica típica da maioria dos tipos proliferativos de GN, como GN pós-infecciosa, GN crescêntica e GN lúpica proliferativa. As lesões que causam a síndrome nefrítica têm em comum a proliferação das células dentro dos glomérulos, frequentemente acompanhada de infiltrado leucocitário inflamatório. Essa reação inflamatória causa lesão grave das paredes dos capilares, possibilitando a passagem de sangue para a urina e induzindo alterações hemodinâmicas que levam à redução da TFG. A TFG reduzida manifesta-se clinicamente por oligúria, retenção hídrica e azotemia. A hipertensão provavelmente é um resultado da retenção de líquido e da liberação de renina pelos rins isquêmicos.

Glomerulonefrite proliferativa aguda (pós-infecciosa e associada à infecção)

Conforme o próprio nome indica, **esse grupo de doenças caracteriza-se, histologicamente, pela proliferação difusa das células glomerulares associada ao influxo (exsudação) de leucócitos, normalmente causado por imunocomplexos.** O antígeno desencadeante pode ser exógeno ou endógeno. O padrão prototípico da doença induzida por antígenos exógenos é a glomerulonefrite pós-infecciosa, ao passo que um exemplo de doença induzida por antígenos endógenos é a nefrite do LES, descrita no **Capítulo 6**. As infecções subjacentes mais comuns são estreptocócicas, porém o distúrbio também pode estar associado a outras infecções.

A frequência da GN pós-estreptocócica está diminuindo nos EUA, porém continua sendo um distúrbio bastante comum em todo o mundo. Em geral, surge 1 a 4 semanas após uma infecção estreptocócica da faringe ou da pele (impetigo). As infecções da pele estão comumente associadas a aglomerações e falta de higiene. A glomerulonefrite pós-estreptocócica ocorre com mais frequência em crianças de 6 a 10 anos, porém outras crianças e adultos de qualquer idade também podem ser afetados.

Patogênese

A GN pós-estreptocócica é causada por imunocomplexos que contêm antígenos estreptocócicos e anticorpos específicos. Apenas determinadas cepas de estreptococos beta-hemolíticos do grupo A são nefritogênicas, sendo mais de 90% dos casos atribuídos aos tipos 12, 4 e 1, que podem ser identificados por meio de tipagem da proteína M da parede celular bacteriana.

Muitas linhas de evidências sustentam uma base imunológica para a glomerulonefrite pós-estreptocócica. O período de latência entre a infecção e o início da nefrite é compatível com o tempo necessário para a produção de anticorpos e para a formação de imunocomplexos. A grande maioria dos pacientes apresenta títulos elevados de anticorpos contra um ou mais antígenos estreptocócicos. Os níveis séricos de complemento estão baixos, compatíveis com a ativação do sistema complemento e o consumo de componentes do complemento. São observados depósitos imunes granulares nos glomérulos, o que indica um mecanismo mediado por imunocomplexos.

Durante muito tempo, não foi possível identificar o componente antigênico estreptocócico responsável pela reação imune, porém a preponderância das evidências identifica a exotoxina B piogênica estreptocócica (SpeB) como o principal determinante antigênico na maioria dos casos de glomerulonefrite pós-estreptocócica, mas não em todos eles. Essa proteína pode ativar diretamente o complemento, é comumente secretada por cepas nefritogênicas de estreptococos e tem sido localizada nos depósitos do tipo "corcova" característicos dessa doença (descritos adiante). No início, os antígenos desencadeantes exógenos são plantados, a partir da circulação, em locais subendoteliais das paredes dos capilares glomerulares, levando à formação in situ de imunocomplexos, onde induzem uma resposta inflamatória. De modo subsequente, por meio de mecanismos que não estão bem compreendidos, os complexos antígeno-anticorpo dissociam-se, migram através da MBG e formam-se novamente no lado subepitelial da MBG. A deposição de imunocomplexos circulantes também pode contribuir para as lesões. Uma forma semelhante de glomerulonefrite ocorre esporadicamente em associação a outras infecções, incluindo as de origem bacteriana (p. ex., endocardite estafilocócica, pneumonia pneumocócica e meningococcemia), viral (p. ex., hepatites B e C, caxumba, infecção pelo HIV, varicela e mononucleose infecciosa) e parasitária (malária, toxoplasmose). Nesses contextos, observa-se também a presença de depósitos imunofluorescentes granulares e corcovas subepiteliais característicos da nefrite por imunocomplexos.

Morfologia

O quadro histológico clássico consiste em **glomérulos aumentados e hipercelulares (Figura 20.8B)**. A hipercelularidade é causada por: (1) infiltração de leucócitos, tanto neutrófilos quanto monócitos; (2) proliferação de células endoteliais e mesangiais; e, (3) nos casos graves, formação de crescentes. A proliferação e a infiltração de leucócitos normalmente são globais e difusas, isto é, acometem todos os lóbulos de todos os glomérulos. Além disso, ocorre edema das células endoteliais, e a combinação de proliferação, edema e infiltração de leucócitos causa a obliteração da luz capilar. Pode haver edema intersticial e inflamação, e, com frequência, os túbulos contêm cilindros hemáticos.

Na **microscopia de imunofluorescência**, são observados depósitos granulares de IgG e C3 e, às vezes, de IgM no mesângio e ao longo da MBG (**Figura 20.8D**). Embora depósitos de imunocomplexos estejam quase universalmente presentes, eles são, com frequência, focais e esparsos. Os **achados característicos na microscopia eletrônica** consistem em depósitos eletrodensos amorfos e individualizados no lado epitelial da membrana, que, com frequência, têm a aparência de "corcovas" (**Figura 20.8C**), representando, presumivelmente, os complexos de antígeno-anticorpo na superfície celular subepitelial. Também é comum observar depósitos subendoteliais, normalmente no início da evolução da doença, e pode haver depósitos mesangiais e intramembranosos.

Características clínicas

No caso típico, uma criança pequena desenvolve subitamente mal-estar, febre, náuseas, oligúria e hematúria (urina esfumaçada e de cor de refrigerante de cola) 1 a 2 semanas após a recuperação de uma faringite. Os pacientes apresentam eritrócitos dismórficos e cilindros hemáticos na urina, proteinúria leve (em geral, menos de 1 g/dia), edema periorbital e hipertensão leve a moderada. Nos adultos, o início é mais provavelmente atípico, como súbito aparecimento de hipertensão ou edema, com frequência com elevação do BUN. Em alguns indivíduos infectados, a glomerulonefrite é subclínica e é descoberta apenas no rastreamento para hematúria microscópica, realizado durante surtos epidêmicos. Os achados laboratoriais importantes incluem elevações dos títulos de anticorpos antiestreptocócicos e declínio da concentração sérica de C3 e de outros componentes da cascata do complemento.

Mais de 95% das crianças afetadas recuperam a função renal com terapia conservadora dirigida para a manutenção do equilíbrio do sódio e da água. Uma pequena minoria de crianças (talvez menos de 1%) não apresenta melhora, torna-se gravemente oligúrica e desenvolve uma forma de glomerulonefrite rapidamente progressiva (descrita adiante). Alguns dos demais pacientes podem sofrer uma progressão lenta para a glomerulonefrite crônica, com ou sem recorrência de um quadro nefrítico ativo. A proteinúria maciça prolongada e persistente e a TFG anormal marcam pacientes com prognóstico desfavorável.

Nos adultos, a doença é menos benigna. Embora o prognóstico global nas epidemias seja bom, os pacientes recuperam-se prontamente em apenas cerca de 60% dos casos esporádicos. Nos demais casos, as lesões glomerulares não apresentam resolução rápida, conforme manifestado por proteinúria persistente, hematúria e hipertensão. Em alguns desses pacientes, as lesões finalmente desaparecem, porém outros desenvolvem glomerulonefrite crônica ou até mesmo GNRP.

Glomerulonefrite crescêntica (rapidamente progressiva)

A GNRP é uma síndrome clínica associada à lesão glomerular grave, mas que não denota uma etiologia específica. Ela caracteriza-se pela perda relativamente rápida e progressiva da função

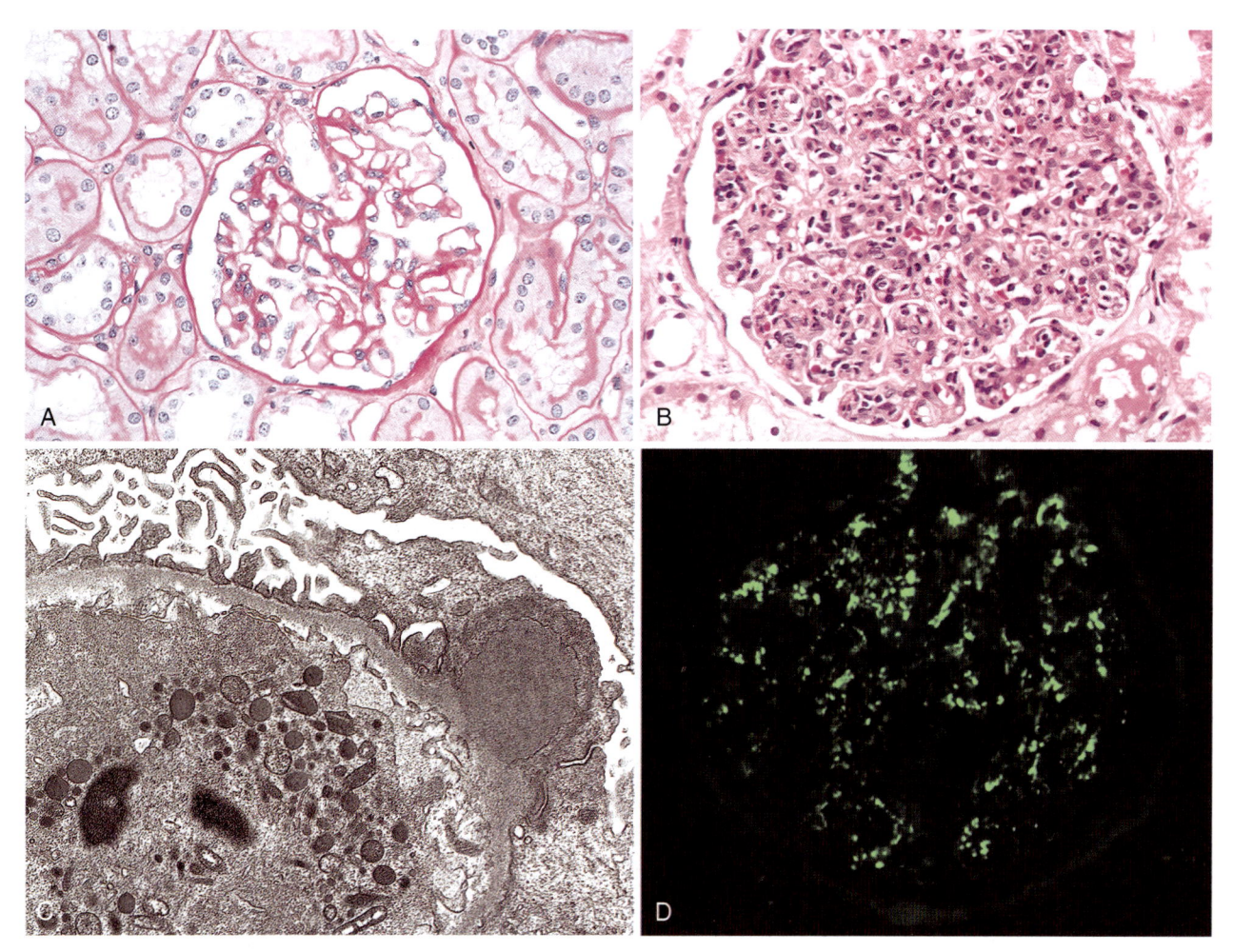

Figura 20.8 Glomerulonefrite proliferativa aguda. **A.** Glomérulo normal. **B.** A hipercelularidade glomerular é devida aos leucócitos intracapilares e à proliferação de células glomerulares intrínsecas. **C.** "Corcova" subepitelial eletrodensa típica e neutrófilo na luz. **D.** A coloração por imunofluorescência revela depósitos distintos e grosseiramente granulares de proteína C3 do complemento (a coloração para IgG foi semelhante), correspondendo às "corcovas" ilustradas na imagem **C**. (**A** a **C**, Cortesia do Dr. H. Rennke, Brigham and Women's Hospital, Boston, Mass. **D,** Cortesia de D. J. Kowalewska, Cedars-Sinai Medical Center, Los Angeles, Calif.)

renal associada à oligúria grave e a sinais de síndrome nefrítica. Se não for tratada, pode ocorrer morte por insuficiência renal em semanas a meses. *O quadro histológico mais comum consiste na presença de crescentes na maioria dos glomérulos, daí o nome glomerulonefrite crescêntica.* Conforme discutido anteriormente, esses crescentes são produzidos predominantemente pela proliferação das células epiteliais que revestem a cápsula de Bowman e pela infiltração de monócitos e macrófagos.

Patogênese

A GN crescêntica pode ser uma manifestação de diferentes doenças, algumas restritas aos rins e outras sistêmicas. Embora nenhum mecanismo isolado possa explicar todos os casos, há pouca dúvida de que, **na maioria dos casos, a lesão glomerular é imunologicamente mediada**. Uma classificação prática divide a GN crescêntica em três grupos, com base nos achados imunológicos (**Tabela 20.6**), que são descritos da seguinte maneira:

- *Doença mediada por anticorpos anti-MBG, caracterizada por depósitos lineares de IgG e, em muitos casos, C3 na MBG.* Em alguns desses pacientes, os anticorpos anti-MBG exibem reação cruzada com as membranas basais alveolares dos pulmões, produzindo o quadro clínico de hemorragia pulmonar associada à insuficiência renal (*síndrome de Goodpasture*). A plasmaférese para a remoção dos anticorpos circulantes patogênicos é geralmente parte do tratamento, que também inclui terapia para suprimir a resposta imune subjacente

O antígeno comum nos alvéolos e na MBG é um peptídeo dentro da parte não colagenosa da cadeia α_3 do colágeno tipo IV. O fator que desencadeia a formação desses autoanticorpos não está claramente definido na maioria dos pacientes. A exposição a vírus ou a solventes de hidrocarboneto (encontrados em tintas e corantes) foi implicada em alguns pacientes, assim como vários fármacos e cânceres. Existe uma alta prevalência de certos alelos HLA (p. ex., HLA-DRB1) nos pacientes afetados, um achado consistente com a predisposição genética à autoimunidade

- *Doenças causadas pela deposição de imunocomplexos, com depósitos granulares de anticorpos e complemento por imunofluorescência.* A GN crescêntica pode ser uma complicação de qualquer uma das nefrites por imunocomplexos, incluindo glomerulonefrite pós-infecciosa, nefrite lúpica, nefropatia por IgA e púrpura de Henoch-Schönlein. Em geral, esses pacientes

Tabela 20.6 Glomerulonefrites crescênticas (rapidamente progressivas).

Tipo I (anticorpo anti-MBG)
Limitada aos rins
Síndrome de Goodpasture

Tipo II (imunocomplexos)
Idiopática
Glomerulonefrite pós-infecciosa
Nefrite lúpica
Púrpura de Henoch-Schönlein
Nefropatia por IgA
Outras

Tipo III (pauci-imune)
Associada a ANCAs
Idiopática
Granulomatose com poliangiite (anteriormente granulomatose de Wegener)
Poliangiite microscópica

ANCAs, anticorpos anticitoplasma de neutrófilos; MBG, membrana basal glomerular.

não podem ser ajudados pela plasmaférese e necessitam de tratamento para a doença subjacente
- GN crescêntica pauci-imune, definida pela ausência de anticorpos anti-MBG ou de imunocomplexos detectáveis por imunofluorescência e microscopia eletrônica. A maioria dos pacientes com esse tipo de GNRP apresenta anticorpos anticitoplasma de neutrófilos (ANCAs) circulantes, que produzem um padrão de coloração citoplasmática (c-ANCAs) ou perinuclear (p-ANCAs) e são conhecidos pelo seu papel desempenhado em algumas vasculites (ver **Capítulo 11**). Esse tipo de GNRP pode ser um componente de uma vasculite sistêmica, como granulomatose com poliangiite (anteriormente denominada granulomatose de Wegener) ou poliangiite microscópica. Todavia, em muitos casos, a glomerulonefrite crescêntica pauci-imune é limitada aos rins e, portanto, idiopática. Mais de 90% dos casos idiopáticos apresentam c-ANCAs (agora denominados PR3-ANCAs, visto que os anticorpos são específicos contra a proteína dos grânulos dos neutrófilos, a proteinase-3) e p-ANCAs (agora denominados MPO-ANCAs, indicando uma reatividade com a mieloperoxidase dos neutrófilos) no soro. A presença de ANCAs circulantes tanto na glomerulonefrite crescêntica idiopática quanto em casos de glomerulonefrite crescêntica que ocorrem como componente da vasculite sistêmica e as características patológicas semelhantes em ambas as condições levaram à ideia de que esses distúrbios apresentam uma relação patogenética. De acordo com esse conceito, todos os casos de glomerulonefrite crescêntica do tipo pauci-imune são manifestações de vasculite de pequenos vasos ou poliangiite, que se limita aos capilares glomerulares e, talvez, aos capilares peritubulares nos casos de glomerulonefrite crescêntica idiopática. Os ANCAs demonstraram ser de valor inestimável como marcadores diagnósticos altamente sensíveis para a glomerulonefrite crescêntica pauci-imune, porém a prova de seu papel como causa direta dessa glomerulonefrite tem sido evasiva. Evidências recentes de seu potencial patogênico foram obtidas por meio de estudos realizados em camundongos, que mostraram que a transferência de anticorpos contra a mieloperoxidase (o antígeno-alvo da maioria dos p-ANCAs) induz uma forma de GNRP.

Resumindo, cerca de um quinto dos pacientes com GNRP apresenta glomerulonefrite mediada por anticorpos anti-MBG sem comprometimento pulmonar; um quarto tem glomerulonefrite crescêntica mediada por imunocomplexos; e o restante apresenta o tipo pauci-imune.

Morfologia

Os rins estão aumentados e pálidos, com frequência com hemorragias petequiais nas superfícies corticais. Dependendo da causa subjacente, os glomérulos normalmente exibem necrose segmentar e focal e, de modo variável, apresentam proliferação endotelial difusa ou focal e proliferação mesangial. A característica mais típica da GNRP pauci-imune consiste em necrose glomerular segmentar e **crescentes** característicos (**Figura 20.9**) adjacentes a segmentos glomerulares não afetados por alterações inflamatórias ou proliferativas. Os crescentes são formados pela proliferação de células epiteliais glomerulares e pela migração de monócitos e macrófagos no espaço urinário. Pode-se observar a presença de neutrófilos e linfócitos. Os crescentes podem obliterar o espaço urinário e comprimir o tufo glomerular. **Redes de fibrina são frequentemente proeminentes entre as camadas celulares nos crescentes**; de fato, conforme discutido, o escape de fatores pró-coagulantes, fibrina e citocinas para o espaço de Bowman pode contribuir para a formação de crescentes. Na microscopia de imunofluorescência, os casos mediados por imunocomplexos mostram depósitos imunes granulares; os casos de síndrome de Goodpasture apresentam fluorescência linear na MBG para Ig e complemento; e os casos pauci-imunes têm pouca ou nenhuma deposição de reagentes imunes. A microscopia eletrônica revela depósitos nos casos decorrentes do depósito de imunocomplexos. Independentemente do tipo, a microscopia eletrônica pode mostrar **rupturas da MBG**, uma lesão grave que permite que leucócitos, proteínas plasmáticas, como fatores da coagulação e complemento, e mediadores inflamatórios alcancem o espaço urinário, onde desencadeiam a formação de crescentes (**Figura 20.10**). Com o tempo, a maioria dos crescentes sofre organização, e ocorre a resolução de focos de necrose segmentar na forma de cicatrizes segmentares (um tipo de esclerose segmentar), porém a restauração da arquitetura glomerular normal pode ser obtida com terapia agressiva precoce.

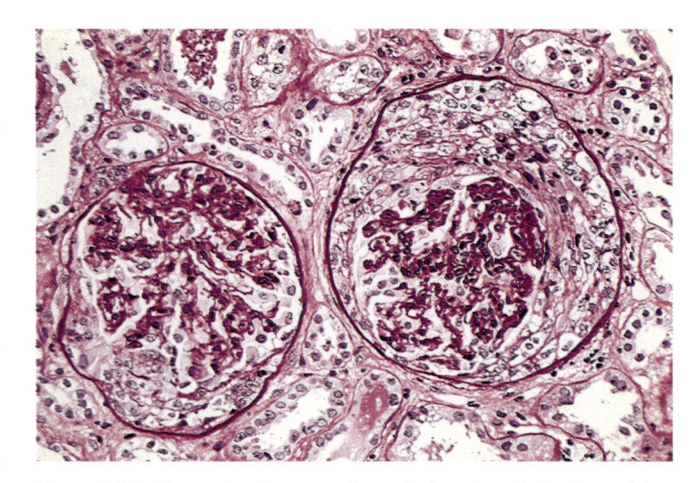

Figura 20.9 Glomerulonefrite crescêntica (coloração pelo ácido periódico de Schiff). Observe os tufos glomerulares comprimidos e a massa em forma de crescente das células epiteliais proliferantes e dos leucócitos dentro da cápsula de Bowman. (Cortesia do Dr. M. A. Venkatachalam, University of Texas Health Sciences Center, San Antonio, Tex.)

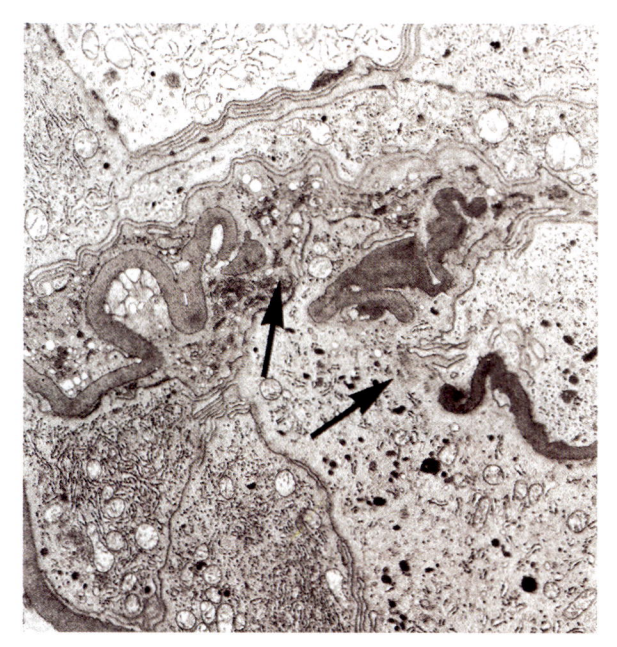

Figura 20.10 Glomerulonefrite crescêntica. Micrografia eletrônica mostrando o enrugamento característico da membrana basal glomerular, com rupturas focais (*setas*).

Características clínicas

As manifestações renais de todas as formas de glomerulonefrite crescêntica incluem hematúria com cilindros hemáticos na urina, proteinúria moderada, que, em certas ocasiões, alcança a faixa nefrótica, e hipertensão e edema variáveis. Na síndrome de Goodpasture, a evolução pode ser dominada por hemoptise recorrente ou até mesmo hemorragia pulmonar potencialmente fatal. As análises séricas para anticorpos anti-MBG, anticorpos antinucleares e ANCAs são úteis no diagnóstico dos subtipos específicos. Embora as formas mais leves de lesão glomerular possam ceder, o comprometimento renal é geralmente progressivo ao longo de várias semanas e culmina em oligúria grave. Pode ocorrer recuperação da função renal após plasmaférese (troca de plasma) intensiva precoce, combinada com esteroides e agentes citotóxicos na síndrome de Goodpasture. Essa terapia pode reverter tanto a hemorragia pulmonar quanto a insuficiência renal. Outras formas de GNRP também respondem de modo satisfatório aos esteroides e aos agentes citotóxicos. Todavia, apesar da terapia, muitos pacientes necessitam de diálise crônica ou transplante, em particular se a doença for descoberta em um estágio tardio.

> ### Conceitos-chave
> #### Síndrome nefrítica
> - A síndrome nefrítica é caracterizada por hematúria, oligúria com azotemia, proteinúria e hipertensão
> - As causas mais comuns consistem em lesão glomerular imunologicamente mediada; as lesões caracterizam-se por alterações proliferativas e infiltração de leucócitos
> - A glomerulonefrite pós-infecciosa aguda ocorre normalmente após uma infecção estreptocócica em crianças e adultos jovens, mas pode surgir após infecção por muitos outros microrganismos. Ela é causada pela deposição de imunocomplexos, principalmente nos espaços subepiteliais, com neutrófilos em quantidade

> abundante e proliferação de células glomerulares. A maioria das crianças afetadas recupera-se; o prognóstico é mais sombrio nos adultos
> - A GNRP é uma entidade clínica com características da síndrome nefrítica e rápida perda da função renal
> - A GNRP está comumente associada à lesão glomerular grave, com necrose e rupturas da MBG e proliferação subsequente de células epiteliais parietais, formando crescentes, também denominada GN crescêntica
> - A GN crescêntica pode ser mediada por anticorpos, causada por autoanticorpos contra a MBG ou resultar da deposição de imunocomplexos. Além disso, pode ocorrer na ausência de deposição significativa de anticorpos; a maioria dos pacientes com esse tipo de GNRP apresenta ANCAs circulantes.

Síndrome nefrótica

Certas doenças glomerulares cursam quase sempre com síndrome nefrótica. Além disso, muitas outras formas de glomerulopatias primárias e secundárias discutidas neste capítulo podem estar na base dessa síndrome. Antes de descrever as principais doenças associadas à síndrome nefrótica, as causas e a fisiopatologia desse complexo clínico são discutidas de maneira sucinta.

Fisiopatologia

A síndrome nefrótica é causada por uma alteração nas paredes capilares glomerulares, resultando em aumento da permeabilidade às proteínas plasmáticas. As manifestações da síndrome incluem as seguintes:

- *Proteinúria maciça*, com perda diária de 3,5 g ou mais de proteína (menos em crianças)
- *Hipoalbuminemia*, com níveis plasmáticos de albumina inferiores a 3 g/dℓ
- *Edema generalizado*
- *Hiperlipidemia e lipidúria*.

Os vários componentes da síndrome nefrótica apresentam uma relação lógica entre si. A parede capilar glomerular, com o seu endotélio, a MBG e as células epiteliais viscerais, atua como barreira de tamanho e carga através da qual passa o filtrado de plasma. O aumento da permeabilidade em consequência de alterações estruturais ou físico-químicas nessa barreira permite o escape das proteínas do plasma para o espaço urinário, resultando em proteinúria.

A proteinúria maciça provoca a depleção dos níveis séricos de albumina, que alcança uma taxa além da capacidade de síntese compensatória do fígado, resultando em hipoalbuminemia. O aumento do catabolismo renal da albumina filtrada também contribui para a hipoalbuminemia. O edema generalizado é uma consequência direta da *diminuição da pressão coloidosmótica intravascular*. Além disso, há *retenção de sódio e de água*, o que agrava o edema (ver **Capítulo 4**). Isso parece ser devido a vários fatores, incluindo: secreção compensatória de aldosterona, que é mediada pela secreção de renina intensificada pela hipovolemia; estimulação do sistema simpático; e redução da secreção de fatores natriuréticos, como os peptídeos atriais. O edema é caracteristicamente mole e com cacifo e é mais acentuado nas regiões periorbitais e nas porções pendentes do corpo. Se for grave, também pode levar a derrames pleurais e ascite.

A maior proporção da proteína perdida na urina consiste em albumina, porém as globulinas também são excretadas em algumas doenças. A razão entre as proteínas de baixo peso molecular e as de alto peso molecular na urina em vários casos de síndrome nefrótica constitui uma manifestação da seletividade da proteinúria. Uma proteinúria altamente seletiva consiste principalmente em proteínas de baixo peso molecular (albumina, 70 kD; transferrina, 76 kD de peso molecular), ao passo que uma proteinúria pouco seletiva consiste em globulinas de maior peso molecular, além da albumina.

A gênese da hiperlipidemia é complexa. A maioria dos pacientes com síndrome nefrótica apresenta níveis sanguíneos elevados de colesterol, triglicerídeos, lipoproteína de densidade muito baixa, lipoproteína de baixa densidade, lipoproteína (a) e apoproteína, e alguns pacientes apresentam uma redução da concentração de lipoproteínas de alta densidade. Esses efeitos parecem ser o resultado de uma combinação de síntese aumentada de lipoproteínas no fígado, transporte anormal de partículas lipídicas circulantes e diminuição do catabolismo dos lipídios. A lipidúria acompanha a hiperlipidemia, visto que as lipoproteínas também extravasam através da parede capilar glomerular. Os lipídios aparecem na urina como gordura livre ou como *corpos adiposos ovais*, representando as lipoproteínas reabsorvidas pelas células epiteliais tubulares e, em seguida, eliminadas com as células tubulares lesionadas que se desprenderam da membrana basal.

Os pacientes nefróticos são particularmente vulneráveis à *infecção*, em particular às infecções estafilocócicas e pneumocócicas, provavelmente devido à perda de imunoglobulinas na urina. As *complicações trombóticas e tromboembólicas* também são comuns na síndrome nefrótica, devido, em parte, à perda de anticoagulantes endógenos (p. ex., antitrombina III) na urina. A *trombose da veia renal*, que antigamente se acreditava ser a causa da síndrome nefrótica, representa, com mais frequência, uma consequência desse estado de hipercoagulabilidade, particularmente em pacientes com nefropatia membranosa (ver adiante).

Patogênese

A incidência das diversas causas da síndrome nefrótica varia de acordo com a idade e a geografia. Em indivíduos com idade inferior a 17 anos na América do Norte, por exemplo, a síndrome nefrótica é quase sempre causada por uma lesão primária nos rins. Em contrapartida, entre adultos, ela está frequentemente associada a uma doença sistêmica. A **Tabela 20.7** apresenta um resumo derivado de vários estudos das causas da síndrome nefrótica e, portanto, fornece apenas uma visão aproximada. As *causas sistêmicas* mais frequentes da síndrome nefrótica são o diabetes melito, a amiloidose e o LES. As *lesões glomerulares primárias* de maior importância são a doença por lesões mínimas, a nefropatia membranosa e a GESF. A primeira é mais comum em crianças na América do Norte, ao passo que a segunda é mais frequente em adultos idosos, e a GESF ocorre em todas as idades. Essas três lesões são discutidas individualmente nas seções seguintes. Outras causas menos comuns de síndrome nefrótica incluem as várias glomerulonefrites proliferativas, como a GNMP e a nefropatia por IgA.

Nefropatia membranosa

A nefropatia membranosa caracteriza-se pelo espessamento difuso da parede capilar glomerular, devido ao acúmulo de depósitos que contêm Ig ao longo do lado subepitelial da membrana basal. Aproximadamente 75% dos casos de nefropatia membranosa são primários. Os demais casos ocorrem em associação a outras doenças sistêmicas e apresentam agentes etiológicos identificáveis, razão pela qual são chamados de nefropatia membranosa secundária. As mais notáveis dessas associações são as seguintes:

- *Fármacos* (penicilamina, captopril, ouro, AINEs). Entre 1 e 7% dos pacientes com artrite reumatoide tratados com penicilamina ou ouro (medicamentos agora utilizados raramente para essa doença) desenvolvem nefropatia membranosa
- *Neoplasias malignas subjacentes*, particularmente carcinomas de pulmão e de cólon, e melanoma. De acordo com alguns estudos, essas neoplasias estão presentes em até 5 a 10% dos adultos com nefropatia membranosa
- *LES.* Cerca de 10 a 15% dos casos de glomerulonefrite no LES são do tipo membranoso
- *Infecções* (hepatite B crônica, hepatite C, sífilis, esquistossomose, malária)
- *Outros distúrbios autoimunes*, como a tireoidite, podem estar associados à nefropatia membranosa secundária.

Patogênese

A nefropatia membranosa é uma forma de doença crônica mediada por imunocomplexos. Na nefropatia membranosa secundária, os antígenos desencadeantes podem ser algumas vezes identificados nos imunocomplexos. Os antígenos podem ser endógenos ou exógenos. Os antígenos endógenos podem ser renais ou não renais (descritos adiante). A nefropatia membranosa no LES está associada à deposição de complexos de proteínas nucleares

Tabela 20.7 Causas da síndrome nefrótica.

Causas	Prevalência aproximada (%)[a]	
	Crianças	Adultos
Doença glomerular primária		
Nefropatia membranosa	3	30
Doença por lesões mínimas	75	8
Glomeruloesclerose segmentar e focal	10	35
Glomerulonefrite membranoproliferativa e doença de depósito denso[b]	10	10
Outras glomerulonefrites proliferativas (focal, "mesangial pura", nefropatia por IgA)[b]	2	17
Doenças sistêmicas		
Diabetes melito		
Amiloidose		
Lúpus eritematoso sistêmico		
Medicamentos e substâncias (anti-inflamatórios não esteroides [AINEs], penicilamina, heroína)		
Infecções (malária, sífilis, hepatites B e C, HIV)		
Doença maligna (carcinoma, linfoma)		
Diversas (alergia a picadas de abelha, nefrite hereditária)		

[a]Prevalência aproximada de doença primária = 95% dos casos de síndrome nefrótica em crianças, 60% em adultos. Prevalência aproximada de doença sistêmica = 5% em crianças, 40% em adultos.
[b]A glomerulonefrite membranoproliferativa e outras glomerulonefrites proliferativas podem resultar em síndromes nefróticas/nefríticas mistas.

próprias e autoanticorpos. Os antígenos exógenos incluem aqueles derivados do vírus da hepatite B e do *Treponema pallidum* em pacientes infectados por esses microrganismos.

A nefropatia membranosa primária (anteriormente denominada idiopática) é uma *doença autoimune causada, na maioria dos casos, por anticorpos contra um autoantígeno renal*. Um grande avanço recente resultou da identificação do receptor de fosfolipase A_2 (PLA_2R) do tipo M como antígeno subjacente a 60 a 70% dos casos de nefropatia membranosa humana. O autoanticorpo que se liga ao PLA_2R, uma proteína de membrana na superfície basal das células epiteliais glomerulares, é seguido de ativação do complemento e, em seguida, desprendimento dos agregados imunes da superfície celular, formando depósitos característicos de imunocomplexos ao longo da *face subepitelial* da membrana basal (ver **Figura 20.4C**). Com menos frequência, o antígeno-alvo é a trombospondina tipo 1 que contém o domínio 7A (THSD7A) ou a endopeptidase neutra (CD10), uma proteína de membrana reconhecida por anticorpos maternos transferidos por via placentária em casos de nefropatia membranosa neonatal. As lesões exibem uma notável semelhança com as da nefrite de Heymann experimental, que é induzida por anticorpos contra o complexo antigênico de megalina presente nos podócitos de ratos, o equivalente antigênico do PLA_2R humano.

Como a parede capilar glomerular se torna permeável na nefropatia membranosa? Há uma escassez de neutrófilos, monócitos ou plaquetas nos glomérulos. A presença praticamente uniforme de complemento e as pesquisas experimentais confirmatórias sugerem que o complexo de ataque à membrana C5b–C9 do complemento desempenha um importante papel. Foi postulado que o C5b–C9 ativa as células epiteliais glomerulares e mesangiais, induzindo-as a liberar proteases e oxidantes, que provocam lesão da parede capilar e aumento do extravasamento de proteínas. Uma subclasse de IgG, a IgG4, que difere de outras subclasses de IgG por ser um ativador fraco da via clássica do complemento, constitui a principal imunoglobulina depositada na maioria dos casos de nefropatia membranosa. Ainda não foi esclarecido como a IgG4 pode ativar o sistema complemento.

> ### Morfologia
>
> Na microscopia óptica, os glomérulos parecem normais nos estágios iniciais da doença ou exibem **espessamento difuso e uniforme da parede capilar glomerular (Figura 20.11A)**. Na microscopia eletrônica, constata-se que o espessamento é produzido por depósitos eletrodensos irregulares que contêm imunocomplexos entre a membrana basal e as células epiteliais sobrejacentes, com apagamento dos pedicelos podocitários (**Figura 20.11B e D**). Ocorre deposição de material da membrana basal entre esses depósitos, que aparecem como espículas irregulares que se projetam a partir da MBG. Essas espículas são mais bem observadas por colorações de prata, que coram de preto a membrana basal, mas não os depósitos. Com o tempo, essas espículas tornam-se espessas para produzir protrusões semelhantes a cúpulas e, por fim, fecham-se sobre os depósitos imunes, mergulhando-os dentro de uma membrana irregular e acentuadamente espessa. A microscopia de imunofluorescência mostra que os depósitos granulares contêm tanto imunoglobulinas quanto complemento (**Figura 20.11C**). As imunocolorações também revelam uma positividade glomerular para PLA_2R ou THSD7A na maioria dos pacientes; entretanto, uma proporção significativa de pacientes com nefropatia membranosa secundária também pode ser positiva. Com o avanço da doença, pode ocorrer esclerose segmentar; ao longo do tempo, os glomérulos podem se tornar totalmente esclerosados. As células epiteliais dos túbulos proximais contêm gotículas de reabsorção de proteína, e pode haver uma considerável inflamação intersticial de células mononucleares.

Características clínicas

Em geral, esse distúrbio começa com a síndrome nefrótica de início insidioso ou, em 15% dos pacientes, com proteinúria não nefrótica. Em 15 a 35% dos casos, ocorrem hematúria e hipertensão leve. Em qualquer paciente, é necessário excluir, inicialmente, as causas secundárias descritas anteriormente, visto que o tratamento da condição subjacente (neoplasia maligna, infecção ou LES) ou a suspensão do fármaco agressor podem reverter ou melhorar a lesão.

A evolução da doença é variável, porém geralmente indolente. Diferentemente da doença por lesões mínimas, descrita posteriormente, a proteinúria é não seletiva e geralmente não responde de modo satisfatório à terapia com corticosteroides. Podem ocorrer remissões completas ou parciais em até 40% dos pacientes, mesmo em alguns pacientes sem terapia. A progressão está associada ao aumento da esclerose glomerular, à elevação do nível sérico de creatinina, refletindo a insuficiência renal, e ao desenvolvimento de hipertensão. Apesar da persistência da proteinúria em mais de 60% dos pacientes, apenas cerca de 10% morrem ou progridem para a insuficiência renal no decorrer de 10 anos, e não mais do que 40% desenvolvem doença renal crônica grave ou DRT. A doença sofre recorrência em até 40% dos pacientes submetidos a transplante para DRT. As remissões espontâneas e um prognóstico relativamente benigno são observados mais comumente em mulheres e em pacientes com proteinúria na faixa não nefrótica.

Devido à evolução variável da doença, tem sido difícil avaliar a efetividade global dos corticosteroides ou de outra terapia imunossupressora no controle da proteinúria ou da progressão. Acredita-se que os anticorpos circulantes contra PLA_2R e THSD7A possam ser biomarcadores úteis da atividade da doença, ajudando, assim, no estabelecimento do diagnóstico e no tratamento da nefropatia membranosa.

Doença por lesões mínimas

Esse distúrbio relativamente benigno caracteriza-se pelo apagamento difuso dos pedicelos das células epiteliais viscerais (podócitos), detectável apenas por microscopia eletrônica, nos glomérulos que exibem aparência normal na microscopia óptica. Trata-se da causa mais frequente de síndrome nefrótica em crianças, embora seja menos comum em adultos (ver **Tabela 20.7**). O pico de incidência é entre 2 e 6 anos. Às vezes, a doença ocorre após uma infecção respiratória ou imunização profilática de rotina.

Patogênese

Embora a ausência de depósitos imunes no glomérulo exclua a possibilidade de lesão mediada por imunocomplexos, várias características da doença apontam para uma base imunológica, incluindo: (1) a associação clínica a infecções respiratórias e imunizações profiláticas; (2) a resposta aos corticosteroides e/ou a outra terapia imunossupressora; (3) a associação a outros distúrbios atópicos (p. ex., eczema, rinite); (4) a prevalência aumentada

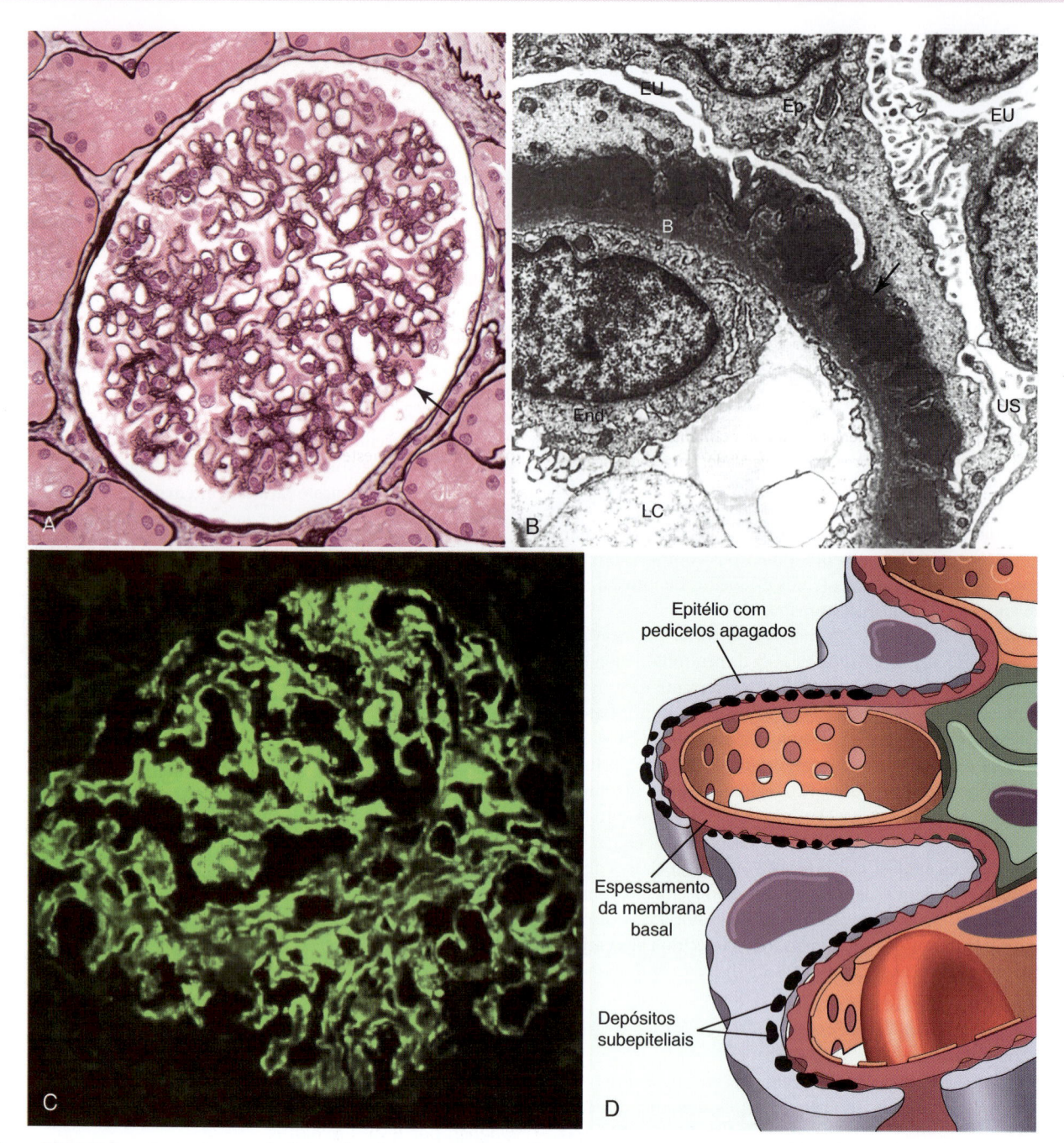

Figura 20.11 Nefropatia membranosa. **A.** Coloração pela prata metenamina. Observe o acentuado espessamento difuso das paredes capilares, sem aumento do número de células. São observadas "espículas" proeminentes de matriz impregnada pela prata (*seta*), que se projetam a partir da lâmina densa da membrana basal para o espaço urinário, que separa e circunda os imunocomplexos depositados que carecem de afinidade pela prata. **B.** Micrografia eletrônica mostrando depósitos eletrodensos (*seta*) ao longo do lado epitelial da membrana basal (**B**). Observe o apagamento dos pedicelos que recobrem os depósitos. **C.** Depósitos imunofluorescentes granulares característicos de IgG ao longo da membrana basal glomerular. **D.** Representação diagramática da nefropatia membranosa. *End*, endotélio; *Ep*, epitélio; *EU*, espaço urinário; *LC*, luz capilar. (**A,** Cortesia do Dr. Charles Lassman, UCLA School of Medicine, Los Angeles, Calif.)

de certos haplótipos HLA em casos associadas à atopia (sugerindo uma predisposição genética); e (5) a incidência aumentada de doença por lesões mínimas em pacientes com doença de Hodgkin, nos quais os defeitos da imunidade mediada por células T são bem reconhecidos.

A principal hipótese atual sustenta que a doença por lesões mínimas envolve alguma disfunção imune, resultando na produção de fatores que provocam danos às células epiteliais viscerais e causam proteinúria. Foram identificados fatores patogênicos prováveis, como a proteína similar à angiopoietina 4 (*angiopoietin-like-4*) em modelos animais, porém nenhum desses fatores demonstrou ser a causa da doença humana. As alterações ultraestruturais apontam para uma *lesão primária das células epiteliais viscerais* (podocitopatia), e os estudos realizados em modelos animais sugerem a perda de poliânions glomerulares. Por conseguinte, a ocorrência de defeitos na barreira de cargas pode contribuir para a proteinúria. A verdadeira via pela qual as proteínas atravessam a barreira de células epiteliais da parede capilar continua sendo um enigma. As possibilidades incluem a passagem transcelular através das células epiteliais, a passagem por espaços residuais existentes entre os pedicelos remanescentes, porém danificados, a passagem através de espaços anormais que se formam sob a porção do pedicelo que está em contato direto com a membrana basal ou o extravasamento através de focos onde as células epiteliais se desprenderam da membrana basal.

Morfologia

Os glomérulos são normais na microscopia óptica (**Figura 21.12A**). Na microscopia eletrônica, a MBG tem aparência normal, e não há depósito de nenhum material eletrodenso. **A principal lesão é observada nas células epiteliais viscerais, que apresentam apagamento uniforme e difuso dos pedicelos**, que estão reduzidos a uma borda de citoplasma, com perda dos diafragmas em fenda intercalados reconhecíveis (**Figura 20.12B**). Essa alteração, que, com frequência, é incorretamente denominada "fusão" dos pedicelos, representa, na verdade, uma simplificação da arquitetura das células epiteliais com achatamento, retração e tumefação dos pedicelos. O apagamento dos pedicelos também é observado em outros estados de proteinúria (p. ex., glomerulopatia membranosa, nefropatia diabética); somente quando o apagamento está associado a glomérulos normais na microscopia óptica é que é possível estabelecer o diagnóstico de doença por lesões mínimas. As alterações das células epiteliais viscerais são totalmente reversíveis após a terapia com corticosteroides, concomitantemente com a remissão da proteinúria. As células dos túbulos proximais estão, com frequência, carregadas de lipídios e proteínas, refletindo a reabsorção tubular de lipoproteínas que passam através dos glomérulos doentes (o que explica o nome histórico **nefrose lipoide** para essa doença). Os estudos por imunofluorescência não mostram a presença de depósitos de Ig ou de complemento.

Características clínicas

Apesar da proteinúria maciça, a função renal permanece boa, e normalmente não há hipertensão nem hematúria. Em geral, a proteinúria é altamente seletiva, sendo a maior parte da proteína constituída pela albumina. **Um aspecto característico é a sua resposta comumente dramática à terapia com corticosteroides.** A maioria das crianças (> 90%) com doença por lesões mínimas responde rapidamente a esse tratamento. Entretanto, caso haja recorrência da proteinúria em uma proporção significativa de pacientes, alguns deles podem se tornar dependentes de esteroides ou resistentes a esses fármacos. Todavia, o prognóstico a longo prazo é excelente, e até mesmo a doença dependente de esteroides normalmente regride quando as crianças alcançam a puberdade. Embora os adultos sejam mais lentos para responder, o seu prognóstico a longo prazo também é excelente.

Conforme assinalado, a doença por lesões mínimas em adultos pode estar associada ao linfoma de Hodgkin e, com menos frequência, a outros linfomas e leucemias. Além disso, a doença por lesões mínimas secundária pode ocorrer após a terapia com AINEs, geralmente em associação à nefrite intersticial aguda, que é descrita posteriormente neste capítulo.

Glomeruloesclerose segmentar e focal

A GESF primária constitui a causa mais comum da síndrome nefrótica em adultos nos EUA. Às vezes, ela é considerada um distúrbio primário de podócitos, à semelhança da doença por lesões mínimas. Como o próprio nome sugere, essa lesão é caracterizada pela esclerose de alguns glomérulos, mas nem todos (por conseguinte, ela é focal); nos glomérulos afetados, apenas parte do tufo capilar está comprometida (por conseguinte, é segmentar). Com frequência, a GESF manifesta-se clinicamente pelo início agudo ou subagudo de síndrome nefrótica ou proteinúria não nefrótica. É comum a presença de hipertensão, hematúria microscópica e certo grau de azotemia quando a doença é clinicamente reconhecida pela primeira vez.

Classificação e tipos

A GESF ocorre nas seguintes condições:

- Como doença primária (GESF idiopática)
- Em associação a outras condições conhecidas, como infecção pelo HIV (nefropatia associada ao HIV), dependência de heroína (nefropatia por heroína), doença falciforme e obesidade mórbida

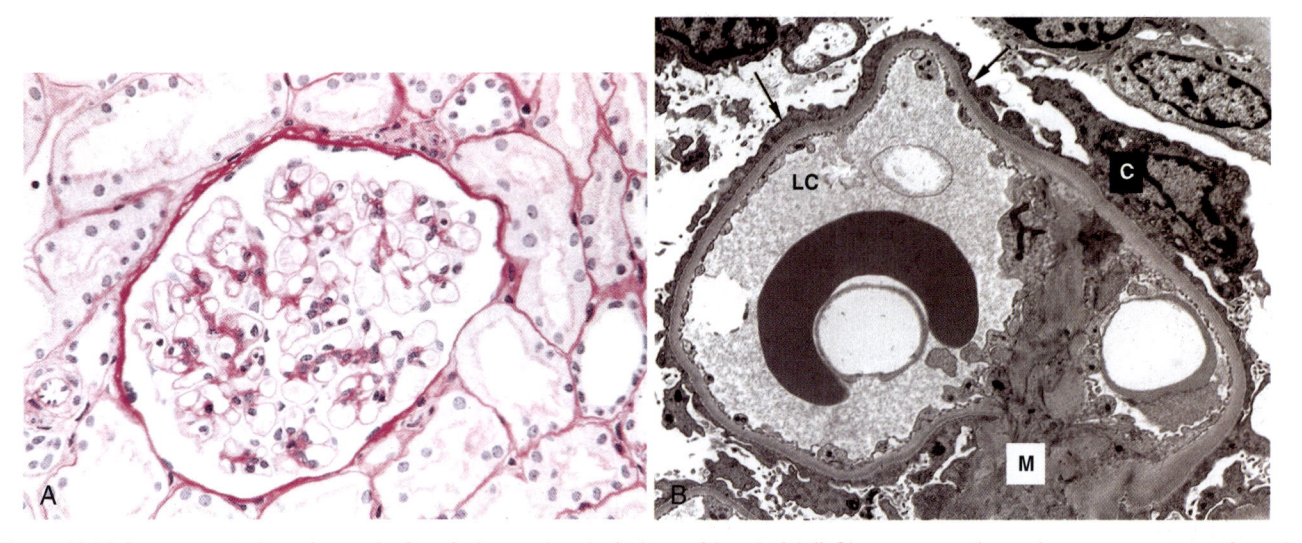

Figura 20.12 Doença por lesões mínimas. **A.** Glomérulo corado pelo ácido periódico de Schiff. Observe as membranas basais normais e a ausência de proliferação. **B.** As características ultraestruturais da doença por lesões mínimas incluem apagamento dos pedicelos (*setas*) e ausência de depósitos. *C*, corpo celular do podócito; *LC*, luz capilar; *M*, mesângio.

- Como evento secundário, refletindo a cicatrização de lesões necrosantes previamente ativas, em casos de glomerulonefrite focal (p. ex., nefropatia por IgA)
- Como componente da resposta adaptativa à perda de tecido renal (ablação renal, descrita anteriormente), devido a anomalias congênitas (p. ex., agenesia renal unilateral ou displasia renal) ou a causas adquiridas (p. ex., nefropatia de refluxo), ou em estágios avançados de outros distúrbios renais, como nefropatia hipertensiva
- Em formas hereditárias incomuns de síndrome nefrótica, em que a doença pode ser causada por mutações em genes que codificam proteínas localizadas no diafragma em fenda, por exemplo, podocina, α-actinina 4 e TRPC6 (canal de cálcio potencial de receptor transitório 6).

A *GESF idiopática* é responsável por 10 e 35% dos casos de síndrome nefrótica em crianças e adultos, respectivamente. A GESF (tanto a forma primária quanto a secundária) teve um aumento na sua incidência e, agora, constitui a causa mais comum de síndrome nefrótica em adultos nos EUA, particularmente em pacientes hispânicos e afro-americanos. Os sinais clínicos diferem daqueles da doença por lesões mínimas nos seguintes aspectos: (1) há uma maior incidência de hematúria, redução da TFG e hipertensão; (2) a proteinúria é, com mais frequência, não seletiva; (3) há uma resposta precária à terapia com corticosteroides; (4) ocorre progressão para a doença renal crônica, e pelo menos 50% dos casos desenvolvem DRT nos primeiros 10 anos.

Patogênese

A degeneração característica e a ruptura focal das células epiteliais viscerais, com apagamento dos pedicelos, assemelham-se à alteração difusa das células epiteliais típica da doença por lesões mínimas e de outras podocitopatias. *Esses danos epiteliais constituem a característica ultraestrutural fundamental da GESF*. Diversos mecanismos diferentes podem causar esses danos epiteliais, incluindo fatores circulantes e defeitos geneticamente determinados que afetam componentes do complexo do diafragma em fenda. A hialinose e a esclerose originam-se do aprisionamento das proteínas plasmáticas em focos extremamente hiperpermeáveis e do aumento da deposição de MEC. A recorrência da proteinúria após o transplante, às vezes nas primeiras 24 horas, com progressão subsequente para lesões manifestas de GESF, sugere que um fator circulante desconhecido seja a causa dos danos epiteliais em alguns pacientes.

A descoberta de uma base genética em alguns casos de GESF e de outras causas da síndrome nefrótica melhorou a compreensão da patogênese da proteinúria na síndrome nefrótica e forneceu novos métodos para o diagnóstico e o prognóstico. As formas hereditárias de GESF podem estar associadas às seguintes características:

- O primeiro gene relevante a ser identificado, o *NPHS1*, é mapeado no cromossomo 19q13 e codifica a proteína *nefrina*. A nefrina é um componente essencial do diafragma em fenda (ver **Figura 20.3**), a estrutura que controla a permeabilidade glomerular. Foram identificadas diversas mutações do gene *NPHS* que dão origem à *síndrome nefrótica congênita* do tipo finlandês, produzindo uma glomerulopatia semelhante à doença por lesões mínimas, com extenso apagamento dos pedicelos
- Um padrão distinto de GESF autossômica recessiva resulta de mutações no gene *NPHS2*, que está mapeado no cromossomo 1q25–q31 e codifica o produto proteico *podocina*. Esta também foi localizada no diafragma em fenda. As mutações no *NPHS2* resultam em uma síndrome nefrótica de início na infância e resistente a esteroides
- Mutações no gene que codifica a proteína de ligação da actina dos podócitos, a α-actinina 4, estão na base de alguns casos de GESF autossômica dominante, que pode ser de início insidioso, mas apresenta uma elevada taxa de progressão para a insuficiência renal
- Foram encontradas mutações no gene que codifica TRPC6 em algumas famílias com GESF de início na vida adulta. Essa proteína é amplamente expressa, inclusive nos podócitos, e as mutações patogênicas podem perturbar a função dos podócitos ao aumentarem o fluxo de cálcio nessas células.

Essas proteínas têm em comum a sua localização no diafragma em fenda e nas estruturas citoesqueléticas podocitárias adjacentes. As suas funções e interações específicas não estão totalmente elucidadas, porém é evidente que a integridade de cada uma delas é necessária para manter a barreira de filtração glomerular normal. Recentemente, duas variantes de sequências (alelos de risco G1/G2) no gene da apolipoproteína L1 (*APOL1*) no cromossomo 22 foram fortemente associadas ao aumento do risco de GESF e de insuficiência renal em indivíduos de ascendência africana, embora os mecanismos subjacentes a essa associação ainda não sejam conhecidos. Essas variantes de sequências são particularmente notáveis, visto que as pressões seletivas para a sua conservação em indivíduos de ascendência africana resultam da resistência à infecção por tripanossomas conferida por esses polimorfismos.

A *GESF por ablação renal*, uma forma secundária de GESF, ocorre como complicação de doenças glomerulares e não glomerulares que causam redução do tecido renal funcional. A nefropatia de refluxo e a agenesia unilateral fornecem exemplos particularmente notáveis dessa ocorrência. Essas duas condições podem levar à glomeruloesclerose progressiva e à insuficiência renal. A glomeruloesclerose parece ser iniciada pela mudança adaptativa que ocorre nos glomérulos relativamente não afetados dos rins doentes. Esse mecanismo é sugerido por experimentos realizados em ratos submetidos à nefrectomia subtotal. Nesses animais, a *hipertrofia compensatória* dos glomérulos remanescentes mantém inicialmente a função renal, porém rapidamente ocorre o desenvolvimento de proteinúria e glomeruloesclerose segmentar, levando, por fim, à esclerose glomerular total e à uremia. A hipertrofia glomerular está associada a *alterações hemodinâmicas*, incluindo aumento do fluxo sanguíneo glomerular, da filtração e da pressão transcapilar (hipertensão glomerular), e, com frequência, à hipertensão sistêmica.

A sequência de eventos (**Figura 20.13**) que se acredita que possa levar à esclerose nessa condição está vinculada: à lesão das células endoteliais e epiteliais viscerais; à perda das células epiteliais viscerais, fazendo segmentos da MBG ficarem desprovidos de pedicelos sobrejacentes, com consequente aumento da permeabilidade glomerular às proteínas; e ao acúmulo de proteínas na matriz mesangial. Esse processo é seguido de proliferação das células mesangiais, infiltração por macrófagos, aumento do acúmulo de matriz extracelular (MEC) e esclerose segmentar e, por fim, global dos glomérulos. Com a redução crescente da massa de néfrons e as alterações compensatórias continuadas, um círculo vicioso de glomeruloesclerose contínua é estabelecido. A maioria dos mediadores da inflamação crônica e da fibrose, particularmente o fator transformador de crescimento-β, desempenha um papel

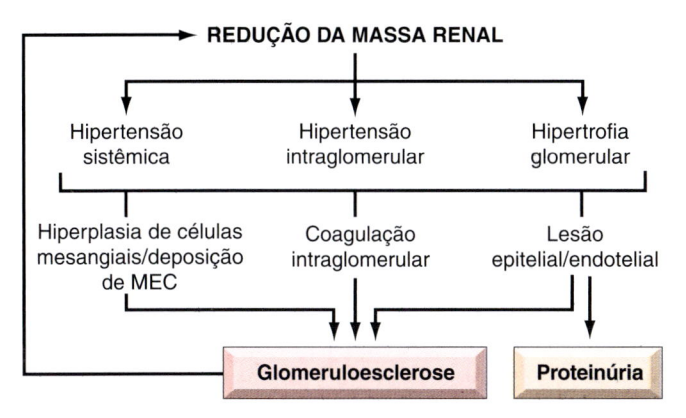

Figura 20.13 Glomeruloesclerose segmentar e focal associada à perda de massa renal. As mudanças adaptativas nos glomérulos (hipertrofia e hipertensão capilar glomerular), bem como a hipertensão sistêmica, causam lesão epitelial e endotelial, com consequente proteinúria. A resposta mesangial, que envolve a proliferação de células mesangiais e a produção de matriz extracelular, bem como coagulação intraglomerular, provoca glomeruloesclerose. Isso resulta em maior perda de néfrons funcionantes e em um círculo vicioso de glomeruloesclerose progressiva.

ocluir a luz capilar. Com frequência, observa-se a presença de gotículas lipídicas e células espumosas (**Figura 20.14B**). Os glomérulos que não apresentam lesões segmentares normalmente permanecem normais na microscopia óptica, mas podem exibir um aumento da matriz mesangial. Na microscopia eletrônica, as áreas tanto escleróticas quanto não escleróticas mostram **apagamento difuso dos pedicelos**, e pode haver desprendimento focal das células epiteliais e desnudamento da MBG subjacente. Na microscopia de imunofluorescência, pode-se observar a presença de IgM e C3 nas áreas escleróticas e/ou no mesângio. Além da esclerose focal, podem ocorrer hialinose pronunciada e espessamento das arteríolas aferentes. Com a progressão da doença, um número aumentado de glomérulos torna-se afetado, e a esclerose espalha-se dentro de cada glomérulo. Com o tempo, isso leva à esclerose total (i. e., global) dos glomérulos, com atrofia tubular pronunciada e fibrose intersticial.

Uma variante morfológica da GESF, denominada **glomerulopatia colapsante**, caracteriza-se por retração e/ou colapso de todo o tufo glomerular, com ou sem lesões adicionais da GESF do tipo anteriormente descrito (**Figura 20.15**). Um aspecto característico é a proliferação e a hipertrofia das células epiteliais viscerais dos glomérulos. A glomerulopatia colapsante pode ser idiopática, mas também tem sido associada a alguma toxicidade por fármacos (p. ex., pamidronato) e constitui a lesão mais característica da nefropatia associada ao HIV. Normalmente, a glomerulopatia colapsante está associada à lesão tubular proeminente, com formação de microcistos e inflamação intersticial proeminente. O seu prognóstico é particularmente sombrio.

no desenvolvimento da esclerose. Atualmente, as intervenções mais bem-sucedidas para interromper esses mecanismos de glomeruloesclerose progressiva envolvem o tratamento com inibidores do sistema renina-angiotensina, que não apenas reduzem a hipertensão intraglomerular, mas também têm efeitos diretos em cada um dos mecanismos identificados anteriormente. É importante ressaltar que esses agentes demonstraram melhorar a progressão da esclerose em estudos tanto em animais quanto em seres humanos.

Características clínicas

Observa-se uma pequena tendência à remissão espontânea na GESF idiopática, e as respostas à terapia com corticosteroides são variáveis; as crianças apresentam um prognóstico melhor do que os adultos. Ocorre progressão para a insuficiência renal em taxas variáveis. Cerca de 20% dos pacientes seguem uma evolução rápida incomum, com proteinúria maciça intratável, que termina em insuficiência renal nos primeiros 2 anos. Os fatores associados à rápida progressão incluem o grau de proteinúria, o grau de insuficiência renal por ocasião do diagnóstico e o subtipo histológico (a variante colapsante apresenta uma evolução desfavorável;

Morfologia

Na microscopia óptica, as **lesões focais e segmentares podem acometer apenas uma minoria dos glomérulos** e passar despercebidas se a amostra de biopsia apresentar um número insuficiente de glomérulos (**Figura 20.14A**). Nos segmentos escleróticos, há colapso de alças capilares, aumento da matriz e deposição segmentar de proteínas plasmáticas ao longo da parede capilar (hialinose), que pode se tornar pronunciada a ponto de

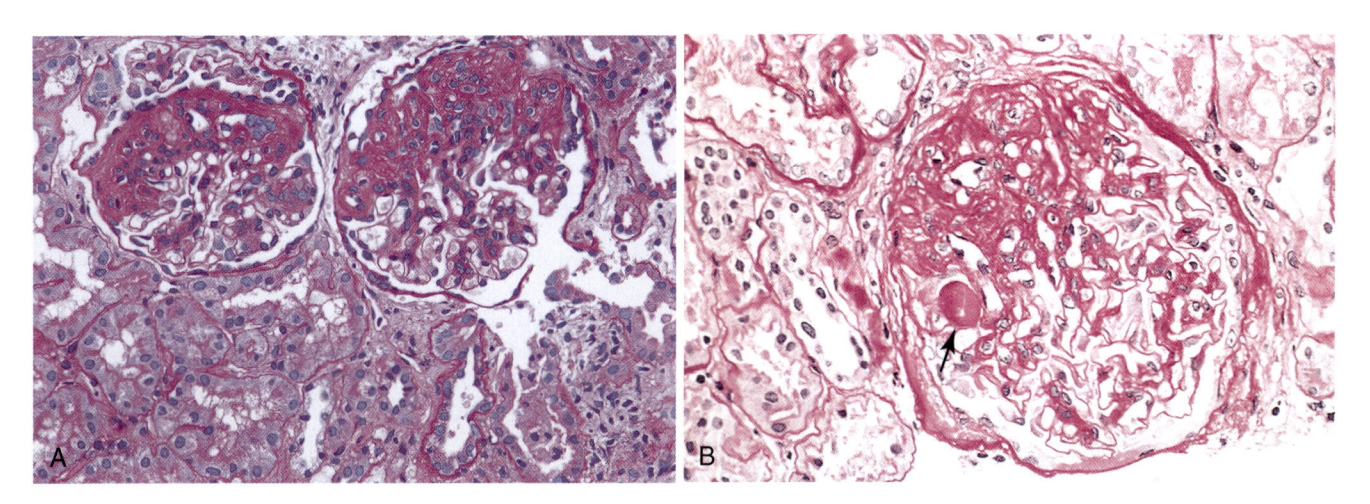

Figura 20.14 Glomeruloesclerose segmentar e focal, com coloração pelo ácido periódico de Schiff. **A.** A esclerose segmentar acomete a metade superior de ambos os glomérulos. **B.** Vista em grande aumento mostrando a insudação hialina (seta) e lipídios (pequenos vacúolos) na área esclerótica.

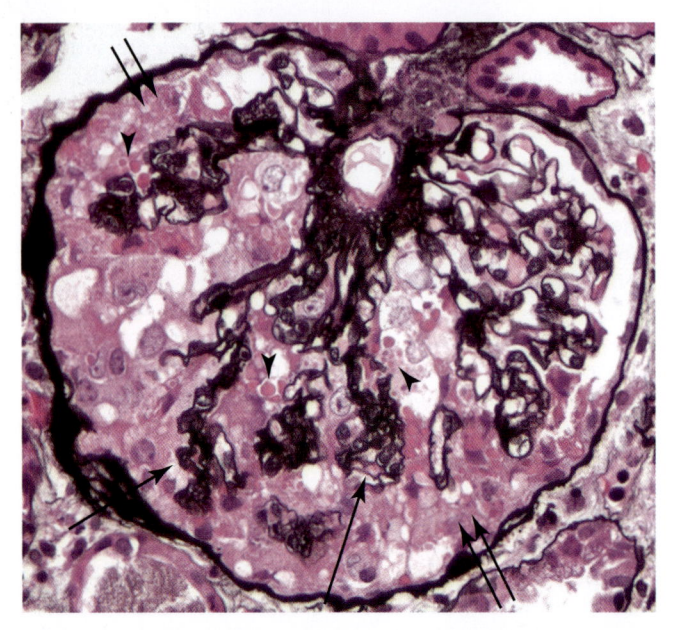

Figura 20.15 Glomerulopatia colapsante. São visíveis a retração do tufo glomerular (*setas*), o estreitamento da luz capilar, a proliferação e o edema das células epiteliais viscerais (*setas duplas*) e o acúmulo proeminente de gotículas de absorção de proteínas intracelulares nas células epiteliais viscerais (*cabeças de setas*). Coloração pela prata metenamina. (Cortesia do Dr. Jolanta Kowalewska, Cedars-Sinai Medical Center, Los Angeles, Calif.)

a variante de ponta [*tip*] apresenta um prognóstico relativamente bom). Aproximadamente 25 a 50% dos pacientes que recebem aloenxerto sofrem recorrência.

Nefropatia associada ao HIV

A infecção pelo HIV pode causar, direta ou indiretamente, diversas complicações renais, incluindo insuficiência renal aguda ou nefrite intersticial aguda induzida por medicamentos ou infecção, microangiopatias trombóticas, glomerulonefrite pós-infecciosa e, mais comumente, uma forma grave da variante colapsante da GESF, denominada *nefropatia associada ao HIV*. Esta última foi relatada em 5 a 10% dos indivíduos infectados pelo HIV em algumas séries mais antigas, com mais frequência em negros do que em brancos. Com o advento da terapia antirretroviral para a infecção pelo HIV, a incidência dessa lesão diminuiu acentuadamente. As características morfológicas da nefropatia associada ao HIV são as seguintes:

- Alta frequência da variante colapsante da GESF (ver **Figura 20.15**)
- Dilatação cística focal acentuada de segmentos tubulares, que estão repletos de material proteináceo, inflamação e fibrose
- Presença de muitas inclusões tubulorreticulares dentro das células endoteliais, detectadas por microscopia eletrônica. Foi demonstrado que essas inclusões, também presentes no LES, constituem modificações do retículo endoplasmático induzidas pela interferona-α circulante. Em geral, essas inclusões não são observadas na GESF idiopática e, portanto, podem ter valor diagnóstico em amostras de biopsia.

A patogênese da GESF associada ao HIV não está bem definida, porém pode ser principalmente devida à presença dos alelos de risco G1/G2 para *APOL1*. Há alguns dados que sugerem que o HIV pode infectar as células epiteliais tubulares e os podócitos, porém muito outros aspectos precisam ser mais bem conhecidos.

Glomerulonefrite membranoproliferativa

A GNMP é mais bem considerada como um padrão de lesão imunomediada do que uma doença específica. Um consenso emergente sobre a classificação divide a GNMP em dois grupos: o primeiro (tipo I) é caracterizado pela deposição de imunocomplexos que contêm IgG e complemento; já no segundo (tipo II, agora denominado *doença de depósito denso*), a ativação do complemento parece constituir o fator mais importante. Esse último pertence a um grupo de distúrbios denominados *glomerulopatias C3*. Os critérios para definir esse grupo ainda estão evoluindo.

Do ponto de vista histológico, a GNMP caracteriza-se por alterações na MBG, acúmulo de matriz mesangial, proliferação de células glomerulares, infiltração de leucócitos e presença de depósitos nas regiões mesangiais e nas paredes dos capilares glomerulares. Conforme descrito mais adiante, esses depósitos são formados por imunocomplexos na GNMP tipo I e por algum material desconhecido na GNMP tipo II. No tipo II, o C3 está presente na MBG, mas não nos depósitos densos. Essa diferença é importante e sugere que, embora sejam morfologicamente semelhantes, as GNMP dos tipos I e II são distintas quanto à sua patogênese. Em ambos os tipos, como a proliferação ocorre predominantemente no mesângio, mas também pode acometer as alças capilares, um sinônimo mais antigo é *glomerulonefrite mesangiocapilar*.

A GNMP é responsável por até 10% dos casos de síndrome nefrótica em crianças e adultos jovens. Alguns pacientes apresentam apenas hematúria ou proteinúria na faixa não nefrótica, porém muitos outros têm um quadro nefrótico-nefrítico combinado. A GNMP está sendo cada vez mais reconhecida como associada a outros distúrbios sistêmicos e agentes etiológicos conhecidos (GNMP secundária), porém ainda existe um número residual de casos de etiologia desconhecida (GNMP primária).

Patogênese

Na maioria dos casos de GNMP tipo I, há evidências de imunocomplexos no glomérulo e ativação das vias tanto clássica quanto alternativa do complemento. Os antígenos envolvidos na GNMP idiopática são desconhecidos. Em muitos casos, acredita-se que sejam proteínas derivadas de agentes infecciosos, como os vírus das hepatites C e B, que presumivelmente se comportam como antígenos "plantados" após a sua primeira ligação, ficam retidos dentro de estruturas glomerulares ou são contidos em imunocomplexos pré-formados e depositados a partir da circulação.

Morfologia

Os glomérulos são grandes e hipercelulares. A hipercelularidade é produzida pela proliferação de células no mesângio e pela denominada proliferação endocapilar envolvendo o endotélio capilar e os leucócitos infiltrativos. Os glomérulos apresentam uma acentuada aparência "lobular", devido à **proliferação das células mesangiais e ao aumento da matriz mesangial** (**Figura 20.16**). Ocorre espessamento da MBG, que, com frequência, exibe um **"duplo contorno"** ou **aparência em "trilho de bonde"**, que é particularmente evidente em colorações pela prata ou PAS. Isso é causado pela **"duplicação"** da membrana basal (também chamada de "desdobramento" ou *splitting*), geralmente como resultado da síntese da nova membrana basal em resposta aos depósitos subendoteliais de imunocomplexos. Entre as membranas basais duplicadas, há inclusões ou interposições de elementos celulares, que podem ser de origem mesangial, endotelial ou leucocitária. Essa interposição também dá origem ao aparecimento de membranas basais "duplicadas" (*split*) (**Figura 20.17A**). Em muitos casos, observa-se a presença de crescentes.

A **GNMP tipo I** caracteriza-se pela presença de **depósitos eletrodensos subendoteliais** característicos. Além disso, pode haver depósitos mesangiais e depósitos subepiteliais ocasionais (ver **Figura 20.17A**). Na imunofluorescência, a IgG e o C3 estão depositados de acordo com um padrão granular, e os componentes iniciais do complemento (C1q e C4) frequentemente estão presentes, indicando uma patogênese por imunocomplexos.

Características clínicas

A maioria dos pacientes com GNMP primária apresenta a doença na adolescência ou quando adultos jovens, com síndrome nefrótica e componente nefrítico, manifestada por hematúria ou, de forma mais insidiosa, por proteinúria leve. Algumas remissões ocorrem de modo espontâneo em ambos os tipos, e a doença segue uma evolução lentamente progressiva, porém ininterrupta. Alguns pacientes desenvolvem numerosos crescentes e um quadro clínico de GNRP. Cerca de 50% desenvolvem insuficiência renal crônica no decorrer de 10 anos. Os tratamentos com esteroides, agentes imunossupressores e fármacos antiplaquetários não demonstraram ter qualquer benefício.

Glomerulonefrite membranoproliferativa secundária

A GNMP secundária (invariavelmente do tipo I) é mais comum em adultos e surge nas seguintes condições:

- Distúrbios crônicos por imunocomplexos, como LES; infecção pelos vírus das hepatites B e C, geralmente com crioglobulinemia; endocardite; *shunts* ventriculoatriais infectados; abscessos viscerais crônicos; infecção pelo HIV; e esquistossomose
- Deficiência de α_1-antitripsina
- Doenças malignas, particularmente tumores linfoides, como leucemia linfocítica crônica, que são comumente complicados pelo desenvolvimento de autoanticorpos.

Doença de depósito denso

A maioria dos pacientes com doença de depósito denso (anteriormente denominada GNMP tipo II) apresenta anormalidades que resultam em ativação excessiva da via alternativa do complemento. Esses pacientes apresentam uma redução consistente de C3 sérico, porém níveis normais de C1 e C4, os componentes iniciais do complemento. Eles também apresentam níveis séricos diminuídos de fator B e de properdina, que são componentes da via alternativa do complemento. Os glomérulos contêm depósitos de C3 e properdina, mas não de IgG. Convém ressaltar que, na via alternativa do complemento, o C3 é diretamente clivado a C3b (**Figura 20.18**; ver também **Capítulo 3**, **Figura 3.12**). A reação depende da ativação inicial de C3 por substâncias como polissacarídeos bacterianos, endotoxinas e agregados de IgA por meio de uma via envolvendo os fatores B e D. Isso leva à geração de C3bBb, a C3 convertase da via alternativa. Normalmente, a C3 convertase é lábil, porém mais de 70% dos pacientes com doença de depósito denso apresentam um autoanticorpo circulante, denominado *fator nefrítico C3* (*C3NeF*), que se liga à C3 convertase da via alternativa e a protege da inativação (ver **Figura 20.18**). Isso favorece a ativação persistente de C3 e a hipocomplementemia. Além disso, há uma redução da síntese de C3 pelo fígado, o que contribui ainda mais para a hipocomplementemia profunda. A natureza precisa dos depósitos densos é desconhecida. Mutações em componentes da via alternativa, como o fator H, também foram associadas à doença de depósito denso.

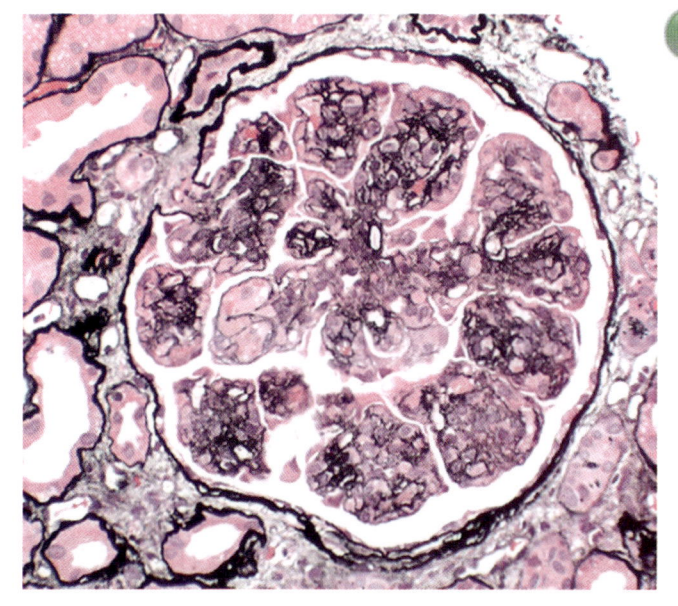

Figura 20.16 Glomerulonefrite membranoproliferativa mostrando a proliferação das células mesangiais, o aumento da matriz mesangial (coloração preta pela prata), o espessamento da membrana basal com duplicação (*splitting*), a acentuação da arquitetura lobular, o edema das células que revestem os capilares periféricos e o influxo de leucócitos (proliferação endocapilar).

> **Morfologia**
>
> Enquanto alguns casos de doença de depósito denso compartilham características histológicas com a GNMP, existe um espectro mais amplo de alterações histológicas na doença de depósito denso. Muitos casos apresentam um padrão de lesão predominantemente proliferativo mesangial, ao passo que outros exibem uma aparência inflamatória e com crescentes focais. Em alguns casos, podem ser observados depósitos densos de material celular permeando as MBGs em cortes histológicos. A característica definidora é revelada pela microscopia eletrônica, que demonstra a penetração da lâmina densa da MBG por um material homogêneo extremamente eletrodenso, semelhante a uma fita e de composição desconhecida (ver **Figura 20.17B**). Na imunofluorescência, observa-se a presença de C3 em focos granulares ou lineares irregulares nas membranas basais em ambos os lados, mas não dentro dos depósitos densos. O C3 também está presente no mesângio em agregados circulares característicos (anéis mesangiais). A IgG está geralmente ausente, assim como os componentes da via clássica de ativação do complemento (como C1q e C4). Além da doença de depósito denso, as glomerulopatias C3 podem ter uma distribuição semelhante, com comprometimento mesangial e da parede capilar, porém carecem dos depósitos extremamente eletrodensos que definem a doença de depósito denso.

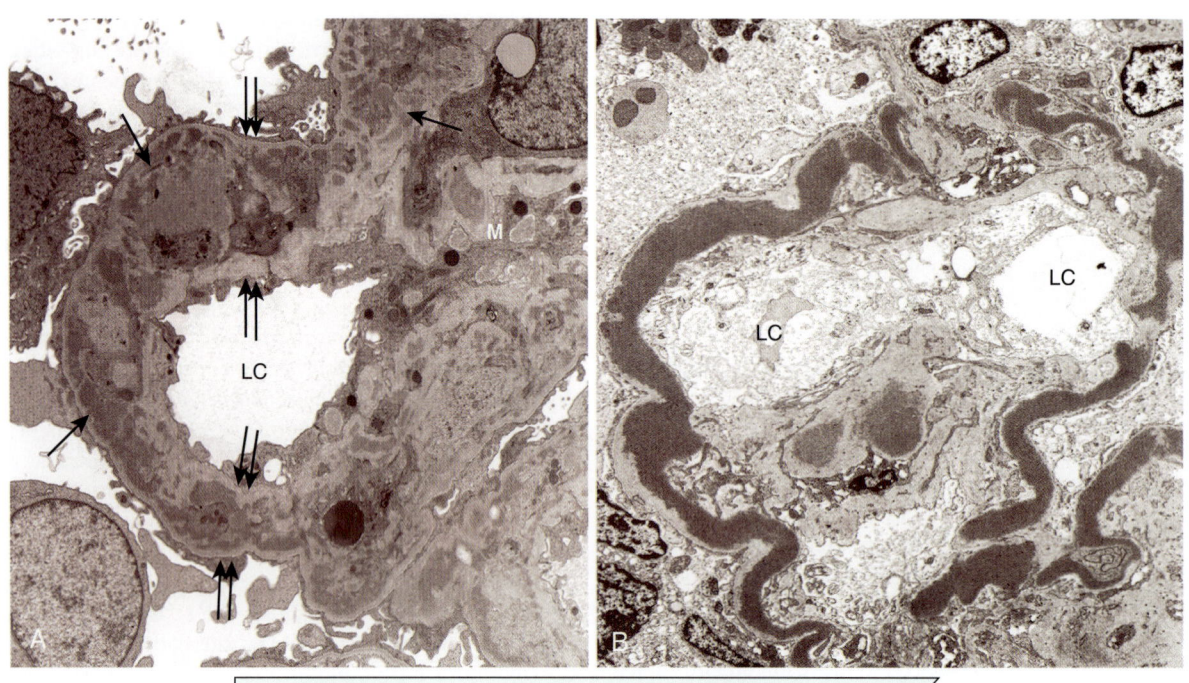

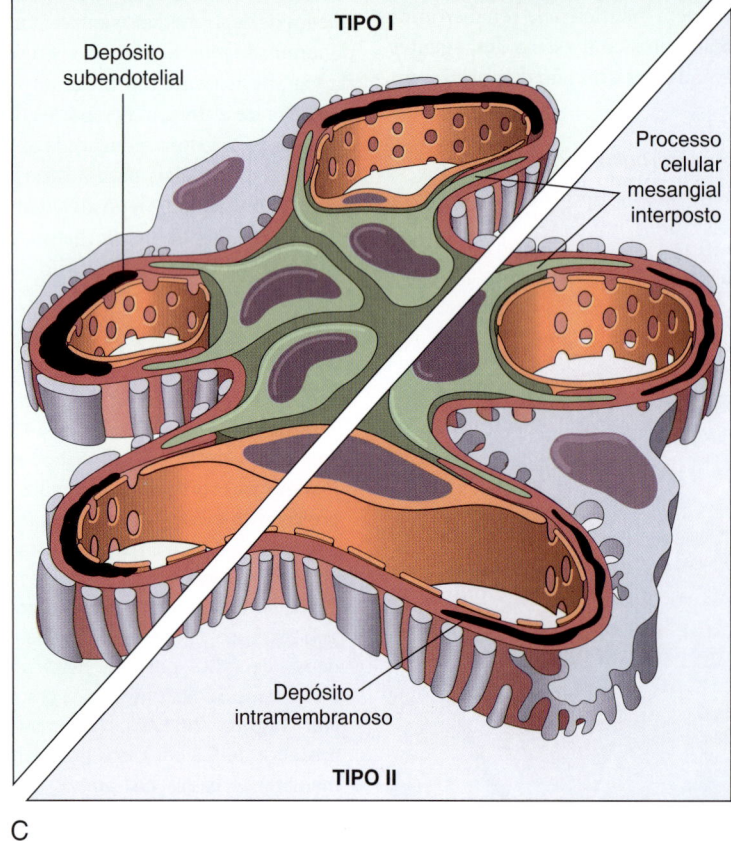

Figura 20.17 A. Glomerulonefrite membranoproliferativa tipo I. Observe os depósitos eletrodensos característicos (*setas*) incorporados à parede capilar glomerular, entre as membranas basais duplicadas (*split*) (*setas duplas*) e em regiões mesangiais (*M*). **B.** Doença de depósito denso (glomerulonefrite membranoproliferativa tipo II). Há depósitos densos homogêneos dentro da membrana basal. Em ambos os tipos, a interposição mesangial produz a aparência de membranas basais duplicadas quanto examinadas na microscopia óptica. **C.** Representação esquemática de padrões nos dois tipos de glomerulonefrite membranoproliferativa. No tipo I, há depósitos subendoteliais; o tipo II caracteriza-se por depósitos densos intramembranosos (doença de depósito denso). Em ambos os tipos, as membranas basais aparecem duplicadas quando vistas ao microscópio óptico. *LC*, luz capilar. (**A**, Cortesia do Dr. Jolanta Kowalewska, Cedars-Sinai Medical Center, Los Angeles, Calif.)

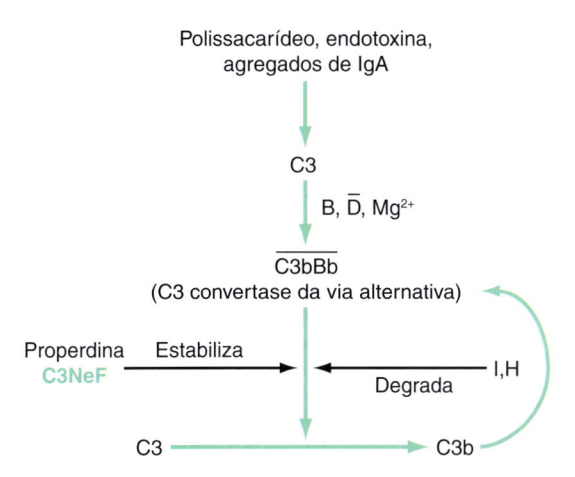

Figura 20.18 Via alternativa do complemento na glomerulopatia C3 e síndrome hemolítico-urêmica atípica. Observe que o C3NeF, um anticorpo presente no soro de indivíduos com glomerulonefrite membranoproliferativa, atua na mesma etapa que a properdina, servindo para estabilizar a C3 convertase da via alternativa, com consequente aumento da ativação e do consumo de C3, causando hipocomplementemia.

Características clínicas

A doença de depósito denso afeta principalmente crianças e adultos jovens. A apresentação clínica da síndrome nefrítica com hematúria e/ou síndrome nefrótica com proteinúria sobrepõe-se à da GNMP. O prognóstico é sombrio, com evolução de mais da metade dos pacientes para a DRT. Observa-se uma alta incidência de recorrência nos receptores de transplante; há recorrência de depósitos densos em 90% desses pacientes.

Glomerulonefrite fibrilar

A *glomerulonefrite fibrilar* é uma doença rara, caracterizada por depósitos fibrilares no mesângio e nas paredes dos capilares glomerulares, que se assemelham superficialmente a fibrilas amiloides, mas diferem do ponto de vista ultraestrutural e não se coram pelo vermelho Congo. Em geral, as lesões glomerulares exibem padrões mesangioproliferativos ou membranoproliferativos na microscopia óptica. Na microscopia de imunofluorescência, há deposição seletiva de IgG policlonal, com frequência da subclasse IgG4, C3 do complemento e cadeias leves de Igκ e Igλ. Clinicamente, os pacientes desenvolvem síndrome nefrótica, hematúria e insuficiência renal progressiva. A doença sofre recorrência em pacientes submetidos a transplantes renais. A patogênese é desconhecida, porém a DNAJB9, uma cochaperona para a proteína do choque térmico 70s, foi recentemente identificada como marcador altamente sensível e específico da GN fibrilar.

Conceitos-chave

Síndrome nefrótica

- A nefropatia membranosa é causada por uma resposta autoimune, mais frequentemente dirigida contra o PLA_2R nos podócitos; caracteriza-se por depósitos subepiteliais granulares de anticorpos, com espessamento da MBG e perda dos pedicelos, porém com pouca ou nenhuma inflamação. Com frequência, a doença mostra-se resistente à terapia com esteroides
- A síndrome nefrótica caracteriza-se por proteinúria, que resulta em hipoalbuminemia e edema
- A lesão dos podócitos constitui um mecanismo subjacente da proteinúria e pode resultar de causas não imunes (como na doença por lesões mínimas e na GESF) ou de mecanismos imunes (como na nefropatia membranosa)
- A doença por lesões mínimas é a causa mais frequente de síndrome nefrótica em crianças. Ela manifesta-se com proteinúria e apagamento dos pedicelos glomerulares, sem depósitos de anticorpos; a patogênese é desconhecida; as formas secundárias podem ser desencadeadas por infecções, imunização, medicamentos e determinadas lesões neoplásicas; e a doença responde bem à terapia com esteroides
- A GESF pode ser primária (lesão dos podócitos por mecanismos desconhecidos) ou secundária (p. ex., em consequência de glomerulonefrite prévia, hipertensão ou infecção, como o HIV). Os glomérulos exibem obliteração segmentar e focal das luzes capilares e perda dos pedicelos. Com frequência, a doença é resistente à terapia e pode progredir para a DRT
- Na maioria dos casos, a GNMP é o resultado da deposição de imunocomplexos tanto nas regiões mesangiais quanto nas paredes dos capilares. Ela pode estar associada a infecções sistêmicas
- A doença de depósito denso (anteriormente GNMP tipo II), definida por permeabilidade singular das MBGs a material eletrodenso, afeta principalmente crianças e adultos jovens. A doença de depósito denso está associada à desregulação adquirida ou genética da via alternativa do complemento
- A glomerulonefrite fibrilar é uma doença rara, caracterizada por depósitos glomerulares fibrilares negativos na coloração pelo vermelho Congo de etiologia desconhecida.

Outras doenças glomerulares

Nefropatia por IgA (doença de Berger)

A nefropatia por IgA, caracterizada pela presença de depósitos proeminentes de IgA nas regiões mesangiais e por hematúria recorrente, é o tipo mais comum de glomerulonefrite em todo o mundo. Pode-se suspeitar da doença pelo exame ao microscópio óptico, porém o diagnóstico só é estabelecido pela detecção de deposição de IgA glomerular (**Figura 20.19**). A proteinúria leve está geralmente presente, e, em certas ocasiões, pode haver desenvolvimento da síndrome nefrótica. Raramente, os pacientes podem apresentar GN crescêntica.

Enquanto a nefropatia por IgA é normalmente uma doença renal isolada, observa-se a presença de depósitos de IgA semelhantes em um distúrbio sistêmico de crianças, a *púrpura de Henoch-Schönlein*, discutida adiante, que apresenta muitas características sobrepostas com a nefropatia por IgA. Além disso, ocorre *nefropatia por IgA secundária* em pacientes com doenças hepáticas e intestinais, conforme discutido adiante.

Patogênese

As evidências atuais favorecem a etiologia de "múltiplos eventos" para essa doença que envolve várias etapas. A IgA, a principal Ig das secreções das mucosas, está presente no plasma em baixas concentrações, principalmente na forma monomérica, visto que as formas poliméricas são catabolizadas no fígado. Em pacientes com nefropatia por IgA, os níveis plasmáticos de IgA polimérica

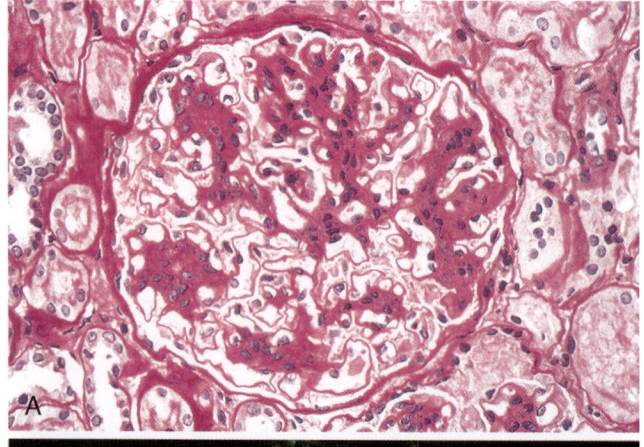

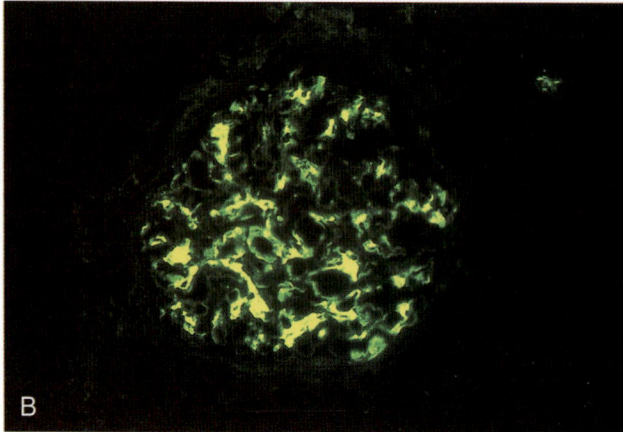

Figura 20.19 Nefropatia por IgA. **A.** Microscopia óptica mostrando a proliferação mesangial e o aumento da matriz. **B.** Deposição característica de IgA, principalmente em regiões mesangiais, detectada por imunofluorescência.

e a ausência de C1q e C4 nos glomérulos são típicas dessa doença. Uma influência genética é sugerida pela ocorrência dessa condição em famílias e em irmãos com HLA idênticos, pela frequência aumentada de determinados genótipos de HLA e complemento em algumas populações e pelos achados de estudos de associação genômica ampla ligando *loci* específicos de MHC de classe II à suscetibilidade à doença.

As características epidemiológicas desse distúrbio indicam que o aumento da síntese de IgA anormal pode ocorrer em resposta à exposição respiratória ou gastrintestinal a agentes ambientais (p. ex., vírus, bactérias, proteínas alimentares). Os antígenos iniciadores específicos não são conhecidos, e foram implicados diversos agentes infecciosos e produtos alimentares. A nefropatia por IgA ocorre com frequência aumentada em indivíduos com *enteropatia por glúten* (doença celíaca), nos quais os defeitos da mucosa intestinal estão bem definidos, e na *doença hepática*, em que ocorre depuração hepatobiliar deficiente de complexos de IgA (*nefropatia por IgA secundária*).

> ### Morfologia
>
> Ao exame histológico, as lesões variam de modo considerável. Os glomérulos podem ser normais ou podem exibir alargamento mesangial e proliferação endocapilar (glomerulonefrite mesangioproliferativa) (**Figura 20.19A**), proliferação segmentar confinada a alguns glomérulos (glomerulonefrite proliferativa focal) ou, raramente, glomerulonefrite crescêntica manifesta. A presença de leucócitos dentro dos capilares glomerulares é uma característica variável. O alargamento mesangial pode resultar de proliferação celular, acúmulo de matriz, depósitos imunes ou de alguma combinação dessas anormalidades. A cicatrização da lesão proliferativa focal pode levar à esclerose segmentar e focal. O quadro imunofluorescente característico consiste em **deposição mesangial de IgA** (**Figura 20.19B**), frequentemente com C3 e properdina e quantidades menores de IgG ou IgM. Os componentes iniciais do complemento estão comumente ausentes. A microscopia eletrônica confirma a presença de depósitos eletrodensos predominantemente no mesângio; os depósitos nas paredes dos capilares, quando presentes, são normalmente esparsos.

Características clínicas

A doença afeta indivíduos de qualquer idade, mais comumente crianças de mais idade e adultos jovens. Muitos pacientes apresentam hematúria macroscópica após a infecção das vias respiratórias ou, menos comumente, do trato gastrintestinal ou do trato urinário; 30 a 40% têm apenas hematúria microscópica, com ou sem proteinúria, e 5 a 10% desenvolvem síndrome nefrítica aguda, incluindo alguns casos com GNRP. Normalmente, a hematúria dura vários dias e, em seguida, cede apenas para retornar em poucos meses. A evolução subsequente é altamente variável. Muitos pacientes mantêm uma função renal normal por várias décadas. Ocorre progressão lenta para a insuficiência renal crônica em 15 a 40% dos casos ao longo de um período de 20 anos. O início em uma idade avançada, a proteinúria maciça, a hipertensão e a extensão da glomeruloesclerose na biopsia são indicadores de risco aumentado de progressão. A recorrência de depósitos de IgA em rins transplantados é frequente, e, em cerca de 15% dos pacientes com depósitos de IgA recorrentes, a doença segue a mesma evolução lentamente progressiva da nefropatia por IgA primária.

estão elevados, porém o aumento da produção não é suficiente para causar essa doença. Uma pista provém da observação de que, na nefropatia por IgA, os depósitos glomerulares consistem predominantemente em moléculas de IgA poliméricas com glicosilação aberrante. Acredita-se que uma faceta fundamental da nefropatia por IgA seja um defeito hereditário ou adquirido na formação ou na ligação de cadeias de açúcar que contenham galactose, denominadas glicanos de ligação O, à região de dobradiça da molécula de IgA (particularmente as da subclasse IgGA1) antes de sua secreção pelas células B. Essa IgA de glicosilação aberrante é depositada por si só nos glomérulos ou induz uma resposta autoimune, formando imunocomplexos na circulação com autoanticorpos IgG dirigidos contra as moléculas de IgA anormais. Os imunocomplexos são depositados no mesângio; como alternativa, a IgA1 anormal é depositada no mesângio, com formação subsequente de imunocomplexos *in situ*. Em seguida, os depósitos imunes mesangiais induzem as células mesangiais a se proliferarem, a produzirem quantidades aumentadas de MEC e a secretarem numerosas citocinas e fatores de crescimento. Esses mediadores secretados podem não apenas participar de uma maior ativação das células mesangiais, como também podem recrutar células inflamatórias nos glomérulos. Os leucócitos recrutados contribuem para a lesão glomerular e para uma resposta de reparação, que pode incluir opsonização e remoção dos imunocomplexos. A IgA depositada e os imunocomplexos contendo IgA ativam o sistema complemento pela via alternativa, de modo que a presença de C3

Nefrite hereditária

A nefrite hereditária refere-se a um grupo de doenças renais familiares heterogêneas associadas a mutações em genes do colágeno, que se manifestam principalmente com lesão glomerular. Duas delas merecem ser discutidas: a *síndrome de Alport*, visto que as lesões e os defeitos genéticos foram bem estudados, e a *nefropatia da membrana basal fina*, que é a causa mais comum de *hematúria familiar benigna*.

Síndrome de Alport

A síndrome de Alport é causada por mutações que afetam o colágeno tipo IV, resultando em hematúria com progressão para a insuficiência renal crônica, acompanhada de surdez nervosa e vários distúrbios oculares, incluindo luxação do cristalino, cataratas posteriores e distrofia da córnea. A doença é herdada como traço ligado ao cromossomo X em aproximadamente 85% dos casos. Na forma ligada ao X, os homens expressam a síndrome completa, ao passo que as mulheres heterozigotas normalmente apresentam hematúria. Cerca de 90% dos homens afetados progridem para a DRT antes dos 40 anos. Também existem formas autossômicas recessivas e autossômicas dominantes, em que os homens e as mulheres são igualmente suscetíveis à síndrome completa.

Patogênese

As manifestações da doença são causadas por mutações em um de vários genes que codificam subunidades da molécula de colágeno IV. Foram identificadas mais de 500 mutações que resultam em doença e interferem na montagem do colágeno tipo IV, que é crucial para a função da MBG, da lente do olho e da cóclea. Como a MBG é composta de redes de moléculas triméricas de colágeno IV, compostas de cadeias α_3, α_4 e α_5, as mutações que afetam qualquer uma dessas cadeias resultam em montagem defeituosa da rede de colágeno. Como as cadeias de colágeno tipo IV são codificadas em autossomos (cromossomos 2 e 13) e no cromossomo X, o padrão de herança pode ser autossômico ou ligado ao X. Foram identificadas mutações de perda de sentido (*missense*) e de sítio de *splice*, inserções e deleções. A análise genética mostrou que, em pacientes com doença ligada ao X, as grandes deleções na cadeia α_5 do colágeno IV (COL4A5) estão associadas à DRT em uma idade mais precoce.

> **Morfologia**
>
> A síndrome de Alport totalmente desenvolvida apresenta achados característicos na microscopia eletrônica. A MBG apresenta focos irregulares de espessamento que se alternam com atenuação (adelgaçamento) e duplicação pronunciada e delaminação da lâmina densa, produzindo, com frequência, uma aparência em rede de cesta bastante característica (**Figura 20.20**). Alterações semelhantes podem ser encontradas nas membranas basais tubulares.
>
> A imuno-histoquímica pode ser útil em casos com lesões ausentes ou limítrofes da membrana basal, visto que os anticorpos contra os colágenos α_3, α_4 e α_5 não coram as membranas basais glomerulares e tubulares na forma clássica ligada ao X. A coloração α_5 também está ausente em amostras de biopsia de pele desses pacientes. À medida que a doença progride, observa-se o desenvolvimento de glomeruloesclerose segmentar e focal e, posteriormente, global, bem como outras alterações de lesão renal progressiva, incluindo esclerose vascular, atrofia tubular e fibrose intersticial.

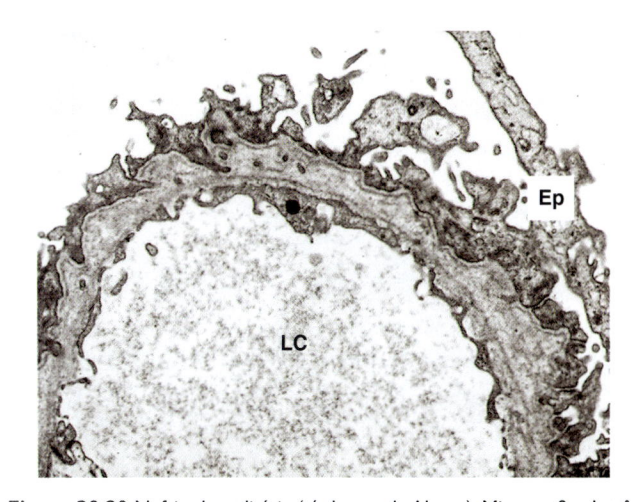

Figura 20.20 Nefrite hereditária (síndrome de Alport). Micrografia eletrônica de um capilar glomerular com espessamento irregular da membrana basal, delaminação da lâmina densa e focos de rarefação. Essas alterações podem estar presentes em outras doenças, porém são mais pronunciadas e disseminadas na nefrite hereditária. *Ep*, epitélio; *LC*, luz capilar.

Características clínicas

O sinal de apresentação mais comum consiste em hematúria macro ou microscópica, frequentemente acompanhada de cilindros hemáticos. Pode haver desenvolvimento posterior de proteinúria; raramente, ocorre síndrome nefrótica. Os sintomas aparecem entre os 5 e 20 anos, e o início da insuficiência renal manifesta é entre 20 e 50 anos nos homens. Os defeitos auditivos podem ser sutis, exigindo teste sensitivo.

Nefropatia da membrana basal fina (hematúria familiar benigna)

Trata-se de uma entidade hereditária bastante comum, manifestada *clinicamente por hematúria assintomática familiar* – em geral, descoberta em exame de urina de rotina – *e, morfologicamente, por adelgaçamento difuso da MBG* para uma largura entre 150 e 225 nm (em comparação com 300 a 400 nm em adultos saudáveis). Embora a proteinúria leve ou moderada também possa estar presente, a função renal é normal, e o prognóstico é excelente. Estima-se que essa anormalidade afete 1% da população geral.

O distúrbio deve ser distinguido da nefropatia por IgA, outra causa comum de hematúria, e da síndrome de Alport ligada ao X. Diferentemente da síndrome de Alport, não há perda auditiva, tampouco anormalidades oculares e história familiar de insuficiência renal.

Na nefropatia da membrana basal final, a anomalia também tem sido atribuída a mutações em genes que codificam as cadeias α_3 ou α_4 de colágeno tipo IV. Com mais frequência, a doença é de herança autossômica, e os pacientes são, em sua maioria, heterozigotos para o gene defeituoso. O distúrbio nos homozigotos assemelha-se à síndrome de Alport autossômica recessiva. Os homozigotos ou heterozigotos compostos podem progredir para a insuficiência renal. Por conseguinte, essas doenças ilustram um *continuum* de alterações que resultam de mutações em genes do colágeno tipo IV.

> **Conceitos-chave**
>
> **Doenças glomerulares com hematúria isolada**
>
> - A nefropatia por IgA, caracterizada por depósitos mesangiais de imunocomplexos contendo IgA, constitui a causa mais comum de glomerulonefrite em todo o mundo. Trata-se de uma causa comum tanto de hematúria isolada e frequentemente recorrente quanto de vários graus de proteinúria e, às vezes, de síndrome nefrítica. A nefropatia por IgA afeta comumente crianças e adultos jovens e apresenta uma evolução variável
> - A síndrome de Alport, uma forma de nefrite hereditária, é causada por mutações em genes que codificam o colágeno tipo IV da MBG. Ela manifesta-se como hematúria e proteinúria lentamente progressiva e declínio da função renal; os glomérulos aparecem normais na microscopia óptica até um estágio tardio da evolução da doença
> - A nefropatia da membrana basal fina tem uma evolução clínica benigna e resulta de mutações em genes que codificam o colágeno tipo IV da MBG. Por conseguinte, ela pode ser considerada parte de um espectro de doenças, que inclui a nefrite hereditária.

Lesões glomerulares associadas a doenças sistêmicas

Muitos distúrbios sistêmicos imunologicamente mediados, metabólicos ou hereditários estão associados à lesão glomerular; em alguns (p. ex., LES e diabetes melito), o comprometimento glomerular constitui uma importante manifestação clínica. Essas doenças são, em sua maioria, discutidas em outra parte deste livro. Aqui, revisaremos brevemente algumas das lesões e discutiremos apenas as que não são consideradas em outras seções.

Nefrite lúpica

Os vários tipos de nefrite lúpica são descritos no **Capítulo 6**. Conforme discutido, o LES dá origem a uma ampla variedade de lesões renais e apresentações clínicas. As manifestações clínicas podem incluir hematúria micro ou macroscópica recorrente, síndrome nefrítica, GNRP, síndrome nefrótica, insuficiências renais aguda e crônica e hipertensão.

Púrpura de Henoch-Schönlein

Essa síndrome da infância consiste em lesões cutâneas purpúricas, dor abdominal, sangramento intestinal e artralgias, bem como anormalidades renais. As lesões da pele acometem caracteristicamente as superfícies extensoras dos braços e das pernas, bem como as nádegas; as manifestações abdominais incluem dor, vômitos e sangramento intestinal. Ocorrem manifestações renais em um terço dos pacientes, que incluem hematúria macroscópica ou microscópica, síndrome nefrítica, síndrome nefrótica ou alguma combinação delas. Em um pequeno número de pacientes, em sua maioria adultos, ocorre desenvolvimento de uma forma rapidamente progressiva de glomerulonefrite com muitos crescentes. Nem todos os componentes da síndrome precisam estar presentes para o diagnóstico, e os pacientes podem ter púrpura, dor abdominal ou anormalidades urinárias como característica dominante. A doença é mais comum em crianças com idade entre 3 e 8 anos, mas também ocorre em adultos, nos quais as manifestações renais são, em geral, mais graves. Existe um forte histórico de atopia em cerca de um terço dos pacientes, e, com frequência, o início é observado após uma infecção das vias respiratórias superiores. Ocorre deposição de IgA no mesângio glomerular, em uma distribuição semelhante à da nefropatia por IgA. Isso levou ao conceito de que a *nefropatia por IgA* e a *púrpura de Henoch-Schönlein* são manifestações da mesma doença. O achado de depósitos de Ig e de C3 nos glomérulos sugere a participação de imunocomplexos na doença.

> **Morfologia**
>
> No exame histológico, as lesões renais variam desde proliferação mesangial focal leve até proliferação mesangial difusa e/ou proliferação endocapilar até glomerulonefrite crescêntica. Quaisquer que sejam as lesões histológicas, a característica patognomônica na microscopia de fluorescência consiste na **deposição de IgA, às vezes com IgG e C3 na região mesangial**, outras vezes com depósitos que se estendem até as alças capilares. As lesões cutâneas consistem em hemorragias subepidérmicas e vasculite necrosante que acometem os pequenos vasos da derme. Esses vasos também apresentam depósitos de IgA, bem como IgG e C3. Também ocorre vasculite em outros órgãos, como o trato gastrintestinal, porém a sua presença é rara nos rins.

A evolução da doença é variável, porém as recorrências de hematúria podem persistir por muitos anos após o início. A maioria das crianças apresenta excelente prognóstico. Os pacientes com lesões mais difusas, crescentes ou síndrome nefrótica apresentam um prognóstico ligeiramente mais sombrio.

Nefropatia diabética

O diabetes melito constitui uma importante causa de morbidade e mortalidade renais, e a nefropatia diabética é a principal causa de insuficiência renal crônica nos EUA. Ocorre doença renal avançada ou terminal em até 40% dos diabéticos tipos 1 e 2. A patologia e a patogênese desse distúrbio são discutidas no **Capítulo 24**.

Outros distúrbios sistêmicos

A *síndrome de Goodpasture* (ver **Capítulo 15**), a *poliangiite microscópica* e a *granulomatose com poliangiite* (anteriormente denominada *granulomatose de Wegener*) (ver **Capítulo 11**) estão comumente associadas a lesões glomerulares, conforme descrito na discussão dessas doenças. Aqui, é suficiente ressaltar que as lesões glomerulares nessas três condições podem ser histologicamente semelhantes e se caracterizam principalmente por focos de necrose glomerular e formação de crescentes. Nas formas iniciais ou leves de comprometimento renal, ocorre glomerulonefrite segmentar e focal, às vezes necrosante, e a maioria desses pacientes apresentará hematúria com discreto declínio da TFG. Nos casos mais graves, que podem estar associados à GNRP, há necrose mais extensa, deposição de fibrina e formação extensa de crescentes epiteliais (celulares), que podem se organizar para formar crescentes fibrocelulares e fibrosos se a lesão glomerular evoluir para uma cicatrização segmentar ou global (esclerose).

A *crioglobulinemia mista essencial* é outra condição sistêmica, em que depósitos de crioglobulinas, compostos principalmente de complexos de IgG-IgM, induzem vasculite cutânea, sinovite e glomerulonefrite proliferativa, normalmente GNMP. A maioria dos casos de crioglobulinemia mista essencial tem sido associada à infecção pelo vírus da hepatite C, e essa condição, em particular, está associada à glomerulonefrite, geralmente GNMP tipo I.

As imunoglobulinas secretadas por neoplasias de plasmócitos também podem induzir lesões glomerulares, incluindo amiloidose.

Doenças tubulares e intersticiais

A maioria das formas de lesão tubular também acomete o interstício; por essa razão, as doenças que afetam esses dois componentes são discutidas juntas. Com esse título, consideraremos dois processos principais: (1) lesão tubular isquêmica ou tóxica; e (2) inflamação dos túbulos e do interstício (*nefrite tubulointersticial*).

Lesão/necrose tubular aguda

A lesão tubular aguda (LTA) caracteriza-se por insuficiência renal aguda e, com frequência, mas não invariavelmente, evidências morfológicas de lesão tubular, na forma de necrose das células epiteliais tubulares. Como a necrose frequentemente não está presente, o termo LTA é preferido pelos patologistas ao antigo nome *necrose tubular aguda* (NTA). Trata-se da causa mais comum de lesão renal aguda. A LTA pode ser causada por uma variedade de condições, que incluem as seguintes:

- *Isquemia, devido à diminuição ou à interrupção do fluxo sanguíneo.* Os exemplos incluem comprometimento difuso dos vasos sanguíneos intrarrenais, como poliangiite microscópica, microangiopatias (p. ex., síndrome hemolítico-urêmica [SHU] ou púrpura trombocitopênica trombótica [PTT]) ou diminuição do volume sanguíneo circulante efetivo, como ocorre no choque hipovolêmico (ver **Capítulo 4**)
- *Lesão tóxica direta dos túbulos.* Pode ser causada por agentes endógenos, por exemplo, mioglobina, hemoglobina, cadeias leves monoclonais, bile/bilirrubina, ou por *agentes exógenos*, por exemplo, fármacos, meios de contraste radiológico, metais pesados, solventes orgânicos.

A LTA é responsável por cerca de 50% dos casos de lesão renal aguda em pacientes hospitalizados. Outras causas de insuficiência renal aguda são discutidas em outra parte deste capítulo.

A LTA é um processo reversível, que surge em uma variedade de contextos clínicos. A maioria, incluindo desde trauma grave até pancreatite aguda, tem em comum um período de fluxo sanguíneo inadequado para os órgãos periféricos, geralmente acompanhado de acentuada hipotensão e choque. Esse padrão é denominado *LTA isquêmica*. O segundo padrão, denominado *LTA nefrotóxica*, é causado por numerosos fármacos e substâncias, como gentamicina, meios de contraste radiográficos e venenos, incluindo metais pesados (p. ex., mercúrio) e solventes orgânicos (p. ex., tetracloreto de carbono). Além disso, podem ocorrer combinações de LTA isquêmica e nefrotóxica, exemplificadas por transfusões de sangue incompatíveis e outras crises hemolíticas, que causam *hemoglobinúria*, e lesões do músculo esquelético, que causam *mioglobinúria*. Essas lesões resultam em cilindros intratubulares característicos de hemoglobina ou mioglobina, respectivamente; o conteúdo tóxico de ferro dessas moléculas de globina contribui para a LTA. Além de sua frequência, a reversibilidade potencial da LTA contribui para a sua importância clínica. O manejo adequado pode fazer a diferença entre recuperação e morte.

Patogênese

Os eventos de importância crítica na LTA tanto isquêmica quanto nefrotóxica são: (1) lesão tubular; e (2) distúrbios persistentes e graves no fluxo sanguíneo (Figura 20.21):

- *Lesão das células tubulares*: as células epiteliais tubulares, sobretudo as dos túbulos proximais, são particularmente sensíveis à isquemia e vulneráveis às toxinas. Diversos fatores predispõem os túbulos à lesão tóxica, incluindo aumento da área de superfície para reabsorção tubular, sistemas de transporte ativo para íons e ácidos orgânicos, alta taxa de metabolismo e consumo de oxigênio, necessário para o desempenho dessas funções de transporte e reabsorção, e capacidade de reabsorção e concentração de toxinas. A isquemia provoca numerosas alterações estruturais e funcionais nas células epiteliais, conforme discutido no **Capítulo 2**. Uma consequência reversível precoce

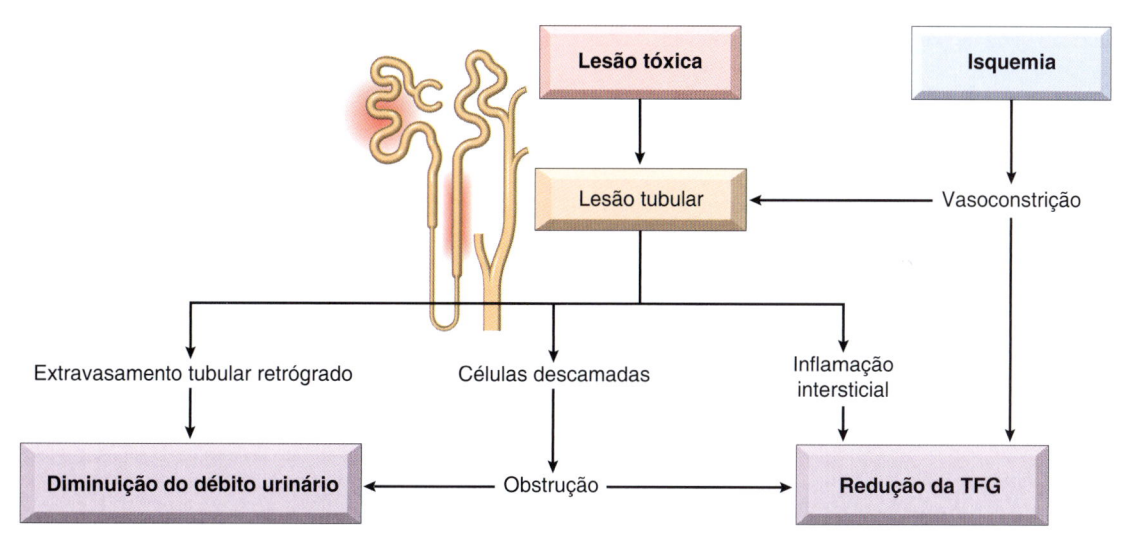

Figura 20.21 Sequência postulada na lesão tubular aguda isquêmica ou tóxica. *TFG*, taxa de filtração glomerular.

da isquemia é a perda da polaridade celular, devido à redistribuição das proteínas de membrana (p. ex., a enzima Na,K$^+$-ATPase) da superfície basolateral para a luminal das células tubulares, resultando em transporte anormal de íons através das células e aumento da liberação de sódio nos túbulos distais, induzindo vasoconstrição por meio de *retroalimentação tubuloglomerular*. Inicialmente, essa resposta ao aumento do sódio diminui a TFG para manter o fluxo sanguíneo distal. Além disso, as células tubulares isquêmicas expressam citocinas e moléculas de adesão, recrutando, assim, os leucócitos que parecem participar da lesão subsequente. Com o tempo, as células lesionadas desprendem-se das membranas basais e provocam *obstrução luminal*, aumento da pressão intratubular e maior redução da TFG. Além disso, o filtrado glomerular na luz dos túbulos danificados pode extravasar de volta ao interstício, com consequente edema intersticial, aumento da pressão intersticial e danos adicionais aos túbulos. Todos esses efeitos, ilustrados na **Figura 20.21**, contribuem para a redução da TFG

- *Distúrbios no fluxo sanguíneo*: a lesão renal isquêmica também se caracteriza por *alterações hemodinâmicas*, que causam a redução da TFG. A principal delas é a *vasoconstrição intrarrenal*, que resulta em redução tanto do fluxo sanguíneo glomerular quanto do fornecimento de oxigênio aos túbulos funcionalmente importantes na camada medular externa (ramo ascendente espesso e segmento reto do túbulo proximal). Diversas vias vasoconstritoras foram implicadas, incluindo o sistema renina-angiotensina, estimulado pela diminuição do sódio nos túbulos em consequência da redução da pressão arterial, e *lesão endotelial subletal*, que leva à liberação aumentada do vasoconstritor *endotelina* e à produção diminuída dos vasodilatadores, o *óxido nítrico* e a *prostaciclina* (*prostaglandina* I_2). Além disso, há algumas evidências de um efeito direto da isquemia ou das toxinas sobre o glomérulo, causando uma redução do coeficiente de ultrafiltração glomerular.

O caráter focal da necrose tubular e a manutenção da integridade da membrana basal ao longo de muitos segmentos permitem o reparo dos focos danificados e a recuperação da função se a causa precipitante for removida. Esse reparo depende da capacidade de proliferação e de diferenciação das células epiteliais reversivelmente lesionadas. A reepitelização é mediada por uma variedade de fatores de crescimento e citocinas, que são produzidos localmente pelas próprias células tubulares ou por células inflamatórias na vizinhança dos focos necróticos.

> ### Morfologia
>
> A LTA caracteriza-se por **lesão epitelial tubular** em múltiplos pontos ao longo do néfron, com grandes áreas descontínuas intercaladas, frequentemente acompanhadas de ruptura das membranas basais (tubulorrexe) e **oclusão das luzes tubulares por cilindros** (**Figuras 20.22** e **20.23**). Os padrões distintos de lesão tubular na LTA isquêmica e tóxica são mostrados na **Figura 20.22**. A porção reta do túbulo proximal e o ramo espesso ascendente na medula renal são particularmente vulneráveis, porém também podem ocorrer lesões focais no túbulo distal, comumente em associação a cilindros. Convém assinalar que a gravidade dos achados morfológicos geralmente não apresenta correlação com a gravidade das manifestações clínicas.
>
> Outros achados na LTA isquêmica incluem edema intersticial e acúmulo de leucócitos nos vasos retos dilatados. Além disso, há evidências de regeneração epitelial na forma de células epiteliais achatadas, com núcleos hipercromáticos e figuras mitóticas. Com o tempo, essa regeneração repovoa os túbulos, de modo que não se observa nenhuma evidência residual de danos.
>
> A LTA tóxica manifesta-se por LTA, que é mais óbvia nos túbulos contorcidos proximais. Ao exame histológico, a lesão tubular pode ser característica no envenenamento por determinados agentes. No caso do cloreto de mercúrio, por exemplo, as células com grave lesão podem conter grandes inclusões acidofílicas. Posteriormente, essas células tornam-se necróticas, são descamadas na luz e podem sofrer calcificação. A intoxicação por etilenoglicol produz uma acentuada balonização e degeneração hidrópica ou vacuolar dos túbulos contorcidos proximais, e, com frequência, também são encontrados cristais de oxalato de cálcio nas luzes tubulares.

Características clínicas

A evolução clínica da LTA é altamente variável, porém o caso clássico pode ser dividido em *três* estágios:

- A *fase de iniciação*, cuja duração é de aproximadamente 36 horas, é dominada por um evento desencadeante clínico, cirúrgico ou obstétrico. A única indicação de comprometimento renal

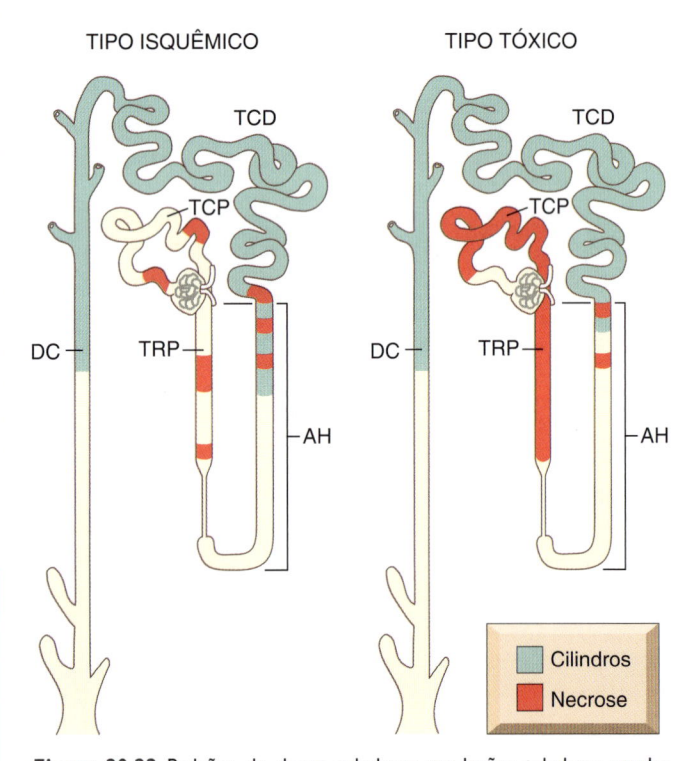

Figura 20.22 Padrões de danos tubulares nas lesões tubulares agudas isquêmica e tóxica. No tipo isquêmico, a necrose tubular é focal, uma extensão relativamente curta dos túbulos é afetada, e os segmentos do túbulo reto proximal (*TRP*) e os ramos ascendentes da alça de Henle (*AH*) são mais vulneráveis. Na lesão tubular aguda tóxica, verifica-se a presença de necrose extensa ao longo dos segmentos do túbulo contorcido proximal (*TCP*) com muitas toxinas (p. ex., mercúrio), porém também ocorre necrose do túbulo distal, particularmente da AH ascendente. Em ambos os tipos, as luzes dos túbulos contorcidos distais (*TCT*) e os ductos coletores (*DC*) contém cilindros.

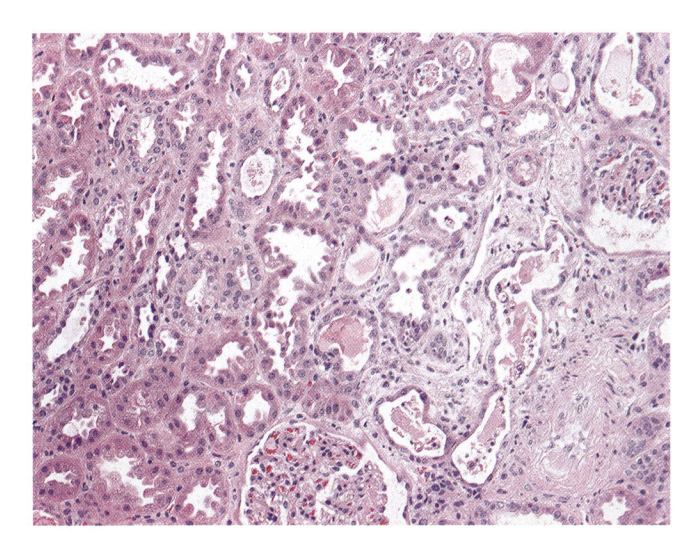

Figura 20.23 Lesão tubular aguda. Algumas células epiteliais tubulares nos túbulos são necróticas, e muitas se desprenderam (de suas membranas basais) e foram descamadas na luz tubular.

consiste em um leve declínio do débito urinário, com elevação do BUN. Nesse ponto, a oligúria poderia ser explicada pela diminuição transitória do fluxo sanguíneo e pelo declínio da TFG

- A *fase de manutenção* caracteriza-se por diminuição sustentada do débito urinário para 40 a 400 mℓ/dia (oligúria), sobrecarga de sal e de água, elevação das concentrações de BUN, hiperpotassemia, acidose metabólica e outras manifestações da uremia. Com o tratamento adequado, o paciente consegue superar a crise oligúrica
- A *fase de recuperação* é anunciada pelo aumento contínuo do volume de urina, que pode alcançar até 3 ℓ/dia. Os túbulos ainda estão danificados, de modo que ocorre perda de grandes quantidades de água, sódio e potássio no fluxo de urina. *A hipopotassemia, mais do que a hiperpotassemia, torna-se um problema clínico.* Nesse estágio, observa-se um aumento peculiar da vulnerabilidade à infecção. Por fim, a função tubular renal é restaurada, e a capacidade de concentração melhora. Ao mesmo tempo, os níveis de ureia e de creatinina começam a se normalizar. Durante meses, pode-se observar a persistência de comprometimento sutil da função tubular, porém a maioria dos pacientes que alcança essa fase se recupera por completo.

O prognóstico da LTA depende da magnitude e da duração da lesão. Espera-se uma recuperação da LTA nefrotóxica quando a toxina não provoca danos graves a outros órgãos, como o fígado ou o coração. Com cuidados de suporte, 95% dos pacientes que não sucumbem à causa precipitante se recuperam. Em contrapartida, no choque relacionado com a sepse, em queimaduras extensas ou em outras causas de falência de múltiplos órgãos, a taxa de mortalidade pode ultrapassar 50%.

Conceitos-chave

Lesão tubular aguda

- A LTA constitui a causa mais comum de lesão renal aguda e é atribuída à isquemia e/ou à toxicidade de uma substância endógena ou exógena
- A lesão das células epiteliais tubulares e a alteração da hemodinâmica intrarrenal são os principais contribuintes da LTA
- O resultado clínico é determinado pela magnitude e pela duração da LTA.

Nefrite tubulointersticial

Esse grupo de doenças renais envolve lesões inflamatórias dos túbulos e do interstício, que, com frequência, são de início insidioso e se manifestam principalmente por azotemia. A nefrite tubulointersticial pode ser aguda ou crônica. A *nefrite tubulointersticial aguda* tem início clínico rápido e caracteriza-se, no exame histológico, por edema intersticial, quase sempre acompanhado de infiltração leucocitária do interstício e dos túbulos, e por lesão tubular. Na *nefrite intersticial crônica*, ocorrem infiltração por leucócitos predominantemente mononucleares, fibrose intersticial proeminente e atrofia tubular disseminada. A *nefrite tubulointersticial secundária* também é observada em uma variedade de distúrbios renais vasculares, císticos (doença renal policística) e metabólicos (diabetes), nos quais ela também pode contribuir para os danos progressivos. Aqui, serão discutidas as causas primárias de lesão tubulointersticial (**Tabela 20.8**). Nos estágios avançados dessas doenças, também pode haver anormalidades glomerulares e vasculares. Em contrapartida, os danos tubulointersticiais crônicos são uma importante consequência de progressão em doenças que afetam principalmente o glomérulo.

Tabela 20.8 Causas de nefrite tubulointersticial.

Infecções
Pielonefrite bacteriana aguda
Pielonefrite crônica (incluindo nefropatia de refluxo)
Outras infecções (p. ex., vírus, parasitas)
Toxinas
Fármacos
Nefrite intersticial de hipersensibilidade aguda
Analgésicos
Metais pesados
Chumbo, cádmio
Doenças metabólicas
Nefropatia por urato
Nefrocalcinose (nefropatia hipercalcêmica)
Nefropatia por oxalato
Fatores físicos
Obstrução crônica do trato urinário
Neoplasias
Mieloma múltiplo (nefropatia de cilindros de cadeia leve)
Reações imunes
Rejeição de transplante
Síndrome de Sjögren
Sarcoidose
Doenças vasculares
Diversas
Nefronoftise
Nefrite intersticial "idiopática"

Os distúrbios tubulointersticiais distinguem-se clinicamente das doenças glomerulares pelas seguintes características essenciais:

- Ausência de síndrome nefrítica ou nefrótica
- Presença de defeitos na função tubular, que podem ser sutis e incluir: comprometimento da capacidade de concentrar a urina, evidenciada, clinicamente, por poliúria ou nictúria; perda de sal; diminuição da capacidade de excretar ácidos (acidose metabólica); e defeitos isolados na reabsorção ou secreção tubulares. Entretanto, pode ser difícil distinguir clinicamente as formas avançadas de outras causas de insuficiência renal.

As condições específicas estão listadas na **Tabela 20.8** e são discutidas em outras partes deste livro. Nesta seção, trataremos principalmente da pielonefrite e da nefrite tubulointersticial induzida por fármacos.

Pielonefrite e infecção do trato urinário

A pielonefrite é uma das doenças mais comuns dos rins e é definida como uma inflamação que afeta os túbulos, o interstício e a pelve renal. Ela ocorre em duas formas: a *pielonefrite aguda* é geralmente causada por infecção bacteriana e está associada à infecção do trato urinário, já a *pielonefrite crônica* é um distúrbio mais complexo; a infecção bacteriana desempenha um papel dominante, porém outros fatores (refluxo vesicoureteral, obstrução) predispõem a episódios repetidos de pielonefrite aguda.

A pielonefrite representa uma complicação grave das *infecções do trato urinário* que afetam a bexiga (cistite), os rins e seus sistemas coletores (pielonefrite), ou ambos. As infecções bacterianas do trato urinário inferior podem ser assintomáticas (bacteriúria assintomática) e permanecer localizadas na bexiga, porém a infecção do trato urinário inferior pode se disseminar potencialmente para os rins.

Patogênese

Mais de 85% dos casos de infecção do trato urinário são causados pelos bacilos gram-negativos que são residentes normais do trato intestinal. A mais comum é, de longe, *Escherichia coli*, seguida de *Proteus*, *Klebsiella* e *Enterobacter*. *Streptococcus faecalis*, também de origem entérica, os estafilococos e praticamente qualquer outro agente bacteriano ou fúngico podem causar infecção do trato urinário inferior e dos rins. As micobactérias e os fungos induzem inflamação granulomatosa caseosa e não caseosa, respectivamente. Em indivíduos imunocomprometidos, em particular naqueles com transplante de órgãos, os vírus, como o poliomavírus, o citomegalovírus e o adenovírus, também podem causar infecção renal.

Existem duas vias pelas quais as bactérias podem alcançar os rins: (1) por meio da corrente sanguínea (infecção hematogênica); e (2) a partir do trato urinário inferior (infecção ascendente) (**Figura 20.24**). A via hematogênica é menos comum e resulta da semeadura dos rins por bactérias provenientes de focos distantes no curso de septicemia ou infecções localizadas, como a endocardite infecciosa. A infecção hematogênica tem maior probabilidade de ocorrer na presença de obstrução ureteral e em pacientes debilitados. Normalmente, em pacientes submetidos à terapia imunossupressora, estão envolvidos organismos não entéricos, como estafilococos e certos fungos e vírus.

A infecção ascendente constitui a causa mais comum de pielonefrite clínica. A bexiga humana normal e a urina presente na bexiga são estéreis; por conseguinte, várias etapas precisam ocorrer para que haja infecção renal:

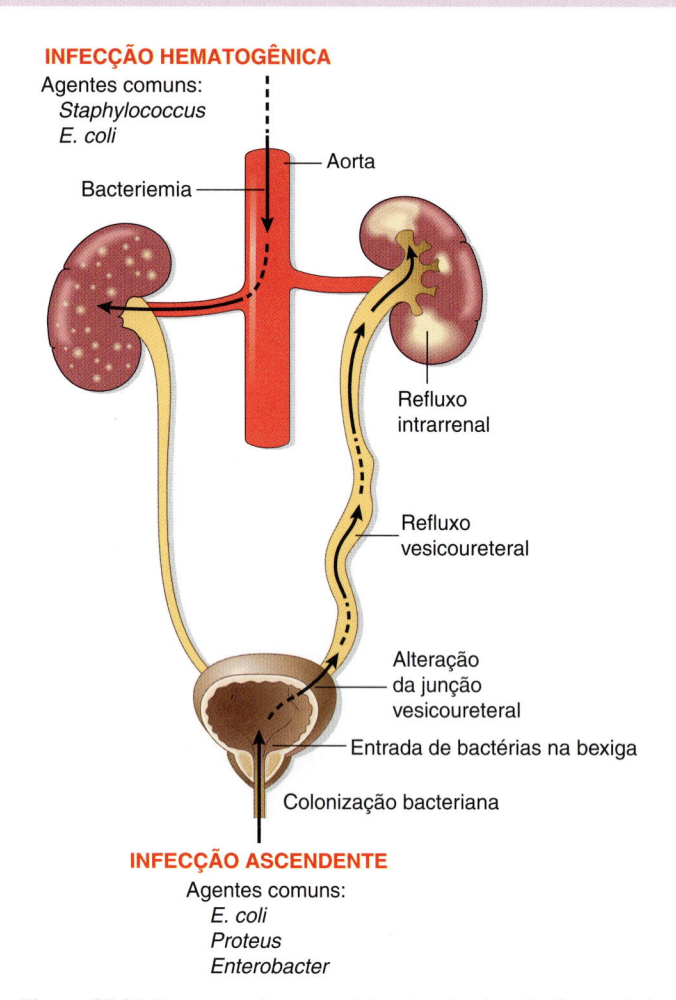

Figura 20.24 Representação esquemática das vias de infecção renal. A infecção hematogênica resulta de disseminação bacterêmica. A infecção ascendente é mais comum e resulta de uma combinação de infecção da bexiga, refluxo vesicoureteral e refluxo intrarrenal.

- A primeira etapa consiste em *colonização da parte distal da uretra e do vestíbulo da vagina* (na mulher) por bactérias coliformes. Essa colonização é influenciada pelo grau de aderência das bactérias ao epitélio da mucosa uretral, conforme discutido no **Capítulo 8**, que envolve moléculas de adesão (adesinas) nas fímbrias-P (*pili*) das bactérias, que interagem com receptores na superfície das células uroteliais
- *Para seguir da uretra para a bexiga*, os microrganismos podem se valer de cateterização uretral ou outra instrumentação. A cateterização a longo prazo, em particular, está associada a risco de infecção. Na ausência de instrumentação, as *infecções urinárias são muito mais comuns nas mulheres*, e isso tem sido atribuído à uretra mais curta nas mulheres, à ausência de propriedades antibacterianas encontradas no líquido prostático, a alterações hormonais que afetam a aderência das bactérias à mucosa e ao trauma uretral durante a relação sexual ou a qualquer combinação desses fatores.

Diversas condições predispõem ao deslocamento de microrganismos da bexiga para os rins:

- *Obstrução do trato urinário e estase da urina*. Normalmente, os microrganismos introduzidos na bexiga são eliminados pela micção contínua e por mecanismos antibacterianos. No entanto, a obstrução do fluxo ou a disfunção da bexiga resultam em esvaziamento incompleto e urina residual. Na presença de estase, as bactérias introduzidas na bexiga podem multiplicar-se livremente. Em consequência, a infecção do trato urinário é frequente entre pacientes com obstrução do trato urinário inferior, como a que pode ocorrer em hipertrofia prostática benigna, neoplasias, cálculos ou disfunção neurogênica da bexiga causada por diabetes melito ou lesão da medula espinal

- *Refluxo vesicoureteral.* Embora a obstrução seja um importante fator predisponente na infecção ascendente, a *incompetência da válvula vesicoureteral* permite que as bactérias ascendam pelo ureter até a pelve renal. A inserção ureteral normal na bexiga é uma válvula unidirecional, que impede o fluxo retrógrado de urina quando a pressão intravesical aumenta, como durante a micção. Um orifício vesicoureteral incompetente permite o refluxo da urina da bexiga para os ureteres (*refluxo vesicoureteral*) (**Figura 20.25**). Com frequência, o refluxo ocorre devido à ausência congênita ou ao encurtamento da porção intravesical do ureter, de modo que ele não é comprimido durante a micção. Além disso, ele pode ser adquirido pela própria infecção da bexiga. Foi postulado que as próprias bactérias ou a inflamação associada podem promover o refluxo ao afetar a contratilidade ureteral, particularmente em crianças. Estima-se que o refluxo vesicoureteral afete 1 a 2% das crianças normais sob os demais aspectos. Nos adultos, o *refluxo vesicoureteral adquirido* pode resultar de atonia persistente da bexiga, causada por lesão da medula espinal. À semelhança da obstrução, a urina residual no trato urinário após a micção favorece o crescimento bacteriano

- *Refluxo intrarrenal.* O refluxo vesicoureteral também fornece um mecanismo para propelir a urina infectada da bexiga para a pelve renal e profundamente no parênquima renal por meio dos ductos abertos nas pontas das papilas (refluxo intrarrenal). O refluxo intrarrenal é mais comum nos polos superior e inferior dos rins, nos quais as papilas tendem a apresentar pontas achatadas ou côncavas, em vez do tipo convexo presente nas zonas intermediárias dos rins (ilustradas na maioria dos livros). O refluxo pode ser demonstrado por uretrocistografia miccional, em que a bexiga é preenchida com material radiopaco, e são obtidas imagens durante a micção. É possível demonstrar a presença de refluxo vesicoureteral em cerca de 30% dos lactentes e crianças com infecção do trato urinário (ver **Figura 20.25**).

Na ausência de refluxo vesicoureteral, a infecção geralmente permanece localizada na bexiga. Por conseguinte, a maioria dos indivíduos com colonização bacteriana repetida ou persistente do trato urinário apresenta cistite e uretrite (*infecção do trato urinário inferior*), em vez de pielonefrite.

Pielonefrite aguda

A pielonefrite aguda é uma inflamação supurativa dos rins, causada por infecção bacteriana e, às vezes, viral (p. ex., poliomavírus), que pode alcançar os rins por disseminação hematogênica ou, mais comumente, pelos ureteres em associação ao refluxo vesicoureteral.

Morfologia

As características básicas da pielonefrite aguda consistem em **inflamação supurativa intersticial focal, agregados intratubulares de neutrófilos, tubulite neutrofílica e lesão tubular**. A supuração, que pode ocorrer na forma de abscessos focais característicos ou grandes áreas cuneiformes, pode acometer um ou ambos os rins (**Figura 20.26**).

Nos estágios iniciais, a infiltração neutrofílica limita-se aos túbulos. As luzes tubulares proporcionam um conduto para a extensão da infecção, e esta pode se estender para o interstício e produzir abscessos, que destroem os túbulos acometidos (**Figura 20.27**). De forma característica, os glomérulos mostram-se relativamente resistentes à infecção. Todavia, a doença extensa também destrói os glomérulos, e a pielonefrite fúngica (p. ex., *Candida*) com frequência resulta em inflamação intersticial granulomatosa.

Três complicações podem se sobrepor à pielonefrite aguda:

- A *necrose papilar* é observada principalmente em pacientes com diabetes, na doença falciforme e naqueles com obstrução do trato urinário. A necrose papilar é normalmente bilateral, mas pode ser unilateral. Uma ou todas as pirâmides do rim afetado podem estar acometidas. Em corte, as pontas ou os dois terços distais das pirâmides apresentam áreas de necrose branco-acinzentadas ou amareladas (**Figura 20.28**). Ao exame microscópico, o tecido necrótico revela necrose coagulativa isquêmica característica, com preservação dos contornos dos túbulos. A resposta dos leucócitos limita-se às junções entre os tecidos preservados e destruídos
- Observa-se a ocorrência de *pionefrose* quando há obstrução total ou quase completa, em particular quando é de localização alta no trato urinário. O exsudato supurativo é incapaz de drenar e preenche a pelve renal, os cálices e o ureter com pus.
- O *abscesso perirrenal* é uma extensão da inflamação supurativa através da cápsula renal para o tecido perirrenal.

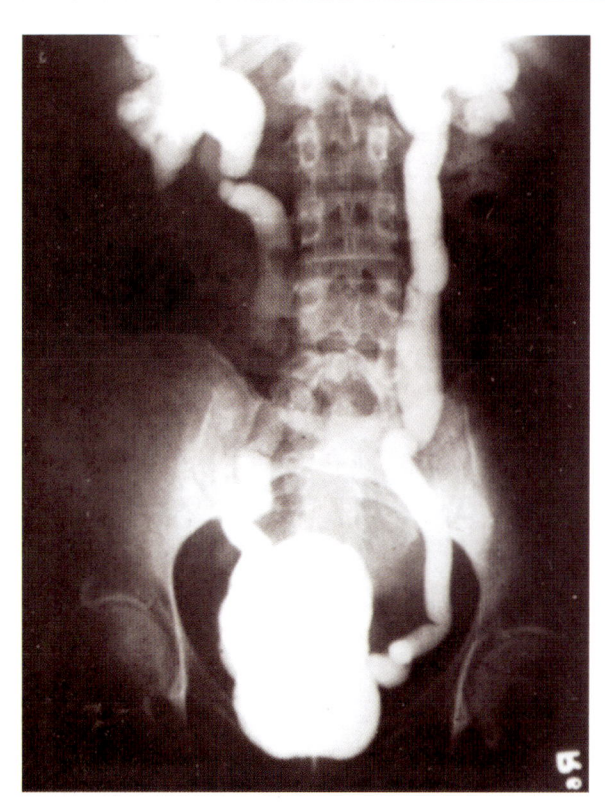

Figura 20.25 Refluxo vesicoureteral demonstrado por uretrocistografia miccional. O contraste injetado na bexiga reflui para os dois ureteres dilatados, preenchendo a pelve e os cálices.

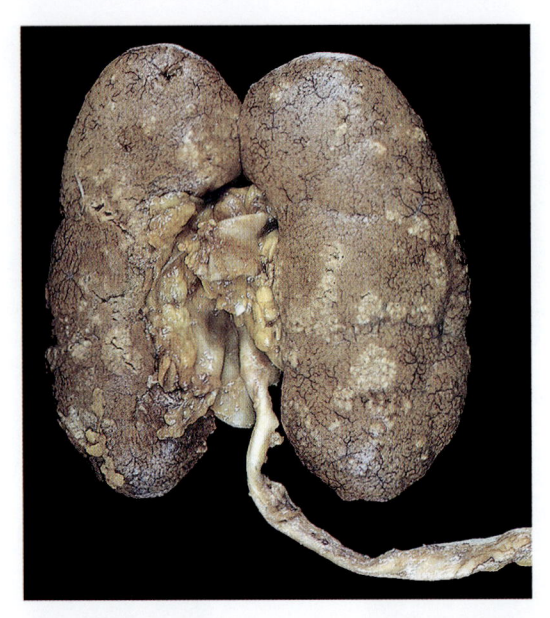

Figura 20.26 Pielonefrite aguda. A superfície cortical mostra áreas branco-acinzentadas de inflamação e formação de abscessos.

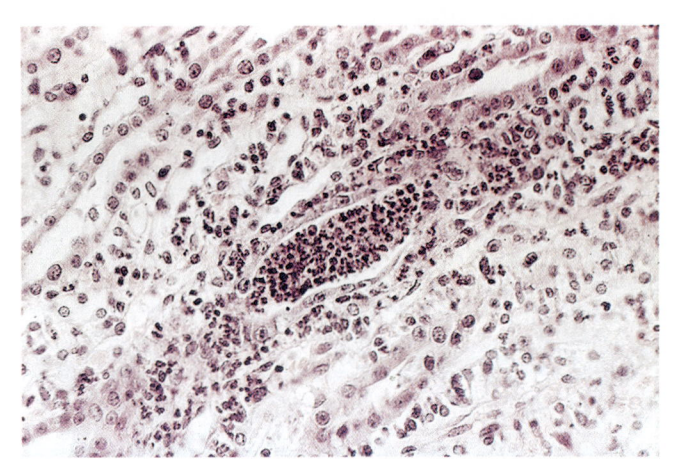

Figura 20.27 Pielonefrite aguda, caracterizada por exsudato neutrofílico dentro dos túbulos e inflamação intersticial.

Características clínicas

A pielonefrite aguda está frequentemente associada às seguintes características:

- *Obstrução do trato urinário*, que é congênita ou adquirida
- *Instrumentação do trato urinário*, mais comumente cateterização
- *Refluxo vesicoureteral*
- *Gravidez*. Entre 4 e 6% das mulheres grávidas desenvolvem bacteriúria em algum momento da gestação, e 20 a 40% delas acabam desenvolvendo infecção urinária sintomática se não forem tratadas
- *Sexo e idade*. Após o primeiro ano de vida (quando as anomalias congênitas no sexo masculino se tornam comumente evidentes) e até cerca de 40 anos, as infecções são mais frequentes em mulheres. Com o avanço da idade, a incidência nos homens aumenta, em consequência de hipertrofia prostática e da instrumentação
- *Lesões renais preexistentes*, que causam cicatrização e obstrução intrarrenais

> Após a fase aguda da pielonefrite, ocorre a cicatrização. O infiltrado neutrofílico é substituído por um infiltrado composto predominantemente de macrófagos, plasmócitos e linfócitos. Os focos inflamatórios são finalmente substituídos por cicatrizes irregulares, que podem ser observadas na superfície cortical como depressões fibrosas. Essas cicatrizes caracterizam-se microscopicamente por atrofia tubular, fibrose intersticial e infiltrado linfocítico em um padrão focal em quebra-cabeça que é bastante característico, com parênquima intercalado preservado. **A cicatriz pielonefrítica quase sempre está associada à inflamação, fibrose e deformação do cálice e da pelve subjacentes**, refletindo o papel da infecção ascendente e do refluxo vesicoureteral na patogênese da doença.

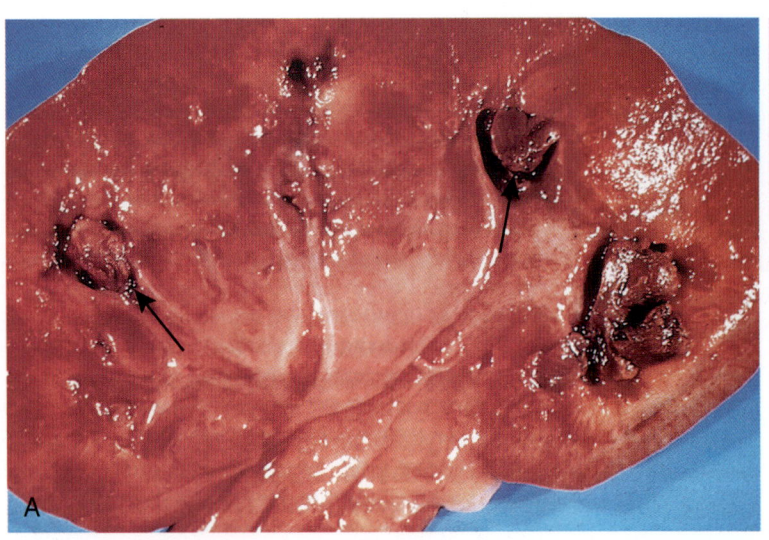

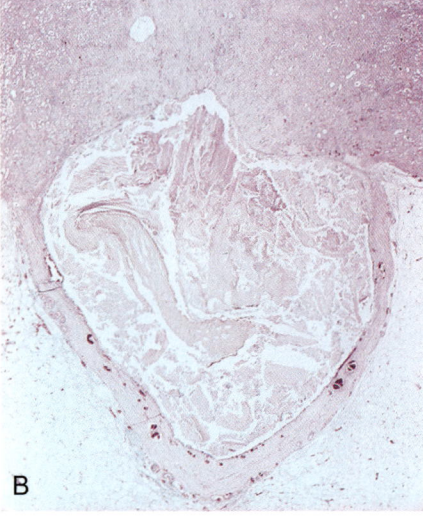

Figura 20.28 Necrose papilar. Áreas de hemorragia em cinza-claro e necrose acometendo as papilas (*setas*).

- *Diabetes melito*, em que o aumento de suscetibilidade à infecção, a disfunção neurogênica da bexiga e a instrumentação mais frequente constituem fatores predisponentes
- *Imunossupressão e imunodeficiência.*

A pielonefrite aguda apresenta-se normalmente com início súbito de dor no ângulo costovertebral e evidências sistêmicas de infecção, como febre e mal-estar. Com frequência, há indicações de irritação vesical e uretral, como disúria, polaciúria e urgência. A urina contém muitos leucócitos (piúria) derivados do infiltrado inflamatório, porém a piúria não distingue entre a infecção do trato urinário superior e a do trato urinário inferior. O achado de *cilindros* leucocitários, normalmente ricos em neutrófilos (cilindros de pus), indica comprometimento renal, visto que os cilindros são formados apenas nos túbulos. O diagnóstico de infecção é estabelecido pela cultura quantitativa da urina.

A pielonefrite aguda não complicada segue comumente uma evolução benigna, e os sintomas desaparecem em poucos dias após a instituição da antibioticoterapia adequada. Entretanto, as bactérias podem persistir na urina, ou pode haver recorrência da infecção por novos tipos sorológicos de *E. coli* e outros microrganismos. Essa bacteriúria pode, então, desaparecer ou persistir, às vezes durante anos. Na presença de obstrução urinária não aliviada, diabetes melito ou imunodeficiência, a pielonefrite aguda pode ser grave, levando a repetidos episódios de septicemia. A superposição de *necrose papilar* pode levar à insuficiência renal aguda.

O *poliomavírus* é um patógeno viral que provoca pielonefrite em aloenxertos renais. A infecção latente por poliomavírus é disseminada na população geral, e a imunossupressão do receptor do enxerto pode levar à reativação de infecção latente e ao desenvolvimento de nefropatia, resultando em falência do enxerto em até 5% dos receptores de transplante renal. Essa forma de pielonefrite, agora denominada nefropatia por poliomavírus, caracteriza-se por infecção dos núcleos das células epiteliais tubulares, resultando em aumento nuclear e inclusões intranucleares visíveis à microscopia óptica (efeito citopático viral). As inclusões são compostas de vírions, que aparecem em uma organização reticulada característica do tipo cristalina quando são visualizados na microscopia eletrônica (**Figura 20.29**). Uma resposta inflamatória intersticial está invariavelmente presente. O tratamento consiste em redução da imunossupressão.

Pielonefrite crônica e nefropatia de refluxo

A pielonefrite crônica é um distúrbio em que a inflamação tubulointersticial crônica e a formação de cicatrizes acometem os cálices e a pelve (**Figura 20.30**). Embora várias doenças produzam alterações tubulointersticiais crônicas (ver **Tabela 20.8**), apenas a pielonefrite crônica e a nefropatia por analgésicos afetam os cálices, de modo que os danos pielocaliciais constituem uma importante indicação para o diagnóstico. Antigamente, a pielonefrite crônica era responsável por 10 a 20% dos pacientes nas unidades de transplante renal ou de diálise até o reconhecimento mais específico de condições predisponentes, como o refluxo. Essa condição continua sendo uma importante causa de destruição renal em crianças com anormalidades graves do trato urinário inferior.

Morfologia

As alterações características da pielonefrite crônica são visíveis no exame macroscópico (**Figuras 20.30** e **20.31A**). Em geral, os rins estão irregularmente cicatrizados; o comprometimento, quando bilateral, é assimétrico. Em contrapartida, na glomerulonefrite crônica, os dois rins apresentam cicatrizes difusas e simétricas. As características básicas da pielonefrite crônica consistem em **cicatrizes corticomedulares grosseiras e características, que se sobrepõem a cálices dilatados, aplanados ou deformados, com achatamento das papilas.** As cicatrizes variam desde uma a várias, e a maioria é encontrada nos polos superior e inferior, o que é consistente com a frequência do refluxo nesses locais.

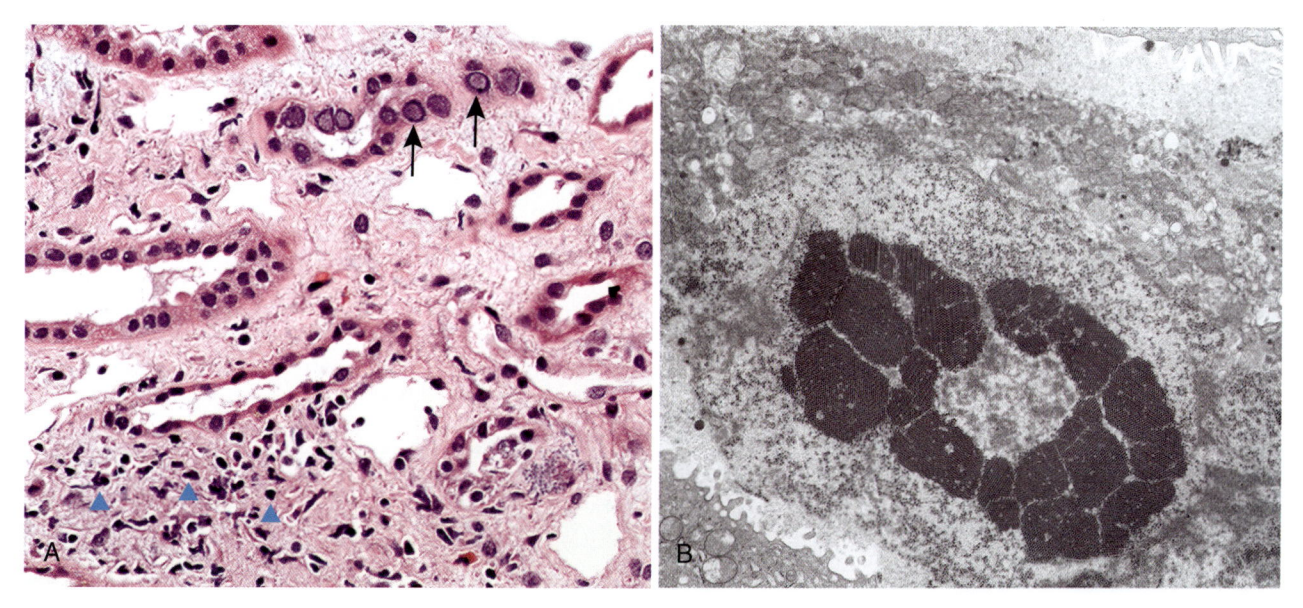

Figura 20.29 Nefropatia por poliomavírus. **A.** O rim apresenta células epiteliais tubulares aumentadas, com inclusões nucleares (*setas*) e inflamação intersticial (*cabeças de seta*). **B.** Inclusões virais intranucleares visualizadas por microscopia eletrônica. (Cortesia do Dr. Jean Olson, Department of Pathology, University of California San Francisco, São Francisco, Calif.)

As alterações microscópicas envolvem predominantemente os túbulos e o interstício. Os túbulos apresentam atrofia em algumas áreas e hipertrofia ou dilatação em outras. Os túbulos dilatados com epitélio achatado podem estar preenchidos com cilindros, que se assemelham ao coloide da tireoide (tireoidização). Há graus variáveis de inflamação intersticial crônica e fibrose no córtex e na medula. Com frequência, ocorre fibrose ao redor do epitélio calicial, bem como infiltrado inflamatório crônico pronunciado. Os glomérulos podem ter aparência normal, exceto por uma variedade de alterações isquêmicas, incluindo fibrose periglomerular, obliteração fibrosa e alterações secundárias relacionadas com hipertensão. Os indivíduos com pielonefrite crônica e nefropatia de refluxo que desenvolvem proteinúria nos estágios avançados apresentam GESF, conforme descrito adiante.

A **pielonefrite xantogranulomatosa** é uma forma rara de pielonefrite crônica, caracterizada pelo acúmulo de macrófagos espumosos misturados com plasmócitos, linfócitos, leucócitos polimorfonucleares e células gigantes ocasionais. As lesões, com frequência associadas a infecções por *Proteus* e obstrução, às vezes produzem grandes nódulos laranja-amarelados, que podem ser macroscopicamente confundidos com carcinoma de células renais.

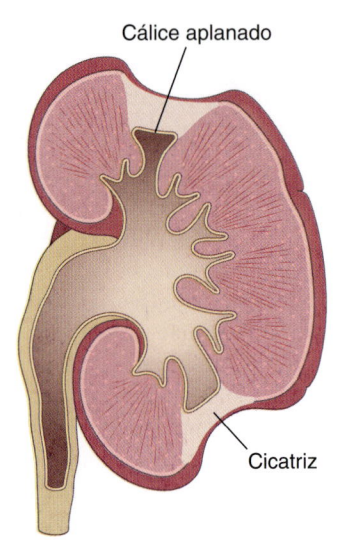

Figura 20.30 Cicatrizes grosseiras típicas da pielonefrite crônica associadas ao refluxo vesicoureteral. As cicatrizes são normalmente polares e estão associadas a cálices aplanados subjacentes.

Características clínicas

A pielonefrite obstrutiva crônica pode ter início silencioso ou apresentar manifestações de pielonefrite recorrente aguda, como dor nas costas, febre, piúria e bacteriúria. Esses pacientes recebem atenção médica em uma fase relativamente tardia da evolução da doença, devido ao início gradual de insuficiência renal e hipertensão. Com frequência, a nefropatia de refluxo é descoberta em crianças quando se investiga a causa da hipertensão. A perda da função tubular – em particular da capacidade de concentração – resulta em poliúria e nictúria. Os exames radiográficos revelam rins contraídos de maneira assimétrica, com cicatrizes grosseiras características e atenuação e deformidade do sistema calicial. Pode ocorrer bacteriúria significativa, que normalmente está ausente nos estágios tardios.

Embora a proteinúria seja geralmente leve, alguns indivíduos com cicatrizes pielonefríticas desenvolvem *GESF* secundária, com proteinúria significativa, mesmo na faixa nefrótica, vários anos após a ocorrência de cicatrização e, com frequência, na ausência de infecção continuada ou de refluxo vesicoureteral persistente. O início da proteinúria representa um sinal de prognóstico sombrio, visto que ela aumenta a probabilidade de progressão para a DRT. Conforme discutido, a glomeruloesclerose é atribuível às alterações glomerulares adaptativas secundárias à perda da massa renal causada pela cicatrização pielonefrítica.

> ### Conceitos-chave
> **Pielonefrite**
> - Tanto a pielonefrite aguda quanto a crônica podem ser causadas por infecção por via ascendente (mais comum) ou hematogênica. As lesões obstrutivas do trato urinário constituem fatores predisponentes importantes

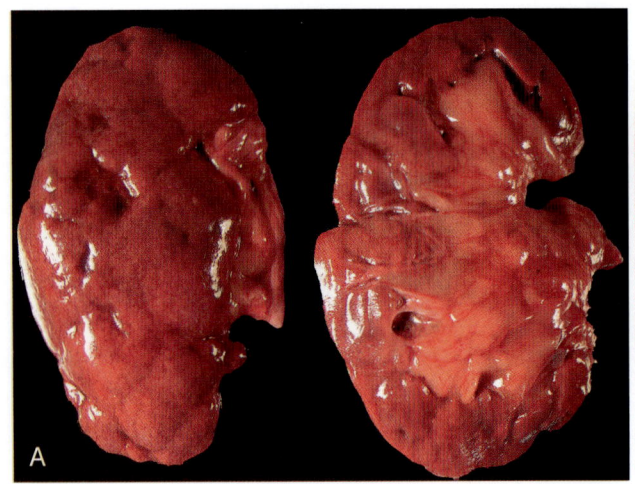

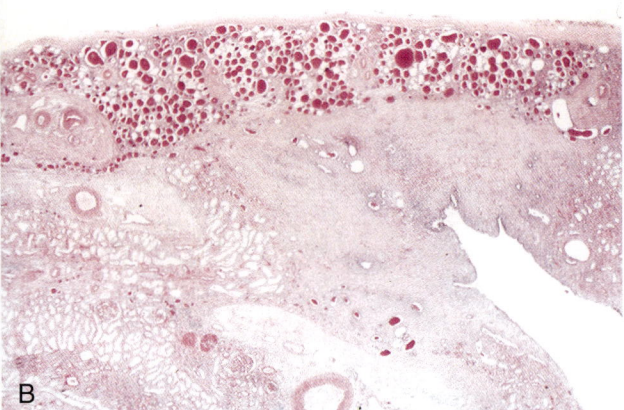

Figura 20.31 A. Pielonefrite crônica. A superfície (*à esquerda*) apresenta cicatrizes irregulares. O corte (*à direita*) revela atenuação e perda de várias papilas. **B.** A fotomicrografia em pequeno aumento mostra uma cicatriz renal corticomedular com cálice subjacente deformado e dilatado. Observe a tireoidização dos túbulos no córtex.

- As bactérias constituem o agente infeccioso mais comum na pielonefrite aguda e induzem uma resposta inflamatória neutrofílica proeminente; a inflamação intersticial granulomatosa é característica das infecções fúngicas ou micobacterianas
- Ocorre pielonefrite crônica quando anomalias anatômicas resultam em refluxo de urina ou obstrução do fluxo de urina; vários episódios dessa lesão levam à cicatrização irregular dos rins, que normalmente são mais proeminentes nos polos superior ou inferior, nos quais o refluxo é mais comum.

cutâneos para fármacos, sugere uma reação de hipersensibilidade tardia mediada por células T (tipo IV).

A sequência mais provável de eventos é que os fármacos envolvidos atuam como haptenos e ligam-se de modo covalente a algum componente da membrana plasmática ou extracelular das células tubulares. Esses autoantígenos modificados tornam-se, então, imunogênicos. A lesão resultante deve-se a reações imunes mediadas por IgE ou por células, direcionadas contra as células tubulares ou suas membranas basais.

Nefrite tubulointestinal induzida por fármacos e toxinas

A nefrite tubulointersticial induzida por fármacos e toxinas é a segunda causa mais comum de lesão renal aguda (depois da pielonefrite). As toxinas e os fármacos podem provocar lesão renal por meio de pelo menos três mecanismos: (1) desencadeiam uma reação imune intersticial, exemplificada pela nefrite de hipersensibilidade aguda induzida por fármacos, como a meticilina; (2) causam LTA, conforme descrito anteriormente; e (3) provocam lesão subclínica, porém cumulativa, dos túbulos, que leva anos para resultar em doença renal crônica. Esse último tipo de lesão é especialmente preocupante, visto que pode não ser reconhecida até que os danos renais sejam irreversíveis.

Nefrite intersticial aguda induzida por fármacos

A nefrite tubulointersticial aguda, descrita pela primeira vez após o uso de sulfonamidas, ocorre mais frequentemente com a administração de penicilinas sintéticas (meticilina, ampicilina), outros antibióticos sintéticos (rifampicina), diuréticos (tiazidas), AINEs e vários outros fármacos (alopurinol, cimetidina, inibidores dos pontos de checagem). A nefrite tubulointersticial crônica causada por analgésicos que contêm fenacetina, denominada *nefropatia por analgésicos*, é de importância histórica, visto que a sua incidência diminuiu de modo substancial com a retirada ou a restrição da fenacetina na maioria dos países.

A nefrite intersticial aguda induzida por fármacos começa 2 a 40 dias após a exposição ao fármaco e caracteriza-se por *febre*, *eosinofilia* (que pode ser transitória), *exantema* em aproximadamente 25% dos pacientes e *anormalidades renais*. As anormalidades renais consistem em hematúria, proteinúria leve e leucocitúria (incluindo comumente eosinófilos). Em cerca de 50% dos casos, há elevação dos níveis séricos de creatinina ou desenvolvimento de lesão renal aguda com oligúria.

Patogênese

Muitas características da doença sugerem um mecanismo imune idiossincrásico. As evidências clínicas de hipersensibilidade incluem o período de latência, a eosinofilia e o exantema, o fato de que o início da nefropatia não está relacionado com a dose e a recorrência das manifestações clínicas e patológicas após a nova exposição ao mesmo fármaco ou a um agente quimicamente relacionado. Em alguns pacientes, os níveis séricos de IgE estão aumentados, e observa-se a presença de plasmócitos e basófilos contendo IgE nas lesões, sugerindo que a *reação de fase tardia de hipersensibilidade mediada por IgE (tipo I)* pode estar envolvida na patogênese (ver **Capítulo 6**). Em outros casos, uma reação monocular ou granulomatosa, com resultados positivos de testes

Morfologia

O interstício apresenta **edema variável**, porém comumente pronunciado, e **infiltração por células mononucleares**, principalmente linfócitos e macrófagos. Pode-se observar a presença de eosinófilos e neutrófilos (**Figura 20.32**), com frequência em agrupamentos e em grande número, e, às vezes, há um menor número de plasmócitos e mastócitos. A inflamação pode ser mais proeminente na medula, em que o agente desencadeante está concentrado. No caso de alguns fármacos (p. ex., meticilina, tiazidas), podem-se observar granulomas não necrosantes intersticiais quando os túbulos sofrem ruptura. A tubulite, a infiltração dos túbulos por linfócitos, é comum. Observa-se a presença de graus variáveis de lesão e regeneração tubulares. Os glomérulos são normais, exceto em alguns casos provocados pelo uso de AINEs, quando há desenvolvimento concomitante de doença por lesões mínimas e síndrome nefrótica (ver adiante).

Características clínicas

É importante reconhecer a nefrite intersticial aguda induzida por fármacos, visto que a retirada do fármaco agressor é seguida de recuperação, embora isso possa levar vários meses, e possam ocorrer danos irreversíveis. Enquanto os fármacos constituem a principal causa de nefrite intersticial aguda, não é possível identificar um fármaco ou mecanismo agressor em muitos pacientes afetados (aproximadamente 30 a 40%).

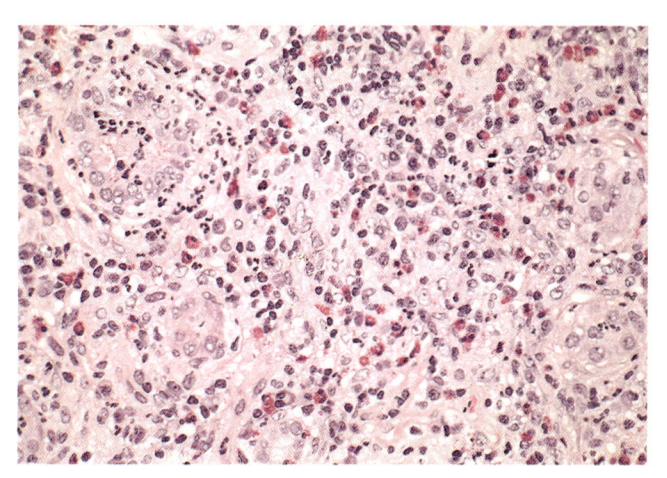

Figura 20.32 Nefrite intersticial induzida por fármacos, com infiltrado proeminente de células eosinofílicas e mononucleares. (Cortesia do Dr. H. Rennke, Brigham and Women's Hospital, Boston, Mass.)

Em certas ocasiões, as papilas necróticas são excretadas e podem causar hematúria macroscópica ou cólica renal, devido à obstrução ureteral. A necrose papilar não é específica da nefropatia por analgésicos e pode ser observada no diabetes melito, bem como na obstrução do trato urinário, doença ou traço falciforme (ver adiante) e, focalmente, na tuberculose renal. Em todos os casos, ela é produzida por isquemia em decorrência da compressão ou obstrução dos pequenos vasos sanguíneos na medula. Essa compressão pode ser causada por edema intersticial (como nas reações inflamatórias e na obstrução do trato urinário) ou doença microvascular (como no diabetes melito). A **Tabela 20.9** fornece uma lista das principais características da necrose papilar nessas condições.

Nefropatia associada a AINEs

Os AINEs, uma das classes de fármacos mais comumente utilizadas, produzem diversas formas de lesão renal. Embora essas complicações sejam incomuns, elas devem ser lembradas, visto que os AINEs são administrados com frequência a pacientes com outras causas potenciais de doença renal. Muitos AINEs são inibidores não seletivos da ciclo-oxigenase, e seus efeitos adversos renais estão relacionados com a sua capacidade de inibir a síntese de prostaglandinas dependente da ciclo-oxigenase. Os inibidores seletivos da COX-2, apesar de pouparem o trato gastrintestinal, afetam os rins, visto que a COX-2 é expressa nos rins humanos. As síndromes renais associadas aos AINEs incluem as seguintes:

- *Lesão renal aguda*, devido à síntese diminuída de prostaglandinas vasodilatadoras e à consequente isquemia. Essa lesão tende a ocorrer particularmente no contexto de outras doenças renais ou condições que causam depleção de volume
- *Nefrite intersticial de hipersensibilidade aguda*, que resulta em insuficiência renal, conforme descrito
- *Nefrite intersticial aguda e doença por lesões mínimas*. Essa associação curiosa de duas condições renais diversas, uma que leva à insuficiência e outra que leva à síndrome nefrótica, sugere uma reação de hipersensibilidade que afeta o interstício e, possivelmente, o glomérulo, mas que também é consistente com a lesão dos podócitos mediada por citocinas, liberadas como parte do processo inflamatório
- A *nefropatia membranosa*, com a síndrome nefrótica, é uma associação recentemente reconhecida, cuja patogênese também permanece indefinida.

> **Conceitos-chave**
>
> **Nefrite tubulointersticial induzida por fármacos e toxinas**
>
> - A nefrite tubulointersticial induzida por fármacos é a segunda causa mais comum de lesão renal aguda
> - A inflamação intersticial proeminente com lesão tubular associada, que pode ou não ser acompanhada de eosinófilos ou inflamação granulomatosa, pode ser induzida por quase qualquer tipo de agente farmacológico
> - Os AINEs podem causar nefrite tubulointersticial e/ou lesão glomerular, como a doença por lesões mínimas ou a nefropatia membranosa.

Outras doenças tubulointersticiais

Nefropatia por urato

Podem ocorrer três tipos de nefropatia em indivíduos com distúrbios hiperuricêmicos:

- A *nefropatia aguda por ácido úrico* é causada pela precipitação de cristais de ácido úrico nos túbulos renais, principalmente nos ductos coletores, levando à obstrução dos néfrons e ao desenvolvimento de insuficiência renal aguda. Isso tende a ocorrer particularmente em indivíduos com leucemias ou com linfomas submetidos à quimioterapia (síndrome da lise tumoral); os fármacos destroem as células neoplásicas, e o ácido úrico é produzido com a degradação dos ácidos nucleicos liberados. A precipitação de ácido úrico é favorecida pelo pH ácido existente nos túbulos coletores
- A *nefropatia crônica por urato*, ou nefropatia gotosa, ocorre raramente em formas prolongadas de hiperuricemia. Os cristais de urato monossódico depositam-se no meio ácido dos túbulos distais e dos ductos coletores e formam cristais birrefringentes característicos e semelhantes a agulhas na luz tubular ou no interstício (**Figura 20.33**). Os depósitos de urato desencadeiam uma resposta mononuclear que contém células gigantes de corpo estranho. Essa lesão é denominada *tofo* (ver **Capítulo 26**). A obstrução tubular pelos uratos provoca atrofia e cicatrização corticais. Do ponto de vista clínico, a nefropatia por urato é uma doença sutil associada a defeitos tubulares, que pode progredir lentamente. Alguns indivíduos com gota que desenvolvem nefropatia crônica apresentam evidências de exposição aumentada ao chumbo

Tabela 20.9 Causas de necrose papilar.

	Diabetes melito	Nefropatia por analgésicos[a]	Doença falciforme	Obstrução
Razão entre homens e mulheres	1:3	1:5	1:1	9:1
Intervalo de tempo	10 anos	> 5 anos do abuso	Variável	Variável
Infecção	80%	25%	±	90%
Calcificação	Rara	Frequente	Rara	Frequente
Número de papilas afetadas	Várias; todas no mesmo estágio	Quase todas; diferentes estágios de necrose	Poucas	Variável

[a] A incidência dessa doença diminuiu acentuadamente a partir da década de 1990, visto que a sua principal causa, a fenacetina, foi retirada do mercado na maioria dos países, e não há mais analgésicos de combinação disponíveis que não precisem de prescrição médica.
Dados de Seshan S et al., editors: *Classification and Atlas of Tubulointerstitial and Vascular Diseases*, Baltimore, 1999, Williams & Wilkins.

- *Nefrolitíase*: observa-se a presença de cálculos de ácido úrico em 22% dos indivíduos com gota e em 42% daqueles com hiperuricemia secundária (ver discussão sobre cálculos renais, adiante).

Hipercalcemia e nefrocalcinose

Os distúrbios associados à hipercalcemia, como hiperparatireoidismo, mieloma múltiplo, intoxicação por vitamina D, câncer metastático ou ingestão excessiva de cálcio (síndrome do leite-álcali), podem induzir a formação de cálculos de cálcio e a deposição de cálcio nos rins (nefrocalcinose). Em certas condições, graus extensos de calcinose podem levar à doença tubulointersticial crônica e à insuficiência renal.

O defeito funcional mais precoce consiste na incapacidade de concentrar a urina. Além disso, podem ocorrer outros defeitos tubulares, como acidose tubular e nefrite perdedora de sal. Em casos de danos adicionais, ocorre desenvolvimento de doença renal crônica lentamente progressiva. Em geral, isso se deve à nefrocalcinose, porém muitos desses pacientes também apresentam cálculos de cálcio e pielonefrite secundária.

Doença renal tubulointersticial autossômica dominante

A doença renal tubulointersticial autossômica dominante (DRTAD) era anteriormente conhecida como doença cística medular. Tendo-se em vista a presença variável de cistos, que, com frequência, não estão localizados na medula, e a genética distinta, a doença é agora reconhecida como DRTAD, devido às seguintes mutações genéticas:

- O *MUC1* codifica a mucina-1 (expressa nos néfrons distais)
- O *UMOD* codifica a uromodulina (expressa no ramo ascendente espesso da alça de Henle)
- O *REN* codifica a pré-pró-renina (expressa no aparelho justaglomerular)
- O *HNF1β* codifica o fator nuclear do hepatócito 1β, um fator de transcrição que regula múltiplos genes, incluindo *UMOD*.

A DRTAD está associada a achados clínicos e patológicos inespecíficos e provoca insuficiência renal progressiva na vida adulta, com padrão de transmissão autossômico dominante. Os mecanismos patogênicos são desconhecidos.

Nefropatia por cilindros de cadeias leves ("rins do mieloma")

As neoplasias malignas não renais, particularmente as de origem hematopoética, afetam os rins de várias maneiras (**Tabela 20.10**). O comprometimento mais comum é tubulointersticial, causado por complicações da neoplasia (hipercalcemia, obstrução ureteral) ou da terapia (irradiação, hiperuricemia, quimioterapia, transplante de células hematopoéticas, infecções em pacientes imunossuprimidos). Aqui, a discussão será limitada às lesões tubulointersticiais que ocorrem em pacientes com *mieloma múltiplo*.

Ocorre insuficiência renal manifesta em metade dos pacientes com mieloma múltiplo e distúrbios linfoplasmocíticos relacionados. Diversos fatores contribuem para os danos renais:

- *Proteinúria de Bence-Jones e nefropatia por cilindros.* A principal causa de disfunção renal está relacionada com a proteinúria de Bence-Jones (cadeias leves) e exibe uma correlação com o grau de proteinúria. Dois mecanismos parecem ser responsáveis pela toxicidade renal das proteínas de Bence-Jones. Em primeiro lugar, algumas cadeias leves de Ig são diretamente tóxicas para as células epiteliais, devido às suas propriedades físico-químicas intrínsecas. Em segundo lugar, as proteínas de Bence-Jones combinam-se com a glicoproteína urinária (proteína de Tamm-Horsfall) em condições ácidas para formar grandes cilindros tubulares histologicamente distintos, que causam a obstrução da luz tubular e induzem uma reação inflamatória característica (nefropatia por cilindros de cadeias leves)
- A *amiloidose* do tipo AL, formada a partir de cadeias leves (em geral, do tipo λ) livres, é observada em 6 a 24% dos indivíduos com mieloma

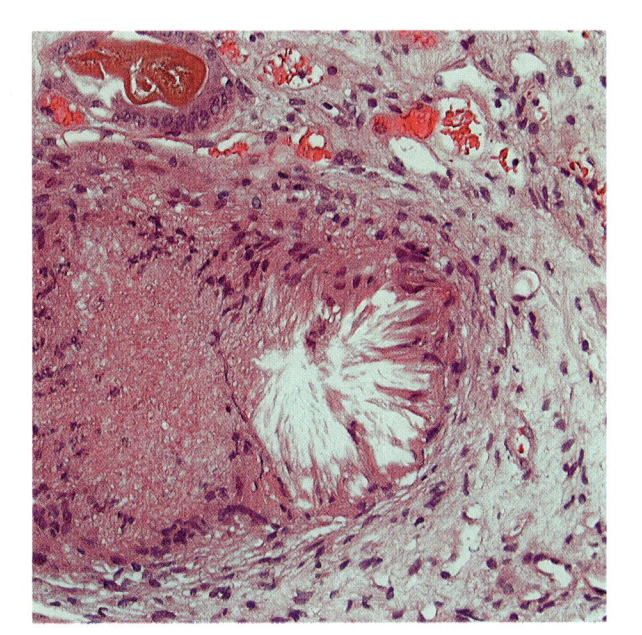

Figura 20.33 Os cristais de urato delgado na medula renal são delineados por inflamação granulomatosa.

Tabela 20.10 Doença renal relacionada com neoplasias não renais.

Invasão neoplásica direta ou metastática do parênquima renal
Ureteres (obstrução)
Artéria (hipertensão renovascular)
Hipercalcemia
Hiperuricemia
Amiloidose (AL, tipo cadeia leve)
Excreção de proteínas anormais (mieloma múltiplo)
Glomerulopatias
Nefropatia membranosa, secundária (carcinomas)
Doença por lesões mínimas (doença de Hodgkin)
Glomerulonefrite membranoproliferativa (leucemias e linfomas)
Doença de depósito de imunoglobulinas monoclonais/cadeias leves (mieloma múltiplo)
Efeitos da radioterapia, quimioterapia, transplante de células hematopoéticas, infecção secundária

- *Doença de depósito de cadeias leves.* Em alguns pacientes, as cadeias leves (em geral, do tipo κ) depositam-se nas MBG e no mesângio em formas não fibrilares, causando glomerulopatia (descrita anteriormente), bem como nas membranas basais tubulares, podendo causar nefrite tubulointersticial
- A *hipercalcemia* e a *hiperuricemia* geralmente estão presentes nesses pacientes.

Morfologia

As alterações tubulointersticiais na nefropatia por cilindros de cadeias leves são características. Os cilindros tubulares de Bence-Jones aparecem como massas amorfas de coloração cor-de-rosa a azul, algumas vezes concentricamente laminadas e, com frequência, fraturadas, que preenchem e distendem as luzes tubulares. Alguns cilindros são circundados por células gigantes multinucleadas que derivam de macrófagos ativados (**Figura 20.34**). Em geral, o tecido intersticial adjacente apresenta resposta inflamatória e fibrose. Em certas ocasiões, os cilindros causam ruptura dos túbulos, produzindo uma reação inflamatória granulomatosa. Além disso, pode haver amiloidose, doença de depósito de cadeias leves, nefrocalcinose e infecção.

Características clínicas

Do ponto de vista clínico, as manifestações renais são de vários tipos. Na forma mais comum, a *doença renal crônica* desenvolve-se de maneira insidiosa e progride lentamente no decorrer de um período de vários meses a anos. Outra forma ocorre subitamente e manifesta-se por *lesão renal aguda* com oligúria. Os fatores precipitantes incluem desidratação, hipercalcemia, infecção aguda e tratamento com antibióticos nefrotóxicos. Ocorre *proteinúria de Bence-Jones* em 70% dos indivíduos com mieloma múltiplo; a presença de proteinúria de cadeias não leves (p. ex., albuminúria) significativa sugere amiloidose AL ou doença de depósito de cadeias leves.

Nefropatia por cilindros biliares

Com frequência, ocorre comprometimento da função renal em pacientes com doença hepática aguda ou crônica avançada. Nesse contexto, os níveis séricos de bilirrubina podem estar acentuadamente elevados, particularmente em pacientes com icterícia, com formação de cilindros biliares (também conhecida como nefrose colêmica) nos segmentos distais do néfron. Os cilindros podem se estender até os túbulos proximais, resultando em efeitos tóxicos diretos sobre as células epiteliais tubulares e em obstrução do néfron acometido. Esse mecanismo de lesão é análogo àquele dos cilindros de imunoglobulina monoclonal e mioglobina. Os cilindros biliares tubulares podem variar de verde-amarelado a rosa-avermelhado e contêm graus variáveis de células descamadas ou restos celulares. A reversibilidade da lesão renal depende da gravidade e da duração da disfunção hepática.

Doenças vasculares

Quase todas as doenças dos rins envolvem os vasos sanguíneos renais secundariamente. As doenças vasculares sistêmicas, como várias formas de vasculite, também afetam os vasos renais, e seus efeitos sobre os rins são de importância clínica. Conforme discutido no **Capítulo 11**, a hipertensão está estreitamente ligada aos rins, visto que a doença renal pode ser tanto uma causa quanto uma consequência do aumento da pressão arterial. Neste capítulo, discutiremos a nefrosclerose.

Nefrosclerose

A *nefrosclerose* **é o termo utilizado para se referir à patologia renal associada à esclerose das arteríolas e pequenas artérias renais; ela está fortemente associada à hipertensão, que pode ser tanto uma causa quanto uma consequência da nefrosclerose.** Na necropsia, a nefrosclerose está associada à idade avançada, é mais frequente em negros do que em brancos e pode ser observada na ausência de hipertensão. Entretanto, a hipertensão arterial e o diabetes melito aumentam a incidência e a gravidade das lesões.

Patogênese

Dois processos participam das lesões arteriais:

- Espessamento das túnicas média e íntima, que representa uma resposta às alterações hemodinâmicas, ao envelhecimento, a defeitos genéticos ou a alguma combinação deles
- Hialinização das paredes arteriolares, causada pelo extravasamento de proteínas plasmáticas através do endotélio lesionado e pela deposição aumentada de matriz da membrana basal.

Devido ao espessamento das paredes, os vasos afetados apresentam estreitamento da luz, resultando em isquemia parenquimatosa focal. A isquemia leva à glomeruloesclerose e à lesão tubulointersticial crônica e produz uma redução da massa funcional renal.

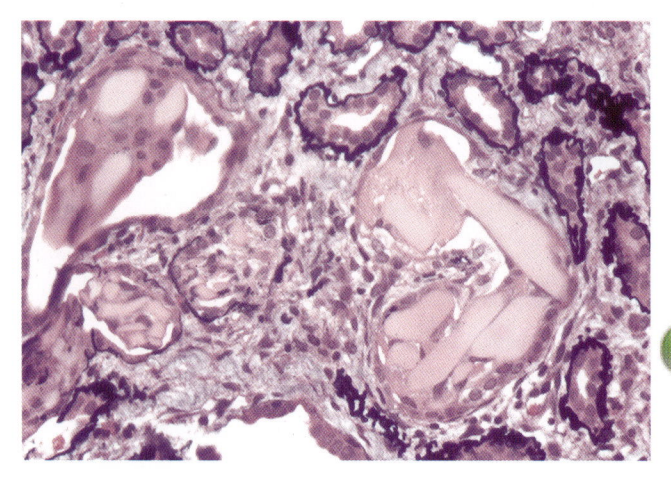

Figura 20.34 Nefropatia por cilindros de cadeias leves. Observe os cilindros angulados e tubulares, circundados por macrófagos, incluindo células multinucleadas.

Morfologia

Os rins estão normais ou moderadamente reduzidos de tamanho, com peso médio entre 110 e 130 g. A superfície cortical apresenta uma granularidade fina e homogênea, que se assemelha à textura do couro (**Figura 20.35**). A perda de massa deve-se principalmente à **cicatrização e à retração corticais**.

Ao exame histológico, há estreitamento da luz das arteríolas e das pequenas artérias, causado pelo espessamento e pela hialinização das paredes (**arteriolosclerose hialina**) (**Figura 20.36**). Correspondendo à superfície finamente granular, são observadas cicatrizes subcapsulares microscópicas com glomérulos escleróticos e desaparecimento tubular, alternando com parênquima bem preservado. Além disso, as artérias interlobulares e arqueadas exibem hipertrofia da túnica média, replicação da lâmina elástica interna e aumento do tecido mielofibroblástico na íntima, com consequente estreitamento da luz. Essa alteração, denominada hiperplasia fibroelástica, com frequência acompanha a arteriolosclerose hialina, e a sua gravidade aumenta com a idade e na presença de hipertensão.

Em consequência do estreitamento vascular, ocorre atrofia isquêmica focal, que consiste em: (1) focos de **atrofia tubular e fibrose intersticial**; e (2) uma variedade de **alterações glomerulares**. Essas últimas incluem colapso da MBG, deposição de colágeno no espaço de Bowman, fibrose periglomerular e esclerose total dos glomérulos. Quando as alterações isquêmicas são pronunciadas e afetam grandes áreas de parênquima, elas podem produzir infartos cuneiformes ou cicatrizes regionais, com alterações histológicas que se assemelham àquelas observadas na lesão por ablação renal, mencionada anteriormente.

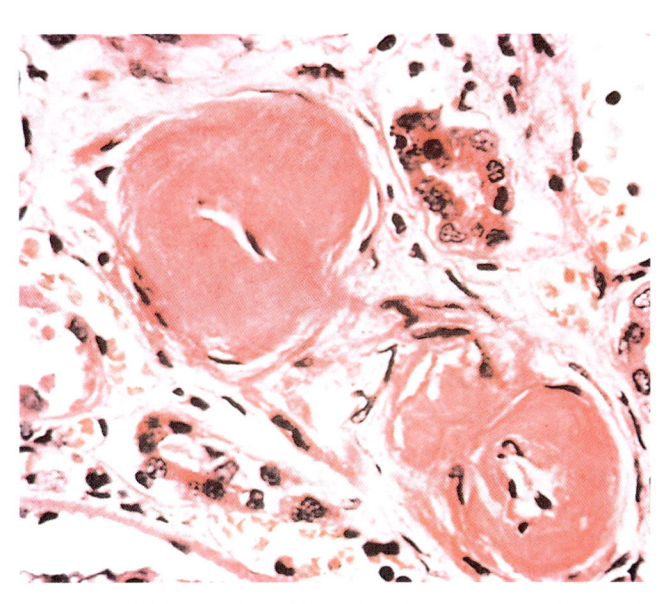

Figura 20.36 Arteriolosclerose hialina. Fotomicrografia em grande aumento de duas arteríolas com deposição hialina, espessamento acentuado das paredes e estreitamento da luz. (Cortesia do Dr. M. A. Venkatachalam, Department of Pathology, University of Texas Health Sciences Center, San Antonio, Tex.)

Características clínicas

É raro que a nefrosclerose não complicada provoque insuficiência renal ou uremia. Entretanto, três grupos de pacientes hipertensos com nefrosclerose correm maior risco de desenvolver insuficiência renal: pessoas de ascendência africana, indivíduos com grave elevação da pressão arterial e pessoas com uma segunda doença subjacente, particularmente diabetes melito. Nesses grupos, a insuficiência renal pode sobrevir após a hipertensão prolongada, porém pode ocorrer insuficiência renal rápida em decorrência do desenvolvimento da fase maligna ou acelerada da hipertensão.

Uma pequena porcentagem de indivíduos hipertensos (até 5%) apresenta rápida elevação da pressão arterial, que, se não for tratada, leva à morte em 1 a 2 anos. Essa forma de hipertensão, denominada *hipertensão maligna*, caracteriza-se por grave elevação da pressão arterial (*i. e.*, pressão sistólica superior a 200 mmHg, pressão diastólica superior a 120 mmHg), por insuficiência renal e hemorragias e exsudatos da retina, com ou sem papiledema (edema do nervo óptico que reflete o aumento da pressão intracraniana). As lesões renais associadas à hipertensão maligna foram denominadas nefrosclerose maligna. No entanto, convém assinalar que existe uma considerável sobreposição clínica e morfológica entre a patologia renal da hipertensão maligna e a das microangiopatias trombóticas. Cerca de 30% dos casos de hipertensão maligna apresentam anemia hemolítica microangiopática (discutida adiante), ao passo que pode ocorrer hipertensão grave em formas primárias da síndrome hemolítico-urêmica. A lesão endotelial constitui um fator patogênico comum nesses distúrbios.

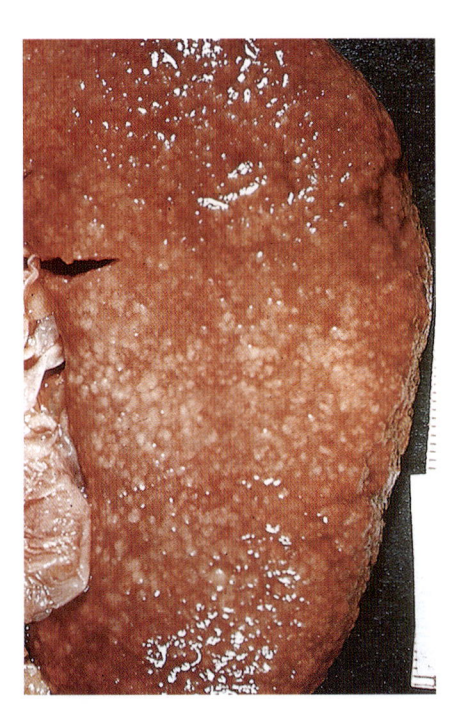

Figura 20.35 Ampliação do aspecto macroscópico da superfície cortical na nefrosclerose benigna, ilustrando a fina granularidade (simulando couro) da superfície.

Conceitos-chave
Nefroesclerose

- A nefrosclerose, que está comumente associada à hipertensão, é definida pela presença de graus variáveis de glomerulosclerose, fibrose intersticial e atrofia tubular, arteriosclerose e arteriolosclerose
- A redução da luz da vasculatura renal (artérias e arteríolas) contribui para a glomerulosclerose (tanto global quanto segmentar), que, subsequentemente, pode causar fibrose intersticial e atrofia tubular.

Estenose da artéria renal

A estenose da artéria renal unilateral é responsável por 2 a 5% dos casos de hipertensão, e é importante reconhecê-la, visto que é potencialmente curável por meio de cirurgia. Além disso, estudos experimentais e em seres humanos da estenose da artéria renal forneceram informações importantes sobre os mecanismos renais da hipertensão.

Patogênese

A hipertensão secundária à estenose da artéria renal é causada pelo aumento da produção de renina pelo rim isquêmico. Os experimentos clássicos de Goldblatt e colaboradores mostraram que a constrição de uma artéria renal em cães resulta em hipertensão, e que a magnitude do efeito é proporcional ao grau de estreitamento. A elevação da pressão arterial, pelo menos no início, deve-se à estimulação da secreção de renina pelo aparelho justaglomerular e à produção subsequente do vasoconstritor, a angiotensina II. Uma grande proporção de indivíduos com hipertensão renovascular apresenta níveis elevados de renina, e quase todos têm uma redução da pressão arterial quando são administrados medicamentos que bloqueiam a atividade da angiotensina II. Todavia, outros fatores podem contribuir para a manutenção da hipertensão renovascular após ter sido iniciada pelo sistema renina-angiotensina, incluindo a *retenção de sódio*.

Figura 20.37 Displasia fibromuscular da artéria renal de tipo medial (coloração para tecido elástico). A túnica média mostra um acentuado espessamento fibroso, com estenose da luz. (Cortesia do Dr. Seymour Rosen, Beth Israel Hospital, Boston, Mass.)

Morfologia

A causa mais comum de estenose da artéria renal (70% dos casos) é a ocorrência de estreitamento na origem da artéria por uma **placa ateromatosa**. Essa situação ocorre com mais frequência em homens, e a sua incidência aumenta com o avanço da idade e a presença de diabetes melito. Em geral, a placa é de localização concêntrica, e é frequente a ocorrência de trombose sobreposta.

A segunda causa mais frequente de estenose é a **displasia fibromuscular** da artéria renal. Essa entidade heterogênea caracteriza-se por espessamento fibroso ou fibromuscular, que pode acometer as túnicas íntima, média ou externa da artéria (**Figura 20.37**). As estenoses, como um todo, são mais comuns em mulheres e tendem a ocorrer em faixas etárias mais jovens (i. e., na terceira e quarta décadas de vida).

O rim isquêmico tem o seu tamanho reduzido e exibe sinais de **atrofia isquêmica difusa**, com glomérulos agrupados, túbulos atróficos, fibrose intersticial e infiltrados inflamatórios focais. No rim isquêmico, as arteríolas estão normalmente protegidas dos efeitos da pressão alta, de modo que só apresentam arteriolosclerose leve. Em contrapartida, o rim não isquêmico contralateral pode apresentar arteriolosclerose mais grave, dependendo da gravidade da hipertensão.

Características clínicas

Poucas características relevantes sugerem a presença de estenose da artéria renal, e, em geral, esses pacientes assemelham-se aos com hipertensão essencial. Em certas ocasiões, um ruído ou sopro pode ser ouvido na ausculta dos rins afetados. Os níveis elevados de renina no plasma ou na veia renal, a resposta ao inibidor da enzima conversora de angiotensina, a cintilografia renal e a pielografia intravenosa podem ajudar no diagnóstico, porém a arteriografia é necessária para localizar a lesão estenótica. A taxa de cura após a cirurgia é de 70 a 80% em casos bem selecionados.

Microangiopatias trombóticas

O termo *microangiopatia trombótica* abrange um espectro de síndromes clínicas, que inclui a púrpura trombocitopênica trombótica (PTT) e a síndrome hemolítico-urêmica (SHU). Conforme discutido no **Capítulo 14**, a **SHU e a PTT são causadas por diversas agressões, que levam à formação de trombos nos capilares e/ou nas arteríolas em vários leitos teciduais, incluindo os dos rins** (**Figura 20.38**). Os trombos criam anormalidades do fluxo, que, por sua vez, provocam o cisalhamento dos eritrócitos, causando anemia hemolítica microangiopática. De maior importância é o fato de que os trombos produzem oclusões microvasculares que causam isquemia tecidual e disfunção orgânica. O "consumo" generalizado de plaquetas leva à trombocitopenia.

Esse grupo de distúrbios é classificado de acordo com a atual compreensão de suas causas ou associações (**Tabela 20.11**):

- A *SHU típica* (sinônimos: *epidêmica, clássica, positiva para diarreia*) está associada, com mais frequência, ao consumo de alimentos contaminados por bactérias produtoras de toxinas do tipo Shiga
- A *SHU atípica* (sinônimos: *não epidêmica, negativa para diarreia*) está associada às seguintes situações:
  - Mutações herdadas de proteínas reguladoras do complemento ou autoanticorpos dirigidos contra essas proteínas
  - Diversas causas adquiridas de lesão endotelial, incluindo: anticorpos antifosfolipídios; complicações da gravidez e dos contraceptivos orais; doenças vasculares renais, como esclerodermia e hipertensão maligna; fármacos quimioterápicos e imunossupressores; e radiação

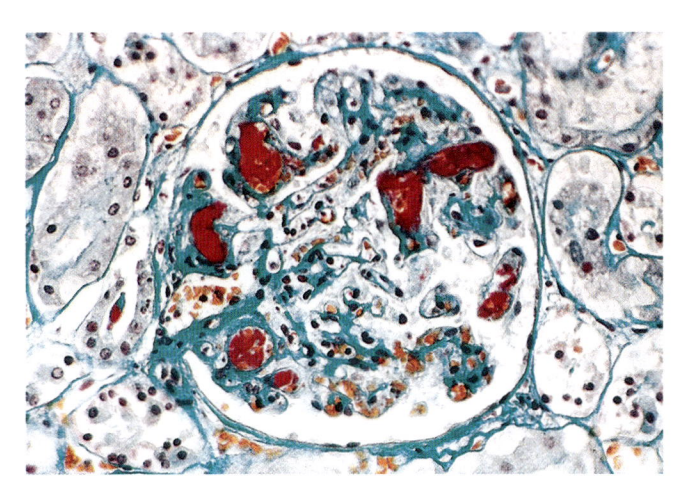

Figura 20.38 Coloração para fibrina, mostrando trombos (em vermelho) nos capilares glomerulares, uma característica dos distúrbios microangiopáticos trombóticos.

- A *PTT* caracteriza-se por deficiências herdadas ou adquiridas da ADAMTS13, uma metaloprotease plasmática que regula a função do fator de von Willebrand (FvW).

Patogênese

Entre as microangiopatias trombóticas, dois fatores desencadeantes patogênicos dominam: (1) *lesão endotelial* e (2) *ativação e agregação plaquetárias excessivas*. Conforme discutido adiante, a lesão endotelial parece constituir a principal causa da SHU, ao passo que a ativação plaquetária pode representar o evento desencadeante na PTT.

Lesão endotelial. Na SHU típica (epidêmica, clássica, positiva para diarreia), o fator desencadeante para a lesão e ativação endoteliais é geralmente uma toxina do tipo Shiga, ao passo que, nas formas herdadas de SHU atípica, a causa da lesão endotelial parece consistir na ativação inapropriada e excessiva do complemento. Em certas ocasiões, muitas outras exposições e condições podem precipitar um quadro semelhante à SHU, presumivelmente também por meio de lesão do endotélio. Na SHU, a lesão endotelial parece causar ativação das plaquetas e trombose dentro dos leitos microvasculares. Há evidências de que a produção endotelial reduzida de prostaglandina I_2 e de óxido nítrico (ambos inibidores da agregação plaquetária) contribua para a trombose. A redução desses dois fatores e o aumento da produção de endotelina derivada do endotélio também podem promover a vasoconstrição, exacerbando a hipoperfusão dos tecidos.

Agregação plaquetária. Diferentemente da SHU, o evento desencadeante na PTT parece ser a agregação plaquetária induzida por multímeros muito grandes de FvW, que se acumulam devido à deficiência de ADAMTS13, uma protease plasmática que cliva os multímeros de FvW em tamanhos menores. A deficiência de ADAMTS13 é causada, com mais frequência, por autoanticorpos que inibem a função dessa protease. Menos comumente, uma forma de PTT recidivante e remitente crônica está associada a deficiências herdadas de ADAMTS13. Os multímeros muito grandes de FvW podem se ligar às proteínas de superfície das plaquetas e ativá-las espontaneamente, fornecendo uma explicação fisiopatológica para os microtrombos observados nos leitos vasculares.

Com essa introdução, agora analisaremos os vários subtipos de SHU/PTT de maneira sucinta e, em seguida, retornaremos às características morfológicas que são comuns a todos eles.

Síndrome hemolítico-urêmica típica (epidêmica, clássica, positiva para diarreia)

Trata-se da forma mais bem caracterizada de SHU. A maioria dos casos ocorre após a infecção intestinal por cepas de *E. coli* (sendo a mais comum a O157:H7), que produzem toxina do tipo Shiga, assim denominadas pela sua semelhança com aquelas produzidas por *Shigella dysenteriae* (ver **Capítulo 17**). As epidemias têm sido atribuídas a várias fontes, mais comumente à ingestão de carne moída (como nos hambúrgueres) contaminada, mas também à ingestão de água, leite cru e transmissão interpessoal. Todavia, a maioria dos casos de SHU típica causada por *E. coli* é esporádica. Menos comumente, as infecções por outros agentes, incluindo, *S. dysenteriae*, podem dar origem a um quadro clínico semelhante.

A SHU típica pode ocorrer em qualquer idade, porém as crianças e os indivíduos idosos correm maior risco. Após um pródromo de sintomas de tipo gripal ou diarreicos, observa-se o início súbito de manifestações hemorrágicas (particularmente hematêmese e melena), oligúria grave e hematúria associadas à anemia hemolítica microangiopática, trombocitopenia e (em alguns pacientes) alterações neurológicas proeminentes. Cerca da metade dos pacientes apresenta hipertensão.

O mecanismo preciso pelo qual a exposição à toxina do tipo Shiga causa SHU não está bem compreendido. De acordo com o modelo proposto, a toxina "ativa" as células endoteliais, que respondem com aumento da expressão de moléculas de adesão de leucócitos e endotelina e diminuição da produção de óxido nítrico. Na presença de citocinas, como o TNF, a toxina tipo Shiga pode causar apoptose endotelial. Essas alterações levam à ativação das plaquetas e induzem a vasoconstrição, resultando

Tabela 20.11 Classificação etiológica das principais formas de microangiopatia trombótica primária.

	Formas	Etiologia
SHU mediada por toxina Shiga	Adquirida	*E. coli, Shigella dysenteriae* sorotipo 1 produtoras de toxina Shiga
SHU atípica (MAT mediada pelo complemento)	Hereditária	Desregulação do complemento devido a anormalidades genéticas (relativamente comum)
	Adquirida	Desregulação adquirida do complemento, devido a autoanticorpos
PTT	Hereditária	Deficiência genética de ADAMTS13 (rara)
	Adquirida	Deficiência de ADAMTS13, devido a autoanticorpos (relativamente comum)

ADAMTS13, protease de clivagem do fator de von Willebrand; *MAT*, microangiopatia trombótica; *PTT*, púrpura trombocitopênica trombótica; *SHU*, síndrome hemolítico-urêmica.

na microangiopatia característica. Entretanto, ainda existem outras possibilidades. Por exemplo, há algumas evidências de que as toxinas tipo Shiga podem se ligar às plaquetas e ativá-las diretamente; ou, como alternativa, podem ligar-se à proteína reguladora do complemento, o fator H, e inibir a sua atividade, provocando hiperativação do complemento, uma ideia intrigante tendo-se em vista o papel bem definido da ativação do complemento em algumas formas de SHU atípica (descrita na seção seguinte).

Na SHU típica, se a insuficiência renal for tratada adequadamente com diálise, a maioria dos pacientes recupera a função renal normal em algumas semanas. Entretanto, devido aos danos renais subjacentes, o prognóstico a longo prazo (15 a 25 anos) é mais reservado. Em um estudo, apenas 10 de 25 dos pacientes com SHU típica anterior apresentaram função renal normal e 7 tiveram doença renal crônica.

Síndrome hemolítico-urêmica atípica (não epidêmica, negativa para diarreia)

Ocorre SHU atípica em vários contextos diferentes. Mais da metade dos indivíduos afetados apresenta uma deficiência herdada de proteínas reguladoras do complemento, mais comumente do fator H, que degrada a C3 convertase da via alternativa e protege as células dos danos causados pela ativação descontrolada do complemento (ver **Capítulo 3**). Diversos pacientes apresentam mutações em outras proteínas que regulam o complemento, o fator I do complemento e a CD46 (proteína cofator de membrana). A presença de múltiplas mutações genéticas em proteínas reguladoras do complemento pode levar à manifestação da SHU atípica em uma idade mais jovem. A presença de autoanticorpos contra proteínas reguladoras do complemento também resulta em SHU atípica.

Os casos restantes de SHU atípica surgem em associação a uma variedade de condições ou exposições diversas, que incluem as seguintes:

- *Síndrome do anticorpo antifosfolipídio*, primária ou secundária ao LES (anticoagulante lúpico). A síndrome é descrita de modo detalhado no **Capítulo 4**. Nesse contexto, a microangiopatia tende a seguir uma evolução crônica
- Complicações na gravidez ou no período pós-parto. A denominada *insuficiência renal pós-parto* é uma forma de SHU que ocorre comumente depois de uma gravidez sem complicações, que pode acontecer de 1 dia a vários meses após o parto. A condição tem um prognóstico grave, porém pode ocorrer recuperação nos casos mais leves
- *Doenças vasculares que acometem os rins*, como esclerose sistêmica e hipertensão maligna (**Figura 20.39**)
- Agentes quimioterápicos e imunossupressores, como mitomicina, ciclosporina, cisplatina, gencitabina e antagonistas do VEGF
- Irradiação dos rins.

Os pacientes com SHU atípica não têm uma evolução tão satisfatória quanto aqueles com SHU típica, em grande parte pelo fato de que as condições subjacentes podem ser crônicas e difíceis de tratar. À semelhança da SHU típica, alguns pacientes apresentam sintomas neurológicos; nesses casos, a doença pode ser diferenciada da PTT pela presença de níveis plasmáticos de ADAMTS13 superiores a 10% (ver adiante).

Púrpura trombocitopênica trombótica

A PTT manifesta-se classicamente por febre, sintomas neurológicos, anemia hemolítica microangiopática, trombocitopenia e insuficiência renal. A causa mais comum de deficiência da atividade de ADAMTS13 consiste em autoanticorpos inibitórios, e as mulheres constituem a maioria dos indivíduos que apresentam esses anticorpos. Independentemente da causa, a maioria dos pacientes é representada por adultos com idade inferior a 40 anos. Menos comumente, os pacientes herdam uma mutação inativadora do *ADAMTS13*. Nos indivíduos com deficiência hereditária de ADAMTS13, o início da doença ocorre normalmente na adolescência, e os sintomas são episódicos. Por conseguinte, outros fatores além da ADAMTS13 (p. ex., alguma lesão vascular superposta ou estado protrombótico) devem estar envolvidos para desencadear a PTT totalmente desenvolvida.

Por motivos desconhecidos, o comprometimento do sistema nervoso central na PTT constitui a característica dominante, ao passo que o comprometimento renal é observado em cerca de 50% dos pacientes. Os achados clínicos são determinados pela distribuição dos microtrombos, que são encontrados nas arteríolas por todo o corpo. Com o uso de plasmaférese, que remove os autoanticorpos e fornece ADAMTS13 funcional, a PTT (que, no passado, era uniformemente fatal) pode ser tratada com sucesso em mais de 80% dos pacientes.

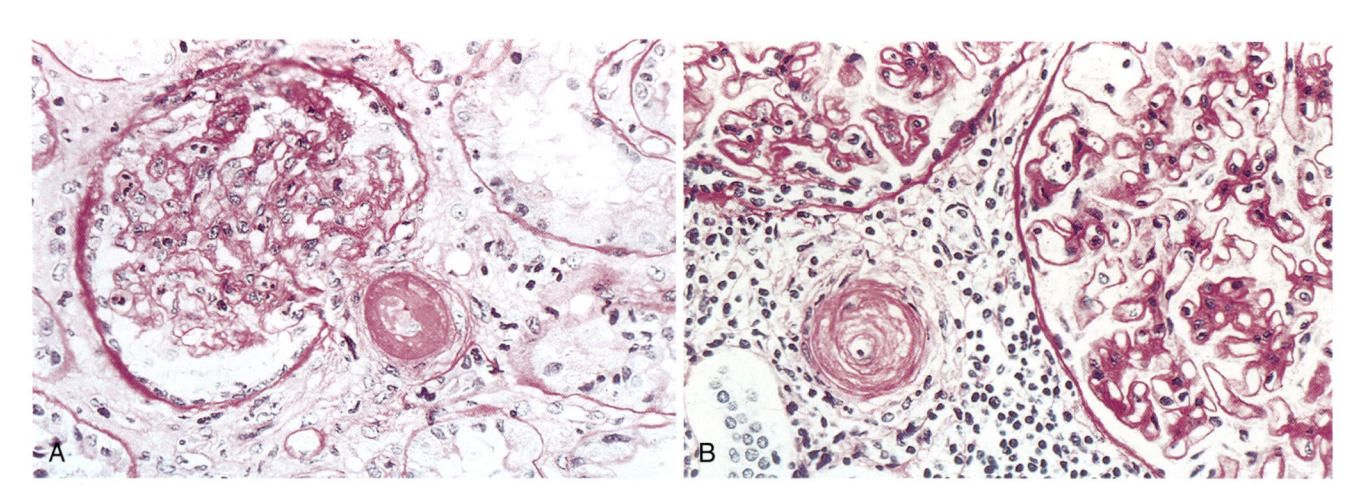

Figura 20.39 Microangiopatia trombótica associada à hipertensão maligna. **A.** Necrose fibrinoide de arteríola aferente (coloração pelo ácido periódico de Schiff). **B.** Arteriolite hiperplásica (lesão em casca de cebola). (Cortesia do Dr. H. Rennke, Brigham and Women's Hospital, Boston, Mass.)

> ### Morfologia
>
> Os achados morfológicos nas várias formas de SHU/PTT são indistinguíveis e variam principalmente de acordo com a cronicidade, em vez de sua causa. Na doença ativa aguda, os rins podem apresentar necrose cortical focal ou difusa e petéquias subcapsulares. Os capilares glomerulares estão distendidos e ocluídos por trombos. A ruptura da matriz mesangial e os danos às células mesangiais com frequência resultam em mesangiólise. Em geral, as artérias e as arteríolas interlobulares apresentam trombos oclusivos. A doença crônica é comum em pacientes com SHU atípica e apresenta características que derivam da lesão continuada e das tentativas de cicatrização. O córtex renal revela vários graus de formação de cicatrizes. Na microscopia óptica, os glomérulos estão levemente hipercelulares e exibem acentuado espessamento das paredes dos capilares associado à duplicação ou à reduplicação da membrana basal (os denominados duplos contornos ou trilhos de bonde). As paredes das artérias e das arteríolas com frequência exibem aumento das camadas de células e do tecido conjuntivo (aparência em "casca de cebola"), que causam estreitamento da luz dos vasos. As lesões morfológicas assemelham-se àquelas observadas na hipertensão maligna (**Figura 20.39**). Essas alterações levam à hipoperfusão persistente e à necrose cortical potencialmente difusa, que se manifesta clinicamente como insuficiência renal e hipertensão. As alterações macroscópicas da necrose isquêmica maciça limitam-se nitidamente ao córtex (**Figura 20.40**). O aspecto histológico é de infarto isquêmico agudo. As lesões podem ser focais, com áreas de necrose coagulativa e de córtex mais bem preservado.

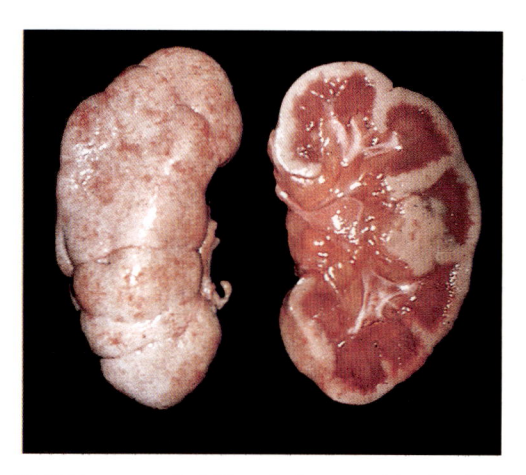

Figura 20.40 Necrose cortical difusa. As áreas necróticas isquêmicas pálidas estão confinadas ao córtex e às colunas de Bertin.

Conceitos-chave

Microangiopatia trombótica

- A microangiopatia trombótica abrange um conjunto diverso de condições que levam, todas elas, à deposição de trombos na microvasculatura, acompanhada de hemólise dos eritrócitos, isquemia tecidual, disfunção orgânica e trombocitopenia de consumo
- Na SHU típica, a toxina tipo Shiga produzida por bactérias, mais comumente pela cepa de *E. coli* O157:H7, é responsável pela ativação das plaquetas e pela trombose
- Na maioria dos casos de SHU atípica, a anormalidade patogênica fundamental consiste na ativação do complemento, devido a mutações herdadas ou a autoanticorpos adquiridos
- Na PTT, a deficiência de ADAMTS13, um regulador negativo do FvW, possibilita a formação de multímeros anormalmente grandes de FvW, que são capazes de ativar as plaquetas

Outros distúrbios vasculares

Doença renal isquêmica aterosclerótica

Como visto, a estenose unilateral da artéria renal aterosclerótica pode levar à hipertensão. A *doença da artéria renal bilateral*, que, em geral, é diagnosticada definitivamente por arteriografia, constitui uma causa bastante comum de isquemia crônica com insuficiência renal em indivíduos de idade mais avançada, às vezes na ausência de hipertensão. O reconhecimento dessa condição é importante, visto que a revascularização cirúrgica pode impedir o declínio adicional da função renal.

Doença renal ateroembólica

A embolização de fragmentos de placas ateromatosas da aorta ou da artéria renal nos vasos intrarrenais ocorre em adultos de idade mais avançada com aterosclerose grave, particularmente após cirurgia da parte abdominal da aorta, aortografia ou canulização intra-aórtica. Esses êmbolos podem ser reconhecidos na luz das artérias arqueadas e interlobulares pela presença de cristais de colesterol, que aparecem como fendas romboides (**Figura 20.41**). As consequências clínicas dos ateroêmbolos variam de acordo com o número de êmbolos e o estado preexistente da função renal. Com frequência, eles não têm importância clínica. Entretanto, pode haver o desenvolvimento de lesão ou insuficiência renal aguda em adultos de idade mais avançada cuja função renal já esteja comprometida.

Nefropatia falciforme

A doença falciforme (homozigota) ou o traço falciforme (heterozigoto) podem levar a uma variedade de alterações na morfologia e na função renais, algumas das quais produzem anormalidades de importância clínica. As várias manifestações são reunidas sob a designação *nefropatia falciforme*.

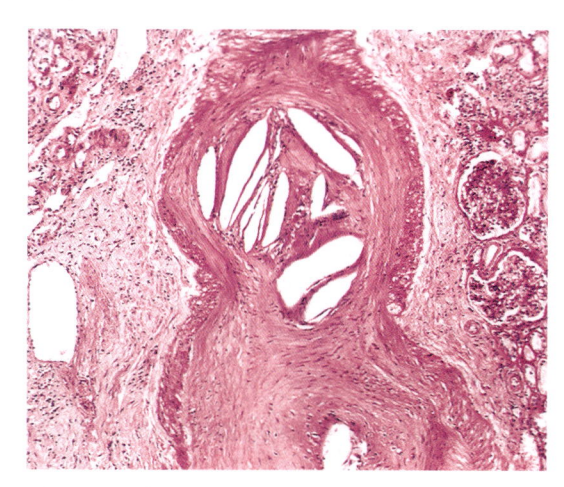

Figura 20.41 Ateroêmbolo com fendas típicas de colesterol em uma artéria interlobar.

As anormalidades mais comuns consistem em *hematúria* e *diminuição da capacidade de concentração da urina* (hipostenúria). Acredita-se que elas sejam o resultado da falcização acelerada no meio hipóxico hipertônico da medula renal; a hiperosmolaridade desidrata os eritrócitos e aumenta as concentrações intracelulares de hemoglobina falciforme (HBS), o que provavelmente explica a razão pela qual os indivíduos com traço falciforme são afetados. Pode ocorrer *necrose papilar focal* tanto nos homozigotos quanto nos heterozigotos, e a sua presença às vezes está associada à cicatrização cortical. A *proteinúria* também é comum na doença falciforme e ocorre em cerca de 30% dos pacientes. Em geral, ela é leve a moderada; todavia, em certas ocasiões, surge a síndrome nefrótica manifesta, associada a lesões glomerulares esclerosantes.

Infartos renais

Os rins são locais comuns para o desenvolvimento de infartos. O fluxo sanguíneo extenso para os rins (um quarto do débito cardíaco) contribui para essa predisposição, porém é provável que o fator mais importante seja a circulação colateral limitada de locais extrarrenais (os pequenos vasos sanguíneos que penetram a partir da cápsula renal suprem apenas a borda mais externa do córtex). Embora a trombose da aterosclerose avançada e a vasculite aguda da poliarterite nodosa possam ocluir as artérias, os infartos são causados, em sua maioria, por embolia. Uma importante fonte desses êmbolos é a trombose mural no átrio e ventrículo esquerdos em consequência de infarto agudo do miocárdio. A endocardite vegetativa, os aneurismas de aorta e a aterosclerose aórtica constituem fontes menos frequentes de êmbolos.

> **Morfologia**
>
> Devido à falta de um suprimento sanguíneo colateral, os infartos renais são, em sua maioria, da variedade anêmica "branca". Nas primeiras 24 horas, os infartos transformam-se em áreas bem demarcadas, pálidas e branco-amareladas, que podem conter pequenos focos irregulares de coloração hemorrágica. Em geral, eles são circundados por uma zona de hiperemia intensa.
>
> Os infartos são cuneiformes, com a base voltada para a superfície cortical, e o ápice apontando para a medula. Com o tempo, essas áreas agudas de necrose isquêmica sofrem cicatrização fibrosa progressiva, dando origem a cicatrizes deprimidas, pálidas e branco-acinzentadas, que assumem a forma de um V nos cortes. As alterações histológicas nos infartos renais são as da necrose coagulativa isquêmica, descritas no **Capítulo 2**.

Muitos infartos renais são clinicamente silenciosos. Às vezes, ocorre dor com hipersensibilidade localizada no ângulo costovertebral, associada à eliminação de eritrócitos na urina. Os grandes infartos de rins provavelmente estão associados ao estreitamento da artéria renal ou de um de seus principais ramos, o que, por sua vez, pode causar hipertensão.

Anomalias congênitas e do desenvolvimento

Cerca de 10% de todos os indivíduos nascem com malformações significativas do sistema urinário. As displasias e hipoplasias renais são responsáveis por 20% das doenças renais crônicas em crianças.

A doença renal congênita pode ser hereditária; todavia, com mais frequência, ela resulta de um defeito de desenvolvimento adquirido durante a gestação. Conforme discutido no **Capítulo 10**, os defeitos em genes envolvidos no desenvolvimento renal normal, incluindo os genes associados ao tumor de Wilms, causam, de modo compreensível, anomalias urogenitais. Como regra, as anormalidades de desenvolvimento resultantes acometem componentes estruturais tanto dos rins quanto do trato urinário. Outros defeitos genéticos causam principalmente anormalidades funcionais no transporte tubular, como cistinúria e acidose tubular renal. Aqui, limitaremos a nossa discussão às anomalias estruturais que afetam principalmente os rins. Todas, com exceção dos rins em ferradura, são incomuns. As anomalias do trato urinário inferior são discutidas no **Capítulo 21**.

Agenesia dos rins. A agenesia bilateral é incompatível com a vida e é comumente observada em natimortos. Com frequência, ela está associada a outros distúrbios congênitos (p. ex., defeitos dos membros, pulmões hipoplásicos). A agenesia unilateral é incomum, porém é compatível com uma vida normal se não houver outras anormalidades. O rim solitário aumenta de tamanho em consequência de hipertrofia compensatória. Alguns pacientes desenvolvem esclerose glomerular progressiva no rim remanescente, devido às alterações adaptativas nos néfrons hipertrofiados, conforme discutido anteriormente neste capítulo, e, com o tempo, ocorre doença renal crônica.

Hipoplasia. A *hipoplasia* refere-se à incapacidade dos rins de se desenvolverem até alcançar um tamanho normal. Essa anomalia pode ocorrer bilateralmente, resultando em insuficiência renal no início da infância; todavia, é mais comumente encontrada como defeito unilateral. A verdadeira hipoplasia renal é observada em lactentes com baixo peso ao nascer e pode contribuir para o aumento do risco cumulativo de doença renal crônica. A diferenciação entre rins atróficos congênitos e adquiridos pode ser impossível, porém o rim com hipoplasia verdadeira não apresenta cicatriz e tem um número reduzido de lobos e pirâmides renais, geralmente seis ou menos.

Rins ectópicos. Pode ocorrer desenvolvimento dos rins a partir do metanefro em focos ectópicos. Esses rins estão localizados imediatamente acima da borda pélvica ou, às vezes, dentro da pelve. Em geral, eles são normais ou de tamanho ligeiramente reduzido, porém sem outra característica notável. Em virtude de sua posição anormal, a torção ou a tortuosidade dos ureteres podem causar obstrução do fluxo urinário, predispondo a infecções bacterianas.

Rins em ferradura. A fusão dos polos superiores (10%) ou inferiores (90%) dos rins produz uma estrutura em forma de ferradura, que é contínua ao longo da linha média, anteriormente aos grandes vasos. Essa anomalia é encontrada em 1 em 500 a 1.000 necropsias.

Doenças císticas dos rins

As doenças císticas dos rins são heterogêneas e compreendem distúrbios hereditários, do desenvolvimento e adquiridos. Elas são importantes por várias razões: (1) são razoavelmente comuns e, com frequência, representam desafios diagnósticos para médicos, radiologistas e patologistas; (2) algumas formas, como a doença renal policística do adulto, constituem importantes causas de doença renal crônica; e, (3) em certas ocasiões, podem ser confundidas com neoplasias malignas. A **Tabela 20.12** fornece um resumo de uma classificação útil dos cistos renais.

Doença renal policística autossômica dominante (do adulto)

A doença renal policística autossômica dominante (do adulto) é uma doença hereditária, caracterizada por múltiplos cistos expansivos nos rins, que, por fim, destroem o parênquima renal e causam insuficiência renal. Trata-se de uma condição comum que afeta cerca de 1 em cada 400 a 1.000 nascidos vivos e que é responsável por cerca de 5 a 10% dos casos de DRT que exigem transplante ou diálise. O padrão de herança é autossômico dominante com alta penetrância. Embora a suscetibilidade ao desenvolvimento dessa doença seja herdada como traço autossômico dominante, como no caso dos genes supressores de tumor, ambos os alelos dos genes envolvidos precisam ser não funcionais para o desenvolvimento da doença. Assim, os indivíduos propensos à doença renal policística autossômica dominante herdam uma cópia de um gene *APKD* mutado, e a mutação do outro alelo é adquirida das células somáticas dos rins. A doença é bilateral; os casos unilaterais relatados provavelmente representam uma displasia multicística. Os cistos afetam inicialmente uma minoria dos néfrons, de modo que a função renal é mantida até aproximadamente a quarta ou quinta década de vida.

Genética e patogênese

Foi descrita uma ampla variedade de mutações diferentes em *PKD1* e *PKD2*, e essa heterogeneidade alélica tem complicado o diagnóstico genético desse distúrbio:

- O gene *PKD1* está localizado no cromossomo 16p13.3. Esse gene codifica uma grande proteína (460-kD) integral de membrana, denominada *policistina-1*, que tem uma grande região extracelular, múltiplos domínios transmembranares e uma cauda citoplasmática curta. A policistina-1 é expressa nas células epiteliais tubulares, em particular as do néfron distal. Até o momento, a sua função precisa permanece desconhecida; todavia, ela contém domínios que, em geral, estão envolvidos em interações célula-célula e célula-matriz. As mutações em *PKD1* são responsáveis por aproximadamente 85% dos casos. Nos indivíduos com essas mutações, a probabilidade de desenvolver insuficiência renal é inferior a 5% aos 40 anos, porém aumenta para mais de 35% aos 50 anos, mais de 70% aos 60 anos e mais de 95% aos 70 anos
- O gene *PKD2*, localizado no cromossomo 4q21, é responsável pela maior parte dos casos restantes de doença policística. O seu produto, *policistina-2*, é uma proteína integral de membrana expressa em todos os segmentos dos túbulos renais e em muitos tecidos extrarrenais. A policistina-2 atua como canal de cátions permeável ao Ca^{2+}. Em geral, a doença é menos grave do que aquela associada a mutações do *PKD1*. Ocorre insuficiência renal em menos de 5% dos pacientes com mutações do *PKD2* aos 50 anos; entretanto, a incidência aumenta para 15% aos 60 anos e para 45% aos 70 anos.

Tabela 20.12 Resumo das doenças císticas dos rins.

Doença	Herança	Características patológicas	Características clínicas ou complicações	Evolução típica	Representação esquemática
Doença renal policística do adulto	Autossômica dominante	Rins multicísticos grandes, cistos hepáticos, aneurismas saculares	Hematúria, dor no flanco, infecção do trato urinário, cálculos renais, hipertensão	Insuficiência renal crônica que começa entre 40 e 60 anos	
Doença renal policística infantil	Autossômica recessiva	Rins císticos e aumentados ao nascimento	Fibrose hepática	Variável, morte na lactância ou infância	
Rins em esponja medular	Nenhuma	Cistos medulares na urografia excretora	Hematúria, infecção do trato urinário, cálculos renais recorrentes	Benigno	
Nefronoftise juvenil familiar	Autossômica recessiva	Cistos corticomedulares, rins contraídos	Perda de sal, poliúria, retardo do crescimento, anemia	Insuficiência renal progressiva que começa na infância	
Displasia renal multicística	Nenhuma	Rins irregulares com cistos de tamanho variável	Associação a outras anomalias renais	Insuficiência renal, quando bilateral, passível de cura cirúrgica quando unilateral	
Doença cística renal adquirida	Nenhuma	Degeneração cística na doença renal terminal	Hemorragia, eritrocitose, neoplasia	Dependência da diálise	
Cistos simples	Nenhuma	Cistos simples ou múltiplos em rins de tamanho normal	Hematúria microscópica	Benigno	

A patogênese da doença policística não está estabelecida, porém a hipótese atualmente preferida coloca o complexo de cílios-centrossomo das células epiteliais tubulares no centro do distúrbio (**Figura 20.42**). As células epiteliais tubulares dos rins contêm um único cílio primário imóvel, uma organela semelhante a um cabelo de 2 a 3 μm de comprimento que se projeta dentro da luz tubular a partir da superfície apical das células. O cílio é composto de microtúbulos e origina-se de um corpo basal, derivado do centríolo, ao qual está fixado. Os cílios fazem parte de um sistema de organelas e estruturas celulares que detectam sinais mecânicos. Os cílios apicais atuam no túbulo renal como mecanossensores para monitorar as mudanças no fluxo de líquido e o estresse de cisalhamento, ao passo que os complexos juncionais intercelulares monitoram as forças entre as células, e as adesões focais detectam a adesão às matrizes extracelulares. Em resposta a sinais externos, esses sensores regulam o fluxo de íons (os cílios podem induzir o fluxo de Ca^{2+} em células epiteliais renais em cultura) e o comportamento celular, incluindo polaridade e proliferação celular. A ideia de que os defeitos na mecanossensibilidade, no fluxo de Ca^{2+} e na transdução de sinais estão na base da formação de cistos é sustentada por várias observações:

- Tanto a policistina-1 quanto a policistina-2 estão localizadas no cílio primário
- Outros genes que estão mutados nas doenças císticas (p. ex., os genes de nefrocistina, descritos adiante) codificam proteínas que também estão localizadas nos cílios e/ou nos corpos basais
- O nocaute do gene *PKD1* em um organismo-modelo (o verme *Caenorhabditis elegans*) resulta em anormalidades ciliares e formação de cistos
- As células tubulares obtidas de camundongos com deleção do gene *PKD1* (que causa letalidade embrionária nessa espécie) mantêm a arquitetura normal dos cílios, porém carecem do fluxo de Ca^{2+} induzido pelo fluxo que ocorre nas células tubulares normais.

As policistinas-1 e 2 parecem formar um complexo proteico que regula o Ca^{2+} celular em resposta ao fluxo de líquido, talvez pelo fato de que o líquido que se desloca pelos túbulos renais provoca a curvatura dos cílios, o que abre os canais de Ca^{2+}. A mutação de qualquer um dos genes *PKD* leva à perda do complexo de policistina ou à formação de um complexo aberrante. A consequente ruptura da atividade normal da policistina resulta em alterações do Ca^{2+} intracelular, que (como podemos lembrar) regula muitos eventos de sinalização a jusante, que afetam direta ou indiretamente a proliferação celular, a apoptose e as funções secretoras. Acredita-se que o aumento do cálcio estimula a proliferação e a secreção das células epiteliais que revestem os cistos, resultando em formação progressiva e aumento dos cistos. Além disso, foi constatado que os líquidos císticos abrigam mediadores derivados das células epiteliais, que intensificam a secreção de líquido e induzem inflamação. Por fim, os sinais induzidos pelo cálcio também alteram a interação das células epiteliais com a MEC, e acredita-se que isso também possa contribuir para a formação de cistos e a fibrose intersticial, que constituem características da doença renal policística progressiva.

> ### Morfologia
>
> Em sua aparência macroscópica, os rins apresentam aumento de tamanho bilateral e podem alcançar tamanhos enormes; foram relatados pesos de até 4 kg para cada rim. A superfície externa parece ser composta exclusivamente de uma massa de cistos de até 3 a 4 cm de diâmetro, sem parênquima intercalado (**Figura 20.43A e B**). Entretanto, o exame microscópico revela néfrons funcionais dispersos entre os cistos. Os cistos podem estar preenchidos com um líquido seroso claro ou com um líquido turvo, vermelho a marrom e, às vezes, hemorrágico. À medida que esses cistos aumentam, eles podem alcançar os cálices e a pelve, produzindo defeitos por compressão. Os cistos surgem a partir dos túbulos em todo o néfron e, portanto, apresentam epitélios de revestimento variáveis. Em certas ocasiões, formações epiteliais papilares e pólipos projetam-se na luz.

Características clínicas

Muitos pacientes permanecem assintomáticos até a insuficiência renal anunciar a presença da doença. Em outros pacientes, a hemorragia ou a dilatação progressiva dos cistos podem produzir dor. A excreção de coágulos sanguíneos provoca cólica renal. Os rins aumentados, geralmente aparentes na palpação do abdome, podem produzir uma sensação de peso. Em certas ocasiões, a doença começa de modo insidioso com hematúria, seguida de outras características de doença renal crônica progressiva, como proteinúria (raramente superior a 2 g/dia), poliúria e hipertensão. Os pacientes com mutações do *PKD2* tendem a ter uma idade mais avançada no início, com desenvolvimento posterior de insuficiência renal. Os fatores tanto genéticos quanto ambientais influenciam a gravidade da doença. A progressão é acelerada em negros (particularmente naqueles com traço falciforme), em homens e na presença de hipertensão.

Os indivíduos com doença renal policística também tendem a apresentar anomalias congênitas extrarrenais. Cerca de 40% deles apresentam um a vários cistos no fígado (doença policística do fígado), que, em geral, são assintomáticos. Os cistos originam-se do epitélio biliar e ocorrem com muito menos frequência no baço,

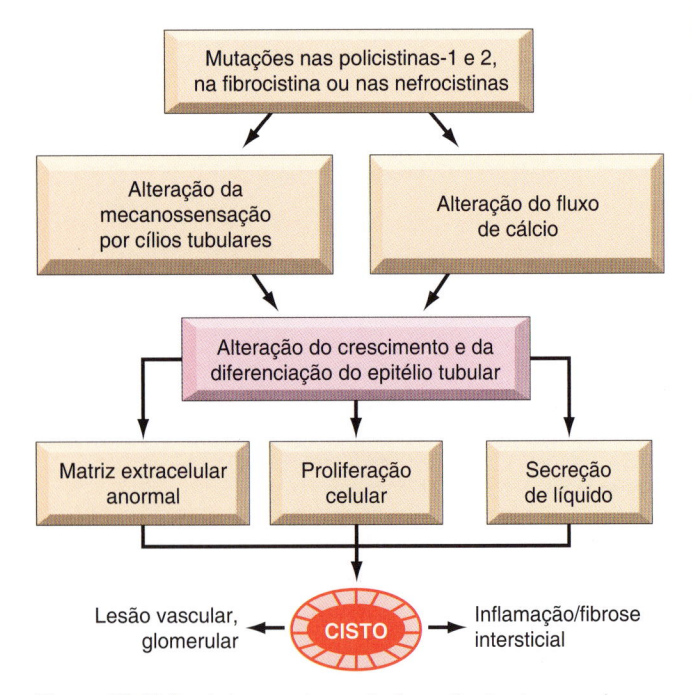

Figura 20.42 Possíveis mecanismos de formação de cisto nas doenças císticas dos rins (*ver o texto*).

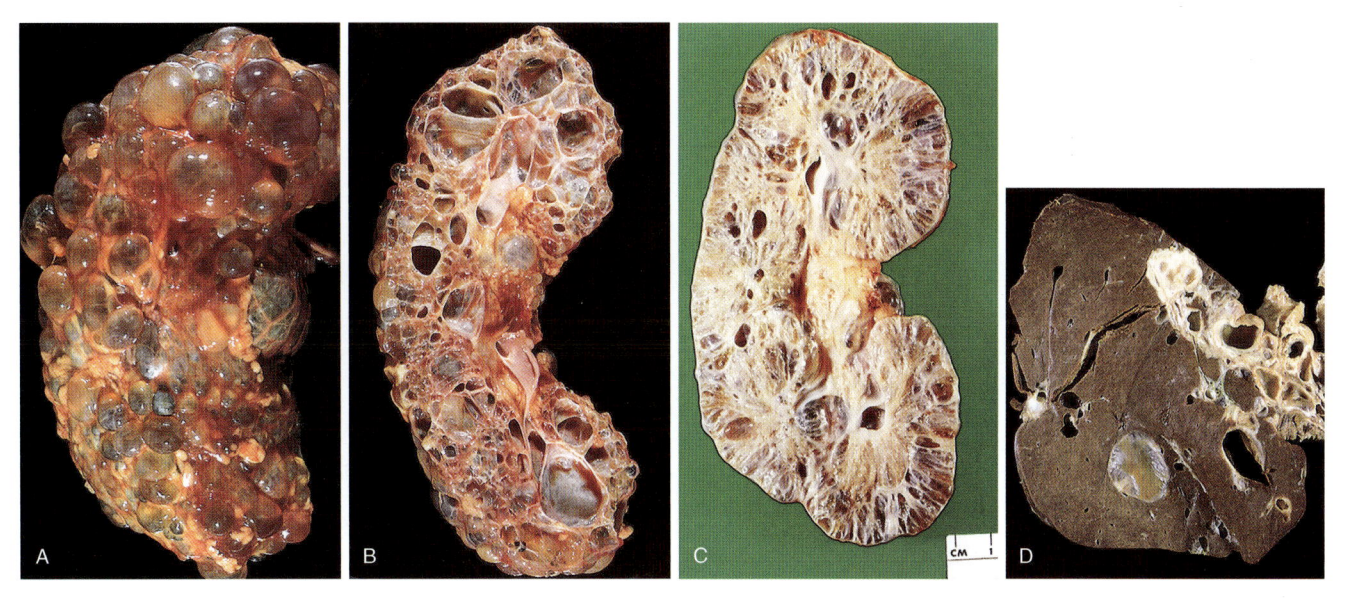

Figura 20.43 A e B. Doença renal policística autossômica dominante (DRPAD) do adulto, vista da superfície externa e em corte. O rim está acentuadamente aumentado e contém numerosos cistos dilatados. **C.** DRP autossômica recessiva da infância mostrando cistos menores e canais dilatados em ângulo reto à superfície cortical. **D.** Cistos hepáticos na DRP do adulto.

no pâncreas e nos pulmões. Aneurismas saculares intracranianos, presumivelmente decorrentes da expressão alterada da policistina no músculo liso vascular, surgem no polígono de Willis, e as hemorragias subaracnóideas que ocorrem levam à morte em cerca de 4 a 10% dos indivíduos. Ocorrem *prolapso da valva mitral* e outras anomalias de valvas cardíacas em 20 a 25% dos pacientes, porém a maioria dos casos é assintomática. O diagnóstico é estabelecido por técnicas de imagem radiológica.

Essa forma de doença renal crônica é notável, visto que os pacientes podem sobreviver durante muitos anos com azotemia, progredindo lentamente para a uremia. Por fim, cerca de 40% dos pacientes adultos morrem de doença coronariana ou doença cardíaca hipertensiva, 25%, de infecções, 15%, de ruptura de aneurisma sacular ou hemorragia intracerebral hipertensiva, e o restante, de outras causas.

Doença renal policística autossômica recessiva (infantil)

A doença renal policística autossômica recessiva (infantil) é geneticamente distinta da doença renal policística do adulto. Foram definidas as subcategorias *perinatal*, *neonatal*, *infantil* e *juvenil*, dependendo do momento da apresentação e da presença de lesões hepáticas associadas. As duas primeiras são as mais comuns; em geral, ocorrem manifestações graves ao nascimento, e o lactente pode sucumbir rapidamente à insuficiência renal.

Genética e patogênese

Na maioria dos casos, a doença é causada por mutações no gene *PKHD1*, que está mapeado na região do cromossomo 6p21–p23. O gene é altamente expresso nos rins do feto e do adulto, bem como no fígado e no pâncreas. O gene *PKHD1* codifica a *fibrocistina*, uma proteína integral de membrana de 447-kD, com uma grande região extracelular, um único componente transmembranar e uma cauda citoplasmática curta. A região extracelular contém múltiplas cópias de um domínio que forma uma dobra semelhante à Ig. À semelhança das policistinas-1 e 2, a fibrocistina também tem sido localizada no cílio primário das células tubulares. A função da fibrocistina é desconhecida, porém a sua suposta estrutura conformacional indica que ela pode ser um receptor de superfície celular que desempenha um papel na diferenciação dos ductos coletores e biliares.

A análise de pacientes com doença policística autossômica recessiva revelou uma ampla variedade de mutações diferentes. A grande maioria dos casos é constituída por heterozigotos compostos (*i. e.*, que herdam um alelo mutante diferente de cada um dos genitores). Isso complica o diagnóstico molecular da doença.

> ### Morfologia
>
> Os rins estão aumentados e exibem uma aparência externa lisa. Em corte, os numerosos cistos pequenos no córtex e na medula dão aos rins uma aparência esponjosa. Observa-se a presença de canais alongados e dilatados em ângulos retos à superfície cortical, substituindo totalmente a medula e o córtex (**Figura 20.43C**). Ao exame microscópico, há dilatação cilíndrica ou, menos comumente, sacular de todos os túbulos coletores. Os cistos apresentam um revestimento uniforme de células cuboides, refletindo a sua origem a partir dos ductos coletores. Em quase todos os casos, o fígado também apresenta cistos (**Figura 20.43D**) associados à fibrose portal e à proliferação dos ductos biliares portais.

Os pacientes que sobrevivem à lactância (formas infantil e juvenil) podem desenvolver uma lesão hepática peculiar, caracterizada por fibrose periporta leve e proliferação de dúctulos biliares bem diferenciados, condição atualmente denominada *fibrose hepática congênita*. Em crianças de mais idade, a doença hepática é a preocupação clínica predominante. Esses pacientes podem desenvolver hipertensão portal com esplenomegalia. Curiosamente, a fibrose hepática congênita às vezes ocorre na ausência de rins policísticos ou foi relatada na presença de doença renal policística do adulto.

Doenças císticas da medula renal

Os dois principais tipos de doença cística medular são os *rins em esponja medular*, uma alteração estrutural relativamente comum e, em geral, inócua, e a *nefronoftise*, que quase sempre está associada à disfunção renal.

Rins em esponja medular

O termo *rins em esponja medular* limita-se a descrever múltiplas dilatações císticas dos ductos coletores na medula. A condição ocorre em adultos e, em geral, é descoberta por radiografia. A função renal costuma estar normal. À inspeção macroscópica, os ductos papilares na medula estão dilatados, e pode-se observar a presença de pequenos cistos. Os cistos são revestidos por epitélio cuboide ou, em certas ocasiões, por epitélio de transição. A não ser que haja pielonefrite sobreposta, as cicatrizes corticais estão ausentes. A patogênese é desconhecida.

Nefronoftise

Esse grupo de distúrbios renais progressivos caracteriza-se por um número variável de cistos na medula, que se concentram geralmente na junção corticomedular. A lesão inicial provavelmente acomete os túbulos distais, com ruptura da membrana basal tubular, seguida de atrofia tubular crônica e progressiva, que afeta tanto a medula quanto o córtex, e fibrose intersticial. Embora os cistos medulares sejam importantes, os **danos tubulointersticiais corticais constituem a causa da insuficiência renal final**.

São reconhecidas três variantes do complexo de doenças da nefronoftise: (1) esporádica não familiar; (2) nefronoftise juvenil familiar (mais comum); e (3) displasia renal-retiniana (15%), em que a doença renal é acompanhada de lesões oculares. As formas familiares são herdadas como traços autossômicos recessivos e, em geral, manifestam-se na infância ou na adolescência. Como grupo, o complexo da nefronoftise constitui a causa genética mais comum de DRT em crianças e adultos jovens.

As crianças afetadas com nefronoftise inicialmente apresentam poliúria e polidipsia, que refletem um acentuado defeito na capacidade de concentração urinária pelos túbulos renais. A perda de sódio e a acidose tubular também são proeminentes. Algumas variantes sindrômicas da nefronoftise (p. ex., síndrome de Senior-Loken, síndrome de Joubert, síndrome de Bardet Biedl, síndrome de Jeune, síndrome de Meckel Gruber, síndrome de Mainzer-Saldino, síndrome de Sensenbrenner) podem ter associações extrarrenais, incluindo anormalidades motoras oculares, distrofia retiniana, fibrose hepática e anormalidades cerebelares. A evolução esperada é de progressão para a DRT em 5 a 10 anos.

Genética e patogênese

Dezesseis *loci* gênicos responsáveis, *NPHP1* a *NPHP11* (que codificam proteínas denominadas nefrocistinas), *JBTS2*, *JBTS3*, *JBTS9* e *JBTS11*, estão mutados nas formas juvenis da nefronoftise, e a lista continua se expandindo à medida que são identificados *loci* adicionais que contribuem para essa ciliopatia. Essas proteínas estão presentes nos cílios primários, nos corpos basais fixados a esses cílios ou no centrossomo, a organela a partir da qual os corpos basais se originam. O produto do gene *NPHP2* foi identificado como *inversina*, que medeia a padronização da esquerda-direita durante a embriogênese.

> **Morfologia**
>
> Na nefronoftise, os rins são pequenos, apresentam superfícies granulares contraídas e cistos na medula, que são mais proeminentes na junção corticomedular. Os cistos assemelham-se aos da doença cística medular, uma doença rara normalmente autossômica dominante (**Figura 20.44**). Também são observados cistos pequenos no córtex. Os cistos são revestidos por epitélio plano ou cuboide e, em geral, são circundados por células inflamatórias ou tecido fibroso. No córtex, há atrofia generalizada e espessamento das membranas basais tubulares, bem como fibrose intersticial. Em geral, a estrutura glomerular é preservada.

Existem poucas pistas específicas para o diagnóstico, visto que os cistos medulares podem ser muito pequenos para serem visualizados em radiografias. Deve-se considerar fortemente a doença em crianças e adolescentes com insuficiência renal crônica sem outra explicação, história familiar positiva e nefrite tubulointersticial na biopsia.

Displasia renal multicística

A displasia é um distúrbio esporádico, que pode ser unilateral ou bilateral, e, com frequência, cístico. Em geral, os rins estão aumentados, extremamente irregulares e multicísticos (**Figura 20.45A**). Os cistos variam quanto ao tamanho, de vários milímetros até centímetros de diâmetro. No exame histológico, eles são revestidos por epitélio plano. Apesar da presença de néfrons normais, o aspecto histológico característico consiste na presença de ilhas de mesênquima indiferenciado, frequentemente com cartilagem, e ductos coletores imaturos (**Figura 20.45B**). A maioria dos casos está associada à obstrução ureteropélvica, agenesia ou atresia ureteral e a outras anomalias do trato urinário inferior.

Quando unilateral, a displasia pode simular uma neoplasia e levar à exploração cirúrgica e à nefrectomia. A função do rim oposto é normal, e esses pacientes apresentam excelente prognóstico após a remoção cirúrgica do rim afetado. Na displasia renal multicística bilateral, pode ocorrer insuficiência renal.

Doença cística adquirida

Os pacientes com DRT submetidos a diálise prolongada apresentam, às vezes, numerosos cistos renais corticais e medulares. Os cistos,

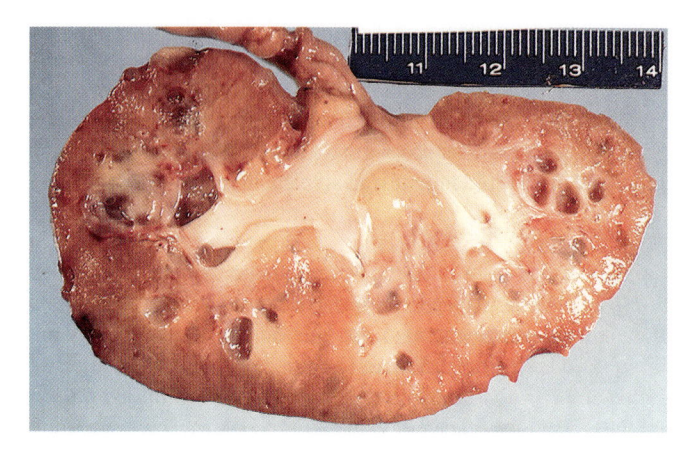

Figura 20.44 Doença cística medular. Corte de rim mostrando os cistos na junção corticomedular e na medula.

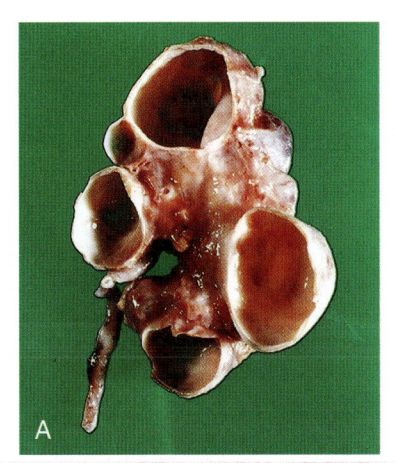

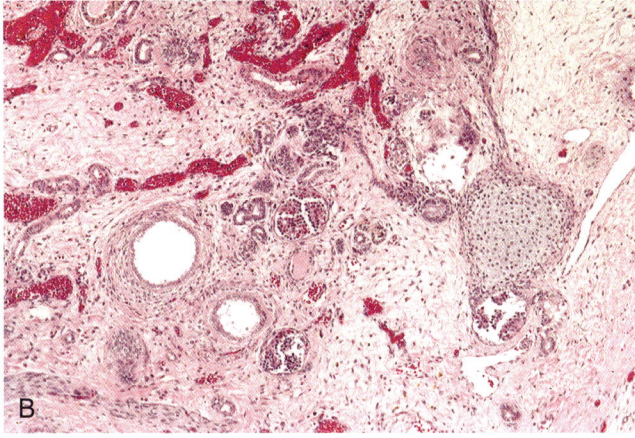

Figura 20.45 Displasia renal multicística. **A.** Aspecto macroscópico. **B.** Corte histológico mostrando a arquitetura desorganizada, os túbulos dilatados com manguitos de estroma primitivo e uma ilha de cartilagem (coloração pela hematoxilina e pela eosina). (**A,** Cortesia do Dr. D. Schofield, Children's Hospital, Los Angeles, Calif.; **B,** Cortesia da Dra. Laura Finn, Children's Hospital, Seattle, Wash.)

que medem 0,1 a 4 cm de diâmetro, contêm líquido claro, são revestidos por epitélio tubular hiperplásico ou plano e, com frequência, apresentam cristais de oxalato de cálcio. Eles provavelmente se formam em consequência da obstrução dos túbulos por fibrose intersticial ou cristais de oxalato. A maioria é assintomática, porém às vezes os cistos sangram, causando hematúria. Existe um aumento de até cem vezes no risco de carcinoma de células renais, que se desenvolve em 7% dos pacientes seguidos durante um período de 10 anos.

Cistos simples

Os cistos simples podem ser únicos ou múltiplos e, em geral, acometem o córtex. Eles medem comumente 1 a 5 cm, mas podem alcançar 10 cm ou mais de tamanho. São translúcidos, revestidos por uma membrana lisa brilhante e cinza e estão preenchidos com líquido claro. No exame microscópico, essas membranas são compostas de uma única camada de epitélio cuboide ou cuboide achatado, que, em muitos casos, pode estar totalmente atrófico.

Os cistos simples são achados *post mortem* comuns sem significado clínico. Em certas ocasiões, a hemorragia no seu interior pode causar súbita distensão e dor, e a calcificação da hemorragia pode dar origem a sombras radiográficas bizarras.

A principal importância dos cistos reside no seu diagnóstico diferencial com as neoplasias renais. Estudos radiológicos mostraram que, diferentemente das neoplasias renais, os cistos renais têm contornos lisos, são quase sempre avasculares e produzem sinais líquidos, em vez de sólidos, na ultrassonografia.

> **Conceitos-chave**
> **Doenças císticas**
> - A doença renal policística autossômica dominante é responsável por um subgrupo pequeno, porém significativo, de DRT
> - As ciliopatias ou anormalidades do complexo cílio-centrossomo estão na base das principais doenças císticas dos rins, incluindo a doença renal policística (tanto a forma autossômica dominante quanto a autossômica recessiva) e nefronoftise
> - A disfunção do cílio primário das células epiteliais tubulares resulta em alterações do fluxo de íons e mudanças na proliferação e função celulares, culminando na formação de cistos renais.

Obstrução do trato urinário (uropatia obstrutiva)

As lesões obstrutivas do trato urinário aumentam a suscetibilidade à infecção e à formação de cálculos, e a obstrução não aliviada quase sempre leva à atrofia renal permanente, denominada *hidronefrose* ou *uropatia obstrutiva*. Felizmente, muitas causas de obstrução são passíveis de correção cirúrgica ou tratamento médico.

A obstrução pode ser súbita ou insidiosa, parcial ou completa, unilateral ou bilateral. Ela pode ocorrer em qualquer nível do trato urinário, desde a uretra até a pelve renal. Além disso, pode ser causada por lesões *intrínsecas* do trato urinário ou por lesões *extrínsecas* que comprimem o ureter. As causas comuns são as seguintes (**Figura 20.46**):

- *Anomalias congênitas*: válvulas uretrais posteriores e estenoses uretrais, estenose do meato, obstrução do colo da bexiga; estenose ou obstrução da junção ureteropélvica; refluxo vesicoureteral grave
- *Cálculos urinários*
- *Hipertrofia prostática benigna*
- *Neoplasias*: carcinoma de próstata, neoplasias da bexiga, doença maligna contígua (linfoma retroperitoneal), carcinoma do colo do útero
- *Inflamação*: prostatite, ureterite, uretrite, fibrose retroperitoneal
- *Papilas descamadas ou coágulos sanguíneos*
- *Gravidez*
- *Prolapso uterino e cistocele*
- *Distúrbios funcionais*: anormalidades neurogênicas (danos à medula espinal ou nefropatia diabética) e outras anormalidades funcionais do ureter ou da bexiga (em geral, denominadas *obstrução disfuncional*).

A *hidronefrose* é o termo utilizado para descrever a dilatação da pelve renal e dos cálices associada à atrofia progressiva dos rins, devido à obstrução do fluxo de saída da urina. Mesmo na presença de obstrução completa, a filtração glomerular persiste por algum tempo, visto que o filtrado subsequentemente sofre

PELVE
Cálculos
Neoplasias
Estenose
  ureteropélvica

URETER – INTRÍNSECA
Cálculos
Neoplasias
Coágulos
Papilas descamadas
Inflamação

URETER – EXTRÍNSECA
Gravidez
Neoplasias
  (p. ex., colo do útero)
Fibrose retroperitoneal

Refluxo vesicoureteral

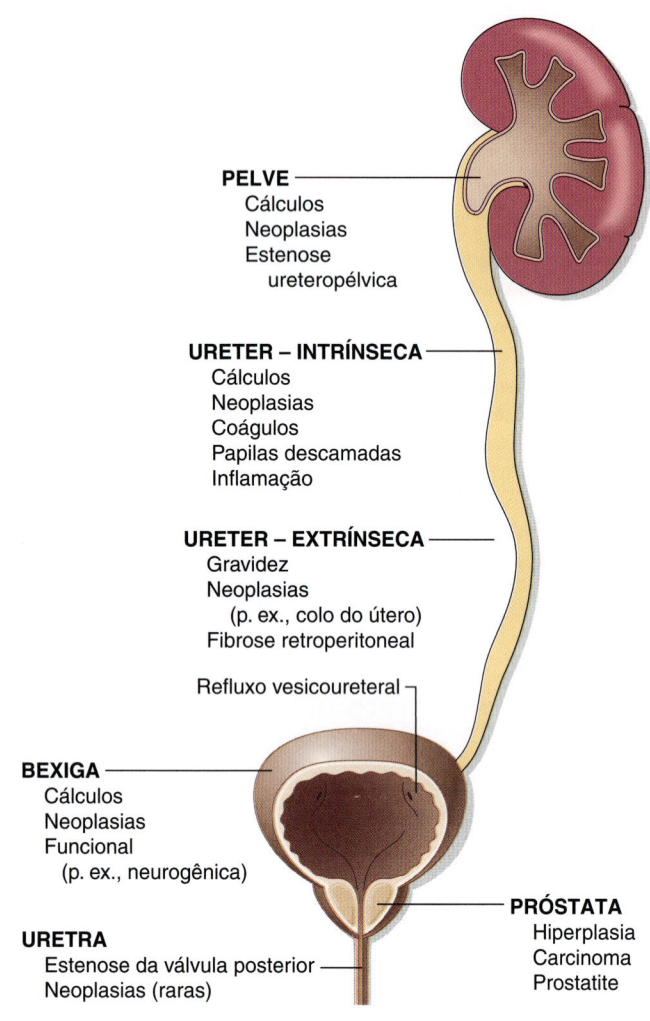

BEXIGA
Cálculos
Neoplasias
Funcional
  (p. ex., neurogênica)

PRÓSTATA
Hiperplasia
Carcinoma
Prostatite

URETRA
Estenose da válvula posterior
Neoplasias (raras)

Figura 20.46 Lesões obstrutivas do trato urinário.

Dependendo do nível de bloqueio urinário, a dilatação pode afetar inicialmente a bexiga ou o ureter e, em seguida, os rins.

Os rins podem apresentar aumento leve a maciço, dependendo do grau e da duração da obstrução. As características iniciais são as da dilatação simples da pelve e dos cálices; todavia, além disso, ocorre inflamação intersticial normalmente significativa, mesmo na ausência de infecção. Nos casos crônicos, o quadro consiste em atrofia tubular cortical, com acentuada fibrose intersticial difusa. Ocorre apagamento progressivo dos ápices das pirâmides, que, por fim, se tornam côncavos. Nos casos muito avançados, os rins podem se transformar em uma estrutura cística de parede fina, com diâmetro de até 15 a 20 cm (ver **Figura 20.47**), com atrofia parenquimatosa notável, obliteração total das pirâmides e adelgaçamento do córtex.

Características clínicas

A *obstrução aguda* pode provocar dor atribuída à distensão do sistema coletor ou da cápsula renal. A maior parte dos sintomas iniciais é produzida pela causa subjacente da hidronefrose. Por conseguinte, os cálculos alojados nos ureteres podem dar origem a cólicas renais, e o aumento da próstata pode produzir sintomas vesicais.

A *hidronefrose unilateral completa* ou *parcial* pode permanecer silenciosa por longos períodos, visto que o rim não afetado é capaz de manter uma função renal adequada. Às vezes, a sua existência torna-se aparente pela primeira vez em exames de imagem. Em seus estágios iniciais, talvez nas primeiras semanas, o alívio da obstrução leva à normalização da função. A *ultrassonografia* é uma técnica não invasiva útil no diagnóstico da uropatia obstrutiva.

Na *obstrução parcial bilateral*, a primeira manifestação consiste na incapacidade de concentrar a urina, que se reflete por poliúria e nictúria. Alguns pacientes desenvolvem acidose tubular distal, perda renal de sal, cálculos renais secundários e nefrite tubulointersticial crônica, com formação de cicatriz e atrofia das papilas e da medula. A hipertensão é comum.

difusão retrógrada no interstício renal e nos espaços perirrenais, a partir dos quais retorna aos sistemas linfático e venoso. Em virtude dessa filtração contínua, os cálices e a pelve afetados tornam-se dilatados, frequentemente de modo acentuado. A elevada pressão na pelve é transmitida de volta através dos ductos coletores para o córtex, causando atrofia renal; todavia, ela comprime a vasculatura renal da medula, causando a diminuição do fluxo sanguíneo medular interno. Os defeitos vasculares medulares são inicialmente reversíveis, porém levam a distúrbios funcionais da medula. Por conseguinte, as alterações funcionais iniciais causadas pela obstrução são, em grande parte, tubulares e manifestam-se principalmente por comprometimento da capacidade de concentração. Só mais tarde é que a TFG começa a cair. A obstrução também desencadeia uma reação inflamatória intersticial, levando, por fim, à fibrose intersticial por meio de mecanismos semelhantes aos discutidos anteriormente (ver **Figura 20.8**).

Morfologia

Quando a obstrução é súbita e completa, ela resulta em dilatação discreta da pelve e dos cálices e, às vezes, em atrofia do parênquima renal. Já quando a obstrução é subtotal ou intermitente, ocorre dilatação progressiva, dando origem à hidronefrose (**Figura 20.47**).

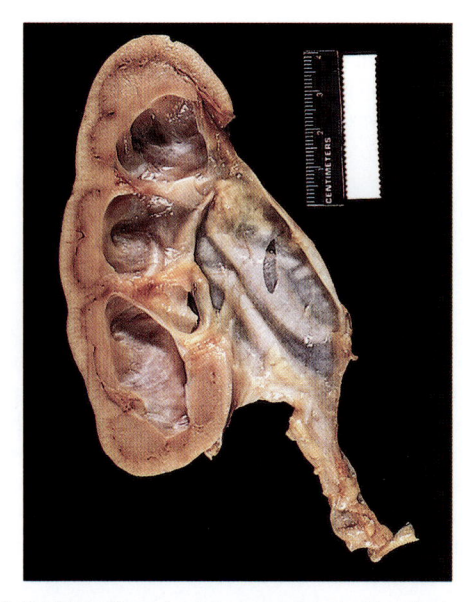

Figura 20.47 Hidronefrose do rim, com acentuada dilatação da pelve e dos cálices e adelgaçamento do parênquima renal.

A *obstrução bilateral completa* de início rápido resulta em oligúria ou anúria e é incompatível com a sobrevivência, a não ser que a obstrução seja aliviada. Curiosamente, após o alívio da obstrução completa do trato urinário, ocorre diurese pós-obstrutiva. Com frequência, ela pode ser maciça, e os rins excretam grandes quantidades de urina rica em cloreto de sódio.

Urolitíase (cálculos renais)

Nos EUA, a urolitíase afeta 5 a 10% dos indivíduos durante a vida, e pode haver formação de cálculos em qualquer parte do trato urinário, porém a maioria surge nos rins. Os homens são afetados com mais frequência do que as mulheres, e o pico de idade para o início situa-se entre 20 e 30 anos. A predisposição familiar e hereditária à formação de cálculos é conhecida há muito tempo. Muitos erros inatos do metabolismo, como a cistinúria e a hiperoxalúria primária, fornecem exemplos de doenças hereditárias que se caracterizam por produção e excreção excessivas de substâncias formadoras de cálculos.

Etiologia e patogênese

Existem quatro tipos principais de cálculos (**Tabela 20.13**): (1) *cálculos de cálcio* (cerca de 70%), compostos, em grande parte, de oxalato de cálcio ou de oxalato de cálcio misturado com fosfato de cálcio; (2) outros 15% são representados pelos denominados *cálculos triplos* ou *cálculos de estruvita*, compostos de fosfato de amônio e magnésio; (3) 5 a 10% consistem em *cálculos de ácido úrico*; e (4) 1 a 2% são constituídos de *cistina*. Em todos os cálculos, existe uma matriz de mucoproteína orgânica, que representa 1 a 5% do cálculo por peso. **Embora existam muitas causas para o início e a propagação dos cálculos, o determinante mais importante é a concentração urinária aumentada dos constituintes dos cálculos, de modo que ultrapasse a sua solubilidade (supersaturação).** O baixo volume de urina em alguns pacientes com metabolismo normal também pode favorecer a supersaturação:

- Em cerca de 5% dos pacientes, os *cálculos de oxalato de cálcio* estão associados à hipercalcemia e à hipercalciúria, como ocorre no hiperparatireoidismo, na doença óssea difusa, na sarcoidose e em outros estados hipercalcêmicos. Aproximadamente 55% apresentam hipercalciúria sem hipercalcemia, que é causada por diversos fatores, incluindo hiperabsorção de cálcio do intestino (hipercalciúria absortiva), comprometimento intrínseco na reabsorção tubular renal de cálcio (hipercalciúria renal) ou hipercalciúria de jejum idiopática com função normal das paratireoides. Até 20% dos cálculos de oxalato de cálcio estão associados à secreção aumentada de ácido úrico (*nefrolitíase de cálcio hiperuricosúrica*), com ou sem hipercalciúria. O mecanismo de formação de cálculos nesse contexto envolve a "nucleação" do oxalato de cálcio por cristais de ácido úrico nos ductos coletores. Cinco por cento estão associados à *hiperoxalúria*, que pode ser hereditária (oxalúria primária) ou, mais comumente, adquirida por hiperabsorção intestinal em pacientes com doenças entéricas. A *hipocitratúria*, que pode ser idiopática ou associada à acidose e à diarreia crônica de causa desconhecida, pode produzir cálculos de cálcio. Em uma proporção variável de indivíduos com cálculos de cálcio, não é possível encontrar causa (doença de cálculos de cálcio idiopática)

Tabela 20.13 Prevalência de vários tipos de cálculos renais.

Tipo de cálculo	Porcentagem de todos os cálculos
Oxalato de cálcio e fosfato	**70**
Hipercalciúria idiopática (50%)	
Hipercalciúria e hipercalcemia (10%)	
Hiperoxalúria (5%)	
Entérico (4,5%)	
Primário (0,5%)	
Hiperuricosúria (20%)	
Hipocitratúria	
Nenhuma anormalidade metabólica conhecida (15 a 20%)	
Fosfato de amônio e magnésio (estruvita)	**5 a 10**
Ácido úrico	**5 a 10**
Associado à hiperuricemia	
Associado à hiperuricosúria	
Idiopático (50% dos cálculos úricos)	
Cistina	**1 a 2**
Outros ou desconhecido	**± 5**

- Os *cálculos de fosfato de amônio e magnésio* são formados, em grande parte, após infecções por bactérias desdobradoras da ureia (p. ex., *Proteus* e alguns estafilococos), que convertem a ureia em amônia. A urina alcalina resultante provoca precipitação de sais de fosfato de amônio e magnésio, que formam alguns dos cálculos maiores, visto que a quantidade de ureia excretada normalmente é muito grande. De fato, os denominados *cálculos coraliformes* que ocupam grandes porções da pelve renal representam, com frequência, uma consequência de infecção
- Os *cálculos de ácido úrico* são comuns em indivíduos com hiperuricemia, como pacientes com gota, e doenças que envolvem uma rápida renovação celular, como as leucemias. Todavia, **mais da metade de todos os pacientes com cálculos de ácido úrico não apresentam hiperuricemia nem aumento da excreção urinária de ácido úrico**. Nesse grupo, acredita-se que a tendência a excretar urina com pH abaixo de 5,5 pode predispor à formação de cálculos de ácido úrico, visto que o ácido úrico é insolúvel na urina ácida. Diferentemente dos cálculos de cálcio radiopacos, os cálculos de ácido úrico são radiotransparentes
- Os *cálculos de cistina* são produzidos por defeitos genéticos na reabsorção renal de aminoácidos, incluindo a cistina, levando à cistinúria. Esses cálculos também se formam na presença de pH urinário baixo.

Por conseguinte, podemos reconhecer que a **concentração aumentada de constituintes dos cálculos, as mudanças do pH urinário, a diminuição do volume de urina e a presença de bactérias influenciam a formação de cálculos**. Entretanto, muitos cálculos ocorrem na ausência desses fatores; por outro lado, indivíduos com hipercalciúria, hiperoxalúria e hiperuricosúria com frequência não têm cálculos. Foi postulado que a formação de cálculos é intensificada por uma deficiência nos inibidores da formação de cristais na urina. A lista desses inibidores é longa, incluindo pirofosfato, difosfonato, citrato, glicosaminoglicanos, osteopontina e uma glicoproteína denominada nefrocalcina.

> ### Morfologia
>
> Os cálculos são unilaterais em cerca de 80% dos pacientes. Os locais de preferência para a sua formação são dentro dos cálices renais e da pelve (**Figura 20.48**), bem como na bexiga. Quando formados na pelve renal, eles tendem a permanecer pequenos, com diâmetro médio de 2 a 3 mm. Esses cálculos podem apresentar contornos lisos ou podem assumir a forma de uma massa recortada e irregular de espículas. Com frequência, são encontrados muitos cálculos dentro dos rins. Em certas ocasiões, o acréscimo progressivo de sais leva ao desenvolvimento de estruturas ramificadas, conhecidas como cálculos coraliformes, que criam um molde do sistema pélvico e calicial.

Características clínicas

A urolitíase pode ser assintomática, produzir cólica renal e dor abdominal intensas ou causar danos renais significativos. Com frequência, os cálculos maiores manifestam-se com hematúria. Os cálculos também predispõem à infecção sobreposta, em virtude de sua natureza obstrutiva e do trauma que eles produzem.

Neoplasias renais

Ocorrem neoplasias tanto benignas quanto malignas nos rins. As neoplasias malignas são de grande importância clínica. O carcinoma de células renais é, de longe, a neoplasia maligna mais comum, seguido do tumor de Wilms, que é encontrado em crianças e é descrito no **Capítulo 10**, e, por fim, do carcinoma urotelial dos cálices e da pelve.

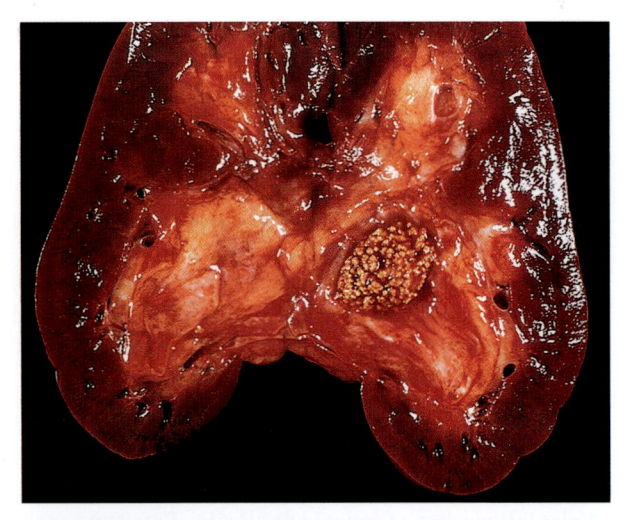

Figura 20.48 Nefrolitíase. Grande cálculo impactado na pelve renal. (Cortesia do Dr. E. Mosher, Brigham and Women's Hospital, Boston, Mass.)

Neoplasias benignas

Adenoma papilar renal

Os adenomas pequenos e distintos que surgem a partir do epitélio tubular renal são comumente encontrados (7 a 22%) na necropsia. Com mais frequência, eles são papilares; portanto, são denominados *adenomas papilares*.

> ### Morfologia
>
> Esses pequenos tumores têm menos de 1,5 cm de diâmetro. Eles estão invariavelmente presentes no córtex e, ao exame macroscópico, aparecem como nódulos bem circunscritos, pálidos, cinza-amarelados e distintos. Ao exame microscópico, eles são compostos de estruturas papilomatosas ramificadas e complexas, com numerosas ramificações. As células também podem crescer como túbulos, glândulas, cordões ou lâminas de células. As células são cuboides a poligonais e apresentam pequenos núcleos centrais e regulares, citoplasma escasso e nenhuma atipia.
>
> Com base em critérios histológicos, essas neoplasias não diferem do carcinoma de células renais papilar de baixo grau e compartilham algumas características imuno-histoquímicas e citogenéticas (trissomias do 7 e do 17) com os cânceres papilares, que são discutidos adiante. O tamanho da neoplasia é utilizado como característica prognóstica, com ponto de corte de 3 cm para separar as neoplasias que metastatizam daquelas que raramente o fazem. Entretanto, devido a relatos ocasionais de pequenas neoplasias que metastatizaram, algumas autoridades consideram todos os adenomas, independentemente de seu tamanho, como potencialmente malignos.

Angiomiolipoma

Essa neoplasia benigna consiste em vasos, músculo liso e gordura que se originam de células epitelioides perivasculares. **Ocorrem angiomiolipomas em 25 a 50% dos pacientes com esclerose tuberosa**, doença causada por mutações de perda de função nos genes supressores de tumor *TSC1* ou *TSC2*. A esclerose tuberosa caracteriza-se por lesões do córtex cerebral, que produzem epilepsia e deficiência intelectual, uma variedade de anormalidades cutâneas e neoplasias benignas incomuns em outros locais, como o coração (ver **Capítulos 12 e 28**). A importância clínica do angiomiolipoma decorre, em grande parte, de sua suscetibilidade à hemorragia espontânea.

Oncocitoma

Trata-se de uma neoplasia epitelial composta de grandes células eosinofílicas, que têm pequenos núcleos redondos de aparência benigna, com grandes nucléolos. Acredita-se que o oncocitoma se origine das células intercaladas dos ductos coletores, sendo responsável por cerca de 5 a 15% das neoplasias renais. No nível ultraestrutural, as células eosinofílicas apresentam numerosas mitocôndrias. Quanto ao aspecto macroscópico, as neoplasias são castanhas ou de coloração marrom-mogno, relativamente homogêneas e, em geral, bem encapsuladas, com uma cicatriz central em um terço dos casos. Todavia, elas podem alcançar um grande tamanho (até 12 cm de diâmetro). Existem alguns casos familiares nos quais essas neoplasias são multicêntricas, em vez de solitárias.

Neoplasias malignas

Carcinoma de células renais

Nos EUA, os carcinomas de células renais representam cerca de 3% de todos os cânceres recém-diagnosticados e são responsáveis por 85% dos cânceres renais em adultos. Há aproximadamente 65 mil novos casos por ano, e ocorrem 13 mil mortes em consequência da doença. As neoplasias aparecem com mais frequência em idosos, geralmente na sexta e sétima décadas de vida, com preponderância do sexo masculino de 2:1.

Epidemiologia

O tabaco constitui o fator de risco mais significativo. Os tabagistas apresentam uma incidência duas vezes maior de carcinoma de células renais, e os fumantes de cachimbo e charuto também são mais suscetíveis à doença. Um estudo internacional identificou outros fatores de risco, incluindo obesidade (particularmente em mulheres), hipertensão, terapia estrogênica sem oposição e exposição a asbesto, produtos derivados do petróleo e metais pesados. Além disso, há risco aumentado em pacientes com DRT, doença renal crônica, doença cística adquirida (ver anteriormente) e esclerose tuberosa.

A maioria dos cânceres renais é esporádica, porém ocorrem formas incomuns de cânceres familiares autossômicos dominantes, geralmente em indivíduos mais jovens. Embora representem apenas 4% dos cânceres renais, as variantes familiares foram esclarecedoras para a compreensão da carcinogênese renal:

- *Síndrome de Von Hippel-Lindau (VHL).* Metade a dois terços dos indivíduos com síndrome de VHL (quase todos, se viverem o suficiente) (ver **Capítulo 28**) desenvolvem cistos renais e carcinomas de células renais bilaterais e, com frequência, múltiplos. *Os estudos atuais implicaram o gene VHL no desenvolvimento dos carcinomas de células claras tanto familiares quanto esporádicos*
- *Síndrome de leiomiomatose hereditária e de câncer de células renais.* Essa doença autossômica dominante é causada por mutações do gene *FH*, que expressa a fumarato hidratase, e caracteriza-se por leiomiomas cutâneos e uterinos e por um tipo agressivo de carcinoma papilar, com maior propensão à disseminação metastática
- *Carcinoma papilar hereditário.* Essa forma autossômica dominante manifesta-se por múltiplas neoplasias bilaterais com histologia papilar. Essas neoplasias apresentam uma série de anormalidades citogenéticas e, conforme descrito adiante, mutações no proto-oncogene *MET*
- *Síndrome de Birt-Hogg-Dubé.* O padrão de herança autossômico dominante dessa doença é devido a mutações que afetam o gene *BHD*, que expressa a foliculina. A síndrome caracteriza-se por uma constelação de neoplasias cutâneas (fibrofoliculomas, tricodiscomas e acrocórdons), pulmonares (cistos ou bolhas) e renais, com uma ampla variedade de subtipos histológicos.

Classificação do carcinoma de células renais: histologia, citogenética e genética

A classificação do carcinoma de células renais baseia-se em estudos de correlação citogenéticos, genéticos e histológicos de neoplasias tanto familiares quanto esporádicas. Os principais tipos de neoplasia são apresentados a seguir (**Figura 20.49**):

- *Carcinoma de células claras.* Trata-se do tipo mais comum, responsável por 70 a 80% dos cânceres de células renais. As neoplasias são constituídas por células com citoplasma claro ou granular e são *não papilares*. Elas podem ser familiares, porém são esporádicos na maioria dos casos (95%). Em 98% dessas neoplasias, sejam elas familiares, esporádicas ou associadas à síndrome de VHL, ocorre perda de sequências no braço curto do cromossomo 3. A região deletada abriga o gene *VHL* (3p25.3). Um segundo alelo não deletado do gene *VHL* representa mutações somáticas ou inativação induzida por

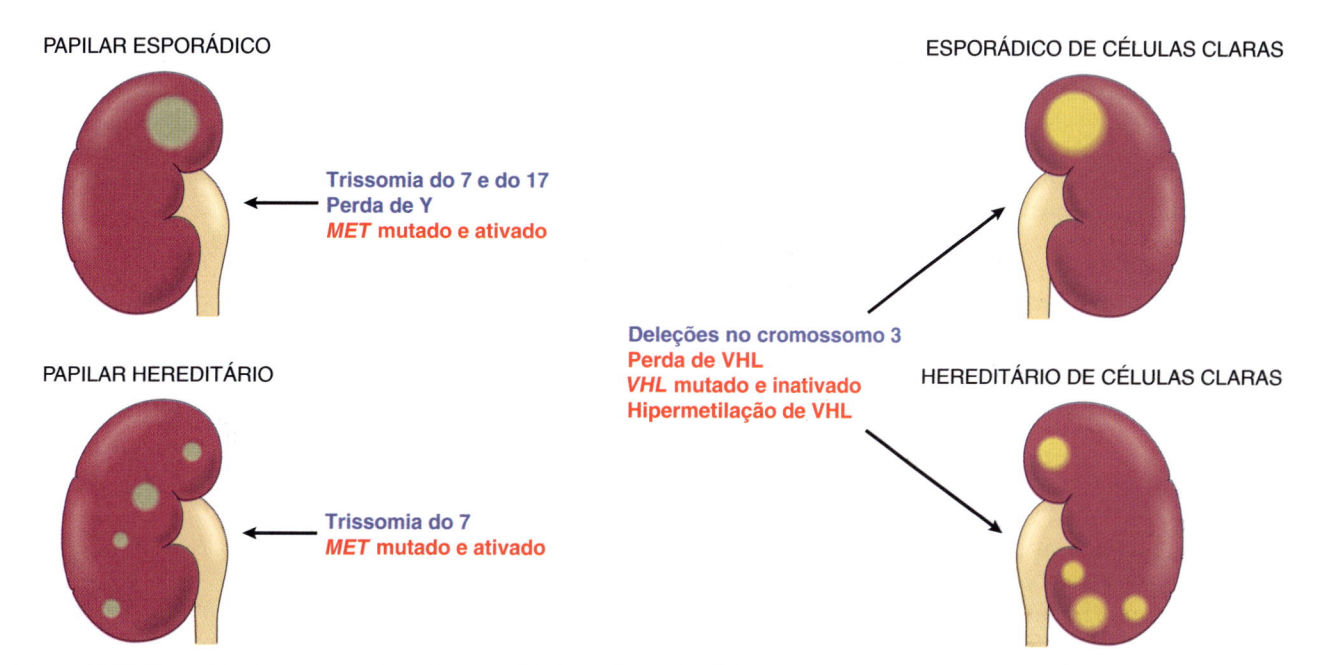

Figura 20.49 Citogenética (*em azul*) e genética (*em vermelho*) do carcinoma de células claras *versus* carcinoma papilar de células renais. (Cortesia do Dr. Keith Ligon, Brigham and Women's Hospital, Boston, Mass.)

hipermetilação em até 80% dos cânceres de células claras, indicando que o gene *VHL* atua como gene supressor de tumor nos cânceres tanto esporádicos quanto familiares (ver **Capítulo 7**). O gene *VHL* codifica uma proteína que faz parte de um complexo de ubiquitina ligase envolvido na marcação de outras proteínas para degradação. Entre os alvos da proteína VHL, destaca-se o fator de transcrição denominado fator induzível por hipoxia 1 (HIF-1). Quando o *VHL* está inativo, os níveis de HIF-1 permanecem elevados, mesmo em condições de normoxia, causando expressão inapropriada de diversos genes que são ativados pelo HIF. Isso inclui os genes que promovem a angiogênese, como o VEGF, e os genes que estimulam o crescimento celular, como o fator de crescimento semelhante à insulina 1 (IGF-1). Além disso, o HIF colabora de maneira complexa com o fator oncogênico MYC para "reprogramar" o metabolismo celular de uma maneira que favoreça o crescimento. O sequenciamento amplo de genomas do carcinoma renal revelou mutações frequentes em diversos genes que regulam modificações das histonas, o que indica que a desregulação do epigenoma também desempenha um importante papel no carcinoma de células claras

- O *carcinoma papilar* responde por 10 a 15% dos cânceres renais. Ele caracteriza-se por um padrão de crescimento papilar e ocorre em formas tanto familiares quanto esporádicas. Essas neoplasias não estão associadas a deleções de 3 p. As anormalidades citogenéticas mais comuns consistem em trissomias do 7 e do 17 e perda do Y em pacientes do sexo masculino na forma esporádica e trissomia do 7 na forma familiar. O gene no cromossomo 7 para a forma familiar foi mapeado no *MET*, um proto-oncogene que codifica o receptor de tirosinoquinase para o *fator de crescimento dos hepatócitos*. O *MET* também está mutado em uma pequena proporção de carcinomas papilares esporádicos. O fator de crescimento dos hepatócitos (também denominado *fator de dispersão*) medeia o crescimento, a mobilidade celular, a invasão e a diferenciação morfogenética. Diferentemente dos carcinomas de células claras, os carcinomas papilares são, com frequência, de origem multifocal

- O *carcinoma cromófobo* representa 5% dos cânceres de células renais e é composto de células com membranas celulares proeminentes e citoplasma eosinofílico pálido, geralmente com um halo ao redor do núcleo. Ao exame citogenético, essas neoplasias exibem múltiplas perdas cromossômicas e hipodiploidia extrema. À semelhança do oncocitoma benigno, acredita-se que as neoplasias cresçam a partir das células intercaladas dos ductos coletores e tenham um excelente prognóstico, em comparação com o dos cânceres de células claras e papilares. A distinção histológica do oncocitoma pode ser difícil

- O *carcinoma associado à translocação cromossômica Xp11* é um subtipo geneticamente distinto de carcinoma de células renais. Com frequência, ele ocorre em pacientes jovens e é definido por translocações do gene *TFE3*, localizado no Xp11.2, com certo número de genes parceiros, que resultam em superexpressão do fator de transcrição TFE3. As células neoplásicas consistem em citoplasma claro com arquitetura papilar

- O *carcinoma dos ductos coletores* (*ductos de Bellini*) representa cerca de 1% ou menos das neoplasias epiteliais renais. Ele origina-se das células dos ductos coletores na medula. Foram descritas várias perdas e deleções cromossômicas, porém ainda não foi identificado um padrão distinto. Do ponto de vista histológico, essas neoplasias caracterizam-se por células malignas que formam glândulas emaranhadas dentro de um estroma fibrótico proeminente, normalmente de localização medular. O *carcinoma medular* é uma neoplasia morfologicamente semelhante, observada em pacientes com traço falciforme.

> ### Morfologia
>
> Os carcinomas de células renais podem surgir em qualquer parte dos rins, porém afetam mais comumente os polos. Os **carcinomas de células claras** originam-se, mais provavelmente, do epitélio tubular proximal e, em geral, ocorrem como lesões unilaterais solitárias. Trata-se de massas esféricas branco-cinza-amareladas e brilhantes, de tamanho variável, que distorcem o contorno renal. A coloração amarela resulta do acúmulo proeminente de lipídios nas células neoplásicas. É comum a presença de grandes áreas de necrose branco-acinzentada e focos de coloração hemorrágica. Em geral, as margens são nitidamente definidas e confinadas dentro da cápsula renal (**Figura 20.50**). No carcinoma de células claras, o padrão de crescimento varia de sólido a trabecular (tipo em cordão) ou tubular (semelhante a túbulos). As células neoplásicas apresentam uma forma arredondada ou poligonal e citoplasma abundante, claro ou granular, que contém glicogênio e lipídios (**Figura 20.51A**). As neoplasias têm uma vasculatura ramificada delicada e podem exibir áreas císticas, bem como sólidas. A maioria das neoplasias é bem diferenciada, porém algumas apresentam atipia nuclear, com núcleos bizarros e células gigantes.
>
> À medida que as neoplasias aumentam de tamanho, elas podem se projetar dentro dos cálices e da pelve e, por fim, crescer rapidamente através das paredes do sistema coletor, até se estenderem no ureter. **Uma das características notáveis do carcinoma de células renais é a sua tendência a invadir a veia renal** (ver **Figura 20.50**), na qual pode crescer como uma coluna sólida de células que se estende até a veia cava inferior e, às vezes, até o lado direito do coração.
>
> Os **carcinomas papilares**, que se acredita que se originam a partir dos túbulos contorcidos distais, podem ser multifocais e bilaterais. Normalmente, eles são hemorrágicos e císticos, particularmente quando grandes. A neoplasia é composta de células cuboides ou colunares baixas, dispostas em formações papilares. As células espumosas intersticiais são comuns nos cernes das papilas (ver **Figura 20.51B**). Pode haver corpos de psamoma. Em geral, o estroma é escasso, porém altamente vascularizado. O **carcinoma renal cromófobo** é composto de células eosinofílicas pálidas, frequentemente com halo perinuclear, dispostas em lâminas sólidas, com uma concentração das células maiores ao redor dos vasos sanguíneos (ver **Figura 20.51C**). O **carcinoma dos ductos coletores** é uma variante rara, que apresenta canais irregulares revestidos por epitélio altamente atípico com padrão em tachas (*hobnail*). Raramente, surgem alterações sarcomatoides em todos os tipos de carcinoma de células renais, o que constitui uma característica decididamente de mau presságio.

Características clínicas

As características clínicas clássicas do carcinoma de células renais consistem em *dor costovertebral*, *massa palpável* e *hematúria*, porém a presença de todas as três é observada em apenas 10% dos casos. O sinal mais confiável é a hematúria, que, em geral,

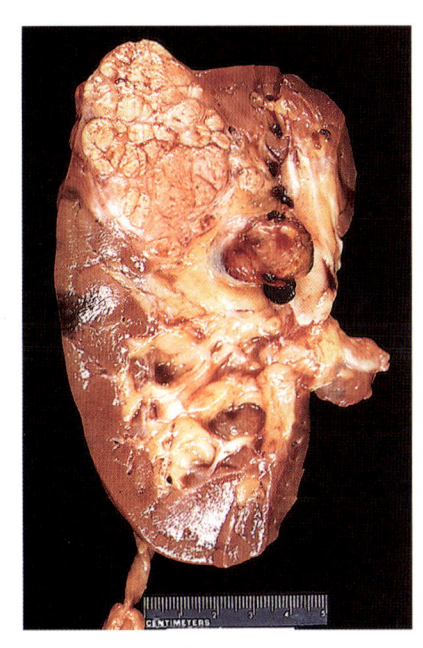

Figura 20.50 Carcinoma de células renais. Corte transversal típico de neoplasia esférica amarelada em um polo do rim. Observe a neoplasia na veia renal trombosada dilatada.

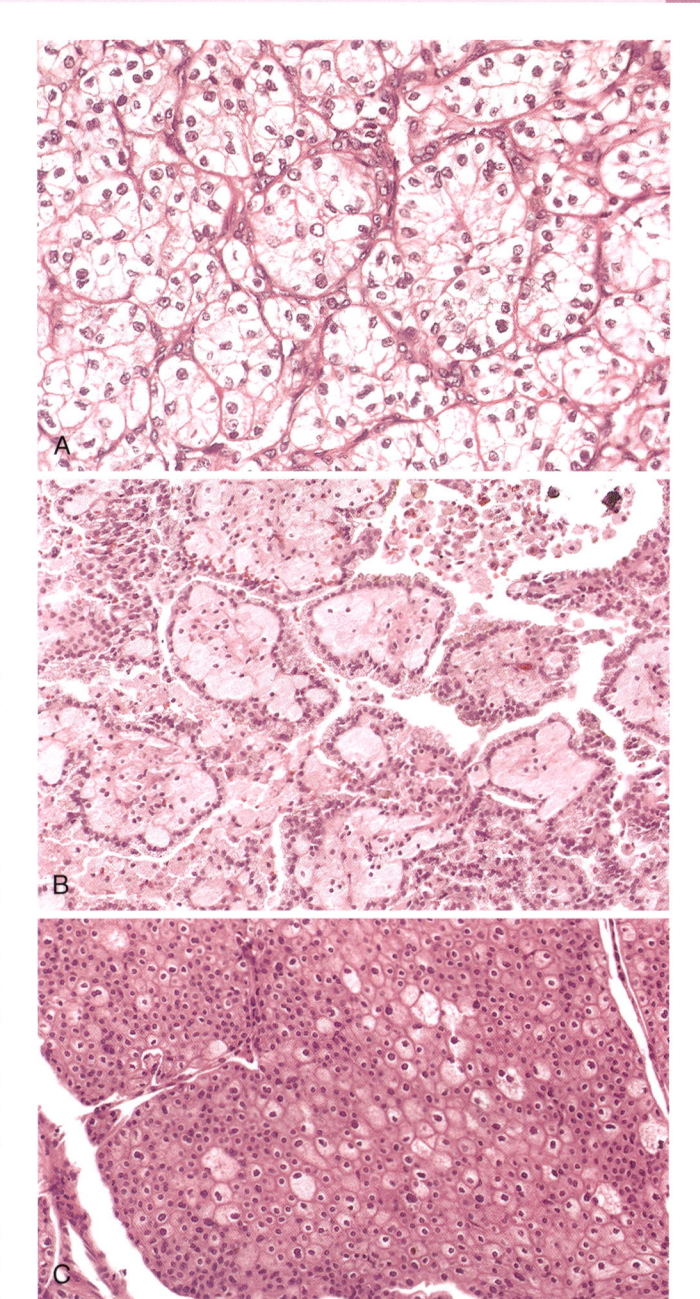

Figura 20.51 Carcinoma de células renais. **A.** Tipo com células claras. **B.** Tipo papilar. Observe as papilas e os macrófagos espumosos na haste. **C.** Tipo cromófobo. (Cortesia do Dr. A. Renshaw, Baptist Hospital, Miami, Fla.)

é intermitente e pode ser macroscópica; por conseguinte, a neoplasia pode permanecer silenciosa até alcançar um grande tamanho, com frequência superior a 10 cm. Nesse momento, a neoplasia costuma estar associada a sintomas constitutivos generalizados, como febre, mal-estar, fraqueza e perda de peso. Esse padrão de crescimento assintomático é observado em muitos pacientes, de modo que a neoplasia pode ter alcançado um diâmetro de mais de 10 cm quando é descoberta. Hoje, um número crescente de neoplasias está sendo descoberto no estado assintomático como achados incidentais em exames radiológicos (p. ex., tomografia computadorizada ou ressonância magnética) realizados para outras indicações.

O carcinoma de células renais é considerado um dos grandes imitadores da medicina, visto que tende a produzir uma diversidade de sintomas sistêmicos não relacionados com os rins. Além da febre e dos sintomas constitutivos mencionados anteriormente, os carcinomas de células renais produzem diversas síndromes atribuídas à produção anormal de hormônios, incluindo policitemia, hipercalcemia, hipertensão, disfunção hepática, feminização ou masculinização, síndrome de Cushing, eosinofilia, reações leucemoides e amiloidose.

Uma característica particularmente problemática do carcinoma de células renais é a sua tendência a metastatizar amplamente antes de produzir quaisquer sinais ou sintomas locais. Em 15% de novos pacientes com carcinoma de células renais, há evidências radiológicas de metástases no momento da apresentação inicial. Os locais mais comuns de metástases são os pulmões (mais de 50%) e os ossos (33%), seguidos, em frequência, dos linfonodos regionais, do fígado, das glândulas suprarrenais e do encéfalo.

A taxa de sobrevida média em 5 anos de indivíduos com carcinoma de células renais é de cerca de 70% e alcança 100% na ausência de metástases a distância. Com a invasão da veia renal ou a extensão na gordura perirrenal, essa taxa é reduzida para aproximadamente 60%. A nefrectomia radical tem sido o tratamento de escolha, porém recomenda-se a cirurgia com preservação de néfrons para preservar a função renal em tumores T1a (< 4 cm), bem como para tumores maiores quando tecnicamente viável. Os medicamentos que inibem o VEGF e várias tirosinoquinases são utilizados como adjuvantes da terapia para pacientes com doença metastática.

Carcinoma urotelial da pelve renal

Cerca de 5 a 10% das neoplasias renais primárias originam-se do urotélio da pelve renal (**Figura 20.52**). Essas neoplasias variam desde papilomas aparentemente benignos até carcinomas uroteliais (de células transicionais) invasores.

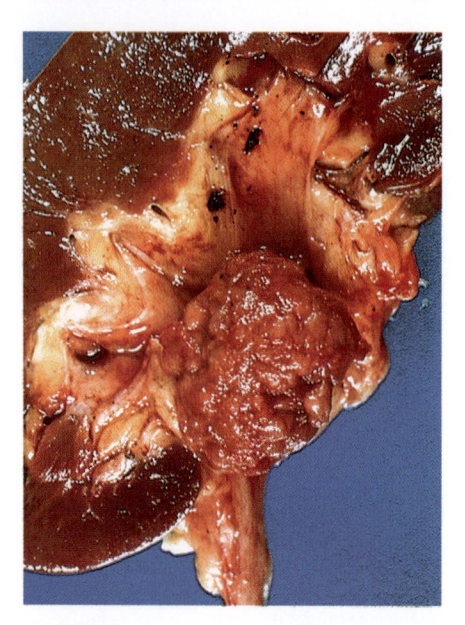

Figura 20.52 Carcinoma urotelial da pelve renal. A pelve foi aberta para expor a neoplasia irregular nodular, imediatamente proximal ao ureter.

- As formas hereditárias de carcinoma de células renais levaram à descoberta de importantes genes (p. ex., *VHL*, *BHD*) na carcinogênese renal
- As neoplasias uroteliais que se assemelham a neoplasias uroteliais na bexiga também podem se originar na pelve renal. Essas neoplasias apresentam prognóstico sombrio.

Em geral, as neoplasias da pelve renal tornam-se clinicamente aparentes dentro de um período relativamente curto, visto que se localizam dentro da pelve e, por fragmentação, produzem hematúria visível. Essas neoplasias são quase sempre pequenas quando descobertas. Elas podem bloquear o fluxo de urina e levar à hidronefrose palpável e à dor no flanco. Ao exame histológico, as neoplasias pélvicas constituem os correspondentes exatos daquelas encontradas na bexiga; mais detalhes são fornecidos no **Capítulo 21**.

Em certas ocasiões, as neoplasias uroteliais podem ser múltiplas, acometendo a pelve, os ureteres e a bexiga. Em 50% das neoplasias pélvicas renais, há uma neoplasia urotelial da bexiga preexistente ou concomitante. Ao exame histológico, também são observados focos de atipia ou carcinoma *in situ* no urotélio macroscopicamente normal, distante da neoplasia pélvica. Há incidência aumentada de carcinomas uroteliais da pelve renal em indivíduos com síndrome de Lynch.

A infiltração da parede da pelve e dos cálices é comum. Por essa razão, apesar de sua aparência aparentemente pequena e enganosamente benigna, o prognóstico para essas neoplasias não é satisfatório. As taxas de sobrevida em 5 anos relatadas variam de 50 a 100% para as lesões não invasivas de baixo grau e até 10% para as neoplasias infiltrantes de alto grau.

Conceitos-chave
Neoplasias renais

- O carcinoma de células renais do tipo células claras é a neoplasia renal maligna mais frequente e, em geral, envolve o *VHL*, um gene supressor de tumor
- O carcinoma papilar de células renais é o segundo subtipo mais comum de neoplasias renais malignas, e pode envolver o proto-oncogene *MET*

LEITURA SUGERIDA

Patogênese da lesão glomerular imunomediada
Couser WG: Basic and translational concepts of immune-mediated glomerular diseases, *J Am Soc Nephrol* 23:381–399, 2012. [*Revisão excelente e abrangente da imunopatogênese das doenças glomerulares*].

Pickering M, Cook HT: Complement and glomerular disease: new insights, *Curr Opin Nephrol Hypertens* 20:271–277, 2011. [*Revisão perspicaz dos novos conceitos emergentes sobre a contribuição do complemento para a doença renal, com ênfase na desregulação da via alternativa de ativação do complemento*].

Mecanismos de progressão nas doenças glomerulares
Schlondorff DO: Overview of factors contributing to the pathophysiology of progressive renal disease, *Kidney Int* 74:860–866, 2008. [*Excelente resumo das vias complexas e interativas que levam à lesão renal crônica progressiva*].

Síndrome nefrótica
Rosenberg AZ, Kopp JB: Focal segmental glomerulosclerosis, *Clin J Am Soc Nephrol* 12:502–517, 2017. [*Revisão excelente e bem ilustrada das características clínicas e patológicas deste grupo de doenças*].

Assady S, Wanner N, Skorecki KL et al: New insights into podocyte biology in glomerular health and disease, *J Am Soc Nephrol* 28:1707–1715, 2017. [*Excelente sinopse das alternâncias em podócitos subjacentes às doenças glomerulares*].

Ronco P, Debiec H: Pathophysiological advances in membranous nephropathy, *Lancet* 385:1983–1992, 2015. [*Revisão abrangente da imunopatologia da nefropatia membranosa por dois dos principais investigadores na área de identificação dos antígenos-alvo nesta doença*].

Sethi S, Fervenza FC: Membranoproliferative glomerulonephritis–a new look at an old entity, *N Engl J Med* 366:1119–1131, 2012. [*Excelente reavaliação desta entidade com uma revisão do novo esquema de classificação baseado na patogênese subjacente*].

Síndrome nefrítica
Nast CC: Infection-related glomerulonephritis: changing demographics and outcomes, *Adv Chronic Kidney Dis* 19:68–75, 2012. [*Revisão cuidadosa que integra conceitos há muito estabelecidos em glomerulonefrite relacionadas a infecção, com mudanças dos padrões de expressão da doença nas sociedades do primeiro e do terceiro mundo*].

Glomerulonefrite rapidamente progressiva (crescêntica)
Jennette JC, Nachman PH: ANCA glomerulonephritis and vasculitis, *Clin J Am Soc Nephrol* 12:1680–1691, 2017. [*Revisão completa desta forma principal de vasculite com ênfase na fisiopatologia subjacente*].

Kambham N: Crescentic Glomerulonephritis: an update on Pauciimmune and Anti-GBM diseases, *Adv Anat Pathol* 19(2):111–124, 2012. [*Revisão atual das manifestações clinicopatológicas destas doenças*].

Anormalidades urinárias isoladas
Gubler MC: Inherited diseases of the glomerular basement membrane, *Nat Clin Pract Nephrol* 4:24–37, 2008. [*Revisão detalhada da fisiopatologia das nefrites hereditárias e um guia claro para sua identificação e diagnóstico diferencial*].

Roberts IS: Pathology of IgA nephropathy, *Nat Rev Nephrol* 10:445–454, 2014. [*Excelente revisão que detalha os conceitos emergentes da fisiopatologia deste distúrbio*].

Lesão/necrose tubular aguda
Bellomo R, Kellum JA, Ronco C: Acute kidney injury, *Lancet* 380:756–766, 2012. [*Excelente revisão da lesão renal aguda com ênfase nos aspectos clínicos e questões de manejo*].

Zuk A, Bonventre JV: Acute kidney injury, *Annu Rev Med* 67:293-307, 2016. [*Revisão abrangente da lesão renal aguda*].

Nefrite tubulointersticial

Johnson JR, Russo TA: Acute pyelonephritis in adults, *N Engl J Med* 378: 48-59, 2018. [*Revisão dos aspectos clínicos e patológicos da pielonefrite*].

Perazella MA, Markowitz GS: Drug-induced acute interstitial nephritis, *Nat Rev Nephrol* 6:461-470, 2010. [*Revisão dos vários fármacos que podem induzir nefrite intersticial aguda, juntamente com questões clínicas e patológicas relevantes*].

Doenças vasculares

Brocklebank V, Wood KA, Kavanagh D: Thrombotic microangiopathy and the kidney, *Clin J Am Soc Nephrol* 13:300-317, 2018. [*Excelente revisão da patogênese e características clínicas de várias formas de microangiopatia trombótica*].

Chang A: Thrombotic microangiopathy and the kidney, *Diagn Histopathol* 23:101-108, 2017. [*Visão geral sobre a desregulação da via alternativa da cascata do complemento e outros mecanismos que contribuem para a microangiopatica trombótica*].

Hill GS: Hypertensive nephrosclerosis, *Curr Opin Nephrol Hypertens* 17:266-270, 2008. [*Revisão da base fisiopatológica da nefroesclerose hipertensiva*].

Doenças císticas dos rins

Benoit G, Machuca E, Heidet L et al: Hereditary kidney diseases: highlighting the importance of classical Mendelian phenotypes, *Ann N Y Acad Sci* 1214:83-98, 2010. [*Revisão das mutações genéticas que afetam uma variedade de estruturas renais, desde o podócito até as membranas basais glomerulares e as mitocôndrias*].

Hildebrandt F, Benzing T, Katsanis N: Ciliopathies, *N Engl J Med* 364:1533-1543, 2011. [*Excelente revisão do espectro das mutações de um único gene envolvendo os cílios e suas manifestações clínicas e mecanismos de doença subjacentes*].

Neoplasias dos rins

Jonasch E, Futreal A, Davis I et al: State of the science: an update on renal cell carcinoma, *Mol Cancer Res* 10:859-880, 2012. [*Excelente revisão da base molecular do carcinoma de células renais e seus subtipos com ênfase nas potenciais implicações terapêuticas*].

Srigley JR, Delahunt B, Eble JN et al: The International Society of Urological Pathology (ISUP) Vancouver Classification of Renal Neoplasia, *Am J Surg Pathol* 37(10):1469-1489, 2013. [*Classificação patológica atualizada do carcinoma de células renais*].

CAPÍTULO

Trato Urinário Inferior e Sistema Genital Masculino

21

George Jabboure Netto • Mahul B. Amin

SUMÁRIO DO CAPÍTULO

TRATO URINÁRIO INFERIOR, 991
Ureteres, 991
  Anomalias congênitas, 991
  Neoplasias e lesões semelhantes a neoplasias, 992
  Lesões obstrutivas, 992
  Fibrose retroperitoneal esclerosante, 992
Bexiga urinária, 993
  Anomalias congênitas, 993
  Inflamação, 993
  Cistite aguda e crônica, 993
  Formas especiais de cistite, 994
  Lesões metaplásicas, 995
  Neoplasias, 995
  Neoplasias uroteliais, 995
  Outras neoplasias epiteliais da bexiga, 1000
  Neoplasias mesenquimais, 1000
  Neoplasias secundárias, 1000
  Obstrução, 1001
Uretra, 1001

Inflamação, 1001
Neoplasias e lesões semelhantes a neoplasias, 1001

SISTEMA GENITAL MASCULINO, 1002
Pênis, 1002
  Anomalias congênitas, 1002
  Hipospadias e epispadias, 1002
  Fimose, 1002
  Inflamação, 1002
  Neoplasias, 1002
  Neoplasias benignas e condições semelhantes a neoplasias, 1002
  Neoplasias malignas, 1003
Testículo e epidídimo, 1005
  Anomalias congênitas, 1005
  Criptorquidia, 1005
  Alterações regressivas, 1006
  Atrofia e diminuição da fertilidade, 1006
  Inflamação e infecções, 1006

  Epididimite e orquite inespecíficas, 1006
  Orquite granulomatosa (autoimune), 1006
  Infecções, 1007
  Distúrbios vasculares, 1007
  Torção, 1007
  Neoplasias do funículo espermático e paratesticulares, 1007
  Neoplasias testiculares, 1007
  Tumores de células germinativas, 1008
  Tumores do cordão sexual-estroma gonadal, 1013
  Gonadoblastoma, 1013
  Linfoma testicular, 1013
  Lesões da túnica vaginal, 1014
Próstata, 1014
  Inflamação, 1014
  Aumento benigno, 1015
  Hiperplasia prostática benigna, 1015
  Neoplasias, 1017
  Adenocarcinoma, 1017
  Tumores diversos, 1022

Trato urinário inferior

As pelves renais, os ureteres, a bexiga urinária e a uretra (com exceção de sua porção terminal) são revestidos por uma forma especial de epitélio de transição, denominado *urotélio*. Este é composto por cinco a seis camadas de células com núcleos ovais, frequentemente com sulcos nucleares lineares, e uma camada superficial constituída por grandes "células em guarda-chuva" achatadas, com citoplasma abundante. Esse epitélio repousa sobre uma membrana basal bem desenvolvida, abaixo da qual se encontra uma lâmina própria. Na bexiga urinária, a lâmina própria contém mechas de músculo liso, que formam uma muscular da mucosa descontínua. É importante diferenciar a muscular da mucosa dos feixes musculares maiores, mais profundos e bem definidos do músculo detrusor (muscular própria), visto que o estadiamento dos cânceres de bexiga baseia-se na invasão desta última. Se houver obstrução do fluxo de urina e elevação das pressões intravesicais, a musculatura da bexiga sofre hipertrofia.

Os ureteres situam-se em uma posição retroperitoneal ao longo de todo o seu trajeto. As neoplasias ou fibrose retroperitoneais podem aprisionar e obstruir os ureteres. Em mulheres de meia-idade e de idade mais avançada, o relaxamento do suporte pélvico leva ao prolapso (descida) do útero, arrastando com ele o assoalho da bexiga. Desse modo, a bexiga sofre protrusão na vagina, criando uma bolsa (*cistocele*) que não consegue se esvaziar prontamente com a micção. Nos homens, as glândulas seminais e a próstata têm relações próximas semelhantes e estão situadas posterior e inferiormente ao colo da bexiga. Por conseguinte, o aumento da próstata, que é tão comum na meia-idade ou posteriormente, constitui uma importante causa de obstrução do trato urinário. Nas seções subsequentes, são discutidas as principais lesões patológicas dos ureteres, da bexiga urinária e da uretra.

Ureteres

Anomalias congênitas

São encontradas anomalias congênitas dos ureteres em cerca de 2 a 3% de todas as necropsias (**Tabela 21.1**). Embora a maioria tenha pouca importância clínica, algumas anomalias podem levar à obstrução do fluxo urinário e, assim, causar doença clínica.

Tabela 21.1 Anomalias congênitas do ureter.

- Refluxo vesicoureteral
- Ureteres duplos e bífidos
- Obstrução da junção ureteropélvica
- Divertículos

A obstrução da junção ureteropélvica (JUP) constitui a causa mais comum de hidronefrose em lactentes e crianças. Os casos que se manifestam no início da vida afetam indivíduos do sexo masculino, são bilaterais em 20% dos casos e, com frequência, estão associados a outras anomalias. Há agenesia do rim contralateral em uma minoria de casos. Em adultos, a obstrução da JUP é mais comum em mulheres e, com mais frequência, é unilateral. A condição costuma ser atribuída e uma organização anormal dos feixes de músculo liso ou a uma deposição estromal excessiva de colágeno entre os feixes de músculo liso na JUP ou, em raros casos, à compressão extrínseca da JUP por vasos renais anormais.

Neoplasias e lesões semelhantes a neoplasias

As neoplasias primárias do ureter são raras. As neoplasias benignas são, em geral, de origem mesenquimal. O *pólipo fibroepitelial*, uma lesão semelhante a uma neoplasia que costuma ocorrer em crianças, é composto de tecido conjuntivo frouxo e vascularizado recoberto por urotélio. As neoplasias malignas primárias do ureter assemelham-se às que se originam na pelve renal, nos cálices e na bexiga. A maioria consiste em *carcinomas uroteliais* (**Figura 21.1**). Ocorrem com mais frequência durante a sexta e a sétima décadas de vida e causam obstrução da luz ureteral. Em geral, ocorrem concomitantemente a carcinomas uroteliais da bexiga ou da pelve renal.

Lesões obstrutivas

As lesões intrínsecas e extrínsecas podem causar obstrução dos ureteres e podem resultar em *hidroureter, hidronefrose* e *pielonefrite* (ver **Capítulo 20**). A obstrução unilateral costuma resultar de causas proximais intrínsecas ou extrínsecas (p. ex., cálculos, neoplasias etc.), enquanto a obstrução bilateral resulta de causas distais, como hiperplasia nodular da próstata (**Tabela 21.2**).

Fibrose retroperitoneal esclerosante

Essa lesão rara caracteriza-se por um processo inflamatório proliferativo fibrótico que envolve as estruturas retroperitoneais e provoca hidronefrose. O distúrbio ocorre na meia-idade até o final da vida e é mais comum em homens do que em mulheres. Pelo menos um subgrupo desses casos está associado à *doença relacionada com a IgG4*, uma entidade recém descrita associada a níveis séricos elevados de imunoglobulina G4 (IgG4) e a lesões fibroinflamatórias ricas em plasmócitos secretores de IgG4, que também afeta outros órgãos (ver **Capítulo 6**). Outras etiologias da fibrose retroperitoneal incluem exposições a fármacos (derivados do *ergot*, bloqueadores beta-adrenérgicos), condições inflamatórias (vasculite, diverticulite, doença de Crohn) ou neoplasias malignas (linfomas, carcinomas do trato urinário). Entretanto, a maioria não apresenta nenhuma causa óbvia e é considerada primária ou idiopática (*doença de Ormond*).

Normalmente, o exame microscópico revela a presença de tecido fibroso contendo um infiltrado proeminente de linfócitos, frequentemente com centros germinativos, plasmócitos (com frequência, IgG4 positivos) e eosinófilos. O início do tratamento consiste em corticosteroides, porém muitos pacientes acabam se tornando resistentes e necessitam de *stents* ureterais ou extricação cirúrgica dos ureteres do tecido fibroso circundante (ureterólise).

Tabela 21.2 Principais causas de obstrução ureteral.

Causa da obstrução	Características/mecanismos
Intrínseca	
Cálculos	Normalmente de origem renal Geralmente pequenos (5 mm de diâmetro ou menos) Impacto em áreas de estreitamento ureteral – junção ureteropélvica, onde os ureteres cruzam os vasos ilíacos e entram na bexiga – causam "cólica renal" excruciante
Estenoses	Podem ser congênitas ou adquiridas
Tumores	Carcinomas uroteliais que surgem nos ureteres
	Raramente, neoplasias benignas ou pólipos fibroepiteliais
Coágulos de sangue	Hematúria maciça em consequência de cálculos renais, neoplasias ou necrose papilar
Neurogênica	Interrupção das vias neurais para a bexiga
Extrínseca	
Gravidez	Relaxamento fisiológico do músculo liso ou pressão exercida sobre os ureteres na abertura superior da pelve pelo aumento do fundo do útero
Inflamação periureteral	Salpingite, diverticulite, peritonite, fibrose retroperitoneal esclerosante
Endometriose	Com lesões pélvicas associadas à cicatrização
Neoplasias	Cânceres de reto, bexiga, próstata, ovários, útero, colo do útero; linfoma, sarcomas

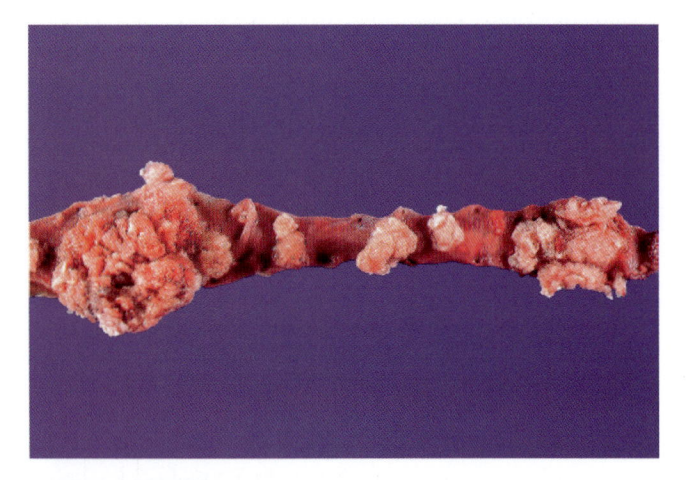

Figura 21.1 Carcinoma de células transicionais papilífero com acometimento extenso do ureter. (Cortesia da Dra. Cristina Magi-Galluzzi, The Johns Hopkins Hospital, Baltimore, Md.)

> **Conceitos-chave**
>
> **Distúrbios dos ureteres**
>
> - A obstrução ureteral é clinicamente significativa, visto que pode levar ao hidroureter, à hidronefrose ou à pielonefrite, comprometendo, assim, a função renal
> - Nas crianças, a obstrução congênita da JUP constitui a lesão obstrutiva mais comum
> - Em adultos, a obstrução ureteral pode ser aguda (p. ex., devido à obstrução por cálculos) ou crônica (p. ex., devido a neoplasias intrínsecas ou extrínsecas ou, raramente, condições idiopáticas, como fibrose retroperitoneal esclerosante).

Bexiga urinária

Anomalias congênitas

São reconhecidos vários tipos diferentes de anormalidades congênitas da bexiga. Essas anormalidades estão associadas de maneira variável a um risco aumentado de infecção ou neoplasia:

- O *refluxo vesicoureteral* é a anomalia congênita mais comum e grave. Conforme discutido no **Capítulo 20**, o refluxo vesicoureteral predispõe à pielonefrite ascendente e à perda da função renal. A presença de conexões anormais entre a bexiga e a vagina, o reto ou o útero pode criar *fístulas vesicouterinas congênitas*
- Os *divertículos* são invaginações saculares da parede da bexiga, que podem variar de menos de 1 cm a 10 cm de diâmetro e que podem ser congênitos ou adquiridos. Os *divertículos congênitos* podem resultar de ausência focal do desenvolvimento da musculatura normal ou de uma obstrução do trato urinário durante o desenvolvimento fetal. Os *divertículos adquiridos* costumam estar associados a hiperplasia prostática, produzindo obstrução do fluxo urinário. O aumento resultante da pressão intravesical provoca invaginação da parede da bexiga e formação de divertículos. Embora os divertículos sejam, em sua maioria, pequenos e assintomáticos, eles podem chamar a atenção do ponto de vista clínico, visto que constituem locais de estase urinária e predispõem à infecção e formação de cálculos vesicais. Raramente, pode haver desenvolvimento de carcinoma em divertículos da bexiga; essas neoplasias são, em geral, em estágio mais avançado, devido à muscular própria fina ou ausente dos divertículos
- A *extrofia da bexiga* consiste em uma falha de desenvolvimento na parede anterior do abdome e da bexiga. Em consequência, a bexiga comunica-se diretamente com a superfície do abdome (**Figura 21.2**). A mucosa exposta da bexiga pode sofrer metaplasia glandular colônica e está sujeita à infecção crônica, que com frequência se dissemina para o trato urinário superior. A extrofia está associada a um aumento do risco de adenocarcinoma na bexiga remanescente
- *Anomalias do úraco.* O úraco é um canal que conecta a bexiga fetal ao alantoide e costuma ser obliterado ao nascimento. Raramente, permanece parcial ou totalmente pérvio. No primeiro caso, há formação de uma conexão fistulosa do trato urinário entre a bexiga e o umbigo. Quando apenas uma região central do úraco pérvio persiste, ocorre formação de um *cisto de úraco* revestido por epitélio glandular urotelial ou metaplásico.

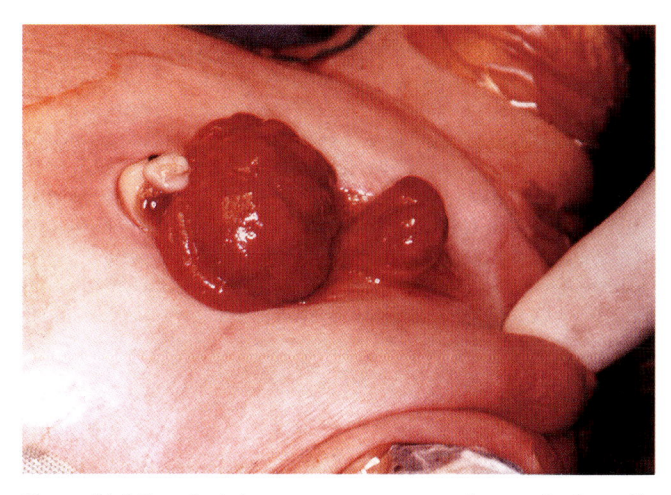

Figura 21.2 Extrofia da bexiga em um menino recém-nascido. O cordão umbilical ligado é visto acima da mucosa hiperêmica da bexiga evertida. Abaixo, encontra-se o pênis incompletamente formado com epispadia acentuada. (Cortesia do Dr. John Gearhart, The Johns Hopkins Hospital, Baltimore, Md.)

Os cistos de úraco correm risco aumentado de transformação neoplásica, que ocorre sobretudo na forma de adenocarcinomas (ver "Neoplasias"). São responsáveis por apenas uma pequena minoria de todos os cânceres de bexiga (0,1 a 0,3%), porém constituem 20 a 40% dos adenocarcinomas de bexiga.

Inflamação

Cistite aguda e crônica

A pielonefrite bacteriana com frequência é precedida de infecção da bexiga urinária, com disseminação retrógrada de microrganismos nos rins e sistemas coletores (ver **Capítulo 20**). Os fatores predisponentes para a cistite incluem cálculos vesicais, obstrução urinária, diabetes melito, instrumentação (como cateteres e sondas vesicais) e imunodeficiência. Os agentes etiológicos mais comuns da cistite consistem em coliformes: *Escherichia coli*, seguida de *Proteus, Klebsiella* e *Enterobacter*. As mulheres têm mais tendência a desenvolver cistite, devido à uretra mais curta. A *cistite tuberculosa* quase sempre constitui uma sequela da tuberculose renal. Fungos como a *Candida albicans* e, com muito menos frequência, os agentes criptocócicos podem causar cistite, sobretudo em pacientes imunossuprimidos ou tratados a longo prazo com antibióticos. A esquistossomose (*Schistosoma haematobium*) continua sendo uma importante causa de cistite em certos países da África e do Oriente Médio. Os vírus (p. ex., adenovírus), *Chlamydia* e *Mycoplasma* também podem causar cistite. As infecções por adenovírus e vírus BK podem resultar em cistite hemorrágica. As bactérias formadoras de gás (como *Clostridium perfringens*) causam *cistite enfisematosa* (vesículas repletas de gás na parede da bexiga).

> **Morfologia**
>
> A maioria dos casos de cistite produz inflamação aguda ou crônica inespecífica da bexiga. Na **cistite aguda**, ocorrem hiperemia da mucosa e infiltrado neutrofílico, algumas vezes associado a exsudato. A persistência da infecção bacteriana leva à **cistite crônica** associada a infiltrados inflamatórios mononucleares.

Outros tipos de cistite não infecciosa incluem a cistite iatrogênica, folicular e eosinofílica. Os pacientes submetidos a quimioterapia sistêmica ou irradiação pélvica podem desenvolver **cistite iatrogênica**. Os agentes citotóxicos, como a ciclofosfamida, podem causar cistite hemorrágica. Pode ocorrer **cistite por radiação** aguda e crônica após a irradiação da região vesical. A **cistite folicular** caracteriza-se pela presença de folículos linfoides na mucosa da bexiga e na parede subjacente. A **cistite eosinofílica**, manifestada pela infiltração da submucosa por eosinófilos, costuma ser uma inflamação subaguda inespecífica, mas também pode constituir a manifestação de um distúrbio alérgico sistêmico.

Morfologia

Na cistoscopia, a malacoplaquia exibe a forma de placas de mucosa de consistência mole, amarelas e ligeiramente elevadas, de 3 a 4 cm de diâmetro (**Figura 21.3A**). No exame histológico, a lesão é composta por agregados de grandes macrófagos espumosos, com células gigantes multinucleadas ocasionais e linfócitos. Os **macrófagos têm citoplasma granular abundante** devido a fagossomos preenchidos com restos particulados e membranosos de origem bacteriana, e acredita-se que esses restos se acumulem devido a uma função deficiente dos fagolisossomos. Além disso, os macrófagos costumam conter concreções mineralizadas laminadas, que resultam do depósito de cálcio em lisosomos aumentados, conhecidos como **corpos de Michaelis-Gutmann** (**Figura 21.3B**). Foram descritas lesões semelhantes em outros órgãos, incluindo o cólon, e em outras partes do trato gastrintestinal, no cérebro, nos pulmões, ossos, endométrio, rins, próstata e epidídimo.

Características clínicas

Todas as formas de cistite caracterizam-se por uma tríade de sintomas: (1) polaciúria, que, nos casos agudos, pode levar à micção a cada 15 a 20 minutos; (2) dor abdominal baixa, localizada na região da bexiga ou na região suprapúbica; e (3) disúria (dor ou ardência ao urinar). Os sintomas locais da cistite podem ser apenas incômodos, porém essas infecções podem ser precursoras da pielonefrite, uma doença mais grave (ver **Capítulo 20**). Algumas vezes, a cistite é uma complicação secundária de um distúrbio subjacente associado à estase urinária, como hipertrofia prostática, cistocele, cálculos ou neoplasias da bexiga. Essas lesões primárias precisam ser tratadas antes que a cistite possa ser aliviada.

Formas especiais de cistite

Diversas variantes de cistite apresentam causas ou características morfológicas distintas.

Cistite intersticial (síndrome da dor pélvica crônica).

A cistite intersticial é um distúrbio de etiologia desconhecida, que ocorre com mais frequência em mulheres. A síndrome da dor associada é definida pela American Urological Association como "uma sensação desagradável (dor, pressão, desconforto) percebida como relacionada com a bexiga, associada a sintomas do trato urinário de mais de 6 semanas de duração, na ausência de infecção ou outras causas identificáveis." Caracteriza-se por dor suprapúbica intermitente e, com frequência, intensa; polaciúria; urgência; hematúria e disúria. Os achados cistoscópicos característicos incluem fissuras e hemorragias puntiformes (glomerulações) na mucosa. No exame microscópico, os achados patológicos são inespecíficos; com frequência, há aumento dos mastócitos na submucosa, porém a importância patogênica desse achado é incerta. O principal papel da biopsia consiste em excluir a possibilidade de carcinoma *in situ* (CIS), que imita a cistite intersticial. O tratamento é, em grande parte, empírico. Alguns casos estão associados a úlceras crônicas da mucosa (úlceras de Hunner), e isso é denominado fase tardia (clássica, ulcerativa). Posteriormente, durante o curso da doença, a fibrose transmural pode levar a uma bexiga contraída.

Malacoplaquia.

A malacoplaquia é uma reação inflamatória crônica e distinta que parece resultar de defeitos adquiridos na função dos fagócitos. Surge no contexto de infecção bacteriana crônica, sobretudo por *E. coli* ou, em certas ocasiões, por espécies de *Proteus*. Ocorre com frequência aumentada no contexto da imunossupressão, como em receptores de transplante renal.

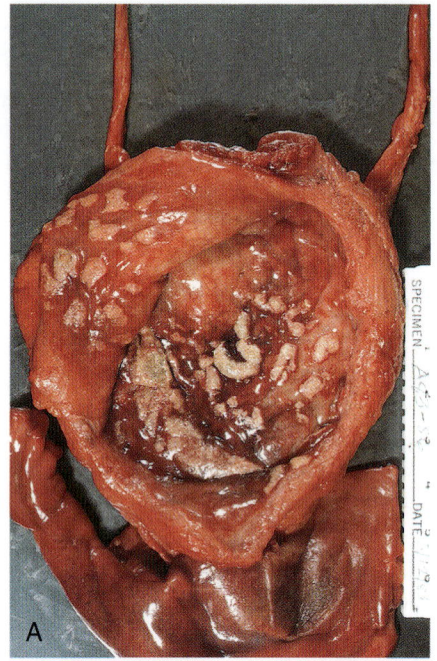

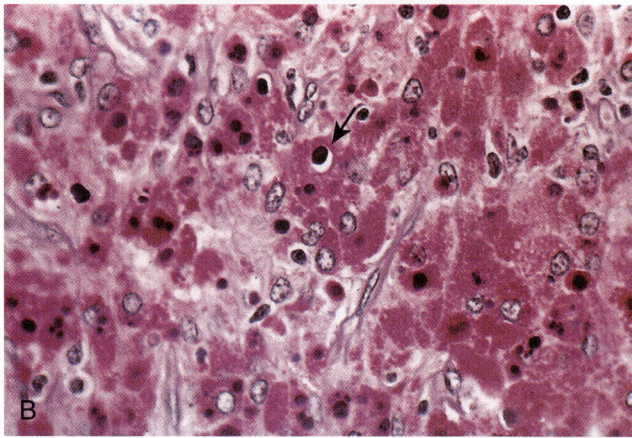

Figura 21.3 Malacoplaquia. **A.** Bexiga acometida por malacoplaquia mostrando as lesões laranja-amareladas da mucosa características. **B.** Coloração pelo ácido periódico de Schiff (PAS). Observe os grandes macrófagos com citoplasma granular PAS-positivo e vários corpos de Michaelis-Gutmann densos e redondos, circundados por espaços claros artificiais no campo médio superior (seta).

Cistite polipoide. A cistite polipoide é uma lesão inflamatória que resulta da irritação da mucosa da bexiga, geralmente em consequência de instrumentação, incluindo cateteres de demora. O urotélio é projetado em proeminências polipoides bolhosas largas em consequência do acentuado edema da submucosa. A cistite polipoide pode ser confundida com o carcinoma urotelial papilífero, tanto clínica quanto histologicamente.

Lesões metaplásicas

Diversas lesões que se originam de metaplasia verdadeira ou condições que simulam uma metaplasia afetam a bexiga:

- *Cistite glandular e cistite cística.* Trata-se de lesões comuns da bexiga urinária, em que ninhos de urotélio (ninhos de von Brunn) crescem para baixo, adentrando a lâmina própria. Nesse local, as células epiteliais no centro do ninho sofrem metaplasia e adquirem uma aparência cuboide ou colunar (*cistite glandular*) ou sofrem retração, produzindo espaços císticos revestidos por urotélio achatado (*cistite cística*). Devido à frequente coexistência dos dois processos, a condição costuma ser designada como *cistite cística e glandular*. Em uma variante da cistite, observa-se a presença de células caliciformes glandulares, e o epitélio assemelha-se à mucosa intestinal (*metaplasia intestinal ou colônica*). Ambas as variantes podem surgir no contexto de inflamação e metaplasia. A metaplasia intestinal extensa e multifocal é um precursor do adenocarcinoma
- *Metaplasia escamosa.* Em resposta à lesão crônica, o urotélio é frequentemente substituído por epitélio escamoso não queratinizante ou queratinizante, que constitui um revestimento mais durável. Deve ser distinguido do epitélio escamoso glicogenado, que costuma ser encontrado em mulheres na região do trígono da bexiga. A metaplasia escamosa queratinizante multifocal extensa é um precursor de lesões displásicas e de carcinoma de células escamosas *in situ* e invasivo. Um exemplo clássico dessa sequência é observado na esquistossomose vesical, que costuma produzir metaplasia escamosa e que está associada ao carcinoma de células escamosas em áreas em que é endêmica
- *Adenoma nefrogênico.* O adenoma nefrogênico é uma lesão incomum, que pode não ser uma forma de metaplasia verdadeira. Há evidências convincentes de receptores de transplante renal, mostrando que pelo menos algumas dessas lesões são causadas por implantação ou crescimento de células tubulares renais em locais de erosão da mucosa vesical. O urotélio sobrejacente é focalmente substituído por epitélio cuboide, que pode assumir um padrão de crescimento papilar. Embora as lesões normalmente tenham menos de 1 cm de tamanho, foram relatadas lesões maiores capazes de produzir sinais e sintomas que levantam a suspeita de câncer. Além disso, a proliferação tubular pode infiltrar a lâmina própria subjacente e o músculo detrusor superficial, simulando microscopicamente um processo maligno.

> **Conceitos-chave**
>
> **Distúrbios inflamatórios e metaplasias da bexiga**
>
> - A bexiga pode estar envolvida em diversas lesões inflamatórias, muitas das quais se manifestam com polaciúria e disúria
> - A cistite bacteriana aguda ou crônica é extremamente comum, sobretudo em mulheres, e resulta da disseminação retrógrada de bactérias do cólon na maioria dos casos
> - Outras formas de cistite apresentam causas iatrogênicas, como cistite por radiação e cistite hemorrágica devido à quimioterapia
> - Algumas lesões inflamatórias ou metaplásicas da bexiga, como malacoplaquia, cistite polipoide, cistite cística e glandular e adenoma nefrogênico, são significativas, visto que podem simular clínica e/ou histologicamente o câncer de bexiga.

Neoplasias

O câncer de bexiga é o nono tipo de câncer mais comum em todo o mundo e é responsável por uma morbidade e mortalidade significativas. Trata-se do quarto câncer mais comum em homens americanos (7% de todos os novos casos). A esmagadora maioria (> 95%) das neoplasias de bexiga é de origem epitelial (**Tabela 21.3**), sendo as neoplasias uroteliais de longe o tipo mais comum, seguido das neoplasias escamosas e glandulares.

Neoplasias uroteliais

As neoplasias uroteliais representam cerca de 90% de todas as neoplasias da bexiga e abrangem desde lesões benignas e pequenas, que não sofrem recorrência, até cânceres agressivos que costumam ser fatais. Muitas dessas neoplasias são multifocais na apresentação. Embora sejam mais comuns na bexiga, todas as lesões uroteliais descritas aqui podem ser observadas em qualquer área em que exista urotélio, desde a pelve renal até a parte distal da uretra.

Existem duas lesões precursoras distintas do carcinoma urotelial invasivo: neoplasias papilares não invasivas e carcinoma *in situ* (CIS) urotelial plano não invasivo (Figura 21.4). As lesões precursoras mais comuns são as neoplasias papilares não invasivas, que se originam de hiperplasia urotelial papilar. Essas neoplasias apresentam uma variedade de alterações atípicas e são classificadas de acordo com seu comportamento biológico. A outra lesão precursora do carcinoma invasivo, o carcinoma urotelial não invasivo plano, é designada como CIS. Conforme discutido no **Capítulo 7**, o CIS é um termo utilizado para descrever lesões epiteliais que apresentam características citológicas de neoplasia maligna, mas que são confinadas ao epitélio, não apresentando qualquer evidência de invasão da membrana basal. Essas lesões são consideradas de alto grau. Em cerca da metade dos indivíduos com câncer de bexiga invasivo, a neoplasia já invadiu

Tabela 21.3 Neoplasias da bexiga urinária.

Neoplasias uroteliais (de células transicionais)
• Neoplasias uroteliais (de células transicionais) não invasivas
• Carcinoma urotelial infiltrante
• Variantes: aninhada, microcística, micropapilar, plasmocitoide, sarcomatoide, de células gigantes, pouco diferenciada, rica em lipídios e de células claras
Adenocarcinoma
Carcinoma de células escamosas
Carcinoma misto
Carcinoma de pequenas células
Sarcomas

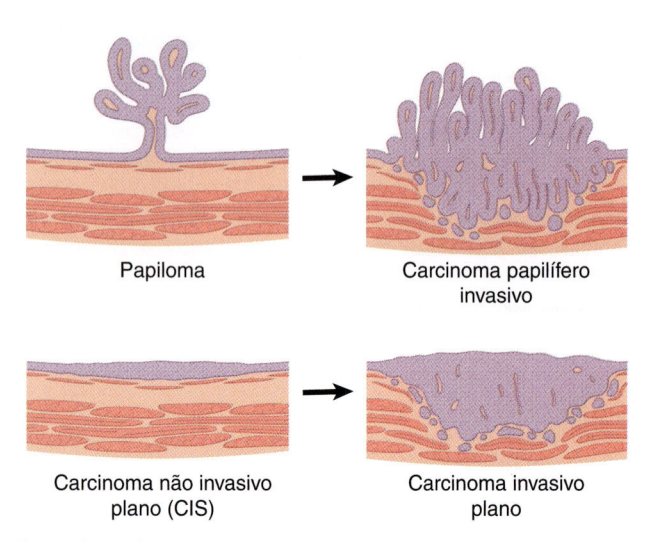

Figura 21.4 Quatro padrões morfológicos de neoplasias da bexiga. *CIS*, carcinoma *in situ*.

a parede da bexiga por ocasião de sua apresentação, e as lesões precursoras não são detectadas. Nesses casos, acredita-se que a lesão precursora tenha sido destruída pelo componente invasivo de alto grau, que costumam aparecer como uma grande massa ulcerada. Embora a invasão na lâmina própria agrave o prognóstico, a maior diminuição da sobrevida está associada à invasão da muscular própria (músculo detrusor). Quando ocorre invasão da muscular própria, a taxa de mortalidade em 5 anos é de 30%.

Epidemiologia. A incidência do câncer de bexiga é maior nos homens (razão entre homens e mulheres de 3:1), em países de maior renda e em áreas urbanas. Cerca de 80% dos pacientes têm entre 50 e 80 anos. O câncer de bexiga, com raras exceções, não é familiar.

Diversos fatores foram implicados na etiologia do carcinoma urotelial, como os seguintes:

- O *tabagismo* é, claramente, a influência mais importante, que aumenta o risco em três a sete vezes, dependendo da duração e do tipo de tabaco utilizado. Entre 50 e 80% de todos os cânceres de bexiga em homens estão associados ao uso de cigarros. Os charutos, o cachimbo e o tabaco não fumado estão associados a um menor risco
- *Exposição industrial a aril aminas*, sobretudo a 2-naftilamina e compostos relacionados, conforme assinalado na discussão anterior sobre carcinogênese química (ver **Capítulo 7**). O câncer aparece 15 a 40 anos após a primeira exposição
- As infecções por *Schistosoma haematobium* em áreas endêmicas (Egito, Sudão) constituem um risco estabelecido. Os ovos são depositados na parede da bexiga e induzem uma acentuada resposta inflamatória crônica, que induz metaplasia escamosa progressiva da mucosa, displasia e, em alguns casos, neoplasia. Setenta por cento dos cânceres são escamosos, enquanto o restante é urotelial ou glandular (o tipo menos comum)
- O *uso de analgésicos a longo prazo está implicado*, assim como na nefropatia por analgésicos (ver **Capítulo 20**)
- A *exposição intensa e a longo prazo à ciclofosfamida*, um agente imunossupressor, induz, conforme assinalado, cistite hemorrágica e aumento no risco de câncer de bexiga
- A *irradiação*, frequentemente administrada para outras neoplasias malignas da pelve, aumenta o risco de carcinoma urotelial, ocorrendo vários anos após a exposição.

Patogênese

A análise dos genomas das lesões precursoras e carcinomas de bexiga invasivos identificou duas vias moleculares relativamente distintas de progressão neoplásica (**Figura 21.5**). Os cânceres papilíferos não músculo invasivos costumam apresentar alterações de ganho de função que aumentam a sinalização por meio das vias do receptor de fator de crescimento, como amplificações do gene do receptor de tirosinoquinase *FGFR3* e mutações ativadoras nos genes

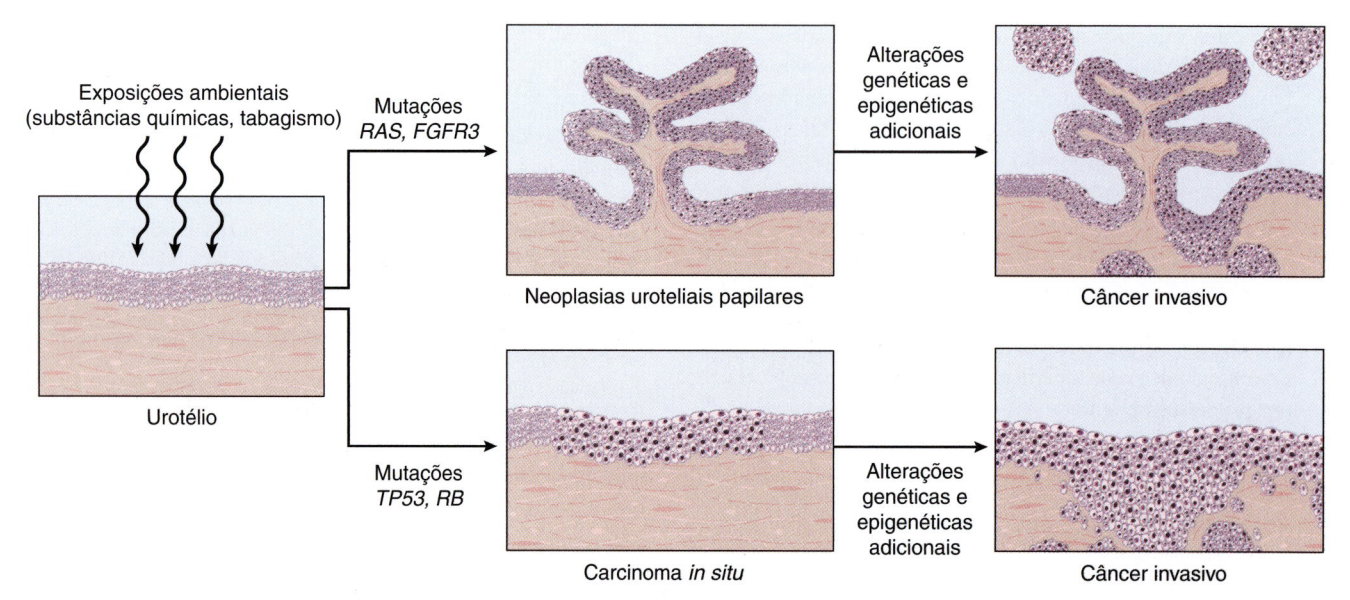

Figura 21.5 Fatores de risco ambientais relevantes e principais vias moleculares do desenvolvimento do câncer de bexiga a partir de carcinoma *in situ* e neoplasias papilíferas da bexiga.

que codificam RAS e PI 3-quinase. Essas neoplasias com frequência sofrem recorrência, porém progridem para o câncer de bexiga músculo invasivo em apenas cerca de 20% dos casos. A maioria dos cânceres de bexiga músculo invasivos desenvolve-se por meio de progressão a partir de CIS "plano". As mutações que desativam a função de p53 e RB são prevalentes em todos os cânceres músculo invasivos, porém ocorrem precocemente no desenvolvimento do CIS e posteriormente na progressão dos cânceres papilíferos.

Há pesquisas adicionais em andamento para caracterizar ainda mais o cenário genético e molecular do câncer de bexiga. Em consonância com os dados epidemiológicos, que sugerem que os carcinógenos ambientais desempenham um importante papel, os cânceres de bexiga apresentam uma alta carga de mutações somáticas, comparável a outros cânceres induzidos por carcinógenos, como o câncer de pulmão e o melanoma. À semelhança de outros cânceres, os oncogenes e genes supressores de tumor recorrentemente mutados incluem genes envolvidos na regulação do ciclo celular, na regulação da cromatina, no reparo do DNA e nas vias de sinalização de fatores de crescimento. As análises da expressão do RNA sugerem a existência de vários subtipos moleculares relativamente distintos; são necessárias mais pesquisas para compreender plenamente sua importância biológica e clínica.

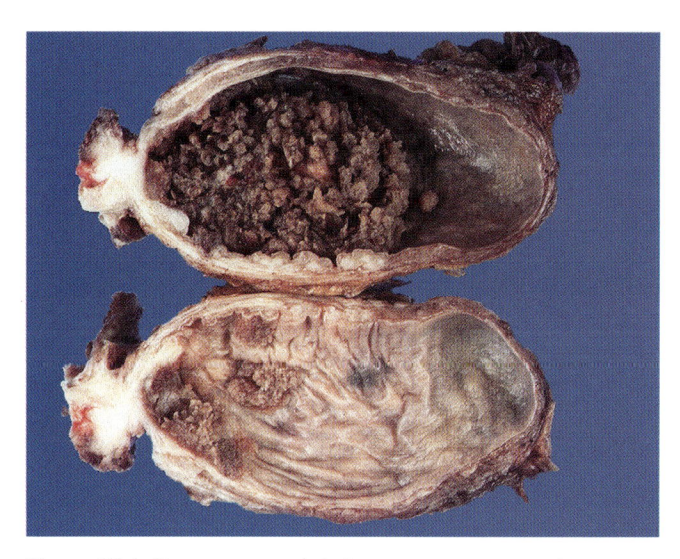

Figura 21.6 Corte transversal da bexiga, em que a metade superior mostra uma grande neoplasia papilar. A metade inferior evidencia neoplasias papilares multifocais menores. (Cortesia do Dr. Fred Gilkey, Sinai Hospital, Baltimore, Md.)

Morfologia

A aparência das neoplasias uroteliais varia de puramente papilar a nodular ou plana. As lesões papilares consistem em excrescências elevadas e vermelhas, que variam de tamanho de menos de 1 cm de diâmetro a grande massas de até 5 cm de diâmetro (**Figura 21.6**). Com frequência, há neoplasias múltiplas distintas.

A **Tabela 21.3** apresenta o sistema de classificação das neoplasias uroteliais. Os **papilomas** representam 1% ou menos das neoplasias de bexiga e, com frequência, são observados em pacientes mais jovens. Normalmente, essas neoplasias surgem de forma isolada como pequenas estruturas (0,5 a 2 cm) delicadas, superficialmente fixadas à mucosa por uma haste e são designadas como **papilomas exofíticos**. As papilas digitiformes individuais dispõem de eixo central de tecido fibrovascular frouxo coberto por epitélio, que é histologicamente idêntico ao urotélio normal (**Figura 21.7A**). A recorrência e a progressão são raras, mas podem ocorrer. Diferentemente dos papilomas exofíticos, os **papilomas invertidos** são lesões totalmente benignas, que consistem em cordões interanastomosantes de urotélio citologicamente benigno, que se estendem dentro da lâmina própria; essas lesões simulam um processo invasivo.

As **neoplasias uroteliais papilíferas de baixo potencial maligno** (**PUNLMP**, *papillary urothelial neoplasms of low malignant potential*) compartilham muitos aspectos histológicos com os papilomas, diferindo apenas pelo urotélio mais espesso com maior densidade de células (**Figura 21.7B**). Na cistoscopia, essas neoplasias tendem a ser maiores do que os papilomas e podem ser indistinguíveis dos cânceres papilíferos. Em geral, as neoplasias recorrentes exibem a mesma morfologia; pode ocorrer progressão para neoplasias de maior grau, embora isso seja raro.

Os **carcinomas uroteliais papilíferos de baixo grau** apresentam um aspecto arquitetural ordenado e atipia citológica de baixo grau. As células são uniformemente espaçadas (i. e., mantêm a polaridade) e coesas. São observados núcleos hipercromáticos dispersos, figuras mitóticas raras predominantemente em direção à base e variação discreta no tamanho e formato dos núcleos (**Figura 21.7C**). Esses cânceres de baixo grau podem sofrer recorrência e, em casos infrequentes, também invadir. Raramente essas neoplasias representam ameaça à vida.

Os **carcinomas uroteliais papilíferos de alto grau** contêm células não coesas com grandes núcleos hipercromáticos, cromatina nuclear irregular e nucléolos proeminentes. Algumas das células neoplásicas são altamente anaplásicas (**Figura 21.7D**). As figuras de mitose são frequentes, incluindo algumas atípicas. Quanto à sua arquitetura, há uma desorganização e perda da polaridade. Em comparação com as lesões de baixo grau, essas neoplasias apresentam uma incidência muito maior de progressão para o câncer de bexiga músculo invasivo e têm potencial significativo de metástase para linfonodos regionais e disseminação sistêmica (p. ex., para o fígado e os pulmões).

O **CIS** (ou carcinoma urotelial plano) é definido pela presença de células citologicamente malignas dentro de um urotélio plano (**Figura 21.8**). O CIS pode variar desde atipia citológica em toda a espessura até células malignas dispersas em um epitélio normal sob os demais aspectos, sendo essa última condição denominada **disseminação pagetoide**. Uma característica compartilhada com o carcinoma urotelial papilífero de alto grau é a perda de coesão, que leva à descamação das células malignas na urina. Quando a descamação é extensa, apenas algumas células do CIS podem ficar presas a uma membrana basal em grande parte desnuda. Na cistoscopia, o CIS costuma aparecer como uma área de vermelhidão, granularidade ou espessamento da mucosa, sem uma massa intraluminal evidente. Costuma ser multifocal, pode acometer a maior parte da superfície da bexiga e estender-se nos ureteres e na uretra. **Sem tratamento, 50 a 75% dos CIS progridem para o câncer invasivo.**

O **carcinoma urotelial invasivo** (**Figura 21.9**) pode estar associado ao câncer urotelial papilífero, geralmente de alto grau, ou ao CIS adjacente. A extensão da disseminação (estágio), baseada sobretudo na profundidade de invasão da parede da bexiga, por ocasião do diagnóstico inicial, constitui o fator de prognóstico mais importante. O estágio também determina a modalidade de tratamento, e a invasão da camada muscular própria constitui uma indicação para cistectomia radical ou radioterapia com quimioterapia neoadjuvante ou adjuvante (**Tabela 21.4**).

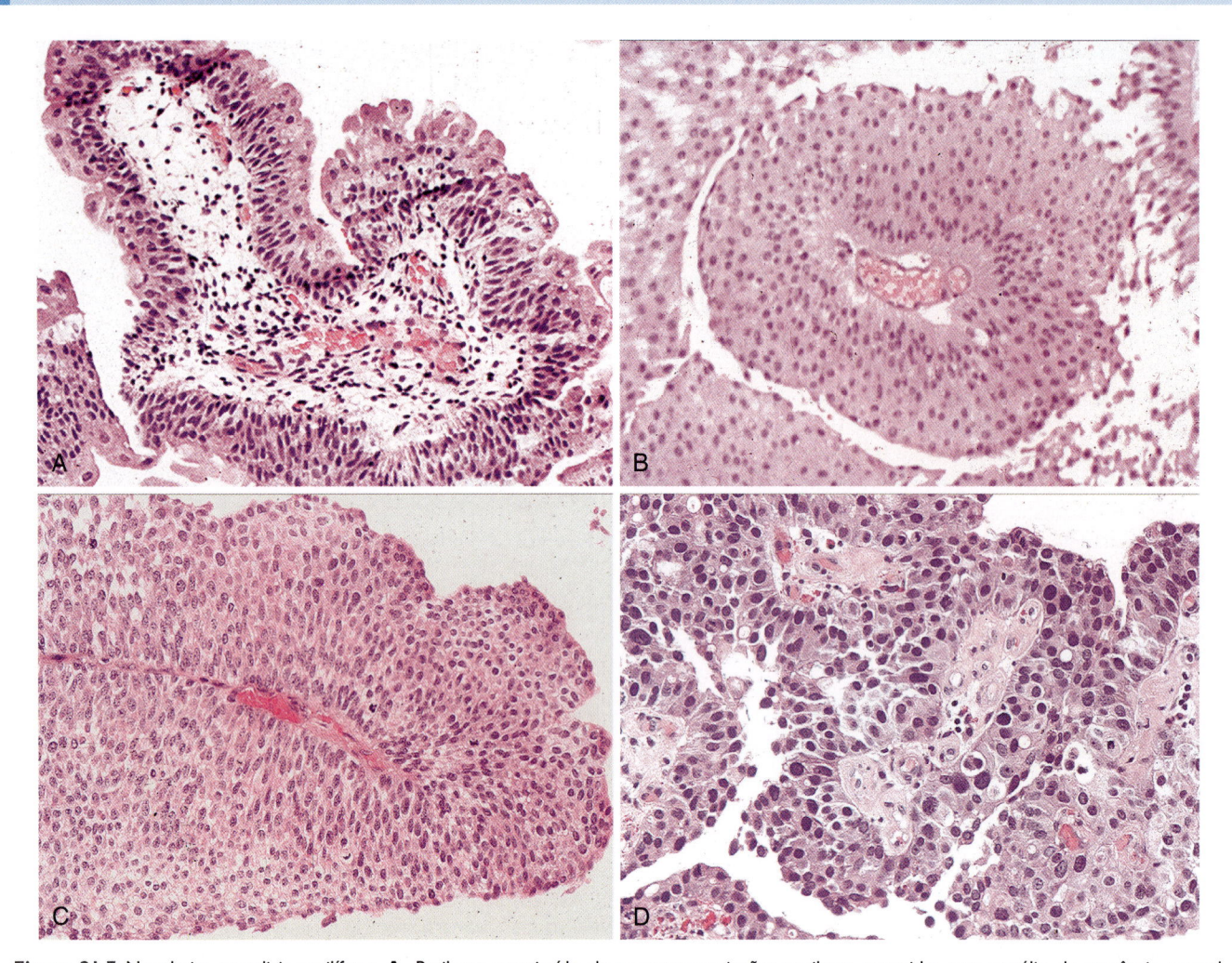

Figura 21.7 Neoplasias uroteliais papilíferas. **A.** Papiloma constituído de pequenas projeções papilares revestidas por urotélio de aparência normal. **B.** Neoplasias uroteliais papilíferas de baixo potencial maligno (PUNLMP) mostrando o urotélio mais espesso, com maior densidade de células. **C.** Carcinoma urotelial papilífero de baixo grau com aparência global organizada, com núcleos hipercromáticos e figuras mitóticas dispersas (*parte superior à esquerda*). **D.** Carcinoma urotelial papilífero de alto grau com acentuada atipia citológica.

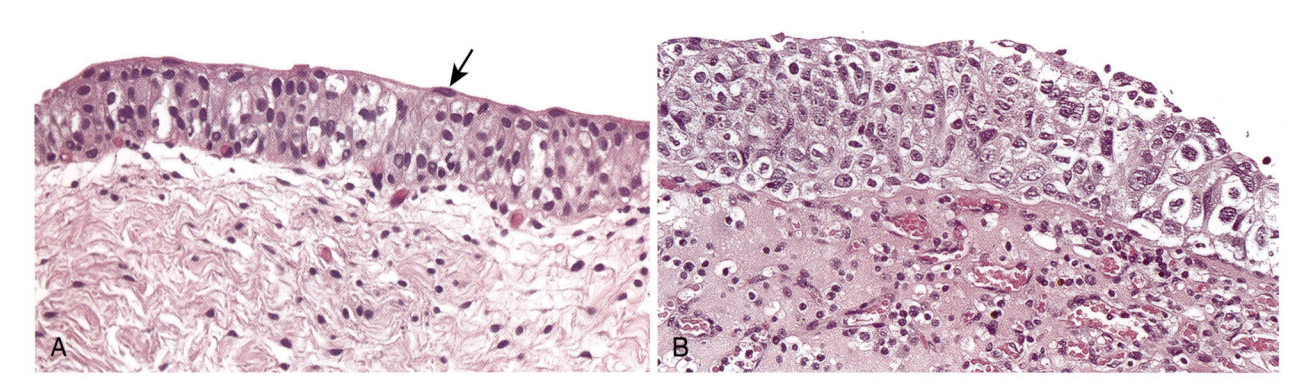

Figura 21.8 Carcinoma de bexiga *in situ*. **A.** Urotélio normal com núcleos uniformes e camada de células "em guarda-chuva" bem desenvolvida. **B.** Carcinoma *in situ* mostrando o urotélio desorganizado contendo numerosas células com núcleos acentuadamente aumentados e pleomórficos.

Características clínicas

A hematúria indolor constitui o sintoma mais comum do câncer de bexiga, a qual pode ser acompanhada de polaciúria, urgência e disúria. Em certas ocasiões, a obstrução do óstio do ureter pode levar à pielonefrite ou hidronefrose.

O tratamento subsequente e a evolução do carcinoma de bexiga dependem do grau e do estágio da neoplasia (**Tabela 21.5**), sendo a variável fundamental a invasão ou não da camada muscular pela neoplasia. As neoplasias uroteliais papilíferas não invasivas e as que invadem unicamente a lâmina própria (referidas como não músculo invasivas) constituem a maioria (70 a 80%) das neoplasias uroteliais. 20 a 30% dos cânceres de bexiga são músculo invasivos, e apenas uma minoria deles surge em pacientes com história pregressa de doença não invasiva da camada muscular.

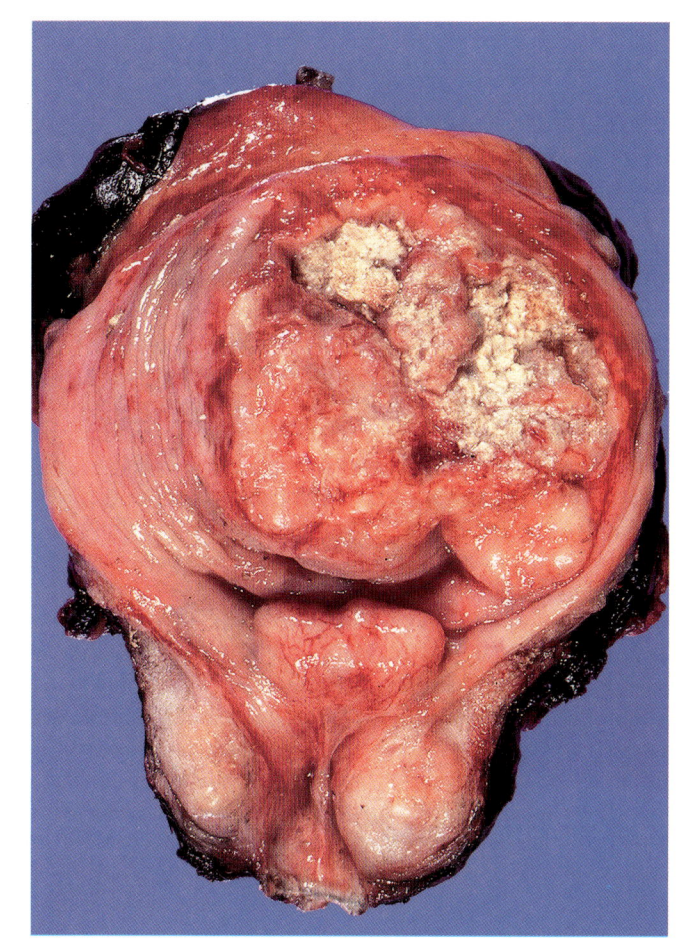

Figura 21.9 Bexiga aberta mostrando um carcinoma de células transicionais invasivo de alto grau, em estágio avançado. A neoplasia multinodular agressiva cresceu dentro da luz da bexiga e espalhou-se por uma ampla área. As regiões amarelas representam áreas de ulceração e necrose.

Variantes incomuns do câncer urotelial incluem uma variante aninhada com citologia enganosamente benigna, carcinoma de tipo linfoepitelioma, carcinoma micropapilar e carcinoma sarcomatoide (ver **Tabela 21.3**).

Tabela 21.4 Classificação das neoplasias uroteliais (de células transicionais) não invasivas.

Graus da OMS/ISUP (2016)
Lesões planas
• Proliferação urotelial de potencial incerto de malignidade (hiperplasia plana)
• Displasia urotelial
• Carcinoma urotelial *in situ*
Lesões papilíferas exofíticas
• Papiloma
• Proliferação urotelial de potencial incerto de malignidade (hiperplasia papilífera)
• Neoplasias uroteliais papilíferas de baixo potencial maligno
• Carcinoma urotelial papilífero de baixo grau
• Carcinoma urotelial papilífero de alto grau

ISUP, *International Society of Urological Pathology* (Sociedade Internacional de Patologia Urológica); OMS, Organização Mundial da Saúde.

Tabela 21.5 Classificação do estágio patológico do carcinoma de bexiga (neoplasia primária).

pTNM, AJCC 8ª edição	
Tumor	
pTX	O tumor primário não pode ser avaliado
pT0	Sem evidência de tumor primário
Ta	Carcinoma papilífero não invasivo
Tis	Carcinoma urotelial *in situ*: "tumor plano"
T1	O tumor invade a lâmina própria (tecido conjuntivo subepitelial)
T2	O tumor invade a muscular própria
T2a	O tumor invade a muscular própria superficial (metade interna)
T2b	O tumor invade a muscular própria profunda (metade externa)
T3	O tumor invade o tecido conjuntivo perivesical
T3a	O tumor invade o tecido conjuntivo perivesical microscopicamente
T3b	O tumor invade o tecido conjuntivo perivesical macroscopicamente (massa extravesical)
T4	O tumor extravesical invade diretamente qualquer um dos seguintes: estroma prostático, glândulas seminais, útero, vagina, parede pélvica, parede abdominal
T4a	O tumor extravesical invade diretamente o estroma prostático, as glândulas seminais, o útero ou a vagina
T4b	O tumor extravesical invade a parede pélvica ou a parede abdominal
Linfonodos regionais (pN)	
NX	Os linfonodos não podem ser avaliados
N0	Sem metástase para linfonodos
N1	Uma única metástase em linfonodo regional na pelve verdadeira (linfonodo perivesical, obturatório, ilíaco interno e externo ou sacral)
N2	Múltiplas metástases para linfonodos regionais na pelve verdadeira (metástase para linfonodos perivesicais, obturatórios, ilíacos internos e externos ou sacrais)
N3	Metástases para os linfonodos ilíacos comuns
Metástase	
M1	Metástase a distância
M1a	Metástase a distância limitada a linfonodos além das artérias ilíacas comuns
M1b	Metástases a distância não para linfonodos

AJCC, *American Joint Commission on Cancer*.

O tratamento inicial dos tumores não músculo invasivos é orientado pelos achados patológicos. Para as pequenas neoplasias papilíferas localizadas de baixo grau, a ressecção transuretral diagnóstica constitui o único procedimento necessário. O CIS e as neoplasias papilíferas que são grandes, de alto grau, multifocais, que apresentam histórico de recorrência ou estão associadas à invasão da lâmina própria são tratados com instilação intravesical de uma cepa atenuada de *Mycobacterium bovis*, denominada bacilo de Calmette-Guérin (BCG), que provoca uma reação inflamatória local que destrói a neoplasia.

Infelizmente, os cânceres de bexiga não músculo invasivos apresentam uma alta tendência à recorrência (até 70%) e correm o risco de progressão para um grau ou estágio superior. O risco de recorrência e de progressão está relacionado com diversas variáveis, como tamanho da neoplasia, estágio, grau, multifocalidade, recorrência anterior e presença de CIS na mucosa circundante. A maioria das recorrências aparece em locais diferentes do local da lesão original; contudo, são clonalmente relacionadas, surgindo, aparentemente, da descamação e implantação de células da neoplasia original em um local distante. Outras recorrências são clonalmente distintas e representam uma segunda neoplasia primária. Os papilomas, as PUNLMP e o câncer urotelial papilífero de baixo grau apresentam uma taxa de sobrevida em 10 anos de 98%, independentemente do número de recorrências, e apenas algumas neoplasias (< 10%) progridem para lesões de maior grau. Em contrapartida, os carcinomas uroteliais papilíferos de alto grau invadem e levam à morte em aproximadamente 25% dos casos. Os pacientes com CIS apenas, diferentemente do CIS associado ao carcinoma urotelial infiltrativo, têm menos tendência a progredir para o câncer músculo invasivo (28% *versus* 59%) ou a morrer da doença (7% *versus* 45%).

Devido ao risco de recorrência e progressão, os pacientes com neoplasias uroteliais não músculo invasivas necessitam de vigilância e acompanhamento durante toda a vida. A cistoscopia de vigilância, as biopsias e os exames citológicos de urina contribuem fortemente para a enorme carga sobre os recursos de cuidados de saúde (mais de US$ 3 bilhões por ano apenas nos EUA) imposta pelo câncer de bexiga. Diversos testes e exames não invasivos foram desenvolvidos para rastreamento da recorrência, porém nenhum demonstrou ter sensibilidade e especificidade suficientes para substituir a cistoscopia.

O carcinoma de bexiga músculo invasivo é tratado com cistectomia radical ou cistoprostatectomia ou por meio de radioterapia com quimioterapia neoadjuvante e/ou adjuvante. Além dos cânceres músculo invasivos, a cistectomia radical também está indicada para casos de (1) CIS ou câncer papilífero de alto grau refratário ou BCG e a outras terapias intravesicais; (2) CIS que se estende na parte prostática da uretra e ductos, locais em que o BCG instilado não entra em contato com as células neoplásicas; e (3) casos esporádicos de carcinoma urotelial papilífero de alto grau sem invasão muscular, como lesões multifocais que são demasiado grandes e extensas para erradicação completa por ressecção transuretral.

Quando o carcinoma de bexiga metastatiza, as opções de tratamento ficam limitadas. A maioria dos tumores metastáticos responde de modo precário à quimioterapia, que produz taxas de sobrevida em 5 anos de apenas 15%. À semelhança de outros cânceres ligados a carcinógenos ambientais com alta carga mutacional, um subgrupo de carcinomas de bexiga metastáticos (aproximadamente 30%) responde a inibidores dos pontos de checagem imunes, algumas vezes de maneira significativa, fornecendo alguma esperança para esse grupo de pacientes.

Outras neoplasias epiteliais da bexiga

Os *carcinomas de células escamosas* que se assemelham a cânceres de células escamosas, com ocorrência em outros locais, representam 3 a 7% dos cânceres de bexiga nos EUA, porém são muito mais frequentes em países onde a esquistossomose urinária é endêmica. Os carcinomas de células escamosas puros originam-se da mucosa queratinizante atípica (displasia escamosa e CIS) e quase sempre estão associados à irritação crônica e infecção da bexiga. *O carcinoma urotelial misto com áreas de carcinoma escamoso* é mais frequente do que o carcinoma de células escamosas puro. A maioria consiste em neoplasias de crescimento fungiforme invasivas, ou são infiltrativos e ulcerativos. O nível de diferenciação celular varia amplamente, desde lesões bem diferenciadas, que produzem queratina em quantidade abundante, até neoplasias anaplásicas, com evidência apenas focal de diferenciação escamosa. O *adenocarcinoma* de bexiga é raro é histologicamente idêntico aos adenocarcinomas observados no trato gastrintestinal. Alguns surgem a partir de remanescentes do úraco ou em associação à metaplasia intestinal extensa (discutida anteriormente).

O *carcinoma de pequenas células*, que é indistinguível dos carcinomas de pequenas células do pulmão, surge em certas ocasiões na bexiga, frequentemente em associação ao carcinoma urotelial, escamoso ou adenocarcinoma (ver **Tabela 21.3**). À semelhança dos carcinomas de pequenas células em outros locais anatômicos, essas neoplasias muito agressivas estão fortemente associadas a mutações de perda de função nos genes supressores de tumor *TP53* e *RB*.

Neoplasias mesenquimais

Neoplasias benignas. Uma grande variedade de neoplasias mesenquimais benignas pode surgir na bexiga e apresenta as características histológicas de seus equivalentes em outros locais. Até mesmo coletivamente, essas neoplasias são raras. A mais comum é o *leiomioma*. Tendem a crescer como massas isoladas, intramurais (submucosas), encapsuladas, ovais a esféricas, com até vários centímetros de diâmetro.

Sarcomas. Os sarcomas verdadeiros são claramente incomuns na bexiga. As neoplasias miofibroblásticas inflamatórias e vários carcinomas que assumem padrões de crescimento sarcomatoide são mais comuns do que os sarcomas verdadeiros. Como grupo, os sarcomas tendem a produzir grandes massas (de até 15 cm de diâmetro), que fazem protrusão na luz vesical. Sua aparência macroscópica mole, carnosa e branco-acinzentada sugere natureza mesenquimal. O sarcoma de bexiga mais comum na lactância ou na infância é o *rabdomiossarcoma embrionário*. Em alguns desses casos, manifestam-se como uma massa polipoide semelhante a um cacho de uvas (*sarcoma botrioide*). O sarcoma de bexiga mais comum em adultos é o *leiomiossarcoma* (ver **Capítulo 26**).

Neoplasias secundárias

O comprometimento maligno secundário da bexiga é, com mais frequência, devido à extensão direta de cânceres que se originam em órgãos adjacentes, sobretudo o colo do útero, o útero, a próstata e o reto. O linfoma pode acometer a bexiga como componente de doença sistêmica. A disseminação metastática de tumores sólidos para a bexiga pode ocorrer, porém é muito rara.

Conceitos-chave

Neoplasias da bexiga

- O câncer de bexiga é mais comum em homens de idade mais avançada, e o tabagismo constitui um dos fatores de risco mais importantes
- A hematúria indolor constitui um sintoma de apresentação comum do câncer de bexiga e exige investigação clínica por cistoscopia e/ou análise por citologia urinária, de modo a descartar a possibilidade de neoplasia urotelial
- O câncer de bexiga não músculo invasivo está associado a mutações de ganho de função nas vias de sinalização de fatores do crescimento e, com frequência, sofre recorrência, porém raramente progride em estágio ou grau
- Os cânceres de bexiga músculo invasivos estão associados à inativação dos genes supressores de tumor *TP53* e *RB* e, com frequência, desenvolvem-se a partir de carcinoma *in situ* "plano", com ou sem componente papilífero de alto grau
- A subtipagem molecular do câncer de bexiga identificou vários subtipos moleculares, que estão sendo avaliados quanto à sua importância prognóstica e terapêutica potencial
- Podem ocorrer outras variantes de neoplasia epitelial da bexiga, isoladamente ou misturadas com carcinoma urotelial, como carcinoma de células escamosas, adenocarcinoma e carcinoma de pequenas células.

Morfologia

Nos estágios iniciais, ocorre apenas espessamento da parede da bexiga, devido à hipertrofia do músculo liso. Com a hipertrofia progressiva, os feixes musculares individuais aumentam acentuadamente e produzem trabeculação da parede da bexiga (ver **Figura 21.10**). Com o decorrer do tempo, há formação de criptas, que podem ser convertidas em divertículos.

Em alguns casos de obstrução aguda ou na doença terminal, quando os mecanismos reflexos normais do paciente estão deprimidos, a bexiga pode tornar-se extremamente dilatada. A bexiga aumentada pode alcançar a abertura da pelve ou até mesmo o nível do umbigo. Nesses casos, a parede da bexiga está acentuadamente adelgaçada e carece de trabeculações.

Obstrução

A obstrução da saída da bexiga é de grande importância clínica, devido a seu efeito final sobre os rins. Nos homens, a causa mais comum é o aumento da próstata, devido à hiperplasia prostática benigna (HPB). A obstrução da bexiga é menos comum em mulheres e, com mais frequência, é causada por cistocele da bexiga. As causas infrequentes incluem (1) estenoses uretrais congênitas; (2) estenoses uretrais inflamatórias; (3) fibrose inflamatória e contração da bexiga; (4) neoplasias da bexiga, benignas ou malignas; (5) invasão do colo da bexiga por neoplasias que se originam em órgãos contíguos; (6) obstruções mecânicas causadas por corpos estranhos e cálculos; e (7) lesão de nervos que controlam a contração da bexiga (bexiga neurogênica).

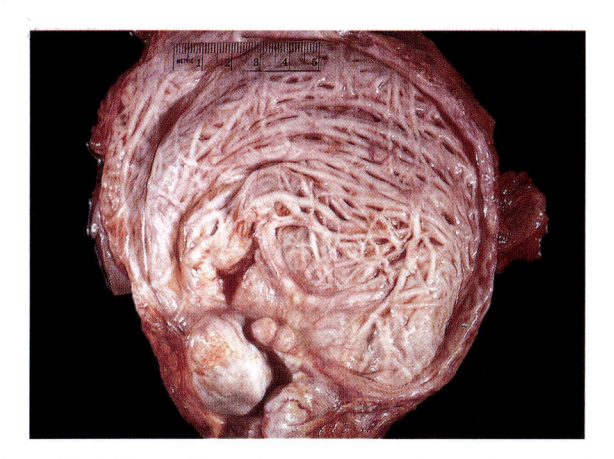

Figura 21.10 Hipertrofia e trabeculação da parede da bexiga secundária à hiperplasia prostática benigna.

Uretra

Inflamação

A uretrite costuma ser dividida em causas gonocócicas e não gonocócicas. A *uretrite gonocócica* é uma das manifestações mais precoces dessa infecção venérea. A *uretrite não gonocócica* é comum e pode ser causada por vários microrganismos diferentes. Diversas cepas de *Chlamydia* (p. ex., *Chlamydia trachomatis*) constituem a causa de 25 a 60% das uretrites não gonocócicas em homens e de cerca de 20% em mulheres. O *Mycoplasma* (*Ureaplasma urealyticum*) também é responsável por sintomas de uretrite em muitos casos. Com frequência, a uretrite é acompanhada de cistite em mulheres e de prostatite em homens. Em muitos casos de suspeita de uretrite bacteriana, não é possível isolar nenhum microrganismo. Alguns casos de uretrite são mesmo de origem não infecciosa. Um exemplo desse tipo de uretrite inflamatória e um distúrbio conhecido como *artrite reativa* (antes síndrome de Reiter), que está associada à tríade clínica de artrite, conjuntivite e uretrite (ver **Capítulo 26**).

As alterações morfológicas são típicas de inflamação em outros locais do trato urinário. O comprometimento uretral em si não representa um problema clínico grave, mas pode causar dor local considerável, prurido e polaciúria e pode alertar para uma doença mais grave em níveis mais altos do trato urogenital.

Neoplasias e lesões semelhantes a neoplasias

A *carúncula uretral* é uma lesão inflamatória que se manifesta como uma pequena massa vermelha e dolorosa ao redor do óstio externo da uretra, normalmente em mulheres de idade mais avançada. Consiste em tecido de granulação inflamado recoberto por uma mucosa intacta, porém friável, que pode ulcerar e sangrar mesmo com traumas leves. A excisão cirúrgica proporciona alívio imediato e cura.

As *neoplasias epiteliais benignas* da uretra incluem papilomas escamosos e uroteliais, papilomas uroteliais invertidos e condilomas. O *carcinoma primário da uretra* é uma lesão incomum (**Figura 21.11**). Os cânceres que se originam na parte proximal da uretra tendem a exibir diferenciação urotelial e são análogos aos que ocorrem na bexiga, enquanto as lesões que se originam na parte distal da uretra são, com mais frequência, carcinomas de células escamosas e estão relacionadas com o HPV. Os adenocarcinomas são infrequentes na uretra e, em geral, ocorrem em mulheres. As neoplasias da parte prostática da uretra são consideradas adiante, na seção sobre a próstata.

Sistema genital masculino

Pênis

Anomalias congênitas

O pênis é afetado por muitas anomalias congênitas; apenas aquelas de importância clínica são discutidas aqui.

Hipospadias e epispadias

A malformação do sulco e canal uretrais pode criar uma abertura anormal na superfície ventral do pênis (*hipospadia*) ou em sua superfície dorsal (*epispadia*). Qualquer uma dessas anomalias pode estar associada a uma ausência da descida normal dos testículos e a malformações do trato urinário. A hipospadia, mais comum entre as duas, ocorre em cerca de 1 a cada 300 nascidos vivos do sexo masculino. Mesmo quando isolados, esses defeitos uretrais podem ter importância clínica, visto que a abertura normal frequentemente está estenosada, resultando em obstrução do trato urinário e risco aumentado de infecções ascendentes. Quando os orifícios estão situados próximo à base do pênis, a ejaculação e a inseminação normais são dificultadas e podem constituir uma causa de esterilidade.

Fimose

Quando o orifício do prepúcio é demasiado pequeno para permitir a retração normal, a condição é denominada *fimose*. Um orifício anormalmente pequeno pode resultar de desenvolvimento anômalo; todavia, com mais frequência, é o resultado de episódios repetidos de infecção que provocam cicatrização do anel prepucial. A fimose é importante, visto que ela interfere na limpeza e possibilita o acúmulo de secreções e detritos sob o prepúcio, favorecendo o desenvolvimento de infecções secundárias e aumentando o risco de carcinoma de pênis.

Inflamação

As inflamações do pênis quase sempre acometem a glande e o prepúcio e incluem uma grande variedade de infecções específicas e inespecíficas. As infecções específicas – sífilis, gonorreia, cancroide, granuloma inguinal, linfopatia venérea, herpes genital – são sexualmente transmissíveis e são discutidas no **Capítulo 8**. Apenas as infecções inespecíficas que causam a denominada balanopostite são descritas aqui.

A *balanopostite* refere-se a uma infecção da glande e do prepúcio causada por uma variedade de microrganismos. Entre os agentes mais comuns destacam-se a *C. albicans,* bactérias anaeróbicas, *Gardnerella* e bactérias piogênicas. A maioria dos casos ocorre em consequência de falta de higiene local em homens não circuncidados, nos quais o acúmulo de células epiteliais descamadas, suor e resíduos, denominado *esmegma*, atua como irritante local. A persistência dessas infecções leva à cicatrização inflamatória e, conforme já assinalado, constitui uma causa comum de fimose.

Neoplasias

As neoplasias do pênis são incomuns. As neoplasias mais frequentes consistem em carcinoma de células escamosas e verrugas genitais benignas (condiloma acuminado).

Neoplasias benignas e condições semelhantes a neoplasias

Condiloma acuminado

O condiloma acuminado é uma verruga benigna sexualmente transmissível, causada pelo papilomavírus humano (HPV). Está relacionado com a verruga comum e pode ocorrer em qualquer superfície mucocutânea úmida da genitália externa em ambos os sexos. Os sorotipos de "baixo risco" do HPV (HPV 6 e, com menos frequência, HPV 11) são a causa mais frequente de condiloma acuminado.

> **Morfologia**
>
> O condiloma acuminado pode surgir nos órgãos genitais externos ou em áreas perineais. Em geral, as lesões do pênis ocorrem no sulco coronal e na superfície interna do prepúcio. Consistem em **excrescências papilares vermelhas, únicas ou múltiplas, sésseis ou pediculadas**, que têm vários milímetros de diâmetro. No exame histológico, um estroma de tecido conjuntivo papilar, ramificado e viloso é coberto de epitélio, que pode apresentar considerável hiperqueratose superficial e espessamento da epiderme subjacente **(acantose)** (**Figura 21.12A**). A maturação organizada normal das células epiteliais é preservada. As células de revestimento frequentemente exibem vacuolização citoplasmática perinuclear (coilocitose), que é característica da infecção pelo HPV (**Figura 21.12B**).

Doença de Peyronie

Essa doença, que parece ser mais reativa do que neoplásica, caracteriza-se por placas endurecidas no pênis, que resultam da deposição de colágeno no tecido conjuntivo entre o corpo cavernoso e a túnica albugínea. Acredita-se que a fibrose seja o produto de trauma microvascular e inflamação crônica esclerosante em organização subsequente. Clinicamente, a lesão resulta em curvatura peniana

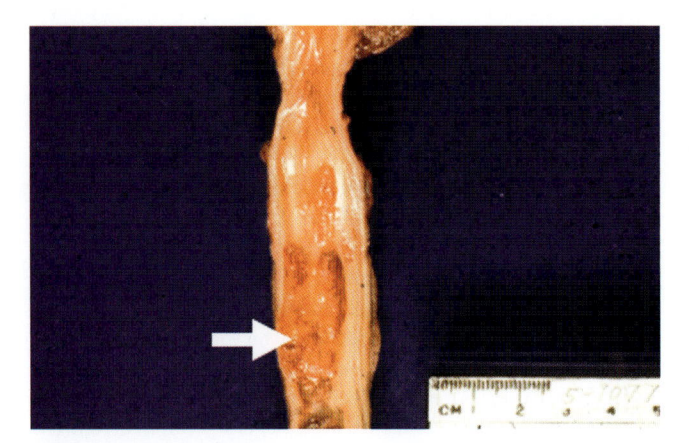

Figura 21.11 Carcinoma de uretra com padrão típico de crescimento fungiforme (*seta*).

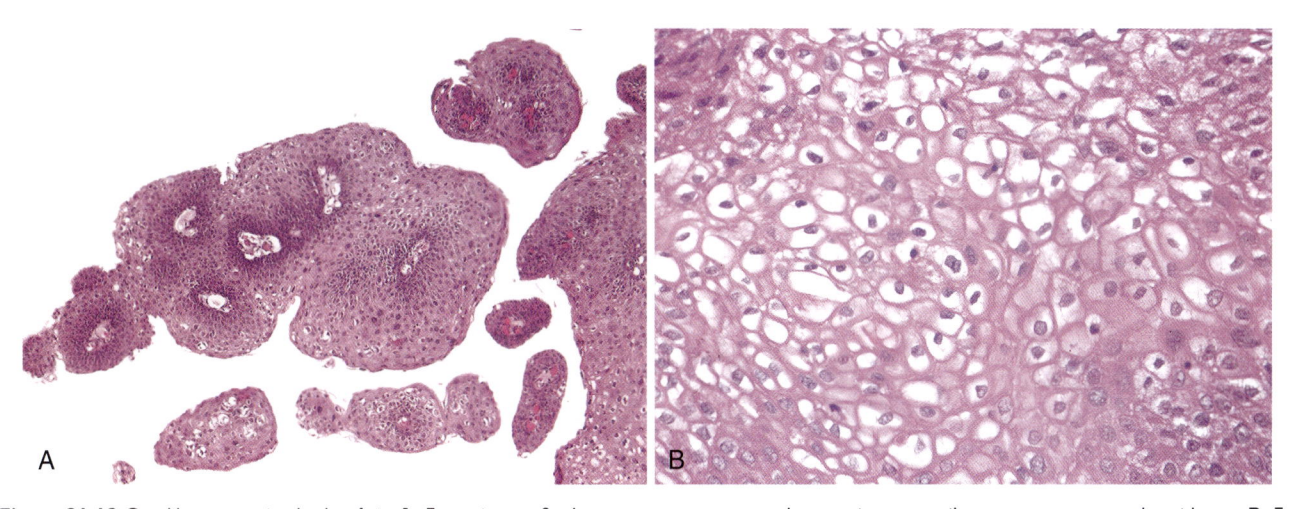

Figura 21.12 Condiloma acuminado do pênis. **A.** Fotomicrografia de pequeno aumento revela a arquitetura papilar e o espessamento da epiderme. **B.** Em grande aumento, o epitélio mostra uma vacuolização perinuclear (coilocitose) característica da infecção pelo papilomavírus humano.

em direção ao lado da lesão e dor durante a relação sexual. O tratamento inclui cirurgia e injeção de colagenase para quebrar as placas fibrosas.

Neoplasias malignas
Carcinoma escamoso in situ/neoplasia intraepitelial peniana

À semelhança de outros locais, como o colo do útero, as lesões escamosas *in situ* abrangem uma variedade de morfologias, desde o CIS até lesões menos graves. Essas lesões são agrupadas sob o termo *neoplasias intraepiteliais penianas (PeIN)*. Todas elas consistem em lesões escamosas confinadas à epiderme por uma membrana basal intacta. As PeIN podem estar relacionadas com o HPV (PeIN indiferenciadas) ou não (diferenciadas). Essa última está associada à balanite xerótica obliterante, ocorre no prepúcio de pacientes de idade mais avançada e, como o próprio nome indica, conserva certo grau de maturação escamosa. As PeIN indiferenciadas são composta de células mais francamente malignas e podem se manifestar clinicamente como duas lesões distintas: a doença de Bowen e a papulose bowenoide. Ambas estão associadas ao HPV de alto risco, mais comumente HPV 16:

- A *doença de Bowen* afeta mais comumente o corpo do pênis e o escroto de homens idosos. Nesses locais, aparece como uma placa opaca, branco-acinzentada, espessa e solitária. Nos casos menos comuns, quando afeta a glande, a lesão adquire uma aparência aveludada vermelha. No exame histológico, a lesão consiste em células escamosas displásicas que contêm grandes núcleos irregulares e hipercromáticos e que carecem de maturação organizada (**Figura 21.13**). As mitoses, algumas delas atípicas, são numerosas. Em 10% dos pacientes, a doença de Bowen dá origem ao carcinoma de células escamosas infiltrante
- A *papulose bowenoide* ocorre em adultos sexualmente ativos. Distingue-se da doença de Bowen pela idade mais jovem dos pacientes afetados e pela sua apresentação como múltiplas lesões papulares marrom-avermelhadas e múltiplas (em vez de solitárias). Embora esteja relacionada, do ponto de vista etiológico, com o HPV 16 e seja histologicamente indistinguível da doença de Bowen, a papulose bowenoide quase nunca progride para o carcinoma invasivo e, em geral, sofre regressão espontânea.

Carcinoma de células escamosas invasivo

O carcinoma de células escamosas do pênis está associado à falta de higiene genital e à infecção por HPV de alto risco. O carcinoma peniano afeta pacientes de meia-idade e idosos (40 a 70 anos). Nos EUA, é responsável por menos de 1% dos cânceres nos homens. Em contrapartida, em algumas partes da Ásia, África e América do Sul, o câncer de pênis representa 10 a 20% das neoplasias malignas em homens. O baixo nível econômico e os hábitos higiênicos precários constituem fatores de risco importantes. A circuncisão confere proteção, de modo que o câncer de pênis é extremamente raro entre judeus e muçulmanos e é correspondentemente mais comum em populações nas quais a circuncisão não constitui uma prática de rotina. Foi postulado que a circuncisão reduz a exposição a carcinógenos que podem estar concentrados no esmegma e diminui a probabilidade de infecções por tipos de HPV potencialmente oncogênicos. Apenas uma minoria dos casos de câncer de pênis está relacionada com o HPV; outros fatores, como higiene precária e inflamação crônica, presumivelmente

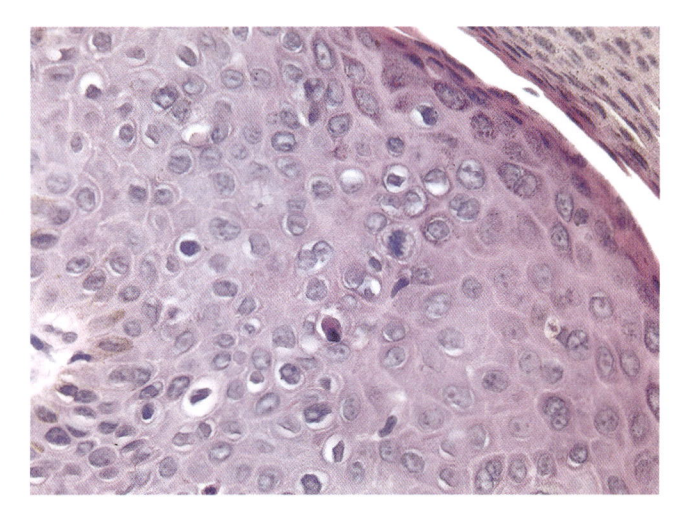

Figura 21.13 Doença de Bowen (carcinoma *in situ*) do pênis. Observe as células epiteliais disceratóticas displásicas e hipercromáticas e as mitoses dispersas (*parte média à direita*), bem acima da camada basal.

contribuem para os cânceres que não estão relacionados com o HPV. A disponibilidade de vacinas para ambos os subtipos de baixo risco e de alto risco do HPV pode ajudar a reduzir a incidência do câncer de pênis e do condiloma acuminado. Outros fatores de risco incluem tabagismo e condições inflamatórias crônicas, como *líquen escleroso e atrófico (balanite xerótica obliterante)*.

Patogênese

A contribuição do HPV de alto risco no carcinoma peniano é idêntica a seu papel no câncer de colo do útero (ver **Capítulos 7 e 22**). Essas formas de HPV codificam as proteínas E6 e E7, que inativam as proteínas supressoras de tumor p53 e RB, levando a uma instabilidade genômica e aumento da proliferação, respectivamente. A proteína E6 também estimula a expressão da telomerase, levando à imortalização celular. A proteína E7 induz alças de retroalimentação que aumentam os níveis de inibidor p16 de quinase dependente de ciclina, uma característica que pode ser utilizada como substituto da presença de HPV de alto risco em células neoplásicas.

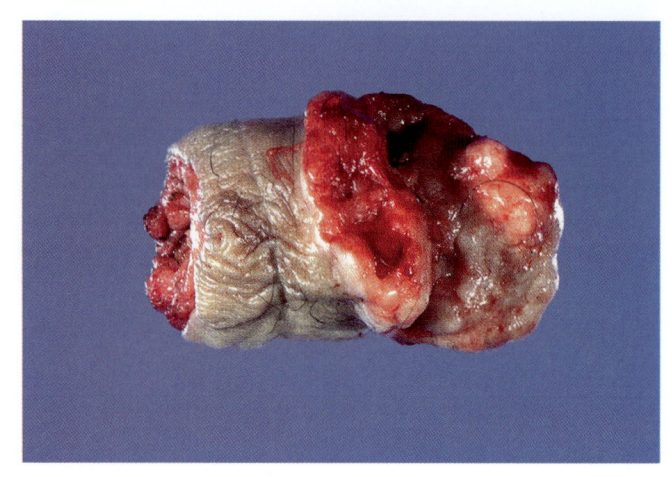

Figura 21.14 Carcinoma do pênis. A glande do pênis está deformada por uma massa infiltrativa, ulcerada e firme.

é notoriamente imprecisa; apenas 50% dos linfonodos inguinais aumentados, detectados em homens com carcinoma de células escamosas do pênis, contêm câncer, enquanto o restante revela apenas hiperplasia linfoide reativa ao exame histológico. Conforme já assinalado, o prognóstico tem forte correlação com o estágio da neoplasia por ocasião do diagnóstico. Os pacientes com metástase de câncer de pênis para múltiplos linfonodos pélvicos bilateralmente têm prognóstico reservado, e as taxas de sobrevida em 5 anos específicas da doença variam de 7 a 60%.

> ### Morfologia
>
> O carcinoma de células escamosas do pênis costuma originar-se na glande ou na superfície interna do prepúcio, próximo ao sulco coronal. Macroscopicamente, as neoplasias podem consistir em massas irregulares, de crescimento fungiforme e semelhantes a couve-flor; lesões endurecidas e planas; ou grandes neoplasias verruciformes/papilares (**Figura 21.14**). A classificação da Organização Mundial da Saúde (OMS) de 2016 do carcinoma de células escamosas do pênis reconhece categorias relacionadas com o HPV e não relacionadas com HPV, apresentando, cada uma delas, várias características histológicas diferentes (**Tabela 21.6**). O carcinoma de células escamosas convencional (habitual) é o tipo HPV negativo mais comum, que inclui quase metade de todos os cânceres de pênis. Os fatores prognósticos patológicos no carcinoma de pênis incluem estágio, grau, subtipo histológico, invasão vascular e invasão perineural. Muitos dos subtipos histológicos estão associados a graus distintos (p. ex., os carcinomas verrucoso e papilar são neoplasias bem diferenciadas/de grau 1, enquanto os carcinomas sarcomatoides e basaloides são neoplasias pouco diferenciadas/de grau 3). Entre os subtipos especiais de carcinoma de pênis, alguns merecem uma breve descrição. O **carcinoma verrucoso** é uma variante não relacionada com o HPV, bem diferenciada, exofítica e verrucosa, que é localmente invasiva ao longo de uma borda larga, mas que raramente gera metástase. Em contrapartida, o **carcinoma basaloide** é uma neoplasia relacionada com o HPV, composta de células hipercromáticas relativamente pequenas, que apresenta um padrão destrutivo de invasão e que costuma seguir uma evolução agressiva.

Tabela 21.6 Classificação patológica do carcinoma de células escamosas do pênis da Organização Mundial da Saúde de 2016.

Carcinoma de células escamosas não relacionado com o HPV
Carcinoma de células escamosas, tipo habitual
Carcinoma pseudo-hiperplásico
Carcinoma pseudoglandular
Carcinoma verrucoso
Carcinoma cuniculado
Carcinoma de células escamosas papilífero
Carcinoma adenoescamoso
Carcinoma sarcomatoide (de células fusiformes)
Carcinoma de células escamosas misto
Carcinoma de células escamosas relacionado com o HPV
Carcinoma de células escamosas basaloide
Carcinoma papilar-basaloide
Carcinoma verrucoso
Carcinoma verrucoso-basaloide
Carcinoma escamoso de células claras
Carcinoma do tipo linfoepitelioma
Outros

HPV, papilomavírus humano.
De Cubilla A, Velazquez EF, Amin MB, et al: The World Health Organisation 2016 classification of penile carcinomas: a review and update from the International Society of Urological Pathology expert-driven recommendations, *Histopathology* 72(6):893-904, 2018.

Características clínicas

O carcinoma de células escamosas invasivo do pênis é uma lesão localmente invasiva e de crescimento lento, que frequentemente já está presente há 1 ano ou mais antes de chamar a atenção do ponto de vista médico. As lesões são indolores até que sofram ulceração e infecção secundárias. As metástases para linfonodos inguinais podem ocorrer no início da evolução, porém a disseminação generalizada é rara até que a lesão esteja muito avançada. A avaliação clínica do comprometimento dos linfonodos regionais

Capítulo 21 Trato Urinário Inferior e Sistema Genital Masculino

> **Conceitos-chave**
> **Carcinoma do pênis**
>
> - É mais comum em áreas do mundo de baixa renda, como África, Ásia e América do Sul, devido, em parte, a uma menor incidência de circuncisão
> - Duas vias patogênicas: uma relacionada com o HPV e a outra não relacionada com o HPV
> - O carcinoma de células escamosas ocorre na glande ou no corpo do pênis como lesão infiltrativa e ulcerada, que pode se disseminar para os linfonodos e, raramente, para locais distantes
> - Outras lesões importantes do pênis incluem anormalidades congênitas que afetam a posição da uretra (epispadia, hipospadia) e distúrbios inflamatórios (balanite, fimose).

Testículo e epidídimo

Diferentes condições patológicas afetam o testículo e o epidídimo. No epidídimo, as condições mais frequentes consistem em doenças inflamatórias, enquanto as neoplasias dominam nos testículos.

Anomalias congênitas

Com exceção dos testículos que não migraram para a bolsa escrotal (criptorquidia), as anomalias congênitas são extremamente raras e incluem ausência de um ou de ambos os testículos e fusão dos testículos (denominada *sinorquia*).

Criptorquidia

A criptorquidia refere-se a uma falha completa ou parcial da descida dos testículos intra-abdominais para dentro da bolsa escrotal e está associada a disfunção testicular e a um aumento do risco de câncer testicular. É encontrada em aproximadamente 1% dos meninos de 1 ano. Em geral, ocorre como anomalia isolada, mas pode ser acompanhada de outras malformações do trato geniturinário, como hipospadia.

A descida dos testículos ocorre em duas fases. Durante a primeira fase transabdominal, o testículo passa a se localizar dentro da parte inferior do abdome ou na abertura da pelve. Essa fase é controlada por um hormônio, a substância inibidora mülleriana. Na segunda fase inguinoescrotal, os testículos descem pelo canal inguinal até a bolsa escrotal. Essa fase é dependente de androgênios, e acredita-se que seja mediada pelo peptídeo relacionado ao gene de liberação de calcitonina dependente de androgênio a partir do nervo genitofemoral. Os testículos podem ficar retidos em qualquer ponto ao longo de seu trajeto de descida; o local mais comum é no canal inguinal, enquanto sua parada dentro do abdome é incomum, representando cerca de 5 a 10% dos casos. Embora a descida testicular seja controlada por fatores hormonais, a criptorquidia só raramente está associada a um distúrbio hormonal bem definido.

> **Morfologia**
>
> A criptorquidia costuma ser unilateral, sendo bilateral em 25% dos pacientes. Os testículos criptorquídicos são pequenos e firmes. As alterações histológicas do testículo mal posicionado começam já com 2 anos. No início, observa-se a ocorrência de **espessamento da membrana basal** dos túbulos seminíferos (**Figura 21.15**). A perda subsequente das espermatogônias deixa os túbulos apenas com células de Sertoli. Os túbulos cicatrizados podem aparecer como cordões densos de tecido conjuntivo hialino associados a um aumento concomitante do estroma intersticial. As células de Leydig são preservadas e, portanto, aparecem relativamente proeminentes. Podem-se observar alterações histológicas semelhantes no tecido contralateral (descido) em indivíduos com criptorquidia unilateral, sugerindo que a criptorquidia é um marcador de um defeito intrínseco no desenvolvimento das gônadas.

Características clínicas

A criptorquidia é assintomática e chama a atenção quando o paciente, um parente ou um médico descobrem que o escroto está vazio. Além da esterilidade, a criptorquidia pode estar associada a outras morbidades, como lesões por esmagamento, devido ao trauma da região inguinal e hérnia inguinal (10 a 20% dos casos).

Durante o primeiro ano de vida, na maioria dos casos de criptorquidia, os testículos inguinais descem espontaneamente

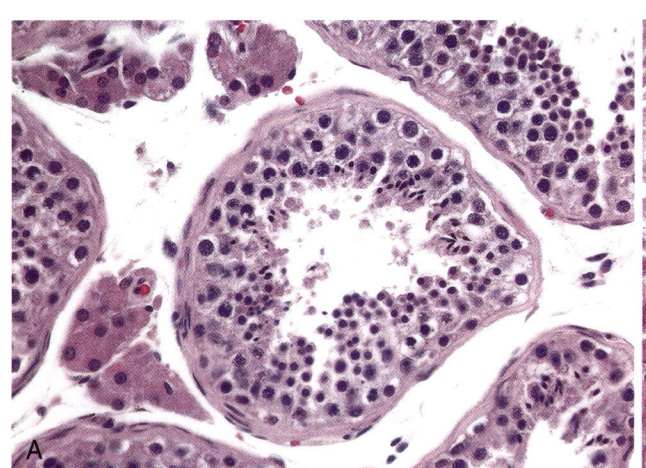

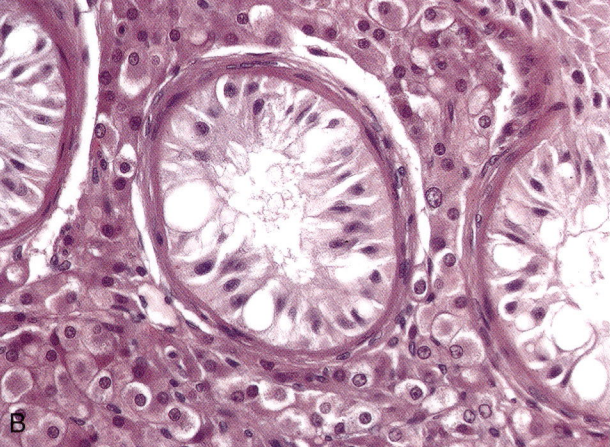

Figura 21.15 Criptorquidia. **A.** Testículo normal mostrando os túbulos com espermatogênese ativa. **B.** Atrofia testicular na criptorquidia. Os túbulos apresentam células de Sertoli, porém sem espermatogênese. Há espessamento das membranas basais e aumento aparente das células intersticiais de Leydig.

para o escroto. Se o testículo permanecer retido, é necessário proceder a uma correção cirúrgica por meio de orquidopexia (colocação do testículo no escroto), de preferência antes do desenvolvimento de alterações histológicas. De acordo com as recomendações atuais, a orquidopexia deve ser realizada com 6 a 12 meses. Mesmo com esse procedimento corretivo, foi relatada uma espermatogênese deficiente em 10 a 60% dos pacientes, e o reposicionamento não demonstrou eliminar por completo o risco de câncer. Como o testículo contralateral normalmente descido também corre maior risco de neoplasia maligna, acredita-se que a criptorquidia e o risco associado de neoplasia de células germinativas estejam ligados a um defeito *in utero* no desenvolvimento das células gonadais (ver discussão sobre a síndrome da disgenesia testicular), em vez de uma posição anatômica anormal.

Conceitos-chave
Criptorquidia

- A criptorquidia refere-se à descida incompleta dos testículos do abdome para o escroto e ocorre em cerca de 1% dos lactentes do sexo masculino de 1 ano
- A criptorquidia bilateral ou, em alguns casos, até mesmo unilateral está associada à atrofia tubular e esterilidade
- O testículo criptorquídico apresenta um risco três a cinco vezes maior de câncer testicular
- A orquidopexia reduz, porém não elimina por completo o risco de esterilidade e de câncer.

Alterações regressivas

Atrofia e diminuição da fertilidade

A atrofia testicular pode ser causada por uma de várias condições, como (1) estreitamento aterosclerótico progressivo do suprimento sanguíneo na idade avançada; (2) orquite inflamatória em estágio final; (3) criptorquidia; (4) hipopituitarismo; (5) desnutrição generalizada ou caquexia; (6) irradiação; (7) administração prolongada de antiandrogênios (p. ex., no tratamento do carcinoma de próstata); (8) cirrose; (9) insuficiência primária de origem genética, como na síndrome de Klinefelter; e (10) atrofia por exaustão, que pode ocorrer após estimulação persistente por altos níveis de hormônio foliculoestimulante da hipófise. As alterações macroscópicas e microscópicas seguem o padrão já descrito para a criptorquidia. Nos casos extremos, ocorre regressão completa ("testículo evanescente").

Inflamação e infecções

Os distúrbios inflamatórios são claramente mais comuns no epidídimo. Vários desses distúrbios, como tuberculose e gonorreia, surgem inicialmente no epidídimo e só acometem o testículo secundariamente, enquanto outros, como a sífilis, afetam o testículo em primeiro lugar.

Epididimite e orquite inespecíficas

A epididimite e a possível orquite subsequente estão comumente relacionadas a infecções do trato urinário (cistite, uretrite, prostatite), que alcançam o epidídimo e o testículo por meio do ducto deferente ou dos vasos linfáticos do funículo espermático. A causa da epididimite varia de acordo com a idade do paciente. Embora seja incomum em crianças, a epididimite na infância costuma estar associada a uma anormalidade geniturinária congênita e à infecção por bacilos gram-negativos. Em homens sexualmente ativos com menos de 35 anos, os patógenos sexualmente transmissíveis *C. trachomatis* e *Neisseria gonorrhoeae* são os mais frequentes. Em homens acima dessa idade, os patógenos comuns do trato urinário, como *E. coli* e *Pseudomonas*, são responsáveis pela maioria das infecções.

Morfologia

Como em outras partes do corpo, a infecção bacteriana induz inflamação aguda, caracterizada por congestão, edema e infiltração por neutrófilos. Em geral, a infecção começa no tecido conjuntivo intersticial, porém estende-se rapidamente para acometer os túbulos, culminando, algumas vezes, na formação de abscesso ou necrose supurativa de todo o epidídimo (**Figura 21.16**). A partir desse local, a infecção costuma se estender para o testículo, onde provoca uma reação inflamatória semelhante. A inflamação do epidídimo e do testículo é frequentemente seguida de cicatrização fibrótica, que pode produzir esterilidade. Em geral, as células de Leydig não são destruídas, e, em consequência, a produção de androgênio pelos testículos não é significativamente afetada.

Orquite granulomatosa (autoimune)

A orquite granulomatosa idiopática costuma manifestar-se na meia-idade como uma massa testicular moderadamente hipersensível de início súbito, algumas vezes associada à febre. Entretanto, algumas vezes, pode aparecer de modo insidioso como massa testicular indolor que mimetiza uma neoplasia testicular – daí sua importância. Histologicamente, a orquite é distinguida pela presença de granulomas restritos aos túbulos seminíferos. O processo precisa ser diferenciado da infecção micobacteriana (ver adiante), que frequentemente acomete o epidídimo e provoca necrose caseosa. Embora haja suspeita de uma base autoimune, a causa dessas lesões permanece desconhecida.

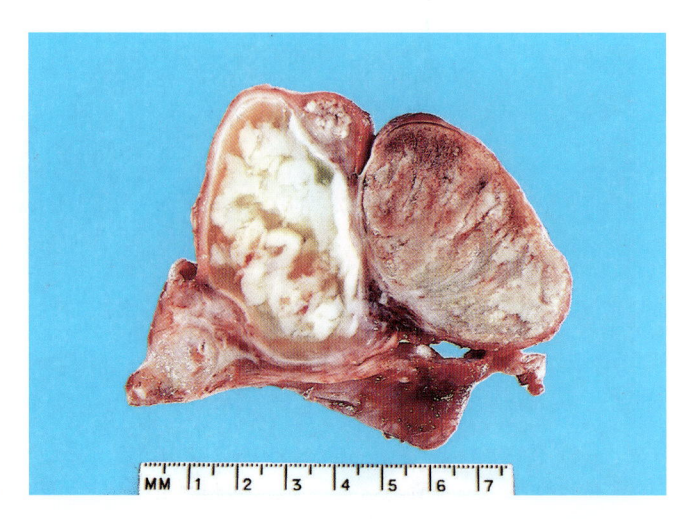

Figura 21.16 Epididimite aguda causada por infecção gonocócica. O epidídimo foi substituído por um abscesso. O testículo normal é observado *à direita*.

Infecções

Gonorreia

A extensão da infecção da parte posterior da uretra para a próstata, as glândulas seminais e, em seguida, para o epidídimo constitui uma complicação frequente da infecção gonocócica negligenciada. Nos casos graves, pode haver desenvolvimento de abscessos do epidídimo, levando à destruição extensa e formação de cicatrizes. A infecção também pode se disseminar para o testículo e produzir orquite supurativa.

Caxumba

A caxumba é uma doença viral sistêmica que afeta mais comumente crianças em idade escolar. O comprometimento testicular é extremamente incomum nessa faixa etária. Todavia, em homens após a puberdade, ocorre orquite em 20 a 30% dos casos. Com mais frequência, a orquite intersticial aguda desenvolve-se 1 semana após o início da tumefação das glândulas parótidas.

Tuberculose

A tuberculose, quando acomete o sistema genital masculino, começa quase invariavelmente no epidídimo, a partir do qual pode se disseminar para o testículo. A infecção provoca as reações morfológicas clássicas de inflamação granulomatosa caseosa característica da tuberculose em outros locais.

Sífilis

O testículo e o epidídimo podem ser afetados na sífilis tanto adquirida quanto congênita, porém quase sempre o testículo é afetado em primeiro lugar. O padrão morfológico da reação assume duas formas: (1) *endarterite obliterativa* associada a manguitos perivasculares de linfócitos e plasmócitos, constituindo a característica histológica da sífilis, ou (2) inflamação granulomatosa, uma lesão conhecida como *goma*.

Outras infecções

Outras causas raras de orquite incluem hanseníase, sarcoidose, doença de Crohn, malacoplaquia, toxoplasmose, fungos, parasitas e brucelose.

Distúrbios vasculares

Torção

A torção do funículo espermático normalmente interrompe a drenagem venosa do testículo. Quando não tratado, costuma levar ao infarto testicular e, portanto, representa uma das poucas emergências urológicas verdadeiras. As artérias de paredes espessas permanecem pérvias, produzindo intensa congestão vascular seguida de infarto hemorrágico.

Existem duas situações nas quais ocorre torção testicular. A torção neonatal ocorre *in utero* ou pouco depois do nascimento. Nesses casos não precisa haver nenhum defeito anatômico associado para explicar sua ocorrência. A torção do "adulto" normalmente é observada na adolescência e manifesta-se com início súbito de dor testicular. Com frequência, ocorre sem lesão desencadeante. Se for realizada a destorção manual do testículo dentro de aproximadamente 6 horas após o início da torção, pode não haver necessidade de orquiectomia do testículo afetado. Em adultos, a torção resulta de um defeito anatômico bilateral que leva a um aumento da mobilidade dos testículos (*anormalidade em badalo de sino*). A *orquidopexia* contralateral é realizada para prevenir a recorrência no testículo não afetado.

> **Morfologia**
>
> Dependendo da duração da torção, as alterações morfológicas variam desde congestão intensa até hemorragia disseminada e infarto testicular (**Figura 21.17**). Nos estágios avançados, o testículo tumefeito apresenta-se com tecido hemorrágico mole e necrótico.

Neoplasias do funículo espermático e paratesticulares

Os *lipomas* são lesões comuns que acometem o funículo espermático proximal, identificadas por ocasião de reparo de hérnia inguinal. Embora sejam diagnosticadas como "lipomas", muitas dessas lesões provavelmente representam um tecido adiposo retroperitoneal que foi arrastado para o canal inguinal com o saco herniário, em vez de uma verdadeira neoplasia.

O tumor paratesticular benigno mais comum é o *tumor adenomatoide*. Embora essas lesões sejam de natureza mesotelial, elas não são designadas como mesoteliomas para diferenciá-las de outras lesões mesoteliais que podem ocorrer nesse local. Em geral, os tumores adenomatoides consistem em pequenos nódulos, que normalmente ocorrem próximo ao polo superior do epidídimo. A importância dessa lesão é que ela é uma das poucas neoplasias benignas que ocorrem próximo ao testículo. Se o patologista conseguir identificar a natureza dessa lesão em cortes congelados intraoperatórios, a excisão local do tumor adenomatoide pode poupar o paciente de uma orquiectomia.

As neoplasias paratesticulares malignas mais comuns são rabdomiossarcomas em crianças e lipossarcomas em adultos.

Neoplasias testiculares

As neoplasias testiculares abrangem uma variedade impressionante de tipos histológicos. A classificação da OMS de 2016 (**Tabela 21.7**) apresenta numerosas categorias, duas das quais são responsáveis

Figura 21.17 Torção do testículo. A coloração escura é o resultado de hemorragia e infarto.

pela imensa maioria das lesões: os tumores de células germinativas (TCG) (95%) e os tumores de cordão sexual-estroma, ambos os quais são discutidos aqui.

Tumores de células germinativas

Os TCG afetam predominantemente homens brancos entre 15 e 45 anos e constituem o câncer mais comum nessa faixa etária. A incidência dos TCG está aumentando, e essas neoplasias ocorrem em taxas variáveis em diferentes populações por motivos não esclarecidos. O risco cumulativo é maior na Europa Setentrional e na Nova Zelândia e menor na África e na Ásia. Nos EUA, em 2019, a previsão foi de 9.560 novos casos diagnosticados e 410 mortes por TCG.

Patogênese

Tanto a exposição ambiental quanto as anormalidades genéticas hereditárias e adquiridas contribuem para o desenvolvimento de neoplasia de células germinativas. Em seguida, consideraremos os importantes fatores ambientais e genéticos, e como sua interação parece levar ao desenvolvimento sequencial dos TCG (**Figura 21.18**).

Fatores ambientais. O papel dos fatores ambientais é deduzido, em parte, de estudos de migração populacional. Por exemplo, a incidência de TCG testiculares na Finlândia é cerca de duas vezes menor que na Suécia, porém a segunda geração de imigrantes finlandeses para a Suécia apresenta uma incidência de neoplasia que se aproxima daquela da população sueca. Os TCG testiculares também estão associados a um espectro de distúrbios conhecidos como *síndrome da disgenesia testicular*. Os componentes dessa síndrome incluem criptorquidia, hipospadia e qualidade deficiente dos espermatozoides. Foi sugerido que essas condições são aumentadas pela exposição *in utero* a pesticidas e estrogênios não esteroides. A associação mais importante é com a criptorquidia, que é observada em aproximadamente 10% dos TCG testiculares. Curiosamente, a síndrome de Klinefelter está associada a um risco significativamente aumentado (50 vezes acima do normal) de desenvolvimento de TCG mediastinais, porém esses pacientes não desenvolvem neoplasias testiculares.

Fatores genéticos. O risco relativo de TCG é quatro vezes maior do que o normal em pais e filhos de pacientes afetados e

Tabela 21.7 Classificação patológica das neoplasias testiculares comuns.

Tumores de células germinativas derivados de neoplasia de células germinativas *in situ*
Neoplasia de células germinativas não invasiva
Neoplasia de células germinativas *in situ*
Neoplasias de um tipo histológico único (formas puras)
Seminoma
Neoplasias de células germinativas não seminomatosas
Carcinoma embrionário
Tumor do saco vitelino tipo pós-puberal
Coriocarcinoma
Teratoma tipo pós-puberal
Teratoma com neoplasia maligna do tipo somático
Tumores de células germinativas não seminomatosos de mais de um tipo histológico
Tumor misto de células germinativas
Tumores de células germinativas não relacionados com neoplasia de células germinativas *in situ*
Tumor espermatocítico
Teratoma tipo pré-puberal
Tumor do saco vitelino tipo pré-puberal
Teratoma misto e tumor do saco vitelino tipo pré-puberal
Tumores do cordão sexual-estroma
Tumores puros
Tumor de células de Leydig
Tumor de células de Sertoli
Outros
Tumor que contêm tanto células germinativas quanto elementos do cordão sexual-estroma
Gonadoblastoma

Da Organização Mundial da Saúde (OMS): *Histologic Classification of Testicular Tumors*, Genebra, 2016, OMS.

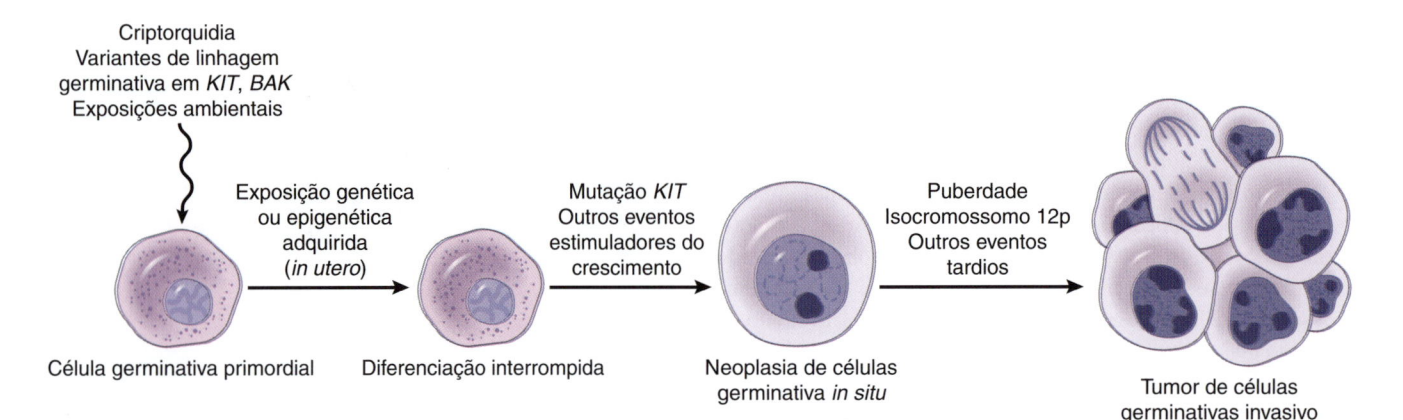

Figura 21.18 Fatores de risco ambientais e genéticos relevantes e alterações genéticas e epigenéticas adquiridas que levam ao desenvolvimento e progressão do tumor de células germinativas.

8 a 10 vezes maior em irmãos. Vários *loci* genéticos foram ligados ao risco de TCG familiar, incluindo variantes em genes que codificam o ligante para o receptor de tirosinoquinase KIT e BAK, que, como lembraremos, é um importante indutor de morte celular por apoptose (ver **Capítulo 1**). É interessante assinalar que se acredita também que esses genes desempenhem um papel no desenvolvimento gonadal. Foram também encontradas associações com variantes em genes envolvidos no metabolismo dos hormônios sexuais.

Etapas no desenvolvimento de tumores de células germinativas. A maior parte das evidências aponta para uma célula germinativa primordial com defeito adquirido na diferenciação como célula de origem dos TCG. O próximo passo no processo de transformação consiste na ativação da sinalização do receptor de fator de crescimento, frequentemente por mutações ativadoras no receptor de tirosinoquinase KIT, que estimulam a proliferação e parecem estar envolvidas na gênese de uma lesão precursora, denominada *neoplasia de células germinativas in situ*. Essa lesão precursora é encontrada em cerca de 90% dos testículos acometidos por neoplasias de células germinativas e está associada a todos os tipos de TCG, com exceção do tumor espermatocítico e tipos incomuns que surgem na lactância. A neoplasia de células germinativas *in situ* também é encontrada com frequência em testículos com alto risco de desenvolver TCG, como nos casos de criptorquidia. Acredita-se que a neoplasia de células germinativas *in situ* surja *in utero* e permaneça dormente até a puberdade, quando as influências hormonais podem estimular o crescimento das células germinativas. As células lesionais conservam a expressão dos fatores de transcrição OCT3/4 e NANOG, que são importantes na manutenção das células-tronco pluripotentes. A progressão para os TCG totalmente desenvolvidos está fortemente associada à reduplicação do braço curto do cromossomo 12 (isocromossomo 12p), uma alteração citogenética que é sempre encontrada nos TCG invasivos, qualquer que seja o tipo histológico. A progressão é muito provável, se não inevitável, visto que cerca de 70% dos indivíduos com neoplasia de células germinativas *in situ* (p. ex., na criptorquidia) desenvolvem TCG invasivos nos primeiros 7 anos após o diagnóstico.

Classificação. A **Tabela 21.7** fornece uma classificação simples dos tipos mais comuns de neoplasias testiculares. São reconhecidos dois grandes grupos. Os *tumores seminomatosos* são compostos de células que se assemelham às células germinativas primordiais ou gonócitos iniciais. Os *tumores não seminomatosos* podem ser compostos de células indiferenciadas, que se assemelham a células-tronco embrionárias, como no caso do carcinoma embrionário, porém as células malignas também podem se diferenciar ao longo de outras linhagens, gerando tumores do saco vitelino, coriocarcinomas e teratomas. Os TCG podem ser compostos de um único tipo celular ou de misturas de componentes seminomatosos e/ou não seminomatosos.

Seminoma

O seminoma é o tipo mais comum de TCG, representando cerca de 50% desses tumores. O pico de incidência é observado na quarta década de vida. Um tumor idêntico surge no ovário, denominado *disgerminoma* (ver **Capítulo 22**), bem como no sistema nervoso central, geralmente em estruturas da linha média, como a glândula pineal, sendo designado como *germinoma*.

Morfologia

Os seminomas produzem massas volumosas, que algumas vezes alcançam dez vezes o tamanho do testículo normal. O seminoma típico apresenta uma superfície de corte lobulada, branco-acinzentada e homogênea, geralmente sem hemorragia nem necrose (**Figura 21.19**). Em geral, a túnica albugínea não é invadida; todavia, em certas ocasiões, ocorre extensão para o epidídimo, o funículo espermático ou o escroto.

A lesão é composta por lâminas de células uniformes, divididas em lóbulos pouco demarcados por delicados septos fibrosos contendo um infiltrado linfocítico (**Figura 21.20A**). Em algumas neoplasias, observa-se também a presença de granulomas mal definidos, presumivelmente como parte da resposta do hospedeiro à neoplasia. **A célula característica do seminoma é de redonda a poliédrica e dispõe de membrana celular distinta, citoplasma claro e de aparência aquosa e um grande núcleo central, com um ou dois nucléolos proeminentes (Figura 21.20B).** O citoplasma contém quantidades variáveis de glicogênio. Na imuno-histoquímica, as células neoplásicas são normalmente positivas para KIT, OCT3/4 e podoplanina e negativas para a citoqueratina. Aproximadamente 15% dos seminomas contêm sinciciotrofoblastos. Nesse subgrupo de pacientes, os níveis séricos de gonadotropina coriônica humana (hCG) estão elevados, embora não na extensão observada em pacientes com coriocarcinoma.

Tumor espermatocítico

Os tumores espermatocíticos são incomuns e representam 1 a 2% de todas as neoplasias de células germinativas testiculares. Diferentemente de outros TCG, os indivíduos afetados geralmente são de idade mais avançada (normalmente com mais de 65 anos). Esse tumor de crescimento lento não apresenta metástase e, quando tratado por ressecção cirúrgica, tem prognóstico excelente. Embora exiba alguma semelhança morfológica com o seminoma, a origem e a patogênese do tumor espermatocítico são muito distintos, visto que o tumor não está associado à neoplasia de células germinativas *in situ,* carece de isocromossomo 12p e não está associado caracteristicamente ao ganho do cromossomo 9q.

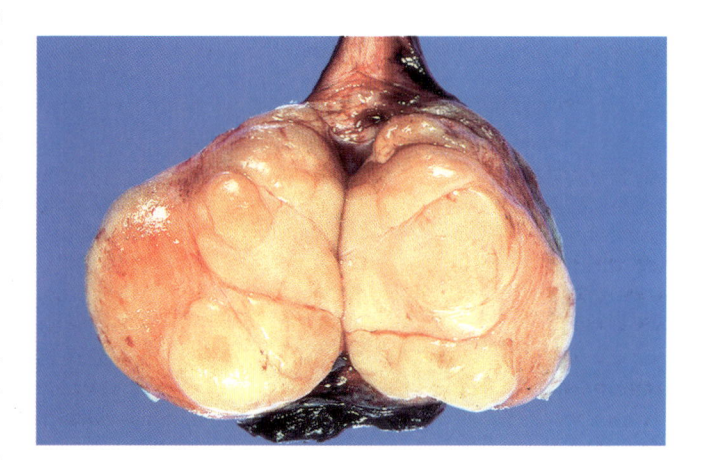

Figura 21.19 Seminoma do testículo, que aparece como uma massa homogênea pálida, carnosa e bem circunscrita na superfície de corte.

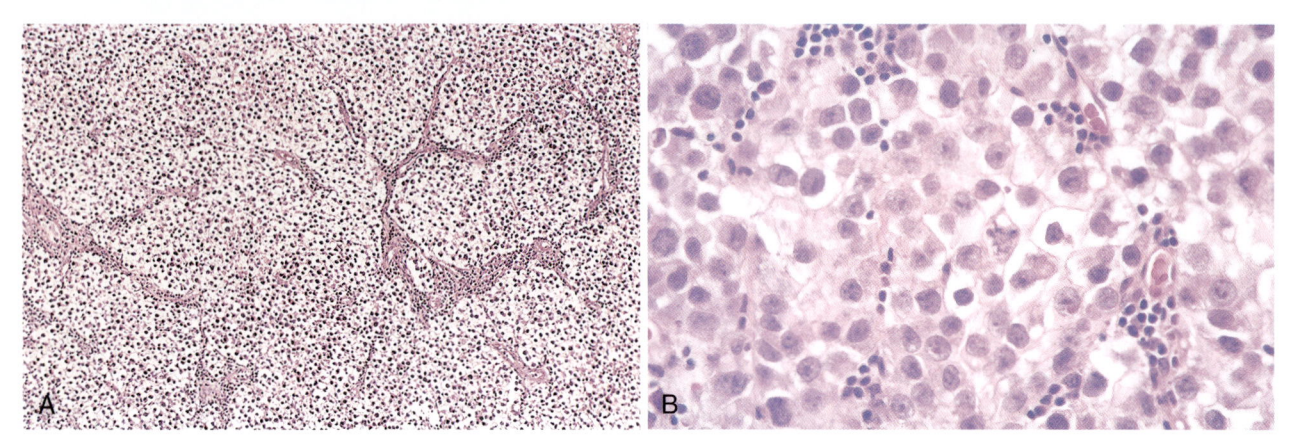

Figura 21.20 Seminoma. **A.** Fotomicrografia em pequeno aumento mostrando lâminas de células neoplásicas pálidas, divididas em lóbulos pouco demarcados por delicados septos que contêm linfócitos reativos. **B.** O grande aumento revela células grandes com bordas celulares distintas, núcleos pálidos, nucléolos proeminentes e citoplasma abundante.

Morfologia

Macroscopicamente, o tumor espermatocítico tende a ser circunscrito e carnoso e, em certas ocasiões, mixoide, algumas vezes com regiões císticas. De modo característico, o tumor contém três populações de células misturadas: (1) células de tamanho médio que contêm um núcleo redondo, cromatina do tipo espirema (semelhante àquela observada na fase meiótica dos espermatócitos normais), com núcleos ocasionais e citoplasma eosinofílico; (2) células menores com cromatina densa e borda estreita de citoplasma eosinofílico, semelhante aos espermatócitos secundários; e (3) células gigantes dispersas, uninucleadas ou multinucleadas. Diferentemente do seminoma, o tumor espermatocítico não tem, em geral, infiltrados inflamatórios e sinciciotrofoblastos, não ocorre em regiões extratesticulares e nunca aparece misturado com outros TCG.

A invasão vascular e linfática é comum. À semelhança do seminoma, o carcinoma embrionário cora-se positivamente para OCT3/4, porém difere, visto que normalmente é também positivo para a citoqueratina e negativo para KIT e podoplanina.

Tumor do saco vitelino

Também conhecido como *tumor do seio endodérmico*, o tumor do saco vitelino pré-puberal constitui a neoplasia testicular mais comum em lactentes e crianças de até 3 anos. Nessa faixa etária, apresenta um prognóstico muito bom. Por outro lado, o tumor do saco vitelino após a puberdade raramente é "puro" e, com mais frequência, ocorre em associação com o carcinoma embrionário ou outros componentes de células germinativas.

Carcinoma embrionário

O pico de incidência do carcinoma embrionário é na faixa etária dos 20 aos 30 anos, cerca de uma década antes do seminoma. O carcinoma embrionário é mais agressivo do que o seminoma e pode ocorrer como neoplasia pura ou misturada com outros componentes de células germinativas.

Morfologia

Os carcinomas embrionários tendem a ser localmente agressivos e, com frequência, estendem-se pela túnica albugínea até o epidídimo ou o funículo espermático. Na superfície de corte, a neoplasia costuma ter aparência variegada, devido à presença de focos de hemorragia ou necrose (**Figura 21.21**). Histologicamente, as células crescem em padrões alveolar ou tubular, algumas vezes com formações papilares. As lesões mais indiferenciadas podem exibir lâminas de células com espaços semelhantes a fendas (**Figura 21.22**). As células neoplasias têm aspecto epitelial, são grandes e anaplásicas e apresentam núcleos hipercromáticos com nucléolos proeminentes. As bordas das células costumam ser indistintas, e existe uma considerável variação no tamanho e formato das células e dos núcleos (pleomorfismo). Com frequência, são observadas figuras mitóticas e células gigantes neoplásicas.

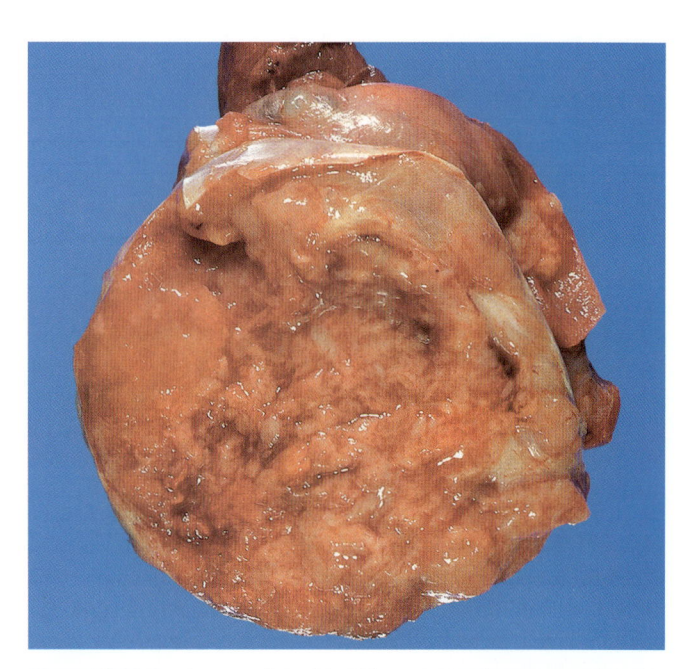

Figura 21.21 Carcinoma embrionário. Diferentemente do seminoma ilustrado na **Figura 21.19**, conforme ilustrado aqui, o carcinoma embrionário frequentemente produz uma massa hemorrágica.

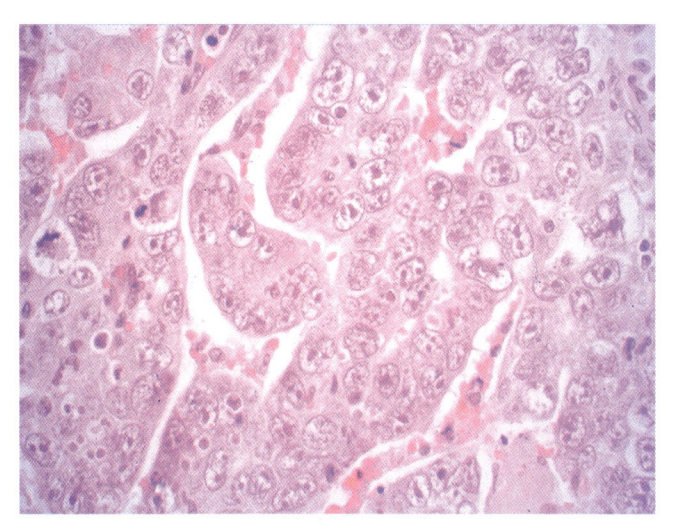

Figura 21.22 Carcinoma embrionário composto de células com grandes núcleos hipercromáticos, dispostas em lâminas e glândulas malformadas.

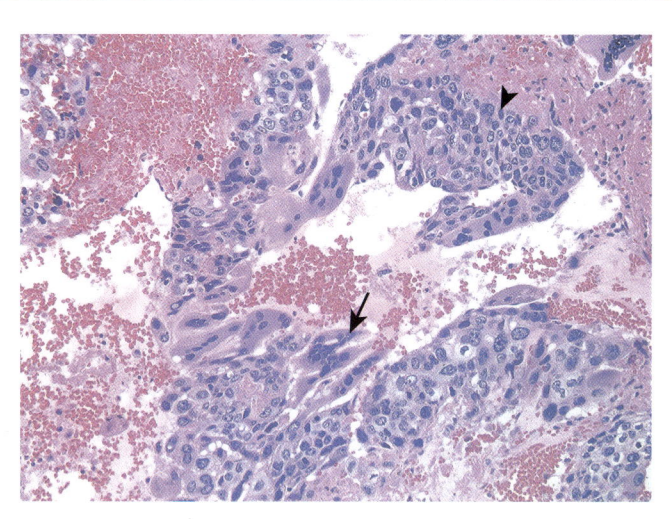

Figura 21.23 Coriocarcinoma. Observa-se a presença de células citotrofoblásticas (*cabeça de seta*) com núcleos centrais e células sinciciotrofoblásticas (*seta*), com múltiplos núcleos escuros inseridos no citoplasma eosinofílico. Observa-se a presença de hemorragia e necrose no campo superior da direita.

Morfologia

Os tumores do saco vitelino pré e pós-puberais apresentam histologia semelhante, e a principal diferença é a de que os tumores pré-puberais não estão associados a neoplasia de células germinativas *in situ* e carecem de outros elementos de células germinativas. Normalmente, os tumores do saco vitelino são compostos de uma rede rendada (reticular) de células cuboides, planas ou fusiformes, de tamanho médio, que geralmente exibem menos atipia citológica do que o carcinoma embrionário. Além disso, podem ser observadas estruturas papilares, cordões sólidos de células e numerosos outros padrões menos comuns de crescimento. Em cerca de 50% dos tumores, pode-se observar a presença de estruturas semelhantes aos seios endodérmicos **(corpos de Schiller-Duval)**, que consistem em um cerne mesodérmico com um capilar central e uma camada visceral e parietal de células semelhantes aos glomérulos primitivos. Normalmente, são observados glóbulos eosinofílicos de aspecto hialino, contendo α-fetoproteína (AFP) e $α_1$-antitripsina nas células dos tumores do saco vitelino. A expressão da AFP é característica das células do tumor do saco vitelino e ressalta sua semelhança com o saco vitelino; a coloração para citoqueratina também é positiva.

Coriocarcinoma

O coriocarcinoma é um tipo altamente maligno de TCG. Em sua forma pura, o coriocarcinoma é raro, constituindo menos de 1% de todos os TCG. Os níveis séricos de hCG estão invariavelmente elevados, muitas vezes de forma acentuada. Pode-se observar a ocorrência de metástases disseminadas, frequentemente associadas à hemorragia nas áreas comprometidas.

Morfologia

Normalmente, os coriocarcinomas são pequenos e raramente têm mais de 5 cm de diâmetro. A hemorragia e a necrose são extremamente comuns. O tumor é composto por dois tipos celulares estreitamente justapostas, os **sinciciotrofoblastos** e os **citotrofoblastos (Figura 21.23)**. Os sinciciotrofoblastos são grandes células multinucleadas com citoplasma vacuolado e eosinofílico abundante contendo hCG, que é prontamente detectada por imuno-histoquímica. Os citotrofoblastos são mais regulares e tendem a ser poligonais, com bordas distintas e citoplasma claro; crescem em cordões ou lâminas e apresentam um único núcleo bastante uniforme. Essa neoplasia também pode surgir no sistema genital feminino (ver **Capítulo 22**).

Teratoma

A designação *teratoma* refere-se a TCG que apresentam diversos componentes celulares ou organoides que lembram os derivados normais de mais de uma camada germinativa. Essas neoplasias podem ocorrer em qualquer idade, desde a lactância até a vida adulta. O teratoma puro é bastante comum em lactentes e crianças e é designado como "tipo pré-puberal". Entre os TCG, os teratomas ocupam o segundo lugar em frequência em lactentes e crianças, perdendo apenas para os tumores do saco vitelino. Nos adultos, os teratomas puros são raros e constituem 2 a 3% dos TCG; com mais frequência, os teratomas são encontrados misturados com outras alterações histológicas (um fenômeno discutido adiante). Os teratomas que ocorrem no início da vida também diferem do ponto de vista biológico e clínico dos que ocorrem em adultos. Os teratomas pré-puberais não estão associados a neoplasia de células germinativas *in situ* nem ao isocromossomo 12p e seguem uma evolução benigna. Apenas uma fração menor de teratomas que ocorrem em adultos compartilham essas características, e os teratomas pós-puberais em adultos são geralmente considerados malignos.

Morfologia

Os teratomas que se manifestam em homens adultos são, em geral, grandes, variando de 5 a 10 cm de diâmetro. A presença de uma variedade de tecidos confere aos teratomas uma aparência heterogênea, com áreas sólidas, algumas vezes cartilaginosas e císticas (**Figura 21.24**). Ao exame microscópico, coleções de

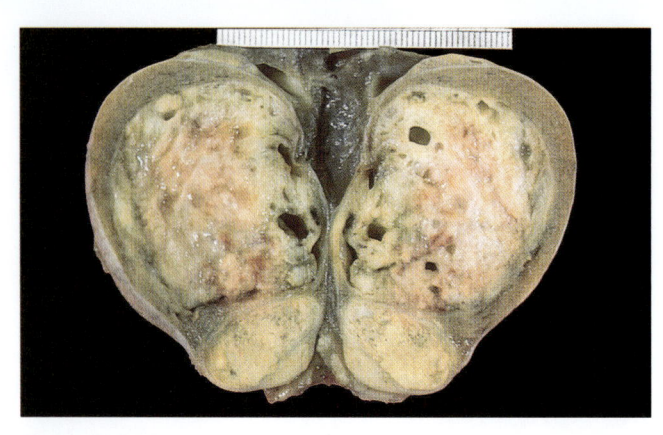

Figura 21.24 Teratoma de testículo. A superfície de corte variegada com cistos reflete a presença de vários tipos de tecidos.

células diferenciadas ou estruturas organoides, como tecido neural, feixes musculares, ilhas de cartilagem, epitélio escamoso recobrindo superfícies semelhantes à epiderme, com ou sem estruturas de anexos cutâneos, estruturas que lembram a glândula tireoide, o epitélio brônquico ou partes da parede intestinal ou substância cerebral, são observadas dentro de um estroma fibroso ou mixoide (**Figura 21.25**). Os elementos podem ser maduros (semelhantes a vários tecidos adultos) ou imaturos (compartilhando características histológicas com o tecido fetal ou embrionário).

Raramente, neoplasias malignas de células não germinativas (somáticas) surgem em teratomas pós-puberais, um fenômeno designado como *teratoma com transformação maligna de tipo somático*. A transformação pode assumir a forma de um carcinoma de células escamosas, adenocarcinoma secretor de mucina, sarcoma ou outros cânceres. A importância de reconhecer uma neoplasia maligna de tipo somático que se origina a partir de um teratoma é a de que essas neoplasias secundárias são quimiorresistentes; por conseguinte, a única esperança de cura reside na ressecção da neoplasia. Essas neoplasias malignas de células não germinativas conservam o isocromossomo 12p, provando a existência de uma relação clonal com o teratoma precedente.

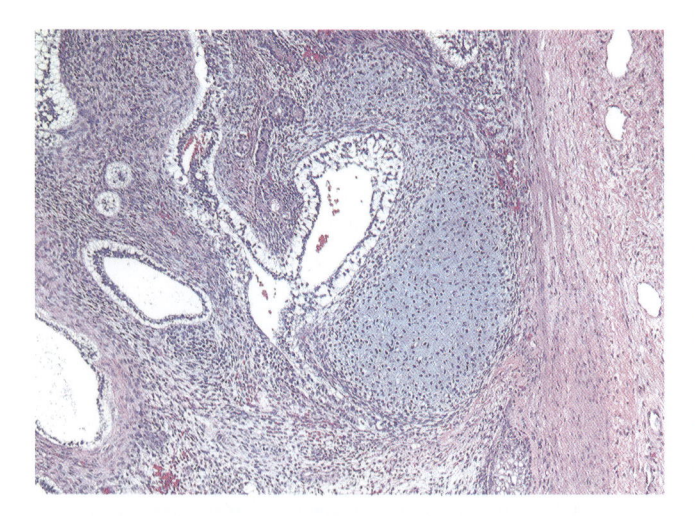

Figura 21.25 Teratoma de testículo, que consiste em uma coleção desorganizada de glândulas, cartilagem, músculo liso e estroma imaturo.

Diferentemente de seus correspondentes pós-puberais, os teratomas pré-puberais produzem elementos distintos, que se organizam em estruturas que se assemelham mais estreitamente ao tecido normal. Os tipos especiais incluem cistos dermoides, que normalmente contêm pelos, dentes e pele. Em raras ocasiões, o teratoma pré-puberal pode ser misturado com o tumor do saco vitelino.

Tumores mistos

Cerca de 60% dos TCG são compostos por mais de um dos tipos anteriormente citados. As misturas comuns incluem teratoma, carcinoma embrionário e tumor do saco vitelino; seminoma com carcinoma embrionário; e carcinoma embrionário com teratoma.

Características clínicas dos tumores de células germinativas do testículo. Embora o aumento indolor do testículo constitua um aspecto característico dos TCG, qualquer massa testicular sólida deve ser considerada neoplásica até prova em contrário. A biopsia de uma neoplasia testicular está associada a um risco de dispersão do tumor, exigindo a excisão da pele do escroto além da orquiectomia. Em consequência, a abordagem-padrão para uma massa testicular sólida consiste em orquiectomia radical, baseando-se na pressuposição de neoplasia maligna. Em certas ocasiões, quando há suspeita de lesão benigna, e ela pode ser excisada por orquiectomia parcial, pode-se efetuar um exame intraoperatório de congelação em um esforço de evitar uma orquiectomia radical desnecessária.

As neoplasias testiculares têm um modo característico de disseminação. A *disseminação linfática* é comum a todas as formas. Em geral, os linfonodos para-aórticos retroperitoneais são os primeiros afetados. Pode ocorrer disseminação subsequente para os linfonodos mediastinais e supraclaviculares. A *disseminação hematogênica* ocorre sobretudo para os pulmões, porém o fígado, o encéfalo e os ossos também podem ser acometidos. As metástases de seminomas normalmente afetam os linfonodos. A disseminação hematogênica ocorre de forma mais tardia no curso da disseminação. Os TCG não seminomatosos tendem a apresentar metástases mais precoces e, com mais frequência, por via hematogênica. A histologia das metástases e as recorrências a distância podem diferir daquela da lesão testicular. Isso reflete o fato de que os TCG são derivados de células germinativas pluripotentes. Além disso, um componente menor da neoplasia primária que não responde à quimioterapia pode sobreviver e, subsequentemente, tornar-se o tipo histológico dominante no sítio metastático.

Biomarcadores séricos dos tumores de células germinativas. Os TCG secretam hormônios polipeptídicos e enzimas, que podem ser detectados no sangue periférico do paciente. Incluem hCG, AFP e lactato desidrogenase, que podem servir como biomarcadores valiosos no diagnóstico e no tratamento do câncer de testículo. A elevação da lactato desidrogenase correlaciona-se com a massa de células tumorais e fornece uma ferramenta para a avaliação da carga tumoral. A elevação acentuada dos níveis séricos de AFP ou hCG é produzida por elementos do tumor do saco vitelino e sinciciotrofoblásticos, respectivamente. Esses dois marcadores estão elevados em mais de 80% dos indivíduos com TCG não seminomatoso por ocasião do diagnóstico. Conforme assinalado anteriormente, aproximadamente 15% dos seminomas apresentam células gigantes sinciciotrofoblásticas e elevação mínima dos níveis de hCG. No contexto de neoplasias testiculares, os marcadores séricos são valiosos em várias formas diferentes:

- Na avaliação inicial de massas testiculares
- No estadiamento de TCG testiculares. Por exemplo, após orquiectomia, a elevação persistente das concentrações de hCG e AFP indica uma disseminação metastática
- Na avaliação da carga tumoral
- No monitoramento da resposta à terapia.

A terapia e o prognóstico das neoplasias testiculares dependem, em grande parte, do estágio clínico e patológico e do tipo histológico. O seminoma, que é radiossensível e quimiossensível, tem o melhor prognóstico. Mais de 95% dos pacientes com seminoma em estágio I e estágio II são curados por meio de orquiectomia, com ou sem quimioterapia ou radioterapia. Em pacientes com TCG não seminomatoso, cerca de 90% obtêm uma remissão completa com quimioterapia agressiva, e a maioria pode ser curada. O carcinoma embrionário puro comporta-se de modo mais agressivo do que os TCG mistos. O coriocarcinoma puro e o TCG misto predominantemente coriocarcinoma apresentam prognóstico sombrio.

Tumores do cordão sexual-estroma gonadal

Conforme indicado na **Tabela 21.7**, os tumores do cordão sexual-estroma gonadal são subclassificados com base em sua suposta histogênese e diferenciação. Aqui, são descritos os dois membros mais importantes desse grupo – os tumores de células de Leydig e os tumores de células de Sertoli. As características patológicas correlacionadas com a neoplasia maligna nos tumores do cordão sexual-estroma do testículo incluem seu grande tamanho (mais de 5 cm), necrose, bordas infiltrativas, anaplasia, atividade mitótica, invasão vascular e linfática e extensão extratesticular.

Tumores de células de Leydig

Os tumores de células de Leydig com frequência produzem androgênios e, em alguns casos, também estrogênios e corticosteroides. Podem surgir em crianças ou adultos. À semelhança de outras neoplasias testiculares, a característica de apresentação clínica mais comum é o inchaço testicular; todavia, em alguns pacientes, a ginecomastia pode ser o motivo para procurar atendimento médico. Em crianças, os efeitos hormonais, que se manifestam sobretudo como puberdade precoce, podem constituir a característica dominante. O tumor de células de Leydig está associado à síndrome de Klinefelter, à criptorquidia e à síndrome hereditária de leiomiomatose e carcinoma de células renais (causada por mutações de linhagem germinativa na enzima metabólica fumarato hidratase). Cerca de 10% dos tumores de células de Leydig em adultos são malignos e podem produzir metástases.

Morfologia

Os tumores de células de Leydig formam nódulos circunscritos, geralmente com menos de 5 cm de diâmetro, que apresentam uma aparência homogênea, marrom dourada e distinta na superfície de corte. Do ponto de vista histológico, as células tumorais assemelham-se a seus equivalentes normais. São de tamanho grande e apresentam contornos celulares arredondados ou poligonais, citoplasma eosinofílico e granular abundante e núcleo central redondo. Com frequência, o citoplasma contém gotículas de lipídios, vacúolos ou pigmento de lipofuscina e, de forma mais característica, **cristaloides de Reinke** em forma de bastonete, que são observados em aproximadamente 25% dos tumores.

Tumores de células de Sertoli

Os tumores de células de Sertoli são, em sua maioria, silenciosos em termos hormonais e manifestam-se como uma massa testicular. Essas neoplasias estão associadas ao complexo de Carney (causado por mutações de linhagem germinativa no gene *PRKAR1A*, que codifica uma proteinoquinase dependente de monofosfato de adenosina cíclico), síndrome de Peutz-Jeghers (ver **Capítulo 17**) e síndrome de polipose adenomatosa familiar (ver **Capítulo 17**). Essas neoplasias aparecem como pequenos nódulos firmes, com uma superfície de corte homogênea, branco-acinzentada a amarela. Histologicamente, as células neoplásicas estão dispostas em trabéculas distintas, que tendem a formar estruturas semelhantes a cordões e túbulos. Os tumores de células de Sertoli são, em sua maioria, benignos, porém cerca de 10% seguem uma evolução maligna.

Gonadoblastoma

Os gonadoblastomas são neoplasias raras, compostas por uma mistura de células germinativas e elementos do estroma gonadal, que quase sempre surgem em gônadas com alguma forma de disgenesia testicular (discutida anteriormente). Em alguns casos, o componente de células germinativas torna-se maligno, dando origem a um seminoma.

Linfoma testicular

Os linfomas testiculares primários são raros e representam 5% das neoplasias testiculares; todavia, constituem a forma mais comum de neoplasia testicular em homens com mais de 60 anos. Na maioria dos casos, trata-se de tumores agressivos que estão disseminados por ocasião de sua detecção. Diferentemente dos TCG, essas neoplasias são, com frequência, bilaterais e acometem o funículo espermático. Os linfomas testiculares mais comuns, por ordem decrescente de frequência, são o linfoma difuso de grandes células B, o linfoma de Burkitt e o linfoma extranodal de células NK/T positivo para o vírus Epstein-Barr (ver **Capítulo 13**). Os linfomas testiculares têm uma alta propensão ao comprometimento do sistema nervoso central, que constitui um local frequente de recorrência.

Conceitos-chave
Tumores testiculares

- Os TCG são, de longe, os tipos de neoplasias mais comuns, responsáveis por 95% das neoplasias testiculares
- A criptorquidia, a infertilidade e a história pregressa de TCG no testículo contralateral constituem fatores de risco
- A neoplasia de células germinativas *in situ* é uma lesão precursora associada à maioria dos TCG. Setenta por cento dos pacientes com neoplasia de células germinativas *in situ* documentada desenvolverão TCG invasivo
- O seminoma, o carcinoma embrionário, os tumores do saco vitelino, o coriocarcinoma e o teratoma são os tipos mais comuns de TCG. As neoplasias mistas que contêm mais de um tipo histológico são responsáveis por 40% dos TCG
- Clinicamente, os TCG testiculares são divididos em dois grupos: seminomas e tumores não seminomatosos. Os seminomas disseminam-se sobretudo para os linfonodos para-aórticos e são radiossensíveis. As neoplasias não seminomatosas tendem a se propagar mais precocemente pelas vias linfática e hematogênica

- A hCG, a AFP e a lactato desidrogenase podem servir como valiosos biomarcadores do sangue no diagnóstico e tratamento dos TCG
- As neoplasias não TCG incluem tumores do cordão sexual-estroma gonadal e linfoma não Hodgkin, que é a neoplasia testicular mais comum em homens com mais de 60 anos.

Lesões da túnica vaginal

A túnica vaginal é uma superfície revestida por mesotélio externa ao testículo, que pode acumular líquido seroso (*hidrocele*), causando aumento considerável do escroto. Por meio de transiluminação, costuma ser possível definir o aspecto claro e translúcido do líquido contido. Raramente, podem surgir mesoteliomas malignos e neoplasias de ovário de tipo epitelial a partir da túnica vaginal.

A *hematocele* refere-se a uma coleção de sangue na túnica vaginal. Trata-se de uma condição incomum, geralmente encontrada após trauma ou torção do testículo, ou em indivíduos com distúrbios hemorrágicos sistêmicos. A *quilocele* refere-se ao acúmulo de linfa na túnica vaginal do testículo e quase sempre é encontrada em pacientes com elefantíase, que apresentam obstrução linfática grave e disseminada causada, por exemplo, por filariose (ver **Capítulo 8**). A *espermatocele* refere-se a um pequeno acúmulo cístico de sêmen nos ductos eferentes dilatados ou ductos da rede do testículo (*rete testis*). A *varicocele* é uma veia dilatada no funículo espermático. A varicocele pode ser assintomática, porém também tem sido implicada, em alguns homens, como fator que contribui para a infertilidade. Pode ser corrigido por reparo cirúrgico.

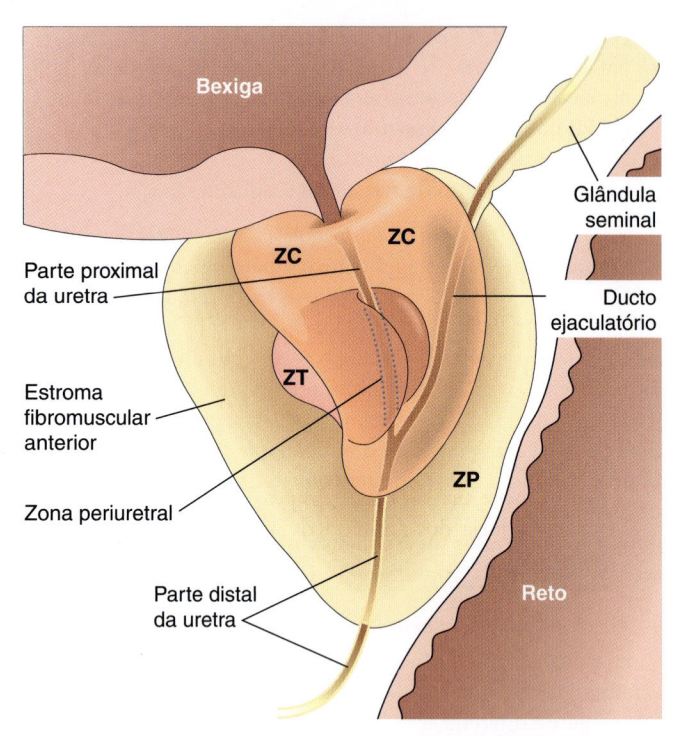

Figura 21.26 Próstata do adulto. A próstata normal contém várias regiões distintas, incluindo uma zona central (ZC), uma zona periférica (ZP), uma zona de transição (ZT) e uma zona periuretral. A maioria dos carcinomas surge a partir da zona periférica e pode ser palpável durante o exame retal. Em contrapartida, a hiperplasia prostática benigna surge a partir da zona de transição de localização mais central e, com frequência, produz obstrução urinária.

Próstata

A próstata é um órgão retroperitoneal que envolve o colo da bexiga e a uretra e que carece de cápsula distinta. No adulto normal, a próstata pesa cerca de 20 g e pode ser dividida em quatro regiões biológica e anatomicamente distintas: as zonas periférica, central, de transição e periuretral (**Figura 21.26**). Essas zonas correm risco de sofrer diferentes tipos de lesões proliferativas. Por exemplo, a maioria dos casos de hiperplasia surge na zona de transição, enquanto a maior parte dos carcinomas origina-se na zona periférica.

Do ponto de vista histológico, a próstata é composta por glândulas separadas por estroma fibromuscular abundante. As glândulas são revestidas por duas camadas de células: uma camada basal de epitélio basal cuboide baixo coberta por uma camada de células secretoras colunares (**Figura 21.27**), que frequentemente contém pequenas dobras papilares. Os androgênios testiculares controlam o crescimento e a sobrevivência das células prostáticas, e a castração leva à apoptose generalizada do epitélio prostático e atrofia da próstata.

Apenas três processos patológicos afetam a próstata com frequência suficiente para merecer uma discussão: inflamação, HPB e neoplasias. Dessas três, a HPB é a mais comum e ocorre tão frequentemente em homens idosos que ela quase pode ser considerada como parte "normal" do processo de envelhecimento. O carcinoma de próstata também é extremamente comum em homens idosos e constitui uma importante causa de morbidade e mortalidade. Iniciaremos nossa discussão com os processos inflamatórios.

Inflamação

A prostatite pode ser dividida em várias categorias, dependendo da causa, padrões de reação tecidual e evolução clínica:

- A *prostatite bacteriana aguda* costuma resultar de infecção por bactérias semelhantes àquelas que causam infecções do trato urinário. Por conseguinte, a maioria dos casos é causada por diversas cepas de *E. coli*, outros bacilos gram-negativos, enterococos e estafilococos. Em geral, os microrganismos alcançam a próstata por meio de refluxo de urina contaminada

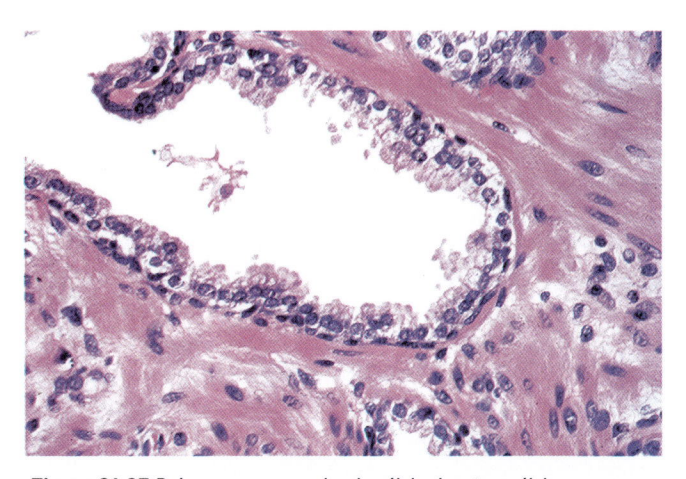

Figura 21.27 Próstata, com camadas de células basais e células secretoras.

da parte posterior da uretra ou bexiga; todavia, em certas ocasiões, focos distantes de infecção alcançam a próstata por meio das vias linfo-hematogênicas. Algumas vezes, ocorre prostatite após manipulação cirúrgica da uretra ou da própria próstata (p. ex., cateterização, cistoscopia ou dilatação uretral). Clinicamente, a prostatite bacteriana aguda está associada a febre, calafrios e disúria. Ao exame retal, a próstata apresenta-se consideravelmente hipersensível e edematosa. O diagnóstico pode ser estabelecido pela cultura de urina e pelas características clínicas. A biopsia de próstata está contraindicada na suspeita de prostatite aguda, visto que pode levar à sepse
- A *prostatite bacteriana crônica* costuma manifestar-se com dor lombar, disúria e desconforto perineal e suprapúbico, embora também possa ser assintomática. Com frequência, os pacientes apresentam um histórico de infecções recorrentes do trato urinário (cistite, uretrite) causadas pelo mesmo microrganismo. Como a maioria dos antibióticos penetra inadequadamente na próstata, as bactérias encontram um refúgio no parênquima e semeiam constantemente o trato urinário. O diagnóstico de prostatite bacteriana crônica depende da demonstração de leucocitose em secreções prostáticas e culturas bacterianas positivas. Os microrganismos implicados são os mesmos que os que causam prostatite aguda
- A *prostatite não bacteriana crônica*, que é a forma mais comum de prostatite, é com frequência designada clinicamente como *síndrome da dor pélvica crônica*. É indistinguível da prostatite bacteriana crônica em termos de sinais e sintomas, porém não há nenhuma história de infecção recorrente do trato urinário. As secreções prostáticas contêm mais de 10 leucócitos por campo de grande aumento, porém as culturas bacterianas são uniformemente negativas
- A *prostatite granulomatosa* pode ser causada por um agente infeccioso específico ou pode referir-se a um padrão de reação tecidual a estímulos não infecciosos. Nos EUA, a causa mais comum consiste na instilação de BCG para o tratamento do câncer de bexiga. Nesse contexto, o achado de granulomas na próstata não tem importância clínica e não exige nenhum tratamento. A prostatite granulomatosa fúngica é normalmente observada em hospedeiros imunocomprometidos. A prostatite granulomatosa inespecífica é relativamente comum e representa uma reação a secreções de ductos e ácinos prostáticos rompidos
- *Outras formas de prostatite.* Foi também descrita uma prostatite autoimune adenoviral e associada à IgG4 (ver **Capítulo 6**).

Aumento benigno

Hiperplasia prostática benigna

A HPB (também designada como hiperplasia nodular) é a doença prostática benigna mais comum em homens com mais de 50 anos. Cerca de 30% dos homens norte-americanos brancos nessa faixa etária apresentam sintomas moderados a graves de HPB, e são encontradas evidências histológicas de HPB em até 90% dos homens aos 80 anos. A HPB não é uma lesão pré-maligna.

Etiologia e patogênese

A di-hidrotestosterona (DHT) é o principal androgênio na próstata, onde é formado a partir da testosterona pela ação da 5α-redutase tipo 2 (**Figura 21.28A**). Essa enzima é expressa sobretudo nas células do estroma, mas não nas células epiteliais da próstata. A 5α-redutase tipo 1 é outra enzima que medeia a produção de

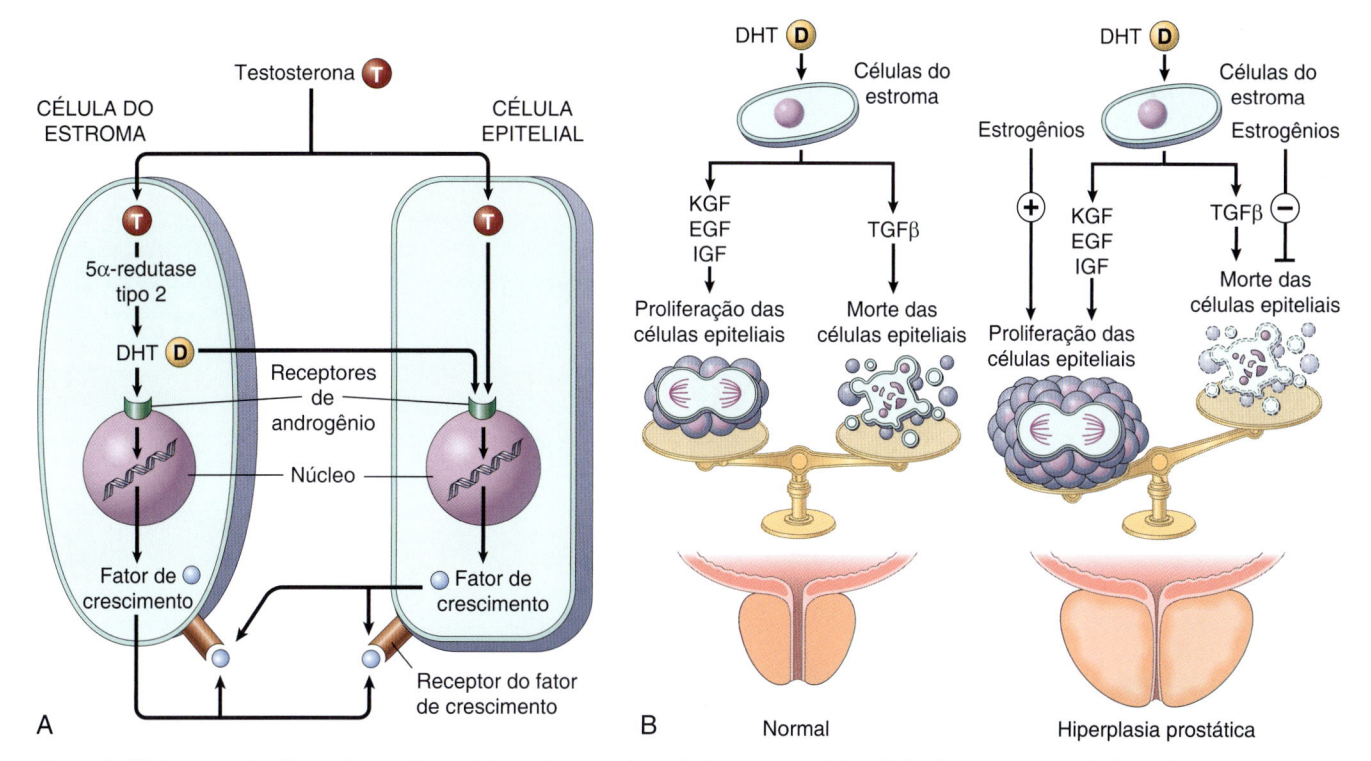

Figura 21.28 Esquema simplificado da patogênese da hiperplasia prostática. **A.** O papel central das células do estroma na produção de di-hidrotestosterona (*DHT*) é apresentado. A DHT também pode ser produzida na pele e no fígado pela 5α-redutase tipos 1 e tipo 2. **B.** A contribuição do estrogênio em inclinar o equilíbrio a favor da proliferação em relação à morte celular é ilustrada. *EGF*, fator de crescimento epidérmico; *IGF*, fatores de crescimento semelhantes à insulina; *KGF*, fator de crescimento do queratinócito; *TGF*β, fator de crescimento transformador β.

DHT a partir da testosterona em locais extraprostáticos (p. ex., fígado e pele) e proporciona uma fonte adicional de DHT que alcança a próstata por meio do sangue.

A DHT liga-se aos receptores de androgênios (AR) encontrados nas células prostáticas do estroma e epiteliais, ativando-os. A DHT é mais potente do que a testosterona, visto que tem maior afinidade pelos AR e forma um complexo mais estável com eles. A ligação da DHT aos AR os transloca do citoplasma para o núcleo e ativa a transcrição de genes dependentes de androgênio, que codificam vários fatores de crescimento e seus receptores. Entre os fatores suprarregulados, os mais importantes são membros da família do fator de crescimento dos fibroblastos (FGF) e o fator de crescimento transformador (TFG) β (ver **Capítulo 3**). Os FGF, produzidos por células do estroma, são reguladores parácrinos do crescimento epitelial estimulado por androgênio durante o desenvolvimento embrionário da próstata, e algumas dessas vias podem ser "reativadas" na vida adulta para produzir o crescimento da próstata na HPB. O TGFβ serve como agente mitogênico para os fibroblastos e outras células mesenquimais, porém inibe a proliferação epitelial. Embora a causa final da HPB seja desconhecida, acredita-se que os fatores de crescimento induzidos pela DHT atuem aumentando a proliferação das células do estroma e diminuindo a morte das células epiteliais.

Embora seja reconhecido que os androgênios desempenham um papel permissivo na patogênese da HPB, múltiplas linhas de evidências também sustentam um papel para os estrogênios. Duas formas diferentes de receptor de estrogênio (ER), o ERα e o ERβ, têm, respectivamente, efeitos proliferativos e antiproliferativos opostos sobre as células prostáticas. Os efeitos dos estrogênios sobre a próstata estão associados a múltiplos mecanismos, como apoptose, expressão da aromatase e regulação parácrina pela prostaglandina E_2. Por conseguinte, os estrogênios contribuem para a patogênese da HPB ao inclinar a balança no sentido da proliferação celular (**Figura 21.28B**).

> ### Morfologia
>
> Na HPB, o peso da próstata aumenta frequentemente de três a cinco vezes (60 a 100 g), e em alguns casos pode-se observar um aumento ainda maior. A HPB afeta a zona de transição e, portanto, pode invadir a uretra, comprimindo-a até formar um orifício semelhante a uma fenda (**Figura 21.29A**). Em corte transversal, são observados nódulos hiperplásicos que variam de cor e consistência, dependendo de seu conteúdo celular (**Figura 21.29B**). Os nódulos que contêm principalmente glândulas são rosa-amarelados e moles e exsudam um líquido prostático branco leitoso. Os nódulos compostos sobretudo de estroma fibromuscular são cinza pálidos e firmes.
>
> No exame microscópico, os nódulos individuais contêm glândulas de pequenas a grandes a cisticamente dilatadas, que são separadas por células fusiformes do estroma. As glândulas são revestidas por duas camadas de células, uma camada interna de células colunares secretoras e uma camada externa de epitélio basal cuboide ou plano (**Figura 21.29C**), e a formação de dobras das glândulas pode produzir uma arquitetura papilar. Em glândulas com acentuado aumento, o comprometimento do suprimento vascular pode gerar infartos prostáticos, que podem apresentar áreas adjacentes de metaplasia escamosa.

Características clínicas

Os principais sintomas da HPB são resultantes da obstrução urinária causada pelo aumento da próstata e contração do

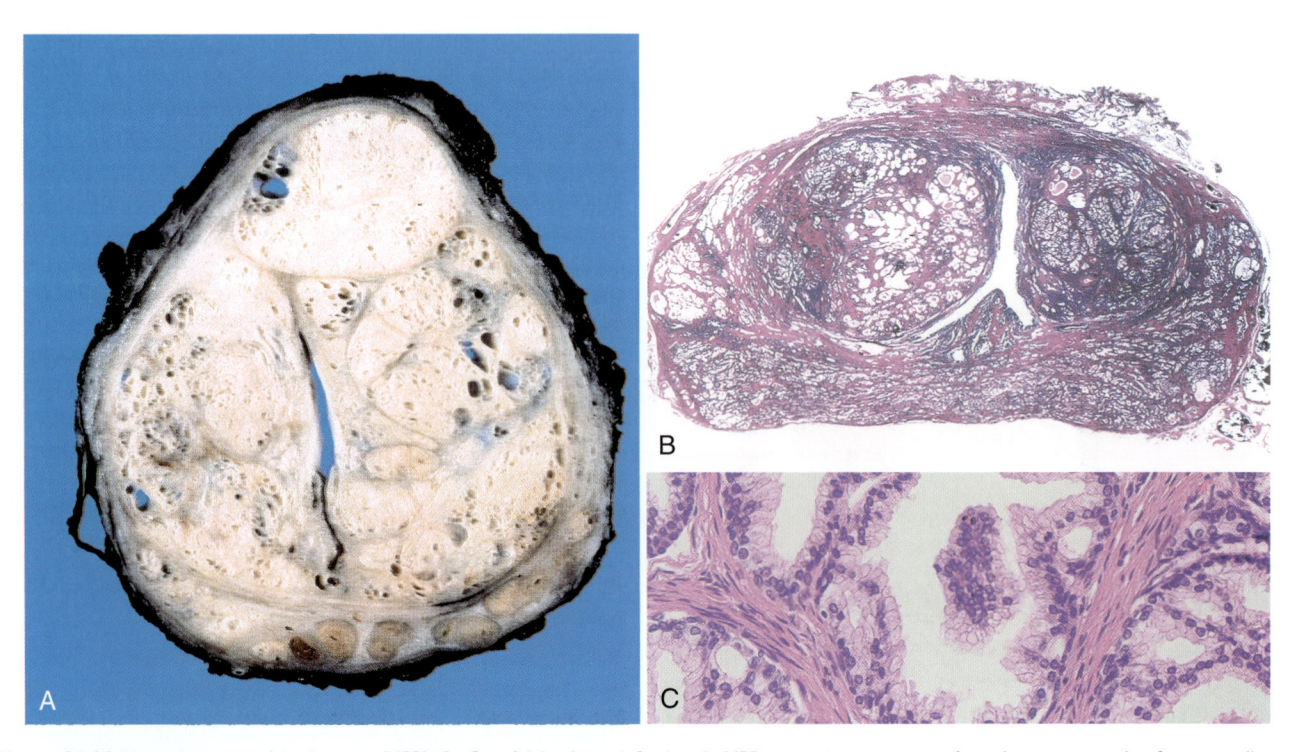

Figura 21.29 Hiperplasia prostática benigna (HPB). **A.** Os nódulos bem definidos da HPB comprimem a uretra, fazendo com que a luz fique semelhante a uma fenda. **B.** Fotomicrografia de uma preparação de próstata mostrando nódulos das glândulas hiperplásicas em ambos os lados da uretra. **C.** Na fotomicrografia de grande aumento, observa-se um nódulo composto de glândulas hiperplásicas com dobras epiteliais papilares.

estroma mediada pelo músculo liso. O aumento da resistência ao fluxo urinário leva à hipertrofia e distensão da bexiga, acompanhadas de retenção urinária. A incapacidade de esvaziar a bexiga por completo cria um volume residual de urina, que constitui uma fonte comum de infecção. Os pacientes apresentam aumento da frequência urinária, nictúria, dificuldade em iniciar e interromper o jato de urina, gotejamento por transbordamento e disúria (micção dolorosa) e correm risco aumentado de desenvolver infecções bacterianas da bexiga e dos rins. Em muitos casos, ocorre retenção urinária aguda e súbita, que exige cateterização de emergência para alívio.

A HPB sintomática é, em geral, tratada clinicamente com bloqueadores alfa-adrenérgicos e inibidores da 5α-redutase. Os bloqueadores alfa-adrenérgicos diminuem o tônus do músculo liso da próstata pela inibição dos receptores α_1-adrenérgicos, enquanto os inibidores da 5α-redutase favorecem a redução da próstata por diminuir a síntese de DHT. Para os casos moderados a graves resistentes à terapia clínica, existe uma ampla variedade de procedimentos invasivos. A ressecção transuretral da próstata (RTUP) foi, durante muito tempo, o padrão-ouro de tratamento, porém foram desenvolvidos procedimentos alternativos para destruir o tecido prostático em excesso, com menor morbidade e custos mais baixos. Esses procedimentos incluem ultrassom focalizado de alta intensidade (HIFU), terapia com *laser*, hipertermia, eletrovaporização transuretral e ablação por radiofrequência.

Conceitos-chave
Hiperplasia prostática benigna

- A HPB caracteriza-se pela proliferação de elementos estromais e glandulares benignos. A DHT, um androgênio derivado da testosterona, constitui o principal estímulo hormonal para a proliferação
- A HPB afeta mais comumente a zona periuretral interna e a zona de transição da próstata, produzindo nódulos que comprimem a parte prostática da uretra
- Os sinais e sintomas clínicos estão relacionados com a obstrução urinária, que também predispõe a infecções recorrentes do trato urinário
- O tratamento clínico baseia-se em bloqueadores alfa-adrenérgicos e inibidores da 5α-redutase, que diminuem o tônus do músculo liso prostático e inibem a produção de DHT, respectivamente.

Neoplasias

Adenocarcinoma

Nos EUA, o adenocarcinoma de próstata é a forma mais comum de câncer em homens, com estimativa de 174.650 novos casos em 2019, representando 20% de todos os cânceres em indivíduos do sexo masculino. O câncer de próstata é a segunda causa de morte entre os cânceres em homens, ultrapassado apenas pelo câncer de pulmão. O comportamento biológico do câncer de próstata abrange desde cânceres "histológicos" (com diagnóstico histológico de câncer, mas clinicamente insignificantes) até tumores agressivos rapidamente fatais. Trata-se, em grande parte, de uma doença do envelhecimento. Com base em estudos de necropsia, a incidência do câncer de próstata aumenta de 20% em homens na quinta década de vida para até cerca de 70% em homens entre 70 e 80 anos.

Epidemiologia e patogênese. Uma interação entre exposições ambientais e fatores genéticos herdados contribui para as notáveis diferenças observadas na incidência do câncer de próstata em várias regiões geográficas (ver **Capítulo 7**). Por exemplo, a incidência de câncer de próstata em indivíduos de ascendência japonesa que vivem nos EUA é substancialmente maior que em japoneses que vivem no Japão, mas também é de apenas cerca de 50% da incidência relatada em afro-americanos. Conforme explicado adiante, alguns fatores genéticos parecem aumentar o risco, devido a efeitos intrínsecos sobre o epitélio prostático, enquanto outros podem atuar ao modificar o risco associado às exposições ambientais. Além disso, como se pode esperar de um órgão sensível a androgênios, os androgênios e a função dos AR desempenham um papel central no desenvolvimento, na progressão e no tratamento do câncer de próstata.

Fatores ambientais. Foi formulada a hipótese de que a exposição a carcinógenos, estrogênios e oxidantes provoca dano ao epitélio da próstata, preparando o terreno para a aquisição de alterações genéticas e epigenéticas que levam ao desenvolvimento do câncer (**Figura 21.30**). De modo geral, a "dieta ocidental" é suspeita, tendo em vista a incidência relativamente alta do câncer de próstata nos EUA, na América do Sul, na Europa Ocidental e na Austrália. Um componente da dieta capaz de contribuir para o risco sugerido por estudos epidemiológicos e em modelos animais é o consumo de carnes vermelhas na brasa e gorduras animais, o que leva à formação de aminas aromáticas heterocíclicas e hidrocarbonetos aromáticos policíclicos carcinogênicos. Estas e outras exposições dietéticas podem criar estresse oxidativo no epitélio prostático, levando à lesão celular e à inflamação. Uma evidência que liga essas exposições ao desenvolvimento do câncer de próstata é a observação de que polimorfismos na glutationa-S-transferase (*GSTP1*), uma enzima envolvida na destoxificação de hidrocarbonetos policíclicos aromáticos, estão ligados ao risco de câncer de próstata.

Fatores genéticos herdados. Estudos em gêmeos e famílias respaldam a existência de fatores de predisposição genética relevantes na doença. Os homens com parentes de primeiro grau afetados pela doença correm risco duas vezes maior, e foram identificadas numerosas variantes de linhagem germinativa que estão associadas a um risco. Entre as variantes relativamente comuns que conferem um aumento modesto do risco, destacam-se as variantes em regiões regulatórias que influenciam a expressão do *MYC,* um importante oncogene no câncer de próstata. Foram identificadas outras variantes raras, que estão associadas a um alto risco de doença agressiva de início precoce. Entre elas estão mutações que impedem a função de vários genes de reparo do DNA, como mutações de perda de função no *BRCA2* (necessário para o reparo por recombinação homóloga) e em genes de reparo de mau pareamento do DNA (como parte da síndrome de Lynch; ver **Capítulo 17**). Foi também descrita uma variante no gene que codifica o fator de transcrição HOXB13, que desempenha um papel no desenvolvimento da próstata durante a embriogênese, cuja presença está associada a um aumento de várias vezes no risco.

no efeito terapêutico da castração ou do tratamento com antiandrogênios, que costumam induzir regressão da doença. Infelizmente, a maioria das neoplasias finalmente torna-se resistente ao bloqueio androgênico. As neoplasias escapam por meio de uma variedade de mecanismos, como aquisição de hipersensibilidade a baixos níveis de androgênio (p. ex., por meio de amplificação do gene do AR); ativação do AR independente do ligante (p. ex., por meio de variantes *splice* que carecem do domínio de ligação do ligante); mutações em AR que possibilitam sua ativação por ligantes não androgênicos; e outras mutações ou alterações epigenéticas que ativam vias de sinalização alternativas e escapam da necessidade do AR.

Alterações genéticas e epigenéticas adquiridas. À semelhança de outros tipos de câncer, o câncer de próstata é causado por alterações genéticas e epigenéticas que modificam a expressão dos genes supressores de tumor e oncogenes, levando, em última análise, à aquisição das características essenciais do câncer (ver **Capítulo 7**). **A alteração genética mais comum na próstata consiste em um rearranjo cromossômico que se justapõe à sequência de codificação de um gene do fator de transcrição da família ETS (mais comumente *ERG* ou *ETV1*), próximo ao promotor *TMPRSS2* regulado por androgênios.** Esses rearranjos, que ocorrem em cerca da metade dos cânceres de próstata, colocam o oncogene ETS envolvido sob o controle do promotor *TMPRSS2* regulado por androgênio e levam à sua superexpressão de maneira dependente de androgênios. O silenciamento do gene que codifica p27, um inibidor de quinases dependentes de ciclina, constitui outro evento comum. O sequenciamento do DNA demonstrou muitos outros rearranjos genômicos recorrentes, sobretudo deleções e amplificações, que envolvem outros genes de câncer no carcinoma de próstata. Entre eles estão a amplificação do *MYC* e a deleção do *PTEN*, que aceleram o crescimento celular e que podem contribuir para a resistência à terapia com antiandrogênios. Na doença em estágio avançado, a perda do *TP53* (por deleção ou mutação) e as deleções de *RB* são comuns, assim como amplificações do gene AR.

Os eventos epigenéticos que modificam a expressão gênica também são comuns no câncer de próstata. Pesquisas realizadas como parte do projeto The Cancer Genome Atlas identificaram vários subgrupos distintos de cânceres de próstata, que são definidos por diferenças na metilação do DNA. Um evento precoce particularmente frequente é o silenciamento epigenético por metilação do DNA do gene *GSTP1*, que infrarregula a expressão do *GSTP1*, aumentando possivelmente os efeitos genotóxicos de carcinógenos ambientais. Outros genes silenciados por modificações epigenéticas em um subgrupo de cânceres de próstata incluem genes envolvidos na regulação do ciclo celular (*RB*, *CDKN2A*), na manutenção da instabilidade genômica (*MLH1*, *MSH2*) e na sinalização Wnt (*APC*). As alterações genéticas e epigenéticas relevantes e cumulativas durante o desenvolvimento e a progressão do câncer de próstata estão ilustradas na **Figura 21.30**.

Lesões precursoras. As evidências a favor do desenvolvimento sequencial do câncer de próstata (conforme delineado na **Figura 21.30**) incluem a existência de uma suposta lesão precursora, a *neoplasia intraepitelial prostática (NIP)*. O papel precursor da NIP, em pelo menos alguns casos de câncer de próstata, é respaldado por várias observações. Tanto a NIP quanto o câncer normalmente predominam na zona periférica e são relativamente incomuns em outras zonas, e as próstatas que contêm câncer apresentam maior

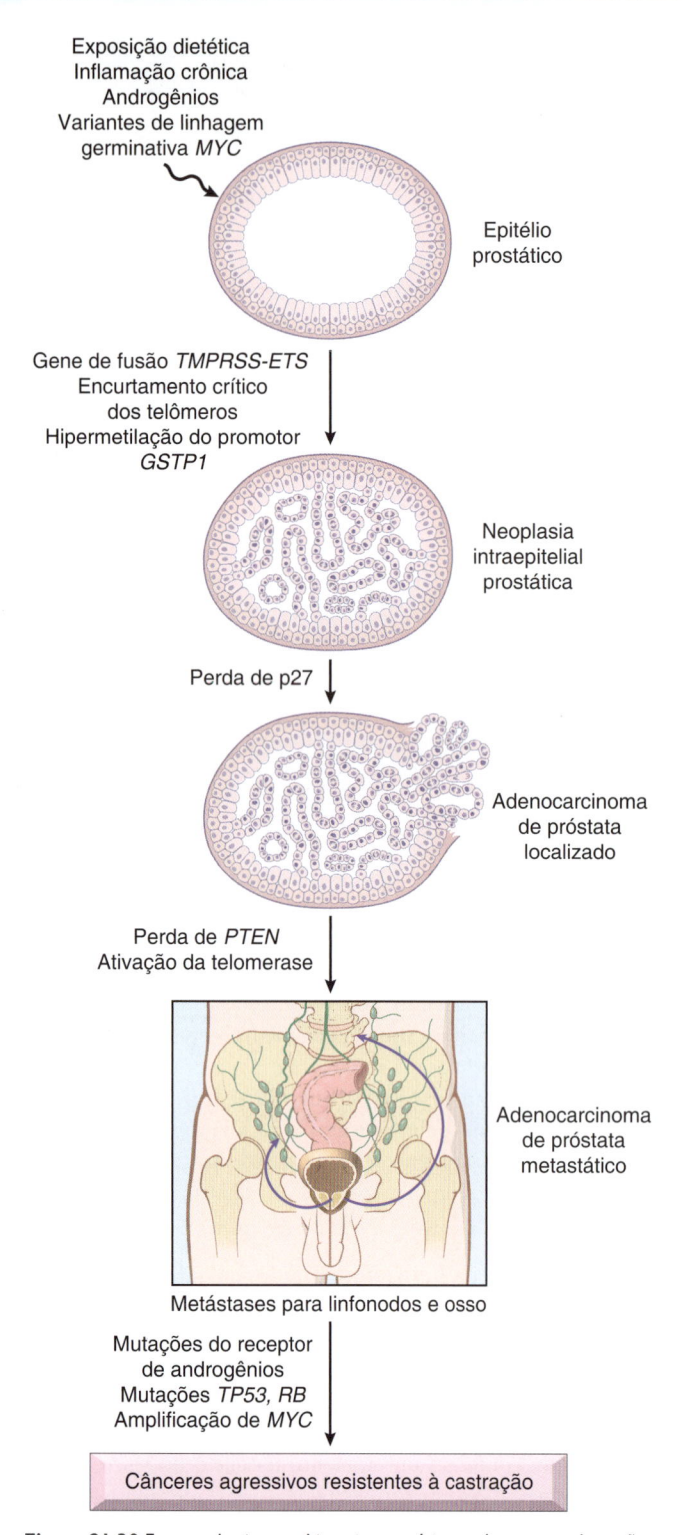

Figura 21.30 Fatores de risco ambientais e genéticos relevantes e alterações genéticas e epigenéticas adquiridas que levam ao desenvolvimento e progressão do câncer de próstata.

Androgênios. À semelhança de seus correspondentes normais, o crescimento e a sobrevida das células no câncer de próstata dependem de androgênios, que se ligam ao AR e induzem a expressão de genes pró-crescimento e pró-sobrevida. A importância dos androgênios na manutenção do crescimento e sobrevida das células do câncer de próstata pode ser observada

frequência e maior extensão da NIP, que frequentemente é observada próxima ao câncer. De forma mais direta, muitas das alterações moleculares observadas em cânceres invasivos também estão presentes na NIP, sustentando fortemente o argumento de que a NIP é um precursor.

Morfologia

Quando se utiliza o termo *câncer de próstata* sem qualificação, ele se refere à variante comum ou acinar do adenocarcinoma de próstata. Em cerca de 70% dos casos, o carcinoma de próstata surge na zona periférica da glândula, normalmente em localização posterior e palpável ao exame retal. De maneira característica, em corte transversal, o tecido neoplásico é áspero e firme à palpação; entretanto, sua visualização é, algumas vezes, extremamente difícil (**Figura 21.31**). No exame histológico, a maioria dos adenocarcinomas consiste em glândulas dispostas em padrões bem definidos e facilmente reconhecidos, que são utilizados para classificar essas neoplasias (ver adiante). As glândulas normalmente são menores do que as glândulas benignas e são revestidas por uma única camada uniforme de epitélio cuboide ou colunar baixo. Diferentemente das glândulas benignas, as glândulas malignas apresentam células densamente aglomeradas e caracterizam-se pela ausência de ramificações e dobras papilares. **A camada externa de células basais típica das glândulas benignas está ausente.** O citoplasma das células neoplásicas varia de pálido claro até um aspecto anfofílico distinto. Os núcleos estão aumentados e, com frequência, contêm um ou mais nucléolos grandes. Observa-se alguma variação no tamanho e no formato dos núcleos, porém em geral o pleomorfismo não é acentuado. As figuras mitóticas são raras.

Quando ocorre invasão local, o câncer de próstata costuma afetar o tecido periprostático, as glândulas seminais e a base da bexiga urinária, o que, na doença avançada, pode provocar obstrução ureteral. As metástases disseminam-se por via linfática até os linfonodos obturatórios e, por fim, até os linfonodos paraórticos. **A disseminação hematogênica ocorre sobretudo para os ossos,** em particular para o esqueleto axial. Normalmente, as metástases ósseas são osteoblásticas, uma característica que, nos homens, indica fortemente uma origem prostática (**Figura 21.32**). Os ossos mais comumente afetados, por ordem decrescente de frequência, são a coluna lombar, a parte proximal do fêmur, a pelve, a coluna torácica e as costelas. As neoplasias também podem se disseminar para as vísceras, porém a disseminação visceral extensa representa mais a exceção do que a regra.

O diagnóstico de câncer de próstata em amostras de biopsia pode representar um desafio, devido a vários fatores. Com frequência, existe apenas uma quantidade escassa de tecido disponível para exame histológico em biopsias por agulha, e as glândulas malignas podem ser misturadas com numerosas glândulas benignas (**Figura 21.33**). Além disso, os achados histológicos podem ser sutis (levando a um subdiagnóstico), e existem mimetizadores benignos de câncer, que podem levar a um diagnóstico incorreto. Alguns achados são específicos, como invasão perineural (**Figura 21.34**); todavia, em geral, o diagnóstico é estabelecido com base em uma constelação de achados arquiteturais, citológicos e auxiliares. Conforme já discutido, uma característica diferencial é o fato de que as glândulas benignas contêm células basais, que estão ausentes no câncer (compare as glândulas normais benignas na **Figura 21.33A** e as glândulas hiperplásicas benignas na **Figura 21.29C** com as glândulas cancerosas na **Figura 21.33B**).

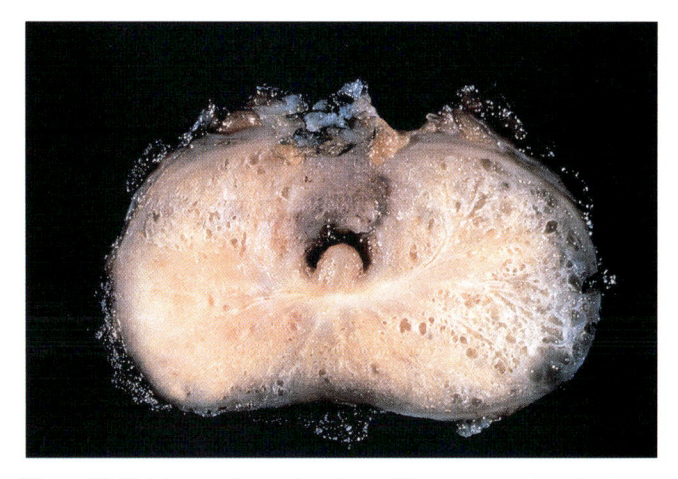

Figura 21.31 Adenocarcinoma de próstata. Observa-se uma área do câncer na face posterior (*parte inferior à esquerda*) com aparência branco-acinzentada sólida, diferentemente da aparência esponjosa da zona periférica benigna no lado contralateral.

Essa distinção pode ser destacada com o uso de vários marcadores imuno-histoquímicos para coloração basocelular. Outro marcador útil é a α-metilacil coenzima A racemase (AMACR), que está suprarregulada no câncer de próstata. A maioria dos cânceres de próstata é positiva para AMACR, com sensibilidade que varia, entre os estudos, de 82 a 100%. Esses marcadores, apesar de melhorar a acurácia do diagnóstico, ainda estão sujeitos a resultados falso-positivos e falso-negativos e precisam ser utilizados com cortes de rotina corados pela hematoxilina e eosina.

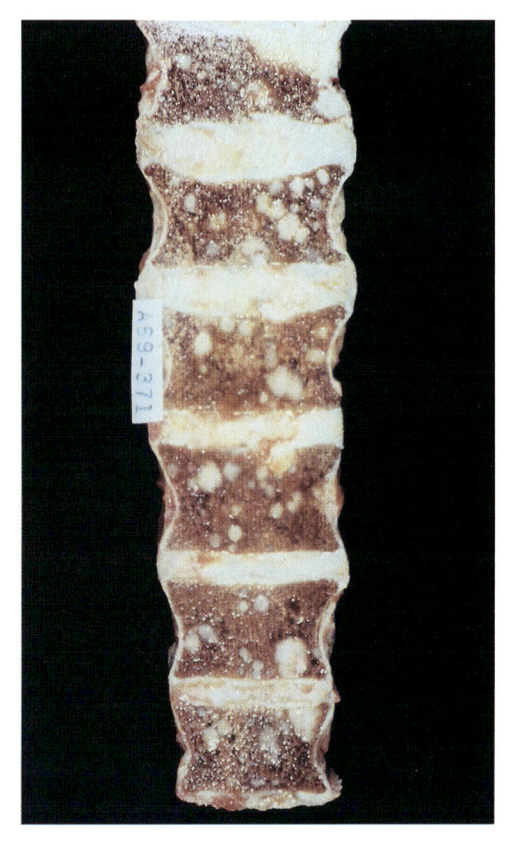

Figura 21.32 Carcinoma de próstata osteoblástico metastático dentro de corpos vertebrais.

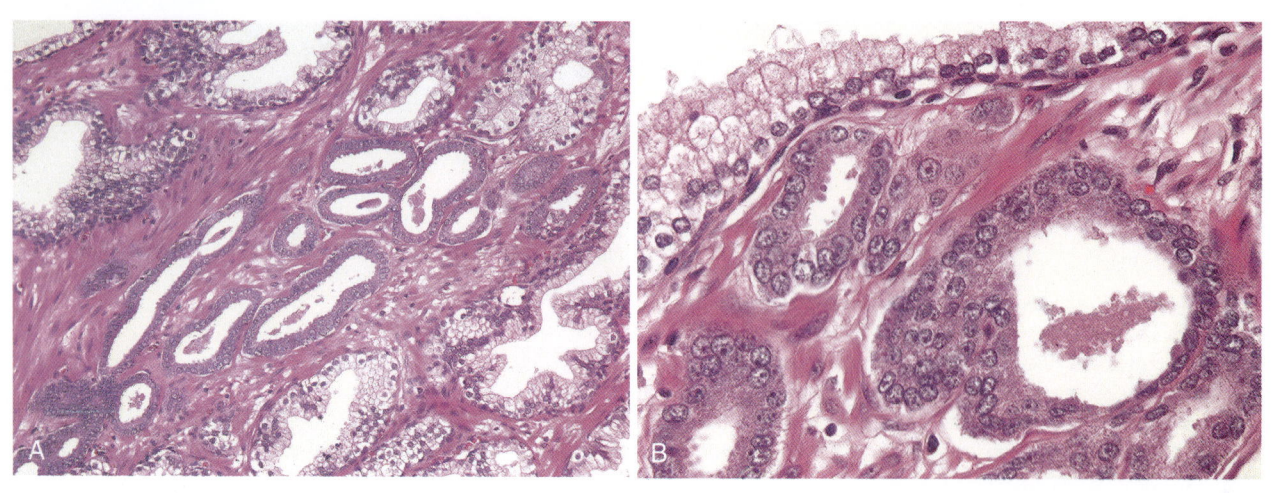

Figura 21.33 Adenocarcinoma de próstata. **A.** Fotomicrografia de pequeno aumento de adenocarcinoma de próstata mostrando pequenas glândulas aglomeradas entre glândulas benignas maiores. **B.** Aumento maior mostrando várias glândulas malignas pequenas com núcleos aumentados, nucléolos proeminentes e citoplasma escuro, em comparação com a glândula benigna maior (*parte superior*).

Conforme já discutido, em cerca de 80% dos casos, o tecido prostático removido devido à presença de carcinoma também abriga a **neoplasia intraepitelial prostática (NIP)**, que, em sua arquitetura, consiste em grandes ácinos prostáticos ramificados e benignos, revestidos por células atípicas com nucléolos proeminentes, que podem ser citologicamente idênticas ao carcinoma. Diferentemente das glândulas malignas, as glândulas afetadas por NIP conservam, pelo menos em parte, uma camada de células basais e uma membrana basal intacta.

Grau e estadiamento. **O grau e o estágio constituem os fatores prognósticos de maior importância no câncer de próstata.** A determinação do grau é realizada com o sistema de Gleason, que estratifica o câncer de próstata em cinco graus, com base nos padrões glandulares de crescimento. O grau 1 corresponde às neoplasias bem diferenciadas, em que as glândulas neoplásicas apresentam aspecto uniforme e redondo e estão agrupadas em nódulos bem circunscritos (**Figura 21.35A**). Em contrapartida, as neoplasias de grau 5 não apresentam glândulas, e as células neoplásicas infiltram o estroma em cordões, lâminas e ninhos sólidos (**Figura 21.35C**). Outros graus estão situados entre esses extremos (**Figura 21.35B**). A maioria das neoplasias contém mais de um padrão; nesses casos, atribui-se um grau primário ao padrão dominante, e estabelece-se um grau secundário para o segundo padrão mais frequente. Os dois graus numéricos são então adicionados para obter uma pontuação combinada de Gleason. As neoplasias que apresentam apenas um padrão são tratadas como se seus graus primário e secundário fossem os mesmos, de modo que o número é duplicado para obter a pontuação. A maioria dos cânceres detectados em biopsia por agulha como resultado de rastreamento apresentam uma pontuação de Gleason de 6 ou 7. As neoplasias com pontuações de Gleason de 8 a 10 tendem a ser cânceres avançados, com menos probabilidade de cura. Embora haja algumas evidências de que os cânceres de próstata podem se tornar mais agressivos com o tempo, é comum que a pontuação de Gleason permaneça estável por um período de vários anos. Atualmente, as pontuações de Gleason são combinadas em cinco grupos de graus (**Tabela 21.8**), cada uma com um prognóstico diferente.

Figura 21.34 Carcinoma de próstata mostrando a invasão perineural pelas glândulas malignas. Compare com a glândula benigna (*à esquerda*).

Tabela 21.8 Grupos de grau de Gleason do câncer de próstata.

- Grupo de grau 1 (≤ 6)
  Apenas glândulas bem formadas, distintas e individuais
- Grupo de grau 2 (3 + 4)
  Glândulas predominantemente bem formadas, com menor componente de glândulas malformadas, fundidas ou cribriformes
- Grupo de grau 3 (4 + 3)
  Glândulas predominantemente malformadas/fundidas/cribriformes com menor componente de glândulas bem formadas
- Grupo de grau 4 (4 + 4/3 + 5/5 + 3)
  Apenas glândulas malformadas/fundidas/cribriformes ou predominantemente mistura de glândulas bem formadas e ausência de glândulas
- Grupo de grau 5 (4 + 5/5 + 4/5 + 5)
  Ausência de formação de glândulas (ou com necrose), com ou sem glândulas malformadas/fundidas/cribriformes

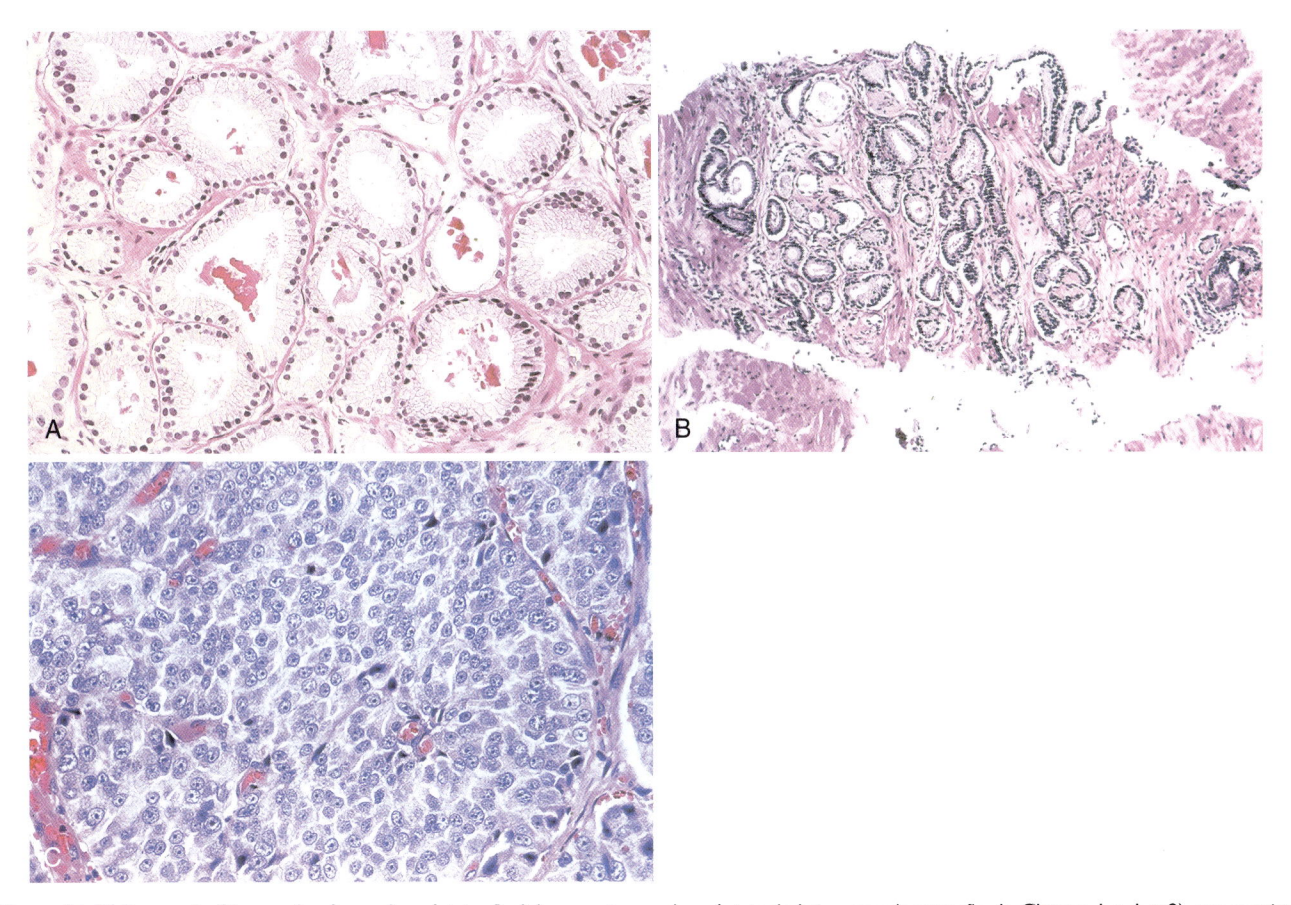

Figura 21.35 Escore de Gleason do câncer de próstata. **A.** Adenocarcinoma de próstata de baixo grau (pontuação de Gleason 1 + 1 = 2), que consiste em glândulas malignas consecutivas de tamanho uniforme, revestidas por uma única camada de células epiteliais. **B.** Biopsia por agulha da próstata com adenocarcinoma do grupo 1 (pontuação de Gleason 3 + 3 = 6), composto de glândulas individuais bem formadas e de tamanho variável. **C.** Adenocarcinoma do grupo 5 (pontuação de Gleason 5 + 5 = 10), composto de lâminas de células malignas sem formação de glândulas identificáveis.

Tabela 21.9 Estadiamento patológico do adenocarcinoma de próstata utilizando o sistema pTNM.

pTNM, AJCC 8ª edição	
Designação pTNM	**Achados anatômicos**
Extensão do tumor primário (T)	
pT2	Confinado ao órgão
pT3	Extensão extraprostática
pT3a	Extensão extraprostática (unilateral ou bilateral) ou invasão microscópica do colo da bexiga
pT3b	O tumor invade as glândulas seminais
pT4	O tumor é fixo e invade estruturas adjacentes além das glândulas seminais, como esfíncter externo, reto, bexiga, músculos levantadores ou parede pélvica
Definição de linfonodos regionais (N)	
Nx	Linfonodos regionais não acessados
N0	Ausência de metástases para linfonodos regionais
N1	Metástase em linfonodos regionais
Definição de metástases a distância (M)	
M0	Ausência de metástases a distância
M1	Presença de metástases a distância
M1a	Metástases para linfonodos a distância
M1b	Metástases ósseas
M1c	Outros locais distantes

AJCC, American Joint Commission on Cancer.

O estadiamento patológico do câncer de próstata é utilizado em combinação com o grau para estratificar o tratamento do câncer de próstata. Como mostra a **Tabela 21.9**, o estadiamento pTNM baseia-se na extensão do tumor (T) e na presença de metástases para linfonodos ou a distância (N e M). O grau é agora integrado com os dados do estágio patológico TNM para obter grupos de prognóstico combinados, resultando em "supraestadiamento" de algumas neoplasias.

Características clínicas

O câncer de próstata localizado é assintomático e costuma ser descoberto pela detecção de um nódulo suspeito ao exame retal ou pela presença de níveis séricos elevados de antígeno prostático específico (PSA) (ver adiante). O toque retal pode detectar alguns carcinomas de próstata iniciais, devido à sua localização posterior, porém o exame apresenta baixa sensibilidade e especificidade. Os pacientes com câncer de próstata clinicamente avançado podem apresentar sintomas de obstrução urinária. Normalmente, é necessária uma biopsia transretal por agulha para confirmar o diagnóstico.

A medição dos níveis séricos de PSA é amplamente utilizada para auxiliar no diagnóstico e tratamento do câncer de próstata, embora seja controversa. O PSA é um produto do epitélio prostático que costuma ser secretado no sêmen. Trata-se de uma serina protease regulada por androgênio, cuja função é clivar e liquefazer o coágulo seminal formado após a ejaculação. Em homens normais, apenas quantidades mínimas de PSA circulam no soro.

Ocorrem níveis sanguíneos elevados de PSA em associação ao câncer localizado, bem como avançado. Entretanto, como rastreamento para o câncer de próstata, a medição do PSA apresenta sensibilidade e especificidade subótimas. O PSA é específico de órgão, porém não específico de câncer. Embora os níveis séricos de PSA estejam elevados, em média, em menor extensão nos pacientes com HPB do que naqueles com câncer de próstata, observa-se uma considerável sobreposição nesses dois grupos de pacientes. Outros fatores também aumentam os níveis séricos de PSA, como prostatite, infarto da próstata (p. ex., no contexto da HPB), instrumentação da próstata e ejaculação. Ainda mais preocupante é o fato de que muitos cânceres de próstata são tão indolentes que são clinicamente insignificantes, e a detecção desses cânceres pode levar a um tratamento excessivo, com sua morbidade e custos econômicos associados. Devido a essas preocupações, alguns países com sistemas nacionais de cuidados de saúde (p. ex., o Reino Unido) recomendaram não utilizar o PSA como teste de rastreamento. Por outro lado, uma vez estabelecido o diagnóstico de câncer de próstata, as medições seriadas do PSA após o tratamento têm valor bem definido no monitoramento da recorrência e progressão da doença.

Após o diagnóstico de câncer de próstata, o próximo desafio é determinar se o câncer é de importância biológica, isto é, um câncer com probabilidade de progressão local ou formação de metástase. Além do grau do tumor, foram recentemente desenvolvidos vários testes genômicos que utilizam painéis de genes, que podem aumentar a capacidade de prever que tipos de câncer (p. ex., grupo de grau 1 de baixo volume) podem ser acompanhadas apenas por meio de vigilância ativa. Os pacientes com câncer de próstata localizado, que é considerado de alto risco para disseminação local e sistêmica, são tratados com cirurgia ou radioterapia, com ou sem manipulação hormonal. Em mais de 90% dos pacientes submetidos a essa terapia, pode-se ter uma expectativa de sobrevida de 15 anos. Atualmente, o tratamento mais comum consiste em prostatectomia radical. O prognóstico após prostatectomia radical baseia-se no estágio patológico, no estado das margens e no grau de Gleason. Para pacientes que não são candidatos à cirurgia, devido à idade ou a outras condições médicas, a radioterapia com feixe externo ou a colocação de sementes radioativas na próstata (braquiterapia) frequentemente proporciona um excelente controle local da doença.

O carcinoma metastático é tratado com terapia de privação androgênica. A privação de androgênio costuma ser obtida por orquiectomia ou pela administração de análogos sintéticos do hormônio de liberação do hormônio luteinizante (LHRH); a administração crônica de agonistas do LHRH dessensibiliza as células hipofisárias que expressam receptores de LHRH, suprimindo a liberação de hormônio luteinizante (LH), que é necessário para a produção de testosterona pelas células de Leydig. Embora a terapia de privação androgênica induza remissões, a maioria das neoplasias torna-se finalmente resistente à retirada da testosterona, um evento que é um indicador de progressão da doença e morte.

Conceitos-chave
Carcinoma de próstata

- O carcinoma de próstata é muito comum em homens idosos. Nos EUA, trata-se da neoplasia maligna mais comum em homens
- Os carcinomas de próstata variam desde lesões muito indolentes, que estão sendo cada vez mais tratadas por meio de vigilância ativa, até uma doença letal, que exige terapia definitiva
- Os carcinomas de próstata surgem mais comumente na zona periférica externa da glândula e podem ser palpáveis por toque retal
- As mutações condutoras mais comuns no câncer de próstata consistem em rearranjos de genes que resultam na superexpressão dependente de androgênio de fatores de transcrição da família Ets, mais comumente ERG ou ETV1
- A determinação do grau do câncer de próstata pelo sistema de Gleason correlaciona-se fortemente com o estágio patológico e é um importante fator prognóstico. O sistema é reduzido em grupos de graus, que também influenciam o estágio prognóstico combinado do tumor
- Os cânceres localizados são, em sua maioria, clinicamente silenciosos e são detectados por monitoramento de rotina das concentrações de PSA em homens idosos. As metástases ósseas, frequentemente osteoblásticas, caracterizam o câncer de próstata avançado
- A medição do nível sérico de PSA é um teste útil para o rastreamento de câncer, porém imperfeito, com taxas significativas de resultados falso-negativos e falso-positivos. A avaliação das concentrações de PSA após tratamento tem grande valor no monitoramento da doença progressiva ou recorrente

Tumores diversos

Os adenocarcinomas de próstata também podem surgir a partir dos ductos prostáticos. O *adenocarcinoma ductal*, que surge nos ductos periféricos, pode se manifestar de modo semelhante ao câncer de próstata comum, enquanto os que surgem nos ductos periuretrais maiores podem apresentar sinais e sintomas semelhantes ao câncer urotelial, causando hematúria e sintomas obstrutivos urinários. Os adenocarcinomas ductais estão associados a um prognóstico relativamente sombrio. Os cânceres de próstata podem exibir diferenciação escamosa, seja após terapia hormonal ou *de novo*, resultando em câncer adenoescamoso ou escamoso puro. Os cânceres de próstata que apresentam secreções mucinosas abundantes em mais de 25% do tumor são denominados *carcinoma coloide da próstata*.

A variante mais agressiva do câncer de próstata é o *carcinoma de pequenas células* (também conhecido como carcinoma neuroendócrino). Quase todos os casos de carcinoma de pequenas células são rapidamente fatais. Esse câncer, cuja frequência está aumentando, é observado mais frequentemente como forma de doença recorrente em pacientes com câncer de próstata típico submetidos a tratamento com terapia antiandrogênica. Embora essa terapia possa controlar o câncer de próstata convencional, em alguns casos, desencadeia a emergência de um subclone independente de androgênio, com fenótipo neuroendócrino.

A neoplasia mais comum que afeta secundariamente a próstata é o câncer urotelial. Existem dois padrões distintos de comprometimento. Os grandes cânceres uroteliais invasivos podem invadir diretamente a próstata a partir da bexiga. Como alternativa, o CIS da bexiga pode estender-se na parte prostática da uretra e pelos ductos prostáticos e ácinos.

Os mesmos tumores mesenquimais descritos anteriormente, que acometem a bexiga, também podem se manifestar na próstata. Além disso, existem tumores mesenquimais únicos da próstata derivados do estroma prostático.

LEITURA SUGERIDA

Doenças do pênis

Alemany L, Cubilla A, Halec G et al.; HPV VVAP Study Group: Role of human papillomavirus in penile carcinomas worldwide, *Eur Urol* 69(5):953–961, 2016. [*Revisão do papel do HPV no carcinoma peniano*].

Cubilla AL, Velazquez EF, Amin MB et al.; Members of the ISUP Penile Tumor Panel: the World Health Organisation 2016 classification of penile carcinomas: a review and update from the International Society of Urological Pathology expert-driven recommendations, *Histopathology* 72(6):893–904, 2018. [*Atualização da classificação do carcinoma peniano*].

Moch H, Cubilla AL, Humphrey PA et al: The 2016 WHO classification of tumours of the Urinary System and Male Genital Organs-Part A: renal, penile, and testicular tumours, *Eur Urol* 70(1):93–105, 2016. [*Sistema de classificação mais recente para neoplasias urogenitais masculinas*].

Doenças testiculares

Idrees MT, Ulbright TM, Oliva E et al; Members of the International Society of Urological Pathology Testicular Tumour Panel: the world health organization 2016 classification of testicular non-germ cell tumours: a review and update from the international society of urological pathology testis consultation panel, *Histopathology* 70(4):513–521, 2017. [*Sistema de classificação mais recente para neoplasias testiculares de células não germinativas*].

Litchfield K, Levy M, Huddart RA et al: The genomic landscape of testicular germ cell tumours: from susceptibility to treatment, *Nat Rev Urol* 13:409, 2016. [*Discussão da fisiopatologia de tumores testiculares de células germinativas e implicações para a terapia*].

Looijenga LH, Stoop H, Biermann K: Testicular cancer: biology and biomarkers, *Virchows Arch* 464(3):301–313, 2014. [*Revisão das principais características da biologia do tumor de células germinativas e biomarcadores associados*].

Taylor-Weiner A, Zack T, O'Donnell E et al: Genomic evolution and chemoresistance in germ-cell tumours, *Nature* 540:114, 2016. [*Artigo de referência que descreve direcionadores (drivers) genéticos em tumores testiculares de células germinativas e alterações genômicas adicionais que surgem com a resistência à quimioterapia*].

Doenças da bexiga

Cancer Genome Atlas Research Network: Comprehensive molecular characterization of urothelial bladder carcinoma, *Nature* 507(7492): 315–322, 2014. [*Artigo de referência que fornece a primeira visão ampla do genoma de eventos genéticos direcionadores (driver) no carcinoma de bexiga*].

Eich ML, Dyrskjøt L, Netto GJ: Toward personalized management in bladder cancer: the promise of novel molecular taxonomy, *Virchows Arch* 471(2):271–280, 2017. [*Discussão das implicações da genética e transcriptômica do carcinoma de bexiga para classificação e tratamento*].

Humphrey PA, Moch H, Cubilla AL et al: The 2016 WHO classification of tumours of the Urinary System and Male Genital Organs-Part B: prostate and bladder tumours, *Eur Urol* 70(1):106–119, 2016. [*Atualização da classificação do carcinoma de bexiga*].

Robertson AG, Kim J, Al-Ahmadie H et al: Comprehensive molecular characterization of muscle-invasive bladder cancer, *Cell* 171(3):540–556. e25, 2017. [*Um primeiro olhar sobre a caracterização molecular do carcinoma invasivo de bexiga*].

Doenças da próstata

Cancer Genome Atlas Research Network: The molecular taxonomy of primary prostate cancer, *Cell* 163(4):1011–1025, 2015. [*Artigo de referência que fornece a primeira visão ampla do genoma dos eventos genéticos direcionadores (driver) no carcinoma de próstata*].

Epstein JI, Egevad L, Amin MB et al.; Grading Committee: The 2014 International Society of Urological Pathology (ISUP) consensus conference on Gleason grading of prostatic carcinoma: definition of grading patterns and proposal for a new grading system, *Am J Surg Pathol* 40(2):244–252, 2016. [*Recomendações atuais para a classificação do câncer de próstata*].

Humphrey PA, Moch H, Cubilla AL et al: The 2016 WHO classification of tumours of the Urinary System and Male Genital Organs-Part B: prostate and bladder tumours, *Eur Urol* 70(1):106–119, 2016. [*Atualização da classificação do carcinoma de próstata e de bexiga*].

Netto GJ, Eich ML, Varambally S: Prostate cancer: an update on molecular pathology with clinical implications, *Eur Urol Suppl* 16:253–271, 2017. [*Discussão das implicações da genética e da transcriptômica do câncer de próstata para classificação e tratamento*].

CAPÍTULO 22

Sistema Genital Feminino

Lora Hedrick Ellenson • Edyta C. Pirog

SUMÁRIO DO CAPÍTULO

Infecções, 1026
- Infecções do sistema genital inferior, 1027
  - *Herpes-vírus simples, 1027*
  - *Outras infecções do sistema genital feminino inferior, 1027*
- Infecções com envolvimento do sistema genital inferior e superior, 1028
  - *Doença inflamatória pélvica, 1028*

VULVA, 1030
Cisto de Bartholin, 1030
Doenças epiteliais não neoplásicas, 1030
- Líquen escleroso, 1030
- Hiperplasia de células escamosas, 1031

Lesões exofíticas benignas, 1031
- Condiloma acuminado, 1031

Lesões neoplásicas escamosas, 1031
- Neoplasia intraepitelial vulvar e carcinoma vulvar, 1031

Lesões neoplásicas glandulares, 1033
- Hidradenoma papilar, 1033
- Doença de Paget extramamária, 1033

VAGINA, 1034
Anomalias de desenvolvimento, 1034
Neoplasias pré-malignas e malignas da vagina, 1035
- Neoplasia intraepitelial vaginal e carcinoma de células escamosas, 1035
- Rabdomiossarcoma embrionário, 1035

COLO UTERINO, 1035
Inflamações, 1035
- Cervicite aguda e crônica, 1035

Pólipos endocervicais, 1036
Neoplasias pré-malignas e malignas do colo uterino, 1036
- Neoplasia intraepitelial cervical (lesões intraepiteliais escamosas), 1037
- Carcinoma cervical, 1038

Triagem e prevenção do câncer cervical, 1040

CORPO DO ÚTERO E ENDOMÉTRIO, 1042
Histologia endometrial no ciclo menstrual, 1042
Distúrbios endometriais funcionais (sangramento uterino disfuncional), 1042
- Ciclo anovulatório, 1042

Distúrbios inflamatórios, 1044
- Endometrite aguda, 1044
- Endometrite crônica, 1044

Endometriose e adenomiose, 1044
- Pólipos endometriais, 1047

Hiperplasia endometrial, 1047
Tumores malignos do endométrio, 1048
- Carcinoma do endométrio, 1048
- Carcinoma endometrial endometrioide, 1049
- Carcinoma endometrial seroso, 1051
- Carcinossarcoma (tumores müllerianos mistos malignos), 1053

Tumores do estroma endometrial, 1054
- Adenossarcoma, 1054
- Tumores estromais, 1054

Tumores do miométrio, 1054
- Leiomioma, 1054
- Leiomiossarcoma, 1055

Tubas uterinas (trompas de Falópio), 1056
- Inflamações, 1056

Tumores e cistos, 1057

OVÁRIOS, 1057
Cistos não neoplásicos e funcionais, 1057
- Cistos foliculares e lúteos, 1057
- Ovários policísticos e hipertecose estromal, 1057

Tumores ovarianos, 1058
- Tumores epiteliais, 1058
- *Tumores serosos, 1059*
- *Tumores mucinosos, 1061*
- *Tumores endometrioides ovarianos, 1062*
- *Carcinoma de células claras, 1063*
- *Cistadenofibroma, 1063*
- *Tumores de células de transição, 1063*
- *Curso clínico, detecção e prevenção dos tumores epiteliais de ovário, 1064*
- Tumores de células germinativas, 1064
- *Teratoma, 1064*
- *Disgerminoma, 1066*
- *Tumores do saco vitelínico, 1066*
- *Coriocarcinoma, 1066*
- *Outros tumores de células germinativas, 1067*
- Tumores estromais do cordão sexual, 1067
- *Tumores de células da granulosa, 1067*
- *Fibromas, tecomas e fibrotecomas, 1068*
- *Tumores de células de Sertoli-Leydig, 1069*
- *Outros tumores estromais do cordão sexual, 1069*
- *Tumores metastáticos, 1070*

DISTÚRBIOS GESTACIONAIS E PLACENTÁRIOS, 1070
Distúrbios do início da gravidez, 1070
- Aborto espontâneo, 1070
- Gravidez ectópica, 1071

Distúrbios do fim da gravidez, 1072
- Placentas gemelares, 1072
- Anormalidades da implantação placentária, 1072
- Infecções placentárias, 1072
- Pré-eclâmpsia e eclâmpsia, 1073

Doença trofoblástica gestacional, 1075
- Mola hidatiforme, 1075
- *Mola completa, 1075*
- *Mola parcial, 1075*
- *Mola invasiva, 1076*
- Coriocarcinoma, 1076
- Tumores trofoblásticos do sítio placentário, 1077

Uma breve revisão do desenvolvimento e da anatomia do sistema genital feminino é fundamental para a compreensão das doenças que afetam esse complexo sistema de órgãos. O desenvolvimento normal do sistema genital feminino passa por uma série de eventos rigidamente coordenados envolvendo as células germinativas primordiais, os ductos de Müller (paramesonéfricos), os ductos de Wolff (mesonéfricos) e o seio urogenital (**Figura 22.1**):

- As *células germinativas* se originam na parede do saco vitelino na quarta semana de gestação. Por volta da quinta ou sexta semana, elas migram para a crista urogenital e induzem a proliferação do epitélio mesodérmico, dando origem ao epitélio e ao estroma do ovário
- Os *ductos de Müller* laterais se formam por volta da sexta semana do desenvolvimento por meio da invaginação e fusão do epitélio de revestimento celômico. Os ductos crescem progressivamente em direção caudal na pelve, onde desviam-se medialmente para fundir-se com o seio urogenital no tubérculo de Müller (**Figura 22.1A**). O crescimento caudal adicional proporciona o contato desses ductos fusionados com o seio urogenital. As porções superiores não fundidas dos ductos de Müller amadurecem nas tubas uterinas (trompas de Falópio), enquanto a porção inferior fusionada desenvolve-se no útero, colo uterino (cérvice) e parte superior da vagina
- O *seio urogenital* se desenvolve quando a cloaca é subdividida pelo septo urorretal, eventualmente formando a parte inferior da vagina e o vestíbulo da genitália externa (**Figura 22.1B**)
- Os *ductos mesonéfricos* normalmente regridem na mulher, mas vestígios podem persistir na vida adulta como inclusões epiteliais adjacente aos ovários, tubas e útero. No colo uterino e vagina, esses vestígios podem ser císticos e são denominados *cistos do ducto de Gartner*.

O revestimento epitelial do sistema genital feminino, bem como da superfície ovariana, compartilha uma origem comum do epitélio celômico (mesotélio), o que pode explicar porque lesões benignas e malignas morfologicamente semelhantes surgem em vários locais dentro do sistema genital feminino e das superfícies peritoneais adjacentes.

Doenças do sistema genital feminino são extremamente comuns e incluem complicações da gravidez, infecções, tumores e anormalidades induzidas por hormônios. A discussão a seguir apresenta a patologia das principais doenças que resultam em problemas clínicos. Detalhes adicionais podem ser encontrados em livros-texto atuais de Patologia Ginecológica, além de Obstetrícia e Ginecologia Clínicas. Discutiremos as condições patológicas peculiares a cada segmento do sistema genital feminino separadamente, mas antes de fazê-lo, revisaremos brevemente as infecções e doenças inflamatórias pélvicas porque podem afetar muitas das várias estruturas anatômicas concomitantemente.

Infecções

Uma grande variedade de organismos pode infectar o sistema genital feminino. Algumas infecções por microrganismos como *Candida*, *Trichomonas* e *Gardnerella* são muito comuns e podem causar desconforto significativo, mas sem sequelas graves. Outras infecções, como as causadas por *Neisseria gonorrhoeae* e *Chlamydia*, são as principais causas de infertilidade, enquanto infecções por organismos como *Streptococcus do grupo B* estão associadas a partos prematuros, natimortos e infecções neonatais. Vírus, especialmente herpes-vírus simples (HSV) e papilomavírus humano (HPV), também são responsáveis por considerável morbidade; os HSVs causam ulcerações genitais dolorosas, enquanto os HPVs estão envolvidos na patogênese dos cânceres cervical, vaginal e vulvar (descritos adiante).

Muitas dessas infecções são sexualmente transmissíveis, incluindo tricomoníase, gonorreia, *Mycoplasma*, *Chlamydia*, HSV

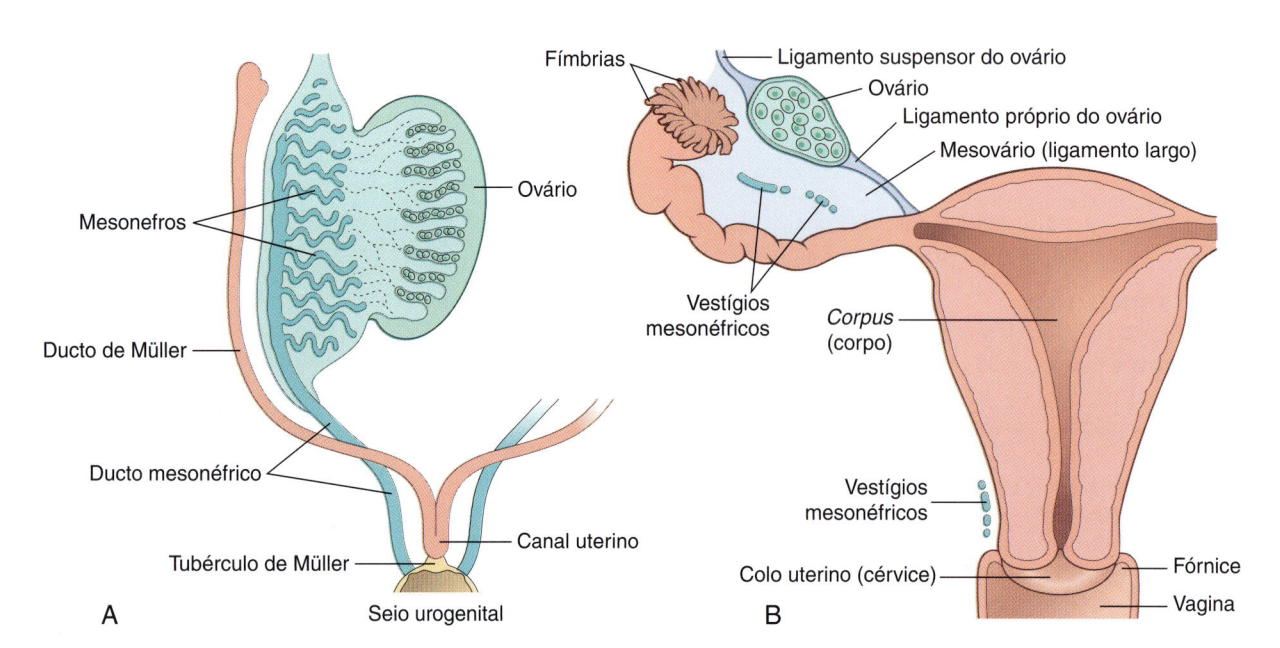

Figura 22.1 Embriologia e anatomia do sistema genital feminino. **A.** No início do desenvolvimento, os ductos mesonéfrico (*azul*) e de Müller (*vermelho*) fundem-se no seio urogenital para formar o tubérculo de Müller. **B.** Ao nascimento, os ductos müllerianos se fundem para formar as tubas uterinas, o útero e o endocérvix (*vermelho*), misturando-se com a mucosa escamosa vaginal. Os ductos mesonéfricos regridem, mas podem ser encontrados como vestígios no ovário, anexos e colo uterino (cistos do ducto de Gartner). (Modificada de Langman J: *Medical Embryology*, Baltimore, 1981, Williams e Wilkins.)

e HPV, bem como infecções menos comuns, como sífilis, cancro, granuloma inguinal e linfogranuloma venéreo. A maioria dessas condições é abordada no **Capítulo 8**; o HPV também é discutido no **Capítulo 7**, devido ao seu importante papel como um vírus transformador. Aqui, tocamos apenas em aspectos relevantes para o sistema genital feminino, incluindo patógenos confinados ao sistema genital inferior (vulva, vagina e colo uterino) e aqueles que envolvem o sistema genital como um todo e estão implicados na doença inflamatória pélvica.

Infecções do sistema genital inferior

Herpes-vírus simples

A infecção pelo HSV genital é comum e pode envolver a vulva, vagina ou colo uterino. Os HSVs são vírus de DNA que incluem dois sorotipos, HSV-1 e HSV-2. O HSV-1 normalmente resulta em infecção perioral, enquanto o HSV-2 geralmente envolve pele e mucosa genital; no entanto, dependendo nas práticas sexuais, o HSV-1 pode ser detectado na região genital e o HSV-2 também pode causar infecções orais (ver **Capítulo 8**). Aos 40 anos, aproximadamente 30% das mulheres são soropositivas para anticorpos contra HSV-2.

Cerca de um terço dos indivíduos infectados recentemente é sintomático. As lesões normalmente se desenvolvem 3 a 7 dias após a transmissão e estão frequentemente associadas a sintomas sistêmicos como febre, mal-estar e linfonodo inguinal sensível. As primeiras lesões geralmente consistem em pápulas vermelhas que progridem para vesículas e depois para úlceras coalescentes dolorosas. As lesões são facilmente visíveis na pele e mucosa vulvar, enquanto as lesões cervicais e vaginais apresentam-se com secreção purulenta e dor pélvica. Lesões ao redor da uretra podem causar dor ao urinar e retenção de urina. As vesículas e úlceras contêm inúmeras partículas virais, responsável pela alta taxa de transmissão durante a infecção ativa. As lesões mucosas e cutâneas se curam espontaneamente em 1 a 3 semanas, mas, durante a infecção aguda, o vírus migra aos gânglios dos nervos lombossacrais regionais e estabelece uma infecção latente. Por causa da latência viral, as infecções por HSV persistem indefinidamente e qualquer diminuição da função imunológica devido a estresse, trauma, infecção viral concomitante ou mudanças hormonais podem desencadear a reativação do vírus e recorrência das lesões cutâneas e mucosas. Como esperado, recorrências são muito mais comuns em indivíduos imunossuprimidos.

> ### Morfologia
> No momento da biopsia, a lesão de HSV geralmente está ulcerada. O epitélio está descamado, e inflamação aguda acentuada está presente no leito da úlcera. Esfregaços de exsudato inflamatório de lesões ativas mostram alterações citopáticas características que consistem em células escamosas multinucleadas contendo inclusões virais eosinofílicas a basofílicas com aparência de "vidro fosco" (**Figura 22.2**).

A transmissão do HSV ocorre principalmente durante a fase ativa da infecção, mas ocasionalmente pode ocorrer durante a fase latente devido à liberação subclínica do vírus. Preservativos

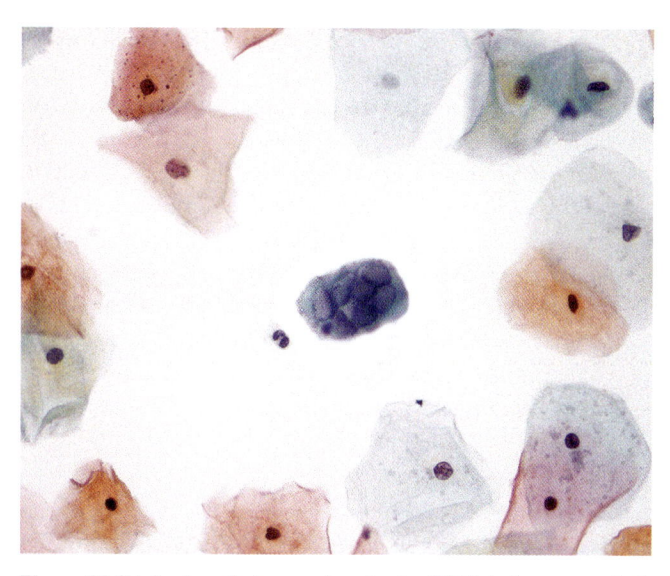

Figura 22.2 Infecção pelo herpes-vírus simples (HSV) (esfregaço cervical). A célula no centro mostra o efeito citopático do HSV. As células infectadas tornam-se multinucleadas e contêm inclusões virais intranucleares com uma aparência de "vidro fosco" característica.

e terapias antivirais reduzem o risco de transmissão, mas não previnem completamente. Tal como acontece com outras infecções sexualmente transmissíveis, o vírus é mais facilmente transmitido para mulheres do que para homens. A infecção prévia por HSV-1 parece reduzir a suscetibilidade à infecção por HSV-2. A consequência mais grave da infecção por HSV é a transmissão ao recém-nascido durante o parto. Esse risco é maior se a infecção estiver ativa durante o parto e particularmente se for uma infecção primária (inicial) na mãe. Em tais casos, o parto cesáreo garante a prevenção da transmissão para o recém-nascido. Outra consequência importante da infecção genital ativa por HSV é o aumento do risco de aquisição e transmissão do HIV-1.

O diagnóstico é baseado em achados clínicos típicos e detecção do HSV. O exsudado purulento é aspirado das lesões e inoculado em uma cultura de tecidos. O efeito citopático viral pode ser visto após 48 a 72 horas, quando o vírus pode então ser sorotipado. Além disso, alguns laboratórios oferecem testes de reação da cadeia de polimerase, ensaios de imunoadsorção enzimática e testes de imunofluorescência direta por anticorpos mais sensíveis para detecção de HSV nas secreções das lesões. Indivíduos com infecção primária aguda por HSV não têm anticorpos anti-HSV séricos. A detecção de anticorpos anti-HSV no soro é indicativo de infecção recorrente/latente.

Não há tratamento eficaz para infecção latente por HSV. Contudo, agentes antivirais como aciclovir ou fanciclovir encurtam a duração das fases sintomáticas iniciais e recorrentes. A solução definitiva é uma vacina eficaz, objetivo tentador ainda a ser alcançado.

Outras infecções do sistema genital feminino inferior

Como mencionado, uma variedade de outros vírus, fungos e bactérias também pode causar infecções sintomáticas do sistema genital inferior. Destes, os mais comuns incluem:

- *Molusco contagioso* é uma lesão cutânea ou mucosa causada por poxvírus (**Figura 22.3A**). Existem quatro tipos de vírus do molusco contagioso (MCVs, *molluscum contagiosum viruses*), MCV-1 a MCV-4, sendo MCV-1 o mais prevalente e MCV-2 mais frequentemente transmitido por via sexual. As infecções são comuns em crianças entre 2 e 12 anos, em que são transmitidas por contato direto ou artigos compartilhados (p. ex., toalhas). O molusco contagioso pode afetar qualquer área da pele, sendo mais comum no tronco, braços e pernas. Em adultos, as infecções por molusco contagioso são tipicamente transmitidas pelo sexo e afetam os órgãos genitais, abdome inferior, nádegas e parte interna das coxas. O período médio de incubação é de 6 semanas e o diagnóstico é baseado na aparência clínica característica de pápulas peroladas em forma de cúpula com um centro ondulado. As pápulas medem 1 a 5 mm de diâmetro, e seu núcleo ceroso central contém células com *inclusões virais citoplasmáticas* (**Figura 22.3B**)

- *Infecções fúngicas*, especialmente as causadas por leveduras (*Candida*), são extremamente comuns; na verdade, as leveduras fazem parte da microbiota vaginal normal de muitas mulheres e o desenvolvimento de candidíase sintomática é normalmente o resultado de uma perturbação no ecossistema microbiano vaginal da paciente. Diabetes melito, antibióticos, gravidez e condições que resultem em comprometimento da função de neutrófilos ou células T Th17 aumentam o risco de infecção sintomática por *Candida*, que se manifesta por prurido vulvovaginal acentuado, eritema, inchaço e corrimento vaginal semelhante a leite coalhado. A infecção grave pode resultar em ulcerações da mucosa. O diagnóstico é feito encontrando os pseudosporos ou hifas fúngicas filamentosas em montagens úmidas do corrimento em KOH ou no esfregaço de Papanicolaou. Embora a transmissão sexual da infecção por leveduras esteja documentada, a candidíase não é considerada uma infecção sexualmente transmissível
- *Trichomonas vaginalis* é um protozoário grande, ovoide e flagelado geralmente transmitido por contato sexual. As pacientes infectadas podem ser assintomáticas ou se queixar de corrimento vaginal amarelo e espumoso, desconforto vulvovaginal, disúria (dor ao urinar) e dispareunia (relação sexual dolorosa). A mucosa vaginal e a cervical geralmente têm uma aparência vermelho-vivo, com dilatação acentuada dos vasos da mucosa cervical resultando em aparência colposcópica característica de "colo uterino em morango"
- *Gardnerella vaginalis* é um cocobacilo gram-negativo que está implicado como a principal causa da *vaginose bacteriana* (vaginite). As pacientes geralmente apresentam corrimento vaginal fino, verde-acinzentado e de odor desagradável (odor de peixe). Os esfregaços de Papanicolau revelam células escamosas superficiais e intermediárias cobertas por um revestimento grosseiro de cocobacilos. Nesses casos, as culturas bacterianas revelam *G. vaginalis* e outras bactérias, incluindo peptoestreptococos anaeróbios e estreptococos α-hemolíticos aeróbios. Em pacientes grávidas, a vaginose bacteriana está associada a trabalho de parto prematuro
- As espécies *Ureaplasma urealyticum* e *Mycoplasma hominis* são responsáveis por alguns casos de vaginite e cervicite e foram implicadas em corioamnionite e parto prematuro em pacientes grávidas
- As infecções por *Chlamydia trachomatis* assumem principalmente a forma de cervicite. No entanto, em algumas pacientes, a infecção pode ascender ao útero e às tubas uterinas, resultando em endometrite e salpingite; assim, a infecção por clamídia é uma das causas de doença inflamatória pélvica, conforme discutido a seguir.

Infecções com envolvimento do sistema genital inferior e superior

Doença inflamatória pélvica

A doença inflamatória pélvica (DIP) é uma infecção que começa na vulva ou vagina e se espalha de maneira ascendente para envolver a maioria das estruturas no sistema genital feminino, resultando em dor pélvica, sensibilidade anexial, febre e corrimento vaginal. *Neisseria gonorrhoeae* continua a ser uma causa comum de DIP, a complicação mais séria da gonorreia em mulheres.

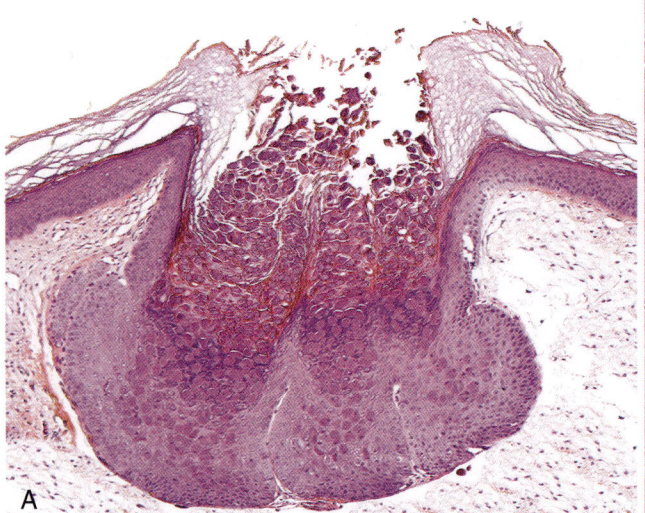

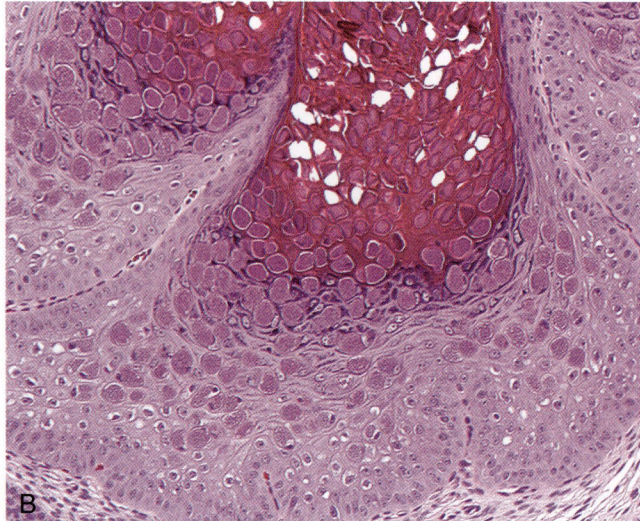

Figura 22.3 Infecção por molusco contagioso. **A.** Aparência em pequeno aumento de uma pápula em forma de cúpula com centro ondulado. **B.** Um maior aumento revela inclusões virais intracitoplasmáticas.

A infecção por *Chlamydia* é outra causa bem conhecida de DIP. Infecções após abortos espontâneos ou induzidos e partos normais ou anormais (chamadas *infecções puerperais*) também são causas importantes de DIP. Nessas situações, as infecções são tipicamente polimicrobianas e podem ser causadas por estafilococos, estreptococos, coliformes e *Clostridium perfringens*.

Quando causada por gonococo, as alterações inflamatórias começam a aparecer aproximadamente 2 a 7 dias após a infecção. A infecção inicial mais comumente envolve a mucosa endocervical, mas também pode começar na glândula de Bartholin e outras glândulas vestibulares ou periuretral. A partir desses locais, os organismos podem se espalhar de maneira ascendente para envolver as tubas uterinas e a região tubo-ovariana. Acredita-se que as infecções bacterianas não gonocócicas que seguem o aborto induzido, dilatação e curetagem do útero, além de outros procedimentos cirúrgicos, provoquem o espalhamento ascendente a partir do útero por meio dos vasos linfáticos ou canais venosos em vez das superfícies mucosas. Portanto, essas infecções tendem a produzir mais inflamação dentro de camadas mais profundas dos órgãos do que as infecções gonocócicas.

uma **salpingo-ooforite**. Coleções de pus podem se acumular dentro do ovário e da tuba (**abscesso tubo-ovariano**) ou da luz tubária (**piossalpinge**) (**Figura 22.4A**). Com o tempo, os organismos infectantes podem desaparecer, mas as pregas tubárias despojadas de epitélio aderem umas às outras e lentamente se fundem em um processo reparador e cicatricial que forma espaços semelhantes a glândulas e bolsas cegas, conhecidas como **salpingite crônica (Figura 22.4B)**. A cicatrização da luz da tuba e das fímbrias pode impedir a captação e passagem de oócitos, levando à infertilidade ou gravidez ectópica. A **hidrossalpinge** pode também se desenvolver como consequência da fusão das fímbrias e subsequente acúmulo de secreções e distensão tubárias.

Em comparação com infecções gonocócicas, a DIP causada por estafilococos, estreptococos e os outros invasores puerperais tende a apresentar menos envolvimento da mucosa e luz da tuba, porém maior inflamação das camadas mais profundas do tecido. Essas infecções frequentemente se espalham por toda a parede e envolvem a serosa e os grandes ligamentos, estruturas pélvicas e peritônio. A bacteriemia é uma complicação mais frequente da DIP causada por estreptococos ou estafilococos do que por infecções gonocócicas.

Morfologia

A infecção gonocócica é caracterizada por inflamação aguda acentuada das superfícies mucosas envolvidas. Esfregaços do exsudato inflamatório mostram diplococos gram-negativos fagocitados no interior dos neutrófilos; no entanto, o diagnóstico definitivo requer cultura ou detecção de RNA ou DNA gonocócico. Se infecção se espalha, o endométrio é geralmente poupado (por motivos pouco claros), mas dentro das tubas uterinas ocorre uma **salpingite supurativa aguda (Figura 22.4A)**. A mucosa tubária fica congestionada e difusamente infiltrada por neutrófilos, plasmócitos e linfócitos, resultando em lesão epitelial e descamação das pregas. A luz tubária se enche de exsudato purulento que pode vazar para fora da extremidade fimbriada. A infecção pode então se espalhar para o ovário e criar

As complicações agudas da DIP incluem peritonite e bacteriemia, que, por sua vez, podem resultar em endocardite, meningite e artrite supurativa. As sequelas crônicas da DIP incluem infertilidade e obstrução tubária, gravidez ectópica, dor pélvica e obstrução intestinal em decorrência de aderências entre o intestino e os órgãos pélvicos. Nos estágios iniciais, as infecções gonocócicas são facilmente controladas com antibióticos, embora cepas resistentes à penicilina tenham emergido. Infecções que ficam emparedadas em abscessos tubo-ovarianos são difíceis de erradicar com antibióticos e às vezes torna-se necessário remover os órgãos cirurgicamente. As DIPs pós-aborto e pós-parto também podem ser passíveis de tratamento com antibióticos, mas são muito mais difíceis de controlar devido ao amplo espectro de patógenos que podem estar envolvidos.

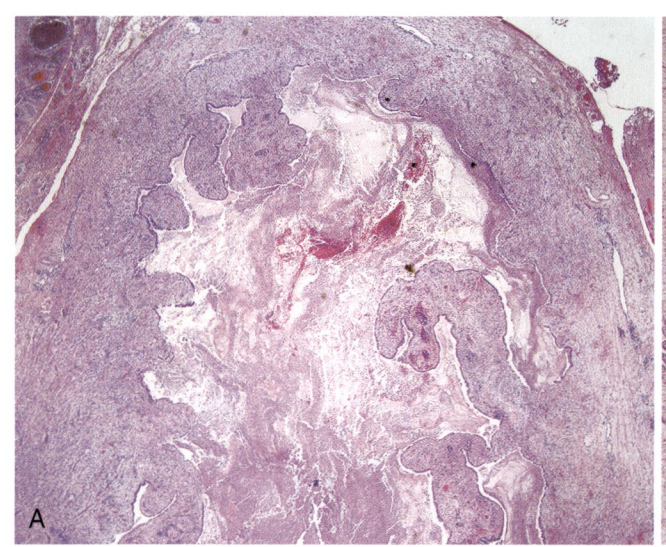

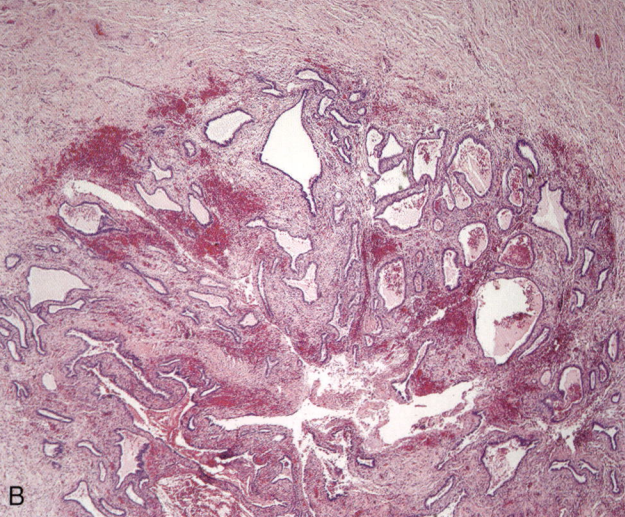

Figura 22.4 Salpingite. **A.** Salpingite aguda; observe a luz dilatada do tubo e as pregas tubárias edemaciadas expandidas por infiltrados de células inflamatórias. O centro da tuba uterina está preenchido por pus. **B.** Salpingite crônica mostrando cicatriz e fusão das pregas com formação de espaços semelhantes a glândulas. Essas cicatrizes podem causar infertilidade ou gravidez ectópica tubária.

Vulva

Doenças da vulva em conjunto constituem apenas uma pequena fração da prática ginecológica. Muitas doenças inflamatórias que afetam a pele em outras partes do corpo também ocorrem na vulva, como psoríase, eczema e dermatite alérgica. Como está constantemente exposta a secreções e umidade, a vulva está mais sujeita a infecções superficiais do que a pele de outras partes do corpo. Uma vulvite inespecífica é mais provável de ocorrer no contexto de imunossupressão. A maioria dos cistos de pele (cistos de inclusão epidérmica) e tumores de pele, como carcinoma de células escamosas, carcinoma de células basais e melanoma, também pode ocorrer na vulva. Aqui discutimos distúrbios vulvares que são relativamente específicos e comuns, incluindo o cisto de Bartholin, doenças epiteliais não neoplásicas, lesões exofíticas benignas e tumores da vulva.

Cisto de Bartholin

A infecção da glândula de Bartholin produz uma inflamação aguda (adenite) e pode resultar em abscesso. Cistos do ducto de Bartholin são relativamente comuns, ocorrem em todas as idades e resultam da obstrução do ducto por um processo inflamatório. Estes cistos são geralmente revestidos por epitélio transicional ou escamoso, podem se tornar grandes (até 3 a 5 cm de diâmetro) e produzem dor e desconforto local. Os cistos do ducto de Bartholin são excisados ou abertos permanentemente (marsupialização).

Doenças epiteliais não neoplásicas

Leucoplasia é um termo clínico que descreve o espessamento epitelial em forma de placa, opaco e branco, que pode produzir prurido e descamação. A leucoplasia (literalmente, *placas brancas*) pode ser causada por uma variedade de doenças benignas, pré-malignas ou malignas, incluindo as seguintes:

- Dermatoses inflamatórias (p. ex., psoríase, dermatite crônica)
- Líquen escleroso e hiperplasia de células escamosas
- Neoplasias, como a neoplasia intraepitelial vulvar (NIV), doença de Paget e carcinoma invasivo.

As dermatoses inflamatórias associadas à leucoplasia são descritas no **Capítulo 25**, enquanto os distúrbios neoplásicos são discutidos posteriormente neste capítulo. Aqui as principais causas da leucoplasia não neoplásica – líquen escleroso e hiperplasia de células escamosas – são brevemente discutidas.

Líquen escleroso

O líquen escleroso se apresenta como placas ou máculas brancas e lisas que com o tempo podem aumentar e coalescer, produzindo uma superfície que se assemelha a porcelana ou pergaminho. Quando o toda a vulva é afetada, os lábios tornam-se atróficos e aglutinados, e o orifício vaginal se contrai. Histologicamente, a lesão é caracterizada por acentuado adelgaçamento da epiderme (**Figura 22.5A**), degeneração das células epiteliais basais, excessiva queratinização (hiperqueratose), alterações escleróticas da derme superficial e um infiltrado linfocítico em forma de faixa na derme subjacente. A doença ocorre em todas as faixas etárias, mas é mais comum em mulheres na pós-menopausa, podendo também ser encontrada em outras áreas da pele. Sua patogênese é incerta, mas a presença de células T ativadas no infiltrado inflamatório subepitelial e a frequência aumentada de doenças autoimunes em mulheres afetadas sugerem que uma reação autoimune está envolvida. Embora o líquen escleroso não seja uma lesão pré-maligna em si, mulheres com a doença sintomática têm probabilidade um pouco maior de desenvolver carcinoma de células escamosas da vulva.

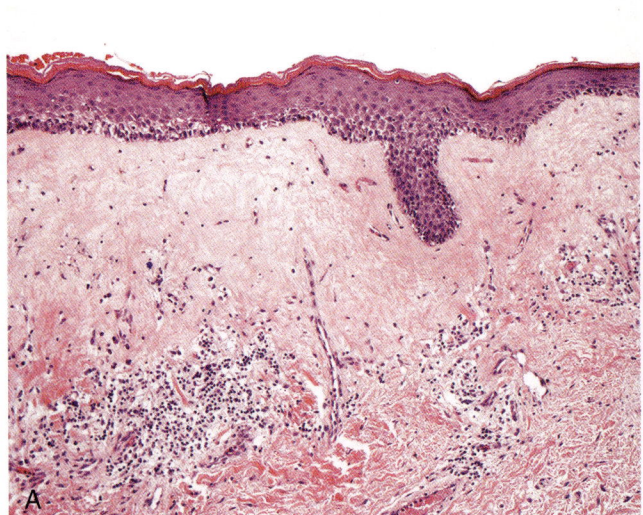

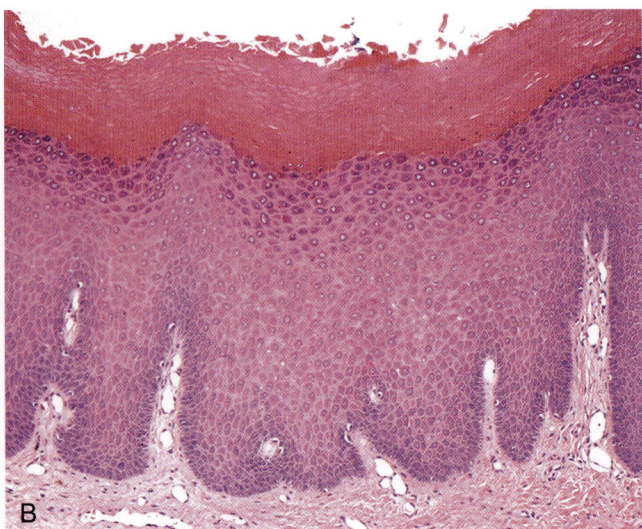

Figura 22.5 Doenças epiteliais vulvares não neoplásicas. **A.** Líquen escleroso. Há acentuado adelgaçamento da epiderme, esclerose da derme superficial e células inflamatórias crônicas na derme mais profunda. **B.** Hiperplasia de células escamosas, exibindo epiderme espessada e hiperqueratose.

Hiperplasia de células escamosas

Antes chamada de distrofia hiperplásica ou *líquen simples crônico*, a hiperplasia de células escamosas é uma condição inespecífica resultante da fricção ou arranhadura da pele para aliviar o prurido. Clinicamente, a condição se apresenta como leucoplasia, e o exame histológico revela espessamento da epiderme (acantose) e hiperqueratose (**Figura 22.5B**). Algumas vezes há presença de infiltrado linfocítico da derme. O epitélio hiperplástico pode apresentar atividade mitótica, mas as células não exibem atipia. Embora a hiperplasia de células escamosas não seja considerada pré-maligna, às vezes está presente nas margens de cânceres vulvares.

Lesões exofíticas benignas

Lesões benignas elevadas (exofíticas) ou semelhantes a verrugas da vulva podem ser causadas por infecção ou podem ser condições reativas de etiologia desconhecida. O *condiloma acuminado*, uma lesão induzida por papilomavírus (também chamada *verruga genital*), e o *condiloma plano* sifilítico (descrito no **Capítulo 21**) são consequências de infecções sexualmente transmissíveis. Os *pólipos fibroepiteliais* vulvares, ou acrocórdons, são semelhantes aos acrocórdons que ocorrem em outros lugares na pele. Os *papilomas escamosos* vulvares são proliferações exofíticas benignas cobertas por epitélio escamoso não queratinizado que se desenvolvem nas superfícies vulvares; eles podem ser únicos ou inúmeros (papilomatose vulvar). A etiologia dos pólipos fibroepiteliais e papilomas escamosos é desconhecida.

Condiloma acuminado

Os condilomas acuminados são verrugas genitais benignas causadas por HPV de baixo risco, principalmente os tipos 6 e 11. As verrugas podem ser solitárias, mas são mais frequentemente multifocais, podendo envolver as regiões vulvar, perineal e perianal, bem como a vagina e, menos comumente, o colo uterino. As lesões são idênticas às encontradas no pênis e ao redor do ânus em homens (ver **Capítulo 21**). No exame histológico, consistem em regiões centrais com estroma papilar, exofíticas e semelhantes a árvores cobertas por epitélio escamoso espessado (**Figura 22.6A**). O epitélio de superfície mostra alterações citopáticas virais características referidas como *atipias coilocíticas* (**Figura 22.6B**), que se manifestam pelo aumento nuclear, hipercromasia e um halo perinuclear citoplasmático (ver seção "Colo uterino" adiante neste capítulo). Os condilomas acuminados não são lesões pré-cancerosas. As vacinas de HPV (descritas posteriormente) fornecem excelente proteção contra infecção por HPV de baixo risco e verrugas genitais.

Lesões neoplásicas escamosas

Neoplasia intraepitelial vulvar e carcinoma vulvar

O carcinoma da vulva é uma neoplasia maligna rara (aproximadamente um oitavo da frequência do câncer cervical) representando cerca de 3% de todos os cânceres genitais femininos; aproximadamente dois terços ocorrem em mulheres com mais de 60 anos. O carcinoma de células escamosas é o tipo histológico mais comum de câncer vulvar. Em termos de etiologia, patogênese e características histológicas, os carcinomas vulvares de células escamosas são divididos em dois grupos:

- Os *carcinomas basaloides e verrucosos* estão relacionados à infecção com HPVs de alto risco, mais comumente HPV-16. São menos comuns (30% dos casos) e ocorrem em mulheres mais jovens (idade média de 60 anos)
- Os *carcinomas de células escamosas queratinizantes* não estão relacionados à infecção por HPV. São mais comuns (70% dos casos) e ocorrem em mulheres mais velhas (média de 75 anos).

Os *carcinomas basaloides e verrucosos* se desenvolvem a partir de uma lesão precursora *in situ* chamada *neoplasia intraepitelial vulvar* (NIV) *clássica*. Essa forma de NIV ocorre principalmente em mulheres em idade reprodutiva e inclui lesões originalmente designadas como *carcinoma in situ* ou *doença de Bowen*. Os fatores

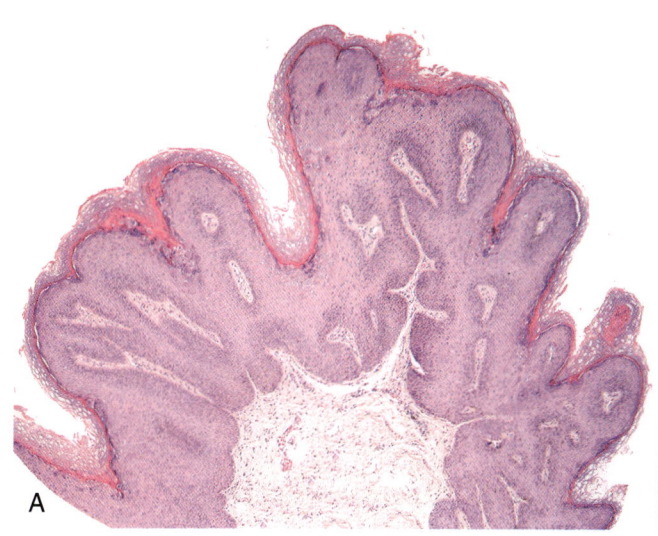

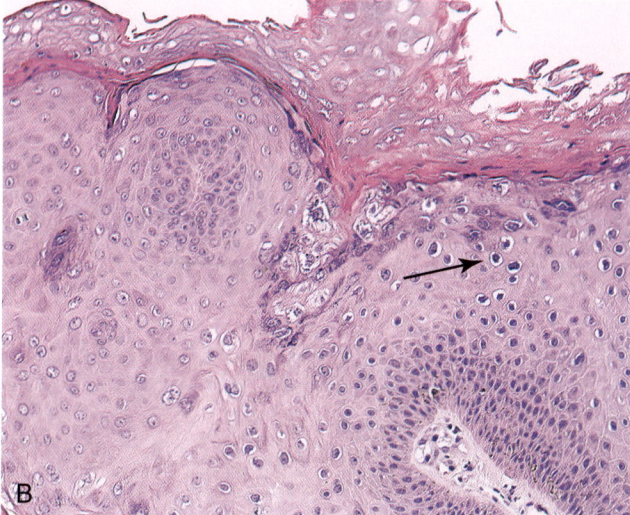

Figura 22.6 Condiloma acuminado. **A.** Visão de pequeno aumento mostrando a arquitetura papilar exofítica. **B.** Visão em grande aumento revela o efeito citopático do papilomavírus humano (atipia coilocítica), caracterizado por núcleos atípicos, aumentados e hipercromáticos com halos perinucleares (*seta*).

de risco para a NIV são os mesmos que aqueles associados a lesões intraepiteliais escamosas cervicais (p. ex., mulheres jovens que tiveram a primeira relação sexual, múltiplos parceiros sexuais, parceiro masculino com múltiplos parceiros sexuais), já que ambos estão relacionados à infecção por HPV. A NIV é frequentemente multicêntrica, sendo que 10 a 30% das pacientes com NIV também têm lesões vaginais ou cervicais relacionadas ao HPV. A regressão espontânea da NIV clássica foi relatada, geralmente em mulheres mais jovens. O risco de progressão para carcinoma invasivo é mais alto em mulheres com mais de 45 anos ou que estão imunossuprimidas.

O *carcinoma de células escamosas queratinizante* ocorre mais frequentemente em indivíduos com líquen escleroso prolongado ou hiperplasia de células escamosas e não está relacionado ao HPV. O carcinoma surge de uma lesão precursora denominada *neoplasia intraepitelial vulvar diferenciada* (NIV diferenciada). Postula-se que a irritação epitelial crônica causada pelo líquen escleroso ou hiperplasia de células escamosas pode contribuir para uma evolução gradual para o fenótipo maligno, presumivelmente pela aquisição de mutações condutoras em oncogenes e genes supressores de tumor. Em consonância com esta ideia, alguns pesquisadores relataram uma alta frequência de mutações *TP53* presentes na NIV diferenciada.

Morfologia

As lesões de **NIV clássica** podem ser discretas e brancas (hiperceratóticas) ou ligeiramente salientes e pigmentadas. Microscopicamente, a NIV clássica é caracterizada por espessamento epidérmico, atipia nuclear, aumento de mitoses e ausência de maturação celular (**Figura 22.7A**), características análogas às observadas em lesões intraepiteliais escamosas cervicais (LIE; ver seção "Colo uterino" posteriormente neste capítulo).

Carcinomas invasivos que se originam de NIV clássica podem ser exofíticos ou endurecidos com ulceração central. No exame histológico, o carcinoma basaloide (**Figura 22.7B**) consiste em ninhos e cordões de células pequenas e fortemente compactadas que não apresentam maturação e se assemelham à camada basal do epitélio normal. A neoplasia pode ter focos de necrose central. Em contraste, o carcinoma verrucoso é caracterizado por arquitetura papilar exofítica e atipia coilocítica proeminente.

A **NIV diferenciada** é caracterizada por atipia acentuada da camada basal do epitélio escamoso e aparência normal de diferenciação das camadas mais superficiais (**Figura 22.8A**). Os carcinomas invasivos de células escamosas queratinizantes originados de formas diferenciadas de NIV contêm ninhos e projeções de epitélio escamoso maligno apresentando pérolas de queratina centrais proeminentes (**Figura 22.8B**).

O risco de desenvolvimento de câncer no contexto da NIV depende da duração e extensão da doença e do estado imunológico da paciente. Carcinomas invasivos associados a líquen escleroso, hiperplasia de células escamosas e NIV diferenciada podem desenvolver-se de forma insidiosa e ser mal interpretados como dermatite ou leucoplasia por longos períodos. Uma vez que o câncer invasivo se desenvolve, o risco de disseminação metastática é determinado pelo tamanho da neoplasia, a profundidade da invasão e se há invasão linfática. A propagação inicial ocorre para linfonodos inguinais, pélvicos, ilíacos e periaórticos. Em última análise, pode ocorrer disseminação hematogênica para os pulmões, fígado e outros órgãos internos. Pacientes com lesões menores que 2 cm de diâmetro têm uma taxa de sobrevivência de 90% em 5 anos após tratamento envolvendo vulvectomia e linfadenectomia. Contudo, lesões maiores com envolvimento de linfonodos têm um prognóstico negativo.

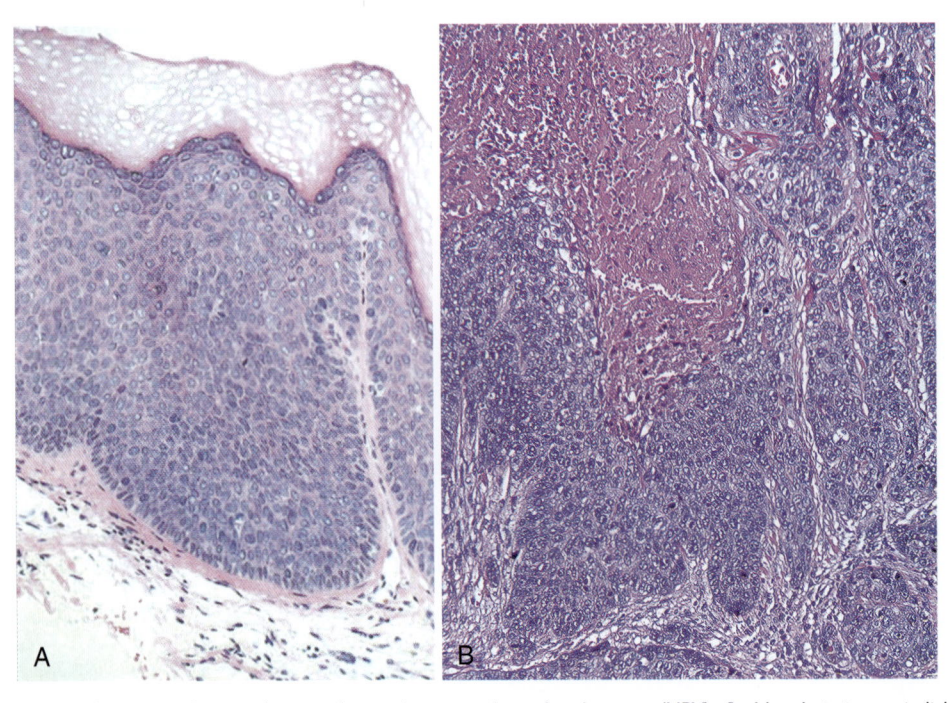

Figura 22.7 Lesões pré-neoplásicas e malignas vulvares relacionadas ao papilomavírus humano (HPV). **A.** Neoplasia intraepitelial vulvar clássica (HPV positiva) mostrando pequenas células basaloides imaturas abrangendo toda a espessura do epitélio. Nenhuma invasão está presente. **B.** Carcinoma basaloide vulvar (HPV positivo), composto de células invasivas pequenas e imaturas (basaloides). Há um foco de necrose (*área vermelha*).

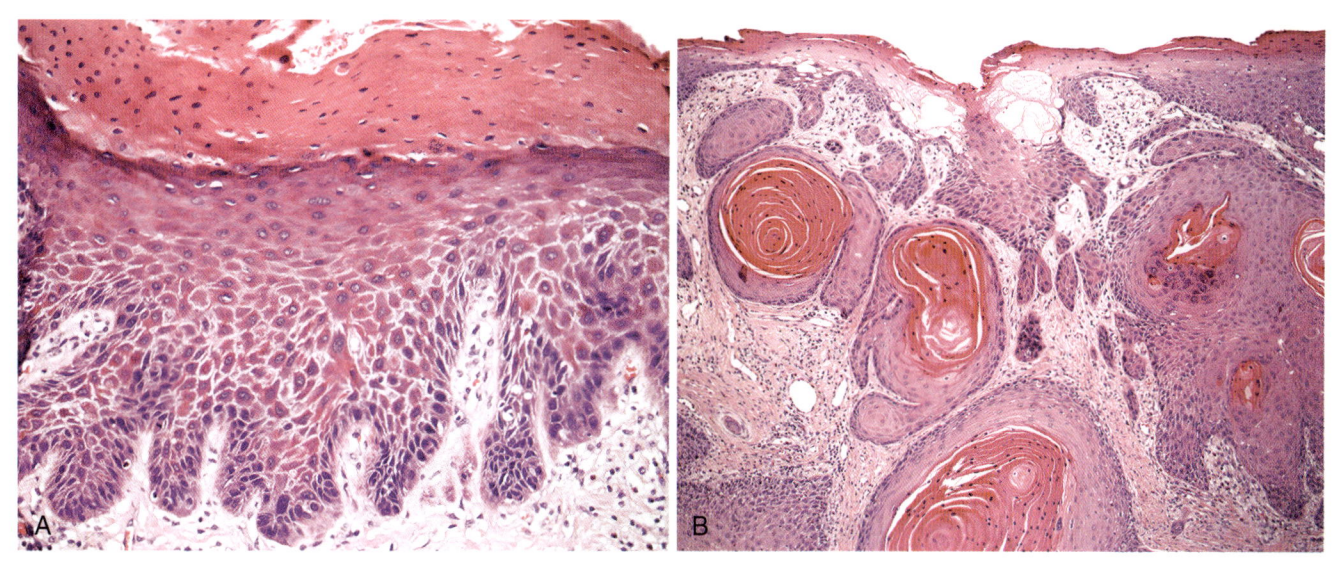

Figura 22.8 Lesões vulvares pré-neoplásicas e malignas não relacionadas ao papilomavírus humano (HPV). **A.** Neoplasia intraepitelial vulvar diferenciada (HPV negativa) mostrando maturação das camadas superficiais, hiperqueratose e atipia das células epiteliais basais. Nenhuma invasão está presente. **B.** Carcinoma de células escamosas bem diferenciado e queratinizante da vulva (HPV negativo) composto de ninhos de neoplasia invasiva com pérolas de queratina centrais.

Lesões neoplásicas glandulares

Como a mama, a vulva contém glândulas sudoríparas apócrinas modificadas. Presumivelmente por causa dessas características "semelhantes a mama", a vulva pode ser atingida pelo hidradenoma papilar e pela doença de Paget extramamária, duas neoplasias que apresentam contrapartes na mama.

Hidradenoma papilar

O hidradenoma papilar se apresenta como um nódulo nitidamente circunscrito, mais comumente nos grandes lábios ou dobras interlabiais, que pode ser confundido clinicamente com um carcinoma devido a sua tendência à ulceração. Seu aspecto histológico é idêntico ao do papiloma intraductal da mama e consiste em projeções papilares cobertas por duas camadas celulares, uma camada superior de células secretoras colunares e uma camada mais profunda de células mioepiteliais achatadas. Estes elementos mioepiteliais são característicos das glândulas sudoríparas e de tumores das glândulas sudoríparas (**Figura 22.9**).

Doença de Paget extramamária

Esta lesão curiosa e rara da vulva apresenta manifestações semelhantes à doença de Paget da mama (ver **Capítulo 23**). Na vulva, apresenta-se como uma área pruriginosa, vermelha, crostosa e com aspecto de mapa, geralmente nos grandes lábios.

Morfologia

A doença de Paget é uma proliferação intraepitelial distinta de células malignas. As células de Paget são maiores do que os queratinócitos circundantes e são vistas isoladamente ou em pequenos agrupamentos dentro da epiderme (**Figura 22.10A**). As células apresentam citoplasma pálido contendo mucopolissacarídeo que se cora com ácido periódico de Schiff (PAS), azul de Alcian ou coloração de mucicarmim. Além disso, ao contrário do epitélio escamoso, as células expressam citoqueratina 7 (**Figura 22.10B**). Ultraestruturalmente, as células de Paget exibem diferenciação apócrina, écrina e de queratinócitos, e provavelmente surgem de células multipotentes encontradas no interior dos ductos semelhantes à glândula mamária encontrados na pele da vulva.

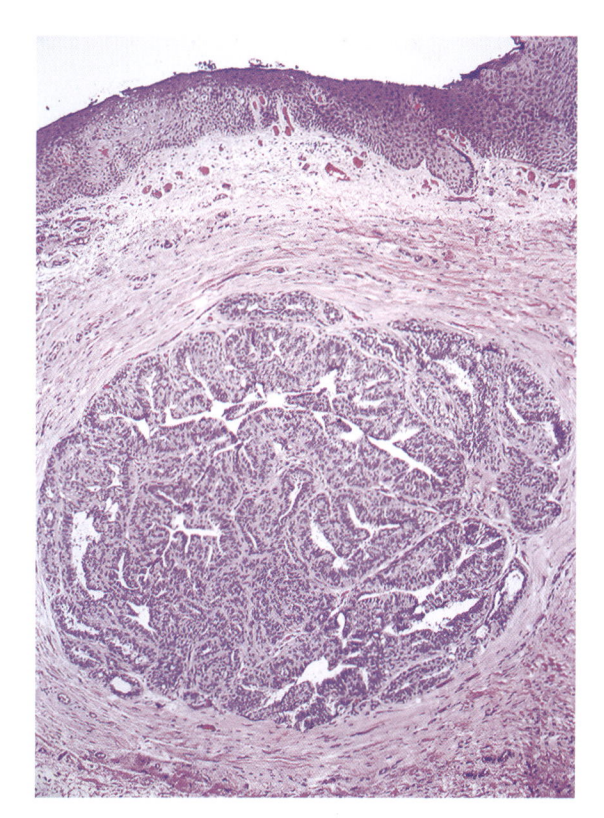

Figura 22.9 Hidradenoma papilar da vulva, uma neoplasia bem circunscrita composta por projeções papilares benignas recobertas por epitélio colunar secretor e células mioepiteliais subjacentes.

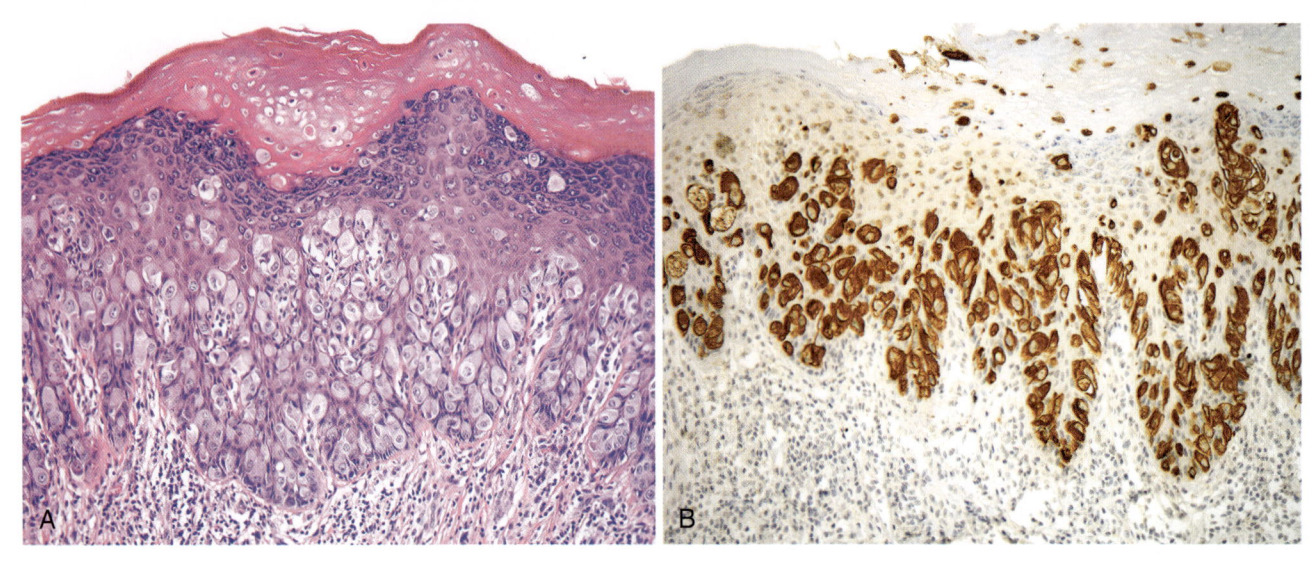

Figura 22.10 Doença de Paget da vulva. **A.** A epiderme é infiltrada por células grandes com citoplasma rosa claro que se espalham ao longo da porção basal do epitélio escamoso. Há inflamação na derme subjacente. **B.** A imunocoloração para citoqueratina 7 destaca as células de Paget intraepidérmicas.

Em contraste à doença de Paget do mamilo na qual 100% das pacientes têm um carcinoma ductal de mama subjacente, a doença de Paget vulvar está confinada à epiderme da vulva e normalmente não está associada a câncer subjacente. O tratamento consiste em uma ampla excisão local, que é necessária porque as células de Paget espalham-se lateralmente na epiderme e podem estar presentes além dos limites macroscopicamente visíveis da lesão. A doença de Paget intraepidérmica pode persistir por muitos anos ou mesmo décadas sem invasão ou metástases. Nos raros casos em que a invasão se desenvolve, o prognóstico é negativo.

> **Conceitos-chave**
>
> - Aproximadamente 30% dos cânceres vulvares são causados por infecções com HPVs de alto risco, principalmente HPV-16. Esses cânceres se desenvolvem a partir de uma lesão *in situ* denominada neoplasia intraepitelial vulvar clássica (NIV clássica)
> - A maioria dos cânceres vulvares (70%) não está relacionada ao HPV e se desenvolve a partir de líquen escleroso ou hiperplasia de células escamosas de fundo, originadas de uma lesão pré-maligna chamada neoplasia intraepitelial vulvar diferenciada (NIV diferenciada).

Vagina

A vagina é uma parte do sistema genital feminino notavelmente resistente a doenças que afetam estruturas próximas. Por exemplo, no adulto, a inflamação que começa na vulva e estruturas perivulvares muitas vezes se espalha para o colo uterino sem envolvimento significativo da vagina. Lesões primárias da vagina são raras, sendo o carcinoma de células escamosas vaginal a mais grave. Essas lesões serão discutidas apenas brevemente aqui.

Anomalias de desenvolvimento

A *vagina septada*, ou *dupla*, é uma anomalia rara que surge de uma falha de fusão do ducto de Müller e é acompanhada por um útero duplo (*útero didelfo*). Estas e outras anomalias da genitália externa podem ser as manifestações de síndromes genéticas, exposição *in utero* ao dietilestilbestrol (DES, usado para prevenir ameaças de aborto entre as décadas de 1940 e 1960), ou outros fatores desconhecidos que perturbam a sinalização recíproca epitélio-estroma durante o desenvolvimento fetal.

Durante o desenvolvimento embrionário, a vagina é inicialmente recoberta por epitélio colunar do tipo endocervical, normalmente substituído por epitélio escamoso que avança de maneira ascendente a partir do seio urogenital. Pequenas áreas de epitélio glandular vestigial podem persistir na vida adulta; tais áreas são conhecidas como *adenose vaginal*, que no exame apresentam-se como regiões granulosas vermelhas que se destacam do entorno rosa-claro da mucosa vaginal normal. Microscopicamente, a adenose consiste em epitélio mucinoso colunar indistinguível do epitélio endocervical e é encontrada em apenas uma pequena porcentagem de mulheres adultas, mas foi relatada em 35 a 90% das expostas ao DES no útero. Casos raros de carcinoma de células claras originado em adenoses relacionadas a DES foram registrados em adolescentes e mulheres jovens adultas nas décadas de 1970 e 1980, resultando na descontinuação do tratamento com DES.

Os *cistos do ducto de Gartner* são lesões relativamente comuns encontradas ao longo das paredes laterais da vagina derivadas de vestígios dos ductos de Wolff (mesonéfricos). Eles consistem em cistos submucosos de 1 a 2 cm preenchidos por líquido. Outros cistos, incluindo cistos mucosos que ocorrem na vagina proximal, são derivados de epitélio mülleriano. A endometriose (descrita posteriormente) é outra lesão de origem mülleriana que pode ocorrer na vagina e simular clinicamente uma neoplasia.

Neoplasias pré-malignas e malignas da vagina

A maioria dos tumores benignos da vagina ocorre em mulheres em idade reprodutiva e inclui tumores estromais (pólipos estromais), leiomiomas e hemangiomas. O tumor maligno mais comum envolvendo a vagina é o carcinoma metastático do colo uterino, seguido pelo carcinoma de células escamosas primário da vagina. Os bebês podem desenvolver uma malignidade rara e única conhecida como rabdomiossarcoma embrionário (sarcoma botrioide).

Neoplasia intraepitelial vaginal e carcinoma de células escamosas

Praticamente todos os carcinomas primários da vagina são carcinomas de células escamosas associadas à infecção por HPV de alto risco. O carcinoma vaginal é extremamente raro (aproximadamente 0,6 casos por 100 mil mulheres anualmente) e representa cerca de 1% das neoplasias malignas do sistema genital feminino. O maior risco o fator é um carcinoma de colo uterino ou de vulva prévios; 1 a 2% das mulheres com carcinoma cervical invasivo eventualmente desenvolvem um carcinoma de células escamosas da vagina. Este carcinoma surge de uma lesão pré-maligna, a *neoplasia intraepitelial vaginal*, análoga à lesão intraepitelial escamosa cervical (LIE; ver seção "Colo uterino" mais adiante neste capítulo). Na maioria dos casos, o tumor invasivo afeta a região superior da vagina, particularmente a parede posterior na junção com a ectocérvice. As lesões dos dois terços inferiores da vagina sofrem metástase para os linfonodos inguinais, enquanto as lesões da região superior da vagina tendem a se espalhar para os linfonodos ilíacos regionais.

Rabdomiossarcoma embrionário

Também chamado de *sarcoma botrioide*, esse tumor vaginal raro composto de rabdomioblastos embrionários malignos é encontrado mais frequentemente em bebês e crianças menores de 5 anos. Esses tumores tendem a crescer como massas polipoides, arredondadas e volumosas com aparência e consistência semelhantes

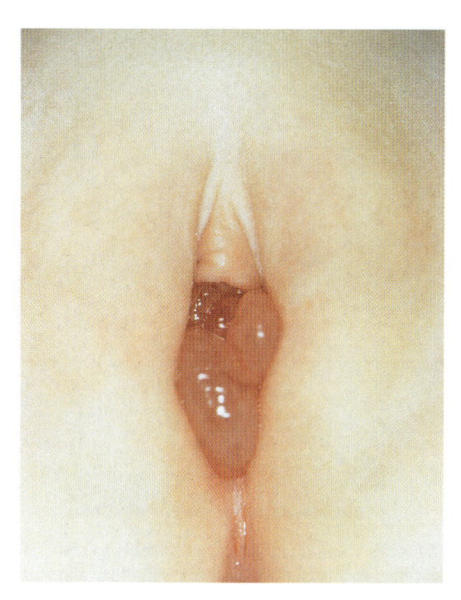

Figura 22.11 Sarcoma botrioide (rabdomiossarcoma embrionário) da vagina aparecendo como uma massa polipoide com protusão para fora da vagina. (Cortesia do Dr. Michael Donovan, Children's Hospital, Boston, Mass.)

a cachos de uvas (daí a designação botrioide, ou "semelhante a uva") (**Figura 22.11**). As células tumorais são pequenas e apresentam núcleos ovais, com pequenas saliências de citoplasma em uma das extremidades, parecidas a raquetes de tênis. Raramente, estrias (indicativas de diferenciação muscular) podem ser vistas no citoplasma. Abaixo do epitélio vaginal, as células tumorais se aglomeram na chamada camada de *cambium*, enquanto nas regiões profundas elas se encontram no interior de um estroma fibromixomatoso e edematoso frouxo que pode conter muitas células inflamatórias. Essas lesões podem ser confundidas com pólipos inflamatórios benignos. Os tumores tendem a invadir localmente e causar a morte por invasão da cavidade peritoneal ou por obstrução do trato urinário. A cirurgia conservadora associada a quimioterapia oferece a melhor expectativa, particularmente em casos diagnosticados suficientemente cedo.

Colo uterino

Anatomicamente, o colo uterino consiste em uma porção externa da vagina (ectocérvice) e no canal endocervical. A ectocérvice, visível no exame vaginal, é coberta por um epitélio escamoso maduro contínuo à parede vaginal. O epitélio escamoso converge centralmente em uma pequena abertura denominada *óstio externo* que leva ao canal endocervical. A endocérvice é revestida por um epitélio colunar secretor de muco. O ponto onde os epitélios escamosos e colunares se encontram é conhecido como *junção escamocolunar* (**Figura 22.12**). A posição da junção varia e muda com a idade e influência hormonal, mas em geral a junção se move de maneira ascendente em direção ao canal endocervical com o tempo. A substituição do epitélio glandular pelo avanço do epitélio escamoso é um processo denominado metaplasia escamosa. A área do colo uterino onde o epitélio colunar coexiste com o epitélio escamoso é denominada *"zona de transformação"*. O ambiente epitelial único do colo uterino o torna altamente suscetível à infecção por HPV, a principal causa de câncer cervical. As células escamosas imaturas presentes na zona de transformação são mais suscetíveis à infecção por HPV, e como resultado, é ali que se desenvolve a maioria das lesões cervicais precursoras e o câncer cervical.

Inflamações

Cervicite aguda e crônica

No início da menarca, a produção de estrógenos pelo ovário estimula a maturação da mucosa escamosa cervical e vaginal e formação de vacúolos intracelulares contendo glicogênio nas células escamosas. À medida que essas células descamam, o glicogênio fornece um substrato para várias bactérias vaginais aeróbias e anaeróbias endógenas, particularmente lactobacilos,

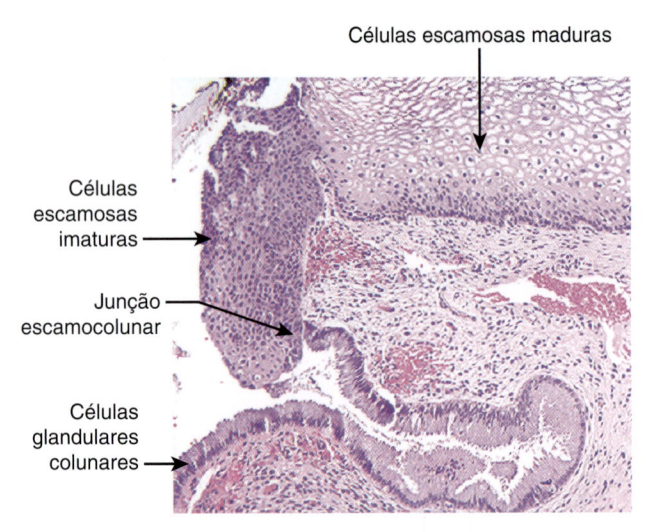

Figura 22.12 Junção escamocolunar cervical exibindo transição do epitélio escamoso glicogenizado maduro para epitélio glandular endocervical colunar. As células epiteliais escamosas maduras superficiais não são suscetíveis à infecção pelo papilomavírus humano (HPV). As células suscetíveis ao HPV incluem as células escamosas basais imaturas e as células glandulares endocervicais.

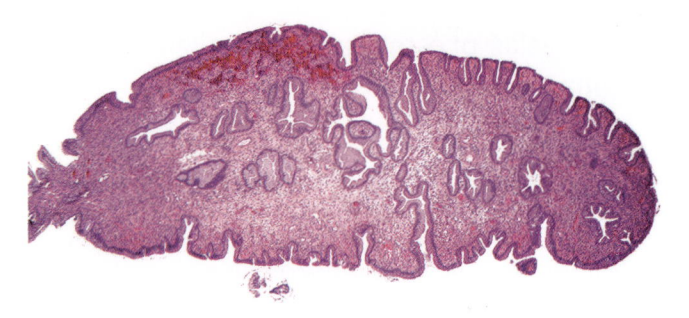

Figura 22.13 Pólipo endocervical composto de um denso estroma fibroso recoberto por epitélio colunar endocervical.

os quais são as espécies microbianas dominantes na vagina normal. Os lactobacilos produzem ácido láctico, que mantém o pH vaginal abaixo de 4,5, suprimindo o crescimento de outros organismos saprofíticos e patogênicos. Além disso, sob pH baixo, os lactobacilos produzem peróxido de hidrogênio bacteriotóxico (H_2O_2). Quando o pH se torna alcalino devido ao sangramento, relação sexual, ou ducha vaginal, os lactobacilos diminuem a produção de H_2O_2. A antibioticoterapia que suprime lactobacilos também pode aumentar o pH. Em cada uma dessas situações, o ambiente vaginal alterado promove o crescimento excessivo de outros microrganismos, podendo resultar em cervicite ou vaginite. Algum grau de inflamação cervical pode ser encontrado em praticamente todas as mulheres e geralmente tem pouca consequência clínica. No entanto, infecções por gonococos, clamídias, micoplasmas e HSV podem causar cervicite aguda ou crônica significativa e sua identificação é importante por estar associada à doença do sistema genital superior, complicações durante a gravidez e transmissão sexual. A inflamação cervical pronunciada produz alterações reparadoras e reativas do epitélio e descamação de células escamosas de aspecto atípico podendo, portanto, causar um resultado anormal do teste de Papanicolaou.

Pólipos endocervicais

Os pólipos endocervicais são crescimentos exofíticos benignos comuns originados dentro do canal endocervical e variam de pequenas "saliências" sésseis a grandes massas polipoides que podem se projetar pelo óstio cervical. Histologicamente, os pólipos se constituem de um estroma fibroso coberto por glândulas endocervicais secretoras de muco, muitas vezes acompanhadas de inflamação (**Figura 22.13**). Seu principal significado é que podem ser a fonte de "manchas" vaginais irregulares ou sangramento que despertam a suspeita de alguma lesão mais grave. A curetagem simples ou a excisão cirúrgica são curativas.

Neoplasias pré-malignas e malignas do colo uterino

Em todo o mundo, o carcinoma cervical é o quarto câncer mais comum entre mulheres, com uma estimativa de 570 mil novos casos em 2018, dos quais mais da metade será fatal. Nos EUA, havia uma estimativa de que 13.179 mulheres seriam diagnosticadas com câncer cervical e que 4.250 morreriam da doença em 2019. Há cinquenta anos, o carcinoma do colo uterino era a principal causa de morte por câncer em mulheres nos EUA, mas a taxa de mortalidade diminuiu 75% até sua posição atual como a décima terceira causa de mortalidade por câncer. Nenhuma forma de câncer documenta melhor os benefícios notáveis da triagem eficaz, diagnóstico precoce e terapia curativa do que o câncer de colo uterino. O maior crédito por estes ganhos consideráveis se deve à eficácia do teste de Papanicolaou na detecção de lesões cervicais precursoras, algumas das quais progrediriam para um câncer caso não tratadas; além disso, o teste de Papanicolaou também pode detectar cânceres em estágio inicial e altamente curáveis. A acessibilidade do colo uterino para o teste de Papanicolaou e o exame visual (colposcopia), bem como a progressão lenta das lesões precursoras de carcinoma invasivo (normalmente ao longo do curso de décadas) oferece tempo suficiente para triagem, detecção e tratamento preventivo.

Patogênese

HPVs de alto risco são de longe o fator mais importante no desenvolvimento de câncer cervical. HPVs são vírus de DNA agrupados em alto e baixo risco oncogênico com base em seus genótipos. Existem 15 HPVs de alto risco atualmente identificados, embora o HPV-16 sozinho seja responsável por quase 60% dos casos de câncer cervical e o HPV-18 seja responsável por outros 10% dos casos; os demais tipos de HPV contribuem individualmente com menos de 5% dos casos. Os HPVs de alto risco também estão associados a carcinomas de células escamosas que se originam em muitos outros locais, incluindo a vagina, vulva, pênis, ânus, amígdala e outras localizações orofaríngeas. Como observado anteriormente, os HPVs de baixo risco oncogênico são a causa de verrugas vulvares, perineais e perianais (condiloma acuminado) sexualmente transmissíveis.

As infecções genitais por HPV são extremamente comuns; a maior parte é assintomática e não causa quaisquer alterações teciduais, não sendo, portanto, detectada no teste de Papanicolaou. O pico de prevalência de HPV em esfregaços cervicais de mulheres com teste de Papanicolaou normal ocorre entre 20 e 24 anos (em torno do início da vida sexual) e declina posteriormente, à medida que a imunidade protetora se estabelece e as mulheres estabelecem relacionamentos monogâmicos. A maioria das infecções por HPV é transitória; no geral, 50% das infecções por HPV são eliminadas em 8 meses e 90% das infecções são eliminadas em 2 anos. A duração da infecção está relacionada ao tipo de HPV, e, em média, infecções por HPVs de alto risco demoram mais para desaparecer do que infecções por HPVs de baixo risco (13 meses *versus* 8 meses, respectivamente). A infecção persistente aumenta o risco de desenvolvimento de lesões precursoras cervicais e carcinoma subsequente.

A infecção produtiva e persistente por HPV requer a entrada do vírus em células epiteliais basais imaturas. Como resultado, as superfícies recobertas por epitélio escamoso intacto e maduro, como a ectocérvice, vagina, vulva, pênis e orofaringe, são normalmente resistentes à infecção por HPV. As regiões do sistema genital feminino suscetíveis à infecção incluem áreas de trauma e reparo do epitélio escamoso, onde o vírus pode acessar as células basais e as células escamosas metaplásicas imaturas que estão presentes na junção escamocolunar do colo uterino (**Figura 22.12**). O colo uterino, com suas áreas relativamente grandes de epitélio metaplásico escamoso imaturo, é particularmente vulnerável à infecção por HPV. Outros locais do corpo suscetíveis à infecção por HPV incluem a junção escamocolunar do ânus e as células escamosas das criptas tonsilares orofaríngeas, ambos locais relativamente comuns de cânceres associados ao HPV em indivíduos que praticam sexo anal ou oral, respectivamente.

A capacidade de o HPV agir como carcinógeno depende das proteínas virais E6 e E7, que interferem com a atividade das principais proteínas supressoras de tumor, p53 e RB, respectivamente. Embora o HPV infecte células escamosas imaturas, a replicação viral ocorre em células escamosas em processo de maturação. Normalmente, essas células mais maduras estão presas na fase G_1 do ciclo celular, mas continuam a progredir ativamente no ciclo celular quando infectadas por HPV, que usa a maquinaria de síntese de DNA da célula hospedeira para replicar seu próprio genoma. Como você deve se lembrar do **Capítulo 7**, a proteína viral E7 se liga à forma hipofosforilada (ativa) de RB e promove sua degradação pela via do proteassoma, e também se liga e inibe p21 e p27, dois importantes inibidores de quinase ciclina-dependentes. A remoção desses controles não somente aumenta a progressão do ciclo celular, mas também prejudica a capacidade das células de reparar danos no DNA. O defeito no reparo do DNA das células infectadas é exacerbado pelas proteínas E6 codificadas por subtipos de HPV de alto risco, que ligam p53 e promovem sua degradação pelo proteassoma. Além disso, E6 regula positivamente a expressão da telomerase, que promove imortalização celular. O resultado líquido é a proliferação aumentada de células propensas a adquirir mutações adicionais que podem levar ao desenvolvimento de câncer. Em contraste aos HPVs de alto risco, as proteínas E7 de HPVs de baixo risco ligam RB com menor afinidade, enquanto as proteínas E6 não conseguem ligar p53 completamente e, em vez disso, parecem desregular o crescimento e sobrevivência interferindo na via de sinalização *Notch*.

Outro fator que contribui para a transformação maligna por HPV é o estado físico do vírus. O DNA viral se integra ao genoma da célula hospedeira na maioria dos cânceres. Essa configuração aumenta a expressão dos genes *E6* e *E7*, e também pode desregular oncogenes próximos aos locais de inserção viral, como *MYC*. Em contraste, o DNA viral é extracromossômico (episomal) em lesões precursoras associadas aos HPVs de alto risco e em condilomas associados aos HPVs de baixo risco.

Mesmo que o HPV esteja firmemente estabelecido como a principal causa de câncer cervical, vale lembrar que embora um alta porcentagem de mulheres jovens estejam infectadas com um ou mais tipos de HPV durante seus anos reprodutivos, apenas uma pequena parcela desenvolve câncer. Assim, outros fatores, como a exposição a cocarcinógenos e o estado imunológico do hospedeiro, influenciam se uma infecção por HPV regride ou persiste e, eventualmente, leva ao câncer.

Neoplasia intraepitelial cervical (lesões intraepiteliais escamosas)

A classificação das lesões cervicais precursoras evoluiu ao longo do tempo e os termos dos diversos sistemas de classificação são usados de modo intercambiável. Por isso, uma breve revisão das terminologias é necessária. O sistema de classificação mais antigo agrupava lesões apresentando displasia leve em um extremo e displasia/carcinoma grave *in situ* em outro. A isso seguiu-se a classificação de *neoplasia intraepitelial cervical* (NIC), com displasia leve denominada *NIC I*, displasia moderada denominada *NIC II* e displasia grave denominada *NIC III*. Como a decisão em relação à conduta a ser seguida para a paciente tem dois níveis (observação *versus* tratamento cirúrgico), o sistema de classificação de três níveis foi recentemente simplificado para um sistema de dois níveis, com NIC I renomeado lesão intraepitelial escamosa de baixo grau (LSIL, *low-grade squamous intraepithelial lesion*) enquanto NIC II e NIC III foram combinados em uma categoria chamada lesão intraepitelial escamosa de alto grau (HSIL, *high-grade squamous intraepithelial lesion*) (**Tabela 22.1**).

A LSIL não progride diretamente para um carcinoma invasivo e, de fato, a maioria dos casos regride espontaneamente; apenas uma pequena porcentagem progride para HSIL. A LSIL representa uma infecção produtiva por HPV em que há um alto nível de replicação viral, mas apenas alterações leves no crescimento das células hospedeiras. Por essas razões, a LSIL não é tratada como uma lesão pré-maligna. A LSIL é aproximadamente dez vezes mais comum do que a HSIL.

Ao contrário da LSIL, a HSIL é considerada de alto risco de progressão para carcinoma. Na HSIL, há uma desregulação progressiva do ciclo celular pelo HPV, resultando em aumento da proliferação celular, diminuição ou bloqueio da maturação epitelial e uma taxa de replicação viral mais baixa em comparação com a LSIL. A perturbação do ciclo celular na HSIL pode se tornar irreversível e levar a um fenótipo de transformação totalmente maligno.

Tabela 22.1 Sistemas de classificação para lesões cervicais escamosas precursoras.

Displasia/carcinoma *in situ*	NIC	SIL, classificação atual
Displasia leve	NIC I	SIL de baixo grau (LSIL)
Displasia moderada	NIC II	SIL de alto grau (HSIL)
Displasia grave	NIC III	SIL de alto grau (HSIL)
Carcinoma *in situ*	NIC III	SIL de alto grau (HSIL)

NIC, neoplasia intraepitelial cervical; *SIL*, lesão intraepitelial escamosa (do inglês, *squamous intraepithelial lesion*).

Morfologia

O diagnóstico da SIL é baseado na identificação de atipia nuclear caracterizada por aumento do núcleo, hipercromasia (coloração escura), grânulos de cromatina grosseira e variação no tamanho e forma do núcleo (Figura 22.14). As alterações nucleares são frequentemente acompanhadas por "halos" citoplasmáticos. Em nível ultraestrutural, esses "halos" consistem em vacúolos perinucleares, uma alteração citopática criada em parte por uma proteína E5 codificada pelo HPV que se localiza nas membranas do retículo endoplasmático. As alterações nucleares associadas a halos perinucleares são denominadas **atipias coilocíticas**. A classificação da SIL em baixo ou alto grau é baseada na expansão da camada de células imaturas a partir da sua localização basal normal. Se as células escamosas imaturas estão confinadas ao terço inferior do epitélio, a lesão é chamada de LSIL; quando se expandem para os dois terços superiores da espessura epitelial, é denominada HSIL.

As características histológicas da LSIL se correlacionam com a replicação do HPV e mudanças no crescimento da célula hospedeira e expressão gênica (**Figura 22.15**). As cargas virais mais altas (avaliadas por hibridização *in situ* para o DNA do HPV; **Figura 22.15B**) são encontradas nos queratinócitos em maturação na metade superior do epitélio. As proteínas E6 e E7 do HPV previnem a parada do ciclo celular. Como resultado, as células da parte superior do epitélio expressam marcadores de células em divisão ativa, como Ki-67 (**Figura 22.15C**), que normalmente estão confinados à camada basal do epitélio. A perturbação da regulamentação do crescimento também leva à superexpressão de p16, um inibidor de quinase ciclina-dependente (**Figura 22.15D**). Tanto a coloração de Ki-67 quanto de p16 se correlacionam fortemente com a infecção por HPV e são úteis para a confirmação do diagnóstico em casos ambíguos de SIL.

Mais de 80% das LSILs e 100% das HSILs estão associados com HPVs de alto risco, sendo o HPV-16 o tipo de HPV mais comum em ambas as lesões. A Tabela 22.2 mostra as taxas de regressão e progressão das SILs em um seguimento de 2 anos.

Embora a maioria dos casos de HSILs desenvolva-se a partir de LSILs, aproximadamente 20% dos casos de HSIL se desenvolvem de uma lesão nova, na ausência de qualquer LSIL preexistente. As taxas de progressão não são de forma alguma uniformes e embora o tipo de HPV (especialmente HPV-16) esteja associado a um risco aumentado, é difícil prever o resultado em uma paciente individual. Esses achados ressaltam que o risco de lesões precursoras e o câncer é conferido apenas em parte pelo tipo de HPV. A progressão para o carcinoma invasivo, quando ocorre, acontece em média ao longo de várias décadas.

Carcinoma cervical

A idade média das pacientes com carcinoma cervical invasivo está entre 45 e 50 anos. O carcinoma de células escamosas é o subtipo histológico mais comum, responsável por aproximadamente 80% dos casos. O segundo tipo neoplásico mais comum é o adenocarcinoma, que constitui aproximadamente 15% dos casos de câncer cervical e se desenvolve a partir de uma lesão precursora chamada *adenocarcinoma in situ*. Os carcinomas adenoescamosos e neuroendócrinos são tumores cervicais raros responsáveis pelos 5% restantes dos casos. Todos os tipos de tumor mencionados acima são causados por HPVs de alto risco. O tempo de progressão de um carcinoma *in situ* para carcinomas adenoescamosos e neuroendócrinos invasivos é mais curto do que do carcinoma de células escamosas, sendo que pacientes com esses tumores costumam apresentar quadros avançados da doença e ter um prognóstico menos favorável.

Morfologia

O carcinoma cervical invasivo pode se manifestar como massas de crescimento exuberante (exofítico) ou infiltrativas. O **carcinoma de células escamosas** é composto de ninhos e projeções de epitélio escamoso maligno, queratinizantes ou não queratinizantes, que invadem o estroma cervical subjacente

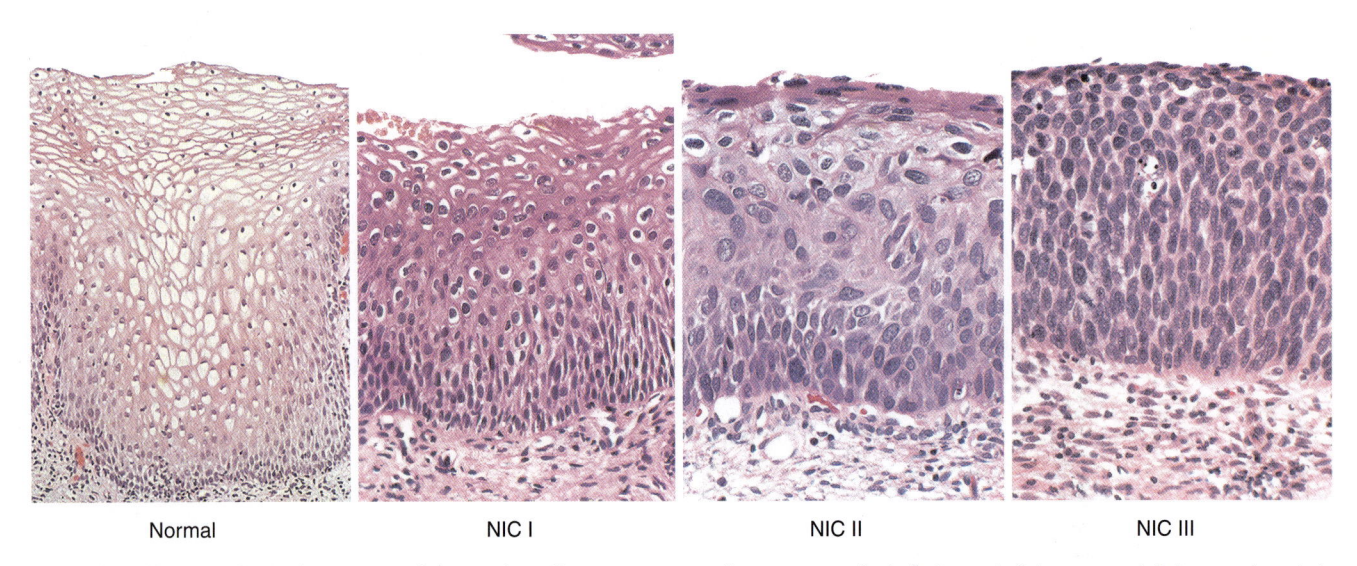

Normal | NIC I | NIC II | NIC III

Figura 22.14 Espectro da neoplasia intraepitelial cervical: epitélio escamoso normal para comparação; lesão intraepitelial escamosa de baixo grau (neoplasia intraepitelial cervical [*NIC*] I) com atipia coilocítica; lesão intraepitelial escamosa de alto grau (HSIL) (NIC II) com atipia progressiva e expansão basocelular imaturas acima do terço inferior da espessura epitelial; HSIL (NIC III) com atipia difusa, perda da maturação e expansão basocelular imaturas até a superfície epitelial.

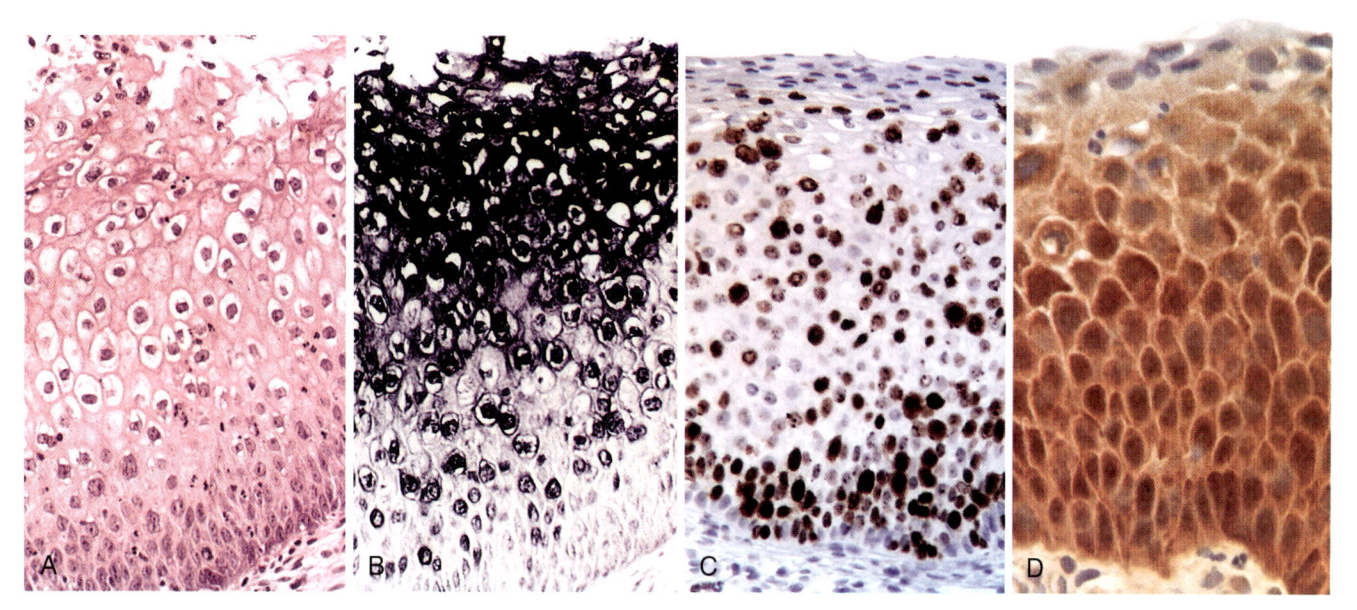

Figura 22.15 A. Lesão intraepitelial escamosa de baixo grau: a coloração de rotina com hematoxilina e eosina mostra alteração coilocítica, observada como um aumento nuclear e "halos" perinucleares. **B.** Teste de hibridização *in situ* para ácido desoxirribonucleico de papilomavírus humano (DNA de HPV). A coloração granular escura denota o DNA de HPV, o qual é mais abundante nos coilócitos superficiais. **C.** A positividade difusa para o marcador de proliferação Ki-67 (observada como coloração nuclear marrom) ilustra a expansão das células proliferativas a partir da localização basal normal para as camadas superficiais do epitélio. **D.** A regulação positiva do inibidor da quinase p16 ciclina-dependente (observado aqui pela coloração marrom) caracteriza infecções por HPV de alto risco.

(**Figura 22.16A** e **B**). O **adenocarcinoma** é caracterizado por proliferação do epitélio glandular composto de células endocervicais malignas com núcleos hipercromáticos grandes e citoplasma relativamente depletado de mucina, resultando em uma aparência escura das glândulas, em comparação ao epitélio endocervical normal (**Figura 22.17A** e **B**). O carcinoma adenoescamoso é composto por uma mistura de epitélio glandular e epitélio escamoso malignos. O carcinoma cervical neuroendócrino tem uma aparência semelhante ao carcinoma de pequenas células do pulmão (ver **Capítulo 15**), mas difere por ser positivo para HPVs de alto risco.

O carcinoma cervical avançado se espalha por extensão direta para os tecidos contíguos, incluindo o tecido mole paracervical, bexiga urinária, ureteres (resultando em hidronefrose), reto e vagina. A invasão linfovascular resulta em metástases para linfonodos locais e distantes. As metástases a distância também podem ser encontradas no fígado, pulmões, medula óssea e outros órgãos.

O câncer cervical é estadiado da seguinte forma:
Estágio 0 – Carcinoma *in situ* (NIC III, HSIL)
Estágio I – Carcinoma confinado ao colo uterino
  Ia – Carcinoma pré-clínico, isto é, diagnosticado apenas por microscopia
    Ia1 – Invasão estromal não mais profunda que 3 mm e não mais larga que 7 mm (os chamados carcinomas de células escamosas superficialmente invasivas)
    Ia2 – Profundidade máxima de invasão estromal maior que 3 mm e não mais profunda do que 5 mm avaliada na base do epitélio; invasão horizontal não superior a 7 mm
  Ib – Carcinoma histologicamente invasivo confinado ao colo uterino e maior do que o estágio Ia2
Estágio II – Carcinoma que se estende para além do colo uterino, mas não para a parede pélvica. Carcinoma que envolve a vagina, mas sem afetar o terço inferior

Estágio III – Carcinoma que se estende até a parede pélvica. No exame retal, não há espaço livre de câncer entre o tumor e a parede pélvica. O tumor envolve o terço inferior da vagina
Estágio IV – Carcinoma que se estende para além da pelve verdadeira ou envolve a mucosa da bexiga ou reto. Este estágio também inclui cânceres com disseminação metastática.

Características clínicas

Mais da metade dos cânceres cervicais invasivos é detectada em mulheres que não participaram de exames regulares. Embora os carcinomas de células escamosas superficialmente invasivos possam ser tratados apenas pela excisão do cone cervical, os cânceres mais invasivos são tratados por histerectomia com dissecção de linfonodos e, para lesões avançadas, radiação e quimioterapia. O prognóstico para carcinomas invasivos depende do estágio do câncer no momento do diagnóstico e em algum grau do subtipo histológico, com tumores neuroendócrinos de pequenas células apresentando um prognóstico muito negativo. Com os tratamentos

Tabela 22.2 História natural das lesões escamosas intraepiteliais com acompanhamento aproximado de 2 anos.

Lesão	Regridem	Persistem	Progridem
LSIL	60%	30%	10% para HSIL
HSIL	30%	60%	10% carcinoma[a]

HSIL, lesão intraepitelial escamosa de alto grau (do inglês *high-grade squamous intraepithelial lesion*); LSIL, lesão intraepitelial escamosa de baixo grau (do inglês *low-grade squamous intraepithelial lesion*).
[a]Progressão dentro de 2 a 10 anos.

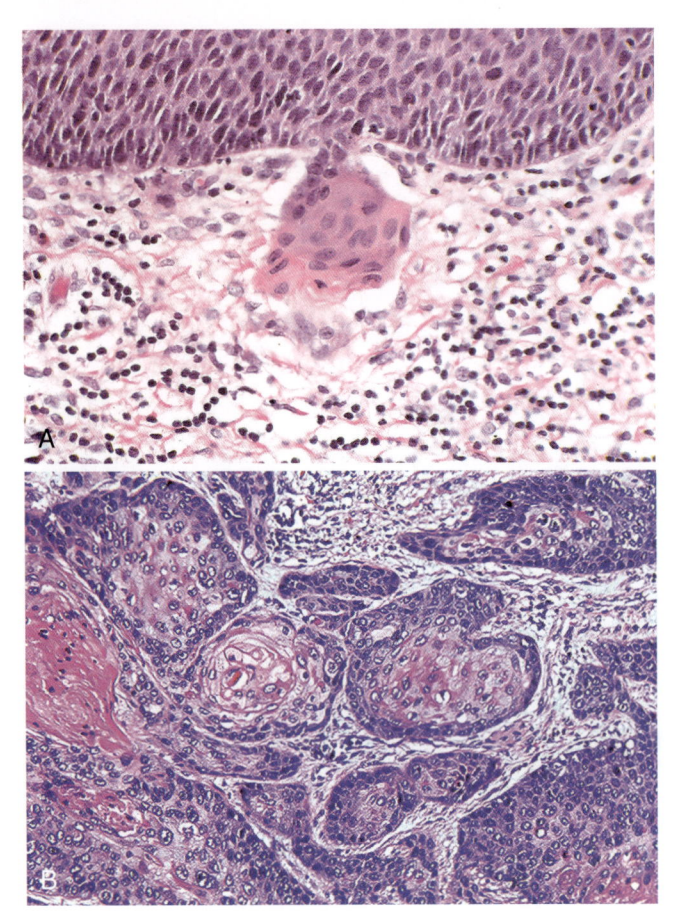

Figura 22.16 Carcinoma de células escamosas do colo do útero. **A.** Invasão inicial do carcinoma de células escamosas mostrando um ninho invasivo rompendo a membrana basal de uma lesão intraepitelial escamosa de alto grau. **B.** Carcinoma de células escamosas invasivo.

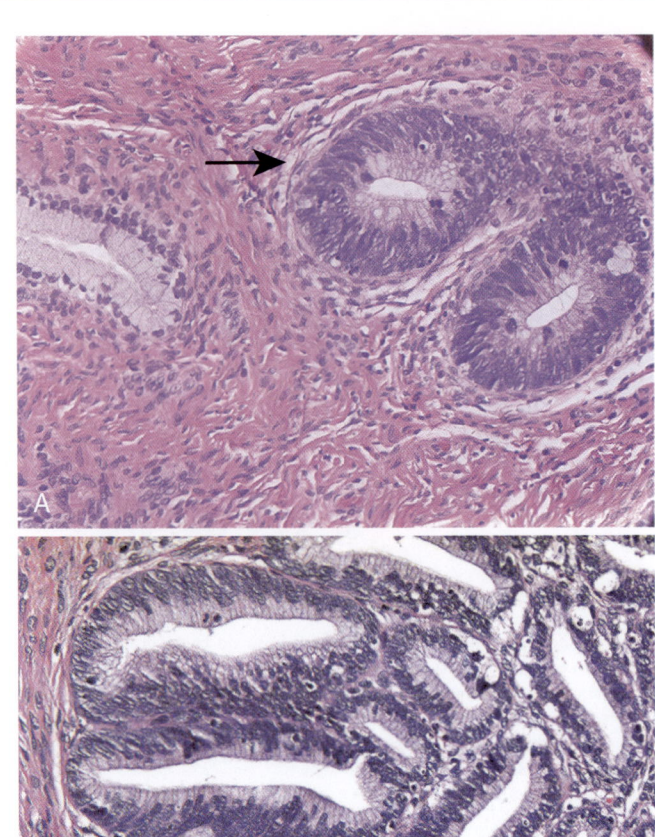

Figura 22.17 Adenocarcinoma do colo do útero. **A.** Adenocarcinoma *in situ* (*seta*) mostrando glândulas escuras com núcleos atípicos aumentados adjacentes a uma glândula endocervical normal clara. **B.** Adenocarcinoma invasivo.

atuais, a taxa de sobrevida em 5 anos é de 100% para carcinomas de células escamosas superficialmente invasivos e menos de 20% para tumores que se estendem para além da pelve. A maioria das pacientes com câncer cervical avançado vai a óbito em consequência da invasão local do tumor (p. ex., obstrução ureteral, pielonefrite e uremia) e não de metástases a distância.

Triagem e prevenção do câncer cervical

Como é bem conhecido, a triagem citológica do câncer tem reduzido significativamente a mortalidade por câncer cervical. Em países onde essa triagem não é amplamente praticada, o câncer cervical continua a cobrar um alto preço. A razão pela qual a triagem citológica é tão eficaz na prevenção do câncer cervical é que a maioria dos cânceres surge de lesões precursoras ao longo do curso de anos. Células anormais que descamam dessas lesões podem ser detectadas no exame citológico. Usando uma espátula ou escova, a zona de transformação do colo uterino é raspada de maneira circunferencial e as células são preparadas em um esfregaço ou espalhadas em uma lâmina. Após fixação e coloração pelo método de Papanicolaou, os esfregaços são examinados microscopicamente a olho nu ou (cada vez mais) em sistemas automatizados de análise de imagens. As alterações celulares observadas no teste de Papanicolaou que ilustram o espectro de LSIL a HSIL, são mostradas na **Figura 22.18**.

A testagem para presença de DNA do HPV no raspado de colo uterino é um método molecular de triagem do câncer cervical. A testagem para HPV tem maior sensibilidade, mas menor especificidade, em comparação ao teste de Papanicolaou. A testagem para DNA do HPV pode ser adicionada à citologia cervical para triagem em mulheres de 30 anos ou mais. A testagem para HPV em mulheres com menos de 30 anos não é recomendada por causa da alta incidência de infecção e, portanto, a especificidade particularmente baixa dos resultados de testes de HPV nessa faixa etária.

A triagem do câncer cervical e as medidas preventivas são realizadas de forma gradual. As recomendações para a frequência do exame de Papanicolaou varia, mas em geral o primeiro o esfregaço deve ser realizado aos 21 anos ou dentro de 3 anos do início da atividade sexual e, a partir daí, a cada 3 anos. Após os 30 anos, mulheres que tiveram resultado normal para a citologia e são negativas para HPV podem ser examinadas a cada 5 anos. Mulheres com resultado normal para a citologia, mas teste positivo

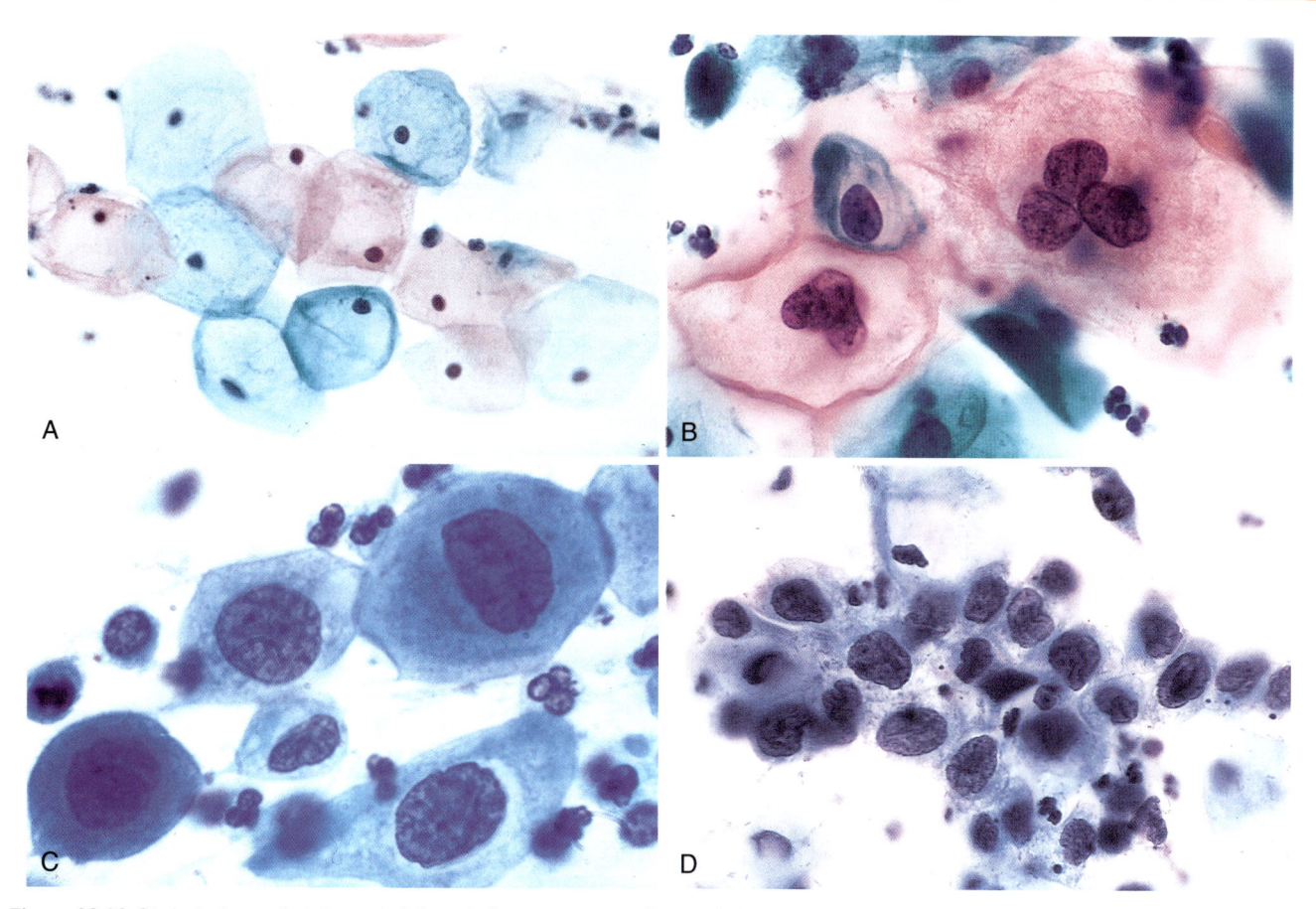

Figura 22.18 Citologia da neoplasia intraepitelial cervical como vista no esfregaço de Papanicolau. A coloração citoplasmática de células descamadas pode ser vermelha ou azul. **A.** Células escamosas superficiais normais esfoliadas. **B.** Lesão intraepitelial escamosa de baixo grau – coilócitos. **C.** Lesão intraepitelial escamosa de alto grau (HSIL; neoplasia intraepitelial cervical [NIC] II). **D.** HSIL (NIC III). Note a redução do citoplasma e o aumento da relação núcleo/citoplasma que ocorrem com o aumento do grau da lesão. Isso reflete a perda progressiva de diferenciação celular na superfície das lesões das quais essas células são esfoliadas. (Cortesia do Dr. Edmund S. Cibas, Brigham and Women's Hospital, Boston, Mass.)

para DNA de HPV de alto risco, devem repetir a citologia cervical a cada 6 a 12 meses.

Quando o resultado de um teste de Papanicolaou é anormal, um exame colposcópico do colo uterino e vagina é realizado para identificar a lesão. A mucosa é examinada com uma lupa após a aplicação de ácido acético, que destaca manchas brancas no epitélio anormal (*áreas acetobrancas*). As áreas de aparência anormal são submetidas a biopsia. Mulheres com LSIL confirmada por biopsia podem ser seguidas de forma conservadora. Alguns ginecologistas realizam ablação local (p. ex., crioterapia) da LSIL, particularmente se houver preocupação sobre a confiabilidade do acompanhamento da paciente. A HSIL é tratada com conização cervical (excisão superficial).

Um aspecto adicional importante da prevenção do câncer cervical é a vacinação contra o HPV oncogênico de alto risco, agora recomendada para todas as meninas e meninos de 11 a 12 anos, bem como rapazes e moças de até 26 anos. Duas vacinas contra o HPV estão licenciadas pela Food and Drug Administration (FDA) dos EUA no momento. Ambas fornecem proteção quase completa contra o HPV-16 e HPV-18, tipos de alto risco oncogênico (que conjuntamente representam aproximadamente 70% dos cânceres cervicais), além de também fornecer proteção contra outros cinco HPVs de alto risco oncogênico e contra o HPV-6 e HPV-11, tipos de baixo risco oncogênico, que são responsáveis por verrugas genitais. A vacinação é agora recomendada tanto para meninos quanto meninas devido ao papel que os homens desempenham na disseminação do HPV para as mulheres, além do peso dos cânceres anal e orofaríngeo relacionados ao HPV entre os homens. As vacinas oferecem proteção por até dez anos; estudos de acompanhamento mais prolongado ainda estão em andamento. Como as vacinas contra o HPV não protegem contra todos os tipos de HPV de alto risco, as diretrizes atuais recomendam que a triagem do câncer cervical seja contínua como no passado.

> **Conceitos-chave**
>
> - A LSIL cervical é uma infecção produtiva por HPV que geralmente regride espontaneamente, mas ocasionalmente progride para HSIL
> - A HSIL é caracterizada pela desregulação progressiva do ciclo celular e aumento da atipia celular. A HSIL pode progredir para um carcinoma invasivo
> - Quase todas as lesões cervicais precursoras e carcinomas cervicais são causados por tipos de HPV de alto risco, mais comumente HPV-16.

Corpo do útero e endométrio

O útero tem dois componentes principais: o miométrio e o endométrio. O miométrio é composto por feixes de músculo liso fortemente entrelaçados que formam a parede do útero. A cavidade interna do útero é revestida pelo endométrio, que é composto de glândulas embutidas em um estroma celular. O útero é afetado por uma variedade de distúrbios, dos quais os mais comuns resultam de desequilíbrios endócrinos, complicações da gravidez e proliferação neoplásica.

Histologia endometrial no ciclo menstrual

O endométrio sofre alterações fisiológicas e morfológicas dinâmicas durante o ciclo menstrual em resposta aos hormônios sexuais esteroidais produzidos de maneira coordenada no ovário. O ovário é influenciado pelos hormônios produzidos pela glândula pituitária (hipófise) em resposta a sinais do hipotálamo. Em conjunto, fatores hipotalâmicos, hipofisários e ovarianos, e suas interações, regulam a maturação dos folículos ovarianos, ovulação e menstruação.

A aparência histológica do endométrio pode ser usada para avaliar o estado hormonal, documentar a ovulação e determinar as causas de sangramento endometrial e infertilidade (**Figura 22.19**). A progressão ao longo de um ciclo menstrual normal se correlaciona com as seguintes características histológicas:

- O ciclo começa com a *menstruação*, na qual a porção superficial do endométrio, referida como camada funcional, se desprende
- A *fase proliferativa* é marcada pelo rápido crescimento de glândulas e estroma originados da parte mais profunda do endométrio (camada basal). Durante a fase proliferativa, as glândulas são estruturas tubulares retas revestidas por células colunares regulares altas e pseudoestratificadas. As figuras mitóticas são numerosas, e não há evidência de secreção de muco ou vacuolização. O estroma endometrial é composto por células fusiformes com citoplasma escasso em proliferação ativa (**Figura 22.19A**)
- Na *ovulação*, a proliferação endometrial cessa e a diferenciação se inicia em resposta aos efeitos da progesterona produzida pelo corpo lúteo do ovário
- A *pós-ovulação* é inicialmente marcada pelo surgimento de *vacúolos secretores*, abaixo dos núcleos do epitélio glandular (**Figura 22.19B**). A atividade secretória é mais proeminente durante a terceira semana do ciclo menstrual, quando os vacúolos basais se movem progressivamente para a superfície apical. Na quarta semana, as glândulas são tortuosas, com aparência serrilhada. Esta aparência serrilhada ou de "dentes de serrote" é acentuada pela exaustão secretória e encolhimento das glândulas
- As *alterações estromais na fase secretora tardia* são as características mais significativas, principalmente devido a progesterona. Arteríolas espirais proeminentes aparecem acompanhadas por um aumento da substância fundamental e edema entre as células estromais, seguidas por hipertrofia de células estromais, aumento da eosinofilia citoplasmática (*alteração pré-decidual*) e um ressurgimento de mitoses estromais (**Figura 22.19C**).

As alterações pré-deciduais se espalham por toda a camada funcional e são acompanhadas por um infiltrado esparso de neutrófilos e linfócitos, considerado normal nesse contexto
- Com a dissolução do corpo lúteo e da queda subsequente dos níveis de progesterona, a camada funcional se degenera e ocorre sangramento no estroma, seguido pela quebra do estroma e início do próximo ciclo menstrual (**Figura 22.19D**).

A ação dos hormônios ovarianos no endométrio ocorre principalmente por meio de seus receptores nucleares cognatos. Durante a fase proliferativa, o estrógeno conduz a proliferação das glândulas e do estroma, às vezes promovendo a comunicação cruzada (*cross-talk*) entre esses dois tipos celulares. Por exemplo, grande parte do efeito do estrógeno na proliferação glandular ocorre via células estromais, que em resposta ao estrógeno produzem fatores de crescimento (p. ex., fator de crescimento semelhante a insulina-1 e fator de crescimento epidérmico) que se ligam aos receptores expressos nas células epiteliais. Durante a fase secretora, a progesterona regula negativamente a expressão do receptor de estrógeno tanto nas glândulas quanto no estroma e, como resultado, a proliferação endometrial é suprimida. A progesterona também promove a diferenciação das glândulas e provoca alterações funcionais nas células estromais. Foi descoberto que as células-tronco endometriais provavelmente desempenham um papel central na regeneração do endométrio após a menstruação. Estas células também podem contribuir para o desenvolvimento do tecido endometrial ectópico e câncer endometrial.

Distúrbios endometriais funcionais (sangramento uterino disfuncional)

Embora possa ser causado por condições patológicas bem definidas, como endometrite crônica, pólipos endometriais (**Figura 22.20C**), leiomiomas da submucosa (ver **Figura 22.20D**) ou neoplasias endometriais, o sangramento uterino anormal comumente decorre de distúrbios hormonais que produzem *sangramento uterino disfuncional* (**Tabela 22.3**). Esse é um termo clínico usado para descrever o sangramento uterino não causado por uma anormalidade estrutural subjacente. Como discutido anteriormente, a proliferação cíclica normal, diferenciação e eliminação do endométrio requer que todos os hormônios pituitários e ovarianos sejam liberados no momento adequado e em quantidades certas. Qualquer perturbação neste sistema finamente ajustado pode resultar em sangramento uterino disfuncional, cujas causas mais comuns são discutidas nas próximas seções.

Ciclo anovulatório

A causa mais frequente de sangramento disfuncional é a anovulação (falha em ovular). Os ciclos anovulatórios resultam de desequilíbrios hormonais e são mais comuns na menarca e no período da perimenopausa. Menos comumente, a anovulação é o resultado de:

- *Distúrbios endócrinos*, como doenças da tireoide, das adrenais ou tumores pituitários
- *Lesões ovarianas*, como um tumor ovariano funcional (tumores de células da granulosa) ou ovários policísticos (ver seção "Ovários" adiante neste capítulo)

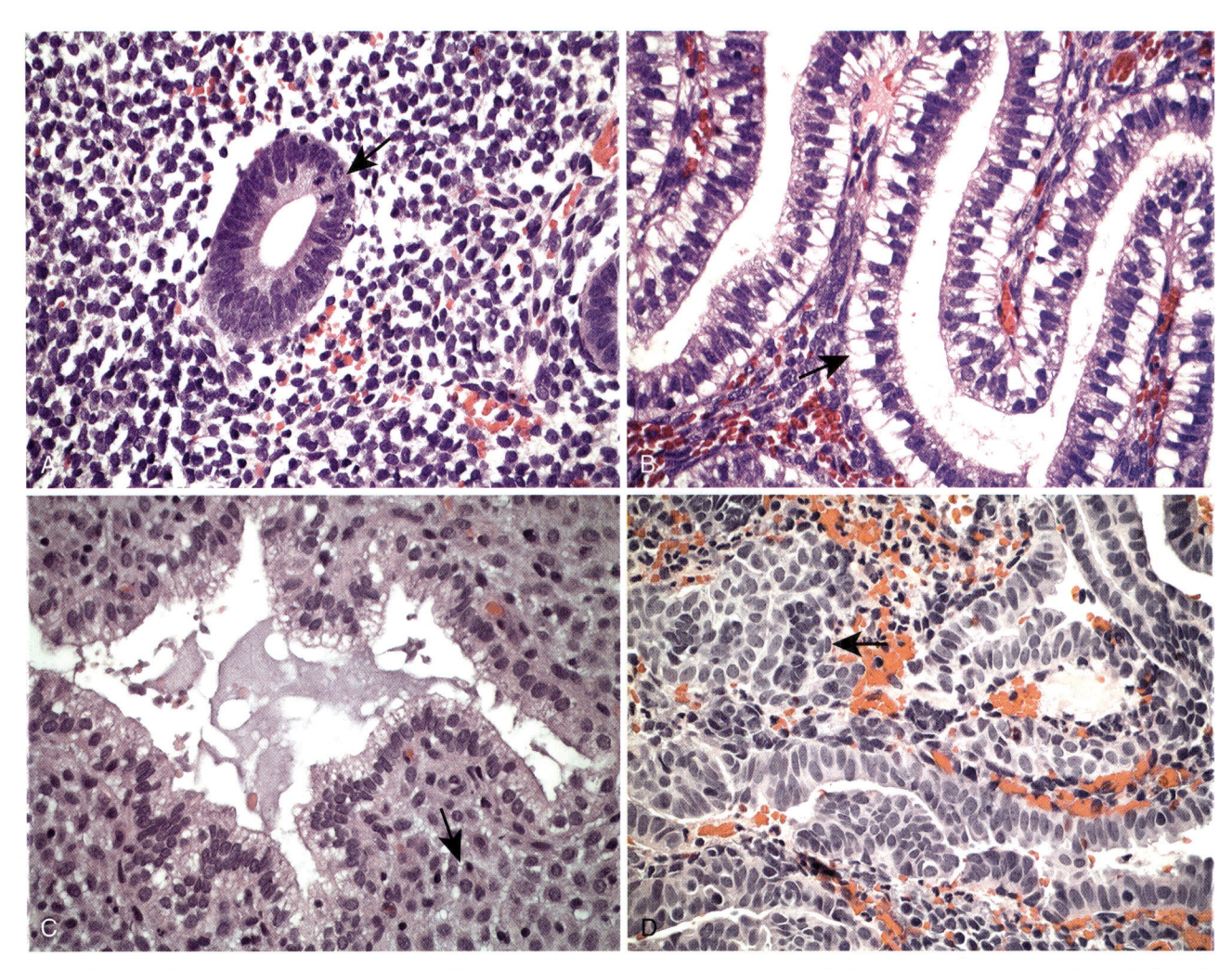

Figura 22.19 Histologia do ciclo menstrual. **A.** Fase proliferativa com mitoses (*seta*). **B.** Fase secretora inicial com vacúolos subnucleares (*seta*). **C.** Alterações de exaustão secretora e pré-deciduais tardias (*seta*). **D.** Endométrio menstrual com colapso do estroma (*seta*) (*ver texto*).

- *Perturbações metabólicas generalizadas*, como obesidade, desnutrição ou outras doenças sistêmicas crônicas.

A falha da ovulação resulta em estimulação endometrial excessiva por estrógenos que não é balanceada pela progesterona. Nessas circunstâncias, as glândulas endometriais sofrem mudanças arquitetônicas leves, incluindo dilatação cística, que geralmente remite devido a um ciclo ovulatório subsequente. Contudo, a anovulação repetida pode resultar em sangramento que, em certas situações clínicas, pode exigir uma biopsia endometrial. Nesse cenário, as biopsias revelam condensação estromal e metaplasia epitelial eosinofílica, características semelhantes às observadas no endométrio menstrual. No entanto, ao contrário do endométrio menstrual, características morfológicas dependentes de progesterona (p. ex., alterações secretoras glandulares e pré-decidualização do estroma) estão ausentes porque a fonte de progesterona, o corpo lúteo, não se desenvolve sem ovulação. Mais comumente, o endométrio é composto de glândulas pseudoestratificadas e contém figuras mitóticas dispersas (**Figura 22.20A**). A consequências mais graves da anovulação repetida são discutidas na seção "Hiperplasia endometrial" mais adiante neste capítulo.

Tabela 22.3 Causas de sangramento uterino anormal por faixa etária.

Faixa etária	Causas
Pré-puberdade	Puberdade precoce (origem hipotalâmica, hipofisária ou ovariana)
Adolescência	Ciclo anovulatório, distúrbios da coagulação
Idade reprodutiva	Complicações da gravidez (aborto, doença trofoblástica, gravidez ectópica)
	Lesões anatômicas (leiomioma, adenomiose, pólipos, hiperplasia endometrial, carcinoma)
	Sangramento uterino disfuncional Ciclo anovulatório Sangramento disfuncional ovulatório (p. ex., fase lútea inadequada)
Perimenopausa	Sangramento uterino disfuncional Ciclo anovulatório
	Lesões anatômicas (carcinoma, hiperplasia, pólipos)
Pós-menopausa	Atrofia endometrial
	Lesões anatômicas (carcinoma, hiperplasia, pólipos)

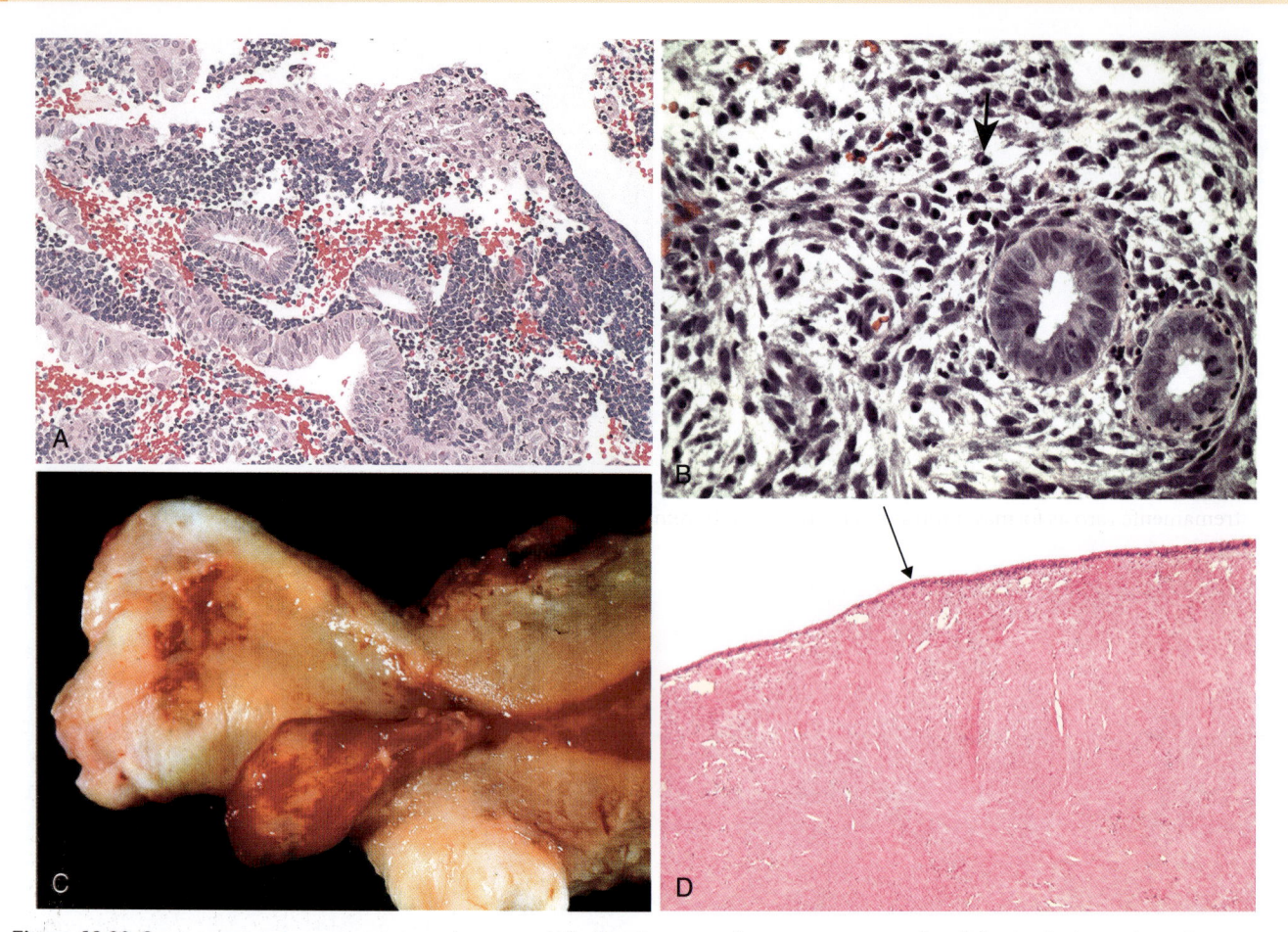

Figura 22.20 Causas comuns de sangramento uterino anormal. **A.** O mais comum é o sangramento uterino disfuncional, observado aqui como um endométrio anovulatório com colapso do estroma. Note a associação do colapso com as glândulas proliferativas. **B.** Endometrite crônica com plasmócitos (seta). **C.** Pólipo endometrial. **D.** Leiomioma submucoso com atenuação do revestimento endometrial (seta).

Distúrbios inflamatórios

O endométrio e o miométrio são relativamente resistentes a infecções, principalmente porque a endocérvice forma uma barreira à infecção ascendente. Assim, embora a inflamação crônica do colo uterino seja comum e geralmente insignificante, é uma preocupação quando encontrada no endométrio.

Endometrite aguda

A endometrite aguda é rara e limitada a infecções bacterianas que surgem após o parto ou aborto. Os produtos da concepção que ficaram retidos são os fatores predisponentes usuais; os agentes causadores incluem estreptococos hemolíticos do grupo A, estafilococos e outras bactérias. A resposta inflamatória limita-se principalmente ao estroma e é totalmente inespecífica. A remoção dos produtos gestacionais retidos por curetagem e a antibioticoterapia eliminam prontamente essas infecções.

Endometrite crônica

A endometrite crônica ocorre em associação com os seguintes distúrbios:

- Doença inflamatória pélvica crônica
- Tecido gestacional retido, pós-parto ou pós-aborto
- Dispositivos anticoncepcionais intrauterinos
- Tuberculose, seja por disseminação miliar, seja, mais frequentemente, por drenagem de salpingite tuberculosa. A tuberculose endometrial é rara em países de alta renda.

O diagnóstico de endometrite crônica baseia-se na identificação de plasmócitos no estroma (**Figura 22.20B**), que não são observados no endométrio normal. Em aproximadamente 15% dos casos, não há causa aparente. Algumas mulheres com essa chamada endometrite crônica "inespecífica" apresentam queixas ginecológicas como sangramento anormal, dor, corrimento e infertilidade. *Chlamydia* pode estar envolvida e está comumente associada a infiltrados inflamatórios agudos (p. ex., neutrófilos) e crônicos (p. ex., linfócitos, plasmócitos). Os organismos responsáveis podem não ser detectados por cultura. Quando há suspeita de infecção com base clínica, a antibioticoterapia é indicada, mesmo em face de culturas negativas, pois pode prevenir outras sequelas (p. ex., salpingite).

Endometriose e adenomiose

Endometriose é definida pela presença de tecido endometrial "ectópico" em um local fora do útero. O tecido anormal mais comum inclui glândulas e estroma endometrial, mas pode consistir apenas em estroma em alguns casos. Ocorre nos seguintes locais, em ordem decrescente de frequência: (1) ovários, (2) ligamentos uterinos, (3) septo retovaginal, (4) fundo de saco de Douglas, (5) peritônio pélvico, (6) serosa do intestino grosso e delgado e apêndice, (7) mucosa do colo uterino, vagina e tubas uterinas e (8) cicatrizes de laparotomia.

A endometriose pode ter consequências clínicas significativas; frequentemente causa infertilidade, dismenorreia (menstruação dolorosa), dor pélvica e outros problemas. A doença acomete principalmente mulheres em vida reprodutiva ativa, mais frequentemente na terceira e quarta décadas, e afeta aproximadamente 10% das mulheres. Existem três tipos de endometriose: endometriose peritoneal superficial, endometriose ovariana e endometriose infiltrativa profunda (**Figura 22.21**). As formas superficiais e ovarianas da endometriose estão raramente associadas ao desenvolvimento de tumores malignos, ao passo que é extremamente raro as formas infiltrativas profundas sofrerem transformação maligna.

Patogênese

A patogênese da endometriose permanece indefinida. As origens propostas das lesões endometriais se enquadram em duas categorias principais: (1) há aqueles que propõem uma origem a partir do endométrio uterino e (2) aqueles que propõem uma origem a partir de células externas ao útero que têm a capacidade originar o tecido endometrial. As principais teorias são as seguintes:

- *A teoria da regurgitação* propõe que o tecido endometrial se implanta em regiões ectópicas via fluxo retrógrado do endométrio menstrual
- *A teoria da metástase benigna* postula que o tecido endometrial do útero pode "se espalhar" para locais distantes (p. ex., osso, pulmão e cérebro) via vasos sanguíneos e canais linfáticos
- *A teoria metaplásica* sugere que o endométrio surge diretamente do epitélio celômico (mesotélio da pelve ou abdome), a partir do qual os ductos de Müller e, finalmente, o próprio endométrio se originam durante o período embrionário desenvolvimento. Além disso, os vestígios mesonéfricos podem sofrer diferenciação endometrial e originar o tecido endometrial ectópico
- *A teoria das células-tronco/progenitoras extrauterinas* propõe que células-tronco/progenitoras da medula óssea se diferenciam no tecido endometrial.

A menstruação retrógrada pelas tubas uterinas é comum enquanto a teoria da regurgitação fornece uma explicação plausível para a origem do tecido endometrial ectópico na cavidade peritoneal, que constitui a vasta maioria dos casos. No entanto, não consegue explicar a endometriose em mulheres amenorreicas em decorrência de uma variedade de etiologias (p. ex., disgenesia gonadal); endometriose no trato urogenital de homens tratados com altas doses estrógenos para câncer de próstata; e endometriose em locais distantes como o cérebro, pulmão e osso. Além disso, a incidência relativamente baixa de endometriose, apesar da ocorrência comum de menstruação retrógrada (até 90% das mulheres), sugere que fatores adicionais estão envolvidos na patogênese da doença.

As análises moleculares forneceram percepções adicionais. Os implantes endometrióticos apresentam certas diferenças quando comparados aos endométrios de mulheres sem endometriose (**Figura 22.22**) que incluem:

- *Liberação de fatores pró-inflamatórios e angiogênicos*, incluindo PGE_2, IL-1β, TNF-α, IL-6, IL-8, NGF, VEGF, MCP-1, MMPs e TIMPs. Alguns desses fatores são liberados por macrófagos associados, que são recrutados para implantes endometrióticos por fatores pró-inflamatórios. Assim como em tumores metastáticos, a capacidade dos implantes endometrióticos sobreviverem e crescerem depende da angiogênese, mediada por fatores pró-angiogênicos típicos como o VEGF. Da mesma forma, a capacidade de se implantar requer remodelamento da matriz extracelular, o qual é realizado por fatores como metaloproteases de matriz. Estes fatores também podem contribuir para evitar a eliminação imunológica
- *Aumento da produção de estrógeno e ácido retinoico por células estromais endometrióticas*, em grande parte devido aos altos níveis da enzima-chave aromatase esteroidogênica, que está ausente no estroma endometrial normal. O estrógeno aumenta a sobrevivência e persistência do tecido endometriótico, e

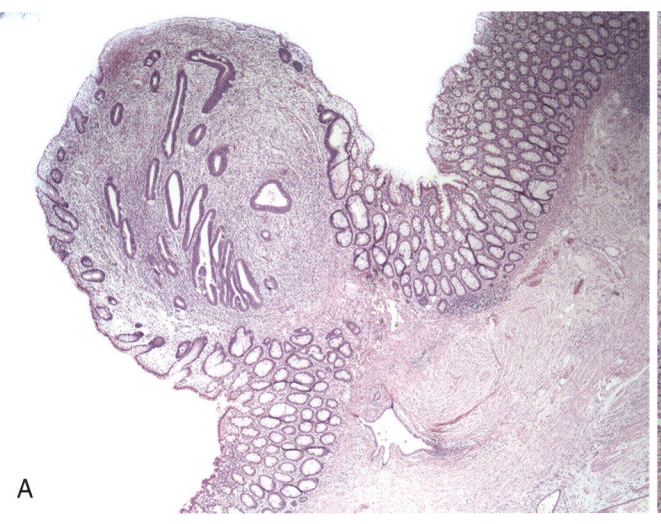

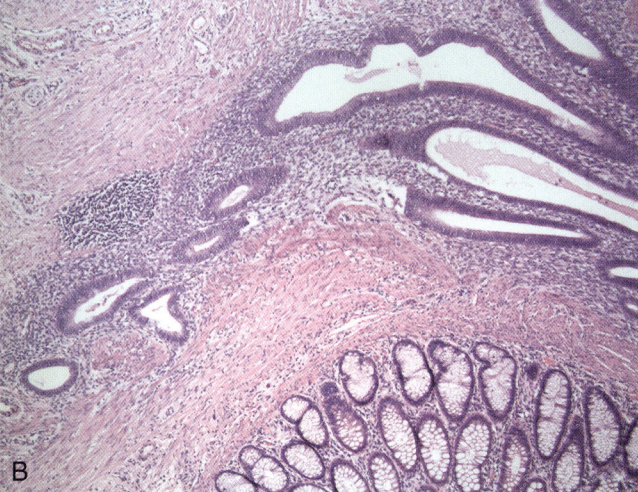

Figura 22.21 Endometriose. **A.** Endometriose envolvendo a mucosa do cólon. **B.** O grande aumento revela glândulas endometriais e estroma adjacente à mucosa normal do cólon.

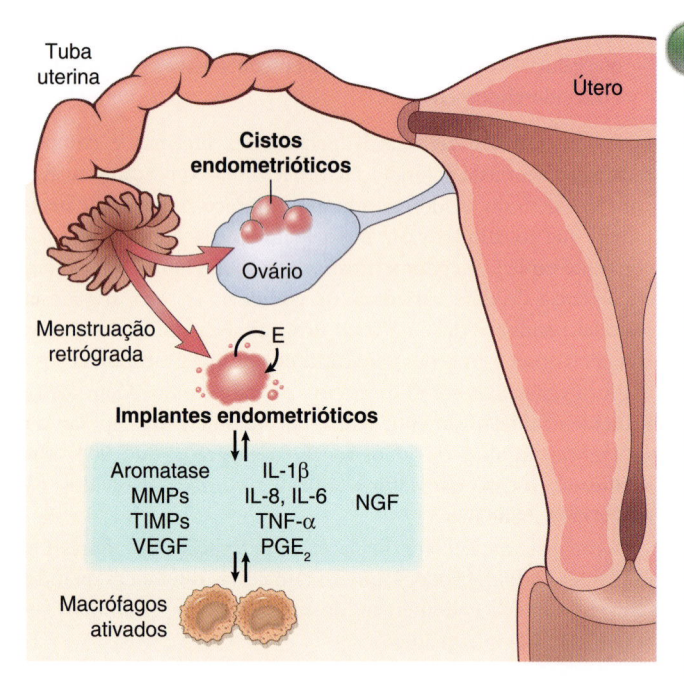

Figura 22.22 Patogênese da endometriose. A interação entre fatores expressos em implantes endometrióticos e macrófagos ativados que supostamente desempenham um papel no estabelecimento e manutenção de implantes endometrióticos é detalhada. *E*, Estrógeno.

Morfologia

Lesões endometrióticas sangram periodicamente em resposta a estimulação hormonal extrínseca cíclica (ovariana) e intrínseca. Este sangramento produz nódulos com uma aparência vermelho-azulada a amarelo-acastanhada sobre ou logo abaixo das superfícies mucosas e/ou serosas nos locais de envolvimento. Quando as lesões são generalizadas, a hemorragia em organização causa aderências fibrosas extensas entre as tubas, ovários e outras estruturas, além de obliterar a bolsa de Douglas. Os ovários podem se tornar marcadamente distorcidos por grandes massas císticas (3 a 5 cm de diâmetro) preenchidos com líquido marrom resultante de hemorragia anterior, chamados clinicamente de **cistos de chocolate** ou **endometriomas**. A endometriose infiltrativa profunda pode invadir tecidos e também causar fibrose e aderências.

O diagnóstico histológico da endometriose é geralmente direto, mas pode ser difícil em casos de longa data em que o tecido endometrial é obscurecido por fibrose secundária. O diagnóstico é prontamente realizado quando as glândulas endometriais e estroma estão presentes (**Figura 22.21B**), com presença ou ausência de hemossiderina. Em casos raros, apenas o estroma é identificado. Quando apenas glândulas estão presentes, outros diagnósticos com diferentes ramificações clínicas, como endossalpingiose, devem ser considerados.

A **endometriose atípica**, o provável precursor do carcinoma de ovário relacionado à endometriose, apresenta duas aparências morfológicas. Uma mostra a atipia citológica do epitélio que reveste o cisto endometriótico, sem grandes alterações arquitetônicas. A segunda é marcada por agrupamento glandular devido a proliferação epitelial excessiva, frequentemente associada atipia citológica, produzindo uma aparência que se assemelha a hiperplasia endometrial atípica complexa (discutido adiante).

inibidores de aromatase são benéficos no tratamento de endometriose. Uma ligação entre inflamação e produção de estrógeno é plausível pela capacidade da prostaglandina E_2 de estimular a síntese local de estrógeno. Também foi demonstrado que o ácido retinoico produzido por células estromais promove a sobrevivência das células epiteliais por meio de sinalização parácrina. Além disso, foram descritas alterações epigenéticas (metilação do DNA) que provocam aumento da capacidade de resposta ao estrógeno e diminuição da capacidade de resposta à progesterona, alterações que promovem a proliferação endometrial e sobrevivência. Essas anormalidades estão presentes não apenas no tecido endometriótico ectópico, mas também (embora em menor grau) no endométrio uterino de pacientes com endometriose, sugerindo que existe um defeito fundamental no endométrio

- *Mutações em genes supressores de tumor e oncogenes*, como *KRAS*, *PIK3CA*, *PPP2R1A* e *ARID1A*, foram identificadas nas células epiteliais da endometriose infiltrativa profunda. O significado dessas mutações em genes condutores do câncer é desconhecido, mas é possível que contribuam ao comportamento localmente agressivo da endometriose infiltrativa profunda. Uma associação entre endometriose e câncer de ovário do tipo endometrioide e células claras (discutida adiante) foi observada em uma série de estudos epidemiológicos com um aumento aproximado de três vezes em mulheres com endometriose. Esses estudos sugerem uma origem comum do tecido endometriótico anormal e câncer de ovário em alguns casos. Consistente com esta ideia, em alguns casos, foi demonstrado que os carcinomas abrigam as mesmas mutações que a endometriose associada na mesma paciente, apoiando fortemente um papel patogênico para essas mutações condutoras no desenvolvimento de lesões pré-malignas e malignas.

Características clínicas

Os sinais e sintomas clínicos geralmente incluem dismenorreia grave, dispareunia (dor durante a relação sexual) e dor pélvica devido ao sangramento intrapélvico e aderências periuterinas. Irregularidades menstruais são comuns e infertilidade é a queixa apresentada por 30 a 40% das mulheres. Além disso, embora incomum, podem desenvolver-se doenças malignas dentro dos endometriomas, sugerindo que essas lesões contêm epitélio "em risco".

Um distúrbio relacionado, *adenomiose*, é definido como a presença de tecido endometrial dentro da parede uterina (miométrio). A adenomiose permanece em continuidade com o endométrio, presumivelmente significando um crescimento descendente do tecido endometrial para dentro e entre os fascículos da musculatura lisa do miométrio. A adenomiose ocorre em até 20% dos úteros. O exame microscópico revela ninhos irregulares de estroma endometrial, com ou sem glândulas, arranjados dentro do miométrio. Como ocorre na endometriose, os sintomas clínicos da adenomiose incluem menometrorragia (menstruação irregular e forte), dismenorreia com cólica, dispareunia e dor pélvica, principalmente durante o período pré-menstrual. A adenomiose pode coexistir com a endometriose.

> **Conceitos-chave**
>
> **Endometriose**
>
> - A endometriose é definida como glândulas e estroma endometriais fora do útero. O tecido endometrial "ectópico" pode sangrar ciclicamente
> - Os locais mais comuns de endometriose são dentro da cavidade abdominal, mas ocasionalmente é encontrada em locais distantes
> - Várias teorias (regurgitação, metaplasia, metástase e origem de células-tronco) são propostas para explicar a distribuição da endometriose
> - Geralmente resulta em dismenorreia, dor pélvica e infertilidade
> - A endometriose peritoneal e ovariana pode ser um precursor de carcinoma (carcinoma endometrioide e de células claras).

Pólipos endometriais

Os pólipos endometriais são massas exofíticas de tamanho variável que se projetam na cavidade endometrial. Podem ser únicos ou múltiplos e em geral são sésseis e relativamente pequenos, medindo 0,5 a 3 cm de diâmetro, mas, ocasionalmente, grandes e pedunculados. Os pólipos podem ser assintomáticos ou pode causar sangramento anormal e infertilidade.

Estudos citogenéticos indicam que as células estromais dos pólipos endometriais contêm rearranjos cromossômicos adquiridos que são semelhantes aos encontrados em outros tumores mesenquimais benignos, sugerindo que essas lesões são mais bem representadas como neoplasias epiteliais. Os pólipos respondem ao estrógeno, mas mostram pouca ou nenhuma resposta à progesterona (**Figura 22.20C**). Os pólipos endometriais podem ocorrer em associação à administração de tamoxifeno, frequentemente usado na terapia do câncer de mama devido à sua atividade antiestrogênica na mama. No entanto, o tamoxifeno tem um efeito pró-estrogênico fraco no endométrio. Os pólipos atróficos, que ocorrem principalmente em mulheres na pós-menopausa, representam o vestígio atrófico de pólipos que se desenvolveram antes da menopausa. Raramente, um adenocarcinoma surge dentro de pólipos endometriais.

Hiperplasia endometrial

A hiperplasia endometrial é uma causa importante de sangramento anormal e um precursor frequente do tipo mais comum de carcinoma endometrial. A hiperplasia endometrial é definida como uma proliferação anormal das glândulas endometriais em relação ao estroma, resultando em um aumento da proporção glândula-estroma quando comparada ao endométrio proliferativo normal. Estudos clínico-patológicos e epidemiológicos têm apontado o potencial maligno da hiperplasia endometrial, e estudos moleculares confirmaram essa relação, uma vez que a hiperplasia endometrial e o carcinoma compartilham mutações condutoras adquiridas em genes de câncer (descrito adiante).

A hiperplasia endometrial está associada à *prolongada estimulação estrogênica do endométrio*, que pode ser devida à anovulação, produção aumentada de estrógeno de fontes endógenas ou estrógeno exógeno. As condições associadas incluem:

- Obesidade (conversão periférica de andrógenos em estrógenos)
- Menopausa
- Síndrome dos ovários policísticos
- Tumores de células da granulosa do ovário funcionantes
- Função ovariana cortical excessiva (hiperplasia estromal cortical)
- Administração prolongada de substâncias estrogênicas (terapia de reposição de estrogênio).

Estas são as mesmas influências postuladas como importantes do ponto de vista patogênico em alguns carcinomas do endométrio, discutidos adiante.

A inativação do gene supressor de tumor *PTEN* é uma alteração genética comum das hiperplasias endometriais e carcinoma endometrial endometrioide. Como discutido no **Capítulo 7**, *PTEN* codifica uma fosfatase lipídica que é um importante regulador negativo da via reguladora de crescimento fosfatidilinositol 3-quinase (PI3K)/AKT. Quando a função de PTEN é perdida, a via PI3K/AKT torna-se hiperativa. Mutações em *PTEN* são encontradas em mais de 20% das hiperplasias, com e sem atipia, e em 30 a 80% dos carcinomas endometriais, sugerindo que as alterações em *PTEN* ocorrem em um estágio inicial da tumorigênese endometrial (embora não sejam preditivas de progressão da hiperplasia ao carcinoma). Digno de nota, pacientes com *síndrome de Cowden*, causada por mutações da linha germinativa em *PTEN*, têm um alta incidência de carcinoma endometrial e alguns outros tumores, principalmente câncer de mama. Tal como acontece com muitos outros supressores de tumor, não está totalmente claro porque a perda de *PTEN* (o qual é expresso em muitos tecidos) é tão altamente associada a tumores específicos. É interessante notar, no entanto, que a sinalização PI3K/AKT aumenta a capacidade do receptor de estrógeno ativar a expressão de seus genes-alvo. Desse modo, perda da função de PTEN pode estimular a expressão gênica estrógeno-dependente, levando ao crescimento excessivo de tipos celulares que dependem do estrógeno para sinais tróficos, como células epiteliais endometriais e mamárias.

> **Morfologia**
>
> De acordo com a Organização Mundial da Saúde (OMS), a classificação da hiperplasia endometrial inclui duas categorias principais, hiperplasia e hiperplasia atípica (também conhecida como neoplasia intraepitelial endometrial), que diferem em aparência e em propensão de progredir para um carcinoma. A **hiperplasia típica** tem uma ampla gama de aparências, mas a característica principal é um aumento da razão glândula-estroma. As glândulas mostram variação de tamanho e forma e podem estar dilatadas (**Figura 22.23A**). Embora possa haver glândulas dispostas próximas umas às outras focalmente, algum estroma intermediário é geralmente mantido (**Figura 22.23B**). Essas lesões são causadas por estimulação persistente de estrógeno e raramente evoluem para um adenocarcinoma (aproximadamente 1 a 3%). A hiperplasia pode evoluir para atrofia cística quando o estrógeno é retirado.
>
> A **hiperplasia atípica (neoplasia intraepitelial endometrial)** é composta por padrões complexos de glândulas em proliferação exibindo atipia nuclear. As glândulas estão geralmente distribuídas próximas umas às outras e muitas vezes têm contornos complexos devido a ramificação de suas estruturas. As células individuais são arredondadas e perdem a orientação normal perpendicular à membrana basal. Além disso, os núcleos têm

cromatina aberta (vesicular) e nucléolos conspícuos. As características da hiperplasia atípica têm considerável sobreposição àquelas do adenocarcinoma endometrioide bem diferenciado (discutido adiante) e a distinção precisa do câncer pode não ser possível sem histerectomia (**Figura 22.23C** e **D**). Na verdade, até 50% das mulheres com diagnóstico de hiperplasia atípica têm carcinoma quando uma histerectomia é realizada.

Atualmente, o tratamento da hiperplasia atípica é feito com histerectomia ou, em mulheres jovens que desejam manter a fertilidade, há tentativa de terapia com progesterona e acompanhamento rigoroso. Na maioria das vezes, após uma gestação bem-sucedida, se não houver regressão, a remoção do útero é indicada.

Conceitos-chave

Hiperplasia endometrial

- A hiperplasia endometrial é definida como um aumento no número de glândulas em relação ao estroma, observada como uma coleção de glândulas, frequentemente com formas anormais
- É mais comumente causada por estimulação estrogênica sem oposição de progesterona e é uma causa importante de sangramento vaginal anormal
- É dividida em hiperplasia típica e atípica com base na morfologia nuclear. A hiperplasia atípica está associada a um risco aumentado de carcinoma endometrial
- O gene supressor de tumor *PTEN* sofre mutação em aproximadamente 20% das hiperplasias endometriais.

Tumores malignos do endométrio

Carcinoma do endométrio

O carcinoma endometrial é o câncer invasivo mais comum do sistema genital feminino. É responsável por 7% de todos os cânceres invasivos em mulheres, excluindo o câncer de pele. No passado, o carcinoma endometrial era muito menos comum que o câncer

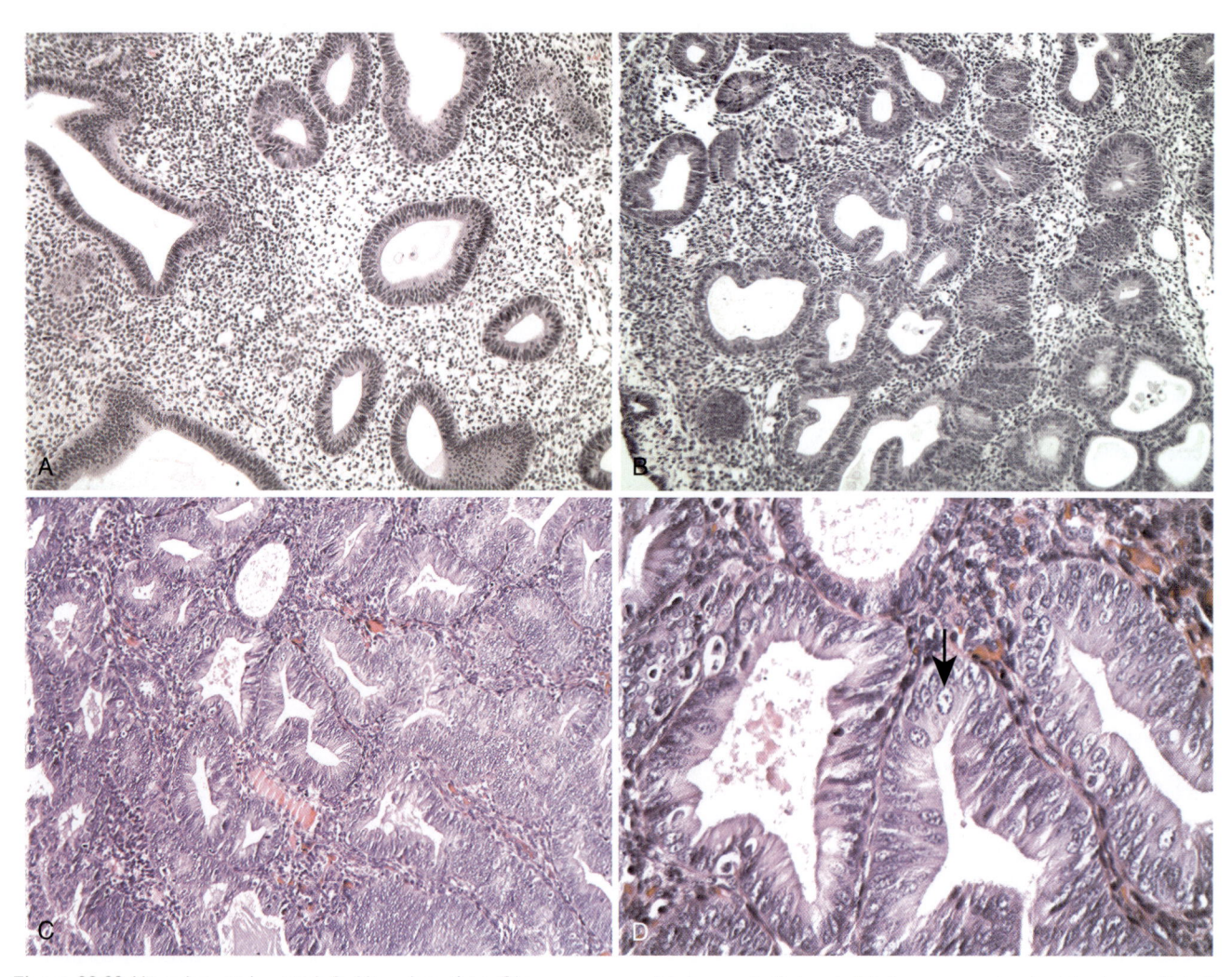

Figura 22.23 Hiperplasia endometrial. **A.** Hiperplasia típica. Observe as anormalidades arquitetônicas, incluindo agrupamento glandular leve e dilatação glandular cística. **B.** Hiperplasia típica demonstrando aumento do agrupamento glandular com áreas de glândulas sequenciais e características citológicas semelhantes ao endométrio proliferativo. **C.** Hiperplasia atípica com aumento adicional no agrupamento glandular e características citológicas anormais. **D.** Grande aumento de hiperplasia atípica mostrando núcleos vesiculares arredondados com nucléolos proeminentes (*seta*).

do colo uterino, mas a detecção e erradicação precoces das lesões precursoras de carcinoma cervical, combinado ao aumento de carcinomas endometriais em mulheres mais jovens, inverteu essa proporção. Em 2019, eram previstos 61.880 novos casos de câncer endometrial e 12.160 mortes nos EUA. Em todo o mundo, foram mais de 380 mil novos casos diagnosticados em 2018.

Patogênese

Estudos clínico-patológicos e análises moleculares sustentam a existência de duas grandes categorias de carcinoma endometrial, conhecidos como tipos I e II, cada qual com diferentes fatores de risco, lesões precursoras, genéticas moleculares e comportamentos clínicos (resumidos na **Tabela 22.4**). Mais recentemente, o sequenciamento genômico do carcinoma endometrial revelou quatro subtipos moleculares principais entre carcinomas endometrioides e serosos, as morfologias mais comuns dos tumores de tipo I e tipo II, respectivamente. As seguintes características moleculares desses quatro subtipos são evidentes:

- *Tumores ultramutados/POLE*, definidos pela presença de mutações na DNA polimerase ε (POLE) que produzem uma carga excepcionalmente alta de mutações somáticas, a maioria das quais são mutações do tipo "passageiro" (casuais)
- *Tumores hipermutados/MSI (instabilidade de microssatélites)*, definidos por mutações ou silenciamento epigenético de genes de reparo de bases malpareadas, também causando instabilidade genômica e alta carga de mutações somáticas
- *Tumores com baixo número de cópias/MSS (microssatélites estáveis)*, subtipo comum também associado a morfologia endometrioide e frequentemente associado a mutações que regulam positivamente a sinalização por meio da via PI3K/AKT
- *Tumores de alto número de cópias/do tipo seroso*, tumores agressivos com morfologia endometrioide serosa ou de alto grau, frequentemente associados a mutações em *TP53* e inúmeras variantes do número de cópias genômicas.

Carcinoma endometrial endometrioide

Esse é o tipo mais comum de carcinoma endometrial, representando cerca de 80 a 85% dos casos. A maioria desses tumores se enquadra na categoria tipo I, é bem diferenciada e mimetiza as glândulas endometriais proliferativas, características que são a base de seu nome. Como discutido anteriormente, esses tumores surgem no contexto da hiperplasia endometrial e, da mesma forma que esta, há associação a condições nas quais a estimulação estrogênica do endométrio ocorre sem oposição de progesterona. A condição mais notável de todas é a obesidade, um problema que aumenta rapidamente em países de alta renda. A associação com a obesidade é subjacente a outras condições que comumente coocorrem no carcinoma endometrial, particularmente hipertensão e diabetes tipo 2.

Tal como acontece com outros cânceres, o desenvolvimento do carcinoma endometrioide decorre da aquisição gradual de alterações genéticas em genes supressores de tumor e oncogenes. Em espécimes derivados de histerectomia contendo hiperplasia atípica e carcinoma, mutações idênticas em *PTEN* foram identificadas em cada componente, reforçando a visão de que a hiperplasia atípica é precursora do carcinoma e que mutações em *PTEN* ocorrem antes do desenvolvimento de carcinoma evidente (**Figura 22.24A**).

Tabela 22.4 Características do carcinoma endometrial de tipos I e II.

Características	Tipo I	Tipo II
Idade	55 a 65 anos	65 a 75 anos
Contexto clínico	Estrógeno sem oposição (de progesterona) Obesidade Hipertensão Diabetes	Atrofia Físico esguio
Morfologia	Endometrioide	Seroso Células claras Tumor mülleriano misto
Precursor	Hiperplasia	Carcinoma intraepitelial endometrial
Genes mutados/ anormalidades genéticas	PTEN ARID1A (regulador da cromatina) PIK3CA (PI3K) KRAS FGF2 (fator de crescimento) MSI[a] CTNNB1 (sinalização Wnt) POLE TP53 (tumores em progressão)	TP53 Aneuploidia PIK3CA (PI3K) FBXW7 (regulador de MYC, ciclina E) CCNE1 PPP2R1A (PP2A)
Comportamento	Indolente Disseminação por via linfática	Agressivo Disseminação intraperitoneal e linfática

[a]Instabilidade de microssatélite.

O sequenciamento genômico de carcinomas endometrioides mostrou que as mutações mais comuns agem para aumentar a sinalização pela via PI3K/AKT, uma marca registrada desse tipo específico de tumor. Como mencionado, a sinalização PI3K/AKT aumenta a expressão de genes-alvo dependentes do receptor de estrógeno em células endometriais. Os carcinomas endometriais do tipo I são únicos, de maneira que tumores individuais podem conter múltiplas mutações que aumentam a sinalização PI3K/AKT, sugerindo que o desenvolvimento e progressão do tumor são promovidos por aumentos sucessivos na força do sinal. Entre as mutações que afetam a via PI3K/AKT em carcinomas endometriais estão as seguintes:

- Mutações no gene supressor de tumor *PTEN* são encontradas em 30 a 80% dos carcinomas endometrioides
- *PIK3CA*, um oncogene que codifica a subunidade catalítica de PI3K, abriga mutações ativadoras em aproximadamente 40% dos carcinomas endometrioides. Mutações em *PIK3CA* raramente ocorrem em hiperplasias atípicas, sugerindo que as mutações em *PIK3CA* desempenham um papel na transformação maligna
- Mutações que ativam *KRAS*, as quais também estimulam a sinalização PI3K/AKT, são encontradas em, aproximadamente, 25% de casos
- Mutações de perda de função em *ARID1A*, um regulador da estrutura da cromatina, ocorre em aproximadamente um terço dos tumores. De interesse, *ARID1A* também está frequentemente mutado em carcinomas endometrioides ovarianos e

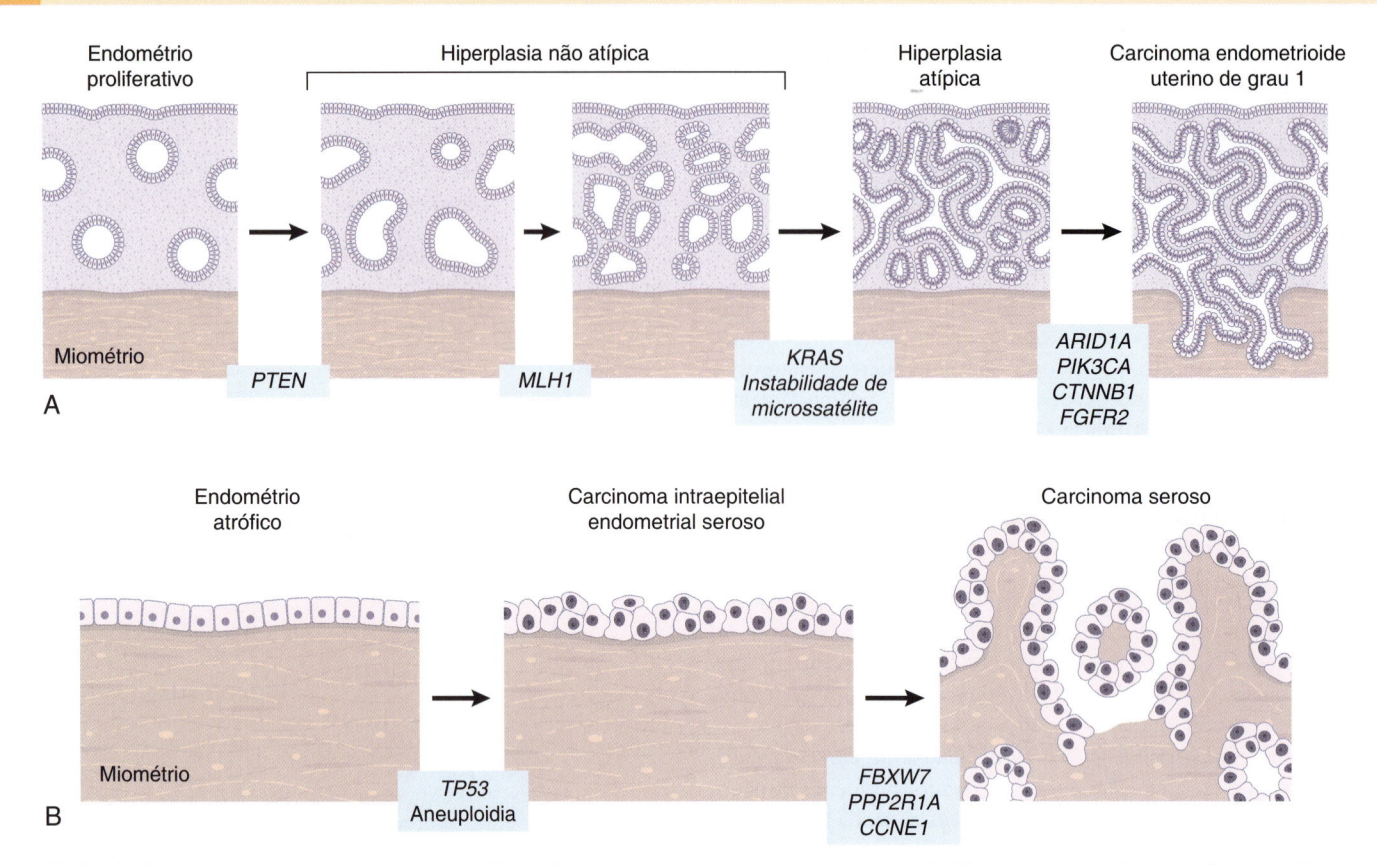

Figura 22.24 Diagrama esquemático detalhando o desenvolvimento de carcinoma endometrial do tipo I (**A**) e carcinoma endometrial do tipo II (**B**). As alterações genéticas moleculares mais comuns são mostradas no momento em que são mais prováveis de ocorrer durante a progressão da doença. *MLH1* codifica uma proteína componente do complexo de reparo de bases malpareadas e sua perda de função resulta em instabilidade de microssatélites, encontrada em cerca de 20% dos carcinomas endometrioides.

carcinomas de células claras, tumores originados da endometriose. Por meio de mecanismos pouco claros, parece que a perda da função de ARID1A também potencializa as alterações pró-oncogênicas na expressão gênica que são mediadas pela sinalização PI3K/AKT.

Outras mutações comumente observadas no carcinoma endometrioide causam a disrupção de genes necessários para a manutenção da estabilidade genômica, presumivelmente agindo em parte para criar um fenótipo mutado que aumenta a taxa de aquisição de mutações em oncogenes e genes supressores de tumor:

- *Defeitos envolvendo genes de reparo de bases malpareadas do DNA* são encontrados em cerca de 20% dos tumores esporádicos e são particularmente prevalentes em carcinomas endometriais que surgem em mulheres portadoras da síndrome de carcinoma colorretal hereditário não poliposo (HNPCC, *hereditary nonpolyposis colorectal carcinoma syndrome*), também conhecida como síndrome de Lynch (discutida no **Capítulo 17**). No carcinoma endometrioide esporádico, a perda da expressão de genes de reparo de bases malpareadas do DNA é comumente causada por silenciamento epigenético (via hipermetilação do promotor)
- *Um pequeno subconjunto (menos de 10%) de carcinomas endometriais têm mutações que perturbam a função de revisão da DNA polimerase ε, codificada pelo gene POLE*. Esses tumores têm uma carga notavelmente alta de mutações pontuais somáticas, possivelmente a mais alta de qualquer câncer humano
- *Em aproximadamente 50% dos carcinomas pouco diferenciados, mutações de perda de função em TP53 estão presentes*. Como mutações em *TP53* estão ausentes na grande maioria dos carcinomas endometrioides bem diferenciados, essas mutações são consideradas eventos tardios envolvidos na progressão tumoral.

Morfologia

O **carcinoma endometrioide** pode assumir a forma de uma massa polipoide ou envolver difusamente o revestimento endometrial (**Figura 22.25A**). A disseminação ocorre por invasão do miométrio seguida por extensão direta a estruturas/órgãos adjacentes. A invasão dos ligamentos largos pode criar uma massa palpável. Eventualmente, ocorre disseminação para os linfonodos regionais e, nos estágios finais, disseminação metastática distante para os pulmões, fígado, ossos e outros órgãos pode ser observada. Os adenocarcinomas endometrioides apresentam padrões de crescimento glandular que se enquadram em três graus histológicos: **bem diferenciados** (grau 1) (**Figura 22.25B**), compostos quase inteiramente por glândulas bem formadas; **moderadamente diferenciados** (grau 2) (**Figura 22.25C**), apresentando glândulas bem formadas mescladas com áreas compostas de folhas sólidas de células que por definição constituem 50% ou menos do tumor;

e **pouco diferenciados** (grau 3) (**Figura 22.25D**), caracterizados por um padrão de crescimento sólido superior a 50%. Tumores bem diferenciados podem ser distinguidos de hiperplasias pela presença de estroma desmoplásico ou padrões de crescimento epitelial complexos (p. ex., padrões de crescimento papilar ou glandular confluentes).

Tumores portadores de mutações da polimerase ε ou defeitos de reparo de incompatibilidade do DNA estão frequentemente associados a um grande número de células T infiltrantes. Acredita-se que essas células representem uma resposta ineficaz do hospedeiro a neoantígenos criados por mutações que levam a substituições de aminoácidos tumor-específicas nas proteínas.

Até 20% dos carcinomas endometrioides contêm focos de diferenciação escamosa. Os elementos escamosos podem ter aparência histologicamente benigna quando estão associados a adenocarcinomas bem diferenciados. Menos comumente, carcinomas endometrioides moderadamente ou pouco diferenciados contêm elementos escamosos que parecem francamente malignos. Os sistemas de classificação atuais avaliam os carcinomas com base apenas na diferenciação glandular e ignoram as áreas de diferenciação escamosa.

Carcinoma endometrial seroso

O carcinoma endometrial seroso geralmente ocorre em mulheres que são cerca de dez anos mais velhas do que aquelas com carcinomas endometrioides. Em contraste com o carcinoma endometrioide, o carcinoma endometrial seroso geralmente surge no contexto de atrofia endometrial (**Figura 22.24B**). Tumores serosos são considerados tumores do tipo II e são, por definição, pouco diferenciados (grau 3). Eles representam aproximadamente 15% dos casos de carcinoma endometrial. Este subtipo apresenta significativa sobreposição morfológica e biológica com o carcinoma seroso do ovário.

Patogênese

O carcinoma endometrial seroso está altamente associado a mutações disruptivas no gene supressor de tumor *TP53*. Mutações em *TP53* estão presentes em mais de 90% dos tumores. A maioria consiste em mutações de sentido incorreto (*missense*), que resultam no acúmulo da proteína p53 alterada (**Figura 22.26B e D**). Estudos de sequenciamento genômico detectaram mutações condutoras em vários outros genes do câncer (ver **Tabela 22.4**).

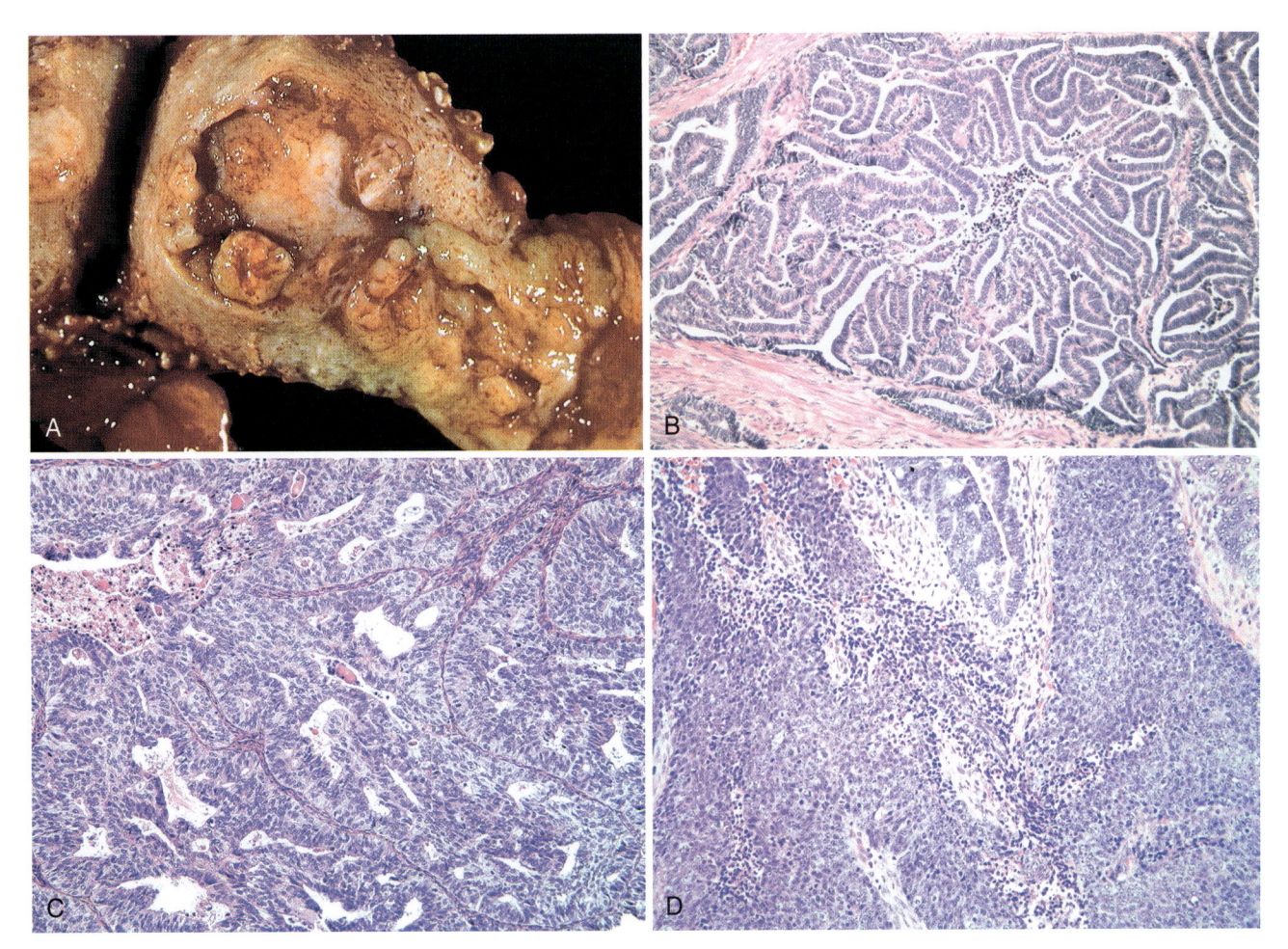

Figura 22.25 Carcinoma endometrial do tipo I. **A.** Adenocarcinoma endometrial apresentando-se como uma massa fúngica no fundo do útero. **B.** Adenocarcinoma endometrioide bem diferenciado (grau 1) com arquitetura glandular preservada, mas ausência de estroma interveniente. **C.** Adenocarcinoma endometrioide moderadamente diferenciado (grau 2) com arquitetura glandular mesclada com áreas sólidas. **D.** Adenocarcinoma endometrioide mal diferenciado (grau 3) com um padrão de crescimento predominantemente sólido.

Além das mutações pontuais, os carcinomas serosos normalmente estão associados a instabilidade cromossômica significativa e inúmeras alterações de número de cópias, uma característica geral dos cânceres com *TP53* mutado. Todos os carcinomas serosos pertencem à categoria molecular de alto número de cópias/do tipo seroso.

Mutações em *TP53* também são encontradas em aproximadamente 75% dos carcinomas intraepiteliais endometriais, uma lesão precursora *in situ*, sugerindo que a mutação de *TP53* é um evento precoce da evolução do carcinoma endometrial seroso. O tumor presumivelmente surge como uma neoplasia epitelial de superfície que então estende-se em estruturas glandulares adjacentes e posteriormente invade o estroma endometrial. Acredita-se que seu prognóstico geralmente negativo seja consequência de uma propensão a esfoliar, viajar pelas tubas uterinas e se implantar nas superfícies peritoneais como ocorre com suas contrapartes ovarianas. Como resultado, eles muitas vezes estão espalhados para fora do útero no momento do diagnóstico.

> ### Morfologia
>
> Geralmente, os carcinomas serosos surgem em úteros pequenos e atróficos, e são com frequência tumores grandes e volumosos ou profundamente invasivos do miométrio. A lesão precursora, o **carcinoma intraepitelial endometrial seroso**, consiste em células malignas idênticas às do carcinoma seroso confinado à superfície epitelial (**Figura 22.26A** e **B**). As lesões invasivas podem ter um padrão de crescimento papilar composto de células com atipia citológica marcante, incluindo alta relação núcleo-citoplasma, figuras mitóticas atípicas, hipercromasia, e nucléolos proeminentes (**Figura 22.26C** e **D**). No entanto, as lesões podem também apresentar um padrão de crescimento predominantemente glandular; em tais casos, elas se distinguem do carcinoma endometrioide pela marcada atipia citológica. Todos os tumores dessa categoria são classificados como grau 3, independentemente do padrão arquitetônico. Apesar do envolvimento endometrial relativamente superficial, o carcinoma seroso pode estar associado a doença peritoneal extensa, sugerindo disseminação por outras rotas que não a invasão direta (*i. e.*, regurgitação tubária).

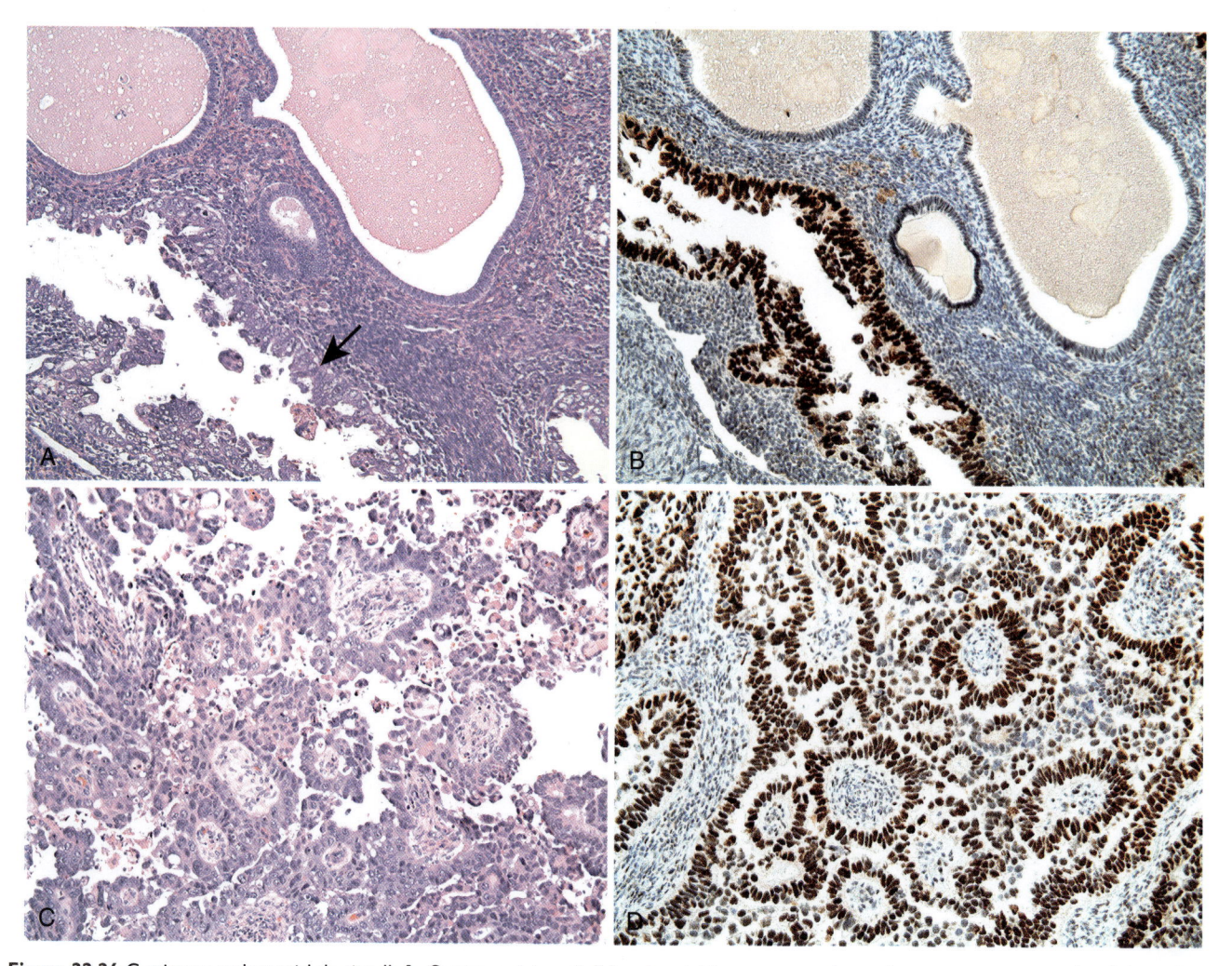

Figura 22.26 Carcinoma endometrial do tipo II. **A.** Carcinoma intraepitelial endometrial, o precursor do carcinoma seroso, mostrando células malignas (*seta*) com características morfológicas idênticas ao carcinoma seroso que reveste as superfícies das glândulas endometriais, sem invasão estromal óbvia. **B.** Expressão intensa e difusa de p53 detectada por imuno-histoquímica no carcinoma intraepitelial endometrial. **C.** Carcinoma seroso do endométrio com padrão de crescimento papilar que consiste em células malignas com atipia citológica marcada, incluindo alta proporção núcleo-citoplasma, figuras mitóticas atípicas e hipercromasia. **D.** Como na lesão anterior, há acúmulo da proteína p53 no núcleo.

Características clínicas

O carcinoma do endométrio é raro em mulheres com menos de 40 anos; o pico de incidência ocorre em mulheres na pós-menopausa com 55 a 65 anos. Não há teste de triagem atualmente disponível. Embora possa ser assintomático por um período, geralmente produz sangramento vaginal irregular ou pós-menopausa. Felizmente, o sangramento pós-menopausa muitas vezes leva à detecção precoce e é possível curar a maioria das pacientes. O diagnóstico deve ser estabelecido por exame histológico de tecido obtido por biopsia ou curetagem. Durante o diagnóstico, os carcinomas endometrioides são analisados quanto a evidências de defeitos no reparo de incompatibilidade do DNA porque aproximadamente 3 a 5% das mulheres com câncer endometrial têm síndrome de Lynch e estão apresentam alto risco de desenvolver carcinoma de cólon.

Como seria de esperar, o prognóstico depende bastante do estágio no diagnóstico, bem como o grau histológico e o subtipo. O sistema de estadiamento para adenocarcinoma endometrial é o seguinte:

Estágio I – Carcinoma confinado ao próprio corpo do útero.
Estágio II – Carcinoma que envolve o corpo e o colo uterino.
Estágio III – Carcinoma que se estende para fora do útero, mas não fora da pelve verdadeira.
Estágio IV – Carcinoma que se estende para fora da pelve verdadeira ou envolve a mucosa da bexiga ou do reto.

Nos EUA, a maioria dos tumores diagnosticados (cerca de 80%) está em estágio I – carcinomas endometrioides bem diferenciados ou moderadamente diferenciados. Isoladamente ou combinada com radioterapia, a cirurgia promove 90% de sobrevida em 5 anos para doenças em estágio I (grau 1 ou 2). Essa taxa cai para aproximadamente 75% para tumores em estágio I/grau 3 e 50% ou menos para carcinomas endometriais em estágios II e III.

Como já mencionado, o carcinoma seroso tem uma propensão para disseminação extrauterina (linfática ou transtubária). Por motivos desconhecidos, ocorre com mais frequência em mulheres de descendência afro-americana, diferença que responde por uma taxa de mortalidade duas vezes maior em mulheres afro-americanas com carcinoma endometrial em comparação a mulheres caucasianas. No geral, a sobrevida de 5 anos para mulheres com carcinoma seroso é de 18 a 27% e, mesmo quando está confinada ao útero, a taxa de recorrência chega a 80%.

O tratamento varia de acordo com o tipo de tumor. Mulheres com carcinoma endometrioide costumam receber radiação como adjuvante para reduzir a recorrência local e são tratadas com quimioterapia quando o tumor se espalhou para além do útero. Em contraste, em decorrência da natureza agressiva do carcinoma seroso, as mulheres podem ser tratadas com quimioterapia mesmo na ausência de disseminação extrauterina detectável. Inibidores da via PI3K/AKT estão sendo testados em ensaios clínicos e a identificação contínua de alvos biológicos provavelmente expandirá o espectro de terapias racionais no futuro. Além disso, inibidores de pontos de controle (*checkpoints*) imunes estão sob investigação para o tratamento de mulheres portadoras de tumores das categorias moleculares MSI hipermutado e polimerase ε "ultramutada".

Carcinossarcoma (tumores müllerianos mistos malignos)

Carcinossarcomas (também conhecidos como tumores müllerianos mistos malignos) são tumores epiteliais e mesenquimais mistos. O componente epitelial mais frequentemente se assemelha ao carcinoma endometrioide pouco diferenciado ou seroso, enquanto o componente mesenquimal pode assumir uma série de formas. Alguns tumores contêm elementos mesenquimais uterinos (sarcoma estromal, leiomiossarcoma), enquanto outros contêm tipos celulares heterólogos malignos (rabdomiossarcoma, condrossarcoma). Com base em estudos moleculares que mostram a presença de mutações condutoras compartilhadas, os elementos epiteliais e mesenquimais parecem derivar de uma única célula cancerosa fundadora. As mutações encontradas em carcinossarcomas envolvem os mesmos genes que estão mutados no carcinoma endometrial, tais como *PTEN*, *TP53* e *PIK3CA*, enquanto as alterações típicas de sarcomas estão ausentes, sugerindo que esses tumores são carcinomas que adquiriram a capacidade de diferenciação mesenquimal. No momento, os mecanismos subjacentes à transformação sarcomatosa são desconhecidos, embora alguma anormalidade de regulação epigenética pareça provável.

Morfologia

Carcinossarcomas são frequentemente volumosos, polipoides e podem se projetar pelo óstio cervical. Estes tumores geralmente contêm áreas de adenocarcinoma (endometrioide, seroso ou de células claras) mescladas com elementos mesenquimais malignos (sarcomatosos) (**Figura 22.27A**); alternativamente, o tumor pode conter dois componentes epiteliais e mesenquimais distintos e separados. Os componentes sarcomatosos também podem mimetizar tecidos extrauterinos (p. ex., músculo estriado, cartilagem, tecido adiposo e osso). As metástases geralmente contêm apenas componentes epiteliais (**Figura 22.27B**).

Os carcinossarcomas ocorrem em mulheres na pós-menopausa e se apresentam com sangramento. A evolução dos carcinossarcomas é determinada principalmente pela profundidade de invasão e pelo estágio. O único outro fator prognóstico conhecido é a diferenciação do componente mesenquimal; pacientes portadoras de tumores que apresentam componentes heterólogos têm um prognóstico pior do que aquelas cujos tumores não apresentam esses componentes. A taxa geral de sobrevida em 5 anos é de 25 a 30% para pacientes com doença em estágio avançado.

Conceitos-chave

Carcinoma endometrial

- O carcinoma endometrial é o tumor maligno mais comum do sistema genital feminino
- Existem dois tipos principais de carcinoma endometrial: tipos I e II. Tumores do tipo I são de baixo grau e geralmente indolentes; tumores do tipo II são de alto grau, agressivos e têm um prognóstico negativo
- Quatro subtipos moleculares de carcinoma endometrioide e seroso são atualmente reconhecidos
- O carcinoma endometrioide (tipo I) é frequentemente precedido por hiperplasia atípica e comumente tem mutações que regulam positivamente a sinalização PI3K/AKT
- O carcinoma seroso (tipo II) está associado ao carcinoma intraepitelial endometrial seroso e as mutações mais comuns estão em *TP53*, também encontradas em lesões precursoras

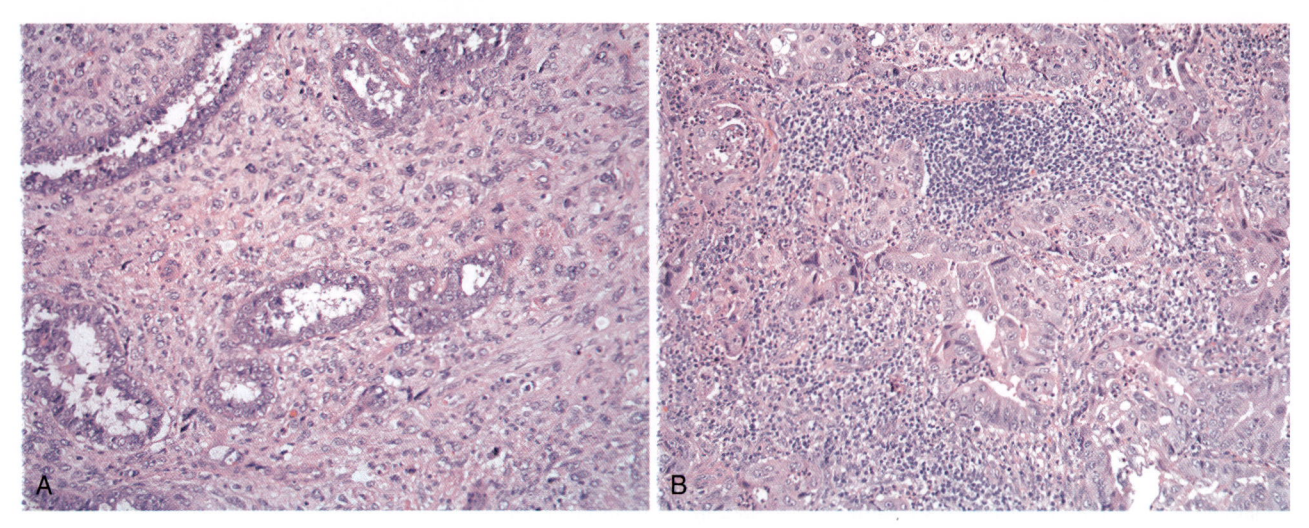

Figura 22.27 Carcinossarcoma. **A.** Micrografia mostrando componentes epiteliais e estromais malignos. **B.** Metástase de linfonodo de um carcinossarcoma mostrando apenas o componente epitelial, como normalmente é o caso.

- O estágio continua sendo o fator mais importante na evolução; tumores serosos são muito mais propensos a se apresentar em estágio avançado e têm um prognóstico decididamente pior
- Os carcinossarcomas são tumores agressivos que se assemelham geneticamente ao carcinoma endometrial e têm evolução ruim com as terapias atuais.

Tumores do estroma endometrial

Esses tumores relativamente raros compreendem menos de 5% dos cânceres endometriais e incluem neoplasias estromais mescladas com glândulas benignas (adenossarcomas) e neoplasias estromais puras.

Adenossarcoma

O adenossarcoma se apresenta mais comumente como um grande crescimento endometrial polipoide de base ampla que pode sofrer prolapso no óstio cervical. O diagnóstico é baseado na presença de estroma de aparência maligna, que coexiste com glândulas endometriais benignas, mas de formato anormal. Esses tumores predominam em mulheres entre a quarta e a quinta década e geralmente são considerados como tendo baixo grau de malignidade; as recorrências se desenvolvem em um quarto dos casos e são quase sempre confinadas à pelve. O principal dilema no diagnóstico é a distinção entre esses tumores e grandes pólipos benignos.

Tumores estromais

O endométrio ocasionalmente dá origem a neoplasias que se assemelham às células estromais normais. As neoplasias estromais endometriais são divididas em duas categorias: (1) nódulos estromais benignos e (2) sarcoma estromal endometrial. O sarcoma estromal pode ser dividido entre tipos de baixo e de alto grau dependendo de sua diferenciação.

Pistas para a patogênese do sarcoma estromal surgiram a partir da identificação de várias aberrações cromossômicas recorrentes bastante específicas para essas doenças malignas. Tal como ocorre com muitos sarcomas, o sarcoma estromal está associado a translocações cromossômicas que criam genes de fusão. O sarcoma estromal endometrial de baixo grau geralmente tem uma translocação em que uma porção do gene *JAZF1*, que codifica um repressor transcricional, está fundida a um segundo gene pertencente à família de genes do grupo *polycomb*, como *SUZ12*. As proteínas *polycomb* participam de complexos que introduzem marcas repressivas de histonas na cromatina que silenciam genes. Acredita-se que as proteínas de fusão JAZF1 atuam interrompendo a função do complexo *polycomb*, levando à expressão incorreta de genes oncogênicos. Recentemente, foram observados sarcomas estromais endometriais de alto grau contendo diferentes translocações cromossômicas que também resultam na formação de genes de fusão. Presume-se que essas translocações sejam significativas do ponto de vista patogênico, mas sua função é atualmente desconhecida.

Cerca de metade dos sarcomas estromais é recorrente; as taxas de recidiva variam de 36% a mais de 80% para tumores de estágios I e III/IV, respectivamente. Infelizmente, a recidiva não é prevista de forma confiável pelo índice mitótico ou pelo grau de atipia citológica. As metástases a distância podem anunciar sua presença décadas após o diagnóstico inicial e a morte por tumor metastático ocorre em aproximadamente 15% dos casos. As taxas de sobrevivência de 5 anos são em média de 50% para tumores de baixo grau e menores para tumores de alto grau.

Tumores do miométrio

Leiomioma

O leiomioma uterino (comumente chamado de *tumor fibroide*) talvez seja o tumor mais comum em mulheres. Essas neoplasias benignas de músculo liso podem ocorrer isoladamente, mas mais frequentemente são múltiplas. A maioria dos leiomiomas apresenta cariótipo normal, mas aproximadamente 40% tem uma anormalidade cromossômica simples. Vários subgrupos citogenéticos são reconhecidos, incluindo tumores com rearranjos dos cromossomos 12q14 e 6p envolvendo os genes *HMGIC* e *HMGIY*, respectivamente, que também estão implicados em uma variedade de outras neoplasias benignas. Ambos os genes codificam fatores de ligação ao DNA intimamente relacionados que regulam a estrutura da cromatina. Além disso, as mutações no gene *MED12* ocorrem em cerca de 70% dos leiomiomas uterinos. O gene *MED12* codifica um componente do complexo multiproteico chamado *Mediator*, que estimula a expressão gênica servindo como ponte entre os fatores de transcrição e a RNA polimerase. Camundongos que expressam formas mutadas de *MED12* desenvolvem leiomiomas uterinos, provando que tais mutações podem ser causais, embora não esteja precisamente definido como contribuem para o desenvolvimento do tumor.

> ### Morfologia
>
> Os leiomiomas são tumores agudamente circunscritos, bem-delimitados, arredondados, firmes e branco-acinzentados variando em tamanho, desde pequenos nódulos quase invisíveis a tumores massivos que preenchem a pelve. Exceto em casos raros, eles são encontrados dentro do miométrio do corpo (uterino). Apenas raramente envolvem os ligamentos uterinos, o segmento uterino inferior ou o colo uterino. Eles podem ocorrer dentro do miométrio (intramural), logo abaixo do endométrio (submucoso) ou abaixo da serosa (subseroso) (**Figura 22.28A**). O padrão espiralado característico de feixes de músculo liso em seções de corte geralmente torna essas lesões prontamente identificáveis. Grandes tumores podem desenvolver áreas de amolecimento amarelo-acastanhado a vermelho.
>
> Os leiomiomas são compostos por feixes de células musculares lisas que se assemelham ao miométrio não envolvido (**Figura 22.28B**). Geralmente, as células musculares individuais são uniformes em tamanho e forma e têm um núcleo oval característico, além de processos citoplasmáticos bipolares longos e delgados. As figuras mitóticas são escassas. As variantes morfológicas incluem o leiomioma com núcleos bizarros, que apresenta atipia nuclear e células gigantes, e os leiomiomas celulares. Ambos têm índice mitótico baixo, ajudando a distinguir esses tumores benignos do leiomiossarcoma. Uma variante extremamente rara, a **leiomiomatose intravenosa**, é um leiomioma uterino que se estende para os vasos e se espalha de forma hematogênica para outros locais, mais comumente a veia cava e o átrio direito. Outra variante, a **leiomiomatose peritoneal disseminada**, apresenta-se como vários pequenos nódulos peritoneais. Ambos são considerados benignos, apesar de seu comportamento incomum.

Os leiobmiomas uterinos, mesmo quando grandes ou numerosos, podem ser assintomáticos. Os sinais e sintomas comuns incluem sangramento anormal, frequência urinária devido à compressão da bexiga, dor súbita de infarto de um tumor grande ou pedunculado e fertilidade prejudicada. Em mulheres grávidas, os leiomiomas podem aumentar a frequência de abortos espontâneos, apresentação fetal anormal, inércia uterina (falha em contrair com força suficiente) e hemorragia pós-parto. A transformação maligna em leiomiossarcoma é extremamente rara.

Leiomiossarcoma

Acredita-se que essas neoplasias malignas raras surjam do miométrio ou de células precursoras estromais endometriais, em vez dos leiomiomas. Em contraste com os leiomiomas, os leiomiossarcomas têm cariótipos complexos e altamente variáveis que frequentemente incluem deleções. Como os leiomiomas, um subconjunto de leiomiossarcoma contém mutações em *MED12*, uma aberração genética que parece ser virtualmente exclusiva para tumores do músculo liso uterino.

> ### Morfologia
>
> Os leiomiossarcomas crescem dentro do útero em dois padrões um tanto distintos: (1) massas carnosas e volumosas que invadem a parede uterina ou (2) massas polipoides que se projetam para a luz uterina (**Figura 22.29A**). Exibem uma ampla gama de atipias citológicas, desde extremamente bem diferenciadas a altamente anaplásicas (**Figura 22.29B**). A distinção do leiomioma é baseada

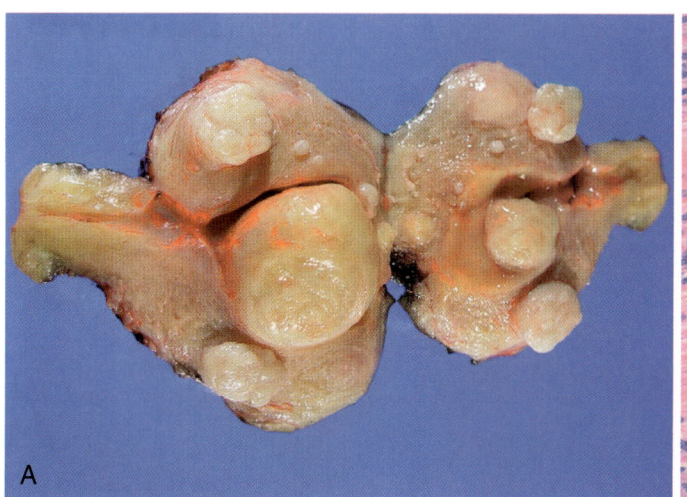

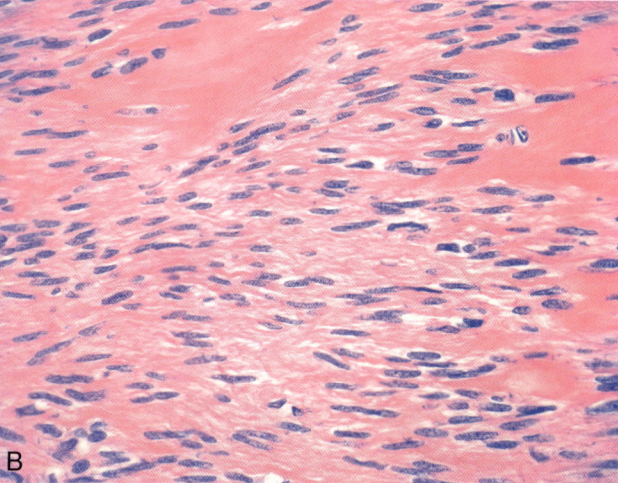

Figura 22.28 A. Leiomiomas do miométrio uterino. O útero está aberto para revelar vários tumores em localizações da submucosa (protuberância na cavidade endometrial), intramurais e subserosos que exibem uma aparência branca e firme ao corte. **B.** Leiomioma mostrando células musculares lisas bem diferenciadas, regulares e fusiforme associadas à hialinização.

na atipia nuclear, índice mitótico e necrose tumoral. Com poucas exceções, a presença de 10 ou mais mitoses por 10 campos de grande aumento (400×) indicam malignidade, particularmente se acompanhada por atipia citológica e/ou necrose. Se o tumor contém atipia nuclear ou células grandes (epitelioides), cinco mitoses por 10 campos de grande aumento (400×) são suficientes para justificar um diagnóstico de malignidade. Raras exceções incluem leiomiomas mitoticamente ativos em mulheres jovens ou grávidas, e cautela é recomendada ao interpretar tais neoplasias como malignas. Uma proporção de neoplasias de músculo liso pode ser impossível de classificar, sendo chamados tumores de músculo liso de "potencial maligno incerto".

associado com a fusão do gene *JAZF1* e vários genes do complexo *polycomb*, geralmente *SUZ12*
- O sarcoma estromal de alto grau apresenta atipia acentuada e está associado a outras fusões gênicas
- Tanto o sarcoma estromal de baixo grau quanto de alto grau são propensos a recorrências tardias
- Os leiomiomas são tumores benignos de músculo liso muito comuns que causam morbidade significativa, mas não são propensos a transformação maligna
- O leiomiossarcoma (um tumor maligno de músculo liso) é um tumor miometrial altamente maligno raro que geralmente surge dessa forma desde o início.

O leiomiossarcoma ocorre antes e depois da menopausa, com um pico de incidência entre 40 e 60 anos. Esses tumores muitas vezes reaparecem após cirurgia e mais da metade eventualmente sofre metástase hematogênica para órgãos distantes como pulmões, ossos e cérebro. Disseminação em toda a cavidade abdominal também é encontrada. A taxa geral de sobrevivência de 5 anos é de cerca de 40%, embora as lesões anaplásicas tenham uma taxa de sobrevivência de 5 anos de apenas 10 a 15%.

Tubas uterinas (trompas de Falópio)

Os distúrbios mais comuns que afetam as tubas uterinas são infecções e condições inflamatórias associadas, seguidas em frequência por gravidez ectópica (tubária) e endometriose.

Inflamações

A *salpingite supurativa* pode ser causada por qualquer organismo piogênico; em alguns casos, mais de um organismo está envolvido. *Gonococcus* é o organismo causador em mais de 60% dos casos, com *Chlamydiae* sendo responsável por muitos dos casos restantes. Essas infecções tubárias fazem parte da doença inflamatória pélvica, descrita anteriormente neste capítulo.

A *salpingite tuberculosa* é rara nos EUA, contabilizando não mais de 1 a 2% de todas as formas de salpingite. No entanto, é mais comum em partes do mundo onde a tuberculose é prevalente e uma causa importante de infertilidade nessas áreas.

> **Conceitos-chave**
>
> - Tumores estromais endometriais incluem nódulos estromais, sarcoma estromal de baixo grau e sarcoma estromal de alto grau:
>   - Os nódulos estromais são tumores benignos e bem circunscritos
>   - O sarcoma estromal de baixo grau se assemelha a nódulos estromais, mas infiltra-se no miométrio circundante. Está

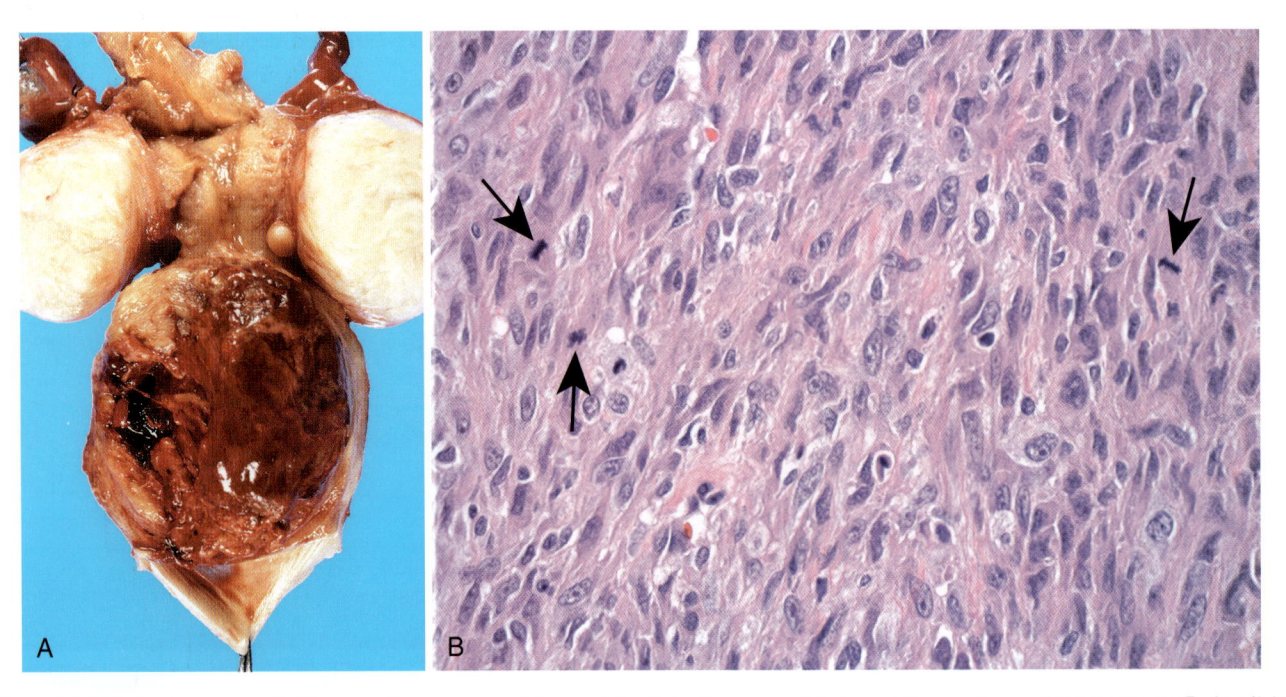

Figura 22.29 Leiomiossarcoma. **A.** Uma grande massa tumoral hemorrágica distende o corpo inferior e é flanqueada por dois leiomiomas. **B.** As células tumorais são irregulares em tamanho e têm núcleos hipercromáticos. Inúmeras figuras mitóticas estão presentes (*setas*).

Tumores e cistos

As lesões primárias mais comuns das tubas uterinas (excluindo endometriose) são cistos pequenos (de 0,1 a 2 cm), translúcidos e preenchidos por um líquido seroso claro, chamados *cistos paratubários*. Variedades maiores são encontradas próximas à extremidade fimbriada das tubas ou dos grandes ligamentos e são conhecidas como *hidátide de Morgagni*. Presume-se que estes cistos, revestidos por epitélio seroso benigno (tipo tubário), surjam em vestígios do ducto mülleriano e são de pouca importância.

Os tumores benignos das tubas uterinas são raros e incluem o *tumor adenomatoide* (mesotelioma), que ocorre subseroso na tuba ou às vezes na mesossalpinge. Esses pequenos nódulos são contrapartes dos tumores adenomatoides que ocorrem nos testículos ou epidídimo (ver **Capítulo 21**).

Historicamente, o carcinoma das tubas uterinas foi considerado uma entidade rara. No entanto, dados substanciais se acumularam indicando que pelo menos um subconjunto de "cânceres ovarianos serosos" realmente surge do epitélio das tubas uterinas (discutido adiante). Essa ideia é apoiada pela frequente identificação de carcinoma tubário seroso *in situ* em mulheres sob risco de desenvolver carcinoma seroso (p. ex., mulheres portadoras de mutações da linhagem germinativa em *BRCA1*) e observações mostrando que a falha em remover as tubas uterinas no momento da ooforectomia está associada a um risco residual significativo de desenvolver câncer de "ovário". Voltaremos a esta questão quando discutirmos o câncer de ovário na próxima seção.

Ovários

As lesões mais comuns encontradas no ovário são cistos e tumores funcionais ou benignos. As doenças neoplásicas podem ser agrupadas de acordo com sua origem em cada um dos três tipos principais de células ovarianas: (1) epitélio mülleriano, (2) células germinativas e (3) células estromais do cordão sexual. Inflamações primárias do ovário (ooforite) são incomuns, e em raras ocasiões podem ter uma base autoimune (ooforite autoimune); as reações autoimunes afetam os folículos ovarianos e podem levar à infertilidade.

Cistos não neoplásicos e funcionais

Cistos foliculares e lúteos

Os *cistos foliculares* são muito comuns no ovário. São originados em folículos de Graaf não rompidos ou em folículos que se romperam e foram imediatamente fechados.

> **Morfologia**
>
> Esses cistos geralmente são múltiplos, variam em tamanho até 2 cm de diâmetro, são preenchidos com um líquido seroso claro e são revestidos por uma membrana cinza brilhante. Ocasionalmente, cistos maiores excedendo 2 cm (cistos foliculares) podem ser diagnosticados por palpação ou ultrassonografia; estes podem causar dor pélvica. As células de revestimento da granulosa estão presentes se a pressão intraluminal não for tão grande a ponto de causar sua atrofia. As células externas da teca podem ser conspícuas devido ao aumento da quantidade de citoplasma pálido (uma alteração referida como luteinização). Conforme discutido adiante, quando a luteinização é pronunciada (hipertecose), pode estar associada ao aumento da produção de estrogênio e anormalidades endometriais.
>
> Os **cistos lúteos** (corpos lúteos) estão presentes nos ovários normais de mulheres em idade reprodutiva. Eles são revestidos por uma borda de tecido amarelo brilhante contendo células da granulosa luteinizadas e são propensos à ruptura, o que pode produzir uma reação peritoneal. Às vezes, a combinação entre hemorragia antiga e fibrose pode tornar difícil sua distinção dos cistos endometrióticos.

Ovários policísticos e hipertecose estromal

A *síndrome dos ovários policísticos* (SOP) é uma doença endócrina complexa caracterizada por hiperandrogenismo, anormalidades menstruais, ovários policísticos, anovulação crônica e fertilidade diminuída. Originalmente chamada de síndrome de Stein-Leventhal, afeta 6 a 10% das mulheres em idade reprodutiva no mundo todo. Também está associada a obesidade, diabetes tipo 2 e aterosclerose prematura, todos os quais podem ser indicativos de um distúrbio metabólico subjacente. A etiologia da SOP permanece incompletamente compreendida. Há uma desregulação marcante das enzimas envolvidas na biossíntese de andrógenos, causando sua produção excessiva, uma característica considerada central desse transtorno. Além disso, mulheres portadoras da SOP apresentam resistência à insulina e alterações do metabolismo de tecidos adiposos, que contribuem para o desenvolvimento de diabetes e obesidade.

A anormalidade morfológica central da SOP é a presença de inúmeros folículos císticos ou cistos foliculares que aumentam os ovários. No entanto, ovários policísticos são detectados em 20 a 30% de todas as mulheres, de modo que esse achado não é específico. Além disso, devido a um aumento nos níveis de estrona sérica livre, mulheres portadoras de SOP apresentam risco de desenvolver hiperplasia endometrial e carcinoma.

A *hipertecose estromal*, também chamada hiperplasia estromal cortical, é um distúrbio do estroma ovariano observado com mais frequência em mulheres na pós-menopausa, mas que pode se sobrepor à SOP em mulheres mais jovens. A doença é caracterizada pelo aumento uniforme do ovário (até 7 cm), geralmente bilateral, que apresenta uma aparência que varia de branca a bronzeada no corte histológico. O exame microscópico mostra estroma hipercelular e luteinização das células estromais, que são visíveis como ninhos bem definidos de células com citoplasma vacuolado. A apresentação clínica e os efeitos no endométrio são semelhantes aos da SOP, embora os sinais de virilização possam ser ainda mais impressionantes.

A condição fisiológica que mimetiza as síndromes acima é a *hiperplasia teca luteínica da gravidez*. Em resposta aos hormônios da gravidez (gonadotrofinas), ocorre proliferação das células da teca e expansão da zona perifolicular. Conforme os folículos regridem, a hiperplasia teca luteínica concêntrica pode parecer nodular. Esta alteração não deve ser confundida com luteomas reais da gravidez (ver adiante).

Tumores ovarianos

Existem vários tipos de tumores ovarianos. Cerca de 80% são benignos e ocorrem principalmente em mulheres jovens entre 20 e 45 anos. Os chamados tumores limítrofes (tumores de malignidade indeterminada) ocorrem em idades um pouco mais avançadas. Os tumores malignos são mais comuns em mulheres entre 45 e 65 anos. O câncer de ovário é responsável por 3% de todos os cânceres entre mulheres e é a quinta causa mais comum de morte por câncer em mulheres nos EUA. **Como a maioria dos cânceres de ovário é diagnosticada quando eles já estão espalhados para além do ovário e da tuba uterina, são responsáveis por um número desproporcional de mortes por câncer do sistema genital feminino.**

Classificação

A classificação dos tumores ovarianos dada na **Tabela 22.5** é uma versão simplificada da Classificação Histológica da OMS, que separa as neoplasias ovarianas de acordo com o tecido de origem mais provável. Agora, acredita-se que a maioria dos tumores de ovário surge, em última instância, de um dos três componentes ovarianos:

- Epitélio de superfície/tuba uterina e endometriose
- Células germinativas, que migram para o ovário a partir do saco vitelínico e são pluripotentes
- Células estromais, incluindo dos cordões sexuais, que são precursoras do aparelho endócrino do ovário pós-natal.

Também há um grupo de tumores diversos e, finalmente, existem tumores secundários ou metastáticos do ovário.

Embora alguns dos tumores específicos tenham características distintas características e sejam ativos em termos hormonais, a maioria não é funcional e produz poucos sintomas até atingir um tamanho maior. Alguns, principalmente os tumores epiteliais, costumam ser bilaterais. A **Tabela 22.6** lista os tumores e seus subtipos. Os sintomas mais comuns são dor abdominal e distensão, sintomas do trato urinário e gastrintestinal devido à compressão pelo tumor ou invasão do câncer, e sangramento vaginal. As formas benignas podem ser totalmente assintomáticas e ocasionalmente são encontradas inesperadamente no exame abdominal ou pélvico, ou durante uma cirurgia.

Tumores epiteliais

A maior parte das neoplasias ovarianas primárias surge do epitélio mülleriano. A classificação desses tumores é baseada na diferenciação e extensão da proliferação do epitélio. Existem três tipos histológicos principais com base na diferenciação do epitélio neoplásico: tumores serosos, mucinosos e endometrioides. Estas proliferações epiteliais são classificadas como benignas, limítrofes e malignas. Os tumores benignos são frequentemente subclassificados com base nos seus componentes, que podem incluir áreas císticas (cistadenoma), áreas císticas e fibrosas (cistadenofibroma), e áreas predominantemente fibrosas (adenofibroma). Os tumores limítrofes e os tumores malignos também podem ter um componente cístico, e quando malignos, às vezes são chamados *cistadenocarcinomas*. Os tumores podem ser relativamente pequenos ou crescer de modo a preencher toda a pelve antes de serem detectados.

Tabela 22.5 Classificação de neoplasias ovarianas da OMS.

Tumores estromais do epitélio superficial
Tumores serosos
Benignos (cistadenoma, cistadenofibroma)
Limítrofes (tumor seroso limítrofe)
Malignos (adenocarcinoma seroso de baixo e de alto grau)
Tumores mucinosos, do tipo endocervical e do tipo intestinal
Benignos (cistadenoma, cistadenofibroma)
Limítrofes (tumor mucinoso limítrofe)
Malignos (adenocarcinoma mucinoso)
Tumores endometrioides
Benignos (cistadenoma, cistadenofibroma)
Limítrofes (tumor endometrioide limítrofe)
Malignos (adenocarcinoma endometrioide)
Tumores de células claras
Benignos
Limítrofes
Malignos (adenocarcinoma de células claras)
Tumores de células transicionais
Tumor de Brenner benigno
Tumor de Brenner de malignidade limítrofe
Tumor de Brenner maligno
Epiteliais-estromais
Adenossarcoma
Tumor mülleriano misto maligno
Tumores estromais do cordão sexual
Tumores da granulosa
Fibromas
Fibrotecomas
Tecomas
Tumores de células de Sertoli-Leydig
Tumores de células esteroidais (lipídicas)
Tumores de células germinativas
Teratoma
Imaturo
Maduro
Sólido
Cístico (cisto dermoide)
Monodérmico (p. ex., *struma ovarii*, carcinoide)
Disgerminoma
Tumor do saco vitelino
Tumores de células germinativas mistos
Câncer metastático de tumor primário não ovariano
Colônico, apendicular
Gástrico
Pancreaticobiliar
Mamário

Estudos clínico-patológicos e moleculares sugerem que o carcinoma de ovário pode ser amplamente categorizado em dois tipos diferentes, chamados tipos I e II (**Figura 22.30**). Os carcinomas do tipo I são tumores de baixo grau que muitas vezes surgem em associação a tumores limítrofes ou endometriose. Esses tumores abrangem vários subtipos histológicos, incluindo tumores serosos, endometrioides e mucinosos de baixo grau, conforme discutido adiante. Os tumores do tipo II são, na maioria das vezes, carcinomas serosos de alto grau originados de um carcinoma seroso intraepitelial (ver adiante).

Tabela 22.6 Frequência dos principais tumores ovarianos.

Tipo	Porcentagem de tumores ovarianos malignos	Porcentagem de casos bilaterais
Seroso Benigno (60%) Limítrofe (15%) Maligno (25%)	47	25 30 65
Mucinoso Benigno (80%) Limítrofe (10%) Maligno (10%)	3	5 10 < 5
Carcinoma endometrioide	20	40
Carcinoma não diferenciado	10	–
Carcinoma de células claras	6	40
Tumor de células da granulosa	5	5
Teratoma Benigno (96%) Maligno (4%)	1	15 Raro
Metastático	5	> 50
Outros	3	–

Tumores serosos

Essas neoplasias císticas incluem os tumores ovarianos malignos mais comuns e são responsáveis por aproximadamente 40% de todos os cânceres de ovário. Embora o termo *seroso* descreva adequadamente o líquido do cisto, tornou-se sinônimo de epitélio do tipo tubário nesses tumores. Juntos, tumores serosos benignos, limítrofes e malignos representam cerca de 30% de todos os tumores ovarianos e pouco mais 50% dos tumores epiteliais de ovário. Cerca de 70% são benignos ou limítrofes e 30%, malignos. Tumores benignos e limítrofes são mais comuns entre 20 e 45 anos. Os carcinomas serosos ocorrem mais tarde na vida (em média), mas frequentemente ocorrem em idades mais precoces em casos familiares.

Patogênese

Pouco se sabe sobre os fatores de risco para o desenvolvimento de tumores benignos e limítrofes. Os fatores de risco para tumores serosos malignos (carcinomas serosos) também não são completamente compreendidos, mas nuliparidade, histórico familiar e mutações hereditárias desempenham um papel no desenvolvimento tumoral. Há uma frequência mais alta de carcinoma em mulheres com baixa paridade. Mulheres de 40 a 59 anos que fizeram uso de anticoncepcionais orais ou realizaram laqueadura tubária têm um risco reduzido de desenvolver câncer ovariano. Os fatores de risco mais intrigantes são genéticos. Como discutido nos **Capítulos 7** e **23**, mutações herdadas da linha germinativa nos genes *BRCA1* e *BRCA2* aumentam a suscetibilidade a câncer de ovário e câncer de mama. Mutações em *BRCA1* estão presente em cerca de 5% das pacientes portadoras de câncer de ovário com menos de 70 anos. O risco estimado de câncer de ovário em mulheres portadoras de mutações em *BRCA1* ou *BRCA2* é de 20 a 60% por volta dos 70 anos.

O carcinoma seroso ovariano é dividido em dois grupos principais: (1) carcinoma de baixo grau e (2) carcinoma de alto grau. Essa distinção é feita com base no grau de atipia nuclear e se correlaciona com a sobrevivência da paciente. Carcinomas de baixo grau podem surgir em associação com tumores serosos limítrofes, enquanto os carcinomas de alto grau surgem de lesões *in situ* nas fímbrias das tubas uterinas ou de cistos de inclusão serosos dentro do ovário.

O conceito de uma origem na tuba uterina para os carcinomas serosos de alto grau foi inicialmente gerado pela observação de que mulheres portadoras de mutações da linhagem germinativa em *BRCA1/2* eram frequentemente identificadas no momento de uma salpingo-ooforectomia profilática como tendo áreas de atipia epitelial marcante em suas tubas. As lesões, chamadas carcinomas serosos intraepiteliais tubários (CSIT), desde então foram descritas em associação aos cânceres serosos ovarianos esporádicos de alto grau, sugerindo que pelo menos alguns carcinomas serosos de alto grau surgem da tuba uterina. Qual então é a origem dos carcinomas serosos de alto grau que envolvem o ovário sem concomitante envolvimento da tuba uterina? Historicamente, acreditava-se que a fonte desses tumores eram cistos de inclusão corticais (**Figura 22.31**), os quais possivelmente surgem da invaginação do epitélio superficial, seguida de metaplasia serosa. Uma ideia alternativa recente é que os cistos surjam a partir de implantes do epitélio que se destacam da tuba uterina, em locais onde a ovulação causou disrupção da superfície do ovário (**Figura 22.30**).

A porcentagem de carcinomas serosos esporádicos de alto grau originados da tuba uterina ou em cistos de inclusão ovarianos é atualmente incerta, como o é a origem dos cistos de inclusão corticais. No entanto, essa mudança de paradigma já alterou o manejo dos carcinomas ovarianos de alto risco (mulheres

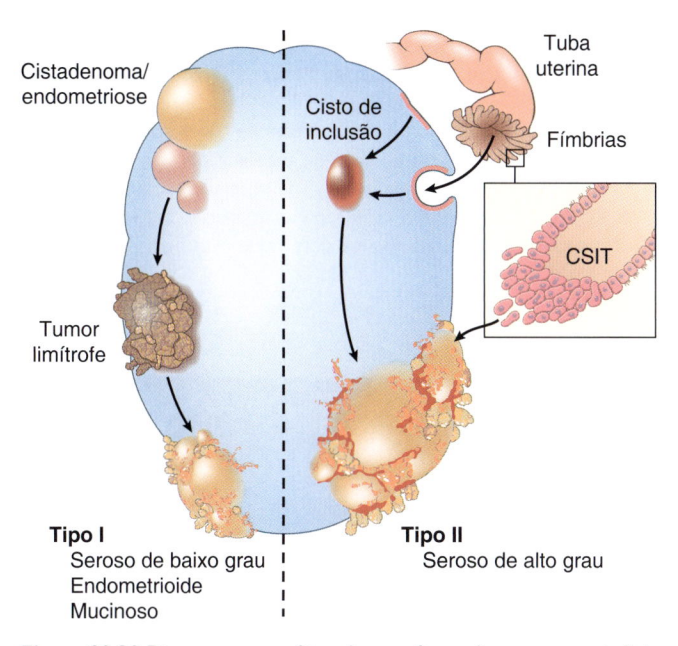

Figura 22.30 Diagrama esquemático da patogênese dos tumores epiteliais ovarianos. Os tumores do tipo I progridem de tumores benignos a tumores limítrofes que podem dar origem a um carcinoma de baixo grau. Esses incluem carcinomas serosos, endometrioides e mucinosos de baixo grau. Os tumores do tipo II surgem de cistos de inclusão/epitélio da tuba uterina via precursores intraepiteliais que muitas vezes não são identificados. Eles demonstram características de alto grau e são mais comumente de histologia serosa. *CSIT*, Carcinoma seroso intraepitelial tubário.

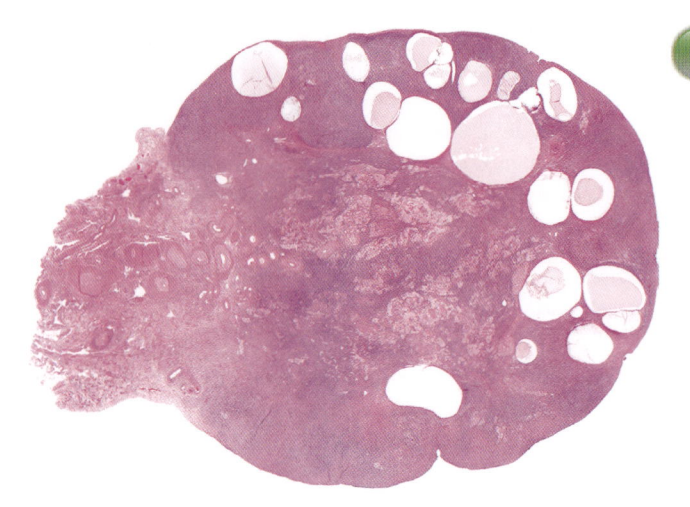

Figura 22.31 Cistos de inclusão corticais do ovário.

Morfologia

Os tumores serosos podem se apresentar como uma lesão multicística na qual o epitélio está contido em cistos de parede fibrosa (intracístico) (**Figura 22.32A**) ou como uma massa que se projeta da superfície ovariana. Os tumores benignos geralmente têm uma parede cística lisa e brilhante sem espessamento epitelial ou com pequenas projeções papilares. Os tumores limítrofes contêm um número aumentado de projeções papilares (**Figura 22.32A** e **C**). Áreas maiores de crescimento de tumor sólido ou papilar, irregularidade tumoral e fixação ou nodularidade da cápsula são características associadas à malignidade (**Figura 22.32B**). A bilateralidade é comum, ocorrendo em 20% dos cistadenomas serosos benignos, 30% dos tumores serosos limítrofes e aproximadamente 66% dos carcinomas serosos. Uma proporção significativa de tumores serosos malignos limítrofes envolve a superfície do ovário (**Figura 22.32C**).

Microscopicamente, os cistos são revestidos por epitélio colunar. Nos tumores benignos (**Figura 22.33A**), as células epiteliais retêm cílios abundantes e papilas microscópicas podem ser encontradas. Os **tumores serosos limítrofes** exibem complexidade aumentada das papilas estromais, estratificação do epitélio e atipia nuclear leve, mas a invasão do estroma não é observada (**Figura 22.33B**). As células epiteliais frequentemente crescem em um padrão papilar delicado conhecido como "carcinoma micropapilar", que se acredita ser o precursor do **carcinoma seroso de baixo grau** (**Figura 22.33C**). O **carcinoma seroso de alto grau** se distingue por ter padrões de crescimento mais complexos e infiltração generalizada ou franca obliteração do estroma subjacente (**Figura 22.33D**). As células tumorais individuais exibem atipia nuclear marcante, incluindo pleomorfismo, figuras mitóticas atípicas e multinucleação; ocasionalmente, os tumores podem estar tão indiferenciados que as características serosas não são mais reconhecíveis. O carcinoma seroso intraepitelial tubário consiste em células morfologicamente idênticas às do carcinoma seroso de alto grau que não invade o estroma subjacente. Calcificações concêntricas (corpos de psammoma) são comuns em todos os tipos de tumores serosos, mas não são específicos para neoplasia.

Os tumores serosos ovarianos, tanto de baixo grau quanto de alto grau, têm uma propensão a se espalhar para as superfícies peritoneais e omento e estão geralmente associados à presença de ascite. Como ocorre com outros tumores, a extensão da propagação para fora do ovário determina o estágio da doença.

portadoras da mutação *BRCA* e com forte histórico familiar de câncer de mama/ovário), já que essas mulheres agora passam por salpingo-ooforectomia, em vez de ooforectomia simples.

Independentemente de sua origem, estudos têm mostrado que o carcinoma seroso de baixo grau e de alto grau tem perfis de mutações distintos, como segue:

- Tumores de baixo grau originados de tumores serosos limítrofes têm mutações nos oncogenes *KRAS*, *BRAF* ou *ERBB2*, e geralmente têm genes *TP53* do tipo selvagem
- Tumores de alto grau têm uma alta frequência de mutações em *TP53* e ausência de mutações em *KRAS* ou *BRAF*. Os desequilíbrios genômicos são muito comuns e incluem amplificações de uma série de oncogenes (p. ex., *PIK3CA*, o gene que codifica a subunidade catalítica de PI3K) e deleções de genes supressores de tumor (p. ex., *RB*). Quase todos os carcinomas de ovário que surgem em mulheres portadoras de mutações em *BRCA1* ou *BRCA2* são carcinomas serosos de alto grau com mutações em *TP53*. Curiosamente, as mutações em *BRCA1* e *BRCA2* são raras em carcinomas serosos esporádicos de alto grau.

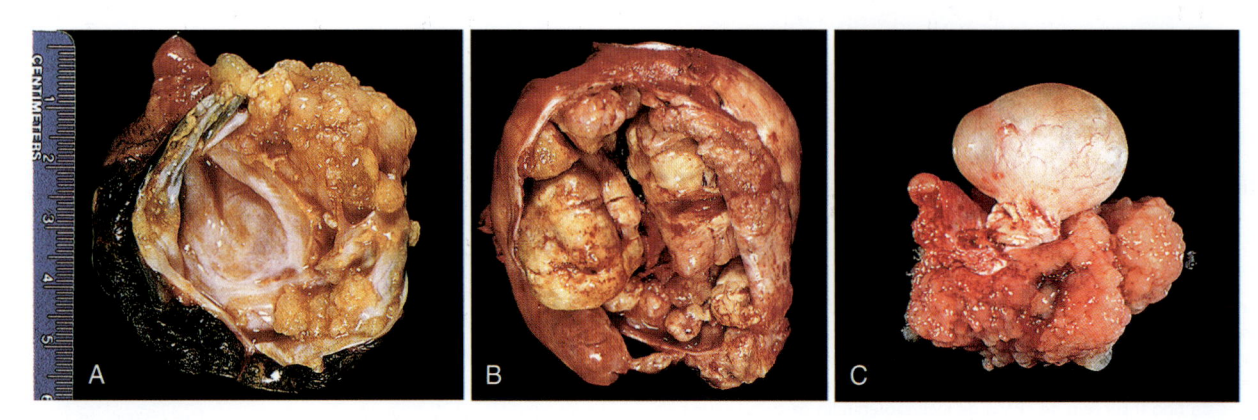

Figura 22.32 Aparências macroscópicas de tumores serosos do ovário. **A.** Tumor seroso limítrofe aberto para exibir uma cavidade cística revestida por crescimentos de tumores papilares delicados. **B.** Carcinoma. O cisto está aberto para revelar uma massa tumoral grande e volumosa. **C.** Outro tumor limítrofe crescendo na superfície ovariana (*inferior*).

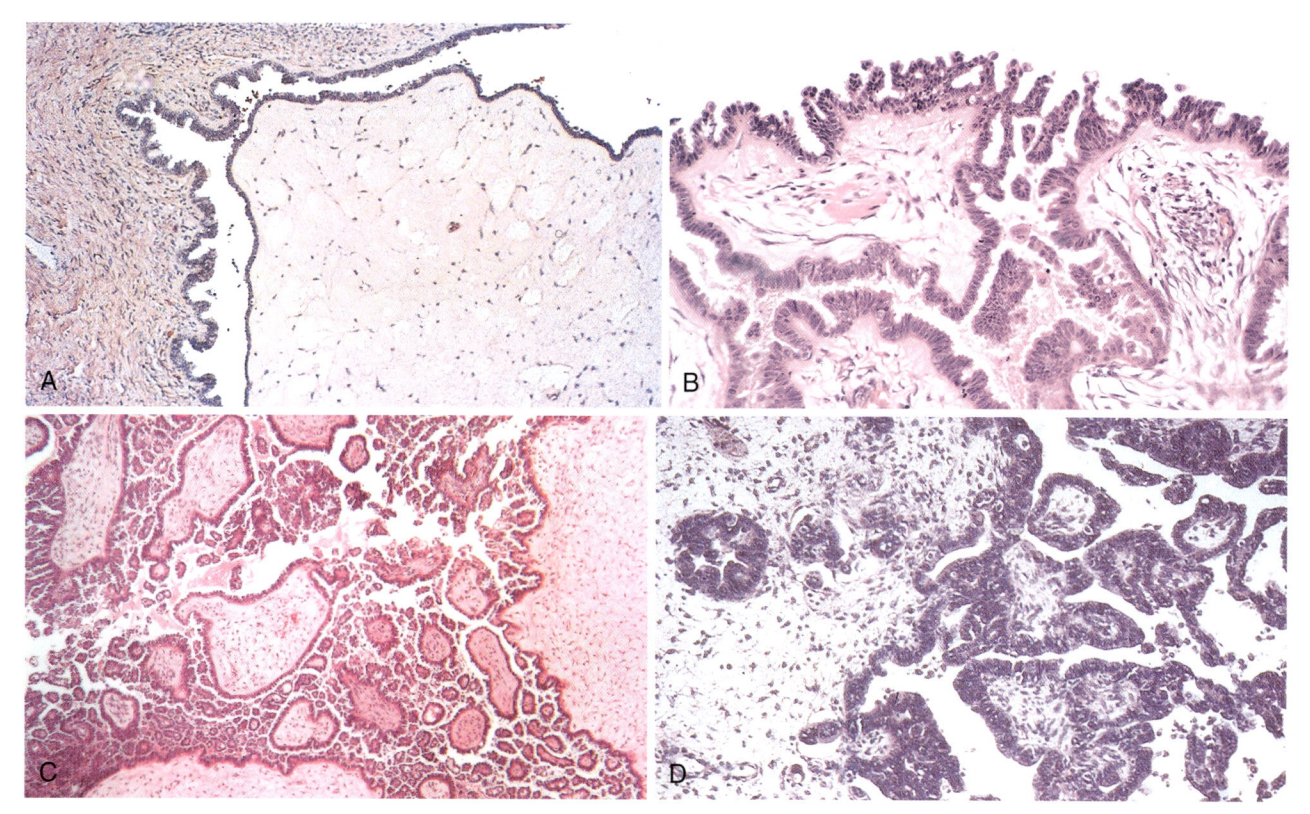

Figura 22.33 Aparências microscópicas de tumores serosos do ovário. **A.** Cistadenoma seroso revelando papilas estromais com epitélio colunar. **B.** Tumor seroso limítrofe apresentando complexidade arquitetônica aumentada e estratificação de células epiteliais. **C.** O crescimento micropapilar complexo define um carcinoma seroso "micropapilar" de baixo grau. **D.** Carcinoma seroso ovariano de alto grau com invasão do estroma subjacente.

O comportamento biológico dos tumores serosos depende do grau de diferenciação e da extensão e distribuição da doença peritoneal. Os tumores serosos podem ocorrer na superfície dos ovários; se não encapsulados, esses tumores são propensos a se espalhar para o peritônio. Conforme discutido, pelo menos alguns desses carcinomas provavelmente se originam da tuba uterina, de onde podem esfoliar e se espalhar para o peritônio. Em casos raros, eles parecem se originar da superfície peritoneal (referidos como carcinoma seroso peritoneal primário).

O prognóstico está intimamente relacionado à aparência histológica do tumor, além da presença e extensão da doença no peritônio. Tumores serosos limítrofes podem surgir em ou envolver secundariamente as superfícies peritoneais como implantes não invasivos, permanecendo localizados e não causando sintomas, ou com disseminação lenta, produzindo obstrução intestinal ou outras complicações após muitos anos. Da mesma forma, carcinomas de baixo grau, mesmo depois de se disseminarem para fora do ovário, muitas vezes progridem lentamente, e as pacientes podem sobreviver por períodos relativamente longos antes de morrer da doença. Em contraste, tumores de alto grau são muitas vezes amplamente metastáticos em todo o abdome no momento da apresentação, um quadro associado à rápida deterioração clínica. Consequentemente, a classificação do tumor, mesmo após a extensão para o peritônio, afeta o prognóstico e seleção da terapia. A taxa de sobrevivência de 5 anos para os tumores limítrofes e malignos confinados ao ovário é de 100 e 70%, respectivamente, enquanto a taxa de sobrevivência de 5 anos para os mesmos tumores envolvendo o peritônio é cerca de 90 e 25%, respectivamente. Em decorrência do curso prolongado, os tumores limítrofes podem reaparecer após muitos anos, e a sobrevivência de 5 anos não é sinônimo de cura.

Tumores mucinosos

Os tumores mucinosos são responsáveis por cerca de 20 a 25% de todas as neoplasias ovarianas. Ocorrem principalmente na meia-idade e são raros antes da puberdade e após a menopausa. A vasta maioria são tumores benignos ou limítrofes. Carcinomas mucinosos ovarianos primários são raros e são responsáveis por aproximadamente 3% de todos os cânceres de ovário.

Patogênese

A mutação do proto-oncogene *KRAS* é uma alteração genética consistente em tumores mucinosos do ovário, incluindo a maioria dos cistadenomas mucinosos benignos (58%), tumores mucinosos limítrofes (75 a 86%) e carcinomas mucinosos ovarianos (85%). Curiosamente, um estudo mostrou que vários tumores com áreas distintas de epitélio apresentando tumores benignos, limítrofes e carcinomas tinham mutações idênticas em *KRAS* em cada área, as quais podem iniciar o desenvolvimento dessas neoplasias.

Morfologia

Tumores mucinosos diferem da variedade serosa em vários aspectos. A superfície do ovário raramente é envolvida e apenas 5% dos cistadenomas mucinosos primários e carcinomas mucinosos são bilaterais. Os tumores mucinosos também tendem a produzir massas císticas maiores; alguns foram relatados com pesos maiores que 25 kg. São tumores multiloculados preenchidos por um líquido pegajoso e gelatinoso rico em glicoproteínas (**Figura 22.34A**).

Microscopicamente, tumores mucinosos benignos são caracterizados por um revestimento de células epiteliais colunares altas com mucina apical e ausência de cílios. A maioria apresenta diferenciação do tipo gástrica ou intestinal; raramente, os tumores podem apresentar diferenciação mucinosa do tipo endocervical (**Figura 22.34B**). Tumores mucinosos limítrofes se distinguem de cistadenomas por apresentar estratificação epitelial, tufagem e/ou crescimento intraglandular papilar, muitas vezes produzindo uma aparência surpreendentemente semelhante aos adenomas tubulares ou adenomas vilosos do intestino. O **carcinoma mucinoso** caracteristicamente apresenta crescimento glandular confluente que é atualmente reconhecido como uma forma de invasão "expansiva". Alguns autores usam o termo carcinomas intraepiteliais para tumores com atipia epitelial marcante sem características invasivas. De forma aproximada, as taxas de sobrevivência de dez anos para o "carcinoma intraepitelial" não invasivo em estágio I e para tumores malignos francamente invasivos são maiores que 95 e 90%, respectivamente. Carcinomas mucinosos que se espalharam para além dos ovários são geralmente fatais, mas como afirmado anteriormente, esses tumores são incomuns e devem ser distinguidos de adenocarcinomas mucinosos metastáticos.

Uma condição clínica conhecida como *pseudomixoma peritoneal* é marcada por ascite mucinosa, implantes epiteliais císticos nas superfícies peritoneais, aderências e envolvimento frequente dos ovários (**Figura 22.35**). Quando extenso, o pseudomixoma peritoneal pode resultar em obstrução intestinal e morte. Historicamente, pensava-se que muitos casos em mulheres eram devidos à disseminação de neoplasias mucinosas ovarianas primárias. No entanto, evidências recentes apontam em quase todos os casos para um fonte extraovariana, geralmente o apêndice (ver **Capítulo 17**). Uma vez que a maioria dos tumores mucinosos ovarianos primários é unilateral, a apresentação bilateral de tumores mucinosos sempre requer a exclusão de metástases derivadas de um tumor primário não ovariano.

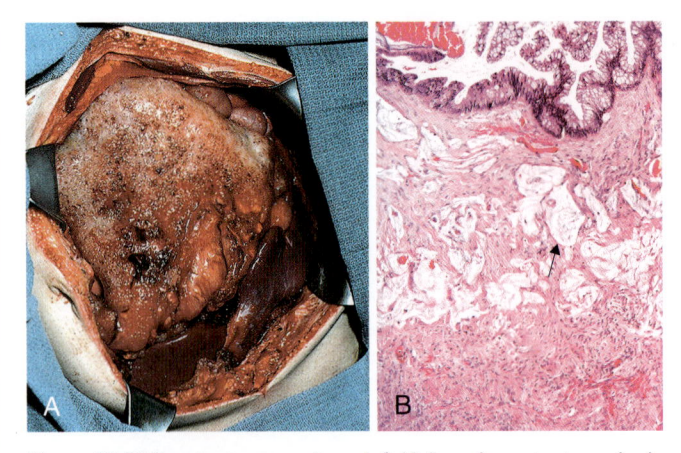

Figura 22.35 Pseudomixoma peritoneal. **A.** Visão na laparotomia revelando supercrescimento maciço de um tumor metastático gelatinoso. **B.** Histologia de implantes peritoneais de um tumor apendicular, mostrando epitélio produtor de mucina e mucina livre (*seta*). (**A,** Cortesia do Dr. Paul H. Sugarbaker, Washington Hospital Cancer Center, Washington, DC.)

Tumores endometrioides ovarianos

O carcinoma endometrioide é responsável por aproximadamente 10 a 15% de todos os cânceres de ovário. Tumores endometrioides benignos, denominados *adenofibroma endometrioide*, e tumores endometrioides limítrofes também podem ocorrer, mas são raros. Aproximadamente 15 a 30% dos carcinomas endometrioides ovarianos são acompanhados por carcinoma do endométrio; embora tais casos tenham um prognóstico relativamente bom, os dados moleculares sugerem que na maioria dos casos de doença endometrial e ovariana concomitantes, a doença ovariana surge da disseminação metastática de um tumor endometrial primário.

Patogênese

Em aproximadamente 15 a 20% dos casos, o carcinoma endometrioide coexiste com endometriose. O pico de incidência de tumores associados à endometriose ocorre uma década antes do pico de carcinomas endometrioides não associados, sugerindo que a endometriose ovariana serve como um precursor do

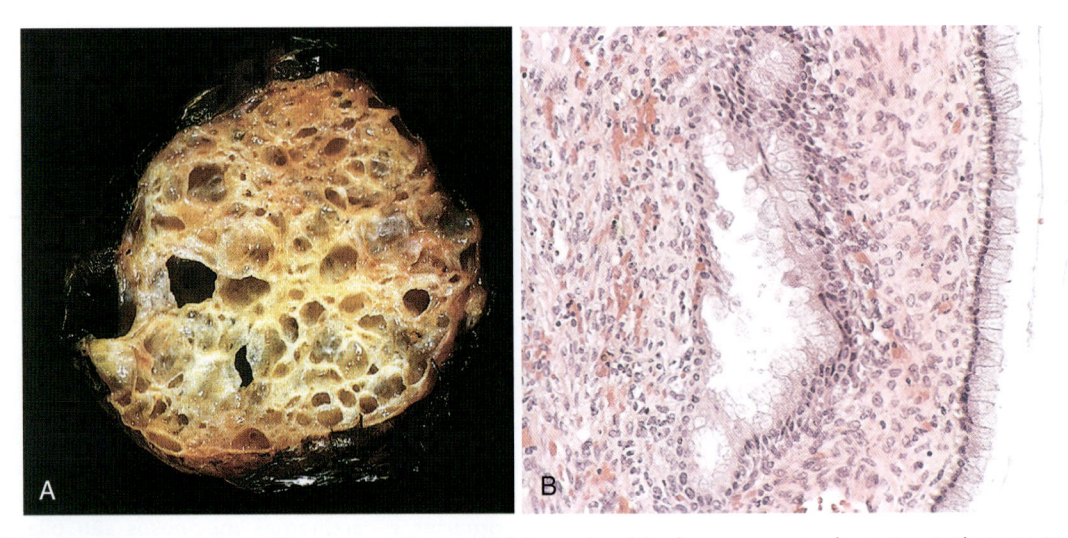

Figura 22.34 A. Cistadenoma mucinoso. Observe a aparência multicística, septos delicados e a presença de mucina cintilante no interior dos cistos. **B.** Células colunares revestindo os cistos.

carcinoma endometrioide ovariano em alguns casos. Estudos moleculares encontraram semelhanças impressionantes com o carcinoma endometrial endometrioide; características compartilhadas incluem alterações relativamente frequentes que aumentam a via de sinalização PI3K/AKT (mutações em *PTEN*, *PIK3CA*, *ARID1A* e *KRAS*) e mutações em genes de reparo de DNA malpareado. Também semelhante a carcinomas endometrioides do endométrio, as mutações em *TP53* são comuns em tumores pouco diferenciados.

> ### Morfologia
>
> Os tumores endometrioides se distinguem dos tumores serosos e mucinosos pela presença de glândulas tubulares semelhantes ao endométrio benigno ou maligno. Os carcinomas endometrioides geralmente se apresentam com áreas de crescimento sólidas e císticas. Em 40% dos casos há envolvimento de ambos os ovários, e tal bilateralidade geralmente implica extensão da neoplasia para além do sistema genital. Estes são tumores de baixo grau que revelam padrões glandulares com forte semelhança àqueles de origem endometrial. A taxa de sobrevivência de 5 anos para pacientes com tumores em estágio I é de aproximadamente 75%.

Carcinoma de células claras

Tumores de células claras benignos e limítrofes são extremamente raros, enquanto os carcinomas de células claras são incomuns. São compostos por células epiteliais grandes com citoplasma abundante, uma aparência que se assemelha ao endométrio gestacional hipersecretor. Como esses tumores às vezes ocorrem em associação à endometriose ou ao carcinoma endometrioide do ovário e se assemelham ao carcinoma de células claras do endométrio, agora são considerados variantes do adenocarcinoma endometrioide. Em consonância com esta ideia, as aberrações genéticas mais comuns (*PIK3CA*, *ARID1A*, *KRAS*, *PTEN* e *TP53*) são compartilhadas com o carcinoma endometrioide, embora em frequências um pouco diferentes. Tumores de células claras do ovário podem ser predominantemente sólidos ou císticos. Nas neoplasias sólidas, as células claras se organizam em folhas ou túbulos, enquanto na variedade cística, as células neoplásicas revestem os espaços. Portadoras de carcinoma de células claras confinado aos ovários têm uma sobrevida de 90% em 5 anos, mas na doença em estágio avançado parece que a morfologia de célula clara antecipa uma evolução negativa. O carcinoma de células claras é tratado como outros tipos de carcinomas ovarianos.

Cistadenofibroma

Cistadenofibroma é uma variante incomum em que há proliferação pronunciada do estroma fibroso subjacente ao epitélio colunar de revestimento. Esses tumores benignos são geralmente pequenos, multiloculares e têm processos papilares simples que não são tão complexos e ramificados como aqueles encontrados no cistadenoma comum. Eles podem conter epitélio mucinoso, seroso, endometrioide ou transicional (tumor de Brenner). Há presença de lesões limítrofes com atipia celular e raros tumores com áreas focais de carcinoma, mas a disseminação metastática de ambos é extremamente incomum.

Tumores de células de transição

Os tumores de células de transição contêm células epiteliais neoplásicas semelhantes ao urotélio e geralmente benignas. Compreendem cerca de 10% dos tumores epiteliais do ovário e também são referidos como *tumores de Brenner*. Carcinomas de células de transição incomuns também ocorrem no ovário.

> ### Morfologia
>
> Os tumores de Brenner podem ser sólidos ou císticos, geralmente são unilaterais (aproximadamente 90%) e variam em tamanho desde pequenas lesões menores que 1 cm de diâmetro até tumores massivos de até 20 a 30 cm de diâmetro (**Figura 22.36A**). O estroma fibroso, semelhante ao do ovário normal, é marcado por ninhos agudamente demarcados de células epiteliais que se assemelham ao epitélio do trato urinário, muitas vezes com glândulas mucinosas em seu centro (**Figura 22.36B**). Raramente, o estroma é composto de fibroblastos de aspecto roliço semelhantes às células da teca; tais neoplasias podem ter atividade hormonal. A maioria dos tumores de Brenner é benigna, mas contrapartes limítrofes e malignas foram relatadas. Tumores com ninhos benignos de Brenner mesclados a células tumorais malignas são chamados tumores malignos de Brenner, enquanto tumores com mais de 50% de epitélio do tipo transicional maligno são considerados carcinomas de células de transição do ovário.

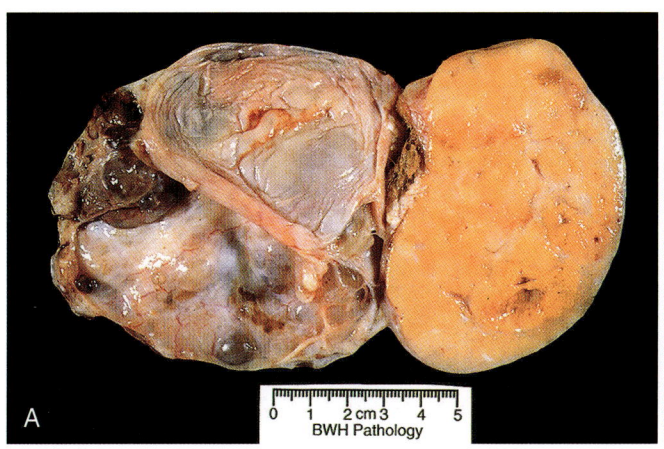

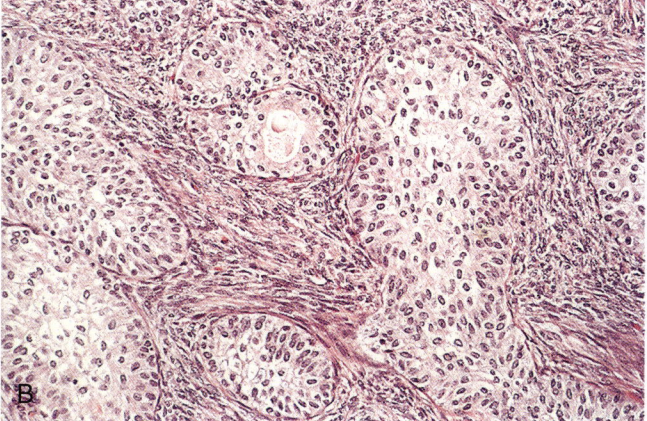

Figura 22.36 Tumor de Brenner. **A.** Tumor de Brenner (*à direita*) associado a um teratoma cístico benigno (*à esquerda*). **B.** Detalhe histológico de ninhos epiteliais característicos no interior de um estroma ovariano. (Cortesia do Dr. M. Nucci, Brigham and Women's Hospital, Boston, Mass.)

Os tumores de Brenner são frequentemente detectados por acidente e, mesmo quando grandes, comportam-se de maneira benigna. Os tumores malignos de Brenner geralmente se apresentam no estágio I e, para finalidades de prognóstico, são considerados equivalentes aos carcinomas de baixo grau (tipo I). Os incomuns carcinomas de células transicionais são considerados equivalentes aos carcinomas ovarianos de alto grau (tipo II), frequentemente estão presentes em estágio avançado e são tratados como carcinomas serosos de alto grau.

Curso clínico, detecção e prevenção dos tumores epiteliais de ovário

Todos os carcinomas ovarianos produzem manifestações clínicas semelhantes, mais comumente dor abdominal baixa e aumento de volume abdominal. Queixas gastrintestinais, frequência urinária, disúria, pressão pélvica e muitos outros sintomas podem aparecer. As lesões benignas são facilmente ressecadas e curadas. Os tumores malignos tendem a causar fraqueza progressiva, perda de peso e caquexia. Se os carcinomas se estendem pela cápsula do tumor e semeiam a cavidade peritoneal, frequentemente causam ascite, que pode ser maciça. Caracteristicamente, o líquido ascítico está repleto de células tumorais esfoliadas. O padrão peritoneal de propagação é distinto: superfícies serosas são difusamente semeadas por nódulos tumorais de 0,1 a 0,5 cm que só raramente invadem profundamente o parênquima subjacente. Os linfonodos regionais estão frequentemente envolvidos e metástases podem ser encontradas no fígado, pulmões, trato gastrintestinal e em outros lugares. Metástase a partir da linha média para o ovário oposto é descoberta em cerca de metade dos casos na cirurgia e anuncia um curso descendente progressivo e morte dentro alguns meses ou anos.

A maioria das mulheres portadoras de carcinoma ovariano apresenta doença em estágio avançado. Essa é a principal razão para as taxas de sobrevida de cinco e dez anos relativamente baixas das pacientes com esses tumores, em comparação com as taxas de sobrevida das pacientes com carcinoma cervical ou endometrial. Por essas razões, o desenvolvimento de novos ensaios que permitam o diagnóstico precoce é uma prioridade. Testes bioquímicos para antígenos tumorais ou produtos tumorais no plasma dessas pacientes estão sendo buscados vigorosamente, mas nenhum teste proposto até o momento tem sensibilidade e especificidade suficientes para que seja útil. O marcador sérico CA-125 é usado em pacientes com doença conhecida para monitorar a recorrência/progressão da doença.

A prevenção do câncer de ovário também continua sendo uma meta incerta. A triagem para identificar mulheres em risco (positivas para mutações em *BRCA* ou com forte histórico familiar) e o tratamento de redução de risco com salpingo-ooforectomia são atualmente padrão. O impacto a longo prazo dessas abordagens em mulheres em alto risco ainda precisa ser determinado; dados recentes sugerem que após salpingo-ooforectomia, um risco de 3 a 4% de desenvolvimento de câncer ovariano permaneça.

> **Conceitos-chave**
>
> - Os tumores ovarianos epiteliais são classificados em benignos, limítrofes ou malignos
> - Cerca de 80% de todos os tumores epiteliais ovarianos são benignos e ocorrem em mulheres jovens. Os tumores malignos ocorrem mais comumente em mulheres mais velhas e são responsáveis por aproximadamente 3% de todos os cânceres em mulheres nos EUA
> - A maioria dos tumores epiteliais malignos são carcinomas serosos de alto grau, que têm um prognóstico negativo, em grande parte, porque geralmente são detectados depois de se espalharem para além do ovário e/ou tuba uterina
> - Existem três tipos histológicos principais de tumores ovarianos epiteliais: serosos, mucinosos e endometrioides, todos com categorias benigna, limítrofe e maligna
> - Os tumores benignos são compostos por células epiteliais bem diferenciadas com mínima proliferação. Os tumores limítrofes apresentam aumento da proliferação celular, mas ausência de invasão do estroma. Os tumores malignos apresentam aumento de atipia epitelial e são definidos pela presença de invasão estromal
> - Os carcinomas de ovário são atualmente divididos em tumores do tipo I (baixo grau) e do tipo II (alto grau)
> - A origem dos tumores ovarianos ainda está sob investigação, mas parece que os tumores relacionados a *BRCA1* e *BRCA2*, bem como os a maioria dos tumores serosos ovarianos esporádicos provavelmente surgem de epitélio da tuba uterina, em vez do epitélio ovariano.

Tumores de células germinativas

Os tumores de células germinativas constituem 15 a 20% de todos os tumores ovarianos e incluem vários subtipos (**Figura 22.37**). A maioria consiste em *teratomas císticos benignos*, mas outros, encontrados principalmente em crianças e adultos jovens, podem apresentar comportamento maligno e representar problemas no diagnóstico histológico e na terapia. Eles carregam um alto grau de semelhança morfológica e molecular com tumores de células germinativas do testículo masculino (ver **Capítulo 21**).

Teratoma

Os teratomas são divididos em três categorias: (1) maduro (benigno), (2) imaturo (maligno) e (3) monodérmico ou altamente especializado.

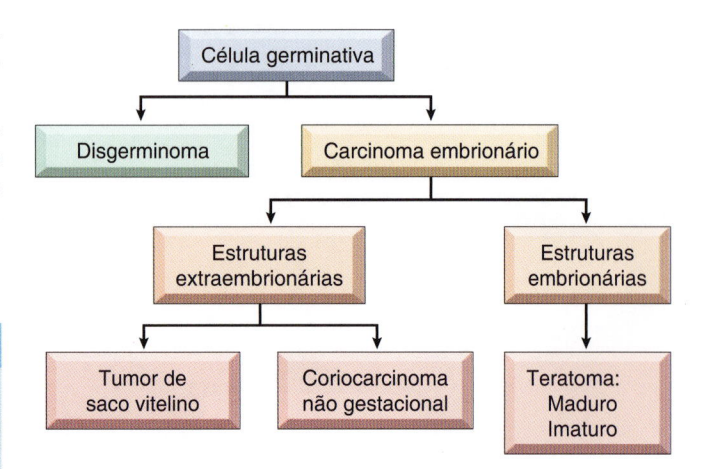

Figura 22.37 Histogênese e inter-relações dos tumores ovarianos originados em células germinativas.

Teratomas maduros (benignos)

A maioria dos teratomas benignos é cística e referida como *cistos dermoides*, porque quase sempre são revestidos por estruturas semelhantes às da pele. Os teratomas císticos são geralmente encontrados em mulheres jovens. Eles podem ser descobertos acidentalmente, mas estão ocasionalmente associados a síndromes paraneoplásicas clinicamente importantes, como a *encefalite límbica inflamatória*, que pode regredir após a remoção do tumor.

Morfologia

O teratoma benigno é bilateral em 10 a 15% dos casos. Caracteristicamente, consiste em um cisto unilocular contendo cabelo e material sebáceo (**Figura 22.38**). Ao corte, revela uma parede fina revestida por epiderme opaca, cinza-esbranquiçada e enrugada, frequentemente com protusões de fios de cabelo. No interior da parede, é comum encontrar estruturas dentárias grosseiramente evidentes e áreas de calcificação. Microscopicamente, a parede do cisto é composta por epitélio escamoso estratificado com glândulas sebáceas subjacentes, fios de cabelo e outras estruturas anexiais da pele (**Figura 22.39**). Na maioria dos casos, tecidos de outras camadas germinativas podem ser identificados como cartilagem, osso, tireoide e tecido neural. Às vezes, os cistos dermoides são incorporados dentro da parede de um cistadenoma mucinoso. **Cerca de 1% dos cistos dermoides sofre transformação maligna**, mais comumente para o carcinoma de células escamosas, mas também para outros cânceres (p. ex., carcinoma da tireoide, melanoma).

Em casos raros, um teratoma benigno é sólido e composto inteiramente de coleções heterogêneas de tecidos de aparência benigna e estruturas organizadas derivadas de todas as três camadas germinativas. Esses tumores presumivelmente têm a mesma origem histogenética que os cistos dermoides, mas carecem de diferenciação preponderante em derivados ectodérmicos. Essas neoplasias podem ser difíceis de distinguir dos teratomas imaturos malignos na inspeção macroscópica.

A origem dos teratomas tem sido uma questão fascinante durante séculos. Algumas crenças comuns culparam bruxas, pesadelos ou pacto com o diabo. O cariótipo de quase todos os

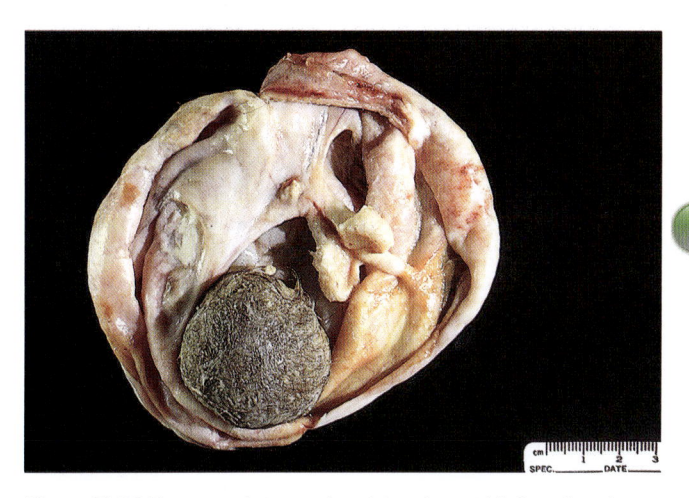

Figura 22.38 Teratoma cístico maduro (cisto dermoide) do ovário aberto. Cabelo (*abaixo*) e uma mistura de tecidos são evidentes.

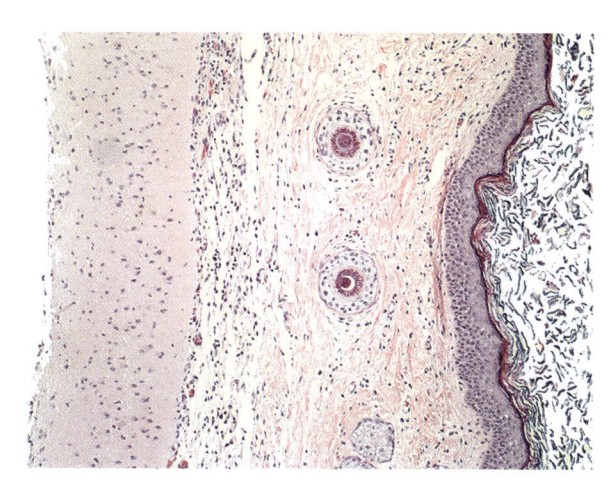

Figura 22.39 Teratoma cístico benigno. Visão em pequeno aumento da pele (*borda direita*), abaixo da qual existe tecido cerebral (*borda esquerda*).

teratomas ovarianos benignos é 46,XX. Análises genéticas indicam que a maioria dos teratomas surge de um óvulo após a primeira divisão meiótica, enquanto o restante surge antes da primeira divisão.

Teratomas monodérmicos ou especializados

Os teratomas especializados são um grupo notável de tumores raros, sendo os mais comuns *struma ovarii* e carcinoide. Ambos são sempre unilaterais, embora um teratoma contralateral possa estar presente. O *struma ovarii* é composto inteiramente de tecido tireoidiano maduro, que pode ser funcional e causar hipertireoidismo. Os tumores carcinoides, que provavelmente surgem do tecido intestinal encontrado em teratomas, também pode ser funcional; particularmente quando grandes (> 7 cm), podem produzir 5-hidroxitriptamina suficiente para causar a síndrome carcinoide mesmo na ausência de metástases hepáticas porque as veias ovarianas se conectam diretamente à circulação sistêmica. O carcinoide ovariano primário deve ser diferenciado do carcinoide intestinal metastático, que quase sempre envolve os ovários bilateralmente. Ainda mais raro é o carcinoide estromal, uma combinação de *struma ovarii* e carcinoide no mesmo ovário. Apenas cerca de 2% dos carcinoides em teratomas sofrem metástase.

Teratomas malignos imaturos

Esses tumores raros diferem dos teratomas benignos na medida em que os tecidos componentes se assemelham ao tecido embrionário e fetal imaturo. O tumor é encontrado principalmente na fase pré-púbere de adolescentes e em mulheres jovens, com idade média de 18 anos.

Morfologia

Os teratomas malignos imaturos são volumosos, têm uma superfície externa lisa e tendem a ser sólidos ao corte. Cabelos, material sebáceo, cartilagem, osso e calcificação podem estar presentes, associados a áreas de necrose e hemorragia. No exame microscópico, há quantidades variáveis de neuroepitélio imaturo, cartilagem, osso, músculo e outros elementos. Um risco importante para a propagação extraovariana subsequente é o grau histológico (I a III) do tumor. A classificação é baseada na proporção do tumor que compreende neuroepitélio imaturo (**Figura 22.40**).

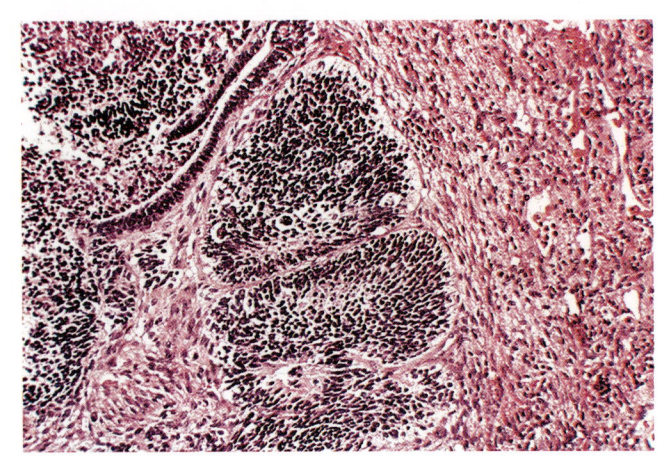

Figura 22.40 Teratoma imaturo do ovário ilustrando o neuroepitélio primitivo.

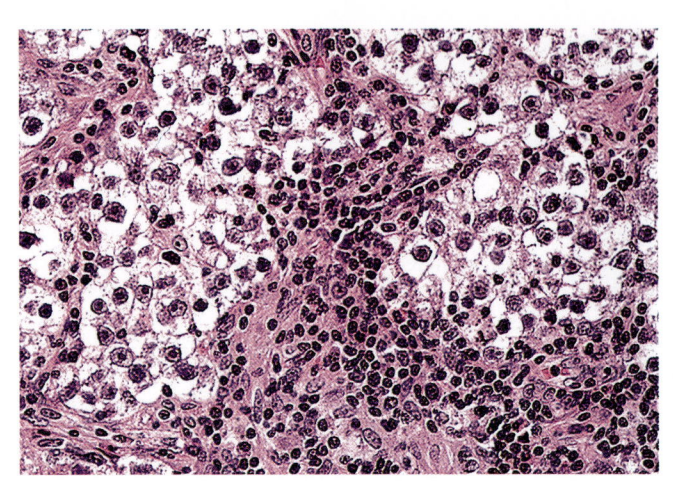

Figura 22.41 Disgerminoma apresentando células tumorais poliédricas com núcleos arredondados e inflamação adjacente.

Os teratomas imaturos crescem rapidamente, frequentemente penetram a cápsula e se espalham localmente ou a distância. Tumores em estágio I, particularmente aqueles com histologia de baixo grau (grau 1), têm um excelente prognóstico. Tumores de alto grau confinados ao ovário são geralmente tratados com quimioterapia adjuvante. A maioria das recorrências se desenvolve nos primeiros 2 anos, e a ausência de doença além desse período significa uma excelente chance de cura.

Disgerminoma

O disgerminoma é a contraparte ovariana do seminoma testicular. O disgerminoma é responsável por cerca de 2% dos cânceres de ovário e cerca de 50% dos tumores malignos de células germinativas do ovário. Eles podem ocorrer na infância, mas 75% ocorrem na segunda e terceira décadas de vida. Alguns ocorrem em pacientes com disgenesia gonadal, incluindo pseudo-hermafroditismo. A maior parte desses tumores não tem função endócrina. Alguns produzem níveis elevados de gonadotrofina coriônica, um achado que se correlaciona com a presença de células gigantes do sinciciotrofoblasto. Assim como o seminoma, o disgerminoma expressa marcadores de células-tronco, como OCT3, OCT4 e NANOG, fatores de transcrição implicados na manutenção da pluripotência. Eles também expressam a tirosinoquinase receptora KIT, e aproximadamente um terço apresenta mutações ativadoras no gene *KIT*. Essas proteínas representam marcadores diagnósticos úteis e o KIT mutado, constitutivamente ativo, também representa um potencial alvo terapêutico.

Morfologia

A maioria dos disgerminomas (80 a 90%) são tumores unilaterais que variam em tamanho desde nódulos quase invisíveis a massas que virtualmente preenchem o abdome. Ao corte de superfície, eles apresentam uma aparência sólida de coloração amarelo-esbranquiçada a cinza-rosada e são frequentemente macios e carnosos. Assim como o seminoma, o disgerminoma é composto por grandes células vesiculares com citoplasma claro, limites celulares bem definidos e núcleos regulares localizados centralmente. As células tumorais crescem em lâminas ou cordões separados por fibras estromais escassas (**Figura 22.41**), infiltradas por linfócitos e que podem conter granulomas não caseosos. Ocasionalmente, pequenos nódulos de disgerminoma são encontrados na parede de um teratoma cístico benigno; inversamente, um tumor predominantemente disgerminomatoso pode conter um pequeno teratoma cístico.

Todos os disgerminomas são malignos, mas o grau de atipia histológica é variável, e apenas cerca de um terço é agressivo. Um tumor unilateral que não rompeu a cápsula ou se disseminou para fora do ovário tem excelente prognóstico (taxa de cura de até 96%) após salpingo-ooforectomia simples. Essas neoplasias respondem à quimioterapia e mesmo aqueles que se estenderam para além do ovário muitas vezes podem ser curados. A sobrevida geral excede 80%.

Tumores do saco vitelínico

Embora raro, o tumor de saco vitelino (também conhecido como *tumor do seio endodérmico*) ainda é o segundo tumor ovariano maligno mais comum de origem em células germinativas. Acredita-se que seja derivado de células germinativas malignas em diferenciação ao longo da linhagem do saco vitelino extraembrionário (**Figura 22.37**). Da mesma forma que o saco vitelino normal, as células tumorais elaboram α-*fetoproteína*. Seu traço histológico característico é uma estrutura semelhante ao glomérulo composta por um vaso sanguíneo central envolvido por células tumorais dentro de um espaço que também é revestido por células tumorais (*corpo de Schiller-Duval*) (**Figura 22.42**). Gotículas hialinas intracelulares e extracelulares estão tipicamente presentes, algumas das quais se coram para α-fetoproteína por técnicas de imunoperoxidase.

A maioria das pacientes são crianças ou mulheres jovens apresentando dor abdominal e uma massa pélvica de crescimento rápido que envolve um único ovário. A quimioterapia combinada promove sobrevida superior a 80%, independentemente do estágio da doença.

Coriocarcinoma

Mais comumente de origem placentária, o coriocarcinoma ovariano, assim como o tumor do saco vitelino, é um exemplo de tumor

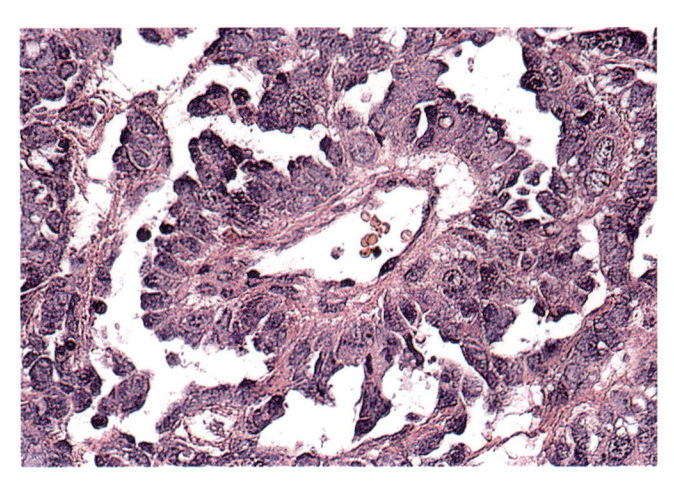

Figura 22.42 Um corpo de Schiller-Duval em um carcinoma de saco vitelino.

maligno de células germinativas que exibe diferenciação extraembrionária. A maioria dos coriocarcinomas ovarianos existe em combinação com outros tumores de células germinativas, enquanto o coriocarcinoma puro é extremamente raro. Eles são histologicamente idênticos às lesões mais comuns da placenta (descritas adiante). Os tumores ovarianos são agressivos e geralmente apresentam metástase hematogênica para os pulmões, fígado, osso e outros locais no momento do diagnóstico. Como todo coriocarcinoma, altos níveis de *gonadotrofinas coriônicas* são elaborados, as quais podem ser úteis para estabelecer o diagnóstico ou detectar recorrências. Em contraste com o coriocarcinoma, que surge do tecido placentário, aqueles originados do ovário geralmente não respondem à quimioterapia e costumam ser fatais.

Outros tumores de células germinativas

Esses tumores incluem (1) *carcinoma embrionário*, um tumor altamente maligno de elementos embrionários primitivos e histologicamente semelhante ao carcinoma embrionário originado nos testículos (ver **Capítulo 21**); (2) *poliembrioma*, um tumor maligno contendo os chamados corpos embrioides; e (3) *tumores de células germinativas mistos* contendo várias combinações de disgerminoma, teratoma, tumor de saco vitelino e coriocarcinoma.

Conceitos-chave

Tumores de células germinativas

- Os tumores de células germinativas constituem 15 a 20% dos tumores ovarianos
- A maioria são teratomas císticos maduros (cistos dermoides) em mulheres na idade reprodutiva
- O restante ocorre em mulheres jovens e crianças; nessa faixa etária, predominam os tumores malignos
- Os teratomas imaturos se distinguem dos teratomas maduros pela presença de elementos embrionários ou fetais, na maioria das vezes consistindo de neuroepitélio primitivo
- Os tumores de células germinativas apresentam várias linhas de diferenciação em direção a oogonia (disgerminoma), saco vitelino extraembrionário (tumores de saco vitelino), placenta (coriocarcinoma) ou múltiplas camadas germinativas (teratoma)

Tumores estromais do cordão sexual

Essas neoplasias ovarianas surgem do estroma do ovário, que é derivado dos cordões sexuais da gônada embrionária. O mesênquima gonadal indiferenciado eventualmente produz tipos específicos de células em gônadas masculinas (células de Sertoli e de Leydig) e femininas (células da granulosa e da teca), e tumores que se assemelham a todos esses tipos celulares podem ser identificados no ovário. Além disso, como algumas dessas células normalmente secretam estrógenos (células da granulosa e da teca) ou andrógenos (células de Leydig), seus tumores correspondentes podem ser feminilizantes (tumores de células da granulosa/teca) ou masculinizantes (tumores das células de Leydig).

Tumores de células da granulosa

Os tumores de células da granulosa são compostos por células que semelhantes às células da granulosa de um folículo ovariano em desenvolvimento. Eles são amplamente divididos em tumores de células da granulosa adultas e juvenis, com base principalmente na idade da paciente. Coletivamente, estas neoplasias são responsáveis por cerca de 5% de todos os tumores ovarianos e 95% dos tumores de células da granulosa são do tipo adulto. Embora possam ser descobertos em qualquer idade, aproximadamente dois terços ocorrem em mulheres na pós-menopausa.

Morfologia

Os tumores de células da granulosa são unilaterais e variam de focos microscópicos até massas encapsuladas grandes, sólidas e císticas. Os tumores ativos em termos hormonais têm uma coloração amarela em suas superfícies de corte, devido aos lipídios intracelulares.

O componente de células da granulosa desses tumores tem muitos padrões histológicos. Células pequenas, cuboidais a poligonais, podem crescer em cordões, lâminas ou fios anastomosados (**Figura 22.43A**). Em casos esporádicos, estruturas pequenas, distintas e semelhantes a glândulas preenchidas por um material acidofílico lembra os folículos imaturos (**corpos de Call-Exner**). Quando essas estruturas são evidentes, o diagnóstico é direto. Ocasionalmente, há um componente de tecoma predominante que consiste em agrupamentos ou folhas de células cuboidais a poligonais (ver mais adiante). Em alguns tumores, as células da granulosa ou da teca podem parecer mais espessas e apresentar citoplasma amplo, característico de luteinização (*i. e.*, tumores de células da granulosa/teca luteinizadas).

Os tumores de células da granulosa são de importância clínica por duas razões: (1) às vezes elaboram grandes quantidades de estrógeno e (2) **podem se comportar como malignidades de baixo grau.** Tumores funcionalmente ativos em meninas na pré-puberdade (tumores de células da granulosa juvenis) podem produzir desenvolvimento sexual precoce. Em mulheres adultas, podem estar associados a doença proliferativa da mama, hiperplasia endometrial e carcinoma endometrial, o qual eventualmente se desenvolve em cerca de 10 a 15% das mulheres portadoras de tumores produtores de esteroides. Ocasionalmente, os tumores de células da granulosa produzem andrógenos, masculinizando a paciente.

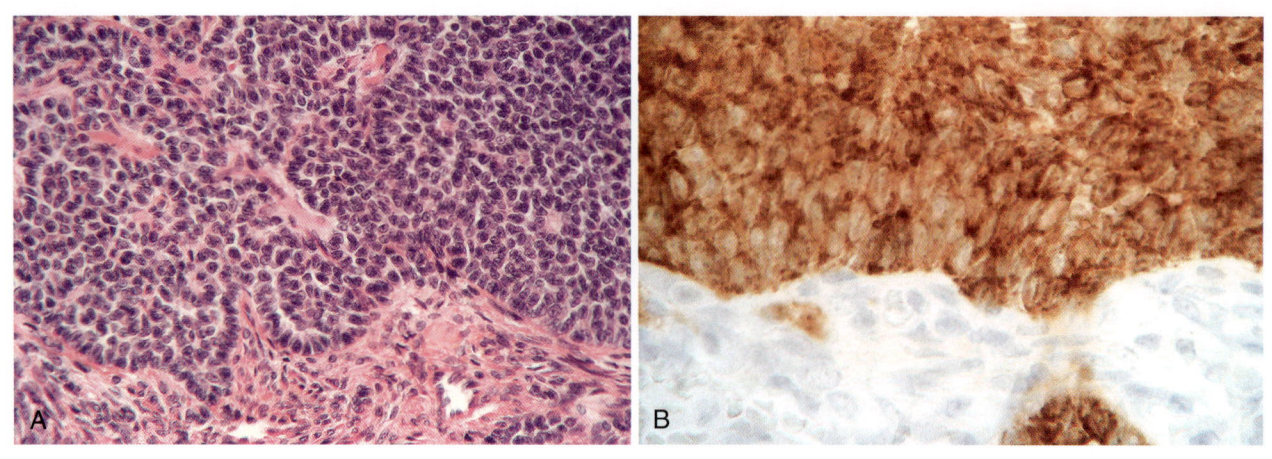

Figura 22.43 Tumor de células da granulosa. **A.** As células tumorais estão organizadas em lâminas pontuadas por pequenas estruturas semelhantes a folículos (corpos de Call-Exner). **B.** A forte positividade imuno-histoquímica com um anticorpo contra inibina caracteriza esses tumores.

Todos os tumores de células da granulosa são potencialmente malignos. É difícil prever seu comportamento biológico pela histologia. A probabilidade de apresentarem comportamento maligno (recorrência, extensão) varia de 5 a 25%. Em geral, os tumores malignos seguem um curso indolente em que as recorrências locais podem ser passíveis de terapia cirúrgica. Recorrências na pelve e abdome pode aparecer 10 a 20 anos após a remoção do tumor original. A taxa de sobrevivência de 10 anos é aproximadamente 85%. Os tumores compostos predominantemente por células da teca quase nunca são malignos.

Níveis elevados de *inibina* no tecido e no soro, um produto de células da granulosa, estão associados a tumores de células da granulosa. A detecção e avaliação da inibina é útil no diagnóstico de tumores da granulosa e outros tumores estromais do cordão sexual (**Figura 22.43B**), e para monitorar pacientes em tratamento para estas neoplasias. As mutações condutoras mais comuns são encontradas no gene *FOXL2*, que sofre mutação em 97% dos tumores adultos de células da granulosa. *FOXL2* codifica um fator de transcrição importante no desenvolvimento das células da granulosa, que presumivelmente explica sua forte associação a esse tipo de tumor. Curiosamente, as mutações em *FOXL2* parecem ser menos comuns no tumor da granulosa juvenil, sugerindo sua distinção genética do tipo adulto.

Fibromas, tecomas e fibrotecomas

Tumores originados do estroma ovariano e compostos por fibroblastos (fibromas) ou células fusiformes roliças com gotículas de lipídios (tecomas) são relativamente comuns, representando cerca de 4% de todos os tumores ovarianos (**Figura 22.44A**). Vários tumores contêm uma mistura dessas células e são denominados *fibrotecomas*. Os fibrotecomas e tecomas puros (um subtipo raro) podem ser ativos em termos hormonais. Em contraste, fibromas puros, em geral, são inativos em termos hormonais.

Fibromas do ovário são unilaterais em cerca de 90% dos casos e são geralmente massas sólidas, esféricas ou ligeiramente lobuladas, encapsuladas, duras, branco-acinzentadas recobertas por serosa ovariana reluzente e intacta (**Figura 22.44B**). No exame histológico, são compostos de fibroblastos bem diferenciados e estroma colagenoso escassamente intercalado. Áreas focais de a diferenciação tecal podem ser identificadas.

A maioria desses tumores chama a atenção como uma massa pélvica, às vezes acompanhada de dor e duas associações decididamente curiosas. A primeira é ascite, encontrado em cerca de 40% dos casos em que os tumores medem mais de 6 cm de diâmetro. Raramente também há hidrotórax, geralmente apenas do lado direito. Esta combinação de achados (tumor ovariano, hidrotórax e ascite) é designada *síndrome de Meigs*, cuja gênese é desconhecida.

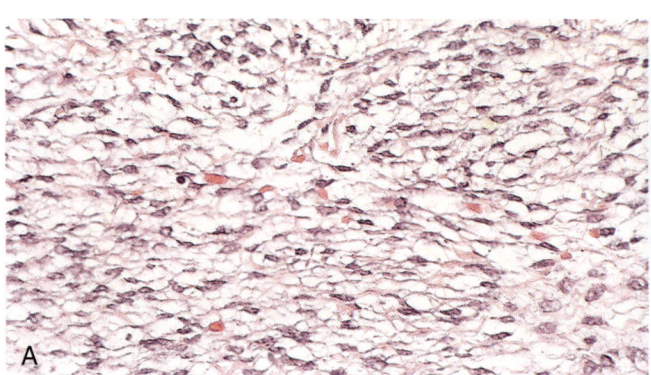

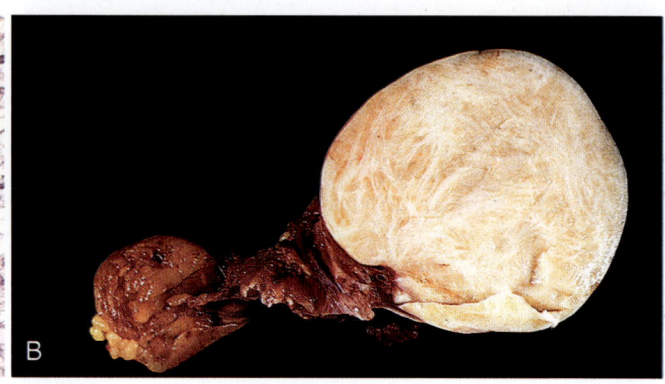

Figura 22.44 Fibroma ovariano. **A.** Tecoma-fibroma composto por células estromais roliças e diferenciadas com aparência tecal. **B.** Grande fibroma do ovário seccionado aparente como uma massa branca e firme (*direita*). A tuba uterina está conectada.

A segunda associação ocorre com a síndrome do nevo basocelular, descrita no **Capítulo 25**. A vasta maioria dos fibromas, fibrotecomas e tecomas são benignos. Raramente, fibromas celulares com atividade mitótica e aumento da razão núcleo-citoplasma são identificados; como podem seguir um curso maligno, são denominados *fibrossarcomas*.

Tumores de células de Sertoli-Leydig

Esses tumores costumam ser funcionais e mais comumente produzem masculinização ou desfeminização, embora alguns tenham efeitos estrogênicos. As células tumorais recapitulam, em certa extensão, as células testiculares de Sertoli ou Leydig em vários estágios de desenvolvimento. Os tumores ocorrem em mulheres de todas as idades, embora o pico de incidência ocorra na segunda e terceira décadas. Em mais da metade dos casos, as células tumorais apresentam mutações em *DICER1*, um gene que, você deve lembrar, codifica uma endonuclease essencial para o processamento adequado de micro-RNA (ver **Capítulo 1**). A presença de mutações em *DICER1* sugere que a gênese desses tumores envolve anormalidades da expressão gênica relacionada à desregulação de micro-RNA.

> ### Morfologia
>
> Esses tumores são unilaterais e podem se assemelhar grosseiramente aos tumores de células da granulosa. A superfície de corte é geralmente sólida e varia de cinza a marrom-dourado na aparência (**Figura 22.45A**). Microscopicamente, uma gama de diferenciações é observada. Os tumores bem diferenciados apresentam túbulos compostos por células de Sertoli ou células de Leydig intercaladas com estroma (**Figura 22.45B**). As formas intermediárias apresentam apenas túbulos imaturos e grandes células de Leydig eosinofílicas. Os tumores mal diferenciados têm um padrão sarcomatoso com uma disposição desordenada de cordões celulares epiteliais e possível ausência das células de Leydig. Elementos heterólogos, como glândulas mucinosas, ossos e cartilagem, podem estar presentes em alguns tumores.

A incidência de recorrência ou metástase por tumores de células de Sertoli-Leydig é inferior a 5%. Essas neoplasias podem bloquear o desenvolvimento sexual feminino normal em crianças e pode causar a desfeminização de mulheres, manifestada pela atrofia das mamas, amenorreia, esterilidade e perda de cabelo. A síndrome pode progredir para virilização marcante (hirsutismo) associada a distribuição masculina de cabelo, hipertrofia do clitóris e mudanças de voz.

Outros tumores estromais do cordão sexual

Existem vários outros tumores ovarianos incomuns, mas distintos, de origem estromal ou do cordão sexual que frequentemente produzem hormônios esteroides:

- Os *tumores de células do hilo* (*tumores de células de Leydig puros*) são raros e unilaterais, compostos por grandes células de Leydig carregadas de lipídios com bordas distintas e estruturas citoplasmáticas características, chamadas de *cristaloides de Reinke*. Mulheres portadoras de tumores de células do hilo geralmente apresentam evidências de masculinização (hirsutismo, mudanças de voz e aumento do clitóris), embora essas mudanças sejam mais leves do que aquelas observadas em associação aos tumores de células de Sertoli-Leydig. Os tumores produzem predominantemente testosterona e o tratamento consiste em excisão cirúrgica. Os tumores de células do hilo verdadeiros são quase sempre benignos
- O *luteoma da gravidez* se refere a um tumor raro muito semelhante ao corpo lúteo da gravidez. Esses tumores podem produzir virilização em pacientes grávidas e em seus bebês do sexo feminino
- O *gonadoblastoma* é um tumor raro composto por células germinativas e derivados estromais do cordão sexual semelhantes às células imaturas de Sertoli e células da granulosa. Ocorre em indivíduos com desenvolvimento sexual anormal e nas gônadas de natureza indeterminada. Oitenta por cento dos pacientes são fenotipicamente mulheres e 20% são fenotipicamente homens com testículos não descidos e órgãos secundários internos femininos. Um disgerminoma coexistente ocorre em 50% dos casos. O prognóstico é excelente se o tumor for completamente extirpado.

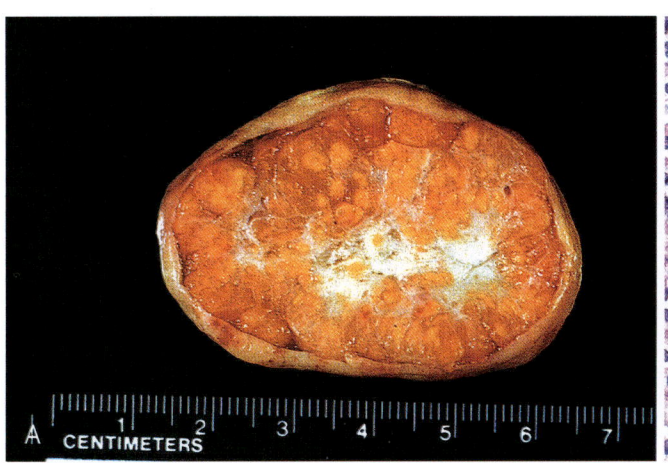

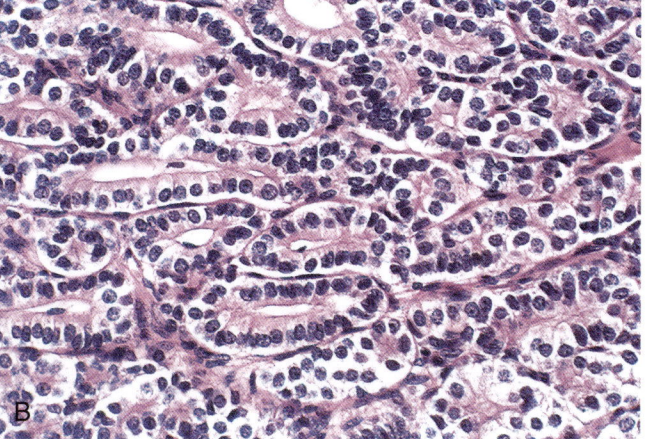

Figura 22.45 Tumor de células de Sertoli. **A.** Fotografia macroscópica ilustrando a aparência amarelo-dourada característica do tumor. **B.** Fotomicrografia mostrando túbulos de células de Sertoli bem diferenciados. (Cortesia do Dr. William Welch, Brigham and Women's Hospital, Boston, Mass.)

> **Conceitos-chave**
>
> **Tumores estromais do cordão sexual**
>
> - Tumores de células da granulosa são os tumores malignos mais comuns desta categoria. Os tumores são indolentes, mas podem recorrer 10 a 20 anos após a ressecção do tumor primário. Com frequência, são ativos em termos hormonais; tais tumores estão associados ao hiperestrogenismo, elevando o risco de desenvolvimento do carcinoma endometrial
> - Fibromas são tumores benignos relativamente comuns compostos de fibroblastos, predominantemente unilaterais e, em geral, inativo em termos hormonais
> - Tecomas puros são raros, mas podem ser ativos em termos hormonais
> - Tumores de células de Sertoli-Leydig comumente se apresentam com masculinização; menos de 5% reaparecem ou sofrem metástase.

Tumores metastáticos

Os tumores metastáticos do ovário mais comuns são derivados de tumores de origem mülleriana: útero, tuba uterina, ovário contralateral ou peritônio pélvico. Os tumores extramüllerianos metastáticos para o ovário mais comuns são carcinomas da mama e do trato gastrintestinal, incluindo cólon, estômago, trato biliar e pâncreas. Também incluído neste grupo estão casos raros de pseudomixoma peritoneal, derivados de tumores do apêndice. Um carcinoma gastrintestinal metastático clássico envolvendo os ovários é denominado *tumor de Krukenberg*, caracterizado por metástases bilaterais compostas de células cancerosas produtoras de mucina com uma aparência de "anel de sinete", a maioria frequentemente de origem gástrica.

Distúrbios gestacionais e placentários

As doenças da gravidez e condições patológicas da placenta são causas importantes de morte intrauterina ou perinatal, malformações congênitas, restrição de crescimento intrauterino, morte materna e morbidade para a mãe e o filho. Apenas aqueles distúrbios para os quais o reconhecimento de características morfológicas contribui para uma compreensão do problema clínico serão discutidos aqui. Essa discussão inclui certos distúrbios do início da gravidez, final da gravidez e neoplasia trofoblástica.

A compreensão dos distúrbios placentários requer um trabalho de conhecimento da anatomia normal da placenta. A placenta é composta de vilosidades coriônicas (**Figura 22.46A** e **B**) que brotam do cório para fornecer uma grande área de contato entre as circulações fetal e materna. Na placenta madura, o sangue materno entra no espaço interviloso por artérias endometriais (artérias espirais) e circula ao redor dos vilos para permitir a troca de gases e nutrientes (**Figura 22.47**). O sangue desoxigenado flui de volta do espaço interviloso para a decídua e entra nas veias endometriais. O sangue fetal desoxigenado entra na placenta por duas artérias umbilicais que se ramificam radialmente para formar as artérias coriônicas. As artérias coriônicas se ramificam ainda mais à medida que entram nas vilosidades. Dentro das vilosidades coriônicas, elas formam um extenso sistema capilar, deixando o sangue fetal em grande proximidade com o sangue materno. A difusão de gases e nutrientes ocorre pelas células endoteliais dos capilares vilosos e pelos sinciciotrofoblastos e citotrofoblastos adelgaçados. Sob circunstâncias normais, há pouca ou nenhuma mistura entre o sangue fetal e materno, embora DNA fetal livre suficiente alcance a circulação materna para permitir testes genéticos pré-natais (ver **Capítulo 5**). O sangue oxigenado na placenta retorna ao feto pela veia umbilical única.

Distúrbios do início da gravidez

Aborto espontâneo

O aborto espontâneo é definido como a perda da gravidez antes de vinte semanas de gestação. Dez a quinze por cento das gestações

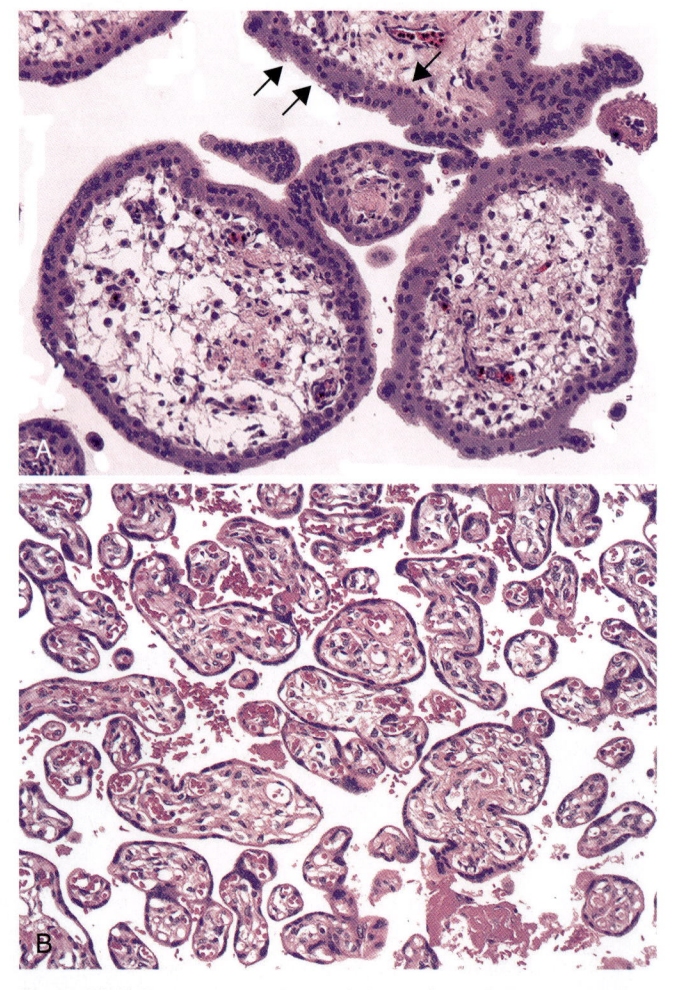

Figura 22.46 Placenta normal. **A.** Vilosidades coriônicas do primeiro trimestre compostas por uma delicada malha de estroma central circundada por duas camadas discretas de epitélio – a camada externa consistindo de sinciciotrofoblasto (*setas duplas*) e a camada interna composta por citotrofoblasto (*seta*). **B.** Vilosidades coriônicas do terceiro trimestre compostas por estroma com uma densa rede de capilares dilatados circundados por sinciciotrofoblasto e citotrofoblasto (*mesmo aumento de* **A**).

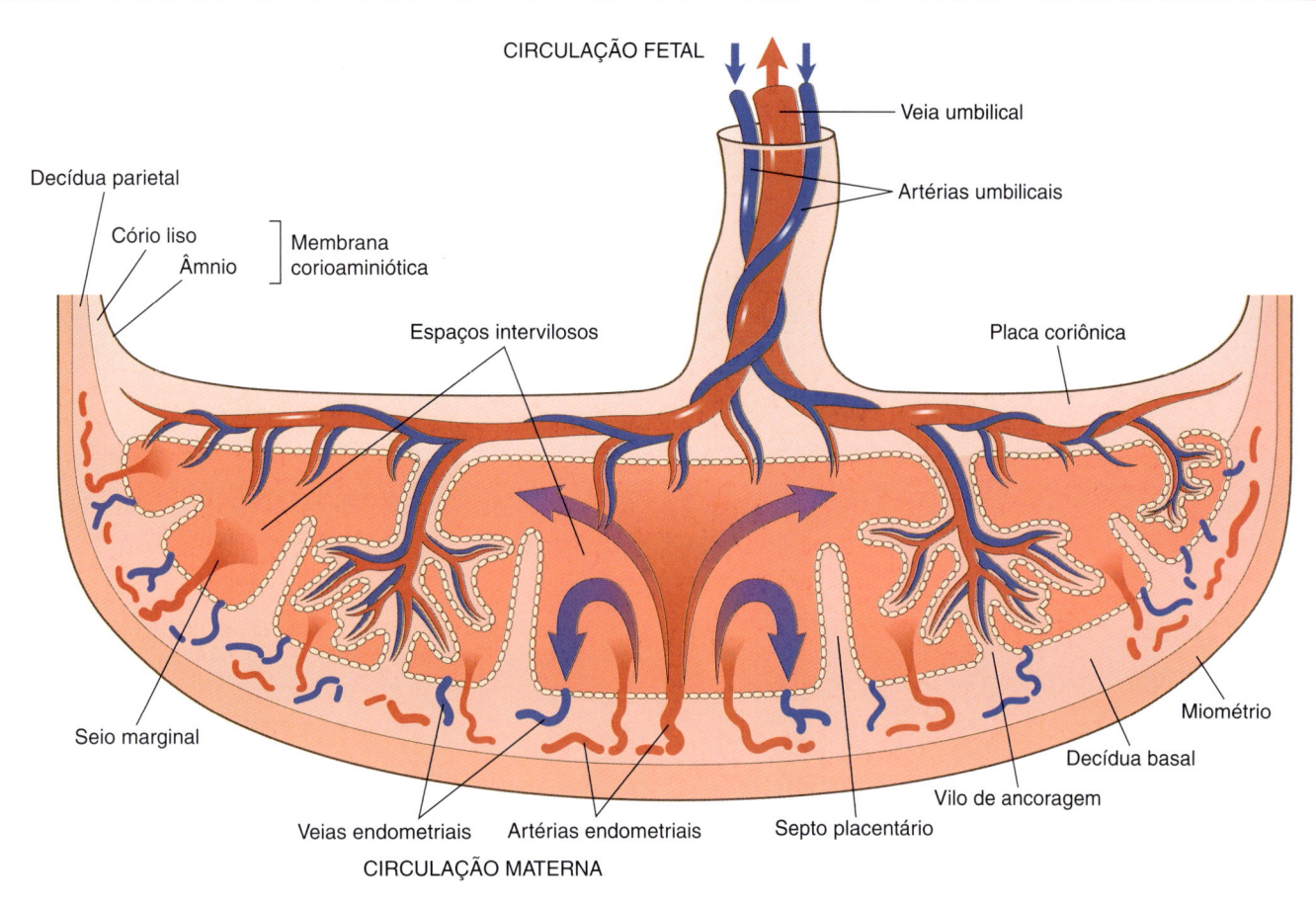

Figura 22.47 Diagrama da anatomia placentária. Dentro do limite externo do miométrio está uma camada de decídua, da qual os vasos maternos são originados e fornecem sangue para e dos espaços intervilosos. Os vasos umbilicais se ramificam e terminam nas vilosidades placentárias, onde ocorre a troca de nutrientes.

clinicamente reconhecidas terminam em aborto espontâneo, a maioria antes de doze semanas. No entanto, usando ensaios sensíveis de detecção da gonadotrofina coriônica, foi determinado que outros 20% das gestações iniciais em mulheres de outra forma saudáveis terminam espontaneamente, muitas vezes sem aviso prévio. Na maioria dos casos individuais, os mecanismos que levam à perda precoce da gravidez são desconhecidos. No entanto, múltiplas causas fetais e maternas de aborto espontâneo foram identificadas. Entre as mais importantes estão:

- *Anomalias cromossômicas fetais*, como aneuploidia, poliploidia e translocações, estão presentes em aproximadamente 50% dos abortos precoces. Defeitos genéticos mais sutis, para os quais testes genéticos de rotina não estão disponíveis, são responsáveis por uma fração adicional de abortos
- *Fatores endócrinos maternos*, incluindo defeito da fase lútea, diabetes mal controlado e outras doenças endócrinas
- *Defeitos físicos do útero*, como leiomiomas submucosos, pólipos uterinos, ou malformações uterinas, podem impedir ou interromper a implantação
- *Distúrbios sistêmicos que afetam a vasculatura materna*, como a síndrome do anticorpo antifosfolipídio, coagulopatias e hipertensão
- *Infecções* por protozoários (*Toxoplasma*), bactérias (*Mycoplasma*, *Listeria*) ou diversos vírus. Infecção ascendente é particularmente comum em perdas do segundo trimestre.

Gravidez ectópica

Gravidez ectópica refere-se à implantação do feto em um local diferente da localização intrauterina normal; o local mais comum é a porção extrauterina da tuba uterina (aproximadamente 90% dos casos). Outros locais incluem o ovário, a cavidade abdominal e a porção intrauterina da tuba uterina (gravidez cornual). A gestações ectópicas representam 2% das gestações confirmadas. A condição predisponente mais importante, presente em 35 a 50% das pacientes, é a doença inflamatória pélvica prévia resultando cicatrização intraluminal da tuba uterina (salpingite crônica). O risco de uma gravidez ectópica também aumenta na presença de cicatrizes paratubárias e aderências, que podem ser causadas por apendicite, endometriose e cirurgia anterior. Em alguns casos, no entanto, as tubas uterinas estão aparentemente normais. Outro fator de risco é o uso de um dispositivo anticoncepcional intrauterino, que está associado a um aumento de duas vezes na gravidez ectópica.

A gravidez ovariana resulta da fertilização e captura do óvulo no interior do folículo no exato momento de sua ruptura. A gravidez abdominal ocorre quando o óvulo fertilizado não consegue entrar ou cai da extremidade fimbriada da trompa. Em cada localização anormal, o óvulo fertilizado desenvolve-se como de costume, formando tecido placentário, saco amniótico, e feto. O local hospedeiro de implantação também pode desenvolver mudanças deciduais.

> **Morfologia**
>
> A gravidez tubária é a causa mais comum de **hemossalpinge** (tuba uterina preenchida por sangue) e deve ser sempre suspeitada quando há presença de um hematoma tubário. Inicialmente, o saco embrionário, cercado por vilosidades coriônicas imaturas, se implanta dentro da luz da tuba uterina. Células trofoblásticas e vilosidades coriônicas então invadem a parede da tuba uterina, como no útero durante a gravidez normal. Com o tempo, o crescimento do saco gestacional distende a tuba uterina, causando adelgaçamento da parede e ruptura. **A ruptura frequentemente resulta em hemorragia intraperitoneal massiva**, que às vezes é fatal. Menos comumente, a gravidez tubária pode sofrer regressão e reabsorção espontâneas, ou pode ser extrudada pela extremidade fimbriada da trompa para dentro da cavidade abdominal (aborto tubário).

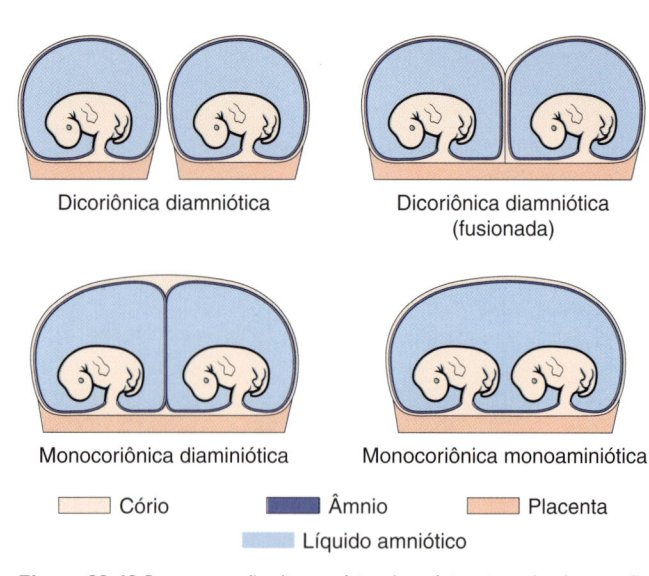

Figura 22.48 Representação diagramática dos vários tipos de placentação gemelar e suas relações de membrana. (Modificada de Gersell D, et al: Diseases of the placenta. In Kurman R, editor: *Blaustein's Pathology of the Female Genital Tract*, New York, 1994, Springer-Verlag.)

Características clínicas

A ruptura de uma gravidez tubária é uma emergência médica. O curso clínico da gravidez ectópica tubária é marcado pelo início de dor abdominal moderada a grave e sangramento vaginal de 6 a 8 semanas após o último período menstrual, correlacionando-se com a distensão e, em seguida, a ruptura da tuba uterina. Nesses casos, a paciente pode desenvolver rapidamente choque hemorrágico e sinais de abdome agudo. O diagnóstico rápido é crítico e é baseado na determinação dos títulos de gonadotrofina coriônica, ultrassonografia pélvica, biopsia endometrial (que mostra a decídua sem vilosidades coriônicas ou implantação local) e/ou laparoscopia. Apesar dos avanços no diagnóstico precoce, a gravidez ectópica ainda é responsável por 4 a 10% das mortes relacionadas à gravidez.

Distúrbios do fim da gravidez

Os distúrbios que ocorrem no terceiro trimestre da gravidez estão relacionados à complexa anatomia da placenta em maturação. A interrupção completa do fluxo sanguíneo no cordão umbilical em decorrência de qualquer causa (p. ex., nós de constrição ou compressão) pode ser letal para o feto. Infecções ascendentes envolvendo as membranas corioamniônicas podem levar à ruptura prematura das membranas amnióticas e ao parto. A hemorragia retroplacentária na interface da placenta e miométrio (*descolamento da placenta*) ameaça a mãe e o feto. A ruptura dos vasos fetais nas vilosidades terminais pode produzir uma perda significativa de sangue fetal, resultando em lesão fetal ou morte. A má perfusão uteroplacentária pode ser precipitada por implantação ou desenvolvimento placentário anormal, ou doença vascular materna; os efeitos podem variar de leve restrição de crescimento intrauterino a isquemia uteroplacentária grave e pré-eclâmpsia materna (descrita adiante).

Placentas gemelares

Gestações gemelares surgem da fertilização de dois óvulos (dizigótica) ou da divisão de um óvulo fertilizado (monozigótica). Existem três tipos de placentas gemelares (**Figura 22.48**): dicoriônica diamniótica (que pode estar fundida), monocoriônica diamniótica e monocoriônica monoamniótica. Placentas monocoriônicas implicam gêmeos monozigóticos (idênticos), e o momento em que ocorre a divisão do embrião em desenvolvimento determina se um ou dois âmnios estão presentes. A placentação dicoriônica pode ocorrer tanto com gêmeos monozigóticos quanto dizigóticos e não é específica.

Uma complicação da gravidez gemelar monocoriônica é *síndrome da transfusão feto-fetal*. As placentas monocoriônicas gêmeas têm anastomoses vasculares que conectam as circulações dos gêmeos e, em alguns casos, essas conexões incluem uma ou mais derivações (*shunts*) arteriovenosos. A síndrome da transfusão feto-fetal ocorre quando essas derivações aumentam preferencialmente o fluxo sanguíneo para um dos gêmeos à custa do segundo, fazendo com que um dos gêmeos seja subperfundido e o segundo seja sobrecarregado de líquido. Quando grave, a síndrome pode resultar na morte de um ou ambos os fetos.

Anormalidades da implantação placentária

Vários tipos de implantações placentárias anormais estão associados a complicações significativas. *Placenta prévia* é uma condição em que a placenta se implanta no segmento inferior do útero ou colo uterino, muitas vezes levando a graves sangramentos no terceiro trimestre. Uma placenta prévia completa cobre o óstio cervical interno e, portanto, requer parto cesáreo para evitar a ruptura da placenta e hemorragia materna fatal durante o parto vaginal. *Placenta acreta* é causada por ausência parcial ou completa da decídua, de modo que o tecido viloso placentário adere diretamente ao miométrio, provocando falha da separação da placenta ao nascimento. É um causa importante de sangramento pós-parto grave, potencialmente fatal. Fatores predisponentes comuns são placenta prévia (em até 60% dos casos) e histórico de cesariana.

Infecções placentárias

As infecções da placenta se desenvolvem por duas vias: (1) infecção ascendente no canal do parto e (2) infecção hematogênica (transplacentária). As infecções ascendentes são de longe as mais comuns e quase sempre bacterianas; em muitos desses casos, a infecção localizada das membranas produz ruptura prematura dessas membranas e parto pré-termo. O líquido amniótico pode estar turvo com exsudato purulento e, histologicamente, o cório-âmnio contém um infiltrado de neutrófilos acompanhado por edema e congestão dos vasos (**Figura 22.49A e B**). A infecção frequentemente provoca uma resposta fetal que consiste em uma "vasculite" dos vasos umbilicais e da placa coriônica fetal. Raramente, infecções bacterianas podem resultar de disseminação hematogênica para a placenta, causando vilosite aguda (**Figura 22.49C**).

Várias infecções hematogênicas, classicamente componentes do grupo TORCH (*t*oxoplasmose e *o*utros [sífilis, tuberculose, listeriose], *r*ubéola, *c*itomegalovírus, *h*erpes-simples), podem afetar a placenta. Essas infecções dão origem a infiltrados celulares inflamatórios crônicos nas vilosidades coriônicas (vilosite crônica) e são descritos no **Capítulo 10**.

Pré-eclâmpsia e eclâmpsia

A pré-eclâmpsia é uma síndrome sistêmica caracterizada por disfunção endotelial materna generalizada que se apresenta durante a gravidez com hipertensão, edema e proteinúria. Ocorre em cerca de 3 a 5% das gestantes, geralmente no último trimestre e mais comumente em mulheres grávidas pela primeira vez (primíparas). Algumas dessas mulheres se tornam gravemente doentes, desenvolvendo convulsões; essa forma particularmente grave da doença é denominada *eclâmpsia*. Outras complicações decorrentes de disfunção endotelial sistêmica incluem hipercoagulabilidade, insuficiência renal aguda e edema pulmonar. Aproximadamente 10% das mulheres com pré-eclâmpsia desenvolvem anemia hemolítica microangiopática, enzimas hepáticas elevadas e plaquetas baixas, conhecidas como síndrome HELLP (ver **Capítulo 18**). A pré-eclâmpsia deve ser distinguida da hipertensão gestacional que pode se desenvolver na gravidez sem proteinúria.

Patogênese

A placenta desempenha um papel central na patogênese da pré-eclâmpsia, pois os sintomas desaparecem rapidamente após a eliminação da placenta. As anormalidades críticas na pré-eclâmpsia são disfunção endotelial difusa, vasoconstrição (levando à hipertensão) e aumento da permeabilidade vascular (resultando em proteinúria e edema). Trabalhos recentes demonstraram que esses efeitos são provavelmente mediados por fator(es) derivado(s) da placenta liberado(s) na circulação materna. Embora a liberação desses fatores e a síndrome clínica se desenvolvam no fim da gestação, a patogênese da doença parece estar intimamente ligada aos eventos iniciais da gravidez e placentação. As principais aberrações fisiopatológicas propostas são as seguintes:

- *Vasculatura placentária anormal.* Os eventos precipitantes da pré-eclâmpsia são implantação trofoblástica anormal e uma falha do remodelamento fisiológico dos vasos maternos, que é necessário para a perfusão adequada da placenta. No local de implantação de uma gravidez normal, trofoblastos extravilosos fetais (células não associadas às vilosidades coriônicas) invadem a decídua materna e os vasos deciduais, destroem a musculatura lisa vascular e substituem as células endoteliais maternas por células trofoblásticas fetais, formando vasos sanguíneos materno-fetais híbridos. Este processo converte as artérias espirais deciduais de vasos de resistência de pequeno calibre em vasos uteroplacentários de grande capacidade sem revestimento de músculo liso (**Figura 22.50**). Na pré-eclâmpsia, este remodelamento vascular não ocorre, deixando a placenta mal equipada para atender ao aumento das demandas circulatórias da gestação tardia e preparando o cenário para o desenvolvimento de isquemia placentária

- *Disfunção endotelial e desequilíbrio de fatores angiogênicos e antiangiogênicos.* Postula-se que, em resposta à hipoxia, a placenta isquêmica libera fatores para a circulação materna que causam um desequilíbrio dos fatores angiogênicos e antiangiogênicos; isso, por sua vez, leva a disfunção endotelial

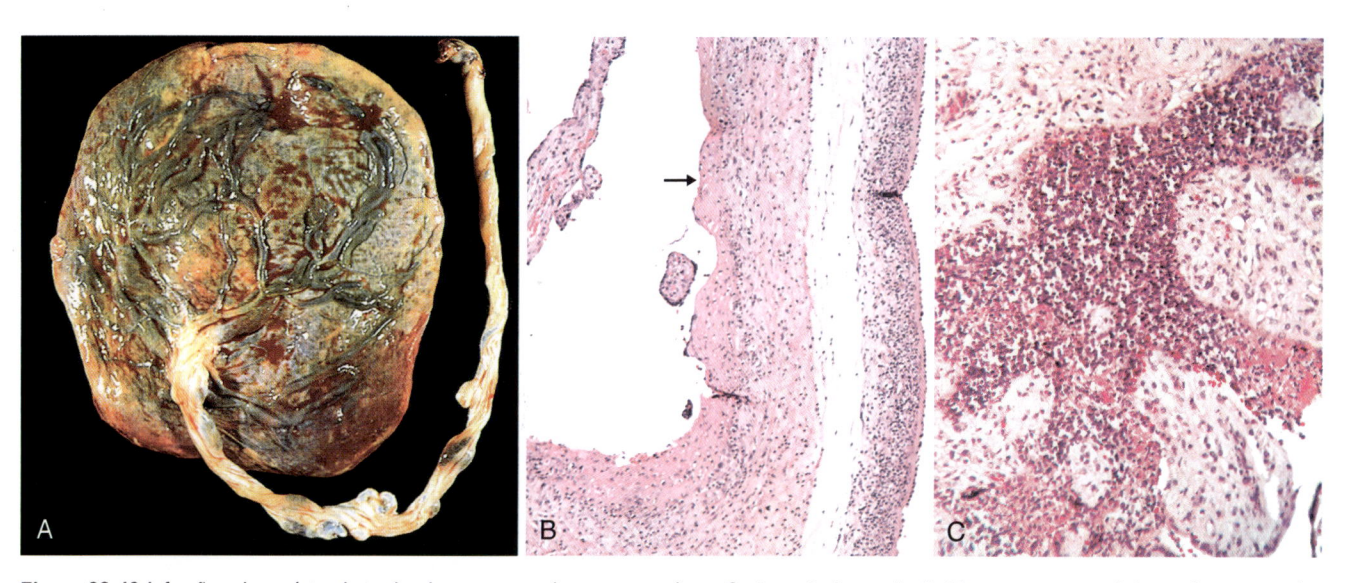

Figura 22.49 Infecções placentárias derivadas de rotas ascendentes e sanguíneas. Corioamnionite aguda. **A.** No exame macroscópico, a placenta contém membranas opacas esverdeadas. **B.** A fotomicrografia ilustra um exsudato inflamatório denso em forma de faixa na superfície amniótica (*seta*). **C.** Intervilosite necrosante aguda causada por infecção por *Listeria*. O espaço entre as vilosidades está preenchido com sangue e células inflamatórias agudas (neutrófilos). As vilosidades aparecem necróticas.

materna sistêmica e aos sintomas clínicos da doença. Em suporte a essa teoria, os níveis sanguíneos de dois fatores antiangiogênicos derivados da placenta, tirosinoquinase tipo FMS solúvel (sFltl) e endoglina, os quais antagonizam os efeitos de VEGF e TGF-β, respectivamente, são várias ordens de magnitude mais altos em mulheres com pré-eclâmpsia do que em controles saudáveis. Na pré-eclâmpsia, altos níveis de sFlt1 e endoglina solúvel provocam uma diminuição da angiogênese muito mais cedo do que na gravidez normal. O resultado é o desenvolvimento vascular defeituoso da placenta. Além disso, o TGF-β induz produção endotelial de óxido nítrico, um potente vasodilatador; assim, a inibição do TGF-β pela endoglina pode contribuir diretamente para a vasoconstrição sistêmica, hipertensão e hipoperfusão tecidual.

Estudos em modelos animais também implicam sFltl e endoglina solúvel na patogênese da disfunção endotelial. Quando sFlt e endoglina são superexpressos concomitantemente, os ratos desenvolvem proteinúria na faixa nefrótica, hipertensão grave e restrição do crescimento fetal, as marcas registradas da pré-eclâmpsia grave, bem como características da síndrome HELLP, incluindo enzimas hepáticas elevadas, diminuição contagem de plaquetas e hemólise. Assim, parece que sFlt1 e endoglina solúvel são mediadores-chave que ligam a placenta à disfunção endotelial materna característica de pré-eclâmpsia

- *Anormalidades de coagulação.* A pré-eclâmpsia está associada a um estado de hipercoagubilidade que pode levar à formação de trombos em arteríolas e capilares ao longo do corpo, particularmente no fígado, rins, cérebro e glândula pituitária. A hipercoagulabilidade está provavelmente relacionada à produção endotelial reduzida de PGI_2, um potente fator antitrombótico, além da liberação aumentada de fatores pró-coagulantes. A produção de PGI_2 é estimulada por VEGF, e mulheres com pré-eclâmpsia têm a produção endotelial de PGI_2 diminuída, presumivelmente devido ao antagonismo de VEGF por sFlt1.

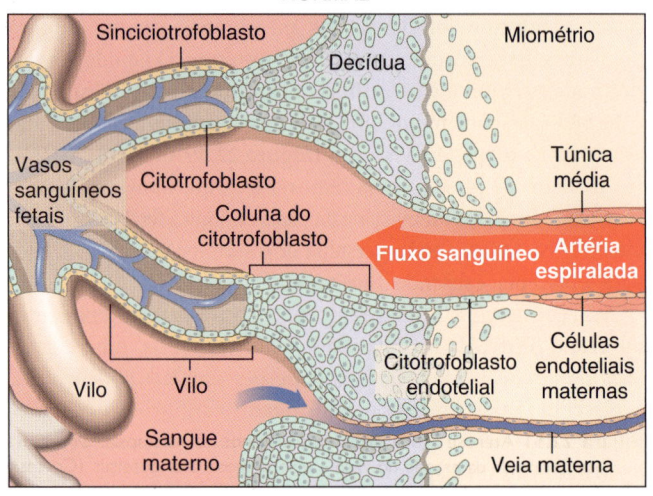

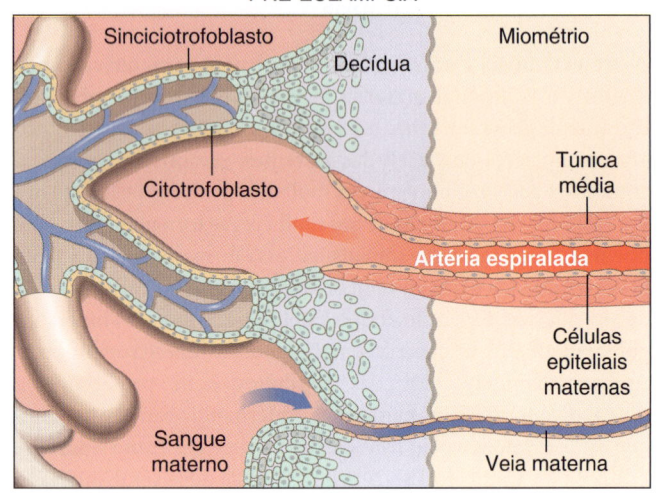

Figura 22.50 As alterações fisiológicas das artérias espirais uterinas e a falha de remodelamento na pré-eclâmpsia. (Modificada de Maynard S, Epstein FH, Karumanchi SA: Preeclampsia and angiogenic imbalance, *Annu Rev Med* 59: 61-78, 2008.)

Morfologia

A placenta revela várias alterações microscópicas, a maioria das quais reflete má perfusão, isquemia e lesão vascular. Essas alterações incluem (1) **infartos**, que são mais extensos e mais numerosos do que aqueles observados em mulheres com placentas normais a termo; (2) **alterações isquêmicas exageradas** nas vilosidades coriônicas e trofoblasto, consistindo de nós sinciciais aumentados; (3) **hematomas retroplacentários** frequentes devido a sangramento e instabilidade dos vasos útero-placentários; e (4) **vasos deciduais anormais**, que podem apresentar trombos, falta de conversão fisiológica normal (descrito anteriormente), necrose fibrinoide ou deposição de lipídios na íntima (aterose aguda) (**Figura 22.51**).

As lesões hepáticas, quando presentes, assumem a forma de hemorragias irregulares, focais, subcapsulares e intraparenquimatosas. No exame histológico, há trombos de fibrina nos capilares portais e focos de necrose hemorrágica.

As lesões renais são variáveis. Os glomérulos mostram inchaço marcante das células endoteliais, depósitos densos amorfos no lado endotelial da membrana basal e hiperplasia de células mesangiais. Estudos de imunofluorescência mostram deposição abundante de fibrina nos glomérulos. Em casos avançados, trombos de fibrina estão presentes nos glomérulos e capilares do córtex. Quando generalizados e graves, esses trombos podem produzir **necrose renal cortical bilateral** (ver **Capítulo 20**), levando à destruição completa do córtex. O cérebro pode apresentar focos macroscópicos ou microscópicos de hemorragia associados a tromboses de pequenos vasos. Alterações semelhantes são frequentemente encontradas no coração e na glândula pituitária anterior.

Características clínicas

A pré-eclâmpsia geralmente se inicia após 34 semanas de gestação, mas começa mais cedo em mulheres com mola hidatiforme (discutida adiante) ou doença renal, hipertensão ou coagulopatias preexistentes. O início é tipicamente marcado por hipertensão e edema, com proteinúria aparecendo vários dias depois. Podem seguir-se cefaleia e distúrbios visuais que são indicativos de pré-eclâmpsia grave, muitas vezes exigindo o parto. A eclâmpsia é anunciada por um envolvimento mais grave do sistema nervoso central, incluindo convulsões e eventualmente, coma.

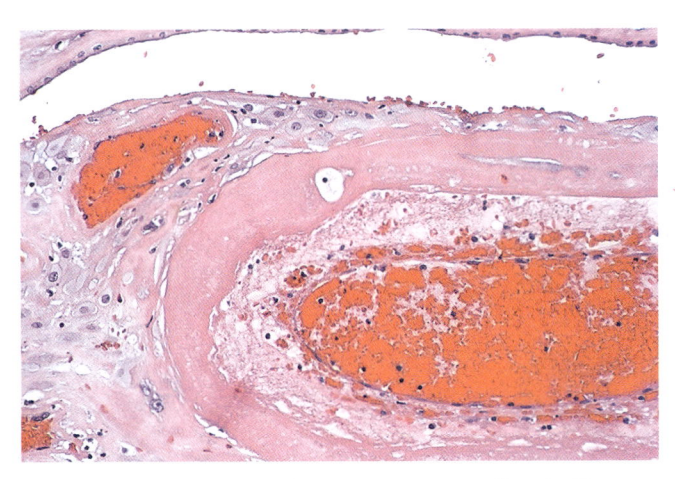

Figura 22.51 Aterose aguda dos vasos uterinos na eclâmpsia. Observe a necrose fibrinoide da parede do vaso e macrófagos subendoteliais. (Cortesia do Dr. Drucilla J. Roberts, Massachusetts General Hospital, Boston, Mass.)

O manejo da pré-eclâmpsia difere dependendo da idade gestacional e da gravidade da doença. Para gestações a termo, parto é o tratamento de escolha, independentemente da gravidade da doença. Para gestações prematuras, em que o parto não é do melhor interesse ao feto, pacientes com doença leve podem ser gerenciadas ativamente, monitorando mãe e feto de perto. No entanto, eclâmpsia, pré-eclâmpsia grave com disfunção de órgãos finais maternos, comprometimento fetal ou síndrome HELLP são indicações para o parto, independentemente da idade gestacional. A terapia anti-hipertensiva não afeta o curso da doença ou melhorar o resultado final. Proteinúria e hipertensão geralmente desaparecem dentro de 1 a 2 semanas após parto, exceto quando forem anteriores à gravidez. Na maioria dos casos, a pré-eclâmpsia não deixa sequelas duradouras, mas cerca de 20% das mulheres afetadas desenvolvem hipertensão e microalbuminúria dentro de 7 anos após uma gravidez com complicações por pré-eclâmpsia. Há também um aumento de duas vezes no risco a longo prazo de desenvolver doença vascular do coração e do cérebro.

Doença trofoblástica gestacional

A doença trofoblástica gestacional abrange um espectro de tumores e condições semelhantes a tumor caracterizadas por proliferação do tecido placentário, seja viloso, seja trofoblástico. Os principais distúrbios desse tipo são molas hidatiformes (completas e parciais), mola invasiva, coriocarcinoma e tumor trofoblástico do sítio placentário (TTSP).

Mola hidatiforme

As molas hidatiformes são importantes de se reconhecer porque estão associadas a um risco aumentado de persistência da doença trofoblástica (mola invasiva) ou coriocarcinoma. As molas são caracterizadas histologicamente por inchaço cístico das vilosidades coriônicas e proliferação trofoblástica variável. Geralmente, as molas são diagnosticadas no início da gravidez (média de 9 semanas) por ultrassonografia pélvica. A gravidez molar pode se desenvolver em qualquer idade, mas o risco é maior nos dois extremos da vida reprodutiva, em adolescentes e entre 40 e 50 anos. Por motivos desconhecidos, a incidência varia consideravelmente em diferentes partes do mundo. A mola hidatiforme ocorre em cerca de 1 em 1.000 a 2.000 gestações nos EUA, mas é duas vezes mais comum no Sudeste Asiático. Dois tipos de molas benignas não invasivos – completas e parciais – podem ser identificadas por estudos citogenéticos e histológicos.

Mola completa

A mola completa resulta da fertilização de um ovo que tem perda dos cromossomos femininos e, como resultado, o material genético é completamente derivado do pai (**Figura 22.52A** e **B**). O cariótipo é 46,XX em 90% dos casos, derivado da duplicação do material genético de um espermatozoide (um fenômeno chamado androgênese). Os 10% restantes resultam da fertilização de um óvulo vazio por dois espermatozoides, que podem ter um cariótipo 46,XX ou 46,XY. Nas molas completas, o embrião morre muito cedo no desenvolvimento e, portanto, geralmente não é identificado. As pacientes têm 2,5% de risco de desenvolver um coriocarcinoma subsequente e 15% de risco de persistência ou de desenvolver a mola invasiva.

Mola parcial

As molas parciais resultam da fertilização de um ovo por dois espermatozoides (**Figura 22.52C**). Nessas molas, o cariótipo é triploide (p. ex., 69,XXY) ou ocasionalmente tetraploide (92,XXXY). Os tecidos fetais estão normalmente presentes. As molas parciais promovem um aumento do risco de doença molar persistente, mas não estão associadas a coriocarcinoma.

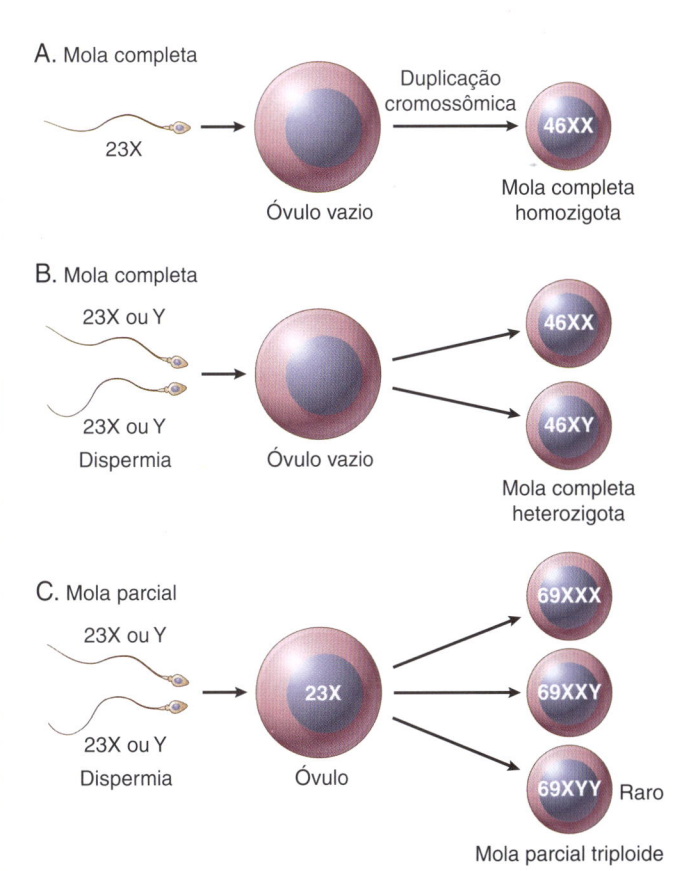

Figura 22.52 Origem das molas hidatiformes completas e parciais. **A.** As molas completas surgem mais comumente da fertilização de um óvulo vazio por um único espermatozoide que sofre duplicação de seus cromossomos. **B.** Menos comumente, molas completas surgem da dispermia em que dois espermatozoides fertilizam um óvulo vazio. **C.** As molas parciais surgem de dois espermatozoides fertilizando um único óvulo.

Morfologia

Grosseiramente, a mola hidatiforme aparece como uma massa delicada e friável de estruturas de paredes finas, translúcidas, císticas e semelhantes a uvas, consistindo em vilosidades edematosas (hidrópicas) inchadas (**Figuras 22.53** e **22.54**). Na mola completa, as anormalidades microscópicas envolvem todo ou a maior parte do tecido viloso. As vilosidades coriônicas estão aumentadas, recortadas em forma de cavitação central (cisternas) e cobertas por extensa proliferação trofoblástica que envolve toda a circunferência das vilosidades. Em contraste, nas molas parciais, apenas uma fração das vilosidades estão aumentadas e edematosas, e a hiperplasia trofoblástica é focal e menos marcada do que em molas completas.

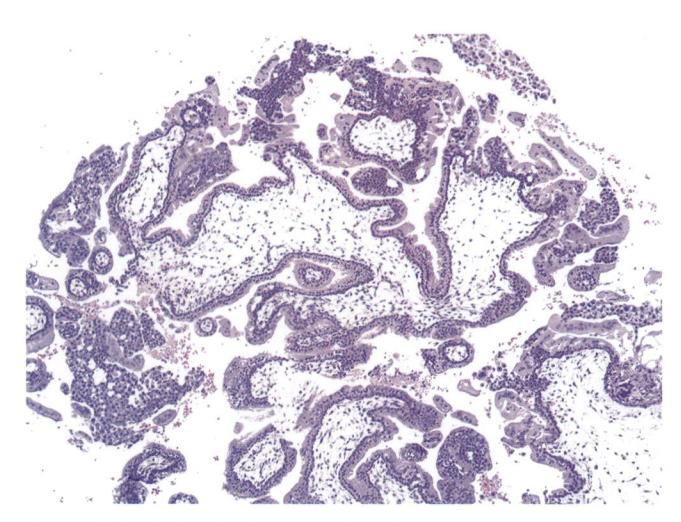

Figura 22.54 Mola hidatiforme completa demonstrando aumento e edema acentuado das vilosidades e proliferação circunferencial do trofoblasto.

Características clínicas

A maioria das mulheres com mola parcial ou total precoce se apresenta com aborto espontâneo ou passa por curetagem em decorrência de achados ultrassonográficos mostrando aumento anormal das vilosidades. Nos casos de mola completa, os níveis de gonadotrofina coriônica humana (hCG) excedem em muito os de uma gravidez normal de idade gestacional semelhante. Além disso, a taxa de aumento dos níveis de hCG ao longo da gestação molar excede aquela observada em gestações únicas ou mesmo em gestações múltiplas normais. A maioria das molas é removida com sucesso por curetagem. As pacientes são subsequentemente monitoradas por 6 meses a 1 ano para garantir que os níveis de hCG diminuam aos níveis de não grávidas. A contínua elevação de hCG pode ser indicativa de persistência ou invasão molar (descrita a seguir).

Mola invasiva

A mola invasiva é uma lesão infiltrativa que penetra ou até perfura a parede uterina. Há invasão do miométrio por vilosidades coriônicas hidrópicas, acompanhadas por proliferação de citotrofoblastos e sinciciotrofoblastos. Em alguns casos, as vilosidades invadem o tecido parametrial e vasos sanguíneos, podendo, inclusive, causar embolias em locais distantes, como os pulmões e o cérebro. No entanto, esses êmbolos não crescem como ocorre com as metástases verdadeiras, e mesmo sem quimioterapia eles eventualmente regridem. O tumor se manifesta clinicamente com sangramento vaginal, aumento uterino irregular e está sempre associado a um nível sérico de hCG persistentemente elevado. A mola invasiva responde bem à quimioterapia, mas pode resultar na ruptura uterina, necessitando de histerectomia.

Coriocarcinoma

O coriocarcinoma gestacional é uma neoplasia maligna de células trofoblásticas derivadas de uma gravidez prévia normal ou anormal, como a gravidez ectópica extrauterina. O coriocarcinoma gestacional é uma condição rara, cuja incidência é de 1 em 20 a 30 mil gestações nos EUA. Pode ser precedido de várias condições; 50% são originados em molas hidatiformes completas, 25% em abortos prévios, aproximadamente 22% seguem gestações normais e o restante ocorre em gestações ectópicas. O coriocarcinoma gestacional é rapidamente invasivo e sofre ampla metástase, mas uma vez identificado, responde bem à quimioterapia. Raramente, o coriocarcinoma não gestacional se desenvolve de células germinativas dos ovários ou no mediastino. Esses os tumores são morfologicamente idênticos ao coriocarcinoma gestacional, mas podem ser distinguidos pela ausência de DNA paterno, que está presente em todos os coriocarcinomas gestacionais.

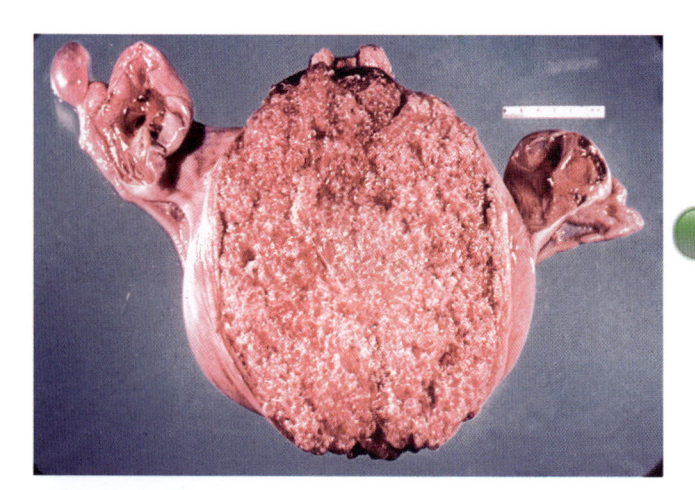

Figura 22.53 Mola hidatiforme completa. Observe a acentuada distensão do útero pelas vilosidades coriônicas vesiculares aumentadas. Os anexos (ovários e tubas uterinas) são visíveis do lado esquerdo e direito do útero.

Morfologia

O coriocarcinoma é um tumor macio, carnoso, branco-amarelado que geralmente tem grandes áreas pálidas de necrose e hemorragia extensa (**Figura 22.55A**). Histologicamente, consiste inteiramente em proliferação de sinciciotrofoblastos e citotrofoblastos (**Figura 22.55B**); vilosidades coriônicas estão ausentes. As mitoses são abundantes e às vezes anormais. O tumor invade o miométrio subjacente, frequentemente penetra os vasos sanguíneos e, em alguns casos, estende-se até a serosa uterina e em estruturas adjacentes.

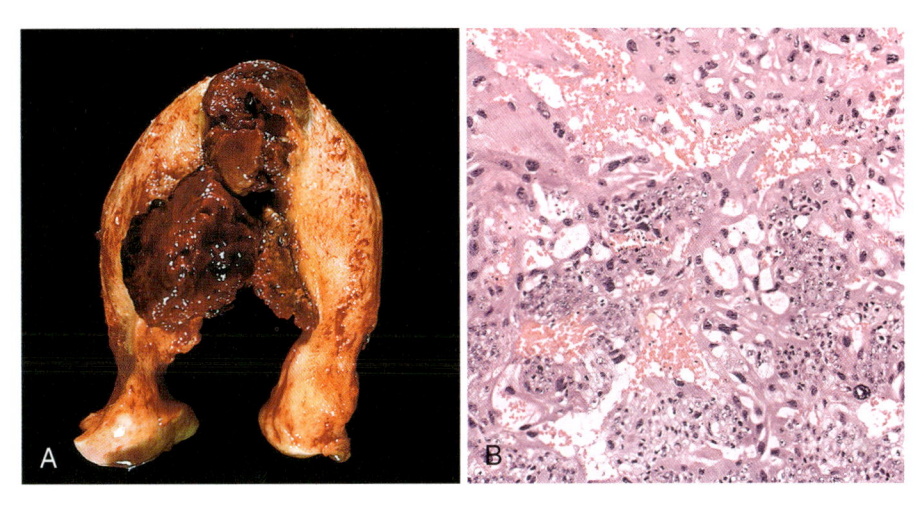

Figura 22.55 Coriocarcinoma. A. Coriocarcinoma apresentando-se como uma massa hemorrágica volumosa invadindo a parede uterina. **B.** Fotomicrografia ilustrando um tumor composto por citotrofoblastos e sinciciotrofoblastos neoplásicos. (Cortesia do Dr. David R. Genest, Brigham and Women's Hospital, Boston, Mass.).

Características clínicas

O coriocarcinoma gestacional geralmente se manifesta como manchas vaginais irregulares de um líquido sanguinolento marrom. Esta secreção pode aparecer durante uma gravidez aparentemente normal, após um aborto espontâneo ou após curetagem. Às vezes o tumor não aparece até meses após esses eventos. Esse tumor tem alta propensão de propagação hematogênica, e, no momento de sua descoberta, as radiografias de tórax e ossos podem revelar a presença de lesões metastáticas. Os níveis de hCG estão normalmente elevados acima dos níveis encontrados em molas hidatiformes, mas tumores ocasionais produzem pouco hormônio, e alguns tumores são tão necróticos que os níveis de hCG são baixos. As metástases generalizadas são características; os locais mais comuns são os pulmões (50%) e vagina (30 a 40%), seguidos por cérebro, fígado, osso e rim (em ordem decrescente de frequência).

O tratamento do coriocarcinoma gestacional depende do estágio do tumor e geralmente consiste na evacuação do conteúdo do útero e quimioterapia. Os resultados de quimioterapia são espetaculares, resultam em quase 100% de remissão e uma alta taxa de cura. Muitas das pacientes curadas tiveram gestações e partos subsequentes normais. Por outro lado, raros coriocarcinomas não gestacionais que se originam fora do útero são mais resistentes à terapia, embora curas sejam possíveis com os protocolos usados para tratar outras formas de neoplasias de células germinativas.

Tumores trofoblásticos do sítio placentário

Os tumores trofoblásticos do sítio placentário (TTSPs) compreendem menos de 2% das neoplasias trofoblásticas gestacionais. São proliferações neoplásicas de trofoblastos extravilosos, também chamados de *trofoblastos intermediários*. Os trofoblastos extravilosos normais são células mononucleares poligonais de citoplasma abundante e que produzem lactogênio placentário humano. Na gravidez normal, os trofoblastos extravilosos são encontrados no local de implantação, como agrupamentos celulares dentro do parênquima placentário e nas membranas placentárias. O TTSP se apresenta como massa uterina, acompanhada por sangramento uterino anormal ou amenorreia e níveis de hCG moderadamente elevados. As células trofoblásticas malignas normalmente infiltram difusamente o endomiométrio. O TTSP pode ser precedido por uma gravidez normal (metade dos casos), aborto espontâneo ou mola hidatiforme. Pacientes com doença localizada têm um prognóstico excelente, mas 10 a 15% das mulheres morrem de doença disseminada.

LEITURA SUGERIDA

Doenças infecciosas do sistema genital inferior
Johnston C, Gottlieb SL, Wald A: Status of vaccine research and development of vaccines for herpes simplex virus, Vaccine 34:2948, 2016. [*Visão geral do desenvolvimento da vacina do HSV*].

Vulva
Nooij LS, Ter Haar NT, Ruano D et al: Genomic characterization of vulvar (pre)cancers identifies distinct molecular subtypes with prognostic significance, Clin Cancer Res 23:6781, 2017. [*Análise molecular abrangente do câncer de vulva*].

Vagina
Schrager S, Potter BE: Diethylstilbestrol exposure, Am Fam Physician 69:2395, 2004. [*Revisão dos resultados clínicos em pacientes com exposição intrauterina ao DES*].

Colo uterino
Brotherton JML, Bloem PN: Population-based HPV vaccination programmes are safe and effective: 2017 update and the impetus for achieving better global coverage, Best Pract Res Clin Obstet Gynaecol S1521-6934:30128, 2017. [*Revisão das vacinas atuais de HPV*].
Munoz N, Bosch FX, de Sanjose S et al: Epidemiologic classification of human papillomavirus types associated with cervical cancer, N Engl J Med 348:518, 2003. [*Estudo seminal de detecção do HPV no carcinoma cervical*].
Ostor AG: Natural history of cervical intraepithelial neoplasia: a critical review, Int J Gynecol Pathol 12:186, 1993. [*Revisão abrangente da literatura da história natural da neoplasia cervical intraepitelial*].
Schiffman M, Castle PE, Jeronimo J et al: Human papillomavirus and cervical cancer, Lancet 370:890, 2007. [*Revisão da carcinogênese cervical associada ao HPV*].
Serrano B, Brotons M, Bosch FX et al: Epidemiology and burden of HPV-related disease, Best Pract Res Clin Obstet Gynaecol S1521-6934: 30124, 2017. [*Epidemiologia da doença associada ao HPV*].
Wright TC Jr, Schiffman M, Solomon D et al: Interim guidance for the use of human papillomavirus DNA testing as an adjunct to cervical cytology for screening, Obstet Gynecol 103:304, 2004. [*Recomendações atuais para a testagem do HPV*].

Útero e endométrio

Bulun SE: Endometriosis, N Engl J Med 360:268, 2009. [*Revisão seminal da patogênese da endometriose*].

Croce S, Chibon F: MED12 and uterine smooth muscle oncogenesis: State of the art and perspectives, Eur J Cancer 51:1603, 2015. [*Revisão da patogênese dos leiomiomas*].

Giudice LC: Endometriosis, N Engl J Med 362:2389, 2010. [*Revisão da patofisiologia da endometriose*].

Hufnagel D, Li F, Cosar E et al: The role of stem cells in the etiology and pathophysiology of endometriosis, Semin Reprod Med 33:333, 2015. [*Revisão sobre células-tronco na endometriose*].

The Cancer Genome Atlas Research Network: Integrated genomic characterization of endometrial carcinoma, Nature 500:242, 2013. [*Estudo genômico abrangente do carcinoma endometrial seroso e endometrioide*].

Ovário

Azzia R et al: Polycystic ovary syndrome, Nat Rev Dis Primers 11:16057, 2016. [*Revisão abrangente da síndrome do ovário policístico*].

Heravi-Moussavi A et al: Recurrent somatic dicer mutations in nonepithelial ovarian cancers, N Engl J Med 366:234, 2012. [*Estudo de referência sobre mutações em tumores ovarianos não epiteliais*].

Kraggerud SM et al: Molecular characteristics of malignant ovarian germ cell tumors and comparison with testicular counterparts: implications for pathogenesis, Endocr Rev 34:339, 2013. [*Revisão detalhada da genética molecular dos tumores de células germinativas ovarianas*].

Kurman RJ, Shih IM: The dualistic model of ovarian carcinogenesis: revisted, revised and expanded, Am J Pathol 186:733, 2016. [*Revisão abrangente recente da patogênese do câncer ovariano*].

Mathias-Guiu X, Stewart CJR: Endometriosis-associated ovarian neoplasia, Pathology 17:30384, 2017. [*Visão geral dos tumores ovarianos associados a endometriose*].

Placenta

Hod T, Cerdeira AS, Karumanchi SA: *Molecular mechanisms of preeclampsia*, Cold Spring Harb Perspect Med 5:a023473, 2015. [*Revisão das alterações angiogênicas na pré-eclâmpsia*].

Lurain JR: *Gestational trophoblastic disease I: epidemiology, pathology, clinical presentation and diagnosis of gestational trophoblastic disease, and management of hydatidiform mole*, Am J Obstet Gynecol 203:531, 2010. [*Revisão das características clinicopatológicas da gravidez molar*].

Wilcox AJ, Weinberg CR, O'Connor JF et al: *Incidence of early loss of pregnancy*, N Engl J Med 319:189, 1988. [*Artigo mais antigo, mas ainda útil, sobre a perda precoce da gravidez*].

Mama

CAPÍTULO 23

Susan C. Lester

SUMÁRIO DO CAPÍTULO

Distúrbios do desenvolvimento, 1080
Vestígios da linha mamária, 1080
Tecido mamário axilar acessório, 1080
Inversão congênita do mamilo, 1080

Apresentações clínicas do câncer de mama, 1080

Distúrbios inflamatórios, 1082
Mastite aguda, 1082
Metaplasia escamosa dos ductos lactíferos, 1082
Ectasia ductal, 1083
Necrose gordurosa (esteatonecrose), 1083
Mastopatia linfocítica (lobulite linfocítica esclerosante), 1083

Mastite granulomatosa, 1083

Lesões epiteliais benignas, 1084
Alterações não proliferativas da mama (alterações fibrocísticas), 1084
Doença mamária proliferativa sem atipia, 1084
Ginecomastia, 1086
Doença mamária proliferativa com atipia, 1086
Significado clínico das alterações epiteliais benignas, 1087

Carcinoma da mama, 1088
Incidência e epidemiologia, 1088
Fatores de risco, 1089
Classificação molecular e patogênese, 1089

Tipos de carcinomas mamários, 1095
Carcinoma in situ, 1096
Carcinoma invasivo (infiltrante), 1098
Tipos histológicos especiais de carcinoma invasivo, 1100
Fatores prognósticos e preditivos para o carcinoma invasivo, 1101
Câncer de mama masculino, 1104

Tumores estromais, 1104
Fibroadenoma, 1105
Tumor filoide, 1105
Lesões do estroma interlobular, 1106
Tumores malignos do estroma interlobular, 1106

Outras neoplasias malignas da mama, 1106

A mama se distingue de outros órgãos por três importantes características. Primeiro, sua principal função é fornecer o suporte nutricional e a sobrevivência de outro indivíduo, o bebê. Segundo, a mama sofre mudanças estruturais dinâmicas ao longo da vida: expansão do sistema lobular após a menarca; remodelamento periódico durante a idade adulta, especialmente durante e após a gravidez. Terceiro, involução e regressão. Finalmente, como símbolos de feminilidade, as mamas têm importância social, cultural e pessoal que é única entre outros órgãos. Todas essas características impactam a origem, apresentação e tratamento de doenças mamárias.

Compreender as doenças da mama requer conhecimento de sua anatomia normal e constituintes celulares, que incluem duas estruturas principais (ductos e lóbulos), dois tipos de células epiteliais (luminal e mioepitelial), e dois tipos de estroma (inter e intralobular). Cada um desses elementos é fonte de lesões benignas e malignas (**Figura 23.1**). Seis a dez ductos principais estendem-se sob o mamilo, ramificam-se em vários ductos menores e finalmente terminam como lóbulos. As porções superficiais dos ductos principais são revestidos por epitélio escamoso queratinizante que se modifica abruptamente para um epitélio de camada dupla (células luminais e mioepiteliais), o qual reveste o restante do sistema de ductal/lobular. Após a puberdade, o sistema de ductos se expande e prolifera, dando origem a inúmeras unidades lobulares de ductos terminais. Essas unidades consistem em agrupamentos de pequenos ácinos semelhantes a cachos de uva cercados por um estroma intralobular especializado (**Figura 23.1**). Em algumas mulheres, os ductos e lóbulos se estendem para o tecido subcutâneo da parede torácica e para a axila. Como resultado, doenças como o câncer de mama por vezes se originam fora dos limites do tecido mamário grosseiramente evidente.

Mudanças na mama feminina são mais dinâmicas e profundas durante os anos reprodutivos. A ramificação adicional dos ductos e formação de lóbulos ocorrem sob a influência de hormônios como estrógeno, progesterona e prolactina. Assim como o endométrio, que cresce e diminui a cada ciclo menstrual, o mesmo acontece com a mama. Na primeira metade do ciclo menstrual, os lóbulos são relativamente quiescentes. Após a ovulação, sob a influência dos níveis crescentes de estrógeno e progesterona, a proliferação celular aumenta, bem como o número de ácinos por lóbulo. Após a menstruação, a queda dos níveis hormonais induz a regressão dos lóbulos.

Somente com a gravidez a mama amadurece completamente e se torna totalmente funcional. Os lóbulos aumentam progressivamente em número e tamanho. Ao final de uma gravidez de termo, a mama é composta quase inteiramente de lóbulos separados por estroma escasso. Após o parto, os lóbulos inicialmente produzem colostro (rico em proteínas), mudando para leite (rico em gordura e calorias) nos próximos dez dias à medida que os níveis de progesterona caem. Ao fim do período de lactação, as células epiteliais sofrem a apoptose e os lóbulos regridem, mas apenas parcialmente. As mudanças permanentes produzidas pela gravidez podem explicar a redução do risco de câncer de mama observada em mulheres que dão à luz crianças em idades precoces.

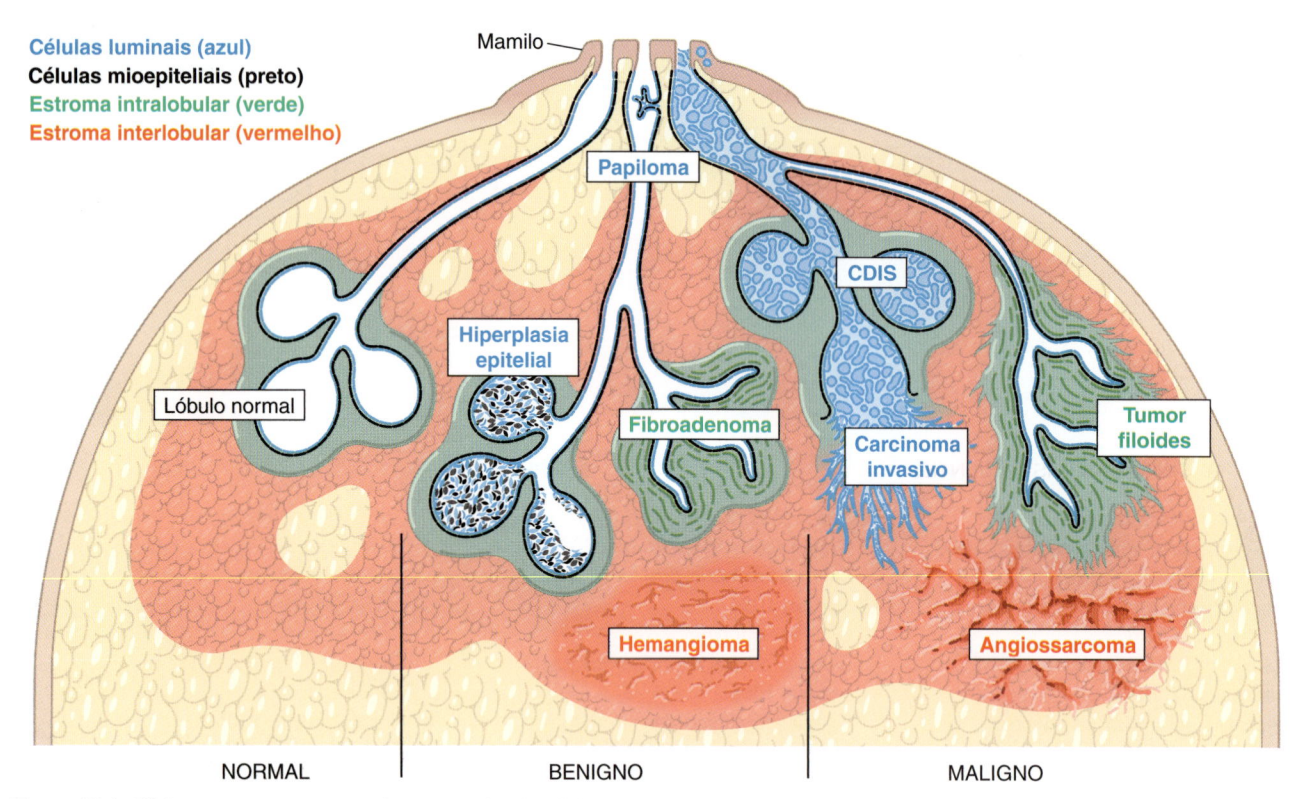

Figura 23.1 Células e estruturas normais da mama, incluindo células epiteliais e células mioepiteliais, células estromais intralobulares e células estromais interlobulares, grandes ductos e unidades lobulares do ducto terminal, podem dar origem a neoplasias benignas e malignas. CDIS, carcinoma ductal *in situ*.

Após a terceira década, muito antes da menopausa, os lóbulos e seu estroma especializado começam a involuir, e o estroma interlobular é convertido de estroma fibroso radiodenso para tecido adiposo radiolucente. Essas mudanças podem ser atenuadas ou retardadas por hormônios de origem endógena (p. ex., estrógeno das reservas de gordura em mulheres obesas) ou exógena (p. ex., terapia de reposição hormonal pós-menopausa).

Distúrbios do desenvolvimento

Vestígios da linha mamária

Mamilos ou mamas supranumerárias resultam da persistência de espessamento epidérmico ao longo da linha mamária, que se estende da axila ao períneo. Distúrbios em mamas normalmente situadas muito raramente surgem nesses focos heterotópicos, que mais comumente chamam a atenção devido ao intumescimento doloroso pré-menstrual.

Tecido mamário axilar acessório

Em algumas mulheres, o sistema ductal normal se estende pelo tecido subcutâneo da parede torácica ou fossa axilar (a cauda axilar de Spence). Como este tecido pode não ser removido por mastectomias profiláticas, tais procedimentos reduzem acentuadamente, mas não eliminam completamente, o risco de câncer de mama.

Inversão congênita do mamilo

A falha do mamilo em everter durante o desenvolvimento é comum e pode ser unilateral. Mamilos congenitamente invertidos são geralmente de pouca importância, uma vez que se corrigem espontaneamente durante a gravidez ou, às vezes, podem se everter por simples tração. A retração adquirida do mamilo é mais preocupante, uma vez que pode indicar a presença de um câncer invasivo ou uma doença inflamatória do mamilo.

Apresentações clínicas do câncer de mama

Os sinais e sintomas mamários mais comuns relatados pelas mulheres são dor, alterações inflamatórias, secreção mamilar, "encaroçamento" ou uma massa palpável (**Figura 23.2A**). Poucos sintomas são tão graves a ponto de exigirem tratamento e a razão principal para investigar suas causas é avaliar a possibilidade de malignidade. Mais de 90% das lesões mamárias sintomáticas são benignas. Dentre as mulheres com câncer, aproximadamente 45% apresentam doença sintomática, enquanto o restante chama a atenção por meio de triagem mamográfica (**Figura 23.2B**). Entre os sinais e sintomas mais comuns ou significativos que chamam atenção clínica para lesões mamárias estão os seguintes:

- A *dor* (mastalgia ou mastodínia) é um sintoma comum que pode ser cíclico com a menstruação ou não cíclico. A dor cíclica difusa pode ser decorrente do edema pré-menstrual. Já a dor não cíclica é geralmente localizada em uma região da mama e pode ser causada pelo rompimento de cistos, lesões físicas e infecções, mas frequentemente nenhuma lesão específica é identificada. Embora a maioria das massas dolorosas seja benigna, em cerca de 5% dos casos, a causa subjacente é o câncer de mama

A SINTOMAS DAS PACIENTES

B APRESENTAÇÃO DOS CÂNCERES DE MAMA

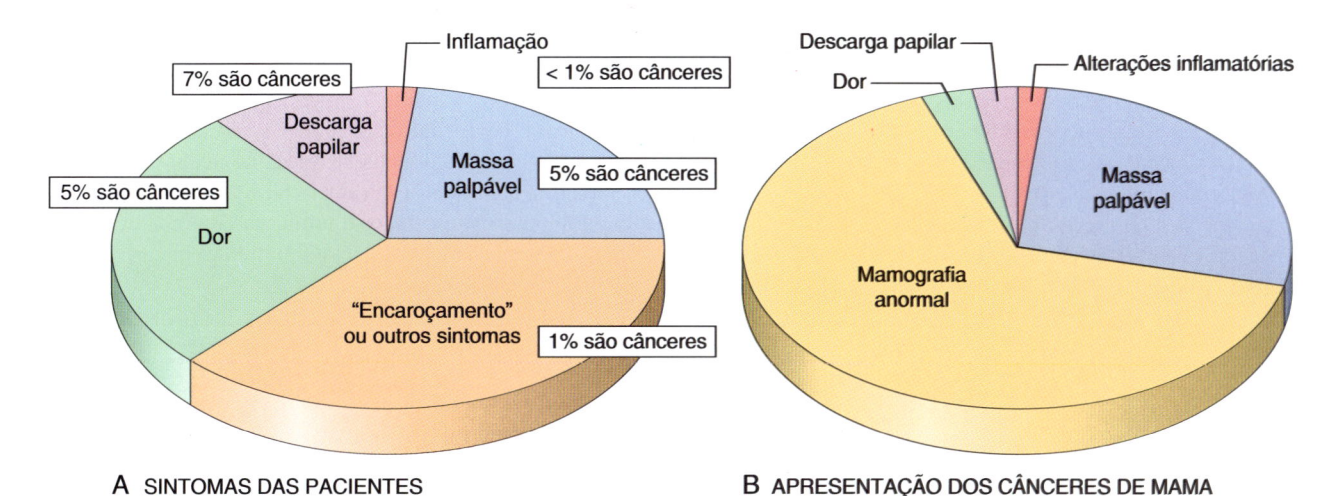

Figura 23.2 Sintomas de doenças mamárias e apresentações do câncer de mama. **A.** Os sintomas comuns relacionados à mama que trazem as pacientes à atenção clínica incluem dor, inflamação, descarga papilar, "encaroçamento" e massas palpáveis. Embora esses sintomas frequentemente causem preocupação, estão associados ao câncer em menos de 10% das mulheres afetadas. **B.** Apresentações do câncer de mama.

- A *inflamação* causa eritema e edema envolvendo toda a mama ou parte dela. Este é um sintoma raro e muito frequentemente causado por infecções, que só ocorrem com qualquer frequência durante a lactação e a amamentação. O carcinoma mamário inflamatório é uma condição importante que mimetiza a inflamação reativa (discutido adiante)
- A *secreção mamilar* pode ser normal quando em pequena quantidade e bilateral. A descarga láctea (galactorreia) está associada a níveis elevados de prolactina (p. ex., por um adenoma da pituitária), hipotireoidismo ou síndromes anovulatórias endócrinas, podendo também ocorrer em pacientes que tomam contraceptivos, antidepressivos tricíclicos, metildopa ou fenotiazinas. A estimulação repetida do mamilo também pode induzir a lactação. A galactorreia não é uma característica de malignidade. Descargas sanguinolentas ou serosas estão comumente mais associadas a grandes papilomas ductais e cistos. Durante a gravidez, o rápido crescimento e remodelamento da mama podem produzir uma descarga sanguinolenta. A descarga associada a malignidade é mais comumente decorrente de carcinoma ductal *in situ* (CDIS), cuja prevalência aumenta com a idade; é causada por um carcinoma subjacente em 7% das mulheres com menos de 60 anos e em 30% das mulheres com 60 anos ou mais. Em mulheres mais velhas, descargas espontâneas, unilaterais e sangrentas são provavelmente de origem maligna
- *Encaroçamento*, ou nodularidade difusa da mama, geralmente é uma manifestação de tecido glandular normal. Quando pronunciado, estudos de imagem podem ser necessários para excluir a presença de uma massa discreta
- *Massas palpáveis* podem surgir da proliferação de células estromais ou de células epiteliais e geralmente são detectadas quando atingem 2 a 3 cm de tamanho. A maioria (cerca de 95%) é benigna e tende a ter forma redonda ou oval, elástica e móvel, além de apresentar bordas circunscritas. As massas benignas mais comuns são fibroadenomas e cistos. Em contraste, neoplasias malignas invadem os planos teciduais, muitas vezes são de consistência firme (*scirrhous*) e geralmente têm bordas irregulares. A probabilidade de uma massa ser maligna aumenta com a idade, passando de 10% para mulheres com menos de 40 anos a 60% para mulheres com mais de 50 anos. Aproximadamente 50% dos carcinomas estão localizados no quadrante superior externo, 10% em cada um dos quadrantes restantes e cerca de 20% na região central ou subareolar. Embora cerca de um terço dos cânceres são detectados pela primeira vez como uma massa palpável, a triagem por palpação tem pouco efeito na redução da mortalidade por câncer de mama. Infelizmente, a maioria dos cânceres com capacidade de gerar metástases o faz antes de atingir um tamanho palpável.

A triagem mamográfica foi introduzida na década de 1980 em um esforço para detectar carcinomas de mama assintomáticos não palpáveis antes da disseminação metastática e atualmente é o teste de rastreamento mais comumente usado para o câncer de mama (Figura 23.2B). A sensibilidade e especificidade da mamografia aumentam com a idade. Aos 40 anos, a probabilidade de uma lesão mamográfica ser um câncer é de apenas 10%, mas aumenta para mais de 25% em mulheres com mais de 50 anos. Os principais sinais mamográficos de carcinoma de mama são as densidades e as calcificações:

- *Densidades*. Lesões mamárias que substituem o tecido adiposo por tecido radiodenso formam densidades mamográficas. Densidades arredondadas são mais comumente lesões benignas, como fibroadenomas ou cistos, enquanto os carcinomas invasivos geralmente formam massas irregulares. O tamanho médio dos carcinomas invasivos detectados por mamografia é de aproximadamente 1 cm (significativamente menor do que os carcinomas detectados por palpação), e apenas 15% terão sofrido metástase para linfonodos regionais no momento da detecção
- *Calcificações*. As calcificações se formam nas secreções, detritos necróticos ou estroma hialinizado e estão frequentemente associadas a lesões benignas, como cistos apócrinos, fibroadenomas hialinizados e adenose esclerosante. Calcificações associadas à malignidade são geralmente pequenas, irregulares, numerosas e agrupadas. Um aumento acentuado no diagnóstico de CDIS, uma forma de câncer de mama frequentemente associada a calcificações, foi observada após a introdução da triagem mamográfica.

Aproximadamente 10% dos carcinomas invasivos não são visíveis por técnicas mamográficas bidimensionais padrão. As causas incluem a presença de tecido radiodenso circundante que obscurece a neoplasia (especialmente em mulheres mais jovens); neoplasia de tamanho pequeno; um padrão de crescimento infiltrativo difuso com pouca ou nenhuma resposta do tecido; localização próxima à parede torácica ou na periferia da mama. Outras modalidades de imagem podem ser úteis em tais circunstâncias, particularmente na avaliação de massas palpáveis que não são claramente observáveis pela mamografia padrão. A mamografia digital com tomossíntese (mamografia tridimensional) integra visões adicionais da mama e pode detectar mudanças sutis na textura parenquimatosa da mama. A ultrassonografia distingue entre lesões sólidas e císticas, e define mais precisamente as bordas de lesões sólidas. A imagem por ressonância magnética (MRI, *magnetic resonance imaging*) detecta o câncer pela rápida captação de agentes de contraste devido ao aumento da vascularização do fluxo sanguíneo da neoplasia, podendo ser particularmente útil na avaliação de mamas de alta densidade.

Embora a recente tendência de queda nas mortes por câncer de mama seja parcialmente atribuída ao diagnóstico precoce em decorrência da mamografia, o efeito benéfico da triagem é menor do que o inicialmente previsto por várias razões. No momento da detecção, a maioria dos cânceres (70 a 80%) são invasivos e alguns já sofreram metástase. Ainda mais preocupante, os cânceres mais prováveis de causarem morte são menos prováveis de serem detectados por mamografia. Esses cânceres letais surgem em mulheres jovens (em idade pré-triagem) ou crescem tão rapidamente que se apresentam durante o intervalo entre as mamografias. No outro extremo dos registros estão muitos cânceres detectados por mamografias que são clinicamente sem importância, sendo tão indolentes que nunca causariam dano caso não detectados (uma situação parecida com muitos cânceres de próstata em homens; ver **Capítulo 21**). Estima-se que entre 10 e 30% dos cânceres invasivos detectados por mamografia se enquadrem nesta categoria. Embora essa questão às vezes seja referida como um problema de sobrediagnóstico, é mais preciso dizer que reflete a necessidade de fatores de predição confiáveis do comportamento de carcinomas invasivos; alguns fatores de predição de resultado em uso atual são discutidos mais adiante.

Distúrbios inflamatórios

As doenças inflamatórias da mama são raras (contabilizando menos de 1% dos sintomas da mama) e são causadas por infecções, doenças autoimunes ou reações do tipo corpo estranho à queratina extravasada ou secreções. O câncer de mama inflamatório mimetiza a inflamação ao obstruir a vasculatura dérmica com êmbolos tumorais e deve sempre ser considerado em uma mulher com mama inchada e eritematosa (discutido adiante).

Mastite aguda

A mastite bacteriana aguda geralmente ocorre durante o primeiro mês de amamentação, sendo causada por uma infecção local, quando a mama é mais vulnerável devido a rachaduras e fissuras nos mamilos. A partir desta porta de entrada, o tecido mamário é invadido por *Staphylococcus aureus* ou, menos comumente, por estreptococos. A mama fica eritematosa e dolorida, e febre costuma estar presente. No início, apenas um sistema de ductos ou setor da mama está envolvido, mas se não tratada, a infecção pode se espalhar para toda a mama. A infecção por estafilococos muitas vezes leva a abscessos únicos ou múltiplos, enquanto estreptococos causam infecção disseminada na forma de celulite.

A maioria dos casos de mastite lactacional é facilmente tratada com antibióticos apropriados e produção contínua de leite pela mama. Apenas raramente é necessária drenagem cirúrgica.

Metaplasia escamosa dos ductos lactíferos

A metaplasia escamosa dos ductos lactíferos é conhecida por uma variedade de nomes, incluindo abscesso subareolar recorrente, mastite periductal e doença de Zuska. Mulheres, e algumas vezes homens, apresentam uma massa subareolar eritematosa dolorosa que mimetiza um abscesso bacteriano. Em casos recorrentes, uma fístula frequentemente se desenvolve sob o músculo liso do mamilo e se abre para a pele na borda da aréola. Em muitas mulheres afetadas o mamilo inverte devido à tração produzida pela inflamação e cicatrização. Mais de 90% dos indivíduos afetados são fumantes. Foi sugerido que uma deficiência relativa de vitamina A associada ao fumo ou substâncias tóxicas na fumaça do cigarro altera a diferenciação do epitélio ductal.

> ### Morfologia
>
> A principal característica é a **metaplasia escamosa queratinizante**, que se estende para o ducto mamilar além do ponto usual de transição entre o epitélio escamoso e o glandular (**Figura 23.3**). A queratina que descama dessas células fica retida e obstrui o sistema ductal, causando dilatação e, eventualmente, ruptura do ducto. Uma resposta inflamatória granulomatosa crônica intensa se desenvolve uma vez que a queratina se espalha no tecido periductal circundante. Com as recorrências, uma infecção bacteriana anaeróbia secundária pode sobrevir e causar inflamação aguda.

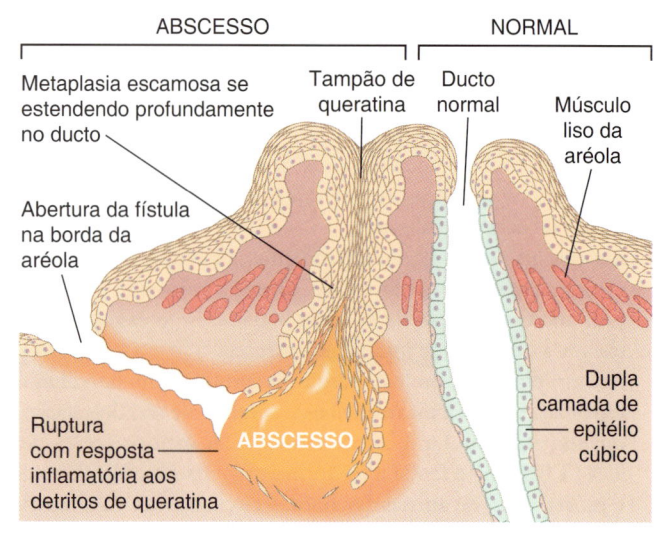

Figura 23.3 Metaplasia escamosa dos ductos lactíferos. Quando a metaplasia escamosa se estende profundamente em um ducto do mamilo, a queratina fica retida e se acumula. Se o ducto se romper, a intensa resposta inflamatória à queratina resulta em uma massa eritematosa dolorosa. Uma fístula pode se formar abaixo da musculatura lisa do mamilo e se abrir na borda da aréola.

Uma incisão simples drena a cavidade do abscesso, mas o epitélio queratinizante doente permanece, e as recorrências são comuns. Na maioria dos casos, a remoção cirúrgica em bloco do ducto envolvido e da fístula contígua é curativa. Se uma infecção bacteriana secundária está presente, os antibióticos também têm um papel terapêutico.

Ectasia ductal

A ectasia ductal se apresenta como uma massa periareolar palpável frequentemente associada a secreções mamilares espessas e esbranquiçadas que ocasionalmente cursam com retração da pele. Dor e eritema são raros. Este distúrbio tende a ocorrer na quinta ou sexta década de vida, geralmente em mulheres multíparas. Diferente da metaplasia escamosa dos ductos lactíferos, a ectasia ductal não está associada ao tabagismo.

Morfologia

Os ductos ectáticos dilatados são preenchidos com secreções espessas e inúmeros macrófagos carregados de lipídios. Com a ruptura do ducto, uma reação inflamatória crônica periductal e intersticial marcante se segue, consistindo em linfócitos, macrófagos e números variáveis de plasmócitos (**Figura 23.4**). Granulomas podem se formar em torno de secreções e depósitos de colesterol. A fibrose subsequente produz uma massa irregular com retração de pele e mamilo.

O principal significado da ectasia ductal é que pode ser difícil de distingui-lo em bases clínicas e radiológicas do carcinoma invasivo.

Necrose gordurosa (esteatonecrose)

As apresentações da necrose gordurosa são multifacetadas e podem estritamente mimetizar um câncer. Pode se apresentar como uma massa palpável indolor, espessamento ou retração da pele, ou ainda densidades mamográficas ou calcificações. Cerca de metade das mulheres afetadas tem um histórico de trauma mamário ou cirurgia.

Morfologia

As lesões agudas podem ser hemorrágicas e conter áreas centrais de necrose gordurosa liquefeita com neutrófilos e macrófagos. Ao longo dos dias seguintes, fibroblastos em proliferação e células inflamatórias crônicas circundam a área lesada. Posteriormente, células gigantes, calcificações e hemossiderina aparecem, e eventualmente a lesão é substituída por tecido cicatricial ou é circundada e isolada por tecido fibroso. Nódulos branco-acinzentados mal definidos e firmes, contendo pequenos focos brancos como giz são vistos macroscopicamente.

Mastopatia linfocítica (lobulite linfocítica esclerosante)

Essa condição se apresenta como massas palpáveis endurecidas únicas ou múltiplas, ou como densidades mamográficas. As massas estão associadas a áreas de estroma densamente colagenizado, uma característica que pode dificultar a obtenção de tecido da lesão com agulha de biopsia. No interior do estroma estão ductos e lóbulos atróficos com membranas basais espessadas circundadas por um infiltrado linfocítico proeminente. Esta condição é mais comum em mulheres com diabetes tipo 1 (insulina-independente) ou doença autoimune da tireoide e acredita-se que tenha uma base autoimune. Seu único significado clínico é que deve ser distinguido câncer de mama.

Mastite granulomatosa

A inflamação granulomatosa da mama pode ser uma manifestação de doenças granulomatosas sistêmicas (p. ex., granulomatose com poliangiite, sarcoidose, tuberculose) ou de doenças inflamatórias ou infecciosas localizadas na mama. A *mastite lobular granulomatosa* é uma doença rara que ocorre apenas em mulheres que já pariram. Os granulomas estão intimamente associados a lóbulos e podem conter vacúolos lipídicos circundados por neutrófilos. Um padrão histológico semelhante é visto na *mastite granulomatosa neutrofílica cística*, que geralmente é causada por corinebactérias lipofílicas. Esses padrões histológicos podem ser manifestações da mesma doença. O tratamento inclui antibióticos e, às vezes, esteroides. Infecções localizadas causadas por micobactérias ou fungos são muito raras e são mais comuns em pacientes imunocomprometidos ou adjacente a objetos estranhos, como próteses mamárias ou piercings de mamilo.

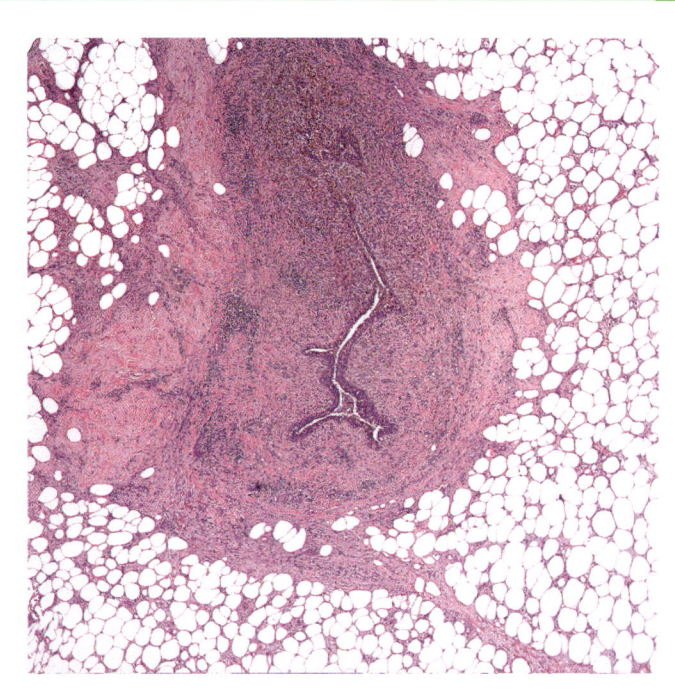

Figura 23.4 Ectasia ductal. Inflamação crônica e fibrose circundam um ducto ectásico preenchido por restos celulares condensados. A resposta fibrótica pode produzir uma massa irregular firme que mimetiza um carcinoma invasivo à palpação ou mamografia.

Conceitos-chave
Distúrbios inflamatórios

- As doenças inflamatórias da mama são raras fora do período de lactação

- A causa específica deve ser determinada, sendo antibióticos, esteroides ou cirurgia os tratamentos apropriados
- A possibilidade de um carcinoma inflamatório que mimetiza um distúrbio inflamatório não neoplásico deve sempre ser considerada.

Lesões epiteliais benignas

Lesões epiteliais benignas são classificadas em três grupos, cada um com um risco diferente para o desenvolvimento subsequente de câncer de mama: (1) *alterações não proliferativas da mama*, (2) *doença proliferativa da mama* e (3) *hiperplasia atípica*. A maioria chama a atenção clínica quando detectada por mamografia ou como achados incidentais em espécimes cirúrgicos.

Alterações não proliferativas da mama (alterações fibrocísticas)

Esse grupo inclui alterações morfológicas comuns que são frequentemente agrupadas sob o termo *alterações fibrocísticas*. Para o clínico, o termo pode significar mamas "com nódulos irregulares" à palpação; para o radiologista, uma mama densa com cistos; e para o patologista, achados histológicos benignos. Essas lesões são denominadas "não proliferativas" para indicar que não estão associadas a um risco aumentado de câncer de mama; este nome é um tanto infeliz porque algumas dessas mudanças envolvem aumento da proliferação e podem até estar associadas a aberrações genéticas clonais.

Morfologia

Existem três alterações morfológicos não proliferativas principais: (1) alteração cística, geralmente com metaplasia apócrina; (2) fibrose; e (3) adenose:

- **Cistos.** Pequenos cistos se formam pela dilatação dos lóbulos e, por sua vez, podem coalescer para formar cistos maiores. Os cistos não abertos contêm um líquido turvo, semitranslúcido de coloração marrom ou azul (cistos de cúpula azul) (**Figura 23.5B**). Os cistos são revestidos por um epitélio achatado atrófico ou por células apócrinas metaplásicas. Estas últimas células têm um citoplasma abundante, granular e eosinofílico muito semelhante ao epitélio apócrino normal das glândulas sudoríparas (**Figura 23.5C**). Calcificações são comuns (**Figura 23.5A**). Os cistos podem causar preocupação quando estão solitários e firmes. O diagnóstico é confirmado pelo desaparecimento da massa após aspiração do seu conteúdo com agulha fina
- **Fibrose.** Os cistos frequentemente se rompem, liberando material secretório no estroma adjacente. A inflamação crônica e fibrose resultantes contribuem para a nodularidade palpável da mama.
- **Adenose.** A adenose é definida como um aumento no número de ácinos por lóbulo. É uma característica normal da gravidez. Em mulheres não grávidas, a adenose pode ocorrer como uma alteração focal. Os ácinos são revestidos por células epiteliais colunares e calcificações estão ocasionalmente presentes no interior de sua luz.

Várias outras alterações morfológicas se enquadram na categoria de mudanças "não proliferativas". Os **adenomas lactacionais** se apresentam como massas palpáveis em mulheres grávidas ou lactantes e regridem após a interrupção da amamentação. Eles consistem em tecido mamário de aparência normal com alterações lactacionais. Seu nome pode ser um tanto impróprio, pois essas lesões podem representar uma resposta local exagerada aos hormônios gestacionais em vez de neoplasias verdadeiras. A **atipia epitelial plana** é um processo clonal caracterizado pela presença de ácinos dilatados e cistos revestidos por células epiteliais que exibem atipia citológica leve. Está associada a deleções do cromossomo 16q e é a primeira lesão clonal morfologicamente reconhecível da mama. A atipia epitelial plana está frequentemente associada a lesões que aumentam o risco de desenvolvimento de câncer (p. ex., hiperplasia atípica, descrita adiante), mas isoladamente não apresentou aumento do risco.

Doença mamária proliferativa sem atipia

Lesões caracterizadas por proliferação de células epiteliais, sem atipia, estão associadas a um pequeno aumento do risco de desenvolver um carcinoma subsequente em qualquer mama. As lesões são comumente detectadas como densidades mamográficas,

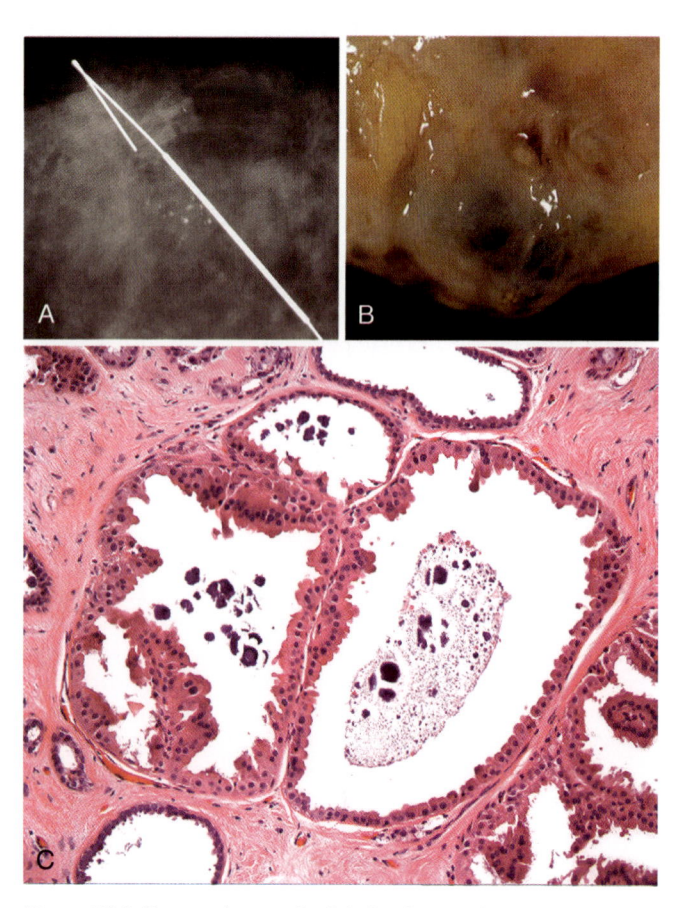

Figura 23.5 Cistos apócrinos. **A.** Calcificações arredondadas e agrupadas são vistas em uma radiografia do espécime. **B.** Aparência macroscópica de cistos típicos preenchidos por conteúdo líquido escuro e turvo. **C.** Os cistos são revestidos por células apócrinas com núcleos arredondados e citoplasma granular abundante. Note as calcificações luminais, que se formam sobre os detritos secretórios.

calcificações ou achados incidentais em biopsias realizadas por outros motivos. Essas lesões são consideradas fatores de predição de risco, em vez de precursores diretos de carcinoma.

Morfologia

Vários padrões morfologicamente distintos da doença mamária proliferativa sem atipia são reconhecidos:

- **Hiperplasia epitelial.** Ductos e lóbulos mamários normais são revestidos por uma dupla camada de células mioepiteliais e células luminais (**Figura 23.6A**). Na hiperplasia epitelial, observa-se aumento do número de ambos os tipos celulares, que preenchem e distendem os ductos e lóbulos. Muitas vezes, luzes irregulares podem ser percebidas na periferia das massas celulares (**Figura 23.6B**). A hiperplasia epitelial geralmente é um achado incidental
- **Adenose esclerosante.** Há um aumento do número de ácinos que são comprimidos e distorcidos na porção central da lesão. Na ocasião, a fibrose estromal comprime completamente as luzes, criando a aparência de cordões sólidos ou filamentos duplos de células repousando dentro do estroma denso, um padrão que superficialmente se assemelha ao carcinoma invasivo (**Figura 23.7**). A adenose esclerosante pode chamar atenção como uma massa palpável, uma densidade radiológica ou na forma de calcificações
- **Lesão esclerosante complexa.** Essas lesões têm componentes de adenose esclerosante, papiloma e hiperplasia epitelial. Um membro deste grupo, a lesão esclerosante radial ("cicatriz radial"), tem uma forma irregular e mimetiza intimamente o carcinoma invasivo em seus aspectos mamográficos, macroscópicos e histológicos (**Figura 23.8**). Apresenta um nicho central de glândulas aprisionadas em um estroma hialinizado cercado por longas projeções que se irradiam para o estroma. O termo cicatriz radial é errôneo, já que essas lesões não estão associadas a trauma anterior ou cirurgia
- **Papiloma.** Os papilomas crescem dentro de um ducto dilatado e são compostos de múltiplos núcleos fibrovasculares ramificados (**Figura 23.9**). Hiperplasia epitelial e metaplasia apócrina estão

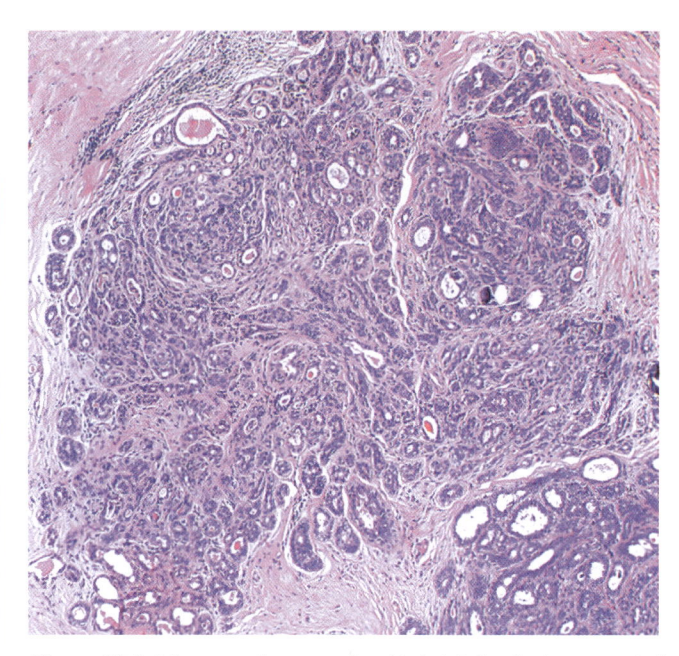

Figura 23.7 Adenose esclerosante. A unidade lobular do ducto terminal envolvida está aumentada e os ácinos são comprimidos e distorcidos por estroma denso. Calcificações estão presentes em algumas das luzes. Ao contrário dos carcinomas, os ácinos estão dispostos em um padrão espiralado e a borda externa é bem circunscrita.

frequentemente presentes. Os grandes papilomas ductais situam-se nos seios lactíferos do mamilo e geralmente são únicos. Os papilomas de pequenos ductos são comumente múltiplos e localizados mais profundamente dentro do sistema ductal. Mais de 80% dos papilomas ductais grandes produzem uma descarga papilar, que podem ser sangrentas e levar ao infarto do papiloma devido à torção do pedúnculo. A descarga serosa resulta de bloqueio intermitente e liberação de secreções normais da mama ou de irritação do ducto pelo papiloma. A maioria dos papilomas de pequenos ductos chamam atenção clínica como pequenas massas palpáveis, ou como densidades ou calcificações vistas em mamografias.

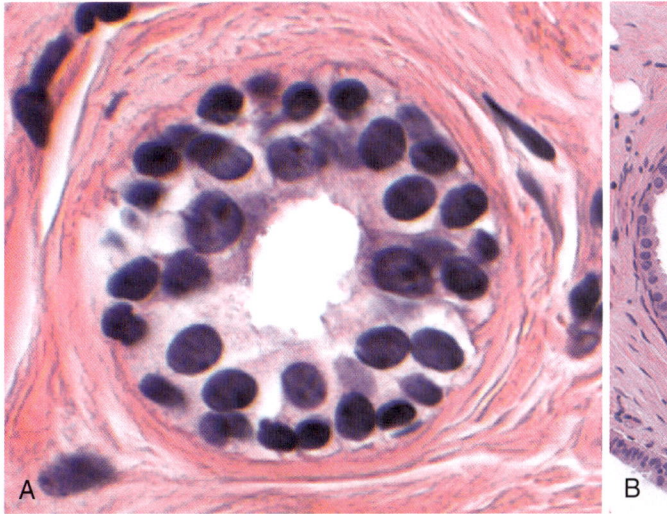

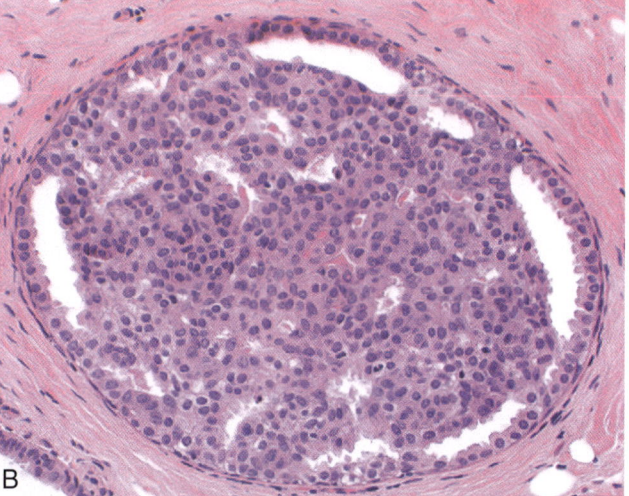

Figura 23.6 A. Ducto ou ácino normal com uma camada única de células mioepiteliais localizadas basalmente (células com núcleos escuros compactos e citoplasma escasso) e uma camada única de células luminais (células com núcleos abertos maiores, nucléolos pequenos e citoplasma mais abundante). **B.** Hiperplasia epitelial. A luz é preenchida por uma população heterogênea e mista de tipos celulares luminais e mioepiteliais. Fenestrações irregulares semelhantes a fendas são proeminentes na periferia.

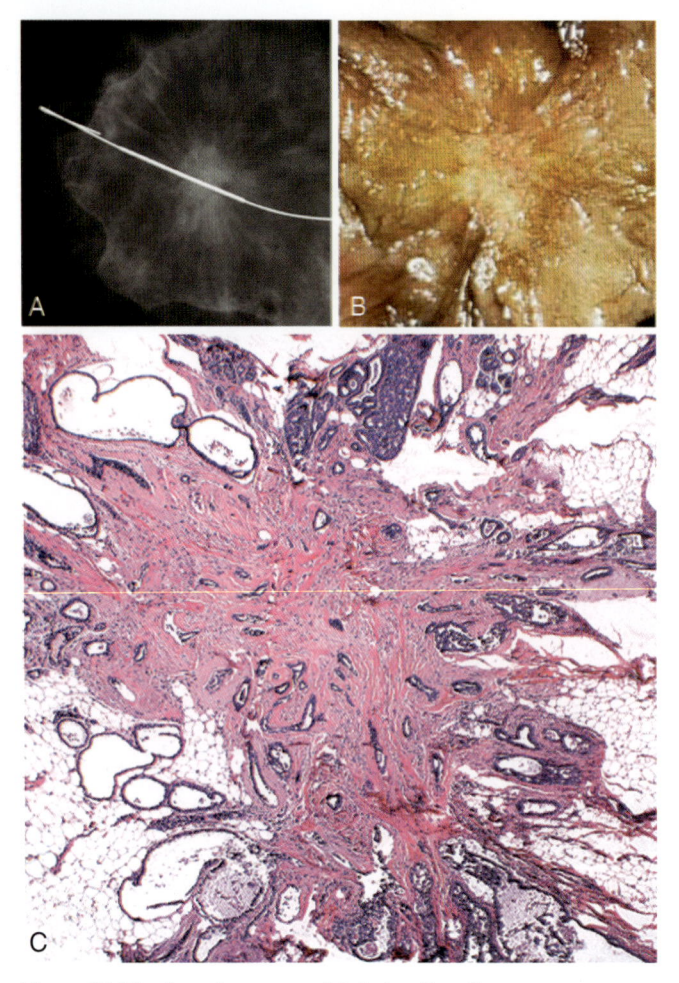

Figura 23.8 Lesão esclerosante radial. **A.** A radiografia mostra uma massa central irregular com longas projeções radiodensas. **B.** Macroscopicamente, a massa parece fibrótica e tem bordas irregulares, mas não é tão firme quanto um carcinoma invasivo. **C.** A massa consiste em um nicho central de pequenos túbulos aprisionados em um estroma densamente fibrótico e numerosas projeções contendo epitélio com vários graus de formação de cisto e hiperplasia.

Ginecomastia

A ginecomastia (aumento da mama masculina) é a única lesão benigna vista com alguma frequência na mama masculina. Apresenta-se como um aumento subareolar em forma de botão e pode ser unilateral ou bilateral. Microscopicamente, há um aumento em tecido conjuntivo colagenoso denso associado à hiperplasia epitelial do revestimento do ducto (**Figura 23.1**0). A formação de lóbulos quase nunca é observada.

A ginecomastia ocorre como resultado de um desequilíbrio entre hormônios estrógenos (que estimulam o tecido mamário) e andrógenos (que neutralizam esses efeitos). Pode surgir durante a puberdade, em pessoas muito idosas, ou a qualquer momento durante a vida adulta, quando há causas de hiperestrinismo. O mais importante deles é a cirrose do fígado, uma vez que este órgão é responsável pela metabolização do estrógeno. Em homens mais velhos, a ginecomastia pode derivar de um aumento relativo de estrógenos à medida que cai a produção de andrógenos testiculares. Drogas como álcool, maconha, heroína, terapia antirretroviral e esteroides anabolizantes têm sido associadas à ginecomastia. Raramente, a ginecomastia ocorre como parte da síndrome de Klinefelter (cariótipo XXY) ou em associação a neoplasias testiculares funcionais, como tumores de células de Leydig ou células de Sertoli.

Doença mamária proliferativa com atipia

A hiperplasia atípica é uma proliferação clonal com algumas, mas não todas, as características histológicas do carcinoma in situ. Essa hiperplasia está associada a um risco moderadamente aumentado de desenvolver carcinoma, sendo dividida em duas formas, hiperplasia ductal atípica e hiperplasia lobular atípica. A hiperplasia ductal atípica está presente em 5 a 17% das amostras de biopsias realizadas para calcificações. A hiperplasia lobular atípica é um achado incidental encontrado em menos de 5% das biopsias.

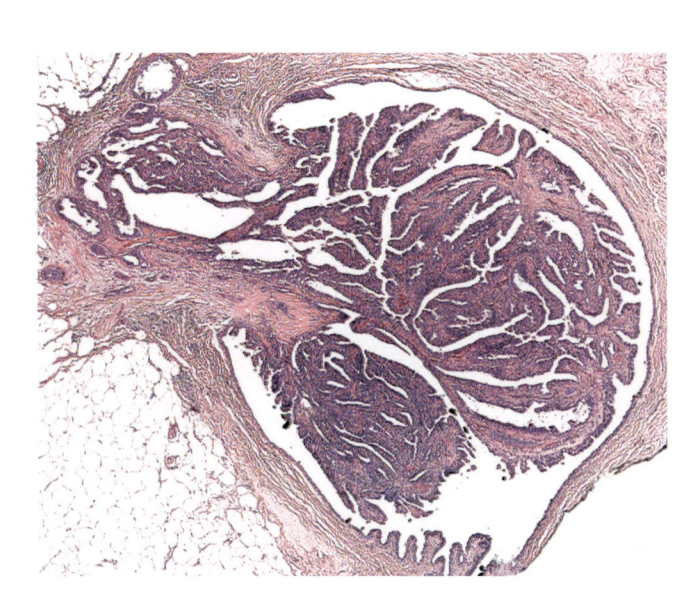

Figura 23.9 Papiloma intraductal. Um núcleo fibrovascular central se estende da parede de um ducto. As papilas se arborizam dentro da luz e são revestidas por células mioepiteliais e luminais.

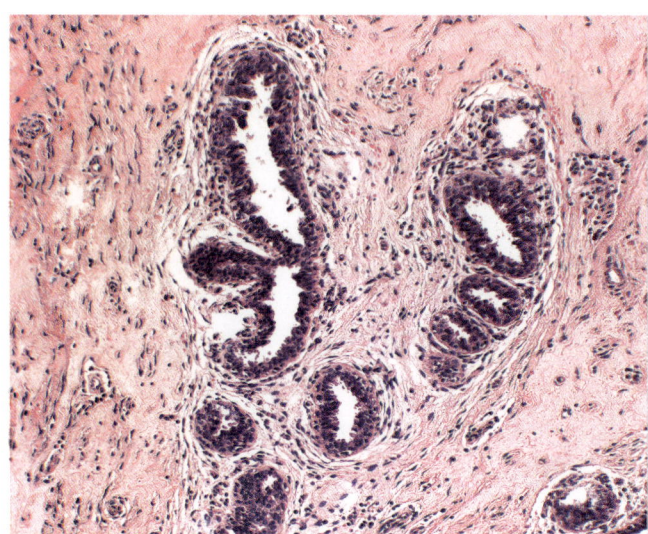

Figura 23.10 Ginecomastia. O aumento das mamas nos homens é devido a um aumento no número de ductos acompanhado de estroma celular denso. A formação de lóbulos está ausente.

Morfologia

A **hiperplasia ductal atípica** é reconhecida por sua semelhança histológica com o CDIS. Consiste em uma proliferação relativamente monomórfica de células regularmente espaçadas, às vezes formando espaços cribriformes, e distingue-se do CDIS por preencher apenas parcialmente os ductos envolvidos (**Figura 23.11A**).

A **hiperplasia lobular atípica** consiste em células idênticas àquelas observadas no carcinoma lobular *in situ* (CLIS) (descrito adiante), embora as células não preencham ou distendam mais de 50% dos ácinos dentro um lóbulo (**Figura 23.11B**).

A hiperplasia ductal atípica e a hiperplasia lobular atípica expressam altos níveis do receptor de estrógeno (RE), têm uma baixa taxa de proliferação, e podem ter adquirido aberrações cromossômicas como perdas de 16q e 17p ou ganhos de 1q, características também encontradas no carcinoma *in situ* de baixo grau e no câncer de mama invasivo RE-positivo. A hiperplasia lobular atípica também apresenta perda de expressão de E-caderina, uma característica compartilhada com o CLIS (discutido posteriormente).

Significado clínico das alterações epiteliais benignas

Estudos epidemiológicos estabeleceram a associação entre alterações histológicas benignas e o desenvolvimento posterior de câncer invasivo (**Tabela 23.1**). Alterações proliferativas estão associadas com um aumento de 1,5 a 2 vezes do risco em comparação com alterações não proliferativas, enquanto a doença proliferativa com atipia confere um risco aumentado de 4 a 5 vezes. Ambas as mamas estão sob risco aumentado. A redução de risco pode ser alcançada pela mastectomia profilática bilateral ou tratamento com antagonistas de estrógeno, como o tamoxifeno. No entanto, menos de 20% das mulheres com hiperplasia atípica desenvolvem câncer de mama, e, portanto, muitas escolhem a vigilância clínica e radiológica constante em vez de intervenção cirúrgica.

Tabela 23.1 Lesões epiteliais mamárias e o risco de desenvolvimento do carcinoma invasivo.

Lesão patológica	Risco relativo (risco absoluto durante a vida)[a]
Alterações mamárias não proliferativas (hiperplasia leve, ectasia ductal, cistos, metaplasia apócrina, adenose, fibroadenoma sem características complexas)	1,0 (cerca de 3%)
Doença proliferativa sem atipia (hiperplasia moderada ou florida, adenose esclerosante, lesão esclerosante complexa, fibroadenoma com características complexas)	1,5 a 2 (cerca de 5 a 7%)
Doença proliferativa com atipia (hiperplasia ductal atípica, hiperplasia lobular atípica)	4 a 5 (cerca de 13 a 17%)
Carcinoma *in situ* (carcinoma lobular *in situ*, carcinoma ductal *in situ*)	8 a 10 (cerca de 25 a 30%)

[a]Risco relativo é a probabilidade de desenvolvimento de um carcinoma invasivo quando comparado a mulheres sem qualquer fator de risco. O risco absoluto durante toda a vida é a porcentagem de mulheres previstas para desenvolver um carcinoma invasivo na ausência de uma intervenção.

Conceitos-chave

Lesões epiteliais benignas

- As lesões epiteliais benignas geralmente não causam sintomas, mas são frequentemente detectadas como calcificações ou densidades mamográficas
- A maioria dessas lesões não é precursora de câncer
- Essas lesões são classificadas de acordo com o risco subsequente de câncer em qualquer mama
- Embora a redução de risco possa ser atingida por cirurgia ou quimioprevenção, a maioria das mulheres não desenvolverá câncer, e muitas delas escolhem a vigilância em vez de intervenção.

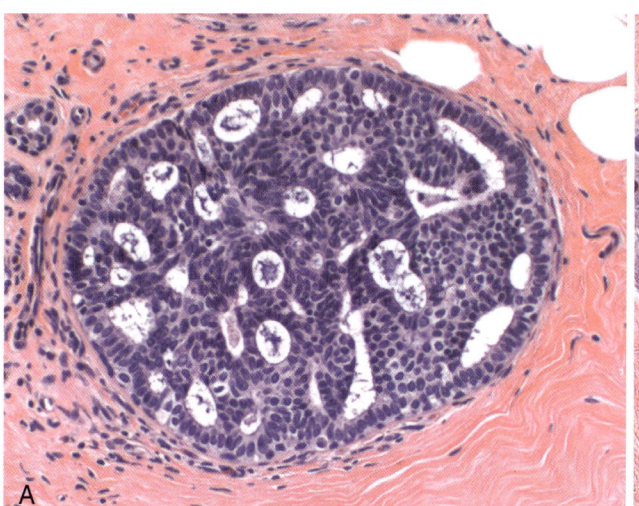

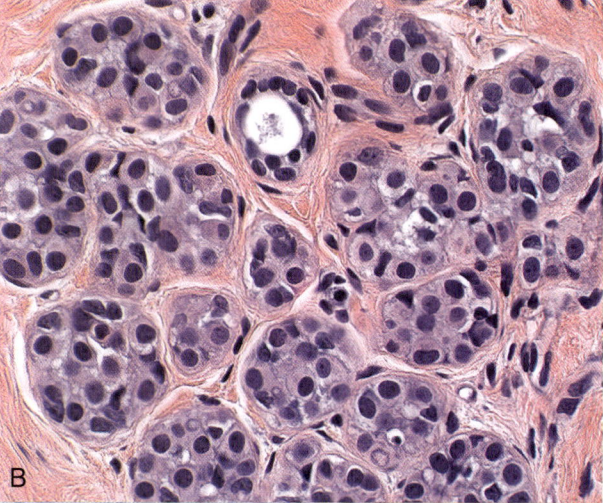

Figura 23.11 A. Hiperplasia ductal atípica. Um ducto é preenchido por uma população mista de células, consistindo em células colunares orientadas na periferia e células mais arredondadas na porção central. Embora alguns dos espaços sejam redondos e regulares, os espaços periféricos são irregulares e em forma de fenda. Essas características são altamente atípicas, mas ficam aquém de um diagnóstico de carcinoma ductal *in situ*. **B.** Hiperplasia lobular atípica. Uma população de células monomórficas pequenas, redondas e fracamente coesas preenche parcialmente um lóbulo. Embora as células sejam morfologicamente idênticas às células do carcinoma lobular *in situ*, a extensão do envolvimento não é suficiente para esse diagnóstico.

Carcinoma da mama

O carcinoma da mama é a doença maligna mais comum e mortal das mulheres em todo o mundo; a cada ano, 1,7 milhão de mulheres são diagnosticadas e uma em cada três afetadas morre da doença. Embora a incidência do câncer de mama seja de quatro a sete vezes mais alta nos EUA e na Europa do que em outros lugares, a incidência mundial e a mortalidade estão aumentando a uma taxa alarmante. Estima-se que, em 2020, 70% dos casos ocorrerão em países de baixa renda. Acredita-se que os fatores subjacentes a esta tendência sejam as mudanças sociais que aumentam o risco de câncer de mama – especificamente a procriação retardada, um número menor de gestações e a redução do aleitamento materno – combinados com a falta de acesso a cuidados de saúde ideais.

O risco de desenvolver câncer de mama ao longo da vida é de 1 em 8 para mulheres que vivem até os 90 anos nos EUA. Em 2019, mais de 260 mil mulheres nos EUA foram diagnosticadas com câncer de mama invasivo e mais de 40 mil mulheres morreram da doença – uma taxa alta entre os cânceres, perdendo apenas para o câncer de pulmão. É ao mesmo tempo irônico e trágico que uma neoplasia originada em um órgão exposto, prontamente acessível para autoexame e vigilância clínica, continua a cobrar um preço tão alto.

Todos os cânceres de mama podem ser separados em três grupos principais definidos pela expressão de duas proteínas, RE e HER2 (também conhecida como ERBB2). Neste capítulo, os cânceres "luminais" são definidos como positivos para RE e negativos para HER2. Os cânceres "HER2" são definidos como cânceres com superexpressão de HER2 e que podem ser RE-positivos ou RE-negativos. "Cânceres de mama triplo negativos" (CMTNs) são cânceres negativos para RE e HER2. Esses cânceres são denominados "triplo negativos" porque também não expressam o receptor de progesterona (RP), que está sob o controle do RE. Esses três grupos de cânceres diferem em relação às características do paciente, características patológicas, resposta ao tratamento, padrões metastáticos, tempo de recidiva e prognóstico, sendo discutidos em mais detalhes adiante. No entanto, é importante notar que o câncer de mama é biologicamente heterogêneo e que cada um desses três grupos compreende inúmeros subtipos clinicamente importantes.

Incidência e epidemiologia

O câncer de mama é raro em mulheres com menos de 25 anos e sua incidência aumenta rapidamente após os 30 anos (**Figura 23.12**). A incidência de CMTN e câncer HER2 alcança o platô na meia idade, enquanto a incidência de câncer luminal atinge o pico mais tardiamente na vida. Como resultado, os CMTNs e cânceres HER2 compreendem quase metade dos cânceres em mulheres jovens e menos de 20% dos cânceres em mulheres mais velhas.

A partir da década de 1980, um aumento acentuado na incidência aparente de câncer de mama foi observado em mulheres mais velhas. Essa mudança parece ser atribuível a dois fatores: introdução de triagem mamográfica e aumento do uso de terapia hormonal pós-menopausa em mulheres mais velhas. Após o ano 2000, o número de cânceres de mama recém-diagnosticados caiu em mulheres mais velhas, provavelmente devido a um nivelamento da taxa de triagem mamográfica (aproximadamente 65 a 75% das mulheres elegíveis) e diminuição do uso de terapia hormonal pós-menopausa. Em contraste, no mesmo período, a incidência de câncer de mama permaneceu relativamente constante em mulheres mais jovens.

A incidência e a biologia do câncer de mama variam de acordo com a etnia. A incidência de câncer de mama é maior em mulheres de ascendência europeia; nesse grupo, a idade média do diagnóstico é de 63 anos e apenas 20% dos casos são diagnosticados em uma idade inferior a 50 anos. Em contraste, a idade média do diagnóstico para mulheres afrodescendentes é de 59 anos e 35% dos cânceres são diagnosticados em idades abaixo de 50 anos. Para mulheres hispânicas, a idade média do diagnóstico é de 56 anos e 20% dos casos são diagnosticados em idades abaixo de 50 anos. Os cânceres em "excesso" observados em mulheres descendentes de europeus são principalmente do tipo luminal (**Figura 23.12**). Assim, CMTNs e cânceres HER2 constituem uma proporção maior dos cânceres que acometem outros grupos étnicos.

O risco de morte em quem desenvolve câncer de mama invasivo tem diminuído gradualmente em mulheres mais jovens e mais velhas, mais recentemente em uma taxa de 1 a 2% ao ano; o atual o risco geral de morte é de cerca de 20%. Essa diminuição é atribuída à triagem mamográfica, bem como às modalidades de tratamento mais eficientes. No entanto, o declínio na taxa de morte foi menor em mulheres afrodescendentes, que têm a maior taxa de mortalidade. Embora essa diferença seja explicada em parte pelo acesso desigual aos cuidados médicos, os cânceres de mama em mulheres afrodescendentes também são mais propensos a serem biologicamente agressivos (p. ex., CMTN) e classificados em subtipos de difícil tratamento.

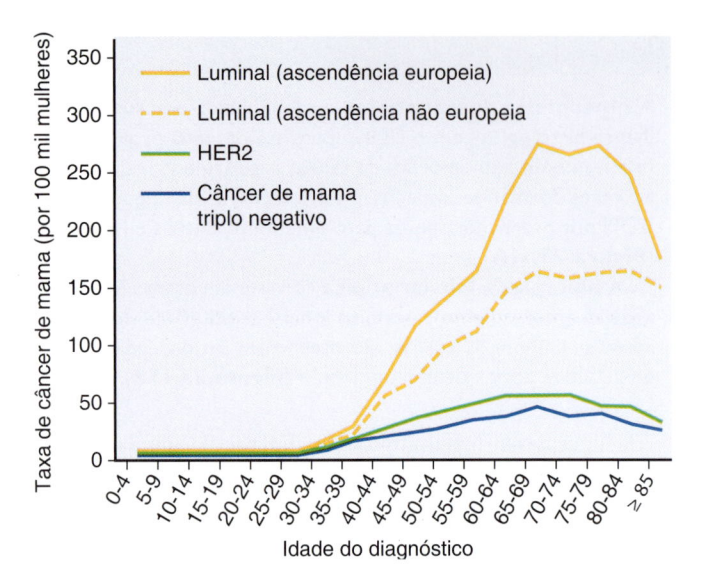

Figura 23.12 Incidência de cânceres de mama luminal (RE-positivo/HER2-negativo), HER2 (HER2-positivo) e triplo negativo (RE-negativo/HER2-negativo) de acordo com a idade. As taxas apresentadas são por 100 mil mulheres. Os cânceres triplo negativos (*linha azul sólida*) e HER2 (*linha verde sólida*) têm uma incidência relativamente constante após os 40 anos. Em contraste, os cânceres luminais apresentam um aumento acentuado de incidência com a idade. Esse aumento é maior para mulheres de ascendência europeia (*linha amarela sólida*) e menos pronunciado para mulheres de outras origens étnicas (africanas, hispânicas e asiáticas) (*linha amarela tracejada*). CMTN, câncer de mama triplo negativo.

Fatores de risco

Os fatores de risco mais importantes são gênero (99% dos afetados são mulheres), idade, exposição ao longo da vida ao estrógeno, herança genética e, em menor medida, fatores ambientais e de estilo de vida (**Tabela 23.2**). Há preocupação (mas nenhuma prova) de que contaminantes ambientais, como pesticidas organoclorados e certos plásticos, tenham efeitos estrogênicos em seres humanos, podendo aumentar o risco de câncer de mama. Os principais fatores que diminuem o risco são a gravidez precoce (antes dos 20 anos) e amamentação prolongada. Acredita-se que as mudanças sociais nesses fatores em países de baixa renda estejam contribuindo para o aumento da incidência de câncer de mama.

Intervenções cirúrgicas e médicas também podem diminuir o risco. A mastectomia profilática bilateral diminui o risco em cerca de 90%. A quimioprevenção usando antagonistas do RE diminui a incidência de cânceres RE-positivos. Essas intervenções são oferecidas principalmente a mulheres com alto risco de desenvolverem câncer de mama.

Classificação molecular e patogênese

Várias abordagens distintas foram usadas para subclassificar o câncer de mama em subtipos clinicamente significativos. Com base no perfil de expressão gênica, os cânceres de mama são agrupados em três grupos principais: "luminal" (predominantemente RE-positivo/HER2-negativo), "HER2-enriquecido" (predominantemente HER2-positivo) e "tipo basal" (predominantemente RE-negativo/HER2-negativo). Como esses subtipos moleculares se correlacionam razoavelmente bem com a expressão proteica de ER e HER2 (**Figura 23.13**), facilmente avaliada por ensaios clínicos padrão, a subtipagem molecular por perfil de expressão não faz parte da rotina de classificação do câncer de mama.

Da mesma forma que outros tipos de câncer, os cânceres de mama se originam de várias vias que envolvem a aquisição gradual de mutações condutoras em células epiteliais. O câncer de mama se desenvolve em um meio hormonal que facilita a mutagênese e o crescimento de clones anormais. A minoria dos carcinomas está associada a mutações da linhagem germinativa em genes do câncer, mas esses casos fornecem informações geralmente importantes sobre a patogênese molecular do câncer de mama; assim, começamos discutindo as neoplasias associadas a uma forte base familiar e, em seguida, descreveremos os cânceres de mama esporádicos.

Patogênese do câncer de mama familiar

Acredita-se que entre um quarto e um terço dos cânceres de mama ocorra devido à herança de um gene ou genes de suscetibilidade. Mutações de um único gene de penetrância moderada a alta ("penetrância" refere-se ao risco de um indivíduo com o gene mutante desenvolver câncer) são responsáveis por 8 a 17% dos carcinomas da mama (**Tabela 23.3**). Considera-se que a hereditariedade também desempenha um papel em mais 15 a 20% das mulheres com base no histórico familiar positivo, definida como um parente de primeiro grau afetado (mãe, irmã ou filha), câncer em múltiplos parentes e cânceres de início precoce. Nessas mulheres, acredita-se que a herança de um único gene de suscetibilidade de baixa penetrância ou combinações de genes que interagem para aumentar o risco seja a culpada.

Tabela 23.2 Fatores de risco para o desenvolvimento do câncer de mama.

Fatores de risco	Risco relativo[a]
Gênero feminino	> 4,0
Idade avançada	
Mutações da linhagem germinativa de alta penetrância	
Histórico familiar forte (> 1 parente de primeiro grau, juventude, múltiplos cânceres)	
Histórico pessoal de câncer de mama	
Alta densidade mamária	
Mutações da linhagem germinativa de penetrância moderada	2,1 a 4,0
Alta dose de radiação no tórax na juventude	
Histórico familiar (1 parente de primeiro grau)	
Menarca precoce (< 12 anos)	1,1 a 2,0
Menopausa tardia (> 55 anos)	
Primeira gravidez tardia (> 35 anos)	
Nuliparidade	
Ausência de amamentação	
Terapia hormonal exógena	
Obesidade pós-menopausa	
Inatividade física	
Alto consumo de álcool	

[a]Risco relativo é a probabilidade de desenvolvimento de um carcinoma invasivo quando comparado a mulheres sem qualquer fator de risco.

Os genes de suscetibilidade de alta penetrância mais importantes para o câncer de mama familiar são genes supressores de tumor que regulam a estabilidade genômica ou estão envolvidos em vias de sinalização que promovem o crescimento (**Tabela 23.3**). O risco é herdado de um modo autossômico dominante e se origina de alelos com mutações de perda de função. Tal como acontece com outros genes supressores de tumor, o desenvolvimento do câncer está associado a mutações com perda de função esporádicas na única cópia normal do gene.

Mutações em *BRCA1* e *BRCA2* são responsáveis por 80 a 90% dos cânceres de mama familiares derivados de um único gene e cerca de 3 a 6% de todos os cânceres de mama. A penetrância, idade do início e suscetibilidade a outros tipos de câncer variam de acordo com a mutação específica em *BRCA1* e *BRCA2* que é herdada, mas a maioria das portadoras desenvolve câncer de mama por volta dos 70 anos. Mutações em *BRCA1* também aumentam significativamente o risco de carcinoma de ovário, que ocorre em 20 a 40% das portadoras. O gene *BRCA2* confere um risco menor de carcinoma de ovário (10 a 20%), mas está associado com mais frequência ao câncer de mama masculino. As portadoras de mutações em *BRCA1* e *BRCA2* também têm maior risco de desenvolver outros cânceres epiteliais, como carcinoma de próstata e pancreático.

BRCA1 (no cromossomo 17q21) e *BRCA2* (no cromossomo 13q12.3) são genes grandes e centenas de diferentes mutações distribuídas por todas as suas regiões codificantes foram associadas ao câncer de mama familiar. A frequência de mutações que aumentam o risco do câncer de mama é de cerca de uma em quatrocentas pessoas na população em geral, e polimorfismos sem consequência são comuns. Como resultado, a testagem genética é complexa e geralmente restrita a indivíduos com forte histórico familiar ou aqueles pertencentes a certos grupos étnicos.

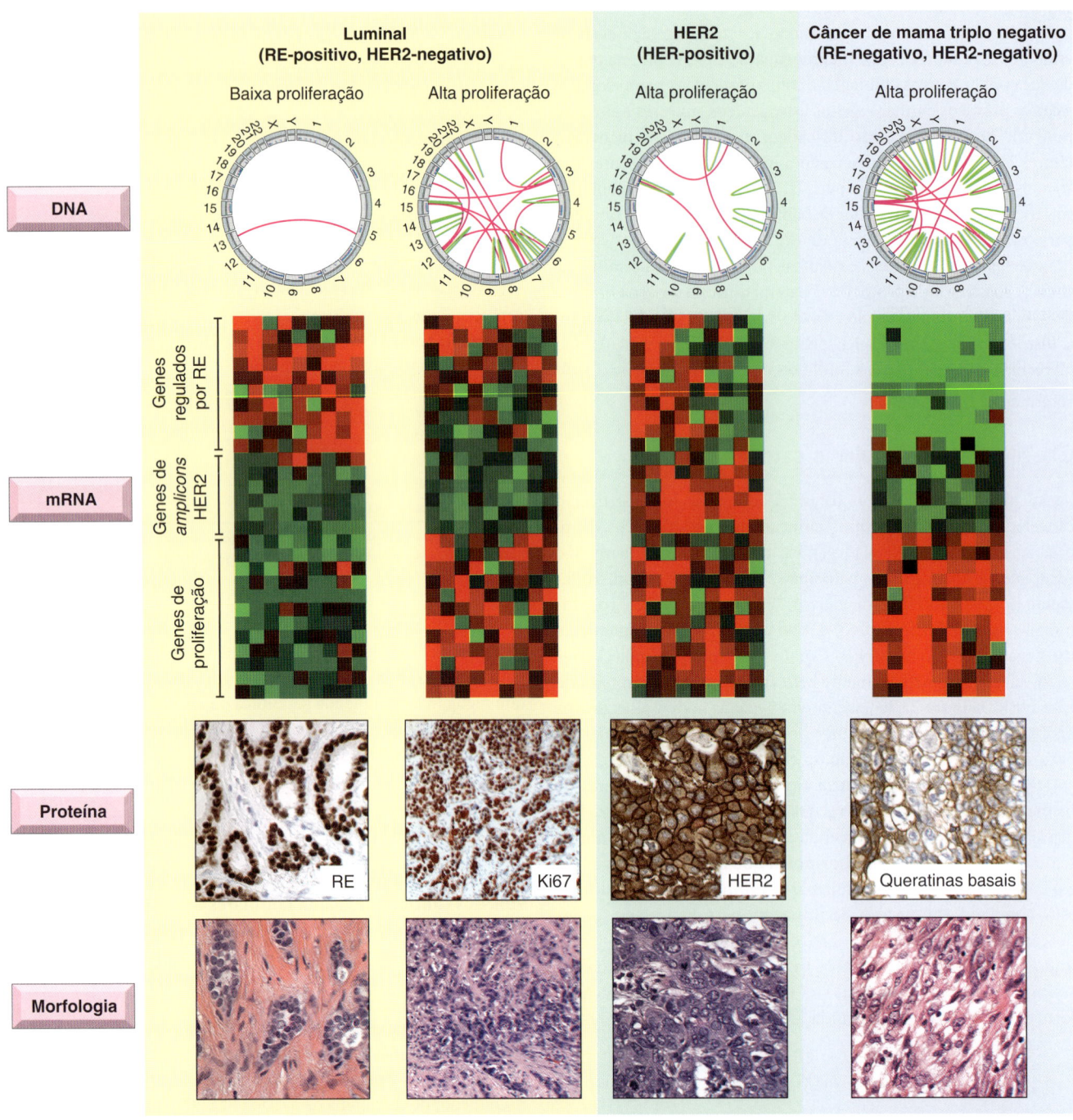

Figura 23.13 Classificação molecular do câncer de mama invasivo. Três grupos principais de câncer de mama são distinguidos por mudanças características no DNA, mRNA, proteína e morfologia. As anormalidades genômicas são mostradas em gráficos de "circos" (ver **Capítulo 7**), que apresentam uma visão rápida de todas as anormalidades genômicas de uma neoplasia específica; essas anormalidades são mapeadas nos cromossomos, que são exibidas na periferia de um círculo. As *alças verdes* mostram rearranjos intracromossômicos, enquanto as *alças vermelhas* mostram rearranjos intercromossômicos. O perfil de expressão gênica (mRNA) avalia os níveis relativos de expressão de mRNA. A cor *vermelha* indica um aumento relativo; *verde*, uma diminuição relativa; e *preto*, nenhuma alteração nos níveis. Os genes são organizados de cima para baixo e as neoplasias da esquerda para a direita. Os estudos imuno-histoquímicos detectam proteínas usando anticorpos específicos visualizados com um cromógeno marrom. Os *cânceres luminais (RE-positivos/HER2-negativos)* são diversos, variando desde cânceres bem diferenciados com baixas taxas de proliferação e poucas alterações cromossômicas até cânceres pouco diferenciados com altas taxas de proliferação e grande número de rearranjos cromossômicos. Todos esses cânceres expressam RE (um fator de transcrição dependente de estrógeno). A proliferação é estimada pela contagem de mitoses ou por coloração para proteínas específicas do ciclo celular, como Ki-67. Os *cânceres HER2-positivos* podem ser RE-positivos ou RE-negativos, mas quando o RE está presente, os níveis são tipicamente baixos. A positividade de HER2 pode ser detectada como um aumento no número de cópias do gene *HER2*, um aumento do mRNA de HER2 ou um aumento na proteína HER2, como mostrado aqui. Os *cânceres de mama triplo negativos (RE-negativo/HER2-negativo; este grupo se sobrepõe amplamente aos carcinomas do "tipo basal", definidos pela expressão de mRNA)* são caracterizados por instabilidade genômica (denotada por inúmeras alterações cromossômicas), uma alta taxa proliferativa e expressão de muitas proteínas típicas de células mioepiteliais (p. ex., queratinas basais).

Por exemplo, nas populações judaicas asquenaze, cerca de 1 em 40 indivíduos carrega uma das três mutações específicas, duas em *BRCA1* e uma em *BRCA2*. A identificação de portadoras é importante, uma vez que o aumento da vigilância, mastectomia profilática e salpingo-ooforectomia podem reduzir a morbidade e mortalidade associadas ao câncer.

Os cânceres de mama associados a *BRCA1* são comumente mal diferenciados, muitas vezes têm características morfológicas típicas (descritas mais adiante) e geralmente caem no subgrupo CMTN. Os carcinomas de mama associados a *BRCA2* também tendem a ser mal diferenciados, porém são mais frequentemente cânceres RE-positivos do que *BRCA1*.

Outros genes supressores de tumor associados a mutações da linhagem germinativa que conferem um alto risco de desenvolver câncer de mama, muitas vezes como parte de síndromes bem descritas, incluem *TP53* (síndrome de Li-Fraumeni), *PTEN* (síndrome de Cowden), *STK11* (síndrome de Peutz-Jeghers), *CDH1* (síndrome do câncer gástrico difuso hereditário) e *PALPB2* (**Tabela 23.3**). Mutações de penetrância moderada (risco de 10 a 30%) ocorrem nos genes supressores de tumor *ATM* (uma causa de ataxia telangiectasia quando mutações em homozigose estão presentes) e *CHEK2*.

A maioria desses genes desempenha papéis complexos e inter-relacionados na manutenção da integridade genômica. Sob circunstâncias normais, células que carregam danos no DNA passam por uma parada do ciclo celular e reparam seu DNA ou morrem por apoptose. O gene *ATM* detecta danos no DNA e "ativa" p53, o chamado guardião do genoma, que tem papel direto na indução da parada do ciclo celular e, caso o reparo do DNA não for bem-sucedido, induz apoptose. Os genes *BRCA1*, *BRCA2* e *CHEK2* têm funções importantes no reparo de quebras do DNA de fita dupla. Se algumas destas funções são prejudicadas, aumenta a probabilidade de dano permanente do DNA, levando a mutações potencialmente oncogênicas que serão passadas às células-filhas.

É um mistério por que o mau funcionamento desses genes, particularmente *BRCA1* e *BRCA2*, está mais fortemente associado ao câncer de mama do que a outros tipos de câncer. BRCA1 e BRCA2 são componentes de um grande complexo de proteínas necessárias para reparar quebras de DNA de fita dupla por meio de um processo denominado *recombinação homóloga*, no qual uma cromátide irmã normal é usada como molde para reparar a quebra do DNA. BRCA1 e BRCA2 são expressos de forma ubíqua, de modo que a ligação com o câncer de mama não pode ser explicada por padrões de expressão gênica tecido-específicos. Uma possibilidade alternativa é que as células epiteliais da mama (e do ovário) podem ser particularmente propensas a sofrer o tipo de dano ao DNA cujo reparo requer BRCA1 e BRCA2. BRCA1 também interage com complexos proteicos que regulam a estrutura da cromatina e têm um papel na transcrição. Além disso, é também possível que seu papel supressor de tumor, pelo menos em parte, envolve funções que são independentes do reparo do DNA.

Tabela 23.3 Mutações gênicas únicas mais comuns associadas à suscetibilidade hereditária ao câncer de mama.

Gene (síndrome)	% de cânceres de gene único[a]	Risco de câncer de mama aos 70 anos[b]	Outros cânceres	Comentários
Mutações da linhagem germinativa de alta penetrância (aumento do risco > 4 vezes; 3 a 7% dos cânceres de mama)				
BRCA1 (câncer de mama e ovário familiar)	cerca de 55%	cerca de 40 a 90%, mulheres; 1%, homens	Ovariano (cerca de 20 a 40%), tubas uterinas, pâncreas, próstata, outros	Maioria dos cânceres são CMTN
BRCA2 (câncer de mama e ovário familiar)	cerca de 35%	cerca de 30 a 60%, mulheres; 6% homens	Ovariano (cerca de 10 a 20%), pâncreas, próstata, outros	Maioria dos cânceres são RE-positivos. Mutações bialélicas causam uma forma de anemia de Fanconi
TP53 (Li-Fraumeni)	< 1%	cerca de 50 a 60%, mulheres; 1% homens	Sarcoma, leucemia, neoplasias cerebrais, outros	Maioria dos cânceres são RE e HER2-positivos
PTEN (Cowden)	< 1%	cerca de 20 a 80%, mulheres; 1% homens	Tireoide, endométrio, outros	Também associado a neoplasias benignas
STK11 (Peutz-Jeghers)	< 1%	cerca de 40 a 60%, mulheres	Ovariano, cólon, pâncreas, outros	Também associado a pólipos de cólon benignos
CDH1 (câncer gástrico difuso hereditário)	< 1%	cerca de 50%, mulheres	Carcinoma gástrico de células em anel de sinete, cólon	Maioria dos cânceres são do tipo lobular
PALPB2 (câncer de mama hereditário)	< 1%	cerca de 30 a 60%, mulheres; 1% homens	Pâncreas, próstata	Mutações bialélicas causam uma forma de anemia de Fanconi
Mutações da linhagem germinativa de moderada penetrância (aumento do risco entre 2 e 4 vezes; 5 a 10% dos cânceres de mama)				
ATM (ataxia-telangiectasia)	cerca de 5%	cerca de 15 a 30%, mulheres		Mutações bialélicas causam ataxia-telangiectasia
CHEK2 (câncer de mama hereditário)	cerca de 5%	cerca de 10 a 30%, mulheres	Próstata, tireoide, cólon, rim	Maioria dos cânceres são RE-positivos

[a]A porcentagem de todos os cânceres de mama que estão associados à mutação da linhagem germinativa que conferem risco aumentado de câncer de mama.
[b]Risco para pacientes particulares podem variar com a mutação específica e a presença de outras mutações gênicas.
CMTN, câncer de mama tripo negativo; RE, receptor de estrógeno.

Patogênese do câncer de mama esporádico

Tal como acontece com outras formas de carcinoma, foram identificadas múltiplas vias que resultam em diferentes tipos de carcinoma de mama. Conforme demonstrado por cânceres hereditários, a mutação que inicia o processo parece influenciar fortemente o fenótipo do câncer que finalmente se desenvolve, da mesma forma que o tipo celular específico em que ocorre o evento inicial. As vias que levam aos três principais tipos moleculares de carcinoma de mama, bem como as características biológicas desses tipos relacionadas à resposta ao tratamento, recorrência, padrão metastático e a sobrevivência, estão resumidas na **Figura 23.14** e **Tabela 23.4** e são descritas a seguir.

Os cânceres luminais (RE-positivo/HER2-negativo) se originam da via dominante de desenvolvimento do câncer de mama, constituindo 50 a 65% dos casos. Pelo perfil de expressão gênica, os cânceres RE-positivos se enquadram no subgrupo "luminal", um padrão de expressão gênica dominado por um grande número de genes que são regulados pelo estrógeno. O câncer de mama luminal tem o espectro mais amplo de graus histológicos e taxas de proliferação entre os três tipos moleculares. Cânceres com alta expressão de RE geralmente também expressam altos níveis de RP, que é regulado positivamente por estrógeno e RE; tais neoplasias RE-positivas/RP-positivas são geralmente bem diferenciadas e de crescimento lento. Em contraste, os carcinomas com baixa expressão de RE e ausência de RP tendem a estar na outra extremidade do espectro, já que eles são tipicamente mal diferenciados e têm uma alta taxa de proliferação.

O principal fator de risco do câncer de mama luminal é a exposição ao estrógeno (**Tabela 23.2**), que pode promover o desenvolvimento de câncer por meio de vários mecanismos. O estrógeno aumenta a produção local de fatores de crescimento, como o fator de transformação do crescimento α, fator de crescimento derivado de plaquetas e fator de crescimento de fibroblastos, além de regular a expressão de dezenas de genes em células epiteliais da mama que pode contribuir diretamente para o crescimento e desenvolvimento da neoplasia. A exposição ao estrógeno também estimula a proliferação de células epiteliais da mama durante a puberdade, ciclos menstruais e gravidez, aumentando assim o número de células que estão "em risco" de transformação. A replicação do DNA que ocorre durante a proliferação celular é propícia ao acúmulo de mutações, e o intervalo na divisão celular que ocorre durante a última parte do ciclo menstrual pode dar tempo para ocorrer o reparo do DNA defeituoso e para as mutações se "fixarem" no genoma. A repetição deste processo durante cada ciclo pode ser o fator subjacente à associação entre o número cumulativo de ciclos menstruais que uma mulher experiencia e seu risco de desenvolver câncer de mama, bem como a forte associação entre cânceres luminais e idade (**Figura 23.12**). Uma medida clara da importância do estrógeno é encontrada nos benefícios terapêuticos dos antagonistas de estrógeno, que reduzem o desenvolvimento de cânceres luminais em mulheres com alto risco, e o aumento da incidência desses cânceres em mulheres tratadas com terapia hormonal pós-menopausa.

Assim que uma população clonal de células RE-positivas mutadas surge, o estrógeno também pode aumentar a transformação de tais lesões precursoras para cânceres totalmente malignos. Lesões precursoras RE-positivas incluem atipia epitelial plana e hiperplasia ductal e lobular atípica, que podem estar associados a alterações genômicas encontradas em carcinomas invasivos, incluindo ganhos do cromossomo 1q, perdas do cromossomo 16q e mutações

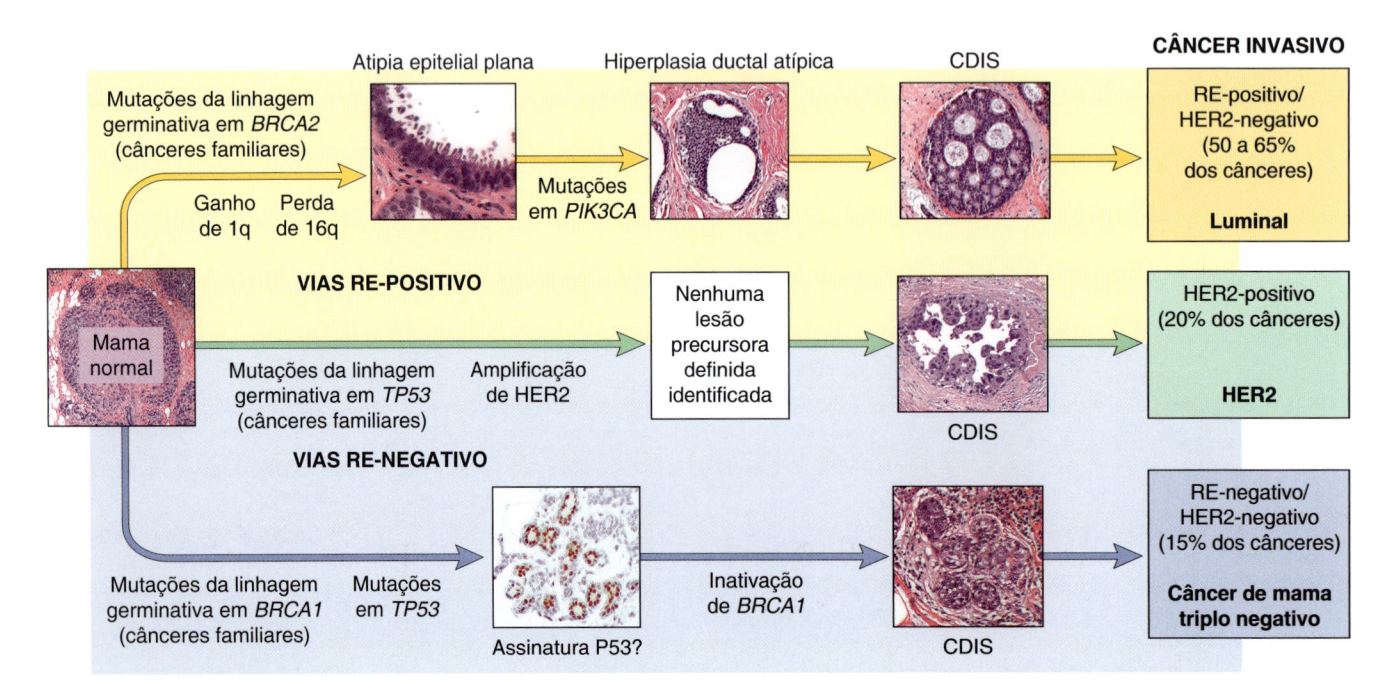

Figura 23.14 Principais vias de desenvolvimento do câncer de mama. Três vias principais foram identificadas. A via mais comum (*seta amarela*) leva aos carcinomas luminais (RE-positivos). Lesões precursoras reconhecíveis não obrigatórias incluem atipia epitelial plana e hiperplasia atípica. Uma via menos comum (*seta azul*) leva ao câncer de mama triplo negativo (RE-negativo/HER2-negativo). Uma possível lesão precursora consistindo em células morfologicamente normais que superexpressam p53 foi identificada (análoga às "lesões de assinatura p53" para carcinoma de ovário). A terceira via (*seta verde*) consiste em cânceres HER2-positivos. A amplificação de HER2 pode ocorrer em lesões RE-positivas ou RE-negativas. Uma lesão precursora HER2-positiva definitiva não foi identificada. Ver texto para outros detalhes. *CDIS*, carcinoma ductal *in situ*.

Tabela 23.4 Subtipos moleculares de câncer de mama invasivo.

Características definidoras	Luminal (RE-positivo/HER2-negativo)		HER2 (HER2-positivo)	CMTN (RE-negativo/HER2-negativo)[a]
Porcentagem dos cânceres de mama	Cerca de 40 a 55% (proliferação baixa a moderada)	Cerca de 10% (alta proliferação)	Cerca de 20%	Cerca de 15%
Grupo mais semelhante definido pelo perfil de mRNA[b]	Luminal A	Luminal B	HER2-enriquecido (RE-negativo), luminal B (RE-positivo)	Tipo basal
Mutações gênicas mais comuns	*PIK3CA* (45%), *TP53* (12%)	*PIK3CA* (29%), *TP53* (29%)	*PIK3CA* (39%), *TP53* (70 a 80%)	*PIK3CA* (9%), *TP53* (70 a 80%)
Tipos histológicos especiais típicos	Tubular, lobular de grau 1 ou 2, mucinoso, papilífero	Lobular de grau 3	Alguns apócrinos, alguns micropapilíferos	Características medulares, metaplásicos[c]
Grupo típico de pacientes	Mulheres mais velhas, homens, cânceres detectados por triagem mamográfica	Portadores de mutações em *BRCA2*	Mulheres jovens, portadores de mutação em *TP53* (RE-positivo)	Mulheres jovens, mulheres de descendência africana, portadores de mutação em *BRCA1*
Resposta completa à quimioterapia	< 10%	Cerca de 10%	RE-positivo cerca de 15%; RE negativo 30 a 60%	Cerca de 30%
Padrão metastático	Ossos (70%), mais comum do que vísceras (25%) ou cérebro (< 10%)	Ossos (80%), mais comum do que vísceras (30%) ou cérebro (10%)	Ossos (70%), vísceras (45%) e cérebro (30%), todos são comuns	Ossos (40%), vísceras (35%) e cérebro (25%), todos são comuns
Padrão da recidiva	Baixa taxa ao longo de muitos anos, longa sobrevivência possível com metástases ósseas	Pico precoce em < 10 anos, recorrência tardia possível	Bimodal, com picos precoces e tardios (10 anos)	Pico precoce em < 8 anos, recorrência tardia rara, sobrevivência com metástases rara

[a]CMTN não expressa RE, receptor de progesterona e HER2.
[b]Os três maiores grupos de câncer identificados por expressão proteica ou perfil de mRNA largamente se sobrepõem, mas não são idênticos. "Luminal B" pode se referir a cânceres RE-positivos com alta proliferação, com ou sem expressão de HER2.
[c]Alguns tipos histológicos especiais raros têm um prognóstico mais favorável do que esse grupo como um todo (p. ex., carcinoma adenoide cístico, carcinoma secretor, carcinoma adenoescamoso de baixo grau).
CMTN, câncer de mama tripo negativo; mRNA, RNA mensageiro; RE, receptor de estrógeno.

ativadoras em *PIK3CA*, o gene que codifica fosfoinositídeo-3 quinase (PI3K). Você deve recordar que PI3K é um componente importante das vias de sinalização *downstream* dos receptores de fatores de crescimento (ver **Capítulo 7**). Todos esses fatores são considerados os primeiros precursores reconhecíveis dos cânceres de mama luminais. Deve-se enfatizar, no entanto, que poucas dessas lesões progridem para malignidade, provavelmente porque múltiplos eventos adicionais são necessários antes que as células adquiram todas as características do câncer.

As lesões precursoras anteriormente mencionadas estão principalmente associadas ao desenvolvimento de cânceres luminais com baixas frações de crescimento e comportamento clínico indolente; com base no perfil de expressão gênica, tais neoplasias pertencem ao subgrupo "luminal A" (**Figura 23.13**). Mais agressivos, os cânceres luminais de alto grau também ocorrem e se agrupam dentro do subgrupo "luminal B", definido por altos níveis de expressão de genes associados à proliferação. Essas formas agressivas de câncer luminal compartilham algumas alterações genômicas com carcinomas de baixo grau, mas tendem a apresentar uma maior carga de aberrações cromossômicas. Além disso, essas formas às vezes se originam de cânceres luminais de baixo grau que adquirem mutações em genes que regulam a estabilidade genômica, como *TP53*, e também frequentemente ocorrem em pacientes portadores de mutações da linha germinativa em *BRCA2*.

Os cânceres detectados por triagem mamográfica são geralmente pequenos cânceres luminais limitados à mama (**Tabela 23.4**). Esses cânceres costumam responder bem por muitos anos à terapia antiestrogênica e têm um prognóstico mais favorável do que os outros tipos de câncer de mama. A taxa de recorrência é baixa e mesmo quando esses carcinomas sofrem metástase (a maioria das vezes para os ossos), muitas vezes podem ser mantidos sob controle por uma década ou mais por meio do tratamento com antiestrógenos (**Figura 23.15**). Em contraste, a quimioterapia citotóxica oferece poucos benefícios, particularmente no tratamento do câncer "luminal A" com baixas frações de crescimento. Alguns cânceres luminais eventualmente escapam da dependência de estrógeno por meio de vários mecanismos, incluindo o crescimento de clones que perdem a expressão de RE, alterações compensatórias nas vias de sinalização de fatores de crescimento relacionados, ou aquisição de mutações no gene do RE (*ESR1*) que levam à função estrógeno-independente do RE.

Os cânceres HER2-positivos surgem por meio de uma via que está fortemente associada à amplificação do gene *HER2* no cromossomo 17q. HER2 (também conhecido como ERBB2) é uma tirosinoquinase receptora que promove proliferação celular e bloqueia apoptose por estimulação das vias de sinalização RAS- e PI3K-AKT caminhos. Os cânceres com amplificação de *HER2* constituem aproximadamente 20% de todos os cânceres de mama e podem ser tanto RE-positivos quanto RE-negativos. Este é o subtipo mais comum de câncer de mama em pacientes com mutações da linhagem germinativas em *TP53* (síndrome de Li-Fraumeni).

O único mecanismo molecular comum para superexpressão de *HER2* é a amplificação gênica, encontrada em > 95% dos carcinomas HER2-positivos. O tamanho do *amplicon* varia e

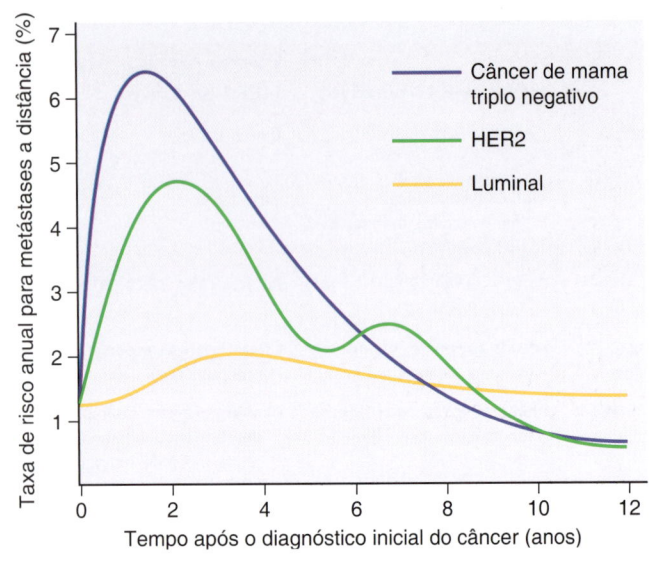

Figura 23.15 Cada grupo molecular de câncer de mama tem padrões característicos de recorrência ao longo do tempo. Os cânceres luminais (RE-positivos) têm a menor taxa de recorrência nos primeiros 10 anos, mas as recorrências continuam com uma taxa constante por um longo período. Em contraste, quase todas as recorrências do câncer de mama triplo negativo (RE-negativo/HER2-negativo) ocorrem nos primeiros 8 anos. As recorrências após esse período são raras. Os cânceres HER-2-positivos apresentam um padrão misto, com picos precoce e tardio. Embora ainda não totalmente explicado, um pico tardio pode ser devido à resistência adquirida à terapia dirigida ou à seleção de populações celulares neoplásicas HER2-negativas.

normalmente inclui pelo menos 10 genes adjacentes, alguns dos quais podem cooperar com HER2 para promover crescimento neoplásico. Além disso, esses cânceres caracteristicamente apresentam rearranjos intercromossômicos complexos e uma alta carga mutacional. O perfil de expressão gênica de cânceres HER2 é dominado por transcritos codificados por *HER2*, genes coamplificados, genes envolvidos em vias de sinalização pró-crescimento e proliferação. A variação na expressão gênica entre cânceres HER2 é amplamente baseada em seu estado RE e diferentes níveis de expressão de genes regulados pelo RE.

Clinicamente, os carcinomas HER2 são diagnosticados pela detecção da superexpressão de HER2 por imuno-histoquímica ou amplificação do gene *HER2* por hibridização *in situ* (**Figura 23.16**). Antes da implementação da terapia direcionada a HER2, os cânceres HER2-positivos tinham um prognóstico clínico ruim. No entanto, mais da metade das pacientes com carcinomas HER2 têm remissões quando tratadas com anticorpos que se ligam e bloqueiam a atividade de HER2; tais pacientes têm um prognóstico excelente (**Tabela 23.4**). A notável eficácia desta forma de terapia comprova a importância de HER2 como um "condutor" oncogênico. No entanto, nem todos os carcinomas HER2-positivos respondem à terapia direcionada, e alguns que respondem inicialmente tornam-se resistentes (**Figura 23.15**). Múltiplos mecanismos de resistência aos antagonistas de HER2 foram definidos em cânceres, e inúmeros agentes terapêuticos estão sob investigação em um esforço para melhorar a resposta e superar a resistência.

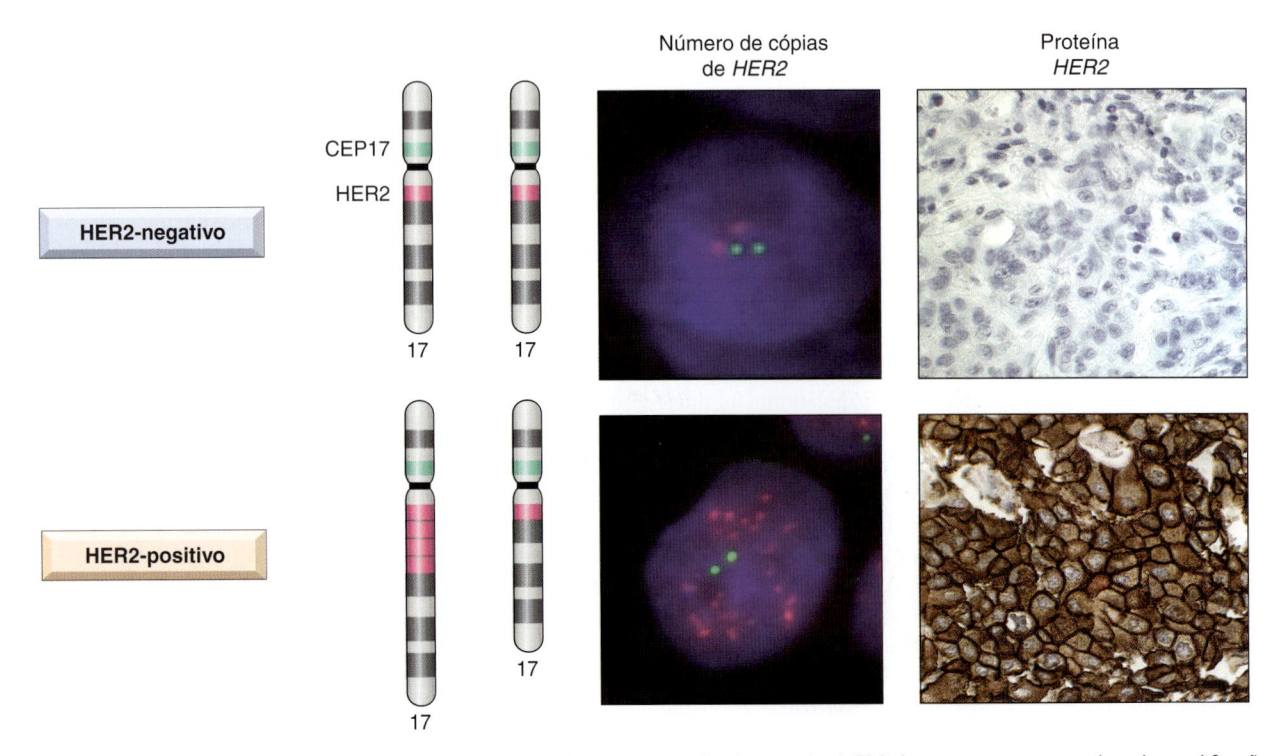

Figura 23.16 Identificação do câncer de mama HER2-positivo. A superexpressão da proteína HER2 é quase sempre causada pela amplificação da região do cromossomo 17q que contém o gene *HER2*. O aumento do número de cópias do gene *HER2* é detectado por hibridização de fluorescência *in situ* usando uma sonda específica para *HER2* (sinal vermelho), que normalmente é coibridizada para núcleos de células neoplásicas com uma segunda sonda específica para a região centromérica do cromossomo 17 (sinal verde), permitindo que o número de cópias do cromossomo 17 seja determinado. Alternativamente, a superexpressão da proteína HER2 em células neoplásicas pode ser detectada por coloração imuno-histoquímica, com anticorpos específicos para HER.

Os CMTNs surgem por meio de uma via estrógeno-independente que não está associada à amplificação do gene *HER2*. Os CMTNs compreendem cerca de 15% dos cânceres de mama e têm um perfil de expressão gênica "basal-símile", assim chamada porque muitos dos genes que compõem esta assinatura são normalmente expressos em células mioepiteliais localizadas basalmente. Uma possível lesão precursora foi identificada e consiste em células epiteliais lobulares RE-negativas e p53-positivas, esta última sendo uma característica que se correlaciona com a presença de mutações em *TP53*. Essas lesões se assemelham ao carcinoma intraepitelial tubário seroso, o provável precursor do carcinoma seroso que é observado nas tubas uterinas de mulheres portadoras de mutações da linhagem germinativa em *BRCA1* (ver **Capítulo 22**). Como pode ser esperado com base nesta semelhança, o CMTN também está associado a mutações da linha germinativa em *BRCA1*.

O CMTN também compartilha outras características genéticas com o carcinoma seroso de ovário. Ambos são caracterizados por instabilidade genômica marcante devido a defeitos no reparo do DNA por recombinação homóloga, que se manifesta como alterações numéricas de cópia complexas e rearranjos cromossômicos. No câncer de mama familiar, este defeito está frequentemente relacionado a mutações da linhagem germinativa em *BRCA1* e *BRCA2*. As mutações em *BRCA1* são raras em CMTN esporádicos, mas *BRCA1* é frequentemente silenciado por mecanismos epigenéticos e perda alélica. O único gene que sofre mutação na maioria desses cânceres é *TP53*; presumivelmente, outros genes que contribuem para o fenótipo maligno estão desregulados pela variação do número de cópias ou rearranjos gênicos.

Comparado aos cânceres luminais, o CMTN se apresenta mais frequentemente como uma massa palpável e tem menor probabilidade de ser detectado por rastreamento mamográfico (**Tabela 23.4**). A terapia citotóxica combinada a agentes seletivamente ativos contra cânceres com recombinação homóloga defeituosa resulta em respostas completas ou quase completas em cerca de um terço dos casos. Os cânceres que recrudescem geralmente o fazem nos primeiros 8 anos após o diagnóstico (**Figura 23.15**). As metástases muitas vezes ocorrem em sítios viscerais e no cérebro, frequentemente resultando em morte. Pacientes que sobrevivem 10 anos estão provavelmente curados, pois as recorrências tardias são incomuns. O desenvolvimento de tratamentos mais eficazes para este subtipo de câncer de mama tem sido desafiador, uma vez que alvos óbvios para os fármacos (como RE ou HER2) estão ausentes. Além disso, a instabilidade genômica dessas neoplasias causa uma profunda heterogeneidade genética, aumentando a probabilidade de surgimento de subclones mais agressivos e resistentes à terapia. No entanto, a instabilidade genômica também pode levar à expressão de neoantígenos neoplásicos, e uma abordagem promissora do CMTN é o uso de inibidores de pontos de controle imunes (ver **Capítulo 7**), que estão sob avaliação em vários testes clínicos.

Finalmente, pode-se dizer que assim como outros carcinomas que se iniciam como lesões *in situ*, não está claro o que direciona a transição de qualquer um dos subtipos moleculares de câncer de mama desde lesões *in situ* até cânceres invasivos potencialmente letais. A manutenção da membrana basal depende da interação entre células luminais, células mioepiteliais e células estromais no microambiente local. A maioria das alterações genômicas observadas no carcinoma invasivo também já estão presentes no carcinoma *in situ*, incluindo grandes mutações condutoras. Além disso, alterações genômicas específicas do carcinoma invasivo não foram identificadas, sugerindo que a invasão pode depender de mudanças nas células estromais em vez das células neoplásicas. Por exemplo, em alguns cânceres *in situ*, as células mioepiteliais estão mal localizadas e reduzidas em número, e a membrana basal associada é fina e apresenta lacunas. Tais alterações podem definir o terreno para a invasão do estroma pelas células do câncer de mama. A invasão estromal também pode expor as células cancerosas à vigilância imunológica aumentada do hospedeiro. Também é possível que as alterações que permitam as células cancerosas escaparem da resposta imune do hospedeiro sejam necessárias antes que a invasão efetiva possa acontecer.

Com essas informações de pano de fundo, passamos a discutir sobre a patologia do câncer de mama.

> ### Conceitos-chave
> #### Carcinoma mamário
> - O câncer de mama é a malignidade não cutânea mais comum entre mulheres e a segunda causa mais comum de mortes por câncer nos EUA
> - Os fatores de risco mais importantes para cânceres esporádicos em mulheres são a estimulação estrogênica e idade
> - Aproximadamente um quarto a um terço dos cânceres de mama são familiares, estando relacionados à herança de variantes genéticas que aumentam o risco de desenvolver câncer de mama
> - Genes de alto risco associados ao câncer de mama familiar incluem vários genes envolvidos no reparo de DNA e na estabilidade genômica, principalmente *BRCA1*, *BRCA2* e *TP53*
> - Os cânceres de mama agrupam-se em três grupos moleculares principais: luminais (RE-positivo), HER2 e triplo negativo, cada qual com características biológicas e clínicas distintas
> - Os cânceres luminais são adicionalmente divididos em dois grupos, A e B, que diferem principalmente em termos de proliferação, que é baixa no grupo A e alta no grupo B
> - Os cânceres HER2 são definidos pela superexpressão do receptor de HER2, geralmente devido à amplificação do gene *HER2*, e respondem bem aos inibidores de HER2
> - Os CMTNs não expressam RE e HER2, estão frequentemente associados a defeitos no reparo de DNA ou estabilidade genômica (p. ex., devido ao silenciamento de *BRCA1* ou mutação em *TP53*) e apresentam um prognóstico relativamente negativo.

Tipos de carcinomas mamários

Quase todas as doenças malignas da mama são adenocarcinomas. Os termos *ductal* e *lobular* ainda são usados para descrever subconjuntos de carcinomas *in situ* e invasivos, mas a maior parte das evidências sugere que todos os carcinomas de mama surgem de células da unidade lobular do ducto terminal. O carcinoma *in situ* foi originalmente classificado como carcinoma ductal *in situ* (CDIS) ou carcinoma lobular *in situ* (CLIS) baseado na semelhança dos espaços envolvidos com ductos ou lóbulos normais. Entretanto, agora se sabe que esses padrões de crescimento não estão relacionados à célula de origem, mas refletem as diferenças na genética e biologia das células neoplásicas. Pela convenção atual, o termo "lobular" se refere a carcinomas invasivos que são biologicamente relacionados ao CLIS, enquanto o termo "ductal" é usado de forma mais geral para adenocarcinomas que não podem ser classificados como um tipo histológico especial.

Carcinoma in situ

Carcinoma *in situ* (literalmente, "carcinoma em seu lugar original") refere-se a células cancerosas confinadas dentro de ductos e lóbulos por uma membrana basal. Este tipo de câncer não tem capacidade de sofrer metástase, pois sua localização impede o acesso aos vasos sanguíneos e linfáticos. Já que muitas, senão todas, as alterações encontradas em carcinomas invasivos também são encontradas nessas lesões, o carcinoma *in situ* é uma descrição apropriada.

***Carcinoma ductal* in situ.** O CDIS é uma proliferação clonal de células epiteliais limitadas a ductos e lóbulos pela membrana basal. As células mioepiteliais estão preservadas nos ductos/lóbulos envolvidos, embora possam estar diminuídas em número. O CDIS pode se espalhar por todo o sistema ductal e produzir lesões extensas envolvendo todo o setor de uma mama.

O CDIS é quase sempre detectado por mamografia. Sem a mamografia, menos de 5% dos carcinomas detectados são lesões *in situ*, mas essa proporção sobe para 15 a 30% em populações que passam pela triagem. A maioria é identificada como resultado de calcificações associadas a material secretor ou necrose; menos comumente, a fibrose periductal em torno do CDIS resulta em uma densidade mamográfica ou cria uma massa vagamente palpável. Raramente, o CDIS (frequentemente do tipo micropapilífero ou papilífero) produz descarga papilar ou é detectado como um achado incidental na biopsia de outra lesão.

Morfologia

O CDIS cresce em vários padrões arquitetônicos, que variam em grau nuclear, além da presença e extensão de necrose (**Figura 23.17**). Alguns casos de CDIS têm um único padrão de crescimento, mas a maioria é composta de uma mistura de padrões. O **DCIS do tipo comedo (comedocarcinoma)** pode ocasionalmente produzir uma nodularidade vaga, embora com frequência seja detectado como áreas de calcificação agrupadas ou lineares e ramificadas (**Figura 23.17A**). Esta lesão é definida por duas características: (1) células neoplásicas com núcleos pleomórficos de "alto grau" e (2) áreas de necrose central (**Figura 23.17B**). O **CDIS cribriforme** apresenta espaços arredondados (como um cortador de biscoitos), frequentemente preenchidos por material secretório calcificado (**Figura 23.17C**). O **CDIS micropapilífero** produz protusões bulbosas complexas sem eixos fibrovasculares (**Figura 23.17D**). O **CDIS papilífero** produz papilas verdadeiras com eixos fibrovasculares que não apresentam uma camada de células mioepiteliais. Graus variados de necrose podem estar associados a cada padrão arquitetural, bem como calcificações, que se desenvolvem em associação com secreções intraluminais ou necrose.

A **doença de Paget** do mamilo é uma manifestação rara do câncer de mama (1 a 4% dos casos) que se apresenta como uma erupção eritematosa unilateral com crosta escamosa. Prurido é comum e a lesão pode ser confundida com eczema. Células malignas (células de Paget) se estendem do CDIS dentro do sistema ductal, via seios lactíferos, para a pele do mamilo, sem atravessar a membrana basal (**Figura 23.18**). As células neoplásicas rompem a barreira epitelial normal, permitindo que o líquido extracelular se infiltre para a superfície do mamilo. As células de Paget são facilmente detectadas por biopsia do mamilo ou preparações citológicas do exsudato.

Uma massa palpável está presente em 50 a 60% das mulheres com doença de Paget, e quase todas essas massas se confirmam como carcinomas invasivos. Os carcinomas são geralmente RE-negativos e superexpressam HER2. Em contraste, a maioria das mulheres sem uma massa palpável tem apenas CDIS. O prognóstico depende das características do carcinoma subjacente e não é afetado pela presença ou ausência de doença de Paget.

Características clínicas

A história natural do CDIS tem sido difícil de determinar porque, no passado, todas as mulheres eram tratadas com mastectomia, e a prática atual de excisão cirúrgica, geralmente seguida por radiação, é amplamente curativa. Se não tratadas, as mulheres com CDIS pequenos e de baixo grau desenvolvem câncer invasivo a uma taxa de cerca de 1% ao ano. Quando o câncer invasivo se desenvolve no mesmo quadrante da mama, tende a ter um grau semelhante e padrão de expressão de ER e HER2 do CDIS associado. Acredita-se que pacientes com CDIS de alto grau ou extenso têm maior risco de progressão para um carcinoma invasivo.

Notavelmente, a taxa geral de mortalidade de mulheres com CDIS é mais baixa do que para as mulheres na população como um todo, possivelmente porque a triagem mamográfica é um "marcador" de melhor acesso a cuidados médicos ou outros fatores socioeconômicos associados à longevidade. A morte por câncer de mama metastático após um diagnóstico de CDIS ocorre em 1 a 3% das mulheres. A origem da doença metastática pode ser um carcinoma invasivo subsequente da mama homolateral ou contralateral, ou focos ocultos de invasão que não foram detectados no momento do diagnóstico de CDIS.

A mastectomia é curativa em mais de 95% das mulheres. A conservação da mama é apropriada para a maioria das mulheres, mas gera um risco ligeiramente maior de recorrência – cerca de metade dos quais são DCIS e a outra metade carcinoma invasivo. Os principais fatores de risco para recorrência são (1) alto grau nuclear e necrose, (2) extensão da doença e (3) margens cirúrgicas positivas. Garantir a excisão completa do CDIS não é simples, uma vez que sua distribuição na mama não é prevista de forma confiável pelo imageamento, além de em geral não ser macroscopicamente evidente na cirurgia. Radioterapia pós-operatória e tamoxifeno também reduzem o risco de recorrência; tais tratamentos são reservados para casos considerados particularmente de alto risco de recorrência. Ensaios clínicos para identificar os pacientes que podem ser submetidos a observação com segurança em vez de tratamento estão em andamento.

***Carcinoma lobular* in situ.** O CLIS é uma proliferação clonal de células dentro de ductos e lóbulos que crescem de maneira não coesa. É quase sempre um achado incidental da biopsia, uma vez que raramente está associado a calcificações ou reações estromais que produzem densidades mamográficas. Como resultado, a incidência de CLIS (1 a 6% de todos os carcinomas) foi inalterado pela introdução da triagem mamográfica. Quando ambas as mamas são biopsiadas, o CLIS é bilateral em 20 a 40% dos casos em comparação com 10 a 20% dos casos de CDIS.

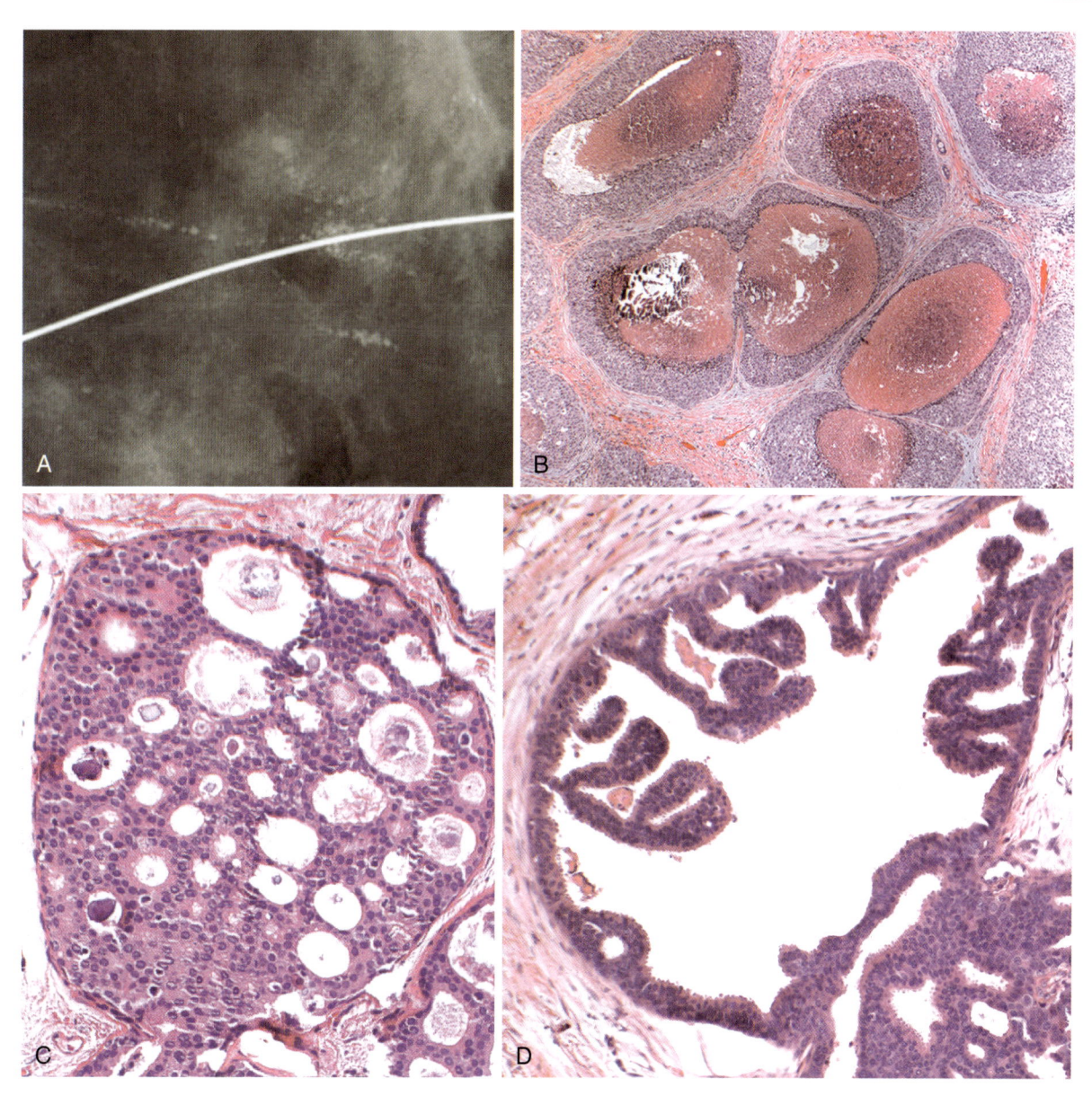

Figura 23.17 Carcinoma ductal *in situ* (CDIS). **A** e **B**. Tipo comedo. **A.** A radiografia do espécime revela calcificações lineares e ramificadas dentro do sistema ductal. **B.** Proliferação de alto grau associada a grandes zonas centrais de necrose e calcificações preenche vários ductos. **C.** CDIS cribriforme. Note os espaços redondos e regulares ("cortador de biscoitos") contendo material secretor calcificante. **D.** CDIS micropapilífero. As projeções papilares não têm núcleos fibrovasculares.

As células da hiperplasia lobular atípica, CLIS e carcinoma lobular invasivo são morfologicamente idênticas. A perda de adesão celular observada é geralmente resultado da disfunção de E-caderina, uma proteína transmembrana que contribui para a coesão das células epiteliais normais da mama e outros tecidos glandulares. A E-caderina funciona como uma proteína supressora de tumor em tais tecidos e pode ser perdida em proliferações neoplásicas por meio de uma variedade de mecanismos, incluindo mutação do gene da caderina-E (*CDH1*). Em casos raros, há desregulação de outras proteínas, como as cateninas, que também são necessárias para a coesão celular mediada por E-caderina. O CLIS associado ao carcinoma invasivo compartilha as mesmas mutações e, portanto, em alguns casos é uma verdadeira lesão precursora.

Morfologia

Classicamente, o CLIS consiste em uma população uniforme de células com núcleos ovais ou redondos e pequenos nucléolos envolvendo ductos e lóbulos (**Figura 23.19A**). Células em anel de sinete positivas para mucina estão comumente presentes. A falta de E-caderina resulta em uma forma arredondada sem fixação às células adjacentes (**Figura 23.19B**). A disseminação pagetoide, definida pela presença de células neoplásicas entre a membrana basal e as células luminais sobrepostas, é comumente observada em ductos mamários, embora a doença de Paget (envolvimento da pele do mamilo) não ocorra. Necrose e atividade secretora não são observadas e, portanto, calcificações estão ausentes. O CLIS quase sempre expressa RE e RP e é HER2-negativo.

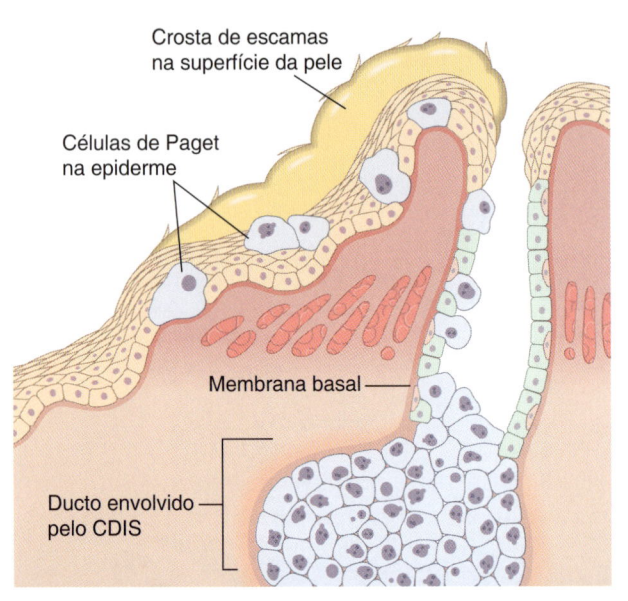

Figura 23.18 Doença de Paget do mamilo. O carcinoma ductal *in situ* (*CDIS*) que surge dentro do sistema ductal da mama pode se estender até os ductos lactíferos e para dentro da pele do mamilo sem cruzar a membrana basal. As células malignas rompem a barreira de células epiteliais escamosas, normalmente firme, permitindo que o líquido extracelular extravase e forme uma crosta escamosa exsudativa.

O CLIS é um fator de risco para o desenvolvimento de carcinoma invasivo em qualquer uma das mamas, com um risco ligeiramente maior para a mama homolateral. O carcinoma invasivo se desenvolve a uma taxa de cerca de 1% por ano, semelhante a observada para o CDIS não tratado. No entanto, ao contrário do CDIS, não está claro se a remoção cirúrgica da lesão identificada diminui o risco. Carcinomas invasivos que se desenvolvem em mulheres após diagnóstico de CLIS têm três vezes mais chances de serem carcinomas lobulares; no entanto, a maioria é de outras morfologias. As opções de tratamento incluem mastectomia bilateral profilática, tamoxifeno ou, mais tipicamente, acompanhamento clínico próximo e triagem mamográfica.

Carcinoma invasivo (infiltrante)

O carcinoma mamário tem uma ampla variedade de aparências morfológicas. Cerca de um terço pode ser classificado em tipos histológicos especiais que merecem discussão porque têm associações biológicas e clínicas importantes. Primeiro cobriremos os carcinomas infiltrantes de "tipo não especial" (carcinomas ductais típicos) e então discutiremos aqueles que se enquadram em categorias especiais.

Morfologia

Os cânceres de mama invasivos são, em sua maioria, adenocarcinomas ductais que não recebem classificação adicional em nenhum tipo especial. Na falta de triagem mamográfica, esses carcinomas geralmente se apresentam como uma massa de pelo menos 2 a 3 cm de tamanho. A aparência mamográfica e macroscópica varia amplamente, dependendo da reação estromal à neoplasia (**Figura 23.20**). Em geral, esses cânceres se apresentam como uma massa radiodensa irregular e dura (**Figura 23.20A** e **B**) associada a uma reação estromal desmoplásica (**Figura 23.20C**). Quando cortados ou raspados, essas neoplasias normalmente produzem um som incômodo característico (semelhante ao produzido pelo corte de uma castanha) devido ao pequeno foco central em ponta de alfinete ou faixas de estroma desmoplástico brancas como giz e focos ocasionais de calcificação. Menos comumente, as neoplasias apresentam-se como massas enganosamente bem circunscritas (**Figura 23.20D** e **E**) compostas de camadas de células neoplásicas com reação estromal escassa (**Figura 23.20F**) ou podem ser quase imperceptíveis (**Figura 23.20G** e **H**), compreendendo glândulas neoplásicas espalhadas ou células neoplásicas únicas infiltrando um tecido fibrogorduroso outrora normal (**Figura 23.20I**).

Carcinomas maiores podem invadir o músculo peitoral e se fixar na parede torácica ou invadir a derme e causar retração (ondulações) da pele. Quando a neoplasia envolve a porção central da mama, pode ocorrer a retração do mamilo. Raramente, o câncer de mama apresenta metástases para um linfonodo axilar ou um local distante antes que o câncer seja detectado na mama.

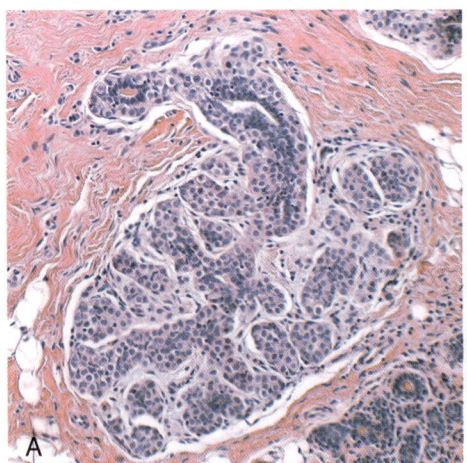

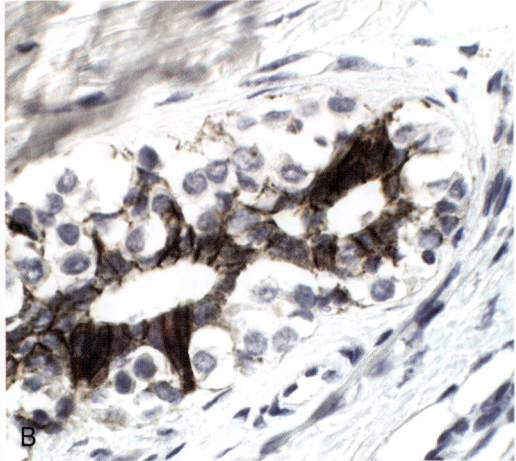

Figura 23.19 Carcinoma lobular *in situ* (CLIS). **A.** População monomórfica de células pequenas, arredondadas e fracamente coesas que preenchem e expandem os ácinos de um lóbulo. A arquitetura lobular subjacente ainda pode ser reconhecida. As células se estendem para o ducto adjacente por disseminação pagetoide. **B.** Estudo de imunoperoxidase mostra células luminais normais, positivas para E-caderina, que foram tomadas por células CLIS, negativas para E-caderina, espalhando-se ao longo da membrana basal.

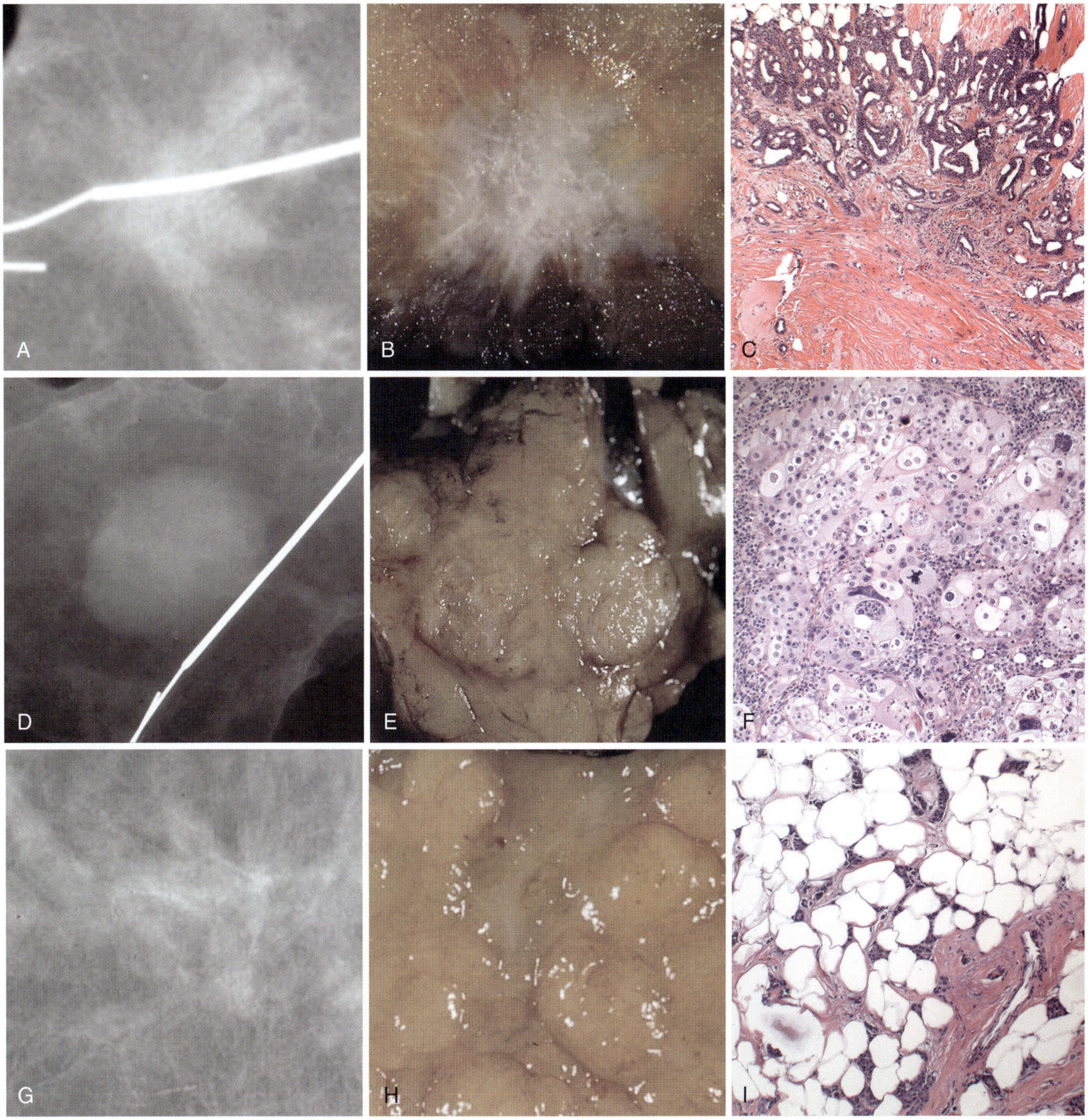

Capítulo 23 Mama 1099

Figura 23.20 Carcinoma invasivo de nenhum tipo especial. A maioria dos carcinomas invasivos tem um padrão aleatório de invasão do estroma que produz massas com margens irregulares em exames de imagem (**A**) e no exame macroscópico (**B**). Microscopicamente, tais neoplasias são marcadas por uma exuberante resposta estromal desmoplásica (**C**). Um subconjunto de carcinomas cresce como massas que parecem ser bem circunscritas ou lobuladas na imagem (**D**) e na inspeção macroscópica (**E**). Microscopicamente, esses cânceres assumem tipicamente a aparência de massas de células expansíveis, com bordas estufadas; a resposta do estroma é frequentemente limitada a uma zona estreita de fibrose na margem da neoplasia (**F**). Raramente, os cânceres invasivos produzem pouca ou nenhuma reação estromal. Esses cânceres podem mostrar apenas uma distorção arquitetônica sutil na mamografia (**G**) e podem não produzir massas palpáveis ou serem macroscopicamente identificáveis (**H**). Microscopicamente, as células neoplásicas são encontradas espalhadas dentro do tecido fibroadiposo de aparência normal (**I**). (**B,** Cortesia do Dr. David Hicks, University of Rochester Medical Center, Rochester, NY.)

Nesses casos, o carcinoma primário pode ser pequeno, confundido com tecido mamário denso ou não produzir uma resposta desmoplásica. Na maioria dos casos, essas neoplasias primárias ocultas (que são facilmente despercebidas por palpação ou mamografia) podem ser detectadas por estudos de imagem usando ultrassom ou ressonância magnética.

O carcinoma invasivo é classificado usando-se a Graduação Histológica de Nottingham (*Nottingham Histologic Score*). Os carcinomas são classificados quanto à formação de túbulos, pleomorfismo nuclear e taxa mitótica. Carcinomas de grau I (bem diferenciados) crescem em um padrão tubular ou cribriforme, têm pequenos núcleos uniformes e baixa taxa de proliferação

(**Figura 23.21A**). Carcinomas de grau 2 (moderadamente diferenciados) têm áreas onde as células crescem como aglomerados sólidos ou células infiltrantes simples, mostram maior pleomorfismo nuclear e alto número de figuras mitóticas (**Figura 23.21B**). Carcinomas de grau 3 (pouco diferenciados) invadem como ninhos irregulares ou camadas sólidas de células e têm núcleos aumentados irregulares. Uma alta taxa proliferativa e áreas de necrose tumoral são comuns em tumores de alto grau (**Figura 23.21C**).

Tipos histológicos especiais de carcinoma invasivo

Tal como acontece com todos os cânceres de mama, essas neoplasias especiais podem ser organizadas em grupos moleculares com base na expressão de RE e HER2, os quais acompanham suas implicações terapêuticas usuais. No entanto, tipos histológicos especiais de câncer de mama geralmente abrigam aberrações genéticas únicas, às vezes têm assinaturas gênicas distintas e frequentemente apresentam associações com comportamentos clínicos e prognósticos que quebram as "regras" estabelecidas para carcinomas ductais do tipo não especial. Embora relativamente incomuns, os estudos dessas neoplasias também forneceram importantes entendimentos sobre a patogênese do câncer de mama.

O *carcinoma lobular* é o subtipo que apresenta a associação mais clara entre fenótipo e genótipo. Assim como o CLIS, a maioria dos casos de carcinoma lobular mostra perda bialélica de expressão de *CDH1*, o gene que codifica a E-caderina. Os carcinomas lobulares são descoesivos, normalmente infiltram-se como células únicas e, às vezes, não conseguem produzir uma resposta desmoplástica, tornando difícil a detecção por palpação e imageamento. Eles também têm padrões distintos de disseminação metastática, muitas vezes envolvendo o peritônio e retroperitônio, as leptomeninges (meningite carcinomatosa), o trato gastrintestinal, além dos ovários e útero. Homens e mulheres com mutações da linhagem germinativa heterozigóticas em *CDH1* apresentam risco aumentado de desenvolver carcinoma lobular e um risco ainda maior de desenvolver carcinoma gástrico de células em anel de sinete (ver **Capítulo 17**).

Carcinomas com padrão medular são de interesse devido à descoberta de que mais da metade dos carcinomas associados a *BRCA1* têm esta aparência (**Tabela 23.3**). Embora a maioria de carcinomas com padrão medular não estejam associados a mutações da linha germinativa em *BRCA1*, a hipermetilação do promotor de *BRCA1* levando a regulação negativa da expressão de *BRCA1* é observada em 67% dessas neoplasias. Esse subtipo tem um prognóstico melhor do que outros carcinomas mal diferenciados. Notavelmente, essas neoplasias também apresentam um número de linfócitos T infiltrantes excepcionalmente grande, sugerindo que prognósticos positivos podem estar relacionados a respostas imunes do hospedeiro aos antígenos tumorais.

Muitos outros tipos histológicos especiais de câncer de mama (muito numerosos para serem listados) foram descritos. Muito ainda precisa ser aprendido sobre a biologia e patogênese dessas neoplasias, e alguns desses aspectos são descritos a seguir.

> **Morfologia**
>
> Alguns tipos histológicos especiais de câncer quase sempre se enquadram no grupo luminal (RE-positivo/HER2-negativo). Esses cânceres incluem o carcinoma lobular, carcinoma mucinoso, carcinoma tubular e carcinoma papilífero. Como já mencionado, o **carcinoma lobular** frequentemente se infiltra insidiosamente na mama, produzindo desmoplasia mínima. A marca histológica é a presença de células neoplásicas infiltrantes não coesas, muitas vezes incluindo células em anel de sinete contendo gotículas de mucina intracitoplasmática (**Figura 23.22A**). A formação de túbulos está ausente. O **carcinoma mucinoso (coloide)** é macio ou elástico e tem a aparência e consistência de uma gelatina pálida azul-acinzentada. As bordas são inchadas ou circunscritas.

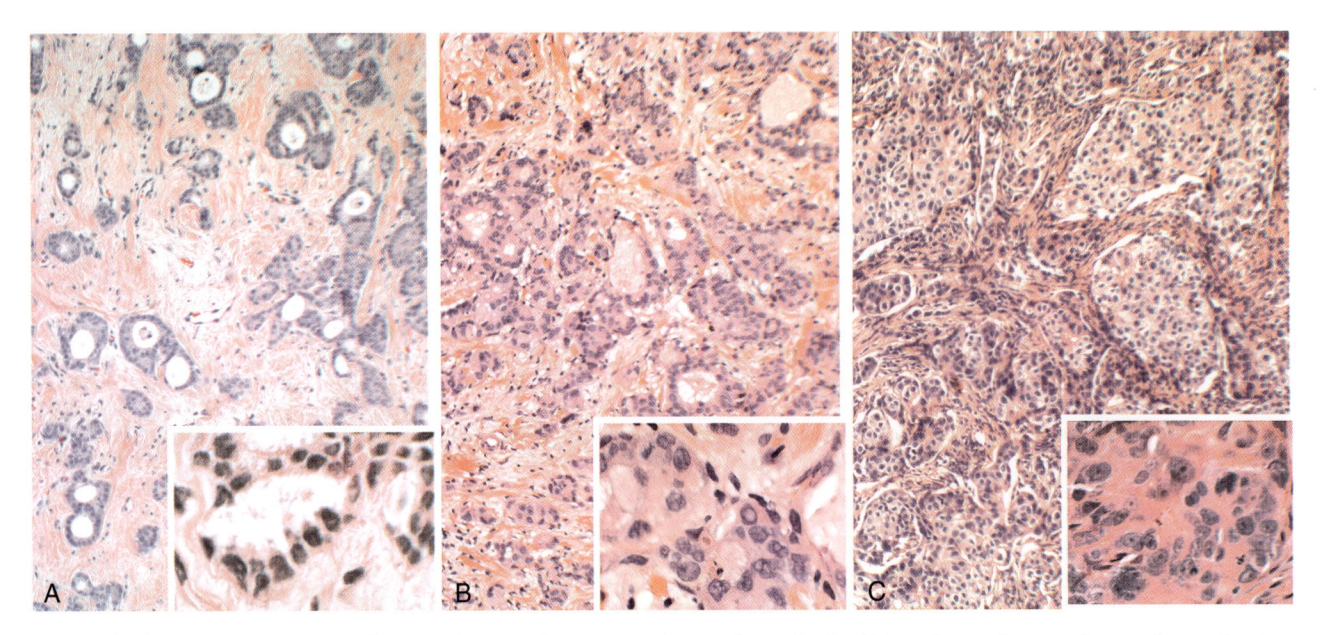

Figura 23.21 Os carcinomas invasivos são separados em três graus com base na formação de túbulos, pleomorfismo nuclear e número de mitoses. **A.** Esse exemplo de um carcinoma bem diferenciado de grau 1 mostra túbulos frequentes formados de células com pequenos núcleos monomórficos. Apenas raras mitoses estão presentes. **B.** Em contraste, este carcinoma moderadamente diferenciado de grau 2 mostra menos formação de túbulos e alguns ninhos sólidos de células com núcleos pleomórficos. Figuras mitóticas ocasionais são vistas. **C.** Carcinomas mal diferenciados de grau 3 infiltram-se como camadas irregulares de células com núcleos pleomórficos aumentados.

As células neoplásicas se organizam em aglomerados e pequenas ilhas de células dentro de grandes lagos de mucina (**Figura 23.22B**). O **carcinoma tubular** consiste exclusivamente de túbulos bem formados e às vezes é confundido com uma lesão esclerosante benigna (**Figura 23.22C**). Um padrão cribriforme também pode estar presente. Picos apócrinos são típicos e calcificações podem ser presente nas luzes. O **carcinoma papilífero**, como o nome sugere, produz papilas verdadeiras, folhas de tecido fibrovascular revestidas por células neoplásicas (**Figura 23.22D**).

Dois tipos histológicos especiais frequentemente superexpressam HER2. As células neoplásicas do **carcinoma apócrino** se assemelham às células que delineam as glândulas sudoríparas. Essas células têm núcleos redondos aumentados com nucléolos proeminentes e citoplasma eosinofílico abundante, ocasionalmente granular (**Figura 23.22E**). O **carcinoma micropapilífero** (um nome inapropriado) forma bolas ocas de células que flutuam dentro do líquido intercelular, criando estruturas que imitam a aparência de papilas verdadeiras (**Figura 23.22F**).

O CMTN (RE-negativo, HER2-negativo) muitas vezes corresponde a um dentre vários tipos histológicos especiais. O principal deles é o **carcinoma com padrão medular**. Esses carcinomas são mais macios do que os outros (derivado da expressão em latim *medulla*) devido à desmoplasia mínima e, frequentemente, formam massas bem circunscritas. As características histológicas são (1) folhas sólidas de células grandes com núcleos pleomórficos e nucléolos proeminentes, (2) figuras mitóticas frequentes, (3) um infiltrado linfoplasmocitário moderado a intenso ao redor e dentro da neoplasia e (4) uma borda inchada (não infiltrativa) (**Figura 23.22G**). CDIS é mínimo ou não é visto. O **carcinoma metaplásico** inclui carcinomas de células fusiformes e carcinomas produtores de matriz. Esses carcinomas costumam ter perfis de expressão gênica que se assemelham às das células mioepiteliais.

Tipos histológicos especiais raros de CMTN têm um prognóstico favorável em comparação a outros carcinomas deste grupo molecular e incluem carcinoma secretor, carcinoma adenoescamoso de baixo grau e carcinoma adenoide cístico. O **carcinoma secretor** mimetiza a mama em lactação formando espaços dilatados preenchidos por material eosinofílico (**Figura 23.22H**). Esses carcinomas raramente sofrem metástase.

Outro subtipo especial que merece menção é o **carcinoma inflamatório**. Essa forma de carcinoma tem uma aparência macroscópica característica causada por extensa obstrução dos espaços linfovasculares da derme por células do carcinoma e apresenta um prognóstico muito negativo, visto que a maioria dos pacientes apresenta metástases a distância. O carcinoma inflamatório se apresenta com eritema, inchaço e espessamento da pele da mama. A pele edemaciada fica presa à mama por ligamentos de Cooper e imita a superfície de uma casca de laranja, uma aparência referida como *peau d'orange*. O nome "inflamatório" é um termo inadequado, pois tipicamente nenhuma inflamação está presente. O carcinoma subjacente é, em geral, difusamente infiltrativo e normalmente não forma uma massa discreta palpável. A apresentação pode ser confundida com uma infecção da mama, levando a um diagnóstico tardio. Essas neoplasias são geralmente de alto grau, mas não pertencem a qualquer subtipo molecular.

Fatores prognósticos e preditivos para o carcinoma invasivo

O prognóstico para mulheres com câncer de mama depende das características biológicas do carcinoma (tipo molecular ou histológico) e o estágio da doença no momento de diagnóstico. Com base nesses fatores, algumas mulheres com câncer de mama tem uma expectativa de vida normal, enquanto outras têm apenas 10% de chance de estarem vivas em 5 anos. As pacientes que

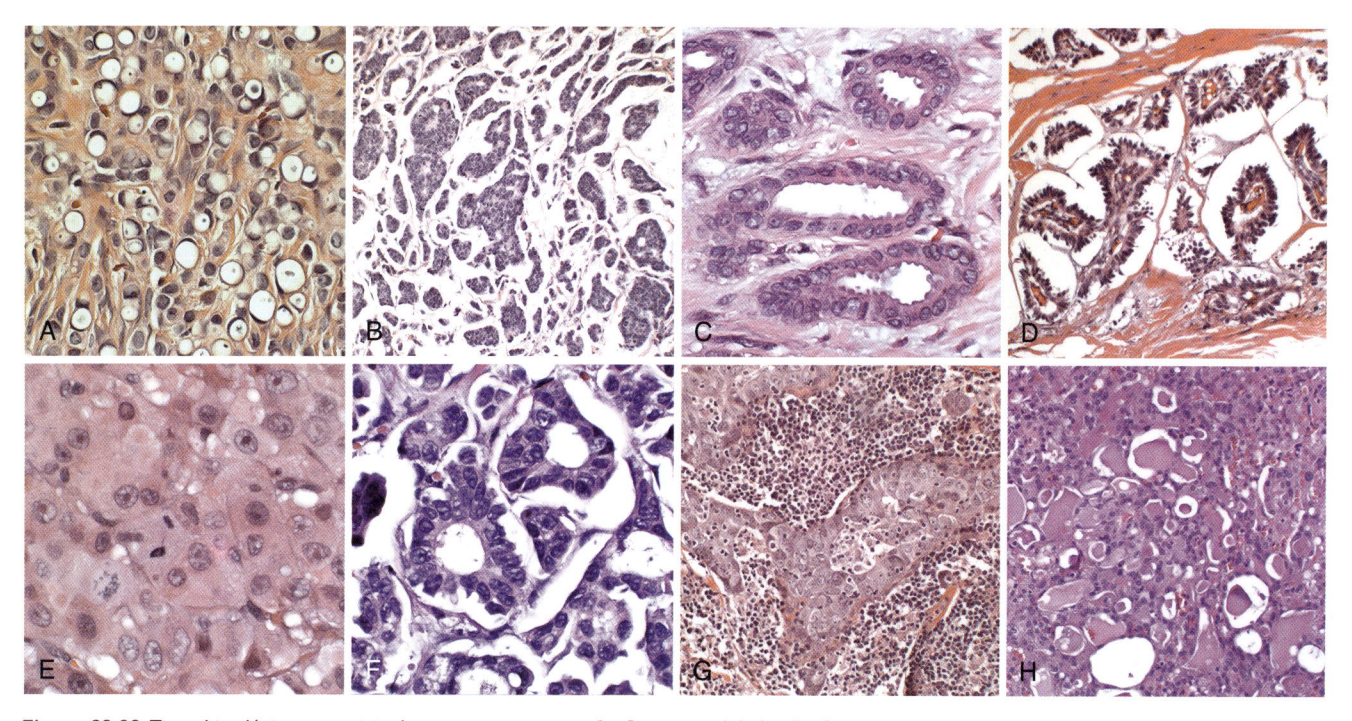

Figura 23.22 Tipos histológicos especiais de carcinoma invasivo. **A.** Carcinoma lobular. **B.** Carcinoma mucinoso. **C.** Carcinoma tubular. **D.** Carcinoma papilífero. **E.** Carcinoma apócrino. **F.** Carcinoma micropapilífero. **G.** Carcinoma com padrão medular. **H.** Carcinoma secretor. Ver texto para as descrições morfológicas.

apresentam metástases a distância (5% dos casos) ou que são acometidas por carcinoma inflamatório (1 a 5% dos casos) têm um prognóstico particularmente ruim. Para outros cânceres, o prognóstico é determinado pela avaliação patológica da neoplasia primária e dos linfonodos axilares (**Tabela 23.5**).

Os fatores prognósticos são importantes no aconselhamento das pacientes sobre a provável evolução de sua doença, escolhendo o tratamento mais adequado e elaborando os ensaios clínicos. Os fatores preditivos ajudam a determinar a provável resposta de um câncer a um tipo específico de tratamento. Os fatores relacionados à biologia tumoral são geralmente prognósticos e preditivos (p. ex., expressão e proliferação de RE e HER2), enquanto fatores relacionados à extensão do tumor (p. ex., tamanho do tumor, metástases linfonodais, metástases a distância) são primariamente prognósticos.

Os principais fatores prognósticos são os seguintes (**Tabela 23.5**):

- *Metástases linfonodais*. O estado do linfonodo axilar é o fator prognóstico mais importante para o carcinoma invasivo na ausência de metástases a distância. A avaliação clínica da condição do linfonodo não é confiável devido a falsos positivos (p. ex., nódulos reativos palpáveis) e falsos negativos (p. ex., linfonodos com pequenos depósitos metastáticos). Portanto, a biopsia é necessária para avaliação precisa. Na ausência de envolvimento nodal, a taxa de sobrevida livre da doença por 10 anos é de 70 a 80%; a taxa cai para 35 a 40% quando há um a três nódulos positivos e para 10 a 15% quando mais de 10 nódulos são positivos. É importante notar que a presença de metástases nodais está correlacionada com a probabilidade de sofrer metástases a distância e que a remoção dos nódulos linfáticos envolvidos não diminui o risco de doença metastática futura.

  Na maioria dos carcinomas de mama, os vasos linfáticos drenam primeiro para um ou dois *linfonodos sentinela*, que podem ser identificados com radiomarcadores ou corantes coloridos. Se uma biopsia de linfonodos sentinela for negativa para metástase, é improvável que outros linfonodos mais distantes estejam envolvidos; essa abordagem é usada para poupar as pacientes da morbidade de uma dissecção axilar completa. Aproximadamente 10 a 20% das mulheres sem metástases em linfonodos axilares apresentam recorrência com metástase a distância. Nessas pacientes, a metástase pode ocorrer por meio dos linfonodos mamários internos ou de forma hematogênica

- *Metástases a distância*. Uma vez que estejam presentes, a cura é improvável, embora remissões a longo prazo e paliação possam ser alcançados, especialmente em mulheres com neoplasias RE-positivas. Como discutido anteriormente, o grupo molecular influencia o momento e a localização das metástases (**Tabela 23.4**)

- *Tamanho da neoplasia*. O risco de metástase nos linfonodos axilares aumenta com o tamanho da neoplasia primária, embora o tamanho também seja um fator prognóstico independente. Mulheres com carcinomas de linfonodos negativos com menos de 1 cm de tamanho têm uma taxa de sobrevivência de dez anos de mais de 90%, enquanto a sobrevivência cai para 77% para cânceres maiores que 2 cm

- *Doença localmente avançada*. Carcinomas que invadem a pele ou os músculos esqueléticos são geralmente grandes, o que torna difícil realizar seu controle local. Tais casos agora são raros nos EUA, mas continuam comuns em países com acesso limitado aos cuidados de saúde

- *Invasão linfovascular*. As células neoplásicas estão presentes dentro dos espaços vasculares (linfáticos ou pequenos capilares) em cerca de metade de todos os carcinomas invasivos. Esse achado está fortemente associado à presença de metástases nos linfonodos. A invasão linfovascular é um fator de prognóstico negativo para a sobrevivência geral de mulheres sem metástases nos linfonodos e um fator de risco para recorrência local

- *Carcinoma inflamatório*. Como já discutido, esse subtipo é caracterizado por extensa invasão canais linfovasculares dérmicos e um presságio de mau prognóstico. A taxa de sobrevida em 3 anos é de apenas 3 a 10%. Apenas 1 a 5% dos cânceres estão nesse grupo, mas a incidência é maior em mulheres afrodescendentes e nas mais jovens.

Fatores prognósticos adicionais estão relacionados à biologia do tumor (**Tabela 23.5**). O subtipo molecular, grau histológico (incluindo proliferação) e tipos histológicos especiais já foram discutidos. Alguns outros fatores prognósticos são clinicamente úteis e merecem breve menção:

Tabela 23.5 Fatores prognósticos do carcinoma de mama invasivo.

Fatores prognósticos	Comentários
Elementos do estadiamento AJCC (8ª edição)	
Metástase a distância (M)	Metástase além dos linfonodos regionais é o fator prognóstico mais importante
Linfonodos regionais (N)	Metástase nodal (incluindo o número de linfonodos envolvidos) é o segundo fator prognóstico mais importante
Tumor (T)	Tamanho, envolvimento da pele (p. ex., ulceração ou metástase dérmica), invasão para a parede torácica e apresentação como carcinoma inflamatório são características importantes
Grau histológico	Sobrevivência diminui com o aumento do grau histológico
Expressão de RE, RP e HER2	Sobrevivência é maior para a combinação mais favorável (alto RE e RP, e ausência de HER2) e é menor para a combinação menos favorável (RE, RP e HER2 ausentes)
Outros fatores prognósticos	
Invasão linfovascular	Células tumorais observadas em espaços vasculares na periferia dos carcinomas são fatores prognósticos negativos
Tipos histológicos especiais	Alguns tipos histológicos de câncer se correlacionam fortemente com sobrevivência muito favorável (p. ex., tubular, adenoide cístico)
Resposta à quimioterapia	O grau de resposta é um forte fator prognóstico para CMTN e cânceres HER2, mas não para a maioria dos cânceres luminais
Perfil de expressão gênica	O valor clínico mais importante desses ensaios é identificar pacientes com cânceres responsivos à terapia antiestrógeno, que não precisam de quimioterapia

AJCC, American Joint Commission on Cancer; *CMTN*, câncer de mama triplo negativo; *RE*, receptor de estrógeno; *RP*, receptor de progesterona.

- *Perfil de expressão gênica*. Uma série de ensaios patenteados que quantificam os níveis de mRNA em células de câncer de mama foi desenvolvida. A maioria é fortemente voltada para a inclusão de genes envolvidos na proliferação. O maior valor clínico desses ensaios é identificar pacientes com cânceres de crescimento lento responsivos a terapia antiestrógeno que podem ser poupados da toxicidade da quimioterapia
- *Resposta à quimioterapia neoadjuvante*. O tratamento de pacientes antes da cirurgia oferece a oportunidade de observar a resposta da neoplasia à quimioterapia. Um terço ou mais dos cânceres CMTN e HER2 regridem completamente (denominada resposta patológica completa). Pacientes com cânceres responsivos pertencentes a esses subtipos têm um prognóstico melhor do que pacientes com cânceres não responsivos. Em contraste, muito poucos cânceres luminais respondem completamente à quimioterapia. No entanto, essas neoplasias são tipicamente de crescimento lento e muitas vezes podem ser controlados com tratamento baseados em hormônios por muitos anos.

Os fatores prognósticos mais importantes estão incluídos no sistema de estadiamento mais recente do American Joint Committee on Cancer (AJCC), que pela primeira vez inclui um sistema de estadiamento anatômico (**Tabela 23.6**) e um sistema de estadiamento prognóstico que integram o estágio anatômico e as características moleculares dos cânceres de mama individuais. O estágio anatômico (0 a IV) considera a natureza da doença na mama (T, para tumor), o envolvimento dos linfonodos regionais (N, para nodos) e a presença de metástases a distância (M, para metástases). O estágio prognóstico, então, leva em consideração as características biológicas que antecipam uma evolução mais ou menos favorável. Por exemplo, em alguns casos, o CMTN é "progredido" no novo sistema de estadiamento prognóstico para refletir seu comportamento mais agressivo.

Os principais objetivos da terapia do câncer de mama são controlar a doença local e prolongar a sobrevivência, tratando as metástases conhecidas ou aquelas potencialmente distantes. O controle local é atingido na maioria das pacientes com cirurgia conservadora da mama e radioterapia. A mastectomia geralmente só é necessária para doenças localmente avançadas ou para mulheres com alto risco de um segundo câncer primário que desejem reduzir o risco de recorrência. Na ausência de um controle adequado, alguns cânceres de mama podem evoluir para um *carcinoma en cuirasse* (literalmente "carcinoma da couraça"), uma complicação temida caracterizada por infiltração da pele e ulceração. Felizmente, essa complicação é agora raramente vista nos EUA, mas continua a ser uma apresentação comum em mulheres que vivem em áreas com recursos limitados.

A terapia sistêmica é usada para tratar a doença conhecida ou a provável doença distante e também reduz a probabilidade de recorrência local. O primeiro tratamento sistêmico eficaz para qualquer câncer foi a descoberta de que a ooforectomia causava regressão do câncer de mama no final do século 19. Esta continua sendo uma modalidade de tratamento, mas agora existem muitas outras opções para inibir o crescimento de cânceres hormonalmente responsivos (**Tabela 23.7**). Para muitos cânceres luminais, a terapia endócrina é a melhor e mais eficaz opção terapêutica. A quimioterapia é usada para tratar carcinomas altamente proliferativos, independentemente do subtipo molecular. Para cânceres HER2, a terapia direcionada com antagonistas de HER2 tem prognóstico marcadamente melhorado. O CMTN continua a ser um desafio terapêutico. Há esperança de que a instabilidade genética desses cânceres os tornará suscetíveis a agentes que inibem o reparo de DNA e terapias baseadas no sistema imunológico (**Tabela 23.7**).

> **Conceitos-chave**
>
> **Tipos de carcinomas e fatores de prognóstico**
>
> - O CDIS é tratado localmente, à medida que carcinomas invasivos subsequentes geralmente ocorrem no mesmo local, enquanto CLIS confere risco bilateral
> - Os tipos histológicos especiais de carcinomas têm importância prognóstica e fornecem indicações adicionais ligando alterações biológicas a comportamento clínico
> - O prognóstico depende tanto das características biológicas quanto da extensão do câncer no momento do diagnóstico (estágio anatômico)

Tabela 23.6 Comitê Conjunto Americano de Câncer (8ª edição): estágio anatômico.[a]

Estágio[b]	T: Câncer primário (tumor)	N: linfonodos	M: metástase a distância	Sobrevivência em 10 anos (%)
0	Carcinoma ductal *in situ*	Sem metástases	Ausente	97
I	Carcinoma invasivo ≤ 2 cm	Sem metástases ou somente micrometástases	Ausente	87
II	Carcinoma invasivo > 2 cm	1 a 3 LNs positivos	Ausente	65
	Carcinoma invasivo > 5 cm, mas ≤ 5 cm	0 a 3 LNs positivos	Ausente	
III	Carcinoma invasivo > 5 cm	LNs negativos ou positivos	Ausente	40
	Carcinoma invasivo de qualquer tamanho	≥ 4 LNs positivos	Ausente	
	Carcinoma invasivo com envolvimento da pele ou parede torácica ou carcinoma inflamatório	LNs negativos ou positivos	Ausente	
IV	Carcinoma invasivo de qualquer tamanho	LNs negativos ou positivos	Presente	5

[a]Na 8ª edição, os estágios prognósticos são atribuídos T, N, M, grau, RE, RP e HER2. O estágio de prognóstico patológico é atribuído a pacientes que passam por excisão cirúrgica previamente a outro tratamento. Um ensaio multigênico, quando disponível, pode ser usado para atribuir o estágio nesse contexto. O estágio de prognóstico clínico é atribuído a todos os outros pacientes, incluindo aqueles antes da cirurgia, não elegíveis para cirurgia e que recebem terapia sistêmica previamente à cirurgia.
[b]Os estágios anatômicos listados são usados somente quando a informação sobre o grau, RE, RP e HER2 não está presente. A estimativa de sobrevivência inclui a média de sobrevivência de pacientes com todos os tipos biológicos de câncer.
LNs, linfonodos; RE, receptor de estrógeno; RP, receptor de progesterona.

- No sistema de estadiamento AJCC (8ª edição), grupo molecular e estágio anatômico são combinados para criar grupos de estágio prognóstico que fornecem melhores estimativas de probabilidade de sobrevivência
- O tratamento eficaz requer controle local e sistêmico da doença
- Melhorias no tratamento estão sendo alcançadas à medida que novas terapias-alvo estão sendo desenvolvidas e a resposta ao tratamento é mais bem compreendida.

Câncer de mama masculino

A incidência do câncer de mama em homens é de apenas 1% daquela observada em mulheres, o que se traduz em um risco ao longo da vida de 0,11%. Há cerca de 2.670 casos e 500 mortes nos EUA a cada ano. Os fatores de risco são semelhantes aos das mulheres, e incluem aumento da idade, parentes de primeiro grau com câncer de mama, exposição a estrógenos exógenos ou radiação ionizante, consumo de álcool, infertilidade, obesidade, doença benigna da mama prévia, síndrome de Klinefelter e residência em países ocidentais.

O fator familiar mais importante que confere um aumento do risco de câncer de mama masculino é a mutação da linhagem germinativa do gene supressor de tumor *BRCA2*. Aproximadamente 6% dos portadores do sexo masculino desenvolvem câncer de mama. Dentre os homens com câncer de mama, 4 a 40% têm mutações da linha germinativa em *BRCA2*, dependendo da população testada. Um risco menor de câncer de mama masculino é conferido por mutações da linhagem germinativa em *BRCA1*, *PTEN*, *TP53* e *PALB2* (**Tabela 23.3**).

Mais de 90% dos cânceres de mama em homens são do tipo luminal, enquanto os cânceres CMTN e HER2 são muito raros (< 5%). Como o epitélio da mama em homens é limitado a grandes ductos próximos ao mamilo, os carcinomas geralmente se apresentam como uma massa subareolar palpável de 2 a 3 cm de tamanho e/ou como descarga papilar. Os carcinomas de mama masculinos estão situados próximos à pele e parede torácica, e mesmo pequenas neoplasias podem invadir essas estruturas e causar ulceração da pele. A disseminação segue o mesmo padrão das mulheres. O envolvimento de linfonodos axilares está presente em cerca de metade dos casos no momento do diagnóstico e metástases a distância para os pulmões, cérebro, ossos e fígado são comuns. Embora os homens apresentem um estágio mais avançado da doença, o prognóstico é semelhante ao das mulheres quando pareados pelo estágio. A maioria dos cânceres é tratada localmente com mastectomia e dissecção do linfonodo axilar. As mesmas diretrizes de tratamento sistêmico são usadas tanto para homens quanto para mulheres, e as taxas de resposta são semelhantes.

Tumores estromais

Os dois tipos de estroma da mama, intralobular e interlobular, dão origem a diferentes tipos de neoplasias. Dois tumores específicos da mama intimamente relacionados, fibroadenoma e tumor filoide, se originam em células do estroma intralobular. Esses tumores são denominados "bifásicos" porque também incluem um componente epitelial não neoplásico, cuja proliferação pode ser estimulada por fatores de crescimento elaborados pelas células estromais. O fibroadenoma e o tumor filoide são controlados por mutações somáticas em *MED12*, componente de um complexo de múltiplas proteínas chamado mediador que liga a RNA polimerase II a fatores de transcrição específicos de ligação ao DNA. Sem dúvida, não é coincidência que a outra neoplasia fortemente associada a mutações em *MED12*, o leiomioma uterino, também

Tabela 23.7 Tratamentos dirigidos do câncer de mama.

Alvo	Tratamento	Ensaio de acompanhamento	Comentários
RE	Privação de estrógeno (ooforectomia, inibidores de aromatase) Bloqueio de RE (tamoxifeno) Degradação de RE (fulvestranto)	IHQ para RE nuclear	Terapia citostática (mas não citotóxica) efetiva para câncer RE-positivo
Quinases 4 e 6 ciclina-dependentes	Inibidores de quinase (palbociclibe, abemaciclibe, ribociclibe)		Usados para cânceres RE-positivos, normalmente em conjunto com um inibidor de aromatase
HER2	Anticorpos para HER2 Terapia citotóxica ligada ao anticorpo para HER2 Inibidores de tirosinoquinase Vacinas	IHQ para HER2 de membrana HIS para amplificação de HER2 Sequenciamento de DNA para mutações em *HER2*	Eficientes para cânceres HER2-positivos
Defeitos em RRH[a]	Quimioterapia com agentes que causam dano ao DNA e requerem RRH (p. ex., agentes de platina) Inibição da via alternativa de reparo do DNA (inibidores PARP)	Sequenciamento de DNA para identificar mutações em *BRCA1* e *BRCA2*	Podem ser eficientes em carcinomas com mutações da linhagem germinativa em *BRCA1* e *BRCA2* ou carcinomas com perda somática da função de BRCA
Via PI3K/AKT/mTOR	Inibição de proteínas da via	Mutações ativadoras ou ativação da via – capacidade de prever a resposta sob investigação	> 80% dos cânceres de mama têm alterações nessa via
Proteínas de pontos de controle imune	Anticorpos bloqueadores para PD-L1, PD-1 e outras proteínas de pontos de controle imune tais como TIM-1 e LAG-3	IHQ para proteínas de pontos de controle imune – capacidade de prever a resposta sob investigação	Sob investigação para carcinomas RE-negativos de alto grau

[a]Mutações em *BRCA1* e *BRCA2* causam defeitos no RRH.
HIS, hibridização in situ; *IHQ*, imuno-histoquímica; *PARP*, poli (ADP ribose) polimerase; *RE*, receptor de estrógeno; *RRH*, reparo por recombinação homóloga.

se origina em células estromais dentro de um órgão que responde aos hormônios sexuais femininos. Talvez, por perturbar a função mediadora, as mutações em MED12 alterem a expressão de genes regulados por hormônios sexuais que controlam a proliferação e sobrevivência de certos tipos de células estromais. Em contraste, o estroma interlobular é a fonte dos mesmos tipos de neoplasias encontradas no tecido conjuntivo em outros locais do corpo (p. ex., lipomas e angiossarcomas), bem como neoplasias que surgem mais comumente na mama (p. ex., miofibroblastoma e tumores fibrosos), e consistem apenas em células do estroma.

Fibroadenoma

Fibroadenoma é a neoplasia benigna mais comum da mama feminina. Dois terços dos fibroadenomas portam mutações condutoras em MED12. A patogênese do restante é incerta.

Morfologia

Os fibroadenomas variam em tamanho de menos de 1 cm a grandes neoplasias que ocupam a maior parte da mama. Eles geralmente se apresentam como uma massa palpável em mulheres jovens e como uma densidade mamográfica (**Figura 23.23A**) ou calcificações agrupadas em mulheres mais velhas. As neoplasias são constituídas por nódulos bem circunscritos, elásticos, branco-acinzentados que se projetam acima do tecido circundante e muitas vezes contêm espaços em forma de fenda revestidos por epitélio (**Figura 23.23B**). O estroma delicado e muitas vezes mixoide assemelha-se ao estroma intralobular normal. O epitélio pode ser circundado (padrão pericanalicular) ou comprimido e distorcido pelo estroma (padrão intracanalicular) (**Figura 23.23C**). Em mulheres mais velhas, o estroma tipicamente se torna densamente hialinizado e o epitélio atrófico.

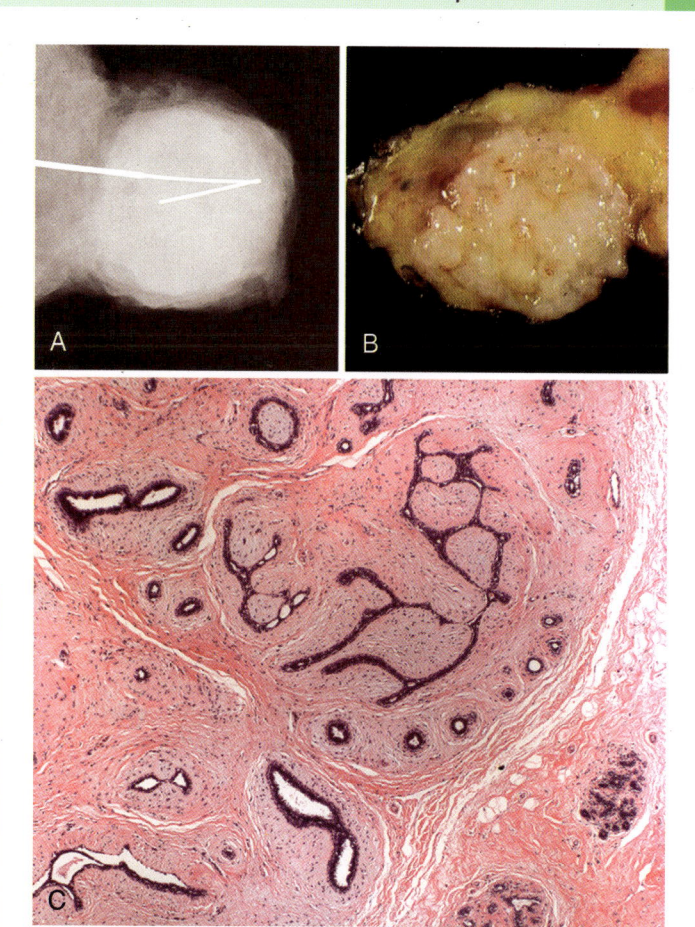

Figura 23.23 Fibroadenoma. **A.** A radiografia mostra uma massa caracteristicamente bem circunscrita. **B.** Macroscopicamente, uma massa elástica, branca e bem circunscrita é claramente demarcada do tecido adiposo amarelo circundante. A ausência de tecido adiposo é responsável pela radiodensidade da lesão. **C.** A proliferação do estroma intralobular circunda, empurra e distorce o epitélio associado. A borda é nitidamente delimitada a partir do tecido circundante.

Características clínicas

A maioria dos fibroadenomas ocorre em mulheres entre 20 e 30 anos, e frequentemente são múltiplos e bilaterais. Essas neoplasias são responsivas aos hormônios e podem crescer de tamanho durante gravidez e regredir após a menopausa. O crescimento rápido e infarto durante a gravidez pode levantar uma falsa suspeita de carcinoma. Curiosamente, quase metade das mulheres que recebem ciclosporina A após o transplante renal desenvolvem fibroadenomas bilaterais múltiplos que regridem após a interrupção do tratamento. Não está claro se essas lesões são neoplasias verdadeiras ou hiperplasias reativas.

Os fibroadenomas estão associados a um ligeiro aumento do risco de carcinoma, um risco que pode ser maior se características "complexas" estiverem presentes (cistos maiores que 0,3 cm, adenose esclerosante, calcificações epiteliais ou alteração papilar apócrina) (**Tabela 23.1**). No entanto, essas alterações também estão associadas a uma maior probabilidade de encontrar outras lesões no tecido mamário circundante (p. ex., hiperplasia atípica) e esses podem ser os verdadeiros impulsionadores do risco aumentado.

Tumor filoide

O tumor filoide, assim como o fibroadenoma, surge do estroma intralobular, mas é muito menos comum. *Cistossarcoma filoide* é um termo às vezes usado para essas lesões, mas *tumor filoide* é preferido, uma vez que a maioria se comporta de forma benigna e é não cística. Também como os fibroadenomas, a maioria dos tumores filoides tem mutações em MED12. Tumores filoides de aparência benigna que têm apenas uma ligeira propensão à recorrência, frequentemente têm mutações em MED12 e outras poucas alterações genéticas. Em contraste, os tumores que apresentam comportamento maligno são mais prováveis ter mutações em genes adicionais, como TERT, o gene que codifica a telomerase.

Morfologia

A maioria dos tumores filoides é detectada como massas palpáveis, enquanto alguns são encontrados pela mamografia. Os tumores variam em tamanho, desde alguns centímetros até lesões maciças envolvendo toda a mama. As lesões maiores costumam ter protrusões bulbosas (o termo *phyllodes* significa "semelhante a folha", em grego) devido à presença de nódulos de estroma em proliferação cobertos por epitélio (**Figura 23.24**). Em alguns tumores, essas saliências se estendem para um espaço cístico. Esse padrão de crescimento também pode ocasionalmente ser visto em grandes fibroadenomas e não é uma indicação de malignidade. O tumor filoide se distingue do fibroadenoma com base na maior celularidade, maior taxa mitótica, pleomorfismo nuclear, crescimento estromal excessivo e bordas infiltrantes. As lesões de baixo grau (benignas) se assemelham a fibroadenomas, mas são mais celulares e mitoticamente ativas. As lesões de alto grau (malignas) podem ser difíceis de distinguir dos sarcomas.

Características clínicas

A maioria dos tumores filoides se apresenta na sexta década de vida, 10 a 20 anos mais tarde do que o pico de idade para fibroadenomas. A maioria tem características citológicas de baixo grau (benignas); estes ocasionalmente recorrem localmente, mas não sofrem metástase. Em contraste, tumores filoides limítrofes e de alto grau (malignos) muitas vezes recorrem localmente, a menos que sejam tratados com excisão ampla ou mastectomia. Independentemente do grau, a disseminação linfática é rara e a dissecção dos linfonodos axilares é contraindicada. As raras lesões de alto grau dão origem a metástases hematogênicas a distância em cerca de um terço dos casos. Apenas o componente estromal sofre metástase.

Lesões do estroma interlobular

Os tumores do estroma interlobular da mama são compostos por células estromais sem acompanhamento de um componente epitelial. Estes incluem tumores benignos, bem como malignos, todos eles raros e, portanto, serão considerados brevemente. O *miofibroblastoma* consiste em miofibroblastos e é incomum o fato de ser o único tumor de mama que é igualmente presente em homens. Os *lipomas* são frequentemente palpáveis e também podem ser detectados pela mamografia como lesões contendo gordura. A única importância destas lesões é distingui-las de doenças malignas.

A *fibromatose* é uma proliferação clonal de fibroblastos e miofibroblastos. Apresenta-se como uma massa irregular e infiltrante que pode envolver os músculos. Embora localmente agressivo, neste a lesão não sofre metástase. Alguns casos estão associados a trauma anterior ou cirurgia. Outros casos ocorrem como parte da polipose adenomatosa familiar, síndrome desmoide hereditária e síndrome de Gardner.

Tumores malignos do estroma interlobular

Os tumores estromais malignos da mama são raros. O único sarcoma que ocorre com alguma frequência na mama é o angiossarcoma – no entanto, é responsável por menos de 0,05% das malignidades da mama. O angiossarcoma da mama pode ser esporádico ou surgir como uma complicação da terapia. A maioria dos angiossarcomas esporádicos ocorre no parênquima mamário de jovens mulheres (idade média de 35 anos) e tem um prognóstico negativo. Neoplasias que ocorrem após o tratamento para câncer de mama normalmente surgem em mulheres mais velhas e estão associados à radioterapia ou edema crônico. Após a radioterapia, aproximadamente 0,3% das mulheres desenvolvem angiossarcomas na peleda mama, sendo a maioria dos casos diagnosticada 5 a 10 anos após o tratamento.

Outras neoplasias malignas da mama

As malignidades da mama que se originam de linfócitos ou da pele, ou, ainda, de metástases de outro local, compreendem menos de 5% dos cânceres de mama. O *linfoma não Hodgkin* pode surgir primariamente na mama, ou as mamas podem ser secundariamente envolvidas pela doença. A maioria dos linfomas primários da mama são do tipo de células B, enquanto raros linfomas de células T podem surgir em associação com implantes mamários, possivelmente devido à inflamação crônica, que é conhecida por estimular o desenvolvimento de linfomas em outros contextos. Mulheres jovens com linfoma de Burkitt podem se apresentar com envolvimento maciço bilateral das mamas, muitas vezes durante a gravidez ou amamentação. As neoplasias malignas podem surgir da pele e derme da mama; essas neoplasias são idênticas às suas contrapartes encontradas em outros lugares da pele (ver **Capítulo 25**). As metástases para a mama são raras e surgem mais comumente de melanomas e cânceres de ovário.

Conceitos-chave
Neoplasias estromais

- O estroma intralobular é a origem de duas neoplasias bifásicas: fibroadenoma e tumor filoides
- Os fibroadenomas são as neoplasias benignas mais comuns da mama
- As neoplasias do estroma interlobular consistem apenas em células estromais e incluem lesões benignas e malignas
- O angiossarcoma é a malignidade estromal mais comum e pode ser esporádico ou associado à exposição à radiação ou linfedema.

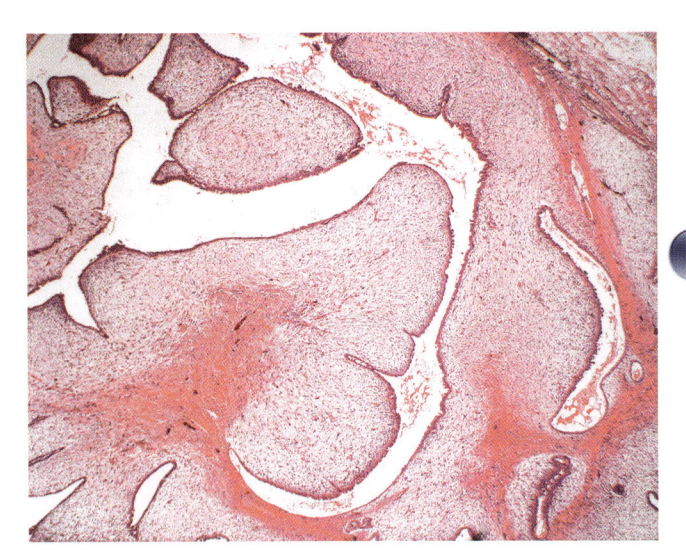

Figura 23.24 Tumor filoides. Em comparação com um fibroadenoma, há aumento da celularidade estromal e crescimento excessivo, dando origem à arquitetura típica em forma de folha.

LEITURA SUGERIDA

O significado social, histórico e político do câncer de mama

Mukherjee S: *The Emperor of all maladies: a biography of cancer*, 2011, Scribner. [*Esta retrospectiva da evolução da nossa compreensão do câncer inclui a história da descoberta do HER2 e o notável impacto da terapia direcionada ao HER2. Ela também inclui um olhar de advertência sobre como os ensaios clínicos podem dar errado, como no programa de transplante autônomo de medula de tumor sólido para câncer de mama na década de 1990.*]

Olson JS: *Bathsheba's breast: women, cancer, and history*, 2002, The Johns Hopkins University Press. [*Da rainha Atossa na Babilônia em 490 aC ao Dr. Jeri Nielsen na Antártida em 1999, as mulheres diagnosticaram seus próprios cânceres de mama por milhares de anos. Esta é uma crônica do câncer de mama contada por essas mulheres, bem como uma história informativa dos marcos importantes no tratamento do câncer.*]

Yalom M: *History of the breast*, 1998, Ballantine Books. [*Trabalho acadêmico sobre o significado cultural, político, psicológico, artístico, físico e religioso da mama.*]

Fontes gerais de informação sobre o câncer de mama

Breast Cancer Facts & Figures: *American Cancer Society*, 2018. *Disponível em https://www.cancer.org.* [*Excelente recurso para informações atualizadas sobre o câncer de mama.*]

International Association of Cancer Registries (IACR): *GLOBOCAN*, 2012. *Disponível em http://globocan.iarc.fr.* [*A Associação Internacional de Registros de Câncer fornece informações sobre a incidência do câncer e mortalidade em todo o mundo.*]

Grande conjunto de dados da internet sobre o câncer de mama

The Cancer Genome Atlas project. https://cancergenome.nih.gov. (Acesso em 1 de janeiro de 2018). [*Esta é uma iniciativa patrocinada pelo National Institutes of Health (Institutos Nacionais de Saúde dos Estados Unidos) que inclui informações sobre mais de 800 cânceres de mama.*][a]

The International Cancer Genome Consortium. https://icgc.org. (Acesso em 1 de janeiro de 2018). [*Este é um grupo voluntário internacional de pesquisadores e organizações científicas.*][a]

The Molecular Taxonomy of Breast Cancer International Consortium (META-BRIC). www.cbioportal.org. (Acesso em 1 de janeiro de 2018). [*A taxonomia molecular original do Consórcio Internacional de Câncer de Mama incluiu mais de 2.000 amostras de câncer de mama de repositórios de tumores do Reino Unido e Canadá. Este site também fornece links para outros bancos de dados.*][a]

National Cancer Database (NCDB). https://www.facs.org. (Acesso em 1 de janeiro de 2018). [*A National Cancer Database (Base de Dados Nacional) inclui informações sobre aproximadamente 70% dos cânceres de mama recém-diagnosticados nos Estados Unidos de hospitais credenciados pela American College of Surgeons Commission on Cancer (Colégio Americano da Comissão de Cirurgiões em Câncer).*][b]

Surveillance, Epidemiology, and End Results (SEER) program. http://seer.cancer.gov. (Acesso em 1 de janeiro de 2018). [*Este é um programa do National Cancer Institute (Instituto Nacional do Câncer dos Estados Unidos) que coleta informações baseadas na população dos registros de câncer cobrindo aproximadamente 28% da população do Estados Unidos.*][b]

Biologia do câncer de mama

Casasent AK, Schalck A, Gao R et al: Multiclonal invasion in breast tumors identified by topographic single cell sequencing, *Cell* 172:205, 2018. [*A poderosa combinação de morfologia e sequenciamento de células únicas permite a avaliação separada do carcinoma ductal in situ (DCIS) e do carcinoma invasivo e revela que vários subclones diferentes surgem no DCIS, invadem o estroma e contribuem para o tumor invasivo.*]

Davalos V, Martinez-Cardus A, Esteller M: The epigenetic revolution in breast cancer: from single-gene to genome-wide next-generation approaches, *Am J Pathol* 187:2163, 2017. [*A epigenética desempenha um papel importante em todos os aspectos do câncer de mama – desde a determinação do tipo molecular (expressão do receptor de estrogênio), até a ativação/inativação das vias de sinalização do crescimento e ao desenvolvimento de resistência ao tratamento.*]

Del Alcazar CRG, Huh SJ, Ekram MB et al: Immune escape in breast cancer during in situ to invasive carcinoma transition, *Cancer Discov* 7:1098, 2017. [*Alguns cânceres de mama, especialmente os tipos ER-negativo e HER2-positivo, estão associados a infiltrados proeminentes de células T. Como esses cânceres escapam da vigilância imunológica e como modular essa resposta para aumentar a resposta à terapia são áreas promissoras de investigação.*]

Ellsworth RE, Blackburn HL, Shriver CD et al: Molecular heterogeneity in breast cancer: state of the science and implications for patient care, *Semin Cell Dev Biol* 64:65, 2017. [*O sequenciamento de células-únicas mostrou que cada célula em um câncer de mama pode ser geneticamente única. A heterogeneidade é um dos maiores desafios no desenvolvimento de estratégias eficazes de tratamento do câncer.*]

Fleischer T, Tekpli X, Mathelier A et al: DNA methylation at enhancers identifies distinct breast cancer lineages, *Nat Commun* 8:1379, 2018. [*A metilação é um mecanismo importante de regulação genômica subjacente aos principais padrões de expressão gênica, como a expressão do receptor de estrogênio.*]

Geyer FC, Pareja F, Weigelt B et al: The spectrum of triple-negative breast disease: high- and low-grade lesions, *Am J Pathol* 187:2139, 2017. [*Embora os carcinomas sem expressão de receptores hormonais e HER2 (carcinoma triplo negativo) geralmente confiram um prognóstico ruim, existem muitos subtipos dentro deste grupo, incluindo alguns com prognóstico muito bom.*]

Heng YJ, Lester SC, Tse GM et al: The molecular basis of breast cancer pathological phenotypes, *J Pathol* 241:375, 2017. [*Neste estudo, usando dados do Atlas do Genoma do Câncer, os padrões de expressão gênica subjacentes às características patológicas são explorados. Por exemplo, a formação de túbulos se correlaciona fortemente com genes expressos por cânceres luminais.*]

Mardamshina M, Geiger T: Next-generation proteomics and its application to clinical breast cancer research, *Am J Pathol* 187:2175, 2017. [*O sequenciamento de DNA e o perfil de RNA mensageiros fornecem apenas parte do perfil de uma célula cancerosa. A avaliação das moléculas funcionais (proteínas) tem sido mais desafiadora, mas novas técnicas devem permitir análises em larga escala.*]

Russnes HG, Lingjaerde OC, Borresen-Dale A-L et al: Breast cancer molecular stratification: from intrinsic subtypes to integrative clusters, *Am J Surg Pathol* 187:2152, 2017. [*Classificação moderna dos cânceres de mama inclui alterações nos padrões de DNA e RNA mensageiros, expressão proteica e o fenótipo resultante reconhecido como tipo histológico.*]

Recursos para classificação, estadiamento, relato e tratamento do câncer de mama

Bossuyt V, Provenzano E, Symmans WF et al: Recommendations for standardized pathological characterization of residual disease for neoadjuvant clinical trials of breast cancer by the BIG-NABCG collaboration, *Ann Oncol* 26:1280–1291, 2015. [*A terapia neoadjuvante é uma ferramenta poderosa tanto para o cuidado do paciente quanto para a pesquisa, pois atualmente é o único método para medir diretamente o grau em que os carcinomas respondem a diferentes tipos de terapia.*]

Hortobagyi GN, Connolly JL, D'Orsi CJ et al: Breast. In Amin MB, Edge SB, et al; for the American Joint Commission on Cancer, editors: *AJCC Cancer Staging Manual*, New York, NY, 2017, Springer, pp 589–628. *Capítulo de Mama Revisado disponível em: https://cancerstaging.org/About/news/Pages/Updated-Breast-Chapter-for-8th-Edition.aspx.* (Acesso em 23 dezembro de 2017). [*A American Joint Commission on Cancer (Comissão Americana Conjunta do Câncer) emite diretrizes sobre o estadiamento do câncer. Após a publicação do livro, um Capítulo sobre Mama significativamente revisado foi disponibilizado online. Esta edição apresenta dois novos sistemas de estadiamento que, pela primeira vez, combinam características biológicas do câncer de mama com o estágio anatômico.*]

International Agency for Research on Cancer (IARC): *World Health Organization Classification of Tumours: Breast Tumours*, ed 5, Lyon, France, De-

---

[a]Estes incluem os maiores conjuntos de dados com informações moleculares sobre câncer de mama.

[b]Estes são grandes repositórios de dados para informações clínicas sobre pacientes com câncer de mama, incluindo tipos de câncer, estágio e sobrevida.

cember 2019, IARC. [*Mais de 100 especialistas em todo o mundo colaboram com a Organização Mundial da Saúde para emitir diretrizes sobre a classificação dos cânceres de mama*].

Lester SC, Bose S, Chen YY et al: Protocol for the examination of specimens from patients with invasive carcinoma of the breast, *Arch Pathol Lab Med* 133:1515, 2009. [*O Colégio Americano de Patologistas (CAP, do inglês College of American Pathologists) desenvolve padrões nacionais para a notificação do carcinoma de mama e está atualmente trabalhando no desenvolvimento de um consenso mundial. Os protocolos atuais do CAP estão disponíveis em https://www.cap.org/*].

National Comprehensive Cancer Network (NCCN). https://www.nccn.org. [*A National Comprehensive Cancer Network é uma aliança de centros de câncer que emite diretrizes para o tratamento do câncer de mama, bem como de outros tipos de câncer*].

Sistema Endócrino

CAPÍTULO 24

Anirban Maitra

SUMÁRIO DO CAPÍTULO

HIPÓFISE, 1110
Manifestações clínicas da doença hipofisária, 1111
Adenomas hipofisários e hiperpituitarismo, 1111
  Adenoma lactotrófico, 1114
  Adenoma somatotrófico, 1115
  Adenoma corticotrófico, 1116
  Outras neoplasias da adeno-hipófise, 1116
Hipopituitarismo, 1117
Síndromes da neuro-hipófise, 1118
Neoplasias suprasselares hipotalâmicas, 1118

GLÂNDULA TIREOIDE, 1119
Hipertireoidismo, 1120
Hipotireoidismo, 1122
  Cretinismo, 1122
  Mixedema, 1122
Tireoidite, 1123
  Tireoidite de Hashimoto, 1123
  Tireoidite linfocítica (indolor) subaguda, 1124
  Tireoidite granulomatosa, 1125
Doença de Graves, 1126
Bócio difuso e multinodular, 1127
  Bócio difuso atóxico (simples), 1127
  Bócio multinodular, 1128
Neoplasias da tireoide, 1129
  Adenomas de tireoide, 1130
  Carcinomas da tireoide, 1131
  Carcinoma papilífero e variantes foliculares, incluindo variante folicular encapsulada invasiva de CPT e neoplasia folicular não invasiva da tireoide com características nucleares de tipo papilífero, 1133
  Carcinoma folicular, 1134
  Carcinoma pouco diferenciado e anaplásico (indiferenciado), 1136
  Carcinoma medular, 1136
Anomalias congênitas, 1138

GLÂNDULAS PARATIREOIDES, 1138
Hiperparatireoidismo, 1138
  Hiperparatireoidismo primário, 1139
  Hiperparatireoidismo secundário, 1141
Hipoparatireoidismo, 1142
  Pseudo-hipoparatireoidismo, 1143

PÂNCREAS ENDÓCRINO, 1143
Diabetes melito, 1144
  Homeostasia da glicose, 1145
  Regulação da liberação de insulina, 1145
  Ação da insulina e vias de sinalização da insulina, 1146
  Patogênese do diabetes melito tipo 1, 1147
  Suscetibilidade genética, 1148
  Fatores ambientais, 1148
  Mecanismos de destruição das células β, 1148
  Patogênese do diabetes tipo 2, 1148
  Fatores genéticos, 1148
  Fatores ambientais, 1149
  Defeitos metabólicos no diabetes melito tipo 2, 1149
  Formas monogênicas de diabetes, 1151
  Defeitos genéticos na função das células β, 1151
  Defeitos genéticos que comprometem a resposta dos tecidos à insulina, 1151
  Diabetes melito e gravidez, 1151
  Características clínicas do diabetes melito, 1152
  Tríade clássica do diabetes melito, 1152
  Complicações metabólicas agudas do diabetes melito, 1152
  Complicações crônicas do diabetes, 1153
  Morfologia das complicações crônicas do diabetes melito, 1154
  Manifestações clínicas do diabetes melito crônico, 1158
Tumores neuroendócrinas do pâncreas, 1159
  Hiperinsulinismo (insulinoma), 1159
  Síndrome de Zollinger-Ellison (gastrinoma), 1160
  Outras neoplasias endócrinas pancreáticas raras, 1160

GLÂNDULAS SUPRARRENAIS, 1161
Córtex suprarrenal, 1161
  Hiperfunção adrenocortical (hiperadrenalismo), 1161
  Hipercortisolismo (síndrome de Cushing), 1161
  Hiperaldosteronismo primário, 1165
  Síndromes adrenogenitais, 1166
  Insuficiência adrenocortical, 1168
  Insuficiência adrenocortical aguda primária, 1168
  Síndrome de Waterhouse-Friderichsen, 1169
  Insuficiência adrenocortical crônica primária (doença de Addison), 1169
  Insuficiência adrenocortical secundária, 1171
  Neoplasias adrenocorticais, 1172
  Outras lesões suprarrenais, 1173
Medula suprarrenal, 1173
  Feocromocitoma, 1174

SÍNDROMES DE NEOPLASIA ENDÓCRINA MÚLTIPLA, 1176
Neoplasia endócrina múltipla tipo 1, 1176
Neoplasia endócrina múltipla tipo 2, 1177

GLÂNDULA PINEAL, 1178
Pinealoma, 1178

O sistema endócrino é constituído por um grupo de órgãos altamente integrados e distribuídos, denominados glândulas, que coordenam um estado de equilíbrio metabólico entre os vários órgãos do corpo. A sinalização emitida pelas moléculas secretadas pode ser classificada em três tipos – sinalização autócrina, parácrina ou endócrina –, com base na distância em relação à qual o sinal atua. **Na sinalização endócrina, as moléculas secretadas, também conhecidas como hormônios, atuam sobre células-alvo que estão distantes de seus locais de síntese.** Um hormônio endócrino é frequentemente transportado pelo sangue de seu local de liberação até o seu alvo. A produção de vários hormônios por glândulas endócrinas é estimulada por fatores tróficos liberados da hipófise. O hormônio endócrino inibe a produção dos fatores tróficos, um processo conhecido como *inibição por retroalimentação*, mantendo, assim, os níveis fisiológicos do hormônio.

Diversos processos podem perturbar a atividade normal do sistema endócrino, como comprometimento na síntese ou liberação de hormônios, interações anormais entre hormônios e seus tecidos-alvo e respostas anormais dos órgãos-alvo. Em geral, as doenças endócrinas podem ser classificadas como: (1) doenças de subprodução ou superprodução de hormônios e suas consequências bioquímicas e clínicas; e (2) doenças associadas ao desenvolvimento de lesões expansivas. Essas lesões podem ser não funcionais ou podem estar associadas à superprodução ou subprodução de hormônios. O estudo das doenças endócrinas exige a integração dos achados morfológicos com as medições bioquímicas dos níveis dos hormônios, de seus reguladores e outros metabólitos.

Hipófise

A hipófise é uma pequena estrutura em forma de feijão situada na base do encéfalo, dentro da sela turca. A sua função é controlada pelo hipotálamo, ao qual está ligada por uma haste contendo axônios que se estendem a partir do hipotálamo e um rico plexo venoso. Com o hipotálamo, a hipófise desempenha um papel central na regulação da função da maioria das outras glândulas endócrinas.

A hipófise é formada por dois componentes distintos do ponto de vista morfológico e funcional: o lobo anterior (adeno-hipófise) e o lobo posterior (neuro-hipófise). **A adeno-hipófise, que constitui cerca de 80% da glândula, produz hormônios tróficos que estimulam a produção de hormônios da tireoide, das glândulas suprarrenais e de outras glândulas.** A adeno-hipófise é composta de células epiteliais derivadas embriologicamente da cavidade oral em desenvolvimento. Em cortes histológicos de rotina, a adeno-hipófise contém um conjunto de células de coloração variada que apresentam citoplasma eosinofílico (*células acidófilas*), citoplasma basofílico (*células basófilas*) ou citoplasma fracamente corado (*células cromófobas*) (**Figura 24.1**). Estudos detalhados demonstraram que as propriedades distintas de coloração dessas células estão relacionadas com a presença de diferentes hormônios polipeptídicos dentro de seu citoplasma, que controlam a atividade de outras glândulas endócrinas. Existem seis tipos de células de diferenciação terminal na adeno-hipófise, e cada tipo é definido pelos hormônios que sintetiza:

- Os *somatotrofos* produzem o hormônio do crescimento (GH)
- Os *mamossomatotrofos* produzem GH e prolactina (PRL)
- Os *lactotrofos* produzem PRL
- Os *corticotrofos* produzem o hormônio adrenocorticotrófico (ACTH), a pró-opiomelanocortina (POMC) e o hormônio estimulante dos melanócitos (MSH)
- Os *tireotrofos* produzem o hormônio tireoestimulante (TSH)
- Os *gonadotrofos* produzem o hormônio foliculoestimulante (FSH) e o hormônio luteinizante (LH). Nas mulheres, o FSH estimula a formação dos folículos de Graaf no ovário, enquanto o LH induz a ovulação e a formação do corpo lúteo no ovário. Os mesmos dois hormônios também regulam a espermatogênese e a produção de testosterona nos homens.

A produção da maioria dos hormônios hipofisários é controlada por fatores do hipotálamo de ação positiva e de ação negativa (**Figura 24.2**), que são transportados até a adeno-hipófise pelo sistema porta venoso. Enquanto a maioria dos fatores hipotalâmicos promove a liberação de hormônios hipofisários, outros (p. ex., somatostatina e dopamina) são inibitórios. Raramente, sinais e sintomas de doença hipofisária podem ser causados pela superprodução ou subprodução de fatores hipotalâmicos, e não por uma anormalidade primária da hipófise. Durante a embriogênese, fatores de transcrição específicos regulam a diferenciação das células-tronco multipotentes dentro da bolsa de Rathke nos vários tipos celulares da adeno-hipófise. Por exemplo, os somatotrofos, os mamossomatotrofos, os lactotrofos e os tireotrofos derivam de um precursor comum, que expressam o fator de transcrição PIT-1 (os lactotrofos também expressam a subunidade alfa do receptor de estrogênio, ERα). Por outro lado, os corticotrofos derivam de células progenitoras que expressam o fator de transcrição TPIT (também conhecido como proteína da caixa T [*T-boxe*] 19 ou Tbx-19), enquanto os gonadotrofos originam-se de células precursoras que expressam o fator esteroidogênico 1 (SF-1) e GATA-2. A expressão desses fatores de transcrição específicos de linhagem é conservada nos adenomas hipofisários e é utilizada para a classificação dessas neoplasias (ver adiante).

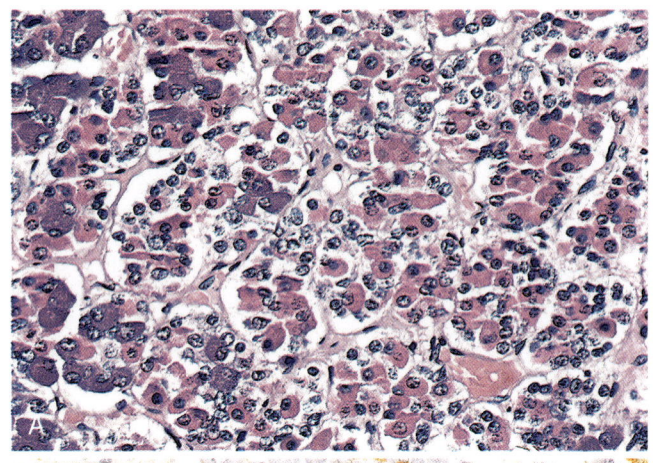

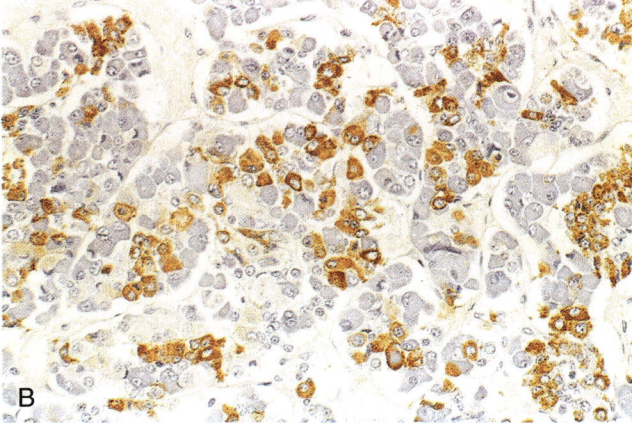

Figura 24.1 A. Fotomicrografia de hipófise normal. A glândula é povoada por várias populações de células distintas, que contêm uma variedade de hormônios estimulantes (tróficos). Cada hormônio conta com diferentes características de coloração, resultando em uma mistura de tipos de células em preparações histológicas de rotina. **B.** Imunocoloração para o hormônio do crescimento humano.

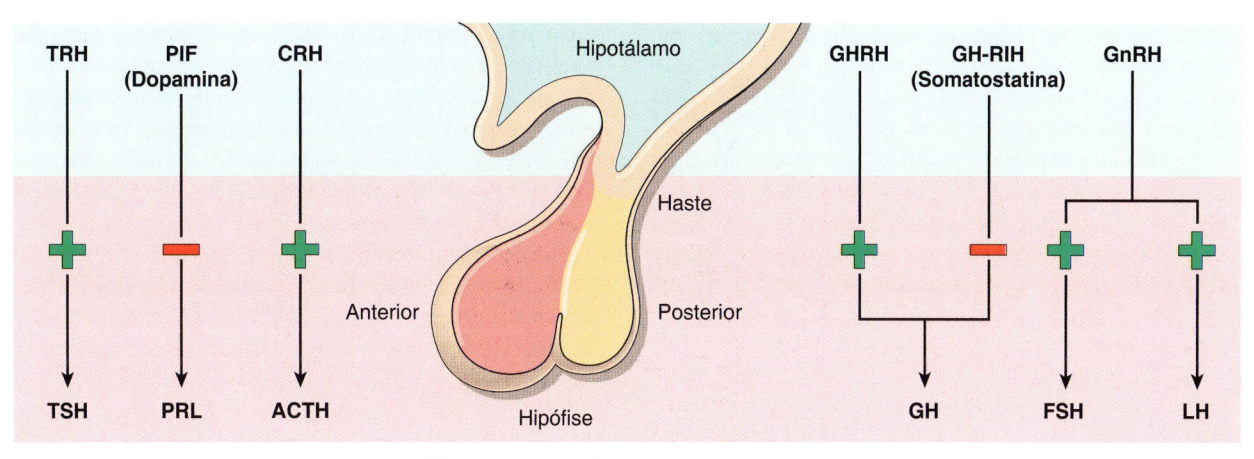

Figura 24.2 Hormônios liberados pela adeno-hipófise. A adeno-hipófise (hipófise anterior) libera cinco hormônios que, por sua vez, estão sob o controle de vários fatores de liberação hipotalâmicos estimuladores e inibidores. Os fatores de liberação estimulantes incluem o TRH (hormônio de liberação da tireotropina), o CRH (hormônio de liberação da corticotropina), o GHRH (hormônio de liberação do hormônio do crescimento) e o GnRH (hormônio de liberação das gonadotropinas). As influências hipotalâmicas inibidoras compreendem o PIF (fator inibidor da prolactina ou dopamina) e o hormônio de inibição da liberação do hormônio do crescimento (GH-RIH ou somatostatina). ACTH, hormônio adrenocorticotrófico (corticotropina); FSH, hormônio foliculoestimulante; GH, hormônio do crescimento (somatotropina); LH, hormônio luteinizante; PRL, prolactina; TSH, hormônio tireoestimulante (tireotropina).

A neuro-hipófise consiste em células gliais modificadas (denominadas pituícitos) e processos axonais que se estendem do hipotálamo, por meio da haste hipofisária, até o lobo posterior (terminações axonais). A neuro-hipófise secreta dois hormônios peptídicos, a *ocitocina* e o *hormônio antidiurético* (ADH, também denominado *arginina vasopressina* ou AVP). Esses hormônios são, na verdade, sintetizados no hipotálamo e transportados por meio de axônios até a neuro-hipófise. Em resposta a estímulos apropriados, os hormônios pré-formados são então liberados diretamente na circulação sistêmica. Por exemplo, a dilatação do colo do útero na gravidez resulta em liberação de ocitocina, levando à contração do músculo liso uterino, o que facilita o parto (trabalho de parto). De modo semelhante, a ocitocina liberada com a estimulação do mamilo no período pós-natal atua sobre o músculo liso que circunda os ductos lactíferos das glândulas mamárias e facilita a lactação. Pode-se administrar ocitocina sintética a mulheres grávidas para induzir o trabalho de parto. A função mais importante do ADH consiste em conservar a água por meio de restrição da diurese durante períodos de desidratação e hipovolemia. A pressão arterial diminuída, detectada por barorreceptores (receptores sensores de pressão) no átrio cardíaco e nas carótidas, estimula a liberação de ADH. Um aumento da pressão osmótica do plasma, detectado pelos osmorreceptores, também desencadeia a secreção de ADH. Em contrapartida, os estados de hipervolemia e o aumento da distensão atrial resultam em inibição da ADH.

Manifestações clínicas da doença hipofisária

As manifestações dos distúrbios da hipófise estão relacionadas com o excesso ou a deficiência de hormônios hipofisários ou com efeitos expansivos:

- O *hiperpituitarismo* surge em consequência da secreção excessiva de hormônios tróficos. As causas do hipopituitarismo incluem hiperplasias, adenomas e carcinomas da adeno-hipófise, secreção de hormônios por neoplasias não hipofisárias e determinados distúrbios hipotalâmicos. Os sintomas do hiperpituitarismo são discutidos adiante, no contexto das neoplasias individuais
- O *hipopituitarismo* resulta da deficiência de hormônios tróficos. Pode ser causado por lesão isquêmica, cirurgia ou radiação, distúrbios inflamatórios e efeitos expansivos de adenomas hipofisários não funcionantes
- *Sintomas relacionados a efeitos expansivos locais.* Devido à estreita proximidade dos nervos ópticos e do quiasma óptico com a sela turca, as lesões hipofisárias expansivas costumam comprimir as fibras cruzadas no quiasma óptico. Isso dá origem a anormalidades do campo visual, classicamente na forma de defeitos em ambos os campos visuais laterais (temporais), constituindo a denominada hemianopsia bitemporal. À semelhança de qualquer massa intracraniana expansiva, os adenomas hipofisários podem produzir sinais e sintomas de pressão intracraniana elevada, como cefaleia, náuseas e vômitos. Em certas ocasiões, a hemorragia aguda em um adenoma está associada a evidências clínicas de rápido aumento da lesão, uma situação denominada *apoplexia hipofisária*. A apoplexia hipofisária aguda é uma emergência neurocirúrgica, que pode causar morte súbita (ver adiante).

Com frequência, as doenças da neuro-hipófise chamam a atenção clínica em virtude da produção aumentada ou diminuída de ADH e alterações associadas no equilíbrio hidreletrolítico.

Adenomas hipofisários e hiperpituitarismo

A causa mais comum de hiperpituitarismo consiste em um adenoma que surge no lobo anterior. Os adenomas hipofisários são classificados com base nos hormônios e nos fatores de transcrição específicos de tipos celulares que são expressos pelas células neoplásicas (**Tabela 24.1**). Alguns adenomas hipofisários secretam dois hormônios (sendo o GH e a prolactina a combinação mais comum), e, raramente, os adenomas hipofisários são pluri-hormonais. As causas menos comuns de hiperpituitarismo incluem carcinomas hipofisários e alguns distúrbios hipotalâmicos. Em contrapartida, os grandes adenomas hipofisários e, em particular, os não funcionantes podem causar hipopituitarismo ao destruir o parênquima adjacente normal da adeno-hipófise.

Os adenomas hipofisários costumam ser encontrados em adultos; o pico de incidência é de 35 a 60 anos. São designados, um tanto arbitrariamente, como *microadenomas* se tiverem menos de 1 cm de diâmetro, e como *macroadenomas*, se o seu diâmetro ultrapassar 1 cm. Os adenomas não funcionantes costumam chamar a atenção clínica em um estágio mais avançado do que aqueles associados a anormalidades endócrinas e, portanto, têm mais tendência a ser macroadenomas. Com base em estudos de necropsia, a prevalência dos adenomas hipofisários na população é estimada em aproximadamente 14%, porém a grande maioria dessas lesões consiste em microadenomas clinicamente silenciosos ("incidentaloma hipofisário").

Patogênese

À semelhança de outras neoplasias, os adenomas hipofisários são causados por mutações em genes de câncer, que costumam ser mutações somáticas adquiridas, mas que também podem consistir em mutações de linhagem germinativa associadas a uma predisposição herdada a neoplasias hipofisárias (**Tabela 24.2**):

- As *mutações ativadoras na proteína G* constituem uma das alterações mais comuns nos adenomas hipofisários. Conforme descrito no **Capítulo 1**, as proteínas G costumam desempenhar um papel fundamental na transdução de sinais, transmitindo sinais de receptores específicos de superfície celular (p. ex., receptor do GHRH) para efetores intracelulares (p. ex., adenilato de ciclase), que, em seguida, geram segundos mensageiros (p. ex., monofosfato de adenosina cíclico, cAMP). Trata-se de proteínas heterotriméricas, compostas de subunidades α que se ligam ao nucleotídio de guanina e interagem com receptores de superfície celular e efetores intracelulares (**Figura 24.3**), e subunidades β e γ, que se ligam de forma não covalente às subunidades α. A G_s é uma proteína G estimuladora que desempenha um papel fundamental na transdução de sinais em vários órgãos endócrinos, incluindo a hipófise. A subunidade α da G_s ($G_s\alpha$) é codificada pelo gene *GNAS*, localizado no cromossomo 20q13. No estado basal, a G_s encontra-se em estado inativo, com o difosfato de guanosina (GDP) ligado ao sítio de ligação de nucleotídio de guanina da $G_s\alpha$. Ao interagir com o receptor de superfície celular ligado ao ligante, o GDP dissocia-se, e o trifosfato de guanosina (GTP) liga-se à $G_s\alpha$, ativando a proteína G. A ativação da $G_s\alpha$ gera cAMP, um potente agente mitogênico para vários tipos de células endócrinas (p. ex., somatotrofos e corticotrofos da hipófise, células foliculares da tireoide, células das paratireoides). Normalmente, a ativação da $G_s\alpha$ é transitória, devido à atividade intrínseca de GTPase na subunidade α, que hidrolisa o GTP a GDP. Cerca de 40% dos adenomas de células

Tabela 24.1 Classificação dos adenomas hipofisários.

Tipo de adenoma	Hormônio	Fator de transcrição	Variante morfológica	Síndrome associada[a]
Adenoma somatotrófico	GH	PIT-1	Adenoma densamente granulado	Gigantismo (crianças)
	GH	PIT-1	Adenoma esparsamente granulado	Acromegalia (adultos)
	GH, PRL (nas mesmas células)	PIT-1, ERα	Adenoma mamossomatotrófico	
	GH, PRL (em células diferentes)	PIT-1, ERα	Adenoma somatotrófico-lactotrófico misto	
Adenoma lactotrófico	PRL	PIT-1, ERα	Adenoma esparsamente granulado	Galactorreia e amenorreia (em mulheres)
	PRL	PIT-1, ERα	Adenoma densamente granulado	
	PRL, GH (focal e variável)	PIT-1, ERα	Adenoma de células-tronco acidofílico	Disfunção sexual, infertilidade
Adenoma tireotrófico	TSH	PIT-1	Adenoma tireotrófico	Hipertireoidismo
Adenoma corticotrófico	ACTH	TPIT	Adenoma densamente granulado	Síndrome de Cushing
	ACTH	TPIT	Adenoma esparsamente granulado	Síndrome de Nelson
	ACTH	TPIT	Adenoma de células de Crooke (filamentos de citoqueratina intracitoplasmáticos proeminentes)	Efeitos expansivos (20% dos adenomas corticotróficos são hormonalmente silenciosos)
Adenoma gonadotrófico	FSH, LH	SF-1, GATA-2, ERα	Adenoma gonadotrófico	Efeitos expansivos e hipopituitarismo (os adenomas gonadotróficos são, em sua maioria, silenciosos)
Adenoma nulo (*null cell*)	Nenhum	Nenhum		Efeitos expansivos
Adenoma pluri-hormonal	GH, PRL, TSH	PIT-1		

[a]Observe que os adenomas não funcionantes ("silenciosos") em cada categoria expressam o(s) hormônio(s) correspondente(s) e o fator de transcrição dentro das células neoplásicas, conforme determinado pela coloração imuno-histoquímica especial dos tecidos. Entretanto, esses adenomas não produzem a síndrome clínica associada e costumam apresentar *efeitos expansivos*, acompanhados de *hipopituitarismo*, devido à destruição do parênquima normal da hipófise. Essas características são comuns principalmente nos adenomas gonadotróficos e em até um quinto dos adenomas corticotróficos, e são raras nos adenomas somatotróficos ou lactotróficos. Os adenomas nulos (*null cell*), por definição, apresentam apenas efeitos expansivos.
ACTH, hormônio adrenocorticotrófico; *FSH*, hormônios foliculoestimulante, *GH*, hormônio do crescimento; *LH*, hormônio luteinizante; *PRL*, prolactina; *TSH*, hormônio tireoestimulante.
Parcialmente modificada de Lopes MBS: The 2017 World Health Organization classification of tumors of the pituitary gland: a summary, *Acta Neuropathol* 134:521-535, 2017.

somatotróficas abrigam mutações somáticas de *GNAS*, que anulam a atividade de GTPase da $G_s\alpha$, levando à ativação constitutiva de $G_s\alpha$, geração persistente de cAMP e proliferação celular não controlada (ver **Tabela 24.2**). Foram também descritas mutações do *GNAS* em uma maioria de adenomas corticotróficos; em contrapartida, as mutações do *GNAS* estão ausentes nos adenomas tireotrófico, lactotrófico e gonadotrófico, porém os seus hormônios tróficos de liberação hipotalâmicos atuam por outras vias de sinalização

- Ocorrem também mutações ativadoras da *protease 8 específica de ubiquitina (USP8)* em 30 a 60% dos adenomas corticotróficos. A proteína codificada é uma enzima que remove resíduos de ubiquitina de proteínas como o receptor do fator de crescimento epidérmico (EGFR), protegendo-os da degradação dependente de proteassomo. Por conseguinte, a ativação aberrante da USP8 aumenta a atividade do EGFR e de outras vias de sinalização de pró-crescimento nos adenomas hipofisários
- Cerca de 5% dos adenomas hipofisários são causados por mutações de linhagem germinativa de perda de função em genes como *MEN1, CDKN1B, PRKAR1A* ou *AIP* (ver **Tabela 24.2**). É interessante assinalar que as mutações somáticas desses quatro genes raramente são encontradas em adenomas hipofisários esporádicos.

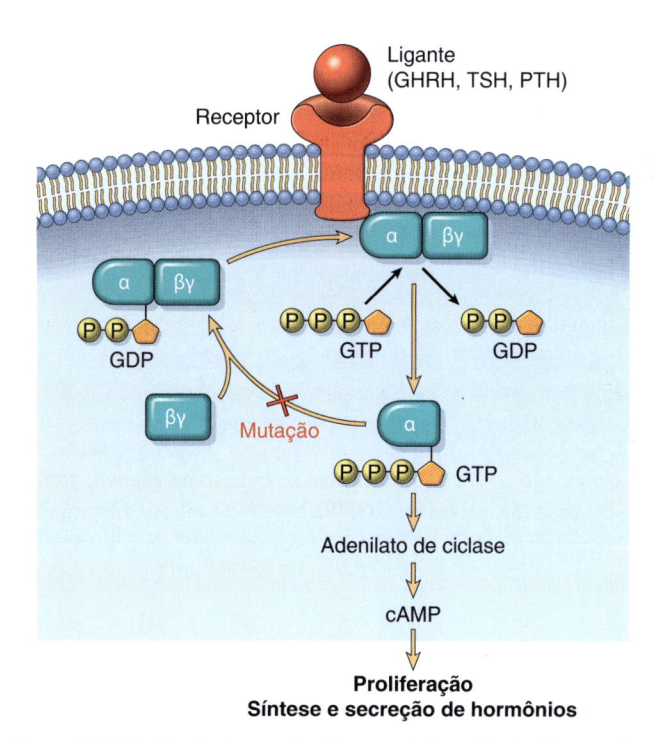

Figura 24.3 Sinalização da proteína G na neoplasia endócrina. As mutações que levam à hiperatividade da proteína G são observadas em uma variedade de neoplasias endócrinas, como adenomas de hipófise, tireoide e paratireoides. As proteínas G (compostas de subunidades α e βγ) desempenham um papel fundamental na transdução de sinais, transmitindo sinais de receptores de superfície celular (receptores de GHRH, TSH ou PTH) para efetores intracelulares (p. ex., adenilato de ciclase), que, em seguida, geram segundos mensageiros (*cAMP*, monofosfato de adenosina cíclico), que estimulam respostas celulares. *GDP*, difosfato de guanosina; *GTP*, trifosfato de guanosina; *Pi*, fosfato inorgânico. Ver **Figura 24.2** para outras abreviaturas.

Morfologia

O **adenoma hipofisário típico** é de consistência mole e bem circunscrito. Os pequenos adenomas podem estar confinados à sela turca; entretanto, com a expansão, eles costumam provocar erosão da sela turca e dos processos clinoides anteriores. As lesões maiores podem se estender superiormente através do

Tabela 24.2 Alterações genéticas em tumores hipofisários.

Gene	Função da proteína	Mutações oncogênicas	Neoplasia hipofisária mais comumente associada
GNAS	Subunidade α da proteína G estimuladora, $G_s\alpha$	Mutações *somáticas* ativadora	Adenoma somatotrófico
USP8	Desubiquitinase	Mutações *somáticas* ativadora	Adenoma corticotrófico
Proteinoquinase A, subunidade reguladora 1α (*PRKAR1A*)[a]	Regulador negativo da proteinoquinase A (PKA), levando a um aumento na produção de cAMP	Mutações *de linhagem germinativa* inativadoras (complexo de Carney)	Adenoma somatotrófico ou lactotrófico
MEN1[a]	Regulador da transcrição	Mutações *de linhagem germinativa* (neoplasia endócrina múltipla, tipo 1)	Adenoma somatotrófico, lactotrófico ou corticotrófico
CDKN1B (p27/K1P1)[a]	Regulador negativo do ciclo celular	Mutações *de linhagem germinativa* inativadoras (síndrome "do tipo MEN-1")	Adenoma corticotrófico
Proteína de interação do receptor de hidrocarbonetos de arila (*AIP*)[a]	Receptor de hidrocarbonetos de arila e um fator de transcrição ativado por ligante	Mutações *de linhagem germinativa* inativadoras (síndrome do adenoma hipofisários isolado familiar)	Adenoma somatotrófico ou lactotrófico (sobretudo em pacientes com menos de 35 anos)
HRAS	Sinalização mitogênica, crescimento e sobrevivência celulares	Mutação *somática* ativadora	Carcinoma hipofisário
DICER1[a]	Processamento de microRNA	Mutação *de linhagem germinativa* inativadora	Blastoma hipofisário

[a]Alterações genéticas associadas a uma predisposição *familiar* ou *de linhagem germinativa* a adenomas hipofisários.

diafragma da sela na região suprasselar, comprimindo o quiasma óptico e as estruturas adjacentes, como nervos cranianos (**Figura 24.4**). Em até 30% dos casos, os adenomas não são encapsulados e infiltram os tecidos adjacentes, como os seios cavernoso e esfenoidal, a dura-máter e, em certas ocasiões, o próprio cérebro. Essas lesões são denominadas **adenomas agressivos**. De modo não surpreendente, os macroadenomas têm mais tendência a ser invasivos e a apresentar focos de hemorragia e necrose.

No exame histológico, os adenomas hipofisários típicos são compostos de células poligonais uniformes (monomórficas), distribuídas em lâminas ou cordões. O tecido conjuntivo de sustentação ou reticulina é esparso, o que explica a consistência gelatinosa mole de muitas dessas neoplasias. Esse monomorfismo celular e ausência de uma rede de reticulina significativa distinguem os adenomas hipofisários do parênquima normal da adeno-hipófise (**Figura 24.5**). São utilizadas colorações imuno-histoquímicas para hormônios e fatores de transcrição específicos de linhagem para identificar os subtipos específicos de adenomas hipofisários (ver **Tabela 24.1**). A atividade mitótica e a expressão de Ki-67 (MIB-1, um marcador das células no ciclo) costumam estar baixas nos adenomas hipofisários; taxas de divisão celular acima do normal estão associadas a neoplasias mais agressivas.

Características clínicas

Os sinais e sintomas dos adenomas hipofisários estão relacionados com as anormalidades endócrinas e os efeitos expansivos. Os efeitos da secreção excessiva de hormônios adeno-hipofisários são mencionados mais adiante, quando são descritos os tipos específicos de adenomas hipofisários. Efeitos expansivos locais podem ser produzidos por qualquer tipo de neoplasia hipofisária. Conforme assinalado anteriormente, esses efeitos incluem anormalidades radiográficas da sela turca, anormalidades dos campos visuais, sinais e sintomas de pressão intracraniana elevada e, em certas ocasiões, hipopituitarismo. A hemorragia aguda em um adenoma está algumas vezes associada à *apoplexia hipofisária*, conforme já assinalado. O comportamento biológico de um adenoma de hipófise nem sempre pode ser previsto de maneira confiável com base no seu aspecto histológico. Isso levou algumas autoridades a sugerir que o termo "adenoma" (que implica um curso benigno) deveria ser substituído por *neoplasia neuroendócrina hipofisária*, um termo que não reflete qualquer expectativa específica sobre o comportamento de uma neoplasia.

A seguir, são descritos os tipos específicos de neoplasias.

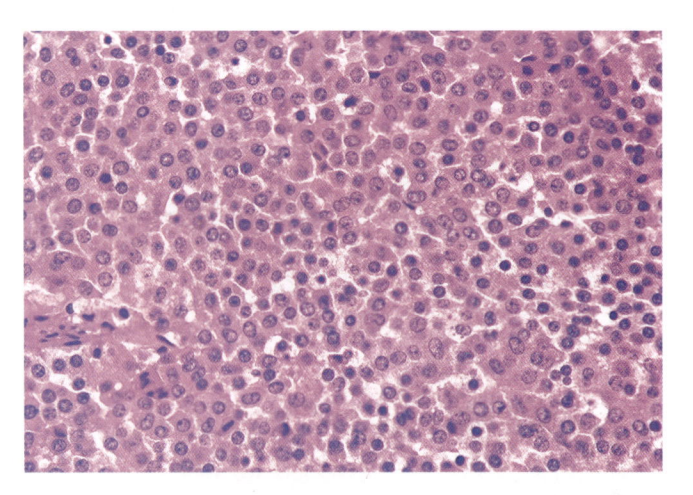

Figura 24.5 Adenoma hipofisário. O monomorfismo dessas células contrasta acentuadamente com a mistura de células observadas na adeno-hipófise normal. Observe também a ausência de rede de reticulina.

Adenoma lactotrófico

Os adenomas lactotróficos secretores de prolactina constituem o tipo mais comum de adenoma hiperfuncionante da hipófise, responsável por cerca de 30% dos casos clinicamente reconhecidos. Essas lesões variam desde pequenos microadenomas até grandes neoplasias expansivas associadas a efeitos expansivos sintomáticos.

Morfologia

Os adenomas lactotróficos são compostos, em sua grande maioria, de células cromófobas com localização justanuclear do fator de transcrição PIT-1; esses adenomas são conhecidos como **adenomas lactotróficos esparsamente granulares** (**Figura 24.6A**). Muito mais raros são os **adenomas lactotróficos densamente granulares** eosinofílicos, caracterizados pela localização citoplasmática difusa do PIT-1 (**Figura 24.6B**). A prolactina pode ser demonstrada dentro dos grânulos secretores no citoplasma com corantes imuno-histoquímicos, e o receptor de estrogênio alfa (ERα) é coexpresso com o PIT-1, consistente com a diferenciação dos lactotrofos. Os adenomas lactotróficos costumam sofrer calcificação distrófica, variando desde corpos de psamoma isolados até calcificação extensa ("cálculo hipofisário"). Em geral, a secreção de prolactina por adenomas funcionantes é eficiente e proporcional, visto que as concentrações séricas de prolactina tendem a exibir uma correlação com o tamanho do adenoma.

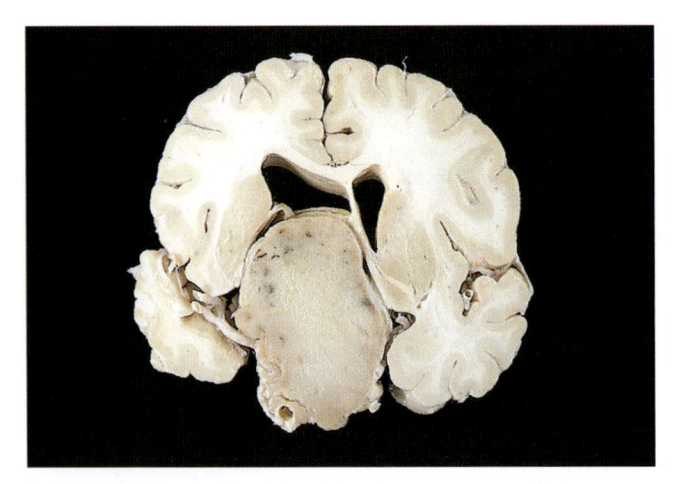

Figura 24.4 Adenoma hipofisário. Esse adenoma maciço e não funcionante cresceu além dos limites da sela turca, causando distorção do cérebro sobrejacente. Em geral, os adenomas não funcionantes são maiores por ocasião do diagnóstico.

Características clínicas

Os níveis séricos elevados de prolactina ou *prolactinemia* causam amenorreia, galactorreia, perda da libido e infertilidade. O diagnóstico de adenoma é estabelecido mais prontamente em mulheres

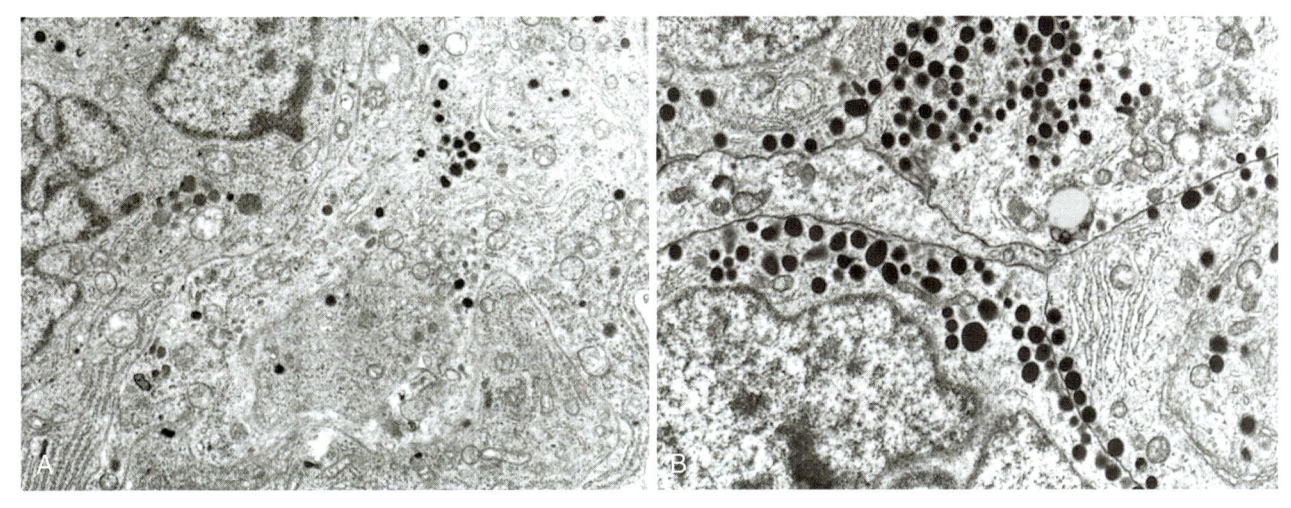

Figura 24.6 Características ultraestruturais do prolactinoma. **A.** Micrografia eletrônica de um prolactinoma esparsamente granulado. As células neoplásicas contêm retículo endoplasmático rugoso (indicando síntese ativa de proteínas) abundante e pequenos números de grânulos secretores eletrodensos. **B.** Micrografia eletrônica de adenoma densamente granular secretor de hormônio do crescimento. As células neoplásicas estão preenchidas com numerosos grânulos secretores grandes e eletrodensos. (Cortesia da Dra. Eva Horvath, St. Michael's Hospital, Toronto, Ontário, Canadá.)

do que em homens, sobretudo entre 20 e 40 anos, visto que a hiperprolactinemia afeta o ciclo menstrual. O adenoma lactotrófico constitui a causa de quase um quarto dos casos de amenorreia. Em contrapartida, nos homens e em mulheres de mais idade, as manifestações hormonais podem ser sutis, de modo que as neoplasias alcançam um tamanho considerável (macroadenomas) antes de ser clinicamente detectadas.

A hiperprolactinemia pode resultar de outras causas além de adenomas hipofisários secretores de prolactina. Ocorre hiperprolactinemia fisiológica durante a gravidez. Os níveis de prolactina também são elevados pela estimulação do mamilo, como a que ocorre durante a sucção em mulheres lactantes, e como resposta a muitos tipos de estresse. A hiperprolactinemia patológica também pode resultar de hiperplasia dos lactotrofos causada pela perda da inibição mediada por dopamina da secreção de prolactina. Isso pode ocorrer em consequência de dano aos neurônios dopaminérgicos do hipotálamo ou da haste da hipófise (p. ex., devido a traumatismo craniano) ou da exposição a fármacos que bloqueiam os receptores de dopamina nas células lactotróficas. Qualquer massa suprasselar (p. ex., adenoma de hipófise) pode perturbar a influência inibitória do hipotálamo sobre a secreção de prolactina, resultando em hiperprolactinemia. Por conseguinte, a ocorrência de hiperprolactinemia leve em uma pessoa com adenoma hipofisário não indica necessariamente uma neoplasia secretora de prolactina. Outras causas de hiperprolactinemia incluem insuficiência renal e hipotireoidismo. Os adenomas lactotróficos são tratados por meio de cirurgia ou, mais comumente, como bromocritptina, um agonista do receptor de dopamina que produz diminuição no tamanho das lesões.

Adenoma somatotrófico

Os adenomas somatotróficos secretores de hormônio do crescimento (GH) constituem o segundo tipo mais comum de adenoma funcionantes da hipófise e causam gigantismo em crianças e acromegalia em adultos. Os adenomas somatotróficos podem ser muito grandes no momento em que chamam a atenção clínica, visto que as manifestações do excesso de GH podem ser sutis.

Morfologia

Histologicamente, os adenomas somatotróficos puros também são classificados em subtipos densamente granulados e esparsamente granulados. Os **adenomas somatotróficos densamente granulados** são compostos de células eosinófilicas monomórficas com citoplasma granulado e grande núcleo central com nucléolos proeminentes. As células apresentam imunorreatividade forte e difusa para o GH. Em contrapartida, as **variantes esparsamente granuladas** são compostas de células cromófobas, com coloração fraca e focal para o GH e uma inclusão paranuclear brilhante característica, conhecida como corpo fibroso, composto de filamentos intermediários que se coram para citoqueratina. Os adenomas **mamossomatotróficos** bi-hormonais que sintetizam GH e prolactina na mesma célula estão sendo cada vez mais reconhecidos; do ponto de vista morfológico, a maioria assemelha-se a adenomas somatotróficos densamente granulados, porém com reatividade imuno-histoquímica para a prolactina e o GH. Esses adenomas devem ser distinguidos dos **adenomas somatotróficos e lactotróficos mistos**, que apresentam expressão de GH e prolactina em diferentes células.

Características clínicas

Diferentemente dos adenomas corticotróficos ou gonadotróficos, os adenomas somatotróficos silenciosos são raros. Os níveis persistentemente elevados de GH estimulam a secreção hepática do fator de crescimento semelhante à insulina-1 (IGF-1), que causam muitas das manifestações clínicas:

- Quando um adenoma somatotrófico surge em crianças antes do fechamento das epífises, os níveis elevados de GH (e de IGF-1) resultam em *gigantismo*. O gigantismo caracteriza-se por um aumento generalizado no tamanho do corpo, com braços e pernas desproporcionalmente longos
- Quando os níveis de GH aumentam após o fechamento das epífises, observa-se o desenvolvimento de *acromegalia*. Nessa condição, o crescimento é mais visível na pele e nos tecidos

moles, nas vísceras (tireoide, coração, fígado e glândulas suprarrenais) e nos ossos da face, das mãos e dos pés. A densidade óssea pode aumentar (*hiperostose*) tanto na coluna vertebral quanto no quadril. O aumento da mandíbula resulta em protrusão (*prognatismo*) e alargamento da parte inferior da face. Os pés e as mãos estão aumentados, e os dedos das mãos tornam-se espessos e com aparência de salsicha. Na maioria dos casos, o gigantismo também é acompanhado de evidências de acromegalia. Essas alterações podem se desenvolver lentamente ao longo de décadas antes de serem reconhecidas, de modo que o adenoma subjacente pode alcançar um tamanho substancial

- O excesso de GH também pode estar associado a uma variedade de outros distúrbios, como disfunção gonadal, diabetes melito, fraqueza muscular generalizada, hipertensão, artrite, insuficiência cardíaca congestiva e aumento do risco de cânceres gastrintestinais.

O diagnóstico baseia-se na documentação de níveis séricos elevados de GH e IGF-1. Além disso, a ausência de supressão da produção de GH em resposta a uma carga oral de glicose constitui um dos exames mais sensíveis para a acromegalia. O adenoma hipofisário causador pode ser removido por meio de cirurgia ou ser tratado por meios farmacológicos. Essa última opção inclui análogos da somatostatina (lembre-se de que a somatostatina inibe a secreção hipofisária de GH) e antagonistas do receptor de GH, que impedem a ligação do hormônio aos órgãos-alvo, como o fígado. Quando se obtém um controle efetivo dos níveis elevados de GH, o crescimento excessivo e característico dos tecidos e sintomas relacionados regridem de modo gradual, e observa-se uma melhora das anormalidades metabólicas. De modo global, os adenomas somatotróficos esparsamente granulados tendem a seguir uma evolução mais agressiva do que os adenomas densamente granulados e podem ser menos responsivos a análogos da somatostatina. Por conseguinte, a subtipagem acurada dos adenomas somatotróficos é importante para o prognóstico.

Adenoma corticotrófico

A produção excessiva de ACTH por adenomas corticotróficos funcionantes leva à hipersecreção suprarrenal de cortisol e ao desenvolvimento de hipercortisolismo (também conhecido como *síndrome de Cushing*).

> **Morfologia**
>
> Os adenomas corticotróficos normalmente consistem em microadenomas por ocasião do diagnóstico. Esses tumores são, com mais frequência, basofílicos (**densamente granulados**) e, em certas ocasiões, cromófobos (**esparsamente granulados**). Ambas as variantes coram-se positivamente com ácido periódico de Schiff (PAS), devido à presença de carboidrato na pró-opio-melanocortina (POMC), o precursor do ACTH. O TPIT também é positivo nas células neoplásicas, consistente com uma linhagem de corticotrofos. Uma terceira variante incomum, denominada **adenoma de células de Crooke**, caracteriza-se pela deposição em anel de citoqueratina, denominada alteração de Crooke. Essa variante apresenta uma história natural agressiva, em comparação com outros subtipos de adenomas corticotróficos.

Características clínicas

As manifestações da síndrome de Cushing são discutidas de modo mais detalhado adiante, assim como as doenças das glândulas suprarrenais. A síndrome pode ser causada por uma ampla variedade de condições, além das neoplasias hipofisárias produtoras de ACTH. Quando o hipercortisolismo é causado pela produção excessiva de ACTH pela hipófise, é designado como *doença de Cushing*. Pode-se observar o desenvolvimento de grandes adenomas hipofisários destrutivos em pacientes após a retirada cirúrgica das glândulas suprarrenais para o tratamento da síndrome de Cushing. Essa condição, conhecida como *síndrome de Nelson*, decorre da perda do efeito inibitório dos corticosteroides suprarrenais sobre um microadenoma corticotrófico. Como as glândulas suprarrenais estão ausentes em indivíduos com síndrome de Nelson, não há desenvolvimento de hipercortisolismo. Os pacientes apresentam efeitos expansivos, devido à neoplasia hipofisária, e pode haver hiperpigmentação, visto que a melanotropina, que exerce efeitos tróficos sobre os melanócitos, também deriva da POMC.

Outras neoplasias da adeno-hipófise

Vários tipos menos frequentes de adenoma hipofisário também merecem um breve comentário (ver **Tabela 24.1**):

- Pode ser difícil reconhecer os *adenomas gonadotróficos (produtores de LH e produtores de FSH)*, visto que eles secretam pequenas quantidades de hormônios que costumam não causar uma síndrome clínica reconhecível (*i. e.*, a maioria é não funcionante). Com mais frequência, os adenomas gonadotróficos manifestam-se em homens e mulheres de meia-idade com sintomas neurológicos, como comprometimento da visão, cefaleia, diplopia ou apoplexia hipofisária. Além disso, podem ocorrer deficiências dos hormônios hipofisários, mais comumente secreção alterada de LH, causando diminuição da energia e da libido nos homens (devido à redução da testosterona) e amenorreia em mulheres na pré-menopausa. As células neoplásicas expressam a subunidade α comum das gonadotropinas e as subunidades β-FSH e β-LH; em geral, o FSH é o hormônio predominante secretado. Os adenomas gonadotróficos também costumam expressar o fator esteroidogênico-1 (SF-1), GATA-2 e ERα, fatores de transcrição associados à diferenciação normal dos gonadotrofos
- Os adenomas *tireotróficos (produtores de TSH)* são incomuns, representando cerca de 1% dos adenomas hipofisários. Constituem uma causa rara de hipertireoidismo. Em virtude de sua linhagem compartilhada com os adenomas lactotróficos e somatotróficos, essas neoplasias também expressam PIT-1
- Os adenomas hipofisários também podem secretar múltiplos hormônios; esses adenomas "pluri-hormonais" costumam ser agressivos. A maioria origina-se de células da linhagem que expressa PIT-1
- Os *adenomas de células nulas (null cell)* não expressam nenhum marcador de diferenciação hormonal ou de linhagem. De maneira não surpreendente, os adenomas de células nulas costumam apresentar sintomas que resultam de efeitos expansivos. Essas lesões também podem comprometer a adeno-hipófise residual e causar hipopituitarismo, que pode surgir lentamente, devido ao aumento gradual do adenoma, ou de maneira abrupta, devido a uma hemorragia intratumoral aguda (apoplexia hipofisária).

O *carcinoma hipofisário* é raro e responde por menos de 1% das neoplasias hipofisárias. A presença de metástases craniospinais ou sistêmicas é um *sine qua non* do carcinoma hipofisário. Os carcinomas hipofisários são, em sua maioria, funcionantes, e a prolactina e o ACTH constituem os produtos mais comumente secretados. Em geral, as metástases aparecem tardiamente na evolução, após múltiplas recorrências locais.

O *blastoma hipofisário* é uma entidade que ocorre em crianças (geralmente com menos de 2 anos) que apresentam mutações de linhagem germinativa do *DICER1*, o gene que codifica uma proteína de processamento do microRNA. Morfologicamente, essas neoplasias são compostas por células imaturas "semelhantes ao blastema" (denominadas "células pequenas azuis e redondas") e formações semelhantes a rosetas que lembram o epitélio de Rathke primitivo a partir do qual a hipófise se desenvolve. O blastoma hipofisário apresenta sinais e sintomas de doença de Cushing. Essas crianças também desenvolvem neoplasias primitivas "semelhantes ao blastema" em outros órgãos, geralmente blastoma pleuropulmonar.

Conceitos-chave

Hiperpituitarismo

- A causa mais comum de hiperpituitarismo é um adenoma da adeno-hipófise
- Os adenomas hipofisários podem ser macroadenomas (com mais de 1 cm de diâmetro) ou microadenomas
- Os adenomas funcionantes estão associados a sinais e sintomas endócrinos distintos, enquanto os adenomas não funcionantes (silenciosos) costumam apresentar efeitos expansivos, incluindo distúrbios visuais
- Os adenomas lactotróficos secretam prolactina e podem se manifestar com amenorreia, galactorreia, perda da libido e infertilidade
- Os adenomas somatotróficos secretam GH e manifestam-se como gigantismo em crianças e acromegalia em adultos, tolerância prejudicada à glicose e diabetes melito
- Os adenomas corticotróficos secretam ACTH e manifestam-se com síndrome de Cushing e hiperpigmentação
- As duas características morfológicas distintas da maioria dos adenomas consistem em seu monomorfismo celular e na ausência de uma rede de reticulina.

Hipopituitarismo

O hipopituitarismo refere-se a uma diminuição da secreção de hormônios hipofisários, que pode resultar de doenças do hipotálamo ou da hipófise. Ocorre hipofunção da adeno-hipófise quando aproximadamente 75% do parênquima é perdido ou está ausente. Quando acompanhado por evidências de disfunção da neuro-hipófise na forma de diabetes insípido (ver adiante), o hipopituitarismo é quase sempre de origem hipotalâmica.

A maioria dos casos de hipopituitarismo origina-se de processos destrutivos que acometem a adeno-hipófise:

- *Neoplasias e outras lesões expansivas:* os adenomas hipofisários, outras neoplasias benignas que surgem dentro da sela turca, as neoplasias malignas primárias e metastáticas e cistos podem causar hipopituitarismo. Qualquer lesão expansiva na sela turca pode causar dano ao exercer pressão nas células hipofisárias normais adjacentes
- *A lesão cerebral traumática e a hemorragia subaracnóidea* estão entre as causas mais comuns de hipofunção hipofisária
- *Cirurgia ou radioterapia da hipófise:* a excisão cirúrgica de um adenoma hipofisário pode incluir inadvertidamente a hipófise não adenomatosa. A radioterapia da hipófise, utilizada para prevenir o novo crescimento de neoplasia residual após a cirurgia, pode danificar a hipófise não adenomatosa
- *Apoplexia hipofisária:* conforme assinalado anteriormente, a apoplexia hipofisária é causada por hemorragia súbita na hipófise, que frequentemente ocorre em um adenoma hipofisário. Em sua apresentação mais dramática, a apoplexia provoca cefaleia excruciante de início abrupto, diplopia devido à pressão exercida nos nervos oculomotores e hipopituitarismo agudo. Nos casos graves, pode causar colapso cardiovascular, perda da consciência e até mesmo morte súbita. A combinação do efeito expansivo produzido pela hemorragia e de hipopituitarismo agudo faz com que apoplexia hipofisária seja uma emergência neurocirúrgica
- A *necrose isquêmica da hipófise (síndrome de Sheehan)*, também conhecida como necrose pós-parto, é a forma mais comum de necrose isquêmica da adeno-hipófise. Durante a gravidez, a adeno-hipófise aumenta e alcança quase o dobro de seu tamanho normal. Essa expansão fisiológica da glândula não é acompanhada de aumento do suprimento sanguíneo do sistema venoso de baixa pressão, de modo que há uma hipoxia relativa. Uma redução adicional do suprimento sanguíneo causada por hemorragia obstétrica ou choque pode precipitar infarto do lobo anterior. Como a neuro-hipófise é suprida diretamente por ramos arteriais, ela é muito menos suscetível à lesão isquêmica e, portanto, costuma não ser afetada. A necrose hipofisária também pode ser observada na coagulação intravascular disseminada e, menos comumente, na anemia falciforme, pressão intracraniana elevada, lesão traumática e choque de qualquer origem. Qualquer que seja a patogênese, a área isquêmica é reabsorvida e substituída por uma pequena quantidade de tecido fibroso aderido à parede de uma sela vazia
- *Cisto da bolsa de Rathke:* esses cistos, que são revestidos por epitélio cuboide ciliado com células caliciformes ocasionais e células da adeno-hipófise, podem acumular líquido proteináceo e expandir-se, comprometendo a glândula normal
- *Síndrome da sela vazia:* qualquer condição ou tratamento capaz de destruir parte da hipófise ou toda ela, como ablação da hipófise por cirurgia ou radioterapia, pode resultar em sela vazia e na síndrome da sela vazia. Existem dois tipos: (1) na sela vazia primária, um defeito no diafragma da sela permite a herniação da aracnoide-máter e do líquido cerebrospinal para dentro da sela, expandindo-a e comprimindo a hipófise. Classicamente, essa condição ocorre em mulheres obesas com história de múltiplas gestações. Com frequência, os indivíduos afetados apresentam defeitos do campo visual e, em certas ocasiões, anormalidades endócrinas, como hiperprolactinemia, devido à interrupção dos estímulos hipotalâmicos inibitórios. Algumas vezes, a perda do parênquima funcionante é suficiente para produzir hipopituitarismo. (2) Na sela vazia secundária, uma massa, como um adenoma hipofisário, expande a sela e, em seguida, é removido por meio de cirurgia ou sofre infarto, resultando em perda da função hipofisária

- *Lesões hipotalâmicas:* conforme mencionado, as lesões hipotalâmicas também podem afetar a hipófise, visto que elas causam deficiência dos fatores de liberação dos hormônios hipofisários. Diferentemente das doenças que acometem diretamente a hipófise, as anormalidades hipotalâmicas também podem diminuir a secreção de ADH, resultando em diabetes insípido (discutido adiante). As lesões hipotalâmicas que causam hipopituitarismo incluem neoplasias, que podem ser benignas (p. ex., craniofaringioma) ou malignas; a maioria destas últimas consiste em metástases de neoplasias, como carcinoma de mama e de pulmão. A insuficiência hipotalâmica também pode surgir após irradiação do cérebro
- Os *distúrbios inflamatórios e as infecções*, como a sarcoidose ou a meningite tuberculosa, podem acometer o hipotálamo e causar deficiências dos hormônios da adeno-hipófise e diabetes insípido
- *Defeitos genéticos:* a deficiência congênita de fatores de transcrição necessários para a função normal da hipófise constitui uma causa rara de hipopituitarismo. Por exemplo, a mutação do gene específico da hipófise, *PIT1*, resulta em deficiência combinada de hormônios hipofisários, caracterizada por deficiências de GH, prolactina e TSH.

As manifestações clínicas da hipofunção da adeno-hipófise variam, dependendo dos hormônios específicos que estão faltando:

- As crianças podem desenvolver falha do crescimento (*nanismo hipofisário*), devido à deficiência do hormônio do crescimento
- A deficiência das gonadotropinas (LH e FSH) leva à amenorreia e infertilidade em mulheres e a uma diminuição da libido, impotência e perda dos pelos púbicos e axilares nos homens
- As deficiências de TSH e de ACTH resultam em sintomas de hipotireoidismo e hipoadrenalismo, respectivamente, e são discutidas adiante, neste capítulo
- A deficiência de prolactina resulta em falha da lactação pós-parto
- A adeno-hipófise também constitui uma fonte rica de melanotropina (também conhecida como hormônio estimulante dos melanócitos), sintetizada a partir da mesma molécula precursora que produz o ACTH; por conseguinte, uma das manifestações do hipopituitarismo consiste em palidez, devido à perda dos efeitos estimuladores sobre os melanócitos.

Síndromes da neuro-hipófise

As síndromes da neuro-hipófise clinicamente relevantes envolvem o ACTH e incluem o diabetes insípido e a síndrome de secreção inapropriada de ADH:

- *Diabetes insípido.* A deficiência de ADH causa diabetes insípido, uma condição caracterizada por micção excessiva (poliúria), devido à incapacidade do rim de reabsorver a água da urina de maneira apropriada. O diabetes insípido pode ocorrer em uma variedade de condições, como traumatismo craniano, neoplasias, distúrbios inflamatórios do hipotálamo e da hipófise e complicações cirúrgicas. Raramente, o diabetes insípido tem uma base genética, devido a mutações autossômicas dominantes do gene da arginina vasopressina (AVP) ou a mutações do receptor de arginina vasopressina tipo 2 (AVPR2), uma condição ligada ao cromossomo X que costuma se manifestar em meninos de pouca idade. O diabetes insípido causado por deficiência de ADH é designado como central para diferenciá-lo do diabetes insípido nefrogênico, que resulta da ausência de resposta dos túbulos renais ao ADH circulante. As manifestações clínicas desses dois distúrbios são semelhantes e consistem em excreção de grandes volumes de urina diluída com densidade específica abaixo do normal. Os níveis séricos de sódio e a osmolalidade estão aumentados, devido à perda renal excessiva de água livre, resultando em sede e polidipsia. Os pacientes que podem beber água geralmente compensam as perdas urinárias, porém os pacientes obnubilados, acamados ou com sua capacidade limitada de obter água podem desenvolver desidratação fatal
- *Síndrome da secreção inapropriada de ADH (SIADH).* O excesso de ADH causa reabsorção excessiva de água livre, resultando em hiponatremia. As causas mais frequentes de SIADH são a secreção de ADH ectópico por neoplasias malignas (sobretudo carcinoma de pequenas células do pulmão), fármacos que aumentam a secreção de ADH e uma variedade de distúrbios do sistema nervoso central, como infecções e trauma. As manifestações clínicas da SIADH são dominadas por hiponatremia, edema cerebral e disfunção neurológica resultante. Embora a água corporal total esteja aumentada, o volume sanguíneo permanece normal, e não há desenvolvimento de edema periférico.

Neoplasias suprasselares hipotalâmicas

As neoplasias que surgem nessa localização podem induzir hipo ou hiperfunção da adeno-hipófise, diabetes insípido ou combinações dessas manifestações. As neoplasias mais comumente indicadas são o glioma (que algumas vezes surgem no quiasma óptico; ver **Capítulo 28**) e o craniofaringioma. Acredita-se que o craniofaringioma se origine de remanescentes vestigiais da bolsa de Rathke. Essas neoplasias de crescimento lento representam 1 a 5% das neoplasias intracranianas. Uma pequena minoria dessas lesões ocorre dentro da sela turca, porém a maioria é suprasselar, com ou sem extensão intrasselar. Observa-se uma distribuição etária bimodal, com um pico na infância (de 5 a 15 anos) e um segundo pico em adultos a partir de 65 anos. Em geral, os pacientes chamam a atenção devido à ocorrência de cefaleias e distúrbios visuais, enquanto as crianças algumas vezes apresentam retardo do crescimento, devido à hipofunção hipofisária e deficiência de GH.

Morfologia

Os **craniofaringiomas** medem, em média, 3 a 4 cm de diâmetro; podem ser encapsulados e sólidos, porém mais comumente são císticos e, algumas vezes, multiloculados. Com frequência, invadem o quiasma óptico ou os nervos cranianos, e não é raro que eles se projetem no assoalho do terceiro ventrículo e na base do cérebro. São reconhecidas duas variantes histológicas distintas: o craniofaringioma adamantinomatoso (com mais frequência observado em crianças) e o craniofaringioma papilar (observado, com mais frequência, em adultos). O tipo adamantinomatoso contém, com frequência, calcificações cuja presença é demonstrada em radiografias; a variante papilar raramente sofre calcificação.

O **craniofaringioma adamantinomatoso** consiste em ninhos ou cordões de epitélio escamoso estratificado inserido em um "retículo" esponjoso, que se torna mais proeminente nas camadas internas. Com frequência, observa-se uma "paliçada" de epitélio escamoso na periferia. A formação de queratina lamelar compacta ("queratina úmida") é uma característica diagnóstica dessa neoplasia (**Figura 24.7**). Conforme já assinalado, a **calcificação distrófica** é um achado frequente. Outras características incluem a formação de cistos, fibrose e inflamação crônica. Os cistos dos craniofaringiomas adamantinomatosos costumam conter um líquido espesso, amarelo-acastanhado e rico em colesterol, que foi comparado com "óleo de máquina". Essas neoplasias estendem projeções de epitélio no cérebro adjacente, onde induzem uma acentuada reação glial. Esse subtipo de craniofaringioma caracteriza-se por mutações recorrentes do gene *CTNNB1 (β-catenina)*, que leva à ativação aberrante da via de sinalização Wnt.

Os **craniofaringiomas papilares** contêm lâminas sólidas de células e papilas revestidas por epitélio escamoso bem diferenciado. Em geral, essas neoplasias são diferenciadas do tipo adamantinoso pela ausência de queratina lamelar, calcificação, cistos, paliçadas periféricas de células escamosas e retículo esponjoso. Além disso, diferentemente do craniofaringioma adamantinomatoso, esse tipo é caracterizado por mutações ativadoras do oncogene *BRAF* no códon 600. A identificação de mutações *BRAF*^{V600E} tem implicações terapêuticas, devido à disponibilidade de pequenas moléculas de fármacos inibidores de BRAF, que inibem a BRAF serina-treonina quinase (ver **Capítulo 7**).

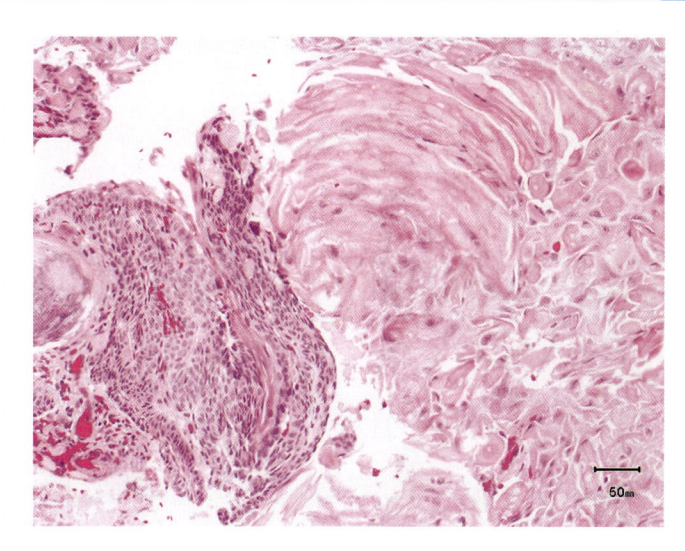

Figura 24.7 Craniofaringioma adamantinomatoso demonstrando a queratina "úmida" lamelar e compacta característica (*metade direita da fotomicrografia*) e cordões de epitélio escamoso com paliçada periférica à esquerda. (Cortesia do Dr. Charles Eberhart, Department of Pathology, Johns Hopkins University, Baltimore, Md.)

Os pacientes com craniofaringiomas, sobretudo aqueles com menos de 5 cm de diâmetro, apresentam uma excelente sobrevida global e livre de recorrência. As lesões maiores são mais invasivas, porém isso não tem impacto no prognóstico. A transformação maligna dos craniofaringiomas em carcinomas escamosos é rara e, em geral, só ocorre após irradiação.

Glândula tireoide

A glândula tireoide consiste em dois lobos laterais conectados por um istmo fino e localiza-se, em geral, abaixo e anteriormente à laringe. Desenvolve-se embriologicamente a partir de uma evaginação do epitélio da faringe, que desce a partir do forame cego na base da língua para a sua posição normal na parte anterior do pescoço. Esse padrão de descida explica a presença ocasional de tecido tireoidiano ectópico na base da língua (tireoide lingual) ou em outros locais na parte alta do pescoço. A tireoide é dividida por septos fibrosos finos em lóbulos, compostos de 20 a 40 folículos, revestidos por epitélio cuboide a colunar baixo e preenchidos de tireoglobulina PAS-positiva.

Em resposta a fatores hipotalâmicos, o TSH (*tireotropina*) é liberado pelos tireotrofos da adeno-hipófise na circulação. A ligação do TSH a seu receptor nas células epiteliais foliculares da tireoide ativa o receptor, que em seguida se associa a uma proteína G_s (**Figura 24.8**). A ativação da proteína G desencadeia eventos *downstream* que aumentam os níveis intracelulares de cAMP, o que, por sua vez, estimula o crescimento da tireoide e a síntese e liberação de hormônios tireoidianos por meio de proteinoquinases dependentes de cAMP.

As células epiteliais foliculares da tireoide convertem a tireoglobulina em *tiroxina* (T_4) e em quantidades menores de *tri-iodotironina* (T_3). A T_4 e a T_3 são liberadas na circulação sistêmica, em que a maior parte desses hormônios peptídicos liga-se reversivelmente às proteínas plasmáticas circulantes, como a globulina de ligação da tiroxina e a transtiretina. As proteínas de ligação atuam como tampão que mantém as concentrações séricas de T_3 e T_4 não ligadas ("livres") dentro de limites estreitos, enquanto asseguram que quantidades adequadas dos hormônios estejam prontamente disponíveis aos tecidos. Na periferia, a maior parte da T_4 livre é desiodinada a T_3; essa última liga-se a receptores nucleares de hormônio tireoidiano nas células-alvo com afinidade dez vezes maior do que a T_4 e apresenta atividade proporcionalmente maior. A ligação do hormônio tireoidiano a seu receptor de hormônio tireoidiano (TR) nuclear resulta na montagem de um complexo hormônio-receptor multiproteico nos elementos de resposta ao hormônio tireoidiano (TRE) próximo aos genes-alvo, aumentando a sua transcrição (ver **Figura 24.8**). O hormônio tireoidiano dispõe de diversos efeitos celulares, como a estimulação do catabolismo dos carboidratos e lipídios e a síntese de proteína em uma ampla variedade de células. O resultado final consiste em aumento da taxa metabólica basal. Além disso, o hormônio tireoidiano desempenha um papel fundamental no desenvolvimento cerebral do feto e do recém-nascido (ver adiante).

A função da glândula tireoide pode ser inibida por uma variedade de agentes químicos, coletivamente designados como *bociogênicos*. Como esses agentes suprimem a síntese de T_3 e de T_4, o nível de TSH aumenta, causando aumento hiperplásico subsequente da glândula (*bócio*). O agente antitireoidiano, a propiltiouracila, inibe a oxidação do iodeto e, portanto, bloqueia a produção dos hormônios tireoidianos; a propiltiouracila também

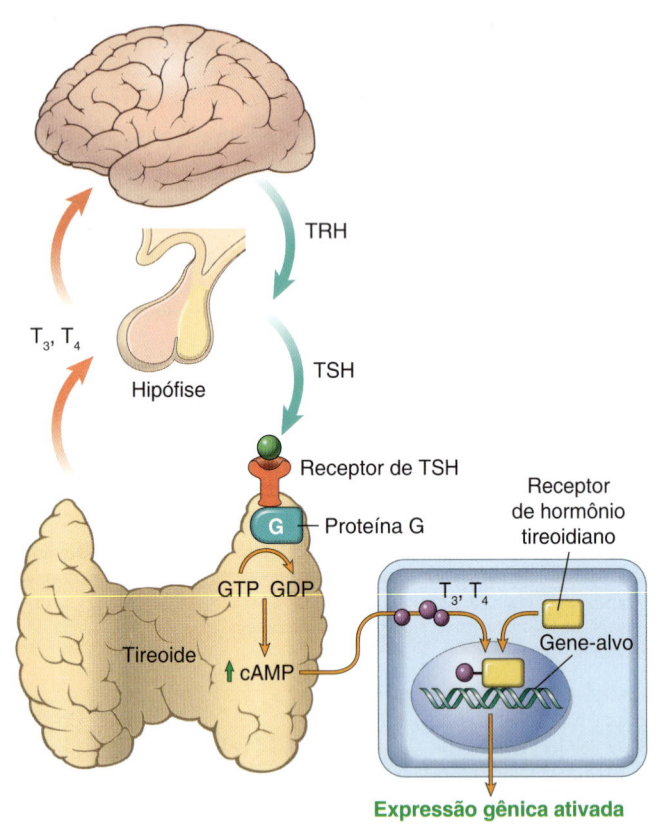

Figura 24.8 Homeostasia do eixo hipotálamo-hipófise-tireoide e mecanismo de ação dos hormônios tireoidianos. A secreção dos hormônios tireoidianos (T_3 e T_4) é controlada por fatores tróficos secretados tanto pelo hipotálamo quanto pela adeno-hipófise. A diminuição dos níveis de T_3 e T_4 estimula a liberação do hormônio de liberação da tireotropina (*TRH*) do hipotálamo e do hormônio tireoestimulante (*TSH*) da adeno-hipófise, causando elevação dos níveis de T_3 e T_4. Por sua vez, os níveis elevados de T_3 e T_4 exercem retroalimentação para suprimir a secreção do TRH e do TSH. O TSH liga-se ao receptor de TSH do epitélio folicular da tireoide, causando ativação das proteínas G e síntese e liberação mediadas pelo cAMP dos hormônios tireoidianos (T_3 e T_4). Na periferia, a T_3 e a T_4 interagem com o receptor de hormônio tireoidiano para formar um complexo hormônio-receptor que sofre translocação para o núcleo e liga-se aos denominados elementos de resposta da tireoide nos genes-alvo para iniciar a transcrição.

Hipertireoidismo

A tireotoxicose é um estado hipermetabólico causado por níveis circulantes elevados de T_3 e T_4 livres. Como esse estado é mais comumente causado pela hiperfunção da glândula tireoide, costuma ser designado com *hipertireoidismo*. Todavia, em certas condições, o suprimento excessivo está relacionado com a liberação excessiva de hormônio tireoidiano pré-formado (p. ex., na tireoidite) ou com uma fonte extratireoidiana, em vez de hiperfunção da glândula (**Tabela 24.3**). Por conseguinte, estritamente falando, o hipertireoidismo é apenas uma causa (embora a mais comum) de tireotoxicose. Os termos *hipertireoidismo primário* e *secundário* são algumas vezes utilizados para designar o hipertireoidismo que surge de uma anormalidade intrínseca da tireoide e aquele que surge de processos fora da tireoide, como neoplasia hipofisária secretora de TSH. Com essa ressalva em mente, seguiremos a prática comum de utilizar de forma indistinta os termos tireotoxicose e hipertireoidismo.

As causas mais comuns de tireotoxicose estão associadas à hiperfunção da glândula e incluem as seguintes:

- *Hiperplasia difusa* da tireoide associada à doença de Graves (em média 85% dos casos)
- *Bócio multinodular* hiperfuncionante
- *Adenoma* de tireoide hiperfuncionante.

Características clínicas

As manifestações do hipertireoidismo são multifacetadas e incluem mudanças relacionadas ao estado hipermetabólico induzido pelo excesso de hormônio tireoidiano e pela hiperatividade do sistema nervoso simpático (aumento do "tônus" beta-adrenérgico):

- Os níveis excessivos de hormônio tireoidiano resultam em *aumento da taxa metabólica basal*. A pele de pacientes com tireotoxicose tende a ser macia, quente e ruborizada, devido ao fluxo sanguíneo aumentado e à vasodilatação periférica, que são adaptações que servem para aumentar a perda de calor. A intolerância ao calor é comum. A sudorese está aumentada, devido aos níveis mais altos de calorigênese. O aumento do metabolismo catabólico resulta em perda de peso, apesar do apetite aumentado

inibe a desiodação periférica da T_4 circulante em T_3, melhorando, assim, os sintomas de excesso de hormônios tireoidianos (ver adiante). O iodeto, quando administrado em grandes doses a indivíduos com hiperfunção da tireoide, bloqueia a liberação dos hormônios tireoidianos ao inibir a proteólise da tireoglobulina. Por conseguinte, o hormônio tireoidiano é sintetizado e incorporado no coloide, porém não é liberado no sangue.

Os folículos da glândula tireoide também contêm uma população de células parafoliculares ou células C, que sintetizam e secretam o hormônio calcitonina. Esse hormônio promove a absorção de cálcio pelo sistema esquelético e inibe a reabsorção do osso pelos osteoclastos.

As doenças da tireoide incluem condições associadas à liberação excessiva de hormônios tireoidianos (hipertireoidismo), deficiência de hormônios tireoidianos (hipotireoidismo) e lesões expansivas da tireoide. Inicialmente, consideraremos as consequências clínicas do distúrbio da função tireoidiana e, em seguida, discutiremos os distúrbios que geram esses problemas.

Tabela 24.3 Distúrbios associados à tireotoxicose.

Associados ao hipertireoidismo
Primário
Hiperplasia difusa (doença de Graves)
Bócio multinodular hiperfuncionante ("tóxico")
Adenoma hiperfuncionante ("tóxico")
Hipertireoidismo induzido por iodo
Tireotoxicose neonatal associada à doença de Graves materna
Secundário
Adenoma hipofisário secretor de TSH (raro)[a]
Não associado ao hipertireoidismo
Tireoidite granulomatosa (de Quervain) (dolorosa)
Tireoidite linfocítica subaguda (indolor)
Estroma ovariano (teratoma ovariano com tireoide ectópica)
Tireotoxicose factícia (ingestão de tiroxina exógena)

[a]Associado a um aumento do hormônio tireoestimulante (TSH); todas as outras causas de tireotoxicose estão associadas a uma diminuição do TSH.

- As *manifestações cardíacas* estão entre as características mais precoces e mais consistentes. Os indivíduos com hipertireoidismo podem apresentar contratilidade cardíaca e débito cardíaco elevados, que representam uma resposta às necessidades periféricas aumentadas de oxigênio. É comum haver taquicardia, palpitações e cardiomegalia. As arritmias, como a fibrilação atrial, ocorrem com frequência, sobretudo em pacientes idosos. Pode haver desenvolvimento de insuficiência cardíaca congestiva, sobretudo em pacientes idosos com doença cardíaca preexistente. Foram descritas alterações miocárdicas, como infiltrados linfocíticos e eosinofílicos focais, fibrose leve, degeneração gordurosa das miofibrilas e aumento no tamanho e no número das mitocôndrias. Alguns indivíduos com tireotoxicose desenvolvem disfunção ventricular esquerda reversível e insuficiência cardíaca "de baixo débito", a denominada *miocardiopatia tireotóxica ou hipertireoidiana*
- A *hiperatividade do sistema nervoso simpático* produz tremor, hiperatividade, labilidade emocional, ansiedade, incapacidade de concentração e insônia. A fraqueza muscular proximal e a diminuição da massa muscular são comuns (*miopatia tireoidiana*). No sistema gastrintestinal, a hipermotilidade e a redução do tempo de trânsito levam à hiperdefecação (que não deve ser confundida com diarreia), que normalmente responde aos betabloqueadores, sugerindo que a hiperestimulação simpática constitui a provável fisiopatologia subjacente. A maioria dos pacientes também desenvolve certo grau de má absorção de gordura
- As *alterações oculares* frequentemente chamam a atenção para o hipertireoidismo. Observa-se a presença de um olhar fixo com olhos arregalados e retardo palpebral, devido à hiperestimulação simpática do músculo tarsal superior (também conhecido como músculo de Müller), que atua com o músculo levantador da pálpebra superior para levantar a pálpebra superior (**Figura 24.9**). Entretanto, a verdadeira *oftalmopatia tireoidiana* associada à proptose só ocorre na doença de Graves (ver adiante)

- O *sistema esquelético* também é afetado. O hormônio tireoidiano estimula a reabsorção óssea, aumentando a porosidade do osso cortical e reduzindo o volume do osso trabecular. O efeito final consiste em osteoporose e risco aumentado de fraturas. Outros achados incluem atrofia do músculo esquelético, com infiltração gordurosa e infiltrados linfocíticos intersticiais focais; degeneração gordurosa do fígado (esteatose), levando à hepatomegalia discreta; e hiperplasia linfoide generalizada e linfadenopatia em pacientes com doença de Graves
- A *tempestade tireoidiana* refere ao início abrupto de hipertireoidismo grave. Essa condição ocorre mais comumente em pacientes com doença de Graves e resulta provavelmente de uma elevação aguda dos níveis de catecolaminas, como a que pode ser encontrada durante infecções, cirurgia, interrupção de medicamentos antitireoidianos ou qualquer forma de estresse. Com frequência, os pacientes estão febris e apresentam taquicardia desproporcional à febre. A tempestade tireoidiana é uma emergência médica. Um número significativo de pacientes não tratados morre de arritmias cardíacas
- O *hipertireoidismo apático* refere-se à tireotoxicose que ocorre em indivíduos idosos, nos quais a idade avançada e várias comorbidades atenuam as características típicas do excesso de hormônios tireoidianos. Nesses indivíduos, o diagnóstico é frequentemente estabelecido durante uma avaliação laboratorial para perda de peso inexplicada ou agravamento de doença cardiovascular.

Os achados laboratoriais que sustentam o diagnóstico de hipertireoidismo incluem baixos níveis de TSH acompanhados de aumento da T_4 livre. A medição da concentração sérica de TSH é o exame de rastreamento único de maior utilidade para o hipertireoidismo, visto que os níveis estão diminuídos até mesmo nos estágios mais iniciais, quando a doença ainda pode ser subclínica. Ocasionalmente, o hipertireoidismo resulta predominantemente de aumento dos níveis circulantes de T_3 ("toxicose por T_3"). Nesses casos, os níveis de T_4 livre podem estar diminuídos e a medição direta dos níveis séricos de T_3 é útil. Em casos raros de hipertireoidismo associado à hipófise (secundário), os níveis de TSH estão normais ou elevados. A determinação dos níveis de TSH após a injeção de hormônio de liberação da tireotropina (teste de estimulação com TRH) é utilizada na avaliação de casos de suspeita de hipertireoidismo com alterações equívocas no nível sérico basal de TSH. Uma elevação normal do TSH após a administração de TRH exclui a possibilidade de hipertireoidismo secundário. Uma vez confirmado o diagnóstico de tireotoxicose por uma combinação de ensaios do TSH e níveis de hormônio tireoidiano livre, a determinação da captação de iodo radioativo pela glândula tireoide pode ajudar a determinar a etiologia. Por exemplo, pode haver aumento difuso da captação na glândula (doença de Graves), aumento da captação em um nódulo solitário (adenoma tóxico) ou diminuição da captação (tireoidite).

As opções terapêuticas para o hipertireoidismo incluem vários medicamentos, cada um deles com um mecanismo diferente de ação. Normalmente, esses fármacos incluem um betabloqueador para controlar os sintomas induzidos pelo aumento do tônus adrenérgico, uma tionamida (p. ex., metimazol ou propiltiouracila) para bloquear a síntese de novo hormônio, uma solução de iodo para bloquear a liberação de hormônios tireoidianos e agentes que inibem a conversão periférica de T_4 em T_3. Pode-se utilizar também iodo radioativo, que é incorporado nos tecidos tireoidianos, resultando em ablação da função da tireoide durante um período de 6 a 18 semanas.

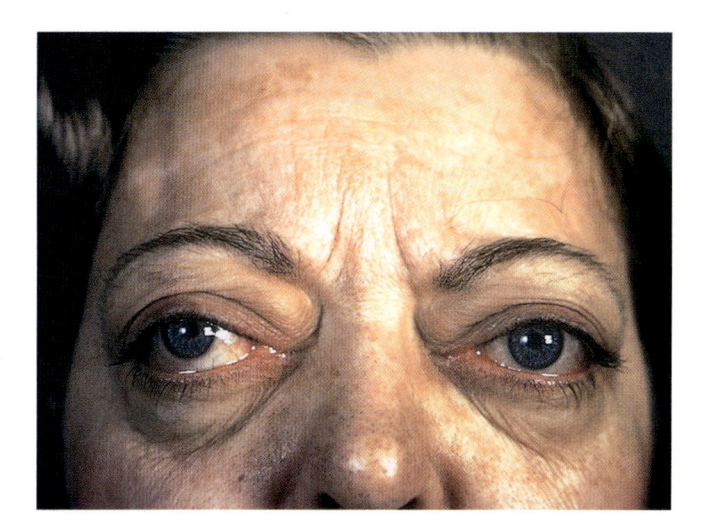

Figura 24.9 Pessoa com hipertireoidismo. O olhar fixo com olhos arregalados, causado pela hiperatividade do sistema nervoso simpático, é uma característica desse distúrbio. Na doença de Graves, uma importante causa de hipertireoidismo, o acúmulo de tecido conjuntivo frouxo atrás da órbita também contribui para a aparência protuberante dos olhos.

Hipotireoidismo

O hipotireoidismo é uma condição causada por uma perturbação estrutural ou funcional que interfere na produção dos hormônios tireoidianos. O hipotireoidismo é um distúrbio comum. De acordo com algumas estimativas, a prevalência do hipotireoidismo manifesto é de 0,3%, enquanto a do hipotireoidismo subclínico é superior a 4%. A prevalência aumenta com a idade e é quase dez vezes mais comum em mulheres do que em homens. O hipotireoidismo pode resultar de um defeito em algum ponto no eixo hipotálamo-hipófise-tireoide. À semelhança do hipertireoidismo, o hipotireoidismo pode ser dividido em formas *primária* e *secundária*, dependendo de sua origem a partir de uma anormalidade intrínseca da tireoide ou de doença hipofisária e hipotalâmica (**Tabela 24.4**). O hipotireoidismo primário é responsável pela grande maioria dos casos e pode ser acompanhado de aumento de tamanho da glândula tireoide (bócio).

O hipotireoidismo primário pode ser congênito, autoimune ou iatrogênico:

- *Hipotireoidismo congênito.* **Em todo o mundo, o hipotireoidismo congênito resulta, com mais frequência, de deficiência de iodo endêmica na dieta** (ver adiante). Outras formas raras de hipotireoidismo congênito incluem erros inatos do metabolismo da tireoide (*bócio dis-hormonogenético*), em que há um defeito em uma das várias etapas que levam à síntese de hormônio tireoidiano, como (1) transporte do iodeto nos tireócitos, (2) "organificação" do iodo (ligação covalente do iodo a resíduos de tirosina na tireoglobulina) e (3) processamento adicional para a formação de T_3 e T_4 hormonalmente ativas. Em raros casos, pode haver ausência completa de parênquima tireoidiano (*agenesia da tireoide*), ou a glândula pode estar acentuadamente reduzida no seu tamanho (*hipoplasia da tireoide*), devido a mutações de linhagem germinativa em genes responsáveis pelo desenvolvimento da tireoide (ver **Tabela 24.4**)
- *Hipotireoidismo autoimune.* **O hipotireoidismo autoimune constitui a causa mais comum de hipotireoidismo em áreas do mundo com iodo em quantidades suficientes.** A grande maioria dos casos de hipotireoidismo autoimune deve-se à tireoidite de Hashimoto. Autoanticorpos circulantes, como anticorpos antimicrossomais, antitireoide peroxidase e antitireoglobulina, são encontrados nesse distúrbio, e a tireoide costuma estar aumentada (com bócio). O hipotireoidismo autoimune pode ocorrer de forma isolada em associação com a síndrome poliendócrina autoimune tipos 1 e 2 (SPA-1 e SPA-2; ver discussão na seção "Glândulas suprarrenais", adiante neste capítulo)
- *Hipotireoidismo iatrogênico.* Pode ser causado por ablação cirúrgica ou induzido por radiação. A ressecção de uma grande parte da glândula para o tratamento do hipertireoidismo ou de neoplasia primária pode levar ao hipotireoidismo. Pode-se efetuar também a ablação da glândula por radiação, na forma de iodo radioativo administrado para o tratamento do hipertireoidismo, ou na forma de irradiação exógena, como radioterapia externa do pescoço. Os medicamentos administrados para diminuir a secreção da tireoide (p. ex., tionamidas, como metimazol e propiltiouracila) também podem causar hipotireoidismo adquirido, assim como agentes utilizados no tratamento de condições não tireoidianas (p. ex., lítio, ácido *p*-aminossalicílico).

O hipotireoidismo secundário (ou central) é causado por deficiência de TSH ou muito mais raramente, de TRH. Qualquer uma das causas de hipopituitarismo (p. ex., neoplasia hipofisária, necrose hipofisária pós-parto, trauma e neoplasias não hipofisárias) ou dano ao hipotálamo (p. ex., neoplasias, trauma, radioterapia ou doenças infiltrativas) podem causar hipotireoidismo central.

Cretinismo

O cretinismo refere-se ao hipotireoidismo que se desenvolve na lactância ou no início da infância. O termo *cretino* origina-se do francês *chrétien*, que significa "cristão" ou "semelhante a Cristo" e foi aplicado aos indivíduos afetados, visto que se acreditava que eles tivessem deficiência intelectual a ponto de serem incapazes de cometer pecados. No passado, esse distúrbio era bastante comum em regiões do mundo onde a deficiência dietética de iodo era endêmica, como o Himalaia, a China continental, a África e outras áreas montanhosas. Agora, é muito menos prevalente em consequência da suplementação generalizada dos alimentos com iodo. Em raras ocasiões, o cretinismo resulta de defeitos genéticos que interferem na biossíntese do hormônio tireoidiano (bócio dis-hormonogenético).

As características clínicas do cretinismo incluem grave deficiência intelectual, baixa estatura, traços faciais grosseiros, língua protrusa e hérnia umbilical. A gravidade do prejuízo mental parece estar relacionada com o momento de ocorrência da deficiência tireoidiana *in utero*. Normalmente, a T_3 e a T_4 maternas atravessam a placenta e são fundamentais para o desenvolvimento cerebral do feto. Se houver deficiência tireoidiana materna antes do desenvolvimento da glândula tireoide fetal, a deficiência intelectual é grave. Em contrapartida, a deficiência materna de hormônios tireoidianos durante a última etapa da gravidez, após a tireoide fetal se tornar funcional, não afeta o desenvolvimento do cérebro.

Mixedema

O termo mixedema é aplicado ao hipotireoidismo que se desenvolve em crianças de mais idade ou em adultos. Inicialmente, o mixedema foi associado à disfunção da tireoide em

Tabela 24.4 Causas do hipotireoidismo.

Primário
Defeitos genéticos no desenvolvimento da tireoide (mutações *PAX8*, *FOXE1*, do receptor de TSH; raros)
Síndrome de resistência ao hormônio tireoidiano (mutações *THRB*; rara)
Pós-ablativo
Cirurgia, terapia com iodo radioativo ou irradiação externa
Hipotireoidismo autoimune
Tireoidite de Hashimoto[a]
Deficiência de iodo[a]
Fármacos (lítio, iodetos, ácido p-aminossalicílico)[a]
Defeito congênito de biossíntese (bócio dis-hormonogênico; raro)[a]
Secundário ("hipotireoidismo central")
Insuficiência hipofisária (rara)
Insuficiência hipotalâmica (rara)

[a]Associados a um aumento da tireoide ("hipotireoidismo com bócio"). A tireoidite de Hashimoto e o hipotireoidismo pós-ablativo são responsáveis pela maioria dos casos de hipotireoidismo em países de alta renda. *FOXE1*, caixa Forkhead E1; *PAX8*, caixa pareada 8; *THRB*, receptor de hormônio tireoidiano β.

1873, por Sir William Gull, em um artigo dedicado ao desenvolvimento de um "estado cretinoide" em adulto. Os achados clínicos variam de acordo com a idade de início. As crianças de mais idade apresentam sinais e sintomas intermediários entre os do cretino e aqueles do adulto com hipotireoidismo. No adulto, a condição aparece de modo insidioso e pode levar anos antes de despertar uma suspeita clínica.

O mixedema caracteriza-se por uma redução da atividade física e mental. Os sintomas iniciais incluem fadiga generalizada, apatia e preguiça mental, que pode simular a depressão. A fala e as funções intelectuais tornam-se lentas, e os pacientes apresentam apatia, intolerância ao frio e, com frequência, sobrepeso. A diminuição da atividade simpática resulta em constipação intestinal e redução da sudorese. A pele é fria e pálida, devido à redução do fluxo sanguíneo. O débito cardíaco diminuído provavelmente contribui para a dispneia e a diminuição da capacidade de realizar exercício, constituindo duas queixas frequentes. Os hormônios tireoidianos regulam a transcrição de vários genes do sarcolema, como ATPases de cálcio e o receptor beta-adrenérgico, e a expressão diminuída desses genes resulta em redução do débito cardíaco. Além disso, as alterações no metabolismo dos lipídios produzem aumento dos níveis de colesterol total e de lipoproteína de baixa densidade (LDL), que é pró-aterogênico, contribuindo para o aumento da mortalidade cardiovascular. No exame histológico, há acúmulo de substâncias da matriz, como glicosaminoglicanos e ácido hialurônico, na pele, no tecido subcutâneo e em locais viscerais. Isso resulta em edema não depressível, alargamento e traços faciais grosseiros, aumento da língua e tonalidade mais grave da voz.

A avaliação laboratorial desempenha um papel vital no diagnóstico de suspeita de hipotireoidismo, devido à natureza inespecífica dos sintomas. Os pacientes com aumento inexplicado do peso corporal ou com hipercolesterolemia devem ser avaliados para possibilidade de hipotireoidismo. **A medição dos níveis séricos de TSH constitui o exame de rastreamento mais sensível para esse distúrbio.** Os níveis de TSH estão aumentados no hipotireoidismo primário, em consequência da perda da inibição por retroalimentação da produção hipotalâmica e hipofisária de TRH e TSH, respectivamente. O nível de TSH não está aumentado em indivíduos com hipotireoidismo causado por doença hipotalâmica ou hipofisária primária. Os níveis de T_4 estão diminuídos em indivíduos com hipotireoidismo de qualquer origem.

Tireoidite

A tireoidite abrange um grupo diverso de distúrbios caracterizados por alguma forma de inflamação da tireoide. A discussão a seguir concentra-se nos três subtipos mais comuns e de importância clínica: (1) a tireoidite de Hashimoto, (2) a tireoidite granulomatosa (de Quervain) e (3) a tireoidite linfocítica subaguda.

Tireoidite de Hashimoto

A tireoidite de Hashimoto é uma doença autoimune que resulta em destruição da glândula tireoide e insuficiência gradual e progressiva da tireoide. Trata-se da causa mais comum de hipotireoidismo em áreas do mundo onde os níveis de iodo são suficientes. O nome deriva do relato feito por Hashimoto, em 1912, ao descrever pacientes com bócio e infiltração linfocítica da tireoide (*struma lymphomatosa*). É mais prevalente entre 45 e 65 anos e mais comum em mulheres do que em homens, com predominância do sexo feminino de 10:1 a 20:1. Além disso, pode ocorrer em crianças e constitui uma importante causa de bócio não endêmico na população pediátrica.

Patogênese

A tireoidite de Hashimoto é causada por uma quebra da autotolerância a autoantígenos tireoidianos. Isso é exemplificado pela presença de autoanticorpos circulantes contra a tireoglobulina e a tireoide peroxidase na grande maioria dos pacientes. Os eventos desencadeantes ainda não foram elucidados, porém as possibilidades incluem anormalidades das células T reguladoras (Tregs) ou exposição de antígenos tireoidianos normalmente sequestrados (ver **Capítulo 6**). À semelhança de outras doenças autoimunes, a predisposição à tireoidite de Hashimoto conta com um forte componente genético. O aumento da suscetibilidade está associado a polimorfismos em vários genes associados à regulação imune, como o antígeno 4 associado aos linfócitos T citotóxicos (*CTLA4*), a proteína tirosina fosfatase 22 (*PTPN22*) e a cadeia α do receptor de interleucina-2 (*IL2RA*), que codificam reguladores das respostas das células T. Não é surpreendente que estudos de associação genômica ampla (GWAS) tenham encontrado associações semelhantes entre os polimorfismos *CTLA4*, *PTPN22* e *IL2RA* e a doença de Graves, outro tipo de doença autoimune da tireoide (discutida adiante), bem como outras doenças autoimunes sistêmicas, como o diabetes melito tipo 1 (DMT1). As associações genéticas sustentam a ideia de que a quebra da tolerância imune constitui um tema fisiopatológico comum em muitas doenças autoimunes, das quais mais de uma pode coexistir no mesmo indivíduo.

A indução de autoimunidade tireoidiana é acompanhada de depleção progressiva das células epiteliais da tireoide e substituição do parênquima tireoidiano por infiltrados linfocíticos e fibrose. Diversos mecanismos imunológicos podem contribuir para a morte das células tireoidianas, incluindo os seguintes (**Figura 24.10**):

- *Morte celular mediada por células T citotóxicas CD8+:* as células T citotóxicas CD8+ podem destruir as células foliculares da tireoide
- *Morte celular mediada por citocinas:* a ativação das células TH1 CD4+ leva à produção de citocinas inflamatórias, coma interferona-γ na glândula tireoide, com consequente recrutamento e ativação de macrófagos e dano aos folículos
- Um mecanismo menos provável envolve a ligação de anticorpos antitireoidianos (anticorpos antitireoglobulina e antitireoide peroxidase) seguida de citotoxicidade celular dependente de anticorpos (ver **Capítulo 6**).

> **Morfologia**
>
> Em geral, a tireoide está difusamente aumentada. A cápsula está intacta, e a glândula está bem demarcada das estruturas adjacentes. A superfície de corte é pálida, castanho-amarelada, firme e ligeiramente nodular. Há infiltração extensa do parênquima por um **infiltrado inflamatório mononuclear** contendo pequenos linfócitos, plasmócitos e **centros germinativos bem desenvolvidos (Figura 24.11)**. Os folículos tireoidianos estão atróficos e são revestidos, em muitas áreas, por células epiteliais com citoplasma granular eosinofílico abundante, denominadas **células de Hürthle**, que representam uma resposta metaplásica do

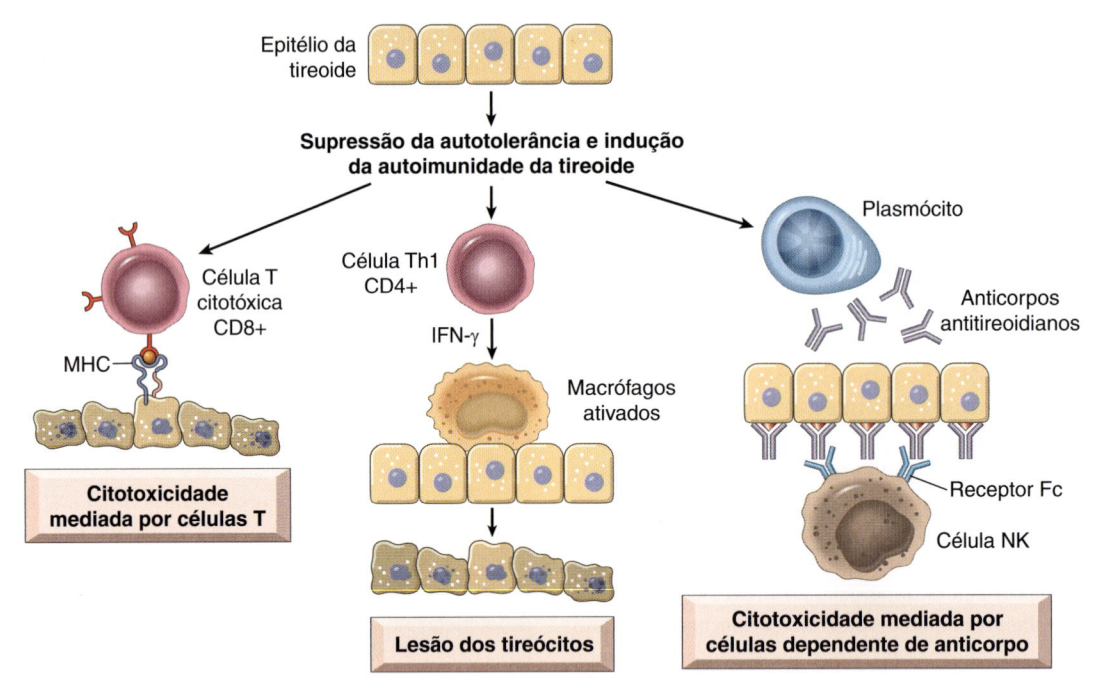

Figura 24.10 Patogênese da tireoidite de Hashimoto. A supressão da tolerância periférica a autoantígenos tireoidianos resulta em destruição autoimune progressiva das células da tireoide por infiltração das células T citotóxicas, citocinas liberadas localmente ou citotoxicidade dependente de anticorpos.

epitélio folicular cuboide normalmente baixo à lesão crônica. Em amostras de biopsia por aspiração com agulha fina, a presença de células de Hürthle em associação a uma população heterogênea de linfócitos é característica da tireoidite de Hashimoto. Na tireoidite de Hashimoto "clássica" o tecido conjuntivo intersticial está aumentado e pode ser abundante. Diferentemente da tireoidite de Reidel (ver adiante), a fibrose não se estende além da cápsula da glândula.

Características clínicas

Com mais frequência, a tireoidite de Hashimoto chama a atenção pelo aumento indolor da tireoide, normalmente associado a certo grau de hipotireoidismo, em uma mulher de meia-idade. O aumento da glândula é, em geral, simétrico e difuso; todavia, em alguns casos, pode estar localizado o suficiente para levantar a suspeita de neoplasia. No caso típico, o hipotireoidismo desenvolve-se gradualmente. Todavia, em alguns pacientes, pode ser precedido de tireotoxicose transitória causada pela ruptura dos folículos da tireoide e liberação de hormônios tireoidianos (*hashitoxicose*). Durante essa fase, os níveis de T_4 e T_3 livres estão elevados, o TSH está diminuído, e a captação de iodo radioativo está reduzida. À medida que o hipotireoidismo se desenvolve, ocorre queda dos níveis de T_4 e T_3, acompanhada de aumento compensatório do TSH.

Os indivíduos com tireoidite de Hashimoto correm risco aumentado de desenvolver outras doenças autoimunes, tanto endócrinas (diabetes melito tipo 1, adrenalite autoimune) quanto não endócrinas (lúpus eritematoso sistêmico, miastenia *gravis* e síndrome de Sjögren; ver **Capítulo 6**). Eles também correm risco aumentado de desenvolver linfoma de células B da zona marginal extranodal dentro da glândula tireoide (ver **Capítulo 13**). A relação entre a doença de Hashimoto e os cânceres epiteliais de tireoide permanece controversa, e alguns estudos morfológicos e moleculares sugerem uma predisposição ao carcinoma papilífero.

Tireoidite linfocítica (indolor) subaguda

A *tireoidite linfocítica subaguda*, também denominada *tireoidite indolor*, é considerada uma doença autoimune. A maioria dos pacientes apresenta anticorpos antitireoide peroxidase ou uma história familiar de outros distúrbios autoimunes. Pode ocorrer uma doença semelhante durante o período pós-parto em até 5% das mulheres (*tireoidite pós-parto*).

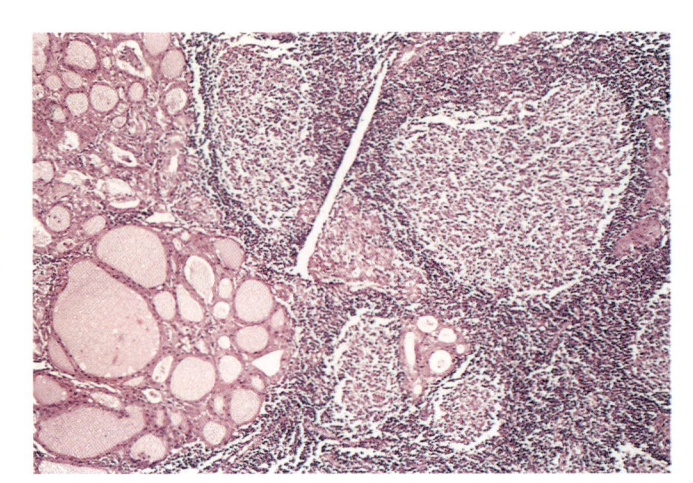

Figura 24.11 Tireoidite de Hashimoto. O parênquima da tireoide contém um denso infiltrado linfocítico com centros germinativos. São também observados folículos tireoidianos residuais revestidos por células de Hürthle densamente eosinofílicas.

> ### Morfologia
>
> Com exceção de um possível aumento simétrico discreto, a tireoide aparece macroscopicamente normal. O exame microscópico revela infiltração linfocítica, com grandes centros germinativos dentro do parênquima tireoidiano e ruptura e colapso focais dos folículos da tireoide. Entretanto, diferentemente da tireoidite de Hashimoto, a fibrose e a metaplasia das células de Hürthle não são proeminentes.

Características clínicas

A tireoidite indolor costuma chamar a atenção devido à presença de hipertireoidismo transitório leve, bócio indolor ou ambos. Embora possa ocorrer em qualquer faixa etária, ela é observada com mais frequência em adultos de meia-idade e é mais comum em mulheres. Alguns pacientes passam do hipertireoidismo para hipotireoidismo antes da recuperação. Até um terço dos casos evolui para o hipotireoidismo manifesto no decorrer de um período de dez anos, com características patológicas que lembram a tireoidite de Hashimoto.

Tireoidite granulomatosa

A *tireoidite granulomatosa* (também denominada *tireoidite de Quervain*) ocorre com muito menos frequência do que a tireoidite de Hashimoto. O distúrbio é mais comum entre 40 e 50 anos de, à semelhança de outras formas de tireoidite, afeta mais as mulheres do que os homens (4:1).

Patogênese

Acredita-se que a tireoidite granulomatosa seja desencadeada por uma infecção viral. A maioria dos pacientes apresenta uma história de infecção das vias respiratórias superiores imediatamente antes do início da tireoidite. A doença é sazonal, com pico no verão, e foram relatados grupos de casos em associação a infecções por vírus coxsackie, caxumba, sarampo, adenovírus e outras infecções virais. Embora a patogênese da doença não esteja clara, um modelo sugere que ela resulta de dano dos tecidos do hospedeiro induzido por vírus, que estimula uma resposta dos linfócitos T citotóxicos a um ou mais antígenos tireoidianos, resultando em dano às células foliculares da tireoide. Diferentemente da doença autoimune da tireoide, a resposta imune é iniciada por vírus e não é autoperpetuadora, de modo que o processo é limitado.

> ### Morfologia
>
> A glândula pode apresentar aumento unilateral ou bilateral e consistência firme, com cápsula intacta que pode aderir às estruturas adjacentes. Em corte, as áreas acometidas são firmes e branco-amareladas e destacam-se da glândula tireoide marrom e flexível normal adjacente. As alterações histológicas são focais e dependem do estágio da doença. No início da fase inflamatória ativa, folículos espalhados podem ser rompidos e substituídos por neutrófilos, formando microabscessos. Posteriormente, aparecem aspectos mais característicos na forma de agregados de linfócitos, macrófagos ativados e plasmócitos associados a folículos tireoidianos colapsados e danificados. Agrupamentos de coloide são circundados por **células gigantes multinucleadas (Figura 24.12)**, dando origem à designação de **tireoidite granulomatosa**. Em estágios mais avançados da doença, os focos de lesão podem ser substituídos por infiltrado inflamatório crônico e fibrose. Algumas vezes, são encontrados diferentes estágios histológicos na mesma glândula, sugerindo ondas de destruição ao longo de um período de tempo.

Características clínicas

A tireoidite granulomatosa é a causa mais comum de dor da tireoide. Há aumento variável da glândula. A inflamação da tireoide e o hipertireoidismo são transitórios e costumam diminuir entre 2 e 6 semanas, mesmo se o paciente não for tratado. Quase todos os pacientes apresentam níveis séricos elevados de T_4 e T_3 e baixos níveis séricos de TSH durante essa fase. Todavia, diferentemente dos estados hipertireoidianos, como a doença de Graves, a captação de iodo radioativo está diminuída. Após a recuperação, que geralmente ocorre de 6 a 8 semanas, a função da tireoide volta ao normal.

Outras formas menos comuns de tireoidite incluem a *tireoidite de Riedel*, um distúrbio raro caracterizado por extensa fibrose que envolve a tireoide e as estruturas contíguas do pescoço. A presença de massa tireoidiana dura e fixa simula clinicamente um carcinoma de tireoide. Pode estar associada a fibrose em outros locais do corpo, como o retroperitônio, e parece constituir outra manifestação de doença relacionada com IgG4, que está associada a fibrose e infiltração tecidual por plasmócitos que produzem IgG4 (ver **Capítulo 6**).

> ### Conceitos-chave
> #### Tireoidite
> - A tireoidite de Hashimoto é a causa mais comum de hipotireoidismo em regiões onde os níveis de iodo na dieta são suficientes

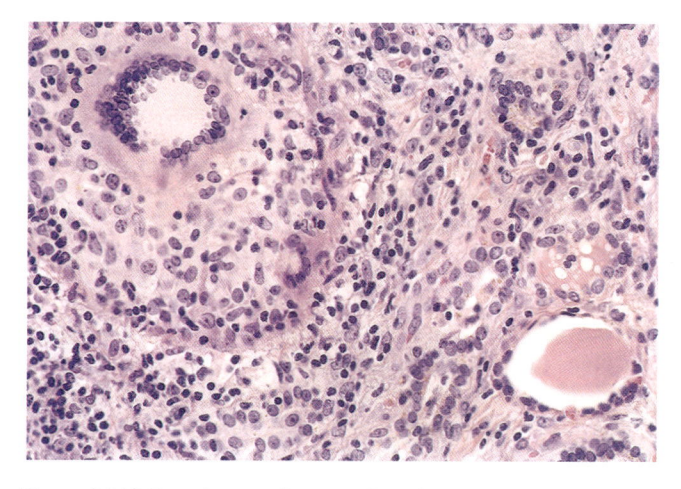

Figura 24.12 Tireoidite granulomatosa. O parênquima tireoidiano contém um infiltrado inflamatório crônico com uma célula gigante multinucleada (*parte superior à esquerda*) e um folículo coloide (*parte inferior à direita*).

- A tireoidite de Hashimoto é uma tireoidite autoimune caracterizada por destruição progressiva do parênquima da tireoide, alteração das células de Hürthle e infiltrados mononucleares (linfoplasmocíticos), com centros germinativos e graus variáveis de fibrose
- A tireoidite linfocítica subaguda costuma ocorrer após a gravidez (tireoidite pós-parto), ser indolor e se caracterizar por inflamação linfocítica da tireoide. É outro tipo de tireoidite autoimune
- Tireoidite granulomatosa (de Quervain) é uma doença autolimitante, provavelmente secundária a uma infecção viral, e caracterizada por dor e inflamação granulomatosa da tireoide.

Doença de Graves

A doença de Graves constitui a causa mais comum de hipertireoidismo endógeno. Em 1835, Graves relatou suas observações de uma doença caracterizada por "palpitações contínuas, violentas e longas em mulheres" associadas a um aumento da glândula tireoide. A doença caracteriza-se pela tríade dos seguintes achados clínicos:

- *Hipertireoidismo* associado a um aumento difuso da glândula
- *Oftalmopatia* infiltrativa e exoftalmia resultante
- *Dermopatia* infiltrativa localizada, algumas vezes denominada *mixedema pré-tibial*, que está presente em uma minoria de pacientes.

O pico de incidência da doença de Graves ocorre entre 20 e 40 anos. As mulheres são afetadas dez vezes mais do que os homens. Nos EUA, segundo estimativas, o distúrbio afeta 1,5 a 2% das mulheres.

Patogênese

A doença de Graves é um distúrbio autoimune caracterizado pela produção de autoanticorpos contra múltiplas proteínas da tireoide, das quais a mais importante é o receptor de TSH. Diversos anticorpos que estimulam ou bloqueiam o receptor de TSH são detectados na circulação. O subtipo de anticorpo mais comum, conhecido como *imunoglobulina estimuladora da tireoide* (TSI), é observado em cerca de 90% dos pacientes. Diferentemente dos anticorpos dirigidos contra a tireoglobulina e a tireoide peroxidase, a TSI quase nunca é observada em outras doenças autoimunes da tireoide. A TSI liga-se ao receptor de TSH e simula suas ações, estimulando a adenilato de ciclase e aumentando a liberação de hormônios tireoidianos. Conforme assinalado anteriormente, anticorpos bloqueadores do receptor de TSH também podem estar presentes, levando ao hipotireoidismo em uma minoria de pacientes.

Talvez de forma não surpreendente, os fatores que predispõem à doença de Graves sobrepõem-se a fatores de risco para a doença de Hashimoto, a outra forma importante de doença autoimune da tireoide. A taxa de concordância em gêmeos monozigóticos é de 30 a 40%, em comparação com menos de 5% entre gêmeos dizigóticos, e, à semelhança da tireoidite de Hashimoto, a suscetibilidade genética está associada a polimorfismos em genes de função imunológica, como *CTLA4*, *PTPN22* e *IL2RA*. Além disso, dados do GWAS também implicaram variantes no *locus* do gene do receptor de TSH (*TSHR*) na suscetibilidade à doença de Graves.

A autoimunidade também desempenha um papel no desenvolvimento da *oftalmopatia infiltrativa*, que é característica da doença de Graves. As células T auxiliares CD4+ ativadas secretam citocinas que estimulam a proliferação dos fibroblastos e a síntese de proteínas da matriz extracelular (glicosaminoglicanos), levando à infiltração progressiva do espaço retro-orbital e à oftalmopatia. A protrusão do bulbo do olho (exoftalmia) é causada por um aumento de volume dos tecidos conjuntivos retro-orbitais e músculos extraoculares, que ocorre por várias razões: (1) infiltração acentuada do tecido conjuntivo por células mononucleares, sobretudo células T; (2) inflamação, edema e tumefação dos músculos extraoculares; (3) acúmulo de componentes da matriz extracelular, principalmente glicosaminoglicanos hidrofílicos, como ácido hialurônico e sulfato de condroitina; e (4) número aumentado de adipócitos (infiltração gordurosa). Essas alterações não apenas deslocam o bulbo do olho, como também podem interferir na função dos músculos extraoculares.

Morfologia

Em geral, ocorre aumento simétrico da glândula tireoide devido à **hipertrofia e hiperplasia difusas** das células foliculares da tireoide (**Figura 24.13A**). Não é raro haver aumentos do peso da glândula acima de 80 g. Em corte, o parênquima possui aparência carnuda e macia, assemelhando-se ao músculo. No exame histológico, as células epiteliais foliculares nos casos não tratados são altas e mais aglomeradas do que o habitual. Essa aglomeração frequentemente resulta na formação de pequenas papilas, que se projetam na luz folicular e invadem o coloide, preenchendo algumas vezes os folículos (**Figura 24.13B**). Essas papilas carecem de cerne fibrovascular, diferentemente daquelas do carcinoma papilífero (ver adiante). O coloide dentro da luz folicular é pálido, com margens recortadas. Os infiltrados linfoides, que consistem sobretudo em células T, com células B esparsas e plasmócitos maduros, estão presentes em todo o interstício. É comum a presença de centros germinativos.

A terapia pré-operatória altera a morfologia da tireoide na doença de Graves. A administração de iodo provoca involução do epitélio e acúmulo de coloide ao bloquear a secreção de tireoglobulina. O tratamento com propiltiouracila, um fármaco antitireoidiano, exacerba a hipertrofia e a hiperplasia epiteliais ao estimular a secreção de TSH.

As alterações no tecido extratireoidiano incluem hiperplasia linfoide, sobretudo aumento do timo em pacientes mais jovens. O coração pode estar hipertrofiado, e podem ocorrer alterações isquêmicas, particularmente em pacientes com doença arterial coronariana preexistente. Em pacientes com oftalmopatia, os tecidos da órbita estão edematosos, devido à presença de mucopolissacarídeos hidrofílicos. Além disso, há infiltração de linfócitos e fibrose. No início, os músculos orbitais estão edematosos, porém podem sofrer fibrose em uma fase posterior da doença. A dermopatia, quando presente, caracteriza-se por espessamento da derme, devido à deposição de glicosaminoglicanos e à infiltração de linfócitos.

Características clínicas

Os achados na doença de Graves incluem alterações associadas à tireotoxicose e outras alterações associadas exclusivamente à doença de Graves, como hiperplasia difusa da tireoide, oftalmopatia e dermopatia. O grau de tireotoxicose varia de caso para caso e, algumas vezes, é menos evidente do que outras manifestações da

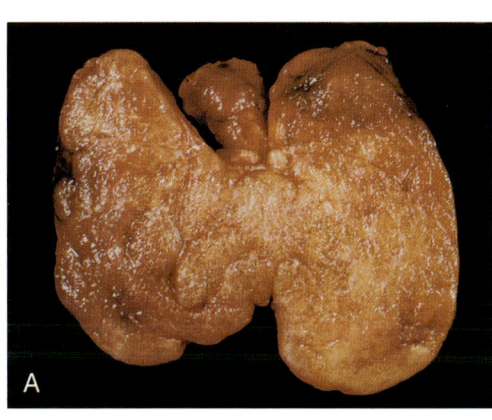

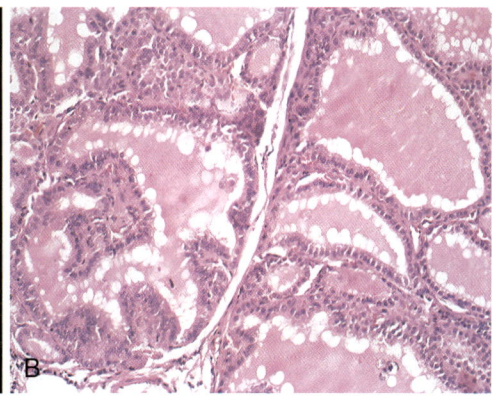

Figura 24.13 Doença de Graves. A. Há aumento simétrico e difuso da glândula, com parênquima vermelho-vivo intenso. Compare com a fotografia macroscópica de bócio multinodular na **Figura 24.15. B.** Tireoide difusamente hiperplásica em um caso de doença de Graves. Os folículos são revestidos por um epitélio colunar alto. As células epiteliais aumentadas e aglomeradas projetam-se na luz dos folículos. Essas células reabsorvem ativamente o coloide nos centros dos folículos, resultando em aparência recortada das bordas do coloide. (**A**, Reproduzida, com autorização, de Lloyd RV, Douglas BR, Young WF Jr, editors: *Atlas of Nontumor Pathology: Endocrine Diseases*, Washington, DC, 2002, American Registry of Pathology.)

doença. O aumento difuso da tireoide está presente em todos os casos. O aumento da tireoide pode ser acompanhado de fluxo sanguíneo aumentado através da glândula hiperativa, produzindo frequentemente um "sopro" audível. A hiperatividade simpática produz um olhar fixo e arregalado característico e retardo palpebral, enquanto a oftalmopatia causa exoftalmia. A exoftalmia pode persistir ou progredir, apesar do tratamento bem-sucedido da tireotoxicose, resultando, algumas vezes, em lesão da córnea. Os músculos extraoculares costumam estar fracos. A dermopatia infiltrativa (*mixedema pré-tibial*) é mais comum na pele que recobre a canela, onde se manifesta com espessamento descamativo e endurecimento. A base dessa localização não está clara, e sua ocorrência só é observada em uma minoria de pacientes. Algumas vezes, os indivíduos desenvolvem hipofunção da tireoide espontaneamente. Os pacientes correm risco aumentado de outras doenças autoimunes, como lúpus eritematoso sistêmico, anemia perniciosa, diabetes melito tipo 1 e doença de Addison.

Na doença de Graves, os achados laboratoriais incluem níveis elevados de T_4 e T_3 livres e níveis diminuídos de TSH. Devido à estimulação contínua pelas imunoglobulinas estimuladoras da tireoide, a cintilografia com iodo radioativo mostra uma captação de iodo difusamente aumentada na glândula tireoide.

A doença de Graves é tratada com betabloqueadores, que atenuam os sintomas relacionados com o aumento da atividade do sistema nervoso simpático (p. ex., taquicardia, palpitações, tremores e ansiedade), e com medidas destinadas a diminuir a síntese dos hormônios tireoidianos, como administração de tionamidas (p. ex., propiltiouracila), ablação com iodo radioativo e tireoidectomia. A cirurgia é realizada, em grande parte, em pacientes que apresentam grandes bócios que comprimem as estruturas adjacentes.

> - A doença de Graves é um distúrbio autoimune causado pela ativação das células epiteliais da tireoide por autoanticorpos contra o receptor de TSH, que simulam a ação do TSH (imunoglobulinas estimuladoras da tireoide)
> - A tireoide na doença de Graves apresenta hipertrofia e hiperplasia difusas dos folículos e infiltrados linfoides; a deposição de glicosaminoglicanos e os infiltrados linfoides são responsáveis pela oftalmopatia e dermopatia
> - As características laboratoriais incluem elevações dos níveis séricos de T_3 e T_4 livres e diminuição do nível sérico de TSH.

Bócio difuso e multinodular

O aumento da tireoide ou bócio é causado pelo comprometimento na síntese de hormônio tireoidiano, que costuma resultar em deficiência dietética de iodo. A redução da síntese de hormônio tireoidiano leva a uma elevação compensatória do nível sérico de TSH, que, por sua vez, causa hipertrofia e hiperplasia das células foliculares da tireoide e, por fim, aumento da glândula. Esse aumento na massa funcional da glândula costuma superar a deficiência hormonal, garantindo um estado metabólico eutireoidiano na maioria dos indivíduos. Se o distúrbio subjacente for grave o suficiente (p. ex., defeito congênito na biossíntese ou deficiência de iodo endêmica, discutidos adiante), as respostas compensatórias podem ser inadequadas, resultando em *hipotireoidismo com bócio*. O grau de aumento da tireoide é proporcional ao nível e à duração da deficiência de hormônio tireoidiano. O bócio é dividido em dois tipos mais amplos: *difuso atóxico* e *multinodular*.

Bócio difuso atóxico (simples)

O bócio difuso atóxico (simples) provoca aumento de toda a glândula, sem produzir nodularidade. Como os folículos aumentados estão preenchidos de coloide, o termo *bócio coloide* tem sido aplicado a essa condição. Esse distúrbio é de distribuição tanto endêmica quanto esporádica:

Conceitos-chave

Doença de Graves

- A doença de Graves, que é a causa mais comum de hipertireoidismo endógeno, caracteriza-se pela tríade de tireotoxicose, oftalmopatia e dermopatia

- O *bócio endêmico* ocorre em áreas geográficas onde o solo, a água e o suprimento de alimentos contêm baixos níveis de iodo. O termo endêmico é utilizado quando há presença de bócios em mais de 10% da população em determinada região. Essas condições são comuns sobretudo em áreas montanhosas do mundo, como os Andes e o Himalaia, onde a deficiência de iodo é generalizada. A falta de iodo leva a uma síntese diminuída de hormônio tireoidiano e a um aumento compensatório do TSH, levando à hipertrofia e hiperplasia das células foliculares e ao bócio. Com a crescente suplementação de iodo na dieta, a frequência e a gravidade do bócio endêmico declinaram de modo significativo, embora até 200 milhões de indivíduos em todo o mundo continuem apresentando risco de deficiência grave de iodo.

  As variações na prevalência do bócio endêmico em regiões com níveis semelhantes de deficiência de iodo apontam para a existência de outras influências causadoras, sobretudo substâncias da dieta, designadas como *bociogênicas*. A ingestão de substâncias que interferem na síntese de hormônios tireoidianos em algum nível, como os vegetais que pertencem à família Brassicaceae (ou Cruciferae) (p. ex., repolho, couve-flor, couve-de-bruxelas, nabo e mandioca), foi documentada como bociogênica. As populações nativas que subsistem da raiz da mandioca apresentam mais risco. A mandioca contém um tiocianato que inibe o transporte de iodeto dentro da tireoide, agravando qualquer deficiência concomitante de iodo

- O *bócio esporádico* ocorre com menos frequência do que o bócio endêmico. Há uma notável preponderância do sexo feminino e um pico de incidência na puberdade ou na vida adulta jovem. O bócio esporádico pode ser causado por diversas condições, como a ingestão de substâncias que interferem na síntese de hormônio tireoidiano. Em outros casos, o bócio pode resultar de defeitos enzimáticos hereditários que interferem na síntese de hormônio tireoidiano, todos transmitidos como condições autossômicas recessivas (bócio dis-hormonogenético; ver anteriormente). Todavia, na maioria dos casos, a causa do bócio esporádico não é aparente.

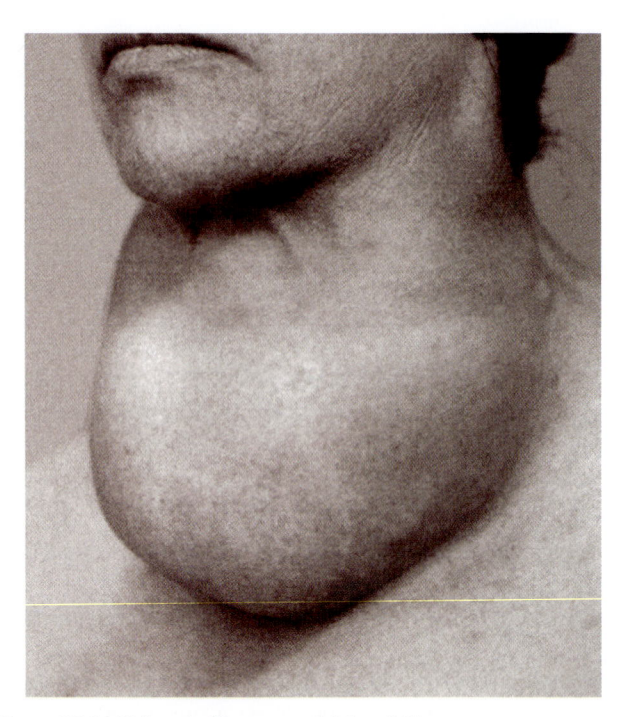

Figura 24.14 Mulher de 52 anos com bócio coloide enorme que apresentou sintomas compressivos. (Reproduzida, com autorização, de Lloyd RV, Douglas BR, Young WF Jr, editors: *Atlas of Nontumor Pathology: Endocrine Diseases*, Washington, DC, 2002, American Registry of Pathology.)

> **Morfologia**
>
> Podem ser identificadas duas fases na evolução do bócio difuso atóxico: a **fase hiperplásica** e a fase de **involução de coloide**. Na fase hiperplásica, a glândula tireoide apresenta aumento difuso e simétrico, embora esse aumento seja normalmente modesto, e a glândula raramente ultrapasse 100 a 150 g. Os folículos são revestidos por células colunares aglomeradas, que podem se empilhar e formar projeções semelhantes àquelas observadas na doença de Graves. O acúmulo não é uniforme por toda a glândula, e alguns folículos estão acentuadamente distendidos, enquanto outros permanecem pequenos. Se o iodo da dieta aumentar subsequentemente, ou se houver uma redução na demanda de hormônio tireoidiano, o epitélio folicular estimulado involui para formar uma glândula aumentada e rica em coloide (**bócio coloide**). Nesses casos, a superfície de corte da tireoide costuma ser marrom, ligeiramente vítrea e translúcida. No exame histológico, o epitélio folicular é achatado e cuboide, e o coloide está presente em quantidade abundante durante os períodos de involução.

Características clínicas

Conforme assinalado, os indivíduos com bócio simples são, em sua maioria, clinicamente eutireoidianos. Por conseguinte, as manifestações clínicas estão sobretudo relacionadas com *efeitos expansivos* da glândula tireoide aumentada (**Figura 24.14**). Embora os níveis séricos de T_3 e T_4 sejam normais, o nível sérico de TSH costuma estar elevado ou na faixa superior do normal, conforme esperado em indivíduos ligeiramente eutireoidianos. Em crianças, o bócio dis-hormonogenético, causado por um defeito congênito na biossíntese, pode induzir cretinismo.

Bócio multinodular

Com o tempo, os episódios recorrentes de hiperplasia e involução combinam-se para produzir um aumento mais irregular da tireoide, denominado *bócio multinodular*. Praticamente todos os bócios simples de longa duração convertem-se em bócios multinodulares. **Os bócios multinodulares produzem os aumentos mais extremos da glândula tireoide e são confundidos mais frequentemente com neoplasias do que com qualquer outra forma de doença tireoidiana.** Como se originam de bócio simples, eles ocorrem nas formas tanto esporádica quanto endêmica e apresentam a mesma distribuição entre homens e mulheres e, presumivelmente, as mesmas origens, porém afetam indivíduos de idade mais avançada, visto que eles constituem uma complicação tardia.

Patogênese

Acredita-se que o bócio multinodular surja devido a variações entre as células foliculares na sua resposta a estímulos externos, como hormônios tróficos. Se algumas células em determinado folículo tiverem uma vantagem quanto a seu crescimento, talvez devido a anormalidades genéticas adquiridas semelhantes àquelas que dão origem a adenomas, essas células podem começar a sofrer proliferação autônoma, produzindo um nódulo. De acordo com esse modelo, nódulos tanto policlonais quanto monoclonais coexistem dentro do mesmo bócio multinodular, e estes últimos presumivelmente surgiram devido à aquisição de uma anormalidade genética que favorece o crescimento. De forma não surpreendente, foram identificadas mutações ativadoras que afetam proteínas da via de sinalização do TSH em um subgrupo de nódulos tireoidianos autônomos (as mutações na via de sinalização do TSH e suas implicações em adenomas são discutidas adiante). A hiperplasia folicular e o acúmulo de coloide produzem estresse físico, que pode levar à ruptura dos folículos e vasos, seguida de hemorragias, cicatrização e calcificações. Com a cicatrização, aparece uma nodularidade, que pode ser acentuada pela estrutura estromal preexistente da glândula.

Morfologia

Os bócios multinodulares são glândulas multilobuladas com aumento assimétrico, cujo peso pode alcançar mais de 2.000 g. O padrão de aumento é imprevisível e pode envolver muito mais um lobo do que o outro, produzindo pressão sobre estruturas da linha média, como a traqueia e o esôfago. Em outros casos, o bócio cresce atrás do esterno e das clavículas, produzindo **bócio intratorácico** ou **bócio mergulhante**. Em certas ocasiões, a maior parte fica escondida atrás da traqueia e do esôfago; em outros casos, um nódulo pode sobressair, simulando uma neoplasia solitária. Em corte, observa-se a presença de nódulos irregulares contendo quantidades variáveis de coloide gelatinoso marrom (**Figura 24.15A**). As lesões mais antigas apresentam áreas de hemorragia, fibrose, calcificação e alteração cística. A aparência microscópica inclui folículos ricos em coloide, revestidos por epitélio achatado e inativo, e áreas de **hiperplasia folicular**, acompanhadas de alterações degenerativas relacionadas com estresse físico. Diferentemente das neoplasias foliculares, não há uma cápsula proeminente entre os nódulos hiperplásicos e o parênquima comprimido residual da tireoide (**Figura 24.15B**).

Características clínicas

As características clínicas dominantes do bócio multinodular são aquelas causadas por efeitos expansivos. Além de seu efeito cosmético, o bócio pode causar obstrução das vias respiratórias, disfagia e compressão dos grandes vasos no pescoço e na parte superior do tórax (*síndrome da veia cava superior*). Os pacientes são, em sua maioria, eutireoidianos ou apresentam hipertireoidismo subclínico (identificado pelos níveis reduzidos de TSH); todavia, cerca de 10% dos pacientes desenvolvem, no período de dez anos, um nódulo autônomo dentro de um bócio de longa duração, que produz hipertireoidismo (*bócio multinodular tóxico*), também conhecido como *síndrome de Plummer*. A incidência de neoplasia maligna em bócios multinodulares de longa duração é baixa (< 5%), porém não chega a ser nula, e a preocupação com uma possível neoplasia maligna surge com bócios que demonstram mudanças súbitas no tamanho ou nos sintomas (p. ex., rouquidão). Os nódulos dominantes em um bócio multinodular podem se apresentar como "nódulo tireoidiano solitário", simulando uma neoplasia de tireoide. A cintilografia com iodo radioativo demonstra uma captação irregular de iodo (incluindo o nódulo autônomo "quente" ocasional), compatível com uma mistura de nódulos hiperplásicos e involutivos. Uma biopsia por aspiração com agulha fina é útil e, com frequência, mais nem sempre, pode distinguir entre hiperplasia folicular e neoplasia de tireoide (ver adiante).

Neoplasias da tireoide

O nódulo tireoidiano solitário consiste em uma tumefação distinta palpável dentro de uma glândula tireoide aparentemente normal nos demais aspectos. A incidência estimada de nódulos solitários palpáveis na população adulta dos EUA varia entre 1 e 10%, porém é significativamente maior em regiões de bócio endêmico. Os nódulos simples são cerca de quatro vezes mais comuns em mulheres do que em homens. A incidência de nódulos tireoidianos aumenta durante toda a vida.

Do ponto de vista clínico, a principal preocupação em pessoas que apresentam nódulos da tireoide é a possibilidade de neoplasia maligna. Felizmente, a grande maioria dos nódulos solitários da tireoide consiste em lesões não neoplásicas localizadas (p. ex., nódulo dominante no bócio multinodular, cistos simples ou focos de tireoidite) ou em neoplasias benignas, como o adenoma folicular. De fato, as neoplasias malignas ultrapassam em número os carcinomas de tireoide por uma razão de quase 10:1. Embora apenas 1% dos nódulos solitários da tireoide seja maligno, isso ainda representa aproximadamente 15 mil novos casos de carcinoma de tireoide por ano nos EUA. Felizmente, a maior parte desses

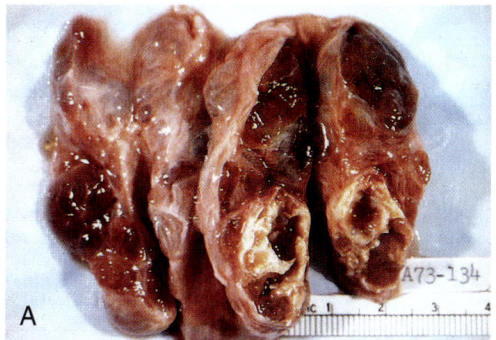

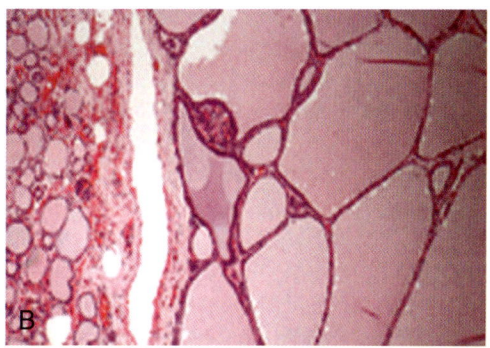

Figura 24.15 Bócio multinodular. **A.** Morfologia macroscópica mostrando uma glândula grosseiramente nodular com áreas de fibrose e alteração cística. **B.** Fotomicrografia de nódulo hiperplásico com parênquima residual comprimido da tireoide na periferia. Observe a ausência de uma cápsula proeminente, uma característica diferencial das neoplasias foliculares. (**B,** Cortesia do Dr. William Westra, Department of Pathology, Johns Hopkins University, Baltimore, Md.)

cânceres é indolente, e mais de 90% dos pacientes afetados estão vivos 20 anos após o diagnóstico.

Diversos critérios fornecem pistas sobre a natureza de um nódulo tireoidiano:

- Os *nódulos solitários*, os *nódulos em pacientes mais jovens* e os *nódulos em indivíduos do sexo masculino* têm mais tendência a ser neoplásicos
- Uma história de *radioterapia* da região da cabeça e pescoço está associada a uma incidência aumentada de neoplasia maligna da tireoide
- Os nódulos funcionantes que captam iodo radioativo em exames de imagem (*nódulos quentes*) têm muito mais tendência a ser benignos.

Entretanto, essas associações e estatísticas são de pouco consolo para o paciente, no qual o reconhecimento de uma neoplasia maligna no momento oportuno pode salvar a sua vida. Por fim, a avaliação morfológica de determinado nódulo tireoidiano por aspiração com agulha final ou ressecção cirúrgica fornece a informação mais definitiva sobre a sua natureza. Nas seções seguintes, são consideradas as principais neoplasias da tireoide.

Adenomas de tireoide

Os adenomas da tireoide normalmente são massas solitárias e distintas, derivadas do epitélio folicular, razão pela qual são também conhecidos como adenomas foliculares. Do ponto de vista clínico, pode ser difícil distinguir os adenomas foliculares dos nódulos dominantes da hiperplasia folicular ou dos carcinomas foliculares menos comuns. Em geral, os adenomas foliculares *não* são precursores dos carcinomas; entretanto, as alterações genéticas compartilhadas levantam a possibilidade de que pelo menos um subgrupo de carcinomas foliculares tenha a sua origem em adenomas preexistentes (ver adiante). Embora a grande maioria dos adenomas seja não funcionante, uma pequena minoria produz hormônios tireoidianos e provoca tireotoxicose clinicamente aparente. A produção de hormônio nos adenomas funcionantes (denominados *adenomas tóxicos*) é independente da estimulação do TSH.

Patogênese

As mutações somáticas que levam à ativação constitutiva da via de sinalização do receptor do TSH são encontradas no adenoma tóxico e no bócio multinodular tóxico. Mutações de ganho de função – mais frequentemente no gene que codifica o receptor de TSH (*TSHR*) e, menos comumente, a subunidade α de G_s (*GNAS*) – induzem as células foliculares a secretar hormônio tireoidiano, independentemente da estimulação do TSH ("autonomia tireoidiana"). Isso leva ao hipertireoidismo e produz um nódulo "quente" funcionante no exame de imagem. De modo global, essas mutações estão presentes em 50 a 80% dos adenomas tóxicos de tireoide. Cerca de um terço dos adenomas tóxicos também abriga mutações ativadoras do amplificador de zeste, homólogo 1 (*EZH1*), que codifica uma histona metiltransferase, que atua como regulador epigenético da expressão gênica. De maneira notável, as mutações em *TSHR*, *GNAS* e *EZH1*, são raramente observadas nos carcinomas foliculares; por conseguinte, os adenomas tóxicos (e o bócio multinodular tóxico) não parecem ser lesões pré-cancerosas.

Por outro lado, uma minoria (20 a 40%) de adenomas foliculares não funcionantes abriga mutações oncogênicas de *RAS*, e uma porcentagem menor (5 a 10%) expressa proteínas de fusão contendo o receptor nuclear PPARγ. De forma notável, ambas as alterações genéticas são observadas com maior frequência nos carcinomas foliculares, sugerindo que os adenomas não funcionantes que apresentam essas alterações são precursores de carcinomas. São discutidos com mais detalhes adiante neste capítulo.

Morfologia

O adenoma típico de tireoide é uma lesão encapsulada, esférica e solitária, que é demarcada por uma cápsula intacta e bem definida (**Figura 24.16A**). Por outro lado, como o próprio nome indica, o bócio multinodular contém numerosos nódulos, mesmo em pacientes que apresentam um nódulo dominante solitário. Os adenomas foliculares têm, em média, cerca de 3 cm de diâmetro, porém alguns são muito maiores (≥ 10 cm de diâmetro). Em peças recém-ressecadas, o adenoma projeta-se a partir da superfície de corte e comprime a tireoide adjacente. A cor varia de branco-acinzentado a marrom-avermelhado, dependendo da celularidade do adenoma e de seu conteúdo de coloide. Nos adenomas foliculares, sobretudo em lesões maiores, é comum a presença de áreas de hemorragia, fibrose, calcificação e alteração cística, semelhantes àquelas encontradas nos bócios multinodulares.

No exame microscópico, as células constituintes costumam formar folículos de aparência uniforme que contêm coloide (**Figura 24.16B**). O padrão de crescimento folicular costuma ser muito distinto da tireoide não neoplásica adjacente. As células neoplásicas exibem pouca variação no tamanho, formato ou morfologia nuclear das células, e as figuras mitóticas são raras. Em certas ocasiões, as células neoplásicas adquirem citoplasma granular fortemente eosinofílico (**transformação em células oxifílicas** ou de **Hürthle**) (**Figura 24.17**). A característica fundamental de todos os adenomas foliculares é a presença de uma cápsula intacta e bem formada que circunda a neoplasia. **Por conseguinte, a avaliação cuidadosa da integridade da cápsula é de importância crítica para distinguir o adenoma folicular do carcinoma folicular**, que demonstra invasão capsular e/ou vascular (ver adiante). A atividade mitótica, a necrose ou a elevada celularidade também justificam uma cuidadosa inspeção para excluir a possibilidade de carcinoma folicular e a variante folicular encapsulada do carcinoma papilífero (ver adiante).

Características clínicas

Muitos adenomas foliculares manifestam-se como massas solitárias indolores, que são descobertas durante um exame físico de rotina. Massas maiores podem produzir sintomas locais, como dificuldade na deglutição. Os adenomas não funcionantes captam menos iodo radioativo do que o parênquima tireoidiano normal e, na cintilografia com radionuclídeos, aparecem como nódulos frios. Outras técnicas utilizadas na avaliação de suspeita de adenomas incluem a ultrassonografia e a biopsia por aspiração com agulha fina. **Devido à necessidade de avaliar a integridade capsular, o diagnóstico definitivo de adenoma só pode ser estabelecido após um cuidadoso exame histológico da peça ressecada.** Por conseguinte, os adenomas suspeitos da tireoide são cirurgicamente removidos para excluir a possibilidade de neoplasia maligna. Os adenomas foliculares não apresentam recorrência nem metástase e têm um excelente prognóstico.

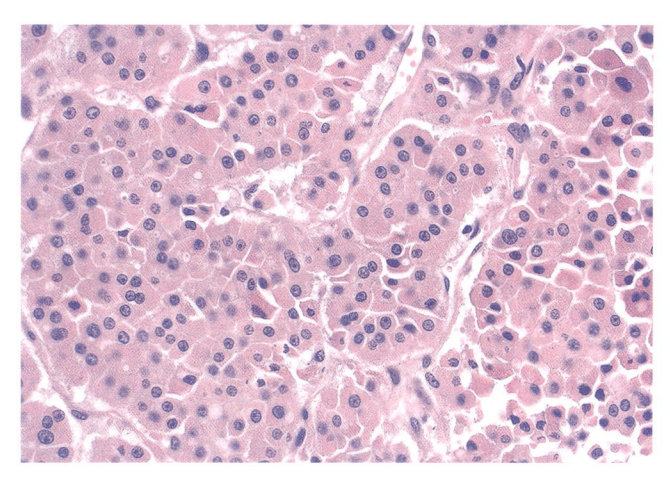

Figura 24.17 Adenoma de células de Hürthle (oxifílicas). Vista de grande aumento mostrando que a neoplasia é composta de células com citoplasma eosinofílico abundante e pequenos núcleos regulares. (Cortesia da Dra. Mary Sunday, Duke University, Durham, NC.)

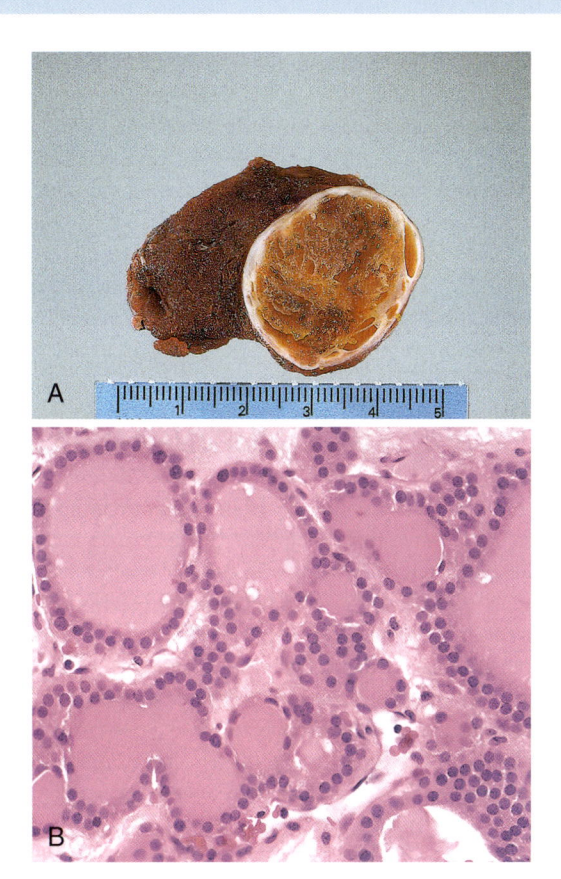

Figura 24.16 Adenoma folicular da tireoide. **A.** Observa-se um nódulo solitário bem circunscrito. **B.** A fotomicrografia mostra folículos bem diferenciados, que se assemelham ao parênquima normal da tireoide.

Carcinomas da tireoide

Estima-se que houve 52 mil novos casos de câncer de tireoide nos EUA, em 2019, e cerca de 2 mil indivíduos sucumbiram à doença. A taxa de câncer de tireoide recém-diagnosticado tem aumentado de maneira dramática (atualmente, na taxa de 3% de aumento na incidência a cada ano nos EUA), e, em países como a Coreia do Sul, que tem sido o palco de uma verdadeira "epidemia" de câncer de tireoide, é a causa mais comum de câncer recém-diagnosticado em mulheres. Diferentemente das taxas crescentes de câncer recém-diagnosticado, a mortalidade dessa doença é uma das mais baixas entre neoplasias sólidas, com sobrevida em 5 anos superior a 98%. A principal razão desse bom resultado é que muitos desses cânceres são detectados de modo incidental durante a palpação do pescoço ou por ultrassonografia e consistem em pequenas lesões localizadas (normalmente cânceres papilíferos), que possuem um excelente prognóstico. Para resolver esse denominado "sobrediagnóstico" de câncer de tireoide, a nomenclatura de um subgrupo de cânceres papilíferos passou por uma importante mudança nos últimos 2 anos (ver adiante).

Os principais subtipos de carcinoma da tireoide e suas frequências relativas são os seguintes:

- *Carcinoma papilífero de tireoide* (CPT), incluindo o CPT "convencional" e a "variante folicular encapsulada" (80 a 85% dos casos). Essa categoria inclui a lesão recém-descrita conhecida como "*neoplasia folicular da tireoide não invasiva com características nucleares de tipo papilífero*", uma neoplasia de baixo grau com risco de recorrência tão mínimo que o termo "carcinoma" foi retirado de seu nome
- *Carcinoma folicular* (10 a 15% dos casos)
- *Carcinoma pouco diferenciado* e *anaplásico (indiferenciado)* (< 5% dos casos)
- *Carcinoma medular* (5% dos casos).

Os carcinomas da tireoide originam-se, em sua maioria, do epitélio folicular da tireoide (exceto o carcinoma medular, que é derivado de células C parafoliculares), e, destes, a grande maioria consiste em lesões bem diferenciadas. Nessa última década, com o aumento do conhecimento da patologia molecular das neoplasias foliculares, o conceito de "patogênese em múltiplas etapas" a partir de lesões precursoras, que está bem estabelecido em outros tipos de câncer epitelial, ganhou maior aceitação. Em particular, foram reconhecidas as seguintes três relações com lesões precursoras:

- O microcarcinoma papilífero como precursor do CPT convencional
- A neoplasia não invasiva da tireoide com características nucleares de tipo papilífero como precursora da variante folicular encapsulada invasiva do CPT
- Adenoma folicular não funcionante como precursor do carcinoma folicular.

Além disso, aceita-se agora que a maioria dos carcinomas pouco diferenciados e anaplásicos (indiferenciados) surge a partir do CPT bem diferenciado ou de carcinomas foliculares por meio da aquisição de mutações adicionais. Essas neoplasias agressivas e os carcinomas medulares da tireoide constituem as principais causas de mortalidade por câncer de tireoide.

Começaremos com uma discussão da patogênese molecular das neoplasias da tireoide.

Patogênese

Mutações condutoras. São encontrados conjuntos distintos de mutações condutoras em genes de câncer nas quatro principais variantes histológicas de câncer de tireoide. Entre as neoplasias foliculares, existem alterações genéticas tanto exclusivas quanto compartilhadas entre os subtipos histológicos (**Figura 24.18**), cuja maioria envolve componentes da via do receptor de tirosinoquinase

(RTK), que, como podemos lembrar, costuma estar mutado em diversos tipos de câncer (ver **Capítulo 7**). Como também ocorre com outras neoplasias epiteliais, as lesões precursoras (citadas anteriormente) compartilham alterações genéticas com a variante correspondente de carcinoma, embora com frequência mais baixa:

- *Carcinomas papilíferos de tireoide convencionais.* Os CPT convencionais apresentam duas anormalidades genéticas definidoras: translocações, que resultam em fusões de genes de *RET* ou *NTRK* e mutações pontuais em *BRAF* (ver **Figura 24.18**)
    - O gene *RET* está localizado no cromossomo 10q11 e codifica um RTK que normalmente não é expresso nas células foliculares da tireoide. À semelhança de muitos outros RTK implicados no câncer, os rearranjos no CPT envolvendo o *RET* criam genes de fusão que codificam formas constitutivamente ativas de RET tirosinoquinase. Existem mais de 15 parceiros de fusão de *RET*, e dois deles – designados como *PTC1* e *PTC2* – são mais comumente observados em cânceres papilíferos esporádicos. De modo semelhante, inversões paracêntricas ou translocações de *NTRK1*, outro gene que codifica um receptor de tirosinoquinase no cromossomo 1q21, estão presentes em cerca de 5% dos CTP. Esses rearranjos também produzem proteínas de fusão NTRK1 constitutivamente ativas
    - Entre 50 e 80% dos CPT convencionais abrigam mutações de ganho de função no gene *BRAF*, mais comumente uma mudança de valina para glutamato no códon 600 ($BRAF^{V600E}$). O BRAF codifica uma serina/treonina quinase situada *downstream* do receptor de tirosinoquinase em vias de sinalização de fatores de crescimento. Em um subtipo de CPT convencional, conhecido como "variante de células altas" (ver adiante), as mutações $BRAF^{V600E}$ são virtualmente um *sine qua non* diagnóstico. A presença de mutações *BRAF* nos CTP convencionais está associada a uma expressão reduzida de marcadores de diferenciação da tireoide (como tireoglobulina e tireoide peroxidase) e pode estar associada a um maior risco de extensão extratireoidiana e recorrência. Conforme discutido em outra parte, a mutação BRAFV600E é encontrada em muitos outros tipos de câncer, como o melanoma e a leucemia de células pilosas (ver **Capítulo 7**)
- *Neoplasias foliculares.* Diferentemente dos carcinomas papilares, as neoplasias foliculares frequentemente estão associadas a mutações de ganho de função em *RAS*. As neoplasias com mutações de *RAS* conservam a expressão de fatores de diferenciação da tireoide (p. ex., tireoglobulina, tireoide peroxidase), que podem contribuir para o seu padrão de crescimento folicular. De modo geral, cerca de 20 a 40% dos adenomas foliculares e 30 a 50% dos carcinomas foliculares abrigam mutações de *RAS* (ver **Figura 24.18**). De modo semelhante, cerca de metade das variantes foliculares encapsuladas invasivas de CPT e seu suposto precursor, a neoplasia folicular não invasiva da tireoide com características nucleares tipo papilífero, demonstra mutações pontuais em *RAS*.

Foi descrita uma translocação única (2;3)(q13;p25) em 20 a 50% dos carcinomas foliculares e em cerca de 10% dos adenomas foliculares. Essa translocação cria um gene de fusão composto de porções de *PAX8*, um gene *homeobox* pareado que é importante no desenvolvimento da tireoide, e o gene do receptor ativado do proliferador dos peroxissomos (*PPARG*), que codifica um receptor de hormônio nuclear implicado na diferenciação terminal dos tireócitos. Algumas neoplasias foliculares não invasivas da tireoide com características nucleares tipo papilífero e a variante folicular encapsulada invasiva do CPT (até um terço em algumas séries) também abrigam genes de fusão *PAX8-PPARG*, que quase nunca são observados em carcinomas pouco diferenciados ou anaplásicos. Por fim, até 10% dos carcinomas foliculares exibem mutações de ganho de função de *PIK3CA* (o gene que codifica a fosfoinositídeo 3-quinase [PI3K]) ou mutações de perda de função do *PTEN*, um gene supressor de tumor e regulador negativo dessa via (ver **Figura 24.18**)

- *Carcinomas pouco diferenciados e anaplásicos (indiferenciados).* Essas neoplasias altamente agressivas e letais podem surgir *de novo* ou, com muito mais frequência, por "desdiferenciação" de um carcinoma papilífero ou folicular da tireoide. Além das mutações condutoras que também são observadas em cânceres de tireoide bem diferenciados, três "eventos" genéticos recorrentes – mutações pontuais de *TP53*, betacatenina (*CTNNB1*), e *TERT* (que codifica o componente catalítico da enzima telomerase) – estão essencialmente restritos aos carcinomas pouco diferenciados e anaplásicos e provavelmente desempenham funções centrais na sua gênese e comportamento agressivo
- *Carcinomas medulares da tireoide.* Os carcinomas medulares de tireoide familiares ocorrem na neoplasia endócrina múltipla

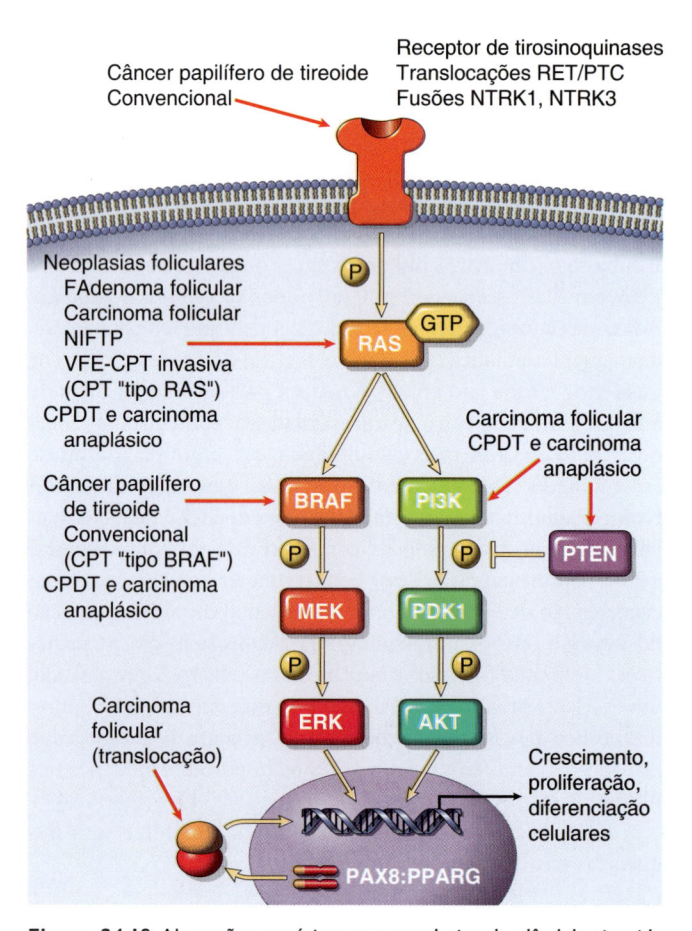

Figura 24.18 Alterações genéticas em neoplasias da glândula tireoide derivadas das células foliculares. *CPDT*, carcinoma pouco diferenciado da tireoide; *NIFTP*, neoplasia folicular de tireoide não invasiva com características nucleares tipo papilífero; *VFE-CPT*, variante folicular encapsulada do carcinoma papilífero de tireoide.

tipo 2 (MEN-2, ver adiante) e estão associados a mutações de linhagem germinativa de *RET*, que levam à ativação constitutiva do receptor. As mutações de *RET* também são observadas em cerca da metade dos cânceres medulares de tireoide não familiares (esporádicos). Rearranjos cromossômicos envolvendo o *RET*, como as translocações *RET/PTC* relatadas em cânceres papilíferos, não são observados nos carcinomas medulares.

Fatores ambientais. O principal fator de risco que predispõe ao câncer de tireoide é a exposição à *radiação ionizante*, sobretudo durante as primeiras duas décadas de vida. A esse respeito, houve um acentuado aumento na incidência de CPT convencionais entre crianças expostas à radiação ionizante após o desastre nuclear de Chernobyl, em 1986. É interessante assinalar que os CPT induzidos por radiação apresentam uma maior frequência de rearranjos cromossômicos que produzem fusões gênicas, possivelmente devido à capacidade da radiação ionizante de induzir quebras de DNA de fita dupla. A deficiência de iodo na dieta (e, por extensão, a ocorrência de bócio) está associada a uma maior frequência de lesões foliculares.

Carcinoma papilífero e variantes foliculares, incluindo variante folicular encapsulada invasiva de CPT e neoplasia folicular não invasiva da tireoide com características nucleares de tipo papilífero

Os carcinomas papilíferos constituem a forma mais comum de câncer de tireoide e são responsáveis por quase 85% dos casos nos EUA. Ocorrem durante toda a vida, porém mais frequentemente entre 25 e 50 anos, e representam a maioria dos carcinomas de tireoide associados à exposição anterior à radiação ionizante. A incidência do carcinoma papilífero aumentou consideravelmente nos últimos 30 anos, em parte devido ao aumento na detecção de microcarcinomas papilíferos de variantes encapsuladas não invasivas detectadas de modo incidental durante um exame do pescoço.

Morfologia

Os carcinomas papilíferos convencionais podem ser solitários ou multifocais. Algumas neoplasias são bem circunscritas, enquanto outras infiltram o parênquima adjacente e apresentam margens mal definidas. As neoplasias podem conter áreas de fibrose e calcificação e, com frequência, são císticas. Algumas vezes, a superfície de corte revela focos papilares que apontam para o diagnóstico. O **microcarcinoma papilífero** é definido como um carcinoma papilífero convencional nos demais aspectos, porém com menos de 1 cm de tamanho. Conforme assinalado anteriormente, são considerados como supostas lesões precursoras de carcinomas papilíferos mais típicos.

As características microscópicas fundamentais das neoplasias papilíferas incluem as seguintes (**Figura 24.19**):

- **Papilas** ramificadas com uma haste fibrovascular coberta por uma única camada a múltiplas camadas de células epiteliais cuboides. Na maioria das neoplasias, o epitélio que recobre as papilas consiste em células regularmente cuboides, bem diferenciadas e uniformes; entretanto, no outro extremo, estão aquelas com epitélio bastante anaplásico, mostrando uma considerável variação na morfologia celular e nuclear. Quando presentes, as papilas diferem daquelas observadas em áreas de hiperplasia, visto que são mais complexas e apresentam um cerne fibrovascular denso

- Núcleos com cromatina finamente dispersa e aparência clara ou vazia, dando origem à designação de **núcleos de vidro fosco** ou **do olho da órfã Annie**. Além disso, as invaginações da membrana nuclear podem conferir a aparência de inclusões nucleares ("pseudoinclusões") ou sulcos. **O diagnóstico de carcinoma papilífero pode ser estabelecido com base nessas características nucleares**, mesmo na ausência de arquitetura papilar

- Estruturas concentricamente calcificadas, denominadas **corpos de psamoma**, costumam estar presentes, em geral nos cernes das papilas. Essas estruturas quase nunca são encontradas nos carcinomas foliculares e medulares e constituem uma forte indicação de que a lesão é um carcinoma papilífero quando presentes no material de aspiração por agulha fina

- Com frequência, há focos de invasão linfática pela neoplasia, porém o comprometimento dos vasos sanguíneos é incomum, sobretudo nas lesões menores. Em até metade dos casos, ocorrem metástases para os linfonodos cervicais adjacentes.

Existe mais de uma dúzia de variantes histológicas de carcinoma papilífero, que podem simular outras lesões da tireoide ou abrigar implicações prognósticas distintas; a maioria está além do escopo desse livro. A **variante de células altas** apresenta células colunares altas com citoplasma intensamente eosinofílico. Essas neoplasias tendem a ocorrer em indivíduos idosos e apresentam maior frequência de invasão vascular, extensão extratireoidiana e metástases cervicais e a distância do que o CPT convencional. Os carcinomas papilíferos da variante de células altas quase sempre abrigam mutações de *BRAF* e, com frequência, também apresentam translocações *RET/PTC*. A ocorrência concomitante dessas duas aberrações pode contribuir para o comportamento agressivo dessa variante.

Uma **variante esclerosante difusa** incomum de carcinoma papilífero ocorre em indivíduos mais jovens, incluindo crianças. O tumor apresenta um padrão de crescimento papilífero proeminente, misturado com áreas sólidas que contêm ninhos de metaplasia escamosa. Como o próprio nome sugere, há fibrose difusa e extensa por toda a glândula tireoide, frequentemente associada a um infiltrado linfocítico proeminente, simulando a tireoidite de Hashimoto. Observa-se a presença de metástases para linfonodos em quase todos os casos. Os carcinomas da variante esclerosante difusa carecem de mutações em *BRAF*, porém são encontradas translocações de *RET/PTC* em cerca da metade dos casos.

A **variante folicular do CPT** apresenta as características nucleares típicas do carcinoma papilífero e uma arquitetura quase totalmente folicular. Conforme mencionado anteriormente, as análises genéticas mostraram que as variantes foliculares encapsuladas de CPT abrigam anormalidades moleculares distintas dos CPT convencionais. Conforme já discutido, as variantes foliculares encapsuladas do câncer papilífero de tireoide sem invasão capsular são designadas como carcinoma de tireoide folicular não invasivo com características nucleares do tipo papilífero e apresentam um risco muito baixo de recorrência ou de metástase, enquanto os tumores invasivos são referidos como variante folicular encapsulada invasiva de carcinoma papilífero da tireoide.

Características clínicas

A maioria dos carcinomas papilíferos convencionais manifesta-se como nódulos assintomáticos da tireoide, porém a primeira manifestação pode consistir em uma massa em um linfonodo

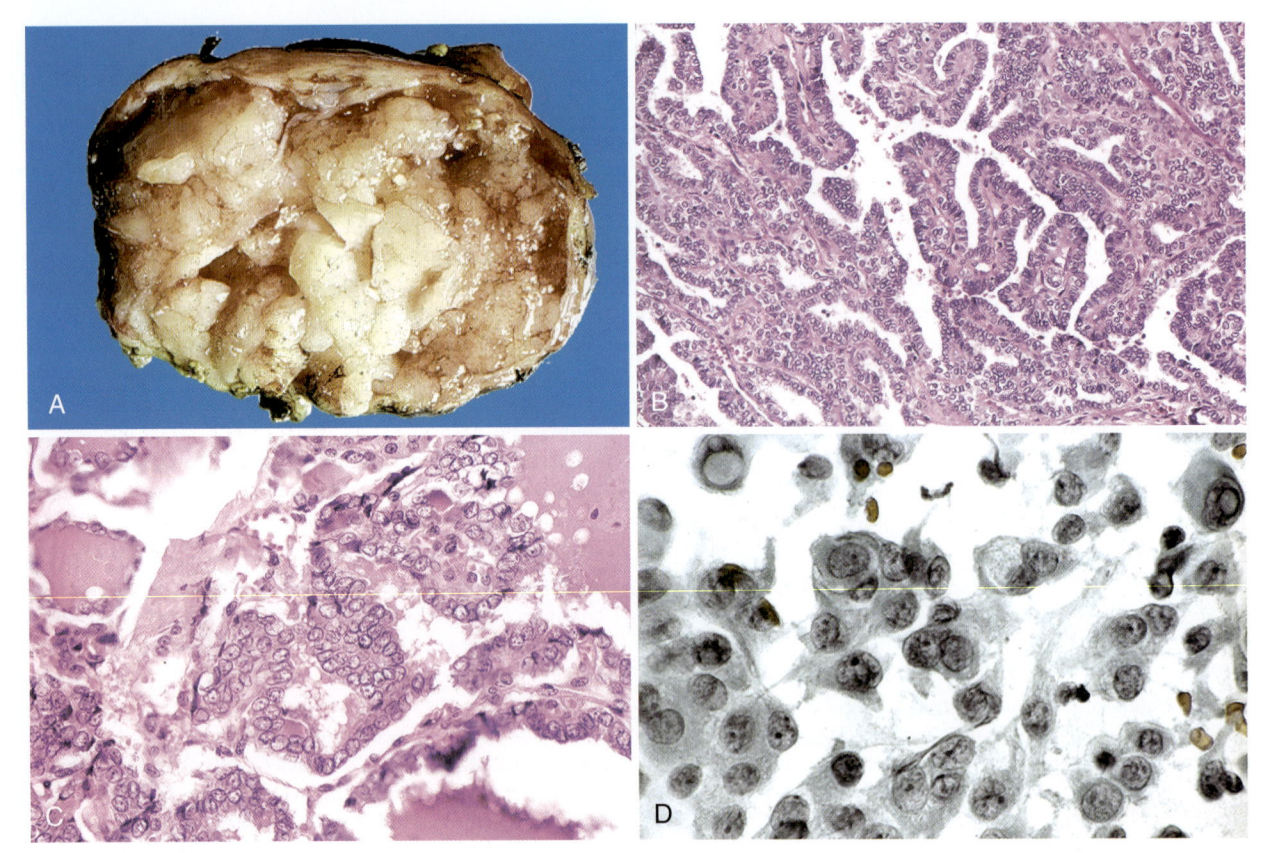

Figura 24.19 Carcinoma papilífero da tireoide. **A.** Aspecto macroscópico de um carcinoma papilífero com estruturas papilares grosseiramente discerníveis. **B.** Esse exemplo particular contém papilas bem formadas. **C.** O grande aumento mostra células com núcleos característicos de aparência vazia, algumas vezes denominados núcleos de "olho da órfã Annie". **D.** Células obtidas de um carcinoma papilífero por aspiração com agulha fina. As inclusões nucleares características são visíveis em algumas das células aspiradas.

cervical. Curiosamente, a presença de metástases isoladas em linfonodos cervicais não tem impacto significativo sobre o prognóstico, que costuma ser satisfatório. A maioria dos carcinomas consiste em nódulos solitários, que se movem livremente com a glândula tireoide durante a deglutição e que não se distinguem, ao exame, de nódulos benignos. A rouquidão, a disfagia, a tosse ou a dispneia sugerem uma doença avançada. Em uma minoria de pacientes, verifica-se a presença de metástases hematogênicas por ocasião do diagnóstico, mais comumente no pulmão.

Diversos exames diagnósticos têm sido utilizados para ajudar a diferenciar os nódulos da tireoide benignos dos malignos, como cintilografia com radionuclídeos e aspiração com agulha fina. Os carcinomas papilíferos são massas frias na cintilografia. Os avanços na análise citológica tornaram a citologia por aspiração com agulha fina um exame confiável para distinguir entre nódulos benignos e malignos.

Os cânceres papilíferos de tireoide apresentam prognóstico excelente, com taxa de sobrevida em dez anos em mais de 95% dos casos. Os pacientes com microcarcinomas papilíferos e neoplasias foliculares não invasivas da tireoide com características nucleares do tipo papilífero apresentam um prognóstico excelente com lobectomia apenas, e eles normalmente não necessitam de tireoidectomia total. Isso se tornou importante, visto que a tireoidectomia pode resultar em paralisia das pregas vocais (devido à lesão do nervo laríngeo) e em hipoparatireoidismo iatrogênico.

Entre 5 e 20% dos pacientes com CPT mais típicos apresentam recorrências locais ou regionais, e 10 a 15% têm metástases a distância. O prognóstico depende de diversos fatores, incluindo idade (em geral, é menos favorável entre pacientes com mais de 40 anos). A presença de extensão extratireoidiana e metástases a distância (estágio).

Carcinoma folicular

O carcinoma folicular é responsável por 5 a 15% dos cânceres de tireoide primários; é mais frequente em áreas com deficiência dietética de iodo, onde representa 25 a 40% dos cânceres de tireoide. É mais comum em mulheres (3:1) e manifesta-se mais frequentemente em pacientes de idade mais avançada do que o carcinoma papilífero. O pico de incidência situa-se entre 40 e 60 anos.

Morfologia

Os carcinomas foliculares são nódulos isolados, que podem ser bem circunscritos ou amplamente infiltrativos (**Figura 24.20A**). Pode ser muito difícil distinguir as lesões nitidamente demarcadas dos adenomas foliculares no exame macroscópico. As lesões maiores podem penetrar na cápsula e infiltrar-se na área adjacente no pescoço. Essas lesões são de cor cinza, castanha ou rosa em corte e podem ser translúcidas, devido à presença de grandes folículos preenchidos de coloide. Pode haver alterações degenerativas, como fibrose central e focos de calcificação.

Ao exame microscópico, os carcinomas foliculares são compostos, em sua maioria, de células bastante uniformes, que formam pequenos folículos contendo coloide, lembrando a tireoide normal (**Figura 24.20B**). Em outros casos, a diferenciação folicular pode ser menos aparente, e pode haver ninhos ou lâminas de células sem coloide. Alguns tumores são dominados por células com citoplasma eosinofílico granular abundante (**variante de células de Hürthle ou oncocítica do carcinoma folicular**). Qualquer que seja o padrão, os núcleos carecem das características típicas do carcinoma papilífero e não se observa a presença de corpos de psamoma. **Não há nenhuma diferença citológica confiável entre os adenomas foliculares e os carcinomas foliculares minimamente invasivos.** Para fazer essa distinção, é necessário obter uma amostra histológica extensa da cápsula da neoplasia para excluir a possibilidade de invasão capsular e/ou vascular (**Figura 24.21**). O critério para invasão vascular só é aplicável aos vasos capsulares e aos espaços vasculares além da cápsula; a presença de tampões neoplásicos no interior dos vasos sanguíneos intraneoplásicos tem pouco significado prognóstico. Diferentemente dos cânceres papilíferos, a disseminação linfática é incomum no câncer folicular. Em contrapartida, o diagnóstico de carcinoma é óbvio nos carcinomas foliculares amplamente invasivos, que infiltram o parênquima da tireoide e os tecidos moles extratireoidianos. No exame histológico, esses cânceres tendem a apresentar uma maior proporção de padrão de crescimento sólido ou trabecular, menos evidência de diferenciação folicular e aumento da atividade mitótica.

Características clínicas

Os carcinomas foliculares manifestam-se como nódulos indolores que aumentam lentamente. Com mais frequência, trata-se de nódulos frios na cintilografia, embora lesões raras e mais bem diferenciadas possam ser hiperfuncionantes e captar iodo radioativo, aparecendo quentes na cintilografia. Como os carcinomas foliculares têm pouca propensão a invadir os vasos linfáticos, os linfonodos

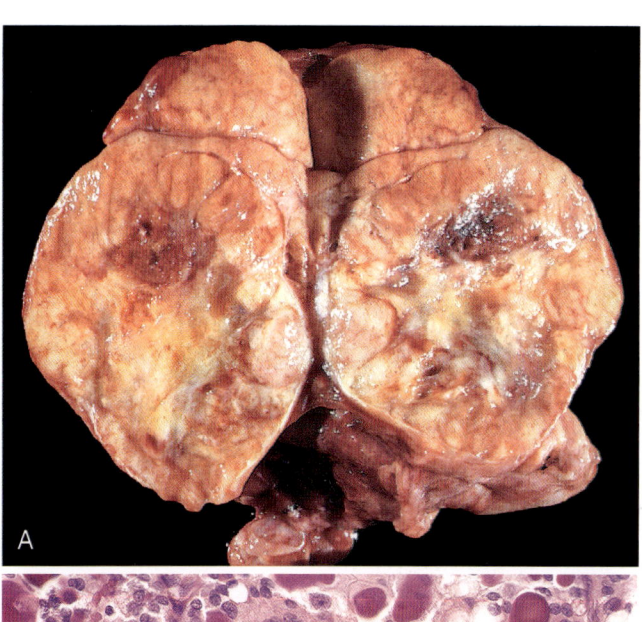

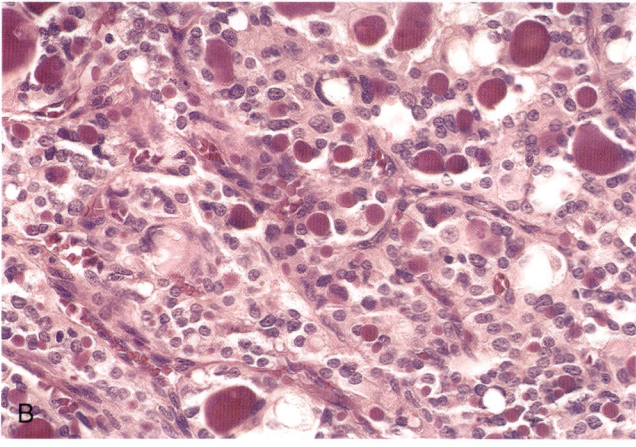

Figura 24.20 Carcinoma folicular. **A.** Superfície de corte de um carcinoma folicular com substituição substancial do lobo da tireoide. A neoplasia tem uma aparência castanho-clara e contém pequenos focos de hemorragia. **B.** Algumas das luzes glandulares contêm coloide reconhecível.

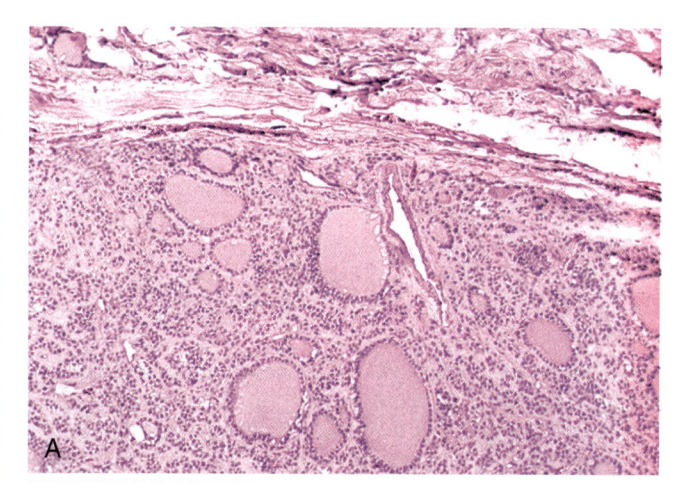

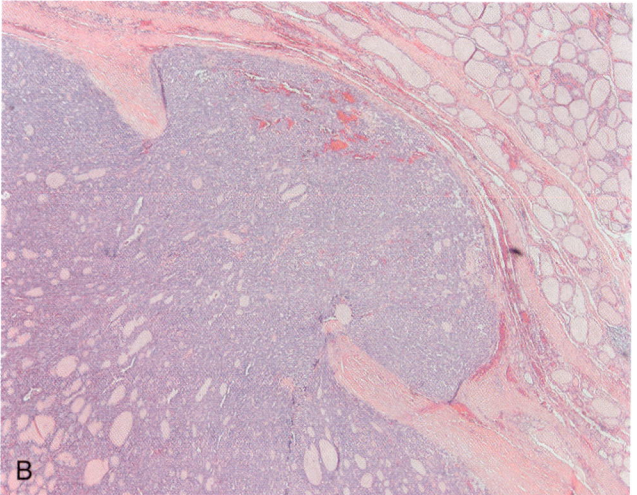

Figura 24.21 Integridade capsular nas neoplasias foliculares. Nos adenomas (**A**), uma cápsula fibrosa, geralmente fina, porém em certas ocasiões mais proeminente, circunda por completo os folículos neoplásicos, e não se observa nenhuma invasão capsular; o parênquima normal comprimido da tireoide costuma estar presente externamente à cápsula (*parte superior do painel*). Por outro lado, os carcinomas foliculares demonstram uma invasão capsular (**B**), que pode ser mínima, como neste caso, ou generalizada. A presença de invasão vascular constitui outra característica dos carcinomas foliculares.

regionais normalmente não são afetados, enquanto a disseminação vascular (hematogênica) é comum, com metástases para o osso, os pulmões, o fígado e outros locais.

O prognóstico depende, em grande parte, da extensão da invasão e do estágio na apresentação. Com frequência, o carcinoma folicular amplamente invasivo apresenta metástases sistêmicas, e até metade dos pacientes afetados sucumbe à doença no decorrer de dez anos. Isso contrasta acentuadamente com os carcinomas foliculares minimamente invasivos, cuja taxa de sobrevida em dez anos é superior a 90%. Os carcinomas foliculares são tratados, em sua maioria, com tireoidectomia total, seguida da administração de iodo radioativo, que pode ser utilizado para identificar metástases e remover essas lesões. Além disso, como qualquer carcinoma folicular residual pode responder à estimulação do TSH, os pacientes costumam ser tratados com hormônio tireoidiano após a cirurgia, de modo a suprimir os níveis de TSH endógeno. Os níveis séricos de tireoglobulina são utilizados para monitorar a recorrência da neoplasia, visto que essa proteína da tireoide deve ser praticamente indetectável em um paciente sem doença.

Carcinoma pouco diferenciado e anaplásico (indiferenciado)

Os carcinomas pouco diferenciados e anaplásicos (indiferenciados) representam neoplasias agressivas do epitélio folicular da tireoide, que são responsáveis cumulativamente por menos de 5% das neoplasias da tireoide, porém com elevada taxa de mortalidade (que se aproxima de 100% nas lesões anaplásicas). Os pacientes com esses carcinomas têm mais idade do que os que apresentam outros tipos de câncer de tireoide, com idade média de 65 anos. Cerca de um quarto dos pacientes com carcinomas de tireoide pouco diferenciados ou anaplásicos tem uma história pregressa de neoplasia folicular bem diferenciada, e outro quarto abriga uma neoplasia bem diferenciada concomitante na peça ressecada.

> ### Morfologia
>
> No exame microscópico, os carcinomas pouco diferenciados são compostos de células com diferenciação folicular mínima, dispostas em padrões de crescimento insular ou trabecular; com frequência, ocorrem necrose intratumoral e mitoses frequentes. Os carcinomas anaplásicos demonstram uma morfologia variável, como (1) **células gigantes** pleomórficas, incluindo células gigantes multinucleadas ocasionais semelhantes a osteoclastos; (2) **células fusiformes** com aparência sarcomatosa; e (3) **células fusiformes e gigantes misturadas**. Em algumas neoplasias, pode-se observar a presença de focos de diferenciação papilar ou folicular, sugerindo uma origem a partir de um carcinoma bem diferenciado. As células neoplásicas expressam marcadores epiteliais, como a citoqueratina; entretanto, costumam ser negativas para marcadores de diferenciação tireoidiana, como a tireoglobulina.

Características clínicas

Em geral, os carcinomas pouco diferenciados e anaplásicos apresentam-se como massas volumosas e de rápido aumento no pescoço. Na maioria dos casos, a doença já se disseminou além da tireoide e penetrou em estruturas adjacentes do pescoço ou metastizou para os pulmões por ocasião da apresentação. É comum haver sintomas relacionados com a compressão e a invasão de estruturas adjacentes, como dispneia, disfagia, rouquidão e tosse. Os carcinomas anaplásicos da tireoide constituem um dos cânceres mais agressivos conhecidos; na maioria dos casos, a morte ocorre em menos de 1 ano. Os carcinomas pouco diferenciados seguem um curso ligeiramente melhor com cirurgia radical, radioterapia com feixe externo e iodo radioativo. Mais recentemente, a imunoterapia com inibidores dos pontos de checagem imunes tem sido utilizada nessas neoplasias, na tentativa de melhorar o seu prognóstico sombrio.

Carcinoma medular

Os carcinomas medulares da tireoide são neoplasias neuroendócrinas derivadas das células parafoliculares (células C). Representam cerca de 5% das neoplasias da tireoide. À semelhança das células C normais, os carcinomas medulares secretam *calcitonina*, cuja medição desempenha um importante papel no diagnóstico e no acompanhamento pós-operatório dos pacientes. A calcitonina é um regulador do metabolismo do cálcio. Costuma ser produzida em resposta à hipercalcemia e produz redução dos níveis séricos de cálcio ao inibir a atividade dos osteoclastos e a reabsorção tubular renal de cálcio. Em alguns casos, as células neoplásicas elaboram outros hormônios polipeptídicos, como a serotonina, o ACTH e o peptídeo intestinal vasoativo (VIP). Cerca de 70% das neoplasias surgem de modo esporádico. O restante ocorre no contexto das síndromes de MEN-2A ou MEN-2B. Convém lembrar que as mutações pontuais ativadoras no protooncogene *RET* desempenham um importante papel no desenvolvimento dos carcinomas medulares tanto familiares quanto esporádicos. Ocorrem casos associados à MEN-2A ou MEN-2B em pacientes mais jovens, podendo surgir até mesmo durante a primeira década de vida. Por outro lado, os carcinomas medulares esporádicos e familiares são neoplasias da vida adulta, com pico de incidência entre os 40 e 50 anos.

> ### Morfologia
>
> Os carcinomas medulares de tireoide esporádicos manifestam-se como nódulos solitários (**Figura 24.22A**). Em contrapartida, a **bilateralidade e a multicentricidade são comuns nos casos familiares**. Com frequência, as lesões maiores contêm áreas de necrose e hemorragia e podem estender-se através da cápsula da tireoide. As neoplasias são firmes, pálidas, de cor cinza a castanha e infiltrativas. Pode haver focos de hemorragia e necrose nas lesões maiores.
>
> No exame microscópico, os carcinomas medulares são compostos de células poligonais a fusiformes, que podem formar ninhos, trabéculas e até mesmo folículos. Em alguns tumores, observa-se a presença de pequenas células mais anaplásicas, que podem constituir o tipo celular predominante. **Depósitos amiloides** derivados de polipeptídeos de calcitonina estão presentes no estroma em muitos casos (**Figura 24.22B**). A calcitonina é prontamente demonstrável no citoplasma das células neoplásicas, bem como no amiloide do estroma, por métodos imuno-histoquímicos. Como no caso de todas as neoplasias neuroendócrinas, a microscopia eletrônica revela um número variável de grânulos eletrodensos delimitados por membrana dentro do citoplasma das células neoplásicas (**Figura 24.23**). Uma das características dos cânceres medulares familiares é a

presença de **hiperplasia de célula C** multicêntrica no parênquima tireoidiano circundante, uma característica que costuma estar ausente nas lesões esporádicas e que se acredita seja uma lesão precursora nos casos familiares. Assim, a presença de múltiplos agrupamentos proeminentes de células C espalhados por todo parênquima deve levantar a suspeita de predisposição hereditária, até mesmo na ausência de história familiar.

Características clínicas

Os casos esporádicos de carcinoma medular chamam a atenção médica mais frequentemente como a presença de massa no pescoço, algumas vezes associada a disfagia ou rouquidão. Em alguns casos, as manifestações iniciais são as de uma síndrome paraneoplásica causada pela secreção de um hormônio peptídico (p. ex., diarreia devido à secreção de VIP ou síndrome de Cushing devido ao ACTH). De forma notável, a hipocalcemia não constitui uma característica proeminente, apesar da presença de níveis elevados

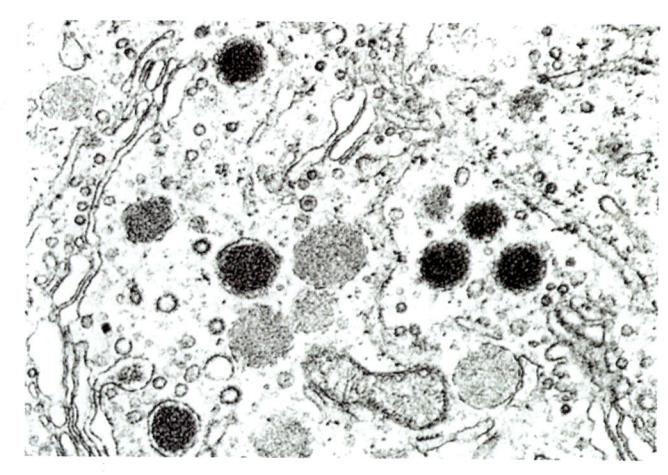

Figura 24.23 Micrografia eletrônica de carcinoma medular da tireoide. Essas células contêm grânulos secretores delimitados por membrana, que constituem os locais de armazenamento da calcitonina e de outros peptídeos.

de calcitonina. Além da calcitonina circulante, a secreção de antígeno carcinoembrionário pelas células neoplásicas é um biomarcador útil, particularmente para a avaliação pré-operatória da carga tumoral e em neoplasias negativas para calcitonina.

Os pacientes com síndromes familiares podem chamar a atenção devido a sintomas localizados na tireoide ou em consequência de neoplasias endócrinas em outros órgãos (p. ex., glândulas suprarrenais ou paratireoides). Os carcinomas medulares que surgem no contexto da MEN-2B são, em geral, mais agressivos e metastizam com mais frequência do que os que ocorrem em pacientes com neoplasias esporádicas ou MEN-2A. Conforme discutido adiante, os indivíduos assintomáticos com MEN-2 que apresentam mutações de linhagem germinativa em *RET* têm como opção a tireoidectomia profilática realizada o mais cedo possível para prevenir o desenvolvimento inevitável de carcinoma medular, que constitui o principal fator de risco de prognóstico sombrio nesses indivíduos. Algumas vezes, o único achado histológico na tireoide ressecada de portadores assintomáticos é a presença de hiperplasia das células C ou de pequenos carcinomas "micromedulares" (< 1 cm). Recentemente, foram desenvolvidos vários inibidores de pequenas moléculas da RET tirosinoquinase, que demonstraram ser muito promissores em ensaios clínicos de pacientes com carcinoma medular.

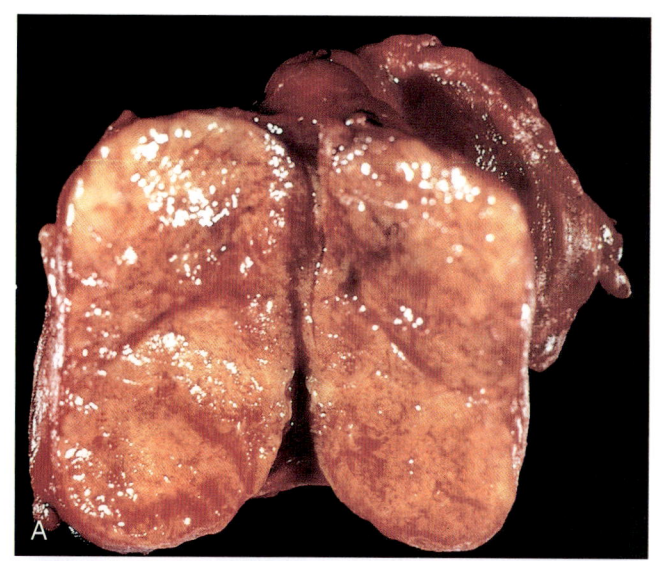

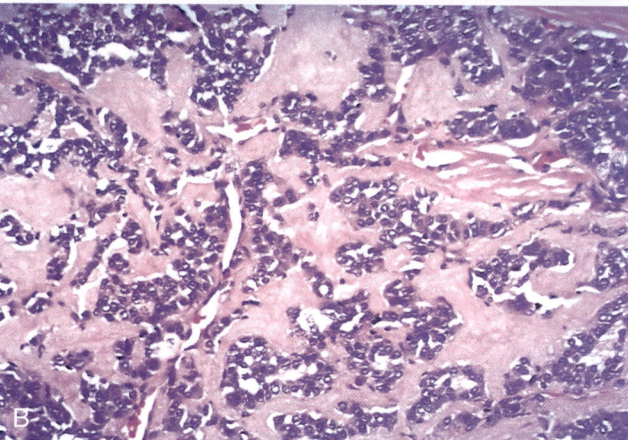

Figura 24.22 Carcinoma medular da tireoide. **A.** Normalmente, essas neoplasias exibem um padrão de crescimento sólido e não dispõem de cápsulas de tecido conjuntivo. **B.** A histologia demonstra a deposição abundante de amiloide, que aqui é visível como material extracelular homogêneo, derivado da calcitonina secretada pelas células neoplásicas. (**A,** Cortesia do Dr. Joseph Corson, Brigham and Women's Hospital, Boston, Mass.)

> ### Conceitos-chave
> #### Neoplasias da tireoide
> - A maioria das neoplasias da tireoide manifesta-se como nódulos tireoidianos solitários; apenas 1% de todos os nódulos da tireoide são neoplásicos
> - Múltiplas vias genéticas estão envolvidas na carcinogênese da tireoide. Os carcinomas papilíferos convencionais abrigam fusões (*RET/PTC, NTRK*) ou mutações pontuais em *BRAF*. As neoplasias foliculares de todos os tipos caracterizam-se por mutações em *RAS* oncogênicas e fusões de *PAX8/PPARG*. A progressão para neoplasias agressivas está associada a mutações em *TP53*, *CTNNB1* e *TERT*

- Os adenomas e carcinomas foliculares são compostos de células epiteliais foliculares bem diferenciadas; estas últimas distinguem-se pela evidência de invasão capsular e/ou vascular
- Os carcinomas papilíferos convencionais são reconhecidos com base em características nucleares (núcleos em vidro fosco, pseudoinclusões), mesmo na ausência de papilas. Os corpos de psamoma constituem uma característica essencial dos cânceres papilíferos; com frequência, essas neoplasias metastizam por meio dos vasos linfáticos, porém o prognóstico é excelente
- As variantes encapsuladas de carcinoma papilífero sem invasão capsular ou linfática foram recentemente designadas como neoplasia folicular não invasiva da tireoide com características nucleares de tipo papilífero para enfatizar o seu potencial de risco ultra baixo para metástase ou recorrência
- Acredita-se que os carcinomas pouco diferenciados e anaplásicos se originem a partir de carcinomas de tireoide mais diferenciados. São cânceres muito agressivos e, com frequência, letais
- Os cânceres medulares são neoplasias que se originam a partir de células C parafoliculares e que podem ocorrer nas formas esporádica (70%) ou familiar (30%). A multicentricidade e a hiperplasia de célula C constituem características dos casos familiares. Os depósitos amiloides constituem um achado histológico característico.

Anomalias congênitas

O *cisto do ducto tireoglosso* é a anomalia congênita clinicamente significativa e mais comum da tireoide. Um trajeto fistuloso pode persistir como vestígio do desenvolvimento tubular da glândula tireoide. Partes desse tubo podem ser obliteradas, deixando pequenos segmentos que formam cistos. Esses cistos ocorrem em qualquer idade e podem se tornar evidentes apenas na vida adulta. Secreções claras e mucinosas podem acumular-se dentro dos cistos, formando massas esféricas ou tumefações fusiformes, raramente com mais de 2 a 3 cm de diâmetro, que estão presentes na linha média da parte anterior do pescoço até a traqueia. Segmentos do ducto e cistos que ocorrem na parte superior do pescoço são revestidos por epitélio escamoso estratificado, que se assemelha à cobertura da parte posterior da língua, na região do forame cego. As anomalias que ocorrem na parte superior do pescoço, mais proximais à glândula tireoide, são revestidas por epitélio que se assemelha ao epitélio acinar da tireoide. Caracteristicamente, subjacente ao epitélio de revestimento, há um intenso infiltrado linfocítico. A infecção sobreposta pode converter essas lesões em cavidades de abscessos e, raramente, dão origem a cânceres.

Glândulas paratireoides

As glândulas paratireoides são derivadas, durante o desenvolvimento, das bolsas faríngeas que também dão origem ao timo. Estão mais comumente localizadas em estreita proximidade com os polos superior e inferior de cada lobo da tireoide, mas podem ser encontradas em qualquer ponto ao longo do trajeto de descida das bolsas faríngeas, incluindo a bainha carótica, o timo e qualquer local no mediastino anterior. As quatro glândulas paratireoides são compostas por dois tipos de células: as células principais e as células oxífilas. As *células principais* predominam; trata-se de células poligonais com 12 a 20 µm de diâmetro, que apresentam núcleos centrais uniformes e redondos e citoplasma rosa claro a escuro. As células principais dispõem de grânulos secretores que contêm *paratormônio (PTH)*. As *células oxífilas* e as oxífilas transicionais são encontradas por toda a paratireoide normal, tanto isoladamente quanto em pequenos agrupamentos. Essas células são ligeiramente maiores do que as células principais, apresentam citoplasma acidófilo e contam com uma quantidade abundante de mitocôndrias. Essas células também apresentam grânulos de glicogênio, porém os grânulos secretórios estão esparsos ou ausentes. No início da lactância e na infância, as glândulas paratireoides são compostas quase inteiramente por lâminas sólidas de células principais. A quantidade de gordura estromal aumenta até os 25 anos, alcançando um máximo de aproximadamente 30% da glândula para em seguida se estabilizar.

A função das glândulas paratireoides consiste em regular a homeostasia do cálcio. A atividade das glândulas paratireoides é controlada pelo nível de cálcio livre (ionizado) no sangue. Normalmente, a presença de níveis diminuídos de cálcio livre estimula a síntese e a secreção de PTH. Várias funções metabólicas do PTH regulam os níveis séricos de cálcio:

- Aumento da reabsorção tubular renal de cálcio, conservando, assim, o cálcio livre
- Aumento da conversão da vitamina D em sua forma di-hidroxi ativa nos rins, que, por sua vez, aumenta a absorção gastrintestinal de cálcio
- Aumento da excreção urinária de fosfato, diminuindo, assim, os níveis séricos de fosfato e aumentando ainda mais o cálcio (visto que o fosfato se liga ao cálcio ionizado)
- Aumento da atividade osteoclástica (i. e., reabsorção óssea, com consequente liberação de cálcio ionizado) ao promover a diferenciação das células progenitoras dos osteoclastos em osteoclastos maduros.

O resultado final dessas atividades consiste em elevar o nível de cálcio livre, que, por sua vez, inibe a secreção adicional de PTH em uma alça de retroalimentação clássica.

À semelhança dos outros órgãos endócrinos, as anormalidades das glândulas paratireoides incluem tanto hiperfunção quanto hipofunção. As neoplasias das glândulas paratireoides, diferentemente das neoplasias da tireoide, costumam chamar a atenção devido à secreção excessiva de PTH, em vez de efeitos expansivos.

Hiperparatireoidismo

O hiperparatireoidismo é causado por níveis elevados de PTH e é classificado em tipos primário, secundário e terciário:

- *Hiperparatireoidismo primário:* superprodução autônoma de PTH, que costuma resultar em adenoma ou hiperplasia do tecido das paratireoides
- *Hiperparatireoidismo secundário:* hipersecreção compensatória de PTH em resposta à presença de hipocalcemia prolongada, geralmente consequência de insuficiência renal crônica
- *Hiperparatireoidismo terciário:* hipersecreção persistente de PTH, mesmo após a correção da causa da hipocalcemia prolongada (p. ex., após transplante renal).

Hiperparatireoidismo primário

O hiperparatireoidismo primário é um dos distúrbios endócrinos mais comuns e constitui uma importante causa de hipercalcemia. A frequência das várias lesões das paratireoides subjacentes à hiperfunção é a seguinte:

- Adenoma: 85 a 95%
- Hiperplasia primária (difusa ou nodular): 5 a 10%
- Carcinoma das paratireoides: cerca de 1%.

Em geral, o hiperparatireoidismo primário é uma doença de adultos, que é mais comum nas mulheres do que nos homens, em uma razão de quase 4:1. Nos EUA e na Europa, a incidência anual é agora estimada em aproximadamente 25 casos por 100 mil; até 80% dos pacientes com essa condição são identificados no ambiente ambulatorial, quando a hipercalcemia é descoberta de modo incidental em um painel de eletrólitos séricos. A maioria dos casos ocorre na quinta década de vida ou posteriormente.

A causa mais comum de hiperparatireoidismo primário é um adenoma esporádico solitário das paratireoides (Figura 24.24). Os adenomas paratireoidianos esporádicos são, em sua maioria (senão todos), monoclonais, em concordância com uma origem neoplásica. À semelhança dos nódulos da tireoide com bócio, a "hiperplasia" paratireoidiana esporádica também é monoclonal em muitos casos, sobretudo quando associada a um estímulo persistente para o crescimento das paratireoides (paratireoidismo secundário ou terciário refratário; ver adiante), sugerindo que essas lesões se encontram na zona cinzenta entre hiperplasia reativa e neoplasia. Existem dois defeitos moleculares que desempenham um papel estabelecido no desenvolvimento de adenomas esporádicos:

- Inversões do gene da *ciclina D1 (CCDN1)*, levando à superexpressão da proteína ciclina D1, um importante regulador do ciclo celular. Uma inversão pericentromérica no cromossomo 11 resulta em realocação do *CCDN1* (geralmente no 11q), de modo que esteja posicionado adjacente à região flanqueadora 5' do gene *PTH* (no 11p). Em consequência dessas alterações, um elemento regulatório 5' flanqueando o gene *PTH* dirige a superexpressão da ciclina D1, induzindo a proliferação das células. Cerca de 10 a 20% dos adenomas esporádicos de paratireoides apresentam esse rearranjo clonal. Além disso, ocorre superexpressão da ciclina D1 em cerca de 40% dos adenomas das paratireoides, sugerindo que outros mecanismos, além da inversão do gene *CCDN1*, podem levar à sua superexpressão
- *Mutações de MEN1*: cerca de 30 a 35% das neoplasias esporádicas das paratireoides apresentam mutações somáticas no gene *MEN1*, um gene supressor de tumor no cromossomo 11q13, com perda de heterozigosidade (LOH, *loss of heterozygosity*) do segundo alelo. São também encontradas mutações na linhagem germinativa de *MEN1* em pacientes com adenomas paratireoidianos familiares (ver adiante). O espectro de mutações de *MEN1* nas neoplasias esporádicas é praticamente idêntico ao dos adenomas paratireoidianos familiares
- Além disso, o *CDC73*, que codifica uma proteína conhecida como parafibromina, está mutado em cerca de 70% dos carcinomas esporádicos das paratireoides, porém raramente nos adenomas. As mutações de linhagem germinativa em *CDC73* levam a uma síndrome rara conhecida como síndrome da neoplasia mandibular-hipeparatireoidismo, que inclui carcinomas de paratireoides e neoplasias ossificantes da mandíbula como parte do espectro da doença.

As síndromes familiares apresentam um segundo adenoma distante a adenomas esporádicos das paratireoides como causas de hiperparatireoidismo primário. As síndromes genéticas associadas a *adenomas das paratireoides familiares* incluem a MEN-1, a MEN-2 e a MEN-4 (discutidas com mais detalhes, adiante), bem como hipercalcemia hipocalciúrica familiar, um raro distúrbio autossômico dominante causado por mutações de perda de função no gene do receptor sensor de cálcio das paratireoides (*CASR*), resultando em diminuição da sensibilidade ao cálcio extracelular.

Morfologia

As alterações morfológicas observadas no hiperparatireoidismo primário envolvem as glândulas paratireoides e os órgãos que são afetados pelos níveis elevados de PTH e de cálcio. Os **adenomas** paratireoidianos são quase sempre solitários e, à semelhança das glândulas paratireoides normais, podem estar em estreita proximidade com a glândula tireoide ou em local ectópico (p. ex., o mediastino). O adenoma típico tem, em média, um peso de 0,5 a 5 g e consiste em um nódulo bem circunscrito, macio, castanho a marrom avermelhado, envolvido por uma delicada cápsula. Diferentemente da hiperplasia primária, as glândulas fora do adenoma costumam ser de tamanho normal ou estão retraídas, devido à inibição por retroalimentação dos níveis séricos elevados de cálcio. No exame microscópico, os adenomas das paratireoides são sobretudo compostos de células principais poligonais e uniformes, com pequeno núcleo de localização central (**Figura 24.25**). Pelo menos alguns ninhos de células oxífilas maiores também estão presentes; em raros casos, os adenomas são compostos exclusivamente por esse tipo de célula (**adenomas oxífilos**). Esses adenomas podem se assemelhar aos tumores de células de Hürthle da tireoide. Uma faixa de tecido paratireoidiano não neoplásico comprimido, geralmente separado por uma cápsula fibrosa, costuma ser visível na borda do adenoma. As figuras mitóticas são raras, porém não é incomum encontrar núcleos bizarros e pleomórficos, até mesmo dentro dos adenomas

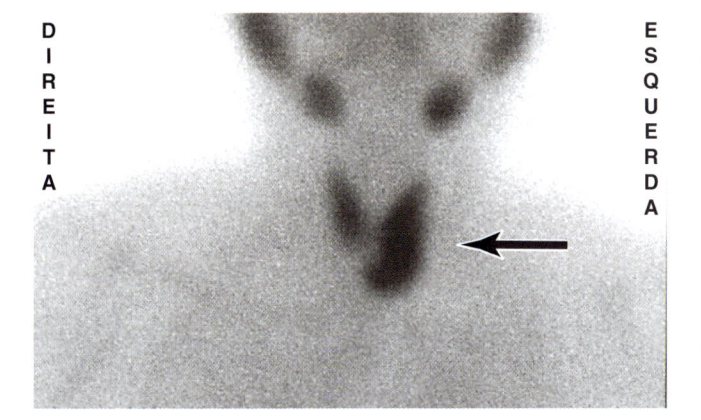

Figura 24.24 Imagem de adenoma das paratireoides. A cintilografia com sestamibi-tecnécio-99m demonstra uma área de aumento de captação que corresponde à glândula paratireoide inferior esquerda (*seta*), que continha um adenoma de paratireoide. A cintilografia pré-operatória é útil para localizar e distinguir adenomas de hiperplasia das paratireoides, em que mais de uma glândula apresenta aumento da captação.

(a denominada **atipia endócrina**), e isso não constitui um critério para neoplasia maligna. Diferentemente do parênquima normal das paratireoides, o tecido adiposo não é visível.

A **hiperplasia primária** pode ocorrer de forma esporádica ou como componente da síndrome de MEN. Embora normalmente todas as quatro glândulas estejam afetadas, é comum haver assimetria, com preservação aparente de uma ou duas glândulas, tornando difícil a distinção entre hiperplasia e adenoma. O peso combinado de todas as glândulas raramente ultrapassa 1 g e, com frequência, é menor. No exame microscópico, o padrão mais comum observado é de hiperplasia das células principais, que pode acometer as glândulas em um padrão difuso ou multinodular. Menos comumente, as células constituintes contêm glicogênio em quantidade abundante, conferindo-lhes uma aparência clara em cortes histológicos ("hiperplasia de células claras como água"). Em muitos casos, existem ilhas de células oxífilas, e os nódulos podem ser envolvidos por filamentos fibrosos delicados e pouco desenvolvidos. Como no caso dos adenomas, a gordura estromal não é perceptível dentro das glândulas hiperplásicas.

Os **carcinomas de paratireoides** podem ser lesões circunscritas, difíceis de distinguir dos adenomas, ou consistir em neoplasias nitidamente invasivas. Essas neoplasias aumentam uma glândula paratireoide e consistem em massas irregulares branco-acinzentadas, que algumas vezes ultrapassam 10 g de peso. As células costumam ser uniformes e assemelham-se às células paratireoidianas normais e estão dispostas em padrões nodulares ou trabeculares. A massa costuma ser envolvida por uma cápsula densa e fibrosa. **O diagnóstico de carcinoma baseado em detalhes citológicos não é confiável, e a invasão dos tecidos circundantes e a ocorrência de metástase constituem os únicos critérios confiáveis.** Há recorrência local em um terço dos casos e ocorre disseminação mais distante em outro terço.

As alterações morfológicas do hiperparatireoidismo no sistema esquelético (ver **Capítulo 26**) e no trato urinário merecem menção especial. O hiperparatireoidismo primário sintomático e não tratado manifesta-se com três anormalidades esqueléticas inter-relacionadas: osteoporose, tumores marrons e osteíte fibrosa cística. A osteoporose resulta da diminuição da massa óssea, com comprometimento preferencial das falanges, vértebras e parte proximal do fêmur. Por motivos desconhecidos, o aumento da atividade osteoclástica no hiperparatireoidismo afeta o osso cortical (superfícies subperiosteal e endosteal) com mais gravidade do que o osso medular. No osso medular, os osteoclastos formam um túnel central ao longo da extensão das trabéculas, criando a aparência de trilhos de trem e produzindo a denominada osteíte dissecante (**Figura 24.26**). Os espaços medulares em torno das superfícies afetadas são substituídos por tecido fibrovascular.

A perda óssea predispõe a microfraturas e a hemorragias secundárias, que desencadeiam um influxo de macrófagos e o crescimento de tecido fibroso reparador, criando uma massa de tecido reativo, conhecida como **tumor marrom** (ver **Figura 26.13**, no **Capítulo 26**). A cor marrom resulta da vascularização, da hemorragia e da deposição de hemossiderina, e não é incomum que as lesões sofram degeneração cística. A combinação de aumento da atividade dos osteoclastos, fibrose peritrabecular e tumores marrons císticos constituem a característica fundamental do hiperparatireoidismo grave e é conhecida como **osteíte fibrosa cística generalizada (doença de von Recklinghausen do osso)**. A osteíte fibrosa cística, hoje em dia, é raramente encontrada, visto que o hiperparatireoidismo costuma ser diagnosticado em exames de sangue de rotina e tratado em um estágio inicial assintomático (ver adiante).

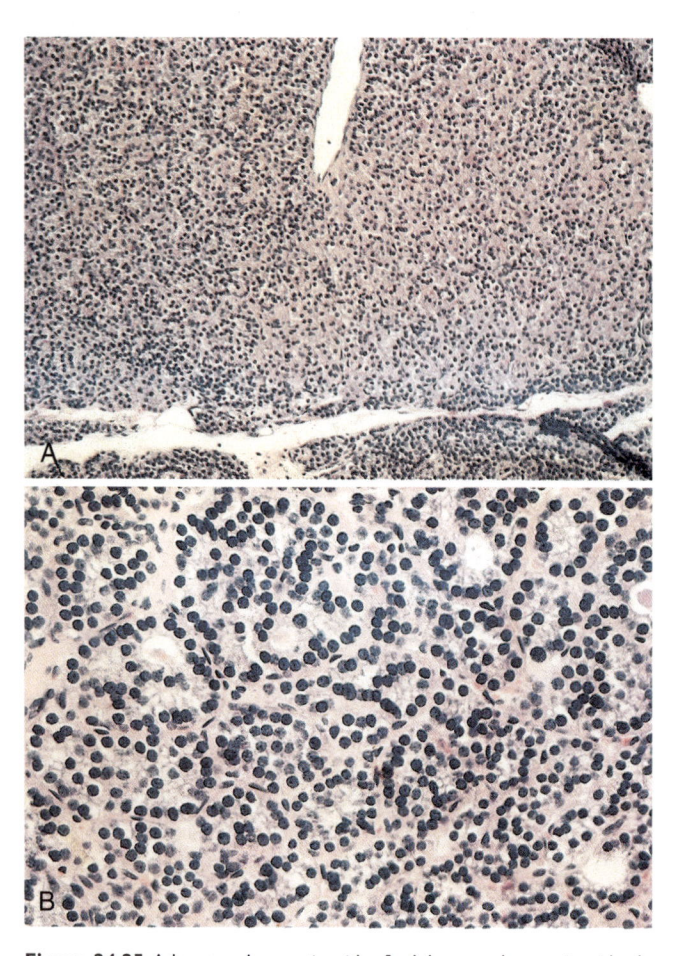

Figura 24.25 Adenoma de paratireoide. **A.** Adenoma de paratireoide de células principais solitário (fotomicrografia de pequeno aumento) revelando a delimitação da glândula residual abaixo. **B.** Detalhe em grande aumento de adenoma de células principais das paratireoides. Observa-se uma leve variação no tamanho nuclear, porém sem anaplasia, bem como tendência à formação folicular.

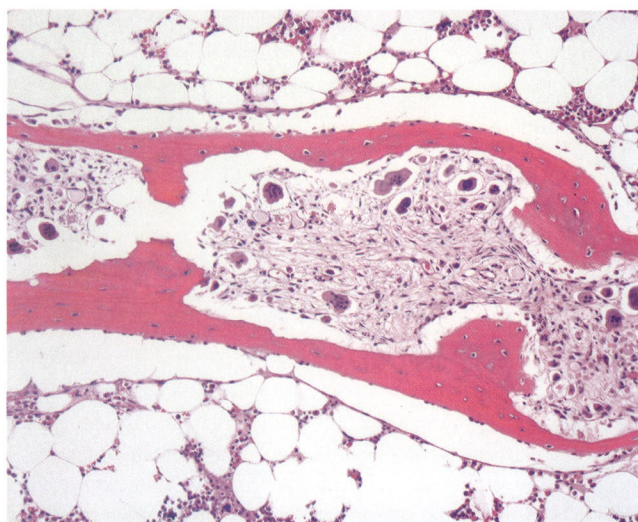

Figura 24.26 Hiperparatireoidismo com osteoclastos perfurando o centro da trabécula (osteíte dissecante) (Fotomicrografia reproduzida de Horvai A: *Bone and Soft Tissue Pathology: A Volume in the High Yield Pathology Series*, Philadelphia, 2012, Elsevier.)

> A hipercalcemia induzida pelo PTH favorece a formação de **cálculos do trato urinário** (nefrolitíase), bem como calcificação do interstício e dos túbulos renais (nefrocalcinose). A calcificação metastática secundária à hipercalcemia também pode ser observada em outros locais, como estômago, pulmões, miocárdio e vasos sanguíneos.

Características clínicas

O hiperparatireoidismo primário pode ser (1) assintomático e identificado em um perfil de bioquímica do sangue de rotina ou (2) associado às manifestações clínicas clássicas do hiperparatireoidismo primário:

- *Hiperparatireoidismo assintomático*. Como os níveis séricos de cálcio são obtidos em exames rotineiros, a maioria dos pacientes com hiperparatireoidismo primário é diagnosticada de modo incidental. De fato, o hiperparatireoidismo primário constitui a causa mais comum de hipercalcemia assintomática. Por conseguinte, muitas das manifestações clássicas, em particular aquelas relacionadas com doença óssea e renal, são raramente observadas na prática clínica nos dias atuais. Entre outras causas de hipercalcemia (**Tabela 24.5**), a neoplasia maligna destaca-se como a causa mais frequente de hipercalcemia sintomática em adultos e precisa ser excluída por meio de investigação clínica e laboratorial apropriada. Conforme discutido no **Capítulo 7**, a hipercalcemia pode ocorrer com neoplasias sólidas, como cânceres de pulmão, de mama, de cabeça e pescoço e renal, e com neoplasias malignas hematológicas, notavelmente o mieloma múltiplo. O mecanismo mais comum (em cerca de 80% dos casos) por meio do qual os tumores osteolíticos induzem hipercalcemia consiste na secreção de peptídeo relacionado com o PTH (PTHrP), que induz (como o PTH) reabsorção óssea osteoclástica e hipercalcemia. Os 20% remanescentes induzem hipercalcemia por meio de metástases para o osso e reabsorção óssea subsequente induzida por citocinas. Em indivíduos com hiperparatireoidismo primário, os níveis séricos de PTH estão inapropriadamente elevados para o nível sérico de cálcio, enquanto os níveis de PTH estão baixos a indetectáveis na hipercalcemia causada por doenças não paratireoidianas (ver **Tabela 24.5**). Dispõe-se de radioimunoensaios específicos para o PTH e o PTHrP, que podem ser úteis para distinguir o hiperparatireoidismo primário da hipercalcemia associada a processos malignos. Outras alterações laboratoriais relacionadas com o excesso de PTH incluem hipofosfatemia e excreção urinária aumentada de cálcio e de fosfato. A doença renal secundária pode, por sua vez, levar à retenção de fosfato, com "normalização" dos níveis séricos de fosfato
- *Hiperparatireoidismo primário sintomático*. Os sinais e sintomas do hiperparatireoidismo refletem os efeitos combinados da secreção aumentada de PTH e da hipercalcemia. O hiperparatireoidismo primário está associado a "dores ósseas, cálculos renais, roncos abdominais e queixas psíquicas". A constelação de sintomas inclui os seguintes:
    - *Doença óssea* e dor óssea secundária a fraturas de ossos enfraquecidos por osteoporose ou osteíte fibrosa cística
    - *Nefrolitíase* (cálculos renais) em 20% dos pacientes recém-diagnosticados, com dor associada e uropatia obstrutiva. A insuficiência renal crônica e as anormalidades da função renal levam à poliúria e à polidipsia secundária
    - Distúrbios gastrintestinais, como constipação intestinal, náuseas, úlceras pépticas, pancreatite e cálculos biliares
    - Alterações do sistema nervoso central, como depressão, letargia e, por fim, crises convulsivas
    - Anormalidades neuromusculares, como fraqueza e fadiga
    - Manifestações cardíacas, como calcificações das valvas aórtica ou mitral (ou ambas).

As anormalidades mais diretamente relacionadas com o hiperparatireoidismo consistem em nefrolitíase e doença óssea, enquanto aquelas atribuíveis à hipercalcemia incluem fadiga, fraqueza, pancreatite, calcificações metastáticas e constipação intestinal.

Hiperparatireoidismo secundário

O hiperparatireoidismo secundário é causado por qualquer condição que produza hipocalcemia crônica, que, por sua vez, leva à hiperatividade compensatória das glândulas paratireoides. A insuficiência renal é, de longe, a causa mais comum de hiperparatireoidismo secundário, embora várias outras doenças, como ingestão dietética inadequada de cálcio, esteatorreia e deficiência de vitamina D, também possam causar esse distúrbio. Os mecanismos pelos quais a insuficiência renal crônica induz hiperparatireoidismo secundário são complexos e não estão totalmente elucidados. A insuficiência renal crônica está associada à excreção diminuída de fosfato, que, por sua vez, resulta em hiperfosfatemia. Os níveis séricos elevados de fosfato deprimem diretamente os níveis séricos de cálcio e, portanto, estimulam a atividade das glândulas paratireoides. Além disso, a perda de substância renal diminui a disponibilidade de α_1-hidroxilase, que é necessária para a síntese da forma ativa da vitamina D, levando, por sua vez, a uma redução da absorção intestinal de cálcio (ver **Capítulo 9**). Como a vitamina D exerce efeitos supressores sobre o crescimento das paratireoides e a secreção de PTH, a sua deficiência agrava o hiperparatireoidismo na insuficiência renal.

Tabela 24.5 Causas de hipercalcemia.

Aumento do PTH	Diminuição do PTH
Hiperparatireoidismo	Hipercalcemia dos processos malignos[a]
Primário (adenoma > hiperplasia)[a]	Toxicidade da vitamina D
Secundário[†]	Imobilização
Terciário[†]	Diuréticos tiazídicos
Hipercalcemia hipocalciúrica familiar	Doença granulomatosa (sarcoidose)

PTH, paratormônio.
[a]O hiperparatireoidismo primário é a causa mais comum de hipercalcemia global. A neoplasia maligna constitui a causa mais comum de hipercalcemia sintomática. O hiperparatireoidismo primário e a neoplasia maligna respondem por quase 90% dos casos de hipercalcemia.
[†]O hiperparatireoidismo secundário e o terciário estão mais comumente associados à insuficiência renal progressiva.

> **Morfologia**
>
> As glândulas paratireoides no hiperparatireoidismo secundário são hiperplásicas. À semelhança do hiperparatireoidismo primário, o grau de aumento glandular pode ser assimétrico. No exame microscópico, as glândulas hiperplásicas contêm um número

aumentado de células principais ou células claras em uma distribuição difusa ou multinodular. As células adiposas estão diminuídas em número. Pode observar a presença de **calcificação metastática** em muitos tecidos, como os pulmões, o coração, o estômago e os vasos sanguíneos.

Características clínicas

As características clínicas do hiperparatireoidismo secundário costumam ser dominadas pela insuficiência renal crônica indutora. Em geral, o hiperparatireoidismo secundário não é tão grave nem tão prolongado quanto o hiperparatireoidismo primário, de modo que as anormalidades esqueléticas (referidas como *osteodistrofia renal*) tendem a ser mais leves. O controle do hiperparatireoidismo possibilita uma regressão significativa das alterações ósseas ou o seu desaparecimento por completo. A calcificação vascular associada ao hiperparatireoidismo secundário pode, em certas ocasiões, resultar em dano isquêmico significativo à pele e outros órgãos, um processo designado como *calcifilaxia*. Os pacientes com hiperparatireoidismo secundário costumam responder à suplementação dietética de vitamina D, bem como a agentes ligadores de fosfato, que diminuem a hiperfosfatemia prevalecente.

Em uma minoria de pacientes, a atividade das paratireoides pode tornar-se autônoma e excessiva, com consequente hipercalcemia, um processo denominado *hiperparatireoidismo terciário*. A paratireoidectomia pode ser necessária para controlar o hiperparatireoidismo nesses pacientes.

> ### Conceitos-chave
> #### Hiperparatireoidismo
> - O hiperparatireoidismo primário é a causa mais comum de hipercalcemia assintomática
> - Na maioria dos casos, o hiperparatireoidismo primário é causado por um adenoma de paratireoide esporádico e, com menos frequência, por hiperplasias das paratireoides
> - Os adenomas de paratireoide são solitários, enquanto a hiperplasia é normalmente um processo multiglandular
> - As manifestações esqueléticas do hiperparatireoidismo incluem reabsorção óssea, osteíte fibrosa cística e tumores marrons. As alterações renais incluem nefrolitíase (cálculos) e nefrocalcinose
> - As manifestações clínicas do hiperparatireoidismo têm sido classicamente resumidas como "dores ósseas, cálculos renais, borborigmo abdominal e queixas psíquicas"
> - Com mais frequência, o hiperparatireoidismo secundário é causado por insuficiência renal, que reduz os níveis séricos de cálcio, resultando em hiperplasia reativa das glândulas paratireoides
> - As neoplasias malignas constituem a causa mais importante de hipercalcemia sintomática, que resulta de metástases osteolíticas ou da liberação de proteína relacionada com o PTH de neoplasias não paratireoidianas

Hipoparatireoidismo

O hipoparatireoidismo é muito menos comum do que o hiperparatireoidismo. O hipoparatireoidismo adquirido é quase sempre uma consequência inadvertida de cirurgia; além disso, existem várias causas genéticas de hipoparatireoidismo:

- O *hipoparatireoidismo cirurgicamente induzido* ocorre com a retirada inadvertida de todas as glândulas paratireoides durante a tireoidectomia, com a excisão das glândulas paratireoides na ideia equivocada de que elas são linfonodos durante uma dissecção radical do pescoço para algum tipo de doença maligna, ou com a remoção de uma proporção muito grande de tecido tireoidiano no tratamento do hiperparatireoidismo primário
- O *hipoparatireoidismo autoimune* está frequentemente associado à candidíase mucocutânea crônica e à insuficiência suprarrenal primária; essa síndrome é conhecida como SPA-1 e é causada por mutações no gene do *regulador autoimune (AIRE)*. Normalmente, a síndrome manifesta-se na infância com o início de candidíase, seguida, vários anos depois, de hipoparatireoidismo e, então, de insuficiência suprarrenal durante a adolescência. A SPA-1 é discutida mais adiante neste capítulo
- O *hipoparatireoidismo autossômico dominante* é causado por mutações de ganho de função no gene do *receptor sensor de cálcio (CASR)*. A atividade inapropriada do CASR, devido a uma sensibilidade aumentada ao cálcio, suprime o PTH, resultando em hipocalcemia e hipercalciúria. Convém lembrar que as mutações de perda de função do *CASR* constituem uma causa rara de adenomas de paratireoide familiares
- O *hipoparatireoidismo isolado familiar* (HIF) é uma condição rara com padrões de herança autossômica dominante ou autossômica recessiva. O HIF autossômico dominante é causado por uma mutação no gene que codifica o PTH, que compromete o processamento do PTH no hormônio ativo maduro. O HIF autossômico recessivo é causado por mutações de perda de função no gene do fator de transcrição *GCM2*, que é essencial para o desenvolvimento das paratireoides
- A *ausência congênita* das glândulas tireoides pode ocorrer com outras malformações, como aplasia do timo e defeitos cardiovasculares, ou como componente da síndrome da deleção do 22q11. Conforme discutido no **Capítulo 6**, na presença de defeitos do timo, a condição é denominada *síndrome de DiGeorge*.

Características clínicas

As principais manifestações do hipoparatireoidismo estão relacionadas com a gravidade e a cronicidade da hipocalcemia:

- A característica essencial da hipocalcemia é a *tetania*, caracterizada por irritabilidade neuromuscular, em consequência de diminuição dos níveis séricos de cálcio. Os sintomas variam desde dormência perioral ou parestesias (formigamento) das partes distais dos membros e espasmo carpopedal até laringospasmo potencialmente fatal e crises generalizadas. Os achados clássicos no exame físico são o *sinal de Chvostek* e o *sinal de Trousseau*. O sinal de Chvostek é induzido na doença subclínica por meio de percussão ao longo do trajeto do nervo facial, o que provoca contrações dos músculos do olho, da boca ou do nariz. O sinal de Trousseau refere-se a espasmos carpais produzidos pela oclusão da circulação do antebraço com um manguito de pressão arterial por vários minutos
- As *alterações do estado mental* incluem instabilidade emocional, ansiedade e depressão, estados confusionais, alucinações e psicose franca

- As *manifestações intracranianas* incluem calcificações dos núcleos da base, distúrbios do movimento de tipo parkinsonianos e aumento da pressão intracraniana com papiledema resultante. A associação paradoxal de hipocalcemia com calcificações pode ser causada por um aumento dos níveis de fosfato, levando à deposição de fosfato de cálcio em tecidos vulneráveis
- A *doença ocular* assume a forma de calcificação da lente e formação de cataratas
- As *manifestações cardiovasculares* incluem defeito de condução, que produz prolongamento característico do intervalo QT no eletrocardiograma
- Ocorrem *anormalidades dentárias* quando a hipocalcemia está presente no início do desenvolvimento. Esses achados são altamente característicos do hipoparatireoidismo e incluem hipoplasia dentária, falha da erupção, formação defeituosa do esmalte e das raízes e dentes cariados e desgastados.

Pseudo-hipoparatireoidismo

Nessa condição, o hipoparatireoidismo ocorre devido à resistência do órgão-alvo às ações do PTH. Com efeito, os níveis séricos de PTH estão normais ou elevados. Em uma forma de pseudo-hipoparatireoidismo, ocorre resistência do órgão-alvo ao TSH e ao FSH/LH, bem como ao PTH. Todos esses hormônios sinalizam por meio de receptores acoplados à proteína G, e o distúrbio resulta de defeitos genéticos em componentes dessa via, que são compartilhados pelos tecidos endócrinos. A resistência ao PTH é a manifestação clínica mais óbvia. Manifesta-se como hipocalcemia, hiperfosfatemia e nível de PTH circulante elevado. A resistência ao TSH geralmente é leve, enquanto a resistência ao LH/FSH manifesta-se na forma de hipogonadismo hipergonadotrófico em mulheres.

Pâncreas endócrino

O pâncreas endócrino é constituído por cerca de 1 milhão de agrupamentos de células, as *ilhotas de Langerhans*, que contêm quatro tipos principais de células e dois tipos menores de células. Os quatro tipos principais são as células β, α, δ e PP (polipeptídeo pancreático). Essas células podem ser diferenciadas pelas características ultraestruturais de seus grânulos e por seu conteúdo hormonal (**Figura 24.27**):

- As *células* β produzem insulina, que regula a utilização da glicose nos tecidos e reduz os níveis de glicemia, conforme descrito detalhadamente na discussão sobre diabetes melito
- As *células* α secretam glucagon, que estimula a glicogenólise no fígado e, portanto, aumenta o nível de glicemia
- As *células* δ secretam somatostatina, que suprime a liberação tanto de insulina quanto de glucagon

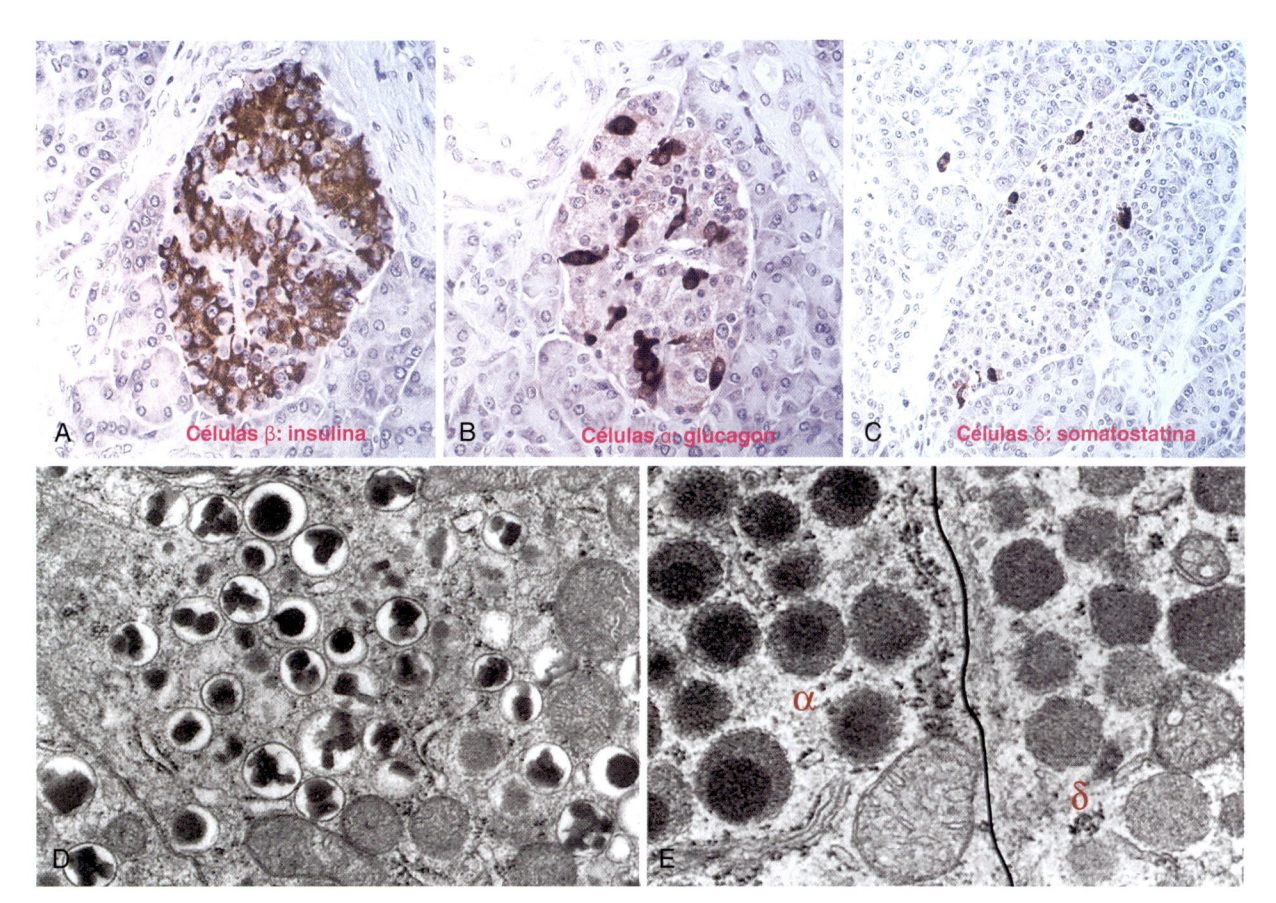

Figura 24.27 Produção hormonal nas células das ilhotas pancreáticas. A coloração por imunoperoxidase mostra a insulina nas células β (**A**), o glucagon nas células α (**B**) e a somatostatina nas células δ (**C**). **D.** Micrografia eletrônica de uma célula β, mostrando os grânulos característicos delimitados por membrana, contendo, cada um deles, um cerne denso e frequentemente retangular e um halo distinto. **E.** Partes de uma célula α (*à esquerda*) e de uma célula δ (*à direita*) também mostram os grânulos, porém com membranas distribuídas mais estreitamente. O grânulo da célula α mostra um centro denso e redondo. (Micrografias eletrônicas, cortesia do Dr. Arthur Like, University of Massachusetts Medical School, Worcester, Mass.)

- As *células PP* secretam o polipeptídeo pancreático, que exerce vários efeitos gastrintestinais, como estimulação da secreção de enzimas gástricas e intestinais e inibição da motilidade intestinal. Essas células não apenas estão presentes nas ilhotas, como também estão espalhadas por todo o pâncreas exócrino
- Existem também dois tipos raros de células: as *células D1* e as *células enterocromafins*. As células D1 elaboram o polipeptídeo intestinal vasoativo (VIP), um hormônio que induz glicogenólise e hiperglicemia; além disso, estimula a secreção de líquido gastrintestinal e provoca diarreia secretora
- As *células enterocromafins* sintetizam serotonina e constituem a fonte de neoplasias pancreáticas que causam a síndrome carcinoide (ver **Capítulo 19**).

A discussão seguinte concentra-se nos dois distúrbios principais das células das ilhotas: o diabetes melito e neoplasias endócrinas do pâncreas.

Diabetes melito

O diabetes melito é um grupo de distúrbios metabólicos que compartilha a característica comum de hiperglicemia causada por defeitos na secreção de insulina, na ação da insulina ou, mais comumente, em ambas. A hiperglicemia crônica e a desregulação metabólica concomitante podem estar associadas a um dano secundário em múltiplos sistemas de órgãos, sobretudo os rins, olhos, nervos e vasos sanguíneos. **Nos EUA, o diabetes melito é a principal causa de doença renal terminal, cegueira de início no adulto e amputações não traumáticas dos membros inferiores.**

O diabetes melito e distúrbios relacionados do metabolismo da glicose são comuns. De acordo com a American Diabetes Association, o diabetes afeta mais de 30 milhões de crianças e adultos ou mais de 9% da população nos EUA, dos quais cerca de 1,2 milhão apresenta a forma de diabetes denominada tipo 1, enquanto o restante tem o tipo 2. Surpreendentemente, quase um quarto desses indivíduos não tem consciência de que eles apresentam hiperglicemia. Cerca de 1,5 milhão de novos casos de diabetes melito em adultos é diagnosticado a cada ano nos EUA. Além disso, um número impressionante de 84 milhões de adultos nesse país apresenta tolerância à glicose diminuída ou "pré-diabetes", que é definido como a presença de nível de glicemia elevado que não alcança o critério utilizado para um diagnóstico definitivo de diabetes melito tipo 2 (DT2; ver adiante), e os indivíduos com pré-diabetes correm risco de desenvolver DT2 franco. Em comparação com brancos não hispânicos, os americanos nativos, os afro-americanos e os hispânicos têm uma tendência 1,5 a 2 vezes maior de desenvolver diabetes ao longo de sua vida. A Organização Mundial da Saúde estima que até 422 milhões de indivíduos sofram de diabetes no mundo, sendo a Índia e a China os maiores contribuintes da carga mundial do diabetes. Os estilos de vida cada vez mais sedentários e os hábitos alimentares precários contribuíram para a escalada simultânea do DT2 e da obesidade, que alguns denominaram *epidemia de diabesidade*. Infelizmente, essa epidemia espalhou-se agora para as crianças que vivem em "desertos de alimentos", que subsistem com alimentos altamente processados ricos em carboidratos e açúcares e que não praticam atividade física adequada.

A taxa de mortalidade do diabetes melito varia entre países, e as nações de média e baixa renda respondem por quase 80% das mortes relacionadas com o diabetes e por quase o dobro das taxas de mortalidade observada em nações de alta renda. Entretanto, o diabetes melito continua estando entre os dez maiores "assassinos" nos EUA. Nesse país, o custo anual total relacionado com o diabetes é estimado em 327 bilhões de dólares, incluindo 237 bilhões com custos médicos diretos e 90 bilhões em custos indiretos em consequência da redução da produtividade dos indivíduos com diabetes.

Diagnóstico

A glicemia é normalmente mantida em uma faixa muito estreita de 70 a 120 mg/dℓ. De acordo com a ADA e a OMS, os critérios de diagnóstico para o diabetes melito incluem os seguintes:

1. Glicose plasmática em jejum ≥ 126 mg/dℓ.
2. Glicose plasmática aleatória ≥ 200 mg/dℓ (em um paciente com sinais hiperglicêmicos clássicos, conforme discutido adiante).
3. Glicose plasmática de duas horas ≥ 200 mg/dℓ durante um teste oral de tolerância à glicose (TOTG) com uma dose carga de 75 g.
4. Nível de hemoglobina glicada (HbA1c) ≥ 6,5% (a hemoglobina glicada é discutida adiante neste capítulo).

Todos os exames, com exceção do nível de glicemia aleatório em um paciente com sinais clássicos de hiperglicemia, precisam ser repetidos e confirmados em outra ocasião. Se houver discordância entre dois ensaios (p. ex., nível de glicose em jejum e HbA1c), o resultado com maior grau de anormalidade é considerado como "leitura". É importante assinalar que muitos estresses agudos, como infecções graves, queimaduras ou trauma, podem levar à hiperglicemia transitória, devido à secreção de hormônios como as catecolaminas e o cortisol, que se opõem à ação da insulina. O diagnóstico de diabetes melito exige a persistência da hiperglicemia após resolução da doença aguda.

O *pré-diabetes*, um estado de disglicemia, que frequentemente precede o desenvolvimento de DT2 franco, é definido por um ou mais dos seguintes critérios:

1. Glicose plasmática em jejum entre 100 e 125 mg/dℓ ("glicemia em jejum alterada"),
2. Glicose plasmática de duas horas entre 140 e 199 mg/dℓ após um teste oral de tolerância à glicose (TOTG) de 75 g ("tolerância à glicose diminuída"), e/ou
3. Nível de hemoglobina glicada (HbA1 c) entre 5,7 e 6,4%.

Até um quarto dos indivíduos com tolerância à glicose diminuída desenvolve diabetes franco no decorrer de 5 anos, sendo o risco agravado por fatores adicionais, como obesidade e história familiar. Além disso, os indivíduos com pré-diabetes também correm risco significativo de complicações cardiovasculares.

Classificação

Embora todas as formas de diabetes melito tenham hiperglicemia como característica comum, as anormalidades subjacentes envolvidas no seu desenvolvimento variam amplamente. Os esquemas de classificação anteriores do diabetes melito eram baseados nas características clínicas, como idade de início da doença e forma de terapia; em contrapartida, a classificação atual reflete nossa maior compreensão da patogênese de cada variante (**Tabela 24.6**). A grande maioria dos casos de diabetes melito encaixa-se em uma das seguintes duas grandes classes:

- O *diabetes melito tipo 1 (DT1)* é uma doença autoimune caracterizada pela destruição das células β do pâncreas e por uma deficiência absoluta de insulina. Representa cerca de 5 a 10% dos casos de diabetes e constitui o subtipo mais comum diagnosticado em pacientes com menos de 20 anos
- O *diabetes melito tipo 2 (DT2)* é causado por uma combinação de resistência periférica à ação da insulina e resposta secretória pelas células β do pâncreas que é inadequada para superar a resistência à insulina ("deficiência relativa de insulina"). Cerca de 90 a 95% dos pacientes diabéticos têm DT2, e a grande maioria desses indivíduos apresenta sobrepeso. Embora classicamente considerado como "de início na vida adulta", a prevalência do DT2 em crianças e adolescentes tem aumentado em passos alarmantes, devido às taxas crescentes de obesidade em crianças e adultos jovens, sobretudo em grupos étnicos hispânicos, americanos nativos e asiáticos.

As semelhanças e as diferenças importantes entre o DT1 e o DT2 estão resumidas na **Tabela 24.7**. Diversas causas monogênicas e secundárias são responsáveis pelos casos remanescentes (discutidos adiante). Antes de discutir a patogênese dos dois principais tipos, analisaremos de forma sucinta a secreção normal de insulina e o mecanismo de ação da insulina, visto que são fundamentais para compreender a patogênese do diabetes.

Homeostasia da glicose

A homeostasia da glicose é rigorosamente regulada por três processos inter-relacionados: a produção de glicose no fígado; a captação e a utilização de glicose pelos tecidos periféricos, sobretudo pelo músculo esquelético; e as ações da insulina e dos hormônios contrarreguladores, incluindo o glucagon, na captação e no metabolismo da glicose. A insulina e o glucagon exercem efeitos opostos sobre a homeostasia da glicose. No estado de jejum, os baixos níveis de insulina e os níveis elevados de glucagon facilitam a gliconeogênese e a glicogenólise (degradação do glicogênio) hepáticas, enquanto diminuem a síntese de glicogênio, impedindo, assim, a ocorrência de hipoglicemia. Por conseguinte, os níveis plasmáticos de glicose em jejum são determinados principalmente pela produção de glicose hepática. Depois de uma refeição, os níveis de insulina aumentam, enquanto os níveis de glucagon caem em resposta à grande carga de glicose. A insulina promove a captação e a utilização da glicose nos tecidos (ver adiante). O músculo esquelético é o principal local que responde à insulina para a utilização pós-prandial de glicose e é de importância fundamental para prevenir a hiperglicemia e manter a homeostasia da glicose. Apesar de serem menos dependentes da insulina, os tecidos cerebral e adiposo também extraem uma quantidade significativa da glicose a partir da regulação.

Regulação da liberação de insulina

A insulina é produzida nas células β das ilhotas pancreáticas (ver **Figura 24.27**) como proteína precursora e sofre clivagem proteolítica no complexo de Golgi para gerar o hormônio maduro e um subproduto peptídico, o *peptídeo C*. Tanto a insulina quanto o peptídeo C são então armazenados em grânulos secretórios e secretados em quantidades equimolares após estimulação fisiológica. Por conseguinte, os níveis de peptídeo C servem como substituto para a função das células β, diminuindo com a perda da massa de células β no DT1 e aumentando com a hiperinsulinemia associada à resistência à insulina.

Tabela 24.6 Classificação do diabetes melito.

Diabetes tipo 1 (destruição das células β, que costuma levar a uma deficiência absoluta de insulina)
Imunomediado
Idiopático (negativo para autoanticorpos)
Diabetes tipo 2 (combinação de resistência à insulina e disfunção das células β)
Outros tipos
Defeitos genéticos da função das células β
Diabetes de início na maturidade do jovem (MODY), causado por mutações em: Fator nuclear do hepatócito 4α (*HNF4A*) (MODY1)   Glicoquinase (*GCK*) (MODY2)   Fator nuclear do hepatócito 1α (*HNF1A*) (MODY3)   Homeobox pancreático e duodenal 1 (*PDX1*) (MODY4)   Fator nuclear do hepatócito 1β (*HNF1B*) (MODY5)   Fator de diferenciação neurogênico 1 (*NEUROD1*) (MODY6)
Diabetes neonatal (mutações ativadoras em *KCNJ11* e *ABCC8*, que codificam Kir6.2 e SUR1, respectivamente)
Diabetes e surdez com hereditariedade materna (MIDD) devido a mutações do DNA mitocondrial (m.3243A→G)
Defeitos na conversão da proinsulina
Mutações do gene da insulina
Defeitos genéticos na ação da insulina
Resistência à insulina do tipo A
Diabetes lipoatrófico
Defeitos pancreáticos exócrinos (diabetes "pancreatogênico" ou tipo 3C)
Pancreatite crônica
Pancreatectomia/trauma
Câncer de pâncreas
Fibrose cística
Hemocromatose
Pancreatopatia fibrocalculosa
Endocrinopatias
Acromegalia
Síndrome de Cushing
Hipertireoidismo
Feocromocitoma
Glucagonoma
Infecções
Citomegalovírus
Vírus coxsackie B
Rubéola congênita
Fármacos e substâncias
Glicocorticoides
Hormônio tireoidiano
Interferona-α
Inibidores da protease
Agonistas beta-adrenérgicos
Tiazidas
Ácido nicotínico
Fenitoína
Vacor
Síndromes genéticas associadas ao diabetes
Síndrome de Down
Síndrome de Klinefelter
Síndrome de Turner
Síndrome de Prader-Willi
Diabetes melito gestacional

Modificada da American Diabetes Association: Diagnosis and classification of diabetes melito, *Diabetes Care* 37(Suppl 1):S81-S90, 2014.

Tabela 24.7 Características comparativas do diabetes melito tipo 1 e tipo 2.

Diabetes melito tipo 1	Diabetes melito tipo 2
Características clínicas	
Início: normalmente na infância e na adolescência	Início: normalmente no adulto; aumento da incidência na infância e na adolescência
Peso normal ou perda de peso anterior ao diagnóstico	A grande maioria dos casos é constituída por indivíduos obesos (80%)
Diminuição progressiva dos níveis de insulina	Aumento da insulina no sangue (precoce); normal ou diminuição moderada da insulina (tardio)
Autoanticorpos circulantes contra as ilhotas (anti-insulina, anti-GAD, anti-ICA512)	Ausência de autoanticorpos contra as ilhotas
Cetoacidose diabética na ausência de terapia com insulina	Coma hiperosmolar não cetótico mais comum
Genética	
Principal ligação aos genes do MHC da classe II; também ligado a polimorfismos em *CTLA4* e *PTPN22* e VNTR do gene da insulina	Nenhuma ligação ao HLA; ligação a genes candidatos diabetogênicos e relacionados à obesidade (p. ex., *TCF7L2*, *PPARG*, *FTO*)
Patogênese	
Disfunção na seleção e na regulação das células T, levando à quebra da autotolerância aos autoantígenos das ilhotas	Resistência à insulina nos tecidos periféricos, incapacidade de compensação pelas células β
Patologia	
Insulite (infiltrado inflamatório de células T e macrófagos)	Ausência de insulite; deposição amiloide nas ilhotas
Depleção das células β, atrofia das ilhotas	Depleção leve de células β

HLA, antígeno leucocitário humano; MHC, complexo principal de histocompatibilidade; VNTR, número variável de repetições em *tandem*.

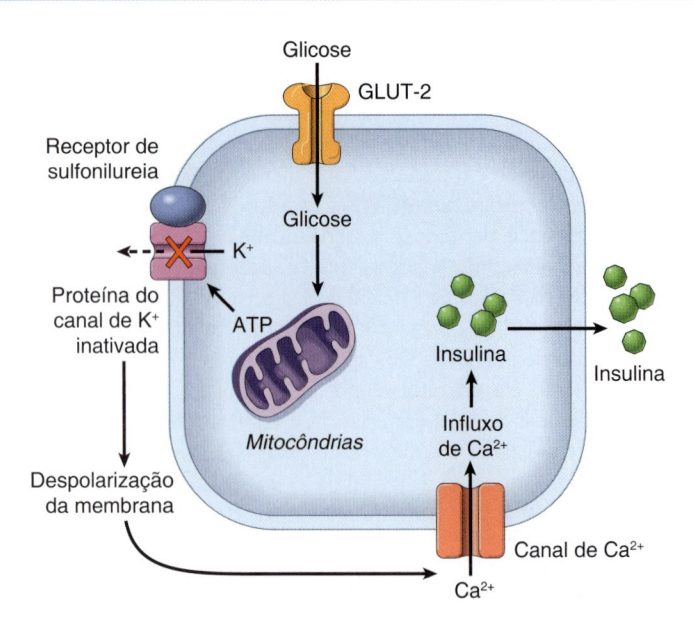

Figura 24.28 Síntese e secreção de insulina. O influxo de glicose nas células β por meio dos receptores de GLUT-2 inicia uma cascata de eventos de sinalização, que culmina com a liberação da insulina armazenada induzida por Ca^{2+} (ver texto para mais detalhes).

O estímulo mais importante para a síntese e a liberação de insulina é a glicose. O aumento nos níveis de glicemia resulta em captação de glicose pelas células β do pâncreas, facilitada por um transportador de glicose independente de insulina, o GLUT2 (**Figura 24.28**). O metabolismo da glicose gera ATP, que leva ao influxo de Ca^{2+} através dos canais de cálcio da membrana plasmática. O aumento resultante do Ca^{2+} intracelular estimula a secreção de insulina, presumivelmente do hormônio armazenado nos grânulos das células β. Esta é a fase de liberação imediata de insulina, algumas vezes denominada primeira fase de secreção de insulina das células β. Se o estímulo secretório persistir, segue-se uma resposta tardia e prolongada, que envolve a síntese ativa de insulina, constituindo a segunda fase.

A ingestão oral de alimento leva à secreção de múltiplos hormônios que desempenham um papel na homeostasia da glicose e na saciedade. Desses hormônios, a classe mais importante responsável por promover a secreção de insulina pelas células β do pâncreas após a ingestão de alimento é a das *incretinas*, que atuam por meio de sua ligação a receptores acoplados à proteína G que são expressos nas células β pancreáticas. As duas incretinas mais importantes são o polipeptídeo insulinotrópico dependente de glicose (GIP) e o peptídeo semelhante ao glucagon 1 (GLP-1), ambos secretados por células no intestino após a ingestão oral de alimento. A elevação dos níveis de GIP e de GLP-1 é conhecida como "efeito das incretinas". Além de aumentar a secreção de insulina a partir das células β, esses hormônios reduzem a secreção de glucagon pelas células α do pâncreas e retardam o esvaziamento gástrico, o que promove a saciedade. Uma vez liberados, o GIP e o GLP-1 são degradados na circulação por uma classe de enzimas conhecidas como dipeptidil peptidases (DPP), particularmente a DPP-4. O "efeito das incretinas" está significativamente atenuado em pacientes com DT2, e os esforços para restaurar a função das incretinas podem melhorar o controle glicêmico e promover a perda de peso (por meio da restauração da saciedade). Esses dados levaram ao desenvolvimento recente de duas classes de medicamentos para o tratamento do DT2: agonistas do receptor de GLP-1, que consistem em imitação sintética do GLP-1 que se ligam ao receptor de GLP-1 nas células das ilhotas e extrapancreáticas e o ativam; e inibidores da DPP-4, que aumentam os níveis de incretinas endógenas ao retardar a sua degradação. O GLP-1 também aumenta o gasto de energia, de modo que os efeitos na indução de perda de peso são provavelmente multifatoriais. De fato, os agonistas do receptor de GLP-1 também estão agora aprovados para o tratamento da obesidade.

Ação da insulina e vias de sinalização da insulina

A insulina é o hormônio anabólico mais potente conhecido, com múltiplos efeitos sobre a síntese e a promoção do crescimento (**Figura 24.29**). A principal função metabólica da insulina consiste em aumentar a taxa de transporte de glicose em determinadas células do corpo, proporcionando, assim, uma importante fonte de energia e intermediários metabólicos derivados da glicose, que são utilizados na biossíntese de blocos de construção celulares, como lipídios, nucleotídios e aminoácidos. Os alvos mais importantes da ação da insulina são as células do músculo estriado (incluindo os cardiomiócitos) e, em menor grau, os adipócitos, que, em conjunto, normalmente representam cerca de dois terços do peso corporal. O tipo de tecido adiposo que utiliza a maior parte da glicose é o tecido adiposo "bege", que se desenvolve com o exercício, e não o tecido adiposo "branco", que se acumula em indivíduos obesos. Esta é uma razão pela qual o exercício é benéfico, enquanto a obesidade é prejudicial para o controle da glicose. Nas células musculares, a glicose é armazenada como glicogênio ou é oxidada para gerar ATP. No tecido adiposo, a glicose é principalmente utilizada como substrato para síntese de lipídios, que são armazenados como triglicerídeos. Além de promover a síntese de lipídios, a insulina também inibe a hidrólise de triglicerídeos e a liberação de lipídios pelos adipócitos. De modo semelhante, a insulina promove a captação de aminoácidos e a síntese de proteínas, enquanto inibe a degradação proteica. Por conseguinte, os efeitos anabólicos da insulina são atribuíveis à síntese aumentada e à degradação reduzida de glicogênio, lipídios e proteínas. Além disso, a insulina exerce várias atividades mitogênicas, incluindo a iniciação da síntese de DNA em determinadas células e a estimulação de seu crescimento e diferenciação.

Os efeitos metabólicos da insulina são exercidos por meio de sua ligação ao receptor de insulina, que, por sua vez, desencadeia uma série de eventos de sinalização por meio de um conjunto de mediadores, dos quais os mais importantes estão resumidos na **Figura 24.30**. O receptor de insulina é uma proteína tetramérica composta de duas subunidades α e duas subunidades β. O domínio citosólico da subunidade β exerce atividade de tirosinoquinase. A ligação da insulina ao domínio extracelular da subunidade α ativa a tirosinoquinase da subunidade β, que se autofosforila e que também fosforila diversas proteínas intracelulares de ancoragem ou formação de pontes, incluindo as denominadas proteínas de substrato do receptor de insulina (IRS). Por sua vez, essas moléculas ativam fatores *downstream*, como PI-3 quinase e Akt,

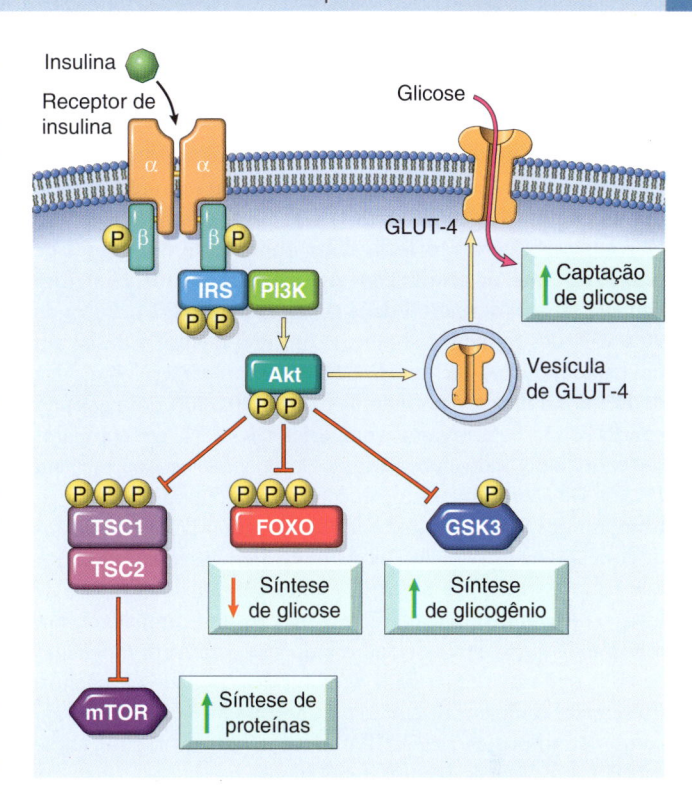

Figura 24.30 Ação da insulina sobre uma célula-alvo. A ligação da insulina ao receptor tetramérico inicia uma cascata de eventos de fosforilação, que resultam em ativação da sinalização de PI-3 quinase/Akt. A Akt é uma serina treonina quinase, que medeia suas funções efetoras por meio de eventos dependentes da fosforilação. Por exemplo, a Akt fosforila e inibe a função das proteínas do complexo da esclerose tuberosa (*TSC*), levando à ativação do complexo TOR em mamíferos (*mTOR*) *downstream*, que aumenta a síntese de proteínas. A Akt também inibe a função da proteína de caixa *Forkhead O* (*FOXO*), que, por sua vez, reduz a síntese de glicose, enquanto a inibição da enzima glicogênio sintase quinase 3 (*GSK3*) aumenta a produção de glicogênio. Por fim, a Akt aumenta a captação intracelular de glicose por meio de translocação das vesículas de GLUT-4 para a membrana celular. *IRS*, substrato do receptor de insulina; *PI3K*, fosfoinositídeo 3 quinase. (Modificada de Brendan Manning, Harvard T.H. Chan School of Public Health.)

uma serina/treonina quinase que atua como eixo de sinalização central que medeia muitas atividades dependentes da insulina, incluindo aumento da captação de glicose, redução da síntese de glicose e aumento da síntese de glicogênio e proteínas.

Patogênese do diabetes melito tipo 1

O DT1 é uma doença autoimune, em que a destruição das ilhotas é causada principalmente por células efetoras imunes que reagem contra antígenos endógenos das células β. O DT1 desenvolve-se mais comumente na infância, manifesta-se na puberdade e progride com a idade. Como a doença pode se desenvolver em qualquer idade, inclusive na vida adulta avançada, o antigo apelido de "diabetes juvenil" não é mais utilizado. De modo semelhante, a denominação "diabetes melito insulinodependente" foi excluída da atual classificação do diabetes melito, visto que muitas formas da doença necessitam finalmente de tratamento com insulina. Entretanto, a maioria dos pacientes com DT1 necessita de insulina para a sua sobrevivência; sem ela, esses pacientes podem desenvolver complicações metabólicas graves, como cetoacidose e coma.

À semelhança da maioria das doenças autoimunes, a patogênese do DT1 envolve uma interação de fatores genéticos e ambientais.

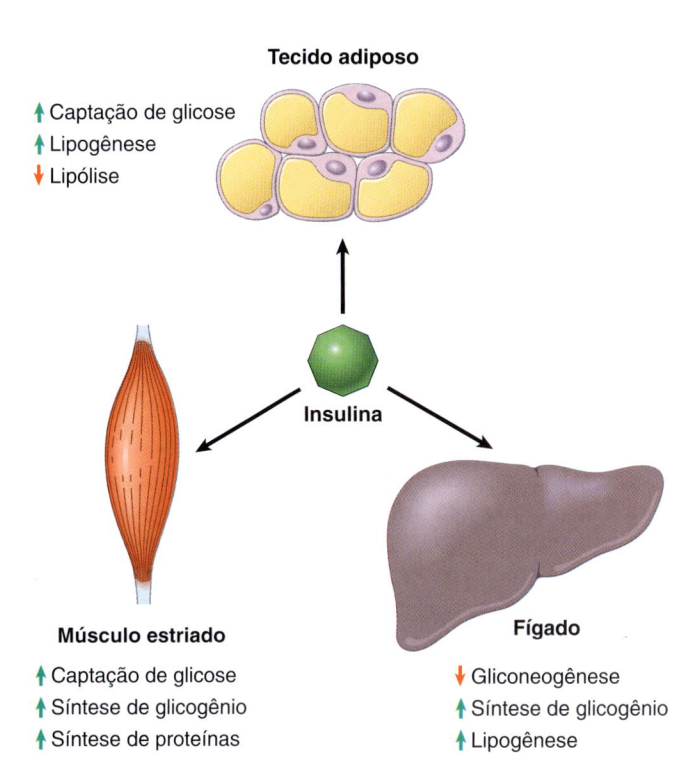

Figura 24.29 Ações metabólicas da insulina no músculo estriado, no tecido adiposo e no fígado.

Suscetibilidade genética

Os estudos epidemiológicos, como os que demonstraram maiores taxas de concordância em gêmeos monozigóticos *versus* dizigóticos, estabeleceram de forma convincente uma base genética para o DT1. Mais recentemente, os GWAS identificaram múltiplos *loci* de suscetibilidade genética para o DT1, bem como para o DT2 (ver adiante). **Destes, o *locus* mais importante é o grupo de genes *HLA* que, de acordo com algumas estimativas, contribui com até 50% da suscetibilidade genética para o DT1.** Cerca de 90 a 95% dos indivíduos brancos com essa doença apresentam um haplótipo *HLA-DR3* ou *HLA-DR4*, em comparação com cerca de 40% dos indivíduos normais; além disso, 40 a 50% dos pacientes com DT1 são heterozigotos compostos *DR3/DR4*, em comparação com 5% dos indivíduos normais. Os indivíduos que apresentam *DR3* ou *DR4* concomitantemente com um haplótipo *DQ8* demonstram um dos mais altos riscos herdados para o DT1 em estudos de famílias. Previsivelmente, os polimorfismos nas moléculas HLA que estão associados a um risco estão localizados nas bolsas de ligação de peptídeos ou adjacentes a elas, o que é compatível com a noção de que alelos associados à doença codificam moléculas de HLA que têm a capacidade de exibir determinados antígenos. Entretanto, conforme discutido no **Capítulo 6**, não se sabe ainda como determinados alelos HLA contribuem para a patogênese do DT1 (e de outras doenças autoimunes).

Diversos *genes não HLA* também conferem suscetibilidade ao DT1. A primeira variante de gene não *MHC* associado à doença a ser identificada consistiu em um número variável de repetições em *tandem* na região promotora do gene da *insulina*. O mecanismo subjacente a essa associação é desconhecido. É possível que esses polimorfismos influenciem a expressão da insulina pelas células apresentadoras de antígenos do timo, afetando, assim, a seleção negativa das células T reativas à insulina (ver **Capítulo 6**). A associação entre polimorfismos em *CTLA4* e *PTPN22* e a tireoidite autoimune já foi mencionada; não é surpreendente que esses genes também tenham sido ligados à suscetibilidade ao DT1. A relação do DT1 com a alteração na seleção e regulação das células T também é realçada pela notável prevalência dessa doença em indivíduos com defeitos de linhagem germinativa raros em genes que codificam reguladores imunes, como *AIRE*, cujas mutações causam SPA-1 (discutida posteriormente).

Fatores ambientais

À semelhança de outras doenças autoimunes, a suscetibilidade genética contribui apenas em parte para o risco de diabetes, e a taxa de concordância em gêmeos monozigóticos é de apenas cerca de 50%, de modo que os fatores ambientais devem desempenhar algum papel. A natureza dessas influências ambientais continua sendo um enigma. Embora infecções virais antecedentes tenham sido sugeridas como gatilhos, nem o tipo de vírus nem o modo pelo qual ele promove autoimunidade específica das ilhotas foram estabelecidos. Alguns estudos sugerem que os vírus poderiam compartilhar epítopos com antígenos das ilhotas, de modo que a resposta imune ao vírus resultará em reatividade cruzada e destruição dos tecidos das ilhotas, um fenômeno conhecido como *mimetismo molecular*. Por outro lado, acredita-se também que certas infecções sejam protetoras contra o DT1.

Mecanismos de destruição das células β

Embora o início clínico do DT1 seja, com frequência, abrupto, existe um longo período de latência entre o início do processo autoimune e o aparecimento da doença sintomática, durante o qual ocorre perda progressiva das reservas de insulina. Atualmente, são reconhecidos três estágios distintos do DT1 (**Figura 24.31**). No estágio 1 (*autoimunidade positiva, normoglicemia, DT1 pré-sintomático*), os indivíduos desenvolvem dois ou mais autoanticorpos dirigidos contra as ilhotas, porém ainda apresentam normoglicemia. No estágio 2 (*autoimunidade positiva, disglicemia, DT1 pré-sintomático*), há uma perda cada vez mais grave da tolerância à glicose, devido à perda progressiva da massa de células β, porém os sintomas francos estão ausentes. Entretanto, o risco de desenvolvimento de DT1 sintomático em 5 anos aumenta de menos de 50% no estágio 1 para 75% no estágio 2. Por fim, no estágio 3 (*autoimunidade positiva, disglicemia, DT1 sintomático*), surgem as manifestações clássicas da doença (poliúria, polidipsia, polifagia, cetoacidose; ver adiante), normalmente após a destruição de mais de 90% das células β.

A anormalidade imune fundamental no DT1 consiste em falha da autotolerância nas células T específica para os antígenos das ilhotas. Essa falha de tolerância pode resultar de alguma combinação de deleção clonal defeituosa das células T autorreativas no timo, bem como de defeitos nas funções das células T regulatórias ou resistência anormal das células T efetoras à supressão pelas células regulatórias. Por conseguinte, as células T autorreativas não apenas sobrevivem, como também estão prontas para responder aos autoantígenos. Acredita-se que a ativação inicial dessas células ocorra nos linfonodos peripancreáticos, talvez em resposta a antígenos que são liberados das ilhotas danificadas. As células T ativadas seguem o seu trajeto até o pâncreas, onde causam lesão das células β. Diversas populações de células T foram implicadas nesse dano, como células Th1 (que podem secretar citocinas, como a IFN-γ e o TNF, que causam lesão das células β) e CTL CD8+ (que matam diretamente as células β). Os autoantígenos das ilhotas que constituem os alvos do ataque imune podem incluir a insulina, a enzima das células β, a ácido glutâmico descarboxilase (GAD) e outros. Em conformidade com a ideia de que a falha da autotolerância é fundamental na patogênese do DT1, pacientes com câncer tratados com terapia de bloqueio de pontos de checagem imunes, que atua sobre os mecanismos de tolerância, algumas vezes desenvolvem a doença.

Há suspeita de que os anticorpos possam desempenhar um papel no DT1, visto que são encontrados autoanticorpos contra antígenos das ilhotas na grande maioria dos pacientes com DT1, incluindo nos estágios pré-sintomáticos da doença, conforme descrito. Todavia, não está claro se os autoanticorpos causam lesão ou se eles meramente são uma consequência da lesão das ilhotas.

Patogênese do diabetes tipo 2

O DT2 é uma doença complexa, que envolve a interação de fatores genéticos e ambientais, bem como um estado pró-inflamatório. Diferentemente do DT1, não há evidências de uma base autoimune.

Fatores genéticos

A suscetibilidade genética contribui para a patogênese, conforme evidenciado pela taxa de concordância da doença de mais de 90% em gêmeos monozigóticos, uma taxa mais alta que a do DT1. Além disso, os parentes de primeiro grau correm risco cinco a dez vezes maior de desenvolver DT2 do que aqueles sem história familiar, quando comparados por idade e peso. Os GWAS realizados

Nomenclatura proposta	Estágio 1	Estágio 2	Estágio 3
Características fenotípicas	Autoimunidade das células β Normoglicemia Pré-sintomático	Autoimunidade das células β Disglicemia Pré-sintomático	Autoimunidade das células β Disglicemia Sintomático
Fase da história natural	Indivíduo com risco de diabetes tipo 1	Diabetes tipo 1 pré-sintomático	Diabetes tipo 1 sintomático

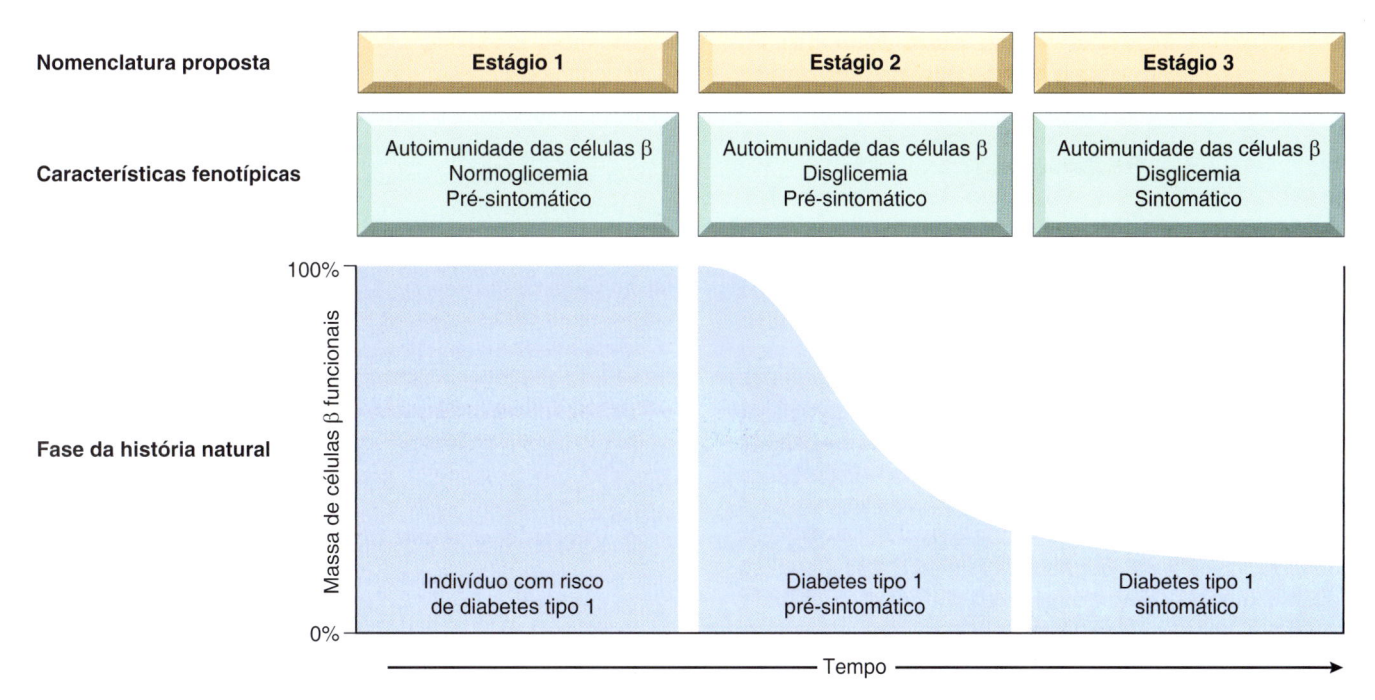

Figura 24.31 Os três estágios do diabetes tipo 1. (Modificada, com autorização, de Insel RA, Dunne JL, Atkinson MA et al: Staging presymptomatic type 1 diabetes: a scientific statement of JDRF, the Endocrine Society, and the American Diabetes Association, *Diabetes Care* 38(10):1964-1974, 2015.)

ao longo dessa última década identificaram pelo menos 30 *loci* que conferem individualmente um aumento mínimo a modesto do risco cumulativo de DT2. Muitos desses genes estão envolvidos na função do tecido adiposo (por meio de efeitos sobre a distribuição corporal de gordura [visceral *versus* subcutânea]), na função das células β das ilhotas e na obesidade. Acredita-se que, juntos, esses polimorfismos genéticos conspirem para proporcionar a base genética para o risco de DT2. Entretanto, o risco hereditário continua desempenhando um papel menor, com impacto na suscetibilidade à doença, enquanto os fatores ambientais representam os principais contribuintes.

Fatores ambientais

O fator de risco ambiental mais importante para o DT2 é a obesidade, particularmente a obesidade central ou visceral. Mais de 80% dos indivíduos com DT2 são obesos, e a incidência de diabetes em todo o mundo aumentou proporcionalmente com a obesidade. A obesidade contribui para as principais anormalidades metabólicas do diabetes (ver adiante) e para a resistência à insulina no início da doença. De fato, até mesmo uma perda de peso modesta por meio de modificação da dieta pode reduzir a resistência à insulina e melhorar a tolerância à glicose. Um estilo de vida sedentário (caracterizado pela falta de exercício) constitui outro fator de risco para o diabetes, independente da obesidade. A perda de peso e a prática de exercícios costumam aumentar a sensibilidade à insulina de forma aditiva e, com frequência, constituem as intervenções de primeira linha em pacientes com DT2 mais leve. A combinação de obesidade, hiperglicemia, aumento do colesterol e triglicerídeos séricos e hipertensão é denominada *síndrome metabólica*.

Apesar desse risco geral, várias populações em todo o mundo, nas quais as taxas de DT2 estão aumentando mais rapidamente (p. ex., leste da Ásia, sul da Ásia e Oriente Médio) não apresentam um aumento comparável na obesidade (aumento do índice de massa corporal [IMC], uma medida da gordura corporal total). Isso sugere que o risco está relacionado não apenas com a quantidade de gordura corporal, mas também com a sua distribuição anatômica, conforme discutido adiante.

Os transtornos do sono (como a apneia obstrutiva do sono) e a ruptura do ritmo circadiano constituem fatores de risco ambientais adicionais para o DT2. A ruptura circadiana é definida como o descompasso entre o ritmo circadiano endógeno e o ciclo ou ritmo criado por comportamentos individuais. Os indivíduos com risco de ruptura do ritmo circadiano incluem pessoas que trabalham em turnos e aqueles com transtornos do sono ou outras condições que restringem o sono noturno e o estado de vigília diurno. Os estudos realizados mostraram que a ruptura do ritmo circadiano prejudica a homeostasia da glicose ao afetar tanto a secreção quanto a ação da insulina. Além disso, os GWAS demonstraram uma associação entre genes controlados pelo ritmo circadiano e o DT2. A ruptura de genes "de relógio" não apenas afeta a secreção e a ação da insulina, mas também o nível de atividade e os comportamentos alimentares, resultando em aumento do risco de hiperglicemia e diabetes melito.

Defeitos metabólicos no diabetes melito tipo 2

O desenvolvimento do DT2 envolve duas anormalidades fundamentais:

- *Resistência à insulina*: diminuição da resposta dos tecidos periféricos, particularmente do músculo esquelético, tecido adiposo e fígado, à insulina
- *Disfunção das células β*: secreção inadequada de insulina na presença de resistência à insulina e hiperglicemia.

A resistência à insulina precede o desenvolvimento da hiperglicemia e, em geral, é acompanhada de hiperfunção compensatória das células β e hiperinsulinemia nos estágios iniciais da evolução do DT2 (**Figura 24.32**). Com o tempo, a incapacidade das células β de se adaptar a necessidades secretoras crescentes para manter um estado euglicêmico resulta em hiperglicemia crônica e nas consequentes complicações a longo prazo do diabetes.

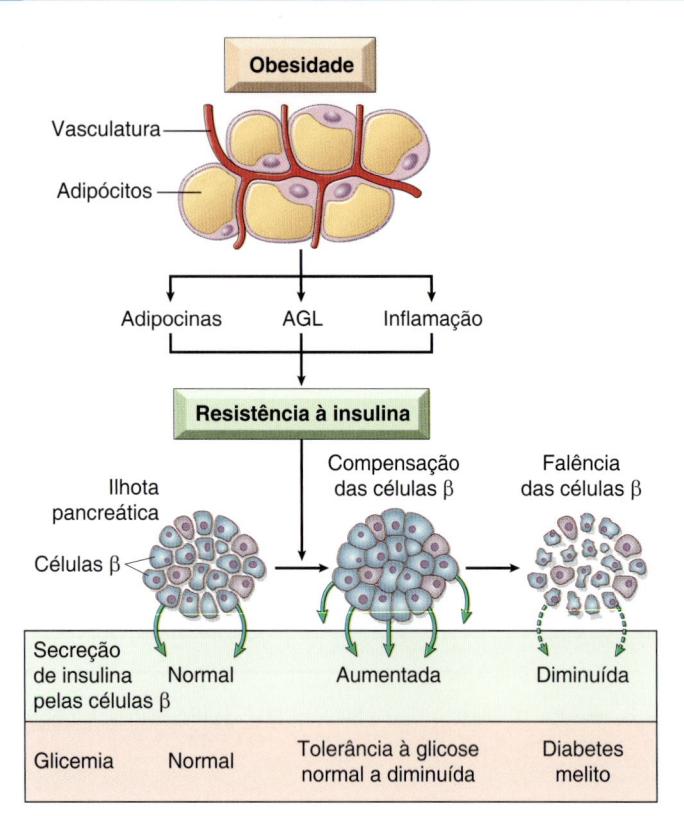

Figura 24.32 Desenvolvimento do diabetes melito tipo 2. A resistência à insulina associada à obesidade é induzida por adipocinas, ácidos graxos livres (AGL) e inflamação crônica no tecido adiposo. As células β do pâncreas compensam a resistência à insulina por meio de hipersecreção de insulina. Todavia, em algum ponto, a compensação das células β é seguida de falência das células β, com consequente desenvolvimento de diabetes. (Reproduzida, com autorização, de Kasuga M: Insulin resistance and pancreatic β-cell failure, *J Clin Invest* 116(7):1756-1760, 2006.)

Resistência à insulina

A resistência à insulina refere-se à incapacidade dos tecidos-alvo de responder normalmente à insulina. O fígado, o músculo esquelético e o tecido adiposo são os principais tecidos nos quais a resistência à insulina resulta em tolerância à glicose anormal. A resistência à insulina resulta em:

- Incapacidade de inibir a produção de glicose endógena (gliconeogênese) no fígado, o que contribui para os níveis elevados de glicemia em jejum
- Incapacidade de captação de glicose e síntese de glicogênio no músculo esquelético após uma refeição, o que contribui para o nível de glicemia pós-prandial elevado
- Incapacidade de inibir a ativação de lipases "sensíveis a hormônio" no tecido adiposo, resultando em degradação excessiva de triglicerídeos nos adipócitos e níveis circulantes elevados de ácidos graxos livres (AGL).

Diversos defeitos funcionais na via de sinalização da insulina estão na base da resistência à insulina. Por exemplo, observa-se uma redução da fosforilação da tirosina do receptor de insulina e proteínas IRS nos tecidos periféricos, o que compromete a sinalização da insulina e diminui o nível do transportador de glicose GLUT-4 na superfície da célula (ver **Figura 24.30**). De fato, um dos mecanismos pelos quais o exercício melhora a sensibilidade à insulina consiste em aumentar a translocação do GLUT-4 para a membrana plasmática das células do músculo esquelético.

Obesidade

Diversos fatores contribuem para a resistência à insulina, entre os quais a obesidade é, provavelmente, o mais importante. O risco de diabetes melito aumenta com o aumento do IMC. Não apenas a quantidade absoluta de gordura, mas também a sua distribuição determina a sensibilidade à insulina: a obesidade central (gordura abdominal) tem mais probabilidade de estar ligada à resistência à insulina do que a obesidade periférica (glútea/subcutânea). De fato, os indivíduos da Ásia e do Oriente Médio que desenvolvem diabetes melito sem obesidade franca apresentam adiposidade principalmente visceral, e é esse aumento da gordura visceral que parece gerar o risco de DT2 nessas pessoas. Em contrapartida, os indivíduos que desenvolvem adiposidade principalmente subcutânea podem ter uma relativa proteção contra o DT2. Os estudos desses denominados indivíduos "obesos metabolicamente saudáveis" constituem um campo emergente.

A obesidade pode ter impacto adverso na sensibilidade à insulina de diversas maneiras (ver **Figura 24.32**):

- *Ácidos graxos livres (AGL).* Estudos transversais demonstraram a existência de uma correlação inversa entre os AGL plasmáticos em jejum e a sensibilidade à insulina. O tecido adiposo central é mais "lipolítico" do que os locais periféricos, o que pode explicar as consequências particularmente deletérias desse padrão de distribuição da gordura. O excesso de AGL sobrecarrega as vias de oxidação dos ácidos graxos intracelulares, levando ao acúmulo de intermediários citoplasmáticos, como o diacilglicerol (DAG), fosfolipídios e esfingolipídios, incluindo ceramidas. Esses metabólitos "tóxicos" dos lipídios podem atenuar a sinalização por meio do receptor de insulina e ativar vias inflamatórias nas ilhotas, o que promove ainda mais a ocorrência de anormalidades das células β. Nas células hepáticas, a insulina normalmente inibe a gliconeogênese ao bloquear a atividade da fosfoenolpiruvato carboxiquinase, a primeira etapa enzimática nesse processo. A sinalização atenuada da insulina permite que a fosfoenolpiruvato carboxiquinase intensifique a gliconeogênese. Os AGL em excesso também competem com a glicose como substratos para a oxidação, exacerbando ainda mais a utilização reduzida da glicose
- *Adipocinas.* É importante lembrar que o tecido adiposo não representa meramente um depósito de armazenamento de gordura, mas também um órgão endócrino, que libera hormônios em resposta a alterações do metabolismo (ver **Capítulo 9**). Foram identificadas diversas proteínas secretadas na circulação pelo tecido adiposo, que são coletivamente denominadas *adipocinas* (ou adipocitocinas). Algumas promovem a hiperglicemia, enquanto outras (como a leptina e a adiponectina) diminuem a glicemia, em parte pelo aumento da sensibilidade à insulina nos tecidos periféricos. Os níveis de adiponectina estão reduzidos na obesidade, contribuindo, assim, para a resistência à insulina
- *Inflamação.* Ao longo dos últimos anos, a inflamação emergiu como importante fator na patogênese do DT2. Sabe-se agora que um ambiente inflamatório – mediado não por um processo autoimune, como no DT1, mas por citocinas pró-inflamatórias que são secretadas em resposta a nutrientes em excesso, como AGL e glicose – resulta tanto em resistência à insulina quanto em disfunção das células β. Os AGL em excesso dentro dos macrófagos e das células β podem ativar o inflamassomo, um complexo citoplasmático multiproteico que leva à secreção da

citocina interleucina IL-1β (ver **Capítulo 3**). Por sua vez, a IL-1β medeia a secreção de citocinas pró-inflamatórias adicionais dos macrófagos, das células das ilhotas e de outras células. A IL-1 e outras citocinas atuam sobre os principais locais de ação da insulina para promover resistência à insulina. Por conseguinte, os AGL em excesso podem impedir diretamente a sinalização da insulina nos tecidos periféricos, bem como indiretamente por meio da liberação de citocinas pró-inflamatórias

- *Esteatose hepática*. Os níveis circulantes elevados de AGL podem resultar em acúmulo de gordura em excesso (esteatose) nos hepatócitos. Essa forma de doença hepática gordurosa não alcoólica (DHGNA) varia quanto à sua gravidade, desde esteatose hepática sem evidências de lesão hepática até esteato-hepatite não alcoólica (EHNA), com evidências de inflamação e lesão dos hepatócitos, com ou sem fibrose (ver **Capítulo 18**). A DHGNA é comum em indivíduos com síndrome metabólica e DT2, uma associação que atua nos dois sentidos: a DHGNA promove o desenvolvimento de DT2, que, por sua vez, aumenta o risco de desenvolvimento das formas mais graves de DHGNA.

Disfunção das células β

Enquanto a resistência à insulina por si só pode levar a uma tolerância à glicose diminuída, **a disfunção das células β é um requisito para o desenvolvimento de diabetes melito franco**. Diferentemente dos defeitos genéticos graves na função das células β que ocorrem em formas monogênicas de diabetes (ver adiante), a função das células β realmente aumenta no início do processo da doença na maioria dos pacientes com DT2 "esporádico", como medida compensatória para contrabalançar a resistência à insulina e manter a euglicemia. Entretanto, por fim, as células β aparentemente esgotam a sua capacidade de se adaptar às demandas a longo prazo feitas pela resistência à insulina, e o estado de hiperinsulinemia cede o lugar para um estado de deficiência relativa de insulina, isto é, os níveis de insulina estão deficientes para o nível de glicemia.

Vários mecanismos foram implicados na promoção da disfunção das células β no DT2, incluindo os seguintes:

- AGL em excesso, que comprometem a função das células β e atenuam a liberação de insulina (*lipotoxicidade*)
- Impacto da hiperglicemia crônica (*glicotoxicidade*)
- Efeito anormal das *incretinas*, levando a uma redução da secreção de GIP e GLP-1, os hormônios que promovem a liberação de insulina (ver anteriormente)
- Deposição amiloide nas ilhotas. Trata-se de um achado característico em indivíduos de DT2 de longa duração, e sua presença é observada em mais de 90% das ilhotas diabéticas examinadas, porém não se sabe ao certo se ela constitui uma causa ou um efeito do "esgotamento" das células β
- Por fim, o impacto da genética não pode ser ignorado, visto que muitos dos polimorfismos associados a um aumento do risco cumulativo de DT2 ocorrem em genes que controlam a secreção de insulina (ver anteriormente).

Formas monogênicas de diabetes

Embora as causas geneticamente definidas de diabetes sejam incomuns, elas foram intensivamente estudadas na esperança de obter esclarecimentos sobre a doença. Conforme ilustrado na **Tabela 24.6**, as formas monogênicas de diabetes são classificadas separadamente do diabetes tipo 1 e tipo 2. As formas monogênicas de diabetes resultam de um defeito primário na função das células β ou de um defeito na sinalização do receptor de insulina (descrito adiante).

Defeitos genéticos na função das células β

Cerca de 1 a 2% dos pacientes com diabetes abrigam um defeito primário na função das células β, que afeta a massa dessas células e/ou a produção de insulina. Essa forma de diabetes monogênico é causada por um grupo heterogêneo de defeitos genéticos. Nessa categoria, o maior grupo de pacientes foi designado como portador de "diabetes de início na maturidade de jovens" (MODY, *maturity-onset diabetes of the young*), devido à sua semelhança superficial com o DT2 e à sua ocorrência em pacientes mais jovens. O MODY pode resultar de mutações de linhagem germinativa de perda de função em um de seis genes (ver **Tabela 24.6**), das quais as mais comuns são mutações da *glicoquinase (GCK)*. A glicoquinase é uma etapa limitadora de velocidade no metabolismo oxidativo da glicose, que, por sua vez, está acoplado à secreção de insulina nas células β das ilhotas (ver **Figura 24.28**).

Defeitos genéticos que comprometem a resposta dos tecidos à insulina

Mutações raras do receptor de insulina, que afetam a síntese do receptor, a ligação da insulina ou a atividade de RTK, podem causar grave resistência à insulina, acompanhada de hiperinsulinemia e diabetes (*resistência à insulina tipo A*). Com frequência, esses pacientes apresentam uma hiperpigmentação aveludada da pele, conhecida como *acantose nigricans*. As mulheres com resistência à insulina tipo A frequentemente apresentam também ovários policísticos e níveis elevados de androgênios.

Diabetes melito e gravidez

A gravidez pode ser complicada por diabetes em uma das duas situações seguintes: quando mulheres com diabetes preexistente engravidam (diabetes "pré-gestacional" ou franco) ou quando mulheres anteriormente euglicêmicas desenvolvem tolerância diminuída à glicose e diabetes melito pela primeira vez durante a gravidez (diabetes "gestacional"). Nos EUA, cerca de 5 a 9% das gestações são complicadas por hiperglicemia, e a incidência do diabetes tanto pré-gestacional quanto gestacional está aumentando na população geral. A gravidez é um estado "diabetogênico", visto que o ambiente hormonal prevalecente favorece a resistência à insulina. Em uma mulher anteriormente euglicêmica, que é, nos demais aspectos, suscetível devido a fatores genéticos e ambientais concomitantes, a consequência pode ser o diabetes gestacional. As mulheres com diabetes pré-gestacional geram ainda mais preocupação, visto que correm risco aumentado de *natimortos* e *malformações congênitas do feto*. O diabetes mal controlado que surge posteriormente durante a gravidez, independentemente de história pregressa, pode levar a um peso ao nascer excessivo no recém-nascido (*macrossomia*) e pode ter sequelas a longo prazo para a criança posteriormente durante a vida, como aumento do risco de obesidade e diabetes. Normalmente, o diabetes gestacional regride após o parto; entretanto, a maioria das mulheres afetadas desenvolve diabetes franco no decorrer dos próximos 10 a 20 anos.

Características clínicas do diabetes melito

É difícil esboçar de maneira sucinta as diversas apresentações clínicas do diabetes melito. Discutiremos a apresentação inicial mais comum ou o modo de diagnóstico para cada um dos dois principais subtipos e, em seguida, descreveremos as complicações agudas e crônicas (a longo prazo) da doença.

O DT1 pode surgir em qualquer idade. Nos primeiros 1 a 2 anos após o início do DT1 franco, as necessidades de insulina exógena podem ser mínimas, devido à secreção residual de insulina endógena (designada como *período de lua-de-mel*). Entretanto, por fim, a função das células β declina até um ponto crítico, e a necessidade de insulina aumenta de maneira dramática. Embora a destruição das células β seja um processo prolongado, a transição da tolerância diminuída à glicose (estágio 2, ver anteriormente) para o diabetes franco (estágio 3) pode ser abrupta e, com frequência, é desencadeada por um estresse superposto, como infecção, devido ao aumento associado nas necessidades de insulina.

Diferentemente do DT1, o DT2 é normalmente observado em pacientes obesos com mais de 40 anos; entretanto, está agora sendo diagnosticado em crianças e adolescentes com frequência cada vez maior, devido a um aumento na obesidade e no estilo de vida sedentário. Em alguns casos, procura-se a atenção médica devido à ocorrência de fadiga, tontura ou visão turva inexplicadas. Entretanto, com mais frequência, o diagnóstico de DT2 é estabelecido após exames de sangue de rotina em indivíduos assintomáticos. De fato, tendo em vista o grande número de indivíduos assintomáticos com hiperglicemia não diagnosticada nos EUA, recomenda-se a medição de rotina dos níveis de glicemia em todos os indivíduos com mais de 45 anos e em indivíduos mais jovens com obesidade, história familiar ou presença da síndrome metabólica.

Tríade clássica do diabetes melito

Em geral, o início do DT1 é marcado pela tríade de poliúria, polidipsia, polifagia e, quando grave, cetoacidose diabética, que resultam de alterações metabólicas. Como a insulina é um importante hormônio anabólico, a sua deficiência resulta em um estado catabólico que afeta o metabolismo da glicose, das gorduras e das proteínas. A secreção dos hormônios contrarreguladores (como o glucagon) sem oposição também desempenha um papel nesses distúrbios metabólicos. A assimilação da glicose no músculo e no tecido adiposo está acentuadamente diminuída ou abolida. Não apenas o armazenamento de glicogênio no fígado e no músculo cessa, como também ocorre depleção das reservas pela glicogenólise. A *hiperglicemia* resultante leva à filtração de uma quantidade tão grande de glicose no rim que o limiar tubular renal para reabsorção é ultrapassado. Isso leva à glicosúria, que induz diurese osmótica e, portanto, *poliúria*, causando uma profunda perda de água e eletrólitos (**Figura 24.33**). A perda renal de água combinada com a hiperosmolaridade, devido aos níveis aumentados de glicemia, provoca depleção da água intracelular, desencadeando a ação dos osmorreceptores dos centros da sede do cérebro. Em consequência, surge uma sede intensa (*polidipsia*). Com a deficiência de insulina, a balança oscila do anabolismo promovido pela insulina para o catabolismo de proteínas e gorduras. Segue-se a proteólise, liberando aminoácidos gliconeogênicos que são removidos pelo fígado e utilizados como blocos de construção para a glicose. O catabolismo das proteínas e das gorduras tende a induzir um balanço energético negativo, que, por sua vez, leva a um aumento do apetite (*polifagia*), completando, assim, a tríade clássica de poliúria, polidipsia e polifagia. Apesar do apetite aumentado, os efeitos catabólicos prevalecem, resultando em perda de peso e fraqueza muscular. A combinação de polifagia e perda de peso é paradoxal e sempre deve levantar a suspeita de diabetes melito.

Complicações metabólicas agudas do diabetes melito

A cetoacidose diabética é uma grave complicação metabólica aguda do DT1; não é tão comum nem tão grave no DT2. O fator precipitante mais frequente consiste em não tomar insulina, embora outros estressores, como infecções, outras doenças, trauma e certos medicamentos também possam atuar como gatilhos. Além disso, pode ocorrer menos comumente no DT2, porém apenas em condições de estresse muito intenso, como aquele causado por infecções graves e trauma. Muitos desses fatores estão associados à liberação da catecolamina epinefrina, que bloqueia a ação residual da insulina e estimula a secreção de glucagon. A deficiência de insulina acoplada com o glucagon em excesso diminui a utilização periférica de glicose, enquanto aumenta a gliconeogênese, exacerbando gravemente a hiperglicemia (os níveis plasmáticos de glicose costumam estar na faixa de 250 a 600 mg/dℓ). A hiperglicemia causa diurese osmótica e desidratação características do estado cetoacidótico.

O segundo efeito importante da deficiência de insulina consiste em aumento da síntese de corpos cetônicos. A deficiência de insulina estimula a lipase sensível a hormônio, com consequente degradação das reservas adiposas e aumento nos níveis de AGL. Quando esses AGL alcançam o fígado, são esterificados a acil-coenzima A graxo. A oxidação de moléculas de acil-coenzima A graxo dentro das mitocôndrias hepáticas produz *corpos cetônicos* (ácido acetoacético e ácido β-hidroxibutírico). A taxa de formação dos corpos cetônicos pode exceder a taxa pela qual podem ser utilizados pelos tecidos periféricos, levando à *cetonemia* e a *cetonúria*. Se a excreção urinária de cetonas estiver comprometida por desidratação, o resultado consiste em *cetoacidose metabólica sistêmica*. A liberação de aminoácidos cetogênicos pelo catabolismo das proteínas agrava o estado cetótico.

As manifestações clínicas da cetoacidose diabética incluem fadiga, náuseas e vômitos, dor abdominal intensa, hálito frugal característico e respiração laboriosa profunda (também conhecida como *respiração de Kussmaul*). A persistência do estado cetótico leva finalmente à depressão da consciência e ao coma. A reversão da cetoacidose exige a administração de insulina, a correção da acidose metabólica e o tratamento de quaisquer fatores precipitantes subjacentes, como infecção.

Acredita-se que a menor frequência de cetoacidose no DT2 seja devido a níveis mais elevados de insulina na veia porta desses pacientes, o que evita a oxidação irrestrita de ácidos graxos hepáticos e mantém a formação de corpos cetônicos sob controle. De fato, os pacientes com DT2 podem desenvolver uma condição conhecida como *estado hiperglicêmico hiperosmolar*, devido à desidratação grave em consequência da diurese osmótica sustentada (particularmente em pacientes que não ingerem água suficiente para compensar as perdas urinárias da hiperglicemia crônica). Normalmente, isso ocorre em um paciente de idade mais avançada com diabetes, que sofreu acidente vascular encefálico ou que apresenta infecção e, portanto, é incapaz de manter uma ingestão adequada de água. Além disso, a ausência de cetoacidose e seus sintomas (náuseas, vômitos, respiração de Kussmaul) retarda a busca de cuidados médicos até a ocorrência de desidratação grave e comprometimento do estado mental. Em geral, a hiperglicemia é mais grave do que na cetoacidose diabética e situa-se na faixa de 600 a 1.200 mg/dℓ.

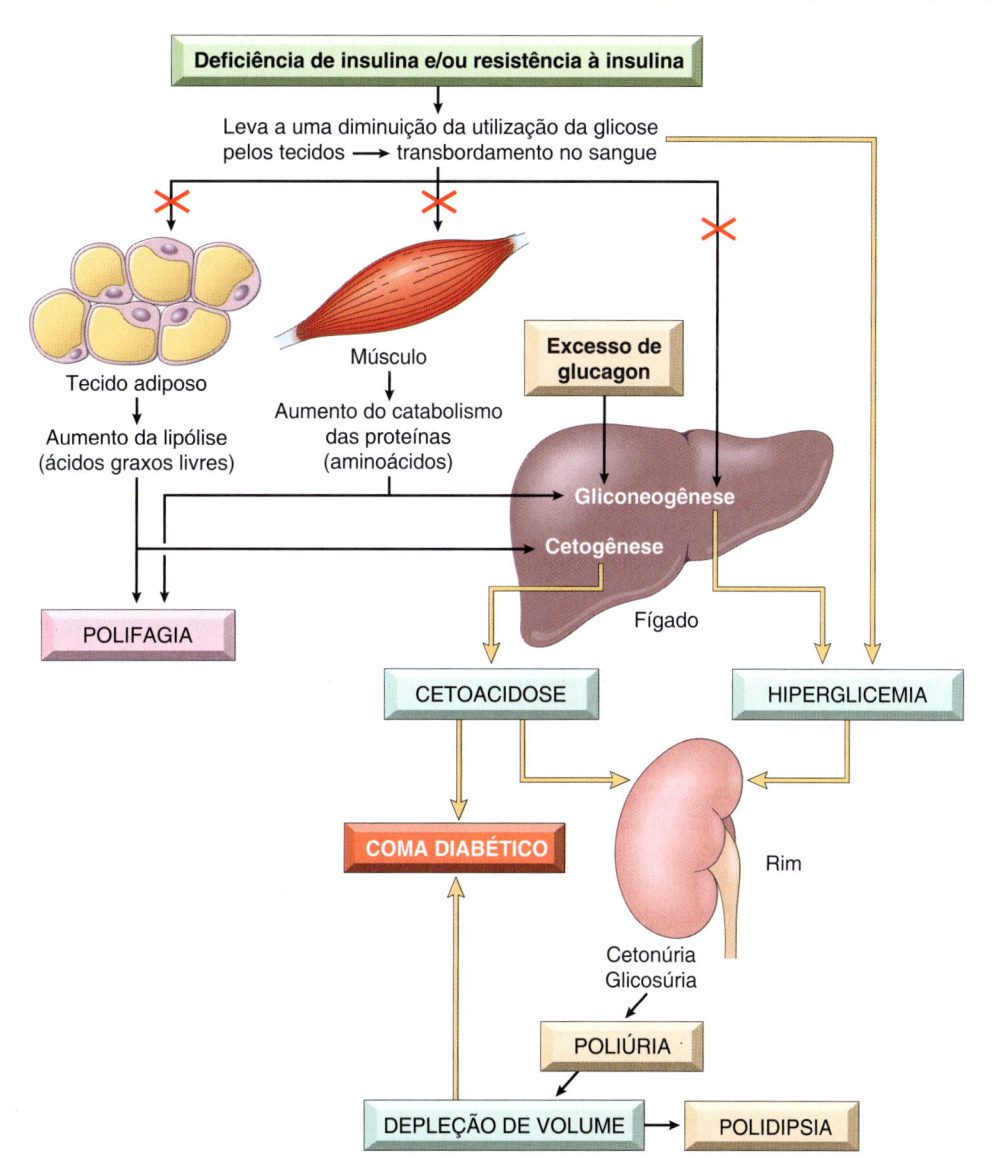

Figura 24.33 Sequência de distúrbios metabólicos subjacentes às manifestações clínicas do diabetes. A deficiência absoluta de insulina leva a um estado catabólico, culminando em cetoacidose e grave depleção de volume. Isso provoca comprometimento do sistema nervoso central suficiente para levar ao coma e à morte eventual, se não forem tratados.

De modo irônico, uma vez iniciado o tratamento, a complicação metabólica aguda mais comum em qualquer tipo de diabetes é a hipoglicemia. As causas incluem a omissão de uma refeição, esforço físico excessivo, administração excessiva de insulina ou "dose incorreta" durante a fase de determinação da dose de agentes antidiabéticos, como as sulfonilureias. Os sinais e sintomas de hipoglicemia consistem em tontura, confusão, sudorese, palpitações e taquicardia; se a hipoglicemia persistir, pode ocorrer perda da consciência. A rápida reversão da hipoglicemia, por meio de glicose oral ou intravenosa é de importância crítica para prevenir um dano neurológico permanente.

Complicações crônicas do diabetes

A morbidade associada ao diabetes de longa duração de ambos os tipos se deve ao dano induzido nas artérias musculares de grande e médio calibres (doença macrovascular diabética) e nos pequenos vasos (doença microvascular diabética) pela hiperglicemia crônica. A doença macrovascular provoca aterosclerose acelerada entre pacientes com diabetes, resultando em aumento do risco de infarto agudo do miocárdio, acidente vascular encefálico e isquemia dos membros inferiores. Os efeitos da doença microvascular são mais profundos na retina, nos rins e nos nervos periféricos, resultando em *retinopatia diabética*, *nefropatia* e *neuropatia*, respectivamente (ver adiante).

Patogênese

A hiperglicemia persistente (glicotoxicidade) parece ser responsável pelas complicações a longo prazo do diabetes melito. Grande parte das evidências que sustentam o papel do controle glicêmico na melhora das complicações a longo prazo do diabetes provém de ensaios clínicos randomizados de grande porte. Nesses ensaios clínicos, a avaliação do controle glicêmico foi baseada na porcentagem de *hemoglobina glicada*, também conhecida como HbA1c, que é formada pela adição covalente não enzimática de glicose à hemoglobina nos eritrócitos. Diferentemente dos níveis de glicemia, a HbA1c fornece uma medida do controle glicêmico ao longo do tempo de vida de um eritrócito (120 dias) e é pouco afetada por variações diárias dos níveis de glicose. Recomenda-se que a HbA1c seja mantida abaixo de 7% em pacientes com diabetes. A emergência de novas tecnologias, incluindo sistemas de monitoramento contínuo da glicose, introduziu uma nova meta, aumentando o "tempo no intervalo" (estabelecido em 70 a 180 mg/dℓ), que pode constituir um melhor preditor do risco de complicações crônicas do que o nível de HbA1c). Entretanto, é importante ressaltar que a hiperglicemia não é o único fator responsável pelas complicações a longo prazo do diabetes, e que outras anormalidades subjacentes, como resistência à insulina, e comorbidades como a obesidade também desempenham um importante papel.

Pelo menos quatro mecanismos distintos foram implicados nos efeitos deletérios da hiperglicemia persistente sobre os tecidos periféricos. **Em cada mecanismo proposto, acredita-se que o aumento de fluxo através de vias metabólicas devido à hiperglicemia possa gerar precursores prejudiciais, que contribuem para o dano aos órgãos-alvo:**

- *Formação de produtos finais da glicação avançada.* Os produtos finais da glicação avançada (AGE) são formados como resultado de reações não enzimáticas entre metabólitos derivados da glicose (glioxal, metilglioxal, e 3-desoxiglicosona) e os grupos amino de proteínas intracelulares e extracelulares. A taxa de formação dos AGE é acelerada pela hiperglicemia. Os AGE ligam-se a um receptor específico (RAGE), que é expresso nas células inflamatórias (macrófagos e células T), no endotélio e no músculo liso vascular. Os efeitos prejudiciais do eixo de sinalização AGE-RAGE no compartimento vascular incluem os seguintes:
  - Liberação de *citocinas e fatores de crescimento*, incluindo o fator de crescimento transformador β (TGF-β), que leva à deposição de material da membrana basal em excesso, e o fator de crescimento do endotélio vascular (VEGF), implicado na retinopatia diabética (ver adiante)
  - Geração de *espécies reativas de oxigênio* (ROS) nas células endoteliais
  - Aumento da *atividade pró-coagulante* nas células endoteliais e macrófagos
  - Aumento da *proliferação das células musculares lisas vasculares* e *síntese de matriz extracelular.*

De maneira não surpreendente, a superexpressão de RAGE específica do endotélio em camundongos diabéticos acelera a lesão dos grandes vasos e a microangiopatia, enquanto os camundongos nulos para RAGE apresentam uma atenuação dessas características. Os antagonistas do RAGE surgiram como agentes terapêuticos no diabetes melito e estão sendo testados em ensaios clínicos.

Além dos efeitos mediados pelo receptor, os AGE podem apresentar ligação cruzada direta com proteínas da matriz extracelular. A ligação cruzada de moléculas de colágeno tipo 1 em grandes vasos diminui a sua elasticidade, o que pode predispor esses vasos ao estresse de cisalhamento e à lesão endotelial (ver **Capítulo 11**). De modo semelhante, a ligação cruzada do colágeno tipo IV induzida por AGE na membrana basal diminui a adesão das células endoteliais e aumenta o extravasamento de líquido. As proteínas que apresentam ligação cruzada com AGE são resistentes à digestão proteolítica. Por conseguinte, a ligação cruzada diminui a remoção das proteínas, aumentando o seu acúmulo. Os componentes da matriz modificados pelos AGE também sequestram proteínas plasmáticas ou intersticiais não glicadas. Nos grandes vasos, o sequestro de LDL, por exemplo, retarda o seu efluxo da parede dos vasos e contribui para a deposição de colesterol na túnica íntima, acelerando, assim, a aterogênese (ver **Capítulo 11**). Nos capilares, incluindo os dos glomérulos renais, as proteínas plasmáticas, como a albumina, ligam-se à membrana basal glicada e são responsáveis, em parte, pelo espessamento da membrana plasmática, que constitui uma característica da microangiopatia diabética

- *Ativação da proteinoquinase C.* A ativação dependente de cálcio da proteinoquinase C (PKC) intracelular e do segundo mensageiro diacilglicerol (DAG) constitui uma importante via de transdução de sinais. A hiperglicemia intracelular estimula a síntese *de novo* de DAG a partir de intermediários glicolíticos e, assim, provoca ativação excessiva da PKC. Os efeitos *downstream* da ativação da PKC são numerosos, incluindo produção de VEGF, de TGF-β e da proteína pró-coagulante, o inibidor do ativador do plasminogênio 1 (PAI-1) (ver **Capítulo 4**), pelo endotélio vascular. É evidente que alguns efeitos dos AGE e da PKC ativada são sobrepostos, e ambos provavelmente contribuem para a microangiopatia diabética
- *Estresse oxidativo e distúrbios nas vias de polióis.* Mesmo nos tecidos que não necessitam de insulina para o transporte de glicose (p. ex., nervos, lentes, rins, vasos sanguíneos), a hiperglicemia persistente leva a um aumento da glicose intracelular. Essa glicose em excesso é metabolizada pela enzima aldose redutase a sorbitol, um poliol, e, por fim, a frutose, em uma reação que utiliza NADPH (a forma reduzida do fosfato de nicotinamida dinucleotídio) como cofator. O NADPH também é necessário para a enzima glutationa redutase, em uma reação que regenera a glutationa reduzida (GSH). Esta é um dos importantes mecanismos antioxidantes na célula (ver **Capítulo 2**), e qualquer redução da GSH aumenta a suscetibilidade celular a espécies reativas de oxigênio ("estresse oxidativo"). Na presença de hiperglicemia sustentada, a depleção progressiva do NADPH intracelular pela aldose redutase compromete a regeneração de GSH, aumentando a suscetibilidade celular ao estresse oxidativo. O acúmulo de sorbitol na lente contribui para a formação de cataratas
- *Vias da hexosamina e geração de frutose-6-fosfato.* Por fim, foi postulado que a hiperglicemia induz o fluxo de intermediários glicolíticos através da via da hexosamina, resultando em dano celular e aumento do estresse oxidativo.

Morfologia das complicações crônicas do diabetes melito

As alterações morfológicas importantes estão relacionadas com muitas complicações sistêmicas tardias do diabetes. Conforme já discutido, essas alterações são observadas tanto no DT1 quanto no DT2 (**Figura 24.34**).

Morfologia

Pâncreas

As alterações no pâncreas são inconstantes e, com frequência, sutis. As alterações distintas estão mais comumente associadas ao DT1 do que ao DT2. Pode-se observar a presença de uma ou mais das seguintes alterações:

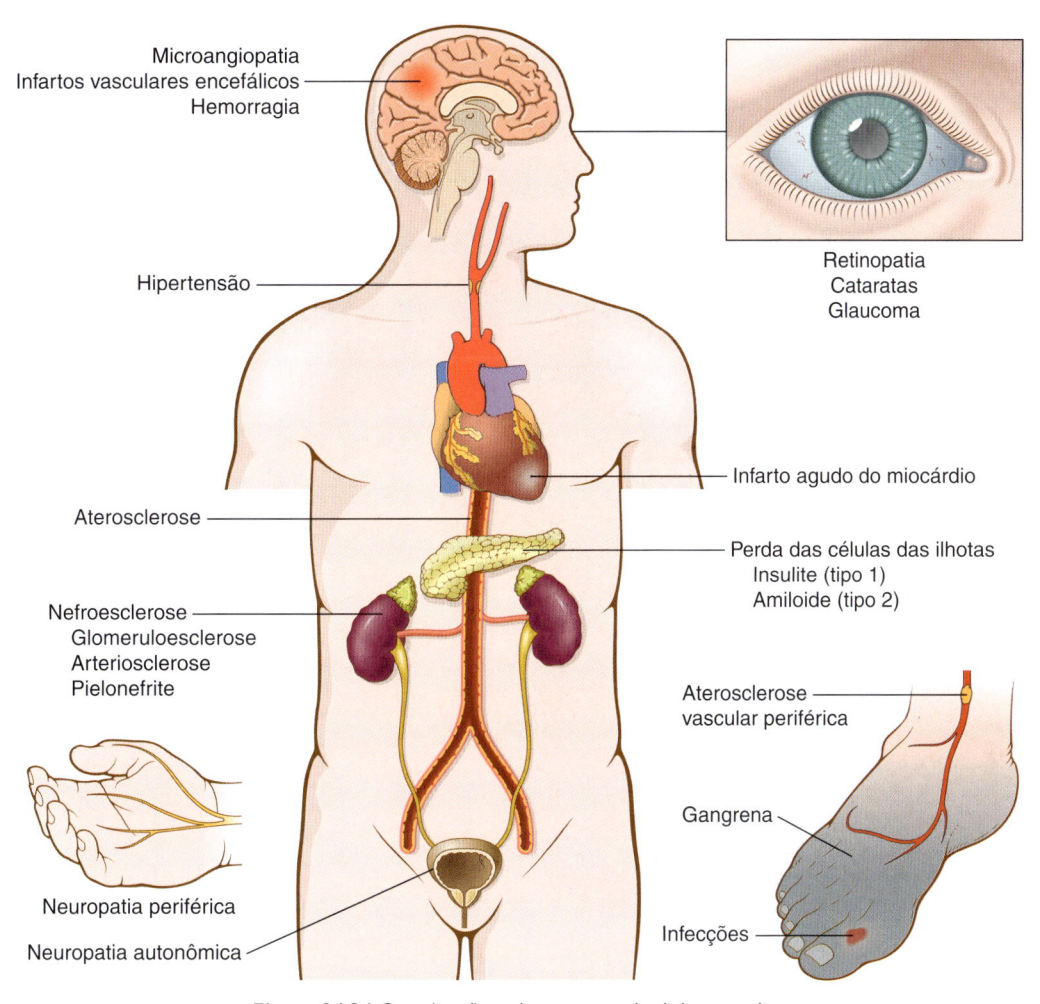

Figura 24.34 Complicações a longo prazo do diabetes melito.

- **Redução no número e no tamanho das ilhotas.** Essa alteração é observada, com mais frequência, no DT1, em particular na doença rapidamente progressiva. As ilhotas são, em sua maioria, pequenas e inconspícuas
- **Os infiltrados leucocitários nas ilhotas** (insulite) são compostos principalmente de linfócitos T e também são observados em modelos animais de diabetes autoimune (**Figura 24.35A**). Pode haver infiltrados linfocíticos no DT1 por ocasião da apresentação clínica
- **No DT2, pode ocorrer uma redução sutil da massa de células das ilhotas**, demonstrada apenas por estudos morfométricos especiais
- **A deposição de amiloide nas ilhotas de indivíduos com DT2** começa nos capilares, ao redor deles e entre as células. Em estágios avançados, as ilhotas podem ficar virtualmente obliteradas (ver **Figura 24.35B**). Pode-se observar também a presença de fibrose. Lesões semelhantes podem ser encontradas em indivíduos idosos sem diabetes, aparentemente como parte do envelhecimento normal
- **O aumento no número e no tamanho das ilhotas** é particularmente característico de recém-nascidos não diabéticos de mães com diabetes. Presumivelmente, as ilhotas do feto sofrem hiperplasia em resposta à hiperglicemia materna.

Doença macrovascular diabética

O diabetes melito exibe um pesado tributo do sistema vascular. A *disfunção endotelial* (ver **Capítulo 11**), que predispõe à aterosclerose e a outras morbidades cardiovasculares, é generalizada no diabetes, em consequência dos efeitos deletérios da hiperglicemia persistente e da resistência à insulina no compartimento vascular. A característica fundamental da doença macrovascular diabética é a *aterosclerose acelerada*, que acomete a aorta e as artérias de médio e grande calibre. A morfologia da aterosclerose em paciente com diabetes é indistinguível da que ocorre em indivíduos não diabéticos (ver **Capítulo 11**). **O infarto agudo do miocárdio, causado pela aterosclerose das artérias coronárias, constitui a causa mais comum de morte no diabetes.** A *gangrena dos membros inferiores*, em consequência da doença vascular avançada, é cerca de cem vezes mais comum em pacientes diabéticos do que na população em geral. As artérias renais maiores também estão sujeitas à aterosclerose grave, porém o efeito mais lesivo do diabetes nos rins é exercido nos glomérulos e na microcirculação (ver adiante).

A *arteriolosclerose hialina*, a lesão vascular associada à hipertensão essencial (ver **Capítulos 11** e **20**), é mais prevalente e mais grave em pacientes com diabetes do que em indivíduos não diabéticos, porém não é específica do diabetes e pode ser observada em pacientes idosos sem hipertensão. Assume a forma de

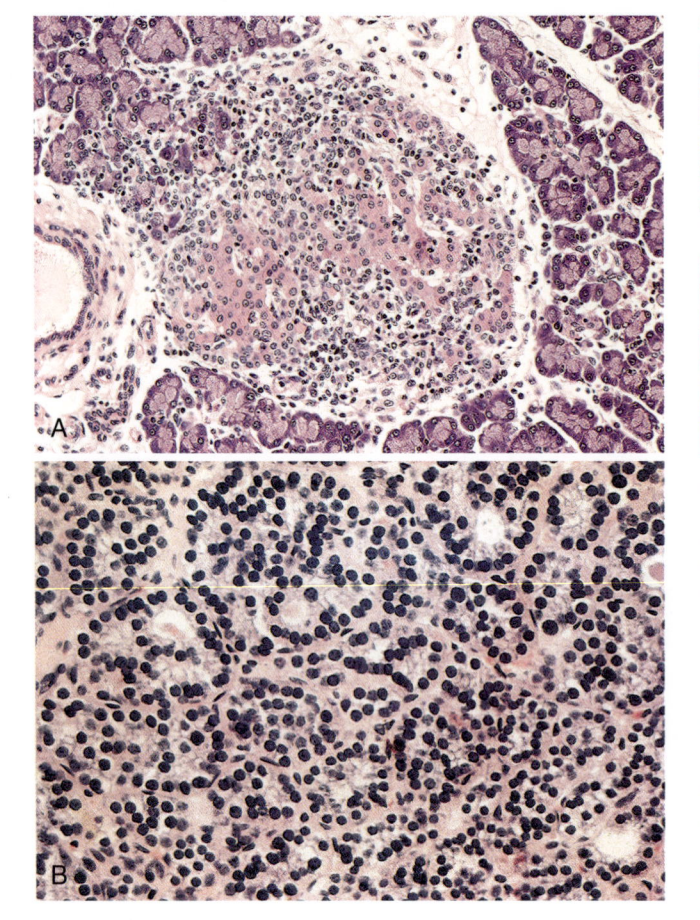

Figura 24.35 A. Insulite, mostrada aqui de um modelo de rato (BB) de diabetes autoimune, também observada no diabetes tipo I humano. **B.** Amiloidose de uma ilhota pancreática no diabetes tipo 2. (**A,** Cortesia do Dr. Arthur Like, University of Massachusetts, Worchester, Mass.)

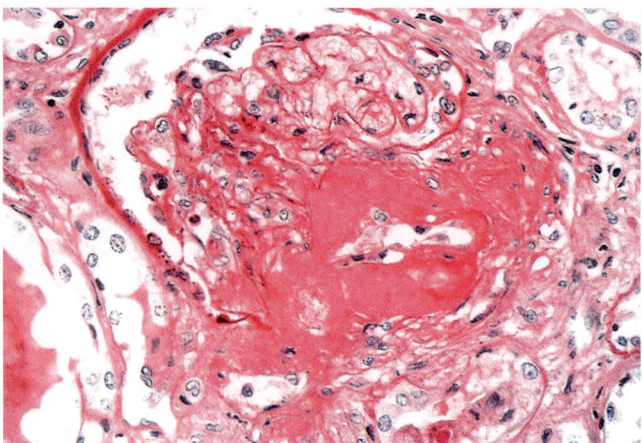

Figura 24.36 Arteriolosclerose hialina renal grave. Observe uma arteríola aferente tortuosa com espessamento acentuado. A natureza amorfa da parede vascular espessada é evidente (coloração pelo ácido periódico de Schiff). (Cortesia de M.A. Venkatachalam, MD, Department of Pathology, University of Texas Health Science Center, San Antonio, Texas.)

espessamento hialino e amorfo da parede das arteríolas, causando estreitamento da luz (**Figura 24.36**). De maneira não surpreendente, em pacientes diabéticos, a arteriolosclerose hialina está relacionada não apenas com a duração da doença, mas também com o nível de pressão arterial.

Microangiopatia diabética

Uma das características morfológicas mais consistentes do diabetes é o *espessamento difuso das membranas basais*. O espessamento é mais evidente nos capilares da pele, do músculo esquelético, da retina, dos glomérulos renais e da medula renal. Entretanto, pode ser também observado em estruturas não vasculares, como os túbulos renais, a cápsula de Bowman, os nervos periféricos e a placenta. Convém assinalar que, apesar do aumento na espessura das membranas basais, os capilares em pacientes com diabetes são mais permeáveis do que o normal às proteínas plasmáticas. **A microangiopatia está na base do desenvolvimento da nefropatia, da retinopatia e de algumas formas de neuropatia diabética.**

Nefropatia diabética

Os rins constituem os principais alvos do diabetes. A insuficiência renal ocupa o segundo lugar, perdendo apenas para o infarto agudo do miocárdio como causa de morte dessa doença. **São encontradas três lesões: (1) lesões glomerulares; (2) lesões vasculares renais, principalmente arteriolosclerose; e (3) pielonefrite, incluindo papilite necrosante.**

As lesões glomerulares mais importantes consistem em espessamento da membrana basal capilar, esclerose mesangial difusa e glomeruloesclerose nodular.

Espessamento da membrana basal capilar. O espessamento generalizado da membrana basal capilar glomerular (MBG) ocorre em praticamente todos os casos de nefropatia diabética e constitui parte da microangiopatia diabética. O espessamento da membrana basal capilar é mais bem observado na microscopia eletrônica (**Figura 24.37**). Os estudos morfométricos demonstram que o espessamento já começa dentro de dentro de 2 anos após o início do DT1 e, em 5 anos, alcança um aumento de cerca de 30%. Essas alterações progressivas da MBG costumam ser acompanhadas de alargamento mesangial e espessamento das membranas basais tubulares (**Figura 24.38**).

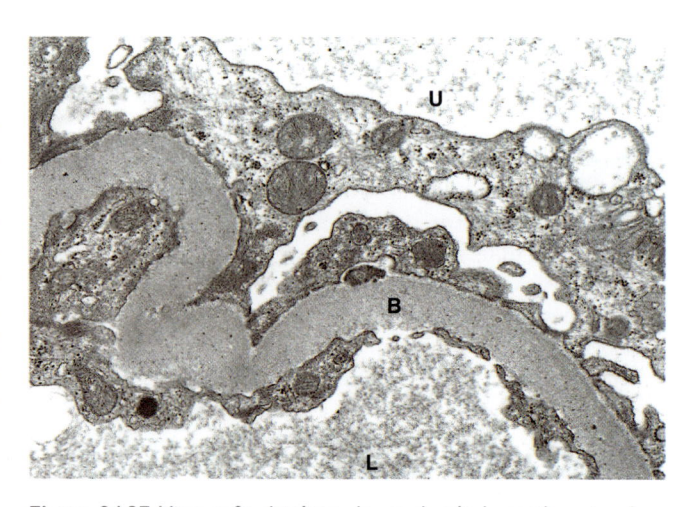

Figura 24.37 Micrografia eletrônica de um glomérulo renal mostrando o espessamento acentuado da membrana basal glomerular (**B**) em um paciente diabético. *L*, luz do capilar glomerular; *U*, espaço urinário. (Cortesia do Dr. Michael Kashgarian, Department of Pathology, Yale University School of Medicine, New Haven, Conn.)

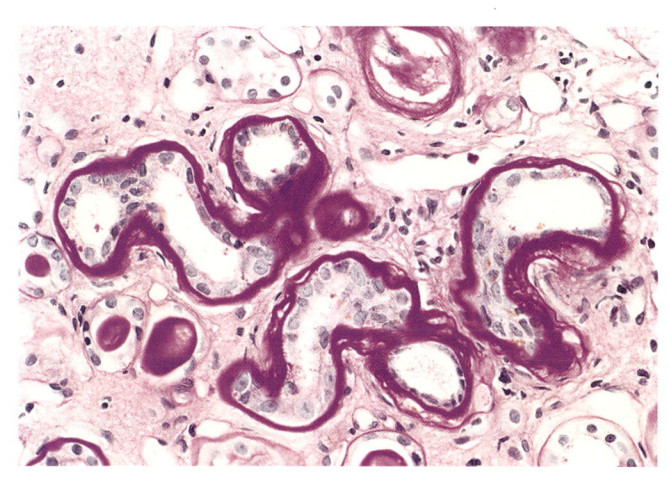

Figura 24.38 Córtex renal mostrando o espessamento das membranas basais tubulares em um paciente diabético (coloração pelo ácido periódico de Schiff.)

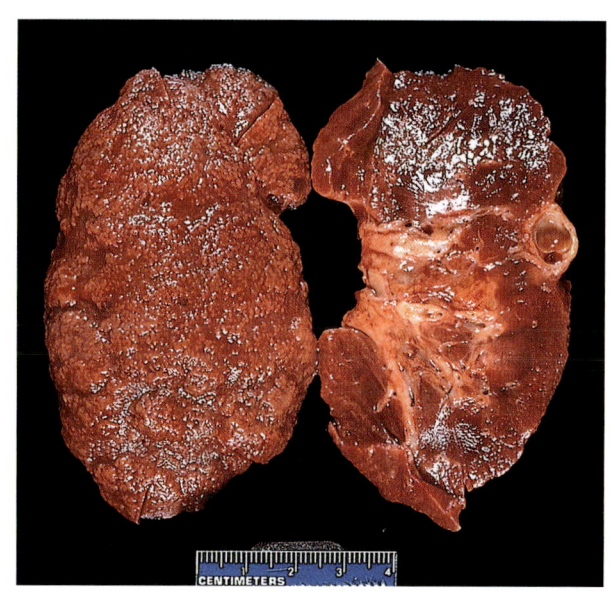

Figura 24.40 Nefroesclerose em um paciente com diabetes melito de longa duração. O rim foi cortado para demonstrar a transformação granular difusa da superfície (*à esquerda*) e o adelgaçamento acentuado do tecido cortical (*à direita*). Outras características incluem algumas depressões irregulares, resultado da pielonefrite, e um cisto cortical incidental (*extrema direita*).

Esclerose mesangial difusa. Essa lesão consiste em aumento difuso da matriz mesangial. Os depósitos na matriz são PAS-positivos (**Figura 24.39**). Com a progressão da doença, os depósitos da matriz mesangial podem adquirir uma aparência nodular. Foi constatado que a expansão progressiva do mesângio correlaciona-se bem com as medidas de deterioração da função renal, como aumento da proteinúria.

Glomeruloesclerose nodular. É também conhecida como glomeruloesclerose intercapilar ou *doença de Kimmelstiel-Wilson*. As lesões glomerulares assumem a forma de nódulos da matriz ovoides ou esféricos, frequentemente laminados e PAS-positivos, situados na periferia do glomérulo. Esses nódulos situam-se no cerne mesangial dos lóbulos glomerulares e podem ser circundados por alças de capilares periféricos permeáveis (ver **Figura 24.39**) ou alças que estão acentuadamente dilatadas. Com frequência, os nódulos exibem características de mesangiólise, definida pela ruptura de interações de ancoragem entre os capilares e as hastes mesangiais. A perda dessas estruturas de suporte pode levar à formação de microaneurismas capilares. Embora nem todos os lóbulos nos glomérulos individuais estejam afetados por lesões nodulares, até mesmo os lóbulos e glomérulos não acometidos apresentam notável esclerose mesangial difusa. Com frequência, as lesões nodulares são acompanhadas de acúmulo proeminente de material hialino nas alças capilares ("capas de fibrina") ou aderentes às cápsulas de Bowman ("gotas capsulares"). As arteríolas hilares glomerulares tanto aferentes quanto eferentes apresentam hialinose. Em consequência das lesões glomerulares e arteriolares, os rins sofrem isquemia, desenvolvem atrofia tubular e fibrose intersticial e costumam apresentar retração de seu tamanho (**Figura 24.40**). Aproximadamente 15 a 30% dos indivíduos com diabetes de longa duração desenvolvem glomeruloesclerose nodular que, na maioria dos casos, está associada a insuficiência renal.

A aterosclerose e a arteriolosclerose renais também contribuem para a disfunção renal em pacientes com diabetes. A arteriolosclerose hialina afeta não apenas a arteríola aferente, mas também a eferente. Essa arteriolosclerose eferente é raramente – ou nunca – encontrada em indivíduos que não apresentam diabetes.

A pielonefrite é uma inflamação aguda ou crônica dos rins, que normalmente começa no tecido intersticial e, em seguida, propaga-se para afetar os túbulos. Tanto a forma aguda quanto a forma crônica dessa doença são mais comuns e mais graves em pacientes diabéticos do que na população em geral. Um padrão especial de pielonefrite aguda, a necrose papilar, é muito mais prevalente em pacientes diabéticos do que naqueles que não têm diabetes.

Complicações oculares diabéticas

O olho é profundamente afetado pelo diabetes melito. A arquitetura e a microanatomia do olho são discutidas no **Capítulo 29**.

A hiperglicemia induzida pelo diabetes leva à opacificação adquirida da lente, uma condição conhecida como *catarata*. O diabetes de longa duração também está associado a um aumento da pressão intraocular (**glaucoma**; ver adiante) e consequente dano ao nervo óptico.

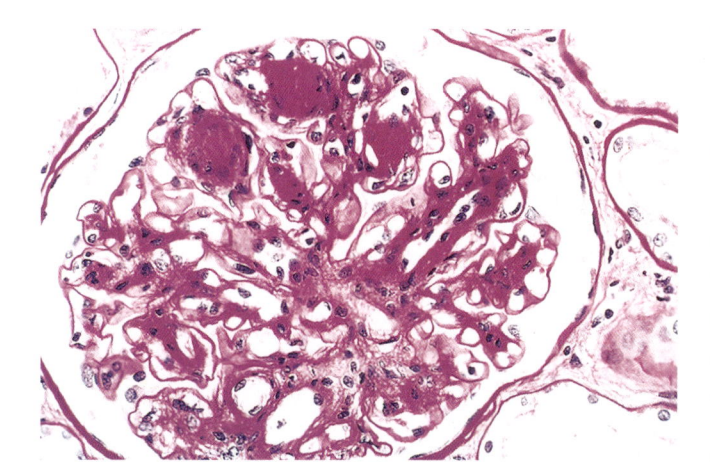

Figura 24.39 Glomeruloesclerose diabética difusa e nodular (coloração pelo ácido periódico de Schiff [PAS]). Observe o aumento difuso da matriz mesangial e os nódulos acelulares PAS-positivos característicos.

As alterações oculares mais profundas do diabetes são observadas na retina. A vasculopatia retiniana do diabetes melito pode ser classificada em retinopatia diabética de fundo (pré-proliferativa) e retinopatia diabética proliferativa (ver **Capítulo 29**).

Neuropatia diabética

A prevalência da neuropatia periférica em indivíduos com diabetes melito depende da duração da doença; até 50% dos pacientes diabéticos apresentam clinicamente neuropatia periférica e até 80% daqueles que tiveram a doença por mais de 15 anos. A neuropatia diabética é discutida com mais detalhes no **Capítulo 27**.

Manifestações clínicas do diabetes melito crônico

A **Tabela 24.7** fornece um resumo de algumas das características clínicas, genéticas e histopatológicas pertinentes que distinguem o DT1 e o DT2. **Em ambos os tipos, são os efeitos a longo prazo do diabetes melito, mais do que as complicações metabólicas agudas, que são responsáveis por grande parte da morbidade e da mortalidade.** Na maioria dos casos, essas complicações aparecem cerca de 15 a 20 anos após o início da hiperglicemia. A gravidade das complicações crônicas está relacionada com o grau e com a duração da hiperglicemia, conforme evidenciado pela atenuação do dano aos órgãos-alvo por meio de controle efetivo da glicemia em estudos prospectivos:

- **As complicações macrovasculares, como o infarto agudo do miocárdio, a insuficiência vascular renal e os acidentes vasculares encefálicos, constituem as causas mais comuns de mortalidade no diabetes melito de longa duração.** Os pacientes com diabetes apresentam uma incidência de doença arterial coronariana duas a quatro vezes maior e um risco quatro vezes maior de morte por complicações cardiovasculares do que os indivíduos da mesma faixa etária sem diabetes. Observa-se também um elevado risco de doença cardiovascular em pacientes com pré-diabetes. De maneira significativa, o infarto agudo do miocárdio é quase tão comum em mulheres com diabetes do que em homens. Em contrapartida, o infarto agudo do miocárdio é incomum em mulheres de idade fértil sem diabetes. Com frequência, o diabetes melito é acompanhado de condições subjacentes que favorecem o desenvolvimento de eventos cardiovasculares adversos. Por exemplo, a *hipertensão* é encontrada em aproximadamente 75% dos indivíduos com DT2 e potencializa os efeitos da hiperglicemia e da resistência à insulina na disfunção endotelial e aterosclerose. Outro risco cardiovascular observado com frequência em pacientes diabéticos é a *dislipidemia*, que inclui níveis aumentados de triglicerídeos e de LDL e níveis diminuídos da lipoproteína "protetora", a lipoproteína de alta densidade (ver **Capítulo 11**). Acredita-se que a resistência à insulina possa contribuir para a "dislipidemia diabética" ao favorecer a produção hepática de lipoproteínas aterogênicas e ao suprimir a captação de lipídios circulantes nos tecidos periféricos
- **A nefropatia diabética é uma importante causa de doença renal terminal nos EUA.** Cerca de 30 a 40% de todos os pacientes com diabetes desenvolvem evidências clínicas de nefropatia. O desenvolvimento de doença renal terminal é mais provável no DT1 do que no DT2; entretanto, devido à maior prevalência do DT2, esses pacientes constituem pouco mais da metade dos pacientes diabéticos que iniciam a diálise a cada ano. A progressão da nefropatia franca para a doença renal terminal é altamente variável; todavia, em 20 anos, mais de 75% dos pacientes com DT1 e cerca de 20% daqueles com DT2 que apresentam nefropatia franca desenvolverão doença renal terminal, exigindo diálise ou transplante renal.

A probabilidade de nefropatia diabética é fortemente influenciada pela etnia; por exemplo, os americanos nativos, os hispânicos e os afro-americanos correm maior risco de desenvolver doença renal terminal do que os brancos não hispânicos com DT2. Há suspeita de que essas diferenças sejam de origem genética, porém os genes responsáveis ainda não foram identificados. A manifestação mais precoce da nefropatia diabética consiste no aparecimento de pequenas quantidades de albumina na urina (*microalbuminúria*) (> 30 mg e < 300 mg/dia). Sem intervenção específica, cerca de 80% dos pacientes com DT1 e 20 a 40% dos pacientes com DT2 desenvolverão *nefropatia franca com macroalbuminúria* (> 300 mg/dia de albumina na urina) no decorrer de 10 a 15 anos, normalmente acompanhada pelo aparecimento de hipertensão

- **O comprometimento visual, incluindo cegueira total, é uma das consequências mais temidas do diabetes melito de longa duração.** Cerca de 60 a 80% dos pacientes desenvolvem alguma forma de *retinopatia diabética* aproximadamente 15 a 20 anos após o diagnóstico, e a retinopatia diabética constitui a principal causa de cegueira no adulto nos EUA. A lesão fundamental da retinopatia – a neovascularização – é atribuída à expressão induzida por hipoxia do VEGF na retina. O tratamento atual para essa condição inclui a administração de agentes antiangiogênicos que bloqueiam a ação do VEGF. Conforme assinalado anteriormente, os pacientes com diabetes também têm maior propensão ao *glaucoma* e à formação de cataratas, que também contribuem para o comprometimento visual
- **A neuropatia diabética pode resultar em dano ao sistema nervoso central, nervos sensorimotores periféricos e sistema nervoso autônomo.** Com mais frequência, assume a forma de *polineuropatia simétrica distal* dos membros inferiores, que afeta a função tanto motora quanto sensitiva. Com o passar do tempo, os membros superiores também podem ser afetados, aproximando-se, assim, de um padrão de polineuropatia em "luvas e meias". Outras formas incluem a *neuropatia autonômica*, que produz distúrbios nas funções intestinal e vesical e, algumas vezes, disfunção erétil, e a *mononeuropatia diabética*, que pode se manifestar pela súbita ocorrência de pé caído, punho caído ou paralisia de nervos cranianos isolados
- **Os pacientes com diabetes melito são atormentados pelo aumento da suscetibilidade a infecções de pele e a tuberculose, pneumonia e pielonefrite.** Essas infecções são responsáveis pela morte de cerca de 5% desses pacientes. No indivíduo com neuropatia diabética, uma infecção trivial em um dedo do pé pode constituir o primeiro evento de uma longa sucessão de complicações (gangrena, bacteriemia, pneumonia) que, em última análise, leva à morte. A base dessa suscetibilidade aumentada é multifatorial e inclui diminuição da função dos neutrófilos (quimiotaxia, aderência ao endotélio, fagocitose e atividade microbicida) e redução da produção de citocinas pelos macrófagos. O comprometimento vascular também prejudica a distribuição das células imunes e moléculas para os locais de infecção.

O impacto social e econômico impressionante do diabetes melito já foi discutido. Em grande parte, o diabetes continua sendo uma doença por toda a vida, embora o transplante de células das ilhotas pancreáticas tenha o potencial de melhorar o DT1 em muitos pacientes. Para alguns indivíduos com DT2, as modificações na dieta, a prática de exercício e os regimes para perda de peso podem reduzir a resistência à insulina e a hiperglicemia, pelo menos no início da doença. Entretanto, todos os pacientes necessitarão finalmente de alguma forma de intervenção terapêutica para manter o controle glicêmico.

> ### Conceitos-chave
> #### Diabetes melito: patogênese e complicações a longo prazo
>
> - O DT1 é uma doença autoimune, caracterizada pela destruição progressiva das células β das ilhotas, resultando em deficiência absoluta de insulina. O DT1 origina-se de uma falha da autotolerância nas células T, e, com frequência, são detectados autoanticorpos circulantes contra antígenos das células das ilhotas (incluindo insulina) nos pacientes afetados
> - O DT2 não tem nenhuma base autoimune; na verdade, as características centrais de sua patogênese consistem em resistência à insulina e disfunção das células β, resultando em deficiência relativa de insulina
> - A obesidade apresenta uma importante relação com a resistência à insulina (e, portanto, com o DT2), mediada por múltiplos fatores, incluindo AGL em excesso, citocinas liberadas do tecido adiposo (adipocitocinas) e inflamação
> - As formas monogênicas do diabetes são incomuns e são causadas por defeitos de um único gene, que resultam em disfunção primária das células β (p. ex., mutação da glicoquinase) ou que levam a anormalidades da sinalização insulina-receptor de insulina (p. ex., mutações no gene do receptor de insulina)
> - As complicações a longo prazo do diabetes melito assemelham-se em ambos os tipos e envolvem quatro mecanismos potenciais, que resultam da hiperglicemia sustentada: a formação de AGE, a ativação da PKC, distúrbios nas vias de polióis que levam ao estresse oxidativo e a sobrecarga da via da hexosamina
> - As complicações a longo prazo do diabetes melito incluem doença de grandes vasos (macroangiopatia), como aterosclerose, doença cardíaca isquêmica e isquemia dos membros inferiores, bem como doença de pequenos vasos (microangiopatia), que se manifesta sobretudo como retinopatia, nefropatia e neuropatia.

Tumores neuroendócrinas do pâncreas

O termo preferido para as neoplasias das células das ilhotas pancreáticas ("neoplasias de células das ilhotas") é *tumores neuroendócrinos do pâncreas* ou *PanNET*. São raros em comparação com neoplasias do pâncreas exócrinas, sendo responsáveis por 2% de todas as neoplasias pancreáticas. Os PanNET podem ocorrer em qualquer parte do pâncreas ou nos tecidos peripancreáticos adjacentes. Assemelham-se a seus correspondentes, os tumores carcinoides, encontrados no trato alimentar (ver **Capítulo 17**). Essas neoplasias podem ser solitárias ou múltiplas e benignas ou malignas. As neoplasias endócrinas do pâncreas frequentemente produzem hormônios pancreáticos, porém algumas vezes são não funcionantes.

À semelhança de outras neoplasias endócrinas, é difícil prever o comportamento de um PanNET baseando-se apenas na sua aparência ao microscópio óptico, embora as neoplasias com maior índice de proliferação (medido como 3% ou mais de núcleos neoplásicos que expressam Ki-67) possam ter um potencial biológico agressivo. Os critérios inequívocos para neoplasia maligna incluem metástases, invasão vascular e infiltração local. O estado funcional da neoplasia tem algum impacto no prognóstico, visto que cerca de 90% das neoplasias produtoras de insulina são benignas, enquanto 60 a 90% de outras neoplasias endócrinas pancreáticas funcionantes e não funcionantes são malignas. Felizmente, os insulinomas constituem o subtipo mais comum de neoplasia endócrina do pâncreas.

Patogênese

Recentemente, o genoma dos PanNET esporádicos foi sequenciado, com a identificação de alterações somáticas recorrentes em três genes principais ou vias:

- O *MEN1*, que provoca a síndrome de MEN familiar tipo 1, também está mutado em algumas neoplasias neuroendócrinas esporádicas
- Mutações de perda de função em genes supressores de tumor, como *PTEN* e *TSC2* (ver **Capítulo 7**), que resultam em ativação da via de sinalização oncogênica de TOR em mamíferos (mTOR)
- Mutações inativadoras em dois genes, alfatalassemia/síndrome de deficiência intelectual, ligada ao X (*ATRX*) e proteína associada ao domínio de morte (*DAXX*), que exercem múltiplas funções celulares, incluindo a manutenção dos telômeros. Os PanNET com mutações em *DAXX* ou *ATRX* demonstram um fenômeno conhecido como "alongamento alternativo dos telômeros" (ALT), que permite que os telômeros sejam mantidos em células neoplásicas que não expressam a telomerase (ver **Capítulo 7**). Convém destacar que quase metade dos PanNET apresenta uma mutação somática em *ATRX* e *DAXX*, mas não em ambos, o que é condizente com a sua função na mesma via oncogênica.

As três síndromes clínicas mais comuns e distintas associadas às neoplasias endócrinas pancreáticas funcionantes são: (1) *hiperinsulinismo*, (2) *hipergastrinemia e síndrome de Zollinger-Ellison* e (3) *MEN* (descrita adiante).

Hiperinsulinismo (insulinoma)

Os tumores de células β (insulinomas) constituem as neoplasias endócrinas do pâncreas mais comuns e, com frequência, produzem insulina suficiente para induzir hipoglicemia clinicamente significativa. O quadro clínico característico é dominado por episódios hipoglicêmicos, que ocorrem quando o nível de glicemia cai abaixo de 50 mg/dℓ. As manifestações clínicas consistem em confusão, estupor e perda da consciência. Esses episódios são precipitados por jejum ou pela prática de exercício e são prontamente aliviados pela alimentação ou pela administração parenteral de glicose.

> ### Morfologia
>
> Os insulinomas são encontrados com mais frequência no pâncreas e geralmente são benignos. A maioria é solitária, embora múltiplos tumores possam ser encontrados. Os carcinomas genuínos, que representam apenas cerca de 10% dos casos, são diagnosticados

com base na invasão local e metástases a distância. Em raras ocasiões, o insulinoma pode surgir em tecido pancreático ectópico. Nesses casos, a microscopia eletrônica revela os grânulos distintos das células β (ver **Figura 24.27**).

Os **tumores solitários** geralmente consistem em pequenos nódulos (frequentemente com < 2 cm de diâmetro), encapsulados, pálidos a marrom-avermelhados, localizados em qualquer parte do pâncreas. No exame histológico, essas neoplasias benignas assemelham-se notavelmente a ilhotas gigantes, com preservação dos cordões regulares de células monótonas e sua orientação para a vasculatura. As neoplasias malignas também são bem diferenciadas e elas podem ser enganosamente encapsuladas. A **deposição de amiloide** é um aspecto característico de muitos insulinomas (**Figura 24.41**).

O hiperinsulinismo também pode ser causado por **hiperplasia focal ou difusa das ilhotas**. Essa alteração é encontrada em certas ocasiões em adultos, porém é observada muito mais comumente na forma de hiperinsulinismo congênito com hipoglicemia em recém-nascidos e lactentes. Vários cenários clínicos podem resultar em hiperplasia das ilhotas (anteriormente conhecidas como nesidioblastose), como diabetes materno, síndrome de Beckwith-Wiedemann (ver **Capítulo 10**) e mutações raras na proteína do canal de K$^+$ das células β ou receptor de sulfonilureia. No diabetes materno, as ilhotas fetais respondem à hiperglicemia por um aumento de seu tamanho e número. No período pós-natal, essas ilhotas hiperativas podem ser responsáveis por episódios graves de hipoglicemia. Esse fenômeno costuma ser transitório.

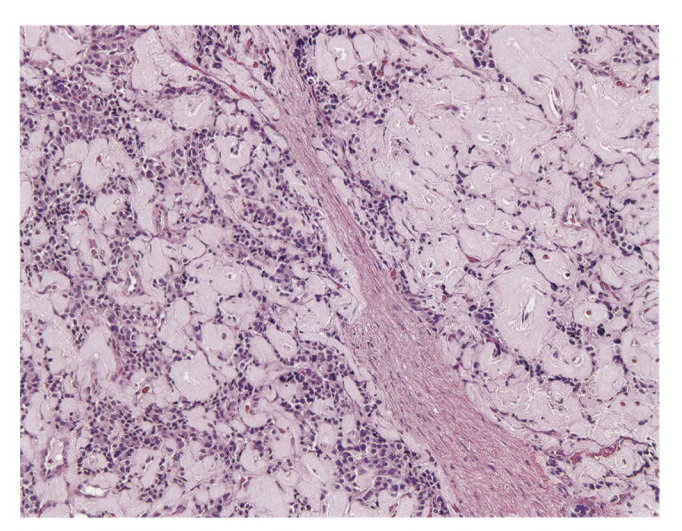

Figura 24.41 Neoplasia endócrina pancreática ("tumor de células das ilhotas"). As células neoplásicas são monótonas e demonstram pleomorfismo mínimo ou atividade mitótica. Há deposição abundante de amiloide, uma característica do insulinoma. Do ponto de vista clínico, o paciente apresentou hipoglicemia episódica.

Características clínicas

Embora até 80% dos tumores de células das ilhotas demonstrem uma secreção excessiva de insulina, a hipoglicemia é leve em todos, com exceção de cerca de 20%, e muitos casos nunca se tornam clinicamente sintomáticos. Os achados laboratoriais críticos nos insulinomas incluem níveis circulantes elevados de insulina e razão insulina-glicose alta. Em geral, a remoção cirúrgica da neoplasia é seguida de reversão imediata da hipoglicemia.

É importante assinalar que existem muitas outras causas de hipoglicemia, além do insulinoma. O diagnóstico diferencial inclui condições como sensibilidade anormal à insulina, doença hepática difusa, glicogenoses herdadas e produção ectópica de insulina por certos fibromas e fibrossarcomas. Dependendo das circunstâncias clínicas, deve-se considerar também a hipoglicemia induzida por autoinjeção de insulina.

Síndrome de Zollinger-Ellison (gastrinoma)

Em geral, a hipersecreção acentuada de gastrina tem a sua origem em neoplasias produtoras de gastrina (*gastrinomas*), que tendem a surgir tanto no duodeno e nos tecidos moles peripancreáticos quanto no pâncreas (o denominado trígono do gastrinoma). Tem havido uma falta de concordância quanto à célula de origem dessas neoplasias, embora pareça provável que as células endócrinas do intestino ou do pâncreas possam ser a fonte. Zollinger e Ellison foram os primeiros a chamar a atenção para a **associação entre lesões das células das ilhotas pancreáticas, hipersecreção de ácido gástrico e ulceração péptica grave**, que estão presentes em 90 a 95% dos pacientes.

Morfologia

Mais da metade dos tumores produtores de gastrina são localmente invasivos ou já metastizaram por ocasião do diagnóstico. Em aproximadamente 25% dos pacientes, os gastrinomas surgem em associação com outras neoplasias endócrinas, como parte da síndrome de MEN-1 (ver adiante). Os gastrinomas associados à MEN-1 são frequentemente multifocais, enquanto os gastrinomas esporádicos são, em geral, isolados. À semelhança dos tumores secretores de insulina do pâncreas, os tumores produtores de gastrina são histologicamente benignos e, raramente, exibem anaplasia acentuada.

Na síndrome de Zollinger-Ellison, a hipergastrinemia dá origem à secreção excessiva de ácido gástrico, o que, por sua vez, provoca **ulceração péptica** (ver **Capítulo 17**). Com frequência, as úlceras duodenais e gástricas são múltiplas; embora sejam idênticas àquelas encontradas na população em geral, elas frequentemente não respondem à terapia. Além disso, podem ocorrer úlceras em locais incomuns, como o jejuno; **quando são encontradas úlceras jejunais intratáveis, deve-se considerar a síndrome de Zollinger-Ellison.**

Características clínicas

O tratamento da síndrome de Zollinger-Ellison envolve o controle da secreção de ácido gástrico pelo uso de inibidores da H$^+$-K$^+$-ATPase e excisão da neoplasia. A ressecção total da neoplasia, quando possível, elimina a síndrome. Os pacientes com metástases hepáticas apresentam uma redução da expectativa de vida, e o crescimento progressivo da neoplasia leva à insuficiência hepática, geralmente no decorrer de dez anos.

Outras neoplasias endócrinas pancreáticas raras

- Os *tumores de células α (glucagonomas)* estão associados a níveis séricos elevados de glucagon e a uma síndrome que consiste em diabetes melito leve, exantema característico (*eritema migratório necrolítico*) e anemia. Com mais frequência, ocorrem em mulheres na perimenopausa e pós-menopausa e caracterizam-se por níveis plasmáticos extremamente elevados de glucagon

- Os *tumores de células δ* (*somatostatinomas*) estão associados ao diabetes melito, à colelitíase, à esteatorreia e à hipocloridria. Pode ser muito difícil localizá-los no pré-operatório. São necessários níveis plasmáticos elevados de somatostatina para estabelecer o diagnóstico

- O *VIPoma* induz uma síndrome característica (*diarreia aquosa, hipopotassemia, acloridria ou síndrome de WDHA* [*watery diarrhea, hypokalemia, achlorhydria*]), que é causada pela liberação do peptídeo intestinal vasoativo (VIP) pela neoplasia. Algumas dessas neoplasias são localmente invasivas e metastáticas. Deve-se efetuar um ensaio para VIP em todos os pacientes com diarreia secretora grave. Os tumores da crista neural, como neuroblastomas, ganglioneuroblastomas e ganglioneuromas (ver **Capítulo 10**) e feocromocitomas (ver adiante) também podem estar associados à síndrome do VIPoma

- Os *tumores carcinoides do pâncreas* que produzem serotonina e uma síndrome carcinoide atípica são extremamente raros

- Os *tumores endócrinos secretores de polipeptídeo pancreático* manifestam-se como lesões expansivas, visto que até mesmo os níveis plasmáticos elevados desse hormônio não produzem sintomas

- Algumas neoplasias endócrinas pancreáticas e extrapancreáticas produzem dois ou mais hormônios. Além da insulina, do glucagon e da gastrina, as neoplasias endócrinas pancreáticas podem produzir ACTH, MSH, ADH, serotonina e norepinefrina. Esses *tumores pluri-hormonais* precisam ser distinguidos das síndromes de MEN (discutidas adiante), em que há produção de uma multiplicidade de hormônios por neoplasias em várias glândulas diferentes.

Glândulas suprarrenais

As glândulas suprarrenais são órgãos endócrinos pares que consistem em um córtex e uma medula, que diferem no seu desenvolvimento, estrutura e função. Em essência, o córtex e a medula são duas glândulas acondicionadas em uma estrutura. O córtex suprarrenal conta com três zonas. Abaixo da cápsula, encontra-se a camada estreita da zona glomerulosa. Uma zona reticulada igualmente estreita limita a medula. Entre as duas encontra-se a zona fasciculada larga, que compõe aproximadamente 75% do córtex total. O *córtex suprarrenal* sintetiza três tipos diferentes de esteroides: (1) os *glicocorticoides* (principalmente o cortisol), que são sintetizados principalmente na zona fasciculada e, em menor grau, na zona reticulada; (2) os *mineralocorticoides*, dos quais o mais importante é a aldosterona, que é produzida na zona glomerulosa; e (3) os *esteroides sexuais* (estrogênios e androgênios), que são produzidos, em grande parte, na zona reticulada. A *medula suprarrenal* é composta de células cromafins, que sintetizam e secretam as *catecolaminas*, principalmente a epinefrina. As catecolaminas exercem muitos efeitos, que possibilitam uma rápida adaptação a mudanças no ambiente.

Córtex suprarrenal

As doenças do córtex suprarrenal podem ser convenientemente divididas em doenças associadas à hiperfunção e aquelas associadas à hipofunção.

Hiperfunção adrenocortical (hiperadrenalismo)

As síndromes de hiperfunção suprarrenal são causadas pela produção excessiva dos três principais hormônios do córtex suprarrenal: (1) a *síndrome de Cushing*, caracterizada por um excesso de cortisol; (2) o *hiperaldosteronismo*, em consequência do excesso de aldosterona; e (3) *síndromes adrenogenitais* ou *virilizantes*, causadas por um excesso de androgênios. As características clínicas dessas síndromes se exibem certo grau de sobreposição, devido às funções sobrepostas de alguns dos esteroides suprarrenais.

Hipercortisolismo (síndrome de Cushing)
Patogênese

Esse distúrbio é causado por condições que produzem níveis elevados de glicocorticoides. A síndrome de Cushing pode ser amplamente dividida em causas *exógenas* e *endógenas*. A grande maioria dos casos de síndrome de Cushing resulta da administração de glicocorticoides exógenos (síndrome de Cushing *iatrogênica*). Por sua vez, as causas endógenas podem ser divididas naquelas que são *dependentes de ACTH* e naquelas que são *independentes de ACTH* (**Tabela 24.8**).

Os adenomas hipofisários secretores de ACTH são responsáveis por 60 a 70% dos casos de hipercortisolismo endógeno. A forma hipofisária dessa síndrome é designada como *doença de Cushing*. O distúrbio afeta as mulheres cerca de quatro vezes mais frequentemente do que os homens e ocorre com mais frequência em adultos jovens. Na grande maioria dos casos, é causado por um *microadenoma hipofisário produtor de ACTH*. Em alguns casos, há um macroadenoma subjacente, e raramente observa-se a presença de *hipertrofia de células corticotróficas* sem adenoma distinto. A hiperplasia de células corticotróficas pode ser primária ou pode surgir de modo secundário em consequência da estimulação excessiva da liberação de ACTH por um tumor hipotalâmico produtor de hormônio de liberação da corticotrofina (CRH). Em indivíduos com doença de Cushing, as glândulas suprarrenais caracterizam-se por graus variáveis de *hiperplasia cortical nodular* (discutida adiante), causada pelos níveis elevados de ACTH. Por sua vez, a hiperplasia cortical é responsável pelo hipercortisolismo.

A *secreção de ACTH ectópico* por neoplasias não hipofisárias é responsável por cerca de 5 a 10% dos casos de síndrome de Cushing dependente de ACTH. Em muitos casos, a neoplasia responsável é um *carcinoma de pequenas células do pulmão*, embora outras neoplasias, como carcinoides, carcinomas medulares da tireoide e PanNET, tenham sido associadas à síndrome. Além das neoplasias que produzem ACTH ectópico, uma neoplasia neuroendócrina pode, em certas ocasiões, produzir CRH ectópico, que, por sua vez, induz a secreção de ACTH e o desenvolvimento de hipercortisolismo. À semelhança da variante hipofisária, as

Tabela 24.8 Causas da síndrome de Cushing endógena.

	Proporção (%)	Idade (pico)	Razão entre mulheres e homens	Características
Dependente de ACTH	70 a 80	..	..	..
Doença de Cushing	60 a 70	..	..	..
Adenoma corticotrófico	60 a 70	3ª a 4ª décadas	3 a 5:1	Aproximadamente 50% não visíveis na RM
Hiperplasia corticotrófica	Muito rara	..	..	..
ACTH ectópico[a]	5 a 10	..	..	..
Tumores neuroendócrinos malignos	~4	5ª a 6ª décadas	0,6 a 1:1	Podem apresentar níveis muito elevados de ACTH
Tumores neuroendócrinos benignos	~6	3ª a 4ª décadas	..	Podem responder à dexametasona, CRH, desmopressina
Tumores neuroendócrinos ocultos	~2	..	..	..
CRH ectópico	Muito raro	..	..	Provoca hiperplasia corticotrófica hipofisária
Independente de ACTH	20 a 30	..	..	..
Suprarrenal unilateral	..	..	..	..
Adenoma	10 a 22	4ª a 5ª décadas	4 a 8:1	A maioria secreta apenas cortisol
Carcinoma	5 a 7	1ª, 5ª a 6ª décadas	1,5 a 3:1	Secreção mista de cortisol e androgênio frequente
Hiperplasia suprarrenal macronodular bilateral[b]	< 2	5ª a 6ª décadas	2 a 3:1	Secreção modesta de cortisol em comparação com o tamanho; além disso, pode secretar androgênio e mineralocorticoide
Receptores acoplados à proteína G aberrantes	..	..	..	..
Produção de ACTH autócrina	..	..	..	..
Esporádica ou familiar (ARMC$_5$)	..	..	..	..
Hiperplasia suprarrenal micronodular bilateral	< 2	..	..	Tamanho da glândula suprarrenal frequentemente normal
Doença adrenocortical nodular pigmentada primária	Rara	1ª a 3ª décadas	0,5:1 < 12 anos 2:1 > 12 anos	Aumento paradoxal frequente do cortisol livre na urina com teste de supressão de dexametasona oral
Isolada ou familiar com complexo de Carney	Rara	1ª a 3ª décadas	..	..
Doença adrenocortical micronodular isolada	Muito rara	Lactentes	..	Micronódulos suprarrenais não pigmentados
Doença adrenocortical bimórfica primária	Muito rara	Lactentes	..	..
Síndrome de McCune-Albright	Rara	Lactentes (< 6 meses)	1:1	Atrofia suprarrenal internodular
Adenomas ou carcinomas bilaterais	Raros	4ª a 5ª décadas	2 a 4:1	..

ACTH, hormônio adrenocorticotrófico; ARMC$_5$, repetição armadilho contendo 5; CRH, hormônio de liberação da corticotrofina.
[a]As fontes mais frequentes de síndromes de ACTH ectópica consistem em carcinoma de pequenas células do pulmão e neoplasias neuroendócrinas de pulmão, timo e pâncreas. As causas menos frequentes incluem carcinoma medular da tireoide, gastrinoma, feocromocitoma, carcinoma de próstata e vários outros.
[b]Nos tecidos da hiperplasia suprarrenal macronodular bilateral, pode haver produção de ACTH autócrina ou parácrina, contribuindo para a secreção de cortisol. Se a sua presença for confirmada por estudos in vivo, a classificação independente de ACTH precisará ser modificada no futuro.
De Lacroix A, Feelders RA, Stratakis CA, Nieman LK: Cushing syndrome, Lancet 386(9996):913-927, 2015.

glândulas suprarrenais sofrem hiperplasia cortical bilateral, porém a rápida evolução com deterioração dos pacientes com esses tipos de câncer frequentemente limita o grau de aumento da glândula suprarrenal. Essa variante da síndrome de Cushing é mais comum em homens, ocorrendo entre os 40 e 50 anos.

As neoplasias suprarrenais primárias, como o adenoma (cerca de 10 a 20%) e o carcinoma (cerca de 5 a 7%) suprarrenais, representam as causas subjacentes mais comuns da síndrome de Cushing independente de ACTH. A condição bioquímica sine qua non da síndrome de Cushing independente de ACTH consiste em níveis séricos elevados de cortisol com baixos níveis de ACTH. Os carcinomas corticais tendem a produzir hipercortisolismo mais pronunciado do que os adenomas ou as hiperplasias. Estudos recentes de sequenciamento de genes em grande escala ajudaram a definir as características moleculares dos carcinomas adrenocorticais, incluindo mutações ativadoras recorrentes de betacatenina (CTNNB1) e mutações inativadoras de TP53, MEN1 e PRKAR1A. Curiosamente, são observadas mutações em PRKAR1A tanto nos adenomas quanto nos carcinomas adrenocorticais, bem como na hiperplasia micronodular (ver anteriormente), sugerindo que mecanismos moleculares e a ontogenia compartilhados desempenham um papel nessas lesões secretoras de cortisol.

A *hiperplasia cortical primária* (i. e., hiperplasia independente de ACTH) é muito menos comum do que a hiperplasia cortical suprarrenal dependente de ACTH. Na *hiperplasia suprarrenal macronodular bilateral* (HSRMB), os nódulos geralmente têm mais de 10 mm de diâmetro. Foram relatadas formas familiares associadas a mutações de linhagem germinativa do gene na repetição armadillo contendo 5 (*ARMC5*), um suposto gene supressor de tumor; é interessante assinalar que até 50% dos casos de HSRMB aparentemente esporádicos abrigam mutações de linhagem germinativa em *ARMC5*, com perda somática do segundo alelo nos nódulos hiperplásicos. Nos casos esporádicos verdadeiros de HSRMB, a hiperplasia nodular não é inteiramente "autônoma". Especificamente, a produção de cortisol é regulada por outros hormônios além do ACTH, devido à superexpressão ectópica dos receptores de hormônios correspondentes acoplados à proteína G nas células adrenocorticais hiperplásicas. Os hormônios implicados além do ACTH incluem o peptídeo inibidor gástrico (GIP), o LH e o ADH (vasopressina). O mecanismo pelo qual esses receptores são superexpressos não é conhecido, porém alterações epigenéticas podem estar envolvidas. Um subgrupo de HSRMB surge no contexto da síndrome de McCune-Albright (ver **Capítulo 26**), uma doença multissistêmica caracterizada por mutações de linhagem germinativa que ativam o *GNAS*, que codifica uma $G_s\alpha$ estimuladora. Essa mutação em $G_s\alpha$ provoca hiperplasia ao aumentar os níveis intracelulares de cAMP, que constitui um importante segundo mensageiro em muitos tipos de células endócrinas.

A hiperplasia bilateral independente de ACTH também pode ser *micronodular* (< 10 mm de tamanho), e esses casos surgem sobretudo em dois contextos: a doença adrenocortical nodular pigmentada primária ou como parte do denominado complexo de Carney, uma síndrome multissistêmica que resulta em neoplasias tanto endócrinas quanto não endócrinas. Tanto a doença adrenocortical nodular pigmentada primária quanto o complexo de Carney estão mais comumente associados a mutações da subunidade reguladora da proteinoquinase dependente de cAMP (codificada pelo gene *PRKAR1A*), que, à semelhança de mutações ativadoras em *GNAS*, atua por meio de aumento dos níveis intracelulares de cAMP.

Morfologia

As principais lesões da síndrome de Cushing são encontradas na hipófise e nas glândulas suprarrenais. A **hipófise** apresenta alterações, independentemente da causa. A alteração mais comum, que resulta dos níveis elevados de glicocorticoides endógenos ou exógenos, é denominada **alteração hialina de Crooke**. Nessa condição, o citoplasma basofílico granular normal das células produtoras de ACTH na adeno-hipófise torna-se homogêneo e mais pálido. Essa alteração resulta do acúmulo de filamentos de queratina intermediários no citoplasma, um achado que também é observado no adenoma corticotrófico de "células de Crooke" (discutida anteriormente).

Dependendo da causa de hipercortisolismo, as **glândulas suprarrenais** apresentam uma das seguintes anormalidades: (1) atrofia cortical, (2) hiperplasia difusa, (3) hiperplasia macronodular ou micronodular e (4) adenoma ou carcinoma. Em pacientes nos quais a síndrome resulta de glicocorticoides exógenos, a supressão do ACTH endógeno deve-se à **atrofia cortical** bilateral, em decorrência da falta de estimulação das zonas fasciculada e reticulada pelo ACTH. Nesses casos, a zona glomerulosa é de espessura normal, visto que essa porção do córtex funciona independentemente do ACTH. Por outro lado, em casos de hipercortisolismo endógeno, as glândulas suprarrenais estão hiperplásicas ou contêm uma neoplasia cortical. A **hiperplasia difusa** é encontrada em indivíduos com síndrome de Cushing dependente de ACTH (**Figura 24.42**). Ambas as glândulas estão aumentadas, de modo sutil ou acentuadamente, com peso que alcança até 30 g. O córtex suprarrenal apresenta espessamento difuso e é variavelmente nodular, embora esta última característica não seja tão pronunciada quanto aquela observada em casos de hiperplasia nodular independente de ACTH. No exame microscópico, o córtex hiperplásico demonstra uma zona reticulada expandida e "pobre em lipídios", constituída por células eosinofílicas compactas, circundadas por uma zona externa de células vacuoladas "ricas em lipídios", que se assemelham àquelas observadas na zona fasciculada. Quaisquer nódulos presentes costumam ser compostos de células vacuoladas "ricas em lipídios", que são responsáveis pela coloração amarela das glândulas difusamente hiperplásicas. Em contrapartida, na **hiperplasia macronodular**, as glândulas suprarrenais estão quase totalmente substituídas por nódulos proeminentes de tamanhos variáveis (10 a 30 mm), que contêm uma mistura de células pobres e ricas em lipídios. Diferentemente da hiperplasia difusa, as áreas entre os nódulos macroscópicos também demonstram evidência de nodularidade microscópica. A **hiperplasia micronodular** é composta por micronódulos de 1 a 3 mm (normalmente < 10 mm) densamente pigmentados (marrons a pretos), com áreas atróficas intercaladas (**Figura 24.43**). Acredita-se que o pigmento seja lipofuscina, um pigmento relacionado com desgaste (ver **Capítulo 2**).

As **neoplasias adrenocorticais primárias** que causam síndrome de Cushing podem ser malignas ou benignas. Os

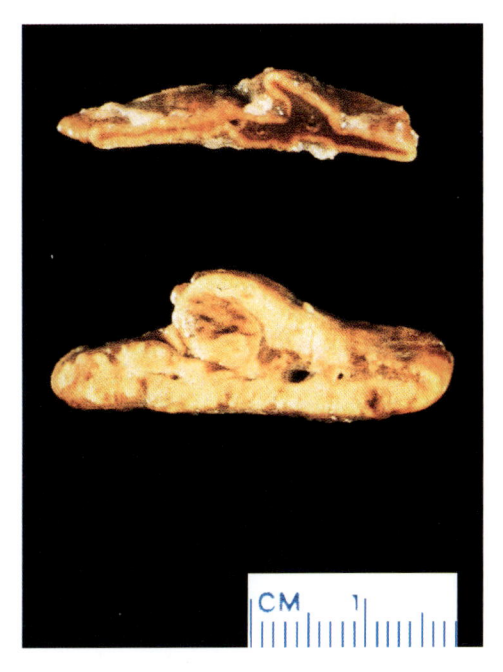

Figura 24.42 Hiperplasia difusa da glândula suprarrenal comparada com uma glândula suprarrenal normal (*parte superior*). Em corte transversal, o córtex suprarrenal hiperplásico é amarelo e espesso, e observa-se uma nodularidade sutil (compare com a **Figura 24.43**) nessa glândula de um paciente com síndrome de Cushing dependente de ACTH.

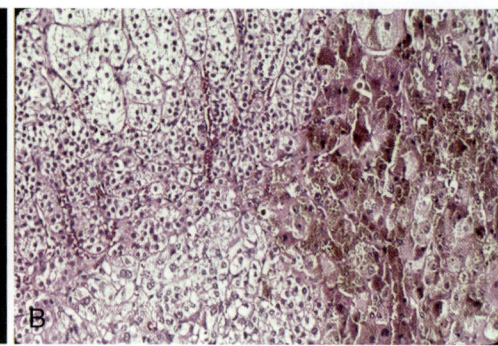

Figura 24.43 A. Hiperplasia adrenocortical micronodular com nódulos pigmentados proeminentes na glândula suprarrenal. **B.** No exame histológico, os nódulos são compostos de células que contêm o pigmento lipofuscina, observado na parte direita do campo. (As fotografias são cortesia do Dr. Aidan Carney, Department of Medicine, Mayo Clinic, Rochester, Minn.)

adenomas ou carcinomas funcionantes não são morfologicamente distintos das neoplasias suprarrenais não funcionantes (descritas adiante). As lesões tanto benignas quanto malignas são mais comuns em mulheres com idade entre 30 e 50 anos. Os **adenomas** adrenocorticais são neoplasias amarelas, circundadas por cápsulas finas ou bem desenvolvidas, e a maioria pesa menos de 30 g. No exame microscópico, esses adenomas são compostos de células que se assemelham àquelas encontradas na zona fasciculada normal. Por outro lado, os **carcinomas** associados à síndrome de Cushing tendem a ser maiores do que os adenomas. Essas neoplasias (descritas adiante) são massas não encapsuladas, cujo peso frequentemente ultrapassa 200 a 300 g, que apresentam todas as características anaplásicas de câncer. Nas neoplasias funcionantes, tanto benignas quanto malignas, o córtex suprarrenal adjacente e o da glândula suprarrenal contralateral apresentam atrofia, em consequência da supressão do ACTH endógeno pelos altos níveis de cortisol.

O diagnóstico laboratorial da síndrome de Cushing baseia-se nos seguintes achados: (1) aumento da concentração de cortisol livre na urina de 24 horas; e (2) perda do padrão diurno normal de secreção de cortisol. A determinação da causa da síndrome de Cushing depende dos níveis séricos de ACTH e do teste de supressão com dexametasona, em que se mede a excreção urinária de esteroides após a administração de dexametasona, um glicocorticoide. Os resultados desses exames são divididos em três padrões:

- Na síndrome de Cushing hipofisária, que é a forma mais comum, os níveis de ACTH estão elevados e não são suprimidos pela administração de uma dose baixa de dexametasona. Por conseguinte, não há redução na excreção urinária de 17-hidroxicorticosteroides. Entretanto, após a injeção de doses mais altas de dexametasona, a hipófise responde com a redução da secreção de ACTH, que se reflete pela supressão da excreção urinária de esteroides

Características clínicas

A síndrome de Cushing desenvolve-se lentamente e o início pode ser sutil. Os estágios iniciais podem se manifestar com hipertensão e ganho de peso (**Tabela 24.9**). Com o passar do tempo, o padrão mais característico de deposição central de tecido adiposo torna-se aparente na forma de obesidade do tronco, face de lua cheia e acúmulo de gordura na parte posterior do pescoço e nas costas (*giba de búfalo*). O hipercortisolismo provoca atrofia seletiva das miofibras de contração rápida (tipo 2), resultando em diminuição da massa muscular e fraqueza proximal dos membros. Os glicocorticoides induzem gliconeogênese e inibem a captação de glicose pelas células, com consequente hiperglicemia, glicosúria e polidipsia (*diabetes secundário*). Os efeitos catabólicos causam perda de colágeno e reabsorção óssea. Em consequência, a pele é fina, frágil e apresenta equimoses fáceis; a cicatrização de feridas é deficiente, e as estrias cutâneas são particularmente comuns na área do abdome (**Figura 24.44**). A reabsorção óssea resulta no desenvolvimento de *osteoporose*, com consequente dor nas costas e aumento da suscetibilidade a fraturas. Os indivíduos com síndrome de Cushing correm risco aumentado de uma variedade de infecções, visto que os glicocorticoides suprimem a resposta imune. Outras manifestações incluem *transtornos mentais* graves, como mudanças de humor, depressão e psicose franca, bem como *hirsutismo* e *anormalidades menstruais*.

Tabela 24.9 Características clínicas da síndrome de Cushing.

Característica	Porcentagem
Obesidade ou ganho de peso	95%[a]
Pletora facial	90%
Face arredondada	90%
Diminuição da libido	90%
Pele fina	85%
Diminuição do crescimento linear em crianças	70 a 80%
Irregularidade menstrual	80%
Hipertensão	75%
Hirsutismo	75%
Depressão/labilidade emocional	70%
Equimoses fáceis	65%
Intolerância à glicose	60%
Fraqueza	60%
Osteopenia ou fratura	50%
Nefrolitíase	50%

[a] 100% em crianças.
Modificada de Newell-Price J, Bertagna X, Grossman AB, Nieman LK: Cushing syndrome, *Lancet* 367(9522):1605-1617, 2006.

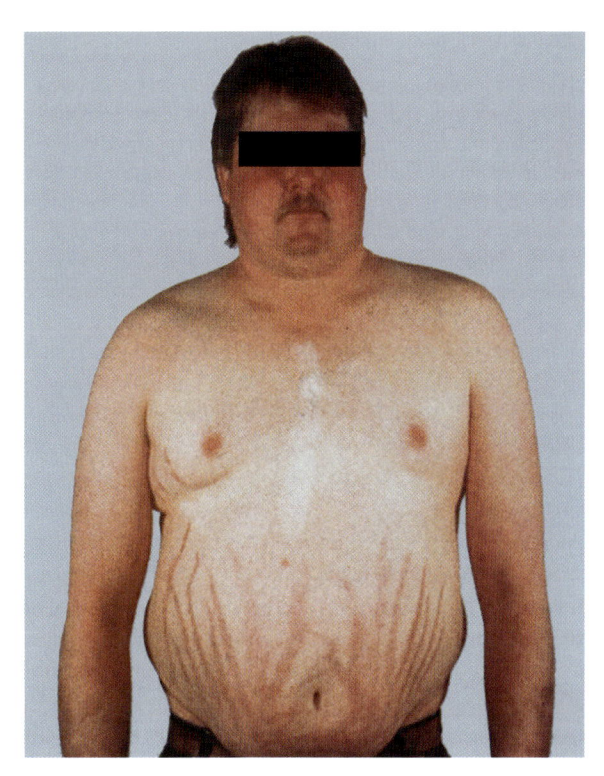

Figura 24.44 Paciente com síndrome de Cushing apresentando obesidade central, "face de lua cheia" e estrias abdominais. (Reproduzida, com autorização, de Lloyd RV, Douglas BR, Young WF Jr, editors: *Atlas of Nontumor Pathology: Endocrine Diseases*, Washington, DC, 2002, American Registry of Pathology.)

- A secreção ectópica de ACTH resulta em nível elevado de ACTH, porém a sua secreção é totalmente insensível a doses baixas ou altas de dexametasona exógena
- Quando a síndrome de Cushing é causada por uma neoplasia suprarrenal, o nível de ACTH é muito baixo, devido à inibição da hipófise por retroalimentação. À semelhança da secreção ectópica de ACTH, a dexametasona tanto em alta dose quanto em baixa dose não consegue suprimir a excreção de cortisol.

Conceitos-chave

Hipercortisolismo (síndrome de Cushing)

- A causa mais comum de hipercortisolismo é a administração exógena de esteroides
- Com mais frequência, o hipercortisolismo endógeno é secundário a um microadenoma hipofisário produtor de ACTH (doença de Cushing), seguido de neoplasias suprarrenais primárias (hipercortisolismo independente de ACTH) e produção paraneoplásica de ACTH por neoplasias (p. ex., carcinoma de pequenas células do pulmão)
- As características morfológicas na glândula suprarrenal variam desde atrofia cortical bilateral (na doença induzida por esteroides exógenos) a hiperplasia difusa ou nodular bilateral (o achado mais comum na síndrome de Cushing endógena) até uma neoplasia adrenocortical.

Hiperaldosteronismo primário

O *hiperaldosteronismo* é o termo genérico para se referir a um grupo de condições estreitamente relacionadas e caracterizadas pela secreção excessiva e crônica de aldosterona. O hiperaldosteronismo pode ser primário ou secundário a uma causa extrassuprarrenal. O *hiperaldosteronismo primário* origina-se da superprodução autônoma de aldosterona, com consequente hipertensão, supressão do sistema renina-angiotensina e diminuição da atividade da renina plasmática. O hiperaldosteronismo primário é causado por uma das três condições seguintes (**Figura 24.45**):

- O *hiperaldosteronismo idiopático bilateral*, que se caracteriza por hiperplasia nodular bilateral das células da zona glomerulosa secretoras de aldosterona das glândulas suprarrenais, constitui a causa subjacente mais comum, responsável por cerca de 60% dos casos, cuja maior parte é esporádica. Os indivíduos com hiperaldosteronismo idiopático bilateral tendem a ser mais idosos e a apresentar hipertensão menos grave do que os que apresentam neoplasias suprarrenais. A base molecular dessa identidade ainda não foi esclarecida, porém estudos recentes sugerem que uma minoria de pacientes abriga mutações de linhagem germinativa do *KCNJ5*, o que é consistente com um subtipo que hoje é classificado como *hiperaldosteronismo familiar tipo III* (ver adiante)
- *Neoplasia adrenocortical*, que consiste em adenoma produtor de aldosterona (a causa mais comum) ou, raramente, carcinoma adrenocortical. Em aproximadamente 35% dos casos, o hiperaldosteronismo primário é causado por um adenoma secretor de aldosterona solitário, uma condição denominada *síndrome de Conn*. Essa condição ocorre, com mais frequência, em adultos de meia-idade e é mais comum em mulheres do que em homens (2:1). Estudos recentes de sequenciamento de genes ajudaram a elucidar o cenário genômico dos adenomas produtores de aldosterona. Até 50% abrigam mutações somáticas de *KCNJ5*, que codifica uma proteína do canal de íons potássio, conhecida como GIRK4, expressa nas células da zona glomerulosa. As mutações em GIRK4 resultam em perda da seletividade do canal para íons potássio, levando ao influxo inespecífico de sódio, e ativação subsequente dependente de cálcio da enzima aldosterona sintase. A perturbação da homeostasia dos íons intracelulares nas células da zona glomerulosa constitui um tema comum com outras mutações somáticas também observadas em adenomas produtores de aldosterona. Incluem mutações em *CACNA1H*, que codifica um canal de cálcio, e em *ATP1A1*, que codifica uma ATPase de troca de sódio/potássio. A consequência funcional dessas mutações é manter as células em um estado crônico de despolarização, resultando em síntese autônoma de aldosterona
- O *hiperaldosteronismo familiar* é responsável por cerca de 5% dos casos. Foram descritos quatro subtipos distintos (HF-I a HF-IV), dos quais o HF-I ou *aldosteronismo remediável por glicocorticoides* é o mais comum. O HF-I origina-se de um rearranjo no cromossomo 8, que coloca o *CYP11B2* (o gene que codifica a aldosterona sintase, a enzima que realiza a última etapa na síntese de aldosterona) sob o controle do promotor do gene *CYP11B1* responsivo ao ACTH. Assim, o ACTH estimula a síntese de aldosterona sintase a partir do gene quimérico. Devido a essa circunstância incomum, a produção de aldosterona está sob o controle do ACTH e é supressível pela dexametasona. Os outros três subtipos de HF são raros, sendo o HF-III atribuído a mutações de linhagem germinativa do *KCNJ5*, e o HF-IV, a mutações de linhagem germinativa do *CACNA1H*, dois genes que também sofrem mutação somática em subgrupos de adenomas secretores de aldosterona.

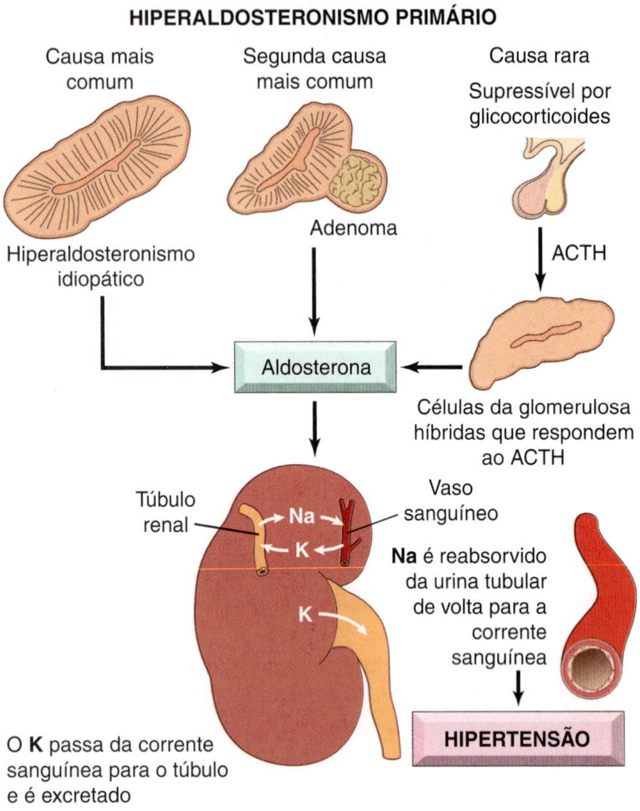

HIPERALDOSTERONISMO PRIMÁRIO

Figura 24.45 As principais causas de hiperaldosteronismo primário e seus efeitos principais sobre o rim.

Em contrapartida, no *hiperaldosteronismo secundário*, a liberação de aldosterona ocorre em resposta à ativação do sistema renina-angiotensina (ver **Capítulo 11**). Caracteriza-se por níveis elevados de renina plasmática e é encontrado em condições como:

- Diminuição da perfusão renal (nefroesclerose arteriolar, estenose da artéria renal)
- Hipovolemia arterial e edema (insuficiência cardíaca congestiva, cirrose, síndrome nefrótica)
- Gravidez (devido a aumentos do substrato de renina plasmática induzidos pelo estrogênio).

Morfologia

Os **adenomas produtores de aldosterona** quase sempre consistem em pequenas lesões (< 2 cm de diâmetro) solitárias e bem circunscritas, encontradas com mais frequência no lado esquerdo do que no direito. Tendem a ocorrer nas terceira e quarta décadas de vida e são mais frequentes em mulheres do que em homens. Com frequência, estão inseridos dentro da glândula e não produzem aumento visível, o que torna difícil a sua localização por meio de exames de imagem. São amarelados e brilhantes em corte e, de modo surpreendente, são compostos por células corticais carregadas de lipídios, que se assemelham mais estreitamente com as células da zona fasciculada do que com as da zona glomerulosa (a fonte normal de aldosterona). Em geral, as células tendem a ser uniformes quanto ao tamanho e formato; em certas ocasiões, há pleomorfismo nuclear e celular modesto (ver **Figura 24.51**). Um aspecto característico dos adenomas produtores de aldosterona é a presença de inclusões citoplasmáticas eosinofílicas e laminadas, conhecidas como **corpos de espironolactona**, que são encontrados após tratamento com espironolactona, um medicamento anti-hipertensivo. Diferentemente dos adenomas corticais associados à síndrome de Cushing, aqueles associados ao hiperaldosteronismo geralmente não suprimem a secreção de ACTH. Por conseguinte, não há atrofia do córtex suprarrenal adjacente nem da glândula contralateral.

O **hiperaldosteronismo idiopático bilateral** caracteriza-se por hiperplasia difusa e focal de células que se assemelham àquelas da zona glomerulosa normal. Com frequência, a hiperplasia tem forma de cunha e estende-se da periferia para o centro da glândula. O aumento pode ser sutil e, como regra, o adenoma adrenocortical precisa ser cuidadosamente excluído como causa de hiperaldosteronismo.

Características clínicas

Com uma taxa de prevalência estimada de 5 a 10% entre pacientes hipertensos não selecionados, o hiperaldosteronismo primário pode constituir a causa mais comum de hipertensão secundária (*i. e.*, hipertensão secundária a uma causa identificável). A prevalência do hiperaldosteronismo aumenta com a gravidade da hipertensão, alcançando quase 20% em pacientes classificados como portadores de hipertensão resistente ao tratamento. Por meio de seus efeitos sobre o receptor renal de mineralocorticoides, a aldosterona promove a reabsorção de sódio, o que aumenta secundariamente a reabsorção de água, com expansão do volume de líquido extracelular e elevação do débito cardíaco.

Os efeitos a longo prazo da hipertensão induzida pelo hiperaldosteronismo consistem em comprometimento cardiovascular (p. ex., hipertrofia ventricular esquerda e redução do volume diastólico) e aumento na prevalência de eventos adversos, como acidente vascular encefálico e infarto agudo do miocárdio. A *hipopotassemia* era considerada uma característica obrigatória do hiperaldosteronismo primário, porém agora são diagnosticados números crescentes de pacientes normopotassêmicos. A hipopotassemia resulta da perda renal de potássio e, quando presente, pode causar uma variedade de manifestações neurovasculares, como fraqueza, parestesias, distúrbios visuais e, em certas ocasiões, tetania franca.

O diagnóstico de hiperaldosteronismo primário é confirmado por uma razão elevada entre a concentração plasmática de aldosterona e a atividade da renina plasmática; se esse exame de rastreamento for positivo, efetua-se um teste de supressão de aldosterona confirmatório, visto que muitos outros distúrbios podem alterar a razão entre aldosterona e renina plasmáticas.

No hiperaldosteronismo primário, a terapia varia de acordo com a causa. Os adenomas respondem à excisão cirúrgica. Em contrapartida, a intervenção cirúrgica não é muito benéfica em pacientes com hiperplasia bilateral, que frequentemente ocorre em crianças e adultos jovens. Esses pacientes são mais bem tratados clinicamente com um antagonista da aldosterona, como a espironolactona. O tratamento do hiperaldosteronismo secundário baseia-se na correção da causa subjacente da hiperatividade do sistema renina angiotensina.

Síndromes adrenogenitais

Os distúrbios da diferenciação sexual, como *virilização* ou *feminização*, podem ser causados por distúrbios gonadais primários (ver **Capítulo 22**) e por vários distúrbios suprarrenais primários. O córtex da suprarrenal secreta desidroepiandrosterona e androstenediona, dois compostos que podem ser convertidos em testosterona nos tecidos periféricos. Diferentemente dos androgênios gonadais, o ACTH regula a formação suprarrenal de androgênios (**Figura 24.46**). Por conseguinte, pode ocorrer secreção excessiva como síndrome "pura" ou como componente da doença de Cushing. As causas suprarrenais de excesso de androgênios incluem *neoplasias adrenocorticais* e um grupo de distúrbios que tem sido designado como *hiperplasia suprarrenal congênita* (HSRC).

As neoplasias adrenocorticais associadas à virilização consistem mais provavelmente em carcinomas suprarrenais secretores de androgênios do que adenomas. Essas neoplasias também estão associadas com frequência ao hipercortisolismo ("síndrome mista"). Morfologicamente, são idênticas a outras neoplasias corticais e são discutidas adiante.

A hiperplasia suprarrenal congênita origina-se de vários erros metabólicos herdados, autossômicos recessivos, caracterizados, cada um deles, por uma deficiência de determinada enzima envolvida na biossíntese do cortisol (ver **Figura 24.46**). Os precursores esteroides que se acumulam antes da etapa defeituosa da via são canalizados para outras vias, resultando em aumento na produção de androgênios, que são responsáveis pela *virilização*. Simultaneamente, a deficiência de cortisol leva à secreção aumentada de ACTH, culminando em hiperplasia suprarrenal. Certos defeitos enzimáticos também podem comprometer a secreção de aldosterona, acrescentando a *perda de sal* à síndrome virilizante. Outras deficiências enzimáticas podem ser incompatíveis com a vida ou, em raros casos, podem envolver apenas a via da aldosterona.

A *deficiência de 21-hidroxilase* (causada por mutações do *CYP21A2*) é, de longe, a causa genética mais comum de HSRC, respondendo por mais de 90% dos casos. A **Figura 24.46** ilustra a esteroidogênese normal da suprarrenal e as consequências da deficiência de 21-hidroxilase, que varia quanto à sua gravidade, dependendo da natureza da mutação do *CYP21A2*. Foram descritas três síndromes distintas: (1) adrenogenitalismo com perda de sal ("clássico"), (2) adrenogenitalismo virilizante simples e (3) adrenogenitalismo "não clássico":

- A *síndrome perdedora de sal* resulta da incapacidade de conversão da progesterona em desoxicorticosterona, devido à ausência total de 21-hidroxilase. Por conseguinte, não há praticamente nenhuma síntese de mineralocorticoides, e, concomitantemente, há bloqueio na conversão da hidroxiprogesterona em desoxicortisol, resultando em deficiência na síntese de cortisol. Em geral, esse padrão surge logo após o nascimento, visto que, *in utero*, o equilíbrio hidreletrolítico pode ser mantido pelos rins maternos. Ocorrem perda de

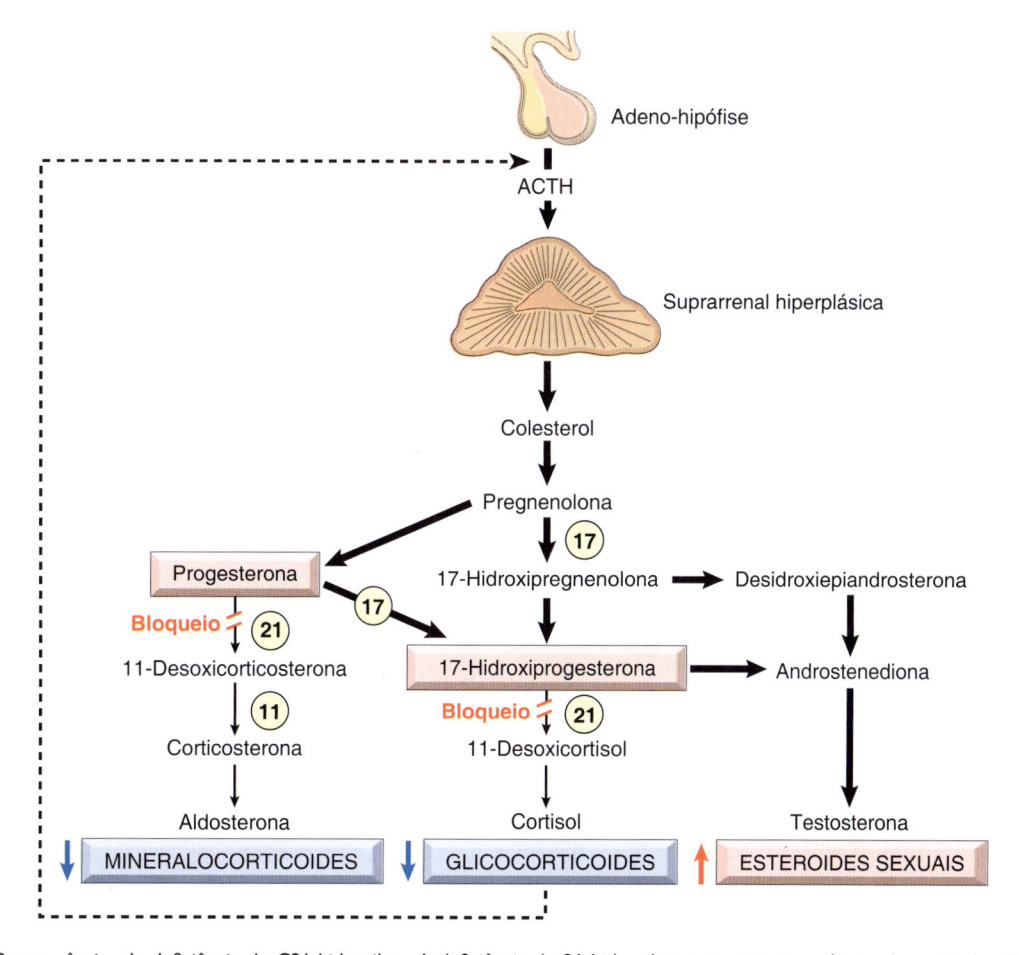

Figura 24.46 Consequências da deficiência de C21-hidroxilase. A deficiência de 21-hidroxilase compromete a síntese de cortisol e de aldosterona em diferentes etapas (mostradas como "bloqueio" na via de biossíntese). A consequente redução na inibição por retroalimentação (*linha tracejada*) provoca aumento da secreção de hormônio adrenocorticotrófico, resultando, em última análise, em hiperplasia suprarrenal e síntese aumentada de testosterona. Os locais de ação da 11, da 17 e da 21-hidroxilase são mostrados com números dentro de círculos.

sal, hiponatremia e hiperpotassemia, que induzem acidose, hipotensão, colapso cardiovascular e, possivelmente, morte. O bloqueio concomitante na síntese de cortisol e a produção excessiva de androgênios, entretanto, levam à virilização, que é facilmente reconhecida no indivíduo do sexo feminino por ocasião do nascimento ou *in utero*. Em geral, os indivíduos do sexo masculino com esse distúrbio não são reconhecidos ao nascimento, porém chamam a atenção clínica 5 a 15 dias depois, devido à perda de sal, hipotensão ou outras anormalidades

- A *síndrome adrenogenital virilizante simples sem perda de sal* (que apresenta ambiguidade genital) ocorre em cerca de um terço dos pacientes com deficiência de 21-hidroxilase. Esses pacientes produzem mineralocorticoides em quantidade suficiente para evitar uma "crise" de perda de sal. Entretanto, o nível reduzido de glicocorticoides não provoca inibição da secreção de ACTH por retroalimentação. Assim, o nível de testosterona está aumentado, com consequente virilização progressiva

- O *virilismo suprarrenal não clássico ou de início tardio* é significativamente mais comum do que os padrões clássicos já descritos. Ocorre deficiência parcial de 21-hidroxilase, que é responsável pelo início tardio. Os indivíduos com essa síndrome podem apresentar manifestações leves, como hirsutismo, acne e irregularidades menstruais. A HSRC não clássica não pode ser diagnosticada na triagem de rotina de recém-nascidos, e o diagnóstico geralmente é estabelecido pela demonstração de defeitos de biossíntese na esteroidogênese.

Morfologia

Em todos os casos de HSRC, ocorre hiperplasia bilateral das glândulas suprarrenais, que algumas vezes aumentam até 10 a 15 vezes seu peso normal, devido à elevação sustentada de ACTH. O córtex da suprarrenal está espessado e nodular, e, em corte, o córtex alargado aparece marrom, em virtude da depleção de lipídios. As células proliferativas são, em sua maior parte, células compactas, eosinofílicas e com depleção de lipídios, intercaladas com células claras carregadas de lipídios. Na maioria dos indivíduos com HSRC observa-se a presença de hiperplasia das células corticotróficas (produtoras de ACTH) na adeno-hipófise.

Características clínicas

As características clínicas desses distúrbios são determinadas pela deficiência da enzima específica e incluem anormalidades relacionadas com o excesso de androgênio, com ou sem deficiência de aldosterona e de glicocorticoides. A HSRC também afeta a função da medula suprarrenal. Especificamente, são necessários níveis elevados de glicocorticoides intrassuprarrenais para facilitar a síntese de catecolaminas (epinefrina e norepinefrina) da medula. Em pacientes com grave deficiência de 21-hidroxilase perdedora de sal, uma combinação de baixos níveis de cortisol e defeitos de desenvolvimento da medula (*displasia adrenomedular*) afeta profundamente a secreção de catecolaminas, predispondo ainda mais esses indivíduos à hipotensão e ao colapso circulatório.

Dependendo da natureza e da gravidade do defeito enzimático, o início dos sintomas clínicos pode ocorrer no período perinatal, posteriormente na infância ou, com menos frequência, na vida adulta. Por exemplo, na deficiência de 21-hidroxilase, a atividade androgênica excessiva provoca sanais de masculinização nas mulheres, que variam desde hipertrofia do clitóris e pseudo-hermafroditismo em lactentes até oligomenorreia, hirsutismo e acne em mulheres na pós-puberdade. Em homens, o excesso de androgênio está associado a um aumento dos órgãos genitais externos e a outras evidências de puberdade precoce em pacientes pré-puberais e oligospermia em homens de mais idade.

Deve-se suspeitar de HSRC em todo recém-nascido com genitália ambígua. Na lactância, a deficiência enzimática grave pode representar uma condição potencialmente fatal, com vômitos, desidratação e perda de sal. Os indivíduos com HSRC são tratados com glicocorticoides exógenos, que, além de fornecer glicocorticoides, também suprimem os níveis de ACTH e, portanto, diminuem a síntese excessiva dos hormônios esteroides responsáveis por muitas das anormalidades clínicas. A suplementação com mineralocorticoides é necessária nas variantes de HSRC com perda de sal. Com a disponibilidade de rastreamento metabólico neonatal de rotina para a HSRC e a viabilidade de testes moleculares para a detecção pré-natal de mutações da 21-hidroxilase, o resultado, até mesmo nas variantes mais graves, melhorou significativamente.

Conceitos-chave

Síndromes adrenogenitais

- O córtex suprarrenal pode secretar androgênios em excesso em dois contextos: neoplasias adrenocorticais (geralmente carcinomas virilizantes) ou hiperplasia suprarrenal congênita (HSRC)
- A HSRC consiste em um grupo de distúrbios autossômicos recessivos, caracterizados por defeitos na biossíntese de esteroides, normalmente cortisol; o subtipo mais comum é causado pela deficiência da enzima 21-hidroxilase
- A redução na produção de cortisol provoca aumento compensatório na secreção de ACTH, que, por sua vez, estimula a produção de androgênios. Os androgênios exercem efeitos virilizantes, como masculinização no sexo feminino (genitália ambígua, oligomenorreia, hirsutismo), puberdade precoce em indivíduos do sexo masculino e, em alguns casos, perda de sal (sódio) e hipotensão
- A hiperplasia bilateral do córtex suprarrenal é característica, e um subgrupo de pacientes com 21 hidroxilase também apresenta displasia adrenomedular.

Insuficiência adrenocortical

A insuficiência adrenocortical ou hipofunção pode ser causada por doença primária das glândulas suprarrenais (hipoadrenalismo primário) ou pela estimulação diminuída das suprarrenais, devido a uma deficiência de ACTH (hipoadrenalismo secundário) (Tabela 24.10). São reconhecidos três padrões principais de insuficiência adrenocortical: (1) insuficiência adrenocortical aguda primária (crise adrenal), (2) insuficiência adrenocortical crônica primária (*doença de Addison*) e (3) insuficiência adrenocortical secundária.

Insuficiência adrenocortical aguda primária

A insuficiência do córtex suprarrenal aguda ocorre em uma variedade de contextos clínicos:

Tabela 24.10 Insuficiência adrenocortical.

Insuficiência primária

Perda de células corticais

Hipoplasia suprarrenal congênita
   Hipoplasia suprarrenal ligada ao X (mutação em *NR0B1*)
Adrenoleucodistrofia (mutação em *ABCD1*)
Insuficiência suprarrenal autoimune
Síndrome de poliendocrinopatia autoimune tipo 1 (gene *AIRE 1*)
Síndrome de poliendocrinopatia autoimune tipo 2 e tipo 4 (poligênica)
Infecção
   Síndrome de imunodeficiência adquirida
   Tuberculose
   Fungos
Necrose hemorrágica aguda (síndrome de Waterhouse-Friderichsen)
Amiloidose, sarcoidose, hemocromatose
   Carcinoma metastático

Falha metabólica na produção de hormônios

Hiperplasia suprarrenal congênita (deficiência de cortisol e de aldosterona com virilização)
Inibição induzida por fármacos e esteroides do ACTH ou da função das células corticais

Insuficiência secundária

Doença hipofisária hipotalâmica

Neoplasia, inflamação (sarcoidose, tuberculose, agentes piogênicos, fungos)

Supressão hipofisária hipotalâmica

Administração de esteroides a longo prazo
Neoplasias produtoras de esteroides

ACTH, hormônio adrenocorticotrófico.

- Em indivíduos com insuficiência adrenocortical crônica, uma *crise* pode ser precipitada por qualquer forma de estresse que exija um aumento imediato na produção de esteroides para manter a homeostasia
- Em pacientes mantidos com corticosteroides exógenos, em que a *interrupção rápida de esteroides* ou a falha em aumentar as doses de esteroides em resposta a um estresse agudo podem precipitar uma crise adrenal, devido à incapacidade das glândulas suprarrenais atróficas de produzir hormônios glicocorticoides
- Como resultado de *hemorragia suprarrenal maciça*, que provoca dano ao córtex suprarrenal suficiente para causar insuficiência adrenocortical aguda – como ocorre em recém-nascidos após parto prolongado e difícil com trauma e hipoxia consideráveis. Ocorre também em alguns pacientes mantidos com terapia anticoagulante, em pacientes no pós-operatório que desenvolvem coagulação intravascular disseminada e consequente infarto hemorrágico das glândulas suprarrenais e como complicação de infecção bacteriana disseminada; nessa última condição, é denominada *síndrome de Waterhouse-Friderichsen*.

Síndrome de Waterhouse-Friderichsen

Essa síndrome incomum, porém catastrófica, é caracterizada por:

- Infecção bacteriana fulminante, classicamente septicemia por *Neisseria meningitidis*, porém algumas vezes causada por outros microrganismos altamente virulentos, como espécies de *Pseudomonas*, pneumococos, *Haemophilus influenzae* ou até mesmo estafilococos
- Hipotensão rapidamente progressiva que leva ao choque
- Coagulação intravascular disseminada associada a púrpura disseminada, particularmente da pele (**Figura 24.47**)
- Insuficiência adrenocortical de rápido desenvolvimento, associada a hemorragia suprarrenal bilateral maciça.

A síndrome de Waterhouse-Friderichsen pode ocorrer em qualquer idade, porém é mais comum em crianças. A base para a hemorragia suprarrenal é incerta, mas pode ser causada pela semeadura bacteriana direta dos pequenos vasos nas glândulas suprarrenais, desenvolvimento de coagulação intravascular disseminada ou disfunção endotelial causada por produtos microbianos e mediadores inflamatórios. Qualquer que seja a base, as glândulas suprarrenais são convertidas em sacos de sangue coagulado, o que obscurece praticamente todos os detalhes subjacentes. O exame histológico revela que a hemorragia começa dentro da medula, próximo aos sinusoides venosos de paredes finas, espalha-se, em seguida, perifericamente no córtex, deixando, com frequência, ilhas de células corticais reconhecíveis (**Figura 24.48**). O reconhecimento deve ser rápido, e a terapia apropriada precisa ser instituída imediatamente, ou ocorrerá morte dentro de algumas horas a poucos dias.

Insuficiência adrenocortical crônica primária (doença de Addison)

Em um artigo publicado em 1955, Thomas Addison descreveu um grupo de pacientes que apresentava uma constelação de sintomas, como "languidez e debilidade gerais, fraqueza notável da ação cardíaca e mudança peculiar da cor da pele", associados à doença das "cápsulas suprarrenais" ou, na terminologia mais atual, glândulas suprarrenais. A doença de Addison ou insuficiência adrenocortical crônica, é um distúrbio incomum, que resulta da destruição progressiva do córtex da suprarrenal. Normalmente,

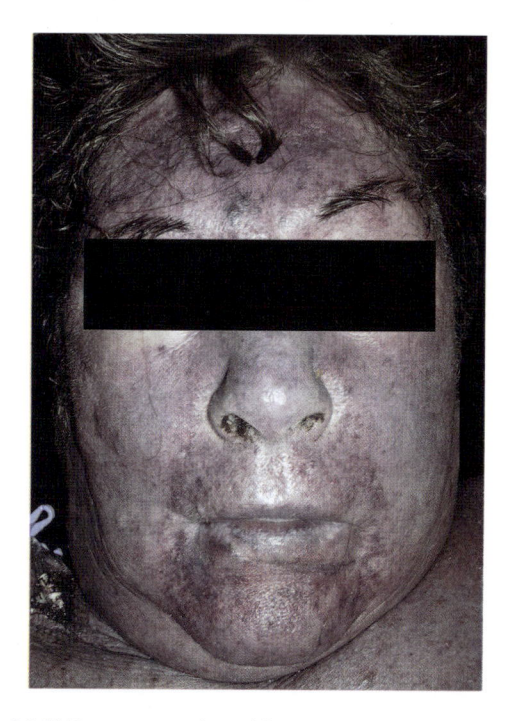

Figura 24.47 Exantema purpúrico difuso em um paciente com síndrome de Waterhouse-Friderichsen. (Reproduzida, com autorização, de Vincentelli C, Molina EG, Robinson MJ: Fatal pneumococcal Waterhouse-Friderichsen syndrome in a vaccinated adult with congenital asplenia, *Am J Emerg Med* 27(6):751.e3-751.e5, 2009.)

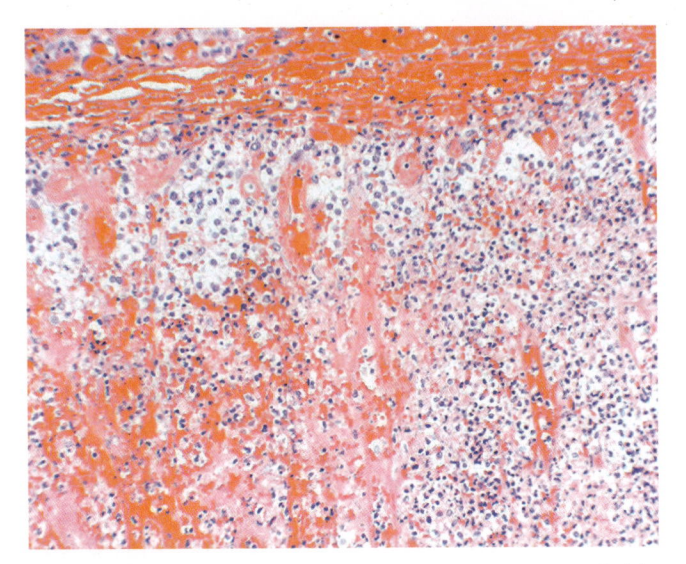

Figura 24.48 Síndrome de Waterhouse-Friderichsen. Na necropsia, as glândulas suprarrenais no exame macroscópico são hemorrágicas e retraídas; no exame microscópico, pouca arquitetura cortical é discernível.

as manifestações clínicas da insuficiência adrenocortical só aparecem quando pelo menos 90% do córtex suprarrenal estão comprometidos. As causas da insuficiência adrenocortical crônica estão listadas na **Tabela 24.10**. Embora todas as raças e ambos os sexos possam ser afetados, certas causas da doença de Addison (p. ex., adrenalite autoimune) são muito mais comuns em indivíduos brancos e em mulheres.

Patogênese

Numerosas doenças podem afetar o córtex suprarrenal, como linfoma, amiloidose, sarcoidose, hemocromatose, infecções fúngicas e hemorragia suprarrenal. Porém mais de 90% de todos os casos são atribuíveis a um dos seguintes quatro distúrbios: adrenalite autoimune, tuberculose, AIDS ou cânceres metastáticos:

- A *adrenalite autoimune* é responsável por 80 a 90% dos casos de insuficiência suprarrenal primária em países de alta renda. Como o próprio nome indica, ocorre destruição autoimune das células esteroidogênicas, e, na maioria dos pacientes, são detectados autoanticorpos dirigidos contra várias enzimas esteroidogênicas essenciais (21-hidroxilase, 17-hidroxilase). A adrenalite autoimune ocorre como condição isolada em 40% dos casos ou como parte de uma síndrome de poliendocrinopatia autoimune nos 60% restantes. Esta última abrange várias entidades distintas:
  - A *SPA-1*, também conhecida como poliendocrinopatia autoimune, candidíase e distrofia ectodérmica, caracteriza-se por candidíase mucocutânea crônica e anormalidades da pele, do esmalte dentário e das unhas (distrofia ectodérmica) em associação a uma combinação de distúrbios autoimunes específicos de órgãos (adrenalite autoimune, hipoparatireoidismo autoimune, hipogonadismo idiopático, anemia perniciosa), resultando em destruição imune dos órgãos-alvo. A SPA-1 é causada por mutações no gene regulador autoimune (*AIRE*) no cromossomo 21q22. O AIRE é expresso sobretudo no timo, onde atua como fator de transcrição, que promove a expressão de muitos antígenos de tecidos periféricos. As células T autorreativas que reconhecem esses antígenos são eliminadas (ver **Capítulo 6**). Na ausência da função de AIRE, a tolerância das células T centrais para antígenos de tecidos periféricos está comprometida, promovendo a autoimunidade. Os indivíduos com SPA-1 desenvolvem autoanticorpos contra a IL-17 e a IL-22, que são as principais citocinas efetoras secretadas por células T Th17 (ver **Capítulo 6**). Como essas duas citocinas derivadas de células Th17 são cruciais para a defesa contra infecções fúngicas, não é surpreendente que os pacientes desenvolvam candidíase mucocutânea crônica
  - A *SPA-2* geralmente começa na quarta década de vida e ocorre como combinação de insuficiência suprarrenal e tireoidite autoimune com ou sem DT1. Diferentemente da SPA-1, não há desenvolvimento de candidíase mucocutânea, displasia ectodérmica e hipoparatireoidismo autoimune. De modo geral, a SPA-2 é mais prevalente do que a SPA-1. Em contrapartida, a SPA-4 é uma condição rara caracterizada por adrenalite, além de outros fenômenos autoimunes (p. ex., gastrite, vitiligo, alopecia, anemia perniciosa), porém sem tireoidite e sem DT1. A patogênese dessas outras poliendocrinopatias autoimunes não está elucidada
- As *infecções*, particularmente a tuberculose e aquelas produzidas por fungos, também podem causar insuficiência adrenocortical crônica primária. A *adrenalite tuberculosa*, que antigamente era responsável por até 90% dos casos de doença de Addison, tornou-se menos comum com o desenvolvimento de medicamentos antibacterianos. Entretanto, com o ressurgimento da tuberculose na maioria dos centros urbanos e a persistência da doença em países de baixa renda, é preciso ter em mente essa causa de insuficiência suprarrenal. Quando presente, a adrenalite tuberculosa geralmente está associada a uma infecção ativa em outros locais, particularmente nos pulmões e no trato geniturinário. Entre os fungos, as infecções disseminadas causadas por *Histoplasma capsulatum* e *Coccidioides immitis* pode resultar em insuficiência adrenocortical crônica. Os pacientes com AIDS correm risco de desenvolver insuficiência suprarrenal em consequência de várias complicações infecciosas (citomegalovírus, *Mycobacterium avium-intracellulare*) e não infecciosas (sarcoma de Kaposi)
- As *neoplasias metastáticas* que acometem as glândulas suprarrenais constituem outra causa de insuficiência suprarrenal. As suprarrenais representam um local bastante comum de metástases em pacientes com carcinomas disseminados. Embora a função suprarrenal seja preservada na maioria desses pacientes, as neoplasias metastáticas em certas ocasiões destroem o córtex suprarrenal o suficiente para provocar um grau de insuficiência suprarrenal. Os carcinomas de pulmão e de mama constituem a fonte da maioria das metástases, porém muitas outras neoplasias, como carcinomas gastrintestinais, melanoma maligno e neoplasias hematopoéticas, também podem metastizar para as suprarrenais
- As *causas genéticas de insuficiência suprarrenal* incluem hipoplasia suprarrenal congênita (*hipoplasia suprarrenal congênita*) e *adrenoleucodistrofia*. A adrenoleucodistrofia é causada por mutações do gene de cassete de ligação de ATP, subfamília D, membro 1 (*ABCD1*) e é descrita com mais detalhes no **Capítulo 28**. A hipoplasia suprarrenal congênita é uma doença rara ligada ao X, causada por mutações no gene *NR0B1* que codifica DAX1, um fator de transcrição implicado no desenvolvimento das suprarrenais.

> ### Morfologia
>
> As alterações anatômicas nas glândulas suprarrenais dependem da doença subjacente. A **adrenalite autoimune primária** caracteriza-se por glândulas irregularmente contraídas, cuja identificação pode ser difícil dentro do tecido adiposo suprarrenal. No exame histológico, o córtex contém apenas células corticais residuais dispersas em uma rede colapsada de tecido conjuntivo. Observa-se a presença de infiltrado linfoide variável no córtex, que pode se estender na medula adjacente, embora a medula seja preservada nos demais aspectos (**Figura 24.49**). Nos casos de **doença tuberculosa e fúngica**, a arquitetura da suprarrenal é eliminada por uma reação inflamatória granulomatosa idêntica àquela encontrada em outros locais de infecção. Quando o hipoadrenalismo é causado por **carcinoma metastático**, as glândulas suprarrenais estão aumentadas, e a arquitetura normal é obscurecida pela neoplasia infiltrativa.

Características clínicas

A doença de Addison começa de modo insidioso e não chama a atenção até ocorrer redução significativa dos níveis de glicocorticoides e mineralocorticoides circulantes. As manifestações iniciais incluem fraqueza progressiva e fatigabilidade fácil, que podem ser interpretadas como queixas inespecíficas. Os distúrbios gastrintestinais são comuns e incluem anorexia, náuseas, vômitos, perda de peso e diarreia. Em indivíduos com doença suprarrenal primária, a hiperpigmentação da pele, em particular das áreas expostas ao sol e pontos de pressão, como pescoço, cotovelos, joelhos e articulações dos dedos, é muito característica. Essa hiperpigmentação é causada pelos níveis elevados de pró-opiomelanocortina (POMC), que provém da adeno-hipófise e é um precursor tanto do ACTH quanto do hormônio estimulador dos melanócitos (MSH). Por outro lado, não se observa a ocorrência de hiperpigmentação em indivíduos com insuficiência adrenocortical causada por doença hipofisária ou hipotalâmica primária. A diminuição na atividade mineralocorticoide em indivíduos com insuficiência suprarrenal primária resulta em retenção de potássio e perda de sódio, com consequente hiperpotassemia, hiponatremia, depleção de volume e hipotensão.

Em certas ocasiões, pode ocorrer hipoglicemia em consequência da deficiência de glicocorticoides e comprometimento da gliconeogênese. Nesses pacientes, estresses como infecções, trauma ou procedimentos cirúrgicos podem precipitar uma crise suprarrenal aguda, que se manifesta por vômitos intratáveis, dor abdominal, hipotensão, coma e colapso vascular. Ocorre morte rapidamente, a não ser que a terapia com corticosteroides seja instituída imediatamente.

> ### Conceitos-chave
> #### Insuficiência adrenocortical (hipoadrenalismo)
>
> - A insuficiência adrenocortical primária pode ser aguda (síndrome de Waterhouse-Friderichsen) ou crônica (doença de Addison)
> - A insuficiência suprarrenal crônica no mundo desenvolvido é, com mais frequência, secundária à adrenalite autoimune, que ocorre mais comumente no contexto de uma das duas síndromes poliendócrinas autoimunes: a SPA-1 (causada por mutações no gene *AIRE*) ou a SPA-2. A SPA-1 caracteriza-se por um ataque autoimune contra múltiplos órgãos endócrinos e autoanticorpos dirigidos contra a IL-17 e IL-22
> - A tuberculose e as infecções causadas por patógenos oportunistas, associadas ao vírus da imunodeficiência humana, e neoplasias metastáticas para as suprarrenais constituem outras causas importantes de hipoadrenalismo crônico
> - Normalmente, os pacientes apresentam fadiga, fraqueza e distúrbios gastrintestinais. A insuficiência adrenocortical primária caracteriza-se também por níveis elevados de ACTH, com pigmentação associada da pele.

Insuficiência adrenocortical secundária

Qualquer distúrbio do hipotálamo e da hipófise, como câncer metastático, infecção, infarto ou irradiação, que reduz a produção de ACTH leva ao desenvolvimento de uma síndrome de hipoadrenalismo, que apresenta muitas semelhanças com a doença de Addison. De modo análogo, a administração prolongada de glicocorticoides exógenos suprime a produção de ACTH e a função suprarrenal. Com a doença secundária, não se observa a pigmentação da doença de Addison primária, visto que os níveis de hormônio estimulador dos melanócitos não estão elevados. As manifestações também diferem, visto que o hipoadrenalismo secundário caracteriza-se por uma produção deficiente de cortisol e androgênios, porém com síntese normal ou quase normal de aldosterona. Por conseguinte, na insuficiência suprarrenal secundária à disfunção da hipófise, não se observa a ocorrência de hiponatremia pronunciada ou hiperpotassemia.

A deficiência de ACTH pode ocorrer isoladamente; todavia, em alguns casos, constitui apenas um componente do pan-hipopituitarismo, associado a múltiplas deficiências de hormônios tróficos. A doença secundária pode ser diferenciada da doença de Addison pela demonstração de baixos níveis plasmáticos de ACTH na primeira. Em pacientes com doença primária, a destruição do córtex suprarrenal reduz a resposta à administração de ACTH exógeno, ao passo que, em pacientes com hipofunção secundária, ocorre rápida elevação dos níveis plasmáticos de cortisol.

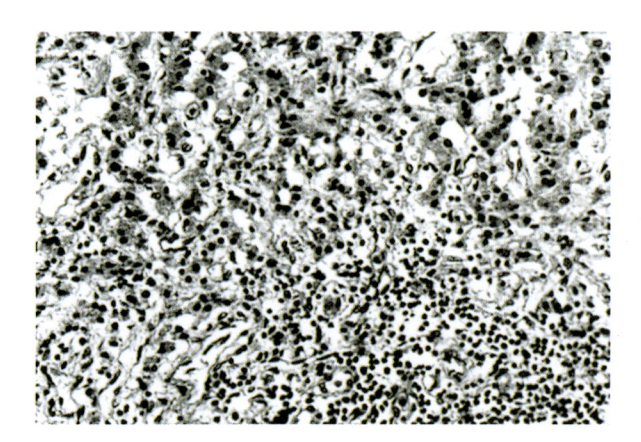

Figura 24.49 Adrenalite autoimune. Além da perda de todas as células, com exceção de uma borda subcapsular de células corticais, observa-se um extenso infiltrado de células mononucleares.

Morfologia

Nos casos de hipoadrenalismo secundário à doença hipotalâmica ou hipofisária (**hipoadrenalismo secundário**), dependendo da gravidade da deficiência de ACTH, as glândulas suprarrenais podem apresentar uma diminuição moderada a acentuada de tamanho. As pequenas glândulas achatadas costumam conservar sua cor amarela, em consequência de uma pequena quantidade de lipídios residuais. O córtex pode ficar reduzido a uma fita fina composta, em grande parte, da zona glomerulosa. A medula não é afetada.

Neoplasias adrenocorticais

Com base nas seções anteriores, fica evidente que as neoplasias suprarrenais funcionantes podem ser responsáveis por qualquer uma das várias formas de hiperadrenalismo. Os adenomas e os carcinomas são quase igualmente comuns em adultos; nas crianças, os carcinomas predominam. Embora as neoplasias corticais sejam, em sua maioria, esporádicas, duas síndromes de câncer familiares estão associadas a uma predisposição ao desenvolvimento de carcinomas adrenocorticais: a síndrome de Li-Fraumeni, causada por mutações de linhagem germinativa em *TP53* (ver **Capítulo 7**), e a síndrome de Beckwith-Wiedemann, um distúrbio de impressão epigenética envolvendo o gene para o fator de crescimento semelhante à insulina 2 (IGF-2) (ver **Capítulo 10**). Curiosamente, ocorrem também mutações somáticas em *TP53* e superexpressão do IGF-2 nos carcinomas adrenocorticais esporádicos, reiterando um fenômeno frequentemente observado de mecanismos moleculares compartilhados nas neoplasias familiares e esporádicas.

Os adenomas funcionantes estão mais comumente associados ao hiperaldosteronismo e à síndrome de Cushing, enquanto uma neoplasia virilizante tem mais tendência a ser um carcinoma. Entretanto, nem todas as neoplasias adrenocorticais produzem hormônios esteroides. A determinação da funcionalidade baseia-se na avaliação clínica e na medição dos níveis dos hormônios ou seus metabólitos no sangue.

Figura 24.50 Adenoma adrenocortical. O adenoma distingue-se da hiperplasia nodular pela sua natureza solitária e circunscrita. O estado funcional de um adenoma adrenocortical não pode ser previsto a partir de sua aparência macroscópica ou microscópica.

carcinomas adrenocorticais). As lesões adrenocorticais – tanto adenomas quanto carcinomas – expressam o fator esteroidogênico 1 (SF-1) e a inibina alfa.

Os **carcinomas adrenocorticais** são neoplasias raras, que apresentam uma distribuição bimodal na primeira e na quinta décadas de vida. Têm mais tendência a ser funcionantes do que os adenomas e, com frequência, estão associados ao virilismo e a outras manifestações clínicas de hiperadrenalismo. Na maioria dos casos, os carcinomas adrenocorticais consistem em lesões grandes e invasivas, muitas das quais ultrapassam 20 cm de diâmetro, que eliminam a glândula suprarrenal nativa (**Figura 24.52**). Pode ser mais difícil diferenciar as lesões menores, menos comuns e mais bem circunscritas de um adenoma. Na superfície de corte,

Morfologia

Os **adenomas adrenocorticais** são, em sua maioria, clinicamente silenciosos e, em geral, representam um achado incidental na necropsia ou durante um exame de imagem do abdome para uma causa não relacionada (ver discussão dos "incidentalomas" suprarrenais, adiante). O adenoma cortical típico é uma lesão nodular bem circunscrita, de até 2,5 cm de diâmetro, que expande a glândula suprarrenal (**Figura 24.50**). Diferentemente do adenoma funcionante, que está associado à atrofia do córtex adjacente, o córtex adjacente a um adenoma não funcionante é normal. Na superfície de corte, os adenomas costumam ser amarelos a marrom-amarelados, devido à presença de lipídios.

No exame microscópico, os adenomas são compostos por células semelhantes àquelas que povoam o córtex suprarrenal normal. Os núcleos tendem a ser pequenos; entretanto, pode-se encontrar algum grau de pleomorfismo, mesmo nas lesões benignas ("atipia endócrina"). O citoplasma das células neoplásicas varia de eosinofílico a vacuolado, dependendo do conteúdo lipídico (**Figura 24.51**). Em geral, a atividade mitótica é inconspícua, com índice de marcação de Ki-67 inferior a 5% (diferentemente dos

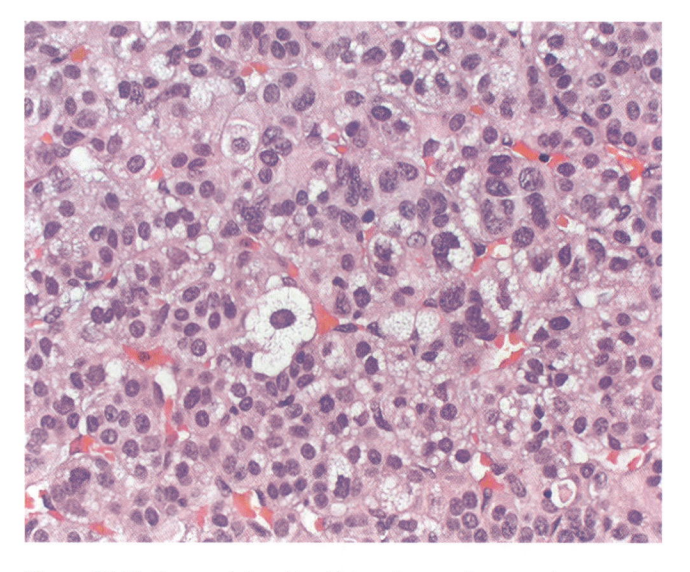

Figura 24.51 Características histológicas de um adenoma adrenocortical. As células neoplásicas são vacuoladas, devido à presença de lipídio intracitoplasmático. Há pleomorfismo nuclear leve. Não se observa a presença de atividade mitótica e necrose.

os carcinomas adrenocorticais normalmente consistem em lesões variegadas e pouco demarcadas, que contêm áreas de necrose, hemorragia e alteração cística. Os cânceres de suprarrenais exibem uma forte tendência a invadir a veia suprarrenal, a veia cava e os vasos linfáticos. As metástases para os linfonodos regionais e periaórtico são comuns, assim como a disseminação hematogênica distante para os pulmões e outras vísceras. A sobrevida mediana dos pacientes é de cerca de 2 anos.

No exame microscópico, os carcinomas adrenocorticais podem ser compostos por células bem diferenciadas, que se assemelham àquelas observadas nos adenomas corticais, ou por células gigantes monstruosas e bizarras (**Figura 24.53**), que podem ser difíceis de distinguir daquelas observadas no carcinoma indiferenciado metastático para a suprarrenal. Entre esses extremos, encontram-se cânceres com graus moderados de anaplasia, alguns compostos predominantemente de células fusiformes. Além do maior índice de Ki-67, os carcinomas também apresentam níveis significativamente mais altos de IGF-2, em comparação com os adenomas adrenocorticais.

Os carcinomas, em particular os de origem broncogênica, podem metastizar para as glândulas suprarrenais e pode ser difícil diferenciá-los dos carcinomas corticais primários. Convém assinalar que as metástases para o córtex suprarrenais são significativamente mais comuns do que os carcinomas adrenocorticais primários.

Outras lesões suprarrenais

Os cistos suprarrenais são relativamente incomuns. Entretanto, com o uso de técnicas sofisticadas de exames de imagem do abdome, a frequência de detecção dessas lesões está aumentando. Os cistos maiores podem produzir uma massa abdominal e dor no flanco. As neoplasias tanto corticais quanto medulares podem sofrer necrose e degeneração cística, apresentando-se como "cistos não funcionantes".

Os *mielolipomas suprarrenais* são lesões benignas incomuns, compostas de gordura madura e células hematopoéticas. Embora a maioria dessas lesões represente um achado incidental, alguns mielolipomas podem alcançar proporções maciças. Histologicamente, os adipócitos maduros estão misturados com agregados de células hematopoéticas em diferenciação, que pertencem a todas as três linhagens. Podem-se observar focos de alteração mielolipomatosa em neoplasias corticais e nas glândulas suprarrenais com hiperplasia cortical.

O termo *incidentaloma suprarrenal* é um apelido um tanto jocoso, que se insinuou no jargão médico com os avanços dos exames de imagem que levaram à descoberta incidental de massas suprarrenais em indivíduos assintomáticos ou em indivíduos cuja queixa inicial não está diretamente relacionada com as glândulas suprarrenais. A prevalência estimada de "incidentalomas" na população, descobertos por exames de imagem, é de cerca de 4%, com aumento relacionado com a idade. Felizmente, a grande maioria dessas lesões consiste em pequenos adenomas corticais não secretores que não têm nenhuma importância clínica.

Medula suprarrenal

A medula suprarrenal é distinta do córtex suprarrenal quanto a seu desenvolvimento, função e estrutura. A medula é composta por células especializadas da crista neural (neuroendócrinas), denominadas células *cromafins*, e de células de sustentação (sustentaculares). A medula suprarrenal constitui a principal fonte de catecolaminas (epinefrina, norepinefrina) no corpo. Células neuroendócrinas semelhantes às células cromafins estão amplamente dispersas em um sistema extrassuprarrenal de agrupamentos e nódulos que, juntamente com a medula suprarrenal, compõem

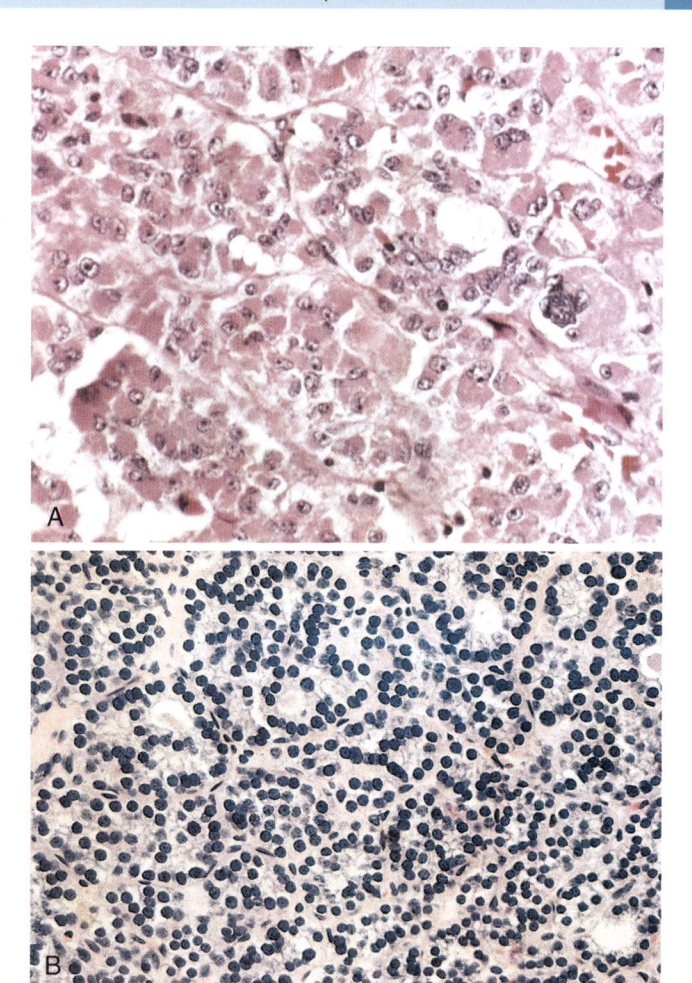

Figura 24.53 Carcinoma suprarrenal (**A**) revelando uma acentuada anaplasia, em comparação com as células corticossuprarrenais normais (**B**).

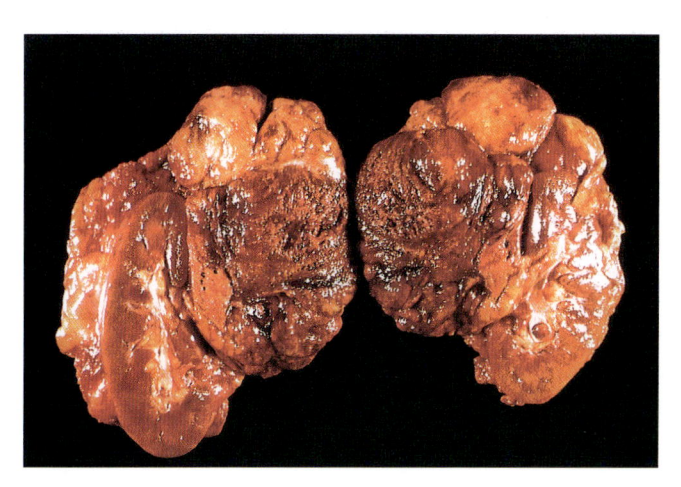

Figura 24.52 Carcinoma suprarrenal. A neoplasia hemorrágica e necrótica diminui o tamanho do rim e comprime o polo superior.

o *sistema paraganglionar*. Esses paragânglios extrassuprarrenais estão estreitamente associados ao sistema nervoso autônomo e podem ser divididos em três grupos, com base na sua distribuição anatômica: (1) branquiomérico, (2) intravagal e (3) aórtico simpático. Os paragânglios branquiomérico e intravagal associados ao sistema parassimpático estão localizados próximo às principais artérias e nervos cranianos da cabeça e do pescoço e incluem os glomos caróticos (ver **Capítulo 16**). Os paragânglios intravagais, como o próprio termo indica, estão distribuídos ao longo do nervo vago. A cadeia aorticossimpática é encontrada em associação aos gânglios segmentares do sistema simpático e, portanto, está distribuída sobretudo ao longo da parte abdominal da aorta. Os órgãos de Zuckerkandl, que estão próximos à bifurcação da aorta, pertencem a esse grupo.

As doenças mais importantes da medula suprarrenal são neoplasias, que incluem neoplasias de células cromafins (*feocromocitomas*) e neoplasias neuronais (*tumores neuroblásticos*). Os neuroblastomas e outros tumores neuroblásticos são discutidos no **Capítulo 10**.

Feocromocitoma

Os feocromocitomas são neoplasias compostas de células cromafins, que sintetizam e liberam catecolaminas e, em alguns casos, hormônios peptídicos. É importante reconhecer essas neoplasias, visto que elas constituem uma causa rara de hipertensão passível de correção cirúrgica. Tradicionalmente, as características dos feocromocitomas têm sido resumidas pela "regra dos 10":

- *Dez por cento dos feocromocitomas são extrassuprarrenais* e ocorrem em determinados locais, como os órgãos de Zuckerkandl e o glomo carótico. Os feocromocitomas que se desenvolvem nos paragânglios extrassuprarrenais são designados como *paragangliomas* e são discutidos no **Capítulo 16**
- *Dez por cento dos feocromocitomas suprarrenais esporádicos são bilaterais*. Esse número pode aumentar para até 50% nos casos que estão associados a síndromes tumorais familiares (ver adiante)
- *Dez por cento dos feocromocitomas suprarrenais são biologicamente malignos*, definidos pela presença de doença metastática. A neoplasia maligna é mais comum (20 a 40%) nos paragangliomas extrassuprarrenais e em tumores que surgem no contexto de determinadas mutações de linhagem germinativa (ver adiante)
- *Dez por cento dos feocromocitomas suprarrenais não estão associados à hipertensão*. Dos 90% que ocorrem com hipertensão, cerca de dois terços apresentam episódios "paroxísticos" associados a uma elevação súbita da pressão arterial e a palpitações, que podem, em certas ocasiões, ser fatais.

Uma regra "tradicional" dos 10%, que agora foi modificada, é relevante para casos familiares. Sabe-se hoje que até 25% dos indivíduos com feocromocitomas e paragangliomas abrigam uma mutação de linhagem germinativa oncogênica. Essas mutações podem envolver pelo menos uma dúzia de genes, dos quais os mais comuns estão listados na **Tabela 24.11**. Os pacientes com mutações de linhagem germinativa normalmente são mais jovens na apresentação do que aqueles com neoplasias esporádicas e, com mais frequência, abrigam neoplasias bilaterais. Os genes afetados são divididos em duas grandes classes: os que intensificam a sinalização da via do receptor do fator de crescimento (p. ex., *RET, NF1*) e os que aumentam a atividade e a estabilidade de dois fatores de transcrição induzidos por hipoxia, HIF-1α e HIF-2α (criando, assim, um denominado fenótipo "pseudo-hipoxia"). Convém lembrar que o gene *VHL* codifica uma proteína supressora de tumor, que é necessária para a degradação do HIF-1α dependente de oxigênio e que sofre mutações de perda de função em pacientes com síndrome de von Hippel-Lindau (VHL). A síndrome de VHL está associada a uma variedade de neoplasias, como feocromocitomas e paragangliomas. De modo semelhante, o *EPAS1* codifica o HIF-2α, e são encontradas mutações de ganho de função em indivíduos com a "síndrome de policitemia e paraganglioma", que estabilizam o HIF-2α pela mutação de resíduos de aminoácidos necessários para a sua degradação. Outros casos familiares de feocromocitoma estão

Tabela 24.11 Síndromes familiares associadas ao feocromocitoma e a paragangliomas extrassuprarrenais.

Síndrome	Gene	Lesão associada	Outras características
Neoplasia endócrina múltipla, tipo 2A (MEN-2A)	*RET*	Feocromocitoma/paraganglioma	Carcinoma medular de tireoide Hiperplasia das paratireoides
Neoplasia endócrina múltipla, tipo 2B (MEN-2B)	*RET*	Feocromocitoma/paraganglioma	Carcinoma medular de tireoide Hábito marfanoide GN mucocutâneos
Neurofibromatose, tipo 1 (NF1)	*NF1*	Feocromocitoma	Neurofibromatose Manchas café-com-leite Ganglioma de nervo óptico
Von Hippel-Lindau (VHL)	*VHL*	Feocromocitoma/paraganglioma	Carcinoma de células renais Hemangioblastoma Neoplasia endócrina do pâncreas
Paraganglioma hereditário 1	*SDHD*	Feocromocitoma, paraganglioma	GIST
Paraganglioma hereditário 3	*SDHC*	Paraganglioma	GIST
Paraganglioma hereditário 4	*SDHB*	Feocromocitoma, paraganglioma	GIST
Síndrome de policitemia e paraganglioma	*EPAS1*	Feocromocitoma, paraganglioma	Policitemia

EPAS1, domínio PAS endotelial contendo 1 (codifica o HIF-2alfa); *GIST*, tumor estroma gastrintestinal; *GN*, ganglioneuroma; *NF1*, neurofibromina; *SDHB*, complexo de succinato desidrogenase, subunidade B; *SDHC*, complexo de succinato desidrogenase, subunidade C; *SDHD*, complexo de succinato desidrogenase, subunidade D.
Nota: Outras síndromes raras associadas ao feocromocitoma ou a paragangliomas não estão incluídas nesta tabela.

associados a mutações de linhagem germinativa em genes que codificam diversos componentes da succinato desidrogenase (mais comumente *SDHB*, *SDHC* e *SDHD*). Esse complexo está envolvido no transporte de elétrons das mitocôndrias e na detecção de oxigênio, e acredita-se que essas mutações também levem à suprarregulação da proteína HIF, recapitulando a "pseudo-hipoxia". Análises moleculares integradas recentes de feocromocitomas e paragangliomas mostraram que muitos dos genes implicados em uma predisposição de linhagem germinativa a essas neoplasias (p. ex., *NF1*, *VHL*, *EPAS1* e *RET*) também são afetados por mutações somáticas em neoplasias esporádicas.

Morfologia

Os feocromocitomas variam desde pequenas lesões circunscritas, confinadas à suprarrenal (**Figura 24.54**), até grandes massas hemorrágicas que pesam quilogramas. O peso médio de um feocromocitoma é de 100 g, porém foram relatados pesos de apenas 1 a quase 4.000 g. As neoplasias maiores são bem demarcadas por tecido conjuntivo ou por tecido cortical ou medular comprimido. As trabéculas fibrosas ricamente vascularizadas dentro da neoplasia produzem um padrão lobular. Em muitos tumores, podem ser observados remanescentes da glândula suprarrenal, distendidos sobre a superfície ou aderidos a um polo. Em corte, as superfícies de corte dos feocromocitomas menores são castanho-amareladas. As lesões maiores tendem a ser hemorrágicas, necróticas e císticas e normalmente eliminam a glândula suprarrenal. A incubação de tecido fresco com uma solução de dicromato de potássio transforma a neoplasia em uma cor marrom-escura, devido à oxidação das catecolaminas armazenadas, explicando o termo **cromafim**.

O padrão histológico do feocromocitoma é muito variável. As neoplasias são compostas por agrupamentos de células cromafins poligonais a fusiformes ou células principais, que são circundadas por células sustentaculares de suporte, criando pequenos ninhos ou alvéolos (***zellballen***), que são irrigados por uma rica rede vascular (**Figura 24.55**). Raramente, o tipo celular dominante é uma célula fusiforme ou pequena; vários padrões podem ser encontrados em qualquer neoplasia. O citoplasma exibe uma aparência finamente granular, que é mais bem demonstrada com colorações pela prata, devido à presença de grânulos que contêm catecolaminas. Os núcleos costumam ser de redondos a ovoides, com cromatina pontilhada em "sal e pimenta", que é característica das neoplasias neuroendócrinas. A microscopia eletrônica revela números variáveis de grânulos secretores eletrodensos e delimitados por membrana (**Figura 24.56**). A imunorreatividade para marcadores neuroendócrinos (cromogranina e sinaptofisina) é observada nas células principais, enquanto as células sustentaculares periféricas coram-se com anticorpos contra S-100, uma proteína de ligação do cálcio expressa por uma variedade de tipos de células mesenquimais.

Pode ser complicado determinar a natureza maligna dos feocromocitomas. Várias características histológicas, como o número de mitoses, necrose tumoral confluente e morfologia das células fusiformes, foram associadas a um comportamento agressivo e a um aumento do risco de metástase, porém elas não são totalmente confiáveis. Os tumores com características histológicas ("benignas") podem produzir metástases, enquanto as neoplasias pleomórficas bizarras podem permanecer confinadas à glândula suprarrenal. De fato, os pleomorfismos celular e nuclear, incluindo a presença de células gigantes, e as figuras mitóticas são observados com frequência nos feocromocitomas benignos, enquanto a monotonia celular está paradoxalmente associada a um comportamento agressivo. Até mesmo a ocorrência de invasão capsular e vascular pode ser encontrada em lesões benignas. Por conseguinte, o diagnóstico definitivo de malignidade em feocromocitomas baseia-se exclusivamente na presença de metástases. Essas metástases podem acometer linfonodos regionais, bem como locais mais distante, como fígado, pulmão e ossos.

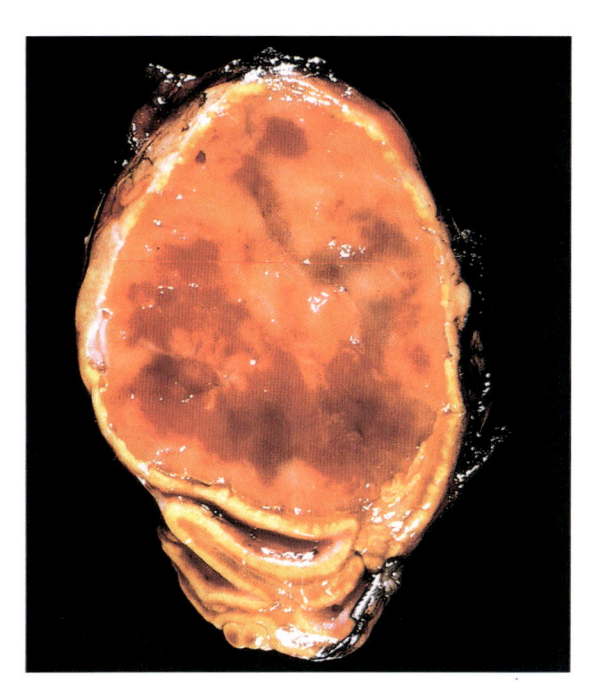

Figura 24.54 Feocromocitoma. A neoplasia está envolvida dentro de um córtex atenuado e apresenta áreas de hemorragia. A suprarrenal residual em forma de vírgula é observada abaixo. (Cortesia do Dr. Jerrold R. Turner, Department of Pathology, Brigham and Women's Hospital, Boston, Mass.)

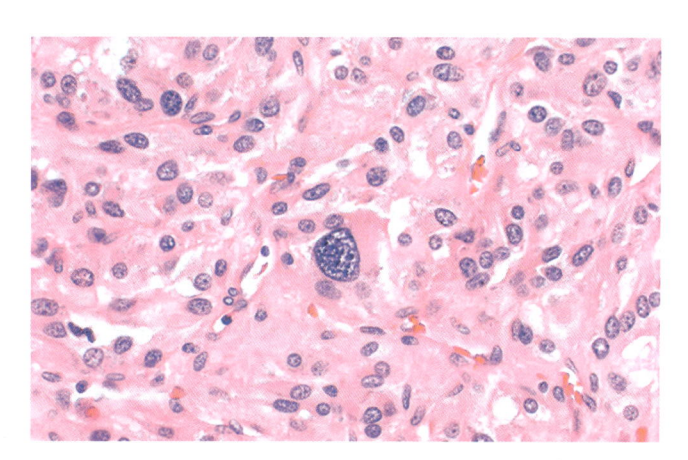

Figura 24.55 Feocromocitoma demonstrando ninhos característicos de células (*zellballen*, com citoplasma abundante. Os grânulos que contêm catecolaminas não são visíveis nessa preparação. Não é raro encontrar células bizarras, mesmo em feocromocitomas que são biologicamente benignos. (Cortesia do Dr. Jerrold R. Turner, Department of Pathology, Brigham and Women's Hospital, Boston, Mass.)

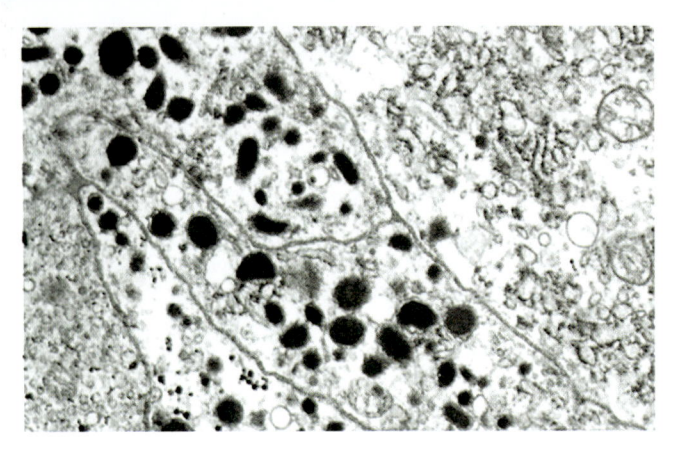

Figura 24.56 Micrografia eletrônica de feocromocitoma. Essa neoplasia contém grânulos secretores delimitados por membrana, nos quais estão armazenadas as catecolaminas (30.000×).

Características clínicas

A manifestação clínica dominante do feocromocitoma é a *hipertensão*, que é observada em 90% dos pacientes. Cerca de dois terços dos pacientes com hipertensão demonstram *episódios paroxísticos*, que são descritos como uma elevação abrupta e repentina da pressão arterial, associada a taquicardia, palpitações, cefaleia, sudorese, tremor e sensação de apreensão. Esses episódios também podem estar associados a dor no abdome ou tórax, náuseas e vômitos. Ocorrem episódios paroxísticos isolados de hipertensão em menos da metade dos pacientes; com mais frequência, os pacientes demonstram uma elevação crônica e sustentada da pressão arterial, pontuada pelos paroxismos anteriormente mencionados. Os paroxismos podem ser precipitados por estresse emocional, exercício, mudanças na postura e palpação na região da neoplasia; em certas ocasiões, um paroxismo é precipitado durante a micção nos paragangliomas de bexiga. As elevações da pressão arterial são induzidas pela súbita liberação de catecolaminas, que podem precipitar agudamente a insuficiência cardíaca congestiva, edema pulmonar, infarto agudo do miocárdio, fibrilação ventricular e acidente vascular encefálico.

As complicações cardíacas têm sido atribuídas à denominada *miocardiopatia por catecolaminas* ou a instabilidade miocárdica e arritmias ventriculares induzidas por catecolaminas. As alterações miocárdicas inespecíficas, como necrose focal, infiltrados mononucleares e fibrose intersticial, têm sido atribuídas ao dano isquêmico secundário à constrição induzida por catecolaminas dos vasos sanguíneos miocárdicos ou à toxicidade direta das catecolaminas. Em alguns casos, os feocromocitomas secretam outros hormônios, como ACTH e somatostatina, e, portanto, podem estar associados a características clínicas relacionadas com a secreção destes ou de outros hormônios peptídicos. O diagnóstico laboratorial do feocromocitoma baseia-se na demonstração de um aumento na excreção urinária de catecolaminas livres e seus metabólitos, como ácido vanililmandélico e metanefrinas.

As neoplasias benignas isoladas são tratadas com excisão cirúrgica após medicação pré-operatória e intraoperatória com agentes bloqueadores adrenérgicos, de modo a evitar uma crise hipertensiva. As lesões multifocais exigem tratamento médico a longo prazo para a hipertensão.

Síndromes de neoplasia endócrina múltipla

As síndromes de MEN representam um grupo de doenças herdadas, que resultam em lesões proliferativas (hiperplasia, adenomas e carcinomas) de múltiplos órgãos endócrinos. À semelhança de outros distúrbios de câncer herdados (ver **Capítulo 7**), as neoplasias endócrinas que surgem no contexto das síndromes de MEN apresentam determinadas características distintas, que contrastam com os seus equivalentes esporádicos:

- As neoplasias ocorrem em uma *idade mais jovem* do que as neoplasias esporádicas
- Surgem em *múltiplos órgãos endócrinos*, de modo *sincrônico* (ao mesmo tempo) ou *metacrônico* (em diferentes momentos)
- Mesmo em um único órgão, as neoplasias são frequentemente *multifocais*
- Em geral, as neoplasias são precedidas de um *estágio assintomático de hiperplasia* que acomete a célula de origem. Por exemplo, os indivíduos com MEN-2 demonstram quase universalmente a presença de hiperplasia de célula C no parênquima da tireoide adjacente aos carcinomas medulares de tireoide
- Essas neoplasias geralmente são *mais agressivas* e *sofrem recorrência* em uma proporção maior de casos do que as neoplasias endócrinas esporádicas semelhantes.

Neoplasia endócrina múltipla tipo 1

A MEN-1 ou *síndrome de Wermer* é um distúrbio hereditário raro, com prevalência de cerca de 2 por 100 mil. A MEN-1 caracteriza-se por anormalidades que acometem as paratireoides, o pâncreas e a hipófise (pituitária), explicando os três P mnemônicos:

- *Paratireoides:* o hiperparatireoidismo primário constitui a manifestação mais comum da MEN-1 (80 a 95% dos pacientes) e é a manifestação inicial do distúrbio na maioria dos pacientes, aparecendo em quase todos os pacientes entre 40 e 50 anos. As anormalidades das paratireoides incluem tanto hiperplasia quanto adenomas
- *Pâncreas:* os tumores endócrinos do pâncreas constituem uma importante causa de morbidade e mortalidade em indivíduos com MEN-1. Essas neoplasias costumam ser agressivas e, com frequência, manifestam-se com doença metastática. Não é raro encontrar múltiplos "microadenomas" dispersos por todo o pâncreas, juntamente com uma ou duas lesões dominantes. As neoplasias endócrinas pancreáticas associadas à MEN-1 são frequentemente funcionantes; entretanto, como o polipeptídeo pancreático é o produto mais comumente secretado, muitas neoplasias não produzem uma síndrome de hipersecreção endócrina. Entre as que o fazem, a síndrome de Zollinger-Ellison (associada a gastrinomas) e a hipoglicemia e manifestações neurológicas (associadas a insulinomas) são as mais comuns
- *Hipófise (pituitária):* a neoplasia adeno-hipofisária mais frequente encontrada na MEN-1 é o prolactinoma. Alguns pacientes desenvolvem acromegalia, devido a neoplasias secretoras de somatotropina

- Sabe-se agora que o espectro dessa doença estende-se além dos três P. O duodeno é o local mais comum de gastrinomas em indivíduos com MEN-1 (muito acima da frequência dos gastrinomas pancreáticos), e podem ocorrer neoplasias duodenais e pancreáticas sincrônicas no mesmo indivíduo. Além disso, os tumores carcinoides, os adenomas de tireoide e adrenocorticais e os lipomas são mais frequentes do que na população em geral.

A síndrome de MEN-1 é causada por mutações de linhagem germinativa no gene supressor de tumor *MEN-1*, que codifica uma proteína denominada menina. A menina é um componente de vários complexos de fatores de transcrição diferentes, que (dependendo do parceiro de ligação específico) podem promover ou inibir a tumorigênese. Essa dicotomia na função da menina é mais bem exemplificada pelas interações da menina com dois fatores de transcrição oncogênicos – JunD e KMT2A (anteriormente denominado MLL), uma histona metiltransferase modificadora de cromatina. Quando a menina se associa com JunD, ela bloqueia a ativação transcricional e a proliferação celular induzida por JunD; de fato, acredita-se que a perda dessa interação supressora de tumor possa contribuir para a MEN observada no contexto das mutações inativadoras de *MEN-1*. Em contrapartida, a associação da menina de tipo selvagem com KMT2A leva à formação de um complexo transcricional promotor de tumor em um subgrupo de leucemias agudas, por meio da expressão suprarregulada dos genes *HOX* (ver **Capítulo 13**).

As manifestações dominantes da MEN-1 geralmente resultam dos hormônios peptídicos produzidos em excesso e incluem anormalidades como hipoglicemia recorrente, devido a insulinomas, úlceras pépticas intratáveis em indivíduos com síndrome de Zollinger-Ellison, nefrolitíase causada por hipercalcemia induzida por PTH ou sintomas de excesso de prolactina de uma neoplasia da hipófise. Conforme esperado, o comportamento maligno de uma ou mais das neoplasias endócrinas que surgem nesses pacientes frequentemente constitui a causa imediata de morte.

Neoplasia endócrina múltipla tipo 2

A MEN-2 é subclassificada em três síndromes distintas: MEN-2A, MEN-2B e MEN-4:

- A *MEN-2A* ou *síndrome de Sipple* caracteriza-se por *feocromocitoma*, *carcinoma medular de tireoide* e *hiperplasia das paratireoides* (ver **Tabela 24.11**). Ocorrem carcinomas medulares de tireoide em quase 100% dos pacientes. Em geral, são multifocais e quase sempre estão associados a focos de hiperplasia de célula C na tireoide adjacente. Os carcinomas medulares podem produzir calcitonina e outros produtos ativos e, em geral, são clinicamente agressivos. Entre os indivíduos com MEN-2A, 40 a 50% apresentam feocromocitomas, que frequentemente são bilaterais e podem surgir em locais extrassuprarrenais. Em 10 a 20% dos pacientes, ocorrem hiperplasia das paratireoides e evidências de hipercalcemia ou cálculos renais. **Do ponto de vista clínico e genético, a MEN-2A é distinta da MEN-1 e é causada por mutações de linhagem germinativa de ganho de função no proto-oncogene *RET*.**

  Conforme assinalado anteriormente, o proto-oncogene *RET* codifica um receptor de tirosinoquinase, que se liga ao fator neurotrófico derivado da glia e a outros ligantes relacionados, transmitindo sinais de crescimento e de diferenciação (ver **Capítulo 7**). As mutações de perda de função em *RET* resultam em aganglionose intestinal e doença de Hirschsprung (ver **Capítulo 17**). Por outro lado, na MEN-2A (bem como na MEN-2B), as mutações de linhagem germinativa ativam constitutivamente o receptor RET

- A *MEN-2B* possui uma sobreposição clínica significativa com a MEN-2A. Os pacientes desenvolvem carcinomas medulares de tireoide, que geralmente são multifocais e mais agressivos do que na MEN-2A, bem como feocromocitomas. Entretanto, diferentemente da MEN-2A, não há hiperparatireoidismo primário. Além disso, a MEN-2B é acompanhada de neuromas ou ganglioneuromas que acometem a pele, a mucosa oral, os olhos, as vias respiratórias e o sistema gastrintestinal, além de um hábito marfanoide, com características esqueléticas axiais longas e articulações hiperextensíveis (ver **Tabela 24.11**). Anteriormente, as famílias com carcinomas medulares de tireoide isolados e mutações de linhagem germinativa em *RET*, sem características adicionais de MEN-2B, eram classificadas como portadoras de uma entidade separada ("carcinoma medular de tireoide familiar"), porém foram recentemente agrupadas sob a denominação de MEN-2B. Uma mutação de perda de sentido (*missense*) de linhagem germinativa, que leva a uma troca de um único aminoácido em RET, distinta das mutações que são observadas na MEN-2A, parece ser responsável por praticamente todos os casos de MEN-2B. Essa substituição pontual afeta uma região crítica do domínio de tirosinoquinase da proteína e leva à ativação constitutiva de RET na ausência do ligante.

  Diferentemente da MEN-1, em que o benefício a longo prazo do diagnóstico precoce por meio de rastreamento genético não está bem estabelecido, o diagnóstico por rastreamento dos membros de famílias com risco em indivíduos com MEN-2A é importante, visto que o carcinoma medular de tireoide é uma doença potencialmente fatal, passível de prevenção por meio de tireoidectomia precoce. De acordo com as recomendações atualizadas publicadas em 2015, todos os pacientes com carcinoma medular de tireoide são aconselhados a efetuar um teste para mutação de linhagem germinativa de *RET*, visto que até mesmo os casos "aparentemente esporádicos" podem abrigar uma mutação de linhagem germinativa, que possui implicações para aconselhamento e testes genéticos de membros da família não afetados. O teste genético de rotina identifica portadores da mutação *RET* mais precocemente e de modo mais confiável em famílias com MEN-2; todos os indivíduos portadores de mutações de linhagem germinativa em *RET* são aconselhados a se submeter à tireoidectomia profilática para prevenir o desenvolvimento inevitável de carcinomas medulares

- A *MEN-4* emergiu como nova entidade nessa última década. Os pacientes apresentam características clínicas que reproduzem o fenótipo de pacientes com MEN-1; todavia, diferentemente daquela síndrome, abrigam mutações de linhagem germinativa em *CDKN1B*, levando a uma redução dos níveis da proteína do ponto de checagem do ciclo celular, p27.

Glândula pineal

A raridade de lesões clinicamente significativas (praticamente apenas neoplasias) justifica a brevidade da discussão da glândula pineal. Trata-se de um pequeno órgão em formato de pinha (daí o seu nome), com peso de 100 a 180 mg, que se localiza entre os colículos superiores na base do cérebro. É composta por um estroma neuroglial frouxo envolvendo ninhos de *pineócitos* de aparência epitelial – células com funções fotossensitivas e neuroendócrinas (daí a designação da glândula pineal como "terceiro olho"). A impregnação pela prata revela que essas células dispõem de prolongamentos delgados e longos, que lembram os precursores neuronais primitivos misturados com os processos das células astrocíticas. O principal produto secretor da glândula pineal é a melatonina, que está envolvida no controle dos ritmos circadianos, incluindo o ciclo de sono-vigília; isso explica o uso popular da melatonina no tratamento da dessincronose (*jet lag*).

Todas as neoplasias que acometem a glândula pineal são raras, e a maioria (50 a 70%) origina-se de células germinativas embrionárias sequestradas (ver **Capítulo 28**). Assumem mais comumente a forma dos denominados *germinomas*, que se assemelham ao seminoma testicular (ver **Capítulo 21**) ou ao disgerminona ovariano (ver **Capítulo 22**). Outras linhas de diferenciação de células germinativas incluem carcinomas embrionários; coriocarcinomas; misturas de germinoma, carcinoma embrionário e coriocarcinoma; e, raramente, teratomas típicos (geralmente benignos). Há controvérsia quanto ao fato de caracterizar essas neoplasias de células germinativas como pinealomas; entretanto, a maioria dos "pinealófilos" defende a restrição do termo *pinealoma* às neoplasias que se originam dos pineócitos.

Pinealoma

Essas neoplasias são divididas em duas categorias, os *pineoblastomas* e os *pineocitomas*, com base em seu nível de diferenciação, que, por sua vez, correlaciona-se com a sua agressividade. Essas neoplasias são raras e são descritas em textos especializados.

LEITURA SUGERIDA

Hipófise

Asa SL, Mete O: What's new in pituitary pathology? *Histopathology* 72:133–141, 2018. [Revisão sobre a classificação atualizada da OMS dos tumores da pituitária e outras entidades não neoplásicas].

deKock L, Sabbaghian N, Plourde F et al: Pituitary blastoma: a pathogonomic feature of germline DICER1 mutations, *Acta Neuropathol* 128:111–122, 2014. [DICER1 é um nó crítico no processamento de microRNA e este estudo identifica uma das manifestações neoplásicas de mutações de linhagem germinativa em DICER1 que surgem na pituitária].

Lopes MBS: The 2017 World Health Organization classification of tumors of the pituitary gland: a summary, *Acta Neuropathol* 134:521–535, 2017. [A classificação de tumores da pituitária da OMS foi atualizada em 2017 e, embora uma descrição completa das alterações esteja além do escopo desse livro, esta revisão fornece ao leitor uma visão geral rápida].

Schertnhaner-Reiter MH, Stratakis CA, Luger A: Genetics of diabetes insipidus, *Endocrinol Metab Clin North Am* 46:305–334, 2017. [Revisão atualizada sobre os mecanismos moleculares subjacentes ao diabetes insipidus].

Glândula tireoide

Acquaviva G, Visani M, Repaci A et al: Molecular pathology of thyroid tumors of follicular cells: a review of genetic alterations and their clinic-pathologic relevance, *Histopathology* 72:6–31, 2018. [Revisão sobre a genética de neoplasias da tireoide, sobre como o cenário das neoplasias da tireoide mudaram ao longo do tempo, com excelentes figuras resumindo sobre as múltiplas etapas da patogênese dos cânceres invasivos da tireoide a partir de lesões precursoras].

Cabanillas ME, McFadden DG, Durante C: Thyroid cancer, *Lancet* 388:2783–2795, 2016. [Revisão clinicamente orientada sobre diagnóstico e manejo das neoplasias da tireoide].

DeLeo S, Lee SY, Braverman LE: Hyperthyroidism, *Lancet* 388:906–918, 2016. [Revisão clinicamente orientada das causas e principais vias terapêuticas no hipertireoidismo].

Ganly I, Makarov V, Deraje S et al: Integrated genomic analysis of Hurthle cell cancer reveals oncogenic drivers, recurrent mitochondrial mutations, and unique chromosomal landscape, *Cancer Cell* 34:256–270, 2018. [Perfis moleculares dos carcinomas de células de Hurthle, incluindo características genéticas únicas subjacentes à sua morfologia característica].

Graves RJ: A newly observed affection of the thyroid gland in females, *London Med Surg J* 7:516–517, 1835. [Publicação clássica descrevendo o caso índice da doença batizada com o nome do autor].

Gull WW: On a cretinoid state supervening in adult life in women, *Trans Clin Soc Lond* 7:180–185, 1873. [Descrição originado do mixedema, portanto também conhecida como "doença de Gull"].

Hashimoto H: Zur Kenntnis der lymphomatösen Veränderung der Schilddrüse (Struma lymphomatosa), *Arch Klin* 97:1912. [Dr. Hashimoto, um médico japonês, também treinado em patologia na Alemanha, o que pode explicar porque seu artigo descrevendo a condição de nome homônimo em quatro pacientes foi originalmente publicado em alemão].

Landa I, Ibrahimpasic T, Boucai L et al: Genomic and transcriptomic hallmarks of poorly differentiated and anaplastic thyroid cancers, *J Clin Invest* 126:1052–1066, 2016. [A caracterização molecular desses cânceres de tireoide altamente agressivos confirma que a maioria surge por desdiferenciação de neoplasias bem diferenciadas e mais indolentes].

Nikiforov YE, Seethala RR, Tallini G et al: Nomenclature revision for encapsulated follicular variant of papillary thyroid carcinoma: a paradigm shift to reduce overtreatment of indolent tumors, *JAMA Oncol* 2:1023–1029, 2016. [Artigo seminal que introduziu o termo "neoplasia folicular não invasiva da tireoide com características nucleares do tipo papilar" à luz do sobrediagnóstico e tratamento excessivo deste subtipo de "câncer" papilar essencialmente benigno].

Smith TJ, Hegedus L: Graves' disease, *N Engl J Med* 375:1552–1565, 2016. [Revisão abrangente sobre a fisiopatologia, manifestações clínicas e estratégias de tratamento da doença de Graves. Sua fonte primária sobre o tópico].

Glândulas paratireoides

Machado NN, Wilhelm SM: Diagnosis and evaluation of primary hyperparathyroidism, *Surg Clin North Am* 99:649–666, 2019. [Revisão clinicamente orientada e atualizada sobre as causas, sintomas, achados laboratoriais e tratamento do hipertireoidismo].

Mannstadt M, Bilezikian JP, Thakker RV et al: Hypoparathyroidism, *Nat Rev Dis Primers* 3:17055, 2017. [Semelhantes a outras revisões nesta série "Primer", esta é uma visão geral bem ilustrada que ajuda a suplementar o texto que cobrimos neste capítulo com detalhes adicionais].

Simonds WF: Genetics of hyperparathyroidism, including parathyroid cancer, *Endocrinol Metab Clin North Am* 46:405–418, 2017. [Revisão abrangente sobre as anormalidades genéticas subjacentes que contribuem para o hipertireoidismo, incluindo neoplasias].

Pâncreas – diabetes melito

Czech MP: Insulin action and resistance in obesity and type 2 diabetes, *Nat Med* 23:804–814, 2017. [Revisão abrangente sobre a fisiopatologia da obesidade e resistência à insulina no diabetes do tipo 2 com algumas figuras resumidas maravilhosas sobre a interação entre o pâncreas, fígado, tecido adiposo e músculo].

Defronzo RA, Ferrannini E, Groop L et al: Type 2 diabetes mellitus, *Nat Rev Dis Primers* 1:15019, 2015. [Embora levemente datada, esta revisão ilustrada é uma ótima visão geral do diabetes do tipo 2 que complementa muitos dos aspectos abordados neste capítulo].

Drucker DJ, Habener JF, Holst JJ: Discovery, characterization, and clinical development of glucagon-like peptides, *J Clin Invest* 127:4217–4227, 2017. [*Agonistas de GLP-1 surgiram como uma das opções terapêuticas mais importantes no diabetes e esta revisão fornece uma linha temporal histórica e os mecanismos de ação dos agonistas de GLP nas doenças humanas. Leitura que vale à pena para entender o quão complexo e demorado pode ser o processo de desenvolvimento de medicamentos bem-sucedidos!*].

Gloyn AL, Drucker DJ: Precision medicine in the management of type 2 diabetes, *Lancet Diabetes Endocrinol* 2018. S2213-8587(18)30052-4. [*Revisão sobre como os fundamentos genéticos do diabetes tipo 2 podem ser usados para adaptar seu manejo em pacientes*].

Goodarzi MO: Genetics of obesity: what genetic association studies have taught us about the biology of obesity and its associations, *Lancet Diabetes Endocrinol* 6:223–236, 2018. [*Nenhum outro parâmetro é tão importante para a patogênese do diabetes tipo 2 quanto a obesidade e a resistência à insulina associada. Esta revisão discute os fundamentos genéticos da obesidade e como eles se refletem no eixo obesidade-diabetes*].

Katsarou A, Gudbjornsdottir S, Rawshani A et al: Type 1 diabetes mellitus, *Nat Rev Dis Primers* 3:17016, 2017. [*Incrível visão geral do diabetes tipo 1, incluindo epidemiologia, genética, sintomas clínicos e tratamento. Material completo com gráficos e tabelas fáceis de assimilar*].

Langenberg C, Lotta LA: Genomic insights into the causes of type 2 diabetes, *Lancet* 391:2463–2474, 2018. [*Revisão recente sobre a arquitetura poligênica do diabetes tipo 2, incluindo características genéticas implicadas em cada um dos mecanismos fisiopatológicos subjacentes, tais como disfunção das células beta, resistência à insulina e adiposidade*].

Lee YS, Wollam J, Olefsky JM: An integrated view of immunometabolism, *Cell* 172:22–40, 2018. [*Muitas das consequências da obesidade, incluindo resistência à insulina e diabetes tipo 2, têm suas bases em um estado de disfunção inflamatória crônica. Esta revisão unifica como a inflamação eventualmente leva à desregulação metabólica*].

Pugliese A: Autoreactive T cells in type 1 diabetes, *J Clin Invest* 127:2881–2891, 2017. [*Esta revisão resume as evidências sobre células T autorreativas no diabetes tipo 1 e os possíveis alvos celulares desta resposta autoimune em pacientes*].

Samuel VT, Shulman GI: The pathogenesis of insulin resistance: integrating signaling pathways and substrate flux, *J Clin Invest* 126:12–22, 2016. [*Há muitas revisões abrangentes sobre resistência à insulina no diabetes tipo 2, dado sua importância primordial para a patogênese da hiperglicemia. Duas delas são incluídas na bibliografia. Faça sua escolha!*].

Pâncreas – neoplasias neuroendócrinas

Inzani F, Petrone G, Rindi G: The new World Health Organization classification for pancreatic neuroendocrine neoplasia, *Endocrinol Metab Clin North Am* 47:463–470, 2018. [*A OMS atualizou recentemente a classificação das neoplasias neuroendócrinas do trato gastrintestinal, incluindo PanNETs, e esta revisão resume as distinções-chave do esquema anterior*].

Pea A, Hruban RH, Wood LD: Genetics of pancreatic neuroendocrine tumors: implications for the clinic, *Expert Rev Gastroenterol Hepatol* 9:1407–1419, 2015. [*Revisão relativamente recente das aberrações genômicas recém-identificadas em tumores neuroendócrinos pancreáticos e como elas podem formar a base para a terapia personalizada*].

Córtex suprarrenal

Addison T: *On the constitutional and local effects of disease of the supra-renal capsules*, London, 1855, Samuel Highley. [*Descrição original da doença de Addison*].

Charmandari E, Nicolaides NC, Chrousos GP: Adrenal insufficiency, *Lancet* 383:2152–2167, 2014. [*Revisão abrangente sobre a epidemiologia, patogênese, características clínicas, diagnóstico e manejo da insuficiência adrenal*].

Hernandez-Ramirez LC, Stratakis CA: Genetics of Cushing syndrome, *Endocrinol Metab Clin North Am* 47:275–297, 2018. [*Revisão completa sobre a genética da síndrome de Cushing, incluindo mutações somáticas subjacentes às neoplasias da pituitária e adrenal*].

Husebye ES, Anderson MS, Kampe O: Autoimmune polyendocrine syndromes, *N Engl J Med* 378:1132–1141, 2018. [*Revisão da genética, fisiopatologia e manifestações clínicas das síndrome poliendócrinas autoimunes*].

Loriaux DL: Diagnosis and differential diagnosis of Cushing syndrome, *N Engl J Med* 376:1451–1459, 2017. [*Revisão razoavelmente recente e clinicamente orientada sobre a etiopatogênese, diagnóstico laboratorial e tratamento da síndrome de Cushing. Esta revisão é um ótimo lugar para começar!*].

Mackay I, Aspinall S: Advances in our understanding of the prognosis of adrenal incidentaloma, *Expert Rev Endocrinol Metab* 11:529–541, 2016. [*Revisão que aborda a prevalência, etiologia, investigação diagnóstica e tratamento de nódulos adrenais descobertos incidentalmente*].

Monticone S, Buffolo F, Tetti M et al: The expanding genetic horizon of primary hyperaldosteronism, *Eur J Endocrinol* 178:101–111, 2018. [*Revisão sobre os fatores genéticos subjacentes à hiperaldosteronismo primário, incluindo a doença esporádica e familiar*].

Rushworth RL, Torpy DJ, Falhammar H: Adrenal crisis, *N Engl J Med* 381:852–861, 2019. [*Revisão sobre as causas, fisiopatologia e tratamento das crises adrenais agudas*].

Medula suprarrenal

Friderichsen C: Nebennierenapoplexie bei kleinen Kindern, *Jahrbuch für Kinderheilkunde* 87:109–125, 1918. [*Uma das duas descrições originais da síndrome de Waterhouse-Friderichsen homônima; Carl Friderichsen foi um pediatra dinamarquês*].

Lam AK: Update on adrenal tumors in 2017 World Health Organization (WHO) of endocrine tumors, *Endocr Pathol* 28:213–227, 2018. [*Este comentário resume as principais alterações na classificação e genética das neoplasias da adrenal, incluindo dados da análise molecular integrada recentemente concluída de feocromocitoma e paraganglioma*].

Waterhouse R: A case of suprarenal apoplexy, *Lancet* 1:577–578, 1911. [*O segundo de dois artigos, este de autoria de Rupert Waterhouse, médico inglês, que levou ao reconhecimento da síndrome homônima*].

Neoplasia endócrina múltipla

Li JWY, Hua X, Reidy-Lagunes D et al: MENIN loss as a tissue specific driver of tumorigenesis, *Mol Cell Endocrinol* 469:98–106, 2018. [*Revisão recente sobre as funções celulares da proteína menin e as consequências de seu bloqueio, levando à tumorigênese neuroendócrina. Potenciais abordagens terapêuticas também são discutidas*].

Pacheco MC: Multiple endocrine neoplasia: a genetically diverse group of familial tumor syndromes, *J Pediatr Genet* 5:89–97, 2016. [*Revisão dos subtipos, genética e patologia das síndromes MEN (neoplasias múltiplas endócrinas)*].

Pele

CAPÍTULO 25

Alexander J. Lazar

SUMÁRIO DO CAPÍTULO

- A pele: mais do que uma barreira mecânica, 1181
- Distúrbios da pigmentação e dos melanócitos, 1183
  - Sardas (efélides), 1183
  - Lentigo, 1184
  - Nevo melanocítico (nevo pigmentado ou pinta), 1184
  - Nevos displásicos, 1186
  - Melanoma, 1187
- Neoplasias epiteliais benignas, 1191
  - Queratose seborreica, 1191
  - Acantose *nigricans*, 1191
  - Pólipo fibroepitelial, 1192
  - Cisto de inclusão epitelial ou folicular (Wen), 1192
- Neoplasias anexiais (de anexos da pele), 1192
- Neoplasias epidérmicas pré-malignas e malignas, 1194
  - Queratose actínica, 1194
  - Carcinoma espinocelular, 1194
  - Carcinoma basocelular, 1196
- Neoplasias da derme, 1199
  - Histiocitoma fibroso benigno (dermatofibroma), 1199
  - Dermatofibrossarcoma *protuberans*, 1200
- Neoplasias de células precursoras que migram para a pele, 1200
  - Micose fungoide (linfoma cutâneo de células T), 1200
  - Mastocitose, 1201
- Distúrbios de maturação epidérmica, 1202
  - Ictiose, 1202
- Dermatoses inflamatórias agudas, 1203
  - Urticária, 1203
  - Dermatite eczematosa aguda, 1203
  - Eritema multiforme, 1204
- Dermatoses inflamatórias crônicas, 1206
  - Psoríase, 1206
- Dermatite seborreica, 1207
- Líquen plano, 1208
- Doenças bolhosas, 1209
  - Doenças bolhosas inflamatórias, 1210
    - *Pênfigo, 1210*
    - *Penfigoide bolhoso, 1211*
    - *Dermatite herpetiforme, 1212*
  - Doenças bolhosas não inflamatórias, 1213
    - *Epidermólise bolhosa e porfiria, 1213*
- Distúrbios dos anexos epidérmicos, 1215
  - Acne vulgar, 1215
  - Rosácea, 1215
- Paniculite, 1216
  - Eritema nodoso e eritema indurado, 1216
  - Outros tipos de paniculite, 1216
- Infecção, 1216
  - Verrugas, 1217
  - Molusco contagioso, 1218
  - Impetigo, 1218
  - Infecções fúngicas superficiais, 1219

A pele: mais do que uma barreira mecânica

Há mais de um século e meio, o famoso patologista Rudolph Virchow descreveu a pele como uma mera cobertura protetora para as vísceras internas mais delicadas e funcionalmente sofisticadas. Posteriormente, a pele foi considerada uma barreira necessária para evitar a perda de líquidos e proteger o corpo de lesões mecânicas, porém era de pouco interesse. Entretanto, no decorrer das últimas décadas, a pele passou a ser reconhecida como um órgão surpreendentemente complicado – o maior do corpo –, em que interações celulares e moleculares precisamente reguladas governam muitos processos essenciais.

Embora o tegumento humano possa parecer simples quando comparado com a pele e a pelagem de outras espécies do reino animal, ele é extraordinariamente dinâmico em relação à diversidade de funções que desempenha. Entre essas funções, a principal é o seu papel como uma das primeiras linhas de defesa contra agentes físicos e infecciosos potencialmente prejudiciais. Todavia, a pele também é um órgão sensorial altamente sofisticado, que até mesmo desempenha funções endócrinas importantes, em particular a síntese de vitamina D (ver **Capítulo 9**), que é "acionada" pela exposição ao sol. Ela é composta de vários tipos de células e estruturas que funcionam independentemente e de forma cooperativa (**Figura 25.1**):

- As *células epiteliais escamosas* (*queratinócitos*) são normalmente "unidas" entre si por junções celulares, conhecidas como desmossomos, e produzem quantidades abundantes da proteína queratina; tanto essas junções quanto a queratina servem para formar uma barreira física resistente e durável. Além disso, os queratinócitos secretam moléculas solúveis, como citocinas e defensinas, que aumentam e regulam as respostas imunes cutâneas (descritas adiante)
- Os *melanócitos* situados dentro da epiderme são responsáveis pela produção de melanina, um pigmento marrom que absorve e protege a pele contra a radiação ultravioleta (UV), potencialmente lesiva, da luz solar
- *Células dendríticas*. A pele atua como uma das primeiras linhas de defesa contra microrganismos e é constantemente exposta a antígenos microbianos e não microbianos, que são processados por células dendríticas intraepidérmicas, conhecidas

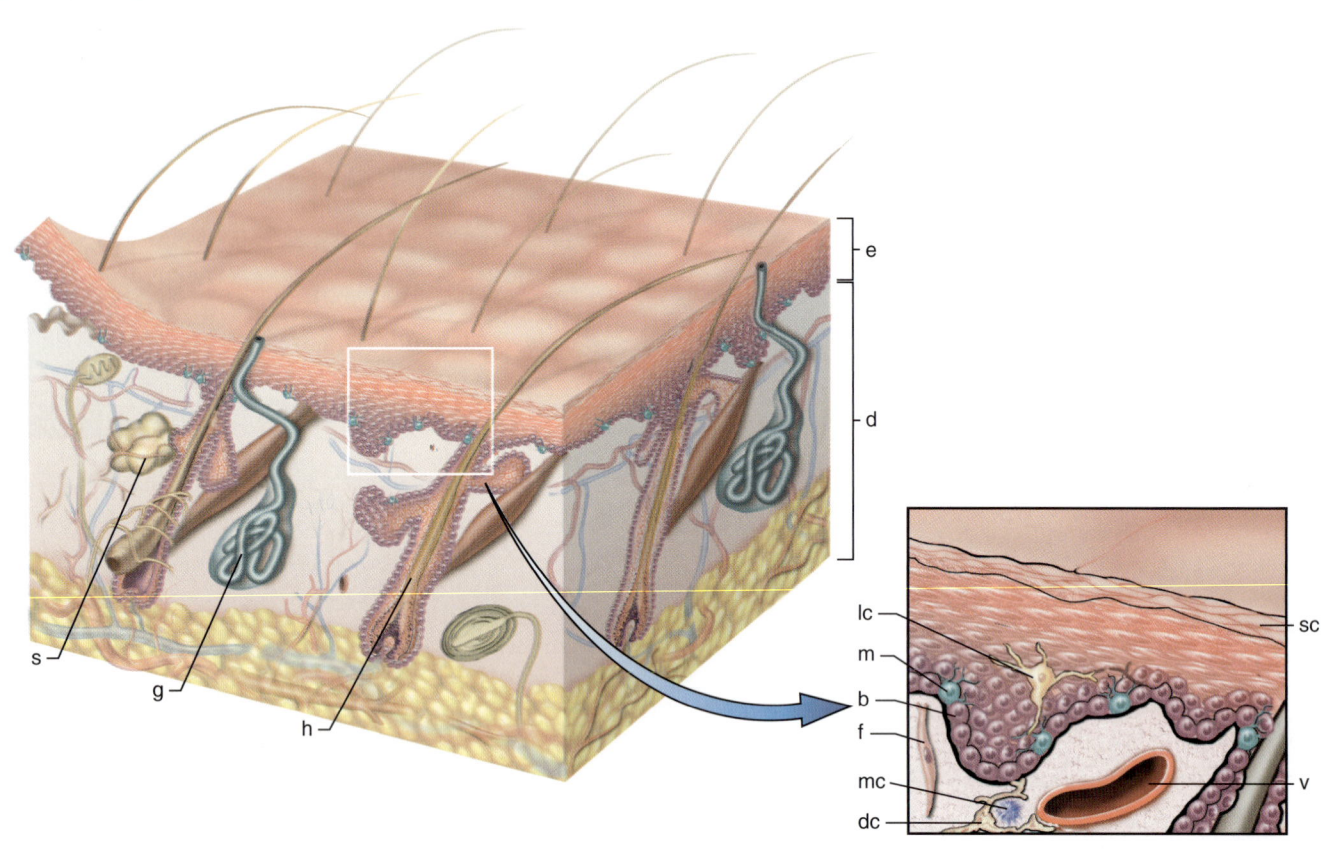

Figura 25.1 À *esquerda*, a pele é composta de uma camada de epiderme (e), a partir da qual os anexos especializados – folículos pilosos (h), glândulas sudoríparas (g) e glândulas sebáceas (s) – descem até a derme subjacente (d). *Detalhe*, essa projeção da epiderme e da derme superficial subjacente mostra a maturação ascendente progressiva basocelular (b) em células epiteliais escamosas cornificadas do estrato córneo (sc). Estão também presentes melanócitos (m) dendríticos contendo melanina (e raras células de Merkel que contêm grânulos neurossecretores) e células dendríticas de Langerhans (lc) na região intermediária da epiderme. A derme subjacente contém pequenos vasos (v), fibroblastos (f), mastócitos (mc) perivasculares e dendrócitos (dc), que participam das respostas imunes e do reparo da derme.

como *células de Langerhans*. As células de Langerhans secretam fatores que aumentam as respostas imunes inatas e migram da pele para os linfonodos regionais, onde elas apresentam suas cargas de antígenos aos linfócitos T, estimulando, assim, a resposta imune adaptativa. Os *dendrócitos* especializados, outro tipo de célula dendrítica encontrado na derme, desempenham funções semelhantes

- *Linfócitos.* Após a sua estimulação por células dendríticas nos linfonodos regionais, as células T, que expressam uma molécula de adesão denominada antígeno associado a linfócitos cutâneos (CLA), e os receptores de quimiocinas, como CCR4 e CCR10, deixam os linfonodos e retornam à derme, um processo que é dirigido, em parte, por quimiocinas secretadas pelos queratinócitos ativados. As citocinas produzidas por essas células T medeiam os padrões microscópicos e as expressões clínicas das doenças inflamatórias e das infecções cutâneas. Além disso, um pequeno número de células B é encontrado na derme, e essas células podem participar das respostas humorais a antígenos encontrados na pele

- *A pele é um ecossistema grande e complexo, que fornece nichos para um amplo espectro de organismos, incluindo bactérias, fungos, vírus e ácaros.* Esses organismos desenvolveram relações simbióticas com seus hospedeiros humanos e parecem contribuir para a saúde de diversas maneiras. Ao ocupar nichos na pele, o "zoológico" normal de organismos (o microbioma da pele) impede a colonização desta por outros organismos potencialmente nocivos, da mesma forma que o microbioma do intestino pode proporcionar uma proteção contra patógenos gastrintestinais (ver **Capítulo 17**). Além disso, a fauna da pele prepara e "educa" o sistema imune cutâneo de uma maneira que se acredita que possa aumentar as respostas imunes a patógenos potenciais

- *As fibras nervosas aferentes e um conjunto diverso de estruturas especializadas associadas, denominadas órgãos terminais neurais,* são responsáveis pelas sensações físicas que abrangem desde o prazer até a dor, incluindo toque, vibração, coceira, frio e calor. Além disso, as fibras nervosas eferentes autonômicas regulam componentes anexiais, como glândulas sudoríparas e músculos eretores dos pelos (ver adiante), e podem influenciar a função das células imunes inatas e adaptativas na derme. Outro tipo de célula encontrado na pele, que continua encoberto em mistério, é a *célula de Merkel*; essas células estão localizadas no estrato basal do epitélio e podem desempenhar funções neuroendócrinas ou mecanorreceptoras

- *Componentes anexiais.* As glândulas sudoríparas protegem contra variações deletérias da temperatura corporal, e os folículos pilosos, além de produzirem os pelos, têm nichos protegidos que abrigam células-tronco epiteliais capazes de regenerar as estruturas epiteliais superficiais da pele após a sua destruição por trauma, queimaduras e outros tipos de lesões.

As perturbações que alteram a delicada homeostasia existente entre as células da pele podem produzir condições tão diversas como rugas e queda dos cabelos, bolhas e exantemas, cânceres potencialmente fatais e distúrbios da regulação imune. Por exemplo, a exposição a longo prazo à luz solar promove o envelhecimento cutâneo precoce, atenua as respostas imunes a antígenos ambientais e favorece o desenvolvimento de uma variedade de neoplasias cutâneas pré-malignas e malignas. Os agentes ingeridos, como substâncias terapêuticas, podem causar um enorme número de erupções cutâneas ou exantemas. Os distúrbios sistêmicos, como diabetes melito, amiloidose e lúpus eritematoso, também podem ter importantes manifestações cutâneas.

As condições cutâneas são muito comuns e afetam cerca de um terço da população dos EUA a cada ano. Como a pele é excepcionalmente acessível ao exame visual, ela pode, para o observador experiente, fornecer numerosas informações sobre o estado funcional do corpo (senão da alma de um paciente). É fundamental concentrar a atenção na aparência e na distribuição das lesões cutâneas, visto que essas características são essenciais para a formulação de hipóteses diagnósticas e a compreensão da patogênese. Para ressaltar esse aspecto, uma ênfase especial será dada à aparência macroscópica das lesões em cada entidade específica.

Milhares de doenças afetam a pele, porém apenas as que são comuns ou que ilustram mecanismos patológicos importantes são descritas aqui. Os dermatologistas e os dermatopatologistas desenvolveram um conjunto de termos para descrever a aparência macroscópica e microscópica das lesões cutâneas com que todos os estudantes precisam estar familiarizados, de modo a adquirir fluência em dermatopatologia; os mais importantes desses termos e suas respectivas definições são apresentados na **Tabela 25.1**.

Distúrbios da pigmentação e dos melanócitos

A perda focal ou disseminada da pigmentação protetora normal pode tornar os indivíduos extraordinariamente vulneráveis aos efeitos prejudiciais da luz solar (como no albinismo). Alterações na pigmentação preexistente da pele podem indicar distúrbios primários importantes da pele (p. ex., transformação maligna de uma pinta) ou podem apontar para a existência de um distúrbio sistêmico subjacente (p. ex., doença de Addison; ver **Capítulo 24**).

Sardas (efélides)

As sardas são as lesões pigmentadas mais comuns da infância em indivíduos de pele clara. Ainda não foi esclarecido se as sardas resultam de alguma anormalidade focal na produção de melanina em um grupo distinto de melanócitos, do aumento da transferência de melanina para os queratinócitos basais adjacentes ou de alguma combinação desses processos. As manchas *café com leite* observadas na neurofibromatose tipo 1 (ver **Capítulo 27**) assemelham-se histologicamente às sardas, porém diferem por serem maiores, por surgirem independentemente da exposição ao sol e por conterem melanossomos agregados (macromelanossomos), que podem ser visualizados dentro do citoplasma dos melanócitos em micrografias eletrônicas.

Tabela 25.1 Nomenclatura das lesões cutâneas.

	Definição
Lesões macroscópicas	
Escoriação	Lesão traumática que rompe a epiderme e provoca um defeito linear com solução de continuidade (i. e., arranhadura profunda); com frequência, autoinduzida
Liquenificação	Pele áspera e espessa (semelhante ao líquen sobre uma rocha); em geral, resulta de atrito repetido
Mácula, mancha	Lesão plana circunscrita, distinguida da pele circundante pela sua cor. As máculas têm 5 mm de diâmetro ou menos; as manchas são maiores do que 5 mm
Onicólise	Separação da placa ungueal do leito ungueal
Pápula, nódulo	Lesão elevada em forma de abóboda ou com topo plano. As pápulas medem 5 mm ou menos; os nódulos têm mais de 5 mm de tamanho
Placa	Lesão elevada com topo plano, geralmente com mais de 5 mm (pode ser causada por pápulas coalescentes)
Pústula	Lesão elevada e distinta, preenchida de pus
Escama	Excrescência seca, córnea e semelhante a uma placa; em geral, resulta de cornificação (deposição de queratina) imperfeita
Vesícula, bolha	Lesão elevada preenchida por líquido de 5 mm ou menos (vesícula) ou de mais de 5 mm (bolha). Bolha é o termo comum para referir-se a qualquer uma dessas lesões
Urticária	Lesão elevada (papular), transitória e pruriginosa, com palidez variável e eritema, formada em consequência de edema da derme
Lesões microscópicas	
Acantose	Hiperplasia difusa da epiderme
Disqueratose	Queratinização prematura e anormal das células abaixo do estrato granuloso
Erosão	Descontinuidade da pele, apresentando perda incompleta da epiderme
Exocitose	Infiltração da epiderme por células inflamatórias
Tumefação hidrópica (balonização)	Edema intracelular dos queratinócitos, frequentemente observado nas infecções virais
Hipergranulose	Hiperplasia do estrato granuloso, frequentemente devido a atrito intenso
Hiperqueratose	Espessamento do estrato córneo, frequentemente associado a uma anormalidade qualitativa da queratina
Lentiginose/lentigo	Padrão linear de proliferação dos melanócitos dentro do estrato basal da epiderme
Papilomatose	Elevação superficial causada por hiperplasia e aumento das papilas dérmicas contíguas
Paraqueratose	Queratinização com retenção de núcleos no estrato córneo. Nas membranas mucosas, a paraqueratose é normal
Espongiose	Edema intercelular da epiderme
Ulceração	Descontinuidade da pele, caracterizada pela perda completa da epiderme, revelando a derme ou o tecido subcutâneo
Vacuolização	Formação de vacúolos dentro das células ou adjacentes a elas; com frequência, refere-se à área basocelular e da membrana basal

> **Morfologia**
>
> Em geral, as sardas são pequenas máculas (1 mm a vários milímetros de diâmetro) vermelho-acastanhadas ou marrom-claras, que aparecem após a exposição solar. A hiperpigmentação das sardas resulta das quantidades aumentadas de melanina dentro dos queratinócitos basais. Os melanócitos associados podem estar ligeiramente aumentados, porém são normais em densidade. Uma vez presentes, as sardas desaparecem e escurecem de maneira cíclica durante o inverno e o verão, respectivamente. Isso não se deve a alterações no número de melanócitos, mas, sim, no grau de pigmentação.

Lentigo

O termo *lentigo* refere-se a uma hiperplasia benigna localizada comum dos melanócitos. Ele ocorre em todas as idades, porém aparece mais comumente em lactentes e crianças. Não há predileção de gênero ou raça, e tanto a causa quanto a patogênese são desconhecidas.

> **Morfologia**
>
> Os lentigos podem acometer as membranas mucosas, bem como a pele, e consistem em pequenas máculas ou manchas (5 a 10 mm) ovais e marrom-acastanhadas. O aspecto histológico essencial consiste em **hiperplasia melanocítica linear (não agrupada)**, restrita à camada celular imediatamente acima da membrana basal, que produz uma camada de células basais hiperpigmentadas. Diferentemente das sardas, os lentigos não escurecem quando expostos à luz solar.

Nevo melanocítico (nevo pigmentado ou pinta)

Os nevos melanocíticos (coloquialmente conhecidos como pintas) são neoplasias benignas comuns, causadas, na maioria dos casos, por mutações ativadoras adquiridas em componentes da via de sinalização de RAS. A maioria das pessoas já teve pelo menos algumas pintas e provavelmente as considera banais e de pouco interesse. Entretanto, na verdade, as pintas (ou nevos melanocíticos) são neoplasias diversas, dinâmicas e biologicamente fascinantes. Existem numerosos subtipos de nevos melanocíticos, que são distinguidos com base nas suas características clínicas e histológicas. A **Tabela 25.2** fornece um resumo das principais características de algumas formas comumente encontradas. Os nevos melanocíticos adquiridos constituem o tipo mais comum e são encontrados em praticamente todos os indivíduos.

Patogênese

A prova de que os nevos são neoplasias provém de estudos que mostram que muitos deles apresentam mutações adquiridas que levam à ativação constitutiva de RAS ou da serina/treonina quinase BRAF, que está situada imediatamente abaixo na via de sinalização do RAS (descrito no **Capítulo 7** e mais adiante, na seção "Melanoma"). Tendo-se em vista que os sinais de RAS têm uma potente atividade transformadora e desempenham papéis fundamentais em muitos cânceres totalmente desenvolvidos, é razoável perguntar por que os nevos só raramente dão origem a melanomas. Uma resposta parece ser encontrada no fenômeno denominado senescência induzida por oncogene. A expressão de RAS ou de BRAF ativados nos melanócitos humanos normais produz apenas um período limitado de proliferação, que é seguido de interrupção permanente do crescimento mediada pelo acúmulo de p16/INK4a, um potente inibidor de várias quinases dependentes de ciclina, incluindo CDK4 e CDK6 (ver **Capítulo 7**). Essa resposta protetora encontra-se alterada no melanoma e em algumas lesões precursoras que dão origem ao melanoma.

> **Morfologia**
>
> Os nevos melanocíticos adquiridos comuns consistem em máculas relativamente planas ou pápulas elevadas uniformemente pigmentadas e pequenas (em geral, com menos de 6 mm), com bordas bem definidas e arredondadas (**Figuras 25.2A** e **25.3A**). Eles podem tornar-se mais proeminentes durante a gravidez, indicando algum grau de sensibilidade hormonal. Acredita-se que os nevos melanocíticos evoluam por meio de uma série de alterações morfológicas ao longo do tempo. Além disso, supõe-se que as primeiras lesões sejam **nevos juncionais**, que consistem em agregados ou ninhos de células redondas, que crescem ao longo

Tabela 25.2 Formas variantes representativas de nevos melanocíticos.

Variante dos nevos	Características arquiteturais diagnósticas	Características citológicas	Importância clínica
Nevo congênito	Crescimento dérmico profundo e, às vezes, subcutâneo ao redor de anexos, feixes neurovasculares e paredes de vasos sanguíneos	Idêntico ao nevo adquirido comum	Presente ao nascimento; as variantes grandes apresentam risco aumentado de melanoma
Nevo azul	Infiltração dérmica sem formação de ninhos, frequentemente com fibrose associada	Células de nevo altamente dendríticas e densamente pigmentadas	Nódulo azul-escuro; com frequência, confundido clinicamente com o melanoma
Nevo de células fusiformes e epitelioides (nevo de Spitz)	Crescimento fascicular	Grandes células volumosas com citoplasma azul-rosado; células fusiformes	Comum em crianças; nódulo rosa-avermelhado; com frequência, confundido clinicamente com o hemangioma
Nevo halo	Infiltração linfocítica que circunda as células névicas	Idêntico aos nevos adquiridos comuns	Resposta imune do hospedeiro contra as células névicas e os melanócitos normais circundantes
Nevo displásico	Ninhos intraepidérmicos coalescentes	Atipia citológica	Marcador potencial ou precursor do melanoma

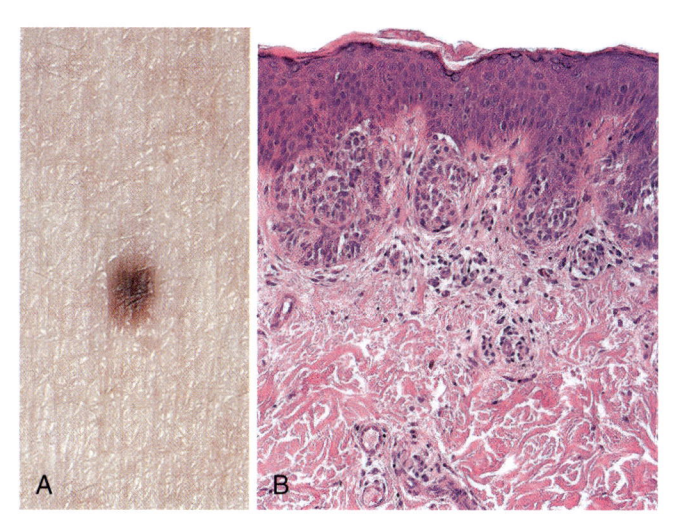

Figura 25.2 Nevo melanocítico tipo juncional. **A.** Macroscopicamente, as lesões são pequenas, relativamente planas, simétricas e uniformes. **B.** Ao exame histológico, os nevos juncionais caracterizam-se por ninhos arredondados de células névicas que se originam nas extremidades das cristas interpapilares ao longo da junção dermoepidérmica.

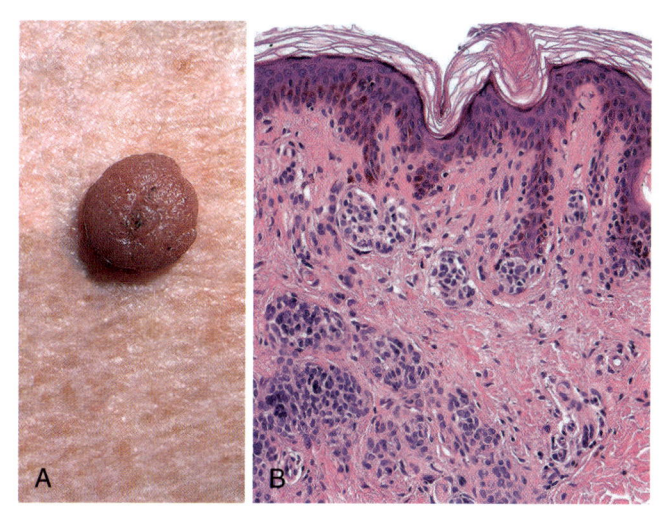

Figura 25.3 Nevo melanocítico, tipo composto. **A.** Diferentemente do nevo juncional, o nevo composto é elevado e em forma de cúpula. A simetria e a distribuição uniforme do pigmento sugerem um processo benigno. **B.** Histologicamente, os nevos compostos combinam as características dos nevos juncionais (ninhos de células névicas intraepidérmicas) com ninhos e cordões de células névicas dérmicas.

da junção dermoepidérmica (**Figura 25.2B**). Os núcleos das células névicas apresentam um contorno uniforme e arredondado, contêm núcleos inconspícuos e exibem pouca ou nenhuma atividade mitótica. Por fim, a maioria dos nevos juncionais cresce na derme subjacente como ninhos ou cordões de células, formando os **nevos compostos** (**Figura 25.3B**). Nas lesões mais antigas, os ninhos epidérmicos podem ser totalmente perdidos, formando **nevos intradérmicos puros**. Com frequência, os nevos compostos e dérmicos são mais elevados do que os nevos juncionais.

O crescimento das células névicas a partir da junção dermoepidérmica para dentro da derme subjacente é acompanhado de alterações morfológicas, que refletem a senescência induzida por oncogene (**Figura 25.4**). Enquanto as células névicas superficiais são maiores, tendem a produzir melanina e crescem em ninhos, as células névicas mais profundas são menores, produzem pouco ou nenhum pigmento e aparecem como cordões e células únicas. Na parte mais profunda das lesões, essas células frequentemente adquirem contornos fusiformes e crescem em fascículos, que lembram o tecido neural (**neurotização**; ver **Figura 25.4E**). Essa notável metamorfose correlaciona-se com alterações enzimáticas (perda progressiva da atividade da tirosinase e aquisição da atividade da colinesterase) nas células névicas mais profundas, não pigmentadas e "semelhante a nervos". Essas alterações são úteis para distinguir os nevos benignos dos melanomas, que carecem dessas características.

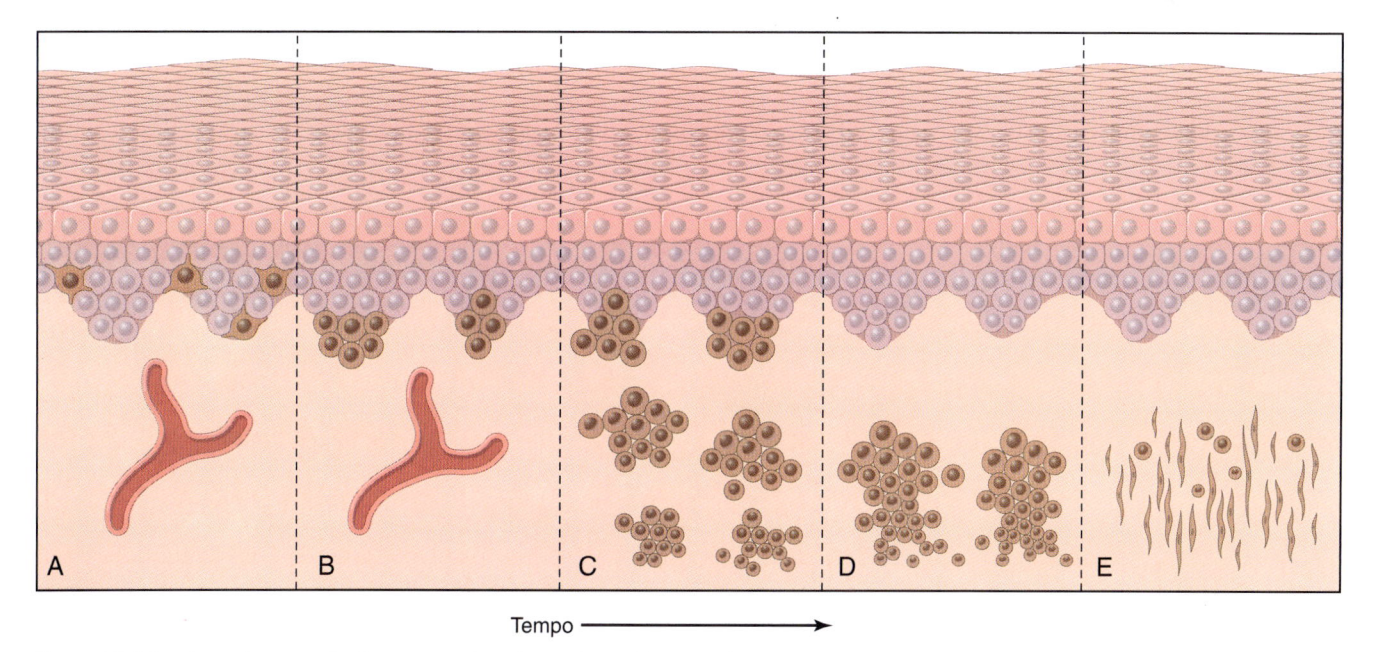

Figura 25.4 Sequência de maturação dos nevos melanocíticos não displásicos. **A.** A pele normal apresenta apenas melanócitos dendríticos dispersos dentro do estrato basal da epiderme. **B.** Nevo juncional. **C.** Nevo composto. **D.** Nevo dérmico. **E.** Nevo dérmico com neurotização, uma alteração que também é chamada de maturação. Os nevos podem existir em qualquer estágio nessa sequência por períodos variáveis, embora se acredite que muitos progridam através dessa sequência.

Embora os nevos melanocíticos sejam comuns, a sua diversidade clínica e histológica exige um conhecimento detalhado de sua aparência e história natural, de modo que não sejam confundidos com outros distúrbios cutâneos, mais notavelmente o melanoma. Entretanto, a importância biológica de alguns nevos reside na sua possível transformação em melanoma ou uso como marcadores de risco aumentado de melanoma (ver adiante).

Nevos displásicos

Os nevos displásicos são importantes, visto que podem constituir precursores diretos do melanoma e, quando múltiplos, são marcadores de risco aumentado de melanoma. A associação entre nevos melanocíticos e melanoma foi estabelecida há quase 200 anos, porém o precursor potencial do melanoma só foi identificado em 1978, quando Clark e colaboradores descreveram lesões que agora são denominadas nevos displásicos. Várias linhas de evidências sustentam o conceito de que alguns nevos displásicos são precursores do melanoma. Uma das evidências mais convincentes envolve estudos de famílias acometidas pela *síndrome do nevo displásico* (também conhecida como sinal atípico familiar ou síndrome do melanoma), um distúrbio autossômico dominante em que a tendência ao desenvolvimento de múltiplos nevos displásicos e melanoma é coerdada. A probabilidade de uma pessoa com síndrome do nevo displásico de desenvolver melanoma é de mais de 50% aos 60 anos, e os indivíduos com risco às vezes desenvolvem melanomas em diversos locais. Até mesmo de maneira mais direta, a transformação aparente de nevos displásicos em melanoma tem sido documentada histologicamente.

Embora os nevos displásicos possam dar origem ao melanoma, a grande maioria dessas lesões é clinicamente estável e nunca progride. Em contrapartida, nem todos os melanomas em indivíduos com síndrome do nevo displásico originam-se de nevos displásicos, o que sugere que essas lesões são mais bem consideradas como indicadores de aumento do risco de melanoma. Os nevos displásicos também podem ocorrer como lesões isoladas em indivíduos normais sob os demais aspectos, e, nesse caso, o risco de transformação maligna é muito baixo.

Patogênese

Clark e colaboradores propuseram, inicialmente, estágios morfológicos no desenvolvimento dos nevos displásicos e sua posterior progressão para o melanoma (**Figura 25.5**); posteriormente, outros pesquisadores correlacionaram essas alterações morfológicas com a aquisição sequencial de mutações oncogênicas e alterações epigenéticas. À semelhança dos nevos convencionais, os nevos displásicos também apresentam, com frequência, mutações ativadoras adquiridas nos genes *NRAS* e *BRAF*. O que, então, distingue os nevos displásicos dos nevos melanocíticos típicos? Uma importante pista provém de indivíduos com a síndrome do nevo displásico. Com frequência, esses indivíduos apresentam mutações de perda de função herdadas no *CDKN2A*. O gene *CDKN2A* codifica várias proteínas, incluindo p16 (descrita de modo mais detalhado em "Melanoma"), que, como você deve se lembrar, é um regulador negativo da quinase-4 dependente de ciclina (CDK4) e da CDK6. Outras famílias afetadas apresentam mutações no gene *CDK4*, que tornam a proteína CDK4 resistente à inibição pela p16. Por conseguinte, parece que a ativação de

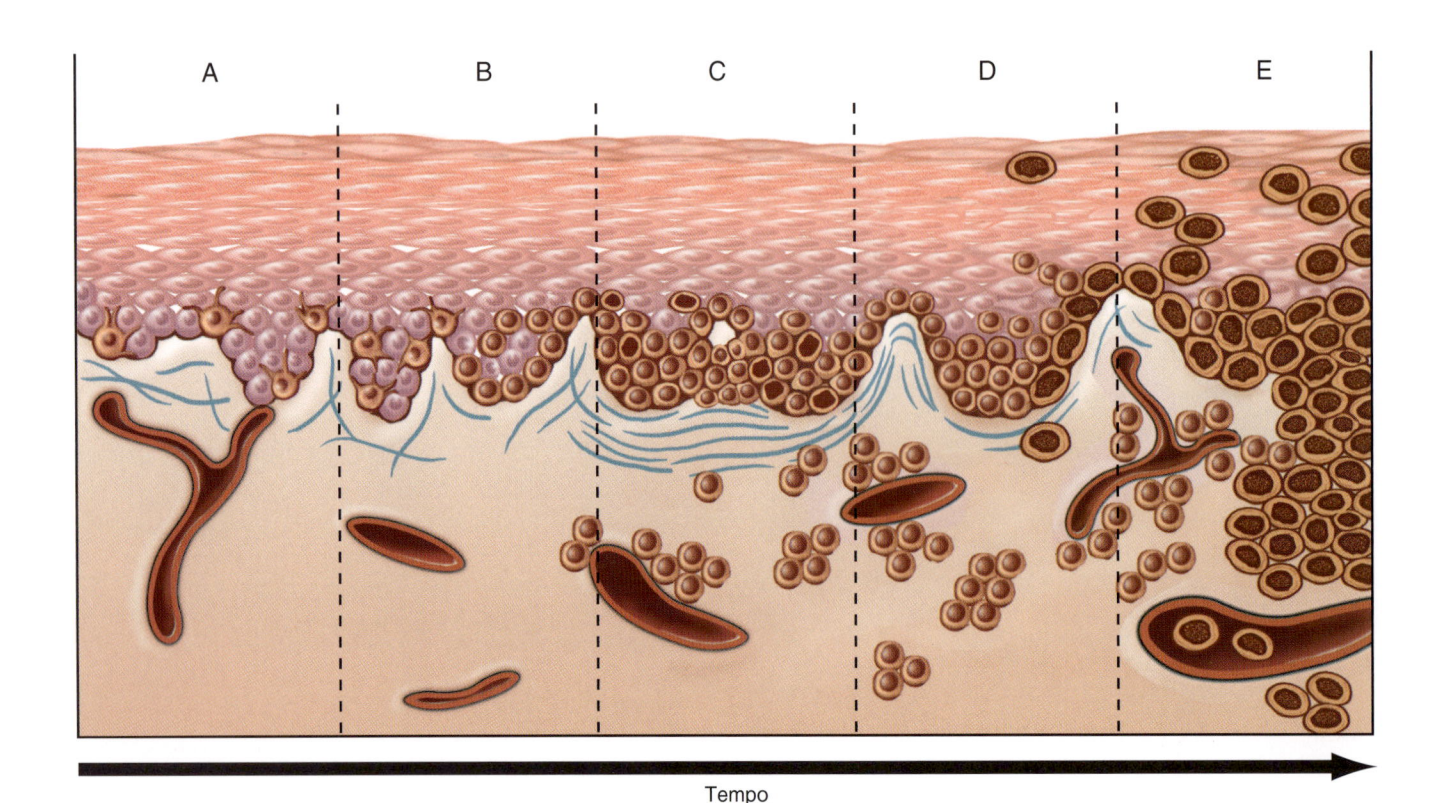

Figura 25.5 Etapas potenciais de progressão de neoplasia nos nevos displásicos. **A.** Hiperplasia melanocítica lentiginosa. **B.** Nevo juncional lentiginoso. **C.** Nevo composto lentiginoso com características arquitetônicas e citológicas anormais (nevo displásico). **D.** Melanoma em estágio inicial ou melanoma em fase de crescimento radial (grandes células escuras na epiderme). **E.** Melanoma avançado (fase de crescimento vertical) com disseminação maligna na derme e nos vasos. O risco de transformação maligna de qualquer nevo displásico isolado é pequeno, porém parece ser maior que o dos nevos típicos.

RAS ou BRAF e o aumento da atividade de CDK4 contribuem para o desenvolvimento de nevos displásicos. Todavia, nem todos os pacientes com mutações de linhagem germinativa em *CDKN2A* ou *CDK4* apresentam nevos displásicos, do mesmo modo que nem todos os nevos displásicos familiares estão associados a mutações nesses genes. Em consequência, suspeita-se que genes adicionais possam influenciar a ocorrência de nevos displásicos em determinado indivíduo; as identidades desses genes modificadores, bem como de outros genes responsáveis pela síndrome, estão sendo investigadas.

Morfologia

Os nevos displásicos são maiores do que a maioria dos nevos adquiridos (em geral, com mais de 5 mm) e, nos indivíduos com síndrome do nevo displásico, podem alcançar várias centenas (**Figura 25.6A**). Eles podem aparecer como máculas planas, placas ligeiramente elevadas com uma superfície "granular" ou lesões semelhantes a alvos, com um centro elevado mais escuro e periferia plana irregular. Eles também podem ser reconhecidos com base no seu grande tamanho, variabilidade na pigmentação (variegada) e bordas irregulares. A maioria parece ser adquirida, em vez de congênita. Diferentemente dos nevos melanocíticos comuns, os nevos displásicos ocorrem em superfícies do corpo tanto expostas ao sol quanto protegidas.

Ao exame microscópico, os nevos displásicos acometem, em geral, tanto a epiderme quanto a derme e exibem atipia arquitetônica e citológica (**Figura 25.6A** e **B**). **Ninhos de células névicas dentro da epiderme podem estar aumentados e, com frequência fundem-se ou coalescem com ninhos adjacentes.** Como parte desse processo, as células névicas começam a substituir a camada de células basais normais ao longo da junção dermoepidérmica, produzindo **hiperplasia lentiginosa**. A atipia citológica assume a forma de aumento dos núcleos, com contornos nucleares irregulares e, com frequência, angulados e hipercromasia (**Figura 25.6C**). As alterações associadas na derme superficial incluem infiltrados linfocíticos (normalmente esparsos); liberação de melanina das células névicas mortas na derme (incontinência de melanina), onde ela é fagocitada por macrófagos dérmicos; e **fibrose linear** peculiar ao redor das cristas interpapilares epidérmicas que estão acometidas pelo nevo. O diagnóstico baseia-se nessa constelação de características, e não em qualquer achado isolado.

Melanoma

O melanoma, o mais fatal de todos os cânceres de pele, está fortemente ligado a mutações adquiridas causadas pela exposição à radiação UV da luz solar. O melanoma é uma neoplasia relativamente comum que pode ser curada se for detectada e tratada em seus estágios iniciais. A grande maioria dos melanomas origina-se na pele; outros locais de origem incluem as superfícies da mucosa oral e anogenital (*i. e.*, orofaringe, tratos gastrintestinal e geniturinário), o esôfago, as meninges e a úvea do olho (ver **Capítulo 29**). Os comentários a seguir aplicam-se aos melanomas cutâneos.

Hoje, como resultado da maior conscientização pública dos sinais do melanoma cutâneo, a maioria dos casos é curada cirurgicamente. Entretanto, a incidência relatada do melanoma está aumentando; nos EUA, eram esperados mais de 100 mil casos e mais de 6.800 mortes em 2020. De maneira notável, houve uma redução nas taxas de mortalidade nos vários anos, o que pode refletir a efetividade da terapia com inibidores do ponto de checagem imune nessa doença (ver **Capítulo 7**).

Patogênese

Em cerca de 10 a 15% dos pacientes afetados, o risco de melanoma é herdado como traço autossômico dominante, com penetrância variável. Conforme assinalado na discussão dos nevos displásicos, alguns desses casos familiares estão associados a mutações de linhagem germinativa que afetam genes que regulam a progressão do ciclo celular, ao passo que outros estão associados a mutações de linhagem germinativa que afetam a expressão da telomerase (descrita adiante). Nos casos restantes, o melanoma é esporádico e está fortemente relacionado com um único fator ambiental

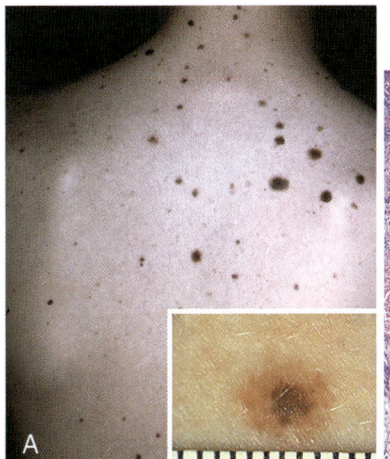

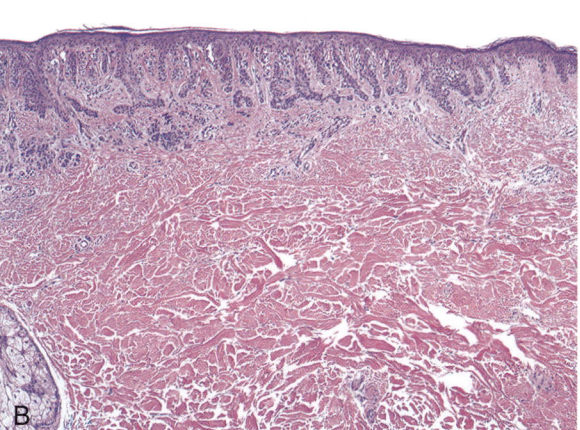

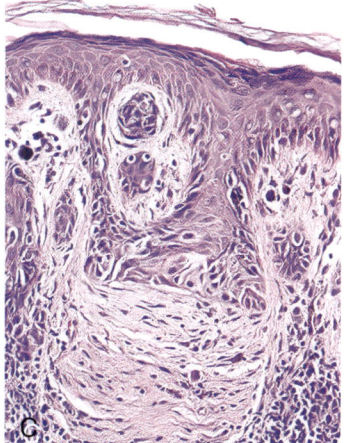

Figura 25.6 Nevo displásico. **A.** Numerosos nevos atípicos no dorso. **B.** Uma dessas lesões (**A**, *detalhe*) apresenta um componente de nevo composto (*à esquerda*) e um componente de nevo juncional assimétrico (*à direita*). O primeiro corresponde à zona central mais elevada e pigmentada, ao passo que o último corresponde à borda periférica plana e menos pigmentada da lesão mostrada em (**A**). **C.** Uma importante característica é a presença de atipia citológica (núcleos de forma irregular e coloração escura). A derme subjacente às células atípicas mostra caracteristicamente a presença de fibrose linear ou lamelar.

predisponente: a exposição à radiação UV da luz solar. Como o reparo do dano ao DNA induzido pela radiação UV é imperfeito, a radiação UV leva ao acúmulo de mutações nos melanócitos com o passar do tempo. O sequenciamento dos genomas do melanoma demonstrou uma taxa muito alta de mutações pontuais que carregam a assinatura dos efeitos nocivos da radiação UV sobre o DNA. Em consonância com essa evidência molecular, os melanomas surgem mais comumente nas superfícies expostas ao sol, particularmente na parte superior do dorso nos homens e no dorso e nas pernas em mulheres, e os indivíduos de pele clara correm maior risco do que os indivíduos de pele mais escura. Outras variantes genéticas herdadas ligadas ao risco aumentado de melanoma em populações de pele clara atuam ao diminuir a produção de melanina na pele, aumentando, assim, a quantidade de dano que a exposição ao sol causa nos melanócitos.

Entretanto, a relação entre a exposição ao sol e o melanoma não é tão direta quanto aquela observada em outros tipos de câncer de pele, como o carcinoma espinocelular (discutido adiante). Alguns estudos sugerem que as queimaduras solares periódicas graves no início da vida constituem o fator de risco mais importante. Além disso, como os melanomas ocorrem às vezes em indivíduos de pele escura e em locais do corpo que não são expostos ao sol, a luz solar nem sempre constitui um fator predisponente essencial, e outros fatores ambientais também podem contribuir para o risco.

As mutações "condutoras" mais frequentes no melanoma afetam o controle do ciclo celular, as vias pró-crescimento e a telomerase. Algumas das mutações mais comuns são as seguintes:

- *Mutações que inativam os genes de controle do ciclo celular.* O gene *CDKN2A* está mutado em cerca de 40% das linhagens no melanoma familiar autossômico dominante. O *CDKN2A* é um *locus* complexo, que codifica três supressores de tumor diferentes, p15, p16 e ARF. Destes, a perda de p16 claramente está implicada no melanoma humano, e evidências experimentais também sustentam um papel para a perda de ARF. Conforme assinalado, a p16 inibe a CDK4 e a CDK6, reforçando, assim, a capacidade do supressor de tumor RB de bloquear as células na fase G_1 do ciclo celular. Em contrapartida, o ARF aumenta a atividade do supressor de tumor p53 por meio da inibição de MDM2, uma oncoproteína que estimula a degradação de p53. O *CDKN2A* está comumente mutado nos melanomas esporádicos, embora outros mecanismos que controlam o ponto de checagem G_1 também possam estar envolvidos. O efeito final de todas essas alterações é o mesmo: aumento da proliferação melanocítica, devido à perda do controle do ciclo celular e ao escape da senescência celular induzida por oncogene
- *Mutações que ativam as vias de sinalização pró-crescimento.* Um segundo grupo comum de lesões moleculares no melanoma esporádico leva a aumentos aberrantes na sinalização de RAS e PI3K/AKT (**Figura 25.7**), o que promove o crescimento e a sobrevida das células (ver **Capítulo 7**). Em 40 a 50% dos melanomas, são observadas mutações ativadoras no BRAF, uma serina/treonina quinase situada a jusante na via de sinalização do RAS, ao passo que ocorrem mutações ativadoras de RAS em 15 a 20% das neoplasias. Os melanomas com mutações em BRAF também apresentam com frequência uma perda do gene supressor de tumor *PTEN*, o que leva à ativação aumentada da via PI3K/AKT. Por motivos que ainda não foram esclarecidos, os melanomas que surgem em locais da pele não expostos ao sol raramente apresentam mutações nos genes BRAF ou RAS e têm maior tendência a ter mutações ativadoras no receptor de tirosinoquinase KIT, situado a montante na via de sinalização RAS e do PI3K/AKT. O *PTEN* também é silenciado em 20% dos melanomas que surgem em locais não expostos ao sol. Outros melanomas apresentam mutações de perda de função no gene supressor de tumor que codifica a neurofibromina 1 (*NF1*), um regulador negativo do RAS, constituindo outro mecanismo que desencadeia a sinalização de RAS
- *Mutações que ativam a telomerase.* Sabe-se, há muito tempo, que a reativação da telomerase, a atividade enzimática que preserva os telômeros e protege as células da senescência, é importante no câncer (ver **Capítulo 7**). O sequenciamento de melanomas esporádicos identificou a existência de mutações no promotor do *TERT*, o gene que codifica a subunidade catalítica da telomerase, em aproximadamente 70% das neoplasias, tornando o *TERT* o gene mais comumente mutado até agora identificado nesse câncer. Além disso, foram identificadas famílias com propensão ao melanoma raro que apresentam mutações de linhagem germinativa do promotor *TERT*. Como é possível antecipar, as mutações aumentam a expressão do *TERT*, sugerindo que elas atuam como antídoto da senescência.

Morfologia

Diferentemente dos nevos benignos, os melanomas exibem notáveis **variações de cor**, podendo aparecer em tonalidades de preto, marrom, vermelho, azul-escuro e cinza (**Figura 25.8A**). Em certas ocasiões, aparecem também zonas brancas ou de hipopigmentação da cor da pele, às vezes devido à regressão focal da neoplasia. **As bordas dos melanomas são irregulares e, com frequência, chanfradas**, contrastando com as bordas lisas, redondas e uniformes dos nevos melanocíticos.

O conceito de fases de crescimento radial e vertical é fundamental para compreender a progressão do melanoma. O **crescimento radial** descreve a propagação horizontal do melanoma dentro da epiderme e da derme superficial (**Figura 25.8B**). Durante esse estágio inicial, as células neoplásicas parecem não ter a capacidade de desencadear metástases. As neoplasias na fase de crescimento radial enquadram-se em várias classes clinicopatológicas, incluindo **lentigo maligno**, que normalmente se manifesta como uma lesão indolente na face de homens idosos, que pode permanecer na fase de crescimento radial por várias décadas; o **extensivo superficial**, o tipo mais comum de melanoma, que, em geral, acomete a pele exposta ao sol; e o **melanoma acro-lentiginoso/de mucosa oral**, que não está relacionado com a exposição ao sol.

Após um período variável (e imprevisível), o melanoma muda da fase radial para a **fase de crescimento vertical**, durante a qual as células neoplásicas invadem a derme profunda na forma de massa expansiva (**Figura 25.8C**). **Com frequência, a fase de crescimento vertical é anunciada pelo aparecimento de um nódulo e está correlacionada com o surgimento de um subclone neoplásico com potencial metastático.** Diferentemente dos nevos melanocíticos, a maturação ou "neurotização" está ausente na porção invasiva profunda do melanoma.

As células individuais do melanoma são normalmente maiores do que os melanócitos normais ou as células encontradas nos nevos melanocíticos. Elas apresentam núcleos aumentados com contornos irregulares, cromatina caracteristicamente condensada

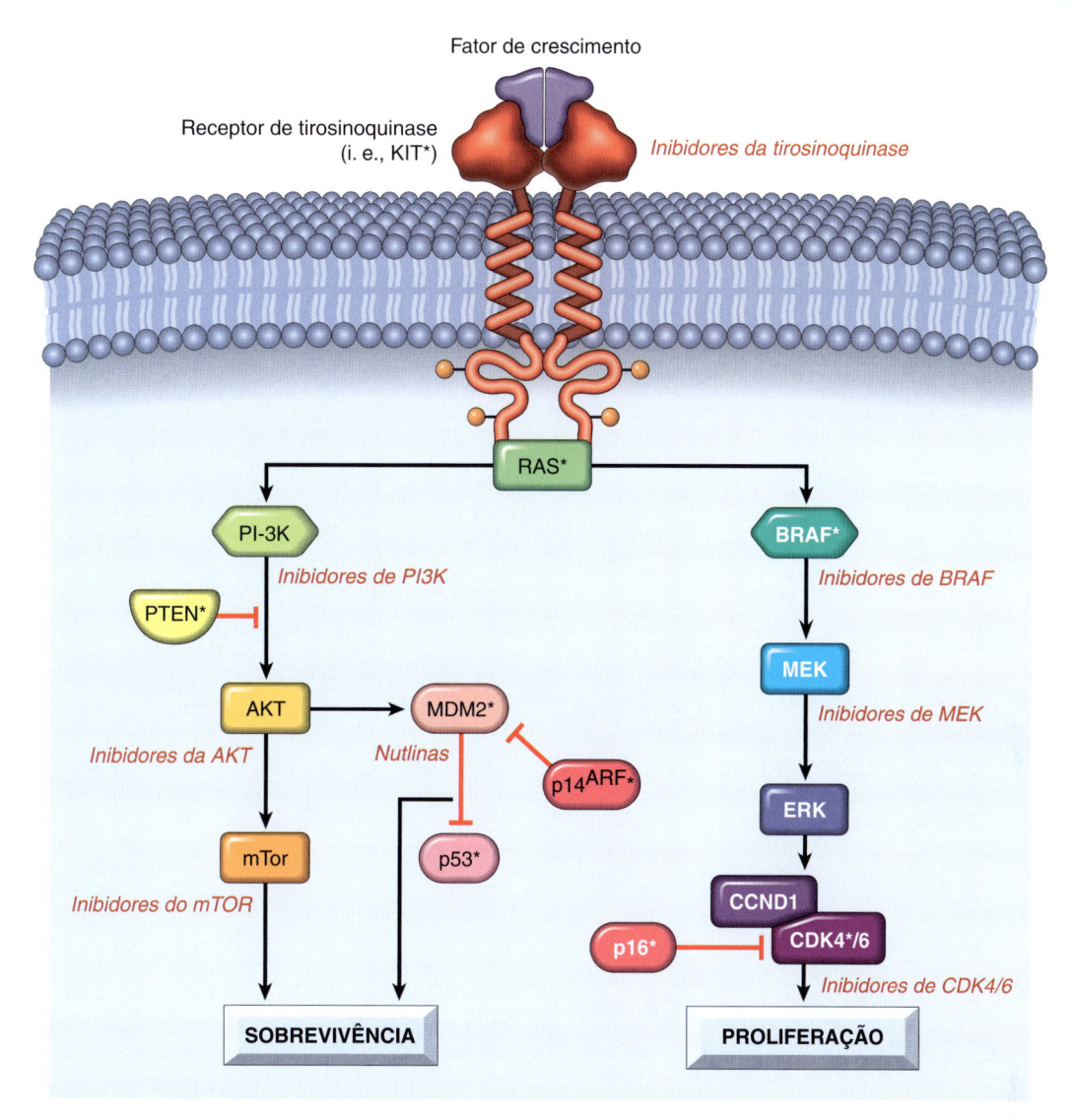

Figura 25.7 Vias importantes no melanoma. Os fatores de crescimento ativam circuitos de sinalização que envolvem receptores de tirosinoquinases (p. ex., KIT), RAS e duas vias a jusante essenciais, que incluem a serina/treonina quinase BRAF e a fosfolipídio quinase PI3K. As proteínas indicadas por *asteriscos* estão mutadas no melanoma. Os componentes dessas vias que são possíveis alvos de fármacos estão indicados.

na periferia da membrana nuclear e nucléolos proeminentes e avermelhados (eosinofílicos) (**Figura 25.8D**). O aspecto das células neoplásicas é semelhante nas fases de crescimento radial e vertical. Enquanto os nevos e os melanomas são, em sua maioria, facilmente distinguidos com base no seu aspecto, uma pequena fração de lesões "atípicas" situa-se em uma zona de indefinição histológica; essas lesões, denominadas tumores melanocíticos de potencial incerto de malignidade, exigem excisão completa e acompanhamento clínico rigoroso.

Após a excisão do melanoma, são utilizadas várias características patológicas para avaliar a probabilidade de disseminação metastática e o prognóstico. Um modelo utilizado para prever o resultado baseia-se, em parte, nas seguintes variáveis patológicas: (1) profundidade de invasão da neoplasia (**espessura de Breslow**); (2) número de mitoses; (3) evidência de regressão da neoplasia (presumivelmente devido à resposta imune do hospedeiro); (4) ulceração da pele sobrejacente; (5) presença e número de linfócitos que infiltram a neoplasia; e (6) localização (extremidade ou parte central do corpo). Os determinantes de um prognóstico mais favorável nesse modelo incluem: menor profundidade da neoplasia; poucas mitoses (< 1 mm^2) ou a sua ausência; uma resposta ativa dos linfócitos que infiltram a neoplasia; e ausência de regressão e de ulceração. Como a maioria dos melanomas inicialmente produz metástases para linfonodos regionais, podem-se obter informações prognósticas adicionais por meio de uma biopsia de linfonodo sentinela, da mesma forma como é feito no câncer de mama (ver **Capítulo 23**). O comprometimento microscópico do linfonodo sentinela, até mesmo por um pequeno número de células do melanoma (micrometástases, **Figura 25.8D**, *detalhe*), confere um prognóstico mais sombrio. O grau de comprometimento e o número total de linfonodos afetados têm uma boa correlação com a sobrevida global.

Características clínicas

Os sinais de alerta mais importantes, às vezes denominados **ABCDE do melanoma**, são os seguintes: (1) assimetria; (2) bordas irregulares; (3) cor variegada; (4) diâmetro crescente;

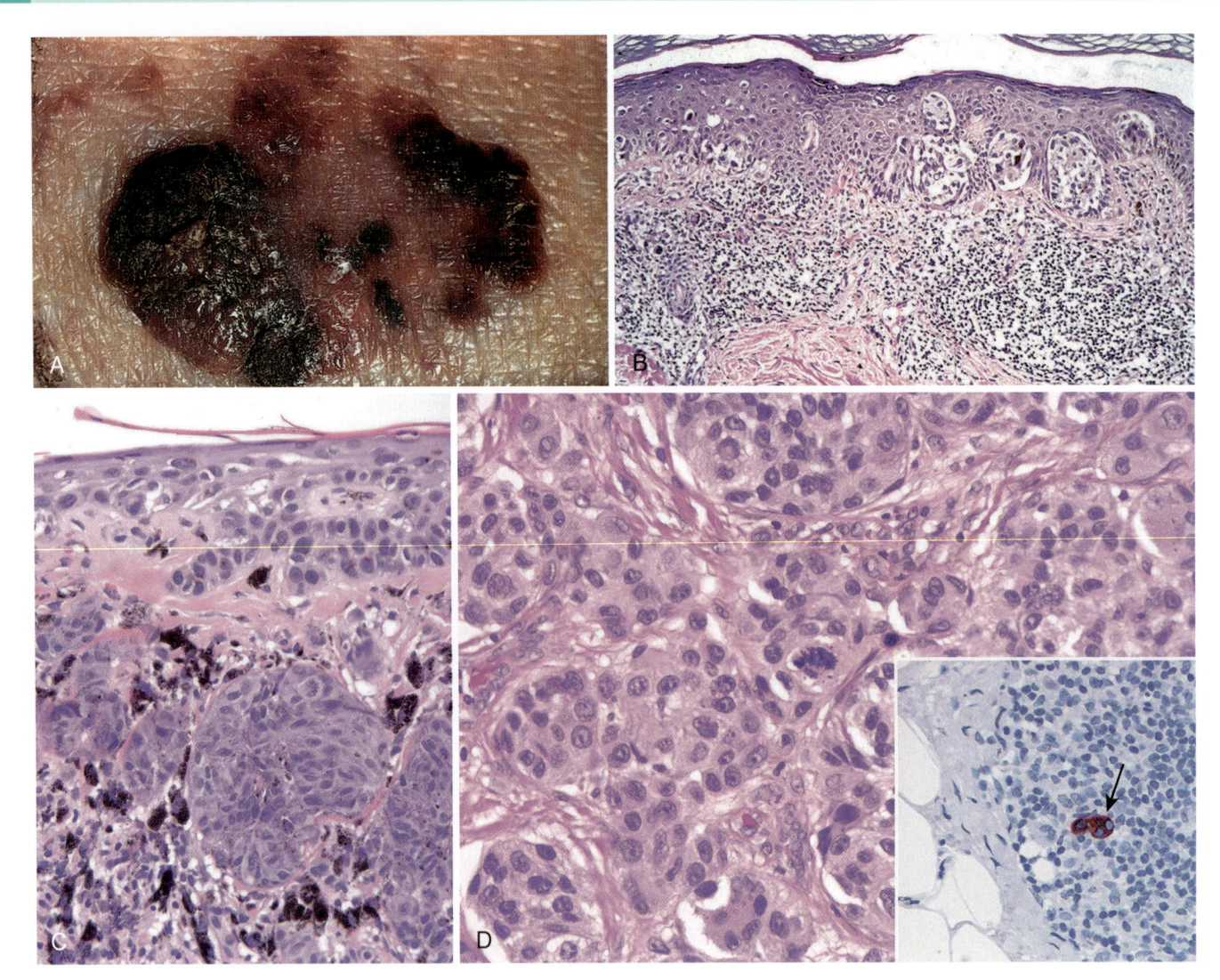

Figura 25.8 Melanoma. **A.** As lesões típicas são irregulares no seu contorno e pigmentação. As áreas maculares exibem uma correlação com a fase de crescimento radial, ao passo que as áreas elevadas correspondem a agregados nodulares de células malignas na fase de crescimento vertical. **B.** Fase de crescimento radial, mostrando o crescimento de ninhos irregulares e células isoladas do melanoma dentro da epiderme, bem como uma resposta inflamatória subjacente dentro da derme. **C.** Fase de crescimento vertical, mostrando agregados nodulares de células infiltrantes. **D.** Vista em grande aumento de células do melanoma. O *detalhe* mostra um linfonodo sentinela com um grupo muito pequeno de células do melanoma (*seta*) com coloração para o marcador melanocítico HMB-45. Até mesmo a presença de números pequenos de células malignas em um linfonodo de drenagem pode conferir um prognóstico mais sombrio.

e (5) evolução ou mudança com o passar do tempo, particularmente se for rápida. Como os melanomas localmente avançados produzem, com frequência, metástases, o seu reconhecimento precoce e excisão completa são fundamentais. O melanoma cutâneo é normalmente assintomático, embora o prurido ou a dor possam constituir manifestações iniciais. A maioria das lesões tem mais de 10 mm de diâmetro por ocasião do diagnóstico. Os sinais clínicos mais consistentes incluem mudanças na cor, no tamanho ou no formato de uma lesão pigmentada.

As descobertas moleculares na patogênese do melanoma levaram à obtenção de sucesso no tratamento desse tipo de câncer com fármacos dirigidos para as vias RAS e PI3K/AKT (ver **Figura 25.7**). Essas abordagens são de necessidade urgente, visto que o melanoma metastático é resistente tanto à quimioterapia convencional quanto à radioterapia. Em última análise, é provável que essas terapias-alvo sejam utilizadas em combinações adaptadas para se ajustar às lesões moleculares oncogênicas encontradas em neoplasias individuais. Essa ideia baseia-se na observação de que uma alta fração de tumores com mutações de BRAF responde aos inibidores de BRAF, ao passo que as neoplasias que pertencem a outros subtipos moleculares não têm essa resposta.

O reconhecimento de que o melanoma é inerentemente imunogênico também levou ao desenvolvimento bem-sucedido de esquemas terapêuticos que utilizam anticorpos que inibem proteínas do ponto de checagem imune, como CTLA4 e PD1. O melanoma é um dos cânceres mais responsivos aos inibidores de ponto de checagem, que retiram os freios de um sistema imune que está pronto para responder a neoantígenos tumorais (ver **Capítulo 7**). Os esforços atuais estão concentrados em maximizar a resposta da neoplasia a inibidores do ponto de checagem, a fim de evitar a toxicidade resultante do ataque autoimune aos tecidos normais do hospedeiro.

Conceitos-chave

Lesões melanocíticas, benignas e malignas

- Os nevos melanocíticos apresentam, em sua maioria, mutações ativadoras no gene *BRAF* ou, com menos frequência, *RAS*, porém a grande maioria nunca sofre transformação maligna
- Os nevos displásicos esporádicos são, em sua maioria, considerados mais como marcadores de risco de melanoma do que como lesões pré-malignas
- O melanoma é uma neoplasia maligna altamente agressiva, ligada à exposição ao sol; o risco de propagação é previsto por várias características da neoplasia, particularmente a espessura vertical das neoplasias excisadas
- Com frequência, o melanoma desencadeia uma resposta imune do hospedeiro e, muitas vezes, apresenta uma resposta drástica à terapia de pontos de checagem imunes, que aumentam a imunidade das células T.

Neoplasias epiteliais benignas

As neoplasias epiteliais cutâneas benignas são neoplasias comuns derivadas do epitélio escamoso estratificado queratinizante da epiderme, dos folículos pilosos e do epitélio ductular das glândulas cutâneas. Com frequência, essas neoplasias assemelham-se às estruturas a partir da qual se originam. Às vezes, o seu aspecto levanta uma preocupação quanto à sua natureza maligna, particularmente quando são pigmentadas ou inflamadas, e, com frequência, a biopsia torna-se necessária para o estabelecimento de um diagnóstico definitivo. Em casos muito raros, elas constituem um sinal de síndromes associadas a neoplasias malignas viscerais potencialmente fatais, como triquilemomas múltiplos na *síndrome de Cowden* ou múltiplas neoplasias sebáceas na *síndrome de Muir-Torre*. Nesses casos, o diagnóstico de neoplasias epiteliais pode facilitar o reconhecimento da síndrome subjacente e a implementação de intervenções clínicas apropriadas.

Queratose seborreica

Essas lesões epidérmicas comuns ocorrem com mais frequência em indivíduos de meia-idade ou idosos. Elas surgem de maneira espontânea e são particularmente numerosas no tronco, embora os membros, a cabeça e o pescoço também possam ser acometidos. Nos indivíduos de pele escura, ocorrem múltiplas queratoses seborreicas pequenas na face, denominadas *dermatose papulosa nigra*, condição observada em até 35% dos adultos afro-americanos.

Patogênese

Em muitas queratoses seborreicas esporádicas, são encontradas mutações ativadoras no receptor do fator de crescimento do fibroblasto-3 (FGFR3), um receptor de tirosinoquinase, e acredita-se que essas mutações impulsionem o crescimento da neoplasia. As queratoses seborreicas podem aparecer de maneira súbita e em grandes números como parte de uma síndrome paraneoplásica (*sinal de Leser-Trélat*), possivelmente devido à estimulação dos queratinócitos pelo fator de crescimento transformador α (TGF-α) produzido por células neoplásicas, mais comumente carcinomas do trato gastrintestinal.

Morfologia

A queratose seborreica aparece caracteristicamente como uma placa cerosa, redonda, plana, em forma de moeda, cujo diâmetro varia de milímetros a vários centímetros (**Figura 25.9**, *detalhe*). É uniformemente castanha a marrom-escura e, em geral, apresenta uma superfície aveludada a granular. O exame com lupa normalmente revela a presença de pequenos orifícios arredondados semelhantes a poros preenchidos com queratina, uma característica útil para diferenciar essas lesões pigmentadas do melanoma.

Ao exame histológico, essas neoplasias são exofíticas e nitidamente demarcadas da epiderme subjacente. Elas são compostas de camadas de células pequenas, que se assemelham às células basais da epiderme normal (**Figura 25.9**). Observa-se a presença de pigmentação melânica variável dentro dessas células basaloides, o que explica a coloração marrom. Ocorre produção exuberante de queratina (hiperqueratose) na superfície, e os pequenos cistos preenchidos de queratina (cistos córneos) e as invaginações de queratina na massa principal (cistos de invaginação) constituem aspectos característicos. Se forem irritadas e inflamadas, as queratoses seborreicas desenvolvem focos em redemoinho de diferenciação escamosa, que se assemelham às correntezas de um rio.

Acantose *nigricans*

A acantose *nigricans* pode ser um importante sinal cutâneo de várias condições benignas e malignas subjacentes. Trata-se de uma condição caracterizada por pele hiperpigmentada e espessa com textura aveludada, que aparece mais comumente nas áreas flexoras (axilas, dobras de pele nas regiões do pescoço, virilha e anogenital). A acantose *nigricans* é dividida em dois tipos, com base na condição subjacente:

- *Em pelo menos 80% dos casos, a acantose* nigricans *está associada a condições benignas e desenvolve-se modo gradual*, geralmente

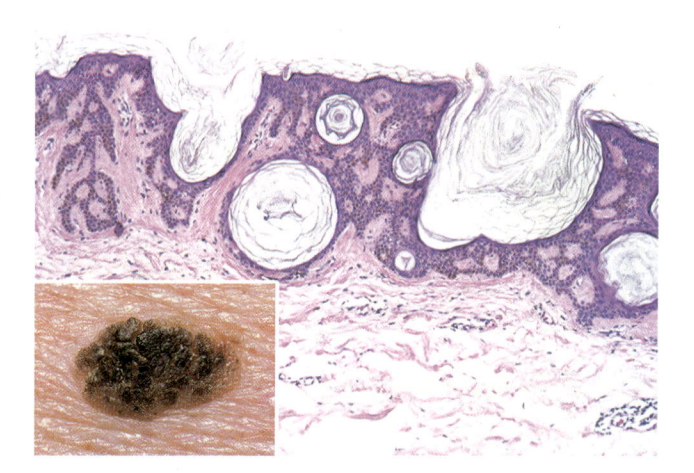

Figura 25.9 Queratose seborreica. Lesão pigmentada bem demarcada e semelhante a uma moeda com tampões superficiais preenchidos por queratina escura (*detalhe*). A lesão é composta de células basaloides benignas associadas a cistos "córneos" proeminentes preenchidos de queratina, alguns dos quais se comunicam com a superfície (pseudocistos córneos).

na infância ou na puberdade. Ela pode ocorrer (1) como traço autossômico dominante, com penetrância variável, (2) em associação à obesidade ou a anormalidades endócrinas (particularmente com neoplasias da hipófise ou da pineal ou com diabetes melito) e (3) como parte de várias síndromes congênitas raras. As associações mais comuns são observadas com a obesidade e o diabetes melito

- *Nos casos restantes, a acantose nigricans surge em associação a cânceres*, mais comumente adenocarcinoma gastrintestinal, com frequência em indivíduos de meia-idade e idosos. Nesse contexto, a acantose *nigricans* é considerada um fenômeno paraneoplásico, provavelmente causado por fatores de crescimento liberados pelas neoplasias.

Patogênese

Em todos os tipos de acantose *nigricans*, a característica unificadora é um distúrbio que leva ao aumento da sinalização do receptor de fator de crescimento na pele. A forma familiar está associada a mutações de linhagem germinativa ativadoras no receptor de tirosinoquinase FGFR3, o mesmo receptor que geralmente está mutado na queratose seborreica. Dependendo da mutação, a acantose pode ser um achado isolado ou pode ser observada em associação a deformidades esqueléticas, incluindo acondroplasia e displasia tanatofórica. Não foi esclarecido por que a mutação do FGFR3, em alguns casos, dá origem à queratose seborreica e, em outros, à acantose *nigricans*. Em pacientes com diabetes melito tipo 2, acredita-se que a hiperinsulinemia provoque aumento da estimulação do receptor do fator de crescimento semelhante à insulina 1 (IGFR1), outro receptor de tirosinoquinase que ativa as mesmas vias de sinalização do FGFR3. Os fatores responsáveis pela acantose *nigricans* paraneoplásicas são incertos; alguns casos foram associados a níveis elevados do TGF-α, o que pode resultar em ativação excessiva do receptor do fator de crescimento epidérmico (EGFR), outro receptor de tirosinoquinase, na pele.

> ### Morfologia
>
> Todas as formas de acantose *nigricans* têm características histológicas semelhantes. A epiderme e as papilas dérmicas aumentadas subjacentes ondulam acentuadamente, formando numerosas saliências e depressões que se repetem. Pode-se observar a presença de hiperplasia variável, bem como hiperqueratose e leve hiperpigmentação da camada de células basais (porém sem hiperplasia melanocítica).

Pólipo fibroepitelial

O pólipo fibroepitelial tem muitas outras denominações (acrocórdon, papiloma escamoso, apêndice cutâneo) e é uma das lesões cutâneas mais comuns. Em geral, ele chama a atenção em indivíduos de meia-idade e idosos em áreas como pescoço, tronco, face e partes intertriginosas. Em algumas síndromes raras, como *síndrome de Birt-Hogg-Dubé*, podem ser observados pólipos fibroepiteliais e neoplasias do mesênquima perifolicular (fibroblastos especializados associados ao bulbo piloso), mas a grande maioria dos pólipos fibroepiteliais é esporádica.

> ### Morfologia
>
> Os pólipos fibroepiteliais são neoplasias moles, semelhantes a bolsas e da cor da pele, que, com frequência, estão ligados à pele circundante por um pedículo delgado. Ao exame histológico, eles consistem em cernes fibrovasculares cobertos por epitélio escamoso benigno. Não é raro que os pólipos sofram necrose isquêmica devido à torção, que pode causar dor e precipitar a sua remoção.

Em geral, os pólipos fibroepiteliais não têm consequências; todavia, em certas ocasiões, eles podem estar associados a diabetes melito, obesidade e polipose intestinal. À semelhança dos nevos melanocíticos e hemangiomas, é interessante assinalar que esses pólipos com frequência se tornam mais numerosos ou proeminentes durante a gravidez, presumivelmente devido à estimulação hormonal.

Cisto de inclusão epitelial ou folicular (Wen)

Os cistos epiteliais são lesões comuns formadas pela invaginação e pela expansão cística da epiderme ou, mais comumente, de um folículo piloso. O termo popular em inglês, *wen*, deriva do anglo-saxão *wenn*, que significa caroço ou tumor. Quando grandes, eles podem estar sujeitos à ruptura traumática, caso em que podem extravasar a queratina na derme e levar a uma resposta inflamatória granulomatosa extensa.

Neoplasias anexiais (de anexos da pele)

Existem literalmente centenas de neoplasias que se originam de anexos da pele ou que apresentam diferenciação nesses anexos. O seu significado varia de acordo com o tipo e o contexto clínico:

- *Algumas são benignas*, mas podem ser confundidas com cânceres de pele, como o carcinoma basocelular
- *Outras neoplasias anexiais estão associadas a mutações de linhagem germinativa em genes supressores de tumor.* Em alguns desses casos, o distúrbio manifesta-se com múltiplas neoplasias anexiais, que podem ser desfigurantes. Em outros casos, as neoplasias anexiais são relativamente triviais, porém fornecem um alerta sobre uma predisposição à neoplasia maligna em órgãos internos; essa relação é observada entre os *triquilemomas* múltiplos e a *síndrome de Cowden*, uma doença causada por mutações de linhagem germinativa no gene supressor de tumor *PTEN*, que está associado a risco aumentado de câncer de endométrio, câncer de mama e outras neoplasias malignas.

As neoplasias de anexos cutâneos aparecem, com frequência, como pápulas ou nódulos solitários ou múltiplos, indistintos e da cor da pele. Algumas exibem predisposição a se desenvolverem em superfícies corporais específicas. A seguir, são fornecidos exemplos selecionados para ilustrar neoplasias de folículos pilosos e glândulas sebáceas, écrinas e apócrinas:

- O *poroma écrino* ocorre predominantemente nas palmas das mãos e nas plantas dos pés, onde as glândulas sudoríparas são numerosas
- O *cilindroma*, uma neoplasia de anexos cutâneos com diferenciação ductal (apócrina ou écrina), ocorre geralmente na fronte

e no couro cabeludo (**Figura 25.10A**), onde a coalescência dos nódulos com o tempo pode produzir um crescimento semelhante a um chapéu – daí a denominação *tumor em turbante*. Essas lesões podem ser herdadas como traço dominante; nesses casos, surgem precocemente na vida e estão associadas a mutações inativadoras no gene supressor de tumor *CYLD*, que codifica uma enzima de desubiquitinação, que regula negativamente o fator de transcrição oncogênico NF-κB e outros fatores que contribuem para a progressão do ciclo celular. Além da cilindromatose familiar, as mutações de linhagem germinativa no gene *CYLD* estão associadas a outras duas síndromes genéticas, caracterizadas pela ocorrência de múltiplas neoplasias de anexos cutâneos, o *tricoepitelioma familiar* múltiplo (uma neoplasia folicular) e a *síndrome de Brooke-Spiegler* (associada tanto ao tricoepitelioma quanto ao cilindroma)

- O *siringoma*, uma lesão com diferenciação écrina, ocorre geralmente na forma de múltiplas pápulas pequenas de coloração acastanhada nas proximidades das pálpebras inferiores
- O *adenoma sebáceo* pode estar associado à neoplasia maligna de órgãos internos na *síndrome de Muir-Torre*, assim como está associado, em um subgrupo de casos, à síndrome do carcinoma colorretal hereditário sem polipose (também conhecida como *síndrome de Lynch*; ver **Capítulo 17**), causada por defeitos de linhagem germinativa nos genes de reparo de mau pareamento do DNA
- O *pilomatricoma*, que exibe diferenciação a partir dos folículos pilosos, está associado a mutações ativadoras no *CTNNB1*, o gene que codifica a β-catenina. As mutações nesse gene, que são observadas em numerosas neoplasias, têm interesse aqui, visto que a sinalização de Wnt por meio da β-catenina é fundamental para o desenvolvimento inicial dos cabelos e regula o seu crescimento e manutenção

- As *neoplasias de anexos cutâneos também podem exibir diferenciação apócrina*; em geral, elas surgem em áreas do corpo em que as glândulas apócrinas são mais prevalentes, como as axilas e o couro cabeludo.

Morfologia

O **cilindroma** é composto de ilhas de células que se assemelham à camada de células basais epidérmicas ou anexiais normais (células basaloides). Essas ilhas se encaixam como peças de um quebra-cabeça dentro de uma matriz dérmica fibrosa (**Figura 25.10B**). O **tricoepitelioma** é uma proliferação de células basaloides que forma estruturas primitivas semelhantes a folículos pilosos (**Figura 25.10C** e **D**). O **adenoma sebáceo** caracteriza-se por uma proliferação lobular de sebócitos, com aumento das células basaloides periféricas e sebócitos mais maduros na porção central, os quais têm citoplasma espumoso ou bolhoso, devido à presença de vesículas lipídicas (**Figura 25.11A**). Os **pilomatricomas** são compostos de células basaloides que exibem diferenciação triquilemal ou de tipo piloso, semelhante àquela observada na porção germinal do bulbo piloso normal na fase anágena de crescimento (**Figura 25.11B**). O **carcinoma apócrino** exibe diferenciação ductal, com secreção por decapitação proeminente, semelhante àquela observada na glândula apócrina normal (**Figura 25.11C**). O padrão de crescimento infiltrativo é um indicador de malignidade nessa neoplasia bem diferenciada nos demais aspectos.

Embora as neoplasias anexiais sejam, em sua maioria, benignas, existem variantes malignas. As neoplasias apócrinas são incomuns, visto que as formas malignas parecem ser mais comuns do que as formas benignas. O *carcinoma sebáceo* origina-se das glândulas

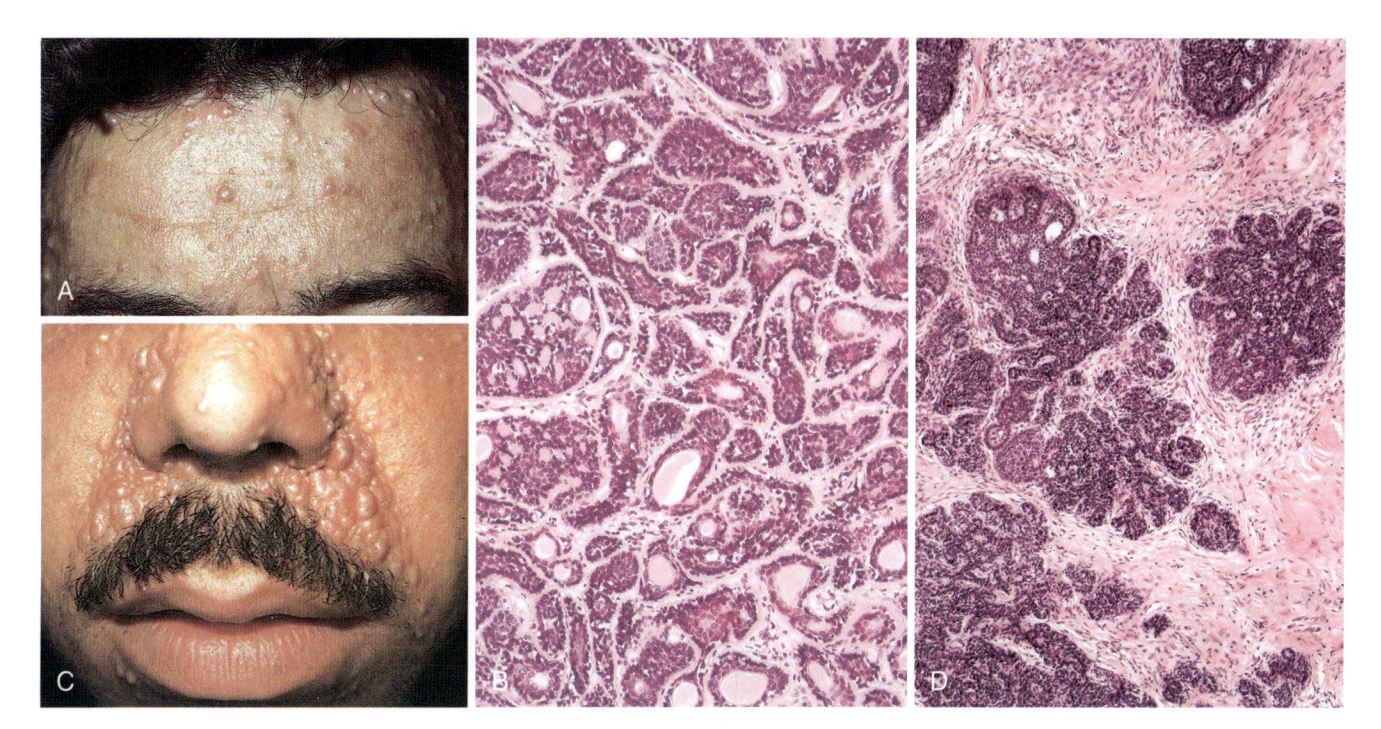

Figura 25.10 Cilindroma e tricoepitelioma. **A** e **B**. Múltiplos cilindromas (pápulas) na fronte (**A**) são compostos de ilhas de células basaloides (**B**) contendo ductos ocasionais que se encaixam como peças de um quebra-cabeça. **C** e **D**. Pápulas perinasais e pequenos nódulos de tricoepitelioma (**C**) são compostos de brotos de células basaloides (**D**), que se assemelham a folículos pilosos primitivos.

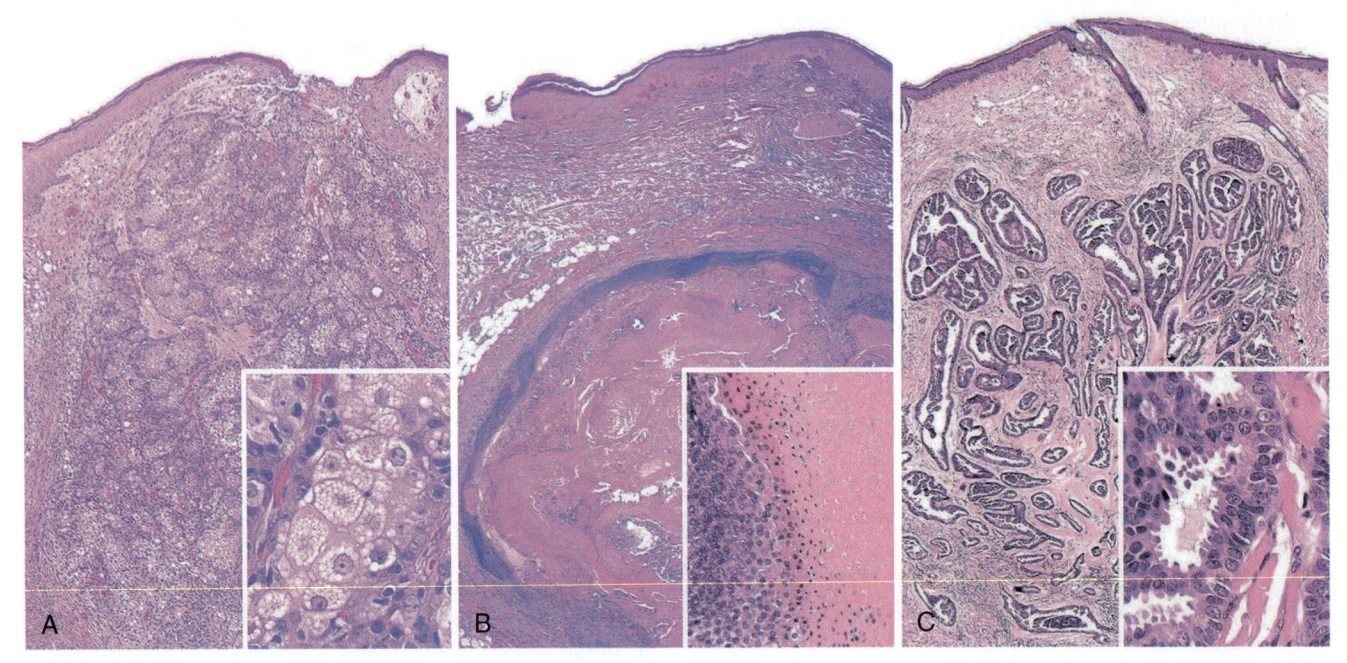

Figura 25.11 Diversas neoplasias de anexos cutâneos. **A.** Adenoma sebáceo; o *detalhe* demonstra a diferenciação sebácea. **B.** Pilomatricoma; o *detalhe* mostra a diferenciação da matriz pilosa para "células fantasmas" anucleadas. **C.** Carcinoma apócrino (bem diferenciado); o *detalhe* mostra a diferenciação apócrina e as secreções luminais produzidas por decapitação das células de revestimento.

meibomianas da pálpebra e pode seguir uma evolução agressiva, com metástases sistêmicas. Os *carcinomas écrinos* e *apócrinos* podem ser confundidos com o adenocarcinoma metastático, em virtude de sua tendência a formar estruturas semelhantes a glândulas.

Neoplasias epidérmicas pré-malignas e malignas

Queratose actínica

A *queratose actínica* (como o próprio nome indica) ocorre geralmente na pele danificada pelo sol e exibe hiperqueratose. Conforme esperado, essas neoplasias têm incidência particularmente elevada em indivíduos de pele clara. A exposição à radiação ionizante, a hidrocarbonetos industriais e a arsênicos pode induzir lesões semelhantes. Essas lesões podem apresentar alterações displásicas, que se agravam de forma progressiva e culminam em carcinoma espinocelular cutâneo; nesse aspecto, elas são análogas às lesões precursoras que dão origem aos carcinomas escamosos do colo do útero (ver **Capítulo 22**).

> **Morfologia**
>
> Em geral, as queratoses actínicas têm menos de 1 cm de diâmetro, são de cor marrom-acastanhada, vermelha ou bege e têm consistência áspera, semelhante a uma lixa. Algumas lesões produzem tanta queratina a ponto de desenvolver um "corno cutâneo" (**Figura 25.12A**), que, nos casos extremos, pode se tornar proeminente a ponto de lembrar os cornos verdadeiros de animais. Os locais expostos ao sol (face, braços, dorso das mãos) são afetados com mais frequência. Os lábios também podem desenvolver lesões semelhantes (denominadas **queilite actínica**).

> A atipia citológica é observada nas camadas mais inferiores da epiderme e pode estar associada à hiperplasia basocelular (**Figura 25.12B**) ou, como alternativa, à atrofia, que resulta em adelgaçamento da epiderme. Em geral, as células basais atípicas têm citoplasma cor-de-rosa ou avermelhado, devido à disqueratose. Observa-se a presença de pontes intercelulares, diferentemente do carcinoma basocelular, em que elas não são visíveis. A derme superficial contém fibras elásticas espessas e cinza-azuladas (**elastose**), resultado da síntese anormal de fibras elásticas pelos fibroblastos danificados pelo sol. Ocorre espessamento do estrato córneo, e, diferentemente da pele normal, as células nesse estrato com frequência conservam seus núcleos (**paraqueratose**).

As queratoses actínicas podem regredir ou permanecer estáveis durante toda a vida, porém algumas se transformam em neoplasia maligna, o que justifica a sua erradicação local. Isso pode ser realizado por simples curetagem, crioterapia ou aplicação tópica de agentes quimioterápicos. É interessante ressaltar que a administração tópica de imiquimode, um medicamento que ativa os receptores do tipo *Toll* (TLR), erradica até 50% das lesões, ou seja, uma taxa consideravelmente maior do que a taxa de regressão espontânea, que é de aproximadamente 5%. Ao estimular a sinalização de TLR, o imiquimode ativa as células imunes inatas da pele, que podem reconhecer e erradicar as lesões pré-cancerosas.

Carcinoma espinocelular

O carcinoma espinocelular é a segunda neoplasia mais comum quando são consideradas as que surgem em áreas de exposição solar em indivíduos idosos, superado apenas pelo carcinoma basocelular. Com exceção das lesões na parte inferior das pernas, essas neoplasias têm maior incidência nos homens do que nas

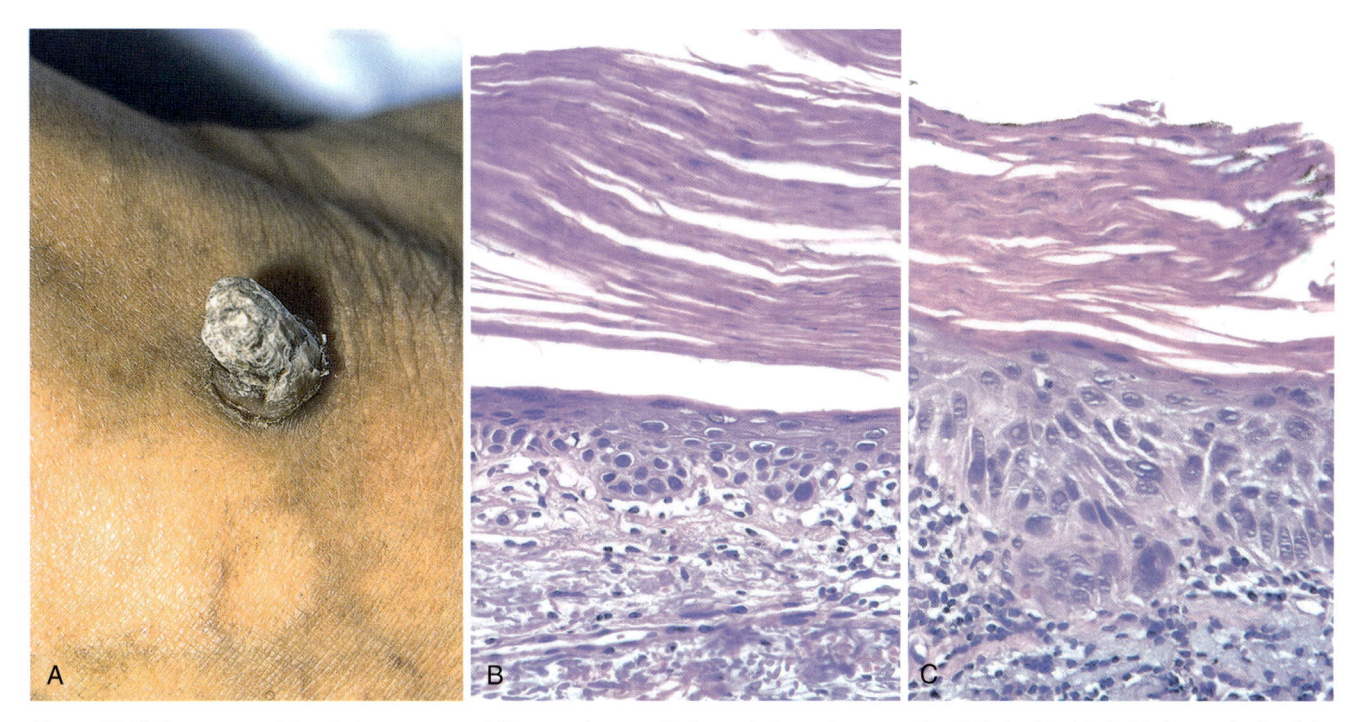

Figura 25.12 Queratose actínica. **A.** A escama ceratótica excessiva nessa lesão produziu um "corno cutâneo". **B.** A atipia (displasia) da camada de células basais está associada à hiperqueratose acentuada e à paraqueratose. **C.** A progressão para atipia nuclear em toda a espessura, com ou sem a presença de maturação epidérmica superficial, prenuncia o desenvolvimento do carcinoma espinocelular *in situ*.

mulheres. Os carcinomas espinocelulares invasivos são geralmente descobertos quando são pequenos e passíveis de ressecção. Menos de 5% dessas neoplasias produzem metástases para os linfonodos regionais; em geral, essas lesões são profundamente invasivas e acometem o tecido subcutâneo.

Patogênese

A causa mais importante do carcinoma espinocelular cutâneo é o dano ao DNA induzido por exposição à luz UV. A incidência dessa neoplasia é proporcional ao grau de exposição solar durante a vida. Uma segunda associação comum é com a imunossupressão, mais notavelmente a imunossupressão crônica em consequência de quimioterapia ou de transplante de órgãos. A imunossupressão pode contribuir para a carcinogênese ao reduzir a vigilância do hospedeiro e ao aumentar a suscetibilidade dos queratinócitos à infecção e à transformação por vírus, particularmente o papilomavírus humano (HPV) dos subtipos 5 e 8. Esses mesmos HPVs foram implicados em neoplasias que acometem pacientes com a rara condição autossômica recessiva denominada *epidermodisplasia verruciforme*, que se caracteriza pela alta suscetibilidade ao carcinoma espinocelular cutâneo. Além de seu efeito prejudicial sobre o DNA, a luz solar, por meio de mecanismos incertos, parece causar um defeito transitório na imunidade inata cutânea, que pode diminuir a eliminação imunomediada das células danificadas pelo sol. Outros fatores de risco para o carcinoma espinocelular incluem carcinógenos industriais (alcatrão e óleos), úlceras crônicas e osteomielite com seio drenante, cicatrizes de queimaduras antigas, ingestão de arsênico, radiação ionizante e (na cavidade oral) mastigação de tabaco e noz-de-areca.

O foco da maioria dos estudos de genética do carcinoma espinocelular tem sido concentrado nos defeitos adquiridos em neoplasias esporádicas e seus precursores (queratoses actínicas) e nas relações entre esses defeitos e a exposição ao sol. A incidência de mutações no *TP53* nos casos de queratose actínica em indivíduos brancos é alta, o que sugere que a disfunção de p53 constitui um evento precoce no desenvolvimento de neoplasias induzidas pela luz solar. Normalmente, o dano ao DNA causado pela luz UV é detectado por quinases de pontos de checagem, como ATM e ATR, cujos sinais enviados suprarregulam a expressão e a estabilidade de p53. Por sua vez, a p53 interrompe as células na fase G_1 do ciclo celular e promove o reparo de "alta fidelidade" do DNA ou a eliminação das células cujo dano está além da possibilidade de reparo (ver **Capítulo 7**). Quando essas funções protetoras de p53 são perdidas, o dano ao DNA induzido pela luz UV tem maior tendência a ser "reparado" por mecanismos propensos a erros, criando mutações que são transmitidas às células-filhas. Convém assinalar que as mutações observadas no *TP53* ocorrem frequentemente em dímeros de pirimidina, o que indica que elas também provêm do dano causado pela luz UV. Uma história semelhante é observada na notável suscetibilidade de pacientes com *xeroderma pigmentoso* ao carcinoma espinocelular. Esse distúrbio é causado por mutações herdadas em genes envolvidos na via de reparo por excisão de nucleotídios, que é necessária para o reparo acurado de dímeros de pirimidina; quando essa via está defeituosa, as vias de reparo propensas a erro assumem a situação, levando ao rápido acúmulo de mutações e, por fim, à carcinogênese.

À semelhança de todas as outras formas de câncer, o carcinoma espinocelular cutâneo origina-se de múltiplas mutações condutoras. Além dos defeitos em p53, as mutações que aumentam a sinalização de RAS e diminuem a sinalização de *Notch* são comuns e contribuem para o processo de transformação.

> ### Morfologia
>
> Os carcinomas espinocelulares que não invadiram a membrana basal da junção dermoepidérmica (denominados carcinomas *in situ*) aparecem como placas escamosas vermelhas e nitidamente definidas. As lesões invasivas mais avançadas são nodulares, demonstram uma produção variável de queratina (identificada macroscopicamente como escama hiperceratótica) e podem ulcerar (**Figura 25.13A**).
>
> Diferentemente da queratose actínica, no carcinoma espinocelular *in situ*, as células com núcleos atípicos (aumentados e hipercromáticos) envolvem todos os níveis da epiderme (**Figura 25.12C**). O carcinoma espinocelular invasivo (**Figura 25.13B** e **C**) exibe graus variáveis de diferenciação, incluindo desde neoplasias compostas de células poligonais dispostas em lóbulos ordenados e com numerosas e grandes áreas de queratinização até neoplasias constituídas por células altamente anaplásicas, que exibem apenas queratinização de uma única célula abortiva (disqueratose). Essas últimas podem ser pouco diferenciadas, a ponto de exigirem o uso de reações imuno-histoquímicas para queratinas para confirmar o diagnóstico.

Carcinoma basocelular

O carcinoma basocelular é uma neoplasia cutânea distinta e localmente agressiva, que está associada a mutações que ativam a via de sinalização *Hedgehog*. O carcinoma basocelular é o câncer invasivo mais comum em seres humanos, alcançando quase 1 milhão de casos por ano nos EUA. Essas neoplasias apresentam crescimento lento e raramente produzem metástases. A grande maioria é reconhecida em um estágio inicial e curada por excisão local. Entretanto, um pequeno número de neoplasias (< 0,5%) é localmente agressivo e potencialmente desfigurante; em raras ocasiões, são observadas metástases a distância. O carcinoma basocelular ocorre em locais expostos ao sol em adultos idosos de pele clara. À semelhança do carcinoma espinocelular, a incidência do carcinoma basocelular está aumentada no contexto da imunossupressão e em distúrbios de reparo do DNA, como *xeroderma pigmentoso* (ver **Capítulo 7**).

Patogênese

Os carcinomas basocelulares apresentam, em sua maioria, mutações que levam à sinalização de *Hedgehog* desenfreada. Como geralmente ocorre em biologia e medicina, o estudo de uma síndrome genética rara associada a alto risco de doença comum (carcinoma basocelular) levou à elucidação de mecanismos patogênicos de importância geral. O quadro em questão, a *síndrome do carcinoma basocelular nevoide* (SCBN) (também conhecida como nevo basocelular ou *síndrome de Gorlin*), é uma doença autossômica dominante caracterizada pelo desenvolvimento de múltiplos carcinomas basocelulares, com frequência antes dos 20 anos, e acompanhada de várias outras neoplasias (particularmente meduloblastomas e fibromas ovarianos), ceratocistos odontogênicos, depressões das palmas das mãos e das plantas dos pés e certas anormalidades de desenvolvimento. A SCBN é uma de várias síndromes de câncer associada a manifestações cutâneas (**Tabela 25.3**). O gene associado à SCBN é o *PTCH*, um gene supressor de tumor que é o homólogo humano do gene de desenvolvimento *patched* de *Drosophila*. Os indivíduos com SCBN nascem com uma mutação de linhagem germinativa de perda de função em um alelo *PTCH*; o segundo normal é inativado nas neoplasias por uma mutação adquirida, geralmente causada por exposição a agentes mutagênicos (particularmente, luz UV).

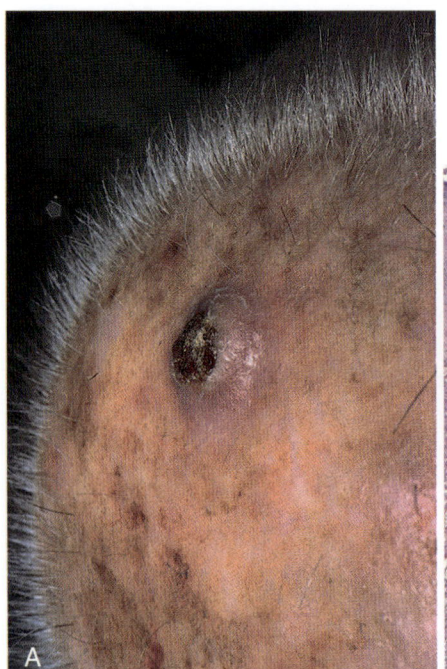

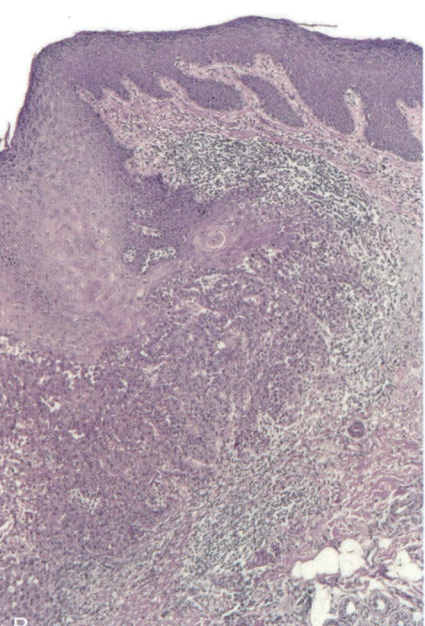

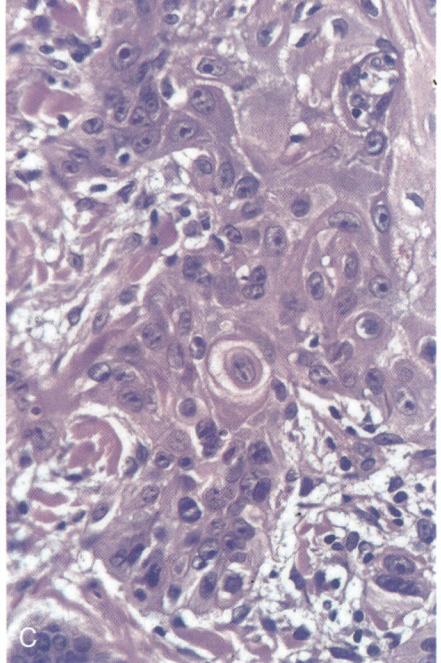

Figura 25.13 Carcinoma espinocelular invasivo. **A.** As lesões são frequentemente nodulares e ulceradas, conforme observado nessa neoplasia do couro cabeludo. **B.** As projeções de epitélio escamoso atípico transpassaram a membrana basal e invadiram profundamente a derme. **C.** As células neoplásicas invasoras exibem núcleos aumentados, com contornos angulados e nucléolos proeminentes.

Tabela 25.3 Levantamento das síndromes de câncer familiar com manifestações cutâneas.

Doença	Herança	Localização cromossômica	Gene/proteína	Função normal/manifestação da perda
Ataxia-telangiectasia	AR	11q22.3	ATM/ATM	Reparo do DNA após lesão por radiação/lesões neurológicas e vasculares
Síndrome do carcinoma basocelular nevoide	AD	9q22	PTCH/PTCH	Gene de padrão de desenvolvimento/carcinomas basocelulares múltiplos; meduloblastoma; cistos de mandíbula
Síndrome de Cowden	AD	10q23	PTEN/PTEN	Lipídio fosfatase/neoplasias de anexos foliculares benignas (triquilemomas); adenocarcinoma de órgãos internos (com frequência, de mama ou de endométrio)
Síndrome de melanoma e nevo atípico familiar	AD	9p21	CDKN2A/p16, INK4 CDKN2A/p14, ARF	Inibe a fosforilação de CDK4/6 de RB, promovendo a interrupção do ciclo celular/melanoma; carcinoma de pâncreas Liga-se a MDM2, promovendo a função de p53/melanoma; carcinoma de pâncreas
Síndrome de Muir-Torre	AD	2p22 3p21	MSH2/MSH2 MLH1/MLH1	Envolvida no reparo de mau pareamento do DNA/neoplasia sebácea; neoplasia maligna de órgãos internos (de cólon e outras)
Neurofibromatose 1	AD	17q11	NF1/neurofibromina	Regula negativamente a sinalização de RAS/neurofibromas
Neurofibromatose 2	AD	22q12	NF2/merlina	Integra a sinalização do citoesqueleto/neurofibromas; neuromas acústicos
Esclerose tuberosa	AD	9q34 16p13	TSC1/hamartina TSC2/tuberina	Atuam em conjunto em um complexo que regula negativamente mTOR/angiofibromas; deficiência intelectual
Xeroderma pigmentoso	AR	9q22 e outros	XPA/XPA e outros	Reparo de excisão de nucleotídios/melanoma; outros cânceres de pele (não melanoma)

AD, autossômica dominante; AR, autossômica recessiva.
De Tsai KY, Tsao H: The genetics of skin cancer, Am J Med Genet C Semin Med Genet 131C:82, 2004.

A proteína PTCH é um receptor para *sonic hedgehog* (SHH), uma proteína componente da via de sinalização *Hedgehog* que controla a polaridade e o desenvolvimento do SNC durante a embriogênese, além de regular a formação dos folículos pilosos e o crescimento dos cabelos. No estado "inativado", a PTCH ocorre em um complexo com outra proteína transmembrana, denominada SMO (de *smoothened*). A ligação do SHH à PTCH libera SMO, que, por sua vez, ativa o fator de transcrição GLI1 (**Figura 25.14**), ativando, assim, a expressão de genes que sustentam o crescimento e a sobrevida das células neoplásicas. Camundongos submetidos à engenharia genética para apresentar ativação excessiva de GLI1 são propensos a desenvolver neoplasias cutâneas que se assemelham aos carcinomas basocelulares. De forma semelhante, na SCBN, a perda de função de PTCH provoca ativação constitutiva de SMO e GLI1, levando ao desenvolvimento de carcinoma basocelular.

As mutações que ativam a sinalização *Hedgehog* também são prevalentes nos carcinomas basocelulares esporádicos. As mutações de perda de função do *PTCH* são comuns, e cerca de um terço dessas mutações consiste em transições C→T, que são características essenciais do dano pela luz UV. Essas informações prepararam o caminho para o desenvolvimento e a implementação de estratégias terapêuticas com pequenas moléculas inibidoras da via *Hedgehog*.

Algumas neoplasias contêm melanina e se assemelham superficialmente aos nevos melanocíticos ou melanomas. As lesões avançadas podem ulcerar, e pode ocorrer invasão local extensa do osso ou dos seios da face depois de muitos anos de negligência ou em neoplasias incomumente agressivas, o que explica a antiga denominação **úlceras roedoras**. Uma variante comum e importante, o carcinoma basocelular superficial, manifesta-se como uma placa eritematosa e ocasionalmente pigmentada, que pode se assemelhar às formas precoces do melanoma.

Ao exame histológico, as células neoplásicas assemelham-se àquelas observadas na camada de células basais normais da epiderme. Elas originam-se da epiderme ou do epitélio folicular e não acometem as superfícies mucosas. São observados dois padrões: o **crescimento multifocal**, que se origina da epiderme e, às vezes, se estende por vários centímetros quadrados ou mais de superfície cutânea (tipo superficial multifocal); e as **lesões nodulares**, que crescem profundamente dentro da derme como cordões e ilhas de células variavelmente basofílicas com núcleos hipercromáticos, incorporadas em uma matriz mucinosa e, com frequência, circundadas por muitos fibroblastos e linfócitos (**Figura 25.15B**). As células na periferia das ilhas de células neoplásicas tendem a exibir uma disposição radial, com seus eixos longitudinais em alinhamento paralelo (**em paliçada**). Nos cortes, o estroma retrai-se do carcinoma (**Figura 25.15C**), criando fendas ou artefatos de separação que ajudam a diferenciar os carcinomas basocelulares de certas neoplasias de anexos, que também se caracterizam pela proliferação de células basaloides, como o tricoepitelioma.

Morfologia

Os carcinomas basocelulares manifestam-se geralmente como **pápulas peroladas**, que contêm vasos sanguíneos subepidérmicos dilatados proeminentes (**telangiectasias**) (**Figura 25.15A**).

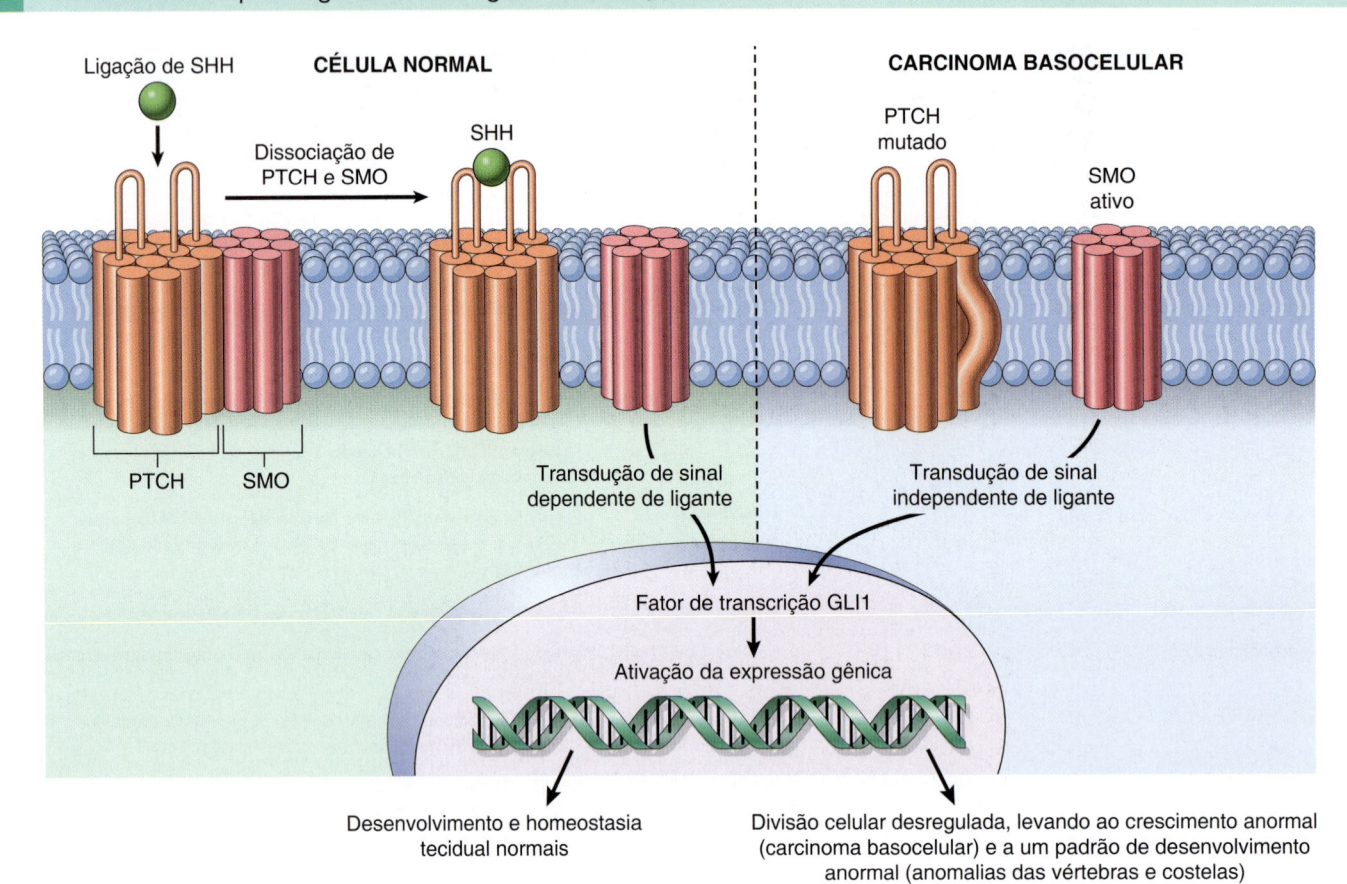

Figura 25.14 Sinalização *hedgehog* normal e oncogênica. À *esquerda*, normalmente, a PTCH e a SMO formam um complexo receptor, que pode se ligar à proteína *sonic hedgehog* (*SHH*). Na ausência de SHH, a PTCH bloqueia a atividade de SMO. Quando SHH se liga à PTCH, a SMO é liberada para desencadear uma cascata de transdução de sinais, que leva à ativação de GLI1 e de outros fatores de transcrição. À *direita*, as mutações em *PTCH* e, com menos frequência, em *SMO* possibilitam a sinalização de SMO sem ligação a SHH e produzem ativação constitutiva de GLI1. A sinalização de GLI é um aspecto característico dos carcinomas basocelulares esporádicos e das neoplasias associadas à síndrome de carcinoma basocelular nevoide (de Gorlin).

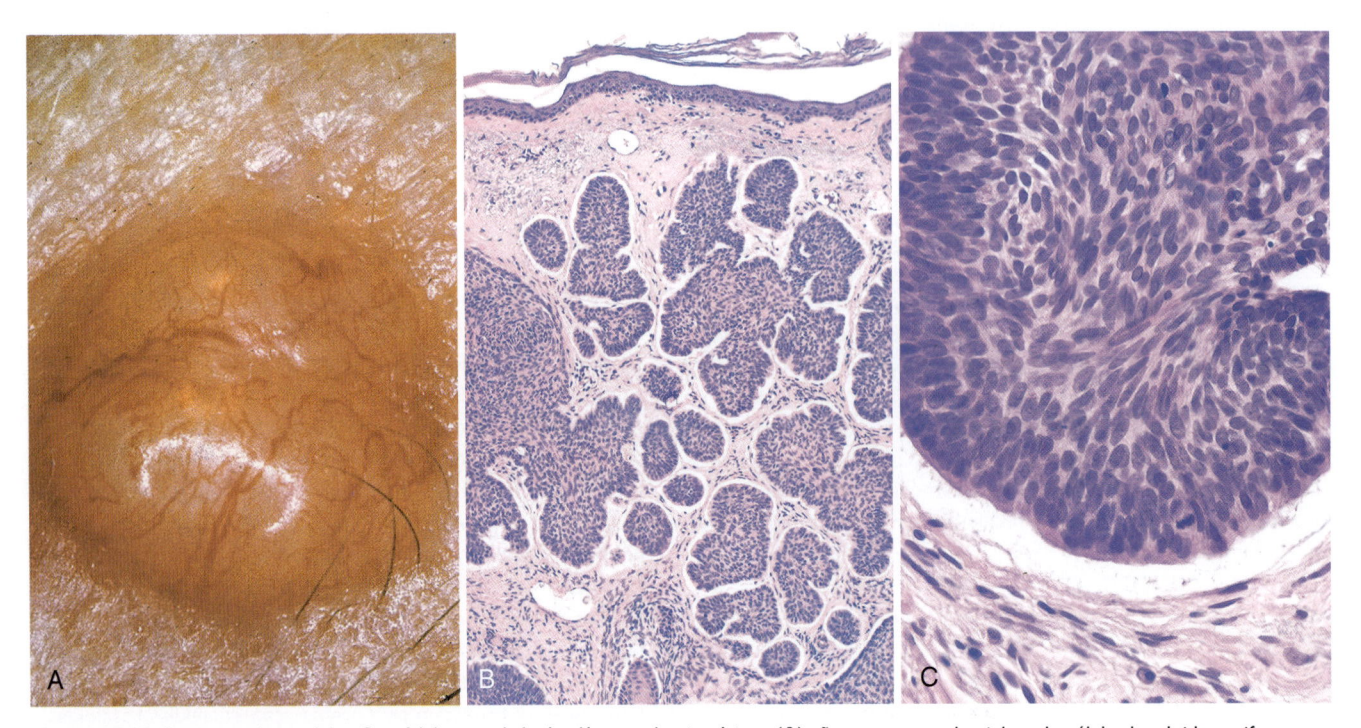

Figura 25.15 Carcinoma basocelular. Os nódulos perolados/perláceos telangiectásicos (**A**) são compostos de ninhos de células basaloides uniformes na derme (**B**) que frequentemente são separadas do estroma adjacente por fendas finas (**C**), um artefato do corte.

Conceitos-chave

Neoplasias epidérmicas malignas

- A incidência do carcinoma basocelular e do carcinoma espinocelular está fortemente correlacionada com o aumento da exposição ao sol durante a vida
- O carcinoma espinocelular cutâneo pode se originar de queratoses actínicas, mas também pode resultar de exposição a substâncias químicas, em locais de queimaduras térmicas ou em associação à infecção pelo HPV no contexto da imunossupressão
- O carcinoma espinocelular cutâneo tem potencial de produzir metástases, porém é muito menos agressivo do que o carcinoma espinocelular nas mucosas
- O carcinoma basocelular, a neoplasia maligna mais comum em todo o mundo, é uma neoplasia localmente agressiva associada a mutações que ativam a sinalização *Hedgehog*. A metástase é muito rara.

Neoplasias da derme

A derme contém uma variedade de elementos, como músculo liso, pericitos, fibroblastos, tecido neural e endotélio. As neoplasias constituídas por células semelhantes a todos esses elementos ocorrem na pele, porém a maioria também acomete outros tecidos moles e vísceras; essas neoplasias são discutidas em outra parte ou são demasiado raras para merecer discussão. Nesta seção, são consideradas duas neoplasias dérmicas – uma benigna e outra maligna – que surgem principalmente na pele.

Histiocitoma fibroso benigno (dermatofibroma)

O histiocitoma fibroso benigno refere-se a uma família heterogênea de neoplasias dérmicas benignas de linhagem incerta, relacionadas do ponto de vista morfológico e histogenético. Em geral, essas neoplasias são observadas em adultos e, com frequência, ocorrem nas pernas de mulheres jovens e de meia-idade. As lesões são assintomáticas ou hipersensíveis e podem aumentar ou diminuir ligeiramente de tamanho com o passar do tempo. O seu comportamento biológico é indolente.

A causa dos histiocitomas fibrosos permanece um mistério. Alguns casos apresentam história de trauma antecedente, o que sugere uma resposta anormal à lesão e inflamação, talvez análoga ao depósito de quantidades aumentadas de colágeno alterado em uma cicatriz hipertrófica ou queloide. Entretanto, em um subgrupo de casos, foram identificados vários genes de fusão, incluindo um que tem como elemento fundido o gene do receptor de tirosinoquinase ALK, o que sugere que é mais adequado considerar essas proliferações como neoplasias verdadeiras. Essas neoplasias parecem ser compostas, pelo menos em parte, de células dendríticas dérmicas.

Morfologia

Essas neoplasias aparecem como pápulas firmes, de coloração castanha a marrom (**Figura 25.16A**). A maioria mede menos de 1 cm de diâmetro, porém as lesões com crescimento ativo podem alcançar vários centímetros de diâmetro; com o tempo, elas frequentemente se tornam planas.

A forma mais comum de histiocitoma fibroso é denominada **dermatofibroma**. Essas neoplasias consistem em células fusiformes benignas, que, em geral, estão dispostas em uma massa não encapsulada e bem definida dentro da parte média da derme (**Figura 25.16B** e **C**). Às vezes, observa-se a ocorrência de extensão dessas células dentro do tecido adiposo subcutâneo. Muitos casos exibem uma forma peculiar de hiperplasia da epiderme sobrejacente, caracterizada por alongamento descendente das cristas interpapilares hiperpigmentadas (**hiperplasia pseudoepiteliomatosa**). São observadas numerosas variantes histológicas, como formas mais celulares ou neoplasias com acúmulo de sangue extravascular e hemossiderina (variantes aneurismáticas).

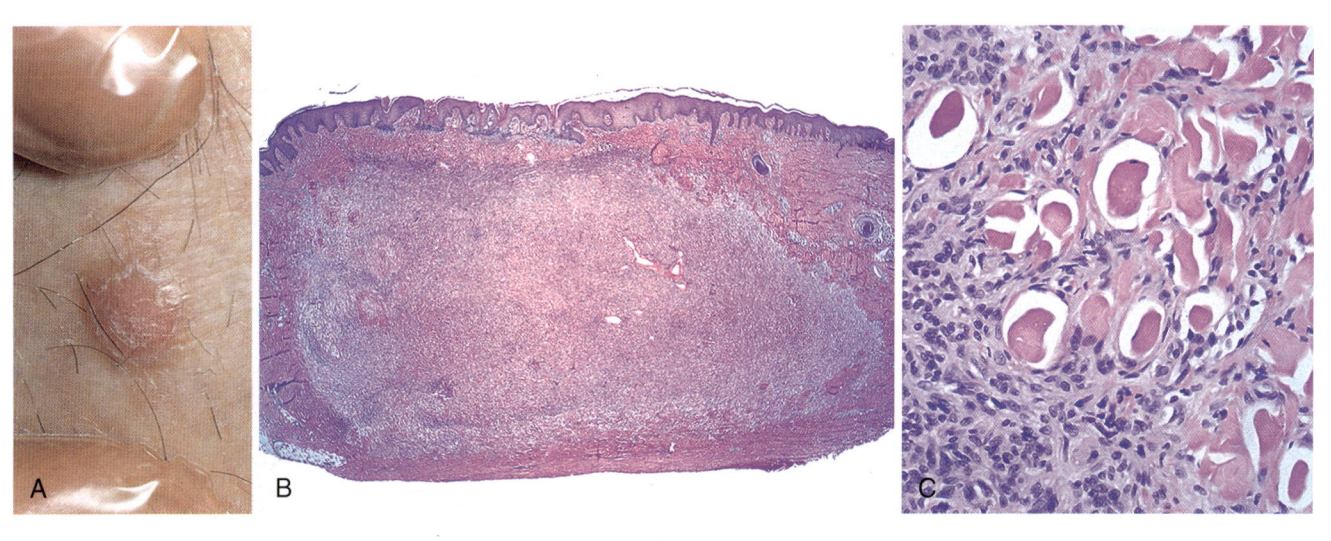

Figura 25.16 Histiocitoma fibroso benigno (dermatofibroma). Essa pápula firme e de coloração castanha na perna (**A**) contém uma proliferação dérmica circunscrita de células fusiformes de aparência benigna (**B**). Observe a hiperplasia epidérmica sobrejacente característica (**B**) e a tendência dos fibroblastos a circundar feixes individuais de colágeno (**C**).

Dermatofibrossarcoma *protuberans*

O dermatofibrossarcoma *protuberans* é mais bem definido como um fibrossarcoma primário bem diferenciado da pele. Essas neoplasias são de crescimento lento e, embora sejam localmente agressivas e possam sofrer recorrência, raramente produzem metástases. Com mais frequência, ocorre metástase com neoplasias que apresentam maior atipia citológica.

Patogênese

A característica molecular fundamental do dermatofibrossarcoma *protuberans* é uma translocação que envolve os genes que codificam o colágeno 1A1 (*COL1A1*) e o fator de crescimento derivado das plaquetas β (*PDGFB*). O rearranjo resultante justapõe as sequências do promotor *COL1A1* e a região codificadora do *PDGFB* e leva à superexpressão e ao aumento da secreção de PDGFβ, que estimula o crescimento das células neoplásicas por meio de uma alça autócrina. Enquanto a principal modalidade de tratamento consiste em excisão local ampla, os raros casos que não são passíveis de ressecção, em virtude de sua localização ou de disseminação metastática, podem ser tratados com inibidores do receptor de tirosinoquinase do PDGFβ. A interrupção da terapia com inibidores da tirosinoquinase leva à recorrência da neoplasia, de modo que o tratamento precisa ser permanente.

> **Morfologia**
>
> Em geral, o dermatofibrossarcoma *protuberans* aparece como nódulo "protuberante", mais frequentemente no tronco, dentro de uma placa firme (endurecida), que às vezes pode ulcerar (**Figura 25.17A**). Essas neoplasias são compostas de fibroblastos densamente acondicionados, de disposição radial, que lembram as lâminas de um catavento, um padrão denominado **estoriforme**. As mitoses são raras. Diferentemente do dermatofibroma, a epiderme sobrejacente é, em geral, delgada. Com frequência, observa-se a ocorrência de extensão profunda a partir da derme até o tecido adiposo subcutâneo, produzindo um padrão característico em "favo de mel" (**Figura 25.17B** e **C**). Essas neoplasias podem se estender para dentro do tecido subcutâneo e, portanto, exigem ampla excisão para evitar a recorrência local.

Neoplasias de células precursoras que migram para a pele

Além dos tumores que se originam diretamente das células epidérmicas e dérmicas, vários distúrbios proliferativos da pele envolvem células cujos progenitores provêm de outros locais e se estabelecem especificamente no microambiente cutâneo.

Micose fungoide (linfoma cutâneo de células T)

O linfoma cutâneo de células T (LCCT) abrange um espectro de distúrbios linfoproliferativos que afetam a pele (ver **Capítulo 13**), muitos dos quais com apresentações distintas. Essa seção concentra-se na *micose fungoide*, um linfoma de células T auxiliares CD4+ que se estabelece na pele. Na maioria dos indivíduos afetados, a doença permanece localizada na pele durante muitos anos, mas pode evoluir para um linfoma sistêmico. Essa neoplasia pode ocorrer em qualquer idade, porém acomete mais comumente indivíduos com idade superior a 40 anos.

Em geral, as lesões da micose fungoide acometem áreas do tronco e incluem placas descamativas marrom-avermelhadas e elevadas, que podem ser confundidas com a psoríase, e nódulos de aspecto fungiforme. O prognóstico está relacionado com a porcentagem de superfície corporal acometida e com a progressão de mácula para placa e, em seguida, para formas nodulares. As lesões do tipo eczema configuram os estágios iniciais da doença, quando ainda não ocorreu disseminação visceral ou nodal evidente. Em seguida, podem surgir placas eritematosas elevadas, endurecidas e de contorno irregular. O desenvolvimento de múltiplos nódulos tumorais correlaciona-se com a disseminação sistêmica. Às vezes,

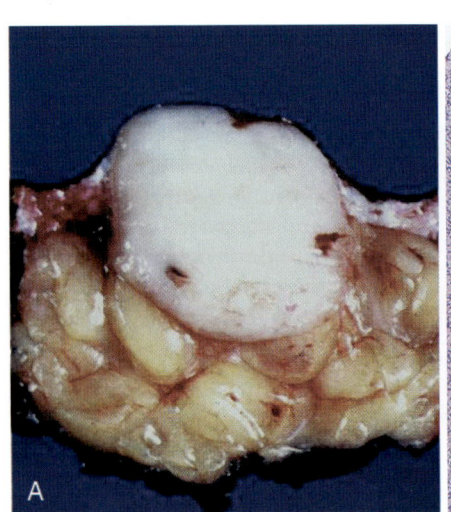

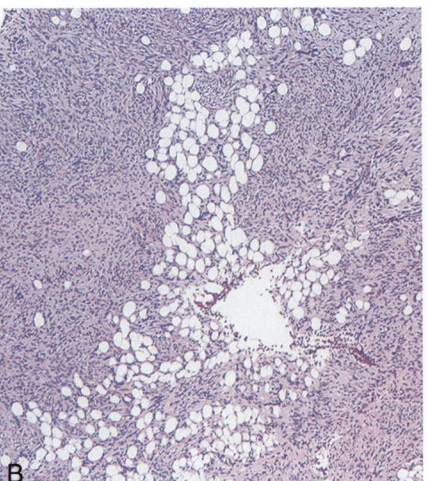

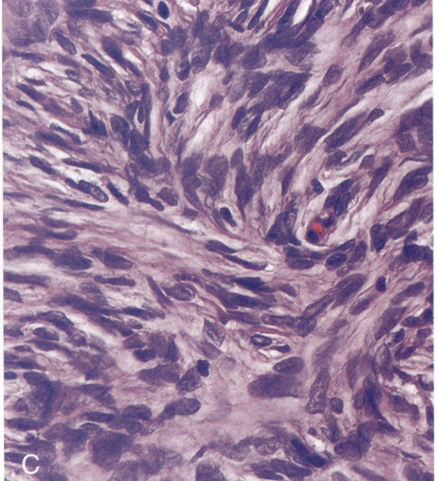

Figura 25.17 Dermatofibrossarcoma *protuberans*. **A.** A neoplasia consiste em um nódulo fibrótico da cor da pele aos cortes. **B.** Com frequência, a lesão infiltra o tecido subcutâneo com padrão que lembra um "queijo suíço" para os aficionados. **C.** Um alinhamento estoriforme (em redemoinho) característico das células fusiformes é evidente.

as placas e os nódulos ulceram (**Figura 25.18A**). Por fim, as lesões podem afetar numerosas superfícies corporais, incluindo o tronco, os membros, a face e o couro cabeludo. Em alguns indivíduos, a semeadura do sangue por células T malignas é acompanhada de eritema difuso e descamação de toda a superfície do corpo (eritroderma), uma condição conhecida como *síndrome de Sézary* (ver **Capítulo 13**).

As células em proliferação no LCCT consistem geralmente em populações clonais de células T auxiliares CD4+ que se estabelecem na pele, devido à expressão do antígeno linfocitário cutâneo. Foi descrita uma ampla variedade de mutações condutoras em oncogenes e genes supressores de tumor, porém nenhuma parece ser específica do LCCT. As células neoplásicas apresentam rearranjos clonais do gene do receptor de células T e, às vezes, expressam combinações aberrantes de antígenos de superfície das células T. A terapia tópica com esteroides ou luz UV é frequentemente utilizada nas lesões cutâneas iniciais, ao passo que a quimioterapia sistêmica mais agressiva está indicada para a doença avançada.

> ### Morfologia
>
> A característica histológica fundamental do LCCT do tipo micose fungoide é a presença de células atípicas, que se caracterizam pela formação de agregados semelhantes a faixas dentro da derme superficial (**Figura 25.18B**) e invasão da epiderme na forma de células isoladas ou pequenos agrupamentos (**microabscessos de Pautrier**). Essas células têm membranas nucleares acentuadamente pregueadas, produzindo um contorno convoluto ou cerebriforme. Embora as máculas e as placas exibam infiltração epidérmica pronunciada por células neoplásicas (epidermotropismo), nas lesões nodulares mais avançadas, as células T malignas frequentemente perdem seu epidermotropismo, crescem profundamente na derme para produzir nódulos e, por fim, sofrem disseminação sistêmica.

Mastocitose

O termo *mastocitose* abrange um espectro de distúrbios raros, que se caracterizam por número aumentado de mastócitos na pele e, em alguns casos, em outros órgãos. A *urticária pigmentosa* é uma forma cutânea da doença, que afeta predominantemente crianças e responde por mais de 50% de todos os casos. Em geral, as lesões cutâneas são múltiplas, embora também possam ocorrer mastocitomas solitários em crianças muito jovens. Cerca de 10% dos indivíduos com mastocitose apresentam doença sistêmica, com infiltração de mastócitos em muitos órgãos. Esses indivíduos são, com frequência, adultos, e, diferentemente daqueles com doença cutânea localizada, o prognóstico em pacientes com doença sistêmica é mais reservado.

Muitos dos sinais e sintomas de mastocitose resultam da liberação de histamina, heparina e outras substâncias quando os mastócitos sofrem degranulação. O *sinal de Darier* refere-se a uma área localizada de edema e eritema (pápula) que ocorre quando a pele lesionada é friccionada. O *dermatografismo* refere-se a uma área de edema da derme que se assemelha a uma urticária, que ocorre em consequência do estímulo localizado da pele aparentemente normal com um instrumento pontiagudo. Na doença sistêmica, todos os seguintes achados podem ser observados: prurido e rubor (desencadeados por determinados alimentos, mudanças de temperatura, álcool e certos fármacos, como morfina, codeína e ácido acetilsalicílico); secreção nasal aquosa (rinorreia); raramente, sangramento gastrintestinal ou nasal (possivelmente devido aos efeitos anticoagulantes da heparina); e dor óssea, que pode ser causada por infiltração de mastócitos ou por fraturas patológicas resultantes da osteoporose. A osteoporose é causada pela liberação excessiva de histamina no microambiente da medula óssea e pode fornecer uma pista para o diagnóstico, particularmente em mulheres na pré-menopausa e em homens.

Patogênese

Muitos casos de mastocitose apresentam mutações pontuais ativadoras no KIT ou, com menos frequência, no receptor de tirosinoquinases PDGFR-α. O consequente aumento da sinalização de KIT estimula o crescimento e a sobrevida dos mastócitos. Essa descoberta levou ao desenvolvimento de inibidores da quinase KIT, que, com frequência, produzem regressão dramática da neoplasia, até mesmo em pacientes com doença sistêmica avançada e agressiva.

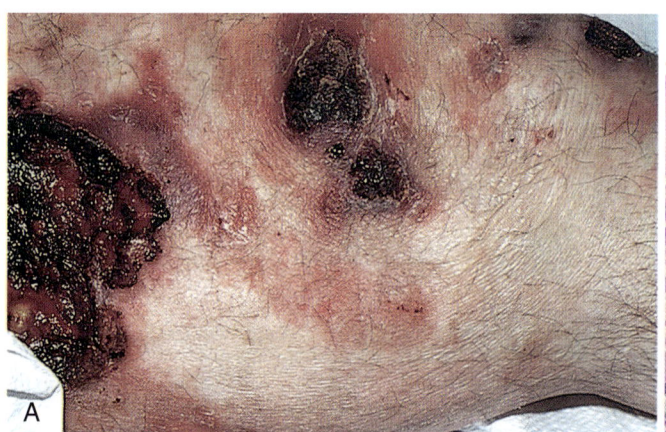

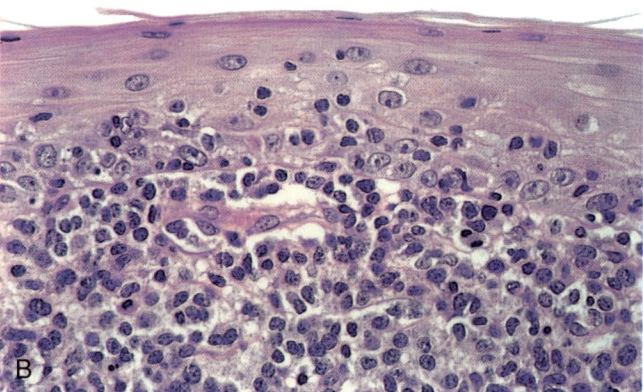

Figura 25.18 Linfoma cutâneo de células T. **A.** Várias placas eritematosas com descamação e ulceração são evidentes. **B.** Microscopicamente, há um infiltrado de linfócitos atípicos que se acumula embaixo e invade a epiderme.

Morfologia

Os achados patológicos são altamente variáveis. Na **urticária pigmentosa**, as lesões são múltiplas e amplamente distribuídas, consistindo em pápulas e pequenas placas redondas a ovais, marrom-avermelhadas e não descamativas. O **mastocitoma** solitário manifesta-se como nódulo de coloração cor-de-rosa a marrom-acastanhada, que pode ser pruriginoso ou formar bolhas (**Figura 25.19A**). Na urticária pigmentosa ou no mastocitoma solitário, o quadro histológico varia desde um aumento sutil no número de mastócitos ao redor dos vasos sanguíneos na derme superficial até grandes números de mastócitos densamente agrupados na parte superficial ou média da derme (**Figura 25.19B**). Além disso, pode-se observar a presença de fibrose, edema e eosinófilos. Pode ser difícil diferenciar os mastócitos dos linfócitos em cortes de rotina corados pela hematoxilina e pela eosina. Para tanto, são utilizados corantes metacromáticos especiais (azul de toluidina ou Giemsa) para a visualização dos grânulos (**Figura 25.19C**). Mesmo com esses corantes, a degranulação extensa pode resultar na impossibilidade de reconhecer essas células na microscopia óptica; entretanto, a sua identidade pode ser prontamente confirmada em reações imuno-histoquímicas para marcadores de mastócitos, como triptase e KIT.

Distúrbios de maturação epidérmica

Ictiose

Entre os numerosos distúrbios que comprometem a maturação da epiderme, a ictiose é um dos mais notáveis. O termo deriva da palavra grega *ichthy*, que significa "peixe"; portanto, esse grupo de distúrbios herdados está associado à produção excessiva e crônica de queratina (hiperaqueratose), que resulta em escamas semelhantes às dos peixes (**Figura 25.20A**). A ictiose é dividida em subtipos, de acordo com o modo de herança, a histologia e as características clínicas; as principais categorias incluem *ictiose vulgar* (autossômica dominante ou adquirida), *eritrodermia ictiosiforme congênita* (autossômica recessiva), *ictiose lamelar* (autossômica recessiva) e *ictiose ligada ao X*. A maioria das ictioses torna-se aparente por ocasião do nascimento. Além disso, existem variantes adquiridas (não herdadas); uma dessas variantes, a *ictiose vulgar*, pode estar associada a neoplasias malignas linfoides e viscerais.

Patogênese

Na ictiose, a principal anormalidade é a descamação defeituosa, que leva à retenção de escamas anormalmente formadas. Por exemplo, a ictiose ligada ao X é causada por uma deficiência de esteroide sulfatase, uma enzima que ajuda a remover o sulfato de colesterol aderente dos espaços intercelulares. Na sua ausência, há acúmulo de sulfato de colesterol, resultando em adesão persistente entre as células dentro do estrato córneo e falha da descamação.

Morfologia

Todas as formas de ictiose mostram a formação de um estrato córneo compacto, que está associado à perda do padrão normal em "trama de cesta" (**Figura 25.20B**). Em geral, há pouca ou nenhuma inflamação. As variações na espessura da epiderme e do estrato granuloso e o aspecto macroscópico e a distribuição das lesões são utilizados para subclassificar esses distúrbios.

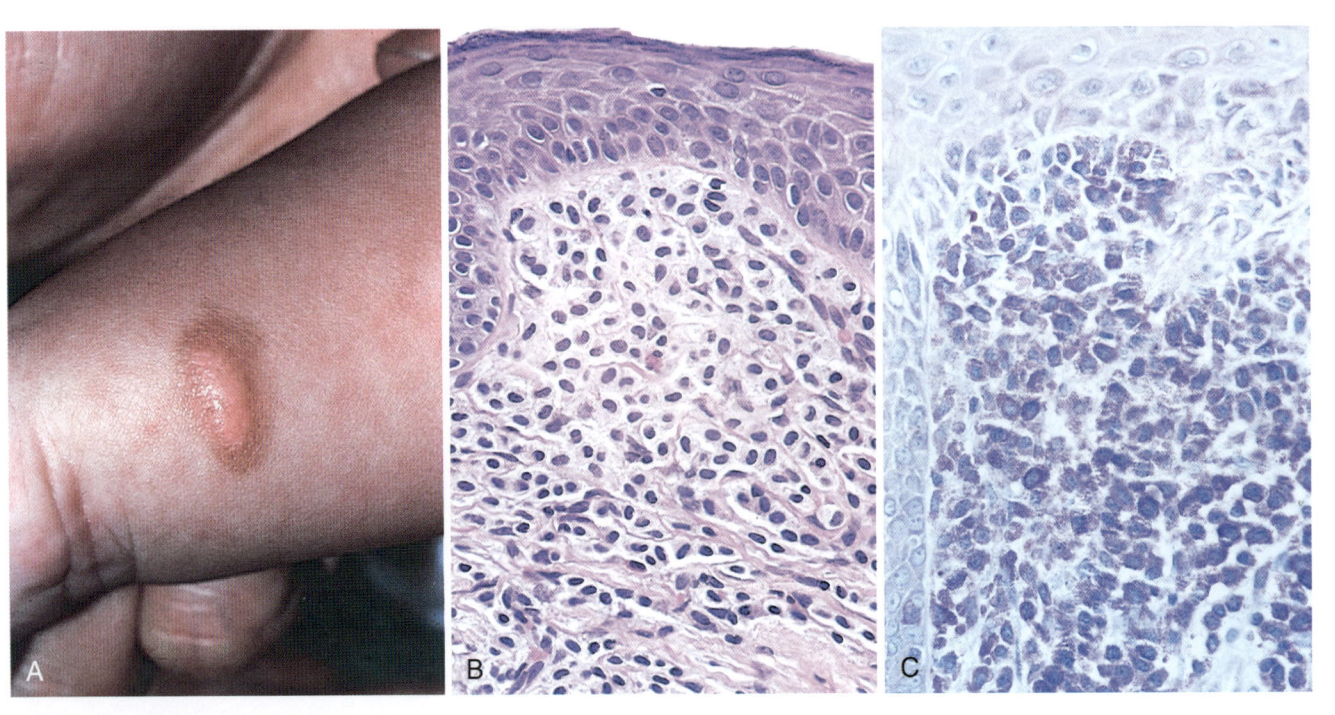

Figura 25.19 Mastocitose. A. Mastocitoma solitário em uma criança de 1 ano. **B.** Na histologia, são observadas numerosas células ovoides com núcleos uniformes e de localização central na derme. **C.** A coloração pelo método de Giemsa revela grânulos "metacromáticos" de coloração púrpura dentro do citoplasma dos mastócitos.

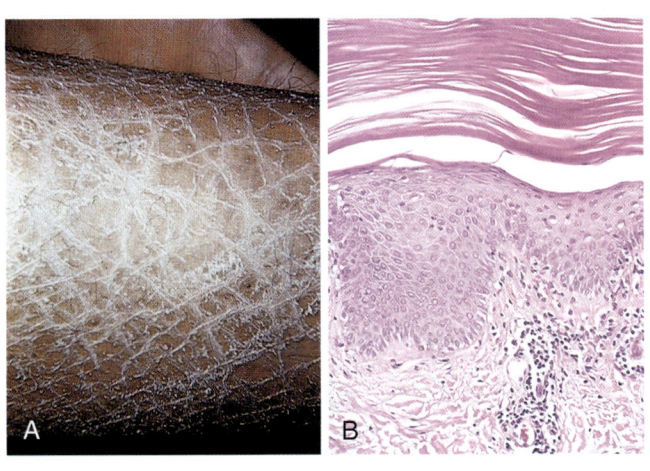

Figura 25.20 Ictiose. Observe as escamas proeminentes semelhantes às dos peixes (**A**) e o estrato córneo espesso e compacto (**B**).

- *Dependente de mastócitos, dependente de imunoglobulina E (IgE)*. A urticária desse tipo ocorre após a exposição a numerosos antígenos diferentes (pólens, alimentos, medicamentos, veneno de insetos) e é um exemplo de reação de hipersensibilidade imediata (tipo I) localizada, que é desencadeada pela ligação do antígeno a anticorpos IgE que estão fixados aos mastócitos por meio de receptores Fc (ver **Capítulo 6**)
- *Dependente de mastócitos, independente de IgE*. Esse subgrupo resulta de substâncias que induzem diretamente a degranulação dos mastócitos, como opiáceos, certos antibióticos e meios de contraste radiológicos
- *Independente de mastócitos, independente de IgE*. Essas formas de urticária são desencadeadas por fatores locais, que aumentam a permeabilidade vascular. Uma forma é iniciada pela exposição a substâncias químicas ou medicamentos, como o ácido acetilsalicílico, que inibem a ciclo-oxigenase e a produção de ácido araquidônico. O mecanismo preciso da urticária induzida por ácido acetilsalicílico é desconhecido. Uma segunda forma é o *edema angioneurótico hereditário* (ver **Capítulo 6**), causado pela deficiência hereditária do inibidor de C1, que resulta em ativação excessiva dos componentes iniciais do sistema complemento e na produção de mediadores vasoativos.

Dermatoses inflamatórias agudas

Foram descritas inúmeras dermatoses inflamatórias, que podem ser classificadas, de maneira geral, como agudas e crônicas. As lesões agudas duram dias a semanas e caracterizam-se por infiltrados inflamatórios (em geral, compostos de linfócitos e macrófagos, em vez de neutrófilos), edema e graus variáveis de lesão epidérmica, vascular e subcutânea. Em contrapartida, as lesões crônicas persistem por meses a anos e, com frequência, estão associadas a alterações no crescimento epidérmico (atrofia ou hiperplasia) ou à fibrose da derme. A seguir, são discutidos exemplos das dermatoses agudas mais comumente encontradas.

Urticária

A urticária é uma doença comum da pele que é geralmente causada pela degranulação dos mastócitos e está uniformemente associada ao aumento da permeabilidade microvascular da derme. Essa combinação de efeitos produz placas edematosas e pruriginosas, denominadas *lesões urticadas*. O angioedema está estreitamente relacionado com a urticária e caracteriza-se por edema da parte mais profunda da derme e do tecido adiposo subcutâneo.

Com mais frequência, a urticária ocorre em pessoas com idade entre 20 e 40 anos, porém todas as faixas etárias são suscetíveis. As lesões individuais surgem e desaparecem em horas (em geral, em menos de 24 horas), e os episódios podem durar dias ou persistir por vários meses. Os locais de predileção das erupções urticariformes incluem qualquer área exposta à pressão, como tronco, parte distal dos membros e orelhas. Os episódios persistentes de urticária podem anunciar uma doença subjacente (p. ex., distúrbios vasculares do colágeno, linfoma de Hodgkin); todavia, na maioria dos casos, nenhuma causa subjacente é identificada.

Patogênese

A urticária resulta mais comumente da liberação, induzida por antígenos, de mediadores vasoativos pelos mastócitos. As diversas formas podem ser classificadas com base na sua dependência tanto dos anticorpos IgE como dos mastócitos:

> **Morfologia**
>
> As lesões variam desde pequenas pápulas pruriginosas até grandes placas edematosas (**Figura 25.21A**). As lesões individuais podem coalescer para formar configurações anulares, lineares ou arciformes. As características histológicas da urticária podem ser muito sutis. Em geral, observa-se um infiltrado perivenular superficial esparso, que consiste em células mononucleares e neutrófilos raros. Além disso, os eosinófilos podem estar presentes. Os feixes de colágeno estão mais amplamente espaçados do que na pele normal, devido ao edema da derme (**Figura 25.21B**). Os vasos linfáticos da derme também podem estar dilatados, devido à absorção aumentada do edema. Não há alterações na epiderme.

Dermatite eczematosa aguda

A palavra grega *eczema*, que significa "ferver", descreve brilhantemente o aspecto da dermatite eczematosa aguda – uma das doenças cutâneas mais comuns. Com base nos fatores desencadeantes, a dermatite eczematosa pode ser subdividida nas seguintes categorias: (1) dermatite de contato alérgica; (2) dermatite atópica; (3) dermatite eczematosa relacionada com fármacos; (4) dermatite fotoeczematosa; e (5) dermatite por irritante primário.

As causas do eczema são, às vezes, divididas em "internas e externas": doença resultante da aplicação externa de um antígeno (p. ex., hera venenosa) ou uma reação a um antígeno circulante interno (que pode derivar de alimento ingerido ou de um medicamento). O tratamento envolve a investigação das substâncias agressoras que podem ser removidas do ambiente. Esteroides tópicos podem ser utilizados para bloquear a resposta inflamatória. Embora esses tratamentos sejam apenas paliativos e não produzam cura, eles ajudam a interromper as exacerbações agudas do eczema, que podem se autoperpetuar se não forem controladas.

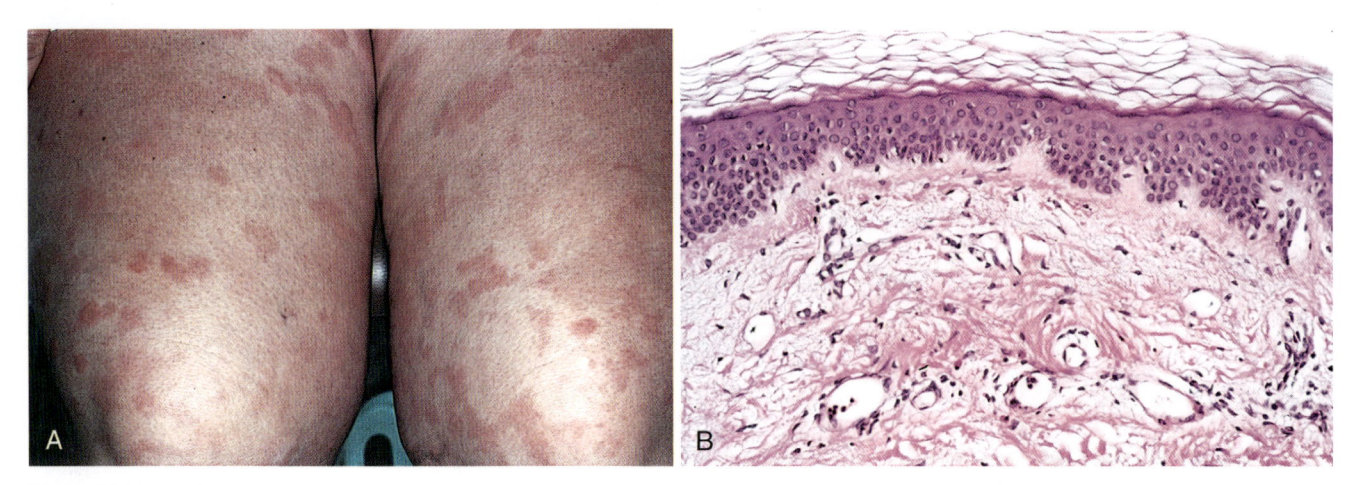

Figura 25.21 Urticária. **A.** As placas eritematosas, edematosas e, com frequência, circulares são características. **B.** Do ponto de vista histológico, há edema da parte superficial da derme, que se manifesta por espaço entre feixes de colágeno e vasos linfáticos dilatados e congestão vascular sanguínea; o epitélio está normal.

Patogênese

Normalmente, a dermatite eczematosa resulta de reações inflamatórias mediadas por células T (hipersensibilidade tipo IV). Esse processo foi bem estudado na dermatite induzida por antígenos de contato (p. ex., urushiol da hera venenosa). Acredita-se que substâncias químicas friccionadas na pele possam reagir com proteínas próprias, atuando, assim, como "haptenos" que criam neoantígenos. Esses antígenos são capturados por células de Langerhans, que, então, migram através dos linfáticos dérmicos para os linfonodos de drenagem. Nesse local, elas apresentam os neoantígenos a células T CD4+ *naive*, que são ativadas e se transformam em células efetoras e de memória (ver **Capítulo 6**). Com a reexposição ao antígeno, as células T de memória que expressam moléculas de atração (*homing*), como o antígeno comum de linfócitos e determinados receptores de quimiocinas, migram para locais cutâneos onde o antígeno está localizado. Nesses locais, elas liberam citocinas e quimiocinas, que servem para recrutar numerosas outras células inflamatórias. Esse processo ocorre nas primeiras 24 horas e é responsável pelo eritema e pelo prurido iniciais, que caracterizam a fase espongiótica aguda do eczema.

As células de Langerhans na epiderme desempenham um papel central na dermatite de contato, e é compreensível que os fatores que afetam a função dessas células tenham impacto na reação inflamatória. Por exemplo, a exposição crônica à luz UV é prejudicial para as células de Langerhans e pode impedir a sensibilização a antígenos de contato, porém a luz UV também pode alterar antígenos e gerar formas que tenham maior probabilidade de induzir reações de sensibilidade.

Morfologia

Todos os tipos de dermatite eczematosa caracterizam-se por lesões papulovesiculares avermelhadas e crostosas, que, se forem persistentes, se desenvolvem em **acantose** e **hiperqueratose** reacionais, assumindo o aspecto de placas descamativas elevadas (**Figura 25.22**). Um exemplo característico de eczema é a reação aguda de contato a antígenos tópicos, como o urushiol na hera venenosa/carvalho venenoso (*Rhus toxicodendron*), que se caracteriza por placas pruriginosas, edematosas e exsudativas, que, com frequência, contêm bolhas pequenas e grandes (vesículas e bolhas) (**Figura 25.23A**). Essas lesões são propensas à superinfecção bacteriana, que produz uma crosta amarela (impetiginização). Com o passar do tempo, as lesões persistentes tornam-se menos "úmidas" (não produzem exsudato nem formam vesículas) e ficam progressivamente mais hiperceratóticas e acantóticas. A **espongiose** caracteriza a dermatite eczematosa aguda – daí o sinônimo histológico dermatite espongiótica. Diferentemente da urticária, em que o edema fica restrito à derme superficial, na espongiose, o edema infiltra-se nos espaços intercelulares da epiderme, separando os queratinócitos, particularmente no estrato espinhoso. O cisalhamento mecânico dos sítios de ligação intercelular (desmossomos) e das membranas celulares pelo acúmulo progressivo de líquido intercelular pode levar à formação de vesículas intraepiteliais (**Figura 25.23B**).

Durante os estágios iniciais da dermatite eczematosa, observa-se um infiltrado linfocítico perivascular superficial, associado ao edema da derme papilar e à degranulação dos mastócitos. O padrão e a composição desse infiltrado podem fornecer indícios da causa subjacente. Por exemplo, o eczema que resulta da ingestão de determinados medicamentos caracteriza-se por infiltrados perivasculares, que, com frequência, contêm eosinófilos na derme superficial e profunda. Em contrapartida, a dermatite eczematosa que resulta de antígenos de contato tende a produzir uma reação inflamatória mononuclear sem eosinófilos, que afeta preferencialmente a parte superficial da derme.

Eritema multiforme

O eritema multiforme é uma reação de hipersensibilidade autolimitante e incomum a determinadas infecções e medicamentos. Ele afeta indivíduos de qualquer idade e está associado às seguintes condições: (1) infecções, como herpes simples, infecções por micoplasma, histoplasmose, coccidiodomicose, febre tifoide e hanseníase, entre outras; (2) exposição a determinados medicamentos (sulfonamidas, penicilina, barbitúricos, salicilatos, hidantoínas e antimaláricos); (3) câncer (carcinomas e linfomas); e (4) doenças vasculares do colágeno (lúpus eritematoso, dermatomiosite e poliarterite nodosa).

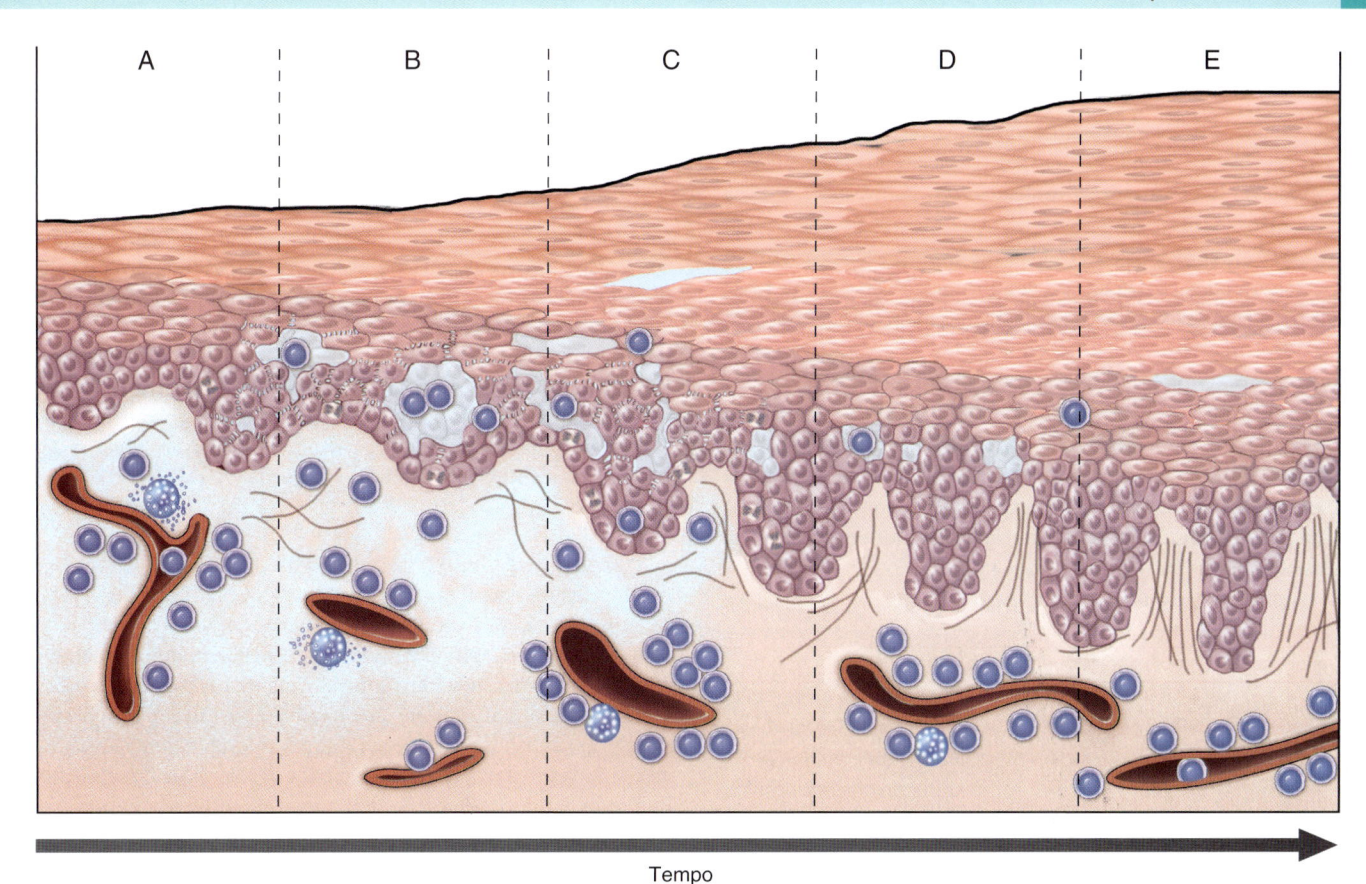

Figura 25.22 Estágios de desenvolvimento do eczema. **A.** O edema dérmico inicial e a infiltração perivascular por células inflamatórias são seguidos, nas primeiras 24 a 48 horas, de (**B**) espongiose epidérmica e formação de microvesículas. **C.** Uma camada córnea anormal, incluindo paraqueratose, bem como acantose progressiva (**D**) e hiperqueratose (**E**), aparece à medida que a lesão se torna crônica.

Patogênese

O eritema multiforme caracteriza-se por lesão dos queratinócitos mediada por linfócitos T citotóxicos CD8+ estabelecidos na pele. Esse mecanismo de lesão é compartilhado por várias outras condições, incluindo doença do enxerto *versus* hospedeiro aguda, rejeição de aloenxerto de pele e erupções fixas por fármacos.

No eritema multiforme, as células T citotóxicas CD8+ são mais proeminentes na porção central das lesões, ao passo que as células T auxiliares CD4+ e as células de Langerhans são mais prevalentes nas partes periféricas. Os antígenos epidérmicos que são reconhecidos pelas células T infiltrativas no eritema multiforme permanecem desconhecidos.

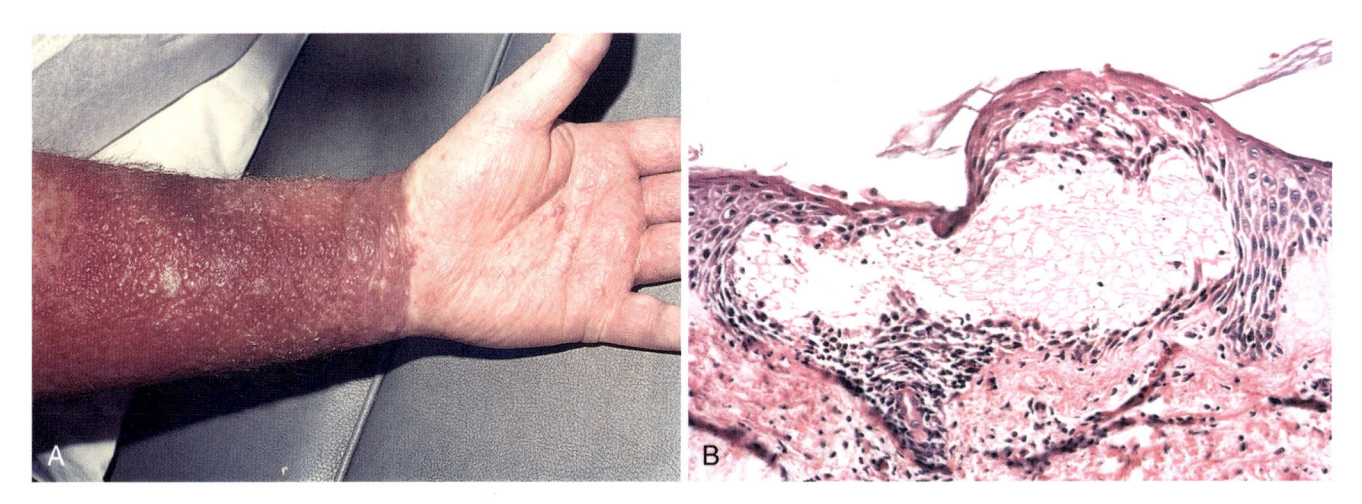

Figura 25.23 Dermatite eczematosa. **A.** Dermatite de contato alérgica aguda, devido à exposição a antígeno (nesse caso, detergente para lavagem de roupa), caracterizada por numerosas lesões vesiculares na pele eritematosa. **B.** O edema na epiderme cria vesículas intraepidérmicas preenchidas com líquido.

> **Morfologia**
>
> Os indivíduos afetados apresentam uma série diversificada de lesões (daí o termo multiforme), incluindo máculas, pápulas, vesículas, bolhas e lesões características semelhantes a alvos (**Figura 25.24A**). As lesões podem apresentar uma variedade de distribuições. Em geral, os casos de extensão limitada exibem comprometimento simétrico dos membros. Uma forma febril associada ao extenso comprometimento da pele é denominada **síndrome de Stevens-Johnson**, que é observada com frequência (mas não de forma exclusiva) em crianças. Nessa síndrome, as lesões acometem não apenas a pele, mas também os lábios e a mucosa oral, a conjuntiva, a uretra e as áreas genitais e perianais. A infecção secundária das áreas acometidas devido à perda da integridade da pele pode resultar em sepse potencialmente fatal. Outra variante, denominada **necrólise epidérmica tóxica**, caracteriza-se por necrose difusa e descamação das superfícies epiteliais cutâneas e mucosas. O dano generalizado da epiderme produz um quadro clínico semelhante ao observado em pacientes com queimaduras extensas.
>
> Ao exame histológico, as lesões semelhantes a alvos apresentam um infiltrado linfocítico perivascular superficial, associado ao edema da derme e ao acúmulo de linfócitos ao longo da junção dermoepidérmica, onde estão estreitamente associados aos queratinócitos necróticos e em degeneração, padrão denominado *dermatite de interface* (**Figura 25.24B**). Com o tempo, ocorre a migração ascendente dos linfócitos para dentro da epiderme. Há zonas confluentes e distintas de necrose epidérmica, com formação concomitante de bolhas. A descamação epidérmica leva a erosões superficiais.

Dermatoses inflamatórias crônicas

Essa categoria abrange distúrbios cutâneos inflamatórios que persistem por meses a anos. Nas dermatoses inflamatórias crônicas, a superfície da pele é, com frequência, áspera, em consequência da formação excessiva ou anormal de escamas e descamação.

Psoríase

A psoríase é uma dermatose inflamatória crônica que parece ter uma base autoimune. Trata-se de uma doença comum, que afeta até 1 a 2% das pessoas nos EUA. Indivíduos de todas as idades podem desenvolver a doença. Cerca de 15% dos pacientes com psoríase apresentam artrite associada, que pode ser leve ou produzir deformidades graves, que se assemelham às alterações articulares observadas na artrite reumatoide. Essa doença pode afetar qualquer articulação do corpo e ser simétrica ou assimétrica. Além disso, a psoríase pode estar associada a miopatia, enteropatia e síndrome da imunodeficiência adquirida (AIDS).

Patogênese

À semelhança de outros distúrbios da imunidade, acredita-se que a psoríase seja o produto de fatores ambientais e genéticos, incluindo variantes específicas dos genes HLA. Os antígenos responsáveis continuam indefinidos, porém parece que populações sensibilizadas de células Th1 e Th17 CD4+ e células T citotóxicas efetoras CD8+ ativadas entram na pele e se acumulam na epiderme. Essas células T podem criar um microambiente anormal ao estimularem a secreção de citocinas e de fatores de crescimento, que induzem a proliferação dos queratinócitos, resultando nas lesões características. As interações entre células T CD4+, células T CD8+, células dendríticas e queratinócitos dão origem a uma "sopa" de citocinas, dominadas por citocinas do tipo Th1 e do tipo Th17, como IL-12, interferona-γ, fator de necrose tumoral (TNF) e IL-17. A importância desses fatores é ressaltada pelas respostas clínicas geralmente excelentes que são observadas em pacientes tratados com inibidores do TNF. Os linfócitos também produzem fatores de crescimento para os queratinócitos, que podem contribuir para o espessamento da epiderme. As lesões da psoríase podem ser induzidas em indivíduos suscetíveis por trauma local, processo conhecido como fenômeno de Koebner, presumivelmente pelo fato de que o trauma desencadeia uma resposta inflamatória local que se autoperpetua.

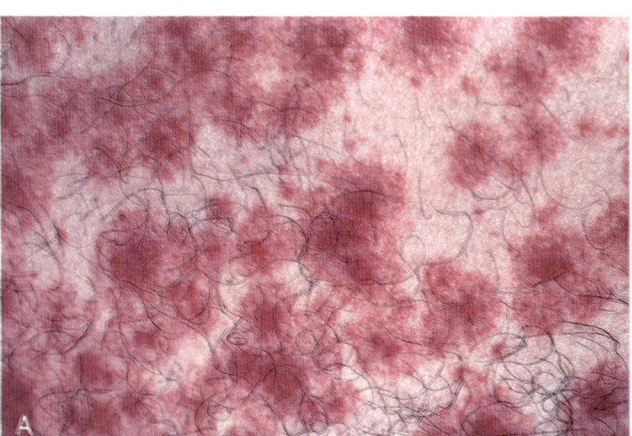

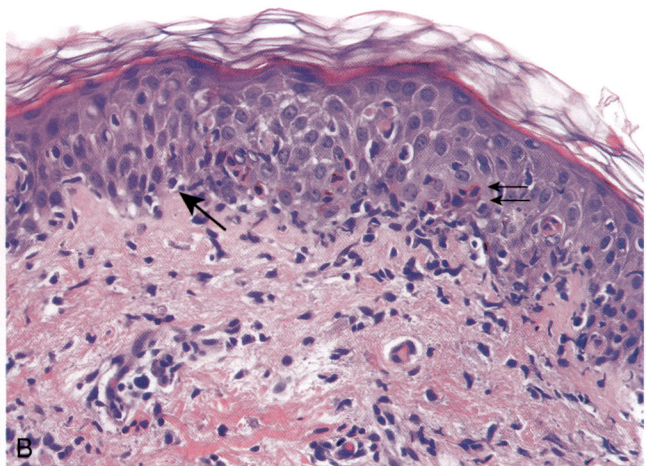

Figura 25.24 Eritema multiforme. **A.** As lesões semelhantes a alvos consistem em uma bolha central ou zona de necrose epidérmica circundada por eritema macular. **B.** Uma lesão inicial mostra o acúmulo de linfócitos ao longo da junção dermoepidérmica, onde os queratinócitos basais estão se tornando vacuolados (*seta*). Com o passar do tempo, aparecem queratinócitos necróticos/apoptóticos no epitélio sobrejacente (*seta dupla*).

Morfologia

Com mais frequência, a psoríase afeta a pele de cotovelos, joelhos, couro cabeludo, áreas lombossacrais, sulco interglúteo e glande do pênis. A lesão típica é uma **placa bem demarcada, de coloração cor-de-rosa a salmão, coberta por uma escama branco-prateada frouxamente aderente (Figura 25.25A)**. Existem variações, e ocorrem algumas lesões com configurações anular, linear, circinada ou serpiginosa. A psoríase causa eritema e descamação, que acometem todo o corpo, uma condição conhecida como eritrodermia. Ocorrem **alterações ungueais** em 30% dos casos de psoríase; nesses casos, as alterações apresentam-se com coloração marrom-amarelada (em geral, comparada com uma mancha de óleo), com depressões puntiformes, separação da placa ungueal do leito subjacente (onicólise), espessamento e esfarelamento.

As lesões estabelecidas da psoríase apresentam um quadro histológico característico. O aumento da proliferação de células epidérmicas resulta em acentuado espessamento da epiderme (acantose), com alongamento descendente regular das cristas interpapilares, às vezes descritas como semelhantes a tubos de ensaio em uma estante (**Figura 25.25B**). As figuras mitóticas são facilmente identificadas bem acima do estrato basal, onde a atividade mitótica é limitada na pele normal. **O estrato granuloso está adelgaçado ou ausente, e observa-se uma extensa escama paraceratótica sobrejacente.** Uma característica típica das placas psoriáticas é o adelgaçamento da camada de células epidérmicas sobrejacente às papilas dérmicas (placas suprapapilares), que contêm vasos sanguíneos dilatados e tortuosos. Essa proximidade anormal de vasos dentro das papilas dérmicas com a escama paraceratótica sobrejacente é responsável pelo fenômeno clínico característico de múltiplos e minúsculos pontos hemorrágicos quando a escama é destacada da placa (**sinal de Auspitz**). Os neutrófilos formam pequenos agregados na epiderme superficial (**pústulas espongiformes**) e no estrato córneo paraceratótico (**microabscessos de Munro**). Na psoríase pustulosa, observa-se a presença de acúmulos maiores de neutrófilos semelhantes a abscessos, situados diretamente abaixo do estrato córneo.

Dermatite seborreica

A dermatite seborreica é uma dermatose inflamatória crônica ainda mais comum do que a psoríase, afetando até 5% da população geral. Classicamente, ela acomete regiões com alta densidade de glândulas sebáceas, como couro cabeludo, fronte (particularmente a glabela), meato acústico externo, área retroauricular, sulco nasolabial e área pré-esternal. Apesar dessa associação e de seu nome, a dermatite seborreica está associada à inflamação da epiderme e não é uma doença das glândulas sebáceas em si.

Patogênese

A etiologia precisa da dermatite seborreica é desconhecida. O aumento da produção de sebo, com frequência em resposta aos androgênios, é um possível fator contribuinte. A participação do sebo é sustentada por observações clínicas de pacientes com doença de Parkinson, que normalmente apresentam aumento da produção de sebo em consequência da deficiência de dopamina e exibem um acentuado aumento da incidência de dermatite seborreica. Uma vez tratada com levodopa, a oleosidade da pele diminui, e observa-se a melhora da dermatite seborreica. No entanto, outras condições associadas ao aumento da produção de sebo, como a acne (discutida adiante), não estão associadas à dermatite seborreica, e a produção de sebo provavelmente é mais bem considerada necessária, porém não suficiente, para causar o distúrbio. Outras pesquisas sugeriram uma relação com a colonização da pele por certas espécies de fungos do gênero *Malassezia*, porém não há evidências definitivas de uma relação de causa e efeito. Uma forma grave de dermatite seborreica, que é difícil de tratar, era antigamente comum em muitos indivíduos infectados pelo vírus da imunodeficiência humana (HIV) com baixas contagens de células CD4+, porém a sua incidência caiu com o advento da terapia antiviral efetiva.

Morfologia

As lesões individuais consistem em máculas e pápulas em uma base eritematosa amarela e, com frequência, gordurosa, normalmente em associação à extensa descamação e à formação de

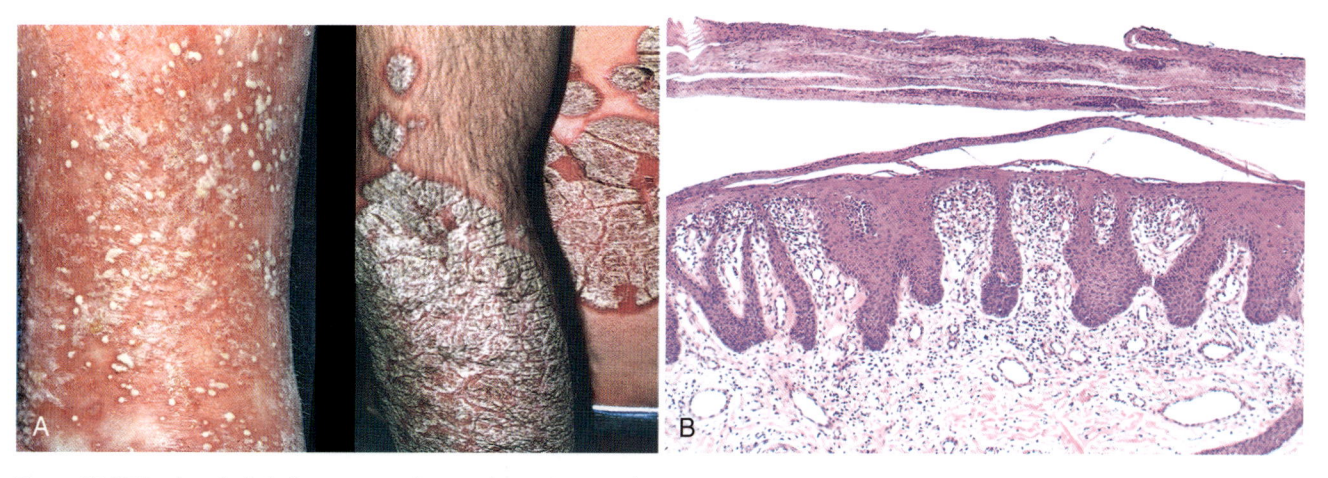

Figura 25.25 Psoríase. **A.** As lesões iniciais podem ser dominadas por inflamação, caracterizada pela presença de pequenas pústulas e eritema (*à esquerda*). As lesões crônicas estabelecidas são eritematosas e cobertas por escamas branco-prateadas características (*à direita*). **B.** Ao exame microscópico, há hiperplasia epidérmica, escama paraceratótica e acúmulo de neutrófilos na epiderme superficial.

crostas. Além disso, pode-se observar a presença de fissuras, particularmente atrás das orelhas. A caspa constitui a expressão clínica comum da dermatite seborreica do couro cabeludo. Ao exame microscópico, a dermatite seborreica compartilha características com a dermatite espongiótica e a psoríase, com lesões iniciais mais espongióticas e, posteriormente, mais acantóticas. Normalmente, são observados acúmulos de paraqueratose contendo neutrófilos e soro nos óstios dos folículos pilosos (denominados **revestimento [*lipping*] folicular**). O infiltrado inflamatório perivascular superficial geralmente consiste em uma mistura de linfócitos e neutrófilos.

Líquen plano

"Pápulas e placas pruriginosas, púrpuras, poligonais e planas" são os "seis P" trava-línguas do líquen plano, um distúrbio da pele e das mucosas. Em geral, o líquen plano é autolimitante, mais comumente com regressão espontânea 1 a 2 anos após o seu início. A resolução com frequência deixa um resíduo de hiperpigmentação pós-inflamatória. Entretanto, as lesões orais podem persistir por vários anos. Às vezes, o carcinoma espinocelular origina-se do líquen plano crônico da mucosa e da paramucosa e pode constituir um exemplo de carcinogênese estimulada por inflamação crônica. À semelhança da psoríase, o fenômeno de Koebner pode ser observado no líquen plano.

Patogênese

A patogênese do líquen plano é desconhecida. É possível que a expressão de antígenos alterados nas células epidérmicas basais ou na junção dermoepidérmica induza uma resposta de células T citotóxicas (CD8+) mediada por células.

Morfologia

As lesões cutâneas são caracterizadas por pápulas pruriginosas, violáceas e planas, que podem coalescer para formar placas (**Figura 25.26A**). Com frequência, as pápulas são realçadas por pontos ou linhas brancas, denominados **estrias de Wickham**, que são criadas por áreas de hipergranulose. Em indivíduos de pele escura, as lesões podem adquirir uma coloração marrom-escura, devido à liberação de melanina na derme com a destruição do estrato basal. As lesões são geralmente múltiplas e de distribuição simétrica, em particular nos membros e, com frequência, nos punhos e cotovelos. A glande do pênis é outro local comum de comprometimento. Em 70% dos casos, observa-se a presença de lesões da mucosa oral, que têm aparência branca, reticulada ou semelhante a uma rede.

Do ponto de vista histológico, o líquen plano caracteriza-se por um denso infiltrado contínuo de linfócitos ao longo da junção dermoepidérmica, um exemplo típico de **dermatite de interface** (**Figura 25.26B**). Os linfócitos estão intimamente associados aos queratinócitos basais, que exibem degeneração e necrose e se assemelham, em termos de tamanho e contorno, às células mais maduras do estrato espinhoso (escamatização). Em consequência desse infiltrado linfocítico destrutivo, a interface dermoepidérmica assume um contorno em ziguezague angulado (dente de serra). As células basais anucleadas e necróticas podem se incorporar à derme papilar inflamada, onde são denominadas **corpos coloides** ou de **Civatte**. Embora as lesões exibam alguma semelhança com as do eritema multiforme, o líquen plano apresenta alterações de cronicidade, isto é, hiperplasia epidérmica (ou, raramente, atrofia) e espessamento do estrato granuloso e do estrato córneo (hipergranulose e hiperqueratose, respectivamente).

Conceitos-chave

Dermatoses inflamatórias

- Existem muitas dermatoses inflamatórias específicas, que podem ser mediadas por anticorpos IgE (urticária) ou por células T específicas para antígenos (eczema, eritema multiforme e psoríase)
- Esses distúrbios são diagnosticados com base na distribuição e no aspecto macroscópico das lesões cutâneas e nos padrões microscópicos de inflamação (p. ex., dermatite de interface no líquen plano e no eritema multiforme).

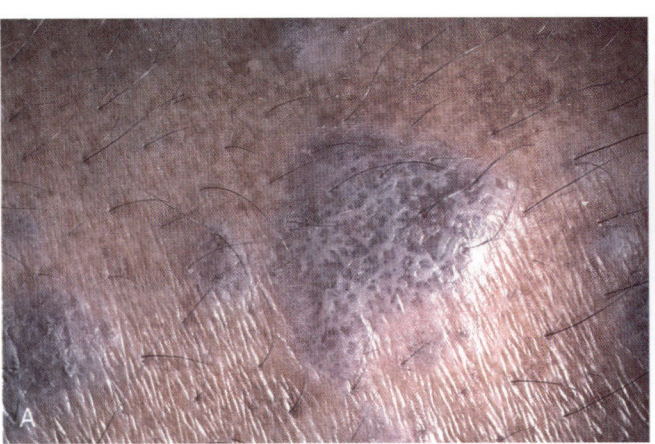

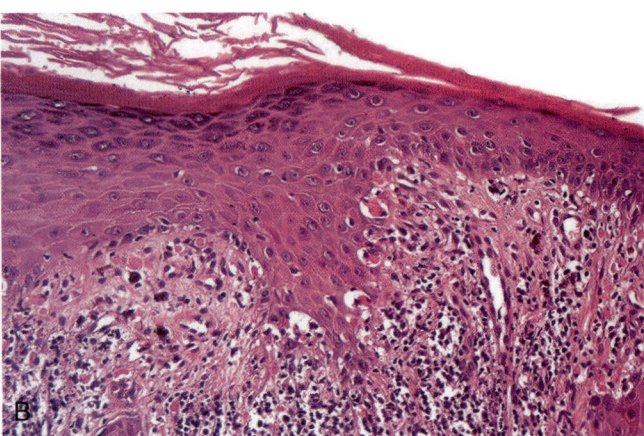

Figura 25.26 Líquen plano. **A.** Essa pápula poligonal plana e de coloração rosa-púrpura exibe um padrão de linhas brancas semelhantes a uma renda, denominadas estrias de Wickham. **B.** Há um infiltrado de linfócitos organizados em faixa na junção dermoepidérmica, hiperqueratose e cristas interpapilares pontiagudas (em dente de serra), em consequência da lesão crônica da camada de células basais.

Doenças bolhosas

Embora as vesículas e bolhas ocorram em diversas condições não relacionadas, como infecção por herpes-vírus, dermatite espongiótica, eritema multiforme e queimaduras térmicas, existe um grupo de distúrbios em que as vesículas-bolhas constituem as características principais e mais distintas. Essas *doenças bolhosas*, como são chamadas, produzem lesões significativas e, em alguns casos, são fatais se não forem tratadas. Em vários distúrbios, as vesículas-bolhas ocorrem em diferentes níveis na pele (**Figura 25.27**); a avaliação histológica é essencial para o diagnóstico acurado e fornece informações sobre os mecanismos patogênicos. O conhecimento da estrutura dos desmossomos e dos hemidesmossomos (descritos no **Capítulo 1**), que proporcionam à pele a sua estabilidade mecânica, é útil para compreender essas doenças, visto que elas são frequentemente causadas por defeitos adquiridos ou herdados em proteínas que compõem essas estruturas ou que se ligam a elas (**Figura 25.28**).

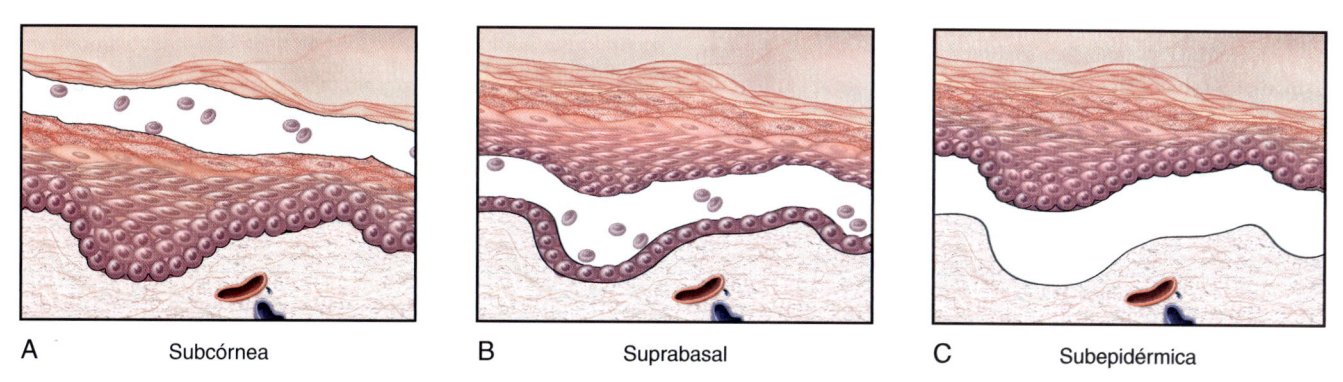

A Subcórnea   **B** Suprabasal   **C** Subepidérmica

Figura 25.27 Representação esquemática de diferentes tipos de vesículas-bolhas. **A.** Nas vesículas-bolhas subcórneas, o estrato córneo forma o teto da bolha (como no pênfigo foliáceo). **B.** Em uma vesícula-bolha suprabasal, parte da epiderme, incluindo o estrato córneo, forma o teto (como no pênfigo vulgar). **C.** Em uma vesícula-bolha subepidérmica, toda a epiderme separa-se da derme (como no penfigoide bolhoso).

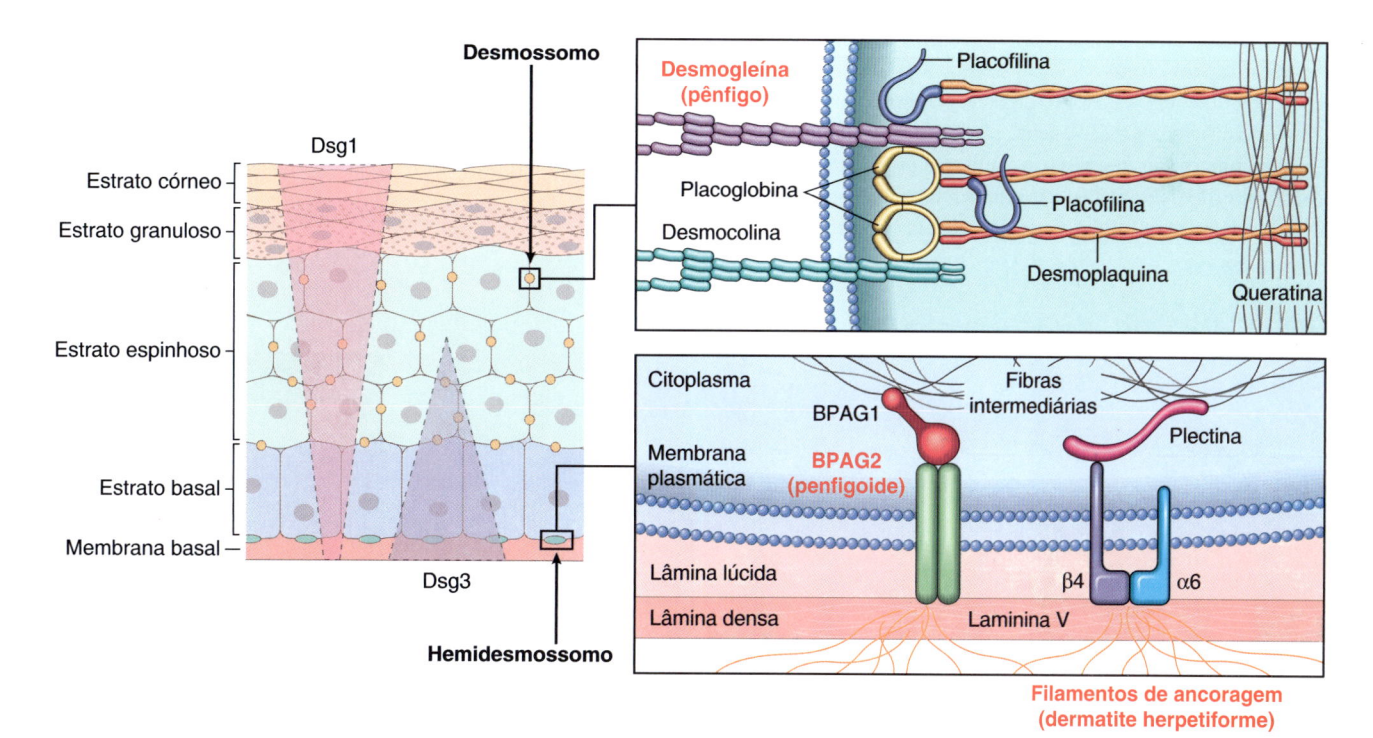

Figura 25.28 Moléculas de adesão de queratinócitos e doenças bolhosas inflamatórias. O conhecimento das proteínas que compõem os desmossomos e os hemidesmossomos é fundamental para a compreensão das doenças bolhosas. As desmogleínas 1 e 3 (*Dsg1, Dsg3*) são componentes funcionalmente intercambiáveis dos desmossomos, mas que apresentam diferentes distribuições dentro da epiderme (*painel à esquerda*). As principais proteínas estruturais dos desmossomos e dos hemidesmossomos são mostradas no *painel à direita*. No pênfigo vulgar, autoanticorpos contra Dsg1 e Dsg3 causam vesículas-bolhas na epiderme suprabasal profunda, ao passo que, no pênfigo foliáceo, os autoanticorpos são dirigidos apenas contra a Dsg1, levando à formação de vesículas-bolhas subcórneas superficiais. No penfigoide bolhoso, os autoanticorpos ligam-se ao BPAG2, um componente dos hemidesmossomos, levando à formação de vesículas-bolhas no nível da lâmina lúcida da membrana basal. A dermatite herpetiforme é causada por autoanticorpos IgA contra as fibrilas que ancoram os hemidesmossomos à derme.

Doenças bolhosas inflamatórias

Pênfigo

O pênfigo é uma doença bolhosa causada por autoanticorpos, que resulta na dissolução das ligações intercelulares dentro da epiderme e do epitélio da mucosa. A fisiopatologia das doenças bolhosas fornece importantes informações sobre as bases moleculares da adesão dos queratinócitos. Os indivíduos que desenvolvem pênfigo estão, em sua maioria, entre a quarta e a sexta década de vida, e homens e mulheres são igualmente afetados. Existem múltiplas variantes: (1) pênfigo vulgar, (2) pênfigo vegetante, (3) pênfigo foliáceo, (4) pênfigo eritematoso e (5) pênfigo paraneoplásico. Essas doenças são geralmente benignas; todavia, em casos extremos, podem ser fatais se não forem tratadas:

- O *pênfigo vulgar*, o tipo mais comum (responsável por mais de 80% dos casos em todo o mundo), acomete a mucosa e a pele, particularmente do couro cabeludo, da face, das axilas, da virilha, do tronco e dos pontos de pressão. Ele pode se manifestar como úlceras orais, que podem persistir por vários meses antes que ocorra o comprometimento da pele. As lesões primárias consistem em vesículas e bolhas superficiais, que se rompem com facilidade, deixando erosões superficiais recobertas por soro seco e crostas (**Figura 25.29A**)
- O *pênfigo vegetante* é uma forma rara que geralmente não apresenta vesículas-bolhas, porém se manifesta com grandes placas vegetantes, úmidas e verrucosas (semelhantes a verrugas), cravejadas com pústulas na virilha, nas axilas e nas superfícies flexoras
- O *pênfigo foliáceo*, uma forma mais benigna, é endêmico no Brasil (onde é denominado *fogo selvagem*) e ocorre de forma esporádica em outras regiões geográficas. As lesões são mais comuns no couro cabeludo, na face, no tórax e nas costas; as membranas mucosas são apenas raramente afetadas. As bolhas são tão superficiais que elas se manifestam principalmente como áreas de eritema e crostas; elas representam erosões superficiais em locais de ruptura das vesículas-bolhas (**Figura 25.30A**)
- O *pênfigo eritematoso* é considerado uma forma localizada e menos grave de pênfigo foliáceo, que pode acometer seletivamente a área malar da face, de modo semelhante ao lúpus eritematoso
- O *pênfigo paraneoplásico* ocorre em associação a várias neoplasias malignas, mais comumente linfoma não Hodgkin.

Patogênese

Todas as formas de pênfigo são doenças autoimunes causadas por autoanticorpos IgG dirigidos contra desmogleínas, que rompem as adesões intercelulares e resultam na formação de vesículas-bolhas. Na imunofluorescência direta, as lesões exibem um padrão de tipo rede característico de depósitos intercelulares de IgG. Em geral, a IgG é observada em todos os níveis do epitélio no pênfigo vulgar, porém tende a ser mais superficial no pênfigo foliáceo (**Figura 25.31**). A distribuição das desmogleínas 1 e 3 na epiderme e a presença de autoanticorpos contra uma ou contra ambas as proteínas parecem explicar a posição e a gravidade das vesículas-bolhas (ver **Figura 25.28**). Os anticorpos provocam essas lesões principalmente ao interferirem na função de adesão intercelular dos desmossomos; eles também podem atuar indiretamente por meio da ativação das proteases intercelulares. O pênfigo paraneoplásico surge, com mais frequência, no contexto de neoplasias linfoides e é causado por autoanticorpos que reconhecem as desmogleínas ou outras proteínas envolvidas na adesão intercelular.

> **Morfologia**
>
> A característica histológica comum em todas as formas de pênfigo é a **acantólise**, isto é, a dissolução das pontes intercelulares que conectam as células epiteliais escamosas. As células acantolíticas dissociam-se umas das outras, perdem a sua forma poliédrica e tornam-se arredondadas. No pênfigo vulgar (ver **Figura 25.29B**) e no pênfigo vegetante, a acantólise envolve, de modo seletivo, as células imediatamente acima da camada de células basais, produzindo uma vesícula-bolha suprabasal. Na variante vegetante,

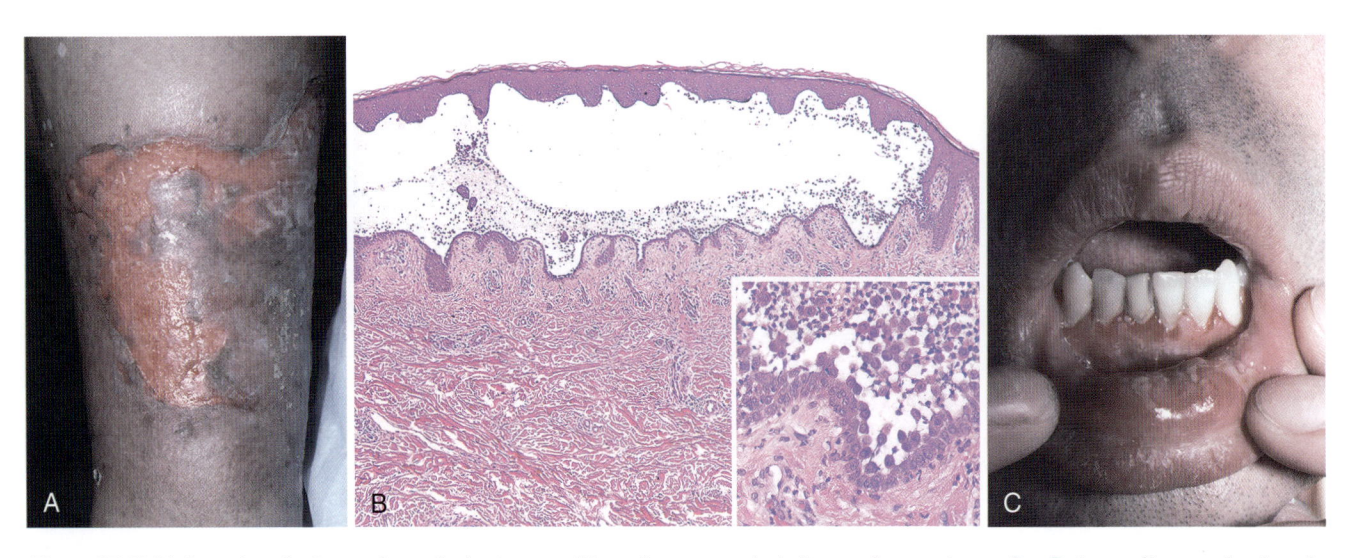

Figura 25.29 Pênfigo vulgar. **A.** Ocorre formação de placas erodidas após a ruptura das bolhas confluentes de teto fino. **B.** A acantólise suprabasal resulta em uma vesícula-bolha intraepidérmica, em que estão presentes células epidérmicas não coesas (acantolíticas) (*detalhe*). **C.** Vesículas-bolhas ulceradas na mucosa oral também são comuns, conforme observado nesta foto do lábio.

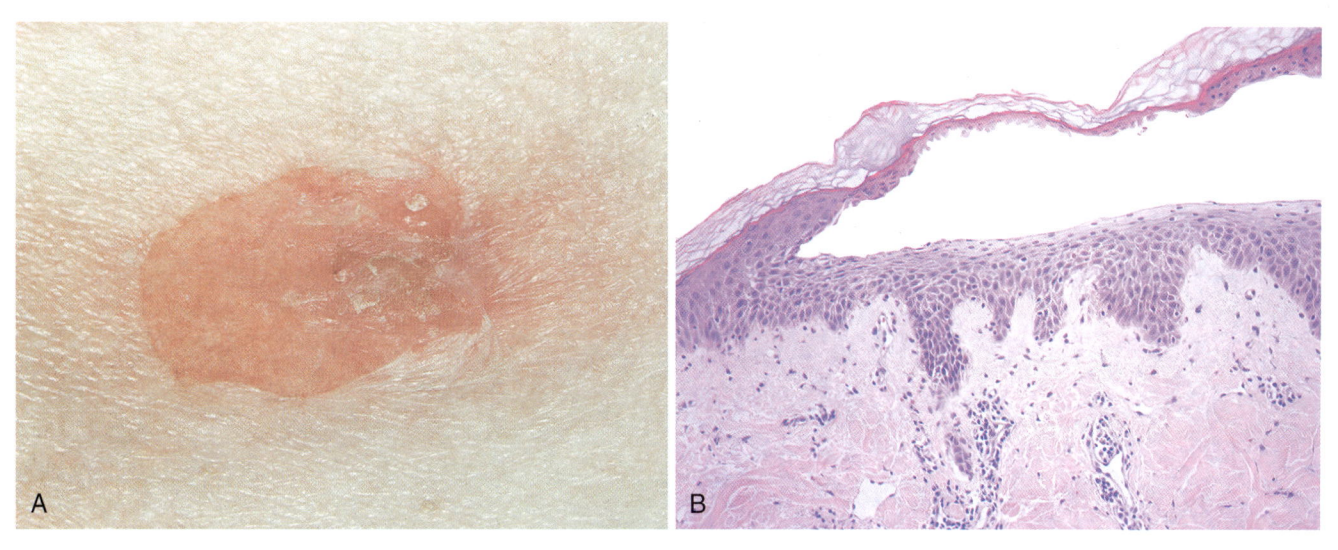

Figura 25.30 Pênfigo foliáceo. **A.** As delicadas vesículas-bolhas superficiais (subcórneas) são muito menos erosivas do que aquelas observadas no pênfigo vulgar. **B.** Observa-se a separação subcórnea do epitélio.

também ocorre hiperplasia epidérmica sobrejacente. A única camada de células basais intactas que forma a base da vesícula-bolha no pênfigo vulgar foi comparada com uma fileira de lápides. No pênfigo foliáceo, as vesículas-bolhas formam-se por mecanismos semelhantes, porém são encontradas na epiderme superficial, no nível do estrato granuloso (ver **Figura 25.30B**). Cada tipo de pênfigo é acompanhado de infiltração variável da derme superficial por linfócitos, macrófagos e eosinófilos.

Em todas as formas de pênfigo, a base do tratamento consiste em agentes imunossupressores, que reduzem os títulos dos anticorpos patogênicos.

Penfigoide bolhoso

O penfigoide bolhoso, que geralmente afeta indivíduos idosos, exibe uma ampla variedade de apresentações clínicas. Os locais de comprometimento incluem as faces mediais das coxas, as superfícies flexoras dos antebraços, as axilas, a virilha e a parte inferior do abdome. Observa-se a presença de lesões orais em 10 a 15% dos indivíduos afetados, aparecendo comumente depois das lesões cutâneas. Alguns pacientes apresentam placas urticariformes e prurido intenso.

Figura 25.31 Coloração por imunofluorescência direta para a imunoglobulina da epiderme acometida por pênfigo. **A.** No pênfigo vulgar, observa-se a deposição de imunoglobulina ao longo das membranas plasmáticas dos queratinócitos em um padrão reticular ou semelhante a uma rede de pesca, acompanhado de perda suprabasal da adesão entre células (acantólise). **B.** No pênfigo foliáceo, os depósitos de imunoglobulina e a acantólise são mais superficiais.

Morfologia

As lesões consistem em bolhas tensas preenchidas com líquido claro, que acometem a pele eritematosa ou de aspecto normal (**Figura 25.32A**). Em geral, as bolhas têm menos de 2 cm de diâmetro; todavia, em certas ocasiões, elas podem alcançar 4 a 8 cm de diâmetro. Elas não sofrem ruptura com facilidade, diferentemente das vesículas-bolhas observadas no pênfigo, e, na resolução, não há formação de cicatrizes, a não ser que ocorra infecção secundária. A distinção entre penfigoide bolhoso e pênfigo baseia-se na identificação de vesículas-bolhas **subepidérmicas não acantolíticas**. As lesões iniciais apresentam um infiltrado superficial e, às vezes, perivascular profundo de linfócitos e números variáveis de eosinófilos, neutrófilos ocasionais, edema da derme superficial e vacuolização da camada de células basais (**Figura 25.32B**). Normalmente, os eosinófilos estão presentes diretamente abaixo do estrato basal da epiderme. As células basais vacuoladas acabam se separando, dando espaço para a formação de uma vesícula-bolha preenchida com líquido.

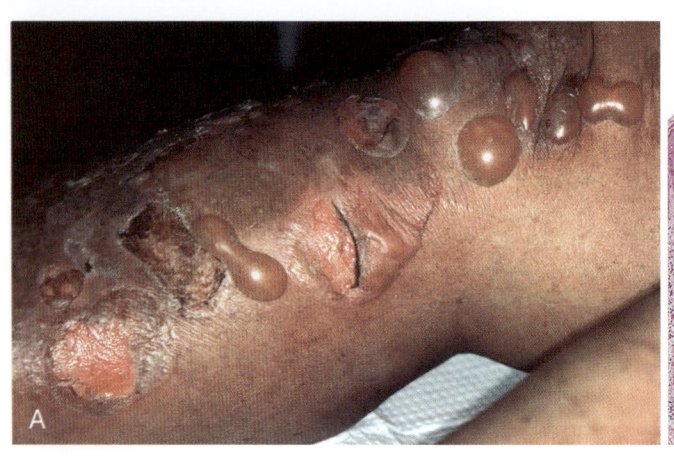

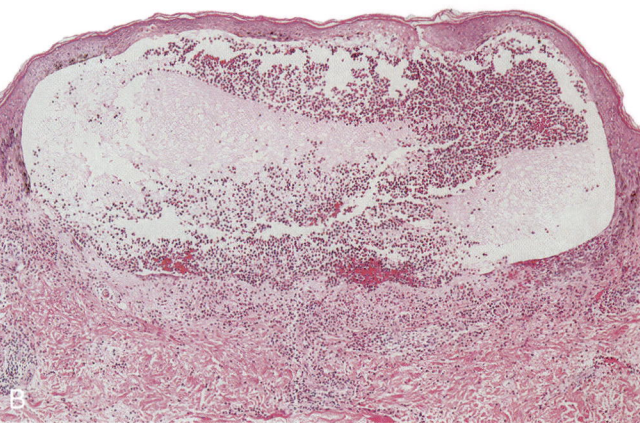

Figura 25.32 Penfigoide bolhoso. **A.** As bolhas consistem em vesículas-bolhas que geralmente não sofrem ruptura, visto que o seu teto é constituído de epiderme intacta. Ocorre formação de úlceras se houver ruptura das bolhas. **B.** Vesícula-bolha subepidérmica intacta associada a eosinófilos, linfócitos e neutrófilos ocasionais.

Patogênese

O penfigoide bolhoso é causado por autoanticorpos que se ligam a proteínas que são necessárias para a adesão dos queratinócitos basais à membrana basal. A maior parte da deposição de anticorpos ocorre em um padrão linear contínuo na junção dermoepidérmica (**Figura 25.33A**), onde estruturas especializadas, denominadas hemidesmossomos, ligam os queratinócitos basais à membrana basal subjacente (**Figura 25.33B**). Os denominados antígenos do penfigoide bolhoso (BPAG, *bullous pemphigoid antigens*) são componentes dos hemidesmossomos (ver **Figura 25.29**). Foi comprovado que os anticorpos dirigidos contra esse componente denominado BPAG2 causam a formação de vesículas-bolhas. Os autoanticorpos patogênicos também ativam o complemento, levando ao recrutamento de neutrófilos e eosinófilos, à inflamação e à ruptura das adesões epidérmicas.

Dermatite herpetiforme

A dermatite herpetiforme é uma doença rara, caracterizada por urticária e vesículas agrupadas. A doença afeta predominantemente homens, com mais frequência na terceira e quarta décadas de vida. Em alguns casos, ela ocorre em associação à doença celíaca intestinal (ver **Capítulo 17**). As placas e as vesículas são extremamente pruriginosas.

Patogênese

A associação da dermatite herpetiforme com a doença celíaca fornece um indício de sua patogênese. Os indivíduos com predisposição genética desenvolvem anticorpos IgA contra o glúten da dieta (derivado da proteína do trigo, a gliadina). Os anticorpos apresentam reação cruzada com a reticulina, um componente das fibrilas de ancoragem, que fixam a membrana basal epidérmica à derme superficial. A lesão e a inflamação resultantes produzem uma vesícula-bolha subepidérmica. Em alguns indivíduos com dermatite herpetiforme e enteropatia sensível ao glúten, ambas as doenças respondem a uma dieta isenta de glúten.

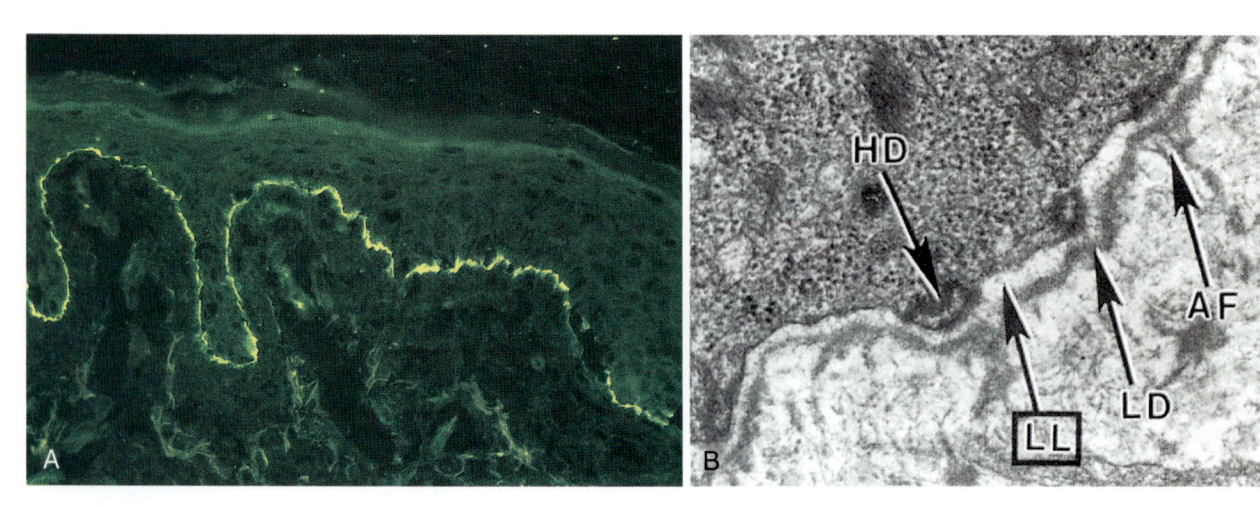

Figura 25.33 A. Deposição linear de complemento ao longo da junção dermoepidérmica no penfigoide bolhoso. **B.** Micrografia eletrônica mostrando as características ultraestruturais da junção dermoepidérmica. O antígeno do penfigoide bolhoso (BPAG) está localizado na porção basal dos queratinócitos basais em associação aos hemidesmossomos (*HD*), que fixam a epiderme à lâmina lúcida (*LL*) da membrana basal. *AF*, fibrilas de ancoragem; *LD*, lâmina densa. (Ver também **Figura 25.31**.)

> ### Morfologia
>
> As lesões são bilaterais, simétricas e agrupadas e acometem preferencialmente as faces extensoras, os cotovelos, os joelhos, a parte superior das costas e as nádegas (**Figura 25.34C**). A fibrina e os neutrófilos acumulam-se de modo seletivo nas **pontas das papilas dérmicas**, formando pequenos microabscessos (**Figura 25.34A**). As células basais situadas sobre esses microabscessos exibem vacuolização e separação dermoepidérmica focal e, por fim, coalescem para formar uma verdadeira **bolha subepidérmica**. Com o uso da imunofluorescência direta, a dermatite herpetiforme revela **depósitos granulares descontínuos de IgA**, que se localizam seletivamente nas pontas das papilas dérmicas (**Figura 25.34B**).

Doenças bolhosas não inflamatórias

Epidermólise bolhosa e porfiria

Alguns distúrbios caracterizados por vesículas e bolhas são mediados por defeitos herdados ou, em alguns casos, adquiridos, que envolvem proteínas estruturais que mantêm a integridade da pele. Dois desses distúrbios são a epidermólise bolhosa e a porfiria.

Epidermólise bolhosa. Epidermólise bolhosa é o termo geral para se referir a um grupo de distúrbios causados por defeitos herdados nas proteínas estruturais que conferem estabilidade mecânica à pele. A característica comum é uma tendência à formação de vesículas-bolhas em locais de pressão, fricção ou trauma, no momento ou logo após o nascimento. Em todas as formas, as alterações histológicas são tão sutis que a microscopia eletrônica pode ser necessária para diferenciar os vários tipos:

- No *tipo simples*, os defeitos da camada de células basais da epiderme quase sempre resultam de mutações nos genes que codificam a queratina 14 ou a queratina 15. Essas duas proteínas normalmente se emparelham para produzir uma fibra de queratina funcional, explicando, assim, o fenótipo semelhante que resulta de mutações em um desses genes. As proteínas mutadas têm atividade negativa dominante, e, em consequência, a doença tem um modo de herança autossômico dominante. Trata-se do tipo mais comum de epidermólise bolhosa, representando 75 a 85% dos casos
- No *tipo juncional*, as bolhas ocorrem na pele histologicamente normal, no nível precisamente da lâmina lúcida (**Figura 25.35**; ver **Figura 25.28**). A maioria dos casos decorre de defeitos autossômicos recessivos em uma das subunidades da laminina, uma proteína de múltiplos componentes localizada na lâmina lúcida, que se liga aos hemidesmossomos e aos filamentos de ancoragem. Alguns dos casos restantes são produzidos por mutações no BPAG2, a mesma proteína que é alvo dos autoanticorpos no penfigoide bolhoso

Figura 25.34 Dermatite herpetiforme. A. As lesões consistem em grupos de vesículas-bolhas eritematosas intactas e erodidas (observadas aqui nos cotovelos e nos braços). **B.** A deposição seletiva de autoanticorpo IgA nas extremidades das papilas dérmicas é característica. **C.** As vesículas-bolhas estão associadas ao acúmulo de neutrófilos (microabscessos) nas pontas das papilas dérmicas. (**B,** Cortesia do Dr. Victor G. Prieto, Houston, Tex.)

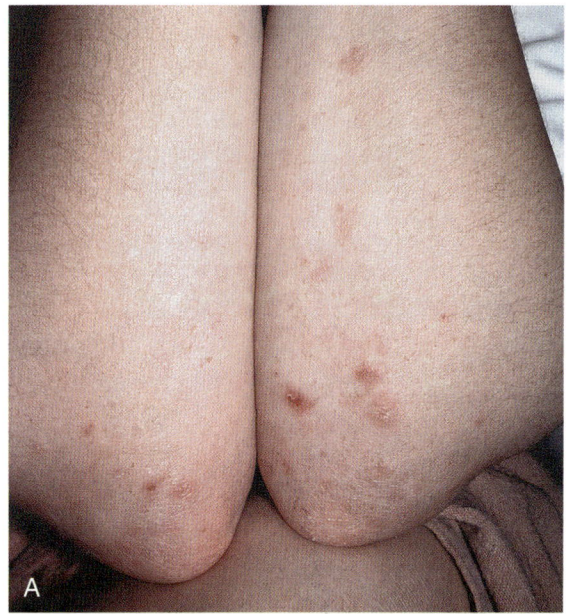

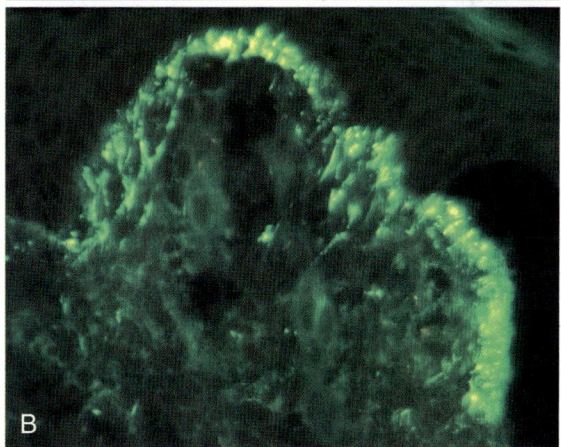

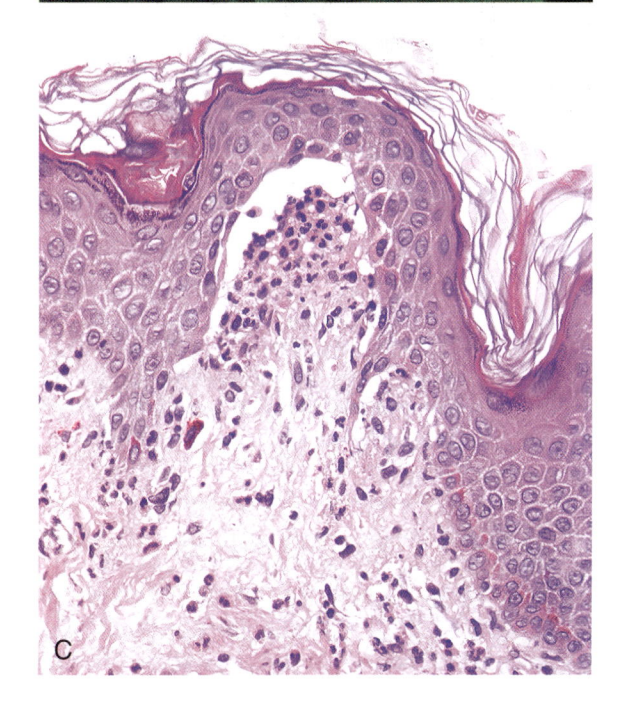

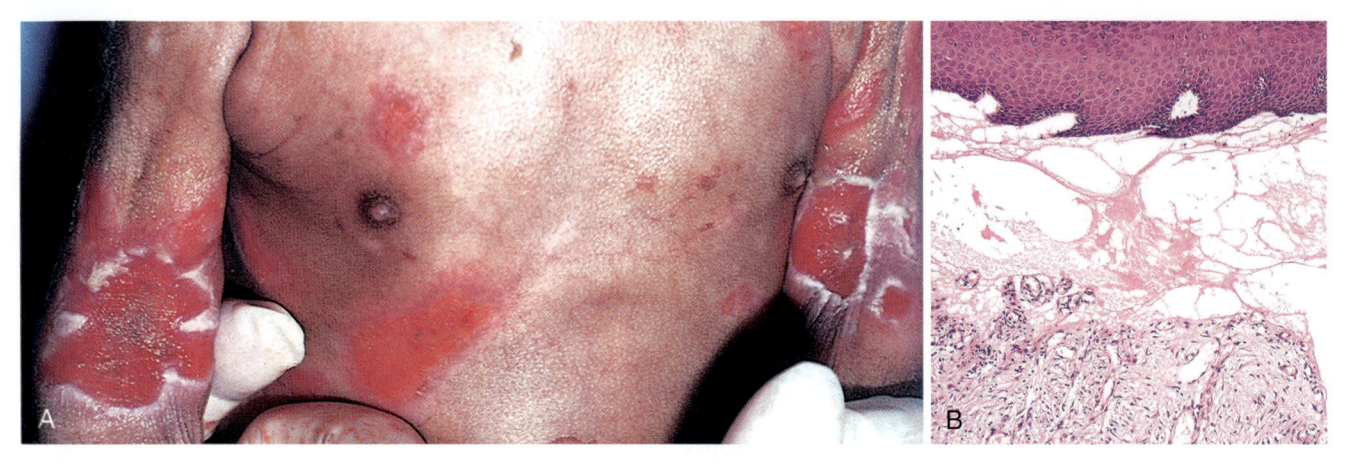

Figura 25.35 Epidermólise bolhosa. **A.** Epidermólise bolhosa juncional mostrando erosões típicas em dobras de flexão. **B.** Vesícula-bolha subepidérmica no nível da lâmina lúcida. Não há inflamação associada.

- Nos *tipos distróficos* com formação de cicatrizes, as bolhas surgem abaixo da lâmina densa, em associação a fibrilas de ancoragem rudimentares ou defeituosas. Em geral, a epidermólise bolhosa distrófica resulta de mutações no gene *COL7A1*, que codifica o colágeno tipo VII (ver **Capítulo 3**), um importante componente das fibrilas de ancoragem da membrana basal. Dependendo da mutação, a doença pode seguir um modo de herança autossômico dominante ou autossômico recessivo
- São também reconhecidos *tipos mistos*, caracterizados por defeitos em vários níveis.

Porfiria. A porfiria refere-se a um grupo de distúrbios incomuns do metabolismo da porfirina, que podem ser inatos ou adquiridos. As porfirinas são pigmentos normalmente presentes na hemoglobina, na mioglobina e nos citocromos. A classificação da porfiria baseia-se em características tanto clínicas quanto bioquímicas. Os cinco principais tipos são: (1) porfiria eritropoética congênita; (2) protoporfiria eritro-hepática; (3) porfiria intermitente aguda; (4) porfiria cutânea tardia; e (5) porfiria mista. As manifestações cutâneas consistem em urticária e vesículas associadas à formação de cicatrizes, que são exacerbadas pela exposição à luz solar. As vesículas são de localização subepidérmica, e a derme adjacente contém vasos com paredes espessadas por depósitos vítreos de proteínas séricas, incluindo imunoglobulinas (**Figura 25.36**). A patogênese dessas alterações não é bem compreendida.

- O penfigoide bolhoso está associado a autoanticorpos IgG contra proteínas da membrana basal e produz uma vesícula-bolha subepidérmica
- A dermatite herpetiforme está associada a autoanticorpos IgA contra fibrilas que ligam a membrana basal epidérmica à derme e produzem bolhas subepidérmicas
- Os distúrbios bolhosos não inflamatórios incluem defeitos herdados em proteínas que estabilizam a epiderme (p. ex., epidermólise bolhosa), bem como defeitos na síntese de porfirina (as porfirias) que levam a danos à pele induzidos pelo sol por meio de mecanismos incertos.

Conceitos-chave

Doenças bolhosas

- As doenças bolhosas são classificadas com base no nível de separação da epiderme
- Essas doenças são frequentemente causadas por autoanticorpos específicos contra proteínas epiteliais ou da membrana basal, que levam à separação dos queratinócitos (acantólise)
- O pênfigo está associado a autoanticorpos IgG dirigidos contra várias desmogleínas intercelulares, resultando em bolhas que são subcórneas (pênfigo foliáceo) ou suprabasais (pênfigo vulgar)

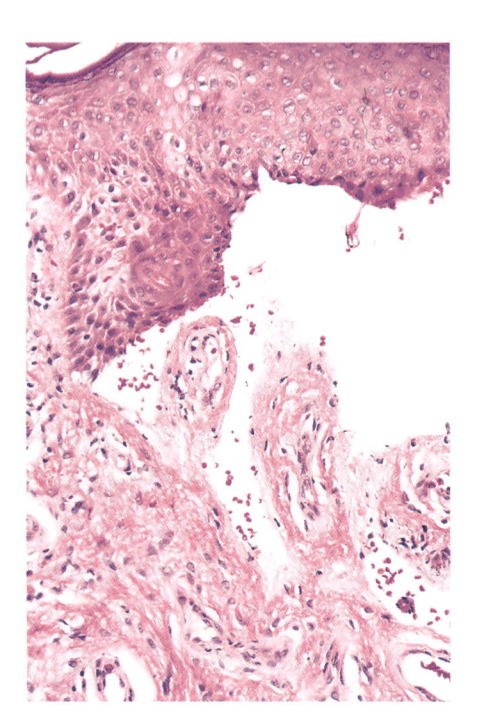

Figura 25.36 Porfiria. Vesícula-bolha não inflamatória na junção dermoepidérmica; observe as papilas dérmicas aparentemente rígidas na base que contêm vasos superficiais anormais.

Distúrbios dos anexos epidérmicos

Acne vulgar

A acne vulgar, praticamente de ocorrência universal da metade ao final da adolescência, afeta indivíduos de ambos os sexos, com tendência a uma doença mais grave no sexo masculino. A acne é observada em todas as raças, porém é geralmente mais leve em pessoas de ascendência asiática. Ela pode ser induzida ou exacerbada por fármacos (corticosteroides, hormônio adrenocorticotrófico, testosterona, gonadotrofinas, contraceptivos orais, trimetadiona, iodetos e brometos), por exposições ocupacionais (óleos de corte, hidrocarbonetos clorados e alcatrões) e por condições que favoreçam a oclusão das glândulas sebáceas, como roupas pesadas, cosméticos e clima tropical. Algumas famílias parecem ser particularmente propensas à acne, o que sugere um componente hereditário.

A acne é dividida em tipos não inflamatório e inflamatório, embora ambos os tipos possam coexistir. A acne não inflamatória pode assumir a forma de comedões abertos e fechados:

- *Comedões abertos* são pequenas pápulas foliculares que contêm um tampão de queratina central de coloração preta. Essa cor é o resultado da oxidação do pigmento melanina (e não de sujeira)
- Os *comedões fechados* são pápulas foliculares sem tampão central visível. Como o tampão de queratina é retido abaixo da superfície epidérmica, essas lesões constituem potenciais fontes de ruptura e inflamação folicular.

Patogênese

A patogênese da acne não está totalmente elucidada e provavelmente é multifatorial. Pelo menos quatro fatores contribuem para o seu desenvolvimento: (1) queratinização da porção inferior do infundíbulo folicular e desenvolvimento de um tampão de queratina, que bloqueia o fluxo de sebo para a superfície da pele; (2) hipertrofia das glândulas sebáceas durante a puberdade, sob a influência dos androgênios; (3) bactérias que sintetizam lipase (*Propionibacterium acnes*) e colonizam as porções superior e média do folículo piloso, convertendo os lipídios dentro do sebo em ácidos graxos pró-inflamatórios; e (4) inflamação secundária do folículo envolvido.

No passado, os androgênios foram os primeiros implicados quando foi observado que indivíduos jovens do sexo masculino castrados geralmente não desenvolviam a doença (uma troca questionável). A eliminação do *P. acnes* é a justificativa para a administração de antibióticos a indivíduos com acne inflamatória. O derivado sintético da vitamina A, o ácido 13-*cis*-retinoico (isotretinoína), produz uma notável melhora em alguns casos de acne grave por meio de sua acentuada ação antissebácea.

> **Morfologia**
>
> A acne inflamatória caracteriza-se por pápulas eritematosas, nódulos e pústulas (**Figura 25.37A**). As variantes graves (p. ex., **acne conglobata**) resultam em formação de trajetos fistulosos e cicatrização dérmica. Dependendo do estágio da doença, pode haver desenvolvimento de comedões abertos ou fechados, pápulas, pústulas ou nódulos inflamatórios profundos. Os **comedões abertos** apresentam grandes orifícios dilatados, ao passo que os orifícios dos **comedões fechados** são apenas identificados microscopicamente (**Figura 25.37B** e **C**). Observa-se a presença de infiltrados variáveis de linfócitos e macrófagos nos folículos afetados e ao seu redor, e a ruptura do folículo é acompanhada de extensa inflamação aguda. Pode haver formação de abscessos dérmicos em associação à ruptura (**Figura 25.37B**), levando à formação de cicatriz.

Rosácea

A rosácea é uma doença comum da meia-idade e da idade mais avançada que afeta até 3% da população dos EUA, com predileção pelas mulheres. São reconhecidos quatro estágios: (1) episódios de rubor (pré-rosácea); (2) eritema persistente e telangiectasia; (3) pústulas e pápulas; e (4) rinofima (espessamento permanente da pele nasal por pápulas eritematosas confluentes e folículos proeminentes).

Patogênese

Um indício para a causa da rosácea provém de observações que mostram que os indivíduos com rosácea apresentam níveis cutâneos elevados do peptídeo antimicrobiano, catelicidina, um importante

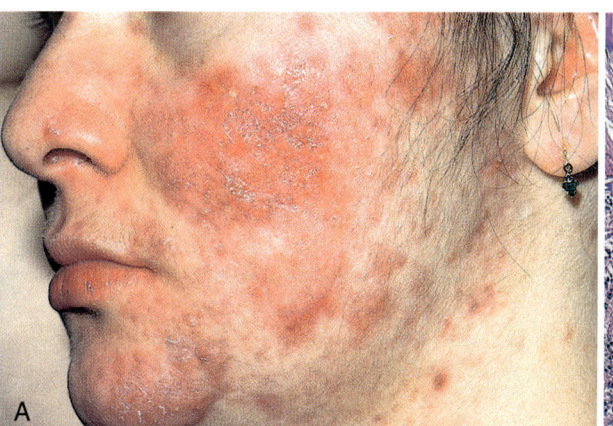

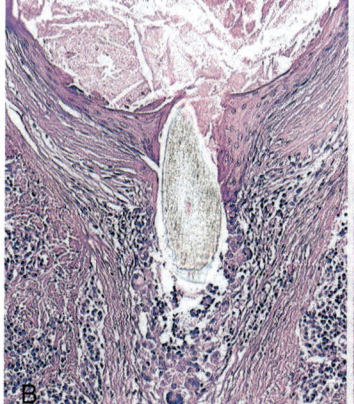

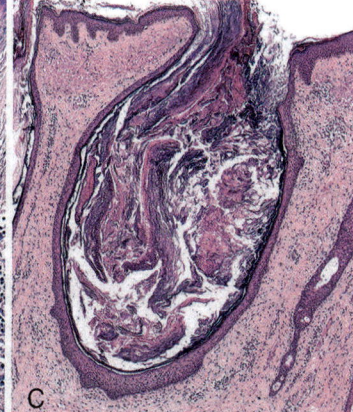

Figura 25.37 Acne. **A.** Acne inflamatória associada a pápulas eritematosas e pústulas. **B.** A haste do cabelo perfura o epitélio folicular, provocando inflamação e fibrose. **C.** Comedão aberto.

mediador da resposta imune inata cutânea. Os peptídeos de catelicidina presentes nos indivíduos afetados são qualitativamente distintos daqueles observados em indivíduos sem rosácea, em consequência do processamento alternativo por proteases, como a calicreína 5 (também conhecida como enzima tríptica do estrato córneo). A injeção de peptídeos de catelicidina de pacientes em camundongos induz algumas das alterações cutâneas observadas na rosácea, incluindo inflamação e vasodilatação. Além disso, foi constatado que a ativação do TLR2 suprarregula a expressão da calicreína 5 nos queratinócitos, sugerindo a participação de fatores que estimulam o TLR2. Foram propostos vários fatores desencadeantes microbianos, porém nenhum deles foi comprovado.

> ### Morfologia
>
> A rosácea caracteriza-se por um infiltrado perivascular inespecífico, composto de linfócitos circundados por edema da derme e telangiectasia. Na fase pustulosa, os neutrófilos podem colonizar os folículos, e pode ocorrer ruptura folicular, causando uma resposta granulomatosa da derme. O desenvolvimento de rinofima está associado à hipertrofia das glândulas sebáceas e ao tamponamento dos folículos por restos queratóticos.

Paniculite

Eritema nodoso e eritema indurado

A *paniculite* é uma reação inflamatória no tecido adiposo subcutâneo que pode afetar preferencialmente (1) os lóbulos de gordura ou (2) o tecido conjuntivo, que separa a gordura em lóbulos. A paniculite acomete, com frequência, a parte inferior das pernas. O *eritema nodoso* é a forma mais comum, cuja apresentação é normalmente subaguda. Uma segunda forma ligeiramente distinta, o eritema indurado, também merece uma breve discussão:

- O *eritema nodoso* manifesta-se como placas e nódulos eritematosos, pouco definidos e hipersensíveis, que podem ser mais facilmente palpados do que observados. A sua ocorrência está frequentemente associada a infecções (infecção por estreptococos beta-hemolíticos e tuberculose e, menos comumente, coccidioidomicose, histoplasmose e hanseníase), administração de fármacos (sulfonamidas e contraceptivos orais), sarcoidose, doença inflamatória intestinal e certas neoplasias malignas; entretanto, muitas vezes, não é possível identificar a causa. Os sinais cutâneos podem ser acompanhados de febre e mal-estar. Acredita-se que o eritema nodoso seja causado por uma reação de hipersensibilidade tardia a antígenos microbianos ou relacionados com fármacos. Em alguns casos, foram implicados imunocomplexos; todavia, em muitos casos, a patogenia permanece desconhecida. Ao longo de várias semanas, as lesões tornam-se planas e semelhantes a equimoses, sem deixar cicatrizes clínicas residuais, ao passo que surgem novas lesões. Em geral, a biopsia profunda em cunha do tecido, para obter uma amostra generosa incluindo o tecido subcutâneo, é necessária para o diagnóstico histológico.
- O *eritema indurado* é um tipo incomum de paniculite que afeta principalmente adolescentes e mulheres na menopausa. Embora a sua causa seja desconhecida, a maioria dos pesquisadores considera o eritema indurado uma vasculite primária de vasos profundos, que suprem os lóbulos de gordura do tecido subcutâneo; o comprometimento vascular associado leva à necrose da gordura e à inflamação. O eritema indurado manifesta-se como nódulo eritematoso e ligeiramente hipersensível, que, em geral, evolui até ulcerar. Originalmente considerado uma resposta de hipersensibilidade à tuberculose, hoje o eritema indurado ocorre mais comumente sem doença subjacente associada.

> ### Morfologia
>
> A histopatologia do **eritema nodoso** é característica. Nas lesões iniciais, ocorre alargamento dos septos de tecido conjuntivo por edema, exsudação de fibrina e infiltração de neutrófilos. Posteriormente, a infiltração por linfócitos, histiócitos, células gigantes multinucleadas e eosinófilos ocasionais está associada à fibrose do septo. Não há vasculite. Em contrapartida, no **eritema indurado**, a inflamação granulomatosa e as zonas de necrose caseosa envolvem o lóbulo de gordura. As lesões iniciais apresentam vasculite necrosante, afetando as artérias e veias de pequeno e médio calibres na derme profunda e no tecido subcutâneo.

Outros tipos de paniculite

Foram descritos muitos outros tipos de paniculite, alguns dos quais merecem uma breve menção:

- *Doença de Weber-Christian* (*paniculite nodular febril recidivante*) é uma forma rara de paniculite lobular não vasculítica, observada em crianças e adultos. Caracteriza-se por grupos de placas ou nódulos eritematosos, que ocorrem predominantemente nos membros inferiores, produzidos por focos profundos de inflamação contendo agregados de macrófagos espumosos misturados com linfócitos, neutrófilos e células gigantes
- A *paniculite factícia* é uma forma de paniculite secundária causada por trauma autoinduzido ou pela injeção de substâncias estranhas ou tóxicas
- Raros tipos de *linfomas de células T* se estabelecem em lóbulos de gordura, produzindo necrose gordurosa e inflamação sobreposta, que mimetizam a paniculite
- Em certas ocasiões, o *lúpus eritematoso sistêmico* pode causar inflamação do tecido subcutâneo e paniculite associada.

Infecção

Apesar de seus amplos mecanismos protetores, a exposição da pele a trauma frequente e ao ambiente externo a torna vulnerável à infecção por microrganismos, parasitas e insetos. Já discutimos o possível papel das bactérias na patogênese da acne comum, e as dermatoses causadas por vírus são muito numerosas para serem listadas. Nos indivíduos imunocomprometidos, infecções cutâneas normalmente triviais podem se tornar potencialmente fatais. Muitas doenças, como herpes simples e herpes-zóster, exantemas virais, infecções fúngicas profundas e reações imunes da pele provocadas por agentes infecciosos, são discutidas no **Capítulo 8**. Aqui, será abordado um conjunto representativo de infecções comuns, cujas manifestações clínicas principais ocorrem na pele.

Verrugas

As verrugas são lesões escamoproliferativas causadas por papilomavírus humanos (HPV). São lesões comuns em crianças e adolescentes, embora possam ser encontradas em qualquer idade. Em geral, a transmissão da doença envolve contato direto entre indivíduos ou autoinoculação. Em geral, as verrugas são autolimitantes e regridem de modo espontâneo em 6 meses a 2 anos.

Patogênese

Foram identificados mais de 150 tipos de papilomavírus, muitos dos quais são capazes de produzir verrugas em seres humanos. As variantes clínicas das verrugas estão frequentemente associadas a subtipos distintos de HPV. Por exemplo, as verrugas anogenitais são causadas predominantemente pelos tipos 6 e 11. O HPV tipo 16 tem sido associado ao carcinoma espinocelular *in situ* dos órgãos genitais e à papulose *bowenoide*; essa última consiste em uma lesão genital que acomete adultos jovens, com aparência histológica de carcinoma *in situ*, mas que normalmente regride de modo espontâneo (ver também **Capítulo 21**). Anteriormente, foi mencionada a relação dos subtipos 5 e 8 do HPV com carcinomas espinocelulares, particularmente em indivíduos afetados pela epidermodisplasia verruciforme, uma condição rara. Esses pacientes desenvolvem múltiplas verrugas planas, que contêm genomas do HPV, algumas das quais progridem para o carcinoma. A tipagem viral pode ser realizada por hibridização *in situ* (**Figura 25.38D**) ou pela reação em cadeia pela polimerase.

Os HPVs que estão associados a elevado risco de câncer produzem proteínas E6, que anulam a função de p53 (ver **Capítulo 7**). Em contrapartida, os subtipos 5 e 8 de HPV produzem proteínas E6 variantes, que não afetam a p53, o que explica a razão pela qual essas formas de HPV têm baixo potencial oncogênico. Em contrapartida, as proteínas E6 dos HPVs de baixo risco interferem na sinalização *Notch*, que é necessária para o amadurecimento normal dos queratinócitos; esse efeito provavelmente contribui para a hiperplasia epidérmica que caracteriza as verrugas.

Morfologia

A classificação das verrugas baseia-se, em grande parte, na sua aparência e localização. A **verruga vulgar** é o tipo mais comum de verruga. As lesões da verruga vulgar podem ocorrer em qualquer parte do corpo, porém são encontradas com mais frequência nas mãos, particularmente na superfície dorsal e nas áreas periungueais, onde aparecem como pápulas branco-acinzentadas a castanhas, planas a convexas, de 0,1 a 1 cm, com uma superfície rugosa semelhante a um seixo (**Figura 25.38A**). A **verruga plana** é comum na face ou nas superfícies dorsais das mãos. As verrugas consistem em pápulas ligeiramente elevadas, planas, lisas e castanhas, que são geralmente menores do que a verruga vulgar. A **verruga plantar** e a **verruga palmar** ocorrem nas plantas dos pés e as palmas das mãos, respectivamente. Essas lesões rugosas e descamativas podem alcançar 1 a 2 cm de diâmetro, algumas vezes podem coalescer e podem ser confundidas com

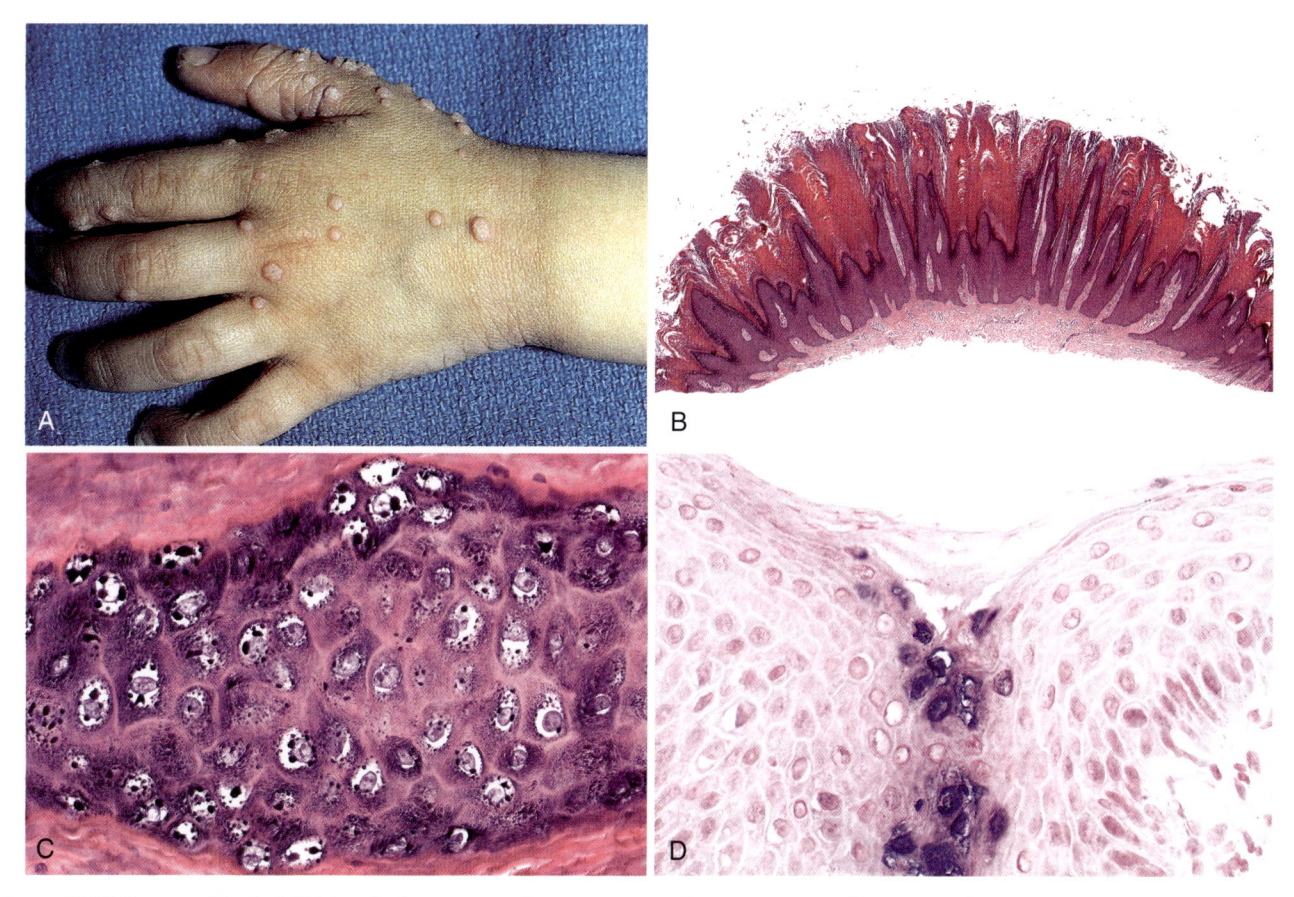

Figura 25.38 Verruga vulgar. **A.** Múltiplas pápulas com superfícies rugosas semelhantes a um seixo. Fotomicrografias em pequeno (**B**) e grande aumento (**C**) das lesões mostrando a hiperplasia epidérmica papilomatosa e as alterações citopáticas, incluindo palidez nuclear e grânulos cerato-hialinos proeminentes. **D.** Hibridização *in situ* demonstrando o DNA do papilomavírus humano no interior das células epidérmicas.

calos normais. O **condiloma acuminado** (**verruga venérea**) acomete o pênis, os órgãos genitais femininos, a uretra, a área perianal e o reto. As verrugas venéreas aparecem como massas moles, de coloração castanha e semelhantes à couve-flor; às vezes, elas atingem muitos centímetros de diâmetro.

As características histológicas comuns das verrugas incluem hiperplasia epidérmica, que, com frequência, é de caráter ondulado ou semelhante a um pináculo, denominada **hiperplasia epidérmica verrucosa** ou **papilomatosa** (**Figura 25.38B**), e **vacuolização citoplasmática** (**coilocitose**), que envolve as camadas mais superficiais da epiderme, produzindo halos de palidez circundando núcleos infectados. A microscopia eletrônica dessas áreas revela numerosos vírions do HPV no interior dos núcleos. As células infectadas também podem apresentar grânulos cerato-hialinos condensados e proeminentes e agregados de queratina intracitoplasmáticos eosinofílicos e recortados, em consequência dos efeitos virais citopáticos (**Figura 25.38C**). Essas alterações celulares não são tão proeminentes nos condilomas; por conseguinte, seu diagnóstico se baseia principalmente na arquitetura papilar hiperplásica contendo áreas de coilocitose em forma de cunha.

Molusco contagioso

O molusco contagioso é uma doença viral autolimitante e comum da pele causada pelo poxvírus. O vírus apresenta uma forma característica de tijolo, com cerne de DNA em formato de haltere, e mede 300 nm em sua dimensão máxima, tornando-o um dos maiores poxvírus patogênicos de seres humanos e um dos maiores vírus na natureza. Em geral, a infecção é transmitida por contato direto, particularmente entre crianças e adultos jovens.

Morfologia

Podem ocorrer múltiplas lesões na pele e nas membranas mucosas, com predileção pelo tronco e pelas áreas anogenitais. As lesões individuais consistem em pápulas umbilicadas firmes, frequentemente pruriginosas, de coloração cor-de-rosa a bege, cujo diâmetro varia geralmente de 0,2 a 0,4 cm. Raramente, ocorrem formas "gigantes", que medem até 2 cm de diâmetro. Um material semelhante a coalhada pode ser espremido pela umbilicação central. O esfregaço desse material em lâmina de vidro corado pelo método de Giemsa com frequência revela corpos de molusco, que são características diagnósticas.

Ao exame microscópico, as lesões exibem hiperplasia epidérmica verrucosa em forma de cálice. A estrutura diagnóstica específica é o **corpo de molusco**, que consiste em uma grande inclusão citoplasmática (até 35 μm) elipsoide e homogênea, encontrada nas células do estrato granuloso e do estrato córneo (**Figura 25.39**). Na coloração pela hematoxilina e pela eosina, as inclusões são eosinofílicas no estrato granuloso e adquirem uma tonalidade azul-clara no estrato córneo. Observa-se a presença de numerosos vírions dentro dos corpos do molusco.

Impetigo

O impetigo é uma infecção bacteriana superficial comum da pele. Ele é altamente contagioso e, com frequência, observado em crianças saudáveis nos demais aspectos, bem como, em certas ocasiões, em adultos com saúde debilitada. Em geral, a infecção acomete a pele exposta, particularmente a da face e das mãos. Existem duas formas de impetigo, clinicamente denominadas *impetigo contagioso* e *impetigo bolhoso*, que diferem entre si simplesmente pelo tamanho das pústulas. Ao longo das últimas décadas, foi observado uma notável mudança na etiologia. Enquanto o impetigo contagioso era, no passado, quase exclusivamente causado por estreptococos beta-hemolíticos do grupo A e o impetigo bolhoso por *Staphylococcus aureus*, hoje ambas as formas são normalmente causadas pelo *S. aureus*.

Patogênese

As bactérias na epiderme desencadeiam uma resposta imune inata, que provoca lesão epidérmica, resultando em exsudato seroso local e formação de uma crosta escamosa (casca). A patogênese da formação de bolhas no impetigo está relacionada com a produção bacteriana de uma toxina, que cliva especificamente a desmogleína 1, a proteína responsável pela adesão intercelular nas camadas superiores da epiderme. Convém ressaltar que, no pênfigo foliáceo, que apresenta um plano semelhante de formação de vesículas-bolhas, a desmogleína 1 não é afetada por uma toxina, mas sim por um autoanticorpo (**Figura 25.28**). Como não há praticamente nenhum comprometimento da derme, as lesões são curadas sem cicatrizes após a eliminação das bactérias.

Morfologia

O impetigo manifesta-se como uma mácula eritematosa, porém surgem rapidamente múltiplas pequenas pústulas. Quando as pústulas se rompem, formam-se erosões superficiais, cobertas por soro seco, conferindo a aparência característica de **crosta cor de mel**. Se a crosta não for removida, formam-se novas lesões na periferia, podendo ocorrer dano extenso à epiderme. A forma bolhosa do impetigo ocorre principalmente em crianças.

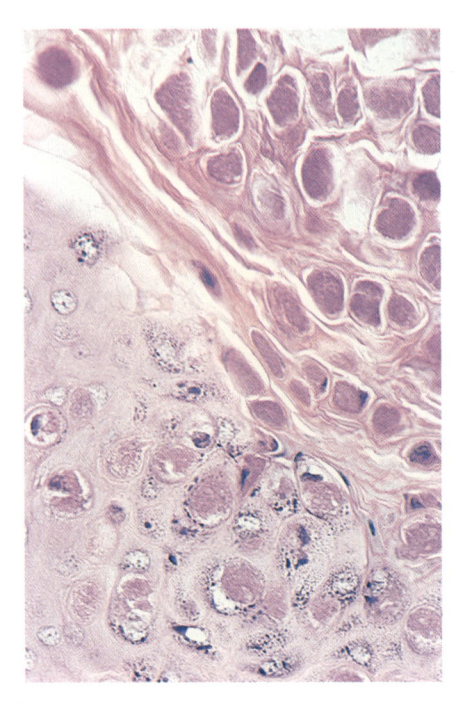

Figura 25.39 Molusco contagioso. Um foco de hiperplasia verrucosa da epiderme contém numerosas células com inclusões citoplasmáticas elipsoides (corpos de molusco) dentro do estrato granuloso e do estrato córneo.

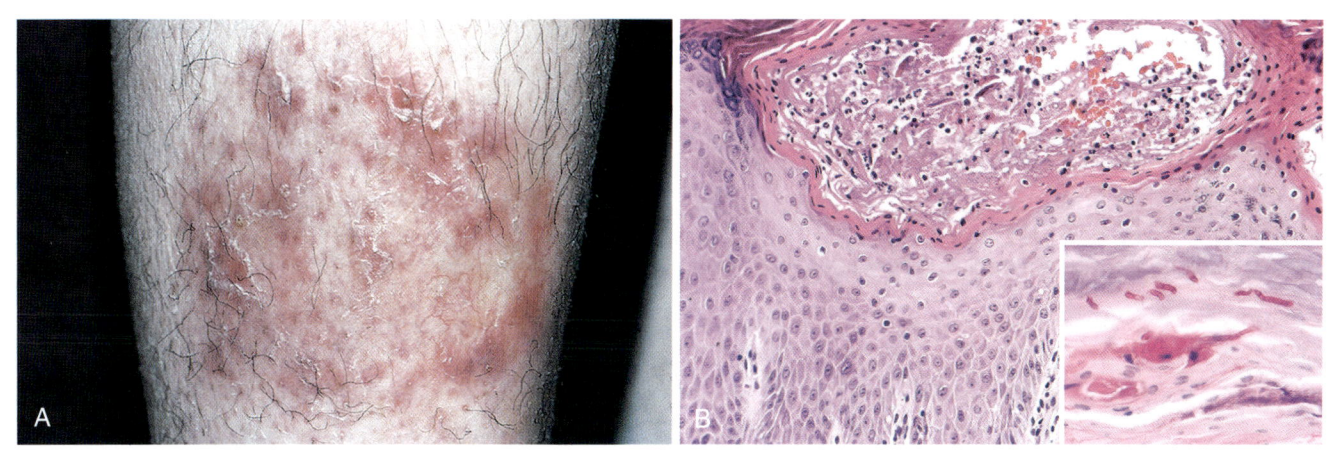

Figura 25.40 Tinha. **A.** Placa característica da tinha do corpo. **B.** A histologia de rotina mostra uma dermatite eczematosa (espongiótica) leve e abscessos neutrofílicos focais. A coloração pelo ácido periódico de Schiff (*detalhe*) revela hifas vermelhas profundas dentro do estrato córneo.

O aspecto microscópico característico do impetigo consiste em **acúmulo de neutrófilos abaixo do estrato córneo**, produzindo frequentemente uma pústula subcórnea, que contém proteínas séricas e células inflamatórias. As colorações especiais revelam a presença de bactérias nesses focos. Esses achados são acompanhados de alterações epidérmicas reativas inespecíficas e inflamação da derme superficial. A ruptura das pústulas libera soro, neutrófilos e restos celulares, que se depositam e secam, formando a crosta característica.

Infecções fúngicas superficiais

Diferentemente das infecções fúngicas profundas da pele, em que a derme ou o tecido subcutâneo são principalmente acometidos, as infecções fúngicas superficiais da pele limitam-se ao estrato córneo e são causadas principalmente por dermatófitos. Esses organismos crescem no solo e em animais e produzem diversas lesões com distribuições características:

- A *tinha do couro cabeludo* (*tinea capitis*) ocorre normalmente em crianças e só raramente é observada em lactentes e em adultos. Trata-se de uma dermatofitose do couro cabeludo, caracterizada por lesões focais assintomáticas da pele, associadas a eritema leve, formação de crosta, descamação e queda frequente dos cabelos
- A *tinha da barba* (*tinea barbae*) é uma dermatofitose na área da barba que afeta homens adultos; é relativamente incomum
- Por outro lado, a *tinha do corpo* (*tinea corporis*) é uma infecção fúngica superficial comum da pele que afeta pessoas de todas as idades, particularmente crianças. Os fatores predisponentes incluem calor e umidade excessivos, exposição a animais infectados e dermatofitose crônica dos pés ou das unhas. O tipo mais comum de tinha do corpo consiste em uma placa levemente eritematosa, redonda e expandida, com borda descamativa elevada (**Figura 25.40A**)
- A *tinha crural* (*tinea cruris*) ocorre, com mais frequência, nas áreas inguinais de homens obesos durante o clima quente. O calor, o atrito e a maceração predispõem ao desenvolvimento dessa dermatofitose. Em geral, a infecção aparece inicialmente na face interna superior das coxas, na forma de placas vermelhas e úmidas, com bordas descamativas elevadas
- A *tinha do pé* (*pé de atleta* ou *tinea pedis*) afeta 30 a 40% da população em algum momento da vida. Ocorrem eritema difuso e descamação, frequentemente com localização inicial nos espaços interdigitais. Entretanto, a maior parte da reação inflamatória parece resultar de superinfecção bacteriana e não está diretamente relacionada com a dermatofitose primária. A disseminação (ou a infecção primária das unhas) é denominada *onicomicose*. A tinha do pé produz coloração, espessamento e deformidade da placa ungueal
- A *tinha versicolor* (*ptiríase versicolor*) ocorre comumente na parte superior do tronco e tem aspecto altamente distinto. As lesões, causadas por *Malassezia furfur* (uma levedura, e não um dermatófito), consistem em grupos de máculas de tamanho e coloração variados, com uma fina escama periférica.

Morfologia

As características histológicas das dermatofitoses são variáveis, dependendo das propriedades do microrganismo, da resposta do hospedeiro e do grau de superinfecção bacteriana. Pode ser uma dermatite eczematosa leve associada a neutrófilos intraepidérmicos (**Figura 25.40B**). Devido às paredes celulares ricas em mucopolissacarídeos, os fungos coram-se de rosa-brilhante a vermelho com o ácido periódico de Schiff. Eles são encontrados na camada cornificada anucleada da pele lesionada, nos cabelos ou nas unhas (**Figura 25.40B**, *detalhe*). Em geral, a cultura do material raspado dessas áreas possibilita a identificação das espécies agressoras.

LEITURA SUGERIDA

Melanoma e nevos displásicos

Breslow A: Prognosis in cutaneous melanoma: tumor thickness as a guide to treatment, *Pathol Annu* 15:1, 1980. [*Artigo clássico que descreve a importância do crescimento vertical do melanoma, que permanece sendo o melhor preditor de desfecho desta doença*].

Cancer Genome Atlas Network: Genomic classification of melanoma, *Cell* 16:1681, 2015. [*Caracterização genômica abrangente do melanoma demonstrando categorias relevantes para o tratamento direcionado*].

Clark WH Jr, Remmer RR, Greene M et al: Origin of familial malignant melanomas from heritable melanocytic lesions. "The B-K mole syndrome.", *Arch Dermatol* 114:732, 1978. [*Artigo clássico que descreve os nevos displásicos familiares e sua possível relação com o melanoma*].

Elder DE: Dysplastic nevi: an update, *Histopathology* 56:112, 2010. [*Discussão atualizada da histologia e patogênese dos nevos displásicos e sua relação com o melanoma*].

Keung EZ, Wargo JA: The current landscape of immune checkpoint inhibition for solid malignancies, *Surg Oncol Clin N Am* 28:369, 2019. [*Excelente revisão sobre imunoterapia usando o melanoma com paradigma de um câncer responsivo*].

Luke JJ, Flaherty KT, Ribas A et al: Targeted agents and immunotherapies: optimizing outcomes in melanoma, *Nat Rev Clin Oncol* 14: 463, 2017. [*Atualização sobre os mais recentes agentes de tratamento e paradigmas do melanoma*].

Shain AH, Joseph NM, Yu R et al: Genomic and transcriptomic analysis reveals incremental disruption of key signaling pathways during melanoma evolution, *Cancer Cell* 34:45, 2018. [*Documenta as principais características moleculares da progressão do melanoma cutâneo primário*].

Neoplasias cutâneas da epiderme

Epstein EH: Basal cell carcinomas: attack of the hedgehog, *Nat Rev Cancer* 8:743, 2008. [*Epidemiologia, apresentação clínica, patogênese molecular e novas opções de tratamento são revisadas de forma sucinta*].

Hafner C, Hartmann H, Vogt T et al: High frequency of FGFR3 mutations in adenoid seborrheic keratoses, *J Invest Dermatol* 126:2404, 2006. [*Descrição das mutações ativadoras de FGFR3 em ceratoses seborreicas*].

Pickering CR, Zhou JH, Lee JJ et al: Mutational landscape of aggressive cutaneous squamous cell carcinoma, *Clin Cancer Res* 20:2682, 2014. [*Documenta os principais eventos direcionadores do carcinoma cutâneo de células escamosas avançado*].

Mastocitose e linfoma cutâneo de células T

Stadler R, Stranzenbach R: Molecular pathogenesis of cutaneous lymphomas, *Exp Dermatol* 2018. [*Publicação eletrônica antes da impressão*]. [*Resumo da epidemiologia, estadiamento, história natural e imunopatogênese do linfoma cutâneo de células T*].

Volertas S, Schuler CF 4th, Akin C: New insights into clonal mast cell disorders including mastocytosis, *Immunol Allergy Clin North Am* 38:341, 2018. [*Atualização sobre a patogênese e tratamento das doenças de mastócitos*].

Distúrbios autoimunes e inflamatórios da pele

Coenraads PJ: Hand eczema, *N Engl J Med* 367:1829, 2012. [*Discussão completa das causas e manejo de uma forma comum de eczema*].

Nestle FO, Kaplan DH, Barker J: Psoriasis, N Engl J Med 361:496, 2009. [*A patogênese, as características clínicas e as opções de tratamento direcionadas são discutidas*].

Schaefer P: Urticaria: evaluation and treatment, *Am Fam Physician* 83:1078, 2011. [*Discussão prática da avaliação clínica e tratamento da urticária*].

Sharma A, Bialynicki-Birula R, Schwatz RA et al: Lichen planus: an update and review, *Cutis* 90:17, 2012. [*Revisão da patologia e características clínicas, história natural e tratamento*].

Doenças bolhosas

Bonciani D, Verdelli A, Bonciolini V et al: Dermatitis herpetiformis: from genetics to the development of skin lesions, *Clin Dev Immunol* 2012. doi:10.1155/2012/239691. [*Descrição dos fatores e mecanismos de doença subjacentes a este raro distúrbio*].

Pollmann R, Schmidt T, Eming R et al: Pemphigus: a comprehensive review on pathogenesis, clinical presentation and novel therapeutic approaches, *Clin Rev Allergy Immunol* 54:1, 2018. [*Atualização em aspectos básicos e clínicos do pênfigo*].

Ujiie H, Shibaki A, Nishie W et al: What's new in bullous pemphigoid, *J Dermatol* 37:194, 2010. [*Revisão da patogênese do penfigoide bolhoso*].

Doenças dos anexos e do tecido subcutâneo da pele

Knutsen-Larson S, Dawson AL, Dunnick CA et al: Acne vulgaris: pathogenesis, treatment, and needs assessment, *Dermatol Clin* 30:99, 2012. [*Revisão da epidemiologia, patogênese e tratamento da acne nos Estados Unidos*].

Nakatsuji T, Gallo RL: Antimicrobial peptides: old molecules with new ideas, *J Invest Dermatol* 132:887, 2012. [*Discussão sobre o possível papel dos peptídeos antimicrobianos, como a catelicidina, na rosácea, psoríase e dermatite atópica*].

CAPÍTULO 26

Ossos, Articulações e Neoplasias de Tecidos Moles

Andrew Horvai

SUMÁRIO DO CAPÍTULO

OSSO, 1221
Estrutura básica e função do osso, 1221
   Matriz, 1221
   Células, 1222
   Desenvolvimento, 1222
   Homeostasia e remodelação, 1223
Distúrbios de desenvolvimento do osso e da cartilagem, 1224
   Defeitos nas proteínas nucleares e nos fatores de transcrição, 1225
   Defeitos nos hormônios e nas proteínas de transdução de sinal, 1225
   Defeitos nas proteínas estruturais extracelulares, 1225
   Doenças do colágeno tipo I (osteogênese imperfeita), 1225
   Defeitos nas vias metabólicas (enzimas, canais iônicos e transportadores), 1226
   Osteopetrose, 1226
   Doenças associadas a defeitos na degradação de macromoléculas, 1228
   Mucopolissacaridoses, 1228
Doenças metabólicas do osso, 1229
   Osteopenia e osteoporose, 1229
   Osteomalacia e raquitismo, 1231
   Hiperparatireoidismo, 1231
   Osteodistrofia renal, 1232
   Doença de Paget (osteíte deformante), 1233
Fraturas, 1234
   Consolidação de fraturas, 1234
Osteonecrose (necrose avascular), 1235

Osteomielite, 1236
   Osteomielite piogênica, 1236
   Osteomielite micobacteriana, 1237
   Sífilis com comprometimento esquelético, 1237
Neoplasias ósseas e lesões pseudotumorais, 1237
   Neoplasias formadoras de osso, 1238
   Osteoma osteoide e osteoblastoma, 1238
   Osteossarcoma, 1239
   Neoplasias formadoras de cartilagem, 1240
   Osteocondroma, 1241
   Condroma, 1241
   Condrossarcoma, 1242
   Neoplasias de origem desconhecida, 1243
   Sarcoma de Ewing, 1243
   Tumor de células gigantes, 1244
   Cisto ósseo aneurismático, 1245
   Lesões que simulam neoplasias primárias, 1246
   Defeito fibroso cortical e fibroma não ossificante, 1246
   Displasia fibrosa, 1247
   Neoplasias metastáticas, 1248

ARTICULAÇÕES, 1248
Artrite, 1249
   Osteoartrite, 1249
   Artrite reumatoide, 1250
   Artrite idiopática juvenil, 1253
   Espondiloartropatias soronegativas, 1254
   Espondilite anquilosante, 1254
   Artrite reativa, 1254
   Artrite infecciosa, 1255

   Artrite supurativa, 1255
   Artrite micobacteriana, 1255
   Artrite viral, 1255
   Artrite de Lyme, 1255
   Artrite induzida por cristais, 1255
   Gota, 1256
   Doença por depósito de cristais de pirofosfato de cálcio (pseudogota), 1258
Neoplasias das articulações e pseudotumores articulares, 1259
   Cistos ganglionares e sinoviais, 1259
   Tumor de células gigantes tenossinovial, 1259

NEOPLASIAS DE PARTES MOLES, 1260
Neoplasias do tecido adiposo, 1261
   Lipoma, 1261
   Lipossarcoma, 1261
Neoplasias fibrosas, 1262
   Fasciite nodular, 1262
   Fibromatoses, 1263
   Fibromatose superficial, 1263
   Fibromatose profunda (tumores desmoides), 1263
Neoplasias do músculo esquelético, 1264
   Rabdomiossarcoma, 1264
Neoplasias do músculo liso, 1265
   Leiomioma, 1265
   Leiomiossarcoma, 1265
Neoplasias de origem incerta, 1265
   Sarcoma sinovial, 1265
   Sarcoma pleomórfico indiferenciado, 1266
Agradecimento, 1267

Osso

Estrutura básica e função do osso

O esqueleto humano adulto é composto de 206 ossos, que representam cerca de 12% do peso corporal. As funções do osso consistem em suporte mecânico, transmissão de força, proteção dos órgãos internos e homeostasia mineral. Além disso, o osso atua como principal local de hematopoese durante a vida pós-natal. O osso é constituído de matriz extracelular e de vários tipos de células.

Matriz

O componente extracelular do osso, conhecido como matriz, é composto de osteoide (35%) e minerais (65%). Os minerais, principalmente a hidroxiapatita $[Ca_{10}(PO_4)_6(OH)_2]$, conferem ao osso a sua dureza e servem como repositório para 99% do cálcio e 85% do fósforo do corpo.

O *osteoide* consiste em colágeno tipo 1 e em quantidades menores de glicosaminoglicanos e outras proteínas. Uma dessas proteínas, a osteopontina (também denominada osteocalcina), é produzida pelos osteoblastos e contribui para a regulação da formação do osso, a mineralização e a homeostasia do cálcio. Os níveis séricos de osteopontina são utilizados como marcadores específicos da atividade dos osteoblastos. A maturação e o metabolismo do osso também são sensíveis às citocinas e aos fatores de crescimento e, portanto, são regulados por diversos estímulos, que incluem fatores de produção local e sistêmica, bem como força mecânica.

A matriz do osso pode ser reticular ou lamelar (**Figura 26.1**). O osso reticular é produzido rapidamente (p. ex., durante o desenvolvimento fetal ou o reparo de fraturas), porém a disposição aleatória das fibras de colágeno confere menor integridade estrutural do que as fibras colágenas paralelas do osso lamelar. O osso reticular é sempre anormal no adulto, porém a sua presença não é específica de nenhuma doença em particular. Os ossos longos são compostos de um córtex externo denso e uma medula central. Esta última é sustentada por trabéculas ósseas intercaladas com medula, que pode ser gordurosa (branca) ou hematopoética (vermelha).

Células

Os componentes celulares do osso incluem os osteoblastos, os osteócitos e os osteoclastos:

- Os *osteoblastos* na superfície da matriz osteoide sintetizam, transportam e organizam a matriz e regulam a mineralização (**Figura 26.2A**). A atividade dos osteoblastos é rigorosamente regulada por mediadores hormonais e locais. Os osteoblastos quiescentes, que podem ser reconhecidos pela diminuição do volume citoplasmático, podem permanecer na superfície trabecular ou podem ser incorporados à matriz como osteócitos
- Os *osteócitos* são interligados por uma complexa rede de processos citoplasmáticos dendríticos através de túneis (canalículos) dentro da matriz. Os osteócitos ajudam a controlar os níveis de cálcio e de fosfato no microambiente, a detectar as forças mecânicas e a traduzi-las em atividade biológica – um processo denominado mecanotransdução
- Os *osteoclastos* são macrófagos multinucleados especializados, que derivam de monócitos circulantes e reabsorvem o osso (**Figura 26.2B**). As proteínas integrinas de superfície possibilitam a fixação dos osteoclastos à matriz e criam uma trincheira extracelular vedada (cavidade de reabsorção). A secreção de proteases ácidas e neutras na cavidade, predominantemente metaloproteases da matriz (MMPs), resulta em dissolução dos componentes inorgânicos e orgânicos do osso.

Desenvolvimento

A maioria dos ossos que se formam durante a embriogênese se desenvolve a partir de um molde de cartilagem por meio de ossificação endocondral. O molde de cartilagem (primórdio) é sintetizado por células precursoras mesenquimais. Com aproximadamente 8 semanas de gestação, um canal central medular dentro do primórdio é criado por condroblastos. De modo simultâneo, os osteoblastos começam a depositar o córtex sob o periósteo nascente da diáfise do osso. Isso forma um centro primário de ossificação, resultando em crescimento radial do osso. Nas extremidades longitudinais (epífises), a ossificação endocondral forma centros secundários de ossificação. Por fim, lâminas do primórdio de cartilagem tornam-se aprisionadas entre os centros de ossificação em expansão, formando a fise ou lâmina epifisial (**Figura 26.3**). Os condrócitos dentro das lâminas epifisiais sofrem proliferação, hipertrofia e apoptose de modo sequencial. Durante a apoptose, a matriz sofre mineralização e é invadida por capilares, que fornecem os nutrientes para a ativação dos osteoblastos e da síntese osteoide. A maior parte da matriz de cartilagem calcificada é, por fim, reabsorvida, deixando apenas remanescentes semelhantes a suportes, que servem como andaime para depósitos ósseos, conhecidos como substância esponjosa primária, que constituem as primeiras trabéculas ósseas (ver **Figura 26.3**). Com o tempo, esse processo produz o crescimento longitudinal do osso.

Os ossos planos, por exemplo, o crânio, são formados por ossificação intramembranosa, em que ocorre ossificação direta de uma camada densa de mesênquima pelos osteoblastos sem primórdio de cartilagem. Os ossos crescem pela deposição de osso novo sobre uma superfície preexistente, um processo denominado crescimento por aposição.

Os fatores locais e sistêmicos que regulam o desenvolvimento do osso incluem os seguintes:

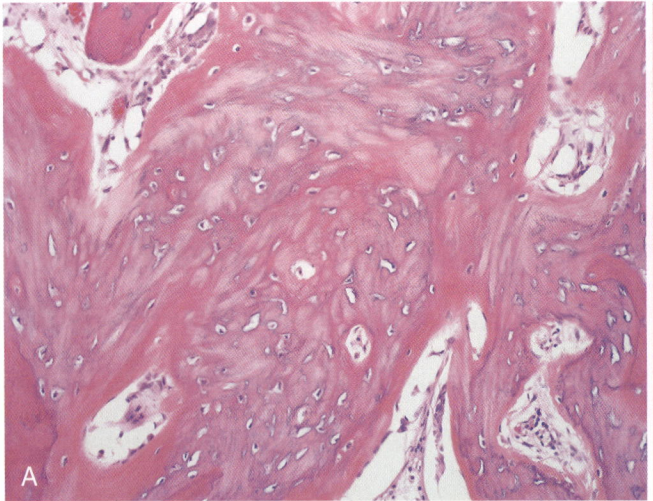

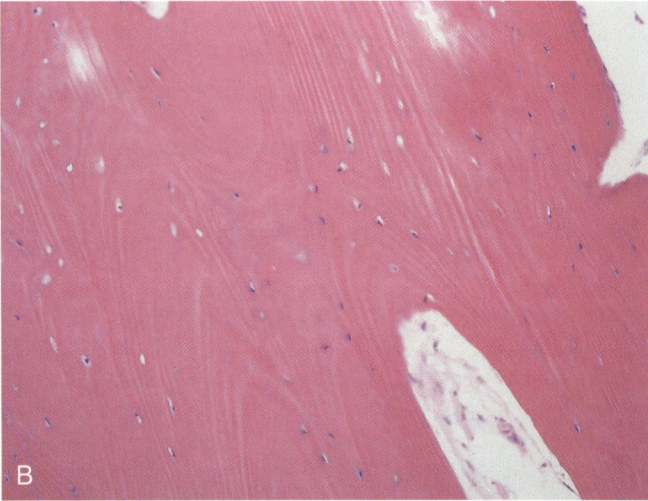

Figura 26.1 A. Osso reticular. **B.** O osso lamelar contrasta com a aparência mais celular e desorganizada do osso reticular.

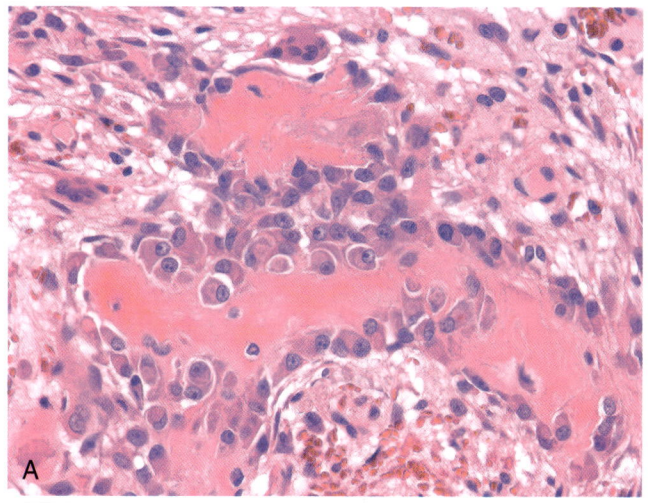

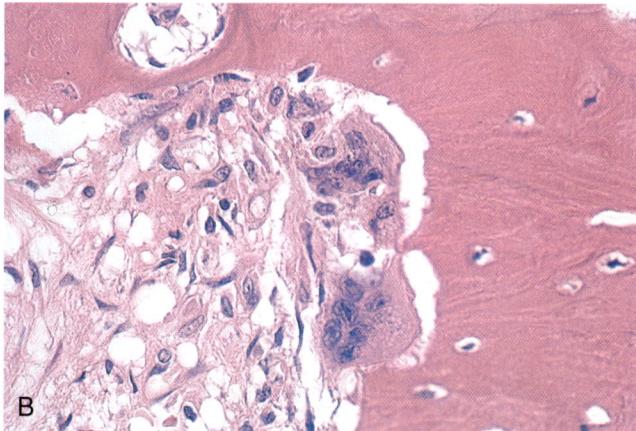

Figura 26.2 A. Osteoblastos ativos sintetizando a matriz óssea. As células fusiformes circundantes representam células osteoprogenitoras. **B.** Dois osteoclastos reabsorvendo o osso.

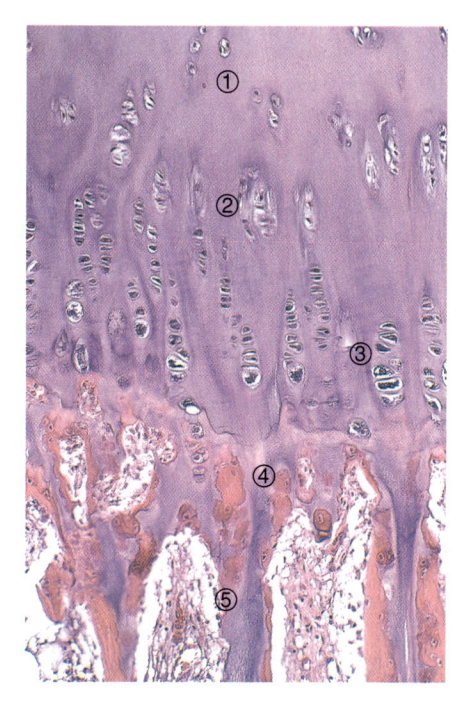

Figura 26.3 Lâmina epifisial ativa com ossificação endocondral em curso. 1. Zona de reserva. 2. Zona de proliferação. 3. Zona de hipertrofia. 4. Zona de mineralização. 5. Zona esponjosa primária.

- O hormônio do crescimento (GH), secretado pela adeno-hipófise, induz e mantém a proliferação dos condrócitos
- O hormônio tireoidiano, secretado pela glândula tireoide, atua sobre os condrócitos em proliferação, induzindo à hipertrofia
- O *Indian hedgehog* (*Ihh*) é secretado localmente por condrócitos pré-hipertróficos e coordena a proliferação e a diferenciação dos condrócitos, com proliferação dos osteoblastos
- A proteína relacionada com o paratormônio (PTHrP), produzida por células do estroma pericondral e por condrócitos em proliferação inicial, ativa o receptor de PTH para manter a proliferação dos condrócitos
- Os fatores de crescimento Wnt são expressos na zona de proliferação da lâmina epifisial e, por meio dos receptores *Frizzled* e LRP5/6, ativam a β-catenina para promover a proliferação e a maturação dos condrócitos
- O SOX9 é um fator de transcrição expresso por condrócitos em proliferação, mas não hipertróficos, que é essencial para a diferenciação dos precursores dos condrócitos
- O RUNX2 é um fator de transcrição expresso nos condrócitos hipertróficos iniciais e nas células mesenquimais imaturas, que controla a diferenciação terminal dos condrócitos e osteoblastos
- Os fatores de crescimento do fibroblasto (FGFs, *fibroblast growth factors*) são secretados por uma variedade de células mesenquimais. Os FGFs (mais notavelmente o FGF-3) atuam sobre os condrócitos hipertróficos para inibir a proliferação e promovem a diferenciação
- As proteínas morfogênicas do osso (BMPs, *bone morphogenic proteins*), que são membros da família do TGF-β, são expressas em vários estágios de desenvolvimento dos condrócitos e têm efeitos diversos na proliferação dos condrócitos e na hipertrofia da lâmina epifisial.

Homeostasia e remodelação

O esqueleto adulto parece estático, porém, na verdade, sofre mudanças contínuas por meio de um processo rigorosamente regulado, conhecido como remodelação. Esse processo, que é responsável pela renovação de aproximadamente 10% do esqueleto a cada ano, repara os danos e pode modificar o formato dos ossos em resposta a forças mecânicas. A remodelação ocorre dentro da *unidade multicelular óssea* (ou *básica*) (BMU, *bone multicellular unit*), que consiste em uma unidade de atividade acoplada dos osteoblastos e osteoclastos na superfície do osso. Na BMU, ocorre uma sequência de fixação dos osteoclastos, reabsorção óssea, fixação e proliferação dos osteoblastos e, por fim, síntese de matriz.

Na BMU, os eventos são regulados por interações intercelulares e citocinas, bem como por diversas vias de sinalização (**Figura 26.4**). Uma dessas vias envolve três fatores: (1) o ativador do receptor de NF-κB (RANK) transmembranar, que é expresso nos precursores dos osteoclastos; (2) o ligante de RANK (RANKL), que é expresso nos osteoblastos e nas células do estroma da medula; e (3) a osteoprotegerina (OPG), um receptor secretado, sintetizado por osteoblastos e vários outros tipos de células, que se liga ao RANKL e, assim, impede a sua interação com o RANK. Quando estimulada pelo RANKL, a sinalização do RANK ativa o NF-κB, que é essencial para a geração e a sobrevida dos osteoclastos. Uma segunda via importante envolve o fator de estimulação de colônias dos macrófagos (M-CSF), um fator produzido pelos osteoblastos que também é crucial para a geração de osteoclastos. Por fim, as

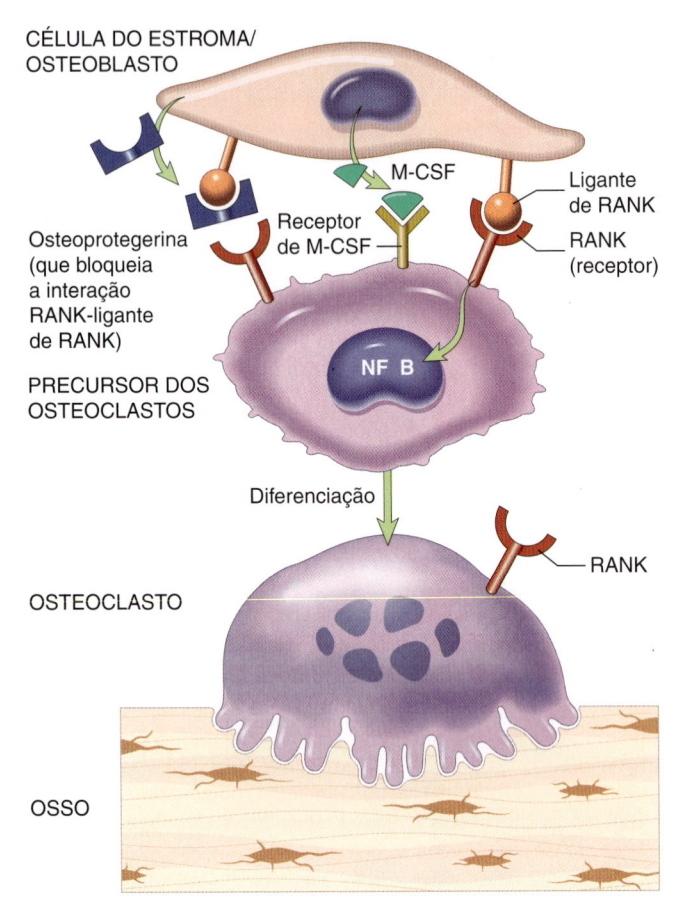

Figura 26.4 Mecanismos moleculares parácrinos que regulam a formação e a função dos osteoclastos. Os osteoclastos originam-se das mesmas células mononucleares que se diferenciam em macrófagos. O RANKL associado à membrana dos osteoblastos/células do estroma liga-se ao seu receptor RANK, localizado na superfície celular dos precursores dos osteoclastos, e atua com o fator de estimulação de colônias de macrófagos (M-CSF). A ativação do RANK induz a transformação das células precursoras em osteoclastos funcionais. Os osteoblastos e as células do estroma também secretam osteoprotegerina (OPG), que atua como receptor secretado para o RANKL, impedindo a sua ligação ao RANK nos precursores dos osteoclastos. Em consequência, a OPG impede a reabsorção óssea por meio da inibição da diferenciação dos osteoclastos.

proteínas WNT produzidas por células osteoprogenitoras ligam-se aos LRP5 e LRP6 nos osteoblastos para ativar a sinalização da β-catenina e a síntese de osteoprotegerina (**Figura 26.5**). Em contrapartida, os osteócitos produzem a esclerostina, que inibe a sinalização de WNT/β-catenina e promove a formação óssea. A importância dessas vias é destacada por mutações de linhagem germinativa raras nos genes *OPG*, *RANK*, *RANKL*, *LRP5* e *esclerostina*, que afetam gravemente o metabolismo do osso e produzem distúrbios ósseos congênitos (descritos adiante).

O equilíbrio entre a formação e a reabsorção ósseas é modulado pela sinalização de RNAK e WNT. Por exemplo, como a OPG e o RANKL se opõem um ao outro, a reabsorção ou a formação ósseas podem ser favorecidas pelo aumento ou pela redução da razão entre RANK e OPG, respectivamente. Os fatores sistêmicos que afetam esse equilíbrio incluem hormônios (paratormônio, estrogênio, testosterona e glicocorticoides), vitamina D, citocinas inflamatórias (p. ex., IL-1) e fatores de crescimento (p. ex., fatores morfogenéticos do osso). Cada um deles atua ao alterar a sinalização de RANK/NF-κB e WNT/β-catenina. O paratormônio, a IL-1 e os glicocorticoides promovem a diferenciação dos osteoclastos e a renovação óssea, ao passo que as proteínas morfogênicas ósseas e os hormônios sexuais geralmente bloqueiam a diferenciação ou a atividade dos osteoclastos ao promoverem a expressão da OPG, representando alterações que favorecem a deposição de osso.

Outro nível de controle envolve a sinalização parácrina entre osteoblastos e osteoclastos. A decomposição da matriz pelos osteoclastos libera e ativa fatores de crescimento, citocinas e enzimas (p. ex., colagenase), alguns dos quais estimulam os osteoblastos. Por conseguinte, as substâncias que iniciam a deposição de osso são liberadas no microambiente durante a reabsorção óssea (ver **Figura 26.5**).

O pico da massa óssea é alcançado no início da vida adulta, após a conclusão do crescimento do esqueleto, e é determinado por diversos fatores, que incluem polimorfismos do receptor de vitamina D e *LRP5/6*, nutrição, atividade física, idade e estado hormonal. Entretanto, começando na quarta década, a reabsorção excede a formação, resultando em declínio contínuo da massa esquelética.

Distúrbios de desenvolvimento do osso e da cartilagem

As anormalidades de desenvolvimento do esqueleto originam-se, com frequência, de mutações hereditárias e manifestam-se nos primeiros estágios da formação óssea. Em contrapartida, as doenças adquiridas aparecem geralmente na idade adulta. O espectro de distúrbios do desenvolvimento ósseo é amplo, e não existe uma abordagem padronizada para a sua classificação. Aqui, serão classificadas as principais doenças de acordo com sua patogênese.

As anomalias de desenvolvimento podem resultar de interrupção localizada da migração e condensação do mesênquima (disostose) ou da desorganização global do osso e/ou da cartilagem (displasia). As disostoses, que podem ocorrer isoladamente ou como parte de síndromes mais complexas, são causadas por defeitos na condensação do mesênquima e diferenciação em primórdio de cartilagem. As formas mais comuns incluem ausência completa de um osso ou de todo um dedo (aplasia), ossos ou dedos extras (dedo supranumerário) e fusão anormal de ossos (p. ex., sindactilia, craniossinostose). As alterações genéticas que afetam os genes que codificam fatores de transcrição (particularmente genes *homeobox*), citocinas e receptores de citocinas são especialmente comuns entre as disostoses. Em contrapartida, as displasias surgem em decorrência de mutações em genes que controlam o desenvolvimento ou a remodelação de todo o esqueleto. É importante assinalar que, enquanto o termo displasia, nesse contexto, implica crescimento anormal, ela não é um precursor de neoplasia, como no caso de displasias de células epiteliais (ver **Capítulo 7**).

São reconhecidas mais de 350 disostoses e displasias esqueléticas, cuja maioria é extremamente rara. A classificação evoluiu de descrições clínicas e radiográficas para uma classificação que também inclui defeitos genéticos causadores. A **Tabela 26.1** fornece uma lista das anormalidades de desenvolvimento mais bem caracterizadas e seus genes defeituosos associados. As relações entre mutações específicas e fenótipos são complexas; diferentes mutações pontuais em um único gene (p. ex., *COL2A1*) podem resultar em fenótipos distintos, ao passo que mutações em genes diferentes (p. ex., *LRP5*, *RANKL*) podem levar a fenótipos semelhantes.

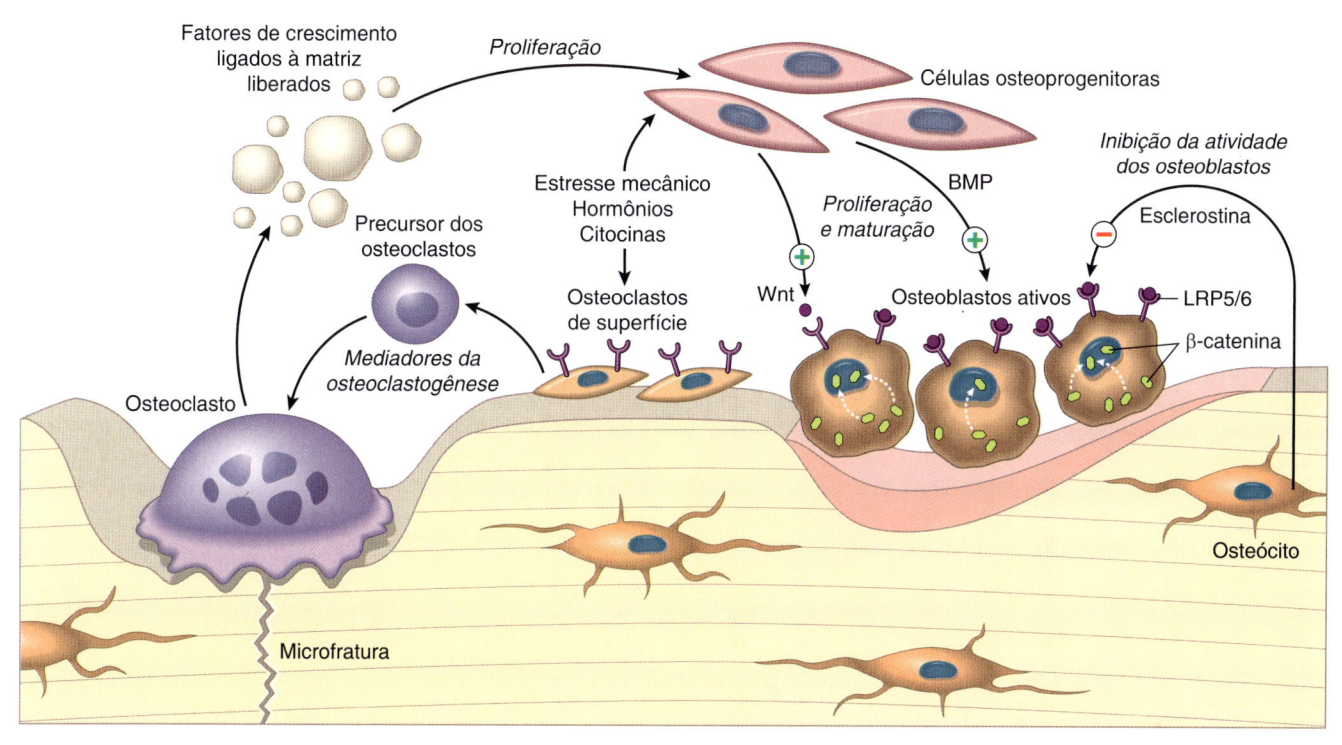

Figura 26.5 Células ósseas e suas atividades inter-relacionadas. Os hormônios, as citocinas, os fatores de crescimento e as moléculas de transdução de sinal são fundamentais para a formação e a maturação do osso e possibilitam a comunicação entre os osteoblastos e os osteoclastos. Na remodelação, a reabsorção e a formação ósseas são processos acoplados controlados por fatores sistêmicos e citocinas locais, algumas das quais são depositadas na matriz óssea. *BMP*, proteína morfogênica do osso; *LRP5/6*, proteínas 5 e 6 relacionadas com o receptor de LDL.

Defeitos nas proteínas nucleares e nos fatores de transcrição

A ocorrência de defeitos em proteínas nucleares e fatores de transcrição, particularmente proteínas *homeobox*, resulta em condensação mesenquimal desorganizada e diferenciação anormal dos osteoblastos e condrócitos, levando ao desenvolvimento anormal do osso:

- A *braquidactilia tipos D e E*, causada por mutações no gene *HOXD13* do *homeobox*, caracteriza-se pelo encurtamento das falanges terminais do polegar e do hálux, respectivamente
- As mutações de perda de função no gene *RUNX2* resultam em *displasia cleidocraniana*, um distúrbio autossômico dominante caracterizado por fontanelas abertas, atraso no fechamento das suturas cranianas, ossos wormianos (ossos extranumerários, que ocorrem dentro de uma sutura craniana), erupção tardia dos dentes permanentes, clavículas primitivas e baixa estatura.

Defeitos nos hormônios e nas proteínas de transdução de sinal

A acondroplasia é a displasia esquelética mais comum e constitui uma causa importante de nanismo. Trata-se de uma doença autossômica dominante, causada por mutações de ganho de função no gene do receptor de FGF 3 (*FGFR3*), das quais cerca de 90% derivam de novas mutações no alelo paterno. A ativação do FGFR3 mediada por FGF normalmente inibe o crescimento endocondral. Esse efeito é exagerado por mutações de ganho de função em *FGFR3*. O atraso no crescimento da cartilagem resulta em encurtamento das extremidades proximais, cabeça aumentada com fronte protuberante e depressão da base do nariz, porém com tronco de comprimento relativamente normal. Em geral, essas anormalidades esqueléticas não estão associadas a alterações na longevidade, na inteligência ou na capacidade reprodutiva.

A displasia tanatofórica é a forma letal mais comum de nanismo. Ela afeta cerca de 1 em cada 20 mil nascidos vivos e é causada por mutações de ganho de função no gene *FGFR3* distintas daquelas que causam acondroplasia. Nessa doença, a mutação parece produzir maior aumento na sinalização do FGFR3 do que as que provocam acondroplasia, constituindo, assim, um fenótipo mais grave. Os indivíduos afetados apresentam encurtamento desproporcional dos membros (micromelia), bossa frontal, macrocefalia relativa, cavidade torácica pequena e abdome em forma de sino. A cavidade torácica subdesenvolvida leva à insuficiência respiratória, e, com frequência, esses indivíduos morrem ao nascimento ou logo depois. O exame histológico da lâmina epifisial revela proliferação diminuída dos condrócitos e desorganização na zona de proliferação.

Defeitos nas proteínas estruturais extracelulares

A ocorrência de mutações nos principais colágenos do osso e da cartilagem (tipos I, II, IX, X e IX) dá origem a apresentações altamente variáveis, que incluem desde doença letal até osteoartrite (OA) prematura.

Doenças do colágeno tipo I (osteogênese imperfeita)

A osteogênese imperfeita (OI), ou doença dos ossos de vidro, é o distúrbio herdado mais comum do tecido conjuntivo. Trata-se de uma doença fenotipicamente heterogênea causada por deficiências na síntese de colágeno tipo I. A OI afeta principalmente os

Tabela 26.1 Doenças do esqueleto com defeitos genéticos identificados.

Distúrbio	Gene	Molécula afetada	Fenótipo clínico
Defeitos em fatores de transcrição que produzem anormalidades na condensação mesenquimal e diferenciação celular relacionada			
Braquidactilia tipos D e E	HOXD13	Fator de transcrição	Falanges terminais curtas e largas dos primeiros dedos
Displasia camptomélica	SOX9	Fator de transcrição	Reversão do sexo, desenvolvimento esquelético anormal
Displasia cleidocraniana	RUNX2	Fator de transcrição	Clavículas anormais, ossos wormianos, dentes supranumerários
Síndrome de Holt-Oram	TBX5	Fator de transcrição	Anormalidades congênitas, anomalias dos membros superiores
Síndrome de unha-patela	LMX1B	Fator de transcrição	Unhas hipoplásicas, hipoplasia ou aplasia da patela, luxação da cabeça do rádio, nefropatia progressiva
Síndrome de Waardenburg tipos 1 e 3	PAX3	Fator de transcrição	Perda auditiva, pigmentação anormal, anormalidades craniofaciais
Defeitos em hormônios e proteínas de transdução de sinais que provocam proliferação ou maturação anormais dos osteoblastos, osteoclastos ou condrócitos			
Acondroplasia	FGFR3	Receptor	Baixa estatura, encurtamento rizomélico dos membros, bossa frontal, deficiência da região média da face
Hipocondroplasia	FGFR3	Receptor	Estatura desproporcionalmente baixa, micromelia, macrocefalia relativa
Osteopetrose, autossômica dominante	LRP5	Receptor	Aumento da densidade óssea, perda auditiva, fragilidade esquelética
Osteopetrose, forma infantil	RANKL	Ligante de receptor	Aumento da densidade óssea
Síndrome de osteoporose-pseudoglioma	LRP5	Receptor	Perda da visão congênita ou de início na lactância, fragilidade esquelética
Displasia tanatofórica	FGFR3	Receptor	Encurtamento e curvatura graves de membros, bossa frontal, ponte nasal deprimida
Defeitos em proteínas estruturais extracelulares			
Acondrogênese tipo 2	COL2A1	Colágeno tipo II	Tronco curto
Displasia metafisária, tipo Schmid	COL10A1	Colágeno tipo X	Estatura ligeiramente baixa
Osteogênese imperfeita, tipos 1 a 4	COL1A1, COL1A2	Colágeno tipo I	Fragilidade óssea
Defeitos das enzimas metabólicas e transportadoras			
Osteopetrose com acidose tubular renal	CA2	Anidrase carbônica	Aumento da densidade óssea, fragilidade, acidose tubular renal
Osteopetrose, início tardio tipo 2	CLCN7	Canal de cloreto	Aumento da densidade óssea, fragilidade

Modificada de Mundlos S, Olsen BR: Heritable diseases of the skeleton. Part I: Molecular insights into skeletal development–transcription factors and signaling pathways, *FASEB J* 11(2):125-132, 1997; Mundlos S, Olsen BR: Heritable diseases of the skeleton. Part II: Molecular insights into skeletal development–matrix components and their homeostasis, *FASEB J* 11(4):227-233, 1997; Superti-Furga A, Bonafé L, Rimoin DL: Molecular-pathogenetic classification of genetic disorders of the skeleton, *Am J Med Genet* 106(4):262-293, 2001; Krakow D, Rimoin DL: The skeletal dysplasias, *Genet Med* 12(6):327-341, 2010.

ossos, mas também tem impacto sobre outros tecidos ricos em colágeno tipo I (articulações, olhos, orelha, pele e dentes). Ela é causada por mutações em genes que codificam as cadeias α1 e α2 do colágeno tipo I. Muitas das mais de 800 mutações identificadas levam à substituição de um resíduo de glicina por outro aminoácido no domínio de tripla-hélice. A síntese e o transporte extracelular do colágeno exigem a formação da tripla-hélice, e essas mutações resultam no desdobramento incorreto dos polipeptídeos de colágeno e na montagem defeituosa das cadeias de colágeno de ordem maior. Os colágenos mutantes também interferem na montagem das cadeias de colágeno de tipo selvagem, isto é, exercem um efeito negativo dominante, explicando, assim, o padrão de herança autossômico dominante.

A anormalidade fundamental na OI consiste em uma quantidade insuficiente de osso, resultando em extrema facilidade esquelética. Outros achados incluem escleras azuis, causadas pela diminuição do conteúdo de colágeno, o que torna a esclera transparente e possibilita uma visualização parcial da coroide subjacente; perda auditiva relacionada com déficit neurossensorial e comprometimento da condução, devido a anormalidades dos ossículos das orelhas média e interna; e imperfeições dentárias (dentes pequenos, de formato irregular e coloração amarelo-azulada) em consequência da deficiência de dentina.

A OI é dividida em quatro subtipos clínicos principais de gravidade variável (**Tabela 26.2**). As mutações que resultam em síntese diminuída de colágeno qualitativamente normal estão associadas a anormalidades esqueléticas leves. Os fenótipos mais graves ou letais estão associados a colágenos mutantes, que interferem na formação da tripla-hélice. A variante tipo 2, que é uniformemente fatal *in utero* ou no período perinatal, caracteriza-se por fragilidade óssea extraordinária e múltiplas fraturas intrauterinas (**Figura 26.6**). Em contrapartida, os indivíduos com OI tipo 1 têm uma expectativa de vida normal, porém sofrem fraturas na infância, cuja frequência diminui após a puberdade.

Defeitos nas vias metabólicas (enzimas, canais iônicos e transportadores)

Osteopetrose

A osteopetrose refere-se a um grupo de doenças genéticas raras caracterizadas por redução da reabsorção óssea, devido a

deficiências no desenvolvimento ou na função dos osteoclastos, levando à esclerose esquelética simétrica difusa. Embora o termo osteopetrose possa sugerir que os ossos sejam semelhantes a pedras, eles, na verdade, são quebradiços e fraturam com facilidade. A osteopetrose é classificada em variantes, com base no modo de herança e na gravidade dos achados clínicos.

Patogênese

A maioria das mutações subjacentes à osteopetrose interfere na acidificação da cavidade de reabsorção dos osteoclastos, que é necessária para a dissolução da hidroxiapatita de cálcio dentro da matriz. Por exemplo, a *doença de Albers-Schönberg*, uma forma autossômica dominante leve de osteopetrose, é causada pela mutação de *CLCN7*, que codifica um trocador de prótons-cloreto na superfície dos osteoclastos, o qual é necessário para a acidificação da cavidade de reabsorção. De maneira semelhante, os casos de osteopetrose autossômica recessiva são, em sua maioria, causados por uma mutação do gene *TCIRG1*, que codifica uma subunidade da H^+-ATPase vacuolar dos osteoclastos, também necessária para a acidificação da cavidade de reabsorção. Outras causas de osteopetrose autossômica recessiva incluem defeitos da anidrase carbônica 2 (CA2), que, à semelhança de todas as isoenzimas de anidrase carbônica, gera prótons e bicarbonato a partir de dióxido de carbono e água. A CA2 facilita a acidificação da cavidade de reabsorção pelos osteoclastos e a acidificação urinária pelas células epiteliais dos túbulos renais. Por conseguinte, a osteopetrose devido a mutações do gene *CA2* é acompanhada de acidose tubular renal. As mutações em *IKBKG*, que codifica NEMO, a subunidade reguladora do inibidor do complexo da kappaB quinase (IKK), que está envolvido na ativação do NF-κB, constituem uma causa de osteopetrose que não resulta de acidificação deficiente. O NEMO, que está ligado ao X, é necessário para a osteoclastogênese e a sobrevida dos osteoclastos, que são reguladas pelo NF-κB. Como

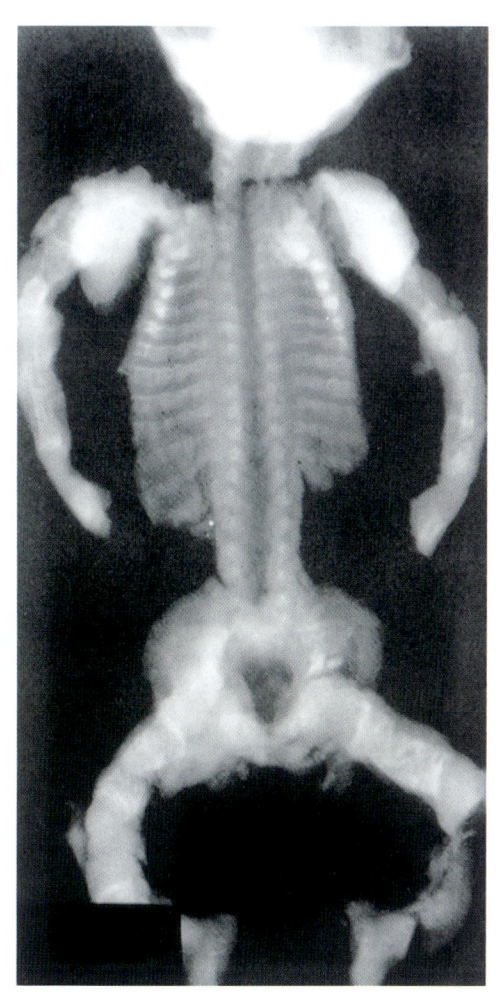

Figura 26.6 Radiografia do esqueleto de um feto com osteogênese imperfeita tipo 2 letal. Observe as numerosas fraturas de praticamente todos os ossos, que resultam em encurtamento dos membros semelhante a uma sanfona.

Tabela 26.2 Subtipos de osteogênese imperfeita.

Subtipo	Defeito do colágeno	Herança	Principais características clínicas	Prognóstico
I	Síntese diminuída da cadeia de pró-α1(I) Cadeias de pró-α1(I) ou pró-α2(I) anormais	Autossômica dominante	Fraturas pós-natais, esclera azul Estatura normal Fragilidade esquelética Dentinogênese imperfeita Comprometimento auditivo Frouxidão articular Esclera azul	Compatível com a sobrevivência
II	Cadeia de pró-α1(I) anormalmente curta Tripla-hélice instável Pró-α2(I) anormal ou insuficiente	A maioria autossômica recessiva Alguns casos autossômicos dominantes Novas mutações	Morte *in utero* ou poucos dias após o nascimento Deformidade esquelética com fragilidade excessiva e múltiplas fraturas Esclera azul	Letal no período perinatal
III	Estrutura alterada dos pró-peptídeos de pró-α2(I) Formação prejudicada da tripla-hélice	Autossômica dominante (75%) Autossômica recessiva (25%)	Retardo do crescimento Múltiplas fraturas Cifoescoliose progressiva Esclera azul ao nascimento, que se torna branca Comprometimento auditivo Dentinogênese imperfeita	Compatível com a sobrevivência Progressiva, deformante
IV	Cadeia de pró-α2(I) curta Tripla-hélice instável	Autossômica dominante	Fraturas pós-natais, esclera normal Fragilidade esquelética moderada Baixa estatura Às vezes, dentinogênese imperfeita	Compatível com a sobrevivência

o NF-κB desempenha muitas outras funções, as mutações em *IKBKG* resultam em um distúrbio multissistêmico, denominado displasia ectodérmica anidrótica ligada ao X com imunodeficiência, que inclui a osteopetrose.

> ### Morfologia
>
> Devido à atividade deficiente dos osteoclastos, os ossos acometidos por osteopetrose não apresentam um canal medular, e as extremidades dos ossos longos são bulbosas (deformidade em balão de Erlenmeyer) e deformadas (**Figura 26.7**). Os forames neurais são pequenos e podem comprimir os nervos emergentes. O componente esponjoso primário, que normalmente é removido durante o crescimento, persiste e preenche a cavidade medular, de modo que não deixa nenhum espaço para a medula óssea hematopoética e impede a formação de trabéculas maduras (**Figura 26.8**). O osso depositado não é remodelado e tende a ser reticulado, em vez de lamelar. Dependendo do defeito genético subjacente, o número de osteoclastos pode ser normal, aumentado ou diminuído.

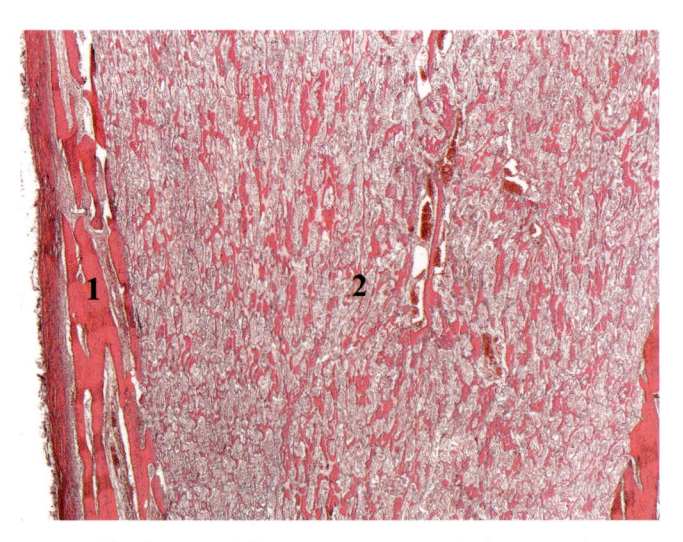

Figura 26.8 Corte de diáfise da parte proximal da tíbia de um feto com osteopetrose. O córtex (1) está presente, porém a cavidade medular (2) está preenchida com o componente esponjoso primário, que substitui os elementos hematopoéticos.

Características clínicas

A osteopetrose infantil grave é um distúrbio autossômico recessivo que geralmente se torna evidente *in utero* ou pouco após o nascimento. Com frequência, observa-se a presença de fraturas, anemia e hidrocefalia, resultando em mortalidade pós-parto. Os indivíduos afetados que sobrevivem ao período perinatal e adentram a infância apresentam defeitos de nervos cranianos (atrofia do nervo óptico, surdez e paralisia facial) e infecções de repetição – com frequência, fatais –, devido à leucopenia em consequência da redução do espaço medular e da diminuição da hematopoese. A hematopoese extramedular compensatória pode levar à hepatoesplenomegalia proeminente. As formas autossômicas dominantes são mais leves e podem não ser detectadas até a adolescência ou a vida adulta, quando são descobertas em exames radiológicos, de modo incidental ou devido a fraturas repetidas.

A osteopetrose foi a primeira doença óssea genética tratada com transplante de células-tronco hematopoéticas, que é efetivo, visto que os osteoclastos derivam de precursores hematopoéticos. Os osteoclastos normais produzidos pelas células-tronco do doador revertem muitas das anormalidades esqueléticas.

Doenças associadas a defeitos na degradação de macromoléculas

Mucopolissacaridoses

As mucopolissacaridoses, discutidas no **Capítulo 5**, são doenças de depósito lisossômico. Elas são causadas por deficiências das enzimas, principalmente hidrolases ácidas, que degradam o sulfato de dermatana, o sulfato de heparana e o sulfato de queratana. As células mesenquimais, particularmente os condrócitos, degradam os mucopolissacarídeos da matriz extracelular. Nessas doenças, os mucopolissacarídeos acumulam-se dentro dos condrócitos e induzem a apoptose. O acúmulo extracelular de mucopolissacarídeos leva a defeitos estruturais da cartilagem articular. Em consequência, muitas das manifestações esqueléticas das mucopolissacaridoses resultam de anormalidades no primórdio de cartilagem, lâminas epifisiais, cartilagens costais e superfícies articulares. Os indivíduos afetados geralmente são de baixa estatura e apresentam anormalidades da parede torácica e ossos malformados.

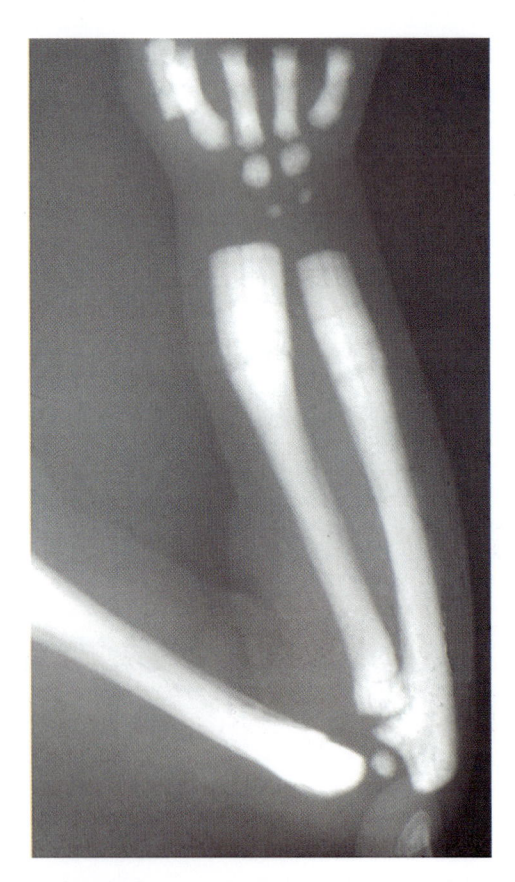

Figura 26.7 Radiografia do membro superior de um indivíduo com osteopetrose. Os ossos estão difusamente escleróticos, ao passo que as partes distais das metáfises da ulna e do rádio estão malformadas.

Conceitos-chave
Distúrbios do desenvolvimento do osso e da cartilagem

As anormalidades que ocorrem em um único osso ou em um grupo localizado de ossos são denominadas disostoses e se originam de defeitos na migração e na condensação do mesênquima. Elas manifestam-se na forma de ossos ausentes, supranumerários ou anormalmente fundidos. A desorganização global do osso e/ou da cartilagem é denominada displasia. As anormalidades de desenvolvimento podem ser classificadas com base no defeito genético associado:

- Fatores de transcrição: os genes *homeobox*, como *HOXD13*, estão frequentemente mutados nas síndromes de braquidactilia
- Moléculas de transdução de sinal: as mutações em *FGFR3* são responsáveis pela acondroplasia e pela displasia tanatofórica, ambas manifestadas como nanismo
- Proteínas estruturais: as mutações nos genes do colágeno tipo I constituem a base da maioria dos tipos de osteogênese imperfeita (doença dos ossos de vidro), caracterizados por formação defeituosa do osso e fragilidade esquelética
- Enzimas metabólicas e transportadores: as mutações que interferem na acidificação da cavidade de reabsorção pelos osteoclastos ou na osteoclastogênese causam osteopetrose, uma doença em que os ossos são de consistência dura, porém quebradiços. Dependendo do gene mutado, também pode haver manifestações extraesqueléticas.

Doenças metabólicas do osso

Osteopenia e osteoporose

A osteopenia refere-se à diminuição da massa óssea, ao passo que a osteoporose é definida como uma osteopenia grave o suficiente para aumentar de maneira significativa o risco de fratura. Do ponto de vista radiográfico, a osteoporose é considerada uma massa óssea de pelo menos 2,5 desvios padrões abaixo da média do pico de massa óssea em adultos jovens. Já a osteopenia é definida por 1 a 2,5 desvios padrões abaixo da média. O distúrbio pode estar localizado em determinado osso ou região, como na osteoporose por desuso de um membro, ou pode acometer todo o esqueleto, como manifestação de uma doença óssea metabólica. A osteoporose generalizada pode ser primária ou secundária a uma variedade de condições (**Tabela 26.3**). A cada ano, cerca de 1 milhão de americanos sofre uma fratura relacionada com a osteoporose, com custo estimado de mais de 14 bilhões de dólares. A discussão a seguir trata, em grande parte, dessas formas de osteoporose.

Patogênese

O pico de massa óssea é alcançado no início da vida adulta. A sua magnitude é determinada, em grande parte, por fatores hereditários, particularmente polimorfismos nos genes que influenciam o metabolismo ósseo (**Figura 26.9**). A atividade física, a força muscular, a alimentação e o estado hormonal também têm contribuições importantes. Uma vez alcançada a massa esquelética máxima, a reabsorção óssea excede ligeiramente a formação, resultando em uma perda óssea média relacionada com a idade de 0,7% por ano. Ambos os sexos são igualmente afetados, porém o processo é mais rápido, em média, nos indivíduos brancos do que naqueles de ascendência africana.

Tabela 26.3 Categorias de osteoporose generalizada.

Primárias
Idiopática
Pós-menopausa
Senil

Secundárias

Distúrbios endócrinos
Doença de Addison
Diabetes melito tipo I
Hiperparatireoidismo
Hipertireoidismo
Hipotireoidismo
Neoplasias hipofisárias
Neoplasia
Carcinomatose
Mieloma múltiplo

Gastrintestinais
Insuficiência hepática
Má absorção
Desnutrição
Deficiência das vitaminas C e D

Substâncias e fármacos
Álcool
Anticoagulantes
Anticonvulsivantes
Quimioterapia
Corticosteroides

Diversas
Anemia
Homocistinúria
Imobilização
Osteogênese imperfeita
Doença pulmonar

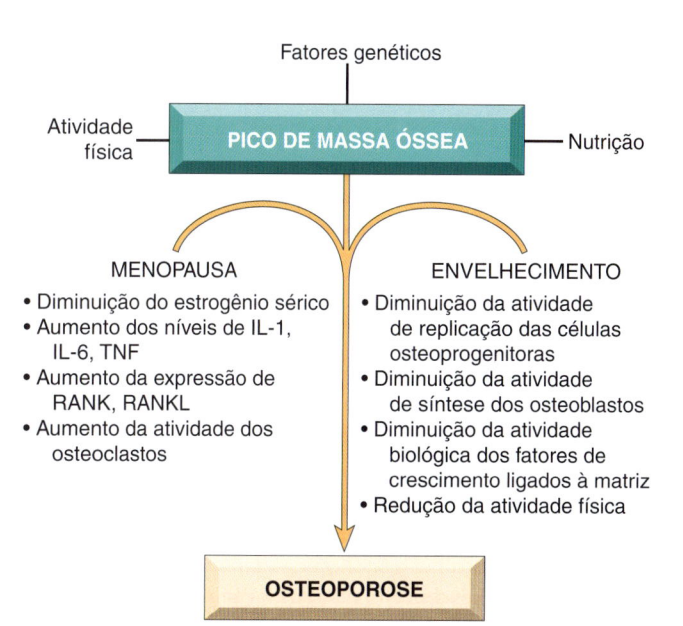

Figura 26.9 Fisiopatologia da osteoporose pós-menopausa e senil (*ver texto*).

- MENOPAUSA
  - Diminuição do estrogênio sérico
  - Aumento dos níveis de IL-1, IL-6, TNF
  - Aumento da expressão de RANK, RANKL
  - Aumento da atividade dos osteoclastos

- ENVELHECIMENTO
  - Diminuição da atividade de replicação das células osteoprogenitoras
  - Diminuição da atividade de síntese dos osteoblastos
  - Diminuição da atividade biológica dos fatores de crescimento ligados à matriz
  - Redução da atividade física

PICO DE MASSA ÓSSEA ← Atividade física, Fatores genéticos, Nutrição → OSTEOPOROSE

Embora numerosos fatores afetem a massa óssea, as formas mais comuns de osteoporose são a osteoporose senil e a osteoporose pós-menopausa:

- As *alterações relacionadas com a idade* incluem redução da capacidade de proliferação e biossíntese e resposta atenuada a fatores de crescimento dos osteoblastos, resultando em capacidade diminuída de sintetizar o osso. Essa forma de osteoporose, denominada *osteoporose senil*, é classificada como variante de baixa renovação
- A *atividade física reduzida* aumenta a taxa de perda óssea em animais experimentais e em seres humanos, visto que as forças mecânicas normalmente estimulam a remodelação óssea. A perda óssea observada em um membro imobilizado ou paralisado ou em astronautas que são submetidos a forças gravitacionais reduzidas por períodos prolongados e, em contrapartida, o aumento da densidade óssea em atletas exemplificam a importância das forças físicas na manutenção do osso. Quando se considera a atividade física, o efeito da magnitude da carga sobre a densidade óssea é maior do que a repetição da carga, o que explica a razão pela qual os exercícios de resistência, como a musculação, aumentam a massa óssea de maneira mais efetiva do que as atividades de *endurance*, como a bicicleta. A diminuição da atividade física que está associada ao envelhecimento normal contribui para a osteoporose senil
- Os *fatores genéticos*, como defeitos em um único gene, constituem causas raras de osteoporose. Entretanto, os polimorfismos em determinados genes podem contribuir para a variação no pico de densidade óssea dentro de populações. Os genes mais fortemente ligados, que foram identificados por estudos de associação genômica ampla incluem *RANK, RANKL* e *OPG*, que codificam reguladores-chave dos osteoclastos; o *locus* HLA (por motivos desconhecidos); e o gene de receptor de estrogênios (discutido adiante)
- O *estado nutricional do cálcio* contribui para o pico de massa óssea. As meninas adolescentes (mais do que os meninos) tendem a apresentar uma ingestão insuficiente de cálcio na dieta. Se ela ocorrer durante um período de rápido crescimento ósseo, a deficiência de cálcio reduz o pico de massa óssea e aumenta o risco de osteoporose. As deficiências relativas de cálcio e de vitamina D e os níveis elevados de PTH também podem contribuir para o desenvolvimento da osteoporose senil

- *Influências hormonais*. Na década que se segue à menopausa, pode ocorrer perda de 2% do osso cortical e 9% do osso esponjoso a cada ano. A deficiência de estrogênio desempenha o principal papel nesse fenômeno, e quase 40% das mulheres na pós-menopausa apresentam *osteoporose pós-menopausa*. Embora a diminuição dos níveis de estrogênio aumente tanto a formação quanto a reabsorção ósseas, esta última predomina, resultando em osteoporose por alta renovação. A perda de estrogênio leva ao aumento da secreção de citocinas inflamatórias, como IL-6, TNF e IL-1, pelas células imunes inatas do sangue e da medula óssea por meio de mecanismos desconhecidos. O aumento do RANKL e a diminuição de OPG estimulam o recrutamento e a atividade dos osteoclastos.

> ### Morfologia
>
> A característica essencial da osteoporose consiste em osso histologicamente normal, porém em quantidade diminuída. Todo o esqueleto é afetado (**Figura 26.10**), porém alguns ossos tendem a ser mais gravemente impactados. A osteoporose pós-menopausa afeta principalmente ossos ou partes de ossos que têm área de superfície aumentada, como o compartimento esponjoso dos corpos vertebrais. As lâminas trabeculares tornam-se perfuradas e adelgaçadas e perdem suas interconexões (**Figura 26.11**), levando a microfraturas e, por fim, ao colapso vertebral. Na osteoporose senil, o córtex é adelgaçado pela reabsorção subperiosteal e endosteal, e ocorre alargamento dos sistemas de Havers.

Características clínicas

As manifestações clínicas da osteoporose dependem dos ossos acometidos. As fraturas vertebrais, que, com frequência, ocorrem nas regiões torácica e lombar, são dolorosas e, quando múltiplas, podem causar perda significativa da altura e deformidades, como lordose lombar e cifoescoliose. As fraturas do colo do fêmur, da pelve ou da coluna levam à imobilização e a complicações, como embolia pulmonar e pneumonia, resultando em 40 a 50 mil mortes por ano.

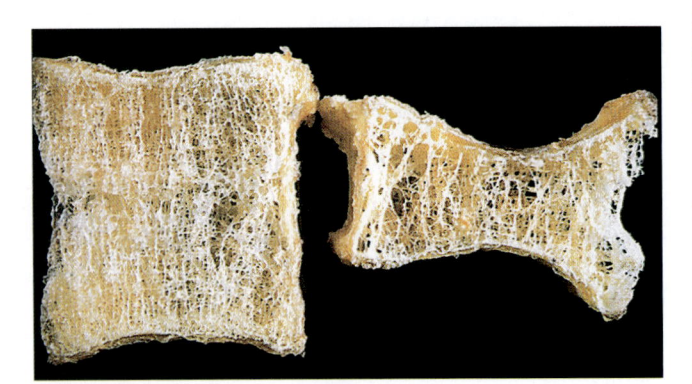

Figura 26.10 Corpo vertebral osteoporótico (*à direita*) encurtado por fraturas de compressão, em comparação com um corpo vertebral normal (*à esquerda*). Observe que a vértebra osteoporótica apresenta uma perda característica de trabéculas horizontais e espessamento das trabéculas verticais.

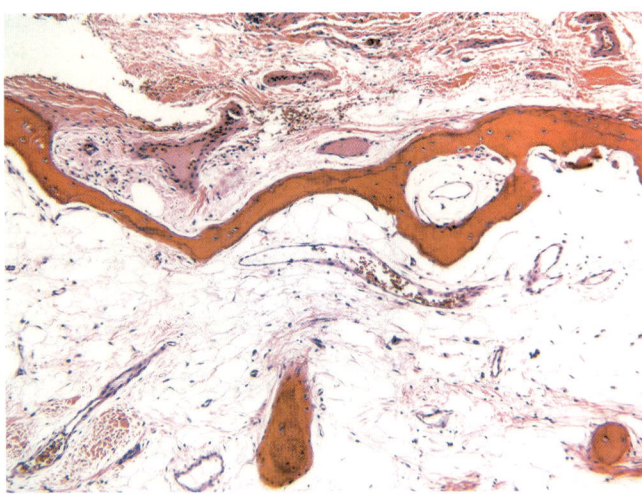

Figura 26.11 Na osteoporose avançada, tanto o osso trabecular da medula (*parte inferior*) quanto o osso cortical (*parte superior*) estão acentuadamente adelgaçados.

A osteoporose não consegue ser detectada com segurança em radiografia simples até a ocorrência de uma perda de 30 a 40% da massa óssea. As melhores estimativas de perda óssea, além da biopsia (que raramente é realizada) consistem em técnicas de imagens radiográficas especializadas, como absorciometria de raios X de dupla energia e tomografia computadorizada quantitativa, que medem a densidade óssea.

O manejo preventivo e terapêutico da osteoporose inclui exercícios, ingestão adequada de cálcio e de vitamina D e de agentes farmacológicos, mais comumente bifosfonados, que reduzem a atividade dos osteoclastos e induzem a sua apoptose. O denosumabe, um anticorpo anti-RANKL, demonstrou ser promissor no tratamento de algumas formas de osteoporose pós-menopausa. Embora a terapia de reposição hormonal tenha sido utilizada para prevenir a osteoporose e suas fraturas associadas, a ocorrência de complicações, particularmente trombose venosa profunda e acidente vascular encefálico, levou à pesquisa de moduladores mais seletivos dos receptores de estrogênio.

Osteomalacia e raquitismo

A osteomalacia e o raquitismo são manifestações de comprometimento da mineralização da matriz óssea. Isso contrasta com a osteoporose, em que a mineralização do osso é normal, ao passo que a massa óssea está diminuída. A maioria dos exemplos de matriz com deficiência de mineralização resulta do metabolismo anormal da vitamina D ou de sua deficiência (ver **Capítulo 9**). O raquitismo refere-se ao distúrbio que acomete crianças, em que há o comprometimento da deposição de osso nas lâminas epifisiais. A osteomalacia é o correspondente no adulto, em que o osso formado durante a remodelação é submineralizado e predisposto a fraturas.

Hiperparatireoidismo

O hiperparatireoidismo causa aumento da reabsorção óssea. Conforme discutido no **Capítulo 24**, o paratormônio (PTH) desempenha um papel central na homeostasia do cálcio por meio dos seguintes efeitos:

- *Ativação dos osteoclastos*, com aumento da reabsorção óssea e mobilização do cálcio. O PHT medeia indiretamente esse efeito ao aumentar a expressão do RANKL nos osteoblastos
- *Aumento da reabsorção de cálcio* pelos túbulos renais
- *Aumento da excreção urinária de fosfato*
- *Aumento da síntese de vitamina D ativa, a 1,2$_5$(OH)$_2$-D*, pelos rins, com consequente aumento da absorção intestinal de cálcio e mobilização do cálcio do osso pela indução da expressão do RANKL nos osteoblastos.

O resultado da ação do PTH consiste na elevação dos níveis séricos de cálcio, que normalmente inibem a produção de PTH. A liberação excessiva ou inapropriada de PTH pode resultar de secreção autônoma das glândulas paratireoides (*hiperparatireoidismo primário*) ou de doença renal (*hiperparatireoidismo secundário*) (ver **Capítulo 24**). Em ambos os contextos, o hiperparatireoidismo provoca alterações em todo o esqueleto, em consequência da atividade descontrolada dos osteoclastos. O PTH em níveis elevados é responsável pelas alterações ósseas observadas no hiperparatireoidismo primário, porém fatores adicionais contribuem para o hiperparatireoidismo secundário. Na insuficiência renal crônica,

a síntese de 1,25-(OH)$_2$-vitamina D está reduzida, devido à diminuição da atividade da α$_1$-hidroxilase, que resulta da perda da função renal e dos efeitos supressores da hiperfosfatemia sobre a α$_1$-hidroxilase. A vitamina D inadequada limita, em última análise, a absorção intestinal de cálcio. O hiperparatireoidismo secundário também pode ser complicado por acidose metabólica e deposição de alumínio no osso. Com o passar do tempo, a perda de massa óssea aumenta a suscetibilidade às fraturas, à deformidade óssea e a problemas articulares.

Morfologia

O hiperparatireoidismo primário sintomático e não tratado se manifesta com três anormalidades esqueléticas inter-relacionadas: osteoporose, tumores marrons e osteíte fibrosa cística. A **osteoporose** é generalizada, porém é mais grave nas falanges, nas vértebras e na parte proximal do fêmur. O hiperparatireoidismo aumenta de maneira mais proeminente a atividade dos osteoclastos dentro do osso cortical (superfícies subperiosteal e endosteal), porém o osso reticular também pode ser afetado. Nesses locais, os osteoclastos podem formar túneis e dissecar centralmente ao longo do comprimento das trabéculas, deixando espaços medulares adjacentes, que serão substituídos por tecido fibrovascular, produzindo **osteíte dissecante (Figura 26.12)**. Nas radiografias, a osteíte dissecante é visualizada na forma de densidade óssea diminuída ou osteoporose.

No hiperparatireoidismo, a perda óssea predispõe a microfraturas, hemorragia secundária, recrutamento de macrófagos e crescimento de tecido fibroso de reparo para criar uma lesão expansiva, denominada **tumor marrom (Figura 26.13)**. A coloração marrom reflete a vascularização, a ocorrência de hemorragia e a deposição de hemossiderina. É comum haver degeneração cística dos tumores marrons. A combinação de aumento da atividade das células ósseas, fibrose peritrabecular e tumores marrons císticos constitui a característica essencial do hiperparatireoidismo grave e é conhecida como **osteíte fibrosa cística generalizada (doença de von Recklinghausen do osso)**.

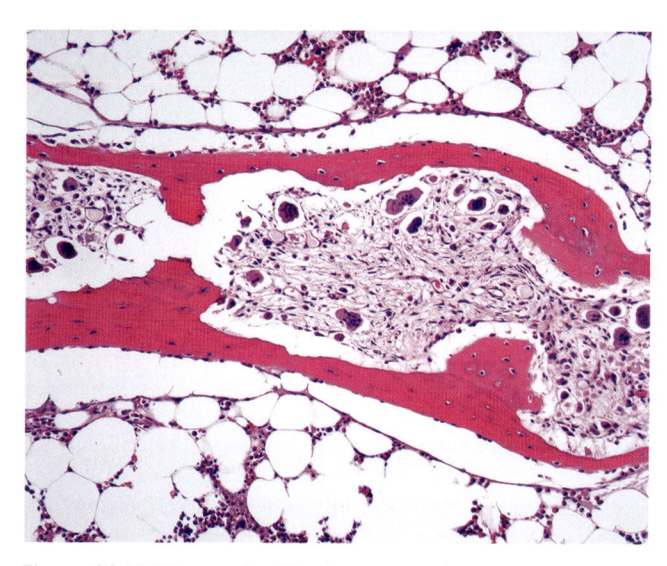

Figura 26.12 Hiperparatireoidismo com osteoclastos que se estendem dentro do centro da trabécula (osteíte dissecante).

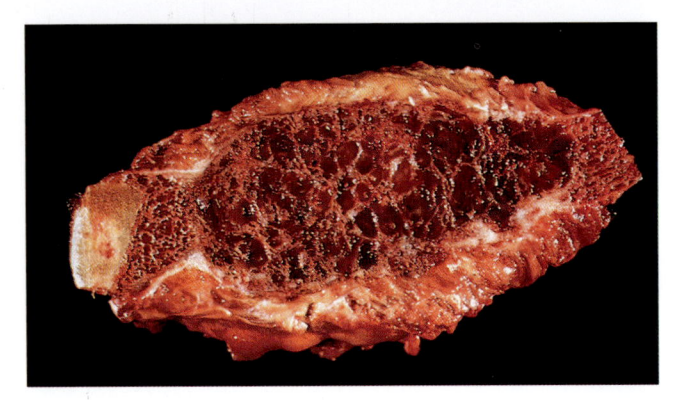

Figura 26.13 Costela ressecada abrigando um tumor marrom expansivo adjacente à cartilagem costal.

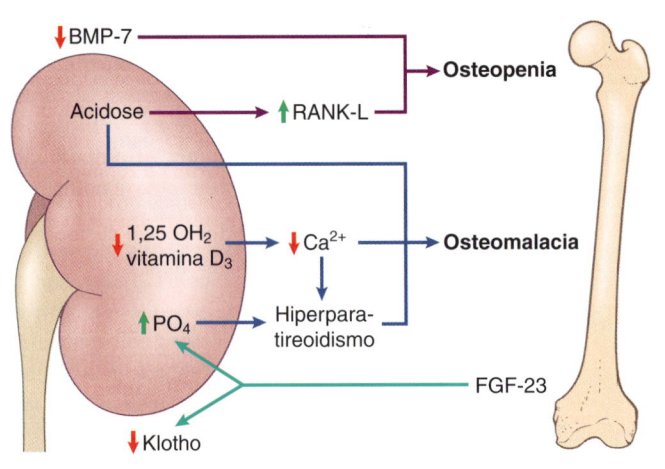

Figura 26.14 Os mecanismos da osteodistrofia renal envolvem homeostasia e sinalização endócrina entre o osso e o rim.

A osteíte fibrosa cística é rara nos dias atuais, visto que o hiperparatireoidismo é geralmente diagnosticado em exames de sangue de rotina e tratado em um estágio inicial. Embora o hiperparatireoidismo secundário possa causar alterações semelhantes, o processo é, em geral, menos grave, e as anormalidades esqueléticas tendem a ser mais leves. As alterações ósseas regridem ou desaparecem por completo quando o hiperparatireoidismo é controlado.

Osteodistrofia renal

O termo osteodistrofia renal descreve as alterações esqueléticas em conjunto que ocorrem na doença renal crônica, incluindo aquelas associadas à diálise. As manifestações abrangem muitas das entidades descritas anteriormente, incluindo: (1) osteopenia/osteoporose; (2) osteomalacia; (3) hiperparatireoidismo secundário; e (4) atraso do crescimento. À medida que os avanços na medicina têm prolongado a vida de indivíduos com doença renal, o impacto dessa doença sobre a homeostasia esquelética assumiu maior importância clínica. Nos indivíduos com insuficiência renal terminal, as alterações histológicas do osso podem ser divididas em três tipos principais de distúrbios:

- A *osteodistrofia de alta renovação* caracteriza-se pelo aumento da reabsorção e formação ósseas, com predomínio da primeira
- A *doença de baixa renovação* ou *aplásica* manifesta-se por osso adinâmico (pouca atividade osteoclástica e osteoblástica) e, menos comumente, osteomalacia
- A *doença de padrão misto* tem áreas de alta e de baixa renovação.

Patogênese

A doença renal provoca anormalidades esqueléticas por meio de três mecanismos (**Figura 26.14**):

- *Disfunção tubular*, que leva mais comumente à acidose tubular renal. A acidose sistêmica associada dissolve a hidroxiapatita, resultando em desmineralização da matriz e osteomalacia
- *Hiperparatireoidismo secundário*, devido à redução da excreção de fosfato, hiperfosfatemia crônica e hipocalcemia. Conforme discutido anteriormente, o estado metabólico resultante não é totalmente análogo ao hiperparatireoidismo primário, e o volume de osso, a renovação e a mineralização podem variar de forma independente

- *Diminuição da função de biossíntese*, incluindo a redução da hidroxilação renal de vitamina D para gerar $1,25\text{-OH}_2$-vitamina D_3. Isso resulta em hipocalcemia, que contribui para o hiperparatireoidismo secundário. Uma alça de retroalimentação hormonal entre o rim e o osso, que regula a homeostasia do cálcio e do fosfato, envolve as proteínas secretadas, BMP-7 e FGF-23, e a proteína de membrana Klotho. A BMP-7, que é produzida pelas células tubulares renais, induz a diferenciação e a proliferação dos osteoblastos, ao passo que o FGF-23, sintetizado pelos osteócitos, atua sobre o rim para regular a homeostasia do fosfato renal e a hidroxilação da vitamina D dependentes de Klotho. A insuficiência renal crônica rompe esse eixo de sinalização e contribui para a osteopenia e a osteomalacia.

> **Conceitos-chave**
>
> **Doenças metabólicas do osso**
>
> - A osteopenia e a osteoporose são condições nas quais o osso é normalmente mineralizado, porém diminuído na sua quantidade. A osteoporose é definida como uma perda de osso suficiente para aumentar o risco de fraturas e está associada a morbidade e mortalidade significativas devido à ocorrência de fraturas. Múltiplos fatores contribuem para a sua patogênese, incluindo pico de massa óssea, idade, atividade, genética, nutrição e influências hormonais
> - A osteomalacia é definida pela presença de osso insuficientemente mineralizado. No esqueleto em desenvolvimento, esse processo resulta em raquitismo
> - O hiperparatireoidismo origina-se da hipersecreção autônoma ou compensatória de PTH e pode levar à osteoporose, formação de tumores marrons e osteíte fibrosa cística. Nos países de alta renda, em que o diagnóstico precoce é a norma, essas manifestações são raras
> - A osteodistrofia renal caracteriza-se por uma constelação de anormalidades ósseas (osteopenia, osteomalacia, hiperparatireoidismo e atraso do crescimento), que ocorrem em consequência de insuficiência renal crônica. As alterações ósseas resultam da diminuição das funções tubulares, glomerulares e hormonais do rim.

Doença de Paget (osteíte deformante)

A doença de Paget é um distúrbio caracterizado por aumento da massa óssea, porém de maneira desordenada e estruturalmente inconsistente. A doença de Paget desenvolve-se em três fases sequenciais: (1) um estágio osteolítico inicial; (2) um estágio osteoclástico-osteoblástico misto; e (3) um estágio osteoesclerótico quiescente de exaustão, em que predomina a atividade dos ostoblastos (**Figura 26.15**).

Com frequência, a doença de Paget manifesta-se na vida adulta avançada e torna-se progressivamente mais comum com o avanço da idade. Um aspecto intrigante é a notável variação geográfica na sua prevalência. A doença de Paget é relativamente comum em indivíduos brancos na Inglaterra, na França, na Áustria, em regiões da Alemanha, na Austrália, na Nova Zelândia e nos EUA, ao passo que é rara em populações nativas da Escandinávia, da China, do Japão e da África. É difícil determinar a sua incidência exata, visto que muitos indivíduos afetados são assintomáticos; estima-se que 1% da população nos EUA com idade superior a 40 anos seja afetada. Na Inglaterra, a prevalência é de 2,5% para os homens e de 1,6% para as mulheres a partir dos 55 anos. Nos últimos 30 anos, foi observada uma diminuição de novos casos em alguns países.

Patogênese

A causa da doença de Paget permanece incerta, porém as evidências atuais sugerem a existência de contribuições tanto genéticas quanto ambientais. Cerca de 50% dos casos de doença de Paget familiar e 10% dos casos esporádicos estão associados a mutações no gene *SQSTM1*, que aumentam a atividade do NF-κB e, portanto, intensificam a atividade dos osteoclastos. Mutações ativadoras de *RANK* e mutações inativadoras de *OPG* são responsáveis por alguns casos de doença de Paget juvenil. Estudos *in vitro* sugerem que a infecção crônica de precursores dos osteoclastos pelo sarampo ou por outros vírus de RNA também pode desempenhar um papel importante.

Morfologia

A doença de Paget exibe uma notável variação histológica ao longo do tempo e entre vários locais. A sua característica básica consiste em um padrão em mosaico do osso lamelar, que se desenvolve na fase esclerótica. Essa aparência semelhante às peças de um quebra-cabeça é produzida por **linhas de cimento** anormalmente proeminentes, que unem unidades de osso lamelar aleatoriamente orientadas (**Figura 26.16**). As características são menos específicas durante as outras fases da doença, porém incluem ondas de atividade osteoclástica e numerosas cavidades de reabsorção na fase lítica. Os osteoclastos são anormalmente grandes e têm muito mais do que 10 a 12 núcleos normais; às vezes, observa-se a presença de 100 núcleos. Os osteoclastos persistem na fase mista, porém muitas das superfícies ósseas também estão revestidas por osteoblastos volumosos. A medula adjacente à superfície de formação óssea é substituída por tecido conjuntivo frouxo, que contém células osteoprogenitoras e numerosos vasos sanguíneos. O osso recém-formado pode ser reticular ou lamelar; todavia, ele é remodelado em osso lamelar. À medida que o padrão em mosaico se estabelece e a atividade celular diminui, o tecido fibromuscular periósseo regride e é substituído por medula óssea normal. No final, as trabéculas grosseiramente espessadas e os córtices moles e porosos não têm estabilidade estrutural e tornam o osso vulnerável às fraturas.

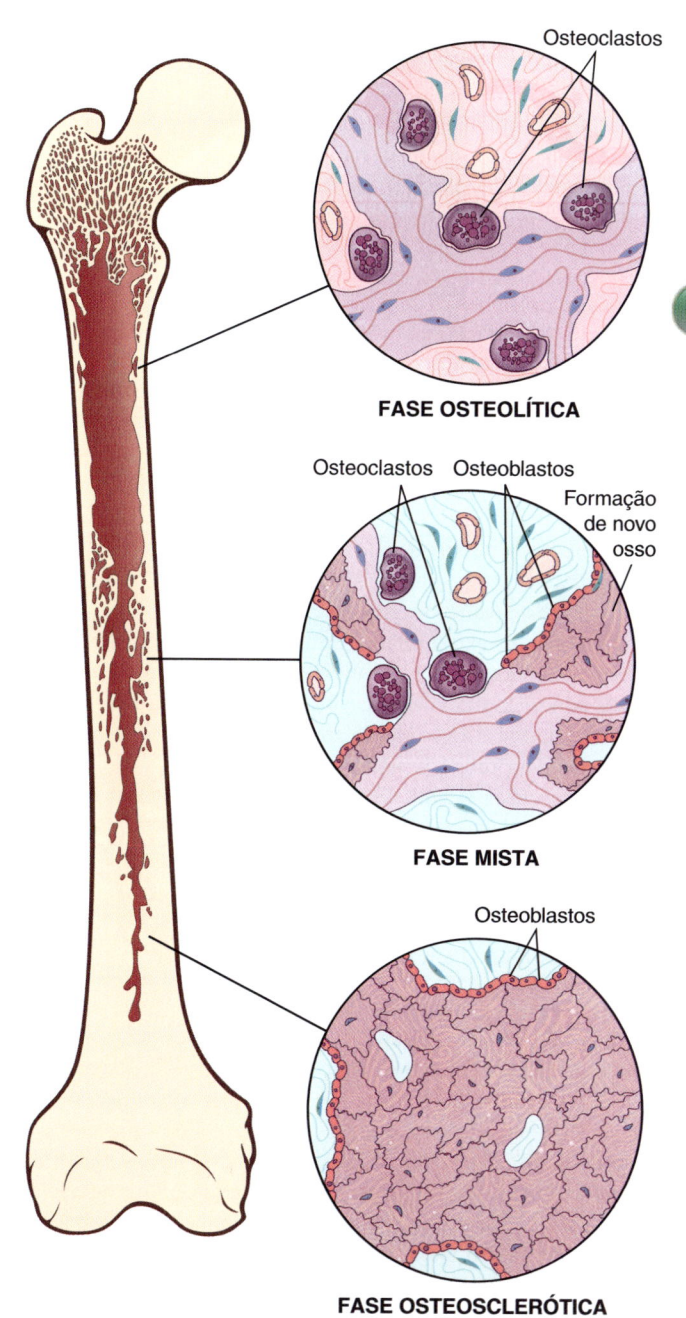

Figura 26.15 Representação esquemática da doença de Paget do osso, demonstrando as três fases de evolução da doença.

Características clínicas

Os achados clínicos são extremamente variáveis e dependem da extensão e da localização da doença. A doença de Paget é monostótica em cerca de 15% dos casos e poliostótica no restante. O esqueleto axial ou a parte proximal do fêmur estão acometidos em até 80% dos casos. A maioria dos casos é assintomática e descoberta como achado radiográfico incidental. Pode ocorrer dor localizada devido ao osso afetado, em consequência de microfraturas ou crescimento ósseo excessivo, que comprime as raízes dos nervos cranianos e espinais. O aumento do esqueleto

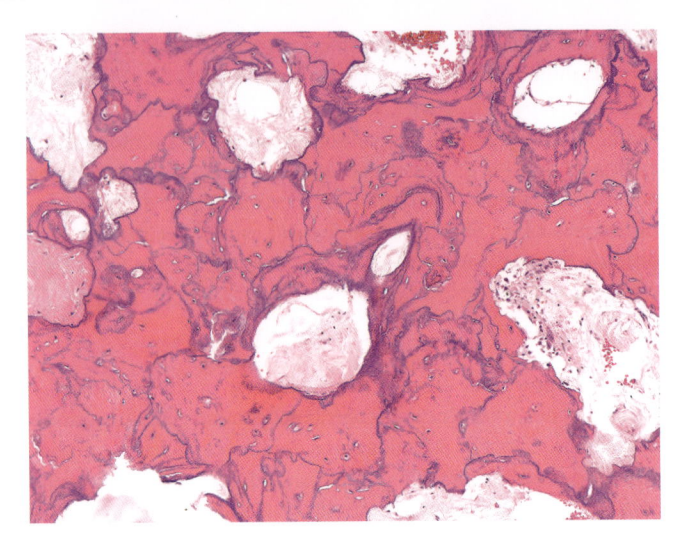

Figura 26.16 Padrão em mosaico do osso lamelar, patognomônico da doença de Paget.

craniofacial pode produzir leontíase óssea (face de leão) e um crânio tão pesado que é difícil manter a cabeça ereta. O osso pagético enfraquecido pode levar à invaginação da base do crânio (platibasia) e à compressão da fossa posterior. A sustentação do peso causa arqueamento anterior do fêmur e da tíbia e distorce a cabeça do fêmur, resultando no desenvolvimento de osteoartrite secundária grave. As fraturas tipo bastão de giz são comuns e acometem geralmente os ossos longos dos membros inferiores. As fraturas por compressão vertebral podem resultar em lesão da medula espinal e cifose. Raramente, a hipervascularização do osso pagético aquece a pele sobrejacente, e, na doença poliostótica grave, o aumento do fluxo sanguíneo pode atuar como derivação arteriovenosa, levando à insuficiência cardíaca de alto débito ou à exacerbação da doença cardíaca subjacente.

A complicação mais temida da doença de Paget é o sarcoma, que ocorre em menos de 1% de todos os indivíduos com doença de Paget e em 5 a 10% daqueles com doença poliostótica grave. Os sarcomas, que normalmente consistem em osteossarcoma ou fibrossarcoma, surgem em lesões de Paget dos ossos longos, da pelve, do crânio e da coluna.

O diagnóstico de doença de Paget pode ser estabelecido com base nas radiografias. Normalmente, o osso pagético é aumentado, com córtex e medula espessos e grosseiros (**Figura 26.17**). A doença ativa apresenta uma borda condutora lítica em forma de cunha, que pode progredir ao longo do comprimento do osso, em uma velocidade de 1 cm por ano. Muitos indivíduos afetados apresentam níveis séricos elevados de fosfatase alcalina, porém os níveis séricos de cálcio e de fosfato estão normais.

Na ausência de transformação maligna, a doença de Paget em geral não é grave nem potencialmente fatal. A maioria dos indivíduos apresenta sintomas leves, que são prontamente suprimidos mediante tratamento com calcitonina e bifosfonatos.

Fraturas

As fraturas são definidas como perda da integridade do osso. Elas constituem algumas das condições patológicas mais comuns que afetam os ossos. Os seguintes qualificadores descrevem os tipos de fraturas e afetam o seu tratamento:

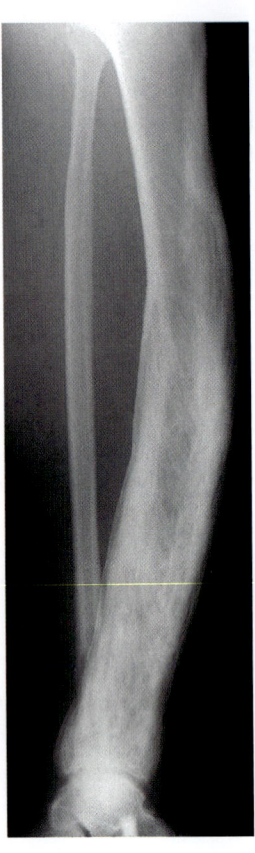

Figura 26.17 Doença de Paget grave. Curvatura da tíbia. A parte afetada está aumentada e esclerótica e apresenta espessamento irregular do osso cortical e esponjoso.

- *Simples*: a pele sobrejacente está intacta
- *Exposta*: o osso comunica-se com a superfície da pele
- *Cominutiva*: ocorre fragmentação do osso
- *Deslocada*: as extremidades do osso no local da fratura não estão alinhadas
- *Por estresse*: fratura de desenvolvimento lento que ocorre após um período de aumento de atividade física, em que o osso é submetido a cargas repetitivas
- *Em galho verde*: estende-se apenas parcialmente através do osso, comum em lactentes quando os ossos são moles
- *Patológica*: envolve um osso enfraquecido por uma doença subjacente, como neoplasia.

Consolidação de fraturas

O osso tem uma notável capacidade de reparo. Esse processo envolve a expressão regulada de uma multiplicidade de genes e pode ser dividido em estágios que se sobrepõem. Imediatamente após a ocorrência de fratura, a ruptura dos vasos sanguíneos resulta em um hematoma, que preenche e circunda a área de lesão (**Figura 26.18**). O coágulo fornece uma rede de fibrina, que veda o local da fratura e fornece uma estrutura para o influxo de células inflamatórias, crescimento de fibroblastos e proliferação de capilares que caracterizam o tecido de granulação. A liberação de PDGF, TGF-β, FGF e de outros fatores de crescimento pelas plaquetas degranuladas e células inflamatórias ativa as células osteoprogenitoras no periósteo, na cavidade medular e nas partes moles, ou tecidos moles, adjacentes, estimulando as atividades osteoclástica e osteoblástica. Ocorre formação de tecido não calcificado, conhecido como *calo de tecido mole* ou *pró-calo*, que fornece alguma ancoragem, porém sem rigidez estrutural para a sustentação de peso.

Nas primeiras 2 semanas após a lesão, as células osteoprogenitoras ativadas depositam-se nas trabéculas subperiosteais de osso reticular, orientadas perpendicularmente ao eixo cortical, e dentro da cavidade medular. Esses processos transformam o pró-calo em *calo ósseo*, que alcança a sua circunferência máxima no final da segunda ou terceira semanas e ajuda a estabilizar o local da fratura. As células mesenquimais ativadas do tecido mole também podem se diferenciar em condrócitos, que produzem fibrocartilagem e cartilagem hialina. A ossificação endocondral cria uma rede contígua de osso e trabéculas ósseas recémdepositadas na medula e abaixo do periósteo. Em consequência, as extremidades do osso fraturado são unidas e, com a mineralização progressiva, a rigidez e a resistência do calo aumentam para possibilitar a sustentação de peso.

Nos estágios iniciais de formação do calo, há produção de tecido fibroso em excesso, cartilagem e osso reticular. As partes que não estão sujeitas a estresse físico são reabsorvidas à medida que o calo amadurece, o que reduz o tamanho do osso em processo de cicatrização e recria o osso lamelar. O processo de consolidação é concluído com a restauração da cavidade medular.

Em crianças e adultos jovens, a união quase perfeita é a norma, embora normalmente persista alguma deformidade após a consolidação de fraturas deslocadas e cominutivas. Em adultos de idade mais avançada, as fraturas frequentemente ocorrem no cenário de outras doenças ósseas (p. ex., osteoporose e osteomalacia). Nesses contextos, a imobilização cirúrgica é com frequência necessária para um reparo adequado. Outros fatores também podem interferir na consolidação. A imobilização inadequada, que permite o movimento do calo e interfere na maturação normal, pode resultar em *união tardia* ou *não união*. Se a não união persistir, o calo malformado sofre degeneração cística, e a superfície luminal pode se tornar revestida por células de tipo sinovial, criando uma falsa articulação ou *pseudoartrose*. A infecção do local da fratura, que é particularmente comum nas fraturas expostas, representa outro obstáculo sério à consolidação, assim como a desnutrição e a displasia esquelética.

Osteonecrose (necrose avascular)

O infarto do osso e da medula óssea é relativamente comum. Ele pode limitar-se à cavidade medular ou acometer tanto o córtex quanto a medula. As fraturas e a administração de corticosteroides constituem as duas causas mais comuns, porém muitas outras condições também predispõem à osteonecrose, incluindo abuso de álcool, terapia com bifosfonatos, doença do tecido conjuntivo, pancreatite crônica, doença de Gaucher, gravidez, radioterapia, crise falciforme (ver **Capítulo 14**), neoplasias e disbarismo (p. ex., doença da descompressão).

Morfologia

Os infartos medulares são de formato geográfico e acometem tanto o osso trabecular quanto a medula. O fluxo sanguíneo colateral normalmente limita o comprometimento cortical. Nos infartos subcondrais, um segmento triangular ou em formato de cunha que tem como base a placa de osso subcondral sofre

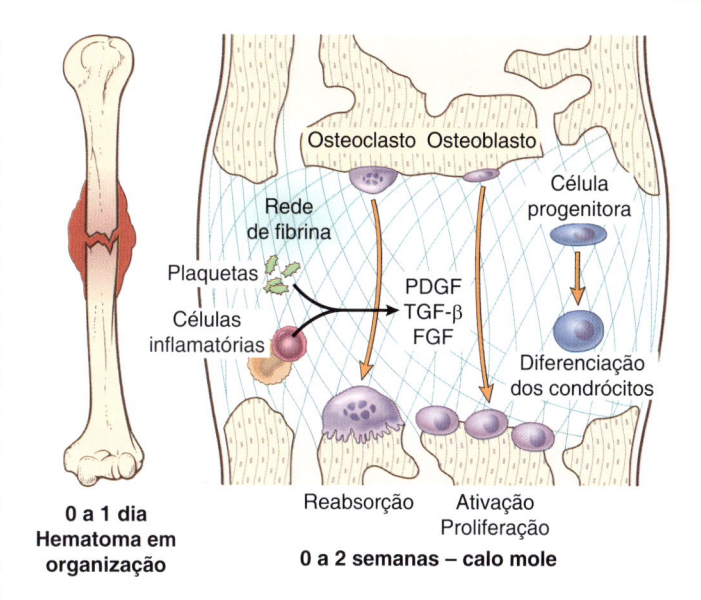

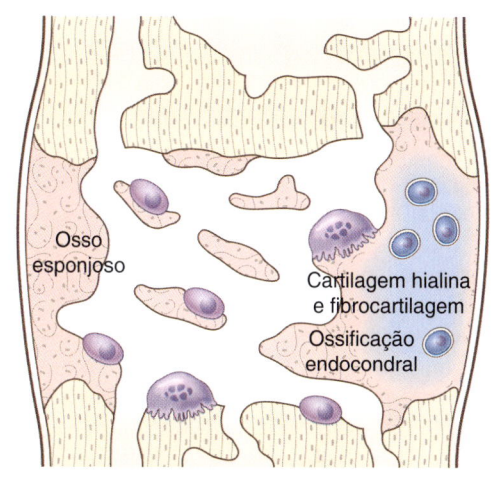

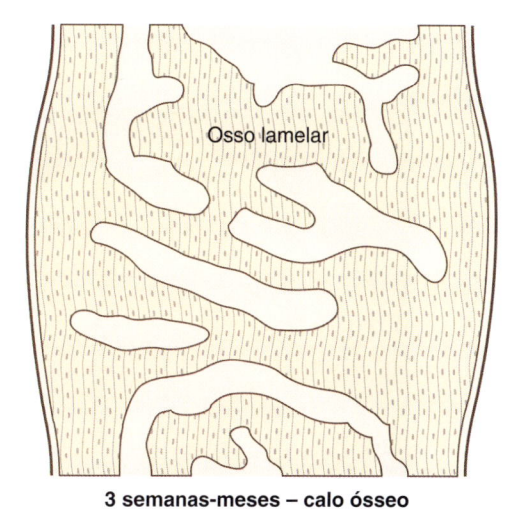

Figura 26.18 A reação a uma fratura começa com um hematoma em organização. Nas primeiras 2 semanas, as duas extremidades do osso são unidas por uma rede de fibrina, em que ocorre diferenciação dos osteoclastos, osteoblastos e condrócitos a partir de precursores. Essas células produzem cartilagem e matriz óssea, que, com imobilização adequada, remodelam o osso lamelar normal.

necrose; a cartilagem articular sobrejacente permanece viável, devido aos nutrientes existentes no líquido sinovial. Ao exame microscópico, o osso morto caracteriza-se por lacunas vazias circundadas por adipócitos necróticos. Os ácidos graxos liberados ligam-se ao cálcio e formam sabões de cálcio insolúveis. As trabéculas remanescentes atuam como arcabouços para a deposição de osso novo, ao passo que os osteoclastos reabsorvem as trabéculas necróticas. O ritmo lento da substituição nos infartos subcondrais (**Figura 26.19**) resulta em colapso do osso necrótico, fratura e desprendimento da cartilagem articular.

Características clínicas

Os sintomas dependem da localização e da extensão do infarto. Normalmente, os infartos subcondrais causam dor, que, inicialmente, está associada à atividade, mas torna-se constante à medida que surgem alterações secundárias. Os infartos subcondrais com frequência sofrem colapso, resultando em osteoartrite secundária. Em geral, os infartos medulares são pequenos e clinicamente silenciosos.

Osteomielite

A osteomielite denota uma inflamação do osso e da medula óssea, quase sempre secundária à infecção. Com frequência, a osteomielite manifesta-se como um foco solitário primário de doença, mas também pode ser uma complicação de qualquer infecção sistêmica. Todos os tipos de organismos, incluindo vírus, parasitas, fungos e bactérias, podem provocar osteomielite, porém determinadas bactérias piogênicas e micobactérias constituem os microrganismos responsáveis mais comuns. Nos EUA, as infecções incomuns em imigrantes de países de baixa renda e as infecções oportunistas em indivíduos imunossuprimidos tornaram o diagnóstico e o tratamento da osteomielite um desafio.

Osteomielite piogênica

A osteomielite piogênica é quase sempre causada por infecção bacteriana. Os microrganismos podem alcançar o osso por disseminação hematogênica, extensão de um local contíguo ou implantação direta (p. ex., na lesão traumática). Em crianças saudáveis nos demais aspectos, a osteomielite é mais frequentemente o resultado de disseminação hematogênica e acomete os ossos longos. A bacteriemia inicial pode se originar de lesões da mucosa aparentemente triviais, como as que podem ocorrer durante a defecação ou a mastigação vigorosa de alimentos duros, ou de infecções insignificantes da pele. Nos adultos, a osteomielite ocorre, com mais frequência, como complicação de fraturas expostas, procedimentos cirúrgicos e infecções dos pés em pacientes com diabetes melito. A osteomielite é particularmente preocupante em lactentes, nos quais a infecção epifisial pode se propagar para uma articulação, resultando em artrite séptica ou supurativa, destruição da cartilagem articular e incapacidade permanente.

O *Staphylococcus aureus* é responsável por 80 a 90% dos casos de osteomielite piogênica com cultura positiva. As proteínas da parede celular das bactérias ligam-se a componentes da matriz óssea, como o colágeno, o que facilita a aderência ao osso. A *Escherichia coli* e espécies de *Pseudomonas* e *Klebsiella* são mais frequentemente isoladas de indivíduos com infecções do trato geniturinário ou de usuários de substâncias intravenosas. As infecções bacterianas mistas normalmente refletem propagação direta ou inoculação durante uma cirurgia ou em fraturas expostas. O *Haemophilus influenzae* e os estreptococos do grupo B são comuns em recém-nascidos, e a doença falciforme predispõe à infecção por *Salmonella*. Não se identifica nenhum organismo específico em quase 50% dos pacientes.

A localização das infecções ósseas é influenciada pela circulação vascular do osso, que varia com a idade. Nos recém-nascidos, os vasos metafisários penetram na lâmina epifisial, o que resulta em infecção frequente da metáfise, da epífise ou de ambas. Em crianças de mais idade, o comprometimento da metáfise é típico. As epífises e regiões subcondrais são mais comumente acometidas em adultos, após o fechamento da lâmina epifisial, em que a fusão dos vasos metafisários e epifisários proporciona uma via para a disseminação das bactérias.

Morfologia

As alterações associadas à osteomielite variam com o tempo e a localização. Na fase aguda, as bactérias se proliferam e induzem o recrutamento dos neutrófilos para o local. Ocorre necrose das células ósseas e da medula nas primeiras 48 horas. Em seguida, as bactérias e a resposta inflamatória associada propagam-se longitudinalmente e têm acesso aos sistemas haversianos para alcançar o periósteo. Como o periósteo está frouxamente aderido ao córtex nas crianças, pode haver formação de abscesso subperiosteal, que se estende por longas distâncias. A elevação associada do periósteo compromete ainda mais o suprimento sanguíneo e contribui para a necrose. Além disso, pode haver formação de abscessos de tecido mole após a ruptura do periósteo, e esses abscessos podem fistulizar para a pele como seios de drenagem. O osso morto ou **sequestro** pode se fragmentar e liberar os fragmentos no trajeto fistuloso.

À medida que o processo inflamatório evolui, as células inflamatórias crônicas recrutadas durante a primeira semana liberam citocinas, que estimulam a reabsorção óssea, o crescimento de tecido fibroso e a deposição periférica de osso reativo. Esse novo osso pode formar uma camada de tecido vivo ou **invólucro** ao redor do osso infectado e desvitalizado (**Figura 26.20**).

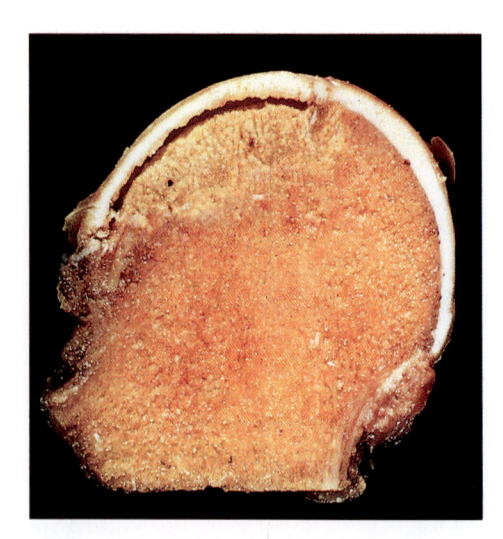

Figura 26.19 Cabeça do fêmur com área subcondral pálida e em formato de cunha de osteonecrose. O espaço entre a cartilagem articular sobrejacente e o osso é produzido por fraturas por compressão trabecular sem reparo.

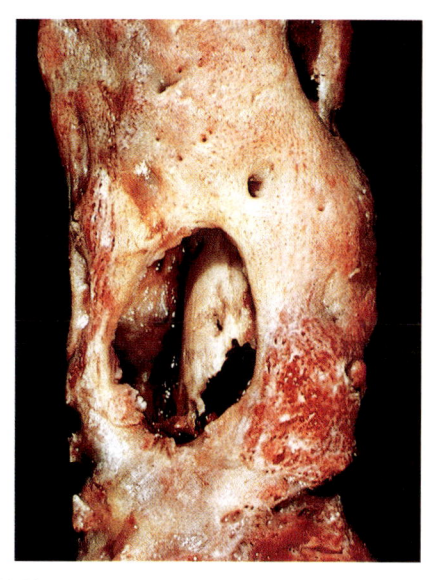

Figura 26.20 Fêmur ressecado em um indivíduo com osteomielite com seio drenante. O trajeto de drenagem na camada subperiosteal do novo osso viável (invólucro) revela o córtex nativo interno necrótico (sequestro).

Características clínicas

A osteomielite hematogênica pode se manifestar de forma aguda como doença sistêmica, com mal-estar, febre, calafrios, leucocitose e dor latejante intensa sobre o osso infectado. Em outros casos, a apresentação é sutil, apenas com febre inexplicável (em lactentes) ou dor localizada (em adultos). O achado radiológico característico de foco lítico de destruição óssea circundado por esclerose sugere fortemente o diagnóstico de osteomielite. As hemoculturas podem ser positivas antes do tratamento, porém a biopsia e a cultura do tecido ósseo são necessárias para identificar o patógeno na maioria dos casos. Em geral, a combinação de antibióticos e drenagem cirúrgica é curativa.

Em 5 a 25% dos casos, a osteomielite aguda não regride e persiste na forma de infecção crônica. Esses casos estão normalmente associados a atraso do diagnóstico, necrose óssea extensa, antibioticoterapia ou desbridamento cirúrgico inadequados ou defesas do hospedeiro enfraquecidas. As infecções crônicas podem ser marcadas por exacerbações espontâneas, que podem ocorrer após anos de dormência. Outras complicações da osteomielite crônica incluem fratura patológica, amiloidose secundária, endocardite e sepse.

Osteomielite micobacteriana

A osteomielite micobacteriana tende a ser mais destrutiva e resistente ao controle do que a osteomielite piogênica. A osteomielite micobacteriana antigamente era limitada a países de baixa renda, porém a sua incidência aumentou em todo o mundo, devido à imigração e ao aumento do número de indivíduos imunocomprometidos. O risco de osteomielite micobacteriana também aumenta em pacientes com tuberculose pulmonar ou extrapulmonar, dos quais até 3% apresentam infecção óssea. A infecção pode persistir por anos antes do estabelecimento do diagnóstico e normalmente se manifesta com dor localizada, febre baixa, calafrios ou perda de peso. A infecção é geralmente solitária em pacientes imunocompetentes, mas pode se disseminar nos indivíduos imunocomprometidos.

Em geral, as micobactérias são transportadas pelo sangue e provêm de um foco de doença visceral ativa durante os estágios iniciais da infecção primária. Pode ocorrer comprometimento ósseo por extensão direta (p. ex., a partir de um foco pulmonar para uma costela ou a partir de linfonodos traqueobrônquicos para vértebras adjacentes) ou após a disseminação pelos vasos sanguíneos e linfáticos. Os achados histológicos de inflamação granulomatosa e necrose caseosa são típicos da tuberculose (ver **Capítulo 8**).

Em 40% dos casos de osteomielite micobacteriana, ocorre comprometimento da coluna vertebral (*doença de Pott*). A infecção ocorre nos discos intervertebrais e acomete múltiplas vértebras, bem como as partes moles adjacentes. A destruição dos discos e das vértebras resulta em fraturas por compressão, que culminam em escoliose, cifose e déficits neurológicos. A osteomielite tuberculosa também pode causar artrite tuberculosa, formação de trajetos fistulosos, abscesso do músculo psoas e amiloidose.

Sífilis com comprometimento esquelético

A sífilis (*Treponema pallidum*) e a bouba (*Treponema pertenue*) podem acometer o osso. Embora a incidência da sífilis esteja aumentando, o comprometimento ósseo permanece raro, devido ao estabelecimento do diagnóstico e à instituição do tratamento normalmente antes de seu desenvolvimento.

Na sífilis congênita, as lesões ósseas aparecem no quinto mês de gestação e estão totalmente desenvolvidas ao nascimento. As espiroquetas concentram-se nos locais de ossificação endocondral ativa e dentro do periósteo, causando osteocondrite e periostite, respectivamente. A *tíbia em sabre*, lesão característica, é produzida pela deposição de osso periosteal reativo nas faces medial e anterior da tíbia.

Na sífilis adquirida, a doença óssea começa precocemente no estágio terciário, em geral 2 a 5 anos após a infecção inicial. Com mais frequência, ocorre comprometimento dos ossos do nariz, do palato, do crânio e dos membros, particularmente os ossos longos, como a tíbia.

> **Morfologia**
>
> As espiroquetas podem ser detectadas por colorações pela prata ou por imuno-histoquímica. O tecido de granulação edematoso com numerosos plasmócitos e osso necrótico caracteriza a doença óssea sifilítica. Normalmente, a **endarterite obliterativa** acompanha a necrose caseosa como parte das gomas, que podem estar presentes na sífilis congênita ou adquirida (ver **Capítulo 8**).

Neoplasias ósseas e lesões pseudotumorais

As neoplasias ósseas primárias são raras e são ultrapassadas de longe, em incidência de comprometimento ósseo, pelas metástases e neoplasias hematopoéticas. Entretanto, a baixa sobrevida (de apenas 50%) e a cirurgia desfigurante, frequentemente necessária para o tratamento, fazem do manejo das neoplasias malignas do osso ser um desafio. Nos EUA, a terapia para os cerca de 2.400 novos sarcomas ósseos diagnosticados a cada ano tem por objetivo otimizar a sobrevida e manter a função das partes do corpo afetadas.

A maioria das neoplasias ósseas tem propensão a acometer os ossos longos dos membros. As faixas etárias e os locais anatômicos afetados são típicos para cada tipo específico de neoplasia. Por exemplo, a incidência do osteossarcoma alcança um pico durante a adolescência e, com mais frequência, acomete o joelho. Em contrapartida, o condrossarcoma afeta a pelve e as partes proximais dos membros de adultos de idade mais avançada.

As neoplasias ósseas benignas são frequentemente assintomáticas e identificadas de modo incidental. No entanto, outras causam dor, produzem uma massa de crescimento lento ou provocam fratura patológica. O exame de imagem define a localização da neoplasia e pode detectar características que contribuem para o diagnóstico diferencial, porém a biopsia é necessária para o diagnóstico definitivo em quase todos os casos.

As neoplasias ósseas são classificadas de acordo com os tipos de células normais correspondentes ou pelo tipo de matriz produzida. As lesões que não têm equivalentes teciduais normais são agrupadas de acordo com características clinicopatológicas (**Tabela 26.4**). Após a exclusão de neoplasias hematopoéticas, os cânceres primários de osso mais comuns são o osteossarcoma, o condrossarcoma e o sarcoma de Ewing.

Neoplasias formadoras de osso

As neoplasias dessa categoria produzem osteoide não mineralizado ou osso reticular mineralizado.

Osteoma osteoide e osteoblastoma

O osteoma osteoide e o osteoblastoma são neoplasias benignas produtoras de osso com características histológicas semelhantes, porém com diferentes tamanhos, locais de origem e sintomas. A transformação maligna é rara. Por definição, os osteomas osteoides são menores que 2 cm de diâmetro. Eles são mais comuns em homens jovens, na adolescência e na faixa dos 20 anos e exibem predileção pelo esqueleto apendicular; cerca de 50% dos casos acometem o córtex do fêmur ou da tíbia. Um rebordo espesso de osso cortical reativo pode constituir o único indício radiológico. Apesar de seu pequeno tamanho, os osteomas osteoides apresentam dor noturna intensa, provavelmente causada pela prostaglandina E_2 (PGE_2) produzida pelos osteoblastos em proliferação e aliviada com a administração de ácido acetilsalicílico ou outros anti-inflamatórios não esteroides (AINEs). Os osteoblastomas são maiores que 2 cm, acometem normalmente a coluna

Tabela 26.4 Classificação das principais neoplasias ósseas primárias não hematopoéticas.

Categoria e fração (%)	Comportamento	Tipo de neoplasia	Localizações comuns	Idade (anos)	Morfologia
Formadoras de cartilagem (40)	Benigno	Osteocondroma	Metáfise dos ossos longos	10 a 30	Excrescência óssea com capa de cartilagem
		Condroma	Pequenos ossos das mãos e dos pés	30 a 50	Nódulo de cartilagem hialina circunscrito na medular
		Condroblastoma	Epífise dos ossos longos	10 a 20	Calcificação pericelular circunscrita
		Fibroma condromixoide	Tíbia, pelve	20 a 30	Matriz colagenosa a mixoide, células estreladas
	Maligno	Condrossarcoma (convencional)	Pelve, ombro	40 a 60	Estende-se a partir da medular, transpassa o córtex e atinge até as partes moles; condrócitos com aumento da celularidade e atipia
Formadoras de osso (32)	Benigno	Osteoma osteoide	Metáfise dos ossos longos	10 a 20	Cortical, microtrabéculas entrelaçadas de osso reticular
		Osteoblastoma	Coluna vertebral	10 a 20	Elementos posteriores das vértebras, histologia semelhante ao osteoma osteoide
	Maligno	Osteossarcoma	Metáfise da parte distal do fêmur, parte proximal da tíbia	10 a 20	Estende-se a partir da medula para levantar o periósteo, células malignas produtoras de osso reticular
Origem desconhecida (19)	Benigno	Neoplasia de células gigantes	Epífise dos ossos longos	20 a 40	Destrói a medula e o córtex, lâminas de osteoclastos
		Cisto ósseo aneurismático	Parte proximal da tíbia, parte distal do fêmur, vértebras	10 a 20	Corpo vertebral, espaços hemorrágicos separados por septos celulares fibrosos
	Maligno	Sarcoma de Ewing	Diáfise dos ossos longos	10 a 20	Lâminas de pequenas células redondas primitivas
		Adamantinoma	Tíbia	30 a 40	Cortical, matriz óssea fibrosa com ilhas epiteliais
Notocorda (5)	Maligno	Cordoma	Clivo, sacro	30 a 60	Destrói a medula e o córtex, células espumosas na matriz mixoide

Modificada de Unni KK, Inwards CY: *Dahlin's Bone Tumors*, ed. 6, Philadelphia, 2010, Lippincott-Williams & Wilkins, p. 5; com autorização da Mayo Foundation.

vertebral posterior (lâminas e pedículos,) causam dor que não responde ao ácido acetilsalicílico e não induzem reação cortical reativa. O osteoma osteoide pode ser tratado com ablação por radiofrequência, ao passo que o osteoblastoma geralmente exige curetagem ou excisão em bloco.

> ### Morfologia
>
> O osteoma osteoide e o osteoblastoma são massas bem circunscritas, redondas a ovais, de tecido áspero, acastanhado e hemorrágico. O exame microscópico revela trabéculas aleatoriamente interconectadas de osso reticular, margeadas por uma única camada de osteoblastos proeminentes (**Figura 26.21**) e circundadas por tecido conjuntivo frouxo que contém muitos capilares dilatados e congestos. O tamanho relativamente pequeno, as margens bem definidas e as características citológicas benignas dos osteoblastos neoplásicos ajudam a distinguir essas neoplasias do osteossarcoma. O osso reativo envolve a neoplasia verdadeira, ou *nidus*, que forma um pequeno cerne radiotransparente que pode exibir mineralização central (**Figura 26.22**).

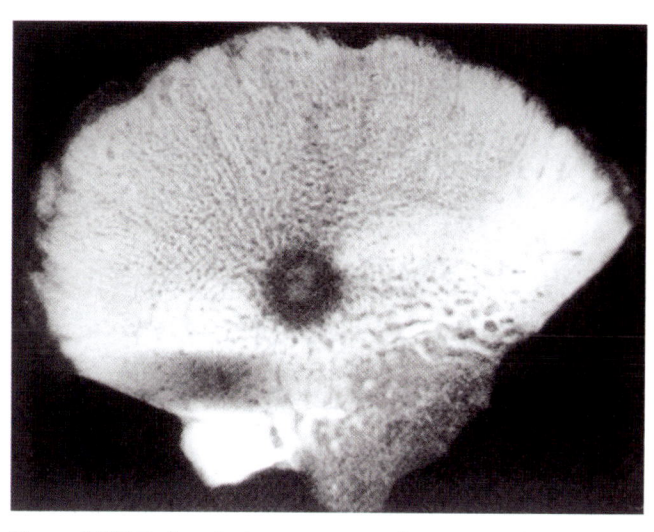

Figura 26.22 Radiografia de osteoma osteoide intracortical. A radiotransparência redonda com mineralização central representa a lesão e está circundada por osso reativo abundante, que produziu espessamento maciço do córtex.

Osteossarcoma

O osteossarcoma é a neoplasia maligna primária mais comum do osso, responsável por cerca de 20% dos cânceres de osso. A distribuição etária do osteossarcoma é bimodal, e 75% ocorrem antes dos 20 anos. Ocorre um pico menor em adultos de idade mais avançada, nos quais o osteossarcoma frequentemente está associado a condições predisponentes, como doença de Paget, infartos ósseos ou radiação prévia (às vezes denominados osteossarcomas secundários). Os homens são afetados com frequência ligeiramente maior do que as mulheres (1,6:1). Embora qualquer osso possa ser acometido, as neoplasias surgem comumente na região metafisária dos ossos longos; quase 50% ocorrem próximo ao joelho, na parte distal do fêmur ou na parte proximal da tíbia.

Com frequência, os osteossarcomas manifestam-se com dor, às vezes devido a fraturas patológicas. Nas radiografias, a neoplasia em crescimento forma uma massa lítica e blástica mista e destrutiva, com margens infiltrativas (**Figura 26.23**). Com frequência, a neoplasia rompe o córtex e eleva o periósteo, induzindo a formação de osso periosteal reativo. A sombra triangular entre o córtex e as extremidades elevadas do periósteo, conhecida radiograficamente como *triângulo de Codman*, indica uma neoplasia agressiva.

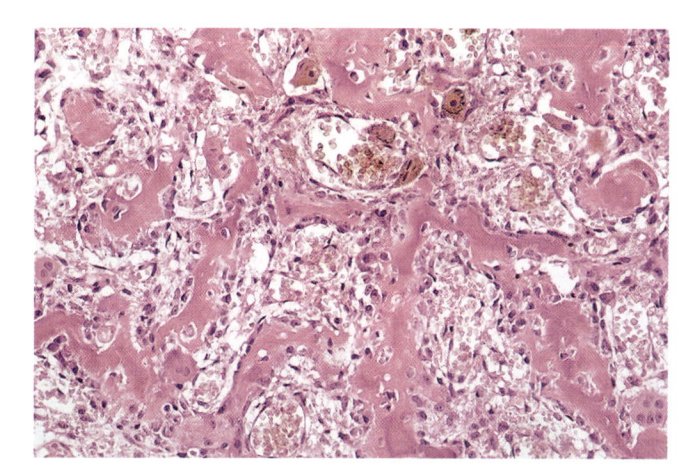

Figura 26.21 Osteoma osteoide composto de trabéculas de osso reticular interconectadas de modo aleatório, margeadas por osteoblastos proeminentes. Os espaços intertrabeculares estão preenchidos por tecido conjuntivo frouxo vascularizado.

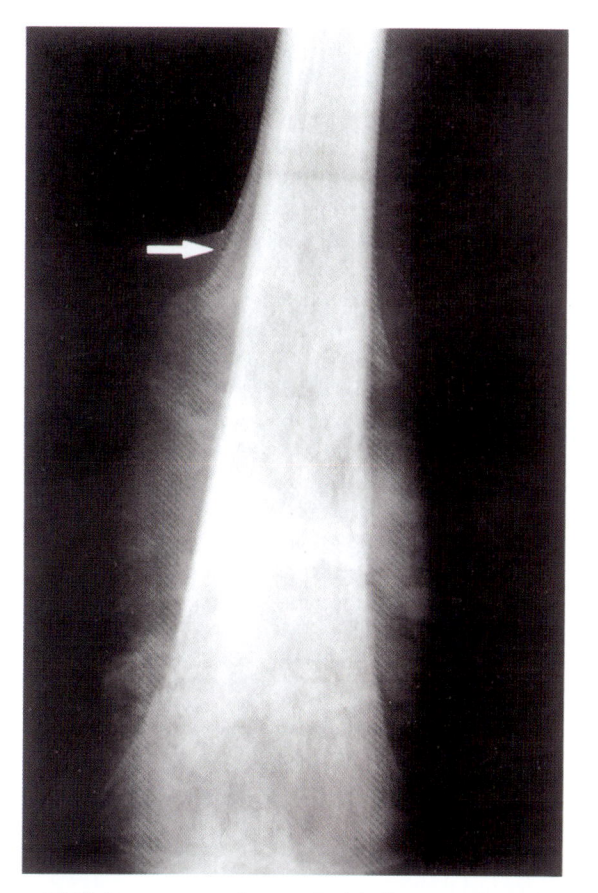

Figura 26.23 Osteossarcoma da parte distal do fêmur, com formação óssea proeminente que se estende dentro das partes moles. O periósteo, que foi elevado, formou uma camada triangular proximal de osso reativo, conhecida como triângulo de Codman (seta).

Patogênese

O pico de incidência do osteossarcoma ocorre durante o pico de crescimento na adolescência. A neoplasia ocorre, com mais frequência, na lâmina epifisial dos ossos de crescimento rápido, em que o aumento da proliferação pode predispor a mutações que impulsionam a oncogênese. Cerca de 70% dos osteossarcomas apresentam anormalidades genéticas adquiridas, incluindo aberrações cromossômicas. Em geral, essas aberrações estão associadas a mutações em genes supressores de tumor e oncogenes bem conhecidos (ver **Capítulo 7**), incluindo os seguintes:

- Ocorrem mutações do *RB* em até 70% dos osteossarcomas esporádicos; as mutações de linhagem germinativa do *RB* estão associadas ao aumento de mil vezes no risco de osteossarcoma
- Ocorre mutação do *TP53* na linhagem germinativa de indivíduos com síndrome de Li-Fraumeni, que apresentam incidência consideravelmente aumentada de osteossarcoma. As anormalidades que interferem na função de p53 são comuns nos osteossarcomas esporádicos
- O *CDKN2A* (também conhecido como *INK4a*), que codifica dois supressores de tumor, p16 e p14, é inativado em muitos osteossarcomas
- O *MDM2* e o *CDK4*, que inibem a função de p53 e RB, respectivamente, estão superexpressos em osteossarcomas de baixo grau, com frequência por meio de amplificação cromossômica da região 12q13–q15.

Morfologia

Os osteossarcomas são neoplasias volumosas, ásperas e branco-acinzentadas que, com frequência, contêm hemorragia e degeneração cística (**Figura 26.24**). Em geral, a neoplasia destrói os córtices circundantes para produzir massas de tecido mole, dissemina-se extensamente no canal medular e substitui a medula hematopoética. Raramente, as neoplasias penetram na lâmina epifisial ou na articulação, onde podem crescer ao longo de estruturas tendíneas e ligamentares ou através do local de inserção da cápsula articular.

Os osteossarcomas exibem pleomorfismo, grandes núcleos hipercromáticos, células neoplásicas gigantes e bizarras e mitoses abundantes, incluindo formas anormais (p. ex., tripolar). A necrose extensa e a invasão intravascular também são comuns. O diagnóstico de osteossarcoma exige a presença de células neoplásicas malignas que produzem osteoide não mineralizado ou osso mineralizado (**Figura 26.25**), que normalmente é fino e semelhante a uma renda, mas também pode formar lâminas largas ou trabéculas primitivas. Além disso, as células neoplásicas podem produzir cartilagem; quando abundantes, essas neoplasias são classificadas como **osteossarcoma condroblástico**.

Características clínicas

Com base na sua história natural conhecida, pode-se pressupor que todos os pacientes com osteossarcoma tenham metástases ocultas por ocasião do diagnóstico. Em consequência, o tratamento geralmente inclui quimioterapia neoadjuvante, cirurgia e quimioterapia adjuvante pós-operatória. A quimioterapia melhorou de modo substancial o prognóstico do osteossarcoma, e a sobrevida em 5 anos alcança 70% em indivíduos sem metástases evidentes por ocasião do diagnóstico inicial. O osteossarcoma produz metástases por via hematogênica para os pulmões, o cérebro e outros locais. O prognóstico para pacientes com metástases clinicamente evidentes, doença recorrente ou osteossarcoma secundário continua reservado, com taxa de sobrevida em 5 anos inferior a 20%.

Neoplasias formadoras de cartilagem

As neoplasias cartilaginosas são responsáveis pela maioria das neoplasias primárias do osso, tanto benignas quanto malignas. Elas caracterizam-se pela formação de cartilagem hialina ou mixoide; a fibrocartilagem e a cartilagem elástica são raras. As neoplasias benignas de cartilagem são muito mais comuns do que as lesões malignas.

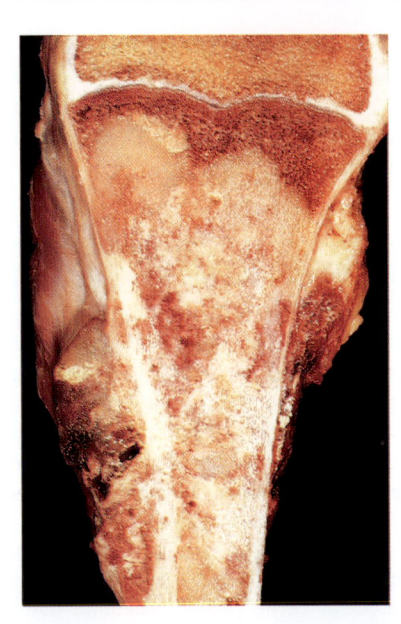

Figura 26.24 Osteossarcoma da parte proximal da tíbia. A neoplasia branco-acastanhada preenche a maior parte da cavidade medular da metáfise e a parte proximal da diáfise. Ela infiltrou-se através do córtex, levantou o periósteo e formou massas de tecido mole em ambos os lados do osso.

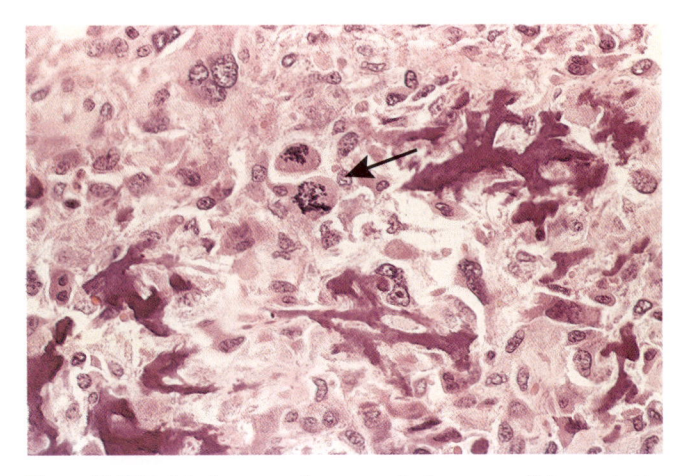

Figura 26.25 Padrão fino e semelhante a renda de osso neoplásico produzido por células neoplásicas malignas anaplásicas em um osteossarcoma. Observe as figuras mitóticas anormais (*seta*).

Osteocondroma

O osteocondroma ou exostose é a neoplasia óssea benigna mais comum. Ele fixa-se ao esqueleto por um pedículo ósseo revestido de cartilagem. Cerca de 85% dos osteocondromas são solitários e esporádicos, e o restante ocorre como parte da *síndrome de exostose múltipla hereditária* autossômica dominante. Em geral, os osteocondromas solitários são diagnosticados no fim da adolescência e no início da vida adulta, porém múltiplos osteocondromas tornam-se aparentes durante a infância. Os homens são afetados três vezes mais frequentemente do que as mulheres. Os osteocondromas desenvolvem-se apenas em ossos de origem endocondral. O local mais comum é a metáfise próximo à lâmina epifisial dos ossos tubulares longos, particularmente próximo ao joelho, seguidos dos ossos da pelve, da escápula e das costelas, nos quais tendem a apresentar pedículos curtos. Os osteocondromas manifestam-se como massas de crescimento lento, que podem ser dolorosas se comprimirem um nervo ou se o pedículo for fraturado. Em muitos casos, eles são detectados de modo incidental. Na síndrome de exostose múltipla hereditária, os ossos subjacentes podem estar arqueados e encurtados, refletindo um distúrbio associado no crescimento da epífise.

Patogênese

As exostoses hereditárias estão associadas a mutações de linhagem germinativa de perda de função nos genes *EXT1* ou *EXT2* e perda subsequente do alelo de tipo selvagem remanescente nos condrócitos da lâmina epifisial. Também foi observada uma redução da expressão de *EXT1* ou *EXT2* nos osteocondromas esporádicos. Esses genes codificam enzimas que sintetizam glicosaminoglicanos de sulfato de heparana. Os glicosaminoglicanos reduzidos ou anormais podem impedir a difusão normal do Indian hedgehog (Ihh), um regulador local do crescimento da cartilagem, interrompendo, assim, a sinalização de Hedgehog e a diferenciação dos condrócitos.

Morfologia

Os osteocondromas são sésseis ou pediculados, e seu tamanho varia de 1 a 20 cm. A capa é composta de cartilagem hialina benigna (**Figura 26.26**) e é coberta por pericôndrio. A cartilagem tem o aspecto histológico de uma lâmina epifisial desorganizada e sofre ossificação endocondral, e o osso recém-formado constitui a porção interna da cabeça e do pedículo. O córtex do pedículo funde-se com o córtex do osso hospedeiro, de modo que a cavidade medular do osteocondroma está em continuidade com a do osso a partir do qual se desenvolve.

Características clínicas

O crescimento do osteocondroma cessa geralmente por ocasião do fechamento da placa epifisial; quando sintomáticos, os osteocondromas são curados por excisão simples. Raramente, pode ocorrer condrossarcoma secundário, o que acontece com frequência em neoplasias associadas à exostose múltipla hereditária.

Condroma

O condroma é uma neoplasia benigna da cartilagem hialina que ocorre em ossos de origem endocondral. As neoplasias podem surgir dentro da cavidade medular, denominadas *encondromas*, ou sobre a superfície do osso, denominadas *condromas justacorticais*. Os encondromas constituem a neoplasia intraóssea de cartilagem mais comum; normalmente, são lesões metafisárias solitárias de ossos tubulares das mãos e dos pés. Em radiografias, os encondromas exibem uma transparência circunscrita com calcificações irregulares centrais, uma borda esclerótica e um córtex intacto (**Figura 26.27**). A *doença de Ollier* e a *síndrome de Maffucci* são distúrbios não hereditários, caracterizados por múltiplos encondromas. A síndrome de Maffucci distingue-se

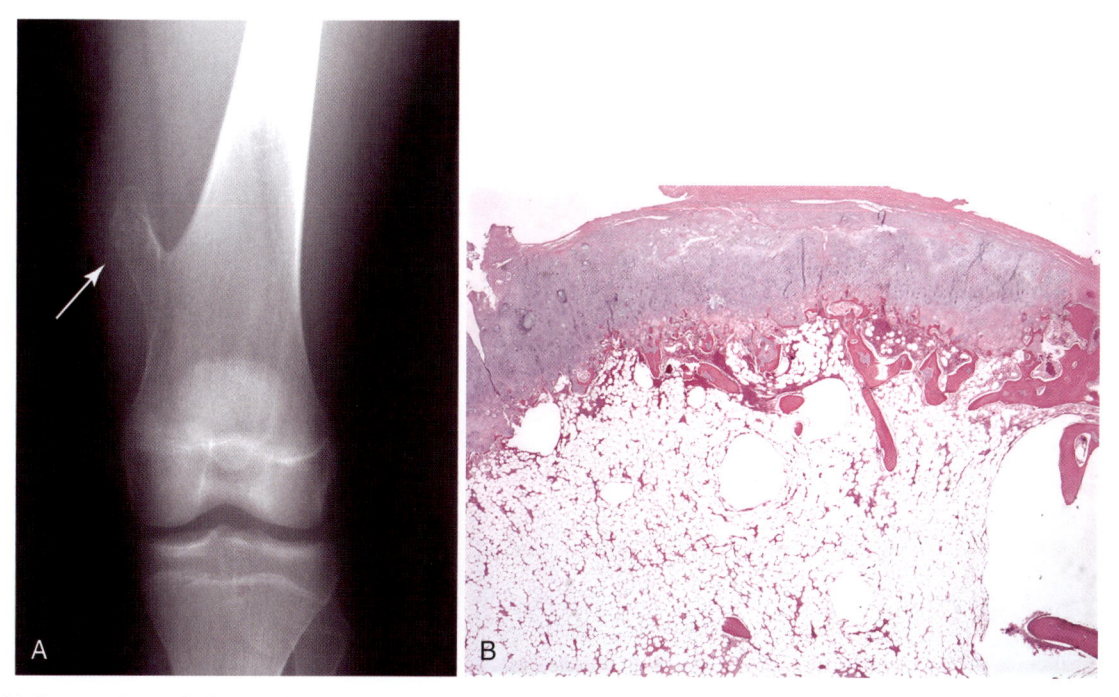

Figura 26.26 Osteocondroma. A. Radiografia de um osteocondroma que se desenvolve a partir da parte distal do fêmur (*seta*). **B.** A capa de cartilagem tem o aspecto histológico de cartilagem semelhante à lâmina epifisial desorganizada.

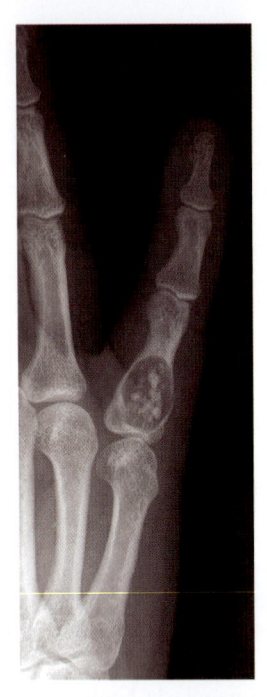

Figura 26.27 Encondroma da falange proximal. O nódulo radiotransparente de cartilagem com calcificação central afina o córtex, porém não penetra nele.

de cartilagem hialina contendo condrócitos citologicamente benignos (**Figura 26.28**). Pode ocorrer ossificação endocondral periférica, e o centro pode calcificar e sofrer infarto. Os encondromas na doença de Ollier e na síndrome de Maffucci às vezes são mais celulares do que os encondromas esporádicos e podem exibir atipia citológica, o que torna mais difícil a sua diferenciação dos condrossarcomas.

Características clínicas

O potencial de crescimento dos condromas é limitado. O tratamento depende da característica clínica e consiste normalmente em observação ou curetagem. Os condromas solitários raramente sofrem transformação sarcomatosa; porém, quando associados à encondromatose, o fazem com mais frequência. Os indivíduos com síndrome de Maffucci desenvolvem múltiplos encondromas e hemangiomas de células fusiformes e correm risco de desenvolver outras neoplasias malignas, incluindo gliomas cerebrais, outro tipo de câncer associado a mutações do gene IDH (ver **Capítulo 28**).

Condrossarcoma

Os condrossarcomas são neoplasias malignas produtoras de cartilagem. Eles são subclassificados histologicamente como variantes convencional, de células claras, desdiferenciada e mesenquimal. Depois do osteossarcoma, o condrossarcoma é a neoplasia maligna do osso produtora de matriz mais comum. Os pacientes com condrossarcoma geralmente têm idade igual ou superior a 40 anos, e os homens são afetados duas vezes mais frequentemente do que as mulheres. A maioria dos condrossarcomas é de tipo histológico convencional. As variantes de células claras e mesenquimal ocorrem em indivíduos mais jovens, na adolescência ou na segunda década de vida. Os condrossarcomas surgem comumente no esqueleto axial, em particular na pelve, nos ombros e nas costelas; entretanto, diferentemente do encondroma benigno, as partes distais dos membros raramente são acometidas. Nos exames de imagem, a matriz calcificada dos condrossarcomas aparece como focos de densidades floculentas. As neoplasias de crescimento lento e de baixo grau provocam espessamento reativo do córtex, ao passo que as neoplasias agressivas

pela presença de hemangiomas de células fusiformes e outras neoplasias não cartilaginosas.

Os encondromas são mais frequentemente diagnosticados entre as idades de 20 e 50 anos. Quando acometem grandes ossos, os encondromas são normalmente assintomáticos e detectados de modo incidental. Em certas ocasiões, podem ser dolorosos ou causar fraturas patológicas. Na encondromatose, as neoplasias podem ser numerosas e grandes, produzindo deformidades graves.

Patogênese

Os encondromas apresentam mutações heterozigotas nos genes *IDH1* e *IDH2*. Os indivíduos com síndromes de encondroma são geneticamente mosaicos e abrigam mutações do IDH em um subgrupo de células normais sob os demais aspectos em todo o corpo. De modo semelhante, são encontradas mutações de *IDH* em apenas um subgrupo de células neoplásicas tanto nos encondromas sindrômicos quanto nos esporádicos. Essa situação incomum pode ser explicada pelas consequências funcionais das mutações de *IDH*, que fazem as proteínas codificadas – duas isoformas da enzima isocitrato desidrogenase – adquirirem uma nova atividade enzimática, que leva à síntese de 2-hidroxiglutarato. Esse "oncometabólito" interfere na regulação da metilação do DNA (ver **Capítulo 7**). Foi formulada a hipótese de que o 2-hidroxiglutarato produzido pelas células com mutação de *IDH* se difunde nas células adjacentes com genes *IDH* normais, causando, assim, alterações epigenéticas oncogênicas nos vizinhos geneticamente normais, fenômeno denominado transformação por associação.

Morfologia

Os encondromas são nódulos bem circunscritos, que, em geral, medem menos de 3 cm, são de coloração azul-acinzentada e translúcidos. Histologicamente, os encondromas são compostos

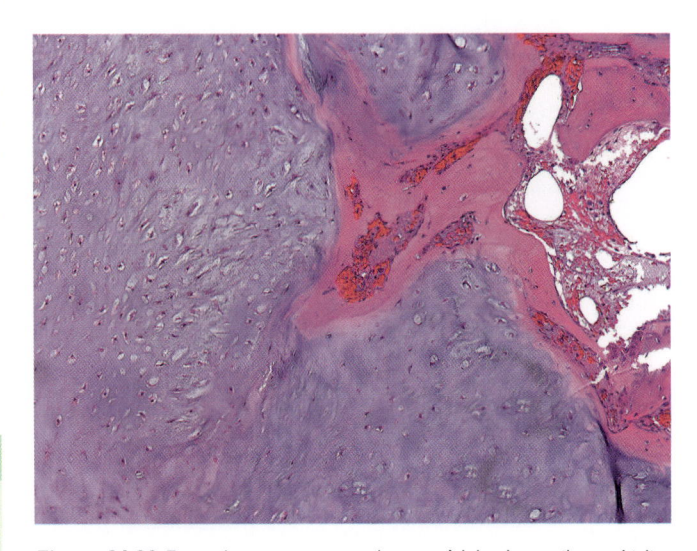

Figura 26.28 Encondroma composto de um nódulo de cartilagem hialina envolto por uma fina camada de osso reativo.

e de alto grau destroem o córtex e formam massas de tecido mole. A variante de células claras é particular, visto que ela se origina a partir das epífises dos ossos longos. Cerca de 15% dos condrossarcomas convencionais são secundários e surgem a partir de encondromas ou osteocondromas.

Patogênese

Embora os condrossarcomas sejam geneticamente heterogêneos, são reconhecidas algumas mutações condutoras recorrentes. Os condrossarcomas que surgem na síndrome de osteocondromas múltiplos exibem mutações nos genes *EXT*, ao passo que os condrossarcomas tanto relacionados com a condromatose quanto esporádicos podem ter mutações de *IDH1* ou *IDH2*. O silenciamento do *locus* supressor de tumor *CDKN2A* por metilação do DNA é relativamente comum nas neoplasias esporádicas.

> ### Morfologia
>
> Os **condrossarcomas convencionais** são neoplasias volumosas, constituídas por nódulos de cartilagem translúcida, brilhante e branco-acinzentada, porém, com frequência, a matriz é gelatinosa ou mixoide e pode extravasar da superfície de corte (**Figura 26.29A**). Normalmente, observa-se a presença de calcificações irregulares, e a necrose central pode criar espaços císticos. A neoplasia propaga-se através do córtex até o músculo ou tecido adiposo adjacentes. Histologicamente, a cartilagem neoplásica infiltra o espaço medular e envolve as trabéculas ósseas preexistentes (**Figura 26.29B**). Os condrossarcomas variam quanto à sua celularidade, grau de atipia citológica e atividade mitótica e, com base nesses dados, são classificados em graus 1 a 3 (**Figura 26.29C**).
>
> O **condrossarcoma desdiferenciado** é um condrossarcoma de baixo grau com um segundo componente de alto grau que não produz cartilagem. O **condrossarcoma de células claras** contém lâminas de grandes condrócitos malignos, que apresentam citoplasma claro abundante, numerosas células gigantes de tipo osteoclasto e formação intralesional de osso. O **condrossarcoma mesenquimal** é composto de ilhas de cartilagem hialina bem diferenciadas, circundadas por lâminas de pequenas células redondas de aspecto primitivo.

Características clínicas

Os condrossarcomas manifestam-se como massas dolorosas e de crescimento progressivo. Existe uma correlação direta entre o grau histológico e o comportamento biológico. Os condrossarcomas convencionais são, em sua maioria, neoplasias de grau 1, que só raramente produzem metástases e têm taxas de sobrevida em 5 anos de 80 a 90%. Em contrapartida, 70% das neoplasias de grau 3 sofrem disseminação hematogênica, particularmente para os pulmões, e a taxa de sobrevida em 5 anos é de apenas 43%. O tratamento do condrossarcoma convencional consiste em excisão cirúrgica ampla, porém as neoplasias mesenquimais e desdiferenciadas exigem excisão e quimioterapia adjuvante, em virtude da sua evolução clínica mais agressiva.

Neoplasias de origem desconhecida

Sarcoma de Ewing

O sarcoma de Ewing é uma neoplasia maligna do osso que se caracteriza por células redondas primitivas sem diferenciação óbvia. Os sarcomas de Ewing respondem por cerca de 6 a 10% das neoplasias malignas primárias do osso e seguem o osteossarcoma como o segundo grupo mais comum de sarcomas ósseos em crianças. Cerca de 80% dos pacientes têm idade inferior a 20 anos. Os meninos são afetados com frequência ligeiramente maior do que as meninas, e observa-se uma notável predileção por indivíduos brancos; os indivíduos de ascendência africana ou asiática raramente são acometidos.

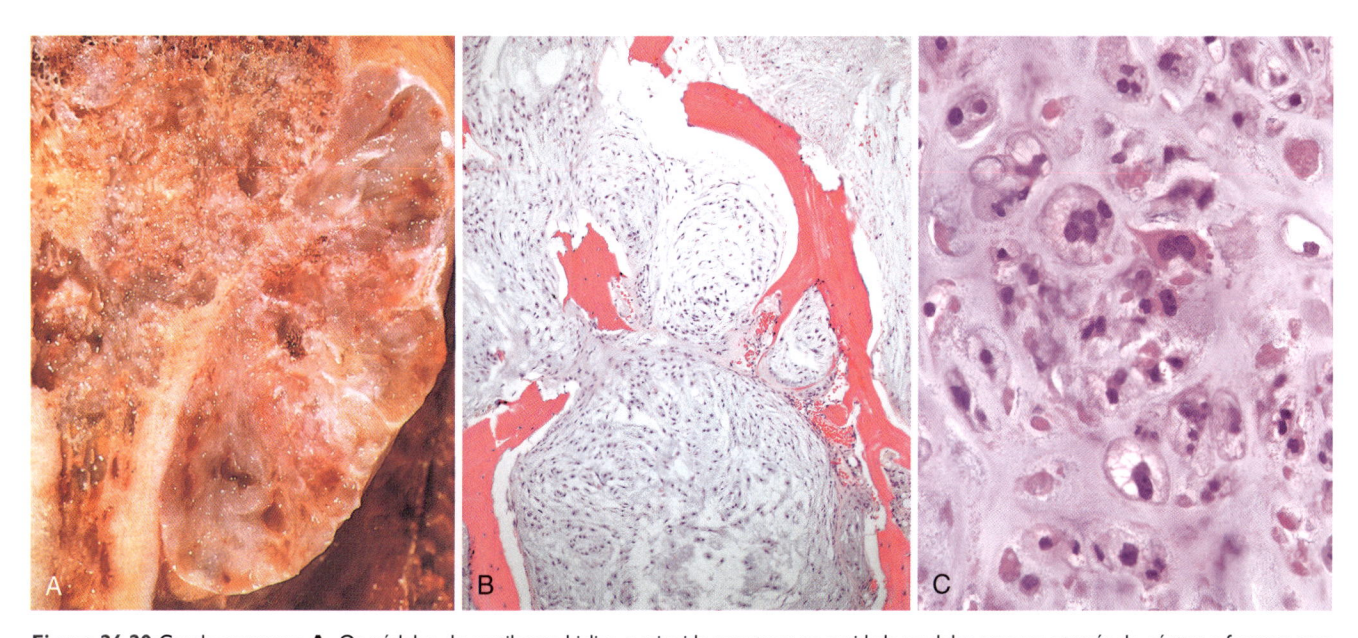

Figura 26.29 Condrossarcoma. **A.** Os nódulos de cartilagem hialina e mixoide penetram na cavidade medular, crescem através do córtex e formam uma massa de tecido mole relativamente bem circunscrita. **B.** O condrossarcoma convencional aparece como uma massa cartilaginosa hipercelular com trabéculas ósseas normais aprisionadas. **C.** Condrócitos anaplásicos entre a matriz de cartilagem hialina em um condrossarcoma de grau 3.

Em geral, o sarcoma de Ewing surge na diáfise dos ossos longos, em particular o fêmur, e nos ossos planos da pelve; ele manifesta-se como massa dolorosa em crescimento. A região afetada está, com frequência, hipersensível, quente e edemaciada, e pode haver achados sistêmicos que simulam uma infecção, incluindo febre, elevação da velocidade de hemossedimentação, anemia e leucocitose. As radiografias mostram uma neoplasia lítica destrutiva, com margens infiltrativas, de aspecto roído por traças, que se estendem nas partes moles adjacentes. A reação periosteal característica produz camadas de osso reativo depositado em aspecto de casca de cebola.

Patogênese

Mais de 90% dos sarcomas de Ewing contêm uma translocação equilibrada envolvendo o gene *EWSR1* no cromossomo 22; em uma grande maioria das neoplasias, o outro parceiro é o gene *FLI1* no cromossomo 11, criando um gene de fusão *EWSR1/FLI1*. Esse gene codifica uma proteína EWS/FLI1 quimérica, que se liga à cromatina e desregula a transcrição, levando ao crescimento descontrolado e à diferenciação anormal por mecanismos incertos. A célula de origem não está bem definida, porém consiste mais provavelmente em células-tronco mesenquimais e células neuroectodérmicas primitivas.

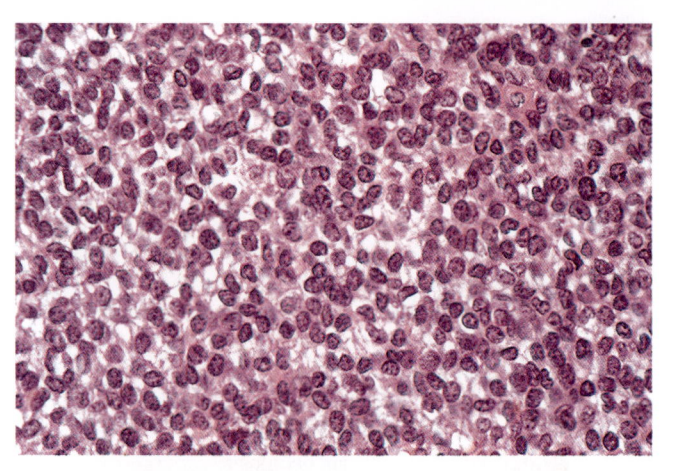

Figura 26.30 Sarcoma de Ewing, composto de lâminas de pequenas células redondas e uniformes, com citoplasma claro e escasso.

> ### Morfologia
>
> O sarcoma de Ewing surge comumente na cavidade medular e invade o córtex, o periósteo e as partes moles. A neoplasia é mole, branco-acastanhada e, em geral, única. Ela contém áreas de hemorragia e necrose. O sarcoma de Ewing é composto de lâminas de pequenas células redondas e uniformes com citoplasma escasso, que pode ser claro, devido à quantidade abundante de glicogênio (**Figura 26.30**). Quando presentes, as **rosetas de Homer-Wright**, que consistem em agrupamentos celulares arredondados com um cerne fibrilar central, indicam a ocorrência de diferenciação neuroectodérmica. Além disso, pode haver septos fibrosos, porém com pouco estroma. A necrose geográfica pode ser proeminente.

Características clínicas

Embora o sarcoma de Ewing seja agressivo, a quimioterapia neoadjuvante, seguida de excisão cirúrgica e quimioterapia adjuvante, com ou sem radioterapia, tem possibilitado uma sobrevida em 5 anos de 75% e taxas de cura a longo prazo de 50%. A necrose induzida por quimioterapia constitui um indicador prognóstico positivo.

Tumor de células gigantes

O tumor de células gigantes, também chamado de *osteoclastoma*, **caracteriza-se pela presença de numerosas células gigantes multinucleadas do tipo osteoclasto.** Embora sejam benignas, essas neoplasias podem ser localmente agressivas. Esse tumor incomum surge normalmente entre a terceira e a quinta décadas de vida.

Patogênese

A maioria das células presentes em um tumor de células gigantes consiste em osteoclastos não neoplásicos e seus precursores. As células neoplásicas são precursoras primitivas dos osteoblastos, que expressam altos níveis de RANKL, que, por sua vez, promove a proliferação dos precursores dos osteoclastos e sua diferenciação em osteoclastos maduros. A ausência de retroalimentação normal entre osteoblastos e osteoclastos resulta em reabsorção óssea localizada, porém altamente destrutiva. As células neoplásicas adquirem mutações no gene que codifica a histona 3.3, uma proteína de condensação da cromatina, porém não se sabe precisamente como isso leva à formação de neoplasia.

O tumor de células gigantes desenvolve-se dentro das epífises, mas pode se estender para as metáfises. A maior parte encontra-se próximo ao joelho, acometendo a região distal do fêmur ou a região proximal da tíbia, porém praticamente qualquer osso pode ser afetado. Como surgem normalmente em locais próximos a articulações, os tumores de células gigantes podem causar sintomas semelhantes à artrite. Além disso, eles podem se manifestar com fraturas patológicas.

> ### Morfologia
>
> Com frequência, os tumores de células gigantes destroem o córtex sobrejacente, resultando em uma massa de tecido mole protuberante, delineada por uma fina camada de osso reativo (**Figura 26.31**). Ao exame macroscópico, esses tumores consistem em grandes massas marrom-avermelhadas, que, com frequência, sofrem degeneração cística. Ao exame histológico, os tumores de células gigantes consistem em células mononucleares ovais e uniformes e em uma quantidade abundante de células gigantes do tipo osteoclasto, com cem ou mais núcleos (**Figura 26.32**). A necrose e a atividade mitótica podem ser proeminentes. Embora possa haver osso reativo, particularmente na periferia, as células neoplásicas não sintetizam osso nem cartilagem.

Características clínicas

Os tumores de células gigantes são tratados com curetagem, porém há recorrência local em 40 a 60% dos casos. Embora até 4% sofram metástases para os pulmões, eles podem regredir de maneira espontânea e raramente são fatais. O denosumabe, um inibidor do RANKL, demonstrou ser promissor como terapia adjuvante.

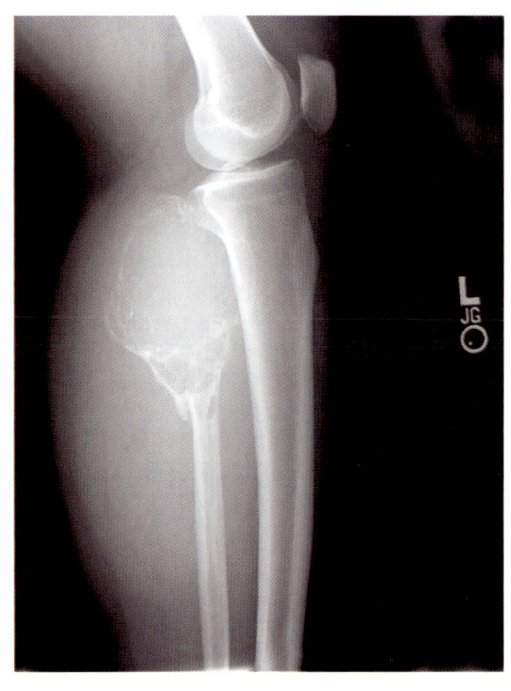

Figura 26.31 O tumor de células gigantes da região proximal da fíbula é predominantemente lítico e expansivo, com destruição do córtex. Há também uma fratura patológica.

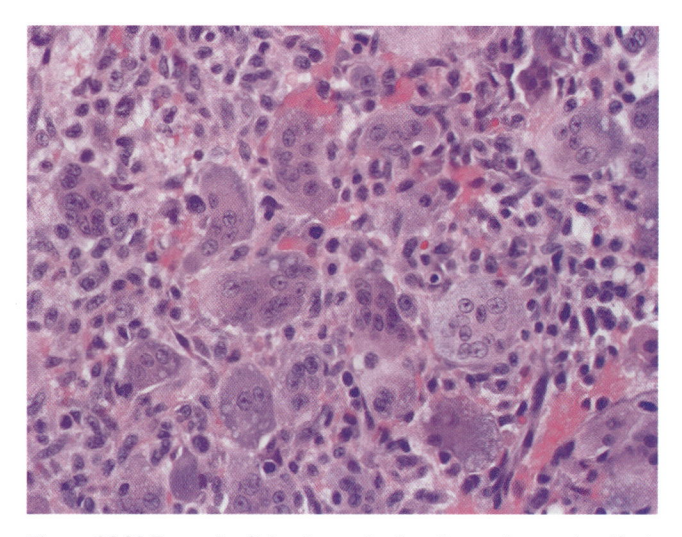

Figura 26.32 Tumor de células gigantes benigno ilustrando uma abundância de células gigantes multinucleadas, com um fundo de células mononucleares do estroma.

Cisto ósseo aneurismático

O cisto ósseo aneurismático (COA) caracteriza-se por espaços multiloculados preenchidos com sangue. Todas as faixas etárias são afetadas, porém a maioria dos casos ocorre na adolescência. O COA desenvolve-se com mais frequência no fêmur, na tíbia e nos elementos posteriores dos corpos vertebrais.

Radiograficamente, o COA consiste, em geral, em uma lesão lítica bem circunscrita e expansiva, com margens bem definidas (**Figura 26.33A**). A maioria apresenta lise central e uma fina camada esclerótica de osso reativo na periferia. As trabéculas de sustentação podem criar um aspecto em "bolha de sabão" nas radiografias simples e nos septos internos com níveis hidroaéreos na tomografia computadorizada e na ressonância magnética (**Figura 26.33B**). Esses achados não são específicos, visto que também podem ocorrer alterações radiográficas (e histológicas) semelhantes como reação ao trauma e em associação a outras neoplasias do osso.

Patogênese

Em quase 70% dos casos de COA, ocorrem rearranjos do cromossomo 17p13 nas células fusiformes, mas não nas células gigantes multinucleadas, nas células inflamatórias, nas células endoteliais ou nos osteoblastos. O rearranjo cromossômico resulta em fusão da região codificadora *USP6* com os promotores de genes que

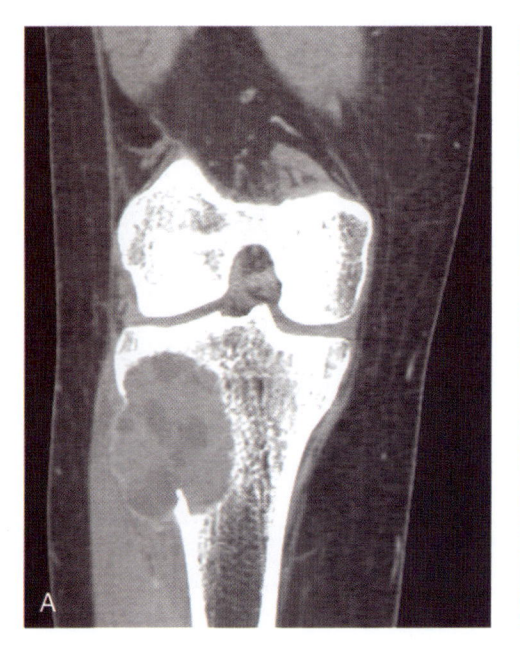

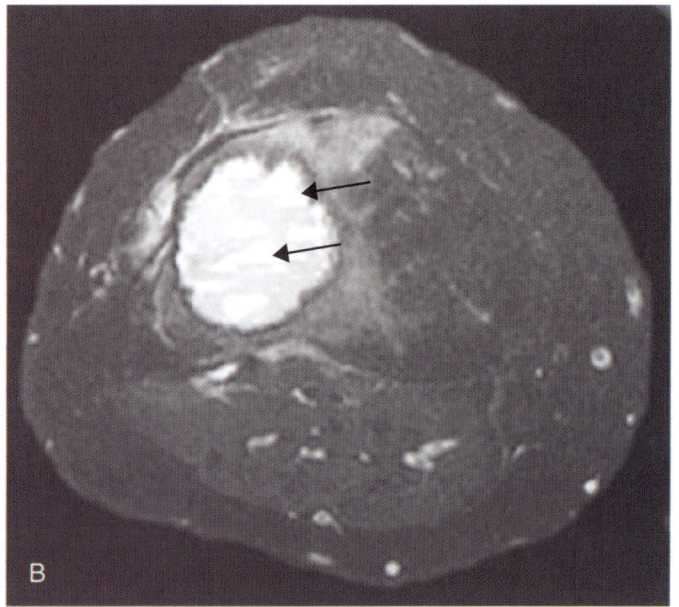

Figura 26.33 A. Tomografia computadorizada axial coronal mostrando um cisto ósseo aneurismático excêntrico da tíbia. O componente de tecido mole é delineado por uma borda fina de osso subperiosteal reativo. **B.** Ressonância magnética axial demonstrando os níveis hídricos característicos (*setas*).

estão altamente expressos nos osteoblastos, como o *CDH11*. O *USP6* codifica uma protease específica de ubiquitina, que regula a atividade do fator de transcrição NF-κB, que, por sua vez, suprarregula a expressão de proteínas, como as metaloproteases da matriz, que levam à reabsorção cística do osso.

> ### Morfologia
>
> Os COAs consistem em múltiplos espaços císticos preenchidos com sangue e separados por finos septos branco-acastanhados (**Figura 26.34**). Os septos são compostos de células fusiformes, células gigantes multinucleadas do tipo osteoclasto e osso reticular reativo revestido por osteoblastos. Normalmente, a reabsorção óssea segue os contornos dos septos fibrosos. Cerca de um terço dos casos contém uma matriz metaplásica basofílica e densamente calcificada, denominada "**osso azul**". A necrose é incomum, a não ser que haja fratura patológica.

Características clínicas

O COA manifesta-se com dor localizada e edema, podendo resultar em claudicação, lesões vertebrais e compressão de nervos. Apesar de ser benigno, o COA é localmente agressivo. O tratamento consiste em curetagem ou excisão. Há recorrência em 10 a 50% dos casos.

Lesões que simulam neoplasias primárias

Defeito fibroso cortical e fibroma não ossificante

Os *defeitos fibrosos corticais*, também conhecidos como defeitos fibrosos metafisários, são anormalidades de desenvolvimento comuns, nas quais o osso é substituído por tecido conjuntivo fibroso. Essas lesões estão presentes em até 50% das crianças com idade superior a 2 anos e normalmente se manifestam como achado incidental em adolescentes. A grande maioria surge de maneira excêntrica na metáfise da região distal do fêmur e da região proximal da tíbia; quase metade dos casos é bilateral ou múltipla. A maior parte mede menos de 0,5 cm de diâmetro, porém os que crescem até 5 ou 6 cm são classificados como *fibromas não ossificantes*.

> ### Morfologia
>
> Tanto os defeitos fibrosos corticais quanto os fibromas não ossificantes consistem em pequenas massas radiotransparentes bem demarcadas, circundadas por uma borda fina de esclerose (**Figura 26.35**). Essas massas são marrom-amareladas e, histologicamente, consistem em fibroblastos, que, com frequência, estão organizados em um padrão estoriforme (em cata-vento), e macrófagos, que podem assumir a forma de células agrupadas com citoplasma espumoso ou células gigantes multinucleadas (**Figura 26.36**). É comum haver a presença de hemossiderina.

Características clínicas

Os defeitos fibrosos corticais são assintomáticos e detectados de modo incidental em exames radiográficos. Os achados nas radiografias são específicos o suficiente, de modo que é raramente necessário efetuar uma biopsia. A maioria dos defeitos fibrosos corticais apresenta potencial de crescimento limitado e sofre resolução espontânea com o passar do tempo, à medida que são substituídos por osso cortical normal. Os poucos casos que crescem progressivamente em fibromas não ossificantes podem se manifestar com fratura patológica ou podem exigir uma biopsia para excluir a possibilidade de outros tipos de neoplasias. Eles são tratados com curetagem, e pode ser necessário um enxerto ósseo para a sua cura adequada.

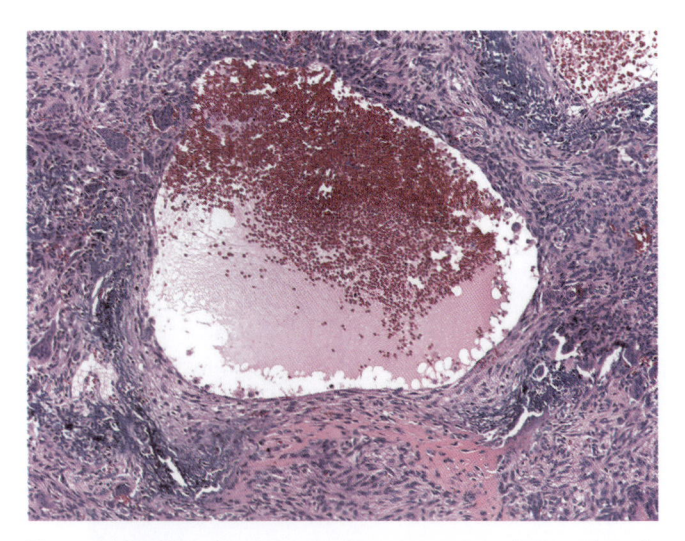

Figura 26.34 Cisto ósseo aneurismático com espaço cístico repleto de sangue, circundado por uma parede fibrosa contendo fibroblastos em proliferação, osso reticular reativo e células gigantes do tipo osteoclasto.

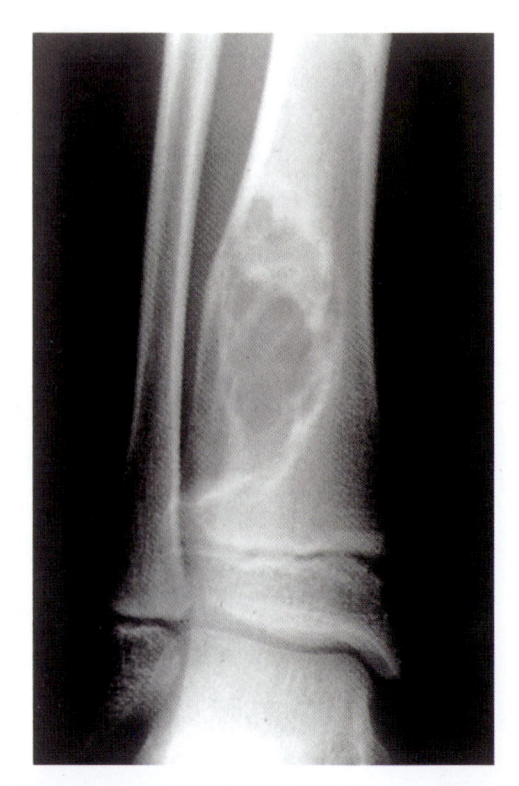

Figura 26.35 Fibroma não ossificante da metáfise da região distal da tíbia produzindo uma radiotransparência lobulada e excêntrica, circundada por uma margem esclerótica.

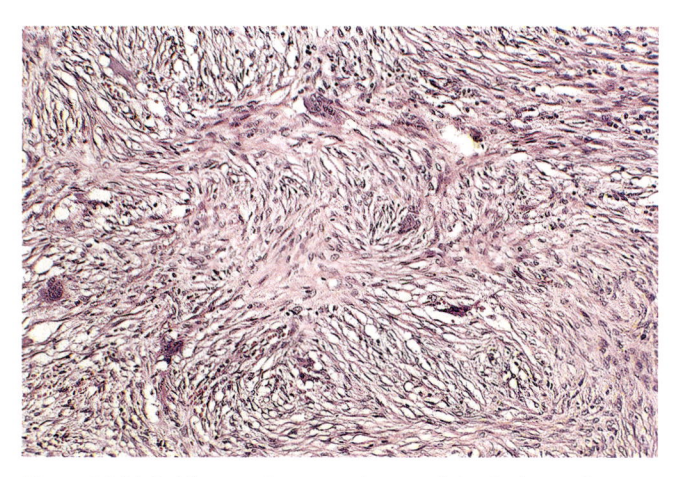

Figura 26.36 Padrão estoriforme criado por células fusiformes benignas, com células gigantes dispersas do tipo osteoclasto, características dos defeitos fibrosos corticais e dos fibromas não ossificantes.

Displasia fibrosa

A displasia fibrosa é uma neoplasia benigna que tem sido ligada a uma parada de desenvolvimento localizada; todos os componentes do osso normal estão presentes, porém não se diferenciam em estrutura madura. As lesões surgem durante o desenvolvimento do esqueleto e aparecem em vários padrões clínicos distintos, porém às vezes sobrepostos:

- *Monostótico*: comprometimento de um único osso
- *Poliostótico*: comprometimento de múltiplos ossos
- *Síndrome de Mazabraud*: displasia fibrosa (em geral, poliostótica) e mixomas de partes moles
- *Síndrome de McCune-Albright*: doença poliostótica associada a pigmentações da pele com manchas tipo café com leite e anormalidades endócrinas, particularmente puberdade precoce.

Patogênese

Todas as formas de displasia fibrosa resultam de mutações somáticas de ganho de função no gene *GNAS1*, que codifica a subunidade α estimuladora de G_s e que também está mutado em adenomas hipofisários (ver **Capítulo 24**). A proteína G_s resultante é constitutivamente ativa, promove a proliferação celular e compromete a diferenciação dos osteoblastos. Essas mutações ocorrem precocemente na embriogênese, e os indivíduos afetados são mosaicos genéticos. O fenótipo depende (1) da fase da embriogênese em que a mutação é adquirida e (2) do destino da célula que abriga a mutação. Em um dos extremos, uma mutação durante a embriogênese inicial produz a síndrome de McCune-Albright. Em contrapartida, uma mutação que ocorre em um precursor dos osteoblastos, durante ou após a formação do esqueleto, resulta em displasia fibrosa monostótica.

Morfologia

As lesões da displasia fibrosa são lesões líticas intramedulares que podem se expandir e causar arqueamento e adelgaçamento cortical. Em geral, não há reação periosteal. O tecido lesional é branco-acastanhado e áspero ao exame macroscópico e composto de trabéculas curvilíneas de osso reticular circundado por uma proliferação fibroblástica moderadamente celular, sem borda osteoblástica proeminente (**Figura 26.37**). Em cerca de 20% dos casos, observa-se a presença de nódulos de cartilagem hialina, com aparência de lâminas epifisiais desorganizadas. A degeneração cística, a hemorragia e os macrófagos espumosos também são comuns.

Características clínicas

A displasia fibrosa monostótica ocorre no início da adolescência e, com frequência, para de crescer por ocasião do fechamento das lâminas epifisiais. O fêmur, a tíbia, as costelas, a mandíbula e a calvária são mais comumente afetados. Com frequência, a lesão é assintomática e descoberta de modo incidental; todavia, ela pode causar dor, discrepância no comprimento dos membros e fratura patológica. O crescimento das lesões pode ser reativado durante a gravidez. As lesões sintomáticas são tratadas por meio de curetagem, porém a recorrência é comum.

A displasia fibrosa poliostótica manifesta-se em uma idade ligeiramente mais precoce do que o tipo monostótico e pode continuar causando problemas na vida adulta. O fêmur, o crânio e a tíbia são afetados com mais frequência. Ocorre comprometimento craniofacial em 50% dos casos que apresentam um número moderado de ossos afetados e em 100% dos casos com doença esquelética extensa. O comprometimento do ombro e da cintura pélvica resulta em doença progressiva e pode provocar deformidades incapacitantes e fraturas, que exigem múltiplos procedimentos cirúrgicos ortopédicos corretivos. Os bifosfonatos podem ser utilizados para reduzir a intensidade da dor óssea. Uma complicação rara, geralmente no contexto do comprometimento poliostótico, é a transformação maligna de uma lesão em sarcoma.

A síndrome de Mazabraud manifesta-se com características esqueléticas de displasia fibrosa poliostótica na infância, seguidas de aparecimento de mixomas intramusculares na vida adulta, com frequência na mesma região anatômica da displasia fibrosa existente. Apesar de sua natureza benigna, os mixomas podem causar sintomas de compressão local ou deformidade de membros, porém são curados por excisão cirúrgica.

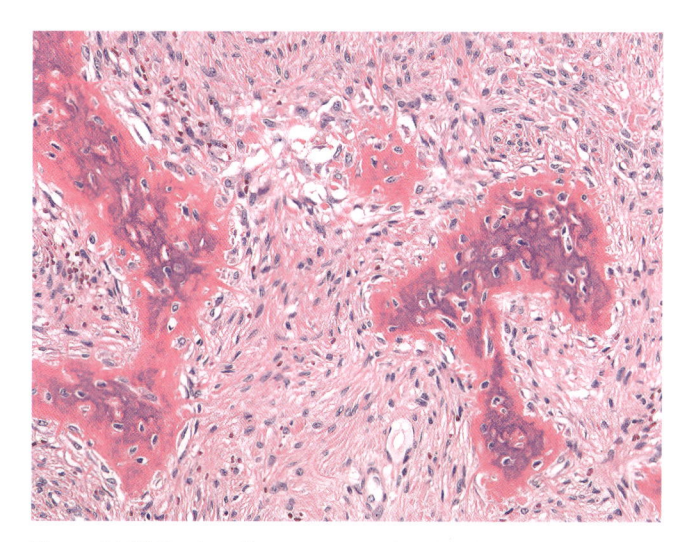

Figura 26.37 Displasia fibrosa composta de trabéculas curvilíneas de osso reticular, que não apresentam borda osteoblástica visível e surgem em um fundo de tecido fibroso.

A apresentação clínica mais comum da síndrome de McCune-Albright consiste em desenvolvimento sexual precoce, principalmente em meninas. A síndrome pode incluir outras endocrinopatias, como hipertireoidismo, adenomas hipofisários que secretam hormônio do crescimento e hiperplasia renal primária. Com frequência, as lesões ósseas são unilaterais, ao passo que as lesões cutâneas, quando presentes, estão limitadas ao mesmo lado do corpo. As lesões cutâneas consistem em máculas classicamente grandes, escuras ou cor de café com leite, com bordas serpiginosas irregulares. As manifestações esqueléticas são tratadas como na displasia fibrosa poliostótica, ao passo que o tratamento das endocrinopatias é clínico (p. ex., uso de inibidores da aromatase para a puberdade).

Neoplasias metastáticas

As neoplasias metastáticas constituem a forma mais comum de neoplasia maligna do esqueleto, ultrapassando em número, com folga, os cânceres primários de osso. As vias de disseminação para o osso incluem: (1) extensão direta, (2) disseminação linfática ou hematogênica e (3) semeadura intraespinal (por meio do plexo venoso de Batson). Qualquer câncer pode se disseminar para o osso; todavia, em adultos, mais de 75% das metástases ósseas originam-se de cânceres de próstata, mama, rim e pulmão. Em crianças, as metástases mais comuns para o osso incluem neuroblastoma, tumor de Wilms, osteossarcoma, sarcoma de Ewing e rabdomiossarcoma.

As metástases ósseas são normalmente multifocais. Entretanto, os carcinomas de rim e de tireoide podem apresentar lesões solitárias. A maioria das metástases acomete o esqueleto axial (coluna vertebral, pelve, costelas, crânio e esterno), em que a medula tem uma rica rede de capilares.

A aparência radiográfica das metástases pode ser *lítica* (com destruição óssea), *blástica* (com formação de osso) ou *mista*, isto é, lítica e blástica. Alguns tipos de câncer estão associados predominantemente a um padrão. Por exemplo, o adenocarcinoma de próstata é predominantemente blástico, ao passo que os carcinomas de rim, pulmão e trato gastrintestinal e o melanoma maligno produzem lesões líticas. As interações bidirecionais entre células cancerosas metastáticas e células ósseas nativas são responsáveis pelas alterações observadas na matriz óssea. As células neoplásicas não reabsorvem diretamente o osso nas lesões líticas, porém secretam substâncias, como prostaglandinas, citocinas e PTHrP, que suprarregulam o RANKL nos osteoblastos e nas células do estroma, estimulando, assim, a atividade osteoclástica. Em contrapartida, o crescimento das células neoplásicas é sustentado pela liberação de fatores de crescimento ligados à matriz (p. ex., TGF-β, IGF-1 e FGF) à medida que o osso é reabsorvido. As metástases escleróticas podem resultar de células neoplásicas que secretam proteínas WNT, que estimulam a formação óssea osteoblástica.

A presença de metástases ósseas está associada a prognóstico sombrio, visto que indica uma ampla disseminação do câncer. O tratamento visa ao alívio sintomático e à prevenção de disseminação adicional. As opções terapêuticas incluem quimioterapia sistêmica ou imunoterapia, radioterapia localizada e bifosfonatos. A cirurgia pode ser necessária para estabilizar as fraturas patológicas, particularmente quando as metástases afetam a coluna vertebral.

> **Conceitos-chave**
>
> **Neoplasias ósseas e lesões pseudotumorais**
>
> As neoplasias ósseas são classificadas, em sua maioria, de acordo com a célula normal de origem ou a matriz produzida; o restante é agrupado pelas suas características clinicopatológicas. As neoplasias primárias do osso são, em sua maioria, benignas. As metástases, particularmente adenocarcinomas, são mais comuns do que as neoplasias ósseas primárias.
>
> As principais categorias de neoplasias ósseas primárias incluem as seguintes:
>
> - Formadoras de osso: o osteoblastoma e o osteoma osteoide consistem em osteoblastos benignos que sintetizam osteoide. O osteossarcoma é uma neoplasia de osteoblastos malignos com evolução clínica agressiva, que afeta predominantemente adolescentes
> - Formadoras de cartilagem: o osteocondroma é uma exostose polipoide com capa de cartilagem. As formas sindrômicas estão associadas, com mais frequência, a mutações nos genes *EXT*. Os condromas são neoplasias intramedulares benignas, que produzem cartilagem hialina e surgem geralmente nos dedos. Os condrossarcomas são neoplasias malignas da cartilagem, que acometem o esqueleto axial em adultos
> - O sarcoma de Ewing é uma neoplasia maligna e agressiva de pequenas células redondas, associada a t(11;22)
> - O defeito fibroso cortical e a displasia fibrosa são anormalidades de desenvolvimento incomuns; esta última é causada por mutações somáticas de ganho de função no gene *GNAS1* durante a embriogênese.

Articulações

As articulações são responsáveis pelo movimento, enquanto também proporcionam estabilidade mecânica. Elas são classificadas em sólidas (não sinoviais) e cavitadas (sinoviais). As articulações sólidas ou sinartroses fornecem integridade estrutural, não têm um espaço articular e só permitem um movimento mínimo. Elas são agrupadas de acordo com o tipo de tecido conjuntivo (tecido fibroso ou cartilagem) que une as extremidades dos ossos. As sinartroses fibrosas incluem as suturas do crânio e as ligações entre as raízes dos dentes e a maxila e a mandíbula. As articulações cartilaginosas imóveis ou sincondroses incluem as sínfises (manubrioesternal e púbica). Em contrapartida, as articulações sinoviais têm um espaço articular que possibilita uma grande amplitude de movimento. Situadas entre as extremidades de ossos formados por ossificação endocondral, elas são fortalecidas por uma densa cápsula fibrosa reforçada por ligamentos e músculos. O limite do espaço articular é constituído pela membrana sinovial, que está firmemente ancorada à cápsula subjacente e não cobre a face articular. A sinóvia é lisa, exceto próximo à inserção óssea, onde apresenta numerosas dobras vilosas. As membranas sinoviais são revestidas por dois tipos de células dispostas em uma a quatro camadas de profundidade. Os sinoviócitos tipo A são macrófagos especializados com atividade fagocítica. Os sinoviócitos tipo B assemelham-se aos fibroblastos e sintetizam ácido hialurônico e várias proteínas. O revestimento sinovial não apresenta uma membrana basal, o que possibilita a troca eficiente de nutrientes, produtos de degradação e gases entre o sangue e o líquido sinovial. O líquido sinovial é, portanto, um filtrado de plasma rico em ácido hialurônico, que atua como lubrificante viscoso e fornece nutrição para a cartilagem hialina articular.

A cartilagem hialina é um tecido conjuntivo único, adaptado idealmente para atuar como absorvente elástico de choque e como superfície de resistência contra o desgaste. Ela é composta de água (70%), colágeno tipo II (10%), proteoglicanos (8%) e condrócitos. As fibras colágenas proporcionam resistência aos estresses de tensão e transmitem cargas verticais; a água e os proteoglicanos limitam a compressão e o atrito. A cartilagem hialina não tem vasos sanguíneos e linfáticos nem inervação. Os condrócitos sintetizam e digerem enzimaticamente a matriz, e a meia-vida dos diferentes componentes varia de algumas semanas (proteoglicanos) a anos (colágeno tipo II). Os condrócitos secretam enzimas de degradação nas formas inativas e enriquecem a matriz com inibidores de enzimas. As doenças que causam destruição da cartilagem articular o fazem por meio da ativação das enzimas de degradação e da diminuição da produção de seus inibidores, levando à decomposição da matriz. As citocinas, como a IL-1 e o TNF, são liberadas por condrócitos, sinoviócitos, fibroblastos e células inflamatórias e desencadeiam processos degradativos. A destruição da cartilagem articular por células nativas contribui para a patogênese de muitas doenças articulares.

Artrite

A artrite refere-se à inflamação das articulações. As formas clinicamente mais importantes de artrite são a osteoartrite e a artrite reumatoide, que diferem na sua patogênese e nas manifestações clínicas e patológicas (**Tabela 26.5**). Outros tipos de artrite são causados por reações imunes, infecções e deposição de cristais.

Osteoartrite

A osteoartrite (OA), também denominada doença articular degenerativa, caracteriza-se por degeneração da cartilagem, que resulta em falha estrutural e funcional das articulações sinoviais. Trata-se do tipo mais comum de doença articular. Embora o termo osteoartrite indique uma doença inflamatória, ela é considerada principalmente doença degenerativa da cartilagem.

Na maioria dos casos, a OA aparece de modo insidioso, sem causa desencadeante aparente, como fenômeno do envelhecimento (*OA idiopática* ou *primária*). Nesses casos, a doença normalmente afeta poucas articulações (oligoarticular), mas pode ser generalizada. Em cerca de 5% dos casos, a OA aparece em indivíduos mais jovens com condições predisponentes, como deformidade articular, lesão articular anterior ou doença sistêmica subjacente, como diabetes melito, ocronose, hemocromatose ou obesidade acentuada, que coloca em risco as articulações. Nesses contextos, a doença é denominada *OA secundária*. O sexo tem alguma influência na distribuição. Os joelhos e as mãos são mais comumente afetados em mulheres, e os quadris, em homens. A associação com o envelhecimento é forte; a prevalência da OA aumenta de modo exponencial após os 50 anos, e cerca de 40% dos indivíduos com mais de 70 anos são afetados.

Patogênese

As lesões da OA resultam da degeneração da cartilagem articular e de seu reparo desordenado. O estresse biomecânico constitui o principal mecanismo patogênico, porém os fatores genéticos, incluindo polimorfismos em genes que codificam componentes da matriz e moléculas de sinalização, podem predispor à lesão dos condrócitos, causando alteração da matriz (**Figura 26.38**). Os condrócitos proliferam-se e sintetizam continuamente proteoglicanos, porém a doença se desenvolve quando a degradação excede a síntese. Isso leva a alterações na composição de proteoglicanos à medida que a doença progride. Os condrócitos também secretam metaloproteases da matriz (MMP), que degradam a rede de colágeno tipo II. As citocinas e os fatores difusíveis provenientes dos condrócitos e das células sinoviais, particularmente TGF-β (que induz a produção de MMP), o TNF, as prostaglandinas e o óxido nítrico, também foram implicados na OA, e a inflamação crônica de baixo nível contribui para a progressão da doença. A doença avançada caracteriza-se por perda dos condrócitos e degradação grave da matriz.

Morfologia

Nos estágios iniciais da OA, os condrócitos proliferam-se e formam agrupamentos. Ao mesmo tempo, o conteúdo aquoso da matriz aumenta, e a concentração de proteoglicanos diminui; ocorre clivagem das fibras de colágeno tipo II dispostas horizontalmente na zona superficial. Esses processos resultam em fissuras e fendas, que criam uma superfície articular granular e mole (**Figura 26.39A**).

Tabela 26.5 Características comparativas da osteoartrite e da artrite reumatoide.

	Osteoartrite	Artrite reumatoide
Principal anormalidade patogênica	Lesão mecânica da cartilagem articular	Autoimunidade
Papel da inflamação	Pode ser secundário; os mediadores inflamatórios exacerbam o dano à cartilagem	Primário: a destruição da cartilagem é causada por células T e anticorpos reativos contra antígenos articulares
Articulações afetadas	Principalmente articulações de sustentação de peso (joelhos, quadris)	Com frequência, começa nas pequenas articulações dos dedos das mãos; a progressão leva ao comprometimento de múltiplas articulações
Patologia	Degeneração e fragmentação da cartilagem; esporões ósseos, cistos subcondrais; inflamação mínima	*Pannus* inflamatório que invade e destrói a cartilagem; inflamação crônica grave; fusão articular (anquilose)
Anticorpos séricos	Nenhum	Vários, incluindo ACPA, fator reumatoide
Comprometimento de outros órgãos	Nenhum	Sim (pulmões, coração, outros órgãos)

ACPA, anticorpo antipeptídeo citrulinado.

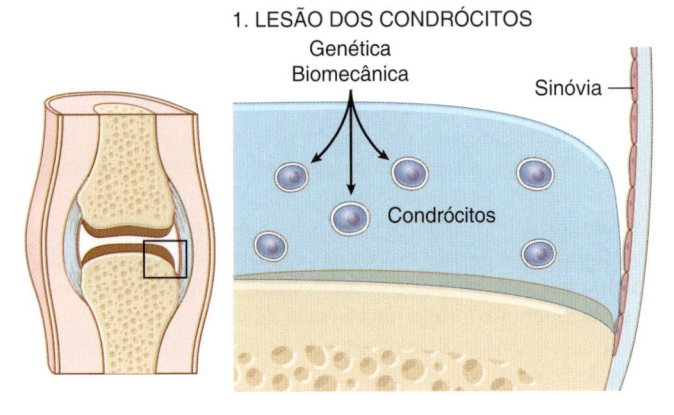

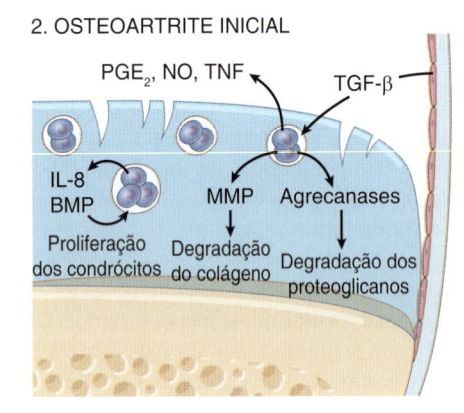

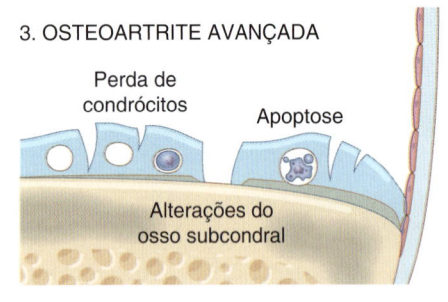

Figura 26.38 Vista esquemática da osteoartrite (OA). O processo é iniciado por lesão biomecânica da cartilagem (1), que pode ser acelerada em indivíduos geneticamente predispostos e resulta em alterações da matriz extracelular. (2) Embora os condrócitos possam se proliferar na tentativa de proceder ao reparo da matriz danificada, a degradação contínua excede o reparo no início da OA. (3) A OA avançada é evidenciada pela perda da matriz e dos condrócitos, com dano ao osso subcondral.

À medida que os condrócitos morrem, porções de cartilagem em toda a sua espessura são descamadas e liberadas dentro da articulação, formando **corpos livres**. O osso subcondral exposto passa a constituir a nova superfície articular, que é polida pelo atrito com a superfície oposta, dando-lhe a aparência de marfim polido (**eburnação óssea**) (**Figura 26.39B**). O osso articular subjacente sofre refortalecimento e esclerose e apresenta pequenas fraturas, criando espaços que permitem que o líquido sinovial seja forçado para dentro das regiões subcondrais. À medida que a coleção de líquido loculada aumenta de tamanho, ocorre a formação de cistos de parede fibrosa. Observa-se o desenvolvimento de expansões ósseas em formato de cogumelo (**osteófitos**) nas margens da superfície articular, que são revestidas por fibrocartilagem e cartilagem hialina, que sofrem ossificação gradual. Em geral, a membrana sinovial está apenas levemente congesta e fibrótica e contém poucas células inflamatórias.

Características clínicas

Os indivíduos com OA primária são normalmente assintomáticos até a quinta década de vida. Se uma pessoa jovem apresentar manifestações significativas de OA, deve-se efetuar uma pesquisa à procura de alguma causa subjacente. Os sintomas característicos incluem dor profunda, que se agrava com o uso, rigidez matinal, crepitação e limitação da amplitude de movimento. A compressão dos forames espinais por osteófitos resulta em compressão das raízes nervosas cervicais e lombares, com dor radicular, espasmos musculares, atrofia muscular e déficits neurológicos. Normalmente, apenas uma ou algumas articulações estão afetadas, exceto na variante generalizada, que é incomum. As articulações frequentemente acometidas incluem quadris (**Figura 26.40**), joelhos, vértebras lombares inferiores e cervicais, articulações interfalângicas proximais e distais dos dedos, primeiras articulações carpometacarpais e primeiras articulações tarsometatarsais. Os *nódulos de Heberden*, que são osteófitos proeminentes nas articulações interfalangianas, são comuns em mulheres. Os punhos, os cotovelos e os ombros são comumente poupados. Com o tempo, pode haver desenvolvimento de deformidades articulares; entretanto, diferentemente da artrite reumatoide (AR; discutida adiante), não ocorre fusão (**Figura 26.41**). O nível de gravidade da doença detectado em radiografias não exibe uma boa correlação com a dor e a incapacidade. Não se dispõe de nenhum tratamento para prevenir ou interromper a progressão da OA primária, e as terapias incluem controle da dor, AINEs para reduzir a inflamação, corticosteroides intra-articulares, modificação da atividade e, nos casos graves, artroplastia.

Artrite reumatoide

A artrite reumatoide (AR) é um distúrbio autoimune crônico que ataca principalmente as articulações e produz sinovite proliferativa e inflamatória não supurativa. Com frequência, a AR progride para a destruição da cartilagem articular e, em alguns casos, a fusão das articulações (*anquilose*). As lesões extra-articulares podem acometer a pele, o coração, os vasos sanguíneos e os pulmões, resultando em manifestações clínicas que se sobrepõem a outros distúrbios autoimunes, incluindo lúpus eritematoso sistêmico e esclerodermia. Nos EUA, a prevalência da AR é de cerca de 1%. O pico de incidência é observado entre a segunda e quarta décadas de vida. A AR é três vezes mais comum em mulheres do que em homens.

Patogênese

Na AR, a resposta autoimune é iniciada por células T auxiliares CD4+. À semelhança de outras doenças autoimunes, a predisposição genética e os fatores ambientais contribuem para o desenvolvimento, a progressão e a persistência da doença. As alterações patológicas na AR são mediadas por anticorpos dirigidos contra autoantígenos e inflamação induzida por citocinas, predominantemente aquelas secretadas por células T CD4+ (**Figura 26.42**).

As células T CD4+ ativadas liberam mediadores inflamatórios, que estimulam outras células inflamatórias, levando à lesão tecidual. Embora muitas citocinas mediadoras possam ser isoladas das articulações inflamadas, as mais importantes incluem:

- A IFN-γ a partir das células Th1, que ativa os macrófagos e as células sinoviais residentes
- A IL-17 das células Th17, que recruta neutrófilos e monócitos

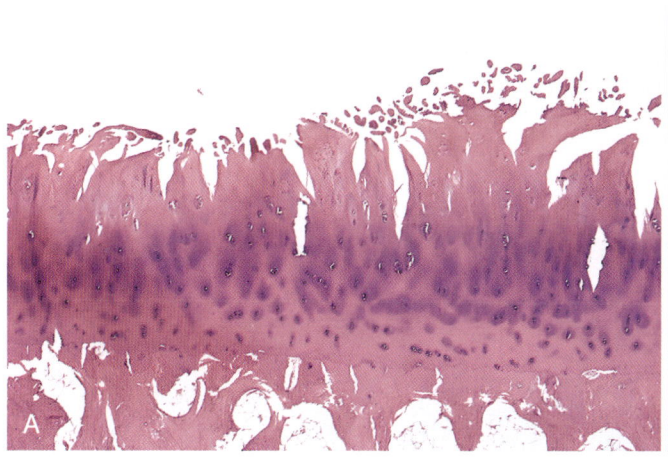

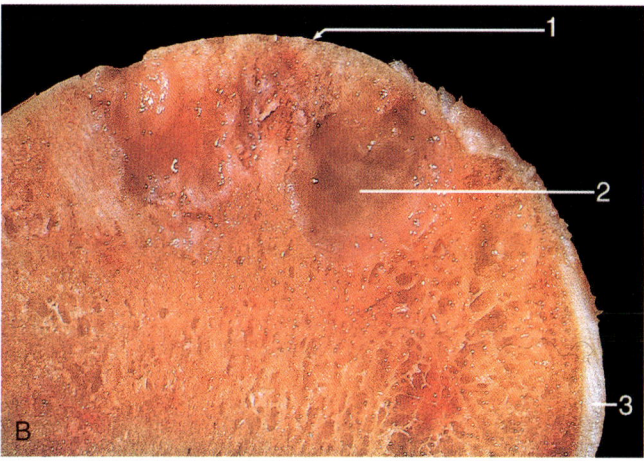

Figura 26.39 Osteoartrite. **A.** Demonstração histológica da fibrilação característica da cartilagem articular. **B.** Superfície articular eburnada expondo o osso subcondral (1), os cistos subcondrais (2) e a cartilagem articular residual (3).

- O RANKL, que é expresso em células T ativadas e estimula a reabsorção óssea
- O TNF e a IL-1 de macrófagos, que estimulam as células sinoviais residentes a secretar proteases, que destroem a cartilagem hialina.

Destes, o TNF tem sido mais firmemente implicado na patogênese da AR, e agentes biológicos anti-TNF revolucionaram o seu tratamento (ver adiante).

Na AR, a sinóvia frequentemente contém centros germinativos com folículos secundários e plasmócitos abundantes. Alguns desses plasmócitos secretam anticorpos que reconhecem autoantígenos.

Muitos desses autoanticorpos, que são produzidos em órgãos linfoides, bem como na sinóvia, são específicos para peptídeos citrulinados (CCPs), em que os resíduos de arginina são convertidos em citrulina após a tradução. São encontrados epítopos modificados em várias proteínas presentes nas articulações, incluindo fibrinogênio, colágeno tipo II, α-enolase e vimentina. Os *anticorpos antipeptídeo citrulinado* (ACPAs) são marcadores diagnósticos, que podem ser detectados no soro de até 70% dos pacientes com AR. Alguns dados sugerem que, em combinação com células T reativas contra proteínas citrulinadas, os ACPAs impulsionam a persistência da doença. Em 80% dos indivíduos, ocorrem autoanticorpos IgM e IgA, que se ligam às regiões Fc da IgG. Esses autoanticorpos, coletivamente denominados *fator reumatoide*, podem depositar-se em articulações na forma de imunocomplexos, porém não estão presentes em todos os pacientes e podem ser detectados em alguns indivíduos sem AR.

Estima-se que 50% do risco de desenvolvimento de AR esteja relacionado com uma suscetibilidade genética herdada. O alelo *HLA-DR4* está associado à AR positiva para ACPA. As evidências disponíveis sugerem que um epítopo em uma proteína citrulinada, a vinculina, mimetiza um epítopo em muitos microrganismos, podendo ser apresentado pela molécula HLA-DR4 de classe II.

Os fatores ambientais que promovem a autoimunidade estão envolvidos; entretanto, como no caso de muitas doenças autoimunes, eles não foram claramente definidos. Por exemplo, a infecção (incluindo periodontite) e o tabagismo podem promover a citrulinação de autoproteínas, criando epítopos que desencadeiam a produção de autoanticorpos.

Figura 26.40 Osteoartrite grave do quadril. O espaço articular está reduzido, e há esclerose subcondral, com cistos radiotransparentes ovais dispersos e revestimento de osteófitos periféricos (*setas*).

Morfologia

Normalmente, a AR afeta as pequenas articulações das mãos e dos pés. A sinóvia torna-se visivelmente edematosa, espessa e hiperplásica, transformando o seu contorno liso em contorno coberto por delicadas vilosidades bulbosas (**Figura 26.43A** e **B**). Os aspectos histológicos característicos incluem: (1) hiperplasia e proliferação das células sinoviais; (2) infiltrados inflamatórios densos (formando, com frequência, folículos linfoides) de células T auxiliares CD4+, células B, plasmócitos, células dendríticas e macrófagos (ver **Figura 26.43**); (3) aumento da vascularização

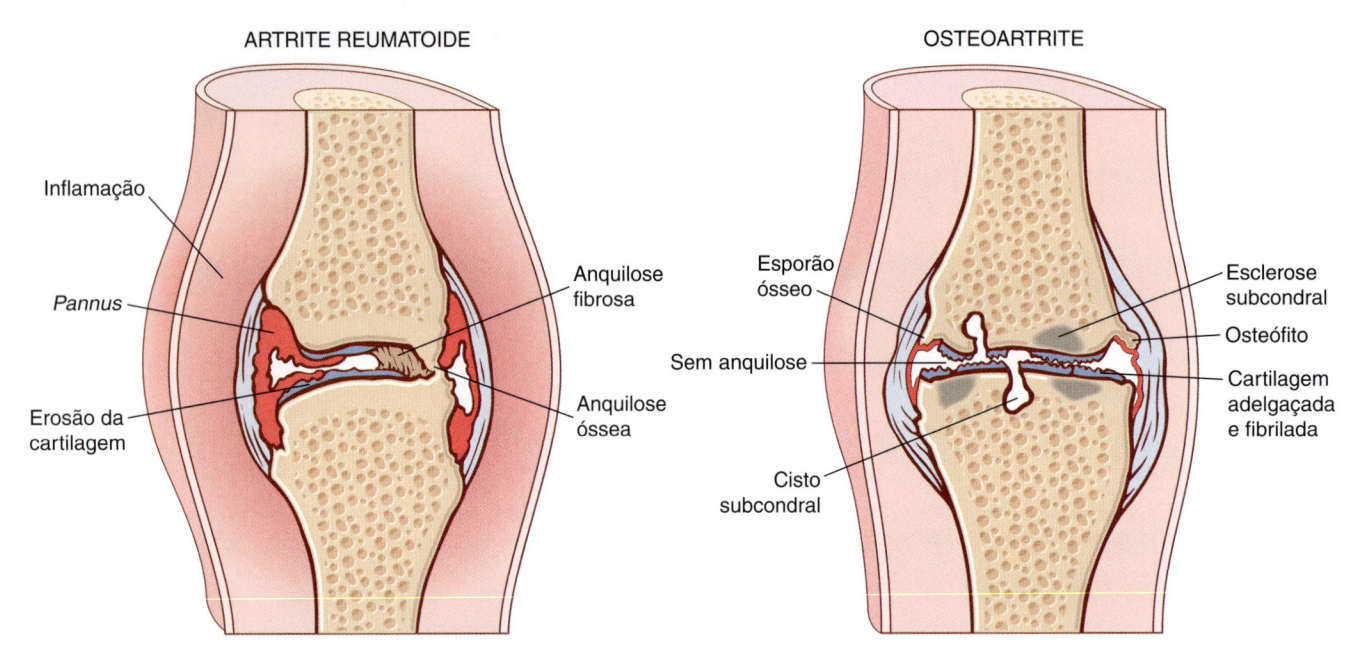

Figura 26.41 Comparação das características morfológicas da artrite reumatoide e da osteoartrite.

devido à angiogênese; (4) exsudato fibrinopurulento nas superfícies sinovial e articular; e (5) atividade osteoclástica no osso subcondral, permitindo a penetração da sinóvia inflamada no osso e causando erosões periarticulares e cistos subcondrais. Em conjunto, essas alterações produzem o **pannus**, uma massa de sinóvia edematosa, células inflamatórias, tecido de granulação e fibroblastos, que cresce e provoca a erosão da cartilagem articular. Com o tempo, após a destruição da cartilagem, o *pannus* une os ossos opostos para formar a **anquilose fibrosa**, que, por fim, ossifica e resulta em fusão dos ossos ou anquilose óssea.

Os **nódulos reumatoides** constituem uma manifestação infrequente da AR e normalmente ocorrem no tecido subcutâneo do antebraço, nos cotovelos, na região occipital e na área lombossacral. Essas pequenas massas são firmes, indolores e redondas a ovais. Ao exame microscópico, elas lembram os granulomas necrosantes com uma zona central de necrose fibrinoide, circundada por uma borda proeminente de macrófagos ativados e numerosos linfócitos e plasmócitos (**Figura 26.44**). A doença grave pode estar associada à **vasculite leucocitoclástica** (ver **Capítulo 11**), uma vasculite necrosante aguda de artérias de pequeno e grande calibres, que pode acometer a pleura, o pericárdio ou o pulmão e evolui em um processo fibrosante crônico. A vasculite leucocitoclástica produz púrpura, úlceras cutâneas e infarto do leito ungueal. Além disso, podem ocorrer alterações oculares, como uveíte e ceratoconjuntivite (semelhante à síndrome de Sjögren; ver **Capítulo 6**).

Características clínicas

A AR pode ser diferenciada de outras formas de artrite inflamatória poliarticular sorologicamente pela detecção de ACPA e por alterações radiológicas características (ver adiante). A doença começa com mal-estar, fadiga e dor musculoesquelética generalizada em cerca da metade dos pacientes; o comprometimento articular desenvolve-se depois de semanas a meses. O padrão de comprometimento articular varia, porém é geralmente simétrico e afeta

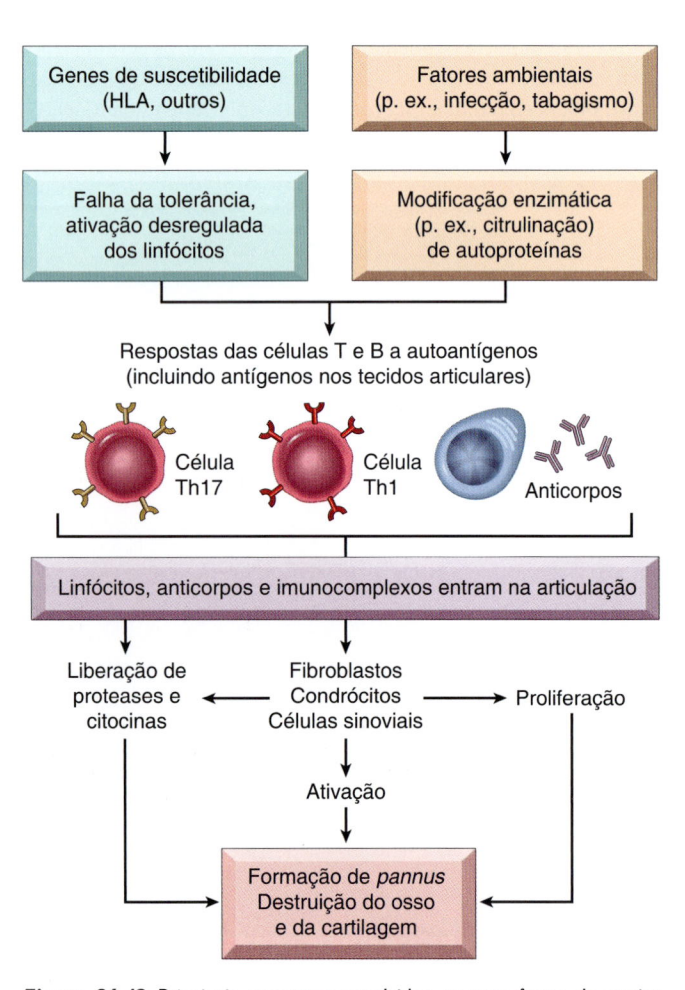

Figura 26.42 Principais processos envolvidos na patogênese da artrite reumatoide.

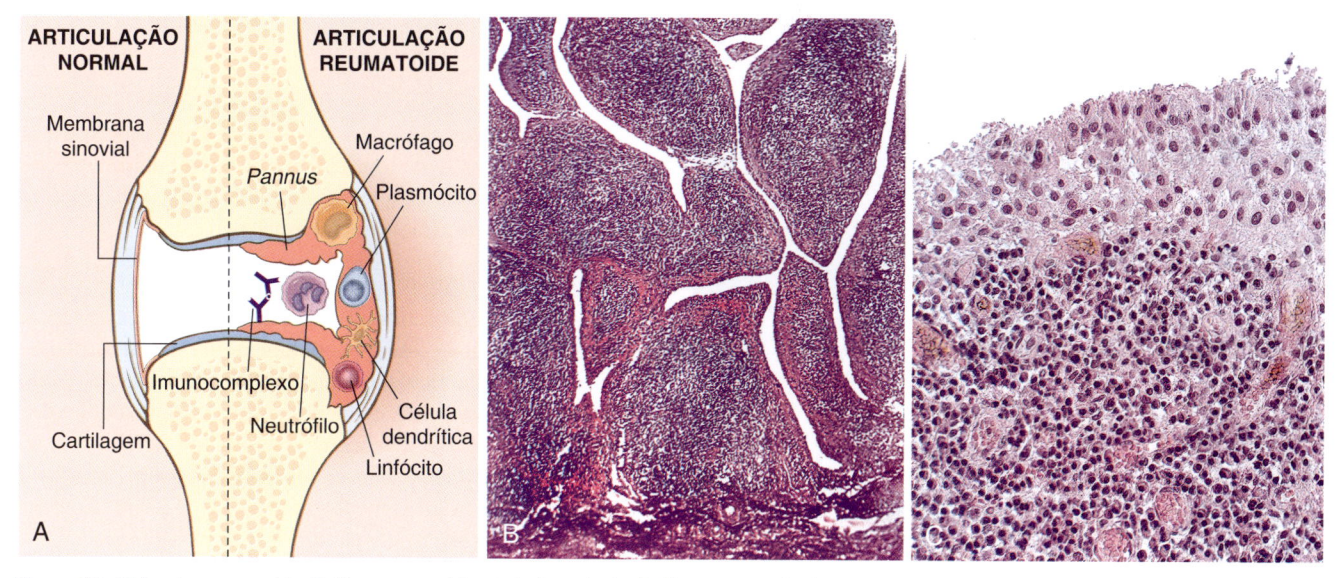

Figura 26.43 Artrite reumatoide. **A.** Vista esquemática de lesão articular. **B.** Fotomicrografia de pequeno aumento revelando hipertrofia sinovial acentuada, com formação de vilosidade. **C.** Com aumento maior, observa-se o tecido subsinovial contendo um denso agregado linfoide. (**A,** Modificada de Feldmann M: Development of anti-TNF therapy for rheumatoid arthritis, *Nat Rev Immunol* 2(5):364-371, 2002.)

as pequenas articulações antes das maiores. Os sintomas desenvolvem-se geralmente nas mãos e nos pés, seguidos, em ordem decrescente de frequência, pelos punhos, tornozelos, cotovelos e joelhos. Nas mãos, diferentemente da OA (ver anteriormente), as articulações metacarpofalangianas e interfalangianas proximais estão acometidas.

As articulações acometidas estão edemaciadas, quentes e dolorosas. Diferentemente da OA, a rigidez articular matinal não desaparece com a atividade. O paciente típico apresenta aumento progressivo das articulações e diminuição da amplitude de movimento durante a evolução crônica de aumento e diminuição dos sintomas. Em uma minoria de indivíduos, particularmente os que não apresentam ACPA e fator reumatoide, a doença pode se estabilizar ou até mesmo regredir. Um pequeno número de pacientes (cerca de 10%) desenvolve AR de início agudo, com sintomas graves e comprometimento poliarticular, que surge no decorrer de vários dias.

A inflamação nos tendões, nos ligamentos e, em certas ocasiões, no músculo esquelético adjacente frequentemente acompanha a artrite e provoca deslocamento radial característico do punho, desvio ulnar dos dedos das mãos e flexão-hiperextensão dos dedos (deformidades em pescoço de cisne e em *boutonnière*). As características radiográficas incluem derrames articulares e osteopenia justarticular, com erosões, estreitamento do espaço articular e perda da cartilagem (**Figura 26.45**).

O tratamento da AR visa aliviar a dor e a inflamação e a retardar ou interromper a destruição articular. As terapias incluem corticosteroides, outros agentes imunossupressores, como metotrexato, e, de maneira mais notável, antagonistas do TNF, que são efetivos em muitos pacientes. Infelizmente, os indivíduos precisam ser mantidos com terapia anti-TNF para evitar exacerbações da doença. O tratamento a longo prazo com agentes anti-TNF predispõe os indivíduos a infecções por microrganismos oportunistas, como *M. tuberculosis*. Outros agentes biológicos que interferem nas respostas dos linfócitos T e B também foram aprovados para uso terapêutico.

Artrite idiopática juvenil

A artrite idiopática juvenil (AIJ) é um grupo heterogêneo de doenças de causa desconhecida, que se manifesta com artrite antes dos 16 anos e persiste durante pelo menos 6 semanas. Nos EUA, 30 a 50 mil indivíduos são afetados. Em comparação com a AR, a AIJ está mais comumente associada à oligoartrite, à doença sistêmica e ao comprometimento das grandes articulações. A soropositividade para anticorpo antinuclear (ANA) é típica, porém os nódulos reumatoides estão normalmente ausentes. A patogênese da AIJ não está bem definida, porém ela compartilha características com a AR do adulto, incluindo associações a certas variantes dos genes HLA e PTPN22 e estudos que ligam a sua patogênese ao comprometimento das células Th1 e Th17 e dos mediadores inflamatórios, como IL-1, IL-17, TNF e IFN-γ.

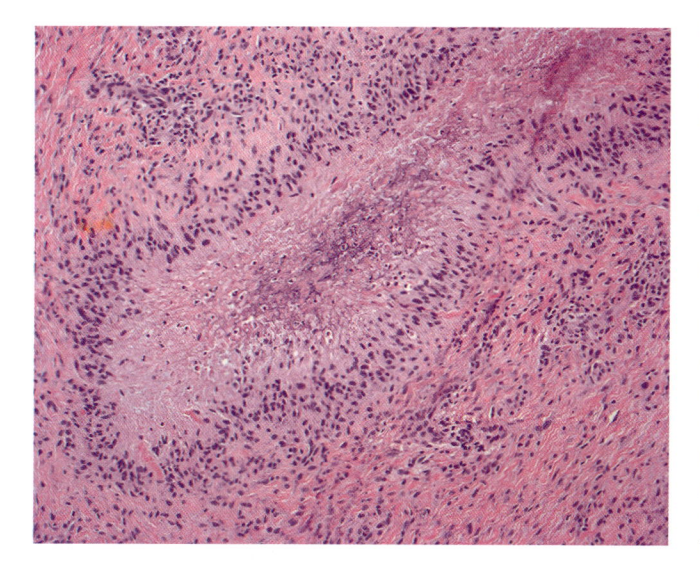

Figura 26.44 Nódulo reumatoide composto de necrose central circundada por macrófagos em paliçada.

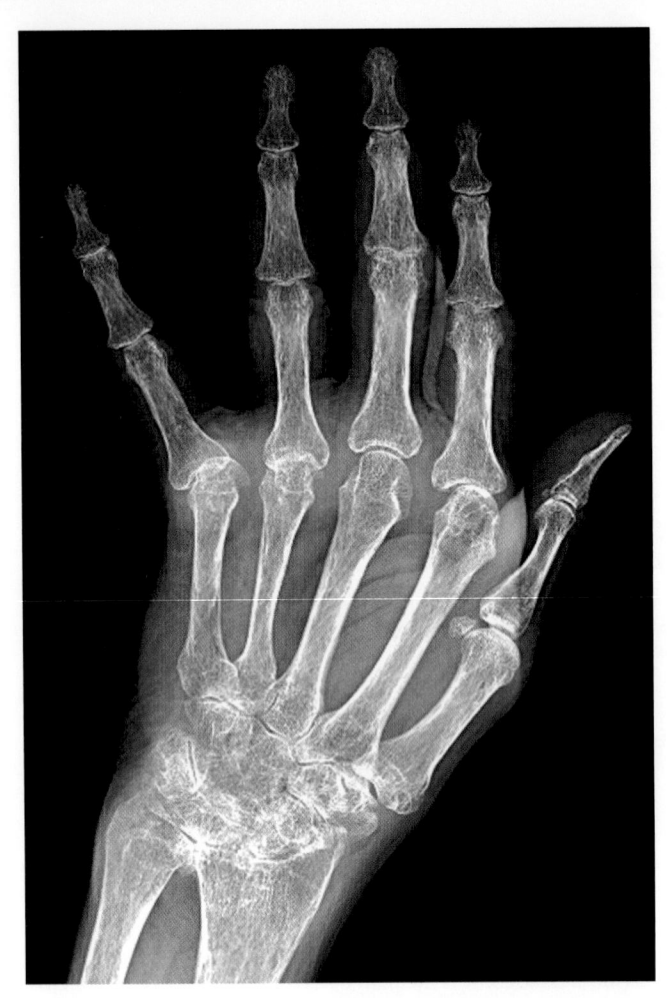

Figura 26.45 Artrite reumatoide da mão. Os aspectos característicos incluem osteopenia difusa, erosões ósseas periarticulares e acentuada perda dos espaços articulares das articulações do carpo, metacarpais, das falanges e interfalangianas.

A subclassificação atual da AIJ baseia-se em características clínicas (p. ex., oligoarticular, sistêmica) e laboratoriais (títulos de ANA, fator reumatoide). Alguns subgrupos (p. ex., sistêmica, poliarticular com fator reumatoide positivo; relacionada com entesite, que se refere ao comprometimento de locais de inserção de ligamentos e cartilagem no osso [enteses]; oligoarticular) são semelhantes, ao passo que outros (p. ex., poliarticular com fator reumatoide negativo; psoriática) são altamente heterogêneos. O tratamento de todos os subgrupos é semelhante ao da AR do adulto, e foi obtido algum sucesso com o uso de um anticorpo antirreceptor de IL-6 sistêmico. O prognóstico da AIJ a longo prazo é variável; muitos pacientes apresentam doença crônica, porém apenas cerca de 10% desenvolvem incapacidade funcional grave.

Espondiloartropatias soronegativas

As espondiloartropatias formam um grupo heterogêneo de doenças, unificado pelas seguintes características:

- Ausência de fator reumatoide
- Alterações patológicas nas inserções dos ligamentos (i. e., enteses), em vez da sinóvia
- Comprometimento da articulação sacroilíaca
- Associação com HLA-B27
- Proliferação óssea, levando à anquilose.

As manifestações são imunomediadas e desencadeadas por respostas das células T, presumivelmente dirigidas contra antígenos microbianos indefinidos, que exibem uma reação cruzada com componentes do sistema musculoesquelético.

Espondilite anquilosante

A espondilite anquilosante provoca destruição da cartilagem articular e anquilose óssea, particularmente das articulações sacroilíacas e das articulações apofisárias das vértebras entre as facetas e os processos. A doença manifesta-se como dor lombar e imobilidade da coluna, geralmente na segunda e terceira décadas de vida. As articulações periféricas, como quadril, joelhos e ombros, estão acometidas em pelo menos um terço dos casos. Cerca de 90% dos pacientes são positivos para HLA-B27, cujo papel não é conhecido; presumivelmente, está relacionado com a capacidade dessa variante de MHC de apresentar um ou mais antígenos que, de algum modo, desencadeiam a doença, porém nem o antígeno nem a célula imune patogênica são conhecidos.

Artrite reativa

A artrite reativa é definida pela tríade de artrite, uretrite ou cervicite não gonocócica e conjuntivite após uma infecção. Mais recentemente, a definição foi ampliada para incluir a artrite mono ou oligoarticular que ocorre dias a semanas após infecções geniturinárias (*Chlamydia*) ou gastrintestinais (*Shigella, Salmonella, Yersinia, Campylobacter* e *Clostridioides difficile*). Os pacientes HIV-positivos também podem ser afetados; nesses indivíduos, acredita-se que a artrite reativa seja causada por patógenos diferentes do HIV. O HLA-B27 é comum em pacientes com artrite reativa. Com mais frequência, a doença manifesta-se em adultos jovens, com prevalência global de cerca de 30 em cada 100 mil indivíduos adultos. Em geral, os episódios artríticos intensificam-se e diminuem durante cerca de 6 meses, porém quase 50% dos pacientes apresentam artrite recorrente, tendinite e dor lombossacral. Quando a doença ativa persiste por mais de 6 meses, utiliza-se o termo artrite reativa crônica. A espondiloartrite pode ocorrer nesses pacientes, e o comprometimento da coluna pode ser indistinguível da espondilite anquilosante.

Inicialmente, os pacientes apresentam oligoartrite assimétrica de início agudo, que afeta com frequência os membros inferiores, particularmente o joelho. A dor lombar inflamatória é um sintoma associado comum, porém raramente o único. Com frequência, ocorre entesite, que, muitas vezes, acomete as inserções do tendão do calcâneo e a fáscia plantar no calcâneo, resultando em edema do calcanhar. A *dactilite* ou inflamação dos dedos está presente em uma minoria de pacientes e normalmente produz dedos em salsicha, rigidez articular e dor lombar. A sinovite de uma bainha tendínea digital produz o dedo da mão ou do pé em "salsicha". Isso pode progredir para a ossificação nos locais de inserção de tendões e ligamentos e para o desenvolvimento de esporões de calcâneo e proliferação óssea em pacientes com artrite reativa crônica. O comprometimento extra-articular inclui: conjuntivite e uveíte; disúria, dor pélvica, uretrite, balanite, cervicite, úlceras da mucosa, exantemas e outras manifestações cutâneas (p. ex., alterações ungueais semelhantes à psoríase); e doença valvar cardíaca (p. ex., insuficiência aórtica).

Artrite infecciosa

Todos os tipos de microrganismos podem se estabelecer em articulações durante a disseminação hematogênica. As estruturas articulares também podem ser infectadas por inoculação direta ou por propagação contígua a partir de um abscesso de tecido mole ou foco de osteomielite. Como a cartilagem, diferentemente do osso, tem uma capacidade regenerativa limitada, a rápida destruição articular, quando ocorre, pode levar a deformidades permanentes.

Artrite supurativa

As infecções bacterianas que causam artrite supurativa aguda normalmente penetram nas articulações por disseminação hematogênica a partir de locais distantes. Nos recém-nascidos, a disseminação contígua a partir da osteomielite epifisária subjacente é relativamente comum. A artrite por *H. influenzae* predomina em crianças com idade inferior a 2 anos. O *S. aureus* é o principal agente etiológico em crianças de mais idade e adultos, ao passo que o gonococo prevalece no final da adolescência e no início da vida adulta. Os indivíduos com doença falciforme são propensos à infecção por *Salmonella* em qualquer idade. Com exceção da artrite gonocócica, que é observada principalmente em mulheres, as infecções articulares são igualmente comuns em ambos os sexos. Os indivíduos com deficiência dos componentes do complexo de ataque à membrana do complemento (C5–C9) são particularmente suscetíveis às infecções gonocócicas disseminadas e à artrite. Outras condições predisponentes incluem imunodeficiências (congênitas e adquiridas), doença debilitante, trauma articular, artrite crônica de qualquer causa e uso de substâncias intravenosas.

A apresentação clássica consiste no súbito desenvolvimento de uma articulação agudamente dolorosa e edemaciada, com restrição da amplitude de movimento. É comum a ocorrência de febre, leucocitose e elevação da velocidade de hemossedimentação. Na infecção gonocócica disseminada, os sintomas são, com frequência, subagudos, e a infecção costuma acometer uma única articulação, mais comumente o joelho, o quadril, os ombros, os cotovelos, os punhos e a articulação esternoclavicular. O comprometimento das articulações axiais é mais frequente em usuários de substâncias. A aspiração da articulação é diagnóstica quando se obtém um líquido purulento no qual é possível identificar o microrganismo infeccioso. O reconhecimento imediato e a terapia antimicrobiana efetiva podem evitar a destruição articular.

Artrite micobacteriana

A artrite micobacteriana é uma infecção monoarticular progressiva crônica causada por *M. tuberculosis*. Ela ocorre principalmente em adultos como complicação de osteomielite adjacente ou após a disseminação hematogênica a partir de um local de infecção visceral (em geral, pulmonar). O início é insidioso e associado a uma dor gradualmente crescente. Pode haver ou não sintomas sistêmicos. A semeadura da articulação pelas micobactérias induz a formação de granulomas confluentes com necrose caseosa. A sinóvia pode crescer como *pannus* sobre a cartilagem articular e causar erosão do osso ao longo das margens articulares. A doença crônica resulta em anquilose fibrosa e obliteração do espaço articular. As articulações de sustentação do peso, particularmente quadris, joelhos e tornozelos, por ordem decrescente de frequência, são mais comumente afetadas.

Artrite viral

A artrite pode ocorrer com uma variedade de infecções virais. Os vírus mais comuns incluem alfavírus, parvovírus B19, vírus da rubéola, vírus Epstein-Barr e vírus das hepatites B e C. As manifestações variam desde artrite aguda a subaguda. Os sintomas articulares podem ser causados por infecção direta da articulação pelo vírus, como na rubéola e em algumas infecções por alfavírus, ou por uma reação autoimune desencadeada pela infecção.

Artrite de Lyme

A artrite de Lyme é causada pela espiroqueta *Borrelia burgdorferi*, que é transmitida pelo carrapato de veado do complexo *Ixodes ricinus*. Trata-se da principal doença transmitida por artrópodes nos EUA. Ocorre com mais frequência na Nova Inglaterra, nos estados do Médio Atlântico e na parte superior do Meio Oeste, porém a sua distribuição geográfica está se expandindo. Em sua forma clássica, a doença de Lyme acomete múltiplos sistemas de órgãos por meio de três fases clínicas (ver **Capítulo 8**). A infecção cutânea inicial (*estágio localizado precoce*) é seguida, dentro de alguns dias ou semanas, pela disseminação do microrganismo para outros locais da pele, nervos cranianos, coração e meninges (*estágio disseminado inicial*). Sem tratamento, ocorre artrite (*estágio disseminado tardio*) dentro de meses após a infecção.

Atualmente, a artrite ocorre em menos de 10% dos casos de infecção por *Borrelia*, visto que os indivíduos são, em sua maioria, tratados e curados em um estágio mais precoce. Todavia, sem tratamento, até 80% dos indivíduos desenvolvem artrite migratória (*artrite de Lyme*) com duração de várias semanas a meses. As grandes articulações, particularmente os joelhos, os ombros, os cotovelos e os tornozelos, por ordem decrescente de frequência, são geralmente acometidas. Os ataques iniciais duram algumas semanas a meses e, em geral, são limitados a uma ou duas articulações de cada vez. Posteriormente, pode haver desenvolvimento de artrite em novos locais. As espiroquetas são identificadas em apenas 25% dos indivíduos com artrite, porém a detecção sorológica de anticorpos anti-*Borrelia* é diagnóstica. Ao exame histológico, a sinóvia infectada apresenta sinovite crônica, hiperplasia dos sinoviócitos, deposição de fibrina, infiltrados de células mononucleares (particularmente células T CD4+) e *endarterite obliterativa*. Nos casos graves, a histopatologia simula a artrite reumatoide.

O tratamento da doença de Lyme baseia-se no uso de antibióticos ativos contra *Borrelia* e resulta em taxas de cura de 90%. Apesar da breve disponibilidade de uma vacina efetiva, ela foi retirada do mercado, em consequência de relatos negativos da mídia, cobertura apenas das espécies mais comuns da América do Norte, falta de dados de segurança em crianças e outras preocupações.

Pode haver desenvolvimento de artrite crônica refratária aos antibióticos no estágio disseminado tardio da doença de Lyme. Em muitos desses casos, a *Borrelia* não pode ser detectada no líquido articular, mesmo pela reação em cadeia pela polimerase. Alguns pesquisadores formularam a hipótese de que a artrite refratária antibiótica é uma doença autoimune desencadeada por respostas imunes à proteína A da superfície externa de *Borrelia*. A doença crônica também está associada a sintomas inespecíficos, como fadiga e queixas cognitivas, coletivamente denominados *síndrome da doença de Lyme pós-tratamento*.

Artrite induzida por cristais

Os depósitos articulares de cristais estão associados a uma variedade de distúrbios articulares agudos e crônicos. Os cristais endógenos incluem o urato monossódico (*gota*), o pirofosfato de cálcio di-hidratado (*pseudogota*) e o fosfato de cálcio básico. Os cristais exógenos, como os materiais biológicos utilizados em próteses articulares, também podem induzir artrite, à medida que se acumulam com o desgaste. Os cristais endógenos e exógenos produzem doença ao desencadear reações inflamatórias que destroem a cartilagem.

Gota

A gota caracteriza-se por ataques transitórios de artrite aguda, iniciados por cristais de urato monossódico depositados dentro e ao redor das articulações. Independentemente de a gota ser primária ou secundária a outra doença subjacente (**Tabela 26.6**), a característica comum consiste na presença de ácido úrico em excesso nos tecidos e líquidos corporais. Na forma primária (90% dos casos), a gota constitui a principal manifestação da doença; a causa é desconhecida.

Patogênese

A hiperuricemia (nível plasmático de urato acima de 6,8 mg/dℓ) é necessária, porém não suficiente para o desenvolvimento da gota. Os níveis elevados de ácido úrico podem resultar da produção excessiva, da redução da excreção ou de ambas (**Tabela 26.6**). Os níveis de ácido úrico são determinados por vários fatores:

- *Produção de ácido úrico*. A síntese de urato representa o produto do catabolismo das purinas. As próprias purinas são o produto de duas vias interligadas: a via *de novo*, em que ocorre síntese de nucleotídeos de purina a partir de precursores não purínicos, e as vias de recuperação, em que os nucleotídeos são sintetizados a partir de bases de purina livres na dieta e naquelas geradas pelo catabolismo de nucleotídeos de purina
- *Excreção de ácido úrico*. No rim, o ácido úrico é filtrado pelos glomérulos, porém é quase totalmente reabsorvido pelo túbulo proximal. A pequena fração de ácido úrico total presente na urina é o resultado da secreção no néfron distal.

A hiperuricemia assintomática aparece próximo à puberdade em indivíduos do sexo masculino e após a menopausa em mulheres. Na gota primária, a hiperuricemia é geralmente causada pela redução da excreção. O mecanismo não é conhecido, porém os estudos de associação genômica ampla identificaram polimorfismos em genes, incluindo *URAT1*, *GLUT9* e *KCNQ1*, que estão envolvidos no transporte e na homeostasia do urato e de outros íons. Uma pequena fração de casos de gota primária é causada pela superprodução de ácido úrico, devido a defeitos enzimáticos identificáveis. Por exemplo, a deficiência parcial de hipoxantina guanina fosforribosil transferase (HGPRT) interrompe a via de recuperação, de modo que os metabólitos de purina não podem ser recuperados e são degradados em ácido úrico. A ausência completa de HGPRT também resulta em hiperuricemia, porém as manifestações neurológicas significativas dessa condição (*síndrome de Lesch-Nyhan*) dominam o quadro clínico, e, portanto, ela é classificada como gota secundária. A gota secundária também pode ser causada pelo aumento da produção (p. ex., rápida lise das células durante a quimioterapia para a leucemia) ou pela diminuição da excreção (doença renal crônica).

A inflamação é desencadeada pela precipitação de cristais de urato monossódico nas articulações, resultando na produção de citocinas, que recrutam os leucócitos (**Figura 26.46**). Os macrófagos e os neutrófilos fagocitam os cristais de urato. Isso ativa o inflamassomo (ver **Capítulo 3**) e leva à secreção de citocinas, incluindo IL-1, que promovem o acúmulo de mais neutrófilos e macrófagos dentro da articulação. Assim, surge um círculo vicioso à medida que as células inflamatórias recém-recrutadas liberam

Tabela 26.6 Classificação da gota.

Categoria clínica	Produção de ácido úrico	Excreção de ácido úrico
Gota primária (90%)		
Defeitos enzimáticos desconhecidos (85 a 90%)	Normal ↑	↓ Normal
Defeitos enzimáticos conhecidos (p. ex., deficiência parcial de HGPRT)	↑	Normal
Gota secundária (10%)		
Aumento da renovação de ácido nucleico (p. ex., leucemia)	↑↑	↑
Doença renal crônica	Normal	↓
Congênita (p. ex., síndrome de Lesch-Nyhan, deficiência de HGPRT)	↑↑	↑

HGPRT, hipoxantina guanina fosforribosil transferase.

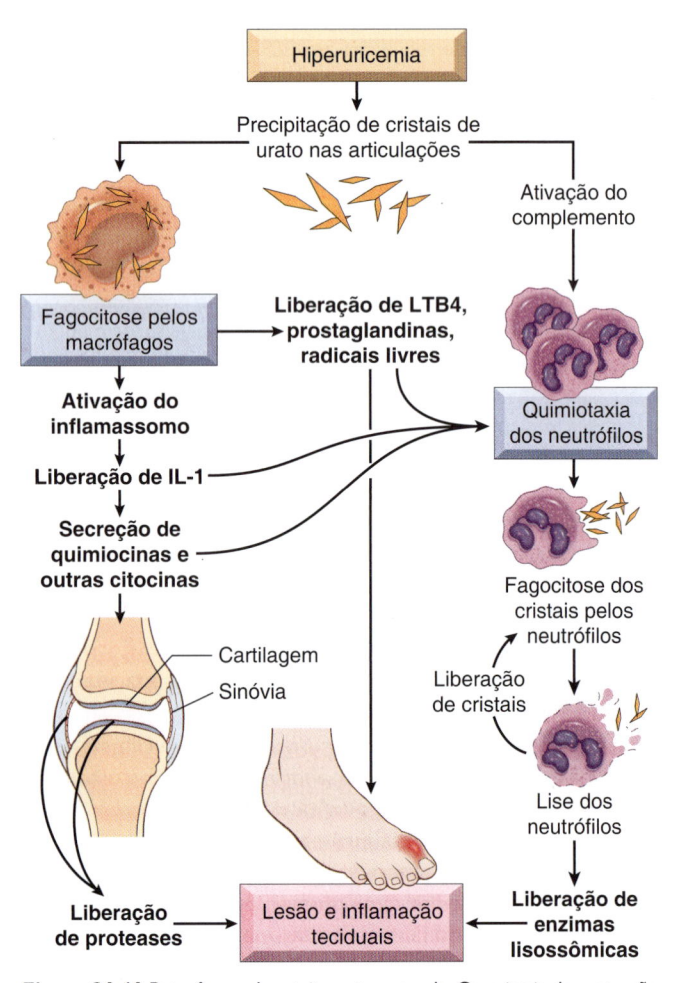

Figura 26.46 Patogênese da artrite gotosa aguda. Os cristais de urato são fagocitados pelos macrófagos e estimulam a produção de vários mediadores inflamatórios, que desencadeiam a inflamação característica da gota. Observe que a IL-1 estimula a produção de quimiocinas e de outras citocinas a partir de uma variedade de células. *LTB4*, leucotrieno B4.

citocinas, radicais livres, proteases e metabólitos do ácido araquidônico para recrutar um número ainda maior de leucócitos. A ativação do complemento pela via alternativa também pode contribuir para o recrutamento dos leucócitos. A ruptura dos fagolisossomos induzida pelos cristais de urato ingeridos pode causar a liberação adicional de proteases e mediadores inflamatórios. A artrite aguda resultante normalmente sofre remissão espontânea em dias a semanas. Os ataques repetidos de artrite aguda levam finalmente à formação de *tofos*, que consistem em agregados de cristais de urato e tecido inflamatório na membrana sinovial inflamada e tecido periarticular, bem como dano grave à cartilagem, que compromete a função articular.

Apenas cerca de 10% dos indivíduos com hiperuricemia desenvolvem gota. Outros fatores ligados à doença incluem os seguintes:

- Idade do indivíduo e duração da hiperuricemia, visto que a gota geralmente aparece depois de 20 a 30 anos de hiperuricemia
- Sexo masculino
- Predisposição genética, incluindo anormalidades do *HGPRT* ligadas ao X e gota primária, que apresenta um padrão de herança multigênica
- Consumo de álcool
- Obesidade
- Fármacos (p. ex., tiazidas) que reduzem a excreção de urato.

Morfologia

Os padrões distintos de gota são: (1) artrite aguda, (2) artrite tofácea crônica, (3) acúmulo de tofos em locais extra-articulares e (4) nefropatia por urato (gotosa).

A **artrite aguda** caracteriza-se por um infiltrado neutrofílico denso, que permeia a sinóvia e o líquido sinovial. Os cristais de urato finos e em forma de agulha estão dispostos em pequenos agrupamentos na sinóvia e, com frequência, são encontrados no citoplasma dos neutrófilos dentro do líquido articular aspirado (**Figura 26.47A**). A sinóvia edemaciada e congesta também contém linfócitos, plasmócitos e macrófagos dispersos. Ocorre remissão do ataque agudo quando o episódio de cristalização regride, e os cristais são solubilizados.

A **artrite tofácea crônica** evolui a partir da precipitação repetitiva de cristais de urato durante os ataques agudos. O urato torna-se incrustado na superfície articular e forma depósitos visíveis na sinóvia, que se torna hiperplásica, fibrótica e espessada por células inflamatórias. O *pannus* resultante destrói a cartilagem subjacente e leva a erosões ósseas justarticulares. Nos casos graves, ocorre anquilose fibrosa ou óssea, resultando em perda da função da articulação.

Os **tofos** constituem a característica patognomônica da gota. Eles são formados por grandes agregados de cristais de urato, circundados por uma reação inflamatória intensa de células gigantes de corpo estranho (**Figura 26.47B e C**). Os tofos podem aparecer na cartilagem articular, nos ligamentos, nos tendões e nas bolsas. Com menos frequência, ocorrem nas partes moles (lóbulos das orelhas, dedos das mãos) ou nos rins. Os tofos superficiais podem ulcerar através da pele sobrejacente.

A **nefropatia por urato** refere-se às complicações renais causadas por cristais de urato ou tofos no interstício medular renal ou nos túbulos. As complicações incluem nefrolitíase de ácido úrico e pielonefrite, particularmente quando ocorre obstrução urinária.

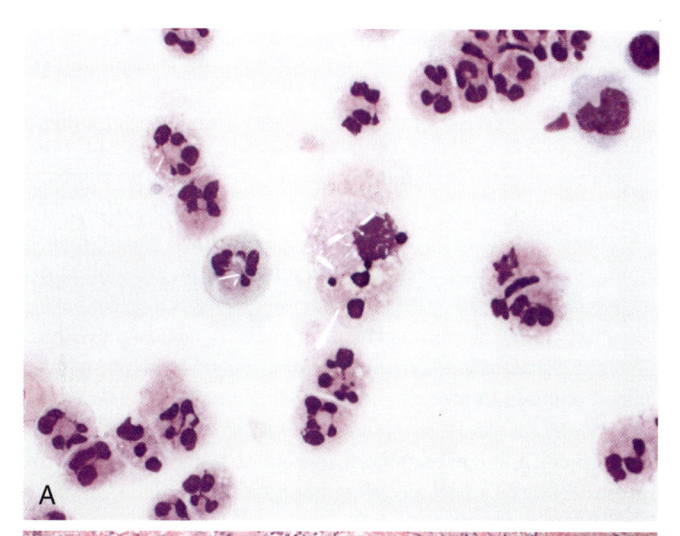

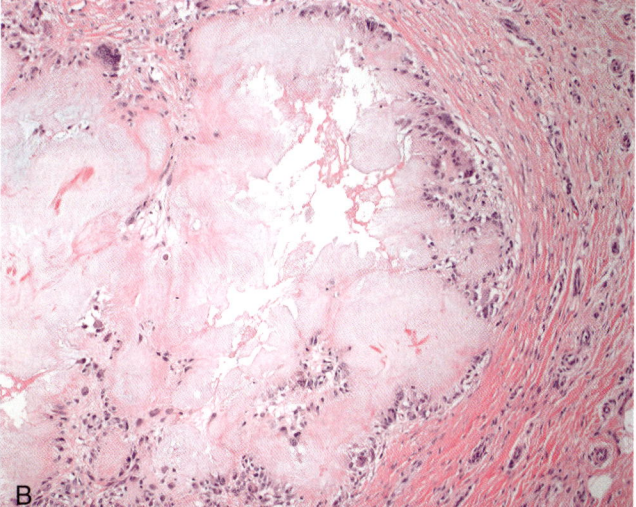

Figura 26.47 Gota. **A.** O aspirado articular da artrite gotosa aguda demonstra a presença de cristais de urato polarizáveis em forma de agulha no interior de neutrófilos. **B.** Tofo gotoso – um agregado de cristais de urato dissolvidos é circundado por fibroblastos reativos, células inflamatórias mononucleares e células gigantes. **C.** Os cristais de urato em forma de agulha são facilmente identificados sob a luz polarizada.

Características clínicas

A gota primária manifesta-se inicialmente como artrite aguda, com início súbito, dor excruciante das articulações, hiperemia e calor localizado e, em certas ocasiões, febre baixa; os sintomas constitucionais são incomuns. Os primeiros ataques são, em sua maioria, monoarticulares, e 50% ocorrem na primeira articulação metatarsofalangiana do hálux. Sem tratamento, a artrite gotosa aguda pode durar várias horas a semanas, porém, gradualmente, ocorre uma resolução completa, seguida de um intervalo assintomático, conhecido como período intercrítico. Alguns indivíduos nunca apresentam outro ataque, porém a maioria tem um segundo episódio agudo dentro de meses a alguns anos. Na ausência de tratamento adequado, os ataques sofrem recorrência a intervalos mais curtos e, com frequência, tornam-se poliarticulares, acometendo outras partes do pé e, menos comumente, o membro superior. A gota tofácea crônica desenvolve-se cerca de 10 anos após o ataque agudo inicial e caracteriza-se por erosão óssea justarticular, causada por reabsorção óssea osteoclástica e perda do espaço articular.

Os tratamentos não farmacológicos para gota incluem: modificações do estilo de vida, como perda de peso em indivíduos obesos; mudanças na dieta para reduzir a ingestão de purinas, particularmente de proteínas de animais e frutos do mar; redução do consumo de álcool e de bebidas adoçadas com açúcar; e exercício físico regular. A terapia farmacológica inclui agentes uricosúricos (p. ex., probenecida), inibidores da xantina oxidase (p. ex., alopurinol), urato oxidases (uricases), AINEs e colchicina. Por fim, a gota pode ser precipitada por fármacos que aumentam o nível sérico de uratos, administrados para comorbidades; a sua substituição por outros medicamentos alternativos pode ser útil. Em geral, a gota não encurta o tempo de vida, porém tem impacto na qualidade de vida do indivíduo.

Doença por depósito de cristais de pirofosfato de cálcio (pseudogota)

A doença por depósito de cristais de pirofosfato de cálcio (DPPC), também conhecida como *pseudogota*, ocorre normalmente em indivíduos com idade superior a 50 anos e torna-se mais comum com o aumento da idade; até 60% dos indivíduos com 85 anos ou mais são afetados. Não há predisposição por sexo ou raça. A DPPC é dividida em tipos esporádico (idiopático), hereditário e secundário. Uma variante autossômica dominante é causada por mutações de linhagem germinativa de ganho de função no gene *ANKH*, um transportador de pirofosfato inorgânico, que resulta em deposição de cristais e osteoartrite em uma idade relativamente jovem. Essas mutações são distintas daquelas associadas à displasia craniometafisária. Vários distúrbios predispõem à DPPC secundária, incluindo dano anterior à articulação, hiperparatireoidismo, hemocromatose, hipomagnesemia, hipotireoidismo, ocronose e diabetes melito.

Patogênese

A base para a formação de cristais não é conhecida; entretanto, os estudos realizados sugerem que a degradação de proteoglicanos da cartilagem articular, que normalmente inibem a mineralização, possibilita a ocorrência de cristalização em torno dos condrócitos. À semelhança da gota, a inflamação é causada pela ativação do inflamassomo nos macrófagos (ver **Figura 26.46**).

> **Morfologia**
>
> Os cristais desenvolvem-se inicialmente na cartilagem articular, nos meniscos e nos discos intervertebrais; à medida que aumentam, os depósitos podem romper-se e estabelecer-se na articulação. Os cristais formam depósitos calcários, friáveis e brancos, que são observados no exame histológico de preparações coradas como agregados ovais roxo-azulados (**Figura 26.48A**). Os cristais individuais são romboides, medem 0,5 a 5 μm em sua maior dimensão (**Figura 26.48B**) e são birrefringentes. Em geral, a inflamação é mais leve do que na gota.

Características clínicas

A DPPC é, com frequência, assintomática. Entretanto, ela pode produzir artrite aguda, subaguda ou crônica, que pode ser confundida clinicamente com osteoartrite ou artrite reumatoide. O comprometimento articular pode durar vários dias a semanas e pode ser monoarticular ou poliarticular; as articulações mais comumente afetadas são os joelhos, seguidos pelos punhos, cotovelos, ombros e tornozelos. A condrocalcinose, que consiste

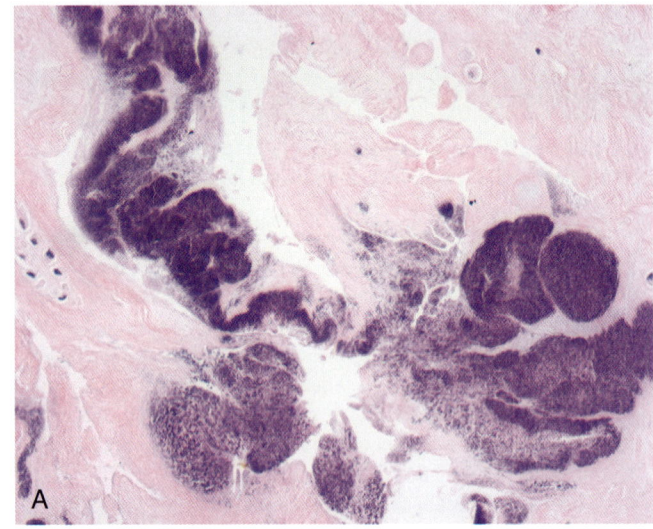

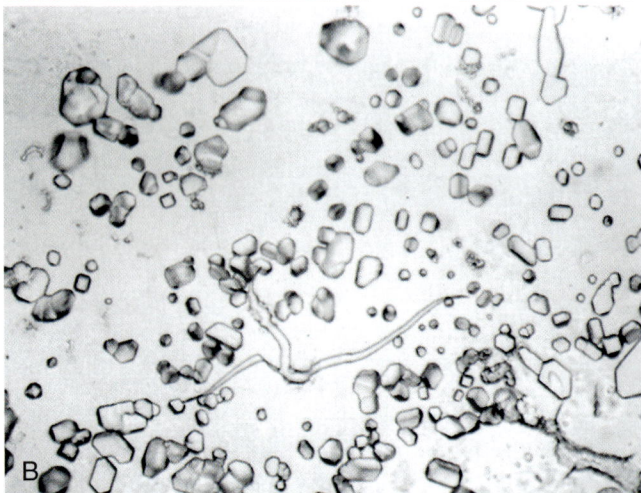

Figura 26.48 Pseudogota. **A.** Presença de depósitos na cartilagem, que consistem em material basofílico amorfo. **B.** Esfregaço de cristais de pirofosfato de cálcio.

em calcificação radiologicamente evidente da cartilagem hialina ou da fibrocartilagem, está presente com frequência, porém não é sinônimo de DPPC. Por fim, cerca de 50% dos indivíduos afetados apresentam dano articular significativo. A terapia é de suporte para minimizar os sintomas. Não existe tratamento conhecido para impedir ou retardar a formação de cristais.

> **Conceitos-chave**
>
> **Artrite**
>
> - A osteoartrite (doença articular degenerativa), a doença mais comum das articulações, é um distúrbio degenerativo da cartilagem articular, em que a degradação da matriz excede a sua síntese. A inflamação é mínima e normalmente secundária, porém as citocinas produzidas localmente podem contribuir para a progressão da degeneração articular
> - A artrite reumatoide é uma doença inflamatória autoimune crônica, que afeta principalmente as pequenas articulações, mas pode ser sistêmica. A AR é causada por uma resposta imune celular e humoral dirigida contra autoantígenos, em particular proteínas citrulinadas. O TNF desempenha um papel central, e os agentes biológicos anti-TNF mostram-se efetivos
> - As espondiloartropatias soronegativas são um grupo heterogêneo de artrites autoimunes que acometem preferencialmente a articulação sacroilíaca, as articulações vertebrais e as enteses e estão associadas ao HLA-B27. A artrite reativa é um distúrbio imunomediado incomum, que se desenvolve após a resolução de infecção geniturinária ou gastrintestinal
> - A artrite supurativa descreve a infecção direta de um espaço articular por bactérias
> - A doença de Lyme é uma infecção sistêmica causada por *B. burgdorferi*, que se manifesta, em parte, como artrite infecciosa, possivelmente com um componente autoimune nos estágios crônicos
> - A gota e a pseudogota resultam de respostas inflamatórias ao urato ou ao pirofosfato de cálcio precipitados, respectivamente.

Neoplasias das articulações e pseudotumores articulares

As lesões reativas semelhantes a neoplasias (pseudotumores), como cistos ganglionares, cistos sinoviais e corpos osteocondrais frouxos, acometem comumente as articulações e as bainhas tendíneas. Em geral, elas resultam de trauma ou de processos degenerativos e são muito mais comuns do que as neoplasias. As neoplasias primárias são raras, geralmente benignas e tendem a mimetizar as células e os tipos de tecidos (membrana sinovial, gordura, vasos sanguíneos, tecido fibroso e cartilagem) nativos das articulações e das estruturas relacionadas. As neoplasias malignas são raras e serão discutidas com as neoplasias de partes moles.

Cistos ganglionares e sinoviais

Os cistos ganglionares são pequenos (até 1,5 cm) e quase sempre estão localizados próximo a uma cápsula articular ou bainha tendínea. Uma localização comum é ao redor das articulações do punho, onde os cistos aparecem como nódulos transparentes firmes, flutuantes e do tamanho de uma ervilha. Os cistos ganglionares desenvolvem-se devido à degeneração cística ou mixoide do tecido conjuntivo; por conseguinte, a parede do cisto não apresenta revestimento celular. A lesão pode ser multilocular e pode aumentar por meio de coalescência e degeneração do tecido conjuntivo adjacente. O líquido que preenche esses cistos se assemelha ao líquido sinovial; todavia, não existe comunicação com o espaço articular. Apesar de seu nome, a lesão não tem relação com os gânglios do sistema nervoso.

A herniação da sinóvia através de uma cápsula articular ou o aumento maciço de uma bolsa sinovial (bursa) podem produzir um *cisto sinovial*. Um exemplo bem reconhecido é o cisto sinovial poplíteo, ou *cisto de Baker*, associado à artrite reumatoide. O revestimento do cisto lembra a sinóvia, e pode haver hiperplasia tanto do cisto quanto da sinóvia. Com frequência, o líquido cístico contém células inflamatórias e fibrina.

Tumor de células gigantes tenossinovial

O tumor de células gigantes tenossinovial é uma neoplasia benigna que se desenvolve no revestimento sinovial das articulações, bainhas dos tendões e bolsas sinoviais. Esse tumor pode ser difuso (anteriormente conhecido como *sinovite vilonodular pigmentada*) ou localizado. O tipo difuso tende a acometer as grandes articulações, ao passo que o tipo localizado ocorre normalmente como nódulo distinto ligado a uma bainha tendínea, em geral na mão. Ambas as variantes são diagnosticadas com mais frequência na faixa dos 20 a 40 anos e afetam ambos os sexos igualmente.

Patogênese

Os tumores de células gigantes tenossinoviais tanto difusos quanto localizados abrigam uma translocação cromossômica somática recíproca, t(1;2) (p13;q37), resultando em fusão do promotor α-3 do colágeno tipo VI a montante da sequência codificante do gene *MCSF*. Em consequência, as células neoplásicas superexpressam o M-CSF, que, por meio de efeitos autócrinos e parácrinos, estimula a proliferação de macrófagos de modo semelhante a um tumor de células gigantes do osso (descrito anteriormente).

> **Morfologia**
>
> Os tumores de células gigantes tenossinoviais são marrom-avermelhados a amarelo-alaranjados. Nas neoplasias difusas, a sinóvia normalmente lisa é convertida em um tapete emaranhado por dobras marrom-avermelhadas, projeções digitiformes e nódulos (**Figura 26.49A**); as neoplasias localizadas são bem circunscritas. As células neoplásicas, que constituem uma minoria das células na massa, são poligonais, de tamanho moderado e assemelham-se aos sinoviócitos (**Figura 26.49B**). Na variante difusa, elas propagam-se ao longo da superfície e infiltram o tecido subsinovial. Um agregado sólido pode estar ligado à sinóvia por um pedículo. Ambas as variantes, difusa e localizada, estão densamente infiltradas por macrófagos, que podem conter hemossiderina ou lipídios espumosos e ser multinucleados. As lesões mais antigas podem se tornar fibróticas.

Características clínicas

Os tumores de células gigantes tenossinoviais difusos ocorrem no joelho em 80% dos casos. Os indivíduos afetados queixam-se de dor, travamento e edema recorrente, semelhante à artrite monoarticular. Às vezes, pode-se encontrar uma massa palpável. As

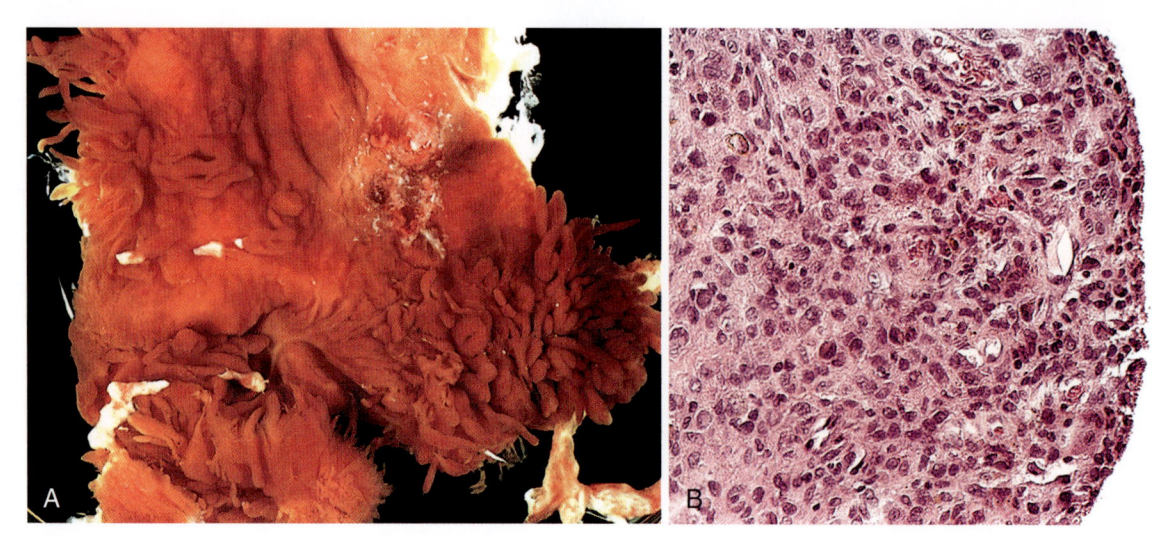

Figura 26.49 Tumor de células gigantes tenossinovial tipo difuso. **A.** Sinóvia excisada com frondes e nódulos típicos do tumor de células gigantes tenossinovial difuso. A cor e a textura explicam o antigo nome de sinovite vilonodular pigmentada. **B.** Lâminas de células em proliferação no tumor de células gigantes tenossinovial produzindo abaulamento do revestimento sinovial.

neoplasias agressivas provocam a erosão dos ossos e das partes moles adjacentes, causando confusão com outros tipos de neoplasias. A recorrência é comum. Os tumores de células gigantes tenossinoviais localizados manifestam-se como uma massa solitária, de crescimento lento e indolor, que, com frequência, acomete as bainhas tendíneas ao longo dos punhos e dos dedos das mãos. A erosão do osso e a recorrência são menos comuns do que no tipo difuso. A excisão cirúrgica constitui a base do tratamento. Os ensaios clínicos que utilizaram antagonistas da sinalização do M-CSF produziram resultados promissores.

Neoplasias de partes moles

Por convenção, o termo "partes moles" ou tecidos moles refere-se ao tecido não epitelial, excluindo-se o esqueleto, as articulações, o sistema nervoso central e os tecidos hematopoéticos e linfoides. Embora as condições não neoplásicas possam acometer as partes moles, elas raramente se limitam a esse compartimento, de modo que a área de patologia das partes moles é restrita às neoplasias. Com exceção das neoplasias do músculo esquelético, as neoplasias benignas das partes moles são cem vezes mais frequentes do que seus equivalentes malignos, os sarcomas. Nos EUA, a incidência de sarcomas de partes moles é de cerca de 12 mil por ano, o que corresponde a menos de 1% de todos os cânceres. No entanto, os sarcomas causam 2% de toda a mortalidade por câncer, o que reflete o seu comportamento agressivo e a sua resistência à quimioterapia. A maioria das neoplasias de partes moles surge nos membros, particularmente na coxa. Cerca de 15% ocorrem em crianças, e a incidência aumenta com a idade.

Patogênese

Os sarcomas são, em sua maioria, esporádicos e não apresentam causa predisponente conhecida. Uma pequena minoria está associada a mutações de linhagem germinativa em genes supressores de tumor que estão associados a síndromes bem descritas (neurofibromatose 1, síndrome de Gardner, síndrome de Li-Fraumeni, síndrome de Osler-Weber Rendu). Alguns estão ligados a exposições ambientais conhecidas, como radiação, queimaduras ou toxinas.

Diferentemente dos carcinomas e de certas neoplasias malignas hematológicas, que, com frequência, se originam a partir de lesões precursoras bem reconhecidas, os precursores dos sarcomas não foram definidos. Alguns sarcomas mimetizam uma linhagem mesenquimal reconhecível (p. ex., músculo esquelético), porém acredita-se que tenham a sua origem a partir de células-tronco mesenquimais pluripotentes, que adquirem mutações "condutoras" somáticas em oncogenes e genes supressores de tumor. A genética da tumorigênese é heterogênea, porém é possível fazer algumas generalizações com base na complexidade cariotípica:

- *Cariótipo simples* (20%): à semelhança de muitas leucemias e linfomas, os sarcomas são, em certas ocasiões, neoplasias euploides, com uma única ou com um número limitado de alterações cromossômicas (**Tabela 26.7**), que ocorrem precocemente na tumorigênese e que são específicas o suficiente para servir como marcadores diagnósticos. As neoplasias com essas características surgem mais comumente em indivíduos mais jovens e tendem a exibir uma aparência microscópica monomórfica. Os exemplos incluem o sarcoma de Ewing (descrito anteriormente) e o sarcoma sinovial. Em alguns casos, o efeito oncogênico dos rearranjos cromossômicos é razoavelmente bem compreendido (ver **Tabela 26.7**). Em outros casos, os mecanismos são desconhecidos. As proteínas de fusão oncogênicas específicas de neoplasias representam alvos potenciais para a terapia
- *Cariótipo complexo* (80%): essas neoplasias são geralmente aneuploides ou poliploides e demonstram múltiplos ganhos e perdas cromossômicos, uma característica que sugere uma anormalidade subjacente capaz de produzir instabilidade genômica. Os exemplos incluem os leiomiossarcomas e o sarcoma pleomórfico indiferenciado. Essas neoplasias são mais comuns em adultos e tendem a ser microscopicamente diversas, com uma variedade de tamanhos e formatos de células dentro de uma única neoplasia (i. e., pleomórficas).

Tabela 26.7 Anormalidades cromossômicas em neoplasias de partes moles.

Neoplasia	Anormalidade citogenética	Fusão de genes	Função proposta
Sarcoma de Ewing	t(11;22)(q24;q12) t(21;22)(q22;q12)	EWS–FLI1 EWS–ERG	Proteína desordenada com múltiplas funções, incluindo transcrição aberrante, regulação do ciclo celular, *splicing* do RNA e telomerase
Condrossarcoma mixoide extraesquelético	t(9;22)(q22;q12)	EWS–CHN	
Neoplasia desmoplásica de células pequenas e redondas	t(11;22)(p13;q12)	EWS–WT1	
Sarcoma de células claras	t(12;22)(q13;q12)	EWS–ATF1	
Lipossarcoma – tipo mixoide	t(12;16)(q13;p11)	FUS–DDIT3	Parada da diferenciação dos adipócitos
Sarcoma sinovial	t(X;18)(p11;q11)	SS18–SSX1 SS18–SSX2 SS18–SSX4	Fatores de transcrição quiméricos; interrupção do controle do ciclo celular
Rabdomiossarcoma – tipo alveolar	t(2;13)(q35;q14) t(1;13)(p36;q14)	PAX3–FOXO1 PAX7–FOXO1	Fatores de transcrição quiméricos; afeta a diferenciação do músculo esquelético
Dermatofibrossarcoma *protuberans*	t(17;22)(q22;q15)	COLA1–PDGFB	Superexpressão do PDG-β impulsionada por promotor; estimulação autócrina
Sarcoma alveolar de partes moles	t(X;17)(p11.2;q25)	TFE3–ASPL	Desconhecida
Fibrossarcoma infantil	t(12;15)(p13;q23)	ETV6–NTRK3	A tirosinoquinase quimérica leva à via Ras/MAPK constitutivamente ativa
Fasciite nodular	t(22;17)	MYH9–USP6	Aumento da sinalização de Wnt/β-catenina

A classificação das neoplasias de partes moles continua evoluindo à medida que são identificadas novas anormalidades genéticas moleculares. Do ponto de vista clínico, as neoplasias de partes moles variam desde lesões autolimitantes e benignas, que exigem tratamento mínimo, passando por neoplasias de grau intermediário e localmente agressivas, com risco metastático limitado, até neoplasias malignas altamente agressivas, com risco metastático e mortalidade significativos. Todas as neoplasias malignas altamente agressivas são classificadas como *sarcomas*, porém esse termo é utilizado de maneira menos consistente entre neoplasias localmente agressivas sem metástase. A classificação patológica integra a morfologia (p. ex., diferenciação muscular), a imuno-histoquímica e o diagnóstico molecular (**Tabela 26.8**). Além do diagnóstico acurado, o grau diferenciação e o estágio (tamanho e profundidade) constituem indicadores prognósticos importantes. Na seção seguinte, são discutidas as neoplasias representativas de partes moles.

Neoplasias do tecido adiposo

Lipoma

O lipoma, uma neoplasia benigna da gordura, é a neoplasia de partes moles mais comum em adultos. O lipoma convencional é o subtipo mais comum, a partir do qual variantes raras são distinguidas, de acordo com seus aspectos morfológicos e genéticos característicos.

Morfologia

O lipoma convencional é uma massa bem encapsulada de adipócitos maduros. Em geral, ele surge no tecido subcutâneo da parte proximal dos membros e do tronco durante a fase intermediária da vida adulta. Raramente, os lipomas são grandes, intramusculares e pouco circunscritos. A **lipomatose** ocorre quando lipomas multifocais acometem um membro. Os lipomas são, em sua maioria, moles, móveis e indolores e são curados por excisão simples.

Lipossarcoma

Os lipossarcomas, neoplasias malignas do tecido adiposo, constituem os sarcomas mais comuns da vida adulta. Normalmente, essas neoplasias desenvolvem-se nas partes moles profundas da parte proximal dos membros e do retroperitônio de indivíduos na sexta e sétima décadas de vida.

Patogênese

Os três subtipos distintos de lipossarcoma – bem diferenciado, mixoide e pleomórfico – apresentam diferentes aberrações genéticas. Os lipossarcomas bem diferenciados abrigam amplificações da região cromossômica 12q13–q15, que inclui o inibidor de p53, *MDM2*. No lipossarcoma mixoide, o gene de fusão gerado por uma translocação t(12;16) interrompe a diferenciação dos adipócitos, levando à proliferação desregulada das células primitivas. Os lipossarcomas pleomórficos têm cariótipos complexos, sem anormalidades genéticas reproduzíveis.

Morfologia

Os lipossarcomas são histologicamente divididos em subtipos **bem diferenciado**, **mixoide** e **pleomórfico**. Os lipossarcomas bem diferenciados são compostos de adipócitos maduros, com células fusiformes atípicas dispersas (**Figura 26.50A**). O lipossarcoma mixoide, por sua vez, caracteriza-se por uma matriz extracelular basofílica abundante, capilares arborizantes e células

Tabela 26.8 Características clínicas das neoplasias de partes moles.

Categoria	Comportamento	Tipo de neoplasia	Locais comuns	Idade (anos)	Morfologia
Adiposa	Benigno	Lipoma	Localização superficial nos membros, tronco	40 a 60	Tecido adiposo maduro
	Maligno	Lipossarcoma bem diferenciado	Localização profunda nos membros, retroperitônio	50 a 60	Tecido adiposo com células fusiformes atípicas dispersas
		Lipossarcoma mixoide	Coxa, perna	Faixa dos 30	Matriz mixoide, vasos em "rede de galinheiro", células redondas, lipoblastos
Fibrosa	Benigno	Fasciite nodular	Braço, antebraço	20 a 30	Crescimento em cultura de tecido, eritrócitos extravasados
		Fibromatose profunda	Parede abdominal	30 a 40	Colágeno denso, fascículos unidirecionais longos
Músculo esquelético	Benigno	Rabdomioma	Cabeça e pescoço	0 a 60	Rabdomioblastos poligonais, células em "aranha"
	Maligno	Rabdomiossarcoma alveolar	Membros, seios da face	5 a 15	Células redondas uniformes não coesas entre os septos
		Rabdomiossarcoma embrionário	Trato geniturinário	1 a 5	Células fusiformes primitivas em "alça"
Músculo liso	Benigno	Leiomioma	Membros	Faixa dos 20	Células eosinofílicas roliças e uniformes em fascículos
	Maligno	Leiomiossarcoma	Coxa, retroperitônio	40 a 60	Células eosinofílicas pleomórficas
Vascular	Benigno	Hemangioma	Cabeça e pescoço	0 a 10	Massa circunscrita de canais capilares ou venosos
	Maligno	Angiossarcoma	Pele, parte profunda dos membros inferiores	50 a 80	Canais capilares infiltrantes
Bainha nervosa	Benigno	Schwannoma	Cabeça e pescoço	20 a 50	Encapsulado, estroma fibrilar, paliçada nuclear
		Neurofibroma	Amplo, cutâneo, subcutâneo	10 a 20+	Mixoide, colágeno viscoso, fascículos frouxos, mastócitos
	Maligno	Neoplasia maligna da bainha do nervo periférico	Membros, cintura escapular	20 a 50	Fascículos densos, atipia, atividade mitótica, necrose
Histotipo incerto	Benigno	Tumor fibroso solitário	Pelve, pleura	20 a 70	Vasos ectásicos ramificados
	Maligno	Sarcoma sinovial	Coxa, perna	15 a 40	Fascículos densos de células fusiformes basofílicas uniformes, estruturas pseudoglandulares
		Sarcoma pleomórfico indiferenciado	Coxa	40 a 70	Células poligonais, redondas ou fusiformes anaplásicas de alto grau, núcleos bizarros, mitoses atípicas, necrose

primitivas em vários estágios de diferenciação dos adipócitos, lembrando a gordura fetal (**Figura 26.50B**). Por fim, os lipossarcomas pleomórficos caracterizam-se por lâminas de células anaplásicas, com núcleos bizarros misturados com um número variável de adipócitos imaturos, denominados lipoblastos.

Características clínicas

Os lipossarcomas sofrem recorrência local e, com frequência, de forma repetida, a não ser que sejam adequadamente excisados. As neoplasias bem diferenciadas podem ser indolentes, ao passo que os lipossarcomas pleomórficos são agressivos e, com frequência, produzem metástases; o comportamento das neoplasias mixoides é intermediário entre esses extremos.

Neoplasias fibrosas

Fasciite nodular

A fasciite nodular é uma proliferação fibroblástica e miofibroblástica autolimitante que ocorre em adultos jovens. As neoplasias ocorrem, com mais frequência, no antebraço, tórax e dorso, e crescem rapidamente no decorrer de várias semanas a meses. Devido à história de trauma em 10 a 50% dos casos, essa lesão era anteriormente considerada uma lesão reativa. Todavia, trata-se de uma proliferação clonal, que abriga uma translocação t(17;22) que produz uma fusão *MYH9-USP6*. O defeito que impede a transformação maligna das células neoplásicas não foi definido. Entretanto, é interessante assinalar que o cisto ósseo aneurismático,

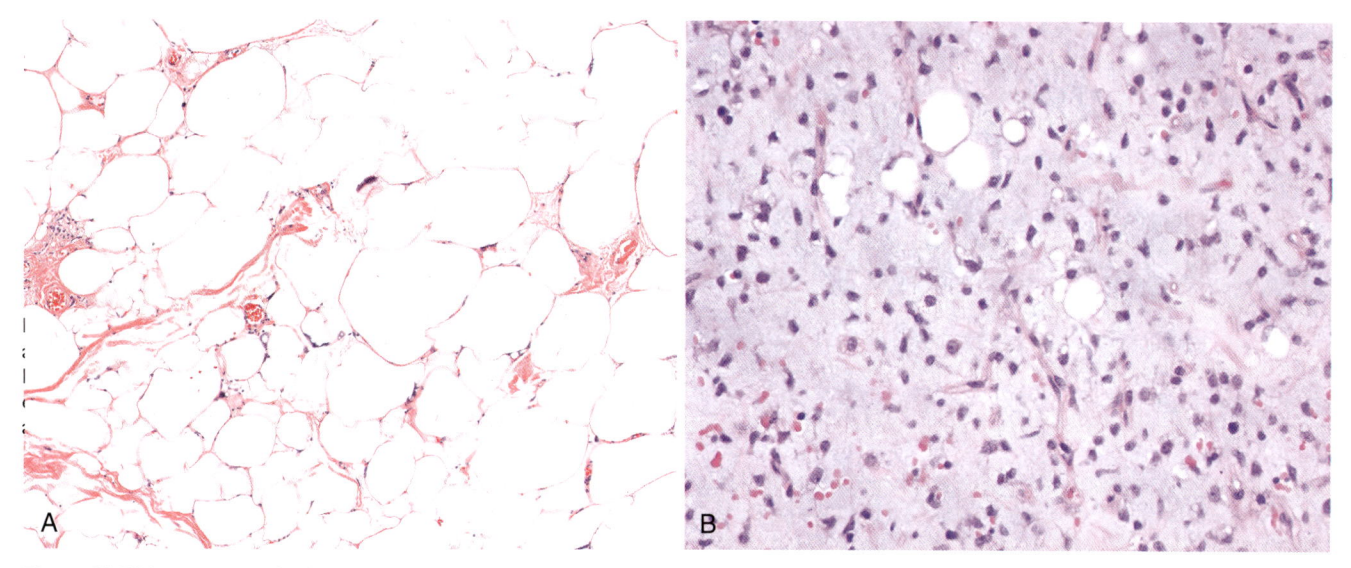

Figura 26.50 Lipossarcoma. **A.** O subtipo bem diferenciado consiste em adipócitos maduros e células fusiformes dispersas com núcleos hipercromáticos. **B.** Lipossarcoma mixoide com substância fundamental basofílica abundante e uma rica rede capilar com adipócitos imaturos dispersos e células redondas a estreladas mais primitivas.

uma neoplasia benigna anteriormente considerada reativa, também contém um gene de fusão *USP6*, embora com parceiros diferentes do *MYH9*. Em geral, a fasciite nodular regride de modo espontâneo e, se for excisada, raramente recorre.

Morfologia

A fasciite nodular surge na derme profunda, no tecido subcutâneo, na fáscia ou no músculo. Ao exame macroscópico, as lesões não encapsuladas são bem circunscritas ou ligeiramente infiltrativas e medem menos de 3 cm de diâmetro. Histologicamente, a fasciite nodular é composta de fibroblastos e miofibroblastos arredondados e de aspecto imaturo, contendo núcleos alongados com nucléolos pontilhados. As mitoses são frequentes, porém as formas atípicas estão notavelmente ausentes (**Figura 26.51**). Um gradiente, denominado zonação, passa de regiões hipercelulares com estroma mixoide para a área hipocelular de estroma fibroso. Os padrões estoriforme ou fascicular são comuns nas áreas celulares. É comum a observação de osso metaplásico, áreas císticas, células de tipo ganglionar, vasos proeminentes, eritrócitos extravasados e linfócitos infiltrativos.

Fibromatoses

Fibromatose superficial

A fibromatose superficial é uma proliferação benigna que pode causar deformidade local, mas que apresenta uma evolução clínica inócua. Ela afeta mais frequentemente os homens do que as mulheres. Essas lesões proliferativas nodulares são compostas de células fusiformes roliças, dispostas em feixes largos e pouco definidos, ou longos fascículos circundados por colágeno denso abundante. Os subtipos clínicos incluem a contratura de Dupuytren, a doença de Ledderhose e a doença de Peyronie:

- A *contratura de Dupuytren*, ou *fibromatose palmar*, é um espessamento irregular ou nodular da fáscia palmar, que pode ser unilateral ou bilateral. A incidência aumenta com a idade. A fixação à pele sobrejacente pode causar enrugamento ou depressão e contratura de flexão lentamente progressiva
- A *doença de Ledderhose*, ou *fibromatose plantar*, ocorre em meninos a partir dos 10 anos até a adolescência. Ela é unilateral e não provoca contraturas, porém pode estar associada à fibromatose palmar e peniana
- A *doença de Peyronie*, ou *fibromatose peniana*, é um endurecimento ou massa palpável na face dorsolateral do pênis. Eventualmente, ela pode causar uma curvatura anormal do corpo do pênis e a constrição da uretra.

As fibromatoses palmar e plantar progridem em cerca de 50% dos casos. O restante se estabiliza e não progride; alguns casos apresentam resolução espontânea. Entretanto, a recorrência é comum, mesmo após a excisão.

Fibromatose profunda (tumores desmoides)

As fibromatoses profundas, também denominadas tumores desmoides, consistem em grandes massas infiltrativas, que, em

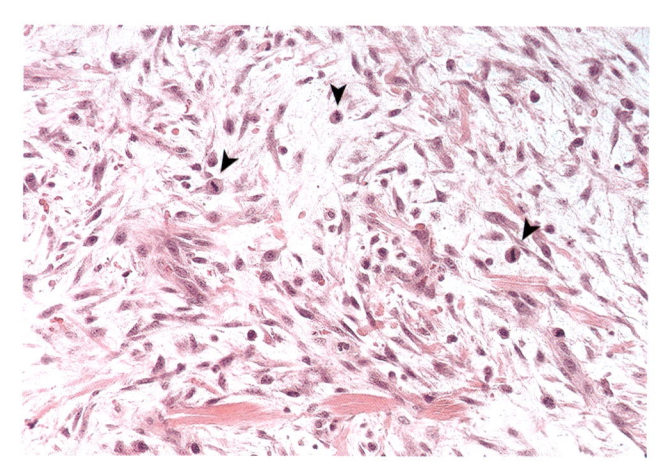

Figura 26.51 Fasciite nodular com células fusiformes roliças aleatoriamente orientadas, circundadas por estroma mixoide. Observe a atividade mitótica (*cabeças de seta*) e os eritrócitos extravasados.

geral, sofrem recorrência, mas não metastizam. Com mais frequência, ocorrem na adolescência até a faixa dos 30 anos, afetando predominantemente mulheres. Em geral, a fibromatose abdominal surge nas estruturas musculoaponeuróticas da parede anterior do abdome, porém essas neoplasias também podem aparecer nos cíngulos dos membros ou no mesentério. As fibromatoses profundas contêm mutações nos genes *APC* ou *CTNNB1* (β-catenina), ambos os quais levam ao aumento da sinalização de Wnt. A maioria das neoplasias abriga mutações esporádicas do *CTNNB1*, porém os indivíduos com polipose adenomatosa familiar, que apresentam mutações de linhagem germinativa em *APC*, têm predisposição à fibromatose profunda (síndrome de Gardner; ver **Capítulo 17**).

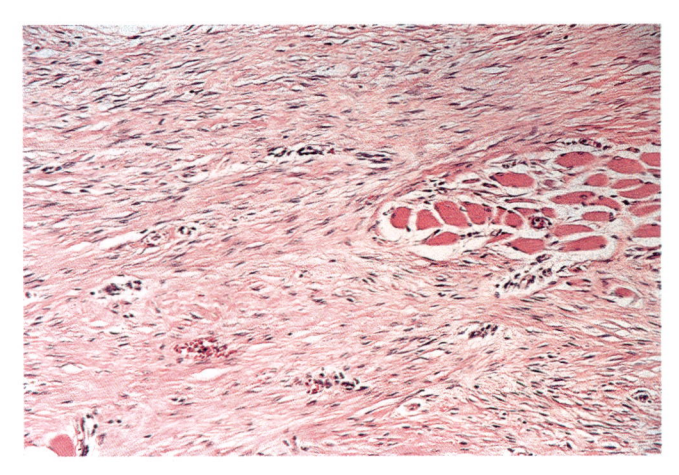

Figura 26.52 Fibromatose profunda infiltrando o músculo esquelético.

Morfologia

As fibromatoses são massas branco-acinzentadas, firmes e mal delimitadas, que variam de 1 a 15 cm de diâmetro. Elas são elásticas e resistentes e infiltram o músculo, os nervos e a gordura circundantes. Os fibroblastos benignos, organizados em longos fascículos paralelos entre o colágeno denso, são característicos (**Figura 26.52**). A aparência histológica resultante pode assemelhar-se a uma cicatriz.

Características clínicas

Além da possibilidade de ser desfigurante ou incapacitante, a fibromatose de localização profunda pode ser dolorosa. Em virtude da sua natureza infiltrativa, pode ser difícil efetuar uma excisão completa da fibromatose profunda. Esforços recentes concentraram-se na terapia clínica ou na radioterapia como alternativas à cirurgia.

Neoplasias do músculo esquelético

Diferentemente das neoplasias de outros tipos celulares, as neoplasias do músculo esquelético são quase todas malignas. A variante benigna, o rabdomioma, está frequentemente associada à esclerose tuberosa (ver **Capítulo 28**).

Rabdomiossarcoma

O rabdomiossarcoma é uma neoplasia maligna mesenquimal, com diferenciação musculoesquelética. São reconhecidos quatro tipos de rabdomiossarcoma: alveolar (20%), embrionário (50%), pleomórfico (20%) e de células fusiformes/esclerosante (10%). Os subtipos alveolar e embrionário constituem os sarcomas de partes moles mais comuns da infância e da adolescência, surgindo geralmente antes dos 20 anos. O rabdomiossarcoma pleomórfico ocorre em adultos, ao passo que o tipo de células fusiformes/esclerosante afeta todas as idades. Os rabdomiossarcomas pediátricos surgem, com frequência, nos seios nasais, na cabeça e no pescoço e no trato geniturinário; esses locais normalmente não contêm muito músculo esquelético, o que ressalta a hipótese de que os sarcomas não se originam a partir de células maduras de diferenciação terminal. O rabdomiossarcoma alveolar frequentemente contém fusões do gene *FOXO1* com *PAX3* ou *PAX7*, devido às translocações t(2;13) ou t(1;13), respectivamente. O PAX3 é um fator de transcrição que inicia a diferenciação do músculo esquelético; a proteína de fusão quimérica PAX3-FOXO1 interfere na diferenciação, um mecanismo semelhante a muitas das proteínas de fusão de fatores de transcrição encontradas na leucemia aguda. Os subtipos restantes de rabdomiossarcoma são geneticamente heterogêneos.

Morfologia

O **rabdomiossarcoma embrionário** é uma massa infiltrativa, mole e acinzentada. As células neoplásicas assemelham-se ao músculo esquelético em vários estágios de diferenciação e incluem lâminas de células redondas e fusiformes primitivas no estroma mixoide (**Figura 26.53A**). Pode-se observar a presença de rabdomioblastos com estriações transversais visíveis. O **sarcoma botrioide** (ver **Capítulo 22**) é uma variante do rabdomiossarcoma embrionário que se desenvolve nas paredes de estruturas ocas revestidas por mucosa, como a nasofaringe, o ducto colédoco, a bexiga e a vagina.

O **rabdomiossarcoma alveolar** é atravessado por uma rede de septos fibrosos, que dividem as células em agrupamentos ou agregados, criando uma semelhança grosseira com os alvéolos pulmonares. As células no centro dos agregados são apenas minimamente coesivas, ao passo que as que se encontram na periferia aderem aos septos. As células neoplásicas são uniformes e redondas, com pouco citoplasma. As estriações transversais são incomuns (**Figura 26.53B**).

O **rabdomiossarcoma pleomórfico** é composto de grandes células neoplásicas eosinofílicas bizarras e, às vezes, multinucleadas, que podem se sobrepor histologicamente com outros sarcomas pleomórficos. Em geral, a imuno-histoquímica (p. ex., coloração para a miogenina) é necessária para confirmar a diferenciação rabdomioblástica.

Os **rabdomiossarcomas de células fusiformes/esclerosantes** consistem em células fusiformes com cromatina vesicular organizada em longos fascículos ou em um padrão estoriforme. Em certas ocasiões, verifica-se a presença de rabdomioblastos. Nos adultos, a presença de estroma denso, colagenoso e esclerótico pode ser mais comum.

Características clínicas

Os rabdomiossarcomas são agressivos e, em geral, são tratados por meio de ressecção cirúrgica e quimioterapia, com ou sem radioterapia. O tipo histológico e a localização da neoplasia estão correlacionados com a sobrevida; o sarcoma botrioide tem o prognóstico mais favorável, ao passo que o rabdomiossarcoma pleomórfico é com frequência fatal.

Neoplasias do músculo liso

Leiomioma

Os leiomiomas, neoplasias benignas do músculo liso, surgem frequentemente no útero e representam a neoplasia mais comum em mulheres (ver **Capítulo 22**). Dependendo de seu número, tamanho e localização, os leiomiomas podem causar uma variedade de sintomas, incluindo infertilidade e menorragia. Os *leiomiomas pilares* surgem a partir dos músculos eretores dos pelos cutâneos e, raramente, desenvolvem-se em partes moles profundas ou no trato gastrintestinal. Uma mutação de linhagem germinativa de perda de função no gene da fumarato hidratase no cromossomo 1q42.3 leva a múltiplos leiomiomas cutâneos, leiomiomas uterinos e carcinoma de células renais. A fumarato hidratase é uma enzima do ciclo de Krebs, e essa associação fornece outro exemplo da ligação existente entre anormalidades metabólicas e neoplasias.

Em geral, os leiomiomas de partes moles medem 1 a 2 cm e são compostos de fascículos de células fusiformes densamente eosinofílicas, que, com frequência, cruzam entre si, formando ângulos retos. As células neoplásicas apresentam núcleos alongados e de extremidades arredondadas, com atipia mínima e poucas figuras de mitose. As lesões solitárias são curadas com facilidade. Todavia, as neoplasias múltiplas podem ser tão numerosas a ponto de tornar a sua remoção cirúrgica impraticável.

Leiomiossarcoma

O leiomiossarcoma, uma neoplasia maligna do músculo liso, desenvolve-se com mais frequência nas partes moles profundas dos membros e no retroperitônio. Ele responde por 10 a 20% dos sarcomas de partes moles. Os leiomiossarcomas ocorrem em adultos e acometem mais frequentemente as mulheres do que os homens. Uma forma particularmente letal origina-se dos grandes vasos, com frequência da veia cava inferior. Os leiomiossarcomas apresentam defeitos subjacentes na estabilidade genômica, levando a genótipos complexos.

> **Morfologia**
>
> Os leiomiossarcomas apresentam-se como massas firmes e indolores. As neoplasias retroperitoneais podem ser grandes e volumosas e causar sintomas abdominais. Ao exame histológico, eles consistem em células fusiformes eosinofílicas, com núcleos hipercromáticos com extremidades arredondadas, dispostos em fascículos entrelaçados. A detecção imuno-histoquímica das proteínas do músculo liso, incluindo actina, desmina e caldesmona, pode ajudar no diagnóstico.

Características clínicas

O tratamento do leiomiossarcoma depende de seu tamanho, localização e grau. Os leiomiossarcomas superficiais ou cutâneos são geralmente pequenos e apresentam um bom prognóstico, ao passo que os que acometem o retroperitônio são grandes, muitas vezes não ressecáveis e, com frequência, fatais, em consequência de sua extensão local e disseminação metastática, particularmente para os pulmões.

Neoplasias de origem incerta

Embora muitas neoplasias de partes moles possam ser atribuídas a tipos histológicos reconhecíveis, uma grande proporção não se assemelha a qualquer linhagem mesenquimal conhecida. Esse grupo inclui tumores com cariótipos simples ou complexos; aqui, descreve-se um exemplo de cada tipo.

Sarcoma sinovial

Os primeiros casos descritos de sarcoma sinovial surgiram em partes moles, próximo à articulação do joelho, e levaram a especular a existência de uma relação com a sinóvia. Essa hipótese demonstrou ser equivocada, visto que **o sarcoma sinovial pode ocorrer em locais que não têm sinóvia, e suas características morfológicas são inconsistentes com a origem a partir dos sinoviócitos.** Os sarcomas sinoviais são responsáveis por cerca de 10% de todos

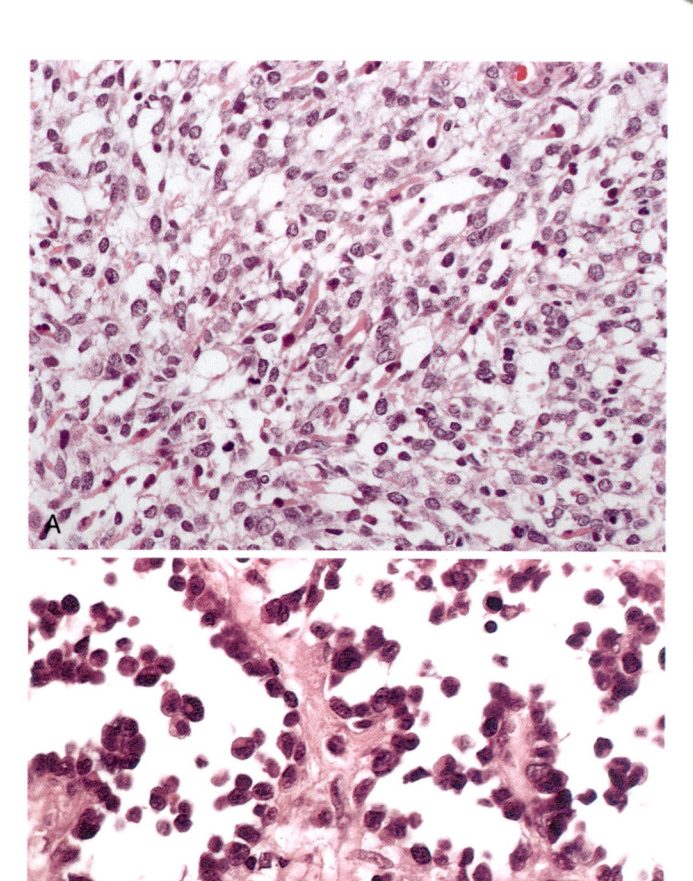

Figura 26.53 Rabdomiossarcoma. **A.** Subtipo embrionário, composto de células malignas que variam desde primitivas e redondas até densamente eosinofílicas, com diferenciação musculoesquelética. **B.** Rabdomiossarcoma alveolar com numerosos espaços revestidos por células neoplásicas redondas, uniformes e não coesivas.

os sarcomas de partes moles e normalmente afetam pessoas na faixa dos 20 a 40 anos. Com frequência, os pacientes apresentam uma massa de localização profunda, que já está presente há vários anos. Na maioria dos sarcomas sinoviais, há uma translocação cromossômica característica t(X;18) (p11;q11), que produz a fusão do gene *SS18* com um dos três genes *SSX*. As fusões codificam proteínas quiméricas, que interferem na remodelagem normal da cromatina, o reposicionamento dos nucleossomos na cromatina que influencia a expressão gênica.

Morfologia

Os sarcomas sinoviais podem ser monofásicos ou bifásicos. Os sarcomas sinoviais monofásicos consistem em células fusiformes uniformes, com citoplasma escasso e cromatina densa, organizada em fascículos curtos e densamente acondicionados. O tipo bifásico também contém estruturas semelhantes a glândulas, compostas de células epitelioides cuboides a colunares (**Figura 26.54**). A imuno-histoquímica é útil, visto que as células neoplásicas, particularmente no tipo bifásico, são positivas para antígenos epiteliais (p. ex., queratinas), diferenciando-o, assim, da maioria dos outros sarcomas.

Características clínicas

Os sarcomas sinoviais são tratados de modo agressivo com cirurgia de preservação de membro e quimioterapia. A sobrevida em 5 anos varia de 25 a 62% e está relacionada com o estágio da neoplasia e a idade do paciente. Os locais comuns de metástases incluem o pulmão e, raramente para os sarcomas, os linfonodos regionais.

Sarcoma pleomórfico indiferenciado

Os sarcomas pleomórficos indiferenciados incluem neoplasias malignas mesenquimais com células pleomórficas de alto grau, que não podem ser classificados em outra categoria por histomorfologia, imunofenotipagem e genética. A maioria surge nas partes moles profundas dos membros, particularmente na coxa de adultos de meia-idade ou de idade mais avançada. Os sarcomas pleomórficos indiferenciados são, em sua maioria, aneuploides, com múltiplas alterações cromossômicas estruturais e numéricas.

Morfologia

Em geral, os sarcomas pleomórficos indiferenciados são grandes massas carnosas branco-acinzentadas, que podem crescer até 20 cm, dependendo do compartimento anatômico. É comum a ocorrência de necrose e hemorragia. Ao exame microscópico, essas neoplasias são extremamente pleomórficas e compostas de lâminas de grandes células fusiformes a poligonais anaplásicas, com núcleos hipercromáticos irregulares e, às vezes, bizarros (**Figura 26.55**). As figuras de mitose, incluindo formas assimétricas atípicas, são abundantes. Por definição, as células neoplásicas são indiferenciadas, não apresentando qualquer característica de linhagens reconhecidas e de defeitos genéticos característicos.

Características clínicas

Os sarcomas pleomórficos indiferenciados são neoplasias malignas agressivas tratadas com cirurgia e quimioterapia adjuvante e/ou radioterapia. Apesar disso, o prognóstico é geralmente sombrio. Ocorrem metástases em 30 a 50% dos casos.

Conceitos-chave

Neoplasias de partes moles

- As neoplasias de partes moles são lesões mesenquimais malignas, que são distintas das neoplasias epiteliais, esqueléticas, do sistema nervoso central e dos tecidos hematopoéticos ou linfoides
- As neoplasias de partes moles provavelmente se originam a partir de células-tronco mesenquimais pluripotentes, em vez de células maduras
- As neoplasias que se assemelham a um tecido mesenquimal maduro (p. ex., músculo liso) podem ser subdivididas em formas benignas e malignas

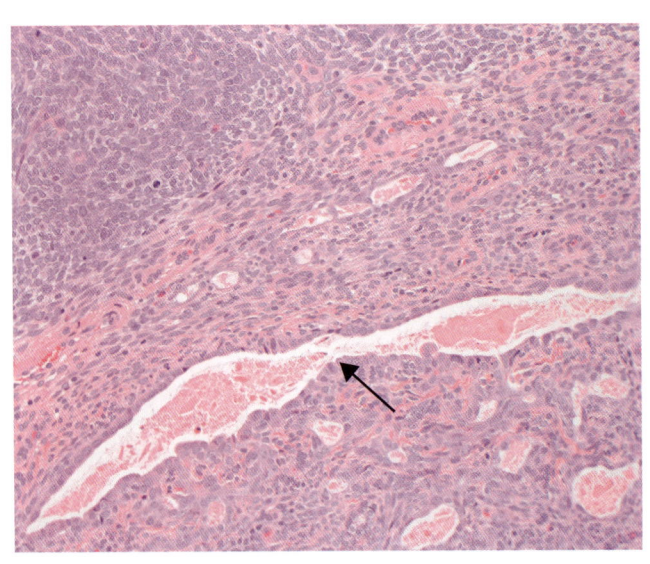

Figura 26.54 Sarcoma sinovial revelando a célula fusiforme bifásica clássica e a aparência histológica semelhante a glândulas (*seta*).

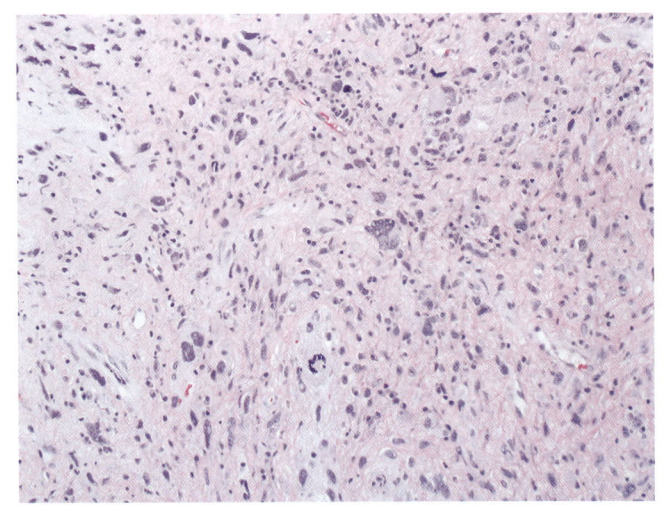

Figura 26.55 Sarcoma pleomórfico indiferenciado revelando células anaplásicas fusiformes a poligonais.

- Algumas neoplasias são compostas de células para as quais não existe um equivalente normal (p. ex., sarcoma sinovial e sarcoma pleomórfico indiferenciado)
- Os sarcomas com cariótipo simples demonstram anormalidades cromossômicas e moleculares reproduzíveis, que contribuem para a patogênese e têm utilidade diagnóstica
- Os sarcomas de adultos são, em sua maioria, geneticamente heterogêneos, com cariótipos complexos, histologicamente pleomórficos e associados a um prognóstico sombrio.

Agradecimento

Somos gratos ao doutor Andrew Rosenberg pela sua preciosa contribuição nas edições anteriores deste capítulo.

LEITURA SUGERIDA

Estrutura básica e biologia do osso
Florencio-Silva R, Sasso GR, Sasso-Cerri E et al: Biology of bone tissue: structure, function, and factors that influence bone cells, Biomed Res Int 2015:421746, 2015. [Revisão recente da biologia das células ósseas].

Kogianni G, Noble BS: The biology of osteocytes, Curr Osteoporos Rep 5:81–86, 2007. [Boa revisão da base celular do remodelamento ósseo].

Zaidi M: Skeletal remodeling in health and disease, Nat Med 13:791–801, 2007. [Excelente revisão da genética e fisiopatologia das doenças esqueléticas].

Displasias esqueléticas
Krakow D, Rimoin DL: The skeletal dysplasias, Genet Med 12:327–341, 2010. [Resumo abrangente das displasias com uma tabela de resumo bastante útil].

Van Dijk FS, Sillence DO: Osteogenesis imperfecta: clinical diagnosis, nomenclature and severity assessment, Am J Med Genet A 164A(6):1470–1481, 2014. [Visão geral da classificação atual da osteogênese imperfeita].

Osteoporose
Black DM, Rosen CJ: Clinical practice. Postmenopausal osteoporosis, N Engl J Med 374(3):254–262, 2016. doi:10.1056/NEJMcp1513724. Review. Erratum in: N Engl J Med.;374(18):1797. [Recente revisão da osteoporose pós-menopausa].

Styrkarsdottir U, Halldorsson BV, Gretarsdottir S et al: Multiple genetic loci for bone mineral density and fractures, N Engl J Med 358:2355–2365, 2008. [Artigo seminal que elucida as vias moleculares subjacentes à osteoporose].

Hiperparatireoidismo
Silva BC, Bilezikian JP: Parathyroid hormone: anabolic and catabolic actions on the skeleton, Curr Opin Pharmacol 22:41–50, 2015. [Bom resumo dos efeitos do hormônio da paratireoide no metabolismo do cálcio e do osso].

Doença de Paget
Cundy T: Paget's disease of bone, Metabolism 80:5–14, 2018. [Atualização recente da patologia, epidemiologia e biologia da doença de Paget].

Paul Tuck S, Layfield R, Walker J et al: Adult Paget's disease of bone: a review, Rheumatology (Oxford) 56(12):2050–2059, 2017. [Atualização recente da contribuição genética à doença de Paget].

Osteonecrose
Seamon J, Keller T et al: The pathogenesis of nontraumatic osteonecrosis, Arthritis 2012. 601763. [Resumo dos desenvolvimentos recentes sobre a fisiopatologia da osteonecrose da cabeça femoral].

Osteossarcoma
Gianferante DM, Mirabello L, Savage SA: Germline and somatic genetics of osteosarcoma – connecting aetiology, biology and therapy, Nat Rev Endocrinol 13(8):480–491, 2017. [Revisão concisa sobre a biologia do osteosarcoma].

Klein MJ, Siegal GP: Osteosarcoma: anatomic and histologic variants, Am J Clin Pathol 125:555–581, 2006. [Atualização recente da classificação do osteosarcoma].

Neoplasias condrogênicas
Bovee JV, Hogendoorn PC, Wunder JS et al: Cartilage tumours and bone development: molecular pathology and possible therapeutic targets, Nat Rev Cancer 10:481–488, 2010. [Boa revisão das anormalidades genéticas conhecidas dos tumores de cartilagem].

Pansuriya TC, van Eijk R, d'Adamo P et al: Somatic mosaic IDH1 and IDH2 mutations are associated with enchondroma and spindle cell hemangioma in Ollier disease and Maffucci syndrome, Nat Genet 43:1256–1261, 2011. [Artigo seminal identificando mutações em IDH nos tumores hereditários de cartilagem].

Wuyts W, Van Hul W: Molecular basis of multiple exostoses: mutations in the EXT1 and EXT2 genes, Hum Mutat 15:220–227, 2000. [Discussão da base genética da síndrome de osteocondroma múltiplo].

Sarcoma de Ewing
Cidre-Aranaz F, Alonso J: EWS/FLI1 target genes and therapeutic opportunities in Ewing sarcoma, Front Oncol 5:162, 2015. [Revisão dos alvos da proteína de fusão EWSR1-FLI1 e as implicações terapêuticas].

Tumor de células gigantes do osso
Wu PF, Tang JY, Li KH: RANK pathway in giant cell tumor of bone: pathogenesis and therapeutic aspects, Tumour Biol 36(2):495–501, 2015. [Revisão recente das interações RANK-RANKL na patogênese dos tumores de células gigantes].

Cisto ósseo aneurismático
Oliveira AM, Chou MM: The TRE17/USP6 oncogene: a riddle wrapped in a mystery inside an enigma, Front Biosci (Schol Ed) 4:321–334, 2012. [Excelente revisão do rearranjo genético clonal USP6 em vários tumores mesenquimais autolimitados].

Displasia fibrosa
Riminucci M, Robey PG, Saggio I et al: Skeletal progenitors and the GNAS gene: fibrous dysplasia of bone read through stem cells, J Mol Endocrinol 45:355–364, 2010. [Excelente discussão de como uma mutação pode afetar as células progenitoras esqueléticas e causar a expressão clínica da displasia fibrosa].

Osteoartrite
Goldring MB, Goldring SR: Articular cartilage and subchondral bone in the pathogenesis of osteoarthritis, Ann N Y Acad Sci 1192:230–237, 2010. [Apresentação sucinta e cuidadosa do papel das estruturas articulares no desenvolvimento da osteoartrite].

Artrite reumatoide e condições relacionadas
Deane KD, El-Gabalawy H: Pathogenesis and prevention of rheumatic disease: focus on preclinical RA and SLE, Nat Rev Rheumatol 10:212–228, 2014. [Atualização recente e bem ilustrada sobre a patogênese da artrite reumatoide e do LES].

Scott DL, Wolfe F, Huizinga TW: Rheumatoid arthritis, Lancet 376:1094–1108, 2011. [Revisão da patogênese e tratamento da artrite reumatoide].

Taurog JD, Chhabra A, Colbert RA et al: Ankylosing spondylitis and axial spondyloarthritis, N Engl J Med 374:2563–2574, 2016. [Revisão recente do diagnóstico, classificação e tratamento da espondiloartrite].

van Heemst J, Jansen DT et al: Crossreactivity to vinculin and microbes provides a molecular basis for HLA-based protection against rheumatoid arthritis, Nat Commun 6:6681, 2015. [Descrição da relação entre autoimunidade, alelos de HLA e microrganismos].

Doença de Lyme
Steere AC, Strle F, Wormser GP et al: Lyme borreliosis, Nat Rev Dis Primers 2:16090, 2016. [Revisão recente, abrangente e bem ilustrada da doença de Lyme].

Gota e pseudogota
Dalbeth N, Merriman TR, Stamp LK: Gout, Lancet 388(10055):2039–2052, 2016. [Revisão abrangente dos aspectos clínicos, patológicos e patofisiológicos da gota].

Tumor de células gigantes tenossinovial
Moller E, Mandahl N, Mertens F et al: Molecular identification of COL6A-3-CSF1 fusion transcripts in tenosynovial giant cell tumors, Genes Chromosomes Cancer 47:21–25, 2008. [Artigo seminal identificando o rearranjo cromossomal clonal no tumor tenossinovial de células gigantes].

Sarcoma de partes moles

Antonescu CR, Dal Cin P: Promiscuous genes involved in recurrent chromosomal translocations in soft tissue tumours, *Pathology* 46:105–112, 2014. [*Excelente revisão da especificidade (ou ausência dela) de defeitos genéticos em tumores de tecidos moles*].

Barretina J, Taylor BB, Bnaerji S et al: Subtype-specific genomic alterations define new targets for soft-tissue sarcoma therapy, *Nat Genet* 42:715–721, 2010. [*Estudo extensivo das alterações moleculares em sarcomas de tecidos moles como alvos terapêuticos*].

Nervos Periféricos e Músculos Esqueléticos

CAPÍTULO 27

Peter Pytel • Douglas C. Anthony

SUMÁRIO DO CAPÍTULO

Doenças dos nervos periféricos, 1269
Tipos gerais de lesão do nervo periférico, 1270
Neuropatias axonais, 1270
Neuropatias desmielinizantes, 1272
Neuronopatias, 1272
Padrões anatômicos das neuropatias periféricas, 1272
Neuropatias periféricas específicas, 1272
Neuropatias inflamatórias, 1272
Neuropatias infecciosas, 1274
Neuropatias metabólicas, hormonais e nutricionais, 1275
Neuropatias tóxicas, 1275
Neuropatias associadas a doenças malignas, 1276
Neuropatias causadas por forças físicas, 1276
Neuropatias periféricas hereditárias, 1276

Doenças da junção neuromuscular, 1277
Doenças mediadas por anticorpos da junção neuromuscular, 1278
Miastenia gravis, 1278
Síndrome miastênica de Lambert-Eaton, 1278
Síndromes miastênicas congênitas, 1278
Distúrbios causados por toxinas, 1279

Doenças do músculo esquelético, 1279
Atrofia do músculo esquelético, 1279
Alterações neurogênicas e miopáticas do músculo esquelético, 1279
Miopatias inflamatórias, 1280
Dermatomiosite, 1280
Miopatia necrosante imunomediada, 1282
Polimiosite, 1282
Miosite por corpúsculos de inclusão, 1282
Miopatias tóxicas, 1283

Doenças hereditárias do músculo esquelético, 1283
Distrofias musculares, 1284
Doenças do metabolismo de lipídios ou de glicogênio, 1287
Miopatias mitocondriais, 1287
Atrofia muscular espinal e diagnóstico diferencial de um recém-nascido hipotônico, 1288
Miopatias do canal iônico (canalopatias), 1288

Tumores da bainha do nervo periférico, 1289
Schwannomas, 1290
Neurofibromas, 1291
Tumores malignos da bainha do nervo periférico, 1291
Neurofibromatose tipos 1 e 2, 1292
Neurofibromatose tipo 1, 1292
Neurofibromatose tipo 2, 1292

As doenças neuromusculares são um grupo complexo de distúrbios que normalmente se apresentam com fraqueza, dor muscular ou déficits sensitivos que podem ser herdados ou adquiridos. Essas doenças podem ser agrupadas de acordo com a anatomia, forma como cursam e patogênese. Os médicos mantêm todas essas características em mente ao avaliar um paciente com sintomas neuromusculares. Este capítulo usa uma abordagem anatômica, agrupando distúrbios neuromusculares naqueles que afetam sobretudo os nervos periféricos, a junção neuromuscular ou os músculos esqueléticos. Uma discussão sobre neoplasias que surgem de nervos periféricos encerra o capítulo. Condições que podem produzir sintomas clínicos semelhantes, mas são causadas por distúrbios do sistema nervoso central (SNC), são discutidos no **Capítulo 28**.

Doenças dos nervos periféricos

Os dois componentes dos nervos periféricos envolvidos na transmissão de impulsos são axônios e bainhas de mielina produzidas pelas células de Schwann. Lesões em quaisquer desses componentes podem resultar em uma neuropatia periférica. Antes de discutir a patologia desses distúrbios, uma breve revisão da estrutura e função dos nervos periféricos é necessária. A *função motora somática* é realizada pela unidade motora, que consiste em (1) um neurônio motor inferior localizado no corno anterior da coluna vertebral ou no tronco cerebral; (2) um axônio que viaja em um nervo até um alvo; (3) as junções neuromusculares; e (4) miofibrilas múltiplas inervadas (fibras musculares). A *função sensitiva somática* depende de (1) terminações nervosas distais, que podem conter estruturas especializadas que servem para registrar modalidades sensitivas específicas; (2) um segmento axonal distal que viaja como parte de um nervo periférico ao gânglio da raiz dorsal; e (3) um segmento axonal proximal que faz sinapses em neurônios da coluna vertebral ou do tronco cerebral. As *fibras nervosas autônomicas*, que transmitem todas as funções sensitivas e motoras viscerais, estão em maior número que as fibras somáticas no sistema nervoso periférico, embora os sinais e sintomas relacionados ao seu envolvimento sejam geralmente características não proeminentes de neuropatias periféricas, com poucas exceções importantes (p. ex., em alguns casos de neuropatia diabética, discutida mais adiante).

Sensações específicas (dor, temperatura, toque) e sinais motores são transmitidos por axônios que podem ser distinguidos, em parte, com base em seu diâmetro. Os diâmetros axonais, por sua vez, se correlacionam com a espessura de suas bainhas de mielina e com suas velocidades de condução:

- As *fibras finas amielínicas* medeiam funções autonômicas, bem como certas sensações de dor e temperatura, e têm as velocidades de condução mais lentas devido à ausência de mielina e pequeno diâmetro axonal
- Os *axônios de grande diâmetro* com bainhas de mielina espessas transmitem toques leves e sinais motores, e têm velocidade de condução rápida.

No caso de axônios mielinizados, células de Schwann individuais fazem exatamente uma bainha de mielina que envolve um único axônio para criar um segmento mielinizado denominado *internodo*. Os internodos são separados por espaços não mielinizados referidos como *nódulos de Ranvier*, que são uniformemente espaçados ao longo do comprimento do axônio. Uma série de proteínas especializadas é essencial para a montagem e função normais da mielina dentro do internodo (**Figura 27.1**). Os axônios amielínicos também estão intimamente associados às células de Schwann, mas em um arranjo diferente em que uma célula envolve segmentos de múltiplos axônios.

A maioria dos nervos periféricos desempenha funções motoras e sensitivas e, portanto, contém axônios com mielina de vários diâmetros e espessuras. **Os axônios são agrupados por três componentes principais do tecido conjuntivo: o epineuro, que envolve todo o nervo; o perineuro, uma bainha de tecido conjuntivo concêntrico organizado em várias camadas que agrupa subconjuntos de axônios em fascículos; e o endoneuro, que circunda fibras nervosas individuais.**

Tipos gerais de lesão do nervo periférico

Neuropatias axonais

Os axônios são os principais alvos do dano neste grande grupo de neuropatias periféricas (Figura 27.2). As marcas morfológicas das neuropatias axonais podem ser produzidas experimentalmente cortando um nervo periférico, o que resulta em um padrão prototípico de lesão descrito como *degeneração walleriana*. Porções dos axônios distais ao ponto de transecção são desconectados dos corpos celulares (*pericário*) e degeneram. Dentro de um dia, os axônios distais começam a se fragmentar, as bainhas de mielina associadas se desfazem (**Figura 27.3**) e se desintegram em estruturas esféricas (*ovoides de mielina*). Macrófagos são recrutados e participam da remoção de restos axonais e de mielina. A regeneração começa no local da transecção com a formação de um cone de crescimento e a expansão de novos ramos a partir do coto proximal do axônio. As células de Schwann e suas membranas basais associadas guiam os axônios em brotamento, que crescem cerca de 1 mm por dia, em direção ao seu alvo distal. A poda contínua dos axônios em brotamento remove os ramos mal orientados. As células de Schwann criam nova bainha de mielina ao redor dos axônios em regeneração, mas os internodos de mielina tendem a ser mais finos e curtos do que os originais. A regeneração é bem-sucedida apenas se as duas extremidades seccionadas permanecerem muito próximas. Uma falha dos axônios em crescimento para encontrar seu alvo distal pode produzir um "pseudotumor" denominado *neuroma traumático* – uma proliferação não neoplásica aleatória de processos axonais e associados às células de Schwann que resulta em um nódulo doloroso (**Figura 27.4**).

As alterações observadas em decorrência da transecção experimental de nervos se assemelham apenas parcialmente àquelas vistas em várias neuropatias axonais. Uma diferença fundamental é que, nestas neuropatias (ao contrário da transecção do nervo), o dano ocorre durante um período de tempo prolongado. Como resultado, axônios em degeneração e regeneração coexistem em uma única biopsia. Com o tempo, o dano tende a superar o reparo, resultando em perda progressiva de axônios. Em casos de agressões

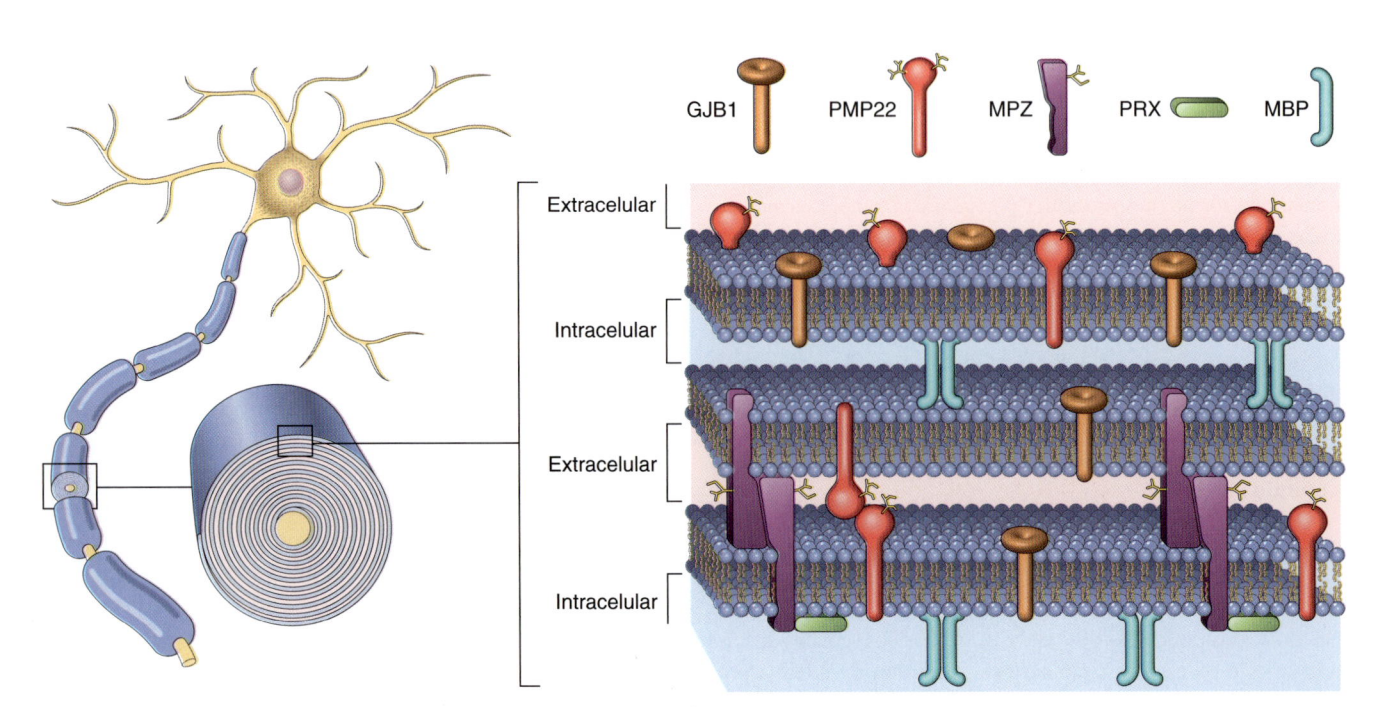

Figura 27.1 Relação entre as bicamadas lipídicas e as proteínas associadas na mielina dentro dos internodos. A proteína básica da mielina (*MBP*) é uma proteína intracelular que desempenha um papel na compactação da mielina. Formas mutantes de proteína zero de mielina (*MPZ*), proteína de mielina periférica 22 (*PMP22*), proteína da *gap junction* beta 1 (*GJB1*) e periaxina (*PRX*) causam algumas formas da doença de Charcot-Marie-Tooth, uma neuropatia desmielinizante hereditária.

Capítulo 27   Nervos Periféricos e Músculos Esqueléticos   1271

Neurônios

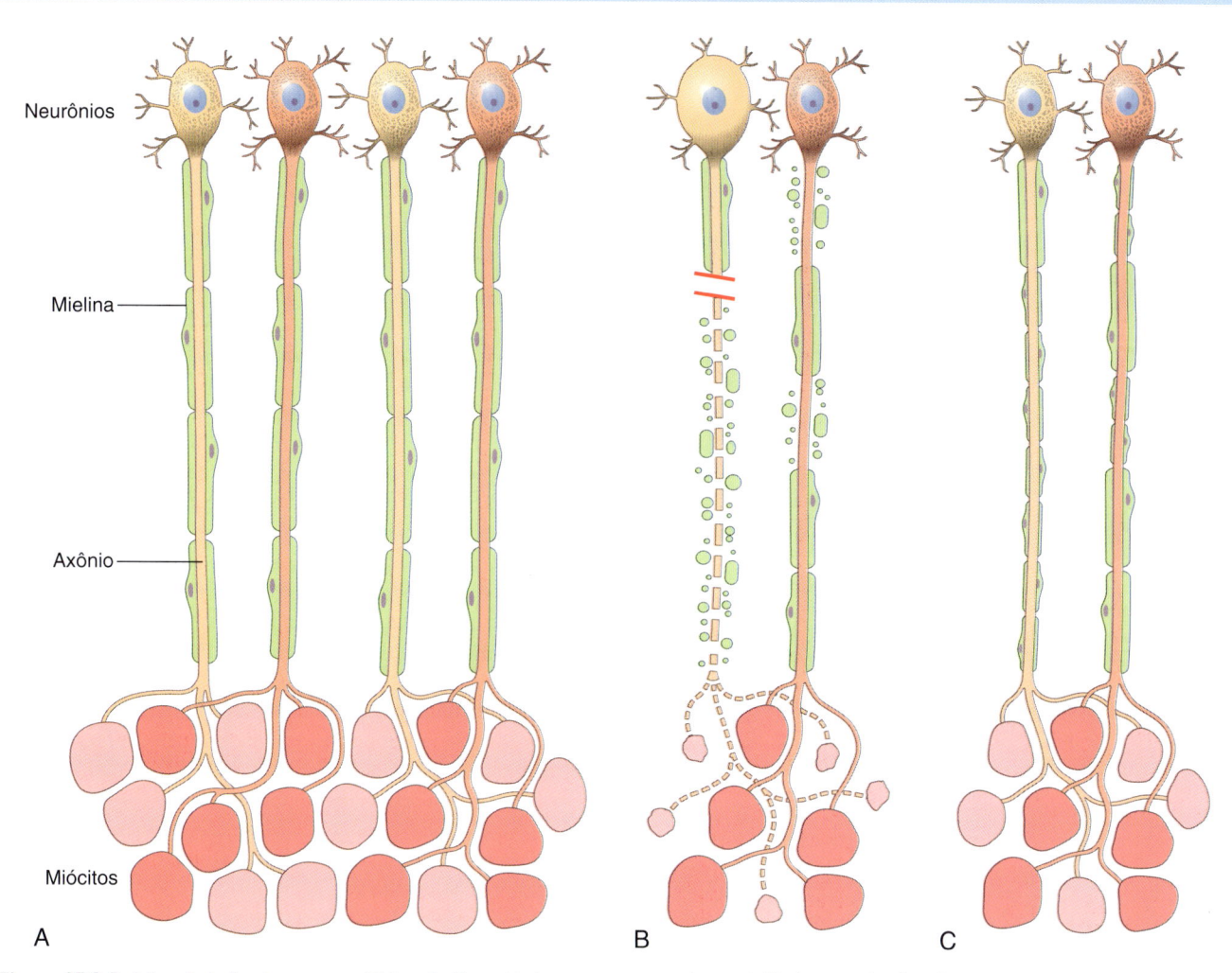

Mielina

Axônio

Miócitos

A   B   C

Figura 27.2 Padrões de lesão do nervo periférico. **A.** Em unidades motoras normais, as miofibrilas tipos I e II estão dispostas em uma distribuição de "tabuleiro de xadrez" e os internodos ao longo dos axônios motores são uniformes em espessura e comprimento. **B.** A lesão axonal aguda (*axônio esquerdo*) resulta na degeneração do axônio distal e de sua bainha de mielina associada, com atrofia das miofibrilas desnervadas. Em contraste, a doença desmielinizante aguda (*axônio direito*) produz degeneração segmentar aleatória de internodos individuais de mielina, enquanto os axônios são poupados. **C.** A regeneração dos axônios após a lesão (*axônio esquerdo*) permite a reinervação das miofibrilas. O axônio regenerado é mielinizado por células de Schwann em proliferação, mas os novos internodos são mais curtos e as bainhas de mielina são mais finas que as originais. A remissão da doença desmielinizante (*axônio direito*) permite que a remielinização ocorra, mas os novos internodos são mais curtos e têm bainhas de mielina mais finas do que os internodos flanqueadores normais não danificados. Ver **Figura 27.7** para comparação com a reinervação.

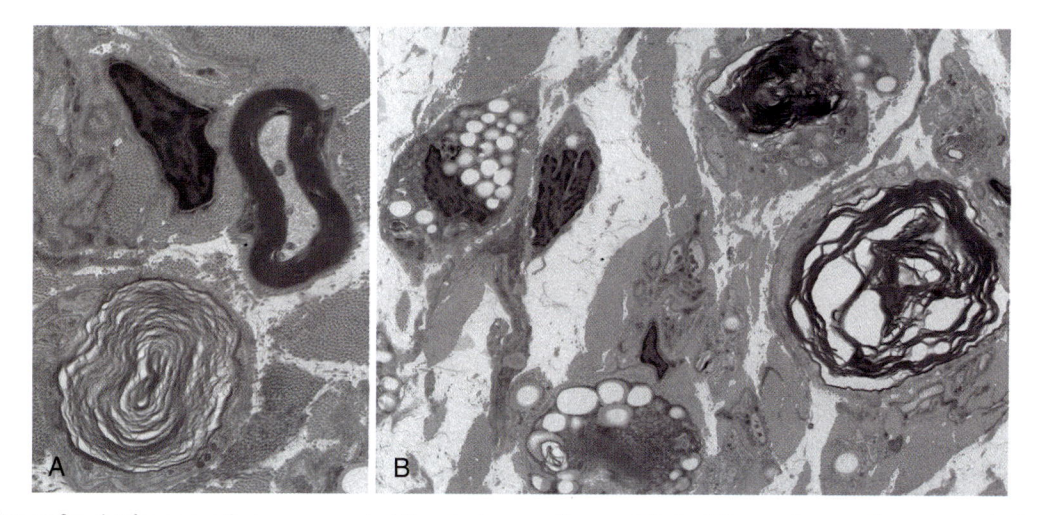

Figura 27.3 Micrografias eletrônicas que ilustram as características da degeneração axonal. **A.** A mielina em degeneração, com camadas frouxas de mielina, é observada no axônio em degeneração no canto inferior esquerdo, em contraste com uma bainha de mielina normal com mielina fortemente compactada e axônio intacto no canto superior direito. **B.** Além de uma bainha de mielina se desfazendo, várias células contêm gotículas de lipídios (vistas como vacúolos) derivadas da mielina em degeneração.

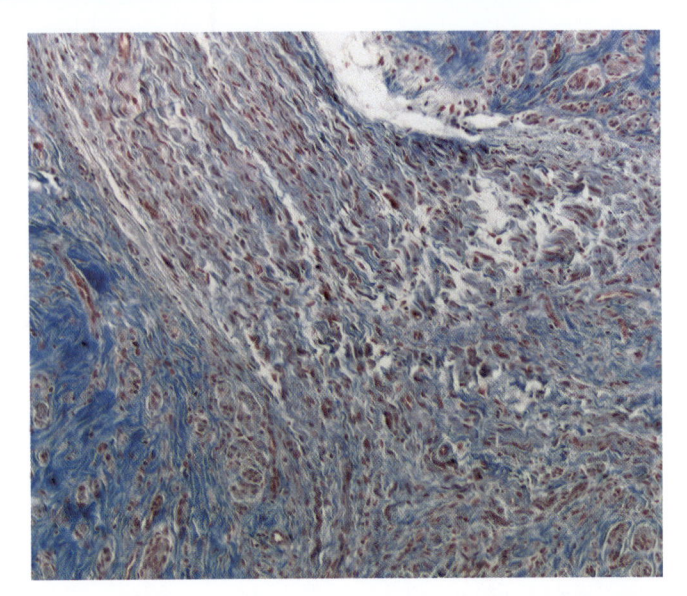

Figura 27.4 Corte de um neuroma traumático, corado com tricrômico, mostrando a transição do nervo normal contendo um arranjo paralelo de axônios (*canto superior esquerdo*) para um redemoinho aleatório de axônios, corados em vermelho, associados a uma mistura de células de Schwann e tecido conjuntivo, corado de azul.

tóxicas e metabólicas, os axônios muitas vezes degeneram de uma forma dependente do comprimento, com o os axônios mais longos sendo os mais suscetíveis, resultando em um padrão de progressão do tipo "*morte retrógrada*" (*dying-back*). A marca eletrofisiológica das neuropatias axonais é uma redução na amplitude do sinal devido à perda (*dropout*) de axônios dos nervos periféricos afetados, com preservação relativa da velocidade de condução.

Neuropatias desmielinizantes

Nesses distúrbios, as células de Schwann com suas bainhas de mielina são os alvos primários de dano (**Figura 27.2**), enquanto os axônios são relativamente preservados. Essa definição é semelhante àquelas das doenças desmielinizantes que afetam o SNC (ver **Capítulo 28**). As bainhas de mielina individuais degeneram em um padrão aparentemente aleatório, resultando em dano descontínuo dos segmentos de mielina. Em resposta a esse dano, as células de Schwann ou os precursores das células de Schwann proliferam e iniciam o reparo com a formação de novas bainhas de mielina, mas estes tendem novamente a ser mais curtos e finos do que os originais. A marca eletrofisiológica das neuropatias desmielinizantes é a diminuição da velocidade de condução nervosa, refletindo a perda de mielina.

Neuronopatias

As neuronopatias resultam da destruição de neurônios, levando à degeneração secundária de processos axonais. Infecções como herpes-zóster e toxinas como compostos de platina são exemplos de agressões que podem levar a neuronopatias. Como o dano ocorre no nível do corpo celular neuronal, a disfunção dos nervos periféricos causada pelas neuronopatias provavelmente afeta de maneira semelhante as partes proximais e distais do corpo (ao contrário das axonopatias periféricas, que afetam sobretudo as extremidades distais).

Padrões anatômicos das neuropatias periféricas

As neuropatias periféricas podem ser separadas em vários grupos de acordo com a distribuição anatômica do envolvimento e os déficits neurológicos associados. Essa abordagem pode ser clinicamente útil, já que cada padrão tem um conjunto diferente de potenciais causas subjacentes. Esses padrões anatômicos de lesão são os seguintes:

- As *mononeuropatias* afetam um único nervo e resultam em déficits restritos de distribuição ditados pela anatomia do nervo. Trauma, compressão (aprisionamento) e infecções são causas comuns de mononeuropatia
- As *polineuropatias* são caracterizadas pelo envolvimento de múltiplos nervos, geralmente de forma simétrica. Na maioria dos casos, os axônios são afetados de maneira dependente do comprimento, levando a déficits que começam nos pés e se estendem de forma ascendente com a progressão da doença. O envolvimento das mãos muitas vezes começa à medida que os déficits se estendem até o nível de o joelho, resultando em uma distribuição característica de déficits sensitivos do tipo "meia e luva"
- A *mononeurite múltipla* descreve um quadro clínico de dano a nervos individuais de forma aleatória. O paciente afetado pode ter uma queda do punho direito por envolvimento do nervo radial direito e uma queda do pé esquerdo de lesão do nervo fibular. Vasculite é uma causa comum desse padrão de lesão
- As *polirradiculoneuropatias* afetam as raízes nervosas, bem como nervos periféricos, levando a sintomas simétricos difusos nas partes proximais e distais do corpo.

Neuropatias periféricas específicas

Pacientes com neuropatia periférica frequentemente se queixam de dormência, sensações dolorosas que lembram "alfinetes e agulhas" e fraqueza, mais frequentemente nas porções distais das extremidades. Muitos tipos de processos clínicos podem causar danos aos nervos periféricos, como doenças inflamatórias, infecções, alterações metabólicas, lesão tóxica, trauma, doença paraneoplásica e defeitos genéticos hereditários.

Neuropatias inflamatórias

Síndrome de Guillain-Barré (polineuropatia desmielinizante inflamatória aguda)

A síndrome de Guillain-Barré é uma neuropatia periférica desmielinizante imunologicamente mediada que pode levar a uma paralisia respiratória com risco de vida. A incidência anual geral é de aproximadamente 1 caso a cada 100 mil pessoas. A doença é caracterizada clinicamente por fraqueza começando nos membros distais, que avança rapidamente para afetar a função muscular proximal ("paralisia ascendente"). As características histológicas são inflamação e desmielinização das raízes nervosas espinais e nervos periféricos (radiculoneuropatia).

Patogênese

Na maioria dos casos, a síndrome de Guillain-Barré é considerada uma neuropatia desmielinizante imunomediada de início agudo. Aproximadamente dois terços dos casos são precedidos por um quadro agudo de doença semelhante à influenza da qual o indivíduo afetado se recuperou no momento em que a neuropatia se torna sintomática. Infecções por *Campylobacter jejuni*, citomegalovírus, vírus Epstein-Barr e *Mycoplasma pneumoniae*, bem como vacinação prévia têm associações epidemiológicas significativas com a síndrome de Guillain-Barré. Nenhum agente infeccioso foi demonstrado nos nervos afetados e uma reação imunológica é considerada como sendo a causa subjacente. Uma doença inflamatória semelhante pode ser reproduzida em animais experimentais pela imunização com uma proteína da mielina do nervo periférico. Uma resposta imune mediada por células T se segue, acompanhada pela desmielinização segmentar induzida pelas ações de macrófagos ativados. A transferência destas células T para um animal *naive* resulta em lesões comparáveis. Além disso, os linfócitos de indivíduos com síndrome de Guillain-Barré produzem desmielinização em culturas teciduais de fibras nervosas mielinizadas. Anticorpos circulantes que reagem de forma cruzada com componentes dos nervos periféricos também podem desempenhar um papel.

Morfologia

O achado dominante nas seções coradas com hematoxilina e eosina é a **inflamação dos nervos periféricos**, manifestada como infiltração perivenular e endoneural por linfócitos, macrófagos, e alguns plasmócitos. A desmielinização segmentar que afeta nervos periféricos é a lesão mais proeminente, mas danos aos axônios também são vistos, sobretudo quando a doença é grave. A microscopia eletrônica identificou um efeito precoce nas bainhas de mielina. Os processos citoplasmáticos dos macrófagos penetram na membrana basal das células de Schwann, particularmente na vizinhança dos nódulos de Ranvier, e se estendem entre as lamelas de mielina, removendo a bainha de mielina do axônio. Em última análise, os remanescentes da bainha de mielina são englobados pelos macrófagos. A inflamação e a desmielinização do sistema nervoso periférico podem ser generalizadas, mas são geralmente mais proeminentes na região proximal, perto das raízes nervosas.

Características clínicas

O quadro clínico é dominado por paralisia ascendente e arreflexia. Os reflexos profundos do tendão desaparecem no início do processo. Envolvimento sensitivo, incluindo perda da sensação de dor, com frequência se apresenta, mas não costuma ser uma característica proeminente. As velocidades de condução nervosa são reduzidas em decorrência de destruição multifocal dos segmentos de mielina em muitos axônios dentro de um nervo. Os níveis proteicos do líquido cefalorraquidiano (LCR) estão elevados devido à inflamação e à alteração da permeabilidade da microcirculação dentro das raízes espinais à medida que atravessam o espaço subaracnóideo. Por outro lado, as células inflamatórias permanecem confinadas às raízes; portanto, há pouca ou nenhuma pleocitose do LCR. Muitos pacientes passam semanas na unidade de terapia intensiva (UTI) antes de recuperar as funções normais. Com melhorias nos cuidados respiratórios de suporte, monitoramento cardiovascular e profilaxia contra trombose venosa profunda, a taxa de mortalidade tem caído. Plasmaférese e terapia com imunoglobulina intravenosa aceleram a recuperação, aparentemente porque removem anticorpos patogênicos e suprimem a função imune, respectivamente. No entanto, de 2 a 5% dos pacientes afetados vão a óbito em decorrência de paralisia respiratória, instabilidade autônoma, parada cardíaca ou complicações relacionadas, e até 20% dos sobreviventes hospitalizados sofrem de incapacidades a longo prazo.

Poli(radículo)neuropatia desmielinizante inflamatória crônica

Esta é a neuropatia periférica inflamatória crônica adquirida mais comum, caracterizada por polineuropatia sensorimotora simétrica mista que persiste por 2 meses ou mais. Por definição, os sinais e sintomas devem estar presentes durante pelo menos 2 meses, mas muitas vezes a doença evolui ao longo de anos, geralmente com recaídas e remissões. Normalmente, há uma polineuropatia sensorimotora mista e simétrica, mas alguns pacientes podem apresentar incapacidades predominantemente sensitivas ou motoras. As remissões clínicas muitas vezes podem ser alcançadas com imunoglobulina intravenosa ou com outras terapias imunossupressoras, como plasmaférese, glicocorticoides e agentes citotóxicos dirigidos contra células T ou células B. O curso do tempo e a resposta aos esteroides distinguem a polirradiculoneuropatia desmielinizante inflamatória da síndrome de Guillain-Barré.

Patogênese

As células T, bem como os anticorpos, estão implicadas no processo inflamatório. Moléculas expressas na junção célula de Schwann-axônio e em áreas não compactas de mielina parecem ser o alvo da resposta imune. Imunoglobulinas G (IgG) e IgM fixadoras de complemento podem ser encontradas nas bainhas de mielina e a deposição dessas opsoninas leva ao recrutamento de macrófagos que removem a mielina dos axônios. Biopsias do nervo sural mostram evidências de desmielinização e remielinização recorrentes associadas à proliferação das células de Schwann. Quando excessiva, essa proliferação leva à formação dos chamados *bulbos de cebola* – estruturas em que várias camadas de células de Schwann envolvem um axônio como as camadas de uma cebola (**Figura 27.5**).

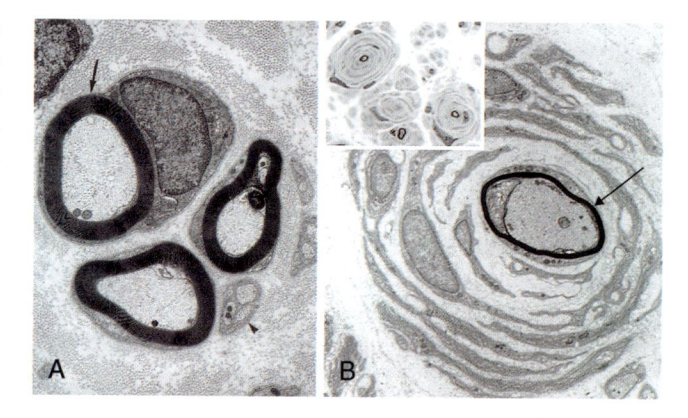

Figura 27.5 Neuropatia em bulbo de cebola. **A.** Axônios mielinizados normais (aquele que inclui o núcleo das células de Schwann associadas é marcado com uma seta) e axônios amielínicos (*ponta de seta*). Comparado com a ultraestrutura normal dos axônios em um nervo (**A**), um "bulbo de cebola" (**B**) é composto de um axônio fracamente mielinizado (*seta*) circundado por múltiplas células de Schwann arranjadas concentricamente. *Inserção*, aparência, na microscópica óptica, de uma neuropatia em bulbo de cebola, caracterizada por "bulbos de cebola" ao redor dos axônios. (**B**, Cortesia de G. Richard Dickersin, MD, from *Diagnostic Electron Microscopy: A Text Atlas*, New York, 2000, Igaku-Shoin Medical Publishers, p. 984.)

Neuropatia associada a doenças autoimunes sistêmicas

Doenças autoimunes sistêmicas, como artrite reumatoide, síndrome de Sjögren ou lúpus eritematoso sistêmico, podem estar associadas a neuropatias periféricas que costumam ocorrer na forma de polineuropatias sensitivas ou sensorimotoras distais. Essas neuropatias são distintas das neuropatias periféricas por vasculites, que podem surgir como manifestações secundárias dessas mesmas doenças.

Neuropatia associada a vasculite

A vasculite é uma inflamação não infecciosa dos vasos sanguíneos que pode envolver e danificar os nervos periféricos. Cerca de um terço dos pacientes com vasculite, dependendo do tipo, tem envolvimento de nervos periféricos e a neuropatia pode ser a característica de apresentação. A vasculite frequentemente se apresenta como uma mononeurite múltipla, mas mononeurite e polineuropatia também são encontradas.

Quando a neuropatia periférica ocorre na vasculite sistêmica, é mais comum nas vasculites associadas a MPO-ANCA (poliangiite microscópica e granulomatose eosinofílica com poliangiite/síndrome de Churg-Strauss) e poliarterite nodosa, e muito menos comum em granulomatose associada a PR3-ANCA com poliangiite. A forma mais comum de vasculite associada a neuropatia periférica é uma forma localizada conhecida como *neuropatia vasculítica não sistêmica*, que não está associada a nenhum anticorpo citoplasmático antineutrófilo (ANCAs, *anti-neutrophil cytoplasmic antibodies*). Independentemente do tipo de vasculite, os nervos periféricos envolvidos pela doença normalmente apresentam degeneração e perda axonal irregular, com alguns fascículos sendo mais gravemente afetados do que outros. Infiltrados inflamatórios perivasculares estão frequentemente presentes. A identificação de vasos sanguíneos com formas características de dano agudo ou crônico (ver **Capítulo 11**) ajuda a estabelecer o diagnóstico.

Neuropatias infecciosas

Muitos processos infecciosos afetam os nervos periféricos. Entre estes, hanseníase, difteria e varicela-zóster causam alterações patológicas relativamente específicas nos nervos que são abordados aqui. Cada um desses distúrbios também é discutido em mais detalhes no **Capítulo 8**.

Hanseníase (doença de Hansen)

Os nervos periféricos estão envolvidos na hanseníase lepromatosa e tuberculoide (discutidas no **Capítulo 8**):

- Na *hanseníase lepromatosa*, as células de Schwann são invadidas por *Mycobacterium leprae*, que proliferam e eventualmente infectam outras células. Há evidências de desmielinização e remielinização segmentar, além de perda de axônios mielinizados e amielínicos. Conforme a infecção avança, ocorre fibrose endoneural e espessamento em várias camadas das bainhas perineurais. Os indivíduos afetados desenvolvem uma polineuropatia simétrica que é mais grave nas extremidades distais relativamente frias e na face porque temperaturas mais baixas favorecem o crescimento micobacteriano. A infecção envolve predominantemente fibras de dor, e a perda de sensibilidade resultante contribui para a lesão, uma vez que o paciente se torna inconsciente de estímulos prejudiciais e danos nos tecidos. Assim, grandes úlceras traumáticas podem se desenvolver

- A *hanseníase tuberculoide* é caracterizada por uma ativa resposta mediada por células a *M. leprae*, que geralmente se manifesta como nódulos dérmicos contendo inflamação granulomatosa. A inflamação causa danos aos nervos cutâneos na proximidade; axônios, células de Schwann e mielina são perdidos; e há fibrose do perineuro e endoneuro. Na hanseníase tuberculoide, os indivíduos afetados apresentam muito mais envolvimento localizado dos nervos.

Doença de Lyme

A doença de Lyme causa várias manifestações neurológicas no segundo e terceiro estágios da doença. Essas manifestações incluem polirradiculoneuropatia e paralisias unilateral ou bilateral do nervo facial.

HIV/AIDS

Pacientes infectados com o vírus da imunodeficiência humana (HIV) desenvolvem vários padrões de neuropatia periférica mal compreendidos, mas todos parecem estar relacionados de alguma forma à desregulação imunológica. O estágio inicial da infecção pelo HIV pode estar associado a mononeurite múltipla e distúrbios desmielinizantes que podem se assemelhar à síndrome de Guillain-Barré ou polirradiculoneuropatia desmielinizante inflamatória crônica. Mais comumente, os estágios mais tardios da infecção pelo HIV estão associados a uma neuropatia sensitiva distal que é geralmente dolorosa.

Difteria

A disfunção dos nervos periféricos resulta dos efeitos da exotoxina diftérica. Essa toxina produz uma neuropatia periférica aguda associada a uma disfunção proeminente da musculatura bulbar e respiratória, que pode levar à morte ou à incapacidade a longo prazo. O mecanismo de ação da toxina diftérica é descrito no **Capítulo 8**. A difteria é mais comumente encontrada em países de baixa renda e é um problema médico contínuo por causa da imunização incompleta ou imunidade enfraquecida em adultos.

Vírus varicela-zóster

A varicela-zóster é uma das infecções virais mais comuns do sistema nervoso periférico. Após a varicela, uma infecção latente persiste nos neurônios dos gânglios sensitivos. Se reativado, às vezes muitos anos depois, o vírus pode ser transportado ao longo dos nervos sensitivos até a pele. Nesse local, infecta os queratinócitos, levando a uma **erupção vesicular dolorosa em uma distribuição que segue os dermátomos (cobreiro)**. O mais comum é o envolvimento de dermátomos do nervo torácico ou trigêmeo. Os fatores subjacentes à reativação do vírus não são totalmente compreendidos, mas suspeita-se que a diminuição da imunidade mediada por células desempenhe um papel. Em uma pequena proporção de pacientes, fraqueza também é aparente na mesma distribuição. Os gânglios afetados apresentam morte neuronal, geralmente acompanhada por infiltrados abundantes de células inflamatórias mononucleares; necrose focal e hemorragia também podem ser encontradas. Os nervos periféricos apresentam degeneração dos axônios que pertencem aos neurônios sensitivos mortos. Destruição focal dos grandes neurônios motores dos cornos anteriores ou núcleos motores dos nervos cranianos podem ser vistos nos níveis correspondentes. Inclusões intranucleares geralmente não são encontradas no sistema nervoso periférico.

Neuropatias metabólicas, hormonais e nutricionais
Diabetes

O diabetes é a causa mais comum de neuropatia periférica. A prevalência dessa complicação depende da duração da doença; até 50% dos pacientes com diabetes em geral e até 80% daqueles que tiveram a doença por mais de 15 anos têm evidências clínicas de neuropatia periférica. Pacientes com diabetes tipos 1 e 2 são afetados (ver **Capítulo 24**). Vários padrões clínico-patológicos distintos da neuropatia periférica relacionada ao diabetes são reconhecidos (descritos mais adiante), mas o mais comum de todos é uma polineuropatia sensorimotora simétrica distal ascendente.

Patogênese

O mecanismo da neuropatia diabética é complexo e não está completamente resolvido; acredita-se que alterações metabólicas e vasculares secundárias contribuam para o dano dos axônios e células de Schwann. A hiperglicemia causa glicosilação não enzimática de proteínas, lipídios e ácidos nucleicos. Os produtos finais da glicosilação avançada (AGEs, *advanced glycosylation end-products*) resultantes podem interferir na função proteica normal e ativar a sinalização inflamatória por meio do receptor para AGE. O excesso de glicose dentro das células é reduzido a sorbitol, um processo que esgota o NADPH e aumenta a osmolaridade intracelular. Estes e outros distúrbios metabólicos podem predispor os nervos periféricos a lesão por espécies reativas de oxigênio. Além disso, as lesões vasculares que ocorrem no diabetes crônico devido à hiperlipidemia e outras alterações metabólicas podem causar dano isquêmico dos nervos.

> **Morfologia**
>
> Em indivíduos com neuropatia sensorimotora simétrica distal, o achado patológico predominante é uma neuropatia axonal. Biopsias de nervo mostram um número reduzido de axônios. Graus variáveis de dano axonal contínuo, marcado por bainhas de mielina em degeneração e aglomerados axonais regenerativos, podem estar presentes. As arteríolas endoneurais mostram espessamento, hialinização e intensa positividade de suas paredes para o ácido periódico de Schiff, além de extensa reduplicação das membranas basais (**Figura 27.6**).

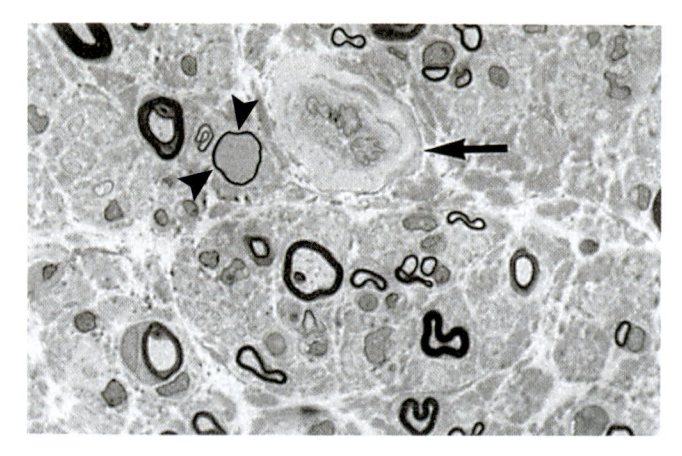

Figura 27.6 Neuropatia diabética com perda acentuada de fibras mielinizadas, uma fibra fracamente mielinizada (*pontas de seta*) e espessamento da parede do vaso endoneural (*seta*).

Características clínicas

A polineuropatia diabética simétrica distal tipicamente se apresenta com sintomas sensitivos como dormência, perda da sensação de dor, dificuldade de equilíbrio e parestesias ou disestesias. As parestesias ou disestesias (dor anormal em resposta a sensações táteis) são os chamados sintomas "positivos" – sensações dolorosas que resultam de descargas anormais dos nervos danificados. A neuropatia leva a uma morbidade considerável, em particular uma maior suscetibilidade a fraturas do pé e tornozelo, além de úlceras cutâneas crônicas, que podem eventualmente levar a amputações.

Outra manifestação é a disfunção do sistema nervoso autônomo que afeta de 20 a 40% dos indivíduos com diabetes melito, quase sempre em associação com uma neuropatia sensorimotora distal. A neuropatia diabética autonômica apresenta manifestações multiformes, como hipotensão postural, esvaziamento incompleto da bexiga (resultando em infecções recorrentes) e disfunção sexual. Alguns indivíduos afetados, sobretudo adultos mais velhos com um longo histórico de diabetes, desenvolvem uma neuropatia periférica que se manifesta com apresentações assimétricas, como *mononeuropatia*, *neuropatia craniana* e *neuropatia radiculoplexo*. Essa última é uma doença aguda devastadoramente dolorosa que se apresenta na distribuição do plexo nervoso braquial ou lombossacral. Muitas vezes é monofásica e pode melhorar ao longo de vários meses. Essas manifestações assimétricas podem ser causadas por doença microvascular.

Outras neuropatias metabólicas, hormonais e nutricionais

Um grupo diverso de distúrbios metabólicos, hormonais e nutricionais está associado à neuropatia periférica, incluindo os seguintes:

- *Neuropatia urêmica*. A maioria dos indivíduos com insuficiência renal tem uma neuropatia periférica. Normalmente, é uma neuropatia simétrica distal que pode ser assintomática ou pode estar associada a cãibras musculares, disestesias distais e diminuição dos reflexos tendinosos profundos. Nesses pacientes, a degeneração axonal é o evento primário; ocasionalmente há desmielinização secundária. A regeneração e recuperação são comuns após a diálise
- *Disfunção tireoidiana*. O hipotireoidismo pode levar a mononeuropatias de compressão, como a síndrome do túnel do carpo ou causar uma polineuropatia distal simétrica predominantemente sensitiva. Em casos raros, o hipertireoidismo está associado a uma neuropatia semelhante à síndrome de Guillain-Barré
- A *deficiência de vitamina B_{12} (cianocobalamina)* resulta normalmente em degeneração combinada subaguda com dano dos longos tratos da medula espinal (ver **Capítulo 28**) e também de nervos periféricos
- As *deficiências de vitamina B_1 (tiamina), vitamina B_6 (piridoxina), folato, cobre e zinco* foram todas associadas à neuropatia periférica

Neuropatias tóxicas

As neuropatias periféricas podem aparecer após exposição a produtos químicos industriais ou ambientais, toxinas biológicas ou drogas terapêuticas. Causas importantes de dano tóxico aos nervos periféricos incluem álcool (independentemente de deficiências nutricionais associadas), metais pesados (chumbo, mercúrio, arsênio e tálio) e solventes orgânicos. Vários medicamentos podem causar dano tóxico aos nervos, mas os mais notórios são os agentes quimioterápicos. Estes incluem alcaloides da vinca e taxanos, inibidores de microtúbulos que interferem no transporte axonal e cisplatina, que pode causar uma neuronopatia.

Neuropatias associadas a doenças malignas

As neuropatias associadas ao câncer podem ser decorrentes de efeitos locais, complicações de terapias, efeitos paraneoplásicos ou (no caso de tumores de células B) imunoglobulinas derivadas de tumores:

- A *infiltração direta ou compressão de nervos periféricos* por tumores é uma causa comum de mononeuropatia e pode ser um sintoma manifesto de câncer. Essas neuropatias incluem plexopatia braquial, no caso de neoplasias do ápice do pulmão, paralisia do obturador em neoplasias malignas pélvicas, e paralisia dos nervos cranianos em neoplasias intracranianas ou neoplasias da base do crânio. Uma polirradiculopatia envolvendo a extremidade inferior pode se desenvolver quando a cauda equina está envolvida pela carcinomatose meníngea
- *Neuropatias paraneoplásicas.* Estas podem ocorrer a qualquer momento durante o curso do paciente, mas muitas vezes precedem o diagnóstico da neoplasia subjacente. A neuropatia sensorimotora é a forma paraneoplásica mais comum, mas uma neuronopatia sensitiva pura, polineuropatia desmielinizante inflamatória crônica, plexopatia e neuropatia autonômica também podem ser vistas. A neuronopatia sensitiva paraneoplásica está mais comumente associada ao câncer de pulmão de pequenas células. Anticorpos que reconhecem proteínas expressas pelas células cancerosas e neurônios normais (p. ex., anticorpos anti-Hu) estão frequentemente presentes, mas o dano parece ser mediado por um ataque de células T citotóxicas CD8$^+$ na raiz dorsal de células ganglionares. Os sintomas sensitivos geralmente começam distalmente em um padrão assimétrico e multifocal. Outros pacientes com autoanticorpos anti-CV2 (que reconhecem CRMP5, uma proteína de sinalização intracelular) tendem a se apresentar com uma neuropatia sensorimotora axonal assimétrica dolorosa
- *Neuropatias associadas a gamopatias monoclonais.* Células B neoplásicas podem secretar imunoglobulinas monoclonais ou fragmentos de imunoglobulina (chamadas paraproteínas) que danificam os nervos. Por exemplo, neoplasias que secretam imunoglobulina IgM podem estar associadas a uma neuropatia desmielinizante periférica. Na maioria dos casos, acredita-se que a paraproteína IgM patogênica se ligue diretamente a antígenos associados à mielina, como a glicoproteína mielina-associada. A deposição de IgM pode ser observada ultraestruturalmente entre as camadas da membrana da bainha de mielina. As paraproteínas IgG ou IgA também podem estar associadas a neuropatias periféricas. Uma apresentação distinta é a *síndrome de POEMS* (polineuropatia, organomegalia, endocrinopatia, gamopatia monoclonal e alterações de pele) na qual os pacientes desenvolvem uma neuropatia desmielinizante associada à deposição de paraproteína entre lamelas de mielina não compactadas. Finalmente, o excesso de cadeia leve de imunoglobulina pode se depositar como amiloide (ver **Capítulo 6**) e causar neuropatia periférica devido a insuficiência vascular ou por um efeito tóxico direto.

Neuropatias causadas por forças físicas

Os nervos periféricos são comumente feridos por trauma ou compressão (aprisionamento):

- As *lacerações* resultam de ferimentos cortantes e fragmentos afiados de fraturas ósseas, ambos podendo romper um nervo
- A *avulsão* de um nervo pode ocorrer quando tensão é aplicada, frequentemente em um dos membros
- A neuropatia de compressão (neuropatia por aprisionamento) ocorre quando um nervo periférico é cronicamente submetido a pressão aumentada, geralmente dentro de um compartimento anatômico. A síndrome do túnel do carpo, neuropatia de compressão mais comum, resulta da compressão do nervo mediano no nível do pulso dentro do compartimento delimitado pelo ligamento transverso do carpo. As mulheres são mais comumente afetadas do que os homens, e o problema é frequentemente bilateral. O distúrbio pode ser observado em associação a muitas condições, como edema tecidual, gravidez, artrite inflamatória, hipotireoidismo, amiloidose (principalmente relacionada a deposição de β_2-microglobulina em indivíduos submetidos a diálise renal), acromegalia, diabetes melito e movimentos repetitivos excessivos do pulso. Os sintomas são limitados à disfunção do nervo mediano e normalmente incluem dormência e parestesias das pontas do polegar e os primeiros dois dígitos. Outros nervos propensos a neuropatias de compressão incluem o nervo ulnar no nível do cotovelo, o nervo fibular no nível do joelho e o nervo radial na parte superior braço; este último ocorre após dormir com o braço em uma posição incômoda ("paralisia de sábado à noite"). Outra forma de neuropatia de compressão é encontrada no pé, afetando o nervo interdigital em regiões intermetatarsais. Esse problema, que ocorre mais frequentemente em mulheres do que em homens, leva à dor nos pés (metatarsalgia) e está associado a uma lesão histológica chamada *neuroma de Morton*, que é marcada por fibrose perineural.

Neuropatias periféricas hereditárias

As neuropatias periféricas hereditárias são um grupo de distúrbios geneticamente diversos com fenótipos clínicos sobrepostos que frequentemente estão presente em adultos. Em decorrência do início tardio, a possibilidade de uma neuropatia hereditária deve ser considerada no diagnóstico diferencial para qualquer paciente que se apresente com uma neuropatia periférica. Os principais tipos de neuropatias periféricas hereditárias incluem (1) neuropatias hereditárias motoras e sensitivas, também conhecidas como doença de *Charcot-Marie-Tooth* (CMT), descrita a seguir, que é uma doença geneticamente heterogênea causada por mutações em genes que codificam proteínas envolvidas na estrutura e função do axônio do nervo periférico ou da bainha de mielina; (2) neuropatias motoras hereditárias; (3) neuropatias sensitivas hereditárias, com ou sem neuropatia autonômica; e (4) outras condições hereditárias que causam neuropatia, como amiloidose familiar e doenças metabólicas hereditárias.

Historicamente, essas doenças foram classificadas com base em seu padrão de herança e características clínicas. Agora existe uma lista continuamente crescente de alterações gênicas ligadas a essas doenças. A complexidade da genética de neuropatias hereditárias é, sem dúvida, um reflexo dos complicados mecanismos homeostáticos que sustentam a função normal dos nervos periféricos. Não existe um conceito unificador simples atrelando todos os genes envolvidos ao mesmo tempo; alguns dos genes envolvidos são ilustrados na **Figura 27.1**. A seguir, alguns dos tipos mais comuns e distintos de neuropatias periféricas hereditárias são descritas resumidamente.

Neuropatias motoras e sensitivas hereditárias/doença de Charcot-Marie-Tooth

Estas são, de longe, as neuropatias periféricas hereditárias mais comuns, afetando até 1 a cada 2.500 pessoas. A descrição inicial desses distúrbios, com base em características clínicas, era enganosamente simples – uma doença herdada associada a atrofia muscular distal, perda sensitiva e deformidades nos pés. Reconhece-se agora que esse fenótipo clínico pode resultar de mutações em mais de 50 genes diferentes. Os sistemas atuais classificam as neuropatias motoras e sensitivas hereditárias com base no modo de herança e no padrão de lesão (p. ex., axonal ou desmielinizante). Formas desmielinizantes de doença de CMT estão associadas a características morfológicas de desmielinização e remielinização incluindo hiperplasia de células de Schwann e formação de bulbo de cebola, que podem ser tão graves que o nervo envolvido está aumentado a ponto de ser percebido por palpação. Os quatro tipos mais comuns, que juntos representam mais de 90% dos pacientes com doença de CMT são listados:

- *A CMT1 engloba um grupo de neuropatias desmielinizantes autossômicas dominantes* que coletivamente são o subtipo mais comum de neuropatia motora e sensitiva hereditária. A *CMT1A* é responsável por aproximadamente 55% da CMT geneticamente definida. É causada pela duplicação de uma região no cromossomo 17 que inclui o gene da proteína da mielina periférica 22 (*PMP22*). A doença geralmente se apresenta na segunda década de vida como uma neuropatia motora e sensitiva distal desmielinizante lentamente progressiva. A *CMT1B* também é uma neuropatia desmielinizante causada por mutações no gene da proteína zero da mielina (*MPZ*) e é responsável por cerca de 9% dos casos geneticamente definidos de CMT
- A *CMTX* abrange as formas ligadas ao X da doença de CMT. *CMT1X* é a mais comum delas, sendo responsável por 15% dos casos geneticamente definidos de CMT. Está ligada a mutações no gene *GJB1*, que codifica a conexina32, um componente de junção comunicante (*gap junction*) expresso em células de Schwann
- A *CMT2* inclui neuropatias autossômicas dominantes associadas a lesão axonal em vez de lesão desmielinizante. *CMT2A* é o subtipo mais comum, representando 4% de todos os casos da doença de CMT. É causada por mutações no gene *MFN2*, que é necessário para a fusão mitocondrial normal. O fenótipo é tipicamente grave, com surgimento da doença na primeira infância.

Neuropatias sensitivas hereditárias com ou sem neuropatia autonômica

Este é um grupo diversificado de doenças marcadas pela perda de sensibilidade e distúrbios autonômicos variáveis, mas com preservação da força motora. A perda da sensação de dor e temperatura é o sintoma mais comum. A incapacidade de sentir dor leva a lesões traumáticas nas mãos e nos pés. Estas são neuropatias tipicamente axonais.

Polineuropatias amiloides familiares

Estas polineuropatias são distúrbios hereditários caracterizados por deposição amiloide nos nervos periféricos. A maioria é causada por mutações da linhagem germinativa do gene da transtirretina. A proteína transtirretina, normalmente envolvida na ligação e transporte do hormônio tireoidiano no soro, quando mutada, tem propensão a se depositar como fibrilas amiloides em uma série de tecidos, incluindo nervos periféricos (ver **Capítulo 6**). A apresentação clínica é semelhante à de neuropatias sensitivas e autonômicas hereditárias.

Conceitos-chave

Neuropatias periféricas

- Os padrões anatômicos incluem mononeuropatia, mononeurite múltipla, polineuropatia e polirradiculoneuropatia
- Os danos podem ocorrer principalmente nas células de Schwann (neuropatia desmielinizante), axônios (neuropatia axonal) ou neurônios centrais (neuronopatia); padrões mistos de lesões ocorrem
- Doenças inflamatórias, infecções, alterações metabólicas, lesões tóxicas, trauma, distúrbios paraneoplásicos e defeitos genéticos hereditários podem causar neuropatia periférica
- Diabetes melito é a causa mais comum de neuropatia periférica, que na maioria das vezes se apresenta como uma neuropatia simétrica distal
- A síndrome de Guillain-Barré e a polirradiculoneuropatia inflamatória crônica desmielinizante são as principais neuropatias desmielinizantes periféricas adquiridas agudas e crônicas, respectivamente
- As neuropatias periféricas hereditárias são distúrbios geneticamente e fenotipicamente diversos que frequentemente se apresentam na idade adulta e podem ser marcadas por disfunção sensitiva, motora ou autonômica, sozinha ou em combinação.

Doenças da junção neuromuscular

A junção neuromuscular é uma estrutura especializada complexa localizada na interface dos axônios do nervo motor e músculo esquelético que serve para controlar a contração muscular. As junções neuromusculares são encontradas no meio do caminho ao longo do comprimento das miofibrilas. Aqui, as extremidades distais dos nervos motores periféricos se ramificam em pequenos processos que terminam em botões sinápticos bulbosos. Após a despolarização, esses terminais nervosos pré-sinápticos liberam acetilcolina (ACh) na fenda sináptica, o espaço que separa as terminações nervosas da membrana da miofibrila (conhecida como *sarcolema*). O sarcolema pós-sináptico é caracterizado por enovelamentos complexos e exibe especializações distintas com agrupamento localizados dos receptores de ACh. Esses receptores são responsáveis pela iniciação de sinais que levam à contração muscular.

Independentemente da causa, os pacientes com distúrbios que prejudicam a função das junções neuromusculares se queixam de fraqueza e fadiga indolores. Autoanticorpos que reconhecem proteínas-chave da junção neuromuscular são a causa mais comum de interrupção da transmissão neuromuscular, como a encontrada na miastenia *gravis* (literalmente, "fraqueza grave"). Compreensivelmente, defeitos hereditários em proteínas especializadas da junção neuromuscular também estão associados a síndromes miastênicas. Distúrbios causados por toxinas que alteram a transmissão neuromuscular raramente são encontrados, mas tiveram um papel histórico importante na elucidação de como a junção neuromuscular funciona.

Doenças mediadas por anticorpos da junção neuromuscular

Miastenia gravis

A miastenia *gravis* é uma doença autoimune que geralmente está associada a autoanticorpos direcionados contra receptores de ACh. Tem uma prevalência de 150 a 200 por 1 milhão e apresenta uma distribuição de idade bimodal. Em adultos jovens, a proporção de mulheres para homens é de 2:1, mas em adultos mais velhos há uma predominância masculina.

Patogênese

Aproximadamente 85% dos pacientes têm autoanticorpos contra receptores de ACh pós-sinápticos, enquanto a maioria dos pacientes restantes tem anticorpos contra a tirosinoquinase receptora específica da proteína muscular do sarcolema. Esses autoanticorpos parecem ser patogênicos, já que a doença pode ser transferida passivamente a animais com o soro de indivíduos afetados, e manobras terapêuticas que diminuem os níveis de autoanticorpos estão associadas a uma redução dos sintomas.

O mecanismo de ação dos vários autoanticorpos parece ser diferente. Acredita-se que os anticorpos antirreceptor de ACh levem à agregação e degradação dos receptores, bem como danifiquem a membrana pós-sináptica por meio da fixação do complemento. Como resultado, as membranas pós-sinápticas mostram alterações na morfologia e são depletadas de receptores de ACh. Isso limita a capacidade das miofibrilas de responder à ACh. Autoanticorpos dirigidos contra a tirosinoquinase receptora específica do músculo não fixam o complemento. Ao contrário, esses anticorpos parecem interferir no tráfico e agrupamento dos receptores de ACh dentro da membrana sarcolemal, sendo o efeito líquido novamente a diminuição da função do receptor de ACh.

Há uma forte associação entre autoanticorpos patogênicos antirreceptor de ACh e anormalidades tímicas. Aproximadamente 10% dos pacientes com miastenia *gravis* tem um *timoma*, uma neoplasia das células epiteliais tímicas (ver **Capítulo 13**). Outros 30% dos pacientes (e sobretudo pacientes jovens) têm uma anormalidade tímica diferente, chamada hiperplasia tímica. Essa condição peculiar é marcada pelo aparecimento de folículos de células B no timo, que normalmente contém um pequeno número de células mioides, células estromais que expressam antígenos do músculo esquelético. É uma hipótese que tanto o timoma quanto a hiperplasia tímica interrompam a função tímica normal de uma maneira que promove autoimunidade contra os receptores de ACh expressos nas células mioides tímicas. Em contraste, as anormalidades tímicas geralmente estão ausentes nos casos de miastenia *gravis* que ocorrem em pacientes mais velhos; a base para o desenvolvimento de autoanticorpos nesses casos é desconhecida.

Características clínicas

Pacientes com anticorpos antirreceptor de ACh tipicamente se apresentam com fraqueza flutuante que piora com o esforço e muitas vezes ao longo do dia. Diplopia e ptose devido ao envolvimento dos músculos extraoculares são comuns e distinguem a miastenia *gravis* de miopatias, nas quais o envolvimento dos músculos extraoculares é incomum. Em alguns pacientes, os sintomas estão confinados aos músculos oculares, enquanto outros desenvolvem fraqueza generalizada que pode ser tão grave a ponto de exigir ventilação mecânica. Os casos que cursam com anticorpos contra a tirosinoquinase receptora específica do músculo diferem dos casos típicos por exibirem envolvimento mais focal dos músculos (músculos do pescoço, ombro, facial, respiratório e bulbar).

O diagnóstico é baseado no histórico clínico, achados físicos, identificação de autoanticorpos e estudos eletrofisiológicos. Os estudos eletrofisiológicos revelam um decréscimo na resposta muscular com estimulação repetida, uma característica desse transtorno. A mortalidade geral caiu de mais 30% na década de 1950 para menos de 5% com as terapias atuais. Inibidores da acetilcolinesterase que aumentam a meia-vida da ACh é a primeira linha de tratamento. Outros tratamentos, como plasmaférese e medicamentos imunossupressores (p. ex., glicocorticoides, ciclosporina, rituximabe), podem manter os sintomas sob controle, diminuindo a produção de autoanticorpos. A timectomia costuma ser eficaz em pacientes com timoma, mas é de benefício incerto em pessoas com hiperplasia tímica ou sem anormalidades tímicas.

Síndrome miastênica de Lambert-Eaton

A síndrome miastênica de Lambert-Eaton é um distúrbio autoimune causado por anticorpos que bloqueiam a liberação de ACh por meio da inibição de um canal de cálcio pré-sináptico. Em contraste com a miastenia *gravis*, uma estimulação repetitiva rápida aumenta a resposta muscular. A força muscular aumenta após alguns segundos de atividade muscular. Os pacientes geralmente apresentam fraqueza de suas extremidades. Em cerca de metade dos casos, há é uma malignidade subjacente, na maioria das vezes carcinoma neuroendócrino do pulmão. Os sintomas podem preceder o diagnóstico de câncer, às vezes em anos. Acredita-se que o estímulo para a formação de autoanticorpos em casos paraneoplásicos pode ser a expressão do mesmo canal de cálcio nas células neoplásicas. Pacientes sem câncer muitas vezes têm outras doenças autoimunes, como vitiligo ou doenças da tireoide. O tratamento consiste em medicamentos que aumentam a liberação de ACh por despolarização das membranas sinápticas e agentes imunossupressores, como como aqueles usados para tratar a miastenia *gravis*.

Síndromes miastênicas congênitas

Esses distúrbios raros, que mais comumente têm um modo de herança autossômico recessivo, são marcados por vários graus de fraqueza muscular. Mutações causativas foram identificadas em genes que codificam várias proteínas pré-sinápticas, sinápticas ou pós-sinápticas diferentes. As mais comuns destas são as mutações com perda de função no gene que codifica a subunidade ε do receptor de ACh. Outro grupo de mutações afeta proteínas que são importantes no agrupamento normal dos receptores de ACh em membranas pós-sinápticas. Muitos pacientes com síndromes miastênicas congênitas se apresentam no período perinatal com tônus muscular pobre, fraqueza muscular externa do olho e dificuldades respiratórias, mas outros apresentam formas mais leves da doença e podem não receber atenção clínica até a adolescência ou idade adulta. A apresentação clínica, resposta a medicamentos como inibidores da acetilcolinesterase e o prognóstico dependem em grande parte da mutação subjacente.

Distúrbios causados por toxinas

O botulismo é causado pela exposição a uma neurotoxina (toxina botulínica, popularmente conhecida como Botox) produzida pelo organismo anaeróbio gram-positivo *Clostridium botulinum*. O Botox atua bloqueando a liberação de ACh dos neurônios pré-sinápticos (ver **Capítulo 8**). Curare é o nome comum para os relaxantes musculares derivados de plantas que bloqueiam os receptores de ACh, resultando em paralisia flácida. Foi inicialmente descoberto e usado como veneno nas pontas das flechas por populações nativas da floresta tropical amazônica. Ao mesmo tempo, foi usado como relaxante muscular durante certos tipos de cirurgia, mas agora foi suplantado por outros fármacos relacionados com um mecanismo de ação semelhante.

Conceitos-chave
Doenças da junção neuromuscular

- Distúrbios das junções neuromusculares se apresentam com fraqueza indolor
- Miastenia *gravis* e síndrome miastênica de Lambert-Eaton, as formas mais comuns, são ambas imunomediadas, sendo causadas por anticorpos para receptores de ACh pós-sinápticos e para canais de cálcio pré-sinápticos, respectivamente
- A miastenia *gravis* costuma estar associada à hiperplasia tímica ou timoma, frequentemente envolve os músculos oculares e é marcada por fraqueza flutuante que piora com o esforço
- A síndrome miastênica de Lambert-Eaton se apresenta com fraqueza nas extremidades que melhora com estimulação repetitiva e é frequentemente um distúrbio paraneoplásico associado ao câncer de pulmão
- Defeitos genéticos em proteínas da junção neuromuscular dão origem às síndromes miastênicas congênitas
- Toxinas biológicas, como o Botox, podem bloquear a transmissão neuromuscular bloqueando a liberação de ACh dos neurônios pré-sinápticos.

Doenças do músculo esquelético

O músculo esquelético tem características estruturais, celulares e moleculares únicas e, portanto, padrões também únicos de lesão e reparo. Durante a embriogênese, o músculo esquelético se desenvolve por meio da fusão de células precursoras mononucleadas (mioblastos) em miotubos multinucleados. Esses miotubos posteriormente amadurecem em miofibrilas (fibras musculares) de comprimento variável que contêm milhares de núcleos. Em tecidos adultos, essas miofibrilas são organizadas em fascículos, cada qual associado a um pequeno grupo de células-tronco teciduais conhecidas como células-satélite, que podem contribuir para a regeneração muscular após lesão (descrito mais adiante). As miofibrilas são de dois tipos funcionais principais, tipos I e II (**Tabela 27.1**), que estão misturadas em um padrão de tabuleiro de xadrez no músculo esquelético normal. O tipo de fibra é determinado por sinais recebidos do neurônio motor de inervação, e como resultado, todas as fibras que fazem parte de uma unidade motora são do mesmo tipo.

Tabela 27.1 Tipos de fibras musculares.

	Tipo I	Tipo II
Ação	Força prolongada	Movimento rápido
Tipo de atividade	Exercício aeróbico	Exercício anaeróbico
Energia produzida	Baixa	Alta
Resistência à fadiga	Alta	Baixa
Conteúdo lipídico	Alto	Baixo
Conteúdo de glicogênio	Baixo	Alto
Metabolismo energético	Baixa capacidade glicolítica, alta capacidade oxidativa	Alta capacidade glicolítica, baixa capacidade oxidativa
Densidade mitocondrial	Alta	Baixa
Atividade enzimática	NADH-TR, coloração escura	NADH-TR, coloração clara
	ATPase em pH 4,3, coloração escura	ATPase em pH 4,3, coloração clara
	ATPase em pH 9,4, coloração clara	ATPase em pH 9,4, coloração escura
Gene da cadeia pesada da miosina expresso	MYH7	MYH2, MYH4, MYH1
Cor	Vermelha (alto conteúdo de mioglobina)	Vermelha pálida/bronzeada (baixo conteúdo de mioglobina)
Protótipo	Sóleo (pombo)	Peitoral (pombo)

ATPase, adenosina trifosfatase; *NADH-TR*, nicotinamida adenina dinucleotídio, forma reduzida, tetrazólio redutase.

Atrofia do músculo esquelético

A atrofia do músculo esquelético é uma característica comum de muitas doenças. Perda de inervação, desuso, caquexia, envelhecimento e miopatias primárias podem produzir atrofia muscular e, caso a atrofia seja grave, perda de massa muscular. Apesar a atrofia muscular possa ocorrer em muitas condições, certos padrões de atrofia são sugestivos de etiologias subjacentes específicas:

- *Aglomerados ou grupos de fibras atróficas* são observados na doença neurogênica (**Figura 27.7**)
- A *atrofia perifascicular* é observada na dermatomiosite (ver adiante)
- A *atrofia das fibras do tipo II* com preservação das fibras do tipo I é observada na corticoterapia prolongada ou desuso.

Alterações neurogênicas e miopáticas do músculo esquelético

Distúrbios dos músculos esqueléticos podem ser causados por lesão direta de miofibrilas (lesão miopática) ou por ruptura da inervação muscular (lesão neurogênica). Cada tipo é descrito a seguir.

As lesões neurogênicas levam ao *agrupamento do tipo de fibra* e *atrofia agrupada* (**Figura 27.7**), ambas decorrentes de interrupção da inervação muscular. A chave para compreender essas

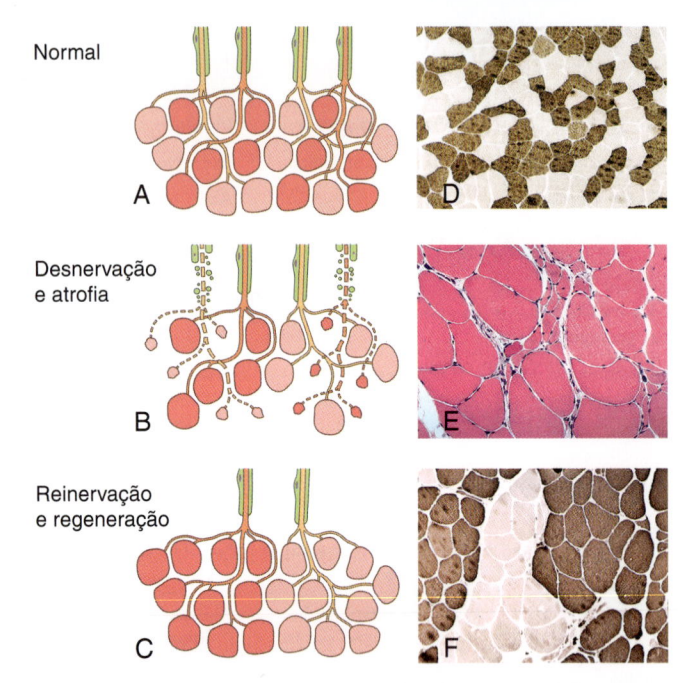

Figura 27.7 A. Esta representação diagramática de quatro unidades motoras normais mostra uma mistura normal de fibras claras e escuras de tipos opostos semelhante a um tabuleiro de xadrez. **B.** O dano aos axônios inervantes leva à perda de entrada trófica e à atrofia das miofibrilas. **C.** A reinervação das miofibrilas pode levar a uma mudança no tipo de fibra e segregação de fibras do mesmo tipo. Conforme ilustrado aqui, a reinervação também está frequentemente associada a um aumento do tamanho da unidade motora, com mais miofibrilas inervadas para cada axônio individual. **D.** O músculo normal tem uma distribuição do tipo tabuleiro de xadrez de fibras do tipo I (clara) e do tipo II (escura) nesta reação de adenosina trifosfatase (pH 9,4), correspondendo aos achados do diagrama apresentado em **A**. **E.** Fibras atróficas agrupadas, achatadas e "anguladas" (*atrofia de grupo*) são um achado típico associado a inervação interrompida. **F.** Com a desnervação e reinervação em curso, grandes aglomerados de fibras aparecem, todos compartilhando o mesmo tipo de fibra (*agrupamento de tipo*), correspondendo ao diagrama apresentado em **C**.

anormalidades é reconhecer que o tipo de fibra muscular é determinado pelo neurônio motor de inervação. Seguindo a desnervação, as miofibrilas sofrem atrofia, muitas vezes assumindo uma forma achatada e angulada. A reinervação restaura o tamanho e forma da fibra, mas pode tornar uma miofibrila desnervada parte de uma unidade motora diferente, o que por sua vez leva a uma mudança do tipo de fibra. Diante de dano axonal ou neuronal contínuo e perda, os axônios motores residuais podem inervar um número cada vez maior de miofibrilas, levando ao aumento de unidades motoras, cada uma composta por um único tipo de fibra muscular (agrupamento do tipo de fibra). Essas grandes unidades motoras também são suscetíveis a atrofia agrupada se o axônio inervador for danificado.

Em contraste, a maioria das lesões miopáticas primárias está associada com um conjunto distinto de alterações morfológicas que incluem:

- A *degeneração e regeneração segmentar da miofibrila* é observada quando apenas parte de uma miofibrila sofre necrose. A degeneração está associada à liberação de enzimas citoplasmáticas como a creatinoquinase no sangue, tornando úteis esses marcadores de dano muscular. Os sarcômeros e outros componentes do segmento de miofibrila danificado são englobados por macrófagos em um processo denominado miofagocitose. A remoção dos detritos degenerados prepara o terreno para a regeneração. A fusão de células-satélite ativadas e miofibrilas danificadas é um passo importante para a regeneração. Eventualmente, novos sarcômeros são gerados e a continuidade da miofibrila original é restaurada. As miofibrilas em regeneração são ricas em RNA e, portanto, azuis (basofílicas) em seções coradas com hematoxilina e eosina. Elas têm núcleos aumentados com nucléolos proeminentes que muitas vezes são distribuídos aleatoriamente no citoplasma, em vez de ocupar sua localização subsarcolemal normal. Dependendo da natureza do insulto primário, miofibrilas atróficas também podem ser observadas. A regeneração pode restaurar o músculo normal após uma lesão aguda transitória, mas em estados de doença crônica, a regeneração muitas vezes falha em acompanhar o dano. Neste cenário, os músculos frequentemente sofrem fibrose endomisial (deposição de colágeno), perda de miofibrilas e lipossubstituição
- A *hipertrofia de miofibrilas* pode ser vista como uma adaptação fisiológica ao exercício ou em associação a certas condições miopáticas crônicas
- As *inclusões citoplasmáticas* na forma de vacúolos, agregados de proteínas ou organelas agrupadas são características de várias formas primárias de miopatia.

Miopatias inflamatórias

Historicamente, a dermatomiosite, a polimiosite e a miosite por corpúsculos de inclusão têm sido consideradas as três principais miopatias inflamatórias primárias:

- A *dermatomiosite*, como uma doença que afeta a pele, bem como músculos esqueléticos. A marca histológica, discutida a seguir, é a atrofia perifascicular
- A *miosite por corpúsculos de inclusão*, como uma doença lentamente progressiva associada a inclusões distintas denominadas "vacúolos marginados" que apresentam algumas semelhanças com doenças neurodegenerativas do SNC
- A *polimiosite*, até certo ponto um diagnóstico de exclusão, como uma doença autoimune mediada por células T que afeta os músculos esqueléticos que não têm as características de dermatomiosite ou miosite por corpúsculos de inclusão.

Além da tríade mencionada anteriormente, outras entidades foram descritas e classificações atualizadas foram propostas, mas a velha tríade histórica ainda é usada por muitos médicos. Em um sistema de classificação mais granular, muitos casos tradicionalmente vistos como polimiosite são agora considerados como miopatia necrosante imunomediada (MNIM), ou como uma miosite associada a doença do tecido conjuntivo. Com isso, a polimiosite é um diagnóstico menos comum do que no passado. As doenças sistêmicas do tecido conjuntivo que podem afetar o músculo esquelético incluem lúpus eritematoso sistêmico, esclerose sistêmica e sarcoidose (ver **Capítulo 6**). Raramente certos agentes infecciosos podem causar inflamação do músculo esquelético (ver **Capítulo 8**).

Dermatomiosite

A dermatomiosite é uma doença autoimune sistêmica que tipicamente se apresenta com fraqueza muscular proximal e alterações cutâneas.

Patogênese

A dermatomiosite é uma doença imunológica em que danos aos pequenos vasos sanguíneos contribuem para a lesão muscular. As alterações vasculopáticas podem ser vistas como *telangiectasias* (alças capilares dilatadas) nas dobras das unhas, pálpebras e gengivas e como perda de vasos capilares do músculo esquelético. Biopsias de músculo e pele podem mostrar deposição do complexo de ataque à membrana do complemento (C5b-9) dentro dos leitos capilares. Uma assinatura inflamatória enriquecida por genes que são regulados positivamente por interferons tipo I é observada no músculo e em leucócitos. A proeminência dessa assinatura parece se correlacionar com a atividade da doença. A lesão imunológica direta às fibras musculares também pode desempenhar um papel. Vários autoanticorpos são detectados por estudos sorológicos e linfócitos B, bem como plasmócitos, fazem parte do infiltrado inflamatório observado nos músculos. Certos autoanticorpos detectados na circulação tendem a estar associados a características clínicas específicas:

- *Anticorpos anti-Mi2* (dirigidos contra uma helicase implicada no remodelamento de nucleossomos) mostram uma forte associação com pápulas de Gottron proeminentes e exantemas heliotrópicos (descritas mais adiante)
- *Anticorpos anti-Jo1* (dirigidos contra a enzima histidil t-RNA sintetase) estão associados a doença pulmonar intersticial, artrite não erosiva e um exantema descrito como "mãos de mecânico". Em alguns esquemas de classificação, as miopatias com anticorpos anti-Jo1 são descritas separadamente como "miosite associada a síndrome antissintetase"
- *Anticorpos anti-P155/P140* (dirigidos contra vários reguladores transcricionais) estão associados a casos paraneoplásicos e juvenis de dermatomiosite.

Uma ligação direta entre esses autoanticorpos e a patogênese da doença ainda não foi estabelecida.

Morfologia

Biopsias musculares de pacientes afetados mostram infiltrados de células inflamatórias mononucleares que tendem a ser mais pronunciados no tecido conjuntivo perimisial e ao redor dos vasos sanguíneos. Às vezes há um padrão distinto no qual a atrofia da miofibrila é acentuada nas bordas dos fascículos – *atrofia perifascicular* (**Figura 27.8B**). Necrose e regeneração de fibras segmentares também podem ser observadas. Estudos imuno-histoquímicos podem identificar um infiltrado rico em células T auxiliares CD4$^+$ e a deposição de C5b-9 em vasos capilares. Estudos de microscopia eletrônica podem mostrar inclusões tubulorreticulares de células endoteliais, característica de uma série de distúrbios que estão ligados a uma resposta de interferona tipo I.

Características clínicas

A fraqueza muscular tem início lento, simétrico e muitas vezes está acompanhada por mialgias. Normalmente afeta primeiro a região proximal dos músculos. Como resultado, tarefas como levantar de uma cadeira e subir degraus tornam-se cada vez mais difíceis. Movimentos finos controlados pelos músculos distais são afetados apenas tardiamente na doença. As alterações miopáticas associadas em estudos eletrofisiológicos e a elevação dos níveis de creatinoquinase sérica refletem os danos musculares. Vários exantemas são descritos na dermatomiosite, porém o mais característico é uma descoloração de coloração lilás das pálpebras superiores (*exantema heliotrópico*) associada a edema periorbital (**Figura 27.8A**) e uma erupção eritematosa descamativa ou manchas vermelhas escuras sobre os nós dos dedos, cotovelos e joelhos (*pápulas de Gottron*). A disfagia resultante do envolvimento dos músculos orofaríngeos e esofágicos ocorre em um

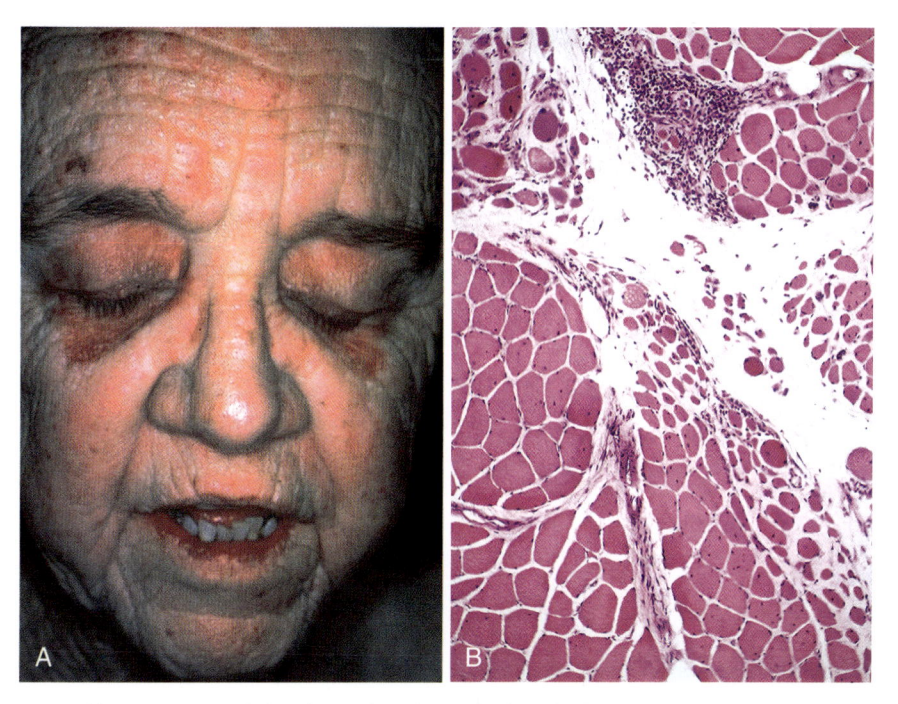

Figura 27.8 A. Dermatomiosite. Note o exantema heliotrópico afetando as pálpebras. **B.** Dermatomiosite. A aparência histológica do músculo mostra atrofia perifascicular das fibras musculares e inflamação. (Cortesia do Dr. Dennis Burns, Department of Pathology, University of Texas Southwestern Medical School, Dallas, Tex.)

terço dos indivíduos afetados, e outros 10% dos pacientes têm doença pulmonar intersticial, que as vezes pode ser rapidamente progressiva e levar à morte. O envolvimento cardíaco é comum, mas raramente leva à insuficiência cardíaca.

A dermatomiosite pode ocorrer em adultos ou crianças. A idade média de surgimento da dermatomiosite juvenil é de 7 anos, enquanto os casos em adultos tendem a se apresentar a partir da quarta à sexta década de vida. A dermatomiosite é a miopatia inflamatória mais comum em crianças. Comparada à doença do adulto, a doença infantil tem maior probabilidade de estar associada a calcinose e lipodistrofia e menor probabilidade de estar associada a anticorpos específicos para miosite, envolvimento cardíaco, doença pulmonar intersticial ou uma malignidade subjacente. Como pode ser esperado com base nessas diferenças, o prognóstico geral é melhor em crianças do que em adultos. Entre 15 e 24% dos pacientes adultos têm uma malignidade associada e, em tais pacientes, a dermatomiosite pode ser vista como um distúrbio paraneoplásico. Uma imagem semelhante a dermatomiosite também foi descrita com a miosite e o exantema seguidos ao tratamento do câncer com inibidores de ponto de controle (ver **Capítulo 7**).

Miopatia necrosante imunomediada

A miopatia necrosante imunomediada (MNIM) representa uma doença autoimune que muitas vezes está associada a autoanticorpos distintos (às vezes também referida como miopatia necrosante autoimune). Os pacientes afetados apresentam fraqueza muscular subaguda que está tipicamente associada a um aumento significativo dos níveis de creatinoquinase. As biopsias musculares mostram necrose e regeneração bastante proeminentes das miofibrilas na maioria dos casos, enquanto infiltrados de células inflamatórias geralmente estão ausentes ou são mínimos apesar da natureza autoimune da doença. Em muitos pacientes, a MNIM está associada a autoanticorpos contra a HMG-CoA redutase. Sua formação é frequentemente atribuída a exposição anterior à estatina, mas alguns pacientes desenvolvem esses autoanticorpos sem o uso prévio desses medicamentos. Em alguns pacientes, a MNIM tem sido associada a anticorpos para a partícula de reconhecimento de sinal.

Polimiosite

A polimiosite é uma miopatia inflamatória de início na idade adulta que compartilha mialgia e fraqueza com a dermatomiosite, mas carece de suas características cutâneas distintas sendo, portanto, até certo ponto, um diagnóstico de exclusão. Descrições de outras entidades tornaram os casos de polimiosite menos comuns conforme descrito anteriormente.

Patogênese

A patogênese da polimiosite é incerta, mas se acredita ter uma base imunológica. As células T citotóxicas CD8$^+$ são uma parte proeminente do infiltrado inflamatório no músculo afetado, e há a hipótese de que essas células são os mediadores do dano tecidual. Ao contrário da dermatomiosite, a lesão vascular não tem um papel importante na patogênese de polimiosite.

> **Morfologia**
>
> Infiltrados de células inflamatórias mononucleares estão presentes, mas, em contraste com a dermatomiosite, geralmente apresentam localização endomisial. Às vezes, miofibrilas com morfologia normal parecem ser invadidas por células inflamatórias mononucleares, predominantemente células T CD8$^+$. Miofibrilas com necrose degenerativa, em regeneração e atróficas são tipicamente encontradas de forma aleatória ou distribuição irregular. O padrão perifascicular de atrofia característico da dermatomiosite está ausente.

Miosite por corpúsculos de inclusão

A miosite por corpúsculos de inclusão é uma doença da idade adulta tardia que normalmente afeta pacientes com mais de 50 anos e é a miopatia inflamatória mais comum em pacientes com mais de 65 anos. A maioria dos indivíduos afetados apresenta fraqueza muscular lentamente progressiva que tende a ser mais grave no quadríceps e em músculos distais da extremidade superior. A disfagia com envolvimento do músculo esofágico e faríngeo não é incomum. Estudos de laboratório geralmente mostram níveis de creatinoquinase modestamente elevados; a maioria dos autoanticorpos associados a miosite está ausente, embora um anticorpo para 5'-nucleotidase 1A citosólica (cN1A, *cytolosolic 5'-nucleotidase 1A*) tenha sido recentemente descrito. Esse anticorpo está presente em cerca de metade dos pacientes e é um marcador útil da doença.

> **Morfologia**
>
> A miosite por corpúsculos de inclusão tem uma série de características semelhantes àquelas encontradas na polimiosite, incluindo as seguintes:
> - Infiltrados irregulares de células inflamatórias mononucleares endomisiais ricos em células T CD8$^+$
> - Aumento da expressão de antígenos do complexo de histocompatibilidade principal de classe I no sarcolema
> - Invasão focal de miofibrilas de aparência normal por células inflamatórias
> - Mistura de miofibrilas em degeneração e regeneração
>
> Outras mudanças associadas, no entanto, são mais típicas ou mesmo específicas para a miosite por corpúsculos de inclusão, como segue:
> - Inclusões citoplasmáticas anormais descritas como "vacúolos margeados" (**Figura 27.9**)
> - Inclusões tubulofilamentares em miofibrilas, observadas por microscopia eletrônica
> - Inclusões citoplasmáticas contendo proteínas tipicamente associadas a doenças neurodegenerativas, como beta-amiloide, TDP-43 e ubiquitina
> - Fibrose endomisial e lipossubstituição, reflexos de um curso crônico da doença.

Ainda permanece uma questão não resolvida se a miosite por corpúsculos de inclusão é de fato uma condição inflamatória ou um processo degenerativo com alterações inflamatórias secundárias. Há certas características em comum com a polimiosite, conforme discutido anteriormente. Por outro lado, a condição compartilha algumas características com doenças neurodegenerativas, como a presença de agregados proteicos. Além disso, existem várias miopatias por corpúsculos de inclusão familiares que também estão associadas a alterações miopáticas crônicas e vacúolos

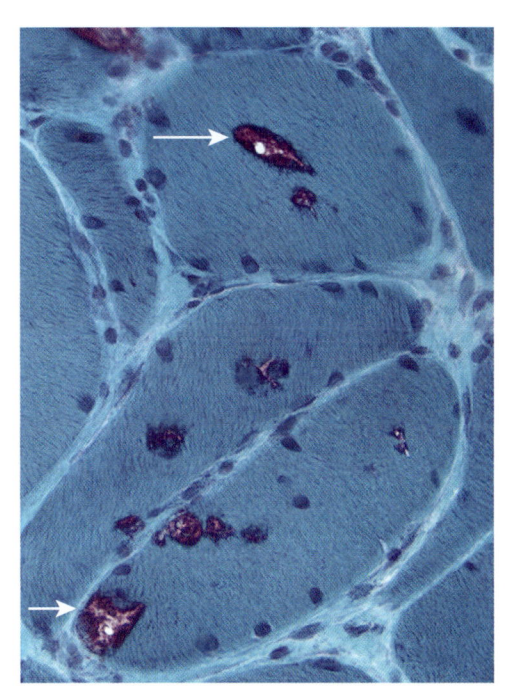

Figura 27.9 Miosite por corpúsculos de inclusão mostrando miofibrilas com vacúolos margeados – inclusões com margens granulares avermelhadas (*setas*). Coloração com tricrômico de Gomori modificada.

fibras do tipo I. Estudos ultraestruturais identificam agregados de estruturas membranosas lamelares espiraladas, como corpúsculos curvilíneos que mimetizam aqueles observados nas lipofuscinoses ceroides (ver **Capítulo 28**). O músculo cardíaco também pode ser afetado por esses fármacos e pode exibir alterações patológicas semelhantes.

A miopatia de UTI, também conhecida como miopatia deficiente em miosina, é um distúrbio neuromuscular observado em pacientes durante o curso do tratamento para doenças críticas (geralmente em uma UTI), sobretudo com corticoterapia. Pode ser causada pela degradação relativamente seletiva de filamentos espessos da miosina sarcomérica, produzindo fraqueza profunda que pode complicar o curso clínico (p. ex., interferindo no "desmame" de um paciente de um respirador mecânico).

A disfunção tireoidiana pode levar a vários tipos de miopatia. A *miopatia tireotóxica* se apresenta mais comumente como uma fraqueza muscular proximal aguda ou crônica que pode preceder outros sinais de hipertireoidismo. Esses pacientes também podem se apresentar com oftalmoplegia exoftálmica, caracterizada por inchaço das pálpebras, edema da conjuntiva e diplopia. O hipotireoidismo pode causar cãibras ou dores musculares e diminuição dos movimentos. Os reflexos podem ficar lentos. Os achados do músculo esquelético incluem atrofia de fibras, um número aumentado de núcleos anormalmente localizados, agregados de glicogênio e (ocasionalmente) deposição de mucopolissacarídeos no tecido conjuntivo.

O álcool também pode ser miopático. Mais notavelmente, uma bebedeira pode produzir uma síndrome tóxica aguda de rabdomiólise, mioglobinúria e insuficiência renal. O indivíduo afetado pode se queixar de mialgias agudas que são generalizadas ou confinadas a um único grupo de músculos.

margeados. Estas normalmente carecem de qualquer inflamação associada – daí a designação *"miopatia" por corpúsculos de inclusão* em vez de *"miosite"*. A miopatias inflamatórias são tratadas com fármacos imunossupressores como esteroides, azatioprina e, em alguns casos, imunoglobulinas intravenosas (IVIG, *intravenous immunoglobulins*). Tais tratamentos melhoraram o prognóstico da dermatomiosite e da polimiosite, mas a miosite por corpúsculos de inclusão responde mal à terapia. Esta é outra característica que argumenta contra uma origem inflamatória ou imune da miosite por corpúsculos de inclusão.

Miopatias tóxicas

As miopatias tóxicas podem ser causadas por medicamentos de prescrição médica, uso recreativo de drogas ilícitas ou por certos desequilíbrios hormonais. Entre os medicamentos de prescrição médica, as *estatinas* estão entre os principais culpados. As estatinas são medicamentos empregados para baixar o colesterol amplamente usados para reduzir os riscos de eventos cardíacos isquêmicos agudos e acidente vascular encefálico. **Miopatia é a complicação mais comum do uso de estatinas** (p. ex., atorvastatina, sinvastatina, pravastatina). A lesão tóxica pura está em parte ligada à dose e ao tipo de estatina e deve ser diferenciada da MNIM, que é geralmente causada por autoanticorpos induzidos por estatina.

A cloroquina e a hidroxicloroquina foram originalmente usadas como agentes antimaláricos e atualmente são administradas como terapia a longo prazo para alguns pacientes com doenças autoimunes sistêmicas. Esses fármacos interferem na função lisossomal normal e podem causar uma miopatia por armazenamento lisossomal induzida pelo fármaco que se apresenta com fraqueza muscular lentamente progressiva. O tecido muscular apresenta alterações miopáticas incluindo vacuolização que afeta predominantemente

Doenças hereditárias do músculo esquelético

As mutações herdadas são responsáveis por uma coleção diversa de distúrbios marcados por defeitos no músculo esquelético. Em alguns desses distúrbios, o músculo esquelético é o principal local da doença, mas em outros, diversos órgãos estão envolvidos. Entre os outros órgãos envolvidos, o coração é de particular importância, uma vez que o envolvimento cardíaco é comum e muitas vezes limitante da sobrevivência.

Historicamente, as miopatias hereditárias foram subdivididas em várias categorias amplas com base no padrão de herança, padrão anatômico de envolvimento muscular, idade do aparecimento, curso clínico e patogênese subjacente. Essas categorias devem ser amplamente entendidas como uma ilustração de conceitos-chave. Uma inspeção mais minuciosa revela que há exceções e sobreposição significativa entre essas categorias de doenças. As seguintes doenças estão incluídas no grupo de distúrbios musculares hereditários.

As *miopatias congênitas* (**Tabela 27.2**) tipicamente se apresentam na infância com defeitos musculares que tendem a ser estáticos ou mesmo melhorarem com o tempo. Eles estão frequentemente associados a distintas anormalidades estruturais do músculo.

As *distrofias musculares* são caracterizadas por dano muscular progressivo que normalmente chamam atenção após a infância.

As *distrofias musculares congênitas*, em contraste, tendem a se apresentar na infância e estão frequentemente associadas a anormalidades de desenvolvimento do SNC, bem como dano muscular progressivo. As distrofias musculares congênitas incluem dois grupos importantes:

Tabela 27.2 Miopatias congênitas.

Doença e herança	Gene e *locus*	Achados clínicos	Achados patológicos
Doença central *core*; autossômica dominante	Gene do receptor de rianodina-1 (*RYR1*); 19q13.2	Hipotonia de início precoce e fraqueza; "flacidez infantil"; anormalidades ósseas associadas como escoliose, deslocamento de quadril ou deformidades dos pés; algumas mutações em *RYR1* causam doença central *core*, algumas causam hipertermia e algumas causam ambas	Os centros citoplasmáticos representam zonas centrais nas quais o arranjo normal dos sarcômeros está alterado e as mitocôndrias estão reduzidas em número
Miopatia nemalínica (NEM)	AD NEM1 – gene da α-tropomiosina 3 (*TPM3*); 1q21.3 AR NEM2 – gene da nebulina (*NEB*); 2q23.3 AR NEM3 – gene da α-actina 1 (*ACTA1*); 1q42.13 AD NEM4 – gene da tropomiosina-2 (*TPM2*); 9p13.3 AR NEM5 – gene da tropotina T1 (*TNNT1*); 19q13.42 AR NEM7 – gene da cofilina-2 (*CFL2*); 14q13.1	Fraqueza infantil; alguns com mais fraqueza grave, hipotonia ao nascimento ("neonato flácido")	Agregados de partículas fusiformes (*bastonetes nemalínicos*); ocorre predominantemente em fibras tipo 1; derivado de material da banda Z (α-actinina) e melhor visto em coloração de Gomori modificada ou por microscopia eletrônica
Miopatia centronuclear (miotubular)	XL – gene da miotubularina (*MTM1*); Xq28 AD – gene da dinamina-2 (*DNM2*) e outros; 19p13.2 AR – gene da anfifisina-2 (*BIN1*); 2q14.3	Hipotonia congênita grave, "neonato flácido" e prognóstico negativo na forma ligada ao X ("miopatia miotubular") Início na infância ou na idade adulta jovem, apresentando outras variantes com fraqueza e hipotonia	Muitas fibras contêm núcleos no centro geométrico da miofibrila; os núcleos centrais são mais comuns nas fibras tipo 1, que são pequenas em diâmetro, mas podem ocorrer em ambos os tipos de fibras
Desproporção congênita do tipo de fibra	Gene da selenoproteína 1 (*SELENON*); 1p36.11 Gene da α-actina-1 (*ACTA-1*); 1q42.13 Gene da tropomiosina 3 (*TPM3*); 1q21.3	Hipotonia, fraqueza, falta de crescimento, fraqueza facial e respiratória, contraturas Amplo espectro fenotípico Mutações em *SELENON* também estão associadas a miopatia de agregados de proteína e distrofia muscular com rigidez da coluna; mutações em *ACTA1* também estão associadas a miopatia nemalínica e miopatia de agregados de proteína; mutações em *TPM3* também estão associadas a miopatia nemalínica	Predominância e atrofia de fibras tipo 1 (inespecífica)

AD, autossômica dominante; *AR*, autossômica recessiva; *XL*, ligadas ao X.

- *Condições com defeitos na matriz extracelular circundante às miofibrilas.* Essas condições são exemplificadas pela distrofia muscular congênita de Ullrich (DMCU) e pela deficiência de merosina. No primeiro caso, as mutações causais envolvem um dos três genes alfa do colágeno VI; no caso da deficiência de merosina, o gene que codifica a merosina sofre uma disrupção. A DMCU é caracterizada por hipotonia, contraturas proximais, e hiperextensibilidade distal. Uma marca morfológica é a expressão incompatível entre perlecan e colágeno VI, proteínas de matriz normalmente colocalizadas
- *Condições com anormalidades nos receptores para matriz extracelular.* Nesse grupo estão as doenças com disrupção da modificação pós-traducional da alfadistroglicana (**Figura 27.10**) por glicosilação O-ligada. Mutações da alfadistroglicana em si resultam em morte fetal, mas defeitos em sua modificação pós-traducional resultam em formas mais leves da deficiência de distroglicana. A expressão de alfadistroglicana é importante para o desenvolvimento do SNC e dos olhos. Os casos graves exibem características de distrofia muscular congênita, bem como defeitos de desenvolvimento do SNC e olhos que causam convulsões, deficiência intelectual e cegueira. As formas mais suaves podem causar apenas doenças do músculo esquelético. Algumas dessas mutações também estão ligadas a uma apresentação descrita como distrofia muscular de cinturas (ver mais adiante).

A seção a seguir enfoca as formas mais comuns e melhor compreendidas de miopatias hereditárias.

Distrofias musculares

As distrofias musculares incluem muitos distúrbios hereditários do músculo esquelético, que têm em comum o dano progressivo aos músculos que normalmente se manifestam entre a infância e a idade adulta. Conforme mencionado, com exceção das distrofias musculares congênitas, essas doenças não se apresentam na infância. Enquanto nosso foco está nas distrofias musculares ligadas ao X, outras formas nas quais a patogênese da doença é razoavelmente bem compreendida também são brevemente discutidas.

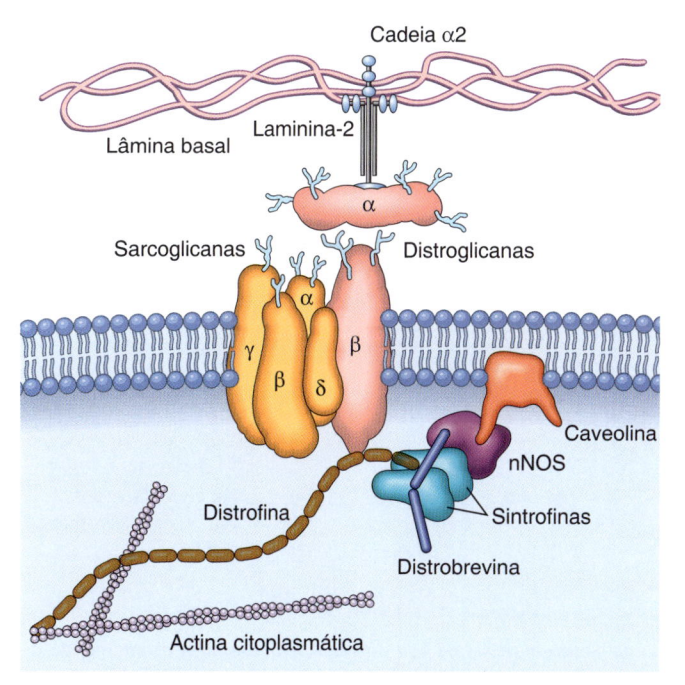

Figura 27.10 Relação entre a membrana celular (sarcolema) e as proteínas sarcolemais associadas. A distrofina, uma proteína intracelular, forma uma interface entre as proteínas do citoesqueleto e um grupo de proteínas transmembrana, as distroglicanas e as sarcoglicanas. Essas proteínas transmembrana têm interações com a matriz extracelular, incluindo as proteínas lamininas. A distrofina também interage com a distrobrevina e as sintrofinas, que formam uma ligação com a óxido nítrico sintetase do tipo neuronal (*nNOS*) e a caveolina. Mutações da distrofina estão associadas às distrofias musculares ligadas ao X; mutações da caveolina e das proteínas sarcoglicanas estão associadas às distrofias musculares de cinturas, que podem ser doenças autossômicas dominantes ou recessivas; e mutações da α_2-laminina (merosina) estão associadas a distrofia muscular congênita autossômica recessiva. Porções de carboidratos nas distroglicanas são afetadas pela disrupção das enzimas responsáveis por esta modificação pós-traducional. Mutações em genes que codificam essas enzimas de glicosilação podem causar miopatia, conforme discutido a seguir. Esses motivos são representados como a estrutura ramificada em azul-claro.

Distrofia muscular ligada ao X com mutação da distrofina, incluindo distrofia muscular de Duchenne e distrofia muscular de Becker

As distrofias musculares mais comuns são ligadas ao X e derivam de mutações que interrompem a função de uma grande proteína estrutural chamada distrofina. Como resultado, estas doenças às vezes são chamadas de *distrofinopatias*. A forma de início precoce mais comum é referida como *distrofia muscular de Duchenne*, que tem uma incidência de 1 a cada 3.500 nascidos vivos do sexo masculino e um fenótipo progressivo grave. A *distrofia muscular de Becker* é uma segunda distrofinopatia relativamente comum caracterizada pelo início tardio da doença e um fenótipo mais leve. Outras distrofinopatias raras podem se apresentar com cardiomiopatia isolada, elevações assintomáticas dos níveis de creatinoquinase ou intolerância ao exercício em decorrência de mialgias e cãibras. Tal como acontece com muitas doenças ligadas ao X, mulheres portadoras de mutações da distrofina podem ser levemente sintomáticas devido a inativação desfavorável do cromossomo X.

Patogênese

A distrofia muscular de Duchenne e a de Becker são causadas por mutações de perda de função no gene da distrofina presente no cromossomo X. O gene *distrofina* é um dos maiores genes humanos, abrangendo 2,3 milhões de pares de bases e composto por 79 éxons. A proteína codificada, distrofina, é um componente-chave do complexo distrofina-glicoproteína (**Figura 27.10**). Esse complexo atravessa a membrana plasmática e serve como um elo entre o citoesqueleto dentro da miofibrila e a membrana basal fora da célula. Ao fazer isso, acredita-se que distrofina forneça estabilidade mecânica à miofibrila e sua membrana celular durante a contração muscular. Defeitos no complexo podem levar a pequenas rupturas na membrana que permitem influxo de cálcio, desencadeando eventos que resultam em degeneração da miofibrila. Além de sua função mecânica, a distrofina pode ter um papel nas vias de sinalização; por exemplo, sua porção carboxiterminal interage com a óxido nítrico sintase, que gera óxido nítrico (NO).

A identificação e caracterização de mutações específicas do gene *distrofina* fornecem uma explicação para algumas das variações fenotípicas em pacientes com distrofinopatias. A distrofia muscular de Duchenne está tipicamente associada a deleções ou mutações com mudança de quadros de leitura (*frameshift*) que resultam em ausência total de distrofina. Em contraste, as mutações presentes na distrofia muscular de Becker normalmente permitem a síntese de uma versão truncada da distrofina, que presumivelmente retém função parcial.

Morfologia

As mudanças morfológicas básicas que as distrofias musculares provocam no tecido muscular esquelético podem diferir em gravidade, mas não discriminam entre as diferentes formas de distrofia. As alterações da distrofia muscular de Duchenne servem como exemplo. Essa doença é marcada por dano muscular crônico que ultrapassa a capacidade para reparo (**Figura 27.11**). Biopsias musculares em meninos jovens mostram danos em andamento na forma de degeneração e regeneração segmentar das miofibrilas associadas a uma mistura de miofibrilas atróficas. A arquitetura fascicular está preservada neste estágio da doença, e geralmente não há inflamação, exceto pela presença de miofagocitose. Conforme a doença progride, o tecido muscular é substituído por colágeno e adipócitos ("substituição gordurosa" ou "infiltração gordurosa"). As miofibrilas restantes neste ponto do curso da doença mostram variação proeminente no tamanho, desde pequenas fibras atróficas a grandes fibras hipertrofiadas. Esse remodelamento distorce a arquitetura fascicular do músculo, que se torna marcadamente anormal ao longo do tempo. **Estudos imuno-histoquímicos para distrofina mostram ausência do padrão de coloração normal do sarcolema na distrofia muscular de Duchenne e coloração reduzida na distrofia muscular de Becker.**

Características clínicas

Meninos portadores de distrofia muscular de Duchenne são considerados normais ao nascimento. Os marcos motores iniciais são atingidos, mas há atraso para conseguirem andar. Os primeiros indícios de fraqueza muscular são movimentos desajeitados e incapacidade de acompanhar os colegas. A fraqueza começa nos músculos da cintura pélvica e depois se estende até a cintura

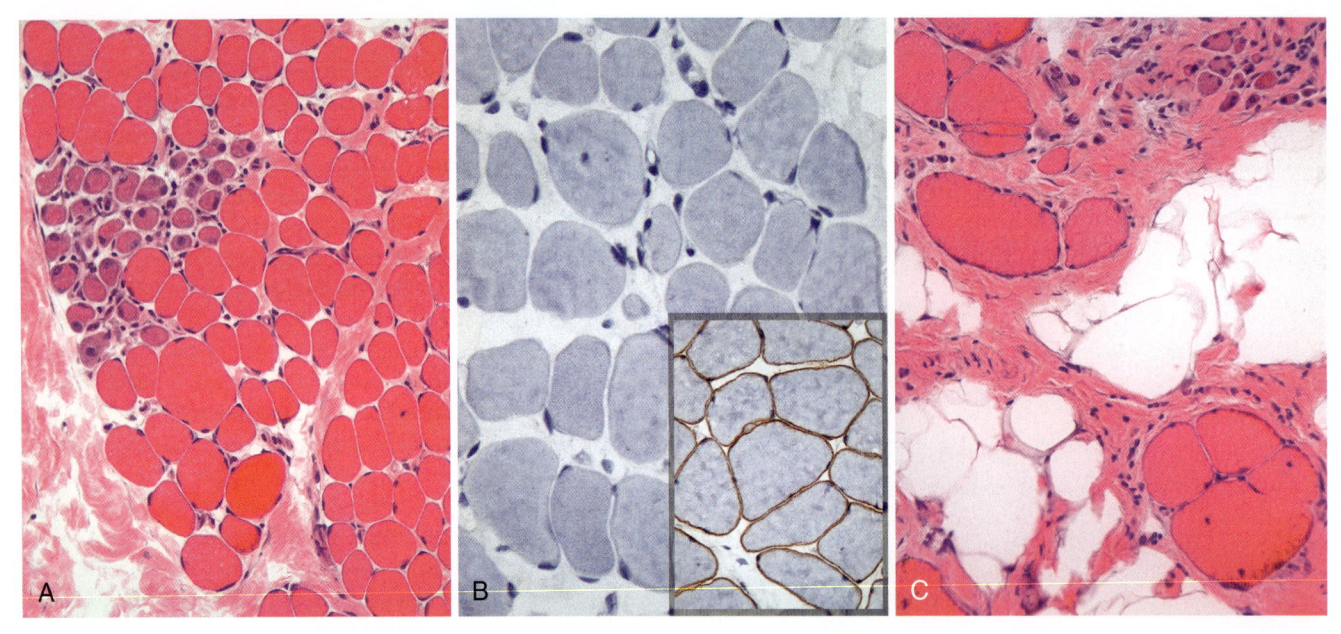

Figura 27.11 Distrofia muscular de Duchenne. Imagens histológicas de amostras de biopsia muscular de dois irmãos. **A** e **B**. Amostras de um menino de 3 anos. **C**. Amostran de seu irmão de 9 anos. **A**. Em uma idade mais jovem, a arquitetura fascicular do músculo é mantida, mas as miofibrilas apresentam variação de tamanho. Além disso, há um agrupamento de miofibrilas basofílicas em regeneração (*lado esquerdo*) e leve fibrose endomisial, vista como um tecido conjuntivo de coloração rosa focal entre as miofibrilas. **B**. A coloração imuno-histoquímica mostra ausência completa de distrofina associada a membrana, observada como uma coloração marrom no músculo normal (*inserção*). **C**. A amostra de biopsia do irmão mais velho ilustra a progressão da doença, que é marcada por ampla variação no tamanho da miofibrila, lipossubstituição e fibrose endomisial.

escapular. Aumento dos músculos da parte inferior da perna associada à fraqueza, denominado pseudo-hipertrofia, frequentemente está presente. A idade média de dependência de cadeira de rodas é aproximadamente 9,5 anos. Os pacientes desenvolvem contraturas articulares, escoliose, piora da reserva respiratória e hipoventilação do sono.

A distrofina também é expressa no coração e no SNC. A deficiência de distrofina no músculo cardíaco frequentemente leva ao desenvolvimento de cardiomiopatia e arritmias, sobretudo em pacientes mais velhos. Comprometimento cognitivo e deficiências de aprendizado, presumivelmente devido a um papel funcional da distrofina no cérebro, também é comum e às vezes produz deficiência intelectual franca. Apesar dos cuidados de suporte, a idade média de morte para pacientes com distrofia muscular de Duchenne é de 25 a 30 anos, com a maioria dos pacientes sucumbindo a insuficiência respiratória, infecção pulmonar ou insuficiência cardíaca. Isso contrasta com a distrofia muscular de Becker, que tipicamente se apresenta no final da infância, adolescência ou vida adulta; tem progressão mais lenta; e pode têm uma expectativa de vida quase normal.

O diagnóstico é baseado no histórico, exame físico e estudos de laboratório. A creatinoquinase sérica está marcadamente elevada durante a primeira década de vida devido ao contínuo dano muscular e então cai conforme a doença progride e a massa muscular é perdida. A detecção de uma mutação da distrofina oferece o diagnóstico definitivo.

O tratamento de pacientes com distrofinopatias é desafiador. O tratamento atual consiste principalmente em cuidados de suporte. A terapia definitiva requer restauração dos níveis de distrofina nas fibras musculares esqueléticas e cardíacas. O trabalho nesta área é encorajado pelo reconhecimento de que a expressão de alguma proteína distrofina (como em pacientes com distrofia muscular de Becker) é suficiente para melhorar substancialmente o fenótipo da doença. Uma abordagem envolve a expressão de RNA antisenso que alteram o processamento (*splicing*) do RNA de modo a causar o "salto" (*skipping*) de éxons contendo as mutações deletérias, permitindo assim a expressão de uma proteína distrofina truncada, mas parcialmente funcional. Uma segunda estratégia é explorar o uso de medicamentos que promovem "leitura" (*readthrough*) ribossômico de códons de parada, outro artifício que pode permitir a expressão de alguma proteína distrofina. Ambas as abordagens são mutação-específicas e, portanto, precisam ser adaptadas para pacientes individuais. A terapia gênica (introdução de um gene normal de distrofina) está sendo investigada, mas a entrega do gene ao as células musculares esqueléticas continua sendo um obstáculo difícil.

Distrofia muscular de cinturas

As distrofias musculares de cinturas são um grupo heterogêneo de pelo menos 8 entidades autossômicas dominantes e 23 entidades autossômicas recessivas. Sua incidência geral é de 1 a cada 25 a 50 mil indivíduos. Conforme indicado pelo nome, todas as formas são caracterizadas por fraqueza muscular que preferencialmente envolve os grupos musculares proximais. A idade de início e a gravidade da doença são altamente variáveis. As mutações causais envolvem genes que participam de diversas funções celulares, tornando difícil discernir um mecanismo unificador de patogênese da doença. Com base no conhecimento atual, os genes implicados podem ser agrupados de acordo com a função, como segue:

- *Genes que codificam componentes estruturais* (sarcoglicanas) do complexo distrofina-glicoproteína

- *Genes que codificam enzimas responsáveis pela glicosilação de α-distroglicana*, um componente do complexo distrofina-glicoproteína (**Figura 27.10**)
- *Genes que codificam proteínas que se associam aos discos Z dos sarcômeros*
- *Genes que codificam proteínas envolvidas no tráfego de vesículas e sinalização celular*
- *Genes que aparentemente são independentes, tais como CAPN3, que codifica a protease calpaína 3 e lamina A/C* (que também está mutada em alguns pacientes com distrofia muscular de Emery-Dreifuss [DMED]; ver adiante).

Distrofia miotônica

A distrofia miotônica é um distúrbio autossômico dominante multissistêmico associado a fraqueza do músculo esquelético, catarata, endocrinopatia e cardiomiopatia. Esse distúrbio afeta cerca de 1 a cada 10 mil indivíduos. A miotonia, uma contração involuntária sustentada dos músculos, é uma característica fundamental da doença. Raramente, os pacientes se apresentam com "*miotonia congênita*", marcada por graves manifestações na infância.

Patogênese

A doença é causada por expansões de trinucleotídios CTG, repetidos na região 3' não codificadora do gene da proteinoquinase miotônica distrófica (*DMPK*). Entretanto, não se sabe precisamente como essa aberração genética produz o fenótipo da doença. A correlação entre o comprimento da expansão e a gravidade da doença é variável em comparação a alguns outros distúrbios da expansão de repetições de trinucleotídios como a doença de Huntington (ver **Capítulo 28**). Estudos experimentais sugerem que o fenótipo do músculo esquelético decorre de um ganho de função "tóxico" causado pela expansão da repetição de trinucleotídios. Especificamente, as repetições CUG expandidas no transcrito de mRNA de *DMPK* parecem ligar e sequestram proteínas como o regulador de processamento alternativo *muscleblind-like 1*, que tem um papel importante no processamento do RNA. O resultado da disrupção dos eventos normais de processamento provoca erros de processamento de outros transcritos de RNA, incluindo o transcrito para um canal de cloreto denominado *CLC1*. Acredita-se que a deficiência resultante de CLC1 seja responsável pela miotonia característica. Em concordância com este cenário, uma forma rara de miotonia congênita é causada por mutações da linhagem germinativa com perda de função em *CLC1*, indicando que CLC1 é necessário para o relaxamento muscular normal.

Distrofia muscular de Emery-Dreifuss

A distrofia muscular de Emery-Dreifuss (DMED) é causada por mutações em genes que codificam as proteínas nucleares laminas. Clinicamente, a DMED é marcada por uma tríade que consiste em fraqueza umeroperoneal lentamente progressiva; cardiomiopatia associada a defeitos de condução; e contraturas precoces do tendão de Aquiles, coluna e cotovelos. A forma ligada ao X (DMED1) e a forma autossômica (DMED2) são causadas por mutações nos genes codificadores de *emerina* e *lamina A/C*, respectivamente, ambos localizados na face interna da membrana nuclear. Há uma hipótese de que estas proteínas ajudam a manter a forma e a estabilidade mecânica do núcleo durante a contração muscular. Elas também podem influenciar a expressão gênica ao afetar a organização da cromatina no núcleo. Não se sabe como os defeitos nessas proteínas produzem os fenótipos observados.

Distrofia fascio-escapuloumeral

A distrofia fascio-escapuloumeral está associada a um padrão característico de envolvimento muscular que inclui fraqueza proeminente dos músculos faciais e músculos da cintura escapular. É uma doença autossômica dominante que afeta cerca de 1 a cada 20 mil indivíduos.

Patogênese

A patogênese da distrofia fascio-escapuloumeral é complexa e apenas parcialmente compreendida. Essa distrofia resulta de vários mecanismos que culminam na (super) expressão de um retrogene denominado *DUX4* que está localizado em uma região de repetições subteloméricas no braço longo do cromossomo 4. *DUX4* codifica um fator de transcrição, sugerindo que a doença resulta, em última análise, da superexpressão de genes-alvo de *DUX4*.

Doenças do metabolismo de lipídios ou de glicogênio

Muitos erros inatos do metabolismo de lipídios ou de glicogênio afetam o músculo esquelético. Esses distúrbios tendem a produzir um dentre dois padrões gerais de disfunção muscular: em alguns casos, os pacientes tornam-se sintomáticos apenas com exercícios ou jejum, que podem produzir cãibras musculares graves e dor ou mesmo extensa necrose muscular (*rabdomiólise*). Em outros casos, há dano muscular lentamente progressivo e ausência de manifestações episódicas. Alguns exemplos estão listados a seguir:

- A *deficiência de carnitina palmitoiltransferase II* é o distúrbio mais comum do metabolismo lipídico que causa dano muscular episódico seguido ao exercício ou jejum. O defeito deste distúrbio compromete o transporte de ácidos graxos livres para a mitocôndria
- A *deficiência de miofosforilase (doença de McArdle)* é uma das doenças de armazenamento de glicogênio mais comuns que afetam o músculo esquelético; também resulta em dano muscular episódico seguido ao exercício
- A *deficiência de maltase ácida* resulta em comprometimento da conversão lisossomal de glicogênio em glicose, causando o acúmulo de glicogênio dentro dos lisossomos. A deficiência grave resulta na glicogenose generalizada na infância, a *doença de Pompe* (ver **Capítulo 5**). A deficiência mais leve pode causar uma miopatia progressiva de início na idade adulta que preferencialmente envolve os músculos respiratórios e do tronco. A terapia de reposição enzimática tem sido usada para tratar alguns pacientes afetados.

Miopatias mitocondriais

As doenças mitocondriais são condições sistêmicas complexas que podem envolver diversos sistemas de órgãos, incluindo o músculo esquelético. A genética desses distúrbios é variada e incomumente complexa (discutida mais à frente), mas muitas das mutações causais parecem comprometer a capacidade das mitocôndrias de gerar adenosina trifosfato (ATP). Como resultado, essas doenças tendem a afetar os músculos esqueléticos e outros tecidos ricos em tipos celulares com alta necessidade de ATP, sobretudo células musculares cardíacas e neurônios.

O envolvimento do músculo esquelético pode se manifestar como fraqueza, elevações dos níveis de creatinoquinase sérica ou rabdomiólise. Embora o padrão anatômico de fraqueza muscular seja variável, o envolvimento dos músculos extraoculares dos olhos é comum e pode ser uma pista para o diagnóstico. Na verdade, a *oftalmoplegia externa crônica progressiva* é uma característica comum de distúrbios mitocondriais e podem ocorrer como um fenômeno isolado ou como parte de uma síndrome multissistêmica. A razão pela qual os músculos extraoculares dos olhos são sensíveis, principalmente a doenças mitocondriais, é incerta, mas pode ser que esses músculos tenham requisitos excepcionalmente altos de ATP. Em consonância com esta ideia, os músculos extraoculares dos olhos têm mais mitocôndrias por massa do que qualquer outro músculo do corpo.

Proteínas mitocondriais e RNAt podem ser codificados tanto pelo genoma nuclear quanto pelo genoma mitocondrial (DNAmt). Enquanto as mutações em genes nucleares seguem padrões de herança Mendeliana, mutações no DNAmt são herdadas da mãe, uma vez que todas as mitocôndrias dos embriões são fornecidas pelo oócito (ver **Capítulo 5**). Além disso, ao contrário do DNA nuclear, que está presente em apenas duas cópias e é distribuído uniformemente de uma célula-mãe para as células filhas durante a divisão celular, cada célula contém milhares de cópias de DNAmt, que são distribuídas de forma aleatória às células filhas no momento da divisão celular. Acredita-se que a doença ocorra apenas quando certo limiar de cópias de DNAmt mutadas é excedido em uma fração substancial de células "em risco" (p. ex., células do músculo esquelético) em um tecido.

Morfologia

A mudança patológica mais consistente do músculo esquelético são os agregados anormais de mitocôndrias vistos preferencialmente na área subsarcolemal das miofibrilas afetadas, produzindo uma aparência que é referida como "fibras vermelhas irregulares" (**Figura 27.12**). As mitocôndrias morfologicamente anormais podem ser observadas por microscopia eletrônica. A perda de atividades enzimáticas mitocondriais específicas caracteriza algumas doenças mitocondriais e pode ser observada por coloração histoquímica para a citocromo oxidase. Algumas doenças mitocondriais carecem de alterações morfológicas e podem ser diagnosticadas somente por meio de ensaios enzimáticos ou análises genéticas.

Características clínicas

Devido à complexidade da genética mitocondrial, as relações genótipo/fenótipo em doenças mitocondriais não são diretas. Por exemplo, uma única mutação pontual na leucina do gene de tRNA mitocondrial pode produzir oftalmoplegia externa progressiva crônica isolada em um paciente e um fenótipo muito mais grave em outro, como a *encefalomiopatia mitocondrial com acidose láctica e episódios semelhantes a acidentes vasculares cerebrais*. Da mesma forma, deleções no DNAmt podem causar oftalmoplegia isolada ou *síndrome de Kearns-Sayre*, caracterizada por oftalmoplegia, degeneração pigmentar da retina e bloqueio cardíaco completo. Outros exemplos de doença mitocondrial causada por mutações pontuais no DNAmt são *epilepsia mioclônica com fibras vermelhas irregulares* e *neuropatia óptica hereditária de Leber*. Muitos distúrbios mitocondriais, como a encefalopatia necrosante subaguda (*síndrome de Leigh*), são notavelmente heterogêneos do ponto de vista genético e podem ser causados por mutações no DNAmt ou no genoma nuclear. No caso da síndrome de Leigh, mutações causais foram identificadas em mais de 30 genes diferentes e a característica comum é que todos os genes afetados codificam proteínas com funções essenciais no metabolismo mitocondrial.

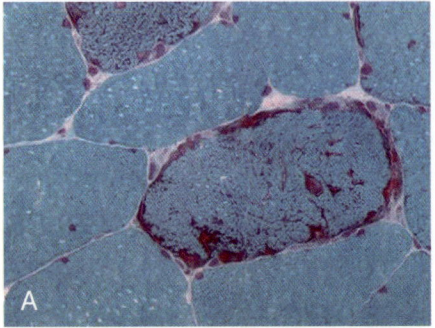

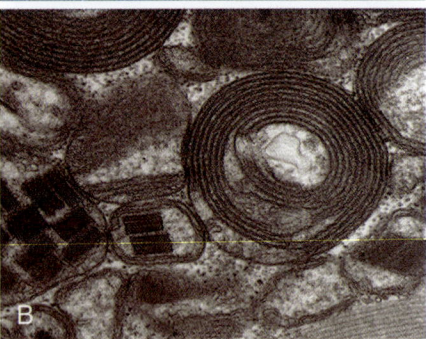

Figura 27.12 A. Fibra vermelha irregular com coloração subarcolemal granular avermelhada aumentada, reflexo da agregação anormal de mitocôndrias. **B.** Micrografia eletrônica mostrando mitocôndrias morfologicamente anormais com anéis membranosos concêntricos (chamados "registros fonográficos") e inclusões paracristalinas romboides (*lado esquerdo inferior*).

Atrofia muscular espinal e diagnóstico diferencial de um recém-nascido hipotônico

A atrofia muscular espinal é um distúrbio neuropático em que a perda de neurônios motores leva à fraqueza muscular e à atrofia. Recém-nascidos com doenças neurológicas ou neuromusculares podem se apresentar com hipotonia generalizada ("neonato flácido"). O diagnóstico diferencial da hipotonia infantil inclui doenças primárias do músculo esquelético (p. ex., síndrome miastênica congênita, miotonia congênita, miopatias congênitas e distrofias musculares congênitas); anormalidades do cérebro (p. ex., encefalopatia); e neuronopatias, cuja atrofia muscular espinal é um exemplo prototípico.

A atrofia muscular espinal é uma doença autossômica recessiva com incidência de 1 a cada 6 mil nascimentos e é causada por mutações de perda de função no gene *SMN1* (sobrevivência do neurônio motor-1). A função do gene é incerta – a proteína codificada pode ter um papel no processamento do RNA – mas a deficiência de SMN1 tem um efeito dramático na sobrevivência de neurônios motores, às vezes levando à perda desses neurônios ainda no útero. A desnervação do músculo esquelético resultante pode levar a alterações morfológicas características que consistem em grandes zonas de miofibrilas gravemente atróficas misturadas com miofibrilas de tamanho normal ou hipertrofiadas espalhadas, encontradas individualmente ou em pequenos grupos (**Figura 27.13**). Estas fibras normais ou hipertrofiadas são aquelas que retêm a inervação dos neurônios motores remanescentes.

Miopatias do canal iônico (canalopatias)

A canalopatias são um grupo de doenças hereditárias causadas por mutações que afetam a função das proteínas do canal iônico.

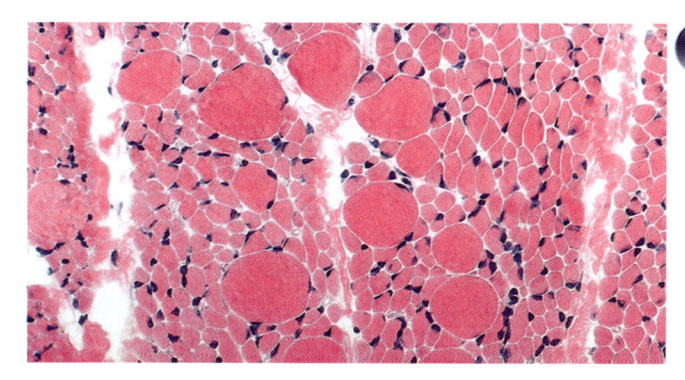

Figura 27.13 Atrofia muscular espinal com apenas raras miofibrilas hipertrofiadas misturadas com numerosas miofibrilas atróficas arredondadas. As fibras maiores são aquelas que são inervadas e sofreram hipertrofia compensatória.

> **Conceitos-chave**
>
> **Distúrbios do músculo esquelético**
>
> - A função muscular alterada pode resultar de doenças neurogênicas ou processos miopáticos primários
> - Os distúrbios miopáticos são frequentemente marcados por degeneração e regeneração de miofibrilas
> - As três miopatias inflamatórias tradicionais são polimiosite, dermatomiosite e miosite por corpúsculos de inclusão, mas outras formas são agora reconhecidas, como a MNIM:
>   - A miosite por corpúsculos de inclusão é uma doença crônica progressiva de pacientes mais velhos associada a vacúolos marginados
>   - A dermatomiosite ocorre em crianças e adultos, sendo que em adultos frequentemente se apresenta como um distúrbio paraneoplásico. O dano imunológico em pequenos vasos sanguíneos e atrofia perifascicular são características comuns
>   - A polimiosite é uma miopatia de início na idade adulta causada por células T $CD8^+$. Esta doença é menos comum do que se pensava originalmente porque muitos pacientes são reclassificados como tendo MNIM, doença sistêmica do tecido conjuntivo, ou mesmo miosite por corpúsculos de inclusão
> - As distrofias musculares e as miopatias congênitas resultam de mutações genéticas que perturbam a função de proteínas que são importantes para vários aspectos do desenvolvimento, função e regeneração do músculo. Algumas dessas doenças se apresentam na infância, outras na idade adulta. Elas podem ser implacavelmente progressivas ou causar déficits relativamente estáticos
> - A miopatia pode resultar de uma lesão tóxica ou ser o resultado de doenças metabólicas, como as do metabolismo de lipídios, metabolismo do glicogênio e mitocôndrias.

A maioria das canalopatias é formada por doenças autossômicas dominantes com penetrância variável. Dependendo do canal afetado, as manifestações clínicas podem incluir epilepsia, enxaqueca, distúrbios do movimento com disfunção cerebelar, doença do nervo periférico e doença muscular.

Diferentes miopatias do canal iônico podem causar diminuição ou aumento da excitabilidade resultando em hipotonia ou hipertonia. Os distúrbios associados à hipotonia podem ser posteriormente subclassificados com base em quanto os pacientes sintomáticos apresentam níveis de potássio sérico elevados, diminuídos ou normais e são chamados de *paralisia periódica hiperpotassêmica, hipopotassêmica ou normocalêmica*, respectivamente. Exemplos de mutações gênicas associadas a disfunção muscular são os seguintes:

- *KCNJ2*: mutações que afetam este canal de potássio causam a *síndrome de Andersen-Tawil*, um distúrbio autossômico associado a paralisia periódica, arritmias cardíacas e anormalidades esqueléticas
- *SCN4A*: mutações que afetam esse canal de sódio causam vários distúrbios autossômicos com apresentações que variam de miotonia a paralisia periódica
- *CACNA1S*: mutações de perda de sentido (*missense*) (em que há troca do aminoácido) nesta proteína, uma subunidade de um canal de cálcio muscular, são a causa mais comum de paralisia hipopotassêmica
- *CLC1*: mutações que afetam esse canal de cloreto causam miotonia congênita. Como já discutido, a expressão de *CLC1* está diminuída na distrofia miotônica
- *RYR1*: mutações no gene *RYR1* interrompem a função do receptor de rianodina, que regula a liberação de cálcio do retículo sarcoplasmático. Mutações em *RYR1* estão ligadas a uma miopatia congênita (miopatia centronuclear) e *hipertermia maligna*. Essa última é caracterizada por um estado hipermetabólico (taquicardia, taquipneia, espasmos musculares e hiperpirexia tardia) que pode ser desencadeado por anestésicos, mais comumente agentes inalatórios halogenados e succinilcolina. Após a exposição ao anestésico, o receptor mutado permite maior efluxo de cálcio do retículo sarcoplasmático, levando a tetania e produção excessiva de calor.

Tumores da bainha do nervo periférico

A grande maioria das neoplasias benignas e malignas das bainhas dos nervos periféricos é composta por células que mostram evidências de diferenciação das células de Schwann. Essas neoplasias incluem os três tipos comuns: schwannoma, neurofibroma e tumor maligno da bainha do nervo periférico (TMBNP). Outras neoplasias raras de origem nos nervos podem mostrar evidências de diferenciação de células perineurais. Há uma transição abrupta entre a mielinização por oligodendrócitos (mielina central) e mielinização por células de Schwann (mielina periférica) que ocorre quando os nervos se estendem para fora da substância do cérebro. Assim, as neoplasias de nervos periféricos às vezes surgem dentro da dura-máter, bem como ao longo do curso distal dos nervos periféricos.

As neoplasias da bainha do nervo periférico têm muitas características únicas. Em primeiro lugar, há uma associação com síndromes tumorais familiares relativamente comuns, incluindo neurofibromatose tipo 1 (NF1), neurofibromatose tipo 2 (NF2) e schwannomatose. Em segundo lugar, acredita-se que os TMBNPs vistos no contexto de NF1 surjam por meio da transformação maligna de neurofibromas plexiformes benignos preexistentes. Embora a transformação maligna de uma lesão benigna preexistente seja uma origem comum para certos carcinomas (p. ex., câncer de cólon), é incomum em neoplasias de tecido mole. Neoplasias com diferenciação de músculo esquelético são discutidas no **Capítulo 26**.

Schwannomas

Os schwannomas são neoplasias benignas que exibem diferenciação das células de Schwann e muitas vezes surgem diretamente dos nervos periféricos. Essas neoplasias são um componente da NF2, e mesmo schwannomas esporádicos estão comumente associados mutações inativadoras do gene *NF2* no cromossomo 22. A perda de expressão do produto do gene *NF2*, merlin, é um achado consistente em todos os schwannomas. Por meio de interações que afetam o citoesqueleto de actina, merlin participa da regulação de várias vias de sinalização importantes que estão envolvidas no controle da forma celular, crescimento celular e fixação das células umas às outras (adesão celular).

Morfologia

Schwannomas são massas bem circunscritas e encapsuladas que se fixam frouxamente ao nervo associado, sem invadi-lo. Como resultado, muitas vezes eles podem ser ressecados sem sacrificar a função do nervo. Grosseiramente, esses tumores formam massas firmes e cinzentas. Microscopicamente, eles são compostos de uma combinação de áreas densas e frouxas referidas como áreas **Antoni A** e **Antoni B**, respectivamente (**Figura 27.14A**). As áreas Antoni A densas e eosinofílicas contêm células fusiformes organizadas em fascículos celulares que se cruzam. O paliçamento nuclear é comum. As estruturas resultantes com "zonas livres de núcleos" centrais ramificadas por núcleos em paliçada são denominados **corpos de Verocay** (**Figura 27.14B**). Nas áreas **Antoni B** frouxas e hipocelulares, as células fusiformes estão espalhadas e separadas por uma matriz extracelular mixoide proeminente que pode estar associada a formação de microcistos. As células de Schwann são caracterizadas pela presença de um núcleo alongado fusiforme com um formato ondulado ou curvado. A microscopia eletrônica mostra depósitos de membrana basal envolvendo células individuais e fibras de colágeno. Como a lesão desloca o nervo de origem à medida que cresce, os axônios são amplamente excluídos do tumor, embora possam se tornar aprisionados na cápsula. A origem desses tumores a partir das células de Schwann é confirmada por sua imunorreatividade uniforme para S-100. Uma variedade de alterações degenerativas

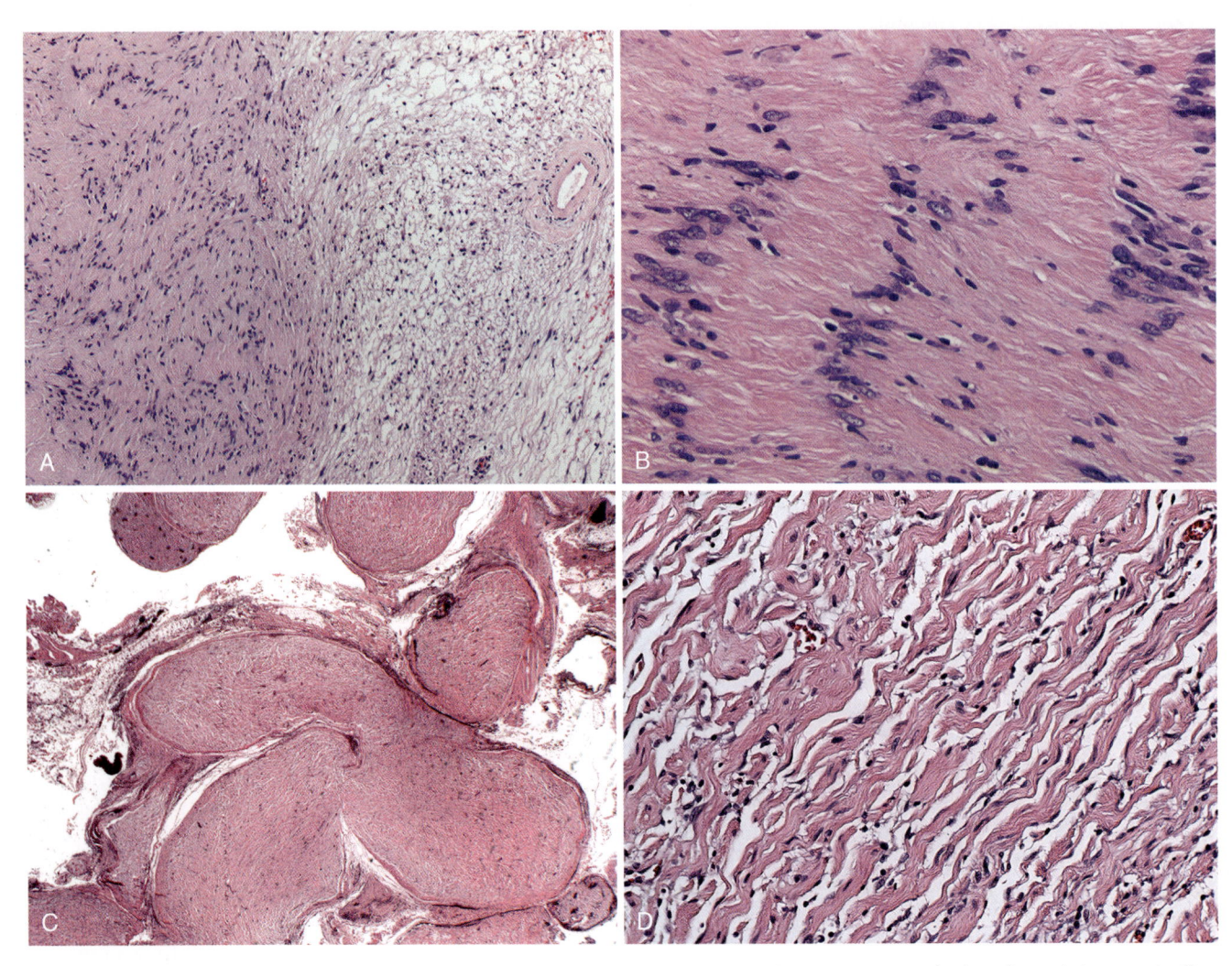

Figura 27.14 Schwannoma e neurofibroma plexiforme. **A** e **B.** Schwannoma. **A.** Os schwannomas frequentemente contêm áreas Antoni A densas eosinofílicas (*esquerda*) e áreas Antoni B frouxas e claras (*direita*), bem como vasos sanguíneos hialinizados (*direita*). **B.** Área Antoni A com os núcleos das células tumorais alinhados em fileiras em paliçada, deixando zonas anucleares e resultando na formação de estruturas denominadas *corpos de Verocay*. **C** e **D.** Neurofibroma plexiforme. **C.** Múltiplos fascículos nervosos são expandidos por infiltração de células tumorais. **D.** Em grande aumento, células fusiformes brandas estão misturadas com feixes ondulados de colágeno que se assemelham a cenoura ralada.

pode ser encontrada em schwannomas, como pleomorfismo nuclear, alteração xantomatosa, hialinização vascular, alteração cística e necrose. Alguns schwannomas grandes mitoticamente ativos sem áreas Antoni B podem mimetizar um sarcoma. Os schwannomas podem retornar localmente se ressecados de forma incompleta, mas a transformação maligna é extremamente rara (em contraste com neurofibromas plexiformes, discutidos mais adiante).

Características clínicas

A maioria dos schwannomas causa sintomas por compressão local do nervo envolvido ou estruturas adjacentes (p. ex., tronco cerebral ou medula espinal). Dentro da calota craniana, a maioria dos schwannomas ocorre no ângulo ponto-cerebelar, onde estão ligados ao ramo vestibular do oitavo nervo. Os indivíduos afetados costumam apresentar zumbido e perda de audição; o tumor é comumente referido como um *neuroma acústico* – um nome duplamente equivocado, uma vez que o tumor não surge da porção acústica do nervo, tampouco é um neuroma. Em outras partes da dura-máter, os nervos sensitivos são preferencialmente envolvidos, como ramos do nervo trigêmeo e raízes dorsais. Quando são extradurais, os schwannomas podem surgir em associação com grandes troncos nervosos ou como lesões de tecidos moles sem um nervo associado identificável. A remoção cirúrgica é curativa.

Neurofibromas

Os neurofibromas são tumores benignos da bainha do nervo cuja composição é mais heterogênea do que os schwannomas. **As células neoplásicas de Schwann estão misturadas a células semelhantes às perineurais, fibroblastos, mastócitos e células fusiformes CD34+.** Os neurofibromas podem ser esporádicos ou associados a NF1. Diferentes tipos de neurofibroma podem ser distinguidos, dependendo do seu padrão de crescimento:

- *Neurofibromas cutâneos superficiais* frequentemente se apresentam como nódulos pedunculados que podem ser vistos isolados (se esporádicos) ou múltiplos (se associado a NF1)
- *Neurofibromas difusos* frequentemente se apresentam como uma grande elevação da pele do tipo placa e estão tipicamente associados a NF1
- *Neurofibromas plexiformes* podem ser encontrados em localizações profundas ou superficiais, em associação a raízes dos nervos ou grandes nervos e são uniformemente associados a NF1.

Patogênese

Apenas as células de Schwann dos neurofibromas apresentam completa perda de neurofibromina, produto do gene *NF1*, indicando que essas são as células neoplásicas. Você deve se lembrar do **Capítulo 7** que a neurofibromina é um supressor de tumor que inibe a atividade de RAS, estimulando a atividade de uma guanosina trifosfatase (GTPase). A perda da atividade GTPase faz com que RAS fique preso no estado ativo ligado a GTP. A haploinsuficiência para o gene *NF1* em outras células associadas também pode contribuir para o crescimento de tumores associados a NF1. Por exemplo, há evidências de que mastócitos *NF1*-haploinsuficientes são hipersensíveis ao ligante KIT produzido pelas células de Schwann e, em resposta, secretam fatores que estimulam o crescimento das células de Schwann. Esta forma de comunicação cruzada tumor/célula estromal pode ser alterada por inibidores da tirosinoquinase receptora de KIT. Outros estudos sugerem que neurofibromas plexiformes e neurofibromas dermais surgem de diferentes células precursoras derivadas da crista neural. A transformação maligna do neurofibroma para TMBNP é geralmente observada na variante plexiforme, mas às vezes também é vista no tipo difuso. A incidência geral de TMBNP em pacientes NF1 é cerca de 5 a 10%, mas os pacientes com grande número de neurofibromas plexiformes e grandes deleções no gene *NF1* estão em maior risco.

Morfologia

Neurofibroma cutâneo localizado. São lesões nodulares pequenas, bem delineadas, mas encapsuladas, que surgem na derme e gordura subcutânea. Elas têm celularidade relativamente baixa e contêm células de Schwann misturadas a células estromais, tais como mastócitos, células perineurais, células fusiformes CD34+ e fibroblastos. Estruturas anexiais às vezes ficam presas nas bordas da lesão. O estroma desses tumores contém colágeno frouxo.

Neurofibroma difuso. Neoplasia com características morfológicas semelhantes às observadas em neurofibromas cutâneos localizados, mas que exibe um padrão de crescimento distintamente diferente. A neoplasia infiltra-se difusamente na derme e no tecido conjuntivo subcutâneo, prendendo estruturas de gordura e anexas, e produzindo uma aparência semelhante a uma placa. Alguns desses neurofibromas podem atingir grandes tamanhos. Coleções focais de células que imitam a aparência de corpúsculos de Meissner (os chamados **corpúsculos pseudo-Meissner** ou **corpos do tipo táteis**) são uma característica associada.

Neurofibroma plexiforme. Essas neoplasias crescem dentro dos fascículos nervosos e os expandem (**Figura 27.14C**), prendendo os axônios associados. A camada perineural externa do nervo é preservada, dando uma aparência encapsulada aos nódulos individuais. O espessamento viscoso expandido de múltiplos fascículos nervosos resulta no que é às vezes referido como uma aparência de "saco de vermes". O tumor tem composição celular semelhante à de outros neurofibromas. A matriz extracelular varia desde frouxa e mixoide até mais colagenosa e fibrosa. Frequentemente, o colágeno é visto em feixes comparados a "cenoura ralada" (**Figura 27.14D**).

Tumores malignos da bainha do nervo periférico

A maioria dos TMBNPs (aproximadamente 85%) é formada por neoplasias de alto grau, mas variantes de baixo grau são reconhecidas. Cerca de metade surge em pacientes NF1 e presume-se que resulte de transformação maligna de um neurofibroma plexiforme. Casos esporádicos de cânceres *de novo* podem surgir. A maioria está associada a nervos periféricos maiores do tórax, abdome, pelve, pescoço ou cintura-membros. Os TMBNPs exibem aberrações cromossômicas complexas, como ganhos, perdas e rearranjos cromossômicos. As alterações moleculares que levam à transformação maligna de um neurofibroma para um TMBNP ainda são mal compreendidas.

> **Morfologia**
>
> As lesões são massas tumorais mal definidas que frequentemente se infiltram ao longo do eixo do nervo parental e invade tecidos macios adjacentes. Uma ampla gama de aparências histológicas pode ser encontrada. Os casos típicos apresentam um arranjo fasciculado de células fusiformes. Em pequeno aumento, o tumor muitas vezes parece "marmorizado" devido a variações da celularidade. Mitoses, necrose e anaplasia nuclear são comuns. Um fenômeno interessante observado no TMBNP é descrito como "diferenciação divergente". Este termo se refere à presença de áreas focais que exibem outras linhas de diferenciação, como morfologia glandular, cartilaginosa, óssea ou rabdomioblástica. Um tumor exibindo esta última morfologia é referido como **tumor de Triton**. Devido à natureza pouco diferenciada do TMBNP, a distinção de um sarcoma indiferenciado pode não ser direta. Pistas úteis incluem um diagnóstico de NF1 no paciente afetado e uma relação anatômica claramente demonstrada com um nervo ou com um neurofibroma preexistente.

Neurofibromatose tipos 1 e 2

Neurofibromatose tipo 1

Este é um distúrbio autossômico dominante comum com uma frequência de 1 a cada 3 mil. É uma doença sistêmica associada a manifestações não neoplásicas e com uma variedade de neoplasias, como neurofibromas de todos os tipos, TMBNPs, gliomas do nervo óptico, outras neoplasias gliais e lesões hamartomatosas, além de feocromocitomas. Outras características incluem deficiência intelectual ou convulsões, defeitos esqueléticos, nódulos pigmentados da íris (*nódulos de Lisch*) e máculas cutâneas hiperpigmentadas (manchas "*café com leite*"). A doença é causada por mutações de perda de função no gene *NF1*, localizado em 17q11.2, que codifica o supressor de tumor neurofibromina. As células neoplásicas de tumores relacionados a NF1 não têm neurofibromina devido a defeitos bialélicos do gene *NF1*. Como mencionado anteriormente, a proteína NF-1 tem atividade GTPase que restringe a função RAS. Na ausência de NF-1, RAS permanece preso em seu estado ativo.

A doença tem alta penetrância, mas expressividade variável. Alguns pacientes exibem apenas características sutis, enquanto outros apresentam uma doença restrita a certas partes do corpo, uma distribuição que é atribuível ao mosaicismo. Um subconjunto lamentavelmente tem uma doença grave. Grandes deleções cromossômicas que abrangem *NF1* e se estendem para envolver genes adjacentes tendem a estar associadas a fenótipos mais graves.

Neurofibromatose tipo 2

Este é um distúrbio autossômico dominante que resulta em uma gama de neoplasias, mais comumente schwannomas bilaterais do oitavo nervo, meningiomas múltiplos e ependimomas da medula espinal. Muitos indivíduos com NF2 também têm lesões não neoplásicas que incluem o crescimento nodular de células de Schwann na medula espinal (schwannose), meningoangiomatose (uma proliferação de células meníngeas e vasos sanguíneos que crescem no cérebro) e hamartoma glial (coleções nodulares microscópicas de células gliais em locais anormais, muitas vezes em camadas superficiais e profundas do córtex cerebral). Esse distúrbio é muito menos comum do que NF1, tendo uma frequência de 1 a cada 40 a 50 mil. Algumas outras síndromes familiares raras também estão associadas a schwannomas múltiplos, como a schwannomatose e o complexo de Carney.

O gene *NF2* está localizado no cromossomo 22q12 e também está comumente mutado em meningiomas e schwannomas esporádicos. O produto do gene *NF2*, merlin, é uma proteína do citoesqueleto que participa da regulação de várias vias de sinalização-chave envolvidas no controle da forma celular, crescimento celular e a fixação de células umas às outras (adesão celular). Existe alguma correlação entre o tipo de mutação e os sintomas clínicos, com mutações sem sentido (*nonsense*) e com *frameshift* causando fenótipos mais graves do que as mutações em que há troca de aminoácido (*missense*).

> **Conceitos-chave**
>
> **Tumores da bainha do nervo periférico**
>
> - Os três tumores comuns da bainha do nervo periférico – schwannoma, neurofibroma e TMBNP – provavelmente surgem de células da linhagem celular das células de Schwann
> - Os schwannomas são tumores benignos encapsulados que podem estar associados a NF2
> - Os neurofibromas são tumores benignos da bainha do nervo periférico às vezes associados a NF1, que podem ser subtipados como cutâneo localizado, difuso ou plexiforme
> - Os TMBNPs podem ser neoplasias esporádicas *de novo* ou tumores associados a NF1 decorrentes da transformação maligna de um neurofibroma (plexiforme).

LEITURA SUGERIDA

Neuropatias e outros distúrbios não neoplásicos dos nervos periféricos

Barohn RJ, Dimachkie MM: Peripheral neuropathies, *Neurol Clin* 31:343, 2013.

Callaghan BC, Price RS, Chen KS et al: The importance of rare subtypes in diagnosis and treatment of peripheral neuropathy: a review, *JAMA Neurol* 72:2015, 1510.

Collins MP, Hadden RD: The nonsystemic vasculitic neuropathies, *Nat Rev Neurol* 13:301, 2017.

Duchesne M, Mathis S, Richard L et al: Nerve biopsy is still useful in some inherited neuropathies, *J Neuropathol Exp Neurol* 77:88, 2018.

Jennette JC, Falk RJ, Bacon PA et al: 2012 revised International Chapel Hill Consensus Conference Nomenclature of Vasculitides, *Arthritis Rheum* 65:1, 2013.

Mathey EK, Park SB, Hughes RAC et al: Chronic inflammatory demyelinating polyradiculoneuropathy: from pathology to phenotype, *J Neurol Neurosurg Psychiatry* 86:973, 2015.

Mathis S, Goizet C, Tazir M et al: Charcot-Marie-Tooth diseases: an update and some new proposals for the classification, *J Med Genet* 52:681, 2015.

Schoser B, Eymard B, Datt J et al: Lambert-Eaton myasthenic syndrome (LEMS): a rare autoimmune presynaptic disorder often associated with cancer, *J Neurol* 264:2017, 1854.

van Schaik IN, van Geloven VB, Hartung H-P et al: Subcutaneous immunoglobulin for maintenance treatment in chronic inflammatory demyelinating polyneuropathy (PATH): a randomized, double-blind, placebo-controlled, phase 3 trial, *Lancet Neurol* 17:35, 2018.

Willison HJ, Jacobs BC, van Doorn PA: Guillain-Barré syndrome, *Lancet* 388:717, 2016.

Distrofias musculares e outros distúrbios do músculo

Allenbach Y, Benveniste O, Goebel HH et al: Integrated classification of inflammatory myopathies, *Neuropathol Appl Neurobiol* 43(1):62–81, 2017. [*Revisão da classificação histomorfológica das miopatias inflamatórias*].

Amato AA, Griggs RC: Unicorns, dragons, polymyositis, and other mythological beasts, *Neurology* 61(3):288–289, 2003. [*Artigo de opinião sobre o declínio da importância da polimiosite*].

Bello L, Pegoraro E: Genetic diagnosis as a tool for personalized treatment of Duchenne muscular dystrophy, *Acta Myol* 35(3):122–127, 2016. [*Descrição das novas estratégias de tratamento para a distrofia muscular de Duchenne e implicações para a abordagem diagnóstica*].

Bönnemann CG, Wang CH, Quijano-Roy S et al: Diagnostic approach to the congenital muscular dystrophies, *Neuromuscul Disord* 24(4):289–311, 2014. [*Comunicação de comitê sobre a classificação e diagnóstico das distrofias musculares congênitas*].

Dalakas MC: Inflammatory muscle diseases, *N Engl J Med* 372(18): 1734–1747, 2015. [*Revisão sobre a classificação e características clínicas das miopatias inflamatórias*].

Daxinger L, Tapscott SJ, van der Maarel SM: Genetic and epigenetic contributors to FSHD, *Curr Opin Genet Dev* 33:56–61, 2015. [*Revisão dos mecanismos biológicos da distrofia facio-escápulo-umeral*].

Dubowitz V, Sewry CA, Oldfors A: *Muscle biopsy: a practical approach*, ed 4, Oxford, 2013, Elsevier. [*Visão geral dos distúrbios que afetam os músculos*].

Nigro V, Savarese M: Genetic basis of limb-girdle muscular dystrophies: the 2014 update, *Acta Myol* 33(1):1–12, 2014. [*Resumo das diferentes categorias de distrofias musculares das cinturas dos membros*].

North KN, Wang CH, Clarke N et al: Approach to the diagnosis of congenital myopathies, *Neuromuscul Disord* 24(2):97–116, 2014. [*Comunicação de comitê sobre a classificação e diagnóstico das miopatias congênitas*].

Thornton CA, Wang E, Carrell EM: Myotonic dystrophy: approach to therapy, *Curr Opin Genet Dev* 44:135–140, 2017. [*Revisão sobre as possíveis estratégias de tratamento para a distrofia miotônica*].

Thornton CA: Myotonic dystrophy, *Neurol Clin* 32(3):705–719, 2014. [*Revisão sobre a distrofia miotônica*].

Tumores dos nervos periféricos

Rodriguez FJ, Folpe AL, Giannini C et al: Pathology of peripheral nerve sheath tumors: diagnostic overview and update on selected diagnostic problems, *Acta Neuropathol* 123:295, 2012. [*Revisão da classificação patológica e características dos tumores da bainha dos nervos periféricos*].

Schaefer IM, Fletcher CDM: Recent advances in the diagnosis of soft tissue tumours, *Pathology* 50:37, 2018. [*Revisão das alterações moleculares em tumores de tecidos moles, incluindo tumores da bainha dos nervos*].

Sistema Nervoso Central

CAPÍTULO 28

Marta Margeta • Arie Perry

SUMÁRIO DO CAPÍTULO

Patologia celular do sistema nervoso central, 1296
- Reações dos neurônios a lesões, 1296
- Reações dos astrócitos à lesão, 1296
- Reações das microglias à lesão, 1297
- Reações de outras células da glia à lesão, 1297

Edema cerebral, hidrocéfalo, hipertensão intracraniana e herniação, 1298
- Edema cerebral, 1298
- Hidrocefalia, 1298
- Hipertensão intracraniana e herniação, 1298

Malformações e distúrbios do desenvolvimento, 1299
- Defeitos do tubo neural, 1300
- Anomalias do prosencéfalo, 1300
- Anomalias da fossa posterior, 1301
- Siringomielia e hidromielia, 1302

Lesão cerebral perinatal, 1302

Trauma, 1303
- Fraturas cranianas, 1303
- Lesões parenquimatosas, 1303
  - *Concussão, 1303*
  - *Lesão direta do parênquima, 1303*
  - *Lesão axonal difusa, 1304*
- Lesão vascular traumática, 1304
  - *Hematoma epidural, 1305*
  - *Hematoma subdural, 1305*
- Sequelas do trauma cerebral, 1306
- Lesão da medula espinal, 1306

Doença cerebrovascular, 1307
- Hipoxia e isquemia, 1307
  - *Isquemia cerebral focal, 1307*
  - *Infartos lacunares, 1310*
  - *Hipoxia/isquemia cerebral global, 1310*
- Hemorragia intracraniana, 1311
  - *Hemorragia intraparenquimatosa, 1311*
  - *Hemorragia subaracnoide e ruptura de aneurisma sacular, 1313*
  - *Malformações vasculares, 1314*
- Demência vascular, 1315

Infecções, 1315
- Meningite aguda, 1315
  - *Meningite piogênica aguda (bacteriana), 1315*
  - *Meningite asséptica aguda (viral), 1316*
- Infecções supurativas focais agudas, 1317
  - *Abscesso cerebral, 1317*
  - *Empiema subdural, 1317*
  - *Abscesso extradural, 1318*
- Meningoencefalite bacteriana crônica, 1318
  - *Tuberculose, 1318*
  - *Neurossífilis, 1318*
  - *Neuroborreliose (doença de Lyme), 1319*
- Meningoencefalite viral, 1319
  - *Encefalite viral transmitida por artrópodes, 1319*
  - *Herpes-vírus simples tipo 1, 1319*
  - *Herpes-vírus simples tipo 2, 1320*
  - *Vírus varicela-zóster, 1320*
  - *Citomegalovírus, 1320*
  - *Poliomielite, 1320*
  - *Raiva, 1321*
  - *Vírus da imunodeficiência humana, 1321*
  - *Leucoencefalopatia multifocal progressiva, 1322*
- Meningoencefalite fúngica, 1322
- Outras doenças infecciosas do sistema nervoso, 1323

Doenças desmielinizantes, 1325
- Esclerose múltipla, 1325
- Neuromielite óptica, 1326
- Encefalomielite disseminada aguda e encefalomielite hemorrágica necrosante aguda, 1327
- Mielinólise pontina central, 1327

Doenças neurodegenerativas, 1328
- Doenças priônicas, 1328
  - *Doença de Creutzfeldt-Jakob, 1329*
  - *Variante da doença de Creutzfeldt-Jakob, 1329*
- Doença de Alzheimer, 1331
- Degenerações lobares frontotemporais, 1335
  - *DLFT-tau, 1335*
  - *DLFT-TDP, 1335*
- Doença de Parkinson, 1337
  - *Demência com corpos de Lewy, 1338*
- Síndromes parkinsonianas atípicas, 1339
  - *Paralisia supranuclear progressiva, 1339*
  - *Degeneração corticobasal, 1339*
  - *Atrofia de múltiplos sistemas, 1339*
- Doença de Huntington, 1340
- Degenerações espinocerebelares, 1341
  - *Ataxias espinocerebelares, 1342*
  - *Ataxia de Friedreich, 1342*
  - *Ataxia-telangiectasia, 1342*
- Esclerose lateral amiotrófica, 1342
- Outras doenças dos neurônios motores, 1344
  - *Atrofia muscular espinal e bulbar (doença de Kennedy), 1344*
  - *Atrofia muscular espinal, 1344*

Doenças genético-metabólicas, 1344
- Doenças de armazenamento neuronal, 1345
- Leucodistrofias, 1345
- Encefalomiopatias mitocondriais, 1346

Doenças metabólicas tóxicas e adquiridas, 1346
- Deficiências de vitaminas, 1346
  - *Deficiência de tiamina (vitamina B_1), 1347*
  - *Deficiência de vitamina B_{12}, 1347*
- Sequelas neurológicas de distúrbios metabólicos, 1347
  - *Hipoglicemia, 1347*
  - *Hiperglicemia, 1347*
  - *Encefalopatia hepática, 1347*
- Distúrbios tóxicos, 1347
  - *Monóxido de carbono, 1347*
  - *Etanol, 1347*
  - *Radiação, 1348*

Neoplasias, 1348
- Gliomas, 1348
  - *Astrocitoma, 1349*
  - *Oligodendroglioma, 1351*
  - *Ependimoma, 1352*
- Neoplasias do plexo coroide, 1353
- Tumores neuronais e glioneuronais, 1353
- Neoplasias embrionárias, 1354
  - *Meduloblastoma, 1354*
- Linfoma primário do sistema nervoso central, 1354
- Meningiomas, 1355
- Neoplasias metastáticas, 1357
- Síndromes paraneoplásicas, 1357
- Síndromes tumorais familiares, 1357
  - *Neurofibromatoses e schwannomatose, 1358*
  - *Complexo esclerose tuberosa, 1358*
  - *Doença de von Hippel-Lindau, 1358*

Agradecimento, 1359

A principal unidade funcional do sistema nervoso central (SNC) é o *neurônio*. Neurônios de diferentes tipos e em diferentes localizações têm propriedades distintas, incluindo diversos papéis funcionais, padrões de conexões sinápticas, neurotransmissores usados e requisitos metabólicos, que variam com a atividade elétrica. Um conjunto de neurônios, não necessariamente agrupados em uma região do cérebro, podem, portanto, apresentar *vulnerabilidade seletiva* a insultos específicos porque compartilham uma ou mais dessas propriedades. Como as funções cerebrais são anatomicamente compartimentalizadas, o padrão de sinais clínicos e sintomas que se seguem a uma lesão dependem tanto da região do cérebro afetada quanto do processo patológico. Neurônios maduros são incapazes de realizar divisão celular, de modo que a destruição de até mesmo um pequeno número de neurônios essenciais para uma função específica pode produzir um déficit neurológico.

Além dos neurônios, o SNC contém outras células, como *astrócitos* e *oligodendrócitos*, que constituem as *células da glia*. Diferentes componentes celulares do SNC são afetados por distúrbios neurológicos distintos únicos e também respondem a agressões comuns (p. ex., isquemia, infecção) de maneira distinta de outros tecidos. Começaremos nossa discussão das doenças do SNC com uma visão geral dos padrões de lesão de diferentes células e as reações dessas células a várias agressões.

Patologia celular do sistema nervoso central

Neurônios e células da glia do SNC exibem uma gama de alterações funcionais e morfológicas após lesão. A compreensão desses padrões pode fornecer informações sobre o mecanismo de lesão celular e o tipo de doença.

Reações dos neurônios a lesões

A lesão neuronal pode ser um processo agudo, muitas vezes como consequência da depleção de oxigênio ou glicose, de trauma, ou pode se desenvolver ao longo de um período de anos, como ocorre em distúrbios degenerativos do cérebro. Os neurônios são altamente ativos metabolicamente e requerem um suprimento contínuo de oxigênio e glicose para atender às suas necessidades metabólicas. Além disso, uma vez que os neurônios são células pós-mitóticas incapazes de proliferação, devem ser mantidos ao longo da vida. Talvez por causa de sua longa vida útil e alta atividade metabólica, os neurônios são excepcionalmente suscetíveis ao acúmulo de proteínas mal enoveladas, que desencadeiam a resposta à proteína mal enovelada (ver **Capítulo 2**) e parecem ser centrais para a patogênese de muitos distúrbios degenerativos do SNC.

> **Morfologia**
>
> A **lesão neuronal aguda ("neurônios vermelhos")** refere-se a alterações observadas após hipoxia/isquemia aguda do SNC, hipoglicemia grave e outros insultos agudos, sendo os primeiros marcadores morfológicos de morte das células neuronais (**Figura 28.15A**). Os "neurônios vermelhos" são evidentes em 6 a 12 horas após uma lesão hipóxica/isquêmica irreversível. As características típicas incluem encolhimento do corpo celular, picnose do núcleo, desaparecimento do nucléolo, perda da substância de Nissl e intensa eosinofilia citoplasmática.
>
> A **lesão neuronal subaguda e crônica ("degeneração")** refere-se à morte neuronal que ocorre como resultado de uma doença progressiva com duração de meses a anos, observada em doenças neurodegenerativas de evolução lenta, como esclerose lateral amiotrófica e doença de Alzheimer. Antes da morte, os neurônios costumam sofrer perda de sinapses (locais de comunicação interneuronal), que podem decorrer de aberrações na poda sináptica (um processo responsável pelo desenvolvimento e plasticidade normal do cérebro). A perda de sinapses é seguida por morte celular (muitas vezes envolvendo de maneira seletiva grupos de neurônios funcionalmente relacionados) e gliose reacional. Quando em estágio inicial, a perda celular é difícil de detectar. As alterações gliais reativas associadas costumam ser o melhor indicador de lesão neuronal. Em muitas dessas doenças, o mecanismo predominante de morte celular parece ser apoptose.
>
> A **reação axonal** é uma alteração do corpo celular observada durante a regeneração do axônio; é mais bem observada nas células do corno anterior da medula espinal quando os axônios motores são cortados ou seriamente lesados. O aumento da síntese de proteínas que ocorre em resposta à lesão se reflete no aumento e arredondamento do corpo celular, deslocamento periférico do núcleo, aumento do nucléolo e dispersão da substância de Nissl do centro para a periferia da célula (cromatólise central).
>
> O dano neuronal pode estar associado a uma ampla gama de alterações subcelulares nas organelas e citoesqueleto neuronais. **Inclusões neuronais** podem ocorrer como uma manifestação do envelhecimento e consistem em acúmulos intracitoplasmáticos de lipídios complexos (lipofuscina), proteínas ou carboidratos. Acúmulos citoplasmáticos anormais de lipídios e outras substâncias também ocorrem em certos erros inatos do metabolismo, distúrbios genéticos causados por mutações que levam à perda de atividades enzimáticas específicas (ver **Capítulo 5**). A infecção viral pode levar ao aparecimento de inclusões virais, por exemplo, na infecção herpética (corpúsculos de Cowdry A ou B), raiva (corpúsculo de Negri) e infecção por citomegalovírus.
>
> Algumas doenças degenerativas do SNC estão associadas a inclusões intracitoplasmáticas neuronais, como emaranhados neurofibrilares da doença de Alzheimer e corpos de Lewy da doença de Parkinson; outras causam vacuolização anormal do pericário e processos das células neuronais no neurópilo (doença de Creutzfeldt-Jakob).
>
> A **degeneração walleriana** refere-se à degeneração dos axônios após o rompimento das fibras nervosas (ver **Capítulo 27**).

Reações dos astrócitos à lesão

A *gliose* é o marcador histopatológico mais importante de lesão do SNC, independentemente da etiologia, sendo caracterizada por hipertrofia e hiperplasia dos astrócitos. O astrócito deriva seu nome de sua aparência em forma estrelada. Estas células têm processos citoplasmáticos multipolares extensamente ramificados que emanam do corpo celular e expressam a proteína glial fibrilar ácida (GFAP, *glial fibrillary acidic protein*), um tipo específico de filamento intermediário celular. Os astrócitos atuam como tampões metabólicos e desintoxicantes dentro do cérebro. Além disso, por meio de processos dos pés vasculares (que circundam os capilares ou se estendem até as zonas subpial e subependimária), os astrócitos contribuem para a as funções de barreira controlando o fluxo de macromoléculas entre o sangue, o líquido cefalorraquidiano (LCR) e o cérebro.

> **Morfologia**
>
> Na gliose, os núcleos dos astrócitos (que são tipicamente ovais, com cromatina clara uniformemente dispersa) aumentam, tornam-se vesiculares e, ocasionalmente, desenvolvem nucléolos proeminentes. O citoplasma, antes indistinguível, torna-se rosa brilhante devido ao aumento da expressão de GFAP e as células desenvolvem inúmeros processos robustos e ramificados; essas células são chamadas de **astrócitos reativos ou gemistocíticos** (**Figura 28.1**). Existem pelo menos dois subtipos de astrócitos reativos; embora morfologicamente indistinguíveis, essas células se formam em resposta a diferentes estímulos agressores, apresentam padrões de expressão gênica distintos e têm diferentes efeitos na saúde e na sobrevivência neuronal, com um subtipo promovendo lesão e o outro contribuindo para o reparo do SNC.
>
> A lesão astrocítica aguda, como aquela que ocorre na hipoxia, hipoglicemia e lesões tóxicas, manifesta-se por edema celular, como em outras células (ver **Capítulo 2**). O **astrócito de Alzheimer do tipo II** (não relacionado à doença, mas originalmente descrito pelo mesmo neurocientista) é uma célula de substância cinzenta com um núcleo grande (duas a três vezes o normal), cromatina central com coloração clara, gotículas de glicogênio intranuclear, além de uma membrana nuclear e nucléolo proeminentes. Os astrócitos de Alzheimer do tipo II são observados principalmente em indivíduos com hiperamonemia devido a doença hepática crônica, doença de Wilson ou a distúrbios metabólicos hereditários do ciclo da ureia.
>
> Outros tipos de lesão dos astrócitos levam à formação de corpúsculos de inclusão citoplasmática. As **fibras de Rosenthal** são estruturas espessas, alongadas, irregulares e intensamente eosinofílicas que ocorrem dentro dos processos astrocíticos e contêm duas proteínas de choque térmico (αB-cristalina e hsp27), bem como ubiquitina. As fibras de Rosenthal são tipicamente encontradas em regiões de gliose prolongada; elas também são características de um tipo de tumor glial, o astrocitoma pilocítico (**Figura 28.49C**). Na doença de Alexander, uma leucodistrofia associada a mutações do gene que codifica a GFAP, fibras de Rosenthal abundantes são encontradas em localizações periventricular, perivascular e subpial. Os **corpúsculos amiláceos** (*corpora amylacea*), ou corpúsculos de poliglicosana, são mais comumente observados. Estes corpúsculos são estruturas redondas, ligeiramente basofílicas, positivas para o ácido periódico de Schiff (PAS) e concentricamente lameladas de 5 a 50 µm em diâmetro que se localizam onde existem processos astrocitários terminais, especialmente nas zonas subpial e perivascular. Eles consistem principalmente em polímeros de glicosaminoglicana, bem como proteínas de choque térmico e ubiquitina. O aumento do número de corpúsculos amiláceos ocorre com o avanço da idade e acredita-se que representem uma alteração degenerativa do astrócito. Os **corpúsculos de Lafora**, observados no citoplasma dos neurônios (bem como hepatócitos, miócitos, e outras células) em uma variante da epilepsia mioclônica, têm estrutura e composição bioquímica semelhantes.

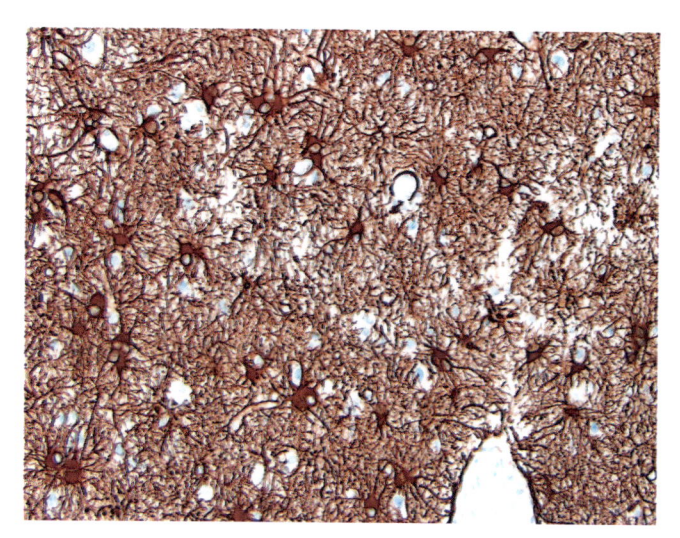

Figura 28.1 Astrócitos reativos. A coloração imuno-histoquímica para proteína ácida fibrilar glial (*marrom*) destaca os processos astrocíticos estrelados dos quais o nome da célula é derivado.

Reações das microglias à lesão

As microglias são células fagocíticas derivadas do saco vitelino ou fígado fetal no início do desenvolvimento embrionário que atuam como macrófagos residentes do SNC e compartilham muitos marcadores de superfície com monócitos/macrófagos periféricos derivados da medula óssea. Em repouso, as microglias estão dispostas de maneira ladrilhada (i. e., cobrem territórios não sobrepostos) e apresentam processos ameboides altamente ramificados. Durante o desenvolvimento, a micróglia poda as conexões sinápticas não utilizadas, provavelmente por meio de um processo fagocítico que pode envolver o sistema complemento; a reativação aberrante deste processo de desenvolvimento foi recentemente implicado em uma série de doenças cerebrais diferentes, incluindo esquizofrenia, encefalite, doença de Alzheimer e demência frontotemporal. As microglias respondem à lesão por (1) proliferação; (2) desenvolvimento de núcleos alongados; (3) formação de agregados em torno de pequenos focos de necrose tecidual (*nódulos microgliais*); ou (4) agregação em torno de corpos celulares de neurônios em processo de morte (*neuronofagia*). Além das microglias residentes, macrófagos derivados do sangue também podem estar presentes em focos inflamatórios.

Reações de outras células da glia à lesão

Os *oligodendrócitos* são células que envolvem seus processos citoplasmáticos em torno dos axônios e formam a mielina. Cada oligodendrócito mieliniza inúmeros internodos em múltiplos axônios, em contraste com a mielinização realizada pela célula de Schwann nos nervos periféricos, a qual ocorre no internodo de um único axônio. A lesão ou apoptose de oligodendrócitos é uma característica de doenças desmielinizantes adquiridas e leucodistrofias. Os núcleos oligodendrogliais podem abrigar inclusões virais na leucoencefalopatia multifocal progressiva (LMP). As inclusões citoplasmáticas gliais, principalmente compostas por α-sinucleína, são encontradas em oligodendrócitos na atrofia multissistêmica (AMS).

As *células ependimárias*, células epiteliais colunares ciliadas de revestimento dos ventrículos, não apresentam padrões específicos de reação. Quando há inflamação ou dilatação acentuada do sistema ventricular, a ruptura do revestimento ependimário é pareada com a proliferação de astrócitos subependimários para produzir pequenas irregularidades nas superfícies ventriculares (*granulações ependimárias*). Certos agentes infecciosos, particularmente citomegalovírus (CMV), podem produzir lesão ependimária extensa, com inclusões virais em células ependimárias. No entanto, nem os oligodendrócitos nem as células ependimárias medeiam respostas significativas para a maioria das formas de lesão do SNC.

> **Conceitos-chave**
>
> **Patologia celular do sistema nervoso central**
>
> - Cada componente celular do sistema nervoso responde à lesão de maneira distinta
> - A lesão neuronal comumente resulta em morte celular, seja por apoptose ou necrose. A perda de neurônios ou sinapses é frequentemente difícil de detectar morfologicamente, mas contribui de maneira importante para a disfunção neurológica
> - Os astrócitos respondem às lesões por meio de hipertrofia aparente (aumento do citoplasma devido ao acúmulo da proteína filamentar intermediária GFAP) e hiperplasia; esta resposta pode ser benéfica ou prejudicial, dependendo do tipo de estímulo prejudicial e da natureza exata da resposta astrocítica
> - Micróglia, a população residente da linhagem monocítica do SNC, prolifera e se acumula em resposta a lesões. A ativação aberrante da poda sináptica mediada pela micróglia e pelo complemento desempenha um papel importante na patogênese de muitos distúrbios neurológicos diferentes.

Edema cerebral, hidrocéfalo, hipertensão intracraniana e herniação

O cérebro e a medula espinal são encerrados e protegidos pelo compartimento rígido definido pelo crânio, pelas expansões da dura-máter e pelo canal vertebral ósseo. A pressão dentro da cavidade craniana pode aumentar em qualquer uma das três situações clínicas comumente observadas: edema cerebral generalizado, aumento do volume do líquido cefalorraquidiano (LCR) e expansão focal de lesões da massa encefálica. Dependendo do grau e rapidez do aumento da pressão e a natureza da lesão subjacente, as consequências variam de déficits neurológicos sutis à morte.

Edema cerebral

O edema cerebral (mais precisamente, edema do parênquima cerebral) é o resultado do aumento do extravasamento de líquido dos vasos sanguíneos e lesão de várias células do SNC. Existem duas vias principais de formação de edema no cérebro:

- O *edema vasogênico* é um aumento do líquido extracelular causado pela ruptura da barreira hematencefálica e da permeabilidade vascular, permitindo que o líquido se desloque do compartimento intravascular para os espaços intercelulares do cérebro. A escassez de vasos linfáticos dificulta muito a reabsorção do excesso de líquido extracelular. O edema vasogênico pode ser localizado, por exemplo, adjacente a inflamação ou neoplasias, ou generalizado, como pode ocorrer após uma lesão global isquêmica.
- O *edema citotóxico* é um aumento do líquido intracelular secundário à lesão da membrana das células neuronais, da glia ou endoteliais, como pode ser encontrado durante a lesão hipóxica/isquêmica generalizada ou com uma perturbação metabólica que impede a manutenção dos gradientes da membrana iônica normal.

Na prática, as condições associadas ao edema generalizado frequentemente têm elementos de edemas vasogênicos e citotóxicos. No edema generalizado, os giros são achatados, os sulcos intermediários são estreitados e as cavidades ventriculares são comprimidas. Conforme o cérebro se expande, pode ocorrer uma herniação.

Hidrocefalia

Hidrocefalia é o acúmulo de LCR em excesso no interior do sistema ventricular (Figura 28.2). O plexo coroide no interior do sistema ventricular produz LCR, que normalmente circula pelo sistema ventricular e entra na cisterna magna na base do tronco encefálico através dos forames de Luschka e Magendie. O LCR subaracnoide banha as convexidades cerebrais superiores e é absorvido pelas granulações aracnoides. A maioria dos casos de hidrocefalia é uma consequência do fluxo e reabsorção do LCR prejudicados; a superprodução é uma causa rara que pode acompanhar tumores do plexo coroide. Em todas as formas, o volume aumentado do LCR expande os ventrículos e pode elevar o nível da pressão intracraniana.

Quando a hidrocefalia se desenvolve na infância antes do fechamento das suturas cranianas, a cabeça aumenta. Em contraste, depois que as suturas se fecham, a hidrocefalia está associada à expansão dos ventrículos e hipertensão intracraniana, sem uma mudança no perímetro cefálico. Se o sistema ventricular está obstruído apenas focalmente, devido a uma massa do terceiro ventrículo ou a estenose aquedutal, é chamada de *hidrocefalia não comunicante (obstrutiva)*. Na *hidrocefalia comunicante*, o sistema ventricular permanece em continuidade com o espaço subaracnoide e há aumento de todo sistema ventricular; as causas incluem superprodução de LCR a partir de um tumor do plexo coroide e fibrose aracnoide pós-meningite. O termo *hidrocefalia ex vacuo* se refere a um aumento compensatório do volume ventricular secundário a uma perda de parênquima cerebral.

Hipertensão intracraniana e herniação

Herniação é o deslocamento do tecido cerebral para além das pregas durais rígidas (foice e tentório) ou através de aberturas no crânio devido ao aumento da pressão intracraniana. Como

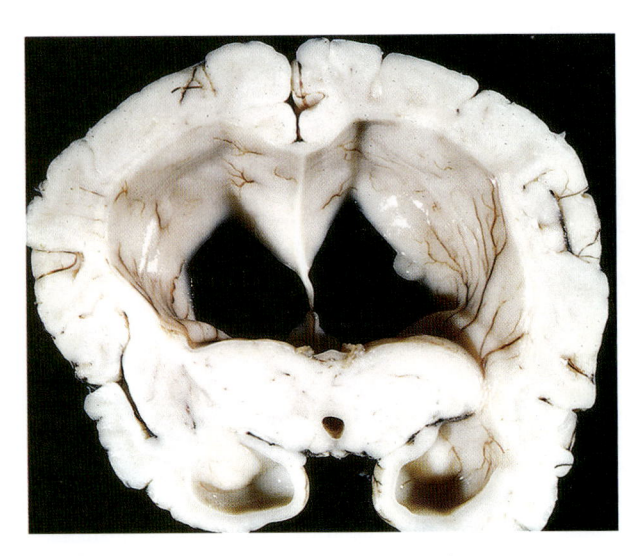

Figura 28.2 Hidrocefalia. Ventrículos laterais dilatados vistos em um corte coronal através do tálamo.

o volume do cérebro aumenta, o LCR é deslocado, levando ao aumento da pressão no interior da cavidade craniana; a herniação ocorre quando esta pressão excede a capacidade limitada do cérebro para acomodar o aumento da pressão intracraniana. A herniação cerebral é causada principalmente por efeitos de massa, tanto difusos (edema cerebral generalizado) ou focais (tumores, abscessos ou hemorragias). A pressão intracraniana elevada também pode comprimir a vasculatura e reduzir a perfusão do cérebro, causando lesão isquêmica e exacerbando ainda mais o edema cerebral.

Morfologia

O cérebro pode herniar através de diferentes aberturas, e, se a expansão é suficientemente grave, a herniação pode ocorrer simultaneamente em vários locais (**Figura 28.3**):

- A **herniação subfalcina (giro do cíngulo)** ocorre quando a expansão assimétrica ou unilateral de um hemisfério cerebral desloca o giro do cíngulo sob a foice. Isso pode levar à compressão da artéria cerebral anterior e de seus ramos, resultando em obstruções secundárias
- A **herniação transtentorial (uncinada, mesial temporal)** ocorre quando o aspecto medial do lobo temporal é comprimido contra a margem livre do tentório. Com o aumento do deslocamento do lobo temporal, o terceiro nervo craniano é comprometido, resultando em dilatação pupilar e deficiência dos movimentos oculares do lado da lesão. A artéria cerebral posterior também pode ser comprimida, resultando em obstrução de seu território (que inclui o córtex visual primário). Quando a extensão da herniação é grande o suficiente, o pedúnculo cerebral contralateral pode ser comprimido, resultando em hemiparesia ipsilateral ao lado da herniação. A progressão da herniação transtentorial é frequentemente acompanhada por lesões hemorrágicas secundárias no mesencéfalo e ponte, denominadas **hemorragias de Duret** (**Figura 28.4**). Essas lesões lineares ou em forma de chama geralmente ocorrem nas regiões da linha média e paramediana e acredita-se que ocorram devido à distorção ou rompimento de veias e artérias penetrantes que suprem o tronco encefálico superior
- A **herniação tonsilar** refere-se ao deslocamento das tonsilas cerebelares através do forame magno. Este padrão de herniação pode ser fatal porque causa compressão do tronco encefálico e compromete os centros respiratório e cardíaco vitais da medula.

Conceitos-chave

Edema cerebral, hidrocefalia, hipertensão intracraniana e herniação

- Edema cerebral é o acúmulo de excesso de líquido no interior do parênquima cerebral. Hidrocefalia é um aumento do volume de LCR dentro de todo o sistema ventricular ou em parte dele
- O aumento do volume intracraniano (devido ao aumento do volume de LCR, edema parenquimatoso, hemorragia ou tumor) aumenta a pressão intracraniana
- O aumento da pressão intracraniana pode resultar em herniação cerebral, diminuição da perfusão e infarto secundário das áreas afetadas.

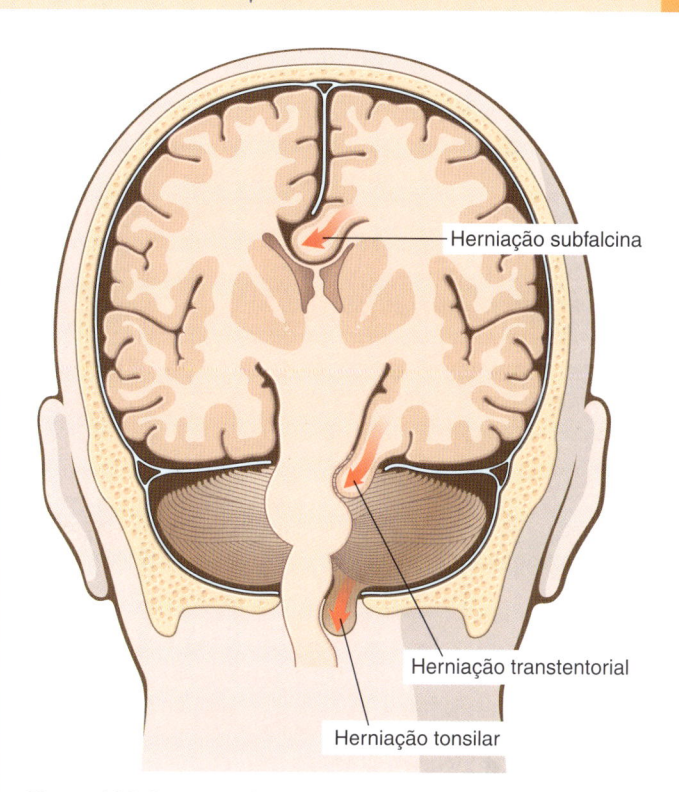

Figura 28.3 Principais síndromes de herniação do cérebro: subfalcina, transtentorial e tonsilar.

Malformações e distúrbios do desenvolvimento

Embora a patogênese e a etiologia de muitas malformações do SNC permaneçam desconhecidas, tanto influências genéticas quanto ambientais parecem estar envolvidas. O sequenciamento genômico começou a desvendar uma série de variantes genéticas que estão associadas a certas malformações. A relação causal entre essas alterações genéticas e a patogênese das malformações é objeto de pesquisa ativa. Além dos fatores genéticos, muitos compostos tóxicos e agentes infecciosos também têm efeitos teratogênicos e podem causar malformações do cérebro.

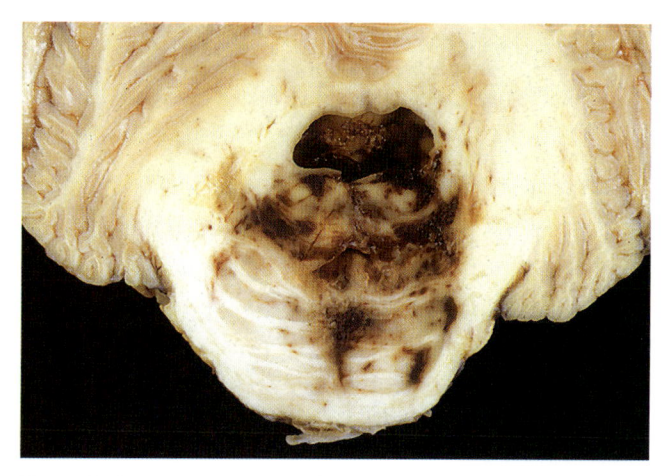

Figura 28.4 Hemorragia de Duret. À medida que o efeito de massa desloca o cérebro para baixo, há ruptura dos vasos que entram na ponte ao longo da linha média, levando à hemorragia.

Defeitos do tubo neural

Os defeitos do tubo neural são malformações da linha média que envolvem alguma combinação de tecido neural e meninges, além de ossos ou tecidos moles sobrejacentes; coletivamente, esses defeitos representam as malformações mais comuns do SNC. Dois mecanismos patogênicos distintos contribuem para essas malformações: (1) falha de fechamento do tubo neural, cujos defeitos secundários do tecido mesenquimal derivam da modelagem esquelética aberrante em torno do tubo malformado (p. ex., anencefalia e mielomeningocele); e (2) defeitos ósseos primários causados por desenvolvimento anormal do mesoderma axial e que levam a anormalidades secundárias do SNC (p. ex., encefalocele, meningocele e espinha bífida).

> ### Morfologia
>
> - A **anencefalia** é uma malformação da extremidade anterior do tubo neural que leva à ausência da maior parte do cérebro e da calvária (calota craniana). O desenvolvimento do cérebro anterior é interrompido em aproximadamente 28 dias de gestação, e tudo o que resta em seu lugar é a **área cerebrovasculosa**, um resquício achatado de tecido cerebral desorganizado com mistura de células ependimárias, do plexo coroide e meningoteliais. As estruturas da fossa posterior podem ser poupadas, dependendo da extensão do déficit craniano; os tratos descendentes associados a estruturas não formadas estão ausentes, como esperado
> - A **mielomeningocele** (ou meningomielocele) refere-se à extensão do tecido do SNC ao longo de um defeito da coluna vertebral; o termo **meningocele** se aplica quando há apenas uma extrusão meníngea. As mielomeningoceles ocorrem mais comumente na região lombossacra (**Figura 28.5**). Os indivíduos afetados têm déficits motores e sensoriais nas extremidades inferiores, bem como distúrbios de controle do intestino e da bexiga, que são frequentemente complicados por infecção sobreposta da medula devido a função de barreira defeituosa da pele fina sobrejacente
> - A **encefalocele** refere-se a uma extrusão de tecido cerebral malformado através de um defeito da linha média do crânio. Na maioria das vezes, ocorre na região occipital, embora variantes nasofrontais envolvendo a órbita, etmoide ou placa cribriforme (às vezes enganosamente referido como um "glioma nasal") também são observados
> - O **disrafismo espinal** ou **espinha bífida** (o defeito mais comum do tubo neural) pode ser um defeito ósseo assintomático (espinha bífida oculta) ou uma malformação grave com um segmento achatado e desorganizado da medula espinal, associado a uma bolsa meníngea externa sobrejacente

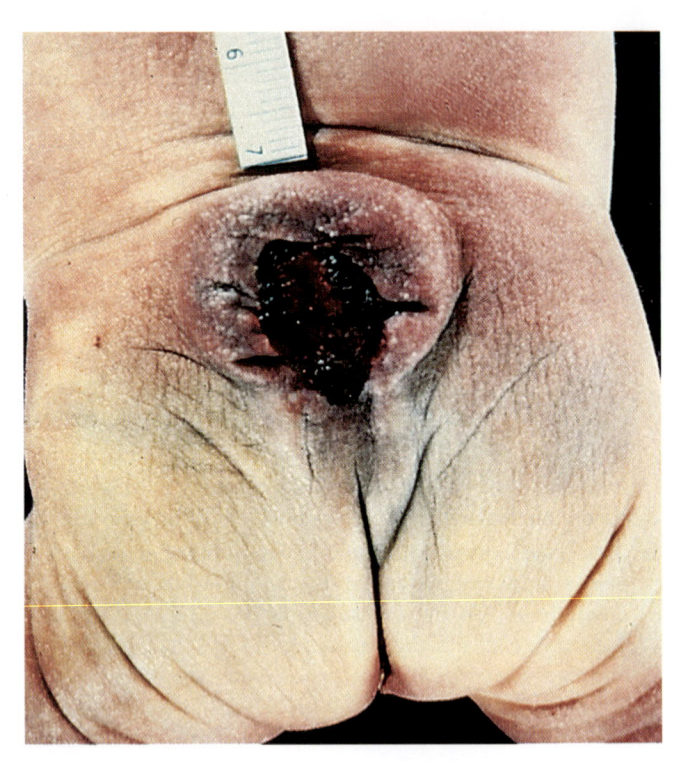

Figura 28.5 Mielomeningocele. Tanto as meninges quanto o parênquima da medula espinal estão incluídos na estrutura semelhante a um cisto, visível logo acima das nádegas.

Características clínicas

A frequência de defeitos do tubo neural varia amplamente entre diferentes grupos étnicos, com a taxa geral de recorrência para um defeito do tubo neural em gestações subsequentes estimada em 4 a 5%. A deficiência de folato durante as primeiras semanas da gestação é um fator de risco bem estabelecido; diferenças das taxas de defeitos do tubo neural entre as populações podem ser atribuídas, em parte, a polimorfismos nas enzimas envolvidas no metabolismo do ácido fólico. A suplementação de folato pode diminuir o risco de defeitos, mas, como o fechamento do tubo neural é normalmente concluído por volta do dia 28 de desenvolvimento embrionário (antes que a maioria das gestações seja reconhecida), deve ser administrado às mulheres durante todo o período reprodutivo para ser totalmente eficaz. Ainda é incerto como a deficiência de folato precisamente aumenta o risco de defeitos, mas suspeita-se de efeitos na metilação do DNA (um importante modo de regulação gênica epigenética).

Anomalias do prosencéfalo

Anormalidades na geração e migração de neurônios resultam em malformações do prosencéfalo que podem ser focais ou envolver estruturas inteiras. O conjunto de células precursoras em proliferação no cérebro em desenvolvimento encontra-se na matriz germinativa adjacente ao sistema ventricular; o número total de neurônios é determinado pela fração de células em proliferação que sofrem transição para células que migram a cada ciclo celular. A migração de neurônios a partir da matriz germinativa para o córtex cerebral segue dois caminhos: migração radial, para células progenitoras destinadas a se tornarem neurônios excitatórios; e migração tangencial, para aqueles que se tornarão interneurônios inibitórios.

Uma gama de diferentes padrões de malformação anatômica foi definida. Recentemente, ficou claro que muitos desses padrões são causados por mutações em genes necessários para o desenvolvimento cerebral adequado. Alterações podem ser vistas na complexidade da superfície do cérebro (poucos ou muitos giros presentes), a organização do cérebro em lobos normais, a estrutura do córtex cerebral ou a distribuição dos neurônios no interior do cérebro:

- O volume do cérebro pode ser anormalmente grande (*megalencefalia*) ou anormalmente pequeno (*microcefalia*). A microcefalia, de longe a mais comum das duas, é tipicamente acompanhada por um pequeno perímetro cefálico. Está associada a uma série de condições, incluindo anormalidades cromossômicas, síndrome fetal do alcoolismo e infecções virais adquiridas no útero (p. ex., vírus da imunodeficiência humana 1 [HIV-1] ou vírus Zika). Postula-se que a anomalia subjacente seja uma redução no número de neurônios que atingem o neocórtex, o que leva a uma simplificação das dobras do giro, um mecanismo confirmado por resultados experimentais em modelos murinos
- A *lisencefalia* é uma malformação caracterizada por redução no número de giros, que em casos extremos podem estar ausentes (*agiria*). Dois padrões gerais são observados: uma forma de superfície lisa (tipo 1) e uma forma de superfície rugosa ou de paralelepípedo (tipo 2). Em geral, as formas do tipo 1 estão associadas a mutações que bloqueiam os mecanismos envolvidos na migração celular, como mutações em proteínas "motoras" do citoesqueleto que dirigem a migração de neuroblastos. Em contraste, a lisencefalia tipo 2 está mais comumente associada a alterações genéticas que perturbam o "sinal de parada" para a migração. Este sinal depende de um conjunto de proteínas especificamente glicosiladas e mutações nas enzimas que adicionam açúcares a essas proteínas são as causas mais comuns desta forma de lisencefalia
- A *polimicrogiria* é caracterizada por inúmeras circunvoluções cerebrais pequenas, de conformação irregular e apresentando sulcos rasos. O córtex cerebral é composto por quatro camadas ou menos (em vez das seis camadas normais), com fusão das camadas moleculares entre os giros. A polimicrogiria pode ser induzida por lesão tecidual localizada na extremidade da migração neuronal, embora formas geneticamente determinadas, tipicamente bilaterais e simétricas, sejam também reconhecidas
- As *heterotopias neuronais* são um grupo de distúrbios migratórios definidos por coleções de neurônios subcorticais em locais inapropriados ao longo das vias de migração. Como pode ser esperado, uma dessas localizações é ao longo da superfície ventricular – como se as células nunca tivessem deixado seu local de geração. As heterotopias nodulares periventriculares podem ser causadas por mutações no gene que codifica a filamina A, uma proteína de ligação à actina responsável pela montagem de malhas complexas de filamentos. Este gene está no cromossomo X e o alelo mutante causa letalidade do sexo masculino; nas mulheres, o processo de inativação do cromossomo X separa os neurônios naqueles com um alelo normal (no local correto) e aqueles com o alelo mutante (na heterotopia). Outra proteína associada aos microtúbulos, duplocortina (DCX), também é codificada por um gene do cromossomo X; mutações neste gene resultam em lisencefalia no sexo masculino e heterotopias subcorticais do tipo banda no sexo feminino (esta camada paralela de substância cinzenta dá a impressão de um "córtex duplo"). Heterotopias nodulares subcorticais também podem ser encontradas
- A *holoprosencefalia* é um espectro de malformações caracterizadas por separação incompleta dos hemisférios cerebrais ao longo da linha média. As formas graves se manifestam com anormalidades faciais da linha média, incluindo ciclopia; variantes menos graves (*arrinencefalia*) apresentam ausência dos nervos cranianos olfatórios e estruturas relacionadas. O diagnóstico intrauterino de formas graves por ultrassonografia é agora possível. A holoprosencefalia está associada à trissomia do cromossomo 13, bem como outras síndromes genéticas. Mutações em genes que codificam componentes da via de sinalização *sonic hedgehog* também podem produzir holoprosencefalia
- A *agenesia do corpo caloso*, uma malformação relativamente comum, é caracterizada pela ausência dos feixes de substância branca que levam projeções corticais de um hemisfério para o outro (**Figura 28.6**). Estudos de imageamento radiológico mostram ventrículos laterais disformes (deformidade em "asa de morcego"). Em seções coronais de montagem inteira do cérebro, podem ser demonstrados "feixes de Probst" de substância branca orientados no sentido anteroposterior. A agenesia do corpo caloso é às vezes associada a deficiência intelectual, mas pode também ser encontrada em indivíduos normais. Pode ser esporádica ou familiar, e pode estar presente isoladamente ou em associação com uma série de outras malformações.

Anomalias da fossa posterior

Um conjunto distinto de malformações afeta primariamente o tronco encefálico e o cerebelo, que muitas vezes apresentam alterações dramáticas em tamanho e forma, podendo ser acompanhados por mudanças morfológicas em outras regiões do cérebro.

> **Morfologia**
>
> - A **malformação de Arnold-Chiari** (malformação de Chiari tipo II) consiste em uma pequena fossa posterior, um cerebelo de linha média disforme com extensão descendente do vermis através do forame magno (**Figura 28.7**) e, quase invariavelmente, hidrocefalia e uma mielomeningocele lombar. Outras alterações associadas podem incluir deslocamento caudal da medula, malformação do teto (*tectum*), estenose aqueductal, heterotopias cerebrais e hidromielia (ver mais adiante)

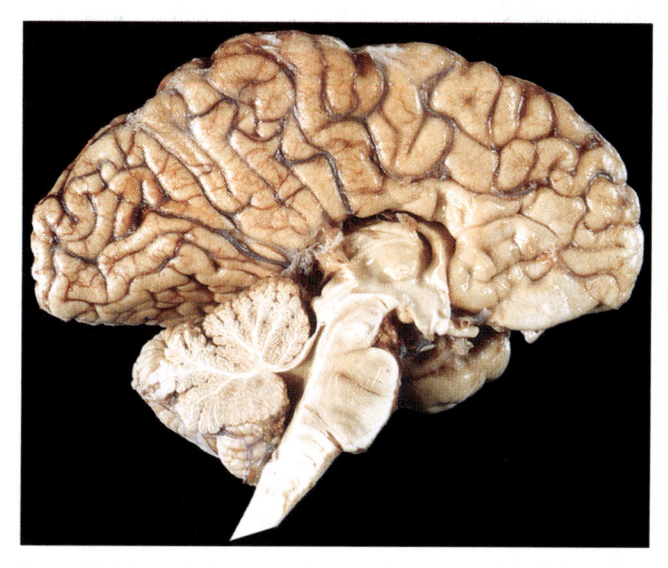

Figura 28.6 Agenesia do corpo caloso. A visão sagital mediana do hemisfério esquerdo mostra a ausência do corpo caloso e do giro do cíngulo.

- A **malformação de Chiari tipo I** é um distúrbio menos grave no qual as tonsilas cerebelares baixas se estendem para o canal vertebral. Pode ser uma anormalidade silenciosa ou pode se tornar sintomática por causa da obstrução do fluxo do LCR e compressão medular. Quando presentes, esses sintomas geralmente podem ser corrigidos por intervenção neurocirúrgica
- A **malformação de Dandy-Walker** é caracterizada por um aumento da fossa posterior. O verme cerebelar está ausente ou presente apenas de forma rudimentar em sua porção anterior; em seu lugar está um grande cisto da linha média que é revestido por epêndima e é contíguo às leptomeninges em sua superfície externa. Esse cisto representa o quarto ventrículo expandido, sem teto, na ausência de um verme normalmente formado. As displasias dos núcleos do tronco encefálico são comumente encontradas em associação a malformação de Dandy-Walker
- A **síndrome de Joubert** e distúrbios relacionados compartilham hipoplasia do verme cerebelar com aparente alongamento dos pedúnculos cerebelares superiores e um formato alterado do tronco encefálico; juntas, essas alterações dão origem ao "sinal de dente molar" na imagem. Descobriu-se que este grupo de malformações é causado por diversas mutações que afetam os genes que codificam componentes do cílio primário (não móvel).

Siringomielia e hidromielia

Esses distúrbios são caracterizados pela expansão do canal central medular revestido pelo epêndima (*hidromielia*) ou pela formação de uma cavidade semelhante a fenda preenchida por líquido na porção interior da medula (*siringomielia, siringe*) que pode se estender pelo tronco encefálico (*siringobulbia*).

A siringomielia pode estar associada a uma malformação de Chiari; também pode ocorrer em associação com tumores intraespinais ou seguida de lesão traumática. Em geral, a aparência histológica é semelhante em todas essas condições, com destruição da substância cinzenta e branca adjacentes, circundada por gliose reacional densa. A doença geralmente se manifesta na segunda ou terceira década de vida. Os sintomas e sinais característicos de uma siringe são a perda isolada da sensação de dor e de temperatura nas extremidades superiores em decorrência da ruptura das fibras cruzadas da comissura anterior da medula espinal.

Conceitos-chave
Malformações e distúrbios do desenvolvimento

- As malformações podem estar associadas a mutações de um único gene, alterações genéticas em larga escala ou fatores exógenos
- No geral, quanto mais cedo no desenvolvimento ocorre uma malformação, mais grave é o fenótipo morfológico e funcional
- Os defeitos do tubo neural são causados pela falha do fechamento do tubo ou por defeitos ósseos esqueléticos que causam anormalidades secundárias do tubo; eles variam desde achados incidentais a malformações graves
- O desenvolvimento cortical depende da orquestração adequada da proliferação de células progenitoras na matriz germinativa e migração ascendente dos progenitores para o córtex em desenvolvimento. Perturbações desses processos podem alterar o tamanho, a forma e a organização do cérebro
- Malformações envolvendo a fossa posterior são tipicamente distintas daquelas que afetam os hemisférios cerebrais.

Lesão cerebral perinatal

A lesão cerebral que ocorre no período perinatal é uma causa importante de deficiência neurológica do início da infância. Lesões que ocorrem no início da gestação podem destruir o tecido cerebral sem provocar as mudanças reativas observadas no cérebro adulto e, portanto, podem ser difíceis de distinguir das malformações. Diferentes padrões de lesão podem ocorrer:

- O termo *paralisia cerebral* refere-se a um quadro de déficit motor neurológico não progressivo caracterizado por combinações de espasticidade, distonia, ataxia/atetose e paresia, atribuído a lesão cerebral ocorrida durante os períodos pré-natal e perinatal. Os sinais e sintomas podem não ser aparentes ao nascimento e só se manifestarem mais tarde, à medida que o desenvolvimento ocorre. Os exames pós-morte de crianças com paralisia cerebral mostraram uma ampla gama de achados neuropatológicos, incluindo lesões destrutivas relacionadas a eventos remotos que podem ter causado hemorragia e infarto
- Em neonatos prematuros, há um risco aumentado de *hemorragia da matriz germinativa*, muitas vezes próxima da junção entre o tálamo em desenvolvimento e o núcleo caudado. As hemorragias podem permanecer reduzidas e localizadas ou se estender para o sistema ventricular e o espaço subaracnóideo, às vezes levando a hidrocefalia e morte em casos graves
- Os infartos podem ocorrer na substância branca periventricular supratentorial (*leucomalácia periventricular*), especialmente em neonatos prematuros, na forma de placas de coloração

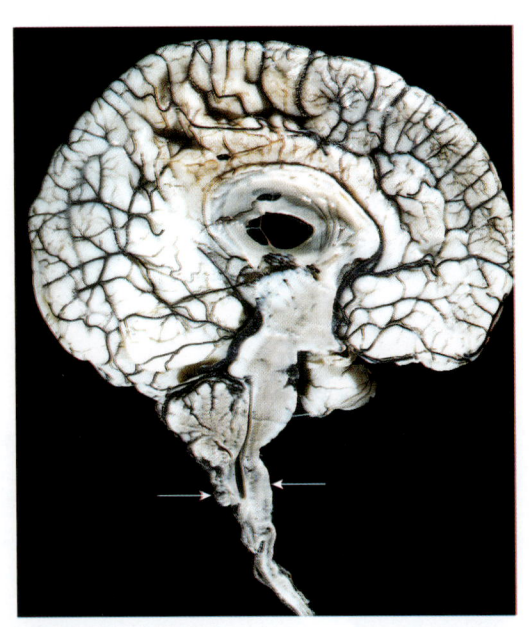

Figura 28.7 Malformação de Arnold-Chiari. Corte sagital mediano mostrando o conteúdo da pequena fossa posterior, o deslocamento para baixo do verme cerebelar e deformidade da medula (*setas* indicam o nível aproximado do forame magno).

amarelo-giz que consistem em necrose discreta da substância branca, frequentemente com calcificação distrófica. Em última análise, as áreas infartadas evoluem para grandes lesões císticas (**Figura 28.8**); quando o dano é extenso e envolve tanto a substância cinzenta quanto a substância branca, a condição é denominada *encefalopatia multicística*

- Em lesões isquêmicas perinatais do córtex cerebral, as profundidades dos sulcos sustentam o impacto da lesão, resultando em giros em forma de cogumelo com hastes glióticas afinadas (*ulegiria*). Os gânglios da base e o tálamo também podem sofrer lesão isquêmica, com placas de perda neuronal e gliose reacional. Mais tarde, a mielinização aberrante e irregular dá origem a uma aparência semelhante ao mármore dos núcleos profundos (*estado marmóreo*). Como as lesões estão no núcleo caudado, putame e tálamo, distúrbios do movimento, como a coreoatetose, são sequelas clínicas comuns.

Trauma

A localização anatômica da lesão e a capacidade limitada do cérebro para realizar reparo funcional são os principais determinantes das consequências de traumas do SNC. Uma lesão de vários centímetros cúbicos de parênquima cerebral pode ser clinicamente silenciosa (p. ex., no lobo frontal), seriamente incapacitante (p. ex., na medula espinal) ou fatal (p. ex., no tronco encefálico).

As forças físicas associadas ao traumatismo craniano podem resultar em fraturas do crânio, lesão do parênquima e lesão vascular; todos os três podem coexistir. A magnitude e distribuição de uma lesão cerebral traumática dependem da forma do objeto que causa o trauma, a força do impacto e se a cabeça está em movimento no momento da lesão. Um golpe na cabeça pode ser penetrante ou cego, podendo causar um ferimento aberto ou fechado.

Fraturas cranianas

Uma fratura em que o osso é deslocado para a cavidade craniana por uma distância maior que a espessura do osso é chamada *fratura de crânio com deslocamento*. A espessura dos ossos cranianos varia; portanto, sua resistência à fratura é muito diferente. Além disso, a incidência relativa de fraturas entre os ossos do crânio está relacionada ao padrão das quedas. Por exemplo, quando um indivíduo acordado cai (como pode ocorrer ao tropeçar em uma escada), o local de impacto é muitas vezes a porção occipital do crânio; em contraste, uma queda que tem como consequência a perda da consciência (como pode ocorrer após uma síncope) pode resultar em impacto frontal ou occipital. Sintomas associados aos nervos cranianos inferiores ou a região cervicomedular, além da presença de hematomas orbitais ou mastoides distantes do ponto de impacto, levantam a suspeita de uma fratura da base do crânio, que normalmente se segue ao impacto na região occipital ou lateral da cabeça; extravasamento de LCR pelo nariz ou orelha e infecção (meningite) pode seguir-se.

Lesões parenquimatosas

As consequências estruturais e manifestações clínicas da lesão do parênquima dependem da natureza e da gravidade do trauma cranioencefálico causador e varia de leve (concussão) a grave (contusões e lacerações).

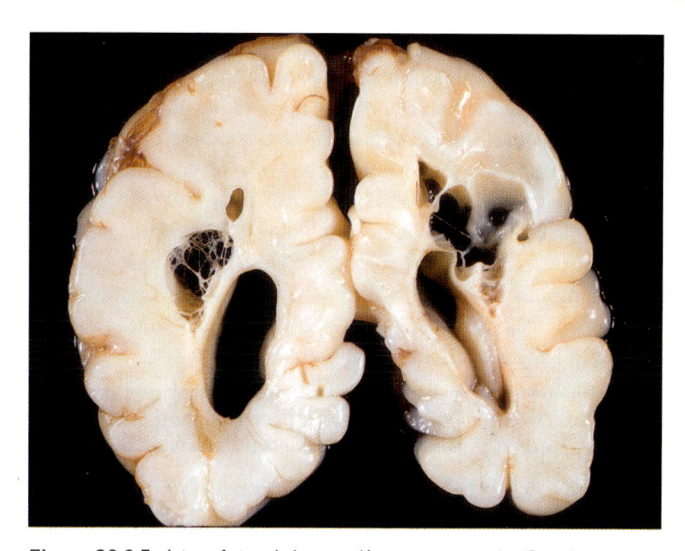

Figura 28.8 Estágio crônico da leucomalácia periventricular. Grandes espaços císticos na substância branca periventricular (vistos em ambos os hemisférios desse cérebro) são as sequelas a longo prazo de uma grave lesão isquêmica pré-natal ou perinatal.

Concussão

A concussão é uma síndrome clínica de alteração de consciência secundária ao trauma craniano, normalmente provocado por uma mudança no momento da cabeça (p. ex., após o impacto de um objeto rígido). O quadro clínico característico inclui uma disfunção neurológica transitória de início súbito, incluindo perda de consciência, parada respiratória temporária e perda dos reflexos. Embora a recuperação neurológica geralmente seja completa, a amnésia para o evento frequentemente persiste. A patogênese da interrupção da função neurológica é desconhecida, mas provavelmente envolve a desregulação do sistema de ativação reticular do tronco encefálico. Síndromes neuropsiquiátricas pós-concussivas, tipicamente associadas a lesões repetitivas, são bem conhecidas, e há evidências crescentes de que deficiências cognitivas significativas podem surgir juntamente com achados patológicos distintos denominados encefalopatia traumática crônica (discutidos mais adiante).

Lesão direta do parênquima

As *contusões* e as *lacerações* são lesões cerebrais causadas por transmissão de energia cinética para o cérebro. Uma contusão é análoga ao hematoma comum causado por trauma contuso, enquanto uma laceração é uma lesão causada pela penetração de um objeto e ruptura do tecido. Como acontece com qualquer outro órgão, um golpe na superfície do cérebro, transmitido através do crânio, leva ao rápido deslocamento tecidual, rompimento dos canais vasculares e subsequente hemorragia, lesão tecidual e edema. A hemorragia pode se estender para o espaço subaracnoide dessas lesões. As cristas dos giros são mais suscetíveis porque é ali que a força direta é maior. As localizações mais comuns das contusões correspondem aos locais mais frequentes de impacto direto e as regiões do cérebro que fazem contato com uma face interna áspera e irregular do crânio, como os lobos frontais ao longo das cristas orbitais e os lobos temporais. As contusões são menos frequentes ao longo dos lobos occipitais, tronco encefálico e cerebelo, mas podem ser vistas quando há uma fratura adjacente do crânio (fratura de contusões).

Uma pessoa que sofre um golpe na cabeça pode desenvolver uma contusão no ponto de contato (lesão por *golpe*) ou na superfície do cérebro diametralmente oposta ao golpe (lesão por *contragolpe*). Como as aparências macroscópicas e microscópicas são indistinguíveis, a distinção entre as lesões é baseada na identificação do ponto de impacto. Em geral, se a cabeça fica imóvel no momento do trauma, apenas uma lesão por golpe é encontrada. Caso a cabeça se mova, lesões por golpe e por contragolpe lesões podem ser encontradas, embora as últimas predominem e pareçam se desenvolver quando o cérebro atinge a superfície interna oposta do crânio após desaceleração repentina.

Os impactos repentinos que resultam em hiperextensão violenta, posterior ou lateral, do pescoço (como ocorre quando um pedestre é atingido por trás por um veículo) pode causar a separação por avulsão da ponte da medula ou entre a medula e a coluna cervical, causando morte instantânea.

Morfologia

Quando observadas em corte transversal, as contusões têm forma de cunha, com a base larga situada ao longo da superfície no ponto de impacto (**Figura 28.9A**). A aparência das contusões é semelhante, independentemente da fonte do trauma. Nos estágios iniciais, há edema e hemorragia, que geralmente é pericapilar. Durante as próximas horas, o extravasamento de sangue se estende por todo o tecido envolvido, através do córtex cerebral, e para a substância branca e espaço subaracnoide. As evidências morfológicas da lesão neuronal (picnose do núcleo, eosinofilia do citoplasma e desintegração da célula) levam de 12 a 24 horas para aparecer, embora déficits funcionais em geral ocorram mais precocemente. Edema axonal se desenvolve ao longo de todo o comprimento dos neurônios danificados. A resposta inflamatória ao tecido lesado segue seu curso habitual, com aparecimento de neutrófilos esparsos seguido de macrófagos abundantes. As lesões traumáticas antigas na superfície do cérebro têm um aspecto macroscópico característico. Elas são deprimidas, retraídas, com manchas amarelo-acastanhadas envolvendo as cristas dos giros, mais comumente aqueles situados nos locais das lesões por contragolpe (córtex frontal basal, polo temporal e occipital); essas lesões, chamadas **placas amarelas (*plaque jaune*) (Figura 28.9B)**, podem se tornar focos epilépticos. As regiões hemorrágicas mais extensas de trauma cerebral dão origem a lesões cavitadas maiores, que se assemelham a infartos remotos. Nas contusões antigas, gliose e macrófagos carregados de hemossiderina residual são predominantes.

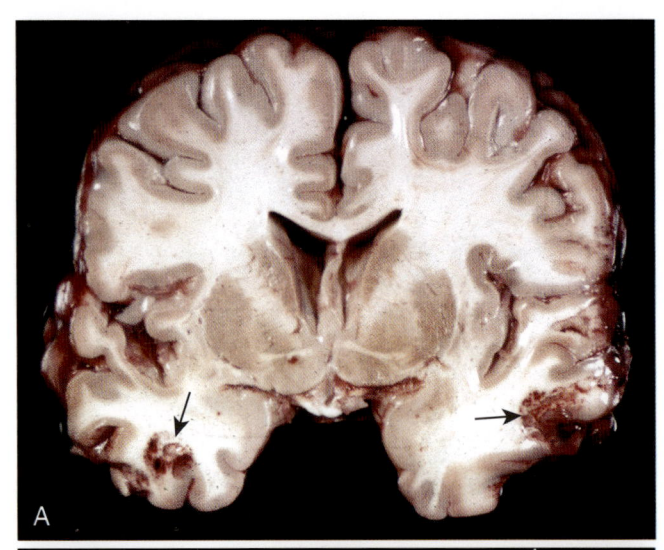

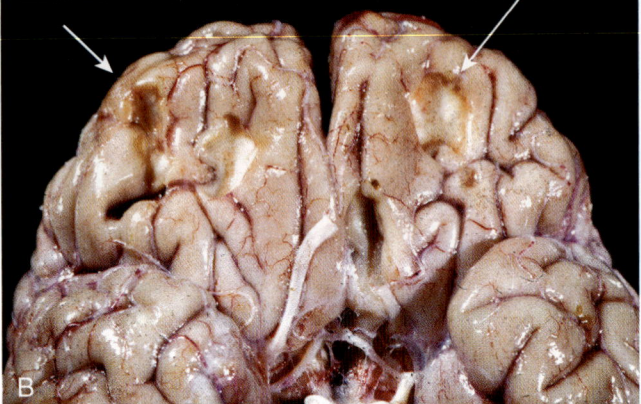

Figura 28.9 A. Contusões agudas estão presentes em ambos os lobos temporais, com áreas de hemorragia e ruptura do tecido (*setas*). **B.** Contusões remotas (*setas*) estão presentes na superfície frontal inferior desse cérebro e têm uma cor amarelada (*plaque jaune*) que reflete o acúmulo de hemossiderina.

Morfologia

A lesão axonal difusa é caracterizada por edemas axonais disseminados, geralmente assimétricos, que aparecem horas após a lesão e podem persistir por muito mais tempo. O edema é mais bem demonstrado com técnicas de impregnação de prata ou com marcações de imunoperoxidase para proteínas transportadas pelos axônios, como a proteína amiloide precursora e α-sinucleína. Posteriormente, um aumento do número de microglias é observado nas áreas danificadas do córtex cerebral e, subsequentemente, há degeneração dos tratos de fibras envolvidos.

Lesão axonal difusa

As lesões cerebrais traumáticas também podem danificar regiões profundas da substância branca, pedúnculos cerebrais, colículos superiores e a formação reticular profunda do tronco encefálico. Os achados microscópicos os incluem edema axonal, indicativo de *lesão axonal difusa* e lesões hemorrágicas focais. Acredita-se que até 50% dos indivíduos que desenvolvem coma logo após o trauma, mesmo na ausência de contusões cerebrais, tenham lesão axonal difusa. Os axônios são lesados diretamente por forças mecânicas, com alterações subsequentes no fluxo axoplasmático. Tais lesões podem ocorrer a partir de mudanças marcantes na aceleração angular (p. ex., de lesões de explosão), mesmo na ausência de impactos físicos envolvendo o crânio.

Lesão vascular traumática

A lesão vascular é um componente frequente do trauma do SNC. Resulta do rompimento da parede do vaso e causa hemorragia em diferentes localizações anatômicas (Tabela 28.1). Dependendo da posição do vaso rompido, a hemorragia pode ocorrer na epidural, subdural, subaracnoide e em compartimentos intraparenquimatosos, às vezes em combinação (**Figura 28.10**). As hemorragias epidurais e subdurais raramente ocorrem fora de situação de trauma; em alguns cenários, como na coagulopatia ou atrofia cerebral significativa, hemorragias subdurais podem

Tabela 28.1 Padrões de hemorragia do sistema nervoso central.

Localização	Etiologia	Características adicionais
Espaço epidural	Trauma	Geralmente associada à fratura craniana (em adultos); sintomas neurológicos de evolução rápida (muitas vezes após um curto período de lucidez) que requerem intervenção
Espaço subdural	Trauma	Pode ocorrer após um pequeno trauma; sintomas neurológicos de evolução lenta, muitas vezes com um atraso a partir do momento da lesão
Espaço subaracnoide	Trauma	Tipicamente associada a lesão parenquimatosa adjacente
	Anormalidade vascular (malformação arteriovenosa ou aneurisma)	Início súbito de cefaleia intensa, geralmente com rápida deterioração neurológica; lesão secundária pode surgir e está associada a vasospasmo
Espaço intraparenquimatoso	Trauma (contusões)	Envolvimento seletivo das cristas dos giros, onde o cérebro está em contato com a superfície interna do crânio (pontes frontal e temporal, superfície orbitofrontal)
	Isquemia (conversão hemorrágica de um infarto isquêmico)	Hemorragias petequiais em uma área previamente isquêmica do cérebro, geralmente após a faixa cortical
	Angiopatia amiloide cerebral	Hemorragia "lobar", envolvendo a substância branca subcortical e frequentemente com extensão para o espaço subaracnoide
	Hipertensão	Centrada na substância branca profunda, tálamo, gânglios da base ou tronco cerebral; pode se estender para o sistema ventricular
	Tumores (primários ou metastáticos)	Associadas a gliomas de alto grau ou certas metástases (melanoma, coriocarcinoma, carcinoma de células renais)

ocorrer mesmo após traumas de pequeno porte. A hemorragia subaracnoide quase sempre acompanha o trauma do parênquima, mas também pode se desenvolver espontaneamente de maneira secundária a anomalias vasculares (discutidas posteriormente).

Hematoma epidural

A dura-máter se funde com o periósteo e é suprida por várias artérias durais. Essas artérias, principalmente a artéria meníngea média, são vulneráveis a lesões traumáticas. Em adultos, isso ocorre mais frequentemente em fraturas temporais do crânio, cuja fratura cruza o curso do vaso. Em crianças, cujo crânio é deformável, a laceração de um vaso pode ocorrer por deslocamento temporário dos ossos do crânio na ausência de uma fratura.

Uma vez que um vaso se rompe, o extravasamento de sangue arterial sob pressão pode separar a dura-máter do periósteo, criando um espaço (**Figura 28.11**). O hematoma em expansão comprime o cérebro subjacente. Quando o sangue se acumula lentamente, os pacientes podem experenciar um período de lucidez antes do início dos sinais neurológicos. O hematoma epidural sintomático representa uma emergência neurocirúrgica; na ausência de diagnóstico apropriado e drenagem, pode ocorrer herniação cerebral fatal dentro de algumas horas.

Hematoma subdural

A dura-máter é composta por duas camadas – uma camada colágena externa e uma camada interna mais celular contendo fibroblastos. As veias-pontes trafegam a partir das convexidades dos hemisférios cerebrais através do espaço subaracnoide e dura-máter desembocando

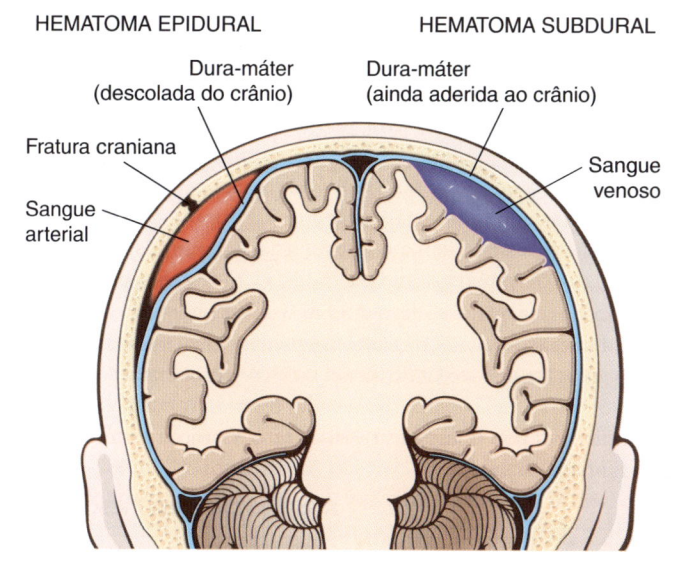

Figura 28.10 Hematoma epidural (*esquerda*) no qual a ruptura de uma artéria meníngea, geralmente associada a uma fratura craniana, leva ao acúmulo de sangue arterial entre a dura-máter e o crânio. Em um hematoma subdural (*direita*), a lesão das veias-pontes entre o cérebro e o seio sagital superior leva ao acúmulo de sangue entre a dura-máter e a aracnoide.

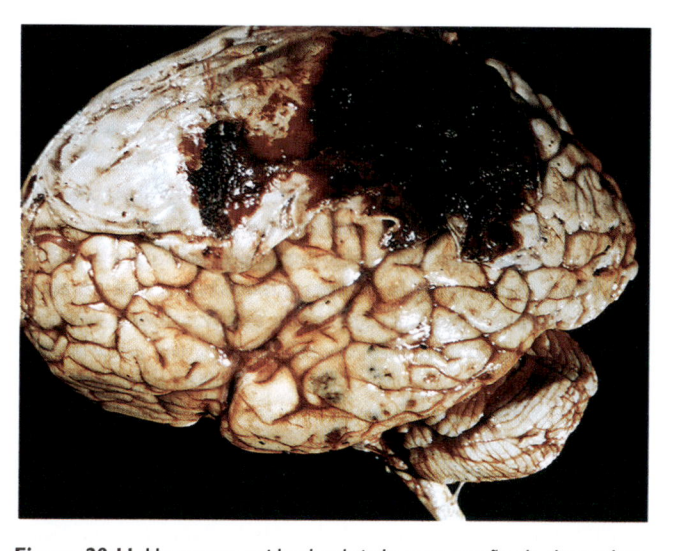

Figura 28.11 Hematoma epidural cobrindo uma porção da dura-máter. Também estão presentes múltiplas pequenas contusões no lobo temporal. (Cortesia do Dr. Raymond D. Adams, Massachusetts General Hospital, Boston, Mass.)

nos seios durais. O cérebro está suspenso em LCR, porém os seios venosos são fixos em relação à dura-máter; como resultado, o deslocamento traumático do cérebro pode romper as veias no ponto em que penetram a dura-máter. O sangue extravasado disseca através das duas camadas da dura-máter, produzindo um hematoma subdural. Em indivíduos mais velhos com atrofia cerebral, as veias-pontes são estiradas, daí o aumento da incidência de hematoma subdural com o envelhecimento. As crianças também são muito suscetíveis a hematomas subdurais porque as paredes de suas veias-pontes são finas.

Morfologia

Macroscopicamente, os **hematomas subdurais agudos** aparecem como uma coleção de sangue recentemente coagulado ao longo da superfície do cérebro, sem extensão para as profundezas dos sulcos (**Figura 28.12**). O cérebro subjacente está achatado, e o espaço subaracnóideo geralmente está limpo. Normalmente, um sangramento venoso é autolimitante e o hematoma resultante é decomposto e organizado ao longo do tempo; isso ocorre com mais frequência na seguinte sequência:

- Lise do coágulo (cerca de 1 semana)
- Crescimento de fibroblastos da superfície dural para o hematoma (2 semanas)
- Desenvolvimento inicial de tecido conjuntivo hialinizado (1 a 3 meses).

Normalmente, o hematoma organizado está firmemente ligado à superfície interna da dura-máter por um tecido fibroso em crescimento e está livre da aracnoide subjacente, que não contribui para o processo de cicatrização. A lesão pode eventualmente se retrair conforme o tecido de granulação amadurece até que apenas uma fina camada de tecido conjuntivo reativo permaneça ("membranas subdurais"). Em outros casos, no entanto, múltiplos episódios recorrentes de sangramento ocorrem (**hematoma subdural crônico**), presumivelmente provenientes dos vasos de paredes finas do tecido de granulação.

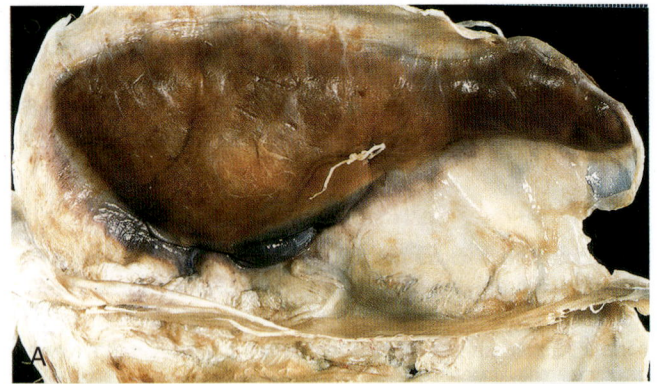

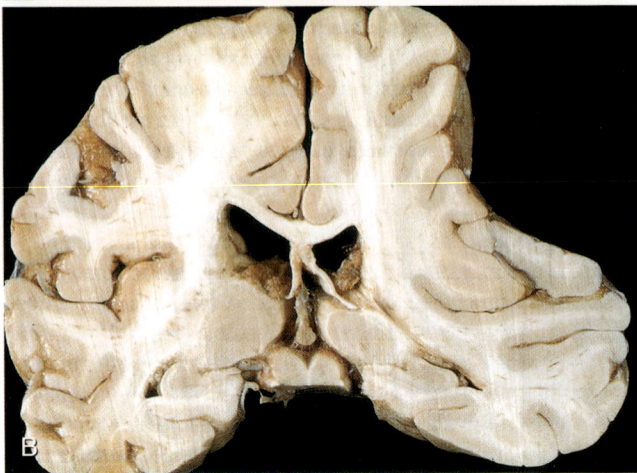

Figura 28.12 A. Grande hematoma subdural em organização aderido à dura-máter. **B.** Corte coronal do cérebro mostrando atrofia do hemisfério comprimido pelo hematoma subdural mostrado em **A**.

Características clínicas

Os hematomas subdurais sintomáticos se manifestam com mais frequência dentro de 48 horas após a lesão. Sua localização mais comum é nas faces laterais dos hemisférios cerebrais e são bilaterais em cerca de 10% dos casos. Os sinais neurológicos são atribuíveis à pressão exercida sobre o cérebro adjacente. Podem ocorrer sinais focais, mas com frequência as manifestações clínicas são não localizadas e incluem cefaleia e confusão. A deterioração neurológica lentamente progressiva é típica, mas a descompensação aguda também pode ocorrer. O tratamento de hematomas subdurais é feito pela remoção do sangue e do tecido em organização associado. O risco de sangramento recorrente é maior nos primeiros meses após a hemorragia inicial.

Sequelas do trauma cerebral

Uma ampla gama de síndromes neurológicas pode se manifestar meses ou anos após trauma cerebral de qualquer origem. Essas síndromes têm recebido cada vez mais atenção no contexto de litígios envolvendo questões de compensação para trabalhadores civis, atletas profissionais e militares:

- A *hidrocefalia pós-traumática* é, em grande parte, decorrente de obstrução da reabsorção do LCR em hemorragias no espaço subaracnoide
- A *encefalopatia traumática crônica* (ETC, anteriormente referida como "demência pugilística") é uma doença demencial que se desenvolve após traumas repetidos na cabeça. As áreas afetadas do cérebro se tornam atróficas, com ventrículos aumentados, e apresentam acúmulo de emaranhados neurofibrilares contendo proteína tau, em um padrão característico que envolve o fundo dos giros e as regiões perivasculares dos córtices do lobo frontal e temporal. Embora se considere que a concussão não tenha consequências estruturais, está claro que eventos repetidos antecedem a ETC. No entanto, permanece incerto quais fatores determinam se a encefalopatia se desenvolverá ao final (o número, frequência e/ou gravidade dos eventos traumáticos individuais, ou alguma combinação destes)
- Outras sequelas importantes do trauma cerebral incluem epilepsia pós-traumática, risco de infecção e transtornos psiquiátricos.

Lesão da medula espinal

A medula espinal é vulnerável a traumas de seu invólucro esquelético. A maioria das lesões que danificam a medula está associada ao deslocamento transitório ou permanente da coluna vertebral. O nível da lesão na medula determina a extensão das manifestações neurológicas: lesões envolvendo as vértebras torácicas ou mais baixas podem levar à paraplegia; lesões cervicais resultam em tetraplegia; aquelas acima de C4 podem, adicionalmente, causar comprometimento respiratório devido à paralisia do diafragma. Danos à substância branca ascendente ou descendente da região de impacto isolam a medula espinal distal do resto do cérebro. Essa interrupção, associada ao dano localizado da substância cinzenta na região do impacto, é a principal causa dos déficits neurológicos.

Morfologia

As características histológicas da lesão traumática da medula espinal são semelhantes às encontrados em outros locais do SNC. A fase aguda da lesão consiste em hemorragia, necrose e edema axonal na substância branca circundante. A lesão se afila acima e abaixo do nível do dano. Com o tempo, áreas centrais de destruição neuronal tornam-se císticas e glióticas; seções da medula acima e abaixo da lesão evidenciam degeneração walleriana secundária ascendente e descendente, respectivamente, envolvendo o longo trato de substância branca no local do trauma.

Conceitos-chave

Lesão encefálica perinatal

- O momento da lesão é crítico, com eventos precoces resultando em maiores danos e déficits
- Paralisia cerebral é o termo usado para déficits não progressivos associados a lesões durante os períodos pré e perinatal

Trauma

- Lesões físicas no cérebro podem ocorrer quando a face interna do crânio entra em contato forçado com o cérebro
- No trauma contuso, se houver movimento da cabeça, pode haver lesão cerebral tanto no ponto de contato original (lesão por golpe) quanto no lado oposto do cérebro (lesão por contragolpe)
- As lesões parenquimatosas assumem a forma de contusões, com hemorragia que se estende para o espaço subaracnoide
- O deslocamento rápido da cabeça e do cérebro pode dilacerar os axônios (lesão axonal difusa), muitas vezes causando déficits neurológicos irreversíveis graves imediatos
- A ruptura traumática dos vasos sanguíneos causa hematoma epidural ou subdural

Doença cerebrovascular

A doença cerebrovascular – lesão do cérebro como uma consequência do fluxo sanguíneo alterado – pode ser agrupada em etiologias isquêmicas e hemorrágicas, sendo o infarto tecidual a consequência final de ambos. "Acidente vascular encefálico" (AVE) é a designação clínica aplicada a essas condições e é definido como sinais e sintomas neurológicos que podem ser explicados por um mecanismo vascular, apresentam início agudo e persistem além de 24 horas. (Se os sintomas desaparecerem dentro de 24 horas, o evento é denominado "ataque isquêmico transitório.")

A doença cerebrovascular é a terceira causa principal de morte nos EUA (após doença cardiovascular e câncer) e a mais prevalente de morbidade e mortalidade por doença neurológica. O AVE provém de dois mecanismos principais:

- *Isquemia e/ou hipoxia* resultante de comprometimento do suprimento sanguíneo e da oxigenação tecidual do SNC. Esse pode ser um processo global ou focal, com as manifestações clínicas determinadas pela região do cérebro afetada. No cérebro, a embolia é uma causa de oclusão vascular mais comum do que a trombose
- *Hemorragia* resultante da ruptura de vasos do SNC. As etiologias comuns incluem hipertensão e anomalias vasculares (aneurismas e malformações; **Tabela 28.1**).

Hipoxia e isquemia

Embora corresponda a apenas 1 a 2% do peso corporal, o cérebro recebe aproximadamente 15% do débito cardíaco em repouso e é responsável por 20% do consumo de oxigênio do corpo. O fluxo sanguíneo cerebral permanece relativamente constante diante de uma ampla variação da pressão arterial e da pressão intracraniana, devido à autorregulação da resistência vascular. O cérebro é estritamente dependente do metabolismo aeróbico para atender suas demandas constantes de energia, e pode ser privado de oxigênio por hipoxemia (baixo teor de oxigênio no sangue) ou isquemia (fluxo sanguíneo inadequado). O fluxo sanguíneo inadequado pode resultar de uma redução da pressão de perfusão (como na hipotensão), obstrução de grandes ou pequenos vasos, ou de ambos.

Quando o fluxo sanguíneo para uma região do cérebro é reduzido, a sobrevivência do tecido em risco depende da presença de circulação colateral e duração da isquemia, além da magnitude e velocidade da redução do fluxo. Por sua vez, esses fatores determinam o local anatômico preciso, o tamanho da lesão e, consequentemente, o déficit clínico.

As alterações bioquímicas gerais nas células resultantes de isquemia são discutidas no **Capítulo 2**. Além de processos compartilhados com a isquemia descrita em outras partes do corpo, a isquemia do SNC pode resultar na liberação inadequada de aminoácidos neurotransmissores excitatórios, como o glutamato. Essa liberação pode danificar os neurônios por permitir o influxo excessivo de íons de cálcio por meio de receptores de glutamato do tipo N-metil-D-aspartato (NMDA), um fenômeno denominado *excitotoxicidade*. Na região de transição entre o tecido necrótico e o cérebro normal, há uma área do cérebro "em risco", conhecida como *zona de penumbra*. Essa região pode ser resgatada da morte celular em muitos modelos animais com uma variedade de intervenções antiapoptóticas, implicando que os neurônios isquêmicos podem morrer por apoptose bem como por necrose.

Isquemia cerebral focal

A isquemia cerebral focal é seguida da redução ou interrupção do fluxo sanguíneo para uma área localizada do cérebro devido a obstrução arterial parcial ou completa. Quando a isquemia é prolongada, o território coberto pelo vaso comprometido sofre infarto. O tamanho, localização e forma do infarto, além da extensão do dano tecidual resultante, são influenciados pela duração da isquemia e pela adequação do fluxo colateral. A principal fonte de fluxo colateral é o polígono de Willis (suplementado pelos colaterais da artéria carótida-oftálmica externa).

Vasos leptomeníngeos colaterais inconstantes da superfície do cérebro também podem suprir os ramos das artérias cerebrais anterior, média e posterior por meio de anastomoses corticoleptomeníngeas; em contraste, há pouco ou nenhum fluxo colateral para os vasos penetrantes profundos que suprem o tálamo, gânglios da base e substância branca profunda.

A doença vascular oclusiva de gravidade suficiente para conduzir ao infarto cerebral pode ser consequência da embolização de uma fonte distante, trombose *in situ* ou vasculites diversas. A patologia dessas condições também é discutida nos **Capítulos 4 e 11**:

- A *embolia* encefálica ocorre a partir de várias fontes. Trombos murais cardíacos estão entre as causas mais comuns; infarto agudo do miocárdio, doença valvar e fibrilação atrial são fatores predisponentes importantes. Em seguida estão tromboêmbolos originados das artérias, na maioria das vezes de placas ateromatosas dentro das carótidas. Outras fontes de êmbolos incluem tromboêmbolos paradoxais, particularmente em crianças com anomalias cardíacas; tromboêmbolos associados a cirurgia cardíaca; e êmbolos de outras origens (tumor, gordura ou ar). O território suprido pela artéria cerebral média – a extensão direta da artéria carótida interna – é mais frequentemente afetado por infarto embólico; a incidência é próxima nos dois hemisférios. Os êmbolos tendem a se alojar onde os vasos sanguíneos se ramificam ou em áreas de estenose luminal preexistente. A "chuva de êmbolos", como na embolia gordurosa, pode ocorrer após fraturas e os indivíduos afetados manifestam disfunção cerebral generalizada com distúrbios de funções corticais superiores e de consciência, muitas vezes na ausência de sinais locais. Lesões hemorrágicas generalizadas envolvendo a substância branca são características de embolização da medula óssea após o trauma
- A *oclusão trombótica das artérias cerebrais* é mais comumente causada por alteração aguda de placas ateroscleróticas vulneráveis, como na doença arterial coronariana (ver **Capítulo 12**). Os locais mais comuns são a bifurcação carotídea (a origem da artéria cerebral média) e qualquer extremidade da artéria basilar. Os trombos causam estreitamento progressivo da luz, podem ser acompanhados por extensão anterógrada e podem progredir para fragmentação e embolização distal. A doença cerebrovascular aterosclerótica está frequentemente associada a doenças sistêmicas, como hipertensão e diabetes
- Os *processos inflamatórios* que envolvem os vasos sanguíneos também podem levar ao estreitamento luminal, oclusão e, consequentemente, infartos. Embora a vasculite infecciosa de pequenos e grandes vasos ocorra na sífilis e tuberculose, é agora mais comum no cenário de imunossupressão e infecções oportunistas (p. ex., aspergilose). A *poliarterite nodosa* e outras vasculites não infecciosas podem envolver os vasos cerebrais e causar infartos únicos ou múltiplos em todo o cérebro. A *angiite primária do SNC* também pode se desenvolver na ausência de vasculite sistêmica
- Outras condições que podem causar trombose (e hemorragia intracraniana) incluem estados de hipercoagulação, dissecção de aneurisma das artérias extracranianas no pescoço que suprem o cérebro e uso abusivo de drogas ilícitas (anfetaminas, heroína, cocaína).

Os infartos cerebrais são subdivididos em dois grandes grupos com base na presença de hemorragia secundária. Uma vez que o cérebro tem uma circulação de órgão final com suprimento colateral limitado, infartos cerebrais oclusivos geralmente começam como eventos não hemorrágicos (pálidos/anêmicos; **Figura 28.13A**). Clinicamente, esses infartos não hemorrágicos são chamados isquêmicos, um termo confuso pois, todo infarto, não apenas este tipo, é causado por isquemia tecidual. Uma hemorragia secundária pode ocorrer por lesão de isquemia-reperfusão, após dissolução ou fragmentação espontânea ou terapêutica do material oclusivo intravascular. Esse processo (denominado *transformação hemorrágica secundária* e levando a um infarto hemorrágico) se desenvolve quando o evento isquêmico causal dura o tempo suficiente para danificar pequenos vasos sanguíneos na área afetada. As hemorragias por reperfusão resultantes são em grande parte de natureza petequial, mas podem ser múltiplas ou mesmo confluentes (ver **Figura 28.13B**). A manutenção clínica de pacientes com infartos não hemorrágicos e hemorrágicos difere muito, embora as causas subjacentes sejam as mesmas (p. ex., a terapia trombolítica é contraindicada em um paciente com hemorragia cerebral de qualquer etiologia).

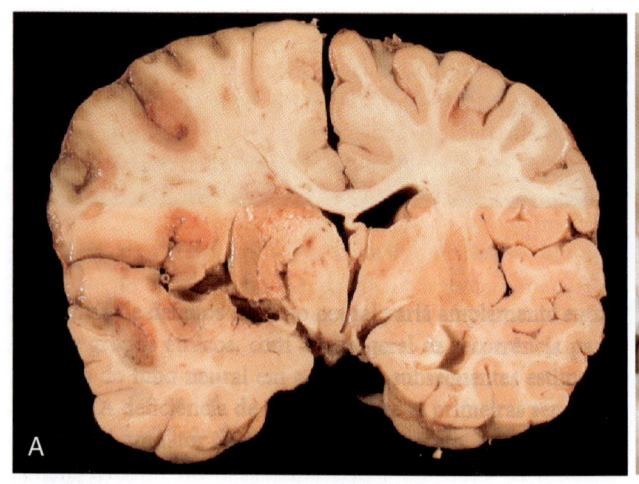

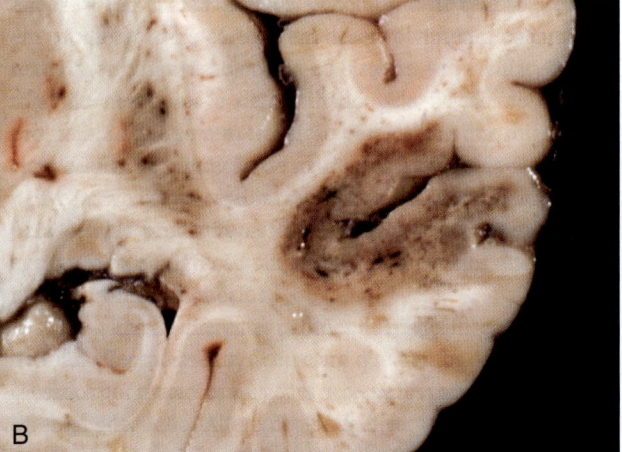

Figura 28.13 A. Um infarto isquêmico envolve o território da artéria cerebral média, incluindo o corpo estriado, no lado esquerdo desse cérebro. **B.** Um infarto hemorrágico com hemorragias pontilhadas, consistente com lesão de isquemia-reperfusão, está presente no lobo temporal.

Morfologia

Tanto a aparência macroscópica quanto microscópica de um **infarto não hemorrágico** se alteram com o tempo. Macroscopicamente, há pouca alteração da aparência durante as primeiras 6 horas de uma lesão irreversível. Por volta de 48 horas, no entanto, o tecido se torna pálido, macio e edemaciado, ao mesmo tempo que a junção entre a substância cinzenta e branca torna-se indistinta. De 2 a 10 dias, o cérebro se torna gelatinoso e friável, e o limite previamente mal definido entre o tecido normal e o tecido que sofreu infarto torna-se mais distinto à medida que o edema se resolve no tecido viável adjacente. De 10 dias a 3 semanas, o tecido se liquefaz, eventualmente deixando uma cavidade cheia de líquido que continua a se expandir até que todo o tecido morto seja removido (**Figura 28.14**).

Microscopicamente, a reação tecidual evolui de acordo com a seguinte sequência:

- **Infarto agudo** (**Figura 28.15A**). Após as primeiras 6 a 12 horas, neurônios da área afetada apresentam necrose eosinofílica (aumento da eosinofilia do citoplasma seguido por picnose nuclear picnose e cariorrexe; "neurônios vermelhos mortos"); tanto o edema citotóxico quanto vasogênico estão presentes. Há perda das características tintoriais normais de estruturas da substância branca e cinzenta. As células endoteliais e da glia, principalmente os astrócitos, sofrem tumefação e as fibras mielinizadas começam a se desintegrar. Até 48 horas, a migração neutrofílica aumenta progressivamente e depois diminui (mas nunca é tão proeminente como no infarto do miocárdio)
- **Infarto subagudo (em evolução)** (**Figura 28.15B**). Células fagocíticas, derivadas de monócitos circulantes e das microglias ativadas, são evidentes em 48 a 72 horas e se tornam o tipo celular predominante nas 2 a 3 semanas seguintes. Os macrófagos se tornam repletos de produtos de degradação da mielina ou de sangue e podem persistir na lesão por meses a anos. Astrócitos reativos e vasos recém-formados podem ser vistos na periferia da lesão 1 semana após o infarto. À medida que o processo de liquefação e a fagocitose continuam, os astrócitos presentes nas bordas da lesão progressivamente aumentam, se dividem e formam uma rede proeminente de extensões citoplasmáticas
- **Infarto cicatrizado** (**Figura 28.15C**). Após vários meses, a resposta astrocítica retrocede, deixando para trás uma malha

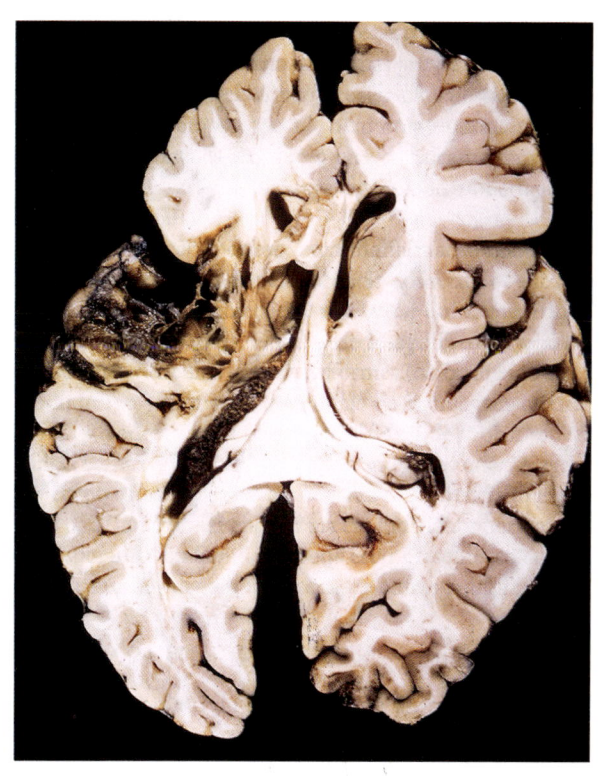

Figura 28.14 Infarto cístico antigo mostrando uma cavitação por perda do parênquima cerebral.

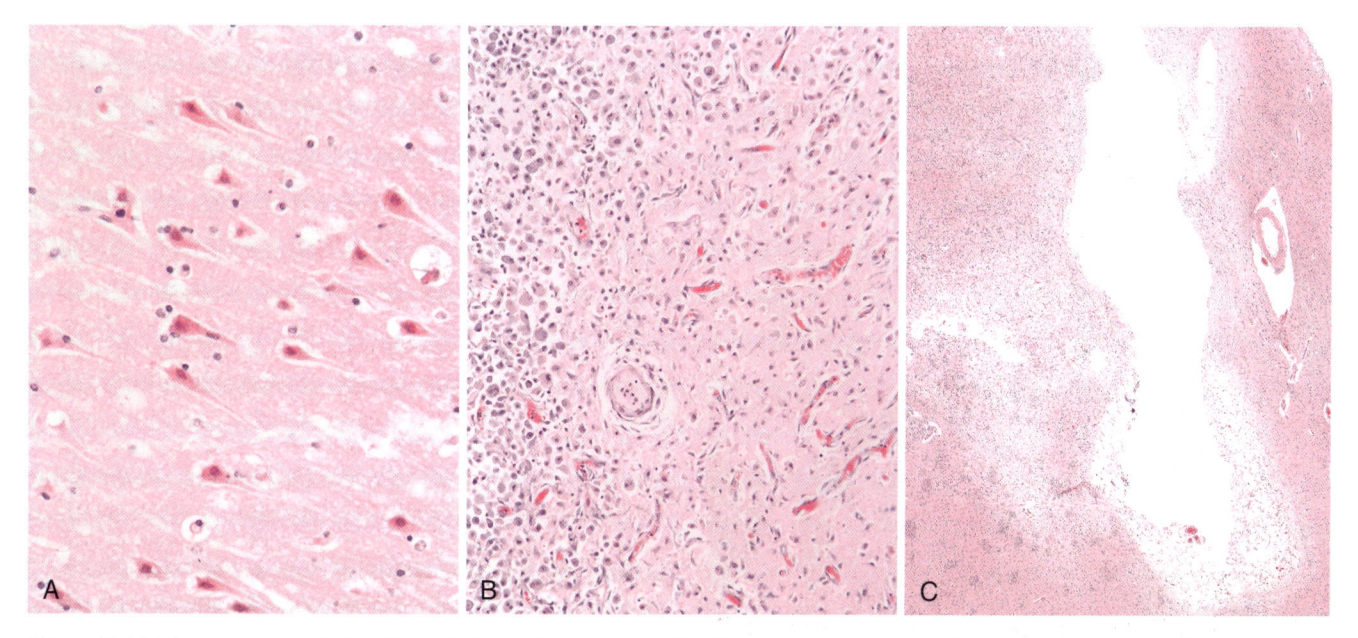

Figura 28.15 Infartos cerebrais. **A.** A lesão isquêmica aguda causa eosinofilia difusa dos neurônios, que estão começando a encolher. **B.** Após cerca de 10 dias, a lesão é caracterizada pela presença de macrófagos espumosos (*melhor observados à esquerda*) e gliose reacional adjacente com neovascularização (*à direita*). **C.** O pequeno infarto remoto é visto como uma área de perda de tecido circundada por gliose residual.

densa de fibras gliais combinada com novos capilares e algum tecido conjuntivo perivascular. No córtex cerebral, a cavidade é separada das meninges e espaço subaracnoide por uma camada de tecido gliótico, derivado da camada molecular do córtex. A pia-máter e a aracnoide não são afetadas. Os infartos passam por esses estágios reativos e reparadores das bordas para dentro. Assim, diferentes áreas de uma lesão podem parecer cronologicamente divergentes, revelando a progressão natural da resposta.

As características e a evolução temporal dos **infartos hemorrágicos** são similares ao que ocorre nos infartos isquêmicos, com o acréscimo de extravasamento de sangue e sua reabsorção. Em indivíduos que recebem tratamento anticoagulante, os infartos hemorrágicos podem estar associados a hematomas intracranianos extensos. Os infartos venosos costumam ser hemorrágicos e podem ocorrer após a oclusão trombótica do seio sagital superior ou de outros seios, ou ainda após a oclusão de veias cerebrais profundas. As neoplasias, infecções localizadas e outras condições que levam a um estado de hipercoagulação aumentam o risco de trombose venosa.

Infartos lacunares

A hipertensão afeta as artérias e arteríolas penetrantes profundas que suprem os gânglios da base e a substância branca dos hemisférios, bem como o tronco encefálico. Esses vasos cerebrais desenvolvem *esclerose arteriolar*, também conhecida como doença dos pequenos vasos porque afeta artérias de 40 a 900 μm de diâmetro, descrita em mais detalhes posteriormente. Se o processo da doença progride para trombose e oclusão completa do vaso, o resultado final é o desenvolvimento de pequenos infartos cavitários conhecidos como *lacunas* ou *infartos lacunares* (**Figura 28.16**). Esses espaços semelhantes a lagos, arbitrariamente definidos como áreas com menos de 15 mm de largura, podem ser únicos ou múltiplos e envolvem o putame, globo pálido, tálamo, cápsula interna, substância branca profunda, núcleo caudado e ponte, em ordem decrescente de frequência. No exame microscópico, observa-se perda de tecido circundada por gliose. Dependendo de sua localização no SNC, os infartos lacunares podem ser clinicamente silenciosos ou causar comprometimento neurológico grave. Os vasos afetados também podem estar associados ao alargamento dos espaços perivasculares sem infarto do tecido (*estado crivoso*, do francês *état criblé*).

Figura 28.16 Infartos lacunares no núcleo caudado e putame (*setas*).

Características clínicas

Os déficits produzidos pelo infarto são determinados pela distribuição anatômica do dano, em vez da causa subjacente. Os sintomas neurológicos atribuíveis à área da lesão geralmente se desenvolvem rapidamente (dentro de minutos) e podem continuar a evoluir ao longo de horas. Pode haver melhora da gravidade dos sintomas, associada à reversão da lesão em penumbra isquêmica e a resolução do edema local associado. Em geral, frequentemente há uma melhora lenta durante um período de meses. Como os AVEs estão frequentemente associados a doenças cardiovasculares, muitos fatores de risco genéticos e de estilo de vida são compartilhados. O diagnóstico precoce é de importância crítica, uma vez que o tratamento rápido de AVEs não hemorrágicos com agentes trombolíticos muitas vezes podem limitar ou prevenir totalmente o desenvolvimento de déficits neurológicos permanentes.

Hipoxia/isquemia cerebral global

A hipoxia ou isquemia cerebral global ocorre quando há uma redução generalizada da perfusão cerebral (como na parada cardíaca, choque e hipotensão grave) ou diminuição da capacidade de transporte de oxigênio pelo sangue (p. ex., na intoxicação por monóxido de carbono). O resultado clínico varia com a gravidade e duração do insulto. Em casos leves, pode haver apenas um estado confusional transiente pós-isquêmico, seguido por completa recuperação. No entanto, podem ocorrer danos irreversíveis ao SNC em indivíduos que experimentam insultos hipóxicos/isquêmicos globais (*encefalopatia hipóxica/isquêmica difusa*). Entre as células do SNC, há uma hierarquia da sensibilidade à hipoxia/isquemia: os neurônios são os mais sensíveis, embora as células da glia (oligodendrócitos e astrócitos) também sejam vulneráveis. Os neurônios mais sensíveis do cérebro são os neurônios piramidais do hipocampo (especialmente a área CA1, também referida como setor de Sommer), as células de Purkinje cerebelares e os neurônios piramidais do córtex cerebral (especialmente as camadas III e V). Os mecanismos moleculares subjacentes a essa vulnerabilidade seletiva não são compreendidos. Em decorrência da hipoxia/isquemia cerebral global grave, ocorre a morte neuronal generalizada, independentemente da vulnerabilidade regional. Os pacientes que sobrevivem a essa lesão frequentemente permanecem em um estado vegetativo persistente. Outros pacientes atendem aos critérios clínicos atuais de "morte encefálica", incluindo evidência de lesão cortical difusa irreversível (inatividade elétrica cerebral, anteriormente chamado eletroencefalograma isoelétrico ou "chato"), dano do tronco encefálico (como reflexos e impulso respiratório ausentes), e ausência de perfusão cerebral. Quando indivíduos com esta forma difusa de lesão são mantidos em ventilação mecânica, o cérebro gradualmente sofre liquefação generalizada, produzindo o chamado "cérebro de respirador".

Os *infartos em zona de fronteira* ("*bacia hidrográfica*") ocorrem nas regiões do cérebro ou da medula espinal que se encontram nas extensões mais distais do suprimento de sangue arterial (*i. e.*, as zonas de fronteira entre territórios arteriais). Nos hemisférios cerebrais, a zona de fronteira entre as irrigações da artéria cerebral anterior e média está em maior risco. Danos nessa região, localizada a alguns centímetros lateralmente à fissura inter-hemisférica, resultam em um infarto cortical em forma de cunha que geralmente apresenta transformação hemorrágica secundária (**Figura 28.17**) e é frequentemente bilateral. Os infartos em zonas de fronteira geralmente se desenvolvem após episódios hipotensivos graves e são mais comumente vistos em pacientes reanimados após parada cardíaca.

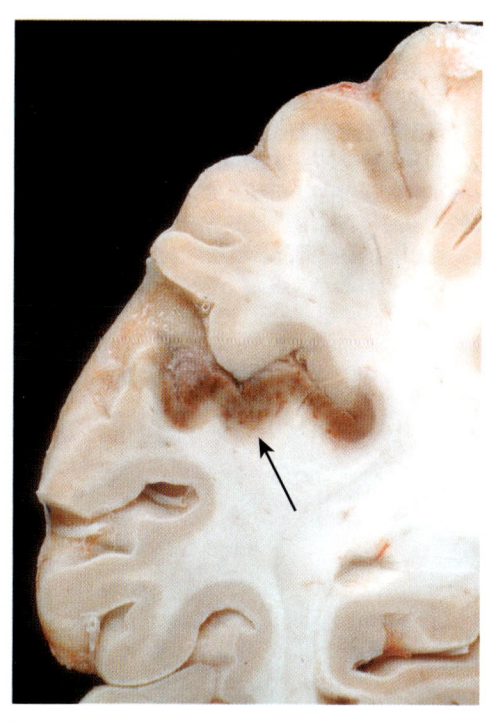

Figura 28.17 Infarto clássico em zona de fronteira (bacia hidrográfica) com transformação hemorrágica secundária (seta); limite entre as circulações da artéria cerebral anterior e média.

Morfologia

Em um cenário de isquemia global, o cérebro se torna edemaciado e inchado, produzindo alargamento dos giros e estreitamento dos sulcos. A superfície de corte mostra fraca delimitação entre a substância cinzenta e a substância branca. As características microscópicas da lesão isquêmica irreversível evoluem com o tempo e mimetizam as mudanças observadas nos infartos. A distinção entre lesão isquêmica global e focal é baseada não na natureza da patologia celular, mas no padrão geral de envolvimento do cérebro. As **alterações iniciais**, que ocorrem de 6 a 12 horas após o insulto, são observadas nos neurônios (neurônios vermelhos mortos descritos anteriormente); mudanças agudas semelhantes ocorrem um pouco mais tarde nos astrócitos e oligodendroglias. As **alterações subagudas**, que ocorrem de 24 horas a 2 semanas, incluem necrose tecidual, influxo de macrófagos, proliferação vascular e gliose reacional. O **reparo**, robusto após aproximadamente 2 semanas, é caracterizado pela remoção de tecido necrótico, perda da arquitetura normal do SNC e gliose. No neocórtex cerebral, a perda neuronal e a gliose são desiguais, com preservação de algumas camadas e destruição de outras, produzindo um padrão de lesão denominado **necrose laminar**.

Hemorragia intracraniana

As hemorragias podem ocorrer em qualquer local do crânio – fora do cérebro ou dentro dele (hemorragia intraparenquimatosa). As hemorragias no espaço epidural ou subdural estão tipicamente associadas a trauma e foram discutidas anteriormente. Em contraste, as hemorragias do parênquima cerebral e no espaço subaracnoide são mais frequentemente uma manifestação de doença cerebrovascular e serão discutidas nas próximas seções (**Tabela 28.1**).

Hemorragia intraparenquimatosa

A ruptura de um pequeno vaso intraparenquimatoso pode resultar em uma hemorragia primária dentro do cérebro, geralmente associada com um início súbito de sintomas neurológicos (AVE); isso não deve ser confundido com a transformação hemorrágica secundária de um infarto oclusivo (descrito anteriormente). As hemorragias intraparenquimatosas espontâneas (não traumáticas) ocorrem mais comumente do meio ao fim da vida adulta, com um pico de incidência por volta dos 60 anos. Hemorragias nos gânglios da base e tálamo são comumente designadas "hemorragias ganglionares", enquanto aquelas que ocorrem nos lobos dos hemisférios cerebrais são chamadas "hemorragias lobares". As duas principais causas desses padrões de hemorragia são hipertensão e angiopatia amiloide cerebral, respectivamente. Além disso, outros fatores locais e sistêmicos podem causar ou contribuir para a hemorragia não traumática, incluindo distúrbios de coagulação sistêmica, neoplasias, vasculites, aneurismas e malformações vasculares.

A hipertensão é o fator de risco mais comumente associado a hemorragias parenquimatosas cerebrais profundas, sendo responsável por mais de 50% das hemorragias clinicamente significativas e por aproximadamente 15% das mortes entre indivíduos com hipertensão crônica. A *hemorragia intraparenquimatosa hipertensiva* pode se originar no putame (50 a 60% dos casos), tálamo, ponte, hemisférios cerebelares (raramente) e outras regiões do cérebro (**Figura 28.18A**). A hipertensão causa uma série de anormalidades nas paredes dos vasos, incluindo aterosclerose acelerada em artérias maiores, arteriolosclerose hialina em artérias menores, e (em casos graves) alterações proliferativas e franca necrose de arteríolas. As paredes arteriolares afetadas por alterações hialinas (**Figura 28.18B**) se tornam espessas, mas são mais vulneráveis à ruptura do que os vasos normais; essas mudanças são mais proeminentes nos gânglios da base e na substância branca subcortical. Conforme descrito anteriormente, se as pequenas artérias afetadas por arteriolosclerose hialina não se rompem, mas são obstruídas, o resultado é um infarto lacunar.

A angiopatia amiloide cerebral (AAC) é o fator de risco mais comumente associado a hemorragias lobares (**Figura 28.18C**). Na AAC, peptídeos amiloidogênicos, geralmente os mesmos encontrados na doença de Alzheimer (Aβ; ver mais adiante), depositam-se nas paredes dos vasos meníngeos, corticais e cerebelares de médio e pequeno calibre; os vasos envolvidos tornam-se rígidos e, como resultado, falham em colapsar durante o processamento e secção do tecido. Embora semelhante à arteriolosclerose hialina na coloração de hematoxilina e eosina (H&E) de rotina, o material hialino da AAC consiste em β amiloide em vez de colágeno (**Figura 28.18D**) e é visto principalmente nos vasos leptomeníngeos e corticais (em vez dos gânglios da base e da substância branca). A deposição de amiloide pode enfraquecer a parede do vaso e levar à hemorragia; como resultado, muitos indivíduos com AAC têm evidências de inúmeras pequenas hemorragias dentro do cérebro ("microssangramentos") que podem ser visualizadas por vários métodos de imagem. Tal como acontece com a doença de Alzheimer (discutida mais adiante), há uma relação entre os polimorfismos do gene que codifica a apolipoproteína E (ApoE) e o risco de doença; especificamente, a presença de um alelo ε2 ou ε4 aumenta o risco de sangramento. Formas autossômicas dominantes de AAC estão associadas a certas mutações no gene *APP*, o qual codifica o precursor dos peptídeos Aβ que têm propensão a se depositar como amiloide.

Outras formas de doenças hereditárias dos pequenos vasos do SNC foram identificadas. A *arteriopatia cerebral autossômica*

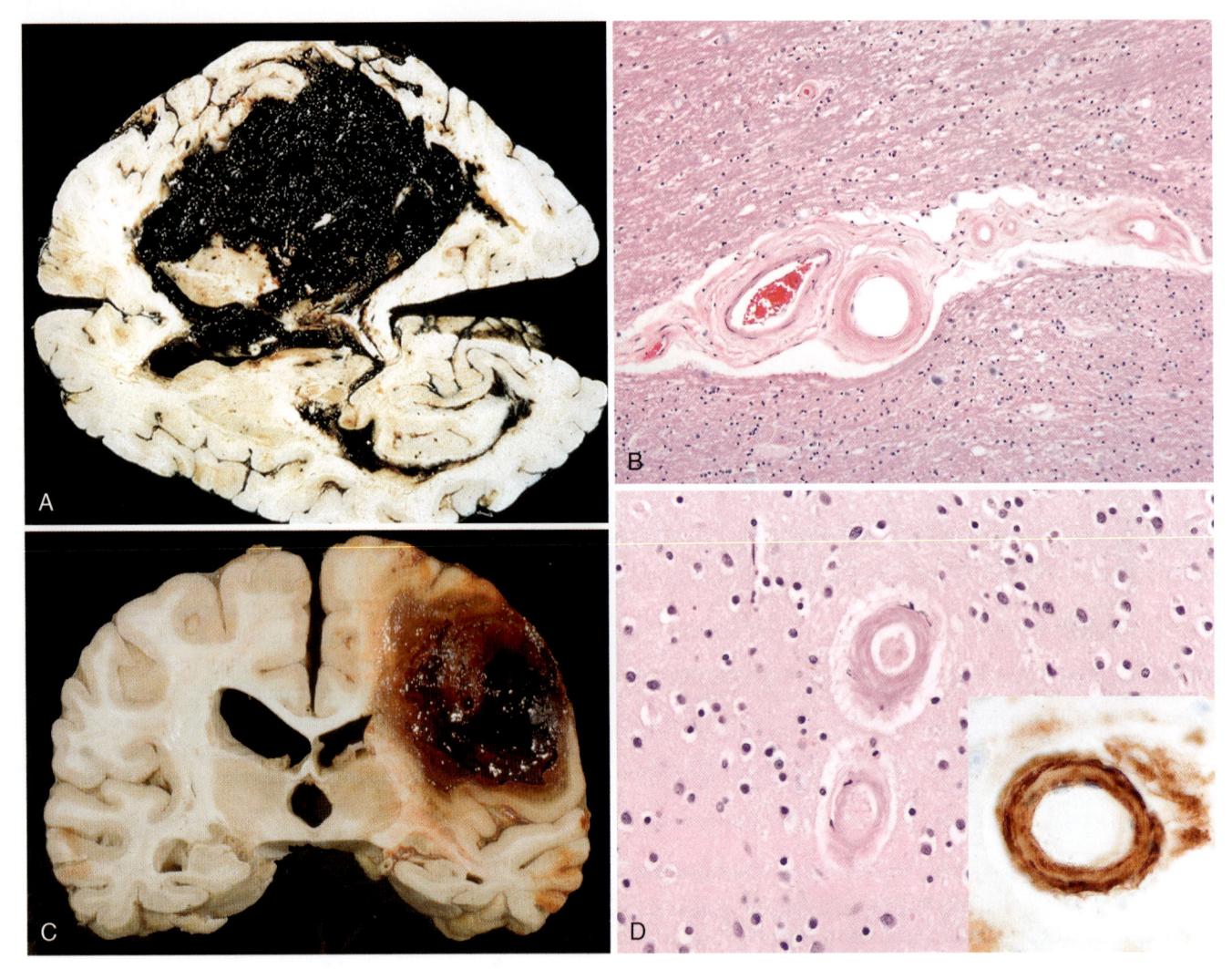

Figura 28.18 A. Hemorragia ganglionar hipertensiva maciça rompendo-se em um ventrículo lateral. **B.** A arteriolosclerose hialina (fibrose e espessamento das paredes arteriolares) se desenvolve nos gânglios da base e na substância branca subcortical de pacientes com hipertensão de longa data; é um fator de risco para hemorragias hipertensivas, bem como para infartos lacunares. **C.** Grande hemorragia lobar devido a angiopatia amiloide cerebral; ela disseca focalmente no espaço subaracnóideo. **D.** Deposição de amiloide em arteríolas corticais na angiopatia amiloide cerebral; *detalhe*, a coloração imuno-histoquímica para Aβ destaca o material depositado na parede do vaso. (**C**, Cortesia do Dr. Dimitri Agamanolis, http://neuropathology-web.org.)

dominante com infartos subcorticais e leucoencefalopatia (CADASIL, *cerebral autosomal dominant arteriopathy with subcortical infarcts and leukoencephalopathy*) é um distúrbio autossômico dominante causado por mutações no gene *NOTCH3* que leva ao enovelamento incorreto do domínio extracelular do receptor *NOTCH3*. A doença é caracterizada clinicamente por AVEs recorrentes de pequenos vasos (geralmente infartos, menos frequentemente hemorragias) e demência. Estudos de imagem mostram que as primeiras alterações detectáveis ocorrem na substância branca, geralmente se apresentando por volta dos 35 anos e progredindo ainda mais com o tempo. Outras formas de doença hereditária dos pequenos vasos incluem um distúrbio associado a mutações no gene para COL4A1, um componente da membrana basal vascular.

Morfologia

As hemorragias intraparenquimatosas primárias agudas são caracterizadas por um núcleo central de sangue coagulado que comprime o parênquima adjacente. Esta compressão leva ao infarto secundário do tecido cerebral afetado, com alterações neuronais e gliais anóxicas, bem como edema. Eventualmente, o edema se resolve, hemossiderina e macrófagos carregados de lipídios aparecem e a proliferação de astrócitos reativos é observada na periferia da lesão; os eventos celulares seguem o mesmo curso temporal observado após o infarto cerebral. Hemorragias antigas mostram áreas de destruição cavitaria do parênquima com uma borda de coloração acastanhada.

Características clínicas

A hemorragia intracerebral pode ser clinicamente devastadora quando envolve uma grande parte do cérebro ou se estende para o sistema ventricular. Quando a hemorragia afeta regiões menores, pode ser clinicamente silenciosa ou evoluir como um infarto; ao longo de semanas ou meses, há uma remoção gradual do hematoma, às vezes com melhora clínica considerável. Novamente, a localização da hemorragia determina as manifestações clínicas.

Hemorragia subaracnoide e ruptura de aneurisma sacular

A causa mais frequente de hemorragia subaracnoide espontânea é a ruptura de um aneurisma sacular ("moriforme") em uma artéria cerebral. (Como observado anteriormente, o trauma cerebral é a causa mais comum de hemorragia subaracnoide em geral.) A hemorragia subaracnoide não traumática também pode resultar da ruptura de uma hemorragia intracerebral primária do sistema ventricular, malformação vascular, distúrbios hematológicos e tumores.

O *aneurisma sacular* é o tipo mais comum de aneurisma intracraniano; outros tipos de aneurisma incluem o aterosclerótico (fusiforme; principalmente da artéria basilar), micótico, traumático e dissecante. Estes últimos três, assim como os aneurismas saculares, são mais comumente encontrados na circulação anterior, embora causem infarto cerebral com mais frequência do que hemorragia subaracnoide.

Os aneurismas saculares são encontrados em cerca de 2% da população de acordo com dados recentes de estudos radiológicos realizados na comunidade. Cerca de 90% dos aneurismas saculares são encontrados próximos aos principais pontos de ramificação arterial na circulação anterior (**Figura 28.19**); aneurismas múltiplos ocorrem em 20 a 30% dos casos, com base em necropsias.

Patogênese

Embora a etiologia dos aneurismas saculares permaneça obscuro, a anormalidade estrutural do vaso envolvido (ausência de músculo liso e lâmina elástica da íntima) sugere que são anomalias de desenvolvimento. A maioria ocorre esporadicamente, mas fatores genéticos podem ser importantes em sua patogênese porque há um aumento da incidência de aneurismas em parentes de primeiro grau dos indivíduos afetados. Há também um aumento da incidência em indivíduos com certos distúrbios Mendelianos (p. ex., doença renal policística autossômica dominante, síndrome de Ehlers-Danlos tipo IV, neurofibromatose tipo 1 [NF1] e síndrome de Marfan), displasia fibromuscular de artérias extracranianas e coarctação da aorta. Outros fatores predisponentes incluem tabagismo e hipertensão (estima-se que esteja presente em cerca de metade dos indivíduos afetados). Embora às vezes sejam referidos como "congênitos", os aneurismas não estão presentes ao nascimento, mas se desenvolvem ao longo do tempo por causa de um defeito subjacente na camada média da parede do vaso.

> #### Morfologia
>
> Um aneurisma sacular não rompido é uma evaginação em forma de bolsa de paredes finas, geralmente em um ponto de ramificação arterial ao longo do polígono de Willis ou em um vaso principal adiante. Os aneurismas saculares medem desde alguns milímetros a 2 ou 3 cm de diâmetro, apresentando uma superfície brilhante vermelho-vivo e uma parede fina e translúcida (**Figura 28.20**). Placas ateromatosas, calcificações ou trombos podem ser encontrados na parede ou na luz do aneurisma. Às vezes, há evidências de hemorragia prévia, na forma de coloração acastanhada do cérebro adjacente e das meninges. O colo do aneurisma pode ser largo ou estreito. A ruptura geralmente ocorre no ápice da bolsa leva ao extravasamento de sangue para o espaço subaracnoide, para a substância do cérebro, ou para ambos. A parede arterial adjacente ao colo aneurisma frequentemente mostra algum espessamento da íntima e atenuamento da média. A musculatura lisa e a lâmina elástica da íntima não se estendem para o pescoço e estão ausentes da bolsa do aneurisma em si, que é composta de uma íntima hialinizada espessada e uma cobertura da adventícia.

Características clínicas

A ruptura de um aneurisma levando a hemorragia subaracnoide é mais frequente na quinta década de vida e ligeiramente mais frequente nas mulheres. No geral, os aneurismas se rompem a uma taxa de 1,3% ao ano, mas o risco é mais alto para aneurismas maiores. Por exemplo, aneurismas maiores que 10 mm de diâmetro têm um risco de sangramento de aproximadamente 50% ao ano. O rompimento de um aneurisma pode ocorrer a qualquer momento, mas, em cerca de um terço dos casos, está associado a aumentos agudos da pressão intracraniana, como durante a evacuação ou orgasmo sexual. O sangue sob pressão arterial é forçado para o espaço subaracnoide e os indivíduos afetados são atingidos repentinamente por uma cefaleia excruciante (descrita como "a pior dor de cabeça que já tive") e rapidamente perdem a consciência. Entre 25 e 50% dos pacientes morrem em razão da primeira ruptura, mas os pacientes que sobrevivem muitas vezes melhoram e recuperam a consciência em minutos. Novos sangramentos são comuns em sobreviventes e de ocorrência imprevisível. A cada novo episódio de sangramento, o prognóstico piora.

As consequências clínicas do sangramento no espaço subaracnoide podem ser separadas em eventos agudos (que ocorrem dentro de horas a dias após a hemorragia) e sequelas tardias associadas ao processo de cicatrização. Nos primeiros dias após uma hemorragia subaracnoide, independentemente da etiologia, há aumento do risco de uma lesão isquêmica adicional derivada de vasospasmos afetando vasos irrigados pelo sangue extravasado. Este problema é de grande importância em casos de hemorragia subaracnoide basal, cujo vasospasmo pode envolver os vasos principais do polígono de Willis. Vários mediadores têm foram propostos como tendo um papel nesse processo, incluindo endotelinas, óxido nítrico

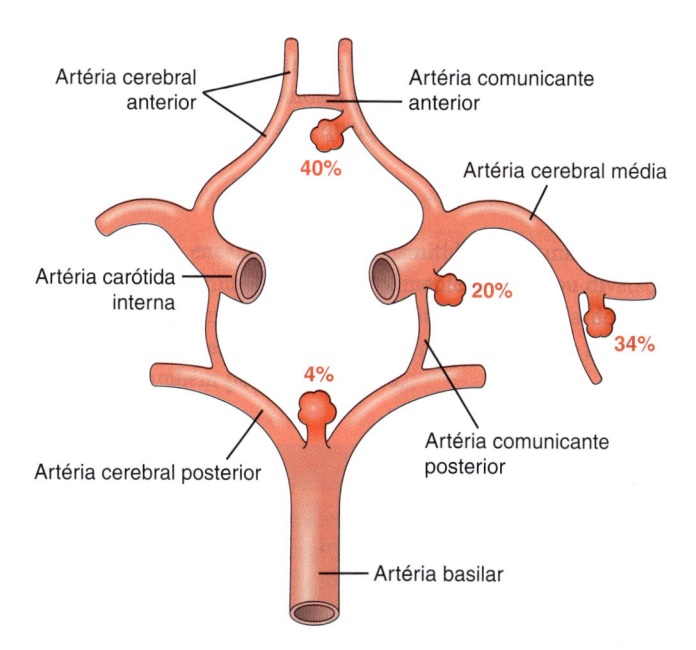

Figura 28.19 Locais comuns de aneurismas saculares (moriformes) no polígono de Willis.

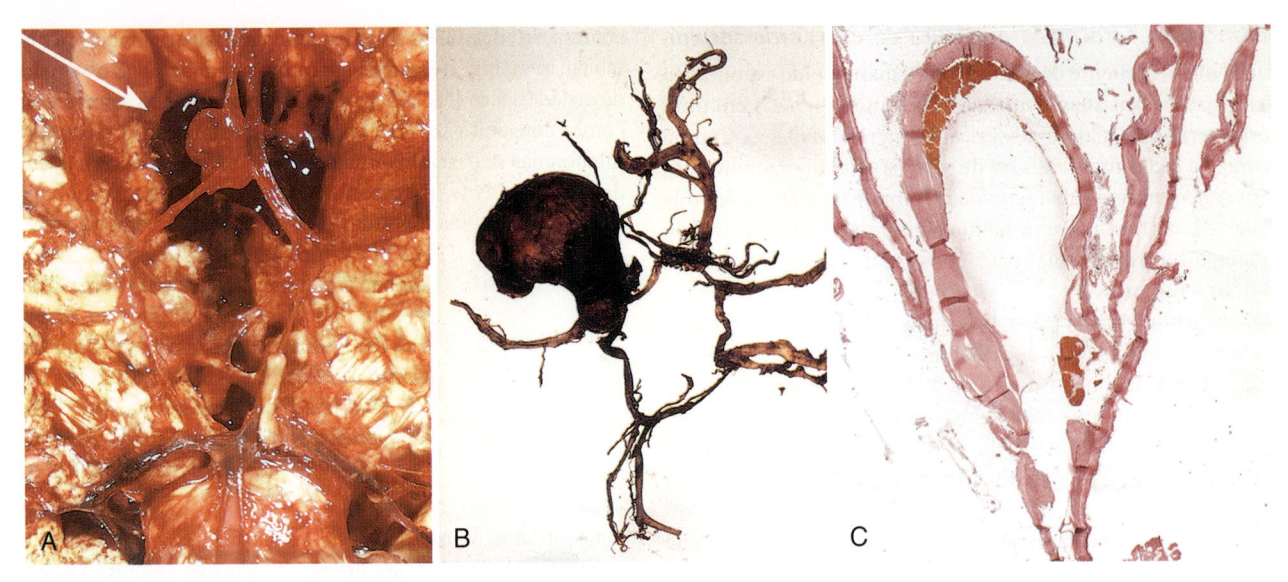

Figura 28.20 A. Vista da base do cérebro, dissecada para mostrar o polígono de Willis com um aneurisma da artéria cerebral anterior (seta). **B.** Polígono de Willis dissecado para mostrar um grande aneurisma. **C.** Corte através do aneurisma sacular mostrando a parede fibrosa hialinizada do vaso (hematoxilina e eosina).

e metabólitos do ácido araquidônico. Na fase de cicatrização da hemorragia subaracnoide, fibrose meníngea e cicatrização ocorrem, às vezes levando à obstrução do fluxo do LCR, bem como interrupção das vias normais de reabsorção do LCR.

Malformações vasculares

As malformações vasculares do cérebro são classificadas em quatro grupos principais: malformações arteriovenosas, malformações cavernosas, telangiectasias capilares e angiomas venosos. Destes, os dois primeiros são os tipos associados com risco de hemorragia e desenvolvimento de sintomas neurológicos. Embora sem características morfológicas típicas de neoplasias, as malformações arteriovenosas estão frequentemente associadas a mutações somáticas ativadoras do oncogene *KRAS* dentro das células endoteliais que revestem os vasos malformados, sugerindo que a sinalização desregulada de RAS tem um papel central em sua patogênese.

Morfologia

As **malformações arteriovenosas** (redes de canais vasculares emaranhados, vermiformes, com alto fluxo sanguíneo devido ao desvio (*shunting*) arteriovenoso proeminente e pulsátil) podem envolver vasos do espaço subaracnoide, do cérebro ou de ambos (**Figura 28.21**). Elas são compostas de vasos sanguíneos altamente dilatados, separados por tecido gliótico, muitas vezes com evidência de hemorragia anterior. Alguns vasos podem ser reconhecidos como artérias que sofreram duplicação e fragmentação da lâmina elástica interna, enquanto outros mostram espessamento acentuado ou substituição parcial da média por tecido conjuntivo hialinizado.

As **malformações cavernosas** consistem em canais vasculares distendidos e mal organizados dispostos lado a lado com paredes ricas em colágeno de espessura variável; geralmente não há parênquima cerebral entre os vasos neste tipo de malformação.

Ocorrem principalmente no cerebelo, ponte e regiões subcorticais, em ordem decrescente de frequência, e são canais de "baixo fluxo" que não participam do desvio arteriovenoso. Focos de hemorragias antigas, infarto e calcificação são frequentemente encontrados nas proximidades dos vasos anormais.

Características clínicas

As malformações arteriovenosas são as malformações vasculares clinicamente significativas mais comuns. Indivíduos do sexo masculino são afetados com frequências duas vezes maior do que do sexo feminino. A lesão geralmente se apresenta entre 10 e 30 anos como um distúrbio convulsivo, uma hemorragia intracerebral ou uma hemorragia subaracnoide. A localização mais comum é o território da artéria cerebral média, particularmente seus ramos posteriores. Grandes malformações arteriovenosas que ocorrem

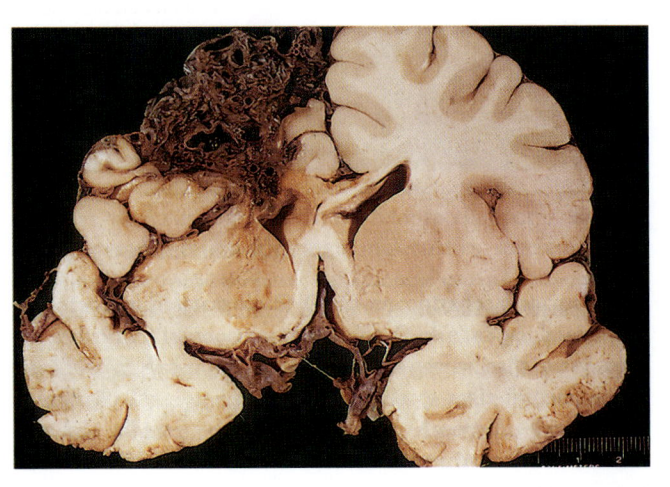

Figura 28.21 Grande malformação arteriovenosa no hemisfério cerebral esquerdo.

no período neonatal podem causar insuficiência cardíaca congestiva por causa dos efeitos do desvio, especialmente se a malformação envolve a veia de Galeno. As malformações cavernosas são únicas entre este grupo de distúrbios em que as formas familiares são relativamente comuns. A multiplicidade de lesões é uma marca registrada dos casos familiares, que são herdados como um traço autossômico dominante de alta penetrância.

Demência vascular

Indivíduos que, ao longo de muitos meses e anos, sofrem de infartos múltiplos e bilaterais na substância cinzenta (córtex, tálamo, gânglios da base) e na substância branca (centro semioval) podem desenvolver uma síndrome clínica distinta caracterizada por demência, anormalidades da marcha e sinais pseudobulbares, muitas vezes com déficits neurológicos focais sobrepostos. A síndrome, geralmente referida como *demência vascular*, é causada por doenças vasculares multifocais de vários tipos, incluindo (1) aterosclerose cerebral, (2) trombose de vasos ou embolização de vasos carotídeos ou do coração e (3) arteriolosclerose cerebral decorrente de hipertensão crônica. Quando o padrão de lesão envolve preferencialmente grandes áreas da substância branca subcortical com perda de mielina e axônio, o distúrbio é referido como *doença de Binswanger (demência da substância branca subcortical)*; essa distribuição de lesão vascular da substância branca deve ser distinguida clínica e radiologicamente de outras doenças que afetam a substância branca dos hemisférios. Além disso, muitos indivíduos portadores de doenças neurodegenerativas que resultam em deficiência cognitiva ou demência também têm evidência de doença cerebrovascular. A presença de uma doença cerebrovascular expressiva aumenta o risco de deficiência neurológica para um dado nível de lesões associadas a doenças degenerativas, sugerindo que seja um fator que contribua de forma independente para o comprometimento da função cerebral normal.

> ### Conceitos-chave
> #### Doenças cerebrovasculares
> - AVE é o termo clínico para déficits neurológicos de início agudo que duram mais de 24 horas e que são consequência de oclusão do vaso ou rompimento do vaso
> - O infarto cerebral segue-se à perda do fornecimento sanguíneo e pode ser focal, generalizado ou restrito a regiões com suprimento vascular menos robusto (zonas limítrofes)
> - Os infartos de grandes artérias são mais comumente de natureza embólica; com a subsequente dissolução do êmbolo e reperfusão, um infarto não hemorrágico pode se tornar hemorrágico
> - As hemorragias intraparenquimatosas primárias levam ao infarto do parênquima cerebral adjacente e são tipicamente ganglionares (mais comumente devido à hipertensão) ou lobares (mais comumente devido a AAC)
> - A arteriolosclerose hialina (doença dos pequenos vasos), causada por uma hipertensão de longa duração, pode tanto causar oclusão luminar (resultando em um infarto lacunar) quanto ruptura da parede (resultando em uma hemorragia ganglionar)
> - A hemorragia subaracnoide espontânea geralmente é causada por uma anormalidade vascular estrutural, como um aneurisma ou malformação arteriovenosa.

Infecções

O dano ao sistema nervoso em uma infecção pode ocorrer diretamente por meio da lesão de neurônios ou de células da glia pelo agente infeccioso, ou indiretamente por meio de toxinas microbianas, dos efeitos destrutivos da resposta inflamatória, ou como resultado de mecanismos imunomediados. Existem quatro rotas principais pelas quais os microrganismos entram no sistema nervoso:

- A *disseminação hematogênica* é a rota mais comum; agentes infecciosos normalmente ganham acesso ao sistema nervoso através da circulação arterial, mas a disseminação venosa retrógrada pode ocorrer por meio de anastomoses com veias da face
- A *implantação direta* de microrganismos é mais frequentemente traumática, mas às vezes pode estar associada a malformações congênitas (p. ex., meningomielocele) que fornecem pronto acesso para os microrganismos
- A *extensão local* pode se originar de estruturas adjacentes infectadas, como seios da face, dentes, crânio ou vértebras
- Os vírus também podem ser transportados ao longo do *sistema nervoso periférico*, como ocorre com a raiva e vírus herpes-zóster.

Os aspectos gerais da patologia dos agentes infecciosos são discutidos no **Capítulo 8**; formas distintas de infecções do SNC são descritas aqui (**Tabela 28.2**).

Meningite aguda

A meningite é um processo inflamatório das leptomeninges e do LCR dentro do espaço subaracnoide, geralmente causado por uma infecção. A *meningoencefalite* se refere à inflamação das meninges e do parênquima cerebral. Embora infecções sejam as causas mais comuns de meningite e meningoencefalite, esta reação também pode ocorrer em resposta a um agente irritante não bacteriano introduzido no espaço subaracnoide (*meningite química*) ou no contexto de uma doença autoimune sistêmica doença. Com base na etiologia e evolução clínica da doença, a meningite infecciosa é amplamente classificada em *piogênica aguda* (geralmente bacteriana), *asséptica* (geralmente viral aguda ou subaguda) e *crônica* (geralmente tuberculosa, por espiroqueta ou criptocócica). Cada tipo é acompanhado por alterações característica do LCR.

Meningite piogênica aguda (bacteriana)

Microrganismos distintos causam meningite piogênica aguda em várias faixas etárias: *Escherichia coli* e estreptococos do grupo B em neonatos; *Streptococcus pneumoniae* e *Listeria monocytogenes* em idosos; e *Neisseria meningitidis* em adolescentes e adultos jovens, com agrupamentos de casos causando preocupações na área de saúde pública. A introdução da imunização contra *Haemophilus influenzae* reduziu significativamente a incidência desta infecção em países desenvolvidos, particularmente entre crianças (que costumavam estar em alto risco).

Os indivíduos afetados geralmente apresentam sinais sistêmicos de infecção sobreposta a sintomas relacionados ao meningismo e comprometimento neurológico, incluindo cefaleia, fotofobia, irritabilidade, turvação da consciência e rigidez do pescoço. A punção lombar evidencia o LCR turvo ou francamente purulento com até 90.000 neutrófilos por milímetro cúbico, aumento da pressão do LCR e da concentração proteica, além de níveis de glicose marcadamente reduzidos. Se não tratada, a meningite piogênica pode ser fatal, enquanto o tratamento eficaz com antibióticos reduz claramente a mortalidade. Uma complicação temida é a *síndrome de Waterhouse-Frederichsen*, que resulta da septicemia associada a meningite e infarto hemorrágico das glândulas suprarrenais (ver **Capítulo 24**). Essa síndrome ocorre com mais frequência em meningites meningocócicas e pneumocócicas. No indivíduo imunossuprimido, a meningite purulenta pode ser causada por vários outros agentes infecciosos, como *Klebsiella* ou organismos anaeróbicos, e podem ter um curso clínico atípico e achados não característicos de LCR, tornando o diagnóstico apropriado mais difícil.

Morfologia

Na meningite aguda, um exsudato é evidente nas leptomeninges sobre a superfície do cérebro (**Figura 28.22**). Os vasos meníngeos estão ingurgitados e destacam-se proeminentemente. A distribuição anatômica do exsudato varia; na meningite por *H. influenzae*, por exemplo, é geralmente basal. Já na meningite pneumocócica, é frequentemente mais denso sobre as convexidades cerebrais próximas ao seio sagital. Dentre as áreas de maior acúmulo, os tratos de pus seguem ao longo dos vasos sanguíneos na superfície do cérebro. Quando a meningite é fulminante, a inflamação pode se estender aos ventrículos, produzindo ventriculite. Os ventrículos também podem ser o portal para o envolvimento do LCR nas infecções transmitidas pelo sangue porque o plexo coroide carece de uma barreira hematencefálica.

No exame microscópico, os neutrófilos preenchem o espaço subaracnoide em áreas seriamente afetadas e são encontrados predominantemente ao redor dos vasos sanguíneos leptomeníngeos em casos menos graves. Particularmente na meningite não tratada, a coloração de gram revela número variável de bactérias. Na meningite fulminante, as células inflamatórias infiltram as paredes das veias leptomeníngeas e podem estender-se focalmente na substância do cérebro (cerebrite); vasculite secundária e trombose venosa podem causar infarto hemorrágico cerebral.

A fibrose das leptomeninges pode se seguir a meningite piogênica e causar hidrocefalia. Particularmente na meningite pneumocócica, grandes quantidades de polissacarídeo capsular do microrganismo produzem um exsudato gelatinoso que promove fibrose aracnoide, uma condição referida como *aracnoidite adesiva crônica*.

Meningite asséptica aguda (viral)

Meningite asséptica é um termo clínico usado para uma ausência de organismos detectáveis por cultura bacteriana em um paciente com manifestações de meningite, incluindo meningismo, febre e alterações da consciência de início relativamente agudo. A doença é geralmente de etiologia viral, mas pode ser de origem bacteriana, por riquétsias ou autoimune. O clínico curso é menos fulminante do que a meningite piogênica, e os achados do LCR também diferem; na meningite asséptica, há uma pleocitose linfocítica, a elevação proteica é apenas moderada, e os níveis de glicose são quase sempre normais. As meningites assépticas virais

Tabela 28.2 Infecções comuns do sistema nervoso central.

Tipos de infecção	Síndrome clínica	Organismo causal comum
Infecções bacterianas		
Meningite	Meningite piogênica aguda	*Escherichia coli* ou estreptococos do grupo B (infantil)
		Neisseria meningitidis (adultos jovens)
		Streptococcus pneumoniae ou *Listeria monocytogenes* (adultos mais velhos)
	Meningite crônica	*Mycobacterium tuberculosis*
Infecções localizadas	Abscesso	Estreptococos e estafilococos
	Empiema	Polimicrobiano (estafilococos, gram-negativos aeróbicos)
Infecções virais		
Meningite	Meningite asséptica aguda	Enterovírus
		Espécies de influenza
		Vírus da coriomeningite linfocítica
Encefalite	Síndromes encefalíticas	Herpes simples (HSV-1, HSV-2)
		Citomegalovírus
		Poliomavírus JC (leucoencefalopatia multifocal progressiva)
	Encefalite transmitida por artrópodes	Vírus do Nilo Ocidental
		Vírus da encefalite equina oriental
		Vírus da encefalite equina ocidental
		Vírus da encefalite de St. Louis
		Vírus da encefalite La Crosse
		Vírus da encefalite equina venezuelana
		Vírus da encefalite japonesa
		Vírus da encefalite transmitida por carrapatos
Síndromes do tronco cerebral e medula espinal	Rombencefalite	Raiva
	Mielite aguda flácida/ poliomielite	Poliovírus
		Vírus do Nilo Ocidental
		Enterovírus D68
Espiroquetas e fungos		
Síndromes meningoencefálicas	Neurossífilis	*Treponema pallidum*
	Doença de Lyme (neuroborreliose)	*Borrelia burgdorferi*
	Meningite fúngica	*Cryptococcus neoformans*
		Candida albicans
Protozoários e metazoários		
Encefalite	Encefalite amebiana	Espécies de *Balamuthia* e *Acanthamoeba*
		Espécies de *Naegleria*
Infecções localizadas	Toxoplasmose	*Toxoplasma gondii*
	Cisticercose	*Taenia solium*

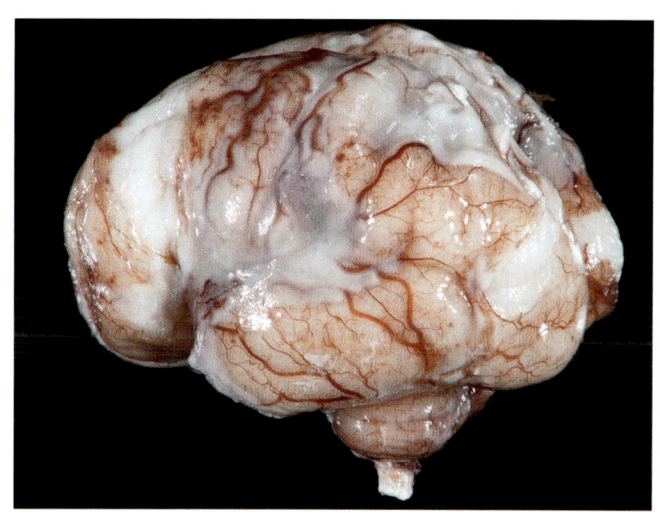

Figura 28.22 Meningite piogênica. Uma espessa camada de exsudato supurativo recobre a superfície do cérebro e engrossa as leptomeninges.

> ### Morfologia
>
> Abscessos são lesões bem delimitadas com necrose central liquefativa circundada por edema cerebral (**Figura 28.23**). Na margem externa da lesão necrótica, há um tecido de granulação exuberante com neovascularização. Os vasos recém-formados são anormalmente permeáveis, sendo responsáveis pelo edema vasogênico acentuado do tecido cerebral adjacente. Em lesões bem estabelecidas, uma cápsula de colágeno é produzida por fibroblastos derivados das paredes dos vasos sanguíneos. Fora da cápsula fibrosa encontra-se uma zona de gliose reacional contendo inúmeros astrócitos gemistocíticos.

Características clínicas

Os abscessos cerebrais são lesões destrutivas, e os pacientes frequentemente se apresentam com déficits neurológicos focais progressivos; sinais e sintomas relacionados ao aumento da pressão intracraniana podem também se desenvolver. Normalmente, o LCR tem uma alta contagem de leucócitos e um aumento da concentração proteica, mas os níveis de glicose são normais. A fonte de infecção pode ser aparente ou rastreada até um pequeno foco distante não sintomático. O aumento da pressão intracraniana pode levar a casos fatais de herniação; outras complicações incluem a ruptura de abscessos com ventriculite ou meningite, além de trombose do seio venoso. Com cirurgia e antibioticoterapia, a alta de taxa de mortalidade de outrora pode ser reduzida para menos de 10%.

Empiema subdural

Infecções bacterianas, e raramente fúngicas, dos ossos do crânio ou dos seios aéreos podem se espalhar para o espaço subdural, produzindo um empiema subdural. Embora os espaços aracnoide e subaracnoide subjacentes geralmente não sejam afetados, um grande empiema subdural com efeito de massa e/ou tromboflebite das veias-pontes podem causar oclusão venosa e infarto do cérebro. Além dos sintomas relacionados à fonte da infecção, a maioria dos pacientes se apresenta com febre, cefaleia e rigidez do pescoço. O perfil do LCR é semelhante ao observado em abscessos cerebrais porque ambos são processos infecciosos parameníngeos. Se não

são geralmente autolimitantes e são tratadas sintomaticamente. Notavelmente, o agente etiológico é identificado em apenas uma minoria de casos; no entanto, isso pode mudar através do uso de técnicas de detecção mais sensíveis e específicas em desenvolvimento, tais como o sequenciamento de última geração. Quando os patógenos são identificados, os enterovírus são a etiologia mais comum, respondendo por 80% dos casos. O espectro de patógenos varia sazonal e geograficamente. Um quadro semelhante à meningite asséptica também pode se desenvolver após a ruptura de um cisto epidermoide no espaço subaracnoide ou da introdução de um agente químico irritante (meningite química). O LCR é estéril nestes casos e há pleocitose com neutrófilos, além de um aumento da concentração de proteína, mas o nível de glicose é geralmente normal.

Infecções supurativas focais agudas

As infecções supurativas focais são tipicamente causadas por bactérias piogênicas ou fungos, e podem surgir em vários compartimentos diferentes incluindo o parênquima cerebral, espaço subdural e espaço extradural.

Abscesso cerebral

Um abscesso cerebral é um foco localizado de necrose do tecido cerebral com inflamação associada, geralmente causada por uma infecção bacteriana. Abscessos cerebrais podem surgir por implantação direta de organismos, extensão local de focos adjacentes (mastoidite, sinusite paranasal) ou propagação hematogênica (geralmente de um local primário no coração, pulmões ou ossos das extremidades, ou secundária à bacteriemia decorrente de procedimentos odontológicos). As condições predisponentes incluem endocardite bacteriana aguda, que pode dar origem a múltiplos abscessos no cérebro; insuficiência cardíaca congênita com desvio (*shunting*) da direita para a esquerda e perda da filtração pulmonar de organismos; sepse pulmonar crônica, como na bronquiectasia; e doenças sistêmicas associadas a imunossupressão. Estreptococos e estafilococos são os organismos agressores mais comuns identificados em pacientes não imunossuprimidos.

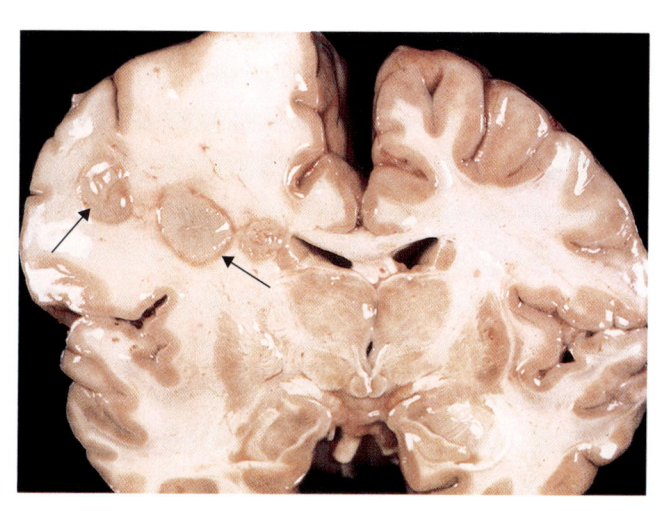

Figura 28.23 Abscessos cerebrais (*setas*).

tratada, sinais neurológicos focais, letargia e coma podem se desenvolver. Com diagnóstico e tratamento imediatos, incluindo drenagem cirúrgica, é possível obter resolução e recuperação total, sendo o espessamento da dura-máter o único achado residual.

Abscesso extradural

O abscesso extradural, comumente associado a osteomielite, muitas vezes surge de um foco infeccioso adjacente, como sinusite ou após um procedimento cirúrgico. Quando o processo ocorre no espaço epidural espinal, pode causar compressão da medula espinal e constituir uma emergência neurocirúrgica.

Meningoencefalite bacteriana crônica

A infecção bacteriana crônica das meninges e do cérebro pode ser causada por *Mycobacterium tuberculosis*, *Treponema pallidum* e espécies de *Borrelia*.

Tuberculose

A tuberculose do SNC pode fazer parte da doença ativa em outras partes do corpo ou aparecer isoladamente após a semeadura de lesões silenciosas em outros lugares, geralmente nos pulmões. Esse quadro pode envolver as meninges ou o cérebro.

> ### Morfologia
>
> O padrão mais comum de envolvimento tuberculoso é uma **meningoencefalite** difusa. O espaço subaracnoide contém um exsudato gelatinoso ou fibrinoso que caracteristicamente envolve a base do cérebro, obliterando as cisternas e envolvendo os nervos cranianos. Pode haver áreas bem definidas e claras de inflamação espalhadas pelas leptomeninges. No exame microscópico, as áreas envolvidas contêm um infiltrado inflamatório misto com linfócitos, plasmócitos e macrófagos. Casos elaborados apresentam granulomas bem formados com necrose caseosa e células gigantes. As artérias que atravessam o espaço subaracnoide podem apresentar endarterite obliterativa e marcado espessamento da íntima. Os organismos muitas vezes podem ser vistos com colorações ácido-resistentes. O processo infeccioso pode se espalhar para o plexo coroide e superfície ependimária, sendo transportado através do LCR. Em casos de longa duração, uma aracnoidite adesiva densa e fibrosa pode se desenvolver, mais notável em torno da base do cérebro. Pode ocorrer também hidrocefalia.
>
> O envolvimento do SNC também pode assumir a forma de uma ou mais massas intraparenquimatosas bem circunscritas **(tuberculomas)**, que podem estar associadas a meningite. Um tuberculoma pode alcançar vários centímetros de diâmetro, causando um efeito de massa significativo. Esses granulomas geralmente apresentam necrose caseosa central; calcificação pode ocorrer em lesões inativas.

Características clínicas

Pacientes com meningite tuberculosa geralmente apresentam cefaleia, mal-estar, confusão mental e vômitos. O LCR normalmente apresenta uma pleocitose composta de células mononucleares ou uma mistura de neutrófilos e células mononucleares, uma elevada concentração de proteína (muitas vezes altíssima), e níveis de glicose moderadamente reduzidos ou normais. As complicações mais sérias da meningite tuberculosa crônica são fibrose da aracnoide produzindo hidrocefalia e endarterite obliterativa produzindo oclusão arterial e infarto cerebral. Quando o processo envolve o espaço subaracnoide da medula espinal, as raízes nervosas também podem ser afetadas. Os tuberculomas produzem sintomas típicos de lesões que ocupam espaço do cérebro e devem ser distinguidos de neoplasias do SNC.

A tuberculose do SNC em pacientes com a síndrome da imunodeficiência adquirida (AIDS) é patologicamente semelhante, mas pode haver menos reação do hospedeiro do que em indivíduos imunocompetentes.

Neurossífilis

A neurossífilis é uma manifestação de estágio terciário da sífilis e ocorre em cerca de 10% dos indivíduos com infecção não tratada. Os principais padrões de envolvimento do SNC são neurossífilis meningovascular, neurossífilis parética e *tabes dorsalis*. Os indivíduos afetados costumam manifestar um quadro incompleto ou misto, mais comumente uma combinação de *tabes dorsalis* e doença parética (taboparesia). Como consequência do comprometimento da imunidade mediada por células, indivíduos infectados com HIV estão em risco aumentado de desenvolver neurossífilis, particularmente meningite sifilítica aguda ou doença meningovascular. A taxa de progressão e a gravidade da doença também são aceleradas.

> ### Morfologia
>
> A neurossífilis se apresenta em várias formas distintas:
>
> - A **neurossífilis meningovascular** é uma meningite crônica que envolve a base do cérebro e de forma mais variável as convexidades cerebrais e leptomeninges espinais. Além disso, pode haver uma endarterite obliterativa associada (arterite de Heubner), acompanhada por uma reação inflamatória perivascular distinta, rica em plasmócitos e linfócitos. As gomas cerebrais (massas de lesões ricas em plasmócitos) também podem ocorrer nas meninges e se estender para o parênquima
> - A **neurossífilis parética** é causada pela invasão do cérebro por *T. pallidum* e se manifesta como uma deficiência cognitiva progressiva, mas insidiosa, associada a alterações de humor (incluindo delírios de grandeza) que terminam em demência grave (**paresia geral do insano**). Os danos parenquimatosos do córtex cerebral são particularmente comuns no lobo frontal, mas também ocorrem em outras áreas do isocórtex. As lesões são caracterizadas por perda de neurônios, proliferação de microglias, gliose e depósitos de ferro; estes últimos podem ser demonstrados com o corante azul da Prússia, perivascularmente e no neurópilo, e são presumivelmente as sequelas de pequenos sangramentos decorrentes de danos microvasculares. Às vezes, espiroquetas podem ser demonstradas em seções de tecidos
> - **Tabes dorsalis** é o resultado de danos aos axônios sensoriais nas raízes dorsais. Isso causa um prejuízo da sensação de posição articular e ataxia (ataxia locomotora); perda da sensação de dor, causando danos à pele e articulações (articulações de Charcot); outros distúrbios sensoriais, particularmente as "dores lancinantes" características; e ausência de reflexos tendinosos profundos. No exame microscópico, há perda de axônios e mielina nas raízes dorsais, com palidez e atrofia correspondentes nas colunas dorsais da medula espinal. Os organismos não são demonstráveis nas lesões da medula.

Neuroborreliose (doença de Lyme)

A doença de Lyme é causada pela espiroqueta *Borrelia burgdorferi*, transmitida por várias espécies de carrapato do gênero *Ixodes* (ver **Capítulo 8**). O envolvimento do sistema nervoso é conhecido como *neuroborreliose*. Os sintomas neurológicos são altamente variáveis e incluem meningite asséptica, paralisia do nervo facial e outras polineuropatias, bem como encefalopatia. Os casos raros que foram para necropsia mostraram uma proliferação focal de células microgliais no cérebro, bem como organismos extracelulares esparsos.

Meningoencefalite viral

A encefalite viral é uma infecção do parênquima do cérebro quase invariavelmente associada a inflamação meníngea (meningoencefalite) e, às vezes, com envolvimento simultâneo da medula espinal (encefalomielite).

Alguns vírus têm tendência a infectar o sistema nervoso. Esse tropismo neural assume várias formas: alguns vírus infectam tipos celulares específicos (p. ex., oligodendrócitos), enquanto outros preferencialmente envolvem áreas específicas do cérebro (p. ex., lobos temporais mediais ou sistema límbico). A latência é uma fase importante de várias infecções virais do SNC (p. ex., herpes-zóster e leucoencefalopatia multifocal progressiva). Na ausência de evidência direta de penetração viral no SNC, as infecções virais sistêmicas podem ser seguidas por uma doença imunomediada, como a desmielinização perivenosa. A infecção viral do feto pode causar malformações congênitas, como ocorre com a rubéola e o vírus Zika. Uma síndrome degenerativa lentamente progressiva pode ocorrer muitos anos após uma doença viral; um exemplo é o parkinsonismo pós-encefalítico que ocorreu após a pandemia de influenza viral de 1918.

Encefalite viral transmitida por artrópodes

Os arbovírus são uma causa importante de encefalite epidêmica, especialmente nas regiões tropicais do mundo, e são capazes de causar grave morbidade e alta mortalidade. No hemisfério ocidental, os arbovírus mais importantes são o vírus equino oriental e ocidental, o vírus do Nilo Ocidental, o vírus venezuelano, o vírus St. Louis e o vírus La Crosse; em outras partes do mundo, arbovírus patogênicos incluem o vírus japonês B (Extremo Oriente), o vírus Murray Valley (Austrália e Nova Guiné) e os vírus transmitidos por carrapatos (Rússia e Europa Oriental).

Todos esses vírus têm hospedeiros animais e vetores artrópodes. Clinicamente, os indivíduos afetados desenvolvem déficits neurológicos generalizados, como convulsões, confusão, delírio e estupor ou coma, bem como sinais focais, como assimetria reflexa e paralisia ocular. O envolvimento da medula espinal na encefalite do Nilo Ocidental pode levar a uma síndrome semelhante à poliomielite com paralisia. Em geral, o LCR é geralmente incolor, com pressão ligeiramente elevada, um nível aumentado de proteína e glicose normal. Inicialmente, o LCR exibe uma pleocitose neutrofílica, mas que rapidamente se converte em linfocitose.

> **Morfologia**
>
> As encefalites causadas por várias arboviroses produzem alterações histopatológicas semelhantes que diferem apenas em gravidade e extensão. Caracteristicamente, ocorre uma meningoencefalite marcada pelo acúmulo perivascular de linfócitos (e às vezes neutrófilos) (**Figura 28.24A**). Múltiplos focos de necrose de substância cinzenta e branca são encontrados; em particular, há evidências de necrose neuronal de células individuais com fagocitose dos detritos (**neuronofagia**). As células microgliais formam pequenos agregados, chamados **nódulos microgliais** (**Figura 28.24B**). Em casos graves, pode haver uma vasculite necrosante com hemorragias focais associadas. Apesar de alguns vírus revelarem sua presença pela formação de inclusões intracelulares, em amostras de tecido, o vírus causador é mais frequentemente identificado por uma combinação de métodos ultraestruturais, imuno-histoquímicos e moleculares.

Herpes-vírus simples tipo 1

A encefalite causada por herpes-vírus simples tipo 1 (HSV-1) ocorre mais comumente em crianças e adultos jovens; apenas em torno de 10% dos indivíduos afetados têm uma história de infecção herpética anterior. Os sintomas típicos de apresentação são alterações de humor, memória e comportamento. Os agentes

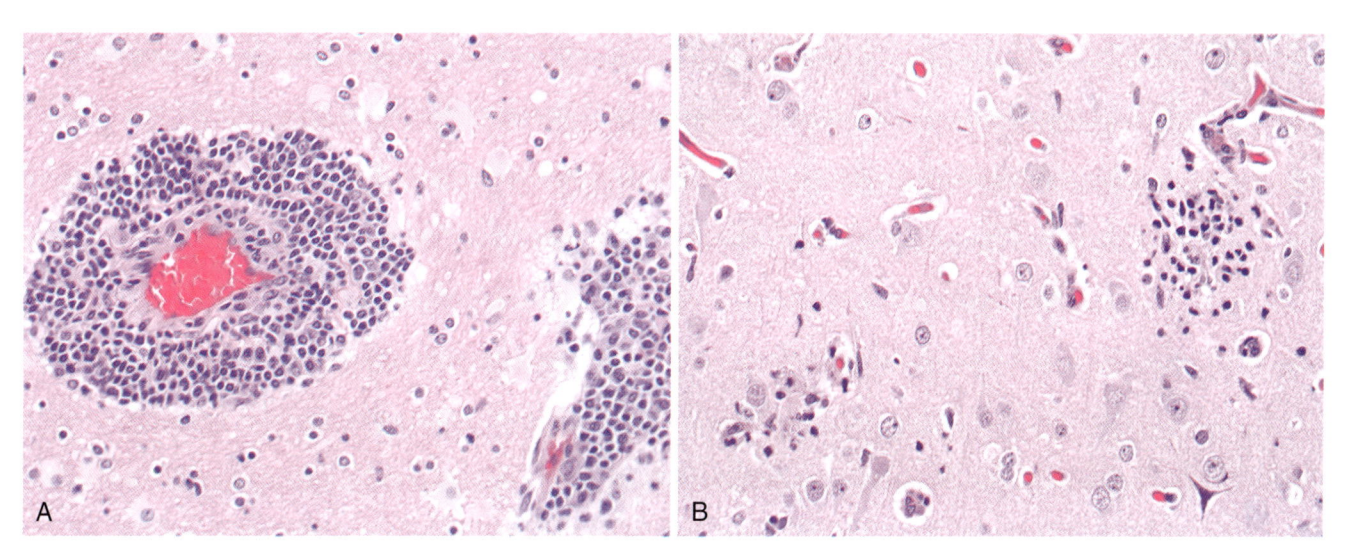

Figura 28.24 Os achados característicos da encefalite viral incluem manguitos perivasculares de linfócitos (**A**) e nódulos microgliais (**B**).

antivirais agora fornecem tratamento eficaz em muitos casos, com uma redução significativa na taxa de mortalidade. Em alguns indivíduos, a encefalite por HSV-1 segue um curso subagudo com manifestações clínicas (fraqueza, letargia, ataxia, convulsões) que evoluem durante um período mais prolongado (4 a 6 semanas).

Morfologia

Essa encefalite começa e envolve mais gravemente as regiões inferiores e mediais dos lobos temporais, além dos giros orbitais dos lobos frontais (**Figura 28.25A**). A infecção é necrosante e frequentemente hemorrágica nas regiões mais gravemente afetadas. Infiltrados inflamatórios perivasculares geralmente estão presentes, e inclusões virais intranucleares de Cowdry tipo A podem ser encontradas nos neurônios e células da glia (**Figura 28.25B**). Em indivíduos com encefalite por HSV-1 de evolução lenta, há envolvimento mais difuso do cérebro.

Herpes-vírus simples tipo 2

O herpes-vírus simples tipo 2 (HSV-2) pode infectar o sistema nervoso. Em adultos, causa meningite, mas até 50% dos neonatos nascidos por parto vaginal de mulheres com infecções genitais primárias ativas por HSV adquirem a infecção durante passagem através do canal de parto e desenvolvem encefalite grave. Em indivíduos com infecção ativa pelo HIV, o HSV-2 pode causar uma encefalite hemorrágica aguda e necrosante.

Vírus varicela-zóster

A infecção primária pelo vírus varicela-zóster causa um dos exantemas infantis (*varicela*), sem evidências de envolvimento neurológico. Após a infecção cutânea, o vírus entra em uma fase de latência nos neurônios sensitivos da raiz dorsal ou gânglios trigêmeos. A reativação da infecção em adultos ("*cobreiro*" ou *herpes-zóster*) geralmente se manifesta como uma erupção cutânea vesicular dolorosa confinada a um ou vários dermátomos. O herpes-zóster é tipicamente autolimitante, mas pode causar uma síndrome de neuralgia pós-herpética (particularmente após os 60 anos) caracterizada por dor persistente, às vezes induzida por estímulos que, de outra forma, não são dolorosos. A vacinação agora está disponível para prevenir essas complicações da reativação do vírus varicela-zóster.

Citomegalovírus

A infecção do sistema nervoso por CMV ocorre em fetos e indivíduos imunossuprimidos. O resultado da infecção *in utero* é a necrose periventricular, que produz grave destruição do cérebro seguida mais tarde por microcefalia e calcificação periventricular. O CMV é um patógeno viral oportunista comum em indivíduos com AIDS, com envolvimento do SNC também ocorrendo nesse cenário.

Morfologia

Em indivíduos imunossuprimidos, o CMV causa mais comumente encefalite subaguda, que pode estar associada a células com inclusões contendo o CMV (ver **Figura 8.12**). A infecção tende a se localizar nas regiões subependimárias do cérebro, onde resulta em uma ventriculoencefalite hemorrágica necrosante grave e plexite coroide. O vírus também pode atacar a medula espinal inferior e raízes, produzindo uma radiculoneurite dolorosa. Qualquer célula do SNC (neurônios, da glia, epêndima ou endotélio) pode se infectar. Células aumentadas proeminentes com inclusões intranucleares e intracitoplasmáticas podem ser prontamente identificadas por microscopia de luz convencional. A infecção por CMV é confirmada por imuno-histoquímica.

Poliomielite

Embora a poliomielite paralítica tenha sido erradicada por vacinação em muitas partes do mundo ainda existem alguns países onde a doença continua a ser um sério problema. Além disso, um grupo de casos de mielite flácida aguda (uma síndrome semelhante à poliomielite) ocorreu recentemente nos EUA e parece ter sido causada por uma nova cepa do enterovírus D68 (que geralmente

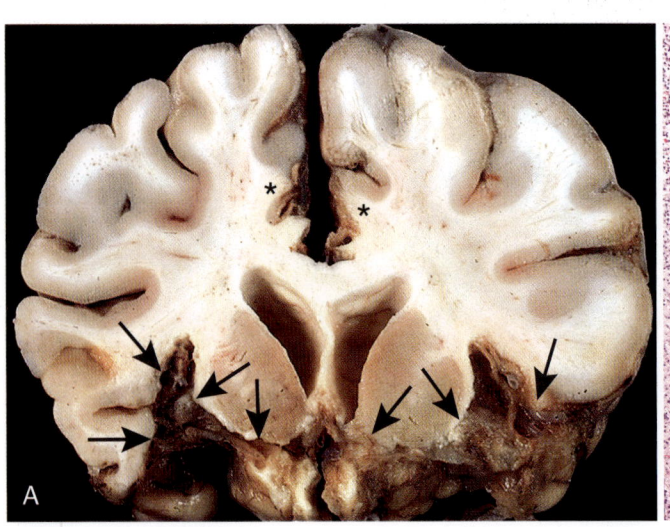

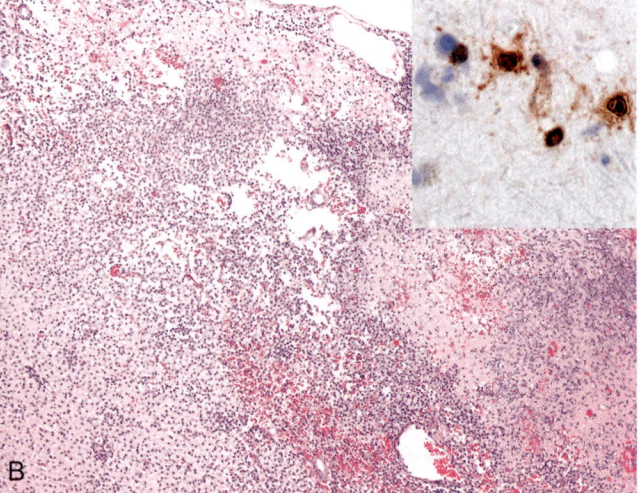

Figura 28.25 A. Encefalite por herpes mostrando extensa destruição dos lobos frontal inferior e temporal anterior (*setas*) e do giro do cíngulo (*asteriscos*). **B.** O processo inflamatório necrosante caracteriza a encefalite aguda por herpes; inclusões virais nucleares podem ser destacadas por imunocoloração (*detalhe*). (**A,** Cortesia do Dr. T.W. Smith, University of Massachusetts Medical School, Worcester, Mass.)

causa apenas uma infecção respiratória leve). Em indivíduos não imunizados, a infecção por poliovírus causa uma gastrenterite subclínica ou leve, semelhante à causada por outros membros do grupo picornavírus de enterovírus. No entanto, em uma pequena fração da população vulnerável, o vírus invade secundariamente o sistema nervoso.

> ### Morfologia
>
> Os casos agudos apresentam manguitos perivasculares de células mononucleares e neuronofagia dos **neurônios motores do corno anterior da medula espinal**. A reação inflamatória é geralmente confinada aos cornos anteriores, mas pode se estender para os cornos posteriores, e o dano ocasionalmente é grave o suficiente para produzir cavitação. O RNA do poliovírus foi detectado em neurônios motores das células do corno anterior; os núcleos motores cranianos às vezes também estão envolvidos. O exame *post-mortem* em sobreviventes a longo prazo da poliomielite sintomática mostra perda de neurônios e gliose nos cornos anteriores da medula espinal afetados, atrofia das raízes espinais anteriores (motoras) e atrofia neurogênica da musculatura desnervada.

Características clínicas

A infecção do SNC se manifesta inicialmente com meningismo e um perfil do LCR consistente com meningite asséptica; a doença pode não progredir ou pode avançar para envolver a medula espinal. Quando a doença afeta os neurônios motores da medula espinal, produz uma paralisia flácida associada com perda de massa muscular e hiporreflexia na região correspondente do corpo – a sequela neurológica permanente da poliomielite. Em decorrência da destruição dos neurônios motores, segue-se um quadro paresia ou paralisia; quando o diafragma e os músculos intercostais são afetados, pode ocorrer comprometimento respiratório grave e até a morte. Por vezes, uma miocardite complica a infecção aguda. A *síndrome pós-pólio* pode se desenvolver em pacientes 25 a 35 anos após a resolução da doença inicial. Essa síndrome é caracterizada por fraqueza progressiva associada a diminuição da massa muscular e dor, e foi atribuída à perda sobreposta dos neurônios motores remanescentes, sem qualquer evidência convincente de reativação viral.

Raiva

A raiva é uma encefalite grave transmitida aos humanos pela mordida de um animal raivoso, geralmente um cão ou diversos mamíferos selvagens que são reservatórios naturais da doença. Exposição a certas espécies de morcegos, mesmo sem uma mordida percebida, também pode causar raiva.

> ### Morfologia
>
> O exame externo do cérebro mostra um edema intenso e congestão vascular. Microscopicamente, há degeneração neuronal difusa e uma reação inflamatória que é mais grave no tronco encefálico; os gânglios da base, medula espinal e gânglios da raiz dorsal também podem estar envolvidos. Os **corpos de Negri**, sinal patognomônico microscópico, são inclusões citoplasmáticas eosinofílicas redondas a ovais encontradas em neurônios piramidais do hipocampo e células de Purkinje do cerebelo, locais geralmente desprovidos de inflamação (**Figura 28.26**). O vírus da raiva pode ser detectado nos corpos de Negri por métodos ultraestruturais e imuno-histoquímicos.

Características clínicas

Como o vírus entra no SNC por ascensão ao longo dos nervos periféricos do local da ferida, o período de incubação (geralmente entre 1 e 3 meses) depende da distância entre a ferida e o cérebro. A doença começa com sintomas inespecíficos, como mal-estar, cefaleia e febre, mas a conjunção desses sintomas com parestesias locais ao redor da ferida é um sinal diagnóstico. À medida que a infecção avança, o indivíduo afetado exibe uma excitabilidade exacerbada do SNC; por menor que seja, o toque é doloroso e produz respostas motoras violentas ou mesmo convulsões. A contratura da musculatura faríngea na deglutição produz espuma na boca, o que pode criar uma aversão a deglutir até mesmo água (hidrofobia). Há sinais de meningismo e, à medida que a doença progride, paralisia flácida. Períodos alternados de mania e estupor progridem para o coma e, eventualmente, morte por insuficiência respiratória.

Vírus da imunodeficiência humana

No período anterior à disponibilidade da terapia antirretroviral efetiva, alterações neuropatológicas foram demonstradas nos exames *post-mortem* em até 80 a 90% dos casos de AIDS. Essas mudanças decorrem de efeitos diretos do vírus no sistema nervoso, infecções oportunistas e linfoma primário do SNC, mais comumente tumores de células B positivas para o EBV. Graças à eficácia da terapia antirretroviral multifármaco, houve uma diminuição na frequência desses efeitos secundários da infecção pelo HIV.

A meningite asséptica pelo HIV ocorre em 1 a 2 semanas após a soroconversão em cerca de 10% dos pacientes; anticorpos para o HIV podem ser demonstrados e o vírus pode ser isolado do LCR. Os estudos neuropatológicos das fases iniciais agudas de invasão do HIV no SNC mostraram meningite linfocítica leve,

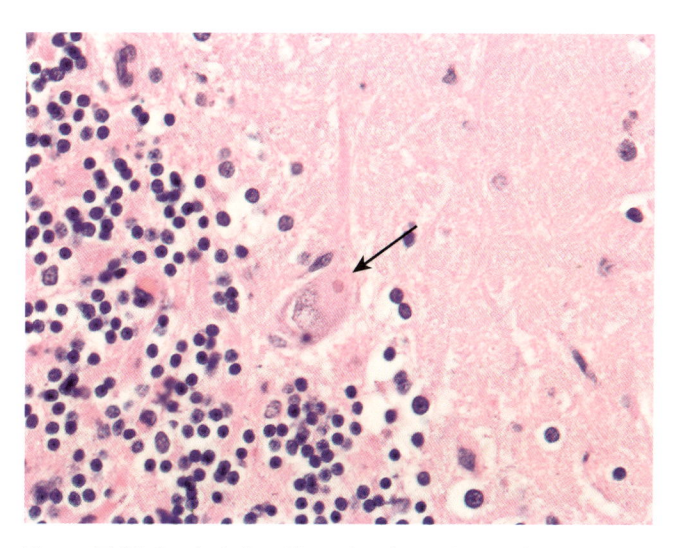

Figura 28.26 O achado histológico diagnóstico de raiva é o corpúsculo eosinofílico de Negri, como visto aqui em uma célula de Purkinje (seta).

inflamação perivascular e alguma perda de mielina. Entre os tipos celulares do SNC, apenas a micróglia expressa o correceptor CD4 e os receptores de quimiocinas (CCR5 ou CXCR4) cuja combinação é necessária para a infecção eficiente pelo HIV. Durante a fase crônica, a encefalite pelo HIV é comumente encontrada quando indivíduos sintomáticos vão para a necropsia.

Uma *síndrome inflamatória de reconstituição imunológica* (SIRI) foi identificada em pacientes com AIDS após tratamento eficaz. A síndrome é reconhecida como uma deterioração paradoxal após o início da terapia e consiste em uma resposta inflamatória exuberante "reconstituída" durante o uso da antirretroviral terapia (ver **Capítulo 6**). No SNC de pacientes com infecções oportunistas, a SIRI causou exacerbação paradoxal dos sintomas; estudos neuropatológicos confirmam a presença de inflamação intensa com influxo de linfócitos CD8$^+$.

Morfologia

A encefalite pelo HIV é uma reação inflamatória crônica associada a **nódulos microgliais** amplamente distribuídos, muitas vezes contendo **células gigantes multinucleadas** derivadas de macrófagos (**Figura 28.27**); focos de necrose tecidual e gliose reacional às vezes são observados em associação com essas lesões. Alguns dos nódulos microgliais são encontrados em proximidade a pequenos vasos sanguíneos, que apresentam células endoteliais anormalmente proeminentes e macrófagos espumosos perivasculares ou carregados de pigmentos. Essas mudanças são especialmente acentuadas na substância branca subcortical, diencéfalo e tronco encefálico. Em alguns casos, há também um distúrbio da substância branca caracterizado por áreas multifocais ou difusas de palidez da mielina, edema axonal e gliose. O HIV pode ser detectado em micróglias e macrófagos mononucleares ou multinucleados CD4$^+$.

Características clínicas

Alterações cognitivas, algumas leves e outras complexas o suficiente para serem denominadas *demência associada ao HIV*, parecem persistir na era dos regimes de tratamento anti-HIV eficazes. Coletivamente, são denominados *distúrbios neurocognitivos associados ao HIV* (HAND, *HIV-associated neurocognitive disorders*). Em vez de apresentarem uma lesão patológica específica como seu correlato, HAND estão mais intimamente relacionados à ativação inflamatória das microglias e de macrófagos perivasculares, alguns dos quais estão infectados pelo HIV. Uma ampla gama de possíveis mecanismos para a disfunção e lesão neuronal foi proposta, incluindo as ações de citocinas inflamatórias, uma cascata de efeitos tóxicos derivados de proteínas do HIV, efeitos neurotóxicos da terapia anti-HIV, envelhecimento acelerado e poda sináptica aberrante. Com toda a probabilidade, a maioria (senão todos) desses mecanismos contribui para a patogênese desse distúrbio.

Leucoencefalopatia multifocal progressiva

A leucoencefalopatia multifocal progressiva (LMP) é uma encefalite causada pelo poliomavírus JC. Uma vez que o vírus infecta preferencialmente oligodendrócitos, a desmielinização é o seu principal efeito patológico. A doença ocorre quase exclusivamente em indivíduos imunossuprimidos em vários quadros clínicos, incluindo distúrbios linfo ou mieloproliferativos crônicos, quimioterapia imunossupressora (incluindo terapia com anticorpos monoclonais visando certas integrinas), doenças granulomatosas e AIDS.

Embora a maioria das pessoas tenha evidência sorológica de exposição ao vírus JC por volta dos 14 anos, a infecção primária é assintomática; a LMP resulta da reativação do vírus em um contexto de imunossupressão. Clinicamente, indivíduos afetados desenvolvem sintomas e sinais neurológicos focais e implacavelmente progressivos, com estudos de imagem mostrando lesões extensas da substância branca, muitas vezes multifocais, cerebrais ou cerebelares.

Morfologia

As lesões consistem em placas irregulares e mal definidas de destruição da substância branca que variam em tamanho, desde milímetros até grandes regiões confluentes (**Figura 28.28A**). Microscopicamente, uma lesão por LMP apresenta uma área de desmielinização, mais frequentemente em uma localização subcortical, cujos centros contêm lâminas de macrófagos carregados de lipídios e um número reduzido de axônios (**Figura 28.28B**). Oligodendrócitos com núcleos muito aumentados contendo inclusões virais anfofílicas vítreas (**Figura 28.28B**, *detalhe*), os quais podem ser identificados por imuno-histoquímica, são normalmente encontrados na borda da lesão. Astrócitos gigantes peculiares com um a vários núcleos hipercromáticos irregulares são encontrados em conjunto com astrócitos reativos mais típicos. A infecção de células neuronais granulares no cerebelo foi demonstrada em casos raros.

Meningoencefalite fúngica

As infecções fúngicas do SNC são encontradas principalmente em indivíduos imunocomprometidos. O cérebro geralmente está envolvido na disseminação hematogênica generalizada que se segue à infecção fúngica; os agentes agressores mais frequentes são *Candida albicans*, espécies de *Mucor*, *Aspergillus fumigatus* e *Cryptococcus neoformans*. Em áreas endêmicas, patógenos como *Histoplasma capsulatum*, *Coccidioides immitis* e *Blastomyces dermatitidis* podem envolver o SNC após uma infecção pulmonar

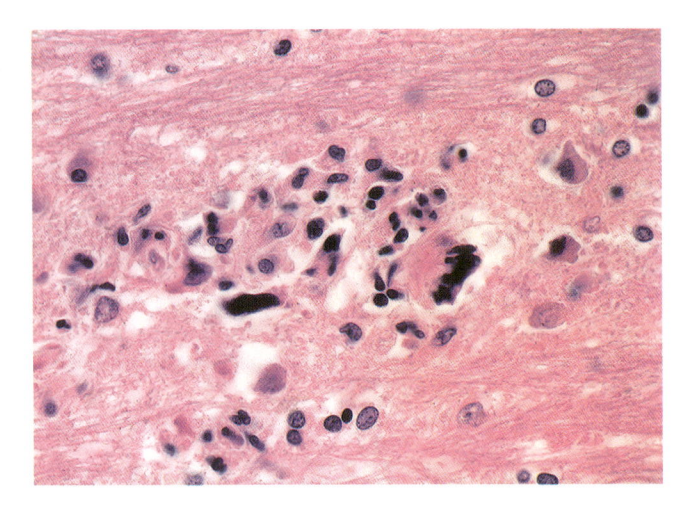

Figura 28.27 Encefalite pelo HIV. Observe o nódulo microglial e células gigantes multinucleadas.

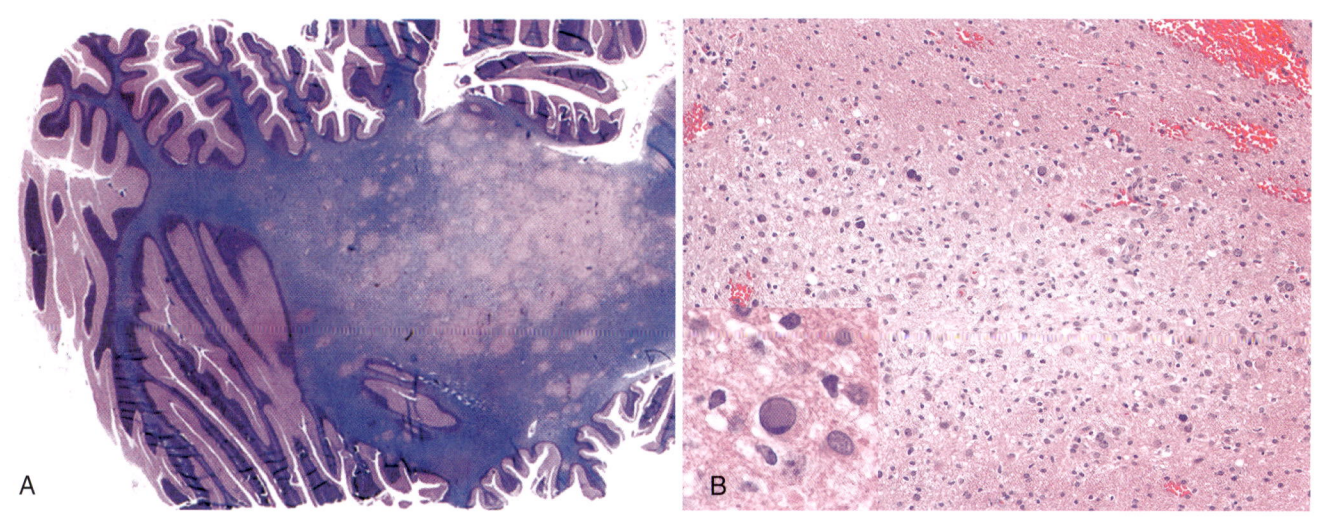

Figura 28.28 A. Leucoencefalopatia multifocal progressiva. Corte corado para mielina mostrando áreas irregulares e mal definidas de desmielinização, que se tornam confluentes em alguns lugares. **B.** Microscopicamente, as lesões consistem em áreas de desmielinização. *Detalhe*, o núcleo aumentado do oligodendrócito representa o efeito da infecção viral.

primária ou cutânea e, novamente, isso geralmente ocorre após imunossupressão. Embora a maioria dos fungos atinja o cérebro por disseminação hematogênica, uma extensão direta também pode ocorrer, particularmente em mucormicoses no contexto de diabetes melito.

As três principais formas de lesão do SNC decorrentes de infecção fúngica são meningite crônica, vasculite e invasão do parênquima. A vasculite é mais frequentemente observada em *mucormicoses* e *aspergiloses*, que invadem diretamente as paredes dos vasos sanguíneos, mas que ocasionalmente ocorrem em associação a outras infecções, como a candidíase. A trombose vascular resultante produz infarto que costuma ser extremamente hemorrágico.

A infecção do parênquima, geralmente na forma de granulomas ou abscessos, pode ocorrer com a maioria dos fungos e muitas vezes coexiste com meningite. Os fungos invasores do cérebro mais comumente encontrados são *Candida* e *Cryptococcus*. A candidíase geralmente produz múltiplos microabscessos, com ou sem formação de granuloma; em contraste, agregados parenquimatosos de organismos criptocócicos são normalmente encontrados dentro de espaços perivasculares expandidos (Virchow-Robin) e estão associados a mínima ou nenhuma inflamação ou gliose.

A *meningite criptocócica*, uma infecção oportunista comum no contexto da AIDS, pode ser fulminante e fatal em apenas 2 semanas, ou pode ser indolente, evoluindo ao longo de meses ou anos. O LCR pode conter poucas células, mas geralmente tem uma alta concentração de proteína. As leveduras encapsuladas por muco podem ser visualizadas no LCR com colorações especiais ou detectadas indiretamente usando ensaios para antígenos criptocócicos (ver **Figura 8.43**).

A maioria dos casos de infecção criptocócica em indivíduos imunossuprimidos é causada por *C. neoformans*. Recentemente, uma segunda espécie, *C. gattii*, foi reconhecida e parece mais provável de causar doença em indivíduos imunocompetentes. Alguns estudos de caso sugerem que a infecção por *C. gattii* no SNC tem maior probabilidade de assumir a forma de lesões por massa ("criptococcomas") e manifestar sintomas relacionados ao aumento da pressão do SNC devido aos efeitos de massa.

Outras doenças infecciosas do sistema nervoso

Doenças causadas por protozoários (incluindo malária, toxoplasmose, amebíase e tripanossomíase), riquetsioses (p. ex., tifo e febre maculosa das Montanhas Rochosas) e doenças causadas por metazoários (especialmente cisticercose e equinococose) podem também envolver o SNC e são discutidas no **Capítulo 8**:

- A *toxoplasmose cerebral* é uma infecção oportunista comumente encontrada no contexto de imunossupressão associada ao HIV. Os sintomas clínicos da infecção do cérebro por *Toxoplasma gondii* são subagudos, evoluindo durante um período de 1 ou 2 semanas e podem ser focais ou difusos. Estudos de imagem por tomografia computadorizada e por ressonância magnética podem mostrar múltiplas lesões com realce anelar; no entanto, esta aparência radiográfica não é específica, uma vez que linfomas, tuberculose e infecções fúngicas do SNC produzem achados semelhantes. Em hospedeiros não imunossuprimidos, o impacto da toxoplasmose no cérebro é mais frequentemente visto quando ocorre a infecção materna primária no início de gravidez. Essas infecções costumam se espalhar para o cérebro do feto em desenvolvimento e causar danos graves na forma de lesões necrosantes multifocais que podem calcificar. Quando diagnosticada precocemente, a toxoplasmose cerebral é frequentemente tratável com antibióticos, que também podem ser administrados empiricamente se essa infecção estiver no diagnóstico diferencial
- *Amebíase cerebral*. Uma encefalite necrosante rapidamente fatal resulta da infecção com espécies de *Naegleria*, e uma meningoencefalite granulomatosa crônica foi associada a infecção por *Acanthamoeba*. Morfologicamente, pode ser difícil distinguir amebas de macrófagos ativados (**Figura 28.29**). Colorações por prata de metenamina ou PAS são úteis na visualização dos organismos, embora a identificação definitiva dependa, em última análise, de estudos de imunofluorescência, culturas e métodos moleculares
- *Malária cerebral*. A malária cerebral é uma complicação da infecção por *Plasmodium falciparum*, a espécie com a maior mortalidade. O envolvimento cerebral é provavelmente o

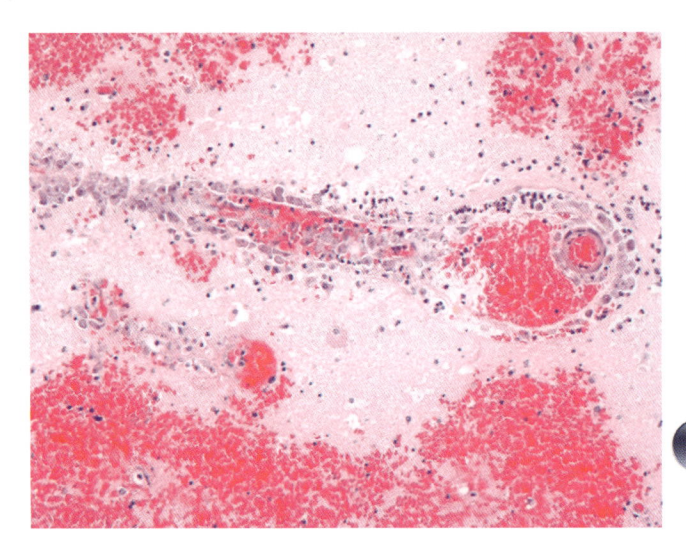

Figura 28.29 Meningoencefalite amebiana necrosante; nesta imagem, os organismos são amplamente perivasculares. (*Acanthamoeba* se assemelha a macrófagos em colorações de rotina, mas são ligeiramente menores e menos granulares).

resultado da adesão de eritrócitos infectados ao endotélio vascular inflamado, sendo acompanhado por redução do fluxo sanguíneo cerebral e resultando em ataxia, convulsões e coma na fase aguda. A malária cerebral causa déficits cognitivos a longo prazo em até 20% das crianças afetadas (ver **Capítulo 8**).

Morfologia

A toxoplasmose do SNC produz abscessos cerebrais, encontrados com mais frequência no córtex cerebral (próximo a junção entre as substâncias cinzenta e branca) e núcleos cinzentos profundos, menos frequentemente no cerebelo e tronco encefálico, e raramente na medula espinal (**Figura 28.30A**). Lesões agudas exibem necrose central, hemorragias petequiais cercadas por inflamação aguda e crônica, infiltração de macrófagos e proliferação vascular. Taquizoítas livres e bradizoítas encistados podem ser encontrados na periferia dos focos necróticos. Os organismos são frequentemente vistos em colorações H&E ou Giemsa de rotina, mas são mais facilmente reconhecidos por métodos imuno-histoquímicos (**Figura 28.30B**). Os vasos sanguíneos próximos a essas lesões costumam mostrar proliferação da íntima ou vasculite franca com necrose fibrinoide e trombose.

Conceitos-chave

Infecções

- Patógenos que vão de vírus a parasitas podem infectar o cérebro. Diferentes patógenos usam rotas distintas para chegar ao cérebro e causar diferentes padrões de doença
- As vias de acesso dos organismos ao cérebro incluem: propagação hematogênica (p. ex., formação de abscesso no contexto de endocardite), extensão direta (seguida de trauma ou com extensão dos seios da face) e transporte retrógrado ao longo dos nervos (p. ex., raiva)
- As infecções bacterianas podem causar meningite, abscessos cerebrais, ou uma meningoencefalite crônica. A distribuição dos patógenos é influenciada por vários fatores do hospedeiro, como idade e nível da função imune
- As infecções virais podem causar meningite ou meningoencefalite. Alguns vírus têm padrões característicos de infecção (HSV-1 nos lobos temporais, poliomielite no corno anterior)
- O HIV pode causar meningoencefalite diretamente ou afetar indiretamente o cérebro, aumentando o risco de infecções oportunistas (toxoplasmose, CMV) e de linfoma EBV-positivo do SNC.

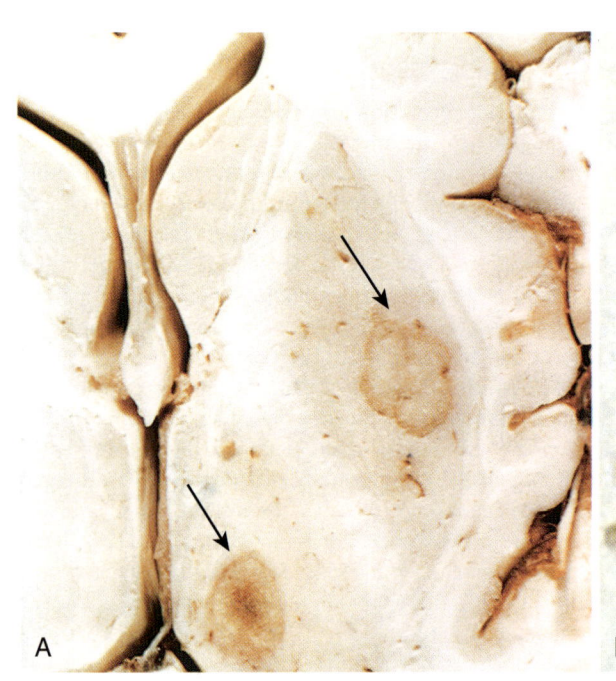

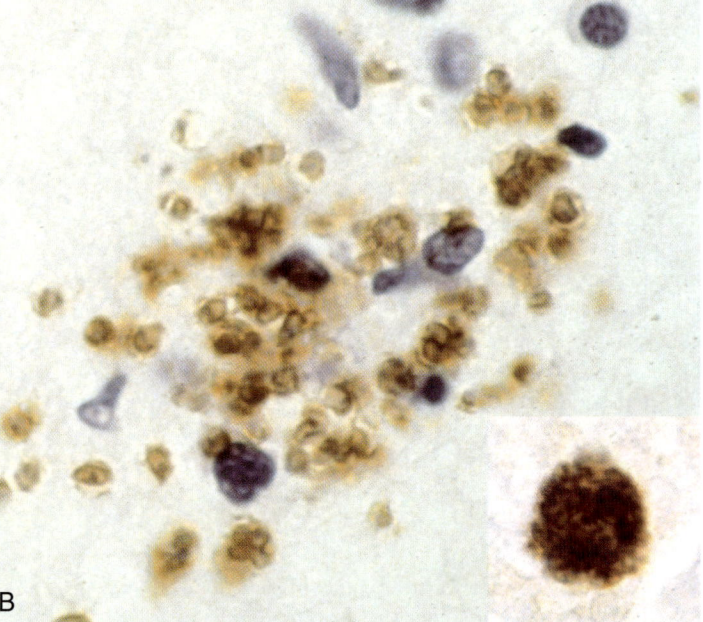

Figura 28.30 A. Abscessos causados por *Toxoplasma* no putame e no tálamo (*setas*). **B.** Taquizoítos livres demonstrados por imunocoloração. *Detalhe*, pseudocisto de *Toxoplasma* com bradizoítas destacados por imunocoloração.

Doenças desmielinizantes

As doenças desmielinizantes do SNC são condições adquiridas caracterizadas por dano preferencial à mielina com relativa preservação de axônios. Os déficits clínicos, pelo menos inicialmente, decorrem de efeitos da perda de mielina na transmissão de impulsos elétricos ao longo dos axônios. A história natural das doenças desmielinizantes é determinada, em parte, pela capacidade limitada do SNC regenerar a mielina normal e pelo grau de dano secundário aos axônios que ocorre à medida que a doença segue seu curso.

Vários processos patológicos podem causar perda de mielina, incluindo destruição imunomediada de mielina (como na esclerose múltipla [EM]) e em infecções (como na LMP, descrita anteriormente). Além disso, distúrbios hereditários podem afetar síntese ou renovação dos componentes da mielina. Estes distúrbios são denominados *leucodistrofias* e são discutidos em conjunto com distúrbios metabólicos.

Esclerose múltipla

A esclerose múltipla (EM) é uma doença desmielinizante autoimune caracterizada por episódios distintos de déficits neurológicos separados no tempo e que são atribuíveis a lesões em placa da substância branca separadas no espaço. É o mais comum dos distúrbios desmielinizantes, tendo uma prevalência de aproximadamente 1 a cada 1.000 pessoas na maior parte dos EUA e da Europa. A doença pode se tornar clinicamente aparente em qualquer idade, embora o início na infância ou após 50 anos seja relativamente raro. As mulheres são duas vezes mais afetadas dos que os homens. Na maioria dos indivíduos com EM, o curso clínico assume a forma de episódios recorrentes e remitentes de duração variável (semanas, meses ou anos) marcados por defeitos neurológicos, seguidos de recuperação gradual e parcial da função neurológica. A frequência das recaídas tende a diminuir com o tempo, mas há uma deterioração neurológica constante na maioria dos indivíduos afetados.

Patogênese

A EM é causada por uma resposta autoimune dirigida contra componentes da bainha de mielina. Assim como em outros distúrbios autoimunes, a patogênese desta doença envolve tanto fatores genéticos quanto ambientais (ver **Capítulo 6**). A incidência de EM é 15 vezes maior quando a doença está presente em um parente de primeiro grau e cerca de 150 vezes maior quando um gêmeo monozigótico é afetado. Apesar de uma série de estudos bem fundamentados, apenas uma parte da base genética da doença foi explicada. Existe uma forte associação com um haplótipo DR do complexo principal de histocompatibilidade. Estudos de associação ampla do genoma identificaram associações adicionais com os genes do receptor de IL-2 e IL-7, e subsequentemente com uma série de outros genes que codificam proteínas envolvidas na resposta imune, incluindo citocinas e seus receptores, moléculas coestimuladoras e moléculas de sinalização citoplasmática; muitos desses *loci* estão associados a outras doenças autoimunes. Esses estudos genéticos não explicaram porque o curso clínico para indivíduos com EM é tão variável.

Os fatores ambientais também são importantes. Por exemplo, há variação geográfica na prevalência de EM, com maior número de casos diagnosticados distante do equador; foi proposto que esta dependência da latitude pode estar relacionada a um baixo nível de vitamina D (um modulador do sistema imunológico) em pessoas que não estão expostas à luz solar durante o inverno.

Os mecanismos imunológicos que fundamentam a destruição da mielina são foco de muitas pesquisas. As evidências disponíveis indicam que a doença é iniciada por células T Th1 e Th17 que reagem contra antígenos da mielina e secretam citocinas. As células Th1 secretam IFN-γ, que ativa macrófagos, enquanto as células Th17 promovem o recrutamento de leucócitos (ver **Capítulo 6**). A desmielinização é causada por estes leucócitos ativados e seus produtos nocivos. Os infiltrados em placa e em regiões circundantes do cérebro consistem em células T (principalmente CD4+ e algumas CD8+) e macrófagos. Não é compreendido como a reação autoimune é iniciada; um papel da infecção viral (p. ex., vírus Epstein-Barr [EBV]) foi proposto, mas permanece controverso.

Com base na crescente compreensão da patogênese da EM, terapias estão sendo desenvolvidas para modular ou inibir as respostas de células T e bloquear o recrutamento dessas células para o cérebro. Há bastante tempo também se suspeita de uma contribuição potencial da imunidade humoral, com base na observação inicial de bandas oligoclonais de imunoglobulina no LCR. A demonstração de que o tratamento com agentes que depletam as células B diminui a incidência de lesões desmielinizantes em pacientes com EM dá suporte a essa ideia.

Morfologia

A EM é uma doença da substância branca que é mais bem avaliada nas seções do cérebro e da medula espinal. Em estado fresco, as lesões são mais firmes do que a substância branca circundante ("**esclerose**") e também aparecem **placas** bem circunscritas, um tanto achatadas, vítreas, acinzentadas e de formato irregular (**Figura 28.31A**). A área de desmielinização muitas vezes tem bordas bem definidas, uma característica melhor observada com coloração para mielina (**Figura 28.31B**). O tamanho das lesões varia consideravelmente e vão desde pequenos focos reconhecíveis apenas microscopicamente até grandes placas confluentes. As placas geralmente ocorrem nas adjacências dos ventrículos laterais e também são frequentes no corpo caloso, nervos ópticos e quiasmas, tronco encefálico, tratos de fibras ascendentes e descendentes, cerebelo e medula espinal. As placas podem se estender para a substância cinza porque as fibras mielinizadas também estão ali presentes.

Microscopicamente, em uma **placa ativa** há degradação da mielina em curso, associada a macrófagos espumosos abundantes (**Figura 28.32A**). Os linfócitos também estão presentes, principalmente como manguitos perivasculares, especialmente na borda externa da lesão. As lesões ativas estão frequentemente centradas em pequenas veias; a mielina em geral está completamente ausente (**Figura 28.32B**), mas os axônios estão relativamente preservados (**Figura 28.32C**). Com o tempo, os astrócitos sofrem mudanças reativas. À medida que as lesões se tornam quiescentes, as células inflamatórias desaparecem lentamente. Em **placas inativas**, não há infiltrados ricos em macrófagos, pouca ou nenhuma mielina é encontrada e há uma redução do número de núcleos de oligodendrócitos; em vez disso, a gliose reacional é proeminente. Em placas glióticas antigas, os axônios estão geralmente muito reduzidos em número.

Em algumas placas de EM (placas de sombra), a palidez da substância branca é menos grave e bainhas de mielina anormalmente delgadas podem ser demonstradas, especialmente nas bordas externas. Este fenômeno é mais comumente interpretado como evidência de remielinização parcial e incompleta por oligodendrócitos sobreviventes. Fibras anormalmente mielinizadas também foram observadas nas bordas de placas típicas. Embora esses achados histológicos sugiram um potencial limitado para a remielinização no SNC, os axônios remanescentes dentro da maioria das placas de EM permanecem amielínicos.

Características clínicas

Embora as lesões da EM possam ocorrer em qualquer parte do SNC e, consequentemente, possam induzir uma ampla gama de manifestações clínicas, certos padrões de sintomas e sinais neurológicos são mais comuns. A deficiência visual unilateral devido ao envolvimento do nervo óptico (*neurite óptica*) é uma manifestação inicial frequente da EM. No entanto, apenas uma minoria de indivíduos (10 a 50%, dependendo da população estudada) com um episódio de neurite óptica desenvolvem EM (o que requer episódios múltiplos para confirmar o diagnóstico). O envolvimento do tronco encefálico produz sinais nos nervos cranianos (ataxia, nistagmo e oftalmoplegia internuclear originada da interrupção das fibras do fascículo longitudinal medial). As lesões da medula espinal causam deficiência motora e sensitiva do tronco e dos membros, espasticidade e perda do controle da bexiga.

O exame do LCR em indivíduos com EM mostra um ligeiro aumento do nível de proteína e, em um terço dos casos, uma pleocitose moderada. Os níveis de IgG no LCR estão aumentados, e bandas oligoclonais de IgG são geralmente observadas na imunoeletroforese; estes achados são indicativos da presença de um pequeno número de clones de células B ativadas no SNC e postula-se que sejam autorreativas. O imageamento por ressonância magnética assumiu um papel proeminente na avaliação da progressão da doença; esses estudos, em associação com necropsia e achados clínicos, indicam que algumas placas podem ser clinicamente silenciosas, mesmo em pacientes de outra forma sintomáticos. O tratamento consiste em vários tipos de agentes imunossupressores ou imunomoduladores, que podem retardar a progressão da doença, mas não promovem cura.

Neuromielite óptica

A neuromielite óptica (NMO) é uma síndrome que se apresenta com neurite óptica bilateral síncrona (ou quase síncrona) e desmielinização da medula espinal. Anteriormente considerada uma variante da EM, é claramente um distúrbio distinto. A NMO tem uma propensão ainda maior de acometer mulheres do que a EM, está mais comumente associada a uma fraca recuperação do primeiro ataque e é frequentemente caracterizada pela presença de anticorpos para aquaporina-4, que parecem ser patogênicos. As áreas de desmielinização da NMO mostram perda de aquaporina-4, o principal canal de água dos astrócitos. Leucócitos (muitas vezes incluindo neutrófilos) são comuns no LCR. Nas áreas de substância branca danificada, há tipicamente necrose, um infiltrado inflamatório incluindo neutrófilos e eosinófilos e deposição de imunoglobulina vascular e complemento. Crises agudas são tratadas com glicocorticoides ou plasmaférese, enquanto os tratamentos a longo prazo incluem agentes que diminuem os títulos de anticorpos (p. ex., por depleção das células B) ou que inibem o complemento (p. ex., inibidores do complexo de ataque à membrana C5-C9).

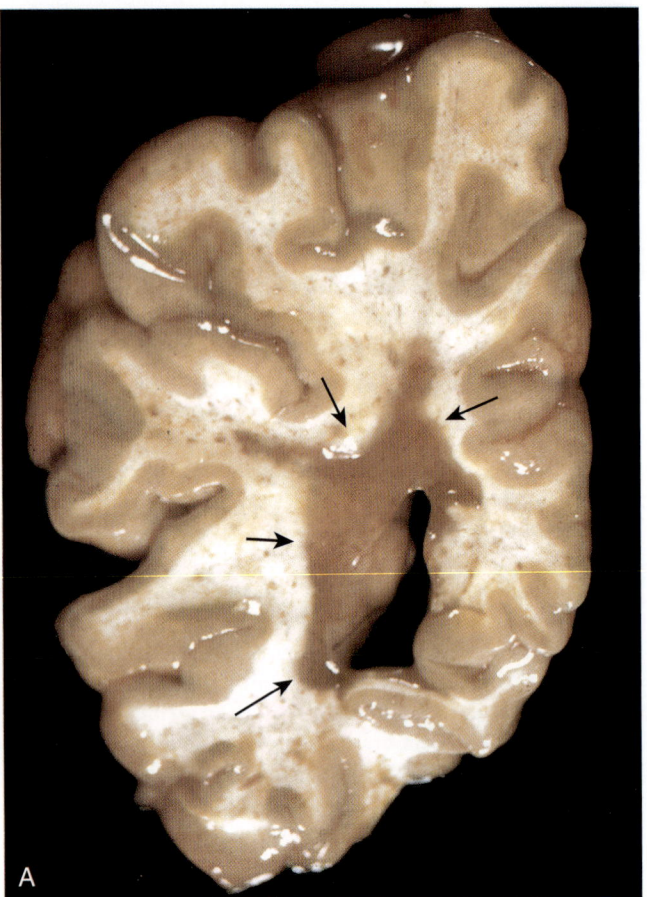

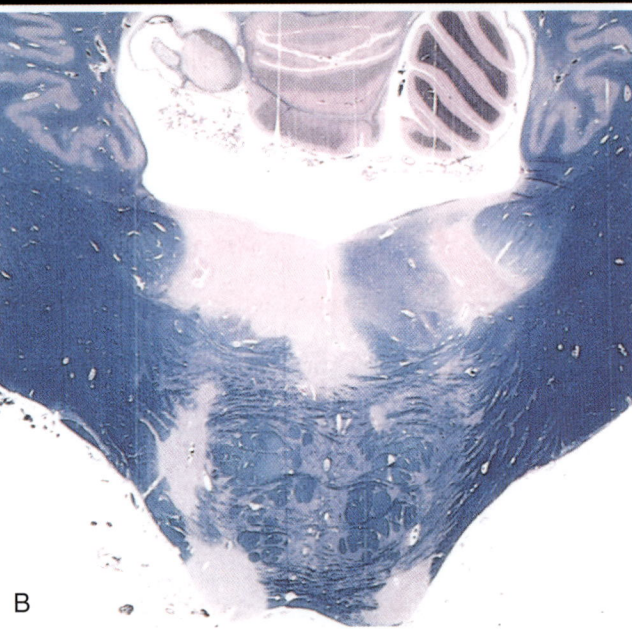

Figura 28.31 Esclerose múltipla. **A.** Corte de cérebro a fresco mostrando uma placa marrom-acinzentada ao redor do corno occipital do ventrículo lateral (*setas*). **B.** As regiões de desmielinização (placas de EM) ao redor do quarto ventrículo não apresentam a coloração azul normal da mielina (coloração ácido periódico de Schiff e azul rápida Luxol).

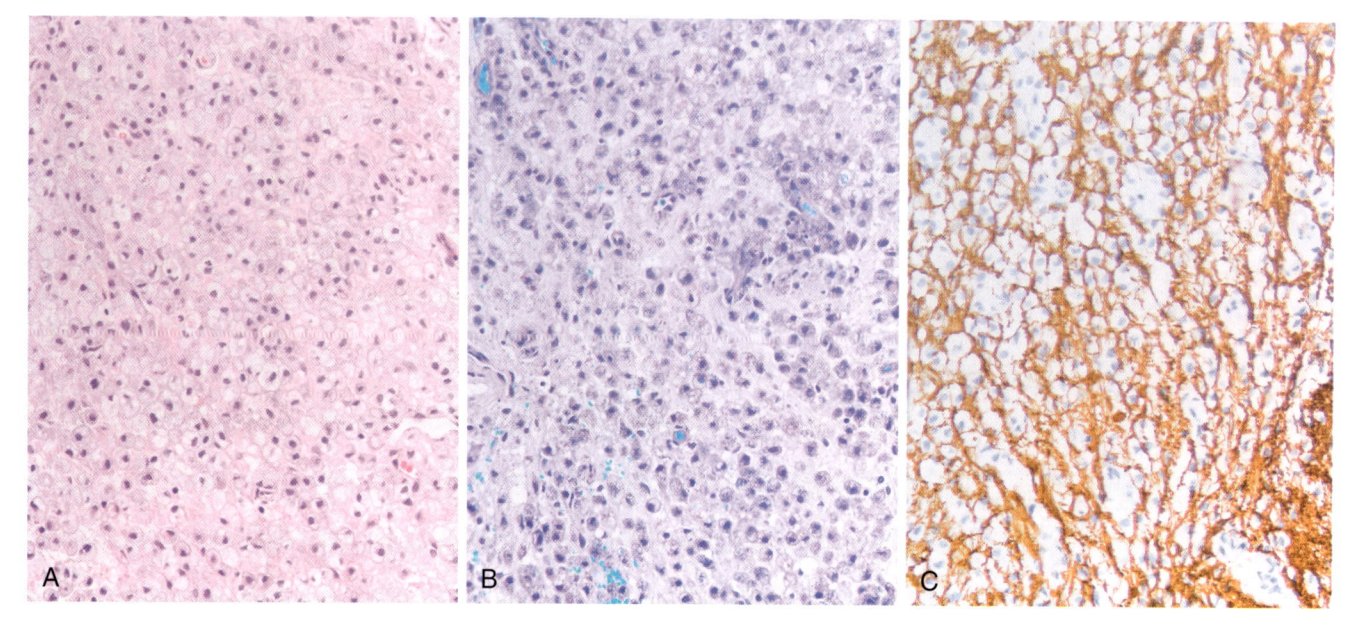

Figura 28.32 Esclerose múltipla. A. As placas em desmielinização ativa parecem muito celulares devido à presença de inúmeros macrófagos repletos de lipídios. **B.** A mesma lesão corada com o ácido periódico de Schiff e Luxol azul rápida mostra uma ausência completa de mielina. **C.** A preservação relativa dos axônios é observada na imunomarcação para neurofilamentos (*marrom*).

Encefalomielite disseminada aguda e encefalomielite hemorrágica necrosante aguda

A encefalomielite aguda disseminada é uma doença desmielinizante monofásica difusa que se segue a uma infecção viral ou, raramente, uma imunização viral. Os sintomas normalmente se desenvolvem 1 ou 2 semanas após o evento antecedente e incluem cefaleia, letargia e coma, em vez de achados focais, como visto na EM. Também em contraste com a EM, todas as lesões cerebrais parecem semelhantes, consistentes com a natureza clinicamente monofásica do transtorno. O curso clínico é rápido e até 20% das pessoas afetadas morrem; os demais pacientes geralmente se recuperam completamente.

A encefalomielite hemorrágica necrosante aguda (também conhecida como leucoencefalite hemorrágica aguda ou doença de Weston Hurst) é uma síndrome fulminante de desmielinização do SNC que afeta tipicamente jovens adultos e crianças. A doença é quase invariavelmente precedida por um episódio recente de infecção do trato respiratório superior, na maioria das vezes de causa desconhecida. Este distúrbio mostra semelhanças histológicas com a encefalomielite disseminada aguda; no entanto, o dano é mais grave. A doença é fatal para muitos pacientes, com déficits significativos presentes na maioria dos sobreviventes.

As lesões da encefalomielite disseminada aguda são semelhantes àquelas induzidas pela imunização de animais com componentes da mielina ou com vacinas antirrábicas do passado que eram preparadas a partir de cérebros de animais infectados. Isso levou à sugestão de que a encefalomielite disseminada aguda é uma reação autoimune aguda à mielina e que encefalomielite hemorrágica necrosante aguda é uma variante hiperaguda, mas ainda não foram identificados os antígenos desencadeadores.

Mielinólise pontina central

A mielinólise pontina central é uma doença aguda caracterizada por perda de mielina na base da ponte e porções do tegmento pontino, normalmente em um padrão relativamente simétrico. Geralmente surge 2 a 6 dias após a rápida correção de uma hiponatremia, embora também possa estar associada a outros distúrbios eletrolíticos graves ou desequilíbrios osmolares, e é clinicamente conhecida como síndrome da desmielinização osmótica. Parece que aumentos rápidos da osmolaridade lesam os oligodendrócitos por meio de mecanismos incertos. A inflamação está ausente nas lesões, e os neurônios e axônios estão bem preservados. Em decorrência do início síncrono de dano, todas as lesões parecem estar no mesmo estágio de perda de mielina e reação. Embora originalmente descrita na ponte, lesões extrapontinas com aparência e etiologia aparente semelhante também pode ocorrer.

Embora possa envolver a maioria das partes do cérebro, as regiões periventricular e subpial são poupadas, e é extremamente raro que o processo se estenda abaixo da junção pontomedular. A apresentação clínica é uma tetraplegia de evolução rápida, que pode ser fatal ou levar a déficits graves a longo prazo, incluindo a síndrome de "encarceramento", em que os pacientes estão totalmente conscientes, mas irresponsivos. É imperativo que a hiponatremia seja corrigida de forma lenta e cuidadosa para prevenir esta complicação trágica.

Conceitos-chave

Doenças desmielinizantes

- Devido ao papel crítico da mielina na condução nervosa, as doenças da mielina podem levar a déficits neurológicos graves e generalizados
- As doenças desmielinizantes mostram evidências de colapso e destruição de mielina previamente normal, muitas vezes por processos inflamatórios. A lesão secundária aos axônios geralmente surge ao longo do tempo

- A EM, uma doença autoimune desmielinizante que afeta principalmente adultos jovens, é o distúrbio mais comum da mielina. Frequentemente segue um curso remitente-recorrente, com eventual acúmulo progressivo de déficits neurológicos que se acredita refletir a perda secundária de axônios
- As formas menos comuns de desmielinização imunomediada em geral se seguem a infecções e têm um curso clínico agudo e monofásico.

Doenças neurodegenerativas

As doenças neurodegenerativas são distúrbios caracterizados pela perda progressiva de grupos específicos de neurônios, que muitas vezes têm funções compartilhadas. Assim, as diferentes doenças tendem a envolver sistemas neurais particulares e têm sinais e sintomas de apresentação relativamente estereotipados.

O processo patológico comum na maioria das doenças neurodegenerativas é o acúmulo de agregados proteicos (daí o uso ocasional do termo "proteinopatia"). Os agregados proteicos podem surgir em decorrência de mutações que alteram a conformação da proteína afetada ou bloqueiam vias que estão envolvidas no processamento ou depuração de uma proteína outrora normal. Em outras situações, pode haver um desequilíbrio sutil entre a síntese e degradação de proteínas (por fatores genéticos, ambientais ou estocásticos) que permite o acúmulo gradual de proteínas.

Independentemente de como surgem, os agregados proteicos são geralmente resistentes à degradação e mostram localização aberrante dentro dos neurônios. As evidências atuais sugerem que grandes agregados de proteína (i. e., microscopicamente visíveis) não são tóxicos para as células; sua formação parece ser uma resposta adaptativa que permite que as células sequestrem agregados menores (oligoméricos) das mesmas proteínas, que são diretamente tóxicos para os neurônios. No entanto, à medida que mais e mais proteína é desviada para os agregados, a função normal da proteína também pode ser perdida e isso também pode contribuir para a lesão celular. Outra evidência recente sugere que agregados proteicos são capazes de se comportar como príons (ver mais adiante); ou seja, agregados derivados de uma célula podem ser capturados por outra e provocar agregação proteica adicional. Os dados que sustentam este conceito são amplamente derivados de estudos experimentais em animais, mas estudos de pacientes que morreram de Alzheimer ou doença de Parkinson são consistentes com a ideia de que essas doenças se propaguem de um local para outro no cérebro. No entanto, apenas doenças priônicas clássicas mostraram ser verdadeiramente transmissíveis.

Os agregados proteicos são reconhecidos histologicamente como inclusões, que servem como marcos diagnósticos. A base da agregação varia de uma doença para outra. Pode estar diretamente relacionada a uma característica intrínseca de uma proteína mutada (p. ex., repetições expandidas de poliglutamina na doença de Huntington [DH]), uma característica intrínseca de um peptídeo derivado de uma proteína precursora maior (p. ex., Aβ na doença de Alzheimer [DA]), ou uma alteração inexplicada de uma proteína celular normal (p. ex., α-sinucleína na doença de Parkinson esporádica [DP]).

As doenças neurodegenerativas variam em relação a localização anatômica das áreas envolvidas e suas anormalidades celulares específicas (p. ex., emaranhados, placas, corpos de Lewy). Portanto, elas podem ser classificadas usando duas abordagens diferentes:

- *Sintomática/anatômica*: com base nas regiões anatômicas que são mais afetadas, o que normalmente se reflete nos sintomas clínicos (p. ex., o envolvimento neocortical resulta em deficiência cognitiva e demência)
- *Patológica*: com base nos tipos de inclusões ou estruturas anormais observadas (p. ex., doenças com inclusões contendo tau ou contendo sinucleína).

No entanto, dentro do espectro das doenças degenerativas há uma sobreposição considerável em termos de déficits neurológicos característicos, distribuição funcional/anatômica das lesões e patologia celular (**Tabelas 28.3 e 28.4**). Por uma questão de simplificação, seguiremos a classificação consagrada pelo tempo baseada na descrição original dessas doenças.

Doenças priônicas

As doenças causadas por príons são distúrbios neurodegenerativos rapidamente progressivos causados por agregação e disseminação intercelular de uma proteína príon (PrP) mal enovelada; elas podem ser esporádicas, familiares ou transmitidas. As doenças priônicas incluem a doença de Creutzfeldt-Jakob (DCJ), síndrome de Gerstmann-Sträussler-Scheinker, insônia familiar fatal e Kuru em humanos; scrapie em ovelhas e cabras; encefalopatia transmissível do vison; doença debilitante crônica de cervos e alces; e encefalopatia espongiforme bovina. Todas essas doenças são caracterizadas morfologicamente por "alterações espongiformes" causadas por vacúolos intracelulares em neurônios e células da glia, e clinicamente por uma demência rapidamente progressiva.

Patogênese

As doenças priônicas são conceitualmente importantes porque exemplificam distúrbios degenerativos causados pela "propagação" de proteínas mal enoveladas, um fenômeno notável que permite que uma proteína patogênica adquira algumas das características de um organismo infeccioso. A PrP normal é uma proteína citoplasmática de 30 kDa de função desconhecida. A doença ocorre quando a PrP sofre uma mudança conformacional de sua isoforma normal contendo α-hélice (PrP^c) para uma isoforma anormal de folha β-pregueada, geralmente denominada PrP^{sc} (para scrapie) (**Figura 28.33**); associada a esta mudança conformacional, a PrP adquire resistência à digestão por proteases, como a proteinase K. O acúmulo de PrP^{sc} no tecido neural parece ser a causa das alterações patológicas dessas doenças, mas como este material induz o desenvolvimento de vacúolos citoplasmáticos e eventual morte neuronal ainda é desconhecido. A imunocoloração para PrP após digestão parcial com proteinase K permite a detecção de PrP^{sc}, a qual serve como diagnóstico da doença.

A mudança conformacional que resulta em PrP^{sc} pode ocorrer espontaneamente a uma taxa extremamente baixa (resultando em casos esporádicos de DCJ) ou a uma taxa mais elevada se várias mutações estiverem presentes na PrP^c, como ocorre nas formas familiares de DCJ, síndrome de Gerstmann-Sträussler-Scheinker e insônia familiar fatal. Independente do meio pelo qual se origina, a PrP^{sc} facilita, de forma cooperativa, a conversão de outras moléculas PrP^c para moléculas PrP^{sc}. É esta propagação de PrP^{sc} a responsável pelas variantes transmissíveis de doenças causadas por príons, que incluem DCJ iatrogênica, DCJ variante e Kuru. A sugestão de que, pelo menos dentro de um indivíduo, pode haver disseminação célula a célula dos agregados

Tabela 28.3 Características das principais doenças neurodegenerativas.

Doença	Padrão clínico	Inclusões	Causas genéticas
Doenças priônicas	Demência rapidamente progressiva	Placas Kuru e depósitos difusos de PrP^{sc}	PrP
Doença de Alzheimer (DA)	Demência	Aβ (placas) e tau (agregados)	APP, PS-1, PS-2, trissomia do 21
Degeneração lobar frontotemporal (DLFT)	Mudanças comportamentais, distúrbios da linguagem	tau	tau
		TDP-43	TDP-43, progranulina, C9orf72
		FUS	FUS
Doença de Parkinson	Distúrbio hipocinético do movimento com ou sem demência	α-sinucleína	α-sinucleína (mutações ou amplificação)
		tau	LRRK2
		α-sinucleína ou nenhuma	DJ-1, PINK1, parkin
Paralisia supranuclear progressiva (PSP)	Parkinsonismo com movimentos anormais dos olhos	tau	tau
Degeneração corticobasal (DCB)	Parkinsonismo com distúrbio assimétrico do movimento	tau	
Atrofia de múltiplos sistemas (AMS)	Parkinsonismo, ataxia cerebelar, insuficiência autonômica	α-sinucleína	
Doença de Huntington (DH)	Distúrbio hipercinético do movimento	Huntington (poliglutamina)	Htt
Ataxias espinocerebelares (AEC-1, 2, 3, 6, 7, 17 e DRPLA)	Ataxia cerebelar	Várias proteínas (contendo poliglutamina)	Múltiplos *loci*
Esclerose lateral amiotrófica (ELA)	Fraqueza com sinais de neurônios motores superiores e inferiores	SOD1	SOD1
		TDP-43	TDP-43, C9orf72
		FUS	FUS
Atrofia muscular espinal bulbar (AMEB)	Fraqueza dos neurônios motores inferiores, andrógenos diminuídos	Receptor de andrógenos (contendo poliglutamina)	Receptor de andrógenos

proteicos associados à doença fornece uma ligação entre as doenças priônicas e outras doenças neurodegenerativas, como Alzheimer e doença de Parkinson.

Tabela 28.4 Relações entre proteínas e doenças neurodegenerativas.

Proteína	Doenças com inclusões
Aβ	Doença de Alzheimer
tau	Doença de Alzheimer
	Degeneração lobar frontotemporal
	Doença de Parkinson (com mutações em *LRRK2*)
	Paralisia supranuclear progressiva
	Degeneração corticobasal
	Encefalopatia traumática crônica
TPD-43	Degeneração lobar frontotemporal
	Esclerose lateral amiotrófica
FUS	Degeneração lobar frontotemporal
	Esclerose lateral amiotrófica
α-sinucleína	Doença de Parkinson
	Atrofia múltipla sistêmica
Agregados de poliglutamina (diferentes proteínas em cada doença)	Doença de Huntington
	Algumas formas de ataxia espinocerebelar
	Atrofia muscular espinal bulbar

Doença de Creutzfeldt-Jakob

Doença priônica mais comum, a doença de Creutzfeldt-Jakob (DCJ) é um distúrbio raro que se manifesta clinicamente como uma demência rapidamente progressiva. A forma esporádica da DCJ tem uma incidência anual de aproximadamente 1 por 1 milhão de pessoas e responde por cerca de 90% dos casos de DCJ; as formas familiares são causadas por mutações em *PRNP*, o gene que codifica a PrP. A doença tem um pico de incidência na sétima década de vida. Há também casos bem estabelecidos de transmissão iatrogênica, notadamente por transplante de córnea ou de dura-máter, implantação profunda de eletrodos no cérebro e administração de preparações contaminadas de hormônio de crescimento humano de cadáver. O início do quadro clínico é marcado por mudanças sutis da memória e comportamento seguido por uma demência rapidamente progressiva, frequentemente com pronunciadas contrações musculares involuntárias bruscas à estimulação súbita (mioclonia de sobressalto). Os sinais de disfunção cerebelar, geralmente manifestada como ataxia, estão presentes em uma minoria de indivíduos afetados. A doença é uniformemente fatal; a sobrevida média é de apenas 7 meses após o início dos sintomas. Alguns pacientes viveram por vários anos e esses casos de sobrevivência prolongada mostram extensa atrofia da substância cinzenta envolvida.

Variante da doença de Creutzfeldt-Jakob

A partir de 1995, uma nova doença semelhante à DCJ recebeu atenção médica no Reino Unido. Essa doença era diferente da DCJ clássica em vários aspectos importantes: afetava adultos jovens, os distúrbios de comportamento eram proeminentes nos estágios iniciais da doença e a síndrome neurológica progredia mais lentamente do que em indivíduos com outras formas de DCJ. Várias linhas de evidência indicaram que a nova variante de DJD (vDCJ) estava ligada a exposição à encefalopatia espongiforme bovina, seja por meio do consumo de alimentos contaminados ou via transfusão de sangue de pacientes na fase assintomática/estágio pré-clínico da vDCJ. O reconhecimento desta ligação levou a medidas de saúde pública que foram eficazes em limitar a propagação da vDCJ; a incidência da doença no Reino Unido atingiu o pico em 2000 e caiu vertiginosamente desde então.

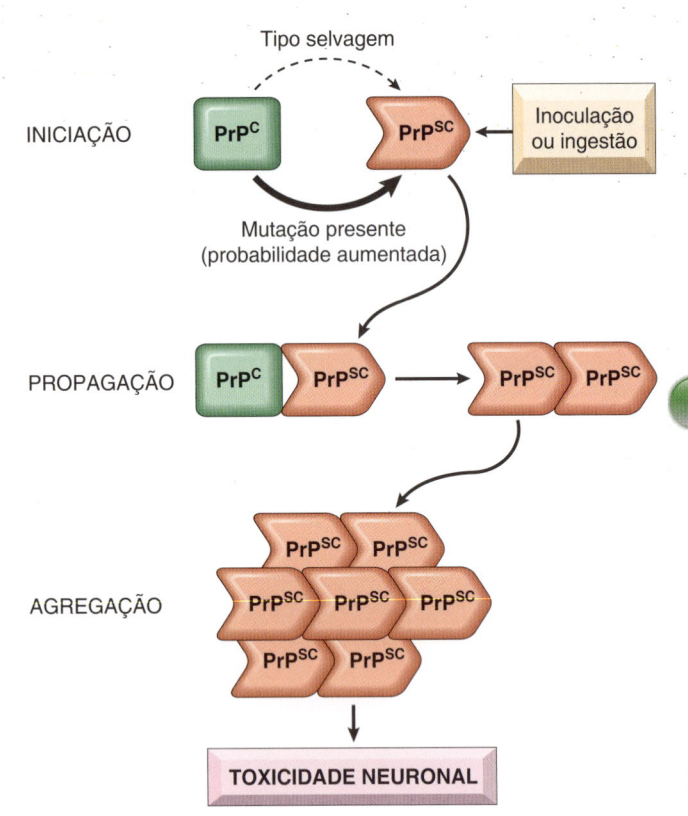

Figura 28.33 Patogênese da doença priônica. O PrP^c α-helicoidal pode mudar espontaneamente para a conformação PrP^{sc} β-folha, um evento que ocorre a uma taxa muito mais elevada em doenças familiares associadas a mutações da linhagem germinativa de PrP. PrP^{sc} também pode ser adquirido de fontes exógenas, como alimentos contaminados, instrumentação médica ou medicamentos. Uma vez presente, PrP^{sc} converte moléculas adicionais de PrP^c em PrP^{sc} por meio de interação física, eventualmente levando à formação de agregados patogênicos de PrP^{sc}.

> ### Morfologia
>
> A progressão da demência na DCJ é geralmente tão rápida que há pouca ou nenhuma atrofia cerebral macroscopicamente evidente. O sinal patognomônico é uma transformação **espongiforme** do córtex cerebral e estruturas de substância cinzenta profunda (núcleo caudado, putame); esse processo multifocal resulta na formação irregular de pequenos vacúolos microscópicos aparentemente vazios de tamanhos variados no interior do neurópilo e, às vezes, no pericário dos neurônios (**Figura 28.34A**). Em casos avançados, há perda neuronal grave, gliose reacional e, às vezes, expansão das áreas vacuoladas para espaços semelhantes a cistos (*status spongiosus*). A inflamação está notavelmente ausente. A microscopia eletrônica mostra que os vacúolos são ligados por membranas e localizados no citoplasma de processos neuronais. As **placas do tipo Kuru** são depósitos extracelulares de agregados anormais de PrP. Elas são positivas para as colorações vermelho do Congo e PAS, e geralmente ocorrem no cerebelo (**Figura 28.34B**), embora sejam abundantes no córtex cerebral em casos de vDCJ (**Figura 28.34C**). Em todas as formas de doenças causadas por príons, a coloração imuno-histoquímica demonstra a presença de PrP^{sc} resistente à proteinase K no tecido.

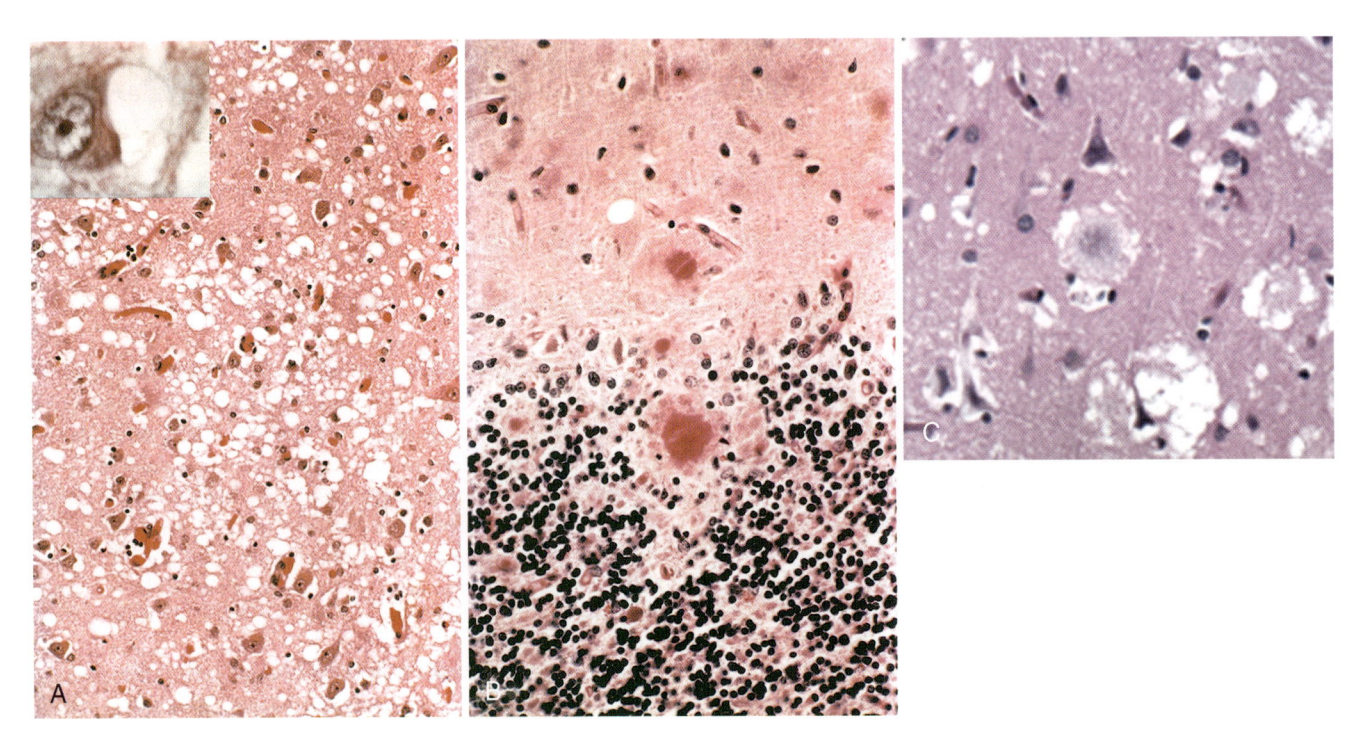

Figura 28.34 Doença priônica. **A.** Alteração espongiforme no córtex cerebral. *Detalhe*, Neurônio com vacúolos em grande aumento. **B.** Córtex cerebelar mostrando placas Kuru (coloração por ácido periódico de Schiff) que consistem em agregados de PrP^{sc}. **C.** Placas de Kuru corticais circundadas por alteração espongiforme na variante da doença de Creutzfeldt-Jakob.

Doença de Alzheimer

A doença de Alzheimer (DA) é a causa mais comum de demência em adultos mais velhos, com uma incidência crescente em função da idade. A doença geralmente se torna clinicamente aparente como um comprometimento insidioso das funções cognitivas superiores. À medida que a doença progride, vão gradualmente surgindo déficits de memória, orientação viso-espacial, julgamento, personalidade e linguagem. Ao longo de 5 a 10 anos, o indivíduo afetado torna-se profundamente incapacitado, mudo e imóvel. Os pacientes raramente tornam-se sintomáticos antes dos 50 anos; a incidência da doença aumenta com a idade e a prevalência aproximadamente dobra a cada 5 anos, partindo de um nível de 1% para a população de 60 a 64 anos e atingindo 40% ou mais para a coorte de 85 a 89 anos. Este aumento progressivo na incidência com o aumento da idade deu origem a sérias preocupações médicas, sociais e econômicas em países com populações idosas em crescimento. Cerca de 5 a 10% dos casos são familiares; estes casos forneceram informações importantes sobre a patogênese da forma esporádica mais comum da doença. Embora o exame patológico do tecido cerebral obtido na necropsia permaneça necessário para o diagnóstico definitivo da, a combinação da avaliação clínica e dos métodos radiológicos atuais permitem o diagnóstico pré-morte preciso em 80 a 90% dos casos.

Patogênese

A anormalidade fundamental da é o acúmulo de duas proteínas (Aβ e tau) em regiões específicas do cérebro, provavelmente como resultado da produção excessiva e remoção defeituosa (Figura 28.35). As duas marcas patológicas da, particularmente evidentes nos estágios finais da doença, são as *placas amiloides* e os *emaranhados neurofibrilares*. As placas são depósitos de agregados de peptídeos Aβ no neurópilo, enquanto os emaranhados são agregados da proteína tau (uma proteína ligante de microtúbulos), que se desenvolvem intracelularmente e então persistem extracelularmente após a morte neuronal. Tanto as placas quanto os emaranhados parecem contribuir para a disfunção neural e a interação entre os processos que levam ao acúmulo desses dois tipos de agregados proteicos anormais é um aspecto criticamente importante da patogênese da que ainda não foi totalmente esclarecido.

Várias linhas de evidência apoiam fortemente um modelo cuja **geração de Aβ é o evento inicial crítico para o desenvolvimento da**. Primeiro, existem doenças em que os depósitos de tau aparecem, tais como degenerações lobares frontotemporais, paralisia supranuclear progressiva e degeneração corticobasal (discutidas mais adiante), mas os depósitos de Aβ não ocorrem e a DA completa não se desenvolve. Isso sugere que a presença de depósitos anormais de tau no cérebro não é um estímulo suficiente para induzir a deposição de Aβ. Além disso, várias linhas de evidência genética (discutidas mais adiante) apontam para a provável importância de alterações do metabolismo de Aβ. Em contraste, mutações do gene *MAPT* (que codifica tau) não dão origem a DA, mas causam degeneração lobar frontotemporal (discutida mais adiante).

A patogênese da, portanto, envolve Aβ, tau e vários outros fatores genéticos e do hospedeiro, como segue:

- *Papel de Aβ*. A APP é uma proteína da superfície celular com um único domínio transmembrana que pode funcionar como um receptor, possivelmente para a proteína príon (PrP^c) entre outros ligantes. A porção Aβ da proteína se estende desde a região extracelular até o domínio transmembrana (**Figura 28.35**). O processamento de APP começa com a clivagem do domínio extracelular, seguido por uma clivagem intramembranar. Existem dois sítios extracelulares potenciais de clivagem, que pode ser realizada por duas classes diferentes de proteases, α-secretase e β-secretase. Se a primeira clivagem ocorre no sítio da α-secretase, então Aβ não é gerado (a via não amiloidogênica); este evento de clivagem ocorre principalmente na superfície celular porque as proteases com atividade α-secretase estão envolvidas no processamento de proteínas de superfície. A APP de superfície também pode ser endocitada em vesículas, onde pode ser processada pela β-secretase, que cliva em um local ligeiramente mais N-terminal da APP (a via amiloidogênica). Em seguida da clivagem de APP em qualquer um desses locais, o complexo γ-secretase realiza uma clivagem intramembranar. A clivagem por α-secretase e β-secretase libera Aβ42, que é propensa à agregação e formação de amiloide. O complexo γ-secretase – contendo presenilina-1 ou presenilina-2, nicastrina, PEN2 e APH1 – também é responsável pelo processamento de receptores *Notch* e muitas outras proteínas de membrana. Uma vez gerada, Aβ42 é altamente propensa a agregação – primeiro em pequenos oligômeros (que parecem ser a forma tóxica responsável pela disfunção neuronal) e, eventualmente, em grandes agregados e fibrilas que podem ser visualizadas por microscopia.

  As formas familiares da DA apoiam o papel central da geração de Aβ como uma etapa crítica para o início da patogênese da DA. O gene que codifica a APP está localizado no cromossomo 21 e encontra-se na região da síndrome de Down. A patologia da DA contribui para o comprometimento cognitivo de pacientes portadores desta anormalidade cromossômica, com aparecimento de achados histopatológicos da DA na segunda e terceira décadas de vida, seguidos por declínio neurológico cerca de 20 anos depois. Um efeito semelhante de dosagem de gene é produzido por duplicações do cromossomo 21 que abrangem o *locus APP* em alguns pacientes com DA familiar. As mutações pontuais em *APP* são outra causa de DA familiar. Algumas mutações ocorrem próximas aos sítios de clivagem de β-secretase e γ-secretase, e outras na sequência de Aβ, aumentando sua propensão para formar agregados. Os dois *loci* identificados como causas da maior parte dos casos de DA familiar de início precoce (*PSEN1* no cromossomo 14 e *PSEN2* no cromossomo 1) codificam presenilina-1 e presenilina-2. Essas mutações levam a um ganho de função, de modo que o complexo γ-secretase gera quantidades aumentadas de Aβ, particularmente Aβ$_{42}$

- *Papel da tau*. Uma vez que os emaranhados neurofibrilares contêm a proteína tau, tem surgido muito interesse sobre o papel desta proteína na DA. Tau é uma proteína associada a microtúbulos presente nos axônios em associação com a rede microtubular. Com o desenvolvimento de emaranhados na DA, tau passa a apresentar distribuição somático-dendrítica, torna-se hiperfosforilada e perde a capacidade de se ligar aos microtúbulos. A formação de emaranhados é um componente importante da DA, e o aumento do acúmulo de emaranhados no cérebro durante o curso da doença eventualmente parece se tornar independente de Aβ. A maneira como os emaranhados lesam os neurônios permanece mal compreendida, mas dois caminhos possíveis não mutuamente excludentes foram sugeridos: (1) os agregados da proteína tau induzem uma resposta ao estresse; e (2) a perda da proteína tau desestabiliza os microtúbulos

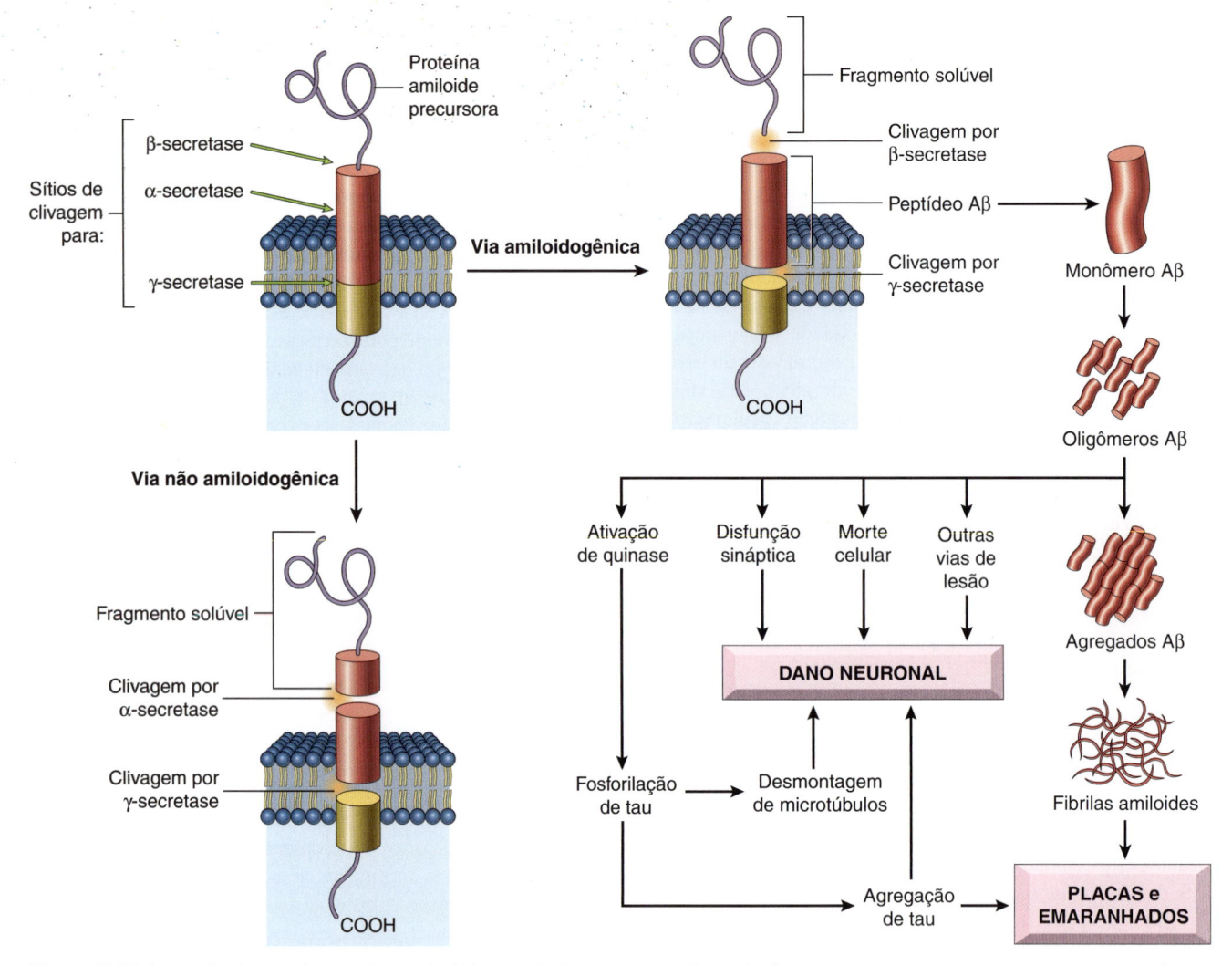

Figura 28.35 Agregação de proteínas na doença de Alzheimer. A clivagem da proteína amiloide precursora por α-secretase e γ-secretase produz um peptídeo solúvel inofensivo, enquanto a clivagem da proteína amiloide precursora pela enzima conversora de β-amiloide e γ-secretase libera peptídeos Aβ, que formam agregados patogênicos e contribuem para as placas e emaranhados característicos da doença de Alzheimer.

- *Outros fatores de risco genéticos.* O *locus* genético no cromossomo 19 que codifica a apolipoproteína E (ApoE) tem uma forte influência no risco de desenvolvimento da DA. Há três alelos associados (ε2, ε3 e ε4) com base em dois polimorfismos de aminoácidos. A dosagem do alelo ε4 aumenta o risco da AD e diminui a idade de início da doença, de modo que indivíduos com o alelo ε4 estão sobrerrepresentados em populações de pacientes com DA. Esta isoforma de ApoE promove a geração e deposição de Aβ e também parece exacerbar a neurodegeneração Aβ-independente mediada por tau. No geral, estima-se que este *locus* transmita cerca de um quarto do risco para o desenvolvimento da DA de início tardio. Estudos de associação ampla do genoma identificaram vários outros *loci* que contribuem para o risco da DA; a conexão entre esses *loci* gênicos e a patogênese da DA ainda precisa ser explorada
- *Papel da inflamação.* Tanto pequenos agregados quanto depósitos maiores de Aβ elicitam uma resposta inflamatória de microglias e astrócitos. Essa resposta provavelmente ajuda na depuração do agregado peptídico, mas pode também estimular a secreção de mediadores que causam dano. As consequências adicionais da ativação dessas cascatas inflamatórias podem incluir alterações da fosforilação de tau, lesão oxidativa aos neurônios e poda aberrante de sinapses
- *Base para o comprometimento cognitivo.* Embora haja discordância quanto ao melhor correlato de demência em indivíduos com DA, está claro que a presença de um grande acúmulo de placas e emaranhados está altamente associada a disfunção cognitiva grave. O número de emaranhados neurofibrilares se correlaciona melhor com o grau de demência do que o número de placas neuríticas. Os marcadores bioquímicos que foram correlacionados com o grau de demência incluem perda de colina acetiltransferase, perda de imunorreatividade da sinaptofisina e acúmulo de amiloide
- *Biomarcadores.* Entre os desenvolvimentos recentes mais importantes na compreensão da DA está a descoberta de possíveis biomarcadores, que se baseiam no entendimento dos processos biológicos discutidos anteriormente. Agora é possível demonstrar a deposição de Aβ no cérebro por meio de métodos de imagem que se baseiam em compostos ligantes de amiloide marcados com 18F. Esta abordagem pode identificar pacientes assintomáticos que estão nos estágios iniciais da DA. Evidências adicionais de degeneração neuronal associadas aos processos

patológicos relacionados com a DA incluem a presença aumentada de tau fosforilada e Aβ reduzida no LCR. Juntos, esses biomarcadores permitiram a identificação dos estágios pré-clínicos da DA, com bastante antecedência do desenvolvimento de demência ou outros sinais e sintomas. Por sua vez, isso permitiu a transição do foco de ensaios farmacológicos para indivíduos em estágios iniciais da doença, nos quais se espera que as intervenções retardem ou previnam a progressão da doença e limitem as deficiências.

Morfologia

Macroscopicamente, o cérebro mostra **atrofia cortical** variável marcada por estreitamento dos giros e alargamento dos sulcos que é mais pronunciado nos lobos frontal, temporal e parietal (**Figura 28.36**). Com a atrofia significativa, ocorre aumento ventricular compensatório (hidrocefalia *ex vacuo*) secundário à redução do volume cerebral. Estruturas do lobo temporal medial, incluindo o hipocampo, córtex entorrinal e amígdala, estão envolvidos no início do curso da doença e em geral estão fortemente atrofiados nos estágios posteriores.

As principais anormalidades microscópicas da DA são as **placas neuríticas (senis)** e os **emaranhados neurofibrilares**. Nas mesmas regiões que sofrem o acúmulo de placas e emaranhados, há perda neuronal progressiva e eventualmente grave, além de gliose reacional.

As **placas neuríticas** são coleções esféricas focais de processos axonais ou dendríticos dilatados e tortuosos (neuritos distróficos), muitas vezes em torno de um núcleo amiloide central, que pode ser cercado por um halo claro (**Figura 28.37A**). Os neuritos distróficos contêm agregados de tau que são bioquimicamente semelhantes aos emaranhados neurofibrilares. As placas neuríticas variam em tamanho de 20 a 200 μm de diâmetro; células da micróglia e astrócitos reativos estão presentes em sua periferia. As placas são encontradas no hipocampo, amígdala e neocórtex, embora geralmente haja preservação relativa dos córtices motor e sensorial primários (isso também se aplica aos emaranhados neurofibrilares). O núcleo amiloide, que pode ser corado pelo vermelho do Congo ou uma imunocoloração para beta-amiloide, contém várias proteínas anormais. O componente dominante do núcleo da placa amiloide é Aβ, um peptídeo derivado da clivagem proteolítica de APP (**Figuras 28.37B** e **28.35**); outras proteínas, incluindo componentes da cascata do complemento, citocinas pró-inflamatórias, α1-antiquimotripsina e apolipoproteínas, estão presentes de maneira menos abundante. Em alguns casos, há deposição de peptídeos Aβ na ausência de neuritos distróficos. Essas lesões, chamadas **placas difusas**, são encontradas principalmente em porções superficiais do córtex cerebral, dos gânglios da base e do córtex cerebelar. Com base em estudos de indivíduos com trissomia do cromossomo 21, as placas difusas são consideradas um estágio inicial do desenvolvimento das placas. Embora placas neuríticas contenham Aβ_{40} e Aβ_{42}, as placas difusas são predominantemente compostas por Aβ_{42}.

Os **emaranhados neurofibrilares** são feixes de filamentos contendo tau no citoplasma dos neurônios que deslocam ou circundam o núcleo. Em neurônios piramidais, eles costumam ter um alongamento em forma de "chama"; em células mais arredondadas, a trama de fibras ao redor o núcleo assume contorno arredondado (emaranhados "globosos"). Os emaranhados neurofibrilares são visíveis como estruturas fibrilares basofílicas por coloração com H&E (**Figura 28.37C**), mas são demonstrados muito mais claramente por coloração com prata (Bielschowsky) (**Figura 28.37D**) e por imuno-histoquímica para tau (**Figura 28.37E**). Os emaranhados neurofibrilares são comumente encontrados em neurônios corticais, especialmente no córtex entorrinal, bem como em outros locais, como as células piramidais do hipocampo, a amígdala, o prosencéfalo basal e os núcleos da rafe. Os emaranhados neurofibrilares são insolúveis e aparentemente resistentes à depuração *in vivo*. Assim, permanecem visíveis nas seções de tecido como emaranhados "fantasma" ou "lápide" muito depois da morte do neurônio parental. Ultraestruturalmente, os emaranhados neurofibrilares são compostos predominantemente de filamentos helicoidais pareados em conjunto com alguns filamentos alongados que parecem ter uma composição semelhante. Os agregados de tau também estão presentes em neuritos distróficos que formam as porções externas das placas neuríticas e em axônios que percorrem a massa cinzenta afetada como filamentos de neurópilo. Em contraste com as placas neuríticas e difusas, os emaranhados são encontrados em outras doenças neurodegenerativas e, portanto, não são específicos para a DA.

Além das características diagnósticas das placas e emaranhados, vários outros achados patológicos são observados no contexto da DA. A **angiopatia amiloide cerebral (AAC)** (**Figura 28.18D**) é uma acompanhante quase invariável da DA; no entanto, também pode ser encontrada em cérebros de indivíduos sem AD. Em contraste ao amiloide depositado em placas neuríticas e difusas, que consiste principalmente em Aβ42, o amiloide da AAC é predominantemente composto por Aβ40.

Embora os acúmulos abundantes de placas e emaranhados caracterizem o estágio final da DA, cujos indivíduos afetados apresentam demência total, está claro que essas alterações histológicas aparecem com bastante antecedência dos sintomas clínicos. Para fornecer uma correlação entre achados neuropatológicos e sintomatologia clínica, as recomendações mais recentes de descrição dessas lesões consideram a deposição

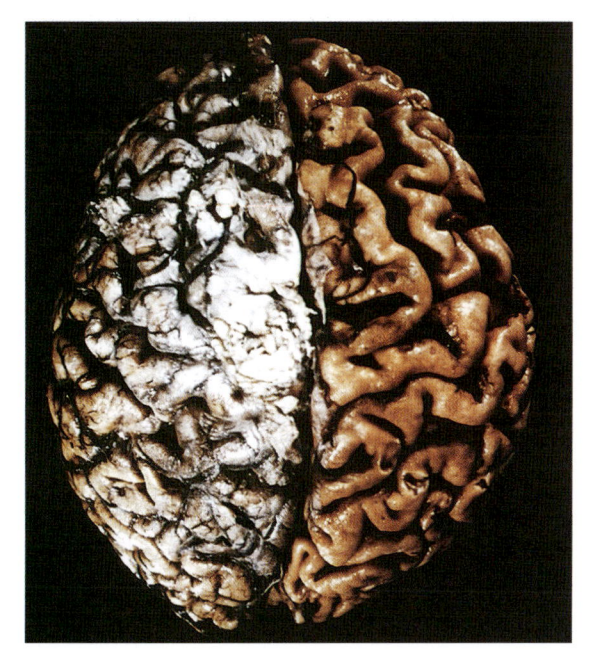

Figura 28.36 Doença de Alzheimer com atrofia cortical, mais evidente à direita, onde as meninges foram removidas. (Cortesia do Dr. E.P. Richardson, Jr., Massachusetts General Hospital, Boston, Mass.)

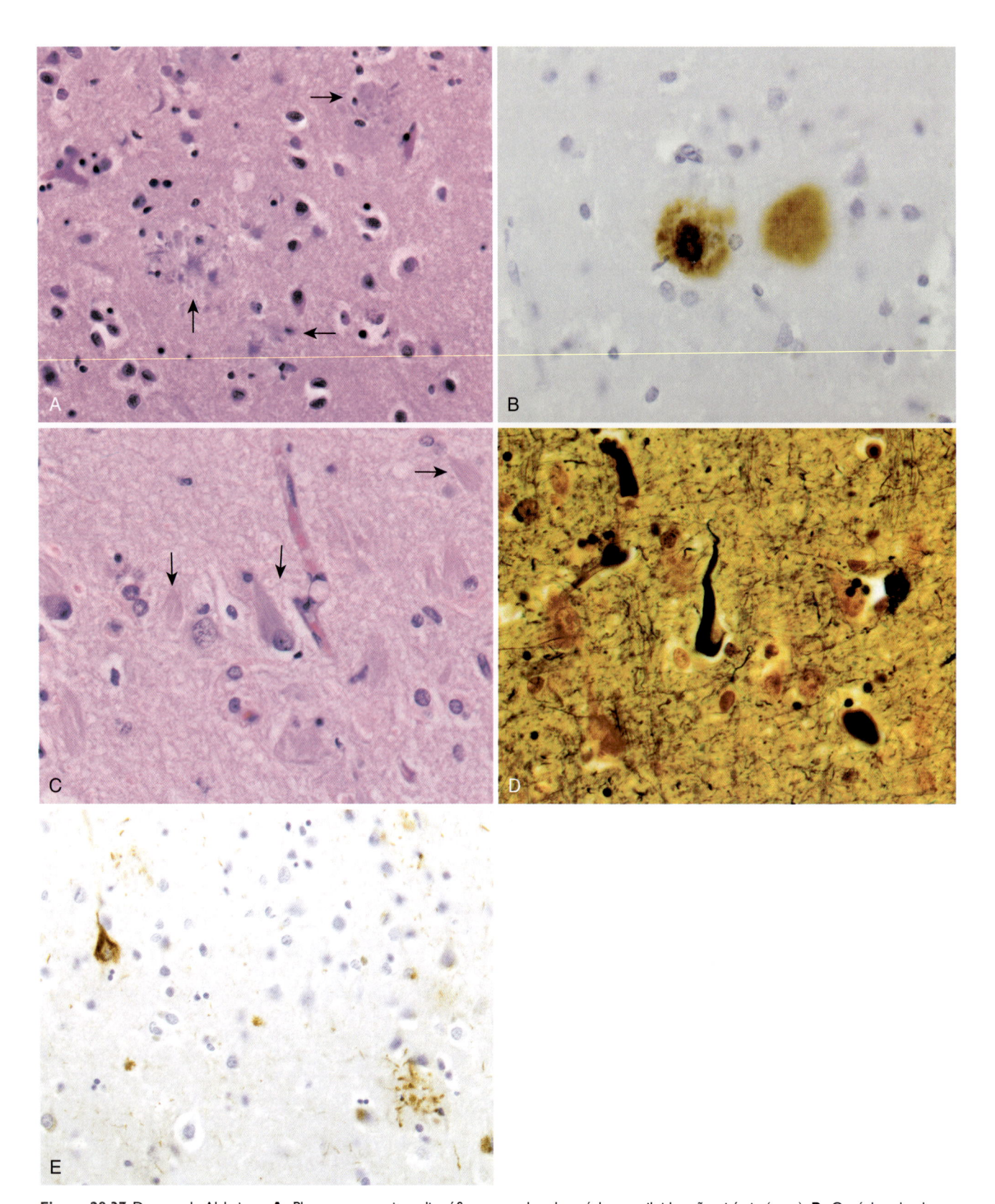

Figura 28.37 Doença de Alzheimer. **A.** Placas com neuritos distróficos ao redor dos núcleos amiloides são visíveis (*setas*). **B.** O núcleo da placa e o neurópilo circundante são imunorreativos para Aβ. **C.** O emaranhado neurofibrilar está presente dentro de um neurônio, e vários emaranhados extracelulares também estão presentes (*setas*). **D.** A coloração com prata destaca um emaranhado neurofibrilar (*preto*) dentro do citoplasma neuronal. **E.** Emaranhado (*canto superior esquerdo*) e neuritos ao redor de uma placa (*canto inferior direito*) contêm tau, demonstrada por imuno-histoquímica.

total de Aβ no parênquima cerebral como uma forma de alteração neuropatológica da DA. O quadro então gera uma escala histopatológica com base na distribuição dos depósitos de Aβ, placas e emaranhados, que é usada para prever a probabilidade de um indivíduo se tornar cognitivamente deficiente, com base em estudos populacionais.

Características clínicas

A progressão da DA é lenta, porém inexorável, com um curso sintomático que geralmente tem duração superior a dez anos. Os sintomas iniciais são esquecimento e outros distúrbios de memória; com a progressão, outros sintomas surgem, incluindo déficits de linguagem, perda de habilidades matemáticas e perda de habilidades motoras aprendidas. Nos estágios finais, os indivíduos afetados podem se tornar incontinentes, mudos e incapazes de caminhar; uma doença intercorrente, geralmente pneumonia, é geralmente o evento terminal. Os ensaios clínicos atuais estão focados no tratamento dos pacientes em estágios pré-clínicos iniciais da doença, usando estratégias que incluem a eliminação de Aβ do cérebro por meio de abordagens imunológicas, interrompendo a geração de Aβ com agentes farmacológicos que têm como alvo as secretases, bem como abordagens destinadas a prevenir alterações da tau.

Degenerações lobares frontotemporais

As degenerações lobares frontotemporais (DLFTs) são um grupo heterogêneo de distúrbios associados à degeneração focal dos lobos frontais e/ou temporais. Elas são clinicamente distinguíveis da DA pelo padrão de envolvimento, com alterações na personalidade, comportamento e linguagem (afasias) precedendo a perda de memória; no entanto, como em outras doenças neurodegenerativas, a avaliação patológica *post-mortem* é necessária para o diagnóstico definitivo. A demência global ocorre com a doença progressiva e um subconjunto de pacientes desenvolve perda motora extrapiramidal. Diversas variantes clínicas foram descritas com base no quanto domina a mudança comportamental ou as afasias, embora ambas tenham características sobrepostas. As DLFTs são uma das causas mais comuns de demência de início precoce e ocorrem na mesma frequência que a DA em indivíduos com menos de 65 anos. Comumente referida no contexto clínico como *demência frontotemporal* (DFT), a terminologia patológica preferida destaca o padrão anatômico de envolvimento (degeneração lobar), em vez do sintoma clínico (demência).

Como a maioria das doenças neurodegenerativas, a DLFT está associada a inclusões celulares constituídas por proteínas específicas; os dois padrões mais comuns são aqueles com inclusões de tau (DLFT-tau) e aqueles com inclusões de TDP-43 (DLFT-TDP). Em cada um desses grupos, existem formas hereditárias e esporádicas. Não existe uma relação fixa entre os subtipos clínicos de DLFT e o tipo de inclusões neuronais.

DLFT-tau

Nessas formas de DLFT, as regiões corticais afetadas demonstram perda neuronal progressiva e gliose reacional, assim como a presença de inclusões citoplasmáticas de tau em neurônios. Ao contrário da DA, que é caracterizada pela deposição combinada de Aβ e tau, a DLFT-tau apresenta apenas agregação e acúmulo de tau. Em alguns casos, as inclusões de DLFT-tau se assemelham aos emaranhados observados na DA, e em outras formas da doença, existem inclusões de contornos suaves (corpos de Pick).

Patogênese

A DLFT-tau pode estar associada a mutações em *MAPT*, o gene que codifica tau, ou pode surgir esporadicamente. Como mencionado anteriormente, tau interage com os microtúbulos; sua ligação aos microtúbulos pode ser regulada por fosforilação. Há uma relação inversa entre o grau de fosforilação de tau e sua capacidade de ligar microtúbulos. Tau, particularmente quando fosforilada, tem uma propensão a se agregar. Curiosamente, tau existe como uma série complexa de isoformas que são codificadas por diferentes variantes de processamento de mRNA; o equilíbrio entre essas isoformas parece ser crítico para a função normal de tau nos neurônios e distúrbios na proporção das isoformas também pode provocar agregação de tau.

Dois tipos diferentes de mutações em tau foram descritos. Algumas mutações pontuais de perda de sentido (*missense*) afetam a fosforilação de tau, mudando o balanço da ligação de microtúbulos para agregação. Outras mutações incluem mutações pontuais que afetam o processamento (*splicing*); muitas delas são intrônicas e alteram as estruturas da haste da alça reconhecida pelo spliceossomo. Acredita-se que a mudança resultante da razão entre as isoformas causa a disfunção neuronal e, conforme discutido anteriormente, também pode aumentar a agregação de tau.

Ainda não está claro como a tau anormal causa danos aos neurônios, embora pareça haver tanto um componente de perda de função, já que a agregação depleta a tau dos neurônios, quanto um componente tóxico de ganho de função devido à presença de agregados de proteínas aberrantemente hiperfosforiladas.

> ### Morfologia
>
> Há atrofia dos lobos frontal e temporal em extensão e gravidade variáveis. O padrão de atrofia muitas vezes pode ser previsto a partir dos sintomas clínicos. As regiões atróficas do córtex são marcadas por perda neuronal, gliose e a presença emaranhados neurofibrilares contendo tau (**Figura 28.38A**). Esses emaranhados podem conter uma variedade de isoformas de tau. Pode ocorrer degeneração da substância nigra. As inclusões também podem ser encontradas nas células gliais em algumas formas da doença.
>
> Na **doença de Pick** (um subtipo de FTD-tau), o cérebro invariavelmente apresenta uma atrofia pronunciada e frequentemente assimétrica dos lobos frontal e temporal, com preservação conspícua dos dois terços posteriores do giro temporal superior e apenas raro envolvimento dos lobos parietal e occipital. A atrofia pode ser grave, reduzindo os giros a uma aparência de lâmina fina ("gume de faca"). A perda neuronal é mais grave nas três camadas externas do córtex. Alguns dos neurônios sobreviventes mostram uma tumefação característica (células de Pick), e outros contêm **corpúsculos de Pick**, inclusões citoplasmáticas filamentosas arredondadas a ovais, que se coram fortemente com métodos baseados em prata (**Figura 28.38B**).

DLFT-TDP

Alguns indivíduos com DFT diagnosticada clinicamente e alterações macroscópicas de atrofia cortical relativamente localizada (a "degeneração lobar" do termo) têm inclusões que não contêm tau e, em vez disso, contêm TDP-43, uma proteína ligante de mRNA. Indivíduos com DLFT-TDP tipicamente apresentam problemas comportamentais ou déficits de linguagem, características semelhantes a DLFT-tau.

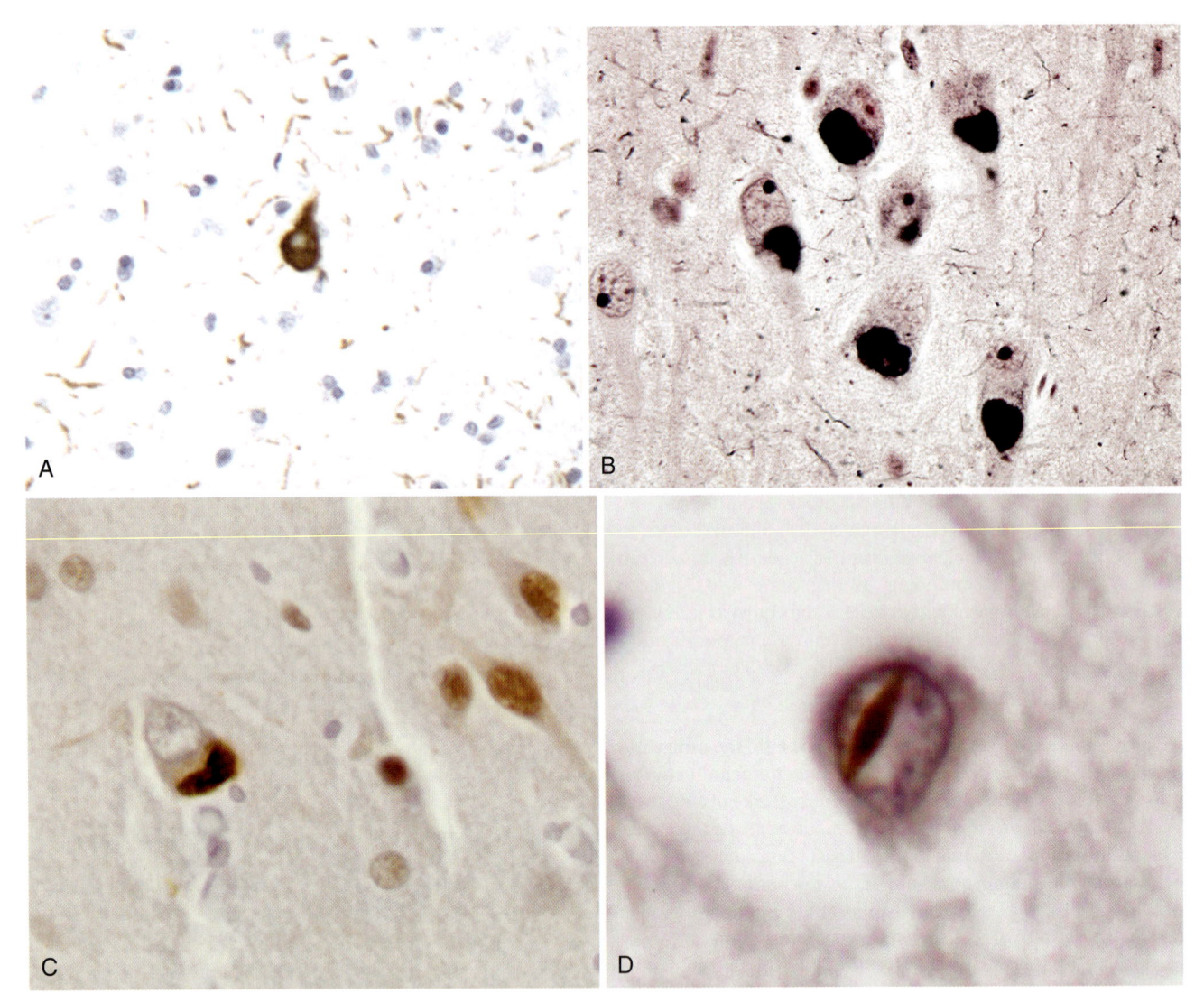

Figura 28.38 Degenerações lobares frontotemporais (DLFTs). **A.** DLFT-tau. Um emaranhado está presente em associação com vários neuritos contendo tau. **B.** Doença de Pick. Os corpos de Pick são inclusões citoplasmáticas neuronais homogêneas e arredondadas que se coram intensamente com coloração de prata. **C.** DLFT-TDP. Inclusões citoplasmáticas contendo TDP-43 são vistas em associação com a perda da imunorreatividade nuclear normal. **D.** DLFT-TDP. Com mutações de progranulina, as inclusões contendo TDP-43 são comumente intranucleares.

Patogênese

Mutações em três genes diferentes foram encontradas nas formas herdadas de DLFT-TDP:

- A forma familiar mais comum de DLFT-TDP é o resultado de uma expansão de repetições do hexanucleotídio na região 5' de *C9orf72* (um gene que codifica uma proteína de função desconhecida); o espectro da doença associada à expansão de C9orf72 também inclui esclerose lateral amiotrófica (discutida mais adiante). Até o momento é um mistério como a expansão das repetições resulta na formação de agregados de TDP-43. Curiosamente, os cérebros de casos de DLFT associados a *C9orf72* e de casos de esclerose lateral amiotrófica também contêm inclusões ubiquitina-positivas que consistem em repetições dipeptídicas geradas pela tradução aberrante de repetições expandidas (em indivíduos sem expansão das repetições, esta região do gene contém sequências regulatórias e não é traduzida)

- Mutações no gene *TARDBP* (que codifica TDP-43) são menos comuns e também ocorrem em alguns casos familiares de esclerose lateral amiotrófica. A TDP-43 é uma proteína ligante de RNA com papéis no processamento de RNA e na formação de grânulos de estresse, agregados proteína-RNA de função incerta. A perda de função e o ganho tóxico de função podem contribuir para esta forma de DFT

- Uma terceira forma de DLFT-TDP é o resultado de mutações no gene *GRN*, que codifica uma proteína chamada progranulina; em contraste com *TARDBP* e *C9orf72*, as mutações em *GRN* não foram associadas à esclerose lateral amiotrófica. Mutações da progranulina causam perda de função, e acredita-se que a doença resulte da atividade deficiente de progranulina, que é uma proteína secretada expressa em células da glia e neurônios e clivada em vários pequenos peptídeos; esses peptídeos têm sido implicados na regulação da inflamação no cérebro, mas a ligação entre essa atividade e o acúmulo de inclusões contendo TDP-43 na DLFT é atualmente obscura.

Existem formas de DLFT em que não há inclusões contendo tau nem TDP. Embora sejam incomuns, as causas genéticas subjacentes mostram uma sobreposição com as vias envolvidas em outras formas de DLFT-TPD. Mutações no gene *FUS* (*fused in sarcoma*) podem causar DLFT ou esclerose lateral amiotrófica, e FUS é outra proteína ligante de RNA que pode estar envolvida na formação de grânulos de estresse.

> ### Morfologia
>
> A aparência é semelhante a outras formas de DLFT, com atrofia variável dos lobos frontal e temporal acompanhada por perda neuronal e gliose. Normalmente, TDP-43 é encontrada difusamente no núcleo, mas na DLFT-TDP, TDP-43 é encontrada nas inclusões (**Figura 28.38C**) que podem estar no corpo celular (inclusões neuronais citoplasmáticas), no núcleo (inclusões neuronais intranucleares) ou em neuritos (filamentos de TDP-43). Nas inclusões, TDP-43 é fosforilada e ubiquitinada. As inclusões são mais abundantes no córtex frontal e temporal, no núcleo estriado e no giro dentado do hipocampo. Há uma forte correlação entre a presença de inclusões intranucleares em forma de agulha e mutações da progranulina (**Figura 28.38D**).

Existem também formas de DLFT em que não há inclusões contendo tau nem TDP. Embora sejam incomuns, as causas genéticas subjacentes mostram conexões com as vias envolvidas em outras formas de DLFT-TPD. Mutações no gene *FUS* (*fused in sarcoma*) podem causar DLFT ou esclerose lateral amiotrófica, e FUS é outra proteína ligante de RNA que pode estar envolvida na formação de grânulos de estresse.

Doença de Parkinson

A doença de Parkinson (DP) é uma doença neurodegenerativa marcada por um distúrbio hipocinético do movimento causado pela perda de neurônios dopaminérgicos da substância nigra. A síndrome clínica do *parkinsonismo* combina diminuição da expressão facial (muitas vezes denominado "rosto mascarado"), postura curvada, desaceleração dos movimentos voluntários, marcha festinante (passos progressivamente encurtados e acelerados), rigidez e um tremor semelhante ao ato de "contar dinheiro". Esse tipo de distúrbio motor é visto em uma série de condições associadas a danos ao sistema dopaminérgico nigroestriatal. Embora a DP seja a causa mais comum de parkinsonismo, sintomas semelhantes podem ser induzidos por antagonistas dopaminérgicos ou por toxinas que causam danos seletivos ao sistema dopaminérgico. Outras doenças raras que têm o parkinsonismo como parte da apresentação clínica também serão discutidas mais adiante.

O diagnóstico clínico da DP é baseado na presença de tríade do parkinsonismo – tremor, rigidez e bradicinesia – na ausência de uma etiologia tóxica ou outra etiologia subjacente conhecida. Essa impressão clínica é confirmada pela resposta sintomática à terapia de reposição com L-DOPA. Apesar do diagnóstico de DP ser baseado em grande parte na presença de sintomas motores, que refletem a diminuição da inervação dopaminérgica do núcleo estriado, a doença não é restrita a neurônios dopaminérgicos ou gânglios da base. Na verdade, a degeneração da substância nigra (que resulta nos sintomas motores) representa um estágio intermediário de uma doença que começa na parte inferior do tronco encefálico e, eventualmente, progride para envolver o córtex cerebral, levando a deficiências cognitivas (ver seção "Demência com corpos de Lewy", mais adiante neste capítulo).

Os neurônios dopaminérgicos da substância nigra se projetam para o núcleo estriado e sua degeneração na DP está associada a uma redução do conteúdo de dopamina estriatal. A gravidade da síndrome motora é proporcional à deficiência de dopamina, que pode, pelo menos em parte, ser corrigida por terapia de reposição com L-DOPA (o precursor imediato da dopamina). No entanto, o tratamento não reverte as mudanças estruturais ou impede a progressão da doença. Com a progressão, a terapia medicamentosa se torna menos eficaz e os sintomas mais difíceis de controlar. A estimulação cerebral profunda surgiu na última década como uma terapia para os sintomas motores da DP. Além disso, os déficits neurológicos e bioquímicos bem caracterizados da DP também forneceram a base para ensaios clínicos terapêuticos de transplante neural e terapia gênica.

Uma síndrome parkinsoniana aguda e a destruição de neurônios da substância nigra se seguem à exposição ao MPTP (1-metil-4-fenil-1,2,3,6-tetra-hidropiridina), descoberto como um contaminante em lotes do opioide meperidina ilicitamente sintetizados. Esta toxina tem sido usada para gerar modelos animais da DP, usados para testar novas terapias. Evidências epidemiológicas também sugeriram que a exposição a pesticidas é um fator de risco para DP, enquanto a cafeína e a nicotina parecem ser protetores.

Patogênese

A DP está associada a acúmulo e agregação de proteínas, anormalidades mitocondriais e perda de neurônios da substância nigra e de outras partes do cérebro. Apesar de boa parte da DP ser esporádica, a identificação de causas genéticas ajudou a esclarecer sua patogênese:

- As primeiras mutações identificadas como causa da DP autossômica dominante envolveram *SNCA*, um gene que codifica a α-sinucleína, uma proteína abundante de ligação a lipídios normalmente localizada em sinapses. Esta proteína é um componente importante do *corpo de Lewy*, que é a marca do diagnóstico da DP. As alterações em *SCNA* são raras e incluem mutações pontuais e amplificações da região do cromossomo 4q21 que contém o gene. A ocorrência da doença causada pelo aumento do número de cópias do gene implica um efeito de dosagem gênica e sugere que polimorfismos no promotor da α-sinucleína influencia o risco de desenvolvimento da DP. Como Aβ na DA, a α-sinucleína forma agregados; destes, os pequenos oligômeros parecem ser os mais tóxicos para os neurônios. Há também evidências de que os agregados possam ser liberados por um neurônio e captados por outro, sugerindo um padrão de propagação do tipo príon dentro do cérebro. Consistente com esta ideia, agregados contendo α-sinucleína (corpos de Lewy e neuritos de Lewy) são observados originalmente na medula e então em áreas contíguas do cérebro, ascendendo através do tronco encefálico, se estendendo para estruturas límbicas e, finalmente, para o neocórtex. Notavelmente, evidências emergentes sugere que agregados de α-sinucleína são inicialmente formados nos neurônios do sistema nervoso entérico e se propagam do intestino até a medula através do nervo vago; esta hipótese "intestino-cérebro" da patogênese da DP fornece uma possível explicação para a associação entre DP e exposição a pesticidas, além de outras toxinas ambientais

- A *disfunção mitocondrial* foi implicada como um fator contribuinte baseado em formas autossômicas recessivas da PD causadas por mutações em genes que codificam as proteínas DJ-1, PINK1 e parkin. DJ-1 tem múltiplos papéis celulares, incluindo atuação como um regulador transcricional, mas em contextos de estresse oxidativo, pode se deslocar para as mitocôndrias e têm efeitos citoprotetores. PINK1 é uma quinase que se localiza na membrana externa de mitocôndrias disfuncionais, onde recruta e fosforila parkin. Essa modificação ativa parkin, uma ubiquitina ligase E3 que marca uma série de substratos para destruição proteassomal. Em circunstâncias normais, a combinação de PINK1 e parkin resulta na eliminação de mitocôndrias disfuncionais por mitofagia; este processo é prejudicado por defeitos em PINK1 ou parkin. Curiosamente, os níveis de complexo mitocondrial I, um componente da cascata de fosforilação oxidativa, estão reduzidos nos cérebros de pacientes com DP esporádica
- Mutações em heterozigose da enzima lisossomal glicorebrosidase são os fatores de risco mais importantes para o desenvolvimento da DP, respondendo por cerca de 5% dos casos (mutações em homozigose desta enzima causa a doença de Gaucher, um distúrbio de armazenamento lisossomal descrito em mais detalhes no **Capítulo 5**). Esta ligação genética sugere que a disfunção da via lisossomo-autofagia contribui para a patogênese da DP, provavelmente por meio do metabolismo anormal de α-sinucleína, ativação da resposta a proteínas mal enoveladas e inflamação aumentada
- Mutações no gene que codifica repetição rica em leucina quinase 2 (*LRRK2, leucine-rich repeat quinase 2*) são a causa mais comum de PD autossômica dominante e também são encontradas em alguns casos de início tardio e aparentemente esporádicos da doença. LRRK2 é uma quinase citoplasmática; várias das mutações patogênicas aumentam sua atividade quinase, sugerindo que ganhos na função LRRK2 – seja hiperfosforilação de alvos normais, seja surgimento de novos alvos – podem contribuir para o desenvolvimento da DP. No entanto, o mecanismo molecular ligando a disfunção de LRRK2 e o acúmulo de α-sinucleína ainda não foi elucidado.

> **Morfologia**
>
> Um achado macroscópico característico da DP é a **palidez da substância nigra** (comparar **Figura 28.39A** e **B**) e do *locus ceruleus*, que ocorre devido à perda de neurônios catecolaminérgicos pigmentados nestes núcleos. Os **corpos de Lewy** (**Figura 28.39C**) são geralmente encontrados em alguns dos neurônios remanescentes; estes corpúsculos são inclusões únicas ou múltiplas, citoplasmáticas, eosinofílicas, arredondadas a alongadas, que muitas vezes têm um núcleo denso cercado por um halo pálido. Ultraestruturalmente, os corpos de Lewy são compostos de filamentos finos, densamente compactados no núcleo, mas frouxos nas bordas; esses filamentos são compostos de α-sinucleína. Os corpos de Lewy também podem ser encontrados nos neurônios colinérgicos do núcleo basal de Meynert, bem como em outros núcleos do tronco encefálico, incluindo o *locus ceruleus* e o núcleo motor dorsal do vago. As áreas de perda neuronal também costumam apresentar gliose. Os neuritos de Lewy são processos distróficos que contêm agregados de α-sinucleína.

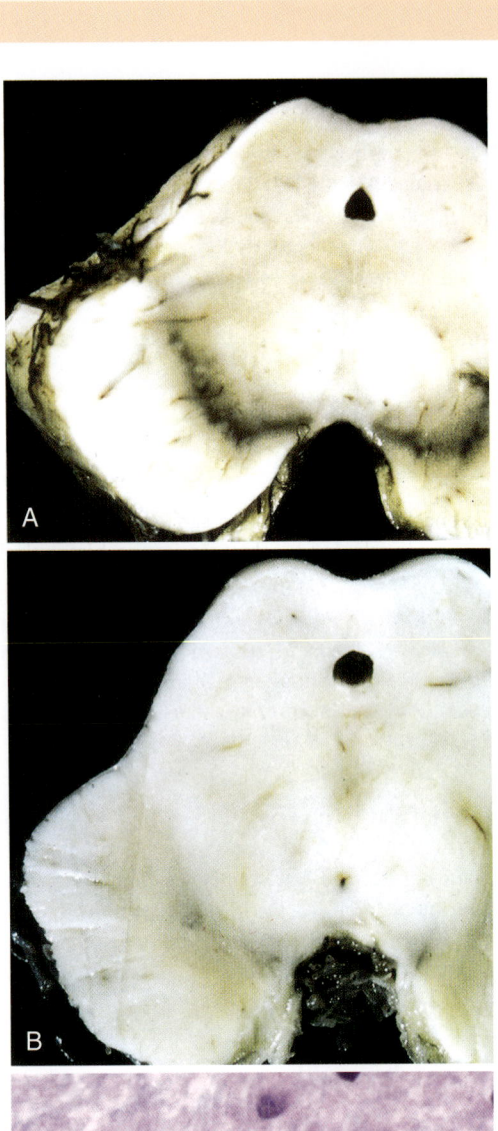

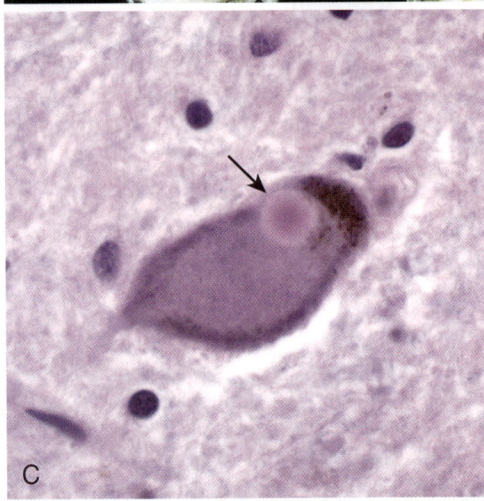

Figura 28.39 Doença de Parkinson. **A.** Substância nigra normal. **B.** Substância nigra despigmentada na doença de Parkinson idiopática. **C.** Corpos de Lewy em um neurônio de substância nigra, com coloração rosa brilhante (*seta*).

Demência com corpos de Lewy

Cerca de 10 a 15% dos indivíduos com DP desenvolvem demência, particularmente com o avançar da idade. As características típicas deste distúrbio incluem um curso flutuante, alucinações visuais e sinais frontais proeminentes. Embora alguns indivíduos afetados apresentem evidências patológicas da DA (ou, com menos frequência, de outras doenças degenerativas associadas a alterações cognitivas) em combinação com DP, em outros o correlato histológico mais proeminente é a presença disseminada de corpos de Lewy em neurônios do córtex e tronco encefálico. Em alguns casos, a demência com corpos de Lewy representa um estágio avançado da DP em que os agregados proteicos parecem ter "se espalhado", possivelmente através da propagação de proteínas mal enoveladas, para os neurônios do córtex cerebral. Em outros indivíduos, no entanto, a demência é o primeiro sintoma de apresentação, enquanto sintomas motores aparecem em fases avançadas, sugerindo um padrão de propagação da doença que é descendente em vez de ascendente.

Os corpos de Lewy corticais são menos distintos do que aqueles no tronco encefálico, mas também são compostos predominantemente de α-sinucleína. A coloração imuno-histoquímica para α-sinucleína também revela a presença de neuritos anormais que contêm agregados proteicos – chamados *neuritos de Lewy*, embora Lewy nunca os tenha visto. Nesse contexto, os achados patológicos macroscópicos incluem, em geral, despigmentação da substância nigra e *locus ceruleus*, ao lado de relativa preservação do córtex, hipocampo e amígdala. O acúmulo de corpos de Lewy corticais é, em geral, extremamente pequeno, e o mecanismo pelo qual essa doença causa prejuízos à função cognitiva não está claro. Há evidências de que o acúmulo de α-sinucleína oligomérica em neurônios corticais é mais importante na causalidade da doença do que os corpos de Lewy.

Síndromes parkinsonianas atípicas

Conforme discutido, a síndrome clínica do parkinsonismo, com bradicinesia e rigidez, reflete a disfunção da via dopaminérgica nigroestriatal. Além das formas de DP já discutidas, há uma variedade de transtornos que incluem o parkinsonismo como um componente dos sintomas. Essas doenças, em geral, são minimamente responsivas ao tratamento com L-DOPA; elas também são distintas da PD pela presença de sinais e sintomas adicionais. Por essas razões, elas são consideradas *síndromes parkinsonianas atípicas* ou *síndromes Parkinson-plus*. Esses transtornos incluem paralisia supranuclear progressiva e degeneração corticobasal (ambas tauopatias) e atrofia multissistêmica (uma sinucleinopatia).

Paralisia supranuclear progressiva

A paralisia supranuclear progressiva (PSP) é uma tauopatia cujos indivíduos afetados desenvolvem rigidez progressiva do tronco, desequilíbrio com quedas frequentes e dificuldade com os movimentos oculares voluntários. Outros sintomas comuns incluem distonia nucal, paralisia pseudobulbar e uma demência leve progressiva. O início ocorre geralmente entre a quinta e a sétima décadas de vida, sendo que os homens são aproximadamente duas vezes mais afetados que as mulheres. A doença costuma ser fatal em 5 a 7 anos após o início.

Embora a marca patológica da PSP seja a presença de inclusões contendo tau em neurônios e células da glia, mutações causativas no gene tau foram identificadas em apenas alguns casos. No entanto, o risco de PSP esporádica está associado a polimorfismos de nucleotídios únicos que mapeiam próximo ao *locus* do gene tau. Outros alelos de risco foram identificados por meio de estudos de associação ampla do genoma, mas como eles influenciam o desenvolvimento de PSP não está claro.

Degeneração corticobasal

A degeneração corticobasal (DCB) é uma tauopatia progressiva mais frequentemente caracterizada por rigidez extrapiramidal, distúrbios motores assimétricos (movimentos bruscos dos membros) e comprometimento da função cortical superior (normalmente na forma de apraxia). Da mesma forma que ocorre na PSP, o declínio cognitivo pode ocorrer geralmente na fase avançada da doença. A mesma variante tau ligada a PSP também está altamente associada a DCB. No geral, DCB e PSP compartilham muitas características clínicas e patológicas; em geral, há maior acúmulo de lesões contendo tau no tronco encefálico e substância cinzenta profunda na PSP, enquanto o equilíbrio é deslocado para o envolvimento do córtex cerebral na DCB.

> **Morfologia**
>
> Na PSP, há perda neuronal generalizada no globo pálido, núcleo subtalâmico, substância nigra, colículos, substância cinzenta periaquedutal e núcleo dentado do cerebelo; emaranhados fibrilares globosos são encontrados nessas regiões afetadas, em neurônios, bem como em células da glia. Na DCB, o cérebro apresenta atrofia cortical, principalmente dos lobos parietais motor, pré-motor e anterior. Nas regiões afetadas do córtex, há perda grave de neurônios, gliose e **neurônios "balonizados"**. A imunorreatividade para tau foi encontrada em astrócitos ("astrócitos tufados"), oligodendrócitos ("corpos espiralados"), neurônios ganglionares basais e, variavelmente, neurônios corticais. Aglomerados de processos tau-positivos em torno dos astrócitos ("placas astrocíticas") e a presença de filamentos tau-positivos na substância cinzenta e branca podem ser os achados patológicos mais específicos da DCB. A substância nigra e o *locus ceruleus* apresentam perda neuronal, neurônios balonados e emaranhados.

Atrofia de múltiplos sistemas

A atrofia de múltiplos sistemas (AMS) é um distúrbio esporádico que afeta diversos sistemas funcionais do cérebro e é caracterizado por inclusões de α-sinucleína no citoplasma dos oligodendrócitos. Ao contrário de outras doenças degenerativas que afetam principalmente neurônios, as alterações histopatológicas da AMS são principalmente observadas em células gliais e estão associadas à degeneração de tratos de substância branca. Além disso, há acompanhamento de degeneração neuronal, mas normalmente sem a presença de inclusões. O "múltiplo" na expressão *atrofia de múltiplos sistemas* refere-se a três circuitos neuroanatômicos distintos que estão comumente envolvidos: o circuito nigroestriado (que leva ao parkinsonismo), o circuito olivopontocerebelar (que leva à ataxia) e o sistema nervoso autônomo, incluindo os elementos centrais (levando à disfunção autonômica, com hipotensão ortostática como um componente proeminente). Em um dado indivíduo, um desses componentes pode predominar no início da doença, mas normalmente os outros sistemas são afetados à medida que a AMS avança.

Patogênese

Como na DP, α-sinucleína é o principal componente das inclusões. A AMS é uma doença esporádica e não foram identificadas mutações causais no gene que codifica a α-sinucleína; no entanto, polimorfismos próximos a este gene parecem conferir risco aumentado. A relação entre inclusões citoplasmáticas gliais e doenças é apoiada pela observação de que o acúmulo de inclusões aumenta à medida que a doença progride, embora as inclusões eventualmente desapareçam conforme as células morrem nos estágios finais. Parece que as inclusões citoplasmáticas gliais podem ocorrer na ausência de perda neuronal, sugerindo que elas sejam o evento patológico primário; por exemplo, as inclusões citoplasmáticas gliais são consistentemente observadas na substância branca projetando-se para e do córtex motor. A origem da α-sinucleína em oligodendrócitos permanece desconcertante porque esta é uma proteína neuronal associada a vesículas sinápticas. Vários estudos mostraram que não há regulação positiva da expressão de α-sinucleína na substância branca ou em oligodendrócitos na AMS. Foi sugerido que os oligodendrócitos podem adquirir agregados de α-sinucleína secundariamente de neurônios lesados ou que estão morrendo. Quando presente em oligodendrócitos, a α-sinucleína os torna mais sensíveis ao estresse oxidativo e prejudica sua interação com a matriz extracelular.

> #### Morfologia
>
> Os achados patológicos da AMS correspondem à apresentação clínica em qualquer caso particular. Nas formas cerebelares, há atrofia do cerebelo, incluindo os pedúnculos cerebelares, ponte (especialmente a base, **Figura 28.40A**) e medula (especialmente o núcleo olivar inferior); nas formas parkinsonianas, a atrofia envolve a substância nigra e o núcleo estriado (especialmente o putame). Os sintomas autonômicos estão relacionados à perda de células dos núcleos catecolaminérgicos da medula e a coluna celular intermediolateral da medula espinal. As regiões atróficas do cérebro mostram evidências de perda neuronal bem como números variáveis de inclusões citoplasmáticas neuronal e nuclear.
>
> As inclusões citoplasmáticas gliais diagnósticas foram originalmente demonstradas em oligodendrócitos por métodos de impregnação pela prata e contêm α-sinucleína, bem como ubiquitina (**Figura 28.40B**). Inclusões semelhantes também podem ser encontradas no citoplasma de neurônios, em núcleos neuronais e gliais e em axônios.

Doença de Huntington

A doença de Huntington (DH) é uma doença autossômica dominante causada por degeneração de neurônios do núcleo estriado e caracterizada por um distúrbio progressivo do movimento e demência. Movimentos espasmódicos, hipercinéticos e, às vezes, distônicos envolvendo todas as partes do corpo (coreia) são característicos; os indivíduos afetados podem posteriormente desenvolver bradicinesia e rigidez. A doença é implacavelmente progressiva e uniformemente fatal, com um curso médio de cerca de 15 anos.

Patogênese

A DH é um protótipo das doenças de poliglutamina resultantes da expansão de repetições de trinucleotídios (ver **Capítulo 5**). O gene para DH, *HTT*, localizado no cromossomo 4p16.3, codifica uma proteína de 348 kDa conhecida como *huntingtina*. No primeiro éxon do gene, há um trecho de repetições CAG que codificam uma região de poliglutamina perto do N terminal da proteína. Genes *HTT* normais contêm 6 a 35 cópias da repetição; quando o número de repetições aumenta além deste nível, estão associadas à doença. Há uma relação inversa entre número de repetições e idade de início, de modo que repetições mais longas tendem a estar associadas a um início mais precoce. As expansões de repetições ocorrem durante a espermatogênese, de modo que a transmissão paterna está associada ao início precoce na próxima geração, um fenômeno denominado *antecipação*. Ao contrário de muitas outras doenças degenerativas, não existe forma esporádica

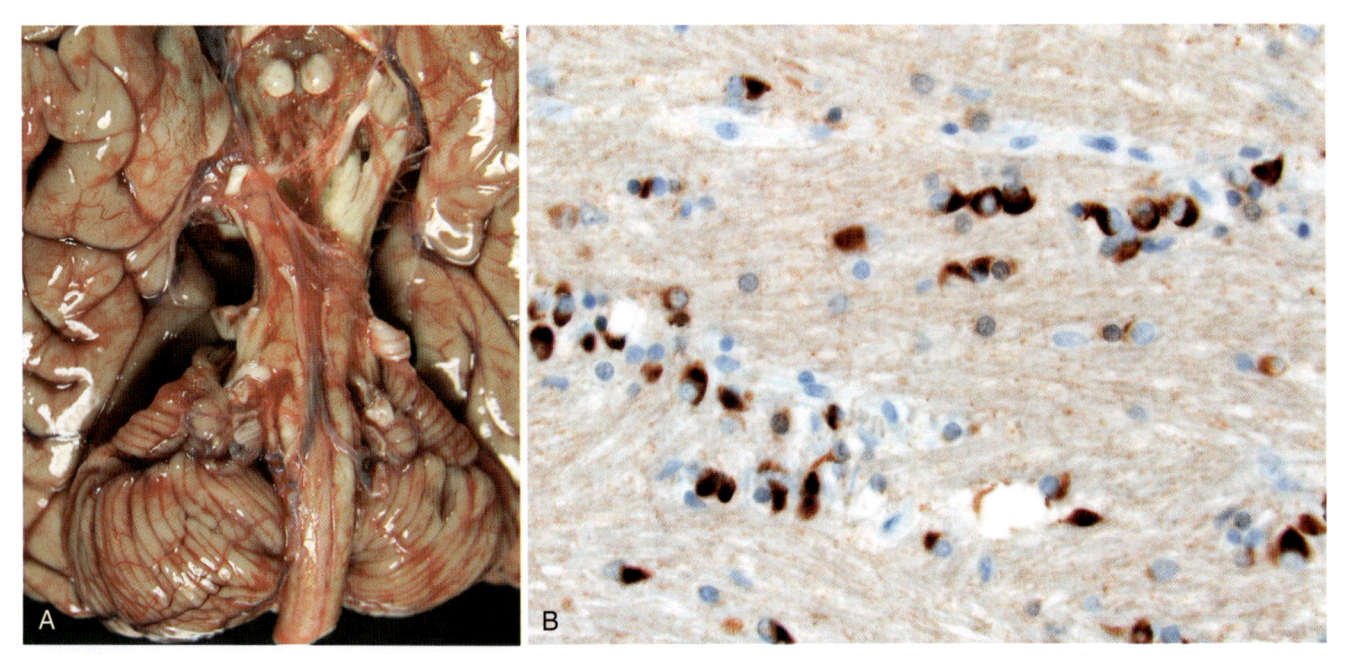

Figura 28.40 Atrofia de múltiplos sistemas (AMS). **A.** Atrofia grave da base da ponte em um caso de MSA-C. **B.** As inclusões em oligodendrócitos contêm α-sinucleína.

de DH. Novas mutações são incomuns; os casos aparentemente esporádicos são explicados por não paternidade, a morte do genitor antes que a doença se desenvolva ou um pai não afetado com uma expansão de repetição leve que aumenta para um nível patogênico durante a espermatogênese.

A função biológica da huntingtina normal permanece desconhecida, mas parece que a expansão da região de poliglutamina confere um ganho de função tóxico à huntingtina. Por esse motivo, várias abordagens para silenciar a expressão do alelo mutante estão sendo investigadas como potenciais terapias. É interessante notar que embora a huntingtina seja expressa em todos os tecidos do corpo, os efeitos deletérios da huntingtina mutante ocorrem apenas em partes selecionadas do sistema nervoso central.

Embora o desenvolvimento de inclusões intranucleares contendo huntingtina seja uma marca patológica da DH, este processo não está diretamente envolvido na lesão celular e, com base em evidências *in vitro*, na verdade parece ser neuroprotetor (entre os neurônios estriatais superexpressando a huntingtina mutante, aqueles que formam inclusões sobrevivem por mais tempo). Embora o mecanismo para este efeito neuroprotetor não esteja claro, é geralmente aceito que decorre do sequestro de formas neurotóxicas de huntingtina mutada. A desregulação transcricional foi implicada na DH com base na observação de que formas mutantes de huntingtina se ligam a vários reguladores transcricionais. Alguns dos fatores de transcrição que interagem com a huntingtina mutante estão envolvidos na biogênese mitocondrial e proteção contra lesão oxidativa. Além disso, sua atividade reduzida pode resultar em aumento da suscetibilidade ao estresse oxidativo. Outras alterações que podem contribuir para a patogênese da DH incluem expressão reduzida do fator neurotrófico derivado do cérebro (BDNF, *brain-derived neurotrophic factor*) e bloqueio das vias de degradação proteassomal e autofágica. Curiosamente, as evidências emergentes sugerem que a huntingtina agregada pode ser transferida entre células, outro exemplo de possível propagação do tipo príon de uma proteína patogênica.

Morfologia

O cérebro é pequeno e apresenta acentuada **atrofia do núcleo caudado e do putame**, componentes do núcleo estriado dorsal; o globo pálido pode sofrer atrofia secundária, enquanto o ventrículo lateral e o terceiro ventrículo estão dilatados (**Figura 28.41A**). Atrofia é também observada com frequência no lobo frontal, com menos frequência no lobo parietal e ocasionalmente em todo o córtex. No exame microscópico, há perda profunda de neurônios do núcleo estriado; as alterações mais marcantes são encontradas no núcleo caudado, especialmente na cauda e em porções mais próximas do ventrículo. As alterações patológicas se desenvolvem na direção medial-lateral do núcleo caudado e na direção dorsal-ventral do putame. Neurônios espinhosos de tamanho médio que usam ácido γ-aminobutírico como neurotransmissor, juntamente com encefalina, dinorfina e substância P, são especialmente afetados; a gliose fibrilar é mais extensa do que uma reação habitual de perda neuronal. Existe uma relação direta entre o grau de degeneração do núcleo estriado e a gravidade dos sintomas clínicos. Os agregados proteicos contendo huntingtina podem ser encontrados nos neurônios do núcleo estriado e no córtex cerebral (ver **Figura 28.41**, *detalhe*).

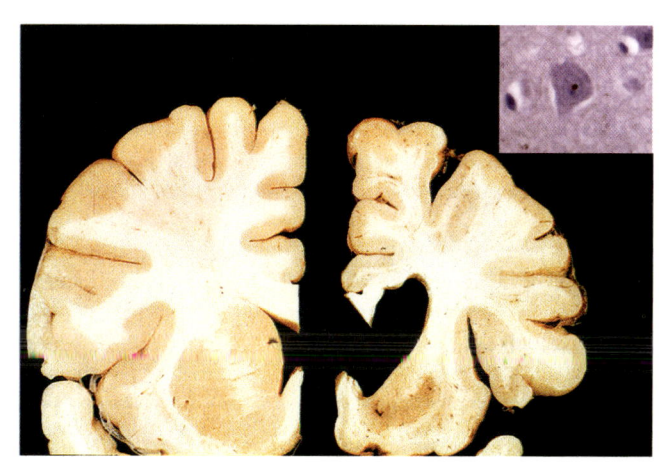

Figura 28.41 Doença de Huntington. Hemisfério normal *à esquerda*, em comparação com o hemisfério com doença de Huntington *à direita*, mostrando atrofia do corpo estriado e dilatação ventricular. *Detalhe*, inclusões intranucleares em neurônios são destacadas por uma coloração imuno-histoquímica para ubiquitina. (Cortesia do Dr. J-P Vonsattel, Columbia University, NY.)

Características clínicas

A perda de neurônios estriatais, que funcionam para suprimir a atividade motora, resulta em aumento da produção motora, que frequentemente se manifesta como coreoatetose. As mudanças cognitivas associadas à doença estão provavelmente relacionadas com a perda neuronal no córtex cerebral. A doença se manifesta mais comumente na quarta e quinta décadas de vida e está relacionada com o tamanho das repetições CAG no gene *HTT*. Os sintomas motores geralmente precedem o comprometimento cognitivo. O distúrbio de movimento da DH é coreiforme, com movimentos espasmódicos aumentados e involuntários de todas as partes do corpo; movimentos de contorção das extremidades são típicos. Os primeiros sintomas de disfunção cortical superior incluem esquecimento, bem como disfunção cognitiva e afetiva, com progressão para demência grave.

A causa imediata de morte mais comum em pacientes com DH é pneumonia, que geralmente ocorre em um estágio avançado estágio da doença. Tragicamente, os pacientes de DH recorrem ao suicídio a uma taxa que é aproximadamente o dobro da população em geral. Dada a capacidade de rastreamento das mutações causadoras da doença, pode-se supor que a triagem genética de indivíduos em risco seria rotineira; no entanto, esta é uma situação em que a capacidade de detectar a probabilidade de desenvolver a doença ultrapassou qualquer tratamento possível. Na falta de uma terapia eficaz e dada a natureza devastadora da doença, os aspectos éticos da triagem são discutíveis.

Degenerações espinocerebelares

A característica comum desse grupo de doenças degenerativas é que elas causam perda neuronal e disfunção no cerebelo, medula espinal e nervos periféricos. Em outros aspectos, elas são bastante heterogêneas, com diferenças na genética, idade de início, sinais e sintomas. A análise genética impactou a classificação dessas doenças, mas ainda não levou a uma visão mais clara de sua patogênese ou a tratamentos eficazes.

O termo *ataxia espinocerebelar* (AEC) é aplicado a um grupo de degenerações espinocerebelares autossômicas dominantes hereditárias. Também discutiremos brevemente a ataxia de Friedreich e a ataxia-telangiectasia, dois dos distúrbios autossômicos recessivos mais comuns caracterizados por degeneração espinocerebelar. Finalmente, há um pequeno conjunto de doenças hereditárias caracterizadas por episódios de ataxia ou outros sintomas de disfunção cerebelar isolada, que estão principalmente associados a mutações em genes para subunidades de canais iônicos.

Ataxias espinocerebelares

Este grupo de degenerações espinocerebelares é extraordinariamente heterogêneo. As classificações atuais que dependem de uma combinação de achados genéticos, clínicos e patológicos somam 35 subtipos distintos. Aqui nos concentramos nas variedades comuns de mutações patogênicas que são encontradas nas ataxias espinocerebelares (AEC).

Patogênese

Os genes responsáveis por mais da metade das inúmeras AEC têm sido identificados. Três tipos distintos de mutações patogênicas são reconhecidas:

- *Doenças de poliglutamina* ligadas à expansão de uma repetição CAG, semelhante a DH. Sete tipos de AEC são causados por este tipo de mutação e em cada um a proteína mutada se acumula nos neurônios como inclusões nucleares, sugerindo o envolvimento de mecanismos patogênicos discutidos anteriormente para a DH. O grupo das doenças poliglutamínicas inclui AEC1, AEC2, AEC3 (também conhecidas como *doença de Machado-Joseph*), AEC6, AEC7 (relativamente únicas porque incluem deficiência visual), AEC17 e atrofia dentatorubro-palidoluisiana
- *Expansão de repetições não codificantes*, semelhante à distrofia miotônica. Este mecanismo está envolvido em cinco formas de AEC (AEC8, AEC10, AEC12, AEC31 e AEC36); na maioria, o *locus* gênico subjacente à doença foi definido, e cada forma envolve um *locus* diferente. A conexão patogênica entre a expansão dessas repetições e a doença é obscura
- *Outras mutações*. As AEC restantes estão associadas a deleções, inserções e/ou mutações pontuais em uma variedade de genes que codificam proteínas envolvidas na transdução de sinal (p. ex., receptores, canais iônicos, quinases).

Ataxia de Friedreich

A ataxia de Friedreich é uma doença autossômica recessiva caracterizada por ataxia progressiva, espasticidade, fraqueza, neuropatia sensorial e cardiomiopatia. Geralmente começa na primeira década de vida com ataxia de marcha, seguida de falta coordenação nas mãos e disartria. Os reflexos tendinosos profundos estão deprimidos ou ausente, mas um reflexo plantar extensor está tipicamente presente. A posição das articulações e o sentido vibratório estão comprometidos, e às vezes há perda da sensação de dor, de temperatura e de tato superficial; muitos indivíduos afetados desenvolvem pés cavos e cifoescoliose. A maioria dos pacientes fica presa à cadeira de rodas dentro de cerca de 5 anos do início, e a expectativa de vida é normalmente limitada a 40 ou 50 anos. A cardiomiopatia que acompanha está associada a uma alta incidência de arritmias e insuficiência cardíaca congestiva, que contribuem para a morte da maioria dos indivíduos afetados. O diabetes concomitante é encontrado em até 25% dos pacientes.

A ataxia de Friedreich é causada pela expansão de uma repetição do trinucleotídio GAA no primeiro íntron de um gene no cromossomo 9q13 que codifica a frataxina, uma proteína encontrada na membrana interna da mitocôndria, onde está envolvida na montagem de agrupamentos enzimáticos ferro-enxofre dos complexos mitocondriais I e II. Os indivíduos afetados têm níveis extremamente baixos desta proteína e a gravidade do curso da doença pode se correlacionar melhor com a perda de frataxina do que com o tamanho da expansão de repetição GAA. Com a frataxina reduzida, há diminuição da fosforilação oxidativa mitocondrial (semelhante ao defeito nas encefalomiopatias mitocondriais) bem como aumento de ferro livre. A presença de ferro livre dentro das mitocôndrias pode contribuir para o estresse oxidativo. A maioria dos casos de ataxia de Friedreich está associada à expansão da repetição de GAA em ambos os alelos, mas às vezes um alelo tem uma expansão de repetição e o outro abriga uma mutação pontual. Ambos os padrões de herança são consistentes com a doença sendo decorrente da perda de função da frataxina.

Ataxia-telangiectasia

A ataxia-telangiectasia (ver **Capítulo 7**) é um distúrbio autossômico recessivo caracterizado por uma síndrome atáxica discinética que se inicia na primeira infância, com o desenvolvimento subsequente de telangiectasias na conjuntiva e na pele, juntamente com imunodeficiência. A gene mutado na ataxia-telangiectasia (*ATM*), localizado no cromossomo 11q22-q23, codifica uma quinase com papel crítico na orquestração da resposta celular a quebras de DNA de fita dupla. Além desta função celular crítica, os sinais mediados por ATM também regulam apoptose, manutenção de telômeros, homeostase mitocondrial, resposta ao estresse oxidativo e o sistema de degradação ubiquitina-proteossoma. Ainda não está claro qual dessas vias contribui para o fenótipo degenerativo observado no contexto de perda da proteína ATM em neurônios. Curiosamente, existem padrões comparáveis de neurodegeneração associados a outras doenças cujo reparo de quebras de DNA de fita simples é interrompido.

Características clínicas

A doença é inexoravelmente progressiva, com morte no início da segunda década. Os sintomas iniciais comuns são infecções sinopulmonares recorrentes e instabilidade ao caminhar; em estágios mais avançados, observa-se que a fala se torna disártrica e anormalidades de movimento dos olhos se desenvolvem. Muitos indivíduos afetados desenvolvem neoplasias linfoides, que são mais frequentemente leucemias de células T.

Esclerose lateral amiotrófica

A esclerose lateral amiotrófica (ELA) é um distúrbio progressivo em que há perda de neurônios motores superiores no córtex cerebral e de neurônios motores inferiores na medula espinal e tronco encefálico. A perda destes neurônios resulta em desnervação dos músculos, produzindo fraqueza que se torna profunda à medida que a doença progride. A doença tem uma incidência geral de cerca de 2 casos a cada 100 mil pessoas, afeta os homens um pouco mais frequentemente do que as mulheres e comumente surge na quinta década de vida ou mais tarde. A ELA esporádica é mais comum do que a ELA familiar, que pode representar até 20% dos casos.

Patogênese

Tanto a ELA esporádica quanto a familiar estão associadas a degeneração dos neurônios motores superiores e inferiores,

muitas vezes acompanhada do acúmulo de proteínas tóxicas. Cerca de duas dezenas de *loci* gênicos foram identificados como causadores de ELA e praticamente todos representam distúrbios autossômicos dominantes.

Uma das primeiras formas hereditárias de ELA descobertas tem mutações no gene que codifica a cobre-zinco superóxido dismutase (*SOD1*) no cromossomo 21; esta variante é responsável por cerca de 20% dos casos familiares. Inicialmente, a identificação de mutações em *SOD1* sugeriu que a lesão neuronal da ELA pode refletir um comprometimento da capacidade de eliminar radicais livres, mas agora se acredita que as mutações levam a um fenótipo de ganho de função adverso associado à proteína SOD1 mutante. Parece que a proteína SOD1 mutada se dobra incorretamente e forma agregados (que incluem proteínas de tipo selvagem), os quais causam lesão celular por meio de uma variedade de mecanismos postulados, como desregulação do catabolismo proteassomal e autofágico, bloqueio do transporte axonal e da função mitocondrial e sequestro de outras proteínas dentro dos agregados. O acúmulo de agregados de proteínas pode, eventualmente, desencadear a resposta à proteína mal enovelada, com iniciação subsequente de apoptose. A importância geral das vias de degradação de proteínas é reforçada pela descoberta de uma gama de mutações incomuns em genes implicados na degradação de proteínas que também estão associadas a ELA familiar.

A mutação mais comum que dá origem simultaneamente a ELA e DLFT é uma expansão de repetição de um hexanucleotídio na região 5' não traduzida de um transcrito de função desconhecida, *C9orf72*. Estima-se que essa mutação seja a base de até 40% de ELA familiar e uma fração menor do que parecem ser casos esporádicos de ELA. A tradução não iniciada por AUG (em todos os três quadros de leitura) pode ocorrer a partir destas expansões de repetições e depósitos neuronais dos peptídeos derivados foram encontrados no contexto da mutação. Não está claro o quanto esses novos agregados peptídicos contribuem para a lesão.

Outros *loci* gênicos que causam ELA e DLFT codificam proteínas de grânulos de estresse com capacidade de ligação ao RNA, como TDP-43 e FUS. A ligação subjacente entre alterações em proteínas ligantes de RNA e as manifestações de doenças dos neurônios motores permanece obscura; possivelmente, a depleção nuclear de TDP-43 resulta no processamento inadequado de alguns RNAs, enquanto a agregação da proteína no citoplasma ativa a resposta a proteínas mal enoveladas, comum a muitas proteinopatias.

Morfologia

As raízes anteriores da medula espinal são finas (**Figura 28.42A**) devido à perda de axônios do neurônio motor inferior e o giro motor pré-central do córtex pode ser atrófico em casos especialmente graves. Há uma redução no número de neurônios do corno anterior ao longo de todo o comprimento da medula espinal, associada a gliose reacional. Achados semelhantes são observados nos núcleos dos nervos cranianos hipoglosso, ambíguo e motor do trigêmeo. Os neurônios restantes frequentemente contêm inclusões citoplasmáticas PAS-positivas chamadas corpúsculos de Bunina (que parecem ser remanescentes de vacúolos autofágicos) e inclusões citoplasmáticas TDP-43-positivas (que são vistas em casos esporádicos e casos familiares causados por mutações nos genes *C9orf72* e da TDP-43 [*TARDBP*], mas estão ausentes em casos *SOD1*-mutante e *FUS*-mutante). Os músculos esqueléticos inervados pelos neurônios motores inferiores

degenerados mostram atrofia neurogênica. A perda dos neurônios motores superiores leva à degeneração dos tratos corticospinais, resultando em perda de volume e ausência de fibras mielinizadas, o que pode ser particularmente evidente nos níveis segmentares inferiores (**Figura 28.42B**).

Características clínicas

Os sintomas precoces de ELA incluem fraqueza assimétrica das mãos, que se manifestam como queda de objetos e dificuldade de realizar tarefas motoras finas, cólicas e espasticidade dos braços e pernas. Conforme a doença progride, a força e o volume musculares diminuem e ocorrem contrações involuntárias de unidades motoras individuais, denominadas fasciculações. A doença eventualmente envolve os músculos respiratórios, levando a episódios recorrentes de pneumonia. Embora os indivíduos mais afetados tenham uma combinação de envolvimento de neurônios motores superiores e inferiores, outros padrões são observados. O termo *atrofia muscular progressiva* se aplica aos casos incomuns cujo envolvimento de neurônios motores inferiores predomina, enquanto *esclerose lateral primária* refere-se aos casos com envolvimento principal de neurônios motores superiores. Em

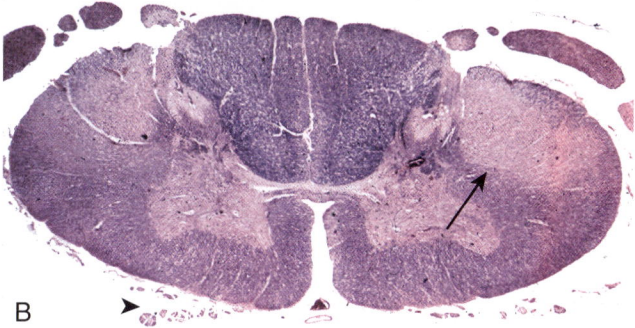

Figura 28.42 Esclerose lateral amiotrófica. **A.** Segmento da medula espinal visto das superfícies anterior (*superior*) e posterior (*inferior*) mostrando atenuação das raízes anteriores (motoras) em comparação com as raízes posteriores (sensoriais). **B.** Medula espinal mostrando perda de fibras mielinizadas (falta de coloração) nos tratos corticospinais (melhor vista no lado direito desta amostra; *seta*), bem como degeneração das raízes anteriores (*ponta de seta*).

alguns indivíduos afetados, a degeneração dos núcleos motores cranianos do tronco encefálico inferior ocorre cedo e progride rapidamente, um padrão conhecido como *paralisia bulbar progressiva* ou *ELA bulbar*. Nesses indivíduos, anormalidades de deglutição e fala predominam, e o curso clínico é inexorável durante um período de 1 ou 2 anos. Quando o envolvimento bulbar é menos grave, cerca de metade dos indivíduos afetados sobrevivem 2 anos após o diagnóstico. Os neurônios motores que inervam os músculos extraoculares estão entre os últimos a serem afetados pela ELA; porém, em casos de sobrevivência por tempo prolongado, geralmente associados ao uso de suporte ventilatório, mesmo esse tipo de neurônio motor falha. Casos familiares desenvolvem sintomas mais precocemente do que a maioria dos casos esporádicos, embora o curso clínico seja comparável.

Embora a ELA seja considerada uma doença do sistema motor, uma fração significativa dos indivíduos afetados tem evidências de doença cortical cerebral mais disseminada. A apresentação clínica da doença cerebral é geralmente demência frontotemporal, com achados patológicos que com grande frequência correspondem àqueles encontrados na DLFT associada a inclusões de TDP-43. A ligação mecanística entre esses dois processos é mais fortalecida pela presença de inclusões contendo TDP-43 em muitos casos de ELA, bem como sobreposição de alterações genéticas em ELA e DLFT.

Outras doenças dos neurônios motores

Além da ELA, os neurônios motores são o alvo principal em algumas outras doenças neurodegenerativas com etiologia e patogênese distintas.

Atrofia muscular espinal e bulbar (doença de Kennedy)

Esta doença de expansão de repetições de poliglutamina ligada ao X é caracterizada por amiotrofia distal de membros e sinais bulbares, como atrofia e fasciculações da língua e disfagia, que estão associadas a degeneração de neurônios motores inferiores da medula espinal e tronco encefálico. A expansão de repetições ocorre no primeiro éxon do receptor de andrógenos e resulta em insensibilidade a andrógenos, ginecomastia, testicular atrofia e oligospermia. A base para o envolvimento seletivo dos neurônios motores não está clara, mas como em outras doenças de expansão de poliglutaminas, como a DH e algumas formas de atrofia espinocerebelar, há presença de inclusões intranucleares que contêm a proteína envolvida. A progressão da doença é lenta e os indivíduos mais afetados permanecem em observação ambulatorial até tarde no curso da doença. A expectativa de vida é normal.

Atrofia muscular espinal

A atrofia muscular espinal (AME) inclui um grupo de distúrbios da infância geneticamente ligados, caracterizados pela perda acentuada de neurônios motores inferiores que resulta em fraqueza progressiva. A forma mais grave (AME tipo I, ou doença de Werdnig-Hoffmann) se manifesta durante o primeiro ano de vida e geralmente é fatal por volta de 2 anos. Outras formas, com início mais tardio, apresentam cursos mais graduais; na AME tipo III (doença de Kugelberg-Welander), a deficiência motora geralmente surge durante o fim da infância e adolescência.

A gravidade da AME está relacionada à perda de uma proteína (denominada SMN) que está envolvida na montagem do spliceossomo. A maior parte das proteínas SMN vem de transcritos de mRNA derivados do gene *SMN1* localizado no cromossomo 5q.

Há um gene adjacente, *SMN2*, que difere por alguns pares de bases; essas mudanças alteram o processamento (*splicing*) do mRNA e aumentam a produção da proteína SMN que é instável e rapidamente degradada. *SMN2* é um exemplo de gene que mostra variação do número de cópias, de modo que indivíduos normais podem ter uma ou várias cópias de *SMN2* em cada cromossomo 5. Todas as formas de AME são causadas por mutações de perda de função em *SMN1* (geralmente deleções), com as diferenças no fenótipo clínico sendo determinadas pelo número de cópias do gene *SMN2*. Uma nova terapia gênica para AME já está disponível e usa um vírus adenoassociado para expressar SMN em neurônios motores, embora a um custo de mais de 2 milhões de dólares. Terapias gênicas que alteram o processamento de transcritos derivados de *SMN2* também foram aprovadas para o tratamento desta doença devastadora.

> ### Conceitos-chave
> #### Doenças neurodegenerativas
>
> - As doenças neurodegenerativas são caracterizadas por perda neuronal progressiva envolvendo circuitos neuronais específicos e regiões cerebrais. A maioria dessas doenças está associada ao acúmulo de agregados de proteínas anormais, normalmente na forma de inclusões celulares. O fenótipo da doença reflete os padrões de envolvimento cerebral e não o tipo de inclusão
> - Essas doenças podem ser agrupadas pela apresentação clínica em demências, distúrbios hipocinéticos do movimento, distúrbios hipercinéticos do movimento, ataxias cerebelares e doenças dos neurônios motores
> - As doenças causadas por príons podem ser esporádicas, familiares ou transmissíveis. Independentemente da causa, a doença é impulsionada pela conversão de uma proteína celular normal (PrP^c) em uma proteína de conformação anormal (PrP^{sc}), com a aquisição de características distintas incluindo resistência relativa à digestão por proteases, autopropagação e a capacidade de se disseminar. A apresentação clínica mais comum é a demência rapidamente progressiva
> - Entre as demências, a doença de Alzheimer (com placas de Aβ e emaranhados de tau) é a mais comum; outras doenças predominantemente causadoras de demência incluem as várias formas de degeneração lobar frontotemporal (geralmente com inclusões contendo TDP-43 ou tau) e demência com corpos de Lewy (com inclusões de α-sinucleína)
> - Entre os distúrbios hipocinéticos do movimento, a doença de Parkinson é o mais comum (novamente com inclusões contendo α-sinucleína); outras doenças com parkinsonismo incluem paralisia supranuclear progressiva e degeneração corticobasal (ambas formas de tauopatia)
> - A esclerose lateral amiotrófica é a forma mais comum de doença dos neurônios motores, com diversas causas genéticas, bem como formas esporádicas.

Doenças genético-metabólicas

Os distúrbios genéticos que perturbam os processos metabólicos em neurônios e células da glia normalmente se apresentam no início da vida e são frequentemente implacavelmente progressivos. Alguns desses distúrbios manifestam-se no período pós-natal imediato, enquanto outros surgem mais tarde na vida. Em geral, as doenças metabólicas com início precoce tendem a apresentar um curso clínico mais rápido e agressivo.

Este grupo heterogêneo de distúrbios pode ser organizado com base nas organelas ou no tipo de célula afetada, e pela distribuição anatômica da doença, como segue:

- As *doenças de armazenamento neuronal* são distúrbios predominantemente autossômicos recessivos causados pela deficiência de uma enzima ou proteína de tráfego que é necessária para o catabolismo de esfingolipídeos (incluindo os gangliosídeos), mucopolissacarídeos ou mucolipídeos.
- As *leucodistrofias* são, em sua maioria, distúrbios autossômicos recessivos causados por mutações em genes que codificam enzimas envolvidas na síntese ou catabolismo de mielina.
- As *encefalomiopatias mitocondriais* são distúrbios de fosforilação oxidativa que muitas vezes afetam múltiplos tecidos, incluindo o músculo esquelético (ver **Capítulo 27**). Esses distúrbios podem ser causados por mutações nos genomas mitocondriais ou nucleares.

Doenças de armazenamento neuronal

Esses distúrbios são caracterizados pelo acúmulo de material de armazenamento dentro dos neurônios, normalmente seguido por morte neuronal. As manifestações neurológicas resultantes desta disfunção ou morte neuronal são mais frequentemente convulsões e perda generalizada da função neurológica. Embora muitos desses distúrbios estejam associados a déficits de enzimas específicas, outros parecem ser causados por defeitos no tráfego de proteínas ou lipídios dentro dos neurônios. Esta é uma grande classe de distúrbios, com heterogeneidade genética mesmo dentro de entidades clinicamente homogêneas. Algumas doenças desta categoria (doenças de Tay-Sachs e Niemann-Pick, mucopolissacaridoses e outras) são descritas em mais detalhes no **Capítulo 5**.

Leucodistrofias

Esses distúrbios são causados por mutações de genes cujos produtos estão envolvidos na geração, renovação ou manutenção da mielina. A função cerebral normal depende tanto das conexões entre os neurônios quanto da integridade dos próprios neurônios. Portanto, o dano progressivo e cumulativo aos axônios mielinizados nas leucodistrofias tem consequências devastadoras. Diversas características clínicas separam essas leucodistrofias desmielinizantes de doenças desmielinizantes, como a EM: as leucodistrofias tipicamente se apresentam com uma perda insidiosa e progressiva da função cerebral, muitas vezes em idades mais jovens, e estão associadas a alterações difusas e simétricas em estudos de imagem. Embora muitas das leucodistrofias sejam causadas por defeitos de uma única enzima que resultam em alterações do metabolismo de lipídios associados a mielina, uma variedade de outras alterações genéticas podem causar doenças da substância branca. Os exemplos a seguir são representativos deste espectro de distúrbios:

- A *doença de Krabbe* é uma leucodistrofia autossômica recessiva resultante de uma deficiência de galactocerebrosídeo β-galactosidase, a enzima necessária para o catabolismo de galactocerebrosídeo em ceramida e galactose. Como uma consequência do catabolismo comprometido de galactocerebrosídeo no cérebro, uma via catabólica alternativa desvia galactocerebrosídeo para galactosilsfingosina; níveis elevados deste composto são tóxicos para oligodendrócitos e astrócitos.

O curso clínico é rapidamente progressivo, com início dos sintomas (dominado por sinais motores, como como rigidez e fraqueza) entre 3 e 6 meses de vida; a sobrevida além dos 2 anos é rara. O cérebro apresenta perda de mielina e oligodendrócitos (**Figura 28.43**); um processo semelhante afeta os nervos periféricos. Os neurônios e os axônios são relativamente poupados. Uma característica única e diagnóstica da doença de Krabbe é a agregação de macrófagos ingurgitados (*células globoides*) no parênquima cerebral e ao redor dos vasos sanguíneos (**Figura 28.43**, *detalhe*)

- A *leucodistrofia metacromática* é uma doença autossômica recessiva que resulta de uma deficiência da enzima lisossomal arilsulfatase A. Essa enzima, presente em uma variedade de tecidos, cliva o sulfato dos lipídios contendo sulfato (sulfatídeos) como o primeiro passo de sua degradação. A deficiência da enzima, portanto, leva a um acúmulo de sulfatídeos, especialmente o sulfato de cerebrosídeo, que são tóxicos para a substância branca. O achado histológico mais marcante é a desmielinização que resulta em gliose. Os macrófagos com citoplasma vacuolado estão espalhados por toda a substância branca. Os vacúolos ligados à membrana contêm estruturas cristaloides complexas compostas por sulfatídeos; quando ligados a certos corantes, como o azul de toluidina, os sulfatídeos deslocam o espectro de absorbância do corante, uma propriedade chamada *metacromasia*. Um material metacromático semelhante pode ser detectado em nervos periféricos e na urina, este último sendo um método sensível de estabelecer o diagnóstico.

- A *adrenoleucodistrofia* é uma doença recessiva ligada ao X causada por mutações de perda de função em *ABCD1*, que codifica uma proteína transportadora de cassete de ligação a ATP necessária para o transporte de ácidos graxos para os peroxissomos. Na forma típica, os meninos jovens apresentam

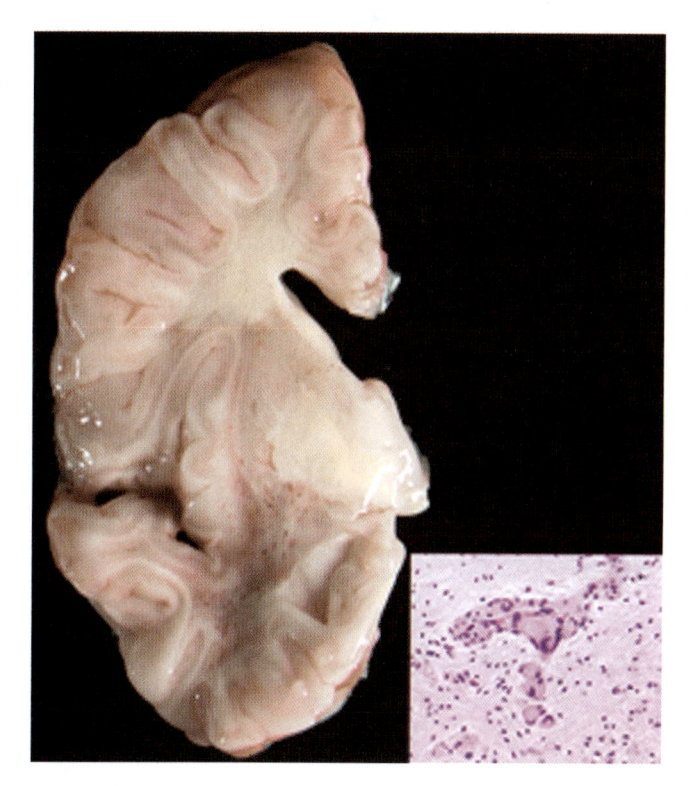

Figura 28.43 Doença de Krabbe. A maior parte da substância branca está cinza-amarelada devido à perda de mielina. *Detalhe*, as células "globoides" são a marca registrada da doença.

alterações comportamentais e insuficiência adrenal. A perda de ABCD1 leva a uma incapacidade de catabolizar ácidos graxos de cadeia muito longa dentro dos peroxissomos, resultando em níveis séricos elevados desses lipídios. Os sintomas resultam de uma doença progressiva do SNC, nervo periférico e adrenal. Na substância branca, a perda de mielina é acompanhada por gliose e extensa infiltração linfocítica. A atrofia cortical adrenal explica o hipocortisolismo.

Uma ampla gama de outras leucodistrofias é reconhecida, algumas com defeitos no metabolismo lipídico. Vários outros mecanismos de lesão da substância branca foram identificados, incluindo mutações patogênicas em genes que codificam proteínas necessárias para a formação da mielina (*doença de Pelizaeus-Merzbacher*), da proteína de filamento intermediário GFAP (*doença de Alexander*), ou do fator de iniciação da tradução eIF2B (*leucoencefalopatia com substância branca evanescente*).

Encefalomiopatias mitocondriais

Distúrbios de geração de energia podem causar uma série de doenças neurológicas, muitas vezes em associação com anormalidades em outros tecidos. Embora muitas doenças hereditárias de fosforilação oxidativa mitocondrial se apresentem como doenças do músculo (ver **Capítulo 27**), a dependência crítica dos neurônios na fosforilação oxidativa para geração de ATP se reflete no frequente envolvimento do SNC.

O genoma mitocondrial, que é inteiramente herdado da mãe, codifica apenas 13 proteínas, 22 RNAt e dois RNAr. As proteínas restantes que são necessárias para estrutura e função mitocondrial são codificadas pelo genoma nuclear. Assim, alguns distúrbios mitocondriais apresentam transmissão materna porque os genes afetados estão no genoma mitocondrial, enquanto outros não estão. Há uma complexa relação genótipo-fenótipo nestes distúrbios: a mesma mutação pode se manifestar como fenótipos diferentes, enquanto o mesmo fenótipo pode ser causado por diferentes mutações.

Uma doença mitocondrial crítica é a *heteroplasmia*, definida como a presença de genomas mitocondriais do tipo selvagem e mutado em diferentes populações de mitocôndrias em células individuais. Como as mitocôndrias são distribuídas de uma forma mais ou menos aleatória quando as "células-mãe" se dividem, as células filhas podem herdar diferentes proporções de mitocôndrias funcionais e disfuncionais, levando a uma ampla variação célula a célula na expressão da doença. Em geral, os distúrbios mitocondriais do SNC têm os neurônios como alvo seletivo; o comprometimento da geração de energia frequentemente se reflete em níveis elevados de lactato tecidual, que podem ser demonstrados por métodos de espectroscopia de imagem. Em nível histológico, pode haver perda de atividade enzimática do citocromo C oxidase, que pode ser avaliada por colorações histoquímicas especiais.

Algumas das encefalopatias mitocondriais mais reconhecidas incluem as seguintes entidades:

- A *encefalomiopatia mitocondrial, acidose láctica e episódios simulares a acidente vascular encefálico (MELAS, mitochondrial encephalomyopathy, lactic acidosis, and strokelike episodes)* é caracterizada por episódios recorrentes de disfunção neurológica aguda, alterações cognitivas, fraqueza muscular e acidose láctica. Os episódios semelhantes a acidente vascular encefálico estão frequentemente associados a déficits reversíveis que não correspondem a territórios vasculares específicos. Patologicamente, áreas de infarto são observadas, às vezes com proliferação e calcificação focal. A mutação mais comum observada na MELAS está no gene que codifica o RNAt-leucina mitocondrial (*MTTL1*)
- A *epilepsia mioclônica com fibras vermelhas rasgadas (MERRF, myoclonic epilepsy with ragged red fibers)* é uma doença de transmissão materna em que os indivíduos afetados apresentam mioclonia (um distúrbio convulsivo) e uma miopatia caracterizada por fibras vermelhas rasgadas (rotas) na biopsia muscular (ver **Capítulo 27**). A ataxia, associada a perda neuronal do sistema cerebelar, também é comum. A maioria dos casos de MERRF está associada a mutações nos genes de RNAt mitocondriais
- A *síndrome de Leigh* é uma doença da infância caracterizada por acidose láctica, atraso do desenvolvimento psicomotor, problemas de alimentação, convulsões, paralisias extraoculares e fraqueza com hipotonia; a morte geralmente ocorre dentro de 1 a 2 anos. No exame histológico, há regiões de destruição multifocal do tecido cerebral associadas a uma aparência espongiforme e proliferação vascular. Os núcleos do tronco encefálico, o tálamo e o hipotálamo estão normalmente envolvidos, em geral de maneira simétrica. Um amplo espectro de mutações do DNA nuclear e mitocondrial foram identificadas.

> **Conceitos-chave**
>
> **Doenças genético-metabólicas**
>
> - Mutações que perturbam as vias metabólicas ou de síntese podem afetam o sistema nervoso. Essas vias podem envolver processos celulares gerais ou aqueles que são relativamente específicos para o sistema nervoso
> - As doenças com início precoce são geralmente mais graves no grau dos danos e ritmo da doença
> - As doenças de armazenamento neuronal são geralmente distúrbios autossômicos recessivos. O achado característico é o acúmulo de material dentro dos neurônios, em conjunto com evidências de morte neuronal
> - As leucodistrofias também são tipicamente distúrbios autossômicos recessivos associados ao bloqueio da síntese ou renovação de componentes da mielina
> - As encefalomiopatias mitocondriais são um conjunto pleiotrópico de distúrbios que envolvem neurônios e tecidos fora do sistema nervoso. Essas doenças podem ser causadas por mutações nos genomas nuclear ou mitocondrial.

Doenças metabólicas tóxicas e adquiridas

As doenças metabólicas tóxicas e adquiridas são causas relativamente comuns de doenças neurológicas. Essas doenças são discutidas no **Capítulo 9**; apenas aspectos relevantes para a patologia do SNC são apresentados aqui.

Deficiências de vitaminas

O tecido neural tem uma demanda metabólica muito alta e é, portanto, afetado principalmente por deficiências de vitaminas B, que desempenham um papel fundamental no metabolismo celular; duas síndromes clínico-patológicas distintas são reconhecidas.

Deficiência de tiamina (vitamina B₁)

A doença neurológica clássica resultante da deficiência de tiamina é chamada *síndrome de Wernicke-Korsakoff* e consiste em duas manifestações relacionadas. A *encefalopatia de Wernicke* é caracterizada por psicose aguda e oftalmoplegia. Esses sintomas são reversíveis quando tratados com tiamina. No entanto, se não forem reconhecidos e tratados, eles podem ser seguidos por uma condição prolongada e amplamente irreversível (*síndrome de Korsakoff*) marcada por distúrbios da memória a curto prazo e confabulação. A síndrome é particularmente comum no contexto de alcoolismo crônico, mas também pode ser encontrada em indivíduos com deficiência de tiamina resultante de distúrbios gástricos, incluindo carcinoma, gastrite crônica ou vômito persistente.

> **Morfologia**
>
> Na encefalopatia de Wernicke, existem focos de hemorragia e necrose nos corpos mamilares e nas paredes do terceiro e quartos ventrículos. As lesões iniciais mostram capilares dilatados com células endoteliais proeminentes; posteriormente, os capilares se tornam permeáveis, produzindo áreas hemorrágicas. Com o tempo, há infiltração de macrófagos e desenvolvimento de um espaço cístico contendo macrófagos carregados de hemossiderina. Essas lesões crônicas predominam em indivíduos com síndrome de Korsakoff. As lesões no núcleo dorsomedial do tálamo parecem se correlacionar melhor com o distúrbio de memória e confabulação.

Deficiência de vitamina B₁₂

A *degeneração subaguda combinada da medula espinal* é causada por deficiência de vitamina B_{12} e marcada pela degeneração dos tratos espinais ascendentes e descendentes. As lesões resultam de um defeito na formação da mielina; o mecanismo desse defeito não é conhecido. Os sintomas podem se manifestar ao longo de um algumas semanas, inicialmente com dormência bilateral simétrica, formigamento e ligeira ataxia nas extremidades inferiores, que podem progredir e incluir fraqueza espástica das extremidades inferiores. Pode ocorrer paraplegia completa, geralmente nas fases avançadas da doença. O início imediato da terapia de reposição vitamínica promove melhora clínica; no entanto, a recuperação é limitada caso a paraplegia completa tenha se desenvolvido. No exame microscópico, há edema das camadas de mielina, produzindo vacúolos nos tratos afetados; com o tempo, os axônios também se degeneram. Nos estágios iniciais da doença, o nível torácico médio da medula espinal é preferencialmente afetado, a partir do qual o processo pode se estender proximal e distalmente.

Sequelas neurológicas de distúrbios metabólicos

Hipoglicemia

Como o cérebro requer glicose e oxigênio para sua produção de energia, os efeitos celulares da diminuição de glicose assemelham-se aos da privação de oxigênio, descritos anteriormente. Algumas regiões do cérebro são mais sensíveis à hipoglicemia do que outras. A privação de glicose inicialmente provoca lesão em grandes neurônios piramidais do córtex cerebral, que, quando grave, pode resultar em necrose pseudolaminar do córtex, predominantemente envolvendo camadas profundas. O setor de Sommer (área CA1) do hipocampo também é vulnerável, assim como as células de Purkinje do cerebelo, embora em menor grau do que com hipoxia. Se o nível e a duração da hipoglicemia forem graves o suficiente, pode ocorrer lesão generalizada em muitas áreas do cérebro.

Hiperglicemia

A hiperglicemia, mais comumente encontrada no contexto de diabetes melito inadequadamente controlada e associada a cetoacidose ou coma hiperosmolar, não provoca alterações morfológicas significativas no cérebro. O indivíduo afetado fica desidratado e desenvolve confusão, estupor e eventualmente coma. A depleção de líquidos deve ser corrigida gradualmente, caso contrário pode ocorrer edema cerebral grave.

Encefalopatia hepática

A encefalopatia encontrada no contexto de insuficiência da função hepática (ver **Capítulo 18**) é acompanhada por uma resposta glial dentro do SNC. Elevados níveis de amônia, bem como de citocinas pró-inflamatórias, parecem ser os mediadores críticos envolvidos. Astrócitos com núcleos aumentados e citoplasma mínimo, conhecidos como células de Alzheimer tipo II, aparecem no córtex cerebral, gânglios da base e outras regiões de substância cinzenta subcortical.

Distúrbios tóxicos

As lesões celulares e teciduais causadas por agentes tóxicos são discutidas no **Capítulo 9**. Aspectos de vários distúrbios tóxicos importantes que são de importância neurológica única são discutidos aqui.

Monóxido de carbono

Muitos dos achados patológicos que seguem a exposição aguda ao monóxido de carbono são o resultado do comprometimento da capacidade de transportar oxigênio da hemoglobina. Além disso, o monóxido de carbono pode interagir com o heme da citocromo C oxidase, inibindo a utilização tecidual de oxigênio por bloqueio do transporte de elétrons na mitocôndria. A lesão seletiva dos neurônios nas camadas III e V do córtex cerebral, setor de Sommer do hipocampo e células de Purkinje são características. Um padrão único de necrose bilateral do globo pálido também pode ocorrer. A desmielinização de tratos da substância branca pode ser um evento tardio.

Etanol

Os efeitos da intoxicação aguda por etanol são reversíveis, mas o uso abusivo crônico de álcool está associado a uma variedade de sequelas neurológicas, incluindo a síndrome de Wernicke-Korsakoff de deficiência de tiamina (ver anteriormente). Os efeitos tóxicos da ingestão crônica de álcool podem ser diretos ou secundários a déficits nutricionais. A disfunção cerebelar ocorre em cerca de 1% dos alcoólatras crônicos e está associada a uma síndrome clínica de ataxia troncular, marcha instável e nistagmo. As alterações histológicas são atrofia e perda de células granulares, predominantemente no verme anterior superior (**Figura 28.44**). Em casos avançados, há perda de células de Purkinje e proliferação dos astrócitos adjacentes (*gliose de Bergmann*) entre a camada de células granulares depletadas e a camada molecular do cerebelo. A síndrome alcoólica fetal é discutida no **Capítulo 10**.

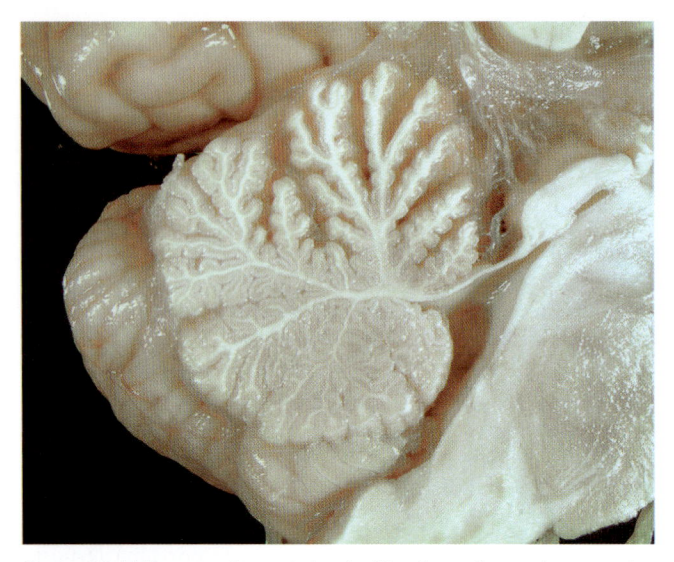

Figura 28.44 Degeneração cerebelar alcoólica. A porção anterior e superior do verme (*porção superior da figura*) está atrófica, com alargamento dos espaços entre as folhas cerebelares.

Radiação

A exposição do cérebro à radiação pode ocorrer acidentalmente ou como parte de regimes terapêuticos para tratamento de tumores. Conforme discutido no **Capítulo 9**, exposição a doses muito altas de radiação (> 10 Gy) pode causar náuseas intratáveis, confusão, convulsões e rápida evolução para o coma, seguida de morte. Os efeitos retardados da radiação também podem se apresentar com sintomas de evolução rápida, incluindo cefaleias, náuseas, vômitos e papiledema, que pode aparecer meses a anos após a irradiação.

Os achados patológicos consistem em grandes áreas de necrose coagulativa, principalmente na substância branca, com todos os elementos teciduais dentro da área afetada. Isso é acompanhado por edema acentuado e gliose no tecido circundante, em conjunto com necrose vascular fibrinoide e esclerose. A combinação de radiação e metotrexato, administrados simultaneamente ou sequencialmente, pode agir sinergicamente para causar lesão tecidual; neste contexto, o padrão de lesão é semelhante em aparência àquele causado somente pela radiação. Os axônios e os corpos celulares na vizinhança das lesões induzidas por radiação sofrem mineralização distrófica. A radiação também pode induzir tumores, que geralmente se desenvolvem anos após a radioterapia e incluem sarcomas, gliomas e meningiomas.

Conceitos-chave

Doenças metabólicas tóxicas e adquiridas

- Certas deficiências de vitaminas resultam em doenças neurológicas, bem como em distúrbios sistêmicos, com deficiências de tiamina e de vitamina B_{12} sendo as mais comuns
- A demanda metabólica do SNC o torna altamente suscetível a lesões por hipoglicemia e envenenamento por monóxido de carbono
- A exposição crônica ao álcool pode resultar em diversas formas de lesão cerebral; atrofia do verme cerebelar anterior superior é particularmente característica
- Os distúrbios metabólicos podem comprometer a função cerebral, muitas vezes sem alterações morfológicas detectáveis.

Neoplasias

A incidência anual de neoplasias do SNC varia de 10 a 17 por 100 mil pessoas para neoplasias intracranianas e de 1 a 2 por 100 mil pessoas para neoplasias intraespinais, sendo a maioria delas primária. As neoplasias do SNC correspondem a quase 20% de todos os cânceres infantis. Setenta por cento das neoplasias infantis do SNC surgem na fossa posterior e um número comparável de neoplasias em adultos, no interior dos hemisférios cerebrais, acima do tentório.

Embora os patologistas tenham desenvolvido esquemas de classificação que distinguem entre lesões benignas e malignas com bases histológicas, o curso clínico de um paciente com neoplasia cerebral é fortemente influenciado pelos padrões de crescimento e localização. Assim, mesmo neoplasias benignas e neoplasias malignas de baixo grau podem levar a déficits clínicos graves e podem ser fatais. Em decorrência da capacidade dos gliomas difusos para se infiltrar amplamente no parênquima cerebral, tais neoplasias não são passíveis de ressecção cirúrgica completa sem comprometer a função neurológica. Além disso, qualquer neoplasia do SNC, independentemente do grau histológico ou classificação, pode ser letal se situada em uma região crítica do cérebro; por exemplo, um meningioma benigno da fossa posterior pode causar parada cardiorrespiratória por compressão de centros vitais na medula. Mesmo os gliomas mais altamente malignos raramente sofrem metástase para fora do SNC. Algumas neoplasias pediátricas malignas se espalham pelo LCR quando invadem o espaço subaracnoide, resultando em disseminação cerebrospinal distante da localização original.

A classificação das neoplasias é uma das artes da patologia, se inspirando em características histológicas e biológicas há muito reconhecidas e análises moleculares mais recentes. Os protocolos de tratamento e os ensaios clínicos são atualmente baseados na classificação da Organização Mundial da Saúde (OMS) de 2016, que separa as neoplasias em um dentre quatro classes de acordo com seu comportamento biológico, variando do I ao IV. Como a maioria dos cânceres, neoplasias cerebrais malignas tende a progredir e se tornar mais agressiva com o tempo devido à evolução clonal, uma alteração no comportamento que muitas vezes se reflete em uma mudança para um grau tumoral superior (que, neste caso, também significa um novo nome).

As principais classes de neoplasias cerebrais primárias a serem consideradas aqui incluem gliomas, neoplasias neuronais/glioneuronais, neoplasias embrionárias e algumas categorias menos comuns. Além disso, neoplasias meníngeas e síndromes neoplásicas familiares serão cobertas.

Gliomas

Os gliomas, grupo mais comum de neoplasias cerebrais primárias, incluem *astrocitomas, oligodendrogliomas* e *ependimomas*. Esses tipos têm características histológicas típicas que constituem a base para sua classificação. No entanto, assim como acontece para muitas malignidades hematológicas (ver **Capítulo 13**), parece que são derivadas de uma célula progenitora multipotente que se diferencia preferencialmente em uma determinada linhagem celular. Muitas neoplasias do SNC têm uma predileção por regiões anatômicas específicas dentro do cérebro e tendem a ocorrer em faixas etárias determinadas.

Astrocitoma

As duas categorias principais de neoplasias astrocíticas são os **astrocitomas disfusamente infiltrativos** (grau II a IV da OMS) e os astrocitomas mais localizados, cujo exemplo mais comum é o astrocitoma pilocítico (grau I da OMS). Os astrocitomas podem ocorrer a partir da primeira década de vida em diante e podem ser encontrados em qualquer lugar ao longo do eixo neural dos hemisférios cerebrais à medula espinal.

Astrocitomas infiltrativos (graus II a IV da OMS)

Os astrocitomas infiltrativos e glioblastomas (o sinônimo de "astrocitoma de grau IV") são responsáveis por cerca de 80% das neoplasias cerebrais em adultos. Normalmente encontrados nos hemisférios cerebrais, eles também podem ocorrer no cerebelo, no tronco encefálico ou na medula espinal, mais frequentemente da quarta à sexta década de vida. Os sinais e sintomas de apresentação mais comuns são convulsões, cefaleias e déficits neurológicos focais relacionados ao local anatômico de envolvimento. O grau de diferenciação histológica dos astrocitomas infiltrativos se correlaciona bem com a evolução clínica. As neoplasias variam de *astrocitoma difuso* (grau II) a *astrocitoma anaplásico* (grau III) e *glioblastoma* (grau IV), e são ainda estratificados com base em mutações dos genes da isocitrato desidrogenase (*IDH1* ou *IDH2*) em formas *IDH-mutante* e *IDH-tipo selvagem*, o primeiro associado com um prognóstico consideravelmente melhor do que o último (**Tabela 28.5**). Não há astrocitomas infiltrativos de grau I pela classificação da OMS porque esses tumores são considerados malignos por definição.

Patogênese

O glioblastoma tende a ocorrer em dois contextos clínicos diferentes – mais comumente como uma nova doença inicial, normalmente em indivíduos mais velhos (glioblastoma primário), e com menos frequência em pacientes mais jovens devido à progressão de um astrocitoma de grau inferior (glioblastoma secundário). Os glioblastomas secundários e seus precursores de grau mais baixo estão associados a mutações condutoras em *IDH1* ou (menos frequentemente) em seu homólogo *IDH2* (ver **Capítulo 7** para uma discussão desses oncometabólitos e seu papel na tumorigênese). Em contraste, a maioria dos glioblastomas primários é IDH-tipo selvagem (grau IV da OMS) e abriga outras alterações genéticas comuns, com mais frequência ganhos do cromossomo 7, perda do cromossomo 10, mutações no promoter *TERT* e amplificação do gene *EGFR*. Estas e outras alterações genéticas e genômicas menos comuns contribuem para a aquisição das marcas registradas do câncer (ver **Capítulo 7**). Por exemplo, a maioria dos gliomas tem aberrações genéticas que levam à evasão da senescência (mutações da telomerase ou mutações que levam ao alongamento alternativo dos telômeros); escape dos controles normais de crescimento (deleção bialélica de *CDKN2A*); ativação das vias de sinalização de fatores de crescimento (amplificação gênica de *EGFR* ou *PDGFR*); e resistência à apoptose (mutação em *TP53*).

Morfologia

Astrocitomas difusos são neoplasias mal definidas, acinzentadas e infiltrativas que se expandem e distorcem a porção do cérebro envolvida (**Figura 28.45A**). Essas neoplasias variam em tamanho, desde alguns centímetros até lesões que substituem praticamente todo o cérebro. A superfície de corte pode ser firme ou macia e gelatinosa; degeneração cística pode ser observada. Podem parecer bem delimitados, mas são mais comumente mal definidos devido à infiltração além das margens percebidas.

Microscopicamente, são hipercelulares em comparação com a substância branca normal e apresentam núcleos hipercromáticos aumentados, alongados ou irregulares incorporados em um fundo fibrilar (**Figura 28.45B**) que frequentemente é imunorreativo para GFAP. Uma imunocoloração para a proteína mutante IDH1 R132 H destaca as células tumorais em até 90% dos casos (**Figura 28.45B**, detalhe). O sequenciamento de *IDH1* e *IDH2* é necessário para identificar mutações patogênicas menos comuns em IDH, e é feito quando a imunocoloração é negativa. Células neoplásicas individuais se infiltram no tecido cerebral a alguma distância da lesão principal.

Os **astrocitomas anaplásicos** têm aparência semelhante, mas são mais densamente celulares e apresentam atividade mitótica prontamente detectável.

Nos **glioblastomas**, a variação na aparência da neoplasia de região para região é característica; algumas áreas são firmes e branco-acinzentadas, enquanto outras são macias e amareladas devido a necrose, ou vermelhas devido a hemorragia e hipervascularidade (**Figura 28.46**). A aparência histológica é semelhante ao astrocitoma anaplásico, com as características adicionais de necrose e/ou proliferação microvascular. A necrose no glioblastoma geralmente ocorre em um padrão de serpentina, com hipercelularidade neoplásica ao longo das bordas das regiões necróticas, um padrão histológico denominado necrose em paliçada (**Figura 28.47**). A proliferação das células microvasculares produz tufos de células que se empilham e formam protuberâncias

Tabela 28.5 Características dos gliomas difusos.

	Baixo grau ou astrocitoma anaplásico (grau II ou III da OMS)	Baixo grau ou oligodendroglioma anaplásico (grau II ou III da OMS)	Glioblastoma, IDH-mut (grau IV da OMS)	Glioblastoma, IDH-selvagem (grau IV da OMS)
Condição IDH	Mutante	Mutante	Mutante	Selvagem
Outras condições genéticas	TP53-mut, ATRX-mut	Codeleção 1p/19q	TP53-mut, ATRX-mut	+7/–10, pTERT-mut, EGFR-amp
Morfologia típica	Atipia nuclear; mitoses no grau III	Núcleos arredondados, halos claros; mitoses, PMV e/ou necrose no grau III	Atipia nuclear, mitoses, PMV, necrose	Atipia nuclear, mitoses, PMV, necrose
Prognóstico	TSG: 5 a 15 anos	TSG: 10 a 20 anos	TSG: 2 a 4 anos	TSG: 6 meses a 2 anos

amp, amplificação; *mut*, mutante; *PMV*, proliferação microvascular; *TSG*, tempo de sobrevivência geral (médio); *p*, promotor; +, ganho de cromossomo completo; –, perda de cromossomo completo.

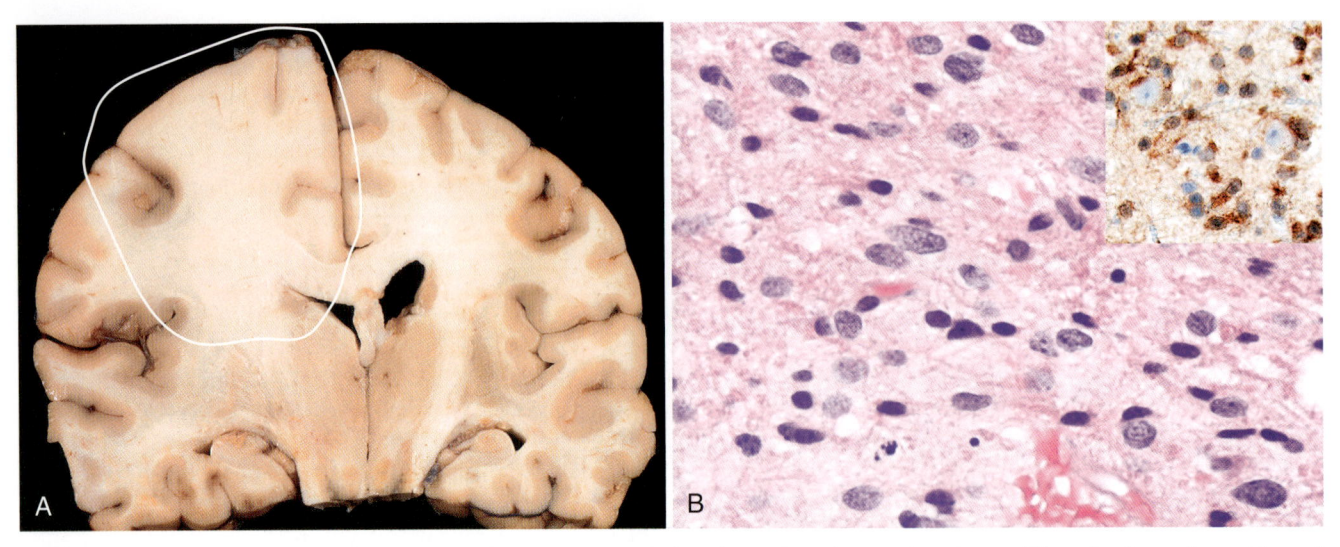

Figura 28.45 Astrocitoma difuso. A. No corte coronal da necropsia, a substância branca frontal esquerda está expandida e a junção corticomedular está turva devido à neoplasia infiltrativa (*região circulada*). **B.** Este corte histológico da substância branca mostra núcleos hipercromáticos aumentados e irregulares e que aparecem embutidos na matriz fibrilar nativa do cérebro; os núcleos redondos e ovais menores são oligodendrócitos nativos e astrócitos reativos, respectivamente. *Detalhe*, a imunocoloração para IDH1 R132H é positiva para a proteína mutante em células neoplásicas, algumas das quais circundam os neurônios corticais imunonegativos maiores ("satelitose perineuronal").

na luz dos pequenos vasos sanguíneos (**Figura 28.47**, *detalhe*). VEGF, produzido por astrócitos malignos em resposta a hipoxia, contribui para esta alteração vascular distinta. Como as características histológicas podem ser extremamente variáveis de uma região para outra, pequenos espécimes de biopsia podem não ser representativos e o tumor pode classificado em um grau inferior ao real.

Características clínicas

Os sintomas de apresentação dos astrocitomas infiltrativos dependem, em parte, da localização e taxa de crescimento do tumor. Os astrocitomas de grau II da OMS podem permanecer estáveis ou progredir lentamente; a sobrevida média excede 5 anos. Eventualmente, no entanto, ocorre deterioração clínica devido ao surgimento de um subclone de crescimento mais rápido e maior grau histológico. Estudos radiológicos mostram uma massa sem realce e "edema" adjacente, que geralmente inclui um infiltrado tumoral. Os astrocitomas de alto grau têm vasos anormais que são "porosos", com uma barreira hematencefálica anormalmente permeável, e que, portanto, demonstram aumento de contraste, frequentemente em forma de anel nos glioblastomas (**Figura 28.46A**). O prognóstico para indivíduos com glioblastoma IDH-tipo selvagem (cerca de 90% dos glioblastomas) é muito negativo, embora o uso de novos agentes quimioterápicos tenha proporcionado algum benefício. O silenciamento epigenético do promotor para o gene

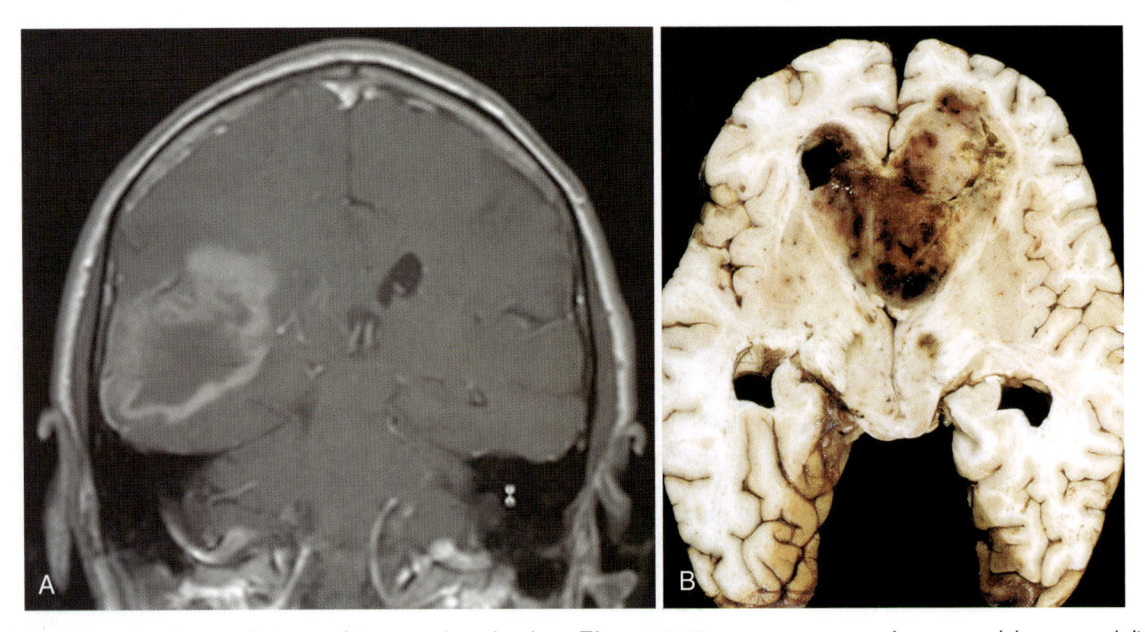

Figura 28.46 A. A imagem de ressonância magnética coronal ponderada em T1 com contraste mostra uma grande massa no lobo temporal direito com realce em "anel". **B.** Glioblastoma aparecendo como uma massa necrótica, hemorrágica e infiltrante.

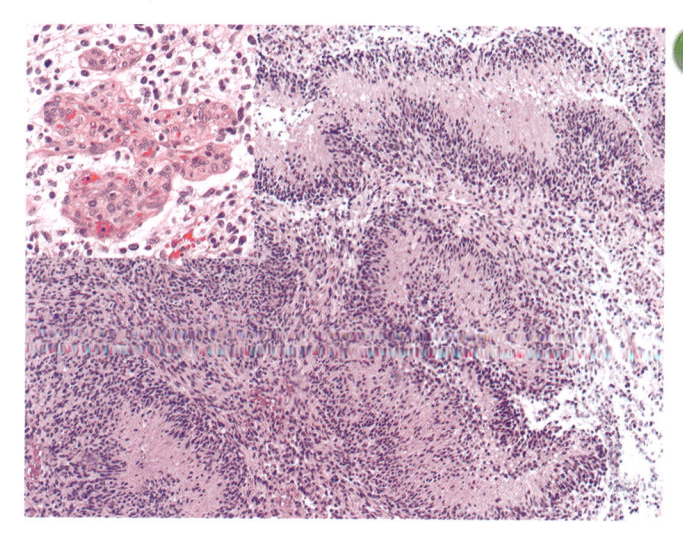

Figura 28.47 Glioblastoma. Focos serpiginosos de necrose em paliçada (núcleos tumorais alinhados ao redor das avermelhadas zonas anucleadas de necrose). *Detalhe*, proliferação microvascular.

> **Morfologia**
>
> Os oligodendrogliomas são massas gelatinosas cinzentas, muitas vezes com cistos, hemorragia focal e calcificação. As neoplasias são compostas por lençóis de células regulares com núcleos esféricos, contendo cromatina finamente granular (semelhante aos oligodendrócitos normais) e cercados por um halo claro de citoplasma vacuolado (**Figura 28.48**). A neoplasia normalmente contém uma delicada rede de capilares anastomosados que se assemelha a uma "tela de galinheiro". Há presença de calcificação em até 90% desses tumores, variando desde focos microscópicos a depósitos maciços. As células neoplásicas que infiltram o córtex cerebral frequentemente se reúnem em torno dos neurônios (satelitose perineuronal). A atividade mitótica e os índices de proliferação são reduzidos em oligodendrogliomas de baixo grau (grau II da OMS).
>
> Os **oligodendrogliomas anaplásicos** (grau III da OMS) são caracterizados por uma maior densidade celular, anaplasia nuclear, aumento da atividade mitótica e, ocasionalmente, necrose. Esses casos podem surgir de tumores primários, mas com mais frequência evoluem de oligodendrogliomas de grau II da OMS.

que codifica a enzima de reparo de DNA MGMT prediz a responsividade aos fármacos alquilantes de DNA (p. ex., temozolomida); como seria esperado, já que a enzima MGMT é crítica para o reparo das modificações do DNA induzidas pela quimioterapia. Com o tratamento atual, que consiste na ressecção seguida de rádio e quimioterapia, o tempo médio de sobrevivência após o diagnóstico aumentou para 15 meses, e 25% desses pacientes estão vivos depois de 2 anos. A sobrevivência é substancialmente mais curta em pacientes idosos e em pacientes com maior comprometimento do estado geral ou com grandes lesões onde não é possível fazer a ressecção cirúrgica. Como dito anteriormente, os glioblastomas IDH-mutante também são agressivos, mas têm um prognóstico melhor no geral, com sobrevida média de 2 a 3 anos.

Oligodendroglioma

O outro subtipo principal de glioma infiltrativo compreende células que se assemelham a oligodendrócitos. Quando corrigidos pelo grau da neoplasia, os oligodendrogliomas têm o melhor prognóstico entre os tumores gliais; como acontece com suas contrapartes astrocíticas, eles agora são definidos por meio de características morfológicas e genéticas. Essas neoplasias constituem 5 a 15% dos gliomas e são os mais comuns na quarta e quinta décadas de vida. Os pacientes podem ter vários anos de queixas neurológicas, muitas vezes, incluindo convulsões. As lesões são encontradas principalmente nos hemisférios cerebrais e têm uma predileção pela substância branca.

Patogênese

O oligodendroglioma é molecularmente definido por uma mutação em *IDH* combinada com codeleção cromossômica do braço inteiro de 1p e 19q. Alterações genéticas adicionais ocorrem com a progressão para oligodendroglioma anaplásico; a mais comum dessas alterações incluem perdas do cromossomo 9p, que resultam na deleção do gene supressor de tumor *CDKN2A*. Em contraste com os tumores astrocíticos de alto grau, a amplificação do gene *EGFR* não é vista. A vasta maioria dos oligodendrogliomas apresenta as mesmas mutações do promotor *TERT* encontradas em glioblastomas.

Características clínicas

Em geral, os indivíduos portadores de oligodendrogliomas têm um prognóstico melhor do que aqueles com astrocitomas. O tratamento atual com cirurgia, quimioterapia e radioterapia promoveu sobrevivência média de 15 a 20 anos para tumores de grau II da OMS e de 10 a 15 anos para tumores de grau e III da OMS. A progressão de lesões de baixo para lesões de alto grau ocorrem, tipicamente, ao longo de um período de 5 anos ou mais.

Astrocitoma pilocítico

Os astrocitomas pilocíticos (grau I da OMS) se distinguem dos astrocitomas infiltrativos por suas bordas mais discretas, características histopatológicas e moleculares únicas, além de comportamento relativamente benigno. Eles normalmente

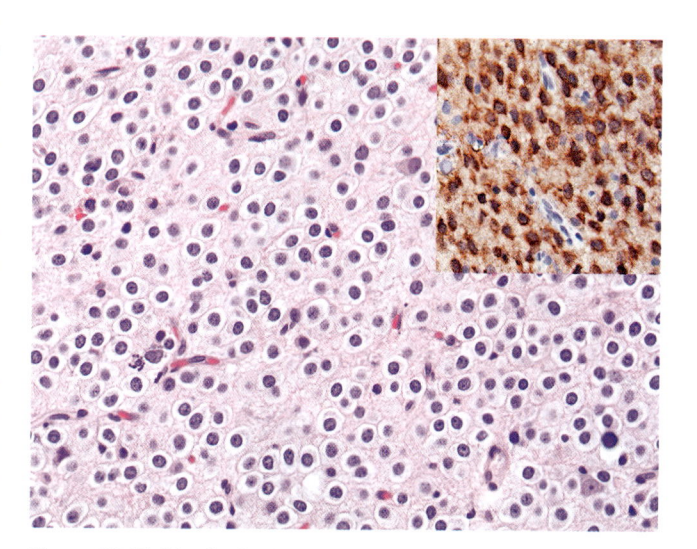

Figura 28.48 Oligodendroglioma. Os núcleos da neoplasia são redondos, com citoplasma claro formando "halos" e vasculatura composta por capilares de paredes finas. Semelhante ao astrocitoma difuso (**Figura 28.46B**), as células tumorais são geralmente positivas para a proteína mutante IDH1 R132H (*detalhe*).

ocorrem em crianças e adultos jovens, geralmente se localizando no cerebelo, embora também possam aparecer na região ao redor do terceiro ventrículo, nervos ópticos, medula espinal e, ocasionalmente, nos hemisférios cerebrais. A separação histológica dessas neoplasias de outros astrocitomas é apoiada por sua circunscrição relativa, características histopatológicas únicas e alterações genéticas distintas da via da MAP quinase, sendo a mais comum uma fusão gênica/duplicação de *KIAA1549-BRAF*. Os astrocitomas pilocíticos crescem muito lentamente e podem com frequência ser tratados apenas por ressecção. A recorrência sintomática e lesões incompletamente ressecadas podem ser tratadas com uma nova cirurgia, quimioterapia ou terapias direcionadas.

Morfologia

De maneira geral, o astrocitoma pilocítico é radiológica e macroscopicamente bem demarcado e cístico (**Figura 28.49A**), com um nódulo mural que realça o contraste. Histologicamente, ele difere do astrocitoma infiltrativo de qualquer grau, mostrando apenas uma invasão cerebral limitada, normalmente com uma arquitetura bifásica combinando áreas "microcísticas" frouxas com áreas compactas densamente fibrilares (**Figura 28.49B**). O tumor é composto por células bipolares com processos longos e finos "semelhantes a fios de cabelo" que são GFAP-positivos e formam uma malha fibrilar densa. Fibras de Rosenthal (inclusões eosinofílicas em forma de saca-rolhas) e corpos granulares eosinofílicos (inclusões semelhantes a amora) são achados característicos (**Figura 28.49C**). Em contraste com os gliomas difusos, a presença de proliferação microvascular ou necrose não implica um prognóstico desfavorável.

Ependimoma

Os ependimomas são neoplasias que se desenvolvem com mais frequência nas proximidades do sistema ventricular revestido por células ependimárias, incluindo o canal central da medula espinal frequentemente obliterado. Nas duas primeiras décadas de vida, eles normalmente ocorrem próximos ao quarto ventrículo e constituem 5 a 10% dos tumores cerebrais primários dessa faixa etária. Menos comumente, eles são encontrados nos hemisférios cerebrais, onde alguns perdem uma conexão óbvia com os ventrículos. Em adultos, a medula espinal é a localização mais comum; neoplasias neste local são mais frequentes no contexto de neurofibromatose tipo 2 (NF2).

Patogênese

Dada a associação entre ependimomas espinais e NF2, não é surpreendente que o gene *NF2* no cromossomo 22 esteja comumente mutado em ependimomas que surgem na medula espinal, mas não em outros locais. Os ependimomas não compartilham as alterações genéticas encontradas em gliomas infiltrativos. Apesar de sua aparência morfológica semelhante, os ependimomas que ocorrem em diferentes locais (supratentorial, fossa posterior, espinal) tendem a estar associados a conjuntos distintos de mutações condutoras.

Morfologia

Macroscopicamente e na ressonância magnética, os ependimomas são massas sólidas (i. e., não infiltrativas). Na fossa posterior, eles tipicamente surgem do assoalho do quarto ventrículo (**Figura 28.50A**), ocasionalmente crescendo através dos forames de Magendie ou Luschka e se estendendo abaixo do forame magno no canal espinal cervical. Embora os ependimomas sejam moderadamente bem delimitados do cérebro adjacente, a proximidade com estruturas vitais muitas vezes torna a remoção completa impossível; na medula espinal, entretanto, a ressecção total é mais viável. Os ependimomas são compostos de células com processos fibrilares que contêm núcleos regulares, redondos

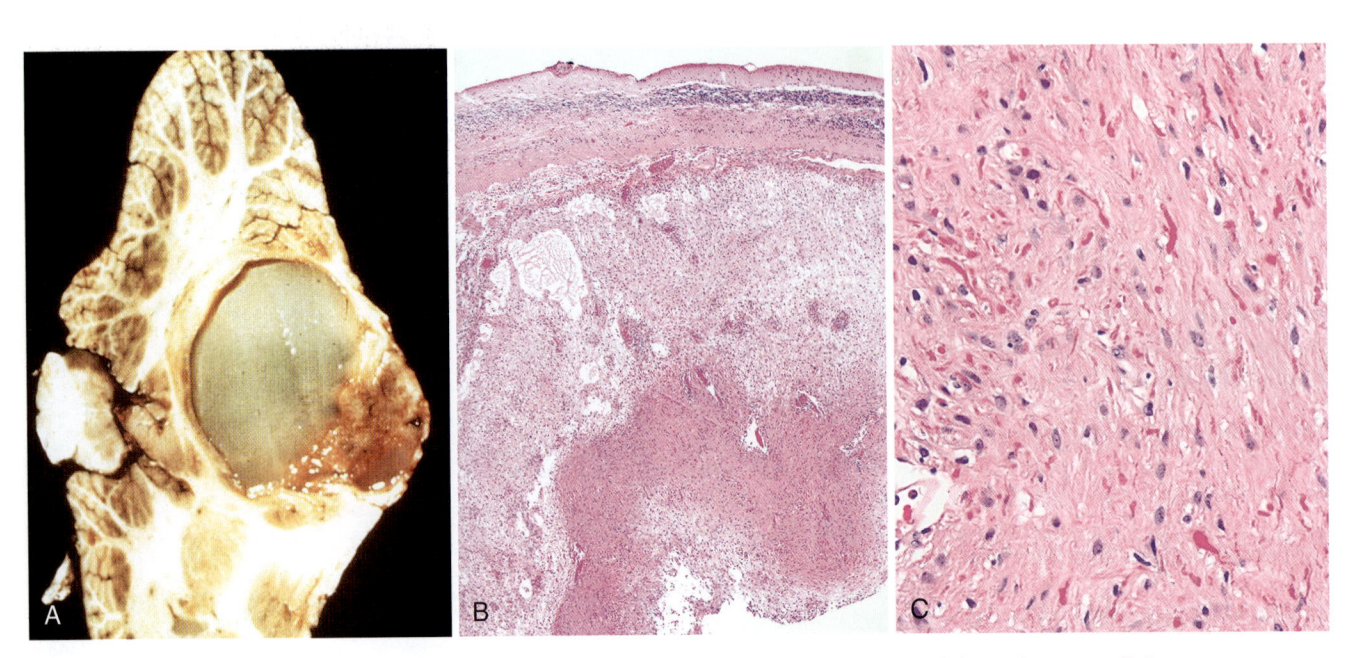

Figura 28.49 Astrocitoma pilocítico. **A.** Macroscopicamente, essa neoplasia cerebelar forma um nódulo mural dentro de um cisto. **B.** Em pequeno aumento, pode-se apreciar o córtex cerebelar atrófico (*topo*), circunscrição nítida e um padrão bifásico com alternância de regiões de crescimento tumoral frouxas (*meio*) e compactas (*embaixo*). **C.** Um aumento maior revela núcleos neoplásicos ovais a irregulares semelhantes aos do astrocitoma difuso, mas com inúmeras fibras de Rosenthal (inclusões eosinofílicas brilhantes em forma de saca-rolhas) ao fundo.

a ovais, com cromatina granular. As células neoplásicas podem formar estruturas redondas ou alongadas semelhantes a glândulas (rosetas, canais) que se assemelham ao canal ependimário embrionário, com processos longos e delicados que se estendem até a luz (**Figura 28.50B**). Mais frequentemente, **pseudorrosetas perivasculares** estão presentes (**Figura 28.50B**), nas quais há uma zona perivascular livre de núcleos que consiste em processos ependimários delgados que se irradiam em direção ao vaso sanguíneo central. Embora a maioria dos ependimomas seja bem diferenciada e se comporte como lesões de grau II da OMS, os ependimomas anaplásicos (grau III da OMS) apresentam densidade celular aumentada, altas taxas mitóticas, áreas de necrose em paliçada e/ou proliferação microvascular. Contudo, o grau da neoplasia é menos preditivo do prognóstico do que a extensão da ressecção cirúrgica ou o subtipo molecular.

Duas outras variantes de ependimoma merecem uma breve menção. Os **ependimomas mixopapilares** (grau I da OMS) são lesões distintas que ocorrem no filo terminal da medula espinal. As células tumorais cuboidais estão organizadas em uma arquitetura papilar variável em torno de núcleos fibrovasculares ricos em mucina. O prognóstico depende da ressecção cirúrgica completa.

Os **subependimomas** (grau I da OMS) são nódulos sólidos, às vezes calcificados, de crescimento lento, que geralmente são encontrados como protusões do ventrículo lateral ou quarto ventrículo, crescendo sob o epêndima. Eles geralmente são assintomáticos e são achados incidentais na necropsia ou imagem. No entanto, se forem suficientemente grandes ou estrategicamente localizados, podem causar hidrocefalia obstrutiva. Os subependimomas têm uma aparência microscópica característica, consistindo de agrupamentos nucleares de aparência ependimária espalhados em um fundo de processos gliais fibrilares densos.

Características clínicas

Os ependimomas da fossa posterior geralmente se manifestam com hidrocefalia secundária à obstrução progressiva do quarto ventrículo. Apesar da relação dos ependimomas com o sistema ventricular, a disseminação pelo LCR é incomum. O prognóstico clínico para ependimomas que sofreram ressecção completa é consideravelmente melhor do que para suas contrapartes com ressecção subtotal.

Neoplasias do plexo coroide

Todas as neoplasias do plexo coroide reconhecidas, tanto benignas quanto malignas, são raras. Os *papilomas do plexo coroide* são neoplasias intraventriculares mais comuns em crianças e que tendem a ocorrer no ventrículo lateral; em adultos, eles envolvem mais frequentemente o quarto ventrículo. Esses crescimentos papilares recapitulam a estrutura normal do plexo coroide, em que as células tumorais epitelioides cobrem as hastes fibrovasculares. Clinicamente, os papilomas do plexo coroide geralmente se apresentam com hidrocefalia devido à obstrução do sistema ventricular pela neoplasia ou superprodução de LCR. Os *carcinomas do plexo coroide*, muito mais raros, assemelham-se ao adenocarcinoma; essas neoplasias são quase sempre encontradas em crianças jovens, onde o carcinoma metastático não é tipicamente encontrado.

Tumores neuronais e glioneuronais

Muito menos comuns do que as neoplasias gliais são aquelas que exibem diferenciação neuronal. Em geral, as neoplasias neuronais são observadas com mais frequência em crianças e adultos jovens com epilepsia:

- Os *gangliogliomas* (grau I da OMS) são neoplasias compostas por uma mistura de células neuronais e gliais maduras. Eles são lesões tipicamente superficiais que se apresentam com convulsões e são as neoplasias neuronais mais comuns no SNC. A maioria dessas neoplasias é de crescimento lento. Quando os gangliogliomas se apresentam com epilepsia refratária a medicamentos, a ressecção cirúrgica costuma ser eficaz no controle das convulsões. Aproximadamente 20 a 50% dessas neoplasias têm uma mutação ativadora no gene *BRAF* (V600E), que ocasionalmente serve como base para terapia direcionada.

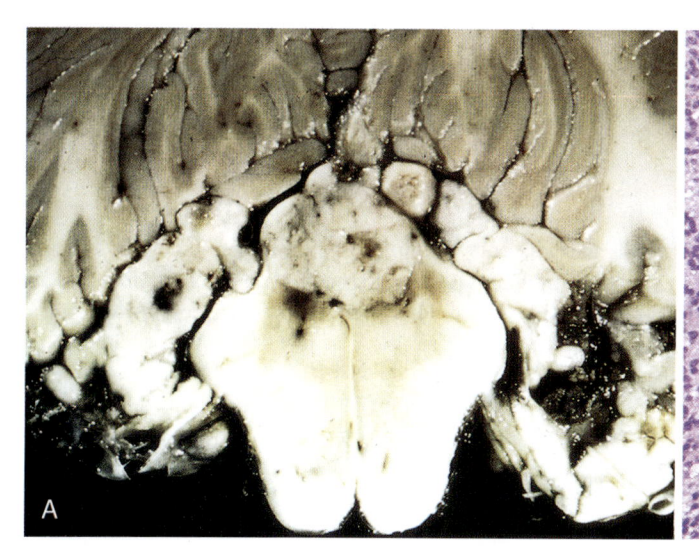

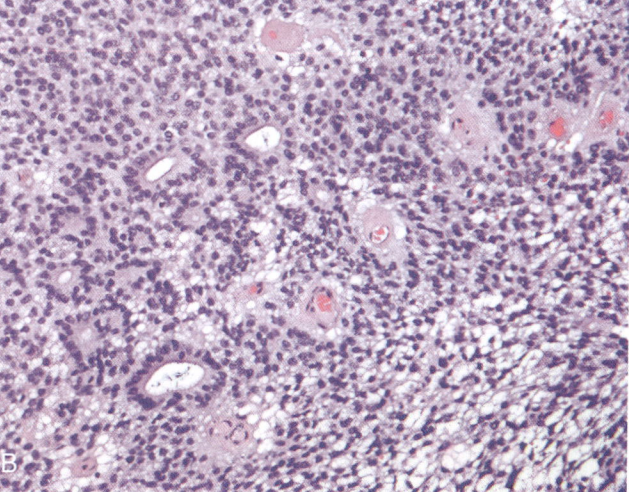

Figura 28.50 Ependimoma. **A.** Neoplasia do quarto ventrículo distorcendo, comprimindo e infiltrando as estruturas circundantes. **B.** A aparência microscópica inclui rosetas verdadeiras (com luz central semelhante a uma glândula) e pseudorrosetas perivasculares (zona livre de núcleos composta de processos fibrilares que irradiam em direção a um vaso sanguíneo central).

Os gangliogliomas são mais comumente encontrados no lobo temporal e frequentemente têm um componente cístico. As células ganglionares neoplásicas se agrupam de maneira irregular e frequentemente apresentam processos de orientação aleatória; formas dismórficas e/ou binucleadas são encontradas. O componente glial dessas lesões na maioria das vezes se assemelha a um astrocitoma pilocítico

- O *tumor neuroepitelial disembrioplásico* é uma neoplasia benigna rara (grau I da OMS) frequentemente associada a epilepsia. Essa neoplasia tem um bom prognóstico após a ressecção cirúrgica, com baixas taxas de recorrência e controle favorável das convulsões. Essas lesões são normalmente localizadas na superfície do lobo temporal, embora outros locais possam ser vistos; eles geralmente formam múltiplos nódulos intracorticais discretos, ricos em mucina, de pequenas células semelhantes a oligodendrócitos dispostas em colunas em torno de feixes axonais centrais ou capilares. Existem também "neurônios flutuantes" que se situam em um líquido basofílico rico em mucina.

Neoplasias embrionárias

Uma grande categoria de neoplasias principalmente pediátricas é descrita como embrionária, o que significa que parecem primitivas ou indiferenciadas, embora um grau limitado de diferenciação neuronal e, menos comumente, de diferenciação glial, é frequentemente encontrado. A neoplasia embrionária mais comum é o *meduloblastoma*, responsável por 20% das neoplasias cerebrais pediátricas.

Meduloblastoma

Esta neoplasia embrionária maligna ocorre predominantemente em crianças e exclusivamente no cerebelo (por definição). Embora subtipos distintos tenham sido identificados do ponto de vista histológico, molecular e de prognóstico, todas são consideradas neoplasias de grau IV. O crescimento rápido pode obstruir o fluxo do LCR, levando à hidrocefalia.

Patogênese

Os subtipos moleculares de meduloblastoma foram identificados por meio de estudos genômicos, revelando alterações em vias de sinalização envolvidas no desenvolvimento cerebelar normal, como a via *sonic hedgehog-patched* (SHH) (envolvida no controle da proliferação normal das células granulares cerebelares) e a via de sinalização WNT/β-catenina. Os meduloblastomas em que a via Wnt é ativada estão muitas vezes localizados em torno do quarto ventrículo anterior ou do pedúnculo cerebelar médio, enquanto os meduloblastomas ativados por *sonic hedgehop* mais frequentemente envolvem o verme ou o cerebelo lateral. Com base nas alterações moleculares, os meduloblastomas podem ser divididos em quatro ou cinco grupos moleculares que variam em termos de idade de início, localização da neoplasia e prognóstico.

> ### Morfologia
>
> O meduloblastoma é frequentemente bem circunscrito, acinzentado e friável, podendo se estender até a superfície da folha cerebelar e envolver as leptomeninges (**Figura 28.51A**). No exame microscópico, a neoplasia apresenta celularidade bastante densa, com lâminas de pequenas células de aspecto primitivo (ver **Figura 28.51B**). As células neoplásicas individuais têm citoplasma escasso e núcleos hipercromáticos que são frequentemente alongados ou em aspecto crescente. As mitoses são abundantes e os marcadores de proliferação celular, como Ki-67, são positivos em uma alta porcentagem de células. No subtipo **clássico**, as células neoplásicas formam **rosetas de Homer Wright** (**Figura 28.51B**; também observadas no neuroblastoma descrito no **Capítulo 10**) e muitas vezes expressam marcadores neuronais, como sinaptofisina; a expressão de marcadores gliais (p. ex., GFAP) é menos comum. A **variante desmoplásica/nodular** é caracterizada por áreas internodulares de resposta estromal, marcadas por deposição de colágeno e reticulina (i. e., desmoplasia) e "ilhas pálidas" ou nódulos que têm mais neurópilos e mostram maior diferenciação neuronal (**Figura 28.51C**). A **variante de grandes células/anaplásica** é caracterizada por núcleos vesiculares grandes e irregulares, nucléolos proeminentes, englobamento celular (aparência de uma célula dentro de outra) e altos índices mitóticos (**Figura 28.51D**).
>
> Os meduloblastomas têm uma tendência a se espalhar para o espaço subaracnoide. A disseminação através do LCR é uma complicação comum, dando origem a um crescimento extenso ao longo da superfície comparado a "glacê" ou "metástases em gota" nodulares, que tendem a envolver a cauda equina.

Características clínicas

Os meduloblastomas são altamente malignos, e o prognóstico para os pacientes não tratados é desanimador; no entanto, a neoplasia é extremamente radiossensível. O subtipo molecular e histológico influencia consideravelmente o prognóstico, sendo os meduloblastomas com ativação da via WNT associados a quase 100% de sobrevivência em 5 anos, enquanto os subtipos mais agressivos se enquadram na faixa de 20 a 30% de sobrevivência. Considerando essas diferenças, os ensaios clínicos em andamento estão explorando opções de regimes de tratamento menos agressivos ou mais agressivos com base em subtipo. Da mesma forma, terapias dirigidas estão sendo exploradas para aqueles subtipos com alterações moleculares acionáveis.

Outras neoplasias embrionárias raras que apresentam características clínico-patológicas e genéticas únicas agora estão sendo reconhecidas em todo o SNC; sua classificação continua a evoluir.

Linfoma primário do sistema nervoso central

O linfoma primário do SNC representa 2% dos linfomas extranodais e 1% dos tumores intracranianos. É a neoplasia mais comum do SNC em indivíduos imunossuprimidos, incluindo aqueles com AIDS e passando por imunossupressão pós-transplante. Em populações não imunossuprimidas, o espectro de idade é relativamente amplo, mas a frequência aumenta após os 60 anos.

O termo *primário* enfatiza a distinção entre essas lesões e o envolvimento secundário do SNC por linfomas que surgem em outras partes do corpo (ver **Capítulo 13**). O linfoma cerebral primário é frequentemente multifocal e também pode envolver o olho, embora o envolvimento fora do SNC (em linfonodos ou medula óssea) seja uma complicação rara e tardia. Por outro lado, o linfoma que surge fora do SNC raramente envolve o parênquima cerebral; nessa situação, o envolvimento secundário do SNC geralmente afeta as meninges ou o LCR, o último às vezes diagnosticado pela presença de células malignas em uma amostra de punção lombar.

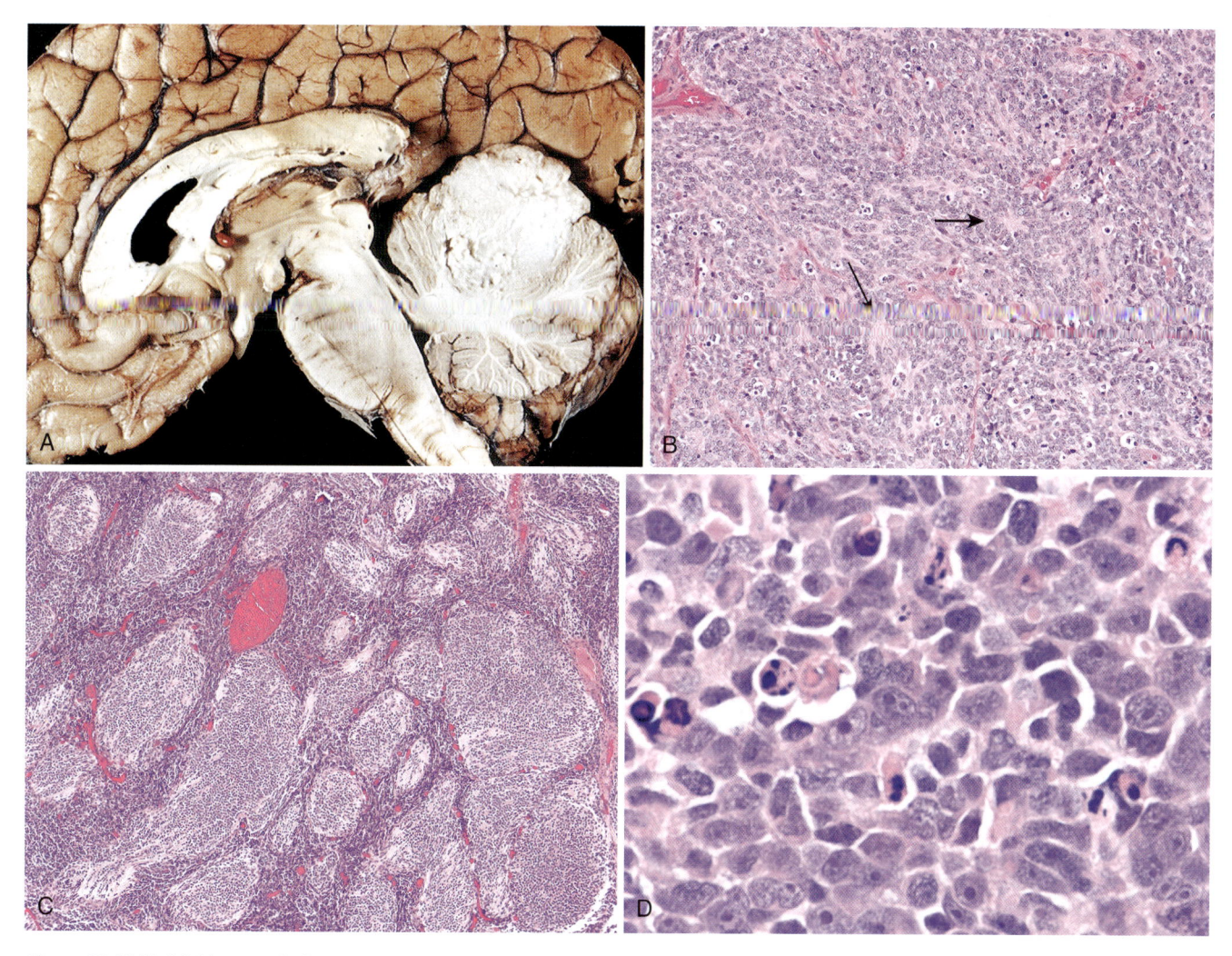

Figura 28.51 Meduloblastoma. **A.** Corte sagital do cérebro mostrando o meduloblastoma substituindo parte do verme cerebelar superior. **B.** A aparência microscópica do meduloblastoma clássico inclui "pequenas células azuis" de aparência primitiva que formam lâminas e rosetas de Homer Wright (neuroblásticas) com neurópilo central (*setas*). **C.** A variante desmoplásica/nodular inclui zonas internodulares ricas em reticulina com células de aparência mais primitiva e "nódulos pálidos" representando centros de diferenciação neuronal parcial; esta variante é quase sempre o subtipo molecular ativado por SHH. **D.** A variante anaplásica/célula grande apresenta tamanho celular aumentado, grande nucléolo vermelho-cereja e englobamento celular (nas quais as células neoplásicas se enrolam umas às outras ou circundam os núcleos picnóticos de células neoplásicas em processo de morte).

A grande maioria das neoplasias primárias do SNC é formada por linfomas difusos de grandes células B. Estes são agressivos e geralmente têm prognósticos piores do que os de histologia comparável que ocorrem fora do SNC (ver **Capítulo 13**). No contexto de imunossupressão, as células B malignas estão geralmente infectadas de forma latente pelo vírus Epstein-Barr. Naqueles pacientes que não são imunossuprimidos, os linfomas primários de grandes células B do SNC muitas vezes têm amplificação e superexpressão do gene *PDL1*, que codifica uma importante proteína de ponto de controle imunológico que inibe as respostas das células T (ver **Capítulo 7**). Testes clínicos com inibidores de ponto de controle imunológico estão em andamento e produziram excelentes respostas em alguns pacientes.

Morfologia

Os linfomas primários do SNC são frequentemente massas múltiplas, macias e branco-acinzentadas nas partes subcorticais profundas do cérebro, com propagação periventricular comum. As células malignas infiltram o parênquima cerebral e se acumulam em torno dos vasos sanguíneos, expressam marcadores de células B como o CD20 e têm altos índices proliferativos. Quando tumores surgem no contexto de imunossupressão, a necrose é muitas vezes proeminente e o vírus Epstein-Barr é detectável por hibridização *in situ* para EBERs, pequenos RNAs nucleares codificados pelo genoma viral.

Meningiomas

Os meningiomas são neoplasias predominantemente benignas de adultos que surgem das células meningoteliais da aracnoide e que geralmente estão ligadas à dura-máter. Os meningiomas podem ser encontrados ao longo de qualquer uma das superfícies externas do cérebro, bem como dentro do sistema ventricular, onde surgem das células aracnoides estromais do plexo coroide. Um fator de risco para o desenvolvimento de meningioma é a exposição prévia a radioterapia na cabeça e pescoço, normalmente décadas antes. Outras neoplasias, como metástases, tumores fibrosos solitários e uma gama de sarcomas pouco diferenciados, também podem crescer como massas baseadas na dura-máter.

Patogênese

A anormalidade citogenética mais comum são perdas no cromossomo 22, especialmente o braço longo (22q). As exclusões incluem a região de 22q12 que abriga o gene *NF2*, que codifica a proteína merlin; como esperado, meningiomas são lesões comuns no contexto de NF2 (ver mais à frente). Entre os meningiomas esporádicos, 50 a 60% abrigam mutações no gene *NF2*; essas mutações são mais comumente vistas em tumores de convexidade, incluindo aqueles que eventualmente se tornam de grau mais alto. Nos meningiomas sem mutações em *NF2*, as mutações mais comuns ocorrem em *TRAF7*, *KLF4*, *AKT1* e *SMO*; a maioria dessas neoplasias envolve a base do crânio e tem menor risco de progressão maligna. Os meningiomas de alto grau mais frequentemente têm perdas cromossômicas envolvendo vários cromossomos, mutações do promotor *TERT* e deleções em homozigose do gene *CDKN2A*.

Morfologia

Os meningiomas são, em geral, massas durais emborrachadas, arredondadas ou com protuberâncias que comprimem o cérebro subjacente, mas são facilmente separadas dele (**Figura 28.52A**). Eles também podem crescer **em placa**, na qual o tumor se espalha em um padrão do tipo folha ao longo da superfície da dura-máter. Essa forma é comumente associada a alterações hiperostóticas no osso adjacente devido à invasão, embora isso por si só não signifique malignidade. As lesões variam de firme a finamente granulada (semelhante a areia), a última tipicamente devido a inúmeras calcificações psamomatosas (*psammos* significa *areia* em grego).

A maioria dos meningiomas tem um risco relativamente baixo de recorrência ou crescimento agressivo e, portanto, são considerados grau I pela OMS. Muitos padrões histológicos são observados e a maioria não apresenta significado prognóstico algum. Os padrões mais comuns são **meningotelial**, contendo aglomerados de células epitelioides com membrana celular difusa ou indiscerníveis; **fibroblástico**, com interseção de fascículos de células fusiformes e deposição abundante de colágeno; **transicional**, com características mistas dos padrões meningotelial e fibroblástico, muitas vezes incluindo vários espirais (englobamento concêntrico de células neoplásicas em torno umas das outras); e **psamomatoso**, com predomínio de corpos psamomatosos, representando anéis de calcificação concêntricos depositados sobre espirais preexistentes (ver a **Figura 28.52B**).

Os **meningiomas atípicos** (grau II da OMS) representam cerca de um quarto dos meningiomas e estão associados a maiores taxas de recorrência e um crescimento local mais agressivo, o que pode exigir radioterapia além da cirurgia. Eles se distinguem dos meningiomas de baixo grau por terem um aumento do índice mitótico, invasão cerebral ou outras características agressivas. Certos padrões histológicos (**células claras** e **cordoides**) são considerados de grau II por definição em decorrência de seu comportamento mais agressivo.

O **meningioma anaplásico (maligno)** (grau III da OMS) é uma malignidade altamente agressiva que muitas vezes se assemelha a um carcinoma ou sarcoma, mas retém algumas evidências de origem meningotelial. Eles respondem por 1 a 3% de todos os meningiomas e podem surgir como tumores primários ou de progressão maligna de meningiomas de baixo grau. As taxas mitóticas costumam ser acentuadamente elevadas. Os meningiomas **papilar** e **rabdoide** são variantes raras de grau III da OMS que também apresentam altas taxas de recorrência e mortalidade.

Características clínicas

Os meningiomas são geralmente neoplasias de crescimento lento. Os pacientes se apresentam com sintomas vagos e não localizados ou com achados focais relacionados à compressão do cérebro subjacente. Os locais comuns de envolvimento incluem a porção parassagital da convexidade cerebral, a dura-máter sobre a convexidade lateral, a asa do esfenoide, o sulco olfatório, a sela túrcica e o forame magno. Os meningiomas são raros em crianças e geralmente mostram uma predominância feminina moderada (3:2), embora a proporção seja de 10:1 para os meningiomas

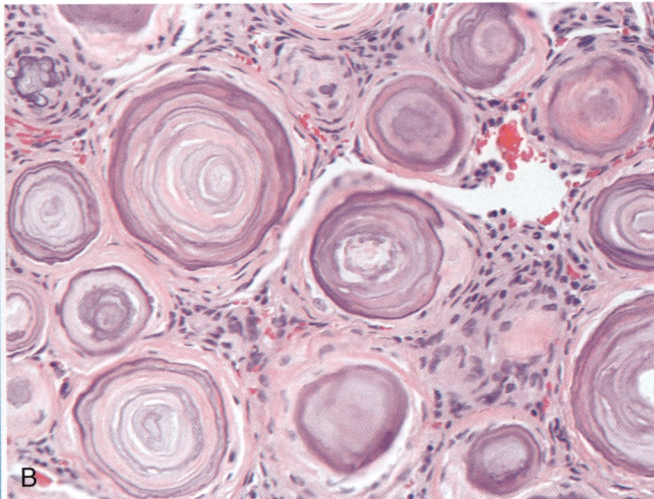

Figura 28.52 A. Amostra de meningioma ressecado mostrando contorno arredondado e fixação dural. **B.** Meningioma com um padrão de crescimento celular espiralado e inúmeros corpos de psamoma (calcificações com anéis concêntricos).

espinais (que são também comumente psamomatosos). As lesões são geralmente solitárias, mas quando presente em múltiplos locais, especialmente em associação com schwannoma vestibular e/ou ependimoma espinal, a possibilidade de NF2 deve ser considerada. Os meningiomas frequentemente expressam uma variedade de receptores de hormônios (p. ex., progesterona) e podem crescer mais rapidamente durante a gravidez, regredindo apenas após o parto.

Neoplasias metastáticas

Lesões metastáticas, principalmente carcinomas, são responsáveis por aproximadamente um quarto a metade das neoplasias intracranianas em pacientes hospitalizados. Os cinco locais primários mais comuns são pulmão, mama, pele (melanoma), rim e trato gastrintestinal, representando cerca de 80% de todas as metástases combinadas. Algumas neoplasias raras (p. ex., coriocarcinoma) têm uma alta probabilidade de sofrer metástase para o cérebro, enquanto em outras mais comuns (p. ex., adenocarcinoma da próstata) isso quase nunca ocorre. As meninges também são um local frequente de envolvimento por doença metastática, onde eles podem formar massas discretas ou um padrão subaracnoide mais disseminado, semelhante a meningite, conhecido como "carcinomatose meníngea"; este último costuma ser altamente desafiador de tratar e está associado a neuropatias cranianas e espinais decorrentes de compressão da raiz nervosa. Os tumores metastáticos apresentam-se clinicamente como lesões de massa e podem ocasionalmente ser a primeira manifestação de câncer sistêmico. Em geral, o tratamento localizado de metástases cerebrais solitárias melhora a qualidade e a duração de vida do paciente.

> **Morfologia**
>
> As metástases intraparenquimatosas formam massas nitidamente demarcadas, muitas vezes na junção da substância cinzenta e branca, cercada por uma zona de edema. A fronteira entre a neoplasia e o parênquima cerebral é em geral bem definida microscopicamente, embora o melanoma nem sempre siga esta regra e possa ser mais infiltrativo. As neoplasias normalmente se assemelham ao tipo de neoplasia parental, mas podem ser muito pouco diferenciadas em alguns casos; para cerca de 10% que se apresentam como uma metástase de tumor primário desconhecido, a imuno-histoquímica costuma ser útil para subtipagem adicional. A carcinomatose meníngea, com nódulos tumorais espalhados pela superfície do cérebro, medula espinal e raízes nervosas intradurais, está mais comumente associada a carcinomas de pulmão e mama.

Síndromes paraneoplásicas

Além dos efeitos diretos e localizados produzidos por metástases do SNC, as neoplasias periféricas às vezes produzem *síndromes paraneoplásicas* que envolvem o sistema nervoso central e/ou periférico, e podem preceder o reconhecimento clínico do tumor primário. Uma variedade de síndromes paraneoplásicas foram descritas; um mecanismo subjacente compartilhado parece ser o desenvolvimento de uma resposta imune contra antígenos tumorais que reagem cruzadamente com antígenos do sistema nervoso central ou periférico. O espectro de anticorpos circulantes conhecidos e antígenos-alvo continua a se expandir. Exemplos ilustrativos de síndromes paraneoplásicas do SNC são os seguintes:

- A *degeneração cerebelar subaguda* está associada a destruição das células de Purkinje, gliose e um infiltrado celular inflamatório crônico. Um grupo de pacientes afetados tem um anticorpo circulante PCA-1 (anti-Yo) que reconhece o as células de Purkinje cerebelares; este anticorpo ocorre predominantemente em mulheres com carcinomas de ovário, útero ou mama
- A *encefalite límbica* é caracterizada por demência subaguda e apresenta manguitos inflamatórios perivasculares, nódulos microgliais, alguma perda neuronal e gliose, todos os quais são mais evidentes nas porções anterior e medial do lobo temporal. A imagem microscópica se assemelha a uma encefalite viral. Um processo comparável envolvendo o tronco cerebral pode ser visto isoladamente ou em conjunto com o envolvimento do sistema límbico. Alguns pacientes afetados têm um anticorpo circulante ANNA-1 (anti-Hu) que reconhece núcleos neuronais no sistema nervoso central e periférico; ANNA-1 está mais comumente associado ao carcinoma de pequenas células do pulmão. Outro grupo de pacientes tem um anticorpo circulante que reconhece o receptor NMDA e apresenta reação cruzada com os neurônios do hipocampo. Identificado originalmente em mulheres com teratomas ovarianos, a mesma síndrome clínica agora também é reconhecida em uma pequena proporção de pacientes com encefalite esporádica. Um terceiro grupo de pacientes tem um anticorpo circulante complexo VGKC que reconhece o canal de potássio dependente de voltagem; esse anticorpo também pode estar associado à neuropatia periférica
- Os *distúrbios da motilidade ocular*, mais comumente *opsoclonus*, podem ocorrer isoladamente ou em associação a outras evidências de disfunção cerebelar e do tronco cerebral. Em crianças, esses distúrbios estão comumente associados ao neuroblastoma e frequentemente são acompanhados por mioclonia.

O sistema nervoso periférico também pode ser afetado pelas seguintes síndromes paraneoplásicas:

- A *neuropatia sensorial subaguda* pode ser encontrada em associação a encefalite límbica ou isoladamente. É marcada por perda de neurônios sensoriais e inflamação linfocítica nos gânglios da raiz dorsal
- A *síndrome miastênica de Lambert-Eaton* é causada por anticorpos contra o canal de cálcio dependente de voltagem nos elementos pré-sinápticos da junção neuromuscular. Essa síndrome também pode ser observada na ausência de malignidade.

Para algumas síndromes paraneoplásicas, há evidências de que a imunoterapia (remoção de anticorpos circulantes e imunossupressão) e a remoção da neoplasia promovem melhora clínica. Em geral, as síndromes clínicas associadas a anticorpos reativos à membrana plasmática (p. ex., anticorpos que reconhecem VGKC ou o receptor NMDA) respondem melhor à imunoterapia do que aquelas associadas a antígenos intracelulares (p. ex., ANNA-1 e PCA-1).

Síndromes tumorais familiares

Uma série de doenças hereditárias está associada ao risco aumentado de neoplasias (ver **Capítulo 7**). Em várias delas (discutidas nas seções a seguir), os tumores do sistema nervoso representam um aspecto proeminente da doença.

Neurofibromatoses e schwannomatose

As duas formas de neurofibromatose, NF1 e NF2, são síndromes familiares autossômicas dominantes caracterizadas por neoplasias dos sistemas nervosos periférico e central; em contraste, a schwannomatose envolve somente o sistema nervoso periférico e pode ser familiar ou esporádico. NF1 é mais comum, com frequência de 1 em 3 mil, e é caracterizada por neurofibromas de nervos periféricos, gliomas do nervo óptico, nódulos pigmentados da íris (nódulos de Lisch) e máculas cutâneas hiperpigmentadas (manchas café com leite). NF2 tem uma frequência de 1 em 40 a 50 mil e é caracterizada pela ocorrência de schwannomas vestibulares bilaterais (nervo craniano VIII), meningiomas múltiplos e ependimomas da medula espinal cervical. A schwannomatose, aproximadamente tão comum quanto NF2, é a síndrome mais recentemente reconhecida, sendo definida por schwannomas múltiplos não vestibulares, espalhados por todo o corpo ou limitados a uma região. Esses distúrbios são discutidos em mais detalhes no **Capítulo 27**.

Complexo esclerose tuberosa

O complexo esclerose tuberosa (CET) é uma síndroma autossômica dominante que ocorre com uma frequência de aproximadamente 1 em 6 mil nascimentos. É caracterizada pelo desenvolvimento de hamartomas e neoplasias benignas envolvendo o cérebro e outros tecidos; as manifestações clínicas mais frequentes são convulsões, autismo e deficiência intelectual. Os hamartomas do SNC assumem a forma de tubérculos corticais e nódulos subependimários. Os astrocitomas subependimários de células gigantes são neoplasias benignas que parecem se desenvolver a partir de nódulos hamartomatosos no mesmo local. Os tubérculos corticais são frequentemente epileptogênicos e a ressecção cirúrgica pode ser benéfica quando o manejo médico das convulsões falha. Em outras partes do corpo, angiomiolipomas renais, hamartomas gliais retinianos, linfangioleiomiomatose pulmonar e rabdomiomas cardíacos se desenvolvem durante a infância e adolescência. Cistos podem ser encontrados em vários locais, incluindo fígado, rins e pâncreas. As lesões cutâneas inclue angiofibromas, espessamentos coriáceos localizados (placas de shagreen), áreas hipopigmentadas (manchas foliáceas) e fibromas subungueais.

Um gene da esclerose tuberosa (*TSC1*) é encontrado no cromossomo 9q34 e codifica uma proteína conhecida como hamartina; o gene mais comumente mutado (*TSC2*) está em 16p13.3 e codifica a tuberina. Essas duas proteínas formam um complexo que inibe a quinase mTOR, um regulador-chave da síntese de proteínas e de outros aspectos do metabolismo anabólico. Mutações em *TSC1* ou *TSC2* interrompem este controle e levam ao aumento e desregulação da atividade de mTOR. Digno de nota, mTOR controla o tamanho da célula, e as células tumorais associadas a TSC, particularmente os astrocitomas subependimários de células gigantes, são notáveis por ter citoplasma volumoso. O tratamento geralmente é sintomático, incluindo terapia anticonvulsivante para controle das convulsões; no entanto, o tratamento com inibidores de mTOR tem às vezes resultou em melhora clínica dramática.

> ### Morfologia
>
> Os hamartomas corticais da TSC são áreas firmes que, em contraste com o córtex adjacente mais macio, foram comparados a batatas (daí a denominação "tubérculos"). Os tubérculos são compostos de neurônios arranjados ao acaso que não têm a organização laminar normal. Além disso, algumas células displásicas têm uma aparência intermediária entre as células da glia e os neurônios (grandes núcleos vesiculares com nucléolos, semelhante a neurônios, e citoplasma eosinofílico abundante semelhante ao de astrócitos gemistocíticos). Eles geralmente expressam filamentos intermediários tanto do tipo neuronal (neurofilamento) e quanto glial (GFAP). Características semelhantes dos hamartomatosas estão presentes nos nódulos subependimários, onde as grandes células semelhantes a astrócitos se agrupam abaixo da superfície ventricular. Essas pequenas massas semelhantes a cera que se projetam para o sistema ventricular deram origem ao termo **gotejamento de vela**. O astrocitoma de células gigantes subependimárias é histologicamente semelhante, embora maior, e frequentemente se apresenta com hidrocefalia obstrutiva.

Doença de von Hippel-Lindau

Os indivíduos com esta doença autossômica dominante desenvolvem hemangioblastomas do SNC; cistos que envolvem pâncreas, fígado e rins; carcinomas de células renais; e feocromocitomas. Os hemangioblastomas são mais comuns no cerebelo e na retina, mas também pode ocorrer em outras localizações do SNC. A frequência da doença é de 1 em 30 a 40 mil.

O gene associado à doença de von Hippel-Lindau, chamado *VHL*, é um gene supressor de tumor localizado no cromossomo 3p25.3; ele codifica uma proteína (VHL) que é um componente do complexo ubiquitina ligase que regula negativamente o fator induzido por hipoxia 1 (HIF-1, *hypoxia-induced factor 1*). HIF-1 é um fator de transcrição que regula a expressão do fator de crescimento endotelial vascular (VEGF, *vascular endothelial growth factor*), eritropoetina e outros fatores de crescimento. VEGF leva ao crescimento excessivo dos vasos, contribuindo para o desenvolvimento de hemangioblastomas. A superexpressão de eritropoetina leva a policitemia em cerca de 10% dos pacientes com hemangioblastoma. HIF também regula a expressão de genes que controlam o metabolismo e crescimento celular, atividades que provavelmente contribuem para a formação do tumor.

> ### Morfologia
>
> Hemangioblastomas são neoplasias altamente vasculares que formam um nódulo mural associado a um grande cisto preenchido por líquido. A lesão consiste em inúmeros vasos de tamanho capilar ou um pouco maiores de paredes finas, com células neoplásicas intervenientes que têm citoplasma vacuolizado rico em lipídios. As células estromais neoplásicas expressam eritropoetina, VEGF e inibina (um marcador útil para o diagnóstico), e acredita-se que sejam derivadas de uma célula progenitora mesenquimal inicial capaz de se diferenciar em células endoteliais e hematopoéticas.
>
> A terapia é direcionada às neoplasias sintomáticas, incluindo ressecção dos hemangioblastomas cerebelares e terapia a *laser* para hemangioblastomas retinianos.

> ### Conceitos-chave
>
> #### Neoplasias
>
> - Neoplasias do SNC podem surgir dos revestimentos cerebrais (meningiomas), do parênquima cerebral (gliomas, neoplasias

- neuronais, neoplasias do plexo coroide) e de outras populações de células residentes do SNC (linfoma primário do SNC), também podendo se originar em outros lugares do corpo (metástases)
- Mesmo neoplasias benignas ou de baixo grau podem ter prognósticos clínicos ruins, dependendo de onde ocorrem no cérebro
- Tipos distintos de neoplasias afetam regiões cerebrais específicas (p. ex., o cerebelo para meduloblastomas) e populações de faixa etária específica (meduloblastoma e astrocitoma pilocítico em grupos de idade pediátrica; glioblastoma e linfoma em pacientes idosos)
- As neoplasias gliais são amplamente classificadas em astrocitomas, oligodendrogliomas e ependimomas. O aumento da malignidade está associado a mais anaplasia citológica, aumento da densidade celular, necrose e atividade mitótica. O diagnóstico, o prognóstico e/ou as alterações genéticas preditivas têm sido recentemente reconhecidas em algumas dessas neoplasias
- A propagação metastática de neoplasias cerebrais para outras regiões do corpo é rara, mas o cérebro é um receptor comum de doença metastática de malignidades sistêmicas. Os carcinomas são os mais comuns.

Agradecimento

As contribuições do Dr. Matt Frosch para as versões anteriores deste capítulo são reconhecidas com gratidão.

LEITURA SUGERIDA

Geral

Muitas áreas da neuropatologia e das doenças neurológicas são bem abordadas nos seguintes textos-padrão:

Ellison D, Love S, Chimelli LMC et al: *Neuropathology: a Reference Text of CNS Pathology*, ed 3, London, 2013, Elsevier Mosby.
Louis DN, Ohgaki H, Wiestler OD et al: *WHO Classification of Tumours of the Central Nervous System*, ed 4, Lyon, 2016, International Agency for Research on Cancer.
Love S, Budka H, Ironside JW et al, editors: *Greenfield's Neuropathology*, ed 9, Boca Raton, 2015, CRC Press.

Resposta à lesão

Li Q, Barres BA: Microglia and macrophages in brain homeostasis and disease, *Nat Rev Immunol* 18:225, 2018.
Liddelow SA, Barres BA: Reactive astrocytes: production, function, and therapeutic potential, *Immunity* 46:957, 2017.
Presumey J, Bialas AR, Carroll MC: Complement system in neural synapse elimination in development and disease, *Adv Immunol* 135:53, 2017.

Malformações e distúrbios do desenvolvimento

Adle-Biassette H, Golden JA, Harding B: Developmental and perinatal brain diseases, *Handb Clin Neurol* 145:51, 2017.
Molloy AM, Pangilinan F, Brody LC: Genetic risk factors for folateresponsive neural tube defects, *Annu Rev Nutr* 37:269, 2017.
Parrini E, Conti V, Dobyns WB et al: Genetic basis of brain malformations, *Mol Syndromol* 7:220, 2016.

Trauma

Asken BM, Sullan MJ, DeKosky ST et al: Research gaps and controversies in chronic traumatic encephalopathy: a Review, *JAMA Neurol* 74:1255, 2017.
Hay J, Johnson VE, Smith DH et al: Chronic traumatic encephalopathy: the neuropathological legacy of traumatic brain injury, *Annu Rev Pathol* 11:21, 2016.

Doença cerebrovascular

Banerjee G, Carare R, Cordonnier C et al: The increasing impact of cerebral amyloid angiopathy: essential new insights for clinical practice, *J Neurol Neurosurg Psychiatry* 88:982, 2017.
McAleese KE, Alafuzoff I, Charidimou A et al: Post-mortem assessment in vascular dementia: advances and aspirations, *BMC Med* 14:129, 2016.
Nikolaev SI, Vetiska S, Bonilla X et al: Somatic activating KRAS mutations in arteriovenous malformations of the brain, *N Engl J Med* 378:250, 2018.

Infecções

Devakumar D, Bamford A, Ferreira MU et al: Infectious causes of microcephaly: epidemiology, pathogenesis, diagnosis, and management, *Lancet Infect Dis* 18:e1, 2018.
Farhadian S, Patel P, Spudich S: Neurological complications of HIV infection, *Curr Infect Dis Rep* 19:50, 2017.
Kennedy PGE, Quan PL, Lipkin WI: Viral encephalitis of unknown cause: current perspective and recent advances, *Viruses* 9:138, 2017.
Ru W, Tang SJ: HIV-associated synaptic degeneration, *Mol Brain* 10:40, 2017.
Venkatesan A: Epidemiology and outcomes of acute encephalitis, *Curr Opin Neurol* 28:277, 2015.

Doenças desmielinizantes

Mallucci G, Peruzzotti-Jametti L, Bernstock JD et al: The role of immune cells, glia and neurons in white and gray matter pathology in multiple sclerosis, *Prog Neurobiol* 127-128:1, 2015.
Pierrot-Deseilligny C, Souberbielle JC: Vitamin D and multiple sclerosis: an update, *Mult Scler Relat Disord* 14:35, 2017.
Pittock SJ, Lucchinetti CF: Neuromyelitis optica and the evolving spectrum of autoimmune aquaporin-4 channelopathies: a decade later, *Ann N Y Acad Sci* 1366:20, 2016.

Doenças priônicas

Erana H, Venegas V, Moreno J et al: Prion-like disorders and transmissible spongiform encephalopathies: an overview of the mechanistic features that are shared by the various disease-related misfolded proteins, *Biochem Biophys Res Commun* 483:1125, 2017.
Will RG, Ironside JW: Sporadic and infectious human prion diseases, *Cold Spring Harb Perspect Med* 7:a024364, 2017.

Doenças neurodegenerativas

Cooper-Knock J, Shaw PJ, Kirby J: The widening spectrum of C9ORF72-related disease; genotype/phenotype correlations and potential modifiers of clinical phenotype, *Acta Neuropathol* 127:333, 2014.
Chung WS, Verghese PB, Chakraborty C et al: Novel allele-dependent role for APOE in controlling the rate of synapse pruning by astrocytes, *Proc Natl Acad Sci USA* 113:10186, 2016.
Gegg ME, Schapira AHV: The role of glucocerebrosidase in Parkinson disease pathogenesis, *FEBS J 2018*. Epub ahead of print.
Hernandez DG, Reed X, Singleton AB: Genetics in Parkinson disease: Mendelian versus non-Mendelian inheritance, *J Neurochem* 139 Suppl 1:59, 2016.
Klingelhoefer L, Reichmann H: Pathogenesis of Parkinson disease—the gut-brain axis and environmental factors, *Nat Rev Neurol* 11:625, 2015.
Lane CA, Hardy J, Schott JM: Alzheimer's disease, *Eur J Neurol* 25:59, 2018.
Mann DMA, Snowden JS: Frontotemporal lobar degeneration: pathogenesis, pathology and pathways to phenotype, *Brain Pathol* 27:723, 2017.
Rossi S, Cozzolino M, Carri MT: Old versus new mechanisms in the pathogenesis of ALS, *Brain Pathol* 26:276, 2016.
Shi Y, Yamada K, Liddelow SA et al: ApoE4 markedly exacerbates tau-mediated neurodegeneration in a mouse model of tauopathy, *Nature* 549:523, 2017.
Sun YM, Lu C, Wu ZY: Spinocerebellar ataxia: relationship between phenotype and genotype - a review, *Clin Genet* 90:305, 2016.
Ugalde CL, Finkelstein DI, Lawson VA et al: Pathogenic mechanisms of prion protein, amyloid-beta and alpha-synuclein misfolding: the prion concept and neurotoxicity of protein oligomers, *J Neurochem* 139:162, 2016.

Doenças genético-metabólicas

Craven L, Alston CL, Taylor RW et al: Recent advances in mitochondrial disease, *Annu Rev Genomics Hum Genet* 18:257, 2017.

Lax NZ, Gorman GS, Turnbull DM: Review: central nervous system involvement in mitochondrial disease, *Neuropathol Appl Neurobiol* 43:102, 2017.

van der Knaap MS, Bugiani M: Leukodystrophies: a proposed classification system based on pathological changes and pathogenetic mechanisms, *Acta Neuropathol* 134:351, 2017.

Tumores

Louis DN, Perry A, Reifenberger G et al: The 2016 World Health Organization classification of tumors of the central nervous system: a summary, *Acta Neuropathol* 131:803, 2016.

Perry A, Brat D: *Practical Surgical Neuropathology*, ed 2, Philadelphia, 2018, Elsevier/Churchill Livingstone.

CAPÍTULO 29

Olho

Robert Folberg

SUMÁRIO DO CAPÍTULO

- **Órbita, 1362**
  - Anatomia funcional e proptose, 1362
  - *Oftalmopatia tireoidiana (doença de Graves), 1362*
  - *Outras doenças inflamatórias orbitais, 1363*
  - Neoplasias, 1363
- **Pálpebra, 1363**
  - Anatomia funcional, 1363
  - Neoplasias, 1364
- **Conjuntiva, 1364**
  - Anatomia funcional, 1364
  - Cicatriz conjuntival, 1365
  - Pinguécula e pterígio, 1365
  - Neoplasias, 1365
- **Esclera, 1365**
- **Córnea, 1366**
  - Anatomia funcional, 1366
  - Ceratite e úlceras, 1367
  - Degenerações e distrofias da córnea, 1367
  - *Ceratopatias em faixa, 1367*
  - *Ceratocone, 1367*
  - *Distrofia endotelial de Fuchs, 1368*
- **Segmento anterior, 1368**
  - Anatomia funcional, 1368
  - Catarata, 1369
  - Segmento anterior e glaucoma, 1369
  - Endoftalmite e panoftalmite, 1370
- **Úvea, 1371**
  - Uveíte, 1371
  - Neoplasias, 1372
  - *Nevos uveais e melanomas, 1372*
- **Retina e vítreo, 1374**
  - Anatomia funcional, 1374
  - Descolamento da retina, 1375
  - Doenças vasculares da retina, 1376
  - *Hipertensão, 1376*
  - *Diabetes melito, 1376*
  - Retinopatia da prematuridade (fibroplasia retrolental), 1378
  - *Retinopatia falciforme, vasculite retiniana e retinopatia por radiação, 1378*
  - *Oclusões das artérias e veias retinianas, 1379*
  - Degeneração macular relacionada com a idade, 1379
  - Outras degenerações retinianas, 1380
  - *Retinite pigmentosa, 1380*
  - Retinite, 1380
  - Neoplasias da retina, 1380
  - *Retinoblastoma, 1380*
  - *Linfoma retiniano, 1381*
- **Nervo óptico, 1381**
  - Neuropatia óptica isquêmica anterior, 1382
  - Papiledema, 1382
  - Danos glaucomatosos ao nervo óptico, 1382
  - Outras neuropatias ópticas, 1382
  - Neurite óptica, 1383
- **Estágio final de lesão ocular: *phthisis bulbi*, 1384**

Embora este capítulo esteja no fim do livro, ele não é uma reflexão tardia. A visão é uma importante questão de qualidade de vida. Antes da conscientização pública sobre a síndrome da imunodeficiência adquirida (AIDS) e a doença de Alzheimer, a doença mais temida entre os norte-americanos era o câncer, e a segunda mais temida era a cegueira. O medo da cegueira é tão grande que até hoje as pessoas costumam dizer aos médicos: "Doutor, prefiro morrer a ficar cego!".

Em geral, as doenças que produzem perda de visão não atraem tanta atenção como muitas das condições potencialmente fatais descritas neste livro. Por exemplo, a degeneração macular relacionada com a idade (DMRI) é a causa mais comum de perda visual irreversível nos EUA. A maioria dos indivíduos com DMRI não sofre de perda total da visão – uma imersão na escuridão. A histopatologia não é impressionante: são pequenas cicatrizes que se desenvolvem na mácula. Contudo, considere o efeito dessas minúsculas cicatrizes em um professor aposentado com DMRI. A parte central de sua visão é perdida. Os rostos do cônjuge ou dos netos não são mais visíveis. Ele ou ela não consegue ler um livro ou jornal. Outrora um modelo de independência, esse professor não pode mais dirigir um carro e deve ser conduzido para todos os lugares. Em suma, essa pessoa é privada das alegrias comuns que a maioria de nós esquece de dar o devido valor no dia a dia.

Para estudar o olho, é necessário compreender tudo o que veio antes. Por exemplo, a patologia das pálpebras se baseia no conhecimento da dermatopatologia (ver **Capítulo 25**), e a patologia da retina e do nervo óptico amplia o que foi aprendido no **Capítulo 28** sobre o cérebro e o sistema nervoso central. No entanto, o estudo da patologia ocular não se limita a repetir o que foi apresentado até agora. **O olho corresponde ao único local no qual um médico pode visualizar diretamente uma variedade de distúrbios da microcirculação em seu consultório, que vão desde a arteriosclerose até a angiogênese**. Embora existam condições que são específicas ao olho (p. ex., catarata e glaucoma), muitas condições oculares compartilham semelhanças com processos patológicos em outras partes do corpo que são modificados pela estrutura e função exclusivas do olho (**Figura 29.1**).

Nos últimos anos, a elucidação da patogênese molecular das doenças foi traduzida rapidamente em aplicações terapêuticas no olho. Muitas condições causadoras de cegueira, como neovascularização da córnea, retinopatia diabética e certas formas de neovascularização relacionada com a idade, resultam da angiogênese patológica. O tratamento bem-sucedido dessas condições com antagonistas do fator de crescimento endotelial vascular (VEGF) salvou a visão de pacientes que, há poucos anos, poderiam ter ficado cegos.

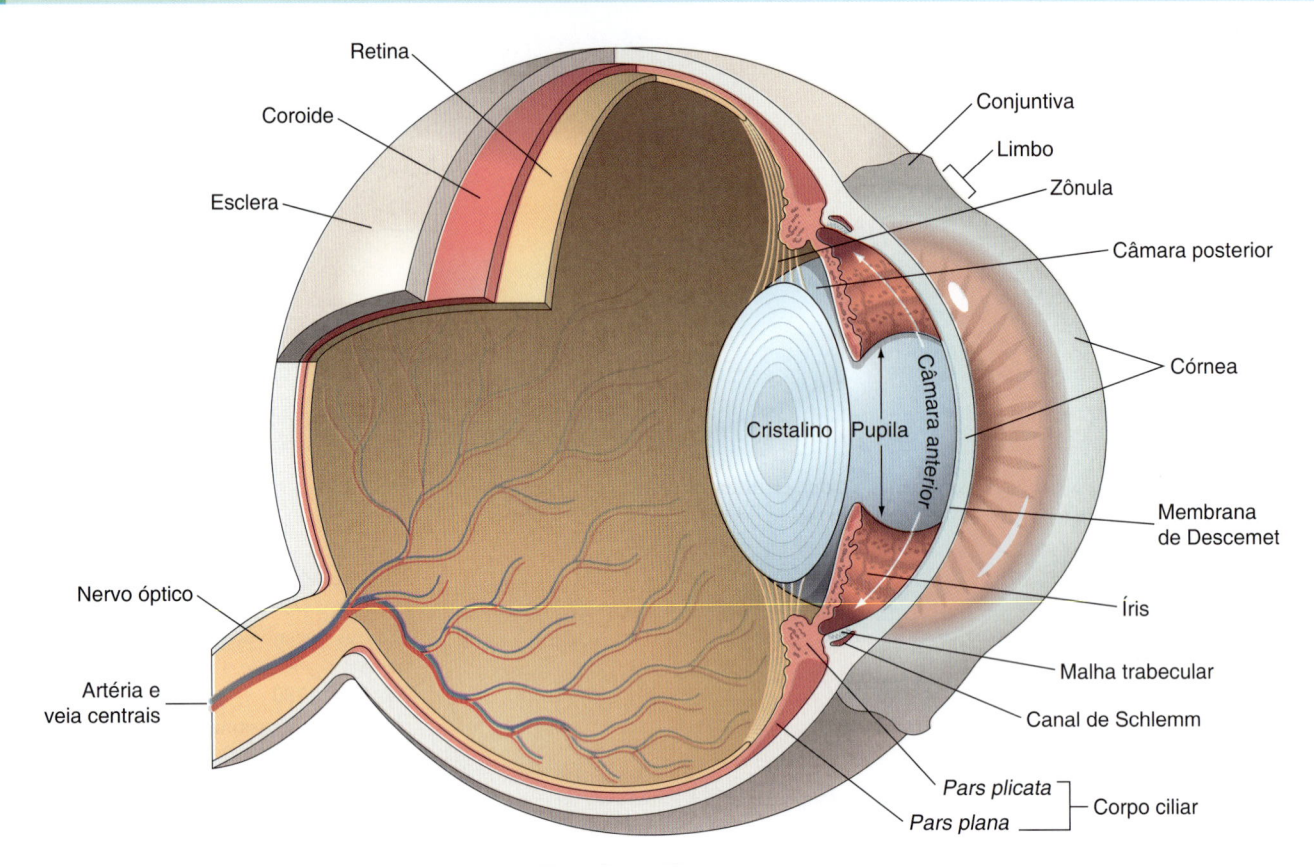

Figura 29.1 Anatomia do olho.

Este capítulo é organizado com base na anatomia ocular. A discussão de cada região do olho começa com considerações anatômicas e funcionais e seu impacto na compreensão das doenças oculares.

Órbita

Anatomia funcional e proptose

A órbita é um compartimento fechado medial, lateral e posteriormente. Portanto, doenças que aumentam o conteúdo orbital deslocam o olho para a frente, condição conhecida como *proptose*. Além das óbvias questões estéticas, o olho proptótico pode não estar completamente coberto pelas pálpebras, e o filme lacrimal pode não ser distribuído uniformemente pela córnea. A exposição crônica da córnea ao ar é prejudicial, causando dor e predispondo à ulceração e à infecção da córnea. A proptose pode ser axial (diretamente para a frente) ou posicional. Por exemplo, qualquer aumento da glândula lacrimal decorrente de inflamação (p. ex., *sarcoidose*) ou neoplasia (p. ex., *linfoma, adenoma pleomórfico* ou *carcinoma adenoide cístico*) produz uma proptose que desloca o olho para baixo e medialmente, uma vez que a glândula lacrimal está posicionada superotemporalmente dentro da órbita.

As massas contidas dentro do cone formado pelos músculos retos horizontais geram proptose axial: o olho projeta-se para a frente. Os dois tumores primários mais comuns do nervo óptico (o segundo par de nervos cranianos), *glioma* e *meningioma*, produzem proptose axial, pois o nervo óptico está posicionado dentro do cone muscular. Os conteúdos orbitais estão sujeitos aos mesmos processos patológicos que afetam outros tecidos. Condições inflamatórias representativas e neoplasias da órbita serão discutidas brevemente a seguir.

Oftalmopatia tireoidiana (doença de Graves)

No capítulo sobre distúrbios endócrinos (ver **Capítulo 24**), observou-se que a proptose axial é uma importante manifestação clínica da doença de Graves. A proptose é causada pelo acúmulo de proteínas da matriz extracelular e por graus variáveis de fibrose nos músculos retos (**Figura 29.2**). O desenvolvimento de oftalmopatia tireoidiana pode, em alguns casos, ser independente do nível de função tireoidiana.

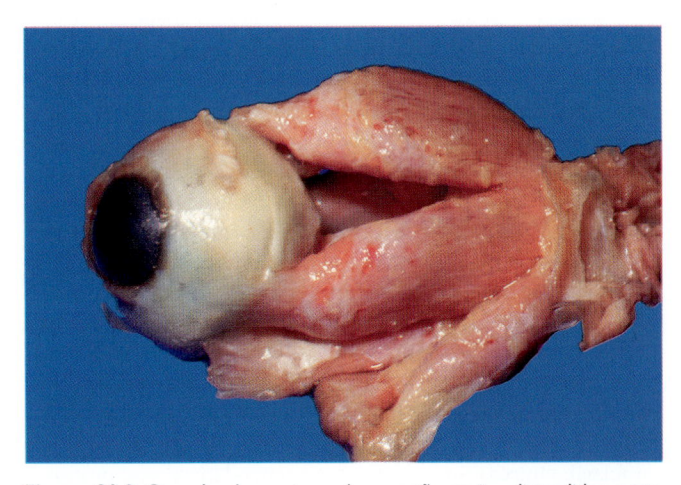

Figura 29.2 Os músculos extraoculares estão muito distendidos nesta dissecção *post mortem* de tecidos de um paciente com oftalmopatia tireoidiana (de Graves). Observe que os tendões dos músculos são poupados. (Cortesia do Dr. Ralph C. Eagle, Jr., Wills Eye Hospital, Philadelphia, Pa.)

Outras doenças inflamatórias orbitais

O assoalho da órbita é o teto do seio maxilar, e a parede medial da órbita – a lâmina papirácea – separa a órbita dos seios etmoidais. Como resultado, a infecção sinusal não controlada pode se espalhar para a órbita como uma infecção bacteriana aguda ou como um componente de uma infecção fúngica. Isso ocorre mais comumente em indivíduos imunossuprimidos, em pacientes com cetoacidose diabética ou, raramente, em pessoas sem qualquer predisposição. Condições sistêmicas, como *granulomatose com poliangiite* (ver **Capítulo 11**), podem se apresentar primeiro na órbita e ficar confinadas lá por períodos prolongados, ou, ainda, podem envolver a órbita secundariamente por extensão a partir dos seios da face.

A *inflamação orbital idiopática*, também conhecida como pseudotumor inflamatório orbital (**Figura 29.3**), é outra condição inflamatória que afeta a órbita. Essa doença pode ser unilateral ou bilateral e pode acometer todos os elementos do tecido orbital ou ficar confinada à glândula lacrimal (*dacrioadenite esclerosante*), aos músculos extraoculares (*miosite orbital*) ou à cápsula de Tenon, a camada da fáscia que envolve o olho (*esclerite posterior*). Deve-se excluir a doença relacionada com IgG4 (ver **Capítulo 6**) antes de definir que uma inflamação orbitária é idiopática.

> ### Morfologia
>
> A inflamação orbital idiopática caracteriza-se histologicamente por inflamação crônica e graus variáveis de fibrose. O infiltrado inflamatório normalmente inclui linfócitos, plasmócitos e, ocasionalmente, eosinófilos. Centros germinativos, quando presentes, levantam a suspeita de hiperplasia linfoide reativa. Pode haver vasculite, o que sugere uma condição sistêmica subjacente. A presença de necrose e fibras colágenas em degeneração junto à vasculite deve levantar a suspeita de granulomatose com poliangiite. A inflamação orbital idiopática está normalmente confinada à órbita, mas pode se desenvolver de forma concomitante com a inflamação esclerosante no retroperitônio, no mediastino e na tireoide, principalmente como uma manifestação de doença relacionada com IgG4.

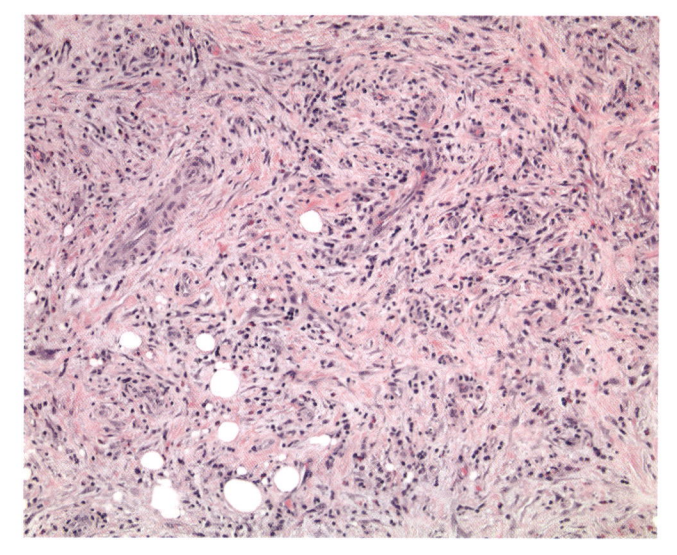

Figura 29.3 Na inflamação orbital idiopática (pseudotumor inflamatório orbital), a gordura orbital é substituída por fibrose. Observe a inflamação crônica, nesse caso, acompanhada por eosinófilos.

Neoplasias

As neoplasias primárias da órbita mais frequentemente encontradas são de origem vascular: hemangioma capilar da lactância e primeira infância e linfangioma (ambos não encapsulados) e hemangioma cavernoso encapsulado, normalmente encontrado em adultos. Eles são descritos em outros capítulos. Apenas poucas massas orbitais são encapsuladas (p. ex., adenoma pleomórfico da glândula lacrimal, cisto dermoide, neurilemoma), e o reconhecimento do encapsulamento em estudos de imagem permite ao cirurgião prever os achados patológicos.

Assim como a inflamação orbital idiopática, o *linfoma não Hodgkin* pode afetar toda a órbita ou pode estar confinado a compartimentos da órbita, como a glândula lacrimal. Os linfomas orbitais são classificados de acordo com o sistema de classificação da Organização Mundial da Saúde (OMS) (ver **Capítulo 13**).

As malignidades orbitais primárias podem ter origem em qualquer um dos tecidos orbitais e são classificadas de acordo com a padronização utilizada para o tecido original. Por exemplo, a glândula lacrimal pode ser considerada uma glândula salivar menor, ao passo que os tumores da glândula lacrimal são classificados de forma similar aos tumores da glândula salivar.

As metástases para a órbita podem apresentar sinais e sintomas distintos, que apontam para a origem do tumor. Por exemplo, o carcinoma de próstata metastático pode se apresentar clinicamente como inflamação orbital idiopática; o neuroblastoma e o tumor de Wilms metastáticos – neoplasias ricamente vascularizadas – podem produzir equimoses perioculares características. Neoplasias também podem invadir a órbita através dos seios da face.

> ### Conceitos-chave
>
> - A proptose resulta de lesões ou alterações patológicas nos tecidos que ocupam espaço na órbita. A órbita é um compartimento aberto apenas anteriormente e fechado por estrutura óssea em todas as outras dimensões do osso
> - A inflamação na órbita pode se desenvolver por extensão da doença local em tecidos adjacentes (p. ex., sinusite) ou como um componente de doença sistêmica (p. ex., granulomatose com poliangiite)
> - Os tumores primários da órbita mais comuns são vasculares (p. ex., hemangiomas capilares e cavernosos).

Pálpebra

Anatomia funcional

A pálpebra é composta externamente de pele e internamente de mucosa (a conjuntiva) na superfície justaposta ao olho (**Figura 29.4**). Além de cobrir e proteger o olho, os elementos dentro da pálpebra produzem componentes cruciais do filme lacrimal. Se o sistema de drenagem das glândulas sebáceas estiver obstruído por inflamação crônica na margem palpebral (*blefarite*) ou, menos comumente, por neoplasia, os lipídios podem extravasar para o tecido circundante e provocar uma resposta granulomatosa, produzindo um lipogranuloma, ou *calázio*.

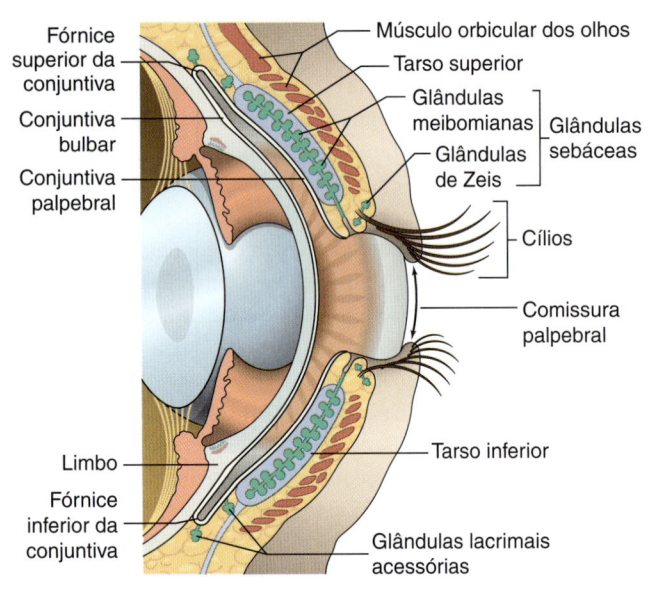

Figura 29.4 Anatomia da conjuntiva e das pálpebras.

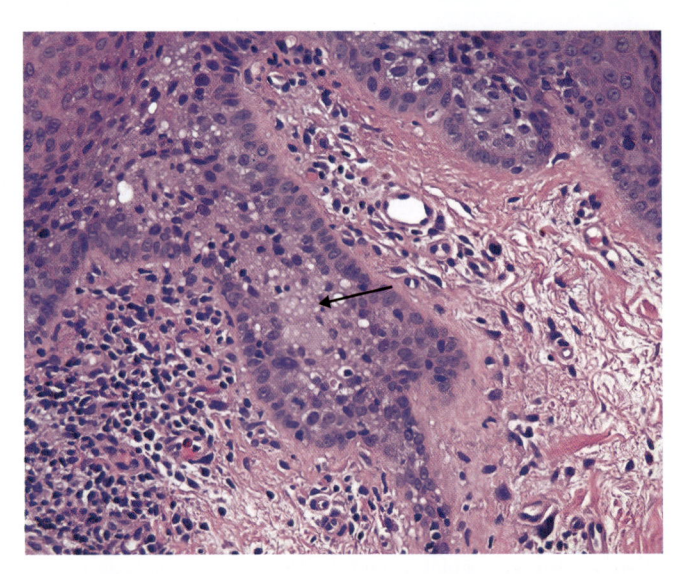

Figura 29.5 Disseminação pagetoide de carcinoma sebáceo. Células neoplásicas com citoplasma espumoso estão presentes na epiderme (*seta*). O carcinoma sebáceo invasivo foi identificado em outras partes desta amostra de biopsia.

Neoplasias

A malignidade mais comum da pálpebra é o carcinoma basocelular. Surpreendentemente, os melanomas primários da pele da pálpebra são extremamente raros. Qualquer que seja a histogênese, as neoplasias palpebrais podem distorcer o tecido e impedir que as pálpebras se fechem completamente. Como a exposição crônica ao ar danifica a córnea, o tratamento imediato de carcinomas basocelulares localmente invasivos é fundamental para preservar a visão. O carcinoma basocelular tem uma predileção distinta pela pálpebra inferior e pelo canto medial.

O *carcinoma sebáceo* pode formar uma massa local que mimetiza o *calázio* ou pode engrossar de forma difusa a pálpebra. Essa neoplasia também pode se assemelhar a processos inflamatórios, como blefarite ou *penfigoide cicatricial ocular*, devido à predileção por disseminação intraepitelial, como ocorre na doença de Paget do mamilo (ver **Capítulo 23**) ou da vulva (ver **Capítulo 22**). O carcinoma sebáceo tende a se disseminar primeiro para os nódulos parotídeos e submandibulares. A taxa de mortalidade geral pode chegar a 22%. O carcinoma sebáceo da pálpebra tem menor probabilidade de estar associado à síndrome de Muir-Torre do que as neoplasias sebáceas que se desenvolvem em outras regiões.

Morfologia

No carcinoma sebáceo moderadamente diferenciado ou bem diferenciado, a vacuolização do citoplasma está presente e auxilia a realizar o diagnóstico. Entretanto, esse câncer pode assemelhar-se histologicamente a uma variedade de outras neoplasias malignas, incluindo o carcinoma basocelular; portanto, estabelecer o diagnóstico correto pode ser difícil. A disseminação pagetoide (**Figura 29.5**) pode mimetizar a queratose actínica bowenoide na pálpebra e o carcinoma *in situ* na conjuntiva. O carcinoma sebáceo pode se disseminar através do epitélio conjuntival e da epiderme para o sistema de drenagem lacrimal e a nasofaringe. Além disso, ele pode estender-se para os dúctulos da glândula lacrimal e, daí, para a glândula lacrimal principal.

Em indivíduos com AIDS, o *sarcoma de Kaposi* pode se desenvolver na pálpebra ou na conjuntiva. Na pálpebra, a lesão pode parecer clinicamente ter uma tonalidade roxa, uma vez que a lesão vascular está internamente na derme; já o sarcoma de Kaposi localiza-se na fina membrana mucosa da conjuntiva, tem coloração vermelho-vivo e pode ser confundido clinicamente com uma hemorragia subconjuntival.

Conceitos-chave

- O carcinoma basocelular é a malignidade primária mais comum da pálpebra e pode ser muito invasivo localmente
- Em contrapartida, o carcinoma sebáceo da pálpebra pode metastatizar e é, portanto, uma doença grave e potencialmente fatal.

Conjuntiva

Anatomia funcional

A conjuntiva é dividida em zonas (ver **Figura 29.4**), cada uma com características histológicas específicas e diferentes respostas à doença. A conjuntiva que reveste o interior da pálpebra, a *conjuntiva palpebral*, está fortemente aderida ao tarso e pode responder à inflamação, sendo projetada em minúsculas pregas papilares, como pode ocorrer na conjuntivite alérgica e na conjuntivite bacteriana. A conjuntiva no *fórnice* é um epitélio colunar pseudoestratificado rico em células caliciformes. O fórnice também contém tecido lacrimal acessório, e os dúctulos da glândula lacrimal principal perfuram a conjuntiva no fórnice superior e lateralmente. A população linfoide da conjuntiva é mais perceptível no fórnice e, *na conjuntivite viral, os folículos linfoides podem aumentar o suficiente para serem visualizados clinicamente* por exame na lâmpada de fenda. *Granulomas* associados à sarcoidose sistêmica podem ser detectados no fórnice conjuntival, e, em indivíduos com suspeita de sarcoidose, uma biopsia conjuntival pode apresentar granulomas em 50% dos casos. O linfoma primário da conjuntiva (em geral, linfoma indolente de células B da zona marginal) tem maior probabilidade de se desenvolver no fórnice. A *conjuntiva bulbar* – a conjuntiva que cobre a superfície do olho – é um epitélio escamoso estratificado e não queratinizado. O limbo, a interseção entre a esclera e a córnea, também marca a transição entre o epitélio da conjuntiva e da córnea (ver **Figura 29.1**).

Assim como a pálpebra, a conjuntiva é ricamente revestida de canais linfáticos. Neoplasias malignas que surgem na pálpebra e na conjuntiva tendem a se disseminar para os linfonodos regionais (grupos de linfonodos parotídeos e submandibulares).

Cicatriz conjuntival

Muitos casos de conjuntivite bacteriana ou viral causam vermelhidão e coceira, mas a maioria se resolve sem sequelas. No entanto, a infecção por *Chlamydia trachomatis* (*tracoma*) pode produzir cicatrizes conjuntivais significativas. As cicatrizes conjuntivais também são observadas após a exposição da superfície ocular a álcalis cáusticos ou como sequela de *penfigoide* cicatricial ocular (ver **Capítulo 25**). A redução do número de células caliciformes devido à cicatriz conjuntival leva à diminuição da mucina superficial, que é essencial para a aderência do componente aquoso das lágrimas ao epitélio da córnea. Assim, mesmo que o componente aquoso do filme lacrimal seja adequado, o indivíduo afetado sofrerá de olho seco. Mais comumente, no entanto, o olho seco resulta de uma deficiência no componente aquoso do filme lacrimal, gerada pelas glândulas lacrimais acessórias embutidas na pálpebra e no fórnice.

A conjuntiva pode desenvolver cicatrizes iatrogenicamente por reação a fármacos ou como consequência de cirurgia. Em outras partes do corpo, a cirurgia oncológica requer a excisão da lesão com uma margem de tecido normal para garantir a remoção completa. No entanto, a excisão cirúrgica extensa, mesmo da conjuntiva doente, pode remover muitas células caliciformes ou comprometer os dúctulos da glândula lacrimal que atravessam a conjuntiva. Assim, a remoção de uma neoplasia conjuntival ou de uma lesão precursora pode deixar o indivíduo afetado com um olho seco e dolorido, o que pode comprometer a visão. Portanto, os cirurgiões geralmente removem apenas os componentes invasivos das neoplasias conjuntivais e tratam os componentes intraepiteliais com modalidades que preservem os tecidos, como crioterapia ou quimioterapia tópica administrada na forma de colírios.

Pinguécula e pterígio

Tanto a *pinguécula* quanto o *pterígio* surgem como elevações submucosas na conjuntiva. Eles resultam de dano actínico e, portanto, estão localizados nas regiões da conjuntiva que são expostas ao sol (*i. e.*, na fissura entre as pálpebras superior e inferior – a fissura interpalpebral). O pterígio geralmente se origina na conjuntiva sobreposta ao limbo. Ele é formado por um crescimento submucoso *de tecido conjuntivo fibrovascular que migra para a córnea*, dissecando o plano normalmente ocupado pela camada de Bowman. O pterígio não cruza o eixo pupilar e, além da possível indução de astigmatismo leve, não representa uma ameaça à visão. Embora a maioria dos pterígios seja inteiramente benigna, vale a pena submeter o tecido excisado ao exame histopatológico, visto que, ocasionalmente, precursores de neoplasias actínicas – carcinoma espinocelular e melanoma – são detectados

nessas lesões. A pinguécula, que, como o pterígio, aparece sobreposta ao limbo, é uma pequena elevação submucosa amarelada.

Neoplasias

Tanto as neoplasias escamosas quanto as neoplasias melanocíticas e seus precursores tendem a se desenvolver no limbo. O *carcinoma espinocelular* conjuntival pode ser precedido por alterações neoplásicas intraepiteliais análogas às observadas na evolução do carcinoma espinocelular cervical. Na conjuntiva, o espectro de alterações, que vai desde displasia leve até carcinoma *in situ*, é denominado *neoplasia escamosa da superfície ocular*. Os papilomas escamosos e a neoplasia intraepitelial conjuntival podem estar associados à presença de papilomavírus humano tipos 16 e 18.

Os *nevos conjuntivais* são comumente encontrados, mas raramente invadem a córnea ou aparecem no fórnice ou sobre a conjuntiva palpebral. Lesões pigmentadas nessas zonas da conjuntiva provavelmente representam melanomas ou precursores de melanoma. Os nevos compostos da conjuntiva contêm caracteristicamente cistos subepiteliais revestidos por epitélio de superfície (**Figura 29.6A e B**). No final da infância ou na adolescência, os nevos conjuntivais podem adquirir um componente inflamatório rico em linfócitos, células plasmáticas e eosinófilos. O *nevo juvenil inflamado* resultante é completamente benigno.

Os *melanomas conjuntivais* são neoplasias unilaterais, que, em geral, afetam indivíduos de pele clara na meia-idade (**Figura 29.6C e D**). A maioria dos casos de melanoma da conjuntiva se desenvolve por meio de uma fase de crescimento intraepitelial, denominada *melanose primária adquirida com atipia* ou *neoplasia intraepitelial melanocítica conjuntival* (*NIM-C*). Entre 50 e 90% dos indivíduos com melanose primária adquirida com atipia tratada de forma incompleta desenvolvem melanoma conjuntival. É possível identificar mutações V600 em *BRAF* em quase 40% dos melanomas conjuntivais. Talvez o melhor tratamento do melanoma conjuntival seja a sua prevenção por meio da exérese da lesão precursora. As lesões tendem a se disseminar primeiro para os linfonodos parotídeos ou submandibulares. Aproximadamente 25% dos melanomas conjuntivais são fatais.

> **Conceitos-chave**
>
> - A cicatriz conjuntival, consequência de uma série de condições, pode resultar em perda dolorosa da visão ao interferir na distribuição e na manutenção do filme lacrimal
> - Muitas neoplasias conjuntivais se originam no limbo, a sede das células-tronco da superfície ocular
> - As neoplasias da conjuntiva – principalmente os melanomas conjuntivais – tendem a se disseminar pelos ricos vasos linfáticos da conjuntiva para os linfonodos regionais.

Esclera

A esclera é composta principalmente de colágeno e contém poucos vasos sanguíneos e fibroblastos; portanto, feridas e incisões cirúrgicas tendem a cicatrizar mal. Depósitos de imunocomplexos na esclera, como na *artrite reumatoide*, podem produzir uma *esclerite* necrosante.

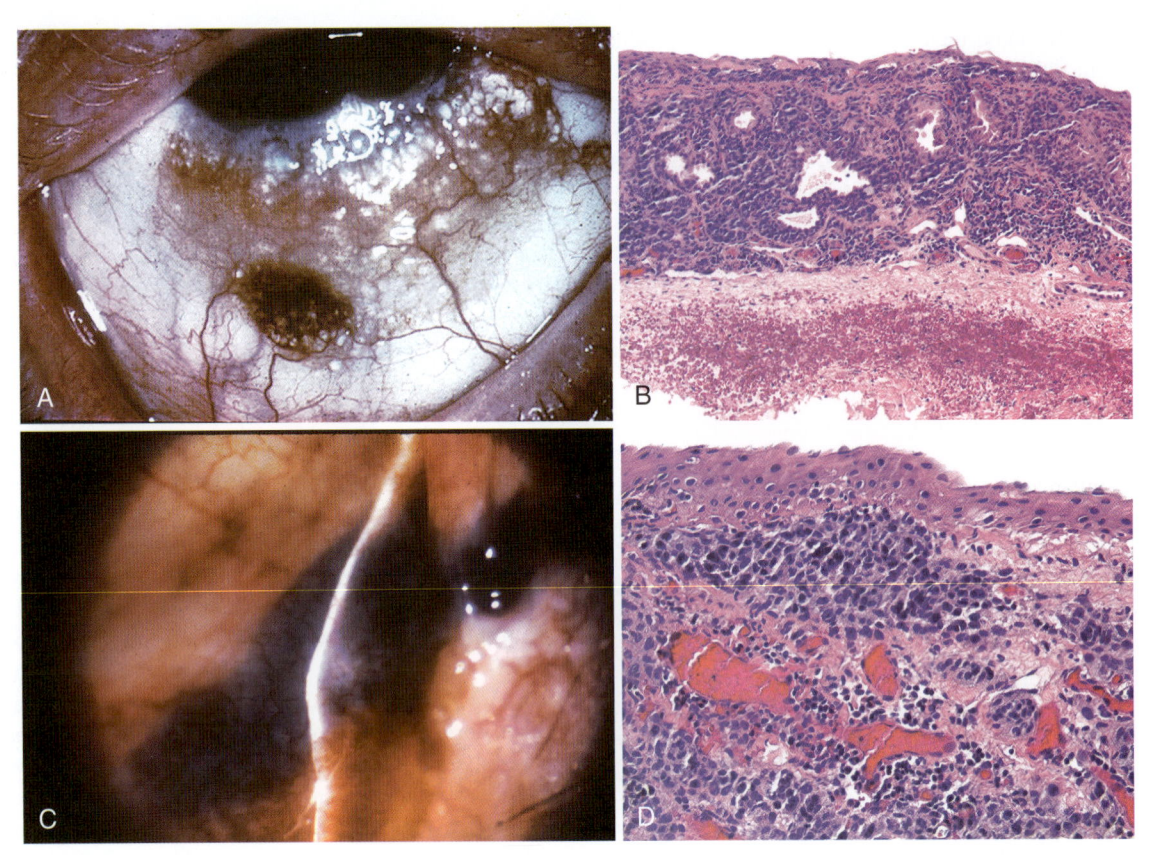

Figura 29.6 A e **B.** Nevo cístico composto da conjuntiva. **C** e **D.** Melanoma maligno da conjuntiva. Em **C**, observe o desvio do feixe da lâmpada de fenda sobre a superfície da lesão, indicativo de invasão. (**A** e **B**, De Folberg R, et al: Benign conjunctival melanocytic lesions: clinicopathologic features, *Ophthalmology* 96:436, 1989.)

A esclera pode parecer "azul" em várias condições. Algumas delas são:

- Pode tornar-se fina após episódios de *esclerite*, e a coloração normalmente marrom da úvea pode parecer azul clinicamente devido ao efeito óptico de Tyndall
- *A esclera pode estar adelgaçada em olhos com pressão intraocular excepcionalmente alta.* Como essa zona de ectasia escleral é revestida por tecido uveal, a lesão resultante, conhecida como *estafiloma*, também parece azul
- A esclera pode parecer azul na *osteogênese imperfeita*
- A esclera pode parecer azul devido a um nevo congênito altamente pigmentado da úvea subjacente, uma condição conhecida como *melanose ocular congênita*. Quando acompanhada de pigmentação cutânea periocular, essa condição é conhecida como *nevo de Ota*.

Córnea

Anatomia funcional

A córnea e seu filme lacrimal sobrejacente – não o cristalino – constituem a principal superfície refrativa do olho (**Figura 29.7**). A propósito, a *miopia* normalmente se desenvolve porque o olho é muito longo para o seu poder de refração, ao passo que a *hipermetropia* resulta de um olho muito curto. A popularidade de procedimentos como a ceratomileuse assistida por *laser in situ* (LASIK, *laser-assisted in situ keratomileusis*) para esculpir a córnea e alterar as suas propriedades refrativas atesta a importância do formato da córnea em contribuir para o poder refrativo do olho.

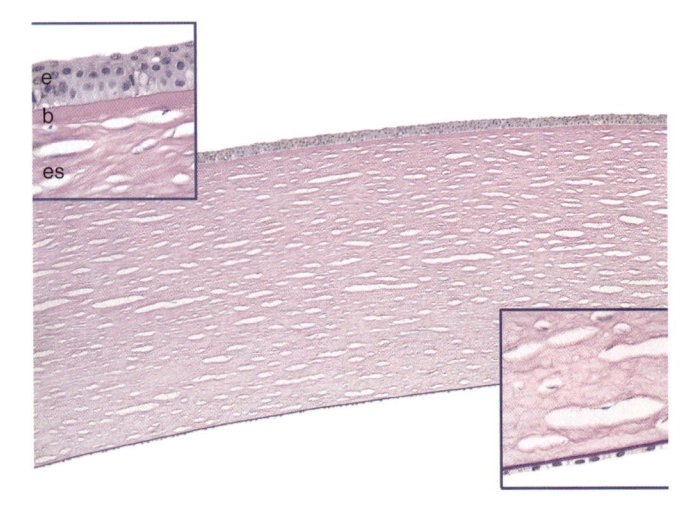

Figura 29.7 Microarquitetura normal da córnea. O tecido da córnea está corado por ácido periódico de Schiff (PAS) para destacar as membranas basais. O detalhe no canto superior esquerdo é uma grande ampliação das camadas anteriores da córnea: epitélio (*e*), camada de Bowman (*b*) e estroma (*es*). Uma membrana basal PAS-positiva muito fina separa o epitélio da camada de Bowman. Observe que a camada Bowman é acelular. O detalhe no canto inferior direito é uma grande ampliação da membrana de Descemet PAS-positiva e do endotélio da córnea. Os "orifícios" no estroma são espaços produzidos por artefatos entre as lamelas paralelas de colágeno estromal.

Anteriormente, a córnea é coberta por um *epitélio* que repousa sobre uma membrana basal. A *camada de Bowman*, situada logo abaixo da membrana basal epitelial, é acelular e forma uma barreira eficiente contra a penetração de células malignas do epitélio no estroma subjacente.

O *estroma corneano* carece de vasos sanguíneos e linfáticos, uma característica que contribui não só para a transparência da córnea, mas também para o alto índice de sucesso do transplante de córnea. De fato, a falha não imunológica do enxerto (associada à perda de células endoteliais e ao subsequente edema corneano) é vista mais comumente do que a rejeição imunológica do enxerto. O risco de rejeição ao enxerto de córnea aumenta com a vascularização e a inflamação do estroma. Um alinhamento preciso do colágeno no estroma corneano também contribui para a transparência.

A *vascularização da córnea* pode acompanhar o edema crônico da córnea, a inflamação e a formação de cicatrizes. A aplicação de antagonistas tópicos do VEGF oferece uma abordagem promissora para prevenir a vascularização da córnea. Cicatrizes e edema rompem o alinhamento espacial do colágeno estromal e contribuem para a opacificação da córnea. As cicatrizes podem resultar de trauma ou inflamação. Normalmente, o estroma corneano está em um estado de relativa deturgescência (desidratação), mantida, em grande parte, pelo bombeamento ativo de líquido do estroma de volta para a câmara anterior pelo endotélio corneano.

O *endotélio* corneano deriva da crista neural e não se relaciona ao endotélio vascular. Ele repousa sobre a sua membrana basal, a membrana de Descemet. A diminuição das células endoteliais ou o mau funcionamento do endotélio resultam em edema do estroma, que pode ser complicado pela separação bolhosa do epitélio (*ceratopatia bolhosa*). A espessura da *membrana de Descemet* aumenta com a idade. Ela é também o local de deposição de cobre no anel de Kayser-Fleischer na doença de Wilson (ver **Capítulo 18**).

Ceratite e úlceras

Vários patógenos – bacterianos, fúngicos, virais (principalmente herpes simples e herpes-zóster) e protozoários (*Acanthamoeba*) – podem causar ulceração da córnea. Em todas as formas de ceratite, a dissolução do estroma corneano pode ser acelerada pela ativação de colagenases dentro do epitélio corneano e dos fibroblastos estromais (também conhecidos como ceratócitos). Exsudato e células que vazam dos vasos da íris e do corpo ciliar para a câmara anterior podem ser visíveis no exame com lâmpada de fenda e podem se acumular em quantidade suficiente para se tornarem visíveis até mesmo no exame com lanterna (*hipópio*). Embora a úlcera da córnea possa ser infecciosa, o hipópio raramente contém organismos e é um exemplo por excelência da resposta vascular à inflamação aguda. As formas específicas de ceratite podem ter certas características distintas. Por exemplo, a ceratite crônica por herpes simples pode estar associada a uma reação granulomatosa envolvendo a membrana de Descemet (**Figura 29.8**).

Degenerações e distrofias da córnea

Os oftalmologistas tradicionalmente dividem os muitos distúrbios da córnea em duas categorias: degenerações e distrofias. As degenerações da córnea podem ser unilaterais ou bilaterais e, em geral, não são hereditárias. Em contrapartida, as distrofias corneanas costumam ser bilaterais e hereditárias. As distrofias da córnea podem afetar camadas específicas da córnea, ou as alterações podem ser distribuídas por várias camadas.

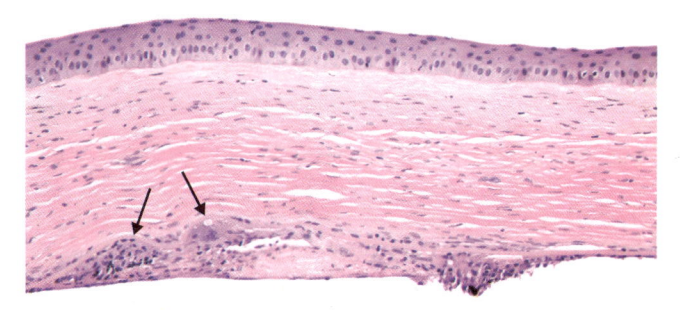

Figura 29.8 Ceratite crônica por herpes simples. A córnea está fina e com cicatrizes (observe o aumento do número de núcleos de fibroblastos). A reação granulomatosa na membrana de Descemet, ilustrada nesta fotomicrografia (*setas*), é uma marca histológica típica da ceratite crônica por herpes simples.

Ceratopatias em faixa

Dois tipos de ceratopatia em faixa servem como exemplos de degeneração da córnea. A *ceratopatia em faixa calcificada* caracteriza-se pela deposição de cálcio na camada de Bowman. Essa condição pode complicar a uveíte crônica, sobretudo em indivíduos com artrite reumatoide juvenil crônica. A *ceratopatia em faixa actínica* desenvolve-se em indivíduos que são expostos cronicamente a altos níveis de luz ultravioleta. Nessa condição, uma extensa elastose solar desenvolve-se nas camadas superficiais de colágeno da córnea na fissura interpalpebral exposta ao sol – daí a distribuição horizontal em faixa da lesão. De forma semelhante à que acontece na pinguécula, o colágeno corneano danificado pelo sol pode assumir uma tonalidade amarela, a ponto de essa condição, às vezes, ser erroneamente chamada de "ceratopatia em gota de óleo".

Ceratocone

Com incidência de 1 em cada 2 mil pessoas, o *ceratocone* é um distúrbio bastante comum que se caracteriza por afinamento progressivo e ectasia da córnea sem evidência de inflamação ou vascularização. Esse afinamento resulta em uma córnea que tem uma forma cônica, em vez de esférica. Essa forma anormal gera astigmatismo irregular, que é difícil de ser corrigido com óculos. Lentes de contato rígidas geram uma superfície lisa e esférica para a córnea e podem fornecer alívio refrativo para indivíduos com ceratocone. Os pacientes cuja visão não pode ser corrigida com óculos ou lentes de contato são excelentes candidatos ao transplante de córnea, que apresenta alto grau de sucesso nessa condição. Ao contrário de muitos tipos de degeneração, o ceratocone é comumente bilateral. O ceratocone está associado à síndrome de Down, à síndrome de Marfan e a distúrbios atópicos. O seu desenvolvimento pode resultar de uma predisposição genética sobreposta por um insulto ambiental, como esfregar os olhos em resposta a condições atópicas.

Morfologia

O afinamento da córnea e as rupturas na camada de Bowman são as marcas histológicas típicas do ceratocone (Figura 29.9). Em alguns pacientes, a membrana de Descemet pode romper-se precipitadamente, permitindo que o humor aquoso na câmara anterior tenha acesso ao estroma corneano. A súbita efusão de humor aquoso através de uma ruptura na membrana de Descemet – *hidropisia* corneana – também pode causar a piora repentina da visão. Um episódio de hidropisia pode ser seguido por cicatrizes na córnea, que também podem contribuir para a perda visual. A hidropisia aguda da córnea pode complicar as rupturas da membrana de Descemet, que se desenvolvem secundariamente a elevações significativas da pressão intraocular no *glaucoma infantil* (estrias de Haab) ou após a lesão ocular, hoje incomum, por fórceps obstétrico.

Distrofia endotelial de Fuchs

A distrofia endotelial de Fuchs, uma das várias distrofias, resulta da perda de células endoteliais e do edema, além do espessamento resultante do estroma. Trata-se de uma das principais indicações para o transplante de córnea nos EUA. As duas principais manifestações clínicas da distrofia endotelial de Fuchs – *edema estromal* e *ceratopatia bolhosa* – estão relacionadas com a perda primária de células endoteliais. No início do curso da doença, as células endoteliais produzem depósitos semelhantes a gotas de material anormal da membrana basal (*gutata*), que podem ser visualizados clinicamente por exame com lâmpada de fenda. Com a progressão da doença, ocorre a diminuição do número total de células endoteliais, e as células residuais são incapazes de manter a deturgescência estromal. Em consequência, o estroma torna-se edematoso e espesso; ele adquire uma aparência clínica de vidro fosco, e a visão fica turva (**Figura 29.10**). Em virtude do edema crônico, o estroma pode, com o tempo, tornar-se vascularizado. Ocasionalmente, o número de células endoteliais pode diminuir após a cirurgia de catarata, mesmo em indivíduos que não apresentam formas precoces de distrofia de Fuchs. Essa condição, conhecida como *ceratopatia bolhosa pseudofácica*, também é uma indicação comum para o transplante de córnea.

Figura 29.10 Distrofia de Fuchs. Este corte de tecido está corado por ácido periódico de Schiff para evidenciar a membrana de Descemet, que está espessa. Numerosas excrescências semelhantes a gotas – *gutata* – projetam-se para baixo a partir da membrana de Descemet. Os núcleos das células endoteliais não são vistos. Bolhas epiteliais, não mostradas nesta micrografia, estavam presentes, refletindo edema de córnea.

> **Conceitos-chave**
>
> - A córnea, e não o cristalino, é a principal superfície refrativa do olho. O ceratocone é um exemplo de condição que distorce o contorno da córnea e altera essa superfície refrativa, produzindo uma forma irregular de astigmatismo
> - A córnea normal é avascular, uma característica que contribui para a sua transparência e para a baixa incidência de rejeição do enxerto após o transplante de córnea
> - As inflamações da córnea podem ser acompanhadas por um processo exsudativo não infeccioso na câmara anterior, que pode se organizar e distorcer a anatomia do segmento anterior e contribuir para o glaucoma secundário e para a catarata
> - As distrofias da córnea geralmente são hereditárias, ao passo que as degenerações não costumam ser. A distrofia de Fuchs e a ceratopatia bolhosa pseudofácica produzem perda visual por meio da via comum final do edema da córnea, e ambas as condições são as principais indicações para o transplante de córnea nos EUA.

Segmento anterior

Anatomia funcional

A câmara anterior é delimitada anteriormente pela córnea, lateralmente pela malha trabecular e, posteriormente, pela íris (**Figura 29.11**). O humor aquoso, formado pela *pars plicata* do corpo ciliar, entra na câmara posterior, banha o cristalino e circula pela pupila para obter acesso à câmara anterior. A câmara posterior fica atrás da íris e na frente do cristalino.

O cristalino é um sistema epitelial fechado; a membrana basal do epitélio do cristalino (conhecida como cápsula do cristalino) envolve totalmente o cristalino. Assim, o epitélio do cristalino não esfolia como a epiderme ou um epitélio da mucosa. Em vez disso, o epitélio do cristalino e suas fibras derivadas acumulam-se

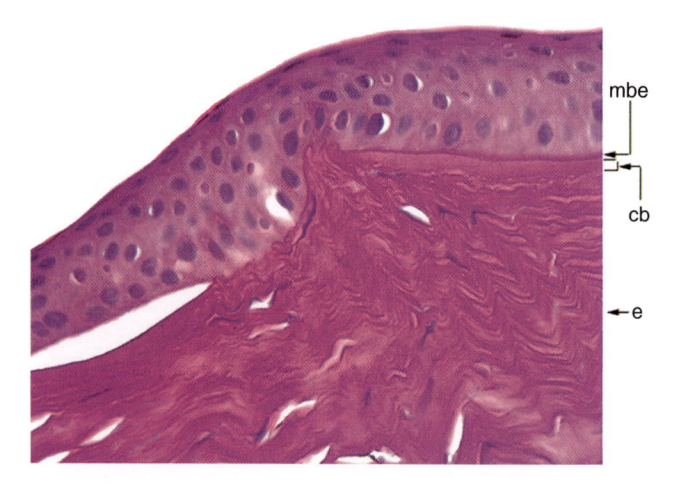

Figura 29.9 Ceratocone. O corte de tecido está corado por ácido periódico de Schiff para destacar a membrana basal epitelial (*mbe*), que está intacta, a camada de Bowman (*cb*), situada entre a membrana basal epitelial, e o estroma (*e*). Seguindo a camada de Bowman a partir do *lado direito* da fotomicrografia em direção ao *centro*, há uma descontinuidade, que é diagnóstica do ceratocone. A separação epitelial logo à *esquerda* da descontinuidade da camada de Bowman resultou de um episódio de hidropisia corneana, causada pela ruptura da membrana de Descemet (não mostrada).

CÂMARAS ANTERIOR E POSTERIOR

PRINCIPAL VIA DE DRENAGEM DO HUMOR AQUOSO

GLAUCOMA PRIMÁRIO DE ÂNGULO FECHADO

GLAUCOMA NEOVASCULAR

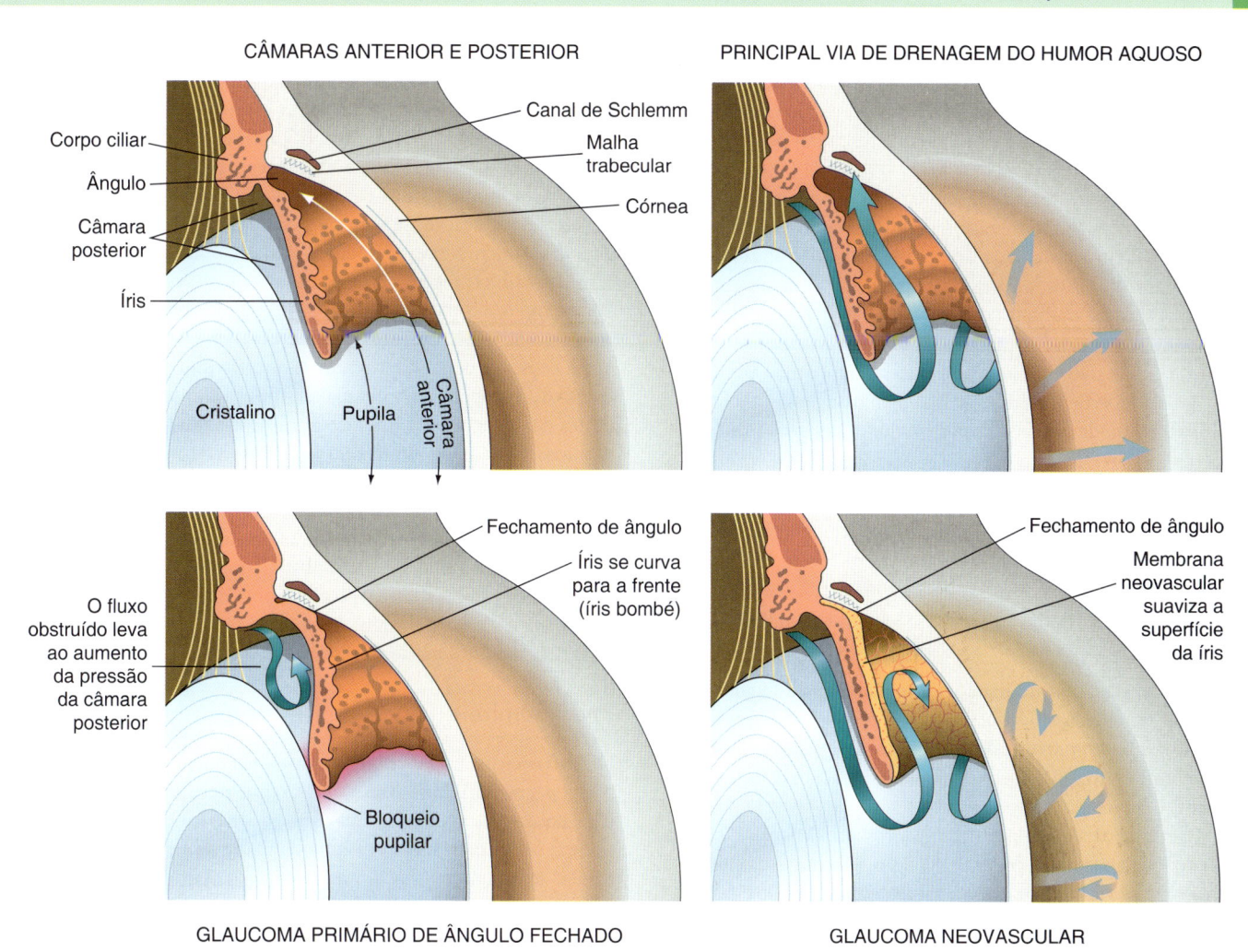

Figura 29.11 *Parte superior, à esquerda,* o olho normal. Observe que a superfície da íris é altamente texturizada com criptas e pregas. *Parte superior, à direita,* o fluxo normal do humor aquoso. O humor aquoso, produzido na câmara posterior, flui através da pupila para dentro da câmara anterior. A principal via para a saída do humor aquoso é através da malha trabecular, para o canal de Schlemm. Vias de saída menores (uveoescleral e pela íris, não representadas) contribuem de forma limitada para a drenagem do humor aquoso. *Parte inferior, à esquerda,* glaucoma primário de ângulo fechado. Em olhos anatomicamente predispostos, a aposição transitória da íris na margem pupilar em relação ao cristalino bloqueia a passagem do humor aquoso da câmara posterior para a anterior. A pressão aumenta na câmara posterior, curvando a íris para a frente (*íris bombé*) e obstruindo a malha trabecular. *Parte inferior, à direita,* uma membrana neovascular cresceu sobre a superfície da íris, suavizando as pregas e as criptas da íris. Os miofibroblastos dentro da membrana neovascular fazem a membrana se contrair e se tornar aposta à malha trabecular (sinéquias anteriores periféricas). A drenagem do humor aquoso é bloqueada, e a pressão intraocular torna-se elevada.

dentro dos limites da cápsula dele, "infoliando". Com o envelhecimento, portanto, o tamanho do cristalino aumenta. Não foram descritas neoplasias do cristalino.

Catarata

O termo *catarata* descreve opacidades lenticulares do cristalino que podem ser congênitas ou adquiridas. Doenças sistêmicas (p. ex., galactosemia, diabetes melito, doença de Wilson e dermatite atópica), fármacos (sobretudo os corticosteroides), radiação, trauma e muitos distúrbios intraoculares estão associados à catarata. A catarata relacionada com a idade geralmente resulta da opacificação do núcleo do cristalino (*esclerose nuclear*). O acúmulo de pigmento urocromo pode tornar o núcleo do cristalino marrom, distorcendo, assim, a percepção da coloração azul pelo indivíduo (a predominância de tons amarelos nas pinturas de Rembrandt no final de sua vida pode ter sido uma consequência da catarata esclerótica nuclear). Outras mudanças físicas no cristalino podem gerar opacidades. Por exemplo, o córtex do cristalino pode se liquefazer. A migração posterior do epitélio do cristalino para o seu equador pode resultar em *catarata subcapsular posterior* secundária ao aumento do epitélio do cristalino posicionado de maneira anormal. A técnica mais comumente utilizada para remover cristalinos opacificados envolve a extração do conteúdo do cristalino, deixando a sua cápsula intacta. Em geral, uma lente intraocular protética é inserida no olho.

Segmento anterior e glaucoma

O termo *glaucoma* refere-se a um conjunto de doenças caracterizadas por mudanças distintas no campo visual e na escavação do nervo óptico. A maioria dos glaucomas está associada à pressão intraocular elevada, embora alguns indivíduos com

pressão intraocular normal possam desenvolver alterações características do nervo óptico e do campo visual (*glaucoma de pressão normal* ou *de baixa pressão*). A relação entre a pressão intraocular e o dano ao nervo óptico é discutida posteriormente em "nervo óptico".

Para compreender a fisiopatologia do glaucoma, é útil considerar a formação e a drenagem do humor aquoso. Como ilustra a **Figura 29.11**, o humor aquoso é produzido no corpo ciliar e passa da câmara posterior, através da pupila, para a câmara anterior. Embora existam múltiplas vias para a saída do líquido da câmara anterior, a maior parte do humor aquoso drena pela malha trabecular, situada no ângulo formado pela intersecção entre a periferia da córnea e a superfície anterior da íris. Com base nessas informações, o glaucoma pode ser classificado em duas categorias principais:

- No *glaucoma de ângulo aberto*, o humor aquoso tem acesso físico completo à malha trabecular, e a elevação da pressão intraocular resulta de uma resistência aumentada à saída do humor aquoso no ângulo aberto
- No *glaucoma de ângulo fechado*, a zona periférica da íris adere à malha trabecular e impede fisicamente a saída do humor aquoso do olho.

Tanto o glaucoma de ângulo aberto quanto o de ângulo fechado podem ser subclassificados em tipos primários e secundários. No *glaucoma primário de ângulo aberto*, a forma mais comum de glaucoma, o ângulo é aberto, e poucas alterações estão aparentes estruturalmente.

Existem várias causas para o *glaucoma secundário de ângulo aberto*. O glaucoma de pseudoesfoliação, a forma mais comum de glaucoma secundário de ângulo aberto, está associado à deposição de material fibrilar de composição variável em todo o segmento anterior. Além da deposição na câmara anterior, o material fibrilar é depositado ao redor dos vasos sanguíneos no tecido conjuntivo e em muitos órgãos, como fígado, rim e vesícula biliar.

Materiais particulados, como proteínas de alto peso molecular do cristalino produzidas por facólise, eritrócitos senescentes decorrentes de trauma (*glaucoma de células fantasmas*), grânulos de pigmento epitelial da íris (*glaucoma pigmentar*) e tumores necróticos (*glaucoma melanomalítico*), podem obstruir a malha trabecular na presença de um ângulo aberto. Elevações da pressão na superfície do olho (pressão venosa episcleral) na presença de um ângulo aberto também contribuem para o glaucoma secundário de ângulo aberto. Esse tipo de glaucoma está associado a malformações vasculares oculares superficiais, observadas na *síndrome de Sturge-Weber*, ou é uma consequência da arterialização das veias episclerais após uma fístula carótido-cavernosa espontânea ou traumática.

O *glaucoma primário de ângulo fechado* costuma desenvolver-se em olhos com câmaras anteriores rasas, frequentemente encontradas em indivíduos com hipermetropia. A aposição temporária da margem pupilar da íris à superfície anterior do cristalino pode resultar na obstrução do fluxo do humor aquoso através da abertura pupilar (*bloqueio pupilar*). Portanto, a produção contínua de humor aquoso pelo corpo ciliar eleva a pressão na câmara posterior e pode curvar a periferia da íris para a frente (*íris bombé*), deixando-a aposta à malha trabecular. Essas alterações anatômicas provocam uma elevação acentuada na pressão intraocular (ver **Figura 29.11**). Como o cristalino é avascular e seu epitélio recebe nutrição do humor aquoso, a elevação ininterrupta da pressão intraocular no glaucoma primário de ângulo fechado pode danificar o epitélio do cristalino. Isso leva a minúsculas opacidades subcapsulares anteriores, que são visíveis ao exame com lâmpada de fenda. Embora o indivíduo afetado possa ter uma reserva normal de células endoteliais saudáveis da córnea, a contínua pressão intraocular elevada pode produzir edema da córnea e ceratopatia bolhosa.

Existem muitas causas para o *glaucoma secundário de ângulo fechado*. A contração de vários tipos de membranas patológicas que se formam sobre a superfície da íris pode empurrar a íris sobre a malha trabecular, obstruindo o fluxo do humor aquoso. Por exemplo, a isquemia crônica da retina está associada à suprarregulação de VEGF e a outros fatores pró-angiogênicos. Acredita-se que a presença de VEGF no humor aquoso induza o desenvolvimento de membranas fibrovasculares finas e clinicamente transparentes na superfície da íris. A contração de elementos miofibroblásticos nessas membranas leva à oclusão da malha trabecular pela íris: o *glaucoma neovascular* (ver **Figura 29.11**). Tumores necróticos, principalmente retinoblastomas, também podem induzir neovascularização da íris e glaucoma. O glaucoma secundário de ângulo fechado pode ser causado por outros mecanismos; por exemplo, os tumores no corpo ciliar podem comprimir mecanicamente a íris contra a malha trabecular, fechando a principal via de escoamento do humor aquoso.

Endoftalmite e panoftalmite

Na inflamação intraocular, os vasos do corpo ciliar e da íris têm a permeabilidade aumentada, o que permite que as células e o exsudato se acumulem na câmara anterior. Essas alterações podem ser visualizadas com uma lâmpada de fenda; às vezes, as células inflamatórias podem aderir ao endotélio da córnea, formando *precipitados ceráticos* clinicamente visíveis. O tamanho e a forma desses precipitados podem fornecer pistas da causa subjacente da inflamação. Por exemplo, na uveíte sarcoide, agregados de macrófagos no endotélio produzem precipitados ceráticos tipo "gordura de carneiro", que são característicos.

Assim como o exsudato pleural na broncopneumonia aguda pode levar a aderências entre as pleuras visceral e parietal, a presença de exsudato na câmara anterior pode levar à formação de aderências entre a íris e a malha trabecular ou córnea (*sinéquias anteriores*) ou entre a íris e a superfície anterior do cristalino (*sinéquias posteriores*). As sinéquias anteriores podem levar à elevação da pressão intraocular, o que pode causar danos ao nervo óptico. O contato prolongado entre a íris e a superfície anterior do cristalino pode privar o epitélio do cristalino de contato com o humor aquoso e induzir metaplasia fibrosa do epitélio do cristalino: *catarata subcapsular anterior* (**Figura 29.12**). A indução farmacológica de dilatação pupilar e cicloplegia em indivíduos com inflamação intraocular tem como objetivo, em parte, prevenir a formação de sinéquias e suas sequelas.

Embora a inflamação confinada ao segmento anterior seja tecnicamente intraocular, o termo *endoftalmite* é reservado para a inflamação no humor vítreo. A retina reveste a cavidade vítrea, e a inflamação supurativa no humor vítreo é mal tolerada pela retina; algumas horas podem ser suficientes para causar lesão irreversível à retina. A endoftalmite é classificada como *exógena* (originando-se no meio ambiente e obtendo acesso ao interior do olho por meio de uma ferida) ou *endógena* (levada ao olho de forma hematogênica). O termo *panoftalmite* é aplicado à inflamação dentro do olho que envolve a retina, a coroide e a esclera e se estende até a órbita (**Figura 29.13**).

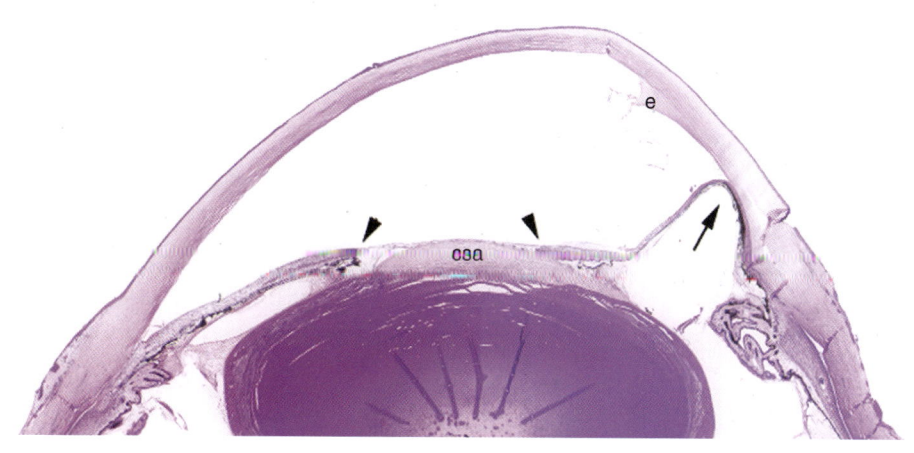

Figura 29.12 Sequelas de inflamação do segmento anterior. Este olho foi removido devido a complicações causadas por inflamação crônica da córnea (não visível neste aumento). O exsudato (e) presente na câmara anterior teria sido visualizado com uma lâmpada de fenda como um *flare* óptico. A íris está focalmente aderida à córnea, obstruindo a malha trabecular (sinéquia anterior, *seta*) e ao cristalino (sinéquia posterior, *pontas de seta*). Formou-se uma catarata subcapsular anterior (*csa*). As pregas radiais no cristalino são artefatos.

> **Conceitos-chave**
>
> - O termo catarata descreve opacidades do cristalino que podem ser congênitas ou adquiridas
> - O termo glaucoma descreve um grupo de condições caracterizadas por alterações distintas no campo visual, no tamanho e na forma da escavação do nervo óptico e, em geral, por uma elevação na pressão intraocular
> - O glaucoma pode desenvolver-se no contexto de ângulo aberto ou fechado. Os glaucomas de ângulo aberto e de ângulo fechado são, ainda, subclassificados em tipos primários e secundários
> - Endoftalmite é um termo utilizado para descrever a inflamação do interior do olho que envolve o humor vítreo, ao passo que panoftalmite é o termo utilizado para descrever a inflamação do interior do olho que também se estende até a úvea e a esclera
> - A endoftalmite pode originar-se de infecção em outra região (endoftalmite endógena que complica uma sepse generalizada) ou como uma complicação de infecção ou ferida na córnea, lesão acidental ou procedimento cirúrgico (endoftalmite exógena)
> - Na panoftalmite, a inflamação estende-se do interior do olho até as camadas oculares: a retina, a coroide e a esclera.

A inflamação da úvea pode manifestar-se principalmente no segmento anterior (p. ex., na *artrite reumatoide juvenil*) ou afetar tanto o segmento anterior quanto o posterior. As complicações da inflamação crônica do segmento anterior foram discutidas anteriormente; o restante dessa discussão concentra-se, portanto, nos efeitos da inflamação da úvea no segmento posterior do olho. Como será descrito de forma breve, a uveíte é frequentemente acompanhada de patologia retiniana. A uveíte pode ser causada

Úvea

Junto à íris, a coroide e o corpo ciliar constituem a úvea. A coroide está entre os locais mais bem vascularizados do corpo.

Uveíte

O termo *uveíte* pode ser aplicado a qualquer tipo de inflamação em um ou mais dos tecidos que compõem a úvea. Assim, a irite que se desenvolve após um traumatismo contuso no olho ou que acompanha uma úlcera de córnea é, tecnicamente, uma forma de uveíte. No entanto, na prática clínica, o termo *uveíte* está restrito a um grupo diverso de doenças crônicas, que podem ser componentes de um processo sistêmico ou estar localizadas no olho.

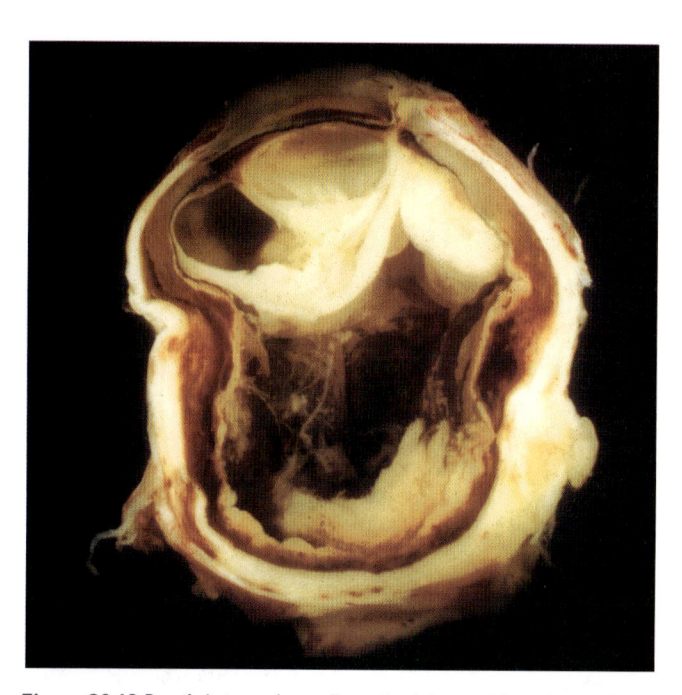

Figura 29.13 Panoftalmite exógena. Este olho foi removido após uma lesão por corpo estranho. Observe a inflamação supurativa atrás do cristalino, que é levada para a direita do cristalino até a córnea, o local da ferida. A porção central do humor vítreo foi extraída cirurgicamente (por vitrectomia). Observe as aderências à superfície do olho na posição de 8 horas, indicando que a inflamação intraocular se espalhou através da esclera para a órbita: panoftalmite. (De Folberg R: The eye. *In* Spencer WH, editor: *Ophthalmic Pathology–An Atlas and Textbook*, ed. 4, Philadelphia, 1985, WB Saunders.)

por agentes infecciosos (p. ex., *Pneumocystis carinii*), ser idiopática (p. ex., sarcoidose) ou ser de origem autoimune (oftalmia simpática). Os exemplos serão descritos posteriormente.

A *uveíte granulomatosa* é uma complicação comum da sarcoidose (uveíte sarcoide) (ver **Capítulo 15**). No segmento anterior, ela dá origem a um exsudato, que evolui para precipitados ceráticos tipo "gordura de carneiro", descritos anteriormente. No segmento posterior, o sarcoide pode envolver a coroide e a retina. Assim, é possível observar granulomas na coroide. A patologia retiniana caracteriza-se por inflamação perivascular, que é responsável pelo conhecido sinal oftalmoscópico de "pingos de cera de vela". A biopsia da conjuntiva pode ser utilizada para detectar inflamação granulomatosa e confirmar o diagnóstico de lesão sarcoide ocular.

Vários processos infecciosos podem afetar a coroide ou a retina. A inflamação em um compartimento geralmente está associada à inflamação no outro. A *toxoplasmose* na retina costuma estar acompanhada por uveíte e até mesmo esclerite. Indivíduos com AIDS podem desenvolver retinite por citomegalovírus e infecção uveal, como coroidite micobacteriana ou por *Pneumocystis*.

A *oftalmia simpática* é um exemplo de uveíte não infecciosa limitada ao olho. Essa condição caracteriza-se por inflamação granulomatosa bilateral, que, em geral, afeta todos os componentes da úvea: uma pan-uveíte. A oftalmia simpática, que cegou o jovem Louis Braille, pode complicar uma lesão penetrante no olho. No olho lesionado, os antígenos retinianos (normalmente escondidos do sistema imune) podem obter acesso aos vasos linfáticos na conjuntiva e, assim, estabelecer uma reação de hipersensibilidade tardia que afeta não apenas o olho lesionado, mas também o olho contralateral não lesionado. A condição pode se desenvolver em períodos de 2 semanas a muitos anos após a lesão. A enucleação de um olho cego (que pode ser o olho "simpatizante", em vez do olho diretamente ferido) pode gerar achados diagnósticos típicos, caracterizados por inflamação granulomatosa difusa da úvea (coroide, corpo ciliar e íris). Os plasmócitos normalmente estão ausentes, porém eosinófilos podem ser identificados no infiltrado (**Figura 29.14**). A oftalmia simpática é tratada com a administração de agentes imunossupressores sistêmicos.

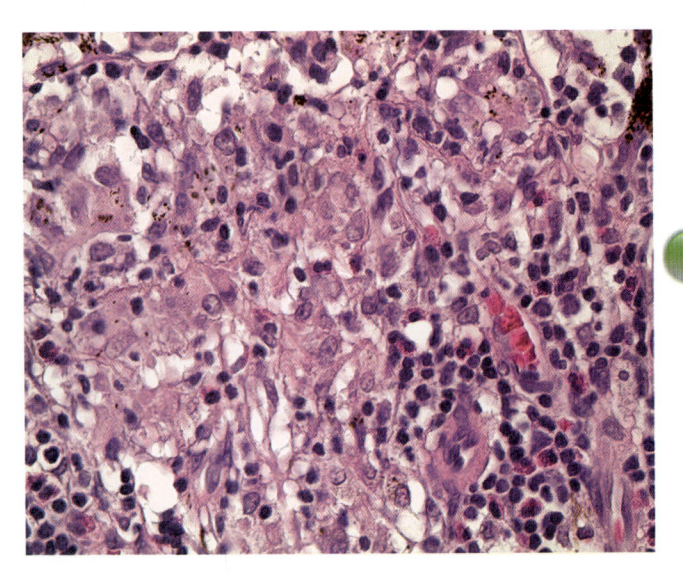

Figura 29.14 Oftalmia simpática. A inflamação granulomatosa aqui representada foi identificada difusamente por toda a úvea. Os granulomas uveais podem conter pigmento melânico e estar acompanhados por eosinófilos.

Neoplasias

A neoplasia maligna intraocular mais comum em adultos é a metástase para a úvea, geralmente para a coroide. A ocorrência de metástases oculares está associada a uma sobrevida extremamente curta, e o tratamento dessas metástases, geralmente por radioterapia, é paliativo.

Nevos uveais e melanomas

O melanoma uveal é a neoplasia maligna intraocular primária mais comum em adultos. Nos EUA, esses tumores são responsáveis por aproximadamente 5% dos melanomas e têm incidência ajustada por idade de 5,1 por 1 milhão por ano. Os nevos uveais, principalmente os nevos coroidais, são bastante comuns, afetando cerca de 5% da população caucasiana.

Epidemiologia e patogênese

Ao contrário do melanoma cutâneo, a ocorrência de melanoma uveal permaneceu estável por muitos anos, e não há uma ligação clara entre a exposição à luz ultravioleta e o risco. Em consonância com essa observação, o sequenciamento dos genomas tumorais revelou que a patogênese molecular do melanoma uveal é distinta daquela do melanoma cutâneo. Diferentemente dos melanomas cutâneos e conjuntivais, as mutações em *BRAF* não parecem estar envolvidas na patogênese dos melanomas uveais. Os oncogenes mais importantes no melanoma uveal são *GNAQ* e *GNA11*, que codificam receptores acoplados à proteína G. Aproximadamente 85% dos melanomas uveais apresentam uma mutação de ganho de função em um desses genes que ativa as vias que promovem a proliferação, como a via da proteinoquinase ativada por mitógeno (MAPK, *mitogen-activated protein quinase*) (ver **Capítulo 7**). Notavelmente, os nevos uveais também estão associados a mutações em *GNAQ* e *GNA11*, mas raramente se transformam em melanoma, o que indica que outros eventos genéticos são necessários para o desenvolvimento do melanoma uveal. Um desses eventos é a perda do cromossomo 3, que parece ter sido selecionado porque leva à deleção de *BAP1*, um gene supressor de tumor no cromossomo 3 que codifica uma enzima desubiquitinadora. BAP1 é um componente de complexos de proteínas que colocam marcas repressoras na cromatina, levando ao silenciamento do gene; assim, o melanoma uveal juntou-se à lista crescente de cânceres nos quais as alterações epigenéticas parecem ter um papel central na patogênese do tumor (ver **Capítulo 7**). Mutações germinativas em *BAP1* podem predispor os pacientes ao desenvolvimento de melanomas uveais, carcinomas de células renais e mesotelioma maligno, entre vários outros.

Morfologia

Ao exame histológico, os melanomas uveais podem conter dois tipos de células, fusiformes e epitelioides, em várias proporções (**Figura 29.15**). As **células fusiformes** têm formato alongado (de fuso), ao passo que as **células epitelioides** são esféricas e apresentam mais atipias citológicas. Assim como os melanomas cutâneos, vários linfócitos que infiltram a região do tumor podem ser vistos em alguns casos. Uma alteração característica geralmente vista é a presença de espaços em forma de fenda que formam *loopings* e são revestidos por laminina, circundando grupos de células tumorais. Esses espaços (que não são vasos sanguíneos) conectam-se aos vasos sanguíneos e servem como caminhos extravasculares para o transporte de plasma e, possivelmente, de

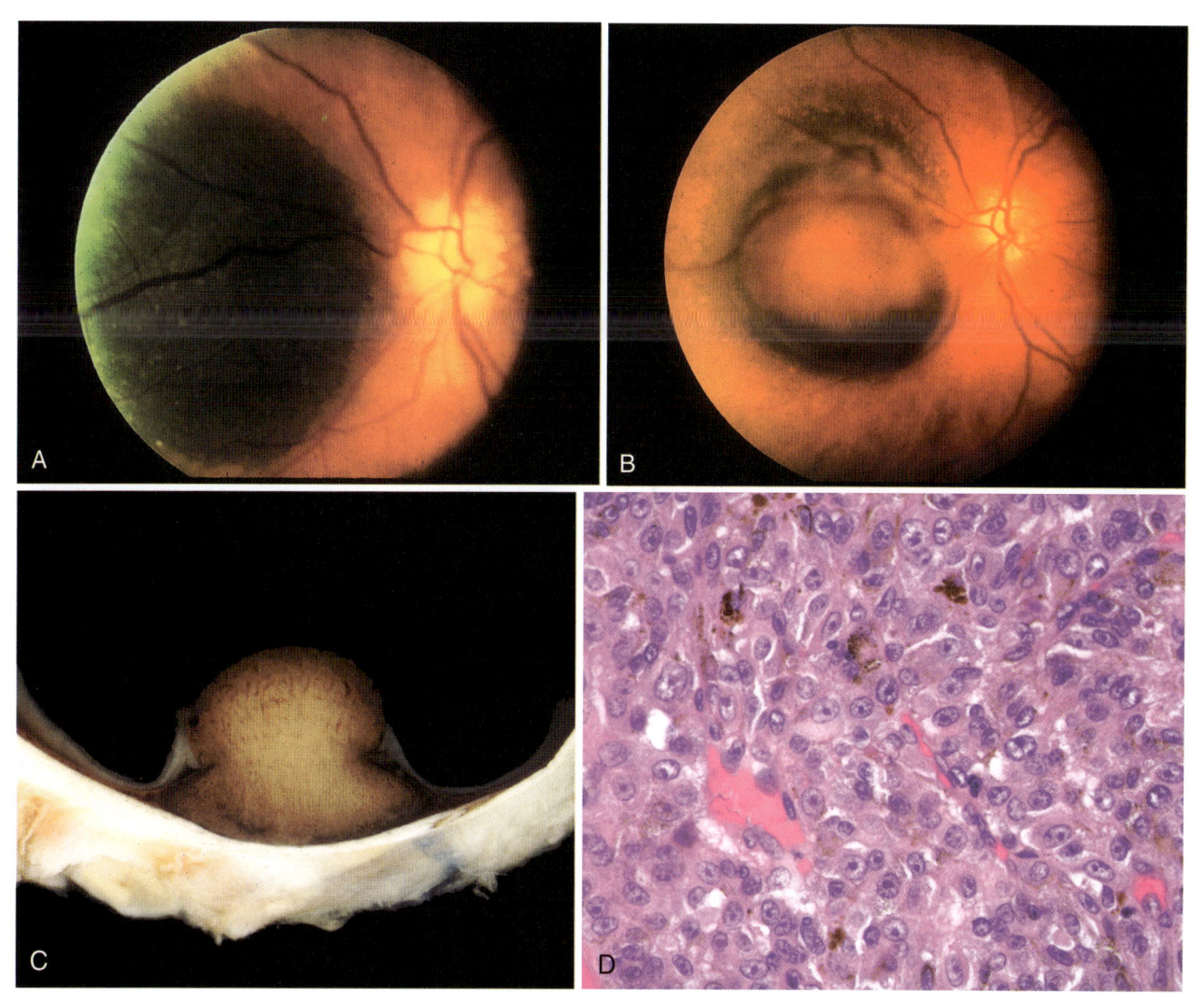

Figura 29.15 Melanoma uveal. A. Fotografia do fundo do olho de um indivíduo com uma lesão pigmentada relativamente plana da coroide, próxima ao disco óptico. **B.** Fotografia do fundo do olho do mesmo indivíduo vários anos depois; o tumor cresceu e irrompeu através da membrana de Bruch. **C.** Fotografia macroscópica de um melanoma de coroide que rompeu a membrana de Bruch. A retina subjacente está descolada. **D.** Melanoma de células epitelioides associadas a um desfecho adverso. (**A** a **C**, De Folberg R: *Pathology of the Eye–An Interactive CD-ROM Program*, Philadelphia, 1996, Mosby.)

sangue. Estudos *in vitro* e exames de tecidos humanos sugerem que esses padrões de crescimento incomuns são promovidos por células tumorais por meio de um processo denominado **mimetismo vasculogênico**.

Os melanomas da úvea, com raríssimas exceções, disseminam-se exclusivamente por via hematogênica (a única exceção é o caso raro de melanoma que se dissemina pela esclera e invade a conjuntiva, obtendo acesso aos vasos linfáticos conjuntivais). A maioria dos melanomas uveais se dissemina primeiro para o fígado, um excelente exemplo de tropismo específico de tumor para um sítio específico de metástase.

Características clínicas

A maioria dos melanomas uveais é formada por achados incidentais ou apresentam sintomas visuais, que podem estar relacionados com descolamento da retina ou glaucoma. O prognóstico dos melanomas da coroide e do corpo ciliar está relacionado com: (1) tamanho (a variável mais associada a efeitos adversos é a extensão lateral, ao contrário do melanoma cutâneo, em que a variável é a profundidade); (2) tipo de célula (os tumores que contêm células epitelioides têm pior prognóstico do que aqueles que contêm exclusivamente células fusiformes); (3) e índice proliferativo. Perfis citogenéticos, principalmente monossomia do cromossomo 3, e perfis de expressão gênica podem ser úteis na estratificação de pacientes em categorias com riscos diferentes de desenvolvimento de doença metastática.

Parece não haver diferença na sobrevida entre os tumores tratados com remoção do olho (enucleação) e aqueles que recebem radioterapia para preservação do olho, que, portanto, é o tratamento de escolha. Os melanomas situados exclusivamente na íris tendem a seguir um curso relativamente indolente, ao passo que os melanomas do corpo ciliar e da coroide são mais agressivos.

Embora a taxa de sobrevida em 5 anos seja de aproximadamente 80%, a taxa de mortalidade cumulativa do melanoma é de 40% em 10 anos, aumentando 1% ao ano a partir de então. As metástases podem aparecer "do nada", muitos anos após o tratamento, o que torna o melanoma uveal o principal candidato para a investigação do fenômeno da dormência tumoral. As terapias-alvo direcionadas, como os inibidores de MAPK, apresentaram algumas respostas animadoras em ensaios clínicos, porém, atualmente, não existe um tratamento eficaz para o melanoma uveal metastático.

> **Conceitos-chave**
>
> - A uveíte é restrita a um grupo diverso de doenças crônicas, que podem ser localizadas no olho ou ser parte de um processo sistêmico
> - A sarcoidose é um exemplo de uma condição sistêmica que pode produzir uveíte granulomatosa, e a oftalmia simpática pode produzir inflamação granulomatosa bilateral como uma possível consequência de lesão penetrante em um dos olhos
> - O tumor intraocular mais comum em adultos é a metástase para o olho
> - O tumor intraocular primário mais comum em adultos é o melanoma uveal
> - O melanoma uveal se dissemina por via hematogênica, e a primeira evidência de metástase geralmente é detectada no fígado
> - O melanoma uveal mostra diferenças acentuadas quanto aos fatores de risco epidemiológicos e às mutações condutoras em comparação com o melanoma cutâneo.

Retina e vítreo

Anatomia funcional

A retina neurossensorial, como o nervo óptico, é um derivado embrionário do diencéfalo. Portanto, a retina responde a lesões por meio da gliose. Assim como no cérebro, não existem vasos linfáticos. A arquitetura da retina é responsável pela aparência oftalmoscópica de uma variedade de distúrbios oculares. As hemorragias na camada de fibra nervosa da retina orientam-se horizontalmente e aparecem como faixas ou "chamas"; as camadas externas da retina orientam-se perpendicularmente à superfície da retina, e as hemorragias nessas camadas aparecem como pontos (as pontas de cilindros). Os exsudatos tendem a se acumular na camada plexiforme externa da retina, sobretudo na mácula (**Figura 29.16**).

Assim como a retina, o epitélio pigmentar da retina (EPR) é derivado embriologicamente da vesícula óptica primária, uma evaginação do cérebro. A separação da retina neurossensorial do EPR define um *descolamento de retina*. O EPR tem um papel importante na manutenção dos segmentos externos dos fotorreceptores. Perturbações na interface EPR-fotorreceptores estão implicadas nas degenerações retinianas hereditárias, como a *retinite pigmentosa*.

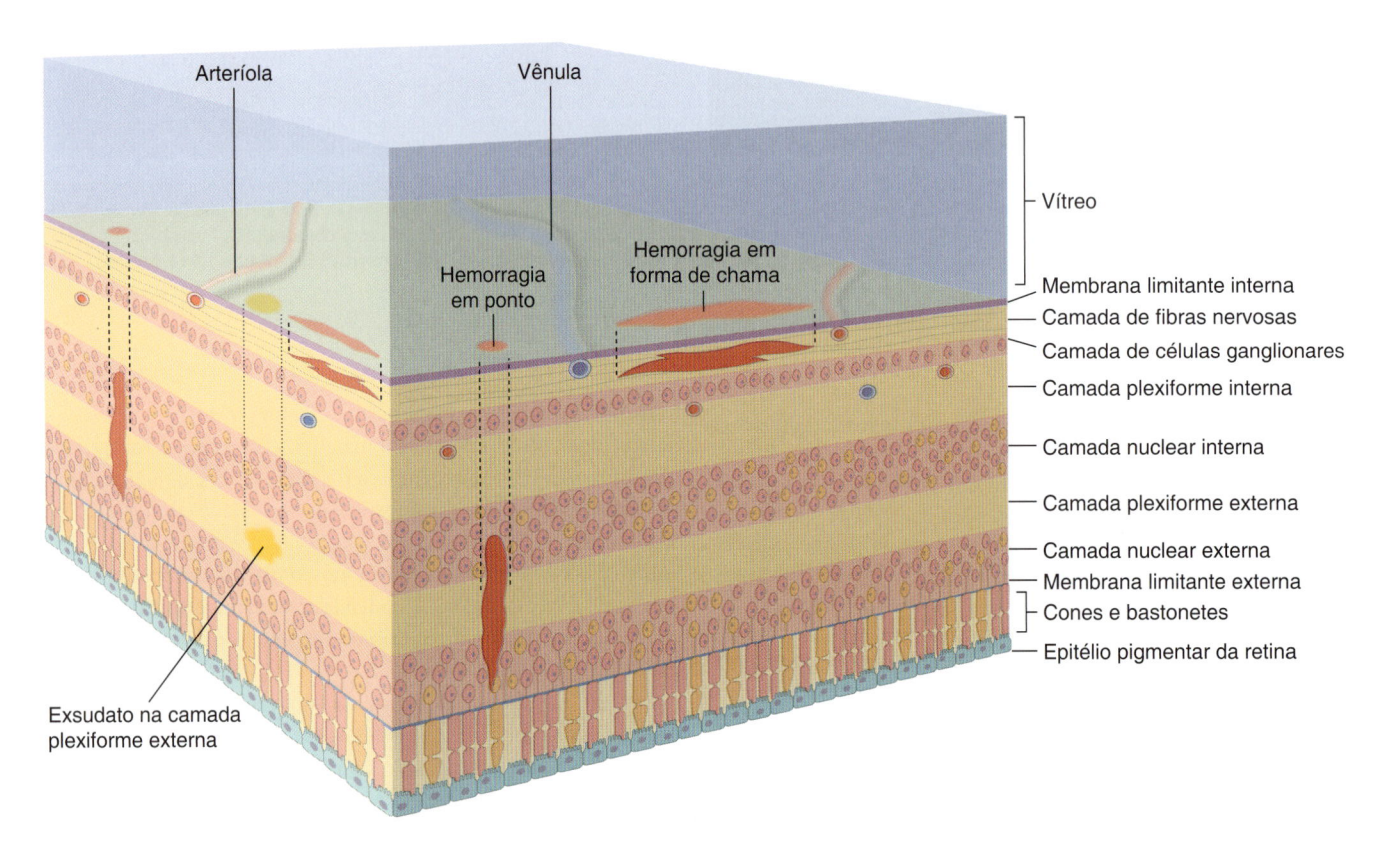

Figura 29.16 Correlações clínico-patológicas de hemorragias e exsudatos retinianos. A localização da hemorragia dentro da retina determina o seu aspecto na oftalmoscopia. A camada de fibras nervosas da retina orienta-se paralelamente em relação à membrana limitante interna, e as hemorragias dessa camada parecem ter o formato de chama pela oftalmoscopia. As camadas retinianas mais profundas são orientadas perpendicularmente em relação à membrana limitante interna, e as hemorragias nesse local aparecem como secções transversais de um cilindro, ou hemorragias em "pontos". Os exsudatos que se originam de vasos retinianos com vazamento se acumulam na camada plexiforme externa.

O humor vítreo adulto é avascular. A regressão incompleta da vasculatura fetal que passa pelo humor vítreo pode produzir condições patológicas significativas, como uma *massa retrolental* (*vasculatura fetal persistente*). O humor vítreo pode ficar opacificado, devido à hemorragia causada por trauma ou neovascularização retiniana. Com a idade, o humor vítreo pode se liquefazer e entrar em colapso, criando a sensação visual de "moscas volantes". Além disso, com o envelhecimento, a face posterior do humor vítreo – a hialoide posterior – pode se separar da retina neurossensorial (*descolamento do vítreo posterior*). A relação entre a hialoide posterior e a retina neurossensorial tem um papel fundamental na patogênese da neovascularização da retina e em algumas formas de descolamento da retina.

Descolamento da retina

O descolamento da retina (separação da retina neurossensorial do EPR) é classificado, de maneira geral, pela etiologia com base na presença ou na ausência de uma ruptura na retina. O *descolamento de retina regmatogênico* está associado ao defeito retiniano de espessura total. Rupturas retinianas podem desenvolver-se depois que o vítreo colapsa estruturalmente, e a hialoide posterior exerce tração em pontos de adesão anormalmente forte à membrana limitante interna da retina. O humor vítreo liquefeito, então, infiltra-se pela ruptura e invade o espaço potencial entre a retina neurossensorial e o EPR (**Figura 29.17**). A reaplicação da retina ao EPR geralmente requer a eliminação da tração vítrea mediante a introflexão da esclera por meio de procedimentos cirúrgicos. Isso pode ser realizado pela aplicação de tiras de silicone na superfície do olho (introflexão escleral) e, possivelmente, pela remoção do material vítreo (vitrectomia). O descolamento de retina regmatogênico pode ser complicado pela *vitreorretinopatia proliferativa*, a formação de membranas epirretinianas ou sub-retinianas por células gliais da retina ou células do EPR.

O *descolamento da retina não regmatogênico* (descolamento da retina sem quebra da retina) pode ser secundário a distúrbios vasculares da retina associados à exsudação significativa e a qualquer condição que danifique o EPR e permita que o líquido vaze da circulação coróidea sob a retina. Descolamentos da retina associados a tumores de coroide e à hipertensão maligna são exemplos de descolamento de retina não regmatogênico.

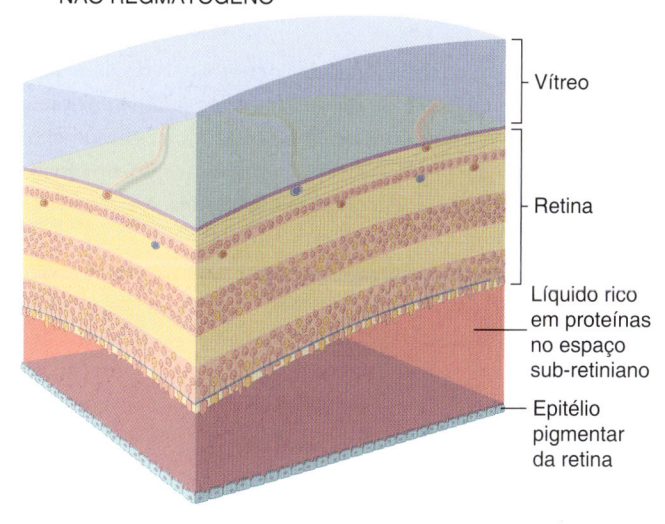

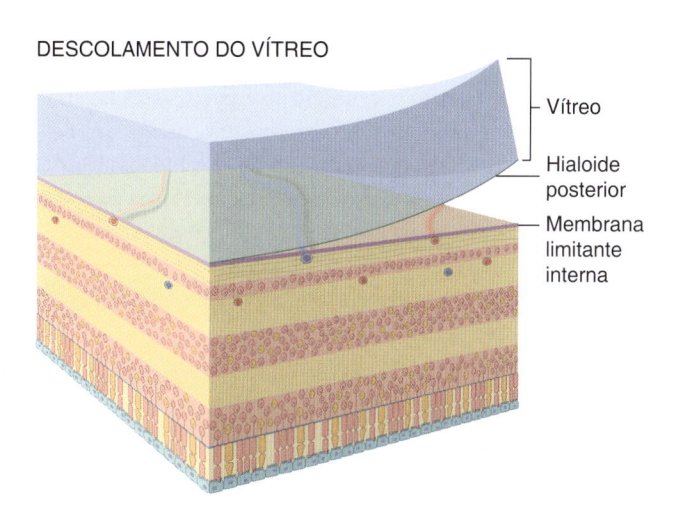

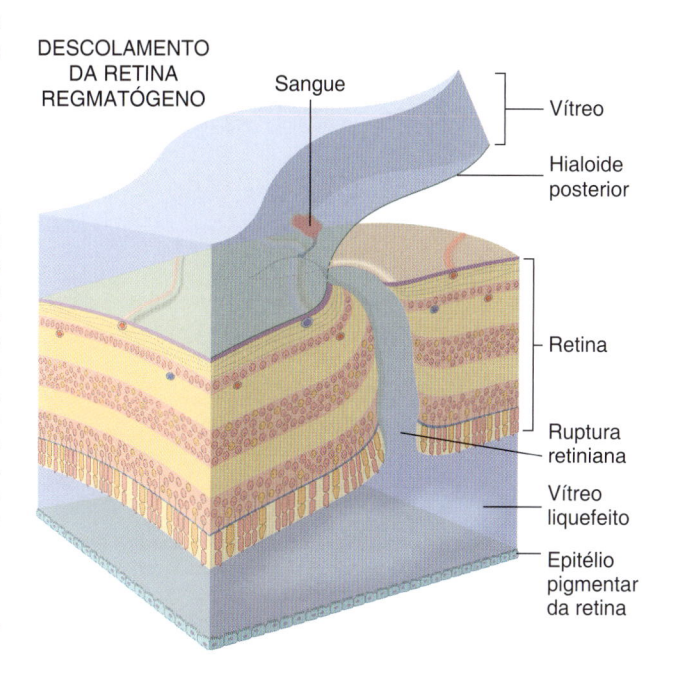

Figura 29.17 O descolamento de retina é definido como a separação da retina neurossensorial do epitélio pigmentar da retina (EPR). Os descolamentos da retina são, de forma mais ampla, classificados em não regmatogênicos (sem quebra da retina) e regmatogênicos (com quebra da retina). *Parte superior*, no descolamento não regmatogênico da retina, o espaço sub-retiniano é preenchido com exsudato rico em proteínas. Observe que os segmentos externos dos fotorreceptores estão ausentes (ver **Figura 29.16** para orientação das camadas). Isso indica um descolamento retiniano crônico, um achado que pode ser visto tanto em descolamentos não regmatogênicos quanto regmatogênicos. *No centro*, o descolamento do vítreo posterior envolve a separação da hialoide posterior da membrana limitante interna da retina e é uma ocorrência normal no olho envelhecido. *Parte inferior*, se, durante o descolamento do vítreo posterior, a hialoide posterior não se separar de forma homogênea da membrana limitante interna da retina, o humor vítreo exercerá tração na retina, que se romperá nesse ponto. O humor vítreo liquefeito infiltra-se pelo defeito retiniano, e a retina é separada do epitélio pigmentar. Os segmentos externos dos fotorreceptores estão intactos, caracterizando um descolamento agudo.

Doenças vasculares da retina

Hipertensão

Normalmente, as paredes finas das arteríolas retinianas permitem uma visualização direta do sangue circulante por meio de oftalmoscopia. Na arteriolosclerose da retina, o espessamento da parede arteriolar altera a percepção oftalmoscópica do sangue circulante: os vasos podem parecer estreitados, e a coloração da coluna de sangue pode mudar de vermelho-vivo para cobre e prata, dependendo do grau de espessura da parede vascular (**Figura 29.18A**). As arteríolas e veias retinianas compartilham uma bainha adventícia comum. Portanto, na arteriosclerose retiniana pronunciada, a arteríola pode comprimir a veia em pontos em que ambos os vasos se cruzam (**Figura 29.18B**). A estase venosa distal ao cruzamento arteriolar-venoso pode precipitar oclusões dos ramos das veias retinianas.

Na hipertensão maligna, os vasos da retina e da coroide podem ser danificados. Danos aos vasos coroides podem produzir infartos coroides focais, observados clinicamente como *manchas de Elschnig*. Danos aos coriocapilares, a camada interna da vasculatura coróidea, podem, por sua vez, danificar o EPR sobreposto e permitir que o exsudato se acumule no espaço potencial entre a retina neurossensorial e o EPR, produzindo, assim, um descolamento da retina. O exsudato das arteríolas retinianas lesadas geralmente se acumula na camada plexiforme externa da retina (ver **Figura 29.18A**). O achado oftalmoscópico de uma estrela macular – um arranjo em forma de raio de exsudatos na mácula presente na hipertensão maligna – resulta do acúmulo de exsudato na camada plexiforme externa da mácula que está orientada obliquamente, em vez de perpendicular, à superfície retiniana.

A oclusão das arteríolas da retina pode produzir infartos da camada de fibras nervosas da retina (axônios da camada de células ganglionares da retina povoam a camada de fibras nervosas). O transporte axoplasmático na camada de fibras nervosas é interrompido no ponto do dano axonal, e o acúmulo de mitocôndrias nas extremidades inchadas dos axônios danificados cria a ilusão histológica de células (*corpos citoides*). Acúmulos de corpos citoides povoam o infarto da camada de fibras nervosas, vistas pela oftalmoscopia como "manchas algodonosas" (**Figura 29.19**). Embora os infartos da camada de fibras nervosas sejam descritos aqui no contexto da hipertensão, eles podem ser detectados em uma série de vasculopatias oclusivas da retina. Por exemplo, infartos da camada de fibras nervosas da retina podem se desenvolver em indivíduos com AIDS, devido a uma vasculopatia retiniana que é semelhante à vasculopatia cerebral que pode se desenvolver nessa condição.

Diabetes melito

O olho é profundamente afetado pelo diabetes melito. Os efeitos da hiperglicemia no cristalino e na íris já foram mencionados. O espessamento da membrana basal do epitélio da *pars plicata* do corpo ciliar é um marcador histológico confiável de diabetes melito no olho (**Figura 29.20**) e é reminiscente de alterações semelhantes no mesângio glomerular. Essa discussão enfoca a microangiopatia retiniana associada ao diabetes melito, um arquétipo para a consideração de outras microangiopatias retinianas.

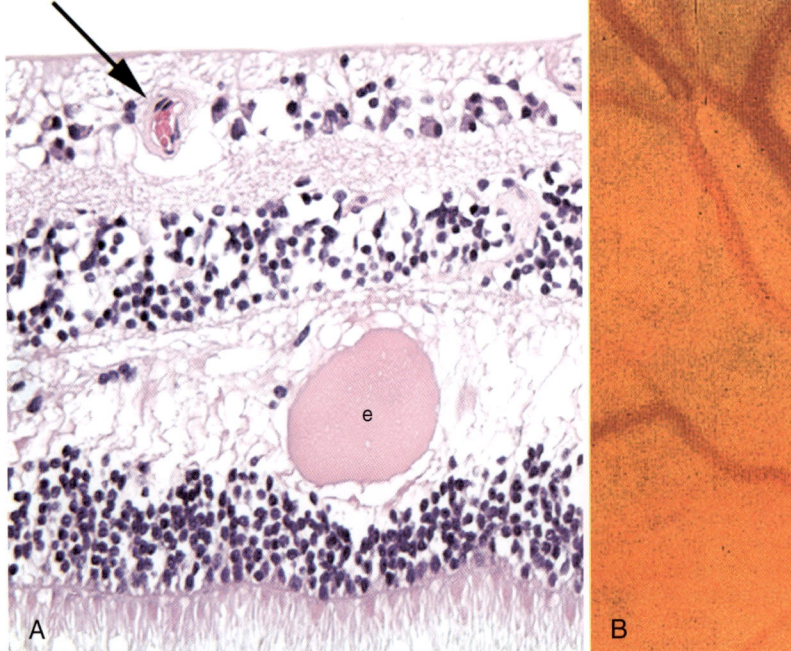

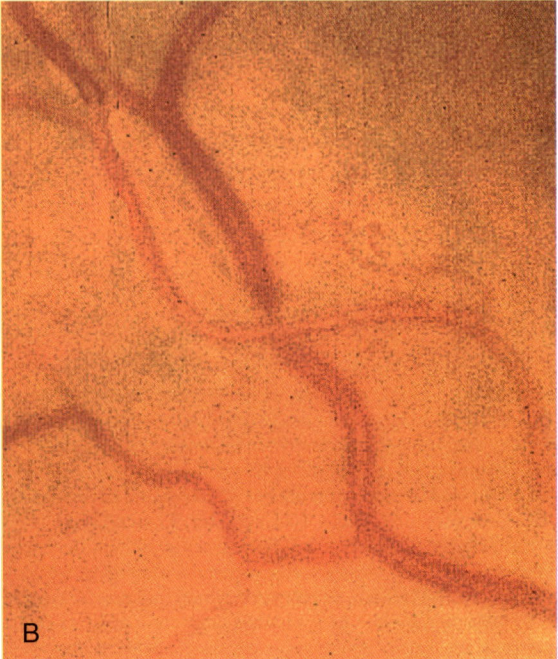

Figura 29.18 A retina na hipertensão. **A.** A parede da arteríola retiniana (*seta*) está espessa. Observe o exsudato (e) na camada plexiforme externa da retina. **B.** Fundo de olho na hipertensão. O diâmetro das arteríolas é reduzido, e a coloração da coluna de sangue parece ser menos saturada (semelhante a um fio de cobre). Se a parede do vaso fosse ainda mais espessa, o grau de coloração vermelha diminuiria, de forma que os vasos poderiam se apresentar clinicamente com uma aparência de "fio de prata". Nesta fotografia do fundo de olho, observe que a veia está comprimida onde a arteríola esclerótica a cruza. (**B**, Cortesia do Dr. Thomas A. Weingeist, Department of Ophthalmology and Visual Science, University of Iowa, Iowa City, Ia.)

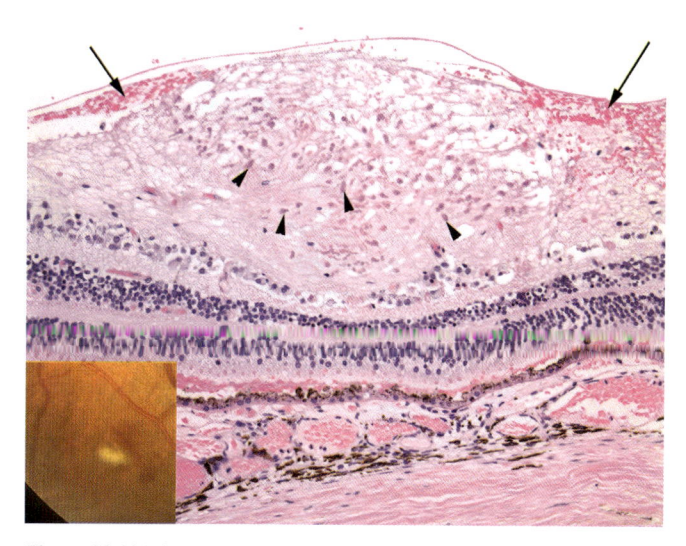

Figura 29.19 Infarto da camada de fibra nervosa. Uma "mancha algodonosa" está ilustrada no detalhe, adjacente a uma hemorragia em forma de chama (camada de fibra nervosa). A histologia de uma mancha algodonosa – um infarto da camada de fibras nervosas da retina – está ilustrada na fotomicrografia. O inchaço focal da camada de fibra nervosa apresenta numerosos corpos citoides na coloração vermelha a cor-de-rosa (*pontas de seta*). A hemorragia (*setas*) ao redor do infarto da camada de fibras nervosas, conforme ilustrado aqui, é um achado variável e inconsistente. (Fotografia do fundo de olho, cortesia do Dr. Thomas A. Weingeist, Department of Ophthalmology and Visual Science, University of Iowa, Iowa City, Ia.)

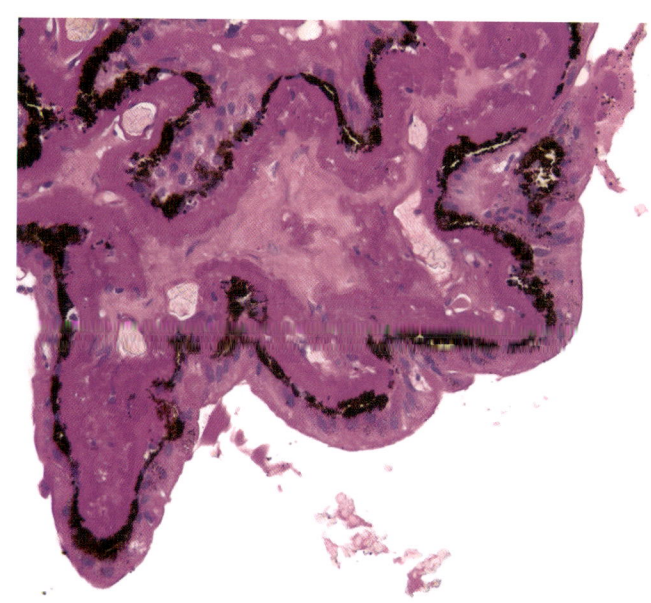

Figura 29.20 Corpo ciliar no diabetes melito crônico, coloração com ácido periódico de Schiff (PAS). Observe o denso espessamento da membrana basal do epitélio do corpo ciliar, reminiscente de alterações no mesângio do glomérulo renal.

Morfologia

A vasculopatia retiniana do diabetes melito pode ser classificada em **retinopatia diabética proliferativa** e **não proliferativa**.

A **retinopatia diabética não proliferativa** inclui um espectro de alterações resultantes de anormalidades estruturais e funcionais dos vasos retinianos (i. e., confinados abaixo da membrana limitante interna da retina). Assim como ocorre na microangiopatia diabética em geral, a **membrana basal dos vasos sanguíneos da retina está espessa**. Além disso, diminui o número de pericitos em relação às células endoteliais. Os **microaneurismas** são uma importante manifestação da microangiopatia diabética. Em geral, eles são menores do que a resolução dos oftalmoscópios diretos, e os achados comumente descritos como microaneurismas pela oftalmoscopia podem ser, na verdade, micro-hemorragias retinianas. Mudanças estruturais na microcirculação retiniana foram associadas ao colapso fisiológico da barreira hematorretiniana. Lembre-se de que o VEGF foi inicialmente denominado fator de permeabilidade vascular. Assim, a microcirculação retiniana em diabéticos pode estar extremamente permeável, provocando **edema macular**, uma causa comum de perda visual nesses pacientes. As alterações vasculares também podem produzir **exsudatos** que se acumulam na camada plexiforme externa. Embora a microcirculação retiniana seja frequentemente hiperpermeável, ela também está sujeita aos efeitos da micro-oclusão. Tanto a incompetência vascular quanto as micro-oclusões vasculares podem ser visualizadas clinicamente após a injeção intravenosa de fluoresceína. A não perfusão da retina devido à alteração microcirculatória, descrita anteriormente, está associada à regulação positiva do VEGF e à angiogênese intrarretiniana (localizada abaixo da membrana limitante interna da retina).

A **retinopatia diabética proliferativa** é definida pelo aparecimento de novos vasos, que brotam na superfície da cabeça do nervo óptico ou na superfície da retina (**Figura 29.21C**). O termo "neovascularização retiniana" é aplicado apenas quando os vasos recém-formados rompem a membrana limitante interna da retina. A quantidade e a localização da neovascularização retiniana orientam o oftalmologista no tratamento da retinopatia diabética proliferativa. A rede de vasos recém-formados é chamada de membrana neovascular. Ela é composta de vasos angiogênicos com ou sem estroma de sustentação fibroso ou glial (**Figura 29.21B**).

Se o humor vítreo não se destacou e a hialoide posterior está intacta, as membranas neovasculares estendem-se ao longo do plano potencial, entre a membrana limitante interna da retina e a hialoide posterior. Se, posteriormente, o humor vítreo separar-se da membrana limitante interna da retina (**descolamento do vítreo posterior**), pode haver intensa hemorragia da membrana neovascular rompida. Além disso, a cicatriz associada à organização da membrana neovascular da retina pode enrugar a retina, desorganizando a orientação dos fotorreceptores retinianos e produzindo distorção visual, além de exercer tração na retina, separando-a do EPR (descolamento da retina). O **descolamento retiniano por tração** pode começar como um descolamento não regmatogênico, porém uma tração grave pode romper a retina, produzindo um descolamento regmatogênico por tração.

A neovascularização retiniana pode ser acompanhada pelo desenvolvimento de uma membrana neovascular na superfície da íris, presumivelmente decorrente de níveis aumentados do VEGF no humor aquoso. A contração da membrana neovascular da íris pode levar a aderências entre a íris e a rede trabecular (sinéquias anteriores), obstruindo, assim, a via principal para o fluxo aquoso e, portanto, contribuindo para a elevação da pressão intraocular (**glaucoma neovascular**).

Figura 29.21 A retina no diabetes melito (ver **Figura 29.16** para um esquema da estrutura retiniana). **A.** Um emaranhado de vasos anormais é observado logo abaixo da membrana limitante interna da retina na metade direita da fotomicrografia (*entre as setas*). Este é um exemplo de angiogênese intrarretiniana, conhecida como microangiopatia intrarretiniana (MAIR). Observe a hemorragia retiniana na camada plexiforme externa na metade esquerda. A camada de células ganglionares e a camada de fibra nervosa – os axônios das células ganglionares – estão ausentes. O espaço rarefeito abaixo da membrana limitante interna, à esquerda do foco de MAIR, é composta, em grande parte, de elementos de células gliais retinianas (Müller). A ausência das camadas de células ganglionares e de fibras nervosas é uma marca registrada do glaucoma. O diabetes melito crônico nesse indivíduo foi complicado por neovascularização da íris e glaucoma de ângulo fechado secundário (glaucoma neovascular). **B.** Neste corte com coloração por ácido periódico de Schiff, a membrana limitante interna é indicada pelas *setas grossas*, e a hialoide posterior do vítreo é indicado pela *seta fina*. No espaço potencial entre esses dois pontos de referência, os vasos à esquerda da *seta fina* são revestidos com um estroma fibroglial e apareceriam na oftalmoscopia como uma membrana neovascular branca. O vaso de parede fina à direita da *seta fina* não é revestido com tecido conjuntivo. O descolamento de vítreo posterior em um olho como esse pode exercer tração nos novos vasos e precipitar uma intensa hemorragia vítrea. **C.** Vista oftalmoscópica da neovascularização retiniana (conhecida clinicamente como neovascularização "em outro lugar", em contraste com a neovascularização do disco óptico), criando uma membrana neovascular.

Retinopatia da prematuridade (fibroplasia retrolental)

No feto a termo, a porção temporal (lateral) da periferia retiniana encontra-se incompletamente vascularizada, ao passo que a porção medial está vascularizada. Em lactentes prematuros ou com baixo peso ao nascer tratados com oxigênio, os vasos retinianos imaturos na periferia retiniana temporal contraem-se, gerando isquemia no tecido retiniano distal a essa zona. A isquemia retiniana pode resultar na regulação positiva de fatores pró-angiogênicos, como o VEGF, e levar à angiogênese retiniana. A contração da membrana neovascular retiniana periférica resultante pode "arrastar" as características da retina temporal em direção à zona periférica, deslocando lateralmente a mácula (situada temporalmente ao nervo óptico). A contração da membrana neovascular pode criar força suficiente para causar o descolamento da retina. O uso de inibição do VEGF nessa condição está sob investigação.

Retinopatia falciforme, vasculite retiniana e retinopatia por radiação

A retinopatia que afeta indivíduos com hemoglobinopatias falciformes (ver Capítulo 14) foi dividida em dois tipos, que quase se assemelham aos utilizados para a retinopatia diabética: não proliferativa (alterações angiopáticas intrarretinianas) e proliferativa (neovascularização retiniana). A via final comum em ambos os tipos é a oclusão vascular. A baixa tensão de oxigênio dentro dos vasos sanguíneos na periferia da retina resulta em falcização dos eritrócitos e oclusões microvasculares. Na forma não proliferativa (que ocorre em indivíduos com genótipos SS e SC de hemoglobina), acredita-se que as oclusões vasculares contribuam para hemorragias pré-retinianas, intrarretinianas e sub-retinianas. A resolução dessas hemorragias pode dar origem a várias alterações visíveis na oftalmoscopia, conhecidas como *manchas salmão*, *manchas iridescentes* e *lesões black sunburst*. A organização da hemorragia pré-retiniana pode resultar em tração retiniana e descolamento da retina. As oclusões vasculares também

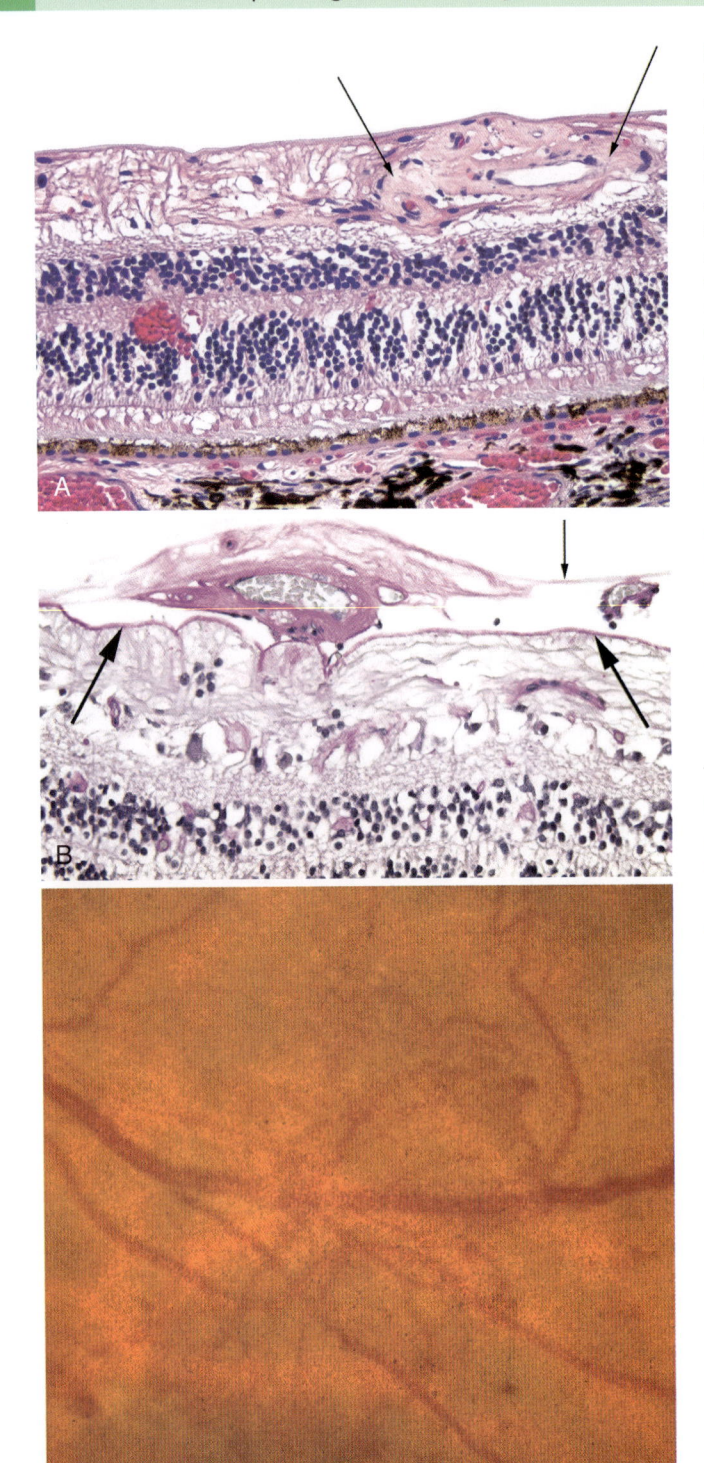

A ablação da retina não perfundida por fotocoagulação a *laser* ou criopexia desencadeia a regressão da neovascularização da retina e da íris, enfatizando o papel central que a hipoxia retiniana tem nesses distúrbios. Mais recentemente, a injeção de inibidores do VEGF no vítreo tem sido utilizada para tratar o edema macular diabético e a neovascularização retiniana, um bom exemplo de como o conhecimento da patogênese molecular de uma alteração patológica pode evoluir para uma estratégia terapêutica bem-sucedida.

podem contribuir para a angiogênese decorrente da regulação positiva do VEGF e do fator de crescimento fibroblástico básico. Isso pode dar origem a áreas de neovascularização rosada na periferia da retina, descritas clinicamente como *sea-fans*.

A neovascularização também ocorre em uma série de outras situações clínicas, como na vasculite retiniana periférica e na irradiação utilizada para tratar tumores intraoculares. A característica comum a essas condições é o dano aos vasos retinianos, produzindo zonas de isquemia na retina, que desencadeiam angiogênese retiniana e suas complicações, bem como hemorragia e tração, que, por sua vez, podem causar descolamento.

Oclusões das artérias e veias retinianas

A artéria retiniana central ou suas ramificações podem ser obstruídas por distúrbios que afetam os vasos em geral. Por exemplo, a luz da artéria retiniana central pode estar estreitada significativamente pela aterosclerose, predispondo à trombose. Êmbolos na artéria retiniana central podem originar-se de trombos no coração ou de placas ateromatosas ulceradas nas artérias carótidas. Fragmentos de placas ateroscleróticas podem alojar-se na circulação retiniana (*placas de Hollenhorst*). A oclusão total de uma ramificação da artéria retiniana pode produzir um infarto segmentar da retina. Com a interrupção repentina do suprimento de sangue, a retina (um derivado embriológico do tecido cerebral) incha de forma aguda e torna-se opticamente opaca. À oftalmoscopia, o fundo na área afetada aparece branco, em vez de vermelho ou cor de laranja, pois a opacidade retiniana bloqueia a visão da coroide rica em vasos.

A oclusão total da artéria retiniana central pode produzir um infarto difuso da retina. Após a oclusão aguda, a retina parece relativamente opaca à oftalmoscopia. A fóvea e a fovéola permanecem fisiologicamente finas; portanto, o vermelho-alaranjado normal da coroide não é apenas visível, mas também destacado pela retina opaca circundante – a origem da *mancha vermelho-cereja* da oclusão da artéria retiniana central. Manchas vermelho-cereja também podem ser vistas em doenças de armazenamento raras, como as doenças de *Tay-Sachs* e *Niemann-Pick*, devido à organização estrutural da retina. Ocorre acúmulo de gangliosídeos nas células ganglionares da retina: a camada de células ganglionares da mácula ao redor da fóvea encontra-se espessa, mas não há células ganglionares no centro da mácula, a fóvea. Dessa forma, a fóvea é relativamente transparente para a vasculatura coroide subjacente, mas está circundada por retina relativamente opaca, resultado do acúmulo de gangliosídeos nas células ganglionares maculares perifoveais (**Figura 29.22**).

A *oclusão da veia retiniana* pode ocorrer com ou sem isquemia. Na oclusão isquêmica da veia retiniana, o VEGF e outros fatores pró-angiogênicos são regulados positivamente na retina, causando neovascularização da retina e da superfície da cabeça do nervo óptico, bem como neovascularização da íris e, subsequentemente, glaucoma de ângulo fechado. A oclusão não isquêmica da veia retiniana pode ser complicada por hemorragias, exsudatos e edema macular.

Degeneração macular relacionada com a idade

A degeneração macular relacionada com a idade (DMRI) resulta de danos à mácula, que é necessária para a visão central. Ela ocorre em duas formas, seca e úmida, que se distinguem pela presença de neoangiogênese na forma úmida e na sua ausência na forma seca. Pelo nome desse distúrbio, fica claro que a idade avançada é um fator de risco. A incidência cumulativa de DMRI em indivíduos com idade igual ou superior a 75 anos é de 8%, e, com o aumento da longevidade, a DMRI está se tornando um grande problema de saúde.

A DMRI atrófica ou "seca" é caracterizada na oftalmoscopia por depósitos difusos ou discretos na membrana de Bruch (*drusas*) e na atrofia geográfica do EPR. A perda de visão pode ser grave nesses indivíduos. O consumo oral de zinco e de vitaminas com propriedades antioxidantes pode estar associado à desaceleração da progressão para DMRI. Atualmente, não há tratamento eficaz para DMRI "seca" ou atrófica; uma abordagem regenerativa para substituir células do EPR doentes por células-tronco está sob investigação.

A DMRI neovascular ou "úmida" é caracterizada por *neovascularização de coroide*, definida pela presença de vasos que provavelmente se originam dos coriocapilares e penetram através

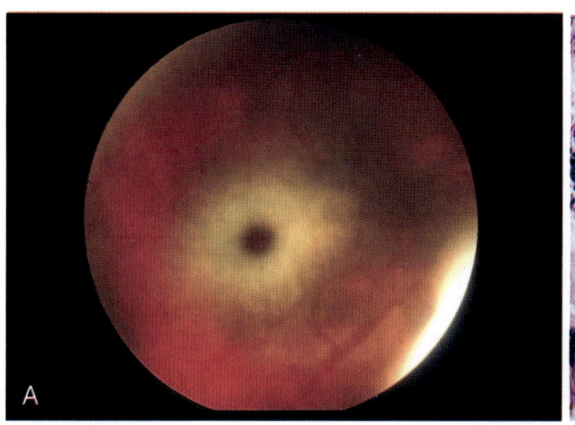

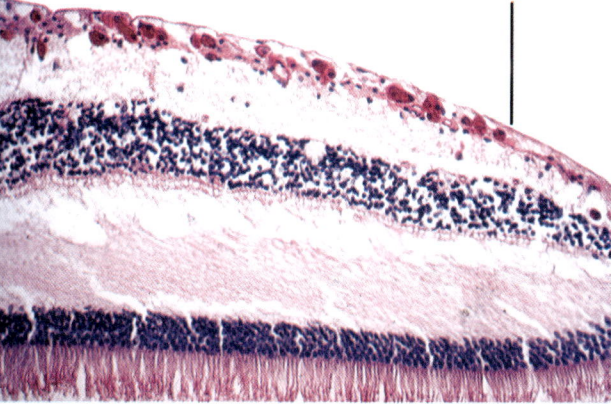

Figura 29.22 Mancha vermelho-cereja na doença de Tay-Sachs. **A.** Fotografia de fundo da mancha vermelho-cereja na doença de Tay-Sachs. **B.** Fotomicrografia da mácula em um indivíduo com doença de Tay-Sachs, corada com ácido periódico de Schiff, para destacar o acúmulo de material gangliosídico nas células ganglionares da retina. A presença de células ganglionares cheias de gangliosídeos fora da fóvea bloqueia a transmissão da coloração vermelho-alaranjada normal da coroide, mas a ausência de células ganglionares dentro da fóvea (à direita da *barra vertical*) permite que a coloração vermelho-alaranjada normal seja visualizada, sendo responsável pela denominada mancha vermelho-cereja. (**A,** Cortesia do Dr. Thomas A. Weingeist, Department of Ophthalmology and Visual Science, University of Iowa, Iowa City, Ia.; **B,** From the teaching collection of the Armed Forces Institute of Pathology.)

da membrana de Bruch abaixo do EPR (**Figura 29.23**). A membrana neovascular também pode penetrar no EPR e ficar localizada diretamente abaixo da retina neurossensorial. Os vasos dessa membrana podem extravasar, e o sangue exsudado pode ser organizado por células do EPR em cicatrizes maculares. Ocasionalmente, esses vasos são fontes de hemorragia, levando à sufusão localizada de sangue, que pode ser confundida clinicamente com uma neoplasia intraocular ou dar origem a uma hemorragia vítrea difusa. Atualmente, a base do tratamento para a DMRI neovascular é a injeção de antagonistas do VEGF no vítreo do olho afetado. A terapia fotodinâmica também está sendo avaliada quanto à sua eficácia.

Membranas neovasculares coroidais podem desenvolver-se em diversas condições não relacionadas com a idade, como miopia patológica (mancha de Fuchs), após a ruptura da membrana de Bruch (devido a trauma ou outras causas), ou uma resposta imune à histoplasmose sistêmica (suposta síndrome da histoplasmose ocular).

Para compreender a patogênese da DMRI, é importante avaliar a existência de uma unidade estrutural e funcional composta de EPR, membrana de Bruch (que contém a membrana basal do EPR) e da camada mais interna da vasculatura coroidal, a coriocapilar. A perturbação em qualquer componente dessa "unidade" afeta a saúde dos fotorreceptores sobrejacentes, produzindo perda visual.

A atenção agora está voltada para os papéis de vários genes, sobretudo do *CFH* (fator H do complemento) e de outros genes reguladores do complemento na patogênese dessa condição. Todas as variantes do gene regulador do complemento associadas à DMRI parecem diminuir a sua função, o que implica que a DMRI pode resultar de um excesso de atividade do complemento. Exposições ambientais, como tabagismo, também podem aumentar o risco de DMRI, principalmente em indivíduos geneticamente predispostos.

Outras degenerações retinianas

Retinite pigmentosa

A retinite pigmentosa é uma doença hereditária resultante de mutações que afetam bastonetes e cones ou o EPR. Ela pode causar vários graus de deficiência visual, incluindo, em alguns casos, cegueira total. O termo "*retinite*" pigmentosa é uma lamentável relíquia da época em que esses distúrbios eram incorretamente considerados inflamatórios. Eles podem ser herdados como recessivos ligados ao X, autossômicos recessivos ou autossômicos dominantes (a idade de início correlaciona-se com o padrão de herança, com a retinite pigmentar autossômica dominante aparecendo mais tarde na vida). A retinite pigmentosa pode fazer parte de uma síndrome, como *síndrome de Bardet-Biedl*, *síndrome de Usher* ou *doença de Refsum*, ou pode desenvolver-se isoladamente (retinite pigmentosa não sindrômica).

A retinite pigmentosa está ligada a mutações que afetam os genes *RHO*, *USH2A*, *RGPR* e *EYS*, que regulam as funções das células fotorreceptoras ou do EPR. *Normalmente, tanto os bastonetes quanto os cones são perdidos por apoptose*, embora em proporções variáveis. A perda dos bastonetes pode causar cegueira noturna e campos visuais constringidos. À medida que os cones são perdidos, a acuidade visual central pode ser afetada. Do ponto de vista clínico, a atrofia retiniana é acompanhada por constrição dos vasos retinianos, atrofia da cabeça do nervo óptico ("palidez cerosa" do disco óptico) e acúmulo de pigmento retiniano ao redor dos vasos sanguíneos, responsável pelo termo "pigmentosa" no nome da doença. O eletrorretinograma revela anormalidades características da doença.

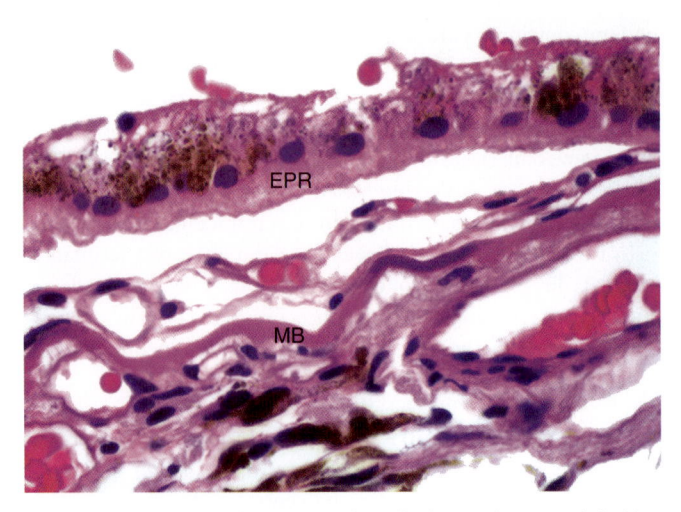

Figura 29.23 Degeneração macular "úmida" relacionada com a idade. Uma membrana neovascular está posicionada entre o epitélio pigmentar da retina (*EPR*) e a membrana de Bruch (*MB*). Observe a descoloração azul da MB à direita da marcação, indicando calcificação focal.

Retinite

Uma variedade de patógenos pode contribuir para o desenvolvimento de retinite infecciosa. Por exemplo, a *Candida* pode disseminar-se para a retina de forma hematogênica, principalmente no contexto de uso abusivo de drogas intravenosas ilícitas ou candidemia sistêmica por outras causas. A disseminação hematogênica de patógenos para a retina normalmente resulta em múltiplos abscessos retinianos. Como mencionado anteriormente, a retinite por citomegalovírus é uma causa importante de morbidade visual em indivíduos imunocomprometidos, sobretudo aqueles com AIDS.

Neoplasias da retina

Retinoblastoma

O retinoblastoma é a doença maligna intraocular primária mais comum em crianças. A genética molecular do retinoblastoma é discutida em detalhes no **Capítulo 7**. Embora o nome retinoblastoma possa sugerir uma origem a partir de uma célula retiniana primitiva que é capaz de se diferenciar em células gliais e neuronais, agora está claro que a célula de origem do retinoblastoma é um progenitor neuronal. Lembre-se de que, em aproximadamente 40% dos casos, o retinoblastoma ocorre em indivíduos que herdam uma mutação germinativa de um alelo *RB*. O retinoblastoma surge quando o progenitor retiniano sofre uma segunda mutação somática e se perde a função do gene *RB*. Nos casos esporádicos, ambos os alelos *RB* são perdidos por mutações somáticas. Os retinoblastomas que surgem em pessoas com mutações germinativas costumam ser bilaterais. Além disso, eles podem estar associados ao pinealoblastoma (retinoblastoma "trilateral"), que está associado a um desfecho desfavorável.

Morfologia

A patologia do retinoblastoma, tanto do tipo hereditário quanto do tipo esporádico, é idêntica. Os tumores podem conter elementos indiferenciados e diferenciados. Os primeiros aparecem como coleções de células pequenas e redondas com núcleos hipercromáticos. Em tumores bem diferenciados, há **rosetas de Flexner-Wintersteiner** e *fleurettes*, refletindo a diferenciação dos fotorreceptores. Deve-se observar, entretanto, que o grau de diferenciação tumoral não parece estar associado ao prognóstico. Como visto na **Figura 29.24**, células tumorais viáveis são encontradas circundando os vasos sanguíneos do tumor, com zonas de necrose geralmente encontradas em áreas relativamente avasculares, o que ilustra a dependência do retinoblastoma de seu suprimento sanguíneo. Zonas focais de calcificação distrófica são características do retinoblastoma.

Em um esforço para preservar a visão e erradicar o tumor, muitos oncologistas oftálmicos agora tentam reduzir a carga do tumor por meio da administração de quimioterapia, incluindo a administração seletiva de medicamentos no olho através da artéria oftálmica; após a quimiorredução, os tumores podem ser obliterados por tratamento a *laser* ou criopexia. O retinoblastoma tende a se espalhar para o cérebro e a medula óssea e, raramente, se dissemina para os pulmões. O prognóstico é adversamente afetado pela extensão e invasão extraocular ao longo do nervo óptico e pela invasão coroidal. Uma variante do retinoblastoma – retinocitoma ou retinoma – foi relatada, e parece ser uma lesão pré-maligna. O aparecimento de retinoblastoma em um olho e retinocitoma no outro é característico do retinoblastoma hereditário.

Linfoma retiniano

O linfoma retiniano primário é um tumor agressivo que envolve caracteristicamente as duas camadas retinianas derivadas do cérebro, a retina neurossensorial e o EPR. O linfoma intraocular primário tende a ocorrer em indivíduos mais velhos e pode imitar a uveíte clinicamente. Em sua maioria são linfomas difusos de grandes células B (ver **Capítulo 13**). A disseminação para o cérebro costuma ocorrer através do nervo óptico. O diagnóstico depende da demonstração de células de linfoma em aspirados vítreos.

Conceitos-chave

- O descolamento de retina, uma separação da retina neurossensorial do EPR, pode ser a consequência de uma ruptura na retina (descolamento de retina regmatogênico) ou se desenvolver sem uma ruptura de retina em razão de uma condição patológica dentro ou abaixo da retina (descolamento de retina não regmatogênico)
- A aparência clínica da retina na oftalmoscopia pode estar ligada a alterações patológicas específicas: a mudança no calibre e na coloração dos vasos sanguíneos da retina pode refletir vários graus de arteriolosclerose, e a localização de hemorragias e exsudatos na retina está relacionada com as suas localizações dentro das camadas retinianas
- Várias causas principais de cegueira resultam da angiogênese intraocular patológica, incluindo retinopatia diabética proliferativa e degeneração macular exsudativa (úmida) relacionada com a idade, entre muitas outras condições. Os antagonistas do VEGF podem prevenir a perda visual em muitas dessas condições
- O retinoblastoma é o tumor intraocular primário mais comum em crianças
- O linfoma retiniano primário é um tumor agressivo que, muitas vezes, também envolve o cérebro.

Nervo óptico

Como trato sensorial do sistema nervoso central, o nervo óptico é circundado por meninges, e o líquido cefalorraquidiano circula ao redor do nervo. A patologia do nervo óptico é semelhante à patologia do cérebro. Por exemplo, as neoplasias primárias mais comuns do nervo óptico são o glioma (normalmente astrocitomas pilocíticos) e o meningioma.

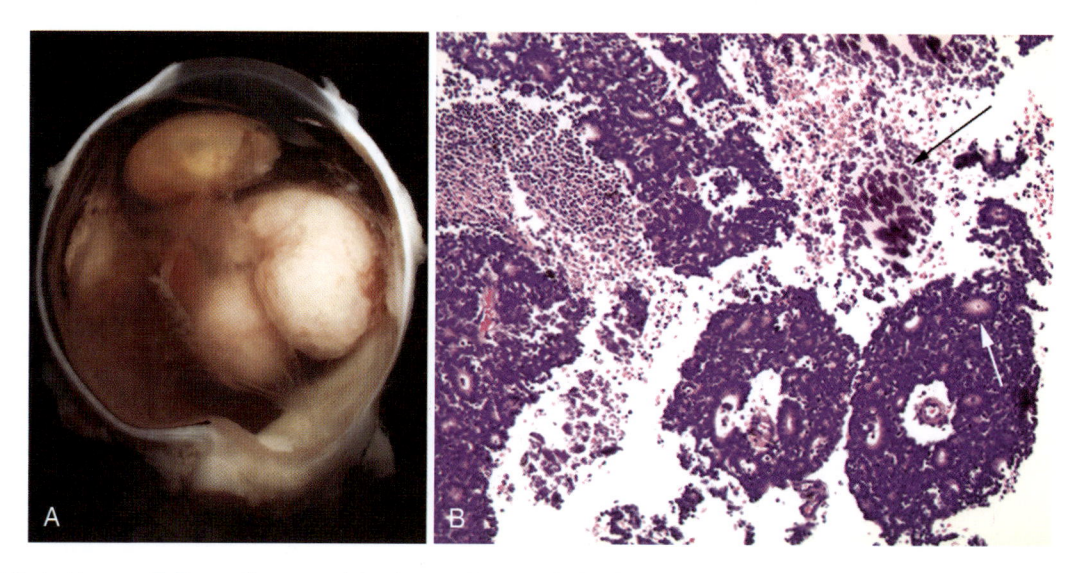

Figura 29.24 Retinoblastoma. **A.** Fotografia macroscópica de retinoblastoma. **B.** As células tumorais parecem viáveis quando próximas a vasos sanguíneos, porém a necrose é observada à medida que a distância em relação ao vaso aumenta. A calcificação distrófica (*seta preta*) está presente nas zonas de necrose tumoral. Rosetas de Flexner-Wintersteiner – arranjos de uma única camada de células tumorais em torno de uma "luz" aparente – são vistas em todo o tumor, e uma delas é indicada pela *seta branca*.

Neuropatia óptica isquêmica anterior

Existem semelhanças impressionantes entre o acidente vascular encefálico (AVE) e uma condição conhecida na terminologia oftálmica como neuropatia óptica isquêmica anterior (NOIA). Conforme utilizado clinicamente, o termo NOIA inclui um espectro de lesões no nervo óptico, variando de isquemia a infarto. Assim, interrupções parciais transitórias no fluxo sanguíneo para o nervo óptico podem produzir episódios de perda temporária da visão, ao passo que a interrupção total no fluxo sanguíneo pode dar origem a um infarto do nervo óptico, que pode ser segmentar ou total. Zonas de isquemia relativa podem circundar infartos segmentares do nervo óptico. A função do nervo óptico nessas zonas mal perfundidas, mas não infartadas, pode ser recuperada. O nervo óptico não se regenera, e a perda visual decorrente do infarto é permanente.

A interrupção do suprimento sanguíneo para o nervo óptico pode resultar da inflamação dos vasos que suprem o nervo óptico ou de eventos embólicos ou trombóticos. Infartos totais bilaterais do nervo óptico resultando em cegueira total têm sido relatados na arterite temporal, conferindo urgência ao tratamento dessa condição com altas doses de corticosteroides.

Papiledema

O edema da cabeça do nervo óptico pode desenvolver-se como consequência da compressão do nervo (como em uma neoplasia primária do nervo óptico, quando o inchaço da cabeça do nervo produz edema de disco unilateral) ou de elevações da pressão do líquido cefalorraquidiano ao redor do nervo (resultando, em geral, em edema de disco bilateral). O aumento concêntrico da pressão que circunda o nervo contribui para a estase venosa e interfere no transporte axoplasmático, causando edema da cabeça do nervo. Na pressão intracraniana elevada, o edema da cabeça do nervo óptico é bilateral, sendo comumente denominado *papiledema*. Normalmente, o papiledema agudo decorrente do aumento da pressão intracraniana não está associado à perda visual. Na oftalmoscopia, a cabeça do nervo óptico mostra-se inchada e hiperêmica; em comparação, a cabeça do nervo óptico nas fases relativamente agudas da neuropatia óptica isquêmica anterior parece inchada e pálida, devido à perfusão nervosa diminuída (**Figura 29.25**). No papiledema decorrente do aumento da pressão intracraniana, o nervo óptico pode permanecer congestionado por um período prolongado.

Danos glaucomatosos ao nervo óptico

Conforme discutido, a maioria dos indivíduos com glaucoma tem pressão intraocular elevada. No entanto, existe um pequeno grupo que desenvolve as alterações no campo visual e no nervo óptico típicas do glaucoma com pressão intraocular normal – conhecido como glaucoma de pressão normal. Em contrapartida, alguns indivíduos com pressão intraocular elevada que são acompanhados por longos períodos nunca desenvolvem alterações do campo visual ou escavação do nervo óptico. Portanto, está claro que existe um espectro de suscetibilidade neuronal aos efeitos da pressão intraocular elevada. Muitas pesquisas estão agora direcionadas à compreensão dos mecanismos pelos quais os axônios do nervo óptico podem ser protegidos de lesões.

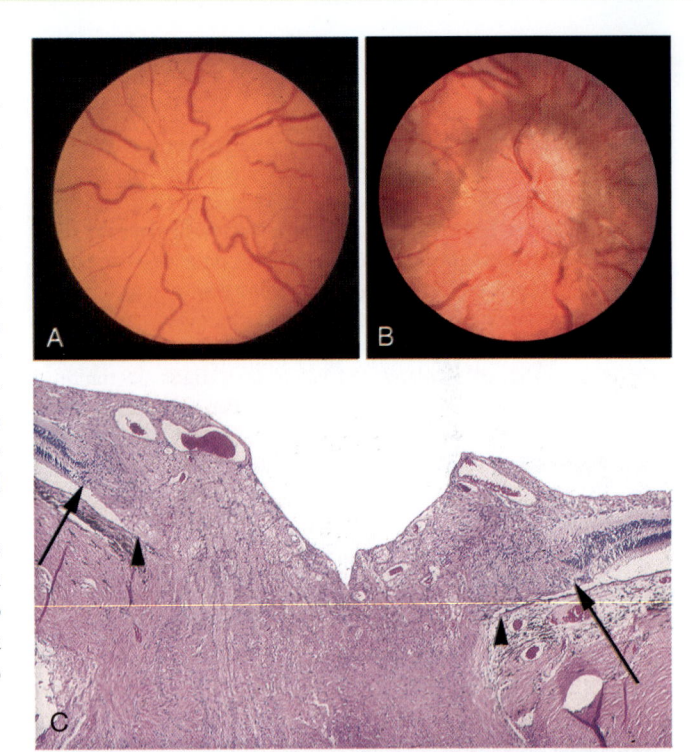

Figura 29.25 Nervo óptico na neuropatia óptica isquêmica anterior (NOIA) e papiledema. **A.** Nas fases agudas da NOIA, o nervo óptico pode estar inchado, mas é relativamente pálido, devido à diminuição da perfusão. **B.** No papiledema decorrente do aumento da pressão intracraniana, o nervo óptico encontra-se comumente inchado e hiperêmico. **C.** Em geral, a terminação da membrana de Bruch (*pontas de seta*) está alinhada com o início da retina neurossensorial, como indicado pela presença de núcleos estratificados (*setas*), porém, no papiledema, o nervo óptico está inchado, e a retina está deslocada lateralmente. Essa é a explicação histológica para as margens borradas da cabeça do nervo óptico vistas clinicamente nessa condição. (**A** e **B**, Cortesia do Dr. Sohan S. Hayreh, Department of Ophthalmology and Visual Science, University of Iowa, Iowa City, Ia.; **C**, From the teaching collection of the Armed Forces Institute of Pathology.)

Morfologia

De modo característico, há uma perda difusa de células ganglionares e o afinamento da camada de fibras nervosas da retina (**Figura 29.26**), que pode ser medido por tomografia de coerência óptica. Em casos avançados, o nervo óptico encontra-se escavado e atrófico, uma combinação exclusiva do glaucoma. A pressão intraocular elevada em lactentes e crianças pode causar aumento difuso do olho (**buftalmia**) ou aumento da córnea (**megalocórnea**). Depois que o olho atinge o tamanho adulto, a elevação prolongada da pressão intraocular pode levar ao afinamento focal da esclera, e o tecido uveal pode revestir a esclera ectática (**estafiloma**).

Outras neuropatias ópticas

A neuropatia óptica pode ser hereditária ou decorrente de deficiências nutricionais ou toxinas, como o metanol. Os indivíduos podem sofrer comprometimento visual grave. Se as fibras nervosas que se originam da mácula são afetadas, perde-se a acuidade visual central.

A neuropatia óptica hereditária de Leber é herdada de mutações genéticas mitocondriais (ver **Capítulo 5**). Uma vez que a saúde neuronal depende do transporte axoplasmático das mitocôndrias, as disfunções mitocondriais dão origem a distúrbios neurológicos, incluindo neuropatia óptica. A neuropatia óptica de Leber mostra um padrão de herança materna típico de mutações genéticas mitocondriais. Os homens são afetados com muito mais frequência do que as mulheres. A idade normal de início é entre 10 e 30 anos. A neuropatia começa com o turvamento da visão, que pode progredir para a perda total da visão.

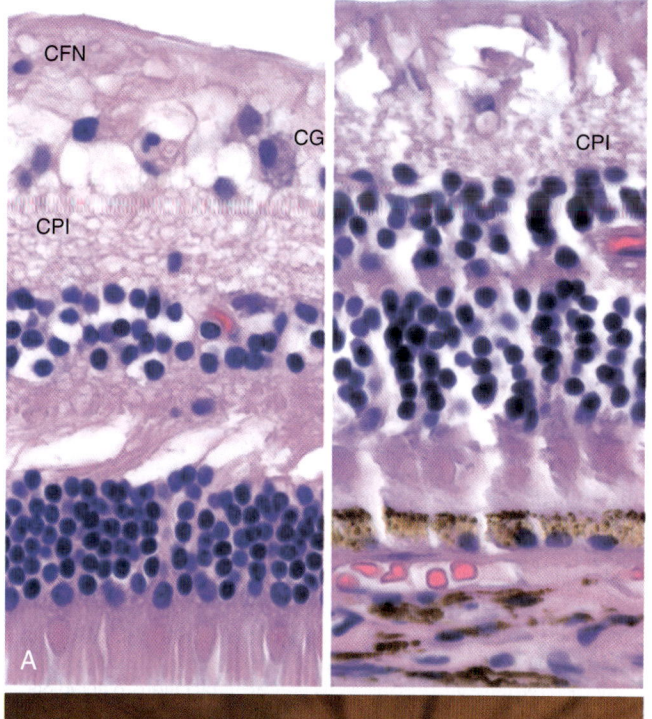

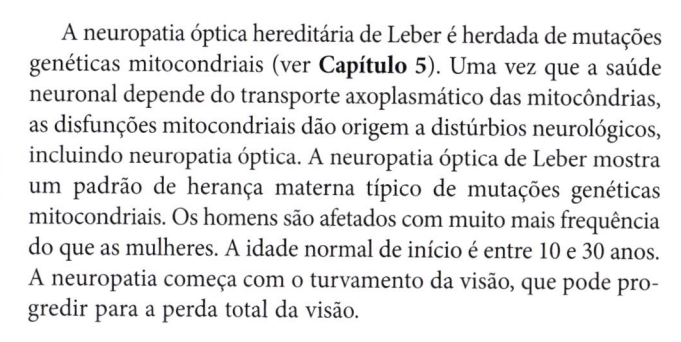

Neurite óptica

Muitas condições não relacionadas foram historicamente agrupadas sob o título de neurite óptica. Infelizmente, o próprio termo sugere inflamação do nervo óptico, o que pode não descrever com precisão as alterações fisiopatológicas. No uso clínico comum, o termo *neurite óptica* é utilizado para descrever a perda de visão decorrente da desmielinização do nervo óptico. Uma das causas mais importantes de neurite óptica é a esclerose múltipla (ver **Capítulo 28**). Na verdade, a neurite óptica pode ser a primeira manifestação dessa doença. O risco de desenvolver esclerose múltipla em 10 anos após o primeiro episódio de neurite óptica aumenta se a pessoa afetada tiver indícios concomitantes de lesões cerebrais detectados por ressonância magnética. Os indivíduos com um único episódio de desmielinização do nervo óptico podem recuperar a visão e permanecer livres da doença.

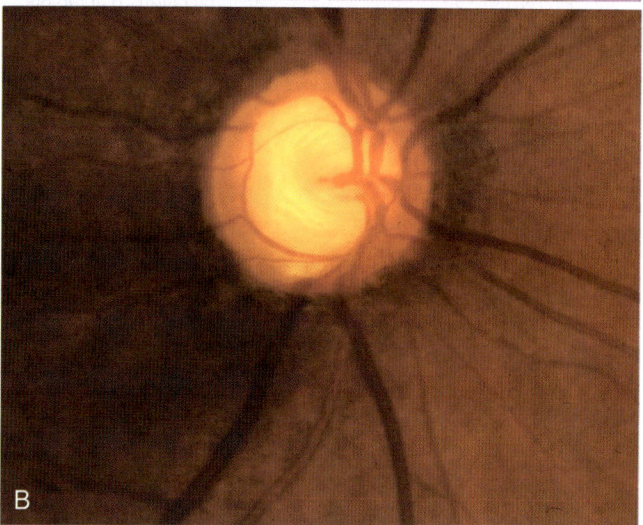

Conceitos-chave

- O termo "neuropatia óptica isquêmica anterior" refere-se a um espectro de lesões isquêmicas do nervo óptico, desde isquemia transitória até infarto
- O edema bilateral da cabeça do nervo óptico, conhecido como papiledema, pode desenvolver-se como consequência da pressão elevada do líquido cefalorraquidiano e da estase do transporte axoplasmático dentro do nervo óptico. O edema unilateral da cabeça do nervo óptico pode resultar da compressão do nervo óptico, como em tumores primários do nervo
- No glaucoma crônico, o nervo óptico pode atrofiar, e a escavação na superfície do nervo pode aumentar e aprofundar-se
- A neuropatia óptica pode ser hereditária (como na neuropatia óptica hereditária de Leber) ou resultar de deficiências nutricionais ou toxinas, como o metanol.

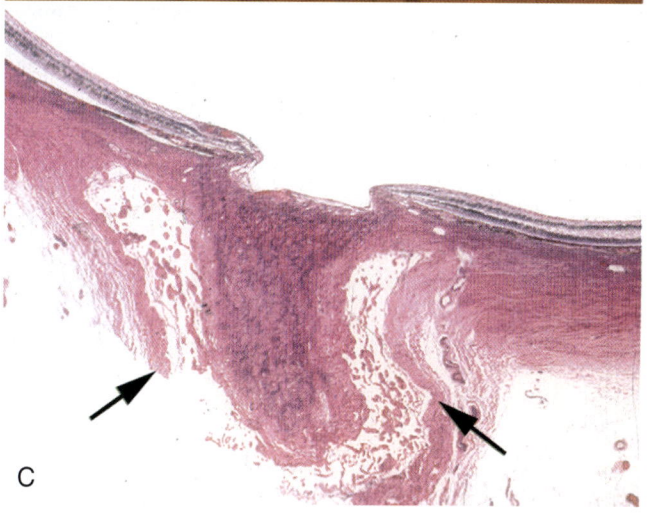

Figura 29.26 A retina e o nervo óptico no glaucoma. **A.** *Painel à esquerda*, retina normal; *painel à direita*, a retina no glaucoma de longa duração (mesma magnificação). Observe a espessura total da retina glaucomatosa (*à direita*), um reflexo do afinamento da retina no glaucoma. Na retina glaucomatosa, as áreas correspondentes à camada de fibras nervosas (*CFN*) e à camada de células ganglionares (*CG*) são atróficas; a camada plexiforme interna (*CPI*) está indicada para referência. Observe, também, que a camada nuclear externa da retina glaucomatosa está alinhada com a camada nuclear interna da retina normal, devido ao afinamento da retina no glaucoma. Ver **Figura 29.16** para orientação. **B.** A escavação glaucomatosa do nervo óptico resulta, em parte, da perda de células ganglionares da retina, cujos axônios povoam o nervo óptico. **C.** As *setas* apontam para a dura-máter do nervo óptico. Observe o amplo espaço subdural, resultado da atrofia do nervo óptico. Existe um grau significativo de escavação na superfície do nervo como consequência do glaucoma de longa data.

Estágio final de lesão ocular: *phthisis bulbi*

Trauma, inflamação intraocular, descolamento crônico da retina e muitas outras condições podem dar origem a um olho que é pequeno (atrófico) e desorganizado internamente: *phthisis bulbi*. Olhos congenitamente pequenos – olhos hipoplásicos ou microftálmicos – geralmente não são desorganizados internamente. Os olhos com *phthisis bulbi* costumam exibir as seguintes alterações: presença de exsudato ou sangue entre o corpo ciliar e a esclera e entre a coroide e a esclera (*efusão ciliocoroidiana*); presença de uma membrana que se estende através do olho a partir de um aspecto do corpo ciliar para o outro (*membrana ciclítica*); descolamento crônico da retina; atrofia do nervo óptico; presença de osso intraocular, que muitos acreditam ter origem na metaplasia óssea do EPR; e esclera espessa, em particular posteriormente. A efusão ciliocoroidiana está geralmente associada ao estado fisiológico de baixa pressão intraocular (*hipotonia*). A tração normal dos músculos extraoculares em um olho hipotônico pode deixar o olho com uma aparência quadrada, em vez de redonda.

LEITURA SUGERIDA

Órbita
Andrew NH, Coupland SE, Pirbhai A et al: Lymphoid hyperplasia of the orbit and ocular adnexa: a clinical pathologic review, *Surv Ophthalmol* 61:778, 2016. [*Revisão concisa e abrangente das lesões linfoides da órbita incluindo a doença relacionada a IgG4 e inflamação orbital não específica*].

Smith DJ, Hagedüs L: Graves' disease, *N Engl J Med* 375:1552, 2016. [*Excelente visão geral da compreensão atual da patogênese da doença ocular tireoide e discussão da base patológica das estratégias terapêuticas*].

Pálpebra e conjuntiva
Hanovar SG, Manjandavida FP: Tumors of the ocular surface, *Indian J Ophthalmol* 63:187, 2015. [*Outra revisão bem ilustrada, concisa e abrangente*].

Pe'er J: Pathology of eyelid tumors, *Indian J Ophthalmol* 65:177, 2016. [*Revisão bem ilustrada, concisa e abrangente*].

Córnea
Chang JH, Garg NK, Lunde E et al: Corneal neovascularization: an anti-VEGF therapy review, *Surv Ophthalmol* 57:415, 2012. [*Revisão da base patológica para a aplicação dos antagonistas do fator de crescimento endotelial vascular para prevenir e tratar a neovascularização da córnea*].

Mas-Tur V, MacGregor C, Jayaswal R et al: A review of keratoconus: diagnosis, pathophysiology and genetics, *Surv Ophthalmol* 2017. [*Ceratocone é uma indicação comum para transplante de córnea*].

Vedana G, Villareal G Jr, Jun AS: Fuchs endothelial corneal dystrophy: current perspectives, *Clin Ophthalmol* 10:321, 2016. [*Distrofia endotelial de Fuchs é uma das principais indicações para o transplante de córnea. Este artigo revisa as características clínicas, a genética e a fisiopatologia desta condição*].

Glaucoma
Jonas JB, Aung T, Bourne RR et al: Glaucoma, *Lancet* 390:2183, 2017.

Úvea
Onken MD, Worley LA, Char DH et al: Collaborative ocular oncology group report number 1: prognostic validation of a multi-gene prognostic assay in uveal melanoma, *Ophthalmology* 119:1596, 2012. [*Este artigo descreve um estudo multicêntrico para testar a validade de um perfil de expressão gênica para prognóstico de pacientes com melanoma uveal primário*].

Van Raamsdonk CD, Bezrookove V, Green G et al: Frequent somatic mutations of GNAQ in uveal melanoma and blue naevi, *Nature* 457:599, 2009.

Wiesner T, Obenauf AC, Murali R et al: Germline mutations in BAP1 predispose to melanocytic tumors, *Nat Genet* 43:1018, 2011.

Yonekawa Y, Kim IK: Epidemiology and management of uveal melanoma, *Hematol Oncol Clin North Am* 26:1169, 2012.

Retina
Antonetti DA, Klein R, Gardner TW: Mechanisms of disease: diabetic retinopathy, *N Engl J Med* 366:1227, 2012. [*Esta é uma revisão extraordinária e abrangente da patogênese da retinopatia diabética*].

Chan CC, Rubenstein JL, Coupland SE et al: Primary vitreoretinal lymphoma: a report from an international primary central nervous system lymphoma collaborative group symposium, *Oncologist* 16:1589, 2011. [*Esta é uma descrição excelente e abrangente do linfoma primário da retina, incluindo a patologia desta condição*].

Daiger SP, Bowne SJ, Sullivan LS: Perspective on genes and mutations causing retinitis pigmentosa, *Arch Ophthalmol* 125:151, 2007. [*Esta é uma revisão da genética molecular de várias condições que estão agrupadas sob a rubrica de "retinite pigmentosa"*].

Dimaras H, Kimani K, Dimba EOA et al: Retinoblastoma, *Lancet* 379:1436, 2012. [*Está e uma revisão abrangente do retinoblastoma, incluindo as manifestações clínicas, patogênese molecular, patologia e estratégias de tratamento*].

Dimras H, Corson TW, Cobrinik D et al: Retinoblastoma, *Nat Rev Dis Primers* 2015.

Duh EJ, Sun JK, Stitt AW: Diabetic retinopathy: current understanding, mechanisms, and treatment strategies, *JCI Insight* 2(14):e93751, 2017.

Giacalone JC, Wiley LA, Burnight ER et al: Concise review: patientspecific stem cells to interrogate inherited eye disease, *Stem Cells Transl Med* 5:132, 2016.

Lim LS, Mitchell P, Seddon JM et al: Age-related macular degeneration, *Lancet* 379:1728, 2012. [*Está é uma revisão excelente e abrangente sobre a degeneração macular associada à idade, incluindo a patogênese desta condição e a base patológica da terapia molecular*].

Rivera JC, Sapieha P, Joyal JS et al: *Neonatology* 100:343, 2011. [*Esta é uma revisão abrangente da patogênese da retinopatia da prematuridade*].

Nervo óptico
Arnold AC: Pathogenesis of nonarteritic anterior ischemic optic neuropathy, *J Neuroophthalmol* 23:157, 2003.

Bernstein SL, Johnson MA, Miller NR: Nonarteritic anterior ischemic optic neuropathy (NAION) and its experimental models, *Prog Retin Eye Res* 30:167, 2011. [*Embora este artigo aborde a neuropatia óptica isquêmica anterior não arterítica, a patogênese da lesão ao nervo óptico é descrita em detalhes*].

Chang EE, Goldberg JL: Glaucoma 2.0: neuroprotection, neuroregeneration, neuroenhancement, *Ophthalmology* 119:979, 2012. [*A maior parte da atenção no passado foi direcionada para abordar as elevações da pressão intraocular na patogênese e tratamento do glaucoma. Este artigo de revisão destaca um reexame crítico da patogênese da doença do nervo óptico: a prevenção de danos por meio de neuroproteção e os meios para evocar respostas adaptativas dentro do nervo ao dano*].

Newman NJ: Treatment of hereditary optic neuropathies, *Nat Rev Neurol* 8:545, 2012. [*Esta revisão abrangente tem como foco a neuropatia óptica hereditária de Leber e aborda a compreensão das sequelas da disfunção mitocondrial*].

Pau D, Al Dubidi N, Yalamanchili S et al: Optic neuritis, *Eye (Lond)* 25:833, 2011. [*Esta revisão fornece uma atualização sobre a associação (ou ausência dela) entre a neurite óptica e a esclerose múltipla*].

Índice Alfabético

A

Aberrações epigenéticas, 290
Abetalipoproteinemia, 814
Aborto espontâneo, 1070
Abscesso(s), 94, 392
- cerebral, 738, 1317
- da cripta, 829
- extradural, 1318
- perirrenal, 963
- pulmonar, 737, 747
- tubo-ovariano, 1029
Absorção de energia radiante, 53
Abuso de drogas ilícitas, 437
Acalasia, 783
- primária, 784
- secundária, 784
Acantólise, 1210
Acantose, 1183
- nigricans, 338, 339, 1191
Ação da insulina, 1146
Acetaldeído, 433, 874
Acetilação das histonas, 3
Acetilcolina, 708
Ácido(s)
- acetilsalicílico, 437
- *all-trans*-retinoico, 327, 471
- ascórbico, 456
- graxos livres, 1150
- láctico, 51
- pantotênico, 458
- valproico, 471
Ácino, 698
Acne
- conglobata, 1215
- vulgar, 1215
Acondroplasia, 1225
Acromegalia, 1115
Acumulação primária, 155
Acúmulo(s)
- de DNA danificado e proteínas mal enoveladas, 55
- de líquido intra-alveolar, 700
- de proteínas
-- do citoesqueleto, 64
-- mal enoveladas, 43
- de ROS, 55
- do substrato, 148
- intracelulares, 35, 62
Adaptações, 34, 35
- celulares ao estresse, 62
- do crescimento e da diferenciação das células, 57
- miocárdicas, 546
Adeno-hipófise, 1110
Adenocarcinoma(s), 275, 742, 744, 1039
- biliar, 903
- colorretal, 841
- de bexiga, 1000
- de esôfago, 788
- de próstata, 1017
- do cólon, 842
- ductal, 1022

-- invasivo do pâncreas, 923
- gástrico, 801
- *in situ*, 744, 1038
- microinvasivos, 744
- mucinosos, 744
Adenofibroma endometrioide, 1062
Adenoma(s), 274
- adrenocorticais, 1172
- agressivos, 1114
- com carcinoma, 840
- corticotrófico, 1116
- das paratireoides familiares, 1139
- de células
-- de Crooke, 1116
-- nulas, 1116
- de tireoide, 1130
- gástrico, 801
- gonadotróficos, 1116
- hepático, 437
- hepatocelular, 898
-- ativado por β-catenina, 899
-- inativado pelo fator nuclear do hepatócito 1-alfa, 898
-- inflamatório, 899
- hipofisário(s), 1111, 1116
-- típico, 1113
- lactacionais, 1084
- lactotrófico(s), 1114
-- densamente granulares, 1114
-- esparsamente granulares, 1114
-- mistos, 1115
- mamossomatotróficos, 1115
- nefrogênico, 995
- papilar renal, 984
- pleomórfico, 275, 774
- produtores de aldosterona, 1166
- sebáceo, 1193
- somatotrófico(s), 1115
-- densamente granulados, 1115
-- mistos, 1115
- tireotróficos, 1116
- tóxicos, 1130
- tubulares, 839
- tubulovilosos, 839
- viloso(s), 839
-- do cólon, 287
Adenomatose hepática, 898
Adenomiose, 1044
Adenose
- esclerosante, 1085
- vaginal, 1034
Adenosina
- desaminase, 147
- difosfatase, 124
Adenossarcoma endometrial, 1054
Adenovírus, 824
Aderência(s), 808
- das bactérias às células do hospedeiro, 356
Adesão
- dos leucócitos ao endotélio, 78
- e extravasamento de neutrófilos, 700
- plaquetária, 120

Adesinas, 357, 794
Adipocinas, 1150
Adiponectina, 461, 463
Adiposidade, 462
Adrenalite autoimune, 1170, 1171
Adrenoleucodistrofia, 1345
Aerossóis ácidos, 423
Aflatoxina, 400, 464
- B1, 331
Aftas, 758
Agamaglobulinemia
- de Bruton, 248
- ligada ao X, 248
Agenesia, 469, 914
- da tireoide, 1122
- do corpo caloso, 1301
- dos rins, 976
Agente(s)
- bociogênicos, 1119
- carcinogênicos, 329
- de bioterrorismo, 416
- físicos, 36
- infecciosos, 36, 284
- químicos, 36
Agranulocitose, 604, 605
Agregação
- de leucócitos, 566
- de proteínas anormais, 64
- plaquetária, 120, 973
AIDS, 261
Albinismo, 148
Alcaptonúria, 66
Alcatrão, 430
Álcool
- e outras toxinas, 586
- metabolismo e efeitos na saúde, 434
Alcoolismo
- agudo, 434
- crônico, 434, 447
Aldosteronismo remediável por glicocorticoides, 1165
Alelo dominante negativo, 145
Alergia(s), 191
- alimentares, 211
- não atópica, 211
Alfafetoproteína, 346
Alinhamento, 187
Aloenxertos, 240
Alopecia não cicatricial, 225
Alteração(ões)
- aguda da placa, 517, 559
- citoplasmáticas, 445
- cromossômicas, 325
- do metabolismo celular, 291
- em RNA não codificantes, 143
- epigenéticas, 186, 327
- epiteliais benignas, 1087
- estruturais nos cromossomos, 445
- genéticas e epigenéticas, 288
-- adquiridas, 1018
- globais na metilação do DNA, 328
- hialina de Crooke, 1163

- metabólicas promotoras do crescimento, 307
- morfológicas, 33
-- e bioquímicas na apoptose, 43
- na medula óssea, 605
- não proliferativas da mama, 1084
- nas histonas, 328
- neurogênicas e miopáticas do músculo esquelético, 1279
- no fluxo
-- sanguíneo normal, 126
-- vascular e no calibre dos vasos, 75
- nucleares, 40
- oculares, 149
- pró-coagulantes, 126
- pulmonares, 486
Alveolite
- alérgica extrínseca, 723
- fibrosante criptogênica, 713
Alvos
- intracelulares de estímulos nocivos, 49
- moleculares dos carcinógenos químicos, 331
Amebíase cerebral, 1323
Ameloblastoma, 764
Amenorreia, 450
Amianto, 719
Amiloide
- do envelhecimento, 269
- endócrino, 269
- formador de tumor da língua, 270
- natureza
-- física do, 266
-- química do, 266
Amiloidose, 265, 592
- associada
-- à hemodiálise, 269
-- a imunócitos, 627
- classificação da, 268
- do baço, 270
- hereditária, 267, 268
- heredofamiliar, 268
- localizada, 268, 269
- patogênese e classificação da, 266
- primária, 267, 627
- secundária, 267, 268
- sistêmica, 268
-- reativa, 268
Aminas vasoativas, 86, 93, 209
Amplificação, 142
- gênica, 327
- local, 187
Amplificadores, 488
Anafilaxia, 211
- sistêmica, 211
Análise
- de alterações genéticas
-- adquiridas, 182
-- hereditárias, 182
- de PCR, 182
- de RNA, 186
- do comprimento
-- do amplicon, 183
-- do fragmento de restrição, 183
- molecular de alterações genômicas, 183
Anaplasia, 276, 341
Anaplasma phagocytophilum, 395
Anaplasmose, 395
Anasarca, 550
Anatomia
- do olho, 1362
- do suprimento vascular, 134
Ancylostoma duodenale, 824
Androgênios, 1018

Anéis
- de Kayser-Fleischer, 882
- de Schatzki, 783
- esofágicos, 783
Anemia, 477, 655
- de Fanconi, 323
- ferropriva, 829
- hemolítica, 225
-- autoimune, 213
- microcítica e hipocrômica, 426
- perniciosa, 213, 795
Anencefalia, 1300
Anergia, 220
Aneuploidia, 165
Aneurisma(s), 127
- de aorta
-- abdominal, 521
--- inflamatórios, 521
--- micóticos, 521
-- torácica, 522
- do desenvolvimento ou saculares, 501
- e dissecção, 519
- fusiformes, 520
- saculares, 520, 1313
- ventricular, 569
Anfetaminas, 439
Angiite primária do SNC, 1308
Angina
- de peito, 558, 560
- estável, 517, 559, 560
- instável, 559, 560
- variante de Prinzmetal, 560
Angiodisplasia, 810
Angioedema hereditário, 247
Angiofibroma nasofaríngeo, 767
Angiogênese, 106, 107, 313
- sustentada, 291
Angiomatose, 535
- bacilar, 534, 536
Angiomiolipoma, 984
Angiopatia amiloide cerebral, 1311, 1333
Angioplastia com balão, 539
Angiossarcoma(s), 538, 539, 904
- hepáticos, 539
Angiotensina, 939
Anoiquia, 316, 324
Anomalia(s)
- congênitas, 467, 652, 698
-- causas de, 469
-- da bexiga, 993
-- da tireoide, 1138
-- da vesícula biliar, 905
-- do pâncreas, 913
-- do pênis, 1002
-- do sistema urinário, 976
-- dos testículos, 1005
-- dos ureteres, 991
- cromossômicas fetais, 1071
- da fossa posterior, 1301
- de desenvolvimento da vagina, 1034
- do prosencéfalo, 1300
- do tipo *primum*, 554
- do trato de saída, 551
- do úraco, 993
- estruturais da árvore biliar, 891
- vasculares, 501
Anorexia nervosa, 450
Anormalidade(s)
- congênitas, 780
- da implantação placentária, 1072
- de brotamento nuclear, 641
- de coagulação, 1074
- de condução miocárdica, 571

- do citoesqueleto, 51
- em badalo de sino, 1007
- estruturais dos cromossomos, 165
- fetais, 472
- genéticas, 36
- maternas, 472
- metabólicas, 138
- no reparo dos tecidos, 111
- pancreáticas, 485
- placentárias, 472
Anotação e interpretação de variantes, 188
Anquilose fibrosa, 1252
Anquirina, 147
Antagonistas
- do receptor de leucotrienos, 89
- do TNF, 90
Antecipação, 176
Antiapoptóticos, 45
Anticoagulante(s), 120, 435
- lúpico, 227
Anticorpos, 195
- anti-dsDNA, 225
- anti-HBS, 863
- anti-Jo1, 1281
- anti-Mi2, 1281
- anti-P155/P140, 1281
- anti-Sm, 225
- anticélula endotelial, 526
- anticitoplasma de neutrófilos, 525
- antifosfolipídio, 225, 227
- antinuclear (ANA), 225
- antipeptídeo citrulinado, 1251
- heterófilos, 369
Antígeno-específicas, 196
Antígeno(s), 195
- carcinoembrionário, 346
- de câncer-testículo, 319
- de superfície da hepatite B, 862
- do cerne da hepatite B, 862
- leucocitários humanos (HLA), 200
- prostático específico, 345, 1021
- protetor, 375
- tumorais, 318
-- produzidos por vírus oncogênicos, 319
Antimieloperoxidase, 526
Antioxidantes, 53
Antiproteinase-3, 526
α1-antitripsina, 147
Antracose, 65, 717
Antraz, 374
- cutâneo, 374
- gastrintestinal, 374
- inalatório, 374, 375
Anúria, 930
Aortite de células gigantes, 526
Aparelho de Golgi, 13, 14
Apêndice, 847
Apendicite aguda, 847
Aplasia, 469
- eritroide, 339
- intestinal ou colônica, 995
- pura da séria vermelha, 626
- tímica, 652
Aplicações clínicas do sequenciamento de DNA de nova geração, 188
Apneia obstrutiva do sono, 462, 728
Apoplexia hipofisária, 1111, 1117
Apoptose, 14, 15, 17, 35, 37, 42
- causas da, 42
- em condições patológicas, 42
- em situações fisiológicas, 42
- induzida por p53, 304

Índice Alfabético

Apoptossomo, 45
Aprendizado patogênico das neoplasias linfoides, 636
Apresentação(ões)
- anormal de autoantígenos, 221
- e reconhecimento dos antígenos, 202
- clínicas do câncer de mama, 1080
Aracnodactilia contratural congênita, 149
Aracnoidite adesiva crônica, 1316
Arcabouço para a renovação tecidual, 23
Áreas acetobrancas, 1041
Arginina vasopressina, 1111
Armadilhas extracelulares de neutrófilos, 84, 139
Arranjos de genotipagem de polimorfismo de nucleotídio único, 184
Arrinencefalia, 1301
Arritmia(s), 568, 571
- cardíaca, 450
Arsênio e compostos de arsênio, 286, 427
Artérias musculares, 500
Arteríolas, 500
Arteriosclerose, 508
- do enxerto, 242
- hialina, 507, 1155
- hiperplásica, 507
Arterite
- de células gigantes (temporal), 526
- de Takayasu, 527
Articulações, 230, 1221, 1248
Artrite, 73, 1249
- aguda, 1257
- de Lyme, 1255
- idiopática juvenil, 1253
- induzida por cristais, 1255
- infecciosa, 1255
- micobacteriana, 1255
- reativa, 214, 1254
- reumatoide, 216, 222, 226, 234, 716, 1250, 1365
- supurativa, 1255
- tofácea crônica, 1257
- viral, 1255
Asbesto, 286
Ascaris lumbricoides, 824
Ascite, 117, 550, 860
Asma, 73, 707
- atópica, 707, 708
- brônquica, 211
- induzida por fármacos, 708
- não atópica, 708
- ocupacional, 708
Aspergillus, 331, 400
- *fumigatus*, 712
Aspergiloma, 400
Aspergilose, 400
- broncopulmonar alérgica, 712
- colonizante, 400
- invasiva, 400
Aspiração
- de material infectante, 737
- por agulha fina, 341
Assinatura mutacional, 188
Associação
- dos alelos do HLA e doenças inflamatórias, 222
- dos genes não MHC com doenças autoimunes, 222
Astrócito de Alzheimer do tipo II, 1297
Astrocitoma(s), 1349
- anaplásicos, 1349
- difusos, 1349
- infiltrativos, 1349
- pilocítico, 1351

Astrócitos reativos ou gemistocíticos, 1297
Ataxia(s)
- de Friedreich, 1342
- espinocerebelares, 1342
Ataxia-telangiectasia, 68, 251, 323, 1342
Atelectasia, 699, 747
- por compressão, 699
- por contração, 699
- por reabsorção, 699
Ateroembolismo, 517
Ateromas, 508
Aterosclerose, 63, 73, 131, 508
- patogênese da, 511
ATGs, 48
Atipia(s)
- coilocíticas, 1031, 1038
- endócrina, 1140
- epitelial plana, 1084
Ativação
- celular, 17
- clássica dos macrófagos, 98
- da invasão e metástase, 324
- da via alternativa
-- do complemento, 938
-- dos macrófagos, 98
- das células
-- T, 320
-- T CD4+, 216
-- Th2, 208
- de genes supressores de tumor, 68
- do complemento, 939
- dos leucócitos, 80, 89
- dos linfócitos
-- B, 204
-- e das respostas imunes, 202
- do(s) sistema(s)
-- neuro-humorais, 546
-- renina-angiotensina-aldosterona, 546
- e lesão endoteliais, 137
- endotelial, 89, 126, 502, 700
- plaquetária, 122
Atividades oncogênicas
- de E6, 334
- de E7, 334
Atopia, 210
ATPases, 54
Atresia, 469, 780
- biliar extra-hepática, 887
- e estenose
-- aórtica, 558
-- pulmonar, 557
-- tricúspide, 556
Atrofia, 60, 62
- cortical, 1163, 1333
- da mucosa e metaplasia intestinal, 798
- de múltiplos sistemas, 1339
- do músculo esquelético, 1279
- muscular espinal e bulbar, 1288, 1344
- parda, 61
- patológica, 60
-- de órgãos parenquimatosos após a obstrução de ductos, 43
- por desnervação, 60
- por desuso, 60
- senil, 60
- testicular, 1006
Aumento
- benigno da próstata, 1015
- da permeabilidade
-- da microvasculatura, 76
-- das membranas celulares, 55
-- vascular (extravasamento vascular), 76

- da pressão hidrostática, 116
- da resistência à morte celular, 324
- da secreção de paratormônio (PTH), 67
- do espaço aéreo com fibrose, 704
Ausência
- completa do baço, 652
- congênita das glândulas tireoides, 1142
- de reação, 358
Autoanticorpos, 229
Autoanticorpos nas doenças autoimunes sistêmicas, 226
Autofagia, 8, 14, 48, 49, 61, 309
- e respostas ao estresse celular, 828
Autofagossomo, 14, 48, 49
Autoimunidade, 191, 192, 235
Autossuficiência nos sinais de crescimento, 291
Autotolerância, 219
Avulsão, 1276
Axônios de grande diâmetro, 1270
Azoospermia, 486
Azotemia, 930
- pós-renal, 930
- pré-renal, 930

B

β2-microglobulina, 266
Babesia
- *divergens*, 404
- *microti*, 404
Babesiose, 404
Bacillus anthracis, 374
Baço(s), 199, 231, 270, 369, 601, 649, 722
- acessórios, 652
- em sagu, 270
- lardáceo, 270
Bactérias intracelulares, 357
Balanite xerótica obliterante, 1004
Balanopostite, 1002
Balsas lipídicas, 8
Bandeamento G, 165
Barreira de filtração glomerular, 932
Barrete frígio, 905
Bartonella
- *henselae*, 536, 869
- *quintana*, 536
Base(s)
- bioquímicas e moleculares de distúrbios monogênicos (mendelianos), 147
- molecular do câncer, 288
Bastonetes de Auer, 639
Benzeno, 286, 429
Benzo[a]pireno, 430
Berílio e compostos do berílio, 286
Bexiga urinária, 993
Bifenilos policlorados, 429
Bilirrubina, 883
Bioaerossóis, 424
Biodisponibilidade de TGF-b, 149
Biofilmes, 356
Biogênese de organelas, 8
Bioinformática, 187
Biologia
- dos sistemas, 20
- molecular do carcinoma espinocelular, 762
Biomarcadores, 34
- séricos dos tumores de células germinativas, 1012
Biopsia(s)
- aspirativa por agulha fina, 341
- líquidas, 343
Biotina, 458
Bisfenol A, 429

Blastoma hipofisário, 1117
Blastomicose, 738
- disseminada, 738
- pulmonar, 738
Blastomyces dermatitidis, 738
Blastos mieloides, 641
Blefarite, 1363
Bloqueio
- cardíaco, 571
- pupilar, 1370
Bócio, 1119
- coloide, 1128
- difuso, 1127
- difuso atóxico (simples), 1127
- dis-hormonogenético, 1122
- endêmico, 1128
- esporádico, 1128
- multinodular, 1127, 1128
-- tóxico, 1129
Bolha, 1183
Bordetella pertussis, 351, 377
Borrelia burgdorferi, 391
Botulismo, 393
Broncopneumonia, 733
- herpética, 366
Bronquiectasia, 711, 747
Bronquiolite, 736
- obliterante, 706
Bronquíolo(s), 697
- respiratório, 698
- terminais, 698
Brônquios, 697
Bronquite
- crônica, 705
- supurativa ou ulcerativa grave, 747
Buftalmia, 1382
Bulimia, 450
Burkholderia cepacia, 355

C

Cabeça, 757
Cadeia aortopulmonar, 772
Cádmio e compostos do cádmio, 286, 427
Cãibras de calor, 442
Calázio, 1363, 1364
Calcificação, 1081
- distrófica, 41, 66, 1119
- do anel mitral, 576
- em casca de ovo, 718
- metastática, 66, 67, 1142
- patológica, 35, 66
Calcitonina, 748
Cálculos
- biliares, 462, 905
- coraliformes, 983
- de ácido úrico, 983
- de cistina, 983
- de colesterol, 906
- de fosfato de amônio e magnésio, 983
- de oxalato de cálcio, 983
- do trato urinário, 1141
- pigmentados, 906
- renais, 931, 983
Camada
- de Bowman, 1367
- esponjosa, 544
- fibrosa, 544
- ventricular ou atrial, 544
Campylobacter jejuni, 817
Canais, 10
- de Hering, 854
- de Lambert, 707

Canalopatias, 571, 1288
Câncer, 49
- cervical, 436
- colorretal hereditário sem polipose, 841
- de cabeça e pescoço, 761
- de mama, 281
-- esporádico, 1092
-- familiar, 323, 1089
-- masculino, 1104
- de pâncreas, 923
- de pulmão, 741, 1020, 1021
-- em pessoas que nunca fumaram, 743
- endometrial e câncer de ovário, 436
- epidemiologia do, 283
- HER2-positivos, 1093
- impacto global do, 283
- luminais, 1092
- ocupacionais, 286
- urotelial, 1022
Cancro mole, 379
Cancroide, 379
Candida
- *albicans*, 396, 397, 759
- *neoformans*, 398
Candidíase, 262, 396
- cutânea, 398
- invasiva, 398
- oral, 397, 759
Capa fibrosa, 518
Capacidade
- de evasão da resposta imune do hospedeiro, 291
- de invasão e metástase, 291
Capilares, 501
- anastomosados, 698
Capilarização sinusoidal, 856
Cápsula
- de Bowman, 943
- de polissacarídeo, 398
Captação mediada por receptores e de fase líquida, 11
Caquexia, 60, 449
- do câncer, 337
Carbono, 65
Carbúnculo, 372
Carcinogênese, 288, 289, 298
- microbiana, 333
- por radiação, 332
- química, 330
- sequencial ou em múltiplas etapas, 329
Carcinógenos
- ambientais, 286
- de ação
-- direta, 331
-- indireta, 331
Carcinoides típicos e atípicos, 749
Carcinoma(s), 275, 741
- adenoides císticos, 777
- adrenocorticais, 1172
- apócrino, 1101, 1193
- associado à translocação cromossômica Xp11, 986
- basaloides e verrucosos, 1031
- basocelular, 1196
- cervical, 1038
-- avançado, 1039
- coloide da próstata, 1022
- colorretal, 844
- com padrão medular, 1100, 1101
- combinado, 747
- cromófobo, 986
- da laringe, 769, 770

- da mama, 436, 1088
- da tireoide, 1131
- de células
-- acinares, 777, 926
-- claras, 985, 1063
-- escamosas, 275, 653, 743, 744, 789, 1035, 1038
--- invasivo, 1003
--- queratinizante, 1031, 1032
-- renais, 985
- de grandes células, 747
- de nasofaringe, 768
- de pâncreas, 923
- de paratireoides, 1140
- de pequenas células do pulmão, 743, 745, 1000, 1022, 1161
- de vesícula biliar, 909
- do endométrio, 1048
- do pâncreas, 925
- do plexo coroide, 1353
- do tipo linfoepitelioma, 653
- dos ductos coletores, 986
- ductal *in situ*, 1096
- écrinos e apócrinos, 1194
- embrionário, 1010, 1067
- endometrial, 1053
-- endometrioide, 1049
-- seroso, 1051
- endometrioide, 1050
- escamoso *in situ*/neoplasia intraepitelial peniana, 1003
- espinocelular(es), 761, 1194
-- associado ao HPV, 763
-- queratinizantes, 762
- folicular, 1134
- hepatocelular, 900
- hepatocelular-colangiocarcinoma combinado, 904
- hipofisário, 1117
- *in situ*, 278, 279, 1096
- inflamatório, 1101, 1102
- intraepitelial endometrial seroso, 1052
- intramucoso, 840
- invasivo (infiltrante), 1098
- linfoepitelial, 768
- lobular, 1096, 1100
- mamários, 1095
- medular, 986, 1136
- metaplásico, 1101
- micropapilífero, 1101
- mucinoso (coloide), 1100
- mucoepidermoide, 776
- nasofaríngeo, 336
- NUT da linha média, 767
- papilar, 986
-- hereditário, 985
- papilífero, 1101, 1133
-- de tireoide, 1131
--- convencionais, 1132
- pouco diferenciado e anaplásico (indiferenciado), 1132, 1136
- sebáceo, 1193, 1364
- secretor, 1101
- tímico, 653
- tubular, 1101
- urotelial(is), 992
-- da pelve renal, 987
-- invasivo, 997
-- misto com áreas de carcinoma escamoso, 1000
-- papilíferos
--- de alto grau, 997
--- de baixo grau, 997
-- plano, 997

Índice Alfabético

Cardiomiopatia(s), 584, 585
- arritmogênica, 588
- de Takotsubo, 587
- dilatada, 585
- hipertrófica, 589
- periparto, 586
- primárias, 584
- restritiva, 591
- secundárias, 584

Cardiopatia
- carcinoide, 582
- congênita, 168, 172
- hipertensiva, 572
-- pulmonar (direita), 573
-- sistêmica, 572
- isquêmica, 558
-- crônica, 570
- reumática, 577

Cárie dentária, 757
Cariorrexe, 855
Cariotipagem, 164
Cariótipo
- complexo, 1260
- normal, 164
- simples, 1260

Carreadores, 10
Cascata(s)
- da coagulação, 121
- da MAPK e PI3K/AKT, 294

Catalase, 53
Catarata, 1369
- subcapsular
-- anterior, 1370
-- posterior, 1369

Categorização dos tumores malignos indiferenciados, 342
Cateterismo da veia umbilical, 893
Cavéolas, 11
Caveolina, 11
Cavidade
- oral, 757
- peritoneal, 848

Caxumba, 361, 773, 1007
Célula(s)
- acidófilas, 1110
- basófilas, 1110
- cromófobas, 1110
- da insuficiência cardíaca, 118, 700
- de Anitschkow, 578
- de Kupffer, 854, 856, 884
- de Langerhans, 198, 1182
- de memória, 195
- de Merkel, 1182
- de Mott, 628
- de Reed-Sternberg, 633
- de Schwann, 493
- dendríticas, 192, 198, 1181
- designadas como progenitoras multipotentes, 603
- do sistema imune adaptativo, 195
- e mediadores da inflamação crônica, 97
- efetoras, 195
- endoteliais, 106, 502, 932
- enterocromafins, 1144
- ependimárias, 1297
- epiteliais, 106
-- escamosas, 1181
-- viscerais, 932
- epitelioides, 101, 1372
- espumosas, 513
- estreladas hepáticas, 854
- fusiformes, 1372
- germinativas, 1026
- gigantes, 101
-- multinucleadas, 1322
- glomerulares residentes, 939
- LE, 229
- linfoides inatas, 193
- multinucleadas bizarras, 628
- na inflamação crônica, 100
- natural killer, 193, 194
- oxífilas, 1138
- principais, 772
- pseudopelger-Hüet, 641
- sustentaculares, 772
- Th1, 99
- Th2, 99
- Th17, 99
- tumorais, 43
-- circulantes, 342

Células-chama, 628
Células-tronco, 28
- adultas, 28, 29
- do câncer, 312
- embrionárias, 29, 30
- hematopoéticas, 602
- mesenquimais, 29
- pluripotentes induzidas, 30
- teciduais, 29
- totipotentes, 28

Celulite por clostrídio, 393
Centro organizador de microtúbulos, 12
Centroblastos, 618
Centrócitos, 618
Centrômeros, 2
Centros germinativos, 606
Ceratite, 1367
- epitelial herpética, 366
- estromal herpética, 366

Ceratocone, 1367
Ceratopatia(s)
- bolhosa, 1367, 1368
-- pseudofácica, 1368
- em faixa, 1367
-- actínica, 1367
-- calcificada, 1367

Cérebro, 449
Ceruloplasmina, 881
Cervicite aguda e crônica, 1035
Cestódeos intestinais, 825
Cetoacidose diabética, 1152
Chamada de variantes, 187
Chlamydia trachomatis, 1028
Choque, 115, 135
- anafilático, 136
- cardiogênico, 135, 568
- hemorrágico, 126
- hipovolêmico, 135
- neurogênico, 136
- séptico, 73, 135
-- patogênese do, 136

Chumbo, 425, 426
Cianeto, 57
Cicatriz
- conjuntival, 1365
- estrelada central, 897

Cicatrização
- de feridas cutâneas, 109
- excessiva, 111
- por deposição de tecido conjuntivo, 95
- por primeira intenção, 109
- por segunda intenção, 111

Ciclinas, 27, 296
Ciclo
- anovulatório, 1042
- celular, 27
- de vida do HIV, 255

Ciclopamina, 471
Cigarros eletrônicos, 432
Cilindroma, 1192, 1193
Cílios primários, 12
Cinetoplasto, 406
Cininas, 86, 93
Cirrose
- alcoólica, 876
- biliar, 886
-- focal, 485
- cardíaca, 550
- criptogênica, 858
- septal incompleta, 856

Cirurgia ou radioterapia da hipófise, 1117
Cistadenocarcinomas, 1058
Cistadenofibroma, 1063
Cistadenoma(s), 274
- papilar linfomatoso, 775

Cisticercose, 409, 410
Cistite
- aguda, 993
- cística, 995
- crônica, 993
- eosinofílica, 994
- folicular, 994
- glandular, 995
- iatrogênica, 994
- intersticial, 994
- polipoide, 995
- por radiação, 994

Cisto(s)
- biliares intra-hepáticos ou extra-hepáticos solitários ou múltiplos, 892
- branquial, 771
- congênitos pancreáticos, 920
- da bolsa de Rathke, 1117
- de Baker, 1259
- de Bartholin, 1030
- de chocolate, 1046
- de colédoco, 891, 905
- de inclusão epitelial ou folicular (Wen), 1192
- de úraco, 993
- dentígero, 763
- dermoide, 275, 1065
- do ducto
-- de Gartner, 1026, 1034
-- tireoglosso, 771, 1138
- do intestino anterior, 698
- foliculares e lúteos, 1057
- ganglionares e sinoviais, 1259
- linfoepitelial cervical, 771
- lúteos, 1057
- não neoplásicos
-- e funcionais, 1057
-- no pâncreas, 920
- odontogênicos, 763
- ósseo aneurismático, 1245
- paratubários, 1057
- radicular, 764
- simples, 977, 981
- sinovial, 1259
- suprarrenais, 1173
- tímicos, 653

Cistocele, 991
Cistossarcoma filoide, 1105
Citocinas, 86, 89, 93, 202, 210, 939
- na inflamação aguda, 91
- quimioatraentes, 78

Citoesqueleto, 8, 12
Citogenética, 343, 639
Citomegalovírus (CMV), 262, 367, 1320

Citometria de fluxo, 342
Citoqueratinas, 12
Citotoxicidade
- celular dependente de anticorpos (ADCC), 194
- mediada por células T CD8+, 218
Citotrofoblastos, 1011
Classes principais de sequências não codificadoras de proteínas funcionais, 2
Claudina, 13
Clivagem do C3, 91
Clonorchis sinensis, 870
Cloreto
- de trifeniltetrazólio, 564
- de vinila, 286, 429
Clostridium
- *botulinum*, 393
- *difficile*, 351, 393
- *perfringens*, 392, 1029
- *tetani*, 393
CMV em indivíduos imunossuprimidos, 368
Coagulação intravascular disseminada, 118, 131, 339, 340
Coagulopatia, 857
Coágulos post mortem, 129
Coarctação
- da aorta, 557
- pós-ductal, 557
- pré-ductal, 557
Cobre, 53, 458
Cocaína, 438
Coccidiodomicose, 739
Coccidioides immitis, 739
Codominância, 144
Coestimuladores, 203
Colágenos, 25, 147
- fibrilares, 25
- não fibrilares, 25
Colangiocarcinoma intra-hepático, 903
Colangiopatias autoimunes, 888
Colangite
- ascendente, 886
- biliar primária, 889
- esclerosante primária, 890
- piogênica recorrente, 887
Colapso, 699
Colecistite, 907
- acalculosa aguda, 907
- aguda, 907
- calculosa, 908
-- aguda, 907
- crônica, 908
- enfisematosa aguda, 908
- gangrenosa, 908
- hialinizante, 908
- xantogranulomatosa, 908
Colelitíase, 462, 905
Cólera, 815
Colestase, 857, 884
- da sepse, 887
- intra-hepática da gravidez, 897
- neonatal, 887
-- não obstrutiva, 888
Colesteatomas, 770
Colesterol, 63, 152
Colesterolose, 63
Colite(s)
- crônica, 833
- de derivação, 833
- indeterminada, 832
- microscópica, 833
- pseudomembranosa, 393, 821
- ulcerativa, 830

Colo uterino, 1035
Colonização, 316
Coloração
- nuclear homogênea ou difusa, 226
- pelo carmim de Best, 65
- periférica ou na borda, 226
Comedões
- abertos, 1215
- fechados, 1215
Complemento, 86
- baixo, 225
Complexos
- citosólico multiproteico, 74
- de adesão focais, 13
- de Golgi, 7, 14
- de silenciamento induzido por RNA, 5
- de von Meyenburg, 892
- esclerose tuberosa, 1358
Complicações
- cardiorrespiratórias, 487
- oculares diabéticas, 1157
Componentes
- a jusante da via de sinalização do receptor tirosinoquinase, 294
- da imunidade inata, 192
- da matriz extracelular, 23
- da resposta inflamatória, 72
Compostos
- de arsênio, 286
- de cromo, 286
- de níquel, 286
- do berílio, 286
- do cádmio, 286
Compressão, 61
Comprometimento
- da artéria hepática, 892
- do fluxo sanguíneo para o fígado, 892, 894
- pulmonar, 401
- visual, 630
Compulsão alimentar, 450
Concentração de hemoglobina, 655, 656
Concussão, 1303
Condensação da cromatina, 43
Condições
- dominantes ligadas ao X, 146
- predisponentes adquiridas, 287
Condiloma
- acuminado, 1002, 1031, 1218
- plano, 1031
Condroma(s), 274, 1241
- justacorticais, 1241
Condrossarcoma(s), 1242
- convencionais, 1243
- de células claras, 1243
- desdiferenciado, 1243
Conexons, 13
Congestão, 117, 733
- hepática
-- aguda, 118
-- passiva crônica, 118
- passiva, 895
- pulmonar
-- aguda, 118
-- crônica, 118
Conídeos, 396
Conjuntiva, 1364
- bulbar, 1365
- palpebral, 1364
Consolidação de fraturas, 1234
Consumo de álcool, 285
- excessivo, 874

Contatos
- entre célula e MEC, 18
- intercelulares, 18
Conteúdo dos grânulos, 209
Contração das células endoteliais, 76
Contraceptivos orais, 436
Contratura de Dupuytren, 1263
Contusões, 125
Conversão
- do fibrinogênio, 122
- em metabólitos tóxicos, 57
Coqueluche, 377
Cor pulmonale, 573
- agudo, 573
- crônico, 573
Coração, 237, 270, 543, 549, 881
Coreia de Sydenham, 579
Coriocarcinoma, 1011, 1066, 1076
Coristoma, 276, 490
Córnea, 1366
Coronavírus humano, 736
Corpo(s)
- apoptóticos, 42, 855
- carotídeos, 772
- citoides, 1376
- coloides ou de Civatte, 1208
- de asbesto, 66, 719
- de Dutcher, 628, 630
- de espironolactona, 1166
- de Lewy, 1338
- de Michaelis-Gutmann, 994
- de molusco, 1218
- de Negri, 1321
- de psamoma, 66
- de Russell, 628, 630
- de Schaumann, 721
- de Schiller-Duval, 1011, 1066
- de Verocay, 1290
- de Weibel-Palade, 78
- do útero e endométrio, 1042
- estranhos, 74
- ferruginosos, 719
- residuais, 61
Corpúsculo(s)
- acidófilos, 855
- amiláceos, 1297
- asteroides, 721
- de Barr, 171
- de Councilman, 855
- de Döhle, 606
- de Hassall, 652
- de Heinz, 650
- de Howell-Jolly, 650
- de Lafora, 1297
- de Mallory, 874
- de Russell, 64
- hialino alcoólico, 64
- pseudo-Meissner, 1291
Corretores, 488
Córtex suprarrenal, 1161
Corticosteroides, 89
Corticotrofos, 1110
Corynebacterium diphtheriae, 373
Craniofaringioma, 1118
- adamantinomatoso, 1119
- papilares, 1119
CREBBP/EP300, 328
Crescimento
- celular, 293
- seletivo de variantes antígeno-negativas, 320
Cretinismo, 1122

Crioglobulinemia, 630
- mista essencial, 958
Criptococose, 262, 398
Criptorquidia, 1005
Criptosporidium, 825
Crise mitótica, 311
Cristais de Charcot-Leyden, 710
Cristaloides de Reinke, 1013, 1069
Cromatina
- estruturas de, 2
- X, 171
Cromossomo
- em anel, 166
- Filadélfia, 326
Cromotripsia, 327
Crupe, 769
Cryptococcus, 399
Curie (Ci), 443

D

Dacrioadenite esclerosante, 1363
Dano(s)
- à membrana
-- mitocondrial, 51
-- plasmática, 51
- alveolar difuso, 700, 701
- ao DNA, 42, 52, 67, 302
-- e carcinogênese, 446
- ao hospedeiro causados pelos microrganismos, 355
- às membranas, 51
- genético não letal, 288
- glaucomatosos ao nervo óptico, 1382
- mitocondrial, 49, 55
- vascular, 236, 444
Débito cardíaco, 504
Declínio das respostas imunes, 206
Defeito(s)
- da hemostasia
-- primária, 125
-- secundária, 125
- da imunidade
-- adaptativa, 247
-- inata, 245, 246
- das células T, 355
- de maturação dos linfócitos, 249
- do complemento, 355
- do septo
-- atrial, 553
-- ventricular, 554
- do tipo seio venoso, 554
- do tubo neural, 1300
- dos fatores da coagulação, 125
- em receptores e sistemas de transporte, 148
- enzimático, 147, 148
- fibroso cortical, 1246
- físicos do útero, 1071
- generalizados que afetam pequenos vasos, 125
- genéticos
-- na função das células B, 1151
-- que comprometem a resposta dos tecidos à insulina, 1151
- herdados
-- na atividade microbicida, 246
-- na função dos fagolisossomos, 245
- metabólicos no diabetes melito tipo 2, 1149
- na ativação dos linfócitos, 250
- na cicatrização, 111
- na função
-- dos leucócitos, 245
-- dos neutrófilos, 355
- na sinalização do TLR, 246

- nas proteínas
-- estruturais extracelulares, 1225
-- nucleares e nos fatores de transcrição, 1225
- nas vias
-- de sinalização do receptor do tipo *toll*, 355
-- metabólicas, 1226
- no transporte intracelular, 64
- nos hormônios e nas proteínas de transdução de sinal, 1225
- plaquetários, 125
- septais, 551
- tubulares renais, 930
Defesa antiviral, 195
Deficiência(s)
- adquirida de lactase, 814
- congênita de lactase, 814
- da adesão dos leucócitos
-- 1, 246
-- 2, 245, 246
- da subunidade α de hexosaminidase, 156
- das proteínas reguladoras do complemento, 246
- de 21-hidroxilase, 1167
- de α1-antitripsina, 55, 704, 882
- de A1AT, 883
- de anticorpos, 355
- de C2, C4, 246
- de C3, 246
- de carnitina palmitoiltransferase II, 1287
- de glicose-6-fosfato desidrogenase (G6 PD), 146
- de lactase (dissacaridase), 814
- de maltase ácida, 1287
- de mieloperoxidase, 246
- de miofosforilase, 1287
- de vitamina(s), 450, 1346
-- A, 452
-- B_1, 1275, 1347
-- B_{12}, 1275, 1347
- do inibidor de C1, 247
- intelectual, 176
- isolada de IgA, 250
- que afetam o sistema complemento, 246
Deformidades, 468
Degeneração
- cerebelar subaguda, 1357
- corticobasal, 1339
- e distrofias da córnea, 1367
- espinocerebelares, 1341
- espumosa alcoólica, 874
- gordurosa, 37, 62, 882
- hialina, 64
- lobares frontotemporais, 1335
- macular relacionada com a idade, 1379
- mixomatosa da valva mitral, 576
- plumosa, 884, 887
- retinianas, 1380
- valvar calcificada, 575
- walleriana, 1270, 1296
Degradação dos fosfolipídios, 51
Deleção, 142, 166, 180
- clonal, 219
- cromossômicas, 327
- por apoptose, 221
Demência
- associada ao HIV, 1322
- com corpos de Lewy, 1338
- vascular, 1315
Dendrócitos, 1182
Dengue, 364
- hemorrágica, 364
Densidades, 1081
Depleção
- das reservas de glicogênio, 51

- de ATP, 50, 55
- de lipídios das células do córtex suprarrenal, 139
Deposição
- de amiloide, 1160
- de fibrina, 119
- de hemossiderina, 880
- de imunocomplexos, 215
- de tecido conjuntivo, 104, 107, 108
Depressões revestidas por clatrina, 11
Derivações portossistêmicas, 860
Dermatite
- de contato, 216, 217
- de interface, 1206, 1208
- eczematosa aguda, 1203
- herpetiforme, 1212
- seborreica, 1207
Dermatofibroma, 1199
Dermatofibrossarcoma *protuberans*, 1200
Dermatófitos, 350
Dermatomiosite, 339, 1280, 1281
Dermatose(s)
- inflamatórias
-- agudas, 1203
-- crônicas, 1206
- papulosa nigra, 1191
Derrame(s)
- pericárdico, 595
- pleural(is), 751
-- não inflamatórios, 752
Desarranjo de miofibras, 590
Descolamento
- da placenta, 1072
- de retina, 1374, 1375
-- não regmatogênico, 1375
-- regmatogênico, 1375
- do vítreo posterior, 1375, 1377
- retiniano por tração, 1377
Desenvolvimento
- cardíaco, 550
- de alergias, 210
- de tumores de células germinativas, 1009
Desequilíbrio(s)
- de ligação, 3
- nutricionais, 36
- protease-antiprotease, 704
Desgaste dos telômeros, 68
Desmina, 12
Desmoplasia, 274
Desmossomos, 12
Desregulação dos genes associado ao câncer, 325
Destino do trombo, 130
Destruição intracelular de microrganismos e resíduos, 82
Detecção
- de doença residual mínima, 343
- desregulada de nutrientes, 69
Deterioração estrutural, 584
Diabetes, 1275
- complicações crônicas do, 1153
- formas monogênicas de, 1151
- insípido, 1118
- melito, 65, 109, 511, 1144, 1159, 1376
-- características clínicas do, 1152
-- complicações metabólicas agudas do, 1152
-- crônico manifestações clínicas do, 1158
-- e gravidez, 1151
-- morfologia das complicações crônicas do, 1154
-- tipo 1, 216, 222
--- patogênese do, 1147
-- tipo 2, patogênese do, 1148
Diagnóstico
- de predisposição hereditária ao câncer, 343

- genético molecular, 181
- laboratorial do câncer, 340
- molecular, 185, 343
Diapedese, 79
Diarreia, 810, 815
- exsudativa, 811
- osmótica, 811
- persistente, 262
- por má absorção, 811
- secretora, 811
Diclorodifeniltricloroetano, 429
Dieta, 285
- e câncer, 463
- e doenças sistêmicas, 464
Diferenciação, 276
Difteria, 373, 760, 1274
Difusão passiva, 9
Digestão
- intraluminal, 810
- terminal, 810
Dilatação da câmara, 569
Dímeros D, 123
Diminuição
- da carga de trabalho, 60
- da fertilidade, 1006
- da síntese de fosfolipídios, 51
- do fornecimento de oxigênio, 791
- do suprimento sanguíneo, 60
Dióxido
- de enxofre, 423
- de nitrogênio, 423
Dioxinas, 429
Diphyllobothrium latum, 409
Discinesia ciliar primária, 712
Disfunção
- adquirida do regulador de condutância transmembrana da fibrose cística (RCTFC), 705
- celular, 213
- contrátil, 568
- das células B, 1151
- do esfíncter esofágico inferior, 783
- do músculo papilar, 568
- endotelial, 502
-- e desequilíbrio de fatores angiogênicos e antiangiogênicos, 1073
- entérica ambiental, 813
- mitocondrial, 168, 566, 1338
- orgânica, 138
- renal, 117
- tireoidiana, 1275
Disgerminoma, 1009, 1066
Dislipoproteinemias, 513
Displasia, 278, 469, 787, 798
- adrenomedular, 1168
- broncopulmonar, 474
- cleidocraniana, 1225
- escamosa, 744, 790
- fibromuscular, 501
- fibrosa, 1247
- renal multicística, 977, 980
- tanatofórica, 1225
Dispositivos
- cardíacos, 599
- de assistência ventricular, 599
Disqueratose, 1183
Disrafismo espinal, 1300
Disrupções, 468
Dissecção(ões)
- aórtica, 149, 522
- crônicas, 523

- do tipo
-- A, 523
-- B, 523
Disseminação
- do epítopo, 224
- do vírus, 258
- hematogênica, 281, 1012, 1315
- linfática, 281, 1012
- pagetoide, 997
- vascular, 316
Dissomia uniparental, 180
Distrofia
- endotelial de Fuchs, 1368
- fascio-escapuloumeral, 1287
- miotônica, 1287
- muscular(es), 1284
-- de Becker, 1285
-- de cinturas, 1286
-- de Duchenne, 1285
-- de Emery-Dreifuss, 1287
-- ligada ao X com mutação da distrofina, 1285
Distúrbio(s)
- associados
-- a defeitos em proteínas
--- estruturais, 148
--- que regulam o crescimento celular, 163
--- receptoras, 151
-- à obstrução do fluxo aéreo, 702
-- à tireotoxicose, 1120
- autossômicos
-- dominantes, 145
-- recessivos, 145
- causados por toxinas, 1279
- circulatórios, 892
- citogenéticos envolvendo
-- autossomos, 167
-- cromossomos sexuais, 170
- cromossômicos, 142, 164
- da condução cardíaca, 545
- da motilidade ocular, 1357
- da parede torácica, 713
- da pigmentação e dos melanócitos, 1183
- de desenvolvimento do osso e da cartilagem, 1224
- de disfunção do surfactante, 725
- de hiper-reatividade dos vasos sanguíneos, 531
- de maturação epidérmica, 1202
- do desenvolvimento, 652
-- da mama, 1080
-- do osso e da cartilagem, 1229
-- do fim da gravidez, 1072
-- do início da gravidez, 1070
- dos anexos epidérmicos, 1215
- dos eritrócitos, 655
- dos leucócitos, 604
- dos sistemas nervosos central e periférico, 339
- endometriais funcionais, 1042
- genéticos, 141
- gestacionais e placentários, 1070
- hemodinâmicos, 115, 512
- hemorrágicos, 118, 125, 655
- imunes mediados por células, 207
- indutores de constrição arterial pulmonar, 573
- infecciosos, 861
- inflamatórios
-- da mama, 1082
-- do endométrio e o miométrio, 1044
- ligados ao X, 146
- mediados
-- por anticorpos, 207
-- por imunocomplexos, 207
- mendelianos, 144

- metabólicos, 916
- monogênicos, 506
-- com herança não clássica, 174
- multigênicos complexos, 142, 163
- na homeostasia do cálcio, 54
- neurocognitivo associado ao HIV, 258
- neurológico, 225
- no fluxo sanguíneo, 960
- por hipersensibilidade imediata, 208
- por repetição de trinucleotídios, 175
- que afetam o movimento torácico, 573
- recessivos ligados ao X, 147
- relacionados com a vitamina D, 67
- renal, 225
- sistêmicos, 958
- tóxicos, 1347
- vasculares, 975, 1007
Diversidade dos linfócitos, 195
Divertículo(s)
- adquiridos, 993
- congênitos, 993
- de Meckel, 781
Divisão
- assimétrica, 29
- simétrica, 29
DNA
- não codificante, 1
- polimerase, 323
- satélite, 2
Doença(s)
- agudas e crônicas, 447
- ambientais e nutricionais, 419
- articular, 225
- associadas a defeitos na degradação de macromoléculas, 1228
- aterosclerótica consequências da, 517
- autoimunes, 218, 222, 224, 728
-- sistêmica (IPEX), 220
- autossômicas dominantes, 144
- bolhosas, 1209
-- inflamatórias, 1210
-- não inflamatórias, 1213
- cardíaca
-- congênita, 551, 558
-- hipertensiva, 504
- cardiovascular, 436, 420
- causada(s)
-- pela deposição de imunocomplexos, 943
-- pela formação *in situ* de imunocomplexos, 935
-- por anticorpos dirigidos contra componentes normais da membrana basal glomerular, 936
-- por mutações por repetição de trinucleotídios, 174
-- por reações inflamatórias, 73
- celíaca, 222, 811, 812
- cerebrovascular, 420, 1307
- cística(s)
-- adquirida, 980
-- da medula renal, 980
-- dos rins, 976, 977
-- renal adquirida, 977
- colestática, 883
- com inflamação granulomatosa, 102
- da arranhadura do gato, 102, 536
- da artéria renal bilateral, 975
- da cadeia pesada, 627
- da descompressão, 133
- da gravidez, 1070
- da junção neuromuscular, 1277
- da lactância e da infância, 467
- da membrana hialina, 472

- da mucosa relacionada com o estresse, 792
- da ulcerosa péptica, 796
- de Addison, 1169
- de agregação de proteínas, 64
- de Alzheimer, 55, 1331
- de armazenamento
-- de glicogênio, 161
-- lisossômico, 148, 154, 157
-- neuronal, 1345
- de Berger, 955
- de Binswanger, 1315
- de Bowen, 1003, 1031
- de Buerger, 530
- de Caroli, 892
- de Chagas, 406, 407, 593, 784
-- crônica, 407
- de Charcot-Marie-Tooth, 1276, 1277
- de Creutzfeldt-Jacob, 55, 1329
- de Crohn, 102, 828
- de Davidson, 814
- de depósito
-- de cadeias leves, 970
-- denso, 953
-- do glicogênio, 65
- de Duncan, 370
- de Gaucher, 156, 159
- de Graves, 213, 1126, 1362
- de Hansen, 386, 1274
- de hipersensibilidade, 96
- de Hirschsprung, 781, 782
-- de segmento curto, 782
-- de segmento longo, 782
- de Huntington, 145, 181, 1340
- de inclusão das microvilosidades, 814
- de Kawasaki, 529
- de Kennedy, 1344
- de Krabbe, 1345
- de Ledderhose, 1263
- de Letterer-Siwe, 648
- de Libman-Sacks, 582
- de Lyme, 391, 1274, 1319
- de McArdle, 163, 1287
- de Ménétrier, 799
- de Mikulicz, 234
- de Milroy familiar, 533
- de Niemann-Pick, 1379
-- tipo A e B, 157
-- tipo C, 63, 159
- de Ollier, 1241
- de origem vascular, 726
- de Ormond, 992
- de Osler-Weber-Rendu, 535
- de Paget, 1233
-- do mamilo, 1096
-- extramamária, 1033
- de Parkinson, 1337, 159
- de Peyronie, 1002, 1263
- de Pick, 1335
- de poliglutamina, 1342
- de Pompe, 162, 163, 1287
- de Pott, 385, 1237
- de Tay-Sachs, 55, 156, 157, 1379
- de von Gierke, 163
- de von Hippel-Lindau, 536, 920, 1358
- de von Recklinghausen do osso, 1140, 1231
- de von Willebrand, 125
- de Weber-Christian, 1216
- de Whipple, 821
- de Wilson, 881
- desmielinizantes, 1325
- diverticular do cólon sigmoide, 834
- do armazenamento de glicogênio, 162
- do colágeno tipo I, 1225
- do córtex suprarrenal, 1161
- do enxerto-versus-hospedeiro, 244, 834
-- aguda, 244
-- crônica, 244
- do esôfago, 785
- do esôfago, 790
- do metabolismo de lipídios ou de glicogênio, 1287
- do músculo esquelético, 1279
- do parênquima pulmonar, 573
- do sistema
-- imunológico, 191
-- nervoso central, 264
- do sono, 406
- do soro, 214
-- aguda, 215
-- crônica, 215
- do tecido conjuntivo, 224
- dos dentes e de suas estruturas de sustentação, 757
- dos leucócitos, linfonodos, baço e timo, 601
- dos nervos periféricos, 1269
- dos neurônios motores, 1344
- dos vasos pulmonares, 573
- epiteliais não neoplásicas, 1030
- específica de órgãos, 219
- fibropolicística, 891
- fibrosantes, 713
- genéticas humanas, 141
- genético-metabólicas, 1344
- glomerulares, 931, 955
-- secundárias, 931
- granulomatosa(s), 721
-- crônica, 246
- hepática, 956
-- alcoólica, 873
-- associada à gravidez, 896
-- características gerais da 854
-- gordurosa não alcoólica, 462, 877
-- hereditária, 879
-- significativa, 487
- hereditárias do músculo esquelético, 1283
- hidática, 409
- hipofisária manifestações clínicas da, 1111
- humanas, 141
- imunológicas, 711
- infecciosas, 49, 349
-- do sistema nervoso, 1323
-- emergentes, 415
-- transmitidas por vetores, 420
- inflamatória(s), 848
-- intestinal, 102, 216, 826
-- orbitais, 1363
-- pélvica, 1028
- intersticiais
-- crônicas difusas (restritivas), 713
-- e infiltrativas crônicas, 713
-- relacionadas ao tabagismo, 724
-- intestinal isquêmica, 808
- isquêmica do coração, 558
- linfoproliferativa ligada ao X, 250
- localmente avançada, 1102
- macrovascular diabética, 1155
- mamária proliferativa
-- com atipia, 1086
-- sem atipia, 1084
- mediada
-- por anticorpos
--- anti-MBG, 943
--- da junção neuromuscular, 1278
-- por células T, 216
- metabólicas
-- do osso, 1229
-- tóxicas e adquiridas, 1346
- miocárdica causas de, 594
- mista do tecido conjuntivo, 237
- neurodegenerativas, 49, 1328
- nutricionais, 447
- pericárdica, 595
- por anticorpos antimembrana basal glomerular com envolvimento pulmonar, 730
- por depósito
-- de cristais de pirofosfato de cálcio, 1258
-- denso tipo II, 941
- por imunocomplexos localizada, 215
- por imunodeficiência, 245
- por lesões mínimas, 941, 947
- priônicas, 1328
- pulmonar(es)
-- crônica obstrutiva, 703
-- induzidas
--- por drogas, 721
--- por radiação, 721
-- intersticiais, 728
--- associada a bronquiolite respiratória, 724
-- na infecção pelo vírus da imunodeficiência humana, 740
-- obstrutivas, 703
--- crônicas, 706, 728
--- e restritivas, 702
- recessivas autossômicas, 146
- relacionada(s)
-- ao amianto, 719
-- com a imunoglobulina G4 (IgG4-RD), 239, 521, 992
- renal(is)
-- ateroembólica, 975
-- crônica, 930
-- isquêmica aterosclerótica, 975
-- manifestações clínicas das, 930
-- policística autossômica
--- do adulto, 977
--- dominante, 920
---- do adulto, 977
--- infantil, 977
--- recessiva (infantil), 979
-- terminal, 930
-- tubulointersticial autossômica dominante, 969
- respiratória, 420
- sistêmica, 219
-- manifestações orais de, 759
-- por imunocomplexos, 214
- trofoblástica gestacional, 1075
- tromboembólica, 115
- tubulares e intersticiais, 959
- tubulointersticiais, 968
- ulcerosa péptica, 798
- unissistêmica multifocal, 649
- vascular(es), 970
-- da retina, 1376
-- do colágeno, 224
-- hipertensiva, 503
-- oclusiva, 1308
-- veno-oclusiva, 895
Domínio(s)
- de interação proteínaproteína, 21
- de ligação ao DNA, 20
- de morte, 45
Donovanose, 379
Dor abdominal, 917
Dormência tumoral, 317
Dosagem gênica, 168
Drogas ilícitas, 440
DSA do tipo secundum, 554

Ductos
- alveolares, 698
- de Müller, 1026
- mesonéfricos, 1026
Duplicações, 780

E

E-caderina, 305, 315
Echinococcus granulosus, 409
Eclâmpsia, 896, 1073
Ectasia(s)
- ductal, 1083
- vasculares, 534
-- do antro gástrico, 793
Ectopia, 780
Eczema, 1203
Edema, 115
- angioneurótico hereditário, 1203
- categorias fisiopatológicas do, 116
- causado por lesão microvascular, 700
- cerebral, 117, 1298
- citotóxico, 1298
- de origem indeterminada, 699
- decorrente de lesão na parede alveolar, 699
- depressível (com cacifo), 117
- estromal, 1368
- hemodinâmico, 699
- macular, 1377
- nuclear, 445
- periorbital, 117
- postural ou de declive, 117
- pulmonar, 117, 699
-- hemodinâmico, 700
-- não cardiogênico, 700
- subcutâneo, 117
- vasogênico, 1298
Edição
- de genes, 5, 6
- de receptores, 220
Efeito(s)
- agudos nos sistemas hematopoético e linfoide, 445
- anticoagulantes, 122, 124
- antifibrinolíticos, 126
- biológicos da radiação ionizante, 443
- citopáticos diretos, 355
- da vitamina D na homeostase do cálcio e do fósforo, 453
- das mudanças climáticas na saúde, 419
- do álcool, 432
- do envelhecimento no coração, 545
- do oxigênio e hipoxia, 443
- do tabaco, 429
- fibrinolíticos, 125
- inibitórios sobre as plaquetas, 124
- lesivos da imunidade do hospedeiro, 354
- não esqueléticos da vitamina D, 456
- patológicos dos radicais livres, 53
- pleiotrópicos, 22
- pró-inflamatórios, 122
- sistêmicos da inflamação, 102
- Warburg, 17, 28, 291, 307
Efélides, 1183
Efusões, 115
- pleurais
-- inflamatórias, 751
-- serosas, 385
Ehrlichia chaffeensis, 395
Eicosanoides, 939
Elastina, 23, 25
Elefantíase, 117, 413
Elementos genéticos móveis, 2

Eliminação
- de produtos residuais, 14
- do agente agressor, 80
- dos microrganismos extracelulares, 204
Emaranhados neurofibrilares, 64, 1333
Embolia, 115, 131, 522
- arterial, 134
- encefálica, 1308
- gasosa, 133
- gordurosa, 132
- por líquido amniótico, 133
- pulmonar, 131, 726
- séptica, 737
Êmbolo(s)
- do átrio esquerdo, 560
- em sela ou a cavaleiro, 131
- pulmonares, 132
Embriopatia
- diabética, 470
- rubeólica, 470
Empiema
- da vesícula biliar, 908
- sinusal, 766
- subdural, 1317
- tuberculoso, 385
Encaroçamento, 1081
Encefalite
- límbica, 1357
-- inflamatória, 1065
- por caxumba, 362
- por herpes simples, 366
- viral transmitida por artrópodes, 1319
Encefalocele, 1300
Encefalomielite
- disseminada aguda, 1327
- hemorrágica necrosante aguda, 1327
Encefalomiopatias mitocondriais, 1345, 1346
Encefalopatia
- hepática, 857, 1347
- hipóxica/isquêmica difusa, 1310
- multicística, 1303
- traumática crônica, 1306
Encondromas, 1241
Endarterite obliterativa, 1007
Endereçamento (*homing*), 316
Endocardite
- de Libman-Sacks, 129
-- da valva mitral no lúpus eritematoso, 233
- do lúpus eritematoso sistêmico, 582
- infecciosa, 129, 580, 584
- trombótica não bacteriana, 129, 339, 340, 581
Endocitose, 11
- de fase líquida ou mediada por receptores, 14
- mediada por cavéolas, 11
- mediada por receptores, 11
Endocrinopatias, 338
Endoftalmite, 1370
Endometriomas, 1046
Endometriose, 848, 1044
- atípica, 1046
Endometrite
- aguda, 1044
- crônica, 1044
Endomiocardiofibrose, 591
Endomiocardite de Loeffler, 591
Endonucleases, 54
Endossomo inicial, 11
Endotelina, 119, 939
Endotélio, 124
- corneano, 1367
Endotoxina bacteriana, 357
Enduração marrom, 700

Enfisema, 703
- acinar distal (paraseptal), 704
- bolhoso, 707
- centroacinar (centrolobular), 704
- centrolobular, 717
- focal, 747
- intersticial, 707
- irregular, 704
- panacinar (panlobular), 704
Englobamento, 82
Entamoeba histolytica, 825
Enterite infecciosa, 823
Enterobius
- *gregorii*, 824
- *vermicularis*, 824
Enterocolite(s)
- bacterianas, 816
- infecciosa, 815
- necrosante, 475, 810
- parasitária, 824
- por *Campylobacter*, 817
- por radiação, 810
Enteropatia
- autoimune, 813
- por glúten, 956
Envelhecimento celular, 67
Envenenamento
- agudo por CO, 424
- crônico por CO, 424
Envolvimento
- ocular, 722
- pulmonar em doenças autoimunes, 716
Enzima(s), 53, 209, 357, 399
- conversora de angiotensina (ECA), 505
- lisossômicas, 83
Eosinofilia
- aumentada, 40
- pulmonar, 723
- secundária, 723
Eosinófilos, 100, 210
Ependimoma(s), 1352
- mixopapilares, 1353
Epidemiologia do câncer, 283
Epidermodisplasia verruciforme, 1195
Epidermólise bolhosa, 1213
Epididimite e orquite, 1006
Epidídimo, 1005
Epigenética, 186
Epigenoma, 328
Epispadias, 1002
Epitélio(s), 192
- alveolar, 698
Equimoses, 125
Erisipela, 373
Eritema
- indurado, 1216
- marginatum, 579
- multiforme, 760, 1204, 1205
- nodoso, 722, 1216
Eritrócitos em forma de lágrima, 647
Eritrodermia esfoliativa generalizada, 626
Eritroplasia, 760, 761
Erliquiose, 395
Erosão, 1183
- óssea, 159
- ulceração, 517
Erros inatos do metabolismo, 479, 888
Escama, 1183
Escarlatina, 373, 760
Escherichia coli, 820
- êntero-hemorrágica, 820
- enteroagregativa, 820

- enteroinvasiva, 820
- enteropatogênica, 820
- enterotoxigênica, 820

Esclera, 1365
Esclerite posterior, 1363
Esclerodermia, 235
- difusa, 235
- limitada, 235
Esclerose, 934
- arteriolar, 1310
- cardíaca, 895
- da média de Mönckeberg, 508
- lateral
-- amiotrófica, 1342
-- primária, 1343
- mesangial difusa, 1157
- múltipla, 216, 222, 1325
- nuclear, 1369
- sistêmica, 226, 235, 235, 716
Escoriação, 1183
Esfingolipidoses (lipidoses), 156
Esfingomielina, 8, 158
Esfingomielinase, 158
Esfregaços citológicos, 341
Esmegma, 1002
Esofagite
- de refluxo, 785
- e distúrbios relacionados, 784
- eosinofílica, 786
- herpética, 366
- induzida por comprimidos, 784
- por *Candida albicans*, 398
- química e infecciosa, 784
Esôfago, 783
- de Barrett, 787, 788, 789
- em quebra-nozes, 783
Espaço(s)
- de Disse, 854
- pleural, pericárdico e peritoneal, 550
Espasmo esofágico difuso, 783
Espécies reativas de oxigênio, 83, 856
- e de nitrogênio, 56
Espectrina, 147
Espectro de autoanticorpos no lúpus eritematoso sistêmico, 226
Espermatocele, 1014
Espessamento
- da membrana basal, 934
-- capilar, 1156
- da túnica íntima, 503
Espessura de Breslow, 1189
Espinha bífida, 1300
Espirais de Curschmann, 710
Esplenite aguda inespecífica, 650
Esplenomegalia, 604, 650, 860
- congestiva, 550, 651
Espondilite anquilosante, 222, 1254
Espondiloartropatias soronegativas, 1254
Espongiose, 1183
Esquistossomose, 411, 824
Esquizofrenia, 170
Estabilização e reabsorção do coágulo, 119
Estado(s)
- de hipercoagulabilidade, 127
- de portador, 868
- deficitários, 455, 456
- hiperglicêmico hiperosmolar, 1152
- hiperinflamatório, 137
- inflamatórios crônicos e câncer, 287
- nutricional do cálcio, 1230
- pró-inflamatório, 463
Estafiloma, 1382

Estágio(s)
- do choque, 138
- final de lesão ocular, 1384
Estatinas, 510
Esteato-hepatite não alcoólica, 877
Esteatonecrose, 1083
Esteatose, 62
- hepática, 485, 873, 874, 1151
-- aguda da gravidez, 896
- macrovesicular, 874
- microvesicular difusa, 857, 897
Esteira de actina, 12
Estenose, 574, 780
- aórtica, 574
-- calcificada, 575
- aterosclerótica, 517
- calcificada de valva aórtica congenitamente bicúspide, 576
- crítica, 517
- da artéria renal, 972
- mitral, 574
- pilórica, 781
Ésteres de colesterol, 63
Esteroides, 109
Estômago, 791
Estomatite herpética recorrente, 759
Estreptococos, 372
Estresse
- do retículo endoplasmático, 54, 55
- oncogênico, 302
- oxidativo, 52, 56, 705
- suprafisiológico, 586
Estrias
- de Wickham, 1208
- gordurosas, 513, 514
Estroma corneano, 1367
Estrongiloidíase, 408
Estrutura
- cardíaca e especializações, 543
- do glomérulo, 932
Etanol, 432, 434, 1347
Etapas na formação de cicatriz, 106
Etiologia, 33
Euploide, 165
Evasão
- da apoptose, 291, 354
- da crise mitótica, 311
- da morte celular, 310
- da senescência, 311
- da vigilância imunológica, 317, 322
- imune dos microrganismos, 353
Evitamento da destruição imune, 324
Exame de gota espessa, 403
Exantema
- heliotrópico, 1281
- macular da infecção pelo vírus do sarampo, 361
Exaustão por calor, 442
Excesso(s)
- de matriz não mineralizada, 455
- de vitamina C, 457
- locais, 66
Excreção renal insuficiente de sódio, 507
Exocitose, 11, 1183
Exotoxinas, 357
Explosão respiratória, 83
Exposição(ões)
- aos raios UV, 332
- industrial
-- a aril aminas, 996
-- e agrícolas, 428
Expressividade variável, 145

Exsudato, 75, 115
Extensão de base única, 183
Extrofia da bexiga, 993

F

Fagocitose, 15, 80, 92, 212
- das células, 43
-- sanguíneas e de material particulado, 650
Fagóforo, 48
Fagossomo, 15
Falência da bomba, 545
Família de proteínas da zônula de oclusão, 13
Faringite, 766
- estreptocócica, 373
Farmacogenética, 148
Fármacos, 36
- cardiotóxicos, 594
Fasciite nodular, 1262
Fasciola hepatica, 870
Fase
- de execução, 44, 46
- de iniciação, 44
- de latência clínica, 259
Fator(es)
- acelerador de decaimento, 92
- ambientais, 211, 228, 710
- angiogênico, 22
- de ativação das plaquetas, 86, 92, 210, 710
- de crescimento, 21, 45, 293, 939
-- derivado das plaquetas (PDGF), 21, 22
-- do endotélio vascular (VEGF), 21, 22
-- do fibroblasto (FGF), 21, 22
-- do hepatócito (HGF), 21, 22, 986
-- do queratinócitos (KGF), 21
-- epidérmico (EGF), 21
-- transformante
--- -α (TGF-α), 21
--- β (TGF-β), 21, 22
- de estimulação de colônias, 202
- de necrose tumoral, 89
-- alfa, 856
- de organização da cromatina, 4
- de reparo
-- de recombinação homóloga, 323
-- do DNA, 300
-- por excisão de nucleotídios, 323
-- por mau pareamento (*mismatch*) do DNA, 322
- de transcrição, 20, 296
-- MYC, 308
- de von Willebrand, 119
- endócrinos maternos, 1071
- epigenéticos, 3
- estimuladores de colônias, 603
- etiológicos e patogenéticos na neoplasia de leucócitos, 609
- genéticos, 227
-- e ambientais para o desenvolvimento de câncer, 284
-- hereditários, 610
- H do complemento, 92
- iatrogênicos, 610
- imunológicos, 228
- imunossupressores, 321
- induzível por hipoxia, 22, 56
- modificadores das histonas, 3
- nefrítico C3, 953
- nuclear de células T ativadas, 243
- que limitam a coagulação, 122
- reguladores de interferona (IRF), 193
- reumatoide, 1251
- tecidual, 119

- V de Leiden, 127
- VIII, 147
Febre, 102
- do feno, 211
- familiar do Mediterrâneo, 268
- hemorrágica viral, 363
- maculosa das Montanhas Rochosas, 394, 395
- reumática, 577
-- aguda, 213
- tifoide, 819
Feixe de His, 544
Feminização, 1166
Fenilalanina hidroxilase, 147
Fenilcetonúria, 479
Fenol, 430
Fenômeno
- de Raynaud, 531
-- primário, 532
-- secundário, 532
- de Trousseau, 339
Fenótipo
- metastático, 314
- mutador, 289
Feocromocitoma, 1174, 1175
Feridas crônicas, 111
Ferro, 53, 458
Ferropoptose, 48
α-fetoproteína, 1066
Fibras
- de Rosenthal, 1297
- finas amielínicas, 1270
- nervosas
-- aferentes, 1182
-- autonômicas, 1269
Fibrilação atrial, 571
Fibrilina, 25, 147, 149
Fibrina, 119
Fibroadenoma, 1105
Fibroblastos, 107
Fibroelastomas papilares, 597
Fibroelastose endocárdica, 592
Fibroma, 274, 1068
- não ossificante, 1246
- ossificante periférico, 759
- por irritação, 758
- traumático, 758
Fibromatose, 1106, 1263
- palmar, 1263
- peniana, 1263
- plantar, 1263
- profunda, 1263
- superficial, 1263
Fibronectina, 23, 26
Fibroplasia retrolental, 1378
Fibrose, 104, 236, 445
- cística, 55, 481, 811
- em favo de mel, 714
- em haste de cachimbo, 411
- em órgãos parenquimatosos, 111
- hepática congênita, 892, 979
- intersticial irregular, 714
- linear, 1187
- perivenular/pericelular, 875
- pulmonar, 73
-- idiopática, 713
-- intersticial difusa, 719
-- retroperitoneal
--- esclerosante, 992
--- idiopática, 239
-- subserosa, 908
-- tubulointersticial, 940
Fibrossarcomas, 1069
Fibrotecomas, 1068

Fígado, 369, 449, 722, 853
- e sistema portal, 549
- em noz-moscada, 118
- gorduroso, 874
- lobado (*hepar lobatum*), 390
Figuras de mielina, 40
Filamentos intermediários, 12
Filariose linfática, 412
Fimose, 1002
Fisiopatologia cardíaca, 545
Fissura, 517
Fístulas, 780
- arteriovenosas, 501
- vesicouterinas congênitas, 993
Fixação dos leucócitos, 78
Flagelos, 794
Flebotrombose, 130, 533
Fluoreto, 458
Fluxo
- desviado, 545
- laminar, 126
- regurgitante, 545
Focos fibroblásticos, 714
Fogo selvagem, 1210
Folato, 458
Forame oval patente, 554
Formação
- de abscesso, 733
- de aneurisma, 517
- de bolhas citoplasmáticas e corpos apoptóticos, 43
- de cicatriz, 104
- de crescentes, 934
- de imunocomplexos, 214
- de membranas hialinas, 700
- de tecido de granulação, 107
- do tampão plaquetário, 119
- e regressão de cicatrizes, 856
- e secreção de bile, 883
Formaldeído, 424, 430
Fosfatidilinositol, 8
Fosfatidilserina, 8
Fosfolipases, 54
Fosfolipídios de carga negativa, 120
Fosforilação
- das histonas, 3
- oxidativa mitocondrial, 8
Fossas revestidas, 152
Fraturas, 1234
- de crânio com deslocamento, 1303
- cranianas, 1303
Fuligem, 423
Fumaça
- da queima de materiais orgânicos, 424
- de segunda mão, 742
Função
- das células B na infecção pelo HIV, 258
- mitocondrial, 16
- sensitiva somática, 1269
Fungos, 395
- dimórficos, 396
Furúnculo, 372

G

Galactosemia, 480
Galectina-10, 710
Gamopatia monoclonal de significado indeterminado, 627, 629
Gangliogliomas, 1353
Ganglioneuroblastoma, 492
Ganglioneuroma, 493
Gangliosidose GM2, 156

Gangrena, 134
- gasosa por clostrídios, 393
- úmida, 41
Ganho de função, 145
Gardnerella vaginalis, 1028
Gastrenterite(s), 420
- viral, 822
Gastrinoma, 1160
Gastrite(s)
- atrófica
-- autoimune, 795
-- metaplásica autoimune, 795
- cística, 798
- crônica
-- complicações da, 798
-- e suas complicações, 793
- eosinofílica, 796
- formas incomuns de, 796
- granulomatosa, 796
- linfocítica, 796
- por *Helicobacter pylori*, 793
Gastropatia(s)
- e gastrite aguda, 791
- hipertróficas, 799
Gastrosquise, 780
Géis hidratados, 23
Gene, 141, 328
- *APC*, 300
- *ARID1A*, 328
- associados às CRISPR, 5
- *BRCA1*, 300
- *BRCA2*, 300
- *CDH1*, 300
- *CDKN2A*, 300
- *CDKN2A*, 306
- codificadores de proteínas, 142
- da fibrose cística, 481, 483
- de metástase, 314
- de suscetibilidade, 222
- de virulência, 356
- distrofina, 1285
- do receptor sensor de cálcio (CASR), 1142
- do regulador autoimune, 1142
- *DNMT3A*, 328
- facilitadores da estabilidade genômica, 300
- *H3F3A*, 328
- *HIST1 H3B*, 328
- inibidores
-- da invasão e metástases, 300
-- dos programas pró-crescimento do metabolismo e da angiogênese, 300
- *LMYC*, 296
- *MEN1*, 300
- *MLH1*, 300
- *MLL1*, 328
- *MLL2*, 328
- *MSH2*, 300
- *MSH6*, 300
- não HLA selecionados associados a doenças autoimunes, 223
- *NF1*, 300
- *NF2*, 300
- *NMYC*, 296
- *PBRM1*, 328
- *PKD1*, 977
- *PKD2*, 977
- *PRSS1*, 916
- *PTCH*, 300
- *PTEN*, 300
- *RAS*, 294
- *RB*, 300
- regulador da proliferação, 301

- relacionados com a autofagia, 48
- *SDHB*, 300
- *SDHD*, 300
- *SMAD2*, 300
- *SMAD4*, 300
- *SNC*, 230
- *SNF5*, 328
- *STK11*, 300, 306
- supressores de tumor, 298, 300, 304
- *TP53*, 300, 302
- *VHL*, 300, 306
- *WT1*, 300
Gengivite, 757
Gengivoestomatite, 366
Genoma, 1
Geração
- de energia, 16
- de radicais livres, 52
Germinoma, 1009
GESF
- idiopática, 950
- por ablação renal, 950
Giardia lamblia, 825
Gigantismo, 1115
Ginecomastia, 1086
Glândula(s)
- lacrimais e salivares, 234
- paratireoides, 1138
- pineal, 1178
- salivares, 485, 773
- suprarrenais, 1161, 1163
- tireoide, 1119
Glaucoma, 1369
- de células fantasmas, 1370
- infantil, 1368
- melanomalítico, 1370
- neovascular, 1370, 1377
- pigmentar, 1370
- primário de ângulo
-- aberto, 1370
-- fechado, 1370
- secundário de ângulo aberto, 1370
Glicocálice, 9
Glicocorticoides, 109
Glicogênio, 65
Glicogenose(s), 65, 156, 161, 163
- generalizada, 163
- tipo
-- diversos, 163
-- hepático, 163
-- II, 162
-- miopático, 163
Glicolipídios, 8
Glicólise aeróbica, 307
Glicoproteína(s)
- adesivas, 23
-- e receptores de adesão, 26
- IIb/IIIa, 120
- variante de superfície, 406
Glicosaminoglicanos, 26
Glioblastomas, 293, 1349
Gliomas, 280, 1348
Glomangioma, 536
Glomeruloesclerose, 940
- nodular, 1157
- segmentar e focal, 941, 949
Glomerulonefrite, 73
- crescêntica, 530, 941, 942
- fibrilar, 955
- membranoproliferativa, 952
-- secundária, 953
-- tipo I, 941
- mesangiocapilar, 952

- necrosante focal
-- crescêntica, 529
-- e segmentar, 530
- pós-estreptocócica, 214
- pós-infecciosa, 941
- primária, 931
- proliferativa aguda, 941
- rapidamente progressiva, 930
- resultante da deposição de imunocomplexos circulantes, 937
Glomerulopatia(s)
- C3, 939
- colapsante, 951
- primária, 931
Glômus timpânico, 772
Glutationa peroxidase, 53
Gomas sifilíticas, 390
Gonadoblastoma, 1013, 1069
Gonadotrofinas, 748
- coriônicas, 1067
Gonadotrofos, 1110
Gonadotropina coriônica humana, 346
Gonorreia, 1007
Gordura em "trepadeira", 829
Gota, 1256
Gotículas de absorção em túbulos renais proximais, 64
Gradação e estadiamento dos tumores, 340
Granulocitopenia, 604
Granuloma, 41, 217, 721
- de corpos estranhos, 101
- eosinofílico, 649
- gravídico, 758
- imunes, 101
- inguinal, 379
- não caseosos, 829
- necrosantes agudos, 529
- periapical, 764
- periférico de células gigantes, 759
- piogênico, 536, 758
Granulomatose
- alérgica e angiite, 530
- com poliangiite, 529, 766, 958, 1363
- de Wegener, 958
Grânulos
- azurófilos, 626
- de lipofuscina, 61
- tóxicos, 606
Grânulos-α, 120
Gravidez, 760
- ectópica, 1071
Gray (Gy), 443

H

Haemophilus
- *ducreyi*, 379
- *influenzae*, 712, 732
Hamartoma, 276
- pulmonar, 750
Hanseníase, 102, 386, 1274
- lepromatosa, 1274
-- multibacilar, 387
- limítrofe, 386
- paucibacilar, 387
- tuberculoide, 387, 1274
- virchowiana, 387
HBV, 336
- polimerase, 863
HCV, 336
Helicobacter pylori, 336, 607
Hemaglutininas, 351
Hemangioendotelioma, 538
- epitelioide, 904

Hemangioma(s), 490, 535
- capilares, 535
- cavernoso, 535, 898
- juvenis, 535
Hemartrose, 125
Hematêmese, 784
Hematocele, 1014
Hematócrito, 655
Hematoma(s), 126
- epidural, 1305
- retroplacentários, 1074
- subdural(is), 1305
-- agudos, 1306
-- crônico, 1306
Hematopoese, 650
- clonal de potencial indeterminado, 641
- normal, 601
Hematúria, 976
- assintomática familiar, 930, 957
- familiar benigna, 957
Hemidesmossomos, 12
Hemocromatose, 66, 879
- hereditária, 879, 880
- secundária, 879
Hemoglobina, 147
- corpuscular média, 655
Hemoglobinúria, 959
Hemólise, 426
Hemopericárdio, 595
Hemorragia(s)
- da matriz germinativa, 1302
- de Duret, 1299
- intracraniana, 1311
- intraparenquimatosa, 1311
-- hipertensiva, 1311
- intraperitoneal massiva, 1072
- no ateroma, 517
- subaracnoide, 1313
Hemorroidas, 533, 847
Hemossalpinge, 1072
Hemossiderina, 66
Hemossiderose, 66, 879
- pulmonar idiopática, 729
Hemostasia, 115, 118
- normal, 118
- primária, 119
- secundária, 119
Hemotórax, 752
Heparina não fracionada, 128
Hepatite(s)
- alcoólica, 874, 876
- autoimune, 870, 871
- crônica, 868
- herpética, 366
- virais, 861
Hepatização
- cinzenta, 733
- vermelha, 733
Hepatoblastoma, 899
Hepatócitos balonizados, 874
Hepatolitíase primária, 887
Hepatomegalia congestiva, 549
Hepcidina, 103
Herança
- multifatorial, 470
- recessiva ligada ao X, 146
Hermafrodita verdadeiro, 174
Hermafroditismo, 174
Hérnia(s), 807
- de hiato, 785
- diafragmática, 780
Herniação, 1298
- subfalcina, 1299

- tonsilar, 1299
- transtentorial, 1299
Heroína, 439
Herpes
- genital, 366
- oral, 759
Herpes-vírus simples, 1027
- tipo 1, 1319
- tipo 2, 1320
Herpes-zóster, 366
Herpesvirus simiae, 365
Heterogeneidade
- epigenética, 329
- genética, 144
Heterotopia(s), 490
- neuronais, 1301
Hexosaminidase A, 147
Hialina
- extracelular, 64
- intracelular, 64
Hialino de Mallory, 874
Hialinose, 934
Hialuronano, 26
Hialuronato, 23
Hibridização
- genômica comparativa baseada em *array*, 184
- *in situ* fluorescente, 184
Hidátide de Morgagni, 1057
Hidradenite, 372
Hidradenoma papilar, 1033
Hidrocarbonetos
- aromáticos policíclicos, 430
- policíclicos, 429
Hidrocefalia, 1298
- pós-traumática, 1306
Hidrocéfalo, 1298
Hidrocele, 1014
Hidrolases ácidas, 154
Hidromielia, 1302
Hidronefrose, 981, 992
- unilateral completa ou parcial, 982
Hidropericárdio, 117
Hidroperitônio, 117
Hidropisia
- corneana, 1368
- da vesícula biliar, 908
- fetal, 476, 478
- imune, 476
- não imune, 477
Hidrossalpinge, 1029
Hidrotórax, 117, 752
Hidroureter, 992
Higromas císticos, 536
Hiper-homocisteinemia, 511
Hiperadrenalismo, 1161
Hiperaldosteronismo
- familiar, 1165
-- tipo III, 1165
- idiopático bilateral, 1165, 1166
- primário, 506, 1165
Hiperatividade do sistema nervoso simpático, 1121
Hiperbilirrubinemia, 884
- hereditária, 885
- predominantemente
-- conjugada, 885
-- não conjugada, 885
Hipercalcemia, 67, 338, 339, 969, 970
Hipercelularidade, 934
Hipercoagulabilidade, 127
Hipercolesterolemia, 513
- familiar, 55, 151

Hipercontratura de miócitos, 566
Hipercortisolismo, 1161
Hiperemia, 117
Hiperfunção adrenocortical, 1161
Hiperglicemia, 1152, 1347
Hipergranulose, 1183
Hiperinsuflação
- compensatória, 707
- lobar congênita, 707
- obstrutiva, 707
Hiperinsulinismo, 1159
Hiperlipidemia, 509
Hipermetilação local do DNA, 328
Hipermetropia, 1366
Hipermutação somática, 609
Hiperostose, 1116
Hiperoxalúria, 983
Hiperparatireoidismo, 1138, 1231
- assintomático, 1141
- primário, 1138, 1139
-- sintomático, 1141
- secundário, 1138, 1141
- terciário, 1138
Hiperpituitarismo, 1111
Hiperplasia, 59, 62, 469
- adenomatosa atípica, 744
- atípica, 1047
- cortical
-- nodular, 1161
-- primária, 1163
- de células escamosas, 1031
- difusa, 1163
- ductal atípica, 1087
- endometrial, 287, 1047, 1048
- epidérmica verrucosa ou papilomatosa, 1218
- epitelial, 1085
- fibromuscular da íntima, 508
- fibrosa focal, 758
- fisiológica, 59
- focal ou difusa das ilhotas, 1160
- folicular, 607
-- tímica, 653
- lentiginosa, 1187
- lobular atípica, 1087
- macronodular, 1163
- melanocítica linear, 1184
- micronodular, 1163
- nodular focal, 897
- paracortical, 607
- patológica, 59
- primária, 1140
- prostática benigna, 1015
- reticular, 607
- suprarrenal
-- congênita, 1167
-- macronodular bilateral, 1163
- teca luteínica da gravidez, 1057
- tímica, 653, 1047
Hiperqueratose, 1183
Hipersecreção de muco, 705
Hipersensibilidade, 206
- de tipo
-- I, 207
-- II, 207
-- III, 207
-- IV, 207
-- tardio (DTH), 215
- imediata, 207
- mediada por
-- anticorpos, 207, 212
-- células, 207
--- T, 215
-- imunocomplexos, 207, 214

Hipertecose estromal, 1057
Hipertensão, 510, 1376
- arterial pulmonar idiopática, 728
- essencial, 504
- intracraniana, 1298
- maligna, 504, 971
- patogênese da, 506
- portal, 857, 859
- portopulmonar, 861
- pulmonar, 507, 728
- renovascular, 506
- secundária, 504
Hipertermia, 442
- maligna, 442
Hipertireoidismo, 213, 1120
- apático, 1121
- primário e secundário, 1120
Hipertonicidade, 11
Hipertrofia, 57, 62
- cardíaca, 58, 546, 547
- compensatória, 950
- de células corticotróficas, 1161
- de miofibrilas, 1280
- fisiológica, 57, 58
- patológica, 57, 58
- por sobrecarga
-- de pressão, 546
-- de volume, 546
- septal assimétrica, 590
Hiperuricemia, 970
Hipoadrenalismo secundário, 1172
Hipocalcemia, 454
Hipocitratúria, 983
Hipófise, 1110, 1163
Hipoglicemia, 339, 1347
Hipoparatireoidismo, 1142
- autoimune, 1142
- autossômico dominante, 1142
- cirurgicamente induzido, 1142
- isolado familiar, 1142
Hipoperfusão, 139
Hipopituitarismo, 1111, 1117
Hipoplasia, 469, 976
- da tireoide, 1122
- pulmonar, 698
- tímica, 249, 652
Hipopotassemia, 1166
Hipospadias, 1002
Hipotermia, 442
Hipotireoidismo, 1122
- autoimune, 1122
- congênito, 1122
- iatrogênico, 1122
Hipotonicidade, 11
Hipoxemia, 135
Hipoxia, 36, 56, 302, 1307
- isquemia cerebral global, 1310
Histamina, 86, 710
Histiocitoma fibroso benigno, 1199
Histiocitose, 609
- de células de Langerhans, 609, 648
-- multissistêmica multifocal, 648
-- pulmonar, 649, 724
-- unissistêmica unifocal e multifocal, 649
- sinusal, 607
Histologia endometrial no ciclo menstrual, 1042
Histonas, 3, 328
Histoplasmose, 738
Histórico
- da infecção pelo HIV, 258
- reprodutivo, 286

HIV/AIDS, 1274
- estrutura do, 253
- etiologia, 253
Holoprosencefalia, 1301
Homeostasia, 29, 34, 1223
- da glicose, 1145
- defeituosa das proteínas, 69
Homocisteinemia, 127
Homocistinúria, 511
Homólogo da fosfatase e tensina (PTEN), 306
Hormônio(s)
- adrenocorticotrófico, 748
- antidiurético, 748, 1111
- do crescimento, 1223
- esteroides, 463
- intestinais, 461
- tireoidiano, 450, 1119
HTLV-1, 333
Humor vítreo, 1375

I

Icterícia, 477, 857
- causas de, 885
- fisiológica do recém-nascido, 885
Ictiose, 1202
Idade, 286
IDCG
- autossômica recessiva, 248
- ligada ao X, 248
Ignorância e falha na suplementação da dieta, 447
Ileíte por contracorrente, 830
Íleo meconial, 485
Ilhas de patogenicidade, 356
Ilhotas de Langerhans, 1143
Impacto global do câncer, 283
Impetigo, 1218
Implante em cavidades e superfícies corporais, 280
Imprinting, 179
- defeituoso, 180
- genômico, 179
- materno, 179
- paterno, 179
Imunidade(s)
- adaptativa, 192, 195
- adquirida ou específica, 192
- da mucosa, 828
- humoral, 204
- inata, 192
- mediada por células, 204
-- na glomerulonefrite, 938
- natural ou nativa, 192
- tumoral, 192
Imuno-histoquímica, 342
Imunocomplexos (hipersensibilidade de tipo III), 228
Imunodeficiência, 245
- associadas a doenças sistêmicas, 251
- combinada grave, 247
- comum variável, 250
- e câncer, 287
- primárias, 245, 251
- profunda, 254
- secundárias, 251
Imunoglobulina, 195
- estimuladora da tireoide, 1126
- monoclonal, 346
Inalação de poeiras minerais, 429
Inchaço da nuca, 172
Incidentaloma suprarrenal, 1173
Inclusões
- citoplasmáticas, 157, 1280

- hialinas de Mallory, 855
- neuronais, 1296
- virais intranucleares, 759
Incompatibilidade ABO simultânea, 477
Incompetência da válvula vesicoureteral, 963
Índice
- de anisocitose eritrocitária, 656
- de Reid, 706
Indução
- da angiogênese, 324
- das células regulatórias, 321
- de CYP2E1, 874
- de um estado pró-coagulante, 137
Infarto(s), 40, 115, 134, 726, 1074
- agudo do miocárdio, 517, 558, 559, 560, 1309
-- causas incomuns de, 560
-- consequências e complicações do, 568
- brancos, 134
- cicatrizado, 1309
- do ventrículo direito, 568
- em zona de fronteira, 1310
- esplênicos, 651
- hemorrágicos, 1310
- lacunares, 1310
- não hemorrágico, 1309
- pulmonar, 727
- renais, 976
- sépticos, 134
- subagudo, 1309
- subendocárdicos, 563
- transmurais, 563
- vermelhos, 134
Infecção(ões), 73, 439, 513, 605, 705, 759, 1007
- agudas (transitórias), 360
- assintomática aguda com recuperação, 867
- bacterianas, 370, 869
- causadas
-- por micobactérias, 380
-- por outras bactérias intracelulares, 394
- com envolvimento do sistema genital inferior e superior, 1028
- congênitas, 367
- crônica(s), 259
-- produtivas, 368
- da pele, 1216
- das células pelo HIV, 255, 257
- de pele, 350
- do sistema genital feminino, 1026
-- inferior, 1027
- do SNC, 1315
- do trato
-- gastrintestinal, 350
-- urinário, 931, 962
- e doenças autoimunes, 223
- em indivíduos com imunodeficiências, 355
- enterocócicas, 372
- estafilocócicas, 371
- estreptocócicas, 372
- fúngicas, 395, 869, 1028
-- agudas, 766
-- profundas, 759
-- superficiais, 1219
- gonocócica, 1029
- intrauterina, 472
- latentes, 365
- oportunistas, 261
- parasitárias, 402, 869
- pelo herpes-vírus simples, 262
-- genital, 1027
- pelo HIV e da AIDS patogênese da, 254
- pelo papilomavírus humano (HPV) de alto risco, 761

- pelo vírus
-- da hepatite
--- A, 861
--- B, 862
-- do Nilo Ocidental, 362
-- Epstein-Barr, 368
-- varicela-zóster, 366
-- Zika, 363
- pelos herpes-vírus simples, 759
- perinatais, 368, 475
- peritoneal, 849
- persistentes, 96
- placentárias, 1072
- por bactérias
-- anaeróbicas, 392
-- gram-negativas, 376
-- gram-positivas, 370
-- intracelulares obrigatórias, 394
- por *Campylobacter*, 817
- por *Candida*
-- *albicans*, 396
-- *auris*, 398
- por *Chlamydia trachomatis*, 1028
- por citomegalovírus, 367
- por clamídias, 394
- por clostrídios, 392
- por CMV, 810
- por espiroquetas, 388
- por fungos filamentosos, 399
- por herpes-vírus, 365
-- simples, 365
- por leveduras, 396
- por *M. tuberculosis*, 380
- por metazoários, 408
- por micobactérias não tuberculosas, 386
- por *Neisseria*, 376
- por *Nocardia*, 375
- por *Pneumocystis*, 399
- por protozoários, 402
- por *Pseudomonas*, 377
- por *Salmonella*, 819
- por *Schistosoma haematobium*, 996
- por tênias, 409
- primária, 258
- puerperais, 1029
- pulmonar(es), 730, 740
-- primária antecedente, 737
- sexualmente transmissíveis, 413, 414
- sintomática aguda com recuperação, 867
- supurativa (purulenta), 358
-- focais agudas, 1317
- transcervicais (ascendentes), 476
- transplacentárias (hematológicas), 476
- virais, 60, 360
- transformadoras, 368
Infertilidade, 486
Infiltrado leucocitário, 79
Inflamação(ões), 53, 57, 71, 92, 106, 195, 213, 511, 513, 706, 773, 1150
- aguda, 73, 75, 95
- causas da, 73
- cervicais, 1035
- consequências prejudiciais da, 72
- crônica, 73, 95, 96, 287, 610
-- causas da, 96
-- e formação de tecido cicatricial, 359
-- cicatriz, 358
- da mama, 1081
- da prostatite, 1014
- definições e características gerais, 71
- do pênis, 1002
- dos nervos periféricos, 1273
- e infecções no epidídimo, 1006

- e lesão tecidual, 215
- e necrose, 875
- facilitadora do câncer, 324
- fibrinosa, 93
- granulomatosa, 101, 359
- local e sistêmica, 72
- mediada por células T CD4+, 215
- mononuclear e granulomatosa, 358, 359
- orbital idiopática, 1363
- ou resposta imune inata inicial, 222
- promotora de câncer, 291
- purulenta (supurativa), 94
- serosa, 93
- supurativa (purulenta), 358
Inflamassoma, 194
Inflamassomo, 47
Influências ambientais, 470
Influenza, 735
Influxo de cálcio, 55
Infoepitelioma, 768
Ingestão de fenitoína, 760
Inibição
- da ciclo-oxigenase (COX) por AINEs, 791
- dos transportadores de bicarbonato gástricos, 791
Inibidor(es)
- da ciclo-oxigenase, 88
- da lipo-oxigenase, 89
- da progressão do ciclo celular, 300
- da via do fator tecidual, 125
- de C1, 92
- de CDK, 28
- do ativador do plasminogênio, 126
- dos pontos de checagem, 322
- farmacológicos das prostaglandinas e dos leucotrienos, 88
- teciduais das metaloproteinases, 518
Inibina, 1068
Iniciadores regulados da apoptose, 45
Insensibilidade
- à inibição do crescimento, 298
- aos sinais inibidores do crescimento, 291
Inserções, 142
Insolação, 442
Instabilidade
- de microssatélites, 323
- genômica, 289, 291, 322
-- regulada em células linfoides, 323
Insuficiência, 574
- adrenocortical, 1168
-- aguda primária, 1168
-- crônica primária, 1169
-- secundária, 1171
- alimentar, 447
- aórtica, 574
- cardíaca, 546
-- direita, 549
-- direita aguda, 132
-- esquerda, 548
-- progressiva, 569
- diastólica, 549
- hepática, 856
-- aguda, 856, 867
-- crônica
--- agudizada, 856, 861
--- e cirrose, 858
-- e hipertensão portal complicações pulmonares da, 860
- mitral, 574
- ovariana primária associada ao X frágil, 178
- pancreática exócrina, 486

- renal, 67
-- pós-parto, 974
-- sistólica, 549
Insulina, 1146
Insulinoma, 1159
Integrinas, 13, 26, 78
Interações
- célula-célula, 13
- entre fatores ambientais e hereditários, 288
- entre hospedeiro e microrganismos, 828
- hospedeiro-patógeno, 353
Interferonopatias, 194
Interleucina-1, 89
Internodo, 1270
Interrupção transitória do ciclo celular induzida pela p53, 303
Intestino delgado, 449, 807
Intussuscepção, 808
Invasão, 314, 317
- da matriz extracelular, 314
- linfovascular, 1102
- local, 279
Inversão, 166
- congênita do mamilo, 1080
- paracêntrica, 166
- pericêntrica, 166
Iodo, 458
Íris bombé, 1370
Irradiação de corpo inteiro, 445
Isocromossomos, 167
Isoimunização materna por Rh, 477
Isquemia, 36, 56, 1307
- cerebral focal, 1307
- crônica, 810
- grave/prolongada, 57
- leve, 57
- miocárdica, 559

J

Junção(ões)
- aderentes e desmossomos, 13
- comunicantes, 13
- de ancoragem, 13
- escamocolunar, 1035
- firmes, 13
- neuromuscular, 1277

K

Kernicterus, 478
Klebsiella
- *granulomatis*, 379
- *pneumoniae*, 732
Kwashiorkor, 448

L

Lacerações, 784, 1276
Lactotrofos, 1110
Lâminas, 12
Laminina, 26
Laringe, 769
Laringite, 769
Laringotraqueobronquite, 736
Latência, 365
Legionella pneumophila, 732
Leiomioma(s), 1000, 1265
- pilares, 1265
- uterino, 1054
Leiomiomatose
- intravenosa, 1055
- peritoneal disseminada, 1055
Leiomiossarcoma, 1055, 1265
Leishmania, 405

Leishmaniose, 404
- cutânea, 405
-- difusa, 406
- mucocutânea, 406
- visceral, 405
Lentiginose/lentigo, 1183
Lentigo, 1184
Lepromina, 386
Leptina, 459
Lesão(ões)
- axonal difusa, 1304
- cardiovasculares, 149
- celular, 34, 35
-- causas de, 35
-- exemplos de, 57
-- isquêmica, 56
-- reversível, 37, 42
- cerebral perinatal, 1302
- cutâneas, 722, 1183
- da medula espinal, 1306
- da túnica vaginal, 1014
- das células
-- epiteliais, 939
-- tubulares, 959
- das membranas lisossômicas, 51
- de Dieulafoy, 793
- direta do parênquima, 1303
- do estroma interlobular, 1106
- do nervo periférico, 1270
- dos tecidos e dos órgãos, 34
- elétrica, 442
- endometrióticas, 1046
- endotelial, 76, 126, 512, 973
- epitelial(is)
-- benignas da mama, 1084, 1087
-- tubular, 960
- esclerosante complexa, 1085
- estenóticas, 551
- exofíticas benignas, 1031
- expansivas não neoplásicas, 897
- fibrosas proliferativas, 758
- glomerular(es)
-- associadas a doenças sistêmicas, 958
-- patogênese da, 935
-- primárias, 946
- hepática(s)
-- expansivas, 897
-- induzida por medicamentos e toxinas, 872, 873
- hipotalâmicas, 1118
- imunomediada dos neutrófilos, 604
- inflamatórias, 765, 766, 769, 770
-- reativas, 758
- intraepiteliais escamosas, 1037
- irreversível, 35
- isquêmica, 571
- metaplásicas da bexiga, 995
- não neoplásicas expansivas, 897
- necrosantes do nariz e das vias respiratórias superiores, 766
- neoplásicas
-- escamosas da vulva, 1031
-- glandulares, 1033
- neuronal
-- aguda, 1296
-- subaguda e crônica, 1296
- no DNA, 54
- obstrutivas, 557
-- do ureter, 992
- parenquimatosas, 1303
- por agentes
-- físicos, 441
-- não terapêuticos, 437

- por fármacos e drogas de abuso, 434, 440
- por isquemia-reperfusão, 56
- por pressão, 111
- por reperfusão, 57
- pré-cancerosas e cancerosas, 760
- precursoras, 287, 743, 1018
- primária
-- das células acinares, 915
-- das células epiteliais viscerais, 948
- produzida por radiação ionizante, 443
- pulmonar, 439
-- aguda, 700
- que simulam neoplasias primárias, 1246
- renal aguda, 930, 968
- reversível, 35
- suprarrenais, 1173
- tecidual
-- imunologicamente mediada, 206
-- mediada por leucócitos, 84
- térmica, 441
- tóxica
-- direta dos túbulos, 959
-- e inflamação, 704
- tubular
-- aguda, 959
--- isquêmica, 959
--- nefrotóxica, 959
-- e fibrose intersticial, 940
- tubulointersticiais, 230
- vascular traumática, 1304
Leucemia, 275, 610, 760
- de células pilosas, 614, 623
- de grandes linfócitos granulares, 626
- linfoblástica aguda/linfoma, 612
- linfocítica
-- crônica, 614
--- linfoma linfocítico de pequenas células, 616
-- de grandes células granulares, 614
- linfoides, 614
- linfoma de células T do adulto, 625
- mieloide
-- aguda, 608, 637, 638
-- crônica, 642
- monocítica, 760
- promielocítica aguda, 326
Leucócitos, 77, 601
Leucocitose, 103, 605, 643
- basofílica, 606
- causas de, 606
- eosinofílica, 606
- neutrofílica, 606
Leucodistrofia(s), 1325, 1345
- metacromática, 1345
Leucoencefalopatia multifocal progressiva, 1322
Leucoeritroblastose, 604, 647
Leucomalácia periventricular, 1302
Leucopenia, 225, 604
Leucoplasia, 760, 761, 1030
- pilosa, 760
Leucotrienos, 86, 87, 88, 210, 708
Liberação
- de norepinefrina, 546
- de peptídeo natriurético atrial, 546
- do corpo e transmissão dos microrganismos, 352
Linfadenite, 385, 606
- inespecífica aguda, 607
- inespecífica crônica, 607
Linfangiogênese, 22
Linfangioleiomiomatose, 750
Linfangiomas, 536
- cavernosos, 536
- simples (capilares), 536

Linfangiossarcoma, 539
Linfangite, 533
Linfedema, 533
- congênito hereditário, 533
- persistente, 413
- primário, 533
Linfo-histiocitose hemofagocítica, 608
Linfoblastos, 612
Linfócito(s), 99, 1182
- atípicos, 369
- B, 198
-- ativados, 99
- T, 197, 938
-- CD8+, 204
-- e B naive, 200, 204
Linfocitose, 606
Linfogranuloma venéreo, 394
Linfoma, 263, 275, 610, 803
- anaplásico de grandes células, 614, 625
- cutâneo de células T, 1200
- da zona marginal, 622
-- extranodal, 614
- de Burkitt, 325, 334, 335, 614, 620
- de células
-- do manto, 614, 621
-- NK/T extranodal, 614, 626
-- T
--- hepatoesplênico, 904
--- periféricas, sem outra especificação, 614, 624
- de grandes células B associado à imunodeficiência, 620
- de Hodgkin, 610, 611, 631, 633, 634
-- tipo com depleção linfocitária, 633
-- tipo com predomínio linfocitário nodular, 634
-- tipo de celularidade mista, 633
-- tipo esclerose nodular, 633
-- tipo rico em linfócitos, 633
- difuso de grandes células B, 614, 619, 904
- do Mediterrâneo, 627
- extranodais, 803
-- de células T/NK, tipo nasal, 766
- folicular, 614, 618
- hepático primário, 904
- linfocítico de pequenas células, 614
- linfoplasmocítico, 630
- não Hodgkin, 610, 614, 1106, 1363
- primário
-- de efusão, 620
-- do sistema nervoso central, 1354
- retiniano, 1381
- testicular, 1013
Linfoma/leucemia
- de células T do adulto, 614
- linfoblástica aguda de células
-- B, 614
-- T, 614
Linfonodos, 199, 369, 601, 722
- sentinela, 281, 1102
Linfopenia, 225
Linfopenia, 604
Linhagem potencial, 29
Linhas de Zahn, 129
Lipídios, 62
Lipofuscina, 65
Lipomas, 1007, 1106, 1261
Lipomatose, 1261
Lipoproteína A, 511
Lipossarcoma, 1261
Lipoxinas, 88
Líquen
- escleroso, 1030
-- e atrófico, 1004

- plano, 760, 1208
- simples crônico, 1031
Liquenificação, 1183
Lise celular, 92
Lisil hidroxilase, 25
Lisossomos, 8, 14
Listeria monocytogenes, 357, 373
Listeriose, 373
Lobulite linfocítica esclerosante, 1083
Lúpus
- cutâneo
-- agudo, 225
-- crônico, 225
- eritematoso, 216
-- cutâneo subagudo, 233
-- discoide crônico, 231
-- induzido por fármacos, 233
-- sistêmico, 214, 222, 225, 226
--- manifestações neuropsiquiátricas do, 229
Luteoma da gravidez, 1069

M

M. leprae, 386
Má
- absorção e diarreia, 810
- nutrição, 420, 434, 447
-- aguda grave, 448
-- nos países desenvolvidos, 449
-- primária, 447
-- secundária, 447
Maconha, 440
Macroadenomas, 1112
Macrófagos, 81, 97, 98, 107, 192, 198, 199, 938
- alveolares, 698
- carregados de hemossiderina, 700
- de corpos tingíveis, 607
- de fumantes, 724
Macroglobulinemia de Waldenström, 627
Mácula(s), 1183
- de carvão, 717
Mal dos caixotes, 133
Malacoplaquia, 994
Malária, 402
Malária cerebral, 404, 1323
Malformação(ões), 468
- arteriovenosas, 1314
- causas genéticas das, 469
- cavernosas, 1314
- congênitas do trato gastrintestinal, 782
- de Arnold-Chiari, 1301
-- tipo I, 1302
- de Dandy-Walker, 1302
- e distúrbios do desenvolvimento, 1299
- vasculares, 1314
Mama, 1079
Mamossomatotrofos, 1110
Mancha(s), 1183
- café com leite, 1183
- de Bitot, 452
- de Elschnig, 1376
- vinho do Porto, 490, 534
Manifestações clínicas, 33
Manipulação do metabolismo celular do hospedeiro, 354
Manutenção
- celular, 7
- das populações celulares, 27
Maquinário de biossíntese, 13
Marasmo, 448, 582
Marca-passo do nó sinoatrial, 544
Marcadores
- polimórficos, 185
- tumorais, 345

Marcas
- registradas celulares e moleculares do câncer, 290
- palpáveis, 1081
Mastalgia, 1080
Mastite
- aguda, 1082
- granulomatosa, 1083
-- neutrofílica cística, 1083
- lobular granulomatosa, 1083
Mastocitoma, 1202
Mastócitos, 100, 193
Mastocitose, 1201
Mastodínia, 1080
Mastopatia linfocítica, 1083
Material
- estranho, 848
- particulado, 423
Matriz, 1221
- extracelular, 23
- intersticial, 23
Maturação
- da afinidade, 205
- megaloblastoide, 641
Mecanismo(s)
- da angiogênese, 107
- da apoptose, 44
- da atrofia, 61
- da hiperplasia, 60
- da hipertensão
-- essencial, 506
-- secundária, 506
- da hipertrofia, 58
- da lesão glomerular após a formação de imunocomplexos, 937
- da metaplasia, 62
- de autoimunidade, 221
- de depleção das células T na infecção pelo HIV, 256
- de evasão imune dos cânceres, 320
- de Frank-Starling, 546
- de lesão
-- bacteriana, 356
-- celular, 49, 55
--- isquêmica, 56
-- e de reparo, 854
-- tecidual, 228
-- viral, 355
- de morte celular, 47
- de progressão nas doenças glomerulares, 940
- de reconhecimento e rejeição de aloenxertos, 240
- de regeneração dos tecidos, 105
- de resistência a fármacos, 343
- e causas de leucocitose, 606
- efetores antitumorais, 319
- gerais de lesão celular, 49
Mediadores
- da hipersensibilidade imediata, 209
- da inflamação, 72, 85, 86, 92
- da lesão glomerular, 938
- derivados
-- de células, 86
-- do plasma, 86
- lipídicos, 210
- solúveis, 939
Mediastinopericardite adesiva, 596
Medicamentos, 421
Medicina
- de precisão, 34
- regenerativa, 29
Medula
- óssea, 449, 603, 604, 605, 643, 722
- suprarrenal, 1173

Meduloblastoma, 1354
Megacariócitos em *pawn ball*, 641
Megacólon, 782
Megalocórnea, 1382
Melanina, 65, 398
Melanócitos, 1181
Melanoma(s), 1187
- conjuntivais, 1365
- uveal, 1372
Melanose ocular congênita, 1366
Membrana(s)
- basal, 23
-- e interstício circundante, 698
-- glomerular, 932
-- de Descemet, 1367
-- externa mitocondrial, 17
-- hialinas, 701
--- eosinofílicas, 474
-- plasmática, 8
Memória imunológica, 206
Meningioma(s), 1355
- anaplásico, 1356
- atípicos, 1356
Meningite
- aguda, 1315
- asséptica aguda (viral), 1316
- piogênica aguda (bacteriana), 1315
- química, 1315
Meningoencefalite, 1315
- bacteriana crônica, 1318
- fúngica, 1322
- viral, 1319
Menstruação, 1042
Mercúrio, 57, 427
Mesotelioma(s)
- do tipo bifásico, 753
- do tipo epitelioide, 753
- do tipo sarcomatoide, 753
- maligno, 753
- peritoneais, 754
Metabolismo
- celular, 16
- da metionina, 874
- da vitamina D, 453
- energético da célula, 51
- enzimático de substâncias químicas exógenas ou de fármacos, 53
- intermediário, 17
Metabólitos do ácido araquidônico, 87, 93
Metacromasia, 1345
Metais
- como poluentes ambientais, 425
- de transição, 53
Metaloproteinases da matriz (MMP), 108
Metanfetamina, 439
Metaplasia, 61, 62, 278
- de células de Paneth, 829
- do tecido conjuntivo, 62
- epitelial, 61
- escamosa, 995
-- dos ductos lactíferos, 1082
- pseudopilórica, 829
Metapneumovírus humano, 735
Metástase, 279, 314, 317
- a distância, 1102
- do fígado, 904
- linfonodais, 1102
- tumorais, 291
Metilação
- das histonas, 3
- do DNA, 4
Método(s)
- de diagnóstico e indicações para testes, 181

- de Giemsa, 403
- histológicos e citológicos, 341
- para aumentar a sobrevida do enxerto, 243
Miastenia, 339
- gravis, 213, 1278
Micose fungoide, 614, 625, 1200
Micoses
- endêmicas, 396
- oportunistas, 396
- subcutâneas, 396
- superficiais e cutâneas, 396
Micro-RNA (mIRNA), 4
Microabscessos, 531
- de Munro, 1207
Microadenoma(s), 1112
- hipofisário produtor de ACTH, 1161
Microangiopatia(s)
- diabética, 1156
- trombóticas, 972
Microbioma, 350
- intestinal, 462
Microcarcinoma papilífero, 1133
Microfilamentos de actina, 12
Microinfarto multifocal, 563
Microrganismos como causam doença, 349
Microtúbulos, 12
Mielinólise pontina central, 1327
Mielofibrose primária, 646
Mielolipomas suprarrenais, 1173
Mieloma
- de plasmócito, 627
- indolente, 627, 629
- múltiplo, 614, 627, 969
- solitário, 627
Mielomeningocele, 1300
Migração, 316
- dos leucócitos através do endotélio, 79
Mimetismo
- molecular, 223
- vasculogênico, 1373
Mineralização de ossos, 454
Miocárdio, 544
Miocardiopatia
- por catecolaminas, 1176
- tireotóxica ou hipertireoidiana, 1121
Miocardite, 586, 592
- aguda, 407
- da doença de Chagas, 593
- de células gigantes, 593
- por hipersensibilidade, 593
Miócitos cardíacos, 544
Miofibroblastoma, 1106
Miofibroblastos, 108
Mioglobinúria, 959
Mionecrose, 393
Miopatia(s)
- do canal iônico, 1288
- inflamatórias, 237, 1280
- mitocondriais, 1287
- necrosante imunomediada, 1282
- tireoidiana, 1121
- tireotóxica, 1283
- tóxicas, 1283
Miopia, 1366
Miosite
- autoimune, 226
- orbital, 1363
- ossificante, 62
- por corpúsculos de inclusão, 1280, 1282
Mitocôndrias, 16, 49
Mitofagia, 155
Mitoses, 277
Mixedema, 1122

Mixedema pré-tibial, 1127
Mixomas, 596
Modificação
- do infarto por reperfusão, 566
- oxidativa das proteínas, 54
Modificadores
- ambientais, 485
- genéticos e ambientais, 483
Mola
- completa, 1075
- hidatiforme, 1075
- invasiva, 1076
- parcial, 1075
Moléculas
- do complexo principal de histocompatibilidade, 200
- do MHC de classe
-- I, 200
-- II, 200, 201
- secretadas, 18
- semelhantes à heparina, 125
Molusco contagioso, 1027, 1218
Mono-oxigenases dependentes do citocromo P-450, 331
Monoblastos, 639
Monócitos, 192, 938
Monocitose, 606
Mononeurite múltipla, 1272
Mononeuropatias, 1272
Mononucleose
- infecciosa, 368, 760
- por CMV, 368
Monóxido de carbono, 424, 430, 1347
Moraxella catarrhalis, 732
Morfologia nuclear anormal, 277, 445
Morte
- celular, 17, 35, 37, 355
-- programada, 42
-- por apoptose, 42
- súbita, 439, 450
-- cardíaca, 558, 559, 572
Mosaicismo, 166
- autossômico, 166
- gonadal, 181
Mucocele, 766, 773
Mucolipidoses, 156
Mucopolissacaridoses, 156, 160, 1228
Mucormicetos, 401
Mucormicose, 401
- rinocerebral, 401
Mucoviscidose, 481
Mudança de isótipo, 205
Multigênico, 142
Músculos esqueléticos, 1269
Mutação(ões), 142
- adquiridas, 742
- ativadora(s)
-- na proteína G, 1112
-- no gene PCSK9, 153
- completas, 177
- condutoras, 314, 1131
- de classe
-- I, 153
-- II, 153
-- III, 153
-- IV, 154
-- V, 154
-- VI, 154
- de MEN1, 1139
- de perda de sentido, 142
- de TP53, 638
- do DNA, 290

- do(s) gene(s)
-- *BRAF*, 294
-- da protrombina, 127
-- *LDLR*, 152
-- mitocondriais, 178
- em BRCA1 e BRCA2, 1089
- em sequências não codificantes, 142
- em TP53, 1051, 1052
- iniciadora, 289
- nas quinases da família PI3K, 294
- no gene que codifica ApoB, 153
- passageiras, 289
- pontuais dentro de sequências de codificação, 142
- por repetição de trinucleotídios, 143
- sem sentido, 142
MYC, 296
Mycobacterium
- *bovis*, 380
- *tuberculosis*, 351
Mycoplasma
- *hominis*, 1028
- *pneumoniae*, 351, 733

N

Não disjunção, 165
Nariz, 765
Nasofaringe, 766
Necator duodenale, 824
Necroptose, 47, 48
Necrose, 17, 35, 37, 39, 42, 51
- avascular, 1235
- caseosa, 41, 101
- centrolobular, 550, 895
- coagulativa, 40
-- isquêmica, 134
- em ponte, 855
- fibrinoide, 41
- gangrenosa, 41
- gordurosa, 41, 1083
- hemorrágica centrolobular, 895
- hepática maciça, 856
- isquêmica, 355
-- da hipófise, 1117
- liquefativa, 41
- papilar, 963, 965
- programada, 47
- renal cortical bilateral, 1074
- tecidual, 73, 358, 359
Nefrite
- hereditária, 957
- intersticial
--- aguda
---- e doença por lesões mínimas, 968
---- induzida por fármacos, 967
-- crônica, 961
-- de hipersensibilidade aguda, 968
- lúpica, 230, 232, 958
-- difusa, 230
-- focal, 230
-- membranosa, 230
-- mesangial
--- mínima, 230
--- proliferativa, 230
- tubulointersticial, 959, 961
-- secundária, 961
- tubulointestinal induzida por fármacos e toxinas, 967
Nefrocalcinose, 969
Nefrolitíase, 931, 969
Nefronoftise, 980
- juvenil familiar, 977

Nefropatia(s)
- aguda por ácido úrico, 968
- analgésica, 437
- associada
-- a AINEs, 968
-- ao HIV, 952
- crônica por urato, 968
- da membrana basal fina, 957
- de refluxo, 965
- diabética, 958, 1156, 1158
- falciforme, 975
- membranosa, 935, 941, 946, 968
- por cilindros
-- biliares, 970
-- de cadeias leves, 969
- por IgA, 941, 955, 958
-- secundária, 956
- por urato, 968, 1257
Nefrosclerose, 507, 970
Neisseria spp., 377
- *gonorrhoeae*, 376
- *meningitidis*, 376
Neoantígenos, 318, 321
Neoplasias, 273
- adrenocorticais, 1165, 1167, 1172
-- primárias, 1163
- anexiais, 1192
- aspectos clínicos da, 337
- associada à colite, 832
- benignas
-- do fígado, 898
-- e lesões semelhantes a neoplasias, 490
-- e malignas características das, 276
-- na bexiga, 1000
-- renais, 984
-- malignas, 903
- císticas, 920
-- mucinosas, 921
-- serosas, 921
- da adeno-hipófise, 1116
- da derme, 1199
- da pálpebra, 1364
- da pele, 1200
- da próstata, 1017
- da retina, 1380
- da tireoide, 1129
- das articulações e pseudotumores articulares, 1259
- de bexiga, 995
- de células
-- B
--- maduras, 614
--- periféricas, 616
--- precursoras, 612
-- T
--- maduras ou células NK, 614
--- periféricas e células NK, 624
--- precursoras, 612
- de cólon, 304
- de glândula salivar, 774
- de origem
-- desconhecida, 1243
-- incerta, 1265
- de partes moles, 1260
- de plasmócitos, 610
-- e distúrbios relacionados, 626
- de tecidos moles, 1221
- do baço, 652
- do funículo espermático e paratesticulares, 1007
- do músculo
-- esquelético, 1264
-- liso, 1265

- do plexo coroide, 1353
- do pulmão, 741
- do SNC, 1348
- do tecido adiposo, 1261
- e lesões semelhantes a neoplasias
-- da lactância e da infância, 490
-- da uretra, 1001
-- do ureter, 992
- embrionárias, 1354
- endócrina(s)
-- múltipla
--- tipo 1, 1176
--- tipo 2, 1177
-- pancreáticas raras, 1160
- epidérmicas pré-malignas e malignas, 1194
- epiteliais
-- benignas, 1191
-- da bexiga, 1000
- escamosas, 1365
- fibrosas, 1262
- foliculares, 1132
- formadoras
-- de cartilagem, 1240
-- de osso, 1238
- intraepitelial
-- cervical, 1037
-- endometrial, 1047
-- prostática, 1018, 1020
-- vaginal, 1035
-- vulvar
--- clássica, 1032
--- diferenciada, 1032
--- e carcinoma vulvar, 1031
- linfoides, 608, 610
- malignas, 491
-- da mama, 1106
-- diagnóstico das, 343
-- do fígado, 899
-- hepáticas primárias, 904
-- intraocular, 1372
-- renais, 985
- mesenquimais benignas e malignas, 750, 1000
- metastáticas, 1248, 1357
-- do coração, 597
-- do pulmão, 751
- mieloides, 608, 637
- mieloproliferativas, 609, 637, 641
- mucinosas papilares intraductais, 921
- neuroblásticas, 492
- neuroendócrina(s), 804
-- hipofisária, 1114
- no pâncreas, 920
- nomenclatura, 274
- ósseas e lesões pseudotumorais, 1237
- peritoniais, 849
- pleurais, 752
- pré-malignas e malignas
-- da vagina, 1035
-- do colo uterino, 1036
- primárias da órbita, 1363
- pseudopapilar sólida, 922
- renais, 931, 984
- secundárias da bexiga, 1000
- suprasselares hipotalâmicas, 1118
- testiculares, 1007
- uroteliais, 995
-- papilíferas de baixo potencial maligno, 997
- vasculares, 534
-- benignas, 534
-- malignas, 538
Neoplasma, 274
Neovascularização, 516

Nervo(s)
- óptico, 1381
- periféricos, 1269
Neurite óptica, 1383
Neuro-hipófise, 1111
Neuroblastoma(s), 492
- olfatório (estesioneuroblastoma), 767
Neuroborreliose, 1319
Neurofibroma(s), 1291
- cutâneo(s)
-- localizado, 1291
-- superficiais, 1291
- difuso, 1291
- plexiforme, 1291
Neurofibromatose(s), 1358
- tipo 1, 1292
- tipo 2, 1292
Neurofibromina, 147
Neurofilamentos, 12
Neuroma
- de Morton, 1276
- traumático, 1270
Neuromielite óptica, 1326
Neuronopatias, 1272
Neuropatia(s)
- associada(s)
-- a doenças
--- autoimunes sistêmicas, 1274
--- malignas, 1276
-- a gamopatias monoclonais, 1276
-- a vasculite, 1274
- axonais, 1270
- causadas por forças físicas, 1276
- desmielinizante(s), 1272
-- periférica, 426
- diabética, 1158
- infecciosas, 1274
- inflamatórias, 1272
- metabólicas, hormonais e nutricionais, 1275
- motoras e sensitivas hereditárias, 1277
- óptica(s), 1382
-- hereditária de Leber, 178, 179
-- isquêmica anterior, 1382
-- paraneoplásicas, 1276
- periférica(s), 748
-- específicas, 1272
-- hereditárias, 1276
- sensitivas hereditárias com ou sem neuropatia autonômica, 1277
- sensorial subaguda, 1357
- tóxicas, 1275
- urêmica, 1275
- vasculítica não sistêmica, 1274
Neuropeptídeos, 93
Neurossífilis, 389, 390, 1318
- meningovascular, 1318
- parética, 1318
Neurotoxinas, 393
Neutrófilos, 81, 192, 938
Neutropenia, 604
Nevo(s)
- azul, 1184
- compostos, 1185
- congênito, 1184
- conjuntivais, 1365
- de células fusiformes e epitelioides, 1184
- de Ota, 1366
- de Spitz, 1184
- displásico, 1184, 1186
- flâmeo, 534
- halo, 1184
- intradérmicos puros, 1185

- juvenil inflamado, 1365
- melanocítico, 1184
- pigmentado, 1184
- uveais, 1372
Niacina, 458
Nichos de células-tronco, 29, 30
Nicotina, 430
Nitrosamidas, 464
Nitrosamina, 430, 464
Níveis elevados de insulina, 463
Nó atrioventricular, 544
Nocardia spp., 375
Nódulo(s), 1183
- de Aschoff, 578
- de carvão, 717
- de Ranvier, 1270
- do cantor, 769
- e neoplasias hepáticas, 897
- e pólipos das pregas vocais, 769
- reativos, 769
- reumatoides, 1252
- subcutâneos, 579
Norovírus, 351, 822
Novo coronavírus SARS-cov-2 (covid-19), 364
Nucleossomos, 3
Nutrição inadequada, 60

O

Obesidade, 285, 457, 459, 1150
- consequências clínicas da, 462
- e câncer, 462
Obliteração fibrótica do espaço medular, 647
Obstrução, 522
- ao fluxo, 545
- bilateral completa, 983
- brônquica, 711
- da junção ureteropélvica, 992
- da saída da bexiga, 1001
- do ducto pancreático, 915
- do esôfago, 783
- do fluxo venoso hepático, 894
- do trato urinário, 931, 981
-- e estase da urina, 962
- dos grandes ductos biliares, 886
- e trombose da veia porta, 893
- intestinal, 807
- linfática, 117
- parcial bilateral, 982
Ocitocina, 1111
Oclusão(ões)
- da artéria coronária, 560
- da veia retiniana, 1379
- das artérias, 1379
- trombótica das artérias cerebrais, 1308
- vascular crônica, 559
Ocronose, 66
Odinofagia, 784
Odontoma, 764
Oftalmia simpática, 1372
Oftalmopatia
- infiltrativa, 1126
- tireoidiana, 1362
Oftalmoplegia externa crônica progressiva, 1287
Olho, 1361
Oligodendrócitos, 1297
Oligodendroglioma(s), 1351
- anaplásicos, 1351
Oligoelementos, 458
Oligúria, 930
Onchocerca volvulus, 413
Oncocercose, 413
Oncocitoma, 984

Oncogenes, 21, 291, 298
Oncogênese viral e bacteriana, 337
Oncologia, 274
Oncometabolismo, 309
Oncometabólitos, 309
Oncoproteínas, 293, 298, 609
Onfalocele, 780
Onicólise, 1183
Onicomicose, 1219
Opiáceos, 438
Opioides, 438
Opsonização, 92, 212
Órbita, 1302
Orelhas, 770
Organização, 104
- das histonas, 3
- do DNA nuclear, 2
Organoclorados, 429
- não pesticidas, 429
Órgãos
- linfoides
-- primários, 199
-- secundários, 199
-- terciários, 607
- terminais neurais, 1182
Orientia tsutsugamushi, 394
Origem anômala das artérias coronárias, 501
Orofaringe, 762
Orquidopexia, 1007
Orquite
- granulomatosa, 1006
- por caxumba, 362
Osso, 1221
- estrutura básica e função do, 1221
- heterotópico, 66
Osteíte
- deformante, 1233
- dissecante, 1231
- fibrosa cística generalizada, 1140, 1231
Osteoartrite, 1249
Osteoartropatia hipertrófica, 339
- e baqueteamento dos dedos das mãos, 339
- pulmonar, 749
Osteoblastoma, 1238
Osteoblastos, 1222
Osteócitos, 1222
Osteoclastos, 1222
Osteocondrite, 390
Osteocondroma, 1241
Osteodistrofia renal, 1142, 1232
Osteogênese imperfeita, 25, 1225, 1366
Osteólise, 338
Osteoma osteoide, 1238
Osteomalacia, 339, 1231
Osteomielite, 1236
- micobacteriana, 1237
- piogênica, 1236
Osteonecrose, 1235
Osteopenia, 1229
Osteopetrose, 1226
Osteoporose, 1229, 1231
Osteossarcoma, 1239
- condroblástico, 1240
Óstio externo, 1035
Ostium
- *primum*, 553
- *secundum*, 553
Otites médias agudas e crônicas, 770
Otosclerose, 771
Ovários, 1057
- estriados, 173
- policísticos, 1057

Ovoides de mielina, 1270
Ovulação, 1042
Óxido(s)
- de nitrogênio, 430
- nítrico, 53, 83, 124, 939
Ozônio, 423

P
Padrão(ões)
- anatômicos das neuropatias periféricas, 1272
- centromérico, 226
- de infarto, 562
- de necrose tecidual, 10, 12
- de transmissão de distúrbios monogênicos, 144
- e mecanismos de rejeição de enxertos, 240
- moleculares associados
-- a danos (DAMP), 39, 136, 193
-- a patógenos (PAMP), 136, 193
- morfológicos da inflamação aguda, 93
- nucleolar, 226
- pontilhado, 226
Pálpebra, 1363
Panarício, 372
Pancardite, 578, 579
Pancitopenia, 760
Pancolite, 830
Pâncreas, 881, 913
- anular, 914
- *divisum*, 914
- ectópico, 914
- endócrino, 913, 1143
- exócrino, 913
Pancreatite, 914
- aguda, 914, 915
-- grave, 917
- crônica, 918
- hemorrágica aguda, 848
Pancreatoblastoma, 926
Paniculite, 1216
- factícia, 1216
- nodular febril recidivante, 1216
Panoftalmite, 1370
Papiledema, 1382
Papiloma(s), 274, 997, 1085
- do plexo coroide, 1353
- escamoso, 769, 1031
- exofíticos, 997
- nasossinusal (schneideriano), 767
Papilomatose, 769, 1183
- laríngea juvenil, 769
Papilomavírus humano, 284, 333
Pápula(s), 1183
- de Gottron, 1281
Papulose bowenoide, 1003
Paracetamol, 437, 872
Paraglanglioma, 771, 772
Paragânglios paravertebrais, 772
Paralisia
- cerebral, 1302
- supranuclear progressiva, 1339
Paraqueratose, 1183
Paratormônio, 748
Paresia geral do insano, 1318
Paroníquia, 372
Parotidite por caxumba, 362
Particulados, 423
Parto, 586
Patogênese, 33, 34
- do comprometimento do sistema nervoso central, 258
- microbiana, 349
Patógenos entéricos, 352

Patologia, 33
- celular do sistema nervoso central, 1296
- da intervenção vascular, 539
- vascular na hipertensão, 507
PCR
- e detecção de alterações na sequência de DNA, 182
- em tempo real, 183
Pedicelos dos podócitos, 932
Pedra de calçamento, 829
Pele, 230, 236, 350, 439, 1181
Peliose hepática, 894
Pênfigo, 760, 1210
- eritematoso, 1210
- foliáceo, 1210
- paraneoplásico, 1210
- vegetante, 1210
- vulgar, 213, 1210
Penfigoide
- bolhoso, 760, 1211
- cicatricial ocular, 1364
Pênis, 1002
Peptídeo(s)
- C, 1145
- natriuréticos miocárdicos, 505
Percepção de quórum (*quorum sensing*), 356
Perda(s)
- da estimulação endócrina, 61
- da função de TP53, 310
- da inervação, 60
- da polaridade, 278
- ou redução da expressão de moléculas do MHC, 320
Perfil(is)
- de expressão gênica, 1103
- moleculares dos tumores, 343
Perfuração
- de vísceras abdominais, 849
- ou ruptura do sistema biliar, 848
Pericardite, 230, 568, 595, 747
- aguda, 595
- constritiva, 596
- crônica ou cicatrizada, 596
- fibrinosa e a serofibrinosa, 595
- purulenta ou supurativa, 595
- serosa, 595
Pericitos, 106
Período
- embrionário inicial, 470
- fetal, 470
Periodontite, 758
Periostite sifilíticas, 390
Peritonite estéril, 848
Peroxidação lipídica nas membranas, 53
Peroxissomos, 8
Persistência do canal arterial, 554
Pescoço, 757, 771
- alado bilateral, 172
Peste, 378
- bubônica, 379
- pneumônica, 379
- septicêmica, 379
Phthisis bulbi, 1384
Picnose, 855
Pieloflebite, 651
Pielonefrite, 931, 962, 992
- aguda, 962, 963
- crônica, 962, 965
- xantogranulomatosa, 966
Pigmentação melânica, 760
Pigmentos, 65
- endógenos, 65
- exógenos, 65

Pili, 357
Pilomatricoma, 1193
Pinealoma, 1178
Pineoblastomas, 1178
Pineocitomas, 1178
Pinguécula, 1365
Pinocitose de fase líquida, 11
Pinta, 1184
Pionefrose, 963
Piossalpinge, 1029
Piroptose, 47, 48
Placa(s), 1183
- ateromatosas ou ateroscleróticas, 508
- aterosclerótica, 514, 516
- de asbesto, 753
- de Maccallum, 579
- de Peyer no íleo terminal, 819
- do tipo Kuru, 1330
- neuríticas, 1333
- pleurais, 720
Placenta(s)
- acreta, 1072
- gemelares, 1072
- prévia, 1072
Plaquetas, 120, 938
Plasmina, 123
Plasminogênio, 123
Plasmoblastos, 628
Plasmocitoma, 627
- ósseo solitário, 614, 629
Plasmodium falciparum, 402
Pleiotropia, 144
Pleomorfismo, 277
Pleura, 751
Pleurite, 733, 747
- fibrosa obliterante, 385
- hemorrágica, 752
Pneumócitos
- do tipo I, 698
- do tipo II, 698
Pneumoconiose(s), 429, 716
- dos carvoeiros, 65, 717
Pneumocystis jirovecii, 351, 399
Pneumonia(s)
- adquirida em hospital, 736
- associada aos cuidados de saúde, 736
- bacterianas adquiridas na comunidade, 732
- complicações da, 733
- crônica, 738
- em organização criptogênica, 715
- eosinofílica
-- aguda com insuficiência respiratória, 723
-- idiopática crônica, 723
- intersticial
-- descamativa, 724
-- não específica, 715
- lobar, 733
- necrosante grave, 711
- no hospedeiro imunocomprometido, 739
- por aspiração, 737
- viral adquirida na comunidade, 734
Pneumonite por hipersensibilidade, 723
Pneumotórax, 752
- hipertensivo, 752
- idiopático espontâneo, 752
Pobreza, 447
Podocitopatia, 939
Poeiras minerais, 429
Polaridade celular, 8, 9
Poli(radículo)neuropatia desmielinizante inflamatória crônica, 1273

Poliangiite
- com granulomatose, 730
- microscópica, 529, 958
- nodosa, 214, 238, 528, 1308
Poliartrite migratória, 579
Policarions, 359
Policariontes multinucleadas, 759
Policitemia, 339
- vera, 644
Polidipsia, 1152
Poliembrioma, 1067
Polifagia, 1152
Poligênico, 142
Polimicrogiria, 1301
Polimiosite, 1280, 1282
Polimorfismos, 142
- de nucleotídio único, 3
Polineuropatia(s), 1272
- amiloides familiares, 266, 1277
- desmielinizante inflamatória aguda, 1272
- diabética, 1275
Poliomavírus, 965
Poliomielite, 362, 1320
Pólipo(s), 274, 835
- de glândulas fúndicas, 800
- e tumores gástricos, 800
- endocervicais, 1036
- endometriais, 1047
- fibroepitelial, 992, 1031, 1192
- hamartomatosos, 836
- hiperplásicos, 800, 835
- inflamatórios, 800, 835
- juvenis, 836
- nasais, 765
- neoplásicos, 839
Polipose adenomatosa
- do cólon, 304
- familiar, 841, 899
Polirradiculoneuropatias, 1272
Poliúria, 1152
Poluição
- ambiental, 422
- do ar, 422, 742
-- em ambientes fechados, 424
-- externo, 422
Pontos de checagem, 27
Porfiria, 1213, 1214
Poro de transição de permeabilidade mitocondrial (, 50
Poroma écrino, 1192
Poros de Kohn, 698, 707
Pós-ovulação, 1042
Potenciadores, 487
Potencial de replicação ilimitado, 291, 311
Potocitose, 11
Pré-eclâmpsia, 896, 1073
Pré-mutações, 176
Precipitados ceráticos, 1370
Precursores do câncer de pâncreas, 923
Predisposição genética, 288
Prematuridade, 471
Pressão arterial, 504
Privação de oxigênio, 36
Pró-apoptóticos, 45
Pró-coagulantes, 120
Procalcitonina, 136
Processos inflamatórios, 1308
Proctite ulcerativa, 830
Proctossigmoidite ulcerativa, 830
Produção
- de anticorpos, 650
- de anticorpos IgE, 208

Produtos
- da coagulação, 92
- de células danificadas, 193
- de degradação
-- da fibrina, 123
-- dos lipídios, 51
- químicos, 421
Prognatismo, 1116
Prognóstico das neoplasias malignas, 343
Progressão
- da lesão, 36
- do tumor, 289
Prolapso da valva mitral, 576
Proliferação(ões)
- celular, 104, 105, 106, 443
- do músculo liso e síntese de matriz, 513
- dos hepatócitos após hepatectomia parcial, 105
- e ciclo celular, 27
- neoplásicas dos leucócitos, 608
- neuroendócrinas e tumores, 749
- reativas dos leucócitos e linfonodos, 605
Promotores, 330
Propagação, 53
- e disseminação dos microrganismos dentro do corpo, 352
Proptose, 1362
Prostaciclina, 124
Prostaglandina(s), 86, 87, 88
- D2, 210, 710
- tromboxano A2, 120
Próstata, 1014
Prostatite
- bacteriana
-- aguda, 1014
-- crônica, 1015
- granulomatosa, 1015
- não bacteriana crônica, 1015
Protease(s), 54, 314
- 8 específica de ubiquitina (USP8), 1113
Proteassomos, 14, 15
Proteína(s), 64
- 4.1, 147
- ácida fibrilar glial, 12
- adaptadoras, 20
- AIRE, 219
- amiloides, 265
-- de cadeia leve, 266
- associada ao amiloide, 266
- β-amiloide, 266
- BH3-apenas, 310
- C reativa, 511
- carreadoras, 10
- circulantes, 74
- da fase aguda, 102
- de Bence-Jones, 627
- de canal, 10
- de resistência a multidrogas, 11
- de sinalização modular, eixos e nós, 20
- do complemento, 93
- estruturais
-- essenciais, 145
-- fibrosas, 23
- huntingtina, 145
- inibidoras da apoptose, 310
- lisossômicas, 83
- MARVEL associada à zônula de oclusão, 13
- não enzimáticas, 148
- plasmáticas, 193
- Rb, 147
- receptoras da família *Notch*, 20
- relacionada ao paratormônio, 338

- surfactante
-- B, 726
-- C, 725
- Wnt ligantes, 20
- X da hepatite B, 863
Proteinoquinase de interação com o receptor 1 e 3, 47
Proteinose alveolar pulmonar, 725
- autoimune, 725
- hereditária, 725
- secundária, 725
Proteinúria de Bence-Jones e nefropatia por cilindros, 969
Proteoglicanos, 23, 209
- e hialuronano, 26
Proteossomos, 7
Proto-oncogene(s), 21, 288, 298
- MYC, 296
Pseudo-hermafroditismo, 174
Pseudo-hifa, 396
Pseudo-hipoparatireoidismo, 1143
Pseudocistos pancreáticos, 920
Pseudogota, 881, 1258
Pseudomembrana, 373, 785
Pseudomixoma peritoneal, 281
Pseudomonas aeruginosa, 355, 377, 712, 732
Pseudorrosetas
- de Homer-Wright, 492
- perivasculares, 1353
Pseudotumor cerebral, 452
Psoríase, 216, 1206
Pterígio, 1365
Ptiríase versicolor, 1219
Pulmão, 231, 237, 697
- de choque, 139
- do fazendeiro, 723
- do umidificador ou do ar condicionado, 723
- dos criadores de pombos, 723
- em estágio terminal, 713
Pulpite, 764
Púrpura
- de Henoch-Schönlein, 955, 958
- trombocitopênica
-- autoimune, 213
-- trombótica, 974
Pus, 41
Pústula(s), 1183
- espongiformes, 1207

Q

Queilite actínica, 1194
Queimaduras
- de espessura
-- parcial, 441
-- total, 441
- superficiais, 441
- térmicas, 441
Queloide, 111
Queratinócitos, 1181
Queratocisto odontogênico, 763
Queratose
- actínica, 1194
- seborreica, 1191
Quilocele, 1014
Quilotórax, 752
Quimiocinas, 86, 89, 90, 939
- C, 90
- C-C, 90
- C-X-C, 90
- CX3C, 90
Quimiotaxia dos leucócitos, 79
Quinase(s)
- da família Src, 19

- dependentes de ciclina, 27, 296, 297
- do linfoma anaplásico, 492

R

Rabdomiólise, 1287
Rabdomiomas, 597
Rabdomiossarcoma(s), 1264
- alveolar, 1264
- de células fusiformes/esclerosantes, 1264
- embrionário, 1000, 1035, 1264
- pleomórfico, 1264
Radiação, 594, 1348
- actínica, 702
- ionizante, 332
- livres, 54, 566
Radicais livres
- de oxigênio, 51
- derivados do oxigênio, 52
Radônio, 424
- produtos de decaimento, 286
Raios ultravioleta, 332
Raiva, 1321
Rânula, 773
- mergulhante, 773
Raquitismo, 1231
Reabsorção de tecido ósseo, 67
Reação(ões)
- a medicamentos, 217
- adversas
-- a fármacos geneticamente determinadas, 148
-- a medicamentos, 434
- autoimunes podem ser desencadeadas por infecções, 223
- axonal, 1296
- citopático-citoproliferativas, 358, 359
- das microglias à lesão, 1297
- de ácido periódico de Schiff, 65
- de Arthus, 214, 215
- de fase tardia, 210
- de hipersensibilidade, 74, 207
-- classificação das, 207
-- imediata localizadas, 211
- de outras células da glia à lesão, 1297
- dos astrócitos à lesão, 1296
- dos neurônios a lesões, 1296
- dos vasos sanguíneos na inflamação aguda, 75
- ductulares, 855
- imunes, 74
- imunológicas, 36
- inflamatória, 71
- inflamatórias mediadas por células T CD4+, 217
- leucemoide, 606, 749
Rearranjos cromossômicos, 166
- complexos, 327
Receptor(es)
- acoplados à proteína G, 20
- associados à atividade de quinase, 18
- ativados pela protease, 92, 120
- celulares
-- envolvidos na inflamação, 74
-- para microrganismos, 74, 193
-- para produtos microbianos, 194
- de fatores de crescimento, 293
- de lipoproteína de baixa densidade, 147
- de morte, 355
- de reconhecimento de padrões (PRR), 193
- de superfície celular, 18
- de tirosinoquinases, 293
- de vitamina D, 147
- do tipo
-- NOD (NOD-like), 74, 194
-- *Toll* (*Toll-like*) (TLR), 74, 193

- fagocíticos, 80
- intracelulares, 18
- nucleares, 20
- tirosinoquinase/PI3K/AKT, 308
Recirculação dos linfócitos, 200
Reconhecimento
- de aloantígenos do enxerto por linfócitos T e B, 240
- de microrganismos e células danificadas, 74
- do agente nocivo, 71
Recrutamento, 120
- de leucócitos
-- e proteínas plasmáticas, 72
-- para os locais de inflamação, 77
Rede
- de Golgi trans, 14
- de Purkinje, 544
Redução
- da pressão osmótica do plasma, 116
- da secreção de mucina e de bicarbonato, 791
- da síntese de proteínas, 51
Refluxo
- intrarrenal, 963
- vesicoureteral, 963, 993
-- adquirido, 963
Regeneração, 104
- cardíaca, 545
- das células e dos tecidos, 104
- do fígado a partir de células progenitoras, 105
- hepática, 105
Regiões
- de coloração homogênea, 327
- promotoras e amplificadoras (*enhancer*), 2
Regulação
- da liberação de insulina, 1145
- da pressão arterial, 504
- da resposta, 72
Regulador
- da condutância transmembrana da fibrose cística (CFTR), 147, 811
- da proliferação celular, 23
Regurgitação
- aórtica, 574
- mitral, 574
Rejeição, 240
- aguda
-- do aloenxerto pulmonar, 741
-- mediada
--- por anticorpos, 242
--- por células T, 241
- celular aguda, 241
- crônica, 242
-- do aloenxerto pulmonar, 741
- de enxertos, 240
- de transplantes de tecidos, 239
- hiperaguda, 240
Remoção
- das células
-- mortas, 46
-- supranumerárias, 42
- de supressores do crescimento, 324
- do estímulo, 72
- dos radicais livres, 53
- inadequada, 62
Remodelação, 1223
Remodelamento
- das vias respiratórias, 710
- do tecido conjuntivo, 108
Renina, 505
Renovação celular, 42
Reparo, 71, 72
- pela deposição de tecido conjuntivo, 106

- tecidual, 103
-- e fibrose, 109
Repetições palindrômicas curtas agrupadas e regularmente interespaçadas (CRISPR), 5
Replicação do vírus, 256
Resfriado comum, 765
Resistência
- à defesa do hospedeiro mediada por citocinas, quimiocinas e complemento, 354
- à insulina, 1150
- à morte por fagócitos, 354
- a peptídeos antimicrobianos, 354
- aos antibióticos, 371
- da ferida, 111
- periférica, 504
Resolução das lesões, 701
Resposta(s)
- a proteínas mal enoveladas, 14
- à quimioterapia neoadjuvante, 1103
- às proteínas não enoveladas, 54, 55
- celular(es)
-- ao estresse e a estímulos nocivos, 34
-- diferencial aos fagócitos, 399
- da imunidade inata, 195
- da parede vascular à lesão, 501
- das células T efetoras diferenciadas, 217
- de estresse do RE, 74
- de fase aguda sistêmica, 90
- dos hepatócitos e do parênquima, 854
- dos vasos linfáticos e dos linfonodos, 76
- estereotipada à lesão vascular, 503
- funcionais dos leucócitos ativados, 85
- imune(s), 320
-- antivirais, 356
-- normal, 192
- inflamatórias
-- à infecção, 358
-- e contrainflamatórias, 136
- miocárdica, 561
- patológicas do glomérulo à lesão, 934
-- Th2, IgE e inflamação, 708
Restos nefrogênicos, 497
Restrição
- alimentar autoimposta, 448
- do crescimento fetal, 471, 472
Resultados da inflamação aguda, 94
Retardo
- da anáfase, 165
- mental familiar 1, 143
Retenção
- de poeira, 716
- de sódio e de água, 117
Retículo endoplasmático, 13
- liso, 7, 14
- rugoso, 7, 13
Retina, 1374
Retinite, 1380
- pigmentosa, 1374, 1380
Retinoblastoma, 1380
Retinopatia
- da prematuridade, 474, 1378
- diabética
-- não proliferativa, 1377
-- proliferativa, 1377
- falciforme, 1378
- por radiação, 1378
Retração celular, 43
Retroalimentação tubuloglomerular, 960
Retroperitonite esclerosante, 849
Rickettsia
- *prowazekii*, 394
- *rickettsii*, 394

Rinite
- alérgica, 211, 765
- crônica, 765
- infecciosa, 765
Rins, 229, 237, 439, 929
- do mieloma, 969
- ectópicos, 976
- em esponja medular, 977, 980
- em ferradura, 976
Risco(s)
- à saúde ocupacional, 428
- de câncer por exposição à radiação, 446
- de efeitos fenotípicos, 176
- industriais, 742
RNA
- de interferência pequenos, 5
- mensageiros, 4
- não codificante(s), 168
-- e câncer, 329
-- longo, 5
- regulatórios não codificantes, 2
Rosácea, 1215
Roséola infantil, 365
Rosetas de Homer-Wright, 1244
Rotavírus, 824
Ruptura(s), 517
- de aneurisma sacular, 1313
- de cistos dermoides, 848
- do coração ou vaso principal, 545
- esplênica, 652
- miocárdica, 568
- prematura de membranas pré-termo, 472

S
Sacos alveolares, 698
Salmonella, 818
- *typhi*, 869
Salpingite
- crônica, 1029
- supurativa, 1056
- tuberculosa, 1056
Salpingo-ooforite, 1029
Sangramento uterino disfuncional, 1042
Sangue periférico, 369
Sapinho, 397, 759
Sarampo, 760
Sarcoidose, 102, 721, 722
Sarcoma(s), 275
- botrioide, 1000, 1035, 1264
- de Ewing, 1243
- de Kaposi, 262, 537
-- africano endêmico, 537
-- associado
--- à AIDS (epidêmico), 537
--- a transplante, 537
-- clássico, 537
- na bexiga, 1000
- pleomórfico indiferenciado, 1266
- sinovial, 1265
Sardas, 1183
Schistosoma haematobium, 996
Schwannomas, 1290
Schwannomatose, 1358
Secreção(ões)
- de ACTH ectópico, 1161
- de fatores imunossupressores, 321
- de proteínas fundamentais, 64
- do conteúdo dos grânulos, 120
- mamilar, 1081
Segmento anterior, 1368, 1369
Seio(s)
- de Rokitansky-Aschoff, 908
- urogenital, 1026

Seleção
- clonal, 196
- darwiniana, 289
- negativa, 219
Selectinas, 78
Selênio, 458, 464
Seminomas, 1009
Senescência, 28
- celular, 68
- induzida pela p53, 304
Sensibilização e ativação dos mastócitos, 208
Sensores de dano celular, 74
Separação espacial, 187
Sepse, 135
- perinatal, 476
- umbilical neonatal, 893
Septos interlobulares, 714
Septum
- *primum*, 553
- *secundum*, 553
Sequelas
- do trauma cerebral, 1306
- neurológicas de distúrbios metabólicos, 1347
Sequência, 469
- de oligoidrâmnio (ou de Potter), 469
- hiperplasia-displasia-carcinoma, 769
Sequenciamento
- completo do exoma, 188
- de nova geração, 186
- de Sanger, 183
- de última geração (NGS), 183
- direcionado, 188
- do genoma completo, 188
- paralelo, 187
Sequestro
- dos elementos figurados do sangue, 650
- extralobar, 698
- intralobar, 698
- pulmonar, 698
Serosite, 225
Serotonina, 86, 87, 748
Sexo
- ductal, 174
- fenotípico, ou genital, 174
- genético, 174
- gonadal, 174
Shigelose, 817
Shunts
- direita-esquerda, 555
- esquerda-direita, 553
Sialoadenite, 773
- inespecífica, 773
Sialolitíase, 773
Sideroblastos em anel, 426, 641
Sievert (Sv), 443
Sífilis, 102, 388, 1007
- cardiovascular, 389
- com comprometimento esquelético, 1237
- congênita, 389, 390
- primária, 388, 390
- secundária, 388, 390
- terciária, 389, 390
-- benigna, 389
Silenciamento de genes supressores de tumor, 328
Silicose, 718
Sinal
- de Auspitz, 1207
- de Leser-Trélat, 1191
- de Trousseau, 926
Sinalização
- anormal do fator de crescimento transformador β, 520

- autócrina, 18
- celular, 17
- do receptor tirosinoquinase/PI3K/AKT, 308
- endócrina, 18
- parácrina, 18
- sináptica, 18

Sinciciotrofoblastos, 1011

Síndrome(s)
- adrenogenital(is), 1166
-- virilizante simples sem perda de sal, 1168
- alcoólica fetal, 470
- autoinflamatórias, 194
- carcinoide clássica, 749
- clínico-patológicas de hepatite viral, 867
- compartimental anterior da perna, 134
- CREST, 235
- da doença de Lyme pós-tratamento, 1255
- da dor pélvica crônica, 994, 1015
- da embolia gordurosa, 132
- da hiper-IgM, 249
- da hiperviscosidade, 630
- da imunodeficiência adquirida, 252
- da liberação de citocinas, 136
- da neuro-hipófise, 1118
- da obstrução sinusoidal, 895
- da pele escaldada estafilocócica, 372
- da resposta inflamatória, 135
-- sistêmica, 72, 136, 441
- da sela vazia, 1117
- da transfusão feto-fetal, 1072
- da trombocitopenia induzida por heparina, 128
- da úlcera retal solitária, 836
- da veia cava superior e inferior, 533, 747
- de Alagille, 888
- de Alport, 957
- de Angelman, 179, 180
- de ativação dos macrófagos, 608
- de Beckwith-Wiedemann, 496, 899
- de Birt-Hogg-Dubé, 985, 1192
- de Bloom, 68, 323
- de Brooke-Spiegler, 1193
- de Budd-Chiari, 894
- de Caplan, 716
- de Caroli, 892
- de Chédiak-Higashi, 245, 246
- de Churg-Strauss, 530, 723
- de Cowden, 1191
- de Crigler-Najjar
-- tipo 1, 885
-- tipo 2, 885
- de Cushing, 338, 339, 1161
- de deleção do cromossomo 22q11.2, 168
- de Denys-Drash, 496
- de desconforto respiratório agudo, 73, 138, 700
- de DiGeorge, 168, 170, 249, 551
- de Down, 167, 168
- de Dressler, 568
- de Dubin-Johnson, 885
- de Ehlers-Danlos, 25, 150
- de Eisenmenger, 553
- de Felty, 626
- de Goodpasture, 213, 730, 958
- de Gorlin, 1196
- de Guillain-Barré, 1272
- de Job, 251
- de Joubert, 1302
- de Kartagener, 712, 766
- de Klinefelter, 171, 172, 470
- de leiomiomatose hereditária e de câncer de células renais, 985
- de Lesch-Nyhan, 148
- de Li-Fraumeni, 302
- de Loeys-Dietz, 520
- de Lynch, 1193
- de Maffucci, 1241
- de malformação, 469
- de Marfan, 149, 520
- de Meigs, 1068
- de MEN-1, 1177
- de Mikulicz, 234, 239
- de morte súbita do lactente, 488
- de Muir-Torre, 1191, 1193
- de neoplasia endócrina múltipla, 1176
- de Peutz-Jeghers, 837
- de Plummer, 1129
- de Plummer-Vinson, 783
- de pneumonia, 731
- de POEMS, 1276
- de Prader-Willi, 179
- de Rendu-Osler-Weber, 760
- de Rotor, 885
- de secreção inapropriada de hormônio antidiurético, 339
- de Sézary, 614, 625, 626
- de Sheehan, 1117
- de Sipple, 1177
- de Sjögren, 226, 234, 773
- de Sturge-Weber, 534, 1370
- de tremor/ataxia associada ao X frágil, 178
- de Trousseau, 131, 340, 533, 582, 749
- de Turner, 171, 172, 173, 536
- de Von Hippel-Lindau, 985
- de Waterhouse-Friderichsen, 138, 1169
- de Wermer, 1176
- de Werner, 68
- de Wiskott-Aldrich, 251
- de Zollinger-Ellison, 799, 805, 1160
- do anticoagulante lúpico, 128
- do anticorpo antifosfolipídio, 128, 229, 974
- do câncer do cólon hereditário sem polipose, 323
- do carcinoma basocelular nevoide, 1196
- do desconforto respiratório do recém-nascido, 472, 473
- do edifício doente, 424
- do intestino irritável, 826
- do nevo displásico, 1186
- do nó sinusal, 571
- do QT longo, 571
- do X frágil, 176, 178
- hemolítico-urêmica (SHU), 972
-- atípica, 974
-- típica, 973
- hemorrágicas pulmonares difusas, 729
- hepatopulmonar, 861
- hepatorrenal, 858
- inflamatória da reconstituição imune, 264, 1322
- linfoproliferativa autoimune (SLPA), 221
- metabólica, 511, 1149
- miastênica(s)
-- congênitas, 1278
-- de Lambert-Eaton, 748, 1278, 1357
- mielodisplásicas, 609, 637, 640
- mucocutânea linfonodal, 529
- nefrítica, 930, 940
- nefrótica, 116, 339, 930, 945
-- congênita do tipo finlandês, 950
- paraneoplásicas, 338, 339, 748, 1357
-- neuromiopáticas, 338
- parkinsonianas atípicas, 1339
- perdedora de sal, 1167
- poliendócrina autoimune, 220
- pós-pólio, 1321
- retroviral aguda, 258
- sicca, 722
- tumorais familiares, 1357
- velocardiofacial, 168

Sinéquias
- anteriores, 1370
- posteriores, 1370

Sinorquia, 1005

Sinovite
- aguda, 881
- vilonodular pigmentada, 1259

Síntese de colágeno, 456

Sinusite, 211, 765
- crônica, 766

Siringoma, 1193

Siringomielia, 1302

Sirtuínas, 63

Sistema(s)
- cardiovascular, 230
- complemento, 57, 74, 91, 193
- da coagulação, 939
- de condução, 544
- de processamento central, 459
- digestório, 236
- eferente, 459
- endócrino, 1109
- genital feminino, 1025
- genital masculino, 991, 1002
- imune adaptativo, 195
- linfoides cutâneo e da mucosa, 200
- musculoesquelético, 237
- nervoso central, 1295
- P-450, 422
- periférico, ou aferente, 459
- respiratório, 351

Sítios imunoprivilegiados, 221

SMADs, 22

Sobrecarga
- de cálcio intracelular, 56
- de ferro, 66, 586, 879

Solventes, 421

Somatotrofos, 1110

Sombras em vidro fosco, 713

Staphylococcus aureus, 351, 732, 869

Stent(s)
- coronário, 539
- endovascular, 539
- farmacológicos, 539

Streptococcus pneumoniae, 732

Strongyloides, 824
- *stercoralis*, 408

Struma ovarii, 1065

Subependimomas, 1353

Substâncias
- estranhas, 193
- humorais calcêmicas, 338

Substituição vascular, 539

Sufocação, 133

Superantígenos, 138, 358, 371

Superdosagem, 439

Superexpressão
- de membros antiapoptóticos da família BCL2, 310
- de um proto-oncogene, 325

Superóxido dismutases, 53

Suporte mecânico, 23

Supressão por células T reguladoras, 220

Surfactante, 473, 698

Suscetibilidade
- genética, 710
- mendeliana à doença micobacteriana, 251

T

Tabaco, 741

Tabagismo, 284, 429, 511, 610, 996
- e câncer de pulmão, 430
- e outras doenças, 431
Tabes dorsalis, 1318
Taenia
- *saginata*, 409
- *solium*, 409
Tampão hemostático secundário, 121
Taquizoítos, 408
Tatuagem, 65
Tecido(s)
- adiposo, 462
- de granulação, 564
- do sistema imunológico, 199
- estáveis, 104
- lábeis, 104
- linfoide associado à mucosa, 794
- mamário axilar acessório, 1080
- permanentes, 104
- subcutâneos, 550
Técnicas especiais para o diagnóstico de agentes infecciosos, 416
Tecnologia
- de arranjo citogenômico, 184
- *knockdown*, 5
Tecomas, 1068
Telangiectasia(s), 534
- aracneiformes, 534
- hemorrágica hereditária, 535
Telomerase, 68
Telômeros, 2, 68
Tempestade
- de citocinas, 608
- tireoidiana, 1121
Tempo
- de protrombina, 121
- de tromboplastina parcial, 121
Teoria
- da metástase benigna, 1045
- da regurgitação, 1045
- das células-tronco/progenitoras extrauterinas, 1045
- metaplásica, 1045
Terapia
- com chaperonas moleculares, 156
- com fármacos
-- antirretrovirais, 264
-- direcionados para oncoproteínas, 343
- de diferenciação, 327
- hormonal da menopausa, 436
Teratoma, 275, 491, 1011, 1064
- cístico
-- benignos, 1064
-- de ovário, 275
- com transformação maligna de tipo somático, 1012
- maduros, 1065
- malignos imaturos, 1065
- monodérmicos ou especializados, 1065
Término da resposta inflamatória aguda, 85
Terminologia citogenética, 165
Teste(s)
- de amplificação de ácido nucleico, 416
- de Coombs direto, 225
- diagnóstico de Tzanck, 759
- sorológicos para sífilis, 389
Testículo, 1005
Tétano, 393
Tetralogia de Fallot, 555
TGF-b, 108
Tifo
- epidêmico, 394, 395
- rural, 394, 395

Timo, 601, 652
Timoma(s), 653
- invasivo, 653
- não invasivos, 653
Tinha
- crural, 1219
- da barba, 1219
- do corpo, 1219
- do couro cabeludo, 1219
- do pé, 1219
- versicolor, 1219
Tireoidite, 1123
- de Hashimoto, 1123
- de Quervain, 1125
- de Riedel, 239, 1125
- granulomatosa, 1125
- linfocítica (indolor) subaguda, 1124
- pós-parto, 1124
Tireotoxicose, 1120
Tireotrofos, 1110
Tireotropina, 1119
Tirosinoquinases
- não receptoras, 19, 295
- receptoras, 19
Tiroxina, 1119
Tivelose, 410
Tolerância
- central, 219
- imunológica, 219
- ou regulação defeituosas, 221
- periférica, 220
Tonsilite, 766
Torção do funículo espermático, 1007
Toxicidade
- de agentes químicos e físicos, 421
- direta, 57
- por medicamentos, 605
- por vitamina
-- A, 452
-- D, 456
Toxicologia, 421
Toxina(s), 794
- bacterianas, 357
- de *S. aureus*, 371
- esfoliativas A e B, 371
- que alteram as vias de sinalização ou vias reguladoras intracelulares, 357
Toxoplasmose, 407
- cerebral, 1323
- congênita, 408
Traço falciforme, 144
Transformação, 355
- das células infectadas, 356
- gelatinosa, 450
- hemorrágica secundária, 1308
Transição epitelial para mesenquimal (TEM), 315
Translocação(ões), 167
- cromossômicas, 295, 325, 609
- recíproca balanceada, 167
- robertsoniana, 167
Transmigração, 79
Transmissão
- durante o nascimento, 352
- iatrogênica, 367
- neonatal, 367
- placentária-fetal, 351
- por meio da saliva, 367
- por via genital, 367
- pós-natal no leite materno, 352
- transplacentária, 367
- vertical, 351

Transplante(s), 43
- cardíaco, 598
- de células-tronco hematopoéticas, 244
- de pulmão, 740
Transporte
- ativo, 11
- através da membrana, 9
- linfático, 810
- passivo, 10
- transepitelial, 810
Transposição das grandes artérias, 556
Transpósons, 2
Transtiretina, 266
Transtornos bipolares, 170
Transudato, 75, 115
Trato
- gastrintestinal, 350, 779
- urinário inferior, 991
- urogenital, 351
Trauma, 1303
- mecânico, 441
Treponema pallidum, 869
Tri-iodotironina, 1119
Tríade
- clássica do diabetes melito, 1152
- de Hand-Schüller, 649
- de Virchow, 126
Triagem e prevenção do câncer cervical, 1040
Triângulo de Codman, 1239
Trichinella, 410
Trichomonas vaginalis, 1028
Trichuris trichiura, 824
Tricoepitelioma, 1193
- familiar múltiplo, 1193
Tripanossomíase africana, 406
Triquinose, 410
Trissomia do 21, 167, 168
Trofoblastos intermediários, 1077
Trombastenia de Glanzmann, 120
Trombina, 119
Trombo mural, 569
Tromboangiite obliterante, 530
Trombocitopenia, 125, 225
Trombocitose essencial, 646
Tromboembolismo, 436
- sistêmico, 132
Tromboêmbolos recorrentes, 728
Trombofilia adquirida, 128
Tromboflebite, 533
- migratória, 131, 340
Trombomodulina, 126
Trombopoetina, 103
Trombos
- arteriais, 129
- de estase, 129
- de fibrina, 139
- murais, 129
- vermelhos, 129
Trombose, 115, 118, 126
- arterial, 134
-- e cardíaca, 131
- da veia
-- hepática, 894
-- porta, 651
-- renal, 946
- microvascular, 139
- parcial ou total associada à ruptura, 519
- venosa, 129, 130, 339
-- mesentérica, 809
-- profunda (TVP), 533

Índice Alfabético

Trompas de Falópio, 1056
Tropheryma whipplei, 821
Trypanosoma cruzi, 406, 784
Tubas uterinas, 1056
Tuberculose, 101, 102, 380, 1007, 1318
- endobrônquica, endotraqueal e laríngea, 385
- intestinal, 385
- miliar sistêmica, 385
- primária, 382, 383
- pulmonar progressiva, 385
- secundária, 382, 385
Tumefação
- celular, 51
- generalizada da célula, 37
- hidrópica, 1183
Tumor(es), 262, 274, 288
- adenomatoide, 1007, 1057
- benignos, 274, 282
- carcinoides, 749
- cardíacos primários, 596
- com baixo número de cópias/MSS, 1049
- da bainha do nervo periférico, 1289
- de alto número de cópias/do tipo seroso, 1049
- de Brenner, 1063, 1064
- de células
-- da granulosa, 1067
-- de Leydig, 1013
--- puros, 1069
-- de Sertoli, 1013
-- de Sertoli-Leydig, 1069
-- de transição, 1063
-- do hilo, 1069
-- germinativas, 1008, 1064, 1067
--- do testículo, 1012
--- mistos, 1067
-- gigantes, 1244
--- tenossinovial, 1259
-- pequenas redondas e azuis, 492
- de corpo carotídeo, 771, 772
- de glândulas salivares, 776
- de grau intermediário, 537
- de nariz, seios paranasais e nasofaringe, 766
- de Warthin, 775, 776
- de Wilms, 492, 495
- desmoides, 1263
- do apêndice, 848
- do canal anal, 846
- do cordão sexual-estroma gonadal, 1013
- do esôfago, 788
- do estroma endometrial, 1054
- do miométrio, 1054
- do saco vitelino, 1010, 1066
- do seio endodérmico, 1010, 1066
- e cistos das tubas uterinas, 1057
- em turbante, 1193
- endometrioides ovarianos, 1062
- epiteliais, 1058
-- e mesenquimais da orelha externa, média ou interna, 771
- espermatocítico, 1009
- estromal(is), 1054, 1104
-- do cordão sexual, 1067, 1069
- gastrintestinal, 805
--- tipo celular fusiforme, 806
--- tipo epitelioide, 806
- fibroso(s), 491
-- solitário, 752
- filoide, 1105
- glômico, 536
- hipermutados/MSI, 1049
- malignos, 275, 282
-- da bainha do nervo periférico, 1291

-- do endométrio, 1048
-- do estroma interlobular, 1106
- marrom, 1140, 1231
- metastáticos do ovário, 1070
- miofibroblástico inflamatório, 750
- mistos, 275, 1012
- mucinosos, 1061
- müllerianos mistos malignos, 1053
- neuroendócrinas
-- do pâncreas, 1159
-- do intestino
--- anterior, 805
--- médio, 805
--- posterior, 805
- neuroepitelial disembrioplásico, 1354
- neuronais e glioneuronais, 1353
- odontogênico(s), 763, 764
-- queratocístico, 763
- ovarianos, 1058
- serosos, 1059
- solitários, 1160
- trofoblásticos do sítio placentário, 1077
- ultramutados/POLE, 1049
Tumores nomenclatura dos, 276
Túnica
- externa (adventícia), 500
- íntima, 500
- média, 500
Turbulência, 126

U

Ubiquitina, 16
Ubiquitina-proteassomo, 61
Úlcera(s), 94, 1367
- aftosas, 758, 829
- arteriais, 111
- de Bauru, 405
- de Curling, 792
- de Cushing, 792
- de estresse, 792
- diabéticas, 111
- orais ou nasais, 225
- roedoras, 1197
- varicosas, 130
- venosas da perna, 111
Ulceração, 1183
Unidade(s)
- de radiação, 443
- formadoras de colônias, 603
- multicelular óssea, 1223
Ureaplasma urealyticum, 1028
Urease, 794
Uremia, 930
Ureteres, 991
Uretra, 1001
Uretrite, 394, 1001
Urina, 929
Urolitíase, 983
Uropatia obstrutiva, 981
Urotélio, 991
Urticária, 1183, 1203
- pigmentosa, 1202
Útero didelfo, 1034
Úvea, 1371
Uveíte, 1371
- granulomatosa, 1372

V

Vacuolização, 1183
- de miócitos, 564
Vacúolos secretores, 1042

Vagina, 1034
- septada, ou dupla, 1034
Vaginite por *Candida albicans*, 398
Valva(s)
- cardíacas, 544
- de tecido (bioproteses), 583
- flácida, 149
- mecânicas, 583
- protéticas complicações das, 583
Valvopatia
- aórtica, 574
- cardíaca, 574
- mitral, 574
Variação(ões)
- antigênica, 353
- no número de cópias, 3
Variante da doença de Creutzfeldt-Jakob, 1329
Varicela, 366
Varicocele, 1014
Varizes esofágicas, 533, 786
Vascularização da córnea, 1367
Vasculatura placentária anormal, 1073
Vasculite(s), 524, 525, 1274
- associada a imunocomplexos, 525
- bacteriana, 378
- causada por ANCA, 213
- infecciosa, 531
- leucocitoclástica, 529, 1252
- não infecciosa, 238, 524
- necrosante ou granulomatosa, 529
- por hipersensibilidade a medicamentos, 525
- retiniana, 1378
- secundária a infecções, 525
Vasculopatia do aloenxerto, 599
Vasoconstrição, 519
- arteriolar, 119
- intrarrenal, 960
Vasodilatação, 76, 107
Vasos
- deciduais anormais, 1074
- linfáticos, 501, 532
- sanguíneos, 229, 499
-- estrutura e função dos, 499
Vasoespasmo, 532 560
Vegetações, 129
- não infectadas, 581
Veias varicosas, 532
Velocidade
- da oclusão, 135
- de hemossedimentação, 102
Venenos, 36, 421
Verruga(s), 578, 1217
- genital, 1031
- palmar, 1217
- plana, 1217
- plantar, 1217
- venérea, 1218
- vulgar, 1217
Vesícula, 1183
- biliar, 853, 905
- em porcelana, 908
- herpéticas, 365
- revestidas por clatrina, 11
Vestígios da linha mamária, 1080
Via(s)
- biliares, 853
- da lectina, 92
- de disseminação dos cânceres, 280
- de entrada dos microrganismos, 350
- de infecção microbiana, 350

- de sinalização
-- da insulina, 1146
--- e do fator de crescimento semelhante à insulina-1 (IGF-1), 69
-- Hedgehog, 470
- de transdução de sinais, 18
- do receptor de morte (extrínseca), 47
- do TGF-b, 306
- extrínseca (iniciada pelo receptor de morte) da apoptose, 45
- mitocondrial (intrínseca) da apoptose, 44, 46
- respiratórias superiores, 765
Vibrio cholerae, 351, 815
Vício em oncogene, 295
Vigilância imunológica, 318
Vimentina, 12
Virilismo suprarrenal não clássico ou de início tardio, 1168
Virilização, 1166, 1167
Virulência bacteriana, 356
Vírus, 610
- da dengue, 364
- da hepatite
-- A, 861
-- B, 336, 862
-- C, 336, 864
-- D, 865
-- E, 866
- da imunodeficiência humana, 760, 1321
- da leucemia de células T humanas tipo 1, 333
- do grupo
-- A, 365
-- B, 365
-- G, 365
- do Nilo Ocidental, 362
- Epstein-Barr, 334, 368
- influenza do tipo A, 735
- oncogênicos
-- de DNA, 333
-- de RNA, 333
- varicela-zóster, 1274, 1320
Vitamina, 458
- A, 450, 458
- B_1, 458
- B_2, 458
- B_6, 458
- B_{12}, 458
- C, 456, 458, 464
- D, 453, 458
- E, 458, 464
- K, 458
Vítreo, 1374
Vitreorretinopatia proliferativa, 1375
Volume corpuscular médio, 655
Vólvulo, 808
Vulnerabilidade do tecido à hipoxia, 135
Vulva, 1030

W

Wuchereria bancrofti, 412

X

Xantomas, 63
Xenobióticos, 421
Xenoenxertos, 240
Xeroderma pigmentoso, 332, 1195, 1196
Xerostomia, 773

Y

Yersinia pestis, 378, 819

Z

Zigomicose, 401
Zinco, 458
Zona(s)
- de penumbra, 1307
- de transformação, 1035
- limitadas de infartos da mucosa e infartos murais, 810
Zônulas de oclusão, 9, 13

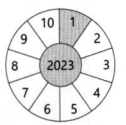